DICCIONARIO

DE LA

LENGUA ESPAÑOLA

VIGÉSIMA PRIMERA EDICIÓN

TOMO II

REAL ACADEMIA ESPAÑOLA

DICCIONARIO
DE LA
LENGUA ESPAÑOLA

h-z

MADRID
1992

ES PROPIEDAD

VIGÉSIMA PRIMERA EDICIÓN

© Real Academia Española, 1992

—

Depósito legal: M. 12.158
ISBN 84—239—9200—4 (O. C.)
ISBN 84—239—9202—0 (Tomo II)

—

Impresión: UNIGRAF, S. L.

Impreso en España   Acabado de imprimir en abril de 1995   Printed in Spain

Editorial Espasa Calpe, S. A. Carretera de Irún, km 12,200. 28049 Madrid

ABREVIATURAS EMPLEADAS
EN ESTE DICCIONARIO

a.	antes.	ant.	anticuado, anticuada, antiguo, antigua.
a. al.	alto alemán.	*Ant.*	*Antillas.*
a. al. ant.	alto alemán antiguo.	ant. fr.	antiguo francés.
a. al. med.	alto alemán medio.	antífr.	antífrasis.
abl.	ablativo.	*Antrop.*	*Antropología.*
Abrev., abrev.	Abreviación.	Apl.	Aplicado.
acep., aceps.	acepción, acepciones.	Apl. a pers., ú. t. c. s.	Aplicado a persona, úsase también como sustantivo.
acus.	acusativo.		
Acúst.	*Acústica.*	apóc.	apócope.
adj.	adjetivo.	aprox.	aproximadamente.
Adm.	*Administración.*	ár.	árabe.
adv.	adverbio o adverbial.	*Ar.*	*Aragón.*
adv. afirm.	adverbio de afirmación.	arag.	aragonés.
adv. c.	adverbio de cantidad.	arauc.	araucano.
adv. correlat. cant.	adverbio correlativo de cantidad.	arc.	arcaico o arcaica.
advers.	adversativo o adversativa.	*Arg.* o *Argent.*	*República Argentina.*
adv. interrog. l.	adverbio interrogativo de lugar.	*Arit.*	*Aritmética.*
adv. l.	adverbio de lugar.	*Arq.*	*Arquitectura.*
adv. m.	adverbio de modo.	*Arq. Naval*	*Arquitectura Naval.*
adv. neg.	adverbio de negación.	*Arqueol.*	*Arqueología.*
adv. ord.	adverbio de orden.	art.	artículo.
adv. prnl. excl.	adverbio pronominal exclamativo.	*Art.*	*Artillería.*
		Art. y Of.	*Artes y Oficios.*
adv. relat. cant.	adverbio relativo de cantidad.	ast.	asturiano.
adv. relat. l.	adverbio relativo de lugar.	*Ast.*	*Asturias.*
adv. t.	adverbio de tiempo.	*Astrol.*	*Astrología.*
Aer.	*Aeronáutica.*	*Astron.*	*Astronomía.*
Agr.	*Agricultura.*	aum.	aumentativo.
Agrim.	*Agrimensura.*	*Automov.*	*Automovilismo.*
al.	alemán.	*Áv.*	*Ávila.*
Ál.	*Álava.*	*Aviac.*	*Aviación.*
Albac.	*Albacete.*	*Bad.*	*Badajoz.*
Albañ.	*Albañilería.*	b. al.	bajo alemán.
Álg.	*Álgebra.*	b. al. med.	bajo alemán medio.
Alic.	*Alicante.*	*Barc.*	*Barcelona.*
Alm.	*Almería.*	*B. Art.*	*Bellas Artes.*
al. mod.	alemán moderno.	b. bret.	bajo bretón.
Alq.	*Alquimia.*	berb. o berber.	berberisco.
amb.	ambiguo.	*Bibliogr.*	*Bibliografía.*
Amér.	*América.*	*Biol.*	*Biología.*
Amér. Merid.	*América Meridional.*	*Bioquím.*	*Bioquímica.*
Anat.	*Anatomía.*	*Blas.*	*Blasón.*
And.	*Andalucía.*		

b. lat.	bajo latín.
Bol.	Bolivia.
Bot.	Botánica.
Brom.	Bromatología.
burg.	burgalés.
Burg.	Burgos.
c.	como.
Các.	Cáceres.
Cád.	Cádiz.
Caligr.	Caligrafía.
Can.	Canarias.
Cant.	Cantería.
Carp.	Carpintería.
cast.	castellano.
Cast.	Castilla.
cat.	catalán.
Cat.	Cataluña.
Catóp. o Catóptr.	Catóptrica.
célt.	céltico.
celtolat.	celtolatino.
Cerraj.	Cerrajería.
Cetr.	Cetrería.
Cf., cf.	confer (Voz lat.: *compárese.*)
Cineg.	Cinegética.
Cinem.	Cinematografía.
Cir.	Cirugía.
Col.	Colombia.
colect.	colectivo.
coloq.	coloquial.
com.	sustantivo común de dos.
Com.	Comercio.
comp.	comparativo o comparativa.
Comunic.	Comunicación.
conc.	concesivo o concesiva.
cond.	condicional.
conj.	conjunción.
Contracc.	Contracción.
copul.	copulativo o copulativa.
Córd.	Córdoba.
corrup.	corrupción.
Cosmogr.	Cosmografía.
C. Real	Ciudad Real.
C. Rica	Costa Rica.
Cronol.	Cronología.
Cuen.	Cuenca.
d.	diminutivo.
dat.	dativo.
defect.	verbo defectivo.
Del m. or.	Del mismo origen.
Dep.	Deportes.
der.	derivado.
Der.	Derecho.
despect.	despectivo o despectiva.
desus.	desusado o desusada.
deter.	determinado.
Dial.	Dialéctica.
dialect.	dialectal.
Dióp. o Dióptr.	Dióptrica.
distrib.	distributivo o distributiva.
disyunt.	disyuntivo o disyuntiva.
Ecol.	Ecología.
Econ.	Economía.
Ecuad.	Ecuador.
Electr.	Electricidad.
Electromagn.	Electromagnetismo.
Electrón.	Electrónica.
elem. compos.	elemento compositivo.
El Salv.	El Salvador.
Embriol.	Embriología.
Encuad.	Encuadernación.
Entom.	Entomología.
Equit.	Equitación.
Esc.	Escultura.
escand.	escandinavo.
Esgr.	Esgrima.
Esp.	España.
esp.	español.
Estad.	Estadística.
Estát.	Estática.
etim.	etimología.
etim. disc.	etimología discutida.
Etnogr.	Etnografía.
Etnol.	Etnología.
excl.	exclamativo, exclamativa.
exclam.	exclamación.
explet.	expletivo o expletiva.
expr.	expresión.
expr. elípt.	expresión elíptica.
Extr.	Extremadura.
f.	sustantivo femenino.
fam.	familiar.
Farm.	Farmacia.
Ferr.	Ferrocarriles.
fest.	festivo o fiesta.
fig.	figurado o figurada.
Filat.	Filatelia.
Fil.	Filosofía.
Filip.	Filipinas.
Filol.	Filología.
Fís.	Física.
Fisiol.	Fisiología.
flam.	flamenco.
Fon.	Fonética, Fonología.
Fort.	Fortificación.
Fotogr.	Fotografía.
fr.	francés.

fr. v.	frase verbal.
fr., frs.	frase, frases.
fr. proverb.	frase proverbial.
frec. *o* frecuent.	verbo frecuentativo.
Fren.	*Frenología.*
fut.	futuro.
gaél.	gaélico.
Gal.	*Galicia.*
gall.	gallego.
gén.	género.
Geneal.	*Genealogía.*
genit.	genitivo.
Geod.	*Geodesia.*
Geofís.	*Geofísica.*
Geogr.	*Geografía.*
Geol.	*Geología.*
Geom.	*Geometría.*
Geomorf.	*Geomorfología.*
ger.	gerundio.
germ.	germánico.
Germ.	*Germania.*
Ginecol.	*Ginecología.*
Gnom.	*Gnomónica.*
gót.	gótico.
gr.	griego.
gr. mediev.	griego medieval.
Grab.	*Grabado.*
Gram.	*Gramática.*
Gran.	*Granada.*
grecolat.	grecolatino.
Guad. o Guadal.	*Guadalajara.*
Guat.	*Guatemala.*
Guay.	*Guayaquil.*
Guin. Ecuat.	*Guinea Ecuatorial.*
Guip.	*Guipúzcoa.*
hebr.	hebreo.
Hidrául.	*Hidráulica.*
Hidrom.	*Hidrometría.*
Hig.	*Higiene.*
hisp.-ár.	hispano-árabe.
hisp.	hispánico.
Hist.	*Historia.*
Hist. Nat.	*Historia Natural.*
Histol.	*Histología.*
hol.	holandés.
Hond.	*Honduras.*
ibér.	ibérico.
ilat.	ilativo *o* ilativa.
imper. *o* imperat.	imperativo.
impers.	verbo impersonal.
Impr.	*Imprenta.*
incoat.	verbo incoativo.
indef.	indefinido.

indet.	indeterminado.
indic.	indicativo.
Indum.	*Indumentaria.*
infinit.	infinitivo.
infl.	influido, influencia.
Inform.	*Informática.*
Ingen.	*Ingeniería.*
ing.	inglés.
ing. ant.	inglés antiguo.
ing. med.	inglés medio.
intens.	intensivo.
interj.	interjección *o* interjectiva.
interrog.	interrogativo, interrogativa.
intr.	verbo intransitivo.
inus.	inusitado *o* inusitada.
invar.	invariable.
irl.	irlandés.
irón.	irónico *o* irónica.
irreg.	irregular.
it.	italiano *o* italiana.
iterat.	iterativo.
jap.	japonés.
Jerig.	*Jerigonza.*
Joy.	*Joyería.*
lat.	latín *o* latina.
lat. cient.	latín científico.
lat. mediev.	latín medieval.
leon.	leonés.
Lev.	*Levante.*
Ling.	*Lingüística.*
Lit.	*Literalmente.*
Lit.	*Literatura.*
Litur.	*Liturgia.*
loc.	locución.
loc. adj.	locución adjetiva.
loc. adv.	locución adverbial.
loc. adv. interrog.	locución adverbial interrogativa.
loc. conjunt.	locución conjuntiva.
loc. conjunt. advers.	locución conjuntiva adversativa.
loc. conjunt. condic.	locución conjuntiva condicional.
loc. interj.	locución interjectiva.
loc. prepos.	locución prepositiva.
Lóg.	*Lógica.*
m.	sustantivo masculino.
m. y f.	sustantivo masculino y femenino.
Magn.	*Magnetismo.*
Mál.	*Málaga.*
Mar.	*Marina.*
Mat.	*Matemáticas.*
Mec.	*Mecánica.*
Med.	*Medicina.*
Méj.	*Méjico.*
mejic.	mejicano.

Metal.	Metalurgia.
Metapl.	Metaplasmo.
Metát.	Metátesis.
Meteor.	Meteorología.
Métr.	Métrica.
Metr.	Metrología.
Microbiol.	Microbiología.
Mil.	Milicia.
Min.	Minería.
Mineral.	Mineralogía.
Míst.	Mística.
Mit.	Mitología.
mod.	moderno.
Mont.	Montería.
m. or.	mismo origen.
mozár.	mozárabe.
Murc.	Murcia.
Mús.	Música.
n.	neutro.
Náut.	Náutica.
Nav.	Navarra.
neerl.	neerlandés.
neerl. med.	neerlandés medio.
neg.	negación.
negat.	negativo o negativa.
Neol.	Neologismo.
Nicar.	Nicaragua.
nominat.	nominativo.
nórd.	nórdico.
n. p.	nombre propio.
núm., núms.	número, números.
Numism.	Numismática.
Obst.	Obstetricia
Occ. Pen.	Occidente Peninsular.
occit.	occitano.
Oceanogr.	Oceanografía.
onomat.	onomatopeya.
Ópt.	Óptica.
Orfebr.	Orfebrería.
Orn.	Ornitología.
or. inc.	origen incierto.
Or. Pen.	Oriente Peninsular.
Ortogr.	Ortografía.
Ortop.	Ortopedia.
p.	participio.
p. a.	participio activo.
P. Vasco	País Vasco.
Pal.	Palencia.
Paleog.	Paleografía.
Paleont.	Paleontología.
Pan.	Panamá.
Par.	Paraguay.
part. comp.	partícula comparativa.

part. conjunt.	partícula conjuntiva.
part. insep.	partícula inseparable.
Pat.	Patología.
Pedag.	Pedagogía.
pers.	persona.
Persp.	Perspectiva.
p. f.	participio de futuro.
p. f. p.	participio de futuro pasivo.
Pint.	Pintura.
pl.	plural.
poét.	poético o poética.
Polít.	Política.
pop.	popular.
Por antonom.	Por antonomasia.
Por ej.	Por ejemplo.
Por excel.	Por excelencia.
Por ext.	Por extensión.
port.	portugués.
p. p.	participio pasivo.
pref.	prefijo.
Prehist.	Prehistoria.
prep.	preposición.
prep. insep.	preposición inseparable.
pres.	presente.
pret.	pretérito.
P. Rico	Puerto Rico.
priv. o privat.	privativo o privativa.
prnl.	pronominal.
pron.	pronombre.
pron. correlat. cant.	pronombre correlativo de cantidad.
pron. dem.	pronombre demostrativo.
pron. excl.	pronombre exclamativo.
pron. interrog.	pronombre interrogativo.
pron. pers.	pronombre personal.
pron. poses.	pronombre posesivo.
pron. relat.	pronombre relativo.
pron. relat. cant.	pronombre relativo de cantidad.
pronun. and.	pronunciación andaluza.
pronun. esp.	pronunciación española.
Pros.	Prosodia.
prov.	provenzal.
Psicoanál.	Psicoanálisis.
Psicol.	Psicología.
Psiquiat.	Psiquiatría.
p. us.	poco usado o usada.
Quím.	Química.
Radio.	Radiodifusión.
R. de la Plata.	Río de la Plata.
ref., refs.	refrán, refranes.
reg.	regular.
regres.	regresivo.
Rel.	Religión.

Reloj.	*Relojería.*
Ret.	*Retórica.*
rioj.	riojano.
rur.	rural.
rúst.	rústico.
s.	sustantivo.
S.	siglo.
Sal.	*Salamanca.*
sánscr.	sánscrito.
sant.	santanderino.
Seg.	*Segovia.*
sent.	sentido.
separat.	separativo *o* separativa.
Sev.	*Sevilla.*
Símb.	Símbolo.
sing.	singular.
Sociol.	*Sociología.*
Sor.	*Soria.*
Sto. Dom.	*Santo Domingo.*
subj.	subjuntivo.
suf.	sufijo.
sup., superl.	superlativo.
t.	temporal, tiempo.
Taurom.	*Tauromaquia.*
tecn.	tecnicismo.
Tecnol.	*Tecnología.*
Telec.	*Telecomunicación.*
Teol.	*Teología.*
Ter.	*Teruel.*
Terap.	*Terapéutica.*
term.	terminación.
teutón.	teutónico.
t. f.	terminación femenina.
Tint.	*Tintorería.*
Tol.	*Toledo.*
Topogr.	*Topografía.*
tr.	verbo transitivo.
Trig. o *Trigon.*	*Trigonometría.*
TV.	*Televisión.*
Urb.	*Urbanismo.*
Ú. *o* ú.	Úsase.
Ú. c. s. m.	Úsase como sustantivo masculino.

Ú. m.	Úsase más.
Ú. m. con neg.	Úsase más con negación.
Ú. m. c. prnl.	Úsase más como pronominal.
Ú. m. c. s.	Úsase más como sustantivo.
Ú. m. en pl.	Úsase más en plural.
Urb.	*Urbanismo.*
Urug.	*Uruguay.*
Usáb. *o* usáb.	Usábase.
Ú. t. c. abs.	Úsase también como absoluto.
Ú. t. c. adj.	Úsase también como adjetivo.
Ú. t. c. intr.	Úsase también como intransitivo.
Ú. t. c. prnl.	Úsase también como pronominal.
Ú. t. c. s.	Úsase también como sustantivo.
Ú. t. c. s. com.	Úsase también como sustantivo común.
Ú. t. c. s. f.	Úsase también como sustantivo femenino.
Ú. t. c. s. m.	Úsase también como sustantivo masculino.
Ú. t. c. tr.	Úsase también como transitivo.
Ú. t. en pl.	Úsase también en plural.
Ú. t. en sing.	Úsase también en singular.
V.	Véase.
Val.	*Valencia.*
Vall. o *Vallad.*	*Valladolid.*
vasc.	vascuence.
Venez.	*Venezuela.*
Veter.	*Veterinaria.*
v. gr.	verbi gratia.
visigót.	visigótico.
Viz. o *Vizc.*	*Vizcaya.*
vocat.	vocativo.
Vol.	*Volatería.*
vulg.	vulgar.
zam.	zamorano.
Zam.	*Zamora.*
Zar.	*Zaragoza.*
Zool.	*Zoología.*
Zoot.	*Zootecnia.*
*	Signo que precede a una forma hipotética en las etimologías.

DICCIONARIO

DE LA

LENGUA ESPAÑOLA

TOMO II

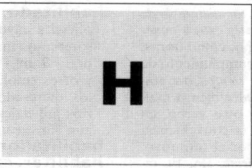

H

h. f. Novena letra del abecedario español, y séptima de sus consonantes. Su nombre es **hache**, y en la lengua general no representa sonido alguno. Suele aspirarse en la dicción de numerosas zonas españolas y americanas.

¡ha! interj. ¡ah!

haba. (Del lat. *faba*.) f. Planta herbácea, anual, de la familia de las papilionáceas, con tallo erguido, de un metro aproximadamente, ramoso y algo estriado; hojas compuestas de hojuelas elípticas, crasas, venosas y de color verde azulado; flores amariposadas, blancas o rosáceas, con una mancha negra en los pétalos laterales, olorosas y unidas dos o tres en un mismo pedúnculo, y fruto en vaina de unos doce centímetros de largo, rolliza, correosa, aguzada por los extremos, con una o seis semillas grandes, oblongas, aplastadas, blanquecinas o prietas y con una raya negra en la parte asida a la misma vaina. Estas semillas son comestibles, y aun todo el fruto cuando está verde. Se cree que la planta procede de Persia, pero se cultiva de antiguo en toda Europa. ‖ **2.** Fruto y semilla de esta planta. ‖ **3.** Simiente de ciertos frutos; como el café, el cacao, etc. ‖ **4.** Cada una de las bolitas blancas y negras con que se hacen las votaciones secretas en algunas congregaciones, para lo cual primeramente se usaron **habas**, o de colores diversos, o peladas y cubiertas. ‖ **5.** Nódulo de composición distinta en una masa de piedra. ‖ **6.** Bultillo en figura **de haba** en el cuerpo del animal. ‖ **7.** fig. Figurilla de porcelana escondida en una rosca o bizcocho, generalmente de Pascuas o Reyes, la cual se toma por buen agüero para la persona a quien toca el trozo que la contiene. ‖ **8.** Cabeza del miembro viril. ‖ **9.** *Ast.* Habichuela, judía. ‖ **10.** *Min.* Trozo de mineral más o menos redondeado y envuelto por la ganga, que suele presentarse en los filones. ‖ **11.** *Veter.* Tumor que se les forma a las caballerías en el paladar, inmediatamente detrás de los dientes incisivos. ‖ **de Egipto. colocasia.** ‖ **de las Indias. guisante de olor.** ‖ **del Calabar.** Planta de la familia de las papilionáceas, de la que se extrae la fisostigmina. ‖ **de San Ignacio.** Arbusto de la familia de las loganiáceas, que se cría en Filipinas, ramosísimo, con hojas opuestas, pecioladas, ovales, agudas, enteras y lampiñas; flores blancas de olor de jazmín y forma de embudo, en panojas axilares, colgantes y con un pedúnculo común; fruto en cápsula carnosa del tamaño de una pera, con 20 ó 24 semillas duras, de corteza córnea, color leonado y volumen como una avellana, pero de forma aplastada, de sabor muy amargo, y que se usan en medicina como purgante y emético por la estricnina que contienen. ‖ **2.** Simiente de esta planta. ‖ **marina. ombligo de Venus,** concha. ‖ **panosa.** Variedad del **haba** común, pastosa, que se emplea por lo regular para alimento de las caballerías. ‖ **2.** Fruto de esta planta. ‖ **tonca.** Semilla de la sarapia. ‖ **habas verdes.** fig. Canto y baile popular de Castilla la Vieja. ‖ **echar las habas.** fr. fig. Hacer hechizos o sortilegios por medio de **habas** y de otras cosas. ‖ **en todas partes cuecen,** o **se cuecen, habas.** expr. para significar que cierto inconveniente no es exclusivo del sitio o persona de que se trata. ‖ **son habas contadas.** expr. fig.

con que se denota ser una cosa cierta y clara. ‖ **2.** Dícese de cosas que son número fijo y por lo general escaso.

habado, da. adj. Dícese del animal que tiene la enfermedad del haba. ‖ **2.** Aplícase al que tiene en la piel manchas en figura de haba. ‖ **3.** Dícese del ave, especialmente de la gallina, cuyas plumas de varios colores se entremezclan, formando pintas.

habanero, ra. adj. Natural de La Habana. Ú. t. c. s. ‖ **2.** Perteneciente o relativo a esta ciudad. ‖ **3.** Dícese del que vuelve rico de América. Ú. t. c. s. ‖ **4.** f. Baile de origen cubano, en compás de dos por cuatro y de movimiento lento. ‖ **5.** Música y canto de este baile.

habano, na. adj. Perteneciente a La Habana, y por ext., a la isla de Cuba. Dícese más especialmente del tabaco. ‖ **2.** Dícese del color del tabaco claro. ‖ **3.** m. Cigarro puro elaborado en la isla de Cuba con hoja de la planta de aquel país. ‖ **4.** *Col. banano.*

habar. m. Terreno sembrado de habas.

hábeas corpus. (De la fr. lat. *Habeas corpus* [de alguien] *ad subiiciendum*, etc., con que comienza el auto de comparecencia.) m. Derecho del ciudadano detenido o preso a comparecer inmediata y públicamente ante un juez o tribunal para que, oyéndolo, resuelva si su arresto fue o no legal, y si debe alzarse o mantenerse. Es término del derecho de Inglaterra, que se ha generalizado.

habedero, ra. adj. ant. Que se ha de haber o percibir.

háber. (Del hebr. *ḥabber*, sabio.) m. Sabio o doctor entre los judíos. Título algo inferior al de rabí o rabino.

haber¹. (Del infinit. *haber*.) m. Hacienda, caudal, conjunto de bienes y derechos pertenecientes a una persona natural o jurídica. Ú. m. en pl. ‖ **2.** Cantidad que se devenga periódicamente en retribución de servicios personales. Ú. m. en pl. ‖ **3.** *Com.* Una de las dos partes en que se dividen las cuentas corrientes, en la cual se anotan las sumas que se acreditan o abonan al titular. ‖ **4.** fig. Cualidades positivas o méritos que se consideran en una persona o cosa, en oposición a las malas cualidades o desventajas. ‖ **monedado.** Moneda, dinero en especie. ‖ **haberes pasivos.** *Der.* Retribución que perciben las clases pasivas.

haber². (Del lat. *habēre.*) tr. desus. Poseer, tener una cosa. ‖ **2.** Apoderarse de alguna persona o cosa; llegar a tenerla en su poder. *Los malhechores no pudieron* SER HABIDOS; *Antonio lee cuantos libros puede* HABER. ‖ **3.** Verbo auxiliar que sirve para conjugar otros verbos en los tiempos compuestos. *Yo* HE *amado; tú* HABRÁS *leído.* ‖ **4.** impers. Acaecer, ocurrir, sobrevenir. HUBO *una hecatombe.* ‖ **5.** Verificarse, efectuarse. *Ayer* HUBO *junta; mañana* HABRÁ *función.* ‖ **6.** Ser necesario o conveniente aquello que expresa el verbo o cláusula a que va unido por medio de la conjunción *que.* HAY *que pasear;* HAY *que tener paciencia;* HAY *que ver lo que se hace.* En frases de sentido negativo puede llevar o no la conjunción *que. No* HAY *que correr; no* HAY *diferenciar cosas tan parecidas.* ‖ **7.** Estar realmente en alguna parte. HABER *veinte personas en una reunión;* HABER *poco dinero en un bolsillo.* ‖ **8.** Hallarse o existir real o figuradamente. HAY *hombres sin caridad;* HAY *razones en apoyo de tu dictamen;* HABER *tal distancia de una parte a otra;* HABER *gran diferencia entre esto y aquello.* ‖ **9.** Con nombres de medida del tiempo, como horas, días, meses, etc., denota la culminación o cumplimiento de la medida expresada. HA *cinco días; poco tiempo* HA; HABRÁ *diez años.* ‖ **10.** prnl. Portarse, proceder bien o mal. ‖ **haber de.** En esta forma es auxiliar de otro verbo, en presente de infinitivo, y denota el deber, la conveniencia o la necesidad de realizar lo expresado por el infinitivo. HE DE *salir temprano;* HABRÉ DE *conformarme;* HAS DE *tener entendido.* ‖ **allá se las haya, o se las hayan, o se lo haya, o se las hayan, o te lo hayan, o te las hayas, o te lo hayas.** locs. fams. que se usan para denotar que uno no quiere participación en alguna cosa o que se separa del dictamen de otro por temor mal efecto. ‖ **bien haya.** Expresión exclamativa usada para bendecir a alguien o algo. ‖ **haber dello con dello.** fr. fam. desus. Andar mezclado lo bueno con lo malo, lo agradable con lo desagradable. ‖ **haberlas, haberlo, o habérselas, con** uno. fr. fam. Tratar con él, y especialmente disputar o contender con él. ‖ **haber a** uno **por confeso.** fr. *Der.* Declararlo o reputarlo por confeso, teniendo por reconocida una firma o por contestada afirmativamente una pregunta, por falta de comparecencia a declarar, después de cumplidos los requisitos que la ley preceptúa. ‖ **lo habido y por haber.** fr. fam. que se usa para indicar que un conjunto comprende toda clase de cosas imaginables. ‖ **no haber de qué.** expr. que equivale a no haber razón o motivo para alguna cosa. ‖ **no haber más que.** fr. que, junto con algunos verbos en infinitivo, significa perfección o acabamiento en orden a lo expresado por tal infinitivo. NO HABÍA MÁS QUE *ver;* NO HAY MÁS QUE *decir.* ‖ **no haber más que pedir.** fr. Ser perfecta una cosa; no faltarle nada para llenar el deseo. ‖ **no haber tal.** fr. No ser cierto lo que se dice o lo que se imputa a uno. ‖ **¡no haya más!** Exclamación que se profiere para pacificar a los que riñen. ‖ **si los hay.** fr. ponderativa que refuerza la significación de un calificativo. *Es valiente,* SI LOS HAY.

haberado, da. adj. ant. Dícese del que tiene haberes o riquezas. ‖ **2.** ant. Que tiene valor o riqueza.

haberío. (De *haber*[1].) m. p. us. Bestia de carga o de labor. ‖ **2.** Ganado o conjunto de los animales domésticos. ‖ **3.** ant. Hacienda, caudal, conjunto de bienes.

haberoso, sa. (De *haber*[1].) adj. ant. Rico, acaudalado.

habichuela. (De *haba*.) f. Judía, planta. ‖ **2.** Fruto y semilla de esta planta.

habidero, ra. adj. ant. Que se puede tener o haber.

habiente. p. a. de *haber.* Que tiene. Ú. t. c. s. y sólo en expresiones jurídicas, unas veces antepuesto y otras pospuesto al nombre que es su complemento. HABIENTE O HABIENTES *derecho,* o *derecho* HABIENTE O HABIENTES.

hábil. (Del lat. *habĭlis.*) adj. Capaz y dispuesto para cualquier ejercicio, oficio o ministerio. ‖ **2.** V. **términos hábiles.** ‖ **3.** *Der.* Apto para una cosa. HÁBIL *para contratar; tiempo* HÁBIL. ‖ **4.** *Der.* V. **día hábil.**

habilidad. (Del lat. *habilĭtas, -ātis.*) f. Capacidad y disposición para una cosa. ‖ **2.** Gracia y destreza en ejecutar una cosa que sirve de adorno al sujeto; como bailar, montar a caballo, etc. ‖ **3.** Cada una de las cosas que una persona ejecuta con gracia y destreza. ‖ **4.** Enredo dispuesto con ingenio, disimulo y maña. ‖ **hacer** uno sus **habilidades.** fr. fam. Valerse de toda su destreza y maña para negociar y conseguir una cosa.

habilidoso, sa. adj. Que tiene habilidad.

habilitación. f. Acción y efecto de habilitar o habilitarse. ‖ **2.** Cargo o empleo de habilitado. ‖ **3.** Despacho u oficina donde el habilitado ejerce su cargo. ‖ **de bandera.** Concesión que se otorga por los tratados a buques extranjeros para que hagan el comercio en aguas y puertos nacionales.

habilitado, da. p. p. de **habilitar.** ‖ **2.** m. En la milicia, oficial a cuyo cargo está el agenciar y recaudar en la tesorería los intereses del regimiento o cuerpo que lo nombra. ‖ **3.** m. y f. Persona que cobra en hacienda los sueldos y otros emolumentos de los funcionarios y los entrega a los interesados. ‖ **4.** *Der.* Auxiliar especial de los secretarios judiciales que puede sustituir al titular en la función aun sin vacante ni interinidad.

habilitador, ra. adj. Que habilita a otro. Ú. t. c. s.

habilitar. (De *hábil.*) tr. Hacer a una persona o cosa hábil, apta o capaz para algo determinado. ‖ **2.** *Der.* Subsanar en las personas falta de capacidad civil o de representación, y en las cosas, deficiencias de aptitud o de permisión legal. HABILITAR *para comparecer en juicio;* HABILITAR *horas o días para actuaciones judiciales.* ‖ **3.** Dar a uno el capital necesario para que pueda negociar por sí. ‖ **4.** En los concursos a prebendas o curatos, declarar al que ha cumplido bien en la oposición por hábil y acreedor en otra, sin necesidad de los ejercicios que tiene ya hechos. ‖ **5.** Proveer a uno de lo que necesita para un viaje y otras cosas semejantes. Ú. t. c. prnl. ‖ **para empleo superior.** Conceder el ascenso en antigüedad ni sueldo al jefe u oficial que se hallaba en condiciones de ejercer el empleo inmediato superior al suyo. ‖ **2.** Designar a un civil para cubrir funciones militares.

hábilmente. adv. m. Con habilidad.

habiloso, sa. adj. *Chile* y *Perú.* Que tiene habilidad.

habillado, da. (Del fr. *habiller.*) adj. ant. Vestido, adornado.

habillamiento. (Como *habillado.*) m. ant. Vestidura, arreo o adorno en el traje.

habitabilidad. f. Cualidad de habitable, en general. ‖ **2.** Cualidad de habitable que, con arreglo a determinadas normas legales, tiene un local o una vivienda.

habitable. adj. Que puede habitarse.

habitación. f. Acción y efecto de habitar. ‖ **2.** Edificio o parte de él que se destina a vivienda. ‖ **3.** Cualquiera de los aposentos de la casa o morada. ‖ **4.** Estrictamente, dormitorio. ‖ **5.** *Der.* Servidumbre personal cuyo poseedor tiene facultad de ocupar en casa ajena las piezas necesarias para sí y para su familia, sin poder arrendar ni traspasar por ningún título este derecho. ‖ **6.** *Bot.* o *Zool.* Región donde naturalmente se cría una especie vegetal o animal.

habitáculo. (Del lat. *habitacŭlum.*) m. **habitación,** edificio para ser habitado. ‖ **2.** *Ecol.* Sitio o localidad de condiciones apropiadas para que viva una especie animal o vegetal.

habitador, ra. adj. Que vive o reside en un lugar o casa. Ú. t. c. s.

habitamiento. m. ant. Acción y efecto de habitar.

habitante. p. a. de **habitar.** Que habita. ‖ **2.** m. Cada una de las personas que constituyen la población de un barrio, ciudad, provincia o nación.

habitanza. f. ant. Acción y efecto de habitar.

habitar. (Del lat. *habitāre.*) tr. Vivir, morar. Ú. t. c. intr.

hábitat. (Del lat. *habĭtat,* 3.ª pers. sing. del pres. ind. de *habĭtāre.*) m. *Ecol.* **habitáculo,** habitación o estación de una especie vegetal o animal. ‖ **2.** *Ecol.* Conjunto local de condiciones geofísicas en que se desarrolla la vida de una especie o de una comunidad animal o vegetal.

hábito. (Del lat. *habĭtus.*) m. Vestido o traje que cada uno usa según su estado, ministerio o nación, y especialmente el que usan los religiosos y religiosas. ‖ **2.** Modo especial de proceder o conducirse adquirido por repetición de actos iguales o semejantes, u originado por tendencias instintivas. ‖ **3.** Facilidad que se adquiere por larga y constante práctica en un mismo ejercicio. ‖ **4.** Insignia con que se distinguen las órdenes militares. ‖ **5.** fig. Cada una de estas órdenes. ‖ **6.** V. **caballero del hábito.** ‖ **7.** *Pat.* Situación de dependencia respecto de ciertas drogas. ‖ **8.** pl. Vestido talar propio de los eclesiásticos y que usaban los estudiantes, compuesto ordinariamente de sotana y manteo. ‖ **de penitencia.** El que por un delito o pecado público imponía o mandaba llevar por algún tiempo quien tenía potestad para ello. ‖ **2.** Vestido usado por mortificación del cuerpo, o como señal de humildad o devoción. ‖ **hábitos corales.** Los que llevan los sacerdotes en determinados actos del culto, compuestos de sotana, roquete y muceta. ‖ **ahorcar los hábitos.** fr. fig. y fam. Dejar el ministerio o los estudios eclesiásticos para tomar otro destino o profesión. ‖ **2.** fig. y fam. Cambiar de carrera, profesión u oficio. ‖ **colgar los hábitos.** fr. fig. **ahorcar los hábitos.** ‖ **tomar el hábito.** fr. Ingresar con las formalidades correspondientes en una orden o congregación religiosa, o en una de las órdenes militares.

habituación. f. Acción y efecto de habituar o habituarse.

habitual. (Del lat. *habĭtus*.) adj. Que se hace, padece o posee con continuación o por hábito. ‖ **2.** V. **gracia, pecado habitual.**

habitualidad. f. Cualidad de habitual.

habitualmente. adv. m. De manera habitual.

habituar. (Del lat. *habituāre*.) tr. Acostumbrar o hacer que uno se acostumbre a una cosa. Ú. m. c. prnl.

habitud. (Del lat. *habitūdo*.) f. p. us. Relación o respecto que tiene una cosa a otra. ‖ **2.** ant. Hábito, costumbre.

habitudinal. (Del lat. *habitūdo, -dĭnis, y -al.*) adj. ant. Que se hace o se tiene ordinariamente.

habiz. (Del ár. *aḥbās* [con imela, *aḥbīs*], pl. de *ḥubs*, bienes de manos muertas, vinculados a obras pías.) m. Donación de inmuebles hecha bajo ciertas condiciones a las mezquitas o a otras instituciones religiosas de los musulmanes.

habla. (Del lat. *fabŭla*.) f. Facultad de hablar. *Perder el* HABLA. ‖ **2.** Acción de hablar. ‖ **3.** Manera especial de hablar. *El* HABLA *de un niño.* ‖ **4.** Ling. Realización del sistema lingüístico llamado lengua. ‖ **5.** Ling. Acto individual del ejercicio del lenguaje, producido al elegir determinados signos, entre los que ofrece la lengua, mediante su realización oral o escrita. ‖ **6.** Ling. Sistema lingüístico de una comarca, localidad o colectividad, con rasgos propios dentro de otro sistema más extenso. ‖ **7.** desus. Razonamiento, oración, arenga. ‖ **al habla.** loc. adv. Mar. A distancia propia para entenderse con la voz. Ú. con los verbos *estar, ponerse* y *pasar.* ‖ **2.** En trato, en comunicación acerca de algún asunto. Ú. especialmente seguido de la preposición con. *Quedar* AL HABLA *con uno.* ‖ **estar, dejar, tener,** etc., **en habla** una cosa. fr. Estar en estado de concertarse, tratarse o disponerse para su conclusión. ‖ **negar,** o **quitar,** uno **el habla** a otro. fr. No hablarle por haber reñido con él. ‖ **quedarse sin habla.** fr. Asustarse, atemorizarse o asombrarse hasta el punto de no poder hablar. ‖ **quitar el habla** a uno. fr. Asustarlo, atemorizarlo o dejarlo tan asombrado que no pueda hablar.

hablado, da. p. p. de **hablar.** ‖ **2.** adj. Con los advs. *bien* o *mal,* comedido o descomedido en el hablar. ‖ **3.** V. **danza hablada.** ‖ **bien hablado.** loc. adj. Que habla con propiedad, y sabe usar el lenguaje que conviene a su propósito o intento.

hablador, ra. adj. Que habla mucho, con impertinencia y molestia del que lo oye. Ú. t. c. s. ‖ **2.** Que por imprudencia o malicia cuenta todo lo que ve y oye. Ú. t. c. s. ‖ **3.** *Méj.* y *Sto. Dom.* Fanfarrón, valentón o mentiroso. Ú. t. c. s.

habladorzuelo, la. adj. d. de **hablador.** Ú. t. c. s.

habladuría. f. Dicho o expresión inoportuna e impertinente, que desagrada o injuria. ‖ **2.** Rumor que corre entre muchos sin fundamento. Ú. m. en pl.

hablanchín, na. adj. fam. p. us. Que habla lo que no debe. Ú. t. c. s.

hablante. p. a. de **hablar.** Que habla. Ú. t. c. s. m.

hablantín, na. adj. fam. Que habla lo que no debe. Ú. t. c. s.

hablantina. f. *Col.* y *Venez.* Charla desordenada o insustancial.

hablantinoso, sa. adj. *Col.* y *Venez.* **hablador,** que habla mucho. Ú. t. c. s.

hablar. (Del lat. *fabulāri.*) intr. Articular, proferir palabras para darse a entender. ‖ **2.** Imitar ciertas aves las articulaciones de la voz humana. ‖ **3.** Comunicarse las personas por medio de palabras. *Ayer* HABLÉ *largamente con don Pedro.* ‖ **4.** Pronunciar un discurso u oración. *Mañana* HABLARÁ *en las Cortes el ministro de Hacienda.* ‖ **5.** Tratar, convenir, concertar. Ú. t. c. prnl. ‖ **6.** Expresarse de uno u otro modo. HABLAR *bien o mal;* HABLAR *elocuentemente;* HABLAR *como el vulgo.* ‖ **7.** Con los advs. *bien* o *mal,* además de la acepción de expresarse de uno u otro modo, tiene la de manifestar, en lo que se dice, cortesía o benevolencia, o al contrario, o bien la de emitir opiniones favorables o adversas acerca de personas o cosas. ‖ **8.** Con la prep. *de,* razonar, o tratar de una cosa platicando. HABLAR DE *negocios,* DE *artes,* DE *literatura.* ‖ **9.** Tratar de algo por escrito. *Los autores antiguos no* HABLAN *de esta materia.* ‖ **10.** Dirigir la palabra a una persona. *El rey* HABLÓ *a todos los presentes; nadie le* HABLARÁ *antes que yo.* ‖ **11.** Tener relaciones amorosas una persona con otra. *Gil* HABLA *con Juana.* ‖ **12.** Murmurar o criticar. *Que más* HABLA *es el que más tiene por qué callar.* ‖ **13.** Rogar, interceder por uno. ‖ **14.** fig. Explicarse o darse a entender por medio distinto del de la palabra. HABLAR *por señas.* ‖ **15.** fig. Dar a entender algo de cualquier modo que sea. *En el mundo todo* HABLA *de Dios.* ‖ **16.** fig. Se usa para encarecer el modo de sonar un instrumento con gran arte y expresión. *Toca la guitarra, que la hace* HABLAR. ‖ **17.** tr. Emplear uno u otro idioma para darse a entender. HABLAR *francés;* HABLAR *italiano y alemán.* ‖ **18.** Decir algunas cosas especialmente buenas o malas. HABLAR *pestes;* HABLAR *maravillas.* ‖ **19.** prnl. Comunicarse, tratar de palabra una persona con otra. *Antonio y Juan* SE HABLARON *ayer en el teatro; tu hermano y yo* NOS HEMOS HABLADO *algunas veces.* ‖ **20.** Con negación, no tratarse una persona con otra, por haberse enemistado con ella, o tenerla en menos. ‖ **cada uno habla como quien es.** fr. con que se da a entender que regularmente cada uno se explica conforme a su nacimiento y crianza. ‖ **es hablar por demás.** expr. con que se denota que es inútil lo que dice uno, por no hacer fuerza ni impresión a la persona a quien habla. ‖ **estar hablando.** fr. fig. con que se exagera la propiedad con que está ejecutada una cosa inanimada, como pintura, estatua, etc., y que imita tanto a lo natural, que parece que habla. ‖ **hablar alto.** fr. fig. Explicarse con libertad o enojo en una cosa, fundándose en la propia autoridad o en la razón. ‖ **hablar a tontas y a locas.** fr. fam. **hablar** sin reflexión y lo primero que a uno se le ocurre, aunque sean disparates. ‖ **hablara yo para mañana.** expr. fam. con que se reconviene a uno después que ha explicado una circunstancia que antes había omitido y era necesaria. ‖ **hablar bien criado.** fr. fam. hablar como hombre de buena crianza. ‖ **hablar claro.** fr. Decir uno su sentir con franqueza y sin adulación. ‖ **hablar uno consigo.** fr. Meditar o discurrir sin llegar a pronunciar lo que medita o discurre. ‖ **hablar en común.** fr. **hablar** en general y con todos. ‖ **hablar con uno entre sí.** fr. **hablar consigo.** ‖ **hablar fuerte.** fr. fig. **hablar recio.** ‖ **hablar gordo.** fr. fig. Echar bravatas, amenazando y tratando de otra u otros con imperio. ‖ **hablarlo todo.** fr. No tener discreción para callar lo que se debe callar. ‖ **hablar por hablar.** Decir una cosa sin fundamento ni sustancia y sin venir al caso. ‖ **hablar recio.** fr. fig. **hablar** con entereza y superioridad. ‖ **hablárselo** uno **todo.** fr. **hablar** tanto, que no deje lugar de hacerlo a los demás. ‖ **2.** Contradecirse, diciendo cosas mal avenidas entre sí. ‖ **ni hablar ni parlar,** o **ni habla ni parla.** loc. fam. con que se denota el sumo silencio de uno. ‖ **no se hable más de,** o **en, ello.** expr. con que se corta una conversación, o se compone y da por concluido un negocio o disgusto. ‖ **solo le falta hablar.** loc. fam. para encarecer la perfección de una imagen humana. ‖ **2.** Por ext., puede aplicarse a animales, máquinas, etc.

hablilla. (d. de *habla*.) f. Rumor, cuento, mentira que corre en el vulgo.

hablista. (De *habla*.) com. Persona que se distingue por la pureza, propiedad y elegancia del lenguaje.

hablistán. (De *hablista*.) adj. fam. p. us. Que habla lo que no debe. Ú. t. c. s.

habón. m. Bultillo en forma de haba que causa picor y aparece en la piel producido por la picadura de un insecto, por urticaria, etc.

habús. (Del ár. *ḥubūs*, bienes de manos muertas, afectados a obras pías; cfr. *habiz*.) m. En Marruecos, **habiz.**

haca. (Del ant. fr. *haque*.) f. desus. **jaca.** ‖ **¡qué haca!,** o **¡qué haca morena!** expr. fam. que se usa para rechazar algo que dice otro. *Dame el dinero.* ¡Qué dinero ni QUÉ HACA!

hacán. (Del hebr. *hakam*.) m. Sabio o doctor entre los judíos.

hacanea. (Del fr. *haquenée*.) f. Jaca mayor de lo habitual, pero menor que el caballo y más apreciada que la normal.

hacecillo. m. d. de **haz¹.** ‖ **2.** *Bot.* Porción de flores unidas en cabezuela, cuyos pedúnculos están erguidos y casi paralelos y son de igual altura. ‖ **3.** *Bot.* En general, conjunto de elementos conductores que forman un haz apretado.

hacedero, ra. adj. Que puede hacerse, o es fácil de hacer. ‖ **2.** m. ant. Que hace alguna cosa.

hacedor, ra. adj. Que hace, causa o ejecuta alguna cosa. Ú. t. c. s. Aplícase especialmente a Dios, un con algún calificativo, como *el Supremo* HACEDOR; ya sin ninguno, como *el* HACEDOR. ‖ **2.** m. Persona que tiene a su cuidado la administración de una hacienda, bien sea de campo, ganado u otras granjerías.

hacejero, ra. (Del lat. *¹fascicularīus*, hacinador.) m. y f. Persona que furtivamente arranca leña con las manos, sin ayudarse con otro instrumento.

hacendado, da. p. p. de **hacendar.** ‖ **2.** adj. Que tiene hacienda en bienes raíces, y comúnmente se dice solo del que tiene muchos de estos bienes. Ú. t. c. s. ‖ **3.** *Argent.* y *Chile.* Dícese del estanciero que se dedica a la cría de ganado.

hacendar. tr. Dar o conferir el dominio de haciendas o bienes raíces, como lo hacían los reyes con los conquistadores de alguna provincia. ‖ **2.** prnl. Comprar hacienda una persona para arraigarse en alguna parte.

hacendeja. f. d. de **hacienda.**

hacendera. (De *hacienda*.) f. Trabajo a que debe acudir todo el vecindario, por ser de utilidad común.

hacendería. (De *hacendera*.) f. ant. Obra o trabajo corporal.

hacendero, ra. adj. Dícese del que procura con aplicación los adelantamientos de su casa y hacienda. ‖ **2.** m. En las minas de Almadén, operario que trabajaba a jornal por cuenta del Estado.

hacendilla, ta. fs. ds. de **hacienda.**

hacendista. m. Hombre versado en la administración de la doctrina de la hacienda pública.

hacendístico, ca. adj. Perteneciente o relativo a la hacienda pública.

hacendoso, sa. (De *hacienda*.) adj. Solícito y diligente en las faenas domésticas.

hacenduela. f. fam. d. de **hacienda.**

hacer. (Del lat. *facĕre*.) tr. Producir una cosa; darle el primer ser. ‖ **2.** Fabricar, formar una cosa dándole la figura, norma y trazo que debe tener. ‖ **3.** Ejecutar, poner por obra una acción o trabajo. HACER *prodigios.* Ú. a veces sin determinar la acción, y entonces puede ser también pronominal. *No sabe qué* HACER *o qué* HACERSE. ‖ **4.** Con el pronombre neutro *lo,* realizar o ejecutar la acción de un verbo previamente enunciado. *¿Escribirás la carta esta noche?* LO HARÉ *sin falta.* En los escritores clásicos es frecuente la sustitución de *lo* por el adv. afirmativo *sí. ¿Vendréis mañana? Sí,* HARÉ. ‖ **5.** fig. Dar el ser intelectual; formar algo con la imaginación o concebirlo en ella. HACER *concepto, juicio, un poema.* ‖ **6.** Contener, tener capacidad para. *Esta tinaja* HACE *cien arrobas de aceite.* ‖ **7.** Causar, ocasionar. HACER *sombra, humo.* ‖ **8.** Fomentar el desarrollo o agilidad de los miembros, músculos, etc., mediante ejercicios adecuados. HACER *dedos un pianista;* HACER *piernas.* ‖ **9.** Disponer, componer, aderezar. HACER *la comida, la cama, la maleta.* ‖ **10.** Componer, mejorar, perfeccionar. *Esta pipa* HACE *buen vino.* ‖ **11.** Juntar, convocar. HACER *gente.* ‖ **12.** Habituar, acostumbrar. HACER *el cuerpo a las fatigas;* HACER *el caballo al fuego.* Ú. t. c. prnl. ‖ **13.** Enseñar o industriar las aves de caza. ‖ **14.** Cortar con arte. HACER *la barba a uno;* HACER *el pico o las uñas a las aves.* Ú. t. c. prnl. ‖ **15.** Entre jugadores, asegurar lo que paran y juegan, cuando tienen poco o ningún dinero delante. HAGO *tanto;* HAGO *a todo.* ‖ **16.** Junto con algunos nombres, significa la acción de los verbos que se forman de una misma raíz que dichos nombres; así, HACER *estimación,* es *estimar;* HACER *burla, burlarse.* ‖ **17.** Reducir una cosa a lo que significan los nombres a que va unido el verbo. HACER *pedazos, trozos.* ‖ **18.** Usar o emplear lo que los nombres significan. HACER *señas, gestos.* ‖ **19.** Con un nombre o pronombre personal complemento directo, creer o suponer, en locuciones como estas: *Yo* HACÍA *a Juan, o yo lo* HACÍA, *de Madrid, en Francia, contigo, estudiando, menos simple; no lo* HAGO *tan necio.* ‖ **20.** Conseguir, obtener, ganar. HACER *dinero,* HACER *una fortuna.* ‖ **21.** Con las preps. *con* o *de,* proveer, suministrar, facilitar. HACER *a uno con dinero, de libros.* Ú. m. c. prnl. ‖ **22.** Referido a un espectáculo y junto con los artículos *el, la,* y algunos nombres, representar lo que los nombres significan o las frases HACER *el rey, el gracioso, el bobo.* Se dice también HACER *el papel de rey, de gracioso, de bobo;* y asimismo solo con la prep. *de:* HACER *de Antígona.* ‖ **23.** Tratándose de comedias u otros espectáculos, representarlos. ‖ **24.** Constituir un número o cantidad. *Nueve y cuatro* HACEN *trece.* ‖ **25.** Ocupar en una serie cierto número de orden: *este enfermo* HACE *el número 5.* ‖ **26.** Con palabras como *hueco, sitio,* etc., modificar la disposición de las cosas para dejar espacio para alguien o algo. ‖ **27.** Formando perífrasis causativa con verbos en infinitivo o en subjuntivo precedidos por la conjunción *que,* obligar a que se ejecute la acción significada por estos verbos: *Le* HIZO *venir;* HIZO *que nos fuésemos.* ‖ **28.** Expeler del cuerpo las aguas mayores y menores. Ú. m. c. intr., y especialmente en las frases: HACER *del cuerpo, de vientre.* ‖ **29.** intr. Obrar, actuar, proceder. *Creo que* HICE *bien.* ‖ **30.** Importar, convenir. *Eso no le* HACE; *no* HACE *al caso.* ‖ **31.** Referirse a. *Por lo que* HACE *al dinero, no te preocupes.* ‖ **32.** Corresponder, concordar, venir bien una cosa con otra. *Aquello* HACE *aquí bien; esto no* HACE *con aquello; llave que* HACE *a ambas cerraduras.* ‖ **33.** Con algunos nombres de oficios o la prep. *de,* ejercerlos interina o eventualmente. HACER *de portero, de escribano, de presidente.* ‖ **34.** Junto con la prep. *por* y los infinitivos de algunos verbos, poner cuidado y diligencia para la ejecución de lo que los verbos significan. HACER *por llegar;* HACER *por venir.* ‖ **35.** También en este sentido suele juntarse con la prep. *para.* HACER *para salvarse;* HACER *para sí.* ‖ **36.** desus. Como neutro, seguido de la partícula *de* y artículo, fingirse uno lo que no es. HACER *del tonto.* ‖ **37.** Con el pronombre *se,* seguido de artículo o solamente de voz expresiva de alguna cualidad, fingirse uno lo que no es. HACERSE *el tonto;* HACERSE *tonto.* ‖ **38.** En la misma construcción, blasonar de lo que significan las palabras a que este verbo va unido. HACERSE *el valiente.* ‖ **39.** Aparentar, dar a entender lo cierto o verdadero. Ú., por lo común, seguido del adv. *como.* HACER *uno como que no quiere una cosa,* o *como que no ha visto a otro.* ‖ **40.** Toma el significado de un verbo anterior, haciendo las veces de este. *Trabajaba activamente, como lo solía* HACER. ‖ **41.** *Mar.* Proveerse de efectos de consumo. HACER *petróleo, carbón, medicinas, víveres.* ‖ **42.** prnl. Crecer, aumentarse, adelantarse para llegar al estado de perfección que cada cosa ha de tener. HACERSE *los árboles, los sembrados.* ‖ **43.** Volverse, transformarse. HACERSE *vinagre el vino;* HACERSE *moro el cristiano.* ‖ **44.** Hallarse, existir, estar situado. *En un portal o cobertizo que delante de la venta* SE HACE. ‖ **45.** En interrogaciones introducidas por *qué,* ir a parar, resultar, ocurrir, llegar a ser, implicando a veces la inexistencia actual de la persona o cosa a que se refiere la pregunta. *¿*QUÉ SE HIZO *el rey don Juan? Los infantes de Aragón.* *¿*QUÉ SE HICIERON? Ú. t. c. impers. con la prep. *de.* *¿*QUÉ SE HIZO DE *tantas promesas?* ‖ **46.** impers. En las terceras pers. de sing. expresa la cualidad o estado del tiempo atmosférico. HACE *calor, frío, buen día.* Se usa también con los adjs. *bueno* o *malo* sustantivados. HACE *bueno; mañana* HARÁ *malo.* ‖ **47.** Haber transcurrido cierto tiempo. HACE *tres días;* ayer HIZO *un mes; mañana* HARÁ *dos años.* ‖ **a medio hacer.** loc. adj. o adv. que expresa que algo está o queda a medio camino entre su comienzo y su terminación. ‖ **haberla hecho buena.** fr. fam. irón. Haber ejecutado una cosa perjudicial o contraria a determinado fin. BUENA LA HAS HECHO; LA HEMOS HECHO BUENA. ‖ **¿hacemos algo?** expr. fam. con que se incita a otro a que entre en algún negocio con él, o a venir a la conclusión de un contrato. ‖ **hacer alguna.** fr. fam. Ejecutar una mala acción o travesura. ‖ **hacer una cosa a mal hacer.** fr. **hacer** adrede una cosa mala. Ú. generalmente en pretérito y con negación y el pronombre *lo.* ‖ **hacer** una cosa **arrastrando.** fr. fig. y fam. hacer mal una cosa o **hacerla** de mala gana. ‖ **hacer a todo.** fr. Estar una persona dispuesta, o ser una cosa a propósito, para servir en todo aquello a que se quiera aplicar. ‖ **2.** Estar en disposición de recibir cualquier cosa que le den. ‖ **hacer buena** una cosa. fr. fig. y fam. Probarla o justificarla; hacer efectiva y real la cosa que se dice o se supone. ‖ **hacer caediza** una cosa. fr. Dejarla caer maliciosamente, como por descuido. ‖ **hacer de las suyas, las tuyas,** etc. fr. Proceder según el propio genio y costumbres, prescindiendo del parecer ajeno. Se usa generalmente en sentido peyorativo. ‖ **hacer de menos.** fr. Menospreciar. ‖ **hacerla.** loc. verbal con que se significa que uno faltó a lo que debía, a sus obligaciones o al concepto que se tenía de él. ‖ **hacerla cerrada.** fr. fig. y fam. Cometer un error culpable por todas sus circunstancias. ‖ **hacerlo mal y excusarlo peor.** fr. con que se explica que algunas veces los motivos de **hacer** las cosas malas son peores que ellas mismas. ‖ **hacer perdidiza** una cosa. fr. Fingir o suponer maliciosamente que se ha perdido. ‖ **hacer por hacer.** fr. fam. con que se da a entender que se **hace** una cosa sin necesidad o sin utilidad. ‖ **hacer presente.** fr. Representar, informar, declarar, referir. ‖ **2.** Considerar a uno como si lo estuviera en orden a los emolumentos u otros favores. ‖ **hacer que hacemos.** fr. fam. Aparentar que se trabaja

cuando en realidad no se **hace** nada de provecho. Úsase también con otras personas y otros tiempos del verbo. ‖ **hacerse a** una parte. fr. Apartarse, retirarse a ella. HAZTE *allá;* HACERSE A *un lado;* HACERSE *afuera.* ‖ **hacerse a una.** fr. **ir a una.** ‖ **hacerse con** una cosa. fr. Obtenerla, apoderarse de ella. ‖ **hacerse con** una persona, o cosa. fr. fig. y fam. Dominarla. ‖ **hacerse uno chiquito.** fr. fig. y fam. **hacerse el chiquito.** ‖ **hacerse de rogar.** fr. No acceder a lo que otro pide hasta que se le ha rogado con instancia. ‖ **hacerse dura** una cosa. fr. fig. Ser difícil de creer o soportar. ‖ **hacerse fuerte.** fr. Fortificarse en algún lugar para defenderse de una violencia o riesgo. ‖ **2.** Mantenerse con tesón en un propósito o en una idea. ‖ **hacérsele** una cosa a uno. fr. Figurárselo, parecerle. *Las manadas que a don Quijote* SE LE HICIERON *ejércitos.* ‖ **hacerse** uno **olvidadizo.** fr. Fingir que no se acuerda de lo que debiera tener presente. ‖ **hacerse** uno **presente.** fr. Ponerse de intento delante de otro para algún fin. ‖ **hacerse** uno **servir.** fr. No permitir descuido en su asistencia. ‖ **hacerse tarde.** fr. Pasarse el tiempo oportuno para ejecutar una cosa. ‖ **hacerse valiente.** fr. ant. Fiar, salir garante. ‖ **hacerse** uno **viejo.** fr. fig. y fam. Consumirse por todo. ‖ **2.** fig. y fam. Ú. t. por respuesta para significar que alguno está ocioso cuando le preguntan que **hace.** ‖ **hacer sudar** a uno. fr. fig. y fam. Hacerle dificil o costar mucho ejecutar o comprender una cosa. ‖ **2.** fig. y fam. Obligarle a dar dinero. ‖ **hacer una que sea sonada.** fr. fam. con que se da a entender que se amenaza, se anuncia un gran escarmiento o escándalo. ‖ **hacer ver.** fr. fig. Demostrar algo de modo que no quede duda. ‖ **hacer viejo** a uno. fr. fig. con que se da a entender que el desarrollo o cambio producido en alguien o en algo **hace** comprender a otro que también para él ha corrido el tiempo. ‖ **hacer y acontecer.** fr. fam. con que se significan las ofertas de un bien o beneficio grande. ‖ **2.** fam. Ú. para amenazar. ‖ **no es de hacer,** o **de hacerse,** una cosa. expr. con que se significa que no es lícita o conveniente la que va a ejecutar, ni correspondiente al que la va a **hacer.** ‖ **no hay que hacer,** o **eso no tiene que hacer.** expr. con que se da a entender que no tiene dificultad lo que se propone, y se conviene enteramente en ello. ‖ **no me hagas hablar.** expr. que se usa para contener a uno amenazándole con que se dirá cosa que le pese. ‖ **¿qué hacemos,** o **qué haremos, con eso?** expr. con que se significa la poca importancia y utilidad, para el fin que se pretende, de lo que actualmente se discurre o propone. ‖ **¿qué haces?** expr. **mira lo que haces.** **¿qué hemos de hacer?,** o **¿qué le hemos de hacer?,** o **¿qué se le ha de hacer?** exprs. que se usan para conformarse con uno lo que sucede, dando a entender que no está en su mano evitarlo. ‖ **¿qué le vamos,** o **qué le vas,** o **qué se le va a hacer?** exprs. **¿qué hemos de hacer?**

hacera. (De *facera*.) f. **acera.**

hacerir. (Del ant. *façerir,* de *faz* y *herir*.) tr. ant. **zaherir.**

hacezuelo. m. d. de **haz**[1].

hacia. (Del ant. *faze a,* cara a.) prep. que indica la dirección del movimiento con respecto al punto de su término. Ú. t. metafóricamente. ‖ **2.** Alrededor de, cerca de. HACIA *las tres de la tarde. Ese pueblo está* HACIA *Tordesillas.*

hacienda. (Del lat. *facienda,* pl. n. del gerundio de *facère,* lo que ha de hacerse.) f. Finca agrícola. ‖ **2.** Conjunto de bienes y riquezas que uno tiene. ‖ **3.** p. us. Labor, faena casera. Ú. m. en pl. ‖ **4.** ant. Obra, acción o suceso. ‖ **5.** ant. Asunto, negocio que se trata entre algunas personas. ‖ **6. hacienda pública.** ‖ **7.** V. **día de hacienda.** ‖ **8.** Conjunto de ganados que un dueño o de una finca. ‖ **9.** p. us. Ministerio de **Hacienda,** hoy denominado de Economía y **Hacienda.** ‖ **de beneficio.** *Méj.* Oficina donde se benefician los minerales de plata. ‖ **pública.** Conjunto de haberes, bienes, rentas, impuestos, etc., correspondientes al Estado para satisfacer las necesidades de la nación. ‖ **real hacienda. hacienda pú-**

blica. ‖ **derramar la hacienda.** fr. fig. Destruirla, disiparla, malgastarla. ‖ **hacer buena hacienda.** fr. irón. que se usa cuando uno ha incurrido en algún yerro o desacierto. ‖ **redondear la hacienda.** fr. Aumentarla con adquisiciones complementarias hasta llegar a la cuantía propuesta de antemano. ‖ **sanear la hacienda.** fr. Pagar las cargas, créditos o gravámenes que tenía y dejarla libre.

haciente. (Del lat. *faciens, -entis.*) p. a. ant. de hacer. Que hace. Usáb. t. c. s., como en el siguiente ref.: HACIENTES y *consencientes merecen igual pena.*

hacimiento. m. p. us. Acción y efecto de hacer. ‖ **de gracias.** desus. **acción de gracias.** ‖ **de rentas.** Arrendamiento de ellas que se hacía a pregón.

hacina. (De *haz*.) f. Conjunto de haces[1] colocados apretada y ordenadamente unos sobre otros. ‖ **2.** fig. Montón o rimero.

hacinación. f. **hacinamiento.**

hacinador, ra. m. y f. Persona que hacina.

hacinamiento. m. Acción y efecto de hacinar o hacinarse.

hacinar. tr. Poner los haces[1] unos sobre otros formando hacina. ‖ **2.** fig. Amontonar, acumular, juntar sin orden. Ú. t. c. prnl.

hacino, na. (Del ár. *ḥazīn*, triste.) adj. ant. Avaro, mezquino, miserable. ‖ **2.** ant. Triste, afligido.

hacha[1]. (Del lat. **fascŭla*, cruce de *facŭla*, pequeña antorcha, y *fascis*, haz.) f. Vela de cera grande y gruesa, de figura por lo común de prisma cuadrangular y con cuatro pabilos. ‖ **2.** Mecha que se hace de esparto y alquitrán para que resista al viento sin apagarse. ‖ **3.** Haz de paja liada o atada como fajina; se usa alguna vez para cubiertas de chozas y otras construcciones de campo. ‖ **de viento. hacha**[1], mecha de esparto y alquitrán.

hacha[2]. (Del fr. *hache*.) f. Herramienta cortante, compuesta de una pala acerada, con filo algo convexo, ojo para enastarla, y a veces con peto. ‖ **2.** Baile antiguo español. ‖ **3.** V. **lengua, maestro de hacha.** ‖ **de abordaje.** *Mar.* hacha pequeña con corte por un lado y por el otro un pico curvo muy agudo, el cual se clavaba en el costado del buque enemigo y servía de agarradero al tomarlo al abordaje. ‖ **de armas.** Arma que se usaba antiguamente en la guerra, de la misma hechura que el **hacha** de cortar leña, para desarmar al enemigo, rompiéndole las armas que lo defendían. ‖ **ser** alguien **una hacha.** fr. fig. y fam. Ser muy diestro o sobresalir en cualquier actividad.

hachar. tr. Cortar o labrar con hacha[2].

hachazo. m. Golpe dado con el hacha[2]. ‖ **2.** Golpe que el toro da lateralmente con un cuerno, produciendo contusión y no herida. ‖ **3.** *Col.* Reparada del caballo, espanto súbito y violento. ‖ **4.** *Argent.* Golpe violento dado de filo con arma blanca. ‖ **5.** *Argent.* Herida y cicatriz así producidas.

hache. f. Nombre de la letra *h*. ‖ **entrar con haches y erres.** fr. fig. y fam. Tener malas cartas el que va a jugar la puesta. ‖ **llámelo, o llámelo usted, hache.** expr. fig. y fam. Lo mismo es una cosa que otra. ‖ **no decir** uno **haches ni erres.** fr. No hablar cuando parece que conviene. ‖ **por hache o por be.** fr. **por ce o por be.**

hachear. tr. Desbastar y labrar un madero con el hacha[2] de cortar. ‖ **2.** intr. Dar golpes con el hacha[2] de cortar.

hachero[1]. m. Candelero o blandón que sirve para poner el hacha de cera. ‖ **2.** ant. Torre para resguardo del campo o el mar. ‖ **3.** desus. Vigía que hacía señales desde un hacho[1].

hachero[2]. m. El que trabaja con el hacha[2]. ‖ **2.** *Mil.* Soldado gastador.

hacheta. f. d. de **hacha**[1] o [2].

hachís. (Del ár. *ḥašīš*, hierba seca.) m. Composición de ápices florales y otras partes del cáñamo índico, mezcladas con

diversas sustancias azucaradas o aromáticas, que produce una embriaguez especial y es muy usada por los orientales. A veces se aspira la *h*.

hacho[1]. (De *hacha*[1], vela.) m. Manojo de paja o esparto encendido para alumbrar. ‖ **2.** Leño resinoso o bañado en materias resinosas, que se usaba para el mismo fin. ‖ **3.** *Geogr.* Sitio elevado cerca de la costa, desde donde se descubre bien el mar y en el cual solían hacerse señales con fuego. *El* HACHO *de Ceuta.* ‖ **4.** *Germ.* El que roba o hurta.

hacho[2]. m. Hacha pequeña de cortar.

hachón. m. **hacha**[1], vela gruesa de cera, o a veces mecha de esparto y alquitrán. ‖ **2.** Especie de brasero alto, fijo sobre un pie derecho, en que se encienden algunas materias que levantan llama, y se usa en demostración de alguna festividad o regocijo público.

hachote[1]. (aum. de *hacha*[1].) m. *Mar.* Vela corta y gruesa usada a bordo en los faroles de combate y de señales.

hachote[2]. m. aum. de **hacha**[2].

hachuela. f. d. de **hacha**[2]. ‖ **de abordaje. hacha de abordaje.**

hada. (Del lat. *fata*, f. vulg. de *fatum*, hado.) f. Ser fantástico que se representaba bajo la forma de mujer, a quien se atribuía poder mágico y el don de adivinar el futuro. ‖ **2.** ant. Cada una de las tres parcas. ‖ **3.** ant. **hado.**

hadada. f. ant. hada.

hadado, da. p. p. de hadar. ‖ **2.** adj. Propio del hado o relativo a él. ‖ **3.** Prodigioso, mágico, encantado.

hadador, ra. adj. ant. Que hada. Usáb. t. c. s.

hadar. tr. desus. Determinar el hado una cosa. ‖ **2.** desus. Anunciar, pronosticar lo que está dispuesto por los hados. ‖ **3.** desus. **encantar**[1], ejercer un poder preternatural sobre personas y cosas.

hadario, ria. (De *hado*.) adj. ant. **desdichado.**

hado. (Del lat. *fatum*.) m. Divinidad o fuerza desconocida que, según se creía, obraba irresistiblemente sobre las demás divinidades y sobre los hombres y los sucesos. ‖ **2.** Encadenamiento fatal de los sucesos. ‖ **3.** Circunstancia de ser estos favorables o adversos. ‖ **4.** En la doctrina cristiana, lo que, conforme a lo dispuesto por Dios, nos sucede con el discurso del tiempo, mediante las causas naturales ordenadas y dirigidas por la Providencia. ‖ **5.** En opinión de los filósofos paganos, serie y orden de causas tan encadenadas unas con otras, que necesariamente producen su efecto.

hadruba. (Del ár. *ḥadūbba*, joroba.) f. ant. **joroba.**

hadrubado, da. (De *hadruba*.) adj. ant. **jorobado.**

¡hae! interj. ant. **¡ah!**

haedo. (Del lat. *fagētum*.) m. *Ast.* y *Cantabria.* **hayedo.**

hafiz. (Del ár. *ḥafiz*, guardián.) m. Guarda, veedor, conservador.

hafnio. (De *Hafnia*, nombre lat. de Copenhague.) m. *Quím.* Metal obtenido en los minerales del circonio. Núm. atómico 72. Símb.: *Hf.*

hagiografía. (De *hagiógrafo*.) f. Historia de las vidas de los santos.

hagiográfico, ca. adj. Perteneciente a la hagiografía.

hagiógrafo. (Del lat. *hagiographus*, y este del gr. ἅγιος, santo, y γράφω, escribir.) m. Autor de cualquiera de los libros de la Sagrada Escritura. ‖ **2.** En la Biblia hebrea, autor de cualquiera de los libros comprendidos en la tercera parte de ella. ‖ **3.** Escritor de vidas de santos.

haitiano, na. adj. Natural de Haití. Ú. t. c. s. ‖ **2.** Perteneciente o relativo a este país de América.

¡hala! (Del ár. *halā*, interj. que excita a los caballos.) Interjección que se emplea para infundir aliento o meter prisa. ‖ **2.** Interjección para mostrar sorpresa. ‖ **3.** Sirve igualmente para llamar. ‖ **¡hala, hala!** fr. con que se denota la persistencia en una marcha.

halacabuyas. (De *halar* y *cabuya*.) m. Marinero principiante que solo sirve para halar de los cabos.

halacuerda. m. despect. *Mar.* Marinero que solo entiende de aparejos y labores mecánicas. Ú. m. en pl.

halagador, ra. adj. Que halaga.

halagar. (De *falagar*.) tr. Dar a uno muestras de afecto o rendimiento con palabras o acciones que puedan serle gratas. ‖ **2.** Dar motivo de satisfacción o envanecimiento. ‖ **3.** Adular o decir a uno interesadamente cosas que le agraden. ‖ **4.** fig. Agradar, deleitar.

halago. m. Acción y efecto de halagar. ‖ **2.** fig. Cosa que halaga.

halagüeñamente. adv. m. Con halago.

halagüeño, ña. (De *halagar*.) adj. Que halaga. ‖ **2.** Que lisonjea o adula. ‖ **3.** Que atrae con dulzura y suavidad.

halaguero, ra. (De *halagar*.) adj. desus. **halagador.**

halar. (Del fr. *haler*.) tr. *Mar.* Tirar de un cabo, de una lona o de un remo en el acto de bogar. ‖ **2.** *And., Cuba, Nicar.* y *Par.* Tirar hacia sí de una cosa.

hálara. (Del ár. *halhala*, tela sutil.) f. Telilla interior del huevo de las aves.

halcón. (Del b. lat. *falco, -ōnis*.) m. Ave rapaz diurna, de unos cuarenta centímetros de largo desde la cabeza a la extremidad de la cola, y muy cerca de nueve decímetros de envergadura; cabeza pequeña, pico fuerte, curvo y dentado en la mandíbula superior; plumaje de color variable con la edad, pues de joven es pardo con manchas rojizas en la parte superior, y blanquecino rayado de gris por el vientre; pero a medida que el animal envejece, se vuelve plomizo con manchas negras en la espalda, se oscurecen y señalan más las rayas de la parte inferior, y aclara el color del cuello y de la cola. La hembra es un tercio mayor que el macho; los dos tienen uñas curvas y robustas, tarsos de color verde amarillento y vuelo potente; son muy audaces, atacan a toda clase de aves, y aun a los mamíferos pequeños, y como se domestican con relativa facilidad, se empleaban antiguamente en la caza de cetrería. ‖ **alcaravanero.** El acostumbrado a perseguir a los alcaravanes. ‖ **campestre.** El más noble, que, domesticado, se criaba en el campo, suelto, en compañía de las gallinas y otras aves domésticas. ‖ **coronado. arpella.** ‖ **garcero.** El que caza y mata garzas. ‖ **gentil. neblí.** ‖ **grullero.** El que está hecho a la caza de grullas. *Cetr.* **alfaneque**[1]. ‖ **2.** *Cetr.* **borní.** ‖ **letrado.** Variedad del **halcón** común, que tenía mayor número de manchas negras. ‖ **marino.** Ave de rapiña más fácil de amansar que las otras; es de unos tres decímetros de largo, de color ceniciento, con manchas pardas, a veces enteramente blanco, y tiene el pico grande, corvo y fuerte, así como las uñas. ‖ **montano.** El criado en los montes, que, por no haber sido enseñado desde joven, era siempre zahareño. ‖ **niego.** El cogido en el nido o recién salido de él. ‖ **palumbario. azor**[1], ave rapaz. ‖ **ramero.** El pollo recién salido del nido, que salta de rama en rama. ‖ **redero.** El que se cogió con red yendo de paso. ‖ **roqués.** Variedad del **halcón** común, de color enteramente negro. ‖ **sacre.** El de dorso pardo y cabeza clara, propio del este de Europa y Asia Menor. ‖ **soro.** El cogido antes de haber mudado por primera vez la pluma. ‖ **zorzaleño.** Variedad de neblí con pintas amarillentas en el plumaje. ‖ **abajar, o bajar, los halcones.** fr. *Cetr.* Darles a comer la carne lavada, cuando están muy gordos, para que enflaquezcan y puedan volar con más velocidad.

halconado, da. adj. Que en alguna cosa se asemeja al halcón.

halconear. (De *halcón*.) intr. fig. fig. p. us. Dar muestra la mujer desenvuelta, con su traje, sus miradas y movimientos provocativos, de andar a caza de hombres.

halconera. f. Lugar donde se guardan y tienen los halcones.

halconería. f. Caza que se hace con halcones.

halconero, ra. adj. p. us. Dícese especialmente de la mujer que halconea y de sus acciones y gestos provocativos. ‖ **2.** m. El que cuidaba de los halcones de la cetrería o volatería. ‖ **mayor.** El jefe de los **halconeros,** a cuyo mando y dirección estaba todo lo tocante a la caza de volatería. Este empleo fue antiguamente en España una de las mayores dignidades de la casa real.

halda. f. p. us. **falda.** ‖ **2.** Harpillera grande con que se envuelven y empacan algunos géneros; como el algodón y la paja. ‖ **3.** Lo que cabe en la **halda.** ‖ **4.** V. **capote, capotillo de dos haldas.** ‖ **5.** *Ar., Sal.* y *Vizc.* Regazo o enfaldo de la saya. ‖ **6.** Parte del cuerpo donde se forma ese enfaldo. ‖ **de haldas o de mangas.** loc. adv. fig. y fam. De un modo o de otro; por bien o por mal; por las buenas o por las malas; lícita o ilícitamente. ‖ **poner haldas en cinta.** fr. fam. Remangarse una la falda o la túnica para poder correr. ‖ **2.** expr. fig. y fam. Prepararse para hacer alguna cosa.

haldada. f. Lo que cabe en el halda.

haldear. (De *halda*.) intr. p. us. Andar de prisa las personas que llevan faldas.

haldero, ra. adj. desus. **faldero.**

haldeta. f. d. de **halda.** ‖ **2.** En el cuerpo de un traje, pieza o cada una de las piezas que cuelgan desde la cintura hasta un poco más abajo.

haldinegro, gra. adj. **faldinegro.**

haldraposo. adj. ant. **andrajoso.**

haldudo, da. adj. **faldudo.**

¡hale! interj. **¡hala!**

haleche. (Del lat. *halex, -ēcis*.) f. **alacha.**

halieto. (Del gr. ἁλιάετος, a través del lat. *haliaeētus*.) m. **águila pescadora.**

halifa. m. ant. **califa.**

halifado. m. ant. **califato.**

hálito. (Del lat. *halītus*.) m. **aliento.** ‖ **2.** Vapor que una cosa arroja. ‖ **3.** poét. Soplo suave y apacible del aire.

halitosis. f. Fetidez del aliento.

halo. (Del lat. *halos*, y este del gr. ἅλως.) m. Meteoro luminoso consistente en un cerco de colores pálidos que suele aparecer alrededor de los discos del Sol y de la Luna. ‖ **2.** Círculo de luz difusa en torno de un cuerpo luminoso. ‖ **3. aureola,** resplandor, disco o círculo luminoso que suele ponerse detrás de la cabeza de las imágenes santas. ‖ **4.** fig. Brillo que da la fama o el prestigio. *Un* HALO *de gloria.*

halófilo, la. (Del gr. ἅλς, ἁλός, sal, y -*filo*.) adj. *Bot.* Aplícase a las plantas que viven en terrenos donde abundan las sales.

halógeno, na. (Del gr. ἅλς, ἁλός, sal, y -*geno*.) adj. *Quím.* Dícese de cada uno de los elementos del grupo de la clasificación periódica, integrado por el flúor, cloro, bromo, yodo y el elemento radiactivo ástato, algunas de cuyas sales son muy comunes en la naturaleza, como el cloruro sódico o sal común. Ú. t. c. s.

haloideo, a. (Del gr. ἅλς, ἁλός, sal, y -*oideo*.) adj. *Quím.* Aplícase a las sales formadas por la combinación de un metal con un metaloide sin ningún otro elemento.

halón[1]. m. ant. **halo,** meteoro.

halón[2]. m. *And.* y *Amér.* Tirón, acción y efecto de halar.

haloque. (De *faluca*.) m. Embarcación pequeña usada antiguamente.

halotecnia. (Del gr. ἅλς, ἁλός, sal, y -*tecnia*.) f. *Quím.* Técnica de la extracción de las sales industriales.

haloza. f. Calzado de madera.

halterofilia. (Del gr. ἁλτῆρες, pesos de plomo colocados en los extremos de una barra metálica, y -*filia*.) f. Deporte olímpico de levantamiento de peso.

hallada. f. Acción y efecto de hallar.

hallado, da. p. p. de **hallar.** ‖ **2.** adj. Con los advs. *tan, bien* o *mal,* familiarizado o avenido.

hallador, ra. adj. Que halla. Ú. t. c. s. ‖ **2.** *Mar.* Que recoge en el mar despojos de naves o de sus cargamentos. Ú. t. c. s. ‖ **3.** ant. **inventor.** Usáb. t. c. s.

hallamiento. (De *hallar.*) m. ant. Acción y efecto de hallar.

hallar. (Del lat. *afflāre,* soplar, seguramente dicho del perro que toma el viento y rastrea la pieza.) tr. Dar con una persona o cosa que se busca. ‖ **2.** Dar con una persona o cosa sin buscarla. ‖ **3.** Descubrir con ingenio algo hasta entonces desconocido. ‖ **4.** Ver, observar, notar. ‖ **5.** Descubrir la verdad de algo. ‖ **6.** Dar con una tierra o país de que antes no había noticia. ‖ **7.** Conocer, entender después de una reflexión. ‖ **8.** prnl. Estar presente. ‖ **9.** Estar en cierto estado. HALLARSE *atado, perdido, alegre, enfermo.* ‖ **hallar menos.** fr. fam. **echar menos.** ‖ **hallarse bien con** una cosa. fr. Estar contento con ella. ‖ **hallarse con** una cosa. fr. Tenerla. ‖ **hallarse uno en todo.** fr. Ser entremetido; ir a todas partes sin que lo llamen. ‖ **hallárselo uno todo hecho.** fr. fig. Conseguir lo que desea sin necesidad de esforzarse para obtenerlo. ‖ **2.** fig. y fam. Ser muy dispuesto y expedito. ‖ **no hallarse** uno. fr. No encontrarse a gusto en algún sitio o situación, estar molesto.

hallazgo. (De *hallar.*) m. Acción y efecto de hallar. ‖ **2.** Cosa hallada. ‖ **3.** desus. Recompensa que se da a uno por haber hallado una cosa y restituirla a su dueño o por dar noticia de ella. ‖ **4.** *Der.* Encuentro casual de cosa mueble ajena que no sea tesoro oculto.

hallulla. f. Pan que se cuece en rescoldo o en ladrillos o piedras muy calientes. ‖ **2.** *Chile.* Pan hecho de masa más fina y de forma más delgada que el común.

hallullo. m. **hallulla.**

hamaca. (Voz taína.) f. Red alargada, gruesa y clara, por lo común de pita, la cual, asegurada por las extremidades en dos árboles, estacas o escarpias, queda pendiente en el aire, y sirve de cama o columpio, o bien se usa como vehículo, conduciéndola dos hombres. Se hace también de lona y de otros tejidos resistentes. Es muy usada en los países tropicales. ‖ **2.** Asiento consistente en una armadura graduable, generalmente de tijera, en la que se sujeta una tela que forma el asiento y el respaldo. ‖ **3.** *Argent.* y *Urug.* Mecedora.

hamacar. tr. *Argent., Guat., Par.* y *Urug.* **hamaquear,** mecer. Ú. t. c. prnl. ‖ **2.** prnl. *Dep. Argent.* Por ext., dar al cuerpo un movimiento de vaivén. ‖ **3.** fig. y fam. *Argent.* Afrontar con esfuerzo una situación difícil. *Hay que* HAMACARSE *para lograrlo.*

hamadría o **hamadríada.** f. *Mit.* **hamadríade.**

hamadríade. (Del lat. *hamadrўas, -ădis,* y este del gr. ἁμαδρυάς, de ἅμα, con, y δρῦς, encina.) f. *Mit.* Ninfa de los bosques o dríade.

hámago. m. **ámago.**

hamamelidáceo, a. (De *Hamamelis,* nombre de un género de plantas, y *-áceo.*) adj. *Bot.* Dícese de arbustos y árboles de Asia, América Septentrional y África Meridional, como el ocozol, con pelos estrellados, hojas esparcidas y estípulas caedizas; flores generalmente hermafroditas, alguna vez apétalas, en inflorescencias muy diversas; fruto en cápsula. Ú. t. c. s. f. ‖ **2.** f. pl. *Bot.* Familia de estas plantas.

hamaquear. (De *hamaca.*) tr. *Amér.* Mecer, columpiar, especialmente en hamaca. Ú. t. c. prnl. ‖ **2.** fig. *Cuba.* Marear a uno, traerle como un zarandillo.

hamaquero, ra. m. y f. Persona que hace hamacas. ‖ **2.** Cada uno de los que llevan en la hamaca al que va dentro de ella. ‖ **3.** m. Gancho que se introduce en la pared para que sostenga la hamaca que ha de colgarse.

hambre. (Del lat. vulg. **famen, -inis.*) f. Gana y necesidad de comer. ‖ **2.** Escasez de alimentos básicos, que causa carestía y miseria generalizada. ‖ **3.** fig. Apetito o deseo ardiente de una cosa. ‖ **calagurritana.** fig. y fam. **hambre** muy

violenta. ‖ **canina.** Enfermedad que consiste en tener uno tanta gana de comer, que con nada se ve satisfecho. ‖ **2.** fig. Gana de comer extraordinaria y excesiva. ‖ **3.** fig. Deseo vehementísimo. ‖ **de tres semanas.** loc. fig. que se usa cuando uno, por puro melindre, muestra repugnancia a ciertos alimentos, o no quiere comer a sus horas, por estar ya satisfecho. ‖ **estudiantina.** fig. y fam. Buen apetito y gana de comer a cualquier hora. ‖ **andar** uno **muerto de hambre.** fr. fig. Pasar la vida con suma estrechez y miseria. ‖ **apagar el hambre.** fr. fig. **matar el hambre.** ‖ **clarearse** uno **de hambre.** fr. fig. y fam. con que se pondera la mucha **hambre** que tiene. ‖ **hambre y valentía.** expr. con que se nota al arrogante y vano que quiere disimular su pobreza. ‖ **juntarse el hambre con la gana,** o **las ganas, de comer.** fr. fig. que se usa para indicar que coinciden las faltas, necesidades o aficiones de dos personas. ‖ **más listo que el hambre.** loc. con que se pondera la agudeza, ingenio y expedición de una persona. ‖ **matar de hambre.** fr. fig. Dar poco de comer, extenuar. ‖ **matar el hambre.** fr. fig. Saciarla. ‖ **matarse** uno **de hambre.** fr. fig. Tratarse mal por penitencia o por sobrada cicatería. ‖ **morir,** o **morirse, de hambre.** fr. fig. Tener o padecer mucha penuria. ‖ **2.** Tener una **hambre** irresistible. ‖ **perecer,** o **rabiar, de hambre.** fr. **morir de hambre.** ‖ **ser un muerto de hambre.** fr. fig. despect. Carecer de lo necesario, a pesar de lo que se aparenta. ‖ **sitiar** a uno **por hambre.** fr. fig. Valerse de la ocasión de que esté en necesidad o apuro, para reducirle a lo que se desea.

hambrear. tr. p. us. Causar a uno o hacerle padecer hambre, impidiéndole la provisión de víveres. ‖ **2.** intr. Padecer hambre. ‖ **3.** Mostrar alguna necesidad, excitando la compasión y mendigando remedio para ella.

hambriento, ta. adj. Que tiene mucha hambre o necesidad de comer. Ú. t. c. s. ‖ **2.** fig. Que tiene deseo de otra cosa.

hambrina. f. *And.* Hambre grande o extrema.

hambrío, a. adj. ant. Que tiene hambre de comida. Ú. en Salamanca.

hambrón, na. adj. fam. Muy hambriento; que continuamente anda manifestando afán y agonía por comer. Ú. t. c. s.

hambruna. f. **hambre** grande, escasez generalizada de alimentos.

hamburgués, sa. adj. Natural de Hamburgo. Ú. t. c. s. ‖ **2.** Perteneciente o relativo a esta ciudad de Alemania.

hamburguesa. (Del ing. americano *hamburger,* hamburguesa.) f. Tortita de carne picada, con diversos ingredientes, frita o asada.

hamburguesería. f. Establecimiento donde se preparan y expenden hamburguesas.

hamez. f. Cortadura que se produce en las plumas a las aves de cetrería por no alimentarlas bien.

hamo. (Del lat. *hamus.*) m. desus. Anzuelo de pescar.

hampa. f. Conjunto de maleantes, los cuales, unidos en una especie de sociedad, cometían robos y otros desafueros, y usaban un lenguaje particular, llamado jerigonza o germanía. ‖ **2.** Vida de las gentes holgazanas y maleantes. ‖ **3.** Gente que lleva esta vida.

hampesco, ca. adj. Perteneciente al hampa.

hampo, pa. adj. desus. Perteneciente al hampa. ‖ **2.** m. desus. Vida de pícaros y maleantes. ‖ **3.** desus. Conjunto de pícaros y maleantes.

hampón. (De *hampa.*) adj. Valentón, bravo. ‖ **2.** Maleante, haragán. Ú. t. c. s.

hamudí. (Del ár. *hammūdí,* perteneciente o relativo a *Hammūd,* n. p. de persona.) adj. Dícese de los descendientes de Alí ben Hamud, que a la caída del califato de Córdoba fundaron reinos de taifas en Málaga y Algeciras durante la primera mitad del siglo XI de J. C. Ú. t. c. s. En esta palabra se aspira la *h*.

hanega. f. **fanega.**

hanegada. f. **fanegada.**

hangar. (Del fr. *hangar*.) m. Cobertizo grande, generalmente abierto, para guarecer aparatos de aviación o dirigibles.

hannoveriano, na. adj. Natural de Hannóver. Ú. t. c. s. ‖ **2.** Perteneciente o relativo a esta ciudad o al antiguo reino del mismo nombre.

hansa. (Del a. al. ant. *hansa*, compañía.) f. Antigua confederación de ciudades alemanas para seguridad y fomento de su comercio.

hanseático, ca. (De *hansa*.) adj. Perteneciente o relativo al hansa.

hanzo. m. ant. Contento, alegría, placer.

hao. Voz ant. que se usaba para llamar a uno que estuviese distante. ‖ **2.** m. ant. Renombre, fama.

hapálido. (De *Hapale*, nombre de un género de monos, e *-ido*.) adj. *Zool*. Dícese de simios que se caracterizan por tener cuatro incisivos verticales, uñas comprimidas y puntiagudas, excepto en el pulgar de las extremidades abdominales; el pulgar de las torácicas es poco o nada oponible. Son los monos más pequeños que se conocen, y viven en América Meridional; como el tití. Ú. t. c. s. m. ‖ **2.** m. pl. *Zool*. Familia de estos animales.

hápax. (Del adv. gr. ἅπαξ.) m. Tecnicismo empleado en lexicografía o en trabajos de crítica textual para indicar que una voz se ha registrado una sola vez en una lengua, en un autor o en un texto.

haploide. (Del gr. ἁπλός, simple, y *-oide*.) adj. *Biol*. Dícese del organismo, tejido, célula o núcleo que posee un único juego de cromosomas.

haploidía. (De *haploide* e *-ia*.) f. *Biol*. Condición de haploide.

haplología. (Del gr. ἁπλός, simple, y *-logia*.) f. *Fon*. Eliminación de una sílaba semejante a otra contigua de la misma palabra, como *cejunto* por *cejijunto*, *impudicia* por *impudicicia*.

haquitía. f. Dialecto judeoespañol hablado en Marruecos.

haragán, na. (De etim. disc.) adj. Que rehúye el trabajo. Ú. m. c. s.

haraganamente. adv. m. Con haraganería.

haraganear. intr. Rehuir el trabajo.

haraganería. f. Falta de aplicación al trabajo.

haraganía. f. desus. **haraganería.**

haraganoso, sa. adj. p. us. **haragán.**

harambel. (Del ár. *al-ḥanbal*, poyal, tapiz.) m. **arambel.**

harapiento, ta. adj. Lleno de harapos.

harapo. (De [*h*]*arpar*, quizá infl. por *trapo*.) m. **andrajo**, jirón de ropa muy usada. ‖ **2.** Líquido ya sin fuerza, o aguardiente de poquísimos grados, que sale por la piquera del alambique cuando va a terminar la destilación del vino. ‖ **andar** o **estar**, uno **hecho un harapo.** fr. fig. y fam. Llevar muy roto el vestido.

haraposo, sa. adj. Andrajoso, lleno de harapos.

haraquiri. (Voz japonesa.) m. Forma de suicidio ritual, practicado en Japón por razones de honor o por orden superior, y consistente en abrirse el vientre.

haraute. (Del fr. *héraut*.) m. ant. **rey de armas.**

haravico. m. *Perú*. **aravico.**

harbar. (Del ár. *ḥárab*, devastar, echar a perder.) intr. **acezar.** ‖ **2.** desus. Hacer alguna cosa deprisa y atropelladamente. Ú. t. c. tr.

harbullar. tr. **farfullar.**

harbullista. adj. p. us. **farfullador.** Ú. t. c. s.

harca. (Del ár. marroquí *hárka*, expedición militar.) f. En Marruecos, expedición militar de tropas indígenas de organización irregular. ‖ **2.** Partida de rebeldes marroquíes. En esta palabra se aspira la *h*.

harda¹. (De or. inc.) f. **arda¹.**

harda². (De *farda²*.) f. *And*. Costal, saco.

hardido, da. adj. **ardido.**

harem. m. **harén.**

harén. (Del ár. *ḥarīm*, lugar vedado, gineceo.) m. Departamento de las casas de los musulmanes en que viven las mujeres. ‖ **2.** Conjunto de todas las mujeres que viven bajo la dependencia de un jefe de familia entre los musulmanes. ‖ **3.** *Zool*. Por ext., grupo de hembras que conviven con un único macho en la época de la procreación, como ocurre, p. ej., entre los ciervos.

harense. adj. Natural de Haro. Ú. t. c. s. ‖ **2.** Perteneciente o relativo a esta ciudad.

harija. (Del lat. vulg. *faricŭlum*, torta de escanda, con *-a* del n. pl., o influida por *harina*.) f. Polvillo que el aire levanta del grano cuando se muele, y de la harina cuando se cierne.

harina. (Del lat. *farīna*.) f. Polvo que resulta de la molienda del trigo o de otras semillas. ‖ **2.** Este mismo polvo despojado del salvado o la cascarilla. ‖ **3.** Polvo procedente de algunos tubérculos y legumbres. ‖ **4.** fig. Polvo menudo a que se reducen algunas materias sólidas. ‖ **abalada.** La que cae fuera de la artesa cuando se cierne con descuido. ‖ **fósil. trípoli. ‖ integral.** La no cernida, que contiene todo el salvado. ‖ **lacteada.** Polvo compuesto de leche concentrada en el vacío, pan tostado pulverizado y azúcar, y que se utiliza como alimento en la primera infancia. ‖ **estar metido en harina.** fr. Hablando del pan, no estar esponjoso. ‖ **2.** fig. y fam. Estar uno gordo y tener las carnes macizas. ‖ **3.** fig. y fam. Estar empeñado con mucho ahínco en una obra o empresa. ‖ **hacer buena,** o **mala, harina.** fr. fig. y fam. Obrar bien o mal. ‖ **hacer harina** una cosa. fr. fig. Hacerla añicos. ‖ **ser** una cosa **harina de otro costal.** fr. fig. y fam. Ser muy diferente de otra con que se la compara. ‖ **2.** fig. y fam. Ser algo enteramente ajeno al asunto de que se trata.

harinado. m. Harina disuelta en agua.

harinear. intr. impers. *And*. y *Venez*. Llover con gotas muy menudas.

harinero, ra. adj. Perteneciente a la harina. *Molino, cedazo* HARINERO. ‖ **2.** m. El que trata o comercia en harina. ‖ **3.** Arcón o sitio donde se guarda la harina.

harinoso, sa. adj. Que tiene mucha harina. ‖ **2.** De la naturaleza de la harina o parecido a ella.

harma. (Del ár. *ármal*.) f. Especie de ruda, alharma.

harmonía. f. **armonía.**

harmónicamente. adv. m. **armónicamente.**

harmónico, ca. adj. **armónico.**

harmonio. m. *Mús*. **armonio.**

harmoniosamente. adv. m. **armoniosamente.**

harmonioso, sa. adj. **armonioso.**

harmonista. com. ant. **armonista.**

harmonizable. adj. **armonizable.**

harmonización. f. *Mús*. **armonización.**

harmonizar. tr. **armonizar.**

harnal. (Del lat. *farināls*.) m. Cajón de harina, especialmente el cajón grande del molino.

harneadura. f. *Chile*. Acción y efecto de harnear.

harnear. tr. *Chile*. Cribar, pasar por el harnero.

harnerero. m. Fabricante o vendedor de harneros.

harnero. (Del lat. [*cribrum*] *farinarĭum*.) m. Especie de criba. ‖ **alpistero.** Que da sirve para limpiar el alpiste. ‖ **estar** uno **hecho un harnero.** fr. fig. Tener muchas heridas.

harneruelo. m. Paño horizontal que forma el centro de la mayor parte de los techos de madera labrada o alfarjes.

harón, na. (Del ár. *ḥarūn* o *ḥarūn*, reacio.) adj. Lerdo, perezoso, holgazán. ‖ **2.** Que se resiste a trabajar. ‖ **sacar a** uno **de harón.** fr. Sacarle de su paso, avivarle.

haronear. (De *harón*.) intr. Emperezarse; andar lerdo, flojo o tardo.

haronía. (De *harón*.) f. Pereza, flojedad, poltronería.

harpa. f. arpa.

harpado[1], da. adj. **arpado[1]**.

harpado[2], da. adj. **arpado[2]**.

harpía. f. **arpía**.

harpillera. f. **arpillera**.

harqueño. adj. Perteneciente o relativo a la harca. Apl. a pers., ú. t. c. s. En esta voz se aspira la *h*.

harrado. m. *Arq.* Rincón o ángulo entrante que forma la bóveda esquifada. ‖ **2.** Triángulo que deja en un cuadrado el círculo inscrito en él, enjuta.

harrapo. m. **arrapo**.

harre. **arre**, voz con que se estimula a las bestias.

harrear. tr. **arrear[1]**.

harria. f. Recua, arria.

harriería. f. **arriería**.

harriero. m. **arriero**. ‖ **2.** Ave trepadora de cola larga, plumaje rojizo y alas de color gris verdoso con reflejos metálicos. Habita en la isla de Cuba.

harropea. f. ant. **herropea**.

harruquero. m. *And.* **arriero**.

hartada. f. Acción y efecto de hartar o hartarse. ‖ **2.** Cantidad de algo que basta para hartarse. ‖ **más vale una hartada que dos hambres.** fr. fam. para disculparse de consumir algo de una vez sin dejar nada para otra ocasión.

hartar. (De *harto*.) tr. Saciar, incluso con exceso, el apetito de comer o beber. Ú. t. c. prnl. ‖ **2.** fig. Satisfacer el gusto o deseo de una cosa. Ú. t. c. prnl. ‖ **3.** fig. Fastidiar, cansar. Ú. t. c. prnl. ‖ **4.** fig. Con la prep. *de* y algunos nombres, dar, causar a alguien con demasiada abundancia lo que significan los nombres con que se junta el verbo. HARTAR *a uno de palos, de desvergüenzas*.

hartazga. f. ant. **hartazgo**.

hartazgo. (De *hartar*.) m. Acción y efecto de hartar o hartarse de comer o beber. ‖ **2.** fig. Acción y efecto de hartar o hartarse de cualquier otra cosa. ‖ **darse uno un hartazgo.** fr. fam. Comer con exceso, llenarse de comida. ‖ **darse uno un hartazgo de** una cosa. fr. fig. y fam. Hacerla con exceso. DARSE UN HARTAZGO *de reír, de leer, de hablar*.

hartazón. m. **hartazgo**.

hartera. f. **hartazgo**.

hartío, a. adj. ant. Harto o saciado.

harto, ta. (Del lat. *fartus*, relleno, henchido.) p. p. irreg. de **hartar**. Ú. t. c. s. ‖ **2.** adj. Bastante o sobrado. ‖ **3.** fig. y fam. V. **harto de ajos**. ‖ **4.** adv. c. Bastante o sobrado.

hartón. (De *hartar*.) adj. V. **cambur hartón**. ‖ **2.** m. fam. Acción y efecto de hartar o hartarse.

hartura. (De *harto*.) f. **hartazgo**. ‖ **2.** Abundancia excesiva. ‖ **3.** fig. Logro total y cumplido de un deseo o apetito.

hasaní. (Del ár. *ḥasaní*, perteneciente o relativo a *Ḥasan*, n. p. de persona.) adj. Dícese principalmente de la moneda que acuñó el sultán de Marruecos, Hasán, y en general de la moneda marroquí.

hasta. (Del ár. *ḥatta*.) prep. que sirve para expresar el término de tiempo, lugares, acciones o cantidades. ‖ **2.** Se usa como conjunción copulativa, con valor incluyente, combinada con *cuando* o con un gerundio: *Canta* HASTA CUANDO *come*, o COMIENDO; o con valor excluyente, seguida de *que*: *Canta* HASTA QUE *come*. ‖ **hasta ahora, hasta después, hasta luego, hasta más ver** o **hasta la vista.** exprs. que se emplean como saludo para despedirse de una persona a quien se espera volver a ver pronto o en el mismo día. ‖ **hasta no más.** loc. adv. que se usa para significar gran exceso o demasía de alguna cosa. ‖ **hasta nunca.** expr. que expresa el enfado o irritación de quien se despide de otra persona a la que no se quiere volver a ver. ‖ **hasta que** o

hasta tanto que. expr. que indica el límite o término de la acción del verbo principal. *Correré* HASTA QUE *me canse*.

hastial. (Del lat. *fastigiāle*, de *fastigium*.) m. Parte superior triangular de la fachada de un edificio, en la cual descansan las dos vertientes del tejado o cubierta, y por ext., toda la fachada. ‖ **2.** En las iglesias, cada una de las tres fachadas correspondientes a los pies y laterales del crucero. ‖ **3.** fig. Hombrón rústico y grosero. Suele aspirarse la *h*. ‖ **4.** *Min.* Cara lateral de una excavación. ‖ **5.** pl. *Ál.* Porches o soportales para uso y comodidad del público.

hastiar. (Del lat. *fastidiāre*.) tr. Causar hastío, repugnancia o disgusto. Ú. t. c. prnl.

hastío. (Del lat. *fastidium*.) m. Repugnancia a la comida. ‖ **2.** fig. Disgusto, tedio.

hastiosamente. adv. m. Con hastío.

hastioso, sa. (Del lat. *fastidiōsus*.) adj. **fastidioso**.

hataca. f. Cierto cucharón o cuchara grande de palo. ‖ **2.** desus. Palo cilíndrico que servía para extender la recua.

hatada. (De *hato*.) f. *Extr.* Ropa y ajuar del pastor.

hatajador. m. *Méj.* El que guía la recua.

hatajo. m. **atajo**, pequeño grupo de ganado. ‖ **2.** despect. Grupo de personas o cosas. *Un* HATAJO *de pillos; un* HATAJO *de disparates*.

hatear. (De *hato*.) tr. Recoger la ropa y otros objetos de uso personal cuando se va a salir de viaje. Ú. t. c. intr. ‖ **2.** Dar la hatería a los pastores.

hatería. (De *hatero*.) f. Provisión de víveres con que para algunos días se abastece a los pastores, jornaleros y mineros. ‖ **2.** Ropa, objetos de uso personal y repuesto de víveres que llevan los pastores, jornaleros y mineros.

hatero, ra. (De *hato*.) adj. Aplícase a las caballerías mayores y menores que sirven para llevar la hatería de los pastores. ‖ **2.** *And.* Aplícase al perro, generalmente de pequeño tamaño, que queda guardando el hato mientras trabaja su dueño. ‖ **3.** m. El que está destinado para llevar la provisión de víveres a los pastores. ‖ **4.** m. y f. *Cuba.* Persona que posee un hato, hacienda con ganado.

hatijo. m. Cubierta de esparto, o de otra materia semejante, para tapar la boca de las colmenas o de otro vaso.

hatillo. m. d. de **hato**. ‖ **echar** uno **el hatillo al mar.** fr. fig. y fam. Irritarse, enojarse. ‖ **coger,** o **tomar,** uno **el hatillo,** o **su hatillo.** fr. fig. y fam. Marcharse, partirse, irse.

hato. (De or. inc.) m. Ropa y otros objetos que uno tiene para el uso preciso y ordinario. ‖ **2.** Porción de ganado mayor o menor. ‖ **3.** Sitio que fuera de las poblaciones eligen los pastores para comer y dormir durante su permanencia allí con el ganado. ‖ **4.** **hatería**. ‖ **5.** *Col., Cuba, Sto. Dom. y Venez.* Hacienda de campo destinada a la cría de toda clase de ganado, y principalmente el mayor. ‖ **6.** fig. Junta o compañía de gente malvada o despreciable. *Un* HATO *de pícaros, de tontos*. ‖ **7.** fig. **atajo**, abundancia. ‖ **8.** fam. Junta o corrillo. ‖ **9.** ant. Redil o aprisco. ‖ **andar** uno **con el hato a cuestas.** fr. fig. y fam. Mudar frecuentemente de habitación, o andar vagando de un lugar a otro sin fijar en ninguno su domicilio. ‖ **liar** uno **el hato.** fr. fig. y fam. Prepararse para marchar. ‖ **menear el hato** a uno. fr. fig. y fam. Zurrarle, darle golpes. ‖ **perder** uno **el hato.** fr. fig. y fam. Huir uno o hacer otra cosa con tal aceleración y falta de tiento, que parece que pierde o se le cae lo que trae a cuestas. ‖ **revolver el hato.** fr. fig. y fam. Excitar discordias entre algunos; inquietar los ánimos de unos con otros. ‖ **traer** uno **el hato a cuestas.** fr. fig. y fam. **andar con el hato a cuestas.**

haute. (Del fr. *haute*, alta.) m. *Blas.* Escudo de armas adornado de cota, donde se pintan las armas de distintos linajes, las unas enteramente descubiertas y las otras a la mitad solo, como que lo que falta lo encubre la parte ya pintada.

havar. adj. Dícese del individuo de la tribu berberisca de

Havara, una de las más antiguas del África Septentrional. Ú. m. c. s. y en pl. ‖ **2.** Perteneciente a esta tribu.

havara. adj. **havar**. Ú. m. c. s.

havo. (Del lat. *favus*, panal.) m. En algunas partes, favo o panal.

haya[1]. (Del lat. [*materĭa*] *fagĕa*, [madera] de haya.) f. Árbol de la familia de las fagáceas, que crece hasta 30 metros de altura, con tronco grueso, liso, de corteza gris y ramas muy altas, que forman una copa redonda y espesa; hojas pecioladas, alternas, oblongas, de punta aguda y borde dentellado; flores masculinas y femeninas separadas, las primeras en amentos colgantes y las segundas en involucro hinchado hacia el medio, y madera de color blanco rojizo, ligera, resistente y de espejuelos muy señalados. Su fruto es el hayuco. ‖ **2.** Madera de este árbol.

haya[2]. (Del lat. *habēam*, 1.ª pers. sing. del pres. de subj. de *habēre*.) f. Donativo que en las escuelas de baile español hacían antiguamente los discípulos a sus maestros por las pascuas y otras festividades del año.

hayaca. f. Pastel de harina de maíz relleno con pescado, carne en pedazos pequeños u otros ingredientes, que, envuelto en hojas de plátano, se hace en Venezuela, especialmente por Navidad.

hayal. m. Sitio poblado de hayas[1].

hayedo. (De *haedo*, infl. por *haya*[1].) m. **hayal**.

hayeno, na. adj. ant. Perteneciente al haya[1].

hayo. m. *Col.* y *Venez.* **coca**[1], arbusto. ‖ **2. coca**[1], hoja de este arbusto. ‖ **3.** Mezcla de hojas de coca y algas calizas o de sosa y a veces ceniza, que mascan los indios de Colombia.

hayucal. (De *hayuco*.) m. *León.* Sitio poblado de hayas[1].

hayuco. (De *haya*[1].) m. Fruto del haya, de forma de pirámide triangular. Suele darse como pasto al ganado de cerda.

haz[1]. (Del lat. *fascis*.) m. Porción atada de mieses, lino, hierbas, leña u otras cosas semejantes. ‖ **2.** Conjunto de partículas o rayos luminosos de un mismo origen, que se propagan sin dispersión. ‖ **3.** *Geom.* Conjunto de rectas que pasan por un punto, o de planos que concurren en una misma recta. ‖ **4.** pl. Fasces de cónsul romano.

haz[2]. (Del lat. *acĭes*, fila, con la *h* de *haz*[1].) m. Tropa ordenada o formada en trozos o divisiones. ‖ **2.** Tropa formada en filas.

haz[3]. (Del lat. *facĭes*, cara.) f. Cara o rostro. ‖ **2.** fig. Cara de una tela o de otras cosas, que normalmente se caracteriza por su mayor perfección, acabado, regularidad u otras cualidades que la hacen más estimable a la vista y al tacto. ‖ **3.** ant. fig. Fachada de un edificio. ‖ **4.** *Bot.* Cara superior de la hoja, normalmente más brillante y lisa, y con nervadura menos patente que en la cara inferior o envés. ‖ **5.** *Der.* V. **fianza de la haz**. ‖ **de la tierra**. fig. Superficie de ella. ‖ **a dos haces**. loc. adv. Con segunda intención. ‖ **a sobre haz**. loc. adv. Por lo que aparece en lo exterior; según lo que se presenta por fuera y por encima. ‖ **en haz**, o **en el haz**. loc. adv. A vista, en presencia. ‖ **hacer haz**. *Albañ.* y *Carp.* fr. Hablando de dos maderos o sillares, estar sus paramentos en un mismo plano. ‖ **ser uno de dos haces**. fr. fig. Decir una cosa y sentir otra.

haza. (Del lat. *fascĭa*, faja.) f. Porción de tierra labrantía o de sembradura. ‖ **2.** ant. fig. Montón o rimero. ‖ **mondar el haza**. fr. fig. y fam. Desembarazar un sitio o paraje, a semejanza del labrador cuando levanta la mies.

hazaleja. f. ant. **toalla**.

hazana. (Como *hazaña*.) f. fam. Faena casera habitual y propia de la mujer.

hazaña. (De *hacer*, con cruce probable del ár. *ḥasana*, buena obra, acción meritoria.) f. Acción o hecho, y especialmente hecho ilustre, señalado y heroico.

hazañar. (De *hazaña*.) intr. ant. Hacer hazañerías.

hazañería. (De *hazaña*.) f. Demostración o expresión afectada con que uno da a entender que teme, se admira o siente entusiasmo, no teniendo motivo para ello.

hazañero, ra. adj. Que hace hazañerías. ‖ **2.** Perteneciente a la hazañería.

hazañosamente. adv. m. p. us. Valerosamente, con heroicidad.

hazañoso, sa. adj. Aplícase al que ejecuta hazañas. ‖ **2.** Dícese de los hechos heroicos.

hazmerreír. (De *hacer*, el pron. *me* y *reír*.) m. fam. Persona que por su figura ridícula y porte extravagante sirve de diversión a los demás.

hazuela. f. d. de **haza**.

he[1]. (Del ár. *hā*, forma vulg. *hē*, he aquí.) adv. que, unido a *aquí*, *ahí* y *allí*, o con los pronombres *me*, *te*, *la*, *le*, *lo*, *las*, *los*, sirve para señalar o mostrar una persona o cosa. ‖ **2.** interj. Voz con que se llama a uno.

he[2] (**a la**). loc. ant. **a la fe**.

hebdómada. (Del lat. *hebdomăda*, y este del gr. ἑβδομάς.) f. p. us. **semana**. ‖ **2.** Espacio de siete años. *Las setenta* HEBDÓMADAS *de Daniel*.

hebdomadariamente. adv. m. **semanalmente**.

hebdomadario, ria. (De *hebdómada*.) adj. **semanal**. ‖ **2.** m. y f. En los cabildos eclesiásticos y comunidades regulares, semanero, o persona que se destina cada semana para oficiar en el coro o en el altar. ‖ **3.** m. **semanario**.

hebén. adj. V. **uva hebén**. ‖ **2.** Dícese también del veduño y vides que la producen. ‖ **3.** fig. Aplícase a la persona o cosa que es de poca sustancia o fútil.

hebetar. (Del lat. *hebetāre*.) tr. p. us. Enervar, debilitar, embotar.

hebijón. (Cruce de *hebillón* y de *agujón*.) m. Clavo o púa de la hebilla.

hebilla. (Del lat. vulg. **fibella*, d. de *fibŭla*.) f. Pieza de metal o de otra materia, generalmente con uno o varios clavillos articulados en una varilla que la cierra por un lado, los cuales sujetan la correa, cinta, etc., que pasa por dicha pieza. ‖ **no faltar hebilla** a uno o a una cosa. fr. fig. y fam. Tener una cosa perfección, o tener una persona todo lo necesario para ejecutar algo.

hebillaje. m. Conjunto de hebillas que entran en un aderezo, vestido o adorno.

hebillar. tr. ant. Poner hebillas o sujetar con hebillas.

hebillero, ra. m. y f. Fabricante o vendedor de hebillas.

hebilleta. f. d. de **hebilla**. ‖ **no faltar hebilleta** a uno o a una cosa. fr. fig. y fam. **no faltarle hebilla**.

hebillón. m. aum. de **hebilla**.

hebilluela. f. d. de **hebilla**.

hebra. (Del lat. *fibra*.) f. Porción de hilo, estambre, seda u otra materia hilada, que suele hacer algo suele meterse por el ojo de una aguja. ‖ **2.** Nombre aplicado a distintas fibras vegetales o animales. ‖ **3.** En algunas partes, estigma de la flor del azafrán. ‖ **4.** Fibra de la carne. ‖ **5.** Filamento de las materias textiles. ‖ **6.** Cada partícula del tabaco picado en filamentos. ‖ **7.** En la madera, aquella parte que tiene consistencia y flexibilidad para ser labrada o torcida sin que salte ni se quiebre. ‖ **8.** Hilo que forman las materias viscosas que tienen cierto grado de concentración. ‖ **9.** Vena o filón. ‖ **10.** fig. Hilo del discurso. ‖ **11.** pl. poét. Los cabellos. Ú. t. en sing. ‖ **cortar a uno la hebra de la vida**. fr. fig. Privarle de la vida, quitársela. ‖ **de una hebra**. loc. adv. fig. *Chile.* **de un aliento**. ‖ **estar uno de buena hebra**. fr. fig. y fam. Hallarse fuerte y robusto. ‖ **hacer hebra**. fr. **hacer madeja**. ‖ **pegar la hebra**. fr. fig. y fam. Trabar accidentalmente conversación, o prolongarla más de la cuenta. ‖ **ser uno de buena hebra**. fr. fig. y fam. **estar de buena hebra**.

hebraico, ca. (Del lat. *Hebraĭcus*.) adj. **hebreo**. ‖ **2.** m. ant. **hebreo**.

hebraísmo. m. Profesión de la ley antigua o de Moisés. ‖ **2.** Giro o modo de hablar propio y privativo de la lengua hebrea. ‖ **3.** Empleo de tales giros o construcciones en otro idioma.

hebraísta. com. Persona que cultiva la lengua y literatura hebreas.

hebraizante. p. a. de **hebraizar.** Que usa hebraísmos. ‖ **2.** adj. **hebraísta.** Ú. t. c. s. ‖ **3.** Que abraza o practica la ley judaica. Ú. t. c. s.

hebraizar. intr. Usar palabras o giros propios de la lengua hebrea.

hebreo, a. (Del lat. *Hebraeus*, y este del hebr. *'ibrī*.) adj. Aplícase al pueblo semítico que conquistó y habitó la Palestina, también llamado israelita y judío. Apl. a pers., ú. t. c. s. ‖ **2.** Perteneciente o relativo a este pueblo. ‖ **3.** Dícese del que profesa la ley de Moisés. Ú. t. c. s. ‖ **4.** Perteneciente a los que la profesan. ‖ **5.** m. Lengua de los **hebreos.** ‖ **6.** fig. y fam. **mercader,** el que comercia.

hebrero¹. m. **herbero,** esófago o tragadero del animal rumiante.

hebrero². m. ant. **febrero.**

hebroso, sa. adj. Que tiene muchas hebras.

hebrudo, da. adj. *And., León* y *C. Rica.* Que tiene muchas hebras.

hecatombe. (Del lat. *hecatombe*, y este del gr. ἑϰατόμβη.) f. Sacrificio de cien reses vacunas u otras víctimas, que hacían los antiguos a sus dioses. ‖ **2.** Cualquier sacrificio solemne en que es grande el número de víctimas. ‖ **3.** fig. Mortandad de personas. ‖ **4.** fig. Desgracia, catástrofe.

heciento, ta. (De *hez*.) adj. ant. Que tiene heces.

hectárea. (De *hecto-* y *área*.) f. Medida de superficie, que tiene 100 áreas.

héctico, ca. (Del lat. *hectĭcus*, y este del gr. ἑϰτιϰός, habitual.) adj. **hético.** ‖ **2.** V. **fiebre héctica.** Ú. t. c. s.

hectiquez. (De *héctico*.) f. *Pat.* Estado morboso crónico, caracterizado por consunción y fiebre héctica.

hecto-. (Contracc. del gr. ἑϰατόν, ciento.) elem. compos. que significa «cien»: HECTÓmetro, HECTOgramo.

hectógrafo. (De *hecto-* y *-grafo*.) m. Aparato que sirve para sacar muchas copias de un escrito o dibujo.

hectogramo. (De *hecto-* y *gramo*.) m. Medida de peso, que tiene 100 gramos.

hectolitro. (De *hecto-* y *litro*.) m. Medida de capacidad, que tiene 100 litros.

hectómetro. (De *hecto-* y *-metro*.) m. Medida de longitud, que tiene 100 metros.

hectóreo, a. (Del lat. *Hectorĕus*.) adj. poét. Perteneciente a Héctor, personaje homérico, o semejante a él.

hecha. (Del lat. *facta*.) f. ant. Hecho o acción. ‖ **2.** ant. Anotación del lugar y tiempo de una cosa. ‖ **3.** *Ar.* Tributo o censo que se paga por el riego de las tierras. ‖ **de aquella hecha.** loc. adv. ant. Desde entonces, desde aquel tiempo o desde aquella vez. ‖ **de esta hecha.** loc. adv. Desde ahora, desde este tiempo o desde esta vez o fecha.

hecheresco, ca. adj. Perteneciente a la hechicería.

hechicería. (De *hechizo*.) f. Arte supersticioso de hechizar. ‖ **2.** Cualquiera de las cosas que emplean los hechiceros en su arte. ‖ **3.** Acto supersticioso de hechizar.

hechicero, ra. (De *hechizo*.) adj. Que practica la hechicería. Ú. t. c. s. ‖ **2.** fig. Que por su hermosura, gracia o buenas prendas atrae y cautiva la voluntad y cariño de las gentes. *Niña* HECHICERA; *estilo* HECHICERO.

hechizar. (De *hechizo*.) tr. Según la credulidad del vulgo, ejercer un maleficio sobre alguien por medio de prácticas supersticiosas. ‖ **2.** fig. Despertar una persona o cosa admiración, afecto o deseo.

hechizo, za. (Del lat. *factĭcius*.) adj. Artificioso o fingido. ‖ **2.** De quita y pon, postizo, sobrepuesto y agregado. ‖ **3.** Que se ha hecho o se hace según ley y arte. ‖ **4.** V. **herra-**

dura **hechiza.** ‖ **5.** V. **ruido hechizo.** ‖ **6.** ant. Contrahecho, falseado o imitado. ‖ **7.** ant. Bien adaptado o apropiado. ‖ **8.** m. Práctica usada por los hechiceros para intentar el logro de sus fines. ‖ **9.** Cosa u objeto que se emplea en tales prácticas. ‖ **10.** fig. Persona o cosa que embelesa o cautiva.

hecho, cha. (Del lat. *factus*.) p. p. irreg. de **hacer.** ‖ **2.** adj. Acabado, maduro. *Hombre, árbol, vino* HECHO. ‖ **3.** Con algunos nombres, y seguido del artículo *un*, semejante a las cosas significadas por tales nombres. HECHO UN *león*, UN *basilisco*. ‖ **4.** Aplicado a nombres de personas, con los advs. *bien* o *mal*, significa la proporción o desproporción de sus miembros entre sí, y la buena o mala formación de cada uno de ellos. ‖ **5.** V. **frase, ropa hecha.** ‖ **6.** V. **hombre hecho.** ‖ **7.** Úsase en su terminación masculina como respuesta afirmativa para conceder o aceptar lo que se pide o propone. ‖ **8.** m. Acción u obra. ‖ **9.** V. **hombre, juez de hecho.** ‖ **10.** Cosa que sucede. ‖ **11.** Asunto o materia de que se trata. ‖ **12.** *Der.* Caso sobre que se litiga o que da motivo a la causa. ‖ **13.** *Der.* V. **ignorancia de hecho.** ‖ **14.** *Der.* V. **condición imposible de hecho.** ‖ **15.** *Der.* V. **presunción de hecho y de derecho.** ‖ **consumado.** Acción que se ha llevado a cabo, adelantándose a cualquier evento que pudiera dificultarla o impedirla. ‖ **de armas.** Hazaña o acción señalada en la guerra. ‖ **imponible.** Situación o circunstancia que produce la obligación legal de contribuir. ‖ **jurídico.** El que tiene consecuencias jurídicas. ‖ **probado.** *Der.* El que como tal se declara en las sentencias por los tribunales de instancia, y es base para las apreciaciones jurídicas en casación, especialmente en lo criminal. ‖ **Hechos de los Apóstoles.** El quinto libro del Nuevo Testamento, escrito por San Lucas. ‖ **a hecho.** loc. adv. Seguidamente, sin interrupción hasta concluir. ‖ **2.** Por junto, sin distinción ni diferencia. ‖ **a lo hecho, pecho.** fr. proverb. para expresar que deben arrostrarse las consecuencias de una acción anterior. ‖ **de hecho.** loc. adv. **efectivamente.** ‖ **2.** De veras, con eficacia y buena voluntad. ‖ **3.** ant. *Der.* Servía para denotar que en una causa se procedía arbitrariamente por vía de fuerza y contra lo prescrito en el derecho. ‖ **4.** loc. adj. y adv. Aplícase a lo que se hace sin ajustarse a una norma o prescripción legal previa. *No experaremos una resolución, procederemos* DE HECHO. *Situación* DE HECHO. ‖ **de hecho y de derecho.** loc. adj. Que, además de existir o proceder, existe o procede legítimamente. ‖ **en hecho de verdad.** loc. adv. Real y verdaderamente. ‖ **eso está hecho.** fr. fam. que indica que algo se puede considerar tan seguro como si ya se hubiera realizado. ‖ **esto es hecho.** expr. con que se da a entender haberse ya verificado enteramente o consumado una cosa. ‖ **hacer** uno su **hecho.** fr. hacer su negocio. ‖ **hecho y derecho.** loc. con que se explica que una persona es cabal, o que se ha ejecutado una cosa cumplidamente. ‖ **2.** Real y verdadero. ‖ **ya está hecho.** expr. de conformidad con algo ya irremediable.

hechor, ra. (Del lat. *factor, -ōris*, factor.) m. y f. ant. El que es causa de alguna cosa. ‖ **2.** *And., Chile* y *Ecuad.* **malhechor.** ‖ **3.** m. *Argent., Col., Perú* y *Venez.* **garañón,** asno.

hechura. (Del lat. *factūra*.) f. Acción y efecto de hacer. ‖ **2.** Cualquier cosa respecto del que la ha hecho o formado. ‖ **3.** Composición, fábrica, organización del cuerpo. ‖ **4.** Forma exterior o figura que se da a las cosas. ‖ **5.** Trabajo de cortar y coser la tela de una prenda de vestir, dándole la forma deseada. ‖ **6.** Dinero que se paga al sastre u oficial por hacer una obra. Ú. m. en pl. ‖ **7.** Imagen o figura de bulto hecha de madera, barro, pasta u otra materia. ‖ **8.** fig. Una persona respecto de otra a quien debe su empleo, dignidad y fortuna. ‖ **no se pierde más que la hechura.** expr. jocosa que se usa cuando se quiebra una cosa que es de poquísimo o de ningún valor y no puede componerse, para significar que se perdió cuanto había que perder. ‖ **no tener hechura** una cosa. fr. No ser factible.

hedentina. (De *hedentino*.) f. Olor malo y penetrante. ‖ **2.** Sitio donde lo hay.

hedentino, na. (De *hediente*.) adj. ant. hediondo.

hedentinoso, sa. (De *hedentino*.) adj. ant. Que despide hedor.

heder. (Del lat. *foetĕre*.) intr. Despedir un olor muy malo y penetrante. ‖ **2.** fig. Enfadar, cansar, ser insoportable.

hediento, ta. (De *heder*.) adj. hediondo.

hediondamente. adv. m. Con hedor.

hediondez. f. Cosa hedionda. ‖ **2.** Mal olor.

hediondo, da. (Del lat. vulg. *foetibundus, de *foetĕre*, heder.) adj. Que despide hedor. ‖ **2.** fig. Molesto, enfadoso e insufrible. ‖ **3.** fig. Sucio, repugnante y obsceno. ‖ **4.** V. **cañaheja, manzanilla hedionda.** ‖ **5.** V. **leño, lirio, trébol, zorro hediondo.** ‖ **6.** m. Arbusto originario de España, de la familia de las leguminosas, que crece hasta dos metros de altura, con hojas compuestas de tres hojuelas enteras y lanceoladas; flores amarillas en racimos casi pegados a las ramas, y fruto en vainillas negras, algo tortuosas, con seis o siete semillas pardas, de figura de riñón y un centímetro de largo. Toda la planta despide un olor desagradable.

hedo, da. (Del lat. *foedus*.) adj. ant. Feo.

hedónico, ca. adj. Relativo o perteneciente al hedonismo o al hedonista. ‖ **2.** Que procura el placer o que se relaciona con él.

hedonismo. (Del gr. ἡδονή, placer.) m. Doctrina que proclama el placer como fin supremo de la vida.

hedonista. adj. Perteneciente o relativo al hedonismo. ‖ **2.** Partidario del hedonismo. Ú. t. c. s. ‖ **3.** Que procura el placer.

hedonístico, ca. adj. Perteneciente o relativo al hedonismo o al hedonista. ‖ **2.** Que procura el placer o se relaciona con el placer.

hedor. (Del lat. *foetor*, *-ōris*.) m. Olor desagradable y penetrante.

hegelianismo. m. Sistema filosófico, fundado por Hegel, según el cual, lo Absoluto, que él llama Idea, se manifiesta evolutivamente bajo las formas de naturaleza y de espíritu. En esta voz se aspira la *h*, y tiene la *g* sonido suave.

hegeliano, na. adj. Que profesa el hegelianismo. Ú. t. c. s. ‖ **2.** Perteneciente a este sistema filosófico. En esta voz se aspira la *h*, y tiene la *g* sonido suave.

hegemonía. (Del gr. ἡγεμονία, dirección, jefatura.) f. Supremacía que una Estado ejerce sobre otros. ‖ **2.** Por ext., supremacía de cualquier tipo.

hegemónico, ca. adj. Perteneciente o relativo a la hegemonía.

hégira. (Del ár. *híŷra*, emigración.) f. Era de los musulmanes, que se cuenta desde el año 622, en que huyó Mahoma de la Meca a Medina, y que se compone de años lunares de 354 días, intercalando 11 de 355 en cada período de 30.

héjira. f. hégira.

helable. adj. Que se puede helar.

helada. (De *helar*.) f. Congelación de los líquidos, producida por la frialdad del tiempo. ‖ **blanca. escarcha.** ‖ **caer una helada.** fr. **helar.**

heladería. (De *helada*.) f. Establecimiento donde se hacen y venden helados.

heladero, ra. adj. Abundante en heladas. *Enero frío y* HELADERO. *Región muy* HELADERA. ‖ **2.** m. y f. Lugar donde hace mucho frío. *Este sitio es un* HELADERO *o una* HELADERA. ‖ **3.** Persona que fabrica o vende helados o tiene una heladería. ‖ **4.** f. nevera, armario con refrigeración.

heladizo, za. adj. Que se hiela fácilmente.

helado, da. p. p. de **helar.** ‖ **2.** adj. Muy frío. ‖ **3.** fig. Suspenso, atónito, pasmado. ‖ **4.** fig. Esquivo, desdeñoso.

‖ **5.** V. **queso helado.** ‖ **6.** m. Bebida o alimento **helado.** ‖ **7.** Refresco o sorbete de zumo de fruta, huevo, etc., en cierto grado de congelación. ‖ **8.** *And.* **azúcar rosado.** ‖ **al,** o **de, corte. helado** que se vende en cortes prismáticos.

helador, ra. adj. Que hiela.

heladura. f. Atronadura producida por el frío. ‖ **2.** **doble albura.**

helamiento. m. Acción y efecto de helar o helarse.

helar. (Del lat. *gelāre*.) tr. Congelar, cuajar, solidificar la acción del frío un líquido. Ú. m. c. intr. impers. y c. prnl. ‖ **2.** fig. Poner o dejar a uno suspenso y pasmado; sobrecogerle. ‖ **3.** fig. Hacer a uno perder el ánimo; desalentarlo, acobardarlo. ‖ **4.** prnl. Ponerse una persona o cosa sumamente fría o yerta. ‖ **5.** Coagularse, consolidarse una cosa que se había liquidado, por faltarle el calor necesario para mantenerse en el estado líquido. ‖ **6.** Hablando de árboles, arbustos, plantas o frutas, secarse a causa de la congelación de su savia y jugos, producida por el frío.

helear. (De *hiel*.) tr. Poner una cosa amarga como hiel.

helechal. m. Sitio poblado de helechos.

helecho. (Del lat. *filictum*, lugar poblado de helechos.) m. Planta criptógama, de la clase de las filicíneas con frondas pecioladas de dos a cinco decímetros de largo, lanceoladas y divididas en segmentos oblongos, alternos y unidos entre sí por la base; cápsulas seminales en dos líneas paralelas al nervio medio de los segmentos, y rizoma carnoso. ‖ **2.** *Bot.* Cualquiera de las plantas de la clase de las filicíneas. ‖ **hembra.** Especie de filicínea que se caracteriza por tener frondas de siete a trece decímetros de longitud, con peciolo largo, grueso y en parte subterráneo, que cortado al través representa aproximadamente el águila de dos a tres partes, y estas en segmentos lanceolados, vellosos por el envés y con las cápsulas seminales situadas junto al margen. El rizoma se usa en medicina como antihelmíntico. ‖ **macho.** Especie de filicínea que se caracteriza por tener frondas de seis a ocho decímetros de longitud, oblongas, de peciolo cubierto con escamas rojizas y divididas en segmentos largos de borde aserrado. El rizoma es de sabor algo amargo y olor desagradable, y se emplea en medicina como vermífugo.

helena. (De la figura mitológica *Helena*.) f. **fuego de Santelmo,** cuando se presenta con una sola llama.

helénico, ca. (Del gr. Ἑλληνικός, a través del lat. *Hellenĭcus*.) adj. Perteneciente o relativo a Grecia. ‖ **2.** Perteneciente o relativo a la Hélade o a los antiguos helenos.

helenio. (Del gr. ἑλένιον, a través del lat. *helenĭon*.) m. Planta vivaz de la familia de las compuestas, con tallo velludo de 8 a 12 decímetros de altura, hojas radicales muy grandes, pecioladas, oblongas y perfoliadas, jugosas, desigualmente dentadas y muy vellosas por el envés las superiores; flores amarillas en cabezuelas terminales, de corola prolongada por un lado a manera de lengüeta; fruto capsular casi cilíndrico, y raíz amarga y aromática, usada en medicina como uno de los ingredientes que componen la triaca.

helenismo. (Del gr. ἑλληνισμός, a través del lat. *hellenismus*.) m. Periodo de la cultura griega que va desde Alejandro Magno hasta Augusto, y se caracteriza sobre todo por la absorción de elementos de las culturas de Asia Menor y de Egipto. ‖ **2.** Giro o modo de hablar propio y privativo de la lengua griega. ‖ **3.** Empleo de tales giros o construcciones en otro idioma. ‖ **4.** Influencia ejercida por la cultura antigua de los griegos en la civilización y cultura modernas.

helenista. (Del gr. ἑλληνιστής.) com. Nombre que daban los antiguos a los judíos que hablaban la lengua y observaban los usos de los griegos, y a los griegos que abrazaban el judaísmo. ‖ **2.** Persona versada en la lengua, cultura y literatura griegas.

helenístico, ca. adj. Perteneciente o relativo al helenismo o a los helenistas. ‖ **2.** Dícese de la lengua griega que, basada en el dialecto ático, se extendió por todo el mundo helénico después de Alejandro Magno.

helenización. f. Acción y efecto de helenizar o helenizarse.

helenizar. (De *heleno*.) tr. p. us. Introducir las costumbres, cultura y arte griegos en otra nación. Se usa especialmente hablando de la antigua Roma y de su literatura y arte. ‖ **2.** prnl. Adoptar las costumbres, literatura y arte griegos.

heleno, na. (Del gr. Ἕλλην, Ἕλληνος.) m. y f. Individuo perteneciente a cualquiera de los pueblos (aqueos, dorios, jonios y eolios) cuya instalación en Grecia, islas del Egeo, Sicilia y diversas zonas del litoral mediterráneo, dio principio a la gran civilización de la Hélade o Grecia antigua. ‖ **2.** Natural de Grecia. Ú. t. c. adj. ‖ **3.** adj. Perteneciente o relativo a este país.

helera. (De or. inc.) f. Granillo de la rabadilla de algunos pájaros.

helero. (De *hielo*.) m. Masa de hielo acumulada en las zonas altas de las cordilleras por debajo del límite de las nieves perpetuas, y que se derrite en veranos muy calurosos. ‖ **2.** Por ext., toda la mancha de nieve.

helespontíaco, ca o **helespontiaco, ca.** (Del lat. *Hellespontiãcus*.) adj. ant. Perteneciente o relativo al Helesponto.

helespóntico, ca. (Del lat. *Hellespontĭcus*.) adj. Perteneciente o relativo al Helesponto.

helgado, da. (Probablemente, del lat. *filicãtus*, por la semejanza con los dientes o cortaduras de las hojas de esta planta.) adj. p. us. Que tiene los dientes ralos y desiguales.

helgadura. (De *helgado*.) f. p. us. Hueco o espacio que hay entre diente y diente. ‖ **2.** p. us. Desigualdad de estos.

heliaco, ca o **helíaco, ca.** (Del gr. ἡλιακός, del sol, a través del lat. *heliãcus*, sol.) adj. *Astron.* Dícese del orto u ocaso de los astros que salen o se ponen, cuando más, una hora antes o después que el Sol.

heliasta. (Del gr. ἡλιαστής.) m. Miembro de un tribunal ateniense que se reunía en la plaza Heliea al salir el sol.

hélice. (Del gr. ἕλιξ, -ικος, espiral, a través del lat. *helix*, *-icis*.) m. ant. *Arq.* Voluta o figura en espiral de los capiteles. ‖ **2.** f. Conjunto de aletas helicoidales que giran alrededor de un eje y empujan el fluido ambiente produciendo en él una fuerza de reacción que se utiliza principalmente para la propulsión de barcos y aeronaves. ‖ **3.** *Anat.* Parte más externa y periférica del pabellón de la oreja del hombre, que comienza en el orificio externo del conducto auditivo y termina en el lóbulo. ‖ **4.** *Geom.* Curva espacial que corta todas las generatrices de un cilindro circular formando ángulos iguales. ‖ **5.** *Geom.* Línea espiral. ‖ **6.** *Mar.* V. **pozo de la hélice.** ‖ **7.** n. p. f. *Astron.* **Osa Mayor.** Dióse este nombre porque se la ve girar alrededor del polo.

hélico, ca. (Del gr. ἑλικός, torcido.) adj. ant. *Geom.* De figura espiral.

helicoidal. (De *helicoide*.) adj. En figura de hélice. *Estria* HELICOIDAL.

helicoide. (Del gr. ἕλιξ, -ικος, espiral, y *-oide*.) m. *Geom.* Superficie alabeada engendrada por una recta que se mueve apoyándose en una hélice y en el eje del cilindro que la contiene, con el cual forma constantemente un mismo ángulo.

Helicón¹. (Del gr. Ἑλικών, a través del lat. *Helĭcon*, *-õnis*.) n. p. m. fig. Lugar de donde viene o adonde se va a buscar la inspiración poética. Dícese así por alusión a un monte de Beocia, consagrado a las musas.

helicón². (De *hélice*.) m. Instrumento musical de metal y de grandes dimensiones, cuyo tubo, de forma circular, permite colocarlo alrededor del cuerpo y apoyarlo sobre el hombro de quien lo toca.

helicona. adj. f. Perteneciente al Helicón o a sus musas.

helicónides. (Del gr. Ἑλικωνίδες, a través del lat. *Heliconĭdes*.) f. pl. Las musas, llamadas así porque moraban, según la fábula, en el monte Helicón.

heliconio, nia. (Del gr. Ἑλικώνιος, a través del lat. *Heliconĭus*.) adj. Perteneciente al monte Helicón o a las helicónides.

helicóptero. (Del gr. ἕλιξ, -ικος, y *-ptero*.) m. Aeronave más pesada que el aire y que, a diferencia del avión, se sostiene merced a una hélice de eje aproximadamente vertical movida por un motor, lo cual le permite elevarse y descender verticalmente.

helio. (Del gr. ἥλιος, sol.) m. *Quím.* Cuerpo simple, gaseoso, incoloro, muy ligero y de poca actividad química, descubierto mediante el análisis espectroscópico en la atmósfera solar, y hallado posteriormente en algunos minerales, en la atmósfera, en la emanación gaseosa de las aguas nitrogenadas y en el radio. Núm. atómico 2. Símb.: *He.*

helio-. (Del gr. ἥλιο-.) elem. compos. que significa «sol»: HELIOCÉNTRICO, HELIOterapia.

heliocéntrico, ca. (De *helio-* y *céntrico*.) adj. *Astron.* Aplícase a medidas y lugares astronómicos referidos al centro del Sol. ‖ **2.** *Astron.* Aplícase al sistema de Copérnico y a los demás que consideran el Sol como centro del Universo.

heliofísica. (De *helio-* y *física*.) f. *Astron.* Tratado de la naturaleza física del Sol.

heliofísico, ca. adj. *Astron.* Relativo o perteneciente a la heliofísica.

heliogábalo. (Por alusión al emperador romano de este nombre, que fue voraz.) m. fig. Persona dominada por la gula.

heliograbado. (De *helio-* y *grabado*.) m. Procedimiento para obtener, en planchas convenientemente preparadas, y mediante la acción de la luz solar, grabados en relieve. ‖ **2.** Estampa obtenida por este procedimiento.

heliografía. (De *helio-* y *-grafía*.) f. Sistema de transmisión de señales por medio del heliógrafo.

heliográfico, ca. adj. Perteneciente o relativo al heliógrafo o a la heliografía.

heliógrafo. (De *helio-* y *-grafo*.) m. Instrumento destinado a hacer señales telegráficas por medio de la reflexión de un rayo de sol en un espejo plano movible de diversas maneras de tal modo que produce destellos más cortos o más largos, agrupados o separados, a voluntad del operador, para denotar convencionalmente letras o palabras. ‖ **2.** *Meteor.* Instrumento para registrar la duración e intensidad del tiempo de insolación.

heliograma. (De *helio-* y *-grama*.) m. Mensaje telegráfico transmitido por medio del heliógrafo.

heliómetro. (De *helio-* y *-metro*.) m. Instrumento astronómico que sirve para la medición de distancias angulares entre los astros, o de su diámetro aparente, especialmente el del Sol.

heliomotor. m. Aparato que sirve para transformar la energía solar en energía mecánica.

helión. (Del gr. ἥλιος, sol.) m. **partícula alfa.**

helioscopio. (De *helio-* y *-scopio*.) m. Clase de ocular o aparato adaptable a los anteojos y telescopios para observar el Sol sin que su resplandor ofenda a la vista.

heliosis. (Del gr. ἡλίωσις.) f. *Pat.* **insolación.**

heliostático, ca. adj. Perteneciente o relativo al helióstato.

helióstato. (De *helio-* y el gr. στατός, parado.) m. Aparato que, mediante un servomecanismo, hace que un rayo siga el movimiento diurno del Sol, recogiendo así la máxima energía para su utilización calorífica.

heliotelegrafía. (De *helio-* y *telegrafía*.) f. Telegrafía por medio del heliógrafo.

helioterapia. (De *helio-* y *terapia*.) f. Método curativo que consiste en exponer a la acción de los rayos solares todo el cuerpo del enfermo o parte de él.

heliotropio. (Del gr. ἡλιοτρόπιον, a través del lat. *heliotropium*.) m. **heliotropo.**

heliotropo. (De *helio-* y *tropismo*.) m. *Biol.* Movimiento por el cual las plantas dirigen sus flores, tallos y hojas hacia el Sol.

heliotropo. (Del gr. ἡλιότροπος.) m. Planta de la familia de las borragináceas, con tallo leñoso, de muchas ramas, de cinco a ocho decímetros de altura, velludas y pobladas de hojas persistentes, alternas, aovadas, rugosas, sostenidas en peciolos muy cortos; flores pequeñas, azuladas, en espigas y vueltas todas al mismo lado, y fruto compuesto de cuatro aquenios contenidos en el fondo del cáliz. Es originaria del Perú, y se cultiva mucho en los jardines por el olor de vainilla de las flores. ‖ **2.** Ágata de color verde oscuro con manchas rojizas. ‖ **3.** Helióstato en que a mano y por medio de tornillos se hace seguir al espejo el movimiento aparente del Sol.

helipuerto. (De *heli[cóptero]* y *puerto*.) m. Pista destinada al aterrizaje y despegue de helicópteros.

helmintiasis. (Del gr. ἑλμινθίασις.) f. *Pat.* Enfermedad producida por gusanos que viven alojados en los tejidos o en el intestino de un vertebrado.

helmíntico, ca. adj. Relativo a los helmintos. ‖ **2.** Dícese del medicamento empleado contra los helmintos intestinales.

helminto. (Del gr. ἕλμινς, -ινθος, gusano.) m. *Zool.* Gusano. Se aplica en especial a los que son parásitos del hombre y de los animales.

helmintología. (Del gr. ἕλμινς, -ινθος, gusano, y *-logía*.) f. Parte de la zoología, que trata de la descripción y estudio de los gusanos, en especial de los parásitos que son de importancia médica y veterinaria.

helmintológico, ca. adj. Perteneciente o relativo a la helmintología.

helor. (De *hielo*.) m. Frío intenso y penetrante.

helvecio, cia. (Del lat. *Helvetius*.) adj. Natural de Helvecia, hoy Suiza. Ú. t. c. s. ‖ **2.** Perteneciente o relativo a este país de Europa antigua.

helvético, ca. adj. **helvecio.** Apl. a pers., ú. t. c. s.

hema-. V. **hemato-.**

hemacrimo (Del gr. αἷμα, sangre, y κρυμός, frío.) adj. *Zool.* **poiquilotermo.**

hemat-. V. **hemato-.**

hematemesis. (Del gr. αἷμα, -ατος, sangre, y ἔμεσις, vómito.) f. *Med.* Vómito de sangre.

hematermo. (Del gr. αἷμα, sangre, y θερμός, caliente.) adj. *Zool.* **homeotermo.**

hematíe. (Del fr. *hématie*.) m. *Biol.* Glóbulo rojo de la sangre. Ú. m. en pl.

hematites. (Del lat. *haematites*, y este del gr. αἱματίτης.) f. Mineral de hierro oxidado, rojo o pardo, que por su dureza sirve para bruñir metales.

hemato-. (Del gr. αἷμα, -ατος.) elem. compos. que significa «sangre»: HEMATOlogía, HEMATÓfago. A veces adopta las formas hemo-, hema- o hemat-: HEMOrragia, HEMAtermo, HEMATOma.

hematófago, ga. (De *hemato-* y *-fago*.) adj. Dícese del animal que se alimenta de sangre, como muchos insectos chupadores, y, entre los mamíferos, los vampiros.

hematología. (De *hemato-* y *-logía*.) f. Estudio de la sangre y de los órganos que la producen, en particular, el que se refiere a los trastornos patológicos de la sangre.

hematológico, ca. adj. *Med.* Perteneciente o relativo a la hematología.

hematólogo, ga. m. y f. Especialista en hematología.

hematoma. (De *hemato-* y *-oma*.) m. *Pat.* Tumor producido por acumulación de sangre extravasada.

hematosis. (Del gr. αἱμάτωσις, cambio en sangre.) f. Conversión de la sangre venosa en arterial.

hematoxilina. (Del gr. αἷμα, -ατος, sangre, ξύλον, madera, e *-ina*.) f. Materia colorante del palo campeche muy utilizada en histología.

hematozoario. (Del gr. αἷμα, -ατος, sangre, y ζῷάριον, animálculo.) adj. *Zool.* Dícese de los animales que viven parásitos en la sangre de otros. Ú. t. c. s. m.

hematuria. (Del gr. αἷμα, -ατος, sangre, y οὐρέω, orinar.) f. *Pat.* Presencia de sangre en la orina.

hembra. (Del lat. *femina*.) f. Animal del sexo femenino. ‖ **2.** Persona de sexo femenino, mujer. ‖ **3.** En las plantas que tienen sexos distintos en pies diversos, como sucede con las palmeras, individuo que da fruto. ‖ **4.** fig. Hablando de corchetes, broches, tornillos, rejas, llaves y otras cosas semejantes, pieza que tiene un hueco o agujero en donde otra se introduce o encaja. ‖ **5.** El mismo hueco y agujero. ‖ **6.** fig. Cuerpo con una oquedad para dar forma a una materia blanda. ‖ **7.** fig. Cola de caballo poco doblada. ‖ **8.** adj. V. **aristoloquia, helecho, lauréola hembra.** ‖ **9.** fig. Delgado, fino, flojo. *Pelo* HEMBRA.

hembraje. m. *Amér. Merid.* Conjunto de las hembras de un ganado. ‖ **2.** rur. despect. *Argent.* y *Urug.* Conjunto o grupo de mujeres.

hembrear. intr. Mostrar el macho inclinación a las hembras. ‖ **2.** Engendrar solo hembras o más hembras que machos.

hembrilla. f. d. de **hembra.** ‖ **2.** En algunos artefactos, piececita pequeña en que otra se introduce o asegura. ‖ **3.** Anilla metálica en la que corre una espiga de metal. ‖ **4.** *And.* Anilla del yugo en que entra el timón, ya metálica, ya formada por correas o cuerdas. ‖ **5.** *Ar.* y *Rioja.* Variedad de trigo candeal cuyo grano es pequeño.

hembruno, na. adj. ant. Perteneciente a la hembra.

hemencia. (De *femencia*.) f. ant. Vehemencia, eficacia, actividad.

hemenciar. (De *femenciar*.) tr. ant. Procurar, solicitar con vehemencia, ahínco y eficacia una cosa.

hemencioso, sa. adj. Vehemente, activo, eficaz.

hemeroteca. (Del gr. ἡμέρα, día, y θήκη, caja, depósito.) f. Biblioteca en que principalmente se guardan y sirven al público diarios y otras publicaciones periódicas.

hemiciclo. (Del gr. ἡμικύκλιον, a través del lat. *hemicyclium*.) m. La mitad de un círculo. ‖ **2.** Espacio central del salón de sesiones del Congreso de los Diputados. ‖ **3.** Conjunto de varias cosas dispuestas en semicírculo; como graderías, cadenas de montañas, etc.

hemicránea. (Del lat. *hemicrania*, y este del gr. *hemicranía*, con la *e* de *cráneo*.) f. *Med.* Dolor de una parte o lado de la cabeza, jaqueca.

hemina. (Del lat. *hemina*, y este del gr. ἡμίνα.) f. Medida antigua para líquidos, equivalente a medio sextario. ‖ **2.** Cierta medida que se usó antiguamente en la cobranza de tributos. ‖ **3.** En la provincia de León, medida de capacidad para frutos, equivalente a algo más de 18 litros. ‖ **4.** Medida agraria usada en la misma provincia para la tierra de secano, que tiene 110 pies de lado, y equivale a 939 centiáreas y 41 decímetros cuadrados. ‖ **5.** Medida para las tierras de regadío en la provincia de León, que tiene 90 pies de lado, y equivale a 628 centiáreas y 88 decímetros cuadrados.

hemiplejía o **hemiplejia.** (Del gr. ἡμιπληγία.) f. *Pat.* Parálisis de todo un lado del cuerpo.

hemipléjico, ca. adj. Perteneciente o relativo a la hemiplejía o propio de ella. ‖ **2.** Que la padece. Ú. t. c. s.

hemíptero. (Del gr. ἡμι-, medio, y *-ptero*.) adj. *Zool.* Dícese de los insectos con pico articulado, chupadores, casi siempre con cuatro alas, las dos anteriores coriáceas por completo o solo en la base, y las otras dos, a veces las cuatro, membranosas, y con metamorfosis sencilla; como la chinche, la cigarra y los pulgones. Ú. t. c. s. ‖ **2.** m. pl. *Zool.* Orden de estos insectos.

hemisférico, ca. adj. De forma de hemisferio. ‖ **2.** Perteneciente o relativo a un hemisferio.

hemisferio. (Del gr. ἡμισφαίριον, a través del lat. *hemisphaerĭum.*) m. *Geogr.* Mitad de la superficie de la esfera terrestre, dividida por un círculo máximo, de preferencia el Ecuador o un meridiano. ‖ **2.** *Geom.* Cada una de las dos mitades de una esfera dividida por un plano que pase por su centro. ‖ **austral.** *Astron.* El que, limitado por el Ecuador, comprende el polo antártico o austral. ‖ **boreal.** *Astron.* El que, limitado por el Ecuador, comprende el polo ártico o boreal. ‖ **continental.** *Geogr.* Aquel que encierra la mayor parte de las tierras y cuyo polo se sitúa aproximadamente en el norte de Francia. ‖ **occidental.** *Astron.* El opuesto al oriental, **hemisferio** celeste o terrestre por donde el Sol y los demás astros se ocultan o trasponen. ‖ **oceánico.** *Geogr.* El constituido principalmente por mares, cuyo polo está cerca de Nueva Zelanda. ‖ **oriental.** *Astron.* El de la esfera celeste o terrestre determinado por un meridiano, y en el cual nacen o salen el Sol y los demás astros.

hemisfero. m. ant. **hemisferio.**

hemistiquio. (Del gr. ἡμιστίχιον, a través del lat. *hemistichĭum.*) m. *Métr.* Mitad de un verso. Se usa especialmente refiriéndose a cada una de las dos partes de un verso separadas o determinadas por una cesura.

hemo-. V. **hemato-.**

hemoaglutinación. f. Aglutinación de las células sanguíneas.

hemocianina. (De *hemo-*, el gr. κυανός, azul, e *-ina.*) f. *Bioquím.* Sustancia equivalente en el aspecto fisiológico a la hemoglobina, que toma color azulado cuando se oxida, y está disuelta en la sangre de algunos crustáceos, arácnidos y moluscos.

hemodiálisis. (De *hemo-* y *diálisis.*) f. *Med.* Paso de la sangre a través de membranas semipermeables para liberarla de productos nocivos de bajo peso molecular, como la urea.

hemofilia. (De *hemo-* y *-filia.*) f. *Pat.* Hemopatía hereditaria, caracterizada por la dificultad de coagulación de la sangre, lo que motiva que las hemorragias provocadas o espontáneas sean copiosas y hasta incoercibles.

hemofílico, ca. (De *hemofilia.*) adj. *Pat.* Perteneciente o relativo a la hemofilia. ‖ **2.** Que la padece. Ú. t. c. s.

hemoglobina. (De *hemo-* y *glob[ul]ina.*) f. *Bioquím.* Pigmento que da color a la sangre, contenido en los hematíes de todos los vertebrados y disuelto en el plasma sanguíneo de algunos invertebrados. Se oxida fácilmente en contacto con el aire, ya atmosférico, ya disuelto en agua, y se reduce luego para proporcionar a las células el oxígeno que necesitan para su respiración.

hemolisina. (De *hemo-* y *lisina.*) f. *Fisiol.* Sustancia producida en el organismo, capaz de destruir los hematíes o glóbulos rojos de la sangre.

hemólisis. (De *hemo-* y *-lisis.*) f. Desintegración o disolución de los corpúsculos sanguíneos, especialmente de los hematíes, con liberación consiguiente de la hemoglobina por la acción de lisinas específicas o hemolisinas de bacterias, de sueros hipotónicos, etc.

hemolítico, ca. adj. *Pat.* Relativo a la hemólisis.

hemopatía. (De *hemo-* y *-patía.*) f. *Pat.* Enfermedad de la sangre.

hemoptísico, ca. adj. *Pat.* Dícese del enfermo atacado de hemoptisis. Ú. t. c. s.

hemoptisis. (De *hemo-*, y el gr. πτύσις, expectoración.) f. *Pat.* Expectoración de sangre proveniente de la tráquea, los bronquios o los pulmones.

hemorragia. (Del gr. αἱμορραγία, a través del lat. *haemorragĭa.*) f. *Pat.* Flujo de sangre de cualquier parte del cuerpo.

hemorroida. f. *Pat.* **hemorroide.**

hemorroidal. (De *hemorroide.*) adj. *Pat.* Perteneciente a las almorranas. *Arteria, sangre* HEMORROIDAL; *venas* HEMORROIDALES.

hemorroide. (Del gr. αἱμορροΐς, a través del lat. *haemorrhŏis, -ĭdis.*) f. *Med.* Tumoración en los márgenes del ano o en el tracto rectal, debida a varices de su correspondiente plexo venoso. Ú. m. en pl.

hemorroísa o **hemorroisa.** (Del gr. αἱμορροΐς, a través del lat. *haemorrhŏis.*) f. Mujer que padece flujo de sangre.

hemorroo. (Del gr. αἱμόρροος.) m. **ceraste.**

hemostasia. f. *Med.* Detención de una hemorragia de modo espontáneo o por medios físicos (compresión manual, garrote) o químicos (fármacos).

hemostasis. (De *hemo-*, y el gr. στάσις, detención.) f. *Med.* **hemostasia.**

hemostático, ca. (De *hemo-* y el gr. στατικός, que detiene.) adj. *Med.* Dícese del medicamento o agente que se emplea para detener una hemorragia. Ú. t. c. s. m.

henal. (De *heno.*) m. Lugar donde se guarda el heno.

henar. m. Sitio poblado de heno.

henasco. (De *heno.*) m. *Sal.* Hierba seca que queda en los prados o entre las matas, en el verano.

henazo. (De *heno.*) m. *Sal.* **almiar,** montón de paja o de heno al descubierto.

henchidor, ra. adj. Que hinche. Ú. t. c. s.

henchidura. f. Acción y efecto de henchir o henchirse.

henchimiento. m. Acción y efecto de henchir o henchirse. ‖ **2.** En los molinos de papel, suelo de las tinas sobre el cual baten los mazos. ‖ **3.** *Mar.* Cualquier pieza de madera con que se rellenan huecos existentes en otra pieza principal.

henchir. (Del lat. *implēre.*) tr. Ocupar totalmente con algo un espacio, llenar. ‖ **2.** p. us. fig. Ocupar un empleo o un lugar o empleo. ‖ **3.** fig. Colmar a uno de favores o de daños u ofensas. ‖ **4.** prnl. Hartarse de comida.

hendedor, ra. adj. Que hiende.

hendedura. (De *hender.*) f. **hendidura.**

hender. (Del lat. *findĕre.*) tr. Abrir o rajar un cuerpo sólido sin dividirlo del todo. Ú. t. c. prnl. ‖ **2.** fig. Atravesar o cortar un fluido; como una flecha el aire o un buque el agua. ‖ **3.** fig. Abrirse paso rompiendo por entre una muchedumbre de gente o de otra cosa.

hendible. adj. Que se puede hender.

hendido, da. p. p. de **hender.** ‖ **2.** adj. Rajado, abierto. ‖ **3.** Dícese del labio o pata de algunos animales, cuando presentan una abertura que no llega a dividirlos del todo. ‖ **4.** *Bot.* Dícese de la hoja cuyo limbo se divide en lóbulos irregulares.

hendidura. (De *hendido.*) f. Abertura o corte profundo en un cuerpo sólido cuando no llega a dividirlo del todo. ‖ **2.** Grieta más o menos profunda en una superficie.

hendiente. (De *hender.*) m. ant. Golpe que con la espada u otra arma cortante se tiraba o daba de alto a bajo.

hendija. (Del lat. **findicŭla,* de *findĕre,* hender.) f. Hendidura, generalmente pequeña, rendija.

hendimiento. m. Acción y efecto de hender o henderse.

hendir. tr. **hender.**

hendrija. f. ant. **hendija.**

henequén. (Voz de probable origen maya.) m. Planta amarilidácea, especie de pita[1].

henequero, ra. adj. *Méj.* Perteneciente o relativo al henequén. ‖ **2.** m. *Méj.* Persona que se dedica a sembrar, cosechar, comerciar o industrializar el henequén.

hénide. (De *heno.*) f. poét. Ninfa de los prados.

henificar. (Del lat. *fenum,* heno, y *-ficāre,* hacer.) tr. Segar plantas forrajeras y secarlas al sol, para conservarlas como heno.

henil. (Del lat. *fenīle.*) m. Lugar donde se guarda el heno.

heno. (Del lat. *fēnum.*) m. Planta de la familia de las gramíneas, con cañitas delgadas de unos 20 centímetros de largo; hojas estrechas, agudas, más cortas que la vaina, y flores en panoja abierta, pocas en número y con arista en el cascabillo. ‖ **2.** Hierba segada, seca, para alimento del ganado. ‖ **blanco.** Planta perenne de la familia de las gramíneas, que tiene tallos de 50 a 80 centímetros, hojas planas cubiertas de vello suave, flores en panojas ramosas, y se cultiva en los prados artificiales. ‖ **tener el heno, o traer heno, en el cuerno.** fr. fig. Ser de carácter irascible, o propenso a vengar la más pequeña injuria.

henojil. (De *hinojo,* rodilla.) m. desus. Liga para asegurar las medias por debajo de la rodilla.

henoteísmo. (Del gr. ἓν, uno, θεός, dios, e -*ismo*.) m. Forma de las religiones en que hay una divinidad suprema a la vez que otras inferiores a ella.

henrio. (De *henry*.) m. Unidad de inductancia propia y de inductancia mutua en el sistema basado en el metro, el kilogramo, el segundo y el amperio. Equivale a la inductancia de un circuito cerrado en el que una variación uniforme de un amperio por segundo en la intensidad eléctrica produce una fuerza electromotriz inducida de un voltio.

henry. (Del apellido de José *Henry,* físico estadounidense, 1797-1878.) m. henrio, en la nomenclatura internacional.

heñir. (Del lat. *fingĕre.*) tr. Sobar la masa con los puños, especialmente la del pan. ‖ **hay mucho que heñir.** fr. fig. y fam. con que se denota que para concluir una cosa todavía se necesita trabajar mucho en ella.

hepática, ca. (Del lat. *hepatĭca,* t. f. de -*cus,* hepático.) f. *Bot.* Cualquiera de las plantas de la clase de las hepáticas. ‖ **2.** Planta herbácea, vivaz, de la familia de las ranunculáceas, con hojas radicales, gruesas, pecioladas, partidas en tres lóbulos acorazonados, de color verde lustroso por encima y pardo rojizo por el envés, flores azuladas o rojizas, y fruto seco con muchas semillas. Se ha usado en medicina. ‖ **de las fuentes.** Planta de la clase de las hepáticas, dioica, con tallo foliáceo extendido sobre las superficies húmedas, en cuyo envés hay filamentos rizoides y dos series de hojitas. Es de sabor acre y olor fuerte; se ha usado para curar los empeines y las afecciones del hígado.

hepático, ca. (Del gr. ἡπατικός, a través del lat. *hepatĭcus.*) adj. *Bot.* Dícese de plantas briofitas con tallo formado por un parénquima homogéneo y siempre provisto de filamentos rizoides, y ordinariamente con hojas muy poco desarrolladas. Viven en los sitios húmedos y sombríos, adheridas al suelo y las paredes, o parásitas en los troncos de los árboles, y son parecidas a los musgos. Ú. t. c. s. f. ‖ **2.** *Pat.* Que padece del hígado. Ú. t. c. s. ‖ **3.** Perteneciente a esta víscera. ‖ **4.** f. pl. *Bot.* Clase de las plantas **hepáticas.**

hepatitis. (Del gr. ἧπαρ, ἥπατος, hígado, e -*itis.*) f. *Pat.* Inflamación del hígado.

hepatización. f. *Pat.* Alteración patológica de un tejido que le da consistencia semejante a la del hígado; como en el pulmón afecto de neumonía.

hepatocito. (Del gr. ἧπαρ, ἥπατος, hígado, y κύτος, célula.) m. Tipo de célula presente en el tejido parenquimatoso hepático.

hepatología. (Del gr. ἧπαρ, ἥπατος, hígado, y -*logía*.) f. Rama de la medicina que se ocupa del hígado y las vías biliares, y de sus enfermedades.

hepatólogo, ga. (Del gr. ἧπαρ, ἥπατος, hígado, y -*logo.*) m. y f. Persona especializada en hepatología.

hepta-. (Del gr. ἑπτά.) elem. compos. que significa «siete»: HEPTA*gono,* HEPTA*sílabo.*

heptacordo. (Del gr. ἑπτάχορδος, de siete cuerdas.) m. *Mús.*

Gama o escala usual compuesta de las siete notas *do, re, mi, fa, sol, la, si.* ‖ **2.** *Mús.* Intervalo de séptima en la escala musical.

heptaedro. (De *hepta-* y el gr. ἕδρα, asiento, cara.) m. *Geom.* Sólido terminado por siete caras.

heptagonal. adj. De figura de heptágono o semejante a él.

heptágono, na. (Del gr. ἑπτάγωνος, de siete ángulos, a través del lat. *heptagōnum.*) adj. *Geom.* Aplícase al polígono de siete lados. Ú. t. c. s.

heptámetro. (De *hepta-* y -*metro.*) adj. *Métr.* Dícese del verso que consta de siete pies. Ú. t. c. s.

heptarquía. (De *hepta-* y el gr. ἀρχία, gobierno.) f. País dividido en siete reinos.

heptasilábico, ca. adj. Perteneciente o relativo al heptasílabo.

heptasílabo, ba. (De *hepta-* y el gr. συλλαβή, sílaba.) adj. Que consta de siete sílabas. *Verso* HEPTASÍLABO. Ú. t. c. s.

her. (Del lat. *facĕre.*) tr. ant. hacer. Ú. en Salamanca.

heracleo, a. (Del gr. Ἡράκλειος, a través del lat. *Heraclēus.*) adj. Hercúleo.

heraclida. (Del gr. Ἡρακλείδης, a través del lat. *Heraclĭdes.*) adj. Descendiente de Heracles o Hércules.

heráldica. (De *heráldico.*) f. Arte del blasón.

heráldico, ca. (De *heraldo.*) adj. Perteneciente a los blasones o a la heráldica.

heraldista. com. Persona versada en heráldica.

heraldo. (Del fr. *héraut.*) m. rey de armas.

heraute. (Del fr. *héraut.*) m. ant. rey de armas.

herbáceo, a. (Del lat. *herbacĕus.*) adj. Que tiene la naturaleza o cualidades de la hierba.

herbada. f. jabonera, planta.

herbadgo. (Del lat. *herbatĭcus.*) m. ant. herbaje, derecho que se cobra al ganado forastero por el aprovechamiento de los pastos.

herbajar. (De *herbaje.*) tr. Apacentar el ganado en prado o dehesa. ‖ **2.** intr. Pacer o pastar el ganado. Ú. t. c. tr.

herbaje. (Del lat. *herbatĭcus.*) m. Conjunto de hierbas que se crían en los prados y dehesas. ‖ **2.** Derecho que cobran los pueblos por los pastos de los ganados forasteros en sus términos y por el arrendamiento de los pastos y dehesas. ‖ **3.** Tributo que en la corona de Aragón se pagaba a los reyes al principio de su reinado, y era proporcional a las cabezas de ganado que poseía cada uno. ‖ **4.** desus. Tela de lana, parda, gruesa, áspera e impermeable, usada principalmente por la gente de mar.

herbajear. tr. Dar pasto al ganado en prados o dehesas. ‖ **2.** intr. Pacer el ganado en prados o dehesas. Ú. t. c. tr.

herbajero. m. El que toma en arrendamiento el herbaje de prados o dehesas. ‖ **2.** El que da en arrendamiento el herbaje de dehesas o prados.

herbal. (Del lat. *herba,* hierba.) adj. *Sal.* cereal, dicho de plantas o gramíneas como el trigo, el centeno o la cebada, o sus frutos. Ú. t. c. s.

herbar. tr. Curtir con hierbas las pieles o cueros. ‖ **2.** ant. Inficionar algo con veneno. ‖ **3.** ant. Envenenar a uno.

herbario, ria. (Del lat. *herbarĭus.*) adj. Perteneciente o relativo a las hierbas y otras plantas. ‖ **2.** m. y f. p. us. Persona que profesa la botánica. ‖ **3.** m. Colección de plantas secas y clasificadas, usada como material para el estudio de la botánica. ‖ **4.** *Zool.* Primera cavidad del estómago de los rumiantes. ‖ **seco.** *Bot.* herbario, colección de plantas secas.

herbato. m. servato.

herbaza. f. aum. de hierba.

herbazal. (De *herbaza.*) m. Sitio poblado de hierbas.

herbecer. (Del lat. *herbescĕre.*) intr. p. us. Empezar a nacer la hierba.

herbecica, ta. f. d. ant. de hierba.

herbera. (Del lat. *herbaría*, f. de *-arĭus*.) f. ant. Esófago de los rumiantes.

herbero. (Del lat. *herbarius*.) m. Esófago o tragadero del animal rumiante. ‖ **2.** ant. *Mil.* Soldado encargado de buscar el pasto de las caballerías. ‖ **hacer el herbero.** fr. Abrir a las reses el pescuezo después de muertas, para atarles el esófago y arrancárselo luego de la faringe, a fin de que, al sacarles el vientre, no salga la inmundicia por aquel conducto.

herbicida. (Del lat. *herba*, hierba, y *-cida*.) adj. Dícese del producto químico que destruye plantas herbáceas o impide su desarrollo. Ú. t. c. s. m.

herbívoro, ra. (Del lat. *herba*, hierba, y *-voro*.) adj. Aplícase a todo animal que se alimenta de vegetales, y más especialmente de hierbas. Ú. t. c. s. m.

herbolar. (Del lat. *herbŭla*, d. de *herba*, hierba, en la acep. de veneno.) tr. Inficionar algo con veneno. ‖ **2.** Envenenar a uno.

herbolaria. (De *herbolario*.) f. ant. Botánica aplicada a la medicina.

herbolario, ria. (Del lat. *herbŭla*, d. de *herba*, hierba.) adj. ant. **herbario.** ‖ **2.** fig. y fam. p. us. Botarate, alocado, sin seso. Ú. t. c. s. ‖ **3.** m. y f. Persona que se dedica a recoger hierbas y plantas medicinales para venderlas. ‖ **4.** Persona que tiene tienda en que las vende. ‖ **5.** m. Tienda en que se venden plantas medicinales.

herbolecer. (Del lat. *herbŭla*, d. de *herba*, hierba.) intr. ant. Empezar a nacer la hierba.

herbolizar. (Del lat. *herbŭla*, d. de *herba*, hierba.) intr. ant. *Bot.* **herborizar.**

herboristería. (Del fr. *herboristerie*.) f. Tienda donde se venden plantas medicinales.

herborización. f. *Bot.* Acción y efecto de herborizar.

herborizador, ra. adj. *Bot.* Que herboriza. Ú. t. c. s.

herborizar. (Del fr. *herboriser*.) intr. *Bot.* Recoger o buscar hierbas y plantas para estudiarlas.

herboso, sa. (Del lat. *herbōsus*.) adj. Poblado de hierba.

herciano, na. (De *hertziano*.) adj. V. **cable herciano.** ‖ **2.** V. **onda herciana.** ‖ **3.** Perteneciente o relativo a esta clase de cables u ondas.

herciniano, na. (De *Hercynia*, nombre antiguo de las montañas del centro de Alemania y de Checoslovaquia.) adj. *Geol.* Perteneciente o relativo al movimiento orogénico ocurrido durante los períodos carbonífero y pérmico, que dio lugar a numerosos relieves como los macizos de los Vosgos, Bohemia y Sudetes.

hercio. (De *hertz*.) m. *Fís.* Unidad de frecuencia. Es la frecuencia de un movimiento vibratorio que ejecuta una vibración cada segundo. Úsase más el kilohercio.

herculáneo, a. (Del lat. *Herculanĕus*.) adj. ant. **hercúleo.**

herculano, na. (Del lat. *Herculānus*.) adj. ant. Perteneciente o relativo a Hércules.

hercúleo, a. (Del lat. *Herculĕus*.) adj. Perteneciente o relativo a Hércules o que en algo se asemeja a él o a sus cualidades.

hércules. (Por alusión a *Hércules*, semidiós, hijo de Júpiter y Alcmena.) m. fig. Hombre de mucha fuerza. ‖ **2.** ant. *Pat.* **epilepsia.** ‖ **3.** n. p. m. *Astron.* Constelación boreal muy extensa, situada al occidente de la Lira, norte del Serpentario y oriente de la Corona boreal.

herculino, na. adj. ant. **herculano.**

heredable. adj. Que puede heredarse.

heredad. (Del lat. *herēdĭtas*, *-ātis*.) f. Porción de terreno cultivado perteneciente a un mismo dueño. ‖ **2.** Hacienda de campo, bienes raíces o posesiones. ‖ **3.** ant. **herencia.**

heredado, da. p. p. de **heredar.** ‖ **2.** adj. Hacendado en bienes raíces. Ú. t. c. s. ‖ **3.** Que ha heredado.

heredaje. (De *heredar*.) m. ant. **herencia.**

heredamiento. (De *heredar*.) m. p. us. Hacienda de campo. ‖ **2.** ant. **herencia.** ‖ **3.** *Der.* Capitulación o pacto, comúnmente con ocasión de matrimonio, en que, según el régimen de algunas regiones, se promete la herencia o parte de ella, o se dispone, por pacto entre vivos, la sucesión.

heredanza. (De *heredar*.) f. ant. Hacienda de campo.

heredar. (Del lat. *hereditāre*.) tr. Suceder por disposición testamentaria o legal en los bienes y acciones que otro tenía al tiempo de su muerte. ‖ **2.** p. us. Darle a uno heredades, posesiones o bienes raíces. ‖ **3.** fig. Instituir uno a otro por su heredero. ‖ **4.** ant. Adquirir la propiedad o dominio de un terreno. ‖ **5.** *Biol.* Sacar los seres vivos los caracteres anatómicos y fisiológicos que tienen sus progenitores. ‖ **¿heredástelo, o ganástelo?** expr. proverb. que da a entender la facilidad con que se malgastan los caudales que no ha costado trabajo adquirir.

heredero, ra. (Del lat. *hereditarius*.) adj. Dícese de la persona que por testamento o por ley sucede en una herencia. Ú. t. c. s. ‖ **2.** V. **príncipe heredero.** ‖ **3.** Dueño de una heredad o de heredades. ‖ **4.** fig. Que saca o tiene las inclinaciones o propiedades de sus padres. ‖ **5.** *Der.* V. **institución de heredero.** ‖ **forzoso.** *Der.* El que tiene por ministerio de la ley una parte de herencia que el testador no le puede quitar ni cercenar sin causa legítima de desheredación. ‖ **instituir heredero,** o **por heredero,** a uno. fr. *Der.* Nombrar a uno **heredero** en el testamento.

herediano, na. adj. Natural de Heredia, provincia, cantón y ciudad de Costa Rica. Ú. t. c. s. ‖ **2.** Perteneciente o relativo a estos lugares.

heredípeta. (Del lat. *heredipĕta*, cazador de herencias.) com. p. us. Persona que con astucias procura proporcionarse herencias o legados.

hereditable. (Del lat. *hereditāre*, heredar.) adj. ant. Que puede heredarse.

hereditario, ria. (Del lat. *hereditarius*.) adj. Perteneciente a la herencia o que se adquiere por ella. ‖ **2.** V. **as hereditario.** ‖ **3.** fig. Aplícase a las inclinaciones, costumbres, virtudes, vicios o enfermedades que pasan de padres a hijos.

hereja. f. ant. Mujer hereje.

hereje. (Del prov. *eretge*.) com. Cristiano que en materia de fe se opone con pertinacia a lo que cree y propone la Iglesia católica. ‖ **2.** fig. y fam. V. **cara de hereje.** ‖ **3.** fig. Desvergonzado, descarado, procaz.

herejía. (De *hereje*.) f. Error en materia de fe, sostenido con pertinacia. ‖ **2.** fig. Sentencia errónea contra los principios ciertos de una ciencia o arte. ‖ **3.** fig. Disparate, acción desacertada. ‖ **4.** Palabra gravemente injuriosa contra uno. ‖ **5.** fig. Daño o tormento grandes infligidos injustamente a una persona o animal.

herejote, ta. m. y f. aum. de **hereje.**

herencia. (Del lat. *haerentia*, n. pl. del p. a. de *haerēre*, estar adherido, influido en su significado por *heredar*.) f. Derecho de heredar. ‖ **2.** Conjunto de bienes, derechos y obligaciones que, al morir una persona, son transmisibles a sus herederos o a sus legatarios. ‖ **3.** Rasgo o rasgos morales, científicos, ideológicos, etc., que, habiendo caracterizado a alguien, continúan advirtiéndose en sus descendientes o continuadores. ‖ **4.** Rasgos o circunstancias de índole cultural, social, económica, etc., que influyen en un momento histórico procedentes de otro momento anterior. ‖ **5.** *Biol.* Conjunto de caracteres que los seres vivos reciben de sus progenitores. ‖ **6.** *Der.* V. **adición² de la herencia.** ‖ **yacente.** *Der.* Aquella en cuya posesión no ha entrado aún el heredero. ‖ **adir la herencia.** fr. *Der.* Admitirla. ‖ **repudiar la herencia.** *Der.* No aceptarla, renunciar a ella.

heresiarca. (Del lat. *haeresiarcha*, y este del gr. αἱρεσιάρχης.) m. Autor de una herejía.

heretical. adj. desus. **herético.**

hereticar. (De *herético*.) intr. ant. Sostener con pertinacia una herejía.

herético, ca. (Del lat. *haereticus*, y este del gr. αἱρετικός.) adj. Perteneciente a la herejía o al hereje.

heria. f. ant. **feria.** ‖ **2.** *Germ.* Conjunto de bribones. ‖ **3.** *Germ.* Vida de bribones.

herida. (De *herir*.) f. Perforación o desgarramiento en algún lugar de un cuerpo vivo. ‖ **2.** Golpe de las armas blancas al herir con ellas. ‖ **3.** fig. Ofensa, agravio. ‖ **4.** fig. Lo que aflige y atormenta el ánimo. ‖ **5.** *Cetr.* Lugar donde se abate la caza de volatería, perseguida por una ave de rapiña. ‖ **contusa.** *Cir.* La causada por contusión. ‖ **penetrante.** *Cir.* La que llega a lo interior de alguna parte del cuerpo. ‖ **punzante.** *Cir.* La producida por un instrumento o arma agudos y delgados. ‖ **manifestar la herida.** fr. *Cir.* Abrirla y dilatarla para conocer bien el daño y curarla con más seguridad. ‖ **renovar la herida.** fr. fig. Recordar una cosa que cause sentimiento. ‖ **resollar,** o **respirar, por la herida.** fr. Echar, despedir el aire interior por ella. ‖ **2.** fig. Dar a conocer con alguna ocasión el sentimiento que se tenía reservado. ‖ **tocar** a uno **en la herida.** fr. fig. Mencionar algo que le produce disgusto o enojo.

herido, da. p. p. de **herir.** Ú. t. c. s. ‖ **2.** adj. V. **bienes heridos.** ‖ **3.** ant. **sangriento,** que causa efusión de sangre.

heridor, ra. adj. Que hiere.

heril. (Del lat. *erilis;* de *erus,* amo.) adj. Perteneciente o relativo al amo.

herimiento. m. desus. Acción y efecto de herir. ‖ **2.** desus. Concurso de vocales que forman sílaba o sinalefa.

herir. (Del lat. *ferire*.) tr. Dañar a una persona o a un animal produciéndole una herida o una contusión. ‖ **2.** Romper un cuerpo vegetal. ‖ **3.** Dar contra una cosa, chocar con ella. ‖ **4.** En relación con ciertas armas arrojadizas y proyectiles que cruzan el aire, henderlo con un rehilamiento o zumbido trémulo. ‖ **5.** Tocar instrumentos de cuerda o pulsar teclas o algunos instrumentos metálicos. ‖ **6.** Cargar más la voz o el acento sobre una nota o sílaba; hacer sonar una o varias notas; articular uno o varios fonemas. ‖ **7.** Apoyarse uno o varios fonemas sobre otro, formando sílaba con él. ‖ **8.** Iluminar a uno o a una cosa, alcanzarle la luz, especialmente el del sol. ‖ **9.** Atacar a alguno una enfermedad. ‖ **10.** Impresionar uno de los sentidos, especialmente el del oído. ‖ **11.** Causar impresión en el ánimo o en alguna facultad anímica, como la fantasía, la atención, etc. ‖ **12.** Mover o excitar en el ánimo alguna pasión o sentimiento, frecuentemente doloroso; afligir, atormentar el ánimo. ‖ **13.** Ofender o agraviar, especialmente con palabras o escritos. ‖ **14.** Tocar el punto esencial de una cuestión. ‖ **15.** intr. ant. Con la prep. *de* y hablando de pie o mano, contraer temblor.

herma. (Del lat. *Herma* y *Hermes,* y este del gr. Ἑρμῆς, Mercurio.) m. Busto sin brazos colocado sobre un estípite.

hermafrodismo. (Del fr. *hermaphrodisme*.) m. **hermafroditismo.**

hermafrodita. (Del fr. *hermafrodite*.) adj. Que tiene los dos sexos. ‖ **2.** Dícese de la persona con tejido testicular y ovárico en sus gónadas, lo cual origina anomalías somáticas que le dan la apariencia de reunir ambos sexos. Ú. t. c. s. ‖ **3.** *Bot.* Aplícase a los vegetales cuyas flores reúnen en sí ambos sexos, y también a estas flores.

hermafroditismo. m. Cualidad de hermafrodita.

hermafrodito. (Del lat. *Hermaphroditus,* y este del gr. Ἑρμαφρόδιτος, personaje mitológico que heredó los respectivos sexos de sus progenitores, Hermes y Afrodita.) m. adj. **hermafrodita.**

hermanable. adj. Que puede hermanarse.

hermanablemente. adv. m. Fraternalmente, uniformemente, en consonancia.

hermanado, da. p. p. de **hermanar.** ‖ **2.** adj. fig. Igual y uniforme en todo a una cosa.

hermanal. (De *hermano*.) adj. **fraternal.**

hermanamiento. m. Acción y efecto de hermanar o hermanarse.

hermanar. tr. Unir, juntar, uniformar. Ú. t. c. prnl. ‖ **2.** Hacer a uno hermano de otro en sentido místico o espiritual. Ú. t. c. prnl.

hermanastro, tra. (despect. de *hermano*.) m. y f. Hijo de uno de los dos consortes con respecto al hijo del otro. ‖ **2.** Por ext., **medio hermano.**

hermanazgo. (De *hermano*.) m. **hermandad.**

hermandad. (De *hermano*.) f. Relación de parentesco que hay entre hermanos. ‖ **2.** ant. fig. Liga, alianza o confederación entre varias personas. ‖ **3.** ant. fig. Gente aliada y confederada. ‖ **4.** ant. fig. **sociedad,** agrupación de personas para determinado fin. ‖ **5.** fig. Amistad íntima; unión de voluntades. ‖ **6.** fig. Correspondencia que guardan varias cosas entre sí. ‖ **7.** fig. Cofradía o congregación de devotos. ‖ **8.** fig. Privilegio que a una o varias personas concede una comunidad religiosa para hacerlas por este medio participantes de ciertas gracias y privilegios. ‖ **9.** V. **alcalde de la hermandad.** ‖ **10.** V. **carta, hoja, testamento de hermandad.** ‖ **Santa Hermandad.** Tribunal con jurisdicción propia, que perseguía y castigaba los delitos cometidos fuera de poblado. ‖ **2.** Hombres armados, dependientes de este tribunal, que mantenían el orden fuera de poblado.

hermanarse. (De *hermandad*.) prnl. Hacerse uno hermano de otro en sentido místico o espiritual. ‖ **2.** ant. Juntarse, unirse, uniformarse. ‖ **3.** ant. Hacerse hermano de una comunidad religiosa.

hermandino. m. Individuo de la hermandad popular que a fines del siglo xv y comienzos del xvi se alzó en Galicia contra la dominación señorial.

hermanear. tr. p. us. Dar el tratamiento de hermano.

hermanecer. intr. Nacerle a uno un hermano.

hermanía. f. ant. **germanía.**

hermano, na. (Del lat. [*frater*] *germānus,* hermano carnal.) m. y f. Persona que con respecto a otra tiene los mismos padres, o solamente el mismo padre o la misma madre. ‖ **2.** Tratamiento que mutuamente se dan los cuñados. ‖ **3.** Lego o donado de una comunidad regular. ‖ **4.** V. **lenguas hermanas.** ‖ **5.** V. **primo hermano.** ‖ **6.** fig. Persona que con respecto a otra tiene el mismo padre por ella en sentido moral; como un religioso respecto de otros de su misma orden, o un cristiano respecto de los fieles de Jesucristo. ‖ **7.** fig. Persona admitida por una comunidad religiosa a participar de ciertas gracias y privilegios. ‖ **8.** fig. Individuo de una hermandad o cofradía. ‖ **9.** fig. **hermano de la Doctrina Cristiana.** ‖ **10.** fig. Una cosa respecto de otra a que es semejante. ‖ **bastardo.** El nacido fuera de matrimonio, respecto de los hijos legítimos del mismo padre. ‖ **carnal.** Persona que respecto de otra tiene el mismo padre y la misma madre. ‖ **coadjutor.** En los regulares de la Compañía de Jesús, coadjutor temporal. ‖ **consanguíneo. hermano de padre.** ‖ **de la Doctrina Cristiana.** Religioso de la congregación de la Doctrina Cristiana. ‖ **de leche.** Hijo de una nodriza respecto del ajeno que esta crió, y viceversa. ‖ **del trabajo. ganapán,** hombre que se gana la vida transportando cargas. ‖ **de madre.** Persona que respecto de otra tiene la misma madre, pero no el mismo padre. ‖ **de padre.** Persona que respecto de otra tiene el mismo padre, pero no la misma madre. ‖ **mayor.** Nombre que se da en algunas cofradías o asociaciones pías al presidente o presidenta. ‖ **uterino. hermano de madre.** ‖ **hermana de la caridad.** Religiosa de la congregación fundada por San Vicente de Paúl en el siglo xvii para la asistencia benéfica en hospitales, hospicios, asilos, etc. ‖ **medio hermano.** Persona, con respecto a otra, que solo tiene en común con ella uno de los padres.

hermanuco. (De *hermano.*) m. despect. **donado,** el que pertenece a una orden religiosa en calidad de sirviente, pero sin profesar.

hermeneuta. (Del gr. ἑρμηνευτής, intérprete.) com. Persona que profesa la hermenéutica.

hermenéutica. (Del gr. ἑρμηνευτική, t. f. de -κός, hermenéutico.) f. Arte de interpretar textos y especialmente el de interpretar los textos sagrados.

hermenéutico, ca. (Del gr. ἑρμηνευτικός.) adj. Perteneciente o relativo a la hermenéutica.

herméticamente. adv. m. De manera hermética.

hermeticidad. f. **hermetismo.**

hermético, ca. (De *Hermes.*) adj. Aplicase a las especulaciones, escritos y partidarios que en distintas épocas han seguido ciertos libros de alquimia atribuidos a Hermes, filósofo egipcio que se supone vivió en el siglo XX antes de Jesucristo. ‖ **2.** Dícese de lo que se cierra de tal modo que no deja pasar el aire u otros fluidos. ‖ **3.** V. **sello hermético.** ‖ **4.** fig. Impenetrable, cerrado, aun tratándose de cosas inmateriales.

hermetismo. (De *Hermes,* filósofo egipcio.) m. Cualidad de hermético, impenetrable, cerrado.

hermetizar. tr. Hacer que una cosa quede cerrada de manera hermética. Ú. t. en sent. fig. y c. prnl.

hermodátil. (Del gr. ἑρμοδάκτυλον.) m. **quitameriendas.** Ú. m. en pl.

hermosamente. adv. m. Con hermosura. ‖ **2.** fig. Con propiedad y perfección.

hermoseador, ra. adj. Que hermosea. Ú. t. c. s.

hermoseamiento. m. Acción y efecto de hermosear o hermosearse.

hermosear. (De *hermoso.*) tr. Hacer o poner hermosa a una persona o cosa. Ú. t. c. prnl. ‖ **2.** intr. desus. Ostentar hermosura.

hermoseo. m. p. us. **hermoseamiento.**

hermosillense. adj. Natural de Hermosillo, capital del Estado mejicano de Sonora. Ú. t. c. s. ‖ **2.** Perteneciente o relativo a dicha capital.

hermoso, sa. (Del lat. *formōsus.*) adj. Dotado de hermosura. ‖ **2.** Grandioso, excelente y perfecto en su línea. ‖ **3.** Despejado, apacible y sereno. ¡HERMOSO *día!* ‖ **4.** fam. Dicho de un niño, significa también robusto, saludable.

hermosura. (De *hermoso.*) f. Belleza de las cosas que pueden ser percibidas por el oído o por la vista. ‖ **2.** Por ext., lo agradable de una cosa que recrea por su amenidad u otra causa. ‖ **3.** Proporción noble y perfecta de las partes con el todo; conjunto de cualidades que hacen a una cosa excelente en su línea. ‖ **4.** Mujer hermosa. ‖ **¡qué hermosura de rebusca, o de rebusco!** expr. con que se nota al que con poco trabajo quiere conseguir mucho fruto.

hernia. (Del lat. *hernĭa.*) f. *Pat.* Tumor blando, elástico, sin mudanza de color en la piel, producido por la dislocación y salida total o parcial de una víscera u otra parte blanda fuera de la cavidad en que se halla ordinariamente encerrada.

herniado, da. adj. Que padece hernia.

herniario, ria. adj. Perteneciente o relativo a la hernia. *Tumor, anillo* HERNIARIO.

herniarse. prnl. Producírsele a uno una hernia.

hérnico, ca. (Del lat. *Hernĭcus.*) adj. Dícese del individuo de un antiguo pueblo del Lacio. Ú. t. c. s. ‖ **2.** Perteneciente a este pueblo.

hernioso, sa. (Del lat. *herniōsus.*) adj. Que padece hernia. Ú. t. c. s.

hernista. com. Persona especializada en curar hernias.

herodes. m. Hombre cruel con los niños.

Herodes. n. p. **andar, o ir, de Herodes a Pilatos.** fr. fig. y fam. Ir de una persona a otra. ‖ **2.** fr. fig. y fam. Ir de mal en peor en un asunto.

herodiano, na. (Del lat. *Herodiānus.*) adj. Perteneciente o relativo a Herodes.

héroe. (Del lat. *heros, -ōis,* y este del gr. ἥρως.) m. Entre los antiguos paganos, el nacido de un dios o una diosa y de una persona humana, por lo cual le reputaban más que hombre y menos que dios; como Hércules, Aquiles, Eneas, etc. ‖ **2.** Varón ilustre y famoso por sus hazañas o virtudes. ‖ **3.** El que lleva a cabo una acción heroica. ‖ **4.** Personaje principal de todo poema en que se representa una acción, y del épico especialmente. ‖ **5.** Cualquiera de los personajes de carácter elevado en la epopeya.

heroicamente. adv. m. Con heroicidad.

heroicidad. f. Cualidad de heroico. ‖ **2.** Acción heroica.

heroico, ca. (Del lat. *heroĭcus,* y este del gr. ἡρωϊκός.) adj. Aplicase a las personas famosas por sus hazañas o virtudes, y, por ext., dícese también de las acciones. ‖ **2.** Perteneciente a ellas. ‖ **3.** Aplicase también a la poesía o composición poética en que con brío y elevación se narran o cantan gloriosas hazañas o hechos grandes y memorables. ‖ **4.** V. **medicamento, remedio, romance, verso heroico.** ‖ **5.** V. **tiempos heroicos.** ‖ **a la heroica.** loc. adv. Al uso de los tiempos **heroicos.**

heroida. (Del lat. *heroĭda.*) f. Composición poética en que el autor hace hablar o figurar a alguna heroína o personaje femenino célebre.

heroína [1]. (Del gr. ἡρωΐνη.) f. Mujer ilustre y famosa por sus grandes hechos. ‖ **2.** La que lleva a cabo un hecho heroico. ‖ **3.** Protagonista del drama o de cualquier poema análogo, o de una novela.

heroína [2]. (Del fr. *héroïne.*) f. Droga adictiva obtenida de la morfina, en forma de polvo blanco y amargo, con propiedades sedantes y narcóticas.

heroinómano, na. adj. Dícese de la persona adicta a la heroína. Ú. t. c. s.

heroísmo. m. Esfuerzo eminente de la voluntad hecho con abnegación, que lleva al hombre a realizar actos extraordinarios en servicio de Dios, del prójimo o de la patria. ‖ **2.** Conjunto de cualidades y acciones que colocan a uno en la clase de héroe. ‖ **3.** Acción heroica.

heroísta. (De *héroe.*) adj. ant. Aplicábase a los poetas épicos. Usáb. t. c. s.

herpe. amb. *Pat.* **herpes.**

herpes. (Del lat. *herpes,* y este del gr. ἕρπης.) amb. *Pat.* Erupción que aparece en puntos aislados del cutis, por lo común crónica y de muy distintas formas, acompañada de comezón o escozor, y debida al agrupamiento, sobre una base más o menos inflamada, de granitos o vejiguillas que dejan rezumar, cuando se rompen, un humor que al secarse forma costras o escamas. Ú. m. en pl. ‖ **2.** *pat.* **zona,** enfermedad infecciosa caracterizada por la inflamación de ciertos ganglios nerviosos.

herpético, ca. (De *herpes.*) adj. *Pat.* Perteneciente al herpes. ‖ **2.** Que padece esta enfermedad. Ú. t. c. s.

herpetismo. m. *Pat.* Predisposición constitucional para el padecimiento de herpes o erupciones cutáneas.

herpetología. (Del gr. ἑρπετόν, reptil, y -*logía.*) f. Tratado de los reptiles.

herpetólogo, ga. adj. Dícese de la persona entendida en herpetología. Ú. t. c. s.

herpil. (De or. inc.) m. Saco de red de tomiza, con mallas anchas, destinado a portear paja, melones, etc.

herrada. (Del lat. *ferrāta,* t. f. de -*tus,* herrado.) adj. V. **agua herrada.** ‖ **2.** f. Cubo de madera, con grandes aros de hierro o de latón, y más ancho por la base que por la boca. ‖ **una herrada no es caldera.** expr. fam. con que, jugando con el vocablo, suele uno excusarse cuando ha incurrido en una equivocación o ligero error.

herradero. (De *herrar.*) m. Acción de marcar con un hierro candente los ganados. ‖ **2.** Sitio destinado para hacer esta operación. ‖ **3.** Estación o temporada en que se efectúa.

herrado[1]. (Del lat. *ferrātus*, provisto o cubierto de hierro.) m. ant. **herrada**.

herrado[2], **da.** p. p. de **herrar.** ‖ **2.** m. Operación de herrar.

herrador. (De *ferrador*.) m. El que por oficio hierra las caballerías.

herradora. f. fam. Mujer del herrador.

herradura. (De *herrar*.) f. Hierro aproximadamente semicircular que se clava a las caballerías en los cascos o en las pezuñas de algunos vacunos para que no se los maltraten en el piso. ‖ **2.** Resguardo, hecho de esparto o cáñamo, que se pone a las caballerías en pies o manos cuando se deshierran, para que no se les maltraten los cascos. ‖ **3.** V. **arco, callo, camino de herradura.** ‖ **4.** Murciélago que tiene los orificios nasales rodeados por una membrana en forma de **herradura.** ‖ **de buey. callo,** chapa a modo de **herradura.** ‖ **de la muerte.** fig. y fam. Ojeras lívidas que se dibujan sobre el rostro del moribundo y son indicios de su próximo fin. Ú. m. en pl. ‖ **hechiza.** La grande y de clavo embutido destinada al ganado caballar. ‖ **asentarse la herradura.** fr. Lastimarse el pie o mano de las caballerías por estar muy apretada la **herradura.** ‖ **mostrar las herraduras.** fr. Hablando de una caballería, ser falsa o tirar coces. ‖ **2.** fig. y fam. Apartarse con velocidad, huir.

herraj. m. **erraj.**

herraje[1]. (De *hierro*.) m. Conjunto de piezas de hierro o acero con que se guarnece un artefacto, como puerta, cofre, etc. ‖ **2.** Conjunto de herraduras, aseguradas con clavos, que se ponen a las bestias. ‖ **3.** *Cantabria.* Dicho del ganado vacuno, dentadura.

herraje[2]. m. **erraj.**

herramental. adj. Dícese de la bolsa u otra cosa en que se guardan y llevan las herramientas. Ú. t. c. s. m. ‖ **2.** m. Conjunto de herramientas de un oficio o profesión.

herramienta. (Del lat. *ferramenta*, pl. n. de *ferramentum*.) f. Instrumento, por lo común de hierro o acero, con que trabajan los artesanos. ‖ **2.** Conjunto de estos instrumentos. ‖ **3.** V. **máquina herramienta.** ‖ **4.** ant. **herraje**[1]. ‖ **5.** fam. Arma blanca, puñal, navaja, faca. ‖ **6.** fig. y fam. Cuernos de algunos animales, como el toro y el ciervo. ‖ **7.** fig. y fam. Los dientes de la boca de una persona o un animal.

herrar. (De *hierro*.) tr. Ajustar y clavar las herraduras a las caballerías, o los callos a los bueyes. ‖ **2.** Marcar con un hierro candente los ganados, artefactos, etc. ‖ **3.** Marcar de igual modo a esclavos y delincuentes. Se hacía para señalar su condición social, y también como castigo de estos últimos. ‖ **4.** Guarnecer de hierro un artefacto. ‖ **5.** ant. Poner a uno prisiones de hierro.

herrén. (Del lat. vulg. *ferrāgo, -ĭnis*, lat. *farrāgo.*) m. Forraje de avena, cebada, trigo, centeno y otras plantas que se da al ganado. ‖ **2.** f. **herrenal.**

herrenal. m. Terreno en que se siembra el herrén.

herrenar. tr. *Sal.* Alimentar el ganado con herrén.

herreñal. m. dialect. *herreña, herrén.*) m. **herrenal.**

herre que herre. loc. fam. **erre que erre.**

herrera. adj. V. **cuchar herrera.** ‖ **2.** f. fam. Mujer del herrero.

herrería. (De *ferrería.*) f. Oficio de herrero. ‖ **2.** Taller en que se funde o forja y se labra el hierro en grueso. ‖ **3.** Taller de herrero. ‖ **4.** Tienda de herrero. ‖ **5.** fig. Ruido acompañado de confusión y desorden; como el que se hace cuando algunos riñen o se acuchillan.

herreriano, na. adj. Propio o característico del estilo del arquitecto Herrera.

herrerillo. (d. de *herrero*, por el chirrido metálico del canto.) m. Pájaro de unos 12 centímetros de largo desde el pico hasta la extremidad de la cola, y dos decímetros de envergadura;

de cabeza azul, nuca y cejas blancas, lomo de color verde azulado, pecho y abdomen amarillos con una mancha negra en el abdomen, pico de color pardo oscuro con la punta blanca, y patas negruzcas. Es insectívoro y bastante común en España. ‖ **2.** Pájaro de unos 15 centímetros de largo desde el pico a la extremidad de la cola, y tres decímetros de envergadura; de cabeza y lomo de color azulado, cuello y carrillos blancos, pecho y abdomen bermejos, una raya negra desde las comisuras de la boca hasta el cuello, pico pardusco y patas amarillentas. Es insectívoro, común en España, y hace el nido de barro y en forma de puchero, en los huecos de los árboles.

herrero. (Del lat. *ferrarius.*) m. El que tiene por oficio labrar el hierro. ‖ **2.** V. **agua de herreros.** ‖ **3.** V. **moco de herrero.** ‖ **de grueso.** El que trabaja exclusivamente en obras gruesas; como balcones, arados, calces de coche, etc.

herrerón. m. aum. despect. de **herrero.** Herrero que no sabe bien su oficio.

herreruelo[1]. m. d. de **herrero.** ‖ **2.** Pájaro de 12 centímetros de largo desde la punta del pico hasta la extremidad de la cola, y 17 metros de envergadura; el plumaje del macho es negro en el dorso, cabeza y cola, y blanco en la frente, pecho, abdomen y parte de las alas; la hembra es de color aplomado por el lomo y blanquecino por el vientre. ‖ **3.** Soldado de la antigua caballería alemana, cuyas armas defensivas, a saber, peto, espaldar y una celada que le cubría el rostro, eran de color negro; las ofensivas eran venablos, martillos de agudas puntas y dos arcabuces pequeños colgados del arzón de la silla.

herreruelo[2]. m. Capa corta con cuello y sin capilla.

herrete. m. d. de **hierro.** ‖ **2.** Cabo de alambre, hojalata u otro metal, que se pone a las agujetas, cordones, cintas, etc., para que puedan entrar fácilmente por los ojetes. Los hay también de adorno, labrados artísticamente, y se usan en los extremos de los cordones militares, de los de librea y de algunos lazos que llevan las damas.

herretear. tr. Poner herretes a las agujetas, cordones, cintas, etc. ‖ **2.** Marcar o señalar con un instrumento de hierro.

herrezuelo. m. Pieza pequeña de hierro.

herrial. adj. V. **uva herrial.** ‖ **2.** Dícese de la vid que la produce. ‖ **3.** Dícese también del viñedo de esta especie.

herrín. (Del lat. vulg. *ferrīgo, -ĭnis* por *ferrūgo, -ĭnis.*) m. Orín del hierro o herrumbre.

herriza. f. Terreno pedregoso, por lo general en la cumbre de un cerro, que permanece inculto por su resistencia a la reja y escasa productividad.

herrojo. (De etim. disc.) m. ant. **cerrojo.**

herrón. (De *hierro*.) m. Antiguo juego que consistía en meter en un clavo hincado en el suelo unos discos de hierro con un agujero en el centro. ‖ **2.** Tejo de hierro que se utilizaba en el juego del **herrón.** ‖ **3.** **arandela**[1] para evitar el roce entre dos piezas. ‖ **4.** Barra grande de hierro, que suele usarse para plantar álamos, vides, etc. ‖ **5.** *Col.* Hierro o púa del trompo o peón.

herronada. f. Golpe dado con herrón, barra de hierro. ‖ **2.** fig. Golpe violento que dan algunas aves con el pico.

herropea. (Del lat. *ferrum*, hierro, y *pes, pedis*, pie.) f. Traba o trabón que se pone a las caballerías. ‖ **2.** ant. Traba de los presos en las galeras, grillete.

herropeado, da. (De *herropea*.) adj. ant. Que tiene los pies sujetos con herropea.

herrugento, ta. (Del lat. *ferrūgo, -ĭnis,* herrumbre.) adj. ant. Que tiene herrumbre.

herruginento, ta. adj. ant. **herrugento.**

herrumbrar. (Del lat. *ferrumināre.*) tr. Producir herrumbre.

herrumbre. (Del lat. *ferrūmen, -ĭnis.*) f. Óxido del hierro. ‖ **2.** Gusto o sabor que algunas cosas toman del hierro;

como las aguas, etc. ‖ **3. roya,** pequeño hongo de los vegetales.

herrumbroso, sa. adj. Que cría o tiene herrumbre. ‖ **2.** De color amarillo rojizo. *Esputo* HERRUMBROSO.

herrusca. (De *hierro*.) f. ant. Arma vieja, por lo común, espada o sable.

hertz. (Del apellido de Enrique Rodolfo *Hertz*, físico alemán, 1857-1894.) m. *Fís.* **hercio,** en la nomenclatura internacional.

hertziano, na. (De *hertz*.) adj. **herciano.**

hérulo, la. (Del lat. *Herŭlus*.) adj. Dícese del individuo de una nación perteneciente a la gran confederación de los suevos, que habitó en las costas de la actual Pomerania y fue una de las que tomaron parte en la invasión del imperio romano durante el siglo v. Ú. t. c. s. m. y en pl.

hervencia. (Del lat. *fervens, -entis*, hirviente.) f. Género de suplicio usado antiguamente, el cual consistía en cocer en calderas a los grandes criminales o sus miembros mutilados, que luego se colgaban de escarpias junto a los caminos o sobre las puertas de las ciudades.

herventar. (Del lat. *fervens, -entis*, hirviente.) tr. Meter una cosa en agua u otro líquido, y darle un hervor.

herver. (Del lat. *fervēre*.) intr. ant. y hoy vulgar. **hervir.**

hervidero. m. Movimiento y ruido que hacen los líquidos cuando hierven. ‖ **2.** fig. Manantial donde surge el agua con desprendimiento abundante de burbujas gaseosas, que hacen ruido y agitan el líquido. ‖ **3.** fig. Ruido que hacen los humores estancados en el pecho por la agitación del aire al tiempo de respirar. ‖ **4.** fig. Muchedumbre de personas o de animales en movimiento, o de entidades abstractas a las que se atribuye agitación. HERVIDERO *de gente, de hormigas, de pasiones.* ‖ **5.** *Nicar.* **solfatara,** fuente termal.

hervido, da. p. p. de **hervir.** ‖ **2.** m. Acción y efecto de hervir. ‖ **3.** *Cat.* y *Val.* Guiso de judías verdes cocidas con patatas, sazonado con aceite y vinagre. ‖ **4.** *Amér. Merid.* Cocido u olla.

hervidor. m. Utensilio de cocina para hervir líquidos. ‖ **2.** En los termosifones y otros aparatos análogos, caja de palastro cerrada, por cuyo interior pasa el agua, y que recibe directamente la acción del fuego.

hervimiento. m. ant. Acción y efecto de hervir.

hervir. (Del lat. *fervēre*.) intr. Producir burbujas un líquido cuando se eleva suficientemente su temperatura, o por la fermentación. ‖ **2.** fig. Hablando del mar, ponerse sumamente agitado, haciendo mucho ruido y espuma. ‖ **3.** fig. Con *en* y ciertos nombres, abundar en las cosas significadas por ellos. HERVIR EN *chismes;* HERVIR EN *pulgas.* ‖ **4.** fig. Excitarse intensamente a causa de una pasión del ánimo. Ú. con las preposiciones *de* o *en.* HERVIR DE *ira,* EN *cólera.* ‖ **5.** tr. Hacer hervir un líquido. HERVIR *el agua;* HERVIR *la leche.* ‖ **6.** Someter algo a la acción del agua o de otro líquido en ebullición.

hervite. V. **cochite hervite.**

hervor. (Del lat. *fervor, -ōris*.) m. Acción y efecto de hervir. ‖ **2.** fig. Fogosidad, inquietud y viveza de la juventud. ‖ **3.** ant. fig. Ardor, animosidad. ‖ **4.** ant. fig. **fervor,** celo por una cosa. ‖ **5.** ant. fig. Ahínco, vehemencia, eficacia. ‖ **de la sangre.** *Med.* Nombre de ciertas erupciones cutáneas pasajeras y benignas. ‖ **alzar,** o **levantar, el hervor.** fr. Empezar a hervir o cocer un líquido.

hervorizarse. prnl. ant. Llenarse uno de fervor o celo ardiente.

hervoroso, sa. adj. Fogoso, impetuoso, ardoroso. ‖ **2.** Que hierve o parece que hierve.

hesitación. (Del lat. *haesitatĭo, -ōnis*.) f. **duda.**

hesitar. (Del lat. *haesitāre*.) intr. o us. Dudar, vacilar.

hespérico, ca. (De *Hesperia*.) adj. Dícese de cada una de las dos penínsulas, España e Italia. ‖ **2.** Perteneciente o relativo a estas penínsulas.

hespéride. (Del lat. *Hesperĭdes*, y este del gr. Ἑσπερίδες, hijas de Atlas y Hésperis.) adj. Perteneciente a las **Hespérides.** ‖ **2.** n. p. f. pl. Estrellas de la constelación del Toro.

hesperidio. (Del lat. mod. *hesperidĭum*, y este del clásico *Hespēris*.) m. *Bot.* Fruto carnoso de corteza gruesa, dividido en varias celdas por telillas membranosas; como la naranja y el limón.

hespérido, da. adj. poét. **hespéride.** ‖ **2.** poét. **occidental.** Dícese así del nombre del planeta Héspero.

hesperio, ria. (Del lat. *Hesperĭus*.) adj. Natural de una u otra Hesperia (España e Italia). Ú. t. c. s. ‖ **2.** Perteneciente o relativo a ellas.

Héspero[1]. (Del lat. *Hespĕrus*, y este del gr. Ἕσπερος.) n. p. m. *Astron.* El planeta Venus cuando, al atardecer, aparece en el Occidente.

héspero[2]**, ra.** adj. **hesperio.**

hespirse. (Del m. or. que *hispir*.) prnl. *Cantabria.* Engreírse, envanecerse.

hetaira. (Del gr. ἑταίρα.) f. **hetera.**

heteo, a. (Del lat. *Hethaeus*.) adj. Dícese del individuo de un pueblo antiguo que habitó en la tierra de Canaán y en Siria. Ú. m. c. s. m. y en pl. ‖ **2.** Perteneciente o relativo a este pueblo.

hetera. (Del gr. ἑταίρα.) f. En la antigua Grecia, cortesana, a veces de elevada consideración social. ‖ **2.** Prostituta, mujer pública.

hetero-. (Del gr. ἕτερος.) elem. compos. que significa «otro», «desigual», «diferente»: HETEROgéneo, HETEROsexual.

heterocerca. (De *hetero-* y el gr. κέρκος, cola.) adj. *Zool.* Dícese de la aleta caudal de los peces que está formada por dos lóbulos desiguales, como la de la mielga, y, por ext., de la cola de los peces que tienen esta clase de aleta caudal.

heterocíclico, ca. (De *hetero-* y *cíclico*.) adj. *Quím.* Perteneciente o relativo a las estructuras moleculares conocidas como heterociclos.

heterociclo. (De *hetero-* y *ciclo*.) m. *Quím.* Estructura cíclica o en anillo en la que uno o más átomos constituyentes no son de carbono. Estos átomos pueden ser principalmente de nitrógeno, de oxígeno o de azufre.

heteroclamídeo, a. (De *hetero-* y un der. de *clámide*.) adj. *Bot.* Dícese de la flor completa, que tiene un perianto doble, formado por los pétalos y los sépalos.

heteróclito, ta. (Del lat. *heteroclĭtus*, y este del gr. ἑτερόκλιτος.) adj. Aplícase en rigor al nombre que no se declina según la regla común, y en general, a todo paradigma que se aparta de lo regular. ‖ **2.** fig. Irregular, extraño y fuera de orden.

heterodino. (Del fr. *hétérodyne*.) m. *Electr.* Receptor que produce señales sostenidas de frecuencia ligeramente diferente de la de las ondas transmitidas, con objeto de obtener por batimiento una frecuencia inferior, que es la que se utiliza para recibir las señales.

heterodoxia. (Del gr. ἑτεροδοξία.) f. Cualidad de heterodoxo.

heterodoxo, xa. (Del gr. ἑτερόδοξος.) adj. Disconforme con el dogma de una religión. Entre católicos, disconforme con el dogma católico. Ú. t. c. s. *Escritor* HETERODOXO; *opinión* HETERODOXA; *un* HETERODOXO; *los* HETERODOXOS. ‖ **2.** Por ext., no conforme con la doctrina fundamental de una secta o sistema. ‖ **3.** Por ext., disconforme con doctrinas o prácticas generalmente admitidas.

heterogeneidad. f. Cualidad de heterogéneo. ‖ **2.** Mezcla de partes de diversa naturaleza en un todo.

heterogéneo, a. (Del lat. *heterogenĕus*, y este del gr. ἑτερογενής.) adj. Compuesto de partes de diversa naturaleza.

heteromancia o **heteromancía**. (De *hetero-* y el gr. μαντεία, adivinación, referida al vuelo de las aves a uno u otro lado.) f. Adivinación supersticiosa por el vuelo de las aves.

heterómero. (De *hetero-* y el gr. μέρος, miembro.) adj. *Zool.* Dícese de los insectos coleópteros que tienen cuatro artejos en los tarsos de las patas del último par y cinco en los demás, como la carraleja. Ú. t. c. s. ‖ **2.** m. pl. *Zool.* Suborden de estos animales.

heteronimia. (De *heterónimo.*) f. *Ling.* Fenómeno por el cual vocablos de acusada proximidad semántica proceden de étimos diferentes; por ej., *toro-vaca.*

heterónimo. m. *Ling.* Cada uno de los vocablos que constituyen una heteronimia. ‖ **2.** *Lit.* Nombre, distinto del suyo verdadero, con que un autor firma una parte de su obra.

heterónomo, ma. (De *hetero-* y el gr. νόμος, ley, costumbre.) adj. Dícese del que está sometido a un poder ajeno que le impide el libre desarrollo de su naturaleza.

heteroplastia. (De *hetero-* y *plastia.*) f. *Cir.* Implantación de injertos orgánicos procedentes de un individuo de distinta especie.

heterópsido, da. (De *hetero-*, el gr. ὄψις, vista, aspecto, e *-ido.*) adj. Dícese de las sustancias metálicas que carecen del brillo propio del metal.

heteróptero. (De *hetero-* y *-ptero.*) adj. *Zool.* Dícese de los insectos hemípteros con cuatro alas, las dos posteriores membranosas y las anteriores coriáceas en su base; suelen segregar líquidos de olor desagradable. Algunos son parásitos y ápteros, como la chinche. Ú. t. c. s. ‖ **2.** m. pl. *Zool.* Suborden de estos animales.

heteroscio, cia. (Del gr. ἑτερόσκιος.) adj. *Geogr.* Dícese del habitante de las zonas templadas, el cual a la hora del mediodía hace sombra siempre hacia un mismo lado. Ú. t. c. s. y m. en pl.

heterosexual. (De *hetero-* y *sexual.*) adj. Dícese del individuo que practica la heterosexualidad. Ú. t. c. s. ‖ **2.** Dícese de la relación erótica entre individuos de diferente sexo. ‖ **3.** Perteneciente o relativo a la heterosexualidad.

heterosexualidad. f. Inclinación sexual hacia el otro sexo. ‖ **2.** Práctica de la relación erótica heterosexual.

heterotrófico, ca. (De *hetero-* y *-trofo.*) adj. Dícese de las propiedades y procesos de los organismos heterótrofos considerados como tales.

heterótrofo, fa. (De *hetero-* y *-trofo.*) adj. *Biol.* Dícese del organismo incapaz de elaborar su propia materia orgánica a partir de sustancias inorgánicas.

hético, ca. (De *héctico.*) adj. *tísico.* Ú. t. c. s. ‖ **2.** Perteneciente a esta clase de enfermos. ‖ **3.** V. **fiebre hética.** Ú. t. c. s. ‖ **4.** fig. Que está muy flaco y casi en los huesos. Ú. t. c. s.

hetiquez. f. *Pat.* **hectiquez.**

hetría. (Del m. or. que el arc. *feitor,* hechor, malhechor.) f. ant. Enredo, mezcla, confusión.

heurística. (f. de *heurístico.*) f. Arte de inventar. ‖ **2.** Busca o investigación de documentos o fuentes históricas.

heurístico, ca. (Del gr. εὑρίσκω, hallar, inventar, y *-tico.*) adj. Perteneciente o relativo a la heurística.

hevea. (De *Hevea Brasiliensis,* nombre científico de esta planta.) f. Planta del caucho.

hevicultivo. m. Cultivo de la hevea o planta del caucho.

hevicultor, ra. adj. Dícese de la persona que practica el hevicultivo. Ú. t. c. s.

hexa-. (Del gr. ἕξα-.) elem. compos. que significa «seis»: HEXÁgono, HEXAsílabo.

hexacoralario. (De *hexa-* y *coralario.*) adj. *Zool.* Dícese de celentéreos antozoos cuya boca está rodeada por tentáculos en número de seis o múltiplo de seis; como las actinias. Ú. t. c. s. ‖ **2.** m. pl. *Zool.* Orden de estos animales.

hexacordo. (Del lat. *hexachordus,* de seis cuerdas.) m. *Mús.* Escala para canto llano compuesta de las seis primeras notas usuales, inventada en el siglo XI por Guido Aretino. ‖ **2.** *Mús.* Intervalo de sexta en la escala musical. ‖ **mayor.** *Mús.* Intervalo que consta de cuatro tonos y un semitono. ‖ **menor.** *Mús.* Intervalo que consta de tres tonos y dos semitonos.

hexaedro. (Del gr. ἑξάεδρος.) m. *Geom.* Sólido de seis caras. ‖ **regular.** *Geom.* **cubo²,** sólido regular.

hexagonal. adj. De figura de hexágono o semejante a él. ‖ **2.** Dícese del sistema cristalográfico según el cual cristalizan minerales como el cuarzo, el cinabrio, la calcita, el berilo y otros.

hexágono, na. (Del lat. *hexagōnum,* y este del gr. ἑξάγωνος.) adj. *Geom.* Aplícase al polígono de seis ángulos y seis lados. Ú. m. c. s. m.

hexámetro. (Del lat. *hexamĕtrus,* y este del gr. ἑξάμετρος.) adj. V. **verso hexámetro.** Ú. t. c. s.

hexángulo, la. (De *hexa-* y *ángulo.*) adj. Aplícase al polígono de seis ángulos y seis lados. Ú. m. c. s. m.

hexápeda. (Del gr. ἑξάπεδος, a través del fr. *hexapède,* de seis pies.) f. Antigua medida de seis pies.

hexápodo, da. (Del gr. ἑξάπους, -οδος.) adj. *Zool.* Dícese del animal que tiene seis patas. Se aplica en especial a los insectos. Ú. t. c. s.

hexasílabo, ba. (Del lat. *hexasyllābus,* y este del gr. ἑξασύλλαβος.) adj. De seis sílabas. *Verso* HEXASÍLABO. Ú. t. c. s.

hez. (Del lat. *fex, fecis.*) f. Parte de desperdicio en las preparaciones líquidas, que se deposita en el fondo de las cubas o vasijas. Ú. m. en pl. ‖ **2.** fig. Lo más vil y despreciable de cualquier clase. ‖ **3.** pl. Excrementos.

hi. com. desus. **hijo.** Primer elemento de la voz **hidalgo** y sus derivados; se usaba en expresiones injuriosas, o a veces ponderativas, como HI *de puta,* HI *de perro.*

hí. (Del lat. *hic.*) adv. l. ant. En este lugar.

Híadas. n. p. f. pl. *Astron.* **Híades.**

Híades. (Del lat. *hyădes,* y este del gr. ὑάδες.) n. p. f. pl. *Astron.* Grupo notable de estrellas en la constelación del Toro.

hialino, na. (Del lat. *hyalīnus,* y este del gr. ὑάλινος.) adj. *Fís.* Diáfano como el vidrio o parecido a él. ‖ **2.** V. **cuarzo hialino.**

hialoideo, a. (Del gr. ὕαλος, vidrio, y *-oideo.*) adj. Que se parece al vidrio o tiene sus propiedades.

hiante. (Del lat. *hians, hiantis,* que está abierto, separado.) adj. V. **verso hiante.**

hiato. (Del lat. *hiătus.*) m. Encuentro de dos vocales que se pronuncian en sílabas distintas. ‖ **2.** Solución de continuidad, interrupción o separación espacial o temporal. ‖ **3.** *Anat.* Hendidura, fisura. ‖ **4.** *Métr.* Disolución de una sinalefa, por licencia poética, para alargar un verso. ‖ **5.** p. us. Abertura, grieta.

hibernación. (Del lat. *hibernatĭo, -ōnis.*) f. Estado fisiológico que se presenta en ciertos mamíferos con adaptación a condiciones invernales extremas, con descenso de la temperatura corporal hasta cerca de 0° y disminución general de las funciones metabólicas. ‖ **2.** Por ext., cualquier sueño invernal en animales, tanto vertebrados como invertebrados. ‖ **3.** Estado semejante que se produce en las personas artificialmente por medio de drogas apropiadas con fines anestésicos o curativos.

hibernal. (Del lat. *hibernālis.*) adj. **invernal.**

hibernar. (Del lat. *hibernāre.*) intr. Pasar el invierno, especialmente en estado de hibernación.

hibernés, sa. adj. Natural de Hibernia, hoy Irlanda. Ú. t. c. s. ‖ **2.** Perteneciente o relativo a esta isla de Europa antigua.

hibérnico, ca. adj. Perteneciente a Hibernia.

hibernizo, za. (De *hibierno*.) adj. p. us. Perteneciente al hibierno.

hibierno. (Del lat. *hibernum*.) m. desus. **invierno.**

hibisco. m. Planta de la familia de las malváceas, muy apreciada por su valor ornamental y por sus grandes flores, generalmente rojas, aunque existen numerosas variedades de diversos colores. Se cultiva en los países cálidos.

hibleo, a. (Del lat. *Hyblaeus*.) adj. Perteneciente a Hibla, monte y ciudad de Sicilia antigua, famosos por su miel.

hibridación. f. Producción de seres híbridos.

hibridismo. m. Cualidad de híbrido.

híbrido, da. (Del lat. *hybrīda*.) adj. Aplícase al animal o al vegetal procreado por dos individuos de distinta especie. Ú. t. c. s. ‖ **2.** *Biol.* Dícese de individuos cuyos padres son genéticamente distintos con respecto a un mismo carácter. ‖ **3.** fig. Dícese de todo lo que es producto de elementos de distinta naturaleza. ‖ **4.** V. **computador híbrido.**

hibridoma. (De *híbrido* y *-oma*.) m. *Biol.* Híbrido celular entre células de mieloma (de proliferación indefinida) y células secretoras de anticuerpos. Este tipo de células permite obtener anticuerpos monoclonales frente a antígenos seleccionados.

hibuero. (Del arahuaco de las Antillas.) m. Árbol bignoniáceo, especie de güira, con fruto semejante a una calabaza.

hicaco. (Voz taína.) m. Arbusto de la familia de las crisobalanáceas, de tres a cuatro metros de altura, con muchos ramos poblados de hojas alternas, ovaladas, muy obtusas, coriáceas y nerviosas; flores de cinco pétalos blanquecinos, agrupadas en las axilas de los ramos más altos, y fruto en drupa del tamaño, forma y color de la ciruela claudia. Es espontáneo en las Antillas. ‖ **2.** Fruto de este árbol.

hico. m. *Ant., Col., Pan.* y *Venez.* Cada una de las cuerdas que sostienen la hamaca. ‖ **2.** Por ext., cuerda, soga.

hicotea. (Voz taína.) f. Reptil quelonio de la familia de los emídidos, que se cría en América; tiene unos 30 centímetros de longitud, y es comestible.

hidalgamente. adv. m. Con generosidad, con nobleza de ánimo.

hidalgo, ga. (De *fidalgo*.) m. y f. Persona que por su sangre es de una clase noble y distinguida. Llámase también **hidalgo** de sangre. ‖ **2.** adj. Perteneciente a un **hidalgo.** ‖ **3.** fig. Dícese de la persona de ánimo generoso y noble, y de lo perteneciente a ella. ‖ **de bragueta.** Padre que, por haber tenido en legítimo matrimonio siete hijos varones consecutivos, adquiría el derecho de hidalguía. ‖ **de cuatro costados.** Aquel cuyos abuelos paternos y maternos son **hidalgos.** ‖ **de devengar quinientos sueldos.** El que por los antiguos fueros de Castilla tenía derecho a cobrar 500 sueldos en satisfacción de las injurias que se le hacían. ‖ **de ejecutoria.** El que ha litigado su hidalguía y probado ser **hidalgo** de sangre. Denomínase así a diferencia del **hidalgo** de privilegio. ‖ **de gotera.** El que únicamente en un pueblo gozaba de los privilegios de su hidalguía, de tal manera que los perdía al mudar su domicilio. ‖ **de privilegio.** El que lo es por compra o merced real. ‖ **de solar conocido.** El que tiene casa solariega o desciende de una familia que la ha tenido o la tiene.

hidalgote, ta. m. y f. aum. de **hidalgo.**

hidalguejo, ja o **hidalgüelo, la** o **hidalguete, ta.** ms. y fs. ds. de **hidalgo.**

hidalguense. adj. Natural del Estado mejicano de Hidalgo o de diversas poblaciones mejicanas que llevan el mismo nombre. Ú. t. c. s. ‖ **2.** Perteneciente o relativo a dicho Estado y poblaciones.

hidalguez. f. **hidalguía.**

hidalguía. f. Cualidad de hidalgo, o su estado y condición civil. ‖ **2.** V. **carta de hidalguía.** ‖ **3.** V. **carta ejecutoria de hidalguía.** ‖ **4.** fig. Generosidad y nobleza de ánimo.

hidátide. (Del gr. ὑδατίς, -ίδος.) f. Larva de una tenia intestinal del perro y de otros animales que en las vísceras humanas adquiere gran tamaño. ‖ **2.** Vesícula que la contiene. ‖ **3.** Quiste hidatídico.

hidatídico, ca. adj. Perteneciente a la hidátide.

hideputa. (De *hi*, hijo, *de* y *puta*.) com. desus. Hijo de puta. Usáb. t. c. expr. ponderativa.

hidiondo, da. adj. desus. **hediondo.**

hidra. (Del lat. *hydra*, y este del gr. ὕδρα, serpiente acuática.) f. Culebra acuática, venenosa, que suele hallarse cerca de las costas, tanto en el mar Pacífico como en el de las Indias; es de color negro por encima y blanco amarillento por debajo; de unos cinco decímetros de largo; cubierta de escamas pequeñas y con la cola muy comprimida por ambos lados y propia para la natación. ‖ **2.** Pólipo de forma cilíndrica y de uno a dos centímetros de longitud, pegado a un tubo cerrado por una extremidad y con varios tentáculos en la otra. Se cría en el agua dulce y se alimenta de infusorios y gusanillos. ‖ **3.** *Mit.* Monstruo del lago de Lerna, con siete cabezas que renacían a medida que se cortaban, muerto por Hércules, que se las cortó todas de un golpe. ‖ **4.** n. p. f. *Astron.* Constelación austral de figura muy prolongada, comprendida entre las del León y la Virgen por el norte, y las del Navío y el Centauro por el sur.

hidrácida o **hidracida.** (Del fr. *hydracide*.) f. *Quím.* Cuerpo resultante de la combinación de un ácido orgánico con una amina, empleado en el tratamiento de la tuberculosis.

hidrácido. (De *hidro-* y *ácido*.) m. *Quím.* Ácido compuesto de hidrógeno y otro cuerpo simple.

hidrargirio. (De *hidrargiro*.) m. **hidrargiro.**

hidrargirismo. (De *hidrargiro* e *-ismo*.) m. *Pat.* Intoxicación crónica originada por la absorción de mercurio. Es enfermedad frecuente en los obreros de las minas de este metal.

hidrargiro. (Del lat. *hydrargyrus*, y este del gr. ὑδράργυρος.) m. *Quím.* Azogue, metal.

hidrartrosis. (De *hidro-* y *artrosis*.) f. *Pat.* Hinchazón de una articulación por acumulación de líquido acuoso, no purulento.

hidratación. f. Acción y efecto de hidratar.

hidratar. (Del gr. ὕδωρ, ὕδατος, agua.) tr. *Quím.* Combinar un cuerpo con el agua. *Cal* HIDRATADA. Ú. t. c. prnl. ‖ **2.** Restablecer el grado de humedad normal de la piel.

hidrato. (De *hidratar*.) m. *Quím.* Combinación de un cuerpo con el agua. ‖ **de carbono.** Nombre genérico de multitud de sustancias orgánicas de reacción neutra, formadas por carbono, hidrógeno y oxígeno, que, como los azúcares y las féculas, contienen los dos últimos elementos en la misma proporción en que los contiene el agua.

hidráulica. (Del lat. *hydraulĭca*, y este del gr. ὑδραυλική.) f. Parte de la mecánica que estudia el equilibrio y el movimiento de los fluidos. ‖ **2.** Arte de conducir, contener, elevar y aprovechar las aguas.

hidráulico, ca. (Del lat. *hydraulĭcus*, y este del gr. ὑδραυλικός.) adj. Perteneciente a la hidráulica. ‖ **2.** Que se mueve por medio del agua o de otro fluido. *Rueda, prensa* HIDRÁULICA. ‖ **3.** Se dice de la energía producida por el movimiento del agua. ‖ **4.** Dícese de las cales y cementos que se endurecen en contacto con el agua, y también de las obras donde se emplean dichos materiales. ‖ **5.** V. **arquitectura, cal, caliza, máquina hidráulica.** ‖ **6.** V. **ariete, cemento, hormigón, marco hidráulico.** ‖ **7.** Dícese de la persona que se dedica a la hidráulica. Ú. t. c. s.

hidria. (Del lat. *hydrĭa*, y este del gr. ὑδρία, cántaro para el agua.) f. Vasija grande, a modo de cántaro o tinaja, que usaron los antiguos para contener agua.

hídrico, ca. (Del gr. ὕδωρ e *-ico*.) adj. Perteneciente o relativo al agua.

-hídrico. (De hidro- e -ico.) elem. compos. adoptado por convenio en la nomenclatura química para designar los ácidos que no contienen oxígeno, como el clorHÍDRICO o el sulfHÍDRICO.

hidro-. (Del gr. ὕδρο-.) elem. compos. que significa «agua»: HIDROavión, HIDROfobia.

hidroavión. (De hidro- y avión.) m. Avión que lleva, en lugar de ruedas, uno o varios flotadores para posarse sobre el agua.

hidrobiología. (De hidro- y biología.) f. Ciencia que estudia la vida de los seres que pueblan las aguas.

hidrocarburo. (De hidro- y carburo.) m. Quím. Compuesto químico resultante de la combinación del carbono con el hidrógeno. Puede ser parafínico o cíclico.

hidrocefalia. (De hidrocéfalo.) f. Pat. Hidropesía de la cabeza.

hidrocéfalo, la. (Del gr. ὑδροκέφαλος.) adj. Que padece hidrocefalia. ‖ **2.** m. ant. **hidrocefalia.**

hidrocele. (Del lat. hydrocēle, y este del gr. ὑδροκήλη.) f. Pat. Hidropesía de la túnica serosa del testículo.

hidroclorato. (De hidro- y clorato.) m. Quím. **clorhidrato.**

hidroclórico, ca. (De hidro- y clórico.) adj. Quím. **clorhídrico.**

hidrodinámica. (De hidro- y dinámica.) f. Parte de la mecánica que estudia el movimiento de los fluidos.

hidrodinámico, ca. adj. Perteneciente o relativo a la hidrodinámica.

hidroelectricidad. (De hidro- y electricidad.) f. Energía eléctrica obtenida por fuerza hidráulica.

hidroeléctrico, ca. (De hidro- y eléctrico.) adj. Perteneciente a la hidroelectricidad.

hidráfana. (De hidro- y el gr. φανός, claro, brillante.) f. Ópalo que adquiere transparencia dentro del agua.

hidrofilacio. (De hidro- y el gr. φυλάκιον, lugar en que se guarda algo.) m. Concavidad subterránea y llena de agua, de que muchas veces se alimentan los manantiales.

hidrófilo, la. (De hidro- y -filo.) adj. Dícese de la materia que absorbe el agua con gran facilidad. ‖ **2.** Coleóptero acuático de cuerpo convexo y oval y de color negro de aceituna, con los palpos maxilares filiformes, más largos que las antenas, y el esternón prolongado en aguda espina. Llega a tener cuatro o cinco centímetros de longitud. Las larvas son carnívoras y los adultos fitófagos.

hidrofobia. (Del lat. hydrophobĭa, y este del gr. ὑδροφοβία.) f. Horror al agua, que suelen tener los que han sido mordidos por animales rabiosos. ‖ **2. rabia,** enfermedad.

hidrófobo, ba. (Del lat. hydrophŏbus, y este del gr. ὑδροφόβος.) adj. Que padece hidrofobia. Ú. t. c. s. ‖ **2.** m. ant. **hidrofobia.**

hidrófugo, ga. (De hidro- y -fugo.) adj. Dícese de las sustancias que evitan la humedad o las filtraciones. Ú. t. c. s. m.

hidrogenación. f. Proceso por el que se adiciona hidrógeno a compuestos orgánicos no saturados.

hidrógeno. (De hidro- y -geno.) m. Gas inflamable, incoloro, inodoro y 14 veces más ligero que el aire. Entra en la composición de multitud de sustancias orgánicas, y combinado con el oxígeno forma el agua. Núm. atómico 1. Símb.: H. ‖ **sulfurado.** Quím. **ácido sulfhídrico.**

hidrogeología. (De hidro- y geología.) f. Parte de la geología que se ocupa del estudio de las aguas dulces y en particular de las subterráneas y de su aprovechamiento.

hidrogeológico, ca. adj. Perteneciente o relativo a la hidrogeología.

hidrogeólogo, ga. m. y f. Persona que ejerce o profesa la hidrogeología.

hidrognosia. (De hidro- y el gr. γνῶσις.) f. Rama del saber, que explica las calidades e historia de las aguas del globo terrestre.

hidrogogía. (De hidro- y el gr. ἀγωγή, conducción.) f. Arte de canalizar aguas.

hidrografía. (De hidrógrafo.) f. Parte de la geografía física, que trata de la descripción de las aguas del globo terrestre. ‖ **2.** Conjunto de las aguas de un país o región.

hidrográfico, ca. adj. Perteneciente o relativo a la hidrografía. ‖ **2.** V. **régimen hidrográfico.**

hidrógrafo, fa. (De hidro- y -grafo.) m. y f. Persona que ejerce o profesa la hidrografía.

hidrólisis. (De hidro- y -lisis.) f. Quím. Desdoblamiento de la molécula de ciertos compuestos orgánicos, ya por exceso de agua, ya por la presencia de una corta cantidad de fermento o de ácido.

hidrología. (De hidro- y -logía.) f. Parte de las ciencias naturales que trata de las aguas. ‖ **médica.** Estudio de las aguas en relación con el tratamiento de las enfermedades.

hidrológico, ca. adj. Perteneciente o relativo a la hidrología.

hidrólogo, ga. m. y f. Persona que profesa la hidrología. ‖ **2.** Técnico en aguas de riego.

hidroma. (De hidro- y -oma.) m. Pat. Tumor o quiste seroso.

hidromancia o **hidromancía.** (Del lat. hydromantīa, y este del gr. ὑδρομαντεία.) f. Arte supersticiosa de adivinar por la observación del agua.

hidromántico, ca. adj. Perteneciente a la hidromancia. ‖ **2.** m. y f. Persona que la profesa.

hidromecánico, ca. adj. Dícese de ciertos dispositivos o aparatos en los que se aprovecha el agua como fuerza motriz.

hidromel o **hidromiel.** (Del lat. hydroměli, y este del gr. ὑδρόμελι.) m. Agua mezclada con miel.

hidrometeoro. (De hidro- y meteoro.) m. Meteoro producido por el agua en estado líquido, sólido y de vapor.

hidrómetra. (De hidro- y el gr. -μέτρης, que mide.) com. Persona que sabe y profesa la hidrometría.

hidrometría. (De hidrómetro.) f. Parte de la hidrodinámica que trata del modo de medir el caudal, la velocidad o la fuerza de los líquidos en movimiento.

hidrométrico, ca. adj. Perteneciente o relativo a la hidrometría.

hidrómetro. (De hidro- y -metro.) m. Instrumento que sirve para medir el caudal, la velocidad o la fuerza de un líquido en movimiento.

hidronimia. (De hidrónimo.) f. Parte de la toponimia que estudia el origen y significación de los nombres de los ríos, arroyos, lagos, etc.

hidronímico, ca. adj. Perteneciente o relativo a la hidronimia.

hidrónimo. (De hidro- y el gr. ὄνυμα.) m. Nombre de río, arroyo, lago, etc.

hidrópata. (De hidro- y el gr. -παθής, que sufre.) com. Med. Se dice del que profesaba la hidroterapia, en el sentido de hidroterapia. Usáb. t. c. adj. ‖ **2.** p. us. Persona que padece una afección hidropática.

hidropatía. (De hidro- y -patía.) f. Med. **hidroterapia.** ‖ **2.** Afección morbosa producida por el agua o el sudor.

hidropático, ca. adj. Perteneciente o relativo a la hidropatía.

hidropesía. (Del b. lat. hydropisĭa, clás. hydrōpisis, y este del gr. ὕδρωψ, -ωπος.) f. Pat. Derrame o acumulación anormal del humor seroso en cualquier cavidad del cuerpo animal, o su infiltración en el tejido celular.

hidrópico, ca. (Del lat. hydropicus, y este del gr. ὑδρωπικός.) adj. Que padece hidropesía, especialmente de vientre. Ú. t. c. s. ‖ **2.** fig. **insaciable.** ‖ **3.** fig. Sediento con exceso.

hidroplano. (De hidro- y plano.) m. Embarcación provista de aletas inclinadas que, al avanzar, por efecto de la reacción que el agua ejerce contra ellas, sostienen gran parte del peso del aparato, el cual alcanza de ordinario una velocidad muy superior a la de los otros buques. ‖ **2.** Avión con flotadores para posarse en el agua.

hidroponía. (De *hidro-* y un der. del gr. πόνος, labor.) f. Cultivo de plantas en soluciones acuosas, por lo general con algún soporte de arena, grava, etc.

hidropónico, ca. adj. Perteneciente o relativo a la hidroponía. Ú. t. c. s.

hidropteríneo, a. (De *hidro-* y el gr. πτερίνεον, especie de helecho.) adj. *Bot.* Dícese de plantas criptógamas pteridofitas, acuáticas, a veces flotantes, con tallo horizontal, de cuya cara superior nacen las hojas y de la inferior las raíces o, en algunas de las especies flotantes, unas hojas absorbentes. Ú. t. c. s. f. ‖ **2.** f. pl. *Bot.* Clase de estas plantas.

hidroquinona. (Del ing. *hydroquinone*.) f. Producto químico que se presenta en forma de prismas hexagonales incoloros, solubles en alcohol, éter y agua caliente. Se usa como antiséptico, antipirético y como revelador de la fotografía.

hidroscopia. (De *hidro-* y *-scopia*.) f. Arte de averiguar la existencia y condiciones de las aguas ocultas, examinando previamente la naturaleza y configuración del terreno.

hidrosfera. (De *hidro-* y el gr. σφαῖρα, esfera.) f. Conjunto de partes líquidas del globo terráqueo.

hidrosilicato. m. *Quím.* Silicato hidratado.

hidrosol. (De *hidro-* y *sol*, abreviatura de *solución*.) m. Solución acuosa coloidal.

hidrosoluble. (De *hidro-* y *soluble*.) adj. Que puede disolverse en agua.

hidrostática. (De *hidro-* y *estática*.) f. Parte de la mecánica que estudia el equilibrio de los fluidos.

hidrostáticamente. adv. m. Con arreglo a la hidrostática.

hidrostático, ca. adj. Perteneciente o relativo a la hidrostática.

hidrotecnia. (De *hidro-* y *-tecnia*.) f. Arte de construir máquinas y aparatos hidráulicos.

hidroterapia. (De *hidro-* y *terapia*.) f. Método curativo por medio del agua.

hidroterápico, ca. adj. Perteneciente o relativo a la hidroterapia.

hidrotermal. (De *hidro-* y *termal*.) adj. *Geol.* Producto de los procesos en que interviene el agua a temperatura superior a la normal.

hidrotimetría. (De *hidroti-*, sacado del gr. ὑδρότης, humedad, y *-metría*.) f. *Quím.* Parte del análisis químico que se ocupa de determinar la dureza de las aguas.

hidrotimétrico, ca. adj. *Quím.* Perteneciente o relativo a la hidrotimetría.

hidrotórax. (De *hidro-* y el gr. θώραξ, tórax.) m. *Pat.* Hidropesía del pecho.

hidróxido. (De *hidro-* y *óxido*.) m. *Quím.* Compuesto formado por la unión de un elemento o un radical con el anión OH-.

hidroxilo. (De *hidrógeno, oxígeno*, y el gr. ὕλη, materia.) m. *Quím.* Radical formado por un átomo de hidrógeno y otro de oxígeno, que forma parte de muchos compuestos.

hidruro. m. Compuesto de hidrógeno y otro elemento, preferentemente un metal.

hiebre. f. ant. **fiebre.**

hiedra. (Del lat. *hedĕra*.) f. Planta trepadora, siempre verde, de la familia de las araliáceas, con tronco y ramos sarmentosos, de que brotan raíces adventicias que se agarran fuertemente a los cuerpos inmediatos; hojas coriáceas, verdinegras, lustrosas, persistentes, pecioladas, partidas en cinco lóbulos, enteras y en forma de corazón las de los ramos superiores; flores de color amarillo verdoso, en umbelas, y fruto en bayas negruzcas del tamaño de un gui-

sante. Aunque la **hiedra** no es una parásita verdadera, daña y aun ahoga con su espeso follaje a los árboles por los que trepa. ‖ **arbórea. hiedra.** ‖ **terrestre.** Planta vivaz de la familia de las labiadas, con tallos duros, de tres a cuatro decímetros, hojas pecioladas en forma de corazón, festoneadas y verdinegras; flores axilares en grupillos separados, de corola azul, y fruto en varias semillas menudas. Se ha empleado en medicina como expectorante.

hiel. (Del lat. *fel, fellis*.) f. **bilis.** ‖ **2.** V. **vejiga de la hiel.** ‖ **3.** fig. Amargura, aspereza o desabrimiento. ‖ **4.** V. **paloma sin hiel.** ‖ **5.** pl. fig. Trabajos, adversidades, disgustos. ‖ **de la tierra. centaura menor.** ‖ **dar a beber hieles.** fr. fig. y fam. Dar disgustos y pesadumbres. ‖ **echar uno la hiel.** fr. fig. y fam. Trabajar con exceso. ‖ **estar uno hecho de hiel.** fr. fig. y fam. con que se pondera la irritación, cólera o desabrimiento de una persona. ‖ **no tener** uno **hiel.** fr. fig. y fam. Ser sencillo y de genio suave. ‖ **sudar** uno **la hiel.** fr. fig. y fam. **echar la hiel.**

hielo. (Del lat. *gelu*.) m. Agua convertida en cuerpo sólido y cristalino por un descenso suficiente de temperatura. ‖ **2.** Acción de helar o helarse. ‖ **3.** fig. Frialdad en los afectos. ‖ **seco. nieve carbónica.** ‖ **estar** uno **hecho un hielo.** fr. fig. y fam. Estar muy frío. ‖ **quedarse de hielo.** fr. fig. Quedarse atónito o paralizado ante un acontecimiento. ‖ **romper el hielo.** fr. fig. y fam. En el trato personal o en una reunión, quebrantar la reserva, el embarazo o el recelo que por cualquier motivo exista.

hieltro. m. ant. **fieltro.**

hiemal. (Del lat. *hiemālis*, invernal.) adj. p. us. **invernal.** ‖ **2.** *Astrol.* V. **cuadrante hiemal.** Ú. t. c. s. ‖ **3.** *Astron.* V. **solsticio hiemal.**

hiena. (Del lat. *hyaena*, y este del gr. ὕαινα.) f. Nombre común a varias especies de una familia de animales carnívoros de África y Asia, de pelaje áspero, gris amarillento, con listas o manchas en el lomo y en los flancos; llegan a los siete decímetros de altura en la cruz y algo menos en la grupa. Son animales nocturnos y principalmente carroñeros, de aspecto repulsivo y olor desagradable por lo desarrolladas que tienen sus glándulas anales. ‖ **2.** fig. Persona de malos instintos o cruel.

hienda¹. (Del lat. *femĭta*, de *fimus*.) f. Fiemo, fimo, estiércol.

hienda². (De *hender*.) f. *Extr.* y León. Raja o hendidura.

hier. (Del lat. *heri*.) adv. t. ant. **ayer.**

hiera¹. (Del lat. *hedĕra*.) f. *Ál.* **hiedra.**

hiera². (Del lat. *diaria*.) f. desus. Jornal, obrada.

hierarquía. (Del lat. *hierarchía*.) f. ant. **jerarquía.**

hierático, ca. (Del lat. *hieratĭcus*, y este del gr. ἱερατικός.) adj. Perteneciente o relativo a las cosas sagradas o a los sacerdotes. Es término de la antigüedad pagana. ‖ **2.** Aplícase a cierta escritura de los antiguos egipcios, que era una abreviación de la jeroglífica. ‖ **3.** Aplícase a cierta clase de papiro que se traía de Egipto. ‖ **4.** Dícese de la escultura y la pintura religiosas que reproducen formas tradicionales. ‖ **5.** fig. Dícese también del estilo o ademán que tiene o afecta solemnidad extrema, aunque sea en cosas no sagradas.

hieratismo. m. Cualidad hierática de la escultura y la pintura religiosas. ‖ **2.** Cualidad hierática de los estilos y formas que afectan solemnidad extrema.

hierba. (Del lat. *herba*.) f. Toda planta pequeña cuyo tallo es tierno y perece después de dar la simiente en el mismo año, o a lo más al segundo, a diferencia de las matas, arbustos y árboles, que echan troncos o tallos duros y leñosos. ‖ **2.** Conjunto de muchas **hierbas** que nacen en un terreno. ‖ **3.** Mancha de las esmeraldas. ‖ **4.** Veneno hecho con **hierbas** venenosas. Ú. m. en pl. ‖ **5.** V. **queso de hierba.** ‖ **6.** Nombre dado a algunas drogas, especialmente a la mariguana. ‖ **7.** pl. Entre los religiosos, menestras que les dan a comer y ensalada cocida para colación. ‖ **8.** Pastos que hay en las dehesas para los ganados. ‖ **9.** Hablando de los animales que se crían en los pastos, **años.** *Este potro tiene tres* HIERBAS. ‖ **10.** V. **barro, pañuelo de hierbas.** ‖ **artética. pinillo,** planta herbácea. ‖ **ballestera. hierba de ballestero.** ‖ **belida. ranúnculo.** ‖ **buena. hierbabuena.** ‖ **callera.** Planta de la familia de las crasuláceas, cuyas hojas, opuestas, ovaladas y redondeadas en la base, emplea el vulgo para cicatrizar heridas y ablandar callos. ‖ **cana.** Planta herbácea de la familia de las compuestas, con tallo ramoso, surcado, hueco, rojizo y de tres a cuatro decímetros de altura; hojas blandas, gruesas, jugosas, perfoliadas y partidas en lóbulos dentados; flores amarillas, tubulares, y fruto seco y con semillas coronadas de vilanos blancos, largos y espesos que semejan pelos canos, de donde le vino el nombre. Es común en las orillas de los caminos y se considera como emoliente. ‖ **carmín.** Planta herbácea americana, aclimatada en España, de la familia de las fitolacáceas, con raíz carnosa y fusiforme; tallo erguido, ramoso y asurcado; hojas alternas, aovadas, lanceoladas y onduladas por el margen; flores en espiga y sin corola, y fruto en baya. Toda la planta es encarnada, tiene algún empleo en medicina, y de las semillas se extrae una laca roja. ‖ **centella. calta.** ‖ **de bálsamo.** *Ál.* **ombligo de Venus,** planta herbácea. ‖ **de ballestero. eléboro.** ‖ **2.** Veneno hecho con un cocimiento de eléboro. ‖ **de cuajo.** Flor y pelusa del cardo silvestre, con la cual se cuaja la leche. ‖ **de Guinea.** Planta de la familia de las gramíneas, que crece hasta cerca de un·metro de altura, con hojas ensiformes, radicales, abrazadoras y en macolla; tallo central, y flores hermafroditas, en espiguilla, que forman panoja, con semillas abundantes. Es planta muy apreciada para pasto del ganado, especialmente caballar, y se propaga con facilidad en las regiones tropicales. ‖ **del ala. helenio.** ‖ **de las coyunturas. belcho.** ‖ **de las golondrinas. celidonia.** ‖ **de las siete sangrías. asperilla.** ‖ **de limón.** *Cuba.* **esquenanto.** ‖ **del maná.** Planta de la familia de las gramíneas, con el tallo caído, de medio metro a uno de largo, hojas planas y flores en panoja prolongada, casi unilateral, compuesta de espiguillas con pedúnculos largos, paralelos al eje. Sirve de forraje y se emplea en lugar del esparto. ‖ **de los lazarosos, o de los pordioseros. clemátide.** ‖ **del Paraguay.** Planta de hojas lampiñas, pecioladas, oblongas y aserradas por el margen; flores axilares blancas, de pedúnculo largo en ramilletes apretados, y fruto en drupa roja, con cuatro huesecillos de almendra venenosa. Abunda en la América Meridional. ‖ **2.** Hojas de este arbolito, que, secas y empaquetadas, son uno de los principales ramos del comercio en Argentina, Brasil y Paraguay. Se emplean para hacer la infusión denominada mate. ‖ **de punta. espiguilla,** planta gramínea. ‖ **de San Juan. corazoncillo.** ‖ **de Santa María.** Planta herbácea de la familia de las compuestas, con tallos de tres a cuatro decímetros, ramosos y estriados; hojas grandes, elípticas, pecioladas, fragantes y festoneadas por el margen, y flores en cabecillas amarillentas muy duraderas. Se cultiva mucho en los jardines por su buen olor, y se usa en medicina como estomacal y vulneraria. ‖ **de Santa María del Brasil. pazote.** ‖ **de Túnez. servato.** ‖ **doncella.** Planta herbácea, vivaz, de la familia de las apocináceas, con tallos de seis a ocho decímetros, los estériles reclinados y casi erguidos los floríferos; hojas pedunculadas, lisas, coriáceas, en forma de corazón, algo vellosas en el margen; flores grandes, de corola azul; fruto capsular y semillas membranosas. Se usa en medicina como astringente. ‖ **estrella. estrellamar, hierba** plantaginácea. ‖ **fina.** Planta de la familia de las gramíneas, con cañas delgadas, derechas, de unos 25 centímetros de alto; hojas estrechas, lineares y agudas, y flores rojizas dispuestas en panojas terminales muy delgadas y bien abiertas. ‖ **giganta. acanto,** planta. ‖ **hormiguera. pazote.** ‖ **impía.**

Planta anual de la familia de las compuestas, con tallos delgados, erguidos, dicótomos, tomentosos, blanquecinos, vestidos de hojas filiformes, y cabezuelas axilares y terminales. ‖ **jabonera. jabonera,** planta cariofilácea. ‖ **lombriguera.** Planta de la familia de las compuestas, con tallos herbáceos de seis a ocho decímetros de altura, hojas grandes partidas en lacinias lanceoladas y aserradas, flores de cabezuelas amarillas en corimbos terminales, y fruto seco con semillas menudas. Es bastante común en España, tiene olor fuerte, sabor muy amargo, y se ha empleado como estomacal y vermífuga. ‖ **2.** En algunas partes, **abrótano.** ‖ **luisa. luisa.** ‖ **mate. hierba del Paraguay.** ‖ **melera. lengua de buey,** planta. ‖ **meona. milenrama.** ‖ **mora.** Planta herbácea, anual, de la familia de las solanáceas, con tallos de tres a cuatro decímetros de altura, ramosos y velludos; hojas lanceoladas, nerviosas, con dientes en el margen; flores axilares, en corimbos poco poblados, de corola blanca, y fruto en baya negra de un centímetro de diámetro. Se ha empleado en medicina como calmante. ‖ **2.** *Filip.* **espicanardo,** planta gramínea. ‖ **pastel. glasto.** ‖ **pejiguera. duraznillo.** ‖ **piojenta, o piojera. estafisagria.** ‖ **pulguera. zaragatona.** ‖ **puntera. siempreviva mayor.** ‖ **romana. hierba de Santa María.** ‖ **sagrada. verbena,** planta. ‖ **santa. hierbabuena.** ‖ **sarracena. hierba de Santa María.** ‖ **tora. orobanca.** ‖ **hierbas del señor San Juan.** Todas aquellas que se venden el día de San Juan Bautista, que son muy olorosas o medicinales; como mastranzo, trébol, etc. ‖ **viejas. ant.** Campos no roturados. ‖ **crecer como la mala hierba.** fr. fam. Dícese de los muchachos que crecen, cuando al mismo tiempo no se aplican. ‖ **2.** Se dice de lo que se desarrolla muy rápidamente o en gran cantidad. ‖ **en hierba.** loc. adv. con que se denota, hablando de los panes y otras semillas, que están aún verdes y tiernos. ‖ **haber pisado** uno **buena, o mala, hierba.** fr. Salirle bien, o mal, las cosas. ‖ **2.** fig. y fam. Estar contento o descontento, de buen o mal humor. ‖ **y otras hierbas.** expr. jocosa que se añade después de enumerar enfáticamente los nombres, títulos o prendas de una persona, como para dar a entender que aún le corresponden otros. *Narciso es muy caballero, muy galán, muy donoso y* OTRAS HIERBAS. ‖ **sentir** uno **crecer, o nacer, la hierba.** fr. fig. y fam. Tener gran perspicacia; ser muy advertido. ‖ **ver crecer la hierba.** fr. fig. y fam. con que se pondera la viveza de entendimiento de una persona.

hierbabuena. (De *hierba* y *buena*.) f. Planta herbácea, vivaz, de la familia de las labiadas, con tallos erguidos, poco ramosos, de cuatro a cinco decímetros; hojas vellosas, elípticas, agudas, nerviosas y aserradas; flores rojizas en grupos axilares, y fruto seco con cuatro semillas. Se cultiva mucho en las huertas; es de olor agradable y se emplea en condimentos. ‖ **2.** Nombre que se da a otras plantas labiadas parecidas a la anterior; como el mastranzo, el sándalo y el poleo.

hierbajo. m. despect. de **hierba.**

hierbal. m. *Chile.* Sitio de mucha hierba.

hierbatero. adj. **yerbatero.**

hierbezuela. f. d. de **hierba.**

hiero. (De lat. *erum,* por *ervum.*) m. **yero.**

hieródulo, la. (Del gr. ἱερόδουλος, esclavo sagrado.) m. y f. Esclavo o esclava dedicados al servicio de una divinidad, en la antigua Grecia.

hierofanta. (Del lat. *hierophanta,* y este del gr. ἱεροφάντης.) m. **hierofante.**

hierofante. (Del lat. *hierophantes,* y este del gr. ἱεροφάντης.) m. Sacerdote del templo de Ceres Eleusina y de otros varios de Grecia, que dirigía las ceremonias de la iniciación en los misterios sagrados. ‖ **2.** Por ext., maestro de nociones recónditas.

hieroglífico, ca. (Del lat. *hieroglyphīcus*, y este del gr. ἱερογλυφικός.) adj. p. us. **jeroglífico.** Ú. t. c. s.

hieroscopia. (Del gr. ἱεροσκοπία.) f. Arte supersticiosa de adivinar por las entrañas de los animales.

hierosolimitano, na. (Del lat. *Hierosolymitānus*, de *Hierosolўma*, Jerusalén.) adj. Natural de Jerusalén. Ú t. c. s. ‖ **2.** Perteneciente o relativo a esta ciudad.

hierra. (De *herrar*.) f. *Amér.* Acción de marcar con el hierro los ganados. ‖ **2.** *Amér.* Temporada en que se marca el ganado. ‖ **3.** *Amér.* Fiesta que se celebra con tal motivo.

hierre. (De *herrar*.) m. *And.* Acción y efecto de marcar los ganados con el hierro.

hierrezuelo. m. d. de **hierro.**

hierro. (Del lat. *ferrum*.) m. Metal dúctil, maleable y muy tenaz, de color gris azulado, empleado en la industria y en las artes en varias combinaciones con otros elementos. Núm. atómico 26. Símb.: *Fe.* ‖ **2.** Marca que con **hierro** candente se pone a los ganados. En otro tiempo se ponía también a los delincuentes y a los esclavos. ‖ **3.** Instrumento o pieza de **hierro** con que se realizaba la operación de marcar (ganados, esclavos, etc.) ‖ **4.** Señal, e instrumento para hacerla, que se pone en algunas cosas como garantía o contraste. ‖ **5.** En la lanza, saeta y otras armas semejantes, pieza de **hierro** o de acero que se pone en el extremo para herir. ‖ **6.** V. **camino, capillo, corona, edad, geranio, pirita, siglo, voluntad de hierro.** ‖ **7.** fig. Arma, instrumento o pieza de **hierro** o acero; como la pica, la reja del arado, etc. ‖ **8.** fig. V. **bolsa, cabeza de hierro.** ‖ **9.** V. **ganadero de mayor hierro.** ‖ **10.** V. **edad del hierro.** ‖ **11.** pl. Prisiones de **hierro;** como cadenas, grillos, etc. ‖ **albo.** El candente. ‖ **alfa** o **α.** Fase alotrópica del **hierro** a alta temperatura. ‖ **arquero. hierro cellar.** ‖ **cabilla.** El forjado en barras redondas más gruesas que las del **hierro varilla.** ‖ **carretil.** El forjado en barras de un decímetro de ancho y dos centímetros de grueso, destinado generalmente a llantas de carros. ‖ **cellar.** El forjado en barras de unos cinco centímetros de ancho y uno de grueso, que sirve para cellos de pipa, y con el cual solían hacerse las celadas de las ballestas. ‖ **colado.** *Metal.* Producto obtenido en el cubilote por fusión del arrabio. ‖ **cuadradillo,** o **hierro.** Barra de **hierro** cuya sección transversal es un cuadrado de dos a tres centímetros de lado. ‖ **cuchillero. hierro cellar.** ‖ **de doble T.** El forjado en barras en forma de dos de aquellas letras, opuestas por la base. ‖ **de llantas. hierro carretil.** ‖ **dulce.** El libre de impurezas, que se trabaja con facilidad. ‖ **espático. sideroso.** ‖ **fundido. hierro colado.** ‖ **medio tocho. hierro tochuelo.** ‖ **palanquilla.** El forjado en barras de sección cuadrada de cuatro centímetros de lado. ‖ **pirofórico. hierro** finísimamente dividido que se inflama espontáneamente en contacto con el aire. ‖ **planchuela. hierro arquero.** ‖ **tocho.** El forjado en barras de sección cuadrada de siete centímetros de lado. ‖ **tochuelo.** El forjado en barras de sección cuadrada de cinco a seis centímetros de lado. ‖ **varilla.** El forjado en barras redondas de poco diámetro. ‖ **agarrarse a un** o **de, un hierro ardiendo.** fr. fig. y fam. **agarrarse a,** o **de, un clavo ardiendo.** ‖ **a hierro y fuego;** o, **a hierro y sangre.** locs. advs. **a sangre y fuego.** ‖ **comer hierro.** fr. fig. y fam. *And.* Hablar un galán con su dama por una reja próxima al piso de la calle. ‖ **de hierro.** loc. adj. Aplicado a la salud, muy resistente. ‖ **librar el hierro.** fr. *Esgr.* Separarse las hojas de las espadas. ‖ **llevar hierro a Vizcaya.** fr. fig. **llevar leña al monte.** ‖ **machacar, majar,** o **martillar, en hierro frío.** frs. fig. Es inútil la corrección y doctrina cuando el natural es duro y mal dispuesto a recibirla. ‖ **mascar hierro.** fr. fig. y fam. *And.* **comer hierro.** ‖ **meter hierro frío.** fr. ant. **pasar a cuchillo.** ‖ **quitar hierro.** fr. fig. y fam. Rebajar, quitar importancia a lo que parece exagerado. ‖ **tocar el hierro.** fr. *Esgr.* Juntarse las hojas de las espadas.

higa. (De *higo*.) f. Dije de azabache o coral, en figura de puño, que ponen a los niños con la idea de librarlos del mal de ojo. ‖ **2.** Gesto que se ejecuta con la mano, cerrado el puño, mostrando el dedo pulgar por entre el dedo índice y el cordial, con el que se señalaba a las personas infames o se hacía desprecio de ellas. También se usaba contra el aojo en las frs. **dar** o **hacer** a alguien **una higa.** ‖ **3.** fig. Burla o desprecio. ‖ **dar higa la escopeta.** fr. No dar lumbre el pedernal al dispararla. ‖ **dar higas.** fr. fig. Despreciar una cosa; burlarse de ella. ‖ **no dar por una cosa dos higas.** fr. fig. y fam. Despreciarla.

higadilla. f. **higadillo.**

higadillo. (d. de *higado*.) m. Hígado de los animales pequeños, particularmente de las aves.

hígado. (Del lat. vulg. *ficātum*, del lat. [*iecur*] *ficātum*, [hígado] alimentado con higos.) m. *Anat.* Víscera voluminosa, propia de los animales vertebrados, que en los mamíferos tiene forma irregular y color rojo oscuro y está situada en la parte anterior y derecha del abdomen; desempeña varias funciones importantes, entre ellas la secreción de la bilis. ‖ **2.** *Zool.* Por ext., cierta glándula de diversos invertebrados que cumple funciones semejantes a las que desempeña el **hígado** en los vertebrados. ‖ **3.** V. **calor, fuego del hígado.** ‖ **4.** fig. Ánimo, valentía. Ú. m. en pl. ‖ **de antimonio.** p. us. *Farm.* Mezcla de color de **hígado,** algo transparente y a medio vitrificar, que resulta de partes iguales de antimonio y potasa con un poco de sal común. ‖ **de azufre.** p. us. *Farm.* Mezcla de azufre derretida y potasa, usada contra afecciones cutáneas y como antiparasitaria. ‖ **malos hígados.** fig. Mala voluntad; índole dañina. ‖ **echar** uno **los hígados.** fr. fig. y fam. **echar** uno **los hígados por** una cosa. fr. fig. y fam. Esforzarse muchísimo en conseguirla. ‖ **hasta los hígados.** expr. fam. que denota la intensidad y vehemencia de un afecto. ‖ **moler los hígados** a uno. fr. fig. y fam. Importunarle. ‖ **querer** uno **comer** a otro **los hígados.** fr. fig. y fam. que denota la crueldad y rabia con que uno desea vengarse de otro.

higaja. f. desus. Hígado, víscera. ‖ **2.** desus. **higadillo.**

higate. (De *higo*.) m. Potaje que se usaba antiguamente, y se hacía de higos sofreídos primero con tocino, y después cocidos con caldo de gallina y sazonados con azúcar, canela y otras especias finas.

higiene. (Del fr. *hygiène*.) f. Parte de la medicina que tiene por objeto la conservación de la salud y la prevención de enfermedades. ‖ **2.** Limpieza, aseo de las viviendas, lugares públicos y poblaciones. ‖ **privada.** Aquella de cuya aplicación cuida el individuo. ‖ **pública.** Aquella en cuya aplicación interviene la autoridad, prescribiendo reglas preventivas.

higiénico, ca. adj. Perteneciente o relativo a la higiene. ‖ **2.** V. **papel higiénico.** ‖ **3.** V. **compresa higiénica.**

higienista. adj. Dícese de la persona dedicada al estudio de la higiene o a su aplicación. Ú. t. c. s.

higienización. f. Acción y efecto de higienizar.

higienizar. tr. Disponer o preparar una cosa conforme a las prescripciones de la higiene.

higo. (Del lat. *ficus*.) m. Segundo fruto, el más tardío, de la higuera; es blando, de gusto dulce, por dentro de color más o menos encarnado o blanco, y lleno de semillas sumamente menudas; exteriormente está cubierto de una piel fina y verdosa, negra o morada, según las diversas castas de ellos. ‖ **2.** Excrecencia, regularmente venérea, que se forma alrededor del ano, y cuya figura es semejante a la de un **higo.** Toma también otros nombres, según varía la figura. ‖ **3.** V. **cambur higo.** ‖ **4.** fig. Cosa insignificante, de poco o ningún valor. Ú. en frases como: *No dar un* HIGO *por una cosa; no dársele a uno un* HIGO; *no estimar en un* HIGO *una cosa; no valer una cosa un* HIGO. ‖ **boñigar. higo doñegal.** ‖ **chumbo, de pala,** o **de tuna.** Fruto del nopal o higuera de Indias; es elipsoidal, algo mayor que un huevo de gallina, de corteza verde amarillenta y pulpa comestible; anaranjada, abundante, dulce y llena de semillas blancas y menudas. ‖ **doñegal** o **doñigal.** Variedad de **higo,** de buen tamaño y color. ‖ **melar.** Variedad de **higo,** pequeño, redondo, blanco y muy dulce y tierno. ‖ **zafarí.** Variedad de **higo,** muy dulce. ‖ **de higos a brevas.** loc. adv. fig. y fam. **de tarde en tarde.** ‖ **estar hecho un higo.** fr. fig. Estar muy arrugado.

higroma. (De gr. ὑγρός, húmedo, y *-oma.*) m. *Pat.* **hidroma.** ‖ **2.** *Pat.* Distensión, generalmente de origen traumático, de la vaina sinovial de un tendón.

higrometría. (De *higrómetro.*) f. Parte de la física relativa al conocimiento de las causas productoras de la humedad atmosférica y de la medida de sus variaciones.

higrométrico, ca. adj. Perteneciente o relativo a la higrometría o al higrómetro. ‖ **2.** Dícese del cuerpo cuyas condiciones varían sensiblemente con el cambio de humedad de la atmósfera.

higrómetro. (Del gr. ὑγρός, húmedo, y *-metro.*) m. Instrumento que sirve para determinar la humedad del aire atmosférico.

higroscopia. (Del gr. ὑγρός, húmedo, y *-scopia.*) f. **higrometría.**

higroscopicidad. (De *higroscópico.*) f. *Fís.* Propiedad de algunos cuerpos inorgánicos, y de todos los orgánicos, de absorber y exhalar la humedad según las circunstancias que los rodean.

higroscópico, ca. (De *higroscopio.*) adj. Que tiene higroscopicidad.

higroscopio. (Del gr. ὑγρός, húmedo, y *-scopio.*) m. **higrómetro.** ‖ **2.** Instrumento en que, mediante una cuerda de tripa que se destuerce más o menos según el grado de humedad del aire, se mueve una figurilla o parte de ella para indicar lluvia o buen tiempo.

higuana. f. **iguana.**

higüela o **higuela.** f. *Cineg.* Arma blanca que usa el podenquero para rematar la res apresada por los perros.

higuera[1]. (Del lat. *ficaria.*) f. Árbol de la familia de las moráceas, de mediana altura, madera blanca y endeble, látex amargo y astringente; hojas grandes, lobuladas, verdes y brillantes por encima, grises y ásperas por abajo, e insertas en un pedúnculo bastante largo; flores unisexuales, encerradas en un receptáculo carnoso, piriforme, abierto por un pequeño orificio apical y que, al madurar, da una infrutescencia llamada higo. ‖ **breval.** Árbol mayor que la **higuera** y de hojas más grandes y verdosas, que da brevas e higos. ‖ **chumba. nopal.** ‖ **de Adán.** Planta de origen indomalayo, muy cultivada hoy en África tropical, cuyo fruto es el plátano grande. ‖ **de Egipto.** Cabrahigo, **higuera** silvestre. ‖ **de Indias. nopal.** ‖ **del diablo,** o **del infierno. higuera infernal.** ‖ **de pala,** o **de tuna. nopal.** ‖ **infernal.** Ricino, planta. ‖ **loca, moral,** o **silvestre.** Sicómoro, árbol de las moráceas. ‖ **estar en la higuera.** fr. fig. y fam. **estar en Babia.**

Higuera[2]. n. p. V. **sal de la Higuera.**

higueral. m. Sitio poblado de higueras[1].

higuereta. (De *higuera.*) f. **ricino,** planta.

higuerilla. f. d. de **higuera.** ‖ **2. higuera infernal.**

higüero. m. **güira.**

higuerón. (De *higuera[1].*) m. Árbol de la familia de las moráceas, con tronco corpulento, copa espesa, hojas grandes y alternas, fruto de mucho jugo, y madera fuerte, correosa, de color blanco amarillento, muy usada en la América tropical, donde es espontáneo el árbol, para la construcción de embarcaciones.

higuerote. m. **higuerón.**

higueruela. f. d. de **higuera.** ‖ **2.** Planta herbácea de la familia de las papilionáceas, de hojas partidas como las del trébol, y flores azuladas en cabezuelas axilares.

higuí (al). loc. fam. Entretenimiento propio de carnaval consistente en suspender de un palo un higo seco que se hace saltar en el aire mientras los muchachos tratan de cogerlo con la boca.

higuillo. m. d. de **higo.** ‖ **2.** *P. Rico* y *Sto. Dom.* **jiguillo.**

¡hi, hi, hi! interj. **¡ji, ji, ji!**

hijadalgo. f. **hidalga.**

hijastro, tra. (Del lat. *filiaster, filiastra.*) m. y f. Hijo o hija de uno solo de los cónyuges, respecto del otro.

hijato. (De *hijo.*) m. Retoño o renuevo de planta.

hijo, ja. (Del lat. *filius.*) m. y f. Persona o animal respecto de su padre o de su madre. ‖ **2.** fig. Cualquier persona, respecto del país, provincia o pueblo de que es natural. ‖ **3.** fig. Persona que ha tomado el hábito religioso, con relación al fundador de su orden y a la casa donde lo tomó. ‖ **4.** fig. Cualquier obra o producción del ingenio. ‖ **5.** Nombre que se suele dar al yerno y a la nuera, respecto de los suegros. ‖ **6.** Expresión de cariño entre las personas que se quieren bien. ‖ **7.** m. Lo que procede o sale de otra cosa por procreación; como los retoños o renuevos que echa el árbol por el pie, la caña del trigo, etc. ‖ **8.** Sustancia ósea, esponjosa y blanca que forma lo interior del asta de los animales. ‖ **9.** pl. Descendientes. ‖ **bastardo.** El nacido de unión ilícita. ‖ **2.** El de padres que no podían contraer matrimonio al tiempo de la concepción ni al del nacimiento. ‖ **3.** hijo **ilegítimo** de padre conocido. ‖ **de algo. hidalgo.** ‖ **de bendición.** El de legítimo matrimonio. ‖ **de confesión.** Cualquier persona, con respecto al confesor que tiene elegido por director de su conciencia. ‖ **de Dios.** *Teol.* El Verbo eterno, engendrado por su Padre. ‖ **2.** *Teol.* En sentido místico, el justo o el que está en gracia. ‖ **de familia.** El que está bajo la autoridad paterna o tutelar, y por ext., el mayor de edad que no ha tomado estado y sigue morando en la casa de sus progenitores. ‖ **de ganancia.** hijo **natural.** ‖ **de la cuna.** El de la inclusa. ‖ **del agua.** El que está muy hecho al mar o es muy diestro nadador. ‖ **de la piedra.** Expósito que se cría de limosna, sin que se sepa quiénes son sus padres. ‖ **de la tierra.** El que no tiene padres ni parientes conocidos. ‖ **de leche.** Cualquier persona respecto de su nodriza. ‖ **del Hombre.** Expresión que aparece en el Antiguo Testamento y con la que Jesús se designa a sí mismo en diversos pasajes evangélicos. ‖ **de padre,** o **de madre. hijo de su padre,** o **de su madre.** ‖ **de papá.** Persona bien situada, más que por sus propios méritos, por el influjo o el poder de su progenitor. ‖ **de puta.** expr. injuriosa y de desprecio. ‖ **de su madre.** expr. que se usa con alguna viveza para llamar a uno bastardo o **hijo de puta.** ‖ **de su padre,** o **de su madre.** expr. fam. con que se denota la semejanza del **hijo** con las inclinaciones, cualidades o figura del padre o de la madre. ‖ **de vecino.** El natural de cualquier pueblo, o el nacido de padres establecidos en él. ‖ **espiritual. hijo de confesión.** ‖ **espurio. hijo bastardo.** ‖ **2.** hijo **ilegítimo** de padre desconocido. ‖ **habido en buena guerra.** El habido fuera del matrimonio. ‖ **ilegítimo.** El de padre y madre no unidos entre sí por matrimonio. ‖ **incestuoso.** El habido por incesto. ‖ **legitimado.** El natural que se equipara en todo al legítimo por subsiguiente matrimonio de los padres o parcialmente por concesión real. ‖ **legítimo.** El nacido de legítimo matrimonio. ‖ **mancillado.** hijo **espurio.** ‖ **natural.** El que es habido de mujer soltera y padre libre, que podían casarse al tiempo de tenerlo. ‖ **2.** Corrientemente se toma por **hijo ilegítimo.** ‖ **reconocido.** El natural al que su padre o madre, o ambos a la vez, reconocen en forma legal. ‖ **sacrílego.** El procreado con quebrantamiento del voto de castidad. ‖ **único.** Por ficción legal y para la excepción o prórroga del servicio militar, se reputa como tal, aunque tenga otros hermanos, al que es sostén de familia pobre. ‖ **hija de la Caridad. hermana de la Caridad.** ‖ **hijos de muchas madres, o de tantas madres.** expr. con que se suele manifestar la diversidad de genios y costumbres entre muchos de una misma comunidad. ‖ **buscar un hijo prieto en Salamanca.** fr. fig. y fam. Buscar a una persona o cosa por señas o indicios comunes a otras muchas. ‖ **cada hijo de vecino.** loc. fam. Cualquier persona. ‖ **cada uno es hijo de sus obras.** fr. fam. con que se da por la conducta o modo de obrar se conoce a una persona mejor que por las noticias de su nacimiento o linaje. ‖ **cualquier hijo de vecino.** expr. fam. **cada hijo de vecino.** ‖ **echar al hijo.** fr. Abandonarlo, exponerlo a la puerta de la iglesia o en otra parte. ‖ **¡hijo de Dios!** expr. de admiración o extrañeza. ‖ **mi hija hermosa, el lunes a Toro y el martes a Zamora.** fr. que se decía de las mujeres andariegas y amigas de hallarse en todas las diversiones. ‖ **¿tenemos hijo, o hija?** expr. fam. con que se pregunta si el éxito de un negocio ha sido bueno o malo. ‖ **todos somos hijos de Adán.** expr. con que se denota la igualdad de condiciones y linajes de todos los hombres por naturaleza.

hijodalgo. (De *hijo de algo.*) m. **hidalgo.** ‖ **2.** V. **alcalde de hijosdalgo.**

hijuco, ca. m. y f. d. despect. de **hijo, ja.**

hijuela. (Del lat. *filiŏla.*) f. d. de **hija.** ‖ **2.** Cosa aneja o subordinada a otra principal. ‖ **3.** Tira de tela que se pone en una pieza de vestir para ensancharla. ‖ **4.** Colchón estrecho y delgado que se pone en la cama debajo de los otros para evitar el hoyo que produce el peso del cuerpo. ‖ **5.** Pedazo de lienzo circular que cubre la hostia sobre la patena hasta el momento del ofertorio. ‖ **6.** Cada uno de los canales o regueros pequeños que conducen el agua desde una acequia al campo que se ha de regar, y escurren el sobrante a otros canales de evacuación. ‖ **7.** Camino o vereda que atraviesa desde el camino real o principal a los pueblos u otros sitios algo desviados de él. ‖ **8.** Expedición postal que lleva las cartas a los pueblos que están fuera de la carrera. ‖ **9.** Documento donde se reseñan los bienes que tocan en una partición a cada uno de los partícipes en el caudal que dejó el difunto. ‖ **10.** Conjunto de los mismos bienes. ‖ **11.** En las carnicerías, póliza que dan los que pesan la carne a los dueños para que por ella se les forme la cuenta de lo que venden. ‖ **12.** Simiente que tienen las palmas y palmitos. ‖ **13.** *And.* Hacecito de leña menuda dispuesta así para venderla al por menor. ‖ **14.** *Murc.* Cuerda, a modo de las de guitarra, que se hace del intestino del gusano de seda y usan los pescadores de caña para asegurar el anzuelo. ‖ **15.** *C. Rica, Chile, Ecuad.* y *Perú.* Fundo rústico que se forma de la división de otro mayor.

hijuelación. f. *Chile.* Acción de hijuelar.

hijuelar. tr. *Chile.* Dividir un fundo en hijuelas.

hijuelero. (De *hijuela,* expedición postal.) m. p. us. **peatón,** correo de a pie.

hijuelo. (Del lat. *filiŏlus.*) m. d. de **hijo.** ‖ **2.** Retoño de planta.

hila[1]. (Del lat. *fila,* pl. n. de *filum.*) f. p. us. Formación en línea. ‖ **2.** Tripa delgada. ‖ **3.** Hebra que se sacaba de un trapo de lienzo, y servía, junta con otras, para curar las llagas y heridas. Ú. casi siempre en pl. ‖ **de agua.** Cantidad de agua que se toma de una acequia por un boquete de un palmo cuadrado. ‖ **real de agua.** Volumen doble del anterior. ‖ **hilas raspadas.** Pelusa que se saca de trapos, raspándolos con tijera o navaja. Ú. m. en pl.

hila[2]. f. Acción de hilar. *Ya viene el tiempo de la* HILA. ‖ **2.** *Cantabria.* Tertulia que en las noches de invierno tenía la gente aldeana en alguna cocina grande, al amor de la lumbre, y durante la cual solían hilar las mujeres.

hilacha. f. Pedazo de hilo que se desprende de la tela. Ú.

t. en sent. fig. ‖ **2.** Porción insignificante de alguna cosa. ‖ **3.** Resto, residuo, vestigio. ‖ **descubrir** o **mostrar la hilacha.** fr. fig. y fam. **asomar la oreja,** dejar ver una persona su interioridad, las cualidades que suele tener ocultas.

hilacho. m. **hilacha.**

hilachoso, sa. adj. Que tiene muchas hilachas.

hilachudo, da. adj. *Amér.* Que tiene muchas hilachas.

hilada. (De *hilo.*) f. Formación en línea. ‖ **2.** *Arq.* Serie horizontal de ladrillos o piedras en un edificio. ‖ **3.** *Mar.* Serie horizontal de tablones, planchas de blindaje u otros objetos puestos a tope, uno a continuación de otro.

hiladillo. (De *hilado.*) m. Hilo que sale de la maraña de la seda, el cual se hila en la rueca como el lino. ‖ **2.** Cinta estrecha de hilo o seda. ‖ **3.** *Sal.* Encaje en puntas.

hiladizo, za. (De *hilado.*) adj. Que se puede hilar.

hilado, da. p. p. de **hilar.** ‖ **2.** adj. V. **cristal hilado** ‖ **3.** V. **huevos hilados.** ‖ **4.** m. Acción y efecto de hilar. ‖ **5.** Porción de lino, cáñamo, seda, lana, algodón, etc., reducida a hilo.

hilador, ra. m. y f. Persona que hila. Se usa principalmente en el arte de la seda. ‖ **2.** f. Máquina usada para hilar.

hilandería. (De *hilandero.*) f. Arte de hilar. ‖ **2.** Fábrica de hilados.

hilandero, ra. (De *hilar.*) m. y f. Persona que tiene por oficio hilar. ‖ **2.** m. Lugar donde se hila.

hilanderuelo, la. m. y f. d. de **hilandero, ra.**

hilanza. f. p. us. Acción de hilar. ‖ **2. hilado,** porción de fibra textil reducida a hilo.

hilar. (Del lat. *filāre.*) tr. Reducir a hilo el lino, cáñamo, lana, seda, algodón, etc. ‖ **2.** Sacar de sí el gusano de seda la hebra para formar el capullo. Se dice también de otros insectos y de las arañas cuando forman sus capullos o telas. ‖ **3.** fig. Discurrir, trazar o inferir unas cosas de otras. ‖ **hilar delgado.** fr. fig. Discurrir con sutileza o proceder con sumo cuidado y exactitud. ‖ **hilar en verde.** fr. Sacar la seda del capullo estando el gusano vivo dentro de él. ‖ **hilar largo.** fr. fig. con que se da a entender que está muy distante o tardará mucho tiempo en suceder lo que se ofrece o aquello de que se habla.

hilaracha. f. p. us. Pedazo de hilo que se desprende de la tela.

hilarante. (Del lat. *hilārans, -antis,* p. a. de *hilarāre,* alegrar, regocijar.) adj. Que inspira alegría o mueve a risa. ‖ **2.** *Quím.* V. **gas hilarante.**

hilaridad. (Del lat. *hilarĭtas, -ātis.*) f. Expresión tranquila y plácida del gozo y satisfacción del ánimo. ‖ **2.** Risa y algazara que excita en una reunión lo que se ve o se oye.

hilatura. (De *hilar.*) f. Arte de hilar la lana, el algodón y otras materias análogas. ‖ **2.** Industria y comercialización del hilado. ‖ **3.** Establecimiento o fábrica donde se hilan las materias textiles.

hilaza. f. **hilado,** porción de fibra textil reducida a hilo ‖ **2.** Contextura o tejido. Ú. t. en sent. fig. ‖ **3.** Hilo que sale gordo y desigual. ‖ **4.** Hilo con que se teje cualquier tela. ‖ **5. hila**[1] para las heridas. ‖ **6.** Residuo, sedimento que adquiere aspecto de hilo. ‖ **7.** fig. Índole, carácter de las personas. ‖ **descubrir** o **mostrar** uno **la hilaza.** fr. fig. y fam. Hacer patente el vicio o defecto que tenía y se ignoraba.

hilemorfismo. (Del gr. ὕλη, materia, μορφή, forma, e *-ismo.*) m. Teoría ideada por Aristóteles y seguida por la mayoría de los escolásticos, según la cual todo cuerpo se halla constituido por dos principios esenciales, que son la materia y la forma.

hileña. (De *hilo* y *-eño.*) f. ant. **hilandera.**

hilera[1]. (De *hilo* y *-era.*) f. Orden o formación en línea de un número de personas o cosas. ‖ **2.** Instrumento de que se sirven los plateros y metalúrgicos para reducir a hilo los metales. ‖ **3.** Hilo o hilaza fina. ‖ **4.** *Ar.* Hueca del huso, por ser donde se afianza la hebra para formarse. ‖ **5.** *Arq.* **parhilera.** ‖ **6.** *Mil.* Formación de soldados uno detrás de otro. ‖ **7.** pl. *Zool.* Apéndices agrupados alrededor del ano de las arañas, que sostienen las pequeñas glándulas productoras del líquido que, al secarse, forma los hilos.

hilera[2]. (De *hilar*.) f. ant. **hilandera.**

hilero. (De *hilo* y *-ero*.) m. Señal que forma la dirección de las corrientes en las aguas del mar o de los ríos. ‖ **2.** Corriente secundaria o derivación de una corriente principal, haga o no señal en la superficie del agua.

hilete. m. d. de **hilo.**

hilio. (Del lat. *hilum*, hebra de las habas.) m. *Anat.* Depresión en la superficie de un órgano, que señala el punto de entrada y salida de los vasos o de los conductos secretores.

hilo. (Del lat. *filum*.) m. Hebra larga y delgada que se forma retorciendo el lino, lana, cáñamo u otra materia textil. Dícese especialmente del que se usa para coser. ‖ **2.** Ropa blanca de lino o cáñamo, por contraposición a la de algodón, lana o seda. ‖ **3.** Alambre muy delgado que se saca de los metales con la hilera. ‖ **4.** Hebra de que forman las arañas, gusanos de seda, etc., sus telas y capullos. ‖ **5.** filo. ‖ **6.** fig. Chorro muy delgado y sutil de un líquido. HILO *de agua, de sangre.* ‖ **7.** fig. Continuación o serie del discurso, de acciones, de sentimientos, de gestos, etc. *El* HILO *de la risa; al* HILO *de la pena.* ‖ **bramante.** Cordel delgado de cáñamo. ‖ **de acarreto.** *And.* Cordel delgado de cáñamo. ‖ **de alcarreto.** *Pan.* hilo de acarreto. ‖ **de cajas.** El fino, llamado así por venir sus madejas en cajas. ‖ **de camello.** El que se hace de pelo de camello mezclado con lana. ‖ **de cartas.** El de cáñamo, más delgado que el bramante. ‖ **de conejo. alambre conejo.** ‖ **de empalomar.** Cordel delgado de cáñamo. ‖ **de ensalmar.** ant. Cordel delgado de cáñamo. ‖ **de la muerte.** fig. Término de la vida. ‖ **de la vida.** fig. Curso ordinario de ella. ‖ **de medianoche,** o **de mediodía.** Momento preciso que divide la mitad de la noche o del día. ‖ **de monjas.** El fino, llamado así porque lo labraban en conventos de monjas. ‖ **de palomar.** *Ar.* Cordel delgado de cáñamo. ‖ **de perlas.** Cantidad de perlas enhebradas en un **hilo.** ‖ **de pita.** El que se saca de esta planta. ‖ **de salmar. hilo de ensalmar.** ‖ **de tierra.** Conductor que une un aparato eléctrico con la masa de tierra. ‖ **de uvas.** Colgajo de uvas. ‖ **de velas.** *Mar.* **hilo** de cáñamo, más grueso que el regular, con el cual se cosen las velas de las embarcaciones. ‖ **de voz.** Voz sumamente débil o apagada. ‖ **musical.** Sistema de transmisión del sonido por el cable telefónico, que permite oír programas musicales. ‖ **palomar.** ant. Cordel delgado de cáñamo. ‖ **primo.** El muy blanco y delicado, con el cual, encerado, se cosen los zapatos finos. ‖ **volatín.** *Mar.* **hilo de velas.** ‖ **a hilo.** loc. adv. Sin interrupción. ‖ **2.** Según la dirección de una cosa, en línea paralela con ella. ‖ **al hilo.** loc. adv. con que se denota que el corte de las cosas que tienen hebras o venas va según la dirección de estas, y no cortándolas al través. ‖ **al hilo del viento.** loc. adv. *Vol.* Volando el ave en la misma dirección que el viento. ‖ **andar al hilo de la gente.** loc. fig. y fam. **irse al hilo de la gente.** ‖ **coger el hilo de algo.** fr. fig. y fam. Enterarse del asunto de que se trata. ‖ **colgar de un hilo.** fr. fig. y fam. **pender de un hilo.** ‖ **2.** estar uno **colgado de los cabellos.** ‖ **cortar el hilo.** fr. fig. Interrumpir, atajar el curso de la conversación o de otras cosas. ‖ **cortar el hilo de la vida.** fr. Matar, quitar la vida. ‖ **cortar el hilo del discurso.** fr. fig. Interrumpirlo, pasando a tratar de algo inconexo con su objeto o asunto principal. ‖ **de hilo.** loc. adv. Derechamente, sin detención. ‖ **estar cosida** una cosa **con hilo blanco.** fr. fig. y fam. Desdecir y no conformar con otra. ‖ **estar cosida** una cosa **con hilo gordo.** fr. fig. y fam. Estar hecha con poca curiosidad. ‖ **hilo a hilo.** loc. adv. con que

se denota que una cosa líquida corre con lentitud y sin intermisión. ‖ **irse al hilo,** o **tras el hilo, de la gente.** fr. Hacer las cosas solo porque otros las hacen. ‖ **llevar** uno, o una cosa, **hilo.** fr. fig. y fam. Llevar traza o camino de seguir haciendo algo por mucho tiempo sin interrupción. ‖ **más tonto que un hilo de uvas.** loc. adj. *And.* Dícese de la persona muy necia y simple. ‖ **no tocar** a uno **en un hilo de la ropa.** fr. fig. **no tocar** uno **al pelo de la ropa.** ‖ **pender de un hilo.** expr. con que se indica el gran riesgo o amenaza de ruina de una cosa. ‖ **2.** Se usa también para significar el temor de un suceso desgraciado. ‖ **perder el hilo.** fr. fig. Olvidarse, en la conversación o el discurso, de aquello que se estaba exponiendo. ‖ **quebrar el hilo.** fr. fig. Interrumpir o suspender la prosecución de una cosa. ‖ **seguir el hilo.** fr. fig. Proseguir o continuar en lo que se trataba, decía o ejecutaba. ‖ **tomar el hilo.** fr. fig. Continuar el discurso o conversación que se había interrumpido. ‖ **vivir al hilo del mundo.** fr. fig. y fam. **dejarse llevar por la corriente.**

hilomorfismo. m. **hilemorfismo.**

hilorio. (De *hilar*.) m. *Ast.* y *León.* **filandón.**

hilozoísmo. (Del gr. ὕλη, materia, ζωή, vida, e *-ismo*.) m. Doctrina según la cual la materia está animada.

hilván. (De *hilo* y *vano*.) m. Costura de puntadas largas con que se une y prepara lo que se ha de coser después de otra manera. ‖ **2.** Cada una de esas puntadas. ‖ **3.** Hilo empleado para hilvanar. ‖ **hablar de hilván.** fr. fig. y fam. Hablar de prisa y atropelladamente.

hilvanado, da. p. p. de **hilvanar.** ‖ **2.** m. Acción y efecto de hilvanar.

hilvanar. tr. Unir con hilvanes lo que se ha de coser después. ‖ **2.** fig. Enlazar o coordinar ideas, frases o palabras el que habla o escribe. ‖ **3.** fig. y fam. Trazar, proyectar o preparar una cosa con precipitación.

himen. (Del lat. *hymen*, y este del gr. ὑμήν, membrana.) m. *Anat.* Repliegue membranoso que reduce el orificio externo de la vagina mientras conserva su integridad.

himeneo. (Del lat. *hymenaeus*, y este del gr. ὑμέναιος.) m. Boda o casamiento. ‖ **2.** Composición poética en que se celebra un casamiento.

himenóptero. (Del gr. ὑμηνόπτερος.) adj. *Zool.* Dícese de insectos con metamorfosis complicadas, como las abejas y las avispas, que son masticadores y lamedores a la vez por estar su boca provista de mandíbulas y, además, de una especie de lengüeta; tienen cuatro alas membranosas. El abdomen de las hembras de algunas especies lleva en su extremo un aguijón en el que desemboca el conducto excretor de una glándula venenosa. Ú. t. c. s. m. ‖ **2.** m. pl. *Zool.* Orden de estos insectos.

himnario. (Del lat. *hymnarĭum*.) m. Colección de himnos.

himno. (Del lat. *hymnus*, y este del gr. ὕμνος.) m. Composición poética en alabanza de Dios, de la Virgen o de los santos. ‖ **2.** Entre los gentiles, composición poética en loor de sus dioses o de los héroes. ‖ **3.** Poesía cuyo objeto es honrar a un gran hombre, celebrar una victoria u otro suceso memorable, o expresar fogosamente, con cualquier motivo, júbilo o entusiasmo. ‖ **4.** Composición musical dirigida a cualquiera de estos fines.

himnodia. (Del gr. ὑμνῳδία.) f. Canto litúrgico para los himnos.

himpar. (De la onomat. *himp* del sollozo.) intr. Gemir con hipo.

himplar. intr. Emitir la onza[2] o la pantera su voz natural. ‖ **2. himpar.**

hin. p. us. Onomatopeya con que se representa el relincho del caballo o del mulo.

hincadura. f. Acción y efecto de hincar o fijar una cosa.

hincapié. m. Acción de hincar o afirmar el pie para sostenerse o para hacer fuerza. ‖ **hacer** uno **hincapié.** fr. fig. y

fam. Insistir en algo que se afirma, se propone o se encarga.

hincar. (De *fincar.*) tr. Introducir o clavar una cosa en otra. ‖ **2.** Apoyar una cosa en otra como para clavarla. ‖ **3.** *Rioja.* **plantar.** ‖ **4.** intr. ant. Quedar uno en un lugar. ‖ **5.** prnl. **arrodillarse.**

hinco. m. Poste, palo o puntal que se hinca en tierra.

hincón. (De *hincar.*) m. Madero o maderos, regularmente de figura de una horquilla, que se afianzan o hincan en las márgenes de los ríos y en los cuales se asegura la maroma que sirve para conducir una barca. ‖ **2.** *Sal.* Hito o mojón para acotar las tierras.

hincha. (De *hinchar.*) f. fam. Odio, encono o enemistad. ‖ **2.** com. Partidario entusiasta de un equipo deportivo. ‖ **3.** fig. Por ext., partidario de una persona destacada en alguna actividad.

hinchadamente. adv. m. Con hinchazón.

hinchado, da. p. p. de **hinchar.** ‖ **2.** adj. fig. Vano, presumido. ‖ **3.** Dícese del lenguaje, estilo, etc., que abunda en palabras y expresiones redundantes, hiperbólicas y afectadas. ‖ **4.** f. Multitud de hinchas, partidarios de equipos deportivos o personalidades destacadas.

hinchamiento. (De *hinchar.*) m. Acción y efecto de hinchar o hincharse.

hinchar. (Del lat. *inflāre.*) tr. Hacer que aumente de volumen algún objeto, llenándolo de aire u otra cosa. Ú. t. c. prnl. ‖ **2.** fig. Aumentar el agua de un río, arroyo, etc. Ú. t. c. prnl. ‖ **3.** fig. Exagerar una noticia o un suceso. ‖ **4.** prnl. Aumentar de volumen una parte del cuerpo, por herida o golpe o por haber acudido a ella algún humor. ‖ **5.** Hacer alguna cosa con exceso, como comer, beber, trabajar, etc. ‖ **6.** fig. Envanecerse, engreírse, ensoberbecerse.

hinchazón. f. Efecto de hincharse. ‖ **2.** fig. Vanidad, presunción, soberbia o engreimiento. ‖ **3.** fig. Vicio o defecto del estilo hinchado.

hinchimiento. m. ant. Acción y efecto de hinchir.

hinchir. tr. ant. **henchir.** Ú. en Salamanca.

hindi. m. Lengua descendiente del sánscrito y usada en la India.

hindú. (Del fr. *hindou.*) adj. Natural de la India. Ú. t. c. s. ‖ **2.** Partidario del hinduismo o adepto a él.

hinduismo. m. Denominación más usual actualmente de la religión predominante en la India, procedente del vedismo y brahmanismo antiguo.

hinduista. adj. Perteneciente o relativo al hinduismo. ‖ **2.** com. Miembro o seguidor de esta religión.

hiniesta. (Del lat. *genesta.*) f. **retama.**

hiniestra. (Del lat. *fenestra.*) f. ant. **ventana,** hueco en una pared. ‖ **2.** ant. **ventana,** hojas con que se cierra ese hueco.

hinnible. (Del lat. *hinnibĭlis.*) adj. p. us. Capaz de relinchar. Dícese del caballo.

hinojal. m. Sitio poblado de hinojos.

hinojar. (De *hinojo,* rodilla.) intr. ant. **arrodillar.** Usáb. t. c. prnl.

hinojo[1]. (Del b. lat. *fenucŭlum,* con *i* por confusión con la de *hinojo*[2].) m. Planta herbácea de la familia de las umbelíferas, con tallos de 12 a 14 decímetros, erguidos, ramosos y algo estriados; hojas partidas en muchas lacinias largas y filiformes; flores pequeñas y amarillas, en umbelas terminales, y fruto oblongo, con líneas salientes bien señaladas y que encierra diversas semillas menudas. Toda la planta es aromática, de gusto dulce, y se usa en medicina y como condimento. ‖ **marino.** Hierba de la familia de las umbelíferas, con tallos gruesos, flexuosos, de tres a cuatro decímetros de altura; hojas carnosas divididas en segmentos lanceolados casi lineales; flores pequeñas, de color blanco verdoso, y semillas orbiculares casi planas. Es planta aromática de sabor algo salado, abundante entre las rocas.

hinojo[2]. (Del lat. vulg. *genucŭlum,* con *i* resultante de *yenojo.*) m.

Rodilla, parte de unión del muslo y de la pierna. Ú. m. en pl. ‖ **de hinojos.** loc. adv. **de rodillas.** ‖ **hinojos fitos.** expr. ant. Hincadas las rodillas.

Hinojosa. n. p. V. **topacio de Hinojosa.**

hinque. (De *hincar.*) m. Juego de muchachos en que cada uno, siguiendo ciertas reglas, clava de golpe en la tierra húmeda un palo puntiagudo.

hintero. (Del lat. vulg. *finctorĭum,* der. de *finctum,* por *fictum.*) m. Mesa para heñir o amasar el pan.

hiñir. tr. ant. **heñir.** Ú. en Andalucía y Salamanca.

hiogloso, sa. (De *hioides,* apocopado, y el gr. γλῶσσα, lengua.) adj. Perteneciente o relativo al hioides y a la lengua.

hioideo, a. adj. Perteneciente al hueso hioides.

hioides. (Del gr. ὑοειδής, que tiene la forma de la letra U.) adj. *Anat.* V. **hueso hioides.** Ú. t. c. s.

hipálage. (Del gr. ὑπαλλαγή, cambio.) f. *Ret.* Figura consistente en referir un complemento a una palabra distinta de aquella a la cual debería referirse lógicamente. *El público llenaba las ruidosas gradas.*

hipar. (Voz imitativa.) intr. Sufrir reiteradamente el hipo. ‖ **2.** Resollar los perros cuando van siguiendo la caza. ‖ **3.** Fatigarse por el exceso de trabajo o angustiarse mucho. ‖ **4.** Llorar con sollozos semejantes al hipo. ‖ **5.** fig. Desear con ansia, codiciar con pasión una cosa.

hiper-. (Del gr. ὑπερ-.) elem. compos. que significa «superioridad» o «exceso»: HIPER*tensión,* HIPER*mercado,* HIPER*clorhidria.*

hiperbático, ca. adj. Que tiene hipérbaton.

hipérbato. m. **hipérbaton.**

hipérbaton. (Del lat. *hyperbăton,* y este del gr. ὑπερβατόν, transposición.) m. *Gram.* Figura de construcción, consistente en invertir el orden que en el discurso deben tener las palabras con arreglo a la sintaxis llamada regular. Su pl. es **hipérbatos.**

hipérbola. (Del lat. *hyperbŏla,* y este del gr. ὑπερβολή.) f. *Geom.* Curva simétrica respecto de dos ejes perpendiculares entre sí, con dos focos, compuesta de dos porciones abiertas, dirigidas en sentido opuesto, que se aproximan indefinidamente a dos asíntotas, y resultan de la intersección de una superficie cónica con un plano que encuentra todas las generatrices, unas por un lado del vértice y otras en su prolongación por el lado opuesto. ‖ **hipérbolas conjugadas.** *Geom.* Las que tienen las mismas asíntotas y están colocadas dentro de los cuatro ángulos que estas forman.

hipérbole. (Del lat. *hyperbŏle,* y este del gr. ὑπερβολή.) f. *Ret.* Figura que consiste en aumentar o disminuir excesivamente aquello de que se habla. Se ha usado también como masculino. ‖ **2.** Por ext., exageración de una circunstancia, relato o noticia.

hiperbólicamente. adv. m. De manera hiperbólica.

hiperbólico, ca. (Del gr. ὑπερβολικός.) adj. Perteneciente a la hipérbola. ‖ **2.** De figura de hipérbola o parecido a ella. ‖ **3.** Perteneciente o relativo a la hipérbole; que la encierra o incluye. ‖ **4.** V. **paraboloide hiperbólico.**

hiperboloide. (De *hipérbola* y *-oide.*) m. *Geom.* Superficie cuyas secciones planas son elipses, círculos o hipérbolas, y se extiende indefinidamente en dos sentidos opuestos. ‖ **2.** *Geom.* Sólido comprendido en un trozo de esta superficie. ‖ **de dos cascos, o de dos hojas.** *Geom.* El que consta de dos cascos separados con sus convexidades vueltas en sentido opuesto. ‖ **de revolución.** *Geom.* El formado por el giro de una hipérbola alrededor de uno de sus ejes. ‖ **de un casco, o de una hoja.** *Geom.* El que consta de una sola pieza que va ensanchándose a manera de bocina en dos sentidos opuestos a partir del centro.

hiperbóreo, a. (Del lat. *Hyperborĕus,* y este del gr. Ὑπερβόρεος.) adj. Aplícase a las regiones muy septentrionales y a los pueblos, animales y plantas que viven en ellas.

hiperclorhidria. (De *hiper-* y de un der. de *clorhídrico*.) f. *Fisiol.* Exceso de ácido clorhídrico en el jugo gástrico.

hiperclorhídrico, ca. adj. Perteneciente o relativo a la hiperclorhidria. ‖ **2.** Que padece hiperclorhidria.

hipercrisis. (De *hiper-* y el gr. κρίσις.) f. *Med.* Crisis violenta.

hipercrítica. f. Crítica exagerada.

hipercrítico, ca. adj. Propio de la hipercrítica o de quien la practica. ‖ **2.** m. Censor inflexible; crítico que nada perdona.

hiperdulía. (De *hiper-* y el gr. δουλεία, servidumbre.) f. *Teol.* culto de hiperdulía.

hiperémesis. (De *hiper-* y el gr. ἔμεσις, vómito.) f. *Med.* Vómitos muy intensos y prolongados. Se usa principalmente refiriéndose a los del embarazo.

hiperemia. (De *hiper-* y un der. del gr. αἷμα, sangre.) f. *Fisiol.* Abundancia extraordinaria de sangre en una parte del cuerpo.

hiperestesia. (De *hiper-* y un der. del gr. αἴσθησις, sensibilidad.) f. *Fisiol.* Sensibilidad excesiva y dolorosa.

hiperestesiar. tr. Causar hiperestesia. Ú. t. c. prnl.

hiperestésico, ca. adj. Perteneciente o relativo a la hiperestesia.

hiperfunción. f. Aumento de la función normal de un órgano. Se usa especialmente refiriéndose a los órganos glandulares.

hiperhidrosis. (De *hiper-*, el gr. ὕδωρ, agua, y *-sis.*) f. *Fisiol.* Exceso de la secreción sudoral, generalizado o localizado en determinadas regiones de la piel, principalmente en los pies y en las manos.

hipericíneo, a. (De *hipérico* e *-íneo.*) adj. *Bot.* Dícese de hierbas, matas, arbustos y árboles, de la familia de las gutíferas, que suelen tener jugo resinoso, con hojas por lo común enteras y opuestas; flores terminales o axilares, apanojadas o racimosas, generalmente amarillas; frutos capsulares o abayados, y semillas sin albumen; como el hipérico, el ásciro y la todabuena. Ú. t. c. s. f. ‖ **2.** f. pl. *Bot.* Familia de estas plantas.

hipérico. (Del lat. *hypericum*, y este del gr. ὑπερικόν.) m. **corazoncillo.**

hipermercado. m. Gran supermercado, localizado generalmente en la periferia de las grandes ciudades, que trata de atraer a gran número de clientes con precios relativamente bajos.

hipermetamorfosis. (De *hiper-* y *metamorfosis.*) f. *Zool.* Metamorfosis que consta de mayor número de fases o mudanzas que la ordinaria; como la de la cantárida.

hipermetría. (Del gr. ὑπερμετρία.) f. Figura poética que se comete dividiendo una palabra para acabar con su primera parte un verso y empezar otro con la segunda.

hipermétrope. adj. Que padece hipermetropía. Apl. a pers., ú. t. c. s.

hipermetropía. (Del gr. ὑπέρμετρος, desmesurado, y un der. de ὄψ, ὀπός, vista.) f. *Ópt.* Defecto de la visión consistente en percibir confusamente los objetos próximos por formarse la imagen más allá de la retina.

hiperoxia. (De *hiper-* y un der. del gr. ὀξύς, ácido, con el significado de oxígeno.) f. *Med.* Estado que presenta un organismo sometido a un régimen respiratorio con exceso de oxígeno.

hiperplasia. (De *hiper-* y un der. del gr. πλάσις, formación.) f. *Med.* y *Zool.* Excesiva multiplicación de células normales en un órgano o tejido.

hipersensibilidad. f. Cualidad de hipersensible.

hipersensible. adj. **hiperestésico.** ‖ **2.** Que es muy sensible a estímulos afectivos o emocionales.

hipertensión. (De *hiper-* y *tensión.*) f. *Fisiol.* Tensión excesivamente alta de la sangre.

hipertenso, sa. adj. *Med.* Que padece hipertensión.

hipertermia. (De *hiper-* y *-termia.*) f. *Fisiol.* Aumento patológico de la temperatura del cuerpo.

hipertiroidismo. (De *hiper-*, *tiroides* e *-ismo.*) m. *Med.* Aumento de función de la glándula tiroidea y trastornos que origina, como taquicardia, temblor, adelgazamiento, excitabilidad, etc.

hipertonía. (De *hiper-* y un der. del gr. τόνος.) f. *Med.* Tono muscular exagerado.

hipertónico, ca. (De *hiper-*, el gr. τόνος, presión, e *-ico.*) adj. *Quim.* Dícese de una solución que, comparada con otra, tiene mayor presión osmótica que ella, siendo igual la temperatura de ambas. ‖ **2.** Perteneciente o relativo a la hipertonía.

hipertrofia. (De *hiper-* y *-trofia.*) f. *Fisiol.* Aumento excesivo del volumen de un órgano. ‖ **2.** fig. Desarrollo excesivo de algo.

hipertrofiarse. (De *hipertrofia.*) prnl. *Fisiol.* Crecer con exceso el volumen de un órgano.

hipertrófico, ca. adj. Perteneciente o relativo a la hipertrofia.

hípico, ca. (Del gr. ἱππικός.) adj. Perteneciente o relativo al caballo. ‖ **2. V. concurso hípico.** ‖ **3.** f. Deporte que consiste en carreras de caballos, concurso de saltos de obstáculos, doma, adiestramiento, etc.

hípido. m. Acción y efecto de hipar, o gimotear. Pronúnciase aspirando la *h.*

hipismo. (Del gr. ἵππος, caballo, e *-ismo.*) m. Conjunto de conocimientos relativos a la cría y educación del caballo. ‖ **2.** Deporte hípico.

hipnal. (Del lat. *hypnale*, *hypnâlis*, y este del gr. ὑπναλή.) m. Áspid al cual se atribuía por los antiguos la propiedad de infundir un sueño mortal con su mordedura.

hipnosis. (Del gr. ὕπνος, adormecer, y *-sis.*) f. Estado producido por hipnotismo.

hipnótico, ca. (Del gr. ὑπνωτικός, soñoliento.) adj. Perteneciente o relativo a la hipnosis. Ú. t. c. s. ‖ **2.** m. Medicamento que se da para producir el sueño.

hipnotismo. (Del ing. *hypnotism.*) m. *Med.* Método para producir el sueño artificial, mediante influjo personal, o por aparatos adecuados.

hipnotización. f. Acción de hipnotizar.

hipnotizador, ra. adj. Que hipnotiza. Ú. t. c. s.

hipnotizar. (Del ing. *hypnotize.*) tr. Producir la hipnosis. ‖ **2.** fig. Fascinar, asombrar a alguien.

hipo. (Voz imitativa.) m. Movimiento convulsivo del diafragma, que produce una respiración interrumpida y violenta y causa algún ruido. ‖ **2.** fig. Ansia, deseo intenso de una cosa. ‖ **3.** fig. Encono, enojo y rabia con alguno. *Tiene un* HIPO *con su vecina, que nada de lo que hace le parece bien.* ‖ **quitar el hipo.** fr. fig. y fam. Sorprender, asombrar una persona o cosa por su hermosura o buenas cualidades.

hipo-. (Del gr. ὑπο-.) elem. compos. que significa «debajo de» o «escasez de»: HIPO*tensión*, HIPO*gastrio*, HIPO*clorhídria*.

hipocampo. (Del lat. *hippocampus*, y este del gr. ἱππόκαμπος.) m. *Zool.* Pez teleósteo de pequeño tamaño y cuerpo comprimido lateralmente, cuya cabeza recuerda a la del caballo, que carece de aleta caudal y se mantiene en posición vertical entre las algas en que habita. El macho posee una bolsa vertical donde la hembra deposita los huevos y se desarrollan las crias. ‖ **2.** *Anat.* Eminencia alargada, situada junto a los ventrículos laterales del encéfalo.

hipocastanáceo, a. (Del gr. ὑπό, debajo de, κάστανον, castaña, y *-áceo.*) adj. *Bot.* Dícese de árboles o arbustos angiospermos dicotiledóneos, con hojas opuestas, compuestas y palmeadas, flores irregulares, hermafroditas o uni-sexuales por aborto, dispuestas en racimos o en panojas, y fruto en cápsulas con semillas gruesas sin albumen y sin arilo; como el castaño de Indias. Ú. t. c. s. ‖ **2.** f. pl. *Bot.* Familia de estas plantas.

hipocastáneo, a. adj. *Bot.* **hipocastanáceo.**

hipocausto. (Del lat. *hypocaustum*, y este del gr. ὑπόκαυστον.) m. Horno situado debajo del pavimento, que en la Antigüedad clásica caldeaba las habitaciones. ‖ **2.** Habitación caldeada por este horno.

hipocentauro. (Del lat. *hippocentaurus*, y este del gr. ἱπποκένταυρος.) m. **centauro,** monstruo fingido, mitad hombre y mitad caballo.

hipocentro. (De *hipo-* y *centro*.) m. *Geol.* Zona profunda de la corteza terrestre donde se supone que tienen su origen los terremotos.

hipocicloide. (De *hipo-* y *cicloide*.) f. *Geom.* Línea curva descrita por un punto de una circunferencia que rueda dentro de otra fija, conservándose tangentes.

hipoclorhidria. (De *hipo-* y un der. de *clorhídrico*.) f. *Fisiol.* Escasez de ácido clorhídrico en el jugo gástrico.

hipoclorhídrico, ca. adj. Perteneciente o relativo a la hipoclorhidria. ‖ **2.** Que padece hipoclorhidria.

hipocondría. (De *hipocondrio*.) f. *Pat.* Afección caracterizada por una gran sensibilidad del sistema nervioso con tristeza habitual y preocupación constante y angustiosa por la salud.

hipocondríaco, ca o **hipocondriaco, ca.** (Del gr. ὑποχονδριακός.) adj. Perteneciente a la hipocondría. ‖ **2.** *Med.* Que padece esta enfermedad. Ú. t. c. s.

hipocóndrico, ca. adj. Perteneciente a los hipocondrios o a la hipocondria.

hipocondrio. (Del gr. ὑποχόνδριον.) m. *Anat.* Cada una de las dos partes laterales de la región epigástrica, situada debajo de las costillas falsas. Ú. m. en pl.

hipocorístico, ca. (Del gr. ὑποκοριστικός, acariciador.) adj. *Gram.* Dícese de los nombres que en forma diminutiva, abreviada o infantil se usan como designaciones cariñosas, familiares o eufemísticas.

hipocrás. (Del fr. *hypocras*.) m. Bebida hecha con vino, azúcar, canela y otros ingredientes.

hipocrático, ca. (Del lat. *Hippocraticus*.) adj. Perteneciente o relativo a Hipócrates, o a sus doctrinas médicas. ‖ **2.** V. **facies hipocrática.**

hipocrénides. (Del lat. *Hippocrenides*.) f. pl. Las musas. Dióseles este nombre por el de la fuente Hipocrene, consagrada a ellas.

hipocresía. (Del gr. ὑποκρισία.) f. Fingimiento de cualidades o sentimientos contrarios a los que verdaderamente se tienen o experimentan.

hipócrita. (Del lat. cristiano *hypocrīta*, y este del gr. ὑποκριτής.) adj. Que actúa con hipocresía. Ú. t. c. s.

hipócritamente. adv. m. Con hipocresía.

hipodérmico, ca. (De *hipo-*, el gr. δέρμα, piel, e -*ico*.) adj. Que está o se pone debajo de la piel.

hipódromo. (Del lat. *hippodrŏmos*, y este del gr. ἱππόδρομος.) m. Lugar destinado a carreras de caballos y carros.

hipófisis. (Del gr. ὑπόφυσις, excrecencia por debajo.) f. *Anat.* Órgano de secreción interna, situado en la excavación de la base del cráneo, llamada *silla turca*; está compuesto de dos lóbulos: uno anterior, glandular, y otro posterior, nervioso. Las hormonas que produce influyen en el crecimiento, desarrollo sexual, etc.

hipofosfito. (De *hipo-* y *fosfito*.) m. *Quím.* Sal formada por la combinación del ácido hipofosforoso con una base.

hipofosforoso. (De *hipo-*, *fósforo* y -*oso*¹.) adj. *Quím.* Dícese del ácido menos oxigenado de los que resultan de la acción del oxígeno sobre el fósforo.

hipofunción. (De *hipo-* y *función*.) f. Actividad de un órgano inferior a la normal.

hipogástrico, ca. adj. *Anat.* Perteneciente al hipogastrio.

hipogastrio. (Del gr. ὑπογάστριον.) m. *Anat.* Parte inferior del vientre.

hipogénico, ca. (De *hipo-* y el gr. γενικός, relativo a la generación.) adj. *Geol.* Dícese de los terrenos y rocas formados en el interior de la Tierra.

hipogeo¹. (Del lat. *hypogaeum*, y este del gr. ὑπόγαιος.) m. Bóveda subterránea que en la antigüedad se usaba para conservar los cadáveres sin quemarlos. ‖ **2.** Capilla o edificio subterráneo.

hipogeo², a. adj. *Bot.* Dícese de la planta o de alguno de sus órganos que se desarrollan bajo el suelo.

hipogloso, sa. (De *hipo-* y el gr. γλῶσσα, lengua.) adj. *Anat.* Que está debajo de la lengua. *Nervios* HIPOGLOSOS.

hipoglucemia. (De *hipo-* y *glucemia*.) f. *Fisiol.* Disminución de la cantidad normal de azúcar en la sangre.

hipogrifo. (Del gr. ἵππος, caballo, y el lat. tardío *gryphus*, grifo.) m. Animal fabuloso compuesto de caballo y grifo.

hipología. (Del gr. ἵππος, caballo, y -*logía*.) f. Estudio general del caballo.

hipólogo, ga. (Del gr. ἵππος, caballo, y -*logo*.) m. y f. Persona que profesa y ejerce la veterinaria de caballos.

hipómanes. (Del lat. *hippomānes*, y este del gr. ἱππομανές.) m. *Veter.* Humor que se desprende de la vulva de la yegua cuando está en celo.

hipomanía¹. (De *hipo-* y *manía*.) f. Manía de tipo moderado.

hipomanía². (Del gr. ἵππος, caballo, y *manía*.) f. Afición desmedida a los caballos.

hipomaníaco, ca o **hipomaniaco, ca.** adj. Perteneciente o relativo a la hipomanía. ‖ **2.** Que padece hipomanía. Ú. t. c. s.

hipomoclio o **hipomoclion.** (Del gr. ὑπομόχλιον.) m. *Fís.* **fulcro.**

hipopótamo. (Del lat. *hippopotāmus*, y este del gr. ἱπποπόταμος.) m. Mamífero paquidermo, de piel gruesa, negruzca y casi desnuda; cuerpo voluminoso que mide cerca de tres metros de largo por dos de alto; la cabeza gorda, con orejas y ojos pequeños, boca muy grande, labios monstruosos, piernas muy cortas y cola delgada y de poca longitud. Vive en los grandes ríos de África, y suele salir del agua durante la noche para pastar en las orillas.

hiposo, sa. adj. Que tiene hipo.

hipóstasis. (Del lat. *hypostăsis*, y este del gr. ὑπόστασις.) f. *Teol.* Supuesto o persona. Ú. más hablando de las tres personas de la Santísima Trinidad.

hipostáticamente. adv. m. *Teol.* De un modo hipostático.

hipostático, ca. (Del gr. ὑποστατικός.) adj. *Teol.* Perteneciente a la hipóstasis. Dícese comúnmente de la unión de la naturaleza humana con el Verbo divino en una sola persona.

hiposulfato. (De *hipo-* y *sulfato*.) m. *Quím.* Sal resultante de la combinación del ácido hiposulfúrico con una base.

hiposulfito. (De *hipo-* y *sulfito*.) m. *Quím.* Sal formada por la combinación del ácido hiposulfuroso con una base.

hiposulfúrico. (De *hipo-* y *sulfúrico*.) adj. *Quím.* Dícese de un ácido inestable que se obtiene por la combinación del azufre con el oxígeno, y cuyas sales son los hiposulfatos.

hiposulfuroso. (De *hipo-* y *sulfuroso*.) adj. *Quím.* Se dice de uno de los ácidos que se obtienen por la combinación del azufre con el oxígeno, y que es el menos oxigenado de todos.

hipotálamo. (De *hipo-* y el gr. θάλαμος, tálamo.) m. *Anat.* Región del encéfalo situada en la base cerebral, unida a la hipófisis por un tallo nervioso y en la que residen centros importantes de la vida vegetativa.

hipoteca. (Del lat. *hypothēca*, y este del gr. ὑποθήκη.) f. Finca que sirve como garantía del pago de un crédito. ‖ **2.** Derecho real que grava bienes inmuebles o buques, sujetándolos a responder del cumplimiento de una obligación o del pago de una deuda. ‖ **¡buena hipoteca!** irón. desus. Persona o cosa poco digna de confianza.

hipotecable. adj. Que se puede hipotecar.

hipotecar. tr. Gravar bienes inmuebles sujetándolos al cumplimiento de alguna obligación. ‖ **2.** fig. Poner en peligro una cosa con alguna acción. *Si hicieras eso,* HIPOTECARÍAS *tu libertad.*

hipotecario, ria. adj. Perteneciente o relativo a la hipoteca. ‖ **2.** Que se asegura con hipoteca.

hipotecnia. (Del gr. ἵππος, caballo, y *-tecnia.*) f. Estudio de la cría, mejora y explotación del caballo.

hipotensión. (De *hipo-* y *tensión.*) f. *Fisiol.* Tensión excesivamente baja de la sangre.

hipotenso, sa. adj. Que padece hipotensión. Ú. t. c. s.

hipotenusa. (Del lat. *hypotenusa,* y este del gr. ὑποτείνουσα, t. f. del p. a. de ὑποτείνω.) f. *Geom.* Lado opuesto al ángulo recto en un triángulo rectángulo.

hipotermia. (De *hipo-* y *-termia.*) f. *Fisiol.* Descenso de la temperatura del cuerpo por debajo de lo normal.

hipótesi. f. **hipótesis.**

hipótesis. (Del lat. *hypothĕsis,* y este del gr. ὑπόθεσις.) f. Suposición de una cosa posible o imposible para sacar de ella una consecuencia. ‖ **de trabajo.** La que se establece provisionalmente como base de una investigación que puede confirmar o negar la validez de aquella.

hipotéticamente. adv. m. De manera hipotética; por suposición.

hipotético, ca. (Del gr. ὑποθετικός.) adj. Perteneciente a la hipótesis o que se funda en ella. ‖ **2.** *Dial.* V. **proposición hipotética.**

hipotiposis. (Del gr. ὑποτύπωσις.) f. *Ret.* Descripción viva y eficaz de una persona o cosa por medio del lenguaje.

hipotiroidismo. (De *hipo-, tiroides* e *-ismo.*) m. *Med.* Hipofunción de la glándula tiroidea y trastornos que origina.

hipotonía. (De *hipo-* y un der. del gr. τόνος, tensión.) f. Tono muscular inferior al normal.

hipotónico, ca. adj. *Quím.* Dícese de una solución que, comparada con otra, tiene menor presión osmótica que ella, siendo igual la temperatura de ambas.

hipoxia. (De *hipo-* y el gr. ὀξύς, ácido, con el significado de oxígeno.) f. *Med.* Estado que presenta un organismo viviente sometido a un régimen respiratorio con déficit de oxígeno.

hipsometría. (De *hipsómetro.*) f. **altimetría.**

hipsométrico, ca. adj. Perteneciente o relativo a la hipsometría.

hipsómetro. (Del gr. ὕψος, altura, y *-metro.*) m. Aparato para medir la altura sobre el nivel del mar basándose en el punto de ebullición de los líquidos.

hircano, na. (Del lat. *Hyrcānus.*) adj. Natural de Hircania. Ú. t. c. s. ‖ **2.** Perteneciente a este país de Asia antigua.

hirco. (Del lat. *hircus,* macho cabrío.) m. **cabra montés.** ‖ **2.** ant. **macho cabrío.**

hircocervo. (Del lat. *hircus,* macho cabrío, y *cervus,* ciervo.) m. Animal equívoco, compuesto de macho cabrío y ciervo. ‖ **2.** fig. **quimera,** creación de la fantasía.

hirma. (De *hirmar.*) f. **orillo.**

hirmar. (De lat. *firmāre,* asegurar.) tr. Poner firme.

hirsutismo. m. *Fisiol.* Brote anormal de vello recio en lugares de la piel generalmente lampiños. Es más frecuente en la mujer.

hirsuto, ta. (Del lat. *hirsūtus.*) adj. Dícese del pelo disperso y duro. ‖ **2.** Que está cubierto de pelo de esta clase o de púas o espinas. ‖ **3.** fig. De carácter áspero.

hirundinaria. (Del lat. *hirundo, -ĭnis,* golondrina.) f. **celidonia.**

hisca. (De etim. disc.) f. Liga de cazar pájaros.

hiscal. m. Cuerda de esparto de tres ramales.

hisopada. f. Rociada de agua echada con el hisopo.

hisopadura. f. p. us. Rociada de agua con el hisopo.

hisopar. tr. Rociar con el hisopo.

hisopazo. m. Rociada de agua con el hisopo. ‖ **2.** Golpe dado con el hisopo.

hisopear. tr. Rociar de agua con el hisopo.

hisopillo. (d. de *hisopo.*) m. Muñequilla de trapo que, empapada en un líquido, sirve para humedecer y refrescar la boca y la garganta de los enfermos. ‖ **2.** Mata de la familia de las labiadas, con tallos leñosos de tres a cuatro decímetros de altura; hojas pequeñas, coriáceas, verdes, lustrosas, lanceoladas, lineales y enteras; flores en verticilos laxos, de corola blanca o rósea, y fruto seco con varias semillas menudas. Es planta aromática, útil para condimentos y algo usada en medicina como tónica y estomacal.

hisopo. (Del lat. *hyssōpum;* este del gr. ὕσσωπος, y este del hebr. 'ēzôb.) m. Mata muy olorosa de la familia de las labiadas, con tallos leñosos de cuatro a cinco decímetros de altura, derechos y poblados de hojas lanceoladas, lineales, pequeñas, enteras, glandulosas y a veces con vello corto en las dos caras; flores azules o blanquecinas, en espiga terminal, y fruto de nuececillas casi lisas. Es planta muy común, que ha tenido alguna aplicación en medicina y perfumería. ‖ **2.** Utensilio usado en las iglesias para dar o esparcir agua bendita, consistente en un mango de madera o metal, con frecuencia de plata, que lleva en su extremo un manojito de cerdas o una bola metálica hueca y agujereada, en cuyo interior hay alguna materia que retiene el agua. ‖ **3.** Manojo de ramitas que se usa en el mismo fin, como lo autoriza o manda la liturgia en algunas bendiciones solemnes. ‖ **4.** *Chile.* Brocha de afeitar.

hisopo húmedo. (Del lat. *oesўpum,* y este del gr. οἴσυπος.) m. *Farm.* Mugre de la lana de las ovejas y carneros, que se recoge cuando se lava la lana, y, al evaporarse, deja una materia sólida y jugosa como si fuera ungüento.

hispalense. (Del lat. *Hispalensis.*) adj. **sevillano.** Apl. a pers., ú. t. c. s.

hispalio, lia. adj. p. us. **sevillano.**

hispalo, la. adj. ant. **sevillano.** Apl. a pers., usáb. t. c. s.

hispanense. (Del lat. *Hispaniensis.*) adj. ant. **español.** Apl. a pers., usáb. t. c. s.

hispánico, ca. (Del lat. *Hispanĭcus.*) adj. Perteneciente o relativo a España. ‖ **2.** Perteneciente o relativo a la antigua Hispania o a los pueblos que formaron parte de ella y a los que nacieron de estos pueblos en época posterior.

hispanidad. f. Carácter genérico de todos los pueblos de lengua y cultura hispánicas. ‖ **2.** Conjunto y comunidad de los pueblos hispánicos. ‖ **3.** ant. **hispanismo.**

hispanismo. (De *hispano.*) m. Giro o modo de hablar propio y privativo de la lengua española. ‖ **2.** Vocablo o giro de esta lengua empleado en otra. ‖ **3.** Empleo de vocablos o giros españoles en distinto idioma. ‖ **4.** Afición al estudio de las lenguas, literaturas o cultura hispánicas.

hispanista. (De *hispano* e *-ista.*) com. Persona que profesa el estudio de lenguas, literaturas o cultura hispánicas, o está versada en él.

hispanizar. (De *hispano* e *-izar.*) tr. Dar a una persona o cosa carácter hispánico. Ú. t. c. prnl.

hispano, na. (Del lat. *Hispānus.*) adj. Perteneciente o relativo a Hispania. ‖ **2.** Perteneciente o relativo a España. Apl. a pers., ú. t. c. s. ‖ **3.** Perteneciente o relativo a las naciones de Hispanoamérica.

hispanoamericanismo. m. Doctrina que tiende a la unión espiritual de todos los pueblos hispanoamericanos.

hispanoamericano, na. adj. Perteneciente a españoles y americanos o compuesto de elementos propios de unos y otros pueblos. ‖ **2.** Dícese de los países de América en que se habla el español. ‖ **3.** Dícese de los individuos de habla española nacidos o naturalizados en esos países. Ú. t. c. s.

hispanoárabe. adj. Perteneciente o relativo a la España musulmana. ‖ **2.** Natural o habitante de ella. Ú. t. c. s.

hispanófilo, la. (De *hispano* y *-filo*.) adj. Dícese del extranjero aficionado a la cultura, historia y costumbres de España. Ú. t. c. s.

hispanohablante. adj. Que tiene como lengua materna el español. Ú. t. c. s.

híspido, da. (Del lat. *hispĭdus*.) adj. **hirsuto,** de pelo áspero y duro.

hispir. (Del dialect. *hispio,* del lat. *hispĭdus*.) tr. Esponjar, ahuecar una cosa. Ú. t. c. intr. y c. prnl.

histéresis. (Del gr. ὑστέρησις, retraso.) f. *Biol.* y *Fis.* Fenómeno por el que el estado de un material depende de su historia previa. Se manifiesta por el retraso del efecto sobre la causa que lo produce.

histeria. f. **histerismo.**

histérico, ca. (Del lat. *hystericus,* y este del gr. ὑστερικός, relativo a la matriz.) adj. Perteneciente al histerismo. Apl. a pers, ú. t. c. s. ‖ **2.** desus. Perteneciente o relativo al útero. ‖ **3.** *Pat.* V. **aura histérica.** ‖ **4.** m. desus. **histerismo.**

histerismo. (Del gr. ὑστέρα, matriz, e *-ismo*.) m. *Pat.* Enfermedad nerviosa, crónica, más frecuente en la mujer que en el hombre, caracterizada por gran variedad de síntomas, principalmente funcionales, y a veces por ataques convulsivos. ‖ **2.** Estado pasajero de excitación nerviosa producido a consecuencia de una situación anómala.

histerología. (Del gr. ὑστερολογία, enunciación de lo último, a través del lat. *hysterologĭa*.) f. *Ret.* Figura que consiste en invertir o trastornar el orden lógico de las ideas, diciendo antes lo que debería decirse después.

histograma. (Del gr. ἱστός, tejido, y *-grama*.) m. *Estad.* Representación gráfica de una distribución de frecuencias por medio de rectángulos, cuyas anchuras representan intervalos de la clasificación y cuyas alturas representan las correspondientes frecuencias.

histología. (Del gr. ἱστός, tejido, y *-logía*.) f. Parte de la anatomía que trata del estudio de los tejidos orgánicos.

histológico, ca. adj. Perteneciente o relativo a la histología.

histólogo, ga. m. y f. Especialista en histología.

historia. (Del lat. *historĭa,* y este del gr. ἱστορία.) f. Narración y exposición de los acontecimientos pasados y dignos de memoria, sean públicos o privados. ‖ **2.** Disciplina que estudia y narra estos sucesos. ‖ **3.** Obra histórica compuesta por un escritor. *La* HISTORIA *de Tucídides, de Tito Livio, de Mariana.* ‖ **4.** Conjunto de los sucesos o hechos políticos, sociales, económicos, culturales, etc., de un pueblo o una nación. ‖ **5.** Conjunto de los acontecimientos ocurridos a una persona a lo largo de su vida o en un periodo de ella. ‖ **6.** fig. Relación de cualquier aventura o suceso. *He aquí la* HISTORIA *de este negocio.* ‖ **7.** fig. Narración inventada. ‖ **8.** fig. y fam. Cuento, chisme, enredo. Ú. m. en pl. ‖ **9.** fig. Mentira o pretexto. ‖ **10.** *Pint.* Cuadro o tapiz que representa un caso histórico o fabuloso. ‖ **clínica.** Relación de los datos con significación médica referentes a un enfermo, al tratamiento a que se le somete y a la evolución de su enfermedad. ‖ **natural.** Ciencia que estudia los tres reinos de la naturaleza: animal, vegetal y mineral. ‖ **sacra,** o **sagrada.** Conjunto de narraciones históricas contenidas en el Viejo y el Nuevo Testamento. ‖ **universal.** La de todos los tiempos y pueblos del mundo. ‖ **¡así se escribe la historia!** loc. con que se moteja al que falsea la verdad de un suceso al referirlo. ‖ **de historia.** loc. adj. Dí-

cese de la persona de quien se cuentan lances y aventuras que, en general, no le honran. ‖ **dejarse** uno **de historias.** fr. fig. y fam. Omitir rodeos e ir a lo esencial de una cosa. ‖ **hacer historia.** fr. **historiar,** escribir **historias** y exponer las vicisitudes por que ha pasado una persona. ‖ **pasar** una cosa **a la historia.** fr. fig. Adquirir gran importancia o trascendencia. ‖ **2.** Perder su actualidad e interés por completo. ‖ **picar en historia** una cosa. fr. fig. Tener mayor gravedad y trascendencia de la que podía imaginarse o al pronto parecía.

historiable. adj. Que se puede historiar.

historiado, da. p. p. de **historiar.** ‖ **2.** adj. V. **letra historiada.** ‖ **3.** fig. y fam. Recargado de adornos o de colores mal combinados. ‖ **4.** Dícese de obras artísticas decoradas con escenas relativas al suceso que representan.

historiador, ra. m. y f. Persona que escribe historia.

historial. (Del lat. *historiālis*.) adj. Perteneciente a la historia. ‖ **2.** m. Reseña circunstanciada de los antecedentes de algo o de alguien. ‖ **3.** ant. Persona que escribía historia.

historialmente. adv. m. De un modo historial.

historiar. tr. Componer, contar o escribir historias. ‖ **2.** Exponer las vicisitudes por que ha pasado una persona o cosa. ‖ **3.** fam. *Amér.* Complicar, confundir, enmarañar. ‖ **4.** *Pint.* Pintar o representar un suceso histórico o fabuloso en cuadros, estampas o tapices.

históricamente. adv. m. De un modo histórico.

historicidad. f. Cualidad de histórico.

historicismo. m. Tendencia intelectual a reducir la realidad humana a su historicidad o condición histórica.

historicista. adj. Perteneciente o relativo al historicismo. ‖ **2.** Partidario de esta tendencia. Ú. t. c. s. com.

histórico, ca. (Del lat. *historĭcus*.) adj. Perteneciente o relativo a la historia. ‖ **2.** Averiguado, comprobado, cierto, por contraposición a lo fabuloso o legendario. ‖ **3.** Digno, por la trascendencia que se le atribuye, de figurar en la historia. ‖ **4.** Dícese de la obra literaria, normalmente narrativa o dramática, cuyo argumento alude a sucesos y personajes recordados por la historia y sometidos a fabulación o recreación artísticas. ‖ **5.** Dícese de la persona que ha tenido existencia real o del hecho que verdaderamente ha sucedido. ‖ **6.** V. **materialismo histórico.** ‖ **7.** V. **geografía, gramática histórica.** ‖ **8.** m. ant. Persona que escribía historia.

historieta. f. d. de **historia.** ‖ **2.** Fábula, cuento o relación breve de aventura o suceso de poca importancia. ‖ **3.** Serie de dibujos que constituyen un relato, con texto o sin él.

historiografía. (De *historiógrafo*.) f. Arte de escribir la historia. ‖ **2.** Estudio bibliográfico y crítico de los escritos sobre historia y sus fuentes, y de los autores que han tratado de estas materias. ‖ **3.** Conjunto de obras o estudios de carácter histórico.

historiográfico, ca. adj. Perteneciente o relativo a la historiografía.

historiógrafo, fa. (Del gr. ἱστοριογράφος.) m. y f. Persona que cultiva la historia o la historiografía.

historiología. (De *historia* y *-logía*.) f. Teoría de la historia; en especial la que estudia la estructura, leyes o condiciones de la realidad histórica.

historismo. m. **historicismo.**

histrión. (Del lat. *histrĭo, -ōnis*.) m. El que representaba disfrazado en la comedia o tragedia antigua ‖ **2.** Actor teatral. ‖ **3.** Prestidigitador, acróbata o cualquier otra persona que divertía al público con disfraces. ‖ **4.** Persona que se expresa con afectación o exageración propia de un actor teatral.

histriónico, ca. (Del lat. *histriōnĭcus*.) adj. Perteneciente o relativo al histrión.

histrionisa. (De *histrión*.) f. Mujer que representaba o bailaba en el teatro.

histrionismo. m. Oficio de histrión. ‖ **2.** Conjunto de las personas dedicadas a este oficio. ‖ **3.** Afectación o exageración expresiva propia del histrión.

hita. (Del lat. *ficta,* p. p. f. de *figĕre,* clavar.) f. Clavo pequeño sin cabeza, que se queda embutido totalmente en la pieza que asegura. ‖ **2.** Mojón, hito.

hitación. f. Acción y efecto de hitar.

hitamente. adv. m. Atentamente, fijamente.

hitar. (De *hito*.) tr. Poner hitos, amojonar.

hitita. adj. Dícese de un antiguo pueblo establecido en Anatolia donde fue cabeza de un gran imperio. Ú. t. c. s. ‖ **2.** Natural de dicho pueblo. Ú. t. c. s. ‖ **3.** Perteneciente o relativo a este pueblo. ‖ **4.** m. Lengua de dicho pueblo.

hitleriano, na. adj. Relativo a Hitler. ‖ **2.** Partidario de su sistema político.

hitlerismo. m. Sistema político de Hitler o de los inspirados por él.

hito, ta. (Del lat. *fictus,* fijo.) adj. Unido, inmediato. Solo tiene uso en la locución **calle,** o **casa, hita.** ‖ **2.** desus. Firme, fijo². ‖ **3.** ant. fig. Decíase de la persona importuna o pesada en insistir o pedir. ‖ **4.** ant. **negro,** dicho del caballo sin mancha ni pelo de otro color. ‖ **5.** m. Mojón o poste de piedra, por lo común labrada, que sirve para indicar la dirección o la distancia en los caminos o para delimitar terrenos. Ú. t. en sent. fig. ‖ **6.** Juego que consiste en fijar en la tierra un clavo y tirarle herrones o tejos. Gana el que más cerca del clavo pone el herrón o tejo. ‖ **7.** fig. Blanco o punto adonde se dirige la vista o puntería para acertar el tiro. ‖ **a hito.** loc. adv. Fijamente, seguidamente o con permanencia en un lugar. ‖ **dar en el hito.** fr. fig. Comprender o acertar el punto de la dificultad. ‖ **jugar una a dos hitos.** fr. fig. y fam. **jugar con dos barajas.** ‖ **mirar de hito,** o **de hito en hito.** fr. Fijar la vista en un objeto sin distraerla a otra parte. ‖ **mirar en hito.** fr. **mirar de hito en hito.** ‖ **mudar de hito.** fr. fig. y fam. Variar los medios para la consecución de una cosa. ‖ **tener** uno **la** suya **sobre el hito.** fr. fig. y fam. No dejar por vencido.

hitón. (De *hito*.) m. *Min.* Clavo grande cuadrado y sin cabeza.

hobacho, cha. (Del ár. *habayyaŷ,* fofo, hinchado.) adj. ant. Decíase de la persona gruesa y floja.

hobachón, na. (aum. de *hobacho*.) adj. Aplícase a la persona que, teniendo muchas carnes, es de poca energía para el trabajo.

hobachonería. (De *hobachón* y *-ería²*.) f. Pereza, desidia, holgazanería.

hobo. (Voz caribe.) m. **jobo,** árbol.

hoce. f. ant. **hoz¹** de segar.

hocero, ra. m. y f. Fabricante o vendedor de hoces.

hocete. (d. de *hoz*.) m. *Murc.* **hocino¹.**

hocicada. f. Golpe dado con el hocico o de hocicos.

hocicar. (der. frec. vulg. de *hozar*.) tr. Levantar la tierra con el hocico. ‖ **2.** fig. y fam. **besar.** ‖ **3.** p. us. Hundir un palo en tierra, como hozando. ‖ **4.** intr. Dar de hocicos contra algo. ‖ **5.** fig. y fam. Tropezar con un obstáculo o dificultad insuperable. ‖ **6.** fam. Verse obligado a soportar algo desagradable o molesto. ‖ **7.** *Mar.* Hundir o calar la proa.

hocico. (De *hocicar*.) m. Parte más o menos prolongada de la cabeza de algunos animales, en que están la boca y las narices. ‖ **2.** V. **pimiento de hocico de buey.** ‖ **3.** Boca del hombre cuando tiene los labios muy abultados. ‖ **4.** fig. y fam. Cara del hombre. *Félix tiene buen* HOCICO, *o buenos* HOCICOS. ‖ **5.** fig. y fam. Gesto que denota enojo o desagrado. *Estar con* HOCICO. ‖ **caer,** o **dar, de hocicos.** fr. fam. **caer,** o **dar, de bruces.** ‖ **meter el hocico en todo.** fr. fig. y fam. Meterse en todas partes con excesiva curiosidad, que-

riéndolo averiguar todo. ‖ **salir a los hocicos.** fr. fig. y fam. **salir a la cara.**

hocicón, na. (aum. de *hocico*.) adj. **hocicudo.**

hocicudo, da. (De *hocico* y *-udo*.) adj. Dícese de la persona que tiene boca saliente. ‖ **2.** Dícese del animal de mucho hocico.

hocino¹. (De *hoz¹*.) m. Instrumento corvo de hierro acerado, con mango, que se usa para cortar leña. ‖ **2.** El que usan los hortelanos para trasplantar.

hocino². (De *hoz²*.) m. Terreno que dejan las quebradas o angosturas de las montañas cerca de los ríos o arroyos. ‖ **2.** pl. Huertecillos que se forman en dichos parajes. ‖ **3.** Angostura de los ríos cuando se estrechan entre dos montañas.

hociquear. tr. **hocicar.** Ú. t. c. intr.

hochío. m. *And.* Torta de aceite de la que hay distintas variedades, unas dulces y otras con sal y pimentón.

hodierno, na. (Del lat. *hodiernus*.) adj. Perteneciente o relativo al día de hoy o al tiempo presente. ‖ **2.** Moderno, actual. ‖ **3.** Dícese del pan tierno.

hodómetro. m. **odómetro.**

hogañazo. adv. t. fam. p. us. **hogaño.**

hogaño. (Del lat. *hoc anno,* en este año.) adv. t. fam. En año, en el año presente. ‖ **2.** Por ext., en esta época, a diferencia de **antaño,** en época anterior.

hogar. (Del b. lat. *focáris,* adj. der. de *focus,* fuego.) m. Sitio donde se hace la lumbre en las cocinas, chimeneas, hornos de fundición, etc. ‖ **2.** p. us. **hoguera.** ‖ **3.** fig. Casa o domicilio. ‖ **4.** fig. Familia, grupo de personas emparentadas que viven juntas. ‖ **abierto. hogar** donde la combustión se produce en comunicación directa con el aire.

hogareño, ña. adj. Amante del hogar y de la vida de familia. ‖ **2.** Dícese también de las cosas pertenecientes al hogar.

hogaril. m. *Murc.* Hogar, fogón.

hogaza. (Del lat. *focacía,* t. f. de *-cíus,* cocido al fuego.) f. Pan grande que pesa más de dos libras. ‖ **2.** Pan de harina mal cernida, que contiene algo de salvado.

hoguera. (Del lat. **focaría,* f. de **focaríus,* del fuego.) f. Fuego hecho al aire libre con materias combustibles que levantan mucha llama. ‖ **llévame caballera, siquiera a la hoguera.** fr. fam. que se dice de los que por conseguir alguna comodidad no reparan en inconvenientes.

hogueril. m. *Áv.* Hogar, fogón.

hoja. (Del lat. *folía,* pl. n. de *folĭum*.) f. Cada una de las láminas, generalmente verdes, planas y delgadas, de que se visten los vegetales, unidas al tallo o a las ramas por el pecíolo o, a veces, por una parte basal alargada, en las que principalmente se realizan las funciones de transpiración y fotosíntesis. ‖ **2.** Conjunto de estas **hojas.** *La caída de la* HOJA. ‖ **3.** Las de la corola de la flor. ‖ **4.** Lámina delgada de cualquier materia; como metal, madera, papel, etc. ‖ **5.** En los libros y cuadernos, cada una de las partes iguales que resultan al doblar el papel para formar el pliego. ‖ **6.** Laminilla delgada, a manera de escama, que se levanta en los metales al batirlos. ‖ **7.** Cuchilla de las armas blancas y de las herramientas. ‖ **8.** Cada una de las capas delgadas en que se suele dividir la masa; como en los hojaldres. ‖ **9.** Porción de tierra labrantía o dehesa, que se siembra o pasta un año y se deja descansar otro u otros dos. ‖ **10.** En las puertas, ventanas, biombos, etc., cada una de las partes que se abren y se cierran. ‖ **11.** Mitad de cada una de las partes principales de que se compone un vestido. ‖ **12.** Cada una de las partes de la armadura antigua, que cubría el cuerpo. ‖ **13.** V. **hiperboloide de dos hojas.** ‖ **14.** V. **vino de dos, de tres hojas.** ‖ **15.** fig. espada, arma blanca. ‖ **abrazadora.** *Bot.* La sentada que se prolonga en la base abrazando el tallo. ‖ **acicular.** *Bot.* La linear, puntiaguda y por lo común persistente. ‖ **aovada.** *Bot.* La de figura redondeada, más ancha por la base que por la punta, que es roma. ‖ **aserrada**. *Bot.* Aquella cuyo borde tiene dientes inclinados hacia su punta. ‖ **berberisca**. Plancha de latón muy delgada y luciente que se empleaba en medicina para cubrir ciertas llagas. ‖ **compuesta**. *Bot.* La que está dividida en varias hojuelas separadamente articuladas. ‖ **de afeitar**. Laminilla muy delgada de acero, con filo en dos de sus lados, que colocada en un instrumento especial sirve para afeitar la barba. ‖ **de Flandes. hoja de lata**. ‖ **de hermandad**. Contribución ordinaria, directa, que, para levantar las cargas provinciales, se paga en Álava con arreglo al cupo señalado a cada municipio por la diputación. ‖ **de lata. hojalata**. ‖ **de limón**. *Ál.* toronjil. ‖ **de Milán. hoja de lata**. ‖ **dentada**. *Bot.* Aquella cuyos bordes están festoneados de puntas rectas. ‖ **de parra**. fig. Aquello con que se procura encubrir o cohonestar alguna acción vergonzosa o censurable. ‖ **de ruta**. Documento expedido por los jefes de estación, en el cual constan las mercancías que contienen los bultos que transporta un tren, los nombres de los consignatarios, puntos de destino y otros pormenores. ‖ **de servicios**. Documento en que constan los antecedentes personales y profesionales de un funcionario público en el ejercicio de su profesión. ‖ **de tocino**. Mitad de la canal del cerdo partido a lo largo. ‖ **de vida. curriculum vitae.** ‖ **digitada**. *Bot.* La compuesta cuyas hojuelas nacen del pecíolo común separándose a manera de los dedos de la mano abierta. ‖ **discolora**. *Bot.* Aquella cuyas dos caras son de color diferente. ‖ **entera**. *Bot.* La que tiene ningún seno ni escotadura en sus bordes. ‖ **enterísima**. *Bot.* La que tiene su margen sin dientes, desigualdad ni festón alguno. ‖ **envainadora**. *Bot.* La sentada que se prolonga o extiende a lo largo del tallo formándole una envoltura. ‖ **escotada**. *Bot.* La que tiene en el extremo una escotadura más o menos grande y angulosa. ‖ **escurrida**. *Bot.* La sentada cuya base corre o se extiende por ambos lados hacia abajo por el tallo. ‖ **nerviosa**. *Bot.* La que tiene nervios que corren de arriba abajo sin dividirse en otros ramillos. ‖ **perfoliada**. *Bot.* La que por su base y nacimiento rodea enteramente el tallo, pero sin formar tubo. ‖ **suelta**. Impreso que, sin ser cartel ni periódico, tiene menos de cinco páginas. ‖ **trasovada**. *Bot.* La aovada más ancha por la punta que por la base. ‖ **venosa**. *Bot.* La que tiene vasillos sobresalientes en su superficie que se extienden con sus ramificaciones desde el nervio hasta sus bordes. ‖ **volante. papel volante**. ‖ **batir hoja**. fr. Labrar oro, plata u otro metal, reduciéndolo a hojas o planchas. ‖ **desdoblar la hoja**. fr. fig. y fam. Volver al discurso que de intento se había interrumpido. ‖ **doblar la hoja**. fr. fig. Dejar el negocio de que se trata, para proseguirlo después; ordinariamente se dice cuando se hace una digresión en el discurso. ‖ **mudar la hoja**. fr. fig. y fam. Desistir uno del intento que tenía. ‖ **no se mueve la hoja en el árbol sin la voluntad del Señor.** loc. con que se denota que comúnmente no se hacen las cosas sin un fin particular. ‖ **picarse uno de la hoja**. fr. fig. y fam. Preciarse de espadachín o de valentón. ‖ **poner a** uno **como hoja de perejil.** fr. fig. y fam. poner a alguien verde. ‖ **ser uno tentado de la hoja**. fr. fig. y fam. Ser aficionado a aquello de que se trata. ‖ **ser todo hoja, y no tener fruto.** fr. fig. y fam. Hablar mucho y sin sustancia. ‖ **tener hoja.** fr. Quedar resquebrajado el metal de una moneda, con lo cual pierde esta su sonido característico. ‖ **volver la hoja.** fr. fig. Mudar de parecer. ‖ 2. fig. Faltar a lo prometido. ‖ 3. fig. Mudar de conversación.

hojalata. (De *hoja de lata*.) f. Lámina de hierro o acero, estañada por las dos caras.

hojalatería. f. Taller en que se hacen piezas de hojalata. ‖ 2. Tienda donde se venden.

hojalatero. m. Persona que fabrica o vende piezas de hojalata.

hojalde. (Del lat. *foliatĭlis* [*panis*], [pan] de hojas.) m. **hojaldre**.

hojaldra. f. ant. **hojaldre**. Ú. en Murcia y América.

hojaldrado, da. p. p. de **hojaldrar**. ‖ 2. adj. Semejante al hojaldre. ‖ 3. Hecho de hojaldre. ‖ 4. Dícese de ciertos pasteles. Ú. t. c. s.

hojaldrar. tr. Dar a la masa forma de hojaldre.

hojaldre. (De *hojalde*.) amb. Masa de harina muy sobada con manteca que, al cocerse en el horno, forma muchas hojas delgadas superpuestas. Ú. m. en m. ‖ 2. Dulce hecho con esta masa. ‖ **quitar la hojaldre al pastel.** fr. fig. y fam. Descubrir un enredo o trampa.

hojaldrero, ra. m. y f. Persona que hace hojaldres.

hojaldrista. com. **hojaldrero**.

hojarasca. f. Conjunto de las hojas que han caído de los árboles. ‖ 2. Demasiada e inútil frondosidad de algunos árboles o plantas. ‖ 3. fig. Cosa inútil y de poca sustancia, especialmente en las palabras y promesas.

hojear. tr. Mover o pasar ligeramente las hojas de un libro o cuaderno. ‖ 2. Pasar las hojas de un libro, leyendo deprisa algunos pasajes. ‖ 3. intr. Tener hoja un metal. ‖ 4. Moverse las hojas de los árboles.

hojecer. (De *hoja* y *-ecer*.) intr. ant. Echar hoja los árboles.

hojoso, sa. (Del lat. *foliōsus*.) adj. Que tiene muchas hojas.

hojudo, da. (De *hoja* y *-udo*.) adj. Que tiene muchas hojas.

hojuela. (Del lat. *foliōla*, pl. n. de *foliŏlum*.) f. d. de **hoja**. ‖ 2. Fruta de sartén, muy extendida y delgada. ‖ 3. Hollejo o cascarilla que queda de la aceituna molida, y que se vuelve a moler. ‖ 4. V. **aceite de hojuela.** ‖ 5. Hoja muy delgada, angosta y larga, de oro, plata u otro metal, que sirve para galones, bordados, etc. ‖ 6. *Bot.* Cada una de las hojas que forman parte de otra compuesta.

¡hola! (Del ár. *wa-llāh*, ¡por Dios!) interj. p. us. Se emplea para denotar extrañeza, placentera o desagradable. Ú. t. repetida. ‖ 2. Tiene uso como salutación familiar. ‖ 3. desus. Se utilizaba para llamar a los inferiores.

holán. m. **holanda**, lienzo. ‖ 2. *Méj.* **faralá**, volante.

holanda. (De *Holanda*, de donde procede esta tela.) f. Lienzo muy fino de que se hacen camisas, sábanas y otras cosas. ‖ 2. Por ext., papel rectangular, cuadrado o circular, que se usa como adorno en el comercio para servir pastelería. ‖ 3. Aguardiente obtenido por destilación directa de vinos puros sanos con una graduación máxima de 65 grados centesimales. Ú. m. en pl. ‖ 4. n. p. V. **lágrima, tierra de Holanda.**

holandés, sa. adj. Natural de Holanda. Ú. t. c. s. ‖ 2. Perteneciente o relativo a esta nación de Europa. ‖ 3. V. **tabaco holandés.** ‖ 4. m. Idioma hablado en Holanda. ‖ 5. f. Hoja de papel de escribir, de 28 por 22 centímetros aproximadamente. ‖ **a la holandesa.** loc. adv. Al uso de Holanda. ‖ 2. Dícese de la encuadernación económica en que el cartón de la cubierta o forrado de papel o tela, y de piel el lomo.

holandeta. f. **holandilla**, lienzo.

holandilla. (d. de *holanda*.) f. Lienzo teñido y prensado, usado generalmente para forros de vestidos. ‖ 2. **tabaco holandilla.**

holco. (Del lat. *holcus*.) m. **heno blanco.**

holear. intr. Usar repetidamente la interj. ¡hola!

holgachón, na. (De *holgar*.) adj. fam. Acostumbrado a pasarlo bien trabajando poco.

holgadamente. adv. Con holgura.

holgadero. m. Sitio donde regularmente se junta la gente para holgar.

holgado, da. p. p. de **holgar**. ‖ 2. adj. Sin ocupación. ‖ 3. Ancho y sobrado para lo que ha de contener. *Vestido, zapato* HOLGADO. ‖ 4. fig. Dícese de la posición económica de quien vive con desahogo o bienestar.

holganza. (De *holgar*.) f. Descanso, quietud, reposo. ‖ 2.

Carencia de trabajo. ‖ **3.** Placer, contento, diversión y regocijo.

holgar. (Del lat. tardío *follicāre,* soplar, respirar.) intr. Descansar, tomar aliento después de una fatiga. ‖ **2.** Estar ocioso, no trabajar. ‖ **3.** Alegrarse de una cosa. Ú. m. c. prnl. ‖ **4.** Dicho de las cosas inanimadas, estar sin ejercicio o sin uso. ‖ **5.** Sobrar, ser inútil algo. HUELGAN *los comentarios.* ‖ **6.** ant. Yacer, estar, parar. ‖ **7.** prnl. Divertirse, entretenerse con gusto en una cosa.

holgazán, na. (De *holgazar* con infl. de *haragán* en la term.) adj. Aplícase a la persona vagabunda y ociosa, que no quiere trabajar. Ú. t. c. s.

holgazanear. (De *holgazán.*) intr. Estar voluntariamente ocioso.

holgazanería. (De *holgazán.*) f. Ociosidad, haraganería, aversión al trabajo.

holgazar. (De *holgar,* formado como *deslavazar* y otros verbos.) intr. ant. Estar ocioso.

holgón, na. (De *holgar.*) adj. Amigo de holgar y divertirse. Ú. t. c. s.

holgorio. (De *holgar.*) m. fam. jolgorio.

holgueta. (d. de *huelga.*) f. fam. **holgura,** regocijo, diversión.

holgura (De *holgar.*) f. Anchura. ‖ **2.** Anchura excesiva. ‖ **3. huelgo,** espacio vacío que queda entre dos piezas que han de encajar una en otra. ‖ **4.** Regocijo, diversión entre muchos. ‖ **5.** Desahogo, bienestar, disfrute de recursos suficientes.

holmio. (De la última sílaba de *Stock*[*holm*], Estocolmo.) m. *Quím.* Metal del grupo de las tierras raras. Núm. atómico 67. Símb.: *Ho.*

holo-. (Del gr. ὅλο-.) elem. compos. que significa «todo»: HOLO*grafía,* HOLO*causto.*

holocausto. (Del lat. *holocaustum,* y este del gr. ὁλόκαυστος.) m. Entre los israelitas especialmente, sacrificio en que se quemaba toda la víctima. ‖ **2.** fig. Gran matanza de seres humanos. ‖ **3.** fig. Acto de abnegación total que se lleva a cabo por amor.

holoceno, na. (De *holo-* y el gr. καινός, nuevo.) adj. *Geol.* Dícese del período geológico actual o reciente. Ú. t. c. s. m.

holografía. (De *holo-* y *-grafía.*) f. Técnica fotográfica basada en el empleo de la luz coherente producida por el láser. En la placa fotográfica se impresionan las interferencias causadas por la luz reflejada en un objeto con la luz indirecta. Iluminada (después de revelada) la placa fotográfica con la luz del láser, se forma la imagen tridimensional del objeto original.

holográfico, ca. adj. Perteneciente o relativo a la holografía.

hológrafo, fa. (Del lat. *holográphus,* y este del gr. ὁλόγραφος.) adj. Aplícase al testamento o a la memoria testamentaria de puño y letra del testador. Ú. t. c. s. m. ‖ **2.** Escrito de mano del autor, autógrafo.

holograma. (De *holo-* y *-grama.*) m. Placa fotográfica obtenida mediante holografía. ‖ **2.** Imagen óptica obtenida mediante dicha técnica.

holómetro. (De *holo-* y *-metro.*) m. Instrumento que sirve para tomar la altura angular de un punto sobre el horizonte.

holosérico, ca. (Del lat. *holoserīcus,* y este del gr. ὁλοσηρικός.) adj. ant. Aplícábase a los tejidos o ropas de seda pura y sin mezcla de otra cosa.

holostérico. (De *holo-,* el gr. στερεός, sólido, e *-ico.*) adj. V. **barómetro holostérico.**

holoturia. (Del lat. *holothuría,* y este pl. del gr. ὁλοθούριον.) f. *Zool.* Cualquiera de los equinodermos pertenecientes a la clase de los holotúridos, como el cohombro de mar.

holotúrido. (De *holoturia* e *-ido.*) adj. *Zool.* Dícese de animales equinodermos de cuerpo alargado con tegumento blando que tiene en su espesor gránulos calcáreos de tamaño microscópico; boca y ano en los extremos opuestos del cuerpo, tentáculos retráctiles y más o menos ramificados alrededor de la boca. Ú. t. c. s. ‖ **2.** pl. *Zool.* Clase de estos animales.

holladero, ra. (De *hollar* y *-dero.*) adj. Dícese de la parte de un camino o lugar por donde ordinariamente se transita.

holladura. f. (De *hollar* y *-dura.*) f. Acción y efecto de hollar. ‖ **2.** Derecho que se pagaba por el piso de los ganados en un terreno.

hollar. (Del lat. vulg. *fullāre,* pisotear.) tr. Pisar. ‖ **2.** Comprimir algo con los pies. ‖ **3.** fig. Abatir, humillar, despreciar.

holleca. f. Herrerillo, pájaro.

holleja. f. ant. **hollejo.**

hollejo. (Del lat. *follicŭlus,* saco pequeño, cascabillo.) m. Pellejo o piel delgada que cubre algunas frutas y legumbres; como la uva, la habichuela, etc.

hollejudo, da. (De *hollejo* y *-udo.*) adj. Dícese del fruto que tiene el hollejo duro o áspero.

hollejuela. f. d. ant. de **holleja.**

hollejuelo. m. d. de **hollejo.**

hollín. (Del lat. vulg. *fullīgo, -ĭnis.*) m. Sustancia crasa y negra que el humo deposita en la superficie de los cuerpos. ‖ **2.** fam. **alboroto.**

hollinar. m. ant. **hollín.**

holliniento, ta. adj. Que tiene hollín.

homarrache. (Como *moharracho.*) m. Persona disfrazada grotescamente.

hombracho. m. Hombre grueso y fornido.

hombrada. f. Acción propia de un hombre generoso y esforzado.

hombradía. (De *hombrada.*) f. **hombría.**

hombre. (Del lat. *homo, -ĭnis.*) m. Ser animado racional. Bajo esta acepción se comprende todo el género humano. ‖ **2.** Varón, criatura racional del sexo masculino. ‖ **3.** El que ha llegado a la edad viril o adulta. ‖ **4.** Grupo determinado del género humano. *El* HOMBRE *del Renacimiento; el* HOMBRE *europeo.* ‖ **5.** Individuo que tiene las cualidades consideradas varoniles por excelencia, como el valor y la firmeza. *¡Ese sí que es un* HOMBRE! ‖ **6.** V. **cuerpo de hombre.** ‖ **7.** Entre el vulgo, **marido.** ‖ **8.** El que en ciertos juegos de naipes dice que entra y juega contra los demás. ‖ **9.** Juego de naipes entre varias personas con elección de palo que sea triunfo. Hay varias modalidades. ‖ **10.** Unido con algunos sustantivos por medio de la prep. *de,* el que posee las cualidades o cosas significadas por tales sustantivos. HOMBRE *de honor, de tesón, de valor.* ‖ **bueno.** El que perteneció al estado llano. ‖ **2.** *Der.* El mediador en los actos de conciliación. ‖ **de ambas sillas.** Deciase del que con soltura cabalgaba a la brida y a la jineta. ‖ **2.** fig. El que es sabio en varias artes o facultades. ‖ **de armas.** Jinete armado de todas piezas. ‖ **de barba. hombre de bigotes. de bien.** El que cumple puntualmente sus obligaciones. ‖ **de bigote al ojo.** El que ostentaba arrogancia llevando el bigote retorcido y con la punta alta al ojo. ‖ **de bigotes.** fig. y fam. El que tiene entereza y severidad. ‖ **de buena capa.** fig. y fam. El de buen porte. ‖ **de buenas letras.** El versado en letras humanas. ‖ **de cabeza.** El que tiene talento. ‖ **de cabo.** ant. *Mar.* Cualquiera de los marineros de una embarcación, llamado así para distinguirlo de los remeros y forzados en las galeras. ‖ **de calzas atacadas.** fig. El exageradamente observante de las costumbres antiguas. ‖ **2.** El demasiado rígido en su modo de proceder. ‖ **de campo.** El que con frecuencia se ejercita en la caza o en las faenas agrícolas. ‖ **de capa negra.** fig. Persona ciudadana y decente. ‖ **de capa y espada.** El seglar que no profesaba propósito a una facultad. ‖ **de ciencia.** El que se dedica a actividades científicas. ‖ **de copete.** fig. El de estimación y autoridad. ‖ **de corazón.** El valiente, generoso y magnánimo. ‖ **de días.** El anciano, el provecto. ‖ **de dinero.** El acaudalado. ‖ **de distinción.** El de ilustre nacimiento, empleo o categoría. ‖ **de dos caras.** fig. El que expresa distinta opinión respecto a lo mismo según la ocasión o el interlocutor. ‖ **de edad.** hombre muy avanzado en la madurez. ‖ **de Estado.** El de aptitud reconocida para dirigir los negocios políticos de una nación. ‖ **2. hombre** político, cortesano. ‖ **3. estadista,** el versado en asuntos del Estado. ‖ **de estofa.** fig. El de respeto y consideración. ‖ **de fondo.** El que tiene gran capacidad, instrucción y talento. ‖ **de fondos. hombre de dinero.** ‖ **de fortuna.** El que de cortos principios llega a grandes empleos o riquezas. ‖ **de guerra.** El que sigue la carrera de las armas o profesión militar. ‖ **de haldas.** El de profesión sedentaria. ‖ **de hecho.** El que cumple su palabra. ‖ **de iglesia. clérigo.** ‖ **de la calle.** Pluralidad de personas en cuanto representativas de las opiniones y gustos de la mayoría. ‖ **de la vida airada.** El que vive licenciosamente. ‖ **2.** El que se precia de guapo y valentón. ‖ **del campo. hombre de campo.** ‖ **de letras. literato.** ‖ **del rey.** En lo antiguo, el que servía en la casa real. ‖ **del saco.** Personaje ficticio con que se asusta a los niños. ‖ **de lunas. hombre lunático.** ‖ **de mala digestión.** fig. y fam. El que tiene mal gesto y dura condición. ‖ **de manera. hombre de distinción.** ‖ **de manga.** Clérigo o religioso. ‖ **de manos. hombre de puños.** ‖ **de mar.** Aquel cuya profesión se ejerce en el mar o se refiere a la marina; como los marineros, calafates, contramaestres, etc. ‖ **de mundo.** El que trata con toda clase de gentes y tiene gran experiencia y práctica de negocios. ‖ **de nada.** El que es pobre y de oscuro nacimiento. ‖ **de negocios.** El que tiene muchos a su cargo. ‖ **de orden.** ant. **religioso** de una orden. ‖ **de paja.** El que actúa al dictado de otro que no quiere figurar en primer plano. ‖ **de palabra.** El que cumple lo que promete. ‖ **de pecho.** fig. y fam. El constante y de gran serenidad. ‖ **de pelea.** Soldado, el que sirve en la milicia. ‖ **de pelo en pecho.** fig. y fam. El fuerte y osado. ‖ **de pro,** o **de provecho.** El de bien. ‖ **2.** El sabio o útil al público. ‖ **de punto.** Persona principal y de distinción. ‖ **de puños.** fig. y fam. El robusto, fuerte y valeroso. ‖ **de todas sillas. hombre de ambas sillas.** ‖ **de veras.** El que es amigo de la realidad y verdad. ‖ **2.** El serio y enemigo de burlas. ‖ **de verdad.** El que siempre la dice y tiene fama de ello. ‖ **espiritual.** El dedicado a la virtud y contemplación. ‖ **exterior.** En contraposición a **hombre interior,** el **hombre** con relación a lo externo y corporal del mismo, o sea todo lo que en él se refiere a la vida vegetativa y animal. ‖ **hecho** o **hecho y derecho.** El que ha llegado a la edad adulta. ‖ **2.** fig. instruido o versado en una facultad. ‖ **interior.** El **hombre** con relación al alma y al cultivo de sus facultades intelectuales y morales. ‖ **liso.** El de verdad, ingenuo, sincero, sin dolo ni artificio. ‖ **lleno.** El que sabe mucho. ‖ **mayor.** Dícese del varón entrado en años. ‖ **menudo.** El miserable, escaso y apocado. ‖ **nuevo.** El **hombre,** en cuanto ha sido regenerado por Jesucristo. ‖ **para poco.** El pusilánime y de poco espíritu. ‖ **público.** El que interviene públicamente en los negocios políticos. ‖ **rana.** El provisto del equipo necesario para efectuar trabajos submarinos. ‖ **viejo.** El **hombre,** en cuanto ha heredado las malas inclinaciones con efecto del pecado original. ‖ **gentil hombre. gentilhombre.** ‖ **gran,** o **grande, hombre.** El ilustre y eminente en una línea. ‖ **pobre hombre.** El de cortos talentos e instrucción. ‖ **2.** El de poca habilidad y sin vigor ni resolución. ‖ **buen hombre, pero mal sastre.** expr. que se dice de las personas de buena índole o genio, pero de corta o ninguna habilidad. ‖ **como un solo hombre.** loc. que expresa la unanimidad con que proceden muchas personas. ‖ **de hombre a hombre no va nada.** expr. fam. con que se denota arrojo y

valentía. ‖ **hacer** a uno **hombre.** fr. fig. y fam. Protegerlo eficazmente. ‖ **hacerse** uno **un hombre.** fr. Llegar uno a ser maduro y responsable de sus actos. ‖ **¡hombre!** interj. que indica sorpresa o asombro. Ú. también repetida. ‖ **¡hombre al agua!** expr. Mar. Ú. para advertir que alguien ha caído al mar. ‖ **¡hombre a la mar!** expr. Mar. **¡hombre al agua!** ‖ **no haber hombre con hombre.** fr. fig. Haber mucha discordia o falta de unión entre varias personas. ‖ **no hay hombre cuerdo a caballo.** expr. fig. con que se da a entender que no suele obrar templada y prudentemente el que se halla en situación de propasarse. ‖ **no quedar hombre con hombre.** fr. Quedar desbaratado o disperso un conjunto de personas. ‖ **no ser** uno **hombre de pelea.** fr. fig. Carecer de ánimo, resolución y habilidad para empresas varoniles o negocios de importancia. ‖ **no tener** uno **hombre.** fr. No tener protector o favorecedor. ‖ **ser** uno **hombre al agua.** fr. fig. y fam. No dar esperanza de remedio en su salud o en su conducta. ‖ **ser** uno **hombre muy llegado a las horas de comer.** fr. fam. Estar pronto a ejecutar las cosas que le son de utilidad. ‖ **ser** uno **hombre para** alguna cosa. fr. Ser capaz de ejecutar lo que dice u ofrece. ‖ **2.** Tener las cualidades y requisitos convenientes para el desempeño de lo que se trata. ‖ **ser** uno **mucho hombre.** fr. Ser persona de gran talento e instrucción o de gran habilidad. ‖ **ser** uno **muy hombre.** fr. Ser valiente y esforzado. ‖ **ser** uno **otro hombre.** fr. fig. Haber cambiado mucho en sus cualidades, ya físicas, ya morales. ‖ **ser** uno **poco hombre.** fr. Carecer de las cualidades necesarias para el desempeño de un oficio, cargo o comisión. ‖ **2.** Ser cobarde. ‖ **ser todo un hombre.** Tener destacadas cualidades varoniles, como el valor, la firmeza y la fuerza.

hombrear[1]. intr. Querer el joven parecer hombre hecho. ‖ **2.** fig. Querer igualarse con otro u otros en saber, calidad o prendas. Ú. t. c. prnl.

hombrear[2]. intr. Hacer fuerza con los hombros para sostener o empujar alguna cosa.

hombrecillo. m. d. de **hombre.** ‖ **2. lúpulo.**

hombredad. f. ant. **hombría.**

hombrera. f. Pieza de la armadura antigua, que cubría y defendía los hombros. ‖ **2.** Labor o adorno especial de los vestidos en la parte correspondiente a los hombros. ‖ **3.** Cordón, franja o pieza de paño en forma de almohadilla que, sobrepuesta a los hombros en el uniforme militar, sirve de defensa, adorno y sujeción de correas y cordones del vestuario, y a veces como insignia del empleo personal jerárquico. ‖ **4.** Especie de almohadilla que a veces se pone en algunas prendas de vestir, en la zona de los hombros, para que estos parezcan más anchos. ‖ **5.** Tira de tela que, pasando por los hombros, sujeta algunas prendas de vestir.

hombretón. m. aum. de **hombre.**

hombrezuelo. m. d. de **hombre.**

hombría. (De hombre.) f. Cualidad de hombre. ‖ **2.** Cualidad buena y destacada de hombre, especialmente la entereza o el valor. ‖ **de bien.** Probidad, honradez.

hombrillo. m. Lista de lienzo con que se refuerza la camisa por el hombro. ‖ **2.** Tejido de seda o de otra materia, que sirve de adorno y se pone encima de los hombros.

hombro. (Del lat. humĕrus.) m. Parte superior y lateral del tronco del hombre y de los cuadrúpedos, de donde nace el brazo. ‖ **2.** Parte de un vestido, chaqueta, etc., que cubre esta parte del cuerpo. ‖ **3.** V. **paño de hombros.** ‖ **4.** En el teatro, cada uno de los dos espacios laterales del escenario, ocultos para el público, contiguos a la escena visible. ‖ **5.** Impr. Parte de la letra desde el remate del árbol hasta la base del ojo. ‖ **a hombros.** loc. adv. con que se denota que se lleva alguna persona o cosa sobre los **hombros** del que la conduce. Tratándose de personas, suele hacerse en señal de triunfo. ‖ **al hombro.** loc. adv. Sobre él o colgado de él. ‖ **arrimar el hombro**. fr. fig. Trabajar con actividad; ayudar o contribuir al logro de un fin. ‖ **cargado de hombros**. loc. **cargado de espaldas**. ‖ **echar o echarse** uno **al hombro** una cosa. fr. fig. Hacerse responsable de ella. ‖ **encoger** uno **los hombros**. fr. fig. Llevar con paciencia una cosa desagradable. ‖ **encogerse** uno **de hombros**. fr. Hacer el movimiento natural que causa el miedo. ‖ **2**. fig. No saber uno, o no querer, responder a lo que se le pregunta. ‖ **3**. fig. Mostrarse o permanecer indiferente ante lo que oye o ve. ‖ **4**. fig. **encoger los hombros**. ‖ **en hombros**. loc. adv. **a hombros**. ‖ **escurrir el hombro**. fr. fig. y fam. **hurtar el hombro**. ‖ **estar hombro a hombro**. fr. fig. y fam. Codearse. ‖ **hurtar el hombro**. fr. fig. Excusar el trabajo o la cooperación para el logro de un fin. ‖ **meter el hombro**. fr. fig. y fam. *And.* y *Méj.* **arrimar el hombro**. ‖ **mirar** a uno **por encima del hombro**, o **sobre el hombro**, o **sobre hombro**. fr. fig. y fam. Tenerle en menos, desdeñarle. ‖ **poner el hombro**. fr. fig. **arrimar el hombro**. ‖ **poner** uno **hombro a hombro** con otro. fr. fig. y fam. Elevarle hasta la condición o categoría de este. ‖ **ponerse hombro a hombro**. fr. fig. y fam. **estar hombro a hombro**. ‖ **sacar** uno **a hombros** a otro. fr. fig. Librarlo con su favor o poder, o a sus expensas, de un riesgo o apuro; ponerlo a salvo.

hombruno, na. adj. fam. Dícese de la mujer que por alguna cualidad o circunstancia se parece al hombre. ‖ **2**. fam. Dícese de las cosas en que estriba esta semejanza. *Andar* HOMBRUNO; *cara* HOMBRUNA.

home. (Del lat. *homo, -ĭnis.*) m. ant. **hombre**. Ú. en Sevilla. ‖ **de leyenda**. ant. clérigo, el que ha recibido las órdenes sagradas.

homecillo. m. ant. **homicillo**. ‖ **2**. ant. Enemistad, odio, aborrecimiento.

homenaje. (Del prov. *homenatge.*) m. Juramento solemne de fidelidad hecho a un rey o señor, y que a veces se hacía también a un igual para obligarse al cumplimiento de cualquier pacto. ‖ **2**. Acto o serie de actos que se celebran en honor de una persona. ‖ **3**. V. **pleito homenaje**. ‖ **4**. V. **torre del homenaje**. ‖ **5**. fig. Sumisión, veneración, respeto hacia una persona.

homenajear. tr. Rendir homenaje a una persona o a su memoria.

homeo-. (Del gr. ὅμοιο-.) elem. compos. que significa «semejante», «parecido»: HOMEO*patía*, HOMEÓ*stasis*.

homeópata. adj. Dícese del médico especialista en homeopatía. Ú. t. c. s.

homeopatía. (De *homeo-* y *-patía*.) f. Sistema curativo que aplica a las enfermedades, en dosis mínimas, las mismas sustancias que en mayores cantidades producirían al hombre sano síntomas iguales o parecidos a los que se trata de combatir.

homeopáticamente. adv. m. En dosis diminutas u homeopáticas.

homeopático, ca. adj. Perteneciente o relativo a la homeopatía. ‖ **2**. fig. De tamaño diminuto o en cantidad muy pequeña.

homeóstasis u **homeostasis**. (De *homeo-* y el gr. στάσις, posición, estabilidad.) f. *Biol.* Conjunto de fenómenos de autorregulación, conducentes al mantenimiento de una relativa constancia en las composiciones y las propiedades del medio interno de un organismo. ‖ **2**. Por ext., autorregulación de la constancia de las propiedades de otros sistemas influidos por agentes exteriores.

homeostático, ca. adj. Perteneciente o relativo a la homeóstasis.

homeotermia. (De *homeo-* y *-termia*.) f. *Fisiol.* Capacidad de regulación metabólica para mantener la temperatura del cuerpo constante e independiente de la temperatura ambiental.

homeotérmico, ca. adj. Perteneciente o relativo a la homeotermia; dícese en particular de los animales llamados de sangre caliente.

homeotermo, ma. adj. **homeotérmico**. Ú. t. c. s.

homérico, ca. (Del lat. *Homerĭcus.*) adj. Propio y característico de Homero como poeta, o que tiene semejanza con cualquiera de las dotes o cualidades por que se distinguen sus producciones.

homiciano. (De *homicio*.) m. ant. El que mata a otro.

homiciarse. (De *homicio*.) prnl. ant. Enemistarse, perder la buena unión o armonía que se tenía con uno.

homicida. (Del lat. *homicīda*.) adj. Causante de la muerte de alguien. *Puñal* HOMICIDA. Apl. a pers., ú. t. c. s.

homicidio. (Del lat. *homicidĭum*.) m. Muerte causada a una persona por otra. ‖ **2**. Por lo común, la ejecutada ilegítimamente y con violencia. ‖ **3**. Cierto tributo que se pagaba en lo antiguo.

homiciero. (De *homiciarse*.) m. ant. El que causaba o promovía enemistades y discordias entre personas.

homicillo. (Del lat. *homicidĭum*.) m. Pena pecuniaria que por incurría el que, llamado por juez competente por haber herido gravemente o matado a uno, no comparecía y daba lugar a que se sentenciase su causa en rebeldía. ‖ **2**. ant. **homicidio**.

homicio. (Del lat. *homicidĭum*.) m. ant. **homicidio**.

homilía. (Del lat. *homilĭa*, y este del gr. ὁμιλία.) f. Razonamiento o plática que se hace para explicar al pueblo las materias de religión. ‖ **2**. pl. Lecciones del tercer nocturno de los maitines, sacadas de las **homilías** de los padres y doctores de la Iglesia.

homiliario. m. Libro que contiene homilías.

hominal. (Del lat. *homo, -ĭnis*, hombre.) adj. Perteneciente o relativo al hombre.

hominicaco. (Del lat. *homo, -ĭnis* hombre, con la segunda parte de *monicaco*.) m. fam. Hombre pusilánime y de mala traza.

homínido. (Del lat. *homo, -ĭnis*, e ≈*ido*.) adj. *Zool.* Dícese del individuo perteneciente al orden de los primates superiores, cuya especie superviviente es la humana. Ú. t. c. s.

homo-. (Del gr. ὅμο-.) elem. compos. que significa «igual»: HOMÓ*fono*, HOMO*sexual*.

homocerca. (De *homo-* y el gr. κέρκος, cola.) adj. *Zool.* Dícese de la aleta caudal de los peces está formada por dos lóbulos iguales y simétricos, como la de la sardina; y por ext., de la cola de los peces que tienen esta clase de aleta caudal.

homoclamídeo, a. (De *homo-*, y un der. de *clámide*.) adj. *Bot.* Dícese de la flor incompleta, que tiene un perianto sencillo con un solo verticilo o perigonio de hojas florales coloreadas, que son los tépalos.

homofonía. (Del gr. ὁμοφωνία.) f. Cualidad de homófono. ‖ **2**. *Mús.* Conjunto de voces o sonidos simultáneos que cantan al unísono.

homófono, na. (Del gr. ὁμόφωνος, de ὁμός, igual, y φωνή, sonido.) adj. Dícese de las palabras que con distinta significación suenan de igual modo; v. gr.: *solar*, nombre; *solar*, adjetivo, y *solar*, verbo. ‖ **2**. *Mús.* Dícese del canto o música en que todas las voces cantan en el mismo sonido.

homogéneamente. adv. m. De modo homogéneo.

homogeneidad. f. Cualidad de homogéneo.

homogeneización. f. Acción y efecto de homogeneizar. ‖ **2**. Tratamiento al que son sometidos algunos líquidos, especialmente la leche, para evitar la separación de sus componentes.

homogeneizar. tr. Hacer homogéneo, por medios físicos o químicos, un compuesto o mezcla de elementos diversos.

homogéneo, a. (Del b. lat. *homogenĕus*, y este del gr. ὁμογενής.) adj. Perteneciente a un mismo género; poseedor de iguales caracteres. ‖ **2**. Dícese de una sustancia o de una mezcla de varias cuando su composición y estructura son uniformes. ‖ **3.** Dícese del conjunto formado por elementos iguales.

homógrafo, fa. (De *homo-* y *-grafo*.) adj. Aplícase a las palabras de distinta significación que se escriben de igual manera; v. gr.: *haya, árbol,* y *haya,* persona del verbo *haber.*

homologable. adj. Que puede homologarse.

homologación. f. Acción y efecto de homologar.

homologar. (De *homólogo*.) tr. Equiparar, poner en relación de igualdad dos cosas. ‖ **2.** Registrar y confirmar un organismo autorizado el resultado de una prueba deportiva realizada con arreglo a ciertas normas. ‖ **3.** Contrastar una autoridad el cumplimiento de determinadas especificaciones o características de un objeto o una acción. ‖ **4.** *Der.* Dar firmeza las partes al fallo de los árbitros, en virtud de consentimiento tácito, por haber dejado pasar el término legal para impugnarlo. ‖ **5.** *Der.* Confirmar el juez ciertos actos y convenios de las partes, para hacerlos más firmes y solemnes.

homólogo, ga. (Del lat. *homológus,* y este del gr. ὁμόλογος.) adj. Dícese de la persona que ocupa igual al de otra, en ámbitos distintos. Ú. t. c. s. ‖ **2.** *Geom.* Aplícase a los lados que en cada una de dos o más figuras semejantes están colocados en el mismo orden. ‖ **3.** *Lóg.* Dícese de los términos sinónimos o que significan una misma cosa. ‖ **4.** *Bot.* y *Zool.* Dícese de los órganos o partes del cuerpo que son semejantes por su origen en el embrión, por sus relaciones con otros órganos y por su posición en el cuerpo, v. gr., las extremidades anteriores en los mamíferos y las alas en las aves, aunque su aspecto y función puedan ser diferentes.

homonimia. (Del lat. *homonymía,* y este del gr. ὁμωνυμία.) f. Cualidad de homónimo.

homónimo, ma. (Del lat. *homonýmus,* y este del gr. ὁμώνυμος.) adj. Dícese de dos o más personas o cosas que llevan un mismo nombre. Tratándose de personas, equivale a **tocayo.** Ú. t. c. s. ‖ **2.** Dícese de las palabras que siendo iguales por su forma tienen distinta significación; v. gr.: *Tarifa,* ciudad, y *tarifa* de precios. Ú. t. c. s. f.

homoplastia. (De *homo-* y *plastia*.) f. *Cir.* Implantación de injertos de órganos para restaurar partes del organismo enfermas o lesionadas, con otras procedentes de un individuo de la misma especie.

homóptero. (De *homo-* y *-ptero*.) adj. *Zool.* Dícese de insectos hemípteros cuyas alas anteriores son casi siempre membranosas como las posteriores, aunque un poco más fuertes y más coloreadas que estas, y que tienen el pico recto e inserto en la parte inferior de la cabeza; como la cigarra. Ú. t. c. s. ‖ **2.** m. pl. *Zool.* Suborden de estos animales.

homosexual. (De *homo-* y *sexual*.) adj. Dícese del individuo afecto de homosexualidad. Ú. t. c. s. ‖ **2.** Dícese de la relación erótica entre individuos del mismo sexo. ‖ **3.** Perteneciente o relativo a la homosexualidad.

homosexualidad f. Inclinación hacia la relación erótica con individuos del mismo sexo. ‖ **2.** Práctica de dicha relación.

homúnculo. (Del lat. *homuncúlus*.) m. d. despect. p. us. de **hombre.**

honcejo. (De *hoz*[1], cruzado con *oncejo*.) m. **hocino.**

honda. (Del lat. *funda*.) f. Tira de cuero, o trenza de lana, cáñamo, esparto u otra materia semejante, para tirar piedras con violencia. ‖ **2.** Cuerda para suspender un objeto.

hondable. (De *hondo* y *-able*.) adj. Dícese del sitio del mar donde la nave puede fondear. ‖ **2.** ant. Hondo, profundo.

hondada. (De *honda*.) f. **hondazo.**

hondamente. adv. m. Con hondura o profundidad. ‖ **2.** fig. Profundamente, altamente, elevadamente.

hondarras. (De *hondo,* fondo.) f. pl. *Rioja.* Poso o heces que quedan en la vasija que ha tenido un licor.

hondazo. (De *honda* y *-azo*.) m. Tiro de honda.

hondear[1]. (De *hondo*.) tr. Reconocer el fondo con la sonda. ‖ **2.** Sacar carga de una embarcación.

hondear[2]. intr. Disparar la honda.

hondero. m. Soldado que usaba honda en la guerra.

hondijo. m. Honda para tirar piedras.

hondillos. m. pl. Entrepiernas de los calzones.

hondo, da. (Del lat. *fundus*.) adj. Que tiene profundidad. ‖ **2.** V. **plato hondo.** ‖ **3.** Aplícase a la parte del terreno que está más baja que todo lo circundante. ‖ **4.** fig. Profundo, alto o recóndito. ‖ **5.** fig. Tratándose de un sentimiento, intenso, extremado. ‖ **6.** m. Parte inferior de una cosa hueca o cóncava. ‖ **lo hondo.** La parte más profunda.

hondón. (De *hondo*.) m. Suelo interior de cualquier cosa hueca. ‖ **2.** Lugar profundo rodeado de terrenos más altos. ‖ **3.** Ojo o agujero que tiene la aguja para enhebrarla. ‖ **4.** Parte del estribo donde se apoya el pie. ‖ **contra hondón.** loc. ant. Hacia abajo.

hondonada. (De *hondón*.) f. Espacio de terreno hondo.

hondonal. (De *hondón*.) m. *Sal.* Prado bajo y húmedo. ‖ **2.** *Sal.* Lugar de juncos.

hondonero, ra. (De *hondón*.) adj. ant. **hondo.**

hondura. (De *hondo*.) f. Profundidad de una cosa, ya sea en las concavidades de la tierra, ya en del mar, ríos, pozos, etc. ‖ **meterse** uno **en honduras.** fr. fig. Tratar de cosas profundas y dificultosas, sin tener bastante conocimiento de ellas.

hondureñismo. m. Vocablo, giro o locución propios de Honduras.

hondureño, ña. adj. Natural de Honduras. Ú. t. c. s. ‖ **2.** Perteneciente o relativo a esta nación de América.

honestad. (Del lat. *honestas, -átis*.) f. ant. **honestidad.**

honestamente. adv. m. Con honestidad.

honestar. (Del lat. *honestáre*.) tr. **honrar.** ‖ **2.** Dar visos de buena a una acción, justificarla. ‖ **3.** prnl. ant. Portarse con moderación y decencia.

honestidad. (Del lat. *honestítas, -átis*.) f. Cualidad de honesto. ‖ **pública honestidad.** Impedimento canónico dirimente, derivado del matrimonio no válido o de concubinato público y notorio, que se equipara a la afinidad; pero solo comprende los dos primeros grados de la línea recta.

honesto, ta. (Del lat. *honestus*.) adj. Decente o decoroso. ‖ **2.** Recatado, pudoroso. ‖ **3.** Razonable, justo. ‖ **4.** Probo, recto, honrado. ‖ **5.** V. **estado honesto.**

hongarina. (De *hungarina*.) f. Anguarina, hungarina, gabán rústico para tiempo de aguas.

hongo. (Del lat. *fungus*.) m. Cualquiera de las plantas talofitas, sin clorofila, de tamaño muy variado y reproducción preferentemente asexual, por esporas, que son parásitas o viven sobre materias orgánicas en descomposición; su talo, ordinariamente filamentoso y ramificado y conocido con el nombre de micelio, absorbe los principios orgánicos nutritivos que existen en el medio; como el concnezuelo, la roya, el agárico, etc. ‖ **2.** Sombrero de fieltro o castor y de copa baja, rígida y aproximadamente semiesférica. ‖ **3.** *Mar.* Extremo de un tubo de ventilación que remata sobre cubierta con tapa o sombrerete abombado para evitar que penetren los rociones. ‖ **4.** *Pat.* Excrecencia fungosa que crece en las úlceras o heridas e impide la cicatrización de las mismas. ‖ **5.** pl. *Bot.* Clase de las plantas de este nombre. ‖ **marino. anemone de mar.** ‖ **yesquero.** Especie muy común en España al pie de los robles y encinas, que carece de pedicelo y es de color de canela. Macerado en agua, machacado e impregnado de nitro, constituye la yesca. ‖ **solo como un hongo.** expr. fam. **solo como un espárrago.**

hongoso, sa. (Del lat. *fungōsus*.) adj. Esponjoso o fofo como un hongo.

honor. (Del lat. *honor, -ōris*.) m. Cualidad moral que nos lleva al cumplimiento de nuestros deberes respecto del prójimo y de nosotros mismos. ‖ **2.** Gloria o buena reputación que sigue a la virtud, al mérito o a las acciones heroicas, la cual trasciende a las familias, personas y acciones mismas del que se la granjea. ‖ **3.** Honestidad y recato en las mujeres, y buena opinión que se granjean con estas virtudes. ‖ **4.** Obsequio, aplauso o agasajo que se tributa a una persona. ‖ **5.** Acto por el que alguien se siente enaltecido. *Su visita fue un* HONOR *para mí.* ‖ **6.** Dignidad, cargo o empleo. Ú. m. en pl. *Aspirar a los* HONORES *de la república, de la magistratura.* ‖ **7.** V. **capellán, dueña, lance, palabra, señora de honor.** ‖ **8.** fig. V. **campo de honor.** ‖ **9.** *Mil.* V. **guardia de honor.** ‖ **10.** f. ant. Heredad, patrimonio. ‖ **11.** ant. Usufructo de las rentas de alguna villa o castillo realengos, concedido por el rey a un caballero. ‖ **12.** m. pl. Concesión que se hace en favor de uno para que use el título y preeminencias de un cargo o empleo como si realmente lo tuviera, aunque le falte el ejercicio y no goce gajes algunos. *Fulano goza* HONORES *de bibliotecario, de intendente.* ‖ **13.** Ceremonial con que se celebra a alguien por su cargo o dignidad. ‖ **con honores de.** loc. prepos. fig. con que se da a entender que alguna cosa se aproxima a otra tenida por superior o más importante. *Una casa* CON HONORES DE *palacio.* ‖ **hacer los honores.** Atender el anfitrión a sus invitados. ‖ **2.** Manifestar el invitado aprecio de la comida tomando bastante de ella.

honorabilidad. f. Cualidad de la persona honorable.

honorable. (Del lat. *honorabĭlis*.) adj. Digno de ser honrado o acatado. ‖ **2.** *Blas.* V. **pieza honorable, y pieza honorable disminuida.**

honorablemente. adv. m. Con honor, con estimación y lustre.

honoración. (Del lat. *honoratĭo, -ōnis*.) f. ant. Acción y efecto de honrar.

honorar. (Del lat. *honorāre*.) tr. p. us. Honrar, ensalzar.

honorario, ria. (Del lat. *honorarĭus*.) adj. Que sirve para honrar a uno. ‖ **2.** Aplícase al que tiene los honores y no la propiedad de una dignidad o empleo. ‖ **3.** m. Gaje o sueldo de honor. ‖ **4.** Estipendio o sueldo que se da a uno por su trabajo en algún arte liberal. Ú. m. en pl.

honorificación. f. ant. Acción y efecto de honorificar.

honorificadamente. adv. m. ant. **honoríficamente.**

honoríficamente. adv. m. Con honor. ‖ **2.** Con carácter honorario y sin efectividad.

honorificar. (Del lat. *honorificāre*.) tr. ant. Honrar o dar honor.

honorificencia. (Del lat. *honorificentĭa*.) f. ant. Honra, decoro, magnificencia.

honorífico, ca. (Del lat. *honorifĭcus*.) adj. Que da honor. ‖ **2.** V. **mención honorífica.**

honoris causa. loc. lat. que significa por razón o causa de honor. ‖ **2.** V. **doctor honoris causa.**

honoroso, sa. (Del lat. *honorōsus*.) adj. desus. Honroso, decoroso.

honra. (De *honrar*.) f. Estima y respeto de la dignidad propia. ‖ **2.** Buena opinión y fama, adquirida por la virtud y el mérito. ‖ **3.** Demostración de aprecio que se hace de uno por su virtud y mérito. ‖ **4.** V. **caso, punto de honra.** ‖ **5.** Pudor, honestidad y recato en las mujeres. ‖ **6.** pl. Oficio solemne que se celebra por los difuntos algunos días después del entierro, y también anualmente. ‖ **del ahorcado.** fig. y fam. **compañía del ahorcado.** ‖ **el que quiera honra, que la gane.** expr. fam. con que se reprueba la murmuración. ‖ **tener uno a mucha honra** una cosa. fr. Gloriarse, envanecerse de ella.

honrable. (Del lat. *honorabĭlis*.) adj. ant. Digno de ser honrado.

honradamente. adv. m. Con honradez. ‖ **2.** Con honra.

honradero, ra. adj. p. us. Que honra.

honradez. (De *honrado*.) f. Rectitud de ánimo, integridad en el obrar.

honrado, da. (Del lat. *honorātus*.) p. p. de **honrar.** ‖ **2.** adj. Que procede con honradez. ‖ **3.** Ejecutado honrosamente. ‖ **4.** fig. V. **barba honrada.**

honrador, ra. adj. desus. Que honra. Usáb. t. c. s.

honradote, ta. adj. aum. de **honrado.**

honramiento. m. Acción y efecto de honrar.

honrar. (Del lat. *honorāre*.) tr. Respetar a una persona. ‖ **2.** Enaltecer o premiar su mérito. ‖ **3.** Dar honor o celebridad. ‖ **4.** Úsase como fórmula de cortesía para enaltecer la asistencia, adhesión, etc., de otra u otras personas. *Hoy nos* HONRA *con su presencia nuestro ilustre amigo; ningún año ha querido usted* HONRAR *nuestra mesa.* ‖ **5.** prnl. Tener uno a honra ser o hacer alguna cosa.

honrilla. f. d. de **honra.** Tómase frecuentemente por el puntillo o vergüenza con que se hace o deja de hacer una cosa porque no parezca mal, y se suele decir: *Por la* NEGRA HONRILLA.

honrosamente. adv. m. Con honra.

honroso, sa. adj. Que da honra y estimación. ‖ **2.** Decente, decoroso.

hontana. (Del lat. *fontana*.) f. ant. **fuente,** manantial. ‖ **2.** Aparato para que salga el agua. ‖ **3.** Obra de fábrica para este fin.

hontanal. (De *hontana*.) adj. Aplícase a las fiestas que los gentiles dedicaban a las fuentes. Ú. t. c. s. f. ‖ **2.** m. **hontanar.**

hontanar. (De *hontana*.) m. Sitio en que nacen fuentes o manantiales.

hontanarejo. m. d. de **hontanar.**

hopa. (De or. inc.) f. Especie de vestidura, al modo de túnica o sotana cerrada. ‖ **2.** Loba o saco de los ajusticiados.

hopalanda. (De or. inc.) f. Vestidura grande y pomposa, particularmente la que vestían los estudiantes que iban a las universidades. Ú. m. en pl. ‖ **2.** Por ext., vestidura de corte amplio, abundante y llamativo.

hoparse. (De *hopo*.) prnl. Irse, huir, escapar.

hopear. (De *hopo*.) intr. Menear la cola los animales, especialmente la zorra cuando la siguen. ‖ **2.** fig. **corretear,** andar de calle en calle o de casa en casa.

hopeo. m. Acción de hopear.

hoplita. (Del gr. ὁπλίτης.) m. Soldado griego de infantería que usaba armas pesadas.

hoploteca. f. Museo de armas antiguas.

hopo. (Del ant. fr. *hope*, hoy *houppe*, copete, mechón.) m. Copete o mechón de pelo. ‖ **2.** Rabo o cola que tiene mucho pelo o lana; como la de la zorra, la oveja, etc. Suele aspirarse la *h.* ‖ **3.** *Germ.* Cabezón o cuello de sayo. ‖ **¡hopo!** interj. **¡largo de aquí! ¡afuera!** ‖ **empinar el hopo.** fr. fig. y fam. *And. morir.* ‖ **seguir el hopo** a uno. fr. fig. y fam. Siguiéndole y dándole alcance. ‖ **sudar el hopo.** fr. fig. y fam. Costar mucho trabajo y afán la consecución de una cosa.

hoque. (Del ár. *ḥaqq*, retribución, propina.) m. Regalo que se hace a los que intervienen en una venta.

hora. (Del lat. *hora*.) f. Cada una de las 24 partes en que se divide el día solar. Cuéntanse en el orden civil de 12 en 12 desde la medianoche hasta el mediodía, y desde este hasta la medianoche siguiente. También se cuentan en el uso oficial desde la medianoche sin interrupción hasta la medianoche siguiente, y en astronomía desde las doce del día hasta la mediodía inmediato. ‖ **2.** Tiempo oportuno y determinado para una cosa. *Ya es* HORA *de comer.* ‖ **3.** Últimos instantes de la vida. Ú. m. con el verbo *llegar.* Lle-

garle a uno la HORA, *o su* HORA, *o su última* HORA. ‖ **4.** Espacio de una **hora**, que en el día de la Ascensión empleaban los fieles en celebrar este misterio. ‖ **5.** Momento del día referido a una **hora** o fracción de **hora**. ‖ **6.** Espacio de tiempo o momento indeterminado. ‖ **7.** V. **libro de horas.** ‖ **8.** p. us. Distancia de una legua. ‖ **9.** *Astron.* Cada una de las 24 partes iguales y equivalentes a 15 grados, en que para ciertos usos consideran los astrónomos dividida la línea equinoccial. ‖ **10.** adv. t. **ahora.** ‖ **11.** f. pl. **hora** inesperada, desacostumbrada o inoportuna. *¿A estas* HORAS *me lo vienes a decir? ¡A qué* HORAS *te levantas! ¿Qué* HORAS *son estas para visitar a nadie?* ‖ **12.** Librito o devocionario en que está el oficio de Nuestra Señora y otras devociones. ‖ **13.** Este mismo oficio. ‖ **14.** *Mit.* Divinidades griegas, hijas de Zeus y de Temis, que servían a los dioses principales y guardaban las puertas del Olimpo; personificaban las estaciones del año. ‖ **de la modorra.** Tiempo inmediato al amanecer o a la venida del día, porque entonces carga pesadamente el sueño. Se usa frecuentemente entre los centinelas puestas en esta hora. ‖ **de verano.** La adoptada por un Estado durante algunos meses, incluidos los de verano, para aprovechar mejor la luz natural. ‖ **menguada.** Tiempo fatal o desgraciado en que sucede un daño o no se logra lo que se desea. ‖ **oficial.** La establecida en un territorio por decisión de la autoridad competente con adelanto o retraso con respecto a la solar. ‖ **punta.** Aquella en que se produce mayor aglomeración en los transportes urbanos, a la entrada o salida del trabajo. ‖ **2.** En algunas industrias, como los suministros de agua y electricidad, parte del día en que el consumo es mayor. ‖ **santa.** Oración que se hace los jueves, de once a doce de la noche, en recuerdo de la oración y agonía de Jesús en el Huerto de los Olivos. ‖ **solar.** La que corresponde al día solar. ‖ **suprema.** La de la muerte. ‖ **temporal.** La que se empleaba para los usos civiles en la antigüedad y en la edad media, y era la duodécima parte de cada día o de cada noche naturales, y variable por tanto en cada día del año y en cada localidad. ‖ **tonta.** Momento de flaqueza o debilidad en el que se accede a lo que no se haría normalmente. ‖ **cuarenta horas.** Festividad que se celebra estando patente el Santísimo Sacramento, en memoria de las que estuvo Cristo en el sepulcro. ‖ **horas bajas.** fig. Momento o período de desaliento o desánimo. ‖ **canónicas.** Las diferentes partes del oficio divino que la Iglesia suele rezar en distintas **horas** del día; como maitines, laudes, vísperas, prima, etc. ‖ **extraordinarias. horas** de trabajo añadidas a la jornada laboral habitual. ‖ **menores.** En el oficio divino, las cuatro intermedias, que son: prima, tercia, sexta y nona. ‖ **muertas.** expr. ponderativa para aludir al mucho tiempo gastado en una ocupación. ‖ **¡a buena hora!** loc. adv. que indica el retraso con que se hace algo. ‖ **¡a buenas horas!** loc. adv. **¡a buena hora! ¡a buena hora, o a buenas horas, mangas verdes!** loc. fig. y fam. con que se denota que una cosa no sirve cuando llega fuera de oportunidad. ‖ **a una hora avanzada.** loc. adv. Muy entrada la parte del día que se indica. ‖ **2.** Muy tarde, casi de madrugada. ‖ **a horas escusadas.** loc. adv. ant. **a escondidas.** ‖ **a la buena hora.** loc. adv. **en hora buena.** ‖ **a la hora.** loc. adv. Al punto, inmediatamente, al instante. ‖ **2.** ant. Entonces o en aquel tiempo. ‖ **a la hora de ahora, o a la hora de esta.** loc. fam. En esta hora. ‖ **a la hora.** loc. adv. fam. A la **hora** puntual, precisa, perentoria. Se dice para censurar a los que piden o recuerdan algo cuando ya es muy difícil o imposible hacerlo o remediarlo. ‖ **a poco de hora.** loc. ant. En poco tiempo; poco después. ‖ **a tal hora te amanezca.** expr. fam. que se suele decir al que llega tarde a una cita o negocio, y también al que trueca las **horas** del día al hablar de ellas. ‖ **a todas horas.** loc. adv. fam. **cada hora.** ‖ **a última hora.** loc. adv. En los últimos momentos.

Es locución que usan los periódicos cuando comunican una noticia recibida al entrar el número en prensa. Dícese también con referencia a las asambleas políticas y otras juntas, para significar lo que se determina o vota en ellas al concluir cada sesión. ‖ **cada hora.** loc. adv. Siempre, continuamente. ‖ **dar hora.** fr. Señalar plazo o citar tiempo preciso para una cosa. ‖ **dar la hora.** fr. Sonar en el reloj las campanadas que la indican. ‖ **2.** En los tribunales, oficinas, aulas, etc., anunciar que ha llegado la **hora** de salida. Ú. t. en sent. fig. ‖ **3.** fig. Ser una persona o cosa cabal o perfecta. ‖ **de buena hora.** loc. adv. **a la hora.** ‖ **en hora.** loc. adv. A intervalos de una **hora.** ‖ **2.** Sin cesar. ‖ **en buen, o buena hora.** loc. adv. **en hora buena.** ‖ **en hora buena.** loc. adv. Con bien, con felicidad. ‖ **2.** Empléase también para denotar aprobación, aquiescencia o conformidad. ‖ **en hora mala, o en mal, o mala, hora.** loc. adv. que se emplea para denotar disgusto, enfado o desaprobación. ‖ **en poco de hora.** loc. ant. **a poco de hora.** ‖ **ganar horas.** fr. Hablando de los correos, conseguir el premio señalado por cada **hora** que ganaban en el viaje sobre las que regularmente podían gastar. ‖ **ganar las horas.** fr. Aprovechar el tiempo, acelerando las providencias para el logro de una cosa. ‖ **hacer horas.** fr. Ocuparse en una cosa mientras llega el tiempo señalado para otro negocio. ‖ **2.** Trabajar una o más **horas** diarias después de haber cumplido el horario de trabajo. ‖ **hacerse hora** de una cosa. fr. Llegar el tiempo oportuno o señalado para ejecutarla. ‖ **¡hora sus!** interj. ant. **¡sus!** ‖ **la hora de la verdad.** fr. fig. Momento decisivo en un proceso cualquiera. ‖ **llegar uno a la hora del arriero, o del burro, o a la hora undécima.** fr. fig. y fam. llegar a la hora. ‖ **llegar, o llegarse, la hora.** fr. fam. Cumplirse el plazo o tiempo determinado y oportuno para una cosa. ‖ **no ver una hora de una cosa.** fr. fig. y fam. que encarece el deseo de que llegue el momento de hacerla o verla cumplida. ‖ **pedir hora.** fr. Solicitar de alguien una cita con fines profesionales. ‖ **poner en hora.** Mover las manecillas del reloj para que marque la misma **hora** que otro reloj que se toma como patrón. ‖ **por hora.** loc. adv. **a la hora.** ‖ **por horas.** loc. adv. **por instantes.** ‖ **2.** Tomando como unidad de cómputo la **hora**, ú. con verbos como *trabajar, alquilar, pagar.* ‖ **tener uno muchas horas de vuelo.** fr. fig. y fam. Poseer gran experiencia en una actividad, asunto, negocio, etc. ‖ **2.** fig. y fam. Ser muy avisado, astuto. ‖ **tener** uno sus **horas contadas.** fr. fig. Estar próximo a la muerte. ‖ **toda hora que.** loc. conj. *Ar.* Siempre que. ‖ **tomar hora.** fr. Enterarse del plazo o tiempo señalado para una cosa.

horacar. (De *horaco*.) tr. ant. Horadar, furacar.

horaciano, na. (Del lat. *Horatiānus.*) adj. Propio o característico de Horacio como escritor, o que tiene semejanza con cualquiera de las dotes o cualidades por que se distinguen sus producciones. Apl. a pers., ú. t. c. s.

horaco. (Cruce de *horado* y *buraco*.) m. ant. **agujero.**

horada. adj. V. **a la hora horada.**

horadable. adj. Que se puede horadar.

horadación. f. Acción de horadar.

horadado, da. p. p. de **horadar.** ‖ **2.** m. Capullo del gusano de seda agujereado por ambas partes.

horadador, ra. adj. Que horada. Ú. t. c. s.

horadar. (De *horado*.) tr. Agujerear una cosa atravesándola de parte a parte.

horado. (Del lat. *forātus*, perforado.) m. Agujero que atraviesa de parte a parte una cosa. ‖ **2.** Por ext., caverna o concavidad subterránea.

horambre. (Del lat. *forāmen, -īnis*, agujero.) m. ant. Horado, agujero. ‖ **2.** En los molinos de aceite, cada uno de los agujeros o taladros que tienen en medio las guiaderas, por los cuales se mete el ventril para balancear sobre él la viga.

horambrera. (De *horambre*.) f. ant. Horado, horambre, agujero.

horario, ria. (Del lat. *horarius*.) adj. Perteneciente a las horas. ‖ **2.** V. **ángulo, círculo, huso horario.** ‖ **3.** m. Saetilla o mano de reloj que señala las horas, y es siempre algo más corta que el minutero. ‖ **4.** p. us. **reloj.** ‖ **5.** Cuadro indicador de las horas en que deben ejecutarse determinados actos.

horca. (Del lat. *furca*, horca del labrador.) f. Conjunto de dos palos verticales sujetos al suelo y trabados por otro horizontal del cual se cuelga por el cuello, para dar muerte a los condenados a esta pena. Puede ser también un solo palo hincado en el suelo, y de cuyo extremo superior sale el horizontal. ‖ **2.** Palo con dos puntas y otro que atravesaba, entre los cuales metían antiguamente el pescuezo del condenado y lo paseaban en esta forma por las calles. ‖ **3.** Instrumento de forma parecida que ponen al pescuezo a los cerdos y perros para que no entren en las heredades. ‖ **4.** Palo que remata en dos o más púas hechas del mismo palo o sobrepuestas de hierro, con el cual los labradores hacinan las mieses, las echan en el carro, levantan la paja y revuelven la parva. ‖ **5.** Palo que remata en dos puntas y sirve para sostener las ramas de los árboles, armar los parrales, etc. ‖ **de ajos, o de cebollas.** Ristra o soga de los tallos de ajos, o de cebollas, que se hace en dos ramales que se juntan por un lado. ‖ **pajera.** *Ar.* **aviento.** ‖ **dejar horca y pendón.** fr. fig. Dejar en el tronco de los árboles, cuando se podan, dos ramas principales. ‖ **enseñar, o mostrar, la horca antes que el lugar.** fr. fig. Anticipar una mala nueva, o poner inconvenientes y estorbos para negar una cosa. ‖ **pasar uno por las horcas caudinas.** fr. fig. Sufrir el sonrojo de hacer por fuerza lo que no quería. ‖ **tener horca y cuchillo.** fr. En lo antiguo, tener derecho y jurisdicción para castigar hasta con pena capital. ‖ **2.** fig. y fam. Mandar como dueño y con gran autoridad.

horcado, da. adj. En forma de horca.

horcadura. (De *horcado*.) f. Parte del tronco de los árboles donde se divide en ramas. ‖ **2.** Ángulo que forman dos ramas que salen del mismo punto.

horcajadas (a). (De *horcajo*.) loc. adv. Dícese de la postura del que se monta en una caballería o en una persona o cosa echando cada pierna por su lado.

horcajadillas (a). loc. adv. **a horcajadas.**

horcajadura. (De *horcajo*.) f. Ángulo que forman los dos muslos o piernas en su nacimiento.

horcajo. (d. de *horca*.) m. Horca de madera que se pone al pescuezo de las mulas para el trabajo. ‖ **2.** p. us. Horquilla que forma la viga del molino de aceite en el extremo en que se cuelga el peso. ‖ **3.** Confluencia de dos ríos o arroyos. ‖ **4.** Punto de unión de dos montañas o cerros.

horcate. (De *horca*.) m. Arreo de madera o hierro, en forma de herradura, que se pone a las caballerías encima de la collera, y al cual se sujetan las cuerdas o correas de tiro.

horco[1]. (De *horca*.) m. **horca de ajos, o de cebollas.**

horco[2]. (Del lat. *Orcus*.) m. **orco**[2].

horcón. m. aum. de **horca.** ‖ **2.** Horca grande de los labradores. ‖ **3.** *Amér.* Madero vertical que en las casas rústicas sirve, a modo de columna, para sostener vigas o aleros de tejado. ‖ **4.** *Chile.* **horca,** palo para sostener las ramas de los árboles.

horconada. f. Golpe dado con el horcón. ‖ **2.** Porción de heno, paja, etc., que de una vez se coge con el horcón.

horconadura. f. Conjunto de horcones.

horchata. (Del lat. *hordeāta*, hecha con cebada, quizá por conducto mozárabe.) f. Bebida hecha con chufas u otros frutos, machacados, exprimidos y mezclados con agua y azúcar.

horchatería. (De *horchatero*.) f. Casa o sitio donde se hace horchata. ‖ **2.** Casa o sitio donde se vende.

horchatero, ra. m. y f. Persona que tiene por oficio hacer o vender horchata.

horda. (Del tártaro *urdu*, campamento.) f. Reunión de salvajes que forman comunidad y no tienen domicilio. ‖ **2.** Por ext., grupo de gente que obra sin disciplina y con violencia.

hordiate. (Del cat. *ordiat*, y este del lat. *hordeātus*.) m. Cebada mondada. ‖ **2.** Bebida que se hace de cebada, semejante a la tisana.

hordio. (Del lat. *hordĕum*.) m. ant. Cebada, planta. ‖ **2.** ant. Conjunto de granos de esta planta. Ú. en Aragón.

horizontal. adj. Perteneciente o relativo al horizonte. ‖ **2.** Paralelo al horizonte. Ú. t. c. s. ‖ **3.** V. **línea, propiedad horizontal.** ‖ **4.** *Astron.* V. **paralaje horizontal.** ‖ **5.** *Geom.* Dícese de lo que es paralelo al plano del horizonte astronómico. Ú. t. c. s. ‖ **6.** *Persp.* V. **plano horizontal.**

horizontalidad. f. Cualidad de horizontal.

horizontalmente. adv. m. De modo horizontal.

horizonte. (Del gr. ὁρίζων, -οντος, a través del lat. *horízon, -ontis*.) m. Línea que limita la superficie terrestre a que alcanza la vista del observador, y en la cual parece que se junta el cielo con la tierra. ‖ **2.** Espacio circular de la superficie del globo, encerrado por dicha línea. ‖ **3.** fig. Conjunto de posibilidades o perspectivas que se ofrecen en un asunto o materia. ‖ **4.** *Mar.* V. **depresión de horizonte.** ‖ **artificial.** Cubeta llena de mercurio, o espejo mantenido horizontalmente, que se usa en algunas operaciones astronómicas. ‖ **de la mar.** *Mar.* p. us. La superficie cónica formada por las tangentes a la superficie terrestre, que parten del ojo del observador. ‖ **racional.** *Geogr.* Círculo máximo de la esfera celeste, paralelo al **horizonte** sensible. ‖ **sensible.** *Geogr.* **horizonte,** espacio circular. ‖ **2.** *Mar.* **horizonte de la mar.**

horma. (Del lat. *forma*.) f. Molde con que se fabrica o forma una cosa. Llámase así principalmente el que usan los zapateros para hacer zapatos, y los sombrereros para formar la copa de los sombreros. Las hay también de piezas articuladas, que sirven para evitar que se deforme el calzado. ‖ **2.** Pared de piedra seca. ‖ **3.** *Col., Cuba, Perú* y *Venez.* Molde o vasija para elaborar los panes de azúcar. ‖ **encontrar** o **hallar** uno **la horma de** su **zapato.** fr. fig. y fam. Encontrar lo que le acomoda o lo que desea. ‖ **2.** fig. y fam. Tropezar con alguien o con algo que se le resista o que se oponga a sus mañas o artificios.

hormaza. (Del lat. *formacĕa*, t. f. de *-cěus*, hormazo[2].) f. Pared de piedra seca.

hormazo[1]. m. Golpe dado con una horma, molde.

hormazo[2]. (Del lat. *formacĕus*, hecho de adobes.) m. Montón de piedras sueltas. ‖ **2.** ant. Tapia o pared de tierra. ‖ **3.** *Córd.* y *Gran.* **carmen**[2], quinta con jardín.

hormento. (Del lat. *fermentum*, fermento.) m. ant. Fermento o levadura.

hormero. m. El que hace o vende hormas.

hormiga. (Del lat. *formica*.) f. Insecto himenóptero, de color negro por lo común, cuyo cuerpo tiene dos estrechamientos, uno en la unión de la cabeza con el tórax y otro en la de este con el abdomen, antenas acodadas y patas largas. Vive en sociedad, en hormigueros donde pasa recluido el invierno. Como en las abejas, hay tres clases de individuos: hembras fecundas, machos y neutros o hembras estériles. Las dos primeras llegan a tener un centímetro de largo y llevan alas, de que carecen las neutras. Hay diversas especies que se diferencian por el tamaño, coloración y manera de construir los hormigueros. ‖ **2.** Enfermedad cutánea que causa comezón. ‖ **blanca. comején.** ‖ **león.** Insecto neuróptero, de unos 25 milímetros de largo; color negro con manchas amarillas; antenas cortas, cabeza transversal, ojos salientes, tórax pequeño, abdomen largo y casi cilíndrico, alas de tres centímetros de longitud y uno de ancho, reticulares y transparentes, y patas cortas. Vive aislada, aova en la arena, y las larvas se alimentan de **hormigas.** Hay varias especies. ‖ **ser una hormiga.** fr. Ser persona ahorradora y laboriosa. Ú. m. en d.

hormigante. (Del lat. *formĭcans, -antis,* picante.) adj. Que causa comezón.

hormigo. (De *hormiga.*) m. Ceniza cernida que se mezclaba con el mineral de azogue en el método de beneficio por jabecas. ‖ **2.** Gachas, por lo común de harina de maíz. ‖ **3.** pl. Plato de repostería hecho generalmente con pan rallado, almendras o avellanas tostadas y machacadas y miel. ‖ **4.** p. us. Partes más gruesas que quedan en el harnerillo al cribar la sémola o trigo quebrantado.

hormigón¹. (De *hormigo,* gachas de harina.) m. Mezcla compuesta de piedras menudas y mortero de cemento y arena. ‖ **armado.** Fábrica hecha con **hormigón** hidráulico reforzado con una armadura de barras de hierro o acero. ‖ **hidráulico.** Aquel cuya cal es hidráulica.

hormigón². (De *hormiga.*) m. Enfermedad del ganado vacuno. ‖ **2.** Enfermedad de algunas plantas, causada por un insecto que roe las raíces y tallos.

hormigonera. f. Aparato para la confección del hormigón¹.

hormigoso, sa. (Del lat. *formicōsus.*) adj. p. us. Perteneciente a las hormigas. ‖ **2.** p. us. Dañado por ellas.

hormigueamiento. m. **hormigueo.**

hormiguear. (De *hormiga.*) intr. Experimentar alguna parte del cuerpo una sensación más o menos molesta, semejante a la que resultaría si por ella bulleran o corrieran hormigas. ‖ **2.** fig. Bullir, ponerse en movimiento. Se usa propiamente hablando una multitud de gente o animales.

hormigüela. f. d. de **hormiga.**

hormigueo. m. Acción y efecto de hormiguear.

hormiguero, ra. adj. Perteneciente a la enfermedad llamada hormiga. ‖ **2.** V. **hierba hormiguera.** ‖ **3.** V. **oso hormiguero.** ‖ **4.** m. Lugar donde se crían y se recogen las hormigas. ‖ **5. torcecuello,** ave. ‖ **6.** fig. Lugar en que hay mucha gente puesta en movimiento. ‖ **7.** *Agr.* Cada uno de los montoncitos de hierbas inútiles o dañinas cubiertos con tierra, que se hacen en diferentes puntos del barbecho para pegarles fuego y beneficiar la heredad.

hormiguesco, ca. adj. Perteneciente o relativo a la hormiga.

hormiguilla. f. d. de **hormiga.** ‖ **2.** Cosquilleo, picazón o prurito.

hormiguillar. (De *hormiguillo.*) tr. *Amér.* Revolver el mineral argentífero hecho harina con magistral y sal común para preparar el beneficio.

hormiguillo. (De *hormiga.*) m. Enfermedad de las caballerías en los cascos, que poco a poco se los va gastando y deshaciendo. ‖ **2.** Línea de gente que se hace para ir pasando de mano en mano los materiales para las obras y otras cosas. ‖ **3.** Hormigo, plato de repostería. ‖ **4.** Cosquilleo, picazón, prurito. ‖ **5.** *Amér.* Movimiento que producen las reacciones entre el mineral y los ingredientes incorporados para el beneficio por amalgamación. ‖ **6.** La misma unión o incorporación. ‖ **parecer que** uno **tiene hormiguillo.** fr. fam. Bullir, estar inquieto y sin sosiego.

hormiguita. f. d. de **hormiga.** ‖ **ser una hormiguita para su casa.** fr. fig. y fam. **ser una hormiga.**

hormilla. (d. de *horma.*) f. Pieza circular y pequeña, de madera, hueso u otra materia, que, forrada, forma un botón.

hormón. m. *Biol.* **hormona.**

hormona. (Del gr. ὁρμῶν, p. pres. a. de ὁρμάω, excitar, mover, a través del ing. *hormone.*) f. *Biol.* Producto de la secreción de ciertos órganos del cuerpo de animales y plantas, que, transportado por la sangre o por los jugos del vegetal, ex-

cita, inhibe o regula la actividad de otros órganos o sistemas de órganos.

hormonal. adj. Referente a las hormonas.

hornabeque. (Del al. *hornwerk,* obra en forma de cuerno.) m. *Fort.* Fortificación exterior que se compone de dos medios baluartes trabados con una cortina. Sirve para lo mismo que las tenazas, pero es más fuerte, por defender los flancos mutuamente sus caras y la cortina.

hornablenda. (Del al. *hornblende,* blenda córnea.) f. Variedad de anfíbol cristalizado o en masas espáticas o gránulos, compuesto por un silicato de calcio, magnesia y hierro, que se encuentra en muchas rocas eruptivas. Es de color verdinegro o negruzco.

hornacero. m. Oficial que cuida de la hornaza.

hornacina. (De *horno.*) f. Hueco en forma de arco, que se suele dejar en el grueso de la pared maestra de las fábricas, para colocar en él una estatua o un jarrón, y a veces en los muros de los templos, para poner un altar.

hornacha. (Del lat. *fornax, -ācis.*) f. ant. **hornaza.**

hornacho. (Del lat. *fornax, -ācis.*) m. Agujero o concavidad que se hace en las montañas o cerros donde se cavan algunos minerales o tierra; como almazarrón, arena, etc.

hornachuela. (d. de *hornacha.*) f. Especie de covacha o choza.

hornada. f. Cantidad o porción de pan, pasteles u otras cosas que se cuece de una vez en el horno. ‖ **2.** fig. y fam. Conjunto de individuos que acaban al mismo tiempo una carrera, o reciben a la vez el nombramiento para un cargo. HORNADA *de senadores vitalicios.*

hornaguear. (De *hornaguera.*) tr. Cavar o minar la tierra para sacar hornaguera. ‖ **2.** *And.* Mover una cosa de un lado para otro, a fin de hacerla entrar en un lugar en que cabe a duras penas. Por ej.: el pie en un zapato estrecho. ‖ **3.** prnl. *And.* y *Chile.* Moverse un cuerpo a un lado y otro.

hornagueo. m. Acción de hornaguear u hornaguearse.

hornaguera. (Del lat. *fornacaría,* t. f. de *-rĭus,* propio del horno.) f. **carbón de piedra.**

hornaguero, ra. (De *hornaguera.*) adj. Flojo, holgado o espacioso. ‖ **2.** Aplícase al terreno en que hay hornaguera.

hornaje. m. *Rioja.* Precio que se paga en los hornos por cocer el pan.

hornaza. f. aum. despect. de **horno.** ‖ **2.** Horno pequeño que usan los plateros y fundidores de metales. ‖ **3.** *Pint.* Color amarillo claro que se hace en los hornillos de los alfareros para vidriar.

hornazo. (Del lat. *fornacěus.*) m. Rosca o torta guarnecida de huevos que se cuecen juntamente con ella en el horno. ‖ **2.** Agasajo que en los lugares hacían los vecinos al predicador que habían tenido en la cuaresma, el día de Pascua, después del sermón de gracias.

hornear. (De *horno.*) intr. Ejercer el oficio de hornero. ‖ **2.** tr. Enhornar.

hornecino, na. (Del lat. **fornicīnus,* de burdel.) adj. Fornecino, bastardo, adulterino.

hornera. (Del lat. *furnaría.*) f. Plaza, o suelo del horno. ‖ **2.** Mujer del hornero.

hornería. f. Oficio de hornero.

hornero, ra. (Del lat. *furnarĭus.*) m. y f. Persona que tiene por oficio cocer pan y templar para ello el horno. ‖ **2.** m. Operario encargado del servicio de un horno. ‖ **3.** *Argent.* Pájaro de color pardo acanelado, menos el pecho, que es blanco, y la cola, que tira a rojiza. Hace su nido de barro y en forma de horno.

hornía. (De *horno.*) f. *Cantabria.* Cenicero contiguo al llar o fogón.

hornija. (Del lat. **furnicŭla,* del horno.) f. Leña menuda con que se enciende o alimenta el horno.

hornijero, ra. m. y f. Persona que acarrea la hornija.

hornilla. (De *hornillo*.) f. Hueco hecho en el macizo de los hogares, con una rejuela horizontal en medio de la altura para sostener la lumbre y dejar caer la ceniza, y un respiradero inferior para dar entrada al aire. Hácese también separada del hogar. ‖ **2.** Hueco que se hace en la pared del palomar para que aniden las palomas en él.

hornillo. (d. de *horno*.) m. Horno manual de barro refractario o de metal, que se emplea en laboratorios, cocinas y usos industriales para calentar, fundir, cocer o tostar. ‖ **2.** Utensilio pequeño y generalmente portátil, para cocinar o calentar alimentos. ‖ **3.** Concavidad que se hace en la mina, donde se mete la pólvora para producir una voladura. ‖ **4.** *Mil.* Cajón lleno de pólvora o bombas, que entierran debajo de algunos de los trabajos, al cual se pega fuego cuando el enemigo se ha hecho dueño del sitio en que está enterrado. ‖ **de atanor.** Aparato usado por los alquimistas, en el cual el carbón que servía como combustible se cargaba en un tubo o cilindro central, desde donde bajaba al hogar para ir alimentando el fuego. Varias aberturas dispuestas alrededor permitían hacer diversas operaciones al mismo tiempo.

horno. (Del lat. *furnus*.) m. Fábrica para caldear, en general abovedada y provista de respiradero o chimenea y de una o varias bocas por donde se introduce lo que se trata de someter a la acción del fuego. ‖ **2.** Montón de leña, piedra o ladrillo para la carbonización, calcinación o cochura. ‖ **3.** Aparato de forma muy variada, con rejilla o sin ella en la parte inferior y una abertura en lo alto que hace de boca y respiradero. Sirve para trabajar y transformar con ayuda del calor las sustancias minerales. ‖ **4.** Boliche[1] para fundir minerales de plomo. ‖ **5.** Aparato culinario cerrado, en cuyo interior se asan, calientan o gratinan alimentos. ‖ **6.** Sitio o concavidad en que crían las abejas, fuera de las colmenas. ‖ **7.** Cada uno de los agujeros de dos o más órdenes, unos sobre otros, en que se meten y afianzan los vasos que se ajustan con yeso y cal en el paredón del colmenar. ‖ **8.** Cada uno de estos vasos. ‖ **9.** Tahona en que se cuece y vende pan. ‖ **10.** *Germ.* calabozo[1] de presos. ‖ **11.** fig. Lugar muy caliente. ‖ **alto horno.** El de cuba muy prolongada, destinado a reducir los minerales de hierro por medio de castina y carbón y con auxilio de aire impelido con gran fuerza. ‖ **castellano.** El de cuba baja y prismática que se emplea en la metalurgia del plomo. ‖ **crematorio.** El que sirve para incinerar cadáveres. ‖ **de calcinación.** El que sirve para calcinar minerales. ‖ **de campaña.** El de fácil transporte e instalación para cocer el pan en los campamentos militares. ‖ **de carbón. carbonera,** pila de leña cubierta de arcilla para hacer carbón. ‖ **de copela.** El de reverbero de bóveda o plaza movibles en el cual se benefician los minerales de plata. ‖ **de cuba.** El de cavidad de forma de cuba, que sirve para fundir, mediante aire impelido por máquinas, los minerales que se colocan mezclados con el combustible. ‖ **de gran tiro.** El de cuba sin máquina sopladora y con gran chimenea. ‖ **de manga.** El de cuba, porque en lo antiguo recibía el aire de la máquina sopladora por una manga de cuero. ‖ **de microondas.** El que, provisto de un sistema generador de ondas electromagnéticas de alta frecuencia, sirve para cocinar y especialmente para calentar con gran rapidez los alimentos. ‖ **de pava.** El de cuba cuya máquina sopladora es una pava. ‖ **de poya. horno** común en el cual se solía pagar en pan. ‖ **de reverbero, o de tostadillo.** Aquel cuya plaza está cubierta por una bóveda que reverbera o refleja el calor producido en un hogar independiente. Tiene siempre chimenea. ‖ **horno alto. alto horno.** ‖ **calentarse el horno.** fr. fig. Enardecerse una persona, irritarse. ‖ **encender el horno.** fr. Pegar fuego a la leña para calentarlo. ‖ **no estar el horno para bollos, o tortas.** fr. fig. y fam. No haber oportunidad o conveniencia para hacer una cosa.

horópter. (Del gr. ὅρος, límite, y ὀπτήρ, que mira.) m. *Ópt.* Línea recta tirada por el punto donde concurren los dos ejes ópticos, paralelamente a la que une los centros de los dos ojos del observador.

horoptérico, ca. adj. *Ópt.* Perteneciente o relativo al horópter. ‖ **2.** *Ópt.* Dícese del plano que, pasando por el horópter, es perpendicular al eje óptico.

horóptero. m. *Ópt.* **horópter.**

horóscopo. (Del lat. *horoscŏpus*, y este del gr. ὡροσκόπος, que observa la hora.) m. Predicción del futuro de personas, países, etc., realizada por los astrólogos y deducida de la posición relativa de los astros del sistema solar y de los signos del Zodiaco en un momento dado. ‖ **2.** Supuesta adivinación de la suerte de las personas en un futuro más o menos próximo según el signo del Zodiaco correspondiente a la fecha en que han nacido. ‖ **3.** Escrito en que consta tal adivinación. ‖ **4.** Gráfico que representa las doce casas celestes y la posición relativa de los astros del sistema solar y de los signos del Zodiaco en un momento dado, y del cual se sirven los astrólogos para realizar una predicción. ‖ **5.** Disposición o colocación de los astros en la figura o división de los signos del Zodiaco. ‖ **6.** *Astrol.* Ascendente, principio de la casa celeste. ‖ **7.** Por ext., cualquier adivinación o predicción. ‖ **lunar.** *Astrol.* **parte de fortuna.**

horqueta. f. d. de **horca.** ‖ **2. horcón** para sostener las ramas de los árboles. ‖ **3.** Parte del árbol donde se juntan formando ángulo agudo el tronco y una rama medianamente gruesa. ‖ **4.** fig. *Argent.* y *Chile.* Parte donde el curso de un río o arroyo forma ángulo agudo, y terreno que este comprende. ‖ **5.** *Argent.* Lugar donde se bifurca un camino.

horquetero. m. *Murc.* El que hace o vende horquetas.

horquilla. f. d. de **horca.** ‖ **2.** Horqueta para sostener las ramas de los árboles. ‖ **3.** Vara larga, terminada en uno de sus extremos por dos puntas, que sirve para colgar y descolgar las cosas o para afianzarlas y asegurarlas. ‖ **4.** Enfermedad que hiende en dos las puntas del pelo, y poco a poco lo va consumiendo. ‖ **5.** Pieza de alambre doblada por el medio, con dos puntas iguales, que emplean las mujeres para sujetar el pelo. También se hacen de plata, pasta, carey, etc. ‖ **6.** desus. **clavícula.**

horquillado, da. p. p. de **horquillar.** ‖ **2.** m. Acción de horquillar. ‖ **3.** f. Cantidad de mies o de paja que se recoge de una vez con la horquilla.

horquillador. m. *And.* Obrero que horquilla.

horquillar. tr. *And.* Ahorquillar las varas de las cepas para que los racimos no toquen en el suelo.

horrar. (De *horro*.) tr. ant. **ahorrar.** Ú. en América. ‖ **2.** prnl. *Col., C. Rica, Guat.* y *Hond.* Hablando de yeguas, vacas, etc., malográrseles las crías. Ú. t. c. intr.

horre (en). (De *horrar*.) loc. adv. p. us. Modo de entregar frutos y otras cosas sueltos, sin envase.

horrendamente. adv. m. De modo horrendo.

horrendo, da. (Del lat. *horrendus*.) adj. Que causa horror. ‖ **2.** Muy feo.

hórreo. (Del lat. *horrĕum*.) m. Granero o lugar donde se recogen los granos. ‖ **2.** *Ast.* y *Gal.* Construcción de madera, de base rectangular, sostenida en el aire por cuatro o más columnas o pilares, llamados pegollos, en la cual se guardan y preservan de la humedad o de los ratones granos y otros productos agrícolas.

horrero. m. (Del lat. *horrearĭus*.) m. El que tiene a su cuidado trojes de trigo y lo distribuye y reparte.

horribilidad. (Del lat. *horribilĭtas, -ātis*.) f. Cualidad de horrible.

horribilísimo, ma. adj. sup. de **horrible.**

horrible. (Del lat. *horribĭlis*.) adj. Que causa horror. ‖ **2.** Muy feo.

horriblemente. adv. m. De un modo horrible.

horridez. f. Cualidad de hórrido.

hórrido, da. (Del lat. *horrĭdus*.) adj. Que causa horror.

horrífico, ca. (Del lat. *horrifĭcus*.) adj. poét. Que causa horror.

horripilación. (Del lat. *horripilatĭo, -ōnis*.) f. Acción y efecto de horripilar u horripilarse. ‖ **2.** *Fisiol.* Estremecimiento del que padece el frío de terciana u otra enfermedad.

horripilante. p. a. de **horripilar.** Que horripila. ‖ **2.** adj. Muy feo.

horripilar. (Del lat. *horripilāre*.) tr. Hacer que se ericen los cabellos. Ú. t. c. prnl. ‖ **2.** Causar horror y espanto. Ú. t. c. prnl.

horripilativo, va. (De *horripilar*.) adj. desus. Dícese de lo que causa horripilación.

horrisonante. adj. p. us. **horrísono.**

horrísono, na. (Del lat. *horrisŏnus*.) adj. Dícese de lo que con su sonido causa horror y espanto.

horro, rra. (Del ár. *ḥurr*, libre, no esclavo.) adj. Dícese del que habiendo sido esclavo, alcanza la libertad. ‖ **2.** Libre, exento, desembarazado. ‖ **3.** Aplícase a la yegua, burra, oveja, etc., que no queda preñada. ‖ **4.** Entre ganaderos, dícese de cualquiera de las cabezas de ganado que se conceden a los mayorales y pastores, mantenidas a costa de los dueños. ‖ **5.** V. **carta de horro.** ‖ **6.** fig. Dícese del tabaco o de los cigarrillos de baja calidad y que arden mal. ‖ **ir horro.** fr. que suele usarse en el juego cuando tres o cuatro están jugando y dos hacen el partido de no tirar en los envites la parte que el otro tenga puesta, si perdiere, lo cual se pacta antes de ver las cartas. ‖ **ir, sacar,** o **salir, horro.** fr. con que se denotaba que se había sacado libre a uno y sin pagar su parte o la de otros en un negocio.

horror. (Del lat. *horror, -ōris*.) m. Sentimiento intenso causado por una cosa terrible y espantosa, ordinariamente acompañado de estremecimiento y de temor. ‖ **2.** Aversión profunda hacia alguien o algo. ‖ **3.** fig. Atrocidad, monstruosidad, enormidad. Ú. m. en pl. ‖ **4.** fam. Cantidad muy grande. En pl., ú. t. c. adv.: *se divierten* HORRORES.

horrorizar. tr. Causar horror. ‖ **2.** prnl. Tener horror o llenarse de pavor y espanto.

horrorosamente. adv. m. Con horror.

horroroso, sa. adj. Que causa horror. ‖ **2.** fam. Muy feo.

horrura. f. desus. Bascosidad que sale de una cosa. ‖ **2.** ant. **horror.** ‖ **3.** fig. desus. Escoria, cosa vil y despreciable. ‖ **4.** *Sal.* Poso, sedimento de un líquido en una vasija. ‖ **5.** *Sal.* Légamo que dejan los ríos en las crecidas. ‖ **6.** pl. *Min.* Escorias obtenidas en primera fundición con susceptibles de beneficio.

hortal. m. p. us. **huerto.** Ú. en Aragón.

hortaleza. f. ant. **hortaliza.**

hortaliza. (De *hortal*.) f. Planta comestible que se cultiva en las huertas. Ú. m. en pl.

hortatorio, ria. (Del lat. *hortatorĭus*.) adj. desus. **exhortatorio.**

hortecillo. m. d. de **huerto.**

hortelano, na. (De *hortolano*.) adj. Perteneciente a huertas. ‖ **2.** m. El que por oficio cuida y cultiva huertas. ‖ **3.** Pájaro de unos 12 centímetros de largo desde el pico a la extremidad de la cola, con plumaje gris verdoso en la cabeza, pecho y espalda, amarillento en la garganta y de color de ceniza en las partes inferiores; cola ahorquillada con las plumas laterales blancas, uñas aguzadas y pico bastante largo. Es común en España. ‖ **4.** V. **amor de hortelano.** ‖ **5.** f. Mujer del hortelano.

hortense. (Del lat. *hortensis*.) adj. Perteneciente a las huertas. ‖ **2. costo hortense.**

hortensia. (Del lat. *Hortensĭa*, evocado por el fr. *Hortense*, nombre de la dama francesa a quien dedicó esta flor el naturalista Commerson, que la importó de China.) f. Arbusto exótico de la familia de las saxifragáceas, con tallos ramosos de un metro de altura aproximadamente, hojas elípticas, agudas, opuestas, de color verde brillante, y flores hermosas, en corimbos terminales, con corola rosa o azulada, que va poco a poco perdiendo color hasta quedar casi blanca. Es planta originaria del Japón. ‖ **2.** Flor de esta planta.

hortera. (De or. inc.) f. Escudilla o cazuela de palo. ‖ **2.** m. En Madrid, apodo del mancebo de ciertas tiendas de mercader. ‖ **3.** adj. Vulgar y de mal gusto. Ú. t. c. s.

horterada. (De *hortera*.) f. Acción o cosa vulgar y de mal gusto.

hortezuela. f. ant. d. de **huerta.**

hortezuelo. m. ant. d. de **huerto.**

hortícola. adj. Perteneciente o relativo a la horticultura. *Cultivos* HORTÍCOLAS.

horticultor, ra. (Del lat. *hortus*, huerto, y *cultor, -ōris*, cultivador.) m. y f. Persona dedicada a la horticultura.

horticultura. (Del lat. *hortus*, huerto, y *cultūra*, cultivo.) f. Cultivo de los huertos y huertas. ‖ **2.** Arte que lo enseña.

hortolano. (Del b. lat. *hortulānus*.) m. desus. **hortelano.**

horuelo. m. *Ast.* Sitio de algunos pueblos, donde se reúnen por la tarde en días festivos los jóvenes de ambos sexos.

hosanna. (Del hebr. *hosī'anna*, sálvanos, a través del lat. *hosanna*.) m. Exclamación de júbilo usada en la liturgia católica. ‖ **2.** Himno que se canta el Domingo de Ramos.

hosco, ca. (Del lat. *fuscus*, oscuro.) adj. Dícese del color moreno muy oscuro, como suele ser el de los indios y mulatos. ‖ **2.** Ceñudo, áspero e intratable. ‖ **3.** Aplicado al tiempo, o un lugar o un ambiente, poco acogedor, desagradable, amenazador.

hoscoso, sa. (De *hosco*, áspero.) adj. desus. Erizado y áspero. ‖ **2.** Dicho de las reses vacunas, barcino, de pelo bermejo.

hospa. fam. *Cantabria.* **oxte.**

hospedable. adj. ant. Digno de ser hospedado. ‖ **2.** ant. Decíase de la casa o lugar de buen aposentamiento. ‖ **3.** ant. Caritativo, de buena disposición para recibir peregrinos.

hospedablemente. adv. m. ant. Con hospitalidad para el que llega.

hospedador, ra. (Del lat. *hospitātor, -ōris*.) adj. Que hospeda. Ú. t. c. s.

hospedaje. (De *hospedar*.) m. Alojamiento y asistencia que se da a una persona. ‖ **2.** Cantidad que se paga por estar de huésped. ‖ **3.** p. us. **hospedería,** casa donde se alojan pasajeros.

hospedamiento. m. desus. Acción y efecto de hospedar a uno. ‖ **2.** desus. Lugar dedicado a hospedar a alguien.

hospedante. p. a. de **hospedar.** Que hospeda. ‖ **2.** adj. *Biol.* **huésped,** vegetal o animal en que se hospeda un parásito.

hospedar. (Del lat. *hospitāri*.) tr. Recibir huéspedes; darles alojamiento. Ú. t. c. prnl. ‖ **2.** prnl. Instalarse y estar como huésped en una casa, un hotel, etc. ‖ **3.** intr. ant. Pasar los colegiales a la hospedería, cumplido el término de su colegiatura.

hospedería. f. Habitación destinada en las comunidades a recibir huéspedes. ‖ **2.** Casa que en algunos pueblos tienen las comunidades religiosas para hospedar a los regulares de su orden. ‖ **3.** Casa destinada al alojamiento de visitantes o viandantes, establecida por personas particulares, institutos o empresas. ‖ **4.** Acción y efecto de hospedar a uno. ‖ **5.** ant. Número de huéspedes o tiempo que dura el hospedaje.

hospedero, ra. m. y f. Persona que tiene huéspedes a su cargo.

hospiciano, na. adj. Dícese de la persona asilada en un hospicio de niños, o que allí se ha criado. Ú. t. c. s.

hospicio. (Del lat. *hospitium*.) m. Casa para albergar y recibir peregrinos y pobres. ‖ **2.** Asilo en que se da mantenimiento y educación a niños pobres, expósitos o huérfanos. ‖ **3.** p. us. **hospedaje**, alojamiento. ‖ **4.** p. us. **hospedería** de las comunidades religiosas. ‖ **5.** *Chile* y *Perú.* Asilo para menesterosos. ‖ **6.** *Chile* y *Ecuad.* Asilo para dementes y ancianos.

hospital. (Del lat. *hospitālis.*) adj. ant. Afable y caritativo con los huéspedes. ‖ **2.** ant. **hospedable**, perteneciente al buen hospedaje. ‖ **3.** m. Establecimiento destinado al diagnóstico y tratamiento de enfermos, donde se practican también la investigación y la enseñanza. ‖ **4.** Casa que sirve para recoger pobres y peregrinos por tiempo limitado. ‖ **de la sangre.** fig. Los parientes pobres. ‖ **de primera sangre, o de sangre.** *Mil.* Sitio o lugar que, estando en campaña, se destina a la primera cura de los heridos. ‖ **robado.** fig. y fam. Casa sin muebles. ‖ **al hospital por hilas, o por mantas.** expr. desus. fig. y fam. que reprende la imprudencia de pedir a uno lo que consta que necesita y le falta para sí. ‖ **estar hecho un hospital.** fr. fig. y fam. Padecer una persona muchos achaques, o juntarse en una casa a un tiempo muchos enfermos.

hospitalariamente. adv. m. Con hospitalidad.

hospitalario, ria. (De *hospital.*) adj. Aplícase a las órdenes religiosas que tienen por norma el hospedaje. ‖ **2.** Que socorre y alberga a los extranjeros y necesitados. ‖ **3.** Dícese del que acoge con agrado o agasaja a quienes recibe en su casa, y también de la casa misma. ‖ **4.** Perteneciente o relativo al hospital para enfermos.

hospitalería. f. ant. **hospitalidad.**

hospitalero, ra. m. y f. Persona encargada del cuidado de un hospital. ‖ **2.** desus. Persona caritativa que hospeda en su casa.

hospitalicio, cia. adj. Perteneciente a la hospitalidad.

hospitalidad. (Del lat. *hospitalītas, -ātis.*) f. Virtud que se ejercita con peregrinos, menesterosos y desvalidos, recogiéndolos y prestándoles la debida asistencia en sus necesidades. ‖ **2.** Buena acogida y recibimiento que se hace a los extranjeros o visitantes. ‖ **3.** Estancia de los enfermos en el hospital.

hospitalización. f. Acción y efecto de hospitalizar.

hospitalizar. tr. Internar a un enfermo en un hospital o clínica.

hospitalmente. adv. m. p. us. Con hospitalidad.

hospodar. (Forma rumana o ucraniana del ruso *gospodar'*, señor.) m. Nombre que se daba a los antiguos príncipes soberanos de Moldavia y de Valaquia.

hosquedad. f. Cualidad de hosco.

hostaje. (Del prov. *ostatge.*) m. ant. **rehén.**

hostal. (Del lat. *hospitālis.*) m. **hostería.** ‖ **2.** V. **maestre, maestro de hostal.**

hostalaje. (De *hostal.*) m. ant. Cantidad que se paga por estar de huésped.

hostalero. (De *hostal.*) m. ant. Dueño de un hostal.

hoste[1]. (Del lat. *hostis.*) m. ant. Contrario en guerra. ‖ **2.** ant. Ejército o parte de él en guerra.

hoste[2]. (Del it. *oste.*) m. ant. El que hospeda.

hostelaje. (Del ant. fr. *hostelage.*) m. ant. **mesón.** ‖ **2.** ant. Acción y efecto de hospedar a uno.

hostelería. (De *hostelero.*) f. Conjunto de servicios que proporcionan alojamiento y comida a los huéspedes y viajeros mediante compensación económica.

hostelero, ra. (Del ant. fr. *hostelier.*) adj. Perteneciente o relativo a la hostelería ‖ **2.** m. y f. Persona que tiene a su cargo una hostería.

hosterero. m. desus. **hostelero.**

hostería. (De *hoste[2].*) f. Casa donde se da comida y alojamiento mediante pago.

hostia. (Del lat. *hostĭa.*) f. Lo que se ofrece en sacrificio. ‖ **2.** Hoja redonda y delgada de pan ázimo, que se hace para el sacrificio de la misa. ‖ **3.** Forma pequeña de este mismo pan que se usa para la comunión de los fieles. ‖ **4.** Por ext., oblea hecha para comer, con harina, huevo y azúcar batidos en agua o leche. ‖ **5.** vulg. Bofetada, tortazo. ‖ **¡hostia!** interj. vulgar de sorpresa, asombro, admiración, etc.

hostiario. m. Caja en que se guardan hostias no consagradas. ‖ **2.** Molde en que se hacen.

hostiero, ra. m. y f. Persona que hace hostias. ‖ **2.** m. **hostiario.**

hostigador, ra. adj. Que hostiga. Ú. t. c. s.

hostigamiento. m. Acción y efecto de hostigar.

hostigar. (Del lat. *fustigāre.*) tr. Azotar con vara, látigo o cosa semejante. ‖ **2.** fig. Perseguir, molestar a uno, ya burlándose de él, ya contradiciéndolo, o de otro modo. ‖ **3.** Incitar con insistencia a alguien para que haga algo. ‖ **4.** *And., Col., Chile, Ecuad., Méj., Nicar., Perú* y *Venez.* Ser empalagoso un alimento o bebida. ‖ **5.** fam. *Col.* y *Perú.* Molestar, empalagar un individuo.

hostigo. (De *hostigar.*) m. Golpe de palo o de látigo. ‖ **2.** Parte de la pared o muralla, expuesta al daño de los vientos y lluvias. ‖ **3.** Golpe de viento o de agua que hiere y maltrata la pared.

hostigoso, sa. adj. *Chile, Guat.* y *Perú.* Empalagoso, fastidioso.

hostil. (Del lat. *hostīlis.*) adj. Contrario o enemigo.

hostilidad. (Del lat. *hostilĭtas, -ātis.*) f. Cualidad de hostil. ‖ **2.** Acción hostil. ‖ **3.** Agresión armada de un pueblo, ejército o tropa. ‖ **romper las hostilidades.** fr. *Mil.* Dar principio a la guerra atacando al enemigo.

hostilizar. (De *hostil* e *-izar.*) tr. Agredir a enemigos. ‖ **2.** Atacar, agredir, molestar a alguien aun levemente, pero con insistencia.

hostilmente. adv. m. Con hostilidad.

hotel. (Del fr. *hôtel.*) m. Establecimiento de hostelería capaz de alojar con comodidad a huéspedes o viajeros. ‖ **2.** Casa más o menos aislada de las colindantes y habitada por una sola familia.

hotelería. (De *hotelero.*) f. **hostelería.**

hotelero, ra. adj. Perteneciente o relativo al hotel. ‖ **2.** m. y f. Persona que posee o dirige un hotel.

hotentote, ta. (Del hol. *hotentot*, tartamudo.) adj. Dícese del individuo de una nación indígena que habitó cerca del cabo de Buena Esperanza. Ú. t. c. s.

hoto. (Del lat. *fautus*, favorecido.) m. Confianza, esperanza. ‖ **en hoto.** loc. adv. **en confianza.**

hove. m. *Ál.* Fruto del haya.

hovero, ra. adj. **overo[1]**, de color del melocotón.

hoy. (Del lat. *hodie.*) adv. t. En este día, en el día presente. ‖ **2.** Actualmente, en el tiempo presente. ‖ **de hoy a mañana.** loc. adv. para dar a entender que una cosa sucederá pronto o está a punto de ejecutarse. ‖ **de hoy en adelante, o de hoy más.** loc. adv. Desde este día. ‖ **hoy día.** loc. adv. En esta época, en estos días que vivimos. ‖ **hoy en día.** loc. adv. **hoy día.** ‖ **hoy por hoy.** loc. adv. para dar a entender que algo es o sucede ahora de cierto modo, pero puede cambiar más adelante. ‖ **por hoy.** loc. adv. **por ahora.**

hoya. (Del lat. *fovĕa.*) f. Concavidad u hondura grande formada en la tierra. ‖ **2.** Hoyo para enterrar un cadáver y lugar en que se entierra. ‖ **3.** Llano extenso rodeado de montañas. ‖ **4.** Semillero, almáciga[2]. ‖ **5.** *Arq.* V. **lima hoya.** ‖ **plantar a hoya.** fr. *Agr.* Plantar haciendo hoyas.

hoyada. f. Terreno bajo que no se descubre hasta estar cerca de él.

hoyanca. f. fam. Fosa común que hay en los cementerios.

hoyito. m. d. de **hoyo.** | **los hoyitos, o los tres hoyitos.** *Cuba* y *Chile.* Juego parecido al hoyuelo, del cual se diferencia en ser tres los hoyos pequeños, y se juega haciendo embocar una bolita de un hoyo en otro, y gana el que la mete en los tres.

hoyo. m. Concavidad u hondura formada en la tierra. | **2.** Concavidad que como defecto hay en algunas superficies. | **3.** sepultura, hoyo para enterrar un cadáver y lugar en que se entierra.

hoyoso, sa. adj. Que tiene hoyos.

hoyuela. f. d. de **hoya.** | **2.** Hoyo en la parte inferior de la garganta, donde comienza el pecho.

hoyuelo. m. d. de **hoyo.** | **2.** Hoyo en el centro de la barba; y también el que se forma en la mejilla de algunas personas, cerca de la comisura de la boca, cuando se ríen. | **3.** Juego de muchachos, que consiste en meter monedas o bolitas en un hoyo pequeño que hacen en tierra, tirándolas desde cierta distancia. | **4.** Hoyo en la parte inferior de la garganta.

hoz[1]. (Del lat. *falx, falcis.*) f. Instrumento que sirve para segar mieses y hierbas, compuesto de una hoja acerada, curva, con dientes muy agudos y cortantes con filo por la parte cóncava, afianzada en un mango de madera. | **2.** V. **alguacil de la hoz.** | **meter la hoz en mies ajena.** fr. fig. Introducirse uno en profesión o negocios que no le tocan.

hoz[2]. (Del lat. *faux, faucis.*) f. Angostura de un valle profundo, o la que forma un río entre dos sierras.

hozada. f. Golpe dado con la hoz. | **2.** Porción de mies o de hierba que se siega o coge de una vez con la hoz.

hozadero. m. Sitio donde van a hozar puercos o jabalíes.

hozador, ra. adj. Que hoza.

hozadura. f. Hoyo o señal que deja el animal por haber hozado.

hozar. (Del lat. vulg. **fodiāre,* cavar.) tr. Mover y levantar la tierra con el hocico. Ú. t. c. intr. *Los cerdos* HOZAN *y gruñen.*

hu. (Del lat. *ubi.*) adv. l. ant. o[2], donde.

huaca. f. **guaca.**

huacal. m. **guacal.**

huacátay. (Del quechua *wakátay.*) m. Especie de hierbabuena americana, usada como condimento en algunos guisos.

huaco. m. **guaco.**

huachache. m. Cierta especie de mosquito americano, muy molesto, de color blanquecino.

huachafería. f. *Perú.* **cursilería.**

huachafo, fa. adj. *Perú.* **cursi.** Ú. t. c. s.

huachafoso, sa. adj. *Perú.* **cursi.**

huachano, na. adj. Natural de Huacho. Ú. t. c. s. | **2.** Perteneciente o relativo a esta ciudad del Perú.

huachar. (De *huacho.*) tr. *Ecuad.* Arar, hacer surcos.

huacho. (Del quechua *huachu,* camellón.) m. *Ecuad.* Surco, hendedura que se hace con el arado en la tierra.

huaico. (Del quechua *wayq'o.*) m. *Perú.* Masa enorme de peñas que las lluvias torrenciales desprenden de las alturas de los Andes y que, al caer en los ríos, ocasionan su desbordamiento.

huairuro. (Del quechua *wayrúru.*) m. Arbusto alto, de frutos en vaina, como fríjoles, de color rojo y negro, no comestibles, que se usan como adornos: collares, aretes, gemelos, etc. | **2.** Fruto de la misma planta.

huancaíno, na. adj. Natural de Huancayo. Ú. t. c. s. | **2.** Perteneciente o relativo a esta ciudad del Perú.

huango. (Del quechua *wanku,* vendaje, faja.) m. Peinado de las indias ecuatorianas, que consiste en una sola trenza fajada estrechamente y que cae por la espalda.

huanuqueño, ña. adj. Natural de Huánuco. Ú. t. c. s. | **2.** Perteneciente o relativo a esta ciudad de Perú.

huaquear. tr. *Perú.* Excavar en los cementerios prehispánicos para extraer el contenido de las tumbas o huacas.

huaquero, ra. m. y f. *Ecuad.* y *Perú.* Persona que huaquea por lucro o afición.

huarache. m. *Méj.* **guarache,** sandalia tosca.

huasca. (Voz quechua.) f. *Amér. Merid.* **guasca.**

hucia. (Del lat. *fiducīa,* confianza.) f. ant. Fianza, aval, confianza.

hucha. (Del fr. *huche.*) f. Arca grande que tienen los labradores para guardar sus cosas. | **2.** Alcancía de barro o caja de madera o de metal con una sola hendedura, que sirve para guardar dinero. | **3.** fig. Dinero que se ahorra y guarda. *José tiene buena* HUCHA.

huchear. (De *hucho.*) intr. Gritar, llamar a gritos. Ú. t. c. tr. | **2.** Lanzar los perros en la cacería, dando voces.

hucho. (De la onomat. *uch.*) Voz del cetrero para llamar al pájaro.

huchohó. (De *hucho,* y la interj. *¡oh!* u *¡ho!*) Voz que utilizan los cazadores de cetrería para llamar al pájaro y cobrarlo.

huebos. (Del lat. *ōpus,* necesidad.) m. pl. ant. **uebos.**

huebra. (Del lat. *opĕra,* obra.) f. Espacio que se ara en un día. | **2.** Par de mulas y mozo para trabajar un día entero. | **3.** Tierra labrantía que no se siembra, aunque se are.

huebrero. m. Mozo que trabaja en la huebra. | **2.** El que la da en alquiler.

hueca. (De or. inc.) f. Muesca espiral que se hace al huso en la punta delgada para que trabe en ella la hebra que se va hilando.

hueco, ca. (der. del lat. *occāre,* ahuecar la tierra rastrillándola.) adj. Que tiene vacío el interior. *Esta columna está* HUECA. | **2. monte hueco. | 3.** Dícese de lo que tiene sonido retumbante y profundo. *Voz* HUECA. | **4.** Mullido y esponjoso. *Tierra, lana* HUECA. | **5.** Dícese de lo que estando vacío abulta mucho por estar extendida y dilatada su superficie. | **6.** fig. Presumido, hinchado, vano. | **7.** fig. Dícese del lenguaje, estilo, etc., con que ostentosa y afectadamente se expresan conceptos vanos o triviales. | **8.** m. Espacio vacío en el interior de algo. | **9.** Intervalo de tiempo o lugar. | **10.** V. **grabado en hueco.** | **11.** fig. y fam. Empleo o puesto vacante. | **12.** *Arq.* Abertura en un muro para servir de puerta, ventana, chimenea, etc. | **hueco supraclavicular.** *Anat.* Depresión que existe, encima de cada clavícula, a ambos lados del cuello. | **hacer un hueco.** fr. Desplazar cosas o desplazarse personas para que algo o alguien tenga sitio. | **llenar un hueco.** fr. Ocupar un puesto que estaba vacante. | **ponerse hueco.** fr. Sentirse satisfecho por algún halago o muestra de atención.

huecograbado. m. Procedimiento para imprimir mediante planchas o cilindros grabados en hueco. | **2.** Estampa obtenida por este procedimiento.

huecú. m. Sitio cenagoso y cubierto de hierba en la cordillera del centro y sur de Chile, y en el que se hunden y sumergen sin poder valerse para salir los hombres y animales que en él entran.

huego. (Del lat. *focus.*) m. ant. **fuego.**

huélfago. (De or. inc.) m. Enfermedad de los animales, que les hace respirar con dificultad y prisa.

huelga[1]. (De *holgar.*) f. Espacio de tiempo en que uno está sin trabajar. | **2.** Interrupción colectiva del trabajo con el fin de imponer ciertas condiciones o manifestar una protesta. | **3. huelga revolucionaria.** | **4.** Tiempo que media sin labrarse la tierra. | **5.** p. us. Recreación que ordinariamente se tiene en el campo o en un sitio ameno. | **6.** V. **día de huelga.** | **de brazos caídos.** La que practican en su puesto habitual de trabajo quienes se abstienen de reanudar a la hora reglamentaria. | **de celo.** La consistente en aplicar con meticulosidad las disposiciones reglamentarias y realizar con gran lentitud el trabajo para que descienda el rendimiento y se retrasen los servicios. ‖ **de o del hambre.** Abstinencia voluntaria y total de alimentos para mostrar a alguien la decisión de morirse si no consigue lo que pretende. ‖ **general.** La que se plantea simultáneamente en todos los oficios de una o varias localidades. Cuando afecta a una sola actividad, se designa con el nombre de ella: HUELGA *ferroviaria, de Correos, de empleados,* etc. ‖ **revolucionaria.** La que responde a propósitos de subversión política, más que a reivindicaciones de carácter económico o social. ‖ **salvaje.** La que se produce bruscamente en el lugar de trabajo sin seguir los trámites reglamentarios.

huelga². (Del célt. *olca,* campo labrado.) f. Terreno de cultivo, especialmente fértil.

huelgo. (De *holgar.*) m. Aliento, respiración, resuello. ‖ **2.** Holgura, anchura. ‖ **3.** Espacio vacío que queda entre dos piezas que han de encajar una en otra. ‖ **tomar huelgo.** fr. Parar un poco para descansar, resollando libremente el que va corriendo; y se extiende a otras cosas o trabajos en que se descansa un rato para volver a ellos.

huelguista. com. Persona que toma parte en una huelga de trabajadores.

huelguístico, ca. adj. Perteneciente o relativo a la huelga de trabajadores.

huelveño, ña. adj. Natural de Huelva. Ú. t. c. s. ‖ **2.** Perteneciente o relativo a esta ciudad o a su provincia.

huella. (De *hollar.*) f. Señal que deja el pie del hombre o del animal en la tierra por donde pasa. ‖ **2.** Acción de hollar. ‖ **3.** Plano del escalón o peldaño en que se sienta el pie. ‖ **4.** Señal que deja una lámina o forma de imprenta en el papel u otra cosa en que se estampa. ‖ **5.** Rastro, seña, vestigio que deja una persona, animal o cosa. Ú. m. en pl. *No quedaron ni* HUELLAS *del desastre.* ‖ **6.** Impresión profunda y duradera. *La lectura de ese autor dejó* HUELLA *en su espíritu.* ‖ **7.** Indicio, mención, alusión. *En los documentos consultados no se encuentra* HUELLA *alguna de ese hecho.* ‖ **8.** *Argent., Chile, Perú* y *Urug.* Camino hecho por el paso, más o menos frecuente, de personas, animales o vehículos. ‖ **9.** *Argent.* y *Urug.* Baile popular de pareja suelta y paso suave y cadencioso, que se acompaña con zapateo, zarandeo y castañetas. ‖ **dactilar. impresión dactilar.** ‖ **a la huella.** loc. adv. **a la zaga.** ‖ **seguir las huellas** de uno. fr. fig. Seguir su ejemplo, imitarle.

huélliga. (De *huella,* con suf. átono.) f. Huella que deja el pie en la tierra.

huello. (De *hollar.*) m. Sitio o terreno que se pisa. *Esta senda tiene buen* HUELLO. ‖ **2.** Hablando de los caballos, acción de pisar. ‖ **3.** Superficie o parte inferior del casco del animal, con herradura o sin ella.

huemul. (Voz araucana.) m. *Argent.* y *Chile.* Cuadrúpedo de los Andes, semejante al ciervo.

huerco. (Del lat. *Orcus, v. orco².*) m. ant. Infierno de los condenados. ‖ **2.** Según los romanos, lugar donde iban los muertos. ‖ **3.** ant. La muerte de los hombres. ‖ **4.** ant. El demonio. ‖ **5.** fig. El que está siempre llorando, triste y retirado en la oscuridad.

huérfago. m. **huélfago.**

huerfanidad. (De *huérfano.*) m. ant. **orfandad.**

huérfano, na. (Del b. lat. *orphănus,* y este del gr. ὀρφανός.) adj. Dícese de la persona de menor edad a quien se le han muerto el padre y la madre o uno de los dos; especialmente el padre. Ú. t. c. s. ‖ **2.** ant. **expósito.** Ú. en Chile y Perú. ‖ **3.** poét. Dícese de la persona a quien se le han muerto los hijos. ‖ **4.** fig. Falto de alguna cosa, y especialmente de amparo. *En aquella ocasión quedó* HUÉRFANA *la ciudad.*

huero, ra. (Del cast. dialect. *gorar,* empollar, incubar.) adj. V.

huevo huero. ‖ **2.** fig. Vano, vacío y sin sustancia. ‖ **salir huera** una cosa. fr. fig. y fam. Malograrse, fracasar.

huerta. (De *huerto.*) f. Terreno de mayor extensión que el huerto, destinado al cultivo de legumbres y árboles frutales. ‖ **2.** En algunas partes, toda la tierra de regadío. ‖ **meter a uno en la huerta.** fr. fig. y fam. Engañarle haciéndole creer que se le favorece.

huertano, na. adj. Dícese del habitante de algunas comarcas de regadío a las que se da el nombre de huerta.

huertero, ra. m. y f. ant. Que cultiva la huerta. Ú. en Salamanca, Argentina, Nicaragua y Perú.

huertezuela. f. d. de **huerta.**

huertezuelo. m. d. de **huerto.**

huerto. (Del lat. *hortus.*) m. Terreno de corta extensión, generalmente cercado de pared, en que se plantan verduras, legumbres y árboles frutales. ‖ **rectoral.** Finca rústica que por razón de su cargo disfruta el párroco para su comodidad y recreo y para las necesidades de su casa.

huesa. (Del lat. *fossa,* fosa.) f. Hoyo para enterrar un cadáver.

huesarrón. m. aum. de **hueso.**

huesera. (De *hueso.*) f. *León* y *Chile.* Lugar en que se echan o guardan los huesos de los muertos.

huesezuelo. m. d. de **hueso.**

huesillo. m. d. de **hueso.** ‖ **2.** *Amér. Merid.* Durazno secado al sol.

hueso. (Del lat. *ossum.*) m. Cada una de las piezas duras que forman el esqueleto de los vertebrados. ‖ **2.** Parte dura y compacta en el interior de algunas frutas, como la guinda, el melocotón, etc., en la cual se contiene la semilla. ‖ **3.** Parte de la piedra de cal que no se ha cocido y que sale cerniéndola. ‖ **4.** fig. Lo que causa trabajo o incomodidad. ‖ **5.** fig. Lo inútil, de poco precio y mala calidad. ‖ **6.** fig. Parte ingrata y de menos lucimiento de un trabajo que se reparte entre dos o más personas. ‖ **7.** fig. y fam. Persona de carácter desagradable o de trato difícil. ‖ **8.** fig. Profesor que suspende mucho. ‖ **9.** fig. y fam. V. **bocado, carne sin hueso.** ‖ **10.** *Pint.* V. **sombra de hueso.** ‖ **11.** pl. Restos mortales de una persona ‖ **12.** fig y fam. Persona. *Dio con sus* HUESOS *en la cárcel.* ‖ **13.** fam. mano, en locuciones como la siguiente: *Toca esos* HUESOS. ‖ **coronal.** *Anat.* **hueso frontal.** ‖ **cuadrado.** *Anat.* Uno de los **huesos** del carpo, que en el hombre forma parte de la segunda fila. ‖ **cuboides.** *Anat.* Uno de los **huesos** del tarso, que en el hombre está situado en el borde externo del pie. ‖ **cuneiforme.** *Anat.* Cada uno de los **huesos** de forma prismática, a modo de cuñas, que existen en el tarso de los mamíferos; en el hombre son tres y están colocados en la parte anterior de la segunda fila del tarso. ‖ **de santo.** Rollito de pasta de almendra relleno de cabello de ángel, polvo de batata u otro dulce. ‖ **dulce.** *Anat.* **cóccix.** ‖ **escafoides.** *Anat.* **hueso** del carpo de los mamíferos, que en el hombre es el más externo y voluminoso de la fila primera. ‖ **2.** *Anat.* **hueso** del tarso de los mamíferos, que en el hombre se articula con el astrágalo y el cuboides. ‖ **esfenoides** *Anat.* **hueso** enclavado en la base del cráneo de los mamíferos, que concurre a formar las cavidades nasales y las órbitas. ‖ **etmoides.** *Anat.* Pequeño hueso encajado en la escotadura del **hueso** frontal de los vertebrados, y que concurre a formar la base del cráneo, las cavidades nasales y las órbitas. ‖ **frontal.** *Anat.* El que forma la parte anterior y superior del cráneo, y que en la primera edad de la vida se compone de dos mitades que se sueldan después. ‖ **grande.** *Anat.* **hueso cuadrado.** ‖ **hioides.** *Anat.* **hueso** situado en la base de la lengua y encima de la laringe. ‖ **innominado.** *Anat.* Cada uno de los dos **huesos** situados uno en cada cadera, que junto con el sacro y el cóccix forman la pelvis de los mamíferos; en el animal adulto está constituido por la unión íntima de tres piezas óseas: el íleon, el isquion y el pubis. ‖ **intermaxilar.** *Anat.* El situado en la parte exterior, media e interna de la mandíbula superior en algunos animales, llamado también incisivo, porque en él se alojan los dientes de este nombre; en la especie humana se suelda con los maxilares superiores antes del nacimiento. ‖ **maxilar.** *Anat.* Cada uno de los tres que forman las mandíbulas; dos de ellos, la superior, y el otro, la inferior. ‖ **navicular.** *Anat.* **hueso escafoides.** ‖ **occipital.** *Anat.* **hueso** del cráneo, correspondiente al occipucio. ‖ **orbital.** *Anat.* Cada uno de los que forman la órbita del ojo. ‖ **palomo. cóccix. ‖ parietal.** *Anat.* Cada uno de los dos situados en las partes medias y laterales de la cabeza, los mayores entre los que forman el cráneo. ‖ **peniano.** *Anat.* **báculo.** ‖ **piramidal.** *Anat.* Uno de los que hay en el carpo o muñeca del hombre, así dicho por su figura. ‖ **plano.** *Anat.* Aquel cuya longitud y anchura son mayores que su espesor. ‖ **sacro.** *Anat.* **hueso** situado en la parte inferior del espinazo, formado por cinco vértebras soldadas entre sí, en el hombre, por más o menos en otros animales, y que articulándose con los dos innominados forma la pelvis. ‖ **temporal.** *Anat.* Cada uno de los dos del cráneo de los mamíferos, correspondientes a las sienes. ‖ **a hueso.** loc. adv. *Albañ.* Tratándose de la colocación de piedras, baldosas o ladrillos, perfectamente unidos y sin mortero entre sus juntas o lechos. ‖ **calado,** o **empapado, hasta los huesos.** loc. adj. Muy mojado. ‖ **dar** uno **con sus huesos** en algún lugar. fr. fig. y fam. Ir a parar a él. ‖ **dar en hueso.** fr. fig. Encontrar oposición en una persona, o dificultad en algo que se intenta. ‖ **dar** a uno **un hueso que roer.** fr. fig. Darle un empleo o trabajo engorroso y de escasa utilidad. ‖ **desenterrar los huesos** de uno. fr. fig. Descubrir los defectos antiguos de su familia. ‖ **estar** uno **en los huesos.** fr. fig. y fam. Estar sumamente flaco. ‖ **la sin hueso.** fr. La lengua. ‖ **molerle** a uno **los huesos.** fr. fam. Apalearlo. ‖ **mondar los huesos.** fr. fig. y fam. con que se señala a uno que con poca urbanidad se come cuanto le ponen. ‖ **no dejar** a uno **hueso sano.** fr. fig. y fam. Murmurar de él descubriendo todos sus defectos o la mayor parte de ellos. ‖ **no estar** uno **bien con sus huesos.** fr. fig. y fam. Cuidar poco de su salud. ‖ **no hacer** uno **los huesos duros** en algún lugar o destino. fr. fig. y fam. No durar en él. ‖ **no poder** uno **con sus huesos.** fr. fig y fam. Estar rendido de fatiga. ‖ **pinchar en hueso.** fr. fig. No conseguir un propósito, fallar en un intento. ‖ **podérsele contar** a uno **los huesos.** fr. fig. y fam. **estar en los huesos. ‖ ponerse,** o **quedarse,** uno **en los huesos.** fr. fig. Llegar a estar muy flaco y extenuado. ‖ **roerle** a uno **los huesos.** fr. fig. y fam. Murmurar de él. ‖ **róete ese hueso.** expr. fig. y fam. con que se indica que a uno se le encomienda una cosa de mucho trabajo sin utilidad ni provecho. ‖ **romperle** a uno **un hueso,** o **los huesos.** fr. fig. y fam. Golpearle fuertemente. ‖ **ser** una cosa **un hueso.** fr. fig. y fam. Ser muy difícil de resolver. ‖ **soltar la sin hueso.** fr. fig. y fam. Hablar con demasía. ‖ **tener** uno **los huesos duros.** fr. fig. y fam. No admitir una persona una ocupación impropia de su edad o circunstancias. ‖ **tener** uno **los huesos molidos.** fr. fig. Estar muy cansado físicamente.

huesoso, sa. adj. Perteneciente o relativo al hueso. ‖ **2.** De huesos muy grandes y visibles ‖ **3.** *Veter.* V. **esparaván huesoso.**

huésped, da. (Del lat. *hospes, -ĭtis.*) m. y f. Persona alojada en casa ajena. ‖ **2.** Persona alojada en un establecimiento de hostelería. ‖ **3.** p. us. Mesonero o amo de posada. ‖ **4.** p. us. Persona que hospeda en su casa a uno. ‖ **5.** V. **colegial huésped.** ‖ **6.** *Bot.* y *Zool.* El vegetal o animal en cuyo cuerpo se aloja un parásito. ‖ **de aposento.** Persona a quien se destinaba el uso de una parte de la casa en virtud del servicio de aposentamiento de corte. ‖ **no contar con la huéspeda.** fr. fig. y fam. **echar la cuenta sin la huéspeda.** ‖

ser uno **huésped** en su **casa.** fr. fig. y fam. Parar poco en ella.

huesque. Voz para que las caballerías tuerzan hacia un lado.

hueste. (Del lat. *hostis,* enemigo, adversario.) f. Ejército en campaña. Ú. m. en pl. ‖ **2.** fig. Conjunto de los seguidores o partidarios de una persona o de una causa.

huesudo, da. adj. Que tiene o muestra mucho hueso. ‖ **2.** Que tiene los huesos muy marcados.

hueteño, ña. adj. Natural de Huete. Ú. t. c. s. ‖ **2.** Perteneciente o relativo a esta ciudad.

hueva. (Del lat. *ova,* pl. n. de *ovum.*) f. Masa que forman los huevecillos de ciertos pescados, encerrada en una bolsa oval.

huevar. intr. *Vol.* Principiar las aves a tener huevos.

huevera. f. Mujer que trata en huevos. ‖ **2.** Mujer del huevero ‖ **3.** Conducto membranoso que tienen las aves desde el ovario hasta cerca del ano, y en el cual se forman la clara y la cáscara de los huevos. ‖ **4.** Utensilio de porcelana, loza, metal u otra materia, en forma de copa pequeña, en que se pone, para comerlo, el huevo pasado por agua. ‖ **5.** Utensilio de mesa para servir los huevos pasados por agua. ‖ **6.** Recipiente de plástico, metal u otros materiales, de diversas formas y tamaños, que sirve para transportar o guardar huevos.

huevería. f. Tienda donde se venden huevos.

huevero. m. El que trata en huevos. ‖ **2. huevera,** utensilio de mesa.

huevezuelo. m. d. de **huevo.**

huévil. m. Planta de Chile, de la familia de las solanáceas, de unos ochenta centímetros de altura, lampiña y de olor fétido; de su palo y hojas se extrae un tinte amarillo, y la infusión de los mismos se emplea contra la disentería.

huevo. (Del lat. *ovum.*) m. Cuerpo redondeado, de diferente tamaño y dureza, que producen las hembras de las aves o de otras especies animales, y que contiene el germen del embrión y las sustancias destinadas a su nutrición durante la incubación. ‖ **2.** En lenguaje corriente, se aplica al de la gallina, especialmente destinado a la alimentación humana. ‖ **3.** *Biol.* Célula resultante de la unión del gameto masculino con el femenino en la reproducción sexual de las plantas y los animales. ‖ **4.** *Biol.* Cuerpo más o menos esférico, procedente de la segmentación de la célula **huevo,** que contiene el germen del nuevo individuo y, además, ciertas sustancias de que este se alimenta durante las primeras fases de su desarrollo. ‖ **5.** Cualquiera de los óvulos de ciertos animales, como la mayoría de los peces y batracios, que son fecundados por los espermatozoides del macho después de haber salido del cuerpo de la hembra y que contienen las materias nutritivas necesarias para la formación del embrión. ‖ **6.** Pedazo de madera fuerte y con un hueco en el medio, que usan los zapateros para amoldar en él el calzado a la suela. ‖ **7.** Cápsula de cera, de figura ovoide, que llena de agua de olor se tiraba por festejo en las carnestolendas. ‖ **8.** vulg. **testículo.** Ú. m. en pl. ‖ **9.** V. **berenjena, blanco, meaja, ponche de huevo.** ‖ **batido.** El que se toma batido con azúcar, leche, vino, etc. ‖ **de Colón.** fig. Cosa que aparenta tener mucha dificultad, pero resulta ser fácil al conocer su artificio. ‖ **de faltriquera. yema, dulce.** ‖ **de Juanelo. huevo de Colón.** ‖ **de pulpo. liebre de mar.** ‖ **de zurcir.** El de plástico, madera, etc., que se usa para zurcir medias o calcetines. ‖ **duro.** El cocido, con la cáscara, en agua hirviendo, hasta a cuajar enteramente yema y clara. ‖ **en agua.** *Ar.* **huevo pasado por agua.** ‖ **en cáscara. huevo pasado por agua.** ‖ **encerado.** El pasado por cáscara. **huevo pasado por agua.** ‖ **estrellado. huevo frito. ‖ frito.** El que se fríe sin batirlo. ‖ **huero.** El que por no estar fecundado por el macho no produce cría, aunque se echa a la hembra clueca. ‖ **2.** Por ext., el que por enfriamiento o por otra causa se pierde en la incubación. ‖ **mejido. yema mejida.** ‖ **partenogenético.** *Biol.* El óvulo que se desarrolla sin previa unión con el espermatozoide. ‖ **pasado por agua.** El cocido ligeramente, con la cáscara, sin que llegue a cuajar por completo. ‖ **tibio.** *Col., Guat., Hond.* y *Méj.* **huevo pasado por agua.** ‖ **huevos al plato.** Los cuajados en mantequilla o aceite al calor suave y servidos en el mismo recipiente en que se han hecho. ‖ **bobos.** *Ar.* Tortilla con pan rallado, aderezada en caldo. ‖ **dobles.** Dulce de repostería que se hace con yemas de **huevo** y azúcar clarificado. ‖ **dobles quemados.** Dulce semejante al anterior, que después de preparado se cuece en el estrelladero. ‖ **hilados.** Composición de **huevos** y azúcar que forma la figura de hebras o hilos. ‖ **moles.** Yemas de **huevo** batidas con azúcar. ‖ **revueltos.** Los que se fríen en sartén revolviéndolos para que no se unan como en una tortilla. ‖ **aborrecer** uno **los huevos.** fr. fig. y fam. Desistir uno de la buena obra comenzada, cuando se la andan escudriñando mucho, como hacen la gallina y otras aves si les manosean en el nido los huevos. ‖ **a huevo.** loc. adv. con que se indica lo baratas que costaban o se vendían las cosas. ‖ **2. a tiro,** fácil, sin esfuerzo. ‖ **a puro huevo.** loc. adv. vulg. Con gran esfuerzo. ‖ **cacarear** y **no poner huevo.** fr. fig. y fam. Prometer mucho y no dar nada. ‖ **dar con los huevos en la ceniza.** fr. p. us. fig. y fam. Echar a perder alguna cosa. ‖ **límpiate, que estás de huevo.** fr. fig. y fam. con que se nota de ilusorio lo que otro dice o intenta. ‖ **no comer un huevo por no perder la cáscara.** *Chile* y *Perú.* fr. fig. y fam. que se dice del cicatero, sobre todo cuando lo es en la comida. ‖ **parecer que** uno **está empollando huevos.** fr. fig. y fam. Estar apoltronado a la lumbre, o muy metido en casa. ‖ **parecerse como un huevo a otro.** fr. fig. Ser una persona o cosa igual a otra. ‖ **parecerse una cosa a otra como un huevo a una castaña.** fr. fig. y fam. con que se pondera la desemejanza de cosas que se comparan entre sí. ‖ **pisando huevos.** loc. adv. fig. y fam. Con excesiva lentitud, demasiado despacio. Ú. con verbos de movimiento, como *andar, venir,* etc. ‖ **sacar los huevos.** fr. Empollarlos, estar sobre ellos el ave, calentándolos, o tenerlos en la estufa hasta que salgan los pollos. ‖ **sórbete ese huevo.** expr. fig. y fam. con que se nota la complacencia de que a otro le venga un leve daño. ‖ **un huevo, y ese, huero.** expr. que se dice del que no tiene más que un hijo, y este, enfermo.

huevón, na. adj. vulg. *Amér.* Lento, tardo, bobalicón, ingenuo. Ú. t. c. s. ‖ **2.** *Nicar.* Animoso, valiente. ‖ **3.** vulg. *Méj.* Holgazán, flojo.

¡huf! interj. **¡uf!**

hugonote, ta. (Del fr. *huguenot.*) adj. Dícese de los que en Francia seguían la secta de Calvino. Ú. t. c. s.

¡huh! ¡huh! ¡hu! interj. Triple grito con que la chusma de una galera saludaba a las personas principales que entraban en ella.

huich o **huiche.** *Chile.* Voces usadas para burlarse de uno, o para provocarlo, excitándole la envidia o picándole el amor propio.

huichí o **huichó.** *Chile.* Voces para espantar a algunos animales.

huida. f. Acción de huir. ‖ **2.** Ensanche y holgura que se deja en mechinales u otros agujeros para poder meter y sacar con facilidad maderos. ‖ **3.** *Equit.* Acción y efecto de apartarse el caballo, súbita y violentamente, de la dirección en que lo lleva el jinete.

huidero, ra. adj. p. us. Huidizo, fugaz. ‖ **2.** m. Trabajador que en las minas de azogue se ocupa en abrir huidas o agujeros en que se introducen y afirman los maderos para entibar la mina. ‖ **3.** Lugar adonde huyen reses o piezas de caza.

huidizo, za. adj. Que suele huir o tiene tendencia a huir. ‖ **2.** Fugaz.

huido, da. p. p. de **huir.** ‖ **2.** adj. Dícese del que anda receloso o escondiéndose por temor de algo o alguien.

huidor, ra. (Del lat. *fugitor, -ōris.*) adj. p. us. Que huye. Ú. t. c. s.

¡huifa! interj. de alegría usada en Chile.

huilense. adj. Natural de Huila. Ú. t. c. s. ‖ **2.** Perteneciente o relativo a este departamento de Colombia.

huilte. m. *Chile.* Tallo o tronco del cochayuyo, principalmente cuando está creciendo y antes de ramificarse. Es comestible.

huillín. (Del araucano *williñ.*) m. Especie de nutria de Chile.

huimiento. m. ant. Acción de huir.

huincha. (Voz quechua.) f. *Chile* y *Perú.* Vincha, cinta de lana o de algodón.

huingán. (Voz araucana.) m. Arbusto chileno, de la familia de las anacardiáceas, de flores blancas y pequeñas en racimos axilares, y frutos negruzcos, de unos cuatro milímetros de diámetro.

huipil. (Del nahua *huipilli.*) m. *Guat.* y *Méj.* Camisa o túnica descotada, sin mangas y con vistosos bordados de colores.

huir. (Del lat. vulg. *fugīre,* por *fugĕre.*) intr. Alejarse deprisa, por miedo o por otro motivo, de personas, animales o cosas, para evitar un daño, disgusto o molestia. Ú. t. c. prnl. y raras veces como tr. ‖ **2.** Con voces que expresen idea de tiempo, transcurrir o pasar velozmente. HUYEN *los siglos, la vida.* ‖ **3.** fig. Alejarse velozmente una cosa. *La nave* HUYE *del puerto.* ‖ **4.** Apartarse de una cosa mala o perjudicial; evitarla. HUIR *de los vicios;* HUIR *de las ocasiones de ofender a Dios.* Ú. t. c. tr. ‖ **a huir, que azotan.** expr. fig. y fam. con que se avisa a uno que se aparte de un riesgo, o de la presencia de una persona que le incomoda.

huira. f. *Chile.* Corteza del maqui que, sola o torcida en forma de soga, sirve para atar.

huiro¹. (Del quechua *wiru,* caña dulce del maíz.) m. *Bol.* y *Perú.* Tallo del maíz verde.

huiro². m. Nombre común a varias algas marinas muy abundantes en las costas de Chile.

huisquil. (Del nahua *huitztli,* espina, y *quilitl,* yerba.) m. *Amér. Central* y *Méj.* Fruto del huisquilar; su usa como verdura en el cocido, y su cáscara está llena de espinas blandas y cortas.

huisquilar. m. *Amér. Central* y *Méj.* Planta trepadora de la familia de las cucurbitáceas, cuyo fruto es el huisquil. ‖ **2.** *Guat.* Terreno plantado de **huisquilares.**

huitrín. (Del araucano *witrün,* fila.) m. *Chile.* Colgajo de choclos o mazorcas de maíz.

hujier. m. ujier.

hulano, na. m. y f. desus. **fulano.**

hule. (Del nahua *ulli.*) m. Caucho o goma elástica. ‖ **2.** Tela pintada al óleo y barnizada por un solo lado, que por su impermeabilidad tiene muchos usos. ‖ **3.** *Méj.* Nombre de varios árboles de los que se extrae el **hule,** goma elástica. ‖ **haber hule.** fr. *Taurom.* Haber heridas o muerte de algún torero o picador.

hulero. m. *Amér.* Trabajador que recoge el hule o goma elástica.

hulla. (Del fr. *houille.*) f. Carbón de piedra que se conglutina, al arder, y, calcinado en vasos cerrados, da coque. ‖ **blanca.** fig. Corriente de agua empleada como fuerza motriz.

hullero, ra. adj. Perteneciente o relativo a la hulla.

¡hum! interj. desus. **¡huf!**

humada. (De *humar.*) f. Hoguera de mucho humo, especialmente la que se hace para avisar.

humaina. f. desus. Tela muy basta.

humanal. adj. Perteneciente al hombre. ‖ **2.** ant. fig. Compasivo, caritativo e inclinado a la piedad.

humanamente. adv. m. Con humanidad. ‖ **2.** Con recursos puramente humanos. *Eso* HUMANAMENTE *no se puede hacer.*

humanar. tr. p. us. Hacer a uno humano, familiar y afable. Ú. m. c. prnl. ‖ **2.** prnl. Hacerse hombre. Se usa especialmente hablando del Verbo divino.

humanidad. (Del lat. *humanĭtas, -ātis.*) f. **naturaleza humana.** ‖ **2.** Género humano. ‖ **3.** Propensión a los halagos de la carne, dejándose fácilmente vencer de ella. ‖ **4.** Fragilidad o flaqueza propia del hombre. ‖ **5.** Sensibilidad, compasión de las desgracias de nuestros semejantes. ‖ **6.** Benignidad, mansedumbre, afabilidad. ‖ **7.** fam. Corpulencia, gordura. *Antonio tiene gran* HUMANIDAD. ‖ **8.** pl. **letras humanas.**

humanismo. m. Cultivo o conocimiento de las letras humanas. ‖ **2.** Doctrina de los humanistas del Renacimiento.

humanista. com. Persona instruida en letras humanas.

humanístico, ca. adj. Perteneciente o relativo al humanismo o las humanidades.

humanitario, ria. (Del lat. *humanĭtas, -ātis.*) adj. Que mira o se refiere al bien del género humano. ‖ **2.** Benigno, caritativo, benéfico.

humanitarismo. (De *humanitario.*) m. **humanidad**, compasión de las desgracias ajenas.

humanizar. tr. Hacer a alguien o algo humano, familiar y afable. ‖ **2.** prnl. Ablandarse, desenojarse, hacerse benigno.

humano, na. (Del lat. *humānus.*) adj. Perteneciente al hombre o propio de él. ‖ **2.** V. **linaje humano.** ‖ **3.** V. **respeto humano.** ‖ **4.** V. **naturaleza humana.** ‖ **5.** V. **ciencias humanas.** ‖ **6.** V. **letras humanas.** ‖ **7.** fig. Aplícase a la persona que se compadece de las desgracias de sus semejantes. ‖ **8.** V. **acto humano.** ‖ **9.** m. pl. Conjunto de todos los hombres.

humar. (Del lat. *fumāre.*) intr. p. us. Echar humo.

humarada. f. Abundancia de humo.

humarazo. m. **humazo.**

humareda. f. Abundancia de humo.

humaza. f. **humazo.**

humazga. (De *humo, hogar.*) f. Tributo que se pagaba a algunos señores territoriales por cada hogar o chimenea.

humazo. m. Humo denso y copioso. ‖ **2.** Humo de lana o papel encendido que se aplica a las narices o a la boca como remedio, y algunas veces por chasco. ‖ **3.** Humo sofocante o venenoso que se hace en los buques cerrando las escotillas, para matar o ahuyentar las ratas. ‖ **4.** Humo que se hace entrar en el cubil o las madrigueras para hacer salir a las alimañas. ‖ **dar humazo** a uno fr. fig. y fam. Hacer de modo que se retire del lugar adonde solía concurrir incomodando.

humear. (De *humo.*) intr. Echar de sí humo. Ú. t. c. prnl. ‖ **2.** Arrojar una cosa vaho o vapor que se parece al humo. HUMEAR *la sangre, la tierra.* ‖ **3.** fig. Quedar reliquias de un alboroto, riña o enemistad que hubo en otro tiempo. ‖ **4.** fig. Engreírse, entonarse, presumir. ‖ **5.** tr. *Amér.* **fumigar.**

humectación. (Del lat. *[h]umectatĭo, -ōnis.*) f. Acción y efecto de humedecer.

humectar. (Del lat. *humectāre.*) tr. Producir o dar humedad a algo.

humectativo, va. adj. Que humecta o produce humedad.

humedad. (Del lat. *humidĭtas, -ātis,* con haplología.) f. Cualidad de húmedo. ‖ **2.** Agua de que está impregnado un cuerpo o que, vaporizada, se mezcla con el aire.

humedal. m. p. us. Terreno húmedo.

humedar. (De *húmedo.*) tr. ant. Dar humedad, mojar.

humedecer. (De *húmedo.*) tr. Producir o causar humedad en una cosa, mojarla. Ú. t. c. prnl.

húmedo, da. (Del lat. *humĭdus.*) adj. Ácueo o que participa de la naturaleza del agua. ‖ **2.** Ligeramente impregnado de agua o de otro líquido. ‖ **3.** Dícese de la región, clima o país en que llueve mucho y que tiene el aire cargado de humedad. ‖ **4.** *Farm.* V. **hisopo húmedo.** ‖ **5.** *Quím.* V. **vía húmeda.** ‖ **húmedo radical.** m. *Med.* Entre los antiguos, humor linfático, dulce, sutil y balsámico, que se suponía dar a las fibras del cuerpo flexibilidad y elasticidad.

humera. (De *humo.*) f. fam. Embriaguez, borrachera. Pronúnciase aspirando la *h.*

humeral. (Del lat. *humerāle.*) adj. V. **velo humeral.** Ú. t. c. s. m. ‖ **2.** *Anat.* Perteneciente o relativo al húmero. *Arteria* HUMERAL. ‖ **3.** m. Paño blanco que se pone sobre los hombros el sacerdote, y en cuyos extremos envuelve ambas manos para coger la custodia o el copón en que va el Santísimo Sacramento y trasladarlos de una parte a otra, o para manifestarlos a la adoración de los fieles.

húmero. (Del lat. *humĕrus.*) m. *Anat.* Hueso del brazo, que se articula por uno de sus extremos con la escápula y por el otro con el cúbito y el radio.

humero. (Del lat. *fumarĭum.*) m. Cañón de chimenea por donde sale el humo. ‖ **2.** *Sal.* Habitación donde se ahuma la matanza para que se cure o sazone.

humidad. f. desus. **humedad.**

humidificación. f. Acción y efecto de humidificar.

humidificador. m. Dispositivo para aumentar la humedad del aire.

humidificar. tr. Transmitir humedad al ambiente.

húmido, da. adj. poét. **húmedo.**

humiento, ta. (De *humo.*) adj. ant. Ahumado, tiznado. Ú. en Salamanca.

humigar. (Del lat. *fumigāre.*) tr. ant. **fumigar.**

humil o **húmil.** (Del lat. *humĭlis.*) adj. ant. **humilde.**

humildad. (Del lat. *humilĭtas, -ātis.*) f. Virtud que consiste en el conocimiento de nuestras limitaciones y debilidades y en obrar de acuerdo con este conocimiento. ‖ **2.** Bajeza de nacimiento o de otra cualquier especie. ‖ **3.** Sumisión, rendimiento. ‖ **de garabato.** fig. y fam. La falsa y afectada.

humildanza. f. ant. Humildad como virtud cristiana.

humilde. (Del lat. *humĭlis,* con infl. de *humildad.*) adj. Que tiene humildad. ‖ **2.** fig. Bajo y de poca altura. ‖ **3.** fig. Carente de nobleza. ‖ **4.** Que vive modestamente.

humildemente. adv. m. Con humildad.

humildosamente. adv. m. ant. **humildemente.**

humildoso, sa. adj. ant. **humilde.**

humiliación. f. ant. **humillación.**

humiliar. tr. ant. **humillar.**

humílimo. adj. sup. ant. de **húmil.**

humilmente o **húmilmente.** adv. m. ant. **humildemente.**

humillación. (Del lat. *humiliatĭo, -ōnis.*) f. Acción y efecto de humillar o humillarse.

humilladamente. adv. m. ant. **humildemente.**

humilladero. (De *humillar* y -*dero.*) m. Lugar devoto que suele haber a las entradas o salidas de los pueblos y junto a los caminos, con una cruz o imagen.

humillador, ra. adj. Que humilla. Ú. t. c. s.

humillamiento. m. ant. **humillación.**

humillante. p. a. de **humillar.** Que humilla. ‖ **2.** adj. Degradante, depresivo.

humillar. (Del lat. *humiliāre.*) tr. Postrar, bajar, inclinar alguna cosa. ‖ **2.** Inclinar una parte del cuerpo, como la cabeza o rodilla, en señal de sumisión y acatamiento. ‖ **3.** *Taurom.* Bajar el toro la cabeza para embestir, o como precaución defensiva. Ú. t. c. intr. ‖ **4.** fig. Abatir el orgullo y altivez de uno. ‖ **5.** prnl. Hacer actos de humildad. ‖ **6.** ant. Arrodillarse o hacer adoración.

humillo. (d. de *humo.*) m. fig. Vanidad, presunción y altanería. Ú. m. en pl. ‖ **2.** Enfermedad que suelen padecer los cochinos pequeños cuando no es de buena calidad la leche de sus madres.

humilloso, sa. adj. ant. **humilde.**

huminta. (Voz quechua) f. *N. Argent.* **humita.**

humita. (De *huminta.*) f. *Argent., Chile, Perú* y *Urug.* Comida criolla hecha con pasta de maíz o granos de choclo triturados, a la que se agrega una fritura de cebolla, tomate y ají colorado molido. Se sirve en pequeños envoltorios de chala, en empanadas o en pote como un guiso. || **2.** *Argent., Chile* y *Perú.* Cierto guisado hecho con maíz tierno.

humitero, ra. m. y f. *Chile* y *Perú.* Persona que hace y vende humitas.

humo. (Del lat. *fumus.*) m. Producto gaseoso de una combustión incompleta, compuesto principalmente de vapor de agua y ácido carbónico que llevan consigo carbón en polvo muy tenue. || **2.** Vapor que exhala cualquier cosa que fermenta. || **3.** V. **manto, negro, tabaco de humo.** || **4.** V. **ida del humo.** || **5.** pl. Hogares o casas. || **6.** fig. Vanidad, presunción, altivez. || **a humo de pajas.** loc. adv. fig. y fam. En frases negativas, indica que no se dice o hace algo vanamente, sino con su fin y provecho. || **bajarle** a uno **los humos.** fr. fig. y fam. Domar su altivez. || **dar humo a narices** a uno. fr. fig. y fam. Darle pesadumbre, amohinarle. || **echar humo.** fr. fig. y fam. Estar muy enfadado o furioso. || **hacer humo.** fr. No despedirlo al exterior las chimeneas, por lo cual se llenan de él las habitaciones. || **2.** fam. Guisar, componer la comida. || **3.** fig. y fam. Permanecer en un lugar. || **hacer humo** a uno. fr. fig. y fam. Ponerle mala cara para que se vaya. || **hacerse** alguien, o algo, **humo.** fr. fig. Desaparecer, desvanecerse. *El guía* SE HIZO HUMO; *la herencia con que contaba* SE HABÍA HECHO HUMO. || **irse** o **venirse al humo.** fr. fig. *Argent.* y *Urug.* Dirigirse rápida y directamente a una persona. *En cuanto me vio*, SE ME VINO AL HUMO. || **irse todo en humo.** fr. fig. Desvanecerse y parar en nada lo que uno daba grandes esperanzas. || **la del humo.** loc. fam. **la ida del humo.** || **pesar el humo.** fr. fig. y fam. Sutilizar demasiado; extremar la crítica de las cosas. || **subírsele** a uno el **humo, o** los **humos, a la cabeza.** fr. fig. y fam. Envanecerse, ensoberbecerse. || **subírsele** a uno el **humo a la chimenea.** fr. fig. y fam. **tomarse del vino.** || **subírsele** a uno el **humo a las narices.** fr. fig. y fam. Irritarse, enfadarse. || **vender humos.** fr. fig. y fam. Aparentar valimiento y privanza con un poderoso para sacar utilidad de los pretendientes.

humor. (Del lat. *humor, -ōris.*) m. Cualquiera de los líquidos del cuerpo del animal. || **2.** fig. Genio, índole, condición, especialmente cuando se manifiesta exteriormente. || **3.** fig. Jovialidad, agudeza. *Hombre de* HUMOR. || **4.** fig. Disposición en que uno se halla para hacer una cosa. Sin calificativo, se dice de la buena disposición. || **5. humorismo,** manera graciosa o irónica de enjuiciar las cosas. || **6.** *Psicol.* Estado afectivo que se mantiene por algún tiempo. || **ácueo** o **acuoso.** *Anat.* Líquido que en el globo del ojo de los vertebrados y cefalópodos se halla delante del cristalino. || **negro.** Humorismo que se ejerce a propósito de cosas que suscitarían, contempladas desde otra perspectiva, piedad, terror, lástima o emociones parecidas. || **pecante.** El que se suponía que predominaba en cada enfermedad. || **vítreo.** *Anat.* Masa de aspecto gelatinoso que en el globo del ojo de los vertebrados y cefalópodos se encuentra detrás del cristalino. || **buen humor.** Propensión más o menos duradera a mostrarse alegre y complaciente. || **mal humor.** Aversión habitual o pasajera a todo acto de alegría, y aun de urbanidad y atención. || **de mil, o de todos, los diablos,** expr. fig. **mal humor** muy acentuado. || **de perros.** expr. fig. **humor de mil diablos.** || **desgastar los humores.** fr. Atenuarlos, adelgazarlos. || **llevarle** a uno el **humor.** fr. **seguirle el humor.** || **rebalsarse los humores.** fr. Re-

cogerse o detenerse en una parte del cuerpo. || **remover humores.** fr. fig. Inquietar los ánimos; perturbar la paz. || **remover los humores.** fr. Alterarlos. || **2.** fig. **remover humores.** || **seguirle** a uno el **humor.** fr. Aparentar conformidad con sus ideas o inclinaciones, para divertirse con él o para no exasperarle.

humoracho. m. despect. de **humor.**

humorada. (De *humor.* jovialidad.) f. Dicho o hecho festivo, caprichoso o extravagante. || **2.** Breve composición poética, de aspecto paremiológico, que encierra una advertencia moral o un pensamiento filosófico, en la forma cómico-sentimental propia del humorismo. Tanto el género como su denominación fueron introducidos por el poeta Ramón de Campoamor (1819-1901).

humorado, da. adj. Que tiene humor. Ú. comúnmente con los advs. *bien* y *mal.*

humoral. adj. Perteneciente a los humores.

humoralismo. m. Doctrina médica según la cual la alteración orgánica fundamental de la enfermedad consistía en un desorden de los humores.

humoralista. adj. Perteneciente o relativo al humoralismo. || **2.** Que sigue la doctrina del humoralismo. Ú. t. c. s.

humorismo. m. Manera de enjuiciar, afrontar y comentar las situaciones con cierto distanciamiento ingenioso, burlón y, aunque sea en apariencia, ligero. Linda a veces con la comicidad, la mordacidad y la ironía, sin que se confunda con ellas, y puede manifestarse en la conversación, en la literatura y en todas las formas de comunicación y de expresión. || **2.** ant. **humoralismo.**

humorista. adj. Dícese de quien se expresa o manifiesta con humorismo. || **2.** Dícese de quien en sus obras (literarias o plásticas) o en sus actuaciones en espectáculos públicos, cultiva el humorismo. Ú. t. c. s. || **3.** adj. **humoralista.**

humorísticamente. adv. m. De manera humorística.

humorístico, ca. adj. Perteneciente o relativo al humorismo de la expresión o del estilo literario.

humorosidad. (De *humoroso* e *-idad.*) f. p. us. Abundancia de humores.

humoroso, sa. (Del lat. *humorōsus.*) adj. Que tiene humor, líquido orgánico.

humosidad. f. **fumosidad.**

humoso, sa. (Del lat. *fumōsus.*) adj. Que echa de sí humo. || **2.** Dícese del lugar o sitio que contiene humo o donde el humo se esparce. || **3.** Que exhala o despide de sí algún vapor.

humus. (Del lat. *humus.*) m. *Agr.* Tierra vegetal, mantillo.

hunche. (Del muisca *unchil,* afrecho.) m. *Col.* Hollejo del maíz y de otros cereales.

hundible. adj. Que puede hundirse.

hundición. f. ant. Acción y efecto de hundir o hundirse.

hundidor. m. ant. **hundidor.**

hundimiento. m. Acción y efecto de hundir o hundirse.

hundir. (Del lat. *fundĕre.*) tr. Sumir, meter en lo hondo. || **2.** ant. **fundir.** || **3.** fig. Abrumar, oprimir, abatir. || **4.** fig. Confundir a uno, vencerle con razones. || **5.** fig. Destruir, arruinar. || **6.** prnl. Arruinarse un edificio, sumergirse una cosa. || **7.** fig. Haber disensiones y alborotos o bulla en alguna parte. || **8.** fig. y fam. Esconderse y desaparecer una cosa, de forma que no se sepa dónde está ni se pueda dar con ella.

hungarina. (De *húngaro,* por haber venido de Hungría.) f. ant. Hongarina, anguarina, capote rústico para tiempo de aguas.

húngaro, ra. adj. Natural de Hungría. Ú. t. c. s. || **2.** Perteneciente o relativo a este país de Europa. || **3.** m. Lengua que se habla en este país y en parte de Transilvania. || **a la húngara.** loc. adv. Al uso de Hungría.

huno, na. (Del lat. *Hunnus.*) adj. Dícese de un pueblo mongoloide, de lengua altaica, que ocupó en el s. v el territorio que se extiende desde el Volga hasta el Danubio. Ú. t. c. s., y m. en pl.

hupe. (Del fr. *huppe,* hupe, y también abubilla, por el mal olor atribuido a esta ave.) f. Descomposición de algunas maderas que se convierten en una sustancia blanda y esponjosa de olor parecido al de los hongos y que después de seca suele emplearse como yesca.

hura. (Del lat. *forāre,* aguijerear.) f. Grano maligno o carbunclo que sale en la cabeza y suele ser peligroso. ‖ **2.** Agujero pequeño; madriguera.

huracán. (Voz taína.) m. Viento muy impetuoso y temible que, a modo de torbellino, gira en grandes círculos, cuyo diámetro crece a medida que avanza apartándose de las zonas de calma tropicales, donde suele tener origen. ‖ **2.** fig. Viento de fuerza extraordinaria. ‖ **3.** fig. Suceso o acontecimiento que causa destrucciones o grandes males. ‖ **4.** fig. Persona muy impetuosa

huracanado, da. adj. Que tiene la fuerza o los caracteres propios del huracán.

huracanarse. prnl. Arreciar el viento hasta convertirse en huracán.

huraco. (De *hura.*) m. Agujero, buraco.

hurañamente. adv. m. De modo huraño.

hurañía. (De *huraño.*) f. Repugnancia que uno tiene al trato de gentes.

huraño, ña. (Del lat. *foranĕus,* forastero, con infl. de *hurón.*) adj. Que huye y se esconde de las gentes.

hurdano, na. adj. Natural de Las Hurdes. Ú. t. c. s. ‖ **2.** Perteneciente o relativo a este territorio situado al norte de Cáceres.

hurera. (De *hura.*) f. Hura, agujero.

hurgador, ra. adj. Que hurga. ‖ **2.** m. **hurgón,** instrumento para atizar la lumbre.

hurgamandera. f. *Germ.* Prostituta, mujer pública.

hurgamiento. m. Acción de hurgar.

hurgar. (Del lat. vulg. *furicăre.*) tr. Revolver o menear cosas en el interior de algo. ‖ **2.** Escarbar entre varias cosas. ‖ **3. tocar¹** una cosa sin asirla. ‖ **4.** fig. Fisgar en asuntos de otros. ‖ **5.** fig. Incitar, conmover. ‖ **peor es hurgallo.** fr. fig. y fam. **peor es meneallo.**

hurgón, na. adj. Que hurga. ‖ **2.** m. Instrumento de hierro para remover y atizar la lumbre. ‖ **3.** fam. Estoque para herir a uno.

hurgonada. f. Acción de hurgonear. ‖ **2.** fam. Golpe dado con el hurgón o estoque.

hurgonazo. m. Golpe dado con el hurgón o estoque para herir.

hurgonear. tr. Menear y revolver la lumbre con el hurgón. ‖ **2.** fam. p. us. Tirar estocadas.

hurgonero. m. Hurgón para atizar la lumbre.

hurguete. (De *hurgar.*) m. *Chile.* Persona que averigua lo escondido y secreto.

hurguetear. tr. *Amér.* Hurgar, escudriñar, huronear.

hurguillas. (De *hurgar.*) com. Persona bullidora y apremiante.

hurí. (Del *ḥūrī,* der. persa del ár. *ḥūr,* pl. de *ḥawrā',* la de ojos muy hermosos.) f. Cada una de las mujeres bellísimas creadas, según los musulmanes, para compañeras de los bienaventurados en el paraíso.

hurmiento. (Del lat. *fermentum.*) m. Levadura, fermento.

hurón. (Del b. lat. *furo, -ōnis.*) m. Mamífero carnicero de unos veinte centímetros de largo desde la cabeza hasta el arranque de la cola, la cual mide un decímetro aproximadamente; tiene el cuerpo muy flexible y prolongado, la cabeza pequeña, las patas cortas, el pelaje gris más o menos rojizo, y glándulas anales que despiden un olor sumamente desagradable. Se emplea para la caza de conejos,

a los que persigue encarnizadamente. ‖ **2.** fig. y fam. Persona que averigua y descubre lo escondido y secreto. ‖ **3.** fig. y fam. Persona huraña. Ú. t. c. adj.

hurona. f. Hembra del hurón.

huronear. intr. Cazar con hurón. ‖ **2.** fig. y fam. Procurar saber y escudriñar cuanto pasa.

huronera. f. Lugar en que se mete y encierra el hurón. ‖ **2.** fig. y fam. Lugar en que uno está escondido.

huronero. m. El que cuida los hurones.

¡hurra! (Del ing. *hurrah.*) interj. usada para expresar alegría y satisfacción o excitar el entusiasmo.

hurraca. f. desus. **urraca.**

hurraco. m. Adorno que llevaban las mujeres en la cabeza.

hurtada. (De *hurtar.*) f. ant. **hurto.** ‖ **a hurtadas.** loc. adv. ant. **a hurtadillas.**

hurtadamente. adv. m. ant. **furtivamente.**

hurtadillas (a). (De *hurtada.*) loc. adv. Furtivamente; sin que nadie lo note.

hurtadineros. (De *hurtar* y *dinero.*) m. *Ar.* Alcancía de barro.

hurtado, da. p. p. de **hurtar.** ‖ **2.** adj. *Arq.* V. **arco de punto hurtado.**

hurtador, ra. adj. Que hurta. Ú. t. c. s.

hurtagua. (De *hurtar* y *agua.*) f. Especie de regadera que tenía los agujeros en el fondo.

hurtar. (De *hurto.*) tr. Tomar o retener bienes ajenos contra la voluntad de su dueño, sin intimidación en las personas ni fuerza en las cosas. ‖ **2.** No dar el peso o medida cabal los que venden. ‖ **3.** fig. Llevarse tierras el mar o los ríos. ‖ **4.** fig. Tomar dichos, sentencias y versos ajenos, dándolos por propios. ‖ **5.** fig. Desviar, apartar. ‖ **6.** prnl. fig. Ocultarse, desviarse.

hurtas (a). (De *hurto.*) loc. adv. ant. **a hurtadillas.**

hurtiblemente. adv. m. ant. A escondidas, ocultamente.

hurto. (Del lat. *furtum.*) m. Acción de hurtar. ‖ **2.** Cosa hurtada. ‖ **3.** En las minas de Almadén, camino subterráneo a uno y otro lado del principal, para facilitar la extracción de metales o dar comunicación al aire, o para otros fines. ‖ **a hurto.** loc. adv. **a hurtadillas.** ‖ **coger** a uno **con el hurto en las manos.** fr. fig. Sorprenderle en el momento mismo de hacer algo que quisiera ocultar.

husada. f. Porción de lino, lana o estambre que, ya hilada, cabe en el huso.

húsar. (Del fr. *housard.*) m. Soldado de caballería vestido a la húngara.

husera. f. **bonetero,** arbusto.

husero. m. Cuerna recta que tiene el gamo de un año.

husillero. m. El que en los molinos de aceite trabaja en el husillo¹.

husillo¹. (d. de *huso.*) m. Tornillo de hierro o madera que se usa para el movimiento de las prensas y otras máquinas. ‖ **2.** V. **escalera de husillo.**

husillo². m. Conducto para desaguar los lugares inundados o que pueden inundarse.

husita. adj. Dícese del que sigue las doctrinas religiosas de Juan de Hus (1369-1415). Ú. t. c. s.

husma. (De *husmar.*) f. p. us. Acción y efecto de husmar. ‖ **2.** fig. Rastreo mental de algo. ‖ **andar** uno **a la husma.** fr. fig. y fam. Andar inquiriendo para saber las cosas ocultas, sacándolas por conjeturas y señales.

husmar. (Del gr. ὀσμᾶσθαι, olisquear.) tr. ant. Rastrear con el olfato. ‖ **2.** Indagar con arte y disimulo.

husmeador, ra. adj. Que husmea. Ú. t. c. s.

husmear. (De *husmo.*) tr. Rastrear con el olfato una cosa. Ú. t. c. intr. ‖ **2.** fig. y fam. Andar indagando una cosa con arte y disimulo. Ú. t. c. intr. ‖ **3.** intr. p. us. Empezar a oler mal una cosa, especialmente la carne.

husmeo. m. Acción y efecto de husmear con el olfato. ‖ **2.** Acción y efecto de husmear indagando.

husmo. (De *husmar*.) m. Olor que despiden de sí cosas como la carne, el tocino, el carnero, la perdiz, etc., que ya empiezan a pasarse. ‖ **andarse** uno **al husmo.** fr. fig. Rastrear con el olfato. ‖ **2.** Hacer indagaciones. ‖ **estar** uno **al husmo.** fr. fig. y fam. Estar esperando la ocasión de lograr su intento. ‖ **venirse** uno **al husmo.** fr. fig. **andarse al husmo.**

huso. (Del lat. *fusus.*) m. Instrumento manual, generalmente de madera, de figura redondeada, más largo que grueso, que va adelgazándose desde el medio hacia las dos puntas, y sirve para hilar torciendo la hebra y devanando en él lo hilado. ‖ **2.** Instrumento, algo más grueso y más largo que el de hilar, que sirve para unir y retorcer dos o más hilos. ‖ **3.** Cierto instrumento de hierro, como de medio metro de largo y del grueso de un bellote; tiene en la parte inferior una cabezuela, también de hierro, para que haga contrapeso a la mano, y sirve para devanar la seda. ‖ **4.** V. **cardo huso.** ‖ **5.** *Blas.* Losange largo y estrecho. ‖ **6.** *Min.* Cilindro de un torno. ‖ **esférico.** *Geom.* Parte de la superficie de una esfera, comprendida entre las dos caras de un ángulo diedro que tiene por arista un diámetro de aquella. ‖ **horario.** *Geogr.* Cada una de las partes en que queda dividida la superficie terrestre por veinticuatro meridianos igualmente espaciados y en que rige una misma hora. En algunos casos, por razones prácticas, esta convención no se respeta rigurosamente. ‖ **ser más derecho que un huso.** fr. fig. y fam. Ser una persona o cosa muy derecha o recta.

huta. (Del fr. *hutte.*) f. Choza en donde se esconden los monteros para echar los perros a la caza cuando pasa por allí.

hutía. (Voz arahuaca.) f. Mamífero roedor, abundante en las Antillas, de unos cuatro decímetros de largo, figura semejante a la de la rata, y pelaje espeso, suave, leonado, más oscuro por el lomo que por el vientre. Es comestible y se conocen varias especies.

¡huy! (Del lat. *hui.*) interj. con que se denota dolor físico agudo, melindre o asombro.

i. f. Décima letra del abecedario español, y tercera de sus vocales. Representa el sonido que se pronuncia elevando hacia la parte anterior del paladar el predorso de la lengua algo más que para articular la *e*, y estirando también los labios algo más hacia los lados. ‖ **2.** Letra numeral que vale uno en la numeración romana. ‖ **3.** *Dial.* Signo de la proposición particular afirmativa. ‖ **griega. ye.**

i-. V. **in-**[1] o **in-**[2].

-ía. suf. de sustantivos derivados de adjetivos o de sustantivos. Los derivados de adjetivos suelen significar situación, estado de ánimo, cualidad moral, condición social: *cercan*ÍA, *lejan*ÍA, *alegr*ÍA, *bizarr*ÍA, *hidalgu*ÍA, *villan*ÍA. Los derivados de adjetivos en **-ero** significan frecuentemente dicho o hecho descalificable o acto o actitud propia de: *gros*ERÍA, *majad*ERÍA, *zalam*ERÍA. Los derivados de sustantivos significan, en general, dignidad, jurisdicción, oficio o lugar donde se ejerce: *alcald*ÍA, *canciller*ÍA; entre estos, algunos derivan de nombres apelativos de persona en **-ero** o en **-dor**, **-(s)or**, **-(t)or**: *libr*ERÍA, *oi*DORÍA, *provis*ORÍA, *audit*ORÍA. Cuando se añade a nombres en **-dor**, la *o* suele cambiarse en *u*: *expende*DURÍA.

-ia. (Del lat. *-ĭa*.) suf. de sustantivos femeninos, generalmente abstractos, en su mayoría heredados del latín: *vigil*IA, *eficac*IA, *ignomin*IA. Aparece también en nombres de ciudades, territorios y naciones: *Murc*IA, *Alcarr*IA, *Austral*IA, *Suec*IA.

-iano, na. V. **-ano**[1].

-iatría. (Del gr. ἰατϱεία, curación.) elem. compos. que significa «parte de la medicina que estudia la curación de»: *ped*IATRÍA, *psiqu*IATRÍA.

iatrogénico, ca. (Del gr. ἰατϱός, médico, *-geno* e *-ico*.) adj. *Med.* Dícese de toda alteración del estado del paciente producida por el médico.

ibagureño, ña. adj. Natural de Ibagué. Ú. t. c. s. ‖ **2.** Perteneciente o relativo a esta ciudad de Colombia.

ibérico, ca. (Del lat. *Ibĕrĭcus*.) adj. Natural de Iberia. ‖ **2.** Perteneciente o relativo a la Península Ibérica. ‖ **3.** m. Lengua de los antiguos iberos.

iberio, ria. (Del lat. *Ibĕrĭus*.) adj. Natural de Iberia. ‖ **2.** Perteneciente o relativo a Iberia.

iberismo. m. Carácter de ibero. ‖ **2.** Estudio de la antropología, historia, lenguas, arte, etc., de los iberos. ‖ **3.** Palabra o rasgo lingüístico propio de la lengua de los antiguos iberos tomado por otra lengua. ‖ **4.** Doctrina que propugna la unión política del mayor acercamiento de España y Portugal.

ibero, ra o **íbero, ra.** (Del lat. *Ibĕrus*.) adj. Natural de la Iberia europea, hoy España y Portugal, o de la antigua Iberia caucásica. Ú. t. c. s. ‖ **2.** En especial, individuo perteneciente a alguno de los pueblos que habitaban, ya antes de las colonizaciones fenicia y griega, desde el sur de la Península Ibérica hasta el Mediodía de la Francia actual, y especialmente en el Levante peninsular. ‖ **3.** Perteneciente o relativo a los **iberos** o a Iberia. ‖ **4.** m. Lengua hablada por los antiguos **iberos.**

iberoamericano, na. adj. Perteneciente o relativo a los pueblos de América que antes formaron parte de los reinos de España y Portugal. ‖ **2.** Perteneciente o relativo a estos pueblos y a España y Portugal. Apl. a pers., ú. t. c. s.

íbice. (Del lat. *ibex*, *ibīcis*.) m. Especie de cabra montés.

ibicenco, ca. adj. Natural de Ibiza. Ú. t. c. s. ‖ **2.** Perteneciente o relativo a esta isla, una de las Baleares.

ibídem. (Del lat. *ibĭdem*.) adv. lat. que, en índices, notas o citas de impresos o manuscritos, se usa con su propia significación de allí mismo o en el mismo lugar.

ibis. (Del lat. *ibis*, y este del gr. Ἶβις.) f. Ave zancuda, de unos seis decímetros de largo desde la cabeza hasta el final de la cola, y aproximadamente de igual altura; pico largo, de punta encorvada y obtusa; parte de la cabeza y toda la garganta desnudas; plumaje blanco, excepto la cabeza, cuello, cola y extremidad de las alas, donde es negro. Vive principalmente de moluscos fluviales, pero los antiguos egipcios creían que se alimentaba de los reptiles que infestan el país después de las inundaciones periódicas del Nilo, y por ello la veneraban.

-ible. V. **-ble.**

ibón. m. *Ar.* Lago de los Pirineos de Aragón.

-ica. suf. de adjetivos, con valor iterativo y despectivo: *acus*ICA, *llor*ICA, *quej*ICA.

ícaco. (Voz taína.) m. **hicaco.**

icáreo, a. adj. Perteneciente o relativo a Ícaro.

icario, ria. (Del lat. *Icarĭus*.) adj. Perteneciente o relativo a Ícaro.

icástico, ca. (Del gr. εἰϰαστιϰός, relativo a la representación de los objetos.) adj. Natural, sin disfraz ni adorno.

iceberg. (Del ing. *iceberg*.) m. Gran masa de hielo flotante que sobresale de la superficie del mar.

-icio, cia. (Del lat. *-itĭus* o *-ĭcĭus*.) suf. de adjetivos que suele significar «perteneciente a» o «relacionado con»: *aliment*ICIO, *cardenal*ICIO, *catedral*ICIO; aparece también en algunos sustantivos, con el significado de «acción intensa o insistente»: *bull*ICIO, *estrop*ICIO.

-ición. V. **-ción.**

icneumón. (Del lat. *ichneumon*, y este del gr. ἰχνεύμων.) m. Especie de civeta o mangosta.

icnografía. (Del lat. *ichnographĭa*, y este del gr. ἰχνογϱαφία.) f. *Arq.* Delineación de la planta de un edificio.

icnográfico, ca. adj. *Arq.* Perteneciente o relativo a la icnografía o hecho según ella.

-ico, ca. *And. oriental, Ar., Murc., Nav., Col., C. Rica y Venez.* suf. de valor diminutivo o afectivo: *rat*ICO, *pequeñ*ICA, *herman*ICO. A veces, toma las formas **-ececico, -ecico, -cico**: *pie*CECICO, *huev*ECICO, *resplandor*CICO. (V. lista de observaciones al fin del Diccionario.)

-ico, ca. (Del gr. -ιϰός, a través del lat. *-ĭcus*.) suf. de adjetivos, que indica relación con la base derivativa: *periodíst*ICO, *humoríst*ICO, *alcohól*ICO. A veces, **-ico** toma la forma **-ítico**: *sifil*ÍTICO. ‖ **2.** En química, terminación genérica de numerosos compuestos, como ácidos, v. gr., *clorhídr*ICO, *fórm*ICO. En algunos casos se refiere al grado de oxidación del ácido, v. gr., *sulfúr*ICO, *fosfór*ICO, etc., o de un elemento de un compuesto, v. gr., *férr*ICO, *cúpr*ICO, etc.

-icón, na. suf. que a veces tiene valor entre aumentativo y despectivo: *men*CÓN, *moj*ICÓN.

icónico, ca. adj. Relativo o perteneciente al icono, imagen. ‖ **2.** Dícese del signo que posee cualidades de icono.

icono o **ícono.** (Del gr. εἰκών, -όνος, imagen.) m. Representación devota de pincel, o de relieve, usada en las iglesias orientales. En particular se aplica a las tablas pintadas con técnica bizantina, llamadas en Castilla en el siglo XV «tablas de Grecia». ‖ **2.** Signo que mantiene una relación de semejanza con el objeto representado. Así, las señales de cruce, badén o curva en las carreteras.

iconoclasta. (Del gr. εἰκονοκλάστης, rompedor de imágenes.) adj. Dícese del hereje del siglo VIII que negaba el culto debido a las sagradas imágenes, las destruía y perseguía a quienes las veneraban. Ú. t. c. s. ‖ **2.** Por ext., llámase así a quien niega y rechaza la merecida autoridad de maestros, normas y modelos. Ú. t. c. s.

iconografía. (Del lat. *iconographía*, y este del gr. εἰκονογραφία.) f. Descripción de imágenes, retratos, cuadros, estatuas o monumentos, y especialmente de los antiguos. ‖ **2.** Tratado descriptivo, o colección de imágenes o retratos.

iconográfico, ca. adj. Perteneciente o relativo a la iconografía.

iconolatría. (De gr. εἰκών, -όνος, y -*latría*.) f. Adoración de las imágenes.

iconología. (Del gr. εἰκονολογία.) f. *Esc.* y *Pint.* Representación de las virtudes, vicios u otras cosas morales o naturales con la figura o apariencia de personas.

iconológico, ca. adj. Perteneciente o relativo a la iconología.

iconómaco. (Del gr. εἰκονομάχος, combatidor de imágenes, a través del lat. medieval *iconomāchus*.) adj. **iconoclasta.** Ú. t. c. s.

iconoscopio. (Del gr. εἰκών, -όνος, imagen, y -*scopio*.) m. *TV.* Tubo de rayos catódicos que transforma la imagen luminosa en señales eléctricas para su transmisión.

iconostasio. (Del gr. εἰκών, -όνος, imagen, y στάσις, acción de poner.) m. Mampara con imágenes sagradas pintadas, que lleva tres puertas, una mayor en el centro y otra más pequeña a cada lado, y aísla el presbiterio y su altar del resto de la iglesia.

icor. (Del gr. ἰχώρ.) m. *Cir.* Denominación aplicada por la antigua cirugía a un líquido seroso que rezuman ciertas úlceras malignas, sin hallarse en él los elementos del pus y principalmente sus glóbulos.

icoroso, sa. adj. *Cir.* Que participa de la naturaleza del icor, o relativo a él.

icosaedro. (Del gr. εἰκοσάεδρος.) m. *Geom.* Sólido limitado por veinte caras. ‖ **regular.** *Geom.* Aquel cuyas caras son todas triángulos equiláteros iguales.

ictericia. (De *ictérico* e -*ia*.) f. *Pat.* Enfermedad producida por la acumulación de pigmentos biliares en la sangre y cuya señal exterior más perceptible es la amarillez de la piel y de las conjuntivas. ‖ **2.** *Bot.* Afección de las plantas que, por excesiva humedad, frío u otras causas, se ponen amarillas.

ictericiado, da. adj. **ictérico,** que padece ictericia.

ictérico, ca. (Del lat. *icterĭcus*, y este del gr. ἰκτερικός.) adj. Perteneciente a la ictericia. ‖ **2.** Que la padece. Ú. t. c. s.

ictérido. (Del gr. ἴκτερος, amarillez, e -*ido*.) adj. *Zool.* Dícese de pájaros americanos, de longitud variable (entre 17 y 54 cm), con plumaje negro, mezclado con frecuencia de amarillo, rojo o anaranjado, con pico cónico, aguzado y comprimido, alas con nueve rémiges primarias, y patas robustas. ‖ **2.** m. pl. *Zool.* Familia de estas aves, con unas cien especies que habitan desde América tropical hasta el Sur de los Estados Unidos.

icterodes. (Del gr. ἰκτερώδης, amarillento.) adj. *Pat.* V. **tifus icterodes.**

ictíneo, a. (Del gr. ἰχθύς, pez, e -*ineo*.) adj. Semejante a un pez. ‖ **2.** m. p. us. **buque submarino.**

ictiófago, ga. (Del gr. ἰχθυοφάγος.) adj. Que se alimenta de peces. Ú. t. c. s.

ictiografía. (Del gr. ἰχθύς, -ύος, pez, y -*grafía*.) f. Parte de la zoología que se ocupa de la descripción de los peces.

ictiol. (Del gr. ἰχθύς, pez, y -*ol*[2].) m. Aceite que se obtiene de la destilación de una roca bituminosa que contiene numerosos peces fósiles, y se usa en dermatología.

ictiología. (Del gr. ἰχθύς, -ύος, pez, y -*logía*.) f. Parte de la zoología, que trata de los peces.

ictiológico, ca. adj. Perteneciente o relativo a la ictiología.

ictiólogo, ga. m. y f. Persona que profesa la ictiología.

ictiosauro. (Del gr. ἰχθύς, -ύος, pez, y σαῦρος, lagarto.) m. *Paleont.* Reptil fósil, marino, de tamaño gigantesco, con el hocico prolongado y los dientes separados; ojos grandes rodeados de un círculo de placas óseas, cuello muy corto y cuatro aletas natatorias. Se encuentra principalmente en el terreno jurásico.

ictus. (Del lat. *ictus*, golpe, y en especial el que marcaba el ritmo.) m. *Pros.* Acento métrico. ‖ **2.** *Med.* Cuadro morboso que se presenta en un modo súbito y violento, como producido por un golpe: ICTUS *apoplético, epiléptico, traumático.*

ichal. m. Sitio en que hay muchos ichos.

icho. (Del quechua *ichu,* paja, planta gramínea.) m. Caña de algunas plantas.

-ichuelo, la. V. **-uelo.**

ida. (De *ido.*) f. Acción de ir de un lugar a otro. ‖ **2.** fig. Ímpetu, prontitud o acción inconsiderada e impensada. *Tiene unas* IDAS *terribles.* ‖ **3.** *Esgr.* Acometimiento que hace uno de los competidores después de presentar la espada. ‖ **4.** *Mont.* Señal o rastro que con los pies hace la caza en el suelo. ‖ **y venida.** Partido o convenio en el juego de los cientos, que se fenece el juego en cada mano sin acabar de contar el ciento, pagando los tantos según las calidades de él. ‖ **en dos idas y venidas.** loc. fig. y fam. Brevemente, con prontitud. ‖ **la ida del cuervo,** o **del humo.** loc. fam. con que al irse alguno, se da a entender el deseo de que no vuelva, o el juicio que se hace de que no volverá. ‖ **no dar,** o **no dejar, la ida por la venida.** fr. Pretender o gestionar una cosa con eficacia y solicitud.

-ida. V. **-da.**

-idad. V. **-dad.**

idalio, lia. (Del lat. *Idalĭus.*) adj. Perteneciente a Idalio, antigua ciudad y monte de Chipre, consagrados a Venus. ‖ **2.** Perteneciente a esta diosa.

idea. (Del lat. *idēa*, y este del gr. ἰδέα, forma, apariencia.) f. Primero y más obvio de los actos del entendimiento, que se limita al simple conocimiento de una cosa. ‖ **2.** Imagen o representación que del objeto percibido queda en el alma. *Su* IDEA *no se borra jamás de mi mente.* ‖ **3.** Conocimiento puro, racional, debido a las naturales condiciones de nuestro entendimiento. *La justicia es* IDEA *innata.* ‖ **4.** Plan y disposición que se ordena en la fantasía para la formación de una obra. *La* IDEA *de un sermón; la* IDEA *de un palacio.* ‖ **5.** Intención de hacer una cosa. *Tener, llevar* IDEA *de casarse, de huir.* ‖ **6.** Concepto, opinión o juicio formado de una persona o cosa. *Tengo buena* IDEA *de Antonio. He formado* IDEA *del asunto.* ‖ **7.** Ingenio para disponer, inventar y trazar una cosa. *Es hombre de* IDEA*; tiene* IDEA *para estos trabajos.* ‖ **8.** Ocurrencia o hallazgo. *Tengo una* IDEA *para solucionarlo.* ‖ **9.** fam. Manía o imaginación extravagante. *Le perseguía una* IDEA. Ú. m. en pl. ‖ **10.** pl. Convicciones, creencias, opiniones. *Persona de* IDEAS *avanzadas.* ‖ **fija. idea** obsesiva. ‖ **ideas de Platón.** Ejemplares eternos e inmutables que de todas las cosas criadas existen, según este filósofo, en la mente divina. ‖ **universales.** Conceptos formados por abstracción, que representan en nuestra mente, reducidas a unidad común, realidades que existen en diversos seres; por ejemplo: hombre, respecto de Pedro, Juan, Antonio, etc., y así todas las especies y los géneros. ‖ **mala idea.** Mala intención. ‖ **remota idea.** La imprecisa o vaga. ‖ **con idea de.** loc. prepos. fam. Con intención de. ‖ **hacerse a la idea de** algo. fr. Aceptarlo.

ideación. (De *idear*.) f. Génesis y proceso en la formación de las ideas.

ideal. (Del lat. *ideālis*.) adj. Perteneciente o relativo a la idea. ‖ **2.** Que no es físico, real y verdadero, sino que está en la fantasía. ‖ **3.** V. **belleza ideal.** ‖ **4.** Excelente, perfecto en su línea. ‖ **5.** m. Prototipo, modelo o ejemplar de perfección.

idealidad. f. Cualidad de ideal.

idealismo. (De *ideal* e -*ismo*.) m. Condición de los sistemas filosóficos que consideran la idea como principio del ser y del conocer. ‖ **2.** Aptitud de la inteligencia para idealizar.

idealista. adj. Dícese de la persona que profesa la doctrina del idealismo. Ú. t. c. s. ‖ **2.** Aplícase a la que propende a representarse las cosas de una manera ideal. Ú. t. c. s.

idealización. f. Acción y efecto de idealizar.

idealizador, ra. adj. Que idealiza.

idealizar. tr. Elevar las cosas sobre la realidad sensible por medio de la inteligencia o la fantasía.

idealmente. adv. m. En la idea o discurso. ‖ **2.** De modo ideal, muy bien.

idear. tr. Formar idea de una cosa. ‖ **2.** Trazar, inventar.

ideario. m. Repertorio de las principales ideas de un autor, de una escuela o de una colectividad. ‖ **2. ideología,** conjunto de ideas fundamentales que caracteriza una manera de pensar.

ideático, ca. (De *idea* y -*tico*.) adj. *Amér.* Venático, maniático.

ídem. (Del lat. *idem*.) pron. lat. que significa «el mismo» o «lo mismo», y se suele usar, en las citas para representar el nombre del autor últimamente mencionado, y en las cuentas y listas, para denotar diferentes partidas de una sola especie. ‖ **idem de idem.** expr. fam. Lo mismo que ya se ha dicho. ‖ **ídem por ídem.** loc. lat. que significa «lo mismo por lo mismo», o «lo mismo es lo uno que lo otro».

idénticamente. adv. m. De manera idéntica, con identidad.

idéntico, ca. (De *idem* y -*tico*.) adj. Dícese de lo que es lo mismo que otra cosa con que se compara. Ú. t. c. s. ‖ **2.** Muy parecido.

identidad. (Del lat. *identĭtas, -ātis*.) f. Cualidad de idéntico. ‖ **2.** V. **cédula de identidad.** ‖ **3.** *Der.* Hecho de ser una persona o cosa la misma que se supone o se busca. ‖ **4.** *Mat.* Igualdad que se verifica siempre, sea cualquiera el valor de las variables que su expresión contiene.

identificable. adj. Que puede ser identificado.

identificación. f. Acción y efecto de identificar o identificarse.

identificar. (De *idéntico*, con supresión de la última sílaba, y -*ficar*.) tr. Hacer que dos o más cosas en realidad distintas aparezcan y se consideren como una misma. Ú. m. c. prnl. ‖ **2.** *Der.* Reconocer si una persona o cosa es la misma que se supone o se busca. ‖ **3.** prnl. *Fil.* Ser una misma cosas que pueden parecer o considerarse diferentes. *El entendimiento, la memoria y la voluntad* SE IDENTIFICAN *entre sí y con el alma.* ‖ **identificarse** uno **con** otro. fr. Llegar a tener las mismas creencias, propósitos, deseos, etc., que él.

ideo, a. (Del lat. *Idaeus*.) adj. Perteneciente o relativo al monte Ida. ‖ **2.** Por ext., perteneciente o relativo a Troya o Frigia.

ideografía. (Del gr. ἰδέα, idea, y -*grafía*.) f. Representación de ideas, palabras, morfemas o frases por medio de ideogramas.

ideográfico, ca. (Del gr. ἰδέα, idea, y γραφικός, que representa, que describe.) adj. Perteneciente o relativo a la ideografía o a los ideogramas.

ideograma. (Del gr. ἰδέα, idea, y -*grama*.) m. Imagen convencional o símbolo que representa un ser o una idea, pero no palabras o frases fijas que los signifiquen. ‖ **2.** Imagen convencional o símbolo que en la escritura de ciertas lenguas significa una palabra, morfema o frase determinados, sin representar cada uno de sus sílabas o fonemas.

ideología. (Del gr. ἰδέα, idea, y -*logia*.) f. Doctrina filosófica centrada en el estudio del origen de las ideas. ‖ **2.** Conjunto de ideas fundamentales que caracteriza el pensamiento de una persona, colectividad o época, de un movimiento cultural, religioso o político, etc. IDEOLOGÍA *tomista, tridentina, liberal.*

ideológico, ca. adj. Perteneciente a la ideología. ‖ **2.** Perteneciente o relativo a las ideas o a la ideología.

ideólogo, ga. m. y f. Persona que profesa la ideología. ‖ **2.** Persona creadora o estudiosa de una ideología. ‖ **3.** Persona que, entregada a una ideología, desatiende la realidad. ‖ **4.** Persona ilusa, soñadora, utópica.

-idero, ra. V. -**dero.**

idílico, ca. adj. Perteneciente o relativo al idilio.

idilio. (Del lat. *idyllĭum*, y este del gr. εἰδύλλιον, poema breve.) m. Composición poética que suele caracterizarse por lo tierno y delicado, y tener como asuntos las cosas del campo y los afectos amorosos de los pastores. ‖ **2.** fig. Coloquio amoroso, y por ext., relaciones entre enamorados.

idiocia. (De *idiota*.) f. *Pat.* Trastorno caracterizado por una deficiencia muy profunda de las facultades mentales, congénita o adquirida en las primeras edades de la vida.

idiolecto. (Formado sobre *dialecto*, del gr. ἴδιος, propio, particular.) m. *Gram.* La lengua tal como la usa un individuo particular.

idioma. (Del lat. *idiōma*, y este del gr. ἰδίωμα, propiedad privada.) m. Lengua de un pueblo o nación, o común a varios. ‖ **2.** Modo particular de hablar de algunos o en algunas ocasiones. *En* IDIOMA *de la corte; en* IDIOMA *de palacio.*

idiomático, ca. (Del gr. ἰδιωματικός, particular.) adj. Propio y peculiar de una lengua o idioma.

idiosincrasia. (Del gr. ἰδιοσυγκρασία, temperamento particular.) f. Rasgos, temperamento, carácter, etc., distintivos y propios de un individuo o de una colectividad.

idiosincrásico, ca. adj. Perteneciente o relativo a la idiosincrasia.

idiota. (Del lat. *idiōta*, y este del gr. ἰδιώτης.) adj. Que padece de idiocia. Ú. t. c. s. ‖ **2.** desus. Que carece de toda instrucción. ‖ **3.** fig. Persona engreída sin fundamento para ello. Ú. t. c. s. ‖ **4.** fam. Tonto, corto de entendimiento.

idiotez. f. idiocia. ‖ **2.** Hecho o dicho propio del idiota.

idiotipo. (Del gr. ἴδιος, propio, particular, y *tipo*.) m. *Biol.* Totalidad de los factores hereditarios, constituida por los genes del núcleo celular y los llamados genes extranucleares, que se transmiten a través de estructuras citoplásmicas, genes citoplásmicos, etc.

idiotismo. (Del lat. *idiotismus*, y este del gr. ἰδιωτισμός, lenguaje ordinario o vulgar.) m. Ignorancia, falta de letras e instrucción. ‖ **2. idiocia.** ‖ **3.** *Gram.* Giro o expresión contrarios a las reglas generales de la gramática, pero propios de una lengua, v. gr., *a ojos vistas.*

idiotizar. tr. Volver idiota, atontar. Ú. t. c. prnl.

ido, da. p. p. de **ir.** ‖ **2.** adj. Dícese de la persona que está falta de juicio.

-ido, da. V. -**do.**

-ido, da. (Del lat. -*ĭdus*.) suf. de adjetivos, procedentes directamente de adjetivos latinos, que significan cualidad, generalmente de naturaleza física: *ác*IDO, *cál*IDO, *ríg*IDO. Modernamente, con el suf. -**ido** se han formado muchos nombres científicos que suelen designar familias o especies de animales: *arácn*IDO, *óv*IDO; o bien, cuerpos estrechamente relacionados con otros: *anhídr*IDO, *óx*IDO.

idólatra. (Del b. lat. *idōlătra*, y este del gr. εἰδωλολάτρης.) adj. Que adora ídolos. Ú. t. c. s. ‖ **2.** fig. Que ama excesivamente a una persona o cosa. Ú. t. c. s.

idolatrar. (De *idólatra.*) tr. Adorar ídolos. ‖ **2.** fig. Amar excesivamente a una persona o cosa. Úsáb. t. c. intr. IDOLATRAR *en.*

idolatría. (Del b. lat. *idolatria*, y este del gr. εἰδωλολατρεία.) f. Adoración que se da a los ídolos. ‖ **2.** fig. Amor excesivo y vehemente a una persona o cosa.

idolátrico, ca. (Del b. lat. *idolatrīcus.*) adj. Perteneciente o relativo a la idolatría.

ídolo. (Del lat. *idōlum*, y este del gr. εἴδωλον.) m. Imagen de una deidad, adorada como si fuera la divinidad misma. ‖ **2.** fig. Persona o cosa excesivamente amada o admirada.

idología. (Del gr. εἴδωλον, idolo, y -*logía.*) f. Ciencia que trata de los ídolos.

idolopeya. (Del gr. εἰδωλοποιία, representación de una imagen.) f. *Ret.* Figura que consiste en poner un dicho o discurso en boca de una persona muerta.

idoneidad. (Del lat. *idoneĭtas, -ātis.*) f. Cualidad de idóneo.

idóneo, a. (Del lat. *idonĕus.*) adj. Adecuado y apropiado para una cosa.

-idor, ra. V. -**dor.**

idos. m. pl. **idus.**

idumeo, a. (Del lat. *Idumaeus.*) adj. Natural de Idumea. Ú. t. c. s. ‖ **2.** Perteneciente a este país de Asia antigua.

-idura. V. -**dura.**

idus. (Del lat. *idus.*) m. pl. En el antiguo cómputo romano y en el eclesiástico, el día 15 de marzo, mayo, julio y octubre, y el 13 de los demás meses.

-iego, ga. suf. de adjetivos, que a veces toma la forma -**ego**, y suele significar relación, pertenencia u origen: *andar*IEGO, *mujer*IEGO, *pas*IEGO, *veran*IEGO, *manch*EGO. Ambas formas pueden aparecer también en algún sustantivo: *labr*IEGO, *borr*EGO.

-iense. V. -**ense.**

-iente. (Del lat. -*ens, -entis.*) V. -**nte.**

-iento, ta. V. -**ento.**

iglesia. (Del lat. *ecclesĭa*, y este del gr. ἐκκλησία, asamblea.) f. Congregación de los fieles cristianos en virtud del bautismo. ‖ **2.** Conjunto del clero y pueblo de un país donde el cristianismo tiene adeptos. IGLESIA *latina, griega.* ‖ **3.** Estado eclesiástico, que comprende a todos los ordenados. ‖ **4.** Gobierno eclesiástico general del Sumo Pontífice, concilios y prelados. ‖ **5.** Cabildo de las catedrales o colegiatas. ‖ **6.** Diócesis, territorio y lugares de la jurisdicción de los prelados. ‖ **7.** Conjunto de sus súbditos. ‖ **8.** Seguida de su denominación particular, cada una de las comunidades cristianas que se definen como **iglesia.** IGLESIA *luterana, anglicana, presbiteriana,* etc. ‖ **9.** Templo cristiano. ‖ **10.** Inmunidad de que se acoge a sagrado. ‖ **11.** V. **cabeza, comunión, llaves de la iglesia.** ‖ **12.** V. **cuerpo, día, hombre de iglesia.** ‖ **13.** fig. y fam. V. **arco de iglesia.** ‖ **catedral. iglesia** principal en que reside el obispo con su cabildo. ‖ **católica.** Congregación de los fieles cristianos regida por el Papa como vicario de Cristo en la Tierra. ‖ **colegial.** La que, no siendo sede propia del arzobispo u obispo, se compone de abad y canónigos seculares, y en ella se celebran los oficios divinos como en las catedrales. ‖ **de estatuto.** Aquella en que ha de hacer pruebas de limpieza de sangre el que solicita ser admitido en ella. ‖ **en cruz griega.** La que se compone de dos naves de igual longitud que se cruzan perpendicularmente por su parte media. ‖ **en cruz latina.** La que se compone de dos naves, una

más larga que otra, que se cruzan a escuadra. ‖ **fría.** La que tenía derecho de asilo. ‖ **2.** Derecho que conserva el que era extraído de la **iglesia** y no restituido a ella, para alegarlo si le volvían a prender. ‖ **juradera.** La destinada a recibir en ella los juramentos decisorios. ‖ **mayor.** La principal de cada pueblo. ‖ **metropolitana.** La que es sede de un arzobispo. ‖ **militante.** Congregación de los fieles que viven en la fe católica. ‖ **oriental.** Latamente, la que estaba incluida en el imperio de Oriente, a distinción de la incluida en el imperio de Occidente. ‖ **2.** La que estaba comprendida solo en el patriarcado de Antioquía, que en el imperio romano se llamaba Diócesis Oriental. ‖ **3.** La que sigue el rito griego. ‖ **papal.** Aquella en que el prelado provee todas las prebendas. ‖ **parroquial.** La de una feligresía. ‖ **patriarcal.** La que es sede de un patriarca. ‖ **primada.** La que es sede de un primado. ‖ **purgante.** Congregación de los fieles que están en el purgatorio. ‖ **triunfante.** Congregación de los fieles que están ya en la gloria. ‖ **acogerse a la Iglesia.** fr. fam. Entrar en religión, hacerse eclesiástico o adquirir fuero de tal. ‖ **casarse por detrás de la Iglesia.** fr. fig. y fam. **amancebarse.** ‖ **casarse por la Iglesia.** fr. Contraer matrimonio canónico. ‖ **cumplir con la Iglesia.** fr. Comulgar los fieles por Pascua florida o de Resurrección. ‖ **entrar** uno **en la Iglesia.** fr. fig. Abrazar el estado eclesiástico. ‖ **extraer de la iglesia.** fr. Sacar de ella, en virtud de orden judicial, a un reo allí refugiado. ‖ **iglesia me llamo.** expr. usada por los delincuentes para no decir su nombre, y dar a entender que tenían **iglesia** o que gozaban de su inmunidad. ‖ **2.** expr. fig. y fam. que usa el que está asegurado de las persecuciones y tiros que otros le pueden ocasionar. ‖ **llevar** uno **a la iglesia** a una mujer. fr. fig. Casarse con ella. ‖ **reconciliarse con la Iglesia.** fr. Volver al gremio de ella o al apóstata o al hereje que abjura de su error o herejía. ‖ **tomar iglesia.** fr. Acogerse a ella para tomar asilo.

iglesiario. m. **huerto rectoral.**

iglesieta. f. d. de **iglesia,** templo.

iglú. (Voz esquimal.) m. Vivienda de forma semiesférica construida con bloques de hielo, en que, durante el invierno, habitan los esquimales y otros pueblos de análogas características.

ignaciano, na. adj. Perteneciente a la doctrina de San Ignacio de Loyola o a las instituciones por él fundadas.

ignaro, ra. (Del lat. *ignārus.*) adj. Que no tiene noticia de las cosas.

ignavia. (Del lat. *ignavĭa.*) f. Pereza, desidia, flojedad de ánimo.

ignavo, va. (Del lat. *ignāvus.*) adj. Indolente, flojo, cobarde.

ígneo, a. (Del lat. *ignĕus.*) adj. De fuego, o que tiene alguna de sus cualidades. ‖ **2.** De color de fuego. ‖ **3.** *Geol.* Dícese de las rocas volcánicas procedentes de la masa en fusión existente en el interior de la Tierra.

ignición. (Del b. lat. *ignīre*, encender, y -*ción.*) f. Acción y efecto de estar un cuerpo encendido, si es combustible, o enrojecido por un fuerte calor, si es incombustible. ‖ **2.** Acción y efecto de iniciarse una combustión. ‖ **3.** Acción que inicia o desencadena ciertos procesos físicos o químicos. Una chispa eléctrica puede producir la descarga de un gas; una acción eléctrica una descarga de la sinapsis de dos células nerviosas.

ignífero, ra. (Del lat. *ignĭfer, -fĕra.*) adj. poét. Que arroja o contiene fuego.

ignífugo, ga. (Del lat. *ignis*, fuego, y -*fugo.*) adj. Que protege contra el fuego. *Pintura* IGNÍFUGA.

ignipotente. (Del lat. *ignipōtens, -entis.*) adj. poét. Dominador del fuego.

ignito, ta. (Del lat. *ignītus.*) adj. Que tiene fuego o está encendido.

ignívomo, ma. (Del lat. *ignívŏmus.*) adj. poét. Que vomita fuego.

ignóbil. (Del lat. *ignobĭlis.*) adj. ant. **ignoble.**

ignobilidad. (Del lat. *ignobilĭtas, -ātis.*) f. ant. Cualidad de ignoble.

ignoble. adj. ant. **innoble.**

ignografía. f. **icnografía.**

ignominia. (Del lat. *ignominīa.*) f. Afrenta pública.

ignominiosamente. adv. m. Con ignominia.

ignominioso, sa. (Del lat. *ignominiōsus.*) adj. Que es ocasión o causa de ignominia.

ignoración. (Del lat. *ignoratĭo, -ōnis.*) f. ant. **ignorancia.**

ignorancia. (Del lat. *ignorantĭa.*) f. Falta de ciencia, de letras y noticias, o general o particular. ‖ **de derecho.** *Der.* Desconocimiento de la ley, el cual a nadie excusa, porque rige la necesaria presunción o ficción de que, promulgada aquella, han de saberla todos. ‖ **de hecho.** *Der.* La que se tiene de un hecho, y puede ser estimada en las relaciones jurídicas. ‖ **invencible.** La que tiene uno de alguna cosa, por no alcanzar motivo o razón para desconfiar de ella. ‖ **supina.** La que procede de negligencia en aprender o inquirir lo que puede y debe saberse. ‖ **ignorancia no quita pecado.** expr. con que se explica que la **ignorancia** de las cosas que se deben saber no exime de culpa. ‖ **no pecar uno de ignorancia.** fr. Hacer una cosa con conocimiento de que no es razón el hacerla, o después de advertido de que no la debía hacer. ‖ **pretender** uno **ignorancia.** fr. Alegarla.

ignorante. (Del lat. *ignŏrans, -antis.*) p. a. de **ignorar.** Que ignora. ‖ **2.** adj. Que no tiene noticia de las cosas. Ú. t. c. s.

ignorantemente. adv. m. Con ignorancia.

ignorar. (Del lat. *ignorāre.*) tr. No saber algo, o no tener noticia de ello.

ignoto, ta. (Del lat. *ignōtus,* desconocido.) adj. No conocido ni descubierto.

igorrote. m. Individuo de la raza aborigen de la isla de Luzón, en las Filipinas. ‖ **2.** Lengua de los **igorrotes.** ‖ **3.** adj. Perteneciente a estos o a su lengua.

igreja. (Del lat. *ecclesĭa.*) f. ant. **iglesia.**

iguado, da. (Del lat. *aequātus.*) p. p. ant. de **iguar.** ‖ **2.** adj. ant. Igualado.

igual. (Del lat. *aequālis.*) adj. De la misma naturaleza, cantidad o calidad de otra cosa. ‖ **2.** Liso, que no tiene cuestas ni profundidades. *Terreno, superficie* IGUAL. ‖ **3.** Muy parecido o semejante. *No he visto cosa* IGUAL. ‖ **4.** Proporcionado, en conveniente relación. *Sus fuerzas no eran* IGUALES *a su intento.* ‖ **5.** Constante, no variable. *Es de un carácter* IGUAL *y afable.* ‖ **6.** Del mismo valor y aprecio. *Todo le es* IGUAL. ‖ **7.** De la misma clase o condición. Ú. t. c. s. ‖ **8.** *Geom.* Dícese de las figuras que se pueden superponer de modo que coincidan en su totalidad. ‖ **9.** *Geom.* V. **línea de partes iguales.** ‖ **10.** m. *Mat.* Signo de la igualdad, formado por dos rayas horizontales y paralelas (=). ‖ **11.** adv. de duda. fam. Quizá. IGUAL *mañana nieva.* ‖ **al igual.** loc. adv. Con igualdad. ‖ **de igual a igual.** loc. adv. Como si la persona de quien, o con quien, se habla fuese de la misma categoría o clase social que otra que se expresa. Ú. con verbos como *tratar* o *hablar.* ‖ **en igual de.** loc. prepos. p. us. En vez de, o en lugar de. EN IGUAL DE *darme el dinero, me lo piden.* ‖ **por igual,** o **por un igual.** loc. adv. **igualmente.** ‖ **sin igual.** loc. adj. **sin par.** ‖ **dar igual.** fr. Ser indiferente lo que se expresa. *Me* DA IGUAL *conseguir o no ese trabajo.*

iguala. f. Acción y efecto de igualar o igualarse. ‖ **2.** Composición, ajuste o pacto en los tratos. ‖ **3.** Estipendio o cosa que se da en virtud de ajuste. ‖ **4.** Convenio entre médico y cliente por el que aquel presta a este sus servicios mediante una cantidad fija anual en metálico o en especie.

‖ **5.** Listón de madera con que los albañiles reconocen la llanura de las tapias o de los suelos. ‖ **a la iguala.** loc. adv. **al igual.**

igualación. f. Acción y efecto de igualar o igualarse. ‖ **2.** fig. Ajuste, convenio o concordia. ‖ **3.** desus. *Álg.* **ecuación,** igualdad de una o más incógnitas.

igualadino, na. adj. Natural de Igualada. Ú. t. c. s. ‖ **2.** Perteneciente o relativo a esta ciudad de la provincia de Barcelona.

igualado, da. p. p. de **igualar.** ‖ **2.** adj. Aplícase a ciertas aves que ya han arrojado el plumón y tienen igual la pluma.

igualador, ra. adj. Que iguala. Ú. t. c. s.

igualamiento. m. Acción y efecto de igualar o igualarse.

igualanza. (De *igualar.*) f. ant. **igualdad.** ‖ **2.** ant. **iguala.**

igualar. tr. Poner al igual con otra o a una persona o cosa. Ú. t. c. prnl. ‖ **2.** fig. Juzgar sin diferencia, o estimar a uno y tenerlo en la misma opinión o afecto que a otro. ‖ **3.** Hablando de la tierra, allanar. IGUALAR *los caminos, los terrenos.* ‖ **4.** Hacer ajuste o convenirse con pacto sobre una cosa. Ú. t. c. prnl. ‖ **5.** intr. Ser una cosa igual a otra. Ú. t. c. prnl.

igualatorio, ria. adj. Que tiende a establecer la igualdad. ‖ **2.** m. Asociación de médicos y clientes en que estos, mediante iguala, reciben la asistencia de aquellos y, en ocasiones, otros servicios complementarios.

igualdad. (Del lat. *aequalĭtas, -ātis.*) f. Conformidad de una cosa con otra en naturaleza, forma, calidad o cantidad. ‖ **2.** Correspondencia y proporción que resulta de muchas partes que uniformemente componen un todo. ‖ **3.** *Mat.* Expresión de la equivalencia de dos cantidades. ‖ **ante la ley.** Principio que reconoce a todos los ciudadanos capacidad para los mismos derechos. ‖ **de ánimo.** Constancia y serenidad en los sucesos prósperos o adversos.

igualeza. f. ant. **igualdad.**

igualitario, ria. adj. Que entraña igualdad o tiende a ella.

igualitarismo. m. Tendencia política que propugna la desaparición o atenuación de las diferencias sociales.

igualmente. adv. m. Con igualdad. ‖ **2.** También, asimismo.

igualón, na. adj. Dícese del pollo de la perdiz cuando ya se acerca en el tamaño a sus padres.

iguana. (Del arahuaco *antillano.*) f. Nombre genérico de unos reptiles parecidos a los lagartos, pero con la lengua simplemente escotada en el extremo y no protráctil, y los dientes aplicados a la superficie interna de las mandíbulas. Están generalmente provistos de gran papada y de una cresta espinosa a lo largo del dorso; alguna de las especies alcanza hasta un metro de longitud. Es indígena de la América Meridional, y su carne y huevos son comestibles.

iguánido. (De *iguana* e *-ido.*) adj. *Zool.* Dícese de ciertos reptiles saurios, cuyo tipo es la iguana. ‖ **2.** m. pl. *Zool.* Familia de estos reptiles.

iguanodonte. (De *iguana,* y el gr. ὀδών, ὀδόντος, diente.) m. Reptil del orden de los saurios, que se encuentra fósil en los terrenos secundarios inferiores al cretáceo; era herbívoro, y tenía hasta doce metros de largo, las extremidades anteriores mucho más cortas que las posteriores, con tres dedos en cada una, y una larga cola.

iguar. (Del lat. *aequāre.*) tr. ant. Igualar.

iguaria. (Del port. *iguaria.*) f. ant. Manjar delicado y apetitoso.

igüedo. (De or. inc.) m. Animal cabrío de unos dos años.

-ija. (Del lat. *-icŭla.*) suf. de sustantivos femeninos con frecuencia diminutivos, a veces despectivos: *barat*IJA, *lagart*IJA.

ijada. (Del lat. vulg. **iliāta,* el bajo vientre.) f. Cualquiera de las dos cavidades simétricamente colocadas entre las costillas falsas y los huesos de las caderas. ‖ **2.** Dolor o mal que se padece en aquella parte. ‖ **3.** En los peces, parte anterior e inferior del cuerpo. ‖ **tener** una cosa **su ijada.** fr. fig. Hallarse en ella, entre lo que tiene de bueno, algo que no lo es tanto.

ijadear. tr. Mover mucho y aceleradamente las ijadas, por efecto del cansancio.

ijar. (der. del lat. *ília,* ijares.) m. Ijada del hombre y de algunos mamíferos.

-ijo. (Del lat. *-icŭlus.*) suf. de sustantivos masculinos, que suele tener valor despectivo: *amas*IJO, *escondr*IJO, *revolt*IJO.

-ijón, na. suf. de sustantivos y adjetivos, con matiz aumentativo: *torc*IJÓN, o bien despectivo: *met*IJÓN, *serr*IJÓN.

¡ijujú! interj. de júbilo. Ú. t. c. s. m.

-il. (Del lat. *-īlis.*) suf. de adjetivos y sustantivos; los adjetivos suelen significar relación o pertenencia: *varon*IL, *estudiant*IL, *pastor*IL; los sustantivos tienen a veces valor diminutivo: *fogar*IL, *ministr*IL, *tambor*IL.

-il. (Del lat. *-īlis.*) suf. de adjetivos, muchos de los cuales son heredados del latín: *ág*IL, *difíc*IL, *dóc*IL. En español se han formado algunos, basados en supinos latinos, que suelen significar capacidad para hacer o recibir la acción significada por el verbo base: *contrác*IL, *retrác*IL, *portát*IL.

ilación. (Del lat. *illatĭo, -ōnis.*) f. Acción y efecto de inferir una cosa de otra. ‖ **2.** Trabazón razonable y ordenada de las partes de un discurso. ‖ **3.** *Lóg.* Enlace o nexo del consiguiente con sus premisas.

ilapso. (Del lat. *illapsus,* p. p. de *illābi,* deslizarse hasta, insinuarse.) m. Especie de éxtasis contemplativo, durante el cual se suspenden las sensaciones exteriores, y queda el espíritu en un estado de quietud y arrobamiento.

ilativo, va. (Del lat. *illatīvus.*) adj. Que se infiere o puede inferirse. ‖ **2.** Perteneciente o relativo a la ilación. ‖ **3.** *Gram.* **V. conjunción ilativa.**

ilécebra. (Del lat. *illecĕbra.*) f. p. us. Halago engañoso; cariñosa ficción que atrae y convence.

ilegal. (De *in-²* y *legal.*) adj. Que es contra ley.

ilegalidad. f. Falta de legalidad. ‖ **2.** Acción ilegal.

ilegalmente. adv. m. Sin legalidad. ‖ **2.** Contra la ley.

ilegibilidad. f. Cualidad de ilegible.

ilegible. (De *in-²* y *legible.*) adj. Que no puede leerse.

ilegislable. adj. No legislable.

ilegítimamente. adv. m. Sin legitimidad.

ilegitimar. tr. Privar a uno de la legitimidad; hacer que se tenga por ilegítimo al que realmente era legítimo o creía serlo.

ilegitimidad. (De *ilegítimo.*) f. Cualidad de ilegítimo.

ilegítimo, ma. (Del lat. *illegitĭmus.*) adj. No legítimo.

íleo. (Del lat. *ileus,* y este del gr. εἰλεός, cólico violento.) m. *Pat.* Enfermedad aguda, producida por el retorcimiento de las asas intestinales, que origina oclusión intestinal y cólico miserere.

ileocecal. adj. *Anat.* Que pertenece a los intestinos íleon y ciego.

íleon¹. (Del gr. εἴλεον, p. pres. a. de εἰλέω, retorcerse.) m. *Anat.* Tercera porción del intestino delgado de los mamíferos, que empieza donde acaba el yeyuno y termina en el ciego.

íleon². m. *Anat.* **ilion.**

ilercaón, na o **ilercavón, na.** (Del pl. lat. *Ilercaones.*) adj. Dícese de un pueblo prerromano que habitaba la región de la Hispania Tarraconense correspondiente a parte de las actuales provincias de Tarragona y Castellón. Dícese también de los individuos que componían este pueblo. Ú. t. c. s. ‖ **3.** Perteneciente o relativo a los **ilercaones.**

ilerdense. (Del lat. *Ilerdensis.*) adj. Natural de la antigua Ilerda, hoy Lérida. Ú. t. c. s. ‖ **2.** Perteneciente o relativo a esta ciudad de la Hispania Tarraconense. ‖ **3. leridano.** Apl. a pers., ú. t. c. s.

ilergete. (Del pl. lat. *Ilergētes.*) adj. Dícese de un pueblo hispánico prerromano que habitaba la parte llana de las actuales provincias de Huesca, Zaragoza y Lérida. ‖ **2.** Dícese también de los individuos que componían este pueblo. Ú. t. c. s. ‖ **3.** Perteneciente o relativo a este pueblo.

ileso, sa. (Del lat. *illaesus.*) adj. Que no ha recibido lesión o daño.

iletrado, da. (De *in-²* y *letrado.*) adj. **analfabeto,** que no sabe leer, o ignora los saberes elementales.

ilíaco¹, ca o **ilíaco, ca.** adj. Perteneciente o relativo al íleon.

ilíaco², ca o **ilíaco, ca.** (Del lat. *Ilĭacus,* y este del gr. Ἰλιακός, de Ilión.) adj. Perteneciente o relativo a Ilión o Troya.

iliberal. (Del lat. *illiberālis.*) adj. p. us. No liberal.

iliberitano, na. (Del lat. *Illiberitānus.*) adj. Natural de la antigua Iliberis o Iliberris, hoy Granada. Ú. t. c. s. ‖ **2.** Perteneciente o relativo a esta ciudad de la Bética.

iliberritano, na. adj. **iliberitano.** Apl. a pers., ú. t. c. s.

ilicíneo, a. (Del lat. *ilex, ilĭcis,* encina.) adj. *Bot.* **aquifoliáceo.**

ilícitamente. adv. m. De manera ilícita.

ilicitano, na. (Del lat. *Ilicitānus,* de Elche.) adj. Natural de la antigua Ílici, hoy Elche. Ú. t. c. s. ‖ **2.** Perteneciente o relativo a esta población de la España Tarraconense.

ilícito, ta. (Del lat. *illicĭtus.*) adj. No permitido legal o moralmente.

ilicitud. f. Cualidad de ilícito.

iliense. (Del lat. *Iliensis.*) adj. **troyano.** Apl. a pers., ú. t. c. s.

ilimitable. adj. Que no puede limitarse.

ilimitación. f. Cualidad de ilimitado.

ilimitadamente. adv. m. Sin limitación; de manera ilimitada.

ilimitado, da. (Del lat. *illimitātus.*) adj. Que no tiene límites.

ilion. (Del lat. *ilĭum,* ijar.) m. *Anat.* Hueso de la cadera, que en los mamíferos adultos se une al isquion y al pubis para formar el hueso innominado.

ilipulense. (Del lat. *Ilipulensis.*) adj. Natural de Ilípula. Ú. t. c. s. ‖ **2.** Perteneciente o relativo a esta antigua ciudad de la Bética.

ilíquido, da. (De *in-²* y *líquido.*) adj. Dícese de la cuenta, deuda, etc., que está por liquidar.

ilírico, ca. (Del lat. *Illyrĭcus.*) adj. **ilirio.**

ilirio, ria. (Del lat. *Illyrĭus.*) adj. Natural de Iliria. Ú. t. c. s. ‖ **2.** Perteneciente o relativo a esta región de Europa.

iliterario, ria. adj. p. us. No literario.

iliterato, ta. (Del lat. *illiterātus.*) adj. p. us. Ignorante y no versado en ciencias ni letras humanas.

iliturgitano, na. (Del lat. *Iliturgitānus.*) adj. Natural de Iliturgi. Ú. t. c. s. ‖ **2.** Perteneciente o relativo a esta antigua ciudad de la Bética.

-ilo. suf. que designa un radical químico: *acet*ILO, *acr*ILO, *et*ILO.

ilógico, ca. (De *in-²* y *lógico.*) adj. Que carece de lógica, o va contra sus reglas y doctrinas.

ilota. (Del lat. *īlōta,* y este del gr. Εἵλωτης.) com. Esclavo de los lacedemonios. ‖ **2.** fig. El que se halla o se considera desposeído de los goces y derechos de ciudadano.

ilotismo. m. Condición de ilota.

iludir. (Del lat. *illudĕre.*) tr. **burlar.**

iluminación. (Del lat. *illuminatĭo, -ōnis.*) f. Acción y efecto de iluminar. ‖ **2.** Conjunto de luces que hay en un lugar para iluminarlo o para adornarlo. ‖ **3.** Especie de pintura al temple, que de ordinario se ejecuta en vitela o papel terso. ‖ **4.** Esclarecimiento religioso interior místico experimental o racional. ‖ **5.** Conocimiento intuitivo de algo.

iluminado, da. p. p. de **iluminar.** ‖ **2.** adj. **alumbrado¹,** hereje. Ú. m. c. s. y en pl. ‖ **3.** Dícese del individuo de una secta herética y secreta fundada en 1776 por el bávaro Weishaupt, que con la ciega obediencia de sus adeptos pretendía establecer un sistema moral contrario al orden existente en religión, propiedad y familia. Ú. m. c. s. y en pl.

iluminador, ra. adj. Que ilumina. Ú. t. c. s. ‖ **2.** m. y f. Persona que adorna libros, estampas, etc., con colores.

iluminar. (Del lat. *illumināre*.) tr. Alumbrar, dar luz o bañar de resplandor. ‖ **2.** Adornar con muchas luces los templos, casas u otros sitios. ‖ **3.** Dar color a las figuras, letras, etc., de una estampa, libro, etc. ‖ **4.** Poner por detrás de las estampas tafetán o papel de color, después de cortados los blancos. ‖ **5.** fig. Ilustrar el entendimiento con ciencias o estudios. ‖ **6.** fig. **alumbrar**[1], ilustrar, enseñar. ‖ **7.** *Teol.* Ilustrar interiormente Dios a la criatura.

iluminaria. f. Luminaria puesta en señal de fiesta y regocijo. Ú. m. en pl.

iluminativo, va. adj. Capaz de iluminar.

iluminismo. m. Sistema de los iluminados.

ilusamente. adv. m. Falsa, engañosa, erróneamente.

ilusión. (Del lat. *illusĭo, -ōnis*.) f. Concepto, imagen o representación sin verdadera realidad, sugeridos por la imaginación o causados por engaño de los sentidos. ‖ **2.** Esperanza cuyo cumplimiento parece especialmente atractivo. ‖ **3.** Viva complacencia en una persona, cosa, tarea, etc. ‖ **4.** Ret. Ironía viva y picante.

ilusionar. tr. Hacer que uno se forje ilusiones. ‖ **2.** Despertar viva complacencia en algo. Ú. t. c. prnl. ‖ **3.** Despertar esperanzas especialmente atractivas. ‖ **4.** prnl. Forjarse ilusiones.

ilusionismo. m. Práctica y ejercicio del ilusionista.

ilusionista. com. Artista que produce efectos ilusorios mediante juegos de manos, artificios, trucos, etc.

ilusivo, va. (De *iluso*.) adj. Falso, engañoso, aparente.

iluso, sa. (Del lat. *illūsus*, p. p. de *illūdĕre*, burlar.) adj. Engañado, seducido. Ú. t. c. s. ‖ **2.** Propenso a ilusionarse, soñador. Ú. t. c. s.

ilusorio, ria. (Del lat. *illusorĭus*.) adj. Engañoso, irreal, ficticio. ‖ **2.** De ningún valor o efecto.

ilustración. f. Acción y efecto de ilustrar o ilustrarse. ‖ **2.** Estampa, grabado o dibujo que adorna o documenta un libro. ‖ **3.** Publicación, comúnmente periódica, con láminas y dibujos, además del texto que suele contener. ‖ **4.** Movimiento filosófico y literario del siglo XVIII europeo y americano, caracterizado por la extremada confianza en la capacidad de la razón natural para resolver todos los problemas de la vida humana. ‖ **5.** Época de la cultura europea y americana en que prevaleció ese movimiento intelectual.

ilustrado, da. p. p. de **ilustrar**. ‖ **2.** adj. Dícese de la persona culta e instruida. ‖ **3.** Perteneciente o relativo a la Ilustración, movimiento intelectual del siglo XVIII. Ap. a pers., Ú. t. c. s.

ilustrador, ra. (Del lat. *illustrātor, -ōris*.) adj. Que ilustra. Ú. t. c. s.

ilustrar. (Del lat. *illustrāre*.) tr. Dar luz al entendimiento. Ú. t. c. prnl. ‖ **2.** Aclarar un punto o materia con palabras, imágenes, o de otro modo. ‖ **3.** Adornar un impreso con láminas o grabados alusivos al texto. ‖ **4.** fig. Hacer ilustre a una persona o cosa. Ú. t. c. prnl. ‖ **5.** fig. Instruir, civilizar. Ú. t. c. prnl. ‖ **6.** *Teol.* Alumbrar Dios interiormente a la criatura con luz sobrenatural.

ilustrativo, va. adj. Que ilustra.

ilustre. (Del lat. *illustris*.) adj. De distinguida prosapia, casa, origen, etc. ‖ **2.** Insigne, célebre. ‖ **3.** Título de dignidad. *Al* ILUSTRE *señor*.

ilustremente. adv. m. De un modo ilustre.

ilustreza. f. ant. Nobleza esclarecida.

ilustrísima. f. Tratamiento que se daba a los obispos, en sustitución de *Su Señoría* ILUSTRÍSIMA.

ilustrísimo, ma. (Del lat. *illustrissĭmus*.) adj. sup. de **ilustre**, tratamiento de ciertas personas por razón de su cargo o dignidad. Hasta hace algún tiempo, se aplicaba especialmente a los obispos.

-illa. V. **illo.**

-illo, lla. suf. de valor diminutivo o afectivo: *arbol*ILLO, *libr*ILLO, *guap*ILLO, *mentiros*ILLA. Aunque no todos los sustantivos formados con este sufijo tienen auténtico valor diminutivo, suelen aproximarse a él: p. ej., *organ*ILLO con relación a *órgano; molin*ILLO con relación a *molino; cam*ILLA con relación a *cama*, etc. A veces, toma las formas **-ecillo, -cecillo, -cillo:** *pan*ECILLO, *pie*CECILLO, *amor*CILLO. (V. lista de observaciones al fin del Diccionario.)

im-. V. **in-**[1] o **in-**[2].

imada. f. *Mar.* Cada una de las explanadas de madera puestas a uno y otro lado de la cuna y que sustituyen a los picaderos para la botadura. Sobre ellas resbalan las anguilas de la cuna que conduce el buque al agua.

imagen. (Del lat. *imāgo, -ĭnis*.) f. Figura, representación, semejanza y apariencia de una cosa. ‖ **2.** Estatua, efigie o pintura de una divinidad o personaje sagrado. ‖ **3.** *Fís.* Reproducción de la figura de un objeto por la combinación de los rayos de luz. ‖ **4.** *Ret.* Representación viva y eficaz de una intuición o visión poética por medio del lenguaje. ‖ **accidental.** *Fisiol.* La que, después de haber contemplado un objeto con mucha intensidad, persiste en el ojo, aunque con colores cambiados. ‖ **pública.** fig. Dícese del conjunto de rasgos que caracterizan ante la sociedad a una persona o entidad. ‖ **real.** *Fís.* La que se produce por el concurso de los rayos de luz en el foco real de un espejo cóncavo o de una lente convergente. ‖ **virtual.** *Fís.* La que se forma aparentemente detrás de un espejo. ‖ **quedar para vestir imágenes.** fr. fig. y fam. Llegar a cierta edad las mujeres y no haberse casado. ‖ **ser la viva imagen de** una persona. fr. fig. Parecerse mucho a ella.

imaginería. f. desus. **imaginería.**

imaginable. (Del lat. *imaginabĭlis*.) adj. Que se puede imaginar.

imaginación. (Del lat. *imaginatĭo, -ōnis*.) f. Facultad del alma que representa las imágenes de las cosas reales o ideales. ‖ **2.** Aprensión falsa o juicio de una cosa que no hay en realidad o no tiene fundamento. ‖ **3.** Imagen formada por la fantasía. ‖ **4.** Facilidad para formar ideas, proyectos, etc., nuevos. ‖ **ni por imaginación.** loc. adv. y fam. **ni por sueños.** ‖ **pasarle o pasársele** a uno algo **por la imaginación.** fr. **pasársele** a uno **por las mientes** una cosa. ‖ **ponérsele** a uno **en la imaginación** alguna cosa. fr. **ponérsele en la cabeza.**

imaginamiento. (De *imaginar*.) m. ant. Idea o pensamiento de ejecutar una cosa.

imaginar. (Del lat. *imaginări*.) tr. Representar idealmente una cosa, inventarla, crearla en la imaginación. Ú. t. c. prnl. ‖ **2.** Presumir, sospechar. Ú. t. c. prnl. ‖ **3.** ant. Adornar con imágenes un sitio.

imaginaria. (De *imaginario*.) f. *Mil.* Guardia suplente que presta servicio en caso de tener que salir del cuartel la que está guardándolo. ‖ **2.** m. *Mil.* Soldado que por turno vela durante la noche en cada compañía o dormitorio de un cuartel.

imaginariamente. adv. m. Por aprensión, sin realidad.

imaginario, ria. (Del lat. *imaginarĭus*.) adj. Que solo existe en la imaginación. ‖ **2.** Decíase del estatuario o pintor de imágenes. ‖ **3.** V. **espacios imaginarios.** ‖ **4.** V. **moneda imaginaria.** ‖ **5.** *Mat.* V. **cantidad imaginaria.** Ú. t. c. s. f. ‖ **6.** *Mat.* V. **número imaginario.**

imaginativa. (Del lat. *imaginatīva* [*vis*].) f. Potencia o facultad de imaginar. ‖ **2.** Facultad interior que recoge las impresiones de los sentidos exteriores.

imaginativo, va. (De *imaginar*.) adj. Perteneciente o relativo a la imaginación. ‖ **2.** Que continuamente imagina o piensa.

imaginería. (De *imagen*.) f. Bordado, por lo regular de seda, cuyo dibujo es de aves, flores y figuras, imitando en lo posible la pintura. ‖ **2.** Arte de bordar de **imaginería.** ‖ **3.** Talla o pintura de imágenes sagradas. ‖ **4.** Conjunto de imágenes literarias usadas por un autor, escuela o época.

imaginero. m. Estatuario o pintor de imágenes.

imágines. f. pl. desus. de **imagen.**

imaginología. (Del lat. *imāgo, -ĭnis,* y *-logia*.) f. Estudio y utilización clínica de las imágenes producidas por los rayos X, el ultrasonido, la resonancia magnética, etc.

imam. (Del ár. *imām*, el que está delante, el que preside, jefe.) m. **imán²**.

imán¹. (Del fr. *aimant*.) m. Mineral de hierro de color negruzco, opaco, casi tan duro como el vidrio, cinco veces más pesado que el agua, y que tiene la propiedad de atraer el hierro, el acero y en grado menor algunos otros cuerpos. Es combinación de dos óxidos de hierro, a veces cristalizada. ‖ **2.** fig. Gracia que atrae la voluntad. ‖ **artificial.** Hierro o acero imantado.

imán². m. El que preside la oración canónica musulmana, poniéndose delante de los fieles para que éstos le sigan en sus rezos y movimientos. ‖ **2.** El guía, jefe o modelo espiritual o religioso, y a veces también político, en una sociedad musulmana.

imanación. f. Acción y efecto de imanar o imanarse.

imanador, ra. adj. Que imana. Ú. t. c. s.

imanar. (De **imán¹**.) tr. **imantar.** Ú. t. c. prnl.

imantación. (Del fr. *aimantation*.) f. Acción y efecto de imantar o imantarse.

imantar. (Del fr. *aimanter*.) tr. Comunicar a un cuerpo la propiedad magnética. Ú. t. c. prnl.

imbabureño, ña. adj. Natural de Imbabura, provincia del Ecuador. Ú. t. c. s. ‖ **2.** Perteneciente o relativo a esta provincia.

imbatibilidad. f. Cualidad de imbatible.

imbatible. adj. Que no puede ser batido o derrotado.

imbécil. (Del lat. *imbecillis*.) adj. Alelado, escaso de razón. Ú. t. c. s. ‖ **2.** p. us. Flaco, débil.

imbecilidad. (Del lat. *imbecillĭtas, -ātis*.) f. Alelamiento, escasez de razón, perturbación del sentido. ‖ **2.** Acción o dicho que se considera improcedente, sin sentido, y que molesta. ‖ **3.** p. us. Flaqueza, debilidad.

imbécilmente. adv. m. Con imbecilidad.

imbele. (Del lat. *imbellis*.) adj. Incapaz de guerrear, de defenderse; débil, flaco, sin fuerzas ni resistencia. Ú. m. en poesía.

imberbe. (Del lat. *imberbis*.) adj. Dícese del joven que todavía no tiene barba.

imbiar. tr. desus. **enviar.**

imbibición. (Del lat. *imbibĕre*, embeber.) f. Acción y efecto de embeber.

imbornal. (De *embornal*.) m. Boca o agujero por donde se vacía el agua de lluvia de los terrados. ‖ **2.** Abertura practicada en la calzada, normalmente debajo del bordillo de la acera, para dar salida al agua de lluvia o de riego. ‖ **3.** *Mar.* Agujero o registro en los trancaniles para dar salida a las aguas que se depositan en las respectivas cubiertas, y muy especialmente a las que embarca el buque en los golpes de mar. ‖ **por los imbornales.** loc. fig. y fam. *Venez.* **por los cerros de Úbeda.**

imborrable. (De *in-²* y *borrar*.) adj. Que no se puede borrar.

imbricación. f. Acción y efecto de imbricar. ‖ **2.** *Arq.* Adorno arquitectónico que imita las escamas de los peces.

imbricado, da. (Del lat. *imbricātus*, cubierto de tejas.) adj. *Biol.* Dícese de las hojas, semillas y escamas, que están sobrepuestas unas a otras, como las tejas en un tejado. ‖ **2.** *Zool.* Aplícase a las conchas de superficie ondulada.

imbricar. tr. Disponer una serie de cosas iguales de manera que queden superpuestas parcialmente, como las escamas de los peces.

imbuir. (Del lat. *imbuĕre*.) tr. Infundir, persuadir.

imbunche. (Voz mapuche.) m. *Chile.* Ser maléfico, deforme y contrahecho, que lleva la cara vuelta hacia la espalda y anda sobre una pierna por tener la otra pegada a la nuca. Se creía que los brujos robaban a los niños y les obstruían todos los agujeros naturales del cuerpo y los convertían en **imbunches,** cuya misión era guardar los tesoros escondidos. ‖ **2.** Brujo o ser maléfico que hacía tal maleficio a los niños. ‖ **3.** fig. *Chile.* Niño feo, gordo y rechoncho. ‖ **4.** fig. *Chile.* Maleficio, hechicería. ‖ **5.** fig. *Chile.* Asunto embrollado y de difícil o imposible solución.

imbursación. f. *Ar.* Acción y efecto de imbursar.

imbursar. (De *in-¹* y el lat. *bursa*, bolsa.) tr. *Ar.* Poner en una bolsa cédulas o boletas para sacar una a suerte.

imela. (Del ár. *imāla*, inflexión.) f. Fenómeno fonético de algunos dialectos árabes, antiguos y modernos, consistente en que el sonido *a*, generalmente cuando es largo, se pronuncia en determinadas circunstancias como *e* o *i*. Existió en el árabe hablado de la España musulmana.

-imento. V. **-mento.**

-imiento. V. **-miento.**

imitable. (Del lat. *imitabĭlis*.) adj. Que se puede imitar. ‖ **2.** Digno de imitación.

imitación. (Del lat. *imitatĭo, ōnis*.) f. Acción y efecto de imitar.

imitado, da. p. p. de **imitar.** ‖ **2.** adj. Hecho a imitación de otra cosa.

imitador, ra. (Del lat. *imitātor, -ōris*.) adj. Que imita. Ú. t. c. s.

imitar. (Del lat. *imitāri*.) tr. Ejecutar una cosa a ejemplo o semejanza de otra. ‖ **2.** Parecerse, asemejarse una cosa a otra.

imitativo, va. (Del lat. *imitativus*.) adj. Perteneciente o relativo a la imitación. *Artes* IMITATIVAS. ‖ **2.** V. **armonía imitativa.**

imitatorio, ria. (Del lat. *imitatorĭus*.) adj. p. us. Perteneciente a la imitación.

imoscapo. (Del lat. *imus*, inferior, y *scapus*, tronco, tallo.) m. *Arq.* Parte inferior del fuste de una columna.

impaciencia. (Del lat. *impatientĭa*.) f. Intranquilidad producida por algo que molesta o que no acaba de llegar.

impacientar. (De *impaciente*.) tr. Causar impaciencia. ‖ **2.** prnl. Perder la paciencia.

impaciente. (Del lat. *impatĭens, -ēntis*.) adj. Que no tiene paciencia.

impacientemente. adv. m. Con impaciencia.

impactar. tr. Causar un choque físico. ‖ **2.** Impresionar, desconcertar a causa de un acontecimiento o noticia.

impacto. (Del lat. tardío *impactus*.) m. Choque de un proyectil o de otro objeto contra algo. ‖ **2.** Huella o señal que deja. ‖ **3.** Efecto de una fuerza aplicada bruscamente. ‖ **4.** fig. Golpe emocional producido por una noticia desconcertante. ‖ **5.** fig. Efecto producido en la opinión pública por un acontecimiento, disposiciones de la autoridad, noticia, catástrofe, etc.

impagable. adj. Que no se puede pagar. ‖ fig. Sumamente valioso.

impagado, da. adj. Que no se ha pagado.

impago. (De *in-²* y *pago¹*.) m. Omisión del pago de una deuda vencida. ‖ **2.** adj. fam. *Chile, Ecuad.* y *Perú.* Dícese de la persona a quien no se le ha pagado.

impala. m. Antílope africano, caracterizado por tener los cuernos finos, anillados y dispuestos en forma de lira.

impalpable. (De *in-²* y *palpable.*) adj. Que no produce sensación al tacto. ‖ **2.** fig. Que apenas la produce. ‖ **3.** fig. Ligero, sutil, casi imperceptible.

impar. (Del lat. *impar, -āris.*) adj. Que no tiene par o igual. ‖ **2.** *Arit.* V. **número impar.** Ú. t. c. s.

imparable. adj. Que no se puede parar o detener.

imparcial. (De *in-²* y *parcial.*) adj. Que juzga o procede con imparcialidad. *Juez* IMPARCIAL. Ú. t. c. s. ‖ **2.** Que incluye o denota imparcialidad. *Historia* IMPARCIAL. ‖ **3.** Que no se adhiere a ningún partido o no entra en ninguna parcialidad. Ú. t. c. s.

imparcialidad. (De *imparcial.*) f. Falta de designio anticipado o de prevención en favor o en contra de personas o cosas, que permite juzgar o proceder con rectitud.

imparcialmente. adv. m. Sin parcialidad, sin prevención por una ni otra parte.

imparisílabo, ba. adj. Que tiene un número impar de sílabas. ‖ **2.** Dícese de los nombres griegos y latinos que en los casos oblicuos del singular tienen mayor número de sílabas que en el nominativo.

impartible. adj. Que no puede partirse.

impartir. (Del lat. *impartīre.*) tr. Repartir, comunicar, dar. ‖ **2.** V. **impartir el auxilio.**

impasibilidad. (Del lat. *impassibilĭtas, -ātis.*) f. Cualidad de impasible. ‖ **2.** *Teol.* Una de las cuatro dotes de los cuerpos gloriosos, que los exime de padecimiento.

impasible. (Del lat. *impassibĭlis.*) adj. Incapaz de padecer o sentir. ‖ **2.** Indiferente, imperturbable.

impasiblemente. adv. m. Con impasibilidad.

impávidamente. adv. m. Sin temor ni pavor.

impavidez. (De *impávido.*) f. Denuedo, valor y serenidad de ánimo ante los peligros.

impávido, da. (Del lat. *impavĭdus.*) adj. Libre de pavor; sereno ante el peligro, impertérrito.

impecabilidad. (De *impecable.*) f. Cualidad de impecable.

impecable. (Del lat. *impeccabĭlis.*) adj. Incapaz de pecar. ‖ **2.** Exento de tacha.

impecune. (De *in-²* y el lat. *pecunĭa,* dinero.) adj. Que no tiene dinero, bienes, etc.

impedancia. (Del fr. *impédance.*) f. *Fís.* **impediencia.**

impedido, da. p. p. de **impedir.** ‖ **2.** adj. Que no puede usar alguno o algunos de sus miembros. Ú. t. c. s.

impedidor, ra. (Del lat. *impedītor, -ōris.*) adj. Que impide. Ú. t. c. s.

impediencia. (Del lat. *impedīre.*) f. *Fís.* Resistencia aparente de un circuito al flujo de la corriente alterna, equivalente a la resistencia efectiva cuando la corriente es continua.

impediente. p. a. de **impedir.** Que impide. ‖ **2.** adj. V. **impedimento impediente.**

impedimenta. (Del lat. *impedimenta,* pl. de *-tum,* impedimento.) f. Bagaje que suele llevar la tropa, e impide la celeridad de las marchas y operaciones.

impedimento. (Del lat. *impedimentum.*) m. Obstáculo, embarazo, estorbo para una cosa. ‖ **2.** Cualquiera de las circunstancias que hacen ilícito o nulo el matrimonio. ‖ **dirimente.** El que estorba que se contraiga matrimonio entre ciertas personas, y lo anula si se contrae. ‖ **impediente.** El que estorbaba que se contrajera matrimonio entre ciertas personas, haciéndolo ilícito si se contraía, pero no nulo.

impedir. (Del lat. *impedīre.*) tr. Estorbar, imposibilitar la ejecución de una cosa. ‖ **2.** poét. Suspender, embargar.

impeditivo, va. (De *impedir.*) adj. Dícese de lo que impide, estorba o embaraza.

impelente. p. a. de **impeler.** Que impele. ‖ **2.** adj. V. **bomba impelente.**

impeler. (Del lat. *impellĕre.*) tr. Dar empuje para producir movimiento. ‖ **2.** fig. Incitar, estimular.

impender. (Del lat. *impendĕre.*) tr. p. us. Gastar, expender, invertir, tratándose de dinero.

impenetrabilidad. (De *impenetrable.*) f. Cualidad de impenetrable. ‖ **2.** Propiedad de los cuerpos que impide que uno esté en el lugar que ocupa otro.

impenetrable. (Del lat. *impenetrabĭlis.*) adj. Que no se puede penetrar. ‖ **2.** fig. Dícese de lo que no se puede comprender o descifrar.

impenitencia. (Del b. lat. *impaenitentĭa.*) f. Obstinación en el pecado; dureza de corazón para arrepentirse de él. ‖ **final.** Perseverancia en la **impenitencia** hasta la muerte.

impenitente. (Del b. lat. *impaenĭtens, -entis.*) adj. Que se obstina en el pecado; que persevera en él sin arrepentimiento. Ú. t. c. s.

impensa. (Del lat. *impensa,* gasto.) f. *Der.* p. us. Gasto que se hace en la cosa poseída. Ú. m. en pl.

impensable. adj. Que no se puede racionalmente pensar; absurdo.

impensadamente. adv. m. Sin pensar en ello, sin esperarlo, sin advertirlo.

impensado, da. (De *in-²* y *pensado.*) adj. Aplícase a las cosas que suceden sin pensar en ellas o sin esperarlas.

impepinable. adj. fam. Cierto, seguro, que no admite discusión.

imperador, ra. (Del lat. *imperātor, -ōris.*) adj. p. us. Que impera o manda. ‖ **2.** m. y f. desus. **emperador.**

imperante. p. a. de **imperar.** Que impera. ‖ **2.** adj. *Astrol.* Decíase del signo que se suponía dominar en el año, por estar en casa superior.

imperar. (Del lat. *imperāre.*) intr. Ejercer la dignidad imperial. ‖ **2.** Mandar, dominar.

imperativamente. adv. m. Con imperio.

imperativo, va. (Del lat. *imperatīvus.*) adj. Que impera o manda. Ú. t. c. s. m. ‖ **2.** V. **mandato imperativo.** ‖ **3.** *Gram.* V. **modo imperativo.** Ú. t. c. s.

imperatoria. (Del lat. *imperatorĭa,* t. f. de *-rĭus,* imperatorio.) f. Planta herbácea de la familia de las umbelíferas, con tallo hueco, estriado, de cuatro a seis decímetros de altura; hojas inferiores grandes, de peciolo muy largo y divididas en tres hojuelas lobuladas o profundamente aserradas, más pequeñas y algo curvas las superiores; flores en umbela casi plana, y fruto seco con semillas menudas y estriadas. Es común en España, y se usó mucho en medicina el cocimiento de las hojas, tallos y raíz.

imperatorio, ria. (Del lat. *imperatorĭus.*) adj. Perteneciente al emperador o a la potestad y majestad imperial. ‖ **2.** ant. **imperioso.**

imperceptible. adj. Que no se puede percibir.

imperceptiblemente. adv. m. De modo imperceptible.

imperdible. adj. Que no puede perderse. ‖ **2.** m. Alfiler que se abrocha quedando su punta dentro de un gancho para que no pueda abrirse fácilmente.

imperdonable. adj. Que no se debe o puede perdonar.

imperdonablemente. adv. m. De modo imperdonable.

imperecedero, ra. adj. Que no perece o acaba. ‖ **2.** fig. Aplícase a lo que hiperbólicamente se quiere calificar de inmortal o eterno. *Fama* IMPERECEDERA.

imperfección. (Del lat. *imperfectĭo, -ōnis.*) f. Falta de perfección. ‖ **2.** Falta o defecto ligero en lo moral.

imperfectamente. adv. m. Con imperfección.

imperfecto, ta. (Del lat. *imperfectus.*) adj. No perfecto. ‖ **2.** Principiado y no concluido o perfeccionado. ‖ **3.** V. **co-**

lon **imperfecto**. ‖ **4**. V. **rima imperfecta**. ‖ **5**. *Gram.* V. **futuro, pretérito imperfecto**. Ú. t. c. s. m.

imperfeto, ta. adj. desus. **imperfecto**.

imperforación. (De *in-²* y *perforación*.) f. *Pat.* Oclusión o cerramiento de órganos o conductos que por su naturaleza deben estar abiertos para ejercer sus funciones.

imperial. (Del b. lat. *imperiãlis*.) adj. Perteneciente o relativo al emperador o al imperio. ‖ **2**. V. **ciruela, manjar imperial**. ‖ **3**. V. **corona imperial**. ‖ **4**. f. Tejadillo o cobertura de las carrozas. ‖ **5**. Sitio con asientos que algunos carruajes tienen encima de la cubierta. ‖ **6**. Especie de juego de naipes.

imperialismo. (De *imperial* e *-ismo*.) m. Sistema y doctrina de los imperialistas. ‖ **2**. Actitud y doctrina de un Estado o nación, o de personas o fuerzas sociales o políticas, partidarios de extender el dominio de un país sobre otro u otros por medio de la fuerza o por influjos económicos y políticos abusivos.

imperialista. (De *imperial* e *-ista*.) adj. Perteneciente o relativo al imperialismo. ‖ **2**. Dícese de la persona o del Estado que lo propugna o practica. ‖ **3**. Partidario del régimen imperial en el Estado. Ú. t. c. s.

imperiar. (De *imperio*.) intr. ant. **imperar**.

impericia. (Del lat. *imperitîa*.) f. Falta de pericia.

imperio. (Del lat. *imperîum*.) m. Acción de imperar o de mandar con autoridad. ‖ **2**. Dignidad de emperador. ‖ **3**. Organización política del Estado regido por un emperador ‖ **4**. Espacio de tiempo que dura el gobierno de un emperador. ‖ **5**. Tiempo durante el cual hubo emperadores en determinado país. ‖ **6**. Estados sujetos a un emperador. ‖ **7**. Por ext., potencia de alguna importancia, aunque su jefe no se titule emperador. ‖ **8**. V. **vicario del imperio**. ‖ **9**. Especie de lienzo que venía del **imperio** de Alemania. ‖ **10**. Estilo que predominó en bellas artes y en decoración durante el reinado de Napoleón Bonaparte. ‖ **11**. fig. Altanería, orgullo. ‖ **mero imperio**. Potestad que reside en el soberano y, por su disposición, en ciertos magistrados, para imponer penas a los delincuentes con conocimiento de causa. ‖ **mixto imperio**. Facultad que compete a los jueces para decidir las causas civiles y llevar a efecto sus sentencias. ‖ **valer un imperio** una persona o cosa. fr. fig. y fam. Ser excelente o de muchísimo mérito.

imperiosamente. adv. m. Con imperio o altanería.

imperioso, sa. (Del lat. *imperiõsus*.) adj. Dícese del que manda autoritariamente. ‖ **2**. Se aplica a la orden dada de manera autoritaria. ‖ **3**. Que conlleva fuerza o exigencia. ‖ **4**. Dominante, tiránico.

imperitamente. adv. m. desus. Con impericia.

imperito, ta. (Del lat. *imperîtus*.) adj. Que carece de pericia.

impermeabilidad. f. Cualidad de impermeable.

impermeabilización. f. Acción y efecto de impermeabilizar.

impermeabilizante. p. a. de **impermeabilizar**. Que impermeabiliza. Ú. t. c. s.

impermeabilizar. tr. Hacer impermeable alguna cosa.

impermeable. (De *in-²* y *permeable*.) adj. Impenetrable al agua o a otro líquido. ‖ **2**. m. Sobretodo hecho con tela **impermeable**.

impermutabilidad. f. Cualidad de impermutable.

impermutable. adj. Que no puede permutarse.

imperscrutable. (Del lat. *imperscrutabîlis*.) adj. desus. **inescrutable**.

impersonal. (Del lat. *impersonãlis*.) adj. Que no tiene o no manifiesta personalidad u originalidad. ‖ **2**. Que no se aplica a nadie en particular. ‖ **3**. V. **tratamiento impersonal**. ‖ **4**. *Gram.* Dícese de la oración cuyo sujeto es indeterminado: *llaman al teléfono*. ‖ **5**. *Gram.* V. **verbo impersonal**. ‖ **en**, o **por, impersonal**. loc. adv. **impersonalmente**.

impersonalidad. f. Cualidad de impersonal; falta de personalidad.

impersonalizar. (De *impersonal*.) tr. *Gram.* Usar como impersonales algunos verbos que en otros casos no tienen esta condición; como HACE *calor;* SE CUENTA *de un marino*.

impersonalmente. adv. m. Con tratamiento impersonal, en que se pone en lugar del pronombre de segunda persona un nombre precedido por el artículo determinado y el verbo en tercera persona: LA SEÑORA *no me ha entendido. ¿Desean* LOS SEÑORES *alguna cosa?* ‖ **2**. *Gram.* Sin determinación de persona. Aplícase a la manera de estar usado un verbo cuando en tercera persona de plural o en la de singular, acompañada o no del pronombre *se*, expresa acción sin agente determinado; v. gr.: CUENTAN *de un sabio que un día...;* SE MIENTE *mucho*.

impersuasible. adj. p. us. No persuasible.

impertérrito, ta. (Del lat. *imperterrîtus*.) adj. Dícese de aquel a quien no se infunde fácilmente terror, o a quien nada intimida.

impertinencia. (Del lat. *impertînens, -entis*, impertinente.) f. Dicho o hecho fuera de propósito. ‖ **2**. p. us. Nimia susceptibilidad nacida de un humor desazonado y displicente, como lo suelen tener los enfermos. ‖ **3**. Importunidad molesta y enfadosa. ‖ **4**. desus. Curiosidad, prolijidad, excesivo cuidado de una cosa. *Esto está hecho con* IMPERTINENCIA.

impertinente. (Del lat. *impertînens, -entis*.) adj. Que no viene al caso, o que molesta de palabra o de obra. Apl. a pers., ú. c. s. ‖ **2**. p. us. Excesivamente susceptible, que muestra desagrado por todo, y pide o hace cosas que son fuera de propósito. Ú. t. c. s. ‖ **3**. m. pl. Anteojos con manija, usados por las señoras.

impertinentemente. adv. m. Con impertinencia.

impertir. tr. desus. **impartir**.

imperturbabilidad. f. Cualidad de imperturbable.

imperturbable. (Del lat. *imperturbabîlis*.) adj. Que no se perturba.

imperturbablemente. adv. m. De manera imperturbable.

impétigo. (Del lat. *impetîgo, -înis*.) m. *Med.* Dermatosis inflamatoria e infecciosa por la aparición de vesículas aisladas o aglomeradas en cuyo interior se encuentra algo de pus.

ímpeto. m. desus. **ímpetu**.

impetra. (De *impetrar*.) f. p. us. Facultad, licencia, permiso. ‖ **2**. p. us. Bula en que se concede un beneficio dudoso, con obligación de aclararlo por su cuenta y riesgo el que lo recibe.

impetración. (Del lat. *impetratîo, -ônis*.) f. Acción y efecto de impetrar.

impetrador, ra. (Del lat. *impetrãtor, -ôris*.) adj. Que impetra. Ú. t. c. s.

impetrar. (Del lat. *impetrãre*.) tr. Conseguir una gracia que se ha solicitado y pedido con ruegos. ‖ **2**. Solicitar una gracia con encarecimiento y ahínco.

impetratorio, ria. adj. Que sirve para impetrar, conseguir una gracia.

ímpetu. (Del lat. *impêtus*.) m. Movimiento acelerado y violento. ‖ **2**. La misma fuerza o violencia. ‖ **3**. Brío, vehemencia, ardor con que se actúa. ‖ **4**. *Mec.* Vector que resulta de multiplicar la masa de un móvil por su velocidad.

impetuosamente. adv. m. Con ímpetu.

impetuosidad. (De *impetuoso*.) f. Violencia, precipitación.

impetuoso, sa. (Del lat. *impetuõsus*.) adj. Que tiene ímpetu. ‖ **2**. Precipitado, irreflexivo, apasionado.

impiadoso, sa. adj. desus. Falto de piedad. ‖ **2**. Falto de religión.

impíamente. adv. m. Con impiedad, sin religión. ‖ **2.** Sin compasión, sin miramiento; con dureza o crueldad.

impiedad. (Del lat. *impĭĕtas, -ātis.*) f. Falta de piedad, sentimiento o virtud. ‖ **2.** Falta de religión.

impiedoso, sa. (De *in-*[2] y el lat. *pietōsus,* piadoso.) adj. p. us. Falto de piedad. ‖ **2.** p. us. Falto de religión.

impingar. (Del lat. *impinguāre,* engordar.) tr. ant. Lardear una cosa.

impío, a. (Del lat. *impīus,* con el acento de *pío.*) adj. Falto de piedad. Ú. t. c. s. ‖ **2.** Falto de religión. Ú. t. c. s. ‖ **3.** V. **hierba impía.** Ú. t. c. s.

impíreo, a. adj. desus. **empíreo.**

impla. (Del b. lat. *impla.*) f. Toca o velo de la cabeza usado antiguamente. ‖ **2.** Tela de que se hacían estos velos.

implacabilidad. f. Cualidad de implacable.

implacable. (Del lat. *implacabĭlis.*) adj. Que no se puede aplacar.

implacablemente. adv. m. Con rigor o enojo implacable.

implantación. f. Acción y efecto de implantar. ‖ **2.** *Fisiol.* Fijación, inserción o injerto de un tejido u órgano en otro.

implantador, ra. adj. Que implanta.

implantar. (De *in-*[1] y *plantar.*) tr. Plantar, encajar, injertar. ‖ **2.** fig. Establecer y poner en ejecución nuevas doctrinas, instituciones, prácticas o costumbres Ú. t. c. prnl. ‖ **3.** *Med.* Colocar en el cuerpo algún aparato o sustituto de órgano que ayude a su funcionamiento.

implantón. (De *in-*[1] y *plantón.*) m. *Cantabria.* Pieza de madera de sierra, de siete a nueve pies de longitud y con una escuadría de seis pulgadas de tabla por tres de canto.

implar. (Del lat. *implēre,* cruzado con *inflāre.*) tr. Llenar, inflar.

implaticable. (De *in-*[2] y *platicable.*) adj. No admite plática o conversación.

implementar. tr. *Inform.* Poner en funcionamiento, aplicar métodos, medidas, etc., para llevar algo a cabo.

implemento. (Del ing. *implement.*) m. Utensilio. Ú. m. en pl.

implicación. (Del lat. *implicatĭo, -ōnis.*) f. Acción y efecto de implicar. ‖ **2.** Contradicción, oposición de los términos entre sí. ‖ **3.** Repercusión o consecuencia de una cosa.

implicancia. f. p. us. Contradicción de los términos entre sí. ‖ **2.** *Chile* y *Urug.* Incompatibilidad legal o moral. ‖ **3.** *Amér.* Consecuencia, secuela.

implicar. (Del lat. *implicāre.*) tr. Envolver, enredar. Ú. t. c. prnl. ‖ **2.** fig. Contener, llevar en sí, significar. ‖ **3.** intr. Obstar, impedir, envolver contradicción. Ú. m. con adverbios de negación.

implicatorio, ria. (De *implicar.*) adj. Que envuelve o contiene en sí contradicción o implicación.

implícitamente. adv. m. De modo implícito.

implícito, ta. (Del lat. *implicĭtus.*) adj. Dícese de lo incluido en otra cosa sin que esta lo exprese.

imploración. (Del lat. *imploratĭo, -ōnis.*) f. Acción y efecto de implorar.

implorador, ra. adj. Que implora.

implorar. (Del lat. *implorāre.*) tr. Pedir con ruegos o lágrimas una cosa.

implosión. (De *explosión,* con cambio de prefijo.) f. Acción de romperse hacia dentro con estruendo las paredes de una cavidad en cuyo interior existe una presión inferior a la que hay fuera. ‖ **2.** *Astron.* Fenómeno cósmico que consiste en la disminución brusca del tamaño de un astro. ‖ **3.** *Fon.* Modo de articulación propio de las consonantes implosivas. ‖ **4.** *Fon.* Parte de las articulaciones oclusivas correspondiente al momento en que se forma la oclusión.

implosivo, va. adj. *Fon.* Dícese de la articulación o sonido oclusivo que, por ser final de sílaba, como la *p* de *apto* o la *c* de *néctar,* termina sin la abertura súbita de las consonantes explosivas. Ú. t. c. s. f. ‖ **2.** *Fon.* Dícese también de cualquier otra consonante situada en final de sílaba. Ú. t. c. s. f. ‖ **3.** *Fon.* Dícese de las letras que transcriben estos sonidos. Ú. t. c. s. f.

implume. (Del lat. *implūmis.*) adj. Que no tiene plumas.

impluvio. (Del lat. *impluvĭum.*) m. Espacio descubierto en medio del atrio de las casas romanas, por donde entraban las aguas de la lluvia.

impolítica. (De *in-*[2] y *política.*) f. p. us. Falta de cortesía.

impolíticamente. adv. m. De manera impolítica.

impolítico, ca. adj. Falto de política o contrario a ella.

impoluto, ta. (Del lat. *impollūtus.*) adj. Limpio, sin mancha. Ú. t. en sent. fig.

imponderabilidad. f. Cualidad de imponderable.

imponderable. (De *in-*[2] y *ponderable.*) adj. Que no puede pesarse. ‖ **2.** fig. Que excede a toda ponderación. ‖ **3.** *Fís.* V. **fluido imponderable.** ‖ **4.** m. fig. Circunstancia imprevisible o cuyas consecuencias no pueden estimarse.

imponderablemente. adv. m. De modo imponderable o que excede a toda ponderación.

imponedor, ra. (De *imponer.*) adj. p. us. **imponente.** Ú. t. c. s.

imponencia. f. *Col.* y *Chile.* Cualidad de imponente, grandeza, majestad.

imponente. p. a. de **imponer.** Que impone. Ú. t. c. s. ‖ **2.** adj. Formidable, que posee alguna cualidad extraordinaria.

imponer. (Del lat. *imponĕre.*) tr. Poner carga, obligación u otra cosa. ‖ **2.** Imputar, atribuir falsamente a otro una cosa. ‖ **3.** Instruir a uno en una cosa; enseñársela o enterarlo de ella. Ú. t. c. prnl. ‖ **4.** Infundir respeto, miedo o asombro. Ú. t. c. intr. ‖ **5.** Poner dinero a rédito o en depósito. ‖ **6.** *Impr.* Llenar con cuadrados u otras piezas el espacio que separa las planas entre sí, para que, impresas, aparezcan con márgenes proporcionados. ‖ **7.** prnl. Hacer uno valer su autoridad o poderío. ‖ **8.** Hacerse necesario, ser imprescindible algo. SE IMPONE *salir pronto.*

imponible. (De *imponer.*) adj. Que se puede gravar con impuesto o tributo. ‖ **2.** V. **base, hecho, líquido, riqueza imponible.**

impopular. (De *in-*[2] y *popular.*) adj. Que no es grato a la multitud.

impopularidad. (De *impopular.*) f. Desafecto, mal concepto en el público.

importable. (Del lat. *importabĭlis.*) adj. ant. Que no se puede sufrir. ‖ **2.** Que se puede importar.

importación. (De *importar.*) f. Acción de importar géneros, costumbres, etc., de otro país. ‖ **2.** Conjunto de cosas importadas.

importador, ra. adj. Que introduce en un país géneros extranjeros. Ú. t. c. s.

importancia. (De *importante.*) f. Cualidad de lo importante, de lo que es muy conveniente o interesante, o de mucha entidad o consecuencia. ‖ **2.** Representación de una persona por su dignidad o cualidades. *Hombre de* IMPORTANCIA. ‖ **darse** uno **importancia.** fr. Afectar superioridad o influencia. ‖ **ser** una cosa **de la importancia** de alguno. fr. Importarle, interesarle.

importante. p. a. de **importar.** Que importa. ‖ **2.** adj. Que tiene importancia.

importantemente. adv. m. Con importancia.

importar. (Del lat. *importāre,* traer.) intr. Convenir, interesar, hacer al caso, ser de mucha entidad o consecuencia. ‖ **2.** tr. Hablando del precio de las cosas, valer o llegar a cierta cantidad una cosa comprada o ajustada. ‖ **3.** Introducir en un país géneros, artículos o costumbres extranjeros. ‖ **4.** Llevar consigo. IMPORTAR *necesidad, violencia.* ‖ **5.** ant. Contener, ocasionar, causar.

importe. (De *importar*.) m. Cuantía de un precio, crédito, deuda o saldo.

importunación. (De *importunar*.) f. Instancia porfiada y molesta.

importunadamente. adv. m. Con importunación; importunamente.

importunamente. adv. m. Con importunidad y porfía. ‖ 2. Fuera de tiempo o de propósito.

importunar. (De *importuno*.) tr. Incomodar o molestar con una pretensión o solicitud.

importunidad. (Del lat. *importunĭtas, -ātis*.) f. Cualidad de importuno. ‖ 2. Incomodidad o molestia causada por una solicitud o pretensión.

importuno, na. (Del lat. *importūnus*.) adj. **inoportuno.** ‖ 2. Molesto, enfadoso.

imposibilidad. (Del lat. *impossibilĭtas, -ātis*.) f. Falta de posibilidad para existir una cosa o para hacerla. ‖ **física.** Absoluta repugnancia que hay para que exista o se verifique una cosa en el orden natural. ‖ 2. *Der.* Enfermedad o defecto que estorba o excusa para una función pública. ‖ **metafísica.** La que implica contradicción, como que una cosa sea y no sea al mismo tiempo. ‖ **moral.** Inverosimilitud de que pueda ser o suceder una cosa, o contradicción evidente entre aquello de que se trata y las leyes de la moral y de la recta conciencia. ‖ **imposible de toda imposibilidad.** expr. fam. con que se pondera la **imposibilidad** absoluta de una cosa.

imposibilitado, da. p. p. de **imposibilitar.** ‖ 2. adj. **tullido,** privado de movimiento.

imposibilitar. (De *in-²* y *posibilitar*.) tr. Quitar la posibilidad de ejecutar o conseguir una cosa.

imposible. (Del lat. *impossibĭlis*.) adj. No posible. ‖ 2. Sumamente difícil. Ú. t. c. s. m. *Pedir eso es pedir un* IMPOSIBLE. ‖ 3. Inaguantable, enfadoso, intratable. Ú. con los verbos *estar* y *ponerse.* ‖ 4. *Der.* V. **condición imposible de derecho, y de hecho.** ‖ 5. m. *Ret.* Figura que consiste en asegurar que antes que suceda o deje de suceder una cosa ha de ocurrir otra de las que no están en lo posible. ‖ **hacer los imposibles.** fr. fig. y fam. Apurar todos los medios para el logro de un fin.

imposiblemente. adv. Con imposibilidad.

imposición. (Del lat. *impositĭo, -ōnis*.) f. Acción y efecto de imponer, poner una cosa sobre otra, o imponerse. ‖ 2. Exigencia desmedida con que se trata de obligar a uno. ‖ 3. Carga, tributo u obligación que se impone. ‖ 4. Impostura, imputación falsa. ‖ 5. Cantidad que se impone de una vez en cuenta corriente, depósito bancario, etc. ‖ 6. *Impr.* Composición de cuadrados que separa las planas entre sí, para que, impresas, aparezcan con los márgenes correspondientes. ‖ **de manos.** Ceremonia que usa la Iglesia para transmitir la gracia del Espíritu Santo a los que van a recibir ciertos sacramentos.

impositivo, va. adj. Que impone. ‖ 2. Relativo al impuesto público.

impositor, ra. adj. Que impone. Ú. t. c. s. ‖ 2. m. *Impr.* Obrero que impone en la imprenta.

imposta. (Del it. *imposta*.) f. *Arq.* Hilada de sillares algo voladiza, a veces con moldura, sobre la cual va sentado un arco. ‖ 2. *Arq.* Faja que corre horizontalmente en la fachada de los edificios a la altura de los diversos pisos.

impostación. (Del it. *impostazione*.) f. *Mús.* Acción y efecto de impostar.

impostar. (Del it. *impostare*.) tr. *Mús.* Fijar la voz en las cuerdas vocales para emitir el sonido en su plenitud sin vacilación ni temblor.

impostergable. adj. Que no se puede postergar.

impostor, ra. (Del lat. *impostor, -ōris*.) adj. Que atribuye falsamente a uno alguna cosa. Ú. m. c. s. ‖ 2. Que finge

o engaña con apariencia de verdad. Ú. m. c. s. ‖ 3. m. y f. Suplantador, persona que se hace pasar por quien no es.

impostura. (Del lat. *impostūra*.) f. Imputación falsa y maliciosa. ‖ 2. Fingimiento o engaño con apariencia de verdad.

impotable. adj. Que no se puede beber.

impotencia. (Del lat. *impotentĭa*.) f. Falta de poder para hacer una cosa. ‖ 2. Incapacidad de engendrar o concebir. ‖ 3. Imposibilidad en el varón para realizar el acto sexual completo.

impotente. (Del lat. *impŏtens, -entis*.) adj. Que no tiene potencia. ‖ 2. Incapaz de engendrar o concebir. Ú. t. c. s. ‖ 3. Dícese del varón incapaz de realizar el acto sexual completo. Ú. t. c. s. m.

impracticabilidad. f. Cualidad de impracticable.

impracticable. (De *in-²* y *practicable*.) adj. Que no se puede practicar. ‖ 2. Dícese de los caminos y parajes por donde no se puede caminar o no se puede pasar sin mucha dificultad.

imprecación. (Del lat. *imprecatĭo, -ōnis*.) f. Acción de imprecar. ‖ 2. *Ret.* Figura que consiste en imprecar.

imprecar. (Del lat. *imprecāri*.) tr. Proferir palabras con que se expresa el vivo deseo de que alguien sufra mal o daño.

imprecatorio, ria. (De *imprecar*.) adj. Que contiene o denota imprecación. *Fórmula, exclamación* IMPRECATORIA.

imprecisión. f. Falta de precisión.

impreciso, sa. adj. No preciso, vago, indefinido.

impredecible. adj. Que no se puede predecir.

impregnable. adj. Dícese de los cuerpos capaces de ser impregnados.

impregnación. f. Acción y efecto de impregnar o impregnarse. ‖ 2. *Biol.* **impronta** o troquelado.

impregnar. (Del lat. *impraegnāre*, preñar.) tr. Hacer que penetren las partículas de un cuerpo en las de otro, fijándose por afinidades mecánicas o fisicoquímicas. Ú. t. c. prnl. ‖ 2. Empapar, mojar una cosa porosa hasta que no admita más líquido. ‖ 3. fig. Influir profundamente. *Las ideas revolucionarias* IMPREGNARON *su espíritu.*

impremeditación. f. Falta de premeditación.

impremeditado, da. adj. No premeditado. ‖ 2. irreflexivo.

impremir. tr. ant. **imprimir.**

imprenta. (De *emprenta*.) f. Arte de imprimir. ‖ 2. Taller o lugar donde se imprime. ‖ 3. **impresión,** letra o forma con que está impresa una obra. ‖ 4. V. **letra, libertad, metal, pie, tinta, yerro de imprenta.** ‖ 5. fig. Lo que se publica impreso. IMPRENTA *política, literaria; leyes de* IMPRENTA; *la* IMPRENTA *ilustra o corrompe.* ‖ 6. *Cantabria.* Pieza de madera de sierra, de siete a nueve pies de longitud, con una escuadría de tres pulgadas de tabla por un canto de cinco.

impresa. f. desus. **empresa.**

impresario. m. desus. **empresario.**

imprescindible. (De *in-²* y *prescindible*.) adj. Dícese de aquello de que no se puede prescindir.

imprescriptibilidad. f. Cualidad de imprescriptible.

imprescriptible. (De *in-²* y *prescriptible*.) adj. Que no puede prescribir.

impresentable. adj. Que no es digno de presentarse o de ser presentado.

impresión. (Del lat. *impressĭo, -ōnis*.) f. Acción y efecto de imprimir. ‖ 2. Marca o señal que una cosa deja en otra al presionar sobre ella; como la que deja la huella de los animales, el sello que se estampa en un papel, etc. ‖ 3. Calidad o forma de letra con que está impresa una obra. ‖ 4. Obra impresa. ‖ 5. Efecto o alteración que causa en un cuerpo otro extraño. *El aire frío me ha hecho mucha* IMPRESIÓN. ‖ 6. ant. Taller o lugar donde se imprime. ‖ 7. fig. Efecto o sensación que algo o alguien causa en el ánimo. ‖ **8.** fig. Opinión producida por dicha sensación. ‖ **dactilar** o **digital.** La que suele dejar la yema del dedo en un objeto al tocarlo, o la que se obtiene impregnándola previamente en una materia colorante. ‖ **de la primera impresión.** loc. p. us. fig. Principiante o nuevo en una cosa. ‖ **hacer impresión** una cosa. fr. fig. Fijarse en la imaginación o en el ánimo conmoviendo eficazmente.

impresionabilidad. f. Cualidad de impresionable.

impresionable. adj. Fácil de impresionar o de recibir una impresión.

impresionante. p. a. de **impresionar.** Que impresiona. ‖ **2.** adj. Que causa gran impresión, en especial asombro o admiración.

impresionar. tr. Fijar por medio de la persuasión, o de una manera conmovedora, en el ánimo de otro una idea, sentimiento, etc., o hacer que se conciba con fuerza y viveza. Ú. t. c. prnl. ‖ **2.** Exponer una superficie convenientemente preparada a la acción de las vibraciones acústicas o luminosas, de manera que queden fijadas en ella y puedan ser reproducidas. ‖ **3.** Conmover el ánimo hondamente. Ú. t. c. prnl.

impresionismo. m. Sistema pictórico y escultórico que consiste en reproducir la naturaleza atendiendo más a la impresión que produce que a ella misma en realidad. ‖ **2.** En literatura, procedimiento que busca transmitir impresiones y sugerencias más que describir con detalle la realidad o los acontecimientos.

impresionista. adj. Perteneciente o relativo al impresionismo. ‖ **2.** Partidario del impresionismo, o que ejecuta sus obras artísticas conforme a él. Ú. t. c. s.

impreso, sa. p. p. irreg. de **imprimir.** ‖ **2.** m. Libro, folleto u hoja **impresos.** ‖ **3.** Hoja u hojas **impresas** con espacios en blanco para llenar en la realización de trámites. ‖ **4.** Objeto postal **impreso,** que se expide en condiciones especiales de franqueo y distribución.

impresor, ra. (De *impreso.*) adj. Que imprime. ‖ **2.** m. y f. Persona que imprime. ‖ **3.** Persona que dirige o es propietaria de una imprenta. ‖ **4.** f. Máquina que, conectada a un ordenador electrónico, imprime los resultados de las operaciones. ‖ **5.** fam. desus. Mujer del **impresor.**

imprestable. (De *in-²* y *prestable.*) adj. Que no se puede prestar.

imprevisible. adj. Que no se puede prever.

imprevisión. f. Falta de previsión, inadvertencia, irreflexión.

imprevisor, ra. adj. Que no prevé.

imprevisto, ta. adj. No previsto. Ú. t. c. s. ‖ **2.** m. pl. En lenguaje administrativo, gastos con los que no se contaba y para los cuales no hay crédito habilitado.

imprimación. f. Acción y efecto de imprimar. ‖ **2.** Conjunto de ingredientes con que se imprima.

imprimadera. f. Instrumento de hierro o de madera, en figura de cuchilla o media luna, con el cual se imprimen los lienzos, puertas, paredes, etc.

imprimador, ra. adj. Que imprima. Ú. t. c. s.

imprimar. (De etim. disc.) tr. Preparar con los ingredientes necesarios las cosas que se han de pintar o teñir. ‖ **2.** *Col.* y *Perú.* Cubrir la superficie no pavimentada de una carretera con un material asfáltico, con el fin de evitar el polvo y la erosión.

imprimátur. (3.ª pers. sing. del pres. de subj. pasivo del lat. *imprimĕre,* imprimir.) m. Licencia que da la autoridad eclesiástica para imprimir un escrito.

imprimidor. m. ant. **impresor.**

imprimir. (Del lat. *imprimĕre.*) tr. Marcar en el papel o en otra materia las letras y otros caracteres gráficos mediante procedimientos adecuados. ‖ **2.** Por ext., confeccionar una obra impresa. ‖ **3.** Estampar un sello u otra cosa en papel, tela o masa por medio de la presión. ‖ **4.** ant. Introducir

o hincar con fuerza alguna cosa en otra. ‖ **5.** fig. Fijar en el ánimo algún afecto, idea, sentimiento, etc. ‖ **6.** fig. Dar una determinada característica, estilo, etc., a algo.

improbabilidad. f. Falta de probabilidad.

improbable. adj. No probable.

improbablemente. adv. m. Con improbabilidad.

improbar. (Del lat. *improbāre.*) tr. Desaprobar, reprobar una cosa. Ú. en América.

improbidad. (Del lat. *improbĭtas, -ātis.*) f. Falta de probidad; perversidad, iniquidad.

ímprobo, ba. (Del lat. *imprŏbus.*) adj. Falto de probidad, malvado. ‖ **2.** Aplícase al trabajo excesivo.

improcedencia. (De *in-²* y *procedencia.*) f. Falta de oportunidad, de fundamento o de derecho.

improcedente. (De *in-²* y *procedente.*) adj. No conforme a derecho. ‖ **2.** Inadecuado, extemporáneo.

improductivo, va. adj. Dícese de lo que no produce.

improfanable. adj. Que no se puede profanar.

improlongable. adj. Que no se puede prolongar.

impromptu. m. Composición musical que improvisa el ejecutante y, por ext., la que se compone sin plan preconcebido.

impronta. (Del it. *impronta.*) f. Reproducción de imágenes en hueco o de relieve, en cualquier materia blanda o dúctil, como papel humedecido, cera, lacre, escayola, etc. ‖ **2.** fig. Marca o huella que, en el orden moral, deja una cosa en otra. ‖ **3.** *Biol.* Proceso de aprendizaje que tiene lugar en los animales jóvenes durante un corto período de receptividad, del que resulta una forma estereotipada de reacción frente a un modelo, que puede ser otro ser vivo o un juguete mecánico.

impronunciable. adj. Imposible de pronunciar o de muy difícil pronunciación. ‖ **2.** p. us. Inefable, o que no puede explicarse con palabras. ‖ **3.** fig. Que no debería decirse, para no ofender a la moral, el buen gusto, etc.

improperar. (Del lat. *improperāre.*) tr. p. us. Decir a uno improperios.

improperio. (Del lat. *improperĭum.*) m. Injuria grave de palabra, y especialmente la que se emplea para echar a uno en cara una cosa. ‖ **2.** pl. Versículos que se cantan en el oficio del Viernes Santo, durante la adoración de la cruz.

impropiamente. adv. m. Con impropiedad.

impropiar. tr. ant. Usar las palabras con impropiedad.

impropiedad. (Del lat. *improprĭĕtas, -ātis.*) f. Cualidad de impropio. ‖ **2.** Falta de propiedad en el uso de las palabras.

impropio, pia. (Del lat. *improprĭus.*) adj. Falto de las cualidades convenientes según las circunstancias. ‖ **2.** Ajeno a una persona, cosa o circunstancia, o extraño a ellas. ‖ **3.** V. **feudo impropio.** ‖ **4.** *Arit.* V. **quebrado impropio.** ‖ **5.** *Mat.* V. **fracción impropia.**

improporción. f. Falta de proporción.

improporcionado, da. adj. Que carece de proporción.

impropriamente. adv. m. desus. **impropiamente.**

impropriedad. (Del lat. *improprĭĕtas, -ātis.*) f. ant. **impropiedad.**

improprio, pria. (Del lat. *improprĭus.*) adj. ant. **impropio.**

improrrogable. adj. Que no se puede prorrogar.

impróspero, ra. (Del lat. *improsper, -ĕra.*) adj. p. us. No próspero.

improvidamente. adv. m. Sin previsión.

improvidencia. (Del lat. *improvidentĭa.*) f. ant. Falta de providencia.

impróvido, da. (Del lat. *improvĭdus.*) adj. p. us. Desprevenido, desapercibido, falto de lo necesario.

improvisación. f. Acción y efecto de improvisar. ‖ **2.** Obra o composición improvisada. ‖ **3.** p. us. Medra rápida, por lo común inmerecida, en la carrera o en la fortuna de una persona.

improvisadamente. adv. m. Sin prevención ni previsión.

improvisador, ra. adj. Que improvisa. Dícese especialmente del que compone de repente, versos, canciones, discursos, etc. Ú. t. c. s.

improvisamente. adv. m. De repente, sin prevención ni previsión.

improvisar. (De *improviso*.) tr. Hacer una cosa de pronto, sin estudio ni preparación. ‖ **2.** Hacer de este modo discursos, poesías, etc.

improviso, sa. (Del lat. *improvisus*.) adj. Que no se prevé o previene. ‖ **al,** o **de, improviso.** loc. adv. Sin prevención ni previsión. ‖ **en un improviso.** loc. adv. p. us. En un instante.

improvisto, ta. (De *in-²* y *provisto*.) adj. No previsto. ‖ **a la improvista.** loc. adv. Sin prevención ni previsión.

imprudencia. (Del lat. *imprudentia*.) f. Falta de prudencia. ‖ **2.** Acción o dicho imprudente. ‖ **temeraria.** *Der.* Punible e inexcusable negligencia con olvido de las precauciones que la prudencia vulgar aconseja, la cual conduce a ejecutar hechos que, a mediar malicia en el actor, serían delitos.

imprudente. (Del lat. *imprūdens, -entis*.) adj. Que no tiene prudencia. Ú. t. c. s.

imprudentemente. adv. m. Con imprudencia.

impúber. (Del lat. *impūbes, ēris*.) adj. Que no ha llegado aún a la pubertad. Ú. t. c. s.

impúbero, ra. adj. p. us. **impúber.** Ú. t. c. s.

impudencia. (Del lat. *impudentĭa*.) f. Descaro, desvergüenza.

impudente. (Del lat. *impūdens, -entis*.) adj. Desvergonzado, sin pudor.

impúdicamente. adv. m. Deshonestamente, sin recato. ‖ **2.** Con cinismo, descaradamente.

impudicia. (De *impudicicia*.) f. Deshonestidad, falta de recato y pudor.

impudicicia. (Del lat. *impudicitĭa*.) f. **impudicia.**

impúdico, ca. (Del lat. *impudīcus*.) adj. Deshonesto, sin pudor.

impudor. m. Falta de pudor y de honestidad. ‖ **2.** Cinismo en defender cosas vituperables.

impuesto, ta. (Del lat. *impositus*.) p. p. irreg. de **imponer.** ‖ **2.** m. Tributo, carga. ‖ **directo.** El que grava las fuentes de capacidad económica, como la renta y el patrimonio. ‖ **indirecto.** El que grava el consumo o gasto.

impugnable¹. (De *impugnar* y *-ble*.) adj. Que se puede impugnar.

impugnable². (De *in-²*, *pugnar* y *-ble*.) adj. Que no se puede conquistar, inexpugnable.

impugnación. (Del lat. *impugnatĭo, -ōnis*.) f. Acción y efecto de impugnar.

impugnador, ra. (Del lat. *impugnātor, -ōris*.) adj. Que impugna. Ú. t. c. s.

impugnar. (Del lat. *impugnāre*.) tr. Combatir, contradecir, refutar. ‖ **2.** *Der.* Interponer un recurso contra una resolución judicial.

impugnativo, va. adj. Dícese de lo que impugna o sirve para impugnar.

impulsar. (De *impulso*.) tr. **impeler.** ‖ **2.** fig. Estimular, promover una acción.

impulsión. (Del lat. *impulsĭo, -ōnis*.) f. **impulso.**

impulsividad. f. Cualidad de impulsivo.

impulsivo, va. (De *impulso*.) adj. Dícese de lo que impele o puede impeler. ‖ **V. causa impulsiva.** ‖ **3.** Dícese del que suele hablar o proceder sin reflexión ni cautela, dejándose llevar por la impresión del momento. Ú. t. c. s.

impulso. (Del lat. *impulsus*.) m. Acción y efecto de impeler

o impulsar. ‖ **2.** Instigación, sugestión. ‖ **3.** Fuerza que lleva un cuerpo en movimiento o en crecimiento. ‖ **4.** fig. Deseo o motivo afectivo que induce a hacer algo de manera súbita, sin reflexionar. ‖ **tomar,** o **coger, impulso.** fr. Correr para efectuar un lanzamiento o un salto con mayor ímpetu.

impulsor, ra. (Del lat. *impulsor, -ōris*.) adj. Que impele o impulsa. Ú. t. c. s.

impune. (Del lat. *impūnis*.) adj. Que queda sin castigo.

impunemente. adv. m. Con impunidad.

impunidad. (Del lat. *impunītas, -ātis*.) f. Falta de castigo.

impunido, da. (Del lat. *impunītus*.) adj. ant. Que queda sin castigo, impune.

impuntual. (De *in-²* y *puntual*.) adj. No puntual.

impuramente. adv. m. Con impureza.

impureza. (Del lat. *impurĭtĭa*.) f. Condición de lo que no es puro. ‖ **2.** Materia que, en una sustancia, deteriora alguna o algunas de sus cualidades. Ú. m. en pl. ‖ **3.** Falta de pureza o castidad. ‖ **de sangre.** fig. Mancha de una familia por la mezcla de raza considerada mala o impura.

impuridad. (Del lat. *impurĭtas, -ātis*.) f. **impureza.**

impurificación. f. Acción y efecto de impurificar.

impurificar. tr. Hacer impura a una persona o cosa. ‖ **2.** Causar impureza. ‖ **3.** Abolida la constitución de 1823, incapacitar a alguien para el servicio del Estado.

impuro, ra. (Del lat. *impūrus*.) adj. No puro.

imputabilidad. f. Cualidad de imputable.

imputable. adj. Que se puede imputar.

imputación. (Del lat. *imputatĭo, -ōnis*.) f. Acción o efecto de imputar. ‖ **2.** Cosa imputada.

imputador, ra. (Del lat. *imputātor, -ōris*.) adj. Que imputa. Ú. t. c. s.

imputar. (Del lat. *imputāre*.) tr. Atribuir a otro una culpa, delito o acción. ‖ **2.** Señalar la aplicación o inversión de una cantidad, sea al entregarla, sea al tomar razón de ella en cuenta.

imputrescible. (Del lat. *imputrescĕre* y *-ble*.) adj. Que no se pudre fácilmente.

imputrible. (Del lat. *imputribĭlis*.) adj. desus. Que no puede pudrirse.

in. prep. lat. que funciona en locuciones usadas en español; v. gr. IN *pártibus,* IN *promptu.*

in-¹. (Del lat. *in-,* hacia dentro.) pref. que se convierte en **im-** ante *b o p,* ante *l o r.* Suele significar «adentro» o «al interior»: IN*cluir,* IN*sacular,* IM*portar,* IR*rumpir.*

in-². (Del lat. *in-,* de valor negat. o privat.) pref. que se convierte en **im-** ante *b o p,* en **i-** ante *l o r.* Significa negación o privación: IN*acabable,* IN*comunicar,* IN*acción,* IM*paciencia,* I*legal,* I*rreal.*

-ín, na. suf. de sustantivos y adjetivos, que suele tener valor diminutivo o expresivo: *malet*ÍN, *peluqu*ÍN, *pill*ÍN, *borrach*ÍN; los adjetivos en **-in** formados sobre un infinitivo suelen denotar agente: *andar*ÍN, *bailar*ÍN, *saltar*ÍN.

-ina. suf. de sustantivos femeninos que indican acción súbita y violenta: *cachet*INA, *degoll*INA, *escabech*INA, *rega*ñINA; forma también nombres de árboles o plantas: *glici*NA, *ambar*INA; de frutos: *acebuch*INA, *agracej*INA; sustantivos de carácter diminutivo: *culebr*INA; en química significa sustancia relacionada con lo denotado por el elemento principal de la palabra: *adrenal*INA, *coca*INA, *morf*INA, *cafe*INA.

inabarcable. adj. Que no puede abarcarse. Ú. m. en sent. fig.

inabordable. adj. Que no se puede abordar.

inacabable. adj. Que no se puede acabar, que no se le ve el fin, o que se retarda este con exceso.

inaccesibilidad. (Del lat. *inaccessibilĭtas, -ātis*.) f. Cualidad de inaccesible.

inaccesible. (Del lat. *inaccessibĭlis*.) adj. No accesible. ‖ **2.** *Topogr.* V. **altura inaccesible.**

inaccesiblemente. adv. m. De un modo inaccesible.

inacceso, sa. (Del lat. *inaccessus*.) adj. p. us. Que no ha tenido hasta ahora acceso.

inacción. f. Falta de acción, ociosidad, inercia.

inacentuado, da. adj. *Gram.* Dícese de la vocal, sílaba o palabra que se pronuncia sin acento prosódico.

inaceptable. adj. No aceptable.

inactividad. f. Carencia de actividad.

inactivo, va. adj. Carente de acción o movimiento; ocioso, inerte.

inadaptabilidad. f. Cualidad de inadaptable.

inadaptable. adj. No adaptable.

inadaptación. f. Falta de adaptación.

inadaptado, da. adj. Dícese del que no se adapta o aviene a ciertas condiciones o circunstancias. Apl. a pers., ú. t. c. s.

inadecuación. f. Falta de adecuación.

inadecuado, da. adj. No adecuado.

inadmisible. adj. No admisible.

inadoptable. adj. No adoptable.

inadvertencia. f. Falta de advertencia.

inadvertidamente. adv. m. Con inadvertencia.

inadvertido, da. adj. Dícese del que no advierte o repara en las cosas que debiera. ‖ **2.** No advertido.

inafectado, da. (Del lat. *inaffectátus*.) adj. No afectado.

inagotable. adj. Que no se puede agotar.

inaguantable. adj. Que no se puede aguantar o sufrir.

inajenable. adj. p. us. Que no se puede enajenar.

inalámbrico, ca. adj. Aplícase a todo sistema de comunicación eléctrica sin alambres conductores. Ú. t. c. s.

in albis. (Del lat. *in*, en, y *albis*, abl. pl. de *albus*, blanco.) loc. adv. **en blanco,** sin lograr lo que se esperaba. Ú. con los verbos *dejar* y *quedarse*. ‖ **2.** loc. adv. **en blanco,** sin comprender lo que se oye. Ú. m. con el verbo *quedarse*.

inalcanzable. adj. Que no se puede alcanzar.

inalienabilidad. f. Cualidad de inalienable.

inalienable. (Del lat. *inalienabĭlis*.) adj. Que no se puede enajenar.

inalterabilidad. f. Cualidad de inalterable.

inalterable. adj. Que no se puede alterar; que no se altera.

inalterablemente. adv. m. Sin alteración.

inalterado, da. adj. Que no tiene alteración.

inameno, na. (Del lat. *inamoenus*.) adj. p. us. Falto de amenidad.

inamisible. (Del lat. *inamissibĭlis*.) adj. p. us. Que no se puede perder.

inamovible. adj. Fijo, que no es movible.

inamovilidad. f. Cualidad de inamovible.

inanalizable. adj. No analizable.

inane. (Del lat. *inānis*.) adj. Vano, fútil, inútil.

inanición. (Del lat. *inanitĭo, -ōnis*.) f. *Fisiol.* Gran debilidad por falta de alimento o por otras causas.

inanidad. (Del lat. *inanĭtas, -ātis*.) f. Vacuidad, futilidad.

inanimado, da. (Del lat. *inanimātus*.) adj. Que no tiene **alma** espiritual. ‖ **2.** Que no tiene **alma,** principio sensitivo de los animales. ‖ **3.** Que no da señales de vida. ‖ **4.** V. **nombre inanimado.**

in ánima vili. loc. lat. que significa *en ánima vil*, y que se usa en medicina para denotar que los experimentos o ensayos deben hacerse en animales irracionales antes que en el hombre.

inánime. adj. p. us. Dícese del que está ya sin vida o sin señal de vida. ‖ **2.** p. us. Que no tiene alma espiritual ni principio sensitivo animal.

inapagable. adj. Que no puede apagarse.

inapeable. adj. Que no se puede apear. ‖ **2. intransita-**

ble. ‖ **3.** fig. Que no se puede comprender o conocer. ‖ **4.** fig. Aplícase al que tenazmente se aferra a su dictamen u opinión.

inapelable. adj. Aplícase a la sentencia o fallo de que no se puede apelar. ‖ **2.** fig. Irremediable, inevitable.

inapetencia. f. Falta de apetito o de gana de comer.

inapetente. adj. Que no tiene apetencia.

inaplazable. adj. Que no se puede aplazar.

inaplicable. adj. Que no se puede aplicar.

inaplicación. f. **desaplicación.**

inaplicado, da. adj. **desaplicado.**

inapreciable. adj. Que no se puede apreciar, por su mucho valor o mérito, o por su extremada pequeñez u otro motivo.

inaprensible. adj. Que no se puede asir. ‖ **2.** Imposible de comprender.

inaprensivo, va. adj. Que no tiene aprensión.

inapropiable. adj. Que no puede ser objeto de apropiación.

inaprovechado, da. adj. No aprovechado.

inarmónico, ca. adj. Falto de armonía.

inarrugable. adj. Que no se arruga con el uso. *Tela* INARRUGABLE.

inarticulable. adj. Que no se puede articular.

inarticulado, da. (Del lat. *inarticulátus*.) adj. No articulado. ‖ **2.** Dícese también de los sonidos de la voz con que no se forman palabras.

in artículo mortis. expr. lat. *Der.* En el artículo de la muerte. ‖ **2.** V. **matrimonio in artículo mortis.**

inartificioso, sa. adj. No artificioso, sin artificio.

inasequible. adj. No asequible.

inasible. adj. Que no se puede asir o coger.

inasistencia. f. Falta de asistencia.

inasistente. adj. Que no asiste. Ú. t. c. s.

inastillable. adj. Que no puede astillar. ‖ **2.** Dícese de un vidrio que al romperse no se deshace en hojas cortantes.

inatacable. adj. Que no puede ser atacado.

inatención. f. Falta de atención.

inatento, ta. adj. No atento.

inaudible. adj. Que no se puede oír.

inaudito, ta. (Del lat. *inaudĭtus*.) adj. Nunca oído. ‖ **2.** fig. Monstruoso, extremadamente vituperable.

inauguración. (Del lat. *inauguratĭo, -ōnis*.) f. Acto de inaugurar. ‖ **2.** desus. Exaltación de un soberano al trono.

inaugurador, ra. adj. Que inaugura.

inaugural. adj. Perteneciente a la inauguración. *Solemnidad, ceremonia, oración* INAUGURAL. ‖ **2.** V. **lección inaugural.**

inaugurar. (Del lat. *inaugurāre*.) tr. p. us. Adivinar supersticiosamente por el vuelo, canto o movimiento de las aves. ‖ **2.** Dar principio a una cosa con cierta solemnidad. ‖ **3.** Abrir solemnemente un establecimiento público. ‖ **4.** Celebrar el estreno de una obra, edificio o monumento. ‖ **5.** fig. Iniciar algo nuevo.

inaveriguable. adj. Que no se puede averiguar.

inaveriguado, da. adj. No averiguado.

inca. adj. Perteneciente o relativo a los aborígenes americanos que, a la llegada de los españoles, habitaban en la parte oeste de América del Sur, desde el actual Ecuador hasta Chile y el norte de la República Argentina, y estaban sometidos a una monarquía cuya capital era la ciudad del Cuzco. ‖ **2.** Dícese del habitante del Cuzco y de sus alrededores. Ú. t. c. s. ‖ **3.** Dícese del individuo comprendido en la unidad política del imperio incaico. Ú. t. c. s. ‖ **4.** m. Denominación que se daba al soberano que gobernaba el imperio incaico. ‖ **5.** Descendiente del **inca.** ‖ **6.** Antigua moneda de oro de la república del Perú. ‖ **7.** V. **espejo de los incas.**

incaico, ca. adj. Perteneciente o relativo a los incas.

incalculable. adj. Que no se puede calcular.

incaler. (De *end[e]* y *caler*.) intr. ant. Tocar, importar.

incalificable. adj. Que no se puede calificar. ‖ **2.** Muy vituperable.

incalmable. adj. Que no se puede calmar.

incalumniable. adj. Que no puede ser calumniado.

incandescencia. f. Cualidad de incandescente.

incandescente. (De *incandescĕre*, ponerse candente.) adj. Dícese del cuerpo, generalmente metal, cuando se enrojece o blanquea por la acción del calor.

incansable. adj. Que no se cansa, infatigable.

incansablemente. adv. m. Con persistencia o tenacidad, sin ceder al cansancio.

incantable. adj. Que no se puede cantar.

incantación. (Del lat. *incantatĭo, -ōnis*.) f. ant. Acción y efecto de encantar a personas, animales o cosas con un poder preternatural.

incapacidad. (Del lat. *incapacĭtas, -ātis*.) f. Falta de capacidad para hacer, recibir o aprender una cosa. ‖ **2.** fig. Falta de entendimiento o inteligencia. ‖ **3.** Falta de preparación, o de medios para realizar un acto. ‖ **4.** *Der.* Carencia de aptitud legal para ejecutar válidamente determinados actos, o para ejercer determinados cargos públicos.

incapacitación. f. Acción y efecto de incapacitar.

incapacitado, da. p. p. de **incapacitar.** ‖ **2.** adj. Dícese de la persona sujeta a interdicción civil. Ú. t. c. s.

incapacitar. (De *incapaz*.) tr. *Der.* Decretar la falta de capacidad civil de personas mayores de edad. ‖ **2.** *Der.* Decretar la carencia, en una persona, de las condiciones legales para un cargo público.

incapaz. (Del lat. *incăpax, -ācis*.) adj. Que no tiene capacidad o aptitud para una cosa. ‖ **2.** fig. Falto de talento. ‖ **3.** *Der.* Que no tiene cumplida personalidad para actos civiles, o que carece de aptitud legal para una cosa determinada.

incardinación. f. Acción y efecto de incardinar o incardinarse.

incardinar. (Del b. lat. *incardināre*.) tr. Vincular de manera permanente a un eclesiástico en una diócesis determinada. Ú. t. c. prnl. ‖ **2.** Por ext., aplicase a personas que entran en una casa, institución, etc., o figuradamente a cosas o conceptos abstractos que se incorporan a algo. Ú. t. c. prnl.

incario. (De *inca*.) m. Período de tiempo que duró el imperio de los incas. ‖ **2.** Estructura política y social del imperio incaico.

incasable. adj. Que no puede casarse. ‖ **2.** Dícese de la persona que tiene, o de quien se supone que tiene, una gran repugnancia al matrimonio. ‖ **3.** Aplicase a la persona que, por sus cualidades, difícilmente podría hallar cónyuge.

incasto, ta. adj. p. us. Deshonesto, que no tiene continencia o castidad.

incausto. m. Adustión, encausto.

incautación. f. Acción y efecto de incautarse.

incautamente. adv. m. Sin cautela, sin previsión.

incautarse. (De *in-*[1] y *cautum*, que en lat. med. español significó multa.) prnl. Tomar posesión un tribunal, u otra autoridad competente, de dinero o bienes de otra clase.

incauto, ta. (Del lat. *incautus*.) adj. Que no tiene cautela. ‖ **2.** Ingenuo, cándido, que no tiene malicia. Ú. t. c. s.

incendaja. (De *encendaja*.) f. Materia combustible a propósito para encender fuego. Ú. m. en pl.

incendiar. (De *incendio*.) tr. Prender fuego a algo que no debería quemarse; como edificios, mieses, etc. Ú. t. c. prnl.

incendiario, ria. (Del lat. *incendiarĭus*.) adj. Que incendia con premeditación, por afán de lucro o por maldad. Ú. t. c. s. ‖ **2.** Destinado a incendiar o que puede causar incendio. ‖ **3.** fig. Escandaloso, subversivo. *Artículo, discurso, libro* INCENDIARIO. ‖ **4.** *Art.* V. **fuego incendiario.**

incendio. (Del lat. *incendĭum*.) m. Fuego grande que destruye lo que no debería quemarse. ‖ **2.** fig. Pasión vehemente, impetuosa, como el amor, la ira, etc.

incensación. f. Acción y efecto de incensar.

incensada. f. Cada uno de los vaivenes del incensario en el acto de incensar. ‖ **2.** fig. Adulación, lisonja.

incensar. (De *incienso*.) tr. Dirigir con el incensario el humo del incienso hacia una persona o cosa. ‖ **2.** fig. Lisonjear o adular a uno.

incensario. m. Braserillo con cadenillas y tapa, que sirve para incensar.

incensivo, va. (Variante de *incentivo*.) adj. ant. Que enciende o tiene virtud de encender.

incenso. m. ant. Incienso de quemar.

incensor, ra. (Del lat. *incensor, -ōris*.) adj. ant. **incendiario.** Usáb. t. c. s.

incensurable. adj. Que no se puede censurar.

incentivar. tr. Estimular para que algo se acreciente o aumente.

incentivo, va. (Del lat. *incentīvus*.) adj. Que mueve o excita a desear o a hacer una cosa. Ú. m. c. s. m. ‖ **2.** *Econ.* Estímulo que se ofrece a una persona, grupo o sector de la economía para elevar la producción.

inceptor. (Del lat. *inceptor, -ōris*.) m. desus. **comenzador.**

incerteza. f. ant. **incertidumbre.**

incertidumbre. f. Falta de certidumbre; duda, perplejidad.

incertinidad. f. ant. Falta de certeza o certidumbre.

incertísimo, ma. adj. sup. de **incierto.**

incertitud. (Del lat. *incertitūdo*.) f. ant. Falta de certeza o certidumbre.

incesable. (Del lat. *incessabĭlis*.) adj. Que no cesa o no puede cesar.

incesablemente. adv. m. De manera incesable.

incesante. adj. Que no cesa.

incesantemente. adv. m. Sin cesar.

incestar. (Del lat. *incestāre*.) intr. ant. Cometer incesto.

incesto. (Del lat. *incestus*.) m. desus. Perteneciente o relativo al **incesto.** ‖ **2.** m. Relación carnal entre parientes dentro de los grados en que está prohibido el matrimonio.

incestuosamente. adv. m. De modo incestuoso.

incestuoso, sa. (Del lat. *incestuōsus*.) adj. Que comete incesto. Ú. t. c. s. ‖ **2.** Perteneciente o relativo al incesto. ‖ **3.** V. **hijo incestuoso.**

incidencia. (Del lat. *incidentĭa*.) f. Lo que sobreviene en el curso de un asunto o negocio y tiene con él alguna conexión. ‖ **2.** Número de casos, a veces en tanto por ciento, o, más en general, repercusión de ellos en algo. ‖ **3.** *Der.* **incidente,** cuestión distinta de la principal en un juicio. ‖ **4.** *Geom.* Caída de una línea, de un plano o de un cuerpo, o la de un rayo de luz, sobre otro cuerpo, plano, línea o punto. ‖ **5.** *Geom.* V. **ángulo de incidencia.** ‖ **6.** *Ópt.* V. **rayo de la incidencia.** ‖ **por incidencia.** loc. adv. Accidentalmente, por casualidad.

incidental. adj. Dícese de lo que sobreviene en algún asunto y tiene alguna relación con él. ‖ **2.** Dícese del hecho o cosa accesoria, o de menor importancia.

incidentalmente. adv. m. **incidentemente.**

incidente. (Del lat. *incĭdens, -entis*.) adj. Que sobreviene en el curso de un asunto o negocio y tiene con éste enlace. Ú. m. c. s. ‖ **2.** *Ópt.* V. **rayo incidente.** ‖ **3.** m. Disputa, riña, pelea entre dos o más personas. ‖ **4.** *Der.* Cuestión distinta del principal asunto del juicio, pero con él relacionada, que se ventila y decide por separado, suspendiendo a veces el curso de aquel, y denominándose entonces *de previo y especial pronunciamiento.*

incidentemente. adv. m. Accidentalmente, por casualidad.

incidir[1]. (Del lat. *incidĕre*.) intr. Caer o incurrir en una falta, error, extremo, etc. ‖ **2.** Sobrevenir, ocurrir. ‖ **3.** repercutir, causar efecto una cosa en otra. ‖ **4.** Caer sobre algo o alguien.

incidir[2]. (Del lat. *incidĕre*.) tr. Cortar, romper, hendir. ‖ **2.** Inscribir, grabar. ‖ **3.** Separar, apartar. ‖ **4.** *Cir.* Hacer una incisión o cortadura.

incienso. (Del lat. *incensum*.) m. Gomorresina en forma de lágrimas, de color amarillo blanquizco o rojizo, fractura lustrosa, sabor acre y olor aromático al arder. Proviene de árboles de la familia de las burseráceas, originarios de Arabia, de la India y de África, y se quema en las ceremonias religiosas. ‖ **2.** Mezcla de sustancias resinosas que al arder despiden buen olor. ‖ **3.** V. **árbol del incienso.** ‖ **4.** fig. **lisonja**[1]. ‖ **hembra.** El que por incisión se hace destilar al árbol. ‖ **macho.** El que naturalmente destila el árbol, el cual es más puro y mejor que el **incienso hembra.**

inciente. (Del lat. *insciens, -entis*.) adj. ant. Que no sabe.

inciertamente. adv. m. Con incertidumbre.

incierto, ta. (Del lat. *incertus*.) adj. No cierto o no verdadero. ‖ **2.** Inconstante, no seguro, no fijo. ‖ **3.** Desconocido, no sabido, ignorado.

incinerable. adj. Que ha de incinerarse. Dícese especialmente de los billetes de banco que se retiran de la circulación para ser quemados.

incineración. f. Acción y efecto de incinerar.

incinerador, ra. adj. Dícese de la instalación o aparato destinados a incinerar. Ú. t. c. s.

incinerar. (Del lat. *incinerāre*.) tr. Reducir una cosa a cenizas. Se usa más comúnmente hablando de los cadáveres.

incipiente. (Del lat. *incipiens, -entis*.) adj. Que empieza.

íncipit. (Tercera pers. del sing. del pres. de indic. del lat. *incipĕre*, empezar.) m. Término con que en las descripciones bibliográficas se designan las primeras palabras de un escrito o de un impreso antiguo.

incircunciso, sa. (Del lat. *incircumcisus*.) adj. No circuncidado.

incircunscripto, ta. adj. **incircunscrito.**

incircunscrito, ta. (Del lat. *incircumscriptus*.) adj. No comprendido dentro de determinados límites.

incisión. (Del lat. *incisĭo, -ōnis*.) f. Hendidura que se hace en algunos cuerpos con instrumento cortante. ‖ **2.** *Lit.* Cesura.

incisivo, va. (Del lat. *incisus*, e *-ivo*.) adj. Apto para abrir o cortar. ‖ **2.** V. **diente incisivo.** Ú. t. c. s. ‖ **3.** fig. Punzante, mordaz.

inciso, sa. (Del lat. *incisus*.) adj. **cortado,** dicho del estilo. ‖ **2.** m. *Gram.* Cada uno de los miembros que, en los períodos, encierra sentido parcial. ‖ **3.** Por ext., lo que se intercala en una exposición para explicar algo solo indirectamente relacionado con el tema. ‖ **4.** *Gram.* **coma**[1], signo ortográfico.

incisorio, ria. (Del lat. *incisorĭus*.) adj. Que corta o puede cortar. Dícese comúnmente de los instrumentos de cirugía.

incisura. (Del lat. *incisūra*.) f. *Med.* Escotadura, fisura, hendidura.

incitación. (Del lat. *incitatĭo, -ōnis*.) f. Acción y efecto de incitar.

incitador, ra. (Del lat. *incitātor, -ōris*.) adj. Que incita. Ú. t. c. s.

incitamento. (Del lat. *incitamentum*.) m. Lo que incita.

incitamiento. m. Lo que incita.

incitante. p. a. de **incitar.** Que incita. ‖ **2.** adj. Atractivo, estimulante.

incitar. (Del lat. *incitāre*.) tr. Mover o estimular a uno para que ejecute una cosa.

incitativa. (De *incitativo*.) f. *Der.* Provisión que despacha-

ba el tribunal superior para que los jueces ordinarios hiciesen justicia y no agraviasen a las partes.

incitativo, va. adj. Que incita o tiene virtud de incitar. Ú. t. c. s. m. ‖ **2.** *Der.* **aguijatorio.**

incivil. (Del lat. *incivĭlis*.) adj. Falto de civilidad o cultura. ‖ **2.** Grosero, mal educado.

incivilidad. (Del lat. *incivilĭtas, -ātis*.) f. Falta de civilidad o cultura.

incivilizado, da. adj. **incivil.**

incivilmente. adv. m. De manera incivil.

inclasificable. adj. Que no se puede clasificar.

inclaustración. (De *in-*[1] y *claustro*.) f. Ingreso en una orden monástica.

inclaustrar. tr. **enclaustrar.**

inclemencia. (Del lat. *inclementĭa*.) f. Falta de clemencia. ‖ **2.** fig. Rigor del tiempo, especialmente del frío. ‖ **a la inclemencia.** loc. adv. Al descubierto, sin abrigo.

inclemente. (Del lat. *inclĕmens, -entis*.) adj. Falto de clemencia. ‖ **2.** fig. Aplicado al tiempo, riguroso, muy desapacible.

inclín. (De *inclinar*, persuadir.) m. *León* y *Sal.* Inclinación, propensión. ‖ **2.** *León* y *Sal.* Índole, carácter, temperamento.

inclinación. (Del lat. *inclinatĭo, -ōnis*.) f. Acción y efecto de inclinar o inclinarse. ‖ **2.** Reverencia que se hace con la cabeza o el cuerpo. ‖ **3.** fig. Afecto, amor, propensión a una cosa. ‖ **4.** *Geom.* Dirección que una línea o una superficie tiene con relación a otra línea u otra superficie. ‖ **de la aguja magnética.** *Fís.* Ángulo, variable según las localidades, que la aguja imantada forma con el plano horizontal.

inclinado, da. p. p. de **inclinar.** ‖ **2.** adj. *Mec.* V. **plano inclinado.**

inclinador, ra. adj. Que inclina. Ú. t. c. s.

inclinar. (Del lat. *inclināre*.) tr. Apartar una cosa de su posición perpendicular a otra o del horizonte. Ú. t. c. prnl. ‖ **2.** fig. Persuadir a uno a que haga o diga lo que dudaba hacer o decir. ‖ **3.** intr. p. us. Parecerse o asemejarse un tanto un objeto a otro. Ú. t. c. prnl. ‖ **4.** prnl. Propender a hacer, pensar o sentir una cosa. ME INCLINO *a creerle*.

inclinativo, va. (Del lat. *inclinatīvus*.) adj. Dícese de lo que inclina o puede inclinar.

ínclito, ta. (Del lat. *inclĭtus*.) adj. Ilustre, esclarecido, afamado.

incluir. (Del lat. *includĕre*.) tr. Poner una cosa dentro de otra o dentro de sus límites. ‖ **2.** Contener una cosa a otra, o llevarla implícita.

inclusa[1]. (De *Nuestra Señora de la Inclusa*, imagen de la Virgen traída en el siglo XVI de la isla *L'Écluse*, en Holanda, y colocada en la casa de expósitos de Madrid.) f. Casa en donde se recoge y cría a los niños expósitos.

inclusa[2]. (Del lat. *inclūsa*, cerrada.) f. ant. Esclusa de un canal de navegación.

inclusero, ra. adj. fam. Que se cría o se ha criado en la inclusa[1]. Ú. t. c. s.

inclusión. (Del lat. *inclusĭo, -ōnis*.) f. Acción y efecto de incluir. ‖ **2.** p. us. Conexión o amistad de una persona con otra.

inclusivamente. adv. m. Con inclusión.

inclusive. (Del lat. escolástico *inclusīve*, y este del lat. *inclūsus*, incluso.) adv. m. Incluyendo el último objeto nombrado.

inclusivo, va. (Del *incluso* e *-ivo*.) adj. Que incluye o tiene virtud y capacidad para incluir una cosa.

incluso, sa. (Del lat. *inclūsus*.) p. p. irreg. de **incluir.** Ú. solo como adjetivo. ‖ **2.** adv. m. Con inclusión, inclusivamente. ‖ **3.** prep. y conj. Hasta, aun. INCLUSO *a los enemigos amó*.

incoación. (Del lat. *inchoatĭo, -ōnis*.) f. Acción de incoar.

incoar. (Del lat. *inchoāre*.) tr. Comenzar una cosa, llevar a cabo los primeros trámites de un proceso, pleito, expediente o alguna otra actuación oficial.

incoativo, va. (Del lat. *inchoativus.*) adj. Que implica o denota el principio de una cosa o de una acción progresiva. ‖ **2.** V. **verbo incoativo.**

incobrable. adj. Que no se puede cobrar o es de muy dudosa cobranza.

incoercible. adj. Que no puede ser coercido.

incogitado, da. (Del lat. *incogitātus.*) adj. desus. Impensado, inesperado.

incógnita. (Del lat. *incognīta*, t. f. de *-tus*, incógnito.) f. *Mat.* Cantidad desconocida que es preciso determinar en una ecuación o en un problema para resolverlos. ‖ **2.** fig. Causa o razón oculta de algo. *Despejar la* INCÓGNITA *de la conducta de Juan.*

incógnito, ta. (Del lat. *incognĭtus.*) adj. No conocido. Ú. t. c. s. m., especialmente con el significado de situación de un personaje público que actúa como persona privada. *S. M. guarda el* INCÓGNITO. ‖ **de incógnito.** loc. adv. para significar que una persona constituida en dignidad quiere pasar como desconocida, y que no se la trate con las ceremonias y etiqueta que le corresponden. *El emperador José II viajó* DE INCÓGNITO *por Italia.*

incognoscible. (Del lat. *incognoscibĭlis.*) adj. Que no se puede conocer.

incoherencia. f. Falta de coherencia. ‖ **2.** Cosa que carece de la debida relación lógica con otra.

incoherente. (Del lat. *incohaerens, -entis.*) adj. No coherente.

incoherentemente. adv. m. Con incoherencia.

íncola. (Del lat. *incŏla.*) m. p. us. Habitante de un pueblo o lugar.

incoloro, ra. (Del lat. *incŏlor, -ōris.*) adj. Que carece de color.

incólume. (Del lat. *incolŭmis.*) adj. Sano, sin lesión ni menoscabo.

incolumidad. (Del lat. *incolumĭtas, -ātis.*) f. Estado o condición de incólume.

incombinable. adj. Que no puede combinarse.

incombustibilidad. f. Cualidad de incombustible.

incombustible. (De *in-*[2] y *combustible.*) adj. Que no se puede quemar. ‖ **2.** fig. p. us. Desapasionado, incapaz de enamorarse.

incombusto, ta. adj. ant. No quemado.

incomerciable. adj. Dícese de aquello con lo cual no se puede comerciar.

incomestible. adj. No comestible.

incomible. adj. Que no se puede comer. Dícese principalmente de lo que está mal condimentado.

incomodado, da. p. p. de incomodar. ‖ **2.** adj. Molesto, disgustado.

incomodador, ra. adj. Que incomoda; molesto, enfadoso. Ú. t. c. s.

incómodamente. adv. m. Con incomodidad.

incomodar. (Del lat. *incommodāre.*) tr. Causar incomodidad. Ú. t. c. prnl. ‖ **2.** Molestar, enfadar. Ú. t. c. prnl.

incomodidad. (Del lat. *incommodĭtas, -ātis.*) f. Falta de comodidad. ‖ **2. molestia.** ‖ **3.** p. us. Disgusto, enojo.

incómodo. (De *incomodar.*) m. Falta de comodidad.

incómodo, da. (Del lat. *incommŏdus.*) adj. Que carece de comodidad. ‖ **2.** Que incomoda.

incomparable. (Del lat. *incomparabĭlis.*) adj. Que no admite comparación.

incomparablemente. adv. m. Sin comparación.

incomparado, da. (Del lat. *incomparātus.*) adj. Que no tiene comparación.

incomparecencia. f. Falta de asistencia a un acto o lugar en que se debe estar presente.

incompartible. adj. Que no se puede compartir.

incompasible. adj. p. us. Incapaz de compasión.

incompasivo, va. (De *in-*[2] y *compasivo.*) adj. p. us. Que no tiene compasión.

incompatibilidad. (De *in-*[2] y *compatibilidad.*) f. Repugnancia que tiene una cosa para unirse con otra, o de dos o más personas entre sí. ‖ **2.** Impedimento o tacha legal para ejercer una función determinada, o para ejercer dos o más cargos a la vez.

incompatible. adj. No compatible con otra persona o cosa. ‖ **2.** *Der.* V. **mayorazgo incompatible.**

incompensable. adj. No compensable.

incompetencia. f. Falta de competencia o de jurisdicción.

incompetente. (Del lat. *incompĕtens, -entis.*) adj. No competente. Ú. t. c. s.

incomplejo, ja. (Del lat. *incomplexus.*) adj. Desunido y sin trabazón ni coherencia. ‖ **2.** *Arit.* V. **número incomplejo.**

incompletamente. adv. m. De un modo incompleto.

incompleto, ta. (Del lat. *incomplētus.*) No completo. ‖ **2.** *Bot.* V. **flor incompleta.**

incomplexo, xa. (Del lat. *incomplexus.*) adj. desus. Desunido y sin trabazón ni adherencia.

incoponible. adj. No coponible, incompatible.

incomportable. adj. No comportable, intolerable.

incomposibilidad. (De *incomposible.*) f. Imposibilidad o dificultad de componerse una persona o cosa con otra.

incomposible. (De *in-*[2] y *composible.*) adj. **incomponible.**

incomposición. f. Falta de composición o de debida proporción en las partes que componen un todo. ‖ **2.** ant. Descompostura o desaseo.

incomprehensibilidad. (Del lat. *incomprehensibilĭtas, -ātis.*) f. **incomprensibilidad.**

incomprehensible. (Del lat. *incomprehensibĭlis.*) adj. **incomprensible.**

incomprendido, da. adj. Que no ha sido debidamente comprendido. ‖ **2.** Dícese de la persona cuyo mérito no ha sido generalmente apreciado. Ú. t. c. s.

incomprensibilidad. (De *incomprehensibilidad.*) f. Cualidad de incomprensible.

incomprensible. (De *incomprehensible.*) adj. Que no se puede comprender.

incomprensiblemente. adv. m. De manera incomprensible.

incomprensión. f. Falta de comprensión.

incomprensivo, va. (De *in-*[2] y *comprensivo.*) adj. Se dice de la persona reacia a comprender el sentimiento o la conducta de los demás; poco dúctil y razonable, intolerante.

incompresibilidad. f. Cualidad de incompresible.

incompresible. adj. Que no se puede comprimir o reducir de volumen.

incompuestamente. adv. m. Sin aseo, con desaliño. ‖ **2.** ant. fig. Sin compostura, desordenadamente.

incompuesto, ta. (Del lat. *incompositus.*) adj. desus. No compuesto. ‖ **2.** desus. Desaseado, desaliñado.

incomunicabilidad. f. Cualidad de incomunicable.

incomunicable. (Del lat. *incommunicabĭlis.*) adj. No comunicable.

incomunicación. f. Acción y efecto de incomunicar o incomunicarse. ‖ **2.** *Der.* Aislamiento temporal de procesados o de testigos, acordado por los jueces, señaladamente por los instructores de un sumario.

incomunicado, da. p. p. de **incomunicar.** ‖ **2.** adj. Que no tiene comunicación. Dícese de los presos cuando no se les permite tratar con nadie de palabra ni por escrito. Ú. t. c. s.

incomunicar. tr. Privar de comunicación a personas o cosas. ‖ **2.** prnl. Aislarse, negarse al trato con otras personas, por temor, melancolía u otra causa.

inconcebible. adj. Que no puede concebirse o comprenderse.

inconciliable. adj. Que no se puede conciliar.

inconcino, na. (Del lat. *inconcinnus*.) adj. Desordenado, descompuesto.

inconcluso, sa. adj. Inacabado.

inconcreto, ta. adj. Que no es concreto; vago, impreciso.

inconcusamente. adv. m. Seguramente, sin oposición ni disputa.

inconcuso, sa. (Del lat. *inconcussus*.) adj. Firme, sin duda ni contradicción.

incondicionado, da. adj. Que no está sujeto a ninguna condición.

incondicional. adj. Absoluto, sin restricción ni requisito. ‖ **2.** com. El adepto a una persona o idea sin limitación o condición ninguna.

incondicionalmente. adv. m. De manera incondicional.

inconducente. adj. p. us. No conducente para un fin.

inconexión. (Del lat. *inconnexĭo*, *-ōnis*.) f. Falta de conexión de una persona o cosa con otra u otras.

inconexo, xa. (Del lat. *inconnexus*.) adj. Falto de conexión.

inconfesable. adj. Que no puede confesarse.

inconfeso, sa. adj. Dícese del presunto reo que no confiesa el delito que se le imputa.

inconfidencia. f. p. us. **desconfianza.**

inconfidente. adj. p. us. No confidente.

inconforme. adj. Hostil a lo establecido en el orden político, social, moral, estético, etc. Ú. t. c. s. ‖ **2.** Disconforme. Ú. t. c. s.

inconformidad. f. Cualidad o condición de inconforme.

inconformismo. adj. Actitud o tendencia del inconforme.

inconformista. adj. Partidario del inconformismo. Ú. t. c. s.

inconfundible. adj. No confundible.

incongruamente. adv. m. p. us. **incongruentemente.**

incongruencia. (Del lat. *incongruentĭa*.) f. Falta de congruencia.

incongruente. (Del lat. *incongrŭens*, *-entis*.) adj. No congruente.

incongruentemente. adv. m. Con incongruencia.

incongruidad. (Del lat. *incongruĭtas*, *-ātis*.) f. p. us. Falta de congruencia.

incongruo, grua. (Del lat. *incongrŭus*.) adj. **incongruente.** ‖ **2.** Aplícase al beneficio eclesiástico que no llega a la congrua señalada por el sínodo. ‖ **3.** Dícese del eclesiástico que no tiene congrua.

inconmensurabilidad. f. Cualidad de inconmensurable.

inconmensurable. (Del lat. *incommensurabĭlis*.) adj. No conmensurable. ‖ **2.** fig. Enorme, que por su gran magnitud no puede medirse.

inconmovible. adj. Que no se puede conmover o alterar.

inconmutabilidad. (Del lat. *incommutabilĭtas*, *-ātis*.) f. Cualidad de inconmutable.

inconmutable. (Del lat. *incommutabĭlis*.) adj. **inmutable.** ‖ **2.** No conmutable.

inconquistable. adj. Que no se puede conquistar. ‖ **2.** fig. Que no se deja vencer con ruegos ni con dádivas.

inconsciencia. (Del lat. *inconscientĭa*.) f. Estado en que el individuo no se da cuenta exacta del alcance de sus palabras o acciones. ‖ **2.** Falta de conciencia.

inconsciente. adj. No consciente. Apl. a pers., ú. t. c. s. *El marido es un* INCONSCIENTE. ‖ **2.** Dícese del estado o proceso mental que por el sujeto no tiene conciencia.

inconscientemente. adv. m. De manera inconsciente.

inconsecuencia. (Del lat. *inconsequentĭa*.) f. Falta de consecuencia en lo que se dice o hace.

inconsecuente. (Del lat. *inconsĕquens*, *-entis*.) adj. Que procede con inconsecuencia. Ú. t. c. s. ‖ **2.** Que no se sigue o deduce de otra cosa.

inconsideración. (Del lat. *inconsideratĭo*, *-ōnis*.) f. Falta de consideración y reflexión.

inconsideradamente. adv. m. Sin consideración ni reflexión.

inconsiderado, da. (Del lat. *inconsiderātus*.) adj. No considerado ni reflexionado. ‖ **2.** Que no considera ni reflexiona. Ú. t. c. s.

inconsiguiente. adj. p. us. No consiguiente.

inconsistencia. f. Falta de consistencia.

inconsistente. adj. Falto de consistencia.

inconsolable. (Del lat. *inconsolabĭlis*.) adj. Que no puede ser consolado o consolarse. ‖ **2.** Que muy difícilmente se consuela.

inconsolablemente. adv. m. Sin consuelo.

inconstancia. (Del lat. *inconstantĭa*.) f. Falta de estabilidad y permanencia de una cosa. ‖ **2.** Demasiada facilidad y ligereza para mudar de opinión, de pensamiento, de amigos, etc.

inconstante. (Del lat. *inconstans*, *-antis*.) adj. No estable ni permanente. ‖ **2.** Que muda con demasiada facilidad y ligereza de pensamientos, aficiones, opiniones o conducta.

inconstantemente. adv. m. Con inconstancia.

inconstitucional. adj. Opuesto a la Constitución del Estado.

inconstitucionalidad. f. Oposición de una ley, de un decreto o de un acto a los preceptos de la Constitución.

inconstruible. adj. p. us. Que no se puede construir.

inconsultamente. adv. m. ant. **inconsideradamente.**

inconsulto, ta. (Del lat. *inconsultus*.) adj. ant. Que se hace sin consideración ni consejo.

inconsútil. (Del lat. *inconsutĭlis*.) adj. Sin costura. Ú. comúnmente hablando de la túnica de Jesucristo.

incontable. adj. Que no puede contarse. ‖ **2.** Muy difícil de contar, numerosísimo.

incontaminado, da. (Del lat. *incontaminātus*.) adj. No contaminado.

incontenible. adj. Que no puede ser contenido o refrenado.

incontestabilidad. f. Cualidad de incontestable.

incontestable. adj. Que no se puede impugnar ni dudar con fundamento.

incontinencia. (Del lat. *incontinentĭa*.) f. Falta de continencia, especialmente en el refrenamiento de las pasiones de la carne. ‖ **de orina.** Pat. Enfermedad que consiste en no poder retener la orina.

incontinente[1]. (Del lat. *incontĭnens*, *-entis*.) adj. Desenfrenado en las pasiones de la carne. ‖ **2.** Que no se contiene.

incontinente[2]. adv. t. desus. **incontinenti.**

incontinentemente. adv. m. Con incontinencia. ‖ **2.** adv. t. ant. Prontamente, al instante.

incontinenti. (De la loc. lat. *in continenti*, inmediatamente.) adv. t. p. us. Prontamente, al instante.

incontinuo, nua. (Del lat. *incontinŭus*.) adj. Interrumpido, no continuo.

incontrarrestable. adj. Que no se puede contrarrestar.

incontrastable. adj. Que no se puede contrastar. ‖ **2.** Que no se puede vencer o conquistar. ‖ **3.** Que no puede impugnarse con argumentos ni razones sólidas. ‖ **4.** fig. Que no se deja reducir o convencer.

incontrastablemente. adv. m. De modo incontrastable.

incontratable. adj. **intratable.**

incontrito, ta. adj. No contrito.

incontrolable. adj. Que no se puede controlar.

incontrolado, da. adj. Que actúa o funciona sin control, sin orden, sin disciplina, sin sujeción. Ú. t. c. s.

incontrovertible. adj. Que no admite duda ni disputa.

inconvencible. adj. ant. No vencible. ‖ **2.** Que no se deja convencer con razones.

inconvenible. adj. p. us. No conveniente o convenible.

inconveniblemente. adv. m. ant. Sin conveniencia.

inconveniencia. (Del lat. *inconvenientĭa.*) f. Incomodidad, desconveniencia. ‖ **2. despropósito.** ‖ **3.** Disconformidad e inverosimilitud de una cosa.

inconveniente. (Del lat. *inconvenĭens, -entis.*) adj. No conveniente. ‖ **2.** m. Impedimento u obstáculo que hay para hacer una cosa. ‖ **3.** Daño y perjuicio que resulta de ejecutarla.

inconversable. adj. p. us. Dícese de la persona intratable, insociable.

inconvertible. (Del lat. *inconvertibĭlis.*) adj. No convertible.

incoordinación. f. *Med.* Falta de la coordinación normal de dos o más funciones o de los movimientos musculares.

incordia. f. *Col.* Aversión, antipatía.

incordiar. (De *incordio.*) tr. Molestar, importunar.

incordio. (Del b. lat. *antecordĭum,* tumor del pecho.) m. Buba, tumor. ‖ **2.** fig. y fam. Persona o cosa incómoda, agobiante o muy molesta.

incorporable. (Del lat. *incorporabĭlis.*) adj. ant. **incorpóreo.**

incorporación. (Del lat. *incorporatĭo, -ōnis.*) f. Acción y efecto de incorporar o incorporarse.

incorporal. (Del lat. *incorporālis.*) adj. **incorpóreo.** ‖ **2.** Impalpable, que no se puede tocar.

incorporalmente. adv. m. Sin cuerpo.

incorporar. (Del lat. *incorporāre.*) tr. Agregar, unir una cosa a otra para que haga un todo con ella. ‖ **2.** Sentar o reclinar el cuerpo que estaba echado y tendido. Ú. t. c. prnl. ‖ **3.** prnl. Agregarse una o más personas a otras para formar un cuerpo.

incorporeidad. f. Cualidad de incorpóreo.

incorpóreo. (Del lat. *incorporĕus.*) adj. No corpóreo.

incorporo. (De *incorporar.*) m. **incorporación.**

incorrección. f. Cualidad de incorrecto. ‖ **2.** Dicho o hecho incorrecto.

incorrectamente. adv. m. De modo incorrecto.

incorrecto, ta. (Del lat. *incorrectus.*) adj. No correcto.

incorregibilidad. f. Cualidad de incorregible.

incorregible. (Del b. lat. *incorrigibĭlis.*) adj. No corregible. ‖ **2.** Dícese del que por su dureza y terquedad no quiere enmendarse.

incorregiblemente. adv. m. Sin enmienda ni corrección, de modo obstinado e incorregible.

incorrupción. (Del lat. *incorruptĭo, -ōnis.*) f. Estado de una cosa que no se corrompe. ‖ **2.** fig. Pureza de vida y santidad de costumbres. Se usa particularmente hablando de la justicia y la castidad.

incorruptamente. adv. m. Sin corrupción.

incorruptibilidad. (Del lat. *incorruptibĭlitas, -ātis.*) f. Cualidad de incorruptible.

incorruptible. (Del lat. *incorruptibĭlis.*) adj. No corruptible. ‖ **2.** fig. Que no se puede pervertir. ‖ **3.** fig. Muy difícil de pervertir.

incorrupto, ta. (Del lat. *incorruptus.*) adj. Que está sin corromperse. ‖ **2.** fig. No dañado ni pervertido. ‖ **3.** fig. Aplícase a la mujer que no ha perdido la virginidad.

incrasante. p. a. de **incrasar.** ‖ **2.** adj. *Med.* Que incrasa.

incrasar. (Del lat. *incrassāre.*) tr. *Med.* **engrasar.**

increado, da. (Del lat. *increātus.*) adj. No creado. ‖ **2.** V. **sabiduría increada.**

increíbilidad. (Del lat. *incredibĭlitas, -ātis.*) f. Imposibilidad o dificultad que hay para que sea creída una cosa.

incrédulamente. adv. m. Con incredulidad.

incredulidad. (Del lat. *incredulĭtas, -ātis.*) f. Repugnancia o dificultad en creer una cosa. ‖ **2.** Falta de fe y de creencia religiosa.

incrédulo, la. (Del lat. *incredŭlus.*) adj. Que no cree con facilidad y de ligero. Ú. t. c. s. ‖ **2.** Que no tiene fe religiosa.

increíble. (Del lat. *incredibĭlis.*) adj. Que no puede creerse. ‖ **2.** fig. Muy difícil de creer.

increíblemente. adv. m. De modo increíble.

incrementar. (Del lat. *incrementāre.*) tr. Aumentar, acrecentar. Ú. t. c. prnl.

incremento. (Del lat. *incrementum.*) m. **aumento.** ‖ **2.** *Gram.* Aumento de sílabas que pueden tener en la lengua latina los casos sobre las del nominativo, y los verbos sobre las de la segunda persona del presente de indicativo. ‖ **3.** *Gram.* En español, aumento de letras que tienen los aumentativos, diminutivos, despectivos y superlativos sobre los positivos de que proceden, y cualquiera otra voz derivada sobre la primitiva.

increpación. (Del lat. *increpatĭo, -ōnis.*) f. Represión fuerte, agria y severa.

increpador, ra. (Del lat. *increpātor, -ōris.*) adj. Que increpa. Ú. t. c. s.

increpar. (Del lat. *increpāre.*) tr. Reprender con dureza y severidad.

incriminación. f. Acción y efecto de incriminar.

incriminar. (Del b. lat. *incrimināre,* acusar.) tr. Acusar de algún crimen o delito. ‖ **2.** Imputar a alguien un delito o falta grave. ‖ **3.** Exagerar o abultar un delito, culpa o defecto, presentándolo como crimen.

incristalizable. adj. Que no se puede cristalizar.

incruentamente. adv. m. Sin derramamiento de sangre.

incruento, ta. (Del lat. *incruentus.*) adj. No sangriento. Dícese especialmente del sacrificio de la misa.

incrustación. (Del lat. *incrustatĭo, -ōnis.*) f. Acción de incrustar. ‖ **2.** Cosa incrustada.

incrustante. adj. Que incrusta o puede incrustar. *Aguas* INCRUSTANTES.

incrustar. (Del lat. *incrustāre.*) tr. Embutir en una superficie lisa y dura piedras, metales, maderas, etc., formando dibujos. ‖ **2.** Hacer que un cuerpo penetre violentamente en otro o quede adherido a él. Ú. t. c. prnl. ‖ **3.** Cubrir una superficie con una costra dura. ‖ **4.** fig. Fijar firmemente una idea en la mente Ú. t. c. prnl.

incubación. (Del lat. *incubatĭo, -ōnis.*) f. Acción y efecto de incubar. ‖ **2.** *Pat.* Acción y efecto de incubar o incubarse una enfermedad. ‖ **3.** fig. Acción y efecto de incubarse una tendencia o movimiento histórico, cultural, etc.

incubadora. f. Aparato o local que sirve para la incubación artificial. ‖ **2.** Urna de cristal en que se tiene a los niños nacidos antes de tiempo o en circunstancias anormales para facilitar el desarrollo de sus funciones orgánicas.

incubar. (Del lat. *incubāre.*) intr. **encobar.** ‖ **2.** tr. Calentar el ave con su cuerpo los huevos para sacar pollos. ‖ **3.** prnl. fig. Desarrollarse una enfermedad desde que empieza a obrar la causa morbosa hasta que se manifiestan sus efectos. ‖ **4.** fig. Iniciarse el desarrollo de una tendencia o movimiento cultural, político, religioso, etc., antes de su plena manifestación.

íncubo. (Del lat. *incŭbus.*) adj. Dícese del diablo o demonio que, según la opinión vulgar, con apariencia de varón tiene comercio carnal con una mujer. Ú. t. c. s. ‖ **2.** m. ant. *Med.* Sueño intranquilo o angustioso.

incuestionable. adj. No cuestionable.

inculcación. (Del lat. *inculcatĭo, -ōnis.*) f. Acción y efecto de inculcar.

inculcador. (Del lat. *inculcātor, -ōris.*) adj. Que inculca. Ú. t. c. s.

inculcar. (Del lat. *inculcāre.*) tr. Apretar con fuerza una cosa contra otra. Ú. t. c. prnl. ‖ **2.** fig. Repetir con empeño muchas veces una cosa a uno. ‖ **3.** fig. Infundir con ahínco en el ánimo de uno una idea, un concepto, etc. ‖ **4.** *Impr.* Juntar demasiado unas letras con otras. ‖ **5.** prnl. fig. p. us. Afirmarse, obstinarse uno en lo que siente o prefiere.

inculpabilidad. f. Exención de culpa. ‖ **2.** V. **veredicto de inculpabilidad.**

inculpable. (Del lat. *inculpabĭlis.*) adj. Que carece de culpa o no puede ser inculpado.

inculpablemente. adv. m. Sin culpa; de un modo que no se puede culpar.

inculpación. (Del lat. *inculpatĭo, -ōnis.*) f. Acción y efecto de inculpar.

inculpadamente. adv. m. Sin culpa.

inculpado¹, da. (De *in-²* y *culpado.*) adj. p. us. Inocente, sin culpa.

inculpado², da. p. p. de **inculpar.** Ú. t. c. s.

inculpar. (Del lat. *inculpāre.*) tr. Culpar, acusar a uno de una cosa.

incultamente. adv. m. De un modo inculto.

incultivable. adj. Que no puede cultivarse.

incultivado, da. adj. ant. Que no tiene cultivo ni labor.

inculto, ta. (Del lat. *incultus.*) adj. Que no tiene cultivo ni labor. ‖ **2.** fig. Aplícase a la persona, pueblo o nación de modales rústicos y groseros o de corta instrucción. ‖ **3.** fig. Hablando del estilo, desaliñado y grosero.

incultura. f. Falta de cultivo o de cultura.

incumbencia. (De *incumbir.*) f. Obligación y cargo de hacer una cosa.

incumbir. (Del lat. *incumbĕre.*) intr. Estar a cargo de uno una cosa.

incumplido, da. p. p. de **incumplir.** ‖ **2.** adj. Que no cumple con sus obligaciones o con lo que promete.

incumplimiento. m. Falta de cumplimiento.

incumplir. tr. No llevar a efecto, dejar de cumplir.

incunable. (Del lat. *incunabŭla,* pañales.) adj. Aplícase a las ediciones hechas desde la invención de la imprenta hasta principios del siglo XVI. Ú. t. c. s. m.

incurabilidad. f. Cualidad de incurable.

incurable. (Del lat. *incurabĭlis.*) adj. Que no se puede curar o no puede sanar. Apl. a pers., ú. t. c. s. ‖ **2.** Muy difícil de curar. ‖ **3.** fig. Que no tiene enmienda ni remedio.

in curia. expr. lat. V. **juez in curia.**

incuria. (Del lat. *incurĭa.*) f. Poco cuidado, negligencia.

incurioso, sa. (Del lat. *incuriōsus.*) adj. Descuidado, negligente. Ú. t. c. s.

incurrimiento. m. p. us. Acción y efecto de incurrir.

incurrir. (Del lat. *incurrĕre.*) intr. Construido con la prep. *en* y un sustantivo que significue culpa, error o castigo, ejecutar la acción o hacerse merecedor de la pena expresada por el sustantivo. ‖ **2.** Con la misma preposición y un sustantivo que signifique sentimiento desfavorable, como odio, ira, desprecio, etc., causarlo, atraérselo. ‖ **3.** fig. p. us. Hacer breves intromisiones en algún quehacer.

incursión. (Del lat. *incursĭo, -ōnis.*) f. Acción de incurrir. ‖ **2.** *Mil.* Correría de guerra.

incursionar. intr. Realizar una incursión de guerra. *Los vikingos* INCURSIONABAN *con frecuencia en las costas atlán-* *ticas.* ‖ **2.** fig. *Amér.* Hablando de un escritor o de un artista plástico, hacer una obra de género distinto del que cultiva habitualmente. *Aunque* INCURSIONÓ *algunas veces en la novela, fue sobre todo un ensayista.*

incurso, sa. (Del lat. *incursus.*) p. p. irreg. de **incurrir.** ‖ **2.** m. p. us. Acometimiento o embestida.

incurvar. tr. ant. Poner curva una cosa.

incusación. (Del lat. *incusatĭo, -ōnis.*) f. ant. **acusación.**

incusar. (Del lat. *incusāre.*) tr. p. us. Acusar, imputar.

incuso, sa. (Del lat. *incūsus.*) adj. Aplícase a la moneda o medalla que lleva en hueco por una cara el mismo cuño que por la opuesta tiene en relieve.

indagación. (Del lat. *indagatĭo, -ōnis.*) f. Acción y efecto de indagar.

indagador, ra. (Del lat. *indagātor, -ōris.*) adj. Que indaga. Ú. t. c. s.

indagar. (Del lat. *indagāre.*) tr. Intentar averiguar, inquirir una cosa discurriendo o con preguntas.

indagatoria. (De *indagatorio.*) f. *Der.* Declaración que acerca del delito que se está averiguando se toma al presunto reo sin recibirle juramento.

indagatorio, ria. adj. *Der.* Que tiende o conduce a indagar.

indebidamente. adv. m. De manera indebida. ‖ **2. ilícitamente.**

indebido, da. adj. Que no es obligatorio ni exigible. ‖ **2.** Ilícito, injusto y falto de equidad. ‖ **3.** V. **culto indebido.** ‖ **4.** *Der.* V. **paga indebida,** o **de lo indebido.**

indecencia. (Del lat. *indecentĭa.*) f. Falta de decencia o de modestia. ‖ **2.** Dicho o hecho vituperable o vergonzoso.

indecente. (Del lat. *indĕcens, -entis.*) adj. No decente, indecoroso.

indecentemente. adv. m. De modo indecente.

indecible. adj. Que no se puede decir o explicar.

indeciblemente. adv. m. De modo indecible.

indecisión. f. Falta de decisión, irresolución.

indeciso, sa. (De *in-²* y el lat. *decisus,* decidido.) adj. Dícese de la cosa sobre la cual no ha caído resolución. ‖ **2.** Perplejo, irresoluto, que tiene dificultad para decidirse.

indecisorio. adj. V. **juramento indecisorio.**

indeclarable. adj. Que no se puede declarar.

indeclinable. adj. (Del lat. *indeclinabĭlis.*) adj. Que no se puede rehusar. ‖ **2.** *Der.* Aplícase a la jurisdicción que no se puede declinar. ‖ **3.** *Gram.* Aplícase a las partes de la oración que no se declinan.

indecoro, ra. (Del lat. *indecōrus.*) adj. ant. Que carece de decoro. ‖ **2.** m. Falta de decoro.

indecorosamente. adv. m. Sin decoro.

indecoroso, sa. (Del b. lat. *indecorōsus.*) adj. Que carece de decoro, o lo ofende.

indefectibilidad. f. Cualidad de indefectible. Se usa especialmente hablando de la Iglesia católica.

indefectible. adj. Que no puede faltar o dejar de ser.

indefectiblemente. adv. m. De un modo indefectible.

indefendible. adj. Que no puede ser defendido.

indefensable. adj. p. us. **indefendible.**

indefensible. adj. p. us. **indefendible.**

indefensión. f. Falta de defensa; situación de las personas o cosas que están indefensas. ‖ **2.** *Der.* Situación en que se deja a la parte litigante a la que se niegan o limitan contra ley sus medios procesales de defensa.

indefenso, sa. (Del lat. *indefensus.*) adj. Que carece de defensa.

indeficiente. (Del lat. *indeficiens, -entis.*) adj. p. us. Que no puede faltar.

indefinible. adj. Que no se puede definir.

indefinidamente. adv. m. De modo indefinido o inacabable.

indefinido, da. (Del lat. *indefinītus*.) adj. No definido. ‖ **2.** Que no tiene término señalado o conocido. ‖ **3.** *Gram.* V. **artículo, pronombre indefinido.** ‖ **4.** *Gram.* V. **pretérito indefinido.** ‖ **5.** *Lóg.* Dícese de la proposición que no tiene signos que la determinen. ‖ **6.** *Mil.* Decíase del oficial que no tenía plaza efectiva. Usáb. t. c. s.

indeformable. adj. Que no se puede deformar.

indehiscente. adj. *Bot.* No dehiscente.

indeleble. (Del lat. *indelebĭlis*.) adj. Que no se puede borrar o quitar.

indeleblemente. adv. m. De modo indeleble; sin poderse borrar.

indelegable. adj. Que no se puede delegar.

indeliberación. f. Falta de deliberación o reflexión.

indeliberadamente. adv. m. Sin deliberación.

indeliberado, da. (Del lat. *indeliberātus*.) adj. Hecho sin deliberación ni reflexión.

indelicadeza. f. Falta de delicadeza, de cortesía, etc. ‖ **2.** Acto indelicado.

indelicado, da. adj. Falto de delicadeza.

indemne. (Del lat. *indemnis*.) adj. Libre o exento de daño.

indemnidad. (Del lat. *indemnĭtas, -ātis*.) f. Estado o situación del que está libre de daño o perjuicio. ‖ **2.** *Der.* V. **caución de indemnidad.**

indemnización. f. Acción y efecto de indemnizar o indemnizarse. ‖ **2.** Cosa con que se indemniza.

indemnizar. (De *indemne* e *-izar*.) tr. Resarcir de un daño o perjuicio. Ú. t. c. prnl.

indemorable. adj. Que no puede demorarse.

indemostrable. (Del lat. *indemonstrabĭlis*.) adj. No demostrable.

independencia. f. Cualidad o condición de independiente. ‖ **2.** Libertad, autonomía, especialmente la de un Estado que no es tributario ni depende de otro. ‖ **3.** Entereza, firmeza de carácter.

independente. adj. ant. Que no tiene dependencia.

independentemente. adv. m. ant. **independientemente.**

independentismo. m. En un país que no tiene independencia política, movimiento que la propugna o reclama.

independentista. adj. Perteneciente o relativo al independentismo. ‖ **2.** Partidario del independentismo. Ú. t. c. s.

independiente. adj. Que no tiene dependencia, que no depende de otro. ‖ **2. autónomo.** ‖ **3.** fig. Dícese de la persona que sostiene sus derechos u opiniones sin admitir intervención ajena. ‖ **4.** adv. m. Con independencia. INDEPENDIENTE *de eso.*

independientemente. adv. m. Con independencia.

independizar. tr. Dar la independencia a un país, a una persona o cosa. Ú. t. c. prnl.

inderogabilidad. f. Cualidad de inderogable.

inderogable. adj. Que no puede ser derogado.

indescifrable. adj. Que no se puede descifrar.

indescriptible. adj. Que no se puede describir.

indeseable. adj. Dícese de la persona cuya permanencia en un país consideran peligrosa las autoridades de este. Ú. t. c. s. ‖ **2.** Dícese de la persona cuyo trato no es recomendable. Ú. t. c. s. ‖ **3.** Indigno de ser deseado.

indeseado, da. adj. Que por su condición no es deseado.

indesignable. adj. Imposible o muy difícil de señalar.

indestructibilidad. f. Cualidad de indestructible.

indestructible. adj. Que no se puede destruir.

indeterminable. (Del lat. *indeterminabĭlis*.) adj. Que no se puede determinar. ‖ **2.** Que no se resuelve a una cosa.

indeterminación. f. Falta de determinación en las cosas, o de resolución en las personas.

indeterminadamente. adv. m. p. us. Sin determinación.

indeterminado, da. (Del lat. *indeterminātus*.) adj. No determinado, o que no implica ni denota determinación alguna. ‖ **2.** Dícese de lo que no es concreto ni definido. ‖ **3.** Dícese del que no se resuelve a una cosa. ‖ **4.** *Álg.* V. **ecuación indeterminada.** ‖ **5.** *Gram.* V. **artículo, pronombre indeterminado.** ‖ **6.** *Mat.* V. **cuestión indeterminada.** ‖ **7.** *Mat.* V. **problema indeterminado.**

indevoción. (Del lat. *indevotĭo, -ōnis*.) f. Falta de devoción.

indevoto, ta. (Del lat. *indevōtus*.) adj. Falto de devoción. ‖ **2.** No afecto a una persona o cosa.

índex. (Del lat. *index*.) adj. desus. **índice.** Usáb. t. c. s. ‖ **2.** m. desus. **índice,** manecillas de un reloj, de un barómetro, etc.

indexación. f. *Inform.* **indización.**

indexar. tr. *Inform.* **indizar.**

indezuelo, la. m. y f. d. de **indio**[1].

India. n. p. V. **alcaparra, cámara, caña, carrera, castaño, coco, comisario general, conejillo, higuera, junco, lagarto, melón, sala, zarzaparrilla de Indias.** ‖ **2.** V. **avellana, caña, cedro, jazmín de la India.** ‖ **3.** V. **anís estrellado, casa de contratación, gran buitre, gran canciller, haba, palo, pimiento, sol de las Indias.** ‖ **4.** f. fig. Abundancia de riquezas. Ú. m. en pl.

indiada. f. Muchedumbre de indios.

indiana. (De *indiano,* perteneciente a las Indias Orientales.) f. Tela de lino o algodón, o de mezcla de uno y otro, pintada por un solo lado.

indianés, sa. adj. Natural de las Indias Orientales.

indianista. adj. *Lit. Ecuad.* Dícese del autor o de la literatura que idealizan el tema del indio. ‖ **2.** com. Persona que cultiva las lenguas y literatura de la India, así antiguas como modernas.

indiano, na. adj. Nativo, pero no originario de América, o sea de las Indias Occidentales. Ú. t. c. s. ‖ **2.** Perteneciente o relativo a ellas. ‖ **3.** V. **palma indiana.** ‖ **4.** Perteneciente o relativo a las Indias Orientales. ‖ **5.** Dícese también del que vuelve rico de América. Ú. t. c. s. ‖ **de hilo negro.** fig. y fam. Hombre avaro, miserable, mezquino.

indicación. (Del lat. *indicatĭo, -ōnis*.) f. Acción y efecto de indicar. ‖ **2.** Señal que indica. ‖ **de procedencia.** Forma de propiedad industrial como derecho privativo de alguna localidad, zona o comarca cuyos productos son famosos por la naturaleza o la industria.

indicador, ra. adj. Que indica o sirve para indicar. Ú. t. c. s.

indicante. p. a. de **indicar.** Que indica. Ú. t. c. s.

indicar. (Del lat. *indicāre*.) tr. Mostrar o significar una cosa con indicios y señales. ‖ **2.** Recetar remedios el médico.

indicativo, va. (Del lat. *indicatīvus*.) adj. Que indica o sirve para indicar. ‖ **2.** *Gram.* V. **modo indicativo.**

indicción. (Del lat. *indictĭo, -ōnis*.) f. Convocatoria o llamamiento para una junta o concurrencia sinodal o conciliar. ‖ **2.** *Cronol.* Ciclo de quince años introducido por Constantino en 312; aunque anteriormente había sido un plazo fiscal, se convirtió en un modo de contar regularmente los años. Se usó tanto en Occidente como en el Imperio bizantino hasta tiempos modernos. ‖ **romana.** *Cronol.* Año de igual periodo, que se usa en las bulas pontificias y empieza el 1.º de enero como el ordinario.

índice. (Del lat. *index, -ĭcis*.) adj. V. **dedo índice.** Ú. t. c. s. ‖ **2.** m. Indicio o señal de una cosa. ‖ **3.** Lista o enumeración breve, por orden, de libros, capítulos o cosas notables. ‖ **4.** Catálogo alfabético o cronológico de autores o materias de las obras conservadas en una biblioteca, que sirve para hallarlas con facilidad y ponerlas con prontitud a disposición de quienes las buscan o piden. ‖ **5.** Pieza o departamento donde está el catálogo, etc., en las bibliotecas públicas. ‖ **6.** Cada una de las manecillas de un reloj y, en general, las agujas y otros elementos indicadores de los instrumentos graduados, tales como barómetros, termómetros, higrómetros, etc. ‖ **7.** Gnomon de un cuadrante solar. ‖ **8.** *Álg.* y *Arit.* Número o letra que se coloca en la abertura del signo radical y sirve para indicar el grado de la raíz. ‖ **cefálico.** *Zool.* Relación entre la anchura y la longitud máxima del cráneo. ‖ **de octano.** Número utilizado para indicar la capacidad antidetonante de la gasolina, en una determinada escala. ‖ **de refracción.** *Dióptr.* Número que representa la relación constante entre los senos de los ángulos de incidencia y de refracción. ‖ **expurgatorio.** Catálogo de los libros que se prohibían o se mandaban corregir por la Iglesia, en el cual entendía una de las congregaciones de la curia romana.

indiciado, da. p. p. de **indiciar.** ‖ **2.** adj. Que tiene contra sí la sospecha de haber cometido un delito. Ú. t. c. s.

indiciador, ra. adj. Que indicia. Ú. t. c. s.

indiciar. tr. Dar indicios de una cosa por donde pueda venirse en conocimiento de ella. ‖ **2.** Sospechar una cosa o venir en conocimiento de ella por indicios. ‖ **3.** Dar a entender algo a uno.

indiciario, ria. adj. *Der.* Relativo a indicios o derivado de ellos.

indicio. (Del lat. *indicĭum.*) m. Fenómeno que permite conocer o inferir la existencia de otro no percibido. *La fuga del sospechoso fue un* INDICIO *de su culpa.* ‖ **2.** Cantidad pequeñísima de algo, que no acaba de manifestarse como mensurable o significativa. *Se hallaron en la bebida* INDICIOS *de arsénico.* ‖ **indicios vehementes.** *Der.* Aquellos que mueven de tal modo a creer una cosa, que ellos solos equivalen a prueba semiplena.

indicioso, sa. (De *indicio.*) adj. p. us. Que sospecha o que causa sospechas.

índico, ca. (Del lat. *Indĭcus.*) adj. Perteneciente o relativo a las Indias Orientales. ‖ **2.** desus. **índigo.** ‖ **3.** V. **avellana índica.** ‖ **4.** V. **cáñamo, folio, nardo índico.** ‖ **5.** m. Lengua hablada en las Indias Orientales.

in díem. expr. tomada del lat. *Der.* V. **adicción in díem.**

indiestro, tra. adj. ant. No diestro ni hábil para una cosa.

indiferencia. (Del lat. *indifferentĭa.*) f. Estado de ánimo en que no se siente inclinación ni repugnancia hacia una persona, objeto o negocio determinado.

indiferenciado, da. adj. Que no posee caracteres diferenciados.

indiferente. (Del lat. *indifferens, -entis.*) adj. No determinado por sí a una cosa más que a otra. ‖ **2.** Que no importa que sea o se haga de una o de otra forma. ‖ **3.** Que no despierta interés o afecto. *Ese hombre me es* INDIFERENTE.

indiferentemente. adv. m. Indistintamente, sin diferencia.

indiferentismo. (De *indiferente* e *-ismo.*) m. Actitud que mira con indiferencia los sucesos, o no adopta ni combate doctrina alguna. Aplícase principalmente a las creencias y prácticas religiosas.

indígena. (Del lat. *indigěna.*) adj. Originario del país que se trata. Apl. a pers., ú. t. c. s. ‖ **2.** V. **ruipóntico indígena.**

indigencia. (Del lat. *indigentĭa.*) f. Falta de medios para alimentarse, vestirse, etc.

indigenismo. (De *indígena* e *-ismo.*) m. Estudio de los pueblos indios iberoamericanos muy forman parte de naciones en las que predomina la civilización europea. ‖ **2.** Doctrina y partido que propugna reivindicaciones políticas, sociales y económicas para los indios y mestizos en las repúblicas iberoamericanas.

indigenista. adj. Perteneciente o relativo al indigenismo. ‖ **2.** com. Persona partidaria del indigenismo.

indigente. (Del lat. *indĭgens, -entis.*) adj. Que padece indigencia. Ú. t. c. s.

indigerido, da. adj. ant. Mal digerido, no digerido.

indigestarse. (De *indigesto.*) prnl. No sentar bien un alimento o comida. ‖ **2.** fig. y fam. No agradarle a uno alguien por algún motivo.

indigestible. (Del lat. *indigestibĭlis.*) adj. Que no se puede digerir o es de muy difícil digestión.

indigestión. (Del lat. *indigestĭo, -ōnis.*) f. Falta de digestión. ‖ **2.** Trastorno que por esta causa padece el organismo.

indigesto, ta. (Del lat. *indigestus.*) adj. Que no se digiere o se digiere con dificultad. ‖ **2.** Que está sin digerir. ‖ **3.** fig. Confuso, sin el orden y distinción que le corresponde. ‖ **4.** fig. Áspero, difícil en el trato.

indignación. (Del lat. *indignatĭo, -ōnis.*) f. Enojo, ira, enfado vehemente contra una persona o contra sus actos.

indignamente. adv. m. Con indignidad.

indignar. (Del lat. *indignari.*) tr. Irritar, enfadar vehementemente a uno. Ú. t. c. s. prnl.

indignidad. (Del lat. *indignĭtas, -ātis.*) f. Cualidad de indigno. ‖ **2.** Acción indigna o reprobable. ‖ **3.** ant. Enojo, ira. ‖ **4.** *Der.* Motivo de incapacidad sucesoria por mal comportamiento grave del heredero o legatario hacia el causante de la herencia o los parientes inmediatos de este.

indigno, na. (Del lat. *indignus.*) adj. Que no tiene mérito ni disposición para una cosa. ‖ **2.** Que es inferior a la calidad y mérito de una persona o no corresponde a sus circunstancias.

índigo. (Del lat. *Indĭcus,* de la India.) m. **añil,** planta. ‖ **2.** pasta que se hace de las hojas y tallos de esta planta.

indijado, da. (De *in-*[1] y *dije.*) adj. ant. Adornado con dijes.

indilgar. tr. ant. y hoy vulg. **endilgar.**

indiligencia. (Del lat. *indiligentĭa.*) f. Falta de diligencia y de cuidado.

indinar. tr. vulg. **indignar.** Ú. t. c. prnl.

indino, na. adj. vulg. Que no es digno. ‖ **2.** fam. Dícese de la persona, muchacho generalmente, traviesa o descarada.

indio[1], dia. adj. Natural de la India. Ú. t. c. s. ‖ **2.** Perteneciente o relativo a ella. ‖ **3.** Aplícase al indígena de América, o sea de las Indias Occidentales, y al que hoy se considera como descendiente de aquel sin mezcla de otra raza. Ú. t. c. s. ‖ **4.** Por ext., aplícase también a las cosas pertenecientes o relativas a estos **indios.** *Traje* INDIO; *lengua* INDIA. ‖ **de carga.** El que en las Indias Occidentales conducía de una parte a otra las cargas, supliendo la carencia de otros medios de transporte. ‖ **sangley.** Nombre con que se designa a veces, inapropiadamente, al **sangley.** ‖ **caer de indio.** fr. fig. *Sto. Dom.* Caer en un engaño por ingenuo. ‖ **hacer el indio.** fr. fig. y fam. Divertirse o atraer a los demás con travesuras o bromas. ‖ **2.** fig. y fam. Hacer algo desacertado y perjudicial para uno mismo. HICE EL INDIO *al prestarle las cinco mil pesetas que me pidió.* ‖ **¿somos indios?** expr. fam. con que se reconviene a uno cuando quiere engañar o cree que no le entienden lo que dice. ‖ **subírsele a uno el indio.** fr. fig. *Amér.* **montar en cólera.**

indio[2], dia. (De *índigo.*) adj. De color azul. ‖ **2.** m. *Quím.* Metal parecido al estaño, pero más fusible y volátil, que en el espectroscopio presenta una raya azul característica, a la que debe su nombre. Núm. atómico 49. Símb.: *In.*

indiófilo, la. adj. Que protege a los indios.

indirecta. (De *indirecta,* t. f. de *-tus,* indirecto.) f. Dicho o medio de que uno se vale para no significar explícita o claramente una cosa, y darla, sin embargo, a entender. ‖ **del padre Cobos.** fam. Explícita y rotunda manifestación o declaración de aquello que se quería o se debía dar a entender embozada o indirectamente.

indirectamente. adv. m. De modo indirecto.

indirecte. adv. m. lat. desus. V. **directe.**

indirecto, ta. (Del lat. *indirectus*.) adj. Que no va rectamente a un fin, aunque se encamine a él. ‖ **2.** *Dep.* V. **tiro indirecto.** ‖ **3.** *Gram.* V. **complemento indirecto.**

indiscernible. adj. Que no se puede discernir.

indisciplina. (Del b. lat. *indisciplina*.) f. Falta de disciplina.

indisciplinable. adj. Incapaz de disciplina.

indisciplinado, da. p. p. de **indisciplinarse.** ‖ **2.** adj. Que no se sujeta a la disciplina debida.

indisciplinarse. prnl. Quebrantar la disciplina.

indiscreción. f. Falta de discreción y de prudencia. ‖ **2.** fig. Dicho o hecho indiscreto.

indiscretamente. adv. m. Sin discreción ni prudencia.

indiscreto, ta. (Del lat. *indiscrētus*.) adj. Que obra sin discreción. Ú. t. c. s. ‖ **2.** Que se hace sin discreción.

indiscriminadamente. adv. m. Sin discriminación. ‖ **2.** Sin la debida discriminación.

indisculpable. adj. Que no tiene disculpa. ‖ **2.** fig. Que difícilmente puede disculparse.

indiscutible. adj. No discutible por ser evidente.

indisolubilidad. f. Cualidad de indisoluble.

indisoluble. (Del lat. *indissolubĭlis*.) adj. Que no se puede disolver o desatar.

indisolublemente. adv. m. De un modo indisoluble.

indispensabilidad. f. p. us. Cualidad de indispensable.

indispensable. adj. Que no se puede dispensar. ‖ **2.** Que es necesario o muy aconsejable que suceda.

indispensablemente. adv. m. Forzosa y precisamente.

indisponer. tr. Privar de la disposición conveniente, o quitar la preparación necesaria para una cosa. Ú. t. c. prnl. ‖ **2.** Poner a mal a las personas, enemistar, malquistar. Ú. m. c. prnl. INDISPONERSE *con uno.* ‖ **3.** Causar indisposición o falta leve y pasajera de salud. ‖ **4.** prnl. Experimentarla.

indisposición. f. Falta de disposición y de preparación para una cosa. ‖ **2.** Desazón o quebranto leve y pasajero de la salud.

indispuesto, ta. p. p. irreg. de **indisponer.** ‖ **2.** adj. Que se siente algo enfermo o con alguna novedad o alteración en la salud.

indisputable. (Del lat. *indisputabĭlis*.) adj. Que no admite disputa.

indisputablemente. adv. m. Sin disputa.

indistinción. f. Falta de distinción.

indistinguible. adj. Que no se puede distinguir. ‖ **2.** fig. Muy difícil de distinguir.

indistintamente. adv. m. Sin distinción, sin motivo de preferencia.

indistinto, ta. (Del lat. *indistinctus*.) adj. Que no se distingue de otra cosa. ‖ **2.** Que no se percibe clara y distintamente.

individuación. f. Acción y efecto de individuar.

individual. adj. Perteneciente o relativo al individuo. ‖ **2.** Particular, propio y característico de una persona o cosa.

individualidad. f. Calidad particular de una persona o cosa, por la cual se da a conocer o se señala singularmente.

individualismo. m. Tendencia al aislamiento voluntario en los afectos, intereses, estudios, etc. ‖ **2.** Sistema filosófico que considera al individuo como fundamento y fin de todas las leyes y relaciones morales y políticas. ‖ **3.**

Propensión a obrar según el propio albedrío y no de concierto con la colectividad.

individualista. adj. Propenso al individualismo. Ú. t. c. s. ‖ **2.** Partidario del individualismo. Ú. t. c. s. ‖ **3.** Perteneciente o relativo al individualismo.

individualizar. (De *individual* e *-izar*.) tr. **individuar.** ‖ **2.** Particularizar.

individualmente. adv. m. Con individualidad. ‖ **2.** Uno a uno; individuo por individuo.

individuamente. adv. m. Con unión estrecha e inseparable.

individuar. (De *individuo*.) tr. Especificar una cosa; tratar de ella con particularidad y por menor. ‖ **2.** Determinar individuos comprendidos en una especie.

individuidad. (Del lat. *individuĭtas, -ātis*.) f. ant. Cualidad particular por la que una persona o cosa se distingue de otra.

individuo, dua. (Del lat. *individŭus*.) adj. **individual.** ‖ **2.** Que no puede ser dividido. ‖ **3.** m. Cada ser organizado, sea animal o vegetal, respecto de la especie a que pertenece. ‖ **4.** Persona perteneciente a una clase o corporación. INDIVIDUO *del Consejo de Estado, de la Academia Española.* ‖ **5.** fam. La propia persona u otra, con abstracción de las demás. *Tomás cuida bien de su* INDIVIDUO. ‖ **6.** m. y f. fam. Persona cuyo nombre y condición se ignoran o no se quieren decir. ‖ **7.** f. despect. Mujer despreciable.

indivisamente. adv. m. Sin división.

indivisibilidad. f. Cualidad de indivisible.

indivisible. (Del lat. *indivisibĭlis*.) adj. Que no se puede dividir. ‖ **2.** *Der.* Dícese de la cosa que no admite división, ya por ser esta impracticable, ya porque impida o varíe sustancialmente su aptitud para el destino que tenía, ya porque desmerezca mucho con la división.

indivisiblemente. adv. m. De manera que no puede dividirse.

indivisión. (Del lat. *indivīsĭo, -ōnis*.) f. Carencia de división. ‖ **2.** *Der.* Estado de condominio o de comunidad de bienes entre dos o más partícipes.

indiviso, sa. (Del lat. *indivīsus*.) adj. No separado o dividido en partes. Ú. t. c. s.

indiyudicable. (Del lat. *in*, priv., y *diiudicāre*, formar juicio, juzgar.) adj. ant. Que no se puede o no se debe juzgar.

indización. f. Acción y efecto de indizar.

indizar. tr. Hacer índices. ‖ **2.** Registrar ordenadamente datos e informaciones, para elaborar su índice.

indo, da. (Del lat. *Indus*.) adj. **indio**[1], natural de la India. Ú. t. c. s. ‖ **2.** Perteneciente o relativo a ella.

indoblegable. adj. Que no desiste de su opinión, propósito, conducta, etc.

indócil. (Del lat. *indocĭlis*.) adj. Que no tiene docilidad.

indocilidad. (Del lat. *indocilĭtas, -ātis*.) f. Falta de docilidad.

indoctamente. adv. m. Con ignorancia.

indocto, ta. (Del lat. *indoctus*.) adj. Falto de instrucción, inculto. Ú. t. c. s.

indoctrinado, da. adj. ant. Que carece de doctrina o enseñanza.

indoctrinar. tr. **doctrinar.**

indocumentado, da. adj. Dícese de quien no lleva consigo documento oficial por el cual pueda identificarse su personalidad, y también del que carece de él. ‖ **2.** Que no tiene prueba fehaciente o testimonio válido. ‖ **3.** fig. Dícese de la persona sin arraigo ni respetabilidad. Ú. t. c. s. ‖ **4.** fig. Ignorante, inculto.

indochino, na. adj. Natural de Indochina. Ú. t. c. s. ‖ **2.** Perteneciente o relativo a esa península asiática.

indoeuropeo, a. adj. Dícese de cada una de las lenguas procedentes de un origen común y extendidas desde la India hasta el occidente de Europa. ‖ **2.** Dícese también de la raza y lengua que dieron origen a todas ellas. Ú. t. c. s. m.

indogermánico, ca. (De *indo* y *germánico*.) adj. **indoeuropeo.**

índole. (Del lat. *indŏles*.) f. Condición e inclinación natural propia de cada uno. ‖ **2.** Naturaleza, calidad y condición de las cosas.

indolencia. (Del lat. *indolentía*, insensibilidad.) f. Cualidad de indolente.

indolente. (Del lat. *indŏlens, -entis*, insensible.) adj. Que no se afecta o conmueve. ‖ **2.** Flojo, perezoso. ‖ **3.** Insensible, que no siente el dolor.

indolentemente. adv. m. Con indolencia.

indoloro, ra. adj. Que no causa dolor.

indomabilidad. f. Cualidad de indomable.

indomable. (Del lat. *indomabĭlis*.) adj. Que no se puede o no se deja domar.

indomado, da. adj. Que está sin domar.

indomeñable. adj. **indomable.**

indomesticable. adj. Que no se puede o no se deja domesticar.

indomesticado, da. adj. No domesticado.

indoméstico, ca. adj. Que está sin domesticar.

indómito, ta. (Del lat. *indomĭtus*.) adj. No domado. ‖ **2.** Que no se puede o no se deja domar. ‖ **3.** fig. Difícil de sujetar o reprimir.

indonesio, sia. adj. Perteneciente o relativo a Indonesia. ‖ **2.** Natural de Indonesia. Ú. t. c. s.

indostanés, sa. adj. Natural del Indostán. Ú. t. c. s.

indostánico, ca. adj. Perteneciente o relativo al Indostán. ‖ **2.** m. Lengua hablada en esta región.

indostano, na. adj. Natural del Indostán. Ú. t. c. s.

indotación. f. Falta de dotación.

indotado, da. (Del lat. *indotātus*.) adj. Que está sin dotar.

indubitable. (Del lat. *indubitabĭlis*.) adj. Que no puede dudarse.

indubitablemente. adv. m. **indudablemente.**

indubitadamente. adv. m. Ciertamente, sin duda.

indubitado, da. (Del lat. *indubitātus*.) adj. Que no admite duda.

inducción. (Del lat. *inductĭo, -ōnis*.) f. Acción y efecto de inducir. ‖ **eléctrica.** *Fís.* En un campo eléctrico, carga que aparece en la unidad de área de cada una de las caras de una lámina conductora colocada perpendicularmente a las líneas de fuerza del campo. ‖ **magnética.** *Fís.* Poder imantador de un campo magnético, excitación magnética. ‖ **mutua.** *Electr.* Producción de una fuerza electromotriz en un circuito por la variación de la corriente que circula por otro.

inducia. (Del lat. *inducĭa*.) f. p. us. Tregua o dilación.

inducido, da. p. p. de **inducir.** ‖ **2.** m. *Fís.* Circuito que gira en el campo magnético de una dinamo, y en el cual se desarrolla una corriente por efecto de su rotación.

inducidor, ra. adj. Que induce a una cosa. Ú. t. c. s.

inducimiento. m. desus. **inducción.**

inducir. (Del lat. *inducĕre*.) tr. Instigar, persuadir, mover a uno. ‖ **2.** ant. Ocasionar, causar. ‖ **3.** *Fil.* Ascender lógicamente el entendimiento desde el conocimiento de los fenómenos, hechos o casos, a la ley o principio que virtualmente los contiene o que se efectúa en todos ellos uniformemente. ‖ **4.** *Fís.* Producir un cuerpo electrizado fenómenos eléctricos en otro situado a cierta distancia de él.

inductancia. (Del fr. *inductance*.) f. Magnitud eléctrica que sirve para caracterizar los circuitos según su aptitud para engendrar corrientes inducidas. ‖ **mutua.** En dos circuitos, fuerza electromotriz inducida en uno cualquiera cuando la corriente que circula por el otro varía a razón de un amperio cada segundo. ‖ **propia.** En un circuito, fuer-

za contraelectromotriz inducida cuando la corriente que circula por él varía a razón de un amperio cada segundo.

inductivo, va. (Del lat. *inductīvus*.) adj. Que se hace por inducción. ‖ **2.** Perteneciente a ella.

inductor, ra. (Del lat. *inductor. -ōris*.) adj. Que induce. Dícese especialmente del que induce a otro a cometer un delito. Ú. t. c. s. ‖ **2.** m. *Fís.* Órgano de las máquinas eléctricas destinado a producir la inducción magnética.

indudable. adj. Dícese de lo que no se puede poner en duda. ‖ **2. evidente,** claro, patente.

indudablemente. adv. m. De modo indudable.

indulgencia. (Del lat. *indulgentĭa*.) f. Facilidad en perdonar o disimular las culpas o en conceder gracias. ‖ **2.** Remisión que hace la Iglesia de las penas debidas por los pecados. ‖ **3.** ant. V. **viernes de indulgencias.**

indulgente. (Del lat. *indulgens, -entis*.) adj. Inclinado a perdonar y disimular los yerros o a conceder gracias.

indulgentemente. adv. m. De manera indulgente.

indultar. (De *indulto*.) tr. Perdonar a uno total o parcialmente la pena que tiene impuesta, o conmutarla por otra menos grave. ‖ **2.** Exceptuar o eximir de una ley u obligación.

indultario. m. Sujeto que, en virtud de indulto o gracia pontificia, podía conceder beneficios eclesiásticos.

indulto. (Del lat. *indultus*.) m. Gracia o privilegio concedido a uno para que pueda hacer lo que sin él no podría. ‖ **2.** Gracia por la cual se remite total o parcialmente o se conmuta una pena, o bien se exceptúa y exime a uno de la ley o de otra obligación cualquiera. ‖ **3.** V. **día de indulto.**

indumentaria. (De *indumento*.) f. Estudio histórico del traje. ‖ **2.** Vestimenta de persona para adorno o abrigo de su cuerpo.

indumentario, ria. adj. Perteneciente o relativo al vestido.

indumento. (Del lat. *indumentum*.) m. Vestimenta de persona para adorno o abrigo de su cuerpo.

induración. (Del lat. *induratĭo, -ōnis*.) f. *Pat.* Acción y efecto de endurecer.

industria. (Del lat. *industrĭa*.) f. Maña y destreza o artificio para hacer una cosa. ‖ **2.** Conjunto de operaciones materiales ejecutadas para la obtención, transformación o transporte de uno o varios productos naturales. ‖ **3.** Instalación destinada a estas operaciones. ‖ **4.** Suma o conjunto de las **industrias** de un mismo o de varios géneros, de todo un país o de parte de él. *La* INDUSTRIA *algodonera, la agrícola; la* INDUSTRIA *española, la catalana.* ‖ **5.** V. **caballero de industria, o de la industria.** ‖ **pesada.** La que se dedica a la construcción de maquinaria y armamento pesado. ‖ **de industria.** loc. adv. De intento, de propósito.

industrial. adj. Perteneciente o relativo a la industria. ‖ **2.** V. **complejo, ingeniero industrial.** ‖ **3.** m. El que vive del ejercicio de una industria o es propietario de ella.

industrialismo. (De *industrial*.) m. Tendencia al predominio de los intereses industriales.

industrialista. adj. Partidario del industrialismo.

industrialización. f. Acción y efecto de industrializar.

industrializar. tr. Hacer que una cosa sea objeto de industria o elaboración. ‖ **2.** Dar predominio a las industrias en la economía de un país.

industriar. (De *industria*.) tr. Instruir, adiestrar, amaestrar. ‖ **2.** prnl. Ingeniarse, bandearse, sabérselas componer.

industriosamente. adv. m. Con industria y maña. ‖ **2.** ant. De intento, de propósito.

industrioso, sa. (Del lat. *industriōsus*.) adj. Que obra con industria. ‖ **2.** Que se hace con industria. ‖ **3.** Que se dedica con ahínco al trabajo.

inebriar. (Del lat. *inebriāre*.) tr. p. us. Embriagar, emborrachar. Ú. t. c. prnl.

inebriativo, va. (Del lat. *inebriātus*, p. p. de *inebriāre*, e *-ivo*.) adj. ant. Que embriaga.

inedia. (Del lat. *inedĭa*.) f. Falta de la alimentación suficiente. ‖ **2.** Estado de debilidad que aquella provoca.

inédito, ta. (Del lat. *inedĭtus*.) adj. Escrito y no publicado. Ú. t. c. s. ‖ **2.** Dícese del escritor que aún no ha publicado nada. ‖ **3.** Desconocido, nuevo.

ineducación. f. Carencia de educación.

ineducado, da. adj. Falto de educación o de buenos modales.

inefabilidad. (Del lat. *ineffabilĭtas, -ātis*.) f. Cualidad de inefable.

inefable. (Del lat. *ineffabĭlis*, indecible.) adj. Que con palabras no se puede explicar.

inefablemente. adv. m. Sin poderse explicar. Dícese comúnmente por encarecimiento.

ineficacia. (De *ineficaz*.) f. Falta de eficacia y actividad.

ineficaz. (Del lat. *inefficax, -ācis*.) adj. No eficaz.

ineficazmente. adv. m. Sin eficacia.

inelegancia. f. Falta de elegancia.

inelegante. (Del lat. *inelēgans, -antis*.) adj. No elegante.

inelegible. adj. Que no se puede elegir.

ineluctable. (Del lat. *ineluctabĭlis*.) adj. Dícese de aquello contra lo cual no puede lucharse; inevitable.

ineludible. adj. Que no se puede eludir.

ineludiblemente. adv. m. De modo ineludible.

inembargable. adj. Que no puede ser objeto de embargo.

inenarrable. (Del lat. *inenarrabĭlis*.) adj. **inefable.**

-íneo, a. (Del lat. *-ĭnĕus*.) suf. de adjetivos que indican semejanza, procedencia o participación: broncINEO, lactiCÍNEO.

inepcia. (Del lat. *ineptĭa*.) f. Cualidad de necio. ‖ **2.** Dicho o hecho necio. ‖ **3.** Ineptitud.

ineptamente. adv. m. Sin aptitud o sin habilidad.

ineptitud. (Del lat. *ineptitūdo*.) f. Inhabilidad, falta de aptitud o de capacidad.

inepto, ta. (Del lat. *ineptus*.) adj. No apto ni a propósito para una cosa. ‖ **2.** Necio o incapaz. Ú. t. c. s.

inequívocamente. adv. m. De modo inequívoco.

inequívoco, ca. adj. Que no admite duda o equivocación.

inercia. (Del lat. *inertĭa*.) f. Flojedad, desidia, inacción. ‖ **2.** *Mec.* Incapacidad de los cuerpos para salir del estado de reposo, para cambiar las condiciones de su movimiento o para cesar en él, sin la aplicación o intervención de alguna fuerza. ‖ **3.** *Mec.* V. **fuerza, momento de inercia.**

inercial. adj. *Fís.* Perteneciente o relativo a la inercia. ‖ **2.** *Fís.* V. **masa inercial.**

inerme. (Del lat. *inermis*.) adj. Que está sin armas. Ú. t. en sent. fig. ‖ **2.** *Biol.* Desprovisto de espinas, pinchos o aguijones.

inerrable. (Del lat. *inerrabĭlis*.) adj. Que no se puede errar.

inerrancia. f. Cualidad de estar libre de error.

inerrante. (Del lat. *inerrans, -antis*.) adj. Que posee inerrancia. ‖ **2.** *Astron.* Fijo y sin movimiento.

inerte. (Del lat. *iners, inertis*.) adj. Inactivo, ineficaz, estéril, inútil. ‖ **2.** Flojo, desidioso. ‖ **3.** *Fís.* V. **masa inerte.**

inervación. f. *Fisiol.* Acción del sistema nervioso en las funciones de los demás órganos del cuerpo del animal.

inervador, ra. adj. Que produce la inervación.

inescrupuloso, sa. adj. Dícese de la persona que carece de escrúpulos. ‖ **2.** Dícese de lo dicho o hecho sin escrúpulos.

inescrutable. (Del lat. *inscrutabĭlis*.) adj. Que no se puede saber ni averiguar.

inescudriñable. adj. Que no se puede escudriñar.

inesperable. adj. Que no es de esperar.

inesperadamente. adv. m. Sin esperarse.

inesperado, da. adj. Que sucede sin esperarse.

inestabilidad. f. Falta de estabilidad. ‖ **atmosférica.** *Meteor.* Tiempo atmosférico caracterizado por una superposición de aire frío al aire cálido, que al elevarse produce nubes y lluvias.

inestable. adj. No estable.

inestancable. adj. Que no se puede estancar.

inestimabilidad. f. Cualidad de inestimable.

inestimable. (Del lat. *inaestimabĭlis*.) adj. Tan valioso que no puede ser estimado como corresponde.

inestimado, da. (Del lat. *inaestimātus*.) adj. Que está sin apreciar ni tasar. ‖ **2.** V. **dote inestimada.** ‖ **3.** Que no se estima tanto como merece estimarse.

inevitable. (Del lat. *inevitabĭlis*.) adj. Que no se puede evitar.

inevitablemente. adv. m. Sin poderse evitar.

inexactamente. adv. m. Con inexactitud, de manera inexacta.

inexactitud. f. Falta de exactitud.

inexacto, ta. adj. Que carece de exactitud.

inexcogitable. adj. Que no se puede excogitar.

inexcusable. (Del lat. *inexcusabĭlis*.) adj. Que no puede eludirse con pretextos o que no puede dejar de hacerse. *Una visita* INEXCUSABLE. ‖ **2.** Que no tiene disculpa. *Un error* INEXCUSABLE.

inexcusablemente. adv. m. Sin excusa.

inexequible. adj. No exequible; que no se puede hacer, conseguir o llevar a efecto.

inexhausto, ta. (Del lat. *inexhaustus*.) adj. Que por su abundancia o plenitud no se agota ni se acaba.

inexistencia[1]**.** (Del lat. medieval *inexsistentĭa*.) f. ant. Existencia de una cosa en otra.

inexistencia[2]**.** f. Falta de existencia.

inexistente[1]**.** (Del lat. medieval *inexsistens, -entis*.) adj. ant. Que existe en otro.

inexistente[2]**.** adj. Que carece de existencia. ‖ **2.** fig. Dícese de aquello que, aunque existe, se considera totalmente nulo.

inexorabilidad. (Del lat. *inexorabilĭtas, -ātis*.) f. Cualidad de inexorable.

inexorable. (Del lat. *inexorabĭlis*.) adj. Que no se deja vencer con ruegos. ‖ **2.** Por ext., que no se puede evitar. *El* INEXORABLE *paso del tiempo.*

inexorablemente. adv. m. De modo inexorable.

inexperiencia. (Del lat. *inexperientĭa*.) f. Falta de experiencia.

inexperto, ta. (Del lat. *inexpertus*.) adj. Falto de experiencia. Ú. t. c. s.

inexpiable. (Del lat. *inexpiabĭlis*.) adj. Que no se puede expiar.

inexplicable. (Del lat. *inexplicabĭlis*.) adj. Que no se puede explicar.

inexplicablemente. adv. m. De manera inexplicable.

inexplicado, da. adj. Falto de explicación.

inexplorado, da. (Del lat. *inexplorātus*.) adj. No explorado.

inexpresable[1]**.** adj. Que no se puede expresar.

inexpresivo, va. adj. Que carece de expresión. *Un rostro* INEXPRESIVO. ‖ **2.** Incapaz de expresar o expresarse, o que apenas lo hace.

inexpugnable. (Del lat. *inexpugnabĭlis*.) adj. Que no se puede tomar o conquistar por las armas. ‖ **2.** fig. Que no se deja vencer ni persuadir.

inextensible. adj. *Fís.* Que no se puede extender.

in extenso. loc. adv. lat. **por extenso.**

inextenso, sa. adj. Que carece de extensión.

inextinguible. (Del lat. *inextinguibĭlis*.) adj. No extinguible. ‖ **2.** fig. De perpetua o muy larga duración.

in extremis. loc. lat. En los últimos instantes de la existencia; y así, del que está a punto de morir se dice que está IN EXTREMIS. ‖ **2.** V. **matrimonio in extremis.**

inextricable. (Del lat. *inextricabĭlis.*) adj. Que no se puede desenredar; muy intrincado y confuso.

in facie ecclesiae. (Lit., *en presencia de la Iglesia.*) expr. lat. que se usa hablando del matrimonio, cuando se celebra canónicamente.

infacundo, da. (Del lat. *infacundus.*) adj. No facundo, que no halla fácilmente palabras para explicarse.

infalibilidad. f. Cualidad de infalible.

infalible. (Del b. lat. *infallibĭlis.*) adj. Que no puede equivocarse. ‖ **2.** Seguro, cierto, indefectible.

infaliblemente. adv. m. De modo infalible.

infalsificable. adj. Que no se puede falsificar.

infamación. (Del lat. *infamatĭo, -ōnis.*) f. Acción y efecto de infamar.

infamadamente. adv. m. De manera infamante.

infamador, ra. (Del lat. *infamātor, -ōris.*) adj. Que infama. Ú. t. c. s.

infamante. p. a. de **infamar.** Que infama. ‖ **2.** adj. Que causa deshonra.

infamar. (Del lat. *infamāre.*) tr. Quitar la fama, honra y estimación a una persona o a una cosa personificada. Ú. t. c. prnl.

infamativo, va. adj. Dícese de lo que infama o puede infamar.

infamatorio, ria. adj. Dícese de lo que infama. ‖ **2.** V. **libelo infamatorio.**

infame. (Del lat. *infāmis.*) adj. Que carece de honra, crédito y estimación. Ú. t. c. s. ‖ **2.** Muy malo y vil en su especie.

infamemente. adv. m. Con infamia.

infamia. (Del lat. *infamĭa.*) f. Descrédito, deshonra. ‖ **2.** Maldad, vileza en cualquier línea. ‖ **purgar la infamia.** fr. *Der.* Decíase que el reo cómplice en un delito, que, habiendo declarado contra su compañero y no siendo considerado testigo idóneo, ratificaba su declaración en el tormento, para validarla.

infamidad. f. ant. Infamia, deshonra.

infamoso, sa. adj. ant. **infamatorio.**

infancia. (Del lat. *infantĭa.*) f. Período de la vida humana desde que se nace hasta la pubertad. ‖ **2.** Conjunto de los niños de tal edad. ‖ **3.** fig. Primer estado de una cosa después de su nacimiento o fundación. *La* INFANCIA *del mundo, de un reino, de una institución.*

infando, da. (Del lat. *infandus.*) adj. Torpe e indigno de que se hable de ello.

infanta. (De *infante.*) f. Niña que aún no ha llegado a los siete años de edad. ‖ **2.** Hija legítima del rey no heredera del trono. ‖ **3.** Mujer de un infante. ‖ **4.** Parienta del rey que por gracia real obtiene este título.

infantado. m. Territorio de un infante o infanta real.

infantazgo. m. ant. **infantado.**

infante. (Del lat. *infans, -antis.*) m. Niño que aún no ha llegado a la edad de siete años. ‖ **2.** Cualquiera de los hijos varones y legítimos del rey, nacidos después del príncipe o de la princesa. ‖ **3.** Pariente del rey que por gracia real obtiene este título. ‖ **4.** Hasta los tiempos de Juan I se llamó así también el hijo primogénito del rey. Se solía añadir **heredero,** o **primero heredero.** ‖ **5.** Soldado que sirve a pie. ‖ **6.** infante de coro. ‖ **7.** ant. Descendiente de casa y sangre real. ‖ **8.** f. ant. Infanta real. ‖ **de coro.** En algunas catedrales, muchacho que sirve en el coro y en varios ministerios de la iglesia, con manto y roquete.

infantejo. m. d. de **infante.** ‖ **2.** Niño de coro, en algunas catedrales.

infantería. (De *infante,* soldado de a pie.) f. Tropa que sirve a pie en la milicia. ‖ **de línea.** La que en regimientos, batallones y aun en agrupaciones menores, combate ordinariamente en masa como cuerpo principal de las batallas.

‖ **de marina.** La destinada a dar la guarnición a los buques de guerra, arsenales y departamentos marítimos. ‖ **ligera.** La que con preferencia sirve en guerrillas, avanzadas y descubiertas. ‖ **ir,** o **quedar,** uno **de infantería.** fr. fig. y fam. Andar a pie el que iba a caballo, o con otros que van a caballo.

infantesa. f. desus. Infanta real.

infanticida. (Del lat. *infanticida.*) com. Persona que mata a un niño o no infante. Ú. t. c. adj.

infanticidio. (Del lat. *infanticidĭum.*) m. Muerte dada violentamente a un niño, sobre todo si es recién nacido o está próximo a nacer. ‖ **2.** *Der.* Muerte dada al recién nacido por la madre o ascendientes maternos para ocultar la deshonra de aquella.

infantil. (Del lat. *infantīlis.*) adj. Perteneciente o relativo a la infancia. ‖ **2.** fig. Inocente, cándido, inofensivo. ‖ **3.** fig. Dícese del comportamiento parecido al del niño en un adulto.

infantilidad. f. Cualidad de infantil.

infantilismo. m. Persistencia en la adolescencia o en la edad adulta de los caracteres físicos y mentales propios de la infancia. ‖ **2.** *Med.* Atrofia de ciertos órganos del cuerpo humano que no alcanzan, por razones clínicas o biológicas, su natural desarrollo.

infantillo. m. d. de **infante.** ‖ **2.** *Murc.* Cada uno de los niños que, como los seises, cantan en el coro de la catedral.

infantina. f. d. de **infanta** real.

infantino, na. adj. desus. **infantil.**

infanzón, na. (Del b. lat. *infantĭo, -ōnis.*) m. y f. Hijodalgo o hijadalgo que en sus heredamientos tenía potestad y señorío limitados.

infanzonado, da. adj. Propio del infanzón o perteneciente a él.

infanzonazgo. m. Territorio o solar del infanzón.

infanzonía. f. Calidad de infanzón.

infartar. tr. Causar un infarto. Ú. t. c. prnl.

infarto. (Del lat. *infartus,* p. p. de *infarcĭo,* rellenar.) m. *Pat.* Aumento de tamaño de un órgano enfermo. INFARTO *de un ganglio, del hígado,* etc. ‖ **2.** *Pat.* Parte de un órgano privado de riego sanguíneo, por obstrucción de la arteria correspondiente, generalmente a consecuencia de una embolia o trombosis.

infatigable. (Del lat. *infatigabĭlis.*) adj. Incapaz de cansarse o que muy difícilmente se cansa.

infatigablemente. adv. m. Sin fatigarse. ‖ **2.** Con perseverancia tenaz.

infatuación. (Del b. lat. *infatuatĭo, -ōnis.*) f. Acción y efecto de infatuar o infatuarse.

infatuar. (Del lat. *infatuāre.*) tr. Volver a uno fatuo, engreírlo. Ú. t. c. prnl.

infaustamente. adv. m. Con desgracia o infelicidad.

infausto, ta. (Del lat. *infaustus.*) adj. Desgraciado, infeliz.

infebril. adj. Sin fiebre.

infección. (Del lat. *infectĭo, -ōnis.*) f. Acción y efecto de infectar o infectarse.

infeccionar. (De *infección.*) tr. Causar infección.

infeccioso, sa. adj. Que causa infección. *Foco* INFECCIOSO. ‖ **2.** Causado por infección.

infecir. (Del lat. *inficĕre.*) tr. ant. Dañar, inficionar.

infectar. (Del lat. *infectāre.*) tr. Transmitir los gérmenes de una enfermedad. Ú. t. c. prnl. ‖ **2.** fig. Corromper con malas doctrinas o malos ejemplos. Ú. t. c. prnl.

infectivo, va. (Del lat. *infectīvus.*) adj. Que infecta o puede infectar.

infecto, ta. (Del lat. *infectus.*) p. p. irreg. de **infecir.** ‖ **2.** adj. Inficionado, contagiado, pestilente, corrompido.

infecundarse. prnl. ant. Hacerse infecundo.

infecundidad. (Del lat. *infecundĭtas, -ātis*.) f. Falta de fecundidad.

infecundo, da. (Del lat. *infecundus*.) adj. No fecundo.

infelice. adj. poét. **infeliz.**

infelicemente. adv. m. desus. **infelizmente.**

infelicidad. (Del lat. *infelicĭtas, -ātis*.) f. Desgracia, suerte adversa.

infeliz. (Del lat. *infēlix, -ĭcis*.) adj. De suerte adversa, no feliz. Ú. t. c. s. ‖ **2.** fam. Bondadoso y apocado. Ú. t. c. s.

infelizmente. adv. m. Con infelicidad.

inferencia. (De *inferir*.) f. Acción y efecto de inferir.

inferior. (Del lat. *inferĭor, -ōris*.) adj. Que está debajo de otra cosa o más bajo que ella. ‖ **2.** Que es menos que otra cosa en calidad o en cantidad. ‖ **3.** Dícese de la persona sujeta o subordinada a otra. Ú. t. c. s. ‖ **4.** V. **labio, parte inferior.** ‖ **5.** *Astron.* V. **meridiano, planeta inferior.** ‖ **6.** *Biol.* Dícese de los seres vivos de organización más sencilla y que se suponen más primitivos; p. ej., las algas son vegetales **inferiores,** los peces son vertebrados **inferiores.** ‖ **7.** *Geogr.* Aplícase a algunos lugares o tierras que respecto de otros están a nivel más bajo. *Guinea* INFERIOR.

inferioridad. f. Cualidad de inferior. ‖ **2.** Situación de una cosa que está más baja que otra o debajo de ella.

inferir. (Del lat. *inferre*, llevar a.) tr. Sacar una consecuencia o deducir una cosa de otra. ‖ **2.** Llevar consigo, ocasionar, conducir a un resultado. ‖ **3.** Tratándose de ofensas, agravios, heridas, etc., producirlos o causarlos.

infernáculo. (Del lat. *infernacŭlum*, d. de *infernum*, infierno.) m. Juego que consiste en sacar, saltando sobre un pie, un tejo de un trazado en el suelo.

infernal. (Del lat. *infernālis*.) adj. Perteneciente o relativo al infierno. ‖ **2.** V. **higuera, piedra infernal.** ‖ **3.** fig. Muy malo, dañoso o perjudicial en su línea. ‖ **4.** fig. y fam. Se dice hiperbólicamente de lo que causa sumo disgusto o enfado. *Ruido* INFERNAL. ‖ **5.** *Art.* V. **fuego infernal.**

infernar. (Del lat. *infernum*, infierno.) tr. Ocasionar a uno la pena del infierno o su condenación. Ú. t. c. prnl. ‖ **2.** fig. Inquietar, perturbar, irritar. Ú. t. c. prnl.

infernillo. m. Infiernillo para calentar.

inferno, na. (Del lat. *infernus*.) adj. poét. **infernal.**

ínfero, ra. (Del lat. *infĕrus*.) adj. *Bot.* Dícese del tipo de ovario de las fanerógamas que se desarrolla por debajo del cáliz, como en el membrillo y otras rosáceas.

infestación. (Del lat. *infestatĭo, -ōnis*.) f. Acción y efecto de infestar o infestarse.

infestar. (Del lat. *infestāre*.) tr. Inficionar, apestar. Ú. t. c. prnl. ‖ **2.** Causar daños y estragos con hostilidades y correrías. ‖ **3.** Causar estragos y molestias los animales o las plantas advenedizas en los campos cultivados y aun en las casas. ‖ **4.** Llenar un sitio gran cantidad de personas o de cosas.

infesto, ta. (Del lat. *infestus*.) adj. poét. Dañoso, perjudicial.

infeudación. f. **enfeudación.**

infeudar. tr. **enfeudar.**

infibulación. m. Acción y efecto de infibular.

infibular. (De *fíbula*.) tr. Colocar un anillo u otro obstáculo en los órganos genitales para impedir el coito.

inficiente. (Del lat. *inficĭens, -entis*.) p. a. ant. de **infecir.** Que inficiona.

inficción. (Del lat. *infectĭo, -ōnis*.) f. ant. **infección.**

inficionar. (De *infición*.) tr. **infectar,** causar infección. Ú. t. c. prnl. ‖ **2.** fig. Corromper con malas doctrinas o malos ejemplos. Ú. t. c. prnl.

infidel. (Del lat. *infidēlis*.) adj. ant. Que no profesa la fe verdadera.

infidelidad. (Del lat. *infidelĭtas, -ātis*.) f. Falta de fidelidad; deslealtad. ‖ **2.** Carencia de la fe católica. ‖ **3.** desus. Conjunto de los infieles que no conocen o no aceptan la fe católica.

infidelísimo, ma. (Del lat. *infidelissĭmus*.) adj. sup. de **infiel.**

infidencia. (De *in-*[2] y el lat. *fidentĭa*, confianza.) f. Violación de la confianza y fe debida a otro.

infidente. (De *in-*[2] y el lat. *fidens, -entis*, confiado.) adj. Que comete infidencia. Ú. t. c. s.

infido, da. (Del lat. *infidus*.) adj. ant. Infiel, desleal.

infiel. (Del lat. *infidēlis*.) adj. Falto de fidelidad; desleal. ‖ **2.** Que no profesa la fe considerada como verdadera. Ú. t. c. s. ‖ **3.** Falto de puntualidad y exactitud. *Intérprete, imagen, relación* INFIEL.

infielmente. adv. m. Con infidelidad.

infiernillo. m. Aparato metálico con lamparilla de alcohol para calentar agua o hacer cocimientos. ‖ **2.** Por ext., cualquier utensilio eléctrico y portátil destinado al mismo fin.

infierno. (Del lat. *infernum*.) m. *Rel.* Lugar destinado para castigo eterno de los que mueren en pecado mortal. ‖ **2.** *Rel.* Tormento y castigo de los condenados. ‖ **3.** *Teol.* Uno de los cuatro novísimos o postrimerías del hombre. ‖ **4.** Lugar adonde creían los paganos que iban los muertos. Ú. t. en pl. ‖ **5.** *Rel.* Limbo o seno de Abrahán, donde estaban las almas de los justos esperando la redención. ‖ **6.** En algunas órdenes religiosas que deben por instituto comer de viernes, hospicio o refectorio donde se come carne. ‖ **7.** Lugar o concavidad debajo de tierra, que asienta la rueda y artificio con que se mueve la máquina de la tahona. ‖ **8.** Pilón adonde van las aguas que se han empleado en escaldar la pasta de la aceituna para apurar todo el aceite que contiene, en el cual, reposadas aquellas, se recoge uno de inferior calidad. ‖ **9.** V. **aceite de infierno.** ‖ **10.** V. **higuera del infierno.** ‖ **11.** fig. Uno de los espacios o divisiones que se trazan en el suelo, en el juego del infernáculo. ‖ **12.** fig. En Cuba, cierto juego de naipes. ‖ **13.** fig. y fam. Lugar en que hay mucho alboroto y discordia. ‖ **14.** fig. y fam. La misma discordia. ‖ **anda, o vete, al infierno.** expr. fam. de ira con que se suele rechazar a la persona que importuna y molesta. ‖ **el quinto infierno o los quintos infiernos.** loc. fig. Lugar muy profundo o muy lejano.

infiesto, ta. (Del lat. *infestus*.) adj. ant. Enhiesto, levantado, derecho.

infigurable. (Del lat. *infigurabĭlis*.) adj. Que no puede tener figura corporal ni representarse con ella.

infijo, ja. adj. Afijo con función o significado propios, que se introduce en el interior de una palabra o de su raíz; como la *n* del lat. *iungere*, uncir, frente a *iugum*, yugo, o en vasco *ra* en *eragin*, hacer hacer, frente a *egin*, hacer. Ú. t. c. s.

infiltración. f. Acción y efecto de infiltrar o infiltrarse.

infiltrado, da. p. p. de **infiltrar.** ‖ **2.** m. y f. Persona introducida subrepticiamente en un grupo adversario, en territorio enemigo, etc.

infiltrar. (De *in-*[1] y *filtrar*.) tr. Introducir suavemente un líquido entre los poros de un sólido. Ú. t. c. prnl. ‖ **2.** fig. Infundir en el ánimo ideas, nociones o doctrinas. Ú. t. c. prnl. ‖ **3.** prnl. fig. Penetrar subrepticiamente en territorio ocupado por fuerzas enemigas a través de las posiciones de estas. ‖ **4.** fig. Introducirse en un partido, corporación, medio social, etc., con propósito de espionaje, propaganda o sabotaje.

ínfimo, ma. (Del lat. *infĭmus*, sup. de *infĕrus*, inferior.) adj. Que está muy bajo. ‖ **2.** En el orden y graduación de las cosas, dícese de la que es última y menos que las demás. ‖ **3.** Dícese de lo más vil y despreciable en cualquier línea.

infingidor, ra. (De *infingir*.) adj. ant. Que finge.

infingir. (Del lat. *infingĕre.*) tr. ant. Dar a entender lo que no es cierto, fingir. Usáb. t. c. prnl.

infinible. (Del lat. *infinibĭlis.*) adj. p. us. Que no se acaba o no puede tener fin.

infinidad. (Del lat. *infinĭtas, -ātis.*) f. Cualidad de infinito. ‖ **2.** fig. Gran número y muchedumbre de cosas o personas.

infinido, da. (Del lat. *infinītus.*) adj. ant. Que no tiene fin ni término, infinito.

infinitamente. adv. m. De un modo infinito.

infinitesimal. (Del fr. *infinitésimal.*) adj. *Mat.* Aplícase a las cantidades infinitamente pequeñas. ‖ **2.** *Mat.* V. **cálculo infinitesimal.**

infinitivo. (Del lat. *infinitīvus.*) adj. *Gram.* V. **modo infinitivo.** ‖ **2.** m. *Gram.* Presente de **infinitivo,** o sea voz que da nombre al verbo.

infinito, ta. (Del lat. *infinītus.*) adj. Que no tiene ni puede tener fin ni término. ‖ **2.** Muy numeroso, grande y enorme en cualquier línea. ‖ **3.** V. **proceso en infinito.** ‖ **4.** *Esgr.* V. **línea infinita.** ‖ **5.** m. *Mat.* Signo en forma de un ocho tendido (∞), que sirve para expresar un valor mayor que cualquier cantidad asignable. ‖ **6.** adv. m. Excesivamente, muchísimo.

infinitud. (Del lat. *infinitūdo.*) f. Cualidad de infinito.

infinta. (De **infincta,* por *inficta,* forma f. del p. p. de *infingĕre.*) f. ant. Fingimiento, simulación, engaño.

infintosamente. adv. m. ant. Fingidamente, con engaño.

infintoso, sa. (De *infinta.*) adj. ant. Fingido, disimulado, engañoso.

infintuosamente. adv. m. ant. **infintosamente.**

infirmar. (Del lat. *infirmāre,* debilitar, anular.) tr. ant. Disminuir, minorar el valor y eficacia de una cosa. ‖ **2.** *Der.* Hacer nula una cosa, invalidarla.

inflación. (Del lat. *inflatĭo, -ōnis.*) f. Acción y efecto de inflar. ‖ **2.** fig. Engreimiento y vanidad. ‖ **3.** fig. *Econ.* Elevación del nivel general de los precios, motivada habitualmente por el desajuste entre la demanda y la oferta, con depreciación monetaria.

inflacionario, ria. adj. Perteneciente o relativo a la inflación monetaria.

inflacionista. adj. **inflacionario.**

inflamable. adj. Que se enciende con facilidad y desprende inmediatamente llamas.

inflamación. (Del lat. *inflammatĭo, -ōnis.*) f. Acción y efecto de inflamar o inflamarse. ‖ **2.** Alteración patológica en una parte cualquiera del organismo, caracterizada por trastornos de la circulación de la sangre y, frecuentemente, por aumento de calor, enrojecimiento, hinchazón y dolor.

inflamador, ra. (Del lat. *inflammātor, -ōris.*) adj. Que inflama.

inflamamiento. (De *inflamar,* producir inflamación.) m. ant. Acción y efecto de inflamar o inflamarse.

inflamar. (Del lat. *inflammāre.*) tr. Encender una cosa que arde con facilidad desprendiendo llamas inmediatamente. Ú. t. c. prnl. ‖ **2.** fig. Acalorar, enardecer las pasiones y afectos del ánimo. Ú. t. c. prnl. ‖ **3.** prnl. Producirse inflamación, alteración patológica. ‖ **4.** Enardecerse una parte del cuerpo del animal tomando un color encendido.

inflamatorio, ria. adj. *Med.* Que causa inflamación. ‖ **2.** *Med.* Que procede del estado de inflamación.

inflamiento. (De *inflar.*) m. ant. Acción y efecto de inflar.

inflar. (Del lat. *inflāre.*) tr. Hinchar una cosa con aire u otra sustancia aeriforme. Ú. t. c. prnl. ‖ **2.** fig. Exagerar, abultar hechos, noticias, etc. ‖ **3.** fig. Ensoberbecer, engreír. Ú. m. c. prnl.

inflativo, va. adj. Que infla o puede inflar.

inflexibilidad. f. Cualidad de inflexible. ‖ **2.** fig. Constancia y firmeza para no conmoverse ni doblegarse.

inflexible. (Del lat. *inflexibĭlis.*) adj. Incapaz de torcerse o

de doblarse. ‖ **2.** fig. Que por su firmeza y constancia no se conmueve ni se doblega, ni desiste de su propósito.

inflexiblemente. adv. m. Con inflexibilidad.

inflexión. (Del lat. *inflexĭo, -ōnis.*) f. Torcimiento o comba de una cosa que estaba recta o plana. ‖ **2.** Hablando de la voz, elevación o atenuación que se hace con ella, quebrándola o pasando de un tono a otro. ‖ **3.** *Geom.* Punto de una curva en que cambia de sentido su curvatura. ‖ **4.** *Gram.* Cada uno de los cambios del verbo, en sus diferentes modos, tiempos, números y personas; del pronombre en sus números, géneros y casos, y de las demás partes variables de la oración en sus géneros y números.

inflicto, ta. (Del lat. *inflictus.*) p. p. irreg. ant. de **infligir.**

infligir. (Del lat. *infligĕre,* herir, golpear.) tr. Hablando de daños, causarlos, y de castigos, imponerlos.

inflorescencia. (Del lat. *inflorescens, -entis.*) f. *Bot.* Forma en que aparecen colocadas las flores en las plantas. INFLORESCENCIA *en umbela, en espiga, en racimo, en ramillete.*

influencia. (Del lat. *influens, -entis,* de *influĕre.*) f. Acción y efecto de influir. ‖ **2.** fig. Poder, valimiento, autoridad de una persona para con otra u otras o para intervenir en un negocio. ‖ **3.** fig. desus. Gracia e inspiración que Dios envía interiormente a las almas.

influenciable. adj. Que se deja influir fácilmente.

influenciar. tr. **influir.**

influente. (Del lat. *influens, -entis.*) p. a. desus. de **influir. influyente.**

influenza. (Del it. *influenza.*) f. **gripe.**

influir. (Del lat. *influĕre.*) intr. Producir unas cosas sobre otras ciertos efectos; como el hierro sobre la aguja imantada, la luz sobre la vegetación, etc. Ú. t. c. tr. ‖ **2.** fig. Ejercer una persona o cosa predominio, o fuerza moral. Ú. t. c. tr. ‖ **3.** fig. Contribuir con más o menos eficacia al éxito de un negocio. Ú. t. c. intr. ‖ **4.** fig. desus. Inspirar o comunicar Dios algún efecto o don de su gracia.

influjo. (Del lat. *influxus.*) m. Acción y efecto de influir. ‖ **2.** Flujo de la marea.

influyente. p. a. de **influir.** Que influye. ‖ **2.** adj. Que goza de mucha influencia.

infolio. m. Libro en folio.

información. (Del lat. *informatĭo, -ōnis.*) f. Acción y efecto de informar o informarse. ‖ **2.** Oficina donde se informa sobre alguna cosa. ‖ **3.** Averiguación jurídica y legal de un hecho o delito. ‖ **4.** Pruebas que se hacen de la calidad y circunstancias necesarias en un sujeto para un empleo u honor. Ú. m. en pl. ‖ **5.** ant. *fig.* Educación, instrucción. ‖ **6.** *Biol.* Propiedad intrínseca de los biopolímeros que tiene su origen en la secuencia de las unidades componentes. ‖ **7.** *Comunic.* Comunicación o adquisición de conocimientos que permiten ampliar o precisar los que se poseen sobre una materia determinada. ‖ **8.** *Comunic.* Conocimientos así comunicados o adquiridos. ‖ **ad perpétuam,** o **ad perpétuam rei memóriam.** *Der.* La que se hace judicialmente y a prevención, para que conste en lo sucesivo una cosa. ‖ **de derecho.** *Der.* **información en derecho.** ‖ **de dominio.** Medio supletorio para inscribir el registro de bienes en el de la propiedad cuando se carece de título escrito. ‖ **de pobre,** o **de pobreza.** *Der.* La que se hace ante los jueces y tribunales para obtener los beneficios de la defensa gratuita. ‖ **de sangre.** Aquella con que se acredita que en la ascendencia y familia de un sujeto concurren las calidades de linaje que se requieren para un determinado fin. ‖ **de vita et móribus.** La que se hace de la vida y costumbres de aquel que ha de ser admitido en una comunidad o antes de obtener una dignidad o cargo. ‖ **en derecho.** *Der.* papel **en derecho.** ‖ **parlamentaria.** Averiguación sobre algún asunto importante, encargada a una comisión especial de cualquiera de los cuerpos colegisladores. ‖ **posesoria.** Medio supletorio de titulación para inscribir el registro de bienes en el de la propiedad, limitado a la posesión que puede convertirse luego en inscripción de dominio.

informador, ra. (Del lat. *informātor, -ōris.*) adj. Que informa. Ú. t. c. s. ‖ **2.** m. y f. Periodista de cualquier medio de difusión.

informal. adj. Que no guarda las formas y reglas prevenidas. ‖ **2.** Aplícase también a la persona que en su porte y conducta no observa la conveniente gravedad y puntualidad. Ú. t. c. s.

informalidad. f. Cualidad de informal. ‖ **2.** fig. Acción o cosa censurable por informal.

informalmente. adv. m. Con informalidad; de manera informal.

informamiento. m. ant. Acción y efecto de informar o informarse.

informante. p. a. de **informar.** Que informa. ‖ **2.** m. El que tiene encargo y comisión de hacer las informaciones de limpieza de sangre y calidad de uno.

informar. (Del lat. *informāre.*) tr. Enterar, dar noticia de una cosa. Ú. t. c. prnl. ‖ **2.** ant. fig. Formar, perfeccionar a uno por medio de la instrucción y buena crianza. ‖ **3.** Completar una persona u organismo un documento con un informe de su competencia. ‖ **4.** *Fil.* Dar forma sustancial a una cosa. ‖ **5.** intr. Dictaminar un cuerpo consultivo, un funcionario o cualquier persona perita, en asunto de su respectiva competencia. ‖ **6.** *Der.* Hablar en estrados los fiscales y los abogados.

informática. (Del fr. *informatique.*) f. Conjunto de conocimientos científicos y técnicas que hacen posible el tratamiento automático de la información por medio de ordenadores.

informático, ca. adj. Perteneciente o relativo a la informática. ‖ **2.** Que trabaja o investiga en informática. Apl. a pers., ú. t. c. s.

informativo, va. adj. Dícese de lo que informa o sirve para dar noticia de una cosa. ‖ **2.** *Fil.* Que da forma a una cosa. ‖ **3.** m. **boletín informativo.**

informatización. f. Acción y efecto de informatizar.

informatizar. tr. Aplicar los métodos de la informática en un negocio, proyecto, etc.

informe[1]. (De *informar.*) m. Noticia o instrucción que se da de un negocio o suceso, o bien acerca de una persona. ‖ **2.** Acción y efecto de informar o dictaminar. ‖ **3.** *Der.* Exposición total que hace el letrado o el fiscal ante el tribunal que ha de fallar el proceso.

informe[2]. (Del lat. *informis.*) adj. Que no tiene la forma, figura y perfección que le corresponde. ‖ **2.** De forma vaga e indeterminada.

informidad. (Del lat. *informĭtas, -ātis.*) f. Cualidad de informe.

infortificable. adj. Que no se puede fortificar.

infortuna. (De *in-*[2] y *fortuna.*) f. *Astrol.* Influjo adverso e infausto de los astros.

infortunadamente. adv. m. Sin fortuna, con desgracia.

infortunado, da. (Del lat. *infortunātus.*) adj. **desafortunado.** Ú. t. c. s.

infortunio. (Del lat. *infortunĭum.*) m. Suerte desdichada o fortuna adversa. ‖ **2.** Estado desgraciado en que se encuentra una persona. ‖ **3.** Hecho o acaecimiento desgraciado.

infortuno, na. adj. ant. **desafortunado.**

infosura. (Del b. lat. *infusūra,* de *infundĕre,* verter.) f. *Veter.* Enfermedad de las caballerías, que se presenta con dolores en dos o en los cuatro remos, y se descubre por el miedo con que pisan.

infra-. (Del lat. *infra,* debajo.) elem. compos. que significa «inferior» o «debajo»: INFRA*humano,* INFRA*scrito.*

infracción. (Del lat. *infractĭo, -ōnis.*) f. Transgresión, quebrantamiento de una ley, pacto o tratado; o de una norma moral, lógica o doctrinal.

infracto, ta. (Del lat. *infractus,* inquebrantado.) adj. p. us. Constante y que no se conmueve fácilmente.

infractor, ra. (Del lat. *infractor, -ōris.*) adj. Que quebranta una ley o precepto. Ú. t. c. s.

infraestructura. f. Parte de una construcción que está bajo el nivel del suelo. ‖ **2.** fig. Conjunto de elementos o servicios que se consideran necesarios para la creación y funcionamiento de una organización cualquiera. INFRAESTRUCTURA *aérea, sociopolítica, económica,* etc.

in fraganti. (Adaptación del lat. jurídico *in flagranti crimĭne.*) loc. adv. En el mismo momento en que se está cometiendo el delito o realizando una acción censurable.

infraganti. adv. m. **in fraganti.**

infrahumano, na. adj. Inferior a lo que se considera propio de humanos. *Condiciones de vida* INFRAHUMANAS.

infrangible. (Del lat. *infrangibĭlis.*) adj. Que no se puede quebrar o romper.

infranqueable. adj. Imposible o difícil de franquear o desembarazar de los impedimentos que estorban el paso.

infraoctava. f. Los seis días que se cuentan entre el de una festividad de la Iglesia y el de su octava.

infraoctavo, va. adj. Aplícase a cualquiera de los días de la infraoctava.

infraorbitario, ria. adj. *Anat.* Dícese de lo que está situado en la parte inferior de la órbita del ojo, o inmediatamente debajo.

infrarrojo, ja. adj. *Fís.* Dícese de la radiación del espectro luminoso que se encuentra más allá del rojo visible y de mayor longitud de onda. Se caracteriza por sus efectos caloríficos.

infrascripto, ta. adj. **infrascrito.** Ú. t. c. s.

infrascrito, ta. (De *infra-* y *escrito.*) adj. Que firma al fin de un escrito. Ú. t. c. s. ‖ **2.** Dicho abajo o después de un escrito.

infravalorar. tr. Atribuir a alguien o algo valor inferior al que tiene.

infrecuencia. (Del lat. *infrequentĭa.*) f. Falta de frecuencia, rareza. ‖ **2.** Cualidad de infrecuente.

infrecuente. (Del lat. *infrĕquens, -entis.*) adj. Que no es frecuente.

infrigidación. (Del lat. *infrigidatĭo, -ōnis.*) f. desus. Acción y efecto de enfriar o enfriarse.

infringir. (Del lat. *infringĕre.*) tr. Quebrantar leyes, órdenes, etcétera.

infructífero, ra. adj. Que no produce fruto. ‖ **2.** fig. Que no es de utilidad ni provecho para el fin que se persigue.

infructuosamente. adv. m. Sin fruto, sin utilidad.

infructuosidad. (Del lat. *infructuosĭtas, -ātis.*) f. Cualidad de infructuoso.

infructuoso, sa. (Del lat. *infructuōsus.*) adj. Ineficaz, inútil para algún fin.

infrugífero, ra. (Del lat. *infrugĭfer, -ĕra.*) adj. p. us. **infructífero.**

infrutescencia. (Del lat. *in,* en, y *fructescens, -entis.*) f. *Bot.* Fructificación formada por agrupación de varios frutillos con apariencia de unidad, como la del moral, la del higo, etcétera.

ínfula. (Del lat. *infŭla.*) f. Adorno de lana blanca, a manera de venda, con dos tiras caídas a los lados, con que se ceñían la cabeza los sacerdotes de los gentiles y los suplicantes, y que se ponía sobre las de las víctimas. Usábanlo también en la antigüedad algunos reyes. Ú. m. en pl. ‖ **2.** Cada una de las dos cintas anchas que penden por la parte posterior de la mitra episcopal. ‖ **3.** pl. fig. Presunción o vanidad.

infumable. adj. Dícese del tabaco pésimo, ya por su calidad, ya por defecto de elaboración. ‖ **2.** Por ext., inaceptable, de mala calidad, sin aprovechamiento posible.

infundadamente. adv. m. Sin fundamento racional.

infundado, da. adj. Que carece de fundamento real o racional.

infundibuliforme. (Del lat. *infundíbŭlum*, embudo, y -*forme*.) adj. En forma de embudo.

infundíbulo. (Del lat. *infundíbŭlum*, embudo.) m. *Anat.* Cada una de las cavidades del organismo que tienen forma parecida a la del embudo.

infundio. m. Mentira, patraña o noticia falsa, generalmente tendenciosa.

infundioso, sa. adj. Mentiroso, que suele propalar infundios.

infundir. (Del lat. *infundĕre*.) tr. ant. Poner un simple o medicamento en un licor por cierto tiempo. ‖ **2.** p. us. Echar un líquido en un recipiente. ‖ **3.** fig. *Teol.* Comunicar Dios al alma un don o una gracia. ‖ **4.** fig. Causar en el ánimo un impulso moral o afectivo. INFUNDIR *miedo, fe, cariño*.

infurción. (De *in-*¹ y *furción*.) f. Tributo que en dinero o especie se pagaba al señor de un lugar por razón del solar de las casas.

infurcioniego, ga. adj. Sujeto al tributo de infurción.

infurtir. tr. p. us. **enfurtir.**

infurto, ta. p. p. irreg. de **infurtir.**

infuscar. (Del lat. *infuscāre*.) tr. ant. Ofuscar, oscurecer.

infusibilidad. f. Cualidad de infusible.

infusible. adj. Que no puede fundirse o derretirse.

infusión. (Del lat. *infusĭo, -ōnis*.) f. Acción y efecto de infundir. ‖ **2.** Hablando del sacramento del bautismo, acción de echar el agua sobre el que se bautiza. ‖ **3.** *Farm.* Acción de extraer de las sustancias orgánicas las partes solubles en agua, a una temperatura mayor que la del ambiente y menor que la del agua hirviendo. ‖ **4.** *Farm.* Producto líquido así obtenido. ‖ **5.** Por ext., bebida que se obtiene de diversos frutos o hierbas aromáticas, como té, café, manzanilla, etc., introduciéndolos en agua hirviendo.

infuso, sa. (Del lat. *infūsus*.) p. p. irreg. de **infundir.** Hoy solo usado hablando de las gracias y dones que Dios infunde en el alma. *Ciencia* INFUSA.

infusorio. (Del lat. científ. *infusorĭum*.) m. *Zool.* Célula o microorganismo que tiene cilios para su locomoción en un líquido.

inga. (Del quechua *inca*.) adj. V. **piedra inga.** Ú. t. c. s. ‖ **2.** m. ant. **inca.** ‖ **3.** Árbol de la familia de las mimosáceas, que vive en las regiones tropicales de América y es parecido al timbó, pero menor que este. Su madera es pesada y muy parecida a la del nogal.

ingenerable. (Del lat. *ingenerabĭlis*.) adj. p. us. Que no puede ser engendrado.

ingeniar. (De *ingenio*.) tr. Trazar o inventar ingeniosamente. ‖ **2.** prnl. Discurrir con ingenio trazas y modos para conseguir una cosa o ejecutarla.

ingeniatura. (De *ingeniar*.) f. fam. p. us. Industria y arte con que se ingenia uno y procura su bien.

ingeniería. f. Conjunto de conocimientos y técnicas que permiten aplicar el saber científico a la utilización de la materia y las fuentes de energía. ‖ **2.** Profesión y ejercicio del ingeniero.

ingeniero, ra. (De *ingenio*, máquina o artificio.) m. y f. Persona que profesa o ejerce la ingeniería. ‖ **2.** m. ant. El que discurre con ingenio las trazas y modos de conseguir o ejecutar una cosa. ‖ **aeronáutico.** El que proyecta y construye aeronaves, pistas, hangares, etc. ‖ **agrónomo.** El que entiende en el fomento, calificación y medición de las fincas rústicas y en cuanto se refiere a la práctica de la agricultura y dirección de las construcciones rurales. ‖ **civil.** El que pertenece a cualquiera de los cuerpos facultativos no militares dedicados a obras y trabajos públicos. ‖ **de ca-**

minos, canales y puertos. El que entiende en la traza, ejecución y conservación de los caminos, canales y puertos y de otras obras relacionadas con ellos. ‖ **de la armada, o de marina.** El que tiene a su cargo proyectar, hacer y conservar las construcciones navales. ‖ **de minas.** El que entiende en el laboreo de las minas y en la construcción y dirección de las fábricas en que se benefician los minerales. ‖ **de montes.** El que entiende en la cría, fomento y aprovechamiento de los montes. ‖ **de telecomunicación.** El que entiende en materias de electrónica y telecomunicación. ‖ **general.** Jefe superior del cuerpo de ingenieros militares, llamado después **director** o **inspector general de ingenieros.** ‖ **geógrafo.** Técnico que ejerce su cargo en la corporación encargada de realizar los estudios geofísicos y los trabajos cartográficos de carácter general y de dirigir los necesarios para el catastro. ‖ **industrial.** El que desarrolla las actividades de la industria. ‖ **mecánico.** El que tiene los conocimientos necesarios para trazar y construir máquinas y artefactos, y establecer y dirigir las industrias que dependen de las artes mecánicas. ‖ **militar.** El que pertenece al cuerpo de ingenieros del ejército, que proyecta y ejecuta las construcciones militares, cuida de su conservación en tiempo de paz y tiene a su cargo en campaña los trabajos de sitio y defensa, y cuantas obras necesitan las tropas para acantonarse, comunicarse entre sí, marchar y combatir al enemigo. ‖ **naval. ingeniero de la armada.** ‖ **químico.** El que posee los conocimientos especiales para la confección de productos químicos y para establecer y dirigir las industrias relacionadas con la química. ‖ **técnico. perito.** ‖ **textil.** El que entiende en materias textiles.

ingenio. (Del lat. *ingenĭum*.) m. Facultad del hombre para discurrir o inventar con prontitud y facilidad. ‖ **2.** Sujeto dotado de esta facultad. *Comedia famosa de un* INGENIO *de esta corte.* ‖ **3.** Intuición, entendimiento, facultades poéticas y creadoras. ‖ **4.** Industria, maña y artificio de uno para conseguir lo que desea. ‖ **5.** Chispa, talento para ver y mostrar rápidamente el aspecto gracioso de las cosas. ‖ **6.** Máquina o artificio mecánico. ‖ **7.** Cualquier máquina o artificio de guerra para ofender y defenderse. ‖ **8.** Instrumento usado por los encuadernadores para cortar los cantos de los libros. ‖ **9. ingenio de azúcar.** ‖ **10.** *Ar.* Fábrica donde se elabora la cera. ‖ **de azúcar.** Conjunto de aparatos para moler la caña y obtener el azúcar. ‖ **2.** Finca que contiene el cañameral y las oficinas de beneficio. ‖ **afilar, o aguzar,** uno **el ingenio.** fr. fig. Aplicar atentamente la inteligencia para salir de una dificultad.

ingeniosamente. adv. m. Con ingenio.

ingeniosidad. (Del lat. *ingeniositas, -ātis*.) f. Cualidad de ingenioso. ‖ **2.** fig. Expresión o idea artificiosa y sutil. Ú. por lo general despectivamente.

ingenioso, sa. (Del lat. *ingeniōsus*.) adj. Que tiene ingenio. ‖ **2.** Hecho o dicho con ingenio.

ingénito, ta. (Del lat. *ingenĭtus*.) adj. No engendrado. ‖ **2.** Connatural y como nacido con uno.

ingente. (Del lat. *ingens, -entis*.) adj. Muy grande.

ingenuamente. adv. m. Con ingenuidad o sinceridad.

ingenuidad. (Del lat. *ingenuĭtas, -ātis*.) f. Sinceridad, buena fe, candor, verdad en lo que se hace o se dice. ‖ **2.** desus. *Der.* Condición personal de haber nacido libre, en contraposición a la del manumiso o liberto.

ingenuo, nua. (Del lat. *ingenŭus*.) adj. Sincero, candoroso, sin doblez. ‖ **2.** desus. *Der.* Que nació libre y no ha perdido su libertad. Ú. t. c. s. ‖ **3.** f. Actriz que hace papeles de persona inocente y candorosa.

ingerir. (Del lat. *ingerĕre*.) tr. Introducir por la boca la comida, bebida o medicamentos.

ingestión. (Del lat. *ingestĭo, -ōnis*.) f. Acción de ingerir.

ingiva. (Del lat. *gingīva*.) f. ant. **encía.**

ingle. (Del lat. *inguen, -ĭnis.*) f. Parte del cuerpo en que se junta el muslo con el vientre.

inglés, sa. (Del fr. ant. *angleis.*) adj. Natural de Inglaterra. Ú. t. c. s. ‖ **2.** Perteneciente o relativo a esta nación de Europa. ‖ **3.** V. **césped, corno, tafetán inglés.** ‖ **4.** V. **letra, llave, pimienta inglesa.** ‖ **5.** m. Lengua **inglesa.** ‖ **6.** Cierta tela usada antiguamente. ‖ **7.** fam. Acreedor de dinero. ‖ **a la inglesa.** loc. adv. Al uso de Inglaterra. ‖ **2.** loc. adv. fam. **a escote.** ‖ **3.** Dícese de la encuadernación cuyas tapas, de tela o cuero, son flexibles y tienen además las puntas redondeadas.

inglesismo. (De *inglés.*) m. Vocablo o giro tomado del inglés.

inglete. (Del fr. *anglet.*) m. Ángulo de 45 grados que con cada uno de los catetos forma la hipotenusa del cartabón. ‖ **2.** Unión a escuadra de los trozos de una moldura.

ingletear. tr. Formar ingletes con las molduras.

inglosable. adj. Que no se puede glosar.

ingobernable. adj. Que no se puede gobernar.

ingratamente. adv. m. Con ingratitud.

ingratitud. (Del lat. *ingratitūdo.*) f. Desagradecimiento, olvido o desprecio de los beneficios recibidos.

ingrato, ta. (Del lat. *ingrātus.*) adj. Desagradecido, que olvida o desconoce los beneficios recibidos. ‖ **2.** Desapacible, áspero, desagradable. ‖ **3.** Dícese de lo que no corresponde al trabajo que cuesta labrarlo, conservarlo o mejorarlo.

ingravidez. f. Cualidad de ingrávido.

ingrávido, da. (De *in-²* y *grave.*) adj. Dícese de los cuerpos no sometidos a la gravedad. ‖ **2.** Ligero, suelto y tenue como la gasa o la niebla.

ingre. (Del lat. *inguen, -ĭnis,* ingle.) f. ant. **ingle.** Ú. en Burgos.

ingrediente. (Del lat. *ingrediens, -entis,* p. a. de *ingrĕdi,* entrar en.) m. Cualquier cosa que entra con otras en un remedio, bebida, guisado u otro compuesto. Ú. t. en sent. fig.

ingresar. (De *ingreso.*) intr. Entrar en un lugar. ‖ **2.** Entrar a formar parte de una corporación. ‖ **3.** Entrar en un establecimiento sanitario para recibir tratamiento. ‖ **4.** tr. Meter algunas cosas, como el dinero, en un lugar para su custodia. *Hoy* HE INGRESADO *en el banco trescientas mil pesetas.* ‖ **5.** Meter a un enfermo en un establecimiento sanitario para su tratamiento. ‖ **6.** Ganar cierta cantidad de dinero regularmente por algún concepto.

ingresivo, va. (Del lat. *ingressus,* p. p. de *ingrĕdi,* e *-ivo.*) adj. *Gram.* Se dice del aspecto verbal que designa el comienzo de la acción, o del verbo que tiene ese aspecto. En español está representado generalmente por perífrasis: *se echó a llorar, se puso a escribir.*

ingreso. (Del lat. *ingressus.*) m. Acción de ingresar. ‖ **2.** Espacio por donde se entra. ‖ **3.** Acción de entrar. ‖ **4.** Acto de ser admitido en una corporación o de empezar a gozar de un empleo, etc. ‖ **5.** Caudal que entra en poder de uno, y que le es de cargo en las cuentas. ‖ **6. pie de altar.**

íngrimo, ma. (Del port. *íngreme.*) adj. *Amér. Central, Col., Ecuad., Méj., Pan., Sto. Dom.* y *Venez.* Solitario, abandonado, sin compañía.

inguinal. (Del lat. *inguinālis.*) adj. Perteneciente a las ingles. ‖ **2.** V. **conducto inguinal.**

inguinario, ria. (Del b. lat. *inguinarĭus.*) adj. **inguinal.**

ingurgitación. (Del lat. *ingurgitatĭo, -ōnis.*) f. *Fisiol.* Acción y efecto de ingurgitar.

ingurgitar. (Del lat. *ingurgitāre.*) tr. *Fisiol.* **engullir.**

ingustable. (Del lat. *ingustabĭlis.*) adj. Que no se puede gustar a causa de su mal sabor.

inhábil. (Del lat. *inhabĭlis.*) adj. Falto de habilidad, talento o instrucción. ‖ **2.** Que no tiene las cualidades y condiciones necesarias para hacer una cosa. ‖ **3.** Que por falta de algún requisito, o por una tacha o delito, no puede obtener o servir un cargo, empleo o dignidad. ‖ **4.** Dícese también del proceder que es inadecuado para alcanzar el fin que se pretende. ‖ **5.** *Der.* Dícese del día festivo y también de las horas en que, salvo habilitación expresa, no deben practicarse actuaciones.

inhabilidad. f. Falta de habilidad, talento o instrucción. ‖ **2.** Defecto o impedimento para obtener o ejercer un empleo u oficio.

inhabilitación. f. Acción y efecto de inhabilitar o inhabilitarse. ‖ **2.** *Der.* Pena o castigo que priva de algunos derechos, o incapacitación para ejercer diversos empleos.

inhabilitamiento. m. ant. Acción y efecto de inhabilitar o inhabilitarse.

inhabilitar. tr. Declarar a uno inhábil o incapaz de obtener o ejercer cargos públicos, o de ejercitar derechos civiles o políticos. ‖ **2.** Imposibilitar para una cosa. Ú. t. c. prnl.

inhabitable. (Del lat. *inhabitabĭlis.*) adj. No habitable.

inhabitado, da. adj. No habitado.

inhacedero, ra. adj. No hacedero.

inhalación. (Del lat. *inhalatĭo, -ōnis.*) f. Acción de inhalar.

inhalador. m. *Med.* Aparato para efectuar inhalaciones.

inhalar. (Del lat. *inhalāre.*) tr. *Med.* Aspirar, con un fin terapéutico, ciertos gases o líquidos pulverizados. ‖ **2.** intr. *Rel.* Soplar en forma de cruz sobre cada una de las ánforas de los santos óleos cuando se consagran.

inhallable. adj. Imposible o difícil de hallar.

inherencia. (Del lat. *inhaerentia.*) f. Unión de cosas inseparables por su naturaleza, o que solo se pueden separar mentalmente y por abstracción. ‖ **2.** *Fil.* El modo de existir los accidentes, o sea, no en sí, sino en la sustancia que modifican.

inherente. (Del lat. *inhaerens, -entis,* p. a. de *inhaerēre,* estar unido.) adj. Que por su naturaleza está de tal manera unido a otra cosa, que no se puede separar de ella. Ú. con la prep. *a.* ‖ **2.** *Gram.* Dícese de la propiedad perteneciente a una unidad gramatical con independencia de las relaciones que esta pueda establecer en la oración. Así, *pared* tiene una propiedad **inherente** al género femenino, y *pensar,* la precisión de construirse con sujeto animado.

inhesión. (Del lat. *inhaesĭo, -ōnis.*) f. p. us. **apego.** ‖ **2.** *Fil.* Inherencia de los accidentes a la sustancia.

inhestar. tr. p. us. **enhestar.**

inhibición. (Del lat. *inhibitĭo, -ōnis.*) f. Acción y efecto de inhibir o inhibirse. ‖ **2.** *Psicol.* Componente de los sistemas de regulación, psicológicos o fisiológicos que actúan en los seres vivos. Puede participar a distintos niveles, por ejemplo, de sistema nervioso, génico, enzimático, etc.

inhibir. (Del lat. *inhibēre.*) tr. p. us. Prohibir, estorbar, impedir. Ú. t. c. prnl. ‖ **2.** Con sentido general, impedir o reprimir el ejercicio de facultades o hábitos. ‖ **3.** *Der.* Decretar que un juez no prosiga en el conocimiento de una causa por no ser de su competencia. ‖ **4.** *Med.* Suspender transitoriamente una función o actividad del organismo mediante la acción de un estímulo adecuado. Ú. t. c. prnl. ‖ **5.** prnl. Abstenerse, dejar de actuar. ‖ **6.** Echarse fuera de un asunto o abstenerse de entrar en él o de tratarlo.

inhibitorio, ria. adj. *Der.* Aplícase al despacho, decreto o letras que inhiben al juez. Ú. t. c. s. f.

inhiesto, ta. (Del lat. *infestus,* levantado.) adj. p. us. **enhiesto.**

inhonestamente. adv. m. p. us. Sin honestidad.

inhonestamente. adv. m. p. us. Sin honestidad.

inhonestidad. (Del lat. *inhonestĭtas, -ātis.*) f. p. us. Falta de honestidad o decencia.

inhonesto, ta. (Del lat. *inhonestus.*) adj. p. us. Falto de honestidad. ‖ **2.** Indecente e indecoroso.

inhonorar. (Del lat. *inhonorāre.*) tr. ant. Deshonrar.

inhospedable. (De *in-²* y *hospedable.*) adj. p. us. **inhospitable.**

inhospitable. adj. p. us. inhospitalario.

inhospital. (Del lat. *inhospitālis*.) adj. inhospitalario.

inhospitalario, ria. adj. Falto de hospitalidad. ‖ **2.** Poco humano para con los extraños. ‖ **3.** Dícese de lo que no ofrece seguridad ni abrigo. *Playa* INHOSPITALARIA.

inhospitalidad. (Del lat. *inhospitalĭtas, -ātis*.) f. Falta de hospitalidad.

inhóspito, ta. (Del lat. *inhospĭtus*.) adj. inhospitalario, que no ofrece seguridad. ‖ **2.** Se dice del lugar incómodo, poco grato.

inhumación. f. Acción y efecto de inhumar.

inhumanamente. adv. m. Con inhumanidad.

inhumanidad. (Del lat. *inhumanĭtas, -ātis*.) f. Crueldad, barbarie, falta de humanidad.

inhumano, na. (Del lat. *inhumānus*.) adj. Falto de humanidad, cruel.

inhumar. (Del lat. *inhumāre*.) tr. Enterrar un cadáver.

iniciación. (Del lat. *initiatĭo, -ōnis*.) f. Acción y efecto de iniciar o iniciarse.

iniciado, da. p. p. de iniciar. ‖ **2.** adj. Dícese del que comparte el conocimiento de una cosa secreta. Ú. t. c. s. ‖ **3.** m. Miembro de una sociedad secreta.

iniciador, ra. (Del lat. *initiātor, -ōris*.) adj. Que inicia. Ú. t. c. s.

inicial. (Del lat. *initiālis*.) adj. Perteneciente al origen o principio de las cosas. *Velocidad* INICIAL *de un proyectil.* ‖ **2.** V. letra inicial. Ú. t. c. s.

iniciar. (Del lat. *initiāre*.) tr. Comenzar o promover una cosa. INICIAR *un debate.* ‖ **2.** Admitir a uno a la participación de una ceremonia o cosa secreta; dársela a conocer; descubrírsela. ‖ **3.** fig. Instruir en cosas abstractas o muy profundas. INICIAR *en la metafísica.* Ú. t. c. prnl. ‖ **4.** prnl. Recibir las primeras órdenes u órdenes menores.

iniciativa. (De *iniciativo*.) f. Derecho de hacer una propuesta. ‖ **2.** Acto de ejercerlo. ‖ **3.** Acción de adelantarse a los demás en hablar u obrar. Ú. con el verbo *tomar.* ‖ **4.** Cualidad personal que inclina a esta acción. ‖ **5.** Procedimiento establecido en algunas constituciones políticas, mediante el cual interviene directamente el pueblo en la propuesta y adopción de medidas legislativas; como sucede en Suiza y en algunos Estados de Norteamérica.

iniciativo, va. (Del lat. *initiātus*, p. p. de *initiāre*, e *-ivo*.) adj. Que da principio a una cosa.

inicio. (Del lat. *initĭum*.) m. Comienzo, principio.

nicuamente. adv. m. Con iniquidad.

inicuo, cua. (Del lat. *iniquus*.) adj. Contrario a la equidad. ‖ **2.** Malvado, injusto.

iniesta. (Del lat. *genesta*.) f. ant. retama.

inigual. (Del lat. *inaequālis*.) adj. ant. No igual, desigual.

inigualable. adj. Que no puede ser igualado.

inigualado, da. adj. Que no tiene igual; impar.

inigualdad. (Del lat. *inaequalĭtas, -ātis*.) f. ant. Desigualdad, falta de igualdad.

in illo témpore. loc. lat. que significa «en aquel tiempo», y se usa en el sentido de en otros tiempos o hace mucho tiempo.

inimaginable. adj. No imaginable.

inimicicia. (Del lat. *inimicitĭa*.) f. ant. enemistad.

inimicísimo, ma. adj. sup. de enemigo.

inimitable. (Del lat. *inimitabĭlis*.) adj. No imitable.

ininflamable. adj. Que no se puede inflamar o no puede arder con llama.

in íntegrum. loc. lat. *Der.* V. restitución in íntegrum.

inintegibilidad. f. Cualidad de ininteligible.

ininteligible. (Del lat. *inintelligibĭlis*.) adj. No inteligible.

ininterrumpido, da. adj. Continuado sin interrupción.

iniquidad. (Del lat. *iniquĭtas, -ātis*.) f. Maldad, injusticia grande.

iniquísimo, ma. (Del lat. *iniquissĭmus*.) adj. sup. p. us. de inicuo.

injerencia. f. Acción y efecto de injerirse.

injeridura. (De *injerir*.) f. Parte por donde se ha injertado el árbol.

injerir. (Del lat. *inserĕre*.) tr. Injertar plantas. ‖ **2.** Meter una cosa en otra. ‖ **3.** Introducir en un escrito una palabra, nota, texto, etc. ‖ **4.** prnl. Entremeterse, introducirse en una dependencia o negocio.

injerta. f. Acción de injertar.

injertable. adj. Que se puede injertar.

injertador, ra. adj. Que injerta. Ú. t. c. s.

injertar. (Del lat. *insertāre*.) tr. Injerir en la rama o tronco de un árbol alguna parte de otro en la cual ha de haber yema para que pueda brotar. ‖ **2.** *Med.* Aplicar una porción de tejido vivo a una parte del cuerpo mortificada o lesionada, de manera que se produzca una unión orgánica.

injertera. (De *injertar*.) f. Plantación formada de árboles sacados de la almáciga.

injerto, ta. (Del lat. *insertus*, introducido.) p. p. irreg. de injertar. ‖ **2.** m. Parte de una planta con una o más yemas, que, aplicada al patrón, se suelda con él. ‖ **3.** Acción de injertar. ‖ **4.** Planta injertada. ‖ **5.** *Cir.* Fragmento de piel o de otro tejido destinado a la implantación. ‖ **de cañutillo.** El que se hace adaptando al tronco del patrón un rodete o cañuto de corteza con una o más yemas. ‖ **de corona,** o **de coronilla.** El que se hace introduciendo una o más púas entre la corteza y la albura del tronco del patrón. ‖ **de escudete.** El que se hace introduciendo entre el líber y la albura del patrón una yema con parte de la corteza a que está unida, cortada esta en forma de escudo.

injundia. f. fam. p. us. enjundia.

injuria. (Del lat. *iniurĭa*.) f. Agravio, ultraje de obra o de palabra. ‖ **2.** Hecho o dicho contra razón y justicia. ‖ **3.** fig. Daño o incomodidad que causa una cosa.

injuriador, ra. adj. Que injuria. Ú. t. c. s.

injuriamiento. m. ant. Acción y efecto de injuriar.

injuriar. (Del lat. *iniuriāre*.) tr. Agraviar, ultrajar con obras o palabras. ‖ **2.** Dañar o menoscabar.

injuriosamente. adv. m. Con injuria.

injurioso, sa. (Del lat. *iniuriōsus*.) adj. Que injuria.

injustamente. adv. m. Con injusticia; sin razón.

injusticia. (Del lat. *iniustitĭa*.) f. Acción contraria a la justicia. ‖ **2.** Falta de justicia. ‖ **3.** *Der.* V. recurso de injusticia notoria.

injustificable. adj. Que no se puede justificar.

injustificadamente. adv. m. De manera injustificada.

injustificado, da. adj. No justificado.

injusto, ta. (Del lat. *iniustus*.) adj. No justo o equitativo. Apl. a pers., ú. t. c. s.

inllevable. (De in-² y llevar.) adj. Que no se puede soportar, aguantar o tolerar.

Inmaculada. (De *inmaculado*.) n. p. f. Purísima.

inmaculadamente. adv. m. Sin mancha.

inmaculado, da. (Del lat. *immaculātus*.) adj. Que no tiene mancha.

inmadurez. f. Falta de madurez.

inmaduro, ra. adj. No maduro. ‖ **2.** Inexperto. Ú. t. c. s.

inmanejable. adj. No manejable.

inmanencia. f. Cualidad de inmanente.

inmanente. (Del lat. *immănens, -entis*, p. a. de *immanēre*, permanecer en.) adj. *Fil.* Dícese de lo que es inherente a algún ser o va unido de un modo inseparable a su esencia, aunque racionalmente pueda distinguirse de ella.

inmarcesible. (Del lat. *immarcescibĭlis*.) adj. Que no se puede marchitar.

inmarchitable. adj. inmarcesible.

inmaterial. (Del lat. *immateriālis*.) adj. No material.
inmaterialidad. f. Cualidad de inmaterial.
inmaturo, ra. (Del lat. *immatūrus*.) adj. p. us. No maduro, o que no está en sazón.
inmediación. f. Cualidad de inmediato. ‖ **2.** *Der.* Conjunto de derechos atribuidos al sucesor inmediato en una vinculación. ‖ **3.** pl. Proximidad en torno a un lugar.
inmediatamente. adv. m. Sin interposición de otra cosa. ‖ **2.** adv. t. Ahora, al punto, al instante.
inmediatez. f. Cualidad de inmediato.
inmediato, ta. (Del lat. *immediātus*.) adj. Contiguo o muy cercano a otra cosa. ‖ **2.** Que sucede enseguida, sin tardanza. ‖ **3.** *Biol.* V. **principio inmediato.** ‖ **darle** a uno **por las inmediatas.** fr. fig. y fam. Estrechar o apretar a uno con acciones o palabras que le convencen y dejan sin respuesta. ‖ **de inmediato.** loc. adv. Inmediatamente. ‖ **llegar,** o **venir, a las inmediatas.** fr. fig. y fam. Llegar a lo más estrecho o fuerte de la contienda.
inmedicable. (Del lat. *immedicabĭlis*.) adj. fig. Que no se puede remediar o curar.
inmejorable. adj. Que no se puede mejorar.
inmejorablemente. adv. m. De manera inmejorable.
inmemorable. (Del lat. *immemorabĭlis*.) adj. Aplícase a aquello de cuyo comienzo no hay memoria.
inmemorablemente. adv. m. De un modo inmemorable.
inmemorial. adj. Tan antiguo, que no hay memoria de cuándo empezó. ‖ **2.** *Der.* V. **tiempo inmemorial.**
in memóriam. loc. lat. que significa «en memoria» o «en recuerdo».
inmensamente. adv. m. Con inmensidad.
inmensidad. (Del lat. *immensĭtas, -ātis*.) f. Infinitud en la extensión; atributo de solo Dios, infinito e inmensurable. ‖ **2.** fig. Muchedumbre, número o extensión grande.
inmenso, sa. (Del lat. *immensus*.) adj. Que no tiene medida; infinito o ilimitado; y, en este sentido es epíteto propio de Dios y de sus atributos. ‖ **2.** fig. Muy grande o muy difícil de medir o contar.
inmensurable. (Del lat. *immensurabĭlis*.) adj. Que no puede medirse. ‖ **2.** fig. De muy difícil medida. ‖ **3.** fig. Enorme, que por su gran magnitud no puede medirse.
inmerecidamente. adv. m. Sin haberlo merecido, o sin merecerlo.
inmerecido, da. adj. No merecido.
inméritamente. adv. m. p. us. Sin mérito, sin razón.
inmérito, ta. (Del lat. *immerĭtus*.) adj. p. us. Inmerecido, injusto.
inmeritorio, ria. adj. p. us. No meritorio.
inmersión. (Del lat. *immersĭo, -ōnis*.) f. Acción de introducir o introducirse una cosa en un líquido. ‖ **2.** *Astron.* Entrada de un astro en el cono de la sombra que proyecta otro.
inmerso, sa. (Del lat. *immersus*, p. p. de *immergĕre*, sumergir.) adj. Sumergido. ‖ **2.** fig. Ensimismado.
inmigración. f. Acción y efecto de inmigrar.
inmigrante. p. a. de **inmigrar.** Que inmigra. Ú. t. c. s.
inmigrar. (Del lat. *immigrāre*.) intr. Llegar a un país para establecerse en él los naturales de otro. Se usa especialmente hablando de los que forman nuevas colonias o se domicilian en las ya formadas. ‖ **2.** Por ext., instalarse en un territorio los animales procedentes de otro.
inmigratorio, ria. adj. Perteneciente o relativo a la inmigración.
inminencia. (Del lat. *imminentĭa*.) f. Calidad de inminente, en especial hablando de un riesgo.
inminente. (Del lat. *imminens, -entis*, p. a. de *imminēre*, amenazar.) adj. Que amenaza o está para suceder prontamente.
inmiscuir. (der. del lat. *immiscēre*, con influencia del perfecto *immiscŭi*.) tr. Poner una sustancia en otra para que resulte una mezcla. ‖ **2.** prnl. fig. Entremeterse, tomar parte en

un asunto o negocio, especialmente cuando no hay razón o autoridad para ello.
inmisericorde. adj. Dícese del que no se compadece de nadie.
inmisión. (Del lat. *immissĭo, -ōnis*, acción de echar adentro.) f. p. us. Infusión o inspiración.
inmobiliario, ria. adj. Perteneciente a cosas inmuebles. *Crédito* INMOBILIARIO. ‖ **2.** f. Empresa o sociedad que se dedica a construir, arrendar, vender y administrar viviendas.
inmoble. (Del lat. *immobĭlis*.) adj. Que no puede ser movido. ‖ **2.** Que no se mueve. ‖ **3.** V. **fiesta inmoble.** ‖ **4.** p. us. Constante, firme e invariable en las resoluciones o afectos del ánimo.
inmoderación. (Del lat. *immoderatĭo, -ōnis*.) f. Falta de moderación.
inmoderadamente. adv. m. Sin moderación.
inmoderado, da. (Del lat. *immoderātus*.) adj. Que no tiene moderación.
inmodestamente. adv. m. Con inmodestia.
inmodestia. (Del lat. *immodestĭa*.) f. Falta de modestia.
inmodesto, ta. (Del lat. *immodestus*.) adj. Carente de modestia.
inmódico, ca. (Del lat. *immodĭcus*.) adj. Excesivo, inmoderado.
inmodificable. adj. Que no se puede modificar.
inmolación. (Del lat. *immolatĭo, -ōnis*.) f. Acción y efecto de inmolar.
inmolador, ra. (Del lat. *immolātor, -ōris*.) adj. Que inmola. Ú. t. c. s.
inmolar. (Del lat. *immolāre*.) tr. Sacrificar una víctima. ‖ **2.** Ofrecer una cosa en reconocimiento de la divinidad. ‖ **3.** prnl. fig. Dar la vida, la hacienda, el reposo, etc., en provecho u honor de una persona o cosa.
inmoral. (De in-² y *moral*.) adj. Que se opone a la moral o a las buenas costumbres.
inmoralidad. f. Falta de moralidad, desarreglo en las costumbres. ‖ **2.** Acción inmoral.
inmortal. (Del lat. *immortālis*.) adj. Que no puede morir. ‖ **2.** Que dura tiempo indefinido.
inmortalidad. (Del lat. *immortalĭtas, -ātis*.) f. Cualidad de inmortal. ‖ **2.** fig. Duración indefinida de una cosa en la memoria de los hombres.
inmortalizar. (De *inmortal*.) tr. Hacer perpetua una cosa en la memoria de los hombres. Ú. t. c. prnl.
inmortalmente. adv. m. De un modo inmortal.
inmortificación. f. p. us. Falta de mortificación.
inmortificado, da. adj. No mortificado.
inmotivadamente. adv. m. Sin motivo o razón; infundadamente.
inmotivado, da. adj. Carente de motivo.
inmoto, ta. (Del lat. *immōtus*.) adj. No movido, que no se mueve.
inmovible. adj. **inmoble.**
inmóvil. (Del lat. *immobĭlis*.) adj. Que no se mueve. ‖ **2.** fig. Firme, invariable.
inmovilidad. (Del lat. *immobilĭtas, -ātis*.) f. Cualidad de inmóvil.
inmovilismo. (De *inmóvil*.) m. Tendencia a mantener sin cambios una situación política, social, económica, ideológica, etc.
inmovilista. adj. Partidario del inmovilismo. Ú. t. c. s.
inmovilización. f. Acción y efecto de inmovilizar o inmovilizarse.
inmovilizado. m. *Econ.* Conjunto de bienes patrimoniales de carácter permanente y gastos amortizables de una empresa.
inmovilizar. tr. Hacer que una cosa quede inmóvil. ‖ **2.** *Com.* Invertir un caudal en bienes de lenta o difícil reali-

zación. ‖ **3.** *Der.* Coartar la libre enajenación de bienes. ‖ **4.** prnl. Quedarse o permanecer inmóvil.

inmudable. (Del lat. *immutabĭlis.*) adj. p. us. **inmutable.**

inmueble. (Del lat. *immobĭlis.*) adj. V. **bienes inmuebles.** ‖ **2.** m. Casa o edificio.

inmundicia. (Del lat. *immundĭtĭa.*) f. Suciedad, basura. ‖ **2.** fig. Impureza, deshonestidad.

inmundo, da. (Del lat. *immundus.*) adj. Sucio y asqueroso. ‖ **2.** V. **espíritu inmundo.** ‖ **3.** fig. Impuro. ‖ **4.** fig. Dícese de aquello cuyo uso estaba prohibido a los judíos por su ley.

inmune. (Del lat. *immŭnis.*) adj. Exento de ciertos oficios, cargos, gravámenes o penas. ‖ **2.** No atacable por ciertas enfermedades. ‖ **3.** *Biol.* Perteneciente o relativo a las causas, mecanismos o efectos de la inmunidad.

inmunidad. (Del lat. *immunĭtas, -ātis.*) f. Cualidad de inmune. ‖ **2.** Privilegio local concedido a los templos e iglesias, en virtud del cual los delincuentes que a ellas se acogían no eran castigados con pena corporal en ciertos casos. ‖ **3.** *Biol.* y *Med.* Estado de resistencia, natural o adquirida, que poseen ciertos individuos o especies frente a determinadas acciones patógenas de microorganismos o sustancias extrañas. ‖ **4.** *Biol.* Fenómeno caracterizado por la exaltación de la respuesta a un antígeno determinado. ‖ **diplomática.** La que gozan los representantes diplomáticos acreditados cerca de un gobierno, sus familias y demás personal de las embajadas o legaciones que no es súbdito del país en que éstas residen. ‖ **parlamentaria.** Prerrogativa de los senadores y diputados a cortes, que los exime de ser detenidos o presos, salvo en casos que determinan las leyes, o procesados y juzgados sin autorización del respectivo cuerpo colegislador.

inmunitario, ria. adj. *Med.* Perteneciente o relativo a la inmunidad.

inmunización. f. Acción y efecto de inmunizar.

inmunizador, ra. adj. Que inmuniza.

inmunizante. p. a. de **inmunizar.** ‖ **2.** adj. Que inmuniza. Ú. t. c. s.

inmunizar. tr. Hacer inmune.

inmunodeficiencia. f. *Med.* Estado patológico del organismo, caracterizado por la disminución funcional de los linfocitos B y T, de los procesos de su biosíntesis o de alguna de sus actividades específicas.

inmunología. f. *Med.* Conjunto de los conocimientos científicos relativos a la inmunidad biológica.

inmunológico, ca. adj. Perteneciente o relativo a la inmunología.

inmunólogo, ga. m. y f. Persona que cultiva la inmunología o tiene especiales conocimientos de ella.

inmutabilidad. (Del lat. *immutabilĭtas, -ātis.*) f. Cualidad de inmutable.

inmutable. (Del lat. *immutabĭlis.*) adj. No mudable, que no puede ni se puede cambiar. ‖ **2.** Que no siente o no manifiesta alteración del ánimo.

inmutación. (Del lat. *immutatĭo, -ōnis.*) f. Acción y efecto de inmutar o inmutarse.

inmutar. (Del lat. *immutāre.*) tr. Alterar o variar una cosa. ‖ **2.** prnl. fig. Sentir una conmoción repentina del ánimo, manifestándola por un ademán o por la alteración del semblante o de la voz.

inmutativo, va. adj. Que inmuta o es capaz de inmutar.

innacible. (Del lat. *innascibĭlis.*) adj. ant. Que no puede nacer.

innatismo. (De *innato.*) m. Sistema filosófico según el cual las ideas son connaturales a la razón y nacen con ella.

innato, ta. (Del lat. *innātus,* p. p. de *innasci,* nacer en, producirse.) adj. Connatural y como nacido con el mismo sujeto.

innatural. (Del lat. *innaturālis.*) adj. Que no es natural.

innavegable. (Del lat. *innavigabĭlis.*) adj. No navegable. ‖ **2.** Dícese también de la embarcación con la que no se puede navegar por hallarse en mal estado.

innecesariamente. adv. m. Sin necesidad; de modo innecesario.

innecesario, ria. adj. No necesario.

innegable. adj. Que no se puede negar.

innegablemente. adv. m. De manera innegable.

innegociable. adj. Que no se puede negociar.

innoble. adj. Que no es noble. ‖ **2.** Vil, abyecto.

innocencia. f. desus. **inocencia.**

innocente. adj. desus. **inocente.**

innocuidad. f. **inocuidad.**

innocuo, cua. (Del lat. *innocŭus.*) adj. p. us. **inocuo.**

innominable. (Del lat. *innominabĭlis.*) adj. p. us. Que no se puede nombrar.

innominado, da. (Del lat. *innominātus.*) adj. Que no tiene nombre especial. ‖ **2.** *Anat.* V. **hueso innominado.** Ú. t. c. s. y comúnmente en pl.

innoto, ta. adj. ant. **ignoto.**

innovación. (Del lat. *innovatĭo, -ōnis.*) f. Acción y efecto de innovar. ‖ **2.** Creación o modificación de un producto, y su introducción en un mercado.

innovador, ra. (Del lat. *innovātor, -ōris.*) adj. Que innova. Ú. t. c. s.

innovamiento. (De *innovar.*) m. **innovación.**

innovar. (Del lat. *innovāre.*) tr. Mudar o alterar las cosas, introduciendo novedades. ‖ **2.** ant. Volver una cosa a su anterior estado.

innumerabilidad. (Del lat. *innumerabilĭtas, -ātis.*) f. Muchedumbre grande e incontable.

innumerable. (Del lat. *innumerabĭlis.*) adj. Que no se puede reducir a número. ‖ **2.** Copioso, muy abundante.

innumerablemente. adv. m. Sin número.

innumeridad. (De *innúmero.*) f. ant. Muchedumbre grande e incontable.

innúmero, ra. (Del lat. *innumĕrus.*) adj. Que no se puede reducir a número.

-ino, na. (Del lat. *-inus* o *-īnus,* lat. vulg. *-ĭnus.*) suf. de adjetivos que significan pertenencia o relación: *cervant*INO, *pala*TINO; materia o semejanza: *alabastr*INO, *diamant*INO. Forma también numerosos gentilicios: *alicant*INO, *ginebr*INO. A veces se combina con **-és**: *camp*ESINO, *mont*ESINO. En los sustantivos, suele tener valor diminutivo: *cigoñ*INO, *palom*INO, *cebollINO.

inobediencia. (Del lat. *inoboedientĭa.*) f. Falta de obediencia.

inobediente. (Del lat. *inoboedĭens, -entis.*) adj. No obediente.

inobservable. (Del lat. *inobservabĭlis.*) adj. Que no puede observarse.

inobservancia. (Del lat. *inobservantĭa.*) f. Falta de observancia.

inobservante. (Del lat. *inobservans, -antis.*) adj. No observante.

inocencia. (Del lat. *innocentĭa.*) f. Estado del alma limpia de culpa. ‖ **2.** Exención de culpa en un delito o en una mala acción. ‖ **3.** Candor, sencillez. ‖ **4.** V. **estado de la inocencia.**

inocentada. (De *inocente.*) f. Broma o chasco que se da a uno en el día de los Santos Inocentes. ‖ **2.** fam. Acción o palabra candorosa o simple. ‖ **3.** fam. Engaño ridículo en que uno cae por descuido o por falta de malicia.

inocente. (Del lat. *innŏcens, -entis.*) adj. Libre de culpa. Ú. t. c. s. ‖ **2.** Aplícase también a las acciones y cosas que pertenecen a la persona **inocente.** ‖ **3.** Cándido, sin malicia, fácil de engañar. Ú. t. c. s. ‖ **4.** Que no daña, que no es nocivo. ‖ **5.** Aplícase al niño que no ha llegado a la edad de discreción. Ú. t. c. s. *La degollación de los* INO-

CENTES. ‖ **6.** fig. y fam. Ignorante, que desconoce una cosa.

inocentemente. adv. m. Con inocencia.

inocentón, na. adj. fig. y fam. aum. Muy inocente, cándido.

inocuidad. f. Cualidad de inocuo.

inoculación. (Del lat. *inoculatĭo, -ōnis.*) f. Acción y efecto de inocular.

inoculador, ra. (Del lat. *inoculātor, -ōris.*) adj. Que inocula. Ú. t. c. s.

inocular. (Del lat. *inoculāre.*) tr. *Med.* Comunicar por medios artificiales una enfermedad contagiosa. Ú. t. c. prnl. ‖ **2.** fig. Pervertir, contaminar a uno con el mal ejemplo o la falsa doctrina. Ú. t. c. prnl.

inocultable. adj. Que no se puede ocultar.

inocuo, cua. (Del lat. *innocŭus.*) adj. Que no hace daño. ‖

inodoro, ra. (Del lat. *inodōrus.*) adj. Que no tiene olor. ‖ **2.** Aplícase especialmente a los aparatos que se colocan en los escusados de las casas y en los evacuatorios públicos para impedir el paso de los malos olores. Ú. m. c. s. m.

inofensivo, va. adj. Incapaz de ofender. ‖ **2.** fig. Que no puede causar daño ni molestia.

inofenso, sa. (Del lat. *inoffensus.*) adj. ant. Que no ha sufrido daño o lesión.

inoficioso, sa. (Del lat. *inofficiōsus.*) adj. *Der.* Que lesiona los derechos de herencia forzosa. Aplícase a los actos de última voluntad y a las dotes y donaciones.

inolvidable. adj. Que no puede olvidarse.

inope. (Del lat. *inops, -ŏpis.*) adj. p. us. Pobre, indigente.

inoperable. adj. Dícese del enfermo que no puede ser operado, o de la enfermedad en que no procede la operación quirúrgica.

inoperante. adj. No operante, ineficaz.

inopia. (Del lat. *inopĭa.*) f. p. us. Indigencia, pobreza, escasez. ‖ **estar en la inopia.** fr. fig. y fam. Ignorar alguna cosa que otros conocen, no haberse enterado de ella.

inopinable. (Del lat. *inopinabĭlis.*) adj. No opinable. ‖ **2.** ant. Que no se puede ofrecer a la imaginación o no se puede pensar que suceda.

inopinadamente. adv. m. De un modo inopinado.

inopinado, da. (Del lat. *inopinātus.*) adj. Que sucede sin haber pensado en ello, o sin esperarlo.

inoportunamente. adv. m. Sin oportunidad.

inoportunidad. (De *inoportuno.*) f. Falta de oportunidad.

inoportuno, na. (Del lat. *inopportūnus.*) adj. Fuera de tiempo o de propósito.

inorancia. f. ant. **ignorancia.**

inorar. tr. ant. **ignorar.**

inordenadamente. adv. m. De un modo inordenado.

inordenado, da. (De *in-²* y *ordenado.*) adj. Desordenado, que no tiene orden.

inordinado, da. (Del lat. *inordinātus.*) adj. **inordenado.**

inorgánico, ca. adj. Dícese de todo cuerpo sin órganos para la vida, como los minerales. ‖ **2.** fig. Dícese también de cualquier conjunto falto de la conveniente ordenación de las partes. ‖ **3.** fig. V. **química inorgánica.**

inorme. adj. ant. **enorme.**

inoxidable. adj. Que no se puede oxidar. ‖ **2.** V. **acero inoxidable.**

in pártibus. expr. lat. **in pártibus infidélium.**

in pártibus infidélium. (Lit., *en lugares, o países, de infieles.*) expr. lat. V. **obispo in pártibus infidélium.** ‖ **2.** fam. y fest. Aplícase a la persona condecorada con el título de un cargo que realmente no ejerce. En esta acepción es más frecuente decir solo **in pártibus.**

in péctore. expr. lat. V. **cardenal in péctore.** ‖ **2.** loc. fig. y fam. con que se da a entender que se ha tomado una resolución todavía reservada.

in perpétuum. loc. lat. Perpetuamente, para siempre.

in petto. expr. it. V. **cardenal in petto.**

in promptu. expr. lat. usada como loc. adv. De improviso, al presente. *Tomar un partido,* o *realizar un acto* IN PROMPTU.

in púribus. loc. fam. Desnudo, en cueros. Es corrupción vulgar de la frase latina *in puris naturálibus,* en estado puramente natural.

inquebrantable. adj. Que persiste sin quebranto, o no puede quebrantarse.

inquerir. tr. ant. **inquirir.**

inquietación. (Del lat. *inquietatĭo, -ōnis.*) f. ant. Falta de quietud, desasosiego.

inquietador, ra. (Del lat. *inquietātor, -ōris.*) adj. Que inquieta. Ú. t. c. s.

inquietamente. adv. m. Con inquietud.

inquietar. (Del lat. *inquietāre.*) tr. Quitar el sosiego, turbar la quietud. Ú. t. c. prnl. ‖ **2.** *Der.* Intentar despojar a uno de la quieta y pacífica posesión de una cosa, perturbarlo en ella.

inquieto, ta. (Del lat. *inquiētus.*) adj. Que no está quieto, o es de índole bulliciosa. ‖ **2.** Propenso a promover o efectuar cambios. ‖ **3.** fig. Desasosegado por una agitación del ánimo. ‖ **4.** fig. Dícese de aquellas cosas en que no se ha tenido o gozado quietud. *Pasar una noche* INQUIETA.

inquietud. (Del lat. *inquietūdo.*) f. Falta de quietud, desasosiego, zozobra. ‖ **2.** Alboroto, conmoción. ‖ **3.** Inclinación del ánimo hacia algo, en especial en el campo de la estética. Ú. m. en pl. INQUIETUDES *literarias.*

inquilinato. (Del lat. *inquilinātus.*) m. Arriendo de una casa o parte de ella. ‖ **2.** Derecho que adquiere el inquilino en la casa arrendada. ‖ **3.** Contribución o tributo de cuantía relacionada con la de los alquileres. ‖ **4.** *Argent., Col.* y *Urug.* **casa de vecindad.** ‖ **5.** *Chile.* Sistema de explotación de fincas agrícolas por medio de inquilinos.

inquilino, na. (Del lat. *inquilīnus.*) m. y f. Persona que ha tomado una casa o parte de ella en alquiler para habitarla. ‖ **2.** Arrendatario, comúnmente de finca urbana. ‖ **3.** *Chile.* Persona que vive en una finca rústica en la cual se le da habitación y un trozo de terreno para que lo explote por su cuenta, con la obligación de trabajar en el mismo campo en beneficio del propietario.

inquina. (Acaso der. del cultismo *inquinar.*) f. Aversión, mala voluntad.

inquinamento. (Del lat. *inquinamentum.*) m. Acción y efecto de inquinar o inquinarse.

inquinar. (Del lat. *inquināre.*) tr. Manchar, contagiar. Ú. t. c. prnl.

inquiridor, ra. adj. Que inquiere. Ú. t. c. s.

inquirir. (Del lat. *inquirĕre.*) tr. Indagar, averiguar o examinar cuidadosamente una cosa.

inquisición. (Del lat. *inquisitĭo, -ōnis.*) n. p. f. Tribunal eclesiástico, establecido para inquirir y castigar los delitos contra la fe. ‖ **2.** Casa donde se juntaba el tribunal de la **Inquisición.** ‖ **3.** f. Acción y efecto de inquirir. ‖ **4.** Cárcel destinada a los reos pertenecientes a este tribunal. ‖ **5.** V. **comisario de la Inquisición.** ‖ **6.** V. **vara de Inquisición.** ‖ **hacer inquisición.** fr. fig. y fam. Examinar los papeles, y separar los inútiles para quemarlos.

inquisidor, ra. (Del lat. *inquisitor, -ōris.*) adj. Que inquiere. Ú. t. c. s. ‖ **2.** m. Juez eclesiástico que conocía de las causas de fe. ‖ **3.** El que hace indagación de algo para comprobar su realidad y sus circunstancias. ‖ **4.** En Aragón, cada uno de los jueces que inquiere la conducta de algunos magistrados para castigarlos según sus delitos. ‖ **apostólico.** El nombrado por el **inquisidor** general para entender, a título de delegado, dentro de una demarcación eclesiástica, en los negocios pertenecientes a la Inquisición, principalmente en los nombramientos de familiares, jueces de causas, etc. ‖ **de Estado.** En la república de Venecia, cada uno de los tres nobles elegidos del Consejo de los Diez, que estaban diputados para inquirir y castigar los crímenes de Estado, con poder absoluto. ‖ **general.** Supremo **inquisidor,** a cuyo cargo estaba el gobierno del Consejo de Inquisición y de todos sus tribunales. ‖ **ordinario.** El obispo o el que en su nombre asistía a sentenciar en definitiva las causas de los reos de fe.

inquisitivo, va. (Del lat. *inquisitīvus.*) adj. ant. Que inquiere y averigua con cuidado y diligencia las cosas o es inclinado a ello. ‖ **2.** Perteneciente a la indagación o averiguación.

inquisitorial. adj. Perteneciente o relativo al inquisidor o a la Inquisición. ‖ **2.** fig. Dícese de los procedimientos parecidos a los del tribunal de la Inquisición.

inquisitorio, ria. adj. Que tiene capacidad para inquirir. ‖ **2.** Perteneciente a la inquisición o averiguación de las cosas.

inri. m. Nombre que resulta de leer como una palabra las iniciales de *Iesus Nazarenus Rex Iudaeórum,* rótulo latino de la santa cruz. ‖ **2.** fig. Nota de burla o de afrenta. *Le puso el* INRI. ‖ **para más, o mayor, inri.** loc. Para mayor escarnio.

insabible. adj. p. us. Que no se puede saber; inaveriguable.

insaciabilidad. (Del lat. *insatiabilĭtas, -ātis.*) f. Cualidad de insaciable.

insaciable. (Del lat. *insatiabĭlis.*) adj. Que no se puede saciar.

insaciablemente. adv. m. Con insaciabilidad.

insaculación. f. Acción y efecto de insacular.

insaculador. m. El que insacula.

insacular. (De *in-*[1] y el lat. *saccŭlus,* saquito.) tr. Poner en un saco, cántaro o urna, cédulas o boletas con números o con nombres de personas o cosas para sacar una o más por suerte. ‖ **2.** Introducir votos secretos en una bolsa para proceder después al escrutinio.

insalivación. f. Acción y efecto de insalivar.

insalivar. (De *in-*[1] y *saliva.*) tr. Mezclar los alimentos con saliva en la cavidad de la boca.

insalubre. (Del lat. *insalŭbris.*) adj. Dañoso a la salud, malsano.

insalubridad. f. Falta de salubridad.

insalvable. adj. Que no se puede salvar.

insanable. (Del lat. *insanabĭlis.*) adj. Que no se puede sanar; incurable.

insania. (Del lat. *insanĭa.*) f. Locura, privación del juicio.

insano, na. (Del lat. *insānus.*) adj. Loco, demente. ‖ **2.** Perjudicial para la salud.

insatisfacción. f. Falta de satisfacción.

insatisfactorio, ria. adj. Que no satisface.

insatisfecho, cha. adj. No satisfecho.

insaturado, da. adj. *Quím.* Dícese de las estructuras químicas que poseen uno o varios enlaces covalentes múltiples.

inscribible. adj. Que puede inscribirse.

inscribir. (Del lat. *inscribĕre.*) tr. Grabar letreros en metal, piedra u otra materia. ‖ **2.** Apuntar el nombre de una persona entre los de otras para un objeto determinado. Ú. t. c. prnl. ‖ **3.** Grabar la voz, una imagen, etc. ‖ **4.** *Der.* Tomar razón, en algún registro, de los documentos o las declaraciones que han de asentarse en él según las reglas. ‖ **5.** *Geom.* Trazar una figura dentro de otra, de modo que, sin cortarse ni confundirse, estén ambas en contacto en varios de los puntos de sus perímetros.

inscripción. (Del lat. *inscriptĭo, -ōnis.*) f. Acción y efecto de inscribir o inscribirse. ‖ **2.** Escrito grabado en piedra, metal u otra materia duradera, para conservar la memoria de una persona, cosa o suceso importante. ‖ **3.** Anotación o

asiento del gran libro de la deuda pública, en que el Estado reconoce la obligación de satisfacer una renta perpetua correspondiente a un capital recibido. ‖ **4.** Documento o título que expide el Estado para acreditar esta obligación. ‖ **5.** *Numism.* Letrero rectilíneo en las monedas y medallas.

inscripto, ta. (Del lat. *inscriptus.*) p. p. irreg. **inscrito.**

inscrito, ta. (De *inscripto.*) p. p. irreg. de **inscribir.** ‖ **2.** adj. *Geom.* Dícese de la figura que se traza dentro de otra.

inscrutable. (Del lat. *inscrutabĭlis.*) adj. ant. **inescrutable.**

insculpir. (Del lat. *insculpĕre.*) tr. **esculpir.**

insecable[1]. (Del lat. *insiccabĭlis.*) adj. p. us. Que no se puede secar o es muy difícil que se seque.

insecable[2]. (Del lat. *insecabĭlis.*) adj. p. us. Que no se puede cortar o dividir.

insecticida. (De *insecto* y *-cida.*) adj. Que sirve para matar insectos. Dícese de los productos destinados a este fin, ú. t. c. s. m.

insectil. adj. p. us. Perteneciente a la clase de los insectos.

insectívoro, ra. (Del lat. *insectum,* insecto, y *-voro.*) adj. Dícese de los animales que principalmente se alimentan de insectos. Ú. t. c. s. ‖ **2.** Dícese también de algunas plantas que los aprisionan entre sus hojas y los digieren. ‖ **3.** *Zool.* Dícese de mamíferos de pequeño tamaño, unguiculados y plantígrados, que tienen molares provistos de tubérculos agudos, con los cuales mastican el cuerpo de los insectos de que se alimentan; como el topo y el erizo. Ú. t. c. s. ‖ **4.** m. pl. *Zool.* Orden de estos animales.

insecto. (Del lat. *insectum.*) adj. Dícese del artrópodo de respiración traqueal, con el cuerpo dividido distintamente en cabeza, tórax y abdomen, con un par de antenas y tres de patas. Los más tienen uno o dos pares de alas y sufren metamorfosis durante su desarrollo. Ú. m. c. s. m. ‖ **2.** m. pl. *Zool.* Clase de estos animales. ‖ **social.** *Biol.* El que vive formando parte de una comunidad constituida por numerosos individuos de aspectos diferentes, que de manera jerarquizada cumplen cometidos específicos, según normas o pautas de comportamientos innatas y estereotipadas, tal como ocurre con las abejas o con las hormigas. Ú. m. en pl.

in sécula, in sécula seculórum o para in sécula. (De la loc. adv. lat. *in saecŭla saeculōrum,* por los siglos de los siglos.) Para siempre jamás.

inseguramente. adv. m. Sin seguridad.

inseguridad. f. Falta de seguridad.

inseguro, ra. adj. Falto de seguridad, incierto.

inseminación. (De *in-*[1] y el lat. *seminatĭo, -ōnis,* siembra, fecundación.) f. *Biol.* Llegada del semen al óvulo, tras la cópula sexual. ‖ **artificial.** Procedimiento para hacer llegar el semen al óvulo mediante un artificio cualquiera. Se usa en medicina para la fecundación del óvulo en ciertos casos de esterilidad femenina, y sobre todo en ganadería y piscicultura.

inseminar. tr. Hacer llegar el semen al óvulo mediante un artificio cualquiera.

insenescencia. (De *in-*[2] y el lat. *senescens,* p. a. de *senesco,* envejecer.) f. Cualidad de lo que no envejece.

insensatez. f. Necedad, falta de sentido o de razón. ‖ **2.** fig. Dicho o hecho insensato.

insensato, ta. (Del lat. *insensātus.*) adj. Falto de sensatez, tonto, fatuo. Ú. t. c. s.

insensibilidad. (Del lat. *insensibilĭtas, -ātis.*) f. Falta de sensibilidad. ‖ **2.** fig. Dureza de corazón, o falta de sentimiento en las cosas que lo suelen causar.

insensibilizar. (De *in-*[2] y el lat. *sensibĭlis,* sensible, e *-izar.*) tr. Quitar la sensibilidad o privar a uno de ella. Ú. t. c. prnl.

insensible. (Del lat. *insensibĭlis.*) adj. Que carece de sensibilidad, o que no tiene sentido. ‖ **2.** Privado de sentido por dolencia, accidente u otra causa. ‖ **3.** Que no se puede sentir o percibir. ‖ **4.** fig. Que no siente las cosas que causan dolor y pena o mueven a lástima.

insensiblemente. adv. m. De un modo insensible, imperceptiblemente.

inseparabilidad. (Del lat. *inseparabilĭtas, -ātis.*) f. Cualidad de inseparable.

inseparable. (Del lat. *inseparabĭlis.*) adj. Que no se puede separar. ‖ **2.** V. **preposición inseparable.** ‖ **3.** fig. Dícese de las cosas que se separan con dificultad. ‖ **4.** fig. Dícese de las personas estrechamente unidas entre sí con vínculos de amistad o de amor.

inseparablemente. adv. m. Con inseparabilidad.

insepultado, da. adj. ant. **insepulto.**

insepulto, ta. (Del lat. *insepultus.*) adj. No sepultado. Dícese del cadáver antes de ser sepultado.

inserción. (Del lat. *insertĭo, -ōnis.*) f. Acción y efecto de inserir. ‖ **2.** Acción y efecto de insertar.

inserir. (Del lat. *inserĕre,* introducir.) tr. **injerir.**

insertar. (Del lat. *insertāre,* injerir.) tr. Incluir, introducir una cosa en otra. Se usa regularmente hablando de la inclusión de algún texto o escrito en otro. ‖ **2.** Dar cabida a un escrito en las columnas de un periódico o revista. ‖ **3.** prnl. *Biol.* Introducirse más o menos profundamente un órgano entre las partes de otro, o adherirse a su superficie.

inserto, ta. (Del lat. *insertus,* p. p. de *inserĕre,* introducir, injerir.) p. p. irreg. de **inserir.** ‖ **2.** adj. ant. Injertado. ‖ **3.** m. *Cinem.* Rótulo entre dos encuadres o superpuesto a uno, que, en forma legible, explica al espectador la localización o cualquier otro detalle de la escena, página de un periódico, una carta, etc.

inservible. adj. No servible o que no está en estado de servir.

insidia. (Del lat. *insidĭa.*) f. **asechanza.** Ú. m. en pl. ‖ **2.** Palabras o acción que envuelven mala intención.

insidiador, ra. (Del lat. *insidiātor, -ōris.*) adj. Que insidia. Ú. t. c. s.

insidiar. (Del lat. *insidiāre.*) tr. p. us. Poner asechanzas.

insidiosamente. adv. m. Con insidias.

insidioso, sa. (Del lat. *insidiōsus.*) adj. Que arma asechanzas. Ú. t. c. s. ‖ **2.** Que se hace con asechanzas. ‖ **3.** Malicioso o dañino con apariencias inofensivas. ‖ **4.** *Pat.* Dícese del padecimiento o enfermedad que, bajo una apariencia benigna, oculta gravedad suma.

insigne. (Del lat. *insignis.*) adj. Célebre, famoso.

insignemente. adv. m. De un modo insigne.

insignia. (Del lat. *insignĭa,* pl. n. de *insignis.*) f. Señal, distintivo, o divisa honorífica. ‖ **2.** Bandera o estandarte de una legión romana. ‖ **3.** Pendón, estandarte, imagen o medalla de una hermandad o cofradía. ‖ **4.** p. us. El rótulo que indica sobre la puerta el género que se vende en las tiendas, o el que en la puerta de una casa, habitación o despacho indica una profesión u oficio. ‖ **5.** *Mar.* Bandera de cierta especie que, puesta al tope de uno de los palos del buque, denota la graduación del jefe que lo manda o de otro que va en él.

insignido, da. (Del lat. *insignitus,* p. p. de *insignire,* distinguir.) adj. ant. Distinguido, adornado.

insignificancia. (De *insignificante.*) f. Pequeñez, insuficiencia, inutilidad.

insignificante. (De *in-²* y *significante.*) adj. Baladí, pequeño, despreciable.

insimular. (Del lat. *insimulāre.*) tr. ant. Acusar a uno de un delito; delatarlo.

insinceridad. f. Falta de sinceridad.

insincero, ra. (Del lat. *insincērus.*) adj. No sincero, simulado, doble.

insinia. f. ant. **insignia.**

insinuación. (Del lat. *insinuatĭo, -ōnis.*) f. Acción y efecto

de insinuar o insinuarse. ‖ **2.** *Der.* Manifestación o presentación de un instrumento público ante juez competente, para que éste interponga en él su autoridad y decreto judicial. Se usa especialmente hablando de las donaciones. ‖ **3.** *Ret.* Género de exordio, o parte del exordio, en que el orador trata de captarse la benevolencia y atención de los oyentes.

insinuador, ra. (Del lat. *insinuātor, -ōris.*) adj. Que insinúa. Ú. t. c. s.

insinuar. (Del lat. *insinuāre.*) tr. Dar a entender una cosa sin más que indicarla o apuntarla ligeramente. ‖ **2.** *Der.* Hacer insinuación ante juez competente. ‖ **3.** prnl. Introducirse mañosamente en el ánimo de uno, ganando su gracia y afecto. ‖ **4.** fig. Introducirse blanda y suavemente en el ánimo un afecto, vicio, virtud, etc. ‖ **5.** fig. y fam. Dar a entender aisladamente el deseo de relaciones amorosas.

insinuativo, va. adj. Dícese de lo que tiene virtud o eficacia para insinuar o insinuarse.

insípidamente. adv. m. Con insipidez.

insipidez. f. Cualidad de insípido.

insípido, da. (Del lat. *insipĭdus.*) adj. Falto de sabor. ‖ **2.** Que no tiene el grado de sabor que debía o pudiera tener. *Fruta* INSÍPIDA; *café* INSÍPIDO. ‖ **3.** fig. Falto de espíritu, viveza, gracia o sal. *Poeta* INSÍPIDO; *comedia* INSÍPIDA.

insipiencia. (Del lat. *insipientĭa.*) f. p. us. Falta de sabiduría o ciencia. ‖ **2.** p. us. Falta de juicio.

insipiente. (Del lat. *insipĭens, -entis.*) adj. Falto de sabiduría o ciencia. Ú. t. c. s. ‖ **2.** Falto de juicio. Ú. t. c. s.

insistencia. (De *insistente.*) f. Reiteración y porfía acerca de una cosa.

insistentemente. adv. m. Con insistencia.

insistir. (Del lat. *insistĕre.*) intr. p. us. Descansar una cosa sobre otra. ‖ **2.** Instar reiteradamente. ‖ **3.** Persistir o mantenerse firme en una cosa. ‖ **4.** Repetir o hacer hincapié en algo.

ínsito, ta. (Del lat. *insĭtus,* p. p. de *inserĕre,* plantar, inculcar.) adj. Propio y connatural a una cosa y como nacido en ella.

in situ. loc. lat. que significa en el lugar, en el sitio.

insobornable. adj. Que no puede ser sobornado. ‖ **2.** Que no se deja llevar por ninguna influencia ajena, auténtico, arraigado.

insociabilidad. f. Falta de sociabilidad.

insociable. (Del lat. *insociabĭlis.*) adj. Huraño o intratable, o que no tiene condiciones para el trato social.

insocial. (Del lat. *insociālis.*) adj. Huraño, que evita el trato social.

ínsola. f. ant. **ínsula.**

insolación. f. Acción y efecto de insolar. ‖ **2.** Malestar o enfermedad interna producidos por una exposición excesiva a los rayos solares. ‖ **3.** Cantidad de energía solar recibida por una superficie. ‖ **4.** *Meteor.* Tiempo que luce el sol sin nubes.

insolar. (Del lat. *insolāre.*) tr. Poner al sol una cosa, como hierbas, plantas, etc., para facilitar su fermentación, o secarlas. ‖ **2.** prnl. Asolearse, enfermar por demasiado ardor del sol o por excesiva exposición a él.

insoldable. adj. Que no se puede soldar.

insolencia. (Del lat. *insolentĭa.*) f. Atrevimiento, descaro. ‖ **2.** Dicho o hecho ofensivo e insultante. ‖ **3.** Acción desusada y temeraria.

insolentar. tr. Hacer a uno insolente y atrevido. Ú. m. c. prnl.

insolente. (Del lat. *insŏlens, -entis.*) adj. Que comete insolencias. Ú. t. c. s. ‖ **2.** Orgulloso, soberbio, desvergonzado. ‖ **3.** ant. Raro, desusado y extraño.

insolentemente. adv. m. Con insolencia.

in sólidum. (loc. lat. que significa «en total».) loc. adv. *Der.* Por entero, por el todo. Ú. m. para expresar la facultad u obligación que, siendo común a dos o más personas, puede ejercerse o debe cumplirse por entero por cada una de ellas. *Juan y Pedro son deudores* IN SÓLIDUM.

insólito, ta. (Del lat. *insolĭtus.*) adj. Raro, extraño, desacostumbrado.

insolubilidad. (Del lat. *insolubilĭtas, -ātis.*) f. Cualidad de insoluble.

insoluble. (Del lat. *insolubĭlis.*) adj. Que no puede disolverse ni diluirse. ‖ **2.** Que no se puede resolver o aclarar.

insoluto, ta. (Del lat. *insolūtus.*) adj. p. us. No pagado.

insolvencia. f. Falta de solvencia, incapacidad de pagar una deuda.

insolvente. adj. Que no tiene con qué pagar. Ú. t. c. s.

insomne. (Del lat. *insomnis.*) adj. Que no duerme, desvelado.

insomnio. (Del lat. *insomnĭum.*) m. Vigilia, falta de sueño a la hora de dormir.

insondable. adj. Que no se puede sondear. Dícese del mar cuando no se le puede hallar el fondo con la sonda. ‖ **2.** fig. Que no se puede averiguar, sondear o saber a fondo.

insonoridad. f. Cualidad de insonoro.

insonorización. f. Acción y efecto de insonorizar.

insonorizar. tr. Acondicionar un lugar, habitación, etc., para aislarlo acústicamente.

insonoro, ra. adj. Que no produce o no transmite sonido.

insoportable. adj. Que no se puede soportar; insufrible, intolerable. ‖ **2.** fig. Muy incómodo, molesto y enfadoso.

insoslayable. adj. Que no puede soslayarse, ineludible.

insospechable. adj. Que no puede sospecharse.

insospechado, da. adj. No sospechado, inesperado.

insostenible. adj. Que no se puede sostener. ‖ **2.** fig. Que no se puede defender con razones.

inspección. (Del lat. *inspectĭo, -ōnis.*) f. Acción y efecto de inspeccionar. ‖ **2.** Cargo y cuidado de velar por una cosa. ‖ **3.** Casa, despacho u oficina del inspector. ‖ **4.** *Mil.* V. **revista de inspección.** ‖ **ocular.** *Der.* Examen que hace el juez por sí mismo, y en ocasiones con asistencia de los interesados y de peritos o testigos, de un lugar o de una cosa, para hacer constar en acta o diligencia los resultados de sus observaciones.

inspeccionar. (De *inspección.*) tr. Examinar, reconocer atentamente una cosa.

inspector, ra. (Del lat. *inspector, -ōris.*) adj. Que reconoce y examina una cosa. Ú. t. c. s. ‖ **2.** m. y f. Empleado público o particular que tiene a su cargo la inspección y vigilancia del ramo a que pertenece y del cual toma título especial el destino que desempeña. INSPECTOR *de policía, de correos, de aduanas, de estudios, de ferrocarriles.* ‖ **general.** Funcionario a quien por su alta categoría corresponde la vigilancia sobre la totalidad de un servicio del Estado y del personal que lo ejecuta.

inspectoría. f. Casa, despacho u oficina del inspector. ‖ **2.** *Chile.* Cuerpo de policía que está bajo el mando de un inspector. ‖ **3.** *Chile.* Territorio a que se extiende la vigilancia de dicho cuerpo.

inspiración. (Del lat. *inspiratĭo, -ōnis.*) f. Acción y efecto de inspirar o inspirarse. ‖ **2.** fig. Ilustración o movimiento sobrenatural que Dios comunica a la criatura. ‖ **3.** fig. Efecto de sentir el escritor, el orador o el artista el singular y eficaz estímulo que le hace producir espontáneamente y como sin esfuerzo. ‖ **4.** fig. Cosa inspirada.

inspiradamente. adv. m. De manera inspirada; con inspiración.

inspirador, ra. (Del lat. *inspirātor, -ōris.*) adj. Que inspira. Ú. t. c. s. ‖ **2.** *Anat.* Aplícase a los músculos que sirven para la inspiración.

inspirar. (Del lat. *inspirāre.*) tr. Atraer el aire exterior a los pulmones, aspirar. Ú. t. c. intr. ‖ **2.** fig. Infundir o hacer nacer en el ánimo o la mente afectos, ideas, designios, etc. ‖ **3.** fig. En sentido menos genérico, sugerir ideas o temas para la composición de la obra literaria o artística, o bien dar instrucciones a los que dirigen o redactan publicaciones periódicas. ‖ **4.** fig. Iluminar Dios el entendimiento de uno y mover su voluntad. ‖ **5.** prnl. fig. Enardecerse y avivarse el genio del orador, del literato o del artista con el recuerdo o la presencia de una persona o cosa, o con el estudio de obras ajenas.

inspirativo, va. adj. Que tiene virtud de inspirar.

instabilidad. (Del lat. *instabilĭtas, -ātis.*) f. **inestabilidad.**

instable. (Del lat. *instabĭlis.*) adj. **inestable.**

instalación. f. Acción y efecto de instalar o instalarse. ‖ **2.** Conjunto de cosas instaladas.

instalador, ra. adj. Que instala o coloca. Ú. t. c. s.

instalar. (Del fr. *installer.*) tr. Poner en posesión de un empleo, cargo o beneficio. Ú. t. c. prnl. ‖ **2.** Poner o colocar en el lugar debido a alguien o algo. Ú. t. c. prnl. ‖ **3.** Colocar en un lugar o edificio los enseres y servicios que en él se hayan de utilizar; como en una fábrica, los conductos de agua, aparatos para la luz, etc. ‖ **4.** prnl. Establecerse, fijar uno su residencia.

instancia. (Del lat. *instantĭa.*) f. Acción y efecto de instar. ‖ **2.** Memorial, solicitud. ‖ **3.** En las antiguas escuelas, impugnación de una respuesta dada a un argumento. ‖ **4.** *Der.* Cada uno de los grados jurisdiccionales que la ley tiene establecidos para ventilar y sentenciar, en jurisdicción expedita, lo mismo sobre el hecho que sobre el derecho, en los juicios y demás negocios de justicia. ‖ **5.** V. **juez de primera instancia.** ‖ **absolver de la instancia.** fr. *Der.* En el enjuiciamiento criminal anterior al vigente, fallar el proceso sin condena, por falta de pruebas de cargo, pero sin absolver al reo, y dejando abierto el juicio para ampliarlo eventualmente. ‖ **a instancia.** loc. adv., o **a instancias de.** loc. prepos. A ruegos de, a petición de. ‖ **causar instancia.** fr. *Der.* En el antiguo enjuiciamiento, abrir juicio formal y someter a fallo el asunto; lo cual se evitaba, en otras peticiones, haciendo protesta de no CAUSAR INSTANCIA. ‖ **de primera instancia.** loc. adv. Al primer ímpetu, de un golpe. ‖ **2.** Primeramente, en primer lugar, por la primera vez. ‖ **en última instancia.** loc. adv. Como último recurso; en definitiva.

instantánea. (De *instantáneo.*) f. Impresión fotográfica que se hace instantáneamente. ‖ **2.** Fotografía así obtenida.

instantáneamente. adv. t. En un instante, luego, al punto.

instantaneidad. f. Cualidad de instantáneo.

instantáneo, a. adj. Que solo dura un instante.

instante. (Del lat. *instans, -antis.*) p. a. de **instar.** Que insta. ‖ **2.** m. Porción brevísima de tiempo. ‖ **a cada instante.** loc. adv. Frecuentemente, a cada paso. ‖ **al instante.** loc. adv. Al punto, sin dilación. ‖ **por instantes.** loc. adv. Sin cesar, continuamente, sin intermisión. ‖ **2.** De un momento a otro.

instantemente. adv. m. p. us. Con instancias, con súplicas repetidas. ‖ **2.** adv. t. ant. En un instante.

instar. (Del lat. *instāre.*) tr. Repetir la súplica o petición, insistir en ella con ahínco. ‖ **2.** En la antigua escuela, impugnar la solución dada al argumento. ‖ **3.** intr. Apretar o urgir la pronta ejecución de una cosa.

in statu quo. expr. lat. que se emplea para denotar que las cosas o deben estar en la misma situación que antes tenían.

instauración. (Del lat. *instauratĭo, -ōnis.*) f. Acción y efecto de instaurar.

instaurador, ra. (Del lat. *instaurātor, -ōris.*) adj. Que instaura. Ú. t. c. s.

instaurar. (Del lat. *instaurāre*.) tr. Establecer, fundar, instituir. ‖ **2.** desus. Renovar, restablecer, restaurar.

instaurativo, va. (Del lat. *instaurativus*.) adj. Dícese de lo que tiene virtud de instaurar. Ú. t. c. s. m.

instigación. (Del lat. *instigatĭo, -ōnis*.) f. Acción y efecto de instigar.

instigador, ra. (Del lat. *instigātor, -ōris*.) adj. Que instiga. Ú. t. c. s.

instigar. (Del lat. *instigāre*.) tr. Incitar, provocar o inducir a uno a que haga una cosa.

instilación. (Del lat. *instillatĭo, -ōnis*.) f. Acción y efecto de instilar. ‖ **2.** ant. Destilación o fluxión.

instilar. (Del lat. *instillāre*.) tr. Echar poco a poco, gota a gota, un líquido en otra cosa. ‖ **2.** fig. Infundir o introducir insensiblemente en el ánimo una doctrina, un afecto, etc.

instimular. (Del lat. *instimulāre*.) tr. desus. Incitar a ejecutar algo, estimular.

instímulo. m. desus. Incitación para ejecutar algo.

instintivamente. adv. m. Por instinto; de una manera instintiva.

instintivo, va. adj. Que es obra, efecto o resultado del instinto, y no del juicio o de la reflexión.

instinto. (Del lat. *instinctus*.) m. Conjunto de pautas de reacción que, en los animales, contribuyen a la conservación de la vida del individuo y de la especie. INSTINTO reproductor. ‖ **2.** Por ext., móvil atribuido a un acto, sentimiento, etc., que obedece a una razón profunda, sin que se percate de ello el que lo realiza o siente. ‖ **3.** Facultad que permite valorar o apreciar ciertas cosas. *Tiene* INSTINTO *pictórico.* ‖ **4.** *Teol.* p. us. Impulso o movimiento divino, referido o inspiraciones sobrenaturales. ‖ **5.** ant. Instigación o sugestión. ‖ **por instinto.** loc. adv. Por un impulso o propensión natural e indeliberada.

institor. (Del lat. *institor, -ōris*.) m. Factor o mandatario comercial.

institución. (Del lat. *institutĭo, -ōnis*.) f. Establecimiento o fundación de una cosa. ‖ **2.** Cosa establecida o fundada. ‖ **3.** Organismo que desempeña una función de interés público, especialmente benéfico o docente. ‖ **4.** Cada una de las organizaciones fundamentales de un Estado, nación o sociedad. INSTITUCIÓN *monárquica, del feudalismo.* ‖ **5.** desus. Instrucción, educación, enseñanza. ‖ **6.** pl. Colección metódica de los principios o elementos de una ciencia, arte, etc. ‖ **7.** Órganos constitucionales del poder soberano en la nación. ‖ **canónica.** Acción de conferir canónicamente un beneficio. ‖ **corporal.** Acción de poner a uno en posesión de un beneficio. ‖ **de heredero.** *Der.* Nombramiento que en el testamento se hace de la persona que ha de heredar. ‖ **ser una institución.** loc. fig. Tener en una ciudad, empresa, tertulia o cualquier otra agrupación humana el prestigio debido a la antigüedad o a poseer todos los caracteres representativos de aquella.

institucional. adj. Perteneciente o relativo a una institución o a instituciones políticas, religiosas, sociales, etc.

institucionalidad. f. Cualidad de institucional.

institucionalización. f. Acción y efecto de institucionalizar. ‖ **2. legalización,** acción y efecto de dar estado legal a algo.

institucionalizar. tr. Convertir algo en institucional. Ú. t. c. prnl. ‖ **2.** Conferir el carácter de institución.

institucionalmente. adv. m. Con referencia a una institución o a varias instituciones.

institucionista. adj. Perteneciente o relativo a la Institución Libre de Enseñanza o influido por ella. Ú. t. c. s.

instituente. p. a. de **instituir.** Que instituye.

instituidor, ra. adj. Que instituye. Ú. t. c. s.

instituir. (Del lat. *instituĕre*.) tr. Fundar una obra pía, mayorazgo, etc., dándoles rentas y estatutos para su conser-

vación y funcionamiento. ‖ **2.** Establecer algo de nuevo; dar principio a una cosa. ‖ **3.** V. **instituir heredero, o por heredero.** ‖ **4.** desus. Enseñar o instruir. ‖ **5.** ant. Determinar, resolver.

Instituta. (Del lat. med. *Instituta*, nombre que se dio al manual de Justiniano.) n. p. f. Compendio del derecho civil de los romanos, compuesto por orden del emperador Justiniano.

instituto. (Del lat. *institutum*.) m. Constitución o regla que prescribe cierta forma y método de vida o de enseñanza; por ejemplo, el de las órdenes religiosas. ‖ **2.** Corporación científica, literaria, artística, benéfica, etc. ‖ **3.** Edificio en que funciona alguna de estas corporaciones. ‖ **4.** ant. Intento, objeto o fin a que se encamina una cosa. ‖ **armado.** Cada uno de los cuerpos militares destinados a la defensa del país o al mantenimiento del orden público. ‖ **de belleza.** Centro donde se prestan cuidados de embellecimiento a los clientes. ‖ **de segunda enseñanza, o de enseñanza media.** Por antonom., el establecimiento oficial donde se siguen los estudios de cultura general comunes a las diversas carreras científicas y literarias. ‖ **general y técnico. instituto de segunda enseñanza.**

institutor, ra. (Del lat. *institutor, -ōris*.) adj. Que instituye. Ú. t. c. s. ‖ **2.** m. *Col.* Profesor, pedagogo, maestro.

institutriz. (Del fr. *institutrice*, maestra.) f. Mujer encargada de la educación o instrucción de uno o varios niños en el hogar doméstico.

instridente. (Del lat. *instridens, -entis*.) adj. desus. Que produce un sonido chirriante, estridente.

instrucción. (Del lat. *instructĭo, -ōnis*.) f. Acción de instruir o instruirse. ‖ **2.** Caudal de conocimientos adquiridos. ‖ **3.** Curso que sigue un proceso o expediente que se está formando o instruyendo. ‖ **4.** Conjunto de reglas o advertencias para algún fin. Ú. m. en pl. ‖ **5.** *Inform.* Expresión formada por números y letras que indica, en un computador, la operación que debe realizar y los datos correspondientes. ‖ **6.** pl. Órdenes que se dictan a los agentes diplomáticos o a los jefes de fuerzas navales. ‖ **7.** Reglamento en que predominan las disposiciones técnicas o explicativas para el cumplimiento de un servicio administrativo. ‖ **militar.** Conjunto de enseñanzas, prácticas, etc., para el adiestramiento del soldado. ‖ **primaria. primera enseñanza.** ‖ **pública.** La que se da en establecimientos sostenidos por el Estado, y comprende la primera y segunda enseñanza, las facultades, las profesiones y las carreras especiales. ‖ **hacer la instrucción.** Hacer los soldados los ejercicios previstos para conseguir la instrucción militar.

instructivamente. adv. m. De manera instructiva.

instructivo, va. (De *instructo*.) adj. Dícese de lo que instruye o sirve para instruir.

instructo, ta. (Del lat. *instructus*.) p. p. irreg. ant. de **instruir.**

instructor, ra. (Del lat. *instructor, -ōris*.) adj. Que instruye. Ú. t. c. s.

instruido, da. p. p. de **instruir.** ‖ **2.** adj. Que tiene buen caudal de conocimientos adquiridos.

instruidor, ra. adj. ant. Que instruye. Usáb. t. c. s.

instruir. (Del lat. *instruĕre*.) tr. Enseñar, doctrinar. ‖ **2.** Comunicar sistemáticamente ideas, conocimientos o doctrinas. ‖ **3.** Dar a conocer a uno el estado de una cosa, informarle de ella, o comunicarle avisos o reglas de conducta. Ú. t. c. prnl. ‖ **4.** Formalizar un proceso o expediente conforme a las reglas de derecho y prácticas recibidas.

instrumentación. f. Acción y efecto de instrumentar.

instrumental. adj. Perteneciente o relativo al instrumento. *Elemento* de orden INSTRUMENTAL; *medios* INSTRUMENTALES. ‖ **2.** Que sirve de instrumento o tiene función de tal. *Agente* INSTRUMENTAL; *causa* INSTRUMENTAL. ‖ **3.** Perteneciente o relativo a los instrumentos músicos. *Música* INSTRUMENTAL; *canto* INSTRUMENTAL. ‖ **4.** *Der.* Perteneciente a los instrumentos o escrituras públicas. *Prueba, testigo* INSTRUMENTAL. ‖ **5.** m. Conjunto de instrumentos destinados a determinado fin. INSTRUMENTAL *científico*. ‖ **6.** Conjunto de instrumentos de una orquesta o de una banda militar. ‖ **7.** Conjunto de instrumentos profesionales del médico o del cirujano. ‖ **8.** *Gram.* En ciertas lenguas, caso con el que se denota principalmente la relación de medio o instrumento.

instrumentalmente. adv. m. Como instrumento.

instrumentar. tr. Arreglar una composición musical para varios instrumentos. ‖ **2.** *Cir.* Disponer o preparar el instrumental. ‖ **3.** *Taurom.* Ejecutar las diversas suertes de la lidia.

instrumentista. com. Músico que toca un instrumento. ‖ **2.** Fabricante de instrumentos músicos, quirúrgicos, etc. ‖ **3.** *Cir.* Persona que cuida del instrumental y lo proporciona al operador durante la intervención.

instrumento. (Del lat. *instrumentum*.) m. Conjunto de diversas piezas combinadas adecuadamente para que sirva con determinado objeto en el ejercicio de las artes y oficios. ‖ **2.** Ingenio o máquina. ‖ **3.** Aquello de que nos servimos para hacer una cosa. ‖ **4. instrumento músico.** ‖ **5.** fig. Lo que sirve de medio para hacer una cosa o conseguir un fin. ‖ **6.** *Der.* Escritura, papel o documento con que se justifica o prueba alguna cosa. ‖ **de canto.** ant. *Mús.* **instrumento músico.** ‖ **de cuerda.** *Mús.* El que lleva cuerdas de tripa o de metal, que se hacen sonar pulsándolas, golpeándolas con macillos o haciendo que un arco roce con ellas. ‖ **de percusión.** *Mús.* El que se hace sonar golpeándolo con badajos, baquetas o varillas. ‖ **de viento.** *Mús.* El que se hace sonar impeliendo aire dentro de él. ‖ **músico.** Conjunto de piezas dispuestas de modo que sirva para producir sonidos musicales. ‖ **neumático.** *Mús.* **instrumento de viento.** ‖ **hacer** uno **hablar a un instrumento.** fr. fig. Tocarlo con mucha expresión y destreza.

instruto, ta. (Del lat. *instructus*.) p. p. irreg. ant. de **instruir.**

insuave. (Del lat. *insuāvis*.) adj. p. us. Desapacible a los sentidos, o que causa una sensación áspera y desagradable.

insuavidad. (Del lat. *insuavĭtas, -ātis*.) f. p. us. Cualidad de insuave.

insubordinación. f. Falta de subordinación.

insubordinado, da. p. p. de **insubordinar.** ‖ **2.** adj. Que rechaza la subordinación. Ú. t. c. s.

insubordinar. tr. Inducir a la insubordinación. ‖ **2.** prnl. Quebrantar la subordinación, sublevarse.

insubsistencia. f. Falta de subsistencia.

insubsistente. adj. No subsistente. ‖ **2.** Falto de fundamento o razón.

insubstancial. (Del lat. *insubstantiālis*.) adj. **insustancial.**

insubstancialidad. f. **insustancialidad.**

insubstancialmente. adv. m. **insustancialmente.**

insubstituible. adj. **insustituible.**

insudar. (Del lat. *insudāre*.) intr. p. us. Afanarse o poner mucho trabajo, cuidado y diligencia en una cosa.

insuficiencia. (Del lat. *insufficientĭa*.) f. Falta de suficiencia. ‖ **2.** Cortedad o escasez de una cosa. ‖ **3.** Incapacidad total o parcial de un órgano para realizar adecuadamente sus funciones. INSUFICIENCIA *hepática*.

insuficiente. (Del lat. *insufficiens, -entis*.) adj. No suficiente.

insuflación. (Del lat. *insufflatĭo, -ōnis*.) f. *Med.* Acción y efecto de insuflar.

insuflador. m. Tubo que sirve para insuflar.

insuflar. (Del lat. *insufflāre*.) tr. *Med.* Introducir a soplos en un órgano o en una cavidad un gas, un líquido o una sustancia pulverizada. ‖ **2.** *Med.* **inyectar** un gas dentro de una cavidad, por lo general con fines curativos.

insufrible. adj. Que no se puede sufrir. ‖ **2.** fig. Muy difícil de sufrir.

insufriblemente. adv. m. De un modo insufrible.

insufridero, ra. adj. desus. Que no se puede sufrir, insufrible.

ínsula. (Del lat. *insŭla*.) f. ant. Isla. ‖ **2.** fig. Cualquier lugar pequeño o gobierno de poca entidad, a semejanza del encomendado a Sancho en el *Quijote*.

insulano, na. (Del lat. *insulānus*.) adj. **isleño.** Apl. a pers., ú. t. c. s.

insular. (Del lat. *insulāris*.) adj. Natural de una isla. ‖ **2.** Perteneciente o relativo a una isla.

insulina. (De *ínsula*.) f. *Bioquím.* Hormona segregada por los islotes de Langerhans en el páncreas, que regula la cantidad de glucosa existente en la sangre. Hoy también se obtiene por síntesis química artificial. ‖ **2.** *Farm.* Medicamento hecho con esta sustancia y utilizado contra la diabetes.

insulsamente. adv. m. Con insulsez.

insulsez. f. Cualidad de insulso. ‖ **2.** Dicho insulso.

insulso, sa. (Del lat. *insulsus*, sin sal.) adj. Insípido, zonzo y falto de sabor. ‖ **2.** fig. Falto de gracia y viveza.

insultada. f. *Amér. Central, Col., Chile, Ecuad., Méj., Perú* y *P. Rico.* Insulto o serie de insultos.

insultador, ra. (Del lat. *insultātor, -ōris*.) adj. Que insulta. Ú. t. c. s.

insultante. p. a. de **insultar.** Que insulta. ‖ **2.** adj. Dícese de las palabras o acciones con que se insulta.

insultar. (Del lat. *insultāre*, saltar contra, ofender.) tr. Ofender a uno provocándolo e irritándolo con palabras o acciones. ‖ **2.** desus. Hablando de una enfermedad, atacar, acometer. ‖ **3.** prnl. p. us. Sufrir una indisposición repentina que prive de sentido o de movimiento.

insulto. (Del b. lat. *insultus*.) m. Acción y efecto de insultar. ‖ **2.** desus. Acometimiento o asalto repentino y violento. ‖ **3.** desus. Indisposición repentina que priva de sentido o de movimiento, accidente.

insumable. adj. Que no se puede sumar o es difícil de sumar; exorbitante.

insumergible. adj. No sumergible.

insumir. (Del lat. *insumĕre*.) tr. *Econ.* Emplear, invertir dinero.

insumisión. f. Falta de sumisión.

insumiso, sa. adj. Inobediente, rebelde.

insumo. (De *insumir*.) m. *Econ.* Bienes empleados en la producción de otros bienes.

insuperable. (Del lat. *insuperabĭlis*.) adj. No superable.

insupurable. adj. p. us. Que no puede supurar o consumirse.

insurgente. (De *insurgir*.) adj. Levantado o sublevado. Ú. t. c. s.

insurgir. (Del lat. *insurgĕre*.) intr. ant. **insurreccionarse.**

insurrección. (Del lat. *insurrectĭo, -ōnis*.) f. Levantamiento, sublevación o rebelión de un pueblo, nación, etc.

insurreccional. adj. Perteneciente o relativo a la insurrección.

insurreccionar. (De *insurrección*.) tr. Concitar a las gentes para que se amotinen contra las autoridades. ‖ **2.** prnl. Alzarse, rebelarse, sublevarse contra las autoridades.

insurrecto, ta. (Del lat. *insurrectus*, p. p. de *insurgĕre*.) adj. Levantado o sublevado contra la autoridad pública; rebelde. Ú. m. c. s.

insustancial. adj. De poca o ninguna sustancia.

insustancialidad. f. Cualidad de insustancial. ‖ **2.** Cosa insustancial.

insustancialmente. adv. m. De manera insustancial.

insustituible. adj. Que no puede sustituirse.

intacto, ta. (Del lat. *intactus*.) adj. No tocado o palpado. ‖ **2.** fig. Que no ha padecido alteración, menoscabo o deterioro. ‖ **3.** fig. Puro, sin mezcla. ‖ **4.** fig. No ventilado o de que no se ha hablado.

intachable. adj. Que no admite o merece tacha.
intangibilidad. f. Cualidad de intangible.
intangible. (De *in-²* y *tangible*.) adj. Que no debe o no puede tocarse.
integérrimo, ma. (Del lat. *integerrĭmus*.) adj. sup. de **integro.**
integrable. adj. *Mat.* Que se puede integrar.
integración. (Del lat. *integratĭo, -ōnis*.) f. Acción y efecto de integrar o integrarse.
integracionista. adj. Partidario de la integración, especialmente política y racial.
integral. (Del b. lat. *integrālis*.) adj. Global, total. ‖ **2.** *Fil.* Aplícase a las partes que entran en la composición de un todo sin serle esenciales, de manera que el todo puede subsistir, aunque incompleto, sin alguna de ellas. ‖ **3.** V. **parte integral.** ‖ **4.** *Mat.* V. **cálculo integral.** ‖ **5.** *Mat.* Aplícase al signo (∫) con que se indica la integración. ‖ **6.** f. *Mat.* Resultado de integrar una expresión diferencial.
integralmente. adv. m. De un modo integral.
íntegramente. adv. m. **enteramente.** ‖ **2.** Con integridad.
integrante. p. a. de **integrar.** Que integra. ‖ **2.** adj. *Fil.* Aplícase a las partes que, sin ser esenciales, integran un todo. ‖ **3.** V. **parte integrante.**
integrar. (Del lat. *integrāre*.) tr. Constituir las partes un todo. ‖ **2.** Completar un todo con las partes que faltaban. ‖ **3.** *Mat.* Determinar por el cálculo una cantidad de la que solo se conoce la expresión diferencial. ‖ **4.** prnl. **incorporarse,** unirse a un grupo para formar parte de él.
integridad. (Del lat. *integrĭtas, -ātis*.) f. Cualidad de íntegro. ‖ **2.** Pureza de las vírgenes.
integrismo. (De *íntegro*.) m. Partido político español fundado a fines del siglo XIX y basado en el mantenimiento de la integridad de la tradición española. ‖ **2.** Actitud de ciertos sectores religiosos, ideológicos, políticos, partidarios de la inalterabilidad de las doctrinas.
integrista. adj. Perteneciente o relativo al integrismo. ‖ 2. com. Partidario del integrismo.
íntegro, gra. (Del lat. *intĕger, -gra*.) adj. Que no carece de ninguna de sus partes. ‖ **2.** fig. Dícese de la persona recta, proba, intachable.
integumento. (Del lat. *integumentum*.) m. Envoltura o cobertura. ‖ **2.** fig. Disfraz, ficción, fábula.
intelección. (Del lat. *intellectĭo, -ōnis*.) f. Acción y efecto de entender.
intelectiva. (Del lat. *intellectīva*, t. f. de *-vus*, intelectivo.) f. Facultad de entender.
intelectivo, va. (Del lat. *intellectīvus*.) adj. Que tiene virtud de entender.
intelecto. (Del lat. *intellectus*.) m. Entendimiento, potencia cognoscitiva racional del alma humana.
intelectual. (Del lat. *intellectuālis*.) adj. Perteneciente o relativo al entendimiento. ‖ **2.** Espiritual, incorporal. ‖ **3.** Dedicado preferentemente al cultivo de las ciencias y letras. Ú. m. c. s.
intelectualidad. (Del lat. *intellectuālĭtas, -ātis*.) f. **intelecto.** ‖ **2.** fig. Conjunto de los intelectuales de un país, región, etc.
intelectualizar. tr. Reducir algo a forma o contenido intelectual o racional. ‖ **2.** Tratar o analizar intelectualmente.
intelectualmente. adv. m. De un modo intelectual.
inteleto. m. desus. **intelecto.**
inteligencia. (Del lat. *intelligentĭa*.) f. Capacidad de entender o comprender. ‖ **2.** Conocimiento, comprensión, acto de entender. ‖ **3.** Sentido en que se puede tomar una sentencia, dicho o expresión. ‖ **4.** Habilidad, destreza y experiencia. ‖ **5.** Trato y correspondencia secreta de dos o más personas o naciones entre sí. ‖ **6.** Sustancia puramen-

te espiritual. ‖ **7.** V. **servicio de inteligencia.** ‖ **8.** *Mar.* V. **bandera de inteligencia.** ‖ **artificial.** La atribuida a las máquinas capaces de hacer operaciones propias de los seres inteligentes. ‖ **en,** o **en la, inteligencia de que.** loc. conjunt. En el concepto, en el supuesto o en la suposición de que.
inteligenciado, da. (De *inteligencia*.) adj. Enterado, instruido.
inteligente. (Del lat. *intellĭgens, -entis*.) adj. Dotado de inteligencia. ‖ **2.** Dícese de la persona dotada de un grado elevado de inteligencia. Ú. t. c. s. ‖ **3.** Que indica inteligencia. *Un discurso* INTELIGENTE. ‖ **4.** Sabio, perito, instruido. Ú. t. c. s.
inteligibilidad. f. Cualidad de inteligible.
inteligible. (Del lat. *intelligibĭlis*.) adj. Que puede ser entendido. ‖ **2.** Dícese de lo que es materia de puro conocimiento, sin intervención de los sentidos. ‖ **3.** Que se oye clara y distintamente.
inteligiblemente. adv. m. De modo inteligible.
intemerata (la). (Del lat. *intemerāta*, no manchada o no contaminada.) loc. vulg. para indicar que una cosa ha llegado a lo sumo.
intemperadamente. adv. m. p. us. Sin templanza.
intemperado, da. (Del lat. *intemperātus*.) adj. p. us. Inmoderado, excesivo.
intemperancia. (Del lat. *intemperantĭa*.) f. Falta de templanza.
intemperante. (Del lat. *intempĕrans, -antis*.) adj. Destemplado o falto de templanza.
intemperatura. f. ant. **intemperie.**
intemperie. (Del lat. *intemperĭes*.) f. Destemplanza o desigualdad del tiempo. ‖ **a la intemperie.** loc. adv. A cielo descubierto, sin techo ni otro reparo alguno.
intempesta. (Del lat. *intempesta* [*nox*].) adj. poét. Dícese de la noche muy entrada.
intempestivamente. adv. m. De modo intempestivo.
intempestivo, va. (Del lat. *intempestīvus*.) adj. Que es o está fuera de tiempo y sazón.
intemporal. (Del lat. *intemporālis*.) adj. No temporal, independiente del curso del tiempo.
intemporalidad. (Del lat. *intemporālĭtas, -ātis*.) f. Condición de intemporal.
intención. (Del lat. *intentĭo, -ōnis*.) f. Determinación de la voluntad en orden a un fin. ‖ **2.** Designio de aplicar una oración, misa u otro acto del culto en favor de una persona determinada o de la consecución de un bien espiritual o temporal. ‖ **3.** fig. Instinto dañino que descubren algunos animales, a diferencia de lo que se observa generalmente en los de su especie. *Caballo, toro de* INTENCIÓN. ‖ **4.** Cautelosa advertencia con que uno habla o procede. ‖ **primera intención.** fam. Modo de proceder franco y sin detenerse a reflexionar mucho. ‖ **segunda intención.** fam. Modo de proceder doble y solapado. ‖ **curar de primera intención.** fr. *Cir.* Curar de momento y provisionalmente a un herido. ‖ **dar intención.** fr. **dar esperanza.** ‖ **de primera intención.** expr. Dícese de las acciones no definitivas. ‖ **fundar,** o **tener fundada, intención contra** uno. fr. *Der.* Asistir o favorecer a uno el derecho común para ejercer una facultad sin necesidad de probarlo.
intencionadamente. adv. m. Con intención.
intencionado, da. adj. Que tiene alguna intención. Ú. principalmente con los advs. *bien, mal, mejor* y *peor*.
intencional. (Del lat. *intentĭo*.) adj. Perteneciente o relativo a la intención. ‖ **2.** Deliberado, hecho a sabiendas. ‖ **3.** *Fil.* Dícese de los actos referidos a un objeto y de los objetos en cuanto son término de esa referencia.
intencionalidad. f. Cualidad de intencional.
intencionalmente. adv. m. De modo intencional.
intendencia. f. Dirección, cuidado y gobierno de una

cosa. ‖ **2.** Distrito a que se extiende la jurisdicción del intendente. ‖ **3.** Empleo de intendente. ‖ **4.** Casa u oficina del intendente. ‖ **5.** Cuerpo de oficiales y tropa destinado al abastecimiento de las fuerzas militares y a la distribución de los campamentos o edificios en que se alojan. ‖ **municipal.** *Urug.* Órgano superior del gobierno de los departamentos. ‖ **2.** *Urug.* Edificio donde funciona.

intendenta. f. Mujer del intendente. ‖ **2.** Mujer que desempeña una intendencia.

intendente. (Del lat. *intendens, -entis*, p. a. de *intendĕre*, dirigir, encaminar.) m. Jefe superior económico. ‖ **2.** Suele darse el mismo título a algunos jefes de fábricas u otras empresas explotadas por cuenta del erario. ‖ **3.** En el ejército y en la marina, jefe superior de los servicios de la administración militar, y cuya categoría jerárquica está asimilada a la de general de división o de brigada. ‖ **municipal.** *Urug.* Titular de la intendencia municipal.

intender. tr. ant. **entender.**

intensamente. adv. m. Con intensidad.

intensar. tr. p. us. **intensificar.** Ú. t. c. prnl.

intensidad. (De *intenso*.) f. Grado de energía de un agente natural o mecánico, de una cualidad, de una expresión, etc. ‖ **2.** fig. Vehemencia en los afectos del ánimo. ‖ **del sonido, o de la voz.** Propiedad de los mismos, que depende de la mayor o menor amplitud de las ondas sonoras.

intensificación. f. Acción de intensificar o intensificarse.

intensificar. (De *intenso* y *-ficar*.) tr. Hacer que una cosa adquiera mayor intensidad. Ú. t. c. prnl.

intensión. (Del lat. *intensĭo, -ōnis*.) f. **intensidad.**

intensivamente. adv. m. **intensamente.**

intensivista. com. Persona especializada en cuidados médicos intensivos.

intensivo, va. (De *intenso* e *-ivo*.) adj. Más intenso, enérgico o activo que de costumbre.

intenso, sa. (Del lat. *intensus*.) adj. Que tiene intensidad. ‖ **2.** fig. Muy vehemente y vivo.

intentar. (Del lat. *intentāre*.) tr. Tener ánimo de hacer una cosa. ‖ **2.** Prepararla, iniciar la ejecución de la misma. ‖ **3.** Procurar o pretender.

intento, ta. (Del lat. *intentus*.) adj. ant. **atento.** ‖ **2.** m. Propósito, intención, designio. ‖ **3.** Cosa intentada. ‖ **de intento.** loc. adv. **de propósito.**

intentona. f. fam. Intento temerario, especialmente si se ha frustrado.

ínter. (prep. lat.) adv. t. p. us. **entretanto.** Ú. t. c. s. con el artículo *el*. *En* EL ÍNTER.

inter-. (Del lat. *inter*.) pref. que significa «entre» o «en medio»: INTERcostal, o «entre varios»: INTERministerial.

interacción. f. Acción que se ejerce recíprocamente entre dos o más objetos, agentes, fuerzas, funciones, etc.

interaccionar. intr. Ejercer una interacción.

interactivo, va. adj. Que procede por interacción. ‖ **2.** *Inform.* Dícese de los programas que permiten una interacción, a modo de diálogo, entre el computador y el usuario. Ú. t. c. s. m.

interamericano, na. adj. Relativo a cualquier clase de relaciones multilaterales entre países americanos.

interandino, na. (De *inter-* y *Andes*, n. p.) adj. Dícese del tráfico y relaciones de otra índole entre las naciones o habitantes que están a uno y otro lado de los Andes.

interarticular. adj. Que está situado entre las articulaciones.

intercadencia. (De *inter-* y *cadencia*.) f. Desigualdad o inconstancia en la conducta o en los afectos. ‖ **2.** Desigualdad defectuosa en el lenguaje, estilo, etc. ‖ **3.** *Fisiol.* Irregularidad en el número de pulsaciones, que consiste en que haya una más en el intervalo que separa otras dos regulares.

intercadente. (De *inter-* y el lat. *cadens, -entis*, que cae.) adj. Que tiene intercadencias.

intercadentemente. adv. m. Con intercadencia.

intercalación. (Del lat. *intercalatĭo, -ōnis*.) f. Acción y efecto de intercalar o intercalarse.

intercaladura. f. **intercalación.**

intercalar[1]. (Del lat. *intercalāris*.) adj. Interpuesto, injerido. ‖ **2.** V. **día intercalar.**

intercalar[2]. (Del lat. *intercalāre*.) tr. Interponer o poner una cosa entre otras.

intercambiable. (De *inter-* y *cambiable*.) adj. Dícese de cada una de las piezas similares pertenecientes a objetos fabricados con igualdad, y que pueden ser utilizadas en cualquiera de ellos sin necesidad de modificación.

intercambiar. tr. Cambiar dos o más personas o entidades entre sí ideas, informes, publicaciones, etc.

intercambio. (De *inter-* y *cambio*.) m. Acción y efecto de intercambiar. ‖ **2.** Reciprocidad e igualdad de consideraciones y servicios entre entidades o corporaciones análogas de diversos países o del mismo país.

interceder. (Del lat. *intercedĕre*.) intr. Hablar en favor de otro para conseguir un bien o librarlo de un mal.

intercelular. (De *inter-* y *célula*.) adj. *Biol.* Situado entre las células. *Sustancia* INTERCELULAR.

interceptación. f. Acción y efecto de interceptar.

interceptar. (Del lat. *interceptus*, p. p. de *intercipĕre*, quitar, interrumpir.) tr. Apoderarse de una cosa antes que llegue a su destino. ‖ **2.** Detener una cosa en su camino. ‖ **3.** Interrumpir, obstruir una vía de comunicación.

interceptor, ra. adj. Que intercepta. ‖ **2.** Dícese especialmente del avión de gran velocidad destinado a interceptar los del enemigo. Ú. t. c. s.

intercesión. (Del lat. *intercessĭo, -ōnis*.) f. Acción y efecto de interceder.

intercesor, ra. (Del lat. *intercessor, -ōris*.) adj. Que intercede. Ú. t. c. s.

intercesoriamente. adv. m. Con o por intercesión.

interciso, sa. (Del lat. *intercisus*, p. p. de *intercidĕre*, cortar por mitad o por medio.) adj. V. **día interciso.**

interclusión. (Del lat. *interclusĭo, -ōnis*.) f. ant. Acción de encerrar una cosa entre otras.

intercolumnio o **intercolunio.** (Del lat. *intercolumnĭum*.) m. *Arq.* Espacio entre dos columnas.

intercomunicación. (De *inter-* y *comunicación*.) f. Comunicación recíproca. ‖ **2.** Comunicación telefónica entre las distintas dependencias de un edificio o recinto.

intercomunicador. m. Aparato destinado a la intercomunicación.

intercontinental. adj. Que llega de un continente a otro, especialmente de Europa a América. *Cable* INTERCONTINENTAL.

intercostal. (De *inter-* y *costal*.) adj. *Anat.* Que está entre las costillas.

intercurrente. (Del lat. *intercurrens, -entis*.) adj. *Pat.* Dícese de la enfermedad que sobreviene durante el curso de otra.

intercutáneo, a. (De *inter-* y *cutáneo*.) adj. Que está entre la piel y la carne. Aplícase regularmente a los humores.

interdecir. (Del lat. *interdicĕre*.) tr. p. us. Vedar o prohibir.

interdental. adj. *Fon.* Dícese de la consonante que se pronuncia colocando la punta de la lengua entre los bordes de los dientes incisivos, como la *z*. Ú. t. c. s. f. ‖ **2.** *Fon.* Dícese de la letra que representa este sonido. Ú. t. c. s. f.

interdependencia. f. Dependencia recíproca.

interdicción. (Del lat. *interdictĭo, -ōnis*.) f. Acción y efecto de interdecir. ‖ **civil.** Privación de derechos civiles definida por la ley; es pena accesoria, que somete a tutela a quien la recibe.

interdicto. (Del lat. *interdictum.*) m. **entredicho.** ‖ *2. Der.* Juicio posesorio, sumario o sumarísimo.

interdigital. (De *inter-* y *digital.*) adj. *Anat.* Dícese de cualquiera de las membranas, músculos, etc., que se hallan entre los dedos.

interdisciplinariedad. f. Cualidad de interdisciplinario.

interdisciplinario, ria. adj. Dícese de los estudios u otras actividades que se realizan con la cooperación de varias disciplinas.

interés. (Del lat. *interesse*, importar.) m. Provecho, utilidad, ganancia. ‖ *2.* Valor que en sí tiene una cosa. ‖ *3.* Lucro producido por el capital. ‖ *4.* Inclinación más o menos vehemente del ánimo hacia un objeto, persona, narración, etc. ‖ *5.* pl. Bienes de fortuna. ‖ *6.* Conveniencia o necesidad de carácter colectivo en el orden moral o material. ‖ **compuesto.** El de un capital al que se van acumulando sus réditos para que produzcan otros. ‖ **legal.** El que, a falta de estipulación previa sobre su cuantía, fija la ley cuando haya de devengarse o el deudor incurre en mora. ‖ **simple.** El de un capital sin agregarle ningún rédito vencido, aun cuando no se haya cobrado. ‖ **intereses a proporción.** Cuenta que se reduce a dividir los pagos que se hacen a cuenta de un capital que produce intereses, en dos partes proporcionales a la cantidad del débito y a la suma de los **intereses** devengados; como, por ejemplo, si el débito fuese 20 y los **intereses** adeudados 10, y el pago es de 6, se aplican 4 al capital y 2 a los **intereses.** ‖ **a prorrata.** Cuenta que se llevaba en la Contaduría mayor de Cuentas, y consistía en suponer el débito que habían de producir los **intereses** en cierto día; y al tiempo de pagarse una porción a cuenta, se cubría primeramente con ella el importe íntegro de dichos réditos, aplicándose el resto en cuenta del débito principal, el cual se quedaba establecido en el mismo día que se causaba, y desde él producía los **intereses** que correspondían a la cantidad a que quedaba reducido. ‖ **creados.** Ventajas, no siempre legítimas, de que gozan varios individuos, y por efecto de las cuales se establece entre ellos alguna solidaridad circunstancial. Ú. m. frecuentemente con sentido peyorativo para designar este linaje de **intereses** en cuanto se oponen a alguna obra de justicia o de mejoramiento social.

interesable. (De *interesar.*) adj. Interesado, codicioso.

interesadamente. adv. m. De manera interesada.

interesado, da. p. p. de **interesar.** ‖ *2.* adj. Que tiene interés en una cosa. Ú. t. c. s. ‖ *3.* Que se deja llevar demasiado por el interés, o solo se mueve por él. Ú. t. c. s.

interesal. adj. Interesado, codicioso.

interesante. adj. Que interesa o que es digno de interés.

interesar. (De *interés.*) intr. Ser motivo de interés. ‖ *2.* tr. Dar parte a uno en un negocio o comercio en que pueda tener utilidad o interés. ‖ *3.* Hacer tomar parte o empeño a uno en los negocios o intereses ajenos, como si fuesen propios. ‖ *4.* Cautivar la atención y el ánimo con lo que se dice o escribe. ‖ *5.* Inspirar interés o afecto a una persona. ‖ *6.* Producir impresión a uno una cosa. ‖ *7.* Producir una cosa alteración o daño en un órgano del cuerpo. ‖ *8.* Solicitar o recabar de alguien datos, noticias, resoluciones, etc. ‖ *9.* prnl. Adquirir o mostrar interés por alguien o algo.

interese. (Del lat. *interesse*, importar.) m. ant. **interés.**

interestatal. (De *inter-* y *estatal.*) adj. Perteneciente o relativo a las relaciones de dos o más Estados.

interestelar. (De *inter-* y el lat. *stella*, estrella.) adj. Dícese del espacio comprendido entre dos o más astros.

interfaz. (Del ing. *interface*, superficie de contacto.) f. *Electrón.* Zona de comunicación o acción de un sistema sobre otro.

interfecto, ta. (Del lat. *interfectus*, p. p. de *interficio*, matar.) adj. *Der.* Dícese de la persona muerta violentamente, en

especial si ha sido víctima de una acción delictiva. Ú. m. c. s.

interferencia. (Del ing. *interference.*) f. Acción y efecto de interferir. ‖ *2. Fís.* Acción recíproca de las ondas, ya sea en el agua, ya en la propagación del sonido, del calor o de la luz, etc., de la que resulta, en ciertas condiciones, aumento, disminución o neutralización del movimiento ondulatorio.

interferir. (Del ing. *interfere.*) tr. Cruzar, interponer algo en el camino de una cosa, o en una acción. Ú. t. c. prnl. ‖ *2. Fís.* Causar interferencia. Ú. t. c. intr. ‖ *3.* intr. *Comunic.* Introducirse en la recepción de una señal otra extraña y perturbadora.

interfijo, ja. adj. *Gram.* **infijo.** Ú. m. c. s. m.

interfoliar. (De *inter-* y el lat. *folium*, hoja.) tr. Intercalar entre las hojas impresas o escritas de un libro otras en blanco.

intergaláctico, ca. adj. *Astron.* Perteneciente o relativo a los espacios existentes entre las galaxias.

interglaciar. adj. Dícese del período comprendido entre dos glaciaciones.

intergular. adj. *Zool.* Situado entre las placas gulares.

ínterin. (Del lat. *interim.*) m. p. us. Tiempo que dura el desempeño interino de un cargo, interinidad. ‖ *2.* adv. t. entretanto. Ú. t. c. s. precedido del artículo *el* o de un demostrativo.

interinamente. adv. t. Con interinidad. ‖ *2.* En el ínterin.

interinar. tr. p. us. Desempeñar interinamente un cargo o empleo.

interinario, ria. adj. ant. **interino.**

interinato. m. *Argent., Perú y Urug.* **interinidad,** tiempo que dura el desempeño interino de un cargo. ‖ *2. Argent., Chile, Guat., Hond., Par., Perú y P. Rico.* Cargo o empleo interino.

interindividual. adj. Dícese de lo que concierne a la relación entre individuos humanos como tales, a diferencia de lo social o colectivo.

interinidad. f. Cualidad de interino. ‖ *2.* Tiempo que dura el desempeño interino de un cargo.

interino, na. (De *ínterin.*) adj. Que sirve por algún tiempo supliendo la falta de otra persona o cosa. Aplícase más comúnmente al que ejerce un cargo o empleo por ausencia o falta de otro, y en este caso ú. t. c. s. ‖ *2.* f. Sirvienta de una casa particular que no pernocta en ella.

interinsular. adj. Dícese del tráfico y relaciones de cualquier clase entre dos o más islas.

interior. (Del lat. *interior, -ōris.*) adj. Que está en la parte de adentro. ‖ *2.* Que está muy adentro. ‖ *3.* Dícese de la habitación o vivienda que no tiene vistas a la calle. ‖ *4.* V. **deuda, fuero, sentido interior.** ‖ *5.* fig. Que solo se siente en el alma. ‖ *6.* fig. V. **hombre interior.** ‖ *7.* fig. Perteneciente a la nación de que se habla, en contraposición a lo extranjero. *Política* INTERIOR; *comercio* INTERIOR. ‖ *8. Fort.* V. **polígono interior.** ‖ *9. Zool.* V. **cuero interior.** ‖ *10.* m. En los coches de tres compartimientos, el de en medio. ‖ *11.* El alma como principio de la actividad propiamente humana. ‖ *12.* La parte **interior** de una cosa. ‖ *13.* En el fútbol y otros deportes, cada uno de los dos miembros de la delantera que, en la alineación del equipo, se sitúa entre el extremo de su lado y el delantero centro. ‖ *14.* Parte central de un país, en oposición a la zona costera o fronterizas. ‖ *15.* En algunos países de América, todo lo que en ellos no es la capital o las ciudades principales: p. ej., en la Argentina, lo que no es la ciudad de Buenos Aires y sus alrededores; en Panamá, lo que no son las ciudades de Panamá y Colón. ‖ *16.* V. **Ministerio de lo,** o **del Interior.** ‖ *17.* pl. **entrañas.** ‖ *18. Cinem.* Secuencias rodadas con decorados que representan espacios cerrados. ‖ **19.** *Cinem.* Decorados entre los que se desarrollan dichas secuencias.

interiorano, na. adj. *Pan.* Natural del interior del país, no capitalino. Ú. t. c. s. ‖ **2.** *Pan.* Perteneciente o relativo al interior del país.

interioridad. f. Cualidad de interior. ‖ **2.** pl. Cosas privativas, por lo común secretas, de las personas, familias o corporaciones.

interiormente. adv. l. En lo interior.

interjección. (Del lat. *interiectĭo, -ōnis.*) f. *Gram.* Voz que expresa alguna impresión súbita o un sentimiento profundo, como asombro, sorpresa, dolor, molestia, amor, etc.

interjectivamente. adv. m. De modo interjectivo.

interjectivo, va. (Del lat. *interiectivus.*) adj. *Gram.* Perteneciente o relativo a la interjección. ‖ **2.** V. **locución interjectiva.**

interlínea. f. Espacio entre dos líneas de un escrito. ‖ **2.** *Impr.* **regleta.**

interlineación. f. Acción y efecto de interlinear.

interlineado. m. Espacio que queda entre las líneas de un escrito.

interlineal. (De *inter-* y *línea.*) adj. Escrito o impreso entre dos líneas o renglones. ‖ **2.** Aplícase también a la traducción interpolada entre las líneas del texto original.

interlinear. (De *inter-* y *línea.*) tr. Escribir entre líneas. ‖ **2.** *Impr.* Espaciar la composición poniendo regletas entre las líneas.

interlocución. (Del lat. *interlocutĭo, -ōnis.*) f. **diálogo.**

interlocutor, ra. (De *inter-* y el lat. *locŭtor, -ōris,* hablante.) m. y f. Cada una de las personas que toman parte en un diálogo.

interlocutoriamente. adv. m. *Der.* De un modo interlocutorio.

interlocutorio, ria. (De *interlocutor.*) adj. *Der.* Aplícase al auto o sentencia que se da antes de la definitiva. Ú. t. c. s. m.

intérlope. (Del fr. *interlope.*) adj. p. us. Dícese del comercio fraudulento de una nación en las colonias de otra, o de la usurpación de privilegios concedidos a una compañía para las colonias. Aplícase también a los buques dedicados a este tráfico sin autorización.

interludio. (Del lat. *interludĕre,* jugar a ratos.) m. *Mús.* Breve composición que ejecutaban los organistas entre las estrofas de un coral, y modernamente se ejecuta a modo de intermedio en la música instrumental.

interlunio. (Del lat. *interlunĭum.*) m. *Astron.* Tiempo en que no se ve la Luna nueva, inmediatamente después de la lunación anterior.

intermareal. adj. Situado entre los límites de la bajamar y la pleamar.

intermaxilar. (De *inter-* y el lat. *maxilla,* quijada.) adj. *Anat.* Que se halla entre los huesos maxilares. ‖ **2.** *Anat.* V. **hueso intermaxilar.** Ú. t. c. s.

intermediado, da. p. p. de **intermediar.** ‖ **2.** adj. ant. Que está en medio de dos.

intermediar. (De *intermedio.*) intr. **mediar,** existir una cosa en medio de otras.

intermediario, ria. (De *intermediar.*) adj. Que media entre dos o más personas, y especialmente entre el productor y el consumidor de géneros o mercancías; dícese de los traficantes, acaparadores, proveedores, tenderos, tablajeros, etc. Ú. t. c. s.

intermedio, dia. (Del lat. *intermedĭus.*) adj. Que está entre los extremos de lugar, tiempo, calidad, tamaño, etc. ‖ **2.** m. Espacio que hay de una cosa a otra o de una acción a otra. ‖ **3.** Baile, música, sainete, etc., que se ejecuta entre los actos de una comedia o de otra pieza de teatro. ‖ **4.** Espacio de tiempo durante el cual queda interrumpida la representación o ejecución de poemas dramáticos o de

óperas, o de cualquier otro espectáculo semejante, desde que termina cada uno de los actos o partes de la función hasta que empieza el acto o la parte siguiente. ‖ **5.** V. **copia intermedia.** ‖ **por intermedio de.** loc. prepos. Por mediación de.

interminable. (Del lat. *interminabĭlis.*) adj. Que no tiene término o fin.

interminación. (Del lat. *interminatĭo, -ōnis.*) f. p. us. Amenaza, conminación.

interministerial. adj. Que se refiere a varios ministerios, depende de ellos o los relaciona entre sí.

intermisión. (Del lat. *intermissĭo, -ōnis.*) f. Interrupción o cesación de una labor o de cualquier otra cosa por algún tiempo.

intermiso, sa. (Del lat. *intermissus.*) p. p. irreg. de **intermitir.** ‖ **2.** adj. Interrumpido, suspendido.

intermitencia. (De *intermitente.*) f. Cualidad de intermitente. ‖ **2.** *Fisiol.* Discontinuación de la calentura o de cualquier otro síntoma que cesa y vuelve.

intermitente. (Del lat. *intermittens, -entis.*) adj. Que se interrumpe o cesa y prosigue o se repite. ‖ **2.** V. **fiebre intermitente.** Ú. t. c. s. f. ‖ **3.** m. Dispositivo que enciende y apaga con periodicidad constante y frecuente una o varias luces. ‖ **4.** En el automóvil, luz lateral que se enciende y apaga con periodicidad constante y frecuente para señalar un cambio de dirección en la marcha.

intermitir. (Del lat. *intermittĕre.*) tr. Suspender por algún tiempo una cosa; interrumpir su continuación.

intermuscular. (De *inter-* y *muscular.*) adj. *Anat.* Que está situado entre los músculos.

internación. f. Acción y efecto de internar o internarse. ‖ **2.** V. **derecho de internación.**

internacional. (De *inter-* y *nacional.*) adj. Perteneciente o relativo a dos o más naciones. ‖ **2.** Dícese del deportista que participa o ha participado en competiciones **internacionales** representando a su país. Ú. t. c. s. ‖ **3.** V. **derecho, mandato internacional.**

internacionalidad. f. Cualidad de internacional.

internacionalismo. m. Doctrina o actitud que antepone la consideración o estima de lo internacional a las de lo puramente nacional. ‖ **2.** Sistema socialista que preconiza la asociación internacional de los obreros para obtener ciertas reivindicaciones.

internacionalista. adj. Dícese del partidario del internacionalismo. Ú. t. c. s. ‖ **2.** com. Persona versada en derecho internacional.

internacionalización. f. Acción y efecto de internacionalizar.

internacionalizar. tr. Someter a la autoridad conjunta de varias naciones, o de un organismo que las represente, territorios o asuntos que dependían de la autoridad de un solo Estado.

internado, da. p. p. de **internar.** ‖ **2.** m. Estado y régimen del alumno interno. ‖ **3.** Conjunto de alumnos internos. ‖ **4.** Estado y régimen de personas que viven internas en establecimientos sanitarios o benéficos. ‖ **5.** Establecimiento donde viven alumnos u otras personas internas. ‖ **6.** Condición de alumno interno de una Facultad de Medicina. ‖ **medio internado. seminternado.**

internamente. adv. l. **interiormente.**

internamiento. m. Acción y efecto de internar o internarse.

internar. (De *interno.*) tr. Trasladar o mandar trasladar tierra adentro a una persona o cosa. ‖ **2.** Disponer o realizar el ingreso de una persona en un establecimiento, como hospital, clínica, prisión, etc. ‖ **3.** prnl. Penetrar o avanzar hacia dentro en un lugar. ‖ **4.** fig. Introducirse o insinuarse en los secretos o amistad de uno o profundizar en una materia.

internista. adj. Dícese del médico que se dedica especialmente al estudio y tratamiento de enfermedades que afectan a los órganos internos. Ú. t. c. s.

interno, na. (Del lat. *internus*.) adj. **interior.** ‖ **2.** V. **culto, fuero interno.** ‖ **3.** Dícese del alumno que vive dentro de un establecimiento de enseñanza. Ú. t. c. s. ‖ **4.** Dícese del alumno de una Facultad de Medicina que presta servicios auxiliares en alguna cátedra o clínica. Ú. t. c. s. ‖ **5.** *Pat.* V. **otitis interna.** ‖ **6.** *Anat.* V. **vena yugular interna.** ‖ de interno. loc. adv. ant. En lo **interno,** en lo interior.

internodio. (Del lat. *internodium*.) m. *Bot.* Espacio que hay entre dos nudos.

inter nos. loc. lat. que significa «entre nosotros», y se usa familiarmente en frases como: *Acá* INTER NOS *te diré lo que ha sucedido.*

internuncio. (Del lat. *internuntius*.) m. El que habla por otro. ‖ **2.** Ministro pontificio que hace veces de nuncio. ‖ **3.** Ministro del emperador de Austria, que residía en Constantinopla. ‖ **4.** fig. Cada uno de los que hablan en un coloquio como delegados de alguien.

interoceánico, ca. adj. Que pone en comunicación dos océanos.

interpaginar. (De *inter-* y *paginar*.) tr. **interfoliar.**

interparlamentario, ria. (De *inter-* y *parlamentario*.) adj. Dícese de las comunicaciones y organizaciones que enlazan la actividad internacional entre las representaciones legislativas de diferentes países.

interpelación. (Del lat. *interpellatio, -ōnis*.) f. Acción y efecto de interpelar.

interpelar. (Del lat. *interpellāre*.) tr. Implorar el auxilio de uno o recurrir a él solicitando su amparo y protección. ‖ **2.** Requerir, compeler o simplemente preguntar a uno para que dé explicaciones o descargos sobre un hecho cualquiera. ‖ **3.** En el régimen parlamentario, usar un diputado o senador de la palabra para iniciar o plantear al gobierno, y a veces a la mesa, una discusión amplia ajena a los proyectos de ley y a las proposiciones, aunque no siempre tienda a obtener explicaciones o descargos de los ministros.

interplanetario, ria. adj. Dícese del espacio existente entre dos o más planetas.

interpolación. (Del lat. *interpolatio, -ōnis*.) f. Acción y efecto de interpolar.

interpoladamente. adv. m. Con interpolación.

interpolador, ra. (Del lat. *interpolātor, -ōris*.) adj. Que interpola palabras o frases en un texto. Ú. t. c. s.

interpolar. (Del lat. *interpolāre*, alterar, mezclar, cambiar.) tr. Poner una cosa entre otras. ‖ **2.** Intercalar algunas palabras o frases en el texto de un manuscrito antiguo, o en obras y escritos ajenos. ‖ **3.** Interrumpir o hacer una breve intermisión en la continuación de una cosa, y volver luego a proseguirla. ‖ **4.** *Fís.* Averiguar el valor de una magnitud en un intervalo cuando se conocen algunos de los valores que toma a uno y otro lado de dicho intervalo.

interponer. (Del lat. *interpōnĕre*.) tr. Poner algo entre cosas o entre personas. Ú. t. c. prnl. ‖ **2.** fig. Con palabras como *influencia, autoridad,* etc., utilizar en favor de otro lo significado por ellas. ‖ **3.** *Der.* Formalizar por medio de un pedimento alguno de los recursos legales, como el de la nulidad, de apelación, etc.

interposición. (Del lat. *interpositio, -ōnis*.) f. Acción y efecto de interponer o interponerse.

interpósita persona. loc. lat. *Der.* Persona que, aparentando obrar por cuenta propia, interviene en un acto jurídico por encargo y en provecho de otro.

interprender. (De *inter-* y *prender*.) tr. p. us. Tomar u ocupar algo por sorpresa.

interpresa. (De *inter-* y *presa*.) f. Acción de interprender. ‖ **2.** Acción militar súbita e imprevista.

interpretable. adj. Que se puede interpretar.

interpretación. (Del lat. *interpretatio, -ōnis*.) f. Acción y efecto de interpretar. ‖ **auténtica.** *Der.* La que de una ley hace el mismo legislador. ‖ **de lenguas.** Secretaría en que se traducen al español o a otras lenguas documentos y papeles legales. ‖ **doctrinal.** *Der.* La que se funda en las opiniones de los jurisconsultos. ‖ **usual.** *Der.* La autorizada por la jurisprudencia de los tribunales.

interpretador, ra. (Del lat. *interpretātor, -ōris*.) adj. Que interpreta. Ú. t. c. s. ‖ **2.** ant. Que traduce una obra o escrito, traductor. Usáb. t. c. s.

interpretar. (Del lat. *interpretāri*.) tr. Explicar o declarar el sentido de una cosa, y principalmente de textos faltos de claridad. ‖ **2.** Traducir de una lengua a otra, sobre todo cuando se hace oralmente. ‖ **3.** Explicar, acertadamente o no, acciones, dichos o sucesos que pueden ser entendidos de diferentes modos. ‖ **4.** Representar una obra teatral, cinematográfica, etc. ‖ **5.** Ejecutar una pieza musical mediante canto o instrumentos. ‖ **6.** Ejecutar un baile con propósito coreográfico. ‖ **7.** Concebir, ordenar o expresar de un modo personal la realidad.

interpretativamente. adv. m. De modo interpretativo.

interpretativo, va. adj. Perteneciente o relativo a la interpretación. ‖ **2.** Que sirve para interpretar una cosa. ‖ **3.** V. **bigamia interpretativa.**

intérprete. (Del lat. *interpres, -ĕtis*.) com. Persona que interpreta. ‖ **2.** Persona que explica a otras, en lengua que entienden, lo dicho en otra que les es desconocida. ‖ **3.** fig. Cualquier cosa que sirve para dar a conocer los afectos y movimientos del alma. ‖ **de buques. corredor intérprete de buques.**

interpuesto, ta. (Del lat. *interposĭtus*.) p. p. irreg. de **interponer.**

interregno. (Del lat. *interregnum*.) m. Espacio de tiempo en que un Estado no tiene soberano. ‖ **parlamentario.** fig. Intervalo desde que se interrumpen hasta que se reanudan las sesiones de las Cortes.

interrelación. f. Correspondencia mutua entre personas, cosas o fenómenos.

interrogación. (Del lat. *interrogatio, -ōnis*.) f. **pregunta.** ‖ **2.** Signo ortográfico (¿?) que se pone al principio y fin de palabra o cláusula con que se pregunta. ‖ **3.** *Ret.* Figura que consiste en interrogar, no para manifestar duda o pedir respuesta, sino para expresar indirectamente la afirmación, o dar más vigor y eficacia a lo que se dice.

interrogador, ra. adj. Que interroga. Ú. t. c. s.

interrogante. p. a. de **interrogar.** Que interroga. Ú. t. c. s. ‖ **2.** adj. *Gram.* V. **punto interrogante.** Ú. t. c. s. ‖ **3.** amb. Pregunta. ‖ **4.** Problema no aclarado, cuestión dudosa, incógnita.

interrogar. (Del lat. *interrogāre*.) tr. Preguntar, inquirir. ‖ **2.** Hacer una serie de preguntas para aclarar un hecho o sus circunstancias.

interrogativamente. adv. m. Con interrogación.

interrogativo, va. (Del lat. *interrogatīvus*.) adj. *Gram.* Que implica o denota interrogación.

interrogatorio. (Del lat. *interrogatorĭus*.) m. Serie de preguntas, comúnmente formuladas por escrito. ‖ **2.** Papel o documento que las contiene. ‖ **3.** Acto de dirigirlas a quien las ha de contestar.

interromper. ant. tr. **interrumpir.**

interroto, ta. p. p. irreg. ant. de **interrumper.**

interrumpidamente. adv. m. Con interrupción.

interrumpir. (Del lat. *interrumpĕre*.) tr. Cortar la continuidad de una cosa en el lugar o en el tiempo. ‖ **2.** Atravesarse uno con su palabra mientras otro está hablando.

interrupción. (Del lat. *interruptio, -ōnis*.) f. Acción y efecto de interrumpir.

interruptor, ra. (Del lat. *interruptor, -ōris.*) adj. Que interrumpe. ‖ **2.** m. Mecanismo destinado a interrumpir o establecer un circuito eléctrico.

intersecarse. (Del lat. *intersecāre.*) prnl. *Geom.* Cortarse o cruzarse dos líneas o superficies entre sí.

intersección. (Del lat. *intersectĭo, -ōnis.*) f. *Geom.* Punto común a dos líneas que se cortan. ‖ **2.** *Geom.* Encuentro de dos líneas, dos superficies o dos sólidos que recíprocamente se cortan. La intersección de dos líneas es un punto; la de dos superficies, una línea, y la de dos sólidos, una superficie.

interserir. (Del lat. *interserĕre.*) tr. ant. Injerir una cosa entre otras.

intersexual. adj. Perteneciente o relativo a la intersexualidad. ‖ **2.** com. Persona en que se da la intersexualidad. Ú. t. c. adj.

intersexualidad. f. *Med.* Cualidad por la que el individuo muestra, en grados variables, caracteres sexuales de ambos sexos.

intersticial. adj. Dícese de lo que ocupa los intersticios que existen en un cuerpo o entre dos o más.

intersticio. (Del lat. *interstitĭum.*) m. Hendidura o espacio, por lo común pequeño, que media entre dos cuerpos o entre dos partes de un mismo cuerpo. ‖ **2.** Espacio o distancia entre dos tiempos o dos lugares, intervalo. ‖ **3.** *Der.* Tiempo que, según las leyes eclesiásticas, debe mediar entre la recepción de dos órdenes sagradas. Ú. m. en pl.

intertrigo. (Del lat. *intertrīgo, -ĭginis,* rozadura.) m. *Med.* Inflamación erisipelatosa producida por el roce de dos superficies cutáneas, acompañada de picazón y secreción más o menos abundante.

intertropical. (De *inter-* y *trópico.*) adj. Perteneciente o relativo a los países situados entre los dos trópicos, y a sus habitantes.

interurbano, na. adj. Dícese de las relaciones y servicios de comunicación entre distintas poblaciones.

interusurio. (Del lat. *interusurĭum.*) m. *Der.* Interés que se debe a la mujer por el retraso en la restitución de su dote. Dícese comúnmente INTERUSURIO *dotal.*

intervalo. (Del lat. *intervallum.*) m. Espacio o distancia que hay de un tiempo a otro o de un lugar a otro. ‖ **2.** Conjunto de los valores que toma una magnitud entre dos límites dados. INTERVALO *de temperaturas, de energías, de frecuencias,* etc. ‖ **3.** *Mús.* Diferencia de tono entre los sonidos de dos notas musicales. ‖ **claro,** o **lúcido.** Espacio de tiempo en que los que han perdido el juicio dan muestras de cordura.

intervención. (Del lat. *interventĭo, -ōnis.*) f. Acción y efecto de intervenir. ‖ **2.** Oficina del interventor. ‖ **3.** Cuerpo de oficiales que tienen por misión inspeccionar la administración de los ejércitos. ‖ **4.** *Cir.* Operación quirúrgica.

intervencionismo. m. Ejercicio reiterado o habitual de la intervención en asuntos internacionales. ‖ **2.** Sistema intermedio entre el individualismo y el colectivismo.

intervencionista. adj. Que se refiere al intervencionismo. ‖ **2.** Partidario de él. Ú. t. c. s.

intervenidor, ra. (De *intervenir.*) adj. interventor. Ú. t. c. s.

intervenir. (Del lat. *intervenīre.*) intr. Tomar parte en un asunto. ‖ **2.** Interponer uno su autoridad. ‖ **3.** Interceder o mediar por uno. ‖ **4.** Interponerse entre dos o más que riñen. ‖ **5.** Sobrevenir, ocurrir, acontecer. ‖ **6.** tr. Tratándose de cuentas, examinarlas y censurarlas con autoridad suficiente para ello. ‖ **7.** Tratándose de una letra de cambio, ofrecer un tercero aceptarla o pagarla por cuenta del librador o de cualquiera de los endosantes. ‖ **8.** Dirigir, limitar o suspender una autoridad el libre ejercicio de actividades o funciones. *El Estado de tal país* INTERVIENE *la economía privada o la producción industrial.* ‖ **9.** Vigilar

una autoridad la comunicación privada. *La policía* INTERVINO *los teléfonos; la correspondencia está* INTERVENIDA. ‖ **10.** Tratándose de aduanas, fiscalizar su administración. ‖ **11.** En países de régimen federal, ejercer el gobierno central funciones propias de los Estados o provincias. ‖ **12.** En las relaciones internacionales, dirigir temporalmente una o varias potencias algunos asuntos interiores de otra. ‖ **13.** *Cir.* Hacer una operación quirúrgica.

interventor, ra. (Del lat. *interventor, -ōris.*) adj. Que interviene. Ú. t. c. s. ‖ **2.** m. y f. Persona que autoriza y fiscaliza ciertas operaciones para garantizar su legalidad. ‖ **3.** En las elecciones para diputados, concejales, etc., persona designada oficialmente para vigilar la regularidad de la votación y autorizar el resultado de la misma junto con el presidente y demás integrantes de la mesa.

intervertebral. adj. *Anat.* Que está entre las vértebras.

interviú. (Del ing. *interview.*) amb. **entrevista,** acción y efecto de entrevistar. Ú. m. c. f.

interviuvar. (De *interviú.*) tr. Mantener una conversación con una o varias personas, para informar al público de sus respuestas.

inter vivos. (loc. lat. que significa *entre vivos.*) V. **donación inter vivos.**

intervocálico, ca. adj. Dícese de la consonante que se halla entre dos vocales.

interyacente. adj. Que yace en medio o entre cosas yacentes.

intestado, da. (Del lat. *intestātus.*) adj. *Der.* Que muere sin hacer testamento válido. Ú. t. c. s. ‖ **2.** *Der.* V. **sucesión intestada.** ‖ **3.** m. *Der.* Caudal sucesorio acerca del cual no existen o no rigen disposiciones testamentarias.

intestar. intr. Encajar una cosa en otra. ‖ **2.** Estar lindando con ella.

intestinal. adj. Perteneciente a los intestinos. ‖ **2.** V. **lombriz intestinal.**

intestino, na. (Del lat. *intestīnus.*) adj. Interior, interno. ‖ **2.** fig. Civil, doméstico. ‖ **3.** m. *Anat.* Conducto membranoso, provisto de tejido muscular, que forma parte del aparato digestivo de los gusanos, artrópodos, moluscos, procordados y vertebrados. Se halla situado a continuación del estómago y está plegado en muchas vueltas en la mayoría de los vertebrados. En sus paredes hay numerosas glándulas secretoras del jugo intestinal, que coadyuvan a la digestión de los alimentos. Ú. t. en pl. ‖ **ciego.** *Anat.* Parte del **intestino** grueso, en el hombre y en la mayoría de los mamíferos, situada entre el **intestino** delgado y el colon, muy desarrollada en los herbívoros y sobre todo en los roedores. ‖ **delgado.** *Anat.* Parte del **intestino** de los mamíferos que tiene menor diámetro. ‖ **grueso.** *Anat.* Parte del **intestino** de los mamíferos que tiene mayor diámetro.

íntima. (De *intimar.*) f. p. us. **intimación.**

intimación. (Del lat. *intimatĭo, -ōnis.*) f. Acción y efecto de intimar.

íntimamente. adv. m. Con intimidad.

intimar. (Del lat. *intimāre.*) tr. Requerir, exigir el cumplimiento de algo, especialmente con autoridad o fuerza para obligar a hacerlo. ‖ **2.** prnl. Introducirse un cuerpo o una cosa material por entre los poros o espacios huecos de otra. ‖ **3.** intr. fig. Introducirse en el afecto o ánimo de uno, estrechar la amistad con él. INTIMÓ *con mi hermano.* Ú. t. c. prnl.

intimatorio, ria. adj. *Der.* Aplícase a las cartas, despachos o letras para intimar un decreto u orden.

intimidación. f. Acción y efecto de intimidar.

intimidad. f. Amistad íntima. ‖ **2.** Zona espiritual íntima y reservada de una persona o de un grupo, especialmente una familia.

intimidar. (Del lat. cristiano *intimidāre*.) tr. Causar o infundir miedo. ‖ **2.** prnl. Entrarle o acometer a uno el miedo.

intimismo. m. Carácter de las obras artísticas de los intimistas. ‖ **2.** Tendencia artística que muestra predilección por asuntos de la vida familiar o íntima.

intimista. adj. Perteneciente o relativo al intimismo. ‖ **2.** Dícese de los escritores que expresan literariamente rasgos, emociones, situaciones, etc., de la vida íntima o familiar. Ú. t. c. s. ‖ **3.** Dícese de los pintores que se inspiran en temas de la vida íntima, familiar, interiores domésticos, etc. Ú. t. c. s.

íntimo, ma. (Del lat. *intĭmus*.) adj. Lo más interior o interno. ‖ **2.** Aplícase también a la amistad muy estrecha y al amigo muy querido y de gran confianza. ‖ **3.** Perteneciente o relativo a la intimidad.

intitulación. (De *intitular*.) f. ant. Título o inscripción. ‖ **2.** ant. Dedicatoria de una obra impresa o manuscrita.

intitular. (Del lat. *intitulāre*.) tr. Poner título a un escrito. ‖ **2.** Dar un título particular a una persona o cosa. Ú. t. c. prnl. ‖ **3.** ant. Nombrar, señalar o destinar a uno para determinado empleo o ministerio. ‖ **4.** ant. Dedicar una obra a alguien, poniendo al frente su nombre para autorizarla.

intocable. adj. Que no se puede tocar. Ú. t. c. s. ‖ **2.** com. En la India, persona considerada impura, perteneciente a la más baja categoría social y cuyo contacto procuran evitar las demás castas.

intolerabilidad. (De *intolerable*.) f. Cualidad de intolerable.

intolerable. (Del lat. *intolerabĭlis*.) adj. Que no se puede tolerar.

intolerancia. (Del lat. *intolerantĭa*.) f. Falta de tolerancia, especialmente religiosa.

intolerante. (Del lat. *intolĕrans, -antis*.) adj. Que no tiene tolerancia. Ú. t. c. s.

intonso, sa. (Del lat. *intonsus*.) adj. Que no tiene cortado el pelo. ‖ **2.** fig. Ignorante, inculto, rústico. Ú. t. c. s. ‖ **3.** fig. Dícese del ejemplar de una edición o del libro que se encuaderna sin cortar los pliegos de que se compone.

intoxicación. f. Acción y efecto de intoxicar o intoxicarse.

intoxicar. (De *in-*[1] y *tóxico*.) tr. Inficionar con tóxico, envenenar. Ú. t. c. prnl. ‖ **2.** fig. Imbuir, infundir en el ánimo de otro u otros algo moralmente nocivo. Ú. t. c. prnl. ‖ **3.** fig. Dar un exceso de información manipulada con el fin de crear un estado de opinión propicio a ciertos fines.

intra-. (Del lat. *intra*.) pref. que significa «dentro de», «en el interior»: INTRA*muros*, INTRA*venoso*.

intracelular. adj. Que está situado u ocurre dentro de la célula.

intradérmico, ca. adj. Dícese de lo que está o se pone en el interior de la piel.

intradós. (Del fr. *intrados*.) m. Arq. Superficie inferior de un arco o bóveda. ‖ **2.** Arq. Cara de una dovela que corresponde a esta superficie.

intraducibilidad. f. Cualidad de intraducible.

intraducible. adj. Que no se puede traducir.

intrahistoria. f. Voz introducida por Unamuno para designar la vida tradicional, que sirve de fondo permanente a la historia cambiante y visible.

intrahistórico, ca. adj. Perteneciente o relativo a la intrahistoria.

intramuros. (De *intra-* y *muros*, murallas.) adv. l. Dentro de una ciudad, villa o lugar.

intramuscular. adj. Que está o se pone dentro de un músculo.

intráneo, a. (Del b. lat. *intranĕus*.) adj. ant. Interior, interno.

intranquilidad. f. Falta de tranquilidad; inquietud, zozobra.

intranquilizador, ra. adj. Que intranquiliza.

intranquilizar. tr. Quitar la tranquilidad, inquietar, desasosegar. Ú. t. c. prnl.

intranquilo, la. adj. Falto de tranquilidad.

intransferible. adj. No transferible.

intransigencia. (De *intransigente*.) f. Condición del que no transige o no se presta a transigir.

intransigente. adj. Que no transige. ‖ **2.** Que no se presta a transigir.

intransitable. adj. Aplícase al lugar o sitio por donde no se puede transitar.

intransitividad. f. Cualidad de intransitivo.

intransitivo, va. (Del lat. *intransitīvus*.) adj. Gram. V. **verbo intransitivo.**

intransmisible. adj. Que no puede ser transmitido.

intransmutabilidad. f. Cualidad de intransmutable.

intransmutable. adj. Que no se puede transmutar.

intraocular. adj. Perteneciente o relativo al interior del ojo.

intrascendencia. f. Cualidad de intrascendente.

intrascendental. adj. Que no es trascendental.

intrascendente. adj. Que no es trascendente.

intrasmisible. adj. Que no se puede trasmitir, intrasmisible.

intratabilidad. f. Cualidad de intratable.

intratable. (Del lat. *intractabĭlis*.) adj. No tratable ni manejable. ‖ **2.** desus. Aplícase a los lugares y sitios por donde es difícil transitar. ‖ **3.** fig. Insociable o de genio áspero.

intrauterino, na. adj. Que está situado u ocurre dentro del útero.

intravenoso, sa. adj. Dícese de lo que está o se pone dentro de una vena.

intrépidamente. adv. m. Con intrepidez.

intrepidez. (De *intrépido*.) f. Arrojo, valor en los peligros. ‖ **2.** fig. Osadía o falta de reflexión.

intrépido, da. (Del lat. *intrepĭdus*.) adj. Que no teme en los peligros. ‖ **2.** fig. Que obra o habla sin reflexión.

intributar. (De *in-*[1] y *tributar*.) tr. ant. Imponer tributo, especialmente sobre una finca.

intricable. (De *intricar*.) adj. ant. **intrincable.**

intricación. (De *intricar*.) f. **intrincación.**

intricadamente. adv. m. **intrincadamente.**

intricado, da. p. p. de **intricar.** ‖ **2.** adj. **intrincado.**

intricamiento. m. ant. **intrincamiento.**

intricar. (Del lat. *intricāre*.) tr. **intrincar.** Ú. t. c. prnl.

intriga. (De *intrigar*.) f. Manejo cauteloso, acción que se ejecuta con astucia y ocultamente, para conseguir un fin. ‖ **2.** Enredo, embrollo.

intrigante. p. a. de **intrigar.** Que intriga o suele intrigar. Ú. m. c. s.

intrigar. (De *intriga*.) intr. Emplear intrigas, usarlas. ‖ **2.** tr. Inspirar viva curiosidad una cosa.

intrincable. adj. Que se puede intrincar.

intrincación. f. Acción y efecto de intrincar.

intrincadamente. adv. m. Con intrincación.

intrincado, da. p. p. de **intrincar.** ‖ **2.** adj. Enredado, complicado, confuso.

intrincamiento. m. Acción y efecto de intrincar.

intrincar. (De *intricar*.) tr. Enredar o enmarañar una cosa. Ú. t. c. prnl. ‖ **2.** fig. Confundir u oscurecer los pensamientos o conceptos.

intríngulis. (De or. inc.) m. fam. Intención solapada o razón oculta que se entrevé o supone en una persona o acción. ‖ **2.** Dificultad o complicación de una cosa.

intrínsecamente. adv. m. Interiormente, esencialmente.

intrínseco, ca. (Del lat. *intrinsěcus*, interiormente.) adj. Íntimo, esencial.

intrinsiqueza. (De *intrínseco*.) f. p. us. Intimidad de uno o de una familia.

introducción. (Del lat. *introductĭo, -ōnis*.) f. Acción y efecto de introducir o introducirse. ‖ **2.** Preparación, disposición, lo propio para llegar al fin propuesto. ‖ **3.** Exordio de un discurso o preámbulo de una obra literaria o científica. ‖ **4.** fig. Entrada y trato familiar e íntimo con una persona. ‖ **5.** *Mús.* Parte inicial, generalmente breve, de una obra instrumental o de cualquiera de sus tiempos. ‖ **6.** *Mús.* Pieza musical que precede a ciertas obras teatrales, sinfonía.

introducidor, ra. (De *introducir*.) adj. ant. Que introduce. Usáb. t. c. s. ‖ **2.** ant. **metedor**, contrabandista.

introducir. (Del lat. *introducěre*.) tr. Conducir a una persona al interior de un lugar. *El criado me* INTRODUJO *en la sala*. ‖ **2.** Meter o hacer entrar una cosa en otra. INTRODUCIR *la mano en un agujero, la sonda en una herida, mercancías en un país*. ‖ **3.** fig. Hacer que uno sea recibido o admitido en un lugar, o granjearle el trato, la amistad, la gracia, etc., de otra persona. INTRODUCIR *a uno en la corte;* INTRODUCIRLO *en la amistad del príncipe*. ‖ **4.** Entrar en un lugar. ‖ **5.** fig. Hacer figurar, hacer hablar a un personaje en una obra de ingenio, como drama, novela, diálogo, etc. ‖ **6.** fig. Establecer, poner en uso. INTRODUCIR *una industria en un país, palabras en un idioma*. ‖ **7.** fig. Atraer, ocasionar. INTRODUCIR *el desorden, la discordia*. Ú. t. c. prnl. ‖ **8.** prnl. fig. Meterse uno en lo que no le toca. ‖ **9.** fig. Producirse.

introducto, ta. (Del lat. *introductus*, introducido.) adj. desus. Instruido, diestro.

introductor, ra. (Del lat. *introductor, -ōris*.) adj. Que introduce. Ú. t. c. s. ‖ **de embajadores.** Funcionario que en algunos Estados acompaña a los embajadores y ministros extranjeros en las entradas públicas y otros actos de ceremonia.

introductorio, ria. (Del b. lat. *introductorĭus*.) adj. Que sirve para introducir. Usáb. t. c. s.

introito. (Del lat. *introĭtus*.) m. Entrada o principio de un escrito o de una oración. ‖ **2.** Lo primero que decía el sacerdote en el altar al dar principio a la misa. ‖ **3.** En el teatro antiguo, prólogo para explicar el argumento del poema dramático al que precedía, para pedir indulgencia al público o para otros fines análogos.

intrometerse. (Del lat. *intromittěre*.) prnl. ant. Meterse uno en algo importunamente, entrometerse, entremeterse.

intromisión. (Formado sobre el lat. *intromissus*.) f. Acción y efecto de entrometer o entrometerse.

introspección. (Der. culto de *introspicěre*, mirar adentro.) f. Observación interior de los propios actos o estados de ánimo o de conciencia.

introspectivo, va. (Der. culto de *introspicěre*, mirar adentro, e *-ivo*.) adj. Propio de la introspección o relativo a ella.

introversión. (De *introverso*.) f. Acción y efecto de penetrar dentro de sí mismo, abstrayéndose de los sentidos.

introverso, sa. (Del lat. *intro*, adentro, y *versus*, p. p. de *vertěre*, volver.) adj. Que practica la introversión o es dado a ella.

introvertido, da. adj. Dado a la introversión. Ú. t. c. s.

intrusamente. adv. m. Por intrusión.

intrusarse. (De *intruso*.) prnl. p. us. Apropiarse, sin razón ni derecho, un cargo, una autoridad, una jurisdicción, etc.

intrusión. f. Acción y efecto de intrusarse.

intrusismo. (De *intruso*.) m. Ejercicio de actividades profesionales por persona no autorizada para ello.

intruso, sa. (De *in-*[1] y el lat. *trusus*, p. p. de *truděre*, empujar.) adj. Que se ha introducido sin derecho. ‖ **2.** Detentador

de alguna cosa alcanzada por intrusión. Ú. t. c. s. ‖ **3.** Que alterna con personas de condición superior a la suya.

intubación. f. *Med.* Acción y efecto de intubar.

intubar. tr. *Med.* Introducir un tubo en un conducto del organismo, especialmente en la tráquea para permitir la entrada de aire en los pulmones.

intuición. (Del lat. mediev. *intuitĭo, -ōnis*.) f. *Fil.* Percepción íntima e instantánea de una idea o una verdad, tal como si se tuviera a la vista. ‖ **2.** Facultad de comprender las cosas instantáneamente, sin razonamiento. ‖ **3.** *Teol.* **visión beatífica.**

intuir. (Del lat. *intuěri*.) tr. Percibir íntima e instantáneamente una idea o verdad, tal como si se la tuviera a la vista.

intuitivamente. adv. m. Con intuición.

intuitivo, va. adj. Perteneciente o relativo a la intuición. ‖ **2.** Que tiene facilidad para ella.

intúito. (Del lat. *intuĭtus*.) m. p. us. Vista, ojeada o mirada. ‖ **por intúito.** loc. adv. p. us. En atención, en consideración, por razón.

intúitu. m. ant. Vista, ojeada o mirada; intúito.

intumescencia. (Del lat. *intumescens, -entis*, intumescente.) f. Hinchazón.

intumescente. (Del lat. *intumescens, -entis*, p. a. de *intumescěre*, hincharse.) adj. Que se va hinchando.

intususcepción. (Del lat. *intus*, interiormente, y *susceptĭo, -ōnis*, acción de recibir.) f. *Biol.* Modo de crecer los seres orgánicos por los elementos que asimilan interiormente, a diferencia de los inorgánicos, que sólo crecen por yuxtaposición.

inulto, ta. (Del lat. *inultus*.) adj. poét. No vengado. ‖ **2.** No castigado, impune.

inundación. (Del lat. *inundatĭo, -ōnis*.) f. Acción y efecto de inundar o inundarse. ‖ **2.** fig. Multitud excesiva de una cosa.

inundado, da. p. p. de **inundar**. ‖ **2.** m. *Mar.* Acción y efecto de inundar un tanque, compartimiento o buque.

inundancia. (De *inundar*.) f. ant. Acción y efecto de inundar o inundarse.

inundar. (Del lat. *inundāre*.) tr. Cubrir el agua los terrenos y a veces las poblaciones. Ú. t. c. prnl. ‖ **2.** *Mar.* Llenar de agua un tanque, compartimiento o buque. ‖ **3.** fig. Llenar un país de gentes extrañas o de otras cosas. Ú. t. c. prnl. ‖ **4.** Por ext., saturar, llenar con algo cosas, situaciones, etc. Ú. t. c. prnl.

inurbanamente. adv. m. Sin urbanidad.

inurbanidad. f. p. us. Falta de urbanidad; desatención, descortesía.

inurbano, na. (Del lat. *inurbānus*.) adj. Falto de urbanidad.

inusado, da. adj. ant. **inusitado**.

inusitadamente. adv. m. De modo inusitado.

inusitado, da. (Del lat. *inusitātus*.) adj. No usado, desacostumbrado.

inútil. (Del lat. *inutĭlis*.) adj. No útil. ‖ **2.** Dícese de la persona que no puede trabajar o moverse por impedimento físico. Ú. t. c. s. ‖ **3.** Dícese del individuo que no es apto para el servicio militar. Ú. t. c. s.

inutilidad. (Del lat. *inutilĭtas, -ātis*.) f. Cualidad de inútil.

inutilización. f. Acción y efecto de inutilizar.

inutilizar. tr. Hacer inútil, vana o nula una cosa. Ú. t. c. prnl.

inútilmente. adv. m. Sin utilidad.

in utroque o **in utroque jure.** (Lit., *en uno y otro* o *en uno y otro derecho*.) loc. lat. que se usa para expresar que alguien es titulado en ambos derechos, civil y canónico.

invadeable. adj. Que no se puede vadear.

invadir. (Del lat. *invaděre*.) tr. Entrar por fuerza en un lugar. ‖ **2.** fig. Entrar injustificadamente en funciones ajenas. ‖ **3.** fig. Apoderarse de alguien un sentimiento, un estado de ánimo, etc.

invaginación. f. Acción y efecto de invaginar. ‖ **2.** *Pat.* Introducción anormal de una porción del intestino en la que le precede o le sigue. ‖ **3.** *Cir.* Operación quirúrgica que consiste en introducir uno en otro los dos extremos del intestino dividido, con objeto de restablecer la continuidad del tubo intestinal.

invaginar. (Del lat. *in*, en, y *vagīna*, vaina.) tr. Doblar hacia dentro los bordes de una vaina, de un tubo, de una vejiga o de otra cosa semejante.

invalidación. f. Acción y efecto de invalidar.

invalidad. (De *inválido.*) f. ant. Cualidad de inválido de algunas cosas.

inválidamente. adv. m. Con invalidez, con nulidad.

invalidar. tr. Hacer inválida, nula o de ningún valor una cosa.

invalidez. f. Cualidad de inválido.

inválido, da. (Del lat. *invalĭdus.*) adj. Que no tiene fuerza ni vigor. ‖ **2.** Dícese de la persona que adolece de un defecto físico o mental, ya sea congénito, ya adquirido, que le impide o dificulta alguna de sus actividades. Ú. t. c. s. ‖ **3.** Dícese en especial de los militares que en acto de servicio o a consecuencia de él han sufrido mutilación o pérdida de alguna facultad importante. Ú. t. c. s. ‖ **4.** fig. Nulo y de ningún valor, por no tener las condiciones que exigen las leyes. *Acuerdo* INVÁLIDO. *Resolución* INVÁLIDA. ‖ **5.** fig. Falto de vigor o de solidez en el entendimiento o en la razón. *Argumento* INVÁLIDO.

invaluable. adj. Que no se puede valuar como corresponde, inestimable.

invar. (Del fr. *invar*, abrev. de *invariable*, nombre comercial registrado.) m. Aleación de hierro y níquel que, por su escaso coeficiente de dilatación, se emplea para instrumentos de medida y aparatos de precisión.

invariabilidad. f. Cualidad de invariable.

invariable. adj. Que no tiene o no puede tener variación.

invariablemente. adv. m. Sin variación.

invariación. f. Subsistencia permanente y sin variación de una cosa o en una cosa.

invariadamente. adv. m. Sin variación.

invariado, da. adj. No variado.

invariante. f. *Mat.* Magnitud o expresión matemática que no cambia de valor al sufrir determinadas transformaciones; por ej., la distancia entre dos puntos de un sólido que se mueve pero no se deforma.

invasión. (Del lat. *invasĭo, -ōnis.*) f. Acción y efecto de invadir.

invasor, ra. (Del lat. *invāsor, -ōris.*) adj. Que invade. Ú. t. c. s.

invectiva. (Del lat. *invectīva.*) f. Discurso o escrito acre y violento contra personas o cosas.

invehír. (Del lat. *invehĕre.*) tr. ant. Hacer o decir invectivas contra uno.

invencible. (Del lat. *invincibĭlis.*) adj. Que no puede ser vencido.

invenciblemente. adv. m. De un modo invencible.

invención. (Del lat. *inventĭo, -ōnis.*) f. Acción y efecto de inventar. ‖ **2.** Cosa inventada. ‖ **3.** Engaño, ficción. ‖ **4.** *Ret.* Elección y disposición de los argumentos e ideas del discurso oratorio. ‖ **de la Santa Cruz.** Conmemoración con que anualmente celebra la Iglesia, el día 3 de mayo, el hallazgo de la cruz de Cristo.

invencionero, ra. (De *invención.*) adj. **inventor.** Ú. t. c. s. ‖ **2.** desus. Embustero, engañador. Ú. t. c. s.

invendible. (Del lat. *invendibĭlis.*) adj. Que no puede venderse.

invenible. (De *invenir.*) adj. ant. Que se puede hallar o descubrir.

invenir. (Del lat. *invenīre.*) tr. ant. Hallar o descubrir.

inventación. f. ant. Acción y efecto de inventar.

inventador, ra. adj. desus. Que inventa. Ú. t. c. s.

inventar. (De *invento.*) tr. Hallar o descubrir una cosa nueva o no conocida. ‖ **2.** Hallar, imaginar, crear su obra el poeta o el artista. ‖ **3.** Fingir hechos falsos; levantar embustes.

inventariar. tr. Incluir en un inventario.

inventario. (Del lat. *inventarĭum.*) m. Asiento de los bienes y demás cosas pertenecientes a una persona o comunidad, hecho con orden y precisión. ‖ **2.** Papel o documento en que están escritas dichas cosas. ‖ **3.** V. **beneficio de inventario.** ‖ **4.** *Com.* V. **libro de inventarios.**

inventiva. (De *inventar.*) f. Capacidad y disposición para inventar. ‖ **2.** ant. Cosa inventada.

inventivo, va. adj. Que tiene disposición para inventar. ‖ **2.** desus. Dícese de las cosas inventadas.

invento. (Del lat. *inventum.*) m. Acción y efecto de inventar. ‖ **2.** Cosa inventada.

inventor, ra. (Del lat. *inventor, -ōris.*) adj. Que inventa. Ú. t. c. s. ‖ **2.** Que finge o discurre sin más fundamento que su voluntariedad y capricho. Ú. t. c. s.

inverecundia. (Del lat. *inverecundĭa.*) f. Desvergüenza, desfachatez.

inverecundo, da. (Del lat. *inverecundus.*) adj. Que no tiene vergüenza. Ú. t. c. s.

inverisímil. (Del lat. *inverisimĭlis.*) adj. desus. Que no tiene apariencias de verdad, inverosímil.

inverisimilitud. f. desus. Cualidad de inverisímil, inverosimilitud.

invernáculo. (Del lat. *hibernacŭlum.*) m. Lugar cubierto y abrigado artificialmente para defender las plantas de la acción del frío.

invernada. f. Estación de invierno. ‖ **2.** Estancia o permanencia en un lugar durante el invierno. ‖ **3.** *Amér.* Invernadero para el ganado.

invernadero. m. Sitio a propósito para pasar el invierno, y destinado a este fin. ‖ **2.** Paraje destinado a que pasten los ganados en dicha estación. ‖ **3.** Lugar preparado para defender las plantas contra el frío.

invernal. adj. Perteneciente o relativo al invierno. ‖ **2.** m. Establo en los invernaderos, para guarecerse el ganado.

invernar. intr. Pasar el invierno en un lugar. ‖ **2.** *Argent., Bol., Chile, Par., Perú* y *Urug.* Pastar el ganado en los invernaderos.

invernazo. m. aum. de **invierno.** ‖ **2.** *P. Rico* y *Sto. Dom.* Período de lluvias, de julio a septiembre. ‖ **3.** *P. Rico.* Período de inactividad en los ingenios de azúcar.

invernizo, za. adj. Perteneciente al invierno o que tiene sus propiedades.

inverosímil. adj. Que no es verosímil.

inverosimilitud. f. Cualidad de inverosímil.

inverosímilmente. adv. m. De modo inverosímil.

inversamente. adv. m. Al contrario, a la inversa.

inversión. (Del lat. *inversĭo, -ōnis.*) f. Acción y efecto de invertir. ‖ **2.** Homosexualidad. ‖ **3.** *Mús.* Colocación de las notas de un acorde en posición distinta de la normal, o modificación de una frase o motivo de manera que los intervalos se sigan en dirección contraria a la primitiva. ‖ **meteorológica.** Incremento anormal de la temperatura con la altura, debido a una capa de aire caliente, que puede producir un aumento de la contaminación atmosférica.

inversionista. adj. Dícese de la persona natural o jurídica que hace una inversión de caudales. Ú. t. c. s.

inverso, sa. (Del lat. *inversus.*) p. p. irreg. de **invertir.** ‖ **2.**

adj. Alterado, trastornado. ‖ **3.** V. **anteojo inverso.** ‖ **4.** V. **gola inversa.** ‖ **a,** o **por, la inversa.** loc. adv. **al contrario.**

inversor, ra. (Del lat. *inversor, -ōris.*) adj. Que invierte. ‖ **2. inversionista.** Ú. t. c. s. ‖ **3.** *Astron.* V. **capa inversora.**

invertebración. f. Carencia de vertebración.

invertebrado, da. adj. *Zool.* Dícese de los animales que no tienen columna vertebral. Ú. t. c. s. m. ‖ **2.** fig. No vertebrado, carente de vertebración. ‖ **3.** m. pl. *Zool.* En la antigua clasificación zoológica, tipo de estos animales.

invertible. adj. Que se puede invertir.

invertido, da. p. p. de **invertir.** ‖ **2.** adj. *Fort.* V. **aspillera invertida.** ‖ **3.** m. **sodomita,** el que comete sodomía.

invertir. (Del lat. *invertĕre.*) tr. Alterar, trastornar las cosas o el orden de ellas. ‖ **2.** Hablando de caudales, emplearlos, gastarlos, colocarlos. ‖ **3.** Hablando del tiempo, emplearlo u ocuparlo. ‖ **4.** *Mat.* Cambiar los lugares que en una proporción ocupan, respectivamente, los dos términos de cada razón.

investidura. f. Acción y efecto de investir. ‖ **2.** Carácter que se adquiere con la toma de posesión de ciertos cargos o dignidades.

investigable[1]. (Del lat. *investigabĭlis.*) adj. Que se puede investigar.

investigable[2]. (Del lat. *in,* negat., y *vestigāre,* hallar, inquirir.) adj. desus. Que no se puede hallar.

investigación. (Del lat. *investigatĭo, -ōnis.*) f. Acción y efecto de investigar. ‖ **básica.** La que tiene por fin ampliar el conocimiento científico, sin perseguir, en principio, ninguna aplicación práctica.

investigador, ra. (Del lat. *investigātor, -ōris.*) adj. Que investiga. Ú. t. c. s.

investigar. (Del lat. *investigāre.*) tr. Hacer diligencias para descubrir una cosa. ‖ **2.** Realizar actividades intelectuales y experimentales de modo sistemático con el propósito de aumentar los conocimientos sobre una determinada materia.

investir. (Del lat. *investīre.*) tr. Conferir una dignidad o cargo importante. Ú. con las preps. *con* o *de.*

inveteradamente. adv. m. De modo inveterado.

inveterado, da. adj. (Del lat. *inveterātus.*) adj. Antiguo, arraigado.

inveterarse. (Del lat. *inveterāre.*) prnl. Envejecer, anticuarse.

inviabilidad. f. Cualidad de inviable.

inviable. (Del fr. *inviable.*) adj. Dícese de lo que no tiene posibilidades de llevarse a cabo. ‖ **2.** *Med.* Dícese especialmente del recién nacido que no tiene aptitud para vivir.

inviar. tr. desus. **enviar.**

invictamente. adv. m. Victoriosa, incontrastablemente.

invicto, ta. (Del lat. *invictus.*) adj. Nunca vencido; siempre victorioso. Ú. t. c. s.

invidencia. f. Falta de vista. ‖ **2.** p. us. **envidia.**

invidente. adj. Que no ve, ciego. Ú. t. c. s.

invidia. f. ant. Pesar del bien ajeno, envidia. Ú. en León.

invidiar. tr. ant. Tener invidia, envidiar.

invidioso, sa. adj. ant. Que tiene invidia, envidioso. Usáb. t. c. s.

ínvido, da. (Del lat. *invĭdus.*) adj. p. us. **envidioso.**

invierno. (De *ivierno.*) m. Estación del año, que astronómicamente comienza en el solsticio del mismo nombre y termina en el equinoccio de primavera. ‖ **2.** En la zona ecuatorial, donde las estaciones no son sensibles, temporada de lluvias que dura aproximadamente unos seis meses, con algunas intermitencias y alteraciones. ‖ **3.** La época más fría del año, que en el hemisferio septentrional corresponde a los meses de diciembre, enero y febrero, y en

el hemisferio austral, a los meses de junio, julio y agosto. ‖ **4.** V. **trigo de invierno.**

invigilar. (Del lat. *invigilāre.*) tr. p. us. Velar, cuidar solícitamente de una cosa.

inviolabilidad. f. Cualidad de inviolable. ‖ **2.** Prerrogativa personal del monarca, declarada en la constitución del Estado. ‖ **parlamentaria.** Prerrogativa personal de los senadores y diputados, que los exime de responsabilidad por las manifestaciones que hagan y los votos que emitan en el respectivo cuerpo colegislador.

inviolable. (Del lat. *inviolabĭlis.*) adj. Que no se debe o no se puede violar o profanar. ‖ **2.** Que goza de inviolabilidad.

inviolablemente. adv. m. Con inviolabilidad. ‖ **2.** p. us. Indefectiblemente, sin falta.

inviolado, da. (Del lat. *inviolātus.*) adj. Que se conserva en toda su integridad y pureza.

invirtud. f. ant. Falta de virtud. ‖ **2.** ant. Acción opuesta a ella.

invirtuosamente. adv. m. ant. Sin virtud; viciosamente.

invirtuoso, sa. adj. ant. Falto de virtud y opuesto a ella.

invisibilidad. (Del lat. *invisibilĭtas, -ātis.*) f. Cualidad de invisible.

invisible. (Del lat. *invisibĭlis.*) adj. Que no puede ser visto. ‖ **2.** V. **sombras invisibles.** ‖ **en un invisible.** loc. adv. fig. En un momento.

invisiblemente. adv. m. De modo que no se percibe o no se ve.

invitación. (Del lat. *invitatĭo, -ōnis.*) f. Acción y efecto de invitar o ser invitado. ‖ **2.** Impreso o tarjeta con que se invita o se es invitado.

invitado, da. p. p. de **invitar.** ‖ **2.** m. y f. Persona que ha recibido invitación.

invitador, ra. (Del lat. *invitātor, -ōris.*) adj. Que invita. Ú. t. c. s.

invita minerva. loc. lat. que suele usarse en español con su propia significación de «contra la voluntad de Minerva o de las musas».

invitar. (Del lat. *invitāre.*) tr. Llamar a uno para un convite o para asistir a algún acto. ‖ **2.** Ofrecer a alguien, con intención de regalárselo o pagárselo, algo que se consume tan pronto como se utiliza, especialmente comida o bebida. ‖ **3.** Incitar, estimular a uno a algo. ‖ **4.** Instar cortésmente a alguien para que haga algo.

invitatorio. (Del lat. *invitatorĭus.*) m. Salmo 94, que se canta o recita al principio de los maitines, dividido en varias partes, entre las cuales se repite, total o parcialmente, un versículo que invita a alabar a Dios.

invito, ta. adj. desus. No vencido, invicto.

invocación. (Del lat. *invocatĭo, -ōnis.*) f. Acción y efecto de invocar. ‖ **2.** Palabra o palabras con que se invoca. ‖ **3.** Parte del poema en que el poeta invoca a un ser divino o sobrenatural, verdadero o falso.

invocador, ra. (Del lat. *invocātor, -ōris.*) adj. Que invoca. Ú. t. c. s.

invocar. (Del lat. *invocāre.*) tr. Llamar a otro en su favor y auxilio. ‖ **2.** Acogerse a una ley, costumbre o razón; exponerla, alegarla.

invocatorio, ria. adj. Que sirve para invocar.

involución. (Del lat. *involutĭo, -ōnis,* acción de envolver.) f. Acción y efecto de involucionar. ‖ **2.** Detención y retroceso de una evolución biológica, política, cultural, económica, etc. ‖ **senil.** *Med.* Conjunto de fenómenos de esclerosis y atrofia característicos de la vejez. ‖ **uterina.** *Med.* Retorno del útero al estado de reposo después del parto.

involucionar. intr. Retroceder, volver atrás un proceso biológico, político, cultural, económico, etc.

involucionista. adj. Perteneciente o relativo a la involución. ‖ **2.** Partidario de una involución en política, cultura, etc. Ú. t. c. s.

involucrar. (Del lat. *involūcrum*, envoltura.) tr. Abarcar, incluir, comprender. ‖ **2.** Injerir en los discursos o escritos cuestiones o asuntos extraños al principal objeto de ellos. ‖ **3.** Complicar a alguien en un asunto, comprometiéndolo en él. Ú. t. c. prnl.

involucro. (Del lat. *involūcrum*, envoltura.) m. *Bot.* Verticilo de brácteas, situado en la base de una flor o de una inflorescencia.

involuntariamente. adv. m. Sin voluntad ni consentimiento.

involuntariedad. f. Cualidad de involuntario.

involuntario, ria. (Del lat. *involuntarĭus*.) adj. No voluntario.

involutivo, va. adj. Perteneciente o relativo a la involución.

invulnerabilidad. f. Cualidad de invulnerable.

invulnerable. (Del lat. *invulnerabĭlis*.) adj. Que no puede ser herido. ‖ **2.** fig. Que no resulta afectado por lo que se hace o dice contra él.

inyección. (Del lat. *iniectĭo, -ōnis*.) f. Acción y efecto de inyectar. ‖ **2.** Fluido inyectado.

inyectable. (De *inyectar*.) adj. Dícese de la sustancia o medicamento preparados para usarlos en inyecciones. Ú. t. c. s. m.

inyectar. (Formado sobre el p. p. *iniectus* de *inicĕre*.) tr. Introducir a presión un gas, un líquido, o una masa fluida, en el interior de un cuerpo o de una cavidad.

inyector. m. Dispositivo mecánico utilizado para inyectar fluidos.

inyuncto, ta. (Del lat. *iniunctus*.) p. p. irreg. ant. de **inyungir.**

inyungir. (Del lat. *iniungĕre*.) tr. ant. Prevenir, mandar, imponer.

iñiguista. (De San *Íñigo* o Ignacio de Loyola, fundador de la Compañía de Jesús.) adj. **jesuita.** Ú. t. c. s.

-ío, a. suf. de adjetivos y sustantivos; los adjetivos se refieren frecuentemente a la agricultura o la ganadería: *labrantío*, *plantío*, *cabrío*, *lanío*; los sustantivos suelen tener valor colectivo o intensivo: *mujerío*, *gentío*, *monjío*, *poderío*.

-ío, ia. (Del lat. *-ius*, o *ium*, o *-ĭdus*, o *-ēus*.) suf. de adjetivos y sustantivos, en su mayoría procedentes del latín; algunos pueden ser de creación española: *agrío*, *bodrío*, *barrío*, *sitío*. ‖ **2.** En química, suf. de sustantivos que designan elementos: *barío*, *calcío*, *sodío*, *silicío*.

ion. (Del gr. ἰών, que va.) m. *Quím.* Radical simple o compuesto que se disocia de las sustancias al disolverse estas, y da a las disoluciones el carácter de la conductividad eléctrica. ‖ **2.** *Electr.* Átomo, molécula, o grupo de moléculas con carga eléctrica.

-iondo, da. suf. de adjetivos que significa «en celo»: *moriondo*, *toriondo*, *verriondo*.

ionización. f. *Quím.* Acción y efecto de ionizar.

ionizar. (De *ion*.) tr. *Quím.* Disociar una molécula en iones o convertir un átomo o molécula en ion. Ú. t. c. prnl.

ionosfera. f. Conjunto de capas de la atmósfera que están por encima de los ochenta kilómetros. Presentan fuerte ionización causada por la radiación solar, y afectan de modo importante a la propagación de las ondas radioeléctricas.

iota. (Del gr. ἰῶτα.) f. Novena letra del alfabeto griego, que corresponde a nuestra *i* vocal.

iotización. (De *iota*.) f. Conversión de una *e* inacentuada en *i* semiconsonante o semivocal, al agruparse en una misma sílaba con otra vocal, de la que antes estaba separada por hiato.

ipecacuana. (Voz tupí.) f. Planta fruticosa, de la familia de las rubiáceas, propia de América Meridional, con tallos sarmentosos, hojas elípticas, muy prolongadas, lisas por encima y algo vellosas por el envés; flores pequeñas, blancas, en ramilletes terminales; fruto en bayas aovadas y tersas, con dos semillas gibosas unidas por un plano, y raíz cilíndrica, de un centímetro de diámetro, torcida, llena de anillos salientes poco separados, y muy usada en medicina como emética, tónica, purgante y sudorífica. ‖ **2.** Raíz de esta planta. ‖ **de las Antillas.** Arbusto de la familia de las asclepiadáceas, de hojas lanceoladas y lisas y flores de color de azafrán. Su raíz se usa como emético. ‖ **2.** Raíz de esta planta.

ipegüe. m. *Nicar.* Lo que se da por añadidura a quien realiza una compra.

ipil. (Voz tagala.) m. Árbol grande, leguminoso, de las islas Filipinas, con hojas opuestas y aladas; hojuelas aovadas y lampiñas, flores en panoja, cáliz tubular con diez estambres, corola de un solo pétalo, y legumbre coriácea, en forma de hoz, de dos valvas y tres o cuatro semillas. La madera, dura, pesada y de color amarillo, que se oscurece con los años como la del nogal europeo, es incorruptible y muy apreciada para la construcción de muebles y otros objetos.

ípsilon. (Del gr. ὕψιλόν; lit., *y* pura y simple.) f. Vigésima letra del alfabeto griego, que corresponde a la que en el nuestro se llama *i griega* o *ye.*

ipso facto. loc. lat. Por el hecho mismo, inmediatamente, en el acto.

ipso jure. loc. lat. *Der.* Por ministerio de la ley.

iqueño, ña. adj. Natural de Ica. Ú. t. c. s. ‖ **2.** Perteneciente o relativo a esta ciudad de Perú.

iquiqueño, ña. adj. Natural de Iquique, capital de la provincia chilena de Tarapacá. Ú. t. c. s. ‖ **2.** Perteneciente o relativo a esta ciudad.

iquiteño, ña. adj. Natural de Iquitos. Ú. t. c. s. ‖ **2.** Perteneciente o relativo a esta ciudad del Perú.

ir. (Del lat. *ire*.) intr. Moverse de un lugar hacia otro apartado del que usa el verbo **ir** y del que ejecuta el movimiento. Ú. t. c. prnl. ‖ **2.** Sentar una cosa bien o mal a algo o a alguien. *Una blusa negra no le* VA *a esa falda.* ‖ **3.** Caminar de acá para allá. ‖ **4.** Diferenciarse una persona o cosa de otra: *¡Lo que* VA *del padre al hijo!* ‖ **5.** Dirigirse, llevar o conducir a un lugar apartado del que habla. *Este camino* VA *a la aldea.* ‖ **6.** Extenderse una cosa, en el tiempo o en el espacio, desde un punto a otro. ‖ **7.** desus. Obrar, proceder. ‖ **8.** En varios juegos de naipes, entrar, tomar sobre sí el empeño de ganar la apuesta. ‖ **9.** Considerar las cosas por un aspecto especial o dirigirlas a un fin determinado. *Si por honestidad* VA, *¿qué cosa más honesta que la virtud?; ahora* VA *de veras.* ‖ **10.** Junto con los gerundios de algunos verbos, denota la actual y progresiva ejecución de lo que dichos verbos significan; como VA *caminando;* o que la acción empieza a verificarse; como VA *anocheciendo.* ‖ **11.** Junto con el participio pasivo de los verbos transitivos, significa padecer su acción, y con el de los reflexivos, hallarse en el estado producido por ella. IR *vendido;* IR *arrepentido.* ‖ **12.** En las terceras personas del indicativo de presente, se usa con el significado de *apostar.* VAN *cinco duros.* ‖ **13.** Junto con la prep. *a* y un infinitivo, significa disponerse a la acción del verbo con que se junta. VOY A *salir;* VAMOS A *almorzar.* ‖ **14.** Con la prep. *a* y un infinitivo, puede también tener valor exhortativo. VAMOS A *trabajar.* ‖ **15.** Junto con la misma prep. y algunos sustantivos con artículo o sin él, concurrir habitualmente. ‖ **16.** Junto con la prep. *por*, tener o llevar lo que el nombre significa. IR CON *tiento,* CON *miedo,* CON *cuidado.* ‖ **17.** Junto con la prep. *contra*, perseguir, y también sentir y pensar lo contrario de lo que significa el nombre a que se aplica. IR CONTRA *la corriente,* CONTRA *la opinión de uno.* ‖ **18.** Construido con la prep. *en,* importar, interesar. *Nada te* VA EN *eso.* ‖ **19.** Con la misma prep., depender de algo, estar condicionado por ello. EN *el éxito le* VA *la vida.* ‖ **20.** Con la prep. *para,* sentir inclinación hacia una profesión. *Este niño* VA PARA *médico.* ‖ **21.** Con la prep. *por,* seguir una carrera. IR POR *la iglesia,* POR *la milicia.* ‖ **22.** Con la misma prep., ir a traer una cosa. IR POR *lana,* POR *leña.* ‖ **23.** Con la misma prep., avanzar en la realización de una acción, por un lugar, tiempo o situación determinadas. VOY POR *la página cuarenta.* VOY POR *tercero de medicina.* ‖ **24.** Con la misma prep., seguir un nombre o un verbo cierta declinación o conjugación. ‖ **25.** prnl. Morirse o estarse muriendo. ‖ **26.** Salirse un líquido insensiblemente del recipiente en que está. Se usa también referido al recipiente. *Este vaso, esta fuente* SE VA. ‖ **27.** Deslizarse, perder el equilibrio. IRSE *los pies;* IRSE *la pared.* ‖ **28.** Desaparecer, consumirse o perderse una cosa. *Esa idea* SE HA IDO *ya en mi mente.* ‖ **29.** Desgarrarse o romperse una tela, y también envejecerse. ‖ **30.** Ventosear o hacer uno sus necesidades involuntariamente. ‖ **31.** Con la prep. *de* y tratándose de las cartas de la baraja, descartarse de una o varias. SE FUE DE *los ases.* ‖ **a eso voy, o vamos.** loc. fam. que usa aquel a quien recuerdan alguna cosa de que debía hablar en la conversación o discurso, y de que parecía haberse olvidado o distraído. ‖ **a gran ir, o al más ir.** loc. adv. ant. **a todo correr.** ‖ **¡allá irás!** loc. p. us. que equivale a enviar a alguno en hora mala. ‖ **allá se van.** fr. fig. y fam. Dícese de las personas o cosas que son, valen o significan casi lo mismo. Se usa también con la prep. *con.* ALLÁ SE IRÁN *el gasto y la ganancia.* Ú. t. con la prep. *con.* ALLÁ SE VA *fulano* CON *mengano.* ‖ **allá va, o allá va eso, o allá va lo que es.** expr. fam. que suele emplearse al arrojar algo que puede caer sobre quien esté debajo o cerca. ‖ **2.** También se usa cuando, repentinamente y sin prevenir a uno, se le dice algo que ha de dolerle o disgustarle. ‖ **¿cuánto va?** expr. con que se significa la sospecha o recelo de que suceda o se ejecute una cosa, y la fórmula de apostar a que se verifica. ‖ **el no va más.** loc. sustantivada. Lo mejor que puede existir, o imaginarse o desearse. ‖ **ir a lo mío, tuyo, nuestro,** etc. fr. fig. y fam. Despreocuparse de los demás, y pensar solo en los asuntos o intereses propios. ‖ **ir adelante.** fr. fig. y fam. Proseguir en lo que se va diciendo o tratando. ‖ **ir alto.** fr. fig. Dícese de los ríos o arroyos cuando van muy crecidos. ‖ **ir a una.** fr. Procurar dos o más personas de común acuerdo la consecución de un mismo fin. ‖ **ir a más.** fr. fam. Prosperar, crecer, enriquecerse. Ú. t. la forma opuesta, ir a menos. ‖ **ir a parar.** fr. Terminar alguien o algo en algún lugar, o haciendo algo diferente de lo que hacía. ‖ **ir bien.** fr. fig. y fam. Desarrollarse una cosa satisfactoriamente. ‖ **2.** Convenir para algo. ‖ **3.** Favorecer, realzar la apariencia de alguien o de algo. Dícese también en sentido contrario, **ir mal.** ‖ **ir con uno.** fr. fig. y fam. Ser de su opinión o dictamen; convenir con él. ‖ **2.** fig. y fam. Estar de su parte o a su favor. ‖ **ir demasiado lejos.** fr. fig. Excederse, propasarse, ir más allá de lo razonable. ‖ **ir uno descaminado.** fr. Apartarse del camino. ‖ **2.** fig. Apartarse de la razón o de la verdad. ‖ **ir detrás de algo.** fr. fig. Intentar insistentemente conseguirlo. ‖ **ir largo.** fr. con que se denota que una cosa tardará en verificarse. ‖ **irle una cosa a una persona.** fr. fig. y fam. Sentarle, convenirle, cuadrarle. ‖ **ir lejos.** fr. fig. Estar muy distante de lo que se dice, se hace o se quiere dar a entender. ‖ **2.** Conseguir notables adelantos o medros. ‖ **ir muy lejos.** fr. fig. **ir lejos.** ‖ **ir para largo.** fr. **ir largo.** ‖ **ir pasando.** fr. con que se significa que uno se mantiene en el mismo estado en orden a su salud o conveniencia, sin especial adelantamiento o mejoría. ‖ **ir uno perdido.** fr. fig. con que se confiesa o

previene la desventaja en las competencias con otro, especialmente en los juegos de habilidad. ‖ **ir algo por alguien,** en las terceras personas de algunos tiempos, referirse a alguien lo que se dice. ‖ **irse abajo** una cosa. fr. **venir,** o **venirse, a tierra.** ‖ **írsele, o írsele por alto,** a uno una cosa. fr. fig. y fam. No entenderla o no advertirla. ‖ **irse muriendo.** fr. fig. y fam. ir o caminar muy despacio, con desmayo o lentitud. ‖ **irse por alto.** fr. En el juego de trucos y billar, hacer uno saltar fuera su bola por encima de la tablilla, con lo cual se pierden rayas. ‖ **ir uno sobre** una cosa. fr. fig. Seguir un negocio sin perderlo de vista. ‖ **ir sobre uno.** fr. fig. Seguirlo de cerca; ir en su alcance para apresarlo o hacerle daño. ‖ **ir tirando.** fr. fam. Hallarse en una situación en que no se tienen grandes adversidades o trabajos, pero tampoco muchas ventajas. ‖ **ir uno tras** una cosa. fr. fig. **andar tras** ella. ‖ **ir tras** alguno. fr. fig. **andar tras él.** ‖ **ir y venir.** fig. y fam. Con los artículos *el* o *un,* movimiento incesante y en varias direcciones, de cosas o seres vivos. ‖ **ir y venir** en una cosa. fr. fig. y fam. Insistir en ella, dándole vueltas en la imaginación. *Si das en* IR Y VENIR EN *eso, perderás el juicio.* ‖ **ir zumbando.** fr. fig. y fam. con que se explica la irresolución de una persona. ‖ **no irle ni venirle** a uno una cosa o **no irle ni venirle** a uno **nada en** una cosa. fr. fig. y fam. No importarle, tenerlo sin cuidado. ‖ **¿qué le vamos, o qué le vas, o hacer?** exprs. ¿qué hemos de hacer, o qué le hemos de hacer? ‖ **¡qué va!** interj. ¡quia! ‖ **¿quién va? o ¿quién va allá?** exprs. que se usan cuando se descubre un bulto o se siente un ruido y no se ve quién lo causa. ‖ **sin irle ni venirle** a uno. expr. fig. y fam. Sin importarle aquello de lo que se trata. ‖ **sin ir más lejos.** fr. fig. con que se indica no ser necesario buscar más datos o informes por los que están a la vista. ‖ **sobre si fue o si vino.** expr. fig. y fam. que se emplea para denotar la contrariedad de pareceres en una disputa o reyerta, y con que suele darse a entender que ha sido fútil y vano el motivo de la discordia. ‖ **vamos.** V. **vamos.** ‖ **vamos claros.** expr. fam. con que se manifiesta el deseo de que lo que se trata se explique con sencillez y claridad. ‖ **¡vamos despacio!** expr. fig. **¡despacio!** ‖ **¡vaya!** interj. fam. vaya². ‖ **váyase lo uno por lo otro.** expr. fam. con que se da a entender que una de las dos cosas de que se trata puede compensar la otra. ‖ **vete a esparragar.** fr. fig. y fam. **anda a esparragar.** ‖ **vete, o idos, a pasear.** exprs. fam. **vete, o idos, a paseo.** ‖ **vete, o idos, en hora mala, o noramala.** exprs. fams. que se emplean para despedir a una o varias personas con enfado o disgusto. ‖ **vete tú a saber.** fr. fig. con que se manifiesta duda o incertidumbre ante algo que, a veces, en forma de sospecha, se ha expresado en el coloquio. *-A lo mejor, ni siquiera estuvo allí.* -VETE TÚ A SABER; *-Dice que ese dinero procede de una herencia.* -VETE TÚ A SABER. ‖ **2.** fr. fig. que, seguida de una oración encabezada por las partículas *si* o *si no,* expresa en tono de sospecha, duda o incertidumbre lo que esta oración dice. VETE TÚ A SABER *si (no) está engañando a todos.* Al igual que con la primera acepción, puede construirse la frase con otras formas del verbo ir: VAYA USTED, VAYAN USTEDES. ‖ **y yo fui y vine, y no me dieron nada.** fr. que suele usarse para acabar los cuentos.

ira. (Del lat. *ira.*) f. Pasión del alma, que causa indignación y enojo. ‖ **2.** Apetito o deseo de venganza. ‖ **3.** fig. Furia o violencia de los elementos. ‖ **4.** pl. Repetición de actos de saña, encono o venganza. ‖ **descargar la ira** en uno. fr. fig. Desfogarla contra él. ‖ **¡ira de Dios!** exclam. que se usa para manifestar la extrañeza que causa una cosa, o la demasía de ella, especialmente cuando se teme que produzca sus malos efectos contra nosotros. ‖ **llenarse** uno **de ira.** fr. Enfadarse o irritarse mucho.

iracundia. (Del lat. *iracundĭa*.) f. Propensión a la ira. ‖ **2.** Cólera o enojo.

iracundo, da. (Del lat. *iracundus*.) adj. Propenso a la ira. Ú. t. c. s. ‖ **2.** fig. y poét. Aplícase a los elementos alterados.

irado, da. p. p. ant. de **irarse.** ‖ **2.** adj. ant. Que anda por el campo huyendo de la justicia, forajido. ‖ **irado y pagado.** expr. que se halla en donaciones antiguas de los reyes y se usaba al nombrar lo que estos se reservaban en los lugares donados. Una de tales reservas era que el rey había de poder entrar en dichos lugares siempre que quisiera, de guerra o de paz.

iraní. adj. Perteneciente o relativo al moderno Estado de Irán. ‖ **2.** Natural del Irán moderno. Ú. t. c. s.

iranio, nia. adj. Perteneciente o relativo al Irán antiguo. ‖ **2.** Natural del Irán antiguo. Ú. t. c. s.

iraquí. adj. Perteneciente o relativo a Irak. ‖ **2.** Natural de Irak. Ú. t. c. s.

irarse. (De *ira*.) prnl. ant. Irritarse, airarse.

irascencia. (Del lat. *irascentĭa*.) f. ant. Ira, iracundia, enojo.

irascibilidad. f. Cualidad de irascible.

irascible. (Del lat. *irascibĭlis*.) adj. Propenso a la ira.

irasco. (En vasc. del Roncal *irasko*, choto castrado.) m. *Ál.*, *Ar.* y *Nav.* Macho de la cabra.

irenarca. (Del lat. *irenarcha*, y este del gr. εἰρηνάρχης.) m. En la época del Imperio romano, especialmente en Asia y Egipto, magistrado destinado a cuidar de la paz y tranquilidad del pueblo.

iridáceo, a. (De *íride* y *-áceo*.) adj. *Bot.* Dícese de hierbas angiospermas monocotiledóneas, con rizomas, tubérculos o bulbos, hojas estrechas y enteras, flores actinomorfas o cigomorfas con el perianto formado por dos verticilos de aspecto de corola, fruto en cápsula y semillas con albumen córneo o carnoso; como el lirio cárdeno, el lirio hediondo y el azafrán. Ú. t. c. s. f. ‖ **2.** f. pl. *Bot.* Familia de estas plantas.

íride. (Del lat. *iris*, *-ĭdis*, iris, y este del gr. ἶρις, -ιδος.) f. **lirio hediondo.**

irídeo, a. (De *íride* y *-eo*.) adj. *Bot.* **iridáceo.**

iridio. (De *íride* e *-io*.) m. *Quím.* Metal blanco amarillento, quebradizo, muy difícilmente fusible y algo más pesado que el oro. Se halla en la naturaleza unido al platino y al rodio. Núm. atómico 77. Símb.: *Ir.*

iridiscente. (Del lat. *iris*, *-ĭdis*, iris.) adj. Que muestra o refleja los colores del iris. ‖ **2.** Por ext., dícese de lo que brilla o produce destellos.

iriense. adj. Natural de Iria Flavia. Ú. t. c. s. ‖ **2.** Perteneciente o relativo a este pueblo de la provincia de La Coruña.

iris. (Del lat. *iris*, y este del gr. ἶρις.) m. Arco de colores que a veces se forma en las nubes cuando el Sol, y a veces la Luna, a espaldas del espectador, refracta y refleja su luz en la lluvia. También se observa este arco en las cascadas y pulverizaciones de agua bañadas por el Sol en determinadas posiciones. ‖ **2.** Ópalo transparente con hermosos reflejos y colores en su interior, ópalo noble. ‖ **3.** *Anat.* Disco membranoso del ojo de los vertebrados y cefalópodos, de color vario, en cuyo centro está la pupila. ‖ **4.** *Fís.* V. **color del iris.** ‖ **de paz.** fig. Persona que logra apaciguar graves discordias. ‖ **2.** fig. Acontecimiento que influye para la terminación de algún disturbio.

irisación. f. Acción y efecto de irisar. ‖ **2.** pl. Vislumbre que se produce en las láminas delgadas de los metales cuando, candentes, se pasan por el agua.

irisado, da. p. p. de **irisar.** ‖ **2.** adj. Que brilla o destella con colores semejantes a los del iris.

irisar. intr. Presentar un cuerpo fajas variadas o reflejos de luz, con colores semejantes a los del arco iris.

iritis. f. *Pat.* Inflamación del iris del ojo.

irlanda. (De *Irlanda*, isla de donde proceden estas telas.) f. Cierto tejido de lana y algodón. ‖ **2.** Cierta tela fina de lino.

irlandés, sa. adj. Natural de Irlanda. Ú. t. c. s. ‖ **2.** Perteneciente o relativo a esta isla. ‖ **3.** m. Lengua de los irlandeses.

irlandesco, ca. adj. ant. Natural de Irlanda. ‖ **2.** Perteneciente o relativo a Irlanda.

ironía. (Del lat. *ironía*, y este del gr. εἰρωνεία.) f. Burla fina y disimulada. ‖ **2.** Tono burlón con que se dice. ‖ **3.** Figura retórica que consiste en dar a entender lo contrario de lo que se dice.

irónicamente. adv. m. Con ironía.

irónico, ca. (Del lat. *ironĭcus*, y este del gr. εἰρωνικός.) adj. Que denota o implica ironía.

ironista. com. Persona que habla o escribe con ironía.

ironizar. intr. Hablar con ironía. Ú. t. c. tr.

iroqués, sa. adj. Dícese del individuo de un pueblo indígena de América Septentrional. Ú. t. c. s. ‖ **2.** Perteneciente o relativo a este pueblo. ‖ **3.** m. Lengua de los iroqueses.

irracionabilidad. (De *irracionable*.) f. p. us. Cualidad de irracional.

irracionable. (Del lat. *irrationabĭlis*.) adj. ant. Que carece de razón.

irracionablemente. adv. m. ant. **irracionalmente.**

irracional. (Del lat. *irrationālis*.) adj. Que carece de razón. Usado como sustantivo, el bruto, esencialmente distinto del hombre. ‖ **2.** Opuesto a la razón o que va fuera de ella. ‖ **3.** *Mat.* Aplícase a las raíces o cantidades radicales que no pueden expresarse exactamente con números enteros ni fraccionarios.

irracionalidad. f. Cualidad de irracional.

irracionalmente. adv. m. Con irracionalidad; de modo irracional.

irradiación. (Del lat. *irradiatĭo*, *-ōnis*.) f. Acción y efecto de irradiar.

irradiador, ra. adj. Que irradia.

irradiar. (Del lat. *irradiāre*.) tr. Despedir un cuerpo rayos de luz, calor u otra energía. ‖ **2.** Someter algo a una radiación. ‖ **3.** fig. Transmitir, propagar, difundir.

irrazonable. (Del lat. *irrationabĭlis*.) adj. No razonable. ‖ **2.** ant. Que carece de razón.

irreal. adj. No real, falto de realidad.

irrealidad. f. Cualidad o condición de lo que no es real.

irrealizable. adj. Que no se puede realizar.

irrebatible. adj. Que no se puede rebatir o refutar.

irreconciliable. (Del lat. *irreconciliabĭlis*.) adj. Aplícase al que no quiere o no puede volver a la paz y amistad con otro.

irrecordable. (Del lat. *irrecordabĭlis*.) adj. Que no puede recordarse.

irrecuperable. (Del lat. *irrecuperabĭlis*.) adj. Que no se puede recuperar.

irrecusable. (Del lat. *irrecusabĭlis*.) adj. Que no se puede recusar. ‖ **2.** ant. Que no se puede evitar.

irredentismo. m. Actitud política que propugna la anexión de un territorio irredento. ‖ **2.** Actitud política de aquellos habitantes de un territorio que propugnan la incorporación de este a otra nación a la cual se sienten pertenecer. ‖ **3.** Situación o condición de irredento.

irredentista. adj. Partidario del irredentismo como actitud política. Ú. t. c. s.

irredento, ta. (Del lat. *in*, pref. negat., y *redemptus*, p. p. de *redimĕre*, redimir.) adj. Que permanece sin redimir. Dícese especialmente del territorio que una nación pretende anexionarse por razones históricas, de lengua, raza, etc.

irredimible. adj. Que no se puede redimir. ‖ **2.** V. **censo irredimible.**

irreducible. adj. Que no se puede reducir.

irreductibilidad. f. Cualidad de irreductible.

irreductible. adj. **irreducible.**

irreductiblemente. adv. m. De modo irreductible.

irreemplazable. adj. No reemplazable.

irreflexión. f. Falta de reflexión.

irreflexivamente. adv. m. Sin reflexión; de modo irreflexivo.

irreflexivo, va. adj. Que no reflexiona. Ú. t. c. s. ‖ **2.** Que se dice o hace sin reflexionar.

irreformable. (Del lat. *irreformabĭlis.*) adj. Que no se puede reformar.

irrefragable. (Del lat. *irrefragabĭlis.*) adj. Que no se puede contrarrestar.

irrefragablemente. adv. m. De un modo irrefragable.

irrefrenable. (Del lat. *irrefrenabĭlis.*) adj. Que no se puede refrenar.

irrefutable. (Del lat. *irrefutabĭlis.*) adj. Que no se puede refutar.

irreglamentable. adj. Que no se puede reglamentar.

irregular. (Del lat. *irregulāris.*) adj. Que está fuera de regla; contrario a ella. ‖ **2.** Que no sucede común y ordinariamente. ‖ **3.** *Der.* Que ha incurrido en una irregularidad canónica, o tiene defecto que le incapacita para ciertas dignidades. ‖ **4.** *Der.* V. **mayorazgo irregular.** ‖ **5.** *Geom.* Dícese del polígono y del poliedro que no son regulares. ‖ **6.** *Gram.* Se dice de todo lo que en una lengua se aparta de un tipo considerado regular o normal. ‖ **7.** *Gram.* V. **participio, verbo irregular.**

irregularidad. f. Cualidad de irregular. ‖ **2.** Impedimento canónico para recibir las órdenes o ejercerlas por razón de ciertos defectos naturales o por delitos. ‖ **3.** fig. y fam. Malversación, desfalco, cohecho u otra inmoralidad en la gestión o administración pública, o en la privada.

irregularmente. adv. m. Con irregularidad.

irreivindicable. adj. No reivindicable.

irrelevancia. f. Cualidad de irrelevante.

irrelevante. adj. Que carece de relevancia o importancia.

irreligión. (Del lat. *irreligĭo, -onis.*) f. Falta de religión.

irreligiosamente. adv. m. De manera irreligiosa.

irreligiosidad. (Del lat. *irreligiosĭtas, -ātis.*) f. Cualidad de irreligioso.

irreligioso, sa. (Del lat. *irreligiōsus.*) adj. Falto de religión. ‖ **2.** Que se opone al espíritu de la religión.

irremediable. (Del lat. *irremediabĭlis.*) adj. Que no se puede remediar.

irremediablemente. adv. m. Sin remedio.

irremisible. (Del lat. *irremissibĭlis.*) adj. Imperdonable.

irremisiblemente. adv. m. Sin remisión o perdón.

irremunerado, da. (Del lat. *irremunerātus.*) adj. No remunerado.

irrenunciable. adj. Que no se puede renunciar.

irreparable. (Del lat. *irreparabĭlis.*) adj. Que no se puede reparar.

irreparablemente. adv. m. Sin posibilidad de reparación, sin remedio.

irrepetible. adj. Extraordinario, que no puede repetirse.

irreprehensible. (Del lat. *irreprehensibĭlis.*) adj. desus. Que no se puede reprehender, irreprensible.

irreprensible. (De *irreprehensible.*) adj. Que no merece reprensión.

irreprensiblemente. adv. m. Sin motivo de reprensión.

irrepresentable. adj. Dícese de las obras dramáticas que no son aptas para la representación escénica.

irreprimible. adj. Que no se puede reprimir.

irreprochabilidad. f. Cualidad de irreprochable.

irreprochable. adj. Que no merece reproche.

irrequieto, ta. (Del lat. *irrequiētus.*) adj. desus. Inquieto, incesante, continuo.

irrescindible. adj. Que no se puede rescindir.

irresistible. adj. Que no se puede resistir. ‖ **2.** Dícese de la persona de mucho atractivo y simpatía. ‖ **3.** *Der.* V. **fuerza irresistible.**

irresistiblemente. adv. m. De manera irresistible.

irresoluble. (Del lat. *irresolubĭlis.*) adj. Que no se puede resolver o determinar. ‖ **2.** p. us. Que carece de resolución.

irresolución. f. Falta de resolución.

irresoluto, ta. (Del lat. *irresolūtus.*) adj. Que carece de resolución. Ú. t. c. s.

irrespetuosamente. adv. m. De manera irrespetuosa.

irrespetuosidad. f. Cualidad de irrespetuoso. ‖ **2.** Falta de respeto.

irrespetuoso, sa. adj. No respetuoso.

irrespirable. (Del lat. *irrespirabĭlis.*) adj. Que no puede respirarse. *Gas* IRRESPIRABLE. ‖ **2.** Que difícilmente puede respirarse. *Aire, atmósfera* IRRESPIRABLE. ‖ **3.** fig. Se aplica al ambiente social que resulta intolerable, o que inspira gran repugnancia.

irresponsabilidad. f. Cualidad de irresponsable. ‖ **2.** *Der.* Impunidad que resulta de no residenciar a los que son responsables.

irresponsable. adj. Dícese de la persona a quien no se puede exigir responsabilidad. Ú. t. c. s. ‖ **2.** Dícese de la persona que adopta decisiones importantes sin la debida meditación. Ú. t. c. s. ‖ **3.** Dícese del acto resultante de una falta de previsión o meditación.

irrestañable. adj. Que no se puede restañar.

irresuelto, ta. adj. p. us. **irresoluto.**

irretractable. (Del lat. *irretractabĭlis.*) adj. p. us. No retractable.

irretroactividad. f. Falta de retroactividad.

irreverencia. (Del lat. *irreverentĭa.*) f. Falta de reverencia. ‖ **2.** Dicho o hecho irreverente.

irreverenciar. tr. p. us. No tratar con la debida reverencia; profanar.

irreverente. (Del lat. *irreverens, -entis.*) adj. Contrario a la reverencia o respeto debido. Ú. t. c. s.

irreverentemente. adv. m. Sin reverencia.

irreversibilidad. f. Cualidad de irreversible.

irreversible. adj. Que no es reversible.

irrevocabilidad. f. Cualidad de irrevocable.

irrevocable. (Del lat. *irrevocabĭlis.*) adj. Que no se puede revocar.

irrevocablemente. adv. m. De manera irrevocable.

irrigación. (Del lat. *irrigatĭo, -ōnis.*) f. Acción y efecto de irrigar una parte del cuerpo. ‖ **2.** Acción y efecto de irrigar un terreno.

irrigador. (Del lat. *irrigātor, -ōris.*) m. Instrumento que sirve para irrigar.

irrigar. (Del lat. *irrigāre,* regar, rociar.) tr. *Med.* Rociar o regar con un líquido alguna parte del cuerpo. ‖ **2.** Aplicar el riego a un terreno.

irrisible. (Del lat. *irrisibĭlis.*) adj. Digno de risa y desprecio.

irrisión. (Del lat. *irrisĭo, -ōnis.*) f. Burla con que se provoca a risa a costa de una persona o cosa. ‖ **2.** fam. Persona o cosa que es o puede ser objeto de esta burla.

irrisoriamente. adv. m. De manera irrisoria.

irrisorio, ria. (Del lat. *irrisorĭus.*) adj. Que mueve o provoca a risa y burla. ‖ **2.** fig. Insignificante por pequeño, diminuto.

irritabilidad. (Del lat. *irritabilĭtas, -ātis.*) f. Propensión a irritarse.

irritable[1]. (Del lat. *irritabĭlis*.) adj. Capaz de irritación. ‖ **2.** Propenso a la irritabilidad. *Fibra, genio,* IRRITABLE.

irritable[2]. (De *irritar*[2].) adj. *Der.* Que se puede anular o invalidar.

irritación[1]. (Del lat. *irritatĭo, -ōnis*.) f. Acción y efecto de irritar[1] o irritarse.

irritación[2]. f. *Der.* Acción y efecto de irritar[2].

irritador, ra. (Del lat. *irritātor, -ōris*.) adj. Que irrita o excita vivamente. Ú. t. c. s.

írritamente. adv. m. *Der.* Sin validez, con nulidad.

irritamiento. (Del lat. *irritamentum*.) m. *Der.* Acción y efecto de irritar[2] o anular.

irritar[1]. (Del lat. *irritāre*.) tr. Hacer sentir ira. Ú. t. c. prnl. ‖ **2.** Excitar vivamente otros afectos o inclinaciones naturales. IRRITAR los celos, el odio, la avaricia, el apetito. Ú. t. c. prnl. ‖ **3.** *Med.* Causar excitación morbosa en un órgano o parte del cuerpo. Ú. t. c. prnl.

irritar[2]. (Del lat. *irritāre*, de *irrĭtus*, no válido.) tr. *Der.* Anular, invalidar.

írrito, ta. (Del lat. *irrĭtus*, no válido.) adj. p. us. *Der.* Inválido, nulo, sin fuerza ni obligación.

irrogación. (Del lat. *irrogatĭo, -ōnis*.) f. Acción y efecto de irrogar o irrogarse.

irrogar. (Del lat. *irrogāre*.) tr. Tratándose de perjuicios o daños, causar, ocasionar. Ú. t. c. prnl.

irrompible. (De *in-*[2] y *rompible*.) adj. Que no se puede romper.

irruir. (Del lat. *irruĕre*.) tr. Acometer con ímpetu, invadir un lugar.

irrumpir. (Del lat. *irrumpĕre*.) intr. Entrar violentamente en un lugar.

irrupción. (Del lat. *irruptĭo, -ōnis*.) f. Acometimiento impetuoso y repentino. ‖ **2.** Entrada impetuosa en un lugar, invasión.

irunés, sa. adj. Natural de Irún. Ú. t. c. s. ‖ **2.** Perteneciente o relativo a esta ciudad de la provincia de Guipúzcoa.

irupé. (Voz guaraní.) m. *Argent., Bol.* y *Par.* **victoria regia.**

isa. f. Canto y baile típicos de las Islas Canarias.

isabelino, na. adj. Perteneciente o relativo a cualquiera de las reinas que llevaron el nombre de Isabel en España o Inglaterra. ‖ **2.** Aplícase a la moneda que lleva el busto de Isabel II de España. ‖ **3.** Aplícase también a las tropas que defendieron su corona contra el pretendiente don Carlos. Ú. t. c. s. ‖ **4.** Tratándose de caballos, de color de perla o entre blanco y amarillo. ‖ **5.** Dícese de ciertas manifestaciones artísticas de los reinados de Isabel I o Isabel II de España, y de Isabel I de Inglaterra.

isagoge. (Del lat. *isagŏge*, y este del gr. εἰσαγωγή.) f. Introducción, preámbulo.

isagógico, ca. (Del lat. *isagogĭcus*, y este del gr. εἰσαγωγικός.) adj. Perteneciente a la isagoge.

isalóbara. (De *iso-*, el gr. ἄλλος, otro, y βάρος, pesantez.) f. *Meteor.* Curva para la representación cartográfica de los puntos de la Tierra en que la variación de la presión atmosférica ha sido la misma durante un período de tiempo determinado. Los mapas de **isalóbaras** se utilizan en la predicción de los cambios atmosféricos.

isaloterma. (De *iso-*, el gr. ἄλλος, otro, y θερμός, caliente.) f. *Meteor.* Curva para la representación cartográfica de los puntos de la Tierra en los que, durante un período determinado, se ha producido una variación de temperatura del mismo valor.

ísatis. (Del lat. *isătis*, glasto, por el color que se saca de sus hojas.) m. Nombre del zorro ártico, más pequeño que el europeo y cubierto de pelo espeso, largo y fino, completamente blanco en invierno y pardusco en verano. Una variedad que nunca cambia de color es el zorro azul.

isba. (Del ruso *izbá*.) f. Vivienda rural de madera, propia de algunos países septentrionales del antiguo continente, y especialmente de Rusia.

-isco, ca. V. **-sco.**

isentrópico, ca. (De *iso-, entropía* e *-ico*.) adj. *Fís.* Dícese del proceso en que la entropía permanece constante.

isiaco, ca o **isíaco, ca.** adj. Perteneciente o relativo a Isis o a su culto.

isidoriano, na. adj. Perteneciente a San Isidoro. ‖ **2.** Dícese de ciertos monjes jerónimos que, entre otras casas, tuvieron la de San Isidoro del Campo, en Sevilla. Ú. t. c. s.

isidro, dra. m. y f. En Madrid, aldeano incauto, especialmente el que acude a la capital con motivo de las fiestas de San Isidro. ‖ **2.** Persona que, del resto de España, acude a Madrid con ocasión de las fiestas de San Isidro.

isípula. f. desus. **erisipela.**

isla. (Del lat. *insŭla*.) f. Porción de tierra rodeada de agua por todas partes. ‖ **2. manzana** de casas. ‖ **3.** Por ext., en aeropuertos, estaciones, vías públicas, etc., recinto o zona claramente separado del espacio circundante. ISLA *de peatones;* ISLA *de equipajes;* ISLA *de información.* ‖ **4.** fig. Conjunto de árboles o monte de corta extensión, aislado y que no está junto a un río. ‖ **5.** fig. *Chile.* Terreno más o menos extenso, próximo a un río, y que en años anteriores ha sido bañado por las aguas de este, o lo es actualmente en las grandes crecidas. ‖ **islas adyacentes.** Las que, aun apartadas del continente, pertenecen al territorio nacional, como las Baleares y Canarias respecto de España, y las que se consideran parte de tal territorio. ‖ **en isla.** loc. adv. **aisladamente.**

islam. (Del ár. *islām*, entrega a la voluntad de Dios.) m. **islamismo.** ‖ **2.** Conjunto de los hombres y pueblos que siguen esta religión.

islámico, ca. adj. Perteneciente o relativo al islam.

islamismo. (De *islam*.) m. Conjunto de dogmas y preceptos morales que constituyen la religión de Mahoma.

islamita. adj. **musulmán.** Apl. a pers., ú. t. c. s.

islamizar. tr. Difundir la religión, prácticas y costumbres islámicas. ‖ **2.** Adoptar la religión, prácticas, usos y costumbres islámicos. Ú. t. c. prnl.

islán. m. Especie de velo, guarnecido de encajes, con que antiguamente se cubrían la cabeza las mujeres cuando no llevaban manto.

islandés, sa. adj. Natural de Islandia. Ú. t. c. s. ‖ **2.** Perteneciente o relativo a esta isla del noroeste de Europa. ‖ **3.** m. Lengua nórdica hablada en Islandia.

Islandia. n. p. V. **espato de Islandia.**

islándico, ca. adj. Perteneciente o relativo a Islandia.

islario. m. Descripción de las islas de un mar, continente o nación. ‖ **2.** Mapa en que están representadas.

isleño, ña. adj. Natural de una isla. Ú. t. c. s. ‖ **2.** Perteneciente o relativo a una isla. ‖ **3.** *Col.* Natural de las islas de San Andrés y Providencia. Ú. t. c. s. ‖ **4.** Perteneciente a este archipiélago de Colombia. ‖ **5.** *Cuba, P. Rico, Sto. Dom.* y *Venez.* Inmigrante procedente de las Islas Canarias. ‖ **6.** *Sto. Dom.* Habitante del barrio de San Carlos, en la capital.

isleo. (De *isla*.) m. Isla pequeña situada junto a otra mayor. ‖ **2.** Porción de terreno totalmente rodeada por terrenos de distinta clase o una corona de peñascos u obstáculos diversos.

isleta. f. d. de **isla.** ‖ **2.** *Argent.* Grupo de árboles aislados en medio de la llanura.

islilla. (De *aslilla*.) f. p. us. Sobaco del cuerpo humano. ‖ **2.** p. us. Clavícula del cuerpo humano.

islote. m. Isla pequeña y despoblada. ‖ **2.** Peñasco muy grande, rodeado de mar.

ismaelita. (De *Ismael* e *-ita*[1].) adj. Descendiente de Ismael.

Dícese de los árabes. Ú. t. c. s. ‖ **2.** Agareno o sarraceno. Apl. a pers., ú. t. c. s.

-ismo. (Del gr. -ισμός, a través del lat. *-ismus.*) suf. de sustantivos que suelen significar doctrinas, sistemas, escuelas o movimientos: *social*ISMO, *platon*ISMO, *impresion*ISMO; actitudes: *egoísmo, individual*ISMO, *puritan*ISMO; actividades deportivas: *atlet*ISMO, *alpin*ISMO. Forma también numerosos términos científicos: *trop*ISMO, *astigmat*ISMO, *leí*SMO, *morfo,* ISO*fonía.*

iso-. (Del gr. ἴσο-.) elem. compos. que significa «igual»: ISO

isóbara o **isobara.** (De *iso-* y el gr. βάρος, pesantez.) f. *Meteor.* Curva para la representación cartográfica de los puntos de la Tierra que tienen la misma presión atmosférica; se expresa en milibares, para un momento determinado del día o de la noche, o bien en promedio de las presiones de verano o de invierno, del día, de la noche, etc.

isobárico, ca. (De *iso-,* el gr. βάρος, pesantez, e *-ico.*) adj. Aplícase a dos o más lugares de igual presión atmosférica media, y a la línea que une estos lugares en un mapa meteorológico.

isóbaro, ra. (De *iso-* y el gr. βάρος, pesantez.) adj. **isobárico.** ‖ **2.** *Quím.* Dícese del elemento que tiene igual número de nucleones que otro, pero distinto número atómico. ‖ **3.** f. *Meteor.* Línea isobárica.

isóbata. (Del gr. ἰσοβαθής, de igual profundidad.) f. *Geogr.* Curva para la representación cartográfica de los puntos de igual profundidad en océanos y mares, así como en lagos grandes.

isobático, ca. adj. Perteneciente o relativo a la isóbata. Ú. t. c. s.

isoca. (Del guaraní *isog,* gusano.) f. *Argent.* y *Par.* Larva de mariposa que invade y devora los cultivos. Se la designa con diversos nombres vulgares, según la planta que ataca.

isoclina. (Del gr. ἰσοκλινής, de igual inclinación.) f. *Geogr.* Línea que sobre un mapa une los puntos de la Tierra con igual inclinación magnética.

isocronismo. (De *isócrono.*) m. *Fís.* Igualdad de duración en los movimientos de un cuerpo.

isócrono, na. (Del gr. ἰσόχρονος, de igual duración.) adj. *Fís.* Aplícase a los movimientos que se hacen en tiempos de igual duración.

isodínama. (Del gr. ἰσοδύναμος, de igual fuerza.) f. *Geogr.* Línea que sobre un mapa une los puntos de la Tierra con igual intensidad magnética.

isófago. m. desus. **esófago.**

isofena. (Del gr. ἰσοφανής, a través del ing. *isophene,* de igual apariencia.) f. *Meteor.* Curva para la representación cartográfica de los puntos de una región de la Tierra en donde, simultáneamente, tiene lugar determinados fenómenos fenológicos, p. ej. floración del almendro, llegada migratoria de la cigüeña, etc.

isofonía. (De *isófono.*) f. Igualdad de sonoridad.

isofónico, ca. (De *isófono.*) adj. Aplícase a los sonidos que tienen igual sonoridad.

isófono, na. (De *iso-* y *-fono.*) adj. Del mismo sonido.

isogeoterma. (De *iso-, geo-* y *-termo.*) f. *Geol.* Línea que representa gráficamente los puntos de la corteza terrestre que están a igual temperatura, comprobada por medio de sondeos o perforaciones.

isoglosa. (De *iso-* y el gr. γλῶσσα, lengua.) adj. Dícese de la línea imaginaria que en un atlas pasa por todos los puntos en que se manifiesta un mismo fenómeno lingüístico. Ú. t. c. s. f.

isógona. (Del gr. ἰσογώνιος, de ángulos iguales, a través del fr. *isogone.*) f. *Geogr.* Línea que sobre un mapa une los puntos de la Tierra que tienen igual declinación magnética, y marca, para cada uno de ellos, la dirección real del polo terrestre, no coincidente con la de los meridianos.

isógono, na. (Del gr. ἰσογώνιος, de ángulos iguales, a través

del fr. *isogone.*) adj. *Fís.* Aplícase a los cuerpos cristalizados, de ángulos iguales.

isomería. f. Cualidad de isómero.

isómero, ra. (Del gr. ἰσομερής, de partes iguales, a través del fr. *isomère.*) adj. Aplícase a los cuerpos que, con igual composición química, tienen distintas propiedades físicas.

isomorfismo. (De *isomorfo* e *-ismo.*) m. *Mat.* Determinada relación entre dos estructuras algebraicas. ‖ **2.** *Mineral.* Cualidad de isomorfo.

isomorfo, fa. (De *iso-* y un der. del gr. μορφή, forma.) adj. *Mineral.* Aplícase a los cuerpos de diferente composición química e igual forma cristalina, que pueden cristalizar asociados; como el espato de Islandia y la giobertita, que forman la dolomía.

isonefa. (De *iso-* y el gr. νέφος, nube, a través del fr. *isonèphe.*) f. *Meteor.* Curva para la representación cartográfica de los puntos de la Tierra de igual nubosidad media durante un determinado período de tiempo.

isoperímetro, tra. (De *iso-* y el gr. περίμετρος, contorno.) adj. *Geom.* Aplícase a las figuras que, siendo diferentes, tienen igual perímetro.

isópodo. (De *iso-* y el gr. πούς, ποδός, pie.) adj. *Zool.* Dícese de pequeños crustáceos de cuerpo deprimido y ancho, con los apéndices del pleon de aspecto foliáceo. Unas especies viven en aguas dulces o en el mar, otras son terrestres y habitan lugares húmedos, como la cochinilla de humedad; algunas son parásitas de crustáceos marinos. Ú. t. c. s. ‖ **2.** m. pl. *Zool.* Orden de estos animales.

isóptero, ra. (De *iso-* y el gr. πτερόν, ala.) adj. *Zool.* Dícese de insectos de boca masticadora, con alas membranosas iguales. Forman sociedades con individuos alados, fértiles, que se suelen llamar reyes o reinas, y castas estériles de soldados y obreras, que realizan el trabajo. Abundan en países tropicales. ‖ **2.** m. pl. *Zool.* Orden de estos animales.

isoquímena o **isoquimena.** (De *iso-* y un der. del gr. χειμών, χειμῶνος, invierno, a través del fr. *isochimène.*) f. *Meteor.* Curva para la representación cartográfica de los puntos de la Tierra de igual temperatura media invernal.

isósceles. (Del gr. ἰσοσκελής, y este del gr. *isochimène,* de piernas iguales.) adj. *Geom.* V. **triángulo isósceles.**

isosilábico, ca. (De *iso-* y el gr. συλλαβικός, silábico.) adj. Dícese de los versos, palabras, etc. que tienen el mismo número de sílabas.

isosilabismo. m. Cualidad de isosilábico. ‖ **2.** Sistema isosilábico de versificación.

isótera. (De *iso-* y el gr. θέρος, verano.) f. *Meteor.* Curva para la representación cartográfica de los puntos de la Tierra de igual temperatura media estival.

isotérmico, ca. adj. Dícese del proceso en que la temperatura permanece constante.

isotermo, ma. (De *iso-* y el gr. θερμός, caliente.) adj. *Fís.* De igual temperatura. ‖ **2.** f. *Meteor.* Curva para la representación cartográfica de los puntos de la Tierra con la misma temperatura media anual.

isotónico, ca. (Del gr. ἰσότονος, de igual tensión, e *-ico.*) adj. *Quím.* Dícese de las soluciones que, a la misma temperatura, tienen igual presión osmótica.

isotópico, ca. adj. *Fís.* Perteneciente o relativo a los isótopos.

isótopo. (De *iso-* y el gr. τόπος, lugar.) m. *Fís.* Nucleido que tiene el mismo número atómico que otro, cualquiera que sea su número másico. Todos los isótopos de un elemento tienen las mismas propiedades químicas.

isotropía. f. *Fís.* Cualidad de isótropo.

isótropo, pa. (De *iso-* y el gr. τρόπος, dirección.) adj. *Fís.* Dícese de la materia que, con respecto a una propiedad determinada, no presenta direcciones privilegiadas.

isoyeta. (De *iso-* y el gr. ὑετός, lluvia, a través del fr. *isohyète.*) f.

Meteor. Curva para la representación cartográfica de los puntos de la Tierra con el mismo índice de pluviosidad media anual.

isquemia. (Del gr. ἴσχειν, detener, y αἷμα, sangre.) f. *Pat.* Disminución transitoria o permanente del riego sanguíneo de una parte del cuerpo, producida por una alteración normal o patológica de la arteria o arterias aferentes a ella.

isquiático, ca. adj. Perteneciente al isquion.

isquion. (Del gr. ἰσχίον.) m. *Anat.* Hueso que en los mamíferos adultos se une al ilion y al pubis para formar el hueso innominado, y constituye la parte posterior de este.

israelí. adj. Natural o ciudadano del Estado de Israel. Ú. t. c. s. ‖ **2.** Perteneciente o relativo a dicho Estado.

israelita. (Del lat. *Israelita.*) adj. hebreo, judío. Apl. a pers., ú. t. c. s. ‖ **2.** Perteneciente o relativo al que profesa la ley de Moisés. ‖ **3.** Natural de Israel. Ú. t. c. s. ‖ **4.** Perteneciente o relativo al antiguo reino de Israel.

israelítico, ca. (Del lat. *Israeliticus.*) adj. Perteneciente al antiguo reino de Israel.

-ista. suf. de adjetivos y sustantivos; los adjetivos habitualmente se sustantivan, y suelen significar «partidario de» o «inclinado a» lo que expresa la misma raíz con el suf. *-ismo*: *comun*ISTA, *europe*ÍSTA, *optim*ISTA. Los sustantivos denotan generalmente «el que tiene determinada ocupación, profesión u oficio»: *almacen*ISTA, *period*ISTA, *taxi*STA.

-ístico, ca. suf. de algunos adjetivos, que significa pertenencia o relación: *gall*ÍSTICO, *caracter*ÍSTICO, *patr*ÍSTICA. La forma femenina produce algún sustantivo: *patr*ÍSTICA. En los demás casos se trata de la combinación de los sufijos *-ista* e *-ico*: *artístico, estilístico, periodístico.*

istmeño, ña. adj. Natural de un istmo. Ú. t. c. s. ‖ **2.** Perteneciente o relativo a un istmo.

ístmico, ca. adj. Perteneciente o relativo a un istmo. *Juegos* ÍSTMICOS.

istmo. (Del lat. *isthmus,* y este del gr. ἰσθμός.) m. *Geogr.* Lengua de tierra que une dos continentes o una península con un continente. ISTMO *de Corinto.* ‖ **de las fauces.** *Anat.* Abertura entre la parte posterior de la boca y la faringe; la limitan por arriba el velo del paladar; por los lados, los pilares de este; y por abajo, la base de la lengua. ‖ **del encéfalo.** *Anat.* Parte inferior y media del encéfalo, en la que se unen el cerebro y el cerebelo.

istriar. tr. p. us. **estriar.**

ita. adj. Indígena de las montañas de Filipinas, aeta. Ú. t. c. s

-ita¹. (Del gr. -ίτης, a través del lat. *-ita* o *-ites.*) suf. principalmente de adjetivos gentilicios y de otros que expresan pertenencia: *vietnam*ITA, *moscov*ITA, *jesu*ITA, *carmel*ITA.

-ita². V. **-ito².**

-ita³. V. **-ito³.**

italianismo. m. Giro o modo de hablar propio y privativo de la lengua italiana. ‖ **2.** Vocablo o giro de esta lengua empleado en otra. ‖ **3.** Empleo de vocablos o giros italianos en distinto idioma.

italianista. com. Persona versada en la lengua y cultura italianas.

italianizante. p. a. de **italianizar** o italianizarse. ‖ **2.** adj. Que italianiza.

italianizar. tr. Hacer tomar carácter italiano, o inclinación a las cosas italianas. Ú. t. c. prnl.

italiano, na. adj. Natural de Italia. Ú. t. c. s. ‖ **2.** Perteneciente o relativo a esta nación de Europa. ‖ **3.** V. **ensalada italiana.** ‖ **4.** m. Lengua **italiana.** ‖ **a la italiana.** loc. adv. A estilo de Italia.

italianófilo, la. (De *italiano* y *-filo.*) adj. Que simpatiza con Italia o con los italianos. Ú. t. c. s.

italicense. (Del lat. *Italicensis.*) adj. Natural de Itálica. Ú.

t. c. s. ‖ **2.** Perteneciente o relativo a esta ciudad de la Bética.

itálico, ca. (Del lat. *Italĭcus.*) adj. Perteneciente o relativo a Italia. Dícese en particular de lo perteneciente o relativo a la Italia antigua. *Pueblos* ITÁLICOS; *escuela, filosofía, guerra* ITÁLICA. ‖ **2.** V. **letra itálica.** Ú. t. c. s. ‖ **3.** italicense.

ítalo, la. (Del lat. *Italus.*) adj. italiano. Ú. m. en poesía.

ítem. (Del lat. *item,* del mismo modo, también.) adv. lat. que se usa para hacer distinción de artículos o capítulos en una escritura u otro instrumento, o como señal de adición. Dícese también **ítem más.** ‖ **2.** m. fig. Cada uno de dichos artículos o capítulos. ‖ **3.** fig. Aditamento, añadidura. ‖ **4.** *Inform.* Cada uno de los elementos que forman parte de un dato. ‖ **5.** *Psicol.* Cada una de las partes o unidades de que se compone una prueba, un test, un cuestionario.

iterable. (Del lat. *iterabĭlis.*) adj. Capaz de repetirse.

iteración. (Del lat. *iteratio, -ōnis.*) f. Acción y efecto de iterar.

iterar. (Del lat. *iterāre.*) tr. **repetir.**

iterativo, va. (Del lat. *iterativus.*) adj. Que se repite. ‖ **2.** Dícese de la palabra que indica repetición o reiteración, como *gotear, goteo.* ‖ **3.** V. **verbo iterativo.**

iterbio. (De *Ytterby,* población de Suecia.) m. *Quím.* Metal del grupo de las tierras raras, cuyas sales son incoloras. Núm. atómico 70. Símb.: *Yb.*

itericia. f. ant. **icteria.**

itinerante. adj. **ambulante,** que va de un lugar a otro.

itinerario, ria. (Del lat. *itinerarĭus,* de *iter, itinĕris,* camino.) adj. Perteneciente a caminos. ‖ **2.** m. Dirección y descripción de un camino con expresión de los lugares, accidentes, paradas, etc., que existen a lo largo de él. ‖ **3.** Ruta que se sigue para llegar a un lugar. ‖ **4.** Guía, lista de datos referentes a un viaje. ‖ **5.** p. us. **derrotero** de las naves. ‖ **6.** *Mil.* Partida que se adelanta para preparar alojamiento a la tropa que va de marcha.

-itis. (Del gr. -ῖτις.) suf. que significa «inflamación»: *ot*ITIS, *hepat*ITIS.

-itivo, va. V. **-ivo.**

-ito¹. suf. adoptado por convenio en la nomenclatura química para designar las sales de los ácidos cuyo nombre termina en *-oso:* *sulf*ITO y *fosf*ITO son sales de los ácidos sulfuroso y fosforoso, respectivamente.

-ito², ta. suf. que, en mineralogía y en química, forma nombres de minerales, como *graf*ITO, *magnet*ITA y *pir*ITA; de sustancias explosivas: *dinam*ITA, o de alcoholes alifáticos polivalentes: *man*ITA.

-ito³, ta. (*-ita,* del lat. vulg. *-itta,* e *-ito,* de *-ita.*) suf. de valor diminutivo o afectivo: *ram*ITA, *herman*ITO, *pequeñ*ITO, *calland*ITO, *pront*ITO. En ciertos casos toma las formas **-ecito, -ececito, -cito:** *sol*ECITO, *pi*ECECITO, *corazon*CITO, *mujer*CITA. (V. lista de observaciones al fin del Diccionario.)

-itorio, ria. V. **-torio.**

itria. (De *itrio.*) f. *Quím.* Óxido de itrio, sustancia blanca, terrosa, insoluble en el agua y que se extrae de algunos minerales poco comunes.

itrio. (Del m. or. que *itria.*) m. *Quím.* Metal que forma un polvo brillante y negruzco. Núm. atómico 39. Símb.: *Y.*

-iva. V. **-ivo.**

ivernal. (Del lat. *hibernālis.*) adj. ant. **invernal.**

ivernar. (Del lat. *hibernāre.*) intr. ant. **invernar.**

ivierno. (Del lat. *[tempus] hibernum.*) m. **invierno.**

-ivo, va. (Del lat. *-īvus.*) suf. de adjetivos y de algunos sustantivos, cuya base derivativa suele ser un participio pasivo o un sustantivo latinos y, un sustantivo español; puede significar capacidad para lo significado por la base o inclinación a ello: *llamat*IVO, *reflex*IVO, *combat*IVO, *defens*IVO, *persuas*IVO; disposición para recibir lo significado por la base o situación de haberlo recibido: *consul*TIVO, *adop*TIVO. Entre los sustantivos, algunos indican cargos o profesiones: *ejecu*TIVO, *faculta*TIVO; existen también algunos sustantivos en **-iva:** *alterna*TIVA, *defen*-SIVA. Por analogía con los muchos adjetivos que, formados con el suf. **-ivo,** terminan en **-ativo** o en **-itivo,** se han formado otros, considerando estas terminaciones como nuevos sufijos: *ahorr*ATIVO, *fact*ITIVO.

iza. (De *izar.*) f. *Germ.* **ramera.**

-iza. V. **-izo.**

izada. f. Acción y efecto de izar.

izado, da. p. p. de **izar.** ‖ **2.** m. **izada.**

izamiento. m. Acción y efecto de izar.

izar. (Del fr. *hisser.*) tr. *Mar.* Hacer subir alguna cosa tirando de la cuerda de que está colgada.

-izar. (Del lat. *-izāre.*) suf. de verbos que denotan una acción cuyo resultado implica el significado del sustantivo o del adjetivo básicos, bien por reducción del complemento directo a cierto estado, en los transitivos: *carbon*IZAR, *esclav*IZAR, *impermeabil*IZAR, bien por la actitud del sujeto, en los intransitivos: *escrupul*IZAR, *simpat*IZAR.

-izco, ca. V. **-sco.**

izgonce. m. ant. **esconce.**

izgonzar. tr. ant. Hacer algo a izgonce, esconzar.

-izo, za. suf. que forma adjetivos derivados de adjetivos, de sustantivos y de participios pasivos. Los primeros suelen denotar semejanza o propensión: *roj*IZO, *enferm*IZO; los segundos, posesión del significado por el primitivo o de sus cualidades: *cal*IZO, *cobr*IZO, *robl*IZO; los terceros, propensión a ejecutar, causar o recibir la acción del verbo primitivo: *olvidad*IZO, *resbalad*IZO, *anegad*IZO. Los derivados de participios en **-ido** suelen cambiar la *i* en *e*: *moved*IZO, *corred*IZO, *cosed*IZO. A veces, **-izo** o **-iza** aparecen en sustantivos que suelen designar lugar: *cobert*IZO, *pasad*IZO, *caballer*IZA.

izote. (Del nahua *iczotl.*) m. Árbol de América Central, de la familia de las liliáceas; es una especie de palma, de unos cuatro metros de altura, con ramas en forma de abanico, hojas fuertes y ensiformes, punzantes y ásperas en los bordes, y flores blancas, muy olorosas, que suelen comerse en conserva. En España se cultiva en los jardines.

izquierda. (Del adj. *izquierdo,* por la posición que ocupaban los componentes de las asambleas de la Revolución francesa.) f. En las asambleas parlamentarias, los representantes de los partidos no conservadores ni centristas. ‖ **2.** Por ext., conjunto de personas que profesan ideas reformistas o, en general, no conservadoras. ‖ **de izquierda** o **de izquierdas.** loc. adj. con que se atribuyen ideas izquierdistas a personas, grupos, partidos, actos, etc.

izquierdear. (De *izquierdo.*) intr. fig. Apartarse de lo que dictan la razón y el juicio.

izquierdista. adj. Dícese de la persona, partido, institución, etc., que comparte las ideas de la izquierda política. Apl. a pers. Ú. t. c. s.

izquierdo, da. (Del m. or. que *esquerro.*) adj. Dícese de lo que está en la mitad longitudinal del cuerpo humano que aloja la mayor parte del corazón. *Mano* IZQUIERDA; *ojo* IZQUIERDO. ‖ **2.** Dícese de lo que está situado hacia esa parte del cuerpo de un observador. ‖ **3.** Dícese de la parte de un ser que se hallaría hacia el Oeste, si dicho ser se orientara al Norte. *El ala* IZQUIERDA *de un edificio; el larguero* IZQUIERDO *de la cama.* ‖ **4.** Dícese de lo que, referido a dicho objeto, cae hacia su parte **izquierda.** *El jardín que hay al lado* IZQUIERDO *de la casa.* ‖ **5.** En los móviles, dícese de lo que hay en su parte **izquierda** o de cuanto cae hacia ella, considerado en el sentido de su marcha o avance. *El faro* IZQUIERDO *del autobús; la orilla* IZQUIERDA *del río.* ‖ **6.** **zurdo.** ‖ **7.** Dícese de la caballería que por mala formación saca los pies o manos hacia fuera y mete las rodillas hacia dentro. ‖ **8.** fig. Torcido, no recto. ‖ **9.** f. **mano izquierda.** ‖ **a izquierdas.** loc. adv. que se aplica a las formas y movimientos helicoidales que avanzan en sentido contrario al de las manecillas de un reloj.

J

j. f. Undécima letra del abecedario español, y octava de sus consonantes. Su nombre es **jota**, y representa un sonido de articulación velar, sorda y fricativa; la mayor o menor tensión con que se articula en diferentes países y regiones produce variedades que van desde la vibrante a la simple aspiración.

jaba. (Voz caribe.) f. *Cuba.* Especie de cesta, hecha de tejido de junco o yagua. ‖ **2.** *Cuba.* Por ext., cualquier bolsa de tela, plástico, etc., para llevar a mano. ‖ **3.** *Amér.* Especie de cajón de forma enrejada en que se transporta loza.

jabalcón. (De *jabalón,* cruzado con *balcón.*) m. *Arq.* Madero ensamblado en uno vertical para apear otro horizontal o inclinado.

jabalconar. tr. Formar con jabalcones el tendido del tejado. ‖ **2.** Sostener con jabalcones un vano o voladizo.

jabalí. (Del ár. *ŷabalî,* montaraz.) m. Mamífero paquidermo, bastante común en los montes de España, que es la variedad salvaje del cerdo, del cual se distingue por tener la cabeza más aguda, la jeta más prolongada, las orejas siempre tiesas, el pelaje muy tupido, fuerte, de color gris uniforme, y los colmillos grandes y salientes de la boca. ‖ **alunado.** Aquel cuyos colmillos, por ser muy viejo, le han crecido de manera que casi llegan a formar media luna o algo más, de suerte que no puede herir con ellos.

jabalín. m. ant. **jabalí.** Ú. en Andalucía y Salamanca.

jabalina¹. (De *jabalí.*) f. Hembra del jabalí.

jabalina². (En fr. *javeline.*) f. Arma, a manera de pica o venablo, que se usaba más comúnmente en la caza mayor, y actualmente en cierto deporte.

jabalinero, ra. (De *jabalín.*) adj. *Sal.* Dícese del perro adiestrado para la caza del jabalí.

jabalón. (Del ár. *ŷamalûn,* techo abovedado.) m. *Arq.* **jabalcón.**

jabalonar. tr. **jabalconar.**

jabaluno, na. (De *jabalí.*) adj. V. **piedra jabaluna.** Ú. t. c. s. f.

jabarcón. m. ant. *Arq.* **jabalcón.**

jabardear. intr. Dar jabardos las colmenas.

jabardillo. (d. de *jabardo.*) m. Bandada grande, susurradora, arremolinada e inquieta, de insectos o avecillas. ‖ **2.** fig. y fam. Remolino de gente.

jabardo. (De *jabar.*) m. Enjambre pequeño producido por una colmena como segunda cría del año, o como primera y única si está débil por haber sido el invierno muy riguroso. ‖ **2.** fig. y fam. **jabardillo,** remolino de gente. ‖ **3.** *Extr.* y *Tol.* Prenda de vestir desechada.

jabato, ta. adj. fam. Valiente, osado, atrevido. Ú. t. c. s. ‖ **2.** m. Hijo pequeño o cachorro del jabalí.

jabeba. f. Flauta morisca, ajabeba, jabega.

jabeca. (Del ár. *sabîka,* lingote.) f. *Min.* Horno de destilación, usado antiguamente en Almadén, que consistía en una fábrica rectangular con su punta y chimenea de tiro, y cubierta por una bóveda en cañón con varias filas de agujeros, donde se colocaban las ollas casi llenas de mineral de azogue revuelto con hormigo.

jábeca. (Del ár. *šabaka,* red.) f. **jábega¹.**

jabega. f. Flauta morisca, ajabeba, jabeba.

jábega¹. (De *jábeca.*) f. Red de más de cien brazas de largo, compuesta de un copo y dos bandas, de las cuales se tira desde tierra por medio de cabos muy largos.

jábega². (De *jabeque.*) f. Embarcación parecida al jabeque, pero más pequeña; sirve para pescar.

jabegote. m. Cada uno de los hombres que tiran de los cabos de la jábega¹.

jabeguero, ra. adj. Perteneciente a la jábega. ‖ **2.** m. Pescador de jábega.

jabelgar. tr. ant. Blanquear las paredes con cal, jalbegar, enjalbegar. Ú. en Salamanca.

jabeque¹. (Del ár. *šabbâk,* barco para pescar con red.) m. Embarcación costanera de tres palos, con velas latinas, que también suele navegar a remo.

jabeque². (Del ár. *habaṭ,* huella o señal de herida.) m. fam. p. us. Herida en el rostro, hecha con arma blanca corta. Ú. m. con el verbo *pintar.*

jabera. f. Especie de cante popular andaluz, en compás de tres por ocho; se compone de una introducción instrumental parecida a la malagueña, y de una copla.

jabí¹. (Del ár. *ša'bî,* variedad de manzana primaveral.) adj. Dícese de una especie de manzana silvestre y pequeña. Ú. t. c. s. ‖ **2.** Aplícase también a cierta especie de uva pequeña que se cría en el antiguo reino de Granada. Ú. t. c. s.

jabí². (Voz americana.) m. Árbol de la América intertropical, de la familia de las papilionáceas, con tronco liso, que crece hasta seis metros de altura; muy ramoso, con hojas compuestas de hojuelas ovaladas, lustrosas y pecioladas; flores pequeñas en ramilletes colgantes y de corola morada; fruto en vainas estrechas con semillas elípticas, y madera rojiza, dura, tan compacta que apenas puede cortarse con hacha, y muy apreciada en la construcción naval por ser incorruptible debajo del agua.

jabillo. (De *jabí².*) m. Árbol de América tropical, de la familia de las euforbiáceas, de más de 15 metros de altura, muy ramoso, con hojas alternas, pecioladas, flores monoicas y fruto en caja que se abre con ruido. Contiene un jugo lechoso muy deletéreo, y su madera, blanda, muy fibrosa y de mucha duración debajo del agua, se emplea para hacer canoas.

jabino. (Del lat. *sabîna.*) m. Variedad enana del enebro.

jable¹. (Del fr. *jable.*) m. Gárgol en que se encajan las tiestas de las tapas de toneles y botas.

jable². m. *Can.* Arena volcánica con la que se cubren ciertos cultivos para conservar la humedad de la tierra.

jabón. (Del b. lat. *sapo, -ônis,* de or. germ.) m. Pasta que resulta de la combinación de un álcali con los ácidos del aceite u otro cuerpo graso; es soluble en el agua, y por sus propiedades detersorias sirve comúnmente para lavar. ‖ **2.** V. **caldera, mano, palo de jabón.** ‖ **3.** Cualquier otra masa que tenga uso semejante, aunque no esté compuesta como el **jabón** común. ‖ **4.** *Farm.* Compuesto medicinal que resulta de la acción del amoníaco u otro álcali, o de un óxido metálico, sobre aceites, grasas o resinas, y se mezcla a veces con otras sustancias que no producen saponificación. ‖ **blando.** Aquel cuyo álcali es la potasa y que se distingue por su color oscuro y su consistencia de ungüento. ‖ **de olor.** Pastilla de jabón aromatizada, jaboncillo. ‖ **de Palencia.** fig. y fam. Pala con que las lavanderas golpean la ropa para limpiarla y gastar menos **jabón.** ‖ **2.** fig. y fam. Zurra de palos. ‖ **de piedra. jabón duro.** ‖ **de sastre.** Esteatita blanca que los sastres emplean para señalar en la tela el sitio por donde han de cortar o coser. ‖ **duro.** Aquel cuyo álcali es la sosa, y se distingue por su color blanco o jaspeado y su mucha consistencia. ‖ **dar jabón** a uno. fr. fig. y fam. Adularlo, lisonjearlo. ‖ **dar** a uno **un jabón.** fr. fig. y fam. Castigarlo o reprenderlo ásperamente.

jabonada. f. Acción y efecto de jabonar.

jabonado, da. p. p. de **jabonar.** ‖ **2.** m. Acción y efecto de jabonar. ‖ **3.** Conjunto de ropa blanca que se ha de jabonar o se ha jabonado.

jabonador, ra. adj. Que jabona. Ú. t. c. s.

jabonadura. f. Acción y efecto de jabonar. ‖ **2.** pl. Agua que queda mezclada con el jabón y su espuma. ‖ **3.** Espuma que se forma al jabonar. ‖ **dar** a uno **una jabonadura.** fr. fig. y fam. **dar** a uno **un jabón.**

jabonar. tr. Fregar o estregar la ropa u otras cosas con jabón y agua para lavarlas, emblanquecerlas o ablandarlas. ‖ **2.** Frotar el cuerpo, o parte de él, con agua y jabón. Ú. t. c. prnl. ‖ **3.** Humedecer la barba con agua jabonosa para afeitarla. Ú. t. c. prnl. ‖ **4.** fig. y fam. **dar un jabón.**

jaboncillo. (d. de *jabón*.) m. Pastilla de jabón duro mezclado con alguna sustancia aromática para los usos del tocador. ‖ **2.** Árbol de América, de la familia de las sapindáceas, de seis a ocho metros de altura, con hermosa copa, hojas divididas en hojuelas enteras, flores de cuatro pétalos amarillentos en racimos axilares, y fruto carnoso parecido a una cereza, pero amargo y con dos o tres huesos o semillas negras y lustrosas. La pulpa del fruto produce con el agua una especie de jabón que sirve para lavar la ropa. ‖ **3.** *Cuba.* Calalú, planta amarantácea. ‖ **4.** *Farm.* Jabón medicinal. ‖ **de sastre. jabón de sastre.**

jabonería. (De *jabón* y *-ería*¹.) f. Fábrica de jabón. ‖ **2.** Tienda donde se vende jabón.

jabonero, ra. (De *jabón* y *-ero*.) adj. Perteneciente o relativo al jabón. ‖ **2.** Dícese del toro cuya piel es de color blanco sucio que tira a amarillento. ‖ **3.** V. **hierba jabonera.** ‖ **4.** m. y f. Persona que fabrica o vende jabón. ‖ **5.** f. Recipiente para depositar o guardar el jabón de tocador. ‖ **6.** Planta herbácea de la familia de las cariofiláceas, con tallos erguidos de cuatro a seis decímetros; hojas lanceoladas, con pecíolo corto y tres nervios muy prominentes; flores grandes, olorosas, de color blanco rosado, en panojas, y fruto capsular con diversas semillas. El zumo de esta planta y su raíz hacen espuma con el agua y sirven, como el jabón, para lavar la ropa. Es muy común en los terrenos húmedos. ‖ **7.** Planta de la misma familia que la anterior, con tallos nudosos de seis a ocho decímetros de altura; hojas largas, muy estrechas y carnosas; flores blancas, pequeñas, en corimbos muy apretados, y fruto seco y capsular. Es frecuente en los sembrados. ‖ **de la Mancha. jabonera,** planta cariofilácea de tallos nudosos.

jaboneta. f. Pastilla de jabón aromatizada.

jabonete. m. Pastilla de jabón aromatizada, jaboncillo, jaboneta. ‖ **de olor. jabonete.**

jabonoso, sa. adj. Que es de jabón o de la naturaleza del jabón, o que está mezclado con jabón.

jaborandi. (Del tupí *jaborandi*.) m. Árbol poco elevado, originario del Brasil, de la familia de las rutáceas, con hojas compuestas de siete o nueve hojuelas, flores en racimos delgados y largos, fruto capsular de cinco divisiones. Las hojas se asemejan en olor y sabor a las del naranjo, y su infusión estimula la salivación y la transpiración.

jabrir. (Del lat. *exaperire*, abrir.) tr. *Ar.* Roturar la tierra.

jaca. (De *haca*.) f. Caballo cuya alzada no llega a metro y medio. ‖ **2. yegua,** hembra del caballo. ‖ **3.** *And.* Caballo castrado de poca o mediana alzada. ‖ **4.** *Perú.* Yegua de poca alzada. ‖ **5.** *And., Can.* y *Amér.* Gallo inglés de pelea al que se dejan crecer los espolones. ‖ **de dos cuerpos.** La que aproximándose a metro y medio, aunque sin alcanzarlo, es por su robustez y buenas proporciones capaz del mismo servicio que el caballo.

jacal. (Del nahua *xacalli*.) m. *Méj.* Especie de choza.

jácara. (Quizá del ár. *ŷakkara*, hacer rabiar, molestar; o de *jaque*.) f. Romance alegre en que por lo regular se contaban hechos de la vida airada. ‖ **2.** Cierta música para cantar o bailar. ‖ **3.** Especie de danza, formada al tañido o son propio de la **jácara.** ‖ **4.** Junta de gente alegre que de noche anda alborotando y cantando por las calles. ‖ **5.** fig. y fam. Molestia o enfado, por alusión al que causan los que andan de noche cantando **jácaras.** ‖ **6.** fig. y fam. Mentira o patraña. ‖ **7.** fig. y fam. Cuento, historia, razonamiento. *Antonio echó ya su* JÁCARA.

jacarandá. (Del guaraní *yacarandá*.) m. Árbol de la familia de las bignoniáceas, de flores azules, muy cultivado en parques y jardines. Es propio de América tropical.

jacarandaina. f. *Germ.* **jacarandina.**

jacarandana. (De *jácara*.) f. *Germ.* Rufianesca o junta de rufianes o ladrones. ‖ **2.** *Germ.* Lenguaje de los rufianes.

jacarandina. f. *Germ.* **jacarandana.** ‖ **2.** *Germ.* **jácara,** música para cantar o bailar. ‖ **3.** *Germ.* Modo particular de cantarla los jaques.

jacarandino, na. adj. *Germ.* Perteneciente a la jacarandina.

jacarando, da. adj. Propio de la jácara o relativo a ella. ‖ **2.** m. Guapo, baladrón, jácaro.

jacarandoso, sa. (De *jacarando*.) adj. fam. Donairoso, alegre, desenvuelto.

jacarear. intr. Cantar jácaras. ‖ **2.** fig. y fam. Andar por las calles cantando y alborotando. ‖ **3.** fig. y fam. Molestar a uno con palabras impertinentes y enfadosas.

jacarero, ra. m. y f. Persona que anda por las calles cantando jácaras. ‖ **2.** fig. y fam. Persona alegre y chancera.

jacarista. com. jacarero.

jácaro, ra. (De la m. or. que *jácara*.) adj. Perteneciente o relativo al guapo y baladrón. ‖ **2.** m. El guapo y baladrón. ‖ **a lo jácaro.** loc. adv. Con afectación, valentía o bizarría en el modo o traje.

jácena. (Del ár. *ḥásina*, que fortalece o defiende.) f. *Alic.* Madero de hilo, de 36 palmos de longitud y escuadría de 18 pulgadas de lado. ‖ **2.** En Baleares, viga de pinabete. ‖ **3.** *Arq.* **viga maestra.**

jacer. (Del lat. *iacēre*.) tr. ant. Tirar o arrojar.

jacerina. (De *jacerino*.) f. Cota de malla.

jacerino, na. (De *jacerina*.) adj. V. **cota jacerina.** ‖ **2.** ant. Duro y difícil de penetrar, como el acero.

jacetano, na. (Del lat. *Iacetānus*.) adj. Dícese de un pueblo prerromano que habitaba la región de la actual Jaca. ‖ **2.** Dícese también de los individuos pertenecientes a este pueblo. Ú. t. c. s. ‖ **3.** Perteneciente o relativo a los jacetanos. ‖ **4.** jaqués, natural de Jaca. Ú. t. c. s. ‖ **5.** Perteneciente o relativo a esta ciudad de la provincia de Huesca.

jacilla. (Del lat. **iacilia*, pl. del n. **iacīle*, de *iacēre*, yacer.) f. *Ar.* Señal o huella que deja una cosa sobre la tierra en que ha estado por algún tiempo.

jacintino, na. (Del lat. *hyacinthīnus*.) adj. **violado.** Ú. m. en poesía.

jacinto. (Del gr. ὑάκινθος, a través del lat. *hyacinthus*.) m. Planta anual de la familia de las liliáceas, con hojas radicales, enhiestas, largas, angostas, acanaladas, lustrosas y crasas; flores olorosas, blancas, azules, róseas o amarillentas, en espiga sobre un escapo central fofo y cilíndrico, y fruto capsular con tres divisiones y varias semillas negras, casi redondas. Es originario de Asia Menor y se cultiva por lo hermoso de las flores. ‖ **2.** Flor de esta planta. ‖ **3.** *Mineral.* Silicato de circonio, circón. ‖ **de Ceilán. circón.** ‖ **de Compostela.** Cuarzo cristalizado de color rojo oscuro. ‖ **occidental. topacio.** ‖ **oriental. rubí.**

jaco[1]. (Del ant. fr. *jaque,* especie de jubón, cota de malla.) m. Cota de malla de manga corta y que no pasaba de la cintura. ‖ **2.** Jubón de tela tosca hecha con pelo de cabra, que antiguamente usaron los soldados.

jaco[2]. (De *jaca.*) m. Caballo pequeño y ruin.

jacobeo, a. adj. Perteneciente o relativo al apóstol Santiago.

jacobinismo. m. Doctrina de los jacobinos.

jacobino, na. (Del fr. *jacobin.*) adj. Dícese del individuo del partido más demagógico y sanguinario de Francia en tiempo de la Revolución, y de este mismo partido, llamado así a causa de haber celebrado sus reuniones en un convento de dominicanos, a quienes vulgarmente se daba en aquel país el nombre de **jacobinos,** por la calle de San Jacobo, donde tuvieron en París su primera casa. Apl. a pers., ú. t. c. s. ‖ **2.** Por ext., dícese del demagogo partidario de la revolución violenta y sanguinaria. Ú. m. c. s.

jacobita. adj. **monofisita.** Ú. t. c. s. ‖ **2.** Partidario de la restauración en el trono de Inglaterra de Jacobo II Estuardo o de sus descendientes. Ú. t. c. s. ‖ **3.** Perteneciente o relativo a la política de estos partidarios.

jactancia. (Del lat. *iactantĭa.*) f. Alabanza propia, desordenada y presuntuosa. ‖ **2.** *Der.* V. **acción de jactancia.**

jactanciosamente. adv. m. Con jactancia.

jactancioso, sa. (De *jactancia.*) adj. Dícese del que se jacta, y también de las actitudes, acciones y dichos con que lo hace. Apl. a pers., ú. t. c. s.

jactar. (Del lat. *iactāre.*) tr. ant. Mover, agitar. ‖ **2.** prnl. Alabarse una excesiva y presuntuosamente, con fundamento o sin él y aun de acciones criminales o vergonzosas. También se ha usado como tr. JACTAR *valor;* JACTAR *linajes.*

jactura. (Del lat. *iactūra.*) f. ant. Quiebra, menoscabo, pérdida.

jaculatoria. (Del lat. *iaculatorĭa,* t. f. de *-rĭus,* jaculatorio.) f. Oración breve y fervorosa.

jaculatorio, ria. (Del lat. *iaculatorĭus,* relativo al lanzamiento.) adj. Breve y fervoroso. ‖ **2.** V. **oración jaculatoria.**

jáculo. (Del lat. *iacŭlum.*) m. **dardo,** lanza pequeña arrojadiza.

jachalí. (Voz americana.) m. Árbol de América intertropical, de la familia de las anonáceas, con tronco liso de seis a siete metros de altura, copa redonda, ramas abundantes pobladas de hojas gruesas, enteras, alternas, lanceoladas y lustrosas; flores blancas, axilares; fruto ovoide, drupáceo, aromático, sabroso, de corteza amarillenta y dividida en escamas cuadrangulares, y madera sumamente dura, muy apreciada para la ebanistería.

jada. (Del lat. *asciāta,* de *ascĭa.*) f. *Ar.* **azada.**

jade. (Del fr. *jade,* tomado del esp. [*piedra de la*] *ijada,* porque el jade se aplicó por los conquistadores de América como remedio a aquella parte del cuerpo.) m. Piedra muy dura, tenaz, de aspecto jabonoso, blanquecina o verdosa con manchas rojizas o moradas, que suele hallarse formando nódulos entre las rocas estratificadas cristalinas. Es un silicato de magnesia y cal con escasas porciones de alúmina y óxidos de hierro y de manganeso, resultando con una composición semejante a la del feldespato. Muchas de las herramientas prehistóricas están hechas de este mineral, y aún se emplea en China para fabricar amuletos muy apreciados contra el mal de piedra.

jadear. (De *ijadear.*) intr. Respirar anhelosamente por efecto de algún trabajo o ejercicio impetuoso.

jadeo. m. Acción de jadear.

jadiar. (De *jada.*) tr. *Ar.* Cavar con la jada.

jadraque. (Del ár. *hadrai,* excelencia, majestad.) m. Tratamiento de respeto que se da entre musulmanes a los sultanes y príncipes.

jaecero, ra. m. y f. Persona que hace jaeces.

jaén. (De *Jaén,* de donde procede esta uva.) adj. V. **uva jaén.** Ú. t. c. s. ‖ **2.** Dícese también de la vid que la produce.

jaenero, ra. adj. Natural de Jaén. ‖ **2.** Perteneciente o relativo a Jaén.

jaenés, sa. adj. Natural de Jaén. Ú. t. c. s. ‖ **2.** Perteneciente o relativo a esta ciudad o a su provincia.

jaez. (Del ár. *ǧahāz,* aparejo, equipo.) m. Cualquier adorno que se pone a las caballerías. Ú. m. en pl. ‖ **2.** Adorno de cintas con que se enjaezan las crines del caballo en días de función o gala. Llámase **medio jaez** cuando solo está entrenzada la mitad de las crines. ‖ **3.** fig. Cualidad o propiedad de una cosa.

jaezar. (De *jaez.*) tr. **enjaezar.**

jafético, ca. adj. Aplícase a los pueblos que, según la Biblia, descienden de Jafet, tercer hijo de Noé. Ú. t. c. s.

jaga. (Del gall. y port. *chaga,* y este del lat. *plaga,* golpe.) f. ant. Llaga, úlcera.

jagua. (Del nahua *xahualli.*) f. Árbol de América intertropical, de la familia de las rubiáceas, con tronco recto, de 10 a 12 metros de altura, corteza gris, ramas largas casi horizontales, hojas grandes, opuestas, lanceoladas, nerviosas y de color verde claro; flores olorosas, blancas, amarillentas, en ramilletes colgantes; fruto como un huevo de ganso, drupáceo, de corteza cenicienta y pulpa blanquecina, agridulce, que envuelve muchas semillas pequeñas, duras y negras, y madera de color amarillento rojizo, fuerte y elástica. ‖ **2.** Fruto de este árbol.

jaguadero. (Del lat. *ejaguar,* del lat. *exaquāre,* desaguar.) m. ant. *Ar.* Conducto de salida de las aguas, desaguadero.

jaguar. (De *yaguar.*) m. Tigre americano, félido que llega a tener metro y medio o dos metros de largo y unos ochenta centímetros de alzada, de piel de diversos colores, por lo general amarillenta con anillos negros y blanquecina en el pecho y en el abdomen. Vive en América del Norte (California meridional, Tejas y Méjico) y en toda América del Sur.

jaguareté. m. *Argent., Par.* y *Urug.* **yaguareté.**

jaguarzo. (Del ár. esp. *šaqwāṣ,* variedad de jara.) m. Arbusto de la familia de las cistáceas, de unos dos metros de altura, derecho, ramoso, con hojas algo viscosas, de color verde oscuro por el haz y blanquecinas por el envés, lanceoladas, casi lineales, revueltas en su margen, algo envainadoras; flores blancas en grupos terminales, y fruto capsular, pequeño, liso y casi globoso. Es muy abundante en el centro de España.

jagüel. m. *Amér. Merid.* **jagüey.**

jagüey. m. Bejuco de la isla de Cuba, de la familia de las moráceas, que crece enlazándose con otro árbol, al cual mata. ‖ **2.** *Amér.* Balsa, pozo o zanja llena de agua, ya artificialmente, ya por filtraciones naturales del terreno.

jaharí. (Del ár. *ša'ari,* peludo, velloso.) adj. Dícese de una especie de higos que se cría en Andalucía. Ú. t. c. s.

jahariz. m. ant. Lagar, jaraíz.

jaharral. (Del ár. *hayar,* piedra.) m. *And.* Lugar de mucha piedra suelta.

jaharrar. (Del ár. *hawāra,* greda blanca.) tr. Cubrir con una capa de yeso o mortero el paramento de una fábrica de albañilería.

jaharro. m. Acción y efecto de jaharrar.

jaiba. f. Nombre que se da en algunos países de América a muchos crustáceos decápodos, branquiuros, cangrejos de río y cangrejos de mar. ‖ **2.** com. *Ant.* y *Méj.* Persona lista, astuta, marrullera. ‖ **3.** *Cuba.* Persona perezosa.

jaibería. f. *Ant.* Astucia, marrullería.

jaique. (Del ár. *ḥā'ik.*) m. Especie de almalafa, usada por mujeres árabes, que sirve para cubrirse de noche y como vestido de día.

¡ja, ja, ja! interj. con que se indica la risa, la burla o la incredulidad.

¡jajay! interj. que expresa burla o risa.

jalador, ra. m. y f. *Méj.* El que se suma con entusiasmo a una empresa común. Ú. t. c. adj.

jalapa. (De *Xalapa*, ciudad de Méjico, de donde procede esta planta.) f. Raíz de una planta vivaz americana, de la familia de las convolvuláceas, semejante a la enredadera de campanillas, del tamaño y forma de una zanahoria, compacta, pesada, negruzca por fuera, blanca por dentro y con jugo resinoso que se solidifica pronto. Se usa como purgante enérgico.

jalapeño, ña. adj. Natural de Jalapa de Enríquez, capital del Estado mejicano de Veracruz. Ú. t. c. s. ‖ **2.** Perteneciente o relativo a esta capital.

jalar. (De *halar*.) tr. fam. **halar,** tirar de una cuerda. ‖ **2.** fam. Tirar, atraer. ‖ **3.** fam. Comer con mucho apetito. ‖ **4.** intr. fig. *And.* y *Amér.* Correr o andar muy de prisa. ‖ **5.** *Amér. Central.* Mantener relaciones amorosas.

jalbegador, ra. adj. Que jalbega. Ú. t. c. s.

jalbegar. (Del lat. **exalbicāre*, blanquear.) tr. **enjalbegar.** ‖ **2.** fig. desus. Componer el rostro con afeites. Ú. t. c. prnl.

jalbegue. (De *jalbegar*.) m. Blanqueo de las paredes hecho con cal o arcilla blanca. ‖ **2.** Lechada de cal dispuesta para blanquear o enjalbegar. ‖ **3.** fig. desus. Se aplica al afeite que solían usar las mujeres para blanquearse el rostro.

jalda. (Del germ. *falda*, pliegue.) f. **falda,** prenda de vestir. ‖ **2.** *P. Rico.* Halda o falda de un monte.

jaldado, da. adj. p. us. **jalde.**

jalde. (Del ant. fr. *jalne*, y este del lat. *galbīnus*, de color verde claro.) adj. Amarillo subido.

jaldeta. f. ant. Falda del vestido, faldeta. Ú. en Salamanca. ‖ **2.** ant. Cada una de las vertientes o aguas de una armadura, desde el almizate hasta el estribo. ‖ **3.** ant. Distancia que había entre las alfardas que formaban cada vertiente de la armadura.

jaldo, da. adj. p. us. **jalde.**

jaldre. m. *Cetr.* Color jalde.

jalea. (Del fr. *gelée*.) f. Conserva transparente, hecha del zumo de algunas frutas. ‖ **2.** *Farm.* Cualquier medicamento muy azucarado, de los que tienen por base una materia vegetal o animal, y que al enfriarse toman consistencia gelatinosa. ‖ **del agro.** Conserva de cidra. ‖ **hacerse** uno **una jalea.** fr. fig. y fam. Mostrarse extremadamente afectuoso de puro enamorado.

jaleador, ra. adj. Que jalea. Ú. t. c. s.

jalear. (De *¡hala!*) tr. Llamar a los perros a voces para animarlos a seguir la caza. ‖ **2.** Animar con palmadas, ademanes y expresiones a los que bailan, cantan, etc. Ú. t. c. prnl. ‖ **3.** *And.* Ojear² la caza.

jaleco. (Del turco *yalak*, chupa.) m. desus. Jubón de paño de color, cuyas mangas no llegaban más que a los codos, puesto sobre la camisa, escotado, abierto por delante y con ojales y cordetes. Era prenda común entre los turcos.

jaleo. m. Acción y efecto de jalear. ‖ **2.** Cierto baile popular andaluz. ‖ **3.** Tonada y coplas de este baile. ‖ **4.** fam. Diversión bulliciosa. ‖ **5.** fam. Alboroto, tumulto, pendencia. ‖ **6.** *And.* Ojeo de la caza.

jaletina. f. p. us. **gelatina.** ‖ **2.** Especie de jalea fina y transparente, que se prepara generalmente cociendo cola de pescado con cualquiera fruta, o con sustancias animales, y azúcar.

jalifa. (Del m. or. que *califa*.) m. Autoridad suprema de la zona del protectorado español en Marruecos, que con intervención del alto comisario de España y por delegación irrevocable del sultán ejercía los poderes y desempeñaba las funciones que a este competían. ‖ **2.** En Marruecos, lugarteniente que sustituye a un funcionario; v. gr.: al cadí durante sus ausencias o enfermedades.

jalifato. m. Dignidad de jalifa. ‖ **2.** Territorio gobernado por el jalifa.

jalifiano, na. adj. Que corresponde a la autoridad del jalifa o depende de ella.

jalisciense. adj. Natural de Jalisco. Ú. t. c. s. ‖ **2.** Perteneciente o relativo a este Estado de la república mejicana.

jalma. (Del gr. σάγμα, aparejo de una caballería, a través del lat. *sagma* [vulg. *salma*].) f. p. us. **enjalma.**

jalmería. f. Arte u obra de los jalmeros.

jalmero. (De *jalma*.) m. p. us. **enjalmero.**

jalón¹. (Del fr. *jalon*.) m. *Topogr.* Vara con regatón de hierro para clavarla en tierra y determinar puntos fijos cuando se levanta el plano de un terreno. ‖ **2. hito,** situación importante, o punto de referencia en la vida de alguien o en el desarrollo de algo. Ú. t. en sent. fig.

jalón². m. *And., Can.* y *Amér.* **tirón².** ‖ **2.** fam. *Nicar.* Novio, pretendiente, donjuán.

jalonamiento. m. Acción y efecto de jalonar.

jalonar. tr. Establecer jalones. Ú. t. en sent. fig.

jaloque. (Del ár. *šarúq* o *šalúk*, viento de Levante.) m. Viento sudeste.

jallullo. m. *And.* Especie de torta o pan, hallulla, hallullo.

jamaicano, na. adj. **jamaiquino.**

jamaiquino, na. adj. Natural de Jamaica. Ú. t. c. s. ‖ **2.** Perteneciente o relativo a esta isla de América.

jamar. tr. fam. Tomar alimento, comer². Ú. t. c. prnl.

jamás. (Del lat. *iam magis*, ya más.) adv. t. **nunca.** Pospuesto a este adverbio y a *siempre*, refuerza el sentido de una u otra voz. ‖ **2.** siempre. ‖ **3.** ant. Alguna vez. ‖ **4.** Ú. c. s. en las locuciones **jamás de los jamases** o **en jamás de los jamases,** que refuerzan enfáticamente la significación de este adverbio. ‖ **jamás por jamás,** o **por jamás.** locs. advs. **nunca jamás.**

jamba. (Del fr. *jambe*, pierna.) f. *Arq.* Cualquiera de las dos piezas labradas que, puestas verticalmente en los dos lados de las puertas o ventanas, sostienen el dintel o el arco de ellas.

jambaje. m. *Arq.* Conjunto de las dos jambas y el dintel que forman el marco de una puerta o ventana. ‖ **2.** *Arq.* Todo lo perteneciente al ornato de las jambas y el dintel.

jámbico, ca. adj. Perteneciente al jambo, yámbico.

jambo. m. ant. yambo, pie métrico de breve y larga.

jambón. (Del fr. *jambon*.) m. ant. La pierna del cerdo curada o desecada, jamón.

jambrar. (Del lat. *examināre*, enjambrar.) tr. *Ar.* Formar enjambre, enjambrar.

jamelgo. (Del lat. *famelicus*, hambriento.) m. fam. Caballo flaco y desgarbado, por hambriento.

jamerdana. (De *jamerdar*.) f. Lugar adonde se arroja la inmundicia de los vientres de las reses en el rastro o matadero.

jamerdar. (Del lat. *ex*, priv., y *merda*, excremento.) tr. Limpiar los vientres de las reses. ‖ **2.** fam. Lavar mal y de prisa.

jamete. (Del b. gr. ἑξάμιτος, de seis lizos.) m. Rica tela de seda, que a veces se entretejía de oro.

jametería. (Del ár. *ḥammād*, que elogia desmedidamente, con terminación española.) f. *Murc.* **zalamería.**

jámila. (Del ár. *ŷamīla*, agua que corre de las aceitunas apiladas.) f. Líquido fétido de las aceitunas, alpechín.

jamón. (Del fr. *jambon*.) m. Carne curada de la pierna del cerdo. ‖ **2.** ant. Anca, pierna. ‖ **en dulce.** El que se cuece en vino blanco y se come fiambre. ‖ **un jamón,** o **un jamón con chorreras.** loc. fig. y fam. con que irónicamente se denota que algo excede de lo que buenamente se puede pedir o conceder.

jamona. (De *jamón*.) adj. fam. Aplícase a la mujer que ha pasado de la juventud, especialmente cuando es gruesa. Ú. m. c. s. ‖ **2.** f. ant. Galardón, gratificación o regalo consistente principalmente en perniles u otros comestibles.

jamúas. f. pl. *León*. **jamugas.**

jamuga. f. **jamugas.**

jamugas. (Del grecolat. *sambúca*, arpa, luego máquina de guerra para escalar murallas; en la Edad Media, silla para viajar mujeres.) f. pl. Silla de tijera, con patas curvas y correones para apoyar espalda y brazos, que se coloca sobre el aparejo de las caballerías para montar cómodamente a mujeriegas.

jamurar. (Del cat. *eixamorar*, secar.) tr. Achicar el agua.

jamuscar. tr. ant. Quemar ligeramente con llamas, chamuscar.

jándalo, la. (De *andaluz*; pronunciado burlescamente.) adj. fam. Aplícase a los andaluces por su pronunciación gutural. Ú. t. c. s. ‖ **2.** m. En Castilla, Asturias y otras regiones del·Norte, se dice de la persona que vuelve de Andalucía con la pronunciación y hábitos de aquella tierra.

jangada. (De una lengua dravídica de la India, a través del port.) f. Maderos para navegar, balsa². ‖ **2.** fig. Salida o idea necia y fuera de tiempo, o ineficaz. ‖ **3.** fam. Trastada, mala acción hecha a uno.

jangua. (Del chino *chun*, barco.) f. Embarcación pequeña armada en guerra, muy usada en los mares de Oriente.

jansenismo. m. Doctrina de Cornelio Jansen, obispo flamenco del siglo XVII, que exageraba las ideas de San Agustín acerca de la influencia de la gracia divina para obrar el bien, con mengua de la libertad humana. ‖ **2.** En el siglo XVIII, tendencia que propugnaba la autoridad de los obispos, las regalías de la Corona y la limitación del poder papal.

jansenista. adj. Seguidor del jansenismo. Ú. t. c. s. ‖ **2.** Perteneciente o relativo al jansenismo.

Japón¹. n. p. V. **barniz, níspero, zumaque del Japón.**

japón², na. adj. ant. Natural del Japón.

japonense. adj. **japonés.** Apl. a pers., ú. t. c. s.

japonés, sa. adj. Natural del Japón. Ú. t. c. s. ‖ **2.** Perteneciente o relativo a este país de Asia. ‖ **3.** m. Idioma del Japón.

japónica. adj. V. **tierra japónica.**

japuta. (Del ár. *šabbūṭ*.) f. Pez teleósteo del suborden de los acantopterigios, de color plomizo, de unos 35 centímetros de largo y casi otro tanto de alto, cabeza pequeña, boca redonda, armada de dientes finos, largos y apretados a manera de brocha, escamas regulares y romboidales, que se extienden hasta cubrir las aletas dorsal y anal, cola en forma de media luna, y aleta pectoral muy larga. Vive en el Mediterráneo y es comestible apreciado.

jaque¹. (Del persa *šāh*, rey, a través del ár.) m. Lance en el ajedrez en que un jugador, mediante el movimiento de una pieza, amenaza directamente al rey del otro, con obligación de avisarlo. Por ext. ú. t. cuando se amenaza directamente a la reina, sin tal obligación. ‖ **2.** Palabra con que se avisa. ‖ **3.** fig. Ataque, amenaza, acción que perturba o inquieta a otro, o le impide realizar sus propósitos. Ú. especialmente con el verbo *dar* o en las frases *poner, tener, traer en* JAQUE. ‖ **¡jaque!** interj. con que se avisa a uno que se aparte o se vaya. ‖ **mate. mate,** lance que pone término al juego de ajedrez.

jaque². (De *jaque¹*.) m. fam. Valentón, perdonavidas.

jaque³. (Del ár. *šaqq*, mitad de una cosa.) m. Especie de peinado liso que antiguamente usaban las mujeres. ‖ **2.** *Ar.* Cada una de las dos bolsas de las alforjas.

jaquear. tr. Dar jaques en el juego del ajedrez. ‖ **2.** fig. Hostigar al enemigo.

jaqueca. (Del ár. *šaqīqa*, migraña.) f. Dolor de cabeza más o

menos duradero, que no ataca sino a intervalos, y solamente, por lo común, en un lado o en una parte de ella. ‖ **dar** a uno **jaqueca.** fr. fig. y fam. fastidiarle y marearle con lo pesado, difuso o necio de la conversación.

jaquecoso, sa. (De *jaqueca*.) adj. fig. Fastidioso, molesto, cargante.

jaquel. (De *jaque¹*.) m. *Blas.* Escaque del escudo.

jaquelado, da. (De *jaquel*.) adj. *Blas.* Dividido en escaques. ‖ **2.** Dícese de las piedras preciosas labradas con facetas cuadradas.

jaquero. m. Peine pequeño y muy fino que servía para hacer el jaque³, peinado liso.

jaqués, sa. adj. Natural de Jaca. Ú. t. c. s. ‖ **2.** Perteneciente o relativo a esta ciudad. ‖ **3.** V. **libra, moneda jaquesa.**

jaqueta. (Del fr. *jaquette*.) f. ant. **chaqueta.**

jaquetilla. f. Jaqueta más corta que la común.

jaquetón¹. (aum. de *jaque²*.) m. Tiburón semejante al marrajo, que puede alcanzar más de seis metros de longitud, con dientes planos, triangulares y aserrados en sus bordes. Se encuentra en todos los mares, siendo quizá, por su tamaño y su poderosa dentadura, el tiburón más peligroso que se conoce.

jaquetón². m. fam. aum. de **jaque².**

jaquetón³. m. Jaqueta mayor que la común.

jáquima. (Del ár. *šakíma*, cabezada.) f. Cabezada de cordel, que suple por el cabestro, para atar las bestias y llevarlas.

jaquimazo. m. Golpe dado con la jáquima. ‖ **2.** fig. y fam. Pesar o chasco grave dado a uno.

jaquimero. m. El que hace o vende jáquimas.

jaquir. (Del cat. *jaquir*.) tr. ant. Dejar, desamparar.

jara. (Del ár. *ša'rá'*, mata, breña.) f. Arbusto siempre verde, de la familia de las cistáceas, con ramas de color pardo rojizo, de uno a dos metros de altura; hojas muy viscosas, opuestas, sentadas, estrechas, lanceoladas, de haz lampiña de color verde oscuro, y envés velloso, algo blanquecino; flores grandes, pedunculadas, de corola blanca, frecuentemente con una mancha rojiza en la base de cada uno de los cinco pétalos, y fruto capsular, globoso, con diez divisiones, donde están las semillas. Es abundantísima en los montes del centro y mediodía de España. ‖ **2.** Palo de punta aguzada y endurecido al fuego, que se emplea como arma arrojadiza. ‖ **blanca. estepilla.** ‖ **cerval,** o **cervuna.** Mata semejante a la **jara,** de la que se distingue por tener las hojas con peciolo, acorazonadas, lampiñas y sin manchas en la base de los pétalos. Abunda en España. ‖ **estepa.** Mata semejante a la **jara,** pero más pequeña, de cuatro a seis decímetros de alto, muy ramosa, con hojas pecioladas, elípticas, vellosas, verdes por encima y cenicientas por el envés; flores en largos pedúnculos, blancas, con bordes amarillos, y fruto en cápsula pentagonal. Se halla en toda España. ‖ **macho. jara cerval.** ‖ **negra. jara.**

jarabe. (Del ár. *šaráb*, bebida.) m. Bebida que se hace cociendo azúcar en agua hasta que se espesa, añadiéndole zumos refrescantes o sustancias medicinales. ‖ **2.** fig. Cualquier bebida excesivamente dulce. ‖ **de palo.** expr. coloq. que alude a una paliza como medio de disuasión o de castigo. ‖ **de pico.** fr. fig. y fam. Palabras tan sustancia; promesas que no se han de cumplir.

jarabear. tr. p. us. Dar o recetar el médico jarabes con frecuencia. ‖ **2.** prnl. p. us. Tomar jarabes, regularmente para disponerse a la purga.

jaracalla. f. Especie de alondra o cogujada.

jaraíz. (Del ár. *šahrīŷ*, cisterna, estanque.) m. **lagar.**

jaral. m. Sitio poblado de jaras. ‖ **2.** fig. Lo que está muy enredado o intrincado, aludiendo a la espesura de los jarales.

jaramago. (De etim. disc.) m. Planta herbácea de la familia de las crucíferas, con tallo enhiesto de seis a ocho decímetros, y ramoso desde la base; hojas grandes, ásperas, arrugadas, partidas en lóbulos obtusos y algo dentados; flores amarillas, pequeñas, en espigas terminales muy largas, y fruto en vainillas delgadas, casi cilíndricas, torcidas por la punta y con muchas semillas. Es muy común entre los escombros.

jarameño, ña. adj. Perteneciente al río Jarama o a sus riberas. ‖ **2.** Aplícase a los toros que se crían en las riberas del Jarama, celebrados por su bravura y ligereza. Aplícase también a otras razas de toros que tienen estas cualidades.

jaramugo. (De *samarugo*.) m. p. us. Pececillo nuevo de cualquier especie.

jarana. (De or. inc.) f. fam. Diversión bulliciosa y alborotada. ‖ **2.** fam. Pendencia, alboroto, tumulto. ‖ **3.** fam. Trampa, engaño, burla.

jarandina. f. **Germ.** jacaranda.

jaranear. intr. fam. Andar en jaranas.

jaranero, ra. adj. Aficionado a jaranas.

jarano. adj. V. **sombrero jarano.** Ú. t. c. s.

jarapote. m. *And.* y *Ar.* Jarope de botica.

jarapotear. tr. *And.* y *Ar.* Dar a uno muchos jaropes de botica, jaropear.

jarazo. m. Golpe dado o herida hecha con la jara, palo con punta aguzada.

jarbar. tr. *Sal.* Formar un enjambre con las abejas sueltas. ‖ **2.** Tomar un enjambre de una colmena muy poblada. ‖ **3.** intr. Rebosar de abejas una colmena.

jarcia. (Del b. gr. ἐξάρτια, pl. de ἐξάρτιον, aparejos de un buque.) f. Aparejos y cabos de un buque. Ú. m. en pl. ‖ **2.** Conjunto de instrumentos y redes para pescar. ‖ **3.** p. us. Carga de muchas cosas distintas. ‖ **4.** fig. y fam. p. us. Conjunto de muchas cosas diversas o de una misma especie, pero sin orden ni concierto. ‖ **5.** *Mar.* V. **maestre, tabla de jarcia.** ‖ **muerta.** *Mar.* La que está siempre fija y que, tesa, sirve para sujetar los palos.

jarciar. tr. *Mar.* **enjarciar.**

jarda. f. *And.* **harda**[2].

jardazo. (De *jarda*.) m. *And.* Golpe del cuerpo al caer pesadamente a tierra.

jardín. (Del fr. *jardin*.) m. Terreno donde se cultivan plantas con fines ornamentales. ‖ **2.** V. **ciudad jardín.** ‖ **3.** Retrete o letrina, especialmente en los buques. ‖ **4.** Mancha que deslustra y afea la esmeralda. ‖ **botánico.** Terreno destinado para cultivar las plantas que tienen por objeto el estudio de la botánica. ‖ **de infantes.** *Argent., Par.* y *Urug.* Establecimiento de educación al que asisten niños de edad preescolar. ‖ **de infancia.** Colegio de párvulos. ‖ **zoológico.** **parque zoológico.**

jardinera. f. La que por oficio cuida y cultiva un jardín. ‖ **2.** Mujer del jardinero. ‖ **3.** Mueble o instalación fija para poner plantas de adorno directamente en la tierra o en macetas. ‖ **4.** Carruaje descubierto de cuatro ruedas y cuatro asientos, cuya caja suele ser de mimbres. ‖ **5.** Coche abierto que llevaban en verano los tranvías.

jardinería. (De *jardinero*.) f. Arte y oficio del jardinero.

jardinero. m. El que por oficio cuida y cultiva un jardín.

jareta. (Del ár. *šarīṭ*, cuerda, cinta, trenza.) f. Dobladillo que se hace en la ropa para introducir una cinta, un cordón o una goma, y sirve para fruncir la tela. ‖ **2.** Por ext., dobladillo cosido con un tejano cercano al doblez, que se hace en las prendas de ropa como adorno. ‖ **3.** En algunas artes de pesca, cabo que se pasa por las argollas dispuestas en la parte inferior de la red y que sirve para cerrarla por abajo y formar el bolso. ‖ **4.** V. **cerco de jareta.** ‖ **5.** *C. Rica.* **bragueta,** abertura de los pantalones. ‖ **6.** *Mar.* Red de cabos o enrejado de madera, que cubría horizontalmente el alcázar para detener los motones y pedazos de cabo o madera que pudieran desprenderse de la arbo-

ladura durante una función, o se colocaba verticalmente por encima de las bordas, para dificultar la entrada de los enemigos en los abordajes. ‖ **7.** *Mar.* Cabo que se amarra y tesa de obenque a obenque desde una banda a otra para sujetarlos, y asegurar los palos cuando la obencadura se ha aflojado en un temporal. ‖ **8.** *Mar.* Cabo que con otros iguales sujeta el pie de las arraigadas y la obencadura, yendo desde la de una banda a la de la otra por debajo de la cofa.

jaretazo. m. aum. de jareta. ‖ **dar** o **pegar un jaretazo.** fr. fig. y fam. *C. Rica.* **dar braguetazo.**

jaretera. f. p. us. **jarretera.**

jaretón. (De *jareta*.) m. Dobladillo muy ancho.

jargonza. (Del prov. *jargonsa*.) f. ant. **circón.**

jaricar. (Del ár. *šarik*, socio, aparcero.) intr. *Murc.* Reunir en un mismo caz las hilas de agua de varios propietarios, para regar cada uno de ellos con el total de agua durante el tiempo proporcional a la cantidad de ella que ha aportado al caudal común.

jarico. m. *Cuba.* Reptil quelonio emídido, hicotea, jicotea.

jarife. m. **jerife.**

jarifiano, na. adj. p. us. **jerifiano.**

jarifo, fa. (Del ár. *šarīf*, noble, excelente.) adj. Rozagante, vistoso, bien compuesto o adornado.

jarillo. (d. de *jaro*.) m. Aro[2], planta, jaro[1].

jarique. (Del m. or. que *jaricar*.) m. *Al.* Número de cabezas de ganado de cerda que pueden pastar gratuitamente en los montes comunales. ‖ **2.** Cuota que se haya de pagar por las que excedan del número señalado. ‖ **3.** *Murc.* Convenio entre diversos regantes para jaricar un caudal de agua. ‖ **4.** *Murc.* Acción y efecto de jaricar.

járjara. (De *fárfara*[2].) f. *And.* Telilla del huevo, fárfara, hálara.

jaro[1]. m. Aro[2], planta.

jaro[2]. (De *jara*.) m. Mancha espesa de los montes bajos. ‖ **2.** *Al.* Roble pequeño.

jaro[3], **ra.** adj. Dícese del animal que tiene el pelo rojizo, como el cerdo y el jabalí. Ú. t. c. s.

jarocho, cha. (Del m. or. que *farota*.) adj. En algunas provincias, dícese de la persona de modales bruscos, descompuestos y algo insolentes. Ú. t. c. s. ‖ **2.** Natural u originario de la ciudad mejicana de Veracruz. Ú. t. c. s.

jaropar. tr. fam. Dar a uno muchos jaropes medicinales. ‖ **2.** fig. y fam. Disponer y dar en forma de jarope otro licor que no sea de botica.

jarope. (Del m. or. que *jarabe*.) m. **jarabe.** ‖ **2.** fig. y fam. Trago amargo o bebida desabrida y fastidiosa.

jaropear. tr. fam. Dar con frecuencia jaropes.

jaropeo. m. fam. Uso excesivo y frecuente de jaropes.

jaroso, sa. adj. Lleno o poblado de jaras.

jarquía. (Del ár. *šarqiyya*, parte oriental.) f. ant. Distrito o territorio situado al este de una gran ciudad y dependiente de ella.

jarra. (Del ár. *ŷarra*, vasija de barro para agua.) f. Vasija de barro, porcelana, loza, cristal, etc., con cuello y boca anchos y una o dos asas. ‖ **2.** Líquido que contiene esta vasija. ‖ **3.** En Jerez, recipiente de hojalata, de doce litros y medio de capacidad, que sirve para el trasiego de los vinos en la bodega. ‖ **4.** Orden antigua de caballería en el reino de Aragón, que tenía por insignia en un collar de oro una jarra con azucenas. ‖ **de jarras,** o **en jarra,** o **en jarras.** locs. advs. para explicar la postura del cuerpo que se toma poniendo las manos en la cintura.

jarrar. tr. fam. p. us. Cubrir con yeso o mortero una pared, jaharrar.

jarrazo. m. aum. de jarro. ‖ **2.** Golpe dado con jarra o jarro.

jarrear[1]. intr. fam. Sacar frecuentemente agua o vino con el jarro. ‖ **2.** Sacar frecuentemente agua de un pozo, a fin de que no se cieguen los veneros. ‖ **3.** fam. p. us. Golpear, dar jarrazos. ‖ **4.** intr. impers. fig. Llover copiosamente.

jarrear². tr. p. us. Cubrir con yeso o mortero una pared, jaharrar.

jarrer, ra. (De *jarro*.) m. y f. ant. El que despacha en una taberna, tabernero.

jarrero, ra. m. y f. Persona que hace o vende jarros. ‖ **2.** Persona que cuida del agua o vino que se pone en ellos.

jarreta. f. d. de **jarra**.

jarretar. (De *jarrete*.) tr. ant. Cortar o romper los jarretes, desjarretar. ‖ **2.** fig. p. us. Enervar, debilitar, quitar las fuerzas o el ánimo. Ú. t. c. prnl.

jarrete. (Del fr. *jarret*.) m. Corva de la pierna humana. ‖ **2.** Corvejón de los cuadrúpedos. ‖ **3.** Parte alta y carnuda de la pantorrilla hacia la corva.

jarretera. (Del fr. *jarretière*.) f. Liga con su hebilla, con que se ata la media o el calzón por el jarrete. ‖ **2.** Orden militar instituida en Inglaterra, llamada así por la insignia que se añadió a la orden de San Jorge, que fue una liga.

jarrita. f. d. de **jarra**. ‖ **hacer la jarrita**. fr. fig. y fam. Hacer ademán de pagar algún gasto común, llevándose la mano al bolsillo.

jarro. (De *jarra*.) m. Vasija de barro, loza, vidrio o metal, a manera de jarra y con solo una asa. ‖ **2.** Cantidad de líquido que cabe en ella. ‖ **3.** *Ar.* Medida de capacidad para el vino, octava parte del cántaro, equivalente a un litro y 24 centilitros. ‖ **4.** fam. *Ar.* El que grita mucho hablando sin propósito, principalmente si es mujer. ‖ **a jarros**. loc. adv. fig. y fam. **a cántaros**. ‖ **echarle a uno un jarro de agua, o de agua fría**. fr. fig. y fam. Quitarle de pronto una esperanza halagüeña o el entusiasmo o fervor de que estaba animado.

jarrón. (aum. de *jarro*.) m. Pieza arquitectónica en forma de jarro, con que se decoran edificios, galerías, escaleras, jardines, etc., puesta casi siempre sobre un pedestal y como adorno de remate. ‖ **2.** Vaso, por lo general de porcelana, artísticamente labrado, para adornar consolas, chimeneas, etcétera.

jarropa. adj. Se dice de la res cabría de pelo castaño tostado.

jasa. (De *jasar*.) f. p. us. **sajadura**.

jasador. (De *jasar*.) m. p. us. Sajador o sangrador. ‖ **2.** ant. Instrumento para sajar.

jasadura. f. p. us. **sajadura**.

jasar. (Del ant. fr. *jarsier*, rajar.) tr. p. us. **sajar**.

jaspe. (Del gr. ἴασπις, a través del lat. *iaspis*.) m. Piedra silícea de grano fino, textura homogénea, opaca, y de colores variados, según contenga porciones de alúmina y hierro oxidado o carbono. ‖ **2.** Mármol veteado.

jaspeado, da. p. p. de **jaspear**. ‖ **2.** adj. Veteado o salpicado de pintas como el jaspe. ‖ **3.** m. Acción y efecto de jaspear.

jaspear. tr. Pintar imitando las vetas y salpicaduras del jaspe.

jaspón. (De *jaspe*.) m. Mármol de grano grueso, blanco o con manchas rojas o amarillas.

jastre. m. ant. **sastre**.

jateo, a. adj. *Mont.* V. **perro jateo**. Ú. t. c. s.

jatib. (Del ár. *jaṭîb*, orador, predicador.) m. En Marruecos, predicador encargado de dirigir la oración del viernes y pronunciar el sermón.

jativés, sa. adj. Perteneciente o relativo a Játiva. ‖ **2.** Natural de esta población de Valencia. Ú. t. c. s.

jato, ta. (De or. inc.) m. y f. Becerro o ternero.

¡jau! interj. para animar e incitar a algunos animales, especialmente a los toros.

jaudo, da. (De or. inc.) adj. *Murc.* y *Rioja*. Insípido, sin sal, jauto.

jauja. (Quizá por alusión al valle de *Jauja*, en Perú.) f. Nombre con que se denota todo lo que quiere presentarse como tipo de prosperidad y abundancia. ‖ **¿estamos aquí, o en Jauja?** expr. fam. con que se reprende una acción o un dicho importuno o indecoroso.

jaula. (Del fr. ant. *jaole*, hoy *geôle*, calabozo.) f. Caja hecha con listones de madera, mimbres, alambres, etc., para encerrar animales pequeños. ‖ **2.** Encierro formado con enrejados de hierro o de madera, como los que se hacen para asegurar a las fieras. ‖ **3.** Embalaje de madera formado con tablas o listones colocados a cierta distancia unos de otros. ‖ **4.** fig. y fam. Prisión, cárcel. ‖ **5.** *Mín.* Armazón, generalmente de hierro, que, colgada del cintero y sujeta entre guías, se emplea en los pozos de las minas para subir y bajar a los operarios y los materiales. ‖ **6.** *Taurom.* **toril**. ‖ **aporrearse uno en la jaula**. fr. fig. y fam. Afanarse y fatigarse en vano por salir con su intento.

jaulero, ra. adj. Perteneciente o relativo a la jaula. ‖ **2.** m. y f. Persona que tiene por oficio hacer jaulas. ‖ **3.** m. *And.* Persona que caza perdices con reclamo.

jaulilla. (d. de *jaula*.) f. Adorno para la cabeza, que se usaba antiguamente, hecho a manera de red.

jauría. f. Conjunto de perros que cazan mandados por el mismo perrero.

jauto, ta. (De or. inc.) adj. *Ar.* Insípido y sin sal, jaudo.

javanés, sa. adj. Natural de Java. Ú. t. c. s. ‖ **2.** Perteneciente o relativo a esta isla del archipiélago de la Sonda. ‖ **3.** m. Lengua hablada por los **javaneses**.

javera. f. Cante popular andaluz, jabera.

javo, va. adj. **javanés**. Apl. a pers., ú. t. c. s.

jayán, na. (Del fr. ant. *jayant*, hoy *géant*, gigante.) m. y f. Persona de gran estatura, robusta y de muchas fuerzas. ‖ **2.** m. *Germ.* Rufián respetado por todos los demás.

jazarán. m. Cota de malla, jacerina.

jazarino, na. (Del ár. *ǧazā'irî*, perteneciente o relativo a la ciudad de Argel.) adj. ant. Natural de Argel. Úsab. t. c. s. ‖ **2.** Perteneciente a Argel.

jazmín. (Del ár.-persa *yāsimîn*.) m. Arbusto de la familia de las oleáceas, con tallos verdes, delgados, flexibles, algo trepadores y de cuatro a seis metros de longitud; hojas alternas y compuestas de hojuelas estrechas, en número impar, duras, enteras y lanceoladas; flores en el extremo de los tallos, pedunculadas, blancas, olorosas, de cinco pétalos soldados por la parte inferior a manera de embudo, y fruto en baya negra y esférica. Es originario de Persia y se cultiva en los jardines por el excelente olor de sus flores, que utiliza la perfumería. ‖ **2.** Flor de este arbusto. ‖ **amarillo**. Mata o arbustillo de la misma familia que el anterior, con ramas erguidas de 6 a 12 decímetros, delgadas, angulosas y verdes; hojas partidas en tres hojuelas, oblongas, obtusas y enteras; flores amarillas, olorosas, en grupos pequeños de pedúnculos cortos y al extremo de las ramas, y fruto en baya globosa del tamaño de un guisante. Es indígena y común en España. ‖ **2.** Flor de este arbusto. ‖ **de España**. Especie que se cría principalmente en Cataluña, Valencia y Murcia. Sus tallos son derechos; las hojas, aladas o compuestas de muchos pares de hojuelas, rematan en las reunidas hasta cierto trecho por sus bases, y las flores colorean algo por fuera y son blancas por dentro, y mayores, más hermosas y mucho más olorosas que las del **jazmín común**. ‖ **2.** Flor de este arbusto. ‖ **de la India. gardenia**. ‖ **real. jazmín de España**.

jazmíneo, a. (De *jazmín*.) adj. *Bot.* Dícese de matas y arbustos pertenecientes a la familia de las oleáceas, derechos o trepadores, con hojas opuestas y sencillas o alternas y compuestas, sin estípulas, con flores hermafroditas y regulares, cáliz persistente y fruto en baya con dos semillas; como el jazmín. Ú. t. c. s. f. ‖ **2.** f. pl. *Bot.* Familia de estas plantas.

jazminero. m. *And.* Jazmín, arbusto.

jea. f. Tributo que se pagaba antiguamente por la introducción de los géneros de tierra de moros en Castilla y Andalucía.

jebe. (Del ár. *šabb.*) m. Sulfato de alúmina y potasa, alumbre. ‖ **2.** *Amér.* **hevea.**

jebrar. (Del lat. vulg. *seperāre*, lat. *separāre.*) tr. ant. *Extr.* Separar el ganado.

jebuseo, a. (Del lat. *Iebusaeus*, y este del hebr. *yabūsī*, de la gente o nación de Jebús.) adj. Dícese del individuo de un pueblo bíblico que tenía por capital a Jebús, después Jerusalén. Ú. t. c. s. ‖ **2.** Perteneciente a este pueblo.

jeda. (Del lat. *fēta*, parida.) adj. f. *Cantabria.* Dícese de la vaca recién parida y que está criando.

jedar. (Del lat. *fetāre*, parir.) tr. *Cantabria.* **parir.** Se usa hablando de la vaca y de la cerda.

jedive. (Del ár.-persa *jadíw* o *jídiw*, señor.) m. Título peculiar que se daba al virrey de Egipto.

jedrea. (Del lat. *satureīa.*) f. fam. **ajedrea.**

jefa. (De *jefe.*) f. Superiora o cabeza de un cuerpo u oficio. ‖ **2.** Mujer del jefe.

jefatura. f. Cargo o dignidad de jefe. ‖ **2.** Puesto de guardias de seguridad a las órdenes de un jefe.

jefe. (Del fr. *chef.*) m. Superior o cabeza de un cuerpo u oficio. ‖ **2.** Cabeza o presidente de un partido o corporación. ‖ **3.** En el ejército y en la marina, categoría superior a la de capitán e inferior a la de general. ‖ **4.** V. **general en jefe.** ‖ **5.** *Blas.* Cabeza o parte alta del escudo de armas. ‖ **de administración.** Funcionario de categoría administrativa civil inmediatamente superior a la de **jefe** de negociado. ‖ **de día.** *Mil.* Cualquiera de los que turnan por días en el servicio de vigilancia. ‖ **de escuadra.** *Mil.* En la marina, grado que equivalía al de mariscal de campo en el ejército. ‖ **de Estado.** Autoridad superior de un país. ‖ **de Gobierno.** Presidente del Consejo de Ministros. ‖ **de negociado.** Funcionario de categoría administrativa civil inmediatamente superior a la de oficial. ‖ **político.** El que tenía el mando superior de una provincia en la parte gubernativa, como ahora el gobernador civil. ‖ **superior de administración.** Funcionario que es o ha sido subsecretario, director general, o desempeña o ha desempeñado otro cargo civil asimilado a estos. ‖ **mandar** uno **en jefe.** fr. Mandar como cabeza principal.

Jehová. (Del hebr. *Yahvé*, nombre del Ser absoluto y eterno.) n. p. m. Nombre de Dios en la lengua hebrea.

jeito. (Del gall. *xeito*, y este del lat. *iactum*, tirada.) m. Red usada en el Atlántico para la pesca de la anchoa y la sardina.

jeja. (Del cat. *xeixa.*) f. *Lev.* **trigo candeal.**

¡je, je, je! interj. con que se indica la risa, la burla o la incredulidad.

jején. (Voz haitiana.) m. Insecto díptero, más pequeño que el mosquito y de picadura más irritante. Abunda en las playas del mar de las Antillas y en otras regiones de América.

jeliz. (Del ár. *ŷallās*, [con imela] *ŷallís*, aposentador de oficio.) m. Oficial que en las tres alcaicerías del antiguo reino de Granada, y con la fianza de 1.000 ducados, estaba nombrado y autorizado por el ayuntamiento para recibir, guardar y vender en almoneda o subasta pública la seda que llevaban personas particulares, y para cobrar y percibir los derechos que por tales ventas devengaba para los propios de la ciudad aquella mercancía.

jemal. adj. Que tiene la distancia y longitud del jeme. *Herida* JEMAL. ‖ **2.** V. **clavo jemal.**

jeme. (Del lat. *semis*, mitad.) m. Distancia que hay desde la extremidad del dedo pulgar a la del índice, separado el uno del otro todo lo posible. ‖ **2.** fig. y fam. Rostro o talle de mujer, palmito. *Tiene buen* JEME.

jemesía. (Del ár. *šamsiyya*, solar.) f. Enrejado de piedra, ladrillo, yeso o madera, para dar luz y ventilación; celosía.

jenable. (Del lat. *sināpi.*) m. Mostaza, planta. ‖ **2.** Semilla de esta planta.

jenable. m. **jenabe.**

jengibre. (Del gr. ζιγγίβεϱι, a través del lat. *zingĭber.*) m. Planta de la India, de la familia de las cingiberáceas, con hojas radicales, lanceoladas, casi lineales; flores en espiga, de corola purpúrea, sobre un escapo central de cuatro a seis decímetros de alto; fruto capsular bastante pulposo y con varias semillas, y rizoma del grueso de un dedo, algo aplastado, nudoso y ceniciento por fuera, blanco amarillento por dentro, de olor aromático y de sabor acre y picante como el de la pimienta; se usa en medicina y como especia. ‖ **2.** Rizoma de esta planta.

jeniquén. m. *Col., Cuba.* y *P. Rico.* **pita**[1], planta, henequén.

jenízaro, ra. (Del turco *yeni-ŷerí[k]*, tropa nueva.) adj. ant. Deciase del hijo de padres de diversa nación; como de española y francés, o al contrario. Usáb. t. c. s. ‖ **2.** fig. o pus. Mezclado de dos especies de cosas. ‖ **3.** *Méj.* Deciase del descendiente de cambujo y china, o de chino y cambuja. Usáb. t. c. s. ‖ **4.** m. Soldado de infantería, y especialmente de la guardia imperial turca, reclutado a menudo entre hijos de cristianos. ‖ **5.** *Méj.* Individuo del cuerpo de policía.

jeque[1]**.** (Del ár. *šaiḫ*, anciano, señor, jefe.) m. Superior o régulo entre los musulmanes y otros pueblos orientales, que gobierna y manda un territorio o provincia, ya sea como soberano, ya como feudatario.

jeque[2]**.** m. *Ar.* Cada una de las bolsas de las alforjas, jaque[3].

jera[1]**.** (Del lat. *diaria.*) f. *Sal.* Obrada, jornal. ‖ **2.** *Zam.* Ocupación, quehacer. ‖ **3.** fig. *Extr.* Espacio de tierra de labor labrada en un día, yugada.

jera[2]**.** (Del fr. [*bonne*] *chère*, buena comida.) f. **regalo,** comida exquisita. ‖ **2. regalo,** comodidad. ‖ **3.** *Ál.* Buena cara, afectuosidad.

jerapellina. (Del b. lat. *xerapellina* [*vestis*], [vestido] harapiento.) f. Vestido viejo y andrajoso.

jerarca. (Del gr. ἱεϱάϱχης.) m. Superior en la jerarquía eclesiástica. ‖ **2.** com. Persona que tiene elevada categoría en una organización, empresa, etc.

jerarquía. (De *hierarquía.*) f. Orden entre los diversos coros de los ángeles. ‖ **2.** Grados o diversas categorías de la Iglesia. ‖ **3.** Por ext., orden o grados de otras personas y cosas. ‖ **4.** Cada uno de los núcleos o agrupaciones constituidos, en todo escalafón, por personas de saber o condiciones similares. ‖ **5.** Persona importante dentro de una organización. *Presidieron el acto las altas* JERARQUÍAS *de la nación.*

jerárquicamente. adv. m. De manera jerárquica.

jerárquico, ca. (Del gr. ἱεϱαϱχικός.) adj. Perteneciente o relativo a la jerarquía.

jerarquizar. tr. Organizar jerárquicamente alguna cosa.

jerbo. (Del ár. *ŷarbū*, por *yarbū*, variedad de rata.) m. Mamífero roedor norteafricano, del tamaño de una rata, con pelaje leonado por encima y blanco por debajo, miembros anteriores muy cortos, y excesivamente largos los posteriores, por lo cual, aunque de ordinario camina sobre las cuatro patas, salta mucho y con rapidez; la cola es de doble longitud que el cuerpo y termina en un grueso mechón de pelos.

jeremíaco, ca o **jeremiaco, ca.** (De *Jeremías.*) adj. Que gime o se lamenta con exceso. Ú. t. c. s.

jeremiada. (De *Jeremías.*) f. Lamentación o muestra exagerada de dolor.

jeremías. (Del nombre del profeta *Jeremías*, por alusión a sus célebres trenos.) com. fig. Persona que continuamente se está lamentando.

jeremiquear. intr. *And.* y *Amér.* Lloriquear, gimotear.

jerez. m. Vino blanco y fino que se cría y elabora en los términos municipales de Jerez de la Frontera, Puerto de Santa María y Sanlúcar de Barrameda.

jerezano, na. adj. Natural de Jerez. Ú. t. c. s. ‖ **2.** Perteneciente o relativo a una de las poblaciones de este nombre.

jerga[1]. (De or. inc.) f. Tela gruesa y tosca. ‖ **2.** Colchón de paja o hierba, jergón. ‖ **estar, dejar, o poner,** una cosa **en jerga.** fr. fig. y fam. Estar solo empezada una cosa; dejarla incompleta.

jerga[2]. (der. regres., seguramente a través del occit., del fr. *jargon,* y este onomatopéyico.) f. Lenguaje especial y familiar que usan entre sí los individuos de ciertas profesiones y oficios, como toreros, estudiantes, etc. ‖ **2. jerigonza,** lenguaje difícil de entender.

jergal. adj. Propio de una jerga[2].

jergón[1]. (aum. de *jerga*[1].) m. Colchón de paja, esparto o hierba y sin bastas. ‖ **2.** fig. y fam. p. us. Vestido mal hecho y poco ajustado al cuerpo. ‖ **3.** fig. y fam. Persona gruesa, pesada, tosca y perezosa. ‖ **llenar el jergón.** fr. fig. y fam. **llenar el baúl.**

jergón[2]. (Del ár. *ziraün,* minio.) m. Circón de color verdoso que suele usarse en joyería.

jergueta. f. d. de **jerga**[1].

jerguilla. (d. de *jerga*[1].) f. Tela delgada de seda o lana, o mezcla de una y otra, que se parece en el tejido a la jerga.

jeribeque. m. Guiño, visaje, contorsión. Ú. m. en pl.

Jericó. n. p. V. **rosa de Jericó.**

jerife. (Del ár. *šaríf,* noble, ilustre.) m. Descendiente de Mahoma por su hija Fátima, esposa de Alí. ‖ **2.** Individuo de la dinastía reinante en Marruecos. ‖ **3.** Jefe superior de la ciudad de La Meca antes de la conquista de esta ciudad por Ben Seud.

jerifiano, na. adj. Perteneciente o relativo al jerife. ‖ **2.** Aplícase, en lenguaje diplomático, al sultán de Marruecos.

jerigonza. (Del prov. *gergons.*) f. Lenguaje especial de algunos gremios, jerga[2]. ‖ **2.** fig. y fam. Lenguaje de mal gusto, complicado y difícil de entender. ‖ **3.** fig. y fam. p. us. Acción extraña y ridícula. ‖ **andar en jerigonzas.** fr. fig. y fam. Andar en rodeos o tergiversaciones maliciosas.

jerigonzar. (De *jerigonza.*) tr. ant. Explicar algo con oscuridad y rodeos.

jeringa. (Del lat. *siringa.*) f. Instrumento compuesto de un tubo que termina por su parte anterior en un cañoncito delgado, y dentro del cual juega un émbolo por medio del que asciende primero, y se arroja o inyecta después, un líquido cualquiera. ‖ **2.** Instrumento de igual clase dispuesto para impeler o introducir materias no líquidas, pero blandas; como la masa con que se hacen los embutidos. ‖ **3.** fig. y fam. Molestia, pejiguera, importunación. Ú. m. en América. ‖ **4.** com. *Argent.* vulg., p. us. Persona molesta, inoportuna. Ú. t. c. adj.

jeringación. f. fam. p. us. Acción de jeringar.

jeringador, ra. adj. fam. Que jeringa. Ú. t. c. s.

jeringar. tr. Arrojar por medio de la jeringa el líquido con fuerza y violencia a la parte que se destina. ‖ **2.** Introducir con la jeringa un líquido en el intestino para limpiarlo y purgarlo. Ú. t. c. prnl. ‖ **3.** fig. y fam. Molestar o enfadar. Ú. t. c. prnl.

jeringatorio. m. fam. **jeringación.** Ú. en algunos países de América.

jeringazo. m. Acción de arrojar el líquido introducido en la jeringa. ‖ **2.** Líquido así arrojado.

jeringonza. f. **jerigonza.**

jeringuilla. f. d. de **jeringa.** ‖ **2.** Jeringa pequeña en la que se enchufa una aguja hueca de punta aguda cortada

a bisel, y sirve para inyectar sustancias medicamentosas en tejidos u órganos. ‖ **3. celinda.** ‖ **4.** Flor de esta planta.

jeroglífica. (De *jeroglífico.*) f. desus. Sentencia breve que incluye un enigma que necesita explicación, mote[1].

jeroglífico, ca. (De *hieroglífico.*) adj. Aplícase a la escritura en que, por regla general, no se representan las palabras con signos fonéticos o alfabéticos, sino el significado de las palabras con figuras o símbolos. Usaron este género de escritura los egipcios y otros pueblos antiguos, principalmente en los monumentos. ‖ **2.** m. Cada uno de los caracteres o figuras usados en este género de escritura. ‖ **3.** Conjunto de signos y figuras con que se expresa una frase, ordinariamente por pasatiempo o juego de ingenio. ‖ **4.** Por ext., cuadro, escritura, apunte, etc., difíciles de entender o interpretar.

jeronimiano, na. adj. Perteneciente o relativo a San Jerónimo, o a la orden que lleva su nombre.

jerónimo, ma. adj. Dícese del religioso de la orden de San Jerónimo. *Monje* JERÓNIMO. Ú. t. c. s. ‖ **2.** Perteneciente a esta orden, jeronimiano.

jerosolimitano, na. (De *hierosolimitano.*) adj. Natural de Jerusalén. Ú. t. c. s. ‖ **2.** Perteneciente o relativo a esta ciudad de Palestina.

jerpa. (De *serpa.*) f. Sarmiento delgado y estéril que echan las vides por la parte de abajo y junto al tronco.

jerricote. m. Guisado o potaje compuesto de almendras, azúcar, salvia y jengibre, cocido todo en caldo de gallina.

jersey. (Del ing. *jersey.*) m. Prenda de vestir, de punto, que cubre desde los hombros hasta la cintura y se ciñe más o menos al cuerpo.

jeruga. (Del lat. *siliqua.*) f. Vaina en que están encerradas algunas semillas.

Jerusalén. n. p. V. **comisario general, cruz de Jerusalén.**

jerviguilla. f. d. desus. de **jervilla.**

jervilla. f. Zapatilla, calzado ligero; servilla.

Jesé. n. p. V. **vara de Jesé.**

jesnato, ta. (Del lat. *Iesus,* Jesús, y *natus,* nacido.) adj. Díjose de la persona dedicada desde su nacimiento a Jesús. Ú. t. c. s.

Jesucristo. (De *Jesús* y *Cristo.*) n. p. m. Según la fe cristiana, el Hijo de Dios hecho hombre. ‖ **2.** V. **vicario de Jesucristo.** ‖ **¡Jesucristo!** interj. con que se manifiesta admiración y extrañeza.

jesuita. adj. Dícese del religioso de la Compañía de Jesús, fundada por San Ignacio de Loyola. Ú. t. c. s. ‖ **2.** V. **té de los jesuitas.** ‖ **3.** fig. y fam. Hipócrita, taimado. Ú. c. com. en algunos países de América.

jesuítico, ca. adj. Perteneciente o relativo a la Compañía de Jesús. ‖ **2.** Dicho del comportamiento, hipócrita, disimulado.

Jesús. (Del lat. *Iesus;* del hebr. *Yešŭ'ah,* Salvador.) n. p. m. Para los cristianos, segunda persona de la Santísima Trinidad, hecha hombre para redimir al género humano. ‖ **Nazareno. Jesús.** ‖ **decir los Jesuses.** fr. ant. Ayudar a bien morir. ‖ **en un decir Jesús, o en un Jesús.** loc. adv. fig. y fam. En un instante; en brevísimo tiempo. ‖ **hasta verte, Jesús mío.** expr. fam. Hasta apurar el líquido contenido en un vaso, porque antiguamente algunos de estos llevaban en el fondo la cifra IHS. ‖ **¡Jesús!, o ¡Jesús, María y José!** exclams. con que se denota admiración, dolor, susto o lástima. ‖ **¡Jesús, mil veces!** exclam. con que se manifiesta grave aflicción o espanto. ‖ **sin decir Jesús.** loc. adv. fig. con que se pondera lo instantáneo de la muerte de una persona.

jesusear. intr. fam. Repetir muchas veces el nombre de Jesús. ‖ **2.** tr. *Guat.* Animar un hecho a una persona.

jeta[1]. (Del ár. *jaṭm,* hocico, pico, nariz.) f. Boca saliente por su configuración o por tener los labios muy abultados. ‖ **2.** fam. Cara humana. ‖ **3.** Hocico del cerdo. ‖ **4.** Grifo[1] de una cañería, caldera, etc. ‖ **5.** *Ar.* Espita de la cuba u otra vasija. ∥ **estar** uno **con tanta jeta.** fr. fig. y fam. Mostrar en el semblante enojo, disgusto o mal humor.

jeta². (Variante de *seta²*.) f. ant. Seta², hongo. Ú. en Andalucía.

jetar. (De etim. disc.) tr. ant. Echar, jitar. ∥ **2.** *Ar.* Desleír algo en cosa líquida. JETAR *la salsa;* JETAR *un ajo y echarlo en el guisado.*

jetazo. (De *jeta¹*.) m. *Ar.* y *Murc.* Golpe dado con la mano en la jeta¹ o cara, bofetón.

jeto. (De *jetar*.) m. *Ar.* Colmena vacía, untada con aguamiel, para que acudan a ella los enjambres.

jetón, na. adj. Que tiene la jeta grande.

jetudo, da. adj. Que tiene la jeta grande.

ji. (Del gr. χῖ.) f. Vigésima segunda letra del alfabeto griego. Se representa en latín con *ch,* y en los idiomas neolatinos con estas mismas letras, o solo con *c* o *qu,* como en español, según su ortografía moderna; v. gr.: *Caos, Aquiles.*

jíbaro, ra. (De or. inc.) adj. *Amér.* Campesino, silvestre. Dícese de las personas, los animales, las costumbres, las prendas de vestir y algunas otras cosas. *Fiesta* JÍBARA. Apl. a pers., ú. t. c. s. ∥ **2.** V. **sombrero jíbaro.** ∥ **3.** *Méj.* Decíase del descendiente de albarazado y calpamula, o de calpamulo y albarazada. Usáb. t. c. s. ∥ **4.** *P. Rico.* Perteneciente o relativo al campesino blanco. Ú. t. c. s. ∥ **5.** Dícese del individuo de una tribu indígena de la vertiente oriental del Ecuador. Ú. t. c. s. ∥ **6.** Perteneciente o relativo a esta tribu. ∥ **7.** m. Lengua hablada por estos indígenas.

jibe. m. *Cuba* y *Sto. Dom.* Criba usada principalmente por los obreros de la construcción.

jibia. (Del gr. σηπία, a través del lat. *sepia*.) f. Cefalópodo dibranquial, decápodo, de cuerpo oval, con una aleta a cada lado; de los diez tentáculos, los dos más largos llevan ventosas sobre el extremo, mientras que los otros ocho las tienen en toda su longitud; en el dorso, cubierta por la piel, tiene una concha calcárea, blanda y ligera. Alcanza unos 30 centímetros de largo, abunda en los mares templados y es comestible. ∥ **2.** Concha de la **jibia,** jibión.

jibión. m. Pieza caliza de la jibia, que sirve a los plateros para hacer moldes, y otros usos industriales. ∥ **2.** En las costas de Cantabria, **calamar.**

jibraltareño, ña. adj. gibraltareño.

jícama. f. *Méj.* Nombre de varios tubérculos comestibles o medicinales, sobre todo de uno de forma parecida a la cebolla, aunque más grande, duro, quebradizo, blanco y jugoso, que se come aderezado con sal y limón.

jícara. (Del nahua *xicalli,* vaso hecho de la corteza del fruto de la güira.) f. *Amér.* Vasija pequeña de madera, ordinariamente hecha de la corteza del fruto de la güira, y usada como la de loza del mismo nombre en España. ∥ **2.** Vasija pequeña, generalmente de loza, que suele emplearse para tomar chocolate. ∥ **3.** *Amér. Central* y *Méj.* Fruto del jícaro.

jicarazo. m. Golpe dado con una jícara. ∥ **2.** p. us. Propinación alevosa de veneno. ∥ **dar jicarazo.** loc. fig. y fam. Terminar rápidamente y de cualquier modo una cosa.

jícaro. (De *jícara*.) m. *Amér. Central.* Árbol bignoniáceo, güira.

jicarón. m. aum. de **jícara.**

jico. m. *Cuba.* Ramal de muchos cordones con que se rematan los dos extremos de una hamaca.

jicote. (Del nahua *xicotli*.) m. *Amér. Central* y *Méj.* Avispa gruesa de cuerpo negro y abdomen amarillo, provista de un aguijón con el cual produce unas heridas muy dolorosas. ∥ **2.** *Hond.* y *Nicar.* Panal de esta avispa.

jicotea. (Como *hicotea*.) f. *Cuba.* Reptil quelonio, hicotea.

jiennense. adj. **jiennense.**

jiennense. adj. jaenés. Apl. a pers., ú. t. c. s.

jifa. (Del ár. *ŷífa,* carne mortecina, carroña.) f. Desperdicio que se tira en el matadero al descuartizar las reses.

jiferada. f. Golpe dado con el jifero, cuchillo.

jifería. (De *jifero*.) f. Oficio de matar y desollar las reses.

jifero, ra. (De *jifa*.) adj. Perteneciente al matadero. ∥ **2.** fig. y fam. Sucio, soez. ∥ **3.** m. Cuchillo con que matan y descuartizan las reses. ∥ **4.** Oficial que mata las reses y las descuartiza.

jifia. (Del gr. ξιφίας, a través del lat. *xiphias*.) f. **pez espada.**

jiga. f. giga.

jigote. m. gigote.

jiguilete. m. Planta papilionácea, jiquilete.

jiguillo. (De *higuillo*.) m. *P. Rico.* Arbusto de la familia de las piperáceas, de corteza y hojas aromáticas. ∥ **comer jiguillo.** fr. fig. y fam. **pelar la pava.** ∥ **no estar para comer jiguillo.** fr. fig. y fam. No estar para bromas o para fiestas.

jijallar. m. Monte poblado de jijallos.

jijallo. (De *sisallo*.) m. Planta semejante a la barrilla o caramillo, sisallo.

jijas. (Quizá del m. or. que *chicha¹*.) f. pl. *León* y *Sal.* **brío,** pujanza, valor.

jijear. intr. *Sal.* Lanzar el grito jubiloso *¡ji, ji, ji!*

jijeo. (De *jijear*.) m. Acción y efecto de jijear.

¡ji, ji, ji! interj. con que se manifiesta la risa. ∥ **2.** p. us. Grito de júbilo.

jijona¹. f. Variedad de trigo álaga que se cría en la Mancha y Murcia.

jijona². m. Turrón blando procedente de Jijona, ciudad de la provincia de Alicante.

jijonenco, ca. adj. Natural de Jijona. Ú. t. c. s. ∥ **2.** Perteneciente o relativo a esta ciudad de Alicante.

jileco. m. Jubón de manga corta, jaleco.

jilguera. f. Hembra del jilguero.

jilguero. (De *silguero*.) m. Pájaro muy común en España, que mide 12 centímetros de longitud desde lo alto de la cabeza hasta la extremidad de la cola, y 23 centímetros de envergadura; tiene el pico cónico y delgado, plumaje pardo por el lomo, blanco con una mancha roja en la cara, otra negra en lo alto de la cabeza, un collar blanco bastante ancho, y negras con puntas blancas las plumas de las alas y cola, teñidas las primeras de amarillo en su parte media. Es uno de los pájaros más bonitos de Europa; se domestica fácilmente, canta bien, y puede cruzarse con el canario.

jilmaestre. (Del al. *schirmeister,* maestro del arnés.) m. *Art.* Teniente de mayoral que suple a este en el gobierno de los caballos o mulas de transporte de las piezas.

jilote. (Del nahua *xilotl,* cabello.) m. *Amér. Central* y *Méj.* Mazorca de maíz cuando sus granos no han cuajado aún.

jimelga. (Del lat. vulg. *gemellica,* de *gemellus,* gemelo, en der. gall.) f. *Mar.* Refuerzo a madera en forma de teja, y de largo variable, que se da a los palos, vergas, etc.

jimenzar. (Del lat. *exsementiare*.) tr. *Ar.* Quitar a golpes la simiente al lino o cáñamo secos, antes de ponerlos en agua.

jimia. f. Hembra del jimio, simia.

jimio. m. Mono, simio.

jimplar. intr. himplar.

jinda. abrev. de jindama.

jindama. (Del caló.) f. Miedo, cobardía.

jiné. (Del muisca *jine*.) m. *Col.* En el lenguaje rural, cada una de las tres piedras del hogar.

jinebro. (Del lat. vulg. *iiniperus,* por *iuniperus*.) m. ant. Enebro, árbol. Ú. en Álava.

jinestada. f. Salsa que se hace de leche, harina de arroz, especias, dátiles y otros ingredientes.

jineta. (Del ár. *ŷarnaiṭ,* variedad del gato de algalia.) f. Mamífero carnicero, de unos 45 centímetros de largo desde la cabeza hasta el arranque de la cola, la cual mide casi otro tanto. El cuerpo es muy esbelto, la cabeza pequeña, el hocico prolongado, el cuello largo, las patas cortas y el pelaje blanco en la garganta, pardo amarillento con manchas en fajas negras por el cuerpo y con anillos blancos y negros en la cola.

jineta². (De *jinete*.) f. Arte de montar a caballo que, según la escuela de este nombre, consiste en llevar los estribos cortos y las piernas dobladas, pero en posición vertical desde la rodilla. Ú. en la loc. adv. **a la jineta**. ‖ **2**. V. **caballero de la jineta**. ‖ **3**. Lanza corta con el hierro dorado y una borla por guarnición, que en lo antiguo era insignia de los capitanes de infantería. ‖ **4**. V. **cincha, paje de jineta**. ‖ **5**. Charretera de seda que usaban los sargentos como divisa. ‖ **6**. Tributo que en otro tiempo se imponía sobre los ganados. ‖ **7**. V. **silla jineta**. ‖ **8**. *And.* y *Amér.* Mujer que monta a caballo.

jinetada. (De *jinete*.) f. p. us. Acto de vanidad o de jactancia impropio del que lo ejecuta.

jinete. (Del ár. *zanātī* o *zenētī*, individuo perteneciente a una tribu berberisca, famosa por su destreza en la equitación.) m. Soldado de a caballo que peleaba en lo antiguo con lanza y adarga, y llevaba encogidas las piernas, con estribos cortos. ‖ **2**. El que cabalga. ‖ **3**. El que es diestro en la equitación. ‖ **4**. Caballo a propósito para ser montado a la jineta. ‖ **5**. Caballo castizo y generoso.

jineteada. f. *Argent.* Acción y efecto de jinetear. ‖ **2**. *Argent.* Fiesta de campo donde los jinetes exhiben su destreza.

jinetear. (De *jinete*.) intr. Andar a caballo, principalmente por los sitios públicos, alardeando de gala y primor. Ú. t. c. tr. ‖ **2**. tr. *Amér.* Domar caballos cerriles. ‖ **3**. *Argent.* Montar potros luciendo el jinete su habilidad y destreza. ‖ **4**. fig. *Méj.* Tardar en pagar un dinero con el fin de sacar ganancias. ‖ **5**. prnl. *Col.* y *Méj.* Montarse y asegurarse en la silla.

jinglar. (Del ant. fr. *jangler*, burlarse, parlotear.) intr. Dar gritos de regocijo, burlarse. ‖ **2**. Moverse de una parte a otra colgado, como en el columpio.

jingoísmo. (Del ingl. *jingo*, partidario de una política exterior agresiva.) m. Patriotería exaltada que propugna la agresión contra otras naciones.

jingoísta. adj. Perteneciente o relativo al jingoísmo. ‖ **2**. Partidario del jingoísmo. Ú. t. c. s.

jinja. (De *jinjo*.) f. ant. Azufaifa, jínjol.

jinjo. (Del gr. ζίζυφος, a través del lat. *ziзỹphus*.) m. ant. Azufaifo, jinjolero.

jínjol. (De *jinjo*.) m. **azufaifa**.

jinjolero. (De *jínjol*.) m. Azufaifo, jinjo.

¡jinojo! interj. con que se denota extrañeza o enfado.

jiote. (Del nahua *xiotl*.) m. Méj. **empeine**, enfermedad.

jipa. f. *Col.* jipijapa.

jipi. m. fam. **sombrero de jipijapa**.

jipiar. (De la onomat. *jip, jip*, del gemido.) intr. Hipar, gemir, gimotear. ‖ **2**. Cantar con voz semejante a un gemido.

jipido. m. Acción y efecto de jipiar.

jipijapa. (De *Jipijapa*, pueblo de la república del Ecuador.) f. Tira fina, flexible y muy tenaz, que se saca de las hojas del bombonaje, y se emplea para tejer sombreros, petacas y diversos objetos muy apreciados. ‖ **2**. m. **sombrero de jipijapa**.

jipío. m. **jipido**. ‖ **2**. Grito, quejido, lamento, etc., que se introduce en el cante flamenco.

jiquilete. (Del nahua *xiuhquilitl*, hierba verde.) m. Planta de la familia de las papilionáceas, del mismo género que el añil, común en las Antillas, con tallos ramosos de ocho a nueve decímetros de altura, hojas compuestas de hojuelas en número impar, enteras, elípticas, pecioladas, de color verde claro; flores amarillas, y fruto en vainas estrechas, algo encorvadas, de seis a ocho centímetros de largo, y con varias semillas negras poco mayores que lentejas. Macerando en agua las hojas de esta planta, y echando el líquido

filtrado con una disolución de cal, se obtiene añil de superior calidad.

jira¹. (De *jirón*.) f. Pedazo algo grande y largo que se corta o rasga de una tela. ‖ **hacer jiras y capirotes**. fr. fig. y fam. **hacer mangas y capirotes**.

jira². (Del fr. [*bonne*] *chère*, [buena] comida.) f. Banquete o merienda, especialmente campestres, entre amigos, con regocijo y bulla.

jirafa. (Del ár. *zuráfa*.) f. Mamífero rumiante, indígena de África, de cinco metros de altura, cuello largo y esbelto, las extremidades abdominales bastante más cortas que las torácicas, con lo que resulta el cuerpo más bajo por detrás; cabeza pequeña con dos cuernos poco desarrollados, y pelaje de color gris claro con manchas leonadas poligonales. ‖ **2**. *Cinem.* y *TV.* Mecanismo que permite mover el micrófono y ampliar su alcance, elevándolo y llevándolo lejos.

jirapliega. (Del gr. ἱερά, santa, y πικρά, amarga, a través del b. lat. *girapigra*.) f. *Farm.* Electuario purgante compuesto de acíbar, miel clarificada y otros ingredientes.

jirasal. (De or. inc.) f. Fruto de la yaca, parecido a la chirimoya y erizado de púas blandas.

jirel. (Del ár. *ỹilāl*, caparazón, baste, albarda.) m. Gualdrapa rica de caballo.

jíride. (Del gr. ξυρίς, -ίδος, a través del lat. *xyris, -īdis*.) f. Lirio hediondo, íride.

jirocho, cha. adj. *And.* Campante, ufano, satisfecho.

jirofina. f. Salsa que se compone de bazo de carnero, pan tostado y otros ingredientes.

jiroflé. (Como *giroflé*.) m. Árbol del clavo, giroflé, clavero¹.

jirón. (Del fr. *giron*, regazo.) m. Faja que se echaba en el ruedo del sayo o saya. ‖ **2**. Pedazo desgarrado del vestido o de otra ropa. ‖ **3**. Pendón o guión que remata en punta. ‖ **4**. fig. Parte o porción pequeña de un todo. ‖ **5**. *Perú.* Vía urbana compuesta de varias calles o tramos entre esquinas. ‖ **6**. *Blas.* Figura triangular que, apoyándose en el borde del escudo, llega hasta el centro o corazón de este.

jironado, da. adj. p. us. Roto, hecho jiras o jirones. ‖ **2**. p. us. Guarnecido o adornado con jirones. ‖ **3**. *Blas.* Dícese del escudo dividido en los ocho triángulos o jirones que resultan de la combinación de las armas partidas, cortadas, tajadas y tronchadas.

jirpear. (De *jerpa* o *serpa*.) tr. *Agr.* Cavar alrededor de las cepas de las vides, dejando un hoyo donde se detenga el agua cuando se riegan o llueve.

jisca. (Como *cisca*.) f. Carrizo, planta gramínea de España.

jisma. (De *cisma*.) f. ant. Cuento o chisme.

jismero, ra. (De *jisma*.) adj. ant. Que lleva jismas o cuentos.

jitar. (Del lat. **iectāre, iactāre*, echar.) tr. ant. Echar lo que se tiene en el estómago, vomitar. ‖ **2**. *Ar.* Echar, expulsar. Ú. ya solo en las montañas.

jitomate. (Del nahua *xitli*, ombligo, y *tomatl*, tomate.) m. *Méj.* **tomate**, fruto de la tomatera.

¡jo! interj. Voz para detener las caballerías, como ¡so! En León para detener los bueyes o las vacas.

Job. n. p. V. **lágrimas de Job**. ‖ **2**. m. Hombre de mucha paciencia.

jobada. (De *jubo²*.) f. *Ar.* **yugada**, espacio de tierra que puede arar una yunta en un día.

jobillo. m. *Ant.* **jobo**. ‖ **irse de jobillos**. fr. fig. y fam. *P. Rico.* **hacer novillos**.

jobo. (De *hobo*.) m. Árbol americano de la familia de las anacardiáceas, con hojas alternas, compuestas de un número impar de hojuelas aovadas, puntiagudas y lustrosas; flores hermafroditas en panojas, y fruto amarillo parecido a la ciruela. ‖ **comer jobos**. fr. fig. y fam. *P. Rico.* **irse de jobillos**.

jocalias. (Del b. lat. *iocalia.*) f. pl. ant. *Ar.* Alhajas de iglesia; como vasos sagrados, relicarios, etc.

jocó. (Del fr. *jocko.*) m. Chimpancé.

jocoque. (Del nahua *xococ,* agrio.) m. *Méj.* Preparación alimenticia a base de leche agriada, semejante al yogur.

jocosamente. adv. m. Con jocosidad; chistosamente.

jocoserio, ria. adj. Que participa de las cualidades de serio y de jocoso. *Drama* JOCOSERIO; *obra* JOCOSERIA.

jocosidad. f. Cualidad de jocoso. ‖ 2. Chiste, donaire.

jocoso, sa. (Del lat. *iocōsus.*) adj. Gracioso, chistoso, festivo.

jocotal. m. *Guat.* Variedad de jobo, cuyo fruto es el jocote.

jocote. (Del nahua *xococ,* agrio.) m. *C. Rica, Guat.* y *Méj.* Fruta parecida a la ciruela, de color rojo o amarillo, con una película delgada que cubre la carne y con un cuesco pequeño.

jocotear. intr. *C. Rica* y *Guat.* Salir al campo a cortar o a comer jocotes. ‖ 2. fig. *C. Rica* y *Guat.* Molestar mucho, hacer daño. Ú. t. c. tr. y c. prnl.

jocundidad. (Del lat. *iucundĭtas, -ātis.*) f. Alegría, apacibilidad.

jocundo, da. (Del lat. *iucundus.*) adj. Plácido, alegre, agradable.

joder. (Del lat. *futuěre.*) intr. Voz malsonante. Practicar el coito, fornicar. Ú. t. c. tr. ‖ 2. tr. fig. Molestar, fastidiar. Ú. t. c. prnl. y c. intr. ‖ 3. fig. Destrozar, arruinar, echar a perder. Ú. t. c. prnl. ‖ 4. Ú. c. interj. de enfado, irritación, asombro, etc.

jofaina. (Del ár. *ŷufaina,* platillo hondo, escudilla.) f. Vasija en forma de taza, de gran diámetro y poca profundidad, que sirve principalmente para lavarse la cara y las manos.

jofor. (Del ár. *ŷufūr,* pl. de *ŷafr,* adivinación.) m. Pronóstico, entre los moriscos.

joglar. (Del lat. *iocularis.*) m. ant. **juglar.**

joglería. (De *joglar.*) f. ant. Pasatiempo, regocijo, placer.

joguer. intr. ant. **acostarse.**

jojoto, ta. adj. *Venez.* Dícese del fruto verde, que no está en sazón. ‖ 2. m. *Venez.* Fruto del maíz tierno.

jolgorio. (De *holgorio.*) m. fam. Regocijo, fiesta, diversión bulliciosa.

jolito. (Del it. *giolito.*) m. p. us. Calma, suspensión. ‖ **en jolito.** loc. adv. p. us. Burlado o chasqueado. Ú. con los verbos *dejar, quedarse* y *volverse.*

joloano, na. adj. Natural de Joló. Ú. t. c. s. ‖ 2. Perteneciente o relativo a cualquiera de las islas de este archipiélago de Oceanía.

jollín. (De *hollín.*) m. fam. Gresca, jolgorio, diversión bulliciosa.

jondo. adj. V. **cante jondo.**

jónico, ca. (Del gr. Ἰωνικός, a través del lat. *Ionĭcus.*) adj. Natural de Jonia. Ú. t. c. s. ‖ 2. Perteneciente o relativo a las regiones de este nombre en Grecia y Asia antiguas. ‖ 3. *Arq.* V. **columna jónica.** ‖ 4. *Arq.* V. **capitel, orden jónico.** ‖ 5. m. Pie de la poesía griega y latina, compuesto de cuatro sílabas. Divídese en mayor o menor: en el mayor son largas las dos primeras y breves las otras, y al contrario en el menor. ‖ 6. Dialecto **jónico,** uno de los cuatro principales de la lengua griega.

jonio, nia. (Del gr. Ἰόνιος, a través del lat. *Ionĭus.*) adj. Natural de Jonia. ‖ 2. Perteneciente o relativo a las regiones de este nombre en Grecia y Asia antiguas.

jonjabar. (Del gitano *jojabar,* engañar, burlarse.) tr. fam. p. us. Engatusar, lisonjear.

jonjolí. m. ant. **ajonjolí,** planta herbácea.

joparse. (De *jopo.*) prnl. Irse, escapar, hoparse.

jopear. intr. Menear la cola, especialmente la zorra, hopear. ‖ 2. Corretear, andar de calle en calle, hopear.

jopeo. m. Acción de jopear.

jopo. m. Cola de mucho pelo, hopo.

jora. (De *sora.*) f. *Amér. Merid.* Maíz germinado para hacer chicha.

jorco. m. *Extr.* Fiesta o baile algo libre que se usa entre el pueblo.

jordán. (Por alusión al río *Jordán.*) m. fig. Lo que remoza, hermosea y purifica. ‖ **ir uno al Jordán.** fr. fig. y fam. Remozarse o convalecer.

jorfe. (Del ár. *ŷurf,* acantilado.) m. Muro de sostenimiento de tierras, ordinariamente de piedra en seco. ‖ 2. Peñasco tajado que forma despeñadero.

jorge. m. **abejorro,** insecto coleóptero.

jorguín. (Del vasc. *sorgin,* bruja.) m. y f. p. us. Persona que hace hechicerías.

jorguinería. (De *jorguín.*) f. p. us. Arte de hechicería.

jornada. (Probablemente del occit., y este del lat. *diurnus,* propio del día.) f. Camino que se anda regularmente en un día de viaje. ‖ 2. Todo el camino o viaje, aunque pase de un día. ‖ 3. Expedición militar. ‖ 4. Viaje que los reyes hacían a los sitios reales. ‖ 5. Tiempo que residían en alguno de estos sitios. ‖ 6. Época veraniega en que oficialmente se traslada el cuerpo diplomático a residencia distinta de la capital, y también algún ministro, para mantener las relaciones con aquel. ‖ 7. Tiempo de duración del trabajo diario de los obreros. ‖ 8. p. us. fig. Lance, ocasión, circunstancia. ‖ 9. fig. Tiempo que dura la vida del hombre. ‖ 10. fig. Tránsito del alma de esta vida a la eterna. ‖ 11. fig. En el poema dramático español, acto de una obra escénica. ‖ 12. desus. Estipendio diario del trabajador, jornal. ‖ 13. *Impr.* Tirada de unos 1.500 pliegos que se hacía antiguamente en un día. ‖ **rompida.** ant. *Mil.* Batalla o acción general. ‖ **a grandes,** o **a largas jornadas.** fig. Con celeridad y presteza. ‖ **caminar uno por sus jornadas.** fr. fig. Proceder con tiempo y reflexión en un negocio.

jornal. (Del occit. *jornal,* der. del lat. *diurnus.*) m. Estipendio que gana el trabajador por cada día de trabajo. ‖ 2. Este mismo trabajo. ‖ 3. Medida de tierra, de extensión varia, usada en diferentes provincias de España. ‖ **a jornal.** loc. adv. Mediante determinado salario cotidiano. Dícese del trabajo hecho de este modo, a diferencia del que se ajusta a destajo.

jornalar. tr. p. us. **ajornalar.** ‖ 2. intr. ant. Trabajar a jornal.

jornalear. intr. Trabajar a jornal.

jornalero, ra. m. y f. Persona que trabaja a jornal.

joroba. (Del ár. *ḥudūba,* giba.) f. Giba, corcova, chepa. ‖ 2. Por ext., convexidad notable de una cosa. ‖ 3. fig. y fam. Impertinencia y molestia enfadosa.

jorobado, da. p. p. de **jorobar.** ‖ 2. adj. Corcovado, cheposo. Ú. t. c. s.

jorobadura. f. Acción y efecto de jorobar.

jorobar. (De *joroba,* impertinencia.) tr. fig. y fam. Fastidiar, molestar. Ú. t. c. prnl.

jorobeta. m. fam. Jorobado, corcovado. Ú. t. c. adj.

jorongo. m. *Méj.* Especie de poncho, sarape.

joropear. intr. *Col.* y *Venez.* Bailar el joropo. ‖ 2. *Col.* y *Venez.* Divertirse.

joropo. m. Música y danza popular venezolanas, de zapateo y diversas figuras, que se ha extendido a los países vecinos. ‖ 2. *Venez.* Fiesta hogareña.

jorrar. (De *jorro.*) tr. ant. Remolcar una embarcación. ‖ 2. V. **red de jorrar.**

jorro. (De *ŷarr,* arrastre.) m. V. **red de jorro.** ‖ 2. *And.* Arrastradero de maderas. ‖ **a jorro.** loc. adv. Subiendo una pendiente en derechura. ‖ 2. *Mar.* **a remolque.**

josa. (Del ár. *ḥušša,* jardín, vergel.) f. Heredad sin cerca, plantada de vides y árboles frutales.

josefino¹, na. adj. Perteneciente o relativo a ciertos personajes históricos que llevaron el nombre de José. ‖ 2. Dicese especialmente de los individuos de las congregaciones devotas de San José. Ú. t. c. s. ‖ **3.** *Chile.* Aplícase a los miembros del partido clerical.

josefino², **na.** adj. Natural de San José, provincia, cantón y ciudad de Costa Rica. Ú. t. c. s. ‖ **2.** Perteneciente o relativo a estos lugares.

josefismo. m. Reforma de la Iglesia conforme a las doctrinas febronianas, emprendida por el emperador de Austria José II.

jostra. (De *jostrar, y este del lat. *substrāre, echar abajo.) f. ant. Suela del calzado. ‖ **2.** *Ál.* Suela hecha del mismo cuero que las abarcas y cosida a estas como refuerzo. ‖ **3.** *León.* Mancha de una cosa.

jostrado, da. (Del lat. *substrāre, echar abajo.) adj. Aplícase al virote guarnecido de un cerco de hierro, al modo de las puntas de las lanzas de justar, y con la cabeza redonda.

jota¹. (Del gr. ἰῶτα, a través del lat. *iōta.*) f. Nombre de la letra *j.* ‖ **2.** Cosa mínima. Ú. siempre con negación. ‖ **no entender** uno, o **no saber, jota, ni jota,** o **una jota.** fr. fig. y fam. Ser muy ignorante en una cosa. ‖ **no ver jota.** fr. fig. y fam. Ver con dificultad o no ver nada. ‖ **sin faltar jota,** o **una jota.** loc. adv. fig. y fam. **sin faltar una coma.**

jota². (Del ant. *xota,* de *sotar,* bailar.) f. Baile popular propio de Aragón, usado también en otras regiones de España. ‖ **2.** Música con que se acompaña este baile. ‖ **3.** Copla que se canta con esta música. Consta generalmente de cuatro versos octosílabos.

jota³. f. *Amér. Merid.* Especie de sandalia, ojota.

jota⁴. (Del ár. *futta,* potaje, sopa.) f. Potaje de bledos, borrajas y otras verduras sazonadas con hierbas olorosas y especias, rehogado todo en caldo de la olla.

jote. m. Especie de buitre de Chile, de color negro, excepto la cabeza y cuello, que son de color violáceo, y cola bastante larga.

jotero, ra. m. y f. Persona que canta, baila o compone jotas².

joto. m. *Col.* Paquete o bulto pequeño. ‖ **2.** coloq. despect. *Méj.* Marica, invertido.

joule. m. *Fís.* **julio²** en la nomenclatura internacional.

joven. (Del lat. *iuvĕnis.*) adj. De poca edad. ‖ **2.** Dícese del animal que aún no ha llegado a la madurez sexual, y, si se desarrolla con metamorfosis, del que ha alcanzado la última fase de esta y el aspecto de los adultos. ‖ **3.** V. **dama joven.** ‖ **4.** com. Persona que está en la juventud. ‖ **de lenguas.** En algunos Estados europeos, funcionario de la categoría de entrada en la carrera de intérpretes para el extranjero al servicio de las misiones diplomáticas establecidas en países orientales.

jovenado. (De *joven.*) m. En algunas órdenes religiosas, tiempo que están los religiosos o religiosas, después de la profesión, bajo la dirección de un maestro. ‖ **2.** Casa o cuarto en que habitan.

jovenete. (d. de *joven.*) m. p. us. Jovenzuelo osado o petulante.

jovenzuelo, la. adj. despect. d. de **joven.**

jovial. (Del lat. *Ioviālis.*) adj. Perteneciente a Jove o Júpiter. ‖ **2.** Alegre, festivo, apacible.

jovialidad. (De *jovial.*) f. Alegría y apacibilidad de genio.

jovialmente. adv. m. Con jovialidad; de manera jovial.

joya. (Del ant. fr. *joie,* hoy *joyau.*) f. Pieza de oro, plata o platino, con perlas o piedras preciosas o sin ellas, que sirve para adorno de las personas y especialmente de las mujeres. ‖ **2.** Cosa que se da por reconocimiento o como premio de algún servicio. ‖ **3. brocamantón,** broche. ‖ **4.** V. **día de joya, o la joya.** ‖ **5.** fig. Cosa o persona ponderada, de mucha valía. ‖ **6.** *Arq.* **astrágalo,** cordón que rodea el fuste de una columna. ‖ **7.** *Art.* **astrágalo,** adorno de los cañones antiguos. ‖ **8.** pl. Conjunto de ropas y al-

hajas que lleva una mujer cuando se casa. ‖ **llevarse** uno **la joya.** fr. fig. **llevarse la palma.**

joyante. adj. V. **seda joyante.**

joyel. (De *joya.*) m. Joya pequeña.

joyelero. (De *joyel.*) m. Persona que cuidaba las joyas de los reyes, guardajoyas.

joyería. (De *joyero.*) f. Trato y comercio de joyas. ‖ **2.** Tienda donde se venden. ‖ **3.** Taller en que se construyen.

joyero, ra. (De *joya.*) m. y f. Persona que hace o vende joyas. ‖ **2.** m. Estuche, caja o armario para guardar joyas. ‖ **3.** f. Mujer que hacía y bordaba adornos femeninos.

joyo. (Del lat. *lolĭum.*) m. **cizaña,** planta.

joyón. m. aum. de **joya.**

joyosa. (Del fr. *Joyeuse,* nombre de la espada de Carlomagno, y de las de otros caballeros.) f. *Germ.* **espada,** arma.

joyuela. f. d. de **joya.**

juagarzo. m. **jaguarzo.**

juan. m. *Germ.* Cepo de iglesia. ‖ **2.** n. p. V. **don Juan.** ‖ **3.** V. **hierba de San Juan.** ‖ **4.** V. **hierbas del señor San Juan.** ‖ **5.** V. **polvos de Juanes.** ‖ **6.** V. **preste Juan.** ‖ **7.** fig. y fam. V. **gata de Juan Ramos.** ‖ **de buen alma.** fam. **buen Juan.** ‖ **dorado.** *Germ.* Moneda de oro. ‖ **lanas.** fam. Hombre apocado que se presta con facilidad a todo cuanto se quiere hacer de él. ‖ **Palomo.** fam. Hombre que no se vale de nadie, ni sirve para nada. ‖ **Perez.** fam. Hombre sencillo y fácil de engañar. ‖ **hacer San Juan.** fr. fam. Despedirse los mozos asalariados antes de cumplir el tiempo de su ajuste. ‖ **otra al dicho Juan de Coca.** expr. fig. y fam. con que se nota la importuna repetición de una cosa. ‖ **ser una cosa Juan y Manuela.** fr. fam. con que se da a entender que no sirve para nada.

Juanelo. n. p. fig. V. **artificio, huevo de Juanelo.**

juanete. (De *Juan,* nombre rústico frecuente, pues se atribuía a rústicos ser juanetudo.) m. Pómulo muy abultado o que sobresale mucho. ‖ **2.** Hueso del nacimiento del dedo grueso del pie, cuando sobresale demasiado. ‖ **3.** *Mar.* Cada una de las vergas que se cruzan sobre las gavias, y las velas que en aquellas se envergan. ‖ **4.** *Mar.* V. **mastelerillo, mastelero de juanete.** ‖ **5.** *Veter.* Sobrehueso que se forma en la cara inferior del tejuelo o hueso que tienen dentro del casco las caballerías.

juanetero. m. *Mar.* Marinero encargado de la maniobra de los juanetes.

juanetudo, da. adj. Que tiene juanetes, abultamientos en el arranque del dedo grueso del pie.

juanillo. (d. de *Juan.*) m. *Perú.* Propina, gratificación, soborno.

juarda. (der. de *sudar,* [como cat. *suarda,* impurezas de la lana] a través del arag.) f. Suciedad que sacan el paño o la tela de seda por no haberles quitado bien la grasa que tenían al tiempo de su fabricación.

juardoso, sa. adj. Que tiene juarda.

juba. (Del ár. *ŷubba,* túnica.) f. **aljuba.**

jubada. (De *jubo².*) f. *Ar.* **yugada,** espacio de tierra que puede arar una yunta en un día.

jubete. (Del m. or. que *juba.*) m. Coleto cubierto de malla de hierro que usaron los soldados españoles hasta fines del siglo XV.

jubetería. f. Tienda donde se vendían jubetes y jubones. ‖ **2.** Oficio de jubetero.

jubetero. m. El que hacía jubetes y jubones.

jubilación. (Del lat. *iubilatĭo, -ōnis.*) f. Acción y efecto de jubilar o jubilarse. ‖ **2.** Haber pasivo que disfruta la persona jubilada. ‖ **3.** ant. Viva alegría, júbilo.

jubilado, da. p. p. de **jubilar.** ‖ **2.** adj. Dícese del que ha sido jubilado. Ú. t. c. s.

jubilar¹. adj. Perteneciente o relativo al jubileo.

jubilar². (Del lat. *iubilāre,* cruzado con *jubileo;* la jubilación se daba al cabo de cincuenta años de servicios, espacio de tiempo del jubileo.)

tr. Disponer que, por razón de vejez, largos servicios o imposibilidad, y generalmente con derecho a pensión, cese un funcionario civil en el ejercicio de su carrera o destino. ‖ **2.** Por ext., dispensar a una persona, por razón de su edad o decrepitud, de ejercicios o cuidados que practicaba o le incumbían. ‖ **3.** fig. y fam. Desechar por inútil una cosa. ‖ **4.** intr. desus. Alegrarse, regocijarse. Usáb. t. c. prnl. ‖ **5.** prnl. Conseguir la jubilación. Usáb. t. c. intr.

jubileo. (Del hebr. *yobel*, júbilo, a través del lat. *iubilaeus*.) m. Fiesta pública muy solemne que celebraban los israelitas cada cincuenta años. ‖ **2.** Entre los cristianos, indulgencia plenaria, solemne y universal, concedida por el Papa en ciertos tiempos y en algunas ocasiones. ‖ **3.** V. **año de jubileo.** ‖ **4.** Espacio de tiempo que contaban los judíos de un **jubileo** a otro. ‖ **5.** fig. Entrada y salida frecuente de muchas personas en una casa u otro sitio. ‖ **de caja.** El que se concede con la obligación de dar una limosna. Diósele este nombre porque para recoger dicha limosna se solían poner cajas. ‖ **ganar el jubileo.** fr. Hacer las diligencias necesarias para conseguir las indulgencias correspondientes. ‖ **ganar el jubileo de la pestaña.** fr. fig. Salir las mujeres a curiosear cuando hay fiesta. ‖ **por jubileo.** loc. adv. fig. y fam. Rara vez, con alusión a que el **jubileo** se concedía de cien en cien años.

júbilo. (Del lat. *iubilum*.) m. Viva alegría, y especialmente la que se manifiesta con signos exteriores.

jubilosamente. adv. m. Con júbilo.

jubiloso, sa. (De *júbilo*.) adj. Alegre, regocijado, lleno de júbilo.

jubillo. (De *jubo*, yugo.) m. Regocijo público de algunos pueblos de Aragón, que consistía en correr por la noche un toro que llevaba en las astas grandes bolas de pez y resina encendidas. ‖ **2.** Toro que se corría de esta manera.

jubo[1]. m. Culebra pequeña, muy común en la isla de Cuba, donde vive oculta entre las piedras y malezas.

jubo[2]. (Del lat. *iugum*.) m. Ar. Yugo al que se uncen los animales.

jubón. (aum. de *juba*.) m. Vestidura que cubría desde los hombros hasta la cintura, ceñida y ajustada al cuerpo. ‖ **2.** fig. y fam. **jubón de azotes.** ‖ **de azotes.** fig. y fam. Azotes que por justicia se daban en las espaldas. ‖ **de nudillos.** Especie de cota. ‖ **ojeteado. jubete.** ‖ **buen jubón me tengo en Francia.** expr. fig. y fam. que se usa para burlarse de quien se jacta de tener una cosa que en realidad no le puede servir.

jubonero. m. El que tenía por oficio hacer jubones.

júcaro. m. Árbol de las Antillas, de la familia de las combretáceas, que crece hasta unos 12 metros de altura, con tronco liso y grueso, hojas ovales y lustrosas por encima, flores sin corola y en racimos, fruto parecido a la aceituna y madera durísima.

judaica. (De *judaico*.) f. Púa de equino fósil, de forma globular o cilíndrica, lisa, espinosa o estriada y siempre con un piececillo que la unía a la concha del animal. Son bastante abundantes sobre las rocas jurásicas y cretáceas, y por la forma que algunas tienen se han empleado como amuletos.

judaico, ca. (Del lat. *Iudaïcus*.) adj. Perteneciente o relativo a los judíos. ‖ **2.** V. **betún judaico.** ‖ **3.** V. **piedra judaica.**

judaísmo. (Del lat. *Iudaismus*.) m. Profesión de la ley de Moisés, hebraísmo.

judaización. f. Acción y efecto de judaizar.

judaizante. p. a. de **judaizar.** Que judaíza. Ú. t. c. s.

judaizar. (Del lat. *iudaizare*.) intr. Abrazar la religión de los judíos. ‖ **2.** Practicar pública o privadamente ritos y ceremonias de la ley judaica.

judas. (Por alusión a *Judas* Iscariote, por quien Jesús fue vendido a los judíos.) m. fig. Hombre alevoso, traidor. ‖ **2.** fig. Gu-

sano de seda que se engancha al subir al embojo y muere colgado sin hacer su capullo. ‖ **3.** fig. Muñeco de paja que en algunas partes ponen en la calle durante la Semana Santa y después lo queman. ‖ **4.** n. p. V. **alma, árbol, beso, mano, pelo de Judas.** ‖ **estar hecho,** o **parecer,** uno **un Judas.** fr. fig. y fam. Tener roto y maltratado el vestido; ser desaseado.

Judea. n. p. V. **bálsamo, betún de Judea.**

judeoespañol, la o **judeo-español, la.** adj. Perteneciente o relativo a las comunidades sefardíes y a la variedad de lengua española que hablan. ‖ **2.** Dícese de la variedad de la lengua española hablada por los sefardíes, principalmente en Asia Menor, los Balcanes y el Norte de África. Conserva muchos rasgos del castellano anterior al siglo XVI. Ú. t. c. s.

judería. f. Barrio destinado a los judíos. ‖ **2.** Cierto pecho[2] o contribución que pagaban los judíos. ‖ **3.** ant. Profesión de la ley de Moisés, hebraísmo.

judezno, na. m. y f. ant. Judihuelo o hijo de judío.

judgador. (De *judgar*.) m. ant. **juez.**

judgar. (Del lat. *iudicare*.) tr. ant. **juzgar.**

judía. (Del ár. *ŷudiyā', alubia.) f. Planta herbácea anual, de la familia de las papilionáceas, con tallos endebles, volubles, de tres a cuatro metros de longitud; hojas grandes, compuestas de tres hojuelas acorazonadas unidas por la base; flores blancas en grupos axilares, y fruto en vainas aplastadas, terminadas en dos puntas, y con varias semillas de forma de riñón. Se cultiva en las huertas por su fruto, comestible, así seco como verde, y hay muchas especies, que se diferencian por el tamaño de la planta y el volumen, color y forma de las vainas y semillas. ‖ **2.** Fruto de esta planta. ‖ **3.** Semilla de esta planta. ‖ **4.** En el juego del monte, cualquier naipe de figura. ‖ **5.** Ar. y Murc. **avefría,** ave. ‖ **de careta.** Planta procedente de la China, de la familia de las papilionáceas, parecida a la **judía,** pero con tallos más cortos, vainas muy estrechas y largas, y semillas pequeñas, blancas, con una manchita negra y redonda en uno de los extremos. ‖ **2.** Fruto de esta planta. ‖ **3.** Semilla de esta planta.

judiada. f. Acción mala, que tendenciosamente se consideraba propia de judíos. ‖ **2.** p. us. Muchedumbre o conjunto de judíos.

judiar. m. Tierra sembrada de judías.

judicación. (Del lat. *iudicatio, -ónis.*) f. ant. Acción de juzgar.

judicante. (De *judicar*.) m. Ar. Cada uno de los jueces que condenaban o absolvían a los ministros de justicia denunciados y acusados por delincuentes en sus oficios.

judicar. (Del lat. *iudicare*.) tr. ant. **juzgar.**

judicativo, va. (Del lat. *iudicativus*.) adj. Que juzga o puede hacer juicio de algo.

judicatura. (Del lat. medieval *iudicatūra.*) f. Ejercicio de juzgar. ‖ **2.** Dignidad o empleo de juez. ‖ **3.** Tiempo que dura. ‖ **4.** Cuerpo constituido por los jueces de un país.

judicial. (Del lat. *iudiciális.*) adj. Perteneciente al juicio, a la administración de justicia o a la judicatura. ‖ **2.** V. **poder, policía judicial.** ‖ **3.** Der. V. **arbitrio, depósito, juramento judicial.**

judicialmente. adv. m. Por autoridad o procedimiento judicial.

judiciario, ria. (Del lat. *iudiciarius.*) adj. ant. **judicial.** ‖ **2.** V. **astrología judiciaria.** Ú. t. c. s. ‖ **3.** Perteneciente a esta. ‖ **4.** m. El que profesa esta vana ciencia.

judicio. (Del lat. *iudicium.*) m. ant. **juicio.**

judiciosamente. adv. m. ant. **juiciosamente.**

judicioso, sa. (De *judicio*.) adj. ant. **juicioso.**

judiego, ga. adj. ant. Perteneciente a los judíos. ‖ **2.** Dícese de una especie de aceituna, buena para hacer aceite, pero no para comer.

judihuela. f. d. de **judía.**

judihuelo. m. d. de **judío.**

judío, a. (Del lat. *Iudaeus.*) adj. Israelita, hebreo. Apl. a pers., ú. t. c. s. || **2.** Perteneciente o relativo a los que profesan la ley de Moisés. || **3.** Natural de Judea. Ú. t. c. s. || **4.** Perteneciente o relativo a este país de Asia antigua. || **de señal. judío** a quien se le permitía vivir entre cristianos, y se le hacía llevar una señal en el vestido o tocado para que fuese conocido. || **cegar como la judía de Zaragoza, llorando duelos ajenos.** expr. con que se moteja a los que sin obligación ni motivo justificado, se interesan demasiado por los asuntos ajenos.

judión. m. Cierta variedad de judía, de hoja mayor y más redonda, y con las vainas más anchas, cortas y estoposas.

judo. m. **yudo.**

juego. (Del lat. *iocus.*) m. Acción y efecto de jugar. || **2.** Ejercicio recreativo sometido a reglas, y en el cual se gana o se pierde. JUEGO *de naipes, de ajedrez, de billar, de pelota.* || **3.** En sentido absoluto, **juego de naipes** y **juegos de azar.** || **4.** En los **juegos** de naipes, conjunto de cartas que se reparten a cada jugador. || **5.** V. **casa de juego.** || **6.** Disposición con que están unidas dos cosas, de suerte que sin separarse puedan tener movimiento; como las coyunturas, los goznes, etc. || **7.** Ese mismo movimiento. || **8.** Determinado número de cosas relacionadas entre sí y que sirven al mismo fin. JUEGO *de hebillas, de botones, de café.* || **9.** En los carruajes de cuatro ruedas, cada una de las dos armazones, compuesta de un par de aquellas, su eje y demás piezas que le corresponden: llamábanse delantero o trasero, con relación al lugar que ocupaban. || **10.** Visos o cambiantes que resultan de la mezcla o disposición particular de algunas cosas. JUEGO *de aguas, de colores, de luces.* || **11.** Seguido de la prep. *de* y de ciertos nombres, casa o sitio en donde se juega a lo que dichos nombres significan. *Se reunieron en el* JUEGO DE *pelota.* || **12.** fig. Habilidad y arte para conseguir una cosa o para estorbarla. || **13.** pl. Fiestas y espectáculos públicos que se usaban en lo antiguo. || **a largo.** El de pelota cuando este se dirige de persona a persona. || **carteado.** Cualquiera de los de naipes que no es de envite. || **de alfileres. juego** de niños que consiste en empujar cada jugador con la uña del dedo pulgar, sobre cualquier superficie plana, un alfiler que le pertenece, para formar cruz con otro alfiler, que hace suyo si logra formarla. || **de azar. juego de suerte.** || **de billar. billar.** || **de cartas. juego de naipes.** || **de compadres.** fig. y fam. Modo de proceder dos o más personas que aspiran al logro de un fin, estando de acuerdo y aparentando lo contrario. || **de cubiletes.** fig. y fam. Destreza o artificio con que se trata de engañar a uno haciéndole creer lo que no es verdad. || **de damas. damas, juego** que se ejecuta en un tablero de 64 escaques. || **de envite.** Cada uno de aquellos en que se apuesta dinero sobre un lance determinado. || **de ingenio.** Aquel en que por diversión o pasatiempo se trata de resolver una cuestión propuesta en términos sujetos a ciertas reglas; como las charadas, las quincenas, los logogrifos, los ovillejos y los acertijos de todo género. || **de la campana. juego** infantil en que dos niños, dándose la espalda y enlazándose por los brazos, se suspenden alternativamente imitando el volteo de las campanas. || **del hombre. hombre, juego** de naipes. || **del oráculo.** Diversión que consiste en dirigir preguntas en verso varias personas a una sola, y en dar esta respuestas en el mismo metro de las preguntas. || **de los cantillos.** El que juegan los niños con cinco piedrecitas haciendo con ellas diversas combinaciones y lanzándolas a lo alto para recogerlas en el aire al caer. || **de manos.** Acción de darse palmadas unas personas a otras por diversión o afecto. || **2.** El de agilidad que practican los prestidigitadores para engañar a los espectadores con varios géneros de entretenimientos. || **3.**

fig. Acción ruin por la cual se hace desaparecer en poco tiempo una cosa que se tenía a la vista. || **de naipes.** Cada uno de los que se juegan con ellos, y se distinguen por nombres especiales; como la brisca, el solo, el tresillo, etc. || **de niños.** fig. Modo de proceder sin consecuencia ni formalidad. || **2.** Acción o cosa que no ofrece ninguna dificultad. || **de palabras.** Artificio que consiste en usar palabras, por donaire o alarde de ingenio, en sentido equívoco o en varias de sus acepciones, o en emplear dos o más que solo se diferencian en alguna o algunas de sus letras. || **de pasa pasa. juego** de manos de los prestidigitadores. || **de pelota. juego** entre dos o más personas consistente en lanzar contra una pared, con la mano, con pala o con cesta, una pelota que, al rebotar, debe ser relanzada por un jugador del equipo contrario. || **de prendas.** Diversión consistente en decir o hacer los concurrentes una cosa, y paga prenda el que no la dice o hace bien. || **de suerte.** Cada uno de aquellos cuyo resultado no depende de la habilidad o destreza de los jugadores, sino exclusivamente del acaso o la suerte; como el del monte o el de los dados. || **de tira y afloja. juego** de prendas que consiste en asir cada uno de los que lo juegan la punta de sendas cintas o pañuelos, que a su vez coge por el extremo opuesto la persona que dirige el **juego,** y cuando esta manda aflojar deben tirar los demás, o al contrario, y pierde prenda el que yerre. || **de trucos. trucos,** juego de destreza y habilidad que se ejecuta sobre una mesa. || **de vocablos, o voces. juego de palabras.** || **público.** El que se lleva a cabo con tolerancia o autorización legal de la autoridad. || **2.** Casa o local donde se lleva a efecto ese **juego.** || **juegos florales.** Concurso poético instituido por los trovadores en Provenza, y por don Juan I de Aragón en Cataluña, y el cual aún suele celebrarse en muchas partes, manteniendo por varones ilustres y presidido por una reina de la fiesta, con premio de flores simbólicas para el poeta vencedor. || **malabares.** Ejercicios de agilidad y destreza que se practican generalmente como espectáculo, manteniendo diversos objetos en equilibrio inestable, lanzándolos a lo alto o recogiéndolos, etc. || **2.** fig. Combinaciones artificiosas de conceptos con que se pretende deslumbrar al público. || **abrir juego o abrir el juego.** Empezarlo. || **2.** En el fútbol y otros **juegos** deportivos, lanzar la pelota desde un lugar donde hay gran acumulación de jugadores de ambos equipos, hacia un compañero desmarcado en la banda contraria del campo, para que pueda jugarla sin estorbos. || **acudir el juego** a uno. fr. Quedar **bien el juego.** || **cerrar el juego.** fr. En el dominó, hacer una jugada que impida continuarlo. Ú. t. el verbo c. prnl. || **conocerle** a uno **el juego.** fr. fig. Penetrar su intención. || **crear juego.** En el fútbol y otros **juegos** deportivos, proporcionar a un jugador a sus compañeros continuadas oportunidades de atacar y conseguir tantos. || **dar bien, o mal, el juego.** fr. Tener favorable o contraria la suerte. || **dar juego.** fr. fig. y fam. que se denota que un asunto o suceso tendrá más efecto del que se cree. || **desgraciado en el juego, afortunado en amores.** fr. fam. que suele decirse, como para consuelo, o con ironía, a la persona que pierde en el **juego.** || **despintársele** a uno **el juego.** fr. Engañarse por estar la pinta equivocada, tomando un palo por otro. || **en juego.** loc. que con los verbos *andar, estar, poner,* etc., significa que intervienen en un intento las cosas de que se habla. *Están* EN JUEGO *poderosas influencias.* || **2.** Con los verbos *estar* y *poner,* referidos a cosas que pueden perderse, significa que se trata, arriesgarlo. *Está* EN JUEGO *tu reputación.* || **fuera de juego.** Posición antirreglamentaria en que se encuentra un jugador, en el fútbol o en otros **juegos,** y que se sanciona con falta contra el equipo al cual pertenece dicho jugador. || **hacer juego.** fr. Mantenerlo o perseverar en él. || **2.** Entre jugadores, decir aquel a quien le toca las calidades que tiene;

como la de entrada, paso, etc. ‖ **3.** fig. Convenir o corresponderse una cosa con otra en orden, proporción y simetría. ‖ **hacerle** a uno **el juego.** fr. fig. **hacerle el caldo gordo.** ‖ **juego fuera.** expr. usada en algunos **juegos** de envite cuando se envida todo lo que falta para acabar el **juego.** ‖ **meter en juego** a uno. fr. **meterle en fuga.** ‖ **no dejar entrar en juego.** fr. fig. y fam. **no dejar meter baza.** ‖ **por juego.** loc. adv. Por burla, de chanza. ‖ **verle** a uno **el juego.** fr. fig. **conocerle el juego.**

jueguezuelo. m. d. de **juego.**

juera. (De or. inc.) f. *Extr.* Harnero espeso de esparto para limpiar o ahechar el trigo.

juerga. (De *huelga.*) f. En Andalucía, diversión bulliciosa de varias personas, acompañada de cante, baile flamenco y bebidas. ‖ **2.** Por ext., en el uso general, holgorio, parranda, jarana. ‖ **correr,** o **correrse, una juerga.** fr. fam. Tomar parte en ella. ‖ **tomar a juerga** una cosa. fr. fam. Tomarla a broma.

juerguearse. prnl. Estar de juerga.

juerguista. adj. Aficionado a la juerga. Ú. t. c. s.

jueves. (Del lat. *Iovis* [*dies*], día consagrado a Júpiter.) m. Cuarto día de la semana civil, quinto de la litúrgica. ‖ **de comadres.** El penúltimo antes del carnaval. ‖ **de compadres.** El anterior al comadres. ‖ **de la cena.** ant. **Jueves Santo.** ‖ **gordo,** o **lardero.** El inmediato a las carnestolendas. ‖ **no ser cosa del otro jueves.** fr. fig. y fam. No ser extraordinario aquello de que se habla.

juey. m. *P. Rico.* Cangrejo de tierra. ‖ **2.** *P. Rico.* Persona codiciosa, avara. ‖ **hacerse el juey dormido.** fr. fig. y fam. *P. Rico.* Hacerse la **mosquita muerta.** ‖ **ser uno un juey dormido.** fr. fig. y fam. *P. Rico.* Ser hipócrita.

juez. (Del lat. *iudex, -icis.*) com. Persona que tiene autoridad y potestad para juzgar y sentenciar. ‖ **2.** Persona que en las justas públicas, en los certámenes literarios o en otras competiciones cuida de que se observen las leyes impuestas en ellos y de distribuir los premios. ‖ **3.** Persona nombrada para resolver una duda. ‖ **4.** *Der.* V. **arbitro de juez.** ‖ **5.** m. Magistrado supremo del pueblo de Israel, desde que este se estableció en Palestina hasta que adoptó la monarquía. ‖ **6.** Cada uno de los caudillos que conjuntamente gobernaron a Castilla en cierta época, a falta de sus antiguos condes. ‖ **7.** fig. y fam. V. **cara de juez,** o **de justo juez.** ‖ **acompañado.** *Der.* El que se nombraba para acompañar, en el conocimiento y determinación de los autos, a aquel a quien recusaba la parte. ‖ **ad quem.** *Der.* **juez ante quien se interpone la apelación de otro inferior.** ‖ **apartado.** *Der.* El que por comisión especial conocía antiguamente de una causa, con inhibición de la justicia ordinaria. ‖ **a quo.** *Der.* **juez** de quien se apela ante el superior. ‖ **arbitrador.** Aquel en quien las partes se comprometen para que por vía de equidad ajuste y transija sus diferencias. ‖ **árbitro. juez arbitrador.** ‖ **2.** *Der.* El designado por las partes litigantes, y que ha de ser letrado, pero no **juez** oficial, para fallar el pleito conforme a derecho. ‖ **3.** *Der.* **amigable componedor.** ‖ **compromisario. compromisario.** ‖ **conservador.** Eclesiástico o secular nombrado para defender de violencias a una iglesia, comunidad u otro establecimiento privilegiado. ‖ **de alzadas,** o **de apelaciones.** En lo antiguo, cualquier **juez** superior a quien iban las apelaciones de los inferiores. ‖ **de balanza. balanzario.** ‖ **de competencias.** Cualquiera de los ministros de los consejos que componían la junta de este nombre, encargada de decidir las competencias suscitadas entre diversos **jueces** sobre jurisdicción. ‖ **de compromiso. compromisario.** ‖ **de encuesta.** Ministro togado de Aragón, que hacia inquisición contra los ministros de justicia delincuentes y contra los notarios y escribanos, y los castigaba procediendo de oficio, y no a instancia de parte. ‖ **de ganados.** Uno de los tres mayores que formaban parte de las prin-

cipalías de Filipinas, y que entendía especialmente en los asuntos relacionados con la ganadería. ‖ **de hecho.** El que falla sobre la certeza de los hechos y su calificación, dejando la resolución legal al de derecho. Tales son los **jueces** en cuestiones sobre riegos y distribución de aguas. ‖ **2. jurado,** cada uno de los que componen cierto tribunal no profesional. ‖ **delegado.** El que por comisión de otro que tiene jurisdicción ordinaria, conoce de las causas que se le cometen, según la forma y orden contenidos en la delegación. ‖ **del estudio.** En la universidad de Salamanca, el que conocía de las causas de los graduados, estudiantes y ministros que gozaban del fuero de la universidad. ‖ **de línea.** En el fútbol y otros deportes, cada uno de los dos árbitros auxiliares que vigilan el juego por las bandas derecha e izquierda, sin entrar en el campo, y tienen como misión advertir al árbitro principal, alzando una bandera, las faltas que observan. ‖ **de palo.** fig. y fam. El que es torpe e ignorante. *Es tan claro este pleito, que lo podría sentenciar un JUEZ DE PALO.* ‖ **de paz.** El que hasta la institución de los **jueces** municipales, en 1870, oía a las partes antes de consentir que litigasen, procurando reconciliarlas, y resolvía de plano las cuestiones de ínfima cuantía. También, cuando era letrado, solía suplir al **juez** de primera instancia. ‖ **de policía.** Uno de los tres mayores que formaban parte de las principalías de Filipinas, y que entendía especialmente en los asuntos relacionados con el cumplimiento de las obligaciones sobre policía urbana. ‖ **de primera instancia. juez de primera instancia y de instrucción.** ‖ **de primera instancia y de instrucción.** El ordinario de un partido o distrito, que conoce en primera instancia de los asuntos civiles no cometidos por la ley a los **jueces** municipales, y en materia criminal dirige la instrucción de los sumarios. ‖ **de raya.** *Argent.* **juez** que falla sobre el orden de llegada de los caballos en las carreras. ‖ **de sacas. alcalde de sacas.** ‖ **de sementeras.** Uno de los tres mayores que formaban parte de las principalías de Filipinas, y que entendía especialmente en los asuntos relacionados con los productos agrícolas. ‖ **entregador. alcalde entregador.** ‖ **in curia.** Cualquiera de los seis protonotarios apostólicos a quienes el nuncio del Papa en estos reinos debía cometer el conocimiento de las causas que venían en apelación a su tribunal, no pudiendo él conocer por sí sino en los casos en que su sentencia causaba ejecutoria. Hoy conoce la Rota de las causas de que ellos conocían. ‖ **lego.** **juez** municipal no letrado, especialmente si actúa como sustituto del de primera instancia, caso en que necesita abogado asesor para lo que no sea de mero trámite. ‖ **mayor.** Cada uno de los tres que formaban parte de las principalías de Filipinas. ‖ **mayor de Vizcaya.** Ministro togado de la chancillería de Valladolid que por sí solo conocía en segunda instancia de las causas civiles y criminales que iban en apelación del corregidor y justicias ordinarias de Vizcaya. ‖ **municipal.** El que con duración temporal, y sin la exigencia de ser letrado, ejerce en un municipio o distrito de este jurisdicción penal sobre faltas, civil en los asuntos de menor cuantía y actos de conciliación, y dirige también el registro del estado civil de las personas. ‖ **oficial de capa y espada.** Cada uno de los ministros de capa y espada que había en la audiencia de la contratación de Indias, en Cádiz, cuando existía este tribunal. ‖ **ordinario.** El que en primera instancia conoce las causas y pleitos. ‖ **2. juez** eclesiástico, vicario del obispo. ‖ **3.** Por antonom., el mismo obispo. ‖ **pedáneo.** Magistrado inferior que entre los romanos solo conocía de las causas leves, y no tenía tribunal, sino que oía de pie y decidía de plano. ‖ **2. alcalde pedáneo.** ‖ **3. juez** subalterno que interviene en causas de poca importancia. ‖ **pesquisidor.** El que se destinaba o enviaba para hacer jurídicamente la pesquisa de un delito o reo. ‖ **prosinodal.** examinador si-

nodal. ‖ **tutelar.** El que tenía el cargo de dar tutela al menor que no la tuviese.

jueza. f. fam. Mujer del juez. ‖ **2.** Mujer que desempeña el cargo de juez.

jugada. f. Acción de jugar el jugador cada vez que le toca hacerlo. ‖ **2.** Lance de juego que de este acto se origina. ‖ **3.** fig. Acción mala e inesperada contra uno. ‖ **hacer** uno **su jugada.** fr. fig. y fam. Hacer un buen negocio.

jugadera. (De *jugar.*) f. **lanzadera.**

jugador, ra. adj. Que juega. Ú. t. c. s. ‖ **2.** Que tiene el vicio de jugar. Ú. t. c. s. ‖ **3.** Que tiene especial habilidad y es muy diestro en el juego. Ú. t. c. s. ‖ **de manos.** El que hace juegos de manos. ‖ **de ventaja. fullero.** ‖ **el mejor jugador, sin cartas.** expr. fig. y fam. con que se denota que se ha dejado de incluir a uno en el negocio o diversión en que tiene mayor interés, inteligencia o destreza.

jugar. (Del lat. *iocāri.*) intr. Hacer algo con alegría y con el solo fin de entretenerse o divertirse. ‖ **2.** Travesear, retozar. ‖ **3.** Entretenerse, divertirse tomando parte en uno de los juegos sometidos a reglas, medie o no en él interés. JUGAR *a la pelota, al dominó.* ‖ **4.** Tomar parte en uno de los juegos sometidos a reglas, no para divertirse, sino por vicio o con el solo fin de ganar dinero. ‖ **5.** Llevar a cabo el jugador un acto propio del juego cada vez que le toca intervenir en él. ‖ **6.** En ciertos juegos de naipes, **entrar,** tomar sobre sí el empeño de ganar una apuesta. ‖ **7.** V. **jugar a la baja, al alza.** ‖ **8.** Con la prep. *con,* tratar a algo o a alguien sin la consideración o el respeto que merece. *Estás* JUGANDO CON *tu salud; no* JUEGUES CON*migo.* ‖ **9.** Ponerse alguna pieza de una máquina en movimiento para el objeto a que está destinada. ‖ **10.** Tratándose de armas blancas o de fuego, hacer de ellas el uso a que cada una está destinadas. *En tal acción* JUGÓ *la bayoneta,* o JUGARON *los cañones.* ‖ **11.** Hacer juego o convenir una cosa con otra. ‖ **12.** Intervenir o tener parte en un negocio. *Antonio* JUEGA *en este asunto.* ‖ **13.** tr. Tratándose de partidas de juego, llevarlas a cabo. JUGAR *un tresillo, una partida de ajedrez.* ‖ **14.** Tratándose de las cartas, fichas o piezas que se emplean en ciertos juegos, hacer uso de ellas. JUGAR *una carta, un alfil.* ‖ **15.** Perder en el juego. *Luis* HA JUGADO *cuanto tenía.* ‖ **16.** Tratándose de los miembros corporales, usarlos dándoles el movimiento que les es natural. ‖ **17.** Tratándose de armas, manejarlas. JUGAR *la espada, el florete.* ‖ **18.** Arriesgar, aventurar. Ú. m. c. prnl. JUGARSE *la vida, la carrera.* ‖ **¡bien juega quien mira!** loc. con que se reprende a los mirones de un juego cuando censuran alguna mala jugada. ‖ **jugar a las bonicas.** fr. que se usa cuando dos personas echan la pelota de una mano a otra, jugando sin dejarla caer al suelo. Aplícase también a otros juegos cuando no media interés. ‖ **jugar fuerte,** o **grueso.** fr. Aventurar al juego grandes cantidades. ‖ **jugar limpio.** fr. fig. **jugar** sin trampas ni engaños. ‖ **2.** fig. y fam. Proceder en un negocio con lealtad y buena fe. ‖ **jugársela,** o **jugárselas** a uno. fr. fig. Comportarse con él malamente o de modo desleal. ‖ **jugar sucio.** fr. fig. Emplear trampas y engaños en un juego o negocio. ‖ **ni juega ni da de barato.** fr. fig. y fam. que significa que uno procede con total indiferencia y sin tomar partido.

jugarreta. (De *jugar.*) f. fam. Jugada mal hecha y sin conocimiento del juego. ‖ **2.** fig. y fam. Truhanada, mala pasada.

juglándeo, a. (Del lat. *iuglans, -andis,* nuez, nogal.) adj. *Bot.* **yuglandáceo.**

juglar. (De *joglar.*) adj. Chistoso, picaresco. ‖ **2. juglaresco.** ‖ **3.** m. El que por dinero y ante el pueblo cantaba, bailaba o hacía juegos o truhanerías. ‖ **4.** El que por estipendio o dádivas recitaba o cantaba poesías de los trovadores, para recreo de los reyes y de los magnates. ‖ **5.** ant. Trovador, poeta.

juglara. adj. f. ant. de **juglar.** ‖ **2.** f. **juglaresa.**

juglarería. f. desus. **juglaría.**

juglaresa. f. Mujer juglar.

juglaresco, ca. adj. Propio del juglar, o relativo a él.

juglaría. f. Arte de los juglares. ‖ **2.** V. **mester de juglaría.**

juglería. f. **juglaría.**

jugo. (Del lat. *sucus.*) m. Zumo de las sustancias animales o vegetales sacado por presión, cocción o destilación. ‖ **2.** fig. Lo provechoso, útil y sustancial de cualquier cosa material o inmaterial. ‖ **gástrico.** *Fisiol.* Líquido ácido que segregan ciertas glándulas de la membrana mucosa del estómago y que contiene pepsina, fermento que actúa sobre las materias albuminoideas de los alimentos. ‖ **pancreático.** *Fisiol.* Líquido alcalino que segrega la porción exocrina del páncreas y llega al intestino por un conducto especial. Contiene varios fermentos, que actúan sobre algunos hidratos de carbono, grasas y proteínas de los alimentos.

jugosidad. (Del lat. *sucosĭtas, -ātis.*) f. Cualidad de jugoso.

jugoso, sa. (Del lat. *sucōsus.*) adj. Que tiene jugo. ‖ **2.** V. **azúcar jugosa.** ‖ **3.** Dícese del alimento sustancioso. ‖ **4.** fig. Valioso, estimable. ‖ **5.** *Pint.* Aplícase al colorido exento de sequedad, y al dibujo exento de rigidez y dureza.

juguete. (d. de *juego.*) m. Objeto atractivo con que se entretienen los niños. ‖ **2.** Chanza o burla. ‖ **3.** Composición musical o pieza teatral breve y ligera. JUGUETE *lírico, cómico, dramático.* ‖ **4.** fig. Persona o cosa dominada por alguna fuerza material o moral que la mueve y maneja a su arbitrio. JUGUETE *de las olas, de las pasiones, de la fortuna.* ‖ **por juguete.** loc. adv. fig. Por chanza o entretenimiento.

juguetear. (De *juguete.*) intr. Entretenerse con algo, moviéndolo sin propósito determinado. JUGUETEABA *con el llavero.*

jugueteo. m. Acción de juguetear.

juguetería. f. Comercio de juguetes. ‖ **2.** Tienda donde se venden.

juguetero, ra. adj. desus. Amigo de juguetear. ‖ **2.** m. y f. Persona que hace o vende juguetes. ‖ **3.** m. Mueble, rinconera o mesita donde se colocan figuritas de porcelana y otros objetos artísticos de poco tamaño.

juguetón, na. (De *juguetear.*) adj. Aficionado a jugar o retozar.

juiciero. (De *juicio.*) m. ant. El que juzga sin fundamento.

juicio. (Del lat. *iudicĭum.*) m. Facultad del alma, por la que el hombre puede distinguir el bien del mal y lo verdadero de lo falso. ‖ **2.** Estado de sana razón opuesto a locura o delirio. *Está en su* JUICIO; *está fuera de* JUICIO. ‖ **3.** Opinión, parecer o dictamen. ‖ **4.** V. **en tela de juicio.** ‖ **5.** V. **día, muela del juicio.** ‖ **6.** Pronóstico que los astrólogos hacían de los sucesos del año. ‖ **7.** fig. Seso, asiento y cordura. *Hombre de* JUICIO. ‖ **8.** *Der.* Conocimiento de una causa en la cual el juez ha de pronunciar la sentencia. ‖ **9.** ant. *Der.* Sentencia del juez. ‖ **10.** *Lóg.* Operación del entendimiento, que consiste en comparar dos ideas para conocer y determinar sus relaciones. ‖ **11.** *Teol.* El que Dios hace del alma en el instante en que se separa del cuerpo. Es uno de los cuatro novísimos o postrimerías del hombre. ‖ **12.** *Teol.* **juicio final.** ‖ **contencioso.** *Der.* El que se sigue ante el juez sobre derechos o cosas que varias partes contrarias litigan entre sí. ‖ **contradictorio.** *Der.* Proceso que se instruye a fin de justificar el merecimiento para ciertas recompensas. ‖ **convenido.** *Der.* Aquel en que, estando conformes de antemano acreedor y deudor, solo buscan la solemnidad del allanamiento y confesión para el reconocimiento de la deuda. ‖ **declarativo.** *Der.* El que en materia civil se sigue con plenitud de garantías procesales y termina por sentencia que causa ejecutoria entre los litigantes, acerca del asunto controvertido. ‖ **de desahucio.** *Der.* El sumario que tiene por objeto el lanzamiento de quien como arrendatario, dependiente o precarista posee bienes ajenos sin otro título que el de arriendo caducado o resuelto. ‖ **de Dios.** Cada una de ciertas pruebas que para averiguar la verdad se hacían en lo antiguo; como la del duelo, la de manejar hierros ardientes, etc. ‖ **de faltas.** *Der.* El que versa sobre infracciones de bandos de buen gobierno, o ligeras transgresiones del código penal, de que antes conocían los jueces de paz y hoy los municipales. ‖ **de mayor cuantía.** *Der.* El declarativo de tramitación más solemne que versa sobre derechos inestimables pecuniariamente o cosas cuyo valor exceda del límite fijado por la ley. ‖ **de menor cuantía.** *Der.* El declarativo, intermedio entre el de mayor cuantía y el verbal. ‖ **ejecutivo.** *Der.* **vía ejecutiva.** ‖ **extraordinario.** *Der.* Aquel en que se procedía de oficio por el juez. ‖ **2.** *Der.* Aquel en que se procedía sin el orden y sin las reglas establecidas por el derecho para los **juicios** comunes. ‖ **final.** *Teol.* **juicio universal,** el que ha de hacer Jesucristo a todos los hombres al fin del mundo. ‖ **oral.** *Der.* Período decisivo del proceso penal en que, después de terminado el sumario, se practican directamente las pruebas y alegaciones ante el tribunal sentenciador. ‖ **ordinario. juicio declarativo.** ‖ **particular.** *Teol.* El que Dios hace del alma al separarse esta del cuerpo. ‖ **petitorio.** *Der.* El que se seguía sobre la propiedad de una cosa o la pertenencia de un derecho. ‖ **plenario.** *Der.* El posesorio en que se trata con amplitud del derecho de las partes para declarar la posesión a favor de una de ellas, o reconocer el buen derecho que tiene en la propiedad. ‖ **posesorio.** *Der.* Aquel en que se controvierte la mera posesión de una cosa. ‖ **sumario.** *Der.* Aquel en que se procede brevemente y se prescinde de algunas formalidades o trámites del **juicio** ordinario. ‖ **universal.** *Der.* El que tiene por objeto la liquidación y partición de una herencia o la del caudal de un quebrado o concursado. ‖ **2.** *Teol.* **juicio final.** ‖ **verbal.** *Der.* El declarativo de grado inferior, que se sigue ante la justicia municipal. ‖ **justos juicios de Dios.** expr. Decretos ocultos de la divina Justicia. ‖ **abrir el juicio.** fr. *Der.* Decíase del acto de instaurar el príncipe o el Tribunal Supremo un **juicio** ya ejecutoriado, para que las partes dedujesen de nuevo sus derechos. ‖ **amontonarse juicio.** fr. fig. y fam. Ofuscarse la razón por enojo o por error. ‖ **asentar el juicio.** fr. Empezar a tener **juicio** y cordura. ‖ **cargar** uno **el juicio** en alguna cosa. fr. fig. Detener en ella la consideración. ‖ **contender en juicio.** fr. **pleitear.** ‖ **convenir a juicio.** fr. ant. Acudir o concurrir al tribunal competente para litigar las causas y pleitos. ‖ **convenir** a uno **en juicio.** fr. ant. *Der.* Ponerle demanda judicial. ‖ **echar juicio,** o **un juicio, a montón.** fr. fig. y fam. Juzgar temerariamente. ‖ **entrar en juicio** con uno. fr. Pedirle y tomarle cuenta de lo que se le ha entregado o de lo que ha hecho en cumplimiento de su obligación. ‖ **estar a juicio.** fr. Sujetarse a lo que resulte de un pleito, sea en pro o en contra. ‖ **estar** uno **en su juicio.** fr. Tener uno cabal y entero su entendimiento para poder obrar con perfecto conocimiento y advertencia. ‖ **estar uno fuera de juicio.** fr. Padecer la enfermedad de manía o locura. ‖ **2.** Estar cegado o enajenado con una pasión o arrebato. ‖ **estar** uno **muy en juicio.** fr. **estar** en su **juicio.** ‖ **falto de juicio.** loc. adj. Dícese que padece demencia, del que está poseído de algún arrebato que le embarga el discernimiento, y del que lo tiene muy escaso. ‖ **parecer** uno **en juicio.** fr. *Der.* Deducir ante el juez la acción o derecho que tiene, o las excepciones que excluyen la acción contraria. ‖ **pedir** uno **en juicio.** fr. *Der.* Comparecer ante el juez a proponer sus acciones y derechos. ‖ **poner en juicio.** fr. ant. Confiar a hombres prudentes la resolución de un negocio. ‖ **privarse** uno **del juicio.** fr. Volverse loco. ‖ **quitar el juicio** alguna cosa. fr. fig. y fam. Causar gran extrañeza y admiración. ‖ **sacar de juicio** a uno. fr. fig. y fam.

sacar de quicio. ‖ **2. quitar el juicio.** ‖ **salir** uno **de juicio.** fr. fig. Dejarse cegar por una pasión o arrebato. ‖ **ser** una cosa **un juicio.** fr. p. us. fig. Ser de ver, o de admirar. ‖ **suspender** uno **el juicio.** fr. Abstenerse de resolver en una duda por falta de noticia o por las razones que hacen fuerza por una y otra parte. ‖ **tener** uno **el juicio en los calcañares,** o **en los talones.** fr. fig. y fam. Portarse con poca reflexión y cordura. ‖ **volver** a uno **el juicio.** fr. Trastornárselo, hacérselo perder. ‖ **volvérsele el juicio** a uno. fr. **privarse de juicio.**

juiciosamente. adv. m. Con juicio.

juicioso, sa. adj. Que procede con madurez y cordura. Ú. t. c. s. ‖ **2.** Hecho con juicio.

jujear. intr. *Cantabria* y *León.* Lanzar el grito jubiloso *¡ju, ju!* o *¡¡jujú!*

jujeño, ña. adj. Perteneciente o relativo a la provincia argentina de Jujuy o a su capital, San Salvador de Jujuy. ‖ **2.** Natural de esta provincia o de su capital. Ú. t. c. s.

jujeo. m. Acción y efecto de jujear.

¡ju, ju! interj. **¡¡jujú!**

julepe. (De *ŷulläb*, palabra persa arabizada, agua de rosas, jarabe.) m. Poción de aguas destiladas, jarabes y otras materias medicinales. ‖ **2.** Juego de naipes en que se pone un fondo y se señala triunfo volviendo una carta, después de repartir tres a cada jugador. Por cada baza que se hace se gana la tercera parte del fondo, y quien no hace ninguna queda obligado a reponer el fondo. ‖ **3.** Esfuerzo o trabajo excesivo de una persona. ‖ **4.** Desgaste o uso excesivo de una cosa. ‖ **5.** fig. y fam. Golpe, tunda, paliza. ‖ **6.** fig. y fam. Reprimenda, castigo. ‖ **7.** fig. y fam. Susto, miedo. Ú. m. en *América Meridional* y *P. Rico.* ‖ **8.** fig. *P. Rico.* Lío, desorden. ‖ **dar julepe** a uno. fr. fam. Darle un julepe a alguno. fr. fam. Hacerle trabajar con exceso, imponerle una tarea larga, fatigosa y difícil. ‖ **2.** Urgirlo, meterle prisa. ‖ **llevar** uno **julepe.** fr. Quedarse sin baza. ‖ **meter un julepe** a alguno. fr. fig. y fam. **dar un julepe.**

julepear. intr. Jugar al julepe. ‖ **2.** tr. *Argent., Par.* y *Urug.* Asustar, infundir miedo. Ú. t. c. prnl. ‖ **3.** *Col.* Molestar, mortificar algunas cosas. ‖ **4.** *Col.* Insistir, urgir. ‖ **5.** *P. Rico.* Embromar.

juliano, na. adj. Perteneciente o relativo a Julio César, o instituido por él. ‖ **2.** V. **calendario juliano.** ‖ **3.** Perteneciente al conde Julián. ‖ **4.** V. **sopa juliana.**

julio¹. (Del lat. *Iūlĭus*.) m. Séptimo mes del año; tiene treinta y un días.

julio². (Del apellido de Jacobo Prescott *Joule,* físico inglés, 1818-1889.) m. *Fís.* Unidad de trabajo en el sistema basado en el metro, el kilogramo, el segundo y el amperio. Equivale a diez millones de ergios.

julo. m. Res o caballería que va delante de las demás en el ganado o en la recua.

juma. f. fam. jumera.

jumarse. prnl. vulg. Embriagarse, emborracharse. Ú. m. en *América.*

jumenta. (De *jumento.*) f. Hembra del jumento.

jumental. (Del lat. *iumentālis.*) adj. Perteneciente o relativo al jumento.

jumentil. adj. p. us. jumental.

jumento. (Del lat. *iumentum.*) m. Pollino, asno, burro.

jumera. (Como *humera.*) f. fam. Borrachera, embriaguez, humera.

juncáceo, a. (Del lat. *iuncus,* junco, y *-áceo.*) adj. *Bot.* Dícese de hierbas angiospermas monocotiledóneas, semejantes a las gramíneas, propias de terrenos húmedos, generalmente vivaces, con rizoma, tallos largos, filiformes o cilíndricos, hojas alternas envainadoras, flores poco aparentes y fruto en cápsula, que contiene semillas de albumen amiláceo; como el junco de esteras. Ú. t. c. s. f. ‖ **2.** f. pl. *Bot.* Familia de estas plantas.

juncada. f. Fruta de sartén, de figura cilíndrica y larga, a manera de junco. ‖ **2. juncar.** ‖ **3.** *Veter.* Medicamento preparado con manteca de vaca, miel y cocimiento de adormideras, que para curar el muermo usaron los antiguos veterinarios, aplicándolo en la parte enferma con un manojito de juncos.

juncal. adj. Perteneciente o relativo al junco. ‖ **2.** V. **ajonjera juncal.** ‖ **3.** Gallardo, bizarro, esbelto. ‖ **4.** m. Sitio poblado de juncos, juncar.

juncar. m. Sitio poblado de junqueras.

júnceo, a. (Del lat. *iuncĕus*, de junco.) adj. *Bot.* **juncáceo.**

juncia. (Del lat. *iuncĕa,* f. de *-us,* semejante al junco.) f. Planta herbácea, vivaz, de la familia de las ciperáceas, con cañas triangulares de 8 a 12 decímetros de altura; hojas largas, estrechas, aquilladas, de bordes ásperos; flores verdosas en espigas terminales, y fruto en granos secos de albumen harinoso. Es medicinal y olorosa, sobre todo el rizoma, y abunda en los sitios húmedos. ‖ **la juncia de Alcalá, que llegó tres días después de la función.** expr. fig. y fam. con que se moteja todo aquello que por retraso viene o se dice tarde y fuera de tiempo. ‖ **vender juncia.** fr. fig. Jactarse, echar bravatas.

juncial. m. Sitio poblado de juncias.

junciana. f. p. us. fig. Jactancia vana y sin fundamento.

junciera. (De *juncia.*) f. Vaso de barro, con tapa agujereada, para que salga el olor de las hierbas o raíces aromáticas que se ponen dentro de él en infusión con vinagre.

juncino, na. (Del lat. *iuncĭnus.*) adj. De juncos, compuesto con ellos.

juncir. (Del lat. *iungĕre.*) tr. ant. Uncir, yungir, poner el yugo. Ú. en Álava.

junco[1]. (Del lat. *iuncus.*) m. Planta de la familia de las juncáceas, con tallos de seis a ocho decímetros de largo, lisos, cilíndricos, flexibles, puntiagudos, duros, y de color verde oscuro por fuera y esponjosos y blancos en el interior; hojas radicales reducidas a una vainilla delgada, flores en cabezuelas verdosas cerca de la extremidad de los tallos, y fruto capsular con tres ventallas y muchas semillas en cada una de ellas. Se cría en parajes húmedos. ‖ **2.** Cada uno de los tallos de esta planta. ‖ **3.** Bastón para apoyarse al andar. ‖ **4.** V. **rabo de junco.** ‖ **5.** Planta de la familia de las ciperáceas, abundante en toda España, con rizoma rastrero, tallos cilíndricos finamente estriados; inflorescencia formada por varias cabezuelas globosas, de flores muy pequeñas y situada cerca del ápice del tallo. ‖ **común.** junco[1]. ‖ **de esteras.** junco[1]. ‖ **de Indias.** rota[3], especie de palma. ‖ **florido.** Arbusto de la familia de las butomáceas, cuyas flores, dispuestas en umbela, tienen seis pétalos y sus frutos son cápsulas con seis divisiones y multitud de semillas. Críase en Europa en lugares pantanosos; las hojas suelen usarse en medicina como aperitivas, y la raíz y las semillas, contra la mordedura de las serpientes. ‖ **marinero, marino,** o **marítimo.** Planta de la familia de las juncáceas, con tallos verdes, rollizos, ásperos y medulosos; hojas radicales, muy puntiagudas, y flores en panoja apretada. Crece espontánea en lugares húmedos, y alcanza hasta tres metros de altura. ‖ **oloroso. esquenanto.**

junco[2]. (Del port. *junco.*) m. Especie de embarcación pequeña usada en las Indias Orientales.

juncoso, sa. (Del lat. *iuncōsus.*) adj. Parecido al junco. ‖ **2.** Que produce juncos.

jungla. (Del ing. *jungle.*) f. En la India y otros países de Asia y América, terreno de vegetación muy espesa.

junglada. f. p. us. Cierto guiso de liebre, lebrada.

junio. (Del lat. *Iunĭus.*) m. Sexto mes del año; tiene treinta días.

júnior. (Del lat. *iunĭor,* más joven.) m. Religioso joven que, después de haber profesado, sigue sujeto a la enseñanza y obediencia del maestro de novicios.

junípero. (Del lat. *iunipĕrus.*) m. **enebro.**

junquera. f. Junco, planta.

junqueral. m. Sitio poblado de juncos, juncal, juncar.

junquillo. (d. de *junco.*) m. Planta de jardinería, especie de narciso de flores amarillas muy olorosas, cuyo tallo es liso y parecido al junco[1]. ‖ **2.** junco[1] de Indias. ‖ **3.** *Arq.* Moldura redonda y más delgada que el bocel.

junta. (De *juntar.*) f. Reunión de varias personas para conferenciar o tratar de un asunto. ‖ **2.** Cada una de las conferencias o sesiones que celebran. ‖ **3.** Todo aquel lugar donde varias cosas unidas o agregadas unas a otras. ‖ **4.** Unión de dos o más cosas. ‖ **5.** Conjunto de los individuos nombrados para dirigir los asuntos de una colectividad. ‖ **6.** Parte en que se juntan dos o más cosas, juntura. ‖ **7.** Pieza de cartón, cáñamo, caucho u otra materia compresible, que se coloca en la unión de dos tubos u otras partes de un aparato o máquina, para impedir el escape del cuerpo fluido que contienen. ‖ **8.** *Arq.* Espacio que queda entre las superficies de las piedras o ladrillos contiguos de una pared, y que suele rellenarse con mezcla o yeso. ‖ **9.** *Arq.* Cada una de estas mismas superficies. ‖ **10.** *Mar.* Empalme, costura. ‖ **administrativa.** La que rige los intereses peculiares de un pueblo que, en unión con otros, forma un municipio. ‖ **arbitral.** Tribunal administrativo que entiende en defraudaciones o faltas de contrabando. ‖ **de aposento.** Tribunal que entendía en el repartimiento de casas de aposento y de los tributos impuestos sobre ellas. ‖ **de descargos.** Tribunal o **junta** de sujetos nombrados por el rey, que intervenía en el cumplimiento y ejecución de los testamentos y últimas voluntades de los reyes y en la satisfacción de sus deudas. ‖ **municipal.** Reunión de concejales con un número igual de vocales asociados, para la aprobación de presupuestos y otros asuntos importantes. ‖ **retundir juntas.** fr. *Albañ.* Rellenar con argamasa fina las llagas de un muro.

juntador, ra. adj. ant. Que junta. Usáb. t. c. s.

juntadura. (De *juntar.*) f. ant. **juntura.**

juntamente. adv. m. Con unión o concurrencia de dos o más cosas en un mismo sujeto o lugar. ‖ **2.** ant. **unánimemente.** ‖ **3.** adv. t. A un mismo tiempo.

juntamiento. m. ant. Acción y efecto de juntar o juntarse. ‖ **2.** ant. Junta o asamblea. ‖ **3.** ant. **juntura**[1].

juntar. (De *junto.*) tr. Unir unas cosas con otras. ‖ **2.** Reunir, congregar, poner en el mismo lugar. Ú. t. c. prnl. ‖ **3.** Acumular, acopiar o reunir en cantidad. JUNTAR *dinero, víveres.* ‖ **4.** Tratándose de puertas o ventanas, **entornar** o **cerrar** sin echar llave o pestillo. ‖ **5.** prnl. Arrimarse, acercarse mucho a uno. ‖ **6.** Acompañarse, andar con uno. ‖ **7.** Tener el acto sexual. ‖ **8.** Amancebarse.

juntera. (De *junta,* empalme.) f. Garlopa para alisar el canto de las tablas.

junterilla. f. Juntera pequeña para principiar los rebajos, por lo cual se suele llamar **junterilla** de rebajos.

juntero, ra. adj. Perteneciente a una junta o delegado en ella. ‖ **2.** m. Individuo de la junta que en septiembre de 1843 promovió en Barcelona la revolución que terminó en noviembre del mismo año.

junto, ta. (Del lat. *iunctus.*) p. p. irreg. de **juntar.** ‖ **2.** adj. Unido, cercano. ‖ **3.** Que obra o que se junta con otro, a la vez o al mismo tiempo que él. Ú. m. en pl. ‖ **de por junto.** loc. adv. **en junto.** loc. adv. En total. *Tenía* EN JUNTO *trescientas pesetas.* ‖ **2. por junto.** ‖ **junto a.** loc. prep. Cerca de. ‖ **junto con.** loc. prep. En compañía de, en colaboración con. ‖ **por junto.** loc. adv. **por mayor.** Empléase hablando del acopio de provisiones que para algún tiempo suele hacerse en las casas. *Tengo* POR JUNTO *el aceite, los garbanzos.* ‖ **todo junto.** loc. adv. Juntamente, a la vez. *Tocaban, cantaban y bailaban,* TODO JUNTO.

juntorio. m. Cierto tributo antiguo.

juntura. (Del lat. *iunctūra.*) f. Parte o lugar en que se juntan y unen dos o más cosas. ‖ **2.** ant. **junta,** todo que forman varias cosas unidas. ‖ **3.** ant. Unión o mezcla de una cosa con otra. ‖ **claval.** *Anat.* Unión de dos huesos que entran el uno en el otro a manera de clavo. ‖ **nodátil,** o **nudosa.** *Anat.* La que forman dos huesos de los cuales uno tiene la cabeza o nudo en la cavidad del otro, y es la que sirve para el movimiento. ‖ **serrátil.** *Anat.* La que hay entre dos huesos con figura de dientes de sierra, de modo que las puntas que salen del uno entran en los huecos del otro.

junza. f. *Murc.* **juncia.**

juñir. (Del lat. *iungĕre.*) tr. *Ar.* Poner el yugo, uncir, yuncir.

Júpiter. (Del dios mitológico *Júpiter.*) n. p. m. Planeta conocido desde muy antiguo: es el mayor de cuantos componen el sistema solar, comparable por su brillo con Venus, y al cual acompañan nueve satélites. ‖ **2.** m. *Alq.* **estaño**[1].

jupiterino, na. adj. Perteneciente o relativo al dios mitológico Júpiter.

jur. (Del lat. *ius, iuris.*) m. ant. Derecho, poder, juro.

jura. (De *jurar.*) f. Acción de jurar solemnemente la sumisión a ciertos preceptos u obligaciones. ‖ **2. juramento,** afirmación o negación de una cosa, poniendo por testigo a Dios, o en sí mismo o en sus criaturas. ‖ **3.** Acto solemne en que los Estados y ciudades de un reino, en nombre de todo él, reconocían y juraban obediencia a su príncipe. ‖ **de bandera.** *Col.* Promesa civil de lealtad y servicio a la nación. ‖ **de la bandera.** Acto solemne en que cada individuo de las unidades o de los reemplazos militares jura obediencia y fidelidad en el servicio de la patria. ‖ **2.** *Argent.* **jura de bandera.** ‖ **de la mancuadra,** o **de mancuadra.** ant. *Der.* **juramento de calumnia.**

juradería. f. ant. Oficio de jurado, juraduría.

juradero, ra. (De *jurar.*) adj. V. **iglesia juradera.**

jurado, da. p. p. de **jurar.** ‖ **2.** adj. V. **enemigo, guarda jurado.** ‖ **3.** V. **relación jurada.** ‖ **4.** Que ha prestado juramento al encargarse del desempeño de su función u oficio. *Intérprete, vocal, veedor* JURADO. ‖ **5.** m. Sujeto cuyo cargo versaba sobre la provisión de víveres en los ayuntamientos y concejos. ‖ **6.** Tribunal no profesional ni permanente, de origen inglés, introducido luego en otras naciones, cuyo esencial cometido es determinar y declarar el hecho justiciable o la culpabilidad del acusado, quedando al cuidado de los magistrados la imposición de la pena que por las leyes corresponde al caso. ‖ **7.** Cada uno de los individuos que componen dicho tribunal. ‖ **8.** Cada uno de los individuos que constituyen el tribunal examinador en exposiciones, concursos, etc. ‖ **9.** Conjunto de estos individuos. ‖ **en cap.** En la corona de Aragón, era el primero de los **jurados,** que se elegía de los ciudadanos más ilustres que ya habían sido insaculados en otras bolsas de **jurados,** y que tenían cuarenta años cumplidos.

jurador, ra. (De *jurar.*) adj. Que tiene vicio de jurar. Ú. t. c. s. ‖ **2.** adj. Que jura. Usáb. t. c. s. ‖ **3.** *Der.* Que declara en juicio con juramento. Ú. t. c. s.

juraduría. f. ant. **juraduría.**

juraduría. f. Oficio y dignidad de jurado.

juramentar. tr. Tomar juramento a uno. ‖ **2.** prnl. Obligarse con juramento.

juramento. (Del lat. *iuramentum.*) m. Afirmación o negación de una cosa, poniendo por testigo a Dios, en sí mismo o en sus criaturas. ‖ **2.** Voto o reniego. ‖ **a la bandera.** *Mil.* **jura de la bandera.** ‖ **2.** *Pan.* **jura de bandera** o

de la bandera, promesa civil de lealtad y servicio a la nación. ‖ **asertorio.** Aquel con que se afirma la verdad de una cosa presente o pasada. ‖ **de calumnia.** *Der.* El que hacían las partes al principio del pleito, testificando que no procedían ni procederían con malicia. ‖ **decisorio,** o **deferido.** *Der.* Aquel que una parte exige la otra en juicio o fuera de él, obligándose a pasar por lo que esta jurare. ‖ **execratorio.** Maldición que uno se echa a sí mismo si no fuere verdad lo que asegura. ‖ **indecisorio.** Aquel cuyas afirmaciones solo son aceptadas como decisivas en cuanto perjudican al jurador. ‖ **judicial.** *Der.* El que el juez toma de oficio o a pedimento de la parte. ‖ **supletorio.** *Der.* El que se pide a la parte a falta de otras pruebas.

juramiento. m. ant. **juramento.**

jurante. p. a. de **jurar.** Que jura.

jurar. (Del lat. *iurāre.*) tr. Afirmar o negar una cosa, poniendo por testigo a Dios, o en sí mismo o en sus criaturas. ‖ **2.** Reconocer solemnemente, y con juramento de fidelidad y obediencia, la soberanía de un príncipe. ‖ **3.** Someterse solemnemente y con igual juramento a los preceptos constitucionales de un país, estatutos de las órdenes religiosas, graves deberes de determinados cargos, etcétera. ‖ **4.** intr. Echar votos y reniegos. ‖ **jurar en falso.** fr. Asegurar con juramento lo que se sabe que no es verdad. ‖ **jurársela,** o **jurárselas,** uno a otro. fr. fam. Asegurar que se ha de vengar de él.

jurásico, ca. (De la región del *Jura,* en Francia.) adj. *Geol.* Dícese del segundo período de la era mesozoica. Ú. t. c. s. ‖ **2.** *Geol.* Perteneciente o relativo a los terrenos de este período, en el que se empiezan a delimitar las masas continentales, aparecen diversos grupos de mamíferos y aves y predominan los dinosaurios.

juratoria. (Del lat. *iuratoría,* t. f. de *-rius,* juratorio.) adj. *Der.* V. **caución juratoria.** ‖ **2.** f. Lámina de plata o plana de pergamino, casi siempre esto último, en que estaba escrito el principio de cada uno de los cuatro evangelios, y sobre la cual ponían las manos los magistrados de Aragón para hacer el juramento.

juratorio. (Del lat. *iuratorius.*) m. Registro en que se hacía constar el juramento prestado por los magistrados de Aragón.

jurco. m. Surco que hace el arado en la tierra.

jurdano, na. adj. **hurdano.**

jurdía. (Quizá del ár. *zaradiyya,* cosa hecha de mallas.) f. Especie de red para pescar.

jure. abl. de la voz latina *ius,* que significa derecho. Se pronuncia *iure* en voz baja.

jurel. (Del grecolat. *saurus,* lagarto, a través del mozár. *šŭrĕl.*) m. Pez teleósteo marino, del suborden de los acantopterigios, de medio metro de largo aproximadamente, cuerpo rollizo, carnoso, de color azul por el lomo y blanco rojizo por el vientre, cabeza corta, escamas pequeñas y muy unidas a la piel, excepto a lo largo de los costados, donde son fuertes y agudas; dos aletas de grandes espinas en el lomo, y cola estrecha y muy ahorquillada.

jurero, ra. adj. *Chile* y *Ecuad.* Que jura en falso.

jurguina. f. p. us. Hechicera, jorguina.

jurídicamente. adv. m. En forma de juicio o de derecho. ‖ **2.** Por la vía judicial; por ante un juez. ‖ **3.** Con arreglo a lo dispuesto por la ley. ‖ **4.** En términos propios y rigurosos de derecho; en lenguaje legal.

juridicial. (Del lat. *iuridiciālis.*) adj. ant. **judicial.**

juridicidad. f. Cualidad de jurídico. ‖ **2.** Tendencia o criterio favorable al predominio de las soluciones de estricto derecho en los asuntos políticos y sociales.

jurídico, ca. (Del lat. *iuridĭcus.*) adj. Que atañe al derecho, o se ajusta a él. ‖ **2.** V. **acto, convento, hecho, negocio jurídico.** ‖ **3.** V. **culpa, persona jurídica.** ‖ **4.** ant. V. **día jurídico.**

jurio. m. ant. León. **jur.**

jurisconsulto, ta. (Del lat. *iurisconsultus.*) m. y f. Persona que profesa con el debido título la ciencia del derecho, dedicándose más particularmente a escribir sobre él y a resolver las consultas legales que se le proponen. ‖ **2.** m. En lo antiguo, intérprete del derecho civil, cuya respuesta tenía fuerza de ley. ‖ **3.** Conocedor de la ciencia del derecho, jurisperito.

jurisdicción. (Del lat. *iurisdictĭo, -ōnis.*) f. Poder o autoridad que tiene alguien para gobernar y poner en ejecución las leyes o para aplicarlas en juicio. ‖ **2.** Término de un lugar o provincia. ‖ **3.** Territorio en que un juez ejerce sus facultades de tal. ‖ **4.** Autoridad, poder o dominio sobre otro. ‖ **5.** Territorio al que se extiende. ‖ **acumulativa.** *Der.* Aquella por la que puede un juez conocer a prevención de las mismas causas que otro. ‖ **contenciosa.** *Der.* La que se ejerce en forma de juicio sobre pretensiones o derechos contrapuestos de las partes litigantes. ‖ **contencioso-administrativa.** *Der.* La que conoce de los recursos contra las decisiones definitivas de la administración. ‖ **delegada.** La que ejerce uno en lugar de otro por comisión que se le da para asunto y tiempo determinados. ‖ **2.** La que, aun ejercida en nombre del rey, correspondía a los jueces o tribunales, sin que pudiera decidir en último término ni aquel ni el gobierno. ‖ **exenta.** En el derecho canónico, la que no depende de la ordinaria. ‖ **forzosa.** *Der.* La que no se puede declinar. ‖ **ordinaria.** *Der.* La que procede del fuero común, en contraposición a la privilegiada. ‖ **retenida.** La que, aunque confiada a tribunales o consejos, dependía en último grado y término del rey o del gobierno. ‖ **voluntaria.** *Der.* Aquella en que, sin juicio contradictorio, el juez o tribunal da solemnidad a actos jurídicos o dicta ciertas resoluciones rectificables en materia civil o mercantil. ‖ **atribuir jurisdicción.** fr. *Der.* Asignarla la ley, o someterse las partes a juez que legalmente carecería de competencia. ‖ **caer debajo de la jurisdicción** de uno. fr. fig. y fam. **caer debajo de su poder.** ‖ **declinar la jurisdicción.** fr. *Der.* Pedir al juez que conoce de un pleito o causa que se reconozca incompetente y se inhiba de su seguimiento. ‖ **prorrogar la jurisdicción.** fr. *Der.* Extenderla a casos y personas que antes no comprendía. ‖ **reasumir la jurisdicción.** fr. *Der.* Suspender el superior o quitar por algún tiempo la que otro tenía, ejerciéndola por sí mismo en el conocimiento de un negocio. ‖ **refundir, o refundirse, la jurisdicción.** fr. *Der.* Quedar encomendada a un juez o tribunal negocios de que conocían dos o más.

jurisdiccional. adj. Perteneciente a la jurisdicción. ‖ **2.** V. **aguas jurisdiccionales.** ‖ **3.** V. **mar jurisdiccional.**

jurispericia. (Del lat. *iuris peritĭa.*) f. Conocimiento o ciencia del derecho, jurisprudencia.

jurisperito, ta. (Del lat. *iuris peritus.*) m. y f. Persona que conoce en toda su extensión el derecho civil y canónico, aunque no se ejercite en las tareas del foro.

jurisprudencia. (Del lat. *iuris prudentĭa.*) f. Ciencia del derecho. ‖ **2.** Conjunto de las sentencias de los tribunales, y doctrina que contienen. ‖ **3.** Criterio sobre un problema jurídico establecido por una pluralidad de sentencias concordes.

jurisprudente. (De *jurisprudencia.*) com. p. us. Persona que conoce la ciencia del derecho.

jurista. (Del lat. *ius, iuris,* derecho, e *-ista.*) com. Persona que estudia o profesa la ciencia del derecho. ‖ **2.** desus. Persona que tenía juro o derecho a una cosa.

juro. (Del lat. *ius, iuris.*) m. Derecho perpetuo de propiedad. ‖ **2.** Especie de pensión perpetua que se concedía sobre las rentas públicas, ya por merced graciosa, ya por recompensa de servicios, o bien por vía de réditos de un capital recibido. ‖ **moroso.** Aquel en cuya cobranza se había dejado de acudir por espacio de cierto número de años, y porque el dinero no estuviera ocioso se valía el príncipe de él, con la condición de satisfacerlo a la parte luego que acreditara su pertenencia. ‖ **a juro.** loc. adv. Col. **de juro,** a la fuerza. ‖ **caber el juro.** fr. Tener cabimiento en la relación por antelación. ‖ **de juro.** loc. adv. Ciertamente, por fuerza, sin remedio. ‖ **de, o por, juro de heredad.** loc. adv. Perpetuamente; para que pase de padres a hijos.

jurquero, ra. adj. **surquero,** asurcano.

jurutungo. m. P. Rico. Lugar lejano.

jusbarba. (Del lat. *Jovis barba,* barba de Júpiter.) f. **brusco,** planta liliácea.

jusello. (Del lat. *iuscellum,* caldo, salsa.) m. Potaje que se hacía con caldo de carne, perejil, queso y huevos.

jusente. f. ant. Marea baja, yusente.

jusí. m. Tela de Filipinas, clara como gasa y listada de colores fuertes, que se teje con seda y con hilazas de China.

jusmeso, sa. (Del lat. *deorsum,* abajo, y *missus,* metido.) p. p. irreg. de **jusmeterse.**

jusmeterse. (Del lat. *deorsum,* abajo, y *mittĕre,* meter.) prnl. *Ar.* Sujetarse, someterse.

justa. (De *justar.*) f. Pelea o combate singular, a caballo y con lanza. ‖ **2.** Torneo o juego de a caballo en que se acreditaba la destreza en el manejo de las armas. ‖ **3.** fig. Competición o certamen en un ramo del saber. JUSTA *literaria.*

justador. (De *justar.*) m. El que justa. ‖ **2.** ant. Ajustador o jubón.

justamente. adv. m. Con justicia. ‖ **2.** Exactamente, precisamente, ni más ni menos. *Eso ha sucedido* JUSTAMENTE *como yo pensaba.* ‖ **3.** Con igual medida, ajustadamente. *Este vestido viene* JUSTAMENTE *al cuerpo.*

justar. (Del occit. *jostar.*) intr. Pelear o combatir en las justas.

justedad. f. Cualidad de justo. ‖ **2.** Igualdad o correspondencia justa y exacta de una cosa.

justeza. f. **justedad.**

justicia. (Del lat. *iustitĭa.*) f. Una de las cuatro virtudes cardinales, que inclina a dar a cada uno lo que le corresponde o pertenece. ‖ **2.** *Teol.* Atributo de Dios por el cual ordena todas las cosas en número, peso o medida. Ordinariamente se entiende por la divina disposición con que castiga o premia, según merece cada uno. ‖ **3.** Derecho, razón, equidad. ‖ **4.** Conjunto de todas las virtudes, por el que es bueno quien la tiene. ‖ **5.** Lo que debe hacerse según derecho o razón. *Pido* JUSTICIA. ‖ **6.** Pena o castigo público. ‖ **7.** Ministro o tribunal que ejerce **justicia.** ‖ **8.** Poder judicial. ‖ **9.** V. **administración, sala de justicia.** ‖ **10.** V. **audiencia en justicia.** ‖ **11.** V. **ejecutor de la justicia.** ‖ **12.** ant. V. **pleito de justicia.** ‖ **13.** desus. fam. Castigo de muerte. *En este mes ha habido dos* JUSTICIAS. ‖ **14.** ant. Alguacil, oficial inferior de **justicia.** ‖ **15.** m. **justicia mayor de Aragón.** ‖ **16.** desus. **justicia mayor de Castilla.** ‖ **conmutativa.** La que regula la igualdad o proporción que debe haber entre las cosas, cuando se dan o cambian unas por otras. ‖ **de sangre.** ant. **mero imperio.** ‖ **distributiva.** La que establece la proporción con que deben distribuirse los recompensas y los castigos. ‖ **mayor de Aragón.** Magistrado supremo de aquel reino, que con el consejo de cinco lugartenientes togados hacía **justicia** entre el rey y los vasallos, y entre los eclesiásticos y seculares. Dictaba en nombre del rey sus provisiones e inhibiciones, cuidaba de que se observasen los fueros, conocía de los agravios hechos por los jueces y otras autoridades, y fallaba los recursos de fuerza. ‖ **mayor de Castilla, de la casa del rey, o del reino.** Dignidad, de las primeras del reino, que gozaba de grandes preeminencias y facultades, y a la cual se comunicaba toda la autoridad real para averiguar los delitos y castigar a los delincuentes. Desde el siglo XIV se hizo esta dignidad hereditaria en la casa de los duques de Béjar. ‖ **ordinaria.** *Der.* La jurisdicción común, por contraposición a la de fuero y privilegio. ‖ **original.** Inocencia y gracia en que Dios crió a nuestros primeros padres. ‖ **administrar justicia.** fr. *Der.* Aplicar las leyes en los juicios civiles o criminales, y hacer cumplir las sentencias. ‖ **¡aquí de la justicia!** exclam. **¡favor a la justicia!** ‖ **de justicia.** loc. adv. Debidamente, según justicia y razón. ‖ **de justicia en justicia.** loc. adv. Deciase de los desterrados conducidos de pueblo en pueblo o de alcalde en alcalde hasta su destino. ‖ **estar uno a justicia.** fr. estar a derecho. ‖ **hacer justicia** a uno. fr. Obrar en razón con él o tratarle según su mérito, sin atender a otro motivo, especialmente cuando hay competencia y disputa. ‖ **ir por justicia.** fr. Poner pleito; acudir a un juez o tribunal. ‖ **¡justicia de Dios!** exclam. para dar a entender que aquello que ocurre se considera obra de **justicia** de Dios. ‖ 2. Imprecación con que se da a entender que una cosa es injusta, como pidiendo a Dios que la castigue. ‖ **la justicia de enero.** expr. fam. con que se da a entender que ciertos jueces u otros funcionarios no suelen perseverar en el excesivo rigor que ostentan cuando principian a ejercer sus cargos. ‖ **oír en justicia.** fr. *Der.* Examinar un juez o tribunal los descargos o excusas del funcionario a quien impuso alguna corrección. ‖ **pedir en justicia.** fr. *Der.* Poner demanda ante el juez competente. ‖ **poner por justicia** a uno. fr. Demandarle ante el juez competente. ‖ **repartir justicia.** fr. administrar justicia. ‖ **tenerse uno a la justicia.** fr. Detenerse y rendirse a ella.

justiciable. adj. Que puede o debe someterse a la acción de los tribunales de justicia. Dícese principalmente de ciertos hechos.

justiciador. (De *justiciar.*) m. ant. El que hace justicia.

justicialismo. m. Movimiento político argentino, fundado por el general Perón.

justicialista. adj. Perteneciente o relativo al justicialismo. ‖ 2. Partidario del justicialismo. Ú. t. c. s.

justiciar. (De *justicia.*) tr. ant. Aplicar pena de muerte al reo, ajusticiar. ‖ 2. Declarar culpable e imponer una pena, condenar.

justiciazgo. m. Empleo o dignidad del justicia.

justiciero, ra. adj. Que observa y hace observar estrictamente la justicia. ‖ 2. Que observa estrictamente la justicia en el castigo de los delitos.

justificable. adj. Que se puede justificar.

justificación. (Del lat. *iustificatĭo, -ōnis.*) f. Acción y efecto de justificar o justificarse. ‖ 2. Causa, motivo o razón que justifica. ‖ 3. Conformidad con lo justo. ‖ 4. Probanza que se hace de la inocencia o bondad de una persona, un acto o una cosa. ‖ 5. Prueba convincente de una cosa. ‖ 6. *Impr.* Justa medida del largo que han de tener los renglones que se ponen en el componedor. ‖ 7. *Teol.* Santificación del hombre por la gracia, con la cual se hace justo.

justificadamente. adv. m. Con justicia y rectitud. ‖ 2. Con verdad y exactitud; sin discrepar.

justificado, da. p. p. de **justificar.** ‖ 2. adj. Conforme a justicia y razón. ‖ 3. Que obra según justicia y razón.

justificador, ra. adj. Que justifica. ‖ 2. m. El que santifica, santificador.

justificante. p. a. de **justificar.** Que justifica. Ú. t. c. s. m.

justificar. (Del lat. *iustificāre.*) tr. Hacer Dios justo a uno dándole la gracia. ‖ 2. Probar una cosa con razones convincentes, testigos o documentos. ‖ 3. Rectificar o hacer justa una cosa. ‖ 4. p. us. Ajustar, arreglar una cosa con exactitud. ‖ 5. Probar la inocencia de uno en lo que se le imputa o se presume de él. Ú. t. c. prnl. ‖ 6. *Impr.* Igualar

el largo de las líneas según la medida exacta que se ha puesto en el componedor.

justificativo, va. adj. Que sirve para justificar una cosa. *Instrumentos* JUSTIFICATIVOS.

justillo. (d. de *justo.*) m. Prenda interior sin mangas, que ciñe el cuerpo y no baja de la cintura.

justinianeo, a. adj. Aplícase a los cuerpos legales del emperador Justiniano y al derecho contenido en ellos.

justipreciación. f. Acción y efecto de justipreciar.

justipreciar. (De *justo* y *precio.*) tr. Apreciar o tasar una cosa.

justiprecio. (De *justipreciar.*) m. Aprecio o tasación de una cosa.

justo, ta. (Del lat. *iustus.*) adj. Que obra según justicia y razón. Ú. t. c. s. ‖ 2. Arreglado a justicia y razón. ‖ 3. Que vive según la ley de Dios. Ú. t. c. s. ‖ 4. Exacto, que no tiene en número, peso o medida ni más ni menos que lo que debe tener. ‖ 5. Apretado o que ajusta bien con otra cosa. ‖ 6. adv. Justamente, debidamente, exactamente. ‖ 7. Apretadamente, con estrechez. ‖ **al justo.** loc. adv. Ajustadamente, con la debida proporción. ‖ 2. Cabalmente, a punto fijo. ‖ **en justos y en verenjustos.** loc. adv. fig. y fam. Con razón o sin ella. ‖ **en justo y creyente.** loc. adv. Al punto, súbitamente, aceleradamente. ‖ **pagar justos por pecadores.** fr. Pagar los inocentes las culpas que otros han cometido.

juta. (Voz americana.) f. Ave palmípeda, variedad de ganso doméstico que crían los indios de Quito.

jutía. f. *Cuba* y *Sto. Dom.* **hutía,** mamífero roedor de las Antillas.

juvenal. (Del lat. *iuvenālis.*) adj. **juvenil.** Dícese de los juegos que instituyó Nerón cuando se cortó la barba y la dedicó a Júpiter, y del día que añadió Calígula a las saturnales para que se celebrasen los jóvenes.

juvenco, ca. (Del lat. *iuvencus.*) m. y f. ant. Res vacuna de dos a tres años, novillo.

juvenecer. (Del lat. *iuvenescĕre.*) tr. ant. Dar a uno condiciones de juventud, rejuvenecer.

juvenible. adj. ant. Perteneciente a la juventud, juvenil.

juvenil. (Del lat. *iuvenīlis.*) adj. Perteneciente o relativo a la juventud. ‖ 2. Perteneciente o relativo a la fase o estado del desarrollo de los seres vivos inmediatamente anterior al estado adulto.

juventud. (Del lat. *iuventus, -ūtis.*) f. Edad que empieza en la pubertad y se extiende a los comienzos de la edad adulta. ‖ 2. Estado de la persona joven. ‖ 3. Conjunto de jóvenes. ‖ 4. Primeros tiempos de alguna cosa. JUVENTUD *de un astro, del universo, del año.* ‖ 5. Energía, vigor, frescura.

juvia. f. Árbol indígena de Venezuela, de la familia de las mirtáceas. Crece en la región del Orinoco y es uno de los más majestuosos del Nuevo Mundo. Su tronco tiene un metro de diámetro, y alcanza más de 30 de altura. A los quince años da las primeras flores, y su fruto, que contiene una almendra muy gustosa, de la que se saca excelente aceite, es del tamaño de una cabeza humana. ‖ 2. Fruto de este árbol.

juzgado. (De *juzgar.*) m. Junta de jueces que concurren a dar sentencia. ‖ 2. Tribunal de un solo juez. ‖ 3. Término o territorio de su jurisdicción. ‖ 4. Sitio donde se juzga. ‖ 5. judicatura, dignidad de juez. ‖ **de provincia.** El que formaba cada uno de los alcaldes de casa y corte en Madrid, y cada uno de los alcaldes del crimen en las poblaciones donde había chancillería, para conocer en primera instancia de las causas civiles y criminales de su respectivo distrito.

juzgador, ra. (De *juzgar.*) adj. Que juzga. Ú. t. c. s. ‖ 2. m. ant. **juez.**

juzgaduría. (De *juzgador.*) f. ant. Dignidad de juez.

juzgamiento. m. ant. Acción y efecto de juzgar.
juzgamundos. (De *juzgar* y *mundo*.) com. fig. y fam. Persona murmuradora.
juzgar. (De *judgar*.) tr. Deliberar, quien tiene autoridad para ello, acerca de la culpabilidad de alguno, o de la razón que le asiste en un asunto, y sentenciar lo procedente.

‖ **2.** Formar juicio u opinión sobre algo o alguien. ‖ **3.** ant. Condenar a uno por justicia a perder una cosa; confiscársela. ‖ **4.** *Fil.* Afirmar, previa la comparación de dos o más ideas, las relaciones que existen entre ellas. ‖ **estar a juzgado y sentenciado.** fr. *Der.* Quedar obligado a oír y consentir la sentencia que se diere.

K

k. f. Duodécima letra del abecedario español, y novena de sus consonantes. Su nombre es **ka**, y representa un sonido de articulación velar, oclusiva y sorda. Se emplea en palabras de origen griego o extranjero. En las demás, su sonido se representa con *c* antes de *a, o* y *u*, y con *qu*, antes de *e o i*.

ka. f. Nombre de la letra **k**.

káiser. (Del al. *kaiser*.) m. Título de algunos emperadores de Alemania.

kan. (Del turco ant. *ĵän*, título que en distintos países ha designado al soberano.) m. Príncipe o jefe, entre los tártaros.

kantiano, na. adj. Perteneciente o relativo al filósofo alemán Kant o al kantismo. *La doctrina* KANTIANA. Apl. a pers., ú. t. c. s.

kantismo. m. Sistema filosófico ideado por Kant a fines del siglo XVIII, fundado en la crítica del entendimiento y de la sensibilidad.

kappa. (Del gr. *χάππα*.) f. Décima letra del alfabeto griego, correspondiente a nuestra *ka*. En el latín y en los idiomas neolatinos se ha sustituido en general por la *c*; v. gr.: *Cadmo, centro, cinoglosa*.

kárate. m. *Dep.* Modalidad de lucha japonesa, basada en golpes secos realizados con el borde de la mano, los codos o los pies. Es fundamentalmente un arte de defensa.

kéfir. (Voz caucásica.) m. Leche fermentada artificialmente y que contiene ácido láctico, alcohol y ácido carbónico.

kelvin. (Del primer barón de *Kelvin*, matemático y físico inglés, 1824-1907.) m. *Fís.* En el sistema internacional, unidad de temperatura absoluta, que es igual a 1/273'16 de la temperatura absoluta del punto triple del agua. Antiguamente llamado *grado Kelvin.* Símb.: *K*.

kelvinio. m. *Fís.* **kelvin,** en la nomenclatura española.

kerigma. (Del gr. *χήρυγμα*, proclamación.) m. *Rel.* En la religión cristiana, el primer anuncio de Jesús, el Salvador, que se hace a los no creyentes. ‖ **2.** *Rel.* El contenido sustancial de la buena nueva de salvación (muerte y resurrección de Cristo), fundamento de la fe cristiana.

kermes. (Del ár. *qirmiz*, grana, cochinilla.) m. Insecto parecido a la cochinilla de tierra, quermes.

kermés. (Del fr. *kermesse*.) f. Fiesta popular, al aire libre, con bailes, rifas, concursos, etc. ‖ **2.** Lugar donde se celebra esa fiesta. ‖ **3.** Nombre dado a las pinturas o tapices flamencos, generalmente del siglo XVII, que representaban fiestas populares.

kif. m. **quif.**

kili-. (Del gr. *χίλιοι*, mil.) pref. **kilo-.** KILI*área*.

kiliárea. (De *kili-* y *área*.) f. Superficie que tiene 1.000 áreas, o sea 10 hectáreas.

kilo. m. Forma abreviada de **kilogramo.** ‖ **2.** fam. Un millón de pesetas.

kilo-. (Del gr. *χίλιοι*.) elem. compos. que significa «mil». KI-LO*gramo*, KILÓ*metro*. A veces se escribe **quilo-**: QUILO*gramo*, QUILÓ*metro*.

kilocaloría. (De *kilo-* y *caloría*.) f. *Fís.* Unidad de energía térmica igual a 1.000 calorías. Se indica con el símbolo *kcal*.

kilociclo. m. *Electr.* Unidad de frecuencia equivalente a mil oscilaciones por segundo.

kilográmetro. (De *kilogramo* y *-metro*.) m. *Mec.* Unidad de trabajo mecánico o esfuerzo capaz de levantar un kilogramo a un metro de altura.

kilogramo. (De *kilo-* y *gramo*.) m. Unidad métrica fundamental de masa (y peso) igual a la masa o peso de un cilindro de platino-iridio guardado en la Oficina Internacional de Pesos y Medidas cerca de París, y aproximadamente igual a la masa (o peso) de mil centímetros cúbicos de agua a la temperatura de su máxima densidad (cuatro grados centigrados). ‖ **2. kilogramo fuerza.** ‖ **3.** Pesa de un **kilogramo.** ‖ **4.** Cantidad de alguna materia que pesa un **kilogramo.** *Diez* KILOGRAMOS *de plomo*. ‖ **fuerza.** *Fís.* Unidad de fuerza igual al peso de un **kilogramo** sometido a la gravedad normal.

kilohercio. (De *kilo-* y *hercio*.) m. *Fís.* Mil hercios.

kilolitro. (De *kilo-* y *litro*.) m. Medida de capacidad para líquidos y áridos, que tiene 1.000 litros, o sea un metro cúbico.

kilométrico, ca. adj. Perteneciente o relativo al kilómetro. ‖ **2.** V. **billete kilométrico.** Ú. t. c. s. ‖ **3.** fig. De muy larga extensión o duración.

kilómetro. (De *kilo-* y *-metro*.) m. Medida de longitud, que tiene 1.000 metros. ‖ **cuadrado.** Medida de superficie que es un cuadrado de un **kilómetro** de lado.

kilopondio. (De *kilo-* y el lat. *pondus, -èris*, peso.) m. *Fís.* **kilogramo fuerza.**

kilotex. m. Múltiplo del tex, equivalente a una masa mil veces mayor que la de este. Es más aplicable a mechas y cordelería. Ú. t. c. pl. sin variación de forma.

kilovatio. (De *kilo-* y *vatio*.) m. *Electr.* Unidad de potencia equivalente a mil vatios. ‖ **hora.** Unidad de trabajo o energía equivalente a la energía producida o consumida por una potencia de un **kilovatio** durante una hora.

kinesiología. f. **quinesiología.**

kinesiólogo, ga. m. y f. **quinesiólogo.**

kinesioterapia o **kinesiterapia.** f. **quinesioterapia.**

kinesiterápico, ca o **kinesiterápico, ca.** adj. *Med.* **quinesioterápico.**

kiosco. m. **quiosco.**

kirie. (Del gr. *Κύριε*, vocat. de Κύριος, Señor.) m. Invocación que se hace al Señor, llamándole con esta palabra griega, al principio de la misa, tras el introito. Ú. m. en pl. ‖ **echar los kiries.** fr. fig. y fam. *And.* vomitar. ‖ **llorar los kiries.** fr. fig. y fam. Llorar mucho.

kirieleisón. (Del gr. Κύριε, ¡oh Señor!, y ἐλέησον, ten piedad, a través del lat. cristiano *kyrie eleison*.) m. **kirie.** ‖ **2.** fam. Canto de los entierros y oficios de difuntos. ‖ **cantar el kirieleisón.** fr. fig. y fam. Pedir misericordia.

kivi. m. Ave apteriforme, del tamaño de una gallina. Habita en Nueva Zelanda.

kiwi. m. **kivi,** ave. ‖ **2. quivi.**

klistrón. (Del ing. *klystron*, nombre comercial.) m. Generador de microondas en que los electrones pasan entre dos rejillas muy próximas y llegan a una primera cavidad, o resonador de entrada, en la que forman grupos que se separan al recorrer cierta distancia y son reforzados en una segunda cavidad, llamada resonador de salida. ‖ **de reflector.** Aquel en que, gracias a un electrodo polarizado negativamente que refleja los electrones hacia atrás, se puede utilizar una sola cavidad resonante, que hace de resonador de entrada y de salida.

krausismo. m. Sistema filosófico ideado por el alemán Krause a principios del siglo XIX. Se funda en una conciliación entre el teísmo y el panteísmo, según la cual Dios, sin ser el mundo ni estar fuera de él, lo contiene en sí y de él trasciende.

krausista. adj. Perteneciente o relativo al krausismo. *Filósofo* KRAUSISTA. Apl. a pers., ú. t. c. s.

kremlin. (Del ruso *kreml*, ciudadela.) m. Recinto amurallado de las antiguas ciudades rusas. Por antonomasia, el de Moscú.

kremlinología. (De *kremlin*, más la vocal de unión *o*, y *-logía*.) f. Estudio y análisis de la política, los métodos y los usos de los gobiernos soviéticos.

kremlinólogo, ga. m. y f. Persona experta en kremlinología.

kril. (Del noruego *krill*, alevín, pez pequeño, a través del ing. *krill*.) m. Conjunto de varias especies de crustáceos marinos, de alto poder nutritivo, que integran el zooplancton.

kurdo, da. adj. Del Curdistán, curdo. Apl. a pers., ú. t. c. s.

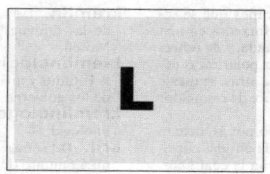

l. f. Decimotercera letra del abecedario español, y décima de sus consonantes. Su nombre es *ele*, y representa un sonido de articulación ápico-alveolar, lateral, fricativa y sonora. ‖ **2.** Letra numeral que tiene el valor de 50 en la numeración romana.

la¹. (Del lat. *illa*.) *Gram.* Artículo determinado en género femenino y número singular. ‖ **2.** *Gram.* Acusativo del pronombre personal de tercera persona en género femenino y número singular. No admite preposición, y puede usarse como enclítico: LA *miré*; *míra*LA. Es forma propia del complemento directo, y no puede usarse correctamente como complemento indirecto. ‖ **3.** *Gram.* Se emplea como pronombre de acusativo sin referencia a sustantivo expreso, frecuentemente con valor colectivo o cercano al del neutro *lo*: *Me* LA *pagarás. Buena* LA *hemos hecho.*

la². (V. *fa*.) m. *Mús.* Sexta voz de la escala musical.

lábaro. (Del lat. *labărum*.) m. Estandarte que usaban los emperadores romanos, en el cual, desde el tiempo de Constantino y por su mandato, se puso la cruz y el monograma de Cristo, compuesto de las dos primeras letras de este nombre en griego. ‖ **2.** Este mismo monograma. ‖ **3.** Por ext., la cruz o el monograma.

labe. (Del lat. *labes*.) f. p. us. Mancha, tilde, plaga.

labeo. m. p. us. **labe.**

laberíntico, ca. (Del lat. *labyrinthĭcus*.) adj. Perteneciente o relativo al laberinto. ‖ **2.** fig. Enmarañado, confuso, semejante a un laberinto.

laberinto. (Del gr. λαβύρινθος, a través del lat. *labyrinthus*.) m. Lugar formado artificiosamente por calles y encrucijadas, para confundir al que se adentre en él, de modo que no pueda acertar con la salida. ‖ **2.** fig. Cosa confusa y enredada. ‖ **3.** Composición poética hecha de manera que los versos puedan leerse al derecho y al revés y de otras maneras sin que dejen de formar cadencia y sentido. ‖ **4.** *Anat.* Parte del oído interno.

labia. (De *labio*.) f. fam. Verbosidad persuasiva y gracia en el hablar.

labiado, da. (De *labio*.) adj. *Bot.* Dícese de la corola, y por extensión de las flores que la poseen, dividida en dos partes o labios, el superior formado por dos pétalos, y el inferior por tres. ‖ **2.** *Bot.* Aplícase a plantas angiospermas, dicotiledóneas, que se distinguen por sus hojas opuestas, cáliz persistente y corola **labiada**; como la albahaca, el espliego, el tomillo y la salvia. Ú. t. c. s. f. ‖ **3.** f. pl. *Bot.* Familia de estas plantas.

labial. (De *labio*.) adj. Perteneciente a los labios. ‖ **2.** *Fon.* Dícese del sonido cuya articulación se forma mediante el contacto total o parcial de un labio con otro. ‖ **3.** *Fon.* Dícese de la letra que representa este sonido. Ú. t. c. s. f.

labialización. f. *Fon.* Acción y efecto de labializar.

labializar. tr. *Fon.* Dar carácter labial a un sonido.

labiérnago. (De *aladierna*, con posible cruce del lat. *laburnum*, codeso.) m. Arbusto o arbolillo de la familia de las oleáceas, de dos a tres metros de altura, con ramas mimbreñas, de corteza cenicienta, hojas persistentes, opuestas, estrechas, de color verdinegro, correosas, enteras o aserra-

das y con pecíolo corto; flores de corola blanquecina en hacecillos axilares, y fruto en drupa globosa y negruzca, del tamaño de un guisante.

labihendido, da. adj. Que tiene hendido o partido el labio superior.

lábil. (Del lat. *labĭlis*.) adj. Que resbala o se desliza fácilmente. ‖ **2.** Frágil, caduco, débil. ‖ **3.** fig. Poco estable, poco firme en sus resoluciones. ‖ **4.** *Quím.* Dícese del compuesto fácil de transformar en otro más estable.

labilidad. f. Cualidad de lábil.

labio. (Del lat. *labium*.) m. Cada uno de los rebordes exteriores carnosos y móviles de la boca de los mamíferos. ‖ **2.** fig. Borde de ciertas cosas. *Los* LABIOS *de una herida, de un vaso, del cáliz de una flor*. ‖ **3.** fig. Órgano del habla. *Su* LABIO *enmudeció*. Ú. t. en pl. *Nunca te ofendieron mis* LABIOS. ‖ **4.** V. **lápiz de labios.** ‖ **leporino.** El superior del hombre, cuando, por defecto congénito, está hendido en la forma en que normalmente lo tiene la liebre. ‖ **vaginal.** *Anat.* Cada uno de los dos pares de repliegues cutáneos de la vulva. ‖ **cerrar los labios.** fr. fig. **callar**, dejar de hablar; guardar silencio con la voz. ‖ **2.** No decir determinada cosa. ‖ **estar con colgado**, o **pendiente, de los labios** de otro. fr. fig. **estar colgado**, o **pendiente, de las palabras** de otro. ‖ **morderse** uno **los labios.** fr. fig. y fam. **morderse la lengua.** Ú. m. con negación. ‖ **2.** fig. y fam. Violentarse para reprimir la risa o el habla. ‖ **no descoser**, o **despegar**, uno **los labios**, o **sus labios.** fr. fig. Callar o no contestar. ‖ **sellar el labio**, o **los labios.** fr. fig. Callar, enmudecer o suspender las palabras.

labiodental. adj. *Fon.* Dícese de la consonante cuya articulación se forma aplicando o acercando el labio inferior a los bordes de los dientes incisivos superiores, como la *f*. ‖ *Fon.* Dícese de la letra que representa este sonido. Ú. t. c. s. f.

labioso, sa. adj. fig. *Ecuad.* Adulador.

labirinto. m. ant. **laberinto.**

labor. (Del lat. *labor, -ōris*.) f. Acción de trabajar y resultado de esta acción. ‖ **2.** Adorno tejido o hecho a mano, en la tela, o ejecutado de otro modo en otras cosas. Ú. con frecuencia en pl. ‖ **3.** Obra de coser, bordar, etc. ‖ **4.** desus. Con el artículo *la*, escuela de niñas donde aprendían a hacer **labor.** *Ir a* LA LABOR; *sacar a la niña de* LA LABOR. ‖ **5.** Labranza, en especial de las tierras que se siembran. Hablando de las demás operaciones agrícolas, ú. m. en pl. ‖ **6.** V. **casa, tierra de labor.** ‖ **7.** Cada una de las vueltas de arado o de las cavas que se dan a la tierra. ‖ **8.** Entre los fabricantes de teja y ladrillo, cada millar de estos objetos. ‖ **9.** Cada uno de los grupos de productos que se confeccionan en las fábricas de tabacos. ‖ **10.** En algunas partes, simiente de los gusanos de seda. ‖ **11.** *Mar.* V. **cabo de labor.** ‖ **12.** *Mín.* excavación. Ú. m. en pl. ‖ **blanca.** La que se hace en lienzo. ‖ **de chocolate.** tarea de chocolate. ‖ **de zapa.** trabajo de zapa. ‖ **hacer labor.** fr. fam. **hacer juego**, corresponderse una cosa con otra. ‖ **hacer labores.** fr. *Ar.* Tomar las medidas convenientes para la consecución de una cosa. ‖ **meter en labor la tierra.** fr. Labrarla, prepararla para la sementera. ‖ **sus labores.** expr. fig. para designar la dedicación, no remunerada, de la mujer a las tareas de su propio hogar. Ú. m. c. fórmula administrativa.

laborable. adj. Que se puede laborar o trabajar. ‖ **2. V. día laborable.**

laborador. (Del lat. *laborātor, -ōris*.) m. ant. Trabajador o labrador.

laboral. adj. Perteneciente o relativo al trabajo, en su aspecto económico, jurídico y social.

laboralista. com. Especialista en derecho laboral. Ú. t. c. adj.

laborante. (Del lat. *laborans, -antis*.) p. a. de **laborar.** Que labora. ‖ **2.** m. p. us. Conspirador o muñidor que persigue algún empeño político. ‖ **3.** ant. El que se ocupa o trabaja en un oficio.

laborar. (Del lat. *laborāre*.) tr. **labrar.** ‖ **2.** intr. Gestionar o intrigar con algún designio.

laboratorio. (Del *laborar* y *-torio*.) m. Oficina en que los químicos hacen sus experimentos y los farmacéuticos las medicinas. ‖ **2.** Por ext., oficina o taller donde se hacen trabajos de índole técnica, o investigaciones científicas.

laborear. (De *labor*.) tr. Labrar o trabajar una cosa. ‖ **2.** *Min.* Hacer excavaciones en una mina. ‖ **3.** intr. *Mar.* Pasar y correr un cabo por la roldana de un motón.

laboreo. (De *laborear*.) m. Cultivo de la tierra o del campo. ‖ **2.** *Mar.* Orden y disposición de los que se llaman en las embarcaciones cabos de labor, para el conveniente manejo de las vergas, masteleros y velamen. ‖ **3.** *Min.* Arte de explotar las minas, haciendo las labores o excavaciones necesarias, fortificándolas, disponiendo el tránsito por ellas y extrayendo las menas aprovechables. ‖ **4.** *Min.* Conjunto de estas labores.

laborera. adj. p. us. Aplícase a la mujer diestra en las labores de costura.

laborío. m. p. us. Labor o trabajo.

laboriosamente. adv. m. Con laboriosidad. ‖ **2.** Con esfuerzo, larga y trabajosamente.

laboriosidad. (De *laborioso*.) f. Aplicación o inclinación al trabajo.

laborioso, sa. (Del lat. *laboriōsus*.) adj. Trabajador, aficionado al trabajo. ‖ **2.** Trabajoso, penoso.

laborismo. m. Ideología política inglesa de carácter reformista y moderado, cuya base social es la clase trabajadora.

laborista. adj. Que profesa la doctrina del laborismo. Ú. t. c. s. ‖ **2.** Perteneciente o relativo a esta doctrina política.

laboroso, sa. (De *labor*.) adj. desus. **laborioso.**

laborterapia. (De *labor* y *terapia*.) f. Tratamiento de las enfermedades mentales o psíquicas mediante el trabajo.

labra. f. Acción y efecto de labrar piedra, madera, etc.

labrada. (De *labrar*.) f. Tierra arada, barbechada y dispuesta para sembrarla al año siguiente.

labradero, ra. adj. p. us. **labrantío.**

labradío, a. (De *labrado*.) adj. p. us. Dícese del campo que se labra, labrantío. Ú. t. c. s. m.

labrado, da. p. p. de **labrar.** ‖ **2.** adj. Aplícase a las telas o géneros que tienen alguna labor. ‖ **3.** m. Acción y efecto de labrar. ‖ **4.** Campo labrado. Ú. m. en pl.

Labrador[1]. n. p. m. V. **piedra del Labrador.**

labrador[2], ra. (Del lat. *laborātor, -ōris*.) adj. Que labra la tierra. Ú. t. c. s. ‖ **2.** Aplícase a la persona o es a propósito para trabajar. ‖ **3.** m. y f. Persona que posee hacienda de campo y la cultiva por su cuenta. ‖ **4.** m. *Cuba, Par.* y *Sto. Dom.* El que labra la madera sacando la corteza de los árboles cortados para convertirlos en rollizos.

labradoresco, ca. adj. p. us. Perteneciente al labrador o propio de él.

labradoril. adj. p. us. **labradoresco.**

labradorita. (De *Labrador*, región de América Septentrional, donde primeramente se halló este mineral.) f. Feldespato laminar de color gris, traslúcido, iridiscente y que entra en la composición de diferentes rocas. Es un silicato de alúmina y cal.

labradura. (De *labrar*.) f. ant. **labor.**

labrandera. f. Mujer que sabe labrar o hacer labores de costura.

labrante. (De *labrar*.) m. p. us. Cantero, picapedrero. ‖ **2.** p. us. El que trabaja con el hacha en cortar y labrar maderas.

labrantín. (De *labrante*.) m. Labrador de poco caudal.

labrantío, a. (De *labrante*.) adj. Aplícase al campo o tierra de labor. Ú. t. c. s. m.

labranza. (De *labrar*.) f. Cultivo de los campos. ‖ **2.** Campo sembrado, sementera. ‖ **3.** Hacienda de campo o tierras de labor. ‖ **4.** Trabajo o trabajo de cualquier arte u oficio.

labrar. (Del lat. *laborāre*.) tr. Trabajar en un oficio. ‖ **2.** Trabajar una materia reduciéndola al estado o forma conveniente para usarla. LABRAR *la madera;* LABRAR *plata.* ‖ **3. arar.** ‖ **4.** Llevar una tierra en arrendamiento. ‖ **5.** Hacer un edificio. ‖ **6.** Coser o bordar, o hacer otras labores de costura. ‖ **7.** fig. Hacer, causar gradualmente. LABRAR *la felicidad, la desgracia, la ruina de alguien.* ‖ **8.** intr. fig. Causar fuerte impresión en el ánimo una cosa, y en especial cuando es gradual y durable.

labrero, ra. adj. Aplícase a las redes de cazonal.

labriego, ga. (De *labra* y *-iego*.) m. y f. Labrador rústico.

labrio. (Del lat. *labrum*, infl. por *labĭum*.) m. desus. **labio.**

labro. (Del lat. *labrum*.) m. ant. **labio.** ‖ **2.** *Zool.* Labio superior de la boca de los insectos, muy aparente en los masticadores, y confuso a veces o modificado en los demás.

labrusca. (Del lat. *labrusca*.) f. Vid silvestre.

laca. (Del ár. *lakk*, nombre de varias sustancias que tiñen de rojo.) f. Sustancia resinosa, traslúcida, quebradiza y encarnada, que se forma en las ramas de varios árboles de la India con la exudación que producen las picaduras de insectos parecidos a la cochinilla, y los restos de estos mismos animales, que mueren envueltos en el líquido que hace fluir. ‖ **2.** Barniz duro y brillante hecho con esta sustancia, muy empleado por los chinos y japoneses. ‖ **3.** Por ext., objeto barnizado con **laca.** ‖ **4.** Color rojo que se saca de la cochinilla, de la raíz de la rubia o del palo de Pernambuco. ‖ **5.** Sustancia aluminosa coloreada que se emplea en la pintura. LACA *amarilla, verde, de Venecia.* ‖ **6.** Sustancia líquida e incolora que se emplea para fijar el peinado. ‖ **de uñas.** Sustancia coloreada o transparente que sirve para pintar las uñas.

lacandón, na. adj. Aplícase a una comunidad indígena que habita Chiapas y Guatemala. Ú. t. c. s. ‖ **2.** Perteneciente o relativo a estos indios y a su idioma. ‖ **3.** m. Lengua de la familia maya que hablan estos indios.

lacayil. adj. desus. Propio de lacayos, lacayuno.

lacayo, ya. (De *or. inc.*) adj. desus. Propio de **lacayos.** ‖ **2.** Servil, rastrero. ‖ **3.** m. Cada uno de los dos soldados de a pie, armados de ballesta, que solían acompañar a los caballeros en la guerra y formaban a veces cuerpos de tropa. ‖ **4.** Criado de librea cuya principal ocupación era acompañar a su amo a pie, a caballo o en coche. ‖ **5.** Lazo colgante de cintas que se adornaban las mujeres el puño de la camisa o del jubón. ‖ **6. mozo de espuelas.**

lacayuelo. m. d. de **lacayo.**

lacayuno, na. adj. fam. Propio de lacayos.

lacear. tr. Adornar con lazos. ‖ **2.** Atar con lazos. ‖ **3.** *Chile* y *Perú.* Sujetar un animal con lazo, lazar. ‖ **4.** *Mont.* Disponer la caza para que venga al tiro, tomándole el aire. ‖ **5.** *Mont.* Coger con lazos la caza menor.

lacedemón. adj. **lacedemonio.** Apl. a pers., ú. t. c. s.

lacedemonio, nia. (Del lat. *Lacedaemonĭus*.) adj. Natural de Lacedemonia. Ú. t. c. s. ‖ **2.** Perteneciente o relativo a este país de la antigua Grecia.

lacena. f. Aféresis de **alacena**, armario empotrado con anaqueles.

laceración. (Del lat. *laceratĭo, -ōnis*.) f. Acción y efecto de lacerar.

lacerado, da. p. p. de **lacerar**. ‖ **2.** adj. Infeliz, desdichado. ‖ **3.** p. us. Que padece el mal de San Lázaro. Ú. t. c. s. ‖ **4.** ant. Mezquino, miserable, roñoso. Usáb. t. c. s.

lacerador. (Del lat. *lacerātor, -ōris*.) m. ant. Acostumbrado a trabajos; capaz de resistirlos.

lacerar. (Del lat. *lacerāre*.) tr. Lastimar, golpear, magullar, herir. Ú. t. c. prnl. ‖ **2.** fig. Dañar, vulnerar. LACERAR *la honra, la reputación*. ‖ **3.** ant. Penar, pagar un delito. ‖ **4.** ant. fig. Perjudicar a una persona; malquistarla con otra. ‖ **5.** intr. Padecer, pasar trabajos. ‖ **6.** ant. Escasear, ahorrar, gastar poco.

lacerear. intr. ant. **lacerar**.

lacería. (De *lacería*.) f. p. us. Miseria, pobreza. ‖ **2.** p. us. Trabajo, fatiga, molestia. ‖ **3.** ant. **mal de San Lázaro**.

lacería. f. Conjunto de lazos, especialmente en labores de adorno.

lacerio. m. ant. **lacería**.

lacerioso, sa. adj. Que padece lacería o miseria.

lacero. m. Persona diestra en manejar el lazo para apresar toros, caballos, etc. ‖ **2.** El que se dedica a coger con lazos la caza menor, por lo común furtivamente. ‖ **3.** Empleado municipal encargado de recoger perros vagabundos.

lacerto. (Del lat. *lacertus*.) m. ant. Lagarto, reptil.

lacertoso, sa. (Del lat. *lacertōsus*.) adj. desus. Musculoso, membrudo, fornido.

lacetano, na. (Del pl. lat. *Lacetāni*.) adj. Dícese de un pueblo prerromano que habitaba la Lacetania, región de la Hispania Tarraconense. ‖ **2.** Dícese también de los individuos que componían este pueblo. Ú. t. c. s. ‖ **3.** Perteneciente o relativo a los **lacetanos** o a la Lacetania.

lacinia. (Del lat. *lacinĭa*, franja, tira.) f. *Bot.* Cada una de las tirillas largas y de forma irregular en que se dividen las hojas o los pétalos de algunas plantas.

laciniado, da. adj. *Bot.* Que tiene lacinias.

lacio, cia. (Del lat. *flaccĭdus*.) adj. Marchito, ajado. ‖ **2.** Flojo, débil, sin vigor. ‖ **3.** Dícese del cabello que sin formar ondas ni rizos.

lacivo, va. adj. desus. lascivo.

lacón[1], na. (Del gr. Λάκων.) adj. p. us. **laconio**. Apl. a pers., ú. t. c. s.

lacón[2]. (Del lat. *lacca*, tumor en las patas de las caballerías.) m. Brazuelo del cerdo, y especialmente su carne curada.

lacónicamente. adv. m. Breve y concisamente; de manera lacónica.

lacónico, ca. (Del gr. Λακωνικός, espartano, lacedemonio, a través del lat. *Laconĭcus*.) adj. **laconio**, perteneciente a Laconia. ‖ **2.** Breve, conciso, compendioso. *Lenguaje, estilo* LACÓNICO; *carta, respuesta* LACÓNICA. ‖ **3.** Que habla o escribe de esta manera. *Escritor* LACÓNICO; *persona* LACÓNICA.

laconio, nia. (Del lat. *Laconĭus*.) adj. Natural de Laconia. Ú. t. c. s. ‖ **2.** Perteneciente o relativo a este país de la Grecia antigua.

laconismo. (Del gr. λακωνισμός, a través del lat. *laconismus*.) m. Cualidad de lacónico, especialmente aplicado a la brevedad de la expresión.

lacra. (De or. inc.) f. Secuela o señal de una enfermedad o achaque. ‖ **2.** Vicio físico o moral que marca a quien lo tiene.

lacrar[1]. (De *lacra*.) tr. p. us. Dañar la salud de uno; pegarle

una enfermedad. Ú. t. c. prnl. ‖ **2.** fig. p. us. Dañar o perjudicar a uno en sus intereses.

lacrar[2]. tr. Cerrar con lacre.

lacre. (Del port. *lacre*, variante de *laca*.) m. Pasta sólida, compuesta de goma laca y trementina con añadidura de bermellón o de otro color. Empléase derretido en cerrar y sellar cartas y en otros usos análogos. ‖ **2.** fig. y desus. Color rojo. *Calzas de* LACRE. ‖ **3.** adj. fig. De color rojo. Ú. m. en América.

lácrima. f. ant. **lágrima**.

lacrimable. adj. ant. **lagrimable**.

lacrimación. (Del lat. *lacrimatĭo, -ōnis*.) f. ant. Derramamiento de lágrimas.

lacrimal. adj. Perteneciente o relativo a las lágrimas.

lacrimar. (Del lat. *lacrimāre*.) intr. ant. Derramar lágrimas.

lacrimatorio, ria. (Del lat. *lacrimatorĭus*.) adj. V. **vaso lacrimatorio**. Ú. t. c. s.

lacrimógeno, na. (Del lat. *lacrĭma*, lágrima, y *-geno*.) adj. Que produce lagrimeo. Dícese especialmente de ciertos gases. ‖ **2.** **lacrimoso**, que mueve a llanto.

lacrimosamente. adv. m. De manera lacrimosa.

lacrimoso, sa. (Del lat. *lacrimōsus*.) adj. Que tiene lágrimas. ‖ **2.** Que mueve a llanto. ‖ **3.** fig. Que se lamenta muy a menudo.

lactación. f. Acción y efecto de lactar.

lactancia. (De *lactar*.) f. Acción de mamar. ‖ **2.** Periodo de la vida en que la criatura mama.

lactante. (Del lat. *lactans, -antis*.) p. a. de **lactar**. Que mama. Ú. t. c. s. ‖ **2.** adj. Que amamanta. Ú. t. c. s. f.

lactar. (Del lat. *lactāre*.) tr. Dar de mamar. ‖ **2.** Criar con leche. ‖ **3.** p. us. Mamar, sacar con los labios leche de las tetas.

lactario, ria. (Del lat. *lactarĭus*.) adj. p. us. **lechoso**, dicho de algunas plantas y frutos.

lactato. m. *Quím.* Cuerpo resultante de la combinación del ácido láctico con un radical simple o compuesto.

lacteado, da. (De *lácteo*.) adj. V. **harina lacteada**.

lácteo, a. (Del lat. *lactĕus*.) adj. Perteneciente a la leche o parecido a ella. ‖ **2.** V. **fiebre láctea**. ‖ **3.** *Anat.* V. **vena láctea**. ‖ **4.** *Astron.* V. **Vía Láctea**. ‖ **5.** *Med.* V. **costra láctea**.

lactescencia. f. Cualidad de lactescente.

lactescente. (Del lat. *lactescens, -entis*, p. a. de *lactescĕre*, tomar color de leche.) adj. De aspecto de leche.

lactícineo, a. (De *láctico* e *-íneo*.) adj. p. us. Perteneciente a la leche.

lacticinio. (Del lat. *lacticinĭum*.) m. Leche. ‖ **2.** Cualquier alimento compuesto con ella.

lacticinoso, sa. (De *lacticinio*.) adj. Lechoso, lácteo.

láctico, ca. (Del lat. *lac, lactis*, leche.) adj. *Quím.* Perteneciente o relativo a la leche. ‖ **2.** V. **ácido láctico**.

lactífero, ra. (Del lat. *lactĭfer, -ēra*.) adj. *Anat.* Aplícase a los conductos por donde pasa la leche hasta llegar a los pezones de las mamas.

lactina. (Del lat. *lac, lactis*, leche, e *-ina*.) f. *Quím.* Azúcar de leche.

lactómetro. m. Instrumento para medir la densidad de la leche.

lactosa. (Del lat. *lac, lactis*, leche.) f. *Quím.* Azúcar que contiene la leche.

lactucario. (Del lat. *lactūca*, lechuga, y *-ario*.) m. *Farm.* Jugo lechoso que se obtiene de la lechuga espigada, haciendo incisiones en su tallo. Desecado al sol, es pardo, quebradizo, de olor fétido y sabor amargo, y se usa como medicamento calmante.

lactumen. (Del lat. *lac, lactis*, leche.) m. *Pat.* Enfermedad que se diagnosticaba en los niños que mamaban, manifestada por ciertas llaguitas y costras en la cabeza y en el cuerpo.

lactuoso, sa. adj. ant. Perteneciente a la leche.

lacunario. (Del lat. *lacunarĭum*.) m. *Arq.* Cada uno de los huecos del artesonado, lagunar[2].

lacustre. (Del lat. *lacus*, lago, con la term. de *palustre*.) adj. Perteneciente a los lagos. ‖ **2.** Que habita, está o se realiza en un lago o en sus orillas. ‖ **3.** Semejante a un lago.

lacha[1]. f. Especie de sardina pequeña, haleche.

lacha[2]. (Voz gitana relacionada con el sánscr. *lajjā*, vergüenza.) f. fam. **vergüenza,** pundonor.

lacho. m. *Chile.* Amante, galán; hombre enamoradizo.

lada. (Del lat. *lada*.) f. Jara, arbusto cistáceo.

ládano. (Del lat. *ladănum*.) m. Producto resinoso que fluye de las hojas y ramas de la jara.

ladeado, da. p. p. de **ladear.** ‖ **2.** adj. *Bot.* Dícese de las hojas, flores, espigas y demás partes de una planta cuando todas miran a un solo lado.

ladear. tr. Inclinar y torcer una cosa hacia un lado. Ú. t. c. intr. y c. prnl. ‖ **2.** intr. Andar o caminar por las laderas. ‖ **3.** fig. Declinar del camino derecho. ‖ **4.** prnl. fig. Inclinarse a una cosa; dejarse llevar de ella. ‖ **5.** fig. Estar una persona o cosa al igual de otra. ‖ **6.** fig. y fam. *Chile.* Prendarse de una mujer, enamorarse. ‖ **ladearse con** uno. fr. fig. y fam. Andar o ponerse a su lado. ‖ **2.** Empezar a enemistarse con él.

ladeo. m. Acción y efecto de ladear o ladearse.

ladera. (De *ladero*.) f. Declive de un monte o de una altura. ‖ **2.** ant. **lado.**

ladería. f. Llanura pequeña en la ladera de un monte.

ladero, ra. (De *lado*.) adj. Perteneciente al lado, lateral. ‖ **2.** m. fig. *Argent.* Persona que secunda a otra, particularmente a un caudillo político.

ladierno. (Del lat. *alaternus*.) m. Aladierno o aladierna, arbusto ramnáceo.

ladilla. (Del lat. *blatella, d. de *blatta*, nombre de varios insectos.) f. Insecto anopluro, de dos milímetros de largo, casi redondo, aplastado, y de color amarillento. Vive parásito en las partes vellosas del cuerpo humano, donde se agarra fuertemente por medio de las pinzas con que terminan sus patas; se reproduce con gran rapidez y sus picaduras son muy molestas. ‖ **2. cebada ladilla.** ‖ **pegarse uno como ladilla.** fr. fig. y fam. Arrimarse a otro con pesadez y molestándole.

ladillo. (d. de *lado*.) m. Parte de la caja del coche de caballos que estaba a cada uno de los lados de las puertecillas y cubría el brazo de las personas que iban dentro. ‖ **2.** *Impr.* Composición breve que suele colocarse en el margen de la plana, generalmente para indicar el contenido del texto.

ladinamente. adv. m. De un modo ladino.

ladino, na. (Del lat. *latīnus*, latino.) adj. ant. Aplicábase al romance o castellano antiguo. ‖ **2.** Decíase del que hablaba con facilidad alguna o algunas lenguas además de la propia. ‖ **3.** fig. Astuto, sagaz, taimado. ‖ **4.** V. **esclavo ladino.** ‖ **5.** *Amér. Central.* **mestizo.** ‖ **6.** *Amér. Central.* Mestizo que solo habla español. ‖ **7.** m. *Filol.* Lengua hablada en la antigua Retia. ‖ **8.** *Filol.* Lengua religiosa de los sefardíes; es calco de los textos bíblicos hebreos y se escribe con letras latinas con caracteres rasies. ‖ **9.** *Filol.* Dialecto judeoespañol de Oriente.

lado. (Del lat. *latus*.) m. Costado o parte del cuerpo de la persona o del animal comprendida entre el brazo y el hueso de la cadera. ‖ **2.** Mitad del cuerpo del animal desde el pie trasero hasta la cabeza. *La perlesía la ha cogido todo el* LADO *izquierdo.* ‖ **3.** Parte de una cosa situada cerca de sus extremos. ‖ **4.** Cualquiera de las partes que limitan un todo. *La ciudad está sitiada por todos* LADOS, *o por el* LADO *de la ciudadela, o por el* LADO *del río.* ‖ **5.** Estera que se pone arrimada a las estacas de los costados de los carros para que no se caiga por ellos la carga. ‖ **6.** Anverso o

reverso de una moneda o de una medalla. *Esta moneda tiene por un* LADO *el busto del monarca, y por el otro, las armas de la nación.* ‖ **7.** Cada una de las dos caras de una tela o de otra cosa que las tenga. ‖ **8.** Sitio, lugar. *Haz* LADO; *déjale un* LADO. ‖ **9.** Línea genealógica. *Por el* LADO *de la madre es hidalgo.* ‖ **10.** fig. Cada uno de los aspectos que se pueden considerar con relación a una persona o cosa. *Por un* LADO *me pareció muy entendido el médico; por otro, muy presuntuoso.* ‖ **11.** fig. Modo, medio o camino que se toma para una cosa. *Viendo que no me entendían, eché por otro* LADO. ‖ **12.** fig. desus. Valimiento, favor, protección. ‖ **13.** *Geom.* Cada una de las líneas que forman un ángulo. ‖ **14.** *Geom.* Cada una de las líneas que forman o limitan un polígono. ‖ **15.** *Geom.* Arista de los poliedros regulares. ‖ **16.** *Geom.* Generatriz de la superficie lateral del cono y del cilindro. ‖ **17.** pl. fig. desus. Personas que favorecen o protegen a otra. ‖ **18.** fig. desus. Personas que frecuentemente están cerca de otra a quien aconsejan y en cuyo ánimo influyen. *Este ministro tiene buenos* LADOS. ‖ **al lado.** loc. adv. Muy cerca, inmediato. ‖ **¡a un lado!** loc. adv. con que se advierte a uno o a varios que se aparten y dejen el paso libre. ‖ **comerle un lado a** uno. fr. fig. y fam. Hacerle un gasto continuo, viviendo en su casa y comiendo a sus expensas. ‖ **dar de lado a** uno. fr. fig. y fam. Dejar su trato o su compañía; huir de él con disimulo. ‖ **dar lado, o de lado.** fr. *Mar.* **dar de quilla, o la quilla.** ‖ **dejar a un lado** una cosa. fr. fig. Omitirla en la conversación. ‖ **echar a un lado.** fr. fig. Hablando de un negocio o diligencia, concluir. ‖ **echarse o hacerse** uno **a un lado.** fr. fig. Apartarse, quitarse de en medio. **estar del otro lado.** fr. fig. Ser del partido opuesto o partidario de ideas distintas. ‖ **ir cada uno por su lado.** fr. Seguir distintos caminos. ‖ **2.** fig. Estar en desacuerdo. ‖ **ir lado a lado.** fr. fig. con que se explica la igualdad de dos o más personas cuando se pasean juntas. ‖ **mirar de lado, o de medio lado.** fr. fig. Mirar con ceño y desprecio. ‖ **2.** Mirar con disimulo.

ladón. m. Jara, lada.

ladra. f. Acción de ladrar. ‖ **2.** *Mont.* Conjunto de ladridos que se oyen a cada encuentro de los perros con una res.

ladrador, ra. (Del lat. *latrātor, -ōris*.) adj. Que ladra. ‖ **2.** m. ant. **perro[1].**

ladradura. f. ant. Acción de ladrar.

ladral. (Del lat. *laterālis*, lateral.) m. *Ast.* y *Cantabria.* **adral.** Ú. m. en pl.

ladrar. (Del lat. *latrāre*.) intr. Dar ladridos el perro. ‖ **2.** fig. y fam. Amenazar sin acometer. ‖ **3.** fig. y fam. Impugnar, motejar. De ordinario indica malignidad.

ladrido. (De *ladrar*.) m. Voz que emite con fuerza el perro, más o menos parecida a la onomatopeya *guau*. ‖ **2.** fig. y fam. Murmuración, censura, calumnia con que se zahiere a uno.

ladriello. m. ant. **ladrillo.**

ladrillado, da. p. p. de **ladrillar.** ‖ **2.** m. Solado de ladrillos.

ladrillador. (De *ladrillar*.) m. El que pone ladrillos, enladrillador.

ladrillar[1]. m. Sitio o lugar donde se fabrican ladrillos.

ladrillar[2]. (De *ladrillo*.) tr. p. us. Poner ladrillos, enladrillar.

ladrillazo. m. Golpe dado con un ladrillo.

ladrillejo. (d. de *ladrillo*.) m. **2.** Juego que hacían de noche los mozos colgando un ladrillo delante de la puerta de una casa y moviéndolo desde lejos para que diera en la puerta y creyeran los de la casa que llamaban a ella.

ladrillero, ra. m. y f. Persona que tiene por oficio hacer o vender ladrillos. ‖ **2.** f. Molde para hacer ladrillos.

ladrillo. (d. del ant. *ladre, del lat. *later, -ĕris*.) m. Masa de barro, en forma de paralelepípedo rectangular, que, después de cocida, sirve para construir muros, solar habitaciones, etc. ‖ **2.** Por ext., reciben este nombre otros elementos de construcción semejantes hechos de varias materias. ‖ **3.** fig. Labor en figura de **ladrillo** que tienen algunos tejidos. ‖ **4.** fig. V. **aceite de ladrillo.** ‖ **5.** fig. y fam. Cosa pesada o aburrida. ‖ **azulejo. azulejo**[2]. ‖ **de chocolate.** fig. Pasta de chocolate hecha en figura de **ladrillo.**

ladrilloso, sa. adj. Que es de ladrillo o se le asemeja.

ladrocinio. (De *latrocinio*.) m. ant. Robo, latrocinio.

ladrón, na. (Del lat. *latro, -ōnis,* bandido.) adj. Que hurta o roba. Ú. m. c. s. ‖ **2.** m. Portillo que se hace en un río para sangrarlo, o en las acequias o presas de los molinos o aceñas, para robar el agua por aquel conducto. ‖ **3.** Toma clandestina de electricidad. ‖ **4.** Enchufe que permite tomar corriente eléctrica para más de un aparato. ‖ **5.** Pavesa encendida que, separándose del pabilo, se pega a la vela y la hace correrse. ‖ **6.** fig. V. **cueva de ladrones.** ‖ **7.** *Impr.* Pedazo de papel que queda al imprimir entre la forma y el borde del pliego y deja en blanco una parte de este, lardón. ‖ **cuatrero. ladrón** que hurta bestias. ‖ **el buen ladrón.** San Dimas, uno de los dos malhechores crucificados con Jesucristo y que, arrepintiéndose, alcanzó la gloria. ‖ **el mal ladrón.** Uno de los malhechores crucificados con Jesucristo y que murió sin arrepentirse. ‖ **hacer del ladrón, fiel.** fr. fig. Confiarse de uno poco seguro, por necesidad, o esperando de él buena correspondencia. ‖ **2.** fig. Ostentar honradez y sencillez para inspirar confianza.

ladronamente. adv. m. fig. Disimuladamente, a hurtadillas.

ladronear. intr. p. us. Vivir de robos, hurtos y rapiñas.

ladronera. f. Lugar donde se recogen y ocultan los ladrones. ‖ **2.** Ladrón de un río o acequia. ‖ **3.** Defraudación en los intereses. *Esto es una* LADRONERA. ‖ **4.** Hucha de barro, alcancía. ‖ **5.** *Fort.* **matacán,** obra voladiza con parapeto en lo alto de un muro, torre, etc.

ladronería. f. latrocinio.

ladronesca. f. fam. Conjunto de ladrones.

ladronesco, ca. adj. fam. Perteneciente o relativo a los ladrones.

ladronía. f. ant. latrocinio.

ladronicio. m. latrocinio.

ladronzuelo, la. m. y f. d. de **ladrón.** ‖ **2.** Persona que hurta cosas generalmente de poco valor, ratero.

lagaña. (De or. inc., quizá prerromano.) f. **legaña.**

lagañoso, sa. adj. **legañoso.**

lagar. (De *lago*.) m. Recipiente donde se pisa la uva para obtener el mosto. ‖ **2.** Sitio donde se prensa la aceituna para sacar el aceite, o donde se machaca la manzana para obtener la sidra. ‖ **3.** Edificio donde hay un **lagar** para uva, aceituna o manzana. ‖ **4.** En las fábricas de salazón, depósito para conservar el pescado en salmuera. ‖ **5.** Tierra de poca extensión, plantada de olivar, y en la cual hay edificio y artefactos para extraer el aceite.

lagarearse. prnl. *Sal.* **hacerse lagarejo.**

lagarejo. m. d. de **lagar.** ‖ **hacerse lagarejo.** fr. fig. y fam. Maltratarse o estrujarse la uva que se trae para comer.

lagarero. m. El que trabaja en el lagar.

lagareta. f. **lagarejo.** ‖ **2.** Charco de agua u otro líquido. ‖ **3.** *And.* Pocilga de cerdos.

lagarta. (De *lagarto*.) f. Hembra del lagarto. ‖ **2.** Mariposa cuya oruga causa grandes daños a diversos árboles, principalmente a la encina. El macho es bastante más pequeño que la hembra, de coloración más oscura, y tiene antenas plumosas, que en la hembra son sencillas. ‖ **3.** fig. y fam. Mujer pícara, taimada. Ú. t. c. adj.

lagartado, da. adj. Semejante en el color a la piel del lagarto.

lagartear. tr. *Chile.* Coger de los lagartos de los brazos a uno, con instrumento adecuado o con ambas manos, y apretárselos para impedirle el uso de los brazos, con el fin de atormentarlo o vencerlo en la lucha.

lagarteo. m. *Chile.* Acción y efecto de lagartear.

lagartera. f. Madriguera o madriguera del lagarto.

lagarterano, na. adj. Perteneciente o relativo al pueblo de Lagartera. ‖ **2.** Natural de este pueblo de la provincia de Toledo. Ú. t. c. s.

lagartero, ra. adj. Aplícase al ave u otro animal que caza lagartos.

lagartezna. f. ant. **lagartija.**

lagartija. (d. de *lagarta*.) f. Especie de lagarto muy común en España, de unos dos decímetros de largo, de color pardo, verdoso o rojizo por encima y blanco por debajo. Es muy ligero y espantadizo, se alimenta de insectos y vive entre los escombros y en los huecos de las paredes.

lagartijero, ra. adj. Aplícase a algunos animales que cazan y comen lagartijas.

lagartijo. m. d. de **lagarto.**

lagarto. (Del lat. **lacartus,* por *lacertus.*) m. Reptil terrestre del orden de los saurios, de cinco a ocho decímetros de largo, contando desde la parte anterior de la cabeza hasta la extremidad de la cola. La cabeza es ovalada; la boca grande, con muchos y agudos dientes; el cuerpo prolongado y casi cilíndrico, y la cola larga y perfectamente cónica; las cuatro patas son cortas, delgadas, cada una con cinco dedos armados de afiladas uñas; la piel está cubierta de laminillas a manera de escamas, blancas en el vientre, y manchadas de verde, amarillo y azul, que forman dibujos simétricos, en el resto del cuerpo. Es sumamente ágil, inofensivo y muy útil para la agricultura por la gran cantidad de insectos que devora. Se reproduce por huevos que entierra la hembra, hasta que el calor del sol los vivifica. ‖ **2.** Músculo grande del brazo, entre el hombro y el codo. ‖ **3.** fig. fam. Hombre pícaro, taimado. Ú. t. c. adj. ‖ **4.** fig. y fam. Espada roja, insignia de la orden de caballería de Santiago. ‖ **5.** *Germ.* Ladrón del campo. ‖ **6.** *Germ.* Ladrón que muda de vestido para que no lo conozcan. ‖ **de Indias. caimán,** reptil emidosaurio. ‖ **¡lagarto!** interj. que gentes supersticiosas dicen cuando alguien nombra la culebra, y en general, para ahuyentar la mala suerte. Suele usarse repetida.

lagartón, na. adj. fam. Dícese de la persona taimada y astuta. Ú. t. c. s.

lago. (Del lat. *lacus.*) m. Gran masa permanente de agua depositada en depresiones del terreno. ‖ **de leones.** Lugar subterráneo o cueva en que los encerraban.

lagomorfo. (Del gr. λαγώς, liebre, y -*morfo.*) adj. *Zool.* Dícese de mamíferos semejantes a los roedores, de que se diferencian por poseer dos pares de incisivos superiores en lugar de uno; como el conejo y la liebre. ‖ **2.** m. pl. *Zool.* Orden de estos mamíferos.

lagopo. (Del gr. λαγώπους, a través del lat. *lagōpus.*) m. **pie de liebre,** especie de trébol.

lagosta. (Del lat. *lacusta,* variante de *locusta.*) f. ant. **langosta.**

lagostín. m. ant. **langostín.**

lagosto. m. ant. **langosta.**

lagotear. (De *lagotero*.) tr. fam. p. us. Hacer halagos y zalamerías a una persona para conseguir algo.

lagotería. (De *lagotero*.) f. fam. Zalamería para congraciarse con una persona o lograr una cosa.

lagotero, ra. (Del cat. *llagoter*.) adj. fam. Que hace lagoterías. Ú. t. c. s.

lágrima. (Del lat. *lacrĭma*.) f. Cada una de las gotas del humor que segrega la glándula lagrimal. Ú. m. en pl. ‖ **2.** fig. Gota de humor que destilan las vides y otros árboles después de la poda. ‖ **3.** fig. Porción muy corta de cualquier licor. ‖ **4.** fig. **vino de lágrima.** ‖ **5.** fig. V. **paño, valle**

de lágrimas. ‖ **6.** pl. fig. Pesadumbres, adversidades, dolores. ‖ **de Batavia, o de Holanda.** Gota de vidrio fundido que, al echarse una gota fría, se templa como el acero, tomando forma ovoide o de pera. ‖ **lágrimas de cocodrilo.** fig. Las que vierte una persona aparentando un dolor que no siente. ‖ **de David, o de Job.** Planta de la familia de las gramíneas, de caña elevada, hojas anchas y algo planas, flores monoicas en espiga, y fruto globoso, duro y de color gris claro. Es originaria de la India, se cultiva en los jardines, y de las simientes se hacen rosarios y collares. ‖ **de Moisés.** ant. fig. y fam. Piedras o guijarros con que se apedrea a uno. ‖ **de San Lorenzo.** fig. **perseidas.** ‖ **de San Pedro.** ant. fig. y fam. **lágrimas de Moisés.** ‖ **correr las lágrimas.** fr. Caer por las mejillas de la persona que llora. ‖ **deshacerse uno en lágrimas.** fr. fig. Llorar copiosa y amargamente. ‖ **lo que no va en lágrimas va en suspiros.** expr. fig. y fam. con que se da a entender que unas cosas se compensan con otras. ‖ **llorar uno a lágrima viva.** fr. Llorar abundantemente y con íntima pena. ‖ **llorar uno con lágrimas de sangre** una cosa. fr. fig. Arrepentirse de ella angustiosamente o sufrir profundo dolor por haberla ejecutado. ‖ **llorar uno lágrimas de sangre.** fr. fig. Sentir pena muy viva y cruel. ‖ **saltarle, o saltársele,** a uno **las lágrimas.** fr. Enternecerse, echar a llorar de improviso.

lagrimal. (De *lágrima*.) adj. Aplícase a los órganos de secreción y excreción de las lágrimas. ‖ **2.** V. **fístula lagrimal.** ‖ **3.** *Anat.* V. **carúncula lagrimal.** ‖ **4.** m. Extremidad del ojo próxima a la nariz. ‖ **5.** *Agr.* Úlcera que suele formarse en la axila de las ramas cuando se desgajan algún tanto.

lagrimar. (Del lat. *lacrimāre*.) intr. **llorar,** derramar lágrimas.

lagrimear. intr. Secretar lágrimas fácilmente o con frecuencia.

lagrimeo. m. Acción de lagrimear. ‖ **2.** Flujo independiente de toda emoción del ánimo, por no poder pasar las lágrimas desde el lagrimal a las fosas nasales, o ser su secreción muy abundante por irritación del ojo.

lagrimón¹. m. aum. de **lágrima.**

lagrimón², na. (De *lagrimar*.) adj. ant. Lagrimoso, legañoso o pitarroso.

lagrimoso, sa. (Del lat. *lacrimôsus*.) adj. Aplícase a los ojos tiernos y húmedos. ‖ **2.** Dícese de la persona o animal que tiene los ojos en este estado. ‖ **3.** Que mueve a llanto. ‖ **4.** Que destila lágrimas, dicho de un árbol, planta, etc.

laguna. (Del lat. *lacûna*.) f. Depósito natural de agua, generalmente dulce y de menores dimensiones que el lago. ‖ **2.** fig. En los manuscritos o impresos, omisión o hueco en que se dejó de poner algo o en que algo ha desaparecido por la acción del tiempo o por otra causa. ‖ **3.** fig. Defecto, vacío o solución de continuidad en un conjunto o una serie.

lagunajo. (despect. de *laguna*.) m. Charco que queda en el campo después de haber llovido o haberse inundado.

lagunar¹. m. Charco.

lagunar². (Del lat. *lacûnar, -āris*.) m. *Arq.* Cada uno de los huecos que dejan los maderos en que se divide el techo artesonado.

lagunazo. m. Charco.

lagunero¹, ra. (Del lat. *lacunarîus*.) adj. Perteneciente o relativo a la laguna.

lagunero², ra. adj. Natural de La Laguna. Ú. t. c. s. ‖ **2.** Perteneciente o relativo a esta ciudad de Canarias.

lagunoso, sa. (Del lat. *lacunôsus*.) adj. Abundante en lagunas.

laicado. m. En el cuerpo de la Iglesia, la condición o el conjunto de los fieles no clérigos.

laical. (Del lat. cristiano *laicâlis*.) adj. Perteneciente a los laicos o legos.

laicismo. (De *laico*.) m. Doctrina que defiende la independencia del hombre o de la sociedad, y más particularmente del Estado, de toda influencia eclesiástica o religiosa.

laicista. com. Partidario del laicismo.

laicización. f. Acción y efecto de laicizar.

laicizar. tr. Hacer laico o independiente de toda influencia religiosa.

laico, ca. (Del lat. *laîcus*.) adj. Que no tiene órdenes clericales, lego. Ú. t. c. s. ‖ **2.** Dícese de la escuela o enseñanza en que se prescinde de la instrucción religiosa.

laidamente. adv. m. ant. Ignominiosa, vergonzosamente.

laido, da. (Del occit. ant. *lait*, feo, desagradable.) adj. ant. Afrentoso, ignominioso. ‖ **2.** ant. Triste o caído de ánimo. ‖ **3.** ant. Feo o afeado.

lailán. (De or. inc.) m. ant. Almoneda, subasta.

lairén. (Del ár. esp. *lairânî*.) adj. V. **uva lairén.** ‖ **2.** Dícese también de las cepas que la producen y del viduño de esta especie.

laísmo. m. *Gram.* Vicio de emplear las formas *la* y *las* del pronombre *ella* para el dativo.

laísta. adj. *Gram.* Dícese del que incurre en el vicio del laísmo. Ú. t. c. s.

laja¹. (De etim. disc.) f. Lancha¹ de piedra. ‖ **2.** *Mar.* Bajo de piedra, a manera de meseta llana.

laja². (Del lat. *laxus*, flojo.) f. ant. Cuerda con que se llevan los perros en la cacería. ‖ **2.** *Col.* Cuerda de cabuya más delgada y fina que el lazo.

lama¹. (Del lat. *lama*.) f. Cieno blando, suelto y pegajoso, de color oscuro, que se halla en algunos lugares del fondo del mar o de los ríos, y en los de los recipientes o lugares en donde hay o ha habido agua largo tiempo. ‖ **2.** Prado, pradería. ‖ **3.** Alga u ova de los lamedales o charcales. ‖ **4.** *And.* Arena muy menuda y suave que sirve para mezclar con la cal. ‖ **5.** *Mín.* Lodo de mineral muy molido, que se deposita en el fondo de los canales por donde corren las aguas que salen de los aparatos de trituración de las menas. ‖ **6.** *Col., Chile* y *Hond.* Capa de plantas criptógamas que se cría en las aguas dulces. ‖ **7.** *Col., Chile, Hond., Méj.* y *P. Rico.* **musgo¹,** planta briofita. ‖ **8.** *Bol., Col.* y *Méj.* **moho,** cardenillo.

lama². (Del fr. *lame*.) f. Plancha de metal, lámina. ‖ **2.** Tela de oro o plata en que los hilos de estos metales forman el tejido y brillan por su haz sin pasar al envés. ‖ **3.** *Chile.* Tejido de lana con flecos en los bordes.

lama³. (Del tibetano *blama*.) m. Sacerdote de los tártaros occidentales, cercanos a la China. ‖ **2.** Maestro de la doctrina budista tibetana.

lamaísmo. m. Secta del budismo en el Tibet.

lamaísta. adj. Perteneciente o relativo al lamaísmo. ‖ **2.** com. Sectario del lamaísmo.

lambda. (Del gr. λάμβδα.) f. Undécima letra del alfabeto griego, que corresponde a la que en el nuestro se llama **ele.**

lambel. (Del fr. *lambel*.) m. *Blas.* Pieza que tiene la figura de una faja con tres caídas muy semejantes a las gotas de la arquitectura. Pónese de ordinario horizontalmente en la parte superior del escudo, a cuyos lados no llega, para señalar que son las armas del hijo segundo, y no del heredero de la casa.

lambeo. (Del fr. *lambeau*.) m. *Blas.* **lambel.**

lamber. (Del lat. *lambĕre*, lamer.) tr. **lamer.** Ú. en Canarias, Extremadura, León, Salamanca y América.

lambetazo. m. Acción de tomar una cosa con la lengua, lengüetada.

lambicar. tr. ant. Destilar por alambique, alambicar.

lambida. f. ant. Acción y efecto de lamer.

lambión, na. adj. *León.* Goloso.

lambiscar. (De *lamber*.) tr. Lamer aprisa y con ansia, lamiscar.

lambiscón, na. adj. *Méj.* **adulador.**

lambisquear. (De *lambiscar.*) tr. Buscar los muchachos golosinas para comérselas.

lambistón, na. (De *lamber.*) adj. *Cantabria.* Goloso, lamerón.

lambón, na. adj. fam. y vulg. *Col.* Dícese de la persona delatora o de la muy aduladora.

lambrequín. (Del fr. *lambrequin.*) m. *Blas.* Adorno, generalmente en forma de hojas de acanto, que baja de lo alto del casco y rodea el escudo. Representa las cintas con que se adornaba el yelmo, o la tela fija en él para defender la cabeza de los rayos del sol. Ú. m. en pl.

lambrija. (Del lat. *lumbricŭla,* de *lumbricus,* lombriz.) f. Lombriz de tierra. ‖ **2.** fig. y fam. Persona muy flaca.

lambrón, na. (De *lamerón.*) adj. Laminero[2], goloso. Ú. en Tierra de Campos.

lambrucear. (Como *lambrucio.*) intr. Arrebañar, apurar lo que queda en un plato o vasija.

lambrucio, cia. (De *lamber,* formación expresiva.) adj. fam. Goloso, glotón.

lambucear. intr. **lamer,** por glotonería, un plato o vasija.

lambucero, ra. adj. Glotón, goloso. Ú. t. c. s.

lameculos. com. vulg. Persona aduladora y servil.

lamedal. m. Sitio o paraje donde hay mucha lama[1] o cieno.

lamedor, ra. adj. Que lame. Ú. t. c. s. ‖ **2.** m. Agua espesada con azúcar, jarabe. ‖ **3.** fig. Halago fingido o lisonja con que se pretende suavizar el ánimo de uno a quien se ha dado o se pretende dar un disgusto. ‖ **dar lamedor.** fr. fig. y fam. Entre jugadores, hacerse uno al principio perdedizo, para que, empicándose el contrario, se le gane el dinero con más seguridad.

lamedura. f. Acción y efecto de lamer.

lamelibranquio. (Del lat. *lamella,* laminilla, y el gr. βράγχιον, agalla.) adj. *Zool.* Dícese del molusco marino o de agua dulce, que tiene simetría bilateral, región cefálica rudimentaria, branquias foliáceas y pie ventral en forma de hacha, y está provisto de una concha bivalva; como la almeja, el mejillón y la ostra. Ú. t. c. s. m. ‖ **2.** m. pl. *Zool.* Clase de estos animales.

lamentable. (Del lat. *lamentabĭlis.*) adj. Que merece ser lamentado o es digno de llorarse. ‖ **2.** Aplicado al estado o aspecto de una persona o cosa, estropeado, maltrecho. ‖ **3.** p. us. Que infunde tristeza y horror. *Voz, rostro* LAMENTABLE.

lamentablemente. adv. m. Con lamentos. ‖ **2.** De manera lamentable.

lamentación. (Del lat. *lamentatĭo, -ōnis.*) f. **queja,** expresión de pena o sentimiento. ‖ **2.** Queja dolorosa junta con llanto, suspiros u otras muestras de aflicción. ‖ **3.** Cada una de las partes del canto lúgubre de Jeremías, llamadas trenos.

lamentador, ra. (Del lat. *lamentātor, -ōris.*) adj. Que lamenta o se lamenta. Ú. t. c. s.

lamentar. (Del lat. *lamentāre.*) tr. Sentir una cosa con llanto, sollozos u otras demostraciones de dolor. Usáb. t. c. intr., y hoy ú. c. prnl. ‖ **2.** Sentir pena, contrariedad, arrepentimiento, etc., por alguna cosa. LAMENTO *haber llegado tarde.*

lamento. (Del lat. *lamentum.*) m. Queja con llanto y otras muestras de aflicción, lamentación.

lamentoso, sa. (Del lat. *lamentôsus.*) adj. Que se lamenta. ‖ **2.** Que merece llorarse. ‖ **3.** Que infunde horror o tristeza.

lameplatos. (De *lamer* y *plato.*) com. fig. y fam. Persona golosa. ‖ **2.** fig. y fam. Persona que se alimenta de sobras.

lamer. (Del lat. *lambĕre.*) tr. Pasar repetidas veces la lengua por una cosa. Ú. t. c. prnl. ‖ **2.** fig. Tocar blanda y sua-

vemente una cosa al pasar por ella. *El arroyo* LAME *las arenas.* ‖ **dejar** a uno **qué lamer.** fr. fig. y fam. Inferirle un daño que no pueda remediar pronto. ‖ **llevar, o tener,** uno **qué lamer.** fr. fig. y fam. Haber recibido un mal que no puede remediarse pronto. ‖ **mejor lamiendo que mordiendo.** fr. fig. que denota que mejor se consiguen las cosas con halago que con rigor.

lamerón, na. (De *lamer.*) adj. fam. **goloso,** aficionado al dulce. ‖ **2.** p. us. fig. **adulador.**

lametón. m. Acción de lamer con ansia.

lamia[1]. (Del lat. *lamĭa.*) f. Figura terrorífica de la mitología, con rostro de mujer hermosa y cuerpo de dragón.

lamia[2]. (Del lat. *amĭa.*) f. Especie de tiburón, de la misma familia que el cazón y la tintorera, que se encuentra en los mares españoles y alcanza unos tres metros de longitud.

lamido, da. p. p. de **lamer.** ‖ **2.** adj. fig. Dícese de la persona flaca, o de la muy pálida y limpia. ‖ **3.** fig. **relamido,** afectado, demasiado pulcro. ‖ **4.** p. us. fig. Gastado con el uso o con el roce continuo. ‖ **5.** *Pint.* Dícese de lo que tiene aspecto muy terso y liso, por sobra de trabajo y esmero.

lamín. (De *lamer.*) m. *Ar.* **golosina.**

lámina. (Del lat. *lamĭna.*) f. Plancha delgada de un metal. ‖ **2.** Plancha de cobre o de otro metal en la cual está grabado un dibujo para estamparlo. ‖ **3.** V. **abridor de láminas.** ‖ **4.** Figura trasladada al papel u otra materia, estampa. ‖ **5.** Figura total de una persona o animal. ‖ **6.** Pintura hecha en cobre. ‖ **7.** Porción de cualquier materia extendida y de poco grosor. ‖ **8.** *Bot.* Parte ensanchada de las hojas, pétalos y sépalos. ‖ **9.** *Zool.* Parte delgada y plana de los huesos, cartílagos, tejidos y membranas de los seres orgánicos. ‖ **buena, o mala, lámina.** fig. Buena, o mala, estampa. Dícese de algunos animales.

laminación. f. **laminado,** acción y efecto de laminar.

laminado, da. p. p. de **laminar.** ‖ **2.** adj. Guarnecido de láminas o planchas de metal. ‖ **3.** m. Acción y efecto de laminar.

laminador, ra. adj. Que lamina. ‖ **2.** m. Máquina compuesta esencialmente de dos cilindros lisos de acero que casi se tocan longitudinalmente, y que, girando en sentido contrario y comprimiendo masas de metales maleables, los estiran en láminas o planchas. A veces los cilindros están acanalados para formar, entre sus estrías, barras, carriles, etc. ‖ **3.** Persona que tiene por oficio hacer láminas de metal.

laminar[1]. adj. De forma de lámina. ‖ **2.** Aplícase a la estructura de un cuerpo cuando sus láminas u hojas están sobrepuestas y paralelamente colocadas.

laminar[2]. tr. Hacer láminas, planchas o barras con el laminador. ‖ **2.** Guarnecer con láminas.

laminar[3]. tr. *Ar.* Lamer, golosear o gulusmear.

laminera. (De *laminero[2].*) f. *Ar.* Abeja suelta que se adelanta a las demás al olor del pasto que le agrada.

laminero[1], ra. adj. Que hace láminas. Ú. t. c. s. ‖ **2.** Que guarnece relicarios de metal. Ú. t. c. s.

laminero[2], ra. (De *lamín.*) adj. **goloso,** aficionado al dulce. Ú. t. c. s.

laminoso, sa. (De *lámina.*) adj. Aplícase a los cuerpos de textura laminar[1]. ‖ **2.** *Anat.* V. **tejido laminoso.**

lamiscar. tr. fam. Lamer aprisa y con ansia.

lamoso, sa. adj. Que tiene o cría lama[1].

lampa. (Voz quechua.) f. *C. Rica, Chile, Ecuad. y Perú.* **azada.**

lampacear. tr. *Mar.* Enjugar con el lampazo la humedad de las cubiertas y costados de una embarcación.

lampaceo. m. *Mar.* Acción y efecto de lampacear.

lámpada. (Del lat. *lampas, -ădis.*) f. ant. **lámpara.**

lampadario. (De *lámpada.*) m. Candelabro que se sustenta sobre su pie y está provisto en su parte superior de dos o más brazos con sendas lámparas.

lampante. adj. *And.* Dícese del aceite de oliva más puro. ‖ **2.** Dícese del queroseno purificado que se emplea para el alumbrado.

lampar. (Del gr. λαμπάς, antorcha.) tr. Afectar la boca con una sensación de ardor o picor, alampar. Ú. t. c. intr. ‖ **2.** prnl. Tener ansiedad por el logro de una cosa, alamparse.

lámpara. (De *lámpada*.) f. Utensilio para dar luz, que consta de uno o varios mecheros con un depósito para la materia combustible, cuando es líquida; de una boquilla en que se quema un gas que llega a ella desde el depósito en que se produce; o de un globo de cristal, abierto unas veces y herméticamente cerrado otras, dentro del cual hay unos carbones o un hilo metálico que se ponen candentes al pasar por ellos una corriente eléctrica. ‖ **2.** Utensilio o aparato que, colgado del techo o sostenido sobre un pie, sirve de soporte a una o varias luces artificiales. ‖ **3.** Elemento de los aparatos de radio y televisión, parecido en su origen a una **lámpara** eléctrica de incandescencia, y que en su forma más simple consta de tres electrodos metálicos: un filamento, una rejilla y una placa. ‖ **4.** V. **carretón de lámpara.** ‖ **5.** Cuerpo que despide luz. ‖ **6.** fig. Mancha grande de aceite o grasa que cae en la ropa. ‖ **7.** fig. Ramo de árbol que los jóvenes ponían a las puertas de las casas en la mañana de San Juan. ‖ **de esmaltador.** Aquella con cuya llama, activada por la acción del soplete, funden los metales, para esmaltarlos, soldarlos, etc., los plateros y orífices. ‖ **de los mineros,** o **de seguridad.** Candileja cuya luz se cubre con un cilindro de tela metálica de malla tan fina que impide el paso de la llama y la inflamación de los gases explosivos que suele haber en las minas de hulla. ‖ **atizar la lámpara.** fr. fig. y fam. Volver a echar vino en el vaso o los vasos para beber.

lamparería. (De *lamparero*.) f. Taller en que se hacen lámparas. ‖ **2.** Tienda donde se venden. ‖ **3.** Almacén donde se guardan y arreglan.

lamparero, ra. m. y f. Persona que hace o vende lámparas. ‖ **2.** Persona que tiene cuidado de las lámparas, limpiándolas y encendiéndolas.

lamparilla[1]. f. d. de **lámpara.** ‖ **2. mariposa,** mecha afirmada en una ruedecita flotante, y que se enciende en un vaso que contiene aceite. ‖ **3.** Plato, vaso o vasija en que esta se pone. ‖ **4.** Álamo de hoja temblona, por la evocación del parpadeo de la candelilla encendida. ‖ **5.** *Cuen.* Retel de cangrejos.

lamparilla[2]. (Del ant. cast. *nomparilla*.) f. Tejido de lana delgado y ligero de que se solían hacer vestidos y capas de verano. ‖ **momperada.** La que se distingue de la común al tener el tejido más fino y ser prensada y lustrosa.

lamparín. m. Cerco de metal en que se pone la lamparilla[1] en las iglesias.

lamparista. com. **lamparero.**

lamparón. m. aum. de **lámpara.** ‖ **2. lámpara,** mancha que cae en la ropa, y especialmente la de grasa. ‖ **3.** *Med.* Escrófula en el cuello. ‖ **4.** *Veter.* Enfermedad de los solípedos, acompañada de erupción de tumores linfáticos en varios sitios.

lampatán. m. Tubérculo medicinal de una planta de China y de América.

lampazo. (Del lat. *lappacĕus*, adj. de *lappa,* lampazo.) m. Planta de la familia de las compuestas, de seis a ocho decímetros de altura, de tallo grueso, ramoso y estriado, hojas aovadas, y en cabezuelas terminales, flores purpúreas, cuyo cáliz tiene escamas con espinas en anzuelo. ‖ **2.** V. **paño de lampazo.** ‖ **3.** *Mar.* Manojo o borlón hecho de filásticas de largo variable, y con una gaza en la cabeza para su manejo, que sirve principalmente para enjugar la humedad de las cubiertas y costados de los buques. ‖ **4.** *Min.*

Escobón hecho con ramas verdes atadas a la punta de un palo, y que, mojado en agua, sirve para refrescar las paredes y dirigir convenientemente la llama en los hornos de fundición de plomo.

lampear. tr. *Chile* y *Perú.* Remover la tierra con la lampa.

lampeón. (De *lampión.*) m. p. us. **lampión.**

lampiño, ña. (De or. inc.) Dícese del hombre que no tiene barba. ‖ **2.** Que tiene poco pelo o vello. ‖ **3.** V. **trigo lampiño.** ‖ **4.** *Bot.* Falto de pelos. *Tallo* LAMPIÑO.

lampión. (Del fr. *lampion*.) m. p. us. Farol de alumbrar, lámpara.

lampista. com. **lamparero.** ‖ **2.** m. **hojalatero.**

lampistería. f. **lamparería.**

lampistero, ra. m. y f. **lamparero.**

lampo. (De b. lat. *lampăre,* brillar.) m. poét. Resplandor o brillo pronto y fugaz, como el del relámpago.

lampote. m. Cierta tela de algodón fabricada en Filipinas.

lamprea. (Del b. lat. *lamprēda.*) f. Pez del orden de los ciclóstomos, de un metro o algo más de largo, de cuerpo casi cilíndrico, liso, viscoso y terminado en una cola puntiaguda; tiene el lomo verde, manchado de azul, y, sobre él, dos aletas pardas con manchas amarillas; y otra, de color azul, rodeando la cola; a cada lado de la cabeza se ven siete agujeros branquiales. Vive asida a las peñas, a las que se agarra fuertemente con la boca. Su carne es muy estimada. ‖ **2.** Pez de río, semejante a la **lamprea** de mar, de la cual se diferencia principalmente en no pasar de tres o cuatro decímetros de longitud, ser negruzco por el lomo, plateado por el vientre, y tener muy separadas las dos aletas dorsales. Vive por lo común en las aguas estancadas y en los ríos de poca corriente, y es comestible.

lampreada. f. Tunda de lampreazos.

lamprear. (De *lamprea,* porque se guisa generalmente este pescado.) tr. Componer o guisar una vianda, friéndola o asándola primero, y cociéndola después en vino o agua con azúcar o miel y especia fina, a lo cual se añade un poco de agrio al tiempo de servirla.

lampreazo. m. latigazo.

lamprehuela. f. d. de **lamprea.** ‖ **2. lampreílla.**

lampreílla. f. Pez de río, parecido a la lamprea de agua dulce en forma y color, pero incapaz de adherirse por succión a los cuerpos sumergidos; sus aletas dorsales se tocan, los ojos apenas se distinguen, y no pasa de diez a doce centímetros de longitud por dos de grueso. Es comestible.

lampuga. (De or. inc.) f. Pez marino del orden de los acantopterigios, de cuerpo comprimido lateralmente y que llega a un metro de longitud. Dentro del agua aparece todo dorado, a pesar de que por el lomo, que es casi recto, es verde con manchas de color anaranjado, y por el vientre, plateado. La aleta del lomo, que corre desde el medio de la cabeza hasta la cola, es amarilla con una raya azul en la base; la de la cola es verde, y las restantes, enteramente pajizas. Es comestible, pero se aprecia poco.

lampuguera. (De *lampuga.*) f. Arte de pesca mixto de nasas y red de cerco.

lana. (Del lat. *lana.*) f. Pelo de las ovejas y carneros, que se hila y sirve para hacer paño y otros tejidos. ‖ **2.** Pelo de otros animales parecido a la **lana.** LANA *de vicuña.* ‖ **3.** V. **perro de lanas.** ‖ **4.** Hilo de **lana.** ‖ **5.** Tejido de **lana,** y vestido que de él se hace. *Vestir* LANA. ‖ **6.** V. **Juan lanas.** ‖ **7.** vulg. Dinero, moneda. ‖ **8.** m. *Guat.* y *Hond.* Persona de la ínfima plebe. ‖ **de caídas.** La que tienen en las piernas los ganados. ‖ **en barro.** En las fábricas de paños, **lana** más pura que sale del peine antes de hilarse. ‖ **filosófica.** ant. **flores de cinc.** ‖ **aunque vestido de lana, no soy borrego.** fr. proverb. con que uno da a entender a otro no tiene la condición o el carácter que aparenta. ‖ **batir la lana.** fr. *Extr.*

Esquilar el ganado lanar. ‖ **cardarle** a uno la **lana**. fr. fig. y fam. Reprenderle con severidad y aspereza. ‖ **2.** fig. y fam. Ganarle cantidad considerable en el juego. ‖ **ir por lana y volver trasquilado.** fr. fig. y fam. para denotar que alguien ha acometido algo creyendo que la ventaja estaba a su favor, y ha salido con imprevisto quebranto. ‖ **lavar la lana** a uno. fr. fig. y fam. Averiguar y examinar la conducta de una persona sospechosa hasta descubrir la verdad.

lanada. (De *lana*.) f. *Art.* Instrumento para limpiar y refrescar el alma de las piezas de artillería después de haberlas disparado. Consta de una asta algo más larga que la pieza, con un zoquete cilíndrico en el extremo donde va liada la feminela.

lanado, da. (Del lat. *lanātus*.) adj. p. us. Que tiene pelusa o vello, lanuginoso.

lanar. (De *lana*.) adj. Dícese del ganado o la res que tiene lana.

lanaria. (Del lat. *lanarĭa* [herba], [hierba] lanera, usada en los lavaderos para limpiar la lana.) f. **jabonera,** planta cariofilácea.

lancán. m. Embarcación filipina, especie de banca de grandes dimensiones, que no lleva ni necesita batangas, por medir unos dos metros de manga, aunque es de una sola pieza. Sirve únicamente para conducir carga, y camina siempre a remolque.

lance. m. Acción y efecto de lanzar o arrojar. ‖ **2.** Acción de echar la red para pescar. ‖ **3.** Pesca que se saca de una vez. ‖ **4.** Trance u ocasión crítica. ‖ **5.** En el poema dramático, o en cualquier otro análogo, y en la novela, suceso, acontecimiento, situación interesante o notable. ‖ **6.** Encuentro, riña, quimera. ‖ **7.** En el juego, cada uno de los accidentes algo notables que ocurren en él. ‖ **8.** desus. Arma lanzada, en la caza, por la ballesta. ‖ **9.** *Taurom.* Cualquier suerte de la lidia. ‖ **de fortuna.** Casualidad, accidente inesperado. ‖ **de honor. desafío** entre dos para un duelo. ‖ **a pocos lances.** loc. adv. A breve tiempo; sin tropiezos ni dificultades. ‖ **de lance.** loc. adj. Dícese de lo que se compra barato, aprovechando una coyuntura. ‖ **de lance en lance.** loc. adv. De lance en otra, o de una razón en otra. ‖ **echar** uno **buen,** o **mal, lance.** fr. fig. y fam. Conseguir su intento, o frustrársele sus cálculos o esperanzas. ‖ **jugar** uno **el lance.** fr. Manejar un negocio que pide destreza o sagacidad. ‖ **tener pocos lances** una cosa. fr. fig. y fam. Ser poco agradable, divertida o interesante.

lanceado, da. (Del lat. *lanceātus*, de *lancĕa*, lanza.) adj. *Bot.* **lanceolado.**

lancear. (Del lat. *lanceāre*.) tr. Herir con lanza, alancear.

lancéola. (Del lat. *lanceŏla*, lancilla, por la forma de la hoja.) f. **llantén menor.**

lanceolado, da. (Del lat. *lanceolātus*.) adj. *Bot.* De figura semejante al hierro de la lanza. Dícese de las hojas y de sus lóbulos.

lancera. f. Armero para colocar las lanzas.

lancería. f. Conjunto de lanzas. ‖ **2.** Tropa de lanceros.

lancero. (Del lat. *lancearĭus*.) m. Soldado que pelea con lanza. ‖ **2.** El que usa o lleva lanza; como los vaqueros y toreros. ‖ **3.** El que hace o labra lanzas. ‖ **4. lancera.** ‖ **5.** pl. Baile de figuras, muy parecido al rigodón. ‖ **6.** Música de este baile.

lanceta. (d. de *lanza*.) f. *Cir.* Instrumento que sirve para sangrar abriendo una cisura en la vena, y también para abrir algunos tumores y otras cosas. Tiene la hoja de acero del corte muy sutil por ambos lados, y la punta agudísima.

lancetada. f. Acción y efecto de herir con la lanceta.

lancetazo. m. lancetada.

lancetero. m. Estuche en que se llevan las lancetas.

lancilla. f. d. de **lanza.** ‖ **2.** V. **guardia de lancilla.**

lancinante. p. a. de **lancinar.** ‖ **2.** adj. Dícese del dolor muy agudo.

lancinar. (Del lat. *lancināre*, desgarrar.) tr. Destrozar, desgarrar la carne. Ú. t. c. prnl.

lancurdia. f. Trucha pequeña.

lancha¹. (De or. inc.) f. Piedra más bien grande, naturalmente lisa, plana y de poco grueso.

lancha². (Voz malaya, a través del port.) f. Bote grande de vela y remo, o bien de vapor o de motor, propio para ayudar en las faenas de fuerza que se ejecutan en los buques, y para transportar carga o pasajeros en el interior de los puertos o entre puntos cercanos de la costa. ‖ **2.** La mayor de las embarcaciones menores que llevan a bordo los grandes buques para su servicio. ‖ **3.** Cualquier bote pequeño descubierto, con asientos para los remeros. ‖ **4.** Pequeña embarcación para atravesar los ríos, y en el mar, para pescar y para otros servicios; barca. ‖ **5.** Cierto armadijo compuesto de unos palillos y una piedra para coger perdices. ‖ **6.** *Mar.* V. **patrón de lancha.** ‖ **bombardera, cañonera,** u **obusera.** La que se construía de propósito para llevar un mortero, cañón u obús montado, y batir más de cerca las escuadras o las plazas o fortalezas de tierra.

lanchada. f. Carga que lleva de una vez una lancha².

lanchaje. m. Transporte de mercancías en lancha u otra embarcación menor, y flete que se paga por ello.

lanchar. m. Cantera de donde se sacan lanchas de piedra. ‖ **2.** Sitio en que abundan.

lanchazo. m. Golpe que se da de plano con una lancha¹.

lanchero. m. Conductor o patrón de una lancha².

lancho. m. desus. **lancha¹.**

lanchón. m. aum. de **lancha.**

lanchuela. f. d. de **lancha.**

landa. (Del célt. *landa*, tierra.) f. Gran extensión de tierra llana en que solo se crían plantas silvestres.

lande. (Del lat. *glans, glandis*, bellota.) f. ant. **glande,** bellota. Ú. en Álava y Asturias.

landgrave. (Del al. *landgraf*.) m. Título de honor que usaban algunos grandes señores de Alemania.

landgraviato. m. Dignidad de landgrave. ‖ **2.** Territorio del landgrave.

-landia. elem. compos. que significa «sitio de», «lugar de»: ZumoLANDIA, fotoLANDIA.

landó. (Del fr. *landau*.) m. Coche de cuatro ruedas, tirado por caballos, con capotas delantera y trasera, para poder usarlo descubierto o cerrado.

landra. f. **landre.**

landre. (Del lat. vulg. *glando, -dĭnis*, bellota.) f. Tumor del tamaño de una bellota, que se forma en las zonas glandulosas del cuerpo; como el cuello, los sobacos y las ingles. Ú. t. en sent. fig. ‖ **2.** Bolsa escondida que se hacía en la capa o vestido para llevar oculto el dinero. ‖ **3.** ant. **peste levantina.** ‖ **mala landre te coma** o **te mate.** fr. que expresa desprecio, apartamiento, malos deseos, etc., para la persona a quien se dirige.

landrecilla. (d. de *landre*.) f. Pedacito de carne redondo que se halla en varias partes del cuerpo; como en medio de los músculos del muslo, entre las glándulas del sobaco y en otras partes.

landrero, ra. adj. Decíase del mísero o mendigo que ahuchaba el dinero en el landre.

landrilla. (d. de *landre*.) f. Cresa de ciertos dípteros, que se fija debajo de la lengua y en las fosas nasales de diversos mamíferos. ‖ **2.** Cada uno de los granos que levanta lana con su picadura.

lanería. (De *lanero*.) f. Casa o tienda donde se vende lana.

lanero¹, ra. (Del lat. *lanarĭus*.) adj. Perteneciente o relativo a la lana. ‖ **2.** m. y f. Persona que trata en lanas. ‖ **3.** m. Almacén donde se guarda lana.

lanero[2]. (Del lat. *laniarĭus*, carnicero, de *laniāre*, despedazar.) adj. *Cetr.* V. **halcón lanero.**

langa. (Del ing. *ling*.) f. Bacalao curado.

langaruto, ta. (Del lat. *longŭlus*.) adj. fam. **larguirucho.**

langor. m. ant. **languor.**

langosta. (De *lagosta*.) f. Insecto ortóptero de la familia de los acrídidos, de color gris amarillento, de cuatro a seis centímetros de largo, cabeza gruesa, ojos prominentes, antenas finas y alas membranosas; el tercer par de patas es muy robusto y a propósito para saltar. Es fitófago, y en ciertas circunstancias se multiplica extraordinariamente, formando espesas nubes que arrasan comarcas enteras. Hay varias especies. ‖ **2.** Crustáceo decápodo macruro, que alcanza hasta cinco decímetros de longitud, con todas sus patas terminadas en pinzas pequeñas; cuatro antenas, dos centrales cortas y dos laterales muy largas y fuertes; ojos prominentes, cuerpo casi cilíndrico, y cola larga y gruesa. Es de color fusco que se vuelve rojo por la cocción; vive en alta mar, y su carne se tiene por manjar delicado. ‖ **3.** fig. y fam. Lo que destruye o consume una cosa. *Los muchachos son* LANGOSTA *de las despensas.*

langostero, ra. adj. Dícese de la embarcación empleada para la pesca de la langosta, y también de la persona que se dedica a esta tarea. Ú. t. c. s.

langostín. m. **langostino.**

langostino. (De *langosta* e *-ino*.) m. Crustáceo decápodo marino, del suborden de los macruros, de 12 a 14 centímetros de largo, patas pequeñas, bordes de las mandíbulas fibrosos, cuerpo comprimido, cola muy prolongada, carapacho poco consistente y de color grisáceo, que cambia en rosa subido por la cocción; su carne es muy apreciada.

langostón. (aum. de *langosta*.) m. Insecto ortóptero semejante a la langosta, pero de mayor tamaño; es de color verde esmeralda, tiene las antenas muy largas y vive comúnmente en los árboles.

languedociano, na. adj. Perteneciente o relativo al Languedoc.

lánguidamente. adv. m. Con languidez, con flojedad.

languidecer. (De *lánguido* y *-ecer*.) intr. Adolecer de languidez. ‖ **2.** Perder el espíritu o el vigor.

languidez. (De *lánguido*.) f. Flaqueza, debilidad. ‖ **2.** Falta de espíritu, valor o energía.

languideza. f. desus. **languidez.**

lánguido, da. (Del lat. *languĭdus*.) adj. Flaco, débil, fatigado. ‖ **2.** De poco espíritu, valor o energía.

languor. (Del lat. *languor*, *-ōris*.) m. p. us. **languidez.**

lanífero, ra. (Del lat. *lanĭfer*, *-ĕra*.) adj. poét. Que lleva o tiene lana.

lanificación. f. **lanificio.**

lanificio. (Del lat. *lanifĭcĭum*.) m. Arte de labrar la lana. ‖ **2.** Obra hecha de lana.

lanilla. (d. de *lana*.) f. Pelillo que le queda al paño por el haz. ‖ **2.** Tejido de poca consistencia hecho con lana fina. ‖ **3.** Especie de afeite que usaban antiguamente las mujeres.

lanío, a. (De *lana*.) adj. p. us. **lanar.**

lanolina. (Del ing. *lanoline*.) f. Sustancia análoga a las grasas, que se extrae de la lana del cordero y se utiliza para la preparación de pomadas y cosméticos.

lanosidad. (Del lat. *lanosĭtas*, *-ātis*.) f. Pelusa y vello suave que tienen las hojas de algunas plantas, las frutas y otras cosas.

lanoso, sa. (Del lat. *lanōsus*.) adj. Que tiene mucha lana o vello, lanudo.

lansquenete. (Del al. *landsknecht*, mercenario.) m. Soldado de la infantería alemana, que peleó también al lado de los tercios españoles durante la dominación de la casa de Austria.

lantaca. f. Especie de culebrina de poco calibre, muy

usada entre los malayos, joloanos y otros pueblos orientales.

lantánido. (De *lantano* e *-ido*.) adj. *Quím.* Dícese de los elementos químicos cuyo número atómico está comprendido entre el 57 y el 71. Ú. t. c. s. m. ‖ **2.** m. pl. *Quím.* Grupo formado por estos elementos, llamados también **tierras raras.**

lantano. (Del gr. λανθάνω, estoy oculto.) m. *Quím.* Metal de color plomizo, que arde fácilmente y descompone el agua a la temperatura ordinaria. Es raro en la naturaleza. Núm. atómico 57. Símb.: *La.*

lanteja. f. **lenteja.**

lantejuela. f. **lentejuela.**

lanterna. (Del lat. *lanterna*.) f. ant. **linterna.**

lanterno. (Del lat. *alaternus*, aladierno.) m. *Ar.* **aladierna.**

lanternón. m. ant. aum. de **lanterna.**

lantisco. m. ant. **lentisco.** Ú. en Andalucía.

lanudo, da. adj. Que tiene mucha lana o vello, lanoso.

lanuginoso, sa. (Del lat. *lanuginōsus*.) adj. Que tiene pelusa o vello, lanado.

lanza. (Del lat. *lancĕa*.) f. Arma ofensiva consistente en una asta o palo largo en cuya extremidad está fijo un hierro puntiagudo y cortante a manera de cuchilla. ‖ **2.** Vara de madera que, unida por uno de sus extremos al juego delantero de un carruaje, sirve para darle dirección. A sus lados se colocan, enganchándolas, las caballerías del tronco, que han de hacer el tiro. ‖ **3.** Soldado que usaba la **lanza** como arma, fuese a pie o a caballo. ‖ **4.** Hombre de armas, provisto de dos cabalgaduras, la una caballo bueno, y la otra mula, rocín o jaca, con que ciertos caballeros o escuderos, vasallos del rey, de un señor o de una comunidad, les servían en la guerra, disfrutando como remuneración de ello algunas tierras y ciertas franquicias. ‖ **5.** Tubo de metal con que rematan las mangas de las bombas para dirigir bien el chorro de agua. ‖ **6.** V. **mano de la lanza,** o de **lanza.** ‖ **7.** V. **caballo, paje de lanza.** ‖ **8.** pl. Cierto servicio de dinero que pagaban al rey los grandes y títulos, en lugar de los soldados con que debían asistirle en campaña. ‖ **castellana.** *Mil.* **lanza,** hombre de armas. ‖ **jineta. jineta,** lanza corta. ‖ **porquera,** o **media lanza** corta, especie de chuzo. ‖ **correr lanzas.** fr. Correr en los torneos los justadores armados y a caballo, combatiéndose con las **lanzas.** ‖ **deshacer la lanza.** fr. En las justas y torneos, sacar o llevar la **lanza** fuera de la rectitud que conviene para lograr el bote. ‖ **echar lanzas en la mar.** fr. fig. y fam. **coger agua en cesto.** ‖ **estar con la lanza en ristre.** fr. fig. Estar dispuesto o preparado para acometer una empresa, o para reconvenir o contestar resueltamente a uno. ‖ **hincar,** o **meter, la lanza hasta el regatón.** fr. fig. y fam. Apretar a uno con ahínco, haciéndole todo el daño posible. ‖ **no haber,** o **no quedar, lanza enhiesta.** fr. fig. Derrotar enteramente al enemigo; no dejarle fuerzas para volver al combate. ‖ **no romper lanzas con nadie.** fr. fig. Ser enemigo de riñas y contiendas. ‖ **quebrar lanzas.** fr. fig. Reñir, disputar o enemistarse dos o más personas. ‖ **romper lanzas.** fr. fig. Quitar las dificultades y estorbos que impiden la ejecución de una cosa. ‖ **2.** Con la prep. *por,* salir a la defensa de una persona o cosa. ‖ **ser uno una lanza.** fr. fig. y fam. *Amér.* Ser hábil y despejado.

lanzacabos. adj. V. **cañón lanzacabos.**

lanzacohetes. adj. Dícese de la instalación o artefacto destinados a disparar cohetes. Ú. t. c. s. m.

lanzada[1]. f. Golpe que se da con la **lanza.** ‖ **2.** Herida que con ella se hace. ‖ **3.** Unidad usual para la venta de adobes, que consta de 220 de estos. ‖ **de a pie.** *Taurom.* Suerte antigua que consistía en esperar el diestro al toro, rodilla en tierra, con una lanza muy fuerte cuyo cuento estaba afirmado en un hoyo abierto en el suelo y la cual enderezaba al testuz de la fiera para que esta, al acometer, se la clavase. ‖ **lanzada a moro muerto.** fr. fig. con que se alude al ataque u ofensa contra enemigos, obstáculos, situaciones, etc., ya inexistentes. ‖ **lanzada de moro izquierdo, o zurdo, le traspase el corazón.** expr. que se usa como imprecación, tomada de un antiguo romance, con la que se desea a uno un mal grave.

lanzada². (De *lanzar*.) f. Movimiento que se enseña al caballo, obligándole a saltar hacia adelante sobre las patas traseras con los brazos en el aire.

lanzadera. (De *lanzar*.) f. Instrumento de figura de barquichuelo, con una canilla dentro, que usan los tejedores para tramar. ‖ **2.** Pieza de forma semejante que tienen las máquinas de coser. ‖ **3.** Instrumento parecido, pero sin canilla, que se emplea en algunas labores. ‖ **4.** Sortija provista de un adorno en forma de **lanzadera.** ‖ **5.** fig. y fam. Persona inquieta, que anda de acá para allá en continuo movimiento. ‖ **espacial.** Vehículo capaz de transportar un objeto al espacio y situarlo en él.

lanzado, da. p. p. de **lanzar.** ‖ **2.** adj. Dícese de lo muy veloz o emprendido con mucho ánimo. ‖ **3.** Impetuoso, fogoso, decidido, arrojado. ‖ **4.** m. En la pesca con caña, acción de proyectar el cebo a distancia.

lanzador, ra. adj. Que lanza o arroja. Ú. t. c. s. ‖ **2.** m. Cohete destinado a lanzar un vehículo espacial. ‖ **de tablado.** Caballero que en los torneos arrojaba lanzas a un tablado que se hacía a este fin.

lanzafuego. (De *lanzar* y *fuego*.) m. *Art.* **botafuego** para pegar fuego a las piezas de artillería.

lanzagranadas. m. Arma portátil para disparar granadas u otros proyectiles contra tanques o carros blindados.

lanzallamas. m. Aparato usado en las guerras modernas para lanzar a corta distancia (30 o más metros) un chorro de líquido inflamado.

lanzamiento. m. Acción de lanzar una cosa. ‖ **2.** *Der.* Despojo de una posesión o tenencia por fuerza judicial. ‖ **3.** *Mar.* Proyección o salida que tiene el codaste por la popa, y la roda por la proa, sobre la longitud de la quilla. ‖ **4.** En ciertos juegos de balón o de pelota, acción de lanzar la pelota para castigar una falta. ‖ **5.** Prueba atlética consistente en lanzar el peso, el disco, el martillo o la jabalina a la mayor distancia posible.

lanzar. (Del lat. *lanceāre*.) tr. **arrojar.** Ú. t. c. prnl. ‖ **2.** Soltar, dejar libre. Ú. mucho en la volatería, hablando de las aves. ‖ **3.** p. us. **vomitar,** lo contenido en el estómago. ‖ **4.** ant. Echar, imponer, cargar. ‖ **5.** ant. Emplear, invertir, gastar. ‖ **6.** fig. Dar, proferir, exhalar. ‖ **7.** *Agr.* **echar,** brotar. ‖ **8.** *Der.* Despojar a uno de la posesión o tenencia de alguna cosa. ‖ **9.** prnl. Empezar una acción con mucho ánimo o con irreflexión.

lanzatorpedos. adj. V. **tubo lanzatorpedos.**

lanzazo. m. **lanzada,** golpe. ‖ **2. lanzada,** herida.

lanzón. m. aum. de **lanza.** ‖ **2.** Lanza corta y gruesa con un rejón de hierro ancho y grande, que solían usar los guardas de las viñas.

lanzuela. (Del lat. *lanceŏla.*) f. d. de **lanza,** arma ofensiva. ‖ **2.** ant. Lanceta para sangrar.

laña¹. (De etim. disc.) f. **grapa,** pieza de metal que sirve para unir o sujetar algunas cosas. ‖ **2.** ant. **Lonja¹** de tocino.

laña². f. Coco verde.

lañador. (De *lañar.*) m. El que por medio de **lañas¹** o grapas compone objetos rotos, especialmente de barro o loza.

lañar. (Quizá del lat. *laniāre,* desgarrar.) tr. Trabar, unir o afianzar con **lañas¹** una cosa. ‖ **2.** *Gal.* Abrir el pescado para salarlo.

laodicense. (Del lat. *Laodicensis.*) adj. Natural de Laodicea. Ú. t. c. s. ‖ **2.** Perteneciente o relativo a esta ciudad de Asia antigua.

laosiano, na. adj. Natural de Laos. Ú. t. c. s. ‖ **2.** Perteneciente o relativo a este Estado de Asia.

lapa¹. (De la onomat. *lap* del chapoteo.) f. Telilla o nata que diversos vegetales criptógamos forman en la superficie de algunos líquidos.

lapa². (Del lat. *lappa,* lampazo.) f. Molusco gasterópodo, de concha cónica con abertura oblonga, lisa o con estrías, que vive asido fuertemente a las rocas de las costas. Hay muchas especies, todas comestibles, aunque de poco valor. ‖ **2.** fig. Persona excesivamente insistente e inoportuna. ‖ **3. lampazo,** planta. ‖ **4.** *Nav.* **almorejo.**

lapa³. f. En algunas partes de América, **paca,** mamífero roedor.

lapacha. (De la onomat. *lap* del chapoteo.) f. **charco.**

lapachar. (De *lapa¹.*) m. Terreno cenagoso o excesivamente húmedo.

lapachero. m. *And.* y *P. Rico.* **lapachar.**

lapacho. m. Árbol de América Meridional, de la familia de las bignoniáceas, cuya madera, fuerte e incorruptible, se emplea en construcción y en ebanistería. ‖ **2.** Madera de este árbol.

laparoscopia. (Del gr. λαπάρα, costado, lado del vientre, y *-scopia.*) f. *Med.* Examen de la cavidad abdominal mediante la introducción en ella del laparoscopio.

laparoscopio. (Del gr. λαπάρα, costado, lado del vientre, y *-scopio.*) m. *Med.* Instrumento propio para practicar la laparoscopia.

laparotomía. (Del gr. λαπάρα, costado, lado del vientre, y *-tomía.*) f. *Cir.* Operación quirúrgica que consiste en abrir las paredes abdominales y el peritoneo.

lapicera. (De *lapicero.*) f. *Argent.* **portaplumas.** ‖ **2.** *Argent.* Por ext., **estilográfica.**

lapicero. m. Instrumento en que se pone el lápiz para servirse de él. ‖ **2. lápiz,** barrita de grafito.

lápida. (Del lat. *lapis, -ĭdis.*) f. Piedra llana en que ordinariamente se pone una inscripción.

lapidación. (Del lat. *lapidatĭo, -ōnis.*) f. Acción y efecto de lapidar.

lapidar. (Del lat. *lapidāre.*) tr. **apedrear,** matar a pedradas.

lapidario, ria. (Del lat. *lapidarĭus.*) adj. Perteneciente a las piedras preciosas. ‖ **2.** Perteneciente o relativo a las inscripciones en lápidas. *Estilo* LAPIDARIO. ‖ **3.** fig. Dícese del enunciado que, por su concisión y solemnidad, parece digno de ser grabado en una lápida. Ú. con frecuencia en sentido irónico. ‖ **4.** m. y f. Persona que tiene por oficio labrar piedras preciosas. ‖ **5.** Persona que comercia en ellas. ‖ **6.** Persona que tiene por oficio hacer o grabar lápidas.

lapídeo, a. (Del lat. *lapidĕus.*) adj. De piedra o perteneciente a ella.

lapidificación. f. *Quím.* Acción y efecto de lapidificarse o lapidificarse.

lapidificar. (Del lat. *lapis, -ĭdis,* piedra, y *-ficar.*) tr. *Quím.* Convertir en piedra. Ú. t. c. prnl.

lapidífico, ca. adj. *Quím.* Que lapidifica.

lapidoso, sa. (Del lat. *lapidōsus.*) adj. **lapídeo.**

lapilla. (d. de *lapa².*) f. **cinoglosa.**

lapislázuli. (Del lat. *lapis,* piedra, y el ár. *lāzūrd,* por *lāzaward,* azul.) m. Mineral de color azul intenso, tan duro como el acero, que suele usarse en objetos de adorno, y antiguamente se empleaba en la preparación del azul de ultramar. Es un silicato de alúmina mezclado con sulfato de cal y sosa, y acompañado frecuentemente de pirita de hierro.

lapita. (Del lat. *Lapītha.*) m. Individuo de un pueblo de los tiempos heroicos de Grecia, que habitaba en Tesalia, cerca del monte Olimpo, y se hizo famoso por su lucha contra los centauros en las bodas de Pirítoo.

lápiz. (Del lat. *lapis,* piedra.) m. Nombre genérico de varias sustancias minerales, suaves, crasas al tacto, que se usan generalmente para dibujar. ‖ **2.** Barrita de grafito encerrada en un cilindro o prisma de madera y que sirve para escribir o dibujar. ‖ **de color.** Composición o pasta que se hace con varios colores dándole la figura de puntas de **lápiz,** y sirve para pintar al pastel. ‖ **de labios. pintalabios.** ‖ **de ojos.** Barrita en forma de **lápiz,** de punta más o menos dura y distintas tonalidades, destinada al maquillaje de los ojos. ‖ **de plomo. grafito.** ‖ **encarnado. lápiz rojo.** ‖ **plomo. lápiz de plomo.** ‖ **rojo. almagre,** óxido rojo de hierro. ‖ **tinta** o **de tinta.** Aquel cuya mina, al humedecerse, escribe como si tuviera tinta.

lapizar[1]. m. Mina o cantera de lápiz de plomo.

lapizar[2]. tr. Dibujar o rayar con lápiz.

lapo. (De or. inc.) m. fam. Cintarazo, latigazo, bastonazo o varazo. ‖ **2. bofetada.** ‖ **3.** fig. Trago o chisguete.

lapón, na. adj. Natural de Laponia. Ú. t. c. s. ‖ **2.** Perteneciente o relativo a este país de Europa. ‖ **3.** m. Lengua hablada por los **lapones.**

lapso[1], **sa.** (Del lat. *lapsus,* p. p. de *labi,* deslizarse, caer.) adj. ant. Que ha caído en un delito o error.

lapso[2]. (Del lat. *lapsus,* deslizamiento, caída.) m. Paso o transcurso. ‖ **2.** Tiempo entre dos límites. ‖ **3.** Caída en una culpa o error. ‖ **de tiempo. lapso,** tiempo.

lapsus. m. Falta o equivocación cometida por descuido. ‖ **cálami.** expr. lat. que se usa en castellano con su propia significación de error cometido al correr de la pluma. ‖ **linguae.** expr. lat. que se usa en castellano con su propia significación de tropiezo o error de lengua.

laque. (Voz araucana.) m. *Chile.* **boleadoras.**

laqueado, da. adj. Cubierto o barnizado de laca.

laquear[1]. (De *laca.*) tr. Cubrir o barnizar con laca.

laquear[2]. (De *laque.*) tr. *Chile.* Coger o derribar un animal valiéndose del laque.

laquista. com. Persona que tiene por oficio aplicar esmalte o laca como sustancia decorativa o de protección.

lar. (Del lat. *lar, laris.*) m. *Mit.* Cada uno de los dioses de la casa u hogar. Ú. m. en pl. ‖ **2. hogar,** sitio de la lumbre en la cocina. ‖ **3.** pl. fig. Casa propia u hogar.

larario. (Del lat. *lararium.*) m. Entre los gentiles, lugar destinado en cada casa para adorar a los lares o dioses domésticos.

larda. (De *lardo.*) f. Gordura de ballenas, cachalotes y otros animales.

lardáceo, a. (De *lardo* y *-áceo.*) adj. Semejante o parecido al lardo.

lardar. tr. **lardear.**

lardear. tr. Untar o envolver con lardo o grasa lo que se va a asar. ‖ **2. pringar,** echar a uno pringue hirviendo.

lardero, ra. (De *lardo.*) adj. ant. **graso,** pingüe, mantecoso. ‖ **2.** V. **jueves lardero.**

lardo. (Del lat. *lardum.*) m. Lo gordo del tocino. ‖ **2.** Grasa o unto de los animales.

lardón. (De etim. disc.) m. *Impr.* Pedacito de papel que por descuido suele quedar en la frasqueta, el cual, al tiempo de tirar el pliego, se interpone entre este y la forma, y es causa de que no salga estampada alguna parte de él. ‖ **2.** *Impr.* Adición hecha al margen en el original o en las pruebas.

lardoso, sa. (De *lardo.*) adj. Grasiento, pringoso.

larense. adj. Natural del Estado venezolano de Lara. Ú. t. c. s. ‖ **2.** Perteneciente o relativo a dicho Estado.

larga. (De *largo.*) f. Pedazo de suela o de fieltro que ponen los zapateros en la parte posterior de la horma para que salga más largo el zapato. ‖ **2.** El más largo de los tacos de billar. ‖ **3.** Dilación, retardación. Ú. m. en las expresiones *dar* LARGAS, *traer en* LARGAS. ‖ **4.** *Taurom.* Lance que consiste en sacar al toro de la suerte de vara, corriéndolo con el capote extendido a lo largo.

largamente. adv. m. Con extensión, cumplidamente. ‖

2. fig. Con anchura, sin estrechez. *Juan tiene con qué pasarlo* LARGAMENTE. ‖ **3.** fig. Francamente, con liberalidad. *El generoso da* LARGAMENTE. ‖ **4.** adv. t. Por mucho o largo tiempo.

largar. (De *largo.*) tr. Soltar, dejar libre. Se usa especialmente hablando de lo que es molesto, nocivo o peligroso. ‖ **2.** fam. Seguido de palabras como bofetada, porrazo, propina, etc., dar. ‖ **3.** fig. Contar lo que no se debe, o decir algo inoportuno o pesado. ‖ **4.** Aflojar, ir soltando poco a poco. Ú. mucho en la marina. ‖ **5.** *Mar.* Desplegar, soltar una cosa; como la bandera o las velas. ‖ **6.** prnl. fam. Irse o ausentarse con presteza o disimulo. ‖ **7.** *Mar.* Hacerse la nave a la mar, o apartarse de tierra o de otra embarcación.

largaria. f. ant. Largo o longitud.

largición. (Del lat. *largitĭo, -ōnis.*) f. desus. Dádiva, regalo, prodigalidad.

largo, ga. (Del lat. *largus.*) adj. Que tiene más o menos longitud. ‖ **2.** Que tiene longitud excesiva. ‖ **3.** V. **anteojo de larga vista.** ‖ **4.** V. **aristoloquia, cedoaria, felpa, paja, pimienta, vara larga.** ‖ **5.** V. **larga data, larga fecha.** ‖ **6.** V. **juego a largo.** ‖ **7.** fig. Liberal, dadivoso. ‖ **8.** fig. Copioso, abundante, excesivo. ‖ **9.** fig. Dilatado, extenso, continuado. ‖ **10.** fig. Pronto, expedito, que hace en abundancia lo que significa el verbo o la palabra verbal con que se junta. *Este oficial es* LARGO *en trabajar.* ‖ **11.** fig. y fam. Astuto, listo. ‖ **12.** fig. Aplicado en plural a cualquier división del tiempo, como días, meses, etc., suele tomarse por muchos. *Estuvo ausente* LARGOS *años.* ‖ **13.** fig. V. **cuento largo.** ‖ **14.** *Gram.* V. **sílaba, vocal larga.** ‖ **15.** *Mar.* Arriado, suelto. *Está* LARGO *ese cabo.* ‖ **16.** *Mar.* V. **boga, mar larga.** ‖ **17.** *Mar.* V. **viento largo,** o **a un largo.** ‖ **18.** *Mil.* V. **paso largo.** ‖ **19.** fig. Aplicado a una cantidad, que pasa de lo que realmente se dice. *Tiene cincuenta años* LARGOS. ‖ **20.** m. **largor.** ‖ **21.** En natación, dimensión mayor de una piscina. ‖ **22.** *Mús.* Uno de los movimientos fundamentales de la música, que equivale a despacio o lento. ‖ **23.** *Mús.* Composición, o parte de ella, escrita en este movimiento. *Tocar un* LARGO. ‖ **24.** adv. m. p. us. Sin escasez, con abundancia. ‖ **a la larga.** loc. adv. Según el largo de una cosa. *Quedó tumbado* A LA LARGA. ‖ **2.** Al cabo, pasado mucho tiempo. ‖ **3.** Lentamente, poco a poco. ‖ **4.** Difusamente, con extensión. ‖ **a lo largo.** loc. adv. En el sentido de la longitud de una cosa. ‖ **2.** A lo lejos, a mucha distancia. ‖ **3.** **a la larga,** extensamente. ‖ **a lo largo de.** loc. prepos. **durante.** A LO LARGO DE *su vida;* A LO LARGO DEL *discurso.* ‖ **a lo más largo.** loc. adv. a lo **sumo.** ‖ **dar cinco de largo.** fr. En el juego de bolos, pasar de la raya hasta donde puede llegar la bola. ‖ **de largo.** loc. adv. Con hábitos o vestiduras talares. ‖ **2.** V. **puesta de largo.** ‖ **3.** Desde hace mucho tiempo. ‖ **de largo a largo.** loc. adv. A toda su longitud. ‖ **¡largo!** o **¡largo de ahí,** o **de aquí!** exprs. con que se manda a una o más personas que se vayan inmediatamente. ‖ **largo y tendido.** expr. fam. Con profusión. ‖ **para largo.** adv. **por extenso.**

largometraje. m. Película cuya duración sobrepasa los 60 minutos.

largomira. (De *largo* y *mirar.*) m. **catalejo.**

largor. (De *largo.*) m. La dimensión mayor de las superficies planas.

largueado, da. (De *largo.*) adj. Listado o adornado con listas.

larguero, ra. (De *largo.*) adj. ant. **largo,** liberal, dadivoso. Ú. en Chile. ‖ **2.** ant. **largo,** abundante, copioso. Ú. en Chile. ‖ **3.** m. Cada uno de los dos palos o barrotes que se ponen a lo largo de una obra de carpintería, ya sea unidos con los demás de la pieza, ya separados; como los de las camas, ventanas, bastidores, etc. ‖ **4.** Palo superior, horizontal, de la portería del fútbol y otros deportes. ‖ **5.** **cabezal**, almohada larga.

larguez. f. ant. **largueza.**

largueza. (De *largo*.) f. **largura.** ‖ **2. liberalidad,** virtud moral. ‖ **3. liberalidad,** generosidad.

larguirucho, cha. (despect. de *largo*.) adj. fam. Aplícase a las personas y cosas desproporcionadamente largas respecto de su ancho o de su grueso.

largura. f. **largor.**

lárice. (Del lat. *larix, -ĭcis*.) m. **alerce.**

laricino, na. adj. Perteneciente al lárice.

lariforme. (Del gr. λάρος, gaviota, a través del lat. *larus*, y *-forme*.) adj. *Zool.* **caradriforme.**

larije. (De *alarije*.) adj. V. **uva larije.**

laringe. (Del gr. λάρυγξ, -υγγος.) f. *Anat.* Órgano tubular, constituido por varios cartílagos en la mayoría de los vertebrados, que por un lado comunica con la faringe y por otro con la tráquea. Es rudimentario en las aves, y forma parte del aparato de la fonación en los mamíferos.

laríngeo, a. adj. Perteneciente o relativo a la laringe.

laringitis. (De *laringe* e *-itis*.) f. *Pat.* Inflamación de la laringe.

laringología. (Del gr. λάρυγξ, -υγγος, laringe, y *-logía*.) f. Parte de la patología, que estudia las enfermedades de la laringe.

laringólogo, ga. m. y f. Especialista dedicado al estudio y tratamiento de las enfermedades de la laringe.

laringoscopia. (De *laringe* y *-scopia*.) f. *Med.* Exploración de la laringe o de partes inmediatas a ella.

laringoscopio. (De *laringe* y *-scopio*.) m. *Med.* Instrumento que sirve para la laringoscopia.

laringotomía. (De *laringe* y *-tomía*.) f. *Cir.* Incisión que se hace en la laringe para extraer cuerpos extraños, extirpar tumores, pólipos, etc.

larra. (Voz vascuence.) f. *Ál.* **prado.**

larva. (Del lat. *larva*, fantasma.) f. *Zool.* Animal en estado de desarrollo, cuando ha abandonado las cubiertas del huevo y es capaz de nutrirse por sí mismo, pero aún no ha adquirido la forma y la organización propia de los adultos de su especie. ‖ **2.** ant. Fantasma, espectro, duende.

larvado, da. (De *larva*.) adj. *Pat.* Aplícase a las enfermedades que se presentan con síntomas que ocultan su verdadera naturaleza. ‖ **2.** Por ext., aplícase también a sentimientos que no se manifiestan abiertamente.

larval. (De *larva*.) adj. **larvario.**

larvario, ria. (De *larva*.) adj. *Biol.* Perteneciente o relativo a las larvas de los animales y a las fases de su desarrollo.

las. (Del lat. *illas*, acus. pl. f. de *ille*.) *Gram.* Forma del artículo determinado en género femenino y número plural. LAS *cejas*. ‖ **2.** *Gram.* Acusativo femenino plural del pronombre personal de tercera persona. No admite preposición y puede usarse como enclítico: LAS *miré*; *mira*LAS. Esta forma, propia del acusativo, no debe usarse en dativo, aunque lo hayan hecho escritores de nota. ‖ **3.** Empléase como pronombre de acusativo sin referencia a sustantivo expreso, frecuentemente con valor cercano al del neutro *lo*. *Me* LAS *pagarás. Pasar*LAS *mal.*

lasaña. (Del it. *lasagna*.) f. **oreja de abad,** fruta de sartén en forma de hojuela. ‖ **2.** Plato de origen italiano, consistente en carne o verdura picada recubierta de cuadrados o tiras de pasta y espolvoreada de queso rallado.

lasarse. (Del lat. *lassāre*.) prnl. ant. Fatigarse, cansarse.

lasca. (Del ant. a. al. *laska*.) f. Trozo pequeño y delgado desprendido de una piedra. ‖ **2.** ant. **lancha** de piedra. ‖ **3.** *And.* **lonja**[1], cosa larga, ancha y poco gruesa que se corta de otra.

lascar. (Del lat. *laxicāre*, de *laxāre*, aflojar.) tr. *Mar.* Aflojar o arriar muy poco a poco un cabo.

lascivamente. adv. m. Con lascivia.

lascivia. (Del lat. *lascivĭa*.) f. Propensión a los deleites carnales. ‖ **2.** ant. Apetito inmoderado de una cosa.

lascivo, va. (Del lat. *lascīvus*.) adj. Perteneciente o relativo a la lascivia. ‖ **2.** Que tiene este vicio. Ú. t. c. s. ‖ **3.** p. us. Demasiado lozano; juguetón, alegre.

lascivoso, sa. (De *lascivo*.) adj. ant. **lascivo.**

lasedad. (De *laso*.) f. ant. **lasitud.**

láser. (Sigla del ing. *Light amplification by stimulated emission of radiations*.) m. Dispositivo electrónico que, basado en la emisión inducida, amplifica de manera extraordinaria un haz de luz monocromático y coherente. ‖ **2.** Este mismo haz.

laserpicio. (Del lat. *laserpicĭum*.) m. Planta herbácea, vivaz, de la familia de las umbelíferas, con tallo rollizo, estriado, poco ramoso, de seis a ocho decímetros de altura, hojas partidas en lóbulos lanceolados, flores blancas, semillas pareadas, ovoideas, algo vellosas, y raíz gruesa y fibrosa. ‖ **2.** Semilla de esta planta.

lasitud. (Del lat. *lassitūdo*.) f. Desfallecimiento, cansancio, falta de fuerzas.

laso, sa. (Del lat. *lassus*.) adj. p. us. Cansado, desfallecido, falto de fuerzas. ‖ **2.** Flojo y macilento. ‖ **3.** Dícese del hilo de lino o cáñamo o de la seda, sin torcer.

lastar. (Probablemente, del gót. *laistjan*, pagar, ceder.) tr. p. us. Suplir lo que otro debe pagar, con el derecho de reintegrarse. ‖ **2.** fig. p. us. Padecer en pago de una culpa.

lástima. (De *lastimar*.) f. Enternecimiento y compasión excitados por los males de otro. ‖ **2.** Objeto que excita la compasión. ‖ **3.** Quejido, lamento, expresión lastimera. ‖ **4.** Cualquier cosa que cause disgusto, aunque sea ligero. *Es* LÁSTIMA *que no hayamos venido más temprano.* ‖ **dar, o hacer, lástima.** fr. Causar **lástima** o compasión; mover a ella. ‖ **hecho una lástima.** loc. Estropeado o maltrecho. ‖ **¡lástima!** exclam. de pesar ante algo que no sucede como se esperaba. ‖ **llorar lástimas.** fr. fig. y fam. Exagerarlas. ‖ **poner lástima.** fr. **dar lástima.**

lastimador, ra. (De *lástima*.) adj. Dícese de lo que lastima o hace daño.

lastimadura. f. Acción y efecto de lastimar.

lastimamiento. m. ant. **lastimadura.**

lastimar. (Del lat. vulg. *blastemāre*, por *blasphemāre*, calumniar, blasfemar, y este del gr. βλασφημέω.) tr. Herir o hacer daño. Ú. t. c. prnl. ‖ **2.** p. us. **compadecer.** ‖ **3.** fig. Agraviar, ofender la estimación u honra. ‖ **4.** prnl. p. us. Dolerse del mal de uno. ‖ **5.** p. us. Quejarse, dar muestras de dolor y sentimiento.

lastimeramente. adv. De un modo lastimero.

lastimero, ra. adj. Lastimoso, digno de compasión. ‖ **2.** Que hiere o hace daño.

lastimosamente. adv. De un modo lastimoso.

lastimoso, sa. adj. Que mueve a compasión y lástima.

lasto. (De *lastar*.) m. Recibo o carta de pago que se da al que lasta o paga por otro, para que pueda cobrarse de él.

lastón. (Del vasc. *lasto*, paja.) m. Planta perenne de la familia de las gramíneas, cuya caña es de unos seis decímetros de altura, estriada, lampiña y de pocos nudos, las hojas muy largas, lo mismo que la panoja, cuyos ramos llevan multitud de florecitas con cabillo y con arista.

lastra. (De or. inc.) f. **lancha** de piedra.

lastrar. tr. Poner lastre[2] a una embarcación. ‖ **2.** fig. Afirmar una cosa cargándola de peso. Ú. t. c. prnl.

lastre[1]. (De *lastra*.) m. Piedra de mala calidad y en lajas resquebrajadas, que se arranca por grueso, que está en la superficie de la cantera, y solo sirve para las obras de mampostería.

lastre[2]. (Del ant. al. *last*, peso.) m. Piedra, arena, agua u otra cosa de peso que se pone en el fondo de la embarcación, a fin de que esta entre en el agua hasta donde convenga;

también se pone en la barquilla de los globos para que asciendan o desciendan más rápidamente. ‖ **2.** fig. Juicio, peso, madurez. *No tiene* LASTRE *aquella cabeza.* ‖ **3.** ré-**mora**, impedimento para llevar algo a buen término. ‖ **4.** *Mar.* V. **buque en lastre.**

lastrear. tr. desus. **lastrar.**

lastrón. m. aum. de **lastre**[1].

lasún. (Del vasc. *lasun*, *mújol*.) m. **locha.**

lata. (De etim. disc.) f. **hoja de lata.** ‖ **2.** Envase hecho de hojalata, con su contenido o sin él. *Una* LATA *de tabaco, de salmón, de pimientos.* ‖ **3.** Tabla delgada sobre la cual se aseguran las tejas. ‖ **4.** Madero, por lo común en rollo y sin pulir, de menor tamaño que el cuartón. ‖ **5.** fam. Discurso o conversación fastidiosa. ‖ **6.** fam. Todo lo que causa hastío y disgusto por prolijo o impertinente. *Aquello fue una* LATA. *¡Qué* LATA! ‖ **dar la lata** o **dar lata** a uno. fr. fig. y fam. Molestarlo, importunarlo, fastidiarlo con cosas inoportunas o con exigencias continuas.

latae sententiae. expr. lat. V. **censura, excomunión latae sententiae.**

latamente. adv. m. Con extensión, larga, difusamente. ‖ **2.** fig. Por ext., en sentido lato.

latania. (Nombre indígena.) f. Palma de la isla de Borbón, que en Europa se cultiva en invernáculos, con hojas en forma de abanico, de color verde claro y de metro y medio de largo, cuyos pecíolos son de unos dos metros y tienen aguijones verdes hasta la mitad de su longitud.

latastro. (De etim. disc.) m. *Arq.* **plinto.**

lataz. (Del gr. λάταξ, -αγος, nutria.) m. Nutria que vive a orillas del mar Pacífico septentrional. Es muy parecida a la de Europa, aunque algo mayor y de pelo más fino y lustroso.

latazo. m. aum. de **lata**, discurso prolijo. ‖ **2. lata**, fastidio, pesadez.

latebra. (Del lat. *latĕbra*.) f. p. us. Escondrijo, refugio, cueva, madriguera.

latebroso, sa. (Del lat. *latebrōsus*.) adj. Que se oculta y esconde y no se deja conocer.

latencia. f. Cualidad o condición de latente.

latente. (Del lat. *latens*, *-entis*.) adj. Oculto y escondido. ‖ **2.** V. **dolor latente.** ‖ **3.** *Fís.* V. **calor latente.**

lateral. (Del lat. *laterālis*.) adj. Perteneciente o situado al lado de una cosa. ‖ **2.** fig. Lo que no viene por línea recta. *Sucesión, línea* LATERAL. ‖ **3.** *Mil.* V. **paso lateral.** ‖ **4.** *Anat.* V. **ventrículos laterales.** ‖ **5.** *Fon.* Dícese del sonido articulado en cuya pronunciación la lengua impide al aire espirado su salida normal por el centro de la boca, dejándole paso por los lados; como en la *l* y la *ll.* ‖ **6.** Dícese de la letra que representa este sonido. Ú. t. c. s. f. ‖ **7.** m. Cada uno de los lados de una avenida, separado de la parte central por un seto o por un camino para peatones.

lateralización. f. *Fon.* Acción y efecto de lateralizar o lateralizarse.

lateralizar. tr. *Fon.* Transformar en consonante lateral la que no lo era, como la *d* del latín *medīca* en la *l* de *melīca*, de donde *mielga*[1]. Ú. t. c. prnl.

lateralmente. adv. m. De lado. ‖ **2.** De uno y otro lado.

lateranense. (Del lat. *Lateranensis*.) adj. Perteneciente o relativo al templo de San Juan de Letrán. *Concilio* LATE-RANENSE; *padres* LATERANENSES.

latería. f. Conjunto de latas de conserva. ‖ **2.** *And.* y *Amér.* **hojalatería.**

latero, ra. adj. **latoso.** Ú. especialmente en América. ‖ **2.** m. y f. *And.* y *Amér.* **hojalatero.**

látex. (Del lat. *latex*, *-ĭcis*, licor, sustancia líquida.) m. *Bot.* Jugo propio de muchos vegetales, que circula por los vasos laticíferos; es de composición muy compleja y el de sus obtienen sustancias tan diversas como el caucho, la gutapercha, etc. El de ciertas plantas es venenoso, como el del manzanillo; el de otras, muy acre, como el de la higuera común; el del árbol de la leche es dulce y utilizable como alimento.

laticífero. adj. *Bot.* Dícese de los vasos de los vegetales que conducen el látex.

latido, da. p. p. de **latir.** ‖ **2.** m. Ladrido entrecortado que da el perro cuando ve o sigue la caza, o cuando de repente sufre algún dolor. ‖ **3.** Cada uno de los golpes producidos por el movimiento alternativo de dilatación y contracción del corazón contra la pared del pecho, o de las arterias contra los tejidos que las cubren; puede ser percibido por la vista, el tacto y, muy especialmente, por el oído mediante la auscultación o sirviéndose de instrumentos y aparatos adecuados. ‖ **4.** Sensación dolorosa en ciertas partes muy sensibles, a causa de infección e inflamación subsiguiente, a consecuencia de este movimiento de las arterias que las riegan. ‖ **capilar.** *Med.* El de algunos vasos capilares, en determinadas dolencias. ‖ **venoso.** *Med.* El de algunas venas, en casos patológicos.

latifundio. (Del lat. *latifundĭum*.) m. Finca rústica de gran extensión.

latifundismo. m. Distribución de la propiedad de la tierra caracterizada por la abundancia de latifundios. ‖ **2.** Teoría política agraria que propugna esta distribución.

latifundista. adj. Perteneciente o relativo al latifundismo. ‖ **2.** com. Persona que posee uno o varios latifundios.

latigadera. (De *látigo* y *-dera*.) f. *And.* Soga o correa con que se sujeta el yugo contra el pértigo de la carreta.

latigazo. m. Golpe dado con el látigo. ‖ **2.** Chasquido de látigo. ‖ **3.** fig. Golpe semejante al **latigazo.** ‖ **4.** fig. Daño impensado que se hace a uno. ‖ **5.** fig. Represión áspera e inesperada. ‖ **6.** fig. y fam. Trago de bebida alcohólica.

látigo. m. Azote largo, delgado y flexible, de cuero, cuerda, ballena u otra materia, con que se aviva y castiga sobre todo a las caballerías especialmente. ‖ **2.** Cordel que sirve para afianzar el peso lo que se quiere pesar. ‖ **3.** Cuerda o correa con que se asegura y aprieta la cincha. ‖ **4.** V. **cordel de látigo.** ‖ **5.** Pluma que se ponía para adornar sobre el ala del sombrero y lo rodeaba casi todo. ‖ **6.** Máquina de feria, de movimiento casi circular, cuyas sacudidas en las curvas se asemejan a latigazos.

latiguear. intr. Dar chasquidos con el látigo.

latigueo. m. Acción de latiguear.

latiguera. f. **látigo,** cuerda o correa.

latiguero, ra. m. y f. Persona que hace o vende látigos.

latiguillo. m. d. de **látigo.** ‖ **2. estolón**[2]. ‖ **3.** fig. y fam. Recurso declamatorio del actor o del orador que exagera la expresión de los afectos para lograr un aplauso. ‖ **4.** V. **caída de latiguillo.** ‖ **5.** Expresión sin originalidad, empleada frecuentemente en la conversación.

latín. (Del lat. *latíne*, en latín.) m. Lengua del Lacio hablada por los antiguos romanos, de la cual se deriva la española. ‖ **2.** Voz o frase latina empleada en escrito o discurso en español. Suele tomarse en sentido peyorativo. Ú. m. en pl. ‖ **científico.** El de los términos acuñados a la manera latina en la nomenclatura científica y técnica modernas. ‖ **clásico.** El de los escritores del siglo de oro de la literatura latina. ‖ **moderno.** El empleado en las obras por los escritores de la Edad Moderna. ‖ **rústico, o vulgar.** El hablado por el vulgo de los pueblos romanizados, el cual, entre otras particularidades, se distinguía del clásico en tener una sintaxis menos complicada y usar voces o expresiones no empleadas en éste. ‖ **bajo latín.** El escrito después de la caída del imperio romano y durante la Edad Media. ‖ **coger** a uno **en mal latín.** fr. fig. y fam. Cogerle en una falta, culpa o delito. ‖ **decirle,** o **echarle,** a uno **los latines.** fr. fig.

y fam. Casarle; echarle las bendiciones. ‖ **saber latín**, o **mucho latín**. fr. fig. y fam. Ser astuto o muy avisado.

latinado, da. p. p. de **latinar.** ‖ **2.** adj. Dícese de quien hablaba o escribía en romance bajo la dominación árabe en España.

latinajo. m. fam. despect. Latín malo y macarrónico. ‖ **2.** fam. despect. Voz o frase latina usada en castellano. Ú. m. en pl.

latinamente. adv. m. p. us. En lengua latina.

latinar. (Del lat. *latināre.*) intr. p. us. Hablar o escribir en latín.

latinear. intr. p. us. **latinar.** ‖ **2.** fam. Emplear con frecuencia voces o frases latinas al hablar o escribir en español.

latinidad. (Del lat. *latinĭtas, -ātis.*) f. Condición o carácter de lo latino. ‖ **2.** Lengua latina. ‖ **3.** Tradición cultural latina. ‖ **4.** Conjunto de los pueblos latinos. ‖ **baja latinidad. bajo latín.**

latiniparla. (De *latín* y *parlar.*) f. Lenguaje de los que emplean con afectación voces latinas al hablar o escribir en español o en otro idioma que no sea el latino.

latinismo. m. Giro o modo de hablar propio y privativo de la lengua latina. ‖ **2.** Empleo de tales giros o construcciones en otro idioma.

latinista. adj. Perteneciente o relativo al latinismo. ‖ **2.** com. Persona versada en la lengua y literatura latinas.

latinización. f. Acción y efecto de latinizar.

latinizador, ra. adj. Que latiniza.

latinizar. (Del lat. *latinizāre.*) tr. Dar forma latina a voces de otra lengua. ‖ **2.** Introducir la cultura latina en algún lugar. ‖ **3.** intr. fam. **latinear,** emplear latinajos. ‖ **4.** desus. Estudiar latín.

latino, na. (Del lat. *Latīnus.*) adj. Natural del Lacio. Ú. t. c. s. ‖ **2.** Perteneciente o relativo a los pueblos del Lacio, o a las ciudades con derecho **latino.** ‖ **3.** desus. Que sabe latín. Usáb. t. c. s. ‖ **4.** Perteneciente a la lengua **latina** o propio de ella. ‖ **5.** Aplícase a la Iglesia de Occidente, para diferenciarla de la griega, y a lo perteneciente a ella. *Los padres de la iglesia* LATINA; *los ritos* LATINOS. ‖ **6.** V. **cruz latina.** ‖ **7.** Dícese también de los naturales de los pueblos de Europa y América en que se hablan lenguas derivadas del latín, y de esos mismos pueblos. *Los emperadores* LATINOS *de Constantinopla. Los países* LATINOS *de América.* ‖ **8.** *Mar.* V. **vela latina.** ‖ **9.** *Mar.* Dícese de las embarcaciones y aparejos de vela triangular.

latinoamericano, na. adj. Dícese del conjunto de los países de América colonizados por naciones latinas: España, Portugal o Francia.

latir. (Del lat. *glattīre,* dar ladridos agudos.) intr. Dar latidos el perro. ‖ **2. ladrar.** ‖ **3.** Dar latidos el corazón, las arterias, y a veces los capilares y algunas venas.

latirismo. (De *lathўrus* [*sativus*], nombre botánico de la almorta.) m. *Pat.* Intoxicación producida por la ingestión frecuente de harina de almorta. Se manifiesta principalmente por parálisis crónica de las piernas.

latísimamente. adv. m. Muy latamente.

latitante. p. a. ant. de **latitar.** Que está oculto y escondido.

latitar. (Del lat. *latitāre.*) intr. ant. Esconderse, ocultarse, andar escondido.

latitud. (Del lat. *latitūdo.*) f. La menor de las dos dimensiones principales que tienen las cosas o figuras planas, en contraposición a la mayor o longitud. ‖ **2.** Toda la extensión de un reino, provincia o distrito. ‖ **3.** *Astron.* Distancia, contada en grados, que hay desde la Eclíptica a cualquier punto considerado en la esfera celeste hacia uno de los polos. ‖ **4.** *Geogr.* Distancia que hay desde un punto de la superficie terrestre al Ecuador, contada por los grados de su meridiano.

latitudinal. (Del lat. *latitūdo, -ĭnis,* latitud.) adj. Que se extiende a lo ancho.

latitudinario, ria. (Del lat. *latitūdo, -ĭnis.*) adj. *Teol.* Aplícase al que sostiene que puede haber salvación fuera de la Iglesia católica. Ú. t. c. s.

latitudinarismo. m. *Teol.* Doctrina de los latitudinarios.

lato, ta. (Del lat. *latus, -a, -um.*) adj. Dilatado, extendido. ‖ **2.** fig. Aplícase al sentido que por extensión se da a las palabras, sin que exacta o rigurosamente les corresponda. ‖ **3.** V. **culpa lata.**

latón¹. (Del ár. *lāṭūn.*) m. Aleación de cobre y cinc, de color amarillo pálido y susceptible de gran brillo y pulimento.

latón². (Del gr. λωτός, a través del lat. *lotus,* almez.) m. *Ar.* **almez,** árbol. ‖ **2. almeza,** fruto de este árbol.

latonería. f. Taller donde se fabrican obras de latón¹. ‖ **2.** Tienda donde se venden.

latonero¹. m. El que hace o vende obras de latón¹.

latonero². (De *latón².*) m. *Ar.* **almez,** árbol.

latoso, sa. (De *lata.*) adj. Fastidioso, molesto, pesado.

latréutico, ca. (Del gr. λατρευτικός.) adj. Perteneciente o relativo a la latria.

latría. (Del gr. λατρεία, adoración, a través del lat. *latria.*) f. *Teol.* Reverencia, culto y adoración que solo se debe a Dios. Ú. a veces como aposición, en *adoración* LATRÍA.

-latría. (Del gr. -λατρεία.) elem. compos. que significa «adoración»: *icono*LATRÍA.

latrina. (Del lat. *latrīna.*) f. ant. **letrina.**

latrocinar. (Del lat. *latrocināri.*) intr. p. us. Dedicarse al robo o latrocinio.

latrocinio. (Del lat. *latrocinĭum.*) m. Hurto o costumbre de hurtar o defraudar en sus intereses a los demás.

latvio, via. adj. Natural de Latvia o Letonia. Ú. t. c. s. ‖ **2.** Perteneciente o relativo a este país báltico.

laucha. (Voz araucana.) f. *Argent.* y *Chile.* **ratón,** animal roedor. ‖ **2.** fig. y fam. *Argent.* Persona lista, pícara. Ú. t. c. adj.

laúd. (Del ár. *al-'ūd.*) m. Instrumento musical que se toca punteando o hiriendo las cuerdas: su parte inferior es cóncava y prominente, compuesta de muchas tablillas como costillas. ‖ **2.** Embarcación pequeña del Mediterráneo, de un palo con vela latina, botalón con un foque y una mesana a popa. ‖ **3.** Tortuga marina de concha coriácea y con siete líneas salientes a lo largo del carapacho, que se asemejan a las cuerdas del **laúd.** Llega a unos dos metros de largo, habita en el Atlántico y se presenta a veces en el Mediterráneo.

lauda. f. **laude¹.**

laudable. (Del lat. *laudabĭlis.*) adj. Digno de alabanza.

laudablemente. adv. m. De modo laudable.

láudano. (Del gr. λάδανον, goma de la jara, a través del lat. *ladănum,* con alteración de la primera sílaba.) m. Preparación compuesta de vino blanco, opio, azafrán y otras sustancias. ‖ **2.** Extracto de opio. ‖ **3.** ant. **opio.**

laudar. (Del lat. *laudāre.*) tr. ant. **alabar.** ‖ **2.** *Der.* Fallar o dictar sentencia el juez árbitro o el amigable componedor.

laudativamente. adv. m. ant. De un modo laudativo.

laudativo, va. (Del lat. *laudatīvus.*) adj. ant. **laudatorio.**

laudatoria. (Del lat. *laudatorĭa,* t. f. de *-rĭus,* laudatorio.) f. desus. Escrito u oración en alabanza de personas o cosas.

laudatorio, ria. (Del lat. *laudatorĭus.*) adj. Que alaba o contiene alabanza.

laude¹. (Del lat. *lapis, -īdis.*) f. Lápida o piedra que se pone en la sepultura, por lo común con inscripción o escudo de armas.

laude². (Del lat. *laus, laudis.*) f. ant. **alabanza.** ‖ **2.** pl. Una de las partes del oficio divino, que se dice después de maitines.

laudemio. (Del b. lat. *laudemĭum.*) m. *Der.* Derecho que se paga al señor del dominio directo cuando se enajenan las tierras y posesiones dadas a enfiteusis.

laudo. (De *laudar*.) m. *Der.* Decisión o fallo que dictan los árbitros o amigables componedores.

launa. (Del m. or. prerromano que *laja*.) f. Lámina o plancha de metal. ‖ **2.** Lámina o plancha de metal usada en las armaduras antiguas para facilitar el juego de las articulaciones. ‖ **3.** Arcilla magnesiana, de color gris, que forma con el agua una pasta homogénea e impermeable, por lo cual se emplea en varias partes de Andalucía para cubrir techos y azoteas.

lauráceo, a. (De *lauro* y *-áceo*.) adj. Parecido al laurel. ‖ **2.** *Bot.* Aplícase a plantas angiospermas dicotiledóneas, arbóreas por lo común, de hojas alternas y a veces opuestas, coriáceas, persistentes y sin estípulas, con flores hermafroditas o dioicas por aborto y dispuestas en umbela o en panoja, y por frutos bayas o drupas de una sola semilla sin albumen; como el laurel común, el árbol de la canela, el alcanforero y el aguacate. Ú. t. c. s. f. ‖ **3.** f. pl. *Bot.* Familia de estas plantas.

laureado, da. p. p. de *laurear*. ‖ **2.** adj. Que ha sido recompensado con honor y gloria. Dícese especialmente de los militares que obtienen la cruz de San Fernando, y también de esta insignia. Ú. t. c. s.

laureando. (Del lat. *laureandus*, el que ha de ser coronado con laurel.) m. **graduando.**

laurear. (De *lauro*.) tr. Coronar con laurel. ‖ **2.** fig. Premiar, honrar.

lauredal. m. Sitio poblado de laureles.

laurel. (Del occit. *laurier*.) m. Árbol siempre verde, de la familia de las lauráceas, que crece hasta seis o siete metros de altura, con tronco liso, ramas levantadas, hojas coriáceas, persistentes, aromáticas, pecioladas, oblongas, lampiñas, de color verde oscuro, lustrosas por el haz y pálidas por el envés; flores de color blanco verdoso, pequeñas, en grupillos axilares, y fruto en baya ovoidea y negruzca. Las hojas son muy usadas para condimento, y entran en algunas preparaciones farmacéuticas, igual que los frutos. ‖ **2.** fig. Corona, triunfo, premio. ‖ **alejandrino.** Arbusto siempre verde, de la familia de las liliáceas, que crece hasta seis o siete decímetros de altura, con hojas lanceoladas, de color verde claro; flores pequeñas, verdosas, situadas en el envés de las mismas hojas, y fruto en baya esférica, roja, de un centímetro de diámetro. Fue importado de Alejandría, y se cultiva en nuestros jardines. ‖ **cerezo**, o **real. lauroceraso.** ‖ **rosa. adelfa.** ‖ **dormirse** uno **sobre los laureles** o **en los laureles.** fr. fig. y fam. Descuidarse o abandonarse uno en la actividad emprendida, confiando en los éxitos que ha logrado.

laurente. m. Oficial que en los molinos de papel tiene por cargo principal asistir a las tinas con las formas y hacer los pliegos.

láureo, a. (Del lat. *laurĕus*.) adj. De laurel, o de hoja de laurel.

laureola o **lauréola.** (Del lat. *laureŏla*.) f. Corona de laurel con que se premiaban las acciones heroicas o se coronaban los sacerdotes de los gentiles. ‖ **2. aureola.** ‖ **3. adelfilla.** ‖ **hembra.** Mata de la familia de las timeleáceas, con tallo ramoso de seis a ocho decímetros de altura; hojas tardías y caedizas, lanceoladas, cuatro veces más largas que anchas, verdes por el haz, garzas por el envés, lampiñas y de peciolo muy corto; flores precoces, róseas, en hacecillos laterales, y fruto en baya roja. La infusión de la corteza y los frutos de esta planta se han empleado en medicina como purgante, pero es de uso peligroso. ‖ **macho. adelfilla.**

lauretano, na. (Del lat. *Laurētum*, Loreto.) adj. Perteneciente o relativo a Loreto, ciudad de Italia. ‖ **2.** V. **letanía lauretana.**

laurífero, ra. (Del lat. *laurĭfer, -ĕra*.) adj. poét. Que produce o lleva laurel, corona, triunfo.

lauríneo, a. (De *laurino*.) adj. *Bot.* **lauráceo.**

laurino, na. (Del lat. *laurīnus*.) adj. p. us. Perteneciente o relativo al laurel.

lauro. (Del lat. *laurus*.) m. **laurel**, árbol. ‖ **2.** fig. Gloria, alabanza, triunfo.

lauroceraso. (Del lat. *laurus*, laurel, y *cerāsus*, cerezo.) m. Árbol exótico de la familia de las rosáceas, con tronco ramoso de tres a cuatro metros de altura, copa espesa, hojas coriáceas, oblongas, elipsoidales, lustrosas, aserradas el margen y de color verde oscuro; flores blancas en espigas empinadas y axilares, y fruto semejante a la cereza. Se cultiva en Europa, y de sus hojas se obtiene por destilación una agua muy venenosa, que se usa en medicina y perfumería.

laus Deo. loc. lat. que significa gloria a Dios, y se emplea al terminar una obra.

lautamente. adv. m. p. us. **espléndidamente.**

lauto, ta. (Del lat. *lautus*.) adj. p. us. Rico, espléndido, opulento.

lava[1]. (Del it. *lava*.) f. Materias derretidas o en fusión que salen de los volcanes al tiempo de la erupción, formando arroyos encendidos. Fría y en estado sólido, se emplea en la construcción de edificios y en otros usos.

lava[2]. (De *lavar*.) f. *Min.* Operación de lavar los minerales para limpiarlos de impurezas.

lavable. adj. Que puede lavarse. ‖ **2.** Dícese especialmente de los tejidos que no se encogen ni pierden sus colores al lavarlos.

lavabo. (Del lat. *lavābo*, lavaré, primera pers. del sing. del fut. de ind. de *lavāre*.) m. Pila con grifos y otros accesorios que se utiliza para lavarse. ‖ **2.** Mesa, comúnmente de mármol, con jofaina y demás recado para el mismo uso. ‖ **3.** Cuarto dispuesto para el aseo personal. ‖ **4.** Por eufemismo, retrete dotado de instalaciones para orinar y evacuar el vientre. ‖ **5.** p. us. Fuente del claustro de algunos monasterios utilizada por los monjes para lavarse las manos.

lavacara. amb. p. us. *Ecuad.* Jofaina, palangana.

lavacaras. com. p. us. fig. y fam. Persona aduladora.

lavación. (Del lat. *lavatĭo, -ōnis*.) f. Lavadura o loción. Ú. m. en farmacia.

lavacoches. com. Persona encargada de limpiar los coches en los garajes y estaciones de servicio.

lavacro. (Del lat. *lavācrum*.) m. desus. **baño**[1], acción de bañar o bañarse. ‖ **2.** desus. Líquido que sirve para este fin. ‖ **3.** desus. Recipiente que contiene este líquido.

lavada. f. **lavado**, acción y efecto de lavar.

lavadero. m. Lugar utilizado habitualmente para lavar. ‖ **2.** Sitio especialmente dispuesto para lavar la ropa. ‖ **3.** Pila de lavar la ropa. ‖ **4.** ant. **aljerifero.** ‖ **5.** *Min.* Instalaciones para el lavado o preparación de los minerales. ‖ **6.** *Amér.* Paraje del lecho de un río o arroyo donde se recogen arenas auríferas y se lavan allí mismo agitándolas en una batea.

lavadientes. com. De *lavar* y *diente*.) m. p. us. **enjuague** para los dientes.

lavado, da. p. p. de **lavar**. ‖ **2.** V. **mate lavado.** ‖ **3.** m. Acción y efecto de lavar o lavarse. ‖ **4.** Pintura a la aguada hecha con un solo color.

lavador, ra. (De *lavar*.) adj. Que lava. Ú. t. c. s. ‖ **2.** m. Instrumento de hierro para limpiar las armas de fuego; es cilíndrico y largo proporcionado al del arma que se ha de lavar. ‖ **3.** ant. **lavadero**, lugar en que se lava. ‖ **4.** f. Máquina para lavar la ropa.

lavadura. (De *lavar*.) f. Acción y efecto de lavar o lavarse. ‖ **2. lavazas.** ‖ **3.** Composición que se hace con agua, aceite y huevos, batiéndolos juntos, y en la cual se templa la piel de que se hacen los guantes.

lavafrutas. m. Recipiente con agua que se pone en la mesa al final de la comida para lavar algunas frutas y enjuagarse los dedos.

lavajal. m. ant. **lavajo.**

lavaje. (De *lavar.*) m. Lavado de las lanas. ‖ **2.** *Amér.* Acción y efecto de lavar.

lavajo. (De *nava,* infl. por *lavar.*) m. Charca de agua llovediza que rara vez se seca.

lavamanos. m. Depósito de agua con caño, llave y pila para lavarse las manos.

lavamiento. (Del lat. *lavamentum.*) m. Acción y efecto de lavar o lavarse. ‖ **2. enema²**.

lavanco. (Alteración del ant. *navanco,* que habita las navas.) m. Pato salvaje.

lavanda. (Del fr. *lavande* o el it. *lavanda.*) f. **lavándula,** espliego, especialmente en perfumería.

lavandera. f. Ave paseriforme, de figura grácil y cola larga que sacude continuamente. El plumaje es gris y negro combinado con blanco o amarillo, según las especies. ‖ **blanca.** Pájaro de unos ocho centímetros de largo, sin incluir la cola, que tiene casi otro tanto; ceniciento por encima, blanco por el vientre, y con cuello, pecho, alas y cola negros. Vive en lugares húmedos, se alimenta de insectos y mueve sin cesar la cola. Abunda en España durante el invierno. ‖ **boyera.** La de garganta, pecho y abdomen amarillos.

lavandería. f. ant. **lavadero.** ‖ **2.** Establecimiento industrial para el lavado de la ropa.

lavandero, ra. m. y f. Persona que tiene por oficio lavar la ropa.

lavandina. f. *Argent., Par.* y *Urug.* **lejía,** líquido para blanquear la ropa después de lavada.

lavándula. (Del lat. cient. *lavandŭla.*) f. Género de plantas labiadas al que pertenecen el espliego y el cantueso.

lavaojos. m. Copita de cristal cuyo borde se adapta a la órbita del ojo con el fin de aplicar a este un líquido medicamentoso.

lavaplatos. amb. Máquina para lavar la vajilla, cubertería, batería de cocina, etc. ‖ **2.** com. Persona que por oficio lava platos. ‖ **3.** m. *Col., Chile* y *Méj.* **fregadero,** pila dispuesta para fregar la vajilla.

lavar. (Del lat. *lavāre.*) tr. Limpiar una cosa con agua u otro líquido. Ú. t. c. prnl. ‖ **2.** Dar los albañiles la última mano al blanqueo, bruñéndolo con un paño mojado. ‖ **3.** Dar color con aguadas a un dibujo. ‖ **4.** fig. Purificar, quitar un defecto, mancha o descrédito. ‖ **5.** *Min.* Purificar los minerales por medio del agua. ‖ **6.** intr. Hablando de tejidos, prestarse más o menos al lavado. *Esta cretona* LAVA *bien.*

lavativa. f. **enema²**. ‖ **2.** fig. y fam. p. us. Molestia, incomodidad.

lavativo, va. (De *lavar.*) adj. ant. Que lava o tiene virtud de lavar y limpiar.

lavatorio. (Del b. lat. *lavatorĭum.*) m. Acción de lavar o lavarse. ‖ **2.** Ceremonia de lavar los pies a algunos pobres, que se hace el Jueves Santo. ‖ **3.** Ceremonia que hace el sacerdote en la misa lavándose los dedos después de haber preparado el cáliz. ‖ **4.** Cocimiento medicinal para limpiar una parte externa del cuerpo. ‖ **5.** *Min.* **lavamanos.** ‖ **6.** *Amér.* Jofaina, palangana. ‖ **7.** *Amér.* Lavabo, mueble especial donde se pone la palangana. ‖ **8.** *Amér.* Lavabo, pieza de la casa dispuesta para el aseo.

lavavajillas. amb. **lavaplatos,** máquina para lavar.

lavazas. f. pl. Agua sucia o mezclada con las impurezas de lo que se lava con ella.

lave. (De *lavar.*) m. *Min.* **lava²**.

lavija. (De *llavija.*) f. *And., Can.* y *Extr.* **clavija.**

lavijero. m. *And.* **clavijero.**

lavotear. tr. fam. Lavar aprisa, mucho y mal. ‖ **2.** prnl. Lavarse una persona repetidamente y con esmero.

lavoteo. m. Acción de lavotear o lavotearse.

laxación. (Del lat. *laxatĭo, -ōnis.*) f. Acción y efecto de laxar.

laxamiento. (Del lat. *laxamentum.*) m. Laxación.

laxante. p. a. de **laxar.** Que laxa. ‖ **2.** m. Medicamento que sirve para facilitar la evacuación del vientre.

laxar. (Del lat. *laxāre.*) tr. Aflojar, ablandar, disminuir la tensión de una cosa. Ú. t. c. prnl.

laxativo, va. (Del lat. *laxatīvus.*) adj. Que laxa o tiene virtud de laxar. Ú. t. c. s. m.

laxidad. (Del lat. *laxĭtas, -ātis.*) f. **laxitud.**

laxismo. m. Sistema o doctrina en que domina la moral laxa o relajada.

laxista. com. Partidario o secuaz del laxismo.

laxitud. (De *laxo.*) f. Cualidad de laxo. LAXITUD *de las fibras.*

laxo, xa. (Del lat. *laxus.*) adj. Flojo, que no tiene la tensión que naturalmente debe tener. ‖ **2.** fig. Aplícase a la moral relajada, libre o poco sana. *Las opiniones* LAXAS *de algunos casuistas.*

lay. (Del fr. *lai,* y este del irl. *laid,* canción.) m. Composición poética de la Edad Media, en provenzal o en francés, destinada a relatar una leyenda o historia de amores, generalmente en versos cortos.

laya¹. (Del vasc. *laia.*) f. Instrumento de hierro con cabo de madera, que sirve para labrar la tierra y revolverla. Lleva dos puntas, y en la parte superior del cabo tiene una manija atravesada, que se ase con ambas manos para apretar con ellas al mismo tiempo que se aprieta con el pie.

laya². (Del port. *laia,* evolución del ant. *lãa,* lana.) f. Calidad, especie, clase. *Esto es de la misma* LAYA, *o de otra* LAYA. Modernamente, ú. c. s. despect.

layador, ra. m. y f. Persona que laya.

layar. tr. Labrar la tierra con la **laya¹**.

layetano, na. (Del lat. *Laietānus.*) adj. Natural de la Layetania. Ú. t. c. s. ‖ **2.** Perteneciente o relativo a esta región de la Hispania Tarraconense.

lazada. (De *lazo.*) f. Atadura o nudo que se hace de manera que se suelte tirando de uno de los cabos. ‖ **2. lazo** de cuerda o cinta.

lazar. (De *lazo.*) tr. Coger o sujetar con lazo.

lazareto. (Del it. *lazzaretto.*) m. Establecimiento sanitario para aislar a los infectados o sospechosos de enfermedades contagiosas. ‖ **2.** Hospital de leprosos.

lazarillo. (d. de *Lázaro,* n. p. del principal personaje de la novela *Lazarillo de Tormes,* que siendo adolescente servía de guía a un ciego.) m. Muchacho que guía y dirige a un ciego. ‖ **2.** fig. Persona o animal que guía o acompaña a otra necesitada de ayuda.

lazarino, na. (De *lázaro.*) adj. Que padece el mal de San Lázaro. Ú. t. c. s.

lazarista. m. El que pertenece a la orden hospitalaria de San Lázaro, dedicada a asistir a los leprosos.

lázaro. (De *Lázaro,* el mendigo de la parábola evangélica de San Lucas, XVI.) adj. ant. **lazarino.** Usáb. t. c. s. Ú. en Venezuela. ‖ **2.** m. Pobre andrajoso. ‖ **estar hecho un lázaro.** fr. Estar cubierto de llagas.

lazaroso, sa. (De *lázaro.*) adj. **lazarino.** Ú. t. c. s. ‖ **2.** V. **hierba de los lazarosos.**

lazdrar. intr. ant. **lazrar.**

lazo. (Del lat. *laquĕus.*) m. Atadura o nudo de cintas o cosa semejante que sirve de adorno. ‖ **2. lazada.** ‖ **3.** Emblema del que forma parte una cinta doblada en forma conveniente y reglamentada. LAZO *de la Orden de Isabel la Católica.* LAZO *de enfermera.* ‖ **4.** Adorno hecho de un metal imitando el **lazo** de la cinta. ‖ **5.** Diseño o dibujo que se hace con boj, arrayán y otras plantas en los cuadros de los jardines. ‖ **6.** Cualquiera de los enlaces artificiosos y figurados que se hacen en la danza. ‖ **7.** Dispositivo de hilos de alambre retorcido, con un nudo corredizo que, asegurado en el suelo con una estaquilla, sirve para coger conejos. Hácese también de cerda para cazar perdices y otras aves. ‖ **8.** Cuerda o trenza con un nudo corredizo en uno de sus extremos, que sirve para sujetar toros, caballos, etc., arrojándosela a los pies o a la cabeza. ‖ **9.** Cordel con que se asegura la carga. ‖ **10.** En la ballestería, rodeo que con los caballos se hace a la res para precisarla a ponerse a tiro del que la espera, engañándola y haciendo que huya por la parte en que no se ha dejado rastro. ‖ **11.** fig. Ardid o artificio engañoso; asechanza. ‖ **12.** fig. Unión, vínculo, obligación. ‖ **13.** *Arq.* Adorno de líneas y florones enlazados unos con otros que se hace en las molduras, frisos y otras cosas. ‖ **ciego.** El que se emplea en la ballestería para cazar las reses sin verlas. ‖ **armar lazo.** fr. fig. y fam. Poner asechanzas; usar tretas o artificios para engañar a uno. ‖ **caer uno en el lazo.** fr. fig. y fam. Ser engañado con un ardid o artificio. ‖ **con el lazo a la garganta.** fr. fig. **con la soga a la garganta.** ‖ **meter el lazo al pie.** fr. fig. y fam. **armar lazo.** ‖ **roer** uno **el lazo.** fr. fig. y fam. Huir del aprieto o peligro en que estaba. ‖ **tender** un **lazo.** fr. fig. Atraerle con engaño para causarle perjuicio.

lazradamente. adv. m. ant. Con lacería o trabajo.

lazrador. (De *lazrar.*) m. ant. El que padece y sufre trabajos y miserias.

lazrar. (De *lacerar.*) intr. ant. Padecer y sufrir trabajos y miserias.

lazulita. f. **lapislázuli.**

le. (Del lat. *illi,* dat. de *ille.*) Dativo del pronombre personal de tercera persona en género masculino o femenino y número singular. LE *dije.* Ú. t. como acusativo del mismo pronombre en igual número y solo en género masculino. No admite preposición, y en ambos oficios se puede usar como enclítico. *Da*LE *el libro; sigue*LE.

leal. (Del lat. *legālis.*) adj. Que guarda a personas o cosas la debida fidelidad. Ú. t. c. s. ‖ **2.** Aplícase igualmente a las acciones propias de una persona fiel. ‖ **3.** Aplícase a algunos animales domésticos, como el perro y el caballo, que muestran al hombre cierta especie de amor, fidelidad y reconocimiento. ‖ **4.** Aplícase a las caballerías que no son falsas. ‖ **5.** Fidedigno, verídico y fiel, en el trato o en el desempeño de un oficio o cargo.

lealdad. f. ant. **lealtad.**

lealmente. adv. m. Con lealtad. ‖ **2.** Con legalidad, con buena fe.

lealtad. (De *leal.*) f. Cumplimiento de lo que exigen las leyes de la fidelidad y las del honor y hombría de bien. ‖ **2.** Amor o gratitud que muestran al hombre algunos animales; como el perro y el caballo. ‖ **3.** p. us. Legalidad, verdad, realidad.

lealtanza. f. ant. **lealtad.**

lebaniego, ga. adj. Natural de Liébana. Ú. t. c. s. ‖ **2.** Perteneciente o relativo a esta comarca de Cantabria.

lebeche. (Del ár. *labâŷ,* viento entre poniente y ábrego.) m. En el litoral del Mediterráneo, viento sudoeste.

lebení. (Del ár. *labaní,* perteneciente o relativo a la leche.) m. Bebida moruna que se prepara con leche agria.

leberquisa. (Del al. *leberkies.*) f. **pirita magnética.**

lebrada. f. Cierto guiso de liebre.

lebrancho. m. *Can.* y *Cuba.* Mújol o lisa.

lebrasta. f. ant. **lebrasto.**

lebrasto. m. ant. **lebrato.**

lebrastón. (De *lebrasto.*) m. **lebrato.**

lebrato. m. Liebre nueva o de poco tiempo.

lebratón. m. Lebrato grande.

lebrel, la. (Del fr. *lévrier.*) adj. V. **perro lebrel.** Ú. t. c. s. ‖ **2.** V. **montero de lebrel.**

lebrero, ra. (De *liebre.*) adj. Aficionado a las cacerías o carreras de liebres. ‖ **2.** V. **perro lebrero.** Ú. t. c. s.

lebrijano, na. adj. Natural de Lebrija. Ú. t. c. s. ‖ **2.** Perteneciente o relativo a esta villa.

lebrillo. (De or. inc.) m. Vasija de barro vidriado, de plata u otro metal, más ancha por el borde que por el fondo, y que sirve para lavar ropa, para baños de pies y otros usos.

lebrón. m. aum. de **liebre.** ‖ **2.** fig. y fam. Hombre tímido y cobarde.

lebroncillo. (De *lebrón.*) m. Liebre de poco tiempo. ‖ **2.** ant. Dado[1] de jugar.

lebruno, na. adj. Perteneciente a la liebre o semejante a ella.

lebulense, sa. adj. Natural de Lebu. Ú. t. c. s. ‖ **2.** Perteneciente o relativo a esta ciudad de Chile.

lecanomancia o **lecanomancía.** (Del gr. λεκανομαντεία.) f. Arte supersticioso de adivinar por el sonido que hacen las piedras preciosas u otros objetos al caer en una zafa.

lección. (Del lat. *lectĭo, -ōnis.*) f. **lectura,** acción de leer. ‖ **2.** Inteligencia de un texto, según parecer de quien lo lee o interpreta, o según cada una de las distintas maneras en que se halla escrito. ‖ **3.** Cualquiera de los trozos o lugares tomados de la Escritura, Santos Padres o vidas de los santos, que se rezan o cantan en la misa y en los maitines al fin de cada nocturno. ‖ **4.** Instrucción o conjunto de los conocimientos teóricos o prácticos que de cada vez da a los discípulos el maestro de una ciencia, arte, oficio o habilidad. ‖ **5.** Cada uno de los capítulos o partes en que están divididos algunos escritos. ‖ **6.** Todo lo que cada vez señala el maestro al discípulo para que lo estudie. ‖ **7.** p. us. Discurso que en las oposiciones a cátedras o beneficios eclesiásticos y en otros ejercicios literarios se compone, dentro de un término prescrito, sobre un punto, que de ordinario se saca por suerte, y después se expone públicamente. ‖ **8.** fig. Cualquier amonestación, acontecimiento, ejemplo o acción ajena que, de palabra o con el ejemplo, nos enseña el modo de conducirnos. ‖ **inaugural.** Exposición solemne de un tema hecha por un catedrático el día de la apertura del curso. ‖ **magistral.** La de cierta importancia que se hace en una conmemoración, inauguración de curso, etc. ‖ **dar la lección.** fr. Decirla el discípulo al maestro. ‖ **dar lección.** fr. Explicarla el maestro. ‖ **dar** a uno **una lección.** fr. fig. Hacerle comprender la falta que ha cometido, corrigiéndolo hábil o duramente. ‖ **echar lección.** fr. Señalarla a los discípulos. ‖ **tomar la lección.** fr. Oírsela el maestro al discípulo, por lo regular con el libro o materia delante, para ver si la sabe. ‖ **2.** fig. Aprender de otro, o para escarmiento o para gobierno propio. ‖ **tomar lección.** fr. Ejecutar con el maestro una habilidad o arte que se está aprendiendo, para irse adiestrando en ella.

leccionario. m. Libro de coro que contiene las lecciones de maitines.

leccionista. com. Maestro o maestra que da lecciones en casas particulares.

lección. f. ant. **lección.**

lecionario. m. ant. **leccionario.**

lectisternio. (Del lat. *lectisternĭum.*) m. Culto que los antiguos romanos tributaban a sus dioses colocando sus estatuas en bancos alrededor de una mesa con manjares.

lectivo, va. (Del lat. *lectum,* supino de *legĕre,* leer, e *-ivo.*) adj. Aplícase al tiempo y días destinados para dar lección en los establecimientos de enseñanza.

lector, ra. (Del lat. *lector, -ōris.*) adj. Que lee. Ú. t. c. s. ‖ **2.** m. y f. En la enseñanza de idiomas modernos, profesor auxiliar cuya lengua materna es la que se enseña. ‖ **3.** En las editoriales, persona que examina los originales recibidos y asesora sobre ellos. ‖ **4.** m. Aparato para leer microfilmes o microfichas. ‖ **5.** El que en las comunidades religiosas tiene el empleo de enseñar filosofía, teología o moral. ‖ **6.** Clérigo que se ocupaba antiguamente de enseñar a los catecúmenos y neófitos los rudimentos de la religión católica, y de leer el lugar de la Escritura sobre que el obispo iba a predicar a los fieles. ‖ **7.** El católico seglar que ha recibido el primero de los dos ministerios establecidos por la Iglesia y cuyo oficio es proclamar la palabra de Dios en actos litúrgicos. ‖ **8.** ant. Catedrático o maestro que enseñaba una facultad.

lectorado. m. Cargo de lector de idiomas. ‖ **2.** p. us. Orden de lector, que es la segunda de las que se llamaban menores. ‖ **3.** El primero de los dos ministerios establecidos por la Iglesia católica para el culto litúrgico.

lectoral. (De *lector* y *-al*.) adj. V. **canónigo lectoral**. Ú. t. c. s. ‖ **2.** V. **canonjía lectoral**. Ú. t. c. s.

lectoralía. f. Prebenda del canónigo lectoral.

lectoría. f. En las comunidades religiosas, empleo de lector.

lectuario. m. ant. **letuario**.

lectura. (Del b. lat. *lectūra*.) f. Acción de leer. ‖ **2.** Obra o cosa leída. *Las malas* LECTURAS *pervierten el corazón y el gusto.* ‖ **3.** desus. En las universidades, tratado o materia que un catedrático o maestro explica a sus discípulos. ‖ **4.** Interpretación del sentido de un texto. ‖ **5.** Variante de una o más palabras de un texto. ‖ **6.** Disertación, exposición o discurso sobre un tema sorteado en oposiciones o previamente determinado. ‖ **7.** En algunas comunidades religiosas, **lectoría**. ‖ **8.** Cultura o conocimientos de una persona. Ú. m. en pl. ‖ **9.** Letra de imprenta que es de un grado más que la de entredós, o de uno menos que la atanasia. Hay **lectura** chica y **lectura** gorda; ambas se funden a un mismo cuerpo, pero la chica tiene el ojo más pequeño que la gorda.

lecha. (De *leche*.) f. Líquido seminal de los peces. ‖ **2.** Cada una de las dos bolsas que lo contienen.

lechada. (De *leche*, por el color.) f. Masa muy suelta de cal o yeso, o de cal mezclada con arena, o de yeso con tierra, que sirve para blanquear paredes y para unir piedras o hiladas de ladrillo. ‖ **2.** Masa suelta a que se reduce el trapo moliéndolo para hacer papel. ‖ **3.** Líquido que tiene en disolución cuerpos insolubles muy divididos.

lechal. adj. Aplícase al animal de cría que mama, y en especial al cordero. Ú. t. c. s. m. ‖ **2.** Aplícase a las plantas y frutos que tienen un zumo blanco semejante a la leche. ‖ **3.** m. Este mismo zumo.

lechar. adj. Dícese del animal que mama. ‖ **2.** Dícese de las plantas que tienen un zumo blanco. ‖ **3.** Aplícase a la hembra cuyos pechos tienen leche. ‖ **4.** Que cría o tiene virtud para criar leche en las hembras de especies vivíparas. ‖ **5.** V. **cardo lechar**.

lechaza. f. Líquido seminal de los peces. ‖ **2.** Cada una de las bolsas que lo contienen.

lechazo. m. Cordero lechal.

leche. (Del lat. *lac, lactis*.) f. Líquido blanco que segregan las mamas de las hembras de los mamíferos, el cual sirve de alimento a las crías. La **leche** de algunos animales se emplea también como alimento de las personas. ‖ **2.** Jugo blanco que se extrae de algunas semillas menudas y parduscas, como las de la lechetrezna. Su látex, que es abundante y acre, se ha usado en medicina. ‖ **3.** Con la prep. *de* pospuesta a nombres de animales, significa que estos maman todavía. *Ternera, cochinillo* DE LECHE. ‖ **4.** Con la prep. *de* pospuesta a nombres de hembras de animales vivíparos, significa que estas se tienen para aprovechar la **leche** que dan. *Burras, vacas* DE LECHE. ‖ **5.** En lenguaje grosero, **semen**. ‖ **6.** V. **ama, capón, cuenta, diente, hermano, hijo, madre, mate, rayo de leche**. ‖ **7.** V. **mar en leche**. ‖ **8.** fig. p. us. Primera educación o enseñanza que se da a uno. ‖ **9.** fig. y fam. V. **escarabajo, mosca en leche**. ‖

10. *Bot.* **látex**. ‖ **11.** *Quím.* V. **azúcar de leche**. ‖ **aderezada. natillas.** ‖ **condensada.** La concentrada, con adición de azúcar, que le da la consistencia. ‖ **de canela.** Aceite de canela disuelto en vino. ‖ **de gallina.** Planta herbácea, anual, de la familia de las liliáceas, con tallo central de dos a cuatro decímetros, hojas radicales, caídas, largas, lineales, con una canal blanca en toda su longitud; flores en corimbo que ocupa más de la mitad del escapo, con pedúnculos desiguales y corola por fuera verdosa y por dentro blanca como la **leche**, y fruto capsular con algunas semillas globosas. ‖ **de los viejos.** fig. y fam. **vino.** ‖ **de pájaro. leche de gallina.** ‖ **de tierra. magnesia.** ‖ **frita.** Masa espesa, hecha con harina cocida con leche, que, después de fría, se parte en trozos cuadrados, y rebozada en harina y huevo, se fríe. ‖ **limpiadora.** Cosmético líquido o semifluido que se utiliza para eliminar el maquillaje. ‖ **merengada.** La preparada con **leche**, claras de huevo y canela. ‖ **virginal.** Líquido blanco que se utilizaba como cosmético del rostro, y se preparaba mezclando benjuí y otras drogas con agua. ‖ **como la leche.** loc. fam. con que se denota que un manjar cocido o asado está muy tierno. ‖ **dar a leche.** fr. Entregar un ganadero a otro un rebaño de ovejas para que las ordeñe y mantenga por su cuenta, abonando al dueño un tanto por cabeza. ‖ **estar** uno **con la leche en los labios.** fr. fig. y fam. Faltarle, por ser joven, los conocimientos que traen consigo la experiencia o la edad madura. ‖ **2.** fig. y fam. Hacer poco tiempo que dejó de ser discípulo en una facultad o profesión; ser principiante, no estar versado o ejercitado en ella. ‖ **estar en leche.** fr. fig. Hablando de plantas o frutos, estar todavía formándose o cuajándose, o faltarles aún bastante para su madurez o sazón. ‖ **mala leche.** loc. fig. y vulg. Mala intención; úsase a veces en la loc. **de mala leche.** ‖ **mamar** uno una cosa **con** o **en la leche.** fr. fig. y fam. Aprenderla en los primeros años de la vida; adquirirla, contraerla entonces. ‖ **pedir leche a las Cabrillas.** fr. fig. Pedir imposibles. ‖ **tener,** o **traer,** uno **la leche en los labios.** fr. fig. y fam. **estar con la leche en los labios.**

lechecillas. (d. de *leche*.) f. pl. Mollejas de cabrito, cordero, ternera, etc. ‖ **2.** Entrañas del animal, asadura.

lechera[1]. (De *lechero*.) f. La que vende leche. ‖ **2.** Vasija en que se transporta la leche. ‖ **3.** Vasija en que se sirve. ‖ **amarga. poligala.**

lechera[2]. (De *lecho*.) f. ant. Litera para llevar una o dos personas. ‖ **2.** ant. Andas para llevar a enterrar los cadáveres, lechiga. ‖ **3.** ant. *Mil.* Pavimento o armazón para la cureña de una batería.

lechería. f. Sitio o puesto donde se vende leche.

lechero, ra. (Del lat. *lactaríus*.) adj. Que contiene leche o tiene algunas de sus propiedades. ‖ **2.** Relativo a la leche. ‖ **3.** Aplícase a las hembras de animales que se tienen para que den leche; como ovejas, cabras, etc. ‖ **4.** V. **cardo lechero.** ‖ **5.** fam. Logrero, cicatero. ‖ **6.** m. El que vende leche.

lecherón. m. *Ar.* Vasija en que los pastores recogen la leche. ‖ **2.** *Ar.* Mantilla de hoja o de otra tela de lana en que se envuelve a los niños nada más nacer.

lechetrezna. f. Planta de la familia de las euforbiáceas, con tallo ramoso de cuatro a cinco decímetros de altura, hojas alternas, aovadas, obtusas y serradas por el margen; flores amarillentas en umbelas poco pobladas, fruto capsular con tres divisiones, y semillas menudas y parduscas. Su jugo es lechoso, acre y mordicante, y se ha usado en medicina. Hay diversas especies, en general herbáceas.

lechiga. (Del lat. *lectica*, litera, cama portátil.) f. ant. Féretro o andas para llevar los cadáveres a enterrar. ‖ **2.** ant. Cama o lecho que servía para dormir y descansar.

lechigada. (De *lechiga*, cama.) f. Conjunto de animalitos que han nacido de un parto y se crían juntos en un mismo sitio. ‖ **2.** p. us. fig. y fam. Compañía o cuadrilla de personas, por lo común gente baja o picaresca, de una misma profesión o de un mismo género de vida.

lechigado, da. (De *lechiga*, cama.) adj. ant. Acostado en la cama.

lechín. (De or. inc.) adj. Dícese de una variedad de olivo. Ú. t. c. s. m. ‖ **2.** Dícese de la aceituna de este olivo. ‖ **3.** m. **lechino,** grano o divieso.

lechino. (Del lat. *licinium,* transmitido por el mozár.) m. *Cir.* Clavo de hilas que se colocaba en el interior de las úlceras y heridas para facilitar la supuración. ‖ **2.** *Pat.* Grano o divieso pequeño, puntiagudo y lleno de aguadija y materia, que les sale a las caballerías sobre la piel.

lecho. (Del lat. *lectum.*) m. Cama[1] para descansar y dormir. ‖ **2.** Especie de escaño en que los orientales y romanos se reclinaban para comer. ‖ **3.** Cama[1] para el ganado. ‖ **4.** fig. Suelo de los carros o carretas. ‖ **5.** fig. Madre de un río, o terreno por donde corren sus aguas. ‖ **6.** fig. Fondo del mar o de un lago. ‖ **7.** fig. Porción de algunas cosas que están o se ponen extendidas horizontalmente sobre otras. ‖ **8.** ant. V. **mar en lecho.** ‖ **9.** ant. fig. Andas para llevar a enterrar los cadáveres. ‖ **10.** *Arq.* Superficie de una piedra sobre la cual se ha de asentar otra. ‖ **11.** *Geol.* Capa de los terrenos sedimentarios. ‖ **abandonar el lecho.** fr. **levantarse,** dejar la cama, vestirse el que estaba acostado o enfermo.

lechón. (De *leche.*) m. Cochinillo que todavía mama. ‖ **2.** Por ext., puerco macho de cualquier tiempo. ‖ **3.** fig. y fam. Hombre sucio, puerco, desaseado. Ú. t. c. adj.

lechona. f. Hembra del lechón o puerco. ‖ **2.** fig. y fam. Mujer sucia, puerca, desaseada. Ú. t. c. adj.

lechosa. f. *Sto. Dom.* **papaya.**

lechoso, sa. (Del lat. *lactōsus.*) adj. Que tiene cualidades o apariencia de leche. ‖ **2.** Aplícase a las plantas y frutos que tienen un jugo blanco semejante a la leche. ‖ **3.** m. *Sto. Dom.* Papayo, árbol.

lechuga. (Del lat. *lactūca.*) f. Planta herbácea de la familia de las compuestas, con tallo ramoso de cuatro a seis decímetros de altura; hojas grandes, radicales, blandas, nerviosas, trasovadas, enteras o serradas; flores en muchas cabezuelas y de pétalos amarillentos, y fruto seco, gris, comprimido, con una sola semilla. Es originaria de la India, se cultiva en las huertas y hay de ellas muchas variedades; como la rizada, la de la oreja de mula, la rizada, la flamenca, etc. Las hojas son comestibles, y del tallo se puede extraer abundante látex de sabor agradable. ‖ **2.** p. us. **lechuguilla,** cierto género antiguo de cabezones y puños de camisa. ‖ **3.** p. us. Cada uno de los fuellecillos formados en la tela a semejanza de las hojas de **lechuga.** ‖ **romana.** Variedad de la cultivada. ‖ **silvestre.** Planta de la familia de las compuestas, semejante a la **lechuga,** pero con tallo que llega a dos metros de altura, hojas largas, casi elípticas, recortadas en senos profundos y con aguijones en el nervio central; florías muy amarillas, y frutos negros con un piquillo blanco. Es planta común en España, de látex abundante, muy amargo y de olor desagradable, que se emplea en sustitución del opio. ‖ **como una lechuga.** expr. fig. y fam. que se dice de la persona que está muy fresca y lozana. ‖ **esa lechuga no es de su huerto.** fr. fig. y fam. con que se moteja al que se apropia de las agudezas o invenciones de otro. ‖ **ser más fresco que una lechuga.** fr. fig. y fam. Ser muy descarado.

lechugado, da. adj. Que tiene forma o figura de hoja de lechuga.

lechuguero, ra. (Del lat. *lactucarīus.*) m. y f. Persona que vende lechugas.

lechuguilla. (d. de *lechuga.*) f. Lechuga silvestre. ‖ **2.** Cierto género de cabezones o puños de camisa muy grandes y bien almidonados, y dispuestos por medio de moldes en

figura de hojas de lechuga, que estuvieron de moda durante los reinados de Felipe II y Felipe III.

lechuguina. (De *lechuguino.*) f. fig. y fam. Mujer joven que se compone mucho y sigue rigurosamente la moda. Ú. t. c. adj.

lechuguino. m. Lechuga pequeña antes de ser trasplantada. ‖ **2.** Conjunto de estas lechugas. ‖ **3.** fig. y fam. Muchacho imberbe que se mete a galantear aparentando ser hombre hecho. Ú. t. c. adj. ‖ **4.** fig. y fam. Hombre joven que se compone mucho y sigue rigurosamente la moda. Ú. t. c. adj.

lechuza. f. Ave rapaz nocturna, de unos 35 centímetros de longitud desde lo alto de la cabeza hasta la extremidad de la cola, y aproximadamente el doble de envergadura, con plumaje muy suave, amarillento, pintado de blanco, gris y negro en las partes superiores, blanco de nieve en el pecho, vientre, patas y cara; cabeza redonda, pico corto y encorvado en la punta, ojos grandes, brillantes y de iris amarillo, cara circular, cola ancha y corta y uñas negras. Es frecuente en España, resopla con fuerza cuando está parada, y da un graznido estridente y lúgubre cuando vuela. Se alimenta ordinariamente de insectos y de pequeños mamíferos roedores. ‖ **2.** fig. Mujer que se asemeja en algo a la **lechuza.** Ú. t. c. adj.

lechuzo[1]. (De *lechuza.*) m. fig. y fam. El que anda en comisiones, y se envía a los lugares a ejecutar los despachos de apremios y otros semejantes. ‖ **2.** fig. y fam. Hombre que se asemeja en algo a la lechuza. Ú. t. c. adj.

lechuzo[2], za. (De *leche.*) adj. Dícese del muleto que aún no tiene un año. Ú. t. c. s.

ledamente. adv. m. Con alegría, o plácidamente. Ú. t. en poesía.

ledanía[1]. (Del lat. *litania.*) f. ant. **letanía.**

ledanía[2]. (De etim. disc.) f. ant. Límite o linde de tierras.

ledo, da. (Del lat. *laetus.*) adj. Alegre, contento, plácido. Ú. m. en poesía.

ledón. (Como *latón[2].*) m. *Ar.* **almez.**

ledona. (Del b. lat. *ledo, -ōnis.*) f. ant. *Mar.* Flujo diario del mar.

leedor, ra. (De *leer.*) adj. ant. **lector,** que lee. Ú. t. c. s.

leer. (Del lat. *legĕre.*) tr. Pasar la vista por lo escrito o impreso, haciéndose cargo del valor y significación de los caracteres empleados, y pronunciando o no las palabras representadas por esos caracteres. ‖ **2.** Enseñar o explicar un profesor a sus oyentes alguna materia sobre un texto. ‖ **3.** Entender o interpretar un texto de este o del otro modo. ‖ **4.** Decir en público el discurso llamado lección, en las oposiciones y otros ejercicios literarios. ‖ **5.** Tratándose de música, pasar la vista por el papel en que está representada, haciéndose cargo del valor de las notas, o bien ejecutándola de modo más completo en un instrumento. ‖ **6.** fig. Penetrar el interior de uno por lo que exteriormente aparece, o venir en conocimiento de una cosa oculta que le haya sucedido. ‖ **leer de extraordinario.** fr. En las universidades, explicar un profesor sin cátedra, a los estudiantes no graduados, un libro o materia para hacer méritos y darse a conocer.

lega. (De *lego.*) f. Monja profesa exenta de coro, que sirve a la comunidad en los trabajos caseros.

legacía. f. Empleo o cargo de legado. ‖ **2.** Mensaje o negocio encargado a un legado. ‖ **3.** Territorio o distrito dentro del cual un legado ejerce su cargo o funciones. ‖ **4.** Tiempo que dura el cargo o funciones de un legado.

legación. (Del lat. *legatĭo, -ōnis.*) f. **legacía.** ‖ **2.** Cargo que da un gobierno a un individuo para que le represente cerca de otro gobierno extranjero, ya sea como embajador, ya como plenipotenciario, ya como encargado de negocios. ‖ **3.** Conjunto de los empleados que el legado tiene a sus órdenes, y otras personas de su comitiva oficial. ‖ **4.** Casa u oficina del legado.

legado¹. (Del lat. *legātus*.) m. Sujeto que una suprema potestad eclesiástica o civil envía a otra para tratar un negocio. ‖ **2.** Presidente de cada una de las provincias directamente sujetas o reservadas a los emperadores romanos. ‖ **3.** Cada uno de aquellos socios que los procónsules llevaban en su compañía a las provincias como asesores y consejeros, los cuales en caso de necesidad hacían sus veces. ‖ **4.** En la milicia de los antiguos romanos, jefe o cabeza de cada legión. ‖ **5.** Cada uno de los ciudadanos romanos, por lo común del orden senatorio, enviados a las provincias recién conquistadas, para arreglar su gobierno. ‖ **6.** Persona eclesiástica que representa al Papa y ejerce por delegación alguna de sus facultades. ‖ **a látere. legado** apostólico, cardenal con amplias atribuciones.

legado². (Del lat. *legātum*.) m. Disposición que en su testamento o codicilo hace un testador a favor de una o varias personas naturales o jurídicas. ‖ **2.** Por ext., lo que se deja o transmite a los sucesores, sea cosa material o inmaterial.

legador. (De *legar*².) m. Sirviente que en los esquileos ata de pies y manos a las reses lanares para que las esquilen.

legadura. (Del b. lat. *ligatūra*.) f. Cuerda, tomiza, cinta u otra cosa que sirve para liar o atar.

legajo. (De *legar*².) m. Atado de papeles, o conjunto de los que están reunidos por tratar de una misma materia.

legal. (Del lat. *legālis*.) adj. Prescrito por ley y conforme a ella. ‖ **2.** Verídico, puntual, fiel y recto en el cumplimiento de las funciones de su cargo. ‖ **3.** V. **depósito, doctrina, interés, trampa legal.** ‖ **4.** *Der.* V. **ficción, medicina legal.**

legalidad. (De *legal*.) f. Cualidad de legal. ‖ **2.** Régimen político estatuido por la ley fundamental del Estado. *Tal partido viene aproximándose a la* LEGALIDAD.

legalista. adj. Que antepone a toda otra consideración la aplicación literal de las leyes.

legalización. f. Acción y efecto de legalizar. ‖ **2.** Certificado o nota, con firma y sello, que acredita la autenticidad de un documento o de una firma.

legalizar. tr. Dar estado legal a una cosa. ‖ **2.** Comprobar y certificar la autenticidad de un documento o de una firma.

legalmente. adv. m. Según ley; conforme a derecho. ‖ **2.** p. us. Con lealtad a uno.

legamente. adv. m. Sin instrucción, sin ciencia ni conocimientos.

légamo. (Como *légano*.) m. Cieno, lodo o barro pegajoso. ‖ **2.** Parte arcillosa de las tierras de labor.

legamoso, sa. adj. Que tiene légamo.

leganal. m. p. us. Charca de legua.

légano. (Probablemente de la raíz célt. *lĕg*, yacer, formar una capa.) m. p. us. **légamo.**

leganoso, sa. adj. p. us. **legamoso.**

legaña. (De *lagaña*.) f. Humor procedente de la mucosa y glándulas de los párpados, cuajado en el borde de estos o en los ángulos de la abertura ocular.

legañil. adj. p. us. **legañoso.**

legañoso, sa. adj. Que tiene muchas legañas. Ú. t. c. s.

legar¹. (Del lat. *legāre*.) tr. Dejar una persona a otra alguna manda en su testamento o codicilo. ‖ **2.** Enviar a uno como legado o con una legacía. ‖ **3.** fig. Transmitir ideas, artes, etc.

legar². (Del lat. *ligāre*.) tr. ant. Ligar o atar. ‖ **2.** Juntar, congregar, reunir.

legatario, ria. (Del lat. *legatarius*.) m. y f. Persona natural o jurídica favorecida por el testador con una o varias mandas a título singular.

legenda. (Del pl. n. lat. *legenda*, cosas que deben leerse.) f. Historia o actas de la vida de un santo.

legendario, ria. (De *legenda*.) adj. Perteneciente o relativo a las leyendas. *Narración* LEGENDARIA; *héroe* LEGENDARIO. ‖ **2.** m. Libro de vidas de santos. ‖ **3.** Colección o libro de leyendas de cualquier clase.

legibilidad. f. Cualidad de lo que es legible.

legible. (Del lat. *legibĭlis*.) adj. Que se puede leer.

legión. (Del lat. *legĭo, -ōnis*.) f. Cuerpo de tropa romana compuesto de infantería y caballería, que varió mucho según los tiempos. ‖ **2.** Nombre que suele darse a ciertos cuerpos de tropas. ‖ **3.** fig. Número indeterminado y copioso de personas, de espíritus, y aun de ciertos animales. *Una* LEGIÓN *de niños, de ángeles, de hormigas.*

legionario, ria. (Del lat. *legionarius*.) adj. Perteneciente a la legión. ‖ **2.** m. Soldado que servía en una legión romana. ‖ **3.** En los ejércitos modernos, soldado de algún cuerpo de los que tienen nombre de legión.

legionense. (der. del lat. *Legĭo, -ōnis*, hoy León.) adj. Natural de León. Ú. t. c. s. ‖ **2.** Perteneciente o relativo a León.

legislable. adj. Que puede o debe legislarse.

legislación. (Del lat. *legislatĭo, -ōnis*.) f. Conjunto o cuerpo de leyes por las cuales se gobierna un Estado, o una materia determinada. ‖ **2.** Ciencia de las leyes.

legislador, ra. (Del lat. *legislātor, -ōris*.) adj. Que legisla. Ú. t. c. s.

legislar. (der. regres. de *legislador*.) intr. Dar, hacer o establecer leyes.

legislativo, va. (De *legislar*.) adj. Aplícase al derecho o potestad de hacer leyes. ‖ **2.** Aplicase al cuerpo o colegio de leyes. ‖ **3.** V. **poder legislativo.** ‖ **4.** Autorizado por una ley. *Crédito* LEGISLATIVO.

legislator. m. ant. Que legisla.

legislatura. f. Tiempo durante el cual funcionan los cuerpos legislativos. ‖ **2.** Período de sesiones de Cortes durante el cual subsisten la mesa y las comisiones parlamentarias elegidas en cada cuerpo colegislador.

legisperito. (Del lat. *legisperītus*.) m. **jurisperito.**

legista. (Del lat. *lex, legis*, ley.) com. Persona versada en leyes o profesor de leyes o de jurisprudencia. ‖ **2.** Persona que estudia jurisprudencia o leyes.

legítima. (De *legítimo*.) f. *Der.* Porción de la herencia de que el testador no puede disponer libremente, por asignarla la ley a determinados herederos. ‖ **estricta.** *Der.* Parte de la total que ha de dividirse con absoluta igualdad entre los herederos forzosos, sin diferencia, gravamen, condición o mejora.

legitimación. f. Acción y efecto de legitimar.

legitimador, ra. adj. Que legitima.

legitimamente. adv. m. Con legitimidad, con justicia, debidamente.

legitimar. (De *legítimo*.) tr. Convertir algo en legítimo. ‖ **2.** Probar o justificar la verdad de una cosa o la calidad de una persona o cosa conforme a las leyes. ‖ **3.** Hacer legítimo al hijo que no lo era. ‖ **4.** desus. Habilitar a una persona, de suyo inhábil, para un oficio o empleo.

legitimario, ria. (De *legítima*.) adj. Perteneciente a la legítima. ‖ **2.** *Der.* Que tiene derecho a la legítima. Ú. t. c. s.

legitimidad. f. Cualidad de legítimo.

legitimista. adj. Partidario de un príncipe o de una dinastía, por creer que tiene llamamiento legítimo para reinar. Ú. t. c. s.

legítimo, ma. (Del lat. *legitimus*.) adj. Conforme a las leyes. ‖ **2. lícito,** justo. ‖ **3.** Cierto, genuino y verdadero en cualquier línea. ‖ **4.** V. **hijo legítimo.** ‖ **5.** *Der.* V. **tutela legítima.** ‖ **6.** *Der.* V. **tutor legítimo.**

lego, ga. (Del gr. λαϊκός, popular, a través del lat. *laīcus*.) adj. Que no tiene órdenes clericales. Ú. t. c. s. ‖ **2.** Falto de letras o noticias. ‖ **3.** V. **juez lego.** ‖ **4.** m. En los conventos de religiosos, el que siendo profeso, no tiene opción a las sagradas órdenes. ‖ **5.** V. **patronato de legos.** ‖ **6.** *Der.* V.

auto, carta de legos. ‖ **lego, llano, liso y abonado.** loc. *Der.*
lego, llano y abonado. ‖ **lego, llano y abonado.** loc. *Der.*
Que explicaba las calidades que debía tener el fiador o depositario; esto es, que no gozara fuero eclesiástico ni de nobleza, y que tuviera hacienda. Aplicábase también a las fianzas.

legón. (Del lat. *ligo, -ōnis,* azadón.) m. Especie de azadón, cuya forma varía.

legra. (Del lat. *ligŭla,* cucharilla.) f. *Cir.* Instrumento que se emplea para legrar. ‖ **2.** Cuchilla de acero con el extremo libre encorvado y cortante. Sirve para labrar ciertos objetos, como almadreñas, escudillas, cucharas de madera, etc.

legración. f. desus. *Cir.* Acción de legrar.

legrado, da. p. p. de legrar. ‖ **2.** m. *Cir.* Acción y efecto de legrar.

legradura. f. *Cir.* Acción y efecto de legrar.

legrar. (De *legra.*) tr. *Cir.* Raer la superficie de los huesos separando la membrana fibrosa que los cubre o la parte más superficial de la sustancia ósea. ‖ **2.** *Cir.* Raer la mucosa del útero.

légrimo, ma. adj. *Sal.* lígrimo.

legrón. m. aum. de legra. ‖ **2.** Legra mayor que la normal, que usan los albéitares.

legua. (Del celtolat. *leuga.*) f. Medida itineraria que en España es de 20.000 pies ó 6.666 varas y dos tercias, equivalente a 5.572 metros y 7 decímetros. ‖ **2.** V. **cómico, compañía de la legua.** ‖ **3.** V. **tragador de leguas.** ‖ **cuadrada.** Cuadrado de una legua de lado, que, refiriéndose a las antiguas medidas de Castilla, comprende 4.822 fanegas y media o 3.105 hectáreas y media. ‖ **de posta.** La de 4 kilómetros. ‖ **de quince, de diecisiete y medio, de dieciocho y de veinticinco al grado.** La que respectivamente representa un 15, un 17¹/₂, un 18 o un 25 avo del grado de un meridiano terrestre, el cual mide 111.111 metros y 11 centímetros. ‖ **de veinte al grado, marina,** o **marítima.** La de 19.938 pies castellanos, que se divide en 3 millas y equivale a 5.555 metros y 55 centímetros. ‖ **a la legua, a legua, a leguas, de cien leguas, de mil leguas, de muchas leguas, desde media legua.** locs. advs. figs. Desde muy lejos, a gran distancia.

leguario, ria. adj. Perteneciente o relativo a la legua. *Poste* LEGUARIO.

legui. (Del ing. *legging,* polaina.) m. Polaina de cuero o de tela, de una sola pieza. Ú. m. en pl.

leguleyo, ya. (Del lat. *legulēius.*) m. y f. Persona que trata de leyes no conociéndolas sino vulgar y escasamente.

legumbre. (Del lat. *legŭmen, -ĭnis.*) f. Todo género de fruto o semilla que se cría en vainas. ‖ **2.** Por ext., cualquier planta que se cultiva en las huertas. ‖ **3.** *Bot.* Fruto de las plantas leguminosas.

leguminoso, sa. (Del lat. *leguminōsus.*) adj. *Bot.* Dícese de hierbas, matas, arbustos y árboles angiospermos dicotiledóneos, con hojas casi siempre alternas, por lo general compuestas y con estípulas; flores de corola actinomorfa o cigomorfa, amaripoqada en muchas especies, y fruto en legumbre con varias semillas sin albumen. Estas plantas están comprendidas en las familias de las mimosáceas y de las papilionáceas. Ú. t. c. s. f.

leíble. (Del lat. *legibĭlis.*) adj. p. us. legible.

leída. (De *leer.*) f. p. us. lectura, acción de leer.

Leiden. (De *Leiden,* en Holanda.) n. p. *Fís.* V. **botella de Leiden.**

leído, da. p. p. de leer. ‖ **2.** adj. Dícese del que ha leído mucho, y es hombre de muchas noticias y erudición. ‖ **leído y escribido.** loc. adj. fam. Dícese de la persona que presume de instruida.

leijar. (Del lat. *laxāre.*) tr. ant. dejar.

leila. (Del ár. *laila,* noche.) f. Fiesta o baile nocturno entre los moriscos.

leima. (Del gr. λεῖμμα, resto.) m. Uno de los semitonos usados en la música griega.

leísmo. m. *Gram.* Empleo de la forma *le* y, con menos frecuencia *les,* de *él* en el acusativo masculino singular o plural cuando el pronombre representa a personas. ‖ **2.** Vicio de emplear la forma *le* o *les* para el acusativo masculino singular o plural cuando el pronombre no se refiere a personas, o para el acusativo femenino singular o plural.

leísta. adj. *Gram.* Que defiende o practica el leísmo. Ú. t. c. s. ‖ **2.** Dícese del que incurre en el vicio del leísmo. Ú. t. c. s.

leja. (De *lejar.*) f. ant. Lo que se deja a uno. ‖ **2.** *Ar.* Tierra que, al cambiar el curso de un río, queda en una de las orillas, acreciendo la heredad lindante. ‖ **3.** *Murc.* Vasar, anaquel.

lejanía. (De *lejano.*) f. Parte remota o distante de un lugar, de un paisaje o de una vista panorámica.

lejano, na. (De *lejos.*) adj. Que está lejos en el espacio o en el tiempo.

lejar. (Del lat. *laxāre,* aflojar.) tr. ant. Dejar, legar o mandar.

lejas. (Del lat. *laxas,* t. f. pl. de *laxus.*) adj. pl. Lejanas. Ú. casi únicamente en la expresión **de lejas tierras.**

lejía. (Del lat. [aqua] *lixīva.*) f. Agua en que se han disuelto álcalis o sus carbonatos. La que se obtiene cociendo ceniza sirve para la colada. ‖ **2.** fig. y fam. Reprensión fuerte o satírica.

lejío. (Del lat. *lixīvum,* lejía.) m. Lejía que usan los tintoreros.

lejísimos. (sup. de *lejos.*) adv. l. y t. Muy lejos.

lejitos. (d. de *lejos.*) adv. l. y t. Algo lejos.

lejos. (Del lat. *laxius,* adv. comp. de *laxus.*) adv. l. y t. A gran distancia; en lugar o tiempo distante o remoto. Ú. t. en sent. fig. *Está muy* LEJOS *de mi ánimo.* ‖ **2.** m. Vista o aspecto que tiene una persona o cosa mirada desde cierta distancia. *Esta figura tiene buen* LEJOS. ‖ **3.** fig. Semejanza, apariencia, vislumbre de una cosa. ‖ **4.** *Pint.* Lo que en un cuadro, grabado o dibujo se representa distante de lo que es principal en el asunto. ‖ **a lo lejos, de muy lejos, desde lejos.** locs. advs. A larga distancia, o desde larga distancia. ‖ **lejos de.** loc. prepos. que, en sent. fig. y precediendo a un infinitivo, indica que no ocurre lo que se expresa, sino otra cosa muy diferente. LEJOS *de mejorar, íbamos de mal en peor.*

lejuelos. adv. l. y t. d. de lejos.

lejura. (De *lejos.*) f. ant. Parte muy lejana. Ú. en Colombia y en Ecuador.

lelilí. (Del ár. *lā ilāh illā Allāh,* no hay dios sino Alá, que es la profesión de fe islámica [pronunciada con imela].) m. Grita o vocería que hacen los moros cuando entran en combate o celebran sus fiestas y zambras.

lelo, la. (Voz expresiva.) adj. Fatuo, simple y como pasmado. Ú. t. c. s.

lema. (Del gr. λῆμμα, a través del lat. *lemma.*) m. Argumento o título que precede a ciertas composiciones literarias para indicar en breves términos el asunto o pensamiento de la obra. ‖ **2.** Letra o mote que se pone en los emblemas y empresas para hacerlos más comprensibles. ‖ **3.** fig. Norma que regula o parece regular la conducta de alguien. ‖ **4.** tema de un discurso. ‖ **5.** Palabra o palabras que por contraseña se escriben en los pliegos cerrados de oposiciones y certámenes, para conocer, después del fallo, a quién pertenece cada obra, o averiguar el nombre de los autores premiados. ‖ **6.** *Mat.* Proposición que es preciso demostrar antes de establecer un teorema.

lemán. (Del ant. fr. *laman.*) m. ant. Piloto práctico.

lemanaje. (De *lemán.*) m. ant. Derecho que pagan los embarcaciones por utilizar un práctico, pilotaje.

lemanita. (De *Lemánus*, nombre latino del lago de Ginebra, en cuyas cercanías se encontró el mineral.) f. Especie de jade.

lembario. (De *lembo*.) m. Soldado que combatía a bordo de los bajeles.

lembo. (Del gr. λέμβος, a través del lat. *lembus*.) m. ant. Barco de velas y remos. ‖ **2.** ant. Embarcación pequeña.

lembrar. (Del lat. *memoráre*, recordar, por disimilación de *membrar*.) tr. ant. Traer a la memoria una cosa. ‖ **2.** ant. Excitar en uno la memoria de algo que debe tenerse presente.

leme. (De or. inc.) m. ant. timón para gobernar una nave.

lemera. (De *leme*.) f. ant. *Mar.* limera.

lemnáceo, a. (Del gr. λέμνα, lenteja de agua, y -*áceo.*) adj. *Bot.* Dícese de plantas angiospermas monocotiledóneas, acuáticas y natátiles, con tallo y hojas transformadas en una fronda verde, pequeña y en forma de disco; como la lenteja de agua. Ú. t. c. s. f. ‖ **2.** f. pl. *Bot.* Familia de estas plantas.

lemnícola. (Del lat. *Lemnícóla.*) adj. Habitante de la isla de Lemnos. Ú. t. c. s. ‖ **2.** Natural de Lemnos. Ú. t. c. s.

lemnio, nia. (Del lat. *Lemníus.*) adj. Natural de Lemnos. Ú. t. c. s. ‖ **2.** Perteneciente o relativo a esta isla del Mar Egeo. ‖ **3.** V. **rúbrica lemnia.**

lemniscata. (Del lat. *lemniscáta*, adornada con la cinta llamada lemnisco.) f. Curva plana de figura semejante a un 8.

lemnisco. (Del gr. λημνίσκος, a través del lat. *lemniscus.*) m. Cinta que en señal de recompensa honorífica acompañaba a las coronas y palmas de los atletas vencedores.

lemosín, na. (Del prov. *lemosi.*) adj. Natural de Limoges o de la antigua provincia de Francia de que era capital esta población. Ú. t. c. s. ‖ **2.** Perteneciente o relativo a ellas. ‖ **3.** m. Lengua provenzal, lengua de oc.

lempira. (De *Lempira*, nombre de un jefe indio famoso por su lucha contra los españoles.) m. Unidad monetaria de Honduras.

lémur. (Del lat. *lemúres.*) m. Género de mamíferos cuadrúmanos, con los dientes incisivos de la mandíbula inferior inclinados hacia adelante y las uñas planas, menos la del índice de las extremidades torácicas y a veces la del medio de las abdominales, que son ganchudas, y la cola muy larga. Son frugívoros y propios de Madagascar. ‖ **2.** pl. *Mit.* Genios tenidos generalmente por maléficos entre romanos y etruscos. ‖ **3.** fig. Fantasmas, sombras, duendes.

lemurias. (Del lat. pl. n. *lemuria.*) f. pl. Fiestas nocturnas que se celebraban en Roma durante el mes de mayo, en honor de los lémures.

len. (De *lene*.) adj. Entre hilanderas, se aplica al hilo o seda cuyas hebras están dobladas, por poco torcidas. ‖ **2.** V. **cuajada en len.**

lena[1]. (Del it. *lena.*) f. p. us. Aliento, vigor.

lena[2]. (Del lat. *lena.*) f. ant. Celestina, alcahueta.

lencería. f. Conjunto de lienzos de distintos géneros, o tráfico que se hace con ellos. ‖ **2.** Tienda de lienzos. ‖ **3.** Lugar de una población en que hay varias de estas tiendas. ‖ **4.** Lugar donde en ciertos establecimientos, como colegios, hospitales, etc., se guarda la ropa blanca. ‖ **5.** Ropa interior femenina y tienda en donde se vende.

lencero, ra. m. y f. Persona que trata en lienzos o los vende. ‖ **2.** m. El que tiene a su cargo la ropa blanca en un buque mercante. ‖ **3.** f. Mujer que se dedica a confeccionar ropa blanca, o sea ropa interior y ropa de cama y de mesa. ‖ **4.** Mujer del **lencero.**

lendel. (Como *andel*, con art. aglutinado.) m. Huella que en forma de circunferencia deja en el suelo la caballería que saca agua de una noria o da movimiento a otra máquina semejante.

lendera. (De *linde*.) f. ant. Límite o linde de las tierras.

lendrera. (De *liendre*.) f. Peine de púas finas y espesas, a propósito para limpiar la cabeza.

lendrero. m. Lugar en que hay liendres.

lendroso, sa. adj. Que tiene muchas liendres.

lene. (Del lat. *lenis.*) adj. p. us. Suave o blando al tacto. ‖ **2.** p. us. Dulce, agradable, benévolo. ‖ **3.** p. us. Leve, ligero.

leneas. (Del gr. Λήναια.) f. pl. Fiestas atenienses en honor de Baco, durante las cuales se efectuaban certámenes dramáticos.

lengua. (Del lat. *lingua.*) f. Órgano muscular situado en la cavidad de la boca de los vertebrados y que sirve para gustar, para deglutir y para articular los sonidos de la voz. ‖ **2.** Sistema de comunicación y expresión verbal propio de un pueblo o nación, o común a varios. ‖ **3.** Sistema lingüístico que se caracteriza por estar plenamente definido, por poseer un alto grado de nivelación, por ser vehículo de una cultura diferenciada y, en ocasiones, por haberse impuesto a otros sistemas lingüísticos. ‖ **4.** Sistema lingüístico considerado como ordenación abstracta. ‖ **5.** Vocabulario y gramática peculiares de una época, de un escritor o de un grupo social. ‖ **6.** desus. Trujamán, intérprete de idiomas. Ú. t. c. s. m. ‖ **7.** desus. Noticia que se desea o procura para un fin. ‖ **8.** La tira dorsal de la larda de una ballena. ‖ **9.** Badajo de la campana. ‖ **10. lengüeta,** fiel de la balanza. ‖ **11.** Cada una de las provincias o territorios en que tenía dividida su jurisdicción la orden de San Juan. *La* LENGUA *de Castilla, la de Aragón, la de Navarra.* ‖ **12.** ant. Facultad de hablar, habla. ‖ **13.** ant. El que con secreto observa para comunicarlo, espía[1]. ‖ **14.** V. **familia de lenguas.** ‖ **aglutinante.** Idioma en que predomina la aglutinación. ‖ **azul.** *Veter.* Epizootia contagiosa del ganado ovino, que a veces ataca también al bovino, producida por un virus específico y caracterizada por cianosis de la **lengua,** ulceraciones en la boca y cojera. ‖ **canina. cinoglosa.** ‖ **cerval** o **cervina.** Helecho de la familia de las polipodiáceas, con frondas pecioladas, enteras, de tres a cuatro decímetros de longitud, lanceoladas, con un escote obtuso en la base; cápsulas seminales en líneas oblicuas al nervio medio de la hoja, y raíces muy fibrosas. Se cría en lugares sombríos, y el cocimiento de las frondas, que es amargo y mucilaginoso, se ha empleado como pectoral. ‖ **de buey.** Planta anual de la familia de las borragináceas, muy vellosa, con tallo erguido, de seis a ocho decímetros de altura; hojas lanceoladas, enteras, las inferiores con peciolo, sentadas las superiores, y todas erizadas de pelos rígidos; flores en panojas de corola azul y forma de embudo, y fruto seco con cuatro semillas rugosas. Abunda en los sembrados, y sus flores forman parte de las cordiales. ‖ **de ciervo. lengua cerval.** ‖ **de escorpión.** fig. **lengua viperina.** ‖ **de estropajo.** fig. y fam. Persona balbuciente, o que habla y pronuncia mal, de manera que apenas se entiende lo que dice. ‖ **de fuego.** Cada una de las llamas en figura de **lengua** que bajaron sobre las cabezas de los Apóstoles el día de Pentecostés. ‖ **2.** Cada una de las llamas que se levantan en una hoguera o en un incendio. ‖ **de gato.** Planta chilena, de la familia de las rubiáceas, de hojas aovadas y pedúnculos axilares, con una, dos o tres flores envueltas por cuatro brácteas. Sus raíces, muy semejantes a las de la rubia, se usan, como las de esta, en tintorería. ‖ **2.** Bizcocho o chocolatina duros, alargados y delgados, que por su forma recuerdan la **lengua** del gato. ‖ **de hacha.** fig. y fam. **lengua viperina.** ‖ **del agua.** Parte del agua del mar, de un río, etc., que lame el borde de la costa o de la ribera. ‖ **2.** Línea horizontal adonde llega el agua en un cuerpo que está metido o nadando en ella. ‖ **de oc.** La que antiguamente se hablaba en el mediodía de Francia y cultivaron los trovadores, llamada asimismo provenzal y lemosín. ‖ **de oíl.** Francés antiguo, o sea **lengua** hablada antiguamente en Francia al norte del Loira. ‖ **de perro. lengua canina.** ‖ **de sierpe.** fig. **lengua viperina.** ‖ **2.** *Fort.* Obra exterior que se suele hacer delante de los ángulos salientes del camino cubierto. ‖ **de tierra.** Pedazo de tierra largo y estrecho que entra en el mar, en un río, etc. ‖ **de trapo.** fam. **lengua de estropajo.** ‖ **2. lengua** de los niños cuando todavía no hablan bien. ‖ **3.** *Cuba* o *C. Rica.* Deslenguado, lenguaraz. ‖ **de víbora.** Diente fósil de tiburón. Es casi plano, de figura triangular y con dentecillos agudos en su contorno. ‖ **2.** fig. **lengua viperina.** ‖ **franca.** La que es mezcla de dos o más, y con la cual se entienden los naturales de pueblos distintos. ‖ **madre.** Aquella de que han nacido o se han derivado otras. *El latín es* LENGUA MADRE *respecto de la nuestra.* ‖ **materna.** La que se habla en un país, respecto de los naturales de él. ‖ **muerta.** La que antiguamente se habló y no se habla ya como propia y natural de un país o nación. ‖ **natural,** o **popular. lengua materna.** ‖ **sabia.** Cualquiera de las antiguas que ha producido una literatura importante. ‖ **santa.** La hebrea. ‖ **serpentina,** o **viperina.** fig. Persona mordaz, murmuradora y maldiciente. ‖ **viva.** La que actualmente se habla en un país o nación. ‖ **lenguas hermanas.** Las que se derivan de una misma **lengua** madre; como, por ejemplo, el español y el italiano, que se derivan del latín. ‖ **mala lengua.** fig. Persona murmuradora o maldiciente. ‖ **media lengua.** fig. y fam. Persona que pronuncia imperfectamente por impedimento de la **lengua.** *Empezó a contar una noticia aquel* MEDIA LENGUA. ‖ **2.** fig. y fam. La misma pronunciación imperfecta. *Empezó a contarlo con su* MEDIA LENGUA. ‖ **malas lenguas.** fig. y fam. El común de los murmuradores y de los calumniadores de las vidas y acciones ajenas. *Así lo dicen* MALAS LENGUAS. ‖ **a malas lenguas, tijeras.** fr. fam. con que se amenaza a los maldicientes o murmuradores. ‖ **andar en lenguas.** fr. fig. y fam. Ser con frecuencia objeto de conversaciones, o de habladurías y murmuración. ‖ **atar la lengua.** fr. fig. Impedir que se diga una cosa. ‖ **buscar la lengua** a uno. fr. fig. y fam. Incitarle a disputas; provocarle a reñir. ‖ **calentársele a uno la lengua.** fr. fig. y fam. **calentársele la boca.** ‖ **con la lengua afuera.** loc. adv. **con la lengua de un palmo.** ‖ **con la lengua de un palmo.** loc. adv. fig. y fam. Con gran anhelo o cansancio. ‖ **darle a la lengua.** fr. fig. y fam. Hablar mucho. ‖ **de lengua en lengua.** loc. adv. fig. De unos en otros; de boca en boca. ‖ **destrabar la lengua.** fr. fig. Quitar el impedimento que uno tenía para hablar. ‖ **echar uno la lengua al aire.** fr. fig. y fam. **írsele la lengua.** ‖ **echar la lengua,** o **echar la lengua de un palmo, por** una cosa. fr. fig. y fam. Desearla con ansia, trabajar y fatigarse por alcanzarla. ‖ **escapársele** a uno **la lengua.** fr. fig. **írsele a uno la lengua.** ‖ **hablar con lengua de plata.** fr. fig. Pretender o solicitar una cosa por medio de dinero, dádivas o regalos. ‖ **hacerse lenguas.** fr. fig. y fam. Alabar encarecidamente a personas o cosas. ‖ **irse de la lengua.** fr. fig. y fam. **írsele a uno la lengua.** ‖ **írsele a uno la lengua.** fr. fig. y fam. Decir inconsideradamente lo que no quería o no debía manifestar. ‖ **largo de lengua.** loc. fig. Que habla con desvergüenza o con imprudencia. ‖ **ligero de lengua.** loc. fig. Que sin consideración ni miramiento dice cuanto se le ocurre o se le viene a la boca. ‖ **morderse uno la lengua.** fr. fig. Contenerse en hablar, callando con alguna violencia lo que quisiera decir. ‖ **parecer que** uno **ha comido lengua.** fr. fig. y fam. Hablar mucho. ‖ **pegársele** a uno **la lengua al paladar.** fr. fig. y fam. No poder hablar por turbación o pasión de ánimo. ‖ **poner lengua,** o **lenguas, en** uno. fr. fig. Hablar mal de él. ‖ **sacar la lengua** a uno. fr. fig. y fam. Burlarse de él. *Todos le están* SACANDO LA LENGUA. ‖ **suelto de lengua.** loc. fig. **ligero de lengua.** ‖ **tener** uno una cosa **en la lengua.** fr. fig. y fam. Estar a punto de decirla. ‖ **2.** fig. y fam. Querer acordarse de algo, sin poder hacerlo. ‖ **tener** uno **la lengua gorda.** fr. fig. y fam. Estar borracho. ‖ **tener** uno **mala lengua.** fr. fig. Ser jurador, blasfemo, murmurador o maldiciente. ‖ **tener** uno **mucha lengua.** fr. fig. y

fam. Ser demasiado hablador. ‖ **tirar de la lengua** a uno. fr. fig. y fam. Provocarle a que hable acerca de algo que convendría callar. ‖ **tomar lengua, o lenguas.** fr. Informarse de una cosa; tomar o adquirir noticias. ‖ **trabarse la lengua.** fr. fig. Verse impedido el libre uso de ella por un accidente o enfermedad, o entorpecido por la dificultad de pronunciación de ciertas palabras o combinaciones de palabras. ‖ **traer en lenguas** a uno. fr. fig. **traer en bocas.** ‖ **trastrabarse la lengua.** fr. fig. **trabarse la lengua.** ‖ **venírsele** a uno **a la lengua** una cosa. fr. fig. y fam. Ocurrírsele.

lenguadeta. f. Lenguado pequeño.

lenguado. (der. de *lengua,* por la forma de este pez.) m. Pez teleósteo marino de cuerpo oblongo y muy comprimido, casi plano, y cabeza asimétrica. Vive, como otras muchas especies del orden de los pleuronectiformes, echado siempre del mismo lado. Su carne es muy apreciada.

lenguaje. (Del prov. *lenguatge.*) m. Conjunto de sonidos articulados con que el hombre manifiesta lo que piensa o siente. ‖ **2. lengua,** sistema de comunicación y expresión verbal propio de un pueblo o nación, o común a varios. ‖ **3.** Manera de expresarse. LENGUAJE *culto, grosero, sencillo, técnico, forense, vulgar.* ‖ **4.** Estilo y modo de hablar y escribir de cada uno en particular. ‖ **5.** Uso del habla o facultad de hablar. ‖ **6.** fig. Conjunto de señales que dan a entender una cosa. *El* LENGUAJE *de los ojos, el de las flores.* ‖ **7.** *Inform.* Conjunto de signos y reglas que permite la comunicación con un ordenador. ‖ **de alto nivel.** *Inform.* **lenguaje** que facilita la comunicación con un computador mediante signos convencionales cercanos a los de un **lenguaje** natural. ‖ **de máquina.** *Inform.* Combinación de dígitos binarios, mediante la cual un ordenador funciona correctamente. ‖ **ensamblador.** *Inform.* **lenguaje** muy similar al de máquina, con pequeñas modificaciones mnemotécnicas que facilitan su uso. Es de nivel inmediatamente superior al de máquina. ‖ **vulgar.** El usual, a diferencia del técnico y del literario.

lenguarada. f. Acción de pasar una vez la lengua por algo para lamerlo o para tragarlo.

lenguaraz. (De *lengua* y *-araz.*) adj. Que domina dos o más lenguas. Ú. t. c. s. ‖ **2.** Deslenguado, atrevido en el hablar.

lenguatón, na. adj. *Cantabria.* Lenguaraz, deslenguado.

lenguaz. (Del lat. *linguax, -ācis.*) adj. p. us. Que habla mucho, con impertinencia y necedad.

lenguaza. (aum. de *lengua.*) f. **lengua de buey,** buglosa, planta.

lengudo, da. adj. p. us. Lenguaraz, deslenguado.

lengüear. tr. ant. Espiar, seguir a uno, preguntando, tomando lengua o noticia de él.

lengüeta. f. d. de **lengua.** ‖ **2.** epiglotis. ‖ **3.** Fiel de la balanza, y más propiamente el de la romana. ‖ **4.** Cuchilla de acero que forma parte del ingenio usado por los encuadernadores. ‖ **5.** Laminilla movible de metal u otra materia que tienen algunos instrumentos músicos de viento y ciertas máquinas hidráulicas o de aire. ‖ **6.** Taquito, generalmente de madera, cortado en bisel por un lado y labrado por el lado contrario, que se encaja en la embocadura de la flauta para que esta suene. ‖ **7.** Hierro en forma de anzuelo que tienen las garrochas, saetas, banderillas, etc. ‖ **8.** Horquilla que sostiene abierta la trampa o armadijo de coger pájaros. ‖ **9.** Cierta moldura o adorno así llamado por su figura. ‖ **10.** Barrena que se usa para agrandar y terminar los agujeros empezados con el berbiquí. ‖ **11.** Tira de piel que suelen tener los zapatos en la parte del cierre por debajo de los cordones. ‖ **12.** *Arq.* Tabique pequeño de ladrillo con que se fortifican las embocaduras de las bóvedas, o se separan los cañones de algunas chimeneas. ‖ **13.** *Carp.* Espiga prolongada que se labra a lo largo del canto de una tabla o un tablón, generalmente de un tercio de grueso y con objeto de encajarla en una ranura de otra pieza. ‖ **14.** *Cir.* Especie de compresa larga y estrecha que se aplica en las amputaciones, fracturas, etc. ‖ **de chimenea.** Tabiquillo con que se separan unos de otros los cañones de chimenea cuando hay varios reunidos.

lengüetada. (De *lengüeta*.) f. **lenguarada.**

lengüetazo. m. **lenguarada.**

lengüetería. f. Conjunto de los registros del órgano que tienen lengüeta.

lengüezuela. f. d. de **lengua.**

lengüicorto, ta. adj. fam. Tímido al hablar, reservado.

lengüilargo, ga. (De *lengua* y *largo*.) adj. fam. Deslenguado, lenguaraz.

lenidad. (Del lat. *lenĭtas, -ātis*.) f. Blandura en exigir el cumplimiento de los deberes o en castigar las faltas.

lenificación. f. Acción y efecto de lenificar.

lenificar. (Del lat. *lenificāre*.) tr. Suavizar, ablandar.

lenificativo, va. adj. Que puede ablandar o suavizar.

leninismo. m. Doctrina de Lenin, quien, basándose en el marxismo, promovió y condujo la Revolución soviética.

leninista. adj. Partidario de Lenin o que profesa su doctrina. Ú. t. c. s. ‖ **2.** Perteneciente o relativo al leninismo.

lenir. (Del lat. *lenīre*.) tr. ant. Suavizar, ablandar, lenizar.

lenitivo, va. (De *lenir*.) adj. Que tiene virtud de ablandar y suavizar. ‖ **2.** m. Medicamento que sirve para ablandar o suavizar. ‖ **3.** fig. Medio para mitigar los sufrimientos del ánimo.

lenizar. (De *lene* e *-izar*.) tr. p. us. **lenificar.**

lenocinio. (Del lat. *lenocinĭum*.) m. Acción de alcahuetear. ‖ **2.** Oficio de alcahuete. ‖ **3.** V. **casa de lenocinio.**

lenón. (Del lat. *leno, -ōnis*.) m. ant. Alcahuete, el que persuade a una mujer para que tenga trato lascivo. ‖ **2.** ant. El que trafica en mujeres públicas.

lentamente. adv. m. Con lentitud.

lente. (Del lat. *lens, lentis*, lenteja.) amb. Cristal con caras cóncavas o convexas, que se emplea en varios instrumentos ópticos. Ú. m. c. f. ‖ **2.** Cristal para miopes o présbitas, con armadura que permite acercárselo cómodamente a un ojo. ‖ **3.** pl. Cristales de igual clase, con armadura que permite acercarlos cómodamente a los ojos o sujetarlos en la nariz. ‖ **de contacto.** Disco pequeño de materia plástica o vidrio, cóncavo de un lado, convexo por el otro, que se aplica directamente sobre la córnea para corregir los vicios de refracción del ojo. ‖ **mirar una cosa con lentes de aumento.** fr. fig. y fam. Exagerar sus defectos o cualidades.

lentecer. (Del lat. *lentescĕre*.) intr. p. us. Ablandarse o reblandecerse una cosa. Ú. t. c. prnl.

lenteja. (Del lat. *lenticŭla*.) f. Planta herbácea, anual, de la familia de las papilionáceas, con tallos de tres a cuatro decímetros, endebles, ramosos y estriados; hojas oblongas, estípulas lanceoladas, zarcillos poco arrollados, flores blancas con venas moradas, sobre un pedúnculo axilar, y fruto en vaina pequeña, con dos o tres semillas pardas en forma de disco de medio centímetro de diámetro aproximadamente. ‖ **2.** Fruto de esta planta. ‖ **3.** Pesa, en forma de lenteja, en que remata la péndola del reloj. ‖ **acuática,** o **de agua.** Planta de la familia de las lemnáceas, que flota en las aguas estancadas y cuyas frondas, ordinariamente agrupadas de tres en tres, tienen la forma y tamaño del fruto de la **lenteja.**

lentejar. m. Campo sembrado de lentejas.

lentejuela. f. d. de **lenteja.** ‖ **2.** Planchita redonda de metal u otro material brillante, que se cose en los vestidos como adorno.

lenteza. (De *lento*.) f. ant. Lentitud, tardanza.

lentezuela. f. d. de **lente.**

lenticular. (Del lat. *lenticulāris*.) adj. Parecido en la forma a la semilla de la lenteja. ‖ **2.** m. *Anat.* Pequeña apófisis del yunque, mediante la cual este huesecillo de la parte media del oído de los mamíferos se articula con el estribo. Ú. t. c. adj. *Apófisis* LENTICULAR, *hueso* LENTICULAR.

lentificar. tr. Imprimir lentitud a alguna operación o proceso, disminuir su velocidad.

lentigo. (Del lat. *lentīgo, -ĭnis*.) m. *Med.* Lunar, peca.

lentilla. (Del fr. *lentille*.) f. **lente de contacto.**

lentiscal. m. Terreno poblado de lentiscos.

lentiscina. (Del lat. *lentiscīnus*, de lentisco.) f. ant. Almáciga[1], resina.

lentisco. (Del lat. *lentiscus*.) m. Mata o arbusto siempre verde, de la familia de las anacardiáceas, con tallos leñosos de dos a tres metros, hojas divididas en un número par de hojuelas coriáceas, ovaladas, de punta roma, lampiñas, lustrosas por el haz y mates por el envés; flores pequeñas, amarillentas o rojizas, en racimos axilares, y fruto en drupa casi esférica, primero roja y después negruzca. La madera es rojiza, dura, aromática, y útil para ciertas obras de ebanistería; de las ramas puede sacarse almáciga, y de los frutos, aceite para el alumbrado. Abunda en España. ‖ **del Perú. turbinto.**

lentitud. (Del lat. *lentitūdo*.) f. Cualidad de lento. ‖ **2.** Desarrollo tardo o pausado de la ejecución o del acontecer de algo.

lento, ta. (Del lat. *lentus*.) adj. Tardo o pausado en el movimiento o en la acción. ‖ **2.** Poco vigoroso y eficaz. ‖ **3.** V. **caliza, cámara lenta.** ‖ **4.** V. **manjar lento.** ‖ **5.** ant. Hablando de árboles y arbustos, flexible o correoso. ‖ **6.** *Sal.* Que cede al tacto, blando. ‖ **7.** *Sal.* **húmedo.** ‖ **8.** *Farm.* y *Med.* Glutinoso, pegajoso. ‖ **9.** *Mil.* V. **paso lento.** ‖ **10.** m. *Mús.* **largo.**

lentor. (Del lat. *lentor, -ōris*.) m. ant. Flexibilidad o correa de los árboles o arbustos. ‖ **2.** *Med.* Viscosidad que cubre los dientes y la parte interior de los labios en los enfermos de calenturas tíficas.

lentura. (De *lento*.) f. ant. Flexibilidad de los árboles y arbustos.

lenzal. (De *lienzo*.) adj. ant. De lienzo.

lenzuelo. (Del lat. *linteŏlum*.) m. Pieza de lienzo fuerte, del tamaño de la sábana, con un cordón o trenza de pezuelo en cada extremo, que se emplea en las faenas de la trilla para llevar la paja y para otros usos. ‖ **2.** p. us. Pañuelo de bolsillo.

leña[1]. (Del lat. *ligna*, pl. n. de *lignum*, leño.) f. Parte de los árboles y matas que, cortada y hecha trozos, se emplea como combustible. ‖ **2.** fig. y fam. Castigo, paliza. ‖ **de oveja.** *Argent.* y *Urug.* Estiércol seco de oveja que sirve para encender fuego. ‖ **de vaca.** *Argent.* y *Urug.* Estiércol seco de vaca que se emplea como combustible. ‖ **muerta.** La seca y caída de los árboles. ‖ **rocera.** La que producen las rozas. ‖ **rodada. leña muerta.** ‖ **viva.** La que se corta del árbol. ‖ **añadir leña al fuego.** fr. fig. **echar leña al fuego.** ‖ **cargar de leña** a uno. fr. fam. Darle de palos. ‖ **echar leña al fuego.** fr. fig. Poner medios para acrecentar un mal. ‖ **2.** Dar incentivo a un afecto, inclinación o vicio. ‖ **llevar leña al monte.** fr. fig. y fam. Dar una cosa a quien tiene abundancia de ella y no la necesita. ‖ **poner leña al fuego.** fr. fig. **echar leña al fuego.**

leña[2]. (De *alheña*.) Ú. solamente en la fr. fig. y fam. **hecho leña.** *C. Rica, Cuba* y *P. Rico*. **hecho alheña.**

leñador, ra. (Del lat. *lignātor, -ōris*.) m. y f. Persona que se emplea en cortar leña. ‖ **2.** Persona que vende leña.

leñame. (Del lat. *lignāmen*.) m. p. us. **madera.** ‖ **2.** p. us. Provisión de leña.

leñar. (Del lat. *lignāri*.) tr. *Ar.* Hacer o cortar leña.

leñatear. tr. *Col.* Recoger leña en el campo.

leñatero, ra. m. y f. Persona que corta leña.

leñazo. (De *leño*.) m. fam. Golpe dado con un leño, garrote, etc.

leñera. (De *leña*[1].) f. Sitio o mueble para guardar leña.

leñero. (Del lat. *lignarĭus*.) m. El que vende leña. ‖ **2.** El encargado de comprar la necesaria para una casa o comunidad. ‖ **3.** Sitio para guardar leña.

leño. (Del lat. *lignum*.) m. Trozo de árbol después de cortado y limpio de ramas. ‖ **2.** Parte sólida de los árboles bajo la corteza. ‖ **3.** Embarcación medieval, de vela y remo, semejante a las galeotas. ‖ **4.** fig. y poét. Nave, embarcación. ‖ **5.** fig. y fam. Persona de poco talento y habilidad. ‖ **6.** fig. y fam. Persona pesada e insufrible. ‖ **hediondo. hediondo,** arbusto leguminoso. ‖ **dormir como un leño.** fr. fam. Dormir profundamente.

leñoso, sa. (Del lat. *lignōsus*.) adj. Dícese de la parte más consistente de los vegetales. ‖ **2.** Hablando de arbustos, plantas, frutos, etc., que tiene dureza y consistencia como la de la madera.

leo. (Del lat. *leo*.) n. p. m. *Astron.* **León,** signo del Zodiaco. ‖ **2.** *Astron.* **León,** constelación. ‖ **3.** adj. Referido a personas, las nacidas bajo este signo del Zodiaco. Ú. t. c. s.

león. (Del lat. *leo, -ōnis*.) m. Mamífero carnívoro de la familia de los félidos, de pelaje entre amarillo y rojo, de un metro de altura aproximadamente hasta la cruz y cerca de dos metros desde el hocico hasta el arranque de la cola: tiene la cabeza grande, los dientes y las uñas muy fuertes y la cola larga, cubierta de pelo corto, y terminada por un fleco de cerdas. El macho se distingue por una larga melena que le cubre la nuca y el cuello, y que crece con los años. ‖ **2. hormiga león.** ‖ **3.** V. **diente, pata, pie de león.** ‖ **4.** V. **lago de leones.** ‖ **5.** fig. Hombre audaz, imperioso y valiente. ‖ **6.** fig. *Argent., Bol., Chile, Par.* y *Perú.* Especie de tigre de pelo leonado, puma. ‖ **7.** fig. *Chile.* Juego entre dos muchachos, uno de los cuales dispone de 14 tantos o piedrecillas, que se llaman perros, y el otro de uno, que se llama **león;** es juego parecido al del asalto y al ajedrez. Si los perros encierran al **león** en la parte del tablero que figura ser su casa o en otro punto, ganan el juego; pero si él se come la mayor parte de ellos, lo pierden. ‖ **8.** n. p. m. *Astron.* Quinto signo o parte del Zodiaco, de 30 grados de amplitud, que el Sol recorre aparentemente al mediar el verano. ‖ **9.** *Astron.* Constelación zodiacal que en otro tiempo debió de coincidir con el signo de este nombre, pero que actualmente, por resultado del movimiento retrógrado de los puntos equinocciales, se halla delante del mismo signo y un poco hacia el Oriente. ‖ **de proa.** *Mar.* Figura de talla de este animal que llevaban algunos navíos y buques de guerra españoles en lo alto del tajamar. ‖ **marino.** Mamífero pinnípedo de cerca diez metros de longitud, con pelaje largo y espeso, una especie de cresta carnosa y móvil en lo alto de la cabeza, y unas bolsas junto a las narices, que el animal hincha a su arbitrio. ‖ **miquero.** *Amér. Central.* **eirá.** ‖ **pardo.** ant. **leopardo.** ‖ **real. león** común. ‖ **desquijarar leones.** fr. fig. Proferir amenazas y baladronadas.

leona. f. Hembra del león. ‖ **2.** fig. Mujer audaz, imperiosa y valiente.

leonado, da. adj. De color rubio oscuro, semejante al del pelo del león.

leonera. f. Lugar en que se tienen encerrados los leones. ‖ **2.** fig. y fam. **casa de juego.** ‖ **3.** fig. y fam. Aposento habitualmente desarreglado y revuelto.

leonería. (De *león*.) f. Bizarría, bravata, fieros.

leonero. m. Persona que cuida de los leones que están en la leonera. ‖ **2.** fig. y fam. p. us. Tablajero o garitero.

leonés, sa. adj. Natural de León. Ú. t. c. s. ‖ **2.** Perteneciente o relativo a esta ciudad o a su provincia. ‖ **3.** Perteneciente o relativo al antiguo reino de León. ‖ **4.** Natural de alguna de las ciudades, distritos, provincias, etc.,

que en América tienen el nombre de León. Ú. t. c. s. ‖ **5.** Perteneciente o relativo a estas ciudades, provincias, etc. Ú. t. c. s. ‖ **6.** Dícese del dialecto romance llamado también **asturleonés.** Ú. t. c. s. m. ‖ **7.** Dícese de la variedad del castellano hablada en territorio **leonés.**

leonesismo. m. Voz, giro, etc., procedente del dialecto leonés.

leónica. adj. *Anat.* V. **vena leónica.** Ú. t. c. s.

leónidas. f. pl. *Astron.* Estrellas fugaces cuyo punto radiante está en la constelación del León.

leonina. f. Especie de lepra en que la piel toma el aspecto de la del león.

leonino[1], na. (Del lat. *leonīnus*.) adj. Perteneciente o relativo al león. ‖ **2.** *Der.* Dícese del contrato oneroso en que toda la ventaja o ganancia se atribuye a una de las partes, sin equitativa conmutación entre estas. ‖ **3.** Por ext., dícese de pactos o condiciones de carácter despótico.

leonino[2], na. adj. Perteneciente o relativo a alguno de los Pontífices que llevaron el nombre de León.

leonino[3], na. (De *Leonius*, poeta latino francés del siglo XII.) adj. V. **rima leonina.** ‖ **2.** V. **verso leonino.**

leontina. (Del fr. *léontine*.) f. Cinta o cadena colgante de reloj de bolsillo.

leopardo. (Del lat. *leopardus*.) m. Mamífero carnicero de metro y medio de largo desde el hocico hasta el arranque de la cola, y de unos siete decímetros de alto. El aspecto general es el de un gato grande, de pelaje blanco en el pecho y el vientre, y rojizo con manchas negras, redondas y regularmente distribuidas en todo el resto del cuerpo. Vive en los bosques de Asia y África, y a pesar de su magnitud trepa con facilidad a los árboles en persecución de otros animales. Es cruel y sanguinario.

leopoldina. (Del nombre del capitán general don *Leopoldo* O'Donnell, que introdujo esta prenda en el uniforme del ejército.) f. Ros más bajo que el ordinario y sin orejeras.

leotardo. (De J. *Léotard*, acróbata francés del siglo XIX.) m. Prenda a modo de braga que se prolonga por dos medias, de modo que cubre y ciñe el cuerpo desde la cintura hasta los pies. Ú. t. en pl.

Lepe. n. p. **saber más que Lepe** o **que Lepe, Lepijo y su hijo.** fr. proverb. Ser muy perspicaz y advertido. Dícese por alusión a don Pedro de Lepe, obispo de Calahorra y la Calzada y autor de un libro titulado *Catecismo católico.*

leperada. f. *Amér. Central* y *Méj.* Villanía, acción propia del lépero. ‖ **2.** *Amér. Central* y *Méj.* Dicho o expresión grosera.

lépero, ra. adj. *Amér. Central* y *Méj.* Poco decente. Ú. t. c. s. ‖ **2.** *Cuba.* Astuto, perspicaz. ‖ **3.** fig. y fam. *Ecuad.* Persona muy pobre, sin recursos.

lepidio. (Del gr. λεπίδιον, a través del lat. *lepidīum*.) m. Planta perenne de la familia de las crucíferas, con tallos lampiños de seis a ocho decímetros de altura; hojas de color verde azulado, gruesas, pecioladas, anchas y ovales las inferiores, lanceoladas las de en medio, muy estrechas las superiores, y todas con dientes agudos en el margen; fruto seco, con semillas negruzcas, menudas y elipsoidales. Abunda en los terrenos húmedos, y sus hojas, de sabor muy picante, suelen emplearse en medicina contra el escorbuto y el mal de piedra.

lepidóptero. (Del gr. λεπίς, -ίδος, escama, y *-ptero*.) adj. *Zool.* Dícese de insectos que tienen boca chupadora constituida por una trompa que se arrolla en espiral, y cuatro alas cubiertas de escamitas imbricadas. Tienen metamorfosis completas, y en el estado de larva reciben el nombre de oruga, y son masticadores; sus ninfas son las crisálidas, muchas de las cuales pasan esta fase en el desarrollo dentro de un capullo, como el gusano de la seda. Ú. t. c. s. m. ‖ **2.** m. pl. *Zool.* Orden de estos insectos.

lepisma. (Del gr. λέπισμα, escama.) f. Insecto tisanuro de unos nueve milímetros de largo, con antenas prolongadas, cuerpo cilíndrico cubierto de escamas plateadas muy tenues, abdomen terminado por tres cerdillas articuladas, y pies cortos con dos artejos y una uña en cada tarso. Es nocturno, originario de América; se ha extendido por todo el mundo, y roe el cuero, el papel y el azúcar.

leporino, na. (Del lat. *leporīnus*.) adj. Perteneciente o relativo a la liebre. ‖ **2.** V. **labio leporino.**

lepra. (Del gr. λέπρα, a través del lat. *lepra*.) f. *Pat.* Enfermedad infecciosa crónica, caracterizada principalmente por síntomas cutáneos y nerviosos, sobre todo tubérculos, manchas, úlceras y anestesias. ‖ **2.** *Pat.* Enfermedad, principalmente de los cerdos, producida por el cisticerco de la tenia común, y que aparece en los músculos de aquellos animales en forma de pequeños puntos blancos. ‖ **blanca.** albarazo.

leprosería. f. Hospital de leprosos.

leproso, sa. (Del lat. *leprōsus*.) adj. Que padece lepra. Ú. t. c. s.

leptorrino, na. (Del gr. λεπτός, fino, delgado, y ῥίς, ῥινός, nariz.) adj. Que tiene la nariz larga y delgada. ‖ **2.** *Zool.* Dícese de los animales que tienen el pico o el hocico delgado y muy saliente.

lera. f. helera.

lercha. (De or. inc.) f. Junquillo con que se ensartan aves o peces muertos, para llevarlos de una parte a otra.

lerda. (De *lerdo*.) f. *Veter.* Tumor de las caballerías cerca de la rodilla, lerdón.

lerdamente. adv. m. Con pesadez y tardanza.

lerdear. (De *lerdo*.) intr. *Amér. Central* y *Argent.* Tardar, hacer algo con lentitud. ‖ **2.** *Amér. Central* y *Argent.* Moverse con pesadez o torpeza. ‖ **3.** *Amér. Central* y *Argent.* Retardarse, llegar tarde.

lerdez. f. ant. Pesadez, tardanza.

lerdo, da. (De etim. disc.) adj. Pesado y torpe en el andar. Dícese más comúnmente de las bestias. ‖ **2.** fig. Tardo y torpe para comprender o ejecutar una cosa.

lerdón. (De *lerda*.) m. *Veter.* Tumor sinovial que padecen las caballerías cerca de las rodillas.

lerense. adj. Perteneciente o relativo al río Lérez. ‖ **2.** fig. Natural de Pontevedra. Ú. t. c. s. ‖ **3.** Perteneciente o relativo a esta ciudad.

leridano, na. adj. Natural de Lérida. Ú. t. c. s. ‖ **2.** Perteneciente o relativo a esta ciudad o a su provincia.

lerneo, a. (Del lat. *Lernaeus*.) adj. Perteneciente o relativo a la localidad o a la laguna de Lerna. ‖ **2.** Aplícase a las fiestas que se celebraban en esta ciudad de la Argólida en honor de Baco, Ceres y Proserpina. Ú. t. c. s.

les. (Del lat. *illīs*, dat. de pl. de *ille*.) Dativo del pronombre personal de tercera persona en género masculino o femenino y número plural. No admite preposición y se puede usar como sufijo: LES *di; da*LES. Es grave incorrección emplear en este caso para el género masculino la forma *los*, propia del acusativo, y en femenino tampoco debe emplearse la forma *las*, aunque lo hayan hecho escritores de nota.

lesbianismo. m. amor lesbiano.

lesbiano, na. adj. lesbio. ‖ **2.** V. **amor lesbiano.** ‖ **3.** f. Mujer homosexual.

lésbico, ca. (De *Lesbos*, antiguo nombre de la isla griega de Mitilene.) adj. V. **amor lésbico.** ‖ **2.** Perteneciente o relativo al amor lésbico.

lesbio, bia. (Del lat. *Lesbĭus*.) adj. Natural de Lesbos. Ú. t. c. s. ‖ **2.** Perteneciente o relativo a esta isla. ‖ **3.** V. **amor lesbio.** ‖ **4.** V. **regla lesbia.**

lesión. (Del lat. *laesĭo, -ōnis*.) f. Daño o detrimento corporal causado por una herida, golpe o enfermedad. ‖ **2.** fig. Cualquier daño, perjuicio o detrimento. ‖ **3.** *Der.* Daño que se causa en las ventas por no hacerlas en su justo pre-

cio. Se usa también hablando del perjuicio sufrido con ocasión de otros contratos. ‖ **enorme.** *Der.* En el derecho anterior al vigente, perjuicio o agravio que uno experimentaba por haber sido engañado en algo más o menos de la mitad del justo precio en las compras y ventas. ‖ **enormísima.** *Der.* En el derecho anterior al vigente, perjuicio o agravio que uno experimentaba por haber sido engañado en mucho más de la mitad del justo precio en las compras y ventas. ‖ **grave.** *Der.* La que causa en el ofendido pérdida o inutilidad de un miembro, o lo incapacita para trabajar por más de treinta días. ‖ **menos grave.** *Der.* La que dura de quince a treinta días.

lesionador, ra. adj. Que lesiona.

lesionar. tr. Causar lesión. Ú. t. c. prnl.

lesivo, va. (De *leso*.) adj. Que causa o puede causar lesión, daño o perjuicio.

lesna. (De *alesna*.) f. p. us. **lezna.**

lesnordeste. m. Viento medio entre el este y el nordeste. ‖ **2.** Parte que está situada hacia el sitio de donde sopla este viento.

leso[1], sa. (Del lat. *laesus*, p. p. de *laedĕre*, dañar, ofender.) adj. Agraviado, lastimado, ofendido. Aplícase principalmente a la cosa que ha recibido el daño o la ofensa. LESA *humanidad;* LESO *derecho natural.* ‖ **2.** V. **crimen, delito de lesa majestad.** ‖ **3.** Hablando del juicio, del entendimiento o de la imaginación, pervertido, turbado, trastornado.

leso[2], sa. adj. *Chile.* Tonto, necio, de pocos alcances.

lessueste. m. **lesueste.**

lest. m. ant. **leste.**

leste. (De *el este, al este.*) m. *Mar.* **este[1].**

lestrigón. (Del lat. *Lestrygōnes*.) m. Individuo de alguna de las tribus de antropófagos que, según las historias y poemas mitológicos, encontró Ulises en su navegación. Ú. m. en pl.

lesueste. m. Viento medio entre el este y el sudeste. ‖ **2.** Región situada hacia el sitio de donde sopla este viento.

letal. (Del lat. *letālis*, mortal.) adj. Mortífero, capaz de ocasionar la muerte.

letame. (Del lat. *laetāmen*.) m. Tarquín, cieno y basura con que se abona la tierra.

letanía. (Del gr. λιτανεία, a través del lat. *litanīa*.) f. Rogativa, súplica que se hace a Dios con cierto orden, invocando a la Santísima Trinidad y poniendo por medianeros a Jesucristo, la Virgen y los santos. Ú. t. en pl. ‖ **2.** Procesión que se hace regularmente por una rogativa cantando las **letanías.** Ú. t. en pl. ‖ **3.** fig. y fam. Lista, retahíla, enumeración seguida de muchos nombres, locuciones o frases. ‖ **de la Virgen,** o **lauretana.** Cierta deprecación a la Virgen con sus elogios y atributos colocados por orden, la cual se suele cantar o rezar después del rosario. ‖ **de todos los santos. letanía,** rogativa que se hace a Dios. ‖ **letanías mayores.** Procesión de rogativa que hace la Iglesia católica el día de San Marcos Evangelista cantando las **letanías** que están señaladas. ‖ **menores.** Procesión de rogativa que se hace en la Iglesia católica los tres días antes de la Ascensión.

letargia. (Del gr. ληθαργία, a través del lat. *lethargía*.) f. ant. letargo.

letárgico, ca. (Del gr. ληθαργικός, a través del lat. *lethargĭcus*.) adj. Que padece letargo. ‖ **2.** Perteneciente o relativo a esta enfermedad.

letargo. (Del gr. λήθαργος, a través del lat. *lethargus*.) m. *Pat.* Síntoma de varias enfermedades nerviosas, infecciosas o tóxicas, caracterizado por un estado de somnolencia profunda y prolongada. ‖ fig. Sopor, modorra. ‖ **3.** Periodo de tiempo en que algunos animales permanecen en inactividad y reposo absoluto.

letargoso, sa. (De *letargo*.) adj. Que aletarga.

leteo, a. (Del gr. ληθαῖος, a través del lat. *Lethaeus*.) adj. Perteneciente o relativo al Lete o Leteo, río del olvido, o que participa de alguna de las cualidades que a este río atribuye la mitología.

letícia. (Del lat. *laetitĭa.*) f. ant. Alegría, regocijo, deleite.

leticiano, na. adj. Natural de Leticia. Ú. t. c. s. ‖ **2.** Perteneciente o relativo a esta ciudad de Colombia.

letificante. (Del lat. *laetifĭcans, -antis.*) p. a. de **letificar.** Que letifica. ‖ **2.** adj. ant. *Farm.* Aplicábase a los remedios que dan energía, actividad y vigor. Usáb. t. c. s. m.

letificar. (Del lat. *laetificāre.*) tr. p. us. Alegrar, regocijar. ‖ **2.** p. us. Animar un concurso de gente o un lugar.

letífico, ca. (Del lat. *laetifĭcus.*) adj. Que alegra.

letigio o **letijo.** m. ant. litigio.

letón, na. adj. Dícese de un pueblo báltico, llamado también latvio. ‖ **2.** Dícese también de cada uno de los individuos de este pueblo. Ú. t. c. s. ‖ **3.** Perteneciente o relativo a este pueblo. ‖ **4.** m. Lengua hablada en Letonia.

letor, ra. adj. ant. lector. Usáb. t. c. s.

letra. (Del lat. *littĕra.*) f. Cada uno de los signos gráficos con que se representan los sonidos de un idioma. ‖ **2.** Llamábase también así a cada uno de estos sonidos. ‖ **3.** Forma especial de los signos gráficos, por la que se distinguen los escritos de una persona o de una época o país determinados. ‖ **4.** Pieza de metal fundida en forma de prisma rectangular, con una **letra** u otra figura cualquiera relevada en una de las bases, para que pueda estamparse. ‖ **5.** Conjunto de esas piezas. *Esta composición tiene mucha* LETRA; *las cajas están llenas de* LETRA. ‖ **6.** Sentido propio y exacto de las palabras empleadas en un texto, por oposición al sentido figurado. ‖ **7.** Especie de romance corto, cuyos primeros versos se suelen glosar. ‖ **8.** Conjunto de las palabras puestas en música para que se canten, a diferencia de la misma música. *La* LETRA *de una canción, de un himno, de una ópera.* ‖ **9.** p. us. Lema de los emblemas y empresas. ‖ **10.** letra de cambio. ‖ **11.** V. **hombre de letras.** ‖ **12.** p. us. fig. y fam. Sagacidad y astucia para manejarse. *María tiene mucha* LETRA. ‖ **13.** ant. **carta.** ‖ **14.** ant. Letrero con que se hace pública una cosa. ‖ **15.** pl. Los diversos ramos del saber humano. ‖ **16.** Conjunto de las ciencias humanísticas por oposición a las ciencias exactas, físicas y naturales. ‖ **17.** Orden, provisión o rescripto. Tiene más uso hablando de los que se expiden en materias eclesiásticas. ‖ **abierta.** Carta de crédito u orden que se da a favor de uno para que se le entregue el dinero que pida, sin limitación de cantidad. ‖ **agrifada.** letra grifa. ‖ **aldina.** La cursiva de imprenta empleada por Aldo Manucio y otros impresores de su misma familia. ‖ **bastarda.** La de mano, inclinada hacia la derecha, rotunda en las curvas, y cuyos gruesos y perfiles son resultados del corte y posición de la pluma y no de la presión de la mano. ‖ **bastardilla.** La de imprenta que imita a la bastarda. ‖ **cancilleresca.** La que se usaba en la cancillería. ‖ **canina.** La *rr*, llamada así por la fuerza con que se pronuncia. ‖ **capital.** letra mayúscula. ‖ **consonante.** *Gram.* Aquella en cuya pronunciación se interrumpe en algún punto del canal vocal el paso del aire espirado, como en *p, t,* o se produce una estrechez que le hace salir con fricación, como en *f, s, z.* ‖ **continua. semivocal.** La que está trastocada y cambiada. ‖ **cortesana.** Cierta forma o carácter pequeño y jarifo que se usaba antiguamente. ‖ **cursiva.** La de mano, que se liga mucho para escribir de prisa. ‖ **2. letra bastardilla.** La más alta y estrecha que la ordinaria. ‖ **de caja alta.** *Impr.* letra mayúscula. ‖ **de caja baja.** *Impr.* letra minúscula. ‖ **de cambio.** *Com.* Documento mercantil que comprende el giro de cantidad especie en efectivo que hace el librador a la orden del tomador, al plazo que se expresa y a cargo del pagador, con indicación de la procedencia del valor de que se trata y el lugar en que ha de

ejecutarse el pago. ‖ **de dos puntos.** *Impr.* Mayúscula que se suele usar en los carteles y principios de capítulo, así llamada por estar fundida en dos líneas del cuerpo de su grado. ‖ **de guarismo.** guarismo, signo o cifra arábiga. ‖ **de imprenta.** letra de molde. ‖ **de mano.** La escrita a mano imitando la **letra** de molde. ‖ **de mano.** La que se hace al escribir con pluma, lápiz, etc. ‖ **de molde.** La impresa. ‖ **de Tortis.** La gótica que se usó al tiempo de la introducción de la imprenta. ‖ **doble.** Consonante que se representa con dos signos, como la *ll,* o que procede de la unión de otras dos, como la *ñ.* ‖ **dominical.** En el cómputo eclesiástico, la que señala los domingos entre las siete, A, B, C, D, E, F y G, que se usan para designar los días de la semana. El año bisiesto tiene dos: una hasta el 24 de febrero, y otra hasta el fin del año. ‖ **dórica.** Entre los antiguos lapidarios, campaneros y otros artífices, la que tenía de ancho la séptima parte de su altura. ‖ **egipcia. letra negrilla.** ‖ **florida.** La mayúscula abierta en lámina con algún adorno alrededor de ella. ‖ **gótica.** La de forma rectilínea y angulosa, que se usó en lo antiguo, y durante más tiempo en Alemania. ‖ **grifa. letra aldina,** llamada así porque la empleó también Sebastián Gryphius. ‖ **historiada.** Mayúscula con adornos y figuras o símbolos. ‖ **inglesa. letra** más inclinada que la bastarda, y cuyos gruesos y perfiles resultan de la mayor o menor presión de la pluma con que se escribe, que ha de ser muy delgada. ‖ **inicial.** Aquella con que empieza una palabra, un verso, un capítulo, etc. ‖ **itálica. letra bastardilla.** ‖ **magistral. letra** bastarda de tamaño crecido, hecha con todas las reglas caligráficas. ‖ **mayúscula.** La que con mayor tamaño y distinta figura, por regla general, que la minúscula, se emplea como inicial de todo nombre propio, en principio de periodo, después de punto, etc. ‖ **media.** *Gram.* Cualquiera de las consonantes *b, d, g,* llamadas más propiamente oclusivas sonoras. ‖ **mensajera.** ant. **carta mensajera.** ‖ **menuda.** fig. y fam. Astucia, sagacidad. ‖ **mercantivol.** Cierto género de **letra** que se usaba antiguamente entre los mercaderes y agentes de comercio. ‖ **metida.** Conjunto de **letras** de muy poca anchura, y poco separadas las unas de las otras. ‖ **minúscula.** La que es menor que la mayúscula y por lo general de forma distinta, y se emplea en la escritura constantemente, sin más excepción que la de los casos en que se debe usar letra mayúscula. ‖ **muda.** *Fon.* letra oclusiva, como la *p, t, k.* ‖ **2.** Dícese de la **letra** que no se pronuncia; como la *h* de *hombre* y la *u* de *que.* ‖ **muerta.** fig. Escrito, regla o máxima en que se previene algo que ya no se cumple o no tiene efecto. Se usa generalmente hablando de leyes, tratados, convenios, etc. ‖ **negrilla** o **negrita. letra** especial gruesa que se destaca de los tipos ordinarios, resaltando en el texto. Ú. t. c. s. ‖ **numeral.** La que representa un número; como se usaban y aún se usan en la numeración romana. ‖ **pancilla. letra** redonda de los libros de coro. ‖ **pelada.** La que no tiene rasgos ni adornos. ‖ **pitagórica.** Nombre que frecuentemente se dio a la y, por la moralidad que de sus dos trazos superiores sacó Pitágoras. ‖ **procesada** o **procesal.** La que está encadenada y enredada, como se ve en escritos de los siglos XVI y XVII. ‖ **redonda,** o **redondilla.** La de mano o de imprenta que es vertical y circular. ‖ **remisoria. remisoria.** ‖ **romanilla. letra redonda. sencilla.** Cualquiera de las que no se consideran como dobles. ‖ **tenue.** Consonante que se pronuncia con más suavidad que otras. ‖ **tirada.** La del que escribe con facilidad y soltura, trazando las **letras** de un solo golpe y enlazando unas con otras. ‖ **tiria.** Entre los antiguos lapidarios, la que tenía de ancho la quinta parte de su altura. ‖ **titular.** *Impr.* Mayúscula que se emplea en portadas, títulos, principios de capítulo, carteles, etc. ‖ **toscana.** Entre los antiguos lapidarios, la que tenía de ancho la sexta parte de su altura. ‖ **versal.** *Impr.* letra mayúscula. ‖ **versalita.** *Impr.* Mayúscula igual en tamaño a la minúscula de la misma fundición. ‖ **vocal.** Signo que representa gráficamente un sonido y articulación vocálicos. ‖ **2.** En la gramática tradicional, sonido y articulación vocálicos. ‖ **letras comunicatorias.** Testimoniales. ‖ **divinas.** La Biblia o la Sagrada Escritura. ‖ **expectativas.** Despachos reales o bulas pontificias que contienen la gracia de la futura de empleo o dignidad, prebenda o beneficio, etc., a favor de un sujeto. ‖ **gordas.** fig. y fam. Corta instrucción o talento. Ú. m. con el verbo *tener*. ‖ **góticas.** ant. fig. **letras gordas.** ‖ **humanas.** literatura, y especialmente la griega y la latina. ‖ **obedienciales.** Documento por el cual un superior de instituto religioso dispone el viaje de un súbdito suyo, y acredita este la razón por la que viaja. ‖ **patentes.** Edicto público o mandamiento del príncipe, que se despacha sellado con el sello principal, sobre alguna materia importante. ‖ **sagradas. letras divinas.** ‖ **bellas, o buenas, letras.** literatura. ‖ **dos, cuatro, o unas, letras.** fig. y fam. Escrito breve, principalmente carta o esquela. ‖ **primeras letras.** Arte de leer y escribir, doctrina cristiana y rudimentos de aritmética y de otras materias. ‖ **a la letra.** loc. adv. Literalmente; según la **letra** y significación natural de las palabras. ‖ **2.** Enteramente y sin variación; sin añadir ni quitar nada. *Copiar, insertar* A LA LETRA. ‖ **3.** fig. Puntualmente; sin ampliación ni restricción alguna. *Observar, cumplir* A LA LETRA. ‖ **a letra vista.** loc. adv. *Com.* **a la vista.** ‖ **apurar una letra.** Juego de prendas que consiste en decir sin demora, cuando le corresponde a cada uno de los jugadores, un nombre que empiece con la **letra** convenida. ‖ **atarse a la letra.** fr. fig. Sujetarse al sentido literal de cualquier texto. ‖ **dar letra.** fr. *Teatro.* Apuntar el apuntador. ‖ **las letras no embotan la lanza.** fr. fig. para expresar que el estudio y la literatura no disminuyen el valor. ‖ **letra por letra.** loc. adv. fig. Enteramente; sin quitar ni añadir cosa alguna. ‖ **levantar letra.** fr. *Impr.* componer. ‖ **meter letra.** p. us. fr. fig. y fam. Meter bulla; procurar embrollar las cosas. ‖ **protestar una letra.** fr. *Com.* Requerir ante notario al que no quiere aceptarla o pagarla, para recobrar su importe, más la resaca, de alguno de los otros obligados al pago. ‖ **seguir uno las letras.** fr. Estudiar, dedicarse a las ciencias.

letrada. f. fam. Mujer del letrado o abogado.

letrado, da. (Del lat. *litterātus*.) adj. Sabio, docto o instruido. ‖ **2.** fam. Que presume de discreto y habla mucho y sin fundamento. ‖ **3.** ant. Que solo sabía leer. ‖ **4.** ant. Que sabía escribir. ‖ **5.** ant. Que se servía y pone por letra. ‖ **6.** V. **halcón letrado.** ‖ **7.** m. y f. Abogado, titulado en derecho. ‖ **a lo letrado.** loc. adv. Al uso de los **letrados.**

letradura. (Del lat. *litteratūra*.) f. ant. literatura. ‖ **2.** ant. Instrucción en las primeras letras o en el arte de leer.

letraduría. (De *letrado*.) f. ant. Dicho vano e inútil, proferido con alguna presunción.

letrear. tr. ant. Pronunciar un escrito separando las sílabas de cada palabra, deletrear.

letrero, ra. (De *letra*.) adj. ant. letrado. ‖ **2.** m. Palabra o conjunto de palabras escritas para notificar o publicar una cosa.

letrilla. (d. de *letra*.) f. Composición poética de versos cortos que suele ponerse en música. ‖ **2.** Composición poética, amorosa, festiva o satírica, que se divide en estrofas, al fin de cada una de las cuales se repite ordinariamente como estribillo el pensamiento o concepto general de la composición, expresado con brevedad.

letrina. (Del lat. *latrīna*.) f. p. us. Lugar destinado en las casas para verter las inmundicias y expeler los excrementos. ‖ **2.** Retrete colectivo con varios compartimentos, separados o no, que vierten en un único tubo colector o en una zanja. Hoy se usa solamente referido a campamentos, cuarteles antiguos, etc. ‖ **3.** fig. Lugar sucio y asqueroso.

letrista. com. Persona que hace letras para canciones.

letrón. m. aum. de **letra.** ‖ **2.** pl. Edicto en caracteres grandes, que se ponía, en virtud de letras apostólicas, en las puertas de las iglesias y en otros lugares para hacer saber que estaban excomulgados los designados en él.

letrudo, da. (De *letra*.) adj. ant. Hombre de letras. Usáb. t. c. s. Ú. en Chile.

letuario. (De b. lat. *electuarĭum*.) m. desus. Especie de mermelada. ‖ **2.** ant. Preparación farmacéutica espesa, electuario.

letura. f. ant. lectura. ‖ **ir, o proceder, con letura.** fr. ant. Advertir, atender, o poner cuidado.

leucemia. (Del gr. λευκός, blanco, y αἷμα, sangre.) f. *Pat.* Enfermedad caracterizada por el exceso permanente del número de leucocitos en la sangre y la hipertrofia y proliferación de uno o varios tejidos linfoides.

leucocitemia. (De *leucocito*, y el gr. αἷμα, sangre.) f. *Pat.* leucemia.

leucocito. (Del gr. λευκός, blanco, y κύτος, célula.) m. *Biol.* Cada una de las células esferoidales, incoloras, con citoplasma viscoso, que se encuentran en la sangre y en la linfa; están dotadas de movilidad, y pueden atravesar las paredes de los vasos y trasladarse a diversos lugares del cuerpo.

leucocitosis. (De *leucocito* y *-sis*.) f. *Med.* Aumento del número de leucocitos en la sangre circulante, ya fisiológico, como después de la comida o en el embarazo, ya patológico, como en muchas enfermedades, principalmente en las infecciosas.

leucofeo. (Del gr. λευκόφαιος, a través del lat. *leucophaeus*.) adj. desus. De color gris o ceniciento.

leucoma. (Del gr. λευκός, blanco, y *-oma*.) f. *Med.* Manchita blanca en la córnea transparente del ojo, que corresponde a una opacidad de esta con pérdida de su sustancia.

leucoplaquia. (Del gr. λευκός, blanco, y πλάξ, πλακός, placa.) f. *Pat.* Enfermedad caracterizada por unas manchas blancas que aparecen en las mucosas bucal o lingual.

leucorrea. (Del gr. λευκός, blanco, y ῥέω, fluir.) f. *Pat.* Flujo blanquecino de las vías genitales femeninas.

leudar. (De *leudo*.) tr. Dar fermento a la masa con la levadura. ‖ **2.** prnl. Fermentar la masa con la levadura.

leude. (Del b. lat. *leudis*, hombre libre que sirve al rey.) m. En la monarquía gótica, militar que seguía libremente en la hueste al rey, de quien recibía sueldo.

leudo, da. (Del lat. *levĭtus, por *levātus*, levantado.) adj. p. us. Aplícase a la masa o pan fermentado con levadura.

leva. (De *levar*.) f. Partida de las embarcaciones del puerto. ‖ **2.** Recluta o enganche de gente para el servicio militar. ‖ **3.** desus. Acción de levarse o irse. ‖ **4.** Espeque o palanca de que se sirven los artilleros. ‖ **5.** *Mar.* V. **ancla, mar, pieza de leva.** ‖ **6.** *Mec.* álabe de una rueda. ‖ **7.** *Mec.* excéntrica, pieza que gira alrededor de un punto que no es su centro. ‖ **entenderle a uno la leva.** fr. fig. y fam. entenderle la flor. ‖ **halar a la leva.** fr. *Mar.* Tirar de un cabo, recogiéndolo de manera continua. ‖ **irse a leva y a monte.** fr. fig. y fam. Escaparse, huirse, retirarse. ‖ **no haber levas con uno.** fr. fam. No haber para con él traza ni subterfugio que valga.

levada. (De *levar*.) f. En la cría de los gusanos de seda, porción de estos que se alza y muda de una parte a otra. ‖ **2.** ant. Llevada, recado o mensaje. ‖ **3.** ant. Salida o nacimiento de los astros. ‖ **4.** *Esgr.* Molinete que se hace con las lanzas, espadas, floretes, etc., antes de ponerse en guardia. ‖ **5.** *Esgr.* Ida y venida, o lance que de una vez y sin intermisión juegan los dos esgrimen.

levadero, ra. (De *levar*.) adj. p. us. Que se ha de cobrar o exigir.

levadizo, za. (De *levar*, levantar.) adj. Que se levanta o se puede levantar con algún artificio, quitándolo y volviéndolo a poner, o levantándolo y volviéndolo a bajar o dejar caer. Ú. m. hablando de los puentes.

levador. (Del lat. *levātor, -ōris.*) m. El que leva. ‖ **2.** Operario que en las fábricas de papel recibe el pliego según sale del molde, lo coloca sobre un fieltro, lo tapa con otro y así sigue formando una pila que después se prensa. ‖ **3.** ant. Llevador, portador o conductor. ‖ **4.** *Mec.* álabe de una rueda.

levadura. (De *levar,* levantar.) f. Nombre genérico de ciertos hongos unicelulares, de forma ovoidea, que se reproducen por gemación o división; suelen estar unidos entre sí en forma de cadena, y producen enzimas capaces de descomponer diversos cuerpos orgánicos, principalmente los azúcares, en otros más sencillos. ‖ **2.** Cualquier masa constituida principalmente por estos microorganismos y capaz de hacer fermentar el cuerpo con que se la mezcla. LEVADURA *de cerveza.* ‖ **3.** Tabla que se asierra de un madero para dejarlo en la dimensión que debe tener.

levamiento. (Del lat. *levamentum.*) m. ant. Levantamiento, sedición.

levantada. f. Acción de levantarse el que estaba acostado. ‖ **2.** Acción de levantarse o dejar la cama el que estaba enfermo.

levantadamente. adv. m. Con elevación; de manera elevada.

levantadizo, za. adj. ant. *Ar.* Que se puede levantar.

levantado, da. p. p. de **levantar.** ‖ **2.** adj. fig. Elevado, sublime. *Ánimo, estilo* LEVANTADO.

levantador, ra. adj. Que levanta. Ú. t. c s. ‖ **2.** p. us. Amotinador, sedicioso. Ú. t. c. s.

levantadura. f. ant. Acción y efecto de levantar o levantarse.

levantamiento. m. Acción y efecto de levantar o levantarse. ‖ **2.** Sedición, alboroto popular. ‖ **3.** Sublimidad, elevación. ‖ **4.** *Ar.* Ajuste, conclusión y finiquito de cuentas.

levantar. (De *levante,* p. a. de *levar.*) tr. Mover hacia arriba una cosa. Ú. t. c. prnl. ‖ **2.** Poner una cosa en lugar más alto del que tenía. Ú. t. c. prnl. ‖ **3.** Poner derecha o en posición vertical la persona o cosa que está inclinada, tendida, etc. Ú. t. c. prnl. ‖ **4.** Separar una cosa de otra sobre la cual descansa o a la que está adherida. Ú. t. c. prnl. ‖ **5.** Tratándose de los ojos, la mirada, la puntería, etc., dirigirlos hacia arriba. ‖ **6.** Recoger o quitar una cosa de donde está. LEVANTAR *la tienda, los manteles.* ‖ **7.** Alzar la cosecha. ‖ **8.** Construir, fabricar, edificar. ‖ **9.** En los juegos de naipes, separar o dividir la baraja en dos o más partes, lo cual comúnmente hace el que está a la izquierda del que las cartas, para que, puestas debajo las que estaban encima, se evite el fraude. ‖ **10.** En algunos juegos de naipes, cargar o echar carta superior a la que va jugada. ‖ **11.** Abandonar un sitio, llevándose lo que en él hay para trasladarlo a otro lugar. ‖ **12.** Mover, ahuyentar, hacer que salte la caza del sitio en que estaba. Ú. t. c. prnl. ‖ **13.** Dicho de ciertas cosas que forman bulto sobre otras, hacerlas o producirlas. LEVANTAR *un chichón, una ampolla.* ‖ **14.** fig. Erigir, establecer, instituir. ‖ **15.** fig. Aumentar, subir, dar mayor incremento o precio a una cosa. ‖ **16.** fig. Tratándose de la voz, darle mayor fuerza, hacer que suene más. ‖ **17.** fig. Hacer que cesen ciertas penas, prohibiciones o vejámenes impuestos por autoridad competente. LEVANTAR *el entredicho, el destierro, el arresto, el embargo.* ‖ **18.** fig. Rebelar, sublevar. Ú. t. c. prnl. ‖ **19.** fig. Engrandecer, ensalzar. ‖ **20.** fig. Impulsar hacia cosas altas. LEVANTAR *el pensamiento, el corazón.* ‖ **21.** fig. Esforzar, vigorizar. LEVANTAR *el ánimo.* ‖ **22.** fig. Reclutar, alistar gente para el ejército. ‖ **23.** fig. Ocasionar, formar, mover. Ú. t. c. prnl. ‖ **24.** fig. Atribuir, imputar maliciosamente una cosa falsa. ‖ **25.** *Equit.* Tratándose del caballo, llevarlo al galope. ‖ **26.** *Equit.* Llevarlo sobre el cuarto trasero y engallado. ‖ **27.** prnl. Sobresalir, elevarse sobre una superficie o plano. ‖ **28.** Dejar la cama el que estaba acostado. ‖ **29.** Dejar la cama el que estaba en ella por enfermedad o indisposición. ‖ **30.** Comenzar a alterarse el viento o la mar. ‖ levantar a uno **hacia arriba, o tan alto.** fr. fig. Irritarle, hacerle sentir gravemente una cosa. ‖ **levantarse con una cosa.** fr. alzarse con una cosa. ‖ **levantarse con una cosa.** fr. **alzarse con una cosa.**

levante¹. (p. a. de *levar.*) n. p. m. **Oriente,** punto por donde sale el Sol. ‖ **2.** m. Viento que sopla de la parte oriental. ‖ **3.** p. us. Países que caen a la parte oriental del Mediterráneo. ‖ **4.** Nombre genérico de las comarcas mediterráneas de España, y especialmente las correspondientes a los antiguos reinos de Valencia y Murcia. ‖ **5.** V. **ciprés, coca, coco de levante.**

levante². (De *levantar.*) m. *Chile.* Derecho que paga al dueño de un terreno el que corta maderas en él para beneficiarlas por su cuenta. ‖ **2.** *Col.* Edad de un bovino comprendida entre el destete y el principio de la ceba. ‖ **3.** *Col.* Actividad pecuaria que produce esa categoría de bovinos. ‖ **4.** *Min.* Operación de levantar las cañerías de los hornos de aludeles para limpiarlos y recoger el azogue que contengan. ‖ **de levante.** loc. adv. En disposición próxima de hacer un viaje o mudanza, o sin haber fijado el domicilio.

levantino, na. adj. Natural de Levante. Ú. t. c. s. ‖ **2.** Perteneciente o relativo a la parte oriental del Mediterráneo. ‖ **3.** *Med.* V. **peste levantina.**

levantisco¹, ca. (De *levante¹.*) adj. p. us. levantino. Apl. a pers., ú. t. c. s.

levantisco², ca. (De *levantar,* amotinar.) adj. De genio inquieto y turbulento.

levar. (Del lat. *levis.*) tr. ant. **levantar.** ‖ **2.** ant. **llevar.** ‖ **3.** ant. Hacer levas o levantar gente para la guerra. ‖ **4.** ant. Quitar, hurtar. ‖ **5.** *Mar.* Hablando de las anclas, recoger, arrancar y suspender la que está fondeada. ‖ **6.** intr. ant. Nacer o salir los astros. ‖ **7.** *Mar.* **hacerse a la vela.**

leve. (Del lat. *levis.*) adj. Ligero, de poco peso. ‖ **2.** Fino, sutil. ‖ **3.** V. **culpa leve.** ‖ **4.** fig. Poca importancia, venial.

levedad. (Del lat. *levĭtas, -ātis.*) f. Cualidad de leve. ‖ **2.** p. us. Inconstancia de ánimo y ligereza de las cosas.

levemente. adv. m. Ligeramente, blandamente. ‖ **2.** fig. **venialmente.**

levente. (Del turco *lāwandī,* corrupción de *levantino,* con el significado de guerrero.) m. Soldado turco de marina. ‖ **2.** com. desus. *Cuba.* Advenedizo cuyas costumbres y origen se desconocen.

leviatán. (Del lat. *Leviathan,* y este del hebr. *liwyatan,* enorme monstruo acuático.) m. Monstruo marino, descrito en el libro de Job, y que los Santos Padres entienden en el sentido moral de demonio o enemigo de las almas.

levidad. (Del lat. *levĭtas, -ātis.*) f. ant. **levedad.**

levigación. (Del lat. *levigātĭo, -ōnis.*) f. Acción y efecto de levigar.

levigar. (Del lat. *levigāre,* suavizar, pulverizar.) tr. Desleír en agua una materia pulverizada, para separar la parte más tenue de la más gruesa, que se deposita en el fondo de la vasija.

levirato. (Del lat. *levir, -īri,* cuñado, hermano del marido.) m. Institución de la ley mosaica, que obliga al hermano del que murió sin hijos a casarse con la viuda.

levísimo, ma. adj. sup. de **leve.** ‖ **2.** V. **culpa levísima.**

levita¹. (Del lat. *Levita.*) m. Israelita de la tribu de Leví, dedicado al servicio del templo. ‖ **2.** Eclesiástico de grado inferior al sacerdote.

levita². (Del fr. *lévite.*) f. Vestidura masculina de etiqueta, más larga y amplia que el frac, y cuyos faldones llegan a cruzarse por delante. ‖ **tirar de la levita** a uno. fr. fig. y fam. Mostrarse muy obsequioso con él; adularlo.

levitación. f. Acción y efecto de levitar. ‖ **2.** *Pat.* Sensación de mantenerse en el aire sin ningún punto de apoyo.

levitar. intr. Elevarse en el espacio personas, animales o cosas sin intervención de agentes físicos conocidos.

levítico, ca. (Del lat. *Leviticus.*) adj. Perteneciente o relativo a los levitas. ‖ **2.** fig. Aficionado a la Iglesia, o supeditado a los eclesiásticos. ‖ **3.** m. fig. y desus. Ceremonial que se usa en una función.

levitín. m. d. fam. despect. de **levita**[2].

levitón. (aum. de *levita*[2].) m. Levita más larga, más holgada y de paño más grueso que la de vestir.

levógiro, ra. (Del lat. *laevus,* izquierdo, y *gyrus,* giro.) adj. *Quím.* Dícese del cuerpo o sustancia que desvía hacia la izquierda la luz polarizada.

levosa. f. fam. y fest. **levita**[2] de vestir.

lexema. (Del gr. λέξις, palabra, y *-ema.*) m. *Ling.* Unidad léxica mínima, que carece de morfemas (*sol*), o resulta de haber prescindido de ellos (*terr,* en *enterráis*), y que posee un significado definible por el diccionario, no por la gramática.

lexiarca. (Del gr. ληξίαρχος.) m. Cada uno de los seis magistrados atenienses que, durante una época, llevaban el registro o padrón de los ciudadanos que debían asistir a la asamblea.

lexicalización. f. *Ling.* Acción y efecto de lexicalizar o lexicalizarse.

lexicalizar. tr. *Ling.* Convertir en uso léxico general el que antes era figurado. Ú. m. c. prnl. ‖ **2.** *Ling.* Hacer que un sintagma llegue a funcionar como una unidad léxica. Ú. m. c. prnl. Así, CON CAJAS DESTEMPLADAS ha llegado a ser permutable con adverbios como *ásperamente, airadamente* o *destempladamente.*

léxico, ca. (Del gr. λεξικός, neutro -κόν.) adj. Perteneciente o relativo al **léxico** o vocabulario de una lengua o región. ‖ **2.** m. p. us. Diccionario de la lengua griega. ‖ **3.** Por ext., diccionario de cualquier lengua. ‖ **4.** Vocabulario, conjunto de las palabras de un idioma, o de las que pertenecen al uso de una región, a una actividad determinada, a un campo semántico dado, etc. ‖ **5.** Caudal de voces, modismos y giros de un autor.

lexicografía. (De *lexicógrafo.*) f. Técnica de componer léxicos o diccionarios. ‖ **2.** Parte de la lingüística que se ocupa de los principios teóricos en que se basa la composición de diccionarios.

lexicográfico, ca. adj. Perteneciente o relativo a la lexicografía.

lexicógrafo, fa. (Del gr. λεξικόν, léxico, y *-grafo.*) m. y f. Colector de los vocablos que han de entrar en un léxico. ‖ **2.** Persona experta conocida en lexicografía.

lexicología. (Del gr. λεξικόν, léxico, y *-logía.*) f. Estudio de las unidades léxicas de una lengua y de las relaciones sistemáticas que se establecen entre ellas.

lexicológico, ca. adj. Perteneciente o relativo a la lexicología.

lexicólogo, ga. m. y f. Persona versada en lexicología.

lexicón. m. Diccionario, léxico.

ley. (Del lat. *lex, legis.*) f. Regla y norma constante e invariable de las cosas, nacida de la causa primera o de las cualidades y condiciones de las mismas. ‖ **2.** Precepto dictado por la suprema autoridad, en que se manda o prohíbe algo en consonancia con la justicia y para el bien de los gobernados. ‖ **3.** En el régimen constitucional, disposición votada por las Cortes y sancionada por el Jefe del Estado. ‖ **4.** Religión, culto a la Divinidad. *La* LEY *de los mahometanos.* ‖ **5.** Lealtad, fidelidad, amor. Ú. generalmente con los verbos *tener* y *tomar.* ‖ **6.** Calidad, peso o medida que

tienen los géneros, según las **leyes.** ‖ **7.** Cantidad de oro o plata finos en las ligas de barras, alhajas o monedas de oro o plata, que fijan las **leyes** para estas últimas. ‖ **8.** Cantidad de metal contenida en una mena. ‖ **9.** Estatuto o condición establecida para un acto particular. LEYES *de una justa, de un certamen, del juego.* ‖ **10.** Conjunto de las **leyes,** o cuerpo del derecho civil. ‖ **11.** V. **proyecto de ley.** ‖ **12.** V. **palabras, tablas de la ley.** ‖ **13.** *Der.* V. **generales de la ley.** ‖ **14.** *Der.* V. **presunción de ley.** ‖ **15.** Cada una de las disposiciones comprendidas, como última división, en los títulos y libros de los códigos antiguos, equivalentes a los artículos de los actuales. ‖ **16.** *Fís.* Cada una de las relaciones existentes entre las diversas magnitudes que intervienen en un fenómeno. ‖ **adjetiva.** Suele decirse de la procesal, y aun de la penal, por cuanto rigen la aplicación y castigan la violación de las demás. ‖ **antigua. ley de Moisés.** ‖ **caldaria.** La que ordenaba antiguamente la prueba del agua caliente, que se hacía meter la mano y brazo desnudos en una caldera de agua hirviendo, para probar su inocencia el que los sacaba ilesos. ‖ **de bases.** La que solo contiene las normas generales sobre una materia. ‖ **de Dios.** Todo aquello que es arreglado a la voluntad divina y recta razón. ‖ **de duelo.** Máximas y reglas establecidas acerca de los retos y desafíos. ‖ **de gracia.** La que Cristo estableció en su Evangelio. ‖ **de la trampa.** fam. Embuste, engaño. ‖ **del embudo.** fig. y fam. La que se emplea con desigualdad, aplicándola estrictamente a unos y ampliamente a otros. ‖ **del encaje.** fam. Dictamen o juicio que discrecionalmente forma el juez, sin atender a lo que las **leyes** disponen. ‖ **de Moisés.** Preceptos y ceremonias que Moisés dio al pueblo de Israel para su gobierno y para el culto divino. ‖ **escrita.** Preceptos que, escritos sobre dos tablas de piedra, dio Dios a Moisés en el monte Sinaí. ‖ **evangélica. ley de gracia.** ‖ **fonética.** *Ling.* Fórmula que explica la evolución de un determinado sonido en una región concreta y en un tiempo determinado. ‖ **fundamental.** *Der.* La que establece principios por los que deberá regirse la legislación de un país. ‖ **marcial.** *Der.* La de orden público, una vez declarado el estado de guerra. ‖ **2. ley** o bando de carácter penal y militar, aplicados en tal situación. ‖ **natural.** Dictamen de la recta razón que prescribe lo que se ha de hacer o lo que debe omitirse. ‖ **nueva. ley de gracia.** ‖ **orgánica.** La que inmediatamente se deriva de la Constitución de un Estado, y contribuye a su más perfecta ejecución y observancia. ‖ **recopilada.** Cualquiera de las incluidas en la Nueva o en la Novísima Recopilación. ‖ **sálica.** La que excluía del trono de Francia a las hembras y sus descendientes. Se introdujo en España después del establecimiento de la casa de Borbón, pero fue derogada en 1830. ‖ **seca.** La que prohíbe el tráfico y consumo de bebidas alcohólicas. ‖ **suntuaria.** La que tiene por objeto poner moderación y tasa en los gastos. Ú. m. en pl. ‖ **universal.** La que es válida cualquiera que sea la naturaleza de los cuerpos a que se aplica. ‖ **vieja. ley de Moisés.** ‖ **a la ley.** loc. adv. fam. Con propiedad y esmero. ‖ **a ley de caballero,** de **cristiano,** etc. exprs. con que se asegura la verdad de lo que se dice. ‖ **a toda ley.** loc. adv. Con estricta sujeción a lo justo o debido, o a cualquier género de arte, regla o prescripción. ‖ **bajar de ley.** fr. Disminuir la parte más valiosa de un metal o un mineral respecto al volumen o al peso. ‖ **bajo de ley.** loc. adj. Dícese del oro o plata que tiene mayor cantidad de otros metales que la que permite la **ley.** ‖ **con todas las de la ley.** loc. adv. Sin omisión de ninguno de los requisitos indispensables para su perfección o buen acabamiento. ‖ **dar la ley.** fr. fig. Servir de modelo en ciertas cosas. ‖ **2.** Obligar a unos a que haga lo que otro quiere, aunque sea contra su gusto. ‖ **de buena ley.** loc. adj. fig. De perfectas condiciones morales o materiales. ‖ **de ley.** loc. adj. fig. Se aplica al oro y a la plata que tienen la cantidad de estos metales señalados por la ley. ‖ **2.** fig. Aplicado a persona, **buena**, honrada, como debe ser. ‖ **de mala ley.** loc. adj. fig. De malas condiciones morales o materiales. ‖ **echar la ley,** o **toda la ley,** a uno. fr. Aplicarle todo el rigor de la **ley.** ‖ **hecha la ley, hecha la trampa.** expr. fam. con que se da a entender que la malicia humana halla fácilmente medios y excusas para quebrantar o eludir un precepto apenas se ha impuesto. ‖ **subir de ley.** fr. Aumentar la parte más valiosa de un metal o un mineral respecto al volumen o al peso. ‖ **tomar** uno **la ley.** fr. *Ál.* y *Nav.* **hacer,** o **tomar, las once.** ‖ **venir contra** una **ley.** fr. Quebrantarla.

leyenda. (Del lat. *legenda,* n. pl. del gerundivo de *legĕre,* leer.) f. Acción de leer. ‖ **2.** Obra que se lee. ‖ **3.** Historia o relación de la vida de uno o más santos. ‖ **4.** Relación de sucesos que tienen más de tradicionales o maravillosos que de históricos o verdaderos. ‖ **5.** Composición poética de alguna extensión en que se narra un suceso de esta clase. ‖ **6.** ant. V. **home de leyenda.** ‖ **7.** Texto que acompaña a un plano, grabado, cuadro, etc. ‖ **8.** *Numism.* Letrero que rodea la figura en las monedas o medallas. ‖ **áurea.** Compilación de vidas de santos hecha por Jacobo de Vorágine en el siglo XIII. ‖ **negra.** Opinión antiespañola difundida a partir del siglo XVI y basada en la política de España en Italia, Alemania y los Países Bajos, y en la conquista y colonización de América.

leyendario, ria. adj. p. us. Perteneciente o relativo a las leyendas.

lezda. (Del lat. *licĭta,* t. f. de *licĭtus,* lícito.) f. Tributo, impuesto, especialmente el que se pagaba por las mercancías.

lezdero. m. Ministro que cobraba el tributo de lezda.

lezna. (De *lesna.*) f. Instrumento que se compone de un hierrecillo con punta muy fina y un mango de madera, que usan los zapateros y otros artesanos para agujerear, coser y espuntar.

lezne. (De *aleznar.*) adj. p. us. Que se deshace o disgrega fácilmente.

lía¹. (De *liar.*) f. Soga de esparto machacado, tejida como trenza, para atar y asegurar los fardos, cargas y otras cosas.

lía². (Del célt. *liga, *lega,* sedimento.) f. Heces. Ú. m. comúnmente en pl. ‖ **estar** uno **hecho una lía.** fr. fig. y fam. Estar poseído del vino.

liana. (Del fr. *liane.*) f. Nombre que se aplica a diversas plantas, generalmente sarmentosas, de la selva tropical, que, tomando como soporte los árboles, se encaraman sobre ellos hasta alcanzar la parte alta y despejada, donde se ramifican con abundancia; a veces ahogan a las plantas que las sostienen. ‖ **2.** Por ext., enredadera o planta trepadora de otros países.

lianza. f. ant. **alianza.**

liar. (Del lat. *ligāre.*) tr. Atar y asegurar los fardos y cargas con lías. ‖ **2.** Envolver una cosa, sujetándola, por lo común, con papeles, cuerda, cinta, etc. ‖ **3.** Hablando de cigarrillos, formarlos envolviendo el picadura en el papel de fumar. ‖ **4.** fig. y fam. Engañar a uno, envolverlo en un compromiso. Ú. t. c. prnl. ‖ **5.** Seguido de la prep. *a* y un infinitivo, ponerse a ejecutar con vehemencia lo que este significa. Ú. t. c. prnl. ‖ **6.** Con la misma prep. y algunos nombres que significan golpes, darlos. Ú. t. c. prnl. *Antonio y Pedro* SE LIARON *a bofetadas.* ‖ **7.** ant. Hacer, contraer alianza con uno. ‖ **8.** prnl. Enredarse con fin deshonesto dos personas; amancebarse. ‖ **liarla.** fr. fig. y fam. **meter la pata.** ‖ **2.** Organizar, armar un lío o ponerse en una situación comprometida. ¡**La liamos!** ‖ **liarlas.** loc. verbal fig. y fam. Huir uno, escaparse con presteza. ‖ **2.** fig. y fam. Morir, acabar la vida.

liara. f. Vaso de cuerno, aliara.

liásico, ca. (Del ing. *lias,* piedra caliza azulada.) adj. *Geol.* Dí-

cese del terreno sedimentario que sigue inmediatamente en edad al triásico. Ú. t. c. s. ‖ **2.** *Geol.* Perteneciente a este terreno.

liatón. (despect. de *lía¹.*) m. p. us. Lía o soga de esparto.

liaza. f. Conjunto de lías¹ para atar las corambres de vino, aceite y cosas semejantes. ‖ **2.** Conjunto de mimbres que se emplean para la construcción de botas en la tonelería de Andalucía.

libación. (Del lat. *libatĭo, -ōnis,* ofrenda en sacrificio, especialmente de un líquido.) f. Acción de libar. ‖ **2.** Ceremonia religiosa de los antiguos paganos, que consistía en derramar vino u otro licor en honor de los dioses.

libamen. (Del lat. *libāmen.*) m. Ofrenda en el sacrificio.

libamiento. (Del lat. *libamentum.*) m. Materia o especies que se ofrendaban en los sacrificios antiguos. ‖ **2.** ant. **libación.**

libán. (Del cat. *llibant,* cuerda de esparto.) m. p. us. Cuerda de esparto.

libanés, sa. adj. Natural del Líbano. Ú. t. c. s. ‖ **2.** Perteneciente o relativo a este Estado de Asia.

libar. (Del lat. *libāre.*) tr. Chupar suavemente el jugo de una cosa. Se usa especialmente hablando de las abejas. Ú. t. c. intr. ‖ **2.** Hacer la libación para el sacrificio. ‖ **3.** Hacer sacrificios u ofrendas a la Divinidad. ‖ **4.** Probar o gustar un licor.

libatorio. (Del lat. *libatorĭum.*) m. Vaso con que los antiguos hacían las libaciones.

libela. (Del lat. *libella.*) f. Moneda de plata, la más pequeña que usaron los romanos. Pesaba la décima parte de un denario y equivalía al as.

libelar. (De *libelo.*) tr. ant. Escribir refiriendo una cosa. ‖ **2.** *Der.* Hacer pedimentos.

libelático, ca. (Del lat. *libellatĭcus.*) adj. Aplícase a los cristianos de la Iglesia primitiva que, para librarse de la persecución, se procuraban certificado de apostasía. Ú. t. c. s.

libeldo. m. ant. **libelo.**

libelista. com. Autor de uno o varios libelos o escritos satíricos e infamatorios.

libelo. (Del lat. *libellus,* librillo, escrito breve.) m. Escrito con que se denigra o infama a personas o cosas. Lleva ordinariamente el calificativo de **infamatorio.** ‖ **2.** ant. Libro pequeño. ‖ **3.** *Der.* Petición o memorial. ‖ **de repudio.** Instrumento o escritura con que el marido antiguamente repudiaba a la mujer y dirimía el matrimonio. ‖ **dar libelo de repudio** a una cosa. fr. fig. Renunciar a ella; desecharla.

libélula. (Del lat. cient. *libellŭla,* d. de *libella,* d. a su vez de *libra,* balanza; porque se mantiene en equilibrio en el aire.) f. **caballito del diablo.**

líber. (Del lat. *liber,* película entre la corteza y la madera del árbol.) m. *Bot.* Parte del cilindro central de las plantas angiospermas dicotiledóneas, que está formada principalmente por hacecillos o paquetes de vasos cribosos.

liberación. (Del lat. *liberatĭo, -ōnis.*) f. Acción de poner en libertad. ‖ **2.** Carta o recibo que se da al deudor cuando paga. ‖ **3.** Cancelación o declaración de caducidad de la carga o cargas que real o aparentemente gravan a un inmueble.

liberado, da. (Del lat. *liberātus,* p. p. de *liberāre.*) p. p. de **liberar.** ‖ **2.** adj. *Com.* V. **acción liberada.**

liberador, ra. (Del lat. *liberātor, -ōris.*) adj. Que libera o liberta. Ú. t. c. s.

liberal. (Del lat. *liberālis.*) adj. Que obra con liberalidad. ‖ **2.** Dícese de la cosa hecha con liberalidad. ‖ **3.** Expedito, pronto para ejecutar cualquier cosa. ‖ **4.** Dícese tradicionalmente de las artes o profesiones que sólo requieren el ejercicio del entendimiento. ‖ **5.** V. **arte liberal.** ‖ **6.** Que profesa doctrinas favorables a la libertad política en los Estados. Apl. a pers., ú. t. c. s.

liberalesco, ca. adj. despect. de **liberal**, en política.

liberalidad. (Del lat. *liberalĭtas, -ātis*.) f. Virtud moral que consiste en distribuir uno generosamente sus bienes sin esperar recompensa. ‖ **2.** Generosidad, desprendimiento. ‖ **3.** *Der.* Disposición de bienes a favor de alguien sin ninguna prestación suya.

liberalismo. m. Ideas que profesan los partidarios del sistema liberal. ‖ **2.** Conjunto de los partidarios de ese sistema. ‖ **3.** Sistema político-religioso que proclama la absoluta independencia del Estado, en sus organizaciones y funciones, de todas las religiones positivas.

liberalización. f. Acción y efecto de liberalizar o liberalizarse.

liberalizar. tr. Hacer liberal en el orden político a una persona o cosa. Ú. t. c. prnl.

liberalmente. adv. m. Con liberalidad. ‖ **2.** Con expedición, presteza y brevedad.

liberamente. adv. m. ant. Con libertad.

liberar. (Del lat. *liberāre.*) tr. Libertar, eximir a uno de una obligación. Ú. t. c. prnl. ‖ **2.** Poner en libertad a quien está preso o atado.

liberatorio, ria. adj. Que tiene virtud de libertar, eximir o redimir. Ú. t. c. s. ‖ **2.** V. **fuerza liberatoria.**

liberiano[1], na. adj. Natural de Liberia. Ú. t. c. s. ‖ **2.** Perteneciente o relativo a este país de África.

liberiano[2], na. adj. Natural de Liberia, cantón y capital de Guanacaste, provincia de Costa Rica. Ú. t. c. s. ‖ **2.** Perteneciente o relativo a estos lugares.

líbero, ra. (Del lat. *liber, libĕra.*) adj. ant. Libre.

libérrimo, ma. (Del lat. *liberrĭmus.*) adj. sup. de **libre.**

libertad. (Del lat. *libertas, -ātis.*) f. Facultad natural que tiene el hombre de obrar de una manera o de otra, y de no obrar, por lo que es responsable de sus actos. ‖ **2.** Estado o condición del que no es esclavo. ‖ **3.** Estado del que no está preso. ‖ **4.** Falta de sujeción y subordinación. *A los jóvenes los pierde la* LIBERTAD. ‖ **5.** Facultad que se disfruta en las naciones bien gobernadas, de hacer y decir cuanto no se oponga a las leyes ni a las buenas costumbres. ‖ **6.** Prerrogativa, privilegio, licencia. Ú. m. en pl. ‖ **7.** Condición de las personas no obligadas por estado al cumplimiento de ciertos deberes. ‖ **8.** Desenfrenada contravención de las leyes y buenas costumbres. Ú. t. en pl. ‖ **9.** Licencia u osada familiaridad. *Me tomo la* LIBERTAD *de escribir esta carta; eso es tomarse demasiada* LIBERTAD. Ú. t. en pl., con sentido peyorativo. ‖ **10.** Exención de etiquetas. *En la corte hay más* LIBERTAD *en el trato; en los pueblos se pasea con* LIBERTAD. ‖ **11.** Desembarazo, franqueza, despejo. *Para tan niña, se presenta con mucha* LIBERTAD. ‖ **12.** Facilidad, soltura, disposición natural para hacer una cosa con destreza. En este sentido, se dice de los pintores y grabadores que tienen **libertad** de pincel o de buril. ‖ **condicional.** Beneficio de abandonar la prisión que puede concederse a los penados en el último período de su condena, y que está sometido a la posterior observancia de buena conducta. ‖ **de comercio.** Facultad de comprar y vender sin estorbo alguno. ‖ **de conciencia.** Facultad de profesar cualquier religión sin ser inquietado por la autoridad pública. ‖ **de cultos.** Derecho de practicar públicamente los actos de la religión que cada uno profesa. ‖ **de imprenta.** Facultad de imprimir cuanto se quiera, sin previa censura, con sujeción a las leyes. ‖ **del espíritu.** Dominio o señorío del ánimo sobre las pasiones. ‖ **de pensamiento.** Derecho de manifestar, defender y propagar las opiniones propias. ‖ **provisional.** Situación o beneficio de que pueden gozar con fianza o sin ella los procesados, no sometiéndolos durante la causa a prisión preventiva. ‖ **apellidar libertad.** fr. Pedir el que está injustamente detenido en esclavitud que se le declare libre. ‖ **poner** a uno **en libertad** de una obligación. fr. fig. Eximirlo de ella. ‖ **sacar**

a libertad la novicia. fr. Examinar el juez eclesiástico su voluntad a solas y en lugar donde, sin caer en nota, pueda libremente salirse del convento.

libertadamente. adv. m. Con libertad, con descaro y desenfreno.

libertado, da. p. p. de **libertar.** ‖ **2.** adj. Osado, atrevido. ‖ **3.** Libre, sin sujeción. ‖ **4.** ant. Desocupado, ocioso.

libertador, ra. adj. Que liberta. Ú. t. c. s.

libertar. (De *liberto.*) tr. Poner en libertad o soltar al que está atado, preso o sujeto físicamente. ‖ **2.** Librar a uno de una atadura moral que tiene o podría tener. Ú. t. c. prnl.

libertario, ria. adj. Que defiende la libertad absoluta, y por lo tanto, la supresión de todo gobierno y de toda ley.

liberticida. (De *libertad,* y -*cida*.) adj. Que mata la libertad, que la destruye.

libertinaje. (De *libertino.*) m. Desenfreno en las obras o en las palabras. ‖ **2.** Falta de respeto a la religión.

libertino, na. (Del lat. *libertīnus.*) adj. Aplícase a la persona entregada al libertinaje. Ú. t. c. s. ‖ **2.** m. y f. Hijo de liberto, y más frecuentemente el mismo liberto con respecto a su estado, como opuesto al del ingenuo.

liberto, ta. (Del lat. *libertus.*) m. y f. Esclavo a quien se ha dado la libertad, respecto de su patrono.

líbico, ca. (Del lat. *Libўcus.*) adj. Perteneciente o relativo a la Libia antigua. ‖ **2.** libio. ‖ **3.** V. **álamo líbico.**

libídine. (Del lat. *libīdo, -ĭnis.*) f. p. us. Lujuria, lascivia.

libidinosamente. adv. m. De un modo libidinoso.

libidinoso, sa. (Del lat. *libidinōsus.*) adj. Lujurioso, lascivo.

libido. (Del lat. *libīdo.*) f. *Med.* y *Psicol.* Deseo sexual, considerado por algunos autores como impulso o raíz de las más varias manifestaciones de la actividad psíquica.

libio, bia. (Del lat. *Libўus.*) adj. Natural de Libia. Ú. t. c. s. ‖ **2.** Perteneciente o relativo a este país de África.

libón. (Del prerromano **ibone*, de la misma raíz del vasc. *ibai*, río.) m. *Ar.* Manantial en que el agua sale a borbollones. ‖ **2.** *Ar.* Laguna o depósito de agua.

libra. (Del lat. *libra.*) f. Peso antiguo de Castilla, dividido en 16 onzas y equivalente a 460 gramos. En Aragón, Baleares, Cataluña y Valencia tenía 12 onzas, 17 en las Provincias Vascongadas y 20 en Galicia, aunque las onzas eran desiguales, según los pueblos. ‖ **2.** Moneda imaginaria o efectiva, cuyo valor varía según los países. ‖ **3.** Moneda imaginaria, con diferente valor, se usaba antiguamente en Cataluña, en Aragón, en las Baleares, en Navarra y en Valencia. ‖ **4.** *Ar.* En los molinos de aceite, peso que, colocado al extremo de la viga, sirve para oprimir la pasta. ‖ **5.** Medida de capacidad, que contiene una **libra** de un líquido. ‖ **6.** V. **sueldo a,** o **por, libra.** ‖ **7.** *Cuba.* Hoja de tabaco de calidad superior. ‖ **8.** n. p. f. *Astron.* Séptimo signo o parte del Zodíaco, de 30 grados de amplitud, que el Sol recorre aparentemente al comenzar el otoño. ‖ **9.** *Astron.* Constelación zodiacal que en otro tiempo debió de coincidir con el signo de este nombre, pero que actualmente, por resultado del movimiento retrógrado de los puntos equinocciales, se halla delante del mismo signo y un poco hacia el Oriente. ‖ **10.** adj. Referido a personas, las nacidas bajo este signo del Zodíaco. Ú. t. c. s. ‖ **carnicera.** La de 36 onzas, que se usaba en varias provincias para pesar carne y pescado. ‖ **esterlina.** Moneda inglesa. ‖ **jaquesa.** Moneda imaginaria usada antiguamente en Aragón. ‖ **mallorquina.** Moneda imaginaria usada antiguamente en las Baleares. ‖ **medicinal.** La que se ha usado en las boticas, y se dividía en 12 onzas o 96 dracmas. ‖ **entrar pocas,** o **pocos, en libra.** fr. fig. y fam. No poderse contar sino pocas de aquellas cosas de que se trata. *De polémicas tan urbanas* ENTRAN POCAS EN LIBRA.

libración. (Del lat. *libratĭo, -ōnis*.) f. Movimiento oscilatorio que un cuerpo, ligeramente perturbado en su equilibrio, efectúa hasta recuperarlo poco a poco. ‖ **2.** *Astron.* Movimiento aparente de la Luna, como de oscilación o balanceo, en virtud del cual la faz de aquel astro que mira hacia la Tierra varía un poco y abarca en el curso del tiempo más de un hemisferio.

libraco. m. despect. Libro despreciable.

libracho. m. despect. **libraco.**

librado, da. p. p. de **librar.** ‖ **2.** m. y f. Persona contra la que se gira una letra de cambio.

librador¹. (De *librar*, dar, expedir.) m. En las caballerizas del rey, el que cuidaba de las provisiones para el ganado y de todo lo necesario para su curación. ‖ **2.** Cogedor, generalmente de hojalata, con que en las tiendas ponen en el peso las mercancías secas para librearlas¹. ‖ **3.** *Com.* El que libra una letra de cambio.

librador², ra. (Del lat. *liberātor, -ōris*.) adj. Que libra o liberta. Ú. t. c. s.

libramiento. m. Acción y efecto de librar. ‖ **2.** Orden que se da por escrito para que el tesorero, mayordomo, etc., pague una cantidad de dinero u otro género. ‖ **3.** ant. Acción de librar, juzgar, decidir. ‖ **4.** ant. Chanza o burla pesadas.

librancista. com. Persona que tiene una o más libranzas a su favor.

libranza. (De *librar*.) f. Orden de pago que se da, ordinariamente por carta, contra uno que tiene fondos a disposición del que la expide, la cual, cuando es a la orden, equivale a la letra de cambio. ‖ **2.** Libramiento u orden de pago. ‖ **3.** ant. Libración o libertad.

librar. (Del lat. *liberāre*.) tr. Sacar o preservar a uno de un trabajo, mal o peligro. Ú. t. c. prnl. ‖ **2.** Tratándose de la confianza, ponerla o fundarla en una persona o cosa. ‖ **3.** Construido con ciertos sustantivos, dar o expedir lo que estos significan. LIBRAR *sentencia, real provisión, decretos, carta de pago.* ‖ **4.** ant. Juzgar, decidir. ‖ **5.** *Com.* Expedir letras de cambio, libranzas, cheques y otras órdenes de pago, a cargo de uno que tenga fondos a disposición del librador. ‖ **6.** intr. desus. Salir la religiosa a hablar en el locutorio o a la red. ‖ **7.** fam. Parir la mujer. ‖ **8.** fam. Disfrutar de su día de descanso los empleados u obreros. ‖ **9.** Echar la placenta la mujer que está de parto. **a bien, o a buen, librar.** loc. adv. Lo menos mal que puede, podrá o pudo suceder. ‖ **librar bien, o mal.** fr. Salir feliz, o infelizmente, de un lance o negocio. ‖ **librar en uno, o en una cosa.** fr. Fundar, confiar, cifrar.

libratorio. m. Locutorio con reja de los conventos y cárceles.

librazo. m. aum. de **libro.** ‖ **2.** Golpe dado con un libro.

libre. (Del lat. *liber, -ĕra*.) adj. Que tiene facultad para obrar o no obrar. ‖ **2.** Que no es esclavo. ‖ **3.** Que no está preso. ‖ **4.** Licencioso, insubordinado. ‖ **5.** Atrevido, desenfrenado. *Es muy* LIBRE *en hablar.* ‖ **6.** Disoluto, torpe, deshonesto. ‖ **7.** Suelto, no sujeto. ‖ **8.** Dícese del sitio, edificio, etc., que está solo y aislado y que no tiene casa contigua. ‖ **9.** Exento, privilegiado, dispensado. *Estoy* LIBRE *del voto.* ‖ **10.** Soltero, célibe. ‖ **11.** **independiente.** *El que no está sujeto a padres ni amos o superiores domésticos, es* LIBRE. ‖ **12.** Desembarazado o exento de un daño o peligro. *Estoy* LIBRE *de penas, de cuidados.* ‖ **13.** Que tiene esfuerzo y ánimo para hablar lo que conviene a su estado u oficio. ‖ **14.** Aplícase a los sentidos y a los miembros del cuerpo que tienen expedito el ejercicio de sus funciones. *Tiene la voz* LIBRE. ‖ **15.** Inocente, sin culpa. ‖ **16.** V. **absolución, lucha, paso, rueda, sílaba, verso, vientre libre.** ‖ **17.** Dícese del tiempo de que dispone una persona, al margen de sus ocupaciones habituales. ‖ **18.** Aplicado a un espacio o lugar, no ocupado. ‖ **19.** V. **bienes, manos, palabras libres.** ‖ **20.** V. **libre cambio.** ‖ **21.** ant. *Der.* V. **carta de libre.** ‖ **por libre.** loc. adv. Con verbos como *ir, actuar, andar,* etc., sin someterse a las costumbres establecidas.

librea. (Del fr. *livrée*.) f. Traje que los príncipes, señores y algunas otras personas o entidades dan a sus criados; por lo común, uniforme y con distintivos. ‖ **2.** Vestido uniforme que usaban las cuadrillas de caballeros en los festejos públicos. ‖ **3.** fig. Paje o criado que usa **librea.** ‖ **4.** *Mont.* Pelaje de los venados y otras reses.

librear¹. tr. Vender o distribuir una cosa por libras.

librear². (De *librea*.) tr. p. us. Adornar, embellecer con galas. Ú. t. c. prnl.

librecambio. m. *Econ.* Sistema económico que suprime las trabas al comercio internacional.

librecambismo. m. Doctrina que defiende el librecambio.

librecambista. adj. Partidario del librecambio. Ú. t. c. s. ‖ **2.** Perteneciente o relativo al librecambio.

libredumbre. f. ant. **libertad.**

librejo. m. d. de **libro.** ‖ **2.** despect. **libraco.**

libremente. adv. m. Con libertad.

librepensador, ra. adj. Partidario del librepensamiento. Ú. t. c. s.

librepensamiento. (De *libre* y *pensamiento*.) m. Doctrina que reclama para la razón individual independencia absoluta de todo criterio sobrenatural.

librera. f. *Guat.* y *Pan.* **librería,** mueble con estanterías para colocar libros.

librería. f. **biblioteca,** local en que se tienen libros. ‖ **2.** **biblioteca,** conjunto de estos libros. ‖ **3.** Tienda donde se venden libros. ‖ **4.** Ejercicio o profesión de librero. ‖ **5.** Mueble con estantes para colocar libros. ‖ **6.** *Argent.* Comercio donde se venden papeles, cuadernos, lápices y otros artículos de escritorio.

libreril. adj. Perteneciente o relativo al comercio de libros.

librero, ra. (Del lat. *librarĭus*.) m. y f. Persona que tiene por oficio vender libros. ‖ **2.** m. ant. El que tenía por oficio encuadernarlos. ‖ **3.** *Méj.* **librería,** mueble con estanterías para colocar libros.

libresco, ca. adj. Perteneciente o relativo al libro. ‖ **2.** Dícese especialmente del escritor o autor que se inspira sobre todo en la lectura de libros.

libreta¹. f. d. de **libra.** ‖ **2.** En varias partes, pan de una libra.

libreta². (De *libro*.) f. Cuaderno o libro pequeño destinado a escribir en él anotaciones o cuentas. ‖ **2.** Cartilla que se da a las sirvientes. ‖ **3.** La que expide una caja de ahorros. ‖ **cívica.** *Argent.* Documento oficial con el que la mujer acredita su identidad a efectos electorales y de la vida cotidiana. ‖ **de enrolamiento.** *Argent.* Documento oficial con que el varón acredita su identidad a efectos militares, electorales o de la vida cotidiana.

librete. m. d. de **libro.** ‖ **2.** Braserillo de los pies.

libretín. m. d. de **librete.**

libretista. com. Autor de uno o más libretos.

libreto. (Del it. *libretto*.) m. Obra dramática escrita para ser puesta en música, ya toda ella, como sucede en la ópera, ya solo una parte, como en la zarzuela española y ópera cómica extranjera.

librillo¹. m. **lebrillo.**

librillo². m. d. de **libro.** ‖ **2.** Cuadernito de papel de fumar. ‖ **3.** libro del estómago de los rumiantes. ‖ **4.** Especie de bisagra diminuta para las cajas muy pequeñas. ‖ **de cera.** Porción de cerilla que se plegaba en varias formas, pero especialmente en la aplanada, semejante a un

librillo², y servía para llevar fácilmente luz a cualquier parte. ‖ **de oro, o plata.** Aquel en que los batihojas ponen los panes de oro o plata entre hojas de papel empolvadas de minio, para que no se peguen a ellas las láminas de metal.

libro. (Del lat. *liber, libri.*) m. Conjunto de muchas hojas de papel, vitela, etc., ordinariamente impresas, que se han cosido o encuadernado juntas con cubierta de papel, cartón, pergamino u otra piel, etc., y que forman un volumen. ‖ **2.** Obra científica o literaria de bastante extensión para formar volumen. ‖ **3.** Cada una de ciertas partes principales en que suelen dividirse las obras científicas o literarias, y los códigos y leyes de gran extensión. ‖ **4. libreto.** ‖ **5.** fig. Contribución o impuesto. *No he pagado los* LIBROS; *andan cobrando los* LIBROS. ‖ **6.** *Der.* Para los efectos legales, en España, todo impreso no periódico que contiene 49 páginas o más, excluidas las cubiertas. ‖ **7.** *Zool.* Tercera de las cuatro cavidades en que se divide el estómago de los rumiantes. ‖ **amarillo, azul, blanco, rojo,** etc. **libro** que contiene documentos diplomáticos y que publican en determinados casos los gobiernos, para información de los órganos legislativos o de la opinión pública. ‖ **antifonal,** o **antifonario.** El de coro en que se contienen las antífonas de todo el año. ‖ **blanco.** V. **libro amarillo.** ‖ **borrador. borrador** en el que los comerciantes hacen sus apuntes. ‖ **copiador.** El que en las casas de comercio sirve para copiar en él la correspondencia. ‖ **de acuerdo.** *Der.* **libro** en que se hacen constar las resoluciones que adopta un tribunal sobre los objetos de aplicación general u otros que no sean la sustanciación, vista y fallo de los pleitos y causas. ‖ **de acuerdos.** El que recoge las resoluciones que se toman en las sesiones del ayuntamiento o de otras corporaciones. ‖ **de asiento.** El que sirve para anotar o escribir lo que importa tener presente. ‖ **de becerro. becerro, libro** de las iglesias y comunidades. ‖ **de caballerías.** Especie de novela en que se cuentan las hazañas y hechos fabulosos de caballeros aventureros o andantes. ‖ **de cabecera.** El que se tiene a la cabecera de la cama para frecuentar su lectura. ‖ **2.** Por ext., cualquier **libro** por que se manifiesta extraordinaria preferencia. ‖ **de caja.** El que tienen los hombres de negocios y comerciantes para anotar la entrada y salida del dinero. ‖ **de coro. libro** grande, cuyas hojas regularmente son de pergamino, en que están escritos los salmos, antífonas, etc., que se cantan en el coro, con sus notas musicales. ‖ **de cuentas ajustadas.** Prontuario de contabilidad elemental, dispuesto en diversidad de tablas de uso fácil. ‖ **de escolaridad.** El que recoge las calificaciones obtenidas por el alumno en cada curso. ‖ **de familia.** Aquel en que constan los datos de una familia referentes al estado civil de los esposos y al nacimiento de los hijos. ‖ **de fondo.** Hablando de los **libros** que tiene de venta un librero, cada uno de los que ha impreso por su cuenta, o cuya propiedad ha adquirido en gran número, a distinción de los de surtido. ‖ **de horas. libro** en que se contienen las horas canónicas. ‖ **de inventarios.** *Com.* Aquel en que periódicamente se han de hacer constar todos los bienes y derechos del activo y todas las deudas y obligaciones del pasivo de cada comerciante, persona natural o jurídica, y balance general de su giro. ‖ **del acuerdo. libro de acuerdo.** ‖ **de las cuarenta hojas.** fig. y fam. Baraja de naipes. ‖ **de la vida.** fig. *Teol.* Conocimiento de Dios relativo a los elegidos, en el cual se consideran como inscritos los predestinados a la gloria, ya de una manera irrevocable por estar ordenados a ella como fin, o de modo revocable por estar ordenados a ella por la gracia. ‖ **de lo salvado. libro** en que se sentaban y registraban las mercedes, gracias y concesiones que hacían los reyes. ‖ **de mano.** El que está manuscrito. ‖ **de memoria.** El que sirve para apuntar en él lo que no se quiere fiar a la memoria. ‖ **de misa. libro** con que los fieles van siguiendo el texto y orden de la misa. ‖ **de mú-**

sica. El que tiene escritas las notas para tocar y cantar las composiciones musicales. ‖ **de oro.** El que contenía el registro de la nobleza veneciana. ‖ **de surtido.** Cada uno de los que reciben los libreros para venderlos por comisión. ‖ **de texto.** El que sirve en las aulas para que estudien por él los escolares. ‖ **diario.** *Com.* Aquel en que se van asentando día por día y por su orden todas las operaciones del comerciante relativas a su giro o tráfico. ‖ **entonatorio.** El que sirve para entonar en el coro. ‖ **maestro. libro** principal en que se anotan y registran las noticias pertenecientes al gobierno económico de una casa. ‖ **2.** *Mil.* El que contiene las filiaciones y también las partidas que recibe el soldado, y se confrontan con las libretas. ‖ **mayor. libro maestro.** ‖ **2.** *Com.* Aquel en que, por debe y haber, ha de llevar el comerciante, sujetándose a riguroso orden de fechas, las cuentas corrientes con las personas u objetos bajo cuyos nombres estén abiertas. ‖ **moral.** Cada uno de los cinco **libros** de la Sagrada Escritura denominados en particular los Proverbios, el Eclesiastés, el Cantar de los Cantares, la Sabiduría y el Eclesiástico, que abundan en máximas sabias y edificantes. Ú. m. en pl. ‖ **penador.** En algunos pueblos, el que tiene la justicia para sentar las penas a que condena a los que rompen con el ganado los cotos y límites de las heredades y sitios vedados. ‖ **procesionario.** El que se lleva en las procesiones, y donde están las preces y oraciones que se deben cantar. ‖ **ritual.** El que enseña el orden de las sagradas ceremonias y administración de los sacramentos. ‖ **rojo.** V. **libro amarillo.** ‖ **sagrado.** Cada uno de los de la Sagrada Escritura recibidos por la Iglesia. Ú. m. en pl. ‖ **sapiencial. libro moral.** Ú. m. en pl. ‖ **talonario.** El que sólo contiene libranzas, recibos, cédulas, billetes u otros documentos, de los cuales, cuando se cortan, queda una parte encuadernada para comprobar su legitimidad o falsedad para otros varios efectos. ‖ **verde.** fig. y fam. **libro** o cuaderno en que se escriben noticias particulares y curiosas de algunos países y personas, y en especial de los linajes, y de los que tienen de bueno o de malo. ‖ **2.** fig. y fam. Persona dedicada a semejantes averiguaciones. ‖ **gran libro.** El que llevan las oficinas de la deuda pública para anotar las inscripciones nominativas de las rentas perpetuas a cargo del Estado, pertenecientes a comunidades, corporaciones, instituciones o personas particulares. ‖ **ahorcar, o colgar, los libros.** frs. fig. y fam. Abandonar los estudios. ‖ **cantar a libro abierto.** fr. fig. Cantar de repente una composición musical. ‖ **hablar uno con libro.** fr. fig. Hablar con corrección, elegancia y autoridad. Ú. t. con ironía. ‖ **hacer uno libro nuevo.** fr. fig. y fam. Empezar a corregir sus vicios con una vida arreglada. ‖ **2.** fig. y fam. Introducir novedades. ‖ **meterse uno en libros de caballerías.** fr. fig. Mezclarse en lo que no le importa o donde no le llaman. ‖ **no estar una cosa en los libros de** uno. fr. fig. y fam. Serle extraña una materia, o ser ajena a su manera de pensar. ‖ **no haber necesidad de, o no ser menester, abrir ni cerrar ningún libro para** una cosa. fr. fig. y fam. No requerir esta, por ser muy clara, sencilla o fácil, meditación ni estudio. ‖ **quemar uno sus libros.** fr. fig. que se usa para esforzar la propia opinión o contrariar la ajena.

librote. m. aum. de **libro.**

licantropía. (Del gr. λυκανθρωπία.) f. *Pat.* Manía en que el enfermo se imagina estar transformado en lobo e imita los aullidos de este animal. ‖ **2.** *Pat.* fam. de **zoantropía.**

licántropo. (Del gr. λυκάνθρωπος.) m. *Pat.* El afectado de licantropía.

liceísta. com. Socio de un liceo.

licencia. (Del lat. *licentia.*) f. Facultad o permiso para hacer una cosa. ‖ **2.** Documento en que consta la licencia. ‖ **3.** Abusiva libertad en decir u obrar. ‖ **4.** Grado de licenciado. ‖ **5. claustro de licencias.** ‖ **6.** pl. Las que dan a los eclesiásticos los superiores para celebrar, predicar, etc., por tiempo indefinido. ‖ **absoluta.** *Mil.* La que se concede a los militares eximiéndolos completa y definitivamente del servicio. ‖ **de artes.** Junta particular que en la universidad de Alcalá formaban los sujetos que por designación del claustro pleno examinaban a los bachilleres de ella, y, hallándolos hábiles, arreglaban el rótulo o graduación de preferencia con que habían de tomar el grado de licenciado. ‖ **poética.** Infracción de las leyes del lenguaje o del estilo que puede cometerse lícitamente en la poesía, por haberla autorizado el uso con aprobación de los doctos. ‖ **primero, segundo,** etc., **en licencias.** En la universidad de Alcalá, decíase de los sujetos que en las **licencias** se señalaban para que recibiesen por este orden el grado de una facultad. ‖ **tomarse** uno **la licencia.** fr. Hacer por sí e independientemente una cosa sin pedir la **licencia** o facultad que por obligación o cortesía se necesita para ejecutarla.

licenciadillo. (d. de *licenciado.*) m. fig. y fam. El que andaba vestido de hábitos clericales y era ridículo en su persona o acciones.

licenciado, da. p. p. de **licenciar.** ‖ **2.** adj. Dícese de la persona que se precia de entendida. ‖ **3.** Que ha sido declarado libre. ‖ **4.** m. y f. Persona que ha obtenido en una facultad el grado que le habilita para ejercerla. ‖ **5.** m. fam. El que vestía hábitos largos o traje de estudiante. ‖ **6.** Tratamiento que se da a los abogados. ‖ **7.** Soldado que ha recibido su licencia absoluta. ‖ **vidriera.** fig. Persona excesivamente delicada y tímida.

licenciador, ra. adj. Que licencia para usar una patente. Ú. t. c. s.

licenciamiento. m. p. us. **licenciatura,** acto de recibir el grado de licenciado. ‖ **2.** Acción y efecto de licenciar a los soldados.

licenciar. (Del lat. *licentiāre.*) tr. Dar permiso o licencia. ‖ **2.** Despedir a uno. ‖ **3.** Conferir el grado de licenciado. ‖ **4.** Dar a los soldados licencia absoluta. ‖ **5.** Conceder el titular de una patente a otra persona o entidad el derecho de usar aquella con fines industriales o comerciales. ‖ **6.** prnl. p. us. Hacerse licencioso o desordenado. ‖ **7.** Recibir el grado de licenciado.

licenciatura. (De *licenciar.*) f. Grado de licenciado. ‖ **2.** Acto de recibirlo. ‖ **3.** Estudios necesarios para obtener este grado.

licenciosamente. adv. m. Con demasiada licencia y libertad.

licencioso, sa. (Del lat. *licentiōsus.*) adj. Libre, atrevido, disoluto.

liceo. (Del gr. Λύκειον, a través del lat. *Lycēum.*) m. Uno de los tres gimnasios de la antigua Atenas, donde enseñó Aristóteles, situado cerca del templo de Apolo Liceo, extramuros de la ciudad. ‖ **2.** Escuela aristotélica. ‖ **3.** Nombre de ciertas sociedades literarias o de recreo. ‖ **4.** En algunos países, instituto de enseñanza media.

licio, cia. (Del lat. *Lycĭus.*) adj. Natural de Licia. Ú. t. c. s. ‖ **2.** Perteneciente o relativo a este país de Asia antigua.

lición. f. ant. **lección.**

licionario. m. ant. **leccionario.**

licitación. (Del lat. *licitatĭo, -ōnis.*) f. *Der.* Acción y efecto de licitar.

licitador, ra. (De *licitar.*) m. y f. El que licita.

lícitamente. adv. m. Legítimamente, con justicia y derecho.

licitar. (Del lat. *licitāri.*) tr. Ofrecer precio por una cosa en subasta o almoneda.

lícito, ta. (Del lat. *licĭtus.*) adj. Justo, permitido, según justicia y razón. ‖ **2.** Que es de la ley o calidad debida.

licitud. f. Cualidad de lícito.

licnobio, bia. (Del gr. λυχνόβιος, que vive a la luz de la lámpara.) adj. Dícese de la persona que vive con luz artificial, haciendo de la noche día. Ú. t. c. s.

licopeno. (Del ing. *lycopen.*) m. *Biol.* y *Quím.* Carotinoide de color rojo, típico de los tomates, pimientos y otros frutos semejantes.

licopodíneo, a. (De *licopodio* e *-ineo.*) adj. *Bot.* Dícese de plantas criptógamas del tipo de las pteridofitas, con hojas pequeñas y muy sencillas, y que se distinguen de los otros vegetales del mismo grupo por la ramificación dicótoma de sus tallos y raíces; como el licopodio. Ú. t. c. s. f. ‖ **2.** f. pl. *Bot.* Clase de estas plantas.

licopodio. (Del gr. λύκος, lobo, y πούς, ποδός, pie.) m. *Bot.* Planta de la clase de las licopodíneas, por lo común rastrera, de hojas simples, gruesas e imbricadas, que crece ordinariamente en lugares húmedos y sombríos.

licor. (Del lat. *liquŏr, -ōris.*) m. Cuerpo líquido. ‖ **2.** Bebida espirituosa obtenida por destilación, maceración o mezcla de diversas sustancias, y compuesta de alcohol, agua, azúcar y esencias aromáticas variadas.

licorera. f. Utensilio de mesa donde se colocan las botellas o frascos de licor y a veces los vasitos o copas en que se sirve. ‖ **2.** Botella de cristal decorada para guardar y servir licores. ‖ **3.** Mueble, ordinariamente pequeño, o departamento de otro mayor, destinado a guardar botellas de licor u otras bebidas.

licorista. com. Persona que hace o vende licores.

licoroso, sa. (De *licor.*) adj. Aplícase al vino espiritoso y aromático.

lictor. (Del lat. *lictŏr, -ōris.*) m. Entre los romanos, ministro de justicia que precedía con las fasces a los cónsules y a otros magistrados.

licuable. (Del lat. *liquabĭlis.*) adj. Que se puede licuar.

licuación. (Del lat. *liquatĭo, -ōnis.*) f. Acción y efecto de licuar o licuarse.

licuadora. f. Aparato eléctrico para licuar frutas u otros alimentos.

licuar. (Del lat. *liquāre.*) tr. Hacer líquida una cosa sólida o gaseosa, liquidar. Ú. t. c. prnl. ‖ **2.** *Min.* Fundir un metal sin que se derritan las demás materias con que se encuentra combinado, a fin de separarlo de ellas. Ú. t. c. prnl.

licuecer. (Del lat. *liquescĕre.*) tr. ant. **licuar.** Ú. t. c. prnl.

licuefacción. (Del lat. *liquefactus.*) f. Acción y efecto de licuefacer o licuefacerse.

licuefacer. (Del lat. *liquefacĕre.*) tr. desus. Hacer líquida una cosa sólida o gaseosa, licuar, licuecer, liquidar. Usáb. t. c. prnl.

licuefactible. (De *licuefacer.*) adj. **licuable.**

licuefactivo, va. (Del lat. *liquefactus* e *-ivo.*) adj. Que tiene aptitud o fuerza para licuar.

licuor. (Del lat. *liquŏr, -ōris.*) m. ant. **licor.**

licurgo, ga. (Por alusión a *Licurgo,* famoso legislador espartano.) adj. p. us. fig. Inteligente, astuto, hábil. ‖ **2.** m. p. us. fig. El que legisla, legislador.

lichera. (De *lechuaría,* t. f. de *-rius,* propio del lecho.) f. ant. Manta o cobertor para el lecho.

lid. (Del lat. *lis, litis.*) f. Combate, pelea. ‖ **2.** V. **fiel de lides.** ‖ **3.** ant. Pleito judicial. ‖ **4.** fig. Disputa, contienda de razones y argumentos. ‖ **5.** *Der.* En lo antiguo, prueba judicial mediante el reto y duelo de las partes. ‖ **en buena lid.** loc. adv. Por buenos medios. ‖ **lid ferida de palabras.** loc. ant. *Der.* Demanda o pleito contestado.

líder. (Del ing. *leader,* guía.) m. Director, jefe o conductor de un partido político, de un grupo social o de otra colectividad. ‖ **2.** El que va a la cabeza de una competición deportiva.

liderar. tr. Dirigir o estar a la cabeza de un grupo, partido político, competición, etc.

liderato. m. Condición de líder o ejercicio de sus actividades.

liderazgo. m. **liderato.** ‖ **2.** Situación de superioridad en que se halla una empresa, un producto o un sector económico, dentro de su ámbito.

lidia. f. Acción de lidiar.

lidiadero, ra. adj. Que puede lidiarse o torearse.

lidiador, ra. m. y f. Persona que lidia.

lidiar. (Del lat. *litigăre,* luchar.) intr. Batallar, pelear. ‖ **2.** ant. Pleitear, litigar. ‖ **3.** fig. Hacer frente a uno, oponérsele. Ú. t. c. tr. ‖ **4.** fig. Tratar, comerciar con una o más personas que causan molestia y ejercitan la paciencia. Ú. t. c. tr. ‖ **5.** tr. Luchar con el toro incitándolo y esquivando sus acometidas hasta darle muerte.

lidio, dia. (Del lat. *Lydĭus.*) adj. Natural de Lidia. Ú. t. c. s. ‖ **2.** Perteneciente o relativo a este país de Asia antigua.

liebrastón. (De *liebratón.*) m. Liebre nueva grande, lebrastón.

liebratico. m. **lebrato.**

liebratón. (De *liebre.*) m. Liebre nueva grande, lebratón.

liebre. (Del lat. *lepus, -ŏris.*) f. Mamífero del orden de los lagomorfos, que mide unos siete decímetros desde la cabeza hasta la cola, y 20 a 24 centímetros de altura; con pelaje suave y espeso de color negro rojizo en la cabeza y lomo, leonado en el cuello y patas, y blanco en el pecho y vientre; la cabeza proporcionalmente pequeña, con hocico estrecho y orejas muy largas, de color gris con las puntas negras; el cuerpo estrecho, las extremidades posteriores más largas que las anteriores, y la cola corta, negra por encima y blanca por debajo. Es animal muy tímido, solitario, de veloz carrera, que abunda en España. Vive preferentemente en las llanuras, sin hacer madrigueras, y descansa en camas que muda con frecuencia. Su carne es comestible apreciado y su piel más estimada que la del conejo. ‖ **2.** V. **pie de liebre.** ‖ **3.** fig. y fam. Hombre tímido y cobarde. ‖ **de mar** o **marina.** Molusco gasterópodo, con el cuerpo desnudo, por provisto de una concha oculta en el manto; tiene un cuello alargado y cuatro tentáculos cefálicos, de los cuales dos son grandes, parecidos a las orejas del mamífero, de donde se viene el nombre. Se encuentran varias especies en las costas de la Península Ibérica. ‖ **coger una liebre.** fr. fig. y fam. Caerse al suelo el que resbala o tropieza, sin daño o con daño leve. ‖ **comer una liebre.** fr. fig. y fam. Ser cobarde. ‖ **levantar una la liebre.** fr. fig. y fam. **levantar la caza.** ‖ **seguir** uno **la liebre.** fr. fig. y fam. Continuar averiguando o buscando una cosa por la señal o indicio que de ella se tiene.

liebrecilla. f. d. de **liebre.** ‖ **2. aciano,** planta.

liebrezuela. f. d. de **liebre.**

liego, ga. (De or. inc.) adj. Dícese de la tierra que no sirve para sembrar, lleco. Ú. t. c. s.

liendre. (Del lat. vulg. *lendis, lendĭnis.*) f. Huevo de piojo, que suele estar adherido a los pelos de los animales huéspedes de este parásito. ‖ **cascarle,** o **machacarle,** a uno **las liendres.** fr. fig. y fam. Aporrearlo, darle de palos. ‖ **2.** fig. y fam. Argüirle o reprenderle con vehemencia.

lientera. (der. regres. de *lientería.*) f. *Pat.* **lientería.**

lientería. (Del gr. λειεντερία.) f. *Pat.* Diarrea de alimentos no digeridos.

lientérico, ca. (Del gr. λειεντερικός, a través del lat. *lienterĭcus.*) adj. Perteneciente o relativo a la lientería. ‖ **2.** Que la padece.

liento, ta. (Del lat. *lentus.*) adj. p. us. Húmedo, algo mojado.

lienza. (De *lienzo.*) f. Lista o tira estrecha de cualquier tela.

lienzo. (Del lat. *lintĕum.*) m. Tela que se fabrica de lino, cáñamo o algodón. ‖ **2.** Pañuelo de **lienzo,** algodón o hiladillo, que sirve para limpiar las narices y el sudor. ‖ **3.** Tela preparada para pintar sobre ella. ‖ **4.** Pintura que está sobre **lienzo.** ‖ **5.** Fachada del edificio o pared, que se extiende de un lado a otro. ‖ **6.** *Fort.* Porción de muralla

que corre en línea recta de baluarte a baluarte o de cubo a cubo.

lieva. (De *lievar.*) f. ant. Acción de llevar una cosa. ‖ **2.** ant. La misma cosa que se lleva.

lievar. (De *levar,* infl. por *lievo.*) tr. ant. **llevar.**

lieve. (Del lat. *levis, leve.*) adj. ant. **leve.** ‖ **de lieve.** loc. adv. ant. Ligeramente, con facilidad.

lifara. f. fam. *Ar.* **alifara.**

liga[1]. (De *ligar.*) f. Cinta o banda de tejido elástico, a veces con hebilla, para asegurar las medias o los calcetines. ‖ **2.** Venda o faja. ‖ **3.** Unión o mezcla. ‖ **4.** Acción y efecto de alear dos metales, fundiéndolos. ‖ **5.** Confederación que hacen entre sí los príncipes o Estados para defenderse de sus enemigos o para ofenderlos. ‖ **6.** Por ext., agrupación o concierto de individuos o colectividades humanas con algún designio común. ‖ **7.** Competición deportiva en que cada uno de los equipos admitidos ha de jugar con todos los de su categoría. ‖ **8.** Cantidad de cobre que se mezcla con el oro o la plata cuando se bate moneda o se fabrican alhajas. ‖ **hacer** una **buena,** o **mala, liga con** otro. fr. Convenir, o no, con él por sus condiciones.

liga[2]. (De or. inc.) f. Muérdago. ‖ **2.** Masa hecha con zumo del muérdago para cazar pájaros.

ligación. (De *liga*[1].) f. Acción y efecto de ligar cosas.

ligada. f. *Mar.* Vuelta con que se aprieta una cosa.

ligado, da. p. p. de **ligar.** ‖ **2.** m. Unión o enlace de las letras en la escritura. ‖ **3.** *Mús.* Unión de dos puntos sosteniendo el valor de ligar o unir ambos sólo el primero. ‖ **4.** *Mús.* Modo de ejecutar una serie de notas diferentes sin interrupción de sonido entre unas y otras, por contraposición al picado.

ligadura. (Del lat. *ligatūra.*) f. Vuelta que se da apretando una cosa con liga[1], venda u otra atadura. ‖ **2.** Acción y efecto de ligar, usar un maleficio contra uno. ‖ **3.** fig. Sujeción con que una cosa está unida a otra. ‖ **4.** *Cir.* Venda o cinta con que se aprieta a dar a garrote. ‖ **5.** *Mús.* Artificio con que se ata o liga la disonancia con la consonancia, quedando como impedida o impedida para que no cause el mal efecto que por sí sola causaría.

ligagamba. (De *ligar* y *gamba.*) f. ant. Liga de las medias y calcetines.

ligallero. m. *Ar.* Individuo de la junta de gobierno del ligallo.

ligallo. (Del lat. **ligacŭlum,* de *ligăre,* atar.) m. *Ar.* Junta anual de los ganaderos y pastores para tratar de lo concerniente a su industria.

ligamaza. f. Sustancia viscosa, particularmente la que envuelve las semillas de algunas plantas.

ligamen. (Del lat. *ligāmen,* atadura.) m. Maleficio durante el cual se creía supersticiosamente que quedaba ligada la facultad de la generación. ‖ **2.** *Der.* Impedimento dirimente que para nuevo matrimonio supone el vínculo de un matrimonio anterior no disuelto legalmente.

ligamento. (Del lat. *ligamentum.*) m. Acción y efecto de ligar o ligarse. ‖ **2.** *Anat.* Cordón fibroso muy homogéneo y de gran resistencia, que une los huesos de las articulaciones. ‖ **3.** *Anat.* Pliegue membranoso que enlaza o sostiene en la debida posición cualquier órgano del cuerpo de un animal.

ligamentoso, sa. adj. Que tiene ligamentos.

ligamiento. (Del lat. *ligamentum.*) m. Acción y efecto de ligar o atar. ‖ **2.** fig. Unión, conformidad en las voluntades.

ligapierna. (De *ligar* y *pierna.*) f. ant. Liga[1] de las medias y calcetines.

ligar. (Del lat. *ligăre.*) tr. **atar.** ‖ **2. alear**[2]. ‖ **3.** Mezclar cierta porción de otro metal con el oro o con la plata cuando se bate moneda o se fabrican alhajas. ‖ **4.** Unir o enlazar. ‖ **5.** fig. Usar algún maleficio contra uno con el fin de hacerlo, según la creencia del vulgo, impotente para la generación. ‖ **6.** fig. **obligar,** mover o impulsar a cumplir algo. Ú. t. c. prnl. ‖ **7. obligar,** ganar la voluntad de uno mediante dádivas. Ú. t. c. prnl. ‖ **8.** ant. **encuadernar.** ‖ **9.** *Taurom.* Ejecutar los pases o suertes sin interrupción aparente. ‖ **10.** intr. En ciertos juegos de naipes, juntar dos o más cartas adecuadas al lance. ‖ **11.** fig. y fam. Entablar relaciones amorosas pasajeras. ‖ **12.** prnl. Confederarse, unirse para algún fin.

ligarza. (De *ligar.*) f. *Ar.* Atado o legajo de papeles o cosas semejantes de una misma clase.

ligaterna. (De *lagartezna.*) f. *Burg., Cuen.* y *Pal.* **lagartija.**

ligatura. f. ant. **ligadura.**

ligazón. (Del lat. *ligatio, -ōnis.*) f. Unión, trabazón, enlace de una cosa con otra. ‖ **2.** *Mar.* Cualquiera de los maderos que se enlazan para componer las cuadernas de un buque.

ligeramente. adv. m. Con ligereza. ‖ **2.** De paso, levemente. ‖ **3.** fig. Sin reflexión, de ligero. ‖ **4.** ant. fig. Con facilidad.

ligerez. f. ant. **ligereza.**

ligereza. (De *ligero.*) f. Presteza, agilidad. ‖ **2.** Levedad o poco peso de una cosa. ‖ **3.** fig. Inconstancia, volubilidad, inestabilidad. ‖ **4.** fig. Hecho o dicho de alguna importancia, pero irreflexivo o poco meditado.

ligero, ra. (Del fr. *léger.*) adj. Que pesa poco. ‖ **2.** Ágil, veloz, pronto. ‖ **3.** Aplícase al sueño que se interrumpe fácilmente al menor ruido. ‖ **4.** Leve, de poca importancia y consideración. ‖ **5.** V. **artillería, caballería, fragata, infantería ligera.** ‖ **6.** V. **caballo, perico ligero.** ‖ **7.** fig. Hablando de alimentos, que se digiere pronto y fácilmente. ‖ **8.** fig. Inconstante, voltario, que muda fácilmente de opinión. ‖ **9.** *Mil.* V. **paso ligero.** ‖ **10.** *Mil.* V. **tropa ligera.** ‖ **11.** *Quim.* Dícese de la fracción primera que se produce en una destilación. ‖ **a la ligera.** loc. adv. Con brevedad y prisa, y sin reflexión. ‖ **2.** fig. Sin aparato, con menos comodidad y compañía de la que corresponde. ‖ **de ligero.** loc. adv. fig. Sin reflexión. *Creer, partir* DE LIGERO. ‖ **2.** ant. fig. Con facilidad.

ligeruelo, la. adj. d. de **ligero.** ‖ **2.** V. **uva ligeruela.**

ligio. (Del b. lat. *ligius,* vasallo.) adj. V. **feudo ligio.**

lignáloe. (Del lat. *lignum alŏes,* palo de áloe.) m. ant. **áloe,** planta. ‖ **2.** ant. **áloe,** jugo de esta planta.

lignario, ria. (Del lat. *lignarĭus.*) adj. De madera o perteneciente a ella.

lignificación. f. *Bot.* Acción y efecto de lignificar o lignificarse.

lignificar. (Del lat. *lignum,* leño, madero, y *-ficar.*) tr. *Bot.* Dar a algo contextura de madera. ‖ **2.** prnl. *Bot.* Tomar consistencia de madera; en el proceso de desarrollo de muchas plantas, pasar de la consistencia herbácea a la leñosa.

lignito. (Del lat. *lignum,* leño, e *-ito*[2].) m. Carbón fósil que no produce coque cuando se calcina en vasos cerrados. Es un combustible de mediana calidad, de color negro o pardo, y tiene con frecuencia textura semejante a la de la madera de que procede.

lígnum crucis. (Expresión compuesta del lat. *lignum,* madero, y *crucis,* de la cruz.) m. Reliquia de la cruz de Cristo.

ligón[1]. (Del lat. *ligo, -ōnis.*) m. **legón,** especie de azada.

ligón[2], **na.** adj. vulg. Que entabla con frecuencia relaciones amorosas. Ú. m. c. s.

ligona. f. *Ar.* Especie de azada, ligón.

lígrime. adj. *Sal.* **lígrimo.**

lígrimo, ma. (Del lat. *legitĭmus.*) adj. *Cantabria* y *Sal.* Puro, castizo. *Charro* LÍGRIMO. ‖ **2.** *Sal.* Limpio, sin gastos ni cargas. *Renta* LÍGRIMA. ‖ **3.** *Sal.* Apto, dispuesto. ‖ **4.** *Sal.* Sano, gallardo, fuerte. ‖ **5.** V. **ajo lígrimo.** ‖ **6.** m. *Các.* Renuevo vigoroso y recto de un árbol.

ligua. f. Hacha de armas, usada en Filipinas, con el mango de madera y la cabeza de hierro en forma de martillo.

liguano, na. adj. *Chile.* Aplícase a una raza de carneros de lana gruesa y larga. ‖ **2.** *Chile.* Perteneciente o relativo a estos carneros. ‖ **3.** *Chile.* Perteneciente o relativo a la lana de estos carneros. ‖ **4.** *Chile.* Aplícase a lo que con ella se fabrica.

ligue. m. Acción y efecto de ligar, entablar relaciones amorosas transitorias. ‖ **2.** Persona con quien se entablan estas relaciones.

liguero, ra. adj. Perteneciente o relativo a una liga deportiva. *Partido* LIGUERO. ‖ **2.** m. Especie de cinturón o faja estrecha a la que se sujeta el extremo superior de las ligas de las mujeres.

lígula. (Del lat. *ligŭla,* lengüeta.) f. *Bot.* Especie de estípula situada entre el limbo y el pecíolo de las hojas de las gramíneas. ‖ **2.** *Bot.* Pétalo desarrollado en el borde del capítulo de ciertas compuestas, que puede ser de color azul, amarillo o, más comúnmente, blanco, como en las margaritas, matricarias y otras. ‖ **3.** *Anat.* Lámina cartilaginosa que cierra la glotis al deglutir, epiglotis.

ligur. (Del lat. *Ligur, -ūris.*) adj. Natural de Liguria. Ú. t. c. s. ‖ **2.** Perteneciente o relativo a Liguria.

ligurino, na. (Del lat. *Ligurīnus.*) adj. Natural de Liguria. Ú. t. c. s. ‖ **2.** Perteneciente o relativo a este país de la Italia antigua.

ligústico, ca. (Del lat. *Ligustĭcus.*) adj. **ligurino,** perteneciente o relativo a Liguria.

ligustre. m. Flor del ligustro.

ligustrino, na. adj. Perteneciente o relativo al ligustro.

ligustro. (Del lat. *ligustrum.*) m. Alheña, arbusto.

lija. (De or. inc.) f. Pez selacio, del suborden de los escuálidos, de cuerpo casi cilíndrico, que llega a un metro de longitud, cabeza pequeña y boca con muchos dientes de tres puntas; tiene cinco aberturas branquiales a cada lado del cuello; piel grisea con muchas píntas de color pardo rojizo en el lomo, blanquecina en la región abdominal, sin escamas, pero cubierta de una especie de granillos córneos muy duros, que la hacen sumamente áspera; las aletas dorsales tan separadas, que la última cae encima y detrás de la anal, y cola gruesa y escotada. Es animal carnicero, muy voraz, del cual se utiliza, además de la carne, la piel y el aceite que se saca de su hígado. ‖ **2.** Piel seca de este pez o de otro selacio, que por la dureza de sus granillos se emplea para limpiar y pulir metales y maderas. ‖ **3.** Papel con polvos o arenillas de vidrio o esmeril adheridos, que sirve para pulir maderas o metales. ‖ **dar lija.** fr. fig. y fam. *Cuba* y *Sto. Dom.* **adular.** ‖ **darse lija.** fr. fig. y fam. *Cuba* y *Sto. Dom.* **darse pisto.**

lijado, da. p. p. de **lijar**[1]. ‖ **2.** Operación de pulir o alisar algún objeto con papel de lija u otros abrasivos.

lijadura. (De *lijar*[2].) f. *Cantabria.* Lesión, imperfección de una parte del cuerpo.

lijar[1]. (De *lija.*) tr. Alisar, pulir o limpiar una cosa con lija o papel de lija.

lijar[2]. (Del lat. **laesiāre,* de *laesum, laedĕre.*) tr. ant. Lisiar, lastimar. Ú. en Cantabria.

lijo, ja. (De or. inc.) adj. ant. Sucio, inmundo, lijoso. ‖ **2.** m. ant. Suciedad, inmundicia.

lijosamente. (De *lijoso*[1].) adv. m. Con inmundicia, suciamente.

lijoso[1], **sa.** (De *lijo.*) adj. ant. Sucio, inmundo.

lijoso[2], **sa.** (De *lija.*) adj. *Cuba.* Vanidoso.

lila[1]. (Del fr. *lilas.*) f. Arbusto de la familia de las oleáceas, de tres a cuatro metros de altura, muy ramoso, con hojas pecioladas, enteras, acorazonadas, puntiagudas, blandas y nerviosas; flores de color morado claro, salvo en la variedad que las tiene blancas, olorosas, pequeñas, de corola tubular partida en cuatro lóbulos iguales y en grandes ramilletes erguidos y cónicos, y fruto capsular, comprimido, negro, coriáceo, con dos semillas. Es planta originaria de

Persia y muy cultivada en los jardines por la belleza de sus flores. ‖ **2.** Flor de este arbusto. ‖ **3.** adj. De color morado claro, como la flor de la **lila**[1]. Ú. t. c. s. m.

lila[2]. (De *Lille*, ciudad de Flandes, de donde se importó esta tela.) f. Tela de lana de varios colores.

lila[3]. (De la onomat. *lil, lel*, del balbuceo.) adj. fam. Tonto, fatuo. Ú. t. c. s.

lilac. (Del fr. *lilac*.) f. Lila[1], planta, conocida primero con este nombre.

lilaila[1]. f. Vocerío de los moros, lelilí.

lilaila[2]. f. Tela fina de lana o seda, filelí. ‖ **2.** fam. Astucia, treta, bellaquería. Ú. m. en pl.

lilao. (Del port. *leilão*, subasta pública.) m. fam. Ostentación vana en el porte o en palabras y acciones.

liliáceo, a. (Del lat. *liliacĕus*, propio del lirio.) adj. Bot. Dícese de plantas angiospermas monocotiledóneas, casi todas herbáceas, anuales o perennes, de raíz tuberculosa o bulbosa, con hojas opuestas, alternas o verticiladas, sentadas, pecioladas o envainadoras; flores hermafroditas, rara vez solitarias y más a menudo en bohordo; fruto capsular, generalmente con muchas semillas de albumen carnoso, o en baya; como el ajo, el áloe, el brusco y el cólquico. Ú. t. c. s. ‖ **2.** f. pl. Bot. Familia de estas plantas.

lililí. m. Vocerío de los moros, lelilí, lilaila.

lilio. (Del lat. *lilĭum*.) m. ant. lirio.

liliputiense. (Por alusión a los personajes de *Liliput*, imaginados por Swift en sus *Viajes de Gulliver*.) adj. fig. Dícese de la persona extremadamente pequeña o endeble. Ú. t. c. s.

lima[1]. (Del ár. *lima*.) f. Fruto del limero, de forma esferoidal aplanada y de unos cinco centímetros de diámetro, pezón bien saliente de la base, corteza lisa y amarilla, y pulpa verdosa, dividida en gajos, comestible, jugosa y de sabor algo dulce. ‖ **2.** Árbol que da la **lima**[1].

lima[2]. (Del lat. *lima*.) f. Instrumento de acero templado, con la superficie finamente estriada en uno o en dos sentidos, para desgastar y alisar los metales y otras materias duras. ‖ **2.** Cualquier instrumento semejante para pulir. ‖ **3.** Acción de limar. ‖ **4.** fig. Corrección y enmienda de las obras, particularmente de las de entendimiento. ‖ **muza.** La que presenta grano de picadura más fina. ‖ **sorda.** La que está embotada con plomo y hace poco o ningún ruido cuando lima. ‖ **2.** fig. Lo que imperceptiblemente va consumiendo una cosa.

lima[3]. (Del lat. *lima*, term. f. de *-mus*, oblicuo.) f. Arq. Madero que se coloca en el ángulo diedro que forman dos vertientes o faldones de una cubierta, y en el cual se apoyan los pares cortos de la armadura. ‖ **2.** Arq. Este mismo ángulo diedro. ‖ **hoya.** Arq. Este mismo ángulo cuando es entrante. ‖ **tesa.** Arq. Este mismo ángulo cuando es saliente.

limaco. (Del lat. *limax, -ācis*, babosa.) m. Limaza, babosa.

limador. (Del lat. *limātor, -ōris*.) adj. Que lima. Ú. t. c. s. ‖ **2.** Dícese especialmente del operario cuyo oficio es limar. Ú. t. c. s. ‖ **3.** m. desus. Lima[2].

limadura. (Del lat. *limatūra*.) f. Acción y efecto de limar. ‖ **2.** pl. Partecillas muy menudas que con la lima[2] u otra herramienta se arrancan de la pieza que se lima.

limalla. (Del fr. *limaille*.) f. Conjunto de limaduras.

limar. (Del lat. *limāre*.) tr. Gastar o alisar los metales, la madera, etc., con la lima[2]. ‖ **2.** fig. Pulir una obra. ‖ **3.** fig. Debilitar, cercenar alguna cosa material o inmaterial.

limatón. m. Lima[2] de figura redonda, gruesa y áspera, de que se sirven los cerrajeros y otros artífices en sus oficios. ‖ **2.** Col., Chile y Hond. Lima[2] para desgastar metales.

limaza. (Del lat. *limax, -ācis*, babosa.) f. **limaco.**

limazo. (Del lat. *limacĕus*, de *limus*, lodo.) m. Viscosidad o babaza.

limbo. (Del lat. *limbus*.) m. Lugar o seno donde, según la Biblia, estaban detenidas las almas de los santos y patriar-

cas antiguos esperando la redención del género humano. ‖ **2.** Lugar adonde, según la doctrina cristiana, van las almas de los que, antes del uso de la razón, mueren sin el bautismo. ‖ **3.** Borde de una cosa, y con especialidad orla o extremidad de la vestidura. ‖ **4.** Placa que lleva grabada una escala, por lo general con algunos de sus trazos numerados, que se emplea en diversos aparatos de medida para leer la posición que ocupa un índice móvil. ‖ **5.** Astron. Contorno aparente de un astro. ‖ **6.** Bot. Lámina o parte ensanchada de las hojas típicas y, por ext., de los sépalos, pétalos y tépalos. ‖ **de los niños. limbo,** lugar adonde, según la doctrina cristiana, van las almas de los que antes del uso de razón mueren sin el bautismo. ‖ **estar uno en el limbo.** fr. fig. y fam. Estar distraído y como alelado, o pendiente de un suceso, sin poder resolver.

limen. (Del lat. *limen*.) m. poét. Pieza interior o escalón de una puerta o entrada, umbral. ‖ **2.** Paso primero o entrada al conocimiento de una materia.

limeño, ña. adj. Natural de Lima. Ú. t. c. s. ‖ **2.** Perteneciente o relativo a esta ciudad de Perú.

limera. (De *lemera*.) f. Mar. Abertura en la bovedilla de popa, para el paso de la cabeza del timón.

limero, ra. m. y f. Persona que vende limas[1]. ‖ **2.** m. Árbol de la familia de las rutáceas, de cuatro o cinco metros de altura, con tronco liso y ramoso, copa abierta, hojas alternas, aovadas, persistentes, menudamente aserradas, duras, lustrosas, y flores blancas, pequeñas y olorosas. Es originario de Persia y se cultiva en España. Su fruto es la lima[1].

limeta. (Del mozár. *lima, nima,* redoma, y est árabe clás. *nimbus,* vasija de cristal en Marcial.) f. Botella de vientre ancho y corto, y cuello bastante largo. ‖ **no es soplar y hacer limetas.** fr. fig. y fam. Chile. no es soplar y hacer botellas.

limícola. (Del lat. *limus,* lodo, y -*cola*.) adj. Biol. Dícese de los organismos que viven en el limo, barro o lodo. Ú. t. c. s. ‖ **2.** f. pl. Zool. Grupo de aves costeras o ribereñas, como el chorlito, la avefría y la chocha.

liminar. (Del lat. *limināris*.) adj. Referente al umbral, a la entrada. ‖ **2.** Que sirve de prólogo o proemio; preliminar.

limiste. (Del ing. aut. *lemster,* especie de paño de lana, por la ciudad inglesa donde se fabricaba.) m. Cierta clase de paño, fino y de mucho precio, que se fabricaba en Segovia.

limitable. (De *limitar*.) adj. Que puede limitarse.

limitación. (Del lat. *limitatĭo, -ōnis*.) f. Acción y efecto de limitar o limitarse. ‖ **2.** p. us. Término o distrito. ‖ **3.** ant. Límite o término de un territorio.

limitadamente. adv. m. Con limitación.

limitado, da. p. p. de **limitar.** ‖ **2.** adj. Dícese del que tiene corto entendimiento.

limitador, ra. adj. Que pone límites, impidiendo sobrepasarlos. ‖ **2.** m. Dispositivo mecánico o eléctrico que impide sobrepasar ciertos límites en el consumo o en el desarrollo de cualquier energía.

limitáneo, a. (Del lat. *limitanĕus*.) adj. p. us. Perteneciente e inmediato a los límites o fronteras de un reino o provincia.

limitar. (Del lat. *limitāre*.) tr. Poner límites a una acción o conducta; por ejemplo, un freno. ‖ **2.** fig. Acortar, ceñir, restringir. Ú. t. c. prnl. ‖ **3.** fig. Fijar la mayor extensión que pueden tener la jurisdicción, la autoridad o los derechos y facultades de uno. ‖ **4.** intr. Estar contiguos dos países, territorios, terrenos, etc., lindar. ‖ **5.** prnl. Atenerse, ajustarse alguien a algo en sus acciones.

limitativo, va. adj. Que limita, cercena o reduce. ‖ **2.** Der. Dícese especialmente de los derechos reales que cercenan la plenitud del dominio; como el censo, las servidumbres, el usufructo, el uso, la habitación, etc.

límite. (Del lat. *limes, -ĭtis*.) m. Término, confín o lindero de reinos, provincias, posesiones, etc. ‖ **2.** fig. Fin, término.

Se usa invariablemente en aposición en casos como *dimensiones* LÍMITE, *situación* LÍMITE. ‖ **3.** *Mat.* En una secuencia infinita de magnitudes, la magnitud fija a la que se aproximan cada vez más los términos de la secuencia. Así, la secuencia de los números 2n/(n+1) (siendo *n* la serie de los números naturales) tiene como **límite** el número 2. ‖ **inferior.** *Mat.* En un conjunto de magnitudes, la magnitud mínima que es inferior a todas las del conjunto. ‖ **superior.** *Mat.* En un conjunto de magnitudes, la magnitud máxima que es superior a todas las del conjunto.

limítrofe. (Del lat. *limitrŏphus*.) adj. Confinante, aledaño.

limnología. (Del gr. λίμνη, laguna, y *-logía*.) f. Estudio científico de los lagos y lagunas. ‖ **2.** Por ext., biología de las aguas dulces, en general, y estudio de los factores no bióticos de ellas.

limo. (Del lat. *limus*.) m. Lodo, cieno.

limón¹. (Del ár. *laimūn*.) m. Fruto del limonero, de forma ovoide, con unos 10 centímetros en el eje mayor y unos seis en el menor, pezón saliente en la base, corteza lisa, arrugada o surcada según las variedades, y siempre de color amarillo, pulpa amarillenta dividida en gajos, comestible, jugosa y de sabor ácido. ‖ **2.** Árbol que da este fruto. ‖ **3.** *Cuba.* V. **hierba de limón.** ‖ **ceutí.** Variedad de **limón** muy olorosa.

limón². (Del fr. *limon*.) m. Cada una de las varas de un coche de caballos.

limonada. (De *limón¹*.) f. Bebida compuesta de agua, azúcar y zumo de limón¹. ‖ **de vino. sangría,** bebida de agua de limón¹ y vino tinto. ‖ **purgante.** Citrato de magnesia disuelto en agua con azúcar. ‖ **seca.** Polvos de ácido cítrico y azúcar, con que se puede preparar una **limonada** disolviéndolos en agua.

limonado, da. adj. De color de limón¹.

limonar. m. Sitio plantado de limones¹. ‖ **2.** ant. Limonero, árbol. ‖ U. en Guatemala.

limoncillo. m. d. de **limón¹.** ‖ **2.** Árbol de las mirtáceas cuyas hojas huelen algo a limón y cuya madera, de color amarillo, se emplea en ebanistería.

limonense. adj. Natural de Limón, provincia, cantón y puerto marítimo de Costa Rica. Ú. t. c. s. ‖ **2.** Perteneciente o relativo a cualquiera de estos lugares.

limonera. (De *limón².*) f. Cada una de las dos varas de un coche de caballos. Ú. m. en pl.

limonero¹, ra. m. y f. Persona que vende limones. ‖ **2.** m. Árbol de la familia de las rutáceas, de cuatro a cinco metros de altura, siempre verde, florido y con fruto; tronco liso y ramoso, copa abierta, hojas alternas elípticas, dentadas, duras, lustrosas, pecioladas y de un hermoso color verde; flores olorosas, de color de rosa por fuera y blancas por dentro. Es originario de Asia y se cultiva mucho en España. Su fruto es el limón¹.

limonero², ra. (De *limón².*) adj. Aplícase a la caballería que va de varas en el carro, calesa, etc. Ú. t. c. s.

limosidad. (Del lat. *limosĭtas, -ātis.*) f. Cualidad de limoso. ‖ **2.** Sarro que se cría en la dentadura.

limosín. adj. ant. **lemosín.** Apl. a pers., úsáb. t. c. s.

limosna. (Del lat. cristiano *eleemosўna*.) f. Lo que se da por amor de Dios para socorrer una necesidad. ‖ **2.** Donativo o subvención que se daba a los conventos de Indias, con cargo a los ingresos de encomiendas y otros.

limosnadero, ra. adj. ant. Que da muchas limosnas.

limosnador, ra. m. y f. ant. Persona que da limosna.

limosnear. intr. Pedir limosna, pordiosear.

limosnera. f. Escarcela o bolsa con dinero para dar limosnas.

limosnero, ra. adj. Caritativo, inclinado a dar limosna; que la da con frecuencia. ‖ **2.** Mendigo, pordiosero. Ú. m. en Andalucía y América. ‖ **3.** V. **pobre limosnero.** ‖ **4.** m. Encargado de recoger y distribuir limosnas. ‖ **5.** El que en

los palacios de los reyes, prelados u otras personas tiene el cargo de distribuir limosnas. ‖ **6. limosnera.**

limoso, sa. (Del lat. *limōsus*.) adj. Abundante en limo o lodo.

limpia¹. (De *limpiar*.) f. Acción y efecto de limpiar. *La* LIMPIA *de los pozos.* ‖ **2.** V. **esclusa de limpia.**

limpia². m. fam. abrev. de **limpiabotas.**

limpiabarros. m. Utensilio que suele ponerse a la entrada de las casas para que los que llegan de fuera se limpien el barro del calzado.

limpiabotas. m. El que tiene por oficio limpiar y lustrar botas y zapatos.

limpiachimeneas. m. El que tiene por oficio deshollinar chimeneas.

limpiadera. (De *limpiar*.) f. Cepillo de carpintero. ‖ **2.** Aguijada para limpiar el arado.

limpiadientes. m. Palillo, o instrumento semejante de otra materia, para limpiar los dientes, mondadientes.

limpiador, ra. adj. Que limpia. Ú. t. c. s. ‖ **2.** V. **leche limpiadora.** ‖ **3.** m. El que en los buques mercantes de motor realiza la limpieza del servicio de máquinas y demás trabajos subalternos auxiliares.

limpiadura. f. Acción y efecto de limpiar. ‖ **2.** pl. p. us. Desperdicios o basura que se sacan de una cosa que se limpia.

limpiamente. adv. m. Con limpieza. ‖ **2.** fig. Hablando de algunos juegos o habilidades, con suma agilidad, desembarazo y destreza. ‖ **3.** fig. Sinceramente, con candor. ‖ **4.** fig. Con integridad, honestamente, sin interés.

limpiamiento. m. desus. Acción y efecto de limpiar.

limpiaparabrisas. m. Mecanismo que se adapta a la parte exterior del parabrisas y que, moviéndose de un lado a otro, aparta la lluvia o la nieve que cae sobre él.

limpiaplumas. m. Paño, con adorno o sin él, o cepillito que servía para limpiar las plumas de escribir.

limpiar. (De *limpio*.) tr. Quitar la suciedad o inmundicia de una cosa. Ú. t. c. prnl. ‖ **2.** Quitar las escamas y espinas del pescado; las hojas secas, vainas, etc., de las legumbres y hortalizas. ‖ **3.** fig. Quitar imperfecciones o defectos. ‖ **4.** Hacer que un lugar quede libre de lo que es perjudicial en él. ‖ **5.** fig. Quitar a los árboles las ramas pequeñas que se dañan entre sí. ‖ **6.** fig. y fam. Hurtar o robar algo. *Me* LIMPIARON *el pañuelo.* ‖ **7.** fig. y fam. En los juegos de naipes y otros, ganar a alguien todo el dinero. *Le* LIMPIARON *a la malilla quince mil pesetas.*

limpiaúñas. m. Instrumento de concha, hueso o metal, que sirve para limpiar las uñas.

limpidez. f. poét. Cualidad de límpido.

límpido, da. (Del lat. *limpĭdus*.) adj. poét. Limpio, terso, puro, sin mancha.

limpiedad. (De *limpio*.) f. ant. **limpieza.**

limpiedumbre. f. ant. **limpieza.**

limpieza. f. Cualidad de limpio. ‖ **2.** Acción y efecto de limpiar o limpiarse. ‖ **3.** fig. desus. Hablando de la Virgen María, su inmaculada concepción. ‖ **4.** fig. Pureza, castidad. ‖ **5.** fig. Integridad con que se procede en los negocios. ‖ **6.** fig. Precisión, destreza, perfección con que se ejecutan ciertas cosas. ‖ **7.** fig. En los juegos, observación estricta de las reglas de cada uno. ‖ **de bolsa.** fig. y fam. Falta de dinero. ‖ **de corazón.** fig. Rectitud de intención. ‖ **de manos.** fig. Integridad en los negocios. ‖ **de sangre.** fig. No tener antepasados moros, judíos, herejes ni penitenciados, con que se exigía para determinados fines. ‖ **en seco.** Procedimiento en que no se utiliza agua para limpiar tejidos o ropa.

limpio, pia. (Del lat. *limpĭdus*.) adj. Que no tiene mancha o suciedad. ‖ **2.** Que no tiene mezcla de otra cosa. Dícese comúnmente de los granos de cereales. ‖ **3.** Que tiene el hábito del aseo y la pulcritud. ‖ **4.** Aplícase a las personas o familias que no tenían mezcla de moros, judíos, herejes ni penitenciados. ‖ **5.** V. **billa, patente limpia.** ‖ **6.** fig. V. **manos limpias.** ‖ **7.** fig. V. **taco limpio.** Ú. t. c. s. ‖ **8.** fig. Libre, exento de cosa que dañe o inficione. ‖ **9.** fig. y fam. Dícese del que ha perdido todo su dinero. Ú. m. con los verbos *dejar, estar, quedar.* ‖ **10.** fig. y fam. Dícese del que está falto de conocimientos de una materia. ‖ **11.** fig. y fam. Con referencia a una contienda, dícese de golpes, disparos, etc., que se han cambiado entre los adversarios sin hacer uso de otros medios. Ú. en locuciones adverbiales. *A tiro* LIMPIO. ‖ **12.** fig. Neto, no confuso. *Imagen* LIMPIA. ‖ **13.** fig. Honrado, decente. *Una conducta* LIMPIA. ‖ **14.** adv. m. Con limpieza, limpiamente. ‖ **en limpio.** loc. adv. En sustancia. Ú. para expresar el valor fijo que queda de una cosa, deducidos los gastos y los desperdicios. ‖ **2.** En claro y sin enmienda ni tachones, a diferencia de lo que está en borrador. ‖ **3.** V. **sacar en limpio.**

limpión. (De *limpiar.*) m. Limpiadura ligera. *Dar un* LIMPIÓN *a los zapatos.* ‖ **2.** fam. El que tiene a su cargo la limpieza de una cosa. ‖ **3.** *Col., C. Rica* y *Venez.* Paño para limpiar, rodilla. ‖ **date un limpión.** expr. fig. y fam. con que se advierte a uno que no logrará lo que pretende o desea.

lináceo, a. (De *lino* y *-áceo.*) adj. *Bot.* Dícese de hierbas, matas o arbustos angiospermos dicotiledóneos, de hojas alternas, rara vez opuestas, sencillas, enteras y estrechas; flores regulares pentámeras y fruto seco, capsular, de cuatro a cinco divisiones y ocho a diez celdillas con otras tantas semillas; como el lino. Ú. t. c. s. f. ‖ **2.** f. pl. *Bot.* Familia de estas plantas.

linaje. (Del prov. *linhatge* o cat. *llinyatge.*) m. Ascendencia o descendencia de cualquier familia. ‖ **2.** V. **behetría, cabeza de linaje.** ‖ **3.** fig. Clase o condición de una cosa. ‖ **4.** pl. Vecinos nobles reconocidos por tales e incorporados en el cuerpo de la nobleza. ‖ **humano.** Conjunto de todos los descendientes de Adán.

linajista. com. Persona que sabe o escribe de linajes.

linajudo, da. adj. Aplícase al que es o se precia de ser de gran linaje. Ú. t. c. s.

lináloe. (De *lignáloe.*) m. **áloe,** planta. ‖ **2.** Jugo de esta planta.

linamen. (De un der. del lat. *lignum,* leño.) m. ant. **ramaje.**

linao. m. Especie de juego de pelota, muy usado en la isla de Chiloé, provincia chilena.

linar. m. Tierra sembrada de lino.

linarense[1]. adj. Natural de Linares. Ú. t. c. s. ‖ **2.** Perteneciente o relativo a esta ciudad de la provincia española de Jaén.

linarense[2], **sa.** adj. Natural de Linares. Ú. t. c. s. ‖ **2.** Perteneciente o relativo a esta ciudad y provincia chilenas.

linaria. (De *lino.*) f. Planta herbácea de la familia de las escrofulariáceas, con tallos erguidos ramosos, de cuatro a seis decímetros de altura; hojas parecidas a las del lino, estrechas, agudas, de color verde azulado y frecuentemente en verticilos; flores amarillas en espigas, y fruto capsular, ovoide, de dos celdas y muchas semillas menudas. Vive en terrenos áridos y se ha empleado en medicina como depurativo y purgante.

linaza. (De *lino.*) f. Simiente del lino, en forma de granillos elipsoidales, duros, brillantes y de color gris. Molida, proporciona una harina muy usada para cataplasmas emolientes; por presión, suelta un aceite secante de gran empleo en la fabricación de pintura y barnices, y, extraída en agua, da un mucílago de mucha aplicación en la industria.

lince. (Del gr. λύγξ, -γκός, a través del lat. *lynx, lyncis.*) m. Mamífero carnicero muy parecido al gato cerval, pero mayor, con pelaje que tira a bermejo, y orejas puntiagudas terminadas en un pincel de pelos negros. Vive principalmente en el centro y norte de Europa, y ataca a los ciervos y otros animales de gran tamaño. ‖ **2.** fig. V. **vista de lince.** ‖ **3.** fig. El que tiene una vista aguda. Ú. t. c. adj. *Vista* LINCE; *ojos* LINCES. ‖ **4.** fig. Persona aguda, sagaz. Ú. t. c. adj.

lincear. (De *lince,* sagaz, perspicaz.) tr. p. us. fig. y fam. Descubrir o notar lo que difícilmente puede verse.

linceo, a. (Del lat. *lyncēus.*) adj. p. us. Perteneciente al lince. ‖ **2.** p. us. fig. y poét. Dícese especialmente de la vista. *Ojos* LINCEOS; *vista* LINCEA.

lincurio. (Del gr. λυγκούριον, ámbar fósil, propiamente orina del lince, a través del lat. *lyncurĭum.*) m. Piedra conocida de los antiguos, que suponían que era la orina del lince petrificada, y según los más es la belemnita, según otros la turmalina.

linchamiento. m. Acción de linchar.

linchar. (Del nombre de Charles *Lynch,* juez de Virginia en el siglo XVIII.) tr. Ejecutar sin proceso y tumultuariamente a un sospechoso o a uno reo.

lindamente. adv. m. Primorosamente, con perfección.

lindaño. (De *linde.*) m. ant. Linde de heredades.

lindar[1]. (De *linde.*) m. p. us. **umbral.**

lindar[2]. (Del lat. *limitāre,* limitar.) intr. Estar contiguos dos territorios, terrenos o fincas. ‖ **2.** fig. Estar algo muy próximo a lo que se expresa. *Su actitud* LINDA *con la arrogancia.*

lindazo. (De *linde.*) m. p. us. Linde, en especial el señalado con mojones, o por medio de un ribazo.

linde. (Del lat. *limes, -ĭtis.*) amb. Límite de un reino o provincia. ‖ **2.** Término o fin de algo. ‖ **3.** Término o línea que separa unas heredades de otras.

lindel. (Del lat. **limitellus.*) m. p. us. Lintel o dintel de una puerta.

lindera. (De *linde.*) f. Linde, o conjunto de los lindes de un terreno.

lindería. f. p. us. Linde o lindes de dos terrenos, lindera, lindero.

lindero, ra. (De *linde.*) adj. Que linda con una cosa. ‖ **2.** m. Linde o lindes de dos terrenos, lindera. ‖ **con linderos y arrabales.** loc. adv. fig. y fam. Refiriendo una cosa por extenso o con demasiada prolijidad, contando todas sus circunstancias y menudencias.

lindeza. f. Cualidad de lindo. ‖ **2.** Hecho o dicho gracioso. ‖ **3.** pl. irón. Insultos o improperios.

lindo, da. (Del lat. *legitĭmus,* completo, perfecto.) adj. Hermoso, bello, grato a la vista. ‖ **2.** V. **¡linda pieza!** ‖ **3.** fig. Perfecto, primoroso y exquisito. ‖ **4.** m. fig. y fam. Hombre afeminado, que presume de hermoso y cuida demasiado de su compostura y aseo. Dícese más comúnmente **lindo don Diego.** ‖ **de lo lindo.** loc. adv. Lindamente, con gran primor. ‖ **2.** Mucho o con exceso.

lindón. (De *linde.*) m. Caballete en que los hortelanos suelen poner las esparragueras y otras plantas.

lindura. f. Cualidad de lindo, lindeza. ‖ **2.** Persona o cosa linda.

línea. (Del lat. *linĕa.*) f. *Geom.* Extensión considerada en una sola de sus tres dimensiones: la longitud. ‖ **2.** Medida longitudinal que equivale a cerca de dos milímetros. ‖ **3.** Raya en un cuerpo cualquiera. ‖ **4. línea** de palabras o caracteres escritos o impresos, renglón. ‖ **5.** Serie de personas o cosas situadas una detrás de otra o una al lado de otra. ‖ **6.** En los cuadros pictóricos, el dibujo, por oposición al color. ‖ **7.** En el fútbol y otros deportes, conjunto de jugadores que, al ordenarse el equipo para iniciar el juego, están a igual distancia de la divisoria entre los campos de los dos equipos, y suelen desempeñar una misión semejante. ‖ **8.** Vía terrestre, marítima o aérea. LÍNEA *del Norte;* LÍNEA *de Vigo a Buenos Aires;* LÍNEA *de Marsella a Argel.* ‖ **9.** Servicio regular de vehículos que recorren un itinerario determinado. ‖ **10.** V. **coche de línea.** ‖ **11.** Clase, género, especie. ‖ **12. línea equinoccial.** *Pasó la* LÍNEA; *está debajo de la* LÍNEA. ‖ **13.** Serie de personas enlazadas por parentesco. ‖ **14.** V. **anteojo, infantería, navío, tropa de línea.** ‖ **15.** frente, territorio donde combaten dos ejércitos. ‖ **16.** fig. Hablando de persona, figura esbelta y armoniosa. *Guardar la* LÍNEA. ‖ **17.** fig. Conducta o comportamiento. ‖ **18.** fig. Término, límite. ‖ **19.** fig. Dirección, tendencia, orientación o estilo de un artista o de un arte cualquiera. ‖ **20.** *Der.* V. **reintegración de la línea.** ‖ **21.** *Esgr.* Cada una de las distintas posiciones que toma la espada de un contendiente respecto a la del contrario. ‖ **22.** *Mil.* Formación de tropas en orden de batalla. ‖ **23.** *Mil.* Formación de soldados o de unidades en que unos quedan al costado de los otros. Se aplica al caso en que la formación tenga un fondo de dos o tres soldados. Dícese también: LÍNEA *de columnas.* ‖ **abierta.** *Geom.* La que posee extremos: aquella en la que es preciso retroceder para volver al punto de partida. ‖ **abscisa.** *Geom.* **abscisa.** ‖ **aritmética.** *Geom.* Una de las que suelen señalarse en la pantómetra, y está destinada principalmente a facilitar la división en partes iguales de una recta cualquiera. ‖ **cerrada.** *Geom.* La que carece de extremos: aquella en la que, sin retroceder, se puede llegar al punto de partida. ‖ **colateral. línea transversal.** ‖ **coordenada.** *Geom.* **coordenada.** ‖ **cordométrica.** *Geom.* Una de las que suelen señalarse en la pantómetra, con divisiones que representan diferentes cuerdas de un círculo de radio conocido. ‖ **curva.** *Geom.* La que no es recta en ninguna de sus porciones, por pequeñas que sean. ‖ **de agua.** *Mar.* **línea de flotación.** ‖ **de circunvalación.** La férrea que enlaza unas con otras, las de los ferrocarriles que afluyen a distintas estaciones de una misma población. ‖ **2.** *Fort.* La fortificada que construye el ejército sitiador por su retaguardia para asegurarse de cualquier tropa enemiga que esté fuera de la plaza. ‖ **de contravalación.** *Fort.* La que forma el ejército sitiador para impedir las salidas de los sitiados. ‖ **de defensa fijante.** *Fort.* La que indica la dirección de los tiros que, saliendo de los flancos, pueden asegurarse en las caras de los baluartes opuestos. ‖ **de defensa rasante.** *Fort.* La que dirige el fuego de artillería y fusilería desde el flanco segundo para barrer o rasar la cara del baluarte opuesto. ‖ **de doble curvatura.** *Geom.* La que no se puede trazar en un solo plano; como la hélice. ‖ **de flotación.** *Mar.* La que separa la parte sumergida del casco de un buque de la que no lo está. ‖ **delantera.** En el fútbol y otros deportes, la formada por los jugadores que, en posición avanzada, tienen como misión principal atacar al equipo contrario. ‖ **de las cuerdas.** *Geom.* **línea cordométrica.** ‖ **de la tierra.** *Persp.* Intersección de un plano horizontal de proyección con otro vertical. ‖ **2.** *Persp.* Intersección común del plano geométrico y del plano óptico. ‖ **del diámetro.** *Esgr.* En la planta geométrica, real o imaginaria, que, según el arte de jugar la espada española, fija la dirección de los compases, llámase así la **línea** que divide el círculo en dos partes iguales y en cuyos extremos están situados los contendientes. ‖ **del fuerte.** *Mar.* La curva que pasa por los puntos de mayor anchura de todas las cuadernas de un buque. ‖ **de los ápsides.** *Astron.* Eje mayor de la órbita de un planeta. ‖ **de los nodos.** *Astron.* Intersección del plano de la órbita de un planeta con la Eclíptica. ‖ **de los polígonos.** *Geom.* **línea geométrica.** ‖ **de los sólidos.** *Geom.* **línea estereométrica.** ‖ **del viento.** *Mar.* La de la dirección que este lleva. ‖ **de meta.** Cada una de las dos **líneas** que delimitan los campos de fútbol y de otros juegos, en las cuales se encuentran las porterías. ‖ **de mira.** *Art.* Visual que por el ocular del alza y el punto de mira de las armas de fuego se dirige al blanco que se pretende batir. ‖ **de partes iguales.** *Geom.* **línea aritmética.** ‖ **de puntos.** *Gram.* **puntos suspensivos.** ‖ **de traviesa.** ant. **línea transversal** de parientes

enlazados por descender de un ascendiente común. ‖ **eléctrica.** Conjunto de hilos o cables y otras instalaciones para conducir la energía eléctrica. ‖ **equinoccial.** *Geogr.* **ecuador terrestre.** ‖ **estereográfica.** *Mar.* Curva cuyas ordenadas son los diversos calados, a partir del correspondiente al buque en rosca, y cuyas abscisas son los pesos que es necesario embarcar para producir aquellos. ‖ **estereométrica.** *Geom.* Una de las que suelen señalarse en la pantómetra, con divisiones que indican los lados de los cinco poliedros regulares, cuando se conoce el radio de la esfera circunscrita. ‖ **férrea. vía férrea.** ‖ **geométrica.** *Geom.* Una de las que suelen señalarse en la pantómetra, con divisiones que indican los lados de los polígonos regulares, hasta el dodecágono inclusive, cuando se conoce el radio del círculo circunscrito. ‖ **horizontal.** La perpendicular a una vertical. ‖ **infinita.** *Esgr.* La recta y tangente al círculo de la planta geométrica, real o imaginaria, que en el juego de la espada española traza la dirección de los compases. ‖ **maestra.** *Albañ.* Cada una de las fajas de yeso o de mezcla que se hacen en la pared para igualar después su superficie y dejarla enteramente plana. ‖ **media.** En el fútbol y otros deportes, la formada por jugadores que actúan entre la defensa y la delantera, y cuyas misiones son contener al equipo contrario y ayudar en su labor a las otras dos **líneas.** ‖ **mediana.** *Geom.* **mediana.** ‖ **meridiana.** *Astron.* Intersección del plano meridiano con otro horizontal y que señala la orientación de Norte a Sur. ‖ **2.** *Gnom.* Intersección del plano meridiano con la superficie de un cuadrante solar. ‖ **metálica.** *Geom.* Una de las que suelen señalarse en la pantómetra, con divisiones que indican las diferentes alturas de prismas de igual base hechos con el mismo peso de diversos metales, o también el peso de estos para un prisma de altura y base conocidas. ‖ **neutra.** *Fís.* Sección media de un imán con relación a sus polos. ‖ **obsidional.** *Fort.* Cualquiera de las dos que por su seguridad y defensa hace el ejército que sitia una plaza. ‖ **ordenada.** *Geom.* **ordenada.** ‖ **quebrada.** *Geom.* La que sin ser recta está compuesta de varias rectas. ‖ **recta.** Orden y sucesión de generaciones de padres a hijos. ‖ **2.** *Geom.* La más corta que se puede imaginar desde un punto a otro. ‖ **telefónica,** **o telegráfica.** Conjunto de los aparatos e hilos conductores del teléfono o del telégrafo. ‖ **transversal.** Serie de parientes no nacidos unos de otros, sino enlazados por descender de un ascendiente común. ‖ **2.** *Geom.* La que atraviesa o cruza a otras, principalmente si son paralelas. ‖ **trigonométrica.** *Geom.* Cualquiera de las rectas que se consideran en el círculo y sirven para resolver triángulos por el cálculo. ‖ **vertical. línea** recta marcada por el hilo de una plomada. ‖ **a línea tirada.** fr. *Impr.* Dícese de la composición que ocupa todo el ancho de la plana. ‖ **apartar la línea del punto.** fr. *Esgr.* Desviar la espada de la postura del ángulo recto, que es donde está el medio de la postura del brazo. ‖ **correr la línea.** fr. *Mil.* Recorrer los puntos que forman la línea de un ejército. ‖ **echar líneas.** fr. fig. Discurrir los medios, tomar las medidas para conseguir una cosa. ‖ **en su línea.** expr. Entre los de igual clase. ‖ **en toda la línea.** fig. **completamente.** Ú. con los verbos *triunfar, vencer, ganar* y *derrotar.* ‖ **leer entre líneas.** fr. fig. **leer entre renglones.** ‖ **tirar líneas.** fr. fig. **echar líneas.** ‖ **tirar por línea curva.** fr. *Art.* **tirar por elevación.**

lineal. (Del lat. *lineālis*.) adj. Perteneciente a la línea. ‖ **2.** V. **dibujo lineal.** ‖ **3.** V. **perspectiva lineal.** ‖ **4.** *Bot.* y *Zool.* Largo y delgado casi como una línea.

linealidad. f. Cualidad de lineal. ‖ **2.** *Ling.* Disposición sucesiva de los elementos en el habla.

lineamento. (Del lat. *lineamentum*.) m. Delineación o dibujo de un cuerpo, por el cual se distingue y conoce su figura.

lineamiento. m. **lineamento.**

linear[1]. (Del lat. *lineāris*.) adj. *Bot.* y *Zool.* Largo y delgado, semejante a una línea.

linear[2]. (Del lat. *lineāre*.) tr. **tirar líneas.** ‖ **2. bosquejar.**

líneo, a. (Del lat. *linĕus*.) adj. *Bot.* **lináceo.** Ú. t. c. s. f.

linero, ra. (Del lat. *linarĭus*.) adj. Perteneciente o relativo al lino. ‖ **2.** m. y f. ant. Persona que trata en lienzos o tejidos de lino.

linfa. (Del lat. *lympha*, agua.) f. *Fisiol.* Parte del plasma sanguíneo, que atraviesa las paredes de los vasos capilares, se difunde por los intersticios de los tejidos y, después de cargarse de sustancias producidas por la actividad de las células, entra en los vasos linfáticos, por los cuales circula hasta incorporarse a la sangre venosa. ‖ **2. vacuna,** pus de cierta viruela de las vacas. ‖ **3. vacuna,** virus convenientemente preparado para inoculaciones. ‖ **4.** poét. **agua.**

linfangitis. (De *linfa*, el gr. ἀγγεῖον, vaso, e *-itis*.) f. *Med.* Inflamación de los vasos linfáticos.

linfático, ca. (Del lat. *lymphatĭcus*.) adj. Que abunda en linfa. Ú. t. c. s. ‖ **2.** Perteneciente o relativo a este humor.

linfatismo. m. *Med.* Disposición orgánica con predominio del sistema linfático, tendencia a los infartos e inflamaciones de los ganglios, y a la degeneración escrofulosa y tuberculosa.

linfocito. (Del lat. *lympha*, linfa, y el gr. κύτος, célula.) m. *Fisiol.* Célula linfática, variedad de leucocito, originada en el tejido linfoide o la médula ósea y formada por un núcleo único, grande, rodeado de escaso citoplasma. Interviene muy activamente en la reacción inmunitaria.

linfoide. (De *linfa* y *-oide*.) adj. Perteneciente o relativo a la linfa.

lingotazo. m. vulg. Trago de bebida alcohólica.

lingote. (Del fr. *lingot*.) m. Trozo o barra de metal en bruto, y principalmente de hierro, plata, oro o platino. ‖ **2.** Cada una de las barras o paralelepípedos de hierro que sirven para balancear la estiba de los buques. ‖ **3.** Masa sólida que se obtiene vaciando el metal líquido en un molde.

lingotera. (Del fr. *lingotière*.) f. Molde metálico o de arena refractaria en donde se vierte el material fundido para que al enfriarse tome la forma de aquel.

lingual. (Del lat. *lingua*, lengua.) adj. Perteneciente a la lengua. ‖ **2.** *Fon.* Dícese de los sonidos que, como la *l*, se articulan con el ápice de la lengua; por lo común se llaman más propiamente apicales. ‖ **3.** *Fon.* Dícese de la letra que representa este sonido. Ú. t. c. s. f.

lingue. (Del araucano *linge*.) m. Árbol chileno, de la familia de las lauráceas, alto, frondoso y de corteza lisa y ceniciente; su madera, flexible, fibrosa y de mucha duración, se emplea para vigas, yugos y muebles, y su corteza es muy usada para curtir el cuero. ‖ **2.** Corteza de este árbol.

linguete. (Del fr. *linguet*.) m. Barra corta y fuerte de hierro, giratoria por uno de sus extremos y que por el otro se puede encajar en un hueco para impedir el movimiento de retroceso en un cabrestante u otra máquina.

lingüista. (Del lat. *lingua*, lengua.) com. Persona versada en lingüística.

lingüística. f. Ciencia del lenguaje. ‖ **aplicada.** Rama de los estudios lingüísticos que se ocupa de los problemas que el lenguaje plantea como medio de relación social, especialmente de los que se refieren a la enseñanza de idiomas. ‖ **comparada. gramática comparada.** ‖ **evolutiva. lingüística** diacrónica. ‖ **general.** Estudio teórico del lenguaje que se ocupa de métodos de investigación y de cuestiones comunes a las diversas lenguas.

lingüístico, ca. adj. Perteneciente o relativo a la lingüística. ‖ **2.** Perteneciente o relativo al lenguaje. ‖ **3.** V. **parentesco lingüístico.**

linier[1]. (Voz inglesa.) m. *Dep.* Juez de línea.

linimento. (Del lat. *linimentum*, untura.) m. *Farm.* Prepara-

ción menos espesa que el ungüento, en la cual entran como base aceites o bálsamos, y se aplica exteriormente en fricciones. ‖ **amoniacal.** Jabón medicinal que resulta de la acción de un álcali sobre aceites, grasas, etc.

linimiento. m. *Farm.* **linimento.**

linio. (De *liña*.) m. Línea de árboles u otras plantas, liño.

linjavera. (De *aljaba*, con cambio de *al* en *an* y luego en *in*, y aglutinación del art.) f. ant. Carcaj o aljaba para llevar flechas.

lino. (Del lat. *linum*.) m. Planta herbácea, anual, de la familia de las lináceas, con raíz fibrosa, tallo recto y hueco, como de un metro de alto y ramoso en su extremidad, hojas lanceoladas, flores de cinco pétalos azules, y fruto en caja de diez celdillas, con una semilla aplanada y brillante en cada una. De su tallo se extraen fibras que se utilizan para producir la hilaza. ‖ **2.** Materia textil que se saca del tallo de esta planta. ‖ **3.** Tela hecha de **lino.** ‖ **4.** fig. y poét. Vela de la nave. ‖ **bayal.** Variedad de lino que se siembra en otoño; tiene el tallo largo y da la hilaza más fina y blanca. ‖ **caliente.** Variedad de **lino** que se siembra en primavera; tiene el tallo corto y muy ramoso y da más hilaza, pero de calidad inferior. ‖ **cañocazo.** ant. **lino caliente.** ‖ **frío. lino bayal.**

linóleo. (De *lino*, y el lat. *olĕum*, aceite.) m. Tela fuerte e impermeable, formada por un tejido de yute cubierto con una capa muy impregnada de corcho en polvo amasado con aceite de linaza bien oxidado.

linón. (De *lino*.) m. Tela de hilo muy ligera, clara y fuertemente engomada. ‖ **de algodón.** Tela de algodón parecida a la anterior.

linotipia. (Del ing. *linotype*.) f. *Impr.* Máquina de componer, provista de matrices, de la cual sale la línea formando una sola pieza. ‖ **2.** Arte de componer con esta máquina.

linotipista. com. Persona que maneja una linotipia.

linotipo. (Marca comercial registrada.) m. *Impr.* Máquina de componer llamada también linotipia. Ú. t. c. s. f.

lintel. (Del lat. **limitellus*.) m. Lindel o dintel de puertas y ventanas.

linterna. (De *lanterna*.) f. Farol portátil con una sola cara de vidrio y una asa en la opuesta. ‖ **2.** Aparato eléctrico con pila y bombilla, que se lleva en la mano para proyectar luz. ‖ **3.** ant. Jaula de hierro en donde solían poner las cabezas de los ajusticiados. ‖ **4.** *Arq.* Torrecilla, por lo regular más alta que ancha y con ventanas, que se pone como remate en algunos edificios y sobre las medias naranjas de las iglesias. ‖ **5.** *Mar.* Faro de las costas. ‖ **6.** *Mec.* Rueda formada por dos discos paralelos fijos en el mismo eje y unidos en la circunferencia con barrotes cilíndricos en donde engranan los dientes de otra rueda. ‖ **flamenca. linterna sorda.** ‖ **mágica.** Aparato óptico con el cual, por medio de lentes, se hacen aparecer, amplificadas sobre un lienzo o pared, figuras pintadas en tiras de vidrio intensamente iluminadas. ‖ **sorda.** Aquella cuya luz va oculta por una pantalla opaca, que fácilmente se corre a voluntad del portador.

linternazo. m. Golpe dado con una linterna. ‖ **2.** fig. y fam. Golpe dado con cualquier otro instrumento.

linternero, ra. m. y f. Persona que hace linternas.

linternón. m. aum. de **linterna.** ‖ **2.** *Mar.* Farol de popa.

linuezo. (De *lino*.) m. desus. fam. **linaza.**

linyera. (De it. *lingera*.) m. p. us. *Argent.* y *Urug.* Atado en que se guardan ropa y otros efectos personales. ‖ **2.** *Argent.* y *Urug.* Persona vagabunda, abandonada y ociosa, que vive de variados recursos.

liña. (Del lat. *linĕa*.) f. ant. **línea.** ‖ **2.** ant. Hebra de hilo.

liño. (De *liña*.) m. Línea de árboles u otras plantas.

liñuelo. (Del lat. **lineŏlus*, d. de *linum*.) m. Cada cabo o ramal de las cuerdas y trenzas.

lío. (De *liar*.) m. Porción de ropa o de otras cosas atadas. ‖

2. fig. y fam. **embrollo,** confusión. ‖ **3.** fig. y fam. Barullo, gresca, desorden. ‖ **4.** fig. y fam. **amancebamiento.** ‖ **armar un lío.** fr. fig. y fam. **embrollar.** ‖ **hacerse uno un lío.** fr. fig. y fam. **embrollarse.**

liofilización. f. Acción y efecto de liofilizar.

liofilizador, ra. adj. Que liofiliza. Ú. t. c. s.

liofilizar. (Del gr. λύειν, soltar, disolver, *-filo* e *-izar*.) tr. Separar el agua de una sustancia, o de una disolución, mediante congelación y posterior sublimación a presión reducida del hielo formado, para dar lugar a un material esponjoso que se disuelve posteriormente con facilidad. Se utiliza en la deshidratación de los alimentos, materiales biológicos y otros productos sensibles al calor.

lionés, sa. adj. Natural de Lyon. Ú. t. c. s. ‖ **2.** Perteneciente o relativo a esta ciudad de Francia.

liorna. (De *Liorna,* puerto y ciudad de Italia.) f. p. us. fig. y fam. Algazara, barahúnda, desorden, confusión.

lioso, sa. (De *lío.*) adj. **embrollador.** ‖ **2.** Que trata de indisponer a unas personas con otras. ‖ **3.** Dícese de las cosas cuando están embrolladas.

lipemanía. (Del gr. λύπη, tristeza, y μανία, locura.) f. *Psiquiat.* Melancolía, monomanía caracterizada por la tristeza.

lipemaniaco, ca o **lipemaníaco, ca.** adj. *Psiquiat.* Que padece lipemanía. Ú. t. c. s.

lipendi. adj. vulg. Tonto, bobo.

lipes. (Del territorio boliviano del mismo nombre.) f. V. **piedra lipes.**

lípido. m. *Bioquím.* Cualquiera de ciertos compuestos orgánicos, en especial ésteres de ácidos grasos de cadena larga, solubles en disolventes orgánicos e insolubles en agua.

lipis. f. **lipes.**

lipodistrofia. (Del gr. λίπος, grasa, y *distrofia*.) f. *Med.* Trastorno en el metabolismo de las grasas.

lipodistrófico, ca. adj. *Med.* Perteneciente o relativo a la lipodistrofia.

lipoideo, a. (Del gr. λίπος, grasa, y *-oideo*.) adj. Dícese de toda sustancia que tiene aspecto de grasa.

lipoma. (Del gr. λίπος, grasa, y *-oma*.) m. *Pat.* Tumor formado de tejido adiposo.

lipoproteína. f. *Bioquím.* Molécula orgánica compleja, formada por la unión de un lípido y una proteína.

lipotimia. (Del gr. λιποθυμία.) f. *Pat.* Pérdida súbita y pasajera del sentido y del movimiento.

liquen. (Del gr. λειχήν, a través del lat. *lichen.*) m. *Bot.* Cuerpo resultante de la asociación simbiótica de hongos con algas unicelulares, cuyos caracteres morfológicos no se asemejan en nada a los que tenían los simbiontes antes de asociarse. Crece en sitios húmedos, extendiéndose sobre las rocas o las cortezas de los árboles en forma de hojuelas o costras grises, pardas, amarillas o rojizas. ‖ **islándico.** Especie del género *Cetraria* de talo plano muy ramificado con lacinias espinescentes de color verdoso aceitunado y sabor amargo; forma mucílago al mascarlo. Muy usado en la farmacia antigua como remedio de las afecciones de las vías respiratorias.

liquidable. adj. Que se puede liquidar o es susceptible de liquidarse.

liquidación. f. Acción y efecto de liquidar o liquidarse. ‖ **2.** *Com.* Venta al por menor, con gran rebaja de precios, que hace una casa de comercio por cesación, quiebra, reforma o traslado del establecimiento.

liquidador, ra. adj. Que liquida una cuenta. Ú. t. c. s. ‖ **2.** Que liquida un negocio. Ú. t. c. s.

liquidámbar. (De *líquido* y *ámbar.*) m. Bálsamo, unas veces líquido y otras viscoso, de color amarillo rojizo, aromático y de sabor acre, procedente del ocozol. Tiene propiedades emolientes y detersivas.

líquidamente. adv. m. Con liquidación.

liquidar. (De *líquido.*) tr. Hacer líquida una cosa sólida o

gaseosa. Ú. t. c. prnl. ‖ **2.** fig. Hacer el ajuste formal de una cuenta. ‖ **3.** fig. Saldar, pagar enteramente una cuenta. ‖ **4.** fig. Poner término a una cosa o a un estado de cosas. ‖ **5.** fig. Gastar totalmente algo, especialmente dinero, en poco tiempo. LIQUIDÓ *su hacienda en unos meses.* ‖ **6.** fig. Desistir de un negocio o de un empeño. ‖ **7.** fig. Romper o dar por terminadas las relaciones personales. *Fulano era mi amigo, pero ya* LIQUIDÉ *con él.* ‖ **8.** fig. y vulg. Desembarazarse de alguien, matándolo. ‖ **9.** fig. y vulg. Acabar con algo, suprimirlo o hacerlo desaparecer. ‖ **10.** *Com.* Hacer ajuste final de cuentas una casa de comercio para cesar en él. ‖ **11.** *Com.* Vender mercancías en liquidación.

liquidez. f. Cualidad de líquido. ‖ **2.** *Com.* Cualidad del activo de un banco que puede fácilmente transformarse en dinero efectivo. ‖ **3.** *Com.* Relación entre el conjunto de dinero en caja y de bienes fácilmente convertibles en dinero, y el total del activo, de un banco u otra entidad.

líquido, da. (Del lat. *liquĭdus.*) adj. Dícese de todo cuerpo cuyas moléculas tienen tan poca cohesión que se adaptan a la forma de la cavidad que las contiene, y tienden siempre a ponerse a nivel; como el agua, el vino, el azogue, etc. Ú. t. c. s. m. ‖ **2.** Aplícase al saldo o residuo de cuantía cierta que resulta de la comparación del cargo con la data. *Deuda* LÍQUIDA; *alcance* LÍQUIDO. Ú. t. c. s. m. ‖ **3.** *Gram.* Dícese de la consonante que, precedida de una muda y seguida de una vocal, forma sílaba con ellas; como las voces *gloria* y *drama.* En español, la *l* y la *r* son las únicas letras de esta clase. Ambas forman sílaba con la *b,* la *c,* la *f,* la *g,* la *p* y la *t.* La *r* la forma además con la *d.* Ú. t. c. s. f. ‖ **4.** V. **brea, mirra líquida.** ‖ **5.** V. **capital, maná líquido.** ‖ **amniótico.** *Fisiol.* El encerrado en el amnios. ‖ **imponible.** Cuantía estimada o fijada oficialmente a la riqueza del contribuyente, como base para señalar su cuota tributaria.

liquilique. m. *Col.* y *Venez.* Blusa de tela de algodón, más o menos basta. Se abrocha desde el cuello.

lira[1]. (Del gr. λύρα, a través del lat. *lyra.*) f. Instrumento músico usado por los antiguos, compuesto de varias cuerdas tensas en un marco, que se pulsaban con ambas manos. ‖ **2.** Combinación métrica de cinco versos (heptasílabos el primero, tercero y cuarto, y endecasílabos los otros dos), de los cuales suelen rimar el primero con el tercero, y el segundo con el cuarto y el quinto. ‖ **3.** Combinación métrica que consta de seis versos de distinta medida, y en la cual riman los cuatro primeros alternadamente, y los dos últimos entre sí. ‖ **4.** fig. Instrumento que por ficción poética se supone que hace sonar el poeta lírico al entonar sus cantos. ‖ **5.** fig. Numen o inspiración de un poeta determinado. *La* LIRA *de Anacreonte, de Horacio, de Herrera.* ‖ **6.** V. **ave lira.**

lira[2]. (Del it. *lira.*) f. Moneda italiana.

lirado, da. adj. *Bot.* De figura de lira[1], instrumento músico.

liria. f. p. us. **liga,** materia viscosa.

lírica. (Del lat. *lyrĭca,* t. f. de *-cus,* lírico.) f. Género literario al cual pertenecen las obras, normalmente en verso, que expresan sentimientos del autor y se proponen suscitar en el oyente o lector sentimientos análogos.

liricidad. f. Cualidad de lírico.

lírico, ca. (Del lat. *lyrĭcus.*) adj. Perteneciente o relativo a la lira[1], a la poesía apropiada para el canto o a la lírica. ‖ **2.** Dícese de la obra literaria perteneciente a la **lírica** o de su autor. ‖ **3.** Propio, característico de la poesía **lírica,** o apto o conveniente para ella. *Arrebato, lenguaje, talento* LÍRICO. ‖ **4.** Que promueve una honda compenetración con los sentimientos manifestados por el poeta. ‖ **5.** Que promueve en el ánimo un sentimiento intenso o sutil, análogo al que produce la poesía **lírica**. ‖ **6.** Dícese de las obras de teatro total o principalmente musicales.

lirio[1]. (Del gr. λείριον, a través del lat. *lilĭum*.) m. Planta herbácea, vivaz, de la familia de las iridáceas, con hojas radicales, erguidas, ensiformes, duras, envainadoras y de tres a cuatro decímetros de largo; tallo central ramoso, de cinco a seis decímetros de altura; flores terminales grandes, de seis pétalos azules o morados y a veces blancos; fruto capsular con muchas semillas, y rizoma rastrero y nudoso. ‖ **blanco.** Azucena, planta. ‖ **cárdeno. lirio.** ‖ **de agua. cala**[3], planta. ‖ **de los valles. muguete.** ‖ **hediondo.** Planta semejante al **lirio**, del cual únicamente se distingue por tener el tallo sencillo y ser las flores de mal olor y con tres pétalos azules y otros tres amarillos.

lirio[2]. m. *Gal.* **bacaladilla**, pez marino.

lirismo. (De *lira*.) m. Cualidad de lírico, inspiración lírica. ‖ **2.** Abuso de las cualidades características de la poesía lírica, o empleo indebido de este género de poesía o del estilo lírico en composiciones de otra clase.

liróforo. (Del gr. λύρα, lira, y φορός, portador.) m. **poeta.**

lirón[1]. (Del lat. *glis, glíris.*) m. Mamífero roedor muy parecido al ratón, de unos tres decímetros de longitud, de la que casi la mitad corresponde a la cola, con pelaje de color gris oscuro en las partes superiores, blanco en las inferiores, espeso y largo, principalmente en aquella. Vive en los montes, alimentándose de los frutos de los árboles, a los que trepa con extraordinaria agilidad; pasa todo el invierno adormecido y oculto. ‖ **2.** fig. Persona dormilona. ‖ **dormir como un lirón.** fr. fig. y fam. Dormir mucho o de continuo.

lirón[2]. (Del gr. λόρον, a través del lat. *lyron.*) m. **alisma.**

lirón[3]. (variante de *latón*[2].) m. **almez**, árbol. ‖ **2.** Fruto del almez.

lirondo. adj. V. **mondo y lirondo.**

lironero. (De *lirón*[3].) m. *Murc.* **almez**, árbol.

lis. (Del fr. *lis.*) f. y modernamente también m. **lirio.** ‖ **2.** *Blas.* **flor de lis**, forma heráldica de esta flor.

lisa. (De or. inc.) f. Pez teleósteo fluvial, fisóstomo, parecido a la locha, de cinco a seis centímetros de longitud y de carne insípida. Abunda en los ríos del centro de España. ‖ **2. mújol.**

lisamente. adv. m. Con lisura. ‖ **lisa y llanamente.** loc. adv. Sin ambages ni rodeos. ‖ **2.** *Der.* Sin interpretación; entendiéndose las palabras tal como suenan.

lisar. (Como *lisiar*.) tr. ant. **lisiar.**

lisboeta. adj. **lisbonés.**

lisbonense. adj. **lisbonés.** Apl. a pers., ú. t. c. s.

lisbonés, sa. (Del lat. *Lisbóna*, Lisboa.) adj. Natural de Lisboa. Ú. t. c. s. ‖ **2.** Perteneciente o relativo a esta ciudad de Portugal.

lisera[1]. f. *Murc.* Caña gruesa que sujeta transversalmente las que forman un cañizo. ‖ **2.** *Murc.* Bohordo de la pita.

lisera[2]. (Del fr. *lisière.*) f. *Fort.* **berma.**

lisiado, da. p. p. de **lisiar.** ‖ **2.** Dícese de la persona que tiene alguna lesión permanente, especialmente en las extremidades. Ú. t. c. s. ‖ **3.** desus. Excesivamente aficionado a una cosa o deseoso de conseguirla.

lisiadura. f. Acción y efecto de lisiar o lisiarse.

lisiar. (De *lisión*, lesión.) tr. Producir lesión en alguna parte del cuerpo. Ú. t. c. prnl.

lisimaquia. (Del gr. λυσιμάχιον, a través del lat. *lysimachīa.*) f. Planta herbácea de la familia de las primuláceas, con tallos erguidos, vellosos y cuadrangulares; hojas opuestas o en verticilos, con pecíolo corto, lanceoladas, agudas, de color verde amarillento por el haz, blanquecinas y lanuginosas por el envés; flores amarillas en umbelas terminales, y fruto seco, capsular, con muchas semillas. Crece en terrenos húmedos y se ha empleado contra las hemorragias.

lisina. (Del gr. λύσις, disolución, e *-ina.*) f. *Fisiol.* Anticuerpo que posee la facultad de disolver o destruir las células orgánicas o las bacterias.

lisión. (Del lat. *laesĭo, -ōnis,* lesión.) f. ant. **lesión.** Ú. en Ecuador.

lisis. (Del gr. λύσις, solución.) f. *Med.* Terminación lenta y favorable de una enfermedad.

-lisis. (Del gr. -λυσις, disolución.) elem. compos. que significa «disolución», «descomposición». *hemó*LISIS, *electró*LISIS.

liso, sa. (De or. inc.) adj. Dícese de la superficie que no presenta asperezas, adornos, realces o arrugas. ‖ **2.** Aplícase a las telas que no son labradas y a los vestidos que carecen de guarnición y otros adornos. ‖ **3.** Dícese, en las tabernas, de los vasos tan anchos por la boca como por el fondo. Ú. t. c. s. m. ‖ **4.** V. **hombre liso.** ‖ **5.** Desvergonzado, atrevido, insolente, respondón. ‖ **6.** Aplícase a telas o prendas de vestir de un solo color. ‖ **7.** m. *Min.* Cara plana y extensa de una roca. ‖ **8.** pl. **holanda**, aguardiente. ‖ **liso y llano.** loc. adj. que se aplica a los negocios que no tienen dificultad. *Es cosa* LISA Y LLANA.

lisol. m. Líquido rojo pardusco mezclable con el agua, el alcohol o la bencina; se lo considera como buen desinfectante e insecticida.

lisonja[1]. (Del occitano *lauzenja.*) f. Alabanza afectada, para ganar la voluntad de una persona.

lisonja[2]. f. *Blas.* **losange.**

lisonjar. tr. ant. **lisonjear.**

lisonjeador, ra. adj. **lisonjero.** Ú. t. c. s.

lisonjear. (De *lisonja*[1].) tr. **adular.** ‖ **2.** Dar motivo de envanecimiento. Ú. t. c. prnl. ‖ **3.** fig. Deleitar, agradar. Ú. t. c. prnl.

lisonjeramente. adv. m. Con lisonja. ‖ **2. agradablemente.**

lisonjería. f. ant. **lisonja**[1].

lisonjero, ra. adj. Que lisonjea. Ú. t. c. s. ‖ **2.** fig. Que agrada y deleita. *Música, voz* LISONJERA.

lisor. m. ant. **lisura.**

lista. (Del germ. occidental *lîsta.*) f. **tira** de tela, papel, cuero u otra cosa delgada. ‖ **2.** Señal larga y estrecha o línea que, por combinación de un color con otro, se forma artificial o naturalmente en un cuerpo cualquiera, y con especialidad en telas o tejidos. ‖ **3.** Enumeración, generalmente en forma de columna, de personas, cosas, cantidades, etc., que se hace con determinado propósito. ‖ **civil.** Dotación asignada al monarca y a su familia en el presupuesto del Estado. ‖ **de boda.** Relación de objetos y enseres que interesan a los futuros contrayentes, la cual se entrega en un establecimiento comercial a fin de orientar a los invitados a la boda en la elección de sus obsequios. ‖ **de cartería.** Oficina a la que llegan los envíos postales que no han sido entregados en el domicilio del destinatario. ‖ **de correos.** Oficina, en las casas de correos, a la cual se dirigen las cartas y paquetes cuyos destinatarios han de ir a ella a recogerlos. ‖ **grande.** Relación completa de los números premiados en un sorteo de lotería. ‖ **negra.** Relación secreta en la que se inscriben los nombres de las personas o entidades consideradas vitandas. ‖ **pasar lista.** Llamar en alta voz para que respondan las personas cuyos nombres figuran en un catálogo o relación.

listado, da. p. p. de **listar.** Ú. t. c. s. m. ‖ **2.** adj. Que forma o tiene lista.

listar. (De *lista.*) tr. p. us. **alistar**[1], sentar o escribir en lista.

listeado, da. adj. **listado.**

listel. (Del fr. *listel.*) m. *Arq.* **filete.**

listero, ra. m. y f. Persona encargada de hacer la lista de los que concurren a una junta o trabajan en común. ‖ **2.** En las obras, persona encargada de pasar lista para comprobar la presencia de los operarios.

listeza. f. Cualidad de listo; prontitud, sagacidad.

listín. m. Lista pequeña o extractada de otra más extensa. ‖ **2.** Publicación que recoge el nombre, dirección y número de teléfono de los abonados.

listo, ta. (De or. inc.) adj. Diligente, pronto, expedito. ‖ **2.** Apercibido, preparado, dispuesto para hacer una cosa. ‖ **3.** Sagaz, avisado. Ú. t. c. s. ‖ **4.** V. **rosquilla lista.** ‖ **estar** o **ir listo.** fr. fam. con que se manifiesta la convicción de que el propósito o esperanza de una persona saldrán fallidos. ‖ **pasarse de listo.** fr. Intentar mostrarse en algo más inteligente que otros y estar equivocado.

listón. (aum. de *lista*.) m. Cinta de seda más angosta que la colonia[1]. ‖ **2.** *Arq.* **listel.** ‖ **3.** *Carp.* Pedazo de tabla angosto que sirve para hacer marcos y para otros usos. ‖ **4.** *Carp.* Moldura de sección cuadrada y poco saliente. ‖ **5.** *Dep.* Barra que se coloca horizontalmente sobre los soportes para marcar la altura que se ha de saltar en ciertas pruebas. ‖ **6.** adj. Dícese del toro que tiene una lista blanca o más clara que el resto de la capa, por encima de la columna vertebral y a lo largo de la misma.

listonado, da. p. p. de **listonar.** ‖ **2.** m. *Carp.* Obra o entablado hecho de listones.

listonar. tr. *Carp.* Hacer un entablado de listones.

listonería. f. Conjunto o costos de listones.

listonero, ra. m. y f. Persona que hace listones.

lisura. (De *liso*.) f. Igualdad y tersura de la superficie de una cosa. ‖ **2.** fig. Ingenuidad, sinceridad. ‖ **3.** fig. *Guat., Pan.* y *Perú.* Palabra o acción grosera e irrespetuosa. ‖ **4.** fig. *Pan.* y *Perú.* Atrevimiento, desparpajo. ‖ **5.** fig. *Perú.* Gracia, donaire.

lita. (Del gr. λύττα, rabia, a través del lat. *lytta*.) f. **landrilla,** con especialidad la del perro.

litación. (Del lat. *litatĭo, -ōnis*.) f. p. us. Acción y efecto de litar.

litar. (Del lat. *litāre*.) tr. p. us. Hacer un sacrificio agradable a la Divinidad.

litarge. m. **litargirio.**

litargia. f. ant. **letargia.**

litargirio. (Del gr. λιθάργυρος, a través del lat. *lithargyrus*.) m. Óxido de plomo, fundido en láminas o escamas muy pequeñas, de color amarillo más o menos rojizo y con lustre vitreo. ‖ **de oro.** El que tiene color y brillo parecidos a los de este metal. ‖ **de plata.** El que contiene plata bastante para ser beneficiada.

lite. (Del lat. *lis, litis*.) f. *Der.* **pleito,** litigio judicial.

litera. (Del cat. *llitera*.) f. Vehículo antiguo capaz para una o dos personas, a manera de caja de coche y con dos varas laterales que se afianzaban en dos caballerías, puestas una delante y otra detrás. ‖ **2.** Cada una de las camas estrechas y sencillas que se usan en los barcos, trenes, cuarteles, dormitorios, etc., y que, por economía de espacio, se suelen colocar una encima de otra.

literal. (Del lat. *litterālis*.) adj. Conforme a la letra del texto, o al sentido exacto y propio, y no lato ni figurado, de las palabras empleadas en él. ‖ **2.** Aplícase a la traducción en que se vierten todas y por su orden, en cuanto es posible, las palabras del original. ‖ **3.** Que reproduce lo que se ha dicho o se ha escrito. ‖ **4.** Que, en la transcripción de una escritura alfabética a otra lengua, procede letra por letra. ‖ **5.** *Lóg.* y *Mat.* Dícese de los conceptos y magnitudes que se expresan con letras.

literalidad. f. Cualidad de literal.

literalmente. adv. m. Conforme a la letra o al sentido literal. ‖ **2.** Que debe entenderse en la plenitud de su sentido la palabra a la cual acompaña. *Estoy* LITERALMENTE *extenuado.*

literariamente. adv. m. Según unos preceptos y reglas de la literatura.

literario, ria. (Del lat. *litterarĭus*.) adj. Perteneciente o relativo a la literatura. ‖ **2.** V. **género literario.** ‖ **3.** V. **república literaria.**

literato, ta. (Del lat. *litterātus*.) adj. Aplícase a la persona versada en literatura. Ú. t. c. s. ‖ **2.** m. y f. Persona que la profesa o cultiva.

literatura. (Del lat. *litteratūra*.) f. Arte que emplea como instrumento la palabra. Comprende no solo las producciones poéticas, sino también las obras en que caben elementos estéticos, como las oratorias, históricas y didácticas. ‖ **2.** Teoría de las composiciones literarias. ‖ **3.** Conjunto de las producciones literarias de una nación, de una época o de un género. *La* LITERATURA *griega; la* LITERATURA *del siglo* XVI. ‖ **4.** Por ext., conjunto de obras que versan sobre un arte o ciencia. LITERATURA *médica.* LITERATURA *jurídica.* ‖ **5.** p. us. Suma de conocimientos adquiridos con el estudio de las producciones literarias; y en sentido lato instrucción general en este o en cualquier otro de los distintos ramos del saber humano. ‖ **de cordel.** pliegos de cordel.

literero. m. El que vendía, alquilaba o guiaba literas.

litería. f. Oficio del que cuidaba las literas de la casa real.

litiasis. (Del gr. λιθίασις.) f. *Pat.* **mal de piedra.** ‖ **biliar.** *Pat.* Formación de cálculos en la vejiga de la hiel.

lítico, ca. (Del gr. λιθικός.) adj. Perteneciente o relativo a la piedra. ‖ **2.** *Quím.* Deciase del ácido úrico.

litigación. (Del lat. *litigatĭo, -ōnis*.) f. Acción y efecto de litigar.

litigante. (Del lat. *litĭgans, -antis*.) p. a. de **litigar.** Que litiga. Ú. m. c. s.

litigar. (Del lat. *litigāre*.) tr. Pleitear, disputar en juicio sobre una cosa. ‖ **2.** intr. Altercar, contender.

litigio. (Del lat. *litigĭum*.) m. Pleito, altercación en juicio. ‖ **2.** fig. Disputa, contienda.

litigioso, sa. (Del lat. *litigiōsus*.) adj. Dícese de lo que está en pleito. ‖ **2.** Por ext., dícese de lo que está en duda y se disputa. ‖ **3.** Propenso a mover pleitos y litigios.

litina. (Del gr. λιθίνη, pétrea.) f. Óxido alcalino parecido a la sosa, que se halla combinado con algunos minerales y disuelto en ciertos veneros medicinales.

litio. (Del gr. λίθιον, piedrecita.) m. *Quím.* Metal de color blanco de plata, tan poco denso que flota sobre el agua, la nafta y el petróleo; se funde a 180 grados y, combinado con el oxígeno, forma la litina. Núm. atómico 3. Símb.: Li.

litis. (Del lat. *lis, litis*.) f. *Der.* **lite.**

litisconsorte. (De *litis* y *consorte*.) com. *Der.* Persona que litiga por la misma causa o interés que otra, formando con ella una sola parte.

litiscontestación. (De *litis* y *contestación*.) f. *Der.* Trabamiento de la contienda en juicio, por medio de la contestación a la demanda, de que resulta un especial estado jurídico del asunto litigioso y de los litigantes entre sí.

litisexpensas. (De *litis* y *expensas*.) f. pl. *Der.* Gastos o costas causados, que presumiblemente van a causarse, en el seguimiento de un pleito. ‖ **2.** Por ext., fondos que se asignan a personas que no disponen libremente de su caudal, para que atiendan a tales gastos.

litispendencia. (De *litis* y *pendencia*.) f. Estado del pleito antes de su terminación. ‖ **2.** *Der.* Estado litigioso, ante otro juez o tribunal, del asunto o cuestión que se pone o intenta poner *sub júdice*. Es motivo para una de las excepciones dilatorias que admite la ley.

litocálamo. (Del gr. λίθος, piedra, y κάλαμος, caña.) m. Caña fósil.

litoclasa. (Del fr. *lithoclase*.) f. *Geol.* Quiebra o grieta de las rocas.

litocola. (Del gr. λιθοκόλλα.) f. Pasta que se hacía con polvos de mármol, pez y claras de huevo, y se usaba para pegar las piedras.

litófago, ga. (Del gr. λίθος, piedra, y *-fago.*) adj. Aplícase a los moluscos que perforan las rocas y hacen en ellas su habitación.

litofotografía. (Del gr. λίθος, piedra, y *fotografía.*) f. **fotolitografía.**

litofotografiar. tr. **fotolitografiar.**

litofotográficamente. adv. m. **fotolitográficamente.**

litogenesia. (Del gr. λίθος, piedra, y γένεσις, origen.) f. Parte de la geología, que trata del origen de las rocas.

litografía. (Del gr. λίθος, piedra, y *-grafía.*) f. Arte de dibujar o grabar en piedra preparada al efecto, para reproducir, mediante impresión, lo dibujado o grabado. ‖ **2.** Cada uno de los ejemplares así obtenidos. ‖ **3.** Taller en que se ejerce este arte.

litografiar. tr. Dibujar o escribir en piedra, para reproducir lo dibujado o grabado.

litográfico, ca. adj. Perteneciente o relativo a la litografía. ‖ **2.** V. **piedra litográfica.**

litógrafo, fa. m. y f. Persona que practica la litografía.

litología. (Del gr. λιθολογία.) f. Parte de la geología que trata de las rocas.

litológico, ca. adj. Perteneciente o relativo a la litología.

litólogo, ga. (Del gr. λιθολόγος.) m. y f. Persona que profesa la litología o tiene en ella especiales conocimientos.

litoral. (Del lat. *litorālis.*) adj. Perteneciente o relativo a la orilla o costa del mar. ‖ **2.** m. Costa de un mar, país o territorio. ‖ **3.** *Argent.*, *Par.* y *Urug.* Orilla o franja de tierra al lado de los ríos.

litosfera. (Del gr. λίθος, piedra, y σφαίρα, esfera.) f. *Geol.* Envoltura rocosa que constituye la corteza exterior sólida del globo terrestre.

litote. (Del fr. *litote.*) f. **lítotes.**

lítotes o **litotes.** (Del gr. λιτότης, a través del b. lat. *litōtes.*) f. *Ret.* atenuación, figura de dicción.

litotomía. (Del gr. λιθοτομία, acción de cortar piedra, a través del lat. *lithotomīa.*) f. *Cir.* Operación de la talla.

litotricia. (Del fr. *lithotritie.*) f. *Cir.* Operación de pulverizar o desmenuzar, dentro de las vías urinarias, el riñón o la vesícula biliar, las piedras o cálculos que allí haya, a fin de que puedan salir por la uretra o las vías biliares según el caso.

litráceo, a. (Del lat. *lythrum*, nombre cient. de la salicaria, y *-áceo.*) adj. *Bot.* Dícese de hierbas y arbustos angiospermos dicotiledóneos, con hojas enteras, comúnmente opuestas, flores hermafroditas, actinomorfas o cigomorfas, solitarias o en espigas, y fruto en cápsula con semillas angulosas de tegumento coriáceo; como la salicaria. Ú. t. c. s. f. ‖ **2.** f. pl. *Bot.* Familia de estas plantas.

litrarieo, a. (Del lat. *lythrum*, nombre cient. de la salicaria, *-ario* y *-eo²*.) adj. *Bot.* **litráceo.**

litre. (Del arauc. *lithe*, árbol de mala sombra.) m. Árbol chileno, de la familia de las anacardiáceas, de hojas enterísimas, flores amarillas en panoja, y frutos pequeños y dulces, de los cuales se hace chicha. Su madera es tan dura, que se emplea en dientes de ruedas hidráulicas y ejes de carretas. Su sombra y el contacto de sus ramas producen salpullido, especialmente a las mujeres y a los niños. ‖ **2.** fam. *Chile.* Enfermedad producida por la sombra de este árbol.

litro. (Del fr. *litre.*) m. Unidad de capacidad del sistema métrico decimal, que equivale al contenido de un decímetro cúbico. ‖ **2.** Cantidad de líquido que cabe en tal medida.

lituano, na. adj. Natural de Lituania. Ú. t. c. s. ‖ **2.** Perteneciente o relativo a este país de Europa. ‖ **3.** m. Lengua de la familia báltica, hablada en Lituania.

lítuo. (Del lat. *lituus.*) m. Cayado o báculo que usaban los augures como insignia de su dignidad. ‖ **2.** Instrumento de música militar que usaron los romanos, especie de trompeta de sonido agudo, de un metro aproximadamente

de largo, con tubo recto y angosto que a su extremidad se doblaba como un cayado.

liturgia. (Del gr. λειτουργία, servicio público, a través del b. lat. *liturgīa.*) f. Orden y forma que ha aprobado la Iglesia para celebrar los oficios divinos, y especialmente la misa. ‖ **2.** Culto público y oficial instituido por otras comunidades religiosas.

litúrgico, ca. (Del gr. λειτουργικός.) adj. Perteneciente o relativo a la liturgia. ‖ **2.** V. **drama litúrgico.**

liturgista. com. Persona que estudia y enseña la liturgia.

liudar. intr. ant. **leudar.** Ú. en Colombia y Chile.

liudo, da. adj. ant. **leudo.** Ú. en Andalucía, Colombia y Chile.

livianamente. adv. m. **deshonestamente.** ‖ **2.** Con ligereza, sin fundamento. ‖ **3.** fig. **superficialmente.**

liviandad. f. Cualidad de liviano. ‖ **2.** fig. Acción liviana.

livianez. f. ant. **livianeza.**

livianeza. (De *liviano.*) f. ant. **liviandad.**

liviano, na. (Del lat. vulg. **leviānus*, de *levis.*) adj. De poco peso. ‖ **2.** fig. **inconstante,** que muda con demasiada facilidad de ideas o conducta. ‖ **3.** fig. De poca importancia. ‖ **4.** Dícese de la mujer informal y ligera en su relación con los hombres. ‖ **5.** p. us. fig. Lascivo, incontinente. ‖ **6.** m. **pulmón,** principalmente el de las reses destinadas al consumo. Ú. m. en pl. ‖ **7.** Burro que va delante y sirve de guía a la recua. ‖ **8.** f. Canto popular andaluz.

lividecer. intr. Ponerse lívido.

lividez. f. Cualidad de lívido.

lívido, da. (Del lat. *livīdus.*) adj. **amoratado,** que tira a morado. ‖ **2.** Intensamente pálido.

livonio, nia. adj. Natural de Livonia. Ú. t. c. s. ‖ **2.** Perteneciente o relativo a esta provincia de Letonia.

livor. (Del lat. *livor, -ōris.*) m. Color cárdeno. ‖ **2.** ant. **cardenal²**. ‖ **3.** fig. Malignidad, envidia, odio. ‖ **4.** *Der.* V. **fe de livores.**

lixiviación. f. Acción y efecto de lixiviar.

lixiviar. (Del lat. *lixivĭa*, lejía.) tr. *Quím.* Tratar una sustancia compleja con el disolvente adecuado para obtener la parte soluble de ella.

liza¹. (Como *lisa.*) f. **mújol.**

liza². (Del fr. *lice.*) f. Campo dispuesto para que lidien dos o más personas. ‖ **2.** **lid.**

liza³. (Del lat. *licĭa*, pl. de *licĭum.*) f. *Ar.* Hilo grueso de cáñamo.

lizar. (De *liso.*) tr. ant. **alisar.**

lizo. (Del lat. *licĭum.*) m. Hilo fuerte que sirve de urdimbre para ciertos tejidos. Ú. m. en pl. ‖ **2.** Cada uno de los hilos en que los tejedores dividen la seda o estambre para que pase la lanzadera con la trama. ‖ **3.** V. **árbol del lizo.** ‖ **4.** *Chile.* Palito que reemplaza a la lanzadera de los telares.

lo¹. (Del lat. *illum*, acus. de *ille.*) Artículo neutro. ‖ **2.** Seguido de un posesivo o de un nombre introducido por la prep. *de,* la propiedad, casa o campo poseídos por quien se indica. *LO mío, LO de Pérez.* ‖ **3.** Acusativo del pronombre personal de tercera persona, en género masculino o neutro y número singular. No admite preposición y se puede usar con sufijo: *LO probé; pruébaLO.*

lo². m. *Mar.* Cada una de las relingas de caída en las velas redondas.

loa. f. Acción y efecto de loar. ‖ **2.** En el teatro antiguo, prólogo, introito, discurso o diálogo con que solía darse principio a la función, para dirigir alabanzas a la persona ilustre a quien estaba dedicada, para encarecer el mérito de los farsantes, para captarse la benevolencia del público por otros fines análogos. ‖ **3.** Composición dramática breve, pero con acción y argumento, que se representaba antiguamente antes del poema dramático al que servía como preludio o introducción. ‖ **4.** Poema dramático de breve extensión en que se celebra, alegóricamente por lo común, a una persona ilustre o un acontecimiento fausto.

loable. (De lat. *laudabĭlis.*) adj. **laudable.** ‖ **2.** f. En algunas universidades, refresco que se daba con motivo de un grado o función literaria.

loablemente. adv. m. De una manera digna de alabanza.

loadero, ra. (De lat. *laudatorĭus.*) adj. ant. **laudable.**

loador, ra. (De lat. *laudātor, -ōris.*) adj. Que loa. Ú. t. c. s.

loamiento. (De *loar.*) m. ant. **loa.**

loán. m. Medida agraria usada en Filipinas, décima parte de la balita e igual a 3.600 pies cuadrados, o sea 2 áreas y 79 centiáreas.

loanda. (De *Loanda,* o San Pablo de *Loanda,* capital de Angola, donde es endémica esta enfermedad.) f. Especie de escorbuto.

loanza. (De *loar.*) f. ant. Acción y efecto de loar.

loar. (Del lat. *laudāre.*) tr. **alabar.** ‖ **2.** ant. Dar por buena una cosa.

loba[1]. (Del lat. *lupa.*) f. Hembra del lobo. ‖ **2.** Lomo no removido por el arado, entre surco y surco. ‖ **3.** V. **cerradura, llave de loba.**

loba[2]. (Del gr. λόπη, especie de manto de piel.) f. **sotana,** vestidura talar. ‖ **cerrada.** Manto o sotana de paño negro que con el capirote y bonete formaba el traje fuera del colegio usaban los colegiales y otras personas autorizadas por su estado o ejercicio para el uso de esta vestidura.

lobada. f. *Murc.* **loba**[1], lomo de tierra no removido por el arado.

lobado[1]. (Del lat. **lupātus,* de *lupus,* lobo.) m. *Veter.* Tumor carbuncoso que padecen las caballerías en los encuentros, y el ganado vacuno, lanar y cabrío, en el mismo sitio y en la papada.

lobado[2], **da.** (De *lobo*[2].) adj. *Bot.* y *Zool.* **lobulado.**

lobagante. m. **bogavante,** crustáceo.

lobanillo. (Del m. or. que *lobado*[1].) m. *Pat.* Tumor o bulto superficial y por lo común no doloroso, que se forma en la cabeza y en algunas partes del cuerpo. ‖ **2.** Excrecencia leñosa cubierta de corteza, que se forma en el tronco o ramas de un árbol.

lobarro. (De *lobo.*) m. *Murc.* **róbalo.**

lobato. m. Cachorro del lobo.

lobatón. (aum. de *lobato.*) m. *Germ.* Ladrón que hurta ovejas o carneros.

lobear. intr. p. us. fig. Andar, a la manera de los lobos, al acecho y persecución de alguna presa. ‖ **2.** *Argent.* Cazar lobos marinos.

lobectomía. (De *lobo*[2] *-ectomía.*) f. *Cir.* Ablación quirúrgica de un lóbulo (del pulmón, cerebro, etc.).

lobeliáceo, a. (Del lat. cient. *Lobelia,* nombre de un género de plantas dedicado al botánico *Lobel,* y *-áceo.*) adj. *Bot.* Dícese de hierbas o matas angiospermas dicotiledóneas, muy afines a las campanuláceas, generalmente con látex, con hojas alternas y sin estípulas, flores axilares, solitarias o en racimo y por lo común azules, y fruto seco con muchas semillas de albumen carnoso; como el quibey. Ú. t. c. s. f. ‖ **2.** f. pl. *Bot.* Familia de estas plantas.

lobera. (De *lobo*[1].) f. Monte en que hacen guarida los lobos. ‖ **2.** ant. Portillo o agujero por donde se puede entrar y salir con trabajo.

lobería. f. Abundancia de lobos. ‖ **2.** Cacería organizada para exterminar a estas fieras. ‖ **3.** *Argent.* y *Perú.* Paraje de la costa donde los lobos marinos hacen su vida en tierra.

lobero, ra. (Del lat. *luparĭus.*) adj. **lobuno.** Piel LOBERA, postas LOBERAS. ‖ **2.** m. El que caza lobos por la remuneración señalada a los que matan estos animales. ‖ **3.** *Argent.* Cazador de lobos marinos.

lobezno. (Del lat. tardío *lupicīnus,* de *lupus,* lobo.) m. Lobo pequeño. ‖ **2.** **lobato.**

lobina. (der. de *lobo*[1], pez.) f. **róbalo.**

lobisón. (Del port. *lobishome.*) m. *Argent., Par.* y *Urug.* Hombre, generalmente el séptimo hijo varón, a quien la tradición popular atribuye la facultad de transformarse en bestia salvaje durante las noches de luna llena.

lobo[1]. (Del lat. *lupus.*) m. Mamífero carnicero de un metro aproximadamente desde el hocico hasta el nacimiento de la cola, y de seis a siete decímetros de altura hasta la cruz; pelaje de color gris oscuro, cabeza aguzada, orejas tiesas y cola larga con mucho pelo. Es animal salvaje, frecuente en España y dañino para el ganado. ‖ **2.** Locha de unos doce centímetros de largo, color verdoso en el lomo, amarillento en los costados y blanquecino en el vientre, con manchas y listas parduscas por todo el cuerpo, y seis barbillas en el labio superior. ‖ **3.** Escualo de la familia del cazón, sin espiráculos, de hocico más romo y que alcanza un par de metros de longitud. ‖ **4.** Garfio fuerte de hierro que usaban los sitiados desde lo alto de la muralla para defenderse de los sitiadores. ‖ **5.** V. **boca, cabeza, diente de lobo.** ‖ **6.** Máquina usada en hilandería para limpiar y desenlazar el algodón; consiste en un tambor cónico erizado, que gira dentro de una caja de la misma forma, llena de púas en su interior. ‖ **7.** fig. y desus. Embriaguez, borrachera. ‖ **cebado.** *Blas.* El que lleva cordero u otra presa en la boca. ‖ **cerval.** o **cerviz.** lince, mamífero carnicero. ‖ **2. gato cerval.** ‖ **de mar.** fig. y fam. Marino viejo y experimentado en su profesión. ‖ **escorchado.** *Blas.* El de color de gules, que es el que se da a este animal cuando se le representa como si estuviera desollado. ‖ **marino. foca.** ‖ **lobos de una camada.** expr. fig. y fam. Personas que por tener unos mismos intereses o inclinaciones no se hacen daño unas a otras. Ú. por lo común, en sentido peyorativo. ‖ **coger un lobo.** fr. fig. y fam. **pillar un lobo.** ‖ **desollar,** o **dormir, un lobo.** fr. fig. y fam. Dormir mientras dura la borrachera. ‖ **esperar del lobo carne.** fr. fig. y fam. Esperar algo de quien lo quiere todo para sí. ‖ **¡menos lobos!** expr. para tachar de exagerado lo que alguien dice. ‖ **pillar un lobo.** fr. fig. y fam. **embriagarse.** ‖ **tener el lobo por las orejas.** fr. fig. Hallarse excesivamente perplejo.

lobo[2]. (Del gr. λοβός.) m. *Anat.* **lóbulo,** perilla de la oreja. ‖ **2.** *Biol.* **lóbulo,** porción redondeada y saliente de un órgano.

lobo[3], **ba.** adj. *Méj.* Decíase del hijo de negro e india, o al contrario; zambo. Úsab. t. c. s. ‖ **2.** fig. *Chile.* Arisco, huraño.

loboso, sa. adj. Aplícase al terreno en que se crían muchos lobos.

lóbrego, ga. (Del lat. *lubrĭcus,* resbaladizo.) adj. Oscuro, tenebroso. ‖ **2.** fig. Triste, melancólico.

lobreguecer. tr. p. us. Hacer lóbrega una cosa. ‖ **2.** intr. p. us. Venir la noche, anochecer.

lobreguez. (De *lóbrego.*) f. Oscuridad, falta de luz. ‖ **2.** Dicho de un bosque, densidad muy sombría.

lobregura. (De *lóbrego.*) f. p. us. **lobreguez,** oscuridad. ‖ **2.** ant. Cualidad de triste, tristeza.

lóbrigo, ga. (Del lat. *lubrĭcus.*) adj. ant. **lúbrico,** propenso a la lujuria o a otro vicio.

lobulado, da. adj. *Biol.* En figura de lóbulo. ‖ **2.** *Biol.* Que tiene lóbulos.

lóbulo. (De *lobo*[2].) m. Cada una de las partes, a manera de ondas, que sobresalen en el borde de una cosa; como en la hoja de una planta o en el intradós de un arco. ‖ **2.** Perilla de la oreja. ‖ **3.** *Biol.* Porción redondeada y saliente de un órgano cualquiera. Los LÓBULOS del pulmón, del hígado, del cerebro.

lobuno, na. adj. Perteneciente o relativo al lobo[1]. ‖ **2.** *Argent.* Dícese del caballo cuyo pelaje es grisáceo en el lomo, más claro en las verijas y en el hocico, y negro en la cara, crines, cola y remos.

locación. (Del lat. *locatĭo, -ōnis.*) f. *Der.* **arrendamiento,** acción de arrendar[1] una cosa. ‖ **locación y conducción.** *Der.* Contrato de arrendamiento.

locador, ra. (Del lat. *locător, -ōris.*) m. y f. *Venez.* Persona que arrienda algo, arrendador[1].

local. (Del lat. *locālis.*) adj. Perteneciente al lugar. ‖ **2.** Perteneciente o relativo a un territorio, comarca o país. ‖ **3.** Municipal o provincial, por oposición a general o nacional. ‖ **4.** Que solo afecta a una parte del cuerpo. *Anestesia* LOCAL. ‖ **5.** V. **baile, color, privilegio local.** ‖ **6.** m. Sitio cercado o cerrado y cubierto.

localidad. (De *local.*) f. Cualidad de las cosas que las sitúan en lugar fijo. ‖ **2.** Lugar o pueblo. ‖ **3.** Cada una de las plazas o asientos en los locales destinados a espectáculos públicos. ‖ **4.** Entrada, billete, boleto o tique que asigna una **localidad** a quien lo posee. ‖ **5.** p. us. **local,** sitio cerrado y cubierto.

localismo. (De *local.*) m. Cualidad de local, perteneciente a un lugar o territorio. ‖ **2.** Preocupación o preferencia por uno por determinado lugar o comarca. ‖ **3.** Vocablo o locución que solo tiene uso en una área restringida.

localista. adj. Perteneciente o relativo al localismo. ‖ **2.** Dícese del escritor o artista que cultiva temas locales. Ú. t. c. s.

localización. f. Acción y efecto de localizar o localizarse.

localizar. (De *local* e *-izar.*) tr. Fijar, encerrar en límites determinados. Ú. t. c. prnl. ‖ **2.** Averiguar el lugar en que se halla una persona o cosa. *Hasta ahora no hemos podido* LOCALIZAR *al médico.* ‖ **3.** Determinar o señalar el emplazamiento que debe tener alguien o algo.

locamente. adv. m. Con locura. ‖ **2.** Excesivamente, sin prudencia ni moderación.

locatario, ria. (Del lat. *locatarĭus.*) m. y f. El que toma en arriendo, arrendatario.

locatis. adj. fam. Dícese de la persona alocada, de poco juicio. Ú. t. c. s.

locativo, va. (Del lat. *locātus,* p. p. de *locāre,* e *-ivo.*) adj. Perteneciente o relativo al contrato de locación o arriendo. ‖ **2.** *Gram.* Dícese del caso de la declinación que expresa fundamentalmente la relación de lugar en donde algo está o se realiza. Ú. t. c. s. m.

locería. f. *And.* y *Amér.* Fábrica de loza.

loción. (Del lat. *lotĭo, -ōnis.*) f. Acción y efecto de lavar, lavadura. Ú. m. en medicina y cosmética. ‖ **2.** Producto preparado para la limpieza del cabello o para el aseo corporal.

loco[1]. (Voz mapuche.) m. *Chile.* Molusco de carne sabrosa, pero dura, que se come guisado.

loco[2], **ca.** (De or. inc.) adj. Que ha perdido la razón. Ú. t. c. s. ‖ **2.** De poco juicio, disparatado e imprudente. Ú. t. c. s. ‖ **3.** V. **aguja, avena, higuera, malva, manzanilla, piedra, pimienta, polea loca.** ‖ **4.** V. **algarrobo, pájaro, pimiento, tordo loco.** ‖ **5.** V. **casa de locos.** ‖ **6.** fig. Que excede en mucho a lo ordinario o presumible. Se usa siempre en sentido positivo. *Cosecha* LOCA; *suerte* LOCA. ‖ **7.** fig. Hablando de las ramas de los árboles, vicioso, pujante. ‖ **8.** fig. V. **vena de loco.** ‖ **9.** *And.* V. **arvejana loca.** ‖ **10.** *Fís.* Dícese de la brújula cuando por causas accidentales pierde la propiedad de señalar el norte magnético, y de las poleas u otras partes de las máquinas que en ocasiones giran libre o inútilmente. ‖ **11.** *Med.* V. **viruelas locas.** ‖ **de atar.** fig. y fam. Persona que en sus acciones procede como **loca.** ‖ **perenne.** Persona que en ningún tiempo está en su juicio. ‖ **2.** fig. y fam. Persona que siempre está de chanza. ‖ **a locas.** loc. adv. **a tontas y a locas.** ‖ **a lo loco.** loc. adv. fig. y fam. Con inconsciencia o sin reflexión. ‖ **cada loco con su tema.** expr. fig. y fam. para comentar la excesiva insistencia de alguien sobre una cosa. ‖ **estar loco de contento.** fr. fig. y fam. Estar excesivamente alegre. ‖ **volver loco** a

alguien. fr. fig. y fam. Aturdirlo por insistir demasiado en algo. ‖ **2.** fig. y fam. Gustarle algo muchísimo. ‖ **3.** fig. y fam. Producir en él una gran pasión amorosa. ‖ **volverse loco de contento.** fr. fig. y fam. Entrarle a uno una alegría enorme.

loco citato. loc. lat. En el lugar citado. Ú. en citas, alegaciones de textos, etcétera.

locomoción. (Del lat. *locus,* lugar, y *motĭo, -ōnis,* movimiento.) f. Traslación de un lugar a otro.

locomotor, ra. (Del lat. *locus,* lugar, y *motor,* el que mueve.) adj. Propio para la locomoción. ‖ **2.** f. Máquina que, montada sobre ruedas y movida de ordinario por vapor, electricidad o motor de combustión interna, arrastra los vagones de un tren.

locomotriz. adj. f. Propia para la locomoción.

locomovible. (Del lat. *locus,* lugar, y *movible.*) adj. Que puede llevarse de un sitio a otro, locomóvil. Ú. t. c. s. f.

locomóvil. (Del lat. *locus,* lugar, y *móvil.*) adj. Que puede llevarse de un sitio a otro. Dícese especialmente de las máquinas de vapor que, por estar montadas sobre ruedas a propósito, pueden trasladarse a donde sean necesarias. Ú. t. c. s. f.

locrense. (Del lat. *Locrensis.*) adj. Natural de Lócrida. Ú. t. c. s. ‖ **2.** Perteneciente o relativo a este país de Grecia antigua.

locrio. m. *Sto. Dom.* Arroz cocido con carne, sin otros ingredientes.

locro. (Del quechua *roghro.*) m. Plato de carne, patatas, maíz y otros ingredientes, usado en varios países de América Meridional.

locuacidad. (De *locuaz.*) f. Cualidad de locuaz.

locuaz. (Del lat. *loquax, -ācis.*) adj. Que habla mucho o demasiado.

locución. (Del lat. *locutĭo, -ōnis.*) f. Modo de hablar. ‖ **2.** Grupo de palabras que forman sentido, frase. ‖ **3.** *Gram.* Combinación estable de dos o más palabras, que funciona como oración o como elemento oracional, y cuyo sentido unitario no siempre se justifica, como suma del significado normal de sus componentes. ‖ **adjetiva.** La que sirve de complemento a un nombre a manera de adjetivo. *De tomo y lomo, de pacotilla, de rompe y rasga.* ‖ **adverbial.** La que hace oficio de adverbio. *De antemano, de repente.* ‖ **conjuntiva.** La que hace oficio de conjunción. *Por consiguiente, con tal que, a pesar de.* ‖ **interjectiva.** La que hace a una interjección. *¡Ay de mí!, ¡válgame Dios!* ‖ **prepositiva.** La que hace oficio de preposición. *En pos de, para con, en torno a.*

locuela. (Del lat. *loquēla,* habla.) f. Modo y tono particular de hablar de cada uno.

locuelo, la. adj. d. de **loco.** Ú. t. c. s. ‖ **2.** Dícese de la persona de corta edad, viva y atolondrada. Ú. t. c. s.

locura. (De *loco.*) f. Privación del juicio o del uso de la razón. ‖ **2.** Acción inconsiderada o gran desacierto. ‖ **3.** fig. Exaltación del ánimo o de los ánimos, producida por algún afecto u otro incentivo. ‖ **con locura.** loc. adv. fig. Muchísimo, extremadamente. Ú. con verbos como *querer, gustar,* etc. ‖ **de locura.** loc. adj. fig. Extraordinario, fuera de lo común.

locutor, ra. (Del lat. *locūtor, -ōris.*) m. y f. Persona que habla ante el micrófono, en las estaciones de radiotelefonía, para dar avisos, noticias, programas, etc.

locutorio. (Formado sobre *locutor.*) m. Habitación o departamento de los conventos de clausura o de las cárceles, por lo común dividido por una reja, en el que los visitantes pueden hablar con las monjas o con los presos. ‖ **2.** En las estaciones telefónicas, oficinas y otros lugares, departamento aislado y de reducidas dimensiones que se destina al uso individual del teléfono. ‖ **3.** Conjunto de estos departamentos.

locha. (De *locha.*) f. Pez teleósteo fisóstomo, de unos tres decímetros de longitud, cuerpo casi cilíndrico, aplastado hacia la cola, de color negruzco, con listas amarillentas, escamas pequeñas, piel viscosa, y boca rodeada de diez barbillas: seis en el labio superior y cuatro en el inferior; labios salientes y aletas no pareadas. Se cría en los lagos y ríos de agua fría, y su carne es muy fina.

loche. (Del fr. *loche.*) m. **locha.**

lodachar. m. p. us. **lodazal.**

lodazal. m. Sitio lleno de lodo.

lodazar. m. p. us. **lodazal.**

lodiento, ta. (De *lodo.*) adj. ant. **lodoso.** ‖ **2.** ant. Sucio, mugriento. ‖ **3.** ant. fig. Impuro, inmundo.

lodo. (Del lat. *lutum,* barro.) m. Mezcla de tierra y agua, especialmente la que resulta de las lluvias en el suelo. ‖ **poner a uno de lodo, o del lodo.** fr. Enlodarlo. ‖ **2.** fig. Ofenderlo, denostarlo con palabras injuriosas.

lodón. (Cruce del lat. *lotus* y *unĕdo, -ōnis,* almez.) m. **almez,** árbol.

lodoñero. m. **guayacán.**

lodoño. (De *lodón.*) m. *Nav.* **almez,** árbol.

lodoso, sa. (Del lat. *lutōsus.*) adj. Lleno de lodo.

lodra. (Del lat. *lutra.*) f. **nutria.**

lofobranquio. (Del gr. λόφος, penacho, y el pl. βράγχια, branquias.) adj. *Zool.* Dícese de peces teleósteos que tienen las branquias en forma de penacho; como el caballo marino. Ú. t. c. s. ‖ **2.** m. pl. *Zool.* Suborden de estos animales.

logadero. (Forma patrimonial de *locatario.*) m. ant. El que toma en alquiler o arrendamiento una cosa.

loganiáceo, a. (De *Logania,* nombre de un género de plantas dedicado a *Logan,* viajero inglés del siglo XVII.) adj. *Bot.* Dícese de plantas exóticas angiospermas dicotiledóneas, hierbas, arbustos o arbolillos, que tienen hojas opuestas, enteras y con estípulas; flores en racimos o en corimbos y algunas veces solitarias, terminales o axilares, y fruto capsular con semillas de albumen carnoso o córneo, como el maracure. Ú. t. c. s. f. ‖ **2.** f. pl. *Bot.* Familia de estas plantas.

logar¹. (Del lat. *locālis.*) m. ant. **lugar.**

logar². (Del lat. *locāre.*) tr. ant. **alquilar,** dar o tomar en alquiler. ‖ **2.** *Ar.* Ajustar a una persona para que realice un trabajo por cierto precio. Ú. t. c. prnl.

logarítmico, ca. adj. *Mat.* Perteneciente a los logaritmos.

logaritmo. (Del gr. λόγος, razón, y ἀριθμός, número.) m. *Mat.* Exponente a que es necesario elevar una cantidad positiva para que resulte un número determinado. El empleo de los **logaritmos** simplifica los procedimientos del cálculo aritmético.

logia. (Del it. *loggia.*) f. Local donde se celebran asambleas de francmasones. ‖ **2.** Asamblea de francmasones.

-logía. (Del gr. -λογία.) elem. compos. que significa «tratado», «estudio», «ciencia»: minera**LOGÍA,** lexico**LOGÍA.**

lógica. (Del gr. λογική, t. f. de -κός, lógico, a través del lat. *logĭca.*) f. Ciencia que expone las leyes, modos y formas del conocimiento científico. ‖ **natural.** Disposición natural para discurrir con acierto sin el auxilio de la ciencia. ‖ **parda.** fam. **gramática parda.**

logical. adj. ant. Perteneciente o relativo a la lógica.

lógicamente. adv. m. Según las reglas de la lógica. ‖ **2.** Como era de esperar.

lógico, ca. (Del gr. λογικός, a través del lat. *logĭcus.*) adj. Perteneciente o relativo a la lógica. ‖ **2.** Conforme a las reglas de la lógica. ‖ **3.** Que la estudia y sabe. Ú. t. c. s. ‖ **4.** Dícese comúnmente de toda consecuencia natural y legítima; del suceso cuyos antecedentes justifican lo sucedido, etc.

logis. (Del fr. *logis,* alojamiento.) m. V. **mariscal de logis.**

logística. (Del fr. *logistique.*) f. Parte del arte militar que atiende al movimiento y avituallamiento de las tropas en campaña. ‖ **2.** Lógica que emplea el método y el simbolismo de las matemáticas.

logístico, ca. adj. Perteneciente o relativo a la logística.

-logo, ga. (Del gr. -λόγος, a través del lat. *-lŏgus.*) elem. compos. que significa «persona versada» o «especialista» en lo que el primer elemento indica: zoó**LOGO,** psicó**LOGO.**

logográfico, ca. adj. Perteneciente o relativo al logografo. ‖ **2.** Oscuro, difícil de entender.

logogrifo. (Del gr. λόγος, palabra, lenguaje, y γρῖφος, red, adivinanza.) m. Enigma que consiste en hacer diversas combinaciones con las letras de una palabra, de modo que resulten otras cuyo significado, además del de la voz principal, se propone con alguna oscuridad.

logomaquia. (Del gr. λογομαχία, altercado.) f. Discusión en que se atiende a las palabras y no al fondo del asunto.

logopeda. com. Persona versada en las técnicas de la logopedia.

logopedia. (Del gr. λόγος, palabra, y παιδεία, educación.) f. Conjunto de métodos para enseñar una fonación normal a quien tiene dificultades de pronunciación.

logotipo. (Del gr. λόγος, palabra, y *tipo.*) m. *Impr.* Grupo de letras, abreviaturas, cifras, etc., fundidas en un solo bloque para facilitar la composición tipográfica. ‖ **2.** Distintivo formado por letras, abreviaturas, etc., peculiar de una empresa, conmemoración, marca o producto.

logrado, da. p. p. de **lograr.** ‖ **2.** Bien hecho o que ha salido bien.

lograr. (Del lat. *lucrāri,* ganar.) tr. Conseguir o alcanzar lo que se intenta o desea. ‖ **2.** p. us. Gozar o disfrutar una cosa. ‖ **3.** prnl. Llegar a su perfección una cosa.

logrear. intr. p. us. Emplearse en dar o recibir a logro.

logrería. f. Ejercicio de logrero. ‖ **2.** ant. Interés obtenido por el empleo o usurero.

logrero, ra. m. y f. Persona que da dinero a logro. ‖ **2.** Persona que compra o guarda y retiene los frutos para venderlos después a precio excesivo. ‖ **3.** m. Persona que procura lucrarse por cualquier medio. Ú. m. en América.

logro. (Del lat. *lucrum.*) m. Acción y efecto de lograr. ‖ **2.** Ganancia, lucro. ‖ **3.** Ganancia o lucro excesivo. ‖ **dar a logro** una cosa. fr. Prestarla o darla con usura.

logroñés, sa. adj. Natural de Logroño. Ú. t. c. s. ‖ **2.** Perteneciente o relativo a esta ciudad o a su provincia, hoy llamada Rioja.

loguer. (Del lat. *lloguer,* alquiler.) m. ant. Salario, premio o alquiler.

loguero. (Del lat. **locarĭum,* alquiler.) m. ant. Salario, premio o alquiler. ‖ **2.** ant. Jornal que gana un peón. ‖ **3.** *Ar.* El que se loga o ajusta.

loica. (Voz araucana.) f. Pájaro chileno algo mayor que el estornino, al cual se parece en el pico, pies, cola y aun en el modo de vivir y alimentarse. El macho es de color gris oscuro, manchado de blanco, a excepción de la garganta y pecho, que son de color de escarlata. Se domestica con facilidad y es muy estimado por su canto dulce y melodioso.

loina. f. *Ál.* y *Nav.* Pez muy pequeño, de río.

loísmo. m. *Gram.* Vicio consistente en emplear las formas *lo* y *los* del pronombre *él* en función de dativo.

loísta. adj. *Gram.* Dícese del que incurre en el vicio del loísmo. Ú. t. c. s.

lojano, na. adj. Natural de Loja, ciudad y provincia del Ecuador. Ú. t. c. s. ‖ **2.** Perteneciente o relativo a esta ciudad o provincia.

lojeño, ña. adj. Natural de Loja. Ú. t. c. s. ‖ **2.** Perteneciente o relativo a esta ciudad de la provincia de Granada.

lolio. (Del lat. *lolĭum.*) m. ant. Cizaña, joyo.

loma. (De *lomo*.) f. Altura pequeña y prolongada.
lomada. f. ant. **loma.** Ú. en Argentina, Paraguay, Perú y Uruguay.
lomba. (De *lombo*.) f. *Cantabria* y *León*. **loma.**
lombarda. (De etim. disc.) f. Cañón antiguo de gran calibre, bombarda. ‖ **2.** Proyectil de forma esférica arrojado por esta clase de cañones. ‖ **3.** Especie de berza muy semejante al repollo, pero menos cerrada, y de color encendido que tira a morado.
lombardada. f. Tiro de una lombarda.
lombardear. tr. Disparar las lombardas contra un objetivo.
lombardería. f. Conjunto de piezas de artillería llamadas lombardas.
lombardero. m. Soldado que tenía a su cargo dirigir y disparar las lombardas.
lombárdico, ca. adj. **lombardo**[1], perteneciente o relativo a Lombardía.
lombardo[1], **da.** adj. Natural de Lombardía. Ú. t. c. s. ‖ **2.** Perteneciente o relativo a este país de Italia. ‖ **3.** Individuo del pueblo longobardo. Ú. t. c. s. ‖ **4.** Perteneciente o relativo a los longobardos. ‖ **5.** m. Banco de crédito donde se anticipa dinero sobre el valor de las manufacturas que se entregan para la venta.
lombardo[2], **da.** (De or. inc.) adj. Dícese del toro castaño que tiene la parte superior y media del tronco de color más claro que el resto del cuerpo.
lombo. (Del lat. *lumbus*.) m. ant. Parte inferior y central de la espalda, lomo. Ú. en Salamanca.
lombrigón. m. aum. de **lombriz.**
lombriguera. (Del lat. *lumbricus*, lombriz, y *-era*.) adj. V. **hierba lombriguera.** Ú. t. c. s. ‖ **2.** f. Agujero que hacen en la tierra las lombrices.
lombriz. (Del lat. vulg. *lumbrix, -icis*.) f. Gusano de la clase de los anélidos, de color blanco o rojizo, de cuerpo blando, cilíndrico, aguzado en el extremo donde está la boca, redondeado en el opuesto, de unos tres decímetros de largo y seis a siete milímetros de diámetro, y compuesto de más de cien anillos, cada uno de los cuales lleva en la parte inferior varios pelos cortos, rígidos y algo encorvados, que sirven al animal para andar. Vive en terrenos húmedos y ayuda a la formación del mantillo, transformando en parte la tierra que traga para alimentarse, y que expulsa al poco tiempo. ‖ **intestinal.** Gusano de la clase de los nematelmintos, de forma de lombriz, que vive parásito en el intestino del hombre y de algunos animales, y del cual hay muchas especies de diversos tamaños. ‖ **solitaria. tenia.**
lomear. intr. Mover los caballos el lomo, encorvándolo con violencia.
lomera. f. Correa que se acomoda en el lomo de la caballería, para que mantenga en su lugar las demás piezas de la guarnición. ‖ **2.** Trozo de piel o de tela que se coloca en el lomo del libro para la encuadernación en media pasta. ‖ **3.** Caballete de un tejado.
lometa. (De *loma*.) f. Pequeña loma de un terreno.
lomienhiesto, ta. (De *lomo* y *enhiesto*.) adj. Alto de lomos. ‖ **2.** p. us. fig. y fam. Engreído, presuntuoso. ‖ **andar lomienhiesto.** fr. p. us. Andar holgando.
lomillería. f. *Amér. Merid.* Taller donde se hacen lomillos, caronas, riendas, lazos, etc. ‖ **2.** *Amér. Merid.* Tienda donde se venden, que suele ser el mismo taller.
lomillo. (d. de *lomo*.) m. Labor de costura o bordado hecha con dos puntadas cruzadas. ‖ **2.** Parte superior de la albarda, en la cual por el interior queda un hueco proporcionado al lomo de la caballería. ‖ **3.** *Ar.* En la carne de los animales de matadero, la parte muscular entre las costillas y el lomo, solomillo. ‖ **4.** *Amér.* Pieza del recado de montar, consistente en dos almohadas rellenas de junco o de totora, afianzadas a una lonja de suela, que se aplica

sobre la carona. ‖ **5.** pl. Aparejo con dos almohadillas largas y estrechas que dejan libre el lomo y que se pone a las caballerías de carga.
lominhiesto, ta. adj. p. us. **lomienhiesto.**
lomo. (Del lat. *lumbus*.) m. Parte inferior y central de la espalda. Ú. m. en pl. ‖ **2.** En los cuadrúpedos, todo el espinazo, desde la cruz hasta las ancas. ‖ **3.** Cada una de las dos piezas de carne de cerdo o de vacuno que están junto al espinazo y bajo las costillas. ‖ **4.** Parte del libro opuesta al corte de las hojas, en la cual se pone el rótulo. ‖ **5.** Parte por donde doblan a lo largo de la pieza las pieles, tejidos y otras cosas. ‖ **6.** Tierra que levanta el arado entre surco y surco. ‖ **7.** En los instrumentos cortantes, parte opuesta al filo. ‖ **8.** ant. Altura pequeña y prolongada de un terreno, loma. ‖ **9.** Parte saliente y más o menos roma de cualquier cosa. ‖ **10.** pl. Las costillas. ‖ **agachar el lomo.** fr. fig. y fam. Trabajar duramente. ‖ **2.** Humillarse. ‖ **a lomo** o **a lomos.** loc. adv. que, junto con los verbos *traer, llevar* y otros, significa conducir cargas en bestias. ‖ **arar por lomos.** fr. *Agr.* Dar los surcos claros cuando la primera reja se ha dado junta, para sembrar sobre los **lomos** y rajarlos después al cubrir la simiente. ‖ **jugar de lomo.** fr. p. us. fig. Estar lozano y holgado. ‖ **rajar los lomos.** fr. *Agr.* Llevar el arado por el medio de ellos, echando cada mitad en lo hondo de los surcos que están al pie. ‖ **sobar el lomo.** fr. fig. **dar coba,** adular, halagar para obtener de otro alguna ventaja.
lomoso, sa. adj. ant. Perteneciente al lomo.
lomudo, da. adj. Que tiene grandes lomos.
lona. (De *Olonne*, población marítima de Francia, donde se tejía esta clase de lienzo.) f. Tela fuerte de algodón o cáñamo, para velas de navío, toldos, tiendas de campaña y otros usos. ‖ **2.** Suelo sobre el que se realizan competiciones de boxeo, de lucha libre y grecorromana.
loncha. f. Piedra plana y delgada, laja, lancha de piedra. ‖ **2.** Cosa plana y delgada de otras materias.
lóndiga. f. p. us. **alhóndiga,** casa pública de compraventa de granos, comestibles y algunas otras mercancías.
londinense. (Del lat. *Londinensis*.) adj. Natural de Londres. Ú. t. c. s. ‖ **2.** Perteneciente o relativo a esta ciudad de Inglaterra.
londrés, sa. adj. ant. Natural de Londres. ‖ **2.** Perteneciente o relativo a esta ciudad.
londrina. f. Tela de lana que se tejía en Londres.
loneta. f. *Argent.* y *Chile.* Lona delgada que se emplea en velas de botes y otros usos. ‖ **2.** *Argent.* Pieza de este tejido y de distintas formas, destinada a diversos usos.
longa. (Del lat. *longa*, larga.) f. *Mús.* Nota de la música antigua, que valía cuatro compases o dos breves.
longadura. (Del lat. *longus*, largo.) f. ant. **largura.**
longamente. adv. m. ant. Largamente, por mucho tiempo.
longanimidad. (Del lat. *longanimĭtas, -ātis*.) f. Grandeza y constancia de ánimo en las adversidades. ‖ **2.** Benignidad, clemencia, generosidad.
longánimo, ma. (Del lat. *longanĭmis*.) adj. Magnánimo, constante, generoso.
longaniza. (Del lat. vulg. *lucanicia*, infl. por *longus*.) f. Pedazo largo de tripa angosta rellena de carne de cerdo picada y adobada. ‖ **de sábado.** Embutido de carne con sangre, sabadeño.
longar. (De *luengo*.) adj. p. us. Luengo, largo. ‖ **2.** V. **panal longar.**
longazo, za. adj. p. us. aum. de **luengo.**
longevidad. (Del lat. *longaevĭtas, -ātis*.) f. Cualidad de longevo. ‖ **2.** Largo vivir.
longevo, va. (Del lat. *longaevus*, de larga vida.) adj. Muy anciano o de larga edad.

longincuo, cua. (Del lat. *longinqŭus.*) adj. Distante, lejano, apartado.

longísimo, ma. (Del lat. *longissĭmus.*) adj. sup. de **luengo.**

longitud. (Del lat. *longitŭdo.*) f. La mayor de las dos dimensiones principales que tienen las cosas o figuras planas, en contraposición a la menor, que se llama latitud. ‖ **2.** V. **reloj de longitudes.** ‖ **3.** *Astron.* Arco de la Eclíptica, contando de occidente a oriente y comprendido entre el punto equinoccial de Aries y el círculo perpendicular a ella, que pasa por un punto de la esfera. ‖ **4.** *Geogr.* Distancia de un lugar respecto al primer meridiano, contada por grados en el Ecuador. ‖ **5.** *Mar.* V. **punto de longitud.** ‖ **de onda.** *Fís.* Distancia entre dos puntos correspondientes a una misma fase en dos ondas consecutivas.

longitudinal. adj. Perteneciente a la longitud; hecho o colocado en el sentido o dirección de ella.

longitudinalmente. adv. m. **a lo largo.**

longo, ga. (Del lat. *longus,* largo.) adj. ant. **luengo.**

longobardo, da. (Del lat. *Longobardus.*) adj. Dícese del individuo en un pueblo compuesto de varias tribus pertenecientes a la confederación de los suevos, que invadió Italia el año 568 y se estableció al norte de la misma en el país que de ellos tomó el nombre de Lombardía. Ú. t. c. s. y más en pl. ‖ **2.** Perteneciente o relativo a los **longobardos.** ‖ **3.** **lombardo**[1]. Apl. a pers., ú. t. c. s. ‖ **4.** m. Lengua germánica occidental hablada por este pueblo.

longor. (De *luengo.*) m. ant. Largura, longitud.

longorón. m. *Cuba, Méj.* y *Pan.* Molusco lamelibranquio comestible.

longuera. (De *luengo.*) f. Porción de tierra, larga y angosta.

longuería. (De *luengo.*) f. p. us. Dilación, prolijidad.

longuetas. (De *luengo.*) f. pl. *Cir.* Tiras de lienzo, ya sencillas, ya dobles o triples, que se aplican en fracturas o amputaciones.

longueza. (De *luengo.*) f. ant. Largura, longor.

longuezuelo, la. adj. ant. d. de **luengo.**

longui o **longuis (hacerse el).** fr. fig. y fam. Hacerse el distraído.

longuísimo, ma. adj. sup. Muy luengo, muy largo.

longura. (De *luengo.*) f. ant. Largura, longitud. ‖ **2.** ant. Transcurso considerable de tiempo. ‖ **3.** ant. Detención o dilación de una acción.

lonja[1]. (De *loncha.*) f. Cualquier cosa larga, ancha y poco gruesa, que se corta o separa de otra. LONJA *de cuero, de tocino.* ‖ **2.** Pieza de vaqueta con que en los coches de caballos se afianzaban los balancines menores al mayor. ‖ **3.** *Cetr.* Correa larga que se ataba a las pihuelas del halcón para no tenerlo muy recogido.

lonja[2]. (Del cat. dialect. *llonja.*) f. Edificio público donde se juntan mercaderes y comerciantes para sus tratos y comercios. ‖ **2.** En las casas de esquileo, almacén donde se coloca la pila de lana. ‖ **3.** Tienda donde se vendía cacao, azúcar y otros géneros. ‖ **4.** Atrio algo levantado del piso de las calles, al que regularmente salen las puertas de los templos y otros edificios.

lonjear. (De *lonja*[2].) tr. ant. Depositar en la lonja[2], almacenar.

lonjeta. f. d. de **lonja.** ‖ **2.** Cenador[1] de los jardines.

lonjista. com. p. us. Persona que tiene lonja[2], o tienda de cacao.

lontananza. (Del it. *lontananza.*) f. *Pint.* Términos de un cuadro más distantes del plano principal. ‖ **en lontananza.** loc. adv. **a lo lejos.** Ú. solo hablando de cosas que, por estar muy lejanas, apenas se pueden distinguir.

loor. (De *loar.*) m. Elogio, alabanza.

López. n. patronímico. **esos son otros López.** expr. fig. y fam. con que se da a entender que una cosa no tiene relación alguna con otra, aunque parezca de su misma especie.

lopigia. (Deformación de *alopecia.*) f. Caída del pelo, alopecia.

lopista. adj. Dedicado con especialidad al estudio de las obras de Lope de Vega y cosas que le pertenecen. Apl. a pers., ú. t. c. s. ‖ **2.** Partidario de Lope de Vega. Ú. t. c. s.

loquear. (De *loco.*) intr. Decir y hacer locuras. ‖ **2.** fig. Regocijarse con demasiada bulla y alboroto.

loquera. f. La que por oficio cuida y guarda locas. ‖ **2.** Jaula de locos. ‖ **3.** *Amér.* Privación de la razón, locura.

loquería. f. manicomio.

loquero. m. El que por oficio cuida y guarda locos. ‖ **2.** Barullo ruidoso y molesto.

loquesco, ca. (De *loco.*) adj. p. us. Alocado, de poco juicio. ‖ **2.** p. us. fig. Chancero, decidor. ‖ **a la loquesca.** loc. adv. p. us. **alocadamente.**

loquinario, ria. (De *loco* y un falso sufijo *-nario.*) adj. Irreflexivo, mala cabeza, alocado. Ú. t. c. s.

loquios. (Del gr. λόχιος, relativo al parto.) m. pl. Líquido que sale por los órganos genitales de la mujer durante el puerperio.

lora. f. *Col., C. Rica, Ecuad., Hond., Nicar.* y *Perú.* **loro**[1]. ‖ **2.** *Chile.* Hembra del loro. ‖ **3.** fig. y fam. *Argent., Col., Chile, Par.* y *Urug.* Mujer charlatana.

lorantáceo, a. (Del gr. λῶρον, tira, ἄνθος, flor, y *-áceo.*) adj. *Bot.* Dícese de plantas angiospermas dicotiledóneas, parásitas o casi parásitas, siempre verdes, con tallos articulados, hojas enteras, opuestas y sin estípulas; flores masculinas y femeninas separadas, las primeras sin corola y con cáliz partido en tiras, las segundas con cuatro pétalos carnosos y cáliz unido, y fruto en baya mucilaginosa; como el muérdago. Ú. t. c. s. f. ‖ **2.** f. pl. *Bot.* Familia de estas plantas.

lorcha[1]. f. Barca ligera y rápida, de menos porte y eslora que el junco: navega a vela y remo, y se emplea en la navegación de cabotaje en China, y también en alijar barcos mayores dentro de la bahía.

lorcha[2]. f. *Gal.* Boquerón, haleche.

lord. (Del ing. *lord,* señor.) m. Título de honor que se da en Inglaterra a los individuos de la primera nobleza. También llevan anejo este tratamiento algunos altos cargos. En pl., **lores.**

lordosis. (Del gr. λόρδωσις.) f. *Med.* Corcova con prominencia anterior.

lorenés, sa. adj. Natural de Lorena. Ú. t. c. s. ‖ **2.** Perteneciente o relativo a esta provincia francesa.

lorenzana. (De *Lorenzana,* en Galicia.) f. Lienzo grueso fabricado en el pueblo de este nombre.

loriga. (Del lat. *lorīca.*) f. Armadura para defensa del cuerpo, hecha de láminas pequeñas e imbricadas, por lo común de acero. ‖ **2.** Armadura del caballo para la guerra. ‖ **3.** Pieza de hierro circular con que se reforzaban los bujes de las ruedas de los carruajes.

lorigado, da. (Del lat. *loricātus.*) adj. Decíase del armado con loriga. Ú. t. c. s.

lorigón. m. aum. de **loriga.** ‖ **2.** Loriga grande con mangas que no pasaban del codo.

loriguero, ra. (Del lat. *loricarĭus.*) adj. Perteneciente o relativo a la loriga.

loriguillo. (De *loro*[2].) m. lauréola hembra.

loro[1]. (Del caribe *roro.*) m. papagayo, ave, y más particularmente el que tiene el plumaje con fondo rojo. ‖ **2.** fig. y fam. Persona muy fea. ‖ **del Brasil. paraguay,** ave.

loro[2], **ra.** (Del lat. *laurus,* laurel, por el color oscuro de sus hojas y fruto.) adj. p. us. De color amulatado, o de un moreno que tira a negro. ‖ **2.** m. **lauroceraso.**

lorquino, na. adj. Natural de Lorca. Ú. t. c. s. ‖ **2.** Perteneciente o relativo a esta ciudad.

lorza. (De *alforza*.) f. Pliegue que se hace en una prenda para acortarla o como adorno, alforza.

los. (Del lat. *illos*, acus. pl. m. de *ille*.) Forma del artículo determinado en género masculino y número plural. ‖ **2.** Acusativo del pronombre personal de tercera persona en género masculino y número plural. No admite preposición y se puede usar como enclítico. LOS *miré*; *mira*LOS. Emplear en este caso la forma *les*, propia del dativo, es tolerable como objeto directo de persona.

losa. (Del celtolat. *lausia*, losa.) f. Piedra llana y de poco grueso, casi siempre labrada, que sirve para solar y otros usos. ‖ **2.** Trampa formada con **losas** pequeñas, para cazar aves o ratones. ‖ **3.** fig. Sepulcro de cadáver. ‖ **echar uno una losa encima.** fr. fig. Asegurar con la mayor firmeza que guardará en secreto la noticia que se le ha confiado. ‖ **poner uno una losa encima.** fr. fig. echar una losa encima.

losado, da. p. p. de **losar.** ‖ **2.** m. Suelo cubierto de losas, enlosado.

losange. (Del fr. *losange*.) m. Figura de rombo colocado de suerte que uno de los ángulos agudos quede por pie y su opuesto por cabeza.

losar. (De *losa*.) tr. Cubrir el suelo con losas, enlosar.

loseta. f. d. de **losa.** ‖ **2.** Ladrillo fino para solar, baldosa. ‖ **3.** Trampa formada por una losa pequeña. ‖ **coger** a uno **en la loseta.** fr. fig. y fam. Engañarle con astucia.

losilla. f. d. de **losa.** ‖ **2.** Trampa formada por una losa pequeña, loseta. ‖ **coger,** o **tomar,** a uno **en la losilla.** fr. fig. y fam. **coger en la loseta.**

losino, na. adj. Natural del valle de Losa, en la provincia de Burgos. Ú. t. c. s. ‖ **2.** Perteneciente o relativo a él.

lota. (De *lote*.) f. *And.* Porción mayor o menor de pescado que se subasta en los sitios adonde arriban los barcos pesqueros. ‖ **2.** *And.* Sitio o lugar en que se efectúa esta subasta, en la que se va pregonando el precio fijado en escala descendente, hasta que un postor acepta un precio.

lote. (Del fr. *lot*.) m. Cada una de las partes en que se divide un todo que se ha de distribuir entre varias personas. ‖ **2.** Lo que le toca a cada uno en la lotería o en otros juegos en que se sortean sumas desiguales. ‖ **3.** Cada una de las parcelas en que se divide un terreno destinado a la edificación. ‖ **4.** dote, en el juego de naipes. ‖ **5.** En las exposiciones y ferias de ganados, grupo, ordinariamente muy reducido de caballos, mulos, etc., que tienen ciertos caracteres comunes o análogos. ‖ **6.** Conjunto de objetos similares que se agrupan con un fin determinado. LOTE *de muebles, de libros.*

lotear. tr. Dividir en lotes, generalmente un terreno.

loteo. m. Acción y efecto de lotear.

lotería. (Del fr. *loterie*.) f. Especie de rifa que se hace con mercaderías, billetes, dinero y otras cosas, con autorización pública. ‖ **2.** Juego público en que se sacaban a la suerte cinco números de noventa, y se premiaba diversamente a los que tenían en sus billetes algunos de dichos números o sus combinaciones. Este juego se llamó **lotería primitiva** o **vieja** desde que se estableció el siguiente. En la actualidad, de cuarenta y nueve números, se sacan seis, el último de los cuales se llama complementario. ‖ **3.** Juego público en que se premian con diversas cantidades varios billetes sacados a la suerte entre un gran número de ellos que se ponen en venta. Se llamó **lotería moderna,** y actualmente **lotería nacional.** ‖ **4.** Juego casero en que se imita la **lotería** primitiva con números puestos en cartones, y extrayendo algunos de una bolsa o caja. ‖ **5.** Lugar en que se despachan los billetes de **lotería.** ‖ **6.** fig. Negocio o lance en que interviene la suerte o la casualidad. ‖ **caerle,** o **tocarle,** a uno **la lotería.** fr. Tocarle uno de los premios de

la misma. ‖ **2.** fig. Sucederle algo muy beneficioso e inesperado. Ú. t. en sent. irón.

lotero, ra. (De *lotería*.) m. y f. Persona que tiene a su cargo un despacho de billetes de la lotería.

lotiforme. adj. Que tiene forma de loto.

lotino, na. adj. Natural de Lota. Ú. t. c. s. ‖ **2.** Perteneciente o relativo a esta ciudad de Chile.

loto. (Del gr. λωτός, a través del lat. *lotos*.) m. Planta acuática de la familia de las ninfeáceas, de hojas muy grandes, coriáceas, con pecíolo largo y delgado; flores terminales, solitarias, de gran diámetro, color blanco azulado y olorosas, y fruto globoso parecido al de la adormidera, con semillas que se comen después de tostadas y molidas. Abunda en las orillas del Nilo. ‖ **2.** Flor de esta planta. ‖ **3.** Fruto de la misma. ‖ **4.** Árbol de África, de la familia de las rámnáceas, parecido al azufaifo, de unos dos metros de altura; su fruto, que es una drupa rojiza del tamaño de la ciruela y casi redonda, tiene la carne algo dulce, y, según los antiguos mitólogos y poetas, hacía que los extranjeros que lo comían olvidasen su patria. ‖ **5.** Fruto de este árbol. ‖ **6.** V. azufaifo loto.

lotófago, ga. (Del gr. λωτοφάγος, que come loto.) adj. Dícese del individuo de ciertos pueblos que habitaban en la costa septentrional de África. Ú. t. c. s. m. y más en pl.

lovaniense. adj. Natural de Lovaina. Ú. t. c. s. ‖ **2.** Perteneciente o relativo a esta ciudad de Bélgica.

loxodromia. (Del gr. λοξός, oblicuo, y δρόμος, carrera.) f. *Náut.* Curva que en la superficie terrestre forma un mismo ángulo en su intersección con todos los meridianos, y sirve para navegar con rumbo constante.

loxodrómico, ca. adj. *Náut.* Perteneciente o relativo a la loxodromia.

loza. (Del lat. *lautia*, ajuar.) f. Barro fino, cocido y barnizado, de que están hechos los platos, tazas, etc. ‖ **2.** Conjunto de estos objetos destinados al ajuar doméstico. ‖ **ande la loza.** expr. o. ps. fig. y fam. con que se da a entender el bullicio y algazara que suele haber en alguna reunión cuando la gente está contenta y alegre.

lozanamente. adv. Con lozanía.

lozanear. (De *lozano*.) intr. Ostentar lozanía. Ú. t. c. prnl. ‖ **2.** Obrar con ella.

lozanecer. (De *lozano*.) intr. ant. Ostentar lozanía. Ú. t. c. prnl. ‖ **2.** Obrar con lozanía.

lozanía. (De *lozano*.) f. El mucho vigor y frondosidad en las plantas. ‖ **2.** En los hombres y animales, viveza y gallardía nacidas de su vigor y robustez. ‖ **3.** Orgullo, altivez.

lozano, na. (Del lat. *lautiānus*, de *lautia*, ajuar, comodidades.) adj. Que tiene lozanía.

lúa. (De *luva*.) f. Especie de guante hecho de esparto y sin separaciones para los dedos, que sirve para limpiar las caballerías. ‖ **2.** ant. Guante de piel, tela o punto. ‖ **3.** *Mancha.* Zurrón de piel de cabra, carnero, etc., para transportar el azafrán. ‖ **tomar por la lúa.** fr. *Mar.* Dicho de las embarcaciones, perder el gobierno porque las velas reciben el viento por la parte de sotavento, por donde no están amuradas.

lubigante. m. bogavante[2], crustáceo; lobagante.

lubina. (De *lobina*.) f. róbalo.

lubricación. f. Acción y efecto de lubricar.

lubricador, ra. adj. Que lubrica. Ú. t. c. s.

lúbricamente. adv. m. Con lubricidad.

lubricán. (De *lupus*, lobo, y *canis*, perro, infl. por *lóbrego*.) m. crepúsculo.

lubricante. p. a. de **lubricar.** ‖ **2.** adj. Dícese de toda sustancia útil para lubricar. Ú. t. c. s. m.

lubricar. (Del lat. *lubricāre*.) tr. Hacer lúbrica o resbaladiza una cosa. ‖ **2.** Suministrar lubricante a un mecanismo para mejorar las condiciones de deslizamiento de las piezas.

lubricativo, va. adj. Que sirve para lubricar.

lubricidad. (Del lat. *lubricĭtas, -ātis.*) f. Cualidad de lúbrico.

lúbrico, ca. (Del lat. *lubrĭcus.*) adj. **resbaladizo.** ‖ **2.** fig. Propenso a un vicio, y particularmente a la lujuria. ‖ **3.** fig. Libidinoso, lascivo.

lubrificación. f. Acción y efecto de lubrificar.

lubrificante. p. a. de **lubrificar.** ‖ **2.** adj. Dícese de toda sustancia adecuada para lubrificar. Ú. t. c. s. m.

lubrificar. tr. Hacer lúbrica o resbaladiza una cosa.

lucano, na. (Del lat. *Lucānus.*) adj. Natural de Lucania. Ú. t. c. s. ‖ **2.** Perteneciente o relativo a esta provincia de la Italia antigua.

lucemburgués, sa. adj. desus. **luxemburgués.**

lucencia. (Del lat. *lucens, -entis,* p. a. de *lucēre,* lucir.) f. ant. Claridad, resplandor.

lucenés, sa. adj. Natural de Lucena. Ú. t. c. s. ‖ **2.** Perteneciente o relativo a esta ciudad de la provincia de Córdoba.

lucense. (Del lat. *Lucensis.*) adj. Natural de Lugo. Ú. t. c. s. ‖ **2.** Perteneciente o relativo a esta ciudad o a su provincia. ‖ **3.** **luqués.** Apl. a pers., ú. t. c. s.

lucentísimo, ma. adj. sup. de **luciente.**

lucentor. (De *luciente.*) m. Cierto afeite que usaban las mujeres para el rostro.

lucera. (De *luz.*) f. Ventana o claraboya abierta en la parte alta de los edificios.

lucerna. (Del lat. *lucerna.*) f. Araña grande para alumbrar. ‖ **2.** Abertura alta de una habitación para dar ventilación y luz. ‖ **3.** **milano,** pez marino. ‖ **4.** p. us. Gusano de luz, luciérnaga. ‖ **5.** ant. Especie de lamparilla o linterna.

lucérnula. (Del lat. *lucernŭla,* lamparilla.) f. **neguilla,** planta.

lucero. (De *luz.*) m. El planeta Venus, comúnmente llamado la estrella de Venus. ‖ **2.** Cualquier astro de los que parecen más grandes y brillantes. ‖ **3.** Postigo o cuarterón de las ventanas por donde entra la luz. ‖ **4.** Lunar blanco y grande que tienen en la frente algunos cuadrúpedos. ‖ **5.** fig. Lustre, esplendor. ‖ **6.** fig. y poét. Cada uno de los ojos de la cara. Ú. m. en pl. ‖ **7.** adj. Dícese del toro o caballo de pelo oscuro y con una mancha blanca en la frente. ‖ **del alba, de la mañana o de la tarde. lucero,** planeta Venus. ‖ **2.** fig. y fam. Cualquiera, por importante que sea. *No hacía un favor ni al* LUCERO DEL ALBA.

lucianesco, ca. adj. Perteneciente o relativo a Luciano, o que tiene semejanza con las dotes o calidades de las obras de este escritor griego.

lucible. (Del lat. *lucibĭlis.*) adj. ant. Que luce o resplandece.

lucidamente. adv. m. Con lucimiento.

lucidez. f. Cualidad de lúcido.

lucido, da. p. p. de **lucir.** ‖ **2.** adj. Que hace o desempeña las cosas con gracia, liberalidad y esplendor. ‖ **3.** fig. y fam. Dícese irónicamente, con los verbos *estar* o *quedar,* de quien probablemente va a sufrir un chasco o lo ha sufrido.

lúcido, da. (Del lat. *lucĭdus.*) adj. poét. **luciente.** ‖ **2.** fig. Claro en el razonamiento, en las expresiones, en el estilo, etc. ‖ **3.** V. **cámara lúcida.** ‖ **4.** V. **intervalo lúcido.**

lucidor, ra. adj. Que luce.

lucidura. (De *lucir.*) f. Blanqueo que se da a las paredes.

luciérnaga. (Del lat. *lucerna,* lámpara, con el sufijo átono *-aga.*) f. Insecto coleóptero, de tegumento blando, notable por la gran diferencia morfológica que existe entre los individuos de uno y otro sexo. El macho, de unos 12 milímetros de largo, es de color amarillo pardusco, tiene la cabeza oculta por el tórax, élitros que cubren todo el abdomen, con tres costillas longitudinales, y patas finas y prolongadas. La hembra, un poco mayor que el macho, se asemeja a un gusano por carecer de alas y élitros, ser cortas sus patas y

el abdomen muy prolongado y formado por anillos negruzcos de borde amarillo que despiden, particularmente los tres últimos, una luz fosforescente de color blanco verdoso.

luciérnago. m. ant. **luciérnaga.**

lucifer. (Del lat. *Lucĭfer. -ĕri.*) n. p. m. El príncipe de los ángeles rebeldes. ‖ **2.** m. poét. Lucero de la mañana. ‖ **3.** fig. Hombre soberbio, encolerizado y maligno.

luciferal. (De *Lucifer.*) adj. ant. Soberbio, maligno.

luciferino, na. adj. Perteneciente a Lucifer.

lucífero, ra. (Del lat. *lucĭfer, -ĕri,* portador de luz.) adj. poét. Resplandeciente, luminoso, que da luz. ‖ **2.** m. El lucero de la mañana.

lucífugo, ga. (Del lat. *lucifŭgus.*) adj. Que huye de la luz. *Ave* LUCÍFUGA.

lucilina. (Del lat. *lux, lucis,* y *-lina,* term. de *naftalina.*) f. **petróleo.**

lucilo. m. **lucillo.**

lucillo. (Del lat. *locellus,* d. de *locus,* sarcófago.) m. Urna de piedra en que suelen sepultarse algunas personas de distinción.

lucimiento. m. Acción y efecto de lucir o lucirse. ‖ **quedar** uno **con lucimiento.** fr. fig. Salir airoso en cualquier encargo o empeño.

lucina. (Del lat. *luscinia.*) f. ant. **ruiseñor.**

lucio¹. (Del lat. *lucĭus.*) m. Pez del orden de los acantopterigios, semejante a la perca, de cerca de metro y medio de largo, cabeza aguzada, cuerpo comprimido, de color verdoso con rayas verticales pardas, aletas fuertes y cola triangular. Vive en los ríos y lagos, se alimenta de peces y batracios y su carne es grasa, blanca y muy estimada.

lucio². (Del lat. **luscĭdus,* de *luscus,* medio ciego.) m. *Burg.* **lución,** reptil saurio.

lucio³, cia. (Del lat. *lucĭdus.*) adj. Terso, lúcido. ‖ **2.** m. Cada uno de los lagunajos que quedan en las marismas al retirarse las aguas.

lución. (De *lucio².*) m. Reptil saurio ápodo, de piel brillante y cola tan larga como el cuerpo, la cual pierde y regenera con facilidad. Se llama también culebra de cristal.

lucir. (Del lat. *lucēre.*) intr. Brillar, resplandecer. ‖ **2.** fig. Sobresalir, aventajar. Ú. t. c. prnl. ‖ **3.** fig. Corresponder notoriamente el provecho al trabajo en cualquier obra. *A tu vecino le* LUCE *el trabajo.* ‖ **4.** tr. Iluminar, comunicar luz y claridad. ‖ **5.** Manifestar el adelantamiento, la riqueza, la autoridad, etc. ‖ **6.** **enlucir,** blanquear con yeso las paredes. ‖ **7.** prnl. Vestirse y adornarse con esmero. ‖ **8.** fig. Quedar uno muy bien en un empeño. Ú. frecuentemente con valor irónico.

luco. (Del lat. *lucus.*) m. ant. Bosque o selva de árboles cerrados y espesos.

lucrar. (Del lat. *lucrāri.*) tr. Conseguir lo que se desea. ‖ **2.** prnl. Ganar, sacar provecho de un negocio o encargo.

lucrativo, va. (Del lat. *lucratīvus.*) adj. Que produce utilidad y ganancia. ‖ **2.** V. **causa lucrativa.** ‖ **3.** V. **título lucrativo.**

lucro. (Del lat. *lucrum.*) m. Ganancia o provecho que se saca de una cosa. ‖ **cesante.** *Der.* Ganancia o utilidad que se regula por la que podría producir el dinero en el tiempo que ha estado dado en empréstito o mutuo. ‖ **lucros y daños.** *Com.* **ganancias y pérdidas.**

lucroniense. (Del lat. mediev. *Lucronĭum,* Logroño.) adj. Natural de Logroño. Ú. t. c. s. ‖ **2.** Perteneciente o relativo a esta ciudad o a su provincia, hoy llamada Rioja.

lucroso, sa. (Del lat. *lucrōsus.*) adj. p. us. Que produce lucro.

luctuosa. (Del lat. *luctuōsa,* t. f. de *-sus,* luctuoso.) f. Derecho que se pagaba en algunas provincias a los señores y prelados cuando morían sus súbditos, y a veces consistía en una alhaja o prenda de ropa del difunto; la que él señalaba en su testamento, o la que el señor o prelado elegía.

luctuosamente. adv. m. Con tristeza y llanto.

luctuoso, sa. (Del lat. *luctuōsus.*) adj. Triste, fúnebre y digno de llanto.

lucubración. (Del lat. *lucubratĭo, -ōnis.*) f. Acción y efecto de lucubrar. ‖ **2.** Vigilia y tarea consagrada al estudio. ‖ **3.** Obra o producto de este trabajo. *Doctas* LUCUBRACIONES; LUCUBRACIONES *filosóficas.*

lucubrar. (Del lat. *lucubrāre.*) tr. Trabajar velando y con aplicación en obras de ingenio. ‖ **2.** Imaginar sin mucho fundamento.

lúcuma. (Del quechua *rucma.*) f. Fruto del lúcumo. ‖ **2.** lúcumo.

lúcumo. (De *lúcuma.*) m. Árbol de Chile y del Perú, de la familia de las sapotáceas, de hojas casi membranáceas, trasovadas y adelgazadas hacia el pecíolo. Su fruto, del tamaño de una manzana pequeña, se guarda, como las serbas, algún tiempo en paja, antes de comerlo.

lucha. (Del lat. *lucta.*) f. Pelea entre dos, en que, abrazándose uno a otro, procura cada cual dar con su contrario en tierra. ‖ **2.** Lid, combate. ‖ **3.** fig. Contienda, disputa. ‖ **grecorromana.** Aquella en que vence el que consigue hacer que el adversario toque el suelo con las espaldas durante unos segundos. ‖ **interior.** fig. La que uno mantiene consigo mismo. ‖ **libre.** Aquella en que se emplean llaves y golpes, dentro de ciertas reglas, y termina cuando uno de los luchadores se da por vencido.

luchadero. m. Sitio donde se roza el remo con la regala en las embarcaciones menores.

luchador, ra. (Del lat. *luctātor, -ōris.*) m. y f. Persona que lucha. ‖ **2.** Persona que se dedica profesionalmente a algún tipo de lucha deportiva.

luchar. (Del lat. *luctāri.*) intr. Contender dos personas a brazo partido. ‖ **2.** Pelear, combatir. ‖ **3.** fig. Disputar, bregar, abrirse paso en la vida.

lucharniego, ga. (De *nocharniego.*) adj. V. **perro lucharniego.**

luche[1]. m. *Chile.* Juego de la raya semejante al infernáculo o calderón.

luche[2]. (Voz araucana.) m. Alga marina de Chile; es comestible.

ludada. (Del lat. *alūta.*) f. Especie de adorno femenino o venda para la frente, que se usaba en lo antiguo.

ludia. (De *ludiar.*) f. *Extr.* Levadura, fermento.

ludiar. (De *leudar.*) tr. *Extr.* Fermentar la masa con levadura, leudar. Ú. t. c. prnl.

ludibrio. (Del lat. *ludibrĭum.*) m. Escarnio, desprecio, mofa.

lúdico, ca. (Del lat. *ludus,* juego, e *-ico.*) adj. Perteneciente o relativo al juego.

lúdicro, cra. (Del lat. *ludĭcrus.*) adj. **lúdico.**

ludimiento. m. Acción y efecto de ludir.

ludio, dia. (De *ludiar.*) adj. *Extr.* Aplícase a la masa o pan fermentado con levadura.

ludión. (Del lat. *ludĭo, -ōnis,* juglar, por la figurita que suele ponerse de lastre.) m. Aparatito destinado a hacer palpable la teoría del equilibrio de los cuerpos sumergidos en los líquidos. Es una bolita hueca y lastrada, con un orificio muy pequeño en su parte inferior, por donde penetra más o menos cantidad de líquido cuando se sumerge en agua, según la presión que se ejerce en la superficie de esta.

ludir. (Probablemente, del lat. *ludĕre,* jugar.) tr. Frotar, estregar, rozar una cosa con otra.

ludria. (Del lat. **lutrĭa,* de *lutra.*) f. *Ar.* **nutria.**

luego. (Del lat. vulg. *loco,* abl. de *locus.*) adv. t. Prontamente, sin dilación. ‖ **2.** Después de este tiempo o momento. ‖ **3.** conj. ilat. con que se denota la deducción o consecuencia inferida de un antecedente. *Pienso,* LUEGO *existo; ¿*LUEGO *era fundado mi temor?* ‖ **con tres luegos.** loc. adv. fig. y

fam. A toda prisa, con suma celeridad. ‖ **de luego a luego.** loc. adv. Con mucha prontitud, sin la menor dilación. ‖ **desde luego.** loc. adv. Ciertamente, indudablemente, sin duda alguna. ‖ **2.** p. us. Inmediatamente, sin tardanza. ‖ **luego a luego.** loc. adv. **de luego a luego.** ‖ **luego como.** expr. desus. **luego que.** ‖ **luego luego.** loc. adv. **en seguida.** ‖ **luego que.** expr. **así que.**

luello. (Del lat. *lolĭum.*) m. *Ar.* y *Logr.* Cizaña, planta; joyo.

luenga. (De *luengo.*) f. ant. Dilación, tardanza.

luengamente. adv. m. ant. **largamente.**

luengo, ga. (Del lat. *longus,* largo.) adj. **largo.** ‖ **a la luenga.** loc. adv. ant. **a la larga.** ‖ **2.** ant. **a lo largo.** ‖ **en luengo.** loc. adv. desus. **de largo a largo.**

lueñe. (Del lat. *longe,* lejos.) adj. ant. Distante, lejano, apartado. ‖ **2.** adv. l. y a. ant. A gran distancia, lejos.

lúes. (Del lat. *lues,* disolución, putrefacción.) f. Sífilis.

luético, ca. (De *lúes* y *-tico.*) adj. Sifilítico.

lugano. (De or. inc.) m. Pájaro del tamaño del jilguero, de plumaje verdoso, manchado de negro y ceniza, amarillo en el cuello, pecho y extremidades de las remeras y timoneras; color pardo negruzco en la cabeza y gris en el vientre. La hembra es más cenicienta y tiene manchas pardas en el abdomen. Se adapta a la cautividad, y suele imitar el canto de otros pájaros.

lugar. (De *logar*[1].) m. Espacio ocupado o que puede ser ocupado por un cuerpo cualquiera. ‖ **2.** Sitio o paraje. ‖ **3.** Ciudad, villa o aldea. ‖ **4.** Población pequeña, menor que villa y mayor que aldea. ‖ **5.** Pasaje, texto, autoridad o sentencia; expresión o conjunto de expresiones de un autor, o de un libro escrito. ‖ **6.** Tiempo, ocasión, oportunidad. ‖ **7.** Puesto, empleo, dignidad, oficio o ministerio. ‖ **8.** Causa, motivo u ocasión para hacer o no hacer una cosa. *Dio* LUGAR *a que lo prendiesen.* ‖ **9.** Sitio que en una serie ordenada de nombres ocupa cada uno de ellos. ‖ **10.** V. **unidad de lugar.** ‖ **11.** En Galicia, casería dada en arriendo. ‖ **acasarado.** En Galicia, conjunto de heredades alrededor de la casa en que habita el colono que las cultiva. ‖ **común.** Principio general de que se saca la prueba para el argumento en el discurso. ‖ **2.** Expresión trivial, o ya muy empleada en caso análogo. ‖ **3.** letrina. ‖ **de behetría. behetría.** ‖ **de señorío.** El que estaba sujeto a un señor particular, a distinción de los realengos. ‖ **geométrico.** Línea o superficie cuyos puntos tienen alguna propiedad común; como la circunferencia, cuyos puntos equidistan de otro llamado centro. ‖ **oratorio.** *Ret.* **lugar común.** ‖ **religioso.** Sitio donde está sepultada una persona. ‖ **lugares teológicos.** Fuentes de donde la teología saca sus principios, argumentos e instrumentos. ‖ **como mejor haya lugar de derecho,** o **en derecho.** loc. adv. *Der.* Se utiliza en los pedimentos, para manifestar que, además de lo que pide la parte, quiere que se la favorezca en cuanto permite el derecho. ‖ **dar lugar.** fr. **hacer lugar.** ‖ **despojarse del lugar.** fr. fig. Salir la mayor parte de la gente de un pueblo, por una diversión u otro motivo. ‖ **en lugar de.** loc. prepos. **en vez de.** ‖ **en primer lugar.** loc. adv. **primeramente.** ‖ **en su lugar, descanso.** *Mil.* fr. con que se ordena al soldado que, sin salirse de la fila, adopte una posición más cómoda apoyando el arma en el suelo. ‖ **fuera de lugar.** loc. adj. o adv. Inoportuno, inadecuado, contrario a la situación o a las circunstancias. *Tu actitud está* FUERA DE LUGAR. ‖ **hacer lugar.** fr. Desembarazar un sitio para dejar libre y franca una parte de él. ‖ **hacerse** uno **lugar.** fr. fig. Hacerse estimar o atender entre otros. ‖ **no ha lugar.** *Der.* expr. con que se declara que no se accede a lo que se pide. ‖ **no ha lugar a deliberar.** Forma habitual de la proposición que en las Cortes y otras asambleas se hace para atajar el curso de un asunto. ‖ **salvo sea el lugar.** expr. fam. **salva sea la parte.** ‖ **tener lugar.** fr. **tener cabida.** ‖ **2.** Disponer del tiempo necesario para hacer alguna cosa. ‖ **tener lugar** una cosa. fr. Ocurrir, suceder, efectuarse.

lugarejo. m. d. despect. de **lugar.**

lugareño, ña. adj. Natural de un lugar o población pequeña. Ú. t. c. s. ‖ **2.** Que habita en un lugar o población pequeña. Ú. t. c. s. ‖ **3.** Perteneciente a los lugares o poblaciones pequeñas, o propio y característico de ellos. *Costumbres* LUGAREÑAS.

lugartenencia. f. Cargo de lugarteniente.

lugarteniente. (De *lugar* y *teniente,* el que tiene el lugar, el puesto.) m. El que tiene autoridad y poder para hacer las veces de otro en un cargo o empleo.

lugdunense. (Del lat. *Lugdunensis.*) adj. **lionés.**

lugre. (Del ing. *lugger.*) m. Embarcación pequeña, con tres palos, velas al tercio y gavias volantes.

lúgubre. (Del lat. *lugŭbris.*) adj. Fúnebre, funesto, luctuoso. ‖ **2.** Sombrío, profundamente triste.

lúgubremente. adv. m. De modo lúgubre.

lugués, sa. adj. Natural de Lugo. Ú. t. c. s. ‖ **2.** Perteneciente o relativo a esta ciudad o a su provincia.

luición. (Del lat. *luitĭo, -ōnis.*) f. p. us. Redención de censos.

luir[1]**.** (Del lat. *luĕre.*) tr. p. us. Redimir censos.

luir[2]**.** (Del lat. *ludĕre.*) tr. *Mar.* Rozar, frotar, ludir.

luis. (Del fr. *louis,* de Louis XIII, en cuyo tiempo comenzaron a acuñarse estas monedas.) m. Moneda de oro francesa de 20 francos.

luisa. (Por haberse dedicado la planta a la reina María *Luisa,* esposa de Carlos IV.) f. Planta fruticosa de la familia de las verbenáceas, con tallos duros, estriados, de 12 a 15 decímetros de altura; hojas en verticilos triples, casi sentadas, elípticas, agudas por ambos extremos, ásperas por encima y lampiñas por debajo; flores pequeñas, en espigas piramidales, de corolas blancas por fuera y azuladas en el interior, y fruto seco con semillas menudas y negras. La planta es originaria del Perú, se cultiva en los jardines, tiene olor de limón, muy agradable, y sus hojas suelen usarse en infusión apreciada como tónica, estomacal y antiespasmódica.

luismo. (De *luir*[1].) m. p. us. **laudemio.**

lujación. f. **luxación.**

lujar. (De or. inc.) tr. Bruñir, alisar, especialmente la suela del calzado y sus bordes. ‖ **2.** *Ál., Cuba, Ecuad.* y *Hond.* Dar lustre al calzado.

lujero. m. *And.* Timón del arado.

lujo. (Del lat. *luxus.*) m. Demasía en el adorno, en la pompa y en el regalo. ‖ **2.** Abundancia de cosas no necesarias. ‖ **3.** Todo aquello que supera los medios normales de alguien para conseguirlo. ‖ **asiático.** El extremado.

lujosamente. adv. m. Con lujo.

lujoso, sa. adj. Que tiene o gasta lujo. ‖ **2.** Dícese de aquello que manifiesta lujo.

lujuria. (Del lat. *luxurĭa.*) f. Vicio consistente en el uso ilícito o en el apetito desordenado de los deleites carnales. ‖ **2.** Exceso o demasía en algunas cosas.

lujuriante. (Del lat. *luxurĭans, -antis.*) p. a. de **lujuriar.** Que lujuria. ‖ **2.** adj. Muy lozano, vicioso y que tiene excesiva abundancia.

lujuriar. (Del lat. *luxuriāre.*) intr. Cometer el pecado de lujuria. ‖ **2.** Ejercer los animales el acto de la generación.

lujuriosamente. adv. m. Con lujuria.

lujurioso, sa. (Del lat. *luxuriōsus.*) adj. Dado o entregado a la lujuria. Ú. t. c. s.

luliano, na. adj. Perteneciente o relativo a Raimundo Lulio, filósofo español del siglo XIII. ‖ **2.** Conocedor del lulismo. Ú. t. c. s.

lulismo. m. Sistema filosófico de Raimundo Lulio, y especialmente su doctrina lógica conocida con el nombre de *Ars magna* o *Arte magna.*

lulista. adj. Conocedor del lulismo. Ú. t. c. s.

luma. (Voz araucana.) f. Árbol chileno, de la familia de las mirtáceas, que crece hasta 20 metros de altura. Su madera es dura, pesada y resistente. ‖ **2.** Madera de este árbol.

lumaquela. (Del it. *lumachella,* caracolillo.) f. **mármol lumaquela.**

lumbago. (Del lat. *lumbāgo.*) m. Dolor reumático en los lomos.

lumbar. (De *lumbo.*) adj. *Anat.* Perteneciente a los lomos y caderas.

lumbo. (Del lat. *lumbus.*) m. ant. **lomo.**

lumbrada. f. Lumbre grande.

lumbral. (Del lat. *limināris,* infl. por *lumen,* cast. *lumbre.*) m. Escalón de la puerta de entrada de una casa.

lumbrarada. (De *lumbre* y *-arada.*) f. Lumbre grande con llamas.

lumbraria. f. ant. Lumbrera, luminaria.

lumbre. (Del lat. *lumen, -ĭnis.*) f. Materia combustible encendida. ‖ **2.** Fuego voluntariamente encendido para guisar, calentarse, u otros usos. ‖ **3.** En las armas de fuego llamadas de chispa, parte del rastrillo que hería al pedernal. ‖ **4.** Parte anterior de la herradura. ‖ **5.** Espacio que una puerta, ventana, claraboya, tronera, etc., deja franco a la luz. ‖ **6. luz**[1] que irradia un cuerpo en combustión. ‖ **7.** V. **piedra de lumbre.** ‖ **8.** fig. Esplendor, lucimiento, claridad. ‖ **9.** ant. fig. Sentido de la vista. ‖ **10.** ant. fig. Luz de la razón. ‖ **11.** ant. fig. Ilustración, noticia, doctrina. ‖ **12.** *Ar.* V. **alcobilla de lumbre.** ‖ **13.** pl. Conjunto de eslabón, yesca y pedernal, que se usa para encender **lumbre.** ‖ **del agua.** Superficie del agua. ‖ **a lumbre de pajas.** loc. adv. fig. y fam. con que se da a entender la brevedad y poca duración de una cosa. ‖ **a lumbre mansa.** loc. adv. fig. a **fuego lento.** ‖ **dar lumbre.** fr. Arrojar chispas el pedernal herido por el rastrillo o eslabón. ‖ **2.** fig. Conseguir el lance o fin que se intentaba con algún disimulo. ‖ **3.** fig. Prestar un encendedor, cerillas o un cigarrillo encendido a un fumador, para que encienda el suyo. ‖ **echar lumbre.** fr. fig. y fam. **echar chispas.** ‖ **ni por lumbre.** loc. adv. fig. y fam. De ningún modo. ‖ **ser** una persona o cosa **la lumbre de los ojos** de uno. fr. fig. Ser muy estimada o amada. ‖ **tocar** a uno **en la lumbre de los ojos.** fr. fig. **tocarle en las niñas de los ojos.**

lumbrera. (Del lat. *luminaria,* pl. n. de *luminare, -is,* luz.) f. Cuerpo que despide luz. ‖ **2.** Abertura, tronera o caño que desde el techo de una habitación, o desde la bóveda de una galería, comunica con el exterior y proporciona luz o ventilación. ‖ **3.** Abertura que hay junto al hierro de los cepillos de carpintero, para que por ella salgan las virutas. ‖ **4.** ant. Utensilio para dar luz. ‖ **5.** fig. Persona insigne y esclarecida. ‖ **6.** *Mar.* Escotilla, generalmente con cubierta de cristales, cuyo objeto casi único es proporcionar luz y ventilación a determinados lugares del buque y principalmente a las cámaras. ‖ **7.** pl. fig. Los ojos.

lumbrerada. f. **lumbrarada.**

lumbrería. (De *lumbre.*) f. ant. Acción y efecto de alumbrar o llenar de luz y claridad.

lumbrical. (Del lat. *lumbrīcus,* lombriz.) adj. V. **músculo lumbrical.**

lumbroso, sa. (De *lumbre.*) adj. Que despide luz.

lumen. (Del lat. *lumen,* luz.) m. *Ópt.* Unidad de flujo luminoso equivalente al emitido en un ángulo sólido de un estereorradián, procedente de un foco puntual cuya intensidad es de una candela.

lumia. (De or. inc.) f. p. us. **ramera.**

lumiaco. (De *limaco.*) m. *Cantabria.* Limaco, limaza, babosa.

luminación. (De *luminar*[2].) f. ant. Acción y efecto de luminar o iluminar.

luminador, ra. (De *luminar*[2].) m. y f. ant. Persona que lumina o ilumina libros, estampas, etc.

luminar[1]. (Del lat. *lumināre, -is.*) m. Cualquiera de los astros que despiden luz. ‖ **2.** p. us. fig. Persona de mucha virtud, ciencia o sabiduría.

luminar[2]. (Del lat. *lumināre.*) tr. ant. **iluminar.**

luminaria. (Del lat. *luminaria*, pl. de *lumināre, -is.*) f. Luz que se pone en ventanas, balcones, torres y calles en señal de fiesta y regocijo público. Ú. m. en pl. ‖ **2.** Luz que arde continuamente en las iglesias delante del Santísimo Sacramento. ‖ **3.** pl. Lo que se daba a los ministros y criados del rey para el gasto que debían hacer las noches de **luminarias** públicas.

lumínico, ca. (Del lat. *lumen, -ĭnis*, luz.) adj. Perteneciente o relativo a la luz. ‖ **2.** m. *Fís.* Principio o agente hipotético de los fenómenos de la luz.

luminiscencia. (Formado sobre el lat. *lumen, -ĭnis.*) f. Propiedad de despedir luz sin elevación de temperatura y visible casi solo en la oscuridad, como la que se observa en las luciérnagas, en las maderas y en los pescados putrefactos, en minerales de uranio y en varios sulfuros metálicos.

luminiscente. adj. Que tiene luminiscencia.

luminosamente. adv. m. De manera luminosa.

luminosidad. f. Cualidad de luminoso.

luminoso, sa. (Del lat. *luminōsus.*) adj. Que despide luz. ‖ **2.** V. **flujo luminoso.** ‖ **3.** fig. Aplicado a ideas, ocurrencias, explicaciones, etc., brillante, muy claro, esclarecedor.

luminotecnia. (Del lat. *lumen, -ĭnis*, luz, y *-tecnia.*) f. Arte de la iluminación con luz artificial para fines industriales o artísticos.

luminotécnico, ca. adj. Perteneciente o relativo a la luminotecnia. ‖ **2.** m. y f. Persona especializada en luminotecnia.

luna. (Del lat. *Luna.*) n. p. f. Astro, satélite de la Tierra, que alumbra cuando la noche sobre el horizonte. En esta acepción se escribe con mayúscula y lleva antepuesto generalmente el artículo *la. Paraselene es una imagen de* LA LUNA *que se representa en una nube.* ‖ **2.** f. Luz nocturna que este satélite nos refleja de la que recibe del Sol. ‖ **3.** Tiempo de cada conjunción de la **Luna** con el Sol, lunación. ‖ **4.** Satélite del espacio. ‖ **5.** Lámina de cristal o de vidrio cristalino, de que se forma el espejo azogándola o plateándola por el reverso. ‖ **6.** Lámina de cristal, de vidrio cristalino o de otra materia transparente, que se emplea en vidrieras, escaparates, etc. ‖ **7.** Cristal de los anteojos. ‖ **8. pez luna.** ‖ **9.** V. **piedra de la luna.** ‖ **10.** fig. Efecto que hace la **Luna** en los faltos de juicio y en otros enfermos. ‖ **11.** *Ar.* Patio abierto o descubierto. ‖ **12.** *Germ.* camisa. ‖ **13.** *Germ.* Escudo o rodela. ‖ **creciente.** *Astron.* La **Luna** desde su conjunción hasta el plenilunio. ‖ **de miel.** fig. Temporada de intimidad conyugal inmediatamente posterior al matrimonio. ‖ **en lleno, o llena.** *Astron.* La **Luna** en el tiempo de su oposición con el Sol, que es cuando se ve iluminada toda la parte de su cuerpo que mira a la Tierra. ‖ **menguante.** *Astron.* La **Luna** desde el plenilunio hasta su conjunción con el Sol. ‖ **nueva.** *Astron.* La **Luna** en el tiempo de su conjunción con el Sol. ‖ **media luna.** Figura que presenta la **Luna** al comenzar a crecer y hacia el fin del cuarto menguante. ‖ **2.** Adorno, joya y algunos otros objetos que tienen esta figura. ‖ **3.** fig. Islamismo. ‖ **4.** Imperio turco. ‖ **5.** *Fort.* Especie de fortificación que se construye delante de las capitales de los baluartes, sin cubrir enteramente sus caras. ‖ **a la luna.** loc. adv. *a la luna de Paita.* ‖ **a la luna de Paita.** loc. fig. y fam. *Chile* y *Ecuad.* **a la luna de Valencia.** ‖ **a la luna de Valencia.** loc. adv. fig. y fam. Frustradas las esperanzas de lo que se deseaba o pretendía. Ú. con los verbos *dejar* y *quedarse.* ‖ **estar uno de buena, o de mala, luna.** fr. *Amér.* Estar de buen, o mal, humor. ‖ **estar en la Luna.** fr. fig. y fam. Estar distraído, no enterarse de lo que se está tratando. ‖ **2.** Es-

tar fuera de la realidad, no darse cuenta de lo que está ocurriendo. ‖ **estar en la luna de Paita.** fr. fig. *Perú.* **estar en la Luna.** ‖ **ladrar a la Luna.** fr. fig. y fam. Manifestar necia y vanamente ira o enojo contra persona o cosa a quien no se puede ofender ni causar daño alguno. ‖ **pedir la Luna.** fr. fam. Pedir una cosa imposible o de muy difícil consecución. ‖ **tener uno lunas.** fr. fig. y fam. Sentir perturbación en el tiempo de las variaciones de la Luna.

lunación. (De *luna.*) f. *Astron.* Tiempo que tarda la Luna en pasar de una conjunción con el Sol a la siguiente.

lunada. (De un der. del lat. *clunis*, nalga.) f. ant. Pernil de puerco.

lunado, da. (Del lat. *lunātus.*) adj. Que tiene figura o forma de media luna.

lunanco, ca. (Del m. or. que *lunada.*) adj. Aplícase a los caballos y otros cuadrúpedos, cuando tienen una anca más alta que la otra.

lunar[1]. (De *luna*, porque se atribuía a influjo de este astro, o porque tenía su forma.) m. Pequeña mancha en el rostro u otra parte del cuerpo, producida por una acumulación de pigmento en la piel. ‖ **2.** Cada uno de los dibujos de forma redondeada en telas, papel o en otras superficies. ‖ **3.** fig. Nota o mancha que resulta a uno de haber hecho una cosa vituperable. ‖ **4.** fig. Defecto o tacha de poca entidad en comparación con la bondad de la cosa en que se nota.

lunar[2]. (Del lat. *lunāris.*) adj. Perteneciente o relativo a la Luna. ‖ **2.** *Astrol., Astron.* y *Cronol.* V. **año, ciclo, eclipse, horóscopo, mes lunar.**

lunarejo, ja. adj. Dícese del animal que tiene manchas redondas en la piel. Ú. t. c. s. ‖ **2.** *Col.* y *Perú.* Dícese de la persona que tiene uno o más lunares en la cara. Ú. t. c. s.

lunario, ria. (De *luna.*) adj. Perteneciente o relativo a las lunaciones. ‖ **2.** m. Almanaque o calendario. ‖ **3.** ant. Tiempo de cada conjunción de la Luna con el Sol.

lunático, ca. (Del lat. *lunatĭcus.*) adj. Que padece locura, no continua, sino por intervalos. Ú. t. c. s.

lunecilla. (d. de *luna.*) f. Adorno o joya en forma de media luna.

lunel. (Del fr. *lunel.*) m. *Blas.* Figura en forma de flor, compuesta de cuatro medias lunas unidas por sus puntas.

lunes. (Del lat. *lunae* [*dies*], día consagrado a la Luna.) m. Primer día de la semana civil, segundo de la litúrgica. ‖ **cada lunes y cada martes.** expr. fam. Con frecuencia; a cada momento; todos los días.

luneta. (d. de *luna.*) f. Cristal o vidrio pequeño que es la parte principal de los anteojos. ‖ **2.** Media luna que adorno usaban las mujeres en la cabeza y los niños en los zapatos. ‖ **3.** En los teatros antiguos, cada uno de los asientos con respaldo y brazos, que se colocaban en filas frente al escenario en la planta inferior. ‖ **4.** Sitio del teatro en que están colocadas las **lunetas**, a diferencia del patio. ‖ **5.** Círculo de oro, o de metal dorado, en que se encierra la Sagrada Hostia para ser expuesta a los fieles. ‖ **6.** *Ar.* **lúnula**, espacio blanquecino de la raíz de las uñas. ‖ **7.** *Arq.* Primera teja junto al alero, bocateja. ‖ **8.** *Arq.* Bovedilla en forma de media luna para dar luz a la bóveda principal, luneto. ‖ **9.** *Fort.* Baluarte pequeño y por lo común aislado. ‖ **10.** *Mec.* Soporte intermedio que se coloca entre las puntas del torno para trabajar piezas largas y delgadas. ‖ **meridiana.** *Astron.* **anteojo de pasos.**

luneto. m. *Arq.* Bovedilla en forma de media luna abierta en la bóveda principal para dar luz a esta.

lunfa. m. *Argent.* Apóc. de **lunfardo.**

lunfardismo. m. Palabra o locución propia del lunfardo.

lunfardo. m. desus. *Argent.* Ratero, ladrón. ‖ **2.** Jerga que originariamente empleaba, en la ciudad de Buenos Aires y sus alrededores, la gente de mal vivir. En parte, se difundió posteriormente por las demás clases sociales y por el resto del país.

lungo, ga. (Del lat. *longus.*) adj. ant. Luengo, largo.

lunilla. f. Adorno o joya en forma de media luna, lunecilla.

lúnula. (Del lat. *lunŭla,* d. de *luna.*) f. Espacio blanquecino semilunar de la raíz de las uñas. ‖ **2.** *Geom.* Figura compuesta de dos arcos de círculo que se cortan volviendo la concavidad hacia el mismo lado. ‖ **3.** *Litur.* Soporte para el viril de la custodia.

lupa. (Del fr. *loupe.*) f. Lente de aumento con montura adecuada para el uso a que se destina.

lupanar. (Del lat. *lupānar,-āris.*) m. Mancebía, casa de prostitución.

lupanario, ria. (Del lat. *lupanarĭus.*) adj. Perteneciente o relativo al lupanar.

lupercales. (Del lat. *Lupercalĭa.*) f. pl. Fiestas que en el mes de febrero celebraban los romanos en honor del dios Pan.

lupia. (Del lat. vulg. **lupĕa.*) f. lobanillo, tumor. ‖ **2.** Pequeño tumor que se forma en las articulaciones de las patas de las caballerías. ‖ **3.** *Col.* Pequeña cantidad de dinero. Ú. m. en pl. *Me gané unas* LUPIAS.

lupicia. f. Caída del pelo, alopecia.

lupino, na. (Del lat. *lupīnus.*) adj. Perteneciente o relativo al lobo. ‖ **2.** V. **uva lupina.** ‖ **3.** m. Altramuz, planta. ‖ **4.** Fruto de esta planta.

lupulino. m. Polvo resinoso amarillo y brillante que rodea los aquenios debajo de las escamas en los frutos del lúpulo, y se emplea en medicina como tónico.

lúpulo. (Del lat. tardío *lupŭlus,* planta llamada *lupus* en Plinio.) m. Planta trepadora, muy común en varias partes de España, de la familia de las cannabáceas, con tallos sarmentosos de tres a cinco metros de largo, hojas parecidas a las de la vid, flores masculinas en racimo, y las femeninas en cabezuela, y fruto en forma de piña globosa, cuyas escamas cubren dos aquenios rodeados de lupulino. Los frutos, desecados, se emplean para aromatizar y dar sabor amargo a la cerveza.

lupus. (Del lat. *lupus,* lobo, por la índole corrosiva de la enfermedad.) m. Enfermedad de la piel o de las mucosas, producida por tubérculos que ulceran y destruyen las partes atacadas.

luqués, sa. adj. Natural de Luca. Ú. t. c. s. ‖ **2.** Perteneciente o relativo a esta ciudad de Italia.

luquete[1]**.** (De *aluquete.*) m. Especie de cerilla grande de azufre; aluquete, alguaquida, pajuela. ‖ **2.** Ruedecita de limón o naranja que se echa en el vino para que tome el ella sabor.

luquete[2]**.** (Probablemente del it. *lucchetto,* candado.) m. *Arq.* Casquete esférico que cierra la bóveda vaída.

lurte. (Del vasc. dialect. *lurte,* corrimiento de tierras.) m. *Ar.* Masa grande de nieve o tierra que se derrumba en los montes, alud.

lusco, ca. (Del lat. *luscus.*) adj. ant. Tuerto o bizco o que ve muy poco.

lusetano, na. adj. Dícese de una antigua facción de Navarra acaudillada por el señor de Lusa, y de los individuos de este bando. Apl. a pers., ú. t. c. s.

lusitánico, ca. adj. Perteneciente o relativo a Lusitania o a los lusitanos.

lusitanismo. (De *lusitano.*) m. Giro o modo de hablar propio y privativo de la lengua portuguesa. ‖ **2.** Vocablo o giro de esta lengua empleado en otra. ‖ **3.** Uso de vocablos o giros portugueses en distinto idioma.

lusitanista. com. **portuguesista.**

lusitano, na. (Del lat. *Lusitānus.*) adj. Dícese de un pueblo prerromano que habitaba la Lusitania, región de la antigua Hispania que comprendía todo el actual territorio portugués situado al sur del Duero y parte de la Extre-

madura española. Ú. t. c. s. ‖ **2.** Dícese también de los individuos pertenecientes a este pueblo. Ú. t. c. s. ‖ **3.** Perteneciente o relativo a los **lusitanos** o a la antigua Lusitania. ‖ **4.** Natural de Portugal. Ú. t. c. s. ‖ **5.** Perteneciente o relativo a Portugal.

luso, sa. adj. lusitano. Apl. a pers., ú. t. c. s.

lustrabotas. m. *Argent., Bol., Chile, Perú y Urug.* **limpiabotas.**

lustración. (Del lat. *lustratĭo, -ōnis.*) f. Acción y efecto de lustrar.

lustrador. m. *Argent.* y *Nicar.* Lustrabotas, limpiabotas.

lustral. (Del lat. *lustrālis.*) adj. Perteneciente a la lustración. ‖ **2.** V. **agua lustral.**

lustramiento. m. desus. Acción y efecto de lustrar, dar lustre.

lustrar. (Del lat. *lustrāre.*) tr. Purificar, purgar los gentiles con sacrificios, ritos y ceremonias las cosas que creían impuras. ‖ **2.** Dar lustre y brillantez a una cosa; como metales y piedras. ‖ **3.** p. us. Andar, peregrinar por un país o comarca.

lustre. (De *lustrar.*) m. Brillo de las cosas tersas o bruñidas. ‖ **2.** V. **azúcar de lustre.** ‖ **3.** fig. Esplendor, gloria.

lústrico, ca. (De lat. *lustricus* [*dies*], [día] de la purificación, el octavo o noveno del nacimiento, en que los romanos daban nombre al niño.) adj. Perteneciente a la lustración. ‖ **2.** poét. Perteneciente al lustro.

lustrín. m. *Chile.* Lustrabotas, limpiabotas.

lustrina. (De *lustre.*) f. Tela vistosa, comúnmente tejida de seda con oro o plata, que se ha empleado en ornamentos de iglesia. ‖ **2.** Tela lustrosa de seda, lana, algodón, etc., de mucho brillo y de textura semejante a la alpaca.

lustro. (Del lat. *lustrum.*) m. Espacio de cinco años.

lustrosamente. adv. m. Con lustre.

lustroso, sa. adj. Que tiene lustre.

lutado, da. adj. ant. Enlutado, de luto.

lútea. (Del lat. *lutĕa,* amarilla.) f. **oropéndola.**

lutecio. (Del lat. *Lutetĭa,* París.) m. *Quím.* Elemento metálico del grupo de las tierras raras. Núm. atómico 71. Símb.: *Lu.*

lúteo[1]**, a.** (Del lat. *lutĕus,* amarillo.) adj. *Anat.* V. **mácula lútea.** ‖ **2.** *Anat.* V. **cuerpo lúteo.**

lúteo[2]**, a.** (Del lat. *lutĕus.*) adj. De lodo.

luteranismo. (De *luterano.*) m. Secta de Lutero. ‖ **2.** Conjunto o totalidad de los seguidores de Lutero.

luterano, na. adj. Que profesa la doctrina de Lutero. Ú. t. c. s. ‖ **2.** Perteneciente o relativo a Lutero.

luto. (Del lat. *luctus.*) m. Signo exterior de pena y duelo en ropas, adornos y otros objetos, por la muerte de una persona. El color del **luto** en los pueblos europeos es ahora el negro. ‖ **2.** Vestido negro que se usa por la muerte de alguien. ‖ **3.** Duelo, pena, aflicción. ‖ **4.** *Impr.* Filete que imprime una línea negra y maciza de espesor superior a dos puntos de cícero. ‖ **5.** pl. Paños o bayetas negras y otros aparatos fúnebres que se ponen en las casas de los difuntos mientras está el cuerpo presente, y en la iglesia durante las exequias. ‖ **aliviar el luto.** fr. Usarlo menos riguroso. ‖ **medio luto.** El que es menos riguroso.

lutoso, sa. (De *luto.*) adj. **luctuoso.**

lutria. (Del lat. **lutrĕa,* de *lutra.*) f. Ludria, nutria.

luva. (Del gót. *lôfa,* palma de la mano.) f. ant. Guante, lúa.

lluvia. f. ant. **lluvia.** Ú. en Salamanca.

lux. (Del lat. *lux,* luz.) m. *Ópt.* Unidad de iluminación. Es la iluminación de una superficie que recibe un lumen en cada metro cuadrado.

luxación. (Del lat. *luxatĭo, -ōnis.*) f. *Cir.* Dislocación de un hueso.

luxar. (Del lat. *luxāre.*) tr. Dislocar un hueso. Ú. m. c. prnl.

luxemburgués, sa. adj. Natural de Luxemburgo. Ú.

t. c. s. ‖ **2.** Perteneciente o relativo a esta ciudad o región de Europa.

luz¹. (Del lat. *lux, lucis.*) f. Agente físico que hace visibles los objetos. ‖ **2.** Claridad que irradian los cuerpos en combustión, ignición o incandescencia. ‖ **3.** Utensilio o aparato que sirve para alumbrar, como candelero, lámpara, vela, araña, etc. *Trae una* LUZ. ‖ **4.** V. **ángel, gusano, luz, vara de luz.** ‖ **5.** ant. V. **crespa de luz.** ‖ **6.** Área interior de la sección transversal de un tubo. ‖ **7.** fig. Esclarecimiento o claridad de la inteligencia. ‖ **8.** fig. Modelo, persona o cosa, capaz de ilustrar y guiar. ‖ **9.** fig. **día,** tiempo que dura la claridad del Sol. ‖ **10.** p. us. fig. y fam. **dinero.** ‖ **11.** V. **disciplinante de luz.** ‖ **12.** *Arq.* Cada una de las ventanas o troneras por donde se da **luz** a un edificio. Ú. m. en pl. ‖ **13.** V. **servidumbre de luces.** ‖ **14.** *Arq.* Dimensión horizontal interior de un vano o de una habitación. ‖ **15.** *Arq.* Distancia horizontal entre los apoyos de un arco, viga, etc. ‖ **16.** *Astrol.* V. **traslación de luz.** ‖ **17.** *Astron.* V. **año luz.** ‖ **18.** *Ópt.* V. **rayo de luz.** ‖ **19.** *Pint.* Punto o centro desde donde se ilumina y alumbra toda la historia y objetos pintados en un lienzo. ‖ **20.** *Pint.* V. **degradación, toque de luz.** ‖ **21.** pl. fig. Ilustración, cultura. *El siglo de las* LUCES; *hombre de muchas* LUCES. ‖ **artificial.** La que produce el hombre para alumbrarse en sustitución de la del Sol. ‖ **cenicienta.** Claridad que ilumina la parte oscura del disco lunar antes y después del novilunio, y se debe a la **luz** reflejada por la Tierra. ‖ **cenital.** La que en una habitación, patio, iglesia u otro edificio se recibe por el techo. ‖ **cinérea. luz cenicienta.** ‖ **de Bengala.** Fuego artificial compuesto de varios ingredientes y que despide claridad muy viva de diversos colores. ‖ **de la razón.** fig. Conocimiento que tenemos de las cosas por el natural discurso que nos distingue de los animales irracionales. ‖ **de luz.** La que recibe una habitación, no directamente, sino a través de otra. ‖ **eléctrica.** La que se produce por medio de la electricidad. ‖ **mala.** *Argent.* y *Urug.* Fuego fatuo que producen los huesos en descomposición y que la superstición atribuye a las almas en pena de los muertos sin sepultura. ‖ **natural.** La que no es artificial; como la del Sol

o la de un relámpago. ‖ **negra. luz** ultravioleta invisible, que se hace perceptible cuando incide sobre sustancias fosforescentes o fluorescentes. ‖ **primaria.** *Pint.* La que procede directamente del cuerpo luminoso. ‖ **refleja,** o **secundaria.** *Pint.* La que procede de un objeto iluminado por la **luz** primaria. ‖ **verde.** loc. sustantiva. fig. Camino o procedimiento abierto y dispuesto para el logro de un asunto, empresa, etc. ‖ **zodiacal.** Vaga claridad de aspecto fusiforme que en ciertas noches de la primavera y del otoño se advierte poco después del ocaso, o poco antes del orto del Sol, inclinada sobre el horizonte. ‖ **media luz.** La que es escasa o no se comunica entera y directamente. ‖ **primera luz.** La que recibe una habitación directamente del exterior. ‖ **segunda luz. luz de luz.** ‖ **a buena luz.** loc. adv. fig. Con reflexión, atentamente. ‖ **a la luz de.** expr. en vista de. ‖ **a primera luz.** loc. adv. Al amanecer, al rayar el día. ‖ **a toda luz,** o **a todas luces.** loc. adv. fig. Por todas partes, de todos modos. ‖ **2.** Evidentemente, sin duda. ‖ **dar a luz.** Parir la mujer. ‖ **2.** Publicar una obra. ‖ **dar luz.** fr. Alumbrar un cuerpo luminoso, o dejar paso para la **luz.** *Este velón no* DA LUZ; *esta ventana* DA *buena* LUZ. ‖ **2.** fig. **echar luz.** ‖ **echar luz.** fr. fig. Recobrar vigor y robustez las personas delicadas. Ú. m. con negación. ‖ **2.** fig. Alumbrar, iluminar el entendimiento. ‖ **entre dos luces.** loc. adv. fig. **al amanecer.** ‖ **2.** fig. **al anochecer.** ‖ **3.** fig. y fam. Aplícase al que ha bebido mucho y está casi borracho. ‖ **hacer dos luces.** fr. Alumbrar a dos partes a un tiempo. ‖ **rayar la luz de la razón.** fr. fig. Empezar a abrirse al conocimiento de las cosas. Se aplica a los niños cuando van entrando en el uso de la razón. ‖ **sacar a luz,** o **a la luz.** fr. **dar a luz,** publicar una obra. ‖ **2.** fig. Descubrir, manifestar, hacer patente y notorio lo que estaba oculto. ‖ **salir a luz.** fr. fig. Ser producida una cosa. ‖ **2.** fig. Imprimirse, publicarse una cosa. ‖ **3.** fig. Descubrirse lo oculto. ‖ **ver la luz.** fr. Hablando de personas, nacer.

luz². (Del lat. *lucĭus.*) m. desus. **merluza.**

Luzbel. n. p. m. El príncipe de los ángeles rebeldes, Lucifer.

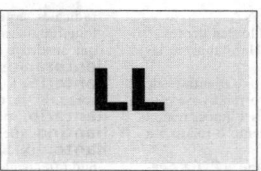

ll. f. Decimocuarta letra del abecedario español, y undécima de sus consonantes. Su nombre es *elle*. Su grafía es doble y, en la escritura, indivisible, pero representa un solo sonido, cuya articulación tradicional es palatal, lateral, fricativa y sonora, con contacto más o menos amplio y tenso de la lengua con el paladar. En gran parte de los países y regiones hispánicos se pronuncia como *y*, con salida central del aire, y con las mismas variedades de articulación que la *y*. La Academia admite como correcta esta variante de pronunciación, junto a la de articulación lateral, cuyo conocimiento y enseñanza recomienda.

llábana. (Del lat. *lamĭna*, lámina.) f. *Ast.* Laja tersa y resbaladiza.

llaca. f. Especie de zarigüeya de Chile y Argentina, de pelaje ceniciento, con una mancha negra sobre cada ojo.

llaga. (Del lat. *plaga*.) f. Úlcera de las personas y animales. ‖ **2. estigma**, huella impresa sobrenaturalmente. ‖ **3.** fig. Cualquier daño o infortunio que causa pena, dolor y pesadumbre. ‖ **4.** *Albañ.* Junta entre dos ladrillos de una misma hilada. ‖ **indignarse la llaga**. fr. *Ar.* Irritarse o enconarse. ‖ **renovar la llaga, o las llagas**. fr. fig. **renovar la herida**.

llagador, ra. adj. ant. Que llaga. Ú. t. c. s.

llagamiento. (De *llagar*.) m. ant. Acción y efecto de llagar o llagarse.

llagar. (Del lat. *plagāre*.) tr. Hacer o causar llagas.

llagoso, sa. (Del lat. *plagōsus*.) adj. ant. Que tiene llagas.

llama[1]. (Del lat. *flamma*.) f. Masa gaseosa en combustión, que se eleva de los cuerpos que arden y despide luz de vario color. ‖ **2.** fig. Eficacia y fuerza de una pasión o deseo vehemente.

llama[2]. (Voz quechua.) f. Mamífero rumiante, variedad doméstica del guanaco, del cual solo se diferencia en ser algo menor, pues tiene un metro de altura hasta la cruz, y aproximadamente igual longitud. Es propio de América Meridional. Usáb. t. c. m.

llamada. (De *llamar*.) f. Acción y efecto de llamar. ‖ **2.** Señal que en impresos o manuscritos sirve para llamar la atención desde un lugar hacia otro en que se pone cita, nota, corrección o advertencia. ‖ **3.** Además o movimiento con que se llama la atención de uno con el fin de engañarle o distraerle de otro objeto principal; como la que se hace al enemigo, al toro, etc. ‖ **4.** Invitación para inmigrar, dirigida al futuro emigrante, con pago del viaje y envío de billete que se denomina de **llamada**. ‖ **5.** *Mil.* Toque de caja u otro instrumento para que la tropa tome las armas y entre en formación. ‖ **6.** *Mil.* Señal que, tocando el clarín o la caja, se hace de un campo a otro para parlamentar. ‖ **batir llamada**. fr. *Mil.* Tocar **llamada** para hacer honores con tambores, cornetas y clarines, y, por ext., cualquier otra clase de músicas.

llamadera. (De *llamar*.) f. **aguijada**.

llamado, da. p. p. de **llamar**. ‖ **2.** m. **llamamiento**.

llamador, ra. (Del lat. *clamātor, -ōris*.) m. y f. Persona que llama. ‖ **2.** m. p. us. **avisador**, que lleva avisos. ‖ **3.** Aldaba de las puertas. ‖ **4.** Aparato que en una estación telegrá-

fica intermedia avisa las llamadas de otra. ‖ **5.** Botón del timbre eléctrico.

llamamiento. m. Acción de llamar. ‖ **2.** Inspiración con que Dios mueve los corazones. ‖ **3.** Acción de atraer algún humor de una parte del cuerpo a otra. ‖ **4.** *Der.* Designación legítima de personas o estirpe, para una sucesión, una liberalidad testamentaria, un cargo, como el de patrono, tutor, etc.

llamar. (Del lat. *clamāre*.) tr. Dar voces a uno o hacer ademanes para que venga o para advertirle alguna cosa. ‖ **2.** Invocar, pedir auxilio oral o mentalmente. ‖ **3.** Convocar, citar. LLAMAR *a Cortes*. ‖ **4.** Nombrar, apellidar. ‖ **5.** Designar con una palabra; aplicar una denominación, título o calificativo. *Aquí* LLAMAMOS *falda a lo que en Argentina* LLAMAN *pollera. Desde aquel día* LLAMARON *don Luis a Luisito. Todos lo* LLAMABAN *orgullosa*. ‖ **6.** p. us. Traer, inclinar hacia un lado una cosa. ‖ **7.** p. us. fig. Atraer una cosa hacia una parte. ‖ **8.** *Der.* Hacer llamamiento, o designación de personas o estirpe para una sucesión, cargo, etcétera. ‖ **9.** intr. p. us. Excitar la sed. Se usa más comúnmente hablando de las comidas picantes y saladas. ‖ **10.** Hacer sonar la aldaba, una campanilla, un timbre, etc., para que alguien abra la puerta de una casa o acuda a la habitación donde se ha dado el aviso. ‖ **11.** Gustar. *El chocolate no me* LLAMA *en absoluto*. ‖ **12.** *Esgr.* V. **treta del llamar**. ‖ **13.** prnl. Tener tal o cual nombre o apellido. ‖ **14.** *Mar.* Tratándose del viento, cambiar de dirección hacia parte determinada.

llamarada. (De *llama* y -*arada*.) f. Llama que se levanta del fuego y se apaga pronto. ‖ **2.** ant. Hoguera hecha como señal o aviso, ahumada. ‖ **3.** Encendimiento repentino y momentáneo del rostro. ‖ **4.** fig. Movimiento repentino del ánimo y de poca duración.

llamarón. m. *And., Col.* y *Ecuad.* Llamarada grande.

llamativo, va. adj. p. us. Aplícase a la comida que llama o excita la sed. Usáb. m. c. s. m. ‖ **2.** fig. Que llama la atención exageradamente. *Colores, adornos, trajes* LLAMATIVOS.

llambria. (Del lat. *lamĭna*.) f. Parte de una peña que forma un plano muy inclinado y difícil de pasar.

llamear. intr. Echar llamas.

llana. (De *llano*.) f. Herramienta compuesta de una plancha de hierro o acero, con una manija o una asa, que usan los albañiles para extender y allanar el yeso o la argamasa. ‖ **2.** Cada una de las caras de una hoja de papel. ‖ **3. llanura**, campo llano. ‖ **dar de llana**. fr. Pasarla por encima del yeso o la argamasa para extenderlos sobre un paramento.

llanada. (De *llano*.) f. Campo llano.

llanamente. adv. m. fig. Con ingenuidad y sencillez. ‖ **2.** fig. Con llaneza, sin aparato ni ostentación.

llanca. (Voz quechua.) f. *Chile*. Mineral de cobre de color verde azulado. ‖ **2.** Pedrezuelas de este mismo mineral o parecidas a él, que usaban y usan todavía los araucanos para collares y sartas, y para adorno de sus trajes.

llande. (Del lat. *glans, glandis*, bellota.) f. Bellota, lande.

llaneador, ra. adj. Que llanea. Ú. t. c. s.

llanear. intr. Andar por lo llano, evitando pendientes.

llanero¹, ra. (De *llano, llanura.*) m. y f. Habitante de las llanuras.

llanero², ra. adj. Natural de los Llanos Orientales de Colombia. Ú. t. c. s. ‖ **2.** Perteneciente o relativo a esta región de Colombia. ‖ **3.** Natural de Los Llanos, región de Colombia y Venezuela. ‖ **4.** Perteneciente o relativo a esta región.

llaneza. (Del lat. *planitĭa.*) f. ant. Campo llano. ‖ **2.** fig. Sencillez, actitud libre de aparato y artificio. ‖ **3.** fig. Familiaridad, igualdad en el trato de unos con otros. ‖ **4.** fig. Sencillez notable en el estilo. ‖ **5.** ant. fig. Sinceridad, buena fe. ‖ **alabo la llaneza.** expr. irón. con que se moteja al que usa familiaridad y **llaneza** con las personas a quienes debía tratar con respeto o atención.

llanisco, ca. adj. Natural de Llanes. Ú. t. c. s. ‖ **2.** Perteneciente o relativo a esta ciudad de Asturias.

llanisto, ta. adj. *NO. Argent.* Para el montañés, natural de las tierras bajas, en particular de los llanos de La Rioja. Ú. t. c. s. ‖ **2.** Perteneciente a esta región de la Argentina.

llanito, ta. adj. fam. Dícese del natural de Gibraltar. Ú. t. c. s.

llano, na. (Del lat. *planus.*) adj. Igual y extendido, sin altos ni bajos. ‖ **2. V. plato llano.** ‖ **3.** Allanado, conforme. ‖ **4. V. canto llano.** ‖ **5. V. música llana.** ‖ **6. V. casa llana.** ‖ **7.** fig. Accesible, sencillo, sin presunción. ‖ **8.** fig. Libre, franco. ‖ **9.** fig. Aplícase al vestido que no es precioso ni tiene adorno alguno. ‖ **10.** fig. Claro, evidente. ‖ **11.** fig. Corriente, que no tiene dificultad ni impedimento. ‖ **12.** fig. Pechero o que no goza de fuero privilegiado. ‖ **13.** fig. V. **carnero, estado, montón, verso llano.** ‖ **14.** fig. Aplícase al estilo sencillo y sin ornato. ‖ **15.** *Pros.* Aplicado a las palabras, grave, que carga el acento prosódico en la penúltima sílaba. ‖ **16.** *Der.* Hablando de fianzas, depósitos, etc., aplícase a la persona que no puede declinar la jurisdicción del juez a quien pertenece el conocimiento de estos actos. ‖ **17.** m. Campo llano, llanura. ‖ **18.** pl. En las medias y calcetas de aguja, puntos en que no se crece ni se mengua. ‖ **a la llana.** loc. adv. fig. **llanamente.** ‖ **2.** fig. Sin ceremonia, sin aparato, sin acompañamiento, pompa ni ostentación. ‖ **3.** *Der.* Dícese de la puja o licitación cuando se hace abiertamente, de viva voz, oyendo los postores las respectivas ofertas. ‖ **de llano, o de llano en llano.** locs. advs. figs. Clara y llanamente.

llanote, ta. adj. aum. de **llano.**

llanta¹. (Del lat. *planta.*) f. Planta, especialmente la del semillero o plantel. ‖ **2.** Berza que no repolla, tarda mucho en florecer y es de hojas grandes y verdosas, que se van arrancando, durante todo el año, a medida que crece la planta.

llanta². (Por *yanta,* del fr. *jante.*) f. Cerco metálico exterior de las ruedas de los coches de caballos y carros. ‖ **2.** Pieza de hierro mucho más ancha que gruesa. ‖ **3. V. hierro de llantas.** ‖ **de goma.** Cerco de esta materia que cubre la rueda de los coches para suavizar el movimiento.

llantar. (Del lat. *plantāre.*) tr. ant. Poner plantas, plantar.

llantear. (De *llanto.*) intr. ant. Llorar, plañir.

llantén. (Del lat. *plantāgo, -īnis.*) m. Planta herbácea, vivaz, de la familia de las plantagináceas, con hojas radicales, pecioladas, gruesas, anchas, ovaladas, enteras o algo ondeadas por el margen; flores sobre un escapo de dos a tres decímetros de altura, en espiga larga y apretada, pequeñas, verdosas, de corola tubular en la base y partida en cuatro pétalos en cruz; fruto capsular con dos divisiones, y semillas pardas elipsoidales. Es muy común en los sitios húmedos, y el cocimiento de las hojas se usa en medicina. ‖ **de agua. alisma.** ‖ **mayor. llantén.** ‖ **menor.** Planta herbácea, vivaz, de la familia de las plantagináceas, con hojas

radicales, erguidas, largas, lanceoladas, de cinco nervios longitudinales, y flores y frutos como el **llantén mayor,** al que sustituye en medicina. Abunda en los prados.

llantera. (De *llanto.*) f. fam. **llorera.**

llantería. f. Llanto ruidoso y continuado de varias personas. Ú. m. en América.

llanterío. m. **llantería.**

llantina. (De *llanto.*) f. fam. **llorera.**

llanto. (Del lat. *planctus.*) m. Efusión de lágrimas acompañada frecuentemente de lamentos y sollozos. ‖ **anegarse en llanto.** fr. fig. **llorar a lágrima viva.** ‖ **el llanto, sobre el difunto.** expr. fig. con que se aconseja hacer las cosas inmediatamente después de la causa que las motiva.

llanura. (De *llano.*) f. Igualdad de la superficie de una cosa. ‖ **2.** Campo o terreno igual y dilatado, sin altos ni bajos.

llapa. (Del quechua *yapa.*) f. *Amér. Merid.* Añadidura, añadido, yapa.

llapar. tr. *Min. Amér. Merid.* Añadir, yapar.

llapingacho. m. *Ecuad.* Tortilla de patatas con queso.

llar¹. (Del lat. *lar, laris,* hogar.) m. *Ast.* y *Cantabria.* Fogón de la cocina. ‖ **alto.** *Cantabria.* El que está sobre un poyo o meseta. ‖ **bajo.** *Cantabria.* El que se halla en el mismo plano del suelo de la cocina.

llar². (De etim. disc.) f. Cadena de hierro, pendiente en el cañón de la chimenea, con un garabato en el extremo inferior para colgar la caldera, y a poca distancia otro para subirla o bajarla. Ú. m. en pl.

llareta. f. Planta de Chile, de la familia de las umbelíferas, de hojas sencillas, enteras y oblongas: destila de su tallo una resina transparente, de olor agradable, que se usa como estimulante y estomacal, y también para curar heridas.

llaullau. (Voz araucana.) m. Hongo chileno que se cría en los árboles: es comestible y se emplea también en la fabricación de cierta especie de chicha.

llave. (Del lat. *clavis.*) f. Instrumento, comúnmente de hierro, con guardas que se acomodan a las de una cerradura, y que sirve para abrirla o cerrarla, corriendo o descorriendo el pestillo. ‖ **2.** Instrumento que sirve para apretar o aflojar las tuercas en los tornillos que enlazan las partes de una máquina o de un mueble. ‖ **3.** Instrumento que sirve para facilitar o impedir el paso de un fluido por un conducto. ‖ **4.** Mecanismo de las armas de fuego portátiles que sirve para dispararlas. ‖ **5.** Instrumento de metal que consiste en un cilindro pequeño con taladro, generalmente cuadrado, en su parte interior, que sirve para dar cuerda a los relojes. ‖ **6.** Mecanismo de metal, de forma varia, colocado en algunos instrumentos músicos de viento, y que, movido por los dedos, abre o cierra el paso del aire, produciendo diferentes sonidos. ‖ **7.** Cuña que asegura la unión de dos piezas de madera o de hierro, encajada entre ellas. ‖ **8.** Cierto instrumento usado por los dentistas para arrancar las muelas. ‖ **9.** Signo con una de estas formas: {}, que abarca varias líneas cuyo contenido constituye clasificación o desarrollo de lo expresado inmediatamente antes o inmediatamente después del signo. ‖ **10. V. ama, capitán, corneta de llaves.** ‖ **11.** En ciertas clases de lucha, lance que consiste en hacer un luchador presa en el cuerpo o miembro del adversario para inmovilizarlo y vencerlo. ‖ **12.** fig. Asignatura cuya aprobación previa se requiere para poder examinarse de otras. ‖ **13.** fig. Medio para descubrir lo oculto o secreto, clave. ‖ **14.** fig. Principio que facilita el conocimiento de otras cosas. ‖ **15.** fig. Cosa que sirve de resguardo o defensa a otra u otras. *Esta plaza es* LLAVE *del reino.* ‖ **16.** fig. Resorte o medio para quitar los estorbos o dificultades que se oponen a la consecución de un fin. ‖ **17.** *Min.* Porción de roca o mineral que se deja cortada en forma de arco para que sirva de fortificación en las minas. ‖ **18.** *Mús.* Clave del pentagrama. ‖ **capona.**

fam. **llave** de gentilhombre de la cámara del rey, que solo es honoraria, sin entrada ni ejercicio. ‖ **de chispa.** La que determina la explosión de la pólvora, inflamando una pequeña cantidad de ella, puesta en la cazoleta, con las chispas resultantes del choque de la piedra, sujeta en el pie de gato, contra el rastrillo acerado que tiene al efecto. ‖ **de entrada.** La que autorizaba a los gentileshombres de la cámara sin ejercicio para entrar en ciertas salas de palacio. ‖ **de la mano.** Anchura entre las extremidades del pulgar y del meñique estando la mano enteramente abierta. ‖ **de loba.** La correspondiente a la cerradura de loba. ‖ **del pie.** Distancia desde lo alto del empeine hasta el fin del talón. ‖ **del reino.** Plaza fuerte en la frontera, que dificulta la entrada al enemigo. ‖ **de paso.** La que se intercala en una tubería para cerrar, abrir o regular el curso de un fluido. ‖ **de percusión, o de pistón.** La que determina la explosión de la pólvora por medio de una cápsula fulminante que se inflama al golpe de un martillo pequeño, que sustituye al pie de gato de las armas de chispa. ‖ **de tercera vuelta.** La que, además de las guardas regulares y los dentecillos para segunda vuelta, tiene otros para dar tercera vuelta al pestillo, y entonces no se puede abrir con la **llave** sencilla ni con la doble. ‖ **de tuerca.** Herramienta en forma de horquilla, que sirve para apretar o aflojar las tuercas en los tornillos. ‖ **doble.** La que, además de las guardas regulares, tiene unos dentecillos que alcanzan a dar segunda vuelta al pestillo, y entonces no se puede abrir con la **llave** sencilla. ‖ **dorada.** La que usaban los gentileshombres con ejercicio o con entrada. ‖ **falsa.** La que se hace furtivamente para abrir una cerradura. ‖ **inglesa.** Instrumento de hierro de figura de martillo, en cuyo mango hay un dispositivo que, al girar, abre o cierra más o menos las dos partes que forman la cabeza, hasta que se aplican a la tuerca o tornillo que se quiere mover. ‖ **2.** Arma de hierro en forma de eslabón, con agujeros por los que pasan los cuatro últimos dedos y que, una vez cerrado el puño, se usa para golpear. ‖ **maestra.** La que está hecha con la disposición que abre y cierra todas las cerraduras de una casa. ‖ **llaves de la Iglesia.** fig. Potestad espiritual para el gobierno y dirección de los fieles. ‖ **ahí te quedan las llaves.** expr. fig. con que se da a entender que uno deja el manejo de un negocio sin dar razón de su estado. ‖ **bajo, o debajo de, llave.** expr. con que se da a entender que una cosa está guardada o cerrada con llave. ‖ **debajo de siete llaves.** expr. fig. que denota que una cosa está muy guardada y segura. ‖ **doblar la llave.** fr. **torcer la llave.** ‖ **echar la llave.** fr. Cerrar con ella. ‖ **2.** fig. **echar el sello.** ‖ **falsear la llave.** fr. Hacer otra semejante, con las mismas guardas y medidas, para abrir furtivamente una puerta, cofre, escritorio, etc. ‖ **recoger las llaves.** fr. fig. y fam. Irse el último de un lugar o reunión. ‖ **torcer la llave.** fr. Darle vueltas dentro de la cerradura para abrir o cerrar. ‖ **tras llave, o tras siete llaves.** exprs. fams. **debajo de llave.**

llavear. tr. *Par.* Cerrar con llave.

llaverizo. (De *llavero.*) m. ant. El que cuidaba de las llaves, trayéndolas frecuentemente consigo.

llavero, ra. (De *llave.*) m. y f. Persona que tiene a su cargo la custodia de las llaves de una plaza, ciudad, iglesia, palacio, cárcel, arca de caudales, etc., y por lo común el abrir y cerrar con ellas. ‖ **2.** m. Utensilio, generalmente una anilla metálica o una cartera pequeña, en que se llevan las llaves.

llavín. (De *llave.*) m. Llave pequeña.

lle. pron. ant. **le.**

lleco, ca. (De or. inc.) adj. Aplícase a la tierra o campo que nunca se ha roturado. Ú. t. c. s.

llega. (De *llegar.*) f. *Ar.* Acción y efecto de recoger, allegar o juntar.

llegada. f. Acción y efecto de llegar a un sitio.

llegado, da. p. p. de **llegar.** ‖ **2.** adj. ant. Cercano, próximo.

llegamiento. (De *llegar.*) m. ant. Acción y efecto de llegar o allegar.

llegar. (Del lat. *plicāre*, plegar.) intr. Alcanzar el fin o término de un desplazamiento. ‖ **2.** Durar hasta época o tiempo determinados. ‖ **3.** Venir por su orden o tocar por su turno una cosa o acción a uno. ‖ **4.** Referido a un nombre que signifique situación, categoría, grado, etc., alcanzar lo expresado por tal nombre. LLEGÓ *a general* a *los cuarenta años.* ‖ **5.** Como auxiliar de un infinitivo, alcanzar o producir la acción significada por este. LLEGÓ *a reunir una gran biblioteca.* ‖ **6.** Tocar, alcanzar una cosa. *La capa* LLEGA *a la rodilla.* ‖ **7.** Venir, verificarse, empezar a correr un cierto y determinado tiempo, o venir el tiempo de ser o hacerse una cosa. ‖ **8.** Ascender, importar, subir. *El gasto* LLEGÓ *a mil pesetas.* ‖ **9.** En las carreras deportivas, alcanzar la línea de meta. ‖ **10.** Ser suficiente una cantidad. *Con medio metro más de tela* LLEGARÍA *para dos cortinas.* ‖ **11.** tr. p. us. Allegar, juntar. ‖ **12.** Arrimar, acercar una cosa a otra. ‖ **13.** prnl. Acercarse una persona o una cosa a otra. ‖ **14.** Ir a un sitio determinado que esté cercano. ‖ **15.** p. us. Unirse, adherirse. ‖ **el que primero llega, ese la calza.** fr. proverb. con que se nota que el más diligente logra, por lo común, que solicita. ‖ **¡hasta ahí podríamos llegar!** fr. excl. de indignación ante un posible abuso. ‖ **llegar lejos.** fr. fig. usada generalmente en formas de futuro para predecir a alguien un porvenir brillante. Ú. t. en sent. irónico. ‖ **llegar y besar.** fr. fig. y fam. que explica la brevedad con que se nota que el más ‖ **no llegar** una persona o cosa a otra. fr. fig. No igualarla o no tener las cualidades, habilidad o circunstancias que ella.

lleivún. m. Planta chilena de la familia de las ciperáceas, que crece en terrenos húmedos y cuyos tallos se emplean para hacer lazos, atar sarmientos, plantas de jardines, etcétera.

llena. (De *llenar.*) f. Crecida que hace salir de madre a un río o arroyo.

llenamente. adv. m. Copiosa y abundantemente.

llenar. (De *lleno.*) tr. Ocupar por completo con alguna cosa un espacio vacío. Ú. t. c. prnl. ‖ **2.** Ocupar enteramente las personas un recinto. ‖ **3.** fig. Ocupar dignamente un lugar o empleo. ‖ **4.** fig. Parecer bien, satisfacer. *La razón de Pedro me* LLENÓ. ‖ **5.** fig. Fecundar el macho a la hembra. ‖ **6.** fig. Cargar, colmar abundantemente. *Lo* LLENÓ *de favores, de improperios, de enojo.* ‖ **7.** intr. p. us. LLENÓ *de favores, de improperios, de enojo.* ‖ **7.** intr. p. us. Tratándose de la Luna, llegar al plenilunio. ‖ **8.** prnl. fam. Hartarse de comida o bebida. ‖ **9.** fig. y fam. Atufarse, irritarse después de haber sufrido o aguantado por algún tiempo.

llenera. f. ant. Abundancia extrema, plenitud.

lleneramente. adv. m. ant. **plenamente.**

llenero, ra. adj. desus. Cumplido, cabal, pleno, sin limitación.

llenez. f. desus. Abundancia extrema, plenitud.

lleneza. (De *lleno.*) f. ant. Abundancia extrema, plenitud.

lleno, na. (Del lat. *plenus.*) adj. Ocupado o henchido de otra cosa. ‖ **2.** Dícese de persona, un poco gorda. ‖ **3.** Saciado de comida. Ú. m. con lo verbos *estar* y *sentirse.* ‖ **4.** fig. V. **hombre lleno.** ‖ **5.** *Astron.* V. **luna llena.** ‖ **6.** *Blas.* Dícese del escudo o de la figura que lleva un esmalte distinto de su campo en dos tercios de su anchura. ‖ **7.** *Mar.* Aplícase al casco o a la cuaderna de mucho redondeo o capacidad. ‖ **8.** *Mar.* V. **aguas llenas.** ‖ **9.** *Med.* V. **pulso lleno.** ‖ **10.** m. p. us. Hablando de la Luna, plenilunio. ‖ **11.** Concurrencia que ocupa todas las localidades de un teatro, circo, etc. ‖ **12.** fam. Abundancia de una cosa. ‖ **13.** fig. Perfección o último complemento de una cosa. ‖ **14.** pl. *Mar.* Figura de los fondos del buque cuando se acerca a la redondez. ‖ **15.** *Mar.* Parte del casco comprendida entre los raceles. ‖ **de lleno,** o **de lleno en lleno.** locs. advs. Enteramente, totalmente.

llenura. (De *lleno.*) f. Abundancia, plenitud.

llera. (Del lat. *glarĕa,* cantorral.) f. Cantorral, glera.

lleudar. tr. **leudar.**

lleva. (De *llevar.*) f. Acción y efecto de llevar.

llevada. f. Acción y efecto de llevar.

llevadero, ra. (De *llevar,* tolerar, y *-dero.*) adj. Fácil de sufrir, tolerable.

llevador, ra. adj. p. us. Que lleva. Ú. t. c. s.

llevanza. f. p. us. Acción y efecto de llevar en arrendamiento.

llevar. (Del lat. *levāre,* levantar.) tr. Transportar, conducir una cosa desde un lugar a otro alejado de aquel en que se habla o se sitúa mentalmente la persona que emplea este verbo. ‖ **2.** Cobrar, exigir, percibir el precio o los derechos de una cosa. ‖ **3.** Producir fruto los terrenos o plantas. ‖ **4.** Cortar, separar violentamente una cosa de otra. *La bala le* LLEVÓ *un brazo.* ‖ **5.** Tolerar, sufrir. ‖ **6.** Inducir, persuadir a uno a que acepte determinada opinión o cierto dictamen. ‖ **7.** Guiar, conducir, dirigir. *Ese camino* LLEVA *a la ciudad.* ‖ **8.** Tener, estar provisto de algo. ‖ **9.** Traer puesto el vestido, la ropa, etc. ‖ **10.** Introducir a alguien en el trato, favor o amistad de otro. ‖ **11.** Lograr, conseguir. ‖ **12.** Tratándose del caballo o de un vehículo, manejarlo. ‖ **13.** En varios juegos de naipes, ir a robar con un número determinado de puntos o cartas. ‖ **14.** Tener en arrendamiento una finca. ‖ **15.** Con nombres que signifiquen tiempo, haberlo pasado en una misma situación o en un mismo lugar. LLEVABA *seis años de carrera,* LLEVA *tres meses enfermo,* LLEVAMOS *aquí muchos días.* ‖ **16.** Con el participio de ciertos verbos transitivos, haber realizado o haber experimentado lo que el participio denota, generalmente con la idea implícita de que la acción del verbo continúa o puede continuar. LLEVO *leídas veinte páginas del libro;* LLEVO *sufridos muchos desengaños.* ‖ **17.** Junto con la prep. *por* y algunos nombres, ejercitar las acciones que los mismos nombres significan. LLEVAR *por tema, por empeño, por cortesía.* ‖ **18.** Construido con un dativo de persona o cosa y un nombre que exprese medida de tiempo, distancia, tamaño, peso, etc., exceder una persona o cosa a otra en la cantidad que determina dicho nombre. *Mi hijo* LLEVA *al tuyo un año; el vapor a la goleta, cuatro millas; este soldado a aquel, dos pulgadas; el cerdo grande al pequeño, cinco arrobas.* ‖ **19.** Con un complemento directo como, *la cuenta, los libros, la labor* y otros análogos, mantener actualizado y en orden. ‖ **20.** Seguir o marcar el paso, el ritmo, el compás, etc. ‖ **21.** *Arit.* Reservar las decenas de una suma o multiplicación parcial para agregarlas a la suma o producto del orden superior inmediato. ‖ **22.** prnl. Quitar una cosa a alguien, en general con violencia, o furtivamente. ‖ **23.** Estar de moda. ‖ **llevar adelante** una cosa. fr. Proseguir lo que se ha emprendido. ‖ **llevar consigo.** fr. fig. Hacerse acompañar de una o varias personas. ‖ **llevar encima.** fr. **llevar** consigo dinero o cosas de valor. ‖ **llevarla hecha.** fr. fam. Tener dispuesta o tramada de antemano con disimulo y arte la ejecución de una cosa. ‖ **llevarlas bien,** o **mal.** fr. fam. **llevarse bien,** o **mal.** ‖ **llevar las de perder.** fr. fam. Estar en posición desventajosa o desesperada. ‖ **llevar lo mejor,** o **lo peor.** fr. Ir consiguiendo ventaja, o al contrario, en lucha o competencia. ‖ **llevar por delante** una cosa. fr. fig. Tenerla presente para dirigir sus operaciones. LLEVABA POR DELANTE *el temor de Dios para obrar bien.* ‖ **llevarse bien,** o **mal.** fr. fam. Congeniar, o no; darse recíprocamente motivos de amor o agrado, o al contrario, dos o más personas que viven en compañía o tienen que tratarse con frecuencia. ‖ **llevarse por delante** a una persona o cosa. fr. fam. Atropellarla o destruirla.

Ú. t. en sent. fig. ‖ **llevar y traer.** fr. fig. y fam. Andar en chismes y cuentos. ‖ **no llevarlas todas consigo.** fr. fam. **no tenerlas todas consigo.**

lliclla. f. *Bol., Ecuad.* y *Perú.* Manteleta vistosa, de color distinto de la falda, con que las indias se cubren los hombros y la espalda.

llicta. (Del quechua *lliptta.*) f. *N. Argent.* y *Bol.* Masa semiblanda hecha a base de papas hervidas, de sabor salado y coloración gris oscura por la ceniza de algunas plantas de que se compone. Acompaña las hojas de coca del acullico.

llocántaro. m. *Ast.* Bogavante, lubigante, crustáceo.

llocura. f. Estado de la gallina u otra ave llueca.

lloica. f. fam. *Chile.* Especie de estornino, loica.

lloradera. f. despect. Acción de llorar mucho por motivo liviano. ‖ **2.** ant. Mujer encargada de llorar, plañidera.

llorador, ra. (Del lat. *plorātor, -ōris.*) adj. Que llora. Ú. t. c. s.

lloraduelos. (De *llorar* y *duelo.*) com. fig. y fam. Persona que frecuentemente lamenta y llora sus infortunios.

lloramico. m. d. de **lloro.**

llorar. (Del lat. *plorāre.*) intr. Derramar lágrimas. Ú. t. c. tr. LLORAR *lágrimas de piedad.* ‖ **2.** Fluir un humor por los ojos. ‖ **3.** fig. Caer el licor gota a gota o destilar, como sucede en las vides al principio de la primavera. Ú. t. c. tr. ‖ **4.** tr. fig. Sentir vivamente una cosa. LLORAR *una desgracia, la muerte de un amigo, las culpas, los pecados.* ‖ **5.** fig. Encarecer lástimas, adversidades o necesidades. Se usa más cuando se hace importunamente o interesadamente.

lloredo. (Del lat. *laurētum.*) m. Sitio poblado de laureles, laureal.

llorera. f. Lloro fuerte y continuado.

llorica. com. fam. Persona que llora con frecuencia y por cualquier motivo.

lloriquear. (De *llorica.*) intr. Llorar sin fuerza y sin bastante causa.

lloriqueo. (De *lloriquear.*) m. Acción y efecto de lloriquear.

lloro. m. Acción de llorar.

llorón, na. (De *llorar.*) adj. Perteneciente o relativo al llanto. ‖ **2.** Que llora, especialmente el que llora mucho y fácilmente. Ú. t. c. s. ‖ **3.** V. **sauce llorón.** Ú. m. c. s. ‖ **5.** m. Penacho de plumas largas, flexibles y péndulas como las ramas de un sauce **llorón.** ‖ **6.** f. Mujer encargada de llorar, plañidera. ‖ **7.** f. pl. rur. *Argent.* y *Urug.* Nazarenas, espuelas grandes usadas por los gauchos.

llorosamente. adv. m. Con lloro.

lloroso, sa. (De *lloro.*) adj. Que tiene señales de haber llorado. ‖ **2.** Aplícase a las cosas que causan llanto y tristeza.

llosa. (Del lat. *clausa,* cerrada.) f. *Ast., Cantabria* y *Vizc.* Terreno labrantío cercado, mucho menos extenso que el de las mieses, agros o erías, y por lo común próximo a la casa o barriada a que pertenece.

llotrar. (De *llotro.*) tr. ant. **quillotrar.** Usáb. t. c. prnl.

llotro. (De *ello otro.*) m. ant. **quillotro.**

llovedizo, za. (De *llover* e *-izo.*) adj. Dícese de las bóvedas, techos, azoteas o cubiertas que, por defecto, dan fácil acceso al agua de lluvia. ‖ **2.** V. **agua llovediza.**

llover. (Del lat. vulg. *plovĕre,* clás. *pluĕre.*) intr. impers. Caer agua de las nubes. Ú. alguna vez como tr. ‖ **2.** intr. fig. Venir, caer sobre uno con abundancia una cosa; como trabajos, desgracias, etc. Ú. alguna vez como tr. ‖ **3.** prnl. Calarse con las lluvias las bóvedas o los techos o cubiertos. ‖ **a secas y sin llover.** loc. adv. fig. y fam. Sin preparación ni aviso. ‖ **como llovido.** loc. adv. fig. De modo inesperado e imprevisto. ‖ **ha llovido mucho desde** cierto momento. expr. fig. y fam. Ha transcurrido mucho tiempo desde entonces. ‖ **llover sobre mojado.** fr. fig. Venir trabajos sobre trabajos. Ú. alguna vez como tr. ‖ **2.** Sobrevenir preocupaciones o cuidados que agravan una situación ya molesta. ‖ **3.** Repetirse algo innecesario o enojoso. ‖ **seco y sin llover.** loc. adv. fig. y fam. **a secas y sin llover.**

llovido, da. p. p. de **llover.** ‖ **2.** m. p. us. **polizón,** el que se embarca clandestinamente.

llovioso, sa. adj. desus. **lluvioso.**

llovizna. (De *lloviznar*.) f. Lluvia menuda que cae blandamente.

lloviznar. (De *llover*.) intr. impers. Caer lluvia menuda.

lloviznoso, sa. adj. Dícese del tiempo o lugar en que son frecuentes las lloviznas.

llubina. f. **lubina.**

llueca. (De la onomat. *cloc,* lat. *clocca.) adj. Dícese del ave que está para empollar, clueca. Ú. t. c. s. ‖ **echar una llueca.** fr. Preparar el nido a la gallina **llueca** y ponerla sobre los huevos.

lluvia. (Del lat. *pluvĭa*.) f. Acción de llover. ‖ **2. agua llovediza.** ‖ **3.** V. **agua lluvia,** o de **lluvia.** ‖ **4.** V. **nube de lluvia.** ‖ **5.** fig. Abundancia o muchedumbre. LLUVIA *de trabajos, de pedradas.* ‖ **6.** *Argent., Chile* y *Nicar.* Chorro de agua para lavarse, ducha. ‖ **ácida.** Precipitación en la atmósfera de las emisiones industriales de contaminantes ácidos, v. gr., óxidos de azufre y de nitrógeno, óxidos metálicos, etc. ‖ **de estrellas.** Aparición de muchas estrellas fugaces en determinada región del cielo. ‖ **meona.** Llovizna, calabobos.

lluvial. (Del lat. *pluviālis*.) adj. ant. Decíase del agua de lluvia.

lluviano, na. adj. ant. Aplicábase a la tierra o lugar recién mojado por la lluvia.

lluvioso, sa. (Del lat. *pluviōsus*.) adj. Aplícase al tiempo o al país en que son frecuentes las lluvias.

M

m. f. Decimoquinta letra del abecedario español, y duodécima de sus consonantes. Su nombre es **eme**. Representa un sonido de articulación bilabial, nasal, oclusiva y sonora. ‖ **2.** Letra numeral que tiene el valor de mil en la numeración romana.

-ma. (Del gr. -μα.) suf. de sustantivos emparentados frecuentemente con verbos griegos y que solían indicar el resultado de la acción significada por el verbo correspondiente: *dra*MA, *sofis*MA, *ecce*MA, *enfise*MA. La lingüística moderna ha generalizado la forma **-ema** en sustantivos como *lex*EMA. Por su parte, la patología ha tomado la terminación **-oma** como nuevo sufijo, con el significado de «tumor» o de otras alteraciones patológicas: *fibr*OMA, *papil*OMA, *sifil*OMA.

mabí. m. *P. Rico* y *Sto. Dom.* Árbol pequeño de la familia de las ramnáceas, de corteza amarga.

mabolo. m. Árbol de Filipinas, de la familia de las ebenáceas, que crece hasta diez u once metros de altura, con flores dioicas, unas solitarias axilares y otras terminales en espiga; hojas alternas y fruto muy semejante al melocotón, pero de carne dura y desabrida.

macá. (Del guaraní *macang*.) m. *Argent., Par.* y *Urug.* **somorgujo.**

maca¹. (De *macar*.) f. p. us. Señal que queda en la fruta por algún daño que ha recibido. ‖ **2.** p. us. Daño ligero que tienen algunas cosas, como paños, lienzos, cuerdas, etc. ‖ **3.** p. us. fig. Defecto moral. ‖ **4.** fig. y fam. p. us. Disimulo, engaño, fraude.

maca². f. fam. p. us. Aféresis de **hamaca.**

macabro, bra. (Del ár. *maqábir*, tumbas, cementerio.) adj. Dícese de lo que participa de la fealdad de la muerte y de la repulsión que esta suele causar.

macaca. f. Hembra del macaco².

macaco¹. m. *Hond.* y *Nicar.* Moneda macuquina del valor de un peso.

macaco², ca. (Del port. *macaco*, voz del Congo, que designa una especie de mono.) adj. *Cuba* y *Chile.* Feo, deforme. ‖ **2.** V. **cordero macaco.** ‖ **3.** m. Cuadrúmano muy parecido a la mona, pero más pequeño que ella, con cola y el hocico saliente y aplastado.

macacoa. f. *P. Rico.* Mala suerte. ‖ **2.** *Col.* y *Venez.* Murria, tristeza.

macachín. m. *Argent.* y *Urug.* Pequeña planta de las oxalidáceas, que da flores amarillas o violadas en otoño. Sus hojas son parecidas a las del trébol, y el tubérculo es comestible. Las hojas y las flores se emplean con fines medicinales.

macadam. (Del apellido del ingeniero escocés John Loudon *Mac Adam*, 1756-1836.) m. **macadán.**

macadamizar. tr. Pavimentar con macadam.

macadán. (De *macadam*.) m. Pavimento de piedra machacada que una vez tendida se comprime con el rodillo.

macaense. adj. Natural de Macao Ú. t. c. s. ‖ **2.** Perteneciente o relativo a esta posesión portuguesa en la costa meridional de China.

macagua. (Voz caribe.) f. Ave rapaz diurna, de unos ocho decímetros de largo desde el pico hasta la extremidad de la cola, y plumaje de color amarillo pardusco por el dorso y blanco por el pecho y el vientre. Habita en los linderos de los bosques de la América Meridional, da gritos penetrantes y se alimenta de cuadrúpedos pequeños y de reptiles. ‖ **2.** Serpiente venenosa que tiene cerca de dos metros de largo y unos dos decímetros de grueso, la cabeza grande y algo achatada, y el color pardo oscuro con manchas blanquecinas por el lomo y amarillento por el pecho y el vientre. Vive en regiones cálidas de Venezuela, especialmente a orillas del mar. ‖ **3.** Árbol silvestre de la isla de Cuba, de la familia de las moráceas, de flores blancas y fruto del tamaño y figura de la bellota, pero sin cáscara, que comen especialmente los cerdos. Su madera, que es dura y fibrosa, se emplea en carpintería. ‖ **terciopelo.** Serpiente venenosa de color negro aterciopelado, que se cría en las montañas elevadas de Venezuela.

macagüita. (d. de *macagua*.) f. Palma espinosa que se cría en Venezuela, de corteza oscura con manchas blanquecinas, y cuyo fruto es un coquillo casi negro con pintas semejantes a las de la corteza. ‖ **2.** Fruto de este árbol.

macal. m. *Chile.* Sitio poblado de plantas de maqui.

macana¹. (Voz sudamericana, de or. inc.) f. *Bol., Col., Ecuad.* y *Venez.* Especie de chal o manteleta, casi siempre de algodón, que usan las mujeres mestizas.

macana². (Voz caribe.) f. Arma ofensiva, a manera de machete o de porra, hecha con madera dura y a veces con filo de pedernal, que usaban los indios americanos. ‖ **2.** *Amér.* Garrote grueso de madera dura y pesada. ‖ **3.** *C. Rica.* Palo con que los indios americanos labraban la tierra, coa¹. ‖ **4.** fig. Artículo de comercio que por su deterioro o falta de novedad queda sin fácil salida. ‖ **5.** fig. *Ar.* Chanza, broma. ‖ **6.** fig. *Argent., Perú* y *Urug.* Desatino, embuste. ‖ **7.** *Argent.* Regalo de poca importancia. Ú. m. en d. ‖ **¡qué macana!** loc. fig. *Argent.* Exclamación con la que se expresa contrariedad.

macanazo. m. Golpe dado con la macana².

macancoa. f. *And.* **macacoa.**

macanche. adj. *Sal.* Delicado de salud, enfermizo.

macandón. m. ant. Falso, embustero.

macaneador, ra. m. y f. *Argent.* Persona que dice o suele decir macanas, embustero.

macanear. tr. *Cuba, P. Rico* y *Sto. Dom.* Golpear con la macana². ‖ **2.** *Col., Nicar.* y *Venez.* Desbrozar. ‖ **3.** *Col.* Dirigir bien un negocio. ‖ **4.** intr. *Col.* y *Hond.* Trabajar fuertemente y con asiduidad. En Nicaragua, ú. c. prnl. ‖ **5.** *Argent., Bol., Chile, Par.* y *Urug.* Decir desatinos o embustes.

macaneo. m. *Argent., Par.* y *Urug.* Acción y efecto de macanear.

macanudo, da. (De *macana*.) adj. fam. *Amér.* Bueno, magnífico, extraordinario, excelente, en sentido material y moral.

macar. (De or. inc.) tr. ant. Producir daño con una contusión, sin herida. ‖ **2.** prnl. p. us. Empezar a pudrirse las frutas por los golpes y magulladuras que han recibido.

macarelo. m. p. us. Hombre pendenciero y camorrista.

macareno, na. adj. Vecino del barrio de la Macarena, en Sevilla. Ú. t. c. s. ‖ **2.** fam. p. us. Guapo, majo, baladrón. Ú. t. c. s.

macareo. (Del port. *macareu.*) m. Intumescencia grande que en la desembocadura de ciertos ríos, y rompiendo con estrépito y velocidad extraordinaria cauce arriba, levantan las aguas del mar durante las mareas más vivas.

macarro. (der. regres. de *macarrón.*) m. Panecillo de forma alargada y de una libra de peso. ‖ **2.** Bollo de pan de aceite, largo y estrecho. ‖ **3.** V. **santo macarro.**

macarrón. (Del it. dialect. *maccarone.*) m. Pasta alimenticia hecha con harina de trigo, que tiene forma de canuto alargado. Ú. m. en pl. ‖ **2.** Bollito con azúcar, almendra y otras especias. ‖ **3.** Tubo delgado de plástico flexible y resistente, que se emplea, entre otras cosas, para recubrir cables eléctricos. ‖ **4.** *Mar.* Extremo de las cuadernas que sale fuera de las bordas del buque. Ú. m. en pl.

macarronea. (Del it. *maccheronea.*) f. Composición burlesca, generalmente en verso, que mezcla palabras latinas con otras de una lengua vulgar a las cuales da terminación latina, sujetándolas además, por lo menos en apariencia, a las leyes de la prosodia clásica.

macarrónicamente. adv. m. De manera macarrónica.

macarrónico, ca. adj. Aplícase a la macarronea, al latín muy defectuoso y al lenguaje vulgar que peca gravemente contra las leyes de la gramática y del buen gusto.

macasar. m. Cierto aceite que se usaba para el cabello.

macaurel. f. Serpiente de Venezuela, no venenosa y parecida a la tragavenado, pero de menor tamaño.

macazuchil. (Del nahua *meca zochitl.*) m. Planta de la familia de las piperáceas, cuyo fruto, de sabor muy fuerte, empleaban los habitantes de Méjico para perfumar el chocolate y otras bebidas en que entraba el cacao.

maceador. m. El que macea.

macear. tr. Golpear con el mazo o la maza. ‖ **2.** intr. fig. Molestar repetidamente a uno.

macedón, na. (Del lat. *Macédon, -ónis*, y este del gr. Μακεδών, -δόνος.) adj. **macedonio.** Apl. a pers., ú. t. c. s.

macedónico, ca. (Del lat. *Macedonĭcus.*) adj. macedonio, perteneciente a Macedonia.

macedonio, nia. (Del lat. *Macedonĭus.*) adj. Natural de Macedonia. Ú. t. c. s. ‖ **2.** Perteneciente o relativo a aquel reino de la Grecia antigua. ‖ **3.** V. **perejil macedonio.** ‖ **4.** f. Ensalada de frutas.

macelo. (Del lat. *macellum,* mercado de carne.) m. p. us. **matadero,** lugar donde se mata y desuella el ganado destinado al abasto público.

maceo. m. Acción y efecto de macear.

maceración. (Del lat. *maceratĭo, -ōnis.*) f. Acción y efecto de macerar o macerarse.

maceramiento. (De *macerar.*) m. **maceración.**

macerar. (Del lat. *macerāre.*) tr. Ablandar una cosa estrujándola o golpeándola. ‖ **2.** Mantener sumergida alguna sustancia sólida en un líquido a la temperatura ambiente, con el fin de ablandarla o de extraer de ella las partes solubles. ‖ **3.** Reblandecer la piel o los demás tejidos mediante prolongado contacto con un líquido. Ú. t. c. prnl. ‖ **4.** fig. Mortificar, afligir la carne con penitencias. Ú. t. c. prnl.

macerina. f. **mancerina.**

macero. m. El que lleva la maza delante de los cuerpos o personas autorizadas que usan esta señal de dignidad.

maceta[1]. f. d. de **maza.** ‖ **2.** Empuñadura o mango de algunas herramientas. ‖ **3.** Martillo con cabeza de dos bocas iguales y mango corto, que usan los canteros para golpear el cincel o puntero. ‖ **4.** adj. *P. Rico.* Miserable, avariento, tacaño. ‖ **5.** rur. *Argent., Bol., Chile, Par.* y *Urug.*

Dícese del caballo viejo, de cascos crecidos y que, por esa causa, anda con dificultad.

maceta[2]. (Del it. *mazzetto,* mazo de flores, o más probablemente der. análogo mozár.) f. Vaso de barro cocido, que suele tener un agujero en la parte inferior, y que, lleno de tierra, sirve para criar plantas. ‖ **2.** Pie de plata u otro metal, o de madera pintada, donde se ponen ramilletes de flores artificiales para adorno de altares o de otros sitios. ‖ **3.** En la provincia de Granada, el vaso grande de vino. ‖ **4.** *Bot.* Inflorescencia en que los pedúnculos nacen en distintos puntos, corimbo.

macetero. m. Soporte de hierro o de madera para colocar macetas de plantas.

macetilla. f. d. de **maceta,** maza. ‖ **de macetilla.** loc. adv. fig. con que se indica la acción de dar el sol de lleno.

macetón. m. aum. de **maceta**[2].

macia. f. **macis.**

macicez. f. Cualidad de macizo.

macilento, ta. (Del lat. *macilentus.*) adj. Flaco y descolorido.

macillo. m. d. de **mazo.** ‖ **2.** Pieza del piano, a modo de mazo con mango y cabeza forrada de fieltro por uno de sus lados, con la cual, a impulso de la tecla, se hiere la cuerda correspondiente.

macis. (Del lat. *macis.*) f. Corteza olorosa, de color rojo o rosado, en forma de red, que cubre la nuez moscada.

macizamente. adv. m. Con macicez.

macizar. (De *macizo.*) tr. Rellenar un hueco con material bien unido y apretado. ‖ **2.** intr. Arrojar macizo al agua para atraer la pesca.

macizo, za. (Del lat. *massa,* masa, e *-izo.*) adj. Lleno, sin huecos ni vanos; sólido. Ú. t. c. s. m. ‖ **2.** fig. Sólido y bien fundado. ‖ **3.** fig. Sólido y bien fundado. ‖ **3.** fig. Dícese de la persona de carnes duras y consistentes. ‖ **3.** fig. Sólido y bien fundado. ‖ **4.** m. Prominencia del terreno, por lo común rocosa, o grupo de alturas o montañas. ‖ **5.** Cebo que emplean los pescadores, consistente en una mezcla de residuos de pescados triturados, como sardinas o chicharros, o sus desperdicios, o más comúnmente, en salvado y arena. ‖ **6.** fig. Conjunto de construcciones apiñadas o cercanas entre sí. ‖ **7.** fig. *Cantabria.* Sardina en salmuera y conservada en barriles. ‖ **8.** fig. Agrupación de plantas de adorno con que se decoran los cuadros de los jardines. ‖ **9.** *Arq.* Parte de una pared que está entre los vanos.

macla. (Del fr. *macle.*) f. *Mineral.* Asociación de dos o más cristales gemelos, orientados simétricamente respecto a un eje o un plano.

maclado, da. (De *macla.*) adj. Dícese de los minerales o formas cristalinas que, como el aragonito, la ortosa y el yeso, suelen presentar maclas.

maco, ca. (Del lat. *maccus,* tonto, estúpido.) adj. *Germ.* Malo, pícaro, bellaco.

macoca. f. *Sal.* Golpe que se da en la cabeza con los nudillos.

macolla. (De or. inc.) f. Conjunto de vástagos, flores o espigas que nacen de un mismo pie.

macollar. intr. **amacollar.** Ú. t. c. prnl.

macollo. m. *Argent., Ecuad.* y *Méj.* Cada uno de los brotes de un pie vegetal.

macón. (De or. inc.) m. Entre colmeneros, panal sin miel, reseco y de color oscuro. ‖ **2.** *Ál.* **propóleos.**

macona. f. Banasta grande.

macondo. m. *Col.* Árbol corpulento de la familia de las bombáceas, semejante a la ceiba. Alcanza de treinta a cuarenta metros de altura.

macramé. (Del fr. *macramé.*) m. Tejido hecho con nudos más o menos complicados, y que se asemeja al encaje de bolillos. ‖ **2.** Hilo con que se prepara este tejido.

macro-. (Del gr. μακρο-.) elem. compos. que significa «grande»: MACRObiótica, MACROmolécula.

macrobiótico, ca. (De *macro-* y el gr. βιωτικός, relativo a la vida.) adj. Apto para alargar la vida. ‖ **2.** f. Arte de vivir muchos años.

macrocefalia. f. Cualidad de macrocéfalo.

macrocéfalo, la. (Del gr. μαϰϱοϰέφαλος, de cabeza grande.) adj. Se dice del animal que tiene la cabeza demasiado grande, con relación al cuerpo, o con relación a la especie a que pertenece. Ú. t. c. s.

macrocosmo. (De *macro-* y *cosmos*.) m. El universo, especialmente considerado como un ser semejante al hombre o microcosmo.

macrocosmos. m. **macrocosmo.**

macroeconomía. (De *macro-* y *economía*.) f. Estudio de los sistemas económicos de una nación, región, etc., como un conjunto, empleando magnitudes colectivas o globales, como la renta nacional, las inversiones, exportaciones e importaciones, etc. Ú. en contraposición a **microeconomía.**

macromolécula. (De *macro-* y *molécula*.) f. *Fís.* Molécula de gran tamaño, generalmente de peso molecular superior a varios millares. Por su origen, las **macromoléculas** pueden ser naturales, naturales modificadas y sintéticas.

macroscópico, ca. (De *macro-*, y *-scopio*.) adj. *Biol.* Lo que se ve a simple vista, sin auxilio del microscopio.

macrospora. (De *macro-* y el gr. σποϱά, semilla.) f. *Bot.* Espora femenina de ciertos helechos.

macrosporofila. (De *macro-*, el gr. σποϱά, semilla, y φύλλον, hoja.) f. *Bot.* Hoja esporífera de ciertos helechos, formadora de macrosporas o esporas femeninas. ‖ **2.** Por ext., carpelo de las fanerógamas.

macruro, ra. (De *macro-* y el gr. οὐϱά, cola.) adj. *Zool.* Dícese de crustáceos decápodos que tienen un abdomen largo y bien desarrollado, del cual se sirven para nadar; como el bogavante. Ú. t. c. s. ‖ **2.** m. pl. *Zool.* Suborden de estos animales.

macsura. (Del ár. *maqsūra*, recinto reservado, clausura.) f. Recinto reservado en una mezquita para el califa o el imán en las oraciones públicas, o para contener el sepulcro de un personaje tenido en opinión de santidad.

macuache. m. Indio mejicano que no ha recibido instrucción alguna.

macuba. (Del fr. *macouba*.) f. Tabaco aromático, de calidad excelente, que se cultiva en el término de Macuba, población de la Martinica. ‖ **2.** Insecto coleóptero del suborden de los tetrámeros, de tres o cuatro centímetros de largo, cabeza puntiaguda y antenas de igual longitud que el cuerpo, que es estrecho y de color verde bronceado brillante. Se encuentra en España sobre los sauces y álamos blancos, y por el olor almizcleño que despide se ha empleado para comunicar al rapé común un aroma parecido al del tabaco anteriormente descrito.

macuca. f. Planta perenne de la familia de las umbelíferas, de raíz globosa, tallo derecho y ramoso, hojas laciniadas y con pecíolos largos, flores blancas muy pequeñas y fruto parecido al del anís. Se cría en lugares montuosos y sombríos del mediodía de España. ‖ **2.** Arbusto silvestre de la familia de las rosáceas, parecido al peral, aunque de hoja más menuda, cuya fruta es muy pequeña, colorada, insípida y de carne blanda y suave. ‖ **3.** Fruto de este arbusto.

macuco, ca. adj. *Chile.* Astuto, cuco, taimado. ‖ **2.** m. *Argent., Col.* y *Perú.* Muchacho grandullón.

mácula. (Del lat. *macŭla*.) f. Mancha[1] de suciedad. ‖ **2.** fig. Cosa que deslustra y desdora. ‖ **3.** fig. y fam. Engaño, trampa. ‖ **4. mácula lútea.** ‖ **5.** *Astron.* Cada una de las partes oscuras que se observan en el disco del Sol o de la Luna. ‖ **lútea.** *Anat.* Depresión de la retina, de forma oval, situada un poco por debajo y por fuera de la papila del nervio óptico, en la cual alcanza la visión su precisión máxima.

macular. (Del lat. *maculāre*.) tr. Manchar una cosa. ‖ **2.** fig. Deslustrar la buena fama.

maculatura. (Del lat. *maculātus*, manchado, y *-ura*.) f. *Impr.* Pliego mal impreso, que se desecha por manchado.

maculoso, sa. (Del lat. *maculōsus*.) adj. ant. Lleno de manchas.

macupa. f. Planta mirtácea de Filipinas, que se cultiva como frutal y medicinal.

macuquero. m. El que sin conocimiento de la autoridad se dedica a extraer metales de las minas abandonadas.

macuquino, na. adj. Aplícase a la moneda cortada, de oro o plata, que corrió hasta mediados del siglo XIX.

macuteno. m. desus. *Méj.* Ladrón, ratero.

macuto. (Voz de las Antillas y Venezuela.) m. Mochila de soldado. ‖ **2.** Por ext., cualquier tipo de mochila. ‖ **3.** Cesto tejido de caña, de forma cilíndrica y con una boca, que suelen usar los pobres en Venezuela para recoger las limosnas.

mach. (De Ernesto *Mach*, físico austríaco.) m. Nombre internacional de una unidad de velocidad, aplicada generalmente a los aviones, y que equivale a la del sonido.

macha. f. Molusco de mar, comestible y muy abundante en los mares de Chile y Perú.

machaca. f. Instrumento con que se machaca. ‖ **2.** com. fig. Persona pesada que fastidia con su conversación necia e importuna. ‖ ¡dale, machaca! expr. fam. con que se reprueba la obstinación o terquedad de alguien.

machacadera. (De *machacar*.) f. Instrumento con que se machaca.

machacado, da. p. p. de **machacar.** ‖ **2.** adj. *Min.* V. **metal machacado.**

machacador, ra. adj. Que machaca. Ú. t. c. s.

machacadura. f. Acción y efecto de machacar.

machacante. m. Soldado destinado a servir a los sargentos de una unidad. ‖ **2.** fam. Moneda de plata de cinco pesetas.

machacar. (De *machar*.) tr. Golpear una cosa para quebrantarla o deformarla. ‖ **2.** Reducir una cosa sólida a fragmentos relativamente pequeños, pero sin triturarla. ‖ **3.** intr. fig. Porfiar e insistir sobre una cosa.

machacón, na. (De *machacar*.) adj. Que repite algo con insistencia y pesadez. Ú. t. c. s.

machaconería. f. fam. Pesadez, importunidad.

machada. f. Hato de machos cabríos. ‖ **2.** Acción valiente. ‖ **3.** Necedad.

machado, da. p. p. de **machar.** ‖ **2.** m. Hacha para cortar madera.

machamartillo (a). (De *machar* y *martillo*.) loc. adv. **a machamartillo.**

machaqueo. m. Acción y efecto de machacar.

machaquería. (De *machacar*.) f. Pesadez, importunidad.

machar. (De *macho*[2].) tr. Golpear para quebrantar algo.

machear. tr. Fecundar el macho a la hembra. ‖ **2.** Fecundar las palmeras sacudiendo las inflorescencias masculinas sobre los pies femeninos. ‖ **3.** intr. Engendrar los animales más machos que hembras.

machera. (De *macho*[1].) f. *Extr.* Criadero de alcornoques.

machero. (De *macho*[1].) m. *Extr.* Planta de alcornoque. ‖ **2.** *Extr.* Alcornoque que no está todavía en explotación.

macheta. (De *macho*[2].) f. Especie de cuchilla de hoja muy fuerte y ancha, usada especialmente para picar carne. ‖ **2.** *León* y *Sal.* Hacha pequeña.

machetazo. m. Golpe que se da con el machete.

machete. (d. de *macho*[2].) m. Arma blanca, más corta que la espada, ancha, pesada y de un solo filo. ‖ **2.** *Hond.* y *Nicar.* Cuchillo grande de diversas formas, que sirve para desmontar, cortar la caña de azúcar y otros usos. ‖ **3.** fig. y fam. *Argent.* **chuleta,** papelito con apuntes que los estudiantes llevan oculto para usar disimuladamente en los exámenes.

machetear. (De *machete*.) tr. Golpear con el machete. ‖ **2.** *Mar.* Clavar estacas. ‖ **3.** fig. y fam. *Argent.* Reducir el texto de un examen a machete. Ú. t. c. prnl. ‖ **4.** prnl. *Argent.* fam. Valerse el estudiante de machete durante un examen. ME MACHETEÉ *toda la lección.* Ú. t. c. tr.

machetero. m. El que tiene por ejercicio desmontar con machete los pasos obstaculizados con árboles. ‖ **2.** El que en los ingenios de azúcar corta las cañas.

machi. (Voz araucana.) com. *Chile.* Curandero de oficio.

máchica. (Del quechua *machka*.) f. Harina de maíz tostado que comen los indios peruanos mezclada con azúcar y canela.

machiega. (De *macho*[1].) adj. V. **abeja machiega.**

machihembrar. (De *macho*[1] y *hembra*.) tr. *Carp.* Ensamblar dos piezas de madera a caja y espiga o a ranura y lengüeta.

machín. m. ant. Hombre rústico. ‖ **2.** *Col., Ecuad.* y *Venez.* Mono, mico.

machina. (Del fr. *machine*.) f. Cabria o grúa de grandes dimensiones, que se usa en puertos y arsenales. ‖ **2. martinete**[2], mazo para batir.

machincuepa. (Del nahua *maitl*, mano, *tzintli*, culo, y *cuepa*, volverse de lado o de la otra parte.) f. *Méj.* Voltereta, pirueta, maroma.

machinete. m. *Murc.* Machete pequeño.

machío, a. (De *macho*[1].) adj. p. us. Dícese del vegetal que no da fruto.

machismo. m. Actitud de prepotencia de los varones respecto de las mujeres.

machista. adj. Perteneciente o relativo al machismo. ‖ **2.** Partidario del machismo. Ú. t. c. s.

machito. m. d. de **macho**[1]. ‖ **apearse** uno **del machito.** fr. fig. y fam. Renunciar a una situación cómoda o privilegiada. ‖ **ir en el machito.** fr. fig. y fam. **ir a gusto en el machito.**

macho[1]. (Del lat. *masculus*.) m. Animal del sexo masculino. ‖ **2. mulo.** ‖ **3.** Planta que fecunda a otra de su especie con el polen de sus estambres. ‖ **4.** fig. Parte del corchete que se engancha en la hembra. ‖ **5.** fig. En los artefactos, pieza que entra dentro de otra. ‖ **6.** fig. Hombre necio. Ú. t. c. adj. ‖ **7.** fig. Tronco de la cola de los cuadrúpedos. ‖ **8.** Cada una de las borlas que cuelgan en la indumentaria de los toreros, en especial las que sujetan el calzón a los corvas. ‖ **9.** Estrofa, por lo general de tres versos, que se canta después de ciertas coplas de estilo flamenco. ‖ **10.** fig. y fam. V. **barbas de macho.** ‖ **11.** *Cuba.* Puerco, cebón. ‖ **12.** fig. y fam. *Cuba.* Grano de arroz con cáscara. ‖ **13.** *Arq.* Pilar de fábrica, que sostiene un techo o el arranque de un arco, o se injiere del todo o en parte en una pared para fortalecerla. ‖ **14.** adj. fig. Fuerte, vigoroso. ‖ **15.** Valiente, animoso, esforzado. ‖ **16.** V. **abey, aristoloquia, helecho, jara, lauréola, retama, tonel macho.** ‖ **cabrío. cabrón, macho** de la cabra. ‖ **de aterrajar.** Tornillo de acero, sin cabeza, que sirve para abrir tuercas y tiene a lo largo tres canales más o menos profundas, para dar salida a la materia que se arranca o desgasta. ‖ **de cabrío. macho cabrío.** ‖ **del timón.** *Mar.* Cada uno de los pinzotes fijos en la madre del timón, que encajan en las hembras que hay en el canto exterior del codaste. ‖ **de parada.** El de cabrío enseñado a estarse quieto para que el ganado no se desparrame ni extravíe. ‖ **romo. burdégano.** ‖ **apretarse los machos.** fr. fig. y fam. Prepararse cuidadosamente para una empresa difícil.

macho[2]. (Del lat. *marculus*, martillo pequeño.) m. Mazo grande que hay en las herrerías para forjar el hierro. ‖ **2.** Banco en que los herreros tienen el yunque pequeño. ‖ **3.** Yunque cuadrado.

machón. (aum. de *macho*[1].) m. Pieza de madera del marco de Soria, que tiene 18 pies de longitud. ‖ **2.** *Arq.* Pilar de fábrica.

machorra. (De *machorro*.) f. Hembra estéril. ‖ **2.** *Sal.* Oveja que en festividades o bodas se mata en los pueblos para celebrar la fiesta.

machorro, rra. (De *macho*[1].) adj. Estéril, infructífero.

machota[1]. f. Especie de mazo.

machota[2]. f. fam. Mujer hombruna, marimacho. ‖ **2.** *P. Rico.* Mujer garrida y lozana.

machote[1]. m. aum. de **macho**[1]. ‖ **2.** fam. Hombre vigoroso, bien plantado, valiente.

machote[2]. (De *macho*[2].) m. despect. Especie de mazo. ‖ **a machote.** loc. adv. A golpe de mazo.

machote[3]. (Del nahua *machiotl*, señal, comparación, ejemplo, dechado.) m. *Méj.* Señal que se pone para medir los destajos en las minas. ‖ **2.** *C. Rica, Hond.* y *Nicar.* Borrador, dechado, modelo. ‖ **3.** *Méj.* Formulario con espacios en blanco para rellenar.

machucador, ra. adj. Que machuca.

machucadura. f. Acción y efecto de machucar.

machucamiento. m. **machucadura.**

machucar. (De *machar*.) tr. **machacar.**

machuchón. m. **machucadura.**

machucho, cha. adj. Sosegado, juicioso. ‖ **2.** Entrado en años.

machuelo. m. d. de **macho**[1]. ‖ **2.** Germen de un ser orgánico. ‖ **3.** Parte de la semilla de que se forma la planta.

machuno, na. adj. ant. Perteneciente o relativo al macho[1].

madagaña. (De or. inc.) f. ant. Fantasma, espantajo.

madama. (Del fr. *madame*.) p. us. Ú. irónica o familiarmente como fórmula de cortesía o título de honor, equivalente a señora.

madamisela. (Del fr. *mademoiselle*.) f. p. us. Mujer joven que presume de dama, o parece serlo.

madapolán. (De *Madapolam*, ciudad de la India, donde hay muchas fábricas de tejidos.) m. Tela de algodón, especie de percal blanco y de buena calidad.

madefacción. (Del lat. *madefactio, -ónis*.) f. *Farm.* Acción de humedecer ciertas sustancias para preparar con ellas un medicamento.

madeja. (Del lat. *mataxa*.) f. Hilo recogido sobre un torno o aspadera, para que luego se pueda devanar fácilmente. ‖ **2.** fig. Mata de pelo. ‖ **3.** fig. y fam. Hombre flojo y dejado. ‖ **sin cuenda.** fig. y fam. Cualquier cosa que está muy enredada o desordenada. ‖ **2.** fig. y fam. Persona que acumula ideas sin coordinación ni método, o que no tiene orden ni concierto en sus cosas y discursos. ‖ **enredar, o enredarse, la madeja.** fr. fig. Complicar o complicarse un negocio, o un estado de cosas. ‖ **hacer madeja.** fr. fig. Dícese de los líquidos que, estando muy coagulados, hacen como hilos o hebras.

madera. (Del lat. *materia*.) f. Parte sólida de los árboles cubierta por la corteza. ‖ **2.** Pieza de **madera** labrada que sirve para cualquier obra de carpintería. ‖ **3.** Materia de que se compone el casco de las caballerías. ‖ **4.** fig. y fam. Talento o disposición natural de las personas para determinada actividad. ‖ **5.** V. **corral, mosaico de madera.** ‖ **alburente.** La de tejido excesivamente fofo y blando, de mala calidad para la construcción. ‖ **anegadiza.** La que, echada en el agua, se va a fondo. ‖ **borne.** La que es poco elástica, quebradiza y difícil de labrar, de color blanco sucio y a veces pardusco. Procede de árboles puntisecos y viejos. ‖ **brava.** La dura y saltadiza. ‖ **cañiza.** La que tiene la veta a lo largo. ‖ **de hilo.** La que saca a cuatro caras. ‖ **del aire.** Asta o cuerno de cualquier animal. ‖ **de raja.** La que se obtiene por desgaje en el sentido longitudinal de las fibras. ‖ **de sierra.** La que resulta de subdividir con la sierra la enteriza. ‖ **en blanco.** La que está labrada y no tiene pintura ni barniz. ‖ **en rollo.** La que no está labrada ni descortezada. ‖ **enteriza.** El mayor madero escuadrado que se puede sacar del tronco de un árbol. ‖ **fósil. lignito.** ‖ **pasmada.** La que tiene atronadura. ‖ **serradiza. madera de sierra.** ‖ **aguar la madera.** fr. fig. Entre madereros, echarla al río para que sea transportada por la corriente. ‖ **a media madera.** loc. adv. Cortada la mitad del grueso en las piezas de **madera** o metal que se ensamblan o unen. ‖ **descubrir** uno la **madera.** fr. fig. y fam. **descubrir la hilaza.** ‖ **no holgar la madera.** fr. fig. y fam. Trabajar uno incesantemente. ‖ **pesar la madera.** fr. fig. y fam. **tener mala madera.** ‖ **saber** uno a la **madera.** fr. fig. y fam. Tener las mismas condiciones e inclinación que sus padres. ‖ **sangrar la madera.** fr. fig. Hacer incisiones en los pinos y otros árboles resinosos, a fin de que la resina salga por ellas. ‖ **ser de la misma madera.** fr. fig. y fam. Ser de la misma índole y condición. ‖ **ser uno de mala madera, o tener** uno **mala madera.** fr. fig. y fam. Rehusar el trabajo, ser perezoso o de condición aviesa. ‖ **tocar madera.** expr. fam. que se emplea para alejar un daño que se considera posible.

maderable. adj. Aplícase al árbol, bosque, etc., que da madera útil para cualquier obra de carpintería.

maderación. f. p. us. **maderamen.**

maderada. f. Conjunto de maderos que se transporta por un río.

maderaje. m. **maderamen.**

maderamen. m. Conjunto de maderas que entran en una obra.

maderamiento. (De maderar.) m. p. us. **enmaderamiento.**

maderar. (De madera.) tr. ant. **enmaderar.**

maderería. f. Sitio donde se recoge la madera para su venta.

maderero¹. m. El que trata en madera. ‖ **2.** El que se emplea en conducir las armadías o las maderadas por los ríos. ‖ **3.** p. us. El que trabaja en madera común.

maderero², ra. adj. Perteneciente o relativo a la industria de la madera.

maderista. m. Ar. **maderero,** que conduce maderadas.

madero. (De madera.) m. Pieza larga de madera escuadrada o rolliza. ‖ **2.** Pieza de madera de hilo destinada a la construcción. ‖ **3.** fig. Nave, buque. ‖ **4.** fig. y fam. Persona muy necia y torpe, o insensible. ‖ **barcal.** El rollizo, de cualquier longitud, con 12 o más pulgadas de diámetro. ‖ **cachizo.** madero grueso serradizo. ‖ **de a diez.** El escuadrado que tiene por canto la décima parte de una vara, 7 dedos de tabla y 14 pies de longitud. ‖ **de a ocho.** El escuadrado que tiene por canto la octava parte de una vara, 9 dedos de tabla y 16 pies de longitud. ‖ **de a seis.** El escuadrado que tiene por canto la sexta parte de una vara, 10 dedos de tabla y 18 pies de longitud. ‖ **de cuenta.** Mar. Cada una de las piezas de madera sobre la que se funda el casco de un buque, como son: quilla, codaste, roda, etc. ‖ **de suelo.** Viga o vigueta. ‖ **medio madero.** El que mide 10 pies de longitud y una escuadría de 10 dedos de tabla por 8 de canto.

maderuelo. m. d. de **madero.**

madianita. (Del lat. Madianita.) adj. Dícese del individuo de un pueblo bíblico, descendiente de Madián. Ú. m. c. s. y en pl. ‖ **2.** Perteneciente o relativo a este pueblo.

¡madiós! interj. ant. **¡por Dios!**

madona. (Del it. madonna.) f. Nombre dado a la Virgen María. ‖ **2.** Cuadro o imagen que la representa, sola o con el Niño.

mador. (Del lat. mador, -ōris.) m. Ligera humedad que cubre la superficie del cuerpo, sin llegar a ser verdadero sudor.

madoroso, sa. adj. Que tiene mador.

madrás. (De la ciudad india de este nombre.) m. Tejido fino de algodón que se usa para camisas y trajes femeninos.

madrastra. (despect. de madre.) f. Mujer del padre respecto de los hijos llevados por este al matrimonio. ‖ **2.** p. us. fig. Cualquier cosa que incomoda o daña.

madraza¹. f. fam. Madre muy condescendiente y que mima mucho a sus hijos.

madraza². (Del ár. madrăsa, escuela superior.) f. Escuela musulmana de estudios superiores.

madre. (Del lat. mater, -tris.) f. Hembra que ha parido. ‖ **2.** Hembra respecto de su hijo o hijos. ‖ **3.** Título que se da a ciertas religiosas. ‖ **4.** En los hospitales y casas de recogimiento, mujer a cuyo cargo está el gobierno en todo o en parte. ‖ **5.** fam. Mujer anciana del pueblo. ‖ **6.** Matriz en que se desarrolla el feto. ‖ **7.** fig. Causa, raíz u origen de donde proviene una cosa. ‖ **8.** fig. Aquello en que figuradamente concurren algunas circunstancias propias de la maternidad. *Sevilla es* MADRE *de forasteros; la* MADRE *patria.* ‖ **9.** fig. Cauce por donde ordinariamente corren las aguas de un río o arroyo. ‖ **10.** fig. Acequia principal de la que parten o donde desaguan las hijuelas o acequias secundarias. ‖ **11.** fig. Alcantarilla o cloaca maestra. ‖ **12.** fig. Heces del mosto, vino o vinagre, que se sientan en el fondo de la cuba, tinaja, etc. ‖ **13.** fig. Madero principal donde tienen su fundamento, sujeción o apoyo otras partes de ciertas armazones, máquinas, etc., y también cuando hace oficio de eje. MADRE *del cabrestante, del timón, del tajamar.* ‖ **14.** V. **ahogamiento, paso de la madre.** ‖ **15.** V. **hermano, hijo, mal de madre.** ‖ **16.** V. **lengua madre.** ‖ **17.** *Mar.* Cuartón grueso de madera, que va desde el alcázar al castillo por cada banda de crujía. ‖ **18.** *Quím.* V. **aguas madres.** ‖ **de clavo. madreclavo.** ‖ **de familia, o de familias.** Mujer casada o viuda, cabeza de su casa. ‖ **de leche. nodriza.** ‖ **de niños.** *Med.* Enfermedad semejante a la alferecía o a la gota coral. ‖ **política. suegra, madre** del casado para la mujer o la casada para el marido. ‖ **2.** p. us. **madrastra.** ‖ **dura madre.** ant. *Anat.* **duramadre.** ‖ **pia madre.** ant. *Anat.* **piamáter.** ‖ **buscar** uno la **madre gallega.** fr. fig. y fam. Irse con su **madre gallega.** ‖ **ciento y la madre.** loc. fam. Abundancia de personas. ‖ **esa es, o no es, la madre del cordero.** fr. proverb. con que se indica que una cosa es, o no es, la razón real de un hecho o suceso. ‖ **irse con su madre de Dios.** fr. fig. y fam. **irse mucho con Dios.** ‖ **irse con su madre gallega.** fr. fig. y fam. Buscar la fortuna o ganarse la vida. ‖ **¡la madre que te, lo, os o los parió!** expr. vulg. que indica gran enfado súbito con alguien. ‖ **mentar la madre** a uno. fr. fig. y fam. Decir, para injuriar a alguien gravemente, insultos contra su madre. ‖ **¡mi o su madre!** expr. fam. que denota admiración, sorpresa, etc. ‖ **saber a la madre.** fr. fig. y fam. **saber a la pega.** ‖ **sacar de madre** a uno. fr. fig. y fam. Molestarlo mucho; hacerle perder la paciencia. ‖ **salir, o salirse, de madre.** fr. Desbordarse un río o un arroyo. ‖ **salir, o salirse, de madre** en algo. fr. fig. Exceder extraordinariamente de lo acostumbrado o regular.

madrearse. (De madre, heces del vino.) prnl. Ahilarse la levadura, el vino, etc.

madrecilla. (d. de madre.) f. Huevera de las aves.

madreclavo. (De madre y clavo.) m. Clavo de especia que ha estado en el árbol dos años.

madrejón. m. Argent. Cauce seco de un río.

madreña. (De *madereña,* de madera.) f. **almadreña.**

madreperla. (De madre y perla.) f. Molusco lamelibranquio, con concha casi circular, de diez a doce centímetros de diámetro, cuyas valvas son escabrosas, de color pardo oscuro por fuera y lisas e iridiscentes por dentro. Se cría en el fondo de los mares intertropicales, donde se pesca para recoger las perlas que suele contener y aprovechar el nácar de la concha.

madrépora. (Del it. madrepora.) f. *Zool.* Celentéreo antozoo, del orden de los hexacoralarios, que vive en los mares intertropicales y forma un polípero calcáreo y arborescente. ‖ **2.** Este mismo polípero, que llega a formar escollos e islas en el océano Pacífico.

madrepórico, ca. adj. Perteneciente o relativo a la madrépora.

madrero, ra. adj. fam. Dícese del que está muy encariñado con su madre.

madreselva. (De *madre* y *selva*.) f. Mata fruticosa de la familia de las caprifoliáceas, con tallos largos, sarmentosos, trepadores y vellosos en las partes más tiernas; hojas opuestas de color verde oscuro por el haz, glaucas por el envés, elípticas y enteras; flores olorosas en cabezuelas terminales con largo pedúnculo y de corola amarillenta, tubular y partida por el borde en cinco lóbulos desiguales, y fruto en baya pequeña y carnosa con varias semillas ovoides. Es común en las selvas y matorrales de España.

Madrid. n. p. **¡adiós Madrid, que te quedas sin gente!** expr. fig. y fam. que se emplea cuando se despide a una persona de poca importancia.

madrigado, da. (Del lat. *matrix, -ícis,* madre, hembra de cría.) adj. Aplícase a la mujer casada en segundas nupcias. ‖ **2.** Dícese del macho de ciertos animales, particularmente del toro que ha padreado. ‖ **3.** fig. y fam. Dícese de la persona práctica y experimentada.

madrigal. (Del it. *madrigale*.) m. Poema breve, generalmente de tema amoroso, en que se combinan versos de siete y de once sílabas. ‖ **2.** Composición musical para varias voces, sin acompañamiento, sobre un texto generalmente lírico.

madrigalesco, ca. (Del it. *madrigalesco*.) adj. Perteneciente o relativo al madrigal. ‖ **2.** fig. Elegante y nimiamente delicado en la expresión de los afectos.

madrigalista. com. Persona que compone madrigales. ‖ **2.** Persona que los canta.

madrigalizar. (De *madrigal* e *-izar*.) tr. Componer o versificar madrigales. ‖ **2.** Alabar o ensalzar la belleza de una mujer.

madriguera. (Del lat. **matricaría,* der. de *matrix, -ícis,* hembra de cría.) f. Cuevecilla en que habitan ciertos animales, especialmente los conejos. ‖ **2.** fig. Lugar retirado y escondido donde se oculta la gente de mal vivir.

madrileño, ña. adj. Natural de Madrid. Ú. t. c. s. ‖ **2.** Perteneciente o relativo a Madrid o su provincia.

madrilla. (Del lat. *matrícula*.) f. *Ar.* **boga**¹, pez de río.

madrillera. (De *madrilla*.) f. *Ar.* Instrumento para pescar pececillos.

madrina. (Del lat. **matrina,* de *mater. -tris,* madre.) f. Mujer que tiene, presenta o asiste a otra persona al recibir ésta el sacramento del bautismo, de la confirmación, del matrimonio, o del orden, o al profesar, si se trata de una religiosa. ‖ **2.** La que presenta y acompaña a otra persona que recibe algún honor, grado, etc. ‖ **3.** fig. La que favorece o protege a otra persona en sus pretensiones o designios. ‖ **4.** fig. La que, por designación previa, rompe una botella de vino o champaña contra el casco de una embarcación en su botadura. ‖ **5.** Poste o puntal de madera. ‖ **6.** Cuerda o correa con que se enlazan los bocados de las dos caballerías que forman pareja en un tiro, para obligarlas a marchar con igualdad. ‖ **7.** Yegua que sirve de guía a una piara de ganado caballar. ‖ **8.** ant. fam. Alcahueta, celestina, tercera. ‖ **9.** *Col., Par.* y *Venez.* Manada pequeña de ganado manso que sirve para reunir o guiar al bravío. ‖ **10.** *Cuba.* Lugar o sagrado a que, en ciertos juegos infantiles, se acoge un jugador al cual se persigue y que en aquel asilo no puede ser aprehendido ni castigado. ‖ **11.** *Mar.* Pieza de madera con que se refuerza o amadrina otra. ‖ **de guerra.** Mujer que, sin parentesco ni relaciones amorosas con un soldado en campaña, sostiene correspondencia con él y lo atiende de algún modo.

madrinazgo. m. Acto de asistir como madrina. ‖ **2.** Título o cargo de madrina.

madrinero, ra. adj. *Venez.* Dícese del ganado que sirve de madrina.

madriz. (Del lat. *matrix, -ícis*.) f. desus. **matriz,** aplicado especialmente a ciudad o iglesia.

madrona. f. Cloaca maestra. ‖ **2.** ant. **matrona.** ‖ **3.** p. us. fam. Madre muy condescendiente, madraza.

madroncillo. (d. de *madroño*.) m. **fresa**¹, fruto.

madroñal. m. Sitio poblado de madroños.

madroñera. f. **madroñal.** ‖ **2. madroño,** arbusto.

madroñero. m. *Murc.* **madroño,** arbusto.

madroño. (De or. inc.) m. Arbusto de la familia de las ericáceas, con tallos de tres a cuatro metros de altura; hojas de pecíolo corto, lanceoladas, persistentes, coriáceas, de color verde oscuro, lustrosas por el haz y glaucas por el envés; flores en panoja arracimada, de corola globosa, blanquecina o sonrosada, y fruto esférico de dos o tres centímetros de diámetro, comestible, rojo exteriormente, amarillo en el interior, de superficie granulosa y con tres o cuatro semillas pequeñas y comprimidas. ‖ **2.** Fruto de este arbusto. ‖ **3.** Borlita de forma semejante al fruto del **madroño.** ‖ **4.** Árbol americano que tiene hasta diez metros de altura, con fruto amarillo de pulpa blanca y con dos o más semillas.

madroñuelo. m. d. de **madroño.**

madrugada. (De *madrugar*.) f. El alba, el amanecer. ‖ **2.** Acción de madrugar. ‖ **de madrugada.** loc. adv. Al amanecer, muy de mañana.

madrugador, ra. adj. Que madruga. Ú. t. c. s. ‖ **2.** Que tiene costumbre de madrugar. Ú. t. c. s. ‖ **3.** fig. Vivo, astuto. Ú. t. c. s.

madrugar. (De *madrugar*.) intr. Levantarse al amanecer o muy temprano. ‖ **2.** fig. Ganar tiempo en una solicitud o empresa. ‖ **3.** fig. y fam. Anticiparse a la acción de un rival o de un competidor.

madrugón, na. (De *madrugar*.) adj. Dícese del que madruga. ‖ **2.** m. fam. Acción de madrugar, levantarse muy temprano.

madruguero, ra. adj. ant. Que madruga.

maduración. (Del lat. *maturatío, -ónis,* aceleración.) f. Acción y efecto de madurar o madurarse.

maduradero. m. Sitio a propósito para madurar las frutas.

madurador, ra. (Del lat. *maturátor, -óris*.) adj. Que hace madurar.

maduramente. adv. m. Con madurez.

maduramiento. (De *madurar*.) m. ant. **maduración.**

madurar. (Del lat. *maturáre*.) tr. Dar sazón a los frutos. ‖ **2.** fig. Poner en su debido punto con la meditación una idea, un proyecto, un designio, etc. ‖ **3.** *Cir.* Activar la supuración en los tumores. ‖ **4.** intr. Ir sazonándose los frutos. ‖ **5.** fig. Adquirir pleno desarrollo físico e intelectual. ‖ **6.** *Cir.* Activarse la supuración en un tumor.

madurativo, va. adj. Que tiene virtud para hacer madurar. Ú. t. c. s. m. ‖ **2.** m. p. us. fig. y fam. Medio que se aplica para persuadir a uno a que haga algo.

madurazón. (Del lat. *maturatío, -ónis*.) f. ant. **madurez.**

madurez. (De *maduro*.) f. Sazón de los frutos. ‖ **2.** fig. Buen juicio o prudencia, sensatez. ‖ **3.** Edad de la persona que ha alcanzado su plenitud vital y aún no ha llegado a la vejez.

madureza. f. desus. **madurez.**

madurgar. (Del lat. **maturicáre,* de *maturáre,* apresurarse.) intr. ant. **madrugar.**

maduro, ra. (Del lat. *matúrus*.) adj. Que está en sazón. ‖ **2.** fig. Prudente, juicioso, sesudo. ‖ **3.** fig. Dicho de personas, entrado en años. ‖ **4.** V. **edad madura.** ‖ **5.** V. **tabaco maduro.** ‖ **6.** m. *Col.* **guineo,** variedad del plátano.

maes. (Del lat. *magis*.) adv. comp. ant. **más** en las aceps. de adv. de comparación, adv. de cantidad e idea de preferencia. ‖ **2.** conj. advers. ant. **mas³**.

maesa. f. ant. **maestra.** ‖ **2. abeja maesa.** ‖ **3.** *Sal.* Convite o agasajo que tiene que pagar a los compañeros de viaje el forastero que por vez primera va a cualquier pueblo, villa o ciudad.

maese. m. ant. **maestro.** ‖ **coral. juego de manos** de los prestidigitadores.

maesil. (De *maesa*.) m. **maestril.**

maesilla. (d. de *maesa*.) f. Cordel que se mueve sobre una garrucha, para subir o bajar los lizos de un par de bolillos de pasamanería. Ú. m. en pl.

maeso. m. ant. **maestro.**

maestra. (Del lat. *magistra*.) f. Mujer que enseña una ciencia, un arte o un oficio, o tiene título para hacerlo. ‖ **2.** desus. Mujer que enseña a las niñas en una escuela o colegio. ‖ **3.** Mujer que enseña en un centro de enseñanza primaria. ‖ **4.** Mujer del maestro. ‖ **5.** p. us. Usado con el artículo *la*, escuela de niñas. *Ir a* LA MAESTRA*; venir de* LA MAESTRA. ‖ **6. abeja maestra.** ‖ **7.** V. **teta de maestra.** ‖ **8.** Cada una de las dos cuerdas que tiran de la red en el arte de la jábega. Ú. m. en pl. ‖ **9.** Cordel al que se relinga un paño de red o al que se anudan las pernadas de los anzuelos de palangres. ‖ **10.** fig. Cosa que instruye o enseña. *La historia es la* MAESTRA *de la vida*. ‖ **11.** *Albañ.* Listón de madera que se coloca a plomo, por lo común, para que sirva de guía al construir una pared. ‖ **12.** *Albañ.* **línea maestra.** ‖ **13.** *Albañ.* Hilera de piedras para señalar la superficie que ha de llenar el empedrado. ‖ **de escuela.** desus. **maestra de primera enseñanza.** ‖ **de primera enseñanza.** La que tiene título para enseñar en escuela de primeras letras las materias señaladas en la ley, aunque no ejerza. ‖ **de primeras letras. maestra de primera enseñanza.**

maestradamente. adv. m. ant. Con maestría.

maestradgo. m. ant. **maestrazgo.**

maestrado, da. p. p. ant. de **maestrar.** ‖ **2.** adj. ant. Mañoso, artificioso.

maestraje. m. ant. Oficio de maestro de una embarcación.

maestral. (Del lat. *magistrālis*.) adj. Perteneciente al maestro o al maestrazgo. ‖ **2.** magistral. ‖ **3.** V. **mesa maestral.** ‖ **4.** *Mar.* V. **viento maestral.** Ú. t. c. s. ‖ **5.** m. **maestril.**

maestralizar. intr. *Mar.* En el Mediterráneo, declinar la brújula hacia la parte de donde viene el viento maestral.

maestramente. adv. m. Con maestría, con destreza.

maestrante. (De *maestrar*.) m. Cada uno de los caballeros de que se compone la maestranza.

maestranza. (De *maestrante*.) f. Sociedad de caballeros cuyo objeto es ejercitarse en la equitación, y fue en su origen escuela del manejo de las armas a caballo. ‖ **2.** Conjunto de los talleres y oficinas donde se construyen y recomponen los montajes para las piezas de artillería, así como los carros y útiles necesarios para su servicio. ‖ **3.** Conjunto de oficinas y talleres análogos para la artillería y efectos movibles de los buques de guerra. ‖ **4.** Local o edificio ocupado por unos u otros talleres. ‖ **5.** Conjunto de operarios que trabajan en ellos o en los demás de un arsenal. ‖ **6.** V. **cabo, capitán de maestranza.**

maestrar. (Del lat. *magistrāre*.) tr. ant. **amaestrar.**

maestrazgo. m. Dignidad de maestre de cualquiera de las órdenes militares. ‖ **2.** Dominio territorial o señorío del maestre de una orden militar. ‖ **3.** ant. Oficio de maestro, especialmente en un arte.

maestre. (Del lat. *magister*.) m. Superior de cualquiera de las órdenes militares. ‖ **2.** ant. Título equivalente a doctor o maestro. MAESTRE *Épila*; MAESTRE *Rodrigo*. ‖ **3.** *Mar.* Persona a quien después del capitán correspondía antiguamente el gobierno económico de las naves mercantes.

‖ **4.** *Mar.* V. **toma de los maestres.** ‖ **5.** *Mil.* V. **cuartel maestre** o **maestre general.** ‖ **coral. maese coral.** ‖ **de campo.** Antigua denominación de los oficiales de grado superior que ejercían el mando de varios tercios. Equivale aproximadamente a las jerarquías más recientes de brigadier o general de brigada. ‖ **de campo general.** El que ejercía, casi siempre, el cargo de segundo jefe de los ejércitos, en la época en que el primero procedía de designación real y solía ser independiente de la milicia. ‖ **de hostal.** En la casa real de Aragón, persona que cuidaba del gobierno económico. ‖ **de jarcia.** *Mar.* El encargado de la jarcia y cabos en los buques. ‖ **de plata.** El que en los antiguos buques de la carrera de Indias tenía a su cargo la recepción, conducción y entrega de la plata que de allá se enviaba a España. ‖ **de raciones,** o **de víveres.** El encargado de la provisión y distribución de los víveres para la marinería y tropa de los buques. ‖ **racional.** Ministro real que tenía la razón de la Hacienda en cada uno de los Estados de la antigua corona de Aragón.

maestrear. tr. Entender o intervenir con otros, como maestro, en una operación. ‖ **2.** Podar la vid, dejando el sarmiento de un palmo de largo para preservar de los hielos, hasta que llegue el tiempo de podar en forma. ‖ *Albañ.* Hacer las maestras en una pared. ‖ **4.** intr. fam. Hacer o presumir de maestro.

maestreescuela. (De *maestre* y *escuela*.) m. **maestrescuela.**

maestrejicomar. (Probablemente, de *maestre* y el fr. *jaquemart*, hombre que golpea con un martillo la campana del reloj.) m. ant. Prestidigitación.

maestrepasquín. (De *maestre* y *pasquín*.) m. ant. Escrito anónimo que se pone en público contra la autoridad o un superior, pasquín.

maestresa. (De *maestre*.) f. ant. Dueña, señora.

maestresala. (De *maestre* y *sala*.) m. Criado principal que asistía a la mesa de un señor, presentaba y distribuía en ella la comida y hacía la salva para garantizar que no tenía veneno. ‖ **2.** En los comedores de hoteles y ciertos restaurantes, jefe de camareros que dirige el servicio de las mesas.

maestrescolía. f. Dignidad de maestrescuela.

maestrescuela. (De *maestreescuela*.) m. Dignidad de algunas iglesias catedrales, a cuyo cargo estaba antiguamente enseñar las ciencias eclesiásticas. ‖ **2.** En algunas universidades, cancelario que daba los grados.

maestría. (De *maestro*.) f. Arte y destreza en enseñar o ejecutar una cosa. ‖ **2.** Título de maestro. ‖ **3.** En las órdenes regulares, dignidad o grado de maestro. ‖ **4.** V. **arte de maestría mayor,** o **de maestría media.** ‖ **5.** ant. Cargo de maestre de una embarcación. ‖ **6.** ant. Engaño, fingimiento o artificio o estratagema. ‖ **7.** ant. Remedio, medicina, medicamento. ‖ **de la cámara.** Empleo y oficina que hubo antiguamente en palacio.

maestril. (De *maestra*.) m. Celdilla del panal de miel, dentro de la cual se transforma la larva de la abeja maesa.

maestro, tra. (Del lat. *magister*, *-tri*.) adj. Dícese de las personas u obras de mérito relevante entre las de su clase. ‖ **2.** p. us. fig. Dícese del irracional adiestrado. *Perro* MAESTRO; *halcón* MAESTRO. ‖ **3.** V. **abeja maestra.** Ú. t. c. s. ‖ **4.** V. **canal, cincha, clavija, llave maestra.** ‖ **5.** V. **cuchillo, libro, nervio maestro.** ‖ **6.** *Albañ.* V. **línea maestra.** ‖ **7.** *Arq.* V. **pared, viga maestra.** ‖ **8.** *Mar.* V. **cuaderna maestra.** ‖ **9.** *Mil.* V. **libro maestro.** ‖ **10.** *Mús.* V. **modo, tono maestro.** ‖ **11.** m. y f. Persona que enseña una ciencia, arte u oficio, o tiene título para hacerlo. ‖ **12.** Persona que es práctica en una materia y la maneja con destreza. ‖ **13.** Persona que está aprobada en un oficio mecánico o lo ejerce públicamente. MAESTRO *sastre*. ‖ **14.** m. **maestro de primera enseñanza.** ‖ **15.** Título que en las órdenes regulares se da a los religiosos encargados de enseñar, y que otras veces sirve para condecorar a los beneméritos. ‖ **16.** El que tenía el grado mayor en filosofía, conferido por una universidad. ‖ **17.** En algunos países se traduce como **maestro** el grado de *master* de los Estados Unidos, equivalente al de licenciado por una facultad universitaria. ‖ **18.** Compositor de música. ‖ **19.** ant. **cirujano.** ‖ **20.** ant. Maestre de una orden militar. ‖ **21.** *Mar.* Palo mayor de una embarcación. ‖ **aguañón. maestro** constructor de obras hidráulicas. ‖ **concertador.** *Mús.* El que enseña o repasa, comúnmente al piano, a cada uno de los cantantes la parte de música que les corresponde, y organiza el conjunto de las voces antes de la ejecución de la obra. ‖ **de aja.** p. us. **carpintero de ribera.** ‖ **de altas obras.** ant. En la milicia, **verdugo,** el que ejecutaba ciertos castigos o la pena capital. ‖ **de armas.** El que enseña el arte de la esgrima. ‖ **de atar escobas.** fig. y fam. Título burlesco que se da al que afecta magisterio en cosas inútiles o ridículas. ‖ **de balanza. balanzario.** ‖ **de caballería.** Cabo o jefe principal de los soldados de a caballo. ‖ **de capilla.** Profesor que compone y dirige la música que se canta en los templos. ‖ **de ceremonias.** El que advierte las ceremonias que deben observarse con arreglo a los ceremoniales o usos autorizados. ‖ **de cocina.** Cocinero mayor, que manda y dirige a los dependientes en su ramo. ‖ **de coches.** Constructor de coches. ‖ **de escuela.** desus. **maestro de primera enseñanza.** ‖ **de esgrima. maestro de armas.** ‖ **de hacha. carpintero de ribera.** ‖ **de hernias y roturas.** ant. **hernista.** ‖ **de hostal. maestre de hostal.** ‖ **de la balanza.** ant. **balanzario.** ‖ **de la cámara.** Oficial palatino que, según la etiqueta de la casa de Borgoña, funcionaba como habilitado para los gastos de despensa, gajes de criados y otros análogos. ‖ **de la nave.** ant. Piloto de la nave. ‖ **de los caballeros. maestro de caballería.** ‖ **del sacro palacio.** Uno de los empleados en el palacio pontificio, a cuyo cargo está el examen de los libros que se han de publicar. ‖ **de llagas.** ant. **cirujano.** ‖ **de niños. maestro de escuela.** ‖ **de novicios.** Religioso que en las comunidades dirige y enseña a los novicios. ‖ **de obra prima.** desus. Zapatero de nuevo. ‖ **de obras.** Persona que cuidaba de la construcción material de un edificio, según los planos de un arquitecto. ‖ **2.** desus. Persona que, sin titulación, podía trazar por sí edificios en ciertas condiciones. ‖ **3.** Persona que, sin titulación, dirige el trabajo de albañiles, peones, etc., en una obra. ‖ **de postas.** Persona a cuyo cuidado o en cuya casa estaban las postas o caballos de posta. ‖ **2. correo mayor.** ‖ **de primera enseñanza.** El que tiene título para enseñar en escuela de primeras letras las materias señaladas en la ley, aunque no ejerza. ‖ **de primeras letras. maestro de primera enseñanza.** ‖ **de ribera. maestro aguañón.** ‖ **en artes. maestro,** el que tenía el grado mayor en filosofía. ‖ **mayor.** El que tenía la dirección en las obras públicas del pueblo que le nombraba y dotaba. ‖ **racional.** desus. **maestre racional.** ‖ **al maestro, cuchillada.** expr. fig. y fam. que se usa cuando se enmienda o corrige al que debe entender una cosa a presume saberla. ‖ **maestro ciruela, que no sabe leer y pone escuela.** fr. fig. y fam. con que se censura al que habla magistralmente de cosa que no entiende.

mafia. (Del it. *mafia*.) f. Organización clandestina de criminales sicilianos. ‖ **2.** Por ext., cualquier organización clandestina de criminales. ‖ **3.** *P. Rico.* Engaño, trampa, ardid.

mafioso, sa. (Del it. *mafioso*.) adj. Perteneciente o relativo a la mafia. Apl. a pers., ú. t. c. s.

magacén. (Del ár. *majzan*, lugar para guardar cosas.) m. ant. **almacén.**

magacín. (Del fr. *magasin*, a través del ing. *magazine*.) m. Publicación periódica con artículos de diversos autores, dirigida al público en general. ‖ **2.** Espacio de televisión en que se tratan muchos temas inconexos y mezclados.

magallánico, ca. adj. Perteneciente o relativo al estrecho de Magallanes.

magancear. (Del m. or. que *magancés*.) intr. *Col.* y *Chile.* Haraganear, remolonear.

magancería. (De *magancés*.) f. desus. Engaño, trapacería.

magancés, sa. (Del nombre del traidor Conde Galalón de *Maganza*, la actual Maguncia.) adj. desus. fig. Traidor, dañino, avieso.

magancia. f. *Chile.* Engaño, trapacería.

maganciero, ra. adj. *Chile.* **magancés.**

maganel. (Del prov. ant. *manganel*.) m. Máquina militar que servía para batir murallas.

maganto, ta. adj. p. us. Triste, pensativo, macilento.

maganzón, na. adj. fam. *Col.* Holgazán, mangón². Ú. t. c. s.

magaña¹. (Del it. *magagna*.) f. Ardid, astucia, engaño, artificio. ‖ **2.** Defecto de fundición en el alma de un cañón de artillería.

magaña². (De or. inc., quizá prerromano, como *lagaña*.) f. *And.* y *Cantabria.* Humor de los párpados cuajado, legaña.

magañoso, sa. adj. *And.* y *Cantabria.* **legañoso.**

magar. (Del gr. μακάριε, vocat. de μακάριος, bienaventurado.) conj. ant. Aunque, maguer.

magarza. (Del m. or. inc., con un suf. despect. -gaza, con reducción a *harmagaza* y metát.) f. **matricaria,** planta.

magarzuela. (d. de *magarza*.) f. **manzanilla hedionda.**

magazín. m. **magacín.**

magdalena. f. Mujer penitente o muy arrepentida de sus pecados. ‖ **2.** Bollo pequeño, hecho con los mismos materiales que el bizcocho de confitería, pero con más harina y menos huevo. ‖ **estar hecha una Magdalena.** fr. fam. Estar desconsolada y lacrimosa. ‖ **no está la Magdalena para tafetanes.** loc. fig. y fam. con que se da a entender que uno está desazonado o enfadado y, por consiguiente, en mala disposición para conceder una gracia.

magdalenense. adj. Natural de Magdalena. Ú. t. c. s. ‖ **2.** Perteneciente o relativo a este departamento de Colombia o al río Magdalena.

magdalénico, ca. adj. *Col.* Perteneciente o relativo al río Magdalena, en la República de Colombia.

magdaleniense. (Del adj. fr. *magdalénien*, der. latinizante de *La Madeleine*, yacimiento prehistórico de la región de la Dordoña.) adj. Dícese del período prehistórico que corresponde al final del paleolítico superior y que tuvo su centro en la zona cantábrica de España. Ú. t. c. s.

magdaleón. (Del gr. μαγδαλιά, masa, pasta.) m. *Farm.* Rollito largo y delgado que se hace de un emplasto.

magia. (Del lat. *magia*, y este del gr. μαγεία.) f. Arte o ciencia oculta con que se pretende producir, valiéndose de ciertos actos o palabras, o con la intervención de espíritus, genios o demonios, efectos o fenómenos extraordinarios, contrarios a las leyes naturales. ‖ **2.** fig. Encanto, hechizo o atractivo con que una persona o cosa deleita y suspende. ‖ **blanca,** o **natural.** La que por medio de causas naturales obra efectos extraordinarios que parecen sobrenaturales. ‖ **negra.** Arte supersticioso por medio del cual cree el vulgo que pueden hacerse, con ayuda del demonio, cosas admirables y extraordinarias. ‖ **como por arte de magia,** o **por arte de magia.** loc. adv. que indica que algo parece haberse realizado por procedimientos no naturales.

magiar. adj. Dícese del individuo de un pueblo de lengua afin al finlandés, que invadió en Hungría y Transilvania. Ú. t. c. s. ‖ **2.** Perteneciente o relativo a los magiares. ‖ **3.** m. Lengua hablada por los magiares.

mágica. (Del lat. *magica*, t. f. de *-cus*, mágico.) f. Ciencia o arte de la magia. ‖ **2.** Mujer que profesa y ejerce la magia. ‖ **3.** Mujer que hace encantamientos.

mágico, ca. (Del lat. *magícus.*) adj. Perteneciente o relativo a la magia. *Arte, obra* MÁGICA. ‖ **2.** Maravilloso, estupendo. ‖ **3.** V. **cuadrado mágico.** ‖ **4.** V. **linterna mágica.** ‖ **5.** m. El que profesa y ejerce la magia. ‖ **6. encantador.**

magín. (De *maginar.*) m. fam. **imaginación.**

maginar. tr. ant. **imaginar.**

magíster. m. *Col.* **maestro,** grado inmediatamente inferior al de doctor en universidades. ‖ **magíster díxit.** loc. lat. que suele usarse irónicamente con el mismo significado que «díjolo Blas, punto redondo».

magisterial. adj. Perteneciente o relativo al magisterio.

magisterio. (Del lat. *magisterīum.*) m. Enseñanza y gobierno que el maestro ejerce con sus discípulos. ‖ **2.** Título o grado de maestro que se confería en una facultad. ‖ **3.** Cargo o profesión de maestro. ‖ **4.** Conjunto de los maestros de una nación, provincia, etc. ‖ **5.** En la religión católica, autoridad que en materia de dogma y moral ejercen el Papa y las dignidades eclesiásticas. ‖ **6.** En la química antigua, materia que se posa en las reacciones químicas, precipitado. ‖ **7.** fig. Gravedad afectada y presunción en hablar o en hacer una cosa.

magistrado. (Del lat. *magistrātus.*) m. Superior en el orden civil, y más comúnmente, ministro de justicia; como corregidor, oidor, consejero, etc. ‖ **2.** Dignidad o empleo de juez o ministro superior. ‖ **3.** Miembro de una sala de audiencia territorial o provincial, o del Tribunal Supremo de Justicia. ‖ **4.** ant. Cualquier consejo o tribunal.

magistral. (Del lat. *magistrālis.*) adj. Perteneciente o relativo al ejercicio del magisterio. ‖ **2.** Dícese de lo que se hace con maestría. *Sostuvo su opinión con razones* MAGISTRALES, *o de un modo* MAGISTRAL. ‖ **3.** Hablando del tono, modales, lenguaje, etc., afectado, suficiente. *Tono* MAGISTRAL; *ínfulas* MAGISTRALES. ‖ **4.** Título con que se distingue la iglesia colegial de Alcalá de Henares por tener que ser doctores en teología todos sus individuos. ‖ **5.** V. **canónigo magistral.** Ú. t. c. s. ‖ **6.** V. **canonjía magistral.** Ú. t. c. s. ‖ **7.** V. **lección, letra, reloj, trazo magistral.** ‖ **8.** Aplícase a ciertos instrumentos que por su perfección y exactitud sirven de término de comparación para los ordinarios de su especie. ‖ **9.** m. *Farm.* Medicamento que solo se prepara por prescripción facultativa. ‖ **10.** *Mín.* Mezcla de óxido férrico y sulfato cúprico, resultante del tueste de la pirita cobriza, y que se emplea en el procedimiento americano de amalgamación para beneficiar los minerales de plata.

magistralía. f. **canonjía magistral.**

magistralmente. adv. m. Con maestría. ‖ **2.** Con tono de maestro.

magistratura. (Del lat. *magistrātus,* magistrado.) f. Oficio y dignidad de magistrado. ‖ **2.** Tiempo que dura. ‖ **3.** Conjunto de los magistrados.

maglaca. (Del ár. *maglaqa,* cierre.) f. ant. *Gran.* Compuerta de un canal.

magma. (Del gr. μάγμα, pasta, ungüento.) m. Sustancia espesa que sirve de soporte a los tejidos o a ciertas formaciones inorgánicas y que permanece después de exprimir las partes más fluidas de aquellos. ‖ **2.** *Geol.* Masa ígnea en fusión existente en el interior de la Tierra, que se consolida por enfriamiento.

magnánimamente. adv. m. Con magnanimidad.

magnanimidad. (Del lat. *magnanimĭtas, -ātis.*) f. Grandeza y elevación de ánimo.

magnánimo, ma. (Del lat. *magnanĭmus.*) adj. Que tiene magnanimidad.

magnate. (Del pl. lat. *magnātes.*) m. Persona muy ilustre y principal por su cargo o poder.

magnesia. (Del gr. Μαγνησία [λίθος], [piedra] de Magnesia, nombre de varios minerales.) f. Sustancia terrosa, blanca, suave, insípida, inodora e infusible, la cual, combinada con ciertos ácidos, forma sales, que se hallan disueltas en algunos manantiales, entran en composición de varias rocas y se usan en medicina como purgante. Es el óxido de magnesio.

magnesiano, na. adj. *Quím.* Que contiene magnesia.

magnésico, ca. adj. *Quím.* Perteneciente o relativo al magnesio.

magnesio. (De *magnesia.*) m. *Quím.* Metal de color y brillo semejantes a los de la plata, maleable, poco tenaz y algo más pesado que el agua; arde con luz clara y muy brillante. Núm. atómico 12. Símb.: *Mg.*

magnesiotermia. (De *magnesio* y *-termia.*) f. Técnica para obtener un metal mediante reducción de un compuesto del mismo, con empleo de magnesio y elevación de temperatura.

magnesita. (De *magnesia* e *-ita*[2].) f. Silicato de magnesia hidratado, espuma de mar.

magnético, ca. (Del lat. mod. *magnetīcus.*) adj. Perteneciente a la piedra imán. ‖ **2.** Que tiene las propiedades del imán. ‖ **3.** Perteneciente o relativo al magnetismo. ‖ **4.** V. **aguja, cabeza, declinación, pirita, regla, resonancia magnética.** ‖ **5.** V. **norte, polo, tambor magnético.**

magnetismo. (Del lat. *magnes, -ētis,* imán.) m. Virtud atractiva de la piedra imán. ‖ **2.** Agente físico por cuya virtud los imanes y las corrientes eléctricas ejercen acciones a distancia, tales como atracciones y repulsiones mutuas, imanación por influencia y producción de corrientes eléctricas inducidas. ‖ **3.** fig. Atractivo que una persona o cosa ejerce sobre otra u otras. ‖ **terrestre.** *Fís.* Acción que ejerce nuestro planeta sobre las agujas imantadas, obligándolas a tomar una dirección próxima a la del Norte cuando se pueden mover libremente.

magnetizable. adj. Susceptible de ser magnetizado.

magnetización. f. Acción y efecto de magnetizar.

magnetizador, ra. m. y f. Persona o cosa que magnetiza.

magnetizar. (Del lat. *magnes, -ētis,* imán, e *-izar.*) tr. Comunicar a un cuerpo la propiedad magnética. ‖ **2.** Producir a alguien sueño magnético por fascinación, hipnotizar. ‖ **3.** fig. Atraer, fascinar a una u varias personas.

magneto. (Del lat. *magnes, -ētis,* imán.) f. Generador de electricidad de alto potencial, usado especialmente en los motores de explosión.

magneto-. (De lat. *magnes, -ētis,* imán.) elem. compos. que significa «magnetismo»: MAGNETO*metro,* MAGNETO*sfera.*

magnetocalórico, ca. adj. Dícese del material aislado que tiene la propiedad reversible de cambiar de temperatura al variar su imantación.

magnetoeléctrico, ca. adj. Dícese del material en el que se produce un campo eléctrico por la acción de un campo magnético. ‖ **2. electromagnético.**

magnetofónico, ca. adj. Perteneciente o relativo al magnetófono.

magnetófono. (De *magneto-* y *-fono.*) m. Aparato que transforma el sonido en impulsos electromagnéticos que imantan un alambre de acero o una cinta recubierta de óxido de hierro que pasa por los polos de un electroimán. Invertido el proceso, se obtiene la reproducción del sonido.

magnetohidrodinámica. f. *Fís.* Parte de la mecánica que estudia el movimiento de los plasmas o fluidos conductores sometidos a la acción conjunta de campos eléctricos y magnéticos. Tiene aplicación en la transformación directa de la energía cinética de un fluido en energía eléctrica. Se suele emplear el acrónimo MHD.

magnetómetro. m. *Fís.* Aparato que sirve para medir la intensidad, y algunas veces también la dirección, de un campo magnético.

magnetomotriz. adj. V. **fuerza magnetomotriz.**

magnetoóptica. f. Parte de la óptica que estudia la influencia de los campos magnéticos en la propagación de la luz al atravesar determinados materiales.

magnetopausa. f. *Geofís.* Zona de transición entre la magnetosfera y el espacio interplanetario.

magnetorresistencia. f. *Electromagn.* Propiedad que tienen algunos conductores metálicos o semiconductores de variar su resistencia eléctrica por la acción de campos magnéticos. ‖ **2.** *Electromagn.* Elemento que posee esa propiedad y que se intercala en un circuito para detectar y medir las variaciones de campo magnético.

magnetoscopio. (De *magneto-* y *-scopio.*) m. *Fís.* Aparato que sirve para detectar las fuerzas magnéticas. ‖ **2.** Aparato que registra imágenes de televisión en una cinta magnética, vídeo.

magnetosfera. f. *Geofís.* Región exterior a la Tierra, a partir de unos 100 km de altura, en la que los campos geomagnéticos ejercen una acción predominante sobre las partículas ionizadas.

magnetostática. f. *Electromagn.* Parte de la física que estudia los campos magnéticos que no varían con el tiempo.

magnetostricción. (Del ing. *magnetostriction.*) f. *Electromagn.* Cambio de las dimensiones de un material ferromagnético por la acción de un campo magnético.

magnetrón. m. *Electrón.* Tubo electrónico de forma cilíndrica en el que los electrones producidos por un cátodo caliente en el eje son acelerados por un campo eléctrico radial y a la vez sometidos a la acción de un campo magnético axial, generándose microondas. Se emplea como fuente pulsante en los radares y como fuente continua en los hornos de microondas.

magnicida. com. Persona que comete un magnicidio. Ú. t. c. adj.

magnicidio. (Del lat. *magnus*, grande, y *-cidio.*) m. Muerte violenta dada a persona muy importante por su cargo o poder.

magnificador, ra. adj. Que magnifica.

magníficamente. adv. m. Con magnificencia. ‖ **2.** Perfectamente, muy bien.

magnificar. (Del lat. *magnificāre.*) tr. Engrandecer, alabar, ensalzar. Ú. t. c. prnl.

magníficat. (Del lat. *magníficat*, magnifica, alaba, primera palabra de este canto.) m. Cántico que, según el Evangelio de San Lucas, dirigió al Señor la Virgen María en la visitación a su prima Santa Isabel, y que se reza o canta al final de las vísperas. ‖ **venir una cosa como magníficat a maitines.** fr. fig. y fam. Suceder a destiempo, o traerla a cuento en momento inoportuno.

magnificencia. (Del lat. *magnificentīa.*) f. Liberalidad para grandes gastos, o disposición para grandes empresas. ‖ **2.** Ostentación, grandeza.

magnificente. adj. Espléndido. ‖ **2.** Excelente.

magnificentísimo, ma. adj. sup. de **magnificente.**

magnífico, ca. (Del lat. *magnifĭcus.*) adj. Espléndido, suntuoso. ‖ **2.** Excelente, admirable. ‖ **3.** Título de honor que suele darse a algunas personas ilustres y hoy se aplica en España a los rectores universitarios.

magnílocuo, cua. (Del lat. *magnilŏquus.*) adj. ant. Grandílocuo, grandilocuente.

magnitud. (Del lat. *magnitūdo.*) f. Tamaño de un cuerpo. ‖ **2.** fig. Grandeza, excelencia o importancia de una cosa. ‖ **3.** *Astron.* Tratándose de las estrellas, su tamaño aparente por la mayor o menor intensidad de su brillo. ‖ **4.** *Fís.* Propiedad física que puede ser medida; p. ej., la temperatura, el peso, etc.

magno, na. (Del lat. *magnus.*) adj. **grande.** Aplícase como epíteto a algunas personas ilustres. *Alejandro* MAGNO;

Santa Gertrudis la MAGNA. ‖ **2.** V. **capa magna.** ‖ **3.** *Astrol.* V. **conjunción magna.**

magnolia. (De Pierre *Magnol*, botánico francés.) f. Árbol de la familia de las magnoliáceas, de 15 a 30 metros de altura, tronco liso y copa siempre verde; hojas grandes, lanceoladas, enteras, persistentes, coriáceas, verdes por el haz y algo rojizas por el envés; flores hermosas, terminales, solitarias, muy blancas, de olor intenso y agradable y de forma globosa, y fruto seco, elipsoidal, que se abre irregularmente para soltar las semillas. Es planta originaria de América y Asia, y perfectamente aclimatada en Europa. ‖ **2.** Flor o fruto de este árbol.

magnoliáceo, a. adj. *Bot.* Dícese de árboles y arbustos angiospermos dicotiledóneos con hojas alternas, sencillas, coriáceas, casi siempre enteras; flores terminales o axilares, grandes y olorosas, y frutos capsulares con semillas de albumen carnoso; como la magnolia y el badián. Ú. t. c. s. f. ‖ **2.** f. pl. *Bot.* Familia de estas plantas.

magnolio. m. **magnolia,** árbol.

mago[1], ga. (Del lat. *magus*, y este del gr. μάγος.) adj. Dícese del individuo de la clase sacerdotal en la religión zoroástrica. Ú. t. c. s. ‖ **2.** Dícese de la persona versada en la magia o que la practica. Ú. t. c. s. ‖ **3.** Dícese de los tres reyes que fueron a adorar a Jesús recién nacido. Ú. t. c. s. ‖ **4.** m. Persona singularmente capacitada para el éxito en una actividad determinada. *un* MAGO *de las finanzas.*

mago[2], ga. adj. *Can.* Campesino inculto. Ú. m. c. s. ‖ **2.** Por ext., campesino en general.

magosta. f. *Cantabria.* **magosto.**

magostar. (De *magosto.*) tr. Asar castañas en el magosto. ‖ **2.** Celebrar una fiesta o reunión de personas para hacer magosto.

magosto. (De or. inc.) m. Hoguera para asar castañas cuando se va de jira, y especialmente en la época de la recolección de este fruto. ‖ **2.** Castañas asadas en tal ocasión.

magra. (De *magro.*) f. Lonja[1] de jamón.

magrear. tr. fig. vulg. Sobar, manosear lascivamente una persona a otra. ‖ **2.** *Sal.* Comer la parte más gustosa de los alimentos.

magrecer. (Del lat. *macrescĕre.*) tr. ant. **enmagrecer.** Usáb. t. c. intr. y c. prnl.

magreo. m. vulg. Acción de magrear, sobar.

magrez. f. Cualidad de magro.

magreza. f. ant. **magrez.**

magro, gra. (Del lat. *macer, macra.*) adj. Flaco o enjuto, con poca o ninguna grosura. ‖ **2.** m. fam. Carne **magra** del cerdo próxima al lomo.

magrujo, ja. adj. ant. **magro.**

magrura. (De *magro* y *ura.*) f. Cualidad de magro, magrez.

magüe. m. *Col.* Bohordo del fique, sobre el cual se desarrollan las semillas.

maguer. (Del gr. μακάριε, vocat. de μακάριος, bienaventurado, usado con valor interjectivo.) conj. ant. **aunque, a pesar de que.**

maguera. conj. ant. **maguer.**

magüeto, ta. m. y f. Res vacuna de dos o tres años, novillo.

maguey. (Voz antillana.) m. *Amér.* Pita[1], planta.

maguillo. (De or. inc.) m. Manzano silvestre, cuyo fruto es más pequeño y menos sabroso que la manzana común. Suele emplearse para injertar en él; pero también lo hay cultivado, con fruto más crecido y mejor gusto.

magujo. (De lat. dialect. *maguggiu*, it. *maguglio.*) m. *Mar.* Instrumento para sacar las estopas viejas de las costuras de un buque, descalcador.

maguladura. (De *magular.*) f. ant. **magulladura.**

magular. (Del lat. *maculāre*, manchar, tocar.) tr. ant. **magullar.**

magulla. f. ant. **magulladura.**

magulladura. f. Acción y efecto de magullar o magullarse.

magullamiento. m. **magulladura.**

magullar. (De *magular*, quizá por cruce con *abollar*.) tr. Causar a un tejido orgánico contusión, pero no herida, comprimiéndolo o golpeándolo violentamente. Ú. t. c. prnl.

maguntino, na. adj. Natural de Maguncia. Ú. t. c. s. ‖ **2.** Perteneciente o relativo a esta ciudad de Alemania.

maharón, na. (Del ár. *mahrūm*, desgraciado, que no tiene suerte.) adj. ant. Infeliz o desdichado.

maharrana. (Del ár. *muḥarrama*, cosa prohibida.) f. *And.* Tocino fresco.

maherimiento. m. ant. Acción y efecto de maherir.

maherir. (Del lat. *manu ferīre*.) tr. desus. Señalar, buscar, prevenir.

mahoma. m. p. us. *Gran.* Hombre descuidado y gandul. En esta palabra se aspira la *h*.

mahometano, na. (De *Mahomet*, forma francesa de *Mahoma*, forma española de *Muhammad*.) adj. Que profesa la religión islámica. Ú. t. c. s. ‖ **2.** Perteneciente o relativo a Mahoma o a la religión por él fundada.

mahomético, ca. adj. Perteneciente o relativo a Mahoma.

mahometismo. m. Religión fundada por Mahoma.

mahometista. adj. Que profesa la religión de Mahoma. Ú. t. c. s. ‖ **2.** Dícese del mahometano bautizado que vuelve a su antigua religión. Ú. t. c. s.

mahometizar. intr. Profesar el mahometismo.

mahomía. f. p. us. *And.* Acción mala.

mahomista. adj. Que profesa el mahometismo. Ú. t. c. s.

mahón. (De *Mahón*, en Menorca, donde en el siglo XVIII los buques ingleses transbordaban los cargamentos destinados a puertos españoles de Levante.) m. Tela fuerte y fresca de algodón escogido, de diversos colores, que primeramente se fabricó en la ciudad de Nanquín, en China. ‖ **2.** V. **alhelí de Mahón.**

mahona. (Del turco *maguna*, lanchón.) f. Especie de embarcación turca de transporte.

mahonés, sa. adj. Natural de Mahón. Ú. t. c. s. ‖ **2.** Perteneciente o relativo a esta ciudad de Baleares. ‖ **3.** f. **salsa mahonesa.** ‖ **4.** Plato aderezado con salsa **mahonesa.**

mahonesa. (De *Mahón*, n. p.) f. Planta de la familia de las crucíferas, de cuatro a seis decímetros de altura, de hojas trasovadas y ásperas, tallos desparramados, flores pequeñas, en gran número y moradas, pétalos escotados y cáliz cerrado; su fruto es una silicua cilíndrica con semillas comprimidas. Se cultiva en los jardines.

mahozmedín. (De *mazmodina*.) m. ant. Maravedí de oro.

maicena. (De *Maizena*, nombre comercial registrado.) f. Harina fina de maíz.

maicería. f. *Cuba* y *Méj.* Establecimiento en que se vende o guarda maíz.

maicero, ra. adj. *Col.* Dícese de los habitantes del departamento de Antioquia, cuyo alimento principal es el maíz, y en general de la persona que prefiere este alimento. ‖ **2.** V. **mico maicero.** ‖ **3.** m. y f. Persona que cultiva maíz o negocia con él.

maicillo. (De *maíz*.) m. Planta de la familia de las gramíneas, muy parecida al mijo, y cuyo fruto es muy nutritivo. ‖ **2.** *Chile.* Arena gruesa y amarillenta con que se cubre el pavimento de jardines y patios.

maído. (De *mayar*.) m. p. us. Acción de mayar.

maílla. f. Fruto del maíllo.

maíllo. m. **maguillo.**

maillot. (Voz francesa.) Traje de baño femenino de una pieza. ‖ **2.** Camiseta deportiva, especialmente la de los ciclistas.

maimón. (Del ár. *maimūn*, feliz, y vulgarmente mono.) adj. V. **bollo maimón.** ‖ **2.** m. Mico, mono. ‖ **3.** Especie de sopa de pan con aceite, que se hace en Andalucía. Ú. m. en pl.

maimonismo. m. Sistema filosófico profesado por el judío español Maimónides y sus discípulos en la Edad Media.

mainel. m. *Arq.* Miembro arquitectónico, largo y delgado, que divide un hueco en dos partes verticalmente. ‖ **2.** Barandilla de una escalera.

maitén. (Del arauc. *maghtén*.) m. Árbol chileno, de la familia de las celastráceas, que crece hasta ocho metros de altura, de hojas dentadas, muy apetecidas por el ganado vacuno; flores monopétalas, en forma de campanilla y de color purpúreo, y madera dura, de color anaranjado.

maitencito. (De or. inc.) m. En Chile, juego de muchachos parecido al de la gallina ciega.

maitinada. (De *maitines*.) f. p. us. Tiempo de amanecer. ‖ **2.** Música que se ejecuta a esta hora.

maitinante. m. En las catedrales, clérigo que tenía la obligación de asistir a maitines.

maitines. (Del lat. *matutīnus*, a través de una forma dialect. cat.) m. pl. Primera de las horas canónicas que antiguamente se rezaba, y en muchas iglesias se reza todavía, antes de amanecer.

maíz. (Del taíno *mahís*.) m. Planta de la familia de las gramíneas, con el tallo grueso, de uno a tres metros de altura, según las especies; hojas largas, planas y puntiagudas; flores masculinas en racimos terminales y las femeninas en espigas axilares resguardadas por una vaina. Es indígena de la América tropical, se cultiva en Europa, y produce mazorcas con granos gruesos y amarillos de que se hace pan. ‖ **2.** Grano de esta planta. ‖ **de Guinea. maíz morocho.** ‖ **2. zahína,** planta gramínea. ‖ **3.** Semilla de esta planta. ‖ **morocho.** Planta de la familia de las gramíneas, con las hojas ensiformes y larguísimas en panojas apretadas y simientes gruesas, comestibles, con las cuales se preparan diversos alimentos y bebidas. ‖ **2.** Fruto de esta planta. ‖ **negro. panizo de Daimiel.**

maizal. m. Tierra sembrada de maíz.

maja. (De *majar*.) f. *And.* Mano de almirez. ‖ **2.** *León.* Acción de majar. ‖ **3.** Tiempo en que se maja.

majá. (Voz antillana.) m. *Cuba.* Culebra de color amarillento, con manchas y pintas de color pardo rojizo, simétricamente dispuestas, que crece hasta cuatro metros de longitud y veinticinco centímetros de diámetro por el medio del cuerpo. No es venenosa y vive en la isla de Cuba. ‖ **2.** fig. y fam. *Cuba.* Persona holgazana.

majada. (Probablemente, del lat. **maculāta*, de *macŭla*, red.) f. Lugar donde se recoge de noche el ganado y se albergan los pastores. ‖ **2.** Estiércol de los animales. ‖ **3.** Excremento humano. ‖ **4.** ant. Mesón, posada, albergue. ‖ **5.** *Cantabria.* Prado. ‖ **6.** *Argent.* y *Urug.* Manada o hato de ganado lanar.

majadal. (De *majada*.) m. Lugar de pasto a propósito para ovejas y ganado menor. ‖ **2.** Lugar donde se recoge de noche el ganado, majada.

majadear. intr. Hacer noche el ganado en una majada; albergarse en un lugar. ‖ **2.** Abonar la tierra con estiércol las ovejas recogidas en una majada.

majaderear. (De *majadero*.) tr. *Amér.* Molestar, incomodar uno a otra persona. Ú. t. c. intr. ‖ **2.** intr. *Amér.* Insistir con terquedad importuna en una pretensión o negativa.

majadería. (De *majadero*.) f. Dicho o hecho necio, imprudente o molesto.

majaderico. (De *majadero*.) m. Especie de guarnición que se usaba antiguamente. ‖ **2. majaderillo.**

majaderillo, to. (d. de *majadero*) m. Bolillo para hacer encajes y pasamanería.

majadero, ra. (De *majar*.) adj. fig. Necio y porfiado. Ú. t. c. s. ‖ **2.** m. Mano de almirez o de mortero. ‖ **3.** Maza o pértiga para majar. ‖ **4. majaderillo.**

majado, da. p. p. de **majar.** ‖ **2.** m. *Chile* y *NO. Argent.* Caldo de trigo o maíz triturado al que, en ocasiones, se añade carne machacada. ‖ **3.** *Chile* y *NO. Argent.* Postre o guiso hecho de este maíz o trigo.

majador, ra. adj. Que maja. Ú. t. c. s.

majadura. f. Acción y efecto de majar. ‖ **2.** ant. fig. Azote, castigo.

majagranzas. (De *majar* y *granzas*.) m. fig. y fam. Hombre pesado y necio.

majagua. (Voz antillana.) f. Árbol americano de la familia de las malváceas, que crece hasta doce metros de altura, con tronco recto y grueso, copa bien poblada, hojas grandes, alternas y acorazonadas, flores de cinco pétalos purpúreos, y fruto amarillo. Es muy común en los terrenos anegadizos de la isla de Cuba; y su madera, fuerte y correosa, es muy buena para lanzas y jalones, y del líber de los vástagos nuevos se hacen sogas de mucha duración y uso.

majagual. m. Terreno poblado de majaguas.

majagüero. m. *Cuba.* El que tiene por oficio sacar tiras de la majagua, para hacer sogas.

majal. m. Banco de peces.

majamiento. (De *majar*.) m. Acción y efecto de majar.

majano. m. Montón de cantos sueltos que se forma en las tierras de labor o en las encrucijadas y división de términos.

majar. (Del lat. **malleāre*, de *mallĕus*, martillo.) tr. **machacar**, quebrantar una cosa a golpes. ‖ **2.** Golpear en la era el trigo, el centeno, el lino, los garbanzos, etc., con el manal o mayal, para separar el grano de la paja. ‖ **3.** fig. y fam. Molestar, cansar, importunar.

majareta. com. Persona sumamente distraída, chiflada. Ú. t. c. adj.

majarete. m. *P. Rico.* Desorden, barullo, confusión.

majencia. f. fam. **majeza.**

majería. f. Conjunto o reunión de majos.

majestad. (Del lat. *maiestas, -ātis*.) f. Grandeza, superioridad y autoridad sobre otros. ‖ **2.** Seriedad, entereza y severidad en el semblante y en las acciones. ‖ **3.** Título o tratamiento que se da a Dios, y también a emperadores y reyes. ‖ **4.** V. **crimen, delito de lesa majestad.** ‖ **5.** V. **gente de Su Majestad.** ‖ **Su Divina Majestad.** Dios, Ser Supremo.

majestoso, sa. adj. p. us. Que tiene majestad.

majestuosamente. adv. m. Con majestad.

majestuosidad. f. Cualidad de majestuoso.

majestuoso, sa. adj. Que tiene majestad.

majeza. f. fam. Cualidad de majo. ‖ **2.** fam. Ostentación de esta cualidad.

majilla. (Del lat. *maxilla*, mejilla.) f. ant. Cada una de las dos prominencias laterales de la cara, mejilla.

majo, ja. (De or. inc.) adj. Dícese de la persona que en su porte, acciones y vestidos afecta un poco de libertad y guapeza, más propia de la gente ordinaria. Ú. t. c. s. ‖ **2.** fam. Ataviado, compuesto, lujoso. ‖ **3.** fam. Lindo, hermoso, vistoso. ‖ **4.** fam. Aplícase a una persona o cosa que gusta por su simpatía, belleza u otra cualidad.

majolar[1]. (De *majuelo*.) m. Sitio poblado de majuelos. ‖ **2.** ant. Pago recién plantado de vides.

majolar[2]. (De *majuela*.) tr. ant. Ajustar los zapatos con lazos y correas.

majoleta. f. Fruto del majoleto.

majoleto. (d. de *majuelo*.) m. **majuelo[1].**

majorana. f. ant. Mayorana, mejorana, planta.

majorca. f. **mazorca.**

majorero, ra. adj. Natural de la isla de Fuerteventura. Ú. t. c. s.

majuela[1]. f. Fruto del majuelo.

majuela[2]. (De *majuelo[2]*.) f. p. us. Correa de cuero con que se ajustan y atan los zapatos.

majuelo[1]. (De etim. disc.) m. Espino de hojas cuneiformes divididas en tres o cinco segmentos y dentadas; flores blancas en corimbo y muy olorosas; pedúnculos vellosos y lo mismo las hojillas del cáliz; fruto rojo, dulce y de un solo huesecillo redondeado.

majuelo[2]. (Del lat. *malleŏlus*, martillo, tipo de injerto, botón en forma de mazo.) m. Viña. ‖ **2.** *Rioja.* Cepa nueva. ‖ **3.** Correa de los zapatos.

majzén. (Del ár. *majzan*, almacén, en el sentido de tesoro público, gobierno.) m. En Marruecos, antaño, gobierno o autoridad suprema.

mal[1]. adj. Apóc. de **malo.** Solo se usa antepuesto al sustantivo masculino. MAL *humor*; MAL *día.* ‖ **2.** V. **mal bicho, mal nombre, mal recado.** ‖ **3.** V. **el mal ladrón.** ‖ **4.** fig. y fam. V. **mal engendro.** ‖ **5.** fig. y fam. V. **salto de mal año.** ‖ **6.** m. Lo contrario al bien; lo que se aparta de lo lícito y honesto. ‖ **7.** Daño u ofensa que uno recibe en su persona o hacienda. ‖ **8.** Desgracia, calamidad. ‖ **9.** Enfermedad, dolencia. ‖ **caduco. mal de corazón. ‖ de bubas.** Bubas, **mal** venéreo. ‖ **de corazón. epilepsia. ‖ de la rosa. pelagra. ‖ de la tierra.** Dolor de ausencia de su patria y de los suyos, nostalgia. ‖ **de Loanda. loanda,** especie de escorbuto. ‖ **de madre. histerismo. ‖ de montaña.** Estado morboso que se manifiesta en las grandes alturas por disminución de la presión atmosférica y se caracteriza por trastornos circulatorios, disnea, cefalalgia, vértigo y vómitos. ‖ **de ojo.** Influjo maléfico que, según vanamente se cree, puede una persona ejercer sobre otro mirándola de cierta manera, y con particularidad sobre los niños. ‖ **de orina.** Cualquiera de las enfermedades en el aparato urinario, que ocasionan dificultad o incontinencia en la excreción. ‖ **de piedra.** El que resulta de la formación de cálculos en las vías urinarias. ‖ **de San Antón. fuego de San Antón.** ‖ **de San Lázaro. elefancía. ‖ francés. sífilis. ‖ decir mal.** fr. Maldecir, denigrar. ‖ **del mal, el menos.** expr. fam. que aconseja que entre dos **males** se elija el menor. ‖ **2.** fam. Empléase también para manifestar conformidad, cuando la desgracia que ocurre no es tan grande como se temía que fuese o hubiera podido ser. ‖ **de mal a mal.** loc. adv. **mal a mal.** ‖ **echar a mal.** fr. Desestimar, despreciar una cosa. ‖ **2.** Desperdiciar, malgastar o emplear mal una cosa. ‖ **3. echar a mala parte.** estar uno **tocado del mal de la rabia.** fr. fig. y fam. Estar dominado o poseído de una pasión. ‖ **hacer mal** a uno. fr. Perseguirlo, injuriarlo, procurarle daño o molestia. ‖ **hacer mal** una cosa. fr. Ser nociva y dañar o lastimar. ‖ **hacer mal.** fr. p. us. Tratándose del caballo, domarlo y adiestrarlo. ‖ **2.** p. us. Lucir en él su habilidad el jinete. ‖ **hacérsele** a uno **de mal** una cosa. fr. desus. Serle enojoso emprenderla o ejecutarla. ‖ **llevar** uno a **mal** una cosa. fr. Resentirse de ella, soportarla con mal humor o enfado. ‖ **mal a mal.** loc. adv. **por fuerza.** ‖ **¡mal haya!** exclam. imprecatoria. ¡MAL HAYA *el diablo!* ‖ **¡menos mal!** exclam. que indica alivio porque no ocurre o no ha ocurrido algo malo que se temía, o porque ocurre o ha ocurrido algo bueno que no se esperaba o apenas se contaba. ‖ **no hacer** uno **mal a un gato.** fr. fig. y fam. Ser pacífico, benigno y bienintencionado. ‖ **parar en mal.** fr. Tener un fin desgraciado. ‖ **poner en mal.** fr. **poner mal.** ‖ **por mal.** loc. adv. fam. **mal a mal.** ‖ **por mal de mis pecados.** loc. adv. **por mis pecados.** ‖ **por males de mis pecados. por malos de mis pecados.** ‖ **tomar** uno a **mal** una cosa. fr. **llevarla a mal.** ‖ **tomarse** uno **el mal por su mano.** fr. **tomarse la muerte por sus manos.**

mal[2]. (Del lat. *male*.) adv. m. Contrariamente a lo que es debido; sin razón, imperfecta o desacertadamente; de mala manera. *Pedro se conduce siempre* MAL; *Antonio lo* *hace todo* MAL. ‖ **2.** Contrariamente a lo que se apetece o requiere; infelizmente; de manera impropia o inadecuada para un fin. *La estratagema salió* MAL; *el enfermo va* MAL. ‖ **3. difícilmente.** MAL *puedo yo saberlo;* MAL *se podrá resolver en tan breve término tan arduo negocio.* ‖ **4.** Insuficientemente o poco. MAL *se conoce que eres su amigo; te has enterado* MAL; MAL *hemos caminado hoy; cenó* MAL. ‖ **de mal en peor.** loc. adv. Cada vez más desacertada e infaustamente. ‖ **mal que bien.** loc. adv. Venciendo dificultades, trampeando. ‖ **2.** De cualquier manera, como fuere.

mala[1]. (Del fr. ant. *male*, hoy *malle*, baúl.) f. Valija del correo o posta ordinaria de Francia y de Inglaterra. ‖ **2.** Este mismo correo.

mala[2]. (De *malo*.) f. Malilla de los juegos de naipes.

malabar. adj. Natural de Malabar. Ú. t. c. s. ‖ **2.** Perteneciente o relativo a este país del Indostán. ‖ **3.** V. **juegos malabares.** ‖ **4.** m. Lengua de los **malabares.**

malabárico, ca. adj. Perteneciente o relativo a Malabar.

malabarismo. m. fig. Arte de juegos de destreza y agilidad. ‖ **2.** fig. Arte de manejar conceptos para deslumbrar al oyente o al lector.

malabarista. com. Persona que hace juegos malabares. ‖ **2.** *Chile.* Persona que roba o quita una cosa con astucia.

malacara. m. *Argent.* Caballo que tiene blanca la mayor parte de la cara.

malacate. (Del nahua *malacatl*, huso, cosa giratoria.) m. Máquina a manera de cabrestante que tiene el tambor en lo alto, y debajo las palancas a las que se enganchan las caballerías que lo mueven. Es aparato muy usado en las minas para sacar minerales y agua. ‖ **2.** *Hond.* y *Méj.* Huso de hilar.

malacia. (Del lat. *malacīa*, y este del gr. μαλακία, blandura, debilidad.) f. *Fisiol.* Perversión del apetito que consiste en el deseo de comer materias extrañas e impropias para la nutrición; como yeso, carbón, cal, arena, tierra u otras cosas.

malacitano, na. (Del lat. *Malacitānus.*) adj. **malagueño.** Apl. a pers., ú. t. c. s.

malacología. (Del gr. μαλακός, blando, y *-logía*.) f. Parte de la zoología, que trata de los moluscos.

malacológico, ca. adj. Perteneciente o relativo a la malacología.

malaconsejado, da. (De *mal*[2] y *aconsejado*.) adj. Que obra desatinadamente llevado de malos consejos. Ú. t. c. s.

malacopterigio. (Del gr. μαλακός, blando, y πτερύγιον, aleta.) adj. *Zool.* Dícese de los peces teleósteos que tienen todas sus aletas provistas de radios blandos, flexibles y articulados; como el salmón, el barbo y el rodaballo. Ú. t. c. s. m. ‖ **abdominal.** *Zool.* Dícese del que tiene un par de aletas detrás del abdomen; como el salmón. ‖ **2.** m. pl. *Zool.* Orden de estos peces en la antigua clasificación zoológica. ‖ **ápodo.** *Zool.* Dícese del que tiene las aletas abdominales; como el congrio. ‖ **2.** m. pl. *Zool.* Orden de estos peces en la antigua clasificación zoológica. ‖ **subranquial.** *Zool.* Dícese del que tiene las aletas abdominales debajo de las branquias y articuladas con la base de las torácicas; como el bacalao. ‖ **2.** m. pl. *Zool.* Orden de estos peces en la antigua clasificación zoológica.

malacostumbrado, da. adj. Que tiene malos hábitos y costumbres. ‖ **2.** Que goza de excesivo regalo y está muy mimado y consentido.

malacuenda. (De *mala*, f. de *malo*, y *cuenda*.) f. **arpillera.** ‖ **2.** Hilaza de estopa.

malaestanza. (De *mala*, f. de *malo*, y *estanza*.) f. ant. Indisposición, malestar.

malafa. f. **almalafa.**

málaga. m. Vino dulce que se elabora con la uva de la tierra de Málaga.

malagana. (De *mala*, f. de *malo*, y *gana*.) f. fam. Desfallecimiento, desmayo.

malagaña. (De *madagaña*.) f. *Ar.* Armazón de palos hincados en tierra y enlazados por lo alto con ramas de aliagas, que se emplea en algunas partes para enjambrar.

malagradecido, da. adj. Desagradecido, ingrato. Ú. t. c. s.

malagueña. f. Aire popular propio y característico de la provincia de Málaga, algo parecido al fandango, con que se cantan coplas de cuatro versos octosílabos.

malagueño, ña. adj. Natural de Málaga. Ú. t. c. s. ‖ **2.** Perteneciente o relativo a esta ciudad o a su provincia.

malagués, sa. adj. ant. **malagueño.**

malagueta. (De *Malagueta*, costa de África donde se comerciaba con esta semilla.) f. Fruto pequeño, aovado, de color de canela y de olor y sabor aromáticos, que suele usarse como especia, y es producto de un árbol tropical de la familia de las mirtáceas. ‖ **2.** Árbol que da este fruto.

malaje. adj. *And.* Dícese de la persona desagradable, que tiene mala sombra. Ú. t. c. s.

malaleche. com. fig. y vulg. Persona de mala intención.

malambo. m. *Argent., Chile* y *Urug.* Danza popular de zapateo, ejecutada exclusivamente por hombres, con acompañamiento de guitarra. Pueden intervenir uno o varios bailarines, que, sueltos, efectúan diversas mudanzas, sin otros movimientos que los de las piernas y pies.

malamente. adv. m. adj. ant. **mal**[2].

malamujer. f. *Méj.* Especie de ortiga.

malandante. (De *mal*[2] y *andante*.) adj. Desafortunado, infeliz.

malandanza. (De *mal*[2] y *andanza*.) f. Mala fortuna, desgracia.

malandar. (De *mal*[2] y *andar*.) m. Cerdo que no se destina para entrar en vara.

malandrín, na. (Del it. *malandrino*, salteador.) adj. Maligno, perverso, bellaco. Ú. t. c. s.

malanga. f. *Cuba.* Planta arácea, cuyos tubérculos son comestibles.

malangay. m. *Col.* Planta de la familia de las aráceas, de hojas acorazonadas, flor en espádice, rizomas comestibles, barbados, anillados, de interior blanco y lechoso.

malange. adj. *And.* **malaje.** Ú. t. c. s.

malapata. com. Persona sin gracia, patoso.

malaquita. (Del fr. *malachite*.) f. Mineral concrecionado, de hermoso color verde, susceptible de pulimento, y que suele emplearse en chapear objetos de lujo. Es un carbonato de cobre. ‖ **azul. azurita.** ‖ **verde. malaquita.**

malar. (Del lat. *mala*, mejilla.) adj. *Anat.* Perteneciente a la mejilla. ‖ **2.** m. *Anat.* **pómulo,** prominencia del hueso, y hueso de cada mejilla.

malaria. (Del it. *malaria*.) f. Fiebre palúdica, paludismo.

malasangre. adj. Dícese de la persona de condición aviesa.

malasombra. com. Persona patosa.

malatería. (De *malato*.) f. p. us. En algunas partes, edificio destinado en otro tiempo a hospital de leprosos.

malatía. (De *malato*.) f. p. us. Gafedad, lepra. ‖ **2.** ant. **enfermedad.**

malato, ta. (Del it. *malato*, enfermo.) adj. p. us. Gafo, leproso. Ú. t. c. s. ‖ **2.** ant. Enfermo en general. Usáb. t. c. s.

malavenido, da. adj. Mal avenido.

malaventura. f. Desventura, desgracia, infortunio.

malaventurado, da. adj. Infeliz o de mala ventura.

malaventuranza. (De *malaventura*.) f. Infelicidad, desdicha, infortunio.

malavés. (De *mal*[2] y *avés*.) adv. m. ant. Apenas, pocas veces.

malavez. (De *malavés*.) adv. m. ant. Apenas, pocas veces.

malaya. f. *Chile* y *Perú*. Carne de res vacuna que está encima de los costillares.

malayo, ya. adj. Dícese del individuo de piel muy morena, cabellos lisos, nariz aplastada y ojos grandes, perteneciente a una raza o gran variedad de la especie humana que se halla esparcida en la península de Malaca (de donde se la cree oriunda), en las islas de la Sonda, y sobre todo en la Oceanía Occidental, que por ella se llama Malasia. Ú. t. c. s. ‖ **2.** Perteneciente o relativo a los **malayos.** ‖ **3.** m. Lengua **malaya.**

malbaratador, ra. adj. Que malbarata. Ú. t. c. s.

malbaratar. (De *mal²* y *baratar*.) tr. Vender la hacienda a bajo precio. ‖ **2.** Disiparla.

malbaratillo. m. p. us. Tienda de cosas de poco precio o de lance.

malbarato. m. p. us. Acción de malbaratar. ‖ **2.** p. us. Despilfarro, derroche, prodigalidad.

malcarado, da. (De *mal²* y *cara*.) adj. Que tiene cara desagradable o aspecto repulsivo.

malcasado, da. p. p. de **malcasar.** ‖ **2.** adj. Dícese del consorte que falta a la fidelidad que le impone el matrimonio. Ú. t. c. s. ‖ **3.** Dícese de la persona que no vive en armonía con su cónyuge. Ú. t. c. s.

malcasar. tr. Casar a una persona sin las circunstancias que se requieren para la felicidad del matrimonio. Ú. t. c. intr. y c. prnl.

malcaso. (De *malo* y *caso*.) m. desus. Traición, acción fea e infame.

malcocinado. (De *mal²* y *cocinar*.) m. p. us. Menudos de las reses. ‖ **2.** p. us. Sitio donde se vende.

malcomer. intr. Comer escasamente o con poco gusto, por la mala calidad de la comida. *No me alcanza la renta para* MALCOMER.

malcomido, da. p. p. de **malcomer.** ‖ **2.** adj. Poco alimentado.

malconsiderado, da. adj. Falto de consideración.

malcontentadizo, za. adj. Difícil de contentar.

malcontento, ta. adj. Que muestra descontento o disgusto. ‖ **2.** Revoltoso, perturbador del orden público. Ú. t. c. s. ‖ **3.** m. Juego de naipes que consiste en trocar los jugadores entre sí las cartas por que están descontentos, perdiendo el que se queda con la inferior.

malcoraje. (Del cat. *malcoratge*.) m. **mercurial,** planta.

malcorte. (De *malo* y *corte*.) m. Quebrantamiento de las ordenanzas y estatutos al sacar de los montes altos maderas de construcción o leña para combustible y carboneo.

malcreer. (De *mal²* y *creer*.) tr. ant. Dar crédito ligeramente a uno.

malcriadez. f. *Amér.* Cualidad de malcriado, grosería, indecencia.

malcriadeza. f. *Amér.* **malcriadez.**

malcriado, da. p. p. de **malcriar.** ‖ **2.** adj. Falto de buena educación, descortés, incivil. Dícese, por lo común, de los niños consentidos y maleducados.

malcriar. (De *mal²* y *criar*.) tr. Educar mal a los hijos, condescendiendo demasiado con sus gustos y caprichos.

maldad. (Del lat. *malĭtas, -ātis*.) f. Cualidad de malo. ‖ **2.** Acción mala e injusta.

maldadosamente. adv. m. p. us. Con maldad, con malicia.

maldadoso, sa. (De *maldad* y *-oso²*.) adj. p. us. Acostumbrado a cometer maldades. Ú. t. c. s. ‖ **2.** p. us. Que tiene o implica maldad.

maldecido, da. p. p. de **maldecir.** ‖ **2.** adj. Aplícase a la persona de mala índole. Ú. t. c. s. ‖ **maldecido de cocer.** expr. fig. y fam. **maldito de cocer.**

maldecidor, ra. adj. Que maldice o denigra. Ú. t. c. s.

maldecimiento. m. ant. Acción de maldecir, denigrar.

maldecir. (Del lat. *maledicĕre*.) tr. Echar maldiciones contra una persona o cosa. ‖ **2.** intr. Hablar con mordacidad en perjuicio de alguien, denigrándolo.

maldiciente. p. a. de **maldecir.** Que maldice. ‖ **2.** adj. Detractor por hábito. Ú. t. c. s.

maldicientemente. adv. m. ant. Con maledicencia.

maldición. (Del lat. *maledictĭo, -ōnis*.) f. Imprecación que se dirige contra una persona o cosa, manifestando enojo o aversión hacia ella, y muy particularmente deseo de que le venga algún daño. ‖ **2.** ant. Conversación en que se habla mal de un ausente, murmuración. ‖ **caer la maldición** a uno. fr. fam. Cumplirse la que le han echado. *Parece que* LE HA CAÍDO LA MALDICIÓN. ‖ **¡maldición!** interj. que expresa enojo, reprobación, contrariedad, etc.

maldicho, cha. (Del lat. *maledictus*.) p. p. irreg. ant. de **maldecir.**

maldispuesto, ta. (De *mal²* y *dispuesto*.) adj. **indispuesto,** algo enfermo. ‖ **2.** Que no tiene la disposición de ánimo necesaria para una cosa.

maldita. (t. f. de *maldito*.) f. fam. Lengua humana. Ú. con art. deter. ‖ **soltar** uno **la maldita.** fr. fam. Decir con sobrada libertad y poco respeto lo que siente.

malditamente. adv. m. fam. Muy mal.

maldito, ta. (Del lat. *maledictus*.) p. p. irreg. de **maldecir.** ‖ **2.** adj. Perverso, de mala intención y dañadas costumbres. ‖ **3.** Condenado y castigado por la justicia divina. Ú. t. c. s. ‖ **4.** De mala calidad, ruin, miserable. *En esta* MALDITA *cama se acostó.* ‖ **5.** fam. Antepuesto a un nombre, generalmente precedido por el artículo, equivale a *ninguno. No sabe* MALDITA *la cosa.* ‖ **6.** fig. Dícese de la persona o cosa que molesta o desagrada. *Este* MALDITO *ruido que me está dejando sordo.* ‖ **¡maldita sea!** exclam. fam. de enojo. ‖ **maldito de cocer.** expr. fig. y fam. que se aplica a la persona que enfada por su terquedad u otras malas cualidades.

maleabilidad. f. Cualidad de maleable.

maleable. (Del lat. *malléus*, martillo.) adj. Aplícase a los metales que pueden batirse y extenderse en planchas o láminas.

maleador, ra. (De *malear*.) adj. desus. **maleante.** Ú. t. c. s.

maleante. p. a. de **malear.** Que malea o daña. ‖ **2.** adj. Burlador, maligno. Ú. t. c. s. ‖ **3.** m. Persona que vive al margen de la ley, y que se dedica al robo, contrabando, etc.

malear. (De *malo*.) tr. Dañar, echar a perder una cosa. Ú. t. c. prnl. ‖ **2.** fig. Pervertir uno a otro con su mala compañía y costumbres. Ú. t. c. prnl.

malecón. (De or. inc.) m. Murallón o terraplén que se hace para defenderse de las aguas. ‖ **2. rompeolas,** muelle.

maledicencia. (Del lat. *maledicentĭa*.) f. Acción o hábito de maldecir o denigrar.

maleducado, da. p. p. de **maleducar.** ‖ **2.** adj. Dícese del niño muy mimado y consentido. Ú. t. c. s. ‖ **3.** Descortés, irrespetuoso, incivil. Ú. t. c. s.

maleducar. tr. **malcriar.**

maleficencia. (Del lat. *maleficentĭa*.) f. Hábito o costumbre de hacer mal.

maleficiar. (De *maleficio*.) tr. Causar daño a una persona o cosa. ‖ **2. hechizar,** trastornar a uno con prácticas supersticiosas.

maleficio. (Del lat. *maleficĭum*.) m. Daño causado por arte de hechicería. ‖ **2.** Hechizo empleado para causarlo, según vanamente se cree. ‖ **3.** ant. Daño o perjuicio que se causa a otro. ‖ **desligar el maleficio.** fr. Deshacer y destruir el impedimento que, según creencia vulgar, solía ponerse por medio del diablo a algún casado para que no pudiese usar del matrimonio.

maléfico, ca. (Del lat. *maleficus*.) adj. Que perjudica y hace daño a otro con maleficios. ‖ **2.** Que ocasiona o es capaz de ocasionar daño. ‖ **3.** m. y f. Persona que practica hechicerías.

malejo, ja. adj. d. despect. de **malo.**

malencolía. (De *melancolía*, infl. por *mal*.) f. ant. **melancolía.**

malencólico, ca. (De *melancolía*.) adj. ant. **melancólico.**

malenconía. (Variante de *melancolía*.) f. ant. **melancolía.** Ú. en Salamanca y Cantabria.

malencónico, ca. (De *melancolía*.) adj. ant. **melancólico.** Ú. en Salamanca.

malenconioso, sa. (De *melancolía*.) adj. desus. **melancólico.**

malentender. tr. Entender o interpretar equivocadamente.

malentendido. m. Mala interpretación, equivocación en el entendimiento de una cosa.

malentrada. (De *mala* y *entrada*.) f. Cierto derecho que pagaba el que entraba preso en la cárcel.

maleolar. adj. *Anat.* Perteneciente o relativo al maléolo.

maléolo. (Del lat. *malleŏlus*, martillejo, por semejanza de forma.) m. *Anat.* **tobillo.**

malestar. (De *mal* y *estar*.) m. Desazón, incomodidad indefinible.

maleta¹. (d. de *mala¹*.) f. Cofre pequeño de cuero, lona u otras materias, que sirve para guardar en viajes o trasladados ropa u otras cosas y se puede llevar a mano. ‖ **2.** Especie de **maleta** abierta por los extremos, manga¹. ‖ **3.** *Germ.* Mujer pública a quien trae uno consigo, ganando con ella. ‖ **andar como maleta de loco.** fr. fig. *Urug.* No tener objetivo claro, no saber bien qué se quiere o se pretende. ‖ **hacer la maleta.** fr. fig. Colocar en la **maleta** ropa u otras cosas, para un viaje. ‖ **2.** fig. y fam. Prepararse para irse de alguna parte, o para dejar algún cargo o empleo. ‖ **largar,** o **soltar, la maleta.** fr. fig. *Chile.* **morir.**

maleta². (De or. inc.) f. ant. Enfermedad.

maleta³. com. fam. Mal torero. ‖ **2.** Por ext., quien practica con torpeza o desacierto la profesión que ejerce.

maletero. m. El que tiene por oficio hacer o vender maletas. ‖ **2.** El que por oficio transporta maletas o, en general, equipajes. ‖ **3.** Lugar destinado en los vehículos para maletas o equipajes. ‖ **4.** En las viviendas, lugar destinado a guardar maletas.

maletía. (De *maleta²*.) f. ant. Malicia o cualidad de una cosa nociva a la salud. ‖ **2.** ant. **enfermedad.**

maletilla. (De *maleta³*, con valor taurino.) com. Persona joven que, desasistida de medios o de ayudas, aspira a abrirse camino en el toreo comenzando a practicarlo, a veces, en las ganaderías o procurando intervenir en tientas, capeas, becerradas, etc.

maletín. m. d. de **maleta¹.** ‖ **de grupa.** El que usan los oficiales y soldados de la caballería del ejército.

maletón. m. aum. de **maleta¹.**

malevaje. m. *R. de la Plata.* Conjunto de malevos.

malevo, va. adj. *R. de la Plata y Urug.* Malévolo, malhechor, matón. Ú. t. c. s.

malevolencia. (Del lat. *malevolentĭa*.) f. Malquerencia, enemiga, mala voluntad.

malevolente. (Del lat. *malevŏlens, -entis*.) adj. Que tiene mala voluntad a otro, hostil a él.

malévolo, la. (Del lat. *malevŏlus*.) adj. Malintencionado, inclinado a hacer mal. Ú. t. c. s. ‖ **2.** Hecho o dicho con mala voluntad.

maleza. (Del lat. *malitĭa*.) f. Abundancia de hierbas malas que perjudican a los sembrados. ‖ **2.** Espesura que forma la multitud de arbustos; como zarzales, jarales, etc. ‖ **3.** *Col., Chile y Perú.* Cualquier hierba mala. ‖ **4.** ant. Maldad, iniquidad. ‖ **5.** ant. Mala condición, mala constitución. ‖ **6.** *Nicar.* y *Sto. Dom.* Achaque, enfermedad.

malfacer. (De *mal²* y *facer*.) intr. ant. Obrar mal.

malfadado, da. (De *mal²* y *fadado*, p. p. de *fadar*.) adj. ant. **malhadado.**

malfecho. (De *mal²* y *fecho*.) m. ant. **malhecho.**

malfechor. (De *mal²* y *fechor*.) m. ant. **malhechor.**

malfeita. (Del lat. *malefacta*, pl. n. de *-tum*, acción mala.) f. ant. *Ar.* Daño, perjuicio, maldad.

malfetría. (der. sincopado del pretérito *malfe[ĭ]tor*, del lat. *malefactor, -ōris,* malhechor.) f. ant. Hecho malo, maldad.

malformación. f. *Fisiol.* Deformidad o defecto congénito en alguna parte del organismo.

malgache. adj. Natural de la isla de Madagascar. Ú. t. c. s. ‖ **2.** Perteneciente o relativo a esta isla. ‖ **3.** m. Lengua hablada en esta isla.

malgastador, ra. adj. Que malgasta. Ú. t. c. s.

malgastar. (De *mal²* y *gastar*.) tr. Disipar el dinero, gastándolo en cosas malas o inútiles; por ext., se usa también hablando del tiempo, la paciencia, los agasajos, etc.

malgeniado, da. adj. *Col.* y *Perú.* De mal genio.

malgenioso, sa. adj. *Amér.* De mal genio. Ú. t. c. s.

malgranada. (Del lat. *malum granātum*.) f. ant. Fruto del granado, granada.

malhablado, da. adj. Desvergonzado o atrevido en el hablar. Ú. t. c. s.

malhadado, da. (De *malfadado*.) adj. Infeliz, desgraciado, desventurado.

malhecho, cha. adj. p. us. Aplícase a la persona de cuerpo mal formado o contrahecho. ‖ **2.** m. p. us. Acción mala o fea.

malhechor, ra. adj. Que comete un delito, y especialmente que los comete por hábito. Ú. t. c. s.

malherir. tr. Herir gravemente.

malhetría. (De *malfetría*.) f. ant. Hecho malo, maldad, malfetría.

malhojo. (Del lat. *malum folĭum*, hoja mala.) m. **marojo¹.**

malhora. com. fam. *Méj.* Amigo de hacer maldades o travesuras.

malhumor. m. **mal humor.**

malhumorado, da. p. p. de **malhumorar.** ‖ **2.** adj. p. us. Que tiene malos humores. ‖ **3.** Que está de mal humor; desabrido o displicente.

malhumorar. tr. Poner a uno de mal humor. Ú. t. c. prnl.

malicia. (Del lat. *malitĭa*.) f. Maldad, cualidad de malo. ‖ **2.** Inclinación a lo malo y contrario a la virtud. ‖ **3.** Intención solapada, de ordinario maligna o picante, con que se dice o se hace algo. ‖ **4.** Interpretación siniestra y maliciosa; propensión a pensar mal. *Esa es MALICIA tuya.* ‖ **5.** Cualidad por la que una cosa se hace perjudicial y maligna. *Esta calentura tiene mucha MALICIA.* ‖ **6.** Penetración, sutileza, sagacidad. *Este niño tiene mucha MALICIA.* ‖ **7. V. casa a la malicia,** o **de malicia.** ‖ **8.** fam. Sospecha o recelo. *Tengo mis MALICIAS de que eso no sea así.* ‖ **9.** ant. Palabra satírica; sentencia picante y ofensiva.

maliciable. adj. p. us. Que puede maliciarse.

maliciador, ra. adj. p. us. Que malicia.

maliciar. tr. Recelar, sospechar, presumir algo con malicia. Ú. t. c. prnl. ‖ **2.** Echar a perder, malear.

maliciosamente. adv. m. Con malicia.

malicioso, sa. (Del lat. *malitiōsus*.) adj. Que por malicia atribuye mala intención a los hechos y palabras ajenos. Ú. t. c. s. ‖ **2.** Que contiene malicia.

malignamente. adv. m. Con malignidad.

malignar. (Del lat. *malignāre*.) tr. p. us. Viciar, inficionar. ‖ **2.** ant. Poner mal o desacreditar a uno con otros. ‖ fig. p. us. Hacer mala una cosa. ‖ **4.** prnl. p. us. Corromperse, empeorarse.

malignidad. (Del lat. *malignĭtas, -ātis.*) f. Propensión del ánimo a pensar u obrar mal. ‖ **2.** Cualidad de maligno.

malignizarse. prnl. *Med.* Adquirir carácter maligno

una formación patológica, tumoral o no, que antes no lo tenía.

maligno, na. (Del lat. *malignus*.) adj. Propenso a pensar u obrar mal. Ú. t. c. s. ‖ **2.** De índole perniciosa. ‖ **3.** *Med.* Dícese de la lesión o enfermedad que evoluciona de modo desfavorable, y especialmente de los tumores cancerosos. ‖ **4.** V. **espíritu maligno.**

malilla. (d. de *mala²*.) f. Carta que en algunos juegos de naipes forma parte del estuche y es la segunda entre las de más valor; en oros y copas, se toma el siete por **malilla,** y en espadas y bastos, el dos. ‖ **2.** En el rentoy, el dos de cada palo. ‖ **3.** Juego de naipes en que la carta superior o **malilla** es para cada palo el nueve. ‖ **4.** fig. Lo que se hace servir para fines diversos, comodín.

malina. (De or. inc.) f. ant. Reflujo diario del mar. ‖ **2.** ant. Temporal de mar. ‖ **3.** ant. Gran marea.

malingrar. (Del fr. *malingre*, enfermizo.) tr. p. us. **malignar.**

malino, na. (Del lat. *malignus*.) adj. desus. **maligno.**

malintencionado, da. adj. Que tiene mala intención. Ú. t. c. s.

malmandado, da. adj. Que no obedece, o que hace las cosas de mala gana. Ú. t. c. s.

malmaridada, da. (Del *mal²* y *maridar*.) adj. Malcasada, dícese de la mujer que se lleva mal con su marido. Ú. t. c. s.

malmarriento, ta. (De *mal²* y *marrido*.) adj. *Ter.* Malucho, que empieza a sentirse enfermo.

malmeter. (De *mal²* y *meter*.) tr. Inclinar, inducir a uno a hacer cosas malas. ‖ **2. malquistar.** ‖ **3.** ant. Malbaratar, malgastar.

malmirado, da. adj. Malquisto, desconceptuado. ‖ **2.** Descortés, inconsiderado.

malo, la. (Del lat. *malus*.) adj. Que carece de la bondad que debe tener según su naturaleza o destino. ‖ **2.** Dañoso o nocivo a la salud. ‖ **3.** Que se opone a la razón o a la ley. ‖ **4.** V. **ángel, pelo malo.** ‖ **5.** V. **mala fe, figura, firma, noche, presa, sociedad, voluntad, voz.** ‖ **6.** ant. V. **mala barata.** ‖ **7.** De **mala** vida y costumbres. Ú. t. c. s. ‖ **8.** Que padece enfermedad, enfermo. ‖ **9.** Con la prep. *de* y un infinitivo, que ofrece dificultad o resistencia para lo significado por el infinitivo. *Juan es* MALO DE *servir; este verso es* MALO DE *entender.* ‖ **10.** Desagradable, molesto. *¡Qué rato tan* MALO!; *¡qué* MALA *vecindad!* ‖ **11.** fig. V. **mala cabeza, mala lengua, mala paga.** ‖ **12.** fig. V. **malos hígados.** ‖ **13.** fam. Travieso, inquieto, enredador. Dícese comúnmente de los muchachos. ‖ **14.** fam. Bellaco, malicioso. ‖ **15.** Deslucido, deteriorado. *Este vestido está ya muy* MALO. ‖ **16.** fig. y fam. V. **mala semana.** ‖ **17.** V. **negocio de mala digestión.** ‖ **18.** V. **malas lenguas.** ‖ **19.** *Der.* V. **dolo malo.** ‖ **20.** Con el artículo neutro y el verbo *ser*, indica que lo expresado a continuación constituye inconveniente, obstáculo o impedimento de algo dicho antes. *Yo bien hiciera tal o cual cosa;* LO MALO ES *que no me lo van a agradecer.* ‖ **21.** Usado como interjección, sirve para reprobar una cosa, o para significar que ocurre inoportunamente, infunde sospechas o es contraria a un fin determinado. ‖ **22.** m. **el malo.** El demonio. ‖ **a malas.** loc. adv. Con enemistad. Ú. por lo común con el verbo *andar.* ‖ **de malas.** loc. adv. Con desgracia, especialmente en el juego. Ú. con el verbo *estar.* ‖ **2.** Con mala intención. Ú. por lo común con el verbo *venir.* ‖ **3.** De mal humor y poco complaciente. Ú. m. con los verbos *estar, hallarse*, etc. ‖ **malo será, o sería,** que. fr. que expresa la dificultad o poca probabilidad de que suceda algo que no se desea. MALO SERÁ QUE *no lleguemos a un acuerdo;* MALO SERÍA QUE *Pedro faltase a su palabra.* ‖ **más vale malo conocido que bueno por conocer.** fr. proverb. que advierte los inconvenientes que pueden resultar de sustituir una persona o cosa ya experimentada por otra que no se conoce. ‖ **por la mala, o por**

malas, o por las malas. loc. adv. **mal a mal.** ‖ **por malas o por buenas, o por las malas o por las buenas.** loc. adv. A la fuerza o voluntariamente.

maloca. (Del arauc. *malocán*.) f. *Amér. Merid.* Invasión de hombres blancos en tierra de indios, con pillaje y exterminio. ‖ **2.** *Amér. Merid.* Ataque inesperado de los indios contra poblaciones de españoles o de otros indios, malón.

malogramiento. m. Acción de malograrse.

malograr. (De *mal²* y *lograr*.) tr. Perder, no aprovechar una cosa; como la ocasión, el tiempo, etc. ‖ **2.** prnl. Frustrarse lo que se pretendía o se esperaba conseguir. ‖ **3.** No llegar una persona o cosa a su natural desarrollo o perfeccionamiento por muerte o por otra causa.

malogro. m. Efecto de malograrse.

maloja. (De *malojo*.) f. *Cuba.* Planta de maíz que solo sirve para pasto de las caballerías, malojo.

malojal. m. *Venez.* Plantío de malojos.

malojero. m. *Cuba.* El que vende malojo.

malojo. (De *malhojo*.) m. *Venez.* **maloja.**

maloliente. adj. Que exhala mal olor.

malón. (Voz araucana.) m. *Amér. Merid.* Irrupción o ataque inesperado de indios. ‖ **2.** fig. p. us. Felonía inesperada que uno ejecuta en daño de otro; mala partida.

maloquear. (De *maloca*.) intr. Tratándose de indios, hacer correrías.

malparado, da. p. p. de **malparar.** ‖ **2.** adj. Que ha sufrido notable menoscabo en cualquier línea.

malparanza. (De *malparar*.) f. ant. Menoscabo de una cosa, mal estado a que se reduce.

malparar. (De *mal²* y *parar*.) tr. Maltratar, poner en mal estado.

malparida. f. Mujer que hace poco que malparió.

malparir. (De *mal²* y *parir*.) intr. Parir antes de tiempo, abortar.

malparto. m. Parto antes de tiempo, aborto.

malpensado, da. adj. Dícese de la persona que en los casos dudosos se inclina a pensar mal. Ú. t. c. s.

malpigiáceo, a. (De *malpighia*, nombre de un género de plantas dedicado a *Malpighi*, naturalista italiano del siglo XVII, y -*áceo*.) adj. *Bot.* Dícese de arbustos o arbolitos angiospermos dicotiledóneos, que viven en países intertropicales, especialmente en América, con ramos por lo común trepadores y hojas casi siempre opuestas y con estípulas; flores hermosas en corimbos o en racimos, y fruto seco o abayado, dividido en tres celdillas con una sola semilla sin albumen; como el chaparro. Ú. t. c. s. f. ‖ **2.** f. pl. *Bot.* Familia de estas plantas.

malqueda. com. fam. Persona que no cumple sus promesas o falta a su deber.

malquerencia. (De *mala* y *querencia*.) f. Mala voluntad contra determinada persona o cosa.

malquerer. tr. Tener mala voluntad a una persona o cosa.

malqueriente. p. a. de **malquerer.** Que quiere mal a otro.

malquistar. (De *malquisto*.) tr. Indisponer o enemistar a una persona con otra u otras. *Lo* MALQUISTARON *con el ministro.* Ú. t. c. prnl.

malquisto, ta. (De *mal²* y *quisto*.) adj. Mirado con malos ojos por una o varias personas.

malrotador, ra. adj. Que malrota. Ú. t. c. s.

malrotar. (De un ant. *marrotar*, infl. por el prefijo *mal* y der. de un adj. **manroto*, manirroto.) tr. Disipar, destruir, malgastar la hacienda.

malsano, na. (De *mal²* y *sano*.) adj. Dañoso a la salud. ‖ **2.** p. us. Enfermizo, de salud quebrada. ‖ **3.** fig. Moralmente dañoso.

malsín. (Del hebr. *malsín*, denunciador.) m. Cizañero, soplón.

malsinar. (De *malsin*.) tr. ant. Acusar, acriminar a alguno, o hablar mal de alguna cosa con dañina intención.

malsindad. (De *malsín*.) f. ant. Acción y efecto de malsinar.

malsinería. (De *malsinar*.) f. ant. **malsindad.**

malsonancia. f. Cualidad de malsonante.

malsonante. p. a. ant. de **malsonar.** Que suena mal. ‖ **2.** adj. Aplícase a la doctrina o palabra que ofende los oídos de personas piadosas o de buen gusto.

malsonar. intr. ant. Hacer mal sonido, sonar desagradablemente.

malsufrido, da. adj. Que tiene poco aguante o poca paciencia.

malta[1]. (Del ing. *malt*.) f. Cebada que, germinada artificialmente y tostada, se emplea en la fabricación de la cerveza. ‖ **2.** Esta misma cebada, preparada para hacer un cocimiento. ‖ **3.** V. **azúcar de malta.**

Malta[2]. n. p. V. **fiebre de Malta.**

malteado. m. Acción y efecto de maltear.

maltear. tr. Forzar la germinación de las semillas de los cereales, con el fin de mejorar la palatabilidad de líquidos fermentados, como la cerveza.

maltés, sa. adj. Natural de Malta. Ú. t. c. s. ‖ **2.** Perteneciente o relativo a esta isla del Mediterráneo.

maltosa. (De *malta*[1].) f. *Biol.* Azúcar dextrógiro, cristalizable, que es el producto de descomposición del almidón mediante la diastasa, tanto en los animales como en las plantas.

maltrabaja. (De *mal*[2] y *trabajar*.) com. fam. Persona haragana, perezosa.

maltraedor, ra. (De *maltraer*.) adj. ant. Perseguidor o represor. Usáb. t. c. s.

maltraer. (De *mal*[2] y *traer*.) tr. Maltratar, destruir, mortificar. ‖ **2.** ant. Injuriar, reprender con severidad. Ú. hoy en Argentina. ‖ **llevar** o **traer** a uno **a maltraer.** fr. **traer** a uno **a mal traer.**

maltraído, da. adj. *Bol., Chile* y *Perú*. Mal vestido, desaliñado.

maltrapillo. m. Pilluelo mal vestido; golfo.

maltratamiento. m. Acción y efecto de maltratar o maltratarse.

maltratar. tr. Tratar mal a uno de palabra u obra. Ú. t. c. prnl. ‖ **2.** Menoscabar, echar a perder.

maltrato. m. Acción y efecto de maltratar o maltratarse.

maltrecho, cha. (De *mal*[2] y *trecho*, del lat. *tractus*, p. p. de *traho*.) adj. Maltratado, malparado.

maltusianismo. m. Conjunto de las teorías económicas de Malthus, basadas en que, según él, la población tiende a crecer en progresión geométrica, mientras que los alimentos solo aumentan en progresión aritmética.

maltusiano, na. adj. Dícese del partidario del maltusianismo. Ú. t. c. s.

maluco[1], **ca.** adj. Natural de las islas Malucas o Molucas. Ú. t. c. s. ‖ **2.** Perteneciente o relativo a estas islas de Indonesia.

maluco[2], **ca.** adj. fam. **malucho.**

malucho, cha. adj. fam. Que está algo malo.

malva. (Del lat. *malva*.) f. Planta de la familia de las malváceas, con tallo áspero, ramoso, casi erguido, de cuatro a seis decímetros de altura; hojas de pecíolo largo, con estípulas partidas en cinco o siete lóbulos dentados por el margen; flores moradas, axilares, en grupos de pedúnculos desiguales, y fruto con muchas semillas secas. Es planta abundante y muy usada en medicina, por el mucílago que contienen las hojas y el fruto. ‖ **2.** V. **geranio de malva.** ‖ **3.** adj. Dícese de lo que es de color morado pálido tirando a rosáceo, como el de la flor de la **malva.** ‖ **4.** m. Color **malva.** ‖ **arbórea, loca, real** o **rósea.** Planta de la familia de las malváceas, con tallo recto y erguido, de dos a

tres metros de altura; hojas blandas vellosas, acorazonadas, con lóbulos festoneados, y flores grandes, sentadas, encarnadas, blancas o róseas, que forman una espiga larga en lo alto del tallo. Se cultiva en los jardines. ‖ **criar malvas.** fr. fig. y fam. Estar muerto y enterrado. ‖ **haber nacido en las malvas.** fr. fig. y fam. Haber tenido humilde nacimiento. ‖ **ser como una malva,** o **una malva.** fr. fig. y fam. Ser dócil, bondadoso, apacible.

malváceo, a. (Del lat. *malvacĕus*.) adj. *Bot.* Dícese de plantas angiospermas dicotiledóneas, hierbas, matas y a veces árboles, de hojas alternas con estípulas; flores axilares, regulares, con muchos estambres unidos formando un tubo que cubre el ovario, y fruto seco dividido en muchas celdas con semillas sin albumen; como la malva, la altea, el algodonero y la majagua. Ú. t. c. s. f. ‖ **2.** f. pl. *Bot.* Familia de estas plantas.

malvadamente. adv. m. Con maldad, con injusticia.

malvado, da. (Del lat. vulg. *malifatĭus*.) adj. Dícese de la persona muy mala, perversa, mal inclinada. Ú. t. c. s.

malvar[1]. m. Sitio poblado de malvas.

malvar[2]. (der. regres. de *malvado*.) tr. desus. Corromper o hacer mala a una persona o cosa. Ú. t. c. prnl. ‖ **2.** *Ar.* Adulterar o empeorar las condiciones de algún objeto, especialmente comestible. ‖ **3.** prnl. *Ar.* Malearse.

malvarrosa. f. **malva rósea.**

malvasía. (De *Malvasía*, forma romance de *Monembasia*, ciudad de Morea.) f. Uva muy dulce y fragante, producida por una variedad de vid procedente de los alrededores de la ciudad que le dio el nombre. ‖ **2.** Vino que se hace de esta uva.

malvavisco. (Del lat. *malva* e *hibiscum*, malvavisco.) m. Planta perenne de la familia de las malváceas, con tallo de un metro de altura aproximadamente; hojas suaves, muy vellosas, ovaladas, de lóbulos poco salientes y dentadas por el margen; flores axilares de color blanco rojizo, fruto como el de la malva, y raíz gruesa. Abunda en los terrenos húmedos, y la raíz se usa como emoliente.

malvender. tr. Vender a bajo precio, con poca o ninguna ganancia.

malversación. f. Acción y efecto de malversar. ‖ **2.** Hurto de caudales del erario público por un funcionario, peculado.

malversador, ra. adj. Que malversa. Ú. t. c. s.

malversar. (De *mal*[2] y *versar*.) tr. Invertir ilícitamente los caudales públicos, o equiparados a ellos, en usos distintos de aquellos a que están destinados.

malvestad. (Del prov. ant. *malvestat*.) f. ant. **maldad.**

malvezar. (De *mal*[2] y *vezar*.) tr. p. us. Acostumbrar mal. Ú. t. c. prnl.

malvinense. adj. **malvinero.**

malvinero, ra. adj. Perteneciente o relativo a las islas Malvinas. ‖ **2.** Natural de estas islas. Ú. t. c. s.

malvís. (Del fr. ant. *malvis*, hoy *mauvis*.) m. Tordo de pico y patas negros, plumaje de color verde oscuro manchado de negro en el cuello, pecho y vientre, y de rojo en los lados del cuerpo y debajo de las alas. Es propio de los países del norte de Europa, y ave de paso en España a fines de otoño.

malviviente. adj. ant. Decíase del hombre de mala vida.

malvivir. intr. Vivir mal.

malviz. m. **malvís.**

malvón. m. *Argent., Méj., Par.* y *Urug.* Planta de la familia de las geraniáceas, muy ramificada, con hojas orbiculares o reniformes, afelpadas, y flores rosadas o rojas, a veces blancas.

malla. (Del fr. *maille*.) f. Cada uno de los cuadriláteros que, formados por cuerdas o hilos que se cruzan y se anudan en sus cuatro vértices, constituyen el tejido de la red. ‖ **2.** Tejido de pequeños anillos o eslabones de hierro o de otro metal, enlazados entre sí, de que se hacían las cotas y otras armaduras defensivas, y se hacen actualmente portamonedas, bolsas y otros utensilios. ‖ **3.** Cada uno de los eslabones de que se forma este tejido. ‖ **4.** Por ext., tejido semejante al de la **malla** de la red. ‖ **5.** Vestido de tejido de punto muy fino que, ajustado al cuerpo, usan en sus actuaciones los artistas de circo, bailarinas, etc. Ú. t. en pl. ‖ **6.** *Blas.* Pieza cuadrada semejante al fuso, que contiene un espacio vacío de su misma figura. ‖ **7.** *Argent., Perú y Urug.* **bañador,** traje para bañarse.

mallada. f. ant. **majada.**

malladar. (De *mallada*.) intr. ant. Hacer noche el ganado en la mallada.

mallar[1]. tr. ant. Armar con cota de malla a una persona. ‖ **2.** intr. Hacer malla. ‖ **3.** Quedar sujeto en las mallas de la red, enmallarse.

mallar[2]. (Del lat. *malleāre*, de *mallĕus*, martillo.) tr. *Ast.* y *Sal.* **majar.**

mallequino, na. adj. Natural de Malleco. Ú. t. c. s. ‖ **2.** Perteneciente o relativo a esta provincia de Chile.

mallero, ra. m. y f. Persona que hace malla. ‖ **2.** Molde para hacer malla.

mallete. m. d. de **mallo.** ‖ **2.** *Mar.* Trozo de madera, generalmente en forma de cuña, que se emplea para dar seguridad y estabilidad a la arboladura o a la artillería en los barcos de guerra. ‖ **3.** *Mar.* **dado,** del eslabón de la cadena.

malleto. (De *mallo*.) m. Mazo con que se bate el papel en los molinos.

mallín. (Del araucano *mallíñ*, lago.) m. *Argent.* Pradera cenagosa propia de la región semidesértica de la Patagonia.

mallo. (Del lat. *mallĕus*.) m. Instrumento para desgranar a golpes la mies. ‖ **2.** Juego en que se hacen correr por el suelo unas bolas de madera de siete a ocho centímetros de diámetro, dándoles con unos mazos de mango largo. ‖ **3.** Terreno destinado para jugar al **mallo.**

mallorqués, sa. adj. ant. Natural de Mallorca. ‖ **2.** Perteneciente o relativo a esta isla.

mallorquín, na. adj. Natural de Mallorca. Ú. t. c. s. ‖ **2.** Perteneciente o relativo a esta isla. ‖ **3.** V. **libra mallorquina.** ‖ **4.** m. Variedad de la lengua catalana, que se habla en la isla de Mallorca.

mama. (Del lat. *mamma*, voz infantil.) f. fam. Voz equivalente a madre, que usan muchas personas, y especialmente los niños. ‖ **2.** *Anat.* Teta de los mamíferos.

mamá. (Adaptación del fr. *maman*.) f. fam. Mama, madre.

mamacallos. (De *mamar* y *callo*.) m. fig. y fam. Hombre tonto y que es para poco.

mamacona. (Del quechua *mama*, madre, con la terminación pl. *-kuna*.) f. Cada una de las mujeres vírgenes y ancianas dedicadas al servicio de los templos entre los antiguos incas, y a cuyo cuidado estaban las vírgenes del Sol.

mamada. f. fam. Acción de mamar. ‖ **2.** Cantidad de leche que mama la criatura cada vez que se pone al pecho. ‖ **3.** fig. vulg. *Argent., Perú y Urug.* Embriaguez, borrachera.

mamadera. (De *mamar*.) f. Instrumento para descargar los pechos de las mujeres en el período de la lactancia. ‖ **2.** *Amér.* Utensilio para la lactancia artificial, biberón. ‖ **3.** *Cuba* y *P. Rico.* Tetilla del biberón.

mamado, da. p. p. de **mamar.** ‖ **2.** adj. vulg. Ebrio, borracho.

mamador, ra. adj. Que mama. Decíase de quien mamaba para descargar los pechos de las mujeres.

mamaíta. f. fam. d. de **mamá.**

mamalón, na. adj. *Cuba* y *P. Rico.* Mangón, holgazán.

mamancona. (De *mamacona*.) f. *Chile.* Mujer vieja y gorda.

mamandurria. (De *mamar*.) f. Sueldo que se disfruta sin merecerlo; sinecura, ganga permanente.

mamantón, na. (De *mamante*.) adj. Dícese del animal que mama todavía.

mamar. (Del lat. *mammāre*, amamantar.) tr. Atraer, sacar, chupar con los labios y la lengua la leche de los pechos. ‖ **2.** fam. Comer, engullir. ‖ **3.** fig. Adquirir un sentimiento o cualidad moral, o aprender algo en la infancia. MAMÓ *la piedad, la honradez.* ‖ **4.** fig. y fam. Obtener, alcanzar, generalmente sin méritos para ello. *Joaquín* HA MAMADO *un buen empleo.* Ú. t. c. prnl. ‖ **5.** Con el pron. *la* como complemento directo, tragar el anzuelo, ser engañado con un ardid o artificio. Úsase casi solo en las terceras personas del indefinido, sobre todo en sing.: MAMÓLA. y también, aunque menos, en pl.: MAMÁRONLA. ‖ **6.** prnl. Con el pron. *la*. ‖ **emborracharse,** por efecto del alcohol. ‖ **mamarse** a uno. fr. fig. y fam. Vencerlo, aturrullarlo; engañarlo duramente. ‖ **mamar y gruñir.** fr. fig. y fam. con que se moteja al que con nada se contenta, y se queja de que no sean mayores los beneficios que se le hacen.

mamario, ria. adj. *Anat.* Perteneciente a las mamas o tetas en las hembras, o a las tetillas en los machos. ‖ **2.** *Anat.* V. **círculo mamario.**

mamarón. (De *mamar*.) m. p. us. El que, fingiéndose tonto, procura participar de fiestas y agasajos en que no tiene parte. ‖ **ir a mamarones.** fr. *Córd.* Concurrir los trabajadores de una finca, sin previa invitación, a los bailes, juegos o reuniones que se celebran en las fincas próximas.

mamarrachada. f. fam. Acción desconcertada y ridícula. ‖ **2.** fam. Conjunto de mamarrachos.

mamarrachista. com. fam. p. us. Persona que hace mamarrachos.

mamarracho. (De *moharracho*.) m. fam. Figura defectuosa y ridícula, o adorno mal hecho o mal pintado. Llámase también así a otras cosas imperfectas, ridículas y extravagantes. ‖ **2.** fig. y fam. Hombre informal, no merecedor de respeto.

mambí. m. Insurrecto contra España en las guerras de independencia de Santo Domingo y Cuba en el siglo XIX.

mambís. m. **mambí.**

mambla. (Del lat. *mammŭla*, d. de *mamma*, teta.) f. Montecillo en forma de teta de mujer.

mamboretá. (Voz guaraní.) m. *Argent., Par.* y *Urug.* **santateresa** o **rezadora,** insecto ortóptero, de cinco a siete centímetros de longitud. Es de color verde claro. Tiene ojos y boca grandes, cuerpo delgado y patas largas. Se alimenta de otros insectos.

mambrú. (De *Mambrú*, forma pop. de *Marlborough*.) m. *Mar.* Nombre vulgar de la chimenea del fogón de los buques.

mamelón. (Del fr. *mamelon*, pezón.) m. Colina baja en forma de pezón de teta. ‖ **2.** Cumbre o cima de igual forma. ‖ **3.** *Cir.* Pequeña eminencia carnosa semejante a un pezoncillo en el tejido cicatrizal de heridas y úlceras.

mamelonado, da. adj. *Cir.* Que tiene mamelones. ‖ **2.** Mamiforme.

mameluco. (Del ár. *mamlūk*, esclavo.) m. Soldado de una milicia privilegiada de los soldanes de Egipto. ‖ **2.** fig. y fam. Hombre necio y bobo. ‖ **3.** *Méj.* Pijama de una sola pieza para bebés o niños y que les cubre hasta los pies.

mamella. (Del lat. *mamilla*.) f. Cada uno de los apéndices largos y ovalados que tienen a los lados de la parte anterior e inferior del cuello algunos animales, particularmente las cabras.

mamellado, da. adj. Que tiene mamellas.

mamey. (Voz taína.) m. Árbol americano de la familia de las gutíferas, que crece hasta quince metros de altura, con tronco recto y copa hermosa, hojas elípticas, persistentes, obtusas, lustrosas y coriáceas; flores blancas, olorosas, y fruto casi redondo, de unos quince centímetros de diámetro, de corteza verdusca, correosa y delgada, que se quita con facilidad, pulpa amarilla, aromática, sabrosa, y una o dos semillas del tamaño y forma de un riñón de carnero. ‖ **2.** Fruto de este árbol. ‖ **3.** Árbol americano de la familia de las sapotáceas, que crece hasta treinta metros de altura, con tronco grueso y copa cónica; hojas caedizas, lanceoladas, enteras y coriáceas; flores axilares, solitarias, de color blanco rojizo, y fruto ovoide, de quince a veinte centímetros de eje mayor, cáscara muy áspera, pulpa roja, dulce, muy suave, y una semilla elipsoidal de cuatro a cinco centímetros de largo, lisa, lustrosa, quebradiza, de color de chocolate por fuera y blanca en lo interior. ‖ **4.** Fruto de este árbol.

mamía. (De *mama,* teta.) adj. Dícese de la cabra de una sola ubre.

mamífero, ra. (Del lat. *mamma,* teta, y -*fero.*) adj. *Zool.* Dícese de animales vertebrados de temperatura constante, cuyo embrión, provisto de amnios y alantoides, se desarrolla casi siempre dentro del cuerpo materno; las hembras alimentan a sus crías con la leche de sus mamas o tetas. Ú. t. c. s. ‖ **2.** m. pl. *Zool.* Clase de estos animales.

mamiforme. adj. De figura de mama o teta.

mamila. (Del lat. *mamilla.*) f. *Anat.* Parte principal de la teta o pecho de la hembra, exceptuando el pezón. ‖ **2.** *Anat.* Tetilla en el hombre.

mamilar. adj. *Anat.* Perteneciente o relativo a la mamila. ‖ **2.** En forma de mamila.

mamografía. f. *Med.* Radiografía de mama en película de grano fino, capaz de obtener imágenes de tejidos blandos con gran precisión.

mamola. (Del ár. *m'amûla,* [caricia] fingida.) f. Cierto modo de poner uno la mano debajo de la barba de otro, como para acariciarle o burlarse de él. Hácese comúnmente a los muchachos. ‖ **2.** interj. de burla o de negación. ‖ **hacer** a uno **la mamola.** fr. Darle golpecitos debajo de la barba en señal de mofa, burla o chacota. ‖ **2.** fig. y fam. Engañarle con caricias fingidas, tratándole de bobo.

mamón, na. adj. Que todavía está mamando. Ú. t. c. s. ‖ **2.** Que mama mucho, o más tiempo del regular. Ú. t. c. s. ‖ **3.** m. Insulto vulgar que se usa sin significado preciso. Ú. t. c. adj. ‖ **4.** diente de leche. ‖ **5.** Chupón de un árbol. ‖ **6.** Árbol de la América intertropical, de la familia de las sapindáceas, corpulento, de copa tupida, con hojas alternas, compuestas, hojuelas pequeñas, lisas y casi redondas; flores en racimo, y fruto en drupa, cuya pulpa es acídula y comestible, como también la almendra del hueso. ‖ **7.** Fruto de este árbol. ‖ **8.** Especie de bizcocho muy blando y esponjoso que se hace en Méjico de almidón y huevo.

mamona. f. **mamola.**

mamoso, sa. adj. p. us. Dícese de la criatura o animal que mama bien y con apetencia. ‖ **2.** Aplícase a cierta especie de panizo.

mamotreto. (Del lat. tardío *mammothreptus,* y este del gr. tardío μαμμόθρεπτος.) m. desus. Libro o cuaderno en que se apuntan las cosas que se han de tener presentes, para ordenarlas después. ‖ **2.** Armatoste u objeto grande y embarazoso. ‖ **3.** fig. y fam. Libro o legajo muy abultado, principalmente cuando es irregular y deforme.

mampara. (De *mamparar.*) f. Cancel movible hecho con un bastidor de madera cubierto de piel o tela, que sirve para atajar una habitación, para cubrir las puertas y para otros usos.

mamparar. (Quizá del lat. *manu parâre,* detener con la mano.) tr. ant. y vulg. Proteger, amparar. Ú. t. c. prnl.

mamparo. (De *mamparar.*) m. ant. Amparo o defensa. ‖ **2.** *Mar.* Tabique de tablas o planchas de hierro con que se divide en compartimentos el interior de un barco.

mamparra. f. Pesca que se verifica colocando una luz

en un bote alrededor del cual se tienden las redes. ‖ **2.** Embarcación dispuesta para este tipo de pesca.

mampastor. m. ant. **mampostor.**

mampato, ta. adj. *Chile.* Dícese del animal de patas cortas, especialmente del caballo de poca alzada. Ú. t. c. s. ‖ **2.** m. y f. fig. *Chile.* Persona de reducida estatura.

mampelaño. m. ant. **mamperlán.**

mamperlán. m. Listón de madera con que se guarnece el borde de los peldaños en las escaleras de fábrica. ‖ **2.** *And.* Escalón, especialmente de madera.

mampernal. m. ant. **mamperlán.**

mampesada. (De *mano* y *pesada.*) f. ant. **pesadilla.**

mampesadilla. (De *mampesada.*) f. ant. **pesadilla.**

mampirlán. m. *Murc.* **mamperlán.**

mamporrero. (De *mamporro.*) m. En las paradas, el que dirige al miembro del caballo en el acto de la generación.

mamporro. (De *mano* y *porra.*) m. fam. Golpe, coscorrón, puñetazo.

mampostear. (De *mampuesta.*) tr. *Arq.* Trabajar en mampostería.

mampostería. (De *mampostero.*) f. Obra hecha con mampuestos colocados y ajustados unos con otros sin sujeción a determinado orden de hiladas o tamaños. ‖ **2.** Oficio de mampostero. ‖ **concertada.** Aquella en cuyos paramentos se colocan los mampuestos rudamente labrados sin sujeción a escuadra, para que ajusten mejor unos con otros. ‖ **en seco.** La que se hace colocando los mampuestos sin argamasa. ‖ **ordinaria.** La que se hace con mezcla o argamasa.

mampostero. (De *mampuesto.*) m. El que trabaja en mampostería. ‖ **2.** desus. Recaudador o administrador de diezmos, rentas, limosnas y otras cosas. ‖ **3.** *And.* Reparo, parapeto.

mampostor. m. ant. Recaudador, mampostero.

mampostoría. (De *mampostor.*) f. ant. Oficio de mampostor, mampostería.

mampresar. (De *mano* y *presar.*) tr. Empezar a domar las caballerías cerriles.

mampuesta. (De *mampuesto.*) f. Hilada de mampuesto.

mampuesto, ta. (De *mano* y *puesto.*) adj. Dícese del material que se emplea en la obra de mampostería. ‖ **2.** Piedra sin labrar que se puede colocar en obra con la mano. ‖ **3.** Reparo, parapeto. ‖ **4.** *Amér.* Cualquier objeto en que se apoya el arma de fuego para tomar mejor la puntería. ‖ **de mampuesto.** loc. adj. De repuesto, de prevención. ‖ **2.** loc. adv. Desde un parapeto, a cubierto.

mamúa. f. vulg. *Argent.* y *Urug.* Embriaguez, borrachera.

mamujar. tr. Mamar como sin gana, dejando el pecho y volviéndolo a tomar.

mamullar. (De *mamar.*) tr. Comer o mascar con los mismos ademanes y gestos que hace el que mama, mascullar. ‖ **2.** fig. y fam. Mascullar.

mamut. (Del fr. *mammouth.*) m. Especie de elefante fósil que vivió en las regiones de clima frío durante la época cuaternaria; tenía la piel cubierta de pelo áspero y largo; los dientes incisivos de la mandíbula superior, curvos y tan desarrollados, que se hallan algunos de tres metros.

man. f. ant. Apóc. de **mano.** ‖ **a man salva.** loc. adv. a **mansalva.** ‖ **buena man derecha.** expr. ant. fam. Felicidad, fortuna, buena ventura en lo que se emprende. ‖ **man a mano.** loc. adv. ant. Al punto, al instante.

mana[1]. f. ant. **maná.** Ú. en América. ‖ **2.** *Col.* **maná,** líquido azucarado que fluye de algunas plantas.

mana[2]. (De *manar.*) f. *Col.* Manadero[2], manantial.

maná. (Del b. lat. *manna,* y este del hebr. *man.*) m. Manjar milagroso, enviado por Dios, a modo de escarcha, para alimentar al pueblo de Israel en el desierto. ‖ **2.** Líquido azucarado que fluye espontáneamente o por incisión de las hojas o de las ramas de muy diversos vegetales, como el fresno, el alerce, el eucalipto, etc., y se solidifica rápidamente. Es ligeramente purgante; el del fresno se usa en terapéutica, y se recoge principalmente en Sicilia y Calabria. Usáb. ant. c. f. ‖ **3.** fig. Bienes que se reciben gratuitamente y de modo inesperado. ‖ **4.** V. **hierba del maná.** ‖ **5.** ant. Incienso desmenuzado y casi reducido a polvo. ‖ **líquido. tereniabín.**

manada. (De *mano.*) f. Porción de hierba, trigo, lino, etc., que se puede coger de una vez con la mano. ‖ **2.** fig. Hato o rebaño pequeño de ganado que está al cuidado de un pastor. ‖ **3.** fig. Conjunto de ciertos animales de una misma especie que andan reunidos. MANADA *de pavos;* MANADA *de lobos.* ‖ **4.** fig. ant. Cuadrilla o pelotón de gente. ‖ **a manadas.** loc. adv. En gran número.

manadero[1]. m. Pastor de una manada de ganado.

manadero[2], **ra.** adj. Dícese de lo que mana. ‖ **2.** m. Nacimiento de las aguas, manantial.

manal. (De *mano.*) m. Ast., León y Zam. Instrumento para majar en la era, formado por dos palos, uno más corto y delgado, por el que se agarra, y otro más largo y grueso, con el que se golpea la mies o las legumbres, unidos ambos por dos correas engarzadas entre sí, que se sujetan y giran sobre ranuras hechas en los respectivos palos.

manantial. (De *manante.*) adj. V. **agua manantial.** ‖ **2.** m. Nacimiento de las aguas. ‖ **3.** fig. Origen y principio de donde proviene una cosa.

manantío, a. (De *manante.*) adj. Que mana. Ú. t. c. s.

manar. (Del lat. *manāre.*) intr. Brotar o salir un líquido. Ú. t. c. tr. ‖ **2.** fig. p. us. Abundar, haber copia de una cosa.

manare. m. Especie de cedazo usado en Venezuela, tejido de caña amarga o espina, con el cual se cierne el almidón de la yuca.

manatí. (Voz caribe o arahuaca.) m. Mamífero sirenio de hasta cinco metros de longitud, cabeza redonda, cuello corto, cuerpo muy grueso y piel cenicienta, velluda y de tres a cuatro centímetros de espesor; tiene los miembros torácicos en forma de aletas terminadas por manos, y tan desarrollados, que sirven a la hembra para sostener a sus hijuelos mientras maman. Vive cerca de las costas del Caribe y en los ríos de aquellas regiones; es animal herbívoro, y su carne y grasa son muy estimadas. ‖ **2.** Tira de la piel de este animal, que, después de seca, sirve para hacer látigos y bastones.

manato. m. **manatí.**

manaza. f. aum. de **mano.**

manazas. (De *manaza.*) com. vulg. Torpe de manos, desmañado. *Ser un* MANAZAS.

mancamiento. m. Acción y efecto de mancar o mancarse. ‖ **2.** Falta, privación, defecto de una cosa.

mancar. (De *manco.*) tr. Lisiar, estropear, herir a uno en las manos, imposibilitándole el libre uso de ambas o de una de ellas. Ú. t. c. prnl. y se suele extender a otros miembros. Ú. t. c. prnl. ‖ **2.** Lastimar. ‖ **3.** p. us. Hacer manco o defectuoso. ‖ **4.** intr. ant. Faltar, dejarse de hacer una cosa por falta de alguien.

mancarrón, na. adj. aum. de **manco.** ‖ **2.** Matalón.

manceba. (De *mancebo.*) f. **concubina.**

mancebete. m. d. de **mancebo.**

mancebez. f. ant. **mancebía,** juventud o mocedad.

mancebía. (De *mancebo.*) f. Casa de prostitución. ‖ **2.** V. **carta, casa, padre de mancebía.** ‖ **3.** Travesura propia de jóvenes. ‖ **4.** Diversión deshonesta. ‖ **5.** ant. Juventud o mocedad.

mancebo, ba. (Del lat. vulg. hispánico **mancĭpus,* esclavo, con el acento de *mancipium.*) adj. desus. **juvenil.** ‖ **2.** m. Mozo de pocos años. ‖ **3.** p. us. Hombre soltero. ‖ **4.** En algunos oficios y artes, el que trabaja por un salario; especialmente el auxiliar práctico, sin título facultativo, de los farmacéu-

ticos. ‖ **5.** Empleado de un establecimiento mercantil, que no tenía categoría de factor.

mancelladero, ra. (De *mancellar.*) adj. ant. **mancilladero.**

mancellar. (Probablemente del lat. vulg. *macella,* manchita.) tr. ant. Mancillar.

mancelloso, sa. (De *mancellar.*) adj. ant. Malicioso o maligno. ‖ **2.** ant. Manchado, sucio.

máncer. (Del lat. *manzer,* y este del hebr. *mamzer.*) m. p. us. Hijo de mujer pública. Ú. t. c. adj.

mancera. (De un der. del lat. *manus.*) f. **esteva** del arado.

mancerina. (Del marqués de *Mancera,* virrey del Perú de 1639 a 1648.) f. Plato con una abrazadera circular en el centro, donde se coloca y sujeta la jícara en que se sirve el chocolate.

-mancia o **-mancía.** (Del gr. -μαντεία.) elem. compos. que significa «adivinación», «práctica de predecir»: *ornito*MANCIA, *carto*MANCIA.

mancilla. (Probablemente del lat. vulg. *macella,* manchita.) f. fig. **mancha**[1], desdoro. ‖ **2.** ant. **paño,** mancha oscura en el cuerpo. ‖ **3.** ant. fig. Llaga o herida que mueve a compasión. ‖ **4.** fig. Lástima, compasión.

mancilladero, ra. adj. ant. Que mancilla.

mancillado, da. p. p. de **mancillar.** ‖ **2.** adj. V. **hijo mancillado.**

mancillamiento. m. ant. Acción y efecto de mancillar.

mancillar. (De *mancilla.*) tr. Amancillar. Ú. t. c. prnl.

mancilloso, sa. adj. ant. Lleno de mancilla, o que mueve a lástima.

mancipación. (Del lat. *mancipatĭo, -ōnis.*) f. Enajenación, según el antiguo derecho romano, de una propiedad con ciertas solemnidades y en presencia de cinco testigos. ‖ **2.** p. us. Venta y compra.

mancipar. (Del lat. *mancipāre,* coger para sí.) tr. p. us. Sujetar, hacer esclavo a uno. Ú. t. c. prnl.

manco, ca. (Del lat. *mancus.*) adj. Aplícase a la persona o animal que ha perdido un brazo o una mano, o el uso de cualquiera de estos miembros. Ú. t. c. s. ‖ **2.** fig. Defectuoso, falto de alguna parte necesaria. *Obra* MANCA; *verso* MANCO. ‖ **3.** *Mar.* Deciase del bajel que no tenía remos. ‖ **4.** m. *Chile.* Caballo malo o flaco. ‖ **no ser uno manco.** fr. fig. y fam. **no ser cojo ni manco.** ‖ **2.** fig. y fam. Ser poco escrupuloso para apropiarse lo ajeno. ‖ **3.** fig. y fam. Ser largo de manos.

mancomún (de). (De *man,* mano, y *común.*) loc. adv. De acuerdo dos o más personas, o en unión de ellas.

mancomunadamente. adv. m. de **mancomún.**

mancomunado, da. adj. *Der.* V. **obligación mancomunada.**

mancomunar. (De *mancomún.*) tr. Unir personas, fuerzas o caudales para un fin. Ú. t. c. prnl. ‖ **2.** *Der.* Obligar a dos o más personas a pagar o ejecutar de mancomún una cosa, entre todas y por partes. ‖ **3.** prnl. Unirse, asociarse, obligarse de mancomún.

mancomunidad. (De *mancomún.*) f. Efecto de mancomunar o mancomunarse. ‖ **2.** Corporación o entidad legalmente constituida por agrupación de municipios o provincias.

mancorna. f. *Col.* y *Chile.* **mancuerna,** gemelos.

mancornar. (De *mano* y *cuerno.*) tr. Poner a un novillo los cuernos fijos en la tierra, dejándole sin movimiento. ‖ **2.** Atar una cuerda a la mano y cuerno del mismo lado de una res vacuna, para evitar que huya. ‖ **3.** Colocar una mano de la res derribada sobre el cuerno del mismo lado para impedir que se levante. ‖ **4.** Atar dos reses por los cuernos para que anden juntas. ‖ **5.** fig. y fam. Unir dos cosas de una misma especie.

mancuadra. (Del lat. *manus,* en el sentido de grupo, y *quadrus,* porque juraban cuatro personas.) f. ant. Juramento mutuo que hacían los litigantes de proceder con verdad y sin engaño en el pleito. ‖ 2. ant. *Der.* V. **jura de la mancuadra, o de mancuadra.**

mancuerda. (De *man,* mano, y *cuerda.*) f. Tormento que consistía en atar al supuesto reo con ligaduras que se iban apretando por vueltas de una rueda, hasta que confesase o corriese gran peligro su vida.

mancuerna. (De *mancornar.*) f. Pareja de animales o cosas mancornados. MANCUERNA *de bueyes, de panochas.* ‖ 2. Correa o cuerda que usan los vaqueros para mancornar las reses. ‖ 3. *Can., Col., Cuba* y *Chile.* Porción de tallo de la planta del tabaco con un par de hojas; disposición con que suele hacerse el corte de la planta al tiempo de la recolección. ‖ 4. *Filip.* Pareja de presidiarios unidos por una misma cadena. ‖ 5. *Méj.* Pareja de aliados. ‖ 6. pl. *Amér. Central, Filip., Méj.* y *Venez.* Gemelos de los puños de la camisa.

mancuernillas. f. pl. *Méj.* **mancuernas,** gemelos.

mancha[1]. (Del lat. *macüla.*) f. Señal que una cosa hace en un cuerpo, ensuciándolo o echándolo a perder. ‖ 2. Parte de alguna cosa con distinto color del general o dominante en ella. ‖ 3. Pedazo de terreno que se distingue de los inmediatos por alguna cualidad. ‖ 4. Conjunto de plantas que pueblan algún terreno, diferenciándolo de las colindantes. ‖ 5. Banco de peces, majal, manjúa. ‖ 6. Bandada, manada. ‖ 7. fig. Deshonra, desdoro. ‖ 8. *Astron.* Cada una de las partes oscuras del Sol o de la Luna, mácula. ‖ 9. *Pint.* Estudio hecho sobre lienzo, o sobre tabla, con pincel y colores, para observar el efecto de las luces. ‖ **de plátano.** fig. *P. Rico.* Naturaleza o carácter del jíbaro o del puertorriqueño típico. *Tener* uno la MANCHA DE PLÁTANO. ‖ **cundir como mancha de aceite.** fr. fig. y fam. Extenderse o divulgarse mucho una noticia u otra cosa. ‖ **la mancha,** *Argent.* Juego de niños en el que uno, que es **mancha,** corre a los demás hasta tocar a otro, que es entonces **mancha.** ‖ **no es mancha de judío.** expr. fig. y fam. con que se desestima o se tiene en poco la nota desfavorable que se pone a uno. ‖ **salir la mancha.** fr. Quitarse de la ropa o sitio en que estaba. ‖ 2. Volver a aparecer.

Mancha[2]. n. p. V. **jabonera de la Mancha,** planta.

mancha[3]. (Del cat. *manxa,* y este del lat. *maníca.*) f. *Ar.* y *Murc.* Fuelle de la fragua o del órgano.

manchadizo, za. (De *manchado* e *-izo.*) adj. Que fácilmente se mancha.

manchado, da. p. p. de **manchar.** ‖ 2. adj. Que tiene manchas. ‖ 3. V. **picaza manchada.**

manchador. (De *manchar*[2].) m. *Ar.* El que mueve los fuelles del órgano. ‖ 2. *Ar.* El que movía los fuelles de las ferrerías.

manchar[1]. (Del lat. *maculãre.*) tr. Poner sucia una cosa, haciéndole perder en alguna de sus partes el color que tenía. Ú. t. c. prnl. ‖ 2. fig. Deslustrar la buena fama de una persona, familia o linaje. Ú. t. c. prnl. ‖ 3. *Pint.* Ir metiendo las masas de claro y oscuro antes de unirlas y empastarlas.

manchar[2]. (De *mancha*[3].) intr. *Ar.* Entonar o dar viento a los fuelles de los órganos y las fraguas.

máncharras. f. pl. V. **cháncharras máncharras.**

manchego, ga. adj. Natural de la Mancha. Ú. t. c. s. ‖ 2. Perteneciente o relativo a esta región de España.

manchón. m. aum. de **mancha**[1]. ‖ 2. En los sembrados y en los matorrales, pedazo en que nacen las plantas muy espesas y juntas. ‖ 3. Parte de una tierra de labor que por un año se deja para pasto del ganado.

manchoso, sa. adj. Que fácilmente se mancha, manchadizo.

manchú. adj. Natural de Manchuria. Ú. t. c. s. ‖ 2. Perteneciente o relativo a esta región asiática. ‖ 3. m. Lengua

perteneciente al grupo uraloaltaico, hablada en esta región.

manda. (De *mandar.*) f. Oferta que uno hace a otro de darle una cosa. ‖ 2. Legado de un testamento. ‖ 3. *And.* y *Chile.* Voto o promesa hecha a Dios o a un santo. ‖ 4. ant. Testamento de última voluntad.

mandación. f. ant. Jurisdicción y facultad.

mandadería. (De *mandadero,* procurador.) f. ant. Embajada o mensaje.

mandadero, ra. (De *mandar.*) adj. **bienmandado.** ‖ 2. m. y f. Persona que hace los mandados de los conventos, de las cárceles o de las casas. ‖ 3. m. ant. Procurador de los tribunales. ‖ 4. ant. Embajador o comisionado para un negocio.

mandado, da. p. p. de **mandar.** ‖ 2. m. Orden, precepto, mandamiento. ‖ 3. Comisión que se da en paraje distinto de aquel en que ha de ser desempeñada. ‖ 4. Persona que ejecuta una comisión por encargo ajeno. ‖ 5. ant. Aviso o noticia. ‖ 6. *Méj.* Compra de lo necesario para la comida.

mandador, ra. (Del lat. *mandätor, -õris.*) m. y f. ant. Persona que manda. ‖ 2. ant. Persona que lleva un mandado o embajada.

mandamás. com. fam. Nombre que se da irónicamente a la persona que desempeña una función de mando. ‖ 2. **mandón,** persona que ostenta demasiado su autoridad.

mandamiento. (De *mandar.*) m. Precepto u orden de un superior a un inferior. ‖ 2. Cada uno de los preceptos del Decálogo y de la Iglesia. ‖ 3. *Der.* Despacho del juez, por escrito, mandando ejecutar una cosa. ‖ 4. pl. fig. y fam. Los cinco dedos de la mano, en frases como las siguientes: *come con los cinco* MANDAMIENTOS; *le puso en la cara los cinco* MANDAMIENTOS

mandanga. f. Flema, indolencia, pachorra. ‖ 2. pl. Tonterías, cuentos, pejigueras.

mandante. p. a. de **mandar.** Que manda. ‖ 2. com. *Der.* Persona que en el contrato consensual llamado mandato confía a otra su representación personal, o la gestión o desempeño de uno o más negocios.

mandar. (Del lat. *mandäre.*) tr. Ordenar el superior al súbdito; imponer un precepto. ‖ 2. Legar, dejar a otro una cosa en testamento. ‖ 3. desus. Ofrecer, prometer una cosa. ‖ 4. Enviar a una persona o remitir una cosa. ‖ 5. Encomendar o encargar una cosa. ‖ 6. Manifestar la voluntad de que se haga una cosa. ‖ 7. *Equit.* Dominar el caballo, regirlo con seguridad y destreza. ‖ 8. intr. Regir, gobernar, tener el mando. Ú. t. c. tr. ‖ 9. prnl. Moverse, manejarse uno por sí mismo, sin ayuda de otro. De un enfermo impedido se decía que no SE *puede* MANDAR. ‖ 10. p. us. En los edificios, comunicarse una pieza con otra. ‖ 11. p. us. Servirse de una puerta, escalera u otra comunicación. ‖ 12. *Amér. Merid.* Con algunos verbos en infinitivo, como *cambiar, mudar, largar,* etc., cumplir o hacer cumplir lo significado por el infinitivo. SE MANDÓ *cambiar,* MÁNDALO *mudar,* etc. ‖ **¡a mandar!** exclamación con que uno se declara dispuesto a cumplir los deseos de otro. ‖ **bien mandado.** loc. **bienmandado.** ‖ **mal mandado.** loc. **malmandado.** ‖ **eso está mandado recoger.** fr. fig. y fam. Se dice despreciativamente de lo anticuado y pasado de moda.

mandarín[1]. (Del port. *mandarim.*) m. El que en China y otros países asiáticos tenía a su cargo el gobierno de una ciudad o la administración de justicia. ‖ 2. fig. y fam. Persona que ejerce un cargo subalterno y es tenida en poco. ‖ 3. fig. Persona influyente en los ambientes políticos, artísticos, literarios, sociales, etc.

mandarín[2], **na.** (De *mandarín*[1].) adj. Dícese de la lengua sabia de China. Ú. t. c. s. ‖ 2. V. **naranja mandarina.** Ú. t. c. s.

mandarín³, na. (De *mandar*, con cruce popular de *mandarín*¹.) adj. Dícese de la persona mandona.

mandarinismo. (De *mandarín*¹.) m. Gobierno arbitrario.

mandarria. (Probablemente del it. dialect. *mannara*, hacha.) f. *Mar.* Martillo o maza de hierro, que usan los calafates para meter o sacar los pernos en los costados de los buques.

mandatario. (Del lat. *mandatarĭus*.) m. *Der.* Persona que, en virtud del contrato consensual llamado mandato, acepta del mandante representarlo personalmente, o la gestión o desempeño de uno o más negocios. ‖ **2.** En política, el que por elección ocupa un cargo en la gobernación de un país.

mandato. (Del lat. *mandātum*.) m. Orden o precepto que el superior da a los súbditos. ‖ **2.** Ceremonia religiosa que se celebra el Jueves Santo lavando los pies a doce personas, en memoria de haberlos lavado Jesucristo a los doce apóstoles la noche de la Cena. ‖ **3.** Sermón que con este motivo se predica. ‖ **4.** Encargo o representación que por la elección se confiere a los diputados, concejales, etc. ‖ **5.** Período en que alguien actúa como mandatario de alto rango. ‖ **6.** *Der.* Contrato consensual por el que una de las partes confía su representación personal, o la gestión o desempeño de uno o más negocios, a la otra, que lo toma a su cargo. ‖ **imperativo.** Aquel en que los electores, generalmente en tiempos pasados, fijan o fijaban el sentido en que los elegidos habían de emitir su voto. ‖ **internacional.** Potestad titular que, conferida e intervenida por la Sociedad de Naciones, ejercía una potencia o Estado sobre pueblos de cultura y capacidad política atrasadas.

mandeísmo. (Del ár. *mandâ*, saber místico.) m. Secta gnóstica subsistente en la actualidad en la Mesopotamia inferior.

manderecha. f. Mano derecha. ‖ **buena manderecha.** loc. fig. Buena suerte o fortuna.

mandi. (Voz guaraní.) m. Especie de bagre de la Argentina, de unos seis decímetros de largo y de carne muy fina y sabrosa.

mandíbula. (Del lat. *mandibŭla*.) f. *Anat.* Cada una de las dos piezas, óseas o cartilaginosas, que limitan la boca de los animales vertebrados y en las cuales están implantados los dientes. ‖ **2.** *Zool.* Cada una de las dos piezas córneas que forman el pico de las aves. ‖ **3.** *Zool.* Cada una de las piezas duras, quitinosas, que tienen en la boca los insectos masticadores y que, moviéndose lateralmente, se juntan para triturar los alimentos. ‖ **a mandíbula batiente.** loc. adv. **a carcajada tendida.** ‖ **reír a mandíbula batiente.** fr. fam. Dar rienda suelta a la risa.

mandibular. adj. Perteneciente a las mandíbulas.

mandil. (Probablemente del ár. *mandîl*.) m. Prenda de cuero o tela fuerte, que, colgada del cuello, sirve en ciertos oficios para proteger la ropa desde lo alto del pecho hasta por debajo de las rodillas. ‖ **2.** Prenda atada a la cintura para cubrir la falda, delantal. ‖ **3.** Insignia que usan los masones, en representación del **mandil** de los obreros. Es hace de seda de varios colores, según los grados, y lleva bordados con oro o plata diversos atributos o emblemas. ‖ **4.** Pedazo de bayeta con que sirve para dar al caballo la última mano de limpieza. ‖ **5.** Red de mallas muy estrechas para pescar. ‖ **6.** *Germ.* Criado de rufián o de mujer pública.

mandilandinga. f. *Germ.* Picaresca, hampa.

mandilar. tr. Limpiar el caballo con un paño o mandil.

mandilejo. m. d. de **mandil.**

mandilete. (De *mandil*.) m. Pieza de la armadura que protegía la mano. ‖ **2.** *Art.* Portezuela que cierra la tronera de una batería para defender las piezas mientras no se hace fuego.

mandilón. (aum. de *mandil*.) m. fig. y fam. Hombre de poco espíritu y cobarde.

mandinga. adj. Dícese de los negros del Sudán Occidental. Ú. t. c. s. ‖ **2.** m. *Murc.* Hombre flojo, sin energía, baldragas. ‖ **3.** *Amér.* Nombre del diablo en el lenguaje de los campesinos. ‖ **4.** fig. y fam. *Argent.* Muchacho travieso.

mandioca. (Del guaraní *mandiog*.) f. Arbusto de la familia de las euforbiáceas, que se cría en las regiones cálidas de América, de dos a tres metros de altura, con una raíz muy grande y carnosa, hojas profundamente divididas y flores dispuestas en racimo. ‖ **2.** Fécula granulada de la raíz de este arbusto, tapioca.

mando. (De *mandar*.) m. Autoridad y poder que tiene el superior sobre sus súbditos. ‖ **2.** Persona o colectivo que tiene tal autoridad. ‖ **3.** ant. **mandato**, orden del superior; contrato de representación. ‖ **4.** V. **don, voz de mando.** ‖ **5.** *Mec.* Botón, llave, palanca u otro artificio semejante que actúa sobre un mecanismo o parte de él para iniciar, suspender o regular su funcionamiento. ‖ **a distancia.** Regulador automático a distancia, para la conexión, interrupción, volumen, etc. de un receptor. ‖ **alto mando.** Persona u organismo que ejerce la potestad superior en el ámbito militar. Ú. t. en sent. fig. ‖ **tener** o **el mando y el palo.** fr. fig. y fam. Tener absoluto poder y dominio.

mandoble. (De *man*, mano, y *doble*.) m. Cuchillada o golpe grande que se da usando el arma con ambas manos. ‖ **2.** fam. Espada grande. ‖ **3.** Bofetada. ‖ **4.** p. us. fig. Amonestación o represión áspera.

mandolina. f. Instrumento músico de cuatro cuerdas y de cuerpo curvado como el laúd, bandolina.

mandón, na. adj. Que ostenta demasiado su autoridad y manda más de lo que debe. Ú. t. c. s. ‖ **2.** En lo antiguo, jefe de tropa irregular. ‖ **3.** En América, capataz de mina. ‖ **4.** *Chile.* El que da el grito o voz de partida en las carreras de caballos a la chilena.

mandra. (Del lat. *mandra*, y este del gr. μάνδρα.) f. ant. Majada donde se recogen los pastores.

mandrache. m. **mandracho.**

mandrachero. (De *mandracho*.) m. En algunas partes, garitero que tiene juego público en su casa.

mandracho. (despect. de *mandra*.) m. Casa de juego, garito, tablaje.

mandrágora. (Del lat. *mandragŏra*, y este del gr. μανδραγόρας.) f. Planta herbácea de la familia de las solanáceas, sin tallo, con muchas hojas pecioladas, muy grandes, ovaladas, rugosas, ondeadas por el margen y de color verde oscuro; flores de mal olor en figura de campanilla, blanquecinas y rojizas, en grupo colocado en el centro de las hojas; fruto en baya semejante a una manzana pequeña, redondo, liso, carnoso y de olor fétido, y raíz gruesa, fusiforme y a menudo bifurcada. Se ha usado en medicina como narcótico, y acerca de sus propiedades corrían en la antigüedad muchas fábulas.

mandrágula. f. fam. **mandrágora.**

mandria. (Probablemente del it. *mandria*, rebaño.) adj. Apocado, inútil y de escaso o ningún valor. Ú. t. c. s. ‖ **2.** *Ar.* Holgazán, vago. Ú. t. c. s.

mandrial¹. (De *mandra*.) m. ant. **madrigal.**

mandril¹. (Del ing. *mandril*.) m. Cuadrumano de unos ocho decímetros desde lo alto de la cabeza al arranque de la cola, y cuatro de altura cuando camina a cuatro patas; cabeza pequeña, hocico largo, pelaje espeso, pardo en la parte superior y azulado en las inferiores, nariz roja, chata, con alas largas, arrugadas, eréctiles y de color azul oscuro, y cola corta y levantada. Vive cerca de las costas occidentales de África.

mandril². (Del fr. *mandrin*.) m. Pieza de madera o metal, de forma cilíndrica, en que se asegura lo que se ha de tornear. ‖ **2. escariador** para agrandar los agujeros en las piezas de metal. ‖ **3.** *Cir.* Vástago de madera, metal, etc., que, introducido en ciertos instrumentos huecos, sirve para facilitar la penetración de estos en determinadas cavidades.

mandrilado, da. p. p. de **mandrilar.** ‖ **2.** m. Acción y efecto mandrilar.

mandrilador, ra. m. y f. Persona especializada en el manejo de la máquina **mandriladora.** ‖ **2.** f. Máquina herramienta que se utiliza para mandrilar metales.

mandrilar. (De *mandril*².) tr. Ensanchar y pulir los agujeros de las piezas de metal con el mandril. ‖ **2.** *Mec.* Perforar el metal con un mandril.

mandrinador, ra. m. y f. **mandrilador.**

mandrón. (De or. inc.) m. Bola grande de madera o piedra, que se arrojaba con la mano, como proyectil de guerra. ‖ **2.** Máquina o instrumento bélico que servía en la guerra para arrojar piedras. ‖ **3.** ant. Primer golpe que da la bola o piedra cuando se arroja con la mano. ‖ **arrojar mandrón** a uno. fr. ant. Injuriarle o insultarle.

manducación. (Del lat. *manducatĭo, -ōnis,* masticación.) f. fam. Acción de manducar.

manducador, ra. adj. Que manduca. Ú. t. c. s.

manducar. (Del lat. *manducāre,* masticar.) intr. fam. **comer,** tomar alimento. ‖ **2.** tr. fam. **comer** determinado alimento.

manducatoria. (De *manducar.*) f. fam. Comida, sustento.

mandurria. f. ant. **bandurria.** Ú. en Álava y Aragón.

manea. (De *manear.*) f. Cuerda para atar las manos de un animal, maniota, apea.

manear. (De *mano.*) tr. Poner maneas a una caballería. ‖ **2.** p. us. **manejar.**

manecilla. f. d. de **mano.** ‖ **2.** Broche con que se cierran algunas cosas, particularmente los libros de devoción. ‖ **3.** Signo, en figura de mano, con el índice extendido, que suele ponerse en los impresos y manuscritos para llamar y dirigir la atención. ‖ **4.** Saetilla que en el reloj y en otros instrumentos sirve para señalar las horas, los minutos, segundos, grados, etc. ‖ **5.** *Bot.* Zarcillo¹ de las plantas trepadoras.

manejable. adj. Que se puede manejar.

manejado, da. p. p. de **manejar.** ‖ **2.** adj. *Pint.* Con los advs. *bien* o *mal* y otros semejantes, pintado con soltura o sin ella.

manejar. (Del it. *maneggiare.*) tr. Usar con las manos una cosa. ‖ **2.** Por ext., usar, utilizar, aunque no sea con las manos. ‖ **3.** Gobernar los caballos. ‖ **4.** fig. Gobernar, dirigir. *El agente* MANEJÓ *esta pretensión; el criado* MANEJA *a su amo.* Ú. t. c. prnl. *Luciano* SE MANEJÓ *bien en este negocio.* ‖ **5.** *Amér.* Conducir, guiar un automóvil. ‖ **6.** prnl. Moverse con cierta soltura después de haber tenido algún impedimento. ‖ **manejárselas.** fr. fam. Desenvolverse con habilidad en los asuntos diarios.

manejo. m. Acción y efecto de manejar o manejarse. ‖ **2.** Arte de manejar los caballos. ‖ **3.** fig. Dirección y gobierno de un negocio. ‖ **4.** fig. Maquinación, intriga.

maneota. (De *manea.*) f. Maniota, manea, apea.

manera. (Del lat. *manuaria,* t. f. de *-rĭus,* adj. der. de *manus.*) f. Modo con que se ejecuta o acaece una cosa. ‖ **2.** Porte y modales de una persona. Ú. m. en pl. ‖ **3.** desus. Abertura lateral en las sayas de las mujeres, para que puedan pasar las manos hasta alcanzar las faltriqueras. ‖ **4.** desus. Abertura de los pantalones, bragueta. ‖ **5.** Calidad o clase de las personas. ‖ **6.** ant. Figura, forma exterior. ‖ **7.** ant. Bolsillo de una prenda de vestir, faltriquera. ‖ **8.** ant. Destreza, habilidad. ‖ **9.** Artificio, astucia. ‖ **10.** ant. Especie o género. ‖ **11.** *Pint.* Modo y carácter que un pintor o escultor da a sus obras. ‖ **12.** pl. ant. Costumbres o calidades morales. ‖ **a la manera de.** loc. prepos. A semejanza de. ‖ **a manera de.** loc. prepos. Como o a semejanza de. ‖ **a manera de telonio.** loc. adv. fig. y fam. Sin orden ni mesura. ‖ **de cualquier manera.** loc. adv. Sin cuidado, sin interés. ‖ **2.** En cualquier caso. ‖ **de esa manera.** loc. adv.

Según eso. ‖ **de manera que.** loc. conjunt. **de suerte que.** ‖ **de ninguna manera.** loc. adv. que niega enérgicamente, o intensifica el valor de una negación anterior. ‖ **en gran manera.** loc. adv. En alto grado, mucho, muy. ‖ **en manera que.** loc. conjunt. ant. **de manera que.** ‖ **mal y de mala manera.** loc. adv. fam. Sin orden ni concierto, de mala gana, torpe y atropelladamente. ‖ **por manera que.** loc. conjunt. **de manera que.** ‖ **sobre manera.** loc. adv. Muchísimo, en extremo.

manero, ra. (Del lat. *manuarius,* der. de *manus,* mano.) adj. ant. Decíase del deudor que se obligaba a pagar o cumplir la obligación de otro. ‖ **2.** p. us. Manuable, fácil de manejar. ‖ **3.** *Cetr.* Dícese del azor y del halcón enseñados a venir a la mano.

manes. (Del lat. *manes.*) m. pl. *Mit.* Dioses infernales o almas de los difuntos, considerados benévolos. ‖ **2.** fig. Sombras o almas de los muertos.

manezuela. f. d. de **mano.** ‖ **2.** **manecilla,** broche. ‖ **3.** Cuerda con que se atan las manos de una bestia, manija, manea, maniota.

mánfanos. m. pl. *León.* Trozos de pan que se echan en la salsa de los guisos para apurarla.

manferidor. (De *manferir.*) m. ant. **contraste,** el que ejerce el oficio de contrastar.

manferir. (Del lat. *manu ferire,* tocar, sacudir con la mano.) tr. ant. Señalar, maherir. ‖ **2.** ant. Comprobar la ley y valor de las monedas. ‖ **3.** Tratándose de pesas y medidas, comprobar su exactitud.

manfla. (De or. inc.) f. p. us. fam. Mujer con quien se tiene trato ilícito. ‖ **2.** *Mancha.* Lechona vieja que ha parido. ‖ **3.** *Germ.* Mancebía, burdel, casa de mujeres públicas.

manflorita. (De *hermafrodita.*) adj. p. us. Dícese del hombre afeminado. Ú. m. c. s.

manflota. (De *manfla.*) f. *Germ.* **burdel.**

manga¹. (Del lat. *manĭca.*) f. Parte del vestido en que se mete el brazo. ‖ **2.** En algunos balandranes, pedazo de tela que cuelga desde cada hombro casi hasta los pies. ‖ **3.** Parte del eje de un carruaje, donde entra y voltea la rueda. ‖ **4.** Especie de maleta de mano abierta por los extremos, que se cierran con cordones. ‖ **5.** Tubo largo, de cuero, caucho o lona, que se adapta principalmente a las bombas o bocas de riego, para aspirar o para dirigir el agua. ‖ **6.** Adorno de tela, que, sobre unos aros y con figura de cilindro acabado en cono, cubre parte de la vara de la cruz de algunas parroquias. ‖ **7.** La misma armazón. ‖ **8.** Red de forma cónica que se mantiene abierta con un aro que le sirve de boca. ‖ **9.** Red redonda que se arroja a brazo en los ríos, esparavel. ‖ **10.** Tela dispuesta en forma cónica que sirve para colar líquidos. ‖ **11.** Utensilio de tela, de forma cónica, provisto de un pico de metal u otro material duro, que se utiliza para añadir nata a algunos pasteles, decorar tartas, etc. ‖ **12.** Columna de agua que se eleva desde el mar con movimiento giratorio por efecto de un torbellino atmosférico. ‖ **13.** Tubo, comúnmente de lienzo, por medio del cual se pone en comunicación con el exterior el aire contenido en un espacio cerrado más bajo, como el sollado de un buque o galería de una mina, para procurar la ventilación. ‖ **14.** Partida o destacamento de gente armada. ‖ **15.** *And.* y *Amér.* Espacio comprendido entre los palanqueras o estacadas que van convergiendo hasta la entrada de un corral en las estancias, o hasta un embarcadero en las costas. ‖ **16.** *Argent.* Nube de langostas. ‖ **17.** despect. *Argent.* Grupo de personas. *Una* MANGA *de atorrantes.* ‖ **18.** *Méj.* Capa de hule para protegerse de la lluvia cuando se va a caballo. ‖ **19.** *Mar.* Anchura mayor de un buque. ‖ **20.** *Mont.* Gente que en las batidas forma línea para dirigir la caza a un lugar determinado. ‖ **21.** pl. Adehalas, utilidades. ‖ **ancha.** fig. Lenidad o excesiva indulgencia. Ú. m. en las frs. **ser de** o tener **manga ancha.** ǁ **arrocada. manga** a la que se daba este nombre por su figura y por tener cuchilladas parecidas a las costillas de la rueca. ǁ **boba.** La que es ancha y abierta y no tiene puño ni se ajusta al brazo. ǁ **catavientos.** *Meteor.* Especie de tubo de paredes de lona y forma cónica, que se sitúa en lo alto de un mástil y mediante su orientación señala la dirección del viento. ǁ **corta.** La que no llega al codo. ǁ **de agua. turbión** de agua. ǁ **de ángel.** En las batas de las mujeres, la que tenía vuelos grandes. ǁ **de viento. torbellino.** ǁ **perdida. manga** abierta y pendiente del hombro. ǁ **raglán** o **ranglan.** La que empieza en el cuello y cubre el hombro. ǁ **andar manga por hombro.** fr. fig. y fam. Estar algo en gran abandono y desorden. ǁ **debajo de manga.** loc. adv. ant. **bajo mano.** ǁ **echar de manga** a uno. fr. p. us. Valerse de él con destreza y disimulo para conseguir lo que se desea, sin darlo a entender. ǁ **en mangas de camisa.** loc. adv. Vestido de medio cuerpo abajo, pero de la cintura arriba con solo la camisa o con la camisa y el chaleco. ǁ **estar de manga.** fr. p. us. fig. y fam. Estar convenidas dos o más personas para un mismo fin. Tómase, por lo regular, en sentido peyorativo. ǁ **hacer mangas y capirotes.** fr. fig. y fam. Resolver y ejecutar con prontitud y caprichosamente una cosa, sin detenerse en inconvenientes ni dificultades. ǁ **hacerse,** o **ir, de manga.** fr. p. us. fig. y fam. Introducirse a participar de una cosa. ǁ **sacarse** algo **de la manga.** fr. fig. y fam. Decir o hacer algo sin tener fundamento para ello. ǁ **ser más corto que las mangas de un chaleco.** fr. fig. y fam. Ser muy tímido. ǁ **tirar la manga.** fr. fig. y fam. *Argent.* Pedir dinero prestado. ǁ **traer** una cosa **en la manga.** fr. fig. y fam. Tenerla pronta y a la mano.

manga². (Del port. *manga*.) f. Árbol de los países intertropicales, variedad del mango, con el fruto sin escotadura. ǁ **2.** Fruto de este árbol.

mangachapuy. m. Árbol de Filipinas, de la familia de las dipterocarpáceas, de unos veinte metros de altura, con hojas alternas, flores grandes en racimo, por fruto una nuez coronada con dos alas. Su madera es muy resinosa y se emplea en la construcción naval.

mangada. (De *manga¹*.) f. *Sal.* Prado o pedazo de tierra labrantía largo y estrecho.

mangado, da. (Del lat. *manicātus*.) adj. ant. Que tenía mangas largas.

mangajarro. m. p. us. fam. Manga desaseada que cae encima de las manos.

mangajo. m. *Ecuad.* Persona despreciable.

mangajón, na. (De *manga* y -*ajón*.) adj. *Sal.* Que lleva un vestido destrozado.

mangana. (Del lat. *mangānum*, y este del gr. μάγγανον, encanto mágico, máquina de guerra, red.) f. Lazo que se arroja a las manos de un caballo o toro cuando va corriendo, para hacerle caer y sujetarlo.

mangancia. (De *mangante*.) f. fam. Conducta o acción propia de un mangante.

manganear. tr. Echar manganas.

manganeo. m. Fiesta en que se juntan muchas personas para divertirse manganeando.

manganesa. (Del fr. *manganèse*.) f. Mineral de color negro, pardo o gris azulado; textura terrosa, concrecionada o fibrosa; poco más duro que el yeso, y muy empleado en la industria para la obtención del oxígeno, preparación del cloro, fabricación del acero y del vidrio, etc. Es el peróxido de manganeso y la mena más abundante de este metal.

manganesia. f. **manganesa.**

manganeso. (De *manganesa*.) m. Metal muy refractario, de color y brillo acerados, quebradizo, casi tan pesado como el cobre, poco menos duro que el cuarzo, y tan oxi-

dable que solo se conserva sumergido en nafta o petróleo. Se obtiene de la manganesa, y aleado con el hierro tiene gran aplicación en la fabricación de acero. Número atómico 25. Símb.: *Mn.*

manganeta. (d. de *mangana*.) f. *Ar.* Red para cazar pájaros. ǁ **2.** *Hond.* Engaño, treta, manganilla.

mangangá. (Del guaraní *mamangá*.) m. *Argent., Par.* y *Urug.* Insecto himenóptero parecido al abejorro, de cuerpo grueso y velludo. Al volar produce un zumbido fuerte y prolongado, que lo caracteriza. Suele vivir en pequeños grupos en los troncos, en las cañas o en las cumbreras de los ranchos. Produce una miel no comestible, con que alimenta sus larvas. ǁ **2.** fig. *Argent., Bol., Par.* y *Urug.* Persona fastidiosa por su continua insistencia.

manganilla. (d. de *mangana*.) f. p. us. Engaño, treta, ardid de guerra, sutileza de manos. ǁ **2. maganel.** ǁ **3.** *Extr.* Vara muy larga, a la cual se asegura con una cuerda otra vara menor que queda suelta, y sirve para varear las encinas y echar abajo las bellotas.

mangante. p. a. de **mangar.** Que manga. ǁ **2.** com. vulg. Sablista. ǁ **3.** vulg. Sinvergüenza, persona despreciable sin oficio ni beneficio.

manganzón, na. adj. *Amér. Central, Ant., Col., C. Rica, Ecuad., Perú* y *Venez.* Holgazán, mangón².

mangar¹. (De *mango¹*.) tr. *Ast., Gal.* y *León.* Poner mango a una cosa.

mangar². (De *manga¹*.) tr. p. us. Vestir una prenda de mangas. U. t. c. prnl. ǁ **2.** *León* y *Sal.* Enchufar, encajar.

mangar³. tr. *Caló.* Pedir, mendigar. ǁ **2.** vulg. Hurtar, robar.

mangla. (Del lat. *macūla*, mancha.) f. ant. Mancha en el honor o fama, deshonra. ǁ **2.** En Sierra Morena, resina de la jara, ládano.

manglar. (De *mangle*.) m. Terreno que en la zona tropical cubren de agua las grandes mareas, lleno de esteros que lo cortan formando muchas islas bajas, donde crecen los árboles que viven en el agua salada.

mangle. (Voz caribe o arahuaca.) m. Arbusto de la familia de las rizoforáceas, de tres a cuatro metros de altura, cuyas ramas, largas y extendidas, dan unos vástagos que descienden hasta tocar el suelo y arraigar en él; hojas pecioladas, opuestas, enteras, elípticas, obtusas y gruesas; flores axilares de cuatro pétalos amarillentos; fruto seco de corteza coriácea, pequeño y casi redondo, y muchas raíces aéreas en parte. Es propio de los países tropicales, y las hojas, frutos y corteza se emplean en las tenerías. ǁ **blanco.** Árbol americano de la familia de las verbenáceas, muy corpulento, con hojas semejantes a las del peral, pero más gruesas, más largas y más agudas; echa renuevos como el anterior y tiene por fruto una caja prolongada llena de pulpa algo amarga, pero comestible.

mango¹. (Del lat. *manīcus*.) m. Parte alargada o estrecha con un extremo libre, por el cual se puede agarrar un instrumento o utensilio. ǁ **de cuchillo.** Muergo, navaja, molusco.

mango². (Del ing. *mango*.) m. Árbol de la familia de las anacardiáceas, originario de la India y muy propagado en América y en todos los países intertropicales, que crece hasta quince metros de altura, con tronco recto de corteza negra y rugosa, copa grande y espesa, hojas persistentes, duras y lanceoladas, flores pequeñas, amarillentas en panoja, y fruto oval, arriñonado, amarillo, de corteza delgada y correosa, aromático y de sabor agradable. ǁ **2.** Fruto de este árbol.

mangón¹. (Del lat. *mango, -ōnis,* traficante.) m. El que revende, revendedor, revendón.

mangón², na. (De *manga¹*.) adj. *Murc.* Dícese de la persona que excede del tamaño regular, grandullón. ǁ **2.** *Murc.* Holgazán, remolón.

mangonada. (De *manga*[1].) f. Golpe con la mano y el brazo; gesto despectivo. ‖ **dar mangonada.** fr. fig. y fam. Mostrar desdén, hacer desprecio de alguien o algo.

mangoneador, ra. adj. Que mangonea.

mangonear. (Del lat. *mango, -ōnis,* traficante.) intr. p. us. fam. Andar uno vagueando sin saber qué hacer. ‖ **2.** fam. Entremeterse o intervenir una persona en asuntos que le conciernen o no, imponiendo a los demás su carácter voluntarioso. ‖ **3.** tr. fam. Dominar o manejar a alguien o algo.

mangoneo. m. fam. Acción y efecto de mangonear o entremeterse.

mangonero, ra. (De *mangonear.*) adj. ant. Aplicábase al mes en que había muchas fiestas y no se trabajaba. ‖ **2.** fam. Aficionado a mangonear o entremeterse.

mangorrero, ra. (De *mango.*) adj. V. **cuchillo mangorrero.** ‖ **2.** p. us. fam. Que anda comúnmente entre las manos. ‖ **3.** p. us. fig. y fam. Inútil o de poca estimación.

mangorrillo. (De *mango.*) m. Mancera o esteva del arado.

mangosta. (Del fr. *mangouste.*) f. Cuadrúpedo semejante a la civeta, con pelaje de color ceniciento oscuro. El cuerpo tiene unos cuatro decímetros de largo y otro tanto de cola. Habita en África, es carnívoro, y los antiguos egipcios llegaron a adorarlo como principal destructor de los huevos de cocodrilo.

mangostán. (Del port. *mangostão.*) m. Arbusto de las Molucas, de la familia de las gutíferas, con hojas opuestas, agudas, coriáceas y lustrosas; flores terminales, solitarias, con cuatro pétalos rojos, y fruto carnoso, comestible y muy estimado.

mangote. m. fam. Manga ancha y larga. ‖ **2.** Cada una de las mangas postizas de tela negra que usaban durante el trabajo algunos oficinistas para no manchar ni deteriorar con el roce las de la ropa.

mangrullo. m. *Argent.* Torre rústica que servía de atalaya en las proximidades de fortines, estancias y poblaciones de la pampa y otras regiones llanas.

mangual. (Del lat. *manuālis,* manual.) m. Arma ofensiva usada en la Edad Media, compuesta de unas cadenillas de hierro terminadas por un extremo con bolas del mismo metal, y sujetas por el otro a un anillo fijo en un mango de madera como de medio metro de longitud: heríase con ella usándola como látigo. ‖ **2.** En algunas provincias del norte de España, instrumento formado por un palo, que sirve de mango, y otro más corto unido a este por una correa. Se usa para desgranar a golpes cereales y legumbres.

manguala. f. fam. y vulg. *Col.* Confabulación con fines ilícitos.

manguardia. f. ant. **vanguardia.** ‖ **2.** *Arq.* Cualquiera de las dos paredes o murallones que refuerzan por los lados los estribos de un puente.

mangue. (Del caló *mangue,* forma del pron. de 1.ª pers. usada como término de prep.) pron. pers. e indet. vulg. **menda.**

manguear. tr. *Argent.* y *Chile.* Acosar el ganado mayor o menor para que entre en la manga[1], espacio comprendido entre dos palanqueras o estacadas. ‖ **2.** *Argent.* **tirar la manga.**

manguera. (De *manga*[1].) f. Manga[1] de las bocas de riego. ‖ **2.** *Argent.* y *Urug.* En las antiguas estancias, mataderos, etc., corral grande en forma de embudo que se hacía para capturar al ganado cimarrón. ‖ **3.** *Mar.* Pedazo de lona alquitranada, en figura de manga, que sirve para sacar el agua de las embarcaciones. ‖ **4.** *Mar.* Columna de agua que se forma en el mar en un torbellino atmosférico. ‖ **5.** *Mar.* Manga[1] para ventilar partes del barco.

manguero. m. El que tiene el cargo u oficio de manejar las mangas de las bombas o de las bocas de riego. ‖ **2.**

ant. *Mont.* Cada uno de los monteros que en los ojeos mataba la caza que caía en las redes huyendo de las mangas de gente que la acosaban.

mangueta. (d. de *manga*[1].) f. Bolsa de cuero u otra materia, que, con su pitón correspondiente, servía para poner ayudas. ‖ **2.** Listón de madera en que se aseguran con goznes las puertas vidrieras, celosías, etc. ‖ **3.** Madero que enlaza el par con el tirante, o con un puente, en la armadura de tejado. ‖ **4.** Instrumento que usan los tundidores para evitar que la tijera vaya demasiado aprisa. ‖ **5.** Palanca para levantar pesos. ‖ **6.** Tubo que en los retretes inodoros une la parte inferior del bombillo con el conducto de bajada. ‖ **7.** *Automov.* En algunos vehículos automóviles, cada una de las piezas que corresponden a los extremos del eje delantero, articuladas de manera que permiten el cambio de dirección de la rueda. ‖ **8.** *Mec.*.Cada uno de los extremos del eje de un vehículo.

manguilla. f. d. de **manga**[1]. ‖ **2.** *Chile.* Manga sobrepuesta para preservar la ropa.

manguillero. m. Portaplumas, palillero.

manguita. (De *manga*[1].) f. **funda.**

manguitería. (De *manguito.*) f. p. us. **peletería.**

manguitero. (De *manguito.*) m. p. us. **peletero.**

manguito. (De *manga*[1].) m. Rollo o bolsa, con aberturas en ambos lados, comúnmente de piel fina y peluda, y algodonado por dentro, que usaban las señoras para llevar abrigadas las manos. ‖ **2.** Media manga de punto que usaban las mujeres ajustada desde el codo a la muñeca. ‖ **3.** Bizcocho grande en figura de rosca. ‖ **4.** Manga sobrepuesta para preservar la ropa. ‖ **5.** Anillo de hierro o acero con que se refuerzan los cañones, vergas, etc. ‖ **6.** *Mec.* Cilindro hueco que sirve para sostener o empalmar dos piezas cilíndricas iguales unidas al tope en una máquina.

manguruyú. (Voz guaraní.) m. Pez muy grande de los ríos y arroyos de Argentina, Brasil y Paraguay. Es de color pardo barroso, sin escamas, cabeza enorme, ojos pequeños y excelente carne comestible.

manguzada. f. p. us. fam. Bofetada, sopapo.

maní. (Voz taína.) m. Cacahuete, planta. ‖ **2.** Fruto de esta planta.

manía. (Del lat. *manĭa,* y este del gr. μανία.) f. Especie de locura, caracterizada por delirio general, agitación y tendencia al furor. ‖ **2.** Extravagancia, preocupación caprichosa por un tema o cosa determinada. ‖ **3.** Afecto o deseo desordenado. *Tiene* MANÍA *por las modas.* ‖ **4.** fam. Mala voluntad contra otro, ojeriza. ‖ **persecutoria.** Preocupación maniática de ser objeto de la mala voluntad de una o varias personas.

maniaco, ca o **maniaco, ca.** adj. Enajenado, que padece manía. Ú. t. c. s.

manialbo, ba. (De *mano* y *albo.*) adj. **maniblanco.**

maniatar. tr. Atar las manos.

maniático, ca. adj. Que tiene manías. Ú. t. c. s.

maniblaj. m. *Germ.* Criado de una mancebía.

maniblanco, ca. (De *mano* y *blanco.*) adj. Dícese del caballo que tiene la parte inferior de las patas de color claro, manialbo.

manicomio. (Del gr. μανία, locura, y κομέω, cuidar.) m. Hospital para locos.

manicordio. m. **monacordio.**

manicorto, ta. (De *mano* y *corto.*) adj. fig. y fam. Poco generoso o dadivoso. Ú. t. c. s.

manicurista. com. *Ant., Col., Méj., Pan.* y *Perú.* Manicuro o manicura.

manicuro, ra. (De *mano* y *curar.*) m. y f. Persona que tiene por oficio cuidar las manos y principalmente cortar y pulir las uñas. ‖ **2.** f. Operación que consiste en el cuidado, pintura y embellecimiento de las uñas. ‖ **3.** Oficio de **manicuro.**

manida. (De *manir*[1].) f. Lugar donde un hombre o animal se recoge y hace mansión.

manido, da. p. p. de **manir**[2]. ‖ **2.** adj. Sobado, ajado; pasado de sazón. ‖ **3.** Podrido o a punto de pudrirse. ‖ **4.** Dícese de asuntos o temas muy trillados.

maniego, ga. (De *mano*.) adj. p. us. **ambidextro.**

manierismo. (Del it. *manierismo*.) m. Estilo artístico difundido por Europa en el siglo XVI, caracterizado por la expresividad y la artificiosidad.

manierista. adj. Perteneciente o relativo al manierismo. ‖ **2.** Dícese del que cultiva el estilo propio del manierismo. Ú. t. c. s.

manifacero, ra. (Del lat. *manus*, mano, y *facĕre*, hacer.) adj. fam. *Ar.* y *Murc.* Revoltoso y que se mete en todo. Ú. t. c. s.

manifactura. f. **manufactura**, obra hecha a mano o a máquina. ‖ **2.** Hechura y forma de las cosas.

manifacero, ra. adj. *Ar.* y *Murc.* Revoltoso y que se mete en todo.

manifestación. (Del lat. *manifestatĭo, -ōnis*.) f. Acción y efecto de manifestar o manifestarse. ‖ **2.** Despacho o provisión que libraban los lugartenientes del justicia de Aragón a las personas que imploraban este auxilio, para que se les guardase justicia y se procediese en las causas según derecho. ‖ **3.** Nombre con que se distinguió en Zaragoza la cárcel llamada también de la libertad, donde se custodiaba a los presos acogidos al fuero de Aragón. ‖ **4.** Reunión pública, generalmente al aire libre, en la cual los asistentes a ella reclaman algo o expresan su protesta por alguna cosa. ‖ **naval.** Acto de presencia que los buques de guerra de una nación suelen hacer, por lo común con significado conminatorio, en tiempo de paz, para apoyar reclamaciones o gestiones que siguen la vía diplomática.

manifestador, ra. (Del lat. *manifestātor, -ōris*.) adj. Que manifiesta. Ú. t. c. s. ‖ **2.** m. Dosel o templete donde se expone el Santísimo Sacramento a la adoración de los fieles.

manifestamiento. (De *manifestar*.) m. ant. Acción y efecto de manifestar o manifestarse.

manifestante. (De *manifestar*.) com. Persona que toma parte en una manifestación pública.

manifestar. (Del lat. *manifestāre*.) tr. Declarar, dar a conocer. Ú. t. c. prnl. ‖ **2.** Descubrir, poner a la vista. Ú. t. c. prnl. ‖ **3.** Exponer públicamente el Santísimo Sacramento a la adoración de los fieles. ‖ **4.** Poner en libertad y de manifiesto, en virtud del despacho del justicia mayor de Aragón, a los que imploraban este auxilio para ser juzgados. ‖ **5.** prnl. Tomar parte en una manifestación pública.

manifestativo, va. adj. Que lleva en sí el poder de manifestar.

manificencia. f. ant. **magnificencia.**

manifiestamente. adv. m. Con claridad y evidencia, descubiertamente.

manifiesto, ta. (Del lat. *manifestus*.) p. p. irreg. de **manifestar.** ‖ **2.** adj. Descubierto, patente, claro. ‖ **3.** Dícese del Santísimo Sacramento cuando se halla expuesto a la adoración de los fieles. ‖ **4.** m. Exposición del Santísimo Sacramento a la adoración de los fieles. *Mañana habrá* MANIFIESTO. ‖ **5.** Escrito en que se hace pública declaración de doctrinas o propósitos de interés general. ‖ **6.** Documento que suscribe y presenta en la aduana del punto de llegada el capitán de un buque procedente del extranjero, y en el cual expone la clase, cantidad, destino, etc., de las mercancías que conduce. ‖ **poner de manifiesto** una cosa. fr. Manifestarla, exponerla al público. ‖ **2.** *Der.* Dejar los autos sobre la mesa de secretaría para que las partes puedan instruirse de ellos.

manigero. m. **maniguero.**

manigordo. (De *mano* y *gordo*.) m. *C. Rica.* Félido americano, ocelote.

manigua. (Voz taína.) f. *Ant.* Terreno, con frecuencia pantanoso, cubierto de espesa maleza tropical. ‖ **2.** *Col.* y *Venez.* Bosque tropical pantanoso e impenetrable. ‖ **3.** fig. Abundancia desordenada de alguna cosa; confusión, cuestión intrincada.

manigual. m. *Ant.* **manigua**, terreno pantanoso.

manigüero, ra. adj. *Ant.* Perteneciente a la manigua. ‖ **2.** *Ant.* Dícese de la persona que habita en la manigua. Ú. t. c. s.

manigueta. (Del cat. *manegueta*.) f. Mango de utensilios y herramientas. ‖ **2.** *Mar.* **bita.**

manija. (Del lat. *manicŭla*.) f. Abrazadera de metal con que se asegura alguna cosa. ‖ **2.** Traba de los animales, maniota, apea. ‖ **3.** Mango, puño o manubrio de ciertos utensilios y herramientas. ‖ **4.** Palanca pequeña para accionar el pestillo de puertas y ventanas, la cual sirve también de tirador. ‖ **5.** Especie de guante de cuero que los segadores de algunas provincias se ponen en la mano izquierda para no lastimársela con la mies ni con la hoz. ‖ **6.** ant. Manilla de adorno, pulsera. ‖ **7.** ant. Manilla de los presos.

manijero. (Del fr. ant. *maisnagier*.) m. Capataz de una cuadrilla de trabajadores del campo. ‖ **2.** El encargado de contratar obreros para ciertas faenas del campo.

Manila. n. p. V. **cáñamo, mantón de Manila.**

manilargo, ga. adj. Que tiene largas las manos. ‖ **2.** fig. **largo de manos.** ‖ **3.** fig. Que distribuye generosamente sus bienes, liberal.

manilense. adj. **manileño.** Apl. a pers., ú. t. c. s.

manileño, ña. adj. Natural de Manila. Ú. t. c. s. ‖ **2.** Perteneciente o relativo a esta ciudad.

manilo, la. adj. *P. Rico.* Dícese de cierta clase de gallos y gallinas grandes, y especialmente del gallo grande que no sirve para la pelea.

maniluvio. (Del lat. *manus*, mano, y *luĕre*, bañar.) m. Baño de la mano, tomado por medicina. Ú. m. en pl.

manilla. (De *mano*.) f. **ajorca**, pulsera, cerco de metal para las muñecas. ‖ **2.** Anillo de hierro que por prisión se echa a la muñeca. ‖ **3. mango**[1]. ‖ **4.** Manija, palanca para accionar el pestillo de puertas y ventanas. ‖ **5.** Manecilla de reloj.

manillar. m. Pieza de los vehículos de dos ruedas encorvada por sus extremos para formar un doble mango en el que se apoyan las manos, y sirve para dirigir la máquina.

maniobra. (De *mano* y *obra*.) f. Cualquier operación material que se ejecuta con las manos. ‖ **2.** fig. Artificio y manejo con que uno interviene en un negocio. Suele usarse en sentido peyorativo. ‖ **3.** *Mar.* Arte que enseña a dar a las embarcaciones todos sus movimientos por medio del timón, de las velas o de cualquier otro agente. ‖ **4.** *Mar.* Faena y operación que se hace a bordo de los buques con su aparejo, velas, anclas, etc. ‖ **5.** *Mar.* Conjunto de los cabos o aparejos de una embarcación, de uno de los palos, de una de las vergas, etc. ‖ **6.** pl. Evoluciones y simulacros en que se ejercita la tropa. ‖ **7.** Operaciones que se hacen en las estaciones y cruces de las vías férreas, utilizando generalmente las locomotoras para la formación, división o paso de los trenes. ‖ **8.** Operaciones que se hacen con otros vehículos para cambiar de rumbo.

maniobrar. intr. Ejecutar maniobras.

maniobrero, ra. adj. Que maniobra. Dícese comúnmente de las tropas que se ocupan de ordinario en el ejercicio de las evoluciones militares, y en particular de los escuadrones de caballería. ‖ **2.** Dícese especialmente de la tropa que maniobra con soltura, y del jefe que la manda. ‖ **3.** fig. Que se vale de artificios y manejos para conseguir algo.

maniobrista. adj. *Mar.* Dícese del que sabe y ejecuta maniobras. Ú. t. c. s.

maniota. (De *maneota.*) f. Cuerda con que se atan las manos de una bestia para que no huya. ‖ **2.** Cadena de hierro con su llave, que se usa en algunas partes para el mismo fin.

manipulación. f. Acción y efecto de manipular.

manipulador, ra. adj. Que manipula. Ú. t. c. s. ‖ **2.** m. Aparato de forma varia, destinado a abrir y cerrar el circuito en las líneas telegráficas.

manipular. (Del lat. *manipŭlus,* manojo, unidad militar, y en b. lat. el ornamento sagrado.) tr. Operar con las manos o con cualquier instrumento. ‖ **2.** Trabajar demasiado una cosa, sobarla, manosearla. ‖ **3.** fig. y fam. Manejar uno los negocios a su modo, o mezclarse en los ajenos. ‖ **4.** fig. Intervenir con medios hábiles y a veces arteros en la política, en la sociedad, en el mercado, etc., con frecuencia para servir los intereses propios o ajenos.

manipuleo. m. fig. y fam. Acción y efecto de manipular.

manípulo. (Del lat. *manipŭlus.*) m. Ornamento sagrado de la misma hechura de la estola, pero más corto, que por medio de un fiador se sujetaba al antebrazo izquierdo sobre la manga del alba. ‖ **2.** Enseña de los soldados romanos, que en los primeros tiempos consistió en un manojo de hierba atado en la punta de un palo, sustituido después por un estandarte. ‖ **3.** Cada una de las treinta unidades tácticas en que se dividía la antigua legión romana. ‖ **4.** *Med.* Porción que se puede contener en una mano, puñado.

maniqueísmo. m. Secta de los maniqueos. ‖ **2.** Por ext., tendencia a interpretar la realidad sobre la base de una valoración dicotómica. Ú. peyorativamente.

maniqueo, a. (Del lat. *Manichaeus.*) adj. Aplícase al que sigue las doctrinas de Manes, que admitía dos principios creadores, uno para el bien y otro para el mal. Ú. t. c. s. ‖ **2.** Perteneciente o relativo al maniqueísmo. ‖ **3.** Por ext., dícese de los comportamientos que manifiestan maniqueismo. Ú. t. c. s.

maniquete. (Del lat. *manīca,* manga.) m. Mitón de tul negro con calados y labores, que cubre desde medio brazo hasta la mitad de los dedos. ‖ **2.** Manija que cubre la mano del segador hasta la mitad de los dedos. ‖ **3.** Guante de punto que cubre la mitad de la mano, mitón.

maniquí. (Del fr. *mannequin.*) m. Figura movible que puede ser colocada en diversas actitudes. Tiene varios usos, y en el arte de la pintura sirve especialmente para el estudio de los ropajes. ‖ **2.** Armazón en figura de cuerpo humano, que se usa para probar, arreglar o exhibir prendas de ropa. ‖ **3.** com. Persona encargada de exhibir modelos de ropa. ‖ **4.** fig. y fam. Persona débil y pacata que se deja gobernar por los demás.

manir[1]. (Del lat. *manēre.*) intr. ant. Permanecer, quedar.

manir[2]. (Del gót. *manvjan,* preparar, adobar.) tr. Hacer que las carnes y otros alimentos se pongan más tiernos y sazonados, dejando pasar el tiempo necesario antes de condimentarlos o comerlos.

manirroto, ta. (De *mano* y *roto.*) adj. Demasiado liberal, pródigo. Ú. t. c. s.

manirrotura. (De *manirroto.*) f. ant. Liberalidad excesiva, prodigalidad.

manita[1]. f. Sustancia sacaroidea que se encuentra en el maná.

manita[2]. f. d. de **mano.** ‖ **hacer manitas.** fr. fam. Cogerse y acariciarse las manos una pareja. ‖ **ser un manitas.** fr. fam. Tener gran habilidad para una actividad u oficio.

manito[1]. m. Maná de farmacia convertido en un cuerpo muy blando y muy ligero que se usaba como purgante para los niños.

manito[2]. (Aféresis de *hermanito.*) m. *Méj.* Tratamiento popular de confianza.

manivacío, a. adj. fam. Que viene o se va con las manos vacías, sin llevar alguna cosa en ellas; como presente, don, ofrenda, etc.

manivela. (Del fr. *manivelle.*) f. Manubrio, cigüeña.

manizaleño, ña. adj. Natural de Manizales. Ú. t. c. s. ‖ **2.** Perteneciente o relativo a esta ciudad de Colombia.

manjar. (Del cat. ant. o del prov. *manjar,* comer.) m. Cualquier comestible. ‖ **2.** Comida exquisita. ‖ **3.** ant. Cualquiera de los cuatro palos de que se compone la baraja de naipes. ‖ **4.** fig. Recreo o deleite que fortalece y da vigor al espíritu. ‖ **blanco.** Plato compuesto normalmente de pechugas de gallina mezcladas con azúcar, leche y harina de arroz. ‖ **2.** Plato de postre que se hace con leche, almendras, azúcar y harina de arroz. ‖ **3.** *Pan.* **arequipe,** dulce de leche. ‖ **de ángeles.** Cierto plato compuesto de leche y azúcar. ‖ **imperial.** Cierto plato compuesto de leche, yemas de huevo y harina de arroz. ‖ **lento.** Plato compuesto de leche, yemas de huevo batidas y azúcar. ‖ **principal.** Plato compuesto de queso, leche colada, yemas de huevo batidas y pan rallado. ‖ **real.** Plato hecho como el **manjar** blanco, pero con pluma de carnero en lugar de pechugas de gallina, y colorido con azafrán. ‖ **suave. manjar lento.**

manjarejo. m. d. de **manjar.**

manjarete. m. d. de **manjar.** ‖ **2.** *Cuba* y *Venez.* Dulce hecho de maíz tierno rallado, leche y azúcar, que se cuece y se cuaja al enfriarse. En Venezuela se prepara también con la pulpa del coco.

manjelín. (Voz dravídica.) m. Peso de 254 miligramos, usado en la India Oriental para apreciar los diamantes.

manjolar. (De *mano* y *jaula.*) tr. *Cetr.* Llevar el ave sujeta en jaula, en cesta o en la mano.

manjorrada. (De *manjar.*) f. desus. despect. Gran cantidad de manjares ordinarios.

manjúa. f. *Cantabria.* Banco de peces, majal, cardumen. ‖ **2.** *Cuba.* Pececillo teleósteo del suborden de los fisóstomos, de unos diez centímetros de longitud, de color plateado y boca muy abierta, que forma grandes bancos.

manlevar. (Del lat. *manum levāre,* alzar la mano [para jurar].) tr. ant. Cargarse de deudas o contraerlas.

manlieva. (De *manlevar.*) f. Tributo que se recogía efectiva y prontamente de casa en casa o de mano en mano. ‖ **2.** ant. Gasto o expensas. ‖ **3.** ant. Empréstito con fianza o garantía.

manlieve. m. ant. **manlieva.**

mano. (Del lat. *manus.*) f. Parte del cuerpo humano unida a la extremidad del antebrazo y que comprende desde la muñeca inclusive hasta la punta de los dedos. ‖ **2.** En algunos animales, extremidad cuyo dedo pulgar puede oponerse a los otros. ‖ **3.** En los animales cuadrúpedos, cualquiera de los dos pies delanteros. ‖ **4.** En las reses de carnicería, cualquiera de los cuatro pies o extremos desollados de cortados. ‖ **5.** *Anat.* Tipo de extremidad par cuyo esqueleto está dispuesto siempre de la misma manera, terminado generalmente en cinco dedos; constituye el llamado quiridio, característico de los vertebrados tetrápodos. ‖ **6.** Trompa del elefante. ‖ **7.** Cada uno de los dos lados a que cae o en que sucede una cosa respecto de otra cuya derecha e izquierda están nombradas. *La catedral queda a* MANO *derecha del río.* ‖ **8.** V. **juego, jugador de manos.** ‖ **9.** Aguja o manecilla del reloj. ‖ **10.** Majadero o instrumento de madera, hierro u otra materia, que sirve para machacar, moler o desmenuzar una cosa. ‖ **11.** Rodillo de piedra que sirve para quebrantar y hacer masa el cacao, el maíz, etc. ‖ **12.** Capa de yeso, cal, color, barniz, etc., que se da sobre pared, mueble, lienzo, etc. ‖ **13.** En el obraje de paños, cardas unidas y aparejadas para cardarlos. ‖ **14.** En el arte de la seda, porción de seis u ocho cadejos de pelo. ‖ **15.** Entre tahoneros, número de 34 panecillos que componen la cuarta parte de una fanega de pan. ‖ **16.** Conjunto de cinco cuadernillos de papel, o sea, vigésima parte de la resma. ‖ **17.** Lance entero de varios juegos. *Vamos a echar una* MANO *de dominó, de ajedrez.* ‖ **18.** En el juego, el primero en orden de los que juegan. *Yo soy* MANO. En esta acep. es de género común. ‖ **19.** En la caza, cada una de las vueltas que dan los cazadores reconociendo un sitio para buscarla. ‖ **20.** fig. Vuelta que se da a una cosa para su perfección o enmienda. *Se dio la última* MANO. ‖ **21.** fig. Número de personas unidas para un trabajo. ‖ **22.** fig. Medio para hacer o alcanzar una cosa. ‖ **23.** fig. Persona que ejecuta una cosa. *En buenas* MANOS *está el negocio; de tal* MANO *no podía temerse mal éxito.* ‖ **24.** fig. Intervención. *Aquí se ve la* MANO *de Dios.* ‖ **25.** fig. Tratándose de casamiento, la mujer pretendida por esposa. *Pedir la* MANO, *aspirar a la* MANO *de María.* ‖ **26.** fig. Habilidad, destreza. ‖ **27.** fig. Poder, imperio, mando, facultades. Ú. comúnmente con los verbos *dar* y *tener.* ‖ **28.** fig. Patrocinio, favor, piedad. ‖ **29.** fig. Auxilio, socorro. ‖ **30.** fig. Represión, castigo. *Sobre esto le dio el prelado una* MANO. ‖ **31.** ant. Garra del ave de rapiña. ‖ **32.** ant. Palmo menor. ‖ **33.** *Chile.* Conjunto de cuatro objetos de una misma clase. ‖ **34.** *Cant.* Cada uno de los asideros que se dejan en los paramentos de un sillar para poder levantarlo con facilidad, y que se cortan después de sentado. ‖ **35.** desus. *Mús.* Escala de notas. ‖ **36.** pl. Trabajo manual que se emplea para hacer una obra, independiente de los materiales y de la traza y dirección. ‖ **apalmada.** *Blas.* **mano** abierta, cuando se ve su palma. ‖ **blanda.** fig. Falta de severidad en el mando o en el trato personal. ‖ **de azotes, coces,** etc. fig. Vuelta de azotes, de coces, etc. ‖ **de cazo.** fig. y fam. Persona zurda. ‖ **de gato.** fig. y fam. Aliño y compostura del cutis, principalmente el de la cara. ‖ **2.** fig. Corrección de una obra, hecha por persona más diestra que el autor. *En este cuadro, o en este escrito, ha andado la* MANO DE GATO. ‖ **3.** Utensilio de tocador consistente en un palito recubierto de piel de gato u otra análoga, que usaban las mujeres para aplicarse al rostro ciertos afeites, como los polvos y el colorete. ‖ **de jabón.** Baño que se da a la ropa con agua de jabón para lavarla. ‖ **de Judas.** fig. Cierta especie de matacandelas, en forma de **mano**, que en la palma tiene una esponja empapada en agua, con la cual se apagaban las velas. ‖ **de la brida. mano de la rienda.** ‖ **de la lanza, o de lanza.** En los caballos, la derecha que tiene señal blanca. ‖ **de la rienda.** En los caballos, la izquierda que tiene señal blanca. ‖ **de obra.** Trabajo manual de los obreros. ‖ **2.** Precio que se paga por este trabajo. ‖ **3.** Conjunto de asalariados de un país, o de un sector concreto. ‖ **derecha.** La que corresponde al lado del cuerpo opuesto a aquel en que el hombre siente latir el corazón. ‖ **2.** Dirección o situación correspondiente a esta **mano.** ‖ **3.** En pinturas, fotografías, impresos, etc., el lado correspondiente a la **mano** derecha del espectador o lector. ‖ **4.** fig. Persona muy útil a otra como auxiliar o colaborador. ‖ **de rienda. mano de la rienda.** ‖ **de santo.** fig. y fam. Remedio que consigue del todo o prontamente su efecto. *La quina ha sido para mí* MANO DE SANTO. ‖ **diestra. mano derecha.** ‖ **dura.** fig. Severidad en el mando o en el trato personal. ‖ **fuerte.** *Der.* Gente armada para hacer cumplir lo que el juez manda, y también la que el juez ejecutor manda dar al eclesiástico cuando éste implora su auxilio. ‖ **izquierda.** La que corresponde al lado opuesto al de la derecha. ‖ **2.** Dirección o situación correspondiente a la **mano** izquierda. ‖ **3.** En pinturas, fotografías, impresos, etc., el lado correspondiente a la **mano** izquierda del espectador o lector. ‖ **4.** fig. Habilidad o astucia para manejarse o resolver situaciones difíciles. ‖ **larga. manos largas.** ‖ **oculta.** fig. Persona que interviene secretamente en un asunto. ‖ **perdida.** *Impr.* **perdido,** número de ejemplares que se tiran de más en cada pliego para suplir los imperfectos. ‖ **rienda. mano de rienda.** ‖ **siniestra, zoca, o zurda. mano izquierda.** ‖ **buena mano.** fig. **acierto.** BUENA MANO *tuvo en esto.* ‖ **2.** fig. **buenas manos.** ‖ **mala mano.** fig. Falta de habilidad y destreza. ‖ **2.** Desacierto o desgracia. ‖ **manos de mantequilla.** Las que con facilidad dejan caer las cosas. ‖ **largas.** Propensión a pegar o golpear. ‖ **2.** Las de quien tiene inclinación al hurto o al robo. ‖ **libres. manos sucias.** ‖ **2.** Poseedores de bienes no vinculados ni amortizados. ‖ **3. carta blanca,** facultad amplia que se da en un negocio. ‖ **limpias.** fig. y fam. Integridad y pureza con que se ejerce o administra un cargo. ‖ **2.** fig. **muertas.** *Der.* Poseedores de una finca, en quienes se perpetuaba el dominio por no poder enajenarla. De esta clase eran las comunidades y mayorazgos. ‖ **puercas.** fig. y fam. **manos sucias. sucias.** fig. y fam. Utilidades que se perciben ilícitamente en un empleo. ‖ **2.** fig. y fam. Falta de honradez. ‖ **buenas manos.** fig. Habilidad, destreza. ‖ **abrir la mano.** fr. fig. Admitir dádivas y regalos. ‖ **2.** fig. Dar con liberalidad. ‖ **3.** fig. Moderar el rigor. ‖ **abrir la mano al caballo.** fr. *Equit.* Darle libertad aflojando las riendas. ‖ **abrir mano** de una persona o cosa. fr. fig. p. us. Repudiarla, renunciar a ella. ‖ **adivina quién te dio, que la mano te cortó.** Juego de muchachos que consiste en dar con la **mano** a uno que está con los ojos vendados, hasta que acierta quién le dio. ‖ **a dos manos.** loc. adv. fig. y fam. Con toda voluntad. *Tomaría ese empleo* A DOS MANOS. ‖ **a la mano.** loc. adv. fig. con que se denota que una cosa es llana y fácil de entender o de conseguir. ‖ **2.** fig. Cerca, a muy poca distancia. ‖ **a la mano de Dios.** expr. que denota la determinación con que se emprende una cosa. ‖ **alargar la mano.** fr. Tenderla a otro para saludarlo, solicitando la suya. ‖ **2.** Extenderla para coger o alcanzar una cosa. ‖ **alzar la mano** a uno. fr. fig. Levantarla amenazándole. ‖ **alzar la mano** de una persona o cosa. fig. **levantar mano** de una persona o cosa. ‖ **alzar las manos al cielo.** fr. fig. Levantarlas para pedir a Dios un favor o beneficio. ‖ **alzar mano** de una persona o cosa. fr. fig. **levantar mano** de una persona o cosa. ‖ **a mano.** loc. adv. Con la **mano,** sin otro instrumento ni auxilio. ‖ **2.** fig. Cerca, a muy poca distancia. ‖ **3.** fig. **artificialmente.** ‖ **4.** fig. Dícese de las cosas que, pareciendo casuales, están hechas con estudio. ‖ **a mano abierta.** loc. adv. fig. Con gran liberalidad. ‖ **a mano airada.** loc. adv. fig. **violentamente.** Ú. principalmente con los verbos *matar* y *morir.* ‖ **a mano armada.** loc. adv. Con armas. ‖ **2.** fig. Con todo empeño; con ánimo resuelto. ‖ **a mano real.** loc. adv. *Der.* Ejecutivamente, de oficio, por los ministros públicos a quienes compete. ‖ **a manos abiertas.** loc. adv. fig. a **mano abierta.** ‖ **a mano salva.** loc. adv. **a mansalva.** ‖ **a manos llenas.** loc. adv. fig. Generosamente, con gran abundancia. ‖ **andar** una cosa **en manos de todos.** fr. fig. Ser vulgar y común. ‖ **apartar la mano.** fr. fig. ant. Alzarla o levantarla. ‖ **apretar la mano.** fr. Estrechar la de otra persona, para saludarla o para mostrarle cariño o estimación. ‖ **2.** fig. y fam. Aumentar el rigor. ‖ **3.** fig. y fam. Instar para la pronta ejecución de una cosa. ‖ **a salva mano.** loc. adv. **a mansalva.** ‖ **asentar la mano.** fr. Dar golpes a uno; castigarlo o corregirlo. ‖ **atar las manos.** fig. Impedir a alguien que haga una cosa. ‖ **atarse** uno **las manos.** fr. fig. Quitarse a sí mismo la libertad de obrar, como una palabra que da o promesa que hace. ‖ **a una mano.** loc. adv. Con movimiento circular, siempre de derecha a izquierda, o de golpe. fig. p. us. De conformidad. ‖ **bajar la mano.** fr. fig. Abaratar una mercancía. *Comenzó vendiendo a muy alto precio, y luego tuvo que* BAJAR LA MANO. ‖ **bajo mano.** loc. adv. fig. Oculta o secretamente. ‖ **besar la mano** o **las manos.** Fórmula de cortesía que se usa de palabra o por escrito. ‖ **caer en manos de** uno. fr. fig. y fam. Caer en su poder, quedar sometido a su arbitrio. ‖ **caerse de las manos** un escrito o un libro. fr. fig. y fam. Ser muy aburrido, no ofrecer ningún interés ni deleite alguno. ‖ **cambiar de mano.** fr. *Equit.* **cambiar** de pie y **mano** el caballo cuando galopa. ‖ **cambiar de manos.** fr. fig. Pasar una cosa de la propiedad de uno a la de otro. ‖ **cantar** uno **en la mano.** fr. fig. y fam. Tener mucha trastienda, sagacidad o picardía. ‖ **cargar la mano.** fr. fig. Insistir con empeño o eficacia sobre una cosa. ‖ **2.** fig. Cobrar más del justo precio por las cosas, o excesivos derechos por un negocio. ‖ **3.** fig. Tener rigor con uno. ‖ **cargar** uno **la mano** en una cosa. fr. fig. y fam. Echar con exceso algo en un guisado, medicamento u otra composición. ‖ **cazar en mano.** fr. Buscar la caza menor, andando y con la escopeta preparada, ya una persona sola, ya varias formadas en ala y guardando entre sí las distancias que permita la extensión y figura del cazadero. ‖ **cerrar** uno **la mano.** fr. fig. Ser miserable y mezquino. ‖ **comerse las manos tras** una cosa. fr. fig. y fam. Comer con gusto un manjar, sin dejar nada de él. Puede referirse también a otra cosa que sea de mucho deleite, como el juego, la caza, etc. ‖ **comerse** uno **las manos.** fr. fig. y fam. Pasar mucha hambre. ‖ **como en la mano,** o **como por la mano.** loc. adv. fig. Con gran facilidad o ligereza. ‖ **con franca,** o **larga, mano.** loc. adv. fig. Con liberalidad, abundantemente. ‖ **con la mano en el corazón.** loc. adv. Con absoluta franqueza o sinceridad. ‖ **con las manos cruzadas.** loc. adv. fig. **mano sobre mano.** ‖ **con las manos en la cabeza.** loc. adv. fig. y fam. Con descalabro, pérdida o desaire en un encuentro, empeño o pretensión. Ú. m. con el verbo *salir.* ‖ **con las manos en la cinta.** loc. adv. ant. fig. **mano sobre mano.** ‖ **con las manos en la masa.** loc. adv. fig. y fam. En el momento de estar haciendo una cosa. Ú. m. con los verbos *coger* y *estar.* ‖ **con las manos vacías.** loc. adv. fig. Junto con los verbos *irse, venirse* y *volverse,* no lograr lo que se pretendía. ‖ **2.** fig. Sin presentes ni dádivas. ‖ **con mano armada.** loc. adv. fig. **a mano armada,** con empeño. ‖ **con mano escasa.** loc. adv. fig. Con escasez. ‖ **con mano pesada.** loc. adv. fig. Con dureza y rigor. ‖ **conocer** uno una cosa, o a una persona, **como a sus manos,** o **como a la palma de la mano.** fr. fam. Conocerla muy bien. ‖ **con una mano atrás y otra delante,** o **con una mano delante y otra atrás.** expr. fig. Con pobreza o miseria, dicho de personas. ‖ **correr la mano.** fr. Ir muy deprisa la del que ejecuta una cosa; como escribir o pintar. ‖ **2.** *Esgr.* Dar una cuchillada retirando la espada hacia el cuerpo, para que con este impulso sea mayor la herida. ‖ **correr** una cosa **por mano de** uno. fr. fig. Ser de su incumbencia. ‖ **corto de manos.** loc. fig. Dícese del oficial no expedito en el trabajo. ‖ **cruzar** uno **las manos,** o **cruzarse** uno **de manos.** fr. fig. Estarse quieto, sin trabajar, o sin intervenir en algo. ‖ **dar de mano** a una cosa. fr. Dejarla, no aceptarla. ‖ **2.** Hablando del trabajo, suspenderlo o cesar en él. ‖ **3.** Dicho de persona, abandonarla, no ampararla. ‖ **4.** *Albañ.* Cubrir la pared con una capa de yeso o mortero. ‖ **dar de manos.** fr. Caer de bruces, echando las manos delante. ‖ **2.** fig. p. us. Incurrir en un defecto. ‖ **dar en manos de** uno. fr. Caer, sin percatarse, en poder de una persona. ‖ **dar la mano.** fr. Servir con puntualidad y a la **mano** con los materiales, para que los operarios puedan trabajar continuamente, sin apartarse del sitio en que están. ‖ **dar la mano** a uno. fr. fig. Alargársela para saludarlo. ‖ **2.** fig. Ampararlo, ayudarlo, favorecerlo. ‖ **dar la última mano.** fr. fig. Repasar una obra para corregirla o perfeccionarla definitivamente. ‖ **dar mano y palabra.** fr. fig. **dar palabra y mano.** ‖ **darse a manos.** fr. fig. Darse, entregarse, ceder en la resistencia que se hacía. ‖ **2. comportarse.** ‖ **darse buena mano** en una

cosa. fr. fig. y fam. Proceder en ella con presteza o habilidad. ‖ **darse la mano** una cosa a otra. fr. fig. Fomentarse o ayudarse mutuamente. ‖ **darse la mano** una cosa **con** otra. fr. fig. Estar inmediata, junta o contigua una cosa a otra, o tener relación con ella. ‖ **darse las manos.** fr. fig. Unirse para una empresa dos o más personas. ‖ **3.** fig. Guardar entre sí orden y armonía las partes de un todo. ‖ **dar uno una mano por** alguna cosa. fr. fig. y fam. que pondera lo que uno sería capaz de hacer por conseguirla o por que sucediera. ‖ **debajo de mano.** loc. adv. fig. p. us. **bajo mano.** ‖ **dejar de la mano** una cosa. fr. fig. Abandonarla, cesar en su ejecución Ú. m. con neg. ‖ **dejar** una cosa **en manos de** uno. fr. fig. Encomendársela, ponerla a su cuidado y arbitrio. ‖ **de la mano y pluma.** expr. con que se denota que es autógrafo un escrito de la persona de que se trate. ‖ **de la mano.** loc. adv. Asidos de la **mano.** ‖ **de mano.** loc. adj. Dícese de la caballería que va en el tronco al lado derecho de la lanza. ‖ **2.** Dícese de las cosas que se manipulan directamente o de las portátiles a diferencia de las fijas. *Bomba* DE MANO, *escalera* DE MANO. ‖ **3.** loc. adv. De buenas a primeras; en seguida. ‖ **4.** De paso a otro lugar. ‖ **de mano a mano.** loc. adv. fig. De uno a otro, sin interposición de tercera persona. ‖ **de mano armada.** loc. adv. fig. **a mano armada,** con empeño. ‖ **de mano en mano.** loc. adv. fig. De una persona a otra. Empléase para dar a entender que un objeto pasa sucesivamente por las **manos** de varias personas. *Los cubos de agua pasaban* DE MANO EN MANO *para apagar el incendio.* ‖ **2.** fig. Por tradición o noticia seguida desde nuestros mayores; de gente en gente. ‖ **de manos a boca.** loc. adv. fig. y fam. De repente, impensadamente. ‖ **de primera mano.** loc. fig. Adquirido del primer vendedor. Ú. m. con los verbos *comprar, tomar,* etc. ‖ **2.** Tomado o aprendido directamente del original o los originales. *Erudición* DE PRIMERA MANO. ‖ **descargar la mano sobre** uno. fr. fig. y fam. Castigarle. ‖ **de segunda mano.** loc. fig. Adquirido del segundo vendedor. Ú. m. con los verbos *comprar, tomar,* etc. ‖ **2.** Tomado de un trabajo de primera mano. ‖ **desenclavijar la mano.** fr. fam. p. us. Desasirla de una cosa que tenga fuertemente agarrada. ‖ **desenclavijar las manos.** fr. fam. p. us. Desprender la una de la otra; separar los dedos que estén unidos y cruzados. ‖ **deshacerse** una cosa **entre las manos.** fr. fig. y fam. que pondera la facilidad con que una cosa se malbarata o desperdicia. ‖ **de una mano a otra.** loc. adv. fig. En breve tiempo. Ú. m. en las compras y ventas. ‖ **echar mano,** o **las manos,** o **mano,** a una persona o cosa. fr. Asirla, cogerla, prenderla. ‖ **echar mano a la bolsa.** fr. Sacar dinero de ella. ‖ **echar mano a la espada.** fr. Hacer ademán de sacarla. ‖ **echar mano de los arneses.** fr. fam. Echar **mano** a las armas. ‖ **echar mano de** una persona o cosa. fr. Echar **mano** a una persona o cosa. ‖ **2.** fig. Valerse de ella para un fin. ‖ **echar una mano** a una cosa. fr. fig. Ayudar a su ejecución. ‖ **echar una mano** a una persona. fr. fig. Ayudarla. ‖ **en buena mano está.** fr. fam. con que algunos por cortesía se niegan a beber antes que quien les ofrece el vaso. ‖ **en buenas manos.** loc. adv. fig. Con los verbos *estar, caer, dejar,* etc., al cuidado de alguien capaz de manejar o hacer bien la cosa de que se trata. ‖ **en buenas manos está** el pandero, o **en manos está el pandero que lo sabrán bien tañer.** frs. proverbs. con que se denota que la persona que entiende en un negocio es muy apta para darle cima. ‖ **ensortijar las manos.** fr. Enlazar los dedos unos con otros en señal de compasión o angustia. ‖ **ensuciar,** o **ensuciarse, una mano.** fr. fig. y fam. Robar con disimulo. ‖ **2.** fig. y fam. Dejarse sobornar. ‖ **entre las manos.** loc. adv. fig. De improviso, sin saber cómo. ‖ **escribir** uno **a una mano.** fr. desus. **escribir al dictado.** ‖ **estar** uno **con las manos en el seno.** fr. fig. y fam. venir con las manos en el seno. ‖ **estar** uno **dejado de la**

mano de Dios. fr. Cometer una persona enormes delitos o notables desaciertos. ‖ **2.** fig. Errar una persona en todo cuanto emprende. ‖ **estar una cosa en la mano.** fr. fig. Ser fácil u obvia. ‖ **estar** una cosa **en mano de uno.** fr. fig. Depender de su elección o decisión. ‖ **estrechar la mano.** fr. Tomar uno en su **mano** la de otra persona, como fórmula de saludo o expresión de afecto. ‖ **frotarse las manos.** fr. fig. y fam. Manifestar gran satisfacción por algo. ‖ **ganar** a uno **por la mano.** fr. fig. Anticipársele en hacer o lograr una cosa. ‖ **haber a las manos** una cosa. fr. fig. p. us. Encontrar o hallar lo que se busca. ‖ **haber a mano** una cosa. fr. fig. Tenerla. ‖ **hablar a la mano.** fr. fam. desus. Hablar a uno turbándolo o inquietándolo, cuando hace o va a hacer una cosa. ‖ **hablar con la mano, o con las manos.** fr. **hablar por la mano.** ‖ **2.** fig. Mover mucho las manos al hablar. ‖ **hablar uno de manos.** fr. fig. y fam. Manotear mucho cuando habla. ‖ **2.** fig. y fam. Tenerlas prontas para castigar. ‖ **hablar por la mano.** fr. Formar con los dedos varias figuras, cada una de las cuales representa una letra del abecedario y sirve para darse a entender sin hablar. ‖ **hacer a dos manos, o a todas manos.** fr. fig. Manejarse con astucia en un negocio, sacando utilidad de todos los interesados en él. ‖ **hacer la mano.** fr. *Veter.* Cepillar y limpiar el casco del caballo para sentar sobre él la herradura. ‖ **imponer las manos.** fr. Ejecutar los obispos y demás ministros competentes de la Iglesia la ceremonia llamada imposición de **manos.** ‖ **ir a la mano** a uno. fr. fig. y fam. Contenerlo, moderarlo. Ú. t. c. prnl. ‖ **ir por su mano.** fr. Transitar por el lado de la vía que le corresponde. ‖ **irse a las manos.** fr. fig. y fam. venir o venirse **a las manos.** ‖ **irse de la mano** una cosa. fr. Escaparse, caerse de ella. ‖ **írsele** a uno una cosa **de entre las manos.** fr. Desaparecer y escaparse una cosa con gran presteza. ‖ **írsele** a uno **la mano.** fr. fig. Hacer con ella una acción involuntaria. ‖ **2.** fig. Excederse en la cantidad de una cosa que se da o que se mezcla con otra. *Al cocinero* SE LE FUE LA MANO *en la sal.* ‖ **jugar de manos.** fr. fam. p. us. Retozar o enredar, dándose golpes con ellas. ‖ **lanzar manos** en uno. fr. ant. Asegurarlo, prenderlo. ‖ **largo de manos.** loc. adj. fig. Atrevido en ofender con ellas. ‖ **2.** fig. Inclinado a hurtar o a robar. ‖ **lavarse** uno **las manos.** fr. fig. Desentenderse de un negocio en que hay inconvenientes, o manifestar la repugnancia con que se toma parte en él. ‖ **levantar** una la **mano** a alguien. fr. Amenazarlo o pegarle. ‖ **levantar** uno **la mano, o la mano,** de una persona o cosa. fr. fig. Abandonarla, dejarla. ‖ **limpio de manos.** loc. fig. Íntegro, puro. ‖ **listo de manos.** loc. fig. y fam. Diestro en hurtar o en sacar provecho ilícito de un cargo. ‖ **llegar a las manos.** fr. fig. Reñir, pelear. ‖ **llevar la mano a uno.** fr. Guiársela para la ejecución de una cosa. ‖ **llevar, o tener, la mano blanda, o ligera.** fr. fig. Tratar benignamente, proceder con suavidad. ‖ **llevar** uno **su mano.** fr. **ir por su mano.** ‖ **llevarse las manos a la cabeza.** fr. fig. fam. Asombrarse de alguna cosa o indignarse a causa de ella. ‖ **mal me andarán, o me han de andar, las manos.** exprs. fig. y fam. con que uno asegura que, a no atravesarse un obstáculo insuperable, cumplirá lo que promete o logrará lo que pretende. ‖ **mano a mano.** *Taurom.* loc. adv. con que se precisa que, en las corridas de toros, actúan solo dos diestros en competencia. Ú. t. c. loc. s. ‖ **2.** Por ext., dícese de toda acción realizada por dos personas compitiendo con emulación. ‖ **3.** fig. En compañía, con familiaridad y confianza. ‖ **manos a la labor, o a la obra.** expr. con que se alienta a uno a sí mismo, o se excita en los demás, a emprender o reanudar un trabajo. ‖ **¡manos arriba!** loc. interj. con que una persona armada conmina a otra u otras a alzar los brazos y no defenderse. ‖ **manos blancas no ofenden.** fr. proverb. con que se da a entender que las ofensas o malos tratamientos de las mujeres no lastiman el honor de los hombres. ‖ **mano**

sobre mano. loc. adv. fig. Ociosamente, sin hacer nada. ‖ **menear** uno **las manos.** fr. fig. y fam. Batallar o pelear con otro. ‖ **2.** fig. y fam. Trabajar pronta y ligeramente. ‖ **meter la mano** a uno. fr. fig. y fam. **sentarle la mano;** emprenderla con él. ‖ **meter la mano** en una cosa. fr. fig. Apropiarse ilícitamente parte de ella. ‖ **meter la mano en el cántaro.** fr. fig. desus. Entrar en suerte para algo. ‖ **meter** uno **la mano en el pecho, o en el seno.** fr. fig. Considerar, pensar para sí. ‖ **2.** fig. Examinar y tantear lo que pasa en su interior, para juzgar las acciones ajenas sin injusticia. ‖ **meter la mano en un plato con** otro. fr. fig. y fam. Participar de sus mismas preeminencias o alternar con él. ‖ **meter la mano, o las manos, hasta el codo, o los codos, en** una cosa. fr. fig. Empeñarse, engolfarse en ella, o dedicarse a ella con ahínco. ‖ **2.** fig. Apropiarse ilícitamente gran parte de ella. ‖ **meter las manos** en una cosa. fr. fig. Entrar o tomar parte en su ejecución; emprenderla con interés. ‖ **meter mano** a una cosa. fr. fig. y fam. Cogerla, echar **mano** de ella. Dícese frecuentemente de la espada y otras armas. ‖ **2.** fig. y fam. Tratándose de obras o trabajos, empezar a ejecutarlos. ‖ **meter mano** a alguien. fr. fig. y fam. **meter la mano** a uno. ‖ **2.** fig. y fam. Investigar su conducta para descubrir posibles irregularidades en su comportamiento. ‖ **3.** fig. y fam. Tocar o manosear con intención erótica. ‖ **mirar a** uno **a las manos, o las manos.** fr. fig. Observar cuidadosamente su conducta en el manejo de caudales o efectos de valor. ‖ **mirarse** uno **a las manos.** fr. fig. Poner sumo cuidado en el desempeño de un negocio espinoso y grave. ‖ **morderse** uno **las manos.** fr. fig. Manifestar gran sentimiento de haber perdido, por omisión o descuido, una cosa que deseaba conseguir. ‖ **mudar de manos.** fr. fig. **cambiar de manos.** ‖ **no caérsele** a uno una cosa **de entre las manos.** fr. fig. Traerla siempre en ellas. ‖ **no darse manos** a una cosa. fr. fig. p. us. Bastar apenas a ejecutarla, aun dedicándose a ella con el mayor afán y apresuramiento. ‖ **no dejar** una cosa **de la mano.** fr. fig. Continuar en ella con empeño y sin intermisión. ‖ **no saber** uno **cuál es, o dónde tiene, su mano derecha.** fr. fig. y fam. Ser incapaz y de poco talento. ‖ **no saber** uno **lo que trae entre manos.** fr. fig. y fam. No tener capacidad para aquello en que se ocupa o de que está encargado. ‖ **pagarse** uno **por su mano.** fr. Cobrar lo que le pertenece, en el mismo caudal que maneja. ‖ **partir mano.** fr. ant. Apartarse o separarse de una cosa o contienda; dejarla. ‖ **pasar la mano por el cerro, o por el lomo.** fr. fig. y fam. Halagar, acariciar. ‖ **pedir la mano.** loc. fig. Solicitar de su familia en matrimonio a una mujer. ‖ **poner** una cosa **en manos de** uno. fr. fig. **dejar en sus manos.** ‖ **poner** una **mano** en una cosa. fr. fig. Examinarla y reconocerla por experiencia propia. ‖ **2.** fig. **poner mano** en una cosa. ‖ **poner la mano, o las manos,** en uno. fr. fig. Maltratarlo de obra o castigarlo. ‖ **poner a** uno **la mano encima.** fr. fig. **poner la mano, o las manos,** en uno. ‖ **poner** uno **la mano en el pecho, o en el seno.** fr. fig. **meter la mano en el pecho, o en el seno.** ‖ **poner** a uno **la mano en la horcajadura.** fr. fig. y fam. Tratarlo con demasiada familiaridad y llaneza. ‖ **poner** una **las manos** en uno una cosa. fr. fig. **poner mano** en una cosa. ‖ **poner las manos en el fuego.** fr. fig. con que se asegura la verdad y certeza de una cosa. ‖ **poner las manos en la masa.** fr. fig. y fam. Emprender una cosa; tratar de ella. ‖ **poner mano a la espada.** fr. **echar mano a la espada.** ‖ **poner mano** en una cosa. fr. fig. Dedicarse a ella, emprenderla, darle principio. ‖ **poner manos violentas en** uno. fr. *Der.* Maltratar de obra a una persona eclesiástica. ‖ **ponerse de manos** un animal. fr. Levantar el cuerpo apoyándose en las patas de atrás. ‖ **ponerse en manos de** uno. fr. fig. Someterse a su arbitrio con entera confianza. ‖ **por debajo de mano.** loc. adv. fig. **bajo mano.** ‖ **por segunda mano.** loc. fig. **por tercera mano.** ‖ **por su mano.** expr. fig. Por sí mismo o por su propia autoridad. *Nadie puede hacerse justicia* POR SU MANO. ‖ **por tercera mano.** loc. fig. Por medio de otro. ‖ **probar la mano.** fr. fig. Intentar una cosa para ver si conviene proseguirla. ‖ **quedar a uno la mano sabrosa.** fr. fig. **quedarle el brazo sabroso.** ‖ **quedarse con las manos cruzadas.** fr. fig. **cruzar las manos.** ‖ **quedarse soplando las manos.** fr. fig. Quedar corrido por haber malogrado una ocasión. ‖ **quitarle** a uno **las cosas de las manos.** fr. fig. Comprar muchos una cosa con gran interés y rapidez. ‖ **quitarse** unos a otros una cosa **de las manos.** fr. fig. y fam. Tener gran prisa y afán por adquirirla. ‖ **sacarle** a uno **de entre las manos** una cosa. fr. fig. Quitarle lo que tenía más asegurado. ‖ **sentar la mano** a uno. fr. fig. y fam. Castigarlo con golpes. ‖ **2.** fig. y fam. Reprenderlo, castigarlo con severidad. ‖ **señalado de la mano de Dios.** expr. fam. con que se suele zaherir al que tiene un defecto corporal. ‖ **ser a las manos con** uno. fr. ant. fig. Pelear con él. ‖ **si a mano viene.** expr. fig. Si llega el caso; por ventura, tal vez. ‖ **sin levantar mano.** loc. adv. fig. Sin cesar en el trabajo; sin intermisión alguna. ‖ **si viene a mano.** expr. fig. **si a mano viene.** ‖ **soltar la mano.** fr. Ponerla ágil para un ejercicio. ‖ **soplarse las manos.** fr. fig. Quedar burlado en la pretensión de una cosa el que no dudaba de conseguirla. ‖ **suelto de manos.** loc. adj. fig. **largo de manos.** ‖ **tales manos lo hilaron.** expr. fig. para ponderar el esmero o el primor con que está hecha alguna obra. ‖ **tender** a uno **la mano,** o **una mano.** fr. Ofrecérsela para estrechar la suya o para darle apoyo. ‖ **2.** fig. Socorrerlo. ‖ **tener a mano.** fr. fig. Refrenar, contener. ‖ **tener unas atadas las manos.** fr. fig. Hallarse con un estorbo o embarazo para ejecutar una cosa. ‖ **tener** uno a otro de su **mano.** fr. fig. Tenerlo propicio. ‖ **tener en la mano,** o **en su mano,** una cosa. fr. fig. Poder conseguirla, realizarla o disponer de ella. ‖ **tener** uno a otro **en su mano,** o **en sus manos.** fr. fig. Tenerlo en su poder o sometido a su arbitrio. ‖ **tener entre manos** una cosa. fr. fig. Estar **traer entre manos** una cosa. ‖ **tener la mano.** fr. fig. Contenerse, proceder con tiento, pulso y moderación. ‖ **tener la mano manca.** fr. fig. y fam. Ser poco dadivoso. ‖ **tener mano con** uno. fr. fig. Tener influjo, poder y valimiento con él. ‖ **tener mano en una cosa.** fr. fig. Intervenir en ella. ‖ **tener mano izquierda.** fr. fig. y fam. Poseer habilidad y astucia para resolver situaciones difíciles. ‖ **tener muchas manos.** fr. fig. Tener gran valor o destreza. ‖ **tocar con la mano** una cosa. fr. fig. **poner la mano en** una cosa. ‖ **2.** fig. Estar próximo a conseguirla o realizarla. ‖ **3.** fig. Conocerla con evidencia; verla clara y patentemente. ‖ **tomar la mano.** fr. fig. Comenzar a razonar o discurrir sobre una materia. ‖ **2.** fig. Emprender un negocio. ‖ **traer a la mano.** fr. Venir los perros fielmente con la caza u otra cosa que sus amos les mandan traer, y no soltarla hasta ponerla en su mano. ‖ **traer** o **traerse entre manos** una cosa. fr. fig. Manejarla, estar entendiendo actualmente en ella. ‖ **traer la mano por el cerro.** fr. fig. y fam. **pasar la mano por el cerro.** ‖ **trocar,** o **trocarse, las manos.** fr. fig. Mudar, o mudarse, las suertes. ‖ **untar la mano,** o **las manos,** a uno. fr. fig. y fam. Sobornarlo. ‖ **venir a uno a la mano,** o **a las manos,** una cosa. fr. fig. Lograrla sin solicitarla. ‖ **venir a las manos.** fr. Reñir, batallar. ‖ **venir con las manos en el seno.** fr. fig. Estar ocioso. ‖ **2.** fig. Llegar a pretender o a pedir sin poner nada de su parte. ‖ **venir,** o **venirse, con sus manos lavadas.** fr. fig. Acudir a pretender el fruto y utilidad de una cosa sin haber trabajado ni hecho la menor diligencia para su logro. ‖ **vivir de,** o **por, sus manos.** fr. fig. y fam. Mantenerse de su trabajo.

ᵉ**mano, na.** (De la raíz del gr. μανία, locura.) elem. compos. que significa «apasionado», «inclinado excesivamente»: *bibli*óMANO, *graf*óMANO; o bien, «que tiene obsesión o hábito patológicos»: *clept*óMANO, *toxic*óMANO.

manobra. (De *mano* y *obra*.) f. *Murc.* Material para hacer una obra.

manobre. (De *mano* y *obrar*.) m. Obrero que ayuda al oficial a emplear los materiales.

manobrero. (De *mano* y *obrero*.) m. Operario que cuida de la limpia y monda de los brazales de las acequias.

manojar. tr. ant. Andar tocando una cosa sin cuidado, manosear.

manojear. tr. *Cuba.* Poner en manojos las hojas del tabaco.

manojera. f. Conjunto de manojos de sarmientos destinados a la lumbre.

manojo. (Del lat. vulg. *manucŭlus.*) m. Hacecillo de cosas que se puede coger con la mano. ‖ **2.** fig. Abundancia de cosas, conjunto. ‖ **a manojos.** loc. adv. fig. En abundancia.

manojuelo. m. d. de **manojo.**

manola. f. Coche de caballos de cuatro asientos, con dos puertas laterales.

manolo, la. m. y f. Mozo o moza del pueblo bajo de Madrid, que se distinguía por su traje y desenfado.

manométrico, ca. adj. Perteneciente o relativo al manómetro.

manómetro. (Del gr. μανός, ligero, poco denso, y ᵉmetro.) m. *Fís.* Instrumento para medir la presión.

manopla. (Probablemente del lat. vulg. *manupŭlus,* lat. *manipŭlus.*) f. Pieza de la armadura antigua, con que se guarnecía la mano. ‖ **2.** Guante sin separaciones para los dedos, o con una para el pulgar. ‖ **3.** Látigo corto que usan los postillones, para avivar a las mulas. ‖ **4.** *Ál.* Manaza o manota. ‖ **5.** *Argent., Chile* y *Perú.* **llave inglesa,** arma de hierro en forma de eslabón. ‖ **6.** *Sal.* Tira de suela con que los zapateros se envuelven la palma de la mano para no lastimarse esta en el trabajo.

manoseador, ra. adj. Que manosea.

manosear. (De *mano.*) tr. Tentar o tocar repetidamente una cosa, a veces ajándola o desluciéndola.

manoseo. m. Acción y efecto de manosear.

manota. f. aum. de **mano.**

manotada. (De *manota.*) f. Golpe dado con la mano.

manotazo. (De *manota.*) m. Golpe dado con la mano.

manoteado, da. p. p. de **manotear.** ‖ **2.** m. Acción y efecto de manotear.

manotear. (De *manota.*) tr. Dar golpes con las manos. ‖ **2.** intr. Mover las manos para dar mayor fuerza a lo que se habla, o para mostrar un afecto del ánimo.

manoteo. m. Acción y efecto de manotear.

manotón. (De *manota.*) m. Golpe dado con la mano.

manquear. (De *manco.*) intr. Moverse u obrar con la torpeza propia del manco.

manquedad. (De *manco.*) f. Condición de manco.

manquera. (De *manco.*) f. Condición de manco.

manresano, na. adj. Natural de Manresa. Ú. t. c. s. ‖ **2.** Perteneciente o relativo a esta ciudad de la provincia de Barcelona.

mansalva (a). (De *mano* y *salva.*) loc. adv. Sin ningún peligro; sobre seguro.

mansamente. adv. m. Con mansedumbre. ‖ **2.** fig. Despacio, lentamente. ‖ **3.** fig. Quedito y sin hacer ruido.

mansedad. (De *manso.*) f. ant. Condición de manso.

mansedumbre. (Del lat. *mansuetŭdo, -ĭnis.*) f. Condición de manso.

mansejón, na. adj. Dícese de los animales que son muy mansos.

manseque. (Primera palabra de los versos que se recitan al ejecutar este baile.) m. Baile infantil de Chile.

mansesor. (Del lat. *manumissor, -ōris.*) m. ant. Persona encargada de cumplir la voluntad del testador, testamentario.

manseza. (De *manso.*) f. ant. Condición de manso.

mansión. (Del lat. *mansĭo, -ōnis.*) f. Detención o estancia en una parte. ‖ **2.** Morada, albergue. ‖ **3.** Casa suntuosa. ‖ **hacer mansión.** fr. Detenerse en una parte.

mansionario. (Del lat. *mansionarĭus,* de la vivienda.) adj. ant. Aplicábase a los eclesiásticos que vivían dentro del claustro.

mansito. adj. d. de **manso**[2]. ‖ **2.** adv. m. Muy lentamente, muy despacio.

manso[1]. (Del lat. mediev. *mansus,* finca, villa.) m. Casa de campo, masada. ‖ **2.** Cada una de las tierras o bienes primordiales que, exentos de toda carga, solían poseer los curatos y algunos monasterios.

manso[2]**, sa.** (Del lat. vulg. *mansus,* que sustituyó al clásico *mansuētus.*) adj. De condición benigna y suave. ‖ **2.** Aplícase a los animales que no son bravos. ‖ **3.** fig. Apacible, sosegado, tranquilo. Dícese de ciertas cosas insensibles. *Aire* MANSO; *corriente* MANSA. ‖ **4.** V. **animal, pino manso.** ‖ **5.** fig. y fam. V. **palabritas mansas.** ‖ **6.** m. En el ganado lanar, cabrío o vacuno, carnero, macho o buey que sirve de guía a los demás.

mansuefacto, ta. (Del lat. *mansuefactus,* p. p. de *mansuefacĕre,* amansar.) adj. ant. Aplicábase a los animales bravos por naturaleza, una vez amansados.

mansueto, ta. (Del lat. *mansuētus.*) adj. ant. **manso**[2]. ‖ **2.** ant. Aplicábase a los animales mansos por naturaleza.

mansuetud. (Del lat. *mansuetūdo.*) f. ant. **mansedumbre.**

mansurrón, na. adj. fam. Manso con exceso.

manta[1]. (De *manto.*) f. Prenda de lana o algodón, tupida y ordinariamente peluda, de forma rectangular, que sirve para abrigarse en la cama. ‖ **2.** Pieza, por lo común de lana, que sirve para abrigar ocasionalmente las personas, especialmente a la intemperie o en los viajes. ‖ **3.** Ropa suelta que usa la gente del pueblo para abrigarse, y en algunas provincias es considerada como parte del traje y se lleva en todo tiempo. ‖ **4.** Tela ordinaria de algodón, que se fabrica y usa en Méjico. ‖ **5.** Cubierta que sirve de abrigo a las caballerías. ‖ **6.** Costal de pita que se usa en las minas de América para sacar y transportar los minerales. ‖ **7.** Especie de juego de naipes, entre cinco, en que se dan ocho cartas a cada uno, y se descubre la última para que sea triunfo. El que hace más bazas lleva la apuesta, y el que no hace ninguna la repone. ‖ **8.** fig. Tunda, paliza. ‖ **9.** *Mil.* Tablón chapeado que servía de resguardo contra los tiros del enemigo. ‖ **10.** *Vol.* Cada una de las doce plumas que tiene el ave de rapiña a continuación de las aguaderas. ‖ **de algodón.** Porción de algodón en rama con un ligero baño de goma para que no se deshaga o desparrame. ‖ **de pared.** ant. **tapiz.** ‖ **real. manta,** tablero grueso forrado de hojalata. ‖ **dar una manta.** fr. fam. **mantear**[1]. ‖ **echar mantas.** fr. ant. Echar pestes. ‖ **liarse uno la manta a la cabeza.** fr. fig. Tomar una decisión precipitada o actuar de modo irreflexivo. ‖ **poner a manta.** fr. *Agr.* poner a almanta. ‖ **ser uno una manta o un manta.** fr. fig. y fam. Ser holgazán; no tener habilidad para alguna cosa. ‖ **tirar de la manta.** fr. fig. y fam. Descubrir lo que había interés en mantener secreto. ‖ **tomar la manta.** fr. fig. y fam. Tomar las unciones.

manta[2]. (De etim. disc.) Ú. en la frase fig. y fam. **a manta, o a manta de Dios.** loc. adv. En abundancia. *Regar* A MANTA. *Ha llovido* A MANTA. *Traen uvas* A MANTA DE DIOS.

mantaterilla. (De *manta* y *tirilla.*) f. *Equit.* Tela de urdimbre de bramante y trama de tirillas de paño, jerga o cosa parecida, que suele usarse en los aparejos de las caballerías menores y a veces como abrigo. ‖ **2.** Por ext., esta misma manta para abrigo de las personas o como adorno casero.

manteador, ra. adj. Que mantea. Ú. t. c. s.

manteamiento. m. Acción y efecto de mantear.

mantear[1]. (De *manta*[1].) tr. Lanzar al aire entre varias personas, con una manta cogida por las orillas, a otra, que al caer sobre la manta vuelve a ser lanzada repetidas veces hacia arriba.

mantear[2]. (De *manto.*) intr. *Murc.* Salir mucho de casa las mujeres. ‖ **2.** prnl. *Chile.* Convertirse en manto una veta de metal.

manteca. (De or. inc.) f. Gordura de los animales, especialmente la del cerdo. ‖ **2.** Por ext., y humorísticamente, gordura del cuerpo humano. ‖ **3.** Producto obtenido por el batido, amasado y posterior maduración de la crema extraída de la leche de vaca o de otros animales. Suele designarse con el nombre del animal que produce la leche. MANTECA *de vaca, de oveja.* ‖ **4.** Por ext., se denominan **mantecas** las grasas consistentes de algunos frutos, como la del cacao. ‖ **5.** Sustancia grasa con ingredientes usada como afeite o medicamento, pomada. ‖ **6.** Nata de la leche. ‖ **de vaca o de vacas. manteca** batida y preparada, que se obtiene de la leche de estos animales. ‖ **como manteca.** expr. fig. con que se pondera la blandura o suavidad de una cosa. ‖ **el que asó la manteca.** Personaje proverbial que simboliza al que obra o discurre neciamente. *Eso no se le ocurre ni* AL QUE ASÓ LA MANTECA. ‖ **juntársele a uno las mantecas.** fr. fig. y fam. Estar en peligro de muerte por exceso de gordura.

mantecada. f. Rebanada de pan untada con manteca de vaca y azúcar. ‖ **2.** Especie de bollo compuesto de harina de flor, huevos, azúcar y manteca de vaca, que suele cocerse en una cajita cuadrada de papel.

mantecado, da. adj. and. **mantecoso.** ‖ **2.** m. Bollo amasado con manteca de cerdo. ‖ **3.** Compuesto de leche, huevos y azúcar, con que se hace un helado.

mantecón. (De *manteca.*) m. desus. fig. y fam. Sujeto regalón y delicado. Ú. t. c. adj.

mantecoso, sa. adj. Que tiene mucha manteca. ‖ **2.** Que se asemeja a la manteca en alguna de sus propiedades.

mantehuelo. m. d. de **manto.**

manteísta. m. El que asistía a las escuelas públicas vestido de sotana y manteo, cuando los estudiantes usaban este traje. Llamábase así a la generalidad de los escolares, para diferenciarlos de los que tenían beca en los colegios mayores.

mantel. (Del lat. *mantēle.*) m. Cubierta de lino o algodón, y modernamente de otras materias, que se pone en la mesa para comer. ‖ **2.** Lienzo mayor con que se cubre la mesa del altar. ‖ **3.** *Blas.* Triángulo del escudo cortinado. ‖ **a manteles.** loc. adv. En mesa cubierta con **manteles.** ‖ **en mantel.** loc. adv. *Blas.* **mantelado.** Dícese del escudo. ‖ **estar de mantel largo.** fr. fig. y fam. *Ecuad.* Tener convidados a la mesa. ‖ **levantar de los manteles.** fr. fig. **levantar los manteles.** ‖ **levantar los manteles.** fr. fig. Levantarse de la mesa después de comer. ‖ **sobre manteles.** loc. adv. **a manteles.**

mantelado. adj. *Blas.* Dícese del escudo cortinado, partido en forma de cortina doble abierta.

mantelería. f. Juego de mantel y servilletas.

manteleta. (De *mantelete.*) f. Especie de esclavina grande, con puntas largas por delante, a manera de chal, que usan las mujeres para abrigo o como adorno. Las hay de varias hechuras.

mantelete. (De *mantel.*) m. Vestidura con dos aberturas para sacar los brazos, que llevan los obispos y prelados encima del roquete, y llega un palmo más abajo de las rodillas. ‖ **2.** *Blas.* Adorno del escudo de armas, que representa el pedazo de tela o de malla que, bajando desde lo alto del casco, protegía el cuello y parte de la espalda del caballero. ‖ **3.** *Mil.* Tabla gruesa que ordinariamente servía para cubrir la boca del petardo después de cargado, con que se aplicaba contra la pared o puerta que se quería romper. ‖ **4.** *Mil.* Tablero grueso forrado de plancha de metal y a veces aspillerado, que servia de resguardo contra los tiros del enemigo.

mantelo. (Del gall. *mantelo*, y este del lat. *mantellum*, manto.) m. Especie de delantal de paño, sin vuelo ni pliegues, que cubre la saya casi por completo y se abrocha o ata a la cintura, usado por las aldeanas de algunas provincias del norte de España.

mantellina. f. Mantilla de la cabeza.

mantención. f. fam. p. us. **manutención.**

mantenedor, ra. adj. Que mantiene. ‖ **2.** m. y f. ant. Persona que mantenía o sustentaba a otra. ‖ **3.** m. El encargado de mantener un torneo, justa, etc. ‖ **4.** ant. El que defiende o protege.

mantenencia. f. Acción y efecto de mantener. ‖ **2.** Acción y efecto de sostener. ‖ **3.** Alimento, sustento, víveres.

mantener. (Del lat. *manu tenēre*.) tr. Proveer a uno del alimento necesario. Ú. t. c. prnl. ‖ **2.** Costear las necesidades económicas de alguien. ‖ **3.** Conservar una cosa en su ser; darle vigor y permanencia. ‖ **4.** Sostener una cosa para que no caiga o se tuerza. ‖ **5.** Proseguir en lo que se está ejecutando. MANTENER *la conversación, el juego.* ‖ **6.** Defender o sustentar una opinión o sistema. ‖ **7.** Sostener un torneo, justa, etc. ‖ **8.** *Der.* Amparar a uno en la posesión o goce de una cosa. ‖ **9.** prnl. Estar un cuerpo en un medio o en un lugar, sin caer o haciéndolo muy lentamente. ‖ **10.** Perseverar, no variar de estado o resolución. ‖ **11.** fig. Fomentarse, alimentarse.

mantenido, da. p. p. de **mantener.** ‖ **2.** f. Mujer que vive a expensas de un hombre con el que mantiene relaciones sexuales extramatrimoniales.

manteniente. (De *mantener.*) adv. t. ant. En el momento, al instante. ‖ **a manteniente.** loc. adv. Con toda la fuerza y firmeza de la mano. ‖ **2.** Con ambas manos.

mantenimiento. m. Efecto de mantener o mantenerse. ‖ **2.** Conjunto de operaciones y cuidados necesarios para que instalaciones, edificios, industrias, etc., puedan seguir funcionando adecuadamente. ‖ **3.** Sustento o alimento. ‖ **4.** En las órdenes militares, porción que se asignaba a los caballeros profesos para el pan y el agua que debían gastar en el año. ‖ **5.** pl. Provisiones de boca de una agrupación grande.

manteo¹. (De *mantear¹*.) m. Acción y efecto de mantear.

manteo². (Del fr. *manteau*.) m. Capa larga con cuello, que llevan los eclesiásticos sobre la sotana, y en otro tiempo usaron los estudiantes. ‖ **2.** Ropa de bayeta o paño que llevaban las mujeres, de la cintura abajo, ajustada y solapada por delante.

mantequera. f. La que hace o vende manteca. ‖ **2.** Vasija en que se hace la manteca. ‖ **3.** Vasija en que se tiene o se sirve la manteca.

mantequería. f. Tienda donde se venden mantequilla, quesos, fiambres y otros artículos semejantes. ‖ **2.** Lugar donde se elabora o vende manteca.

mantequero, ra. adj. Perteneciente o relativo a la manteca. ‖ **2.** m. El que hace o vende manteca. ‖ **3.** Vasija en que se tiene o se sirve la manteca. ‖ **4. corojo.**

mantequilla. f. d. de **manteca.** ‖ **2.** Manteca de la leche de vaca. ‖ **3.** Producto obtenido de la leche o de la crema por agitación o por batimiento, y usando máquinas a propósito, ya mazando la leche u odres.

mantequillera. f. *Amér.* Vasija en que se tiene o se sirve la manteca.

mantequillero. m. *Amér.* El que hace o vende manteca. ‖ **2.** Vasija en que se tiene o se sirve.

mantera. f. Mujer que cortaba y hacía mantos para mujeres. ‖ **2.** La que hace mantas. ‖ **3.** La que las vende.

mantero. m. El que fabrica mantas o las vende.

mantés, sa. adj. fam. p. us. Pícaro, pillo. Ú. t. c. s.

mántica. (Del gr. μαντική, arte de la adivinación.) f. Conjunto de prácticas mediante las cuales se trataba de adivinar el porvenir.

mantilla. (d. de *manto.*) f. Paño de seda, lana u otro tejido, con guarnición de tul o encaje, o sin ella, que usan las mujeres para cubrirse la cabeza. Hay **mantillas** enteramente de tul, blonda o encaje. ‖ **2.** Pieza de bayeta u otra tela para abrigar y envolver a los niños por encima de los pañales. Ú. m. en pl. ‖ **3.** Paño con que se cubre el lomo de la cabalgadura. ‖ **4.** *Impr.* Paño o lienzo que, puesto en las prensas de mano, o envolviendo los cilindros de las máquinas de imprimir, servía para que no padeciera la letra y saliera bien la impresión. ‖ **5.** pl. Regalo que hacía un príncipe a otro a quien le nacía un hijo. ‖ **estar una cosa en mantillas.** fr. fig. y fam. Estar un negocio o trabajo muy a los principios o poco adelantado. ‖ **estar uno en mantillas.** fr. fig. y fam. Ignorar gran parte de lo concerniente a un asunto. ‖ **haber salido una cosa en mantillas.** fr. fig. y fam. **estar en mantillas.** ‖ **haber salido uno de mantillas.** fr. fig. y fam. Tener ya conocimiento y edad para gobernarse por sí.

mantilleja. f. d. de **mantilla** de la cabeza.

mantillo. (De *manto.*) m. Capa superior del suelo, formada en gran parte por la descomposición de materias orgánicas. ‖ **2.** Abono que resulta de la fermentación y putrefacción del estiércol o de la desintegración parcial de materias orgánicas que se mezclan a veces con la cal u otras sustancias.

mantillón, na. (De *mantillo.*) adj. *Murc.* Desaliñado, sucio, sin aseo. Ú. t. c. s. ‖ **2.** p. us. *Méj.* Pícaro, bribón, sinvergüenza, desobligado.

mantiniente. adv. t. ant. **manteniente.** Ú. en Salamanca.

mantis. f. **santateresa.** ‖ **religiosa. santateresa.**

mantisa. (Del lat. *mantisa*, añadidura.) f. *Mat.* Fracción decimal que sigue a la característica en un logaritmo.

manto. (Del lat. *mantum*.) m. Ropa suelta, a modo de capa, que llevaban las mujeres sobre el vestido, y con la cual se cubrían de pies a cabeza. Ú. aún en algunas provincias. ‖ **2.** Prenda con que las mujeres se cubrían cabeza y cuerpo hasta la cintura. ‖ **3.** Especie de mantilla grande sin guarnición, que usan las señoras. ‖ **4.** Capa que se usó en algunas naciones. ‖ **5.** La que llevan algunos religiosos sobre la túnica. ‖ **6.** Vestidura, generalmente recamada, que cubre algunas imágenes de la Virgen desde la cabeza hasta la parte inferior de la peana. ‖ **7.** Rica vestidura de ceremonia, que se ata por encima de los hombros en forma de capa y cubre todo el cuerpo hasta arrastrar por tierra. Es insignia de príncipes soberanos y de caballeros de las órdenes militares. ‖ **8.** Prenda del traje de ceremonia, abierta por delante, sujeta a la cintura y con larga cola, que en actos solemnes llevaban las damas que asistían a la corte. ‖ **9.** Ropa talar que usan en algunos colegios sus individuos y alumnos, sobre la cual llevan comúnmente la beca. ‖ **10.** Fachada de la campana de una chimenea. ‖ **11.** Grasas del redaño que envuelven las vísceras de los animales; en especial las mantecas del cerdo. ‖ **12.** Manteca o sebo en que nace envuelta la criatura. ‖ **13.** Capa de material que se extiende sobre una superficie. ‖ **14.** fig. Lo que encubre y oculta una cosa. ‖ **15.** *Min.* Capa de mineral, de poco espesor, que yace casi horizontalmente. ‖ **16.** *Zool.* Pliegue tegumentario, que se desarrolla como órgano protector del cuerpo en varios grupos de animales, v. gr. en los moluscos. ‖ **caballeroso.** Vestidura exterior, que, atada con un nudo sobre el hombro derecho, usaban antiguamente los caballeros. ‖ **capitular.** Vestidura exterior que los caballeros de las órdenes militares usan para juntarse en capítulo. ‖ **de humo.** El de seda negro y transparente que llevaban antiguamente las mujeres en señal de luto. ‖ **de soplillo.** Género de **manto** de tafetán muy feble, que se clareaba mucho, y llevaban las mujeres por gala. ‖ **ducal.** *Blas.* El de escarlata forrado de armiños y en forma de tapiz, sobre el cual se representan los escudos de armas de los más altos dignatarios. ‖ **terrestre.** *Geol.* Capa sólida intermedia entre la corteza terrestre y el núcleo central de la Tierra. ‖ **vegetal.** *Bot.* y *Geogr.* Conjunto de formaciones extensas que cubren un territorio, como el bosque o la pradera.

mantón[1]. (aum. de *manto*.) m. Cada una de las dos tiras de tela con que solían guarnecerse los jubones de las mujeres. ‖ **2.** Pieza cuadrada o rectangular de abrigo, que se echa sobre los hombros. ‖ **3.** Pañuelo grande que se echa generalmente sobre los hombros. ‖ **4.** ant. Mozo recién casado. ‖ **5.** ant. Capa o manteo. ‖ **6.** *Vol.* **manta** del ave de rapiña. ‖ **de Manila.** El de seda y bordado, que procede, por lo común, de China.

mantón[2], **na.** adj. p. us. **mantudo.**

mantornar. (De *mano* y *tornar*.) tr. *Ar.* Dar segunda reja o cava a las tierras, binar.

mantuano, na. (Del lat. *Mantuānus*.) adj. Natural de Mantua. Ú. t. c. s. ‖ **2.** Perteneciente o relativo a esta ciudad de Italia. ‖ **3.** m. Por antonom., el poeta Virgilio. Ú. t. c. s.

mantudo, da. (De *manta*.) adj. Dícese del ave cuando tiene caídas las alas y está como arropada con ellas.

mantuvión (de). loc. adv. ant. De golpe, de antuvión.

manuable. (Del lat. *manus*, mano.) adj. p. us. Fácil de manejar.

manual. (Del lat. *manuālis*.) adj. Que se ejecuta con las manos. ‖ **2.** V. **abecedario manual.** ‖ **3.** Fácil de manejar. ‖ **4.** Que exige más habilidad de manos que inteligencia. ‖ **5.** Casero, de fácil ejecución. ‖ **6.** ant. V. **obra manual.** ‖ **7.** ant. Ligero y fácil para alguna cosa. ‖ **8.** fig. Fácil de entender. ‖ **9.** fig. Manejable a la persona dócil y de condición suave y apacible. ‖ **10.** *Mús.* Dícese del teclado que en el órgano se maneja con las manos, en contraposición a los pedales. Ú. t. c. s. ‖ **11.** m. Libro que contiene los ritos con que deben administrarse los sacramentos. ‖ **12.** Libro en que se compendia lo más sustancial de una materia. ‖ **13.** Libro en que los hombres de negocios van anotando provisionalmente y como en borrador las partidas de cargo o data, para pasarlas después a los libros oficiales, si están obligados a llevarlos, por ejercer el comercio. ‖ **14.** Libro o cuaderno que sirve para hacer apuntamientos. ‖ **15.** pl. Ciertos emolumentos que ganan los eclesiásticos asistiendo al coro. ‖ **16.** ant. Derechos que se daban a los jueces ordinarios por su firma.

manualidad. (De *mano*.) f. Trabajo llevado a cabo con las manos. ‖ **2.** pl. Trabajos manuales propios de los escolares.

manualmente. adv. m. Con las manos.

manubrio. (Del lat. *manubrium*.) m. Empuñadura o manija de un instrumento. ‖ **2.** Empuñadura o pieza, generalmente de hierro, compuesta de dos ramas en ángulo recto, que se emplea para dar vueltas a una rueda, al eje de una máquina, etc. ‖ **3.** *Argent.* **manillar** de la bicicleta.

manucodiata. (Del javanés *mānuq dīwāta*, ave de los dioses.) f. **ave del Paraíso.**

manuela. f. En Madrid, coche de alquiler, abierto y tirado por un caballo.

manuelino, na. adj. Dícese del estilo, y principalmente del arquitectónico, usado en Portugal durante el reinado de Manuel I (1469-1521).

manuella. (Del cat. *manuella*.) f. Barra o palanca del cabrestante.

manufactura. (Del b. lat. *manu factura*.) f. Obra hecha a mano o con auxilio de máquina. ‖ **2.** Lugar donde se fabrica.

manufacturación. f. Acción y efecto de manufacturar.

manufacturar. (De *manufactura*.) tr. Fabricar con medios mecánicos.

manufacturero, ra. adj. Perteneciente a la manufactura. *Clase* MANUFACTURERA.

manumisión. (Del lat. *manumissio, -ōnis*.) f. Acción y efecto de manumitir.

manumiso, sa. (Del lat. *manumissus*.) p. p. irreg. de **manumitir.** ‖ **2.** adj. Que ha alcanzado la libertad, horro.

manumisor. (Del lat. *manumissor, -ōris*.) m. *Der.* El que manumite.

manumitir. (Del lat. *manumittĕre*.) tr. *Der.* Dar libertad al esclavo.

manús. (Voz gitana.) m. Gachó, tío, tipo.

manuscribir. (Del lat. *manus*, mano, y *scribĕre*, escribir.) tr. p. us. Escribir a mano.

manuscrito, ta. (Del lat. *manus*, mano, y *scriptus*, escrito.) adj. Escrito a mano. ‖ **2.** m. Papel o libro escrito a mano. ‖ **3.** Particularmente, el que tiene algún valor o antigüedad, o es de mano de un escritor o personaje célebre.

manutención. (De *manutener*.) f. Acción y efecto de mantener o mantenerse. ‖ **2.** p. us. Conservación y amparo. ‖ **3.** *Tecnol.* Conjunto de operaciones de almacenaje, manipulación y aprovisionamiento de piezas, mercancías, etc., en un recinto industrial.

manutenencia. f. p. us. **manutención.**

manutener. (Del lat. *manus*, mano, y *tenēre*, guardar, defender.) tr. *Der.* Mantener o amparar.

manutergio. (Del lat. *manutergĭum*, paño para enjugar las manos.) m. **cornijal**, lienzo litúrgico.

manutigio. (Del lat. *manutigĭum*, tocamiento manual.) m. p. us. Fricción ligera practicada con la mano.

manutisa. f. **minutisa**, planta.

manvacío, a. adj. desus. **manivacío.**

manzana. (De *mazana*.) f. *Bot.* Fruto del manzano, de forma globosa algo hundida por los extremos del eje; de epicarpio delgado, liso y de color verde claro, amarillo pálido o encarnado; mesocarpio con sabor acídulo o ligeramente azucarado, y semillas pequeñas, de color de canela, encerradas en un endocarpio coriáceo. ‖ **2.** Espacio urbano, edificado o destinado a la edificación, generalmente cuadrangular, delimitado por calles por todos sus lados. ‖ **3.** ant. Pomo de la espada. ‖ **4.** Manzanilla de las camas, balcones, etc. ‖ **5.** *Amér.* Nuez de la garganta. ‖ **asperiega.** La de forma bastante aplastada, carne granulosa y sabor agrio, que generalmente se emplea para hacer sidra. ‖ **de Adán.** *Amér.* Nuez de la garganta. ‖ **de la discordia.** fig. Lo que es ocasión de discrepancia en los ánimos y opiniones. ‖ **meladucha.** Variedad dulce, pero poco sustanciosa, que se cría en la vega del río Jalón. ‖ **reineta.** La gruesa, aromosa, de color dorado y carne amarillenta, jugosa y de sabor muy grato. ‖ **sano como una manzana.** loc. fig. y fam. con que se pondera la buena salud de una persona.

manzanal. m. Terreno poblado de manzanos. ‖ **2. manzano.**

manzanar. m. Terreno plantado de manzanos.

manzanera. (De *manzana*.) f. Manzano silvestre.

manzanero, ra. adj. Dícese del animal que busca los manzanos para comer su fruto. ‖ **2.** m. *Ecuad.* Árbol que da manzanas.

manzaneta. (d. de *manzana*.) f. *Ál.* Fruto de la gayuba.

manzanil. adj. Aplícase a algunas frutas parecidas a la manzana en el color o la figura.

manzanilla. (d. de *manzana*.) f. Hierba de la familia de las compuestas, con tallos débiles, comúnmente echados, ramosos, de dos a tres decímetros de longitud; hojas abundantes partidas en segmentos lineales, agrupados de tres en tres, y flores olorosas en cabezuelas solitarias con centro amarillo y circunferencia blanca. ‖ **2.** Flor de esta planta. ‖ **3.** Infusión de esta flor, que se usa mucho como estomacal, antiespasmódica y febrífuga. ‖ **4. aceituna manzanilla.** ‖ **5.** Parte carnosa y saliente con que terminan por debajo las patas de los mamíferos carniceros. ‖ **6.** Cada uno de los remates, en forma de manzana, con que se adornan las camas, los balcones, etc. ‖ **7.** Parte inferior y redonda de la barba. ‖ **8.** Vino blanco que se hace en Sanlúcar de Barrameda y en otros lugares de Andalucía. ‖ **9.** Cada uno de los botones redondos y forrados de tela con que solía abrocharse la ropilla. ‖ **bastarda.** Planta de la familia de las compuestas, con tallos erguidos, muy ramosos, estriados, verdes y de tres a cuatro decímetros de altura; hojas partidas en segmentos finos, planos por el envés, y flores en cabezuelas, con centro amarillo y circunferencia blanca. Sustituye en medicina a la **manzanilla** común. ‖ **común. manzanilla.** ‖ **europea.** Planta de la misma familia y género que la **manzanilla** común, con tallo derecho, ramoso, de tres a cuatro decímetros; hojas vellosas, blanquecinas, como toda la planta, partidas en segmentos lineales de punta roma y con dos o tres dientes en el margen, y flores en cabezuelas terminales con centro amarillo y circunferencia blanca vuelta hacia abajo. Abunda en los campos cultivados. ‖ **fina.** Planta de la familia de las compuestas, con tallos de dos a tres decímetros, hojas perfoliadas, partidas en segmentos filiformes, agudos, enteros o subdivididos, y flores en cabezuelas globosas muy fragantes y de color amarillo fuerte. ‖ **hedionda.** Planta de la misma familia que la **manzanilla** común, de la cual se distingue por ser algo vellosa, tener las hojas partidas en tiras muy finas y puntiagudas y despedir olor desagradable. ‖ **loca.** Planta de la familia de las compuestas, con tallos inclinados, gruesos, y de dos a tres decímetros; hojas alternas, divididas en segmentos dentados, y flores en cabezuelas amarillas. Se ha empleado como la **manzanilla** común y se utiliza en tintorería. ‖ **2. ojo de buey,** planta. ‖ **romana. manzanilla.**

manzanillero, ra. m. y f. *And.* Persona que se dedica a coger manzanilla para venderla.

manzanillo. (d. de *manzano*.) adj. V. **olivo manzanillo.** Ú. t. c. s. ‖ **2.** m. Árbol sudamericano, de la familia de las euforbiáceas, que crece hasta seis o siete metros de altura, con tronco delgado, copa irregular y ramas derechas, que por incisiones en su corteza dan un látex blanquecino y cáustico; hojas pecioladas, ovales, aserradas, lisas y de color verde oscuro; flores blanquecinas, y fruto drupáceo, semejante a una manzana, como de cinco centímetros de diámetro, con un hueso muy duro. El látex y el fruto son venenosos.

manzanita. f. d. de **manzana.** ‖ **de dama.** *Ar.* Fruto del acerolo.

manzano. (De *manzana*.) m. Árbol de la familia de las rosáceas, de tronco generalmente tortuoso, ramas gruesas y copa ancha poco regular, hojas sencillas, ovaladas, puntiagudas, dentadas, blancas, verdes por el haz, grises y algo vellosas por el envés; flores en umbela, sonrosadas por fuera y olorosas, y cuyo fruto es la manzana. ‖ **2.** V. **cambur manzano.** ‖ **asperiego.** El que produce las manzanas asperiegas.

maña. (Probablemente del lat. vulg. **manía,* habilidad manual.) f. Destreza, habilidad. ‖ **2.** Artificio o astucia Ú. m. en pl. ‖ **3.** Vicio o mala costumbre; resabio. Ú. m. en pl. ‖ **4.** Manojo pequeño, de lino, cáñamo, esparto, etc. ‖ **5.** Manera o modo de hacer una cosa. ‖ **darse maña.** fr. Ingeniarse, disponer los negocios con habilidad.

mañana. (Del lat. vulg. [*hora*] **maneāna,* a hora temprana.) f. Tiempo que transcurre desde que amanece hasta mediodía. ‖ **2.** Espacio de tiempo desde la medianoche hasta el mediodía. *A las dos de la* MAÑANA. ‖ **3.** m. Tiempo futuro

más o menos próximo a nosotros. ‖ **4.** adv. t. En el día que seguirá inmediatamente al de hoy. ‖ **5.** fig. En tiempo venidero. ‖ **6.** fig. Presto, o antes de mucho tiempo. ‖ **de gran mañana.** loc. adv. ant. **muy de mañana.** ‖ **de mañana.** loc. adv. Al amanecer, en las primeras horas del día. ‖ **¡hasta mañana!** Fórmula de despedida entre personas que piensan verse al día siguiente. ‖ **¡mañana!** Exclamación con que uno se niega a hacer lo que le piden. ‖ **muy de mañana.** loc. adv. Muy temprano, de madrugada. ‖ **pasado mañana.** loc. adv. En el día que seguirá inmediatamente al de **mañana.** ‖ **tomar la mañana.** fr. Levantarse al amanecer, madrugar. ‖ **2.** fam. Beber aguardiente por la **mañana** en ayunas.

mañanear. (De *mañana*.) intr. p. us. Madrugar habitualmente.

mañanero, ra. (De *mañana*.) adj. **madrugador.** ‖ **2.** Perteneciente o relativo a la mañana.

mañanica, ta. f. d. de **mañana,** tiempo desde el amanecer hasta la mediodía. ‖ **2.** Principio de la mañana.

mañanita. f. Prenda de vestir, de punto o tela, que cubre desde los hombros hasta la cintura y que las mujeres usan principalmente para estar sentadas en la cama.

mañear. tr. Disponer una cosa con maña. ‖ **2.** intr. Proceder mañosamente.

mañera. (De *mañero*[2].) f. ant. Hembra estéril.

mañerear. intr. *Argent.* y *Urug.* Obrar, proceder con malas mañas. ‖ **2.** *Chile.* Usar un animal malas mañas.

mañería[1]. (De *mañero*[2].) f. Esterilidad de las hembras. ‖ **2.** Esterilidad de las tierras. ‖ **3.** Derecho que tenían los reyes y señores de suceder en los bienes a los que morían sin sucesión legítima.

mañería[2]. (De *mañero*[1].) f. ant. Astucia, sagacidad, engaño.

mañero[1], **ra.** (De *maña*.) adj. Sagaz, astuto. ‖ **2.** Fácil de tratar, apacible o manejar. ‖ **3.** V. **vecino mañero.** ‖ **4.** *Argent.* **mañoso,** dícese de la persona o animal que tiene malas mañas o resabios. ‖ **5.** ant. Fiador o delegado para pagar por otro.

mañero[2], **ra.** (Del lat. hispánico *mannarĭus*.) adj. ant. Dícese de la hembra estéril. ‖ **2.** Dícese de la tierra estéril. ‖ **3.** ant. Muerto sin sucesión legítima.

mañeruelo, la. adj. d. de **mañero**[1].

mañíu. (Voz araucana.) m. *Chile.* Árbol semejante al alerce, cuya madera es muy apreciada.

maño[1], **ña.** (De or. inc.) m. y f. fig. fam. **aragonés,** natural de Aragón. Ú. t. c. s. ‖ **2.** Perteneciente o relativo a esta región. ‖ **3.** *Ar.* Expresión de cariño entre personas que se quieren bien.

maño[2], **ña.** (Del lat. *magnus*.) adj. ant. Grande, magno.

mañoco. m. **tapioca.** ‖ **2.** Masa cruda de harina de maíz que servía de comida a los indios de Venezuela.

mañosamente. adv. m. Con habilidad y destreza. ‖ **2.** Con astucia o malicia.

mañosear. intr. *Chile* y *Perú.* Actuar, proceder con maña.

mañoso, sa. adj. Que tiene maña. ‖ **2.** Que se hace con maña. ‖ **3.** Que tiene mañas o resabios.

mañuela. f. Maña, astucia. ‖ **2.** pl. com. fig. y fam. Persona astuta y cauta que sabe manejar diestramente los negocios.

maoísmo. m. Transformación del leninismo debida a Mao Tse-tung y aplicada a la revolución comunista china. ‖ **2.** Movimiento político inspirado en la doctrina de Mao.

maoísta. adj. Perteneciente o relativo al maoísmo. ‖ **2.** Partidario del maoísmo. Ú. t. c. s.

maorí. adj. Dícese del habitante de las islas de Nueva Zelanda. Ú. más c. s. m. y en pl. ‖ **2.** Perteneciente o relativo a este pueblo. ‖ **3.** m. Lengua hablada en ciertas zonas de Nueva Zelanda.

mapa. (Del b. lat. *mappa*, toalla, plano de una finca rústica.) m. Representación geográfica de la Tierra o parte de ella en una superficie plana. ‖ **2.** Representación geográfica de una parte de la superficie terrestre, en la que se da información relativa a una ciencia determinada. MAPA *lingüístico, topográfico, demográfico*, etc. ‖ **3.** f. fam. p. us. Lo que sobresale en un género, habilidad o producción. *La ciudad de Toro es la* MAPA *de las frutas.* ‖ **astronómico** o **celeste.** Representación gráfica de la distribución de las estrellas o de la superficie de un cuerpo celeste. ‖ **borrar** a uno **del mapa.** fr. fig. y fam. Matarlo. ‖ **mudo.** El que no tiene escritos los nombres de los reinos, provincias, ciudades, etc., y sirve para la enseñanza de la geografía. ‖ **llevarse la mapa.** fr. fam. Aventajarse en una línea. *En punto de vinos, Jerez* SE LLEVA LA MAPA. ‖ **no estar en el mapa** una cosa. fr. fig. y fam. Ser desusada y extraordinaria.

mapache. (Del nahua *mapach.*) m. Mamífero carnicero de la América del Norte, del tamaño y aspecto del tejón, con piel de color gris oscuro muy estimada en el comercio, hocico blanco y cola muy poblada, con anillos blancos y oscuros alternados.

mapamundi. (Del b. lat. *mappa mundi.*) m. Mapa que representa la superficie de la Tierra dividida en dos hemisferios.

mapanare. f. Culebra muy venenosa de Venezuela, cuyos colores forman una especie de cadena negra y amarilla en el lomo, y que tiene el vientre amarillo claro.

mapuche. (Del araucano *mapu*, tierra, país, y *che*, gente.) adj. Natural de Arauco. ‖ **2.** Perteneciente o relativo a esta zona o provincia de Chile. ‖ **3.** Dícese del indio perteneciente a alguna de las parcialidades araucanas que en la época de la conquista española habitaban en la región central de Chile. Por ext., se aplica a todos los araucanos. Ú. t. c. s. ‖ **4.** Perteneciente o relativo a estos indios o a su lengua. ‖ **5.** m. Lengua de los **mapuches.**

mapurite. (Del caribe *maipuri.*) m. Especie de mofeta de América Central, con el cuerpo amarillento, pecho y vientre pardos, punta de la cola blanca y una faja oscura a lo largo del lomo.

mapuro. m. *Col.* y *Venez.* Mofeta.

maque. (Del japonés *makie*, barniz de oro o plata.) m. Laca, barniz. ‖ **2. zumaque del Japón.**

maqueador. m. Operario que se dedica a maquear.

maquear. tr. Adornar muebles, utensilios u otros varios objetos con pinturas o dorados, usando para ello el maque. Es industria asiática, y las imitaciones se hacen en Europa con barniz blanco de copal.

maqueta. (Del it. *macchietta.*) f. Modelo plástico, en tamaño reducido, de un monumento, edificio, construcción, etc. ‖ **2.** Modelo hecho con el papel en blanco para apreciar de antemano el volumen, formato y encuadernación de un libro.

maquetista. (De *maqueta.*) com. Persona que se dedica a hacer maquetas.

maqueto, ta. m. y f. despect. En el País Vasco, inmigrante de otra región española.

maqui. (Voz araucana.) m. Arbusto chileno, de la familia de las liliáceas, de unos tres metros de altura, hojas aovadas y lanceoladas, flores axilares en racimo, y fruto redondo, de unos cinco milímetros de diámetro, dulce y un poco astringente, que se emplea en confituras y helados. Los indios preparan también con él una especie de chicha.

maquiavélico, ca. adj. Perteneciente o relativo al maquiavelismo. ‖ **2.** Que sigue las máximas de Maquiavelo. ‖ **3.** Que actúa con astucia y doblez.

maquiavelismo. m. Doctrina política de Maquiavelo, escritor italiano del siglo XVI, fundada en la preeminencia de la razón de Estado sobre cualquier otra de carácter mo-

ral. ‖ **2.** fig. Modo de proceder con astucia, doblez y perfidia.

maquiavelista. adj. Que sigue las máximas de Maquiavelo. Ú. t. c. s.

maquila. (Del ár. *makila*, medida de capacidad.) f. Porción de grano, harina o aceite que corresponde al molinero por la molienda. ‖ **2.** Medida con que se maquila. ‖ **3.** Medio celemín. ‖ **4.** *Hond.* Medida de peso de cinco arrobas.

maquilar. tr. Medir y cobrar el molinero la maquila.

maquilero, ra. adj. Se dice del molino que funciona cobrando maquila. ‖ **2.** Perteneciente o relativo a la maquila. ‖ **3.** m. El encargado de cobrar la maquila. ‖ **4.** *Cantabria.* Medio celemín.

maquilhue. m. *El Salv.* **maquil-ishuat.**

maquil-ishuat. (Del nahua *macuil*, cinco, e *ishuat*, hoja, pétalo.) m. *El Salv.* Árbol frondoso, cuyas ramas, en la estación seca, quedan sin hojas, únicamente cubiertas de flores rosadas o blancas. Es el árbol nacional de El Salvador.

maquilón. m. ant. El encargado de cobrar la maquila por la molienda.

maquillador, ra. m. y f. Persona que se dedica a maquillar.

maquillaje. m. Acción y efecto de maquillar o maquillarse. ‖ **2.** Sustancia cosmética para maquillar.

maquillar. (Del fr. *maquiller*, de la jerga teatral del siglo XIX.) tr. Aplicar cosméticos al rostro. Ú. t. c. prnl. ‖ **2.** Pintar el rostro con preparados artificiales para obtener en teatro, cine o televisión determinados efectos. Ú. t. c. prnl. ‖ **3.** fig. Alterar algo para darle una apariencia mejor.

máquina. (Del lat. *machĭna*, y este del gr. μηχανή.) f. Artificio para aprovechar, dirigir o regular la acción de una fuerza. ‖ **2.** Conjunto de aparatos combinados para recibir cierta forma de energía y transformarla en otra más adecuada, o para producir un efecto determinado. ‖ **3.** fig. Agregado de diversas partes ordenadas entre sí y dirigidas a la formación de un todo. ‖ **4.** Por antonom., locomotora del tren. ‖ **5.** Tramoya[1] del teatro. ‖ **6.** fig. Traza, proyecto de pura imaginación. ‖ **7.** fig. Intervención de lo maravilloso o sobrenatural en cualquier fábula poética. ‖ **8.** fig. y fam. Edificio grande y suntuoso. *La gran* MÁQUINA *de El Escorial.* ‖ **9.** fig. y fam. Multitud y abundancia. *Tengo una* MÁQUINA *de libros.* ‖ **de vapor.** La que funciona por la fuerza expansiva del vapor de agua. ‖ **eléctrica.** Artificio destinado a producir electricidad o aprovecharla en usos industriales. ‖ **herramienta.** La que por procedimientos mecánicos hace funcionar una herramienta, sustituyendo el trabajo del operario. ‖ **hidráulica.** La que se mueve por la acción del agua. ‖ **2.** La que sirve para elevar agua u otro líquido. ‖ **neumática.** Aparato para extraer de un espacio cerrado aire u otro gas. ‖ **a toda máquina.** loc. adv. Muy deprisa.

maquinación. (Del lat. *machinatĭo, -ōnis.*) f. Proyecto o asechanza artificiosa y oculta, dirigida regularmente a mal fin.

maquinador, ra. (Del lat. *machinātor, -ōris.*) adj. Que maquina. Ú. t. c. s.

maquinal. (Del lat. *machinālis.*) adj. Perteneciente a los movimientos y efectos de la máquina. ‖ **2.** fig. Aplícase a los actos y movimientos ejecutados sin deliberación.

maquinalmente. adv. m. Fig. Maquinalmente.

maquinar. (Del lat. *machināri.*) tr. Urdir, tramar algo oculta y artificiosamente. ‖ **2.** En metalurgia, trabajar una pieza por medio de una máquina.

maquinaria. (Del lat. *machinarĭus.*) f. ant. Arte que enseña a fabricar las máquinas. ‖ **2.** Conjunto de máquinas para un fin determinado. ‖ **3.** Mecanismo que da movimiento a un artefacto.

maquinilla. (d. de *máquina.*) f. Máquina de afeitar, aparato constituido por un mango, en uno de cuyos extremos hay un dispositivo donde se aloja una cuchilla, y que sirve para rasurar.

maquinillero. m. *Mar.* Marinero encargado del manejo de las máquinas auxiliares para la carga y descarga.

maquinismo. m. Empleo predominante de las máquinas en la industria moderna.

maquinista. com. Persona que inventa o fabrica máquinas. ‖ **2.** La que la dirige o gobierna, especialmente si estas son de vapor, gas o electricidad.

maquinización. f. Acción y efecto de maquinizar.

maquinizar. (De *máquina* e -*izar*.) tr. Emplear en la producción industrial, agrícola, etc., máquinas que sustituyen o mejoran el trabajo del hombre.

maquis. (Del fr. *maquis*, monte bajo, denso e intrincado.) com. Persona que, huida a los montes, vive en rebeldía y oposición armada al sistema político establecido. ‖ **2.** La misma organización de esa oposición.

mar. (Del lat. *mare*.) amb. Masa de agua salada que cubre la mayor parte de la superficie de la Tierra. ‖ **2.** Cada una de las partes en que se considera dividida. MAR *Mediterráneo, Cantábrico*, etc. ‖ **3.** V. **almirante de la mar.** ‖ **4.** V. **adelantado, anemone, araña, artillero, azul, barbo, brazo, caballo, cabo, cangrejo, cohombro, criadilla, erizo, espuma, gallina, gente, golondrina, golpe, hombre, liebre, lobo, matrícula, ortiga, perejil, piojo, protesta, trucha, unicornio, de mar.** ‖ **5.** V. **creciente del mar.** ‖ **6.** fig. Llámanse así algunos lagos, como el Caspio, el Muerto. ‖ **7.** fig. La agitación misma del **mar** o el conjunto de sus olas, y aun el tamaño de estas. ‖ **8.** fig. Abundancia extraordinaria de ciertas cosas. *Lloró un* MAR *de lágrimas.* ‖ **ancha. alta mar.** ‖ **arbolada. mar** fuertemente agitada, con olas de más de seis metros de altura. ‖ **bonanza.** *Mar.* **mar en calma.** ‖ **cerrada.** La que comunica con el océano por un canal o estrecho que puede ser defendido desde las orillas. ‖ **de batalla. mar** o lugar de él donde han combatido algunas escuadras o embarcaciones. ‖ **de donas.** ant. *Mar.* **mar en calma.** ‖ **de fondo.** *Meteor.* Agitación de las aguas del **mar** propagada desde el interior y que en forma atenuada alcanza los lugares próximos a la costa. También puede producirse en alta **mar** sin efectos en la costa, con propagación de olas, aun débiles, de un lugar a otro. ‖ **2.** fig. Inquietud o agitación más o menos latente que enturbia o dificulta el curso de un asunto cualquiera. ‖ **de leche. mar en leche.** ‖ **de leva.** *Meteor.* **mar de fondo.** ‖ **de viento.** *Meteor.* Agitación de las aguas del **mar** por la acción del viento que sopla sobre su superficie en un lugar determinado, y cuya magnitud depende de la fuerza del viento, de su duración y de la distancia desde la que sopla en la misma dirección. ‖ **en bonanza, en calma, o en leche.** El que está sosegado y sin agitación. ‖ **en lecho.** ant. **mar en leche.** ‖ **gruesa.** La muy agitada por las olas, que llegan hasta la altura de seis metros. ‖ **jurisdiccional. aguas jurisdiccionales.** ‖ **larga.** *Mar.* **mar ancha.** ‖ **rizada.** *Meteor.* Movimiento ligero de las aguas del **mar**, inferior al de la marejada. ‖ **sorda. mareta sorda,** alteración de las olas. ‖ **tendida.** La formada por grandes olas de mucho seno y de movimiento lento, que no llegan a reventar. ‖ **territorial. mar jurisdiccional.** ‖ **alta mar.** Parte del **mar** que está a bastante distancia de la costa. ‖ **a mares.** loc. adv. **abundantemente.** Ú. con los verbos *llorar, llover* y *sudar.* ‖ **arar en el mar.** fr. fig. Ser inútiles ciertos los mayores esfuerzos para conseguir un fin determinado. ‖ **arrojarse a la mar.** fr. fig. Aventurarse a un grave riesgo. ‖ **de mar a mar.** loc. adv. fig. que denota la abundancia de algunas cosas que ocupan determinado sitio. *Venía el río* DE MAR A MAR; *estaba la plaza llena de fruta* DE MAR A MAR. ‖ **2.** fig. y fam. Aplícase al lujo o exceso en los adornos. *Juan iba* DE MAR A MAR. ‖ **hablar de la mar.** fr. fig. y fam. con que vulgarmente se significa ser imposible la ejecución o la inteligencia de una

cosa. ‖ **2.** fig. y fam. También se usa para denotar que hay mucho que hablar de un tema o asunto. ‖ **hacerse a la mar.** fr. Salir del puerto para navegar. ‖ **la mar.** loc. adv. Mucho, abundantemente. ‖ **la mar de.** loc. adv. **mucho.** ‖ **meter la mar en un pozo.** fr. fig. con que se pondera la dificultad de reducir a estrechos límites una cosa de mucha extensión. ‖ **picarse el mar, o la mar.** fr. Comenzar a alterarse. ‖ **quebrar el mar.** fr. **romperse el mar.** ‖ **romperse el mar.** fr. Estrellarse las olas contra un peñasco, playa, etc. ‖ **sobre mar.** expr. ant. En la **mar** o embarcado.

marabino, na. adj. *Venez.* **maracaibero.**

marabú. (Del ár. *marbūṭ*, santo, ermitaño, persona profesa en una rábida.) m. Ave zancuda, semejante a la cigüeña, de metro y medio de alto y tres metros y medio de envergadura; cabeza, cuello y buche desnudos; plumaje de color negro verdoso en el dorso, ceniciento en el vientre y blanco y muy fino debajo de las alas; pico amarillo, grande y grueso, y tarsos fuertes de color negruzco. Vive en África, donde es considerado como animal sagrado por los servicios que presta devorando multitud de insectos, reptiles y carroñas, y sus plumas blancas son muy apreciadas para adorno. ‖ **2.** Adorno hecho de su pluma.

marabunta. (Voz de la Guayana ing.) f. Nombre indígena de las migraciones masivas de hormigas legionarias, que devoran a su paso todo lo comestible que encuentran. Son peligrosas por el carácter imprevisible de su aparición y de su itinerario. ‖ **2.** Conjunto de gente alborotada y tumultuosa.

marabuto. m. Ermita moruna, morabito.

maraca. (Del guaraní *mbaracá*.) f. Instrumento musical sudamericano, que consiste en una calabaza con granos de maíz o chinas en su interior, para acompañar el canto. Actualmente se hace también de metal o materiales plásticos. Ú. m. en pl. ‖ **2.** *Ant.* Sonajero. ‖ **3.** *Chile* y *Perú.* Juego de azar; se juega con tres dados que, en vez de puntos, tienen figurados un sol, un oro, una copa, una estrella, una luna y un ancla. ‖ **4.** fig. *Chile.* Ramera, prostituta.

maracaibero, ra. adj. Dícese del natural de Maracaibo. Ú. t. c. s. ‖ **2.** Perteneciente o relativo a esta ciudad de Venezuela.

maracaná. (Voz guaraní.) m. *Argent.* Especie de papagayo, guacamayo.

maracayá. m. *Amér. Merid.* Mamífero carnicero, pequeño, de cola larga y piel con manchas, tigrillo.

maracucho, cha. adj. despect. y fam. *Venez.* **maracaibero.**

maracure. m. Bejuco de Venezuela, del cual se extrae el curare.

maragatería. f. Conjunto de maragatos.

maragato, ta. adj. Natural de la Maragatería. Ú. t. c. s. ‖ **2.** Perteneciente o relativo a esta comarca de León, al oeste y sur de Astorga, cuyos habitantes tenían por principal ocupación la arriería. ‖ **3.** Especie de adorno que antiguamente llevaban las mujeres en los escotes, parecido a la valona que usaban los **maragatos.**

marantáceo, a. adj. (De *maranta*, nombre de un género de plantas, y -*áceo*.) *Bot.* Dícese de plantas angiospermas monocotiledóneas, herbáceas, con hojas asimétricas y pecioladas; flores hermafroditas irregulares, con cáliz y corola, completamente asimétricas y reunidas en inflorescencias compuestas; fruto en cápsula, baya o nuez, y semillas con arilo. Ú. t. c. s. f. pl. ‖ **2.** f. pl. *Bot.* Familia de estas plantas.

maraña. (De or. inc.) f. Lugar riscoso o cubierto de maleza que lo hace impracticable. ‖ **2.** Conjunto de hebras bastas, enredadas y de grueso desigual, en la parte exterior de los capullos de seda, las cuales es preciso apartar al hacer el hilado, y se emplean en tejidos de inferior calidad. ‖ **3.** Tejido hecho con esta **maraña.** ‖ **4.** Árbol semejante a la encina, coscoja. ‖ **5.** fig. Enredo de los hilos o del cabello. ‖ **6.** fig. Embuste inventado para enredar o descomponer un negocio. ‖ **7.** fig. Situación o asunto intrincado o de difícil salida.

marañal. (De *maraña*.) m. p. us. Sitio poblado de coscojas, árboles; coscojal.

marañar. (De *maraña*.) tr. Enredar cosas. ‖ **2.** Enredar asuntos. Ú. t. c. prnl.

marañero, ra. adj. Amigo de marañas, enredador. Ú. t. c. s.

marañón. (De *maraña*.) m. aum. de **maraña**. ‖ **2.** Árbol de las Antillas y de América Central, de la familia de las anacardiáceas, de cuatro a cinco metros de altura; de tronco torcido y madera blanca; hojas ovaladas, de color amarillo rojizo, lisas y coriáceas; flores en panojas terminales, y cuyo fruto, sostenido por un pedúnculo grueso en forma de pera, es una nuez de cubierta cáustica y almendra comestible. ‖ **3.** adj. Díjose del habitante de las proximidades del río Marañón o Amazonas. Ú. t. c. s.

marañoso, sa. adj. Amigo de marañas o enredos. Ú. t. c. s. ‖ **2.** p. us. Enmarañado, enredado.

marasmo. (Del gr. μαρασμός; en b. lat. *marasmus*.) m. *Pat.* Extremado enflaquecimiento del cuerpo humano. ‖ **2.** fig. Suspensión, paralización, inmovilidad, en lo moral o en lo físico.

maratón. (De Maratón, gr. Μαραθών, lugar a cuarenta y dos kilómetros de Atenas, donde los griegos obtuvieron una gran victoria sobre los persas.) m. y a veces f. Carrera pedestre de resistencia practicada por deporte en una longitud que ha variado entre los cuarenta y los cuarenta y dos kilómetros setecientos cincuenta metros. Hoy está fijada en cuarenta y dos kilómetros ciento noventa y cinco metros. ‖ **2.** Por ext., designa algunas otras competiciones deportivas de resistencia. ‖ **3.** m. fig. Actividad o conjunto de actividades que se desarrollan apresuradamente, en menos tiempo que si se realizaran con ritmo normal.

maratoniano, na. adj. Perteneciente o relativo al maratón. ‖ **2.** Que tiene los caracteres del maratón.

maratónico, ca. adj. *Argent.* **maratoniano.**

maravedí. (Del ár. *murābíṭí*, perteneciente o relativo a los almorávides.) m. Moneda española, efectiva unas veces y otras imaginaria, que ha tenido diferentes valores y calificativos. Se han dado a este nombre hasta tres plurales diferentes: **maravedís**, **maravedíses** y **maravedíes**. El tercero apenas tiene ya uso. ‖ **2.** Tributo de siete en siete años pagaban al rey los aragoneses cuya hacienda valía diez **maravedís** de oro, o siete sueldos, que era su equivalencia en tiempo del rey don Jaime el Conquistador. ‖ **alfonsí, o blanco. maravedí de plata.** ‖ **burgalés.** Moneda de vellón con tres partes de cobre y una de plata, que mandó labrar en Burgos el rey don Alfonso el Sabio, y valía la sexta parte del **maravedí** de plata. ‖ **cobreño.** Moneda antigua que valía dos blancas. ‖ **de la buena moneda, o de los buenos.** De los de cobre, el que tenía más liga de plata. ‖ **2. maravedí de oro.** ‖ **de oro.** Moneda con ley de dieciséis quilates de oro, que don Alfonso el Sabio tasó en seis **maravedís** de plata. ‖ **de plata.** Moneda anterior a los Reyes Católicos, cuyo valor era la tercera parte de un real de plata antiguo. ‖ **novén. maravedí viejo.** ‖ **nuevo.** Antigua moneda de vellón, que equivalía a la séptima parte de un real de plata antiguo. ‖ **prieto.** Moneda antigua, de menos valor que la blanca. ‖ **viejo.** Moneda de vellón que corrió en Castilla desde el tiempo de don Fernando IV hasta el de los Reyes Católicos, y valía la tercera parte de un real de plata.

maravedinada. f. Cierta medida antigua de áridos.

maravetino. m. ant. **maravedí.**

maravilla. (Del lat. *mirabília*, pl. n. de *mirabǐlis*, admirable.) f. Suceso o cosa extraordinarios que causan admiración. ‖ **2.** Acción y efecto de maravillar o maravillarse. ‖ **3.** Planta herbácea de la familia de las compuestas, de tres a cuatro decímetros de altura, con hojas abrazadoras y lanceoladas, flores terminales con pedúnculo hinchado, circulares y de color anaranjado. El cocimiento de las flores se ha usado en medicina como antiespasmódico. ‖ **4.** Especie de enredadera, originaria de América, que se cultiva en los jardines y tiene la flor azul con listas purpúreas. ‖ **5.** Dondiego de noche, planta. ‖ **6.** V. **flor de la maravilla.** ‖ **del mundo.** Cada una de las siete grandes obras de arquitectura o estatuaria que en la antigüedad se reputaron más admirables. ‖ **a las maravillas, o a las mil maravillas.** loc. adv. fig. De modo exquisito o primoroso; muy bien, perfectamente. ‖ **a maravilla.** loc. adv. **maravillosamente.** ‖ **decir, o hacer, maravillas.** fr. fig. y fam. Exponer algún concepto o ejecutar alguna acción con extraordinario primor. ‖ **de maravilla, o de maravillas.** loc. adv. fig. Muy bien, de manera exquisita. ‖ **por maravilla.** loc. adv. Rara vez, por casualidad. ‖ **ser una cosa la octava maravilla.** fr. fig. Ser muy extraordinaria y admirable. ‖ **ser una maravilla.** fr. fig. Ser singular y excelente.

maravillar. (De *maravilla*.) tr. Causar admiración. ‖ **2.** prnl. Ver con admiración.

maravillosamente. adv. m. De un modo maravilloso.

maravilloso, sa. (De *maravilla*.) adj. Extraordinario, excelente, admirable.

marbellí. adj. Natural de Marbella. Ú. t. c. s. ‖ **2.** Perteneciente o relativo a esta ciudad.

marbete. (De etim. disc.) m. Cédula que por lo común se adhiere a las piezas de tela, cajas, botellas, frascos u otros objetos, y en que se suele manuscribir o imprimir la marca de fábrica, o expresar en un rótulo lo que dentro se contiene, y a veces sus cualidades, uso, precio, etc. ‖ **2.** Cédula que en los ferrocarriles se pega en los bultos de equipaje, fardos, etc., y en la cual van anotados el punto a que se envían y el número del registro. ‖ **3.** Orilla, perfil, filete.

marca. (Del b. lat. *marca*, y este del germ. *mark*, territorio fronterizo.) f. Provincia, distrito fronterizo. MARCA *de Ancona, de Brandemburgo*. ‖ **2.** Instrumento para medir la estatura de las personas o la alzada de los caballos. ‖ **3.** Medida cierta y segura del tamaño que debe tener una cosa. *Caballo de* MARCA. ‖ **4.** V. **carta, espada, papel de marca.** ‖ **5.** Instrumento con que se marca o señala una cosa para diferenciarla de otras, o para denotar su calidad, peso o tamaño. ‖ **6.** Acción de marcar. ‖ **7.** Señal hecha en una persona, animal o cosa, para distinguirla de otra, o denotar calidad o pertenencia. ‖ **8.** *Dep.* El mejor resultado técnico homologado en el ejercicio de un deporte. Puede ser individual, regional, nacional, mundial, olímpica, etc. ‖ **9.** *Mar.* Cualquier punto fijo y bien característico de la costa, que por sí solo, o combinado en enfilación con otros, sirve de señal para saber la situación de la nave y dirigir su rumbo del modo conveniente según las circunstancias. ‖ **10.** *Germ.* Prostituta, mujer pública. ‖ **de correlación.** *Ling.* Rasgo distintivo que identifica una serie de fonemas por oposición a otra. ‖ **de fábrica.** Distintivo o señal que el fabricante pone a los productos de su industria, y cuyo uso le pertenece exclusivamente. ‖ **registrada. marca** de fábrica o de comercio que, inscrita en el registro competente, goza de protección legal. ‖ **de marca.** loc. adj. fig. con que se explica que una cosa es sobresaliente en su línea. ‖ **de marca mayor, o de más de marca.** loc. adj. fig. con que se declara que una cosa es excesiva en su línea, y que sobrepuja a lo común. ‖ **batir una marca.** fr. *Dep.* Superar una **marca** homologada.

marcación[1]. f. *Mar.* Acción y efecto de marcar o marcarse. ‖ **2.** *Mar.* Ángulo que la visual dirigida a una marca o a un astro forma con el rumbo que lleva el buque o con otro determinado.

marcación[2]. (De *marco*.) f. Cerco en que encajan puertas y ventanas. ‖ **2**. Conjunto de tales cercos.

marcadamente. adv. m. Singularmente, señaladamente.

marcado, da. p. p. de **marcar**. ‖ **2**. adj. Muy perceptible. *Habla con* MARCADO *acento andaluz. Un artículo escrito con* MARCADA *agresividad.*

marcador, ra. adj. Que marca. Ú. t. c. s. ‖ **2**. m. Muestra o dechado que hacen las niñas en cañamazo, en prueba de su habilidad para marcar. ‖ **3**. El que contrasta monedas, metales, pesos y medidas. ‖ **4**. Tablero colocado en un lugar visible de los recintos deportivos, en el cual se anotan los tantos, puntos o lugares que van obteniendo los equipos o participantes que compiten. ‖ **5**. *Impr.* Operario encargado de colocar uno tras otro los pliegos de papel en las máquinas. ‖ **mayor**. Título que se daba en Castilla al jefe de los **marcadores** o contrastes.

marcaje. m. Acción y efecto de marcar a un jugador del equipo contrario.

marcapaso o **marcapasos**. (Calco del ing. *pacemaker*.) m. Aparato electrónico de pequeño tamaño que excita rítmicamente al corazón incapaz de contraerse por sí mismo con regularidad. ‖ **2**. *Fisiol.* Cualquier órgano o sistema de regulación fisiológica que inicia y mantiene el ritmo de ciertas funciones del organismo, como el latido cardíaco, las contracciones uterinas, etc.

marcar. (De *marca*.) tr. Señalar con signos distintivos. MARCAR *personas, animales, árboles, monedas, prendas, productos*, etc. ‖ **2**. Bordar en la ropa las iniciales y alguna vez los blasones de su dueño. ‖ **3**. Herir por corte o contusión con herida que deje señal. ‖ **4**. Obtener el peinado deseado colocando en el cabello pinzas, rulos, etc. Ú. t. c. prnl. ‖ **5**. fig. Actuar sobre alguien o algo imponiéndole carácter o dejándole huella moral. ‖ **6**. fig. Calificar, en general peyorativamente. ‖ **7**. fig. En ciertos casos, prescribir, determinar, fijar. MARCAR *a uno el camino que debe seguir*. ‖ **8**. Indicar un aparato cantidades o magnitudes. *El termómetro* MARCA *veinte grados. El reloj* MARCABA *las seis.* ‖ **9**. Dividir espacios realmente, con hitos o señales de cualquier clase, o dividirlos mentalmente. ‖ **10**. Tratándose de géneros de comercio, poner en ellos la indicación de su precio. ‖ **11**. Señalar la situación o dirección de lo que se busca. ‖ **12**. Determinar la situación de un buque por medio de marcaciones. Ú. t. c. prnl. ‖ **13**. Dar indicio de alguna cosa. ‖ **14**. Mostrar alguna cosa destacada o acentuadamente, hacerla resaltar. MARCAR *el vestido una parte del cuerpo;* MARCAR *una palabra o una sílaba.* ‖ **15**. Dar pauta o señalar un orden o algunos movimientos. MARCAR *el paso, el ritmo, el compás.* ‖ **16**. Señalar en el disco de un teléfono los números de otro para comunicar con él. ‖ **17**. Considerar o hacer uno mentalmente suya una cosa apetecible. Ú. especialmente con la preposición *por* y un posesivo. *La* MARQUÉ *por mía.* ‖ **18**. En el fútbol y algunos otros deportes, conseguir tantos metiendo la pelota en la meta contraria. ‖ **19**. En el fútbol y algunos otros deportes, situarse un jugador cerca de un contrario para dificultar la actuación de este. ‖ **20**. *Fís.* Sustituir en una molécula un átomo por otro de la misma clase para hacerla detectable. MARCAR *nitrógeno. Carbono* MARCADO. ‖ **21**. *Impr.* Ajustar el pliego a los tacones al imprimir el blanco, y apuntarlo para la retiración.

marcasita. (Del ár. *marqašīṭā*, de origen persa.) f. Sulfuro de hierro, pirita.

marceador, ra. adj. Que marcea.

marcear. tr. Esquilar las bestias, operación que en algunos climas suele hacerse en el mes de marzo. ‖ **2**. intr. Hacer el tiempo propio del mes de marzo.

marcelianista. adj. Partidario de la herejía atribuida a Marcelo, obispo de Ancira, en el siglo IV, acusado de confundir las tres personas de la Trinidad. Ú. t. c. s.

marcelino, na. adj. ant. Perteneciente a marzo.

marcen. f. **márcena**, amelga.

márcena. (Del lat. *margo, -ĭnis*.) f. *Ál.* y *Rioja.* Extremo, orilla o margen de una cosa. ‖ **2**. Faja de una tierra de labor, amelga.

marcenar. (De *márcena*.) tr. Hacer amelgas en una tierra de labor.

marceño, ña. adj. Propio del mes de marzo.

marceo. (De *marcear*.) m. Corte que hacen los colmeneros al entrar la primavera, para quitar a los panales lo reseco y sucio que suelen tener en la parte inferior.

marcero, ra. adj. Propio del mes de marzo.

marcescente. (Del lat. *marcescens, -entis*, que se marchita.) adj. *Bot.* Aplícase a los cálices y corolas que después de marchitarse persisten alrededor del ovario, y a las hojas que permanecen secas en la planta hasta que brotan las nuevas.

marcial. (Del lat. *martiālis*, de Marte.) adj. Perteneciente a la guerra, la milicia o los militares. ‖ **2**. V. **flamen, ley, pirita marcial**. ‖ **3**. V. **artes marciales**. ‖ **4**. fig. Bizarro, varonil, franco. ‖ **5**. *Farm.* Dícese de los medicamentos en que entra el hierro, metal dedicado por los alquimistas al dios Marte. ‖ **6**. m. Porción de polvos aromáticos con que antiguamente se aderezaban los guantes.

marcialidad. f. Cualidad de marcial.

marciano, na. adj. Relativo al planeta Marte, o propio de él. ‖ **2**. m. y f. Supuesto habitante del planeta Marte.

marcido, da. p. p. de **marcir**. ‖ **2**. adj. *And.* y *Ar.* Dícese de los frutos mustios o blandos. ‖ **3**. Dícese de la persona enferma o achacosa.

marcio, cia. (Del lat. *martĭus*.) adj. ant. Perteneciente a la guerra. ‖ **2**. mes de marzo.

marcionista o **marcionita**. adj. Dícese del seguidor de Marción, que vivió en el siglo II en Asia Menor y sostenía la existencia de dos espíritus, uno bueno y otro malo, y que este último era el verdadero creador del mundo. Ú. t. c. s.

marcir. (Del lat. *marcēre*.) tr. Marchitar.

marco. (Del germ. *mark*.) m. Peso de media libra, o doscientos treinta gramos, que ha venido usándose para el oro y la plata. El del oro se dividía en cincuenta castellanos, y el de la plata en ocho onzas. ‖ **2**. Patrón o tipo por el cual debían regularse o contrastarse las pesas y medidas. ‖ **3**. Moneda alemana de plata. ‖ **4**. Unidad monetaria de Alemania. ‖ **5**. Medida determinada del largo, ancho y grueso que, según sus clases, deben tener las maderas. ‖ **6**. Cerco que rodea, ciñe o guarnece algunas cosas, y aquel en donde se encaja una puerta, ventana, pintura, etc. ‖ **7**. Lámina en forma de triángulo rectángulo isósceles que se emplea en el dibujo lineal, cartabón. ‖ **8**. Herramienta destinada a señalar los árboles; es una hacha con el peto en forma de martillo, o con letras o marcas, en acero, invertidas y en relieve. ‖ **9**. Figura geométrica adoptada para repartir regularmente una plantación en el terreno. ‖ **10**. fig. Ambiente o paisaje que rodea algo. ‖ **11**. fig. Límites en que se encuadra un problema, cuestión, etapa histórica, etc. *En el* MARCO *de la Constitución. En el* MARCO *de una teoría.* ‖ **hidráulico**. Arqueta sin tapa, que lleva en una de sus paredes varios cañitos de distintos diámetros, calculados de modo que salga por cada uno de ellos en una línea señalada en la parte interior. ‖ **real**. Medida superficial de cuatrocientos estadales cuadrados. ‖ **2**. Plantación en que cada árbol ocupa un vértice en líneas cruzadas formando cuadrados.

márcola. (Del lat. *marcŭlus*, d. de *marcus*, martillo.) f. Asta de unos dos metros y medio de largo, que lleva en la punta un hierro a manera de formón, con un gancho lateral en figura de hocino, y sirve en la Andalucía Baja para limpiar y desmarojar los olivos.

marcolador, ra. m. y f. Persona que desmaroja y limpia con la márcola.

marcomano, na. (Del lat. *Marcomănus.*) adj. Dícese de la persona de un pueblo germánico que poblaba a principios de nuestra era la Marcomania o actual Bohemia. Ú. t. c. s. ‖ **2.** Perteneciente o relativo a Marcomania.

marconigrama. (De *Marconi,* inventor del telégrafo sin hilos, y *-grama.*) m. Despacho transmitido por la telegrafía o telefonía sin hilos, radiograma.

marcha. (De *marchar.*) f. Acción de marchar o marcharse. ‖ **2.** Grado de celeridad en el andar de un buque, locomotora, etc. ‖ **3.** Hoguera de leña que se hace en la Rioja a las puertas de las casas como señal de regocijo. ‖ **4.** V. **puesta en marcha.** ‖ **5.** Actividad o funcionamiento de un mecanismo, órgano o entidad. ‖ **6.** fig. Desarrollo de un proyecto o empresa. ‖ **7.** *Mar.* V. **orden de marcha.** ‖ **8.** *Mec.* En el cambio de velocidades, cualquiera de las posiciones motrices. ‖ **9.** *Mil.* Toque de caja o de clarín para que marche la tropa o para hacer los honores supremos militares. ‖ **10.** *Mil.* Movimiento de las tropas para trasladarse de un punto a otro. ‖ **11.** Por ext., cualquier desplazamiento de personas para un fin determinado. ‖ **12.** *Mús.* Pieza de música, de ritmo muy determinado, destinada a indicar el paso reglamentario de la tropa, o de un numeroso cortejo en ciertas solemnidades. ‖ **atrás.** Acción de retroceder un vehículo automóvil. ‖ **2.** Mecanismo para el retroceso de esta clase de vehículos. ‖ **del juego.** Carácter propio de él y leyes que lo rigen para el movimiento de sus piezas o el valor de los naipes. ‖ **real.** La que se toca en honor del Santísimo Sacramento, del rey o de alguna representación de análoga majestad. ‖ **real fusilera.** Antigua **marcha** real, usada después en los actos palatinos. ‖ **a largas marchas,** o **a toda marcha.** locs. advs. figs. Con mucha celeridad. ‖ **a marchas forzadas.** loc. adv. *Mil.* Caminando en determinado tiempo más de lo que se acostumbra, o haciendo jornadas más largas que las regulares. Ú. t. en sent. fig. ‖ **batir la marcha,** o **batir marcha.** fr. *Mil.* Tocarla con el clarín o con la caja. ‖ **coger la marcha a,** o **de,** una cosa. fr. fig. y fam. Adquirir práctica o habilidad para hacerla. ‖ **dar marcha atrás.** fr. fig. y fam. Desistir de un empeño, o reducir su actividad. ‖ **doblar las marchas.** fr. Caminar en un día la jornada de dos, o andar más de lo ordinario. Ú. m. en la milicia. ‖ **poner en marcha.** fr. Hacer que un mecanismo empiece a funcionar. ‖ **2.** fig. Hacer que un proyecto comience a realizarse, o que una entidad u organización inicie sus actividades. ‖ **sobre la marcha.** loc. adv. Deprisa, inmediatamente, en el acto. ‖ **2.** A medida que se va haciendo alguna cosa.

marchamador. m. ant. El que tiene el oficio de marchamar.

marchamar. (De *marchamo.*) tr. Señalar o marcar los géneros o fardos en las aduanas.

marchamero. m. El que tiene el oficio de marchamar.

marchamo. (Del ár. *maršam.*) m. Señal o marca que se pone en los fardos o bultos en las aduanas, en prueba de que están despachados o reconocidos. ‖ **2.** Marca que se pone a ciertos productos, especialmente a los embutidos.

marchante[1]**.** (Del fr. *marchand.*) adj. Perteneciente al comercio o a los que comercian, mercantil. ‖ **2.** com. Mercader. ‖ **3.** Persona que comercia especialmente con cuadros u obras de arte. ‖ **4.** p. us. *Argent.* **buhonero,** vendedor ambulante.

marchante[2]**, ta.** m. y f. *Amér.* Parroquiano, persona que suele comprar en una misma tienda. ‖ **a la marchanta.** loc. adv. fam. *Argent.* y *Bol.* **a la rebatiña.** ‖ **2.** *Argent.* De

cualquier manera, descuidadamente. ‖ **tirarse a la marchanta.** fr. fig. y fam. *Argent.* Abandonarse, dejarse estar.

marchantería. f. p. us. Comercio de géneros. ‖ **2.** Cosa mueble con que se comercia.

marchantía. (De *marchante.*) f. p. us. Comercio de géneros. ‖ **2.** Cosa mueble con que se comercia. ‖ **3.** *Amér. Central, P. Rico* y *Venez.* Clientela.

marchapié. (Del fr. *marchepied.*) m. *Mar.* Cabo pendiente a lo largo de las vergas, que sirve para sostener a la marinería que trabaja en ellas.

marchar. (Del fr. *marcher.*) intr. **caminar,** hacer viaje. Ú. t. c. prnl. ‖ **2.** Irse o partir de un lugar. Ú. t. c. prnl. ‖ **3.** **andar**[1]**,** funcionar un artefacto. *El reloj* MARCHA. ‖ **4.** fig. Caminar, funcionar o desenvolverse una cosa. *La acción del drama* MARCHA *bien; la cosa* MARCHA; *esto no* MARCHA. ‖ **5.** *Mil.* Ir o caminar la tropa con cierto orden y compás.

marcharipé. m. *And.* Pintura o afeite en el rostro de las mujeres.

marchitable. adj. Que puede marchitarse.

marchitamiento. m. Acción y efecto de marchitar o marchitarse.

marchitar. (De *marchito.*) tr. Ajar, deslucir y quitar el jugo y frescura a las hierbas, flores y otras cosas, haciéndoles perder su vigor y lozanía. Ú. t. c. prnl. ‖ **2.** fig. Enflaquecer, debilitar, quitar el vigor, la robustez, la hermosura. Ú. t. c. prnl.

marchitez. f. Cualidad de marchito.

marchito, ta. (Del mozár. *marchito.* p. p. de *marcir.*) adj. Ajado, falto de vigor y lozanía.

marchitura. f. ant. Cualidad de marchito.

marchoso, sa. (De *marcha.*) adj. *And.* Dícese del que en su porte y andares muestra gallardía, generalmente con plebeya afectación. ‖ **2.** Dícese del que se distingue por sus galanteos, juergas y lances de la vida airada. Ú. t. c. s.

mardal. (Del m. or. que *maridal.*) m. *Murc.* Carnero padre.

mardano. (Del m. or. que *mardal.*) m. *Ar.* Carnero padre.

marea. (De *marear.*) f. Movimiento periódico y alternativo de ascenso y descenso de las aguas del mar, producido por la atracción del Sol y de la Luna. ‖ **2.** Parte de la costa que invaden las aguas en el flujo o pleamar. ‖ **3.** Viento blando y suave que sopla del mar. ‖ **4.** Por ext., el que sopla en las cuevas de los ríos, o en los barrancos. ‖ **5.** p. us. Rocío, llovizna. ‖ **6.** desus. Conjunto de la inmundicia o bascosidad que se barre y limpia de las calles y se lleva por ellas, facilitando su arrastre con el agua. Usáb. m. en Madrid. ‖ **7.** Cantidad de pesca capturada por una embarcación en una jornada. ‖ **8.** fig. Multitud, masa de gente que invade un lugar. ‖ **9.** *Mar.* V. **establecimiento de las mareas.** ‖ **muerta.** *Mar.* **aguas muertas.** ‖ **negra.** Masa de petróleo vertida al mar, que puede causar graves daños, sobre todo al llegar a la costa. ‖ **roja.** Proliferación de ciertas algas marinas unicelulares productoras de toxinas, que al acumularse en el cuerpo de moluscos y crustáceos hacen peligroso su consumo. ‖ **viva.** *Mar.* **aguas vivas.**

mareado, da. p. p. de **marear** o **marearse.** ‖ **2.** adj. *Bibliogr.* Dícese del ejemplar con manchas producidas por descomposición del papel.

mareador, ra. (De *marear.*) adj. Que marea. Ú. t. c. s. ‖ **2.** m. *Germ.* Ladrón que de la mala moneda a cambio de la buena.

mareaje. m. *Mar.* Arte o profesión de marear o navegar. ‖ **2.** *Mar.* Rumbo o derrota que llevan las embarcaciones en su navegación.

mareal. adj. Perteneciente o relativo a las mareas. *Hipótesis* MAREAL.

mareamiento. m. Acción y efecto de marear o marearse.

mareante. p. a. de **marear.** Que marea. ‖ **2.** adj. Que profesa el arte de la navegación. Ú. t. c. s. ‖ **3.** m. ant. Comerciante o traficante por mar.

marear. (De *mar.*) tr. Poner en movimiento una embarcación en el mar; gobernarla o dirigirla. ‖ **2.** V. **carta de marear.** ‖ **3.** p. us. Vender en público o despachar las mercancías. ‖ **4.** fig. y fam. Enfadar, molestar. Ú. t. c. intr. ‖ **5.** *And.* **rehogar.** ‖ **6.** intr. ant. Hacer viaje por el agua con embarcación, navegar. Usáb. t. c. tr. ‖ **7.** prnl. Desazonarse uno, turbársele la cabeza y revolvérsele el estómago; lo cual suele suceder con el movimiento de la embarcación o del carruaje y también en el principio o el curso de algunas enfermedades. ‖ **8.** Embriagarse ligeramente. ‖ **9.** Averiarse los géneros en el mar.

marejada. (Del port. *marejada.*) f. Movimiento tumultuoso de grandes olas, aunque no haya borrasca. ‖ **2.** fig. Exaltación de los ánimos y señal de disgusto, murmuración o censura, manifestada sordamente por varias personas. Suele preceder al verdadero alboroto.

maremagno. m. fam. **mare mágnum.**

mare mágnum. (Lit., *mar grande.*) expr. lat. fig. y fam. Abundancia, grandeza o confusión. ‖ **2.** fig. y fam. Muchedumbre confusa de personas o cosas.

maremoto. (Formado a imitación de *terremoto;* del lat. *mare,* mar, y *motus,* movimiento.) m. Agitación violenta de las aguas del mar a consecuencia de una sacudida del fondo. A veces se propaga hasta las costas dando lugar a inundaciones.

marengo[1]. (De *mar* y *-engo.*) m. *And.* Cada uno de los pescadores que tiran de la jábega, jabegote.

marengo[2]. adj. V. **gris marengo.** Ú. t. c. s. ‖ **2.** m. Tela de lana tejida con hilos de distintos colores y que da el aspecto de mezclilla.

mareo. m. Efecto de marearse. ‖ **2.** fig. y fam. Molestia, enfado, ajetreo.

mareógrafo. (De *marea* y *-grafo.*) m. Instrumento que registra de forma gráfica el nivel que alcanzan las aguas del mar en las distintas horas del día.

mareoso, sa. adj. Que marea, enfada o molesta.

marero. (De *mar.*) adj. *Mar.* Dícese del viento que viene del mar.

mareta. f. Movimiento de las olas del mar cuando empieza a levantarse con el viento o a sosegarse después de la borrasca. ‖ **2.** fig. Rumor de muchedumbre que empieza a agitarse, o bien a sosegarse después de agitación violenta. ‖ **3.** fig. Alteración del ánimo antes de agitarse violentamente, o cuando ya se va calmando. ‖ **sorda.** Alteración de las olas no causada por viento grande ni impetuoso. ‖ **2.** fig. **marejada,** exaltación del ánimo.

maretazo. m. Golpe de la mareta.

márfaga. (De *márfega.*) f. Tela gruesa y tosca, marga[2]. ‖ **2.** *Rioja.* Cobertor de cama.

márfega. (Del ár. vulg. *mirfaqa,* cojín en que uno se acoda, cabecera de cama.) f. *Ar.* **jergón**[1], colchón de paja, hierba u hoja y sin bastas. ‖ **2.** *Ar.* Tela gruesa y tosca, marga[2].

marfil. (Del ár. *'azm al-fil,* el hueso de elefante.) m. Materia dura, compacta y blanca de que principalmente están formados los dientes de los vertebrados, que en la corona está cubierta por el esmalte y en la raíz por el cemento. En la industria se utiliza, para la fabricación de numerosos objetos, el de los colmillos de los elefantes. ‖ **2.** V. **torre de marfil.** ‖ **3.** ant. **elefante.** ‖ **4.** Color que va del blanco al amarillo. ‖ **vegetal. tagua,** semilla de esta planta.

marfileño, ña. adj. De marfil. ‖ **2.** Perteneciente o semejante al marfil.

marfilina. f. Pasta que imita al marfil y se usa para modelar imágenes y en la fabricación de bolas de billar.

marfusa. (Del m. or. que *marfuz.*) f. ant. **zorra,** animal.

marfuz, za. (Del ár. *marfuḍ,* desechable.) adj. ant. Repudiado, desechado. ‖ **2.** ant. Falaz, engañoso.

marga[1]. (Del lat. *marga.*) f. Roca más o menos dura, de color gris, compuesta principalmente de carbonato de cal y arcilla en proporciones casi iguales. Se emplea como abono de los terrenos en que escasea la cal o la arcilla.

marga[2]. (De *márfega.*) f. Jerga[1] que se emplea para sacas, jergones y cosas semejantes, y antiguamente se llevó como luto muy riguroso.

margajita. f. **marcasita,** pirita.

margal. m. Terreno en que abunda la marga[1].

margallón. (Del cat. *margalló.*) m. **palmito,** planta.

margar. tr. Abonar las tierras con marga[1].

margarina. (Del gr. μάργαρον, perla, por el color.) f. Sustancia grasa, de consistencia blanda, que se extrae de ciertas grasas animales y de aceites vegetales, y tiene los mismos usos que la mantequilla.

margarita. (Del lat. *margarita,* y este del gr. μαργαρίτης.) f. Perla de los moluscos. ‖ **2.** *Zool.* Molusco gasterópodo marino, con concha de diez a doce milímetros de largo y sección oval, muy convexa por encima, casi plana por debajo, rayada finamente al través y con la boca reducida a una rajita que corre a lo largo de la parte plana. Es de color róseo y a veces tiene en la convexidad dos o tres manchitas negras. ‖ **3.** Por ext., cualquier caracol chico descortezado y anacarado. ‖ **4.** Planta herbácea de la familia de las compuestas, de cuatro a seis decímetros de altura, con hojas casi abrazadoras, oblongas, festoneadas y hendidas en la base, y flores terminales de centro amarillo y corola blanca. Es muy común en los sembrados. ‖ **5.** Flor de esta planta. ‖ **6.** **maya**[1], planta. ‖ **7.** *Ál., Cád., León* y *Zar.* **mariquita,** insecto coleóptero. ‖ **echar margaritas a puercos.** fr. fig. Emplear el discurso, generosidad o delicadeza en quien no sabe apreciarlos.

margariteño, ña. adj. Natural de Santa Margarita. Ú. t. c. s. ‖ **2.** Perteneciente o relativo a esta isla del Mediterráneo. ‖ **3.** Natural de la isla de Margarita, que forma parte del Estado venezolano de Nueva Esparta. Ú. t. c. s. ‖ **4.** Perteneciente o relativo a esta isla.

margen. (Del lat. *margo, -ínis.*) amb. Extremidad y orilla de una cosa. MARGEN *del río, del campo.* ‖ **2.** Espacio que queda en blanco a cada uno de los cuatro lados de una página manuscrita, impresa, grabada, etc., y más particularmente el de la derecha o el de la izquierda. Ú. m. c. m. ‖ **3.** Acotación que se pone al **margen** de un texto, apostilla. ‖ **4.** fig. Ocasión, oportunidad, holgura, espacio para un acto o suceso. Ú. m. c. m. ‖ **5.** *Com.* Cuantía del beneficio que se puede obtener en un negocio teniendo en cuenta el precio de coste y el de venta. ‖ **al margen.** loc. adv. que se emplea para indicar que una persona o cosa no tiene intervención en el asunto de que se trata. Ú. con los verbos *estar, quedar* y otros de análogo significado. ‖ **a media margen.** loc. adv. Con espacio en blanco que comprenda la mitad longitudinal de la plana impresa o manuscrita. ‖ **andarse por las márgenes.** fr. fig. **andarse por las ramas.**

margenar. (De *margen.*) tr. Poner acotaciones o apostillas al margen. ‖ **2.** Dejar márgenes.

margesí. m. *Perú.* Inventario de los bienes del Estado, de la Iglesia y de las corporaciones oficiales.

marginación. f. Acción y efecto de marginar.

marginado, da. p. p. de **marginar.** ‖ **2.** adj. Dícese de la persona o grupo no integrado en la sociedad. Ú. t. c. s. ‖ **3.** *Bot.* Que tiene reborde.

marginal. adj. Perteneciente o relativo al margen. ‖ **2.** Que está al margen. ‖ **3.** V. **decreto, nota marginal.** ‖ **4.** fig. Dícese del asunto, cuestión, aspecto, etc., de importancia secundaria o escasa. ‖ **5.** fig. Dícese de las personas o grupos que viven y actúan fuera de las normas sociales comúnmente admitidas.

marginar. (Del lat. *margo, -ínis,* margen.) tr. Poner acotaciones o apostillas al margen de un texto. ‖ **2.** Hacer o dejar márgenes en el papel u otra materia en que se escribe o imprime. ‖ **3.** fig. Dejar al margen un asunto o cuestión, no entrar en su examen al tratar de otros. ‖ **4.** fig. Preterir a alguien, ponerlo o dejarlo al margen de alguna actividad, prescindir o hacer caso omiso de alguien. ‖ **5.** fig. Poner o dejar a una persona o grupo en condiciones sociales de inferioridad.

margomar. (Palabra formada sobre el ár. *marqûm*, bordado, recamado.) tr. ant. Bordar una tela o piel.

margoso, sa. adj. Dícese del terreno o de la roca en cuya composición entra la marga[1].

margrave. (Del al. *markgraf*.) m. Título de dignidad de algunos príncipes de Alemania.

margraviato. m. Dignidad de margrave. ‖ **2.** Territorio del margrave.

marguera. f. Barrera o veta de marga[1]. ‖ **2.** Sitio donde se tiene depositada la marga[1].

maría. (Del hebr. *Miriam*.) n. p. f. Nombre de la Madre de Jesús. ‖ **2.** V. **aceite, bálsamo, baño de María.** ‖ **3.** f. Moneda de plata, de valor de doce reales de vellón, que mandó labrar la reina doña Mariana de Austria durante la menor edad de Carlos II. ‖ **4.** fam. Vela blanca que se pone en lo alto del tenebrario.

mariache. m. **mariachi.**

mariachi. (Del fr. *mariage*, matrimonio.) m. Música y baile populares mejicanos procedentes del Estado de Jalisco. ‖ **2.** Orquesta popular mejicana que interpreta esta música. ‖ **3.** Cada uno de los componentes de esta orquesta. ‖ **4.** Conjunto instrumental que acompaña a los cantantes de ciertas danzas y aires populares mejicanos.

mariachis. m. **mariachi.**

marial. adj. Aplícase comúnmente a algunos libros que contienen alabanzas de la Virgen María. Ú. t. c. s.

marianista. adj. Dícese del individuo perteneciente a la Compañía de María, dedicada preferentemente a la enseñanza y compuesta de sacerdotes y laicos. Ú. t. c. s. ‖ **2.** Perteneciente o relativo a dicha congregación.

mariano, na. adj. Perteneciente a la Virgen María, y señaladamente a su culto. ‖ **2.** V. **cardo mariano.**

marica. (d. de *María*, n. p. de mujer.) f. Pega, picaza, urraca. ‖ **2.** En el juego del truque, sota de oros. ‖ **3.** m. fig. y fam. Hombre afeminado y de poco ánimo y esfuerzo. ‖ **4.** fam. Hombre homosexual. ‖ **5.** Insulto empleado con o sin el significado de hombre afeminado u homosexual. ‖ **¿de cuándo acá Marica con guantes?** expr. de extrañeza, **¿de cuándo acá?**

maricangalla. f. *Mar.* Ala o vela suplementaria de la cangreja.

Maricastaña. n. p. Personaje proverbial, símbolo de antigüedad muy remota. Empléase generalmente en las frases: **los tiempos de Maricastaña; en tiempo,** o **en tiempos, de Maricastaña; ser del tiempo de Maricastaña.**

maricón. m. vulg. Hombre afeminado, marica. Ú. t. c. adj. ‖ **2.** vulg. Invertido, sodomita ‖ **3.** Insulto grosero que se usa con o sin su significado preciso.

mariconada. f. vulg. Acción propia del maricón. ‖ **2.** vulg. Mala pasada, acción malintencionada o indigna contra otro.

mariconera. f. Bolso de mano para hombres.

mariconería. f. vulg. Cualidad de maricón. ‖ **2.** vulg. **mariconada.**

maricultura. (De *mar* y *cultura*.) f. Cultivo de las plantas y animales marinos, como alimento o para otros fines.

maridable. adj. desus. Aplícase a la vida y unión que debe haber entre marido y mujer, y a lo que a ellos corresponde.

maridablemente. adv. m. p. us. Con vida, unión o afecto maridable.

maridaje. (De *maridar*.) m. Enlace, unión y conformidad de los casados. ‖ **2.** fig. Unión, analogía o conformidad con que unas cosas se enlazan o corresponden entre sí; como la unión de la vid y el olmo, la buena correspondencia de dos o más colores, etc.

maridal. (Del lat. *maritális*, de marido.) adj. ant. Propio de la vida que corresponde a los casados.

maridanza. f. *Extr.* Vida que da el marido a la mujer. Ú. con los adjetivos *buena* o *mala.*

maridar. (Del lat. *maritáre*.) intr. Casarse o unirse en matrimonio. ‖ **2.** Unirse carnalmente o hacer vida maridable. ‖ **3.** tr. fig. Unir o enlazar.

maridazo. (aum. despect. de *marido*.) m. fam. Marido demasiado condescendiente.

maridillo. (d. de *marido*.) m. Braserillo de pie que usaban las mujeres.

marido. (Del lat. *maritus*.) m. Hombre casado, con respecto a su mujer.

mariguana o **marihuana.** f. Nombre del cáñamo indico, cuyas hojas, fumadas como tabaco, producen trastornos físicos y mentales.

marimacho. (De *Mari*, apóc. de *María*, y *macho*.) m. fam. Mujer que en su corpulencia o acciones parece hombre.

marimandona. (De *Mari*, apóc. de *María*, y *mandona*.) f. Mujer voluntariosa y autoritaria.

marimanta. (De *Mari*, apóc. de *María*, y *manta*.) f. fam. Fantasma o figura con que se mete miedo a los niños.

marimarica. m. fam. Hombre afeminado.

marimba. (Voz africana.) f. Especie de tambor que usan los negros de algunas partes de África. ‖ **2.** Instrumento musical en que se percuten listones de madera, como en el xilófono. ‖ **3.** *Amér.* Instrumento musical en que se percuten con un macillo blando tiras de vidrio, como en el tímpano.

marimoña. f. **francesilla,** planta.

marimorena. f. fam. Riña, pendencia, camorra.

marina. (Del lat. *marína*, t. f. de *-nus*, marino.) f. Parte de tierra junto al mar. ‖ **2.** Cuadro o pintura que representa el mar. ‖ **3.** Arte o profesión que enseña a navegar o a gobernar las embarcaciones. ‖ **4.** Conjunto de los buques de una nación. ‖ **5.** Conjunto de las personas que sirven en la **marina** de guerra. ‖ **6.** V. **auditor, infantería, ingeniero de marina.** ‖ **de guerra. escuadra,** conjunto de barcos de guerra. ‖ **mercante.** Conjunto de los buques de una nación que se emplean en el comercio.

marinaje. m. p. us. Ejercicio de la marinería. ‖ **2.** p. us. Conjunto de los marineros.

marinante. (De *marinar*.) m. desus. Hombre de mar que sirve en las maniobras de las embarcaciones.

marinar. (De *marino*.) tr. Dar cierta sazón al pescado para conservarlo. ‖ **2.** Poner marineros del buque apresador en el apresado. ‖ **3.** Tripular de nuevo un buque.

marine. (Voz inglesa.) m. Soldado de la infantería de marina estadounidense o de la británica.

marinear. intr. Ejercitar el oficio de marinero.

marinera. f. Prenda de vestir, a modo de blusa, abotonada por delante y ajustada a la cintura por medio de una jareta, que usan los marineros. ‖ **2.** Baile popular de Chile, Ecuador y Perú.

marinerado, da. (De *marinero*.) adj. Tripulado o equipado.

marinerazo. (aum. de *marinero*.) m. El muy práctico o experimentado en las cosas de mar.

marinería. (De *marinero*.) f. Profesión o ejercicio de hombre de mar. ‖ **2.** Conjunto de marineros. ‖ **3.** Nombre genérico de los individuos de la Armada que prestan servicios marineros con las mismas categorías que las clases de tropa.

marinero, ra. (De *marina*.) adj. Dícese de la embarcación cuyas características le permiten navegar con facilidad y seguridad en todas circunstancias. ‖ **2.** Dícese también de lo que pertenece a la marina o a los marineros, y de lo que se asemeja a cosa de marina o de **marinero.** ‖ **3.** m. Hombre de mar que presta servicio en una embarcación. ‖ **4.** *Mar.* Persona que sirve en la Armada en el último escalón de la marinería. ‖ **5.** Persona entendida en marinería. ‖ **6.** **argonauta,** molusco. ‖ **7.** V. **nudo marinero.** ‖ **a la marinera.** loc. adv. **a la marinesca.**

marinesco, ca. (De *marino.*) adj. Perteneciente a los marineros. ‖ **a la marinesca.** loc. adv. Conforme a la moda o costumbre de los marineros.

marinismo. m. Gusto poético conceptuoso, recargado de imágenes y figuras extravagantes, que se propagó por Europa al comenzar el siglo XVII y cuyo representante más conocido fue el poeta italiano Marino.

marinista[1]. adj. Dícese del pintor de marinas. Ú. t. c. s.

marinista[2]. adj. Perteneciente o relativo al marinismo. ‖ **2.** Que cultiva este estilo poético. Ú. t. c. s.

marino, na. (Del lat. *marīnus.*) adj. Perteneciente al mar. ‖ **2.** V. **alacrán, azul, becerro, buey, caballo, carnero, cerdo, cuervo, diablo, dragón, elefante, erizo, gato, halcón, hinojo, león, lobo, musgo, ombligo, oso, pavo, perejil, perro, puerco, pulmón, reloj, sapo, telégrafo, unicornio, vítulo, zorzal marino.** ‖ **3.** V. **guardia, haba, legua, liebre, mielga, oreja, picaza, rana, sal, trompa, uva, vaca marina.** ‖ **4.** *Blas.* Aplícase a ciertos animales fabulosos que terminan en cola de pescado; como las sirenas. ‖ **5.** m. El que se ejercita en la náutica. ‖ **6.** El que tiene un grado militar o profesional en la marina.

mariol. (Del cat. *mariol.*) m. p. us. Hombre afeminado. ‖ **2.** p. us. Invertido, sodomita.

mariología. f. Tratado de lo referente a la Virgen María.

mariólogo, ga. m. y f. Persona versada en mariología.

marión[1]. m. p. us. **esturión.**

marión[2]. (De *María.*) m. desus. Hombre afeminado. ‖ **2.** desus. Invertido, sodomita.

mariona. f. Especie de danza antigua. ‖ **2.** Música de la misma.

marioneta. (Del fr. *marionnette.*) f. **fantoche,** títere movido por medio de hilos. ‖ **2.** fig. Persona que se deja manejar dócilmente. ‖ **3.** pl. Teatro representado con **marionetas.**

marioso. adj. p. us. Afeminado.

maripérez. (De *María* y *Pérez.*) f. Pieza curva de las trébedes en que se asegura el rabo de la sartén.

mariposa. (De *Mari,* apóc. de *María,* y *posa,* 2ª pers. sing. del imperat. de *posar.*) f. Insecto lepidóptero. ‖ **2.** Pájaro común en la isla de Cuba, de unos catorce centímetros de longitud total, con el vientre y rabadilla rojos, lomo de color verde claro y alas aceitunadas. Se cría en domesticidad por su belleza y lo agradable de su canto. ‖ **3.** Pequeña mecha afirmada en un disco flotante y que, encendida en su recipiente con aceite, se pone por devoción ante una imagen o se usa para tener luz de noche. ‖ **4.** Luz encendida a este efecto. ‖ **5.** Forma de natación en que los brazos ejecutan simultáneamente una especie de rotación hacia delante, mientras las piernas se mueven juntas arriba y abajo. ‖ **6.** *Hond.* Juguete de muchachos, de papel plegado que, al sacudirlo con fuerza, se abre con ruido; tronera. ‖ **7.** *Taurom.* Suerte de correr las reses abanicando con el capote a la espalda y dando el diestro la cara al toro. ‖ **8.** m. fam. Hombre afeminado u homosexual. ‖ **de la muerte.** La que tiene sobre el dorso del tórax unas manchas que forman un dibujo parecido a una calavera. ‖ **de la seda.** Aquella cuya oruga produce la seda que se utiliza en la industria más comúnmente, y en general todas las que tienen orugas productoras de seda.

mariposado. adj. *Blas.* Dícese del escudo papelonado.

mariposeador, ra. adj. *Perú.* Que mariposea.

mariposear. (De *mariposa,* por alusión a la veleidad de este insecto.) intr. fig. Variar con frecuencia de aficiones y caprichos, especialmente un hombre en materia de amores. ‖ **2.** fig. Andar o vagar insistentemente alrededor de una persona, procurando el trato o la conversación con ella.

mariposeo. m. Acción de mariposear.

mariposón. m. Hombre inconstante en amores, o que galantea a diversas mujeres. ‖ **2.** fam. Hombre afeminado u homosexual.

mariquita[1]. (d. de *marica.*) f. Insecto coleóptero del suborden de los trímeros, de cuerpo semiesférico, de unos siete milímetros de largo, con antenas engrosadas hacia la punta, cabeza pequeña, alas membranosas muy desarrolladas y patas muy cortas. Es negruzco por debajo y encarnado brillante por encima, con varios puntos negros en los élitros y en el dorso del metatórax. El insecto adulto y su larva se alimentan de pulgones, por lo cual son útiles al agricultor. ‖ **2.** Insecto hemíptero, sin alas membranosas, de cuerpo aplastado, estrecho, oval, y como de un centímetro de largo; cabeza pequeña, triangular y pegada al coselete; antenas de cuatro artejos, élitros que cubren el abdomen, y patas bastante largas y muy finas. Es por debajo de color pardo oscuro y por encima encarnado con tres manchitas negras, cuyo conjunto se asemeja al tao de San Antón o al escudo de la orden del Carmen. Abunda en España y se alimenta de plantas. ‖ **3.** Perico, ave trepadora. ‖ **4.** m. fam. Hombre afeminado.

mariquita[2]. f. *Argent.* Baile popular que ejecutan varias parejas puestas frente a frente, con un pañuelo blanco en la mano, acompañadas por un guitarrista cantor. ‖ **2.** Música y cante con que se acompaña este baile.

marisabidilla. (De *Mari,* apóc. de *María,* y *sabidilla.*) f. fam. Mujer que presume de sabia.

mariscada. f. Comida constituida principalmente por marisco abundante y variado.

mariscador, ra. adj. Que tiene por oficio coger mariscos. Ú. m. c. s. ‖ **2.** Que cultiva mariscos en viveros o playas. Ú. m. c. s.

mariscal. (Del germ. **marhskalk;* de **marh,* caballo, y **skalk,* servidor.) m. Oficial muy importante en la milicia antigua, inferior al condestable. Era juez del ejército; estaban a su cargo el castigo de los delitos y el gobierno económico. Conservóse luego este título en los sucesores de los que lo habían sido en los reinos de Castilla, Andalucía, etc. ‖ **2.** En algunos países, grado máximo del ejército. ‖ **3.** El que antiguamente tenía el cargo de aposentar la caballería. Este oficio se redujo a la mera dignidad hereditaria, y después lo sustituyó en su ejercicio el **mariscal de logis.** ‖ **4.** Veterinario, albéitar. ‖ **de campo.** Oficial general, llamado hoy general de división, inmediatamente inferior en el grado y en las funciones al teniente general. ‖ **de logis.** El que en los ejércitos tenía el cargo de alojar la tropa de caballería y arreglar su servicio. ‖ **2.** Oficial palatino ante el que prestaban juramento los aposentadores de la casa real, según la etiqueta de la Borgoña.

mariscala. f. Mujer del mariscal.

mariscalato. m. Dignidad o empleo de mariscal.

mariscalía. f. Dignidad o empleo de mariscal.

mariscar. intr. Coger mariscos. ‖ **2.** tr. *Germ.* Robar o hurtar.

marisco. (Del ant. adj. *marisco,* de mar.) m. Cualquier animal marino invertebrado; se este nombre especialmente a crustáceos y moluscos comestibles. ‖ **2.** *Germ.* Lo que se hurta.

marisma. (Del lat. *maritima* [ora], [orillas] del mar.) f. Terreno bajo y pantanoso que inundan las aguas del mar.

marismeño, ña. adj. Perteneciente o relativo a la marisma, o propio de ella.

marismo. (De *marisma*.) m. Orzaga, planta marina.

marisqueo. m. Acción y efecto de mariscar.

marisquería. f. Establecimiento donde se venden o se consumen mariscos.

marisquero, ra. adj. Perteneciente o relativo a los mariscos. ‖ **2.** m. y f. Persona que pesca mariscos. ‖ **3.** La que los vende.

marista. adj. Dícese de los miembros de ciertas congregaciones religiosas fundadas bajo la advocación de la Virgen María. Ú. t. c. s. ‖ **2.** Perteneciente o relativo a dichas congregaciones.

marital. (Del lat. *maritālis*.) adj. Perteneciente al marido o a la vida conyugal. ‖ **2.** V. **teas maritales.**

maritata. (Voz aimara.) f. *Chile.* Canal de ocho a diez metros de largo y unos cincuenta centímetros de ancho, con el fondo cubierto de pellejos de carnero, para que, haciendo pasar por él una corriente de agua a la cual se han echado minerales pulverizados, deposite este sobre aquellos el polvo metalífero que arrastra. ‖ **2.** *Chile.* Cedazo de tela metálica usado en los establecimientos mineros. ‖ **3.** pl. *And., Guat.* y *Hond.* Trebejos, chismes, baratijas.

maritates. m. pl. desus. Trastos viejos, trebejos. Ú. hoy en Méjico y Centroamérica.

marítimo, ma. (Del lat. *maritĭmus*.) adj. Perteneciente o relativo al mar. ‖ **2.** V. **día, oso, pino, testamento marítimo.** ‖ **3.** V. **legua, sanidad marítima.**

maritornes. (Por alusión a la moza de venta del *Quijote*.) f. fig. y fam. Moza de servicio, ordinaria, fea y hombruna.

marizarse. (Del lat. *mas, maris*, macho.) prnl. *Sal.* Entrar en celo o ser cubiertas las ovejas, amarizarse, amarecerse. Ú. t. c. intr.

marjal[1]. (Del ár. *marŷ*, pradera.) m. Terreno bajo y pantanoso.

marjal[2]. (Del ár. *marŷa'*, medida agraria.) m. Medida agraria equivalente a cien estadales granadinos o cinco áreas y veinticinco centiáreas.

marjoleta. f. Fruto del marjoleto.

marjoleto. (De *majoleto*.) m. Espino arbóreo de unos ocho metros de altura, con las ramas inferiores muy espinosas, hojas de borde velloso, flores en corimbos muy ralos y con un solo estilo, cáliz lampiño, fruto aovado y de pedúnculo muy largo, corteza nítida y madera dura. Abunda en Sierra Nevada. ‖ **2.** Majuelo[1], espino que da majuelas.

marketing. (Voz inglesa.) m. **mercadotecnia.**

marlo. m. *Argent.* **zuro,** espiga de maíz desgranada. ‖ **2.** rur. *Argent.* **maslo,** tronco de la cola de los caballos.

marlota. (Del ár. *mallūṭa*, o *mullūṭa*.) f. Vestidura morisca, a modo de saco ajustado, con que se ciñe y ajusta el cuerpo.

marlotar. tr. p. us. Metát. de **malrotar,** desbaratar, destruir.

marmárico, ca. (Del lat. *Marmarĭcus*.) adj. Perteneciente a la Marmárica, región de África antigua, al oeste de Egipto, que se extendía desde la costa del Mediterráneo hasta el desierto.

marmella. (Del lat. *mamilla*, mama, influido por *barbilla*.) f. Cada apéndice del cuello de las cabras, mamella.

marmellado, da. adj. Que tiene marmellas.

marmesor. (Del lat. *manumissor, -ōris*, a través del cat. *marmessa*.) m. ant. *Murc.* El encargado de cumplir la última voluntad de un difunto, albacea.

marmita. (Del fr. *marmite*.) f. Olla de metal, con tapadera ajustada y una o dos asas.

marmitón. (Del fr. *marmiton*, de *marmite*, olla.) m. El que hace los más humildes oficios en la cocina. ‖ **2.** *Mar.* El ayudante de cocina de un buque mercante.

mármol. (Del lat. *marmor, -ŏris*.) m. Piedra caliza metamórfica, de textura compacta y cristalina, susceptible de buen pulimento y mezclada frecuentemente con sustancias que le dan colores diversos o figuran manchas o vetas. ‖ **2.** fig.

Obra artística de **mármol.** ‖ **3.** En los hornos y fábricas de vidrio, plancha de hierro en que se labran las piezas y se trabaja la materia para formarlas. ‖ **4.** V. **piedra mármol.** ‖ **brecha.** El formado con fragmentos irregulares angulosos y a veces de colores distintos, fuertemente trabados por una pasta homogénea. ‖ **brocatel.** El que presenta manchas y vetas de colores variados. ‖ **estatuario.** El blanco, sacaroideo y muy homogéneo, que se emplea para hacer estatuas. ‖ **lumaquela.** El que contiene multitud de fragmentos de conchas y otros fósiles, y con el pulimento adquiere mucho brillo. ‖ **serpentino.** El que tiene parte de serpentina, o el que es verde abigarrado del mismo color. ‖ **ser alguien de mármol, o un mármol.** fr. fig. Ser incapaz de sentir emociones o afectos.

marmolejo. (d. de *mármol*.) m. ant. Columna pequeña.

marmoleño, ña. adj. De mármol.

marmolería. (De *mármol*.) f. Conjunto de mármoles que hay en un edificio. ‖ **2.** Obra de mármol. ‖ **3.** Taller donde se trabaja.

marmolillo. (d. de *mármol*.) m. Poste de piedra destinado a resguardar del paso de los carruajes. ‖ **2.** fig. **zote.**

marmolista. m. Artífice que trabaja en mármoles, o los vende. ‖ **2.** Por ext., el que trabaja en otras piedras y, especialmente, el que se dedica a labrar lápidas funerarias.

mármor. (Del lat. *marmor, -ōris*.) m. ant. **mármol.**

marmoración. (Del lat. *marmoratĭo, -ōnis*, obra de mármol.) f. Estuco de cal y polvo de mármol con que se cubren las paredes.

marmóreo, a. (Del lat. *marmorĕus*.) adj. De mármol. ‖ **2.** Semejante al mármol en alguna de sus cualidades.

marmoroso, sa. (Del lat. *marmorōsus*.) adj. De mármol.

marmosa. f. **llaca,** especie de zarigüeya.

marmosete. (Del fr. *marmouset*, monigote.) m. *Impr.* Grabado alegórico que suele ponerse al fin de un capítulo, libro o tratado.

marmota. (Del fr. *marmotte*.) f. Mamífero roedor, de unos cinco decímetros de longitud desde el hocico hasta la cola, y poco más de dos de altura; cabeza gruesa y aplastada por encima, orejas pequeñas, cuerpo recio, pelaje muy espeso, largo, de color pardo rojizo por el lomo y blanquecino por el vientre, y cola larga de unos dos decímetros de longitud, con pelo pardo abundante y terminada por un mechón negro. Vive en los montes más elevados de Europa, es herbívora, pasa el invierno dormida en su madriguera y se la domestica fácilmente. ‖ **2.** Gorra de abrigo, generalmente hecha de estambre, que han usado las mujeres y los niños. ‖ **3.** fig. Persona que duerme mucho. ‖ **4.** fig., fam. y despect. **criada,** mujer dedicada al servicio doméstico.

marmotear. intr. *Ar.* Murmurar a media voz, refunfuñar.

marmotera. f. *And.* Broza arrastrada por el agua de las acequias.

marmullar. (De la onomat. *marm*.) intr. Rezongar, murmurar a media voz.

maro. (Del lat. *marum*, y este del gr. μᾶρον.) m. Planta herbácea de la familia de las labiadas, con tallos erguidos, duros, pelosos, de tres a cuatro decímetros de altura y muy ramosos; hojas pequeñas, enteras, lanceoladas, con vello blanco por el envés; flores de corola purpúrea en racimos axilares, y fruto seco con semillas menudas. Es de olor muy fuerte y de sabor amargo, y se usa en medicina como excitante y antiespasmódico. ‖ **2.** **amaro[1].**

marocha. f. *Hond.* Muchacha sin juicio, locuela.

marojal. m. Sitio poblado de marojos o melojos.

marojo[1]. (Del lat. *malum folĭum*, mala hoja.) m. Hojas inútiles o que sólo se aprovechan para el ganado, etc. ‖ **2.** **melojo.**

marojo[2]. (Del ár. *mudūŷa*, malva viscosa.) m. Planta muy parecida al muérdago, del cual se diferencia por ser rojas las bayas del fruto y reunirse las semillas en verticilos múltiples.

marola. f. Movimiento de grandes olas del mar.

maroma. (Del ár. *mabrūma*, cuerda trenzada, retorcida.) f. Cuerda gruesa de esparto, cáñamo u otras fibras vegetales o sintéticas. ‖ **2.** *Amér.* Volatín, voltereta o pirueta de un acróbata. ‖ **3.** *Amér.* Función de circo en que se hacen ejercicios de acrobacia, volatines, etc. ‖ **4.** fig. *Amér.* Voltereta política, cambio oportunista de opinión o partido. ‖ **andar** uno **en la maroma.** fr. fig. Tener partido o favor para una cosa.

maromero, ra. m. y f. *Amér.* Acróbata, volatinero. ‖ **2.** *Amér.* Político astuto que varía de opinión o partido según las circunstancias. ‖ **3.** *P. Rico.* Persona que usa procedimientos de mala fe, pájaro de cuenta. ‖ **4.** adj. *Amér.* Versátil.

marón[1]. (De *marión*[1].) m. p. us. **esturión.**

marón[2]. (De or. inc.) m. Carnero padre, marueco, morueco.

maronita. (Del lat. mediev. *Maronīta*, der. de San *Marón*.) adj. Dícese de la Iglesia cristiana, con obediencia al Papa y liturgia propia, originaria del Líbano y Siria. Apl. a pers., ú. t. c. s. ‖ **2.** Perteneciente a esta Iglesia. Apl. a pers. ú. t. c. s.

marota. f. *Méj.* **marimacho.**

marqueo. m. Operación de marcar los árboles.

marqués. (der. de *marca*, territorio fronterizo.) m. Señor de una tierra que estaba en la marca del reino. ‖ **2.** Título de honor o de dignidad, de categoría inferior al de duque y superior al de conde.

marquesa[1]. (De *marqués*.) f. Dama noble, mujer o viuda del marqués, o que por sí goza este título.

marquesa[2]. (Del fr. *marquise*.) f. Dosel a la entrada de la tienda de campaña. ‖ **2.** *Amér.* **marquesina**, alero o protección. ‖ **3.** *Chile.* Especie de cama de madera fina y tallada.

marquesado. m. Título o dignidad de marqués. ‖ **2.** Territorio o lugar sobre el que recaía este título o en que ejercía jurisdicción un marqués.

marquesina. (De *marquesa*[2].) f. Cubierta o pabellón que se pone sobre la tienda de campaña para guardarse de la lluvia. Por ext., cualquier toldo análogo que, con fines parecidos, se coloca en las entradas de establecimientos públicos, edificios, etc. ‖ **2.** Especie de alero o protección de cristal y metal que se coloca a la entrada de edificios públicos, palacios, etc. Se extendió a las cubiertas de andenes de estación e incluso a claraboyas. ‖ **3.** Construcción protegida por los lados y cubierta, destinada, en las paradas de transportes públicos, a guardar del sol y la lluvia a los que esperan. ‖ **4.** Alfiler que unía varios anillos de mujer.

marquesita. f. Marcasita, pirita.

marquesota. (De *marquesote*.) f. Cuello alto de tela blanca que, muy almidonado y hueco, usaban los hombres como prenda de adorno. ‖ **a la marquesota.** loc. que se decía de una hechura especial de los vestidos.

marquesote. m. aum. despect. de **marqués.** ‖ **2.** *Hond.* y *Nicar.* Torta de figura de rombo, hecha de harina de arroz o de maíz, con huevo, azúcar, etc., y cocida al horno.

marqueta. (De *marca*.) f. Pan o porción de cera sin labrar. Las hay de varios pesos y figuras. ‖ **2.** *Guat.* Bloque de cualquier cosa que tiene forma prismática. Se dice especialmente del hielo.

marquetería. (Del fr. *marqueterie*.) f. Trabajo con maderas finas, ebanistería. ‖ **2.** Embutido en las tablas con pequeñas chapas de madera de varios colores.

marquilla. (d. de *marca*.) f. V. **papel de marquilla.** ‖ **2.** Acompañando a las locuciones en folio, en cuarto, en oc-

tavo, etc., indica que la altura del libro es mayor que la mínima del tamaño correspondiente.

marquista[1]. m. En Jerez, el que siendo propietario de una o más marcas de vino, se dedica al comercio de este líquido, pero sin tener bodega.

marquista[2]. (De *marco*.) com. Persona que se dedica a hacer marcos y molduras para los mismos.

marra[1]. (De *marrar*.) f. Falta de una cosa donde debiera estar. Se usa frecuentemente hablando de viñas, olivares, etc., en cuyos liños faltan cepas, olivos, etc.

marra[2]. (Del lat. *marra*.) f. Mazo para romper piedras, **almádena.**

márraga. (De *márfega*.) f. Tela o jerga de sacos y jergones.

marragón. (De *márraga*.) m. *Rioja.* **jergón**[1] de paja, hierba u hoja y sin bastas.

marraguero. (De *márraga*.) m. El que hace colchones.

marrajo, ja. (De or. inc.) adj. Aplícase al toro o buey malicioso que no arremete sino a golpe seguro. ‖ **2.** fig. Cauto, astuto, difícil de engañar y que encubre dañada intención. ‖ **3.** m. Tiburón que alcanza frecuentemente dos o tres metros de longitud, con el dorso y costados de color azul o gris de pizarra, la raíz de la cola estrecha y provista de una quilla longitudinal a cada lado, aleta caudal más o menos semilunar, dientes muy desarrollados y agudos. Es animal peligroso y muy abundante en las costas meridionales de España y en las de Marruecos.

marramao. m. Onomatopeya del maullido del gato en la época del celo.

marramáu. m. **marramao.**

marramizar. intr. Hacer marramao el gato.

marrana[1]. f. Hembra del marrano[1]. ‖ **2.** fig. y fam. Mujer sucia y desaseada o que no hace las cosas con limpieza. Ú. t. c. adj. ‖ **3.** fig. y fam. La que procede o se porta mal o bajamente. Ú. t. c. adj.

marrana[2]. (De *marrano*[2], madero del fondo de un pozo.) f. Cimbra plana, generalmente de forma circular, que forman los maderos trabados en cadena sobre la que se levanta la obra de albañilería que reviste el interior del pozo. ‖ **2.** Eje de la rueda de la noria.

marranada. (De *marrano*[1].) f. Cosa sucia, chapucera, repugnante. ‖ **2.** fig. y fam. Suciedad moral, acción indecorosa o grosera.

marranalla. (De *marrano*[1].) f. fig. y fam. Gente baja, ruin, de mal proceder.

marrancho. m. *Nav.* Cerdo, puerco, cochino, animal.

marranchón, na. m. y f. Marrano o lechón.

marranear. (De *marrano*[1].) tr. Ensuciar, emporcar. ‖ **2.** *Col.* Engañar. ‖ **3.** intr. Comportarse indignamente.

marranería. f. fig. y fam. **marranada.**

marranillo. (d. de *marrano*[1].) m. Cerdito, cochinillo.

marrano[1], **na.** (Del ár. vulg. *mahrán*, cosa prohibida.) m. y f. **cerdo,** animal. ‖ **2.** fig. y fam. Persona sucia y desaseada. Ú. t. c. adj. ‖ **3.** fig. y fam. Persona grosera, sin modales. Ú. t. c. adj. ‖ **4.** fig. y fam. La que procede o se porta mal o bajamente. Ú. t. c. adj. ‖ **5.** adj. fig. Aplícase como despectivo al converso que judaizaba ocultamente. Ú. t. c. s. ‖ **6.** ant. Decíase de la persona maldita o descomulgada. Usáb. t. c. s.

marrano[2]. (Del fr. *merrain*.) m. Cada uno de los maderos que en las ruedas hidráulicas traban con el eje de la pieza circular en que están colocados los álabes. ‖ **2.** Cada uno de los maderos que forman la cadena del fondo de un pozo. ‖ **3.** Pieza fuerte de madera, colocada sobre el tablero de las prensas de torre de los molinos de aceite, que sirve para igualar la presión.

marraqueta. f. *Chile* y *Perú.* Pan de forma parecida a la de la bizcochada. ‖ **2.** *Chile* y *Perú.* Conjunto de varios panes pequeños que se cuecen en una sola pieza, en la cual van señalados por incisiones, de suerte que puedan después separarse con facilidad.

marrar. (Del germ. *marrjan*, molestar, frustrar.) intr. Faltar, errar. Ú. t. c. tr. ‖ **2.** fig. Desviarse de lo recto.

marras. (pl. esp. del ár. *marra*, vez.) adv. t. Antaño, en tiempo antiguo. ‖ **de marras.** loc. adj. que, complementando a un sustantivo, significa con humor o desprecio que lo significado por este es conocido sobradamente. *Ha contado mil veces la aventura* DE MARRAS. *Vino a verte el individuo* DE MARRAS. ‖ **lo de marras.** loc. fam. con que se designa despectiva o humorísticamente algo consabido por el hablante y el oyente, ahorrando la necesidad de mencionarlo explícitamente.

marrasquino. (Del it. *maraschino*, licor de marasca o cereza amarga.) m. Licor hecho con zumo de cierta variedad de cerezas amargas y gran cantidad de azúcar.

marrazo. (De *marra*², almádena.) m. Hacha de dos bocas, que usaban los soldados para hacer leña.

marrear. tr. Dar golpes con la marra².

márrega. f. *Ar.* Tela de jergones y sacos; márfega. ‖ **2.** *Rioja.* Jergón¹ de paja, hierba u hoja y sin bastas.

marrido, da. (Del germ. *marrjan*, molestar, afligir.) adj. ant. Afligido, triste, amarrido.

marrillo. (d. de *marro*.) m. Palo corto y algo grueso.

marro. (De *marrar*.) m. Juego que se ejecuta hincando en el suelo un bolo u otra cosa, y, tirando con el marrón¹, gana el que lo pone más cerca. ‖ **2.** Regate o ladeo del cuerpo, que se hace para no ser cogido y burlar al perseguidor. Se usa frecuentemente hablando de los animales acosados. ‖ **3.** Falta, yerro. *Antonio ha hecho algunos* MARROS *a la tertulia.* ‖ **4.** Juego en que, colocados los jugadores en dos bandos, uno enfrente de otro, dejando suficiente campo en medio, sale cada individuo hasta la mitad de él a coger a su contrario; y el arte consiste en huir el cuerpo, no dejándose coger ni tocar, retirándose a su bando. Este juego se conoce con otros varios nombres. ‖ **5.** Palo con que se juega a la tala.

marrón¹. m. Piedra con que se juega al marro.

marrón². (Del fr. *marron*, castaña comestible, de color castaño.) adj. Dícese del color castaño, o de matices parecidos. Ú. t. c. s. m. ‖ **2.** Dícese de lo que tiene este color. No se aplica al cabello de las personas ni al pelo de los animales.

marrón³. (De *marra*².) m. *Can.* y *Amér.* Martillo grande de hierro, **almádena.** ‖ **2.** *P. Rico.* Badajo de campana.

marronazo. m. *Taurom.* Acción de marrar alguna suerte del toreo. Se usa principalmente hablando de la varas, cuando el picador no logra colocar bien la garrocha y esta resbala sobre el lomo del toro.

marroquí. (Del ár. *Marrūkuš*, nombre de la ciudad de Marrakech y de Marruecos, quizá infl. por el fr. *maroquin*.) adj. Natural de Marruecos. Ú. t. c. s. ‖ **2.** Perteneciente o relativo a esta nación de África. ‖ **3.** m. Cuero bruñido más delgado que el cordobán, tafilete.

marroquín, na. adj. **marroquí.**

marroquinería. (De *marroquín*.) f. Manufactura de artículos de piel o tafilete, como carteras, petacas, maletas, etc. ‖ **2.** Este género de artículos. ‖ **3.** Taller donde se fabrican o tienda donde se venden.

marroquinero, ra. m. y f. Persona que trabaja en marroquinería.

marrubial. m. Terreno cubierto de marrubios.

marrubio. (Del lat. *marrubium*.) m. Planta herbácea de la familia de las labiadas, con tallos erguidos, blanquecinos, pelosos, cuadrangulares, de cuatro a seis decímetros de altura; hojas ovaladas, rugosas, con ondas en el margen, vellosas y más o menos pecioladas; flores blancas en espiga, y fruto seco con semillas menudas. Es planta muy abundante en parajes secos y sus flores se usan en medicina.

marrueco¹. m. *Chile.* Bragueta, portañuela.

marrueco², ca. adj. p. us. **marroquí,** natural de Marruecos. ‖ **2.** p. us. Perteneciente a esta nación.

marrulla. f. **marrullería.**

marrullar. (Cruce de *maullar* con *arrullar*.) intr. **ronronear.**

marrullería. (De *marrullero*.) f. Astucia con que, halagando a uno, se pretende alucinarlo.

marrullero, ra. (De *marrullar*.) adj. Que usa marrullerías. Ú. t. c. s.

marsellés, sa. adj. Natural de Marsella. Ú. t. c. s. ‖ **2.** Perteneciente o relativo a esta ciudad de Francia. ‖ **3.** m. Chaquetón de paño burdo, con adornos sobrepuestos de pana o pañete. ‖ **4.** f. Himno nacional francés, denominado de esta forma porque se divulgó durante la Revolución, cantado por un batallón de **marselleses.**

mársico, ca. (Del lat. *Marsicus*.) adj. Perteneciente o relativo a los marsos. *Guerra* MÁRSICA.

marso, sa. (Del lat. *Marsus*.) adj. Dícese del individuo de un pueblo de la Italia antigua, que habitaba cerca del lago Fucino. Ú. m. c. s. ‖ **2.** Dícese también del individuo de un antiguo pueblo germano. Ú. m. c. s. ‖ **3.** Perteneciente a los **marsos.**

marsopa. (Del fr. ant. *marsoupe*.) f. Cetáceo parecido al delfín. Tiene cerca de metro y medio de largo, cabeza redondeada con ojos pequeños y las narices en la parte más alta; boca grande de hocico obtuso y veinticuatro dientes en cada lado de las mandíbulas; cuerpo grueso, liso, de color negro azulado por encima y blanco por debajo; dos aletas pectorales, una sola dorsal, y cola grande, robusta y ahorquillada.

marsopla. f. **marsopa.**

marsupial. (Del lat. *marsupium*, bolsa.) adj. *Zool.* Dícese de mamíferos cuyas hembras dan a luz prematuramente e incuban a sus crías en la bolsa ventral en donde están las mamas; como el canguro de Australia y la zarigüeya de América. Excepcionalmente, en algunos géneros la bolsa es rudimentaria o falta del todo. Ú. t. c. s. ‖ **2.** V. **bolsa, oso marsupial.** ‖ **3.** m. pl. Taxón de estos animales, también llamados didelfos.

marsupio. (Del lat. *marsupium*, bolsa.) m. *Zool.* Bolsa característica de las hembras de ciertos mamíferos, llamados marsupiales, que funciona a modo de cámara incubadora. Está formada por una duplicación de la piel y asentada sobre la pared ventral exterior. En ella se encuentran las glándulas mamarias y allí completan las crías el período de gestación.

marta¹. (De *Marta*, hermana de Lázaro.) f. Mujer piadosa y a la vez atenta al trabajo de casa. ‖ **2.** Mujer aprovechada. ‖ **3.** *Chile.* Mujer o niña piadosa que vive en una congregación de religiosas y ayuda a estas en los quehaceres domésticos.

marta². (Del fr. *marte*.) f. Mamífero carnicero de unos veinticinco centímetros de altura y cincuenta desde la cabeza hasta el arranque de la cola, que tiene cerca de treinta; cabeza pequeña, hocico agudo, cuerpo delgado, patas cortas y pelaje espeso, suave, leonado, más oscuro por el lomo que por el vientre. Hállase en España, y es apreciada por su piel. ‖ **2.** Piel de este animal. ‖ **cebellina.** Especie de **marta** algo menor que la común, de color pardo negruzco por encima, con una mancha amarillenta en la garganta, cubierta de pelos hasta los extremos de los dedos. Críase en las regiones septentrionales del antiguo continente, y su piel es de las más estimadas por su finura. ‖ **2.** Piel de este animal.

mártaga. f. **almártaga¹.**

martagón¹. (De or. inc.) m. Planta herbácea de la familia de las liliáceas, con hojas radicales en verticilos, lanceoladas, casi pecioladas, y flores de color róseo con puntos purpúreos, en racimos terminales sobre un escapo de seis a ocho decímetros de altura, muy laxo en la punta. Abunda en España, suele cultivarse en los jardines, y su raíz, que es bulbosa, se emplea como emoliente.

martagón², **na**. (De *marta²*.) m. y f. fam. Persona astuta, reservada y difícil de engañar.

martaguilla. (d. de *mártaga*.) f. *And.* Jáquima de cuerda, ligera y fácil de quitar, que se usa especialmente para llevar de reata el caballo de silla.

marte. (De *Marte*, dios mitológico de la guerra.) n. p. m. Planeta cuya distancia al Sol es vez y media la de la Tierra, y su diámetro, la mitad del de esta; tiene brillo rojizo y dos satélites. || **2.** m. Entre los alquimistas y los químicos antiguos, hierro, metal. || **3.** fig. La guerra. || **4.** *Farm.* V. azafrán de marte. || **5.** *Quím.* V. árbol de marte.

marteguilla. f. *And.* martaguilla.

martel. (Del fr. *martel*.) m. ant. martelo.

martelo. (De it. *martello*, martillo.) m. desus. celos. || **2.** p. us. Pena y aflicción que nace de ellos. || **3.** Enamoramiento, galanteo.

martellina. (Del ant. fr. *marteline*, de *martel*, martillo.) f. Martillo de cantero con las dos bocas guarnecidas de dientes prismáticos.

martes. (Del lat. *Martis* [*dies*], día consagrado a Marte.) m. Segundo día de la semana civil, tercero de la litúrgica. || **dar** a uno **con la del martes**. fr. fig. y fam. Matar a uno, acabar con él. || **2.** Causar grave daño o contrariedad. || **3.** Engañar adulando.

martiano, **na**. adj. Perteneciente o relativo al cubano José Martí, así como a su obra y doctrina.

martillada. f. Golpe que se da con el martillo.

martillado, **da**. p. p. de martillar. || **2.** m. *Germ.* Camino por donde se transita mucho. || **coger**, o **tomar**, **las del martillado**. fr. *Germ.* coger las de Villadiego.

martillador, **ra**. adj. Que martilla. Ú. t. c. s.

martillar. tr. Batir y dar golpes con el martillo. || **2.** fig. Oprimir, atormentar. Ú. t. c. prnl.

martillazo. m. Golpe fuerte dado con el martillo.

martillear. tr. Dar repetidos golpes con el martillo. || **2.** fig. Atormentar con cualquier acción muy reiterada. || **3.** fig. Repetir algo con mucha insistencia. Ú. t. c. intr.

martillejo. m. d. de martillo. || **2.** ant. martillo de algunos instrumentos de cuerda.

martilleo. m. Acción y efecto de martillear. || **2.** fig. Cualquier ruido parecido al que producen los golpes repetidos del martillo.

martillero. m. *Argent., Chile y Perú.* Dueño o encargado de un martillo, establecimiento para las subastas públicas.

martillo. (Del lat. tardío *martellus*.) m. Herramienta de percusión, compuesta de una cabeza, por lo común de hierro, y un mango. || **2.** Llave o **martillo** con que se templan algunos instrumentos de cuerda. || **3.** V. pez martillo. || **4.** fig. Cruz de la religión de San Juan, quitado el brazo derecho. || **5.** fig. El que persigue una cosa con el fin de sofocarla o acabar con ella. MARTILLO *de las herejías, de los vicios.* || **6.** fig. Establecimiento autorizado donde se venden efectos en pública subasta; llámase así porque ordinariamente se da un martillazo para denotar que queda hecha o firme la venta. || **7.** *Anat.* Uno de los tres huesecillos que hay en la parte media del oído de los mamíferos, situado entre el tímpano y el yunque. || **8.** *Dep.* Bola metálica sujeta a un cable en cuyo extremo hay una empuñadura y que se lanza en una prueba atlética. || **de carpintero**. El que solo tiene una boca para golpear y en la parte opuesta unas orejas que sirven para arrancar clavos. || **pilón**. Máquina que consiste principalmente en un bloque pesado de acero que se eleva por medios mecánicos a la altura conveniente y se deja caer sobre la pieza colocada en el yunque. || **a macha martillo**. loc. adv. fig. con que se expresa que una cosa está construida con más solidez que

primor. || **2.** fig. Con firmeza. || **a martillo**. loc. adv. A golpes de martillo. || **de martillo**. loc. adj. Dícese de los metales labrados a golpe de martillo.

martín. n. p. m. V. arco de San Martín. || **martín del río**. **martinete¹**, ave zancuda. || **2. martín pescador**. || **pescador**. Pájaro, de unos quince centímetros desde la punta del pico hasta la extremidad de la cola y treinta de envergadura; cabeza gruesa, pico largo y recto; patas cortas, alas redondeadas y plumaje de color verde brillante en la cabeza, lados del cuello y cobijas de las alas; azul en el dorso, las penas y la cola; castaño en las mejillas, blanco en la garganta y rojo en el pecho y abdomen. Vive a orillas de los ríos y lagunas, se alimenta de pececillos, que coge con gran destreza, y de los países fríos emigra por San **Martín**. || **San Martín**, época en que suele hacerse la matanza. || **llegarle**, o **venirle**, **a** uno su **San Martín**. fr. fig. y fam. con que se da a entender que al que vive placenteramente le llegará el día en que tenga que sufrir y padecer.

martina. *Zool.* f. Pez teleósteo fisóstomo, muy parecido al congrio, de unos ocho decímetros de largo, cuerpo cilíndrico, hocico puntiagudo, aletas pectorales pequeñas, y muy grandes la dorsal y anal, que se reúnen con la cola. La piel es lisa, de color amarillento por el dorso, blanquecina por el vientre, con manchas negras en las aletas y blancas alrededor de la boca. Vive en el Mediterráneo y es comestible.

martinenco. (De San *Martín*, por la época en que madura.) adj. *Murc.* Dícese de una variedad de higos, más pequeños y mucho más tardíos que los ordinarios.

martineta. (De *martinete¹*, penacho de plumas.) f. *Argent.* y *Urug.* Ave de unos cuarenta centímetros de largo, color pajizo manchado de pardo, y caracterizada por un copete de plumas, por lo que se le llama también copetona.

martinete¹. (d. de *martín* [del río].) m. Ave zancuda, de unos seis decímetros desde la punta del pico hasta la extremidad de la cola y un metro de envergadura; cabeza pequeña, pico negruzco, largo, grueso y algo encorvado en la punta; alas obtusas, cola corta, piernas largas, tarsos amarillentos y desnudos, plumaje de color gris verdoso en la cabeza y cuerpo, blanco en el pecho y abdomen, ceniciento en las alas y cola, y blanco puro en el penacho que adorna su occipucio. Vive cerca de los ríos y lagos, se alimenta de peces y sabandijas, viene a España por la primavera y emigra por San Martín. || **2.** Penacho de plumas de esta ave.

martinete². (Del fr. *martinet*.) m. Mazo pequeño que hiere la cuerda del piano. || **2.** Mazo, generalmente de gran peso, para batir algunos metales, abatanar los paños, etc. || **3.** Edificio industrial o taller metalúrgico en que hay estos mazos o martillos. || **4.** Máquina que sirve para clavar estacas o pilotes, principalmente en el mar y en los ríos, por medio de un mazo que levantan en alto para dejarlo caer sobre la cabeza de la estaca. || **5.** Cante de los gitanos andaluces que no necesita de acompañamiento de guitarra; proviene del cante de los forjadores, caldereros, etc., que se acompañaban con el martillo. || **picar de martinete**. fr. *Equit.* Volver el talón contra los ijares del caballo para picarle.

martingala. (Del fr. *martingale*.) f. Cada una de las calzas que llevaban los hombres de armas debajo de los quijotes. Ú. m. en pl. || **2.** Lance en el juego del monte, que consiste en apuntar simultáneamente a tres de las cartas del albur y el gallo contra la restante. || **3.** Artimaña, artificio para engañar.

martínico. m. fam. p. us. Duende.

martiniega. f. Tributo o contribución que se debía pagar el día de San Martín.

mártir. (Del lat. *martyr*, -*ȳris*, y este del gr. μάρτυς, -υρος.) com. Persona que padece muerte por amor de Jesucristo y en defensa de la religión cristiana. ‖ **2.** Por ext., persona que muere o padece mucho en defensa de otras creencias, convicciones o causas. ‖ **3.** fig. Persona que padece grandes afanes y trabajos. ‖ **antes mártir que confesor.** fr. fig. y fam. con que se explica la resistencia que algunos muestran para declarar lo que se pretende saber de ellos.

martirial. adj. Perteneciente o relativo a los mártires. *Actas* MARTIRIALES.

martiriar. (De *martirio.*) tr. ant. **martirizar.**

martirio. (Del lat. *martyrĭum.*) m. Muerte o tormentos padecidos por causa de la religión cristiana. ‖ **2.** Por ext., los sufridos por cualquier otra religión, ideales, etc. ‖ **3.** Cualquier dolor o sufrimiento, físico o moral, de gran intensidad. ‖ **4.** fig. Cualquier trabajo largo y muy penoso.

martirizador, ra. adj. Que martiriza. Ú. t. c. s.

martirizar. (Del lat. *martyrizāre.*) tr. Atormentar a uno o quitarle la vida por motivos religiosos. ‖ **2.** fig. Afligir, atormentar, maltratar. Ú. t. c. prnl.

martirologio. (Del gr. tardío μαρτυρολόγιον.) m. Libro o catálogo de los mártires. ‖ **2.** Por ext., el de todos los santos conocidos. ‖ **3.** Por ext., lista de las víctimas de una causa.

marucho. m. *Chile.* Capón o pollo castrado que cría la pollada. ‖ **2.** fig. *Chile.* Mozo que va montado en la madrina o yegua caponera.

marueco. m. Carnero padre, morueco.

marullo. (Del port. *marulho.*) m. Movimiento de las olas que levanta el viento en la borrasca, mareta.

marxismo. m. Doctrina derivada de las doctrinas de Karl Marx (1818-83) y Friedrich Engels (1820-95), consistente en la interpretación económica (materialismo histórico) de la dialéctica hegeliana, que sostiene la tesis de que la fuerza fundamental de la historia es la lucha de clases, que conducirá inevitablemente a la destrucción del capitalismo, a la dictadura del proletariado y, finalmente, al establecimiento del comunismo y a una sociedad sin clases. ‖ **2.** Designación de varios movimientos políticos fundados en una interpretación más o menos estricta de este sistema.

marxista. adj. Dícese del partidario de Carlos Marx o que profesa su doctrina. Ú. t. c. s. ‖ **2.** Perteneciente o relativo al marxismo.

marzadga. (Del lat. *martiatĭcum,* de *Martĭus,* marzo.) f. Tributo o contribución que se pagaba en el mes de marzo.

marzal. adj. Perteneciente al mes de marzo. ‖ **2.** V. **trigo marzal.**

marzante. m. Mozo que canta marzas. Ú. casi siempre en pl.

marzapán. (Del it. *marzapane.*) m. ant. **mazapán.**

marzas. (De *marzo.*) f. pl. Canciones populares en alabanza de la primavera. ‖ **2.** Obsequio de manteca, morcilla, etc., que se da en cada casa a los marzantes.

marzo. (Del lat. *Martĭus.*) m. Tercer mes del año, según nuestro cómputo: tiene treinta y un días. ‖ **2.** V. **buey, trigo de marzo.**

marzoleta. f. Fruto del marzoleto.

marzoleto. m. **majuelo**[1].

mas[1]. m. Medida de peso de metales preciosos usada en Filipinas, décima parte del tael, igual a diez condrines o a setenta y cinco granos del marco de Castilla y cuarenta y siete céntimos de grano. Su equivalencia métrica, tres gramos y seiscientos veintidós miligramos aproximadamente.

mas[2]. (Del cat. *mas.*) m. Casa de campo, masía, masada.

mas[3]. (Forma átona de *más.*) conj. advers. Pero[3]. ‖ **2.** Sino[2].

más. (De *maes.*) adv. comp. que denota idea de exceso, aumento, ampliación o superioridad en comparación expresa o sobrentendida. *No te detengas MÁS; sé MÁS prudente; yo tengo MÁS paciencia que tú; Juan es MÁS entendido que su hermano; hacer es MÁS que decir; MÁS lejos; MÁS a pro-*

pósito. Como se ve por estos ejemplos, se une al nombre, al adjetivo, al verbo, a otros adverbios y a modos adverbiales, y cuando la comparación se expresa pide la conjunción *que.* También se construye con el artículo determinado en todos sus géneros y números, formando el superlativo relativo. *Antonio es el MÁS apreciable de mis amigos; Matilde es la MÁS hacendosa de mis hermanas; esto es lo MÁS cierto; estos árboles son los MÁS hermosos, y estas flores, las MÁS vistosas.* ‖ **2.** Denota a veces exceso indeterminado con relación a una cantidad expresa. *En esta batalla murieron MÁS de dos mil hombres; son MÁS de las diez.* ‖ **3.** Denota asimismo idea de preferencia. *MÁS quiero perder el caudal que perder la honra.* ‖ **4.** Ú. como sustantivo. *El MÁS y el menos.* ‖ **5.** Equivale a *muy* o a *tan* en exclamaciones de ponderación. *¡Qué casa MÁS bonita tienes!* ‖ **6.** m. *Álg.* y *Arit.* Signo de la suma o adición, que se representa por una crucecita (+). ‖ **a lo más, a lo más, más.** loc. adv. A lo sumo, a todo tirar, llegando al límite de lo posible. *En ese estante cabrán A LO MÁS cien volúmenes.* ‖ **a más o a más de.** loc. adv. que denota aumento o adición. *Tiene mil pesetas de sueldo, y A MÁS otras tres mil de renta; algo debo decirte hoy A MÁS DE lo que ayer te dije.* ‖ **a más no poder.** loc. adv. Todo lo posible. ‖ **a más y mejor.** loc. adv. Con suma intensidad o plenitud de acción. *Llover A MÁS Y MEJOR.* ‖ **de lo más.** expr. adv. que refuerza la cualidad del adjetivo a que se antepone. *Llevaba un vestido DE LO MÁS llamativo.* ‖ **de más.** loc. adv. De sobra o en demasía. *Me han dado una peseta DE MÁS.* ‖ **de más a más.** loc. adv. **a más.** *Es pobre y DE MÁS A MÁS está enfermo.* ‖ **el que más y el que menos.** expr. Todos. ‖ **en más.** loc. adv. Mayor grado o cantidad. *Aprecio mi virtud EN MÁS que mi vida; le multaron EN MÁS de mil pesetas.* ‖ **los, o las, más.** loc. La mayor parte de las personas o cosas a que se hace referencia. ‖ **más bien.** loc. adv. que en contraposición de dos términos acompaña a que se considera más adecuado, sin tener por completo: *No estoy alegre, sino MÁS BIEN triste; una figura MÁS BIEN apolínea que hercúlea.* A veces indica la no total adecuación del término a que se antepone: *Estoy MÁS BIEN inquieto por la suerte del asunto.* ‖ **más o menos.** loc. adv. De manera aproximada. ‖ **más que.** loc. conj. seguido, denotando idea de excepción. *Nadie lo sabe MÁS QUE Anselmo.* ‖ **2.** p. us. **aunque.** *MÁS QUE nunca vuelva.* ‖ **más tarde o más temprano.** loc. adv. Alguna vez, al cabo. ‖ **más y más.** loc. adv. con que se denota aumento continuado y progresivo. *Como quería alcanzarlo, corrí MÁS Y MÁS.* ‖ **ni más ni menos.** loc. adv. Justamente, exactamente. *Esto es, NI MÁS NI MENOS, lo que yo tenía pensado.* ‖ **por más que.** loc. adv. que se usa para ponderar la imposibilidad de ejecutar o conseguir una cosa, aunque se hagan todas las diligencias para su logro. ‖ **2. aunque.** ‖ **sin más acá ni más allá.** loc. adv. fam. Desnudamente, sin rebozo ni rodeos. ‖ **2.** fam. Sin causa justa, atropelladamente. SIN MÁS ACÁ NI MÁS ALLÁ, *se metió dentro de lo que le llamaban.* ‖ **sin más ni más.** loc. adv. Sin reparo ni consideración; precipitadamente, sin preparación. ‖ **sus más y sus menos.** loc. fam. Dificultades, complicaciones o altercados a causa de algun asunto. Ú. por lo común con los verbos *haber, tener,* etc.

masa[1]. (Del lat. *massa.*) f. Mezcla que proviene de la incorporación de un líquido a una materia pulverizada, de la cual resulta un todo espeso, blando y consistente. ‖ **2.** La que resulta de la harina con agua y levadura, para hacer el pan. ‖ **3.** La que se hace con harina y manteca al horno, ordinariamente con un relleno; pastel. ‖ **4.** Volumen, conjunto, reunión. ‖ **5.** fig. Cuerpo o todo de una hacienda u otra cosa tomada en grueso. MASA *de bienes o de la herencia, de la quiebra.* ‖ **6.** fig. Conjunto o concurrencia de algunas cosas. ‖ **7.** fig. Muchedumbre o conjunto numeroso de personas. Ú. m. en pl. *Las* MASAS *populares.* ‖ **8.**

fig. Natural dócil o genio blando. Ú. siempre con un epíteto que exprese esta cualidad. ‖ **9.** *Fís.* Cantidad de materia que contiene un cuerpo. ‖ **10.** *Fís.* V. **espectrómetro de masas.** ‖ **11.** *Mil.* La masita de dinero que se retiene para atenciones del soldado. ‖ **atómica. peso atómico.** ‖ **coral. orfeón.** ‖ **de claro, o de oscuro.** *Pint.* Conjunto del color claro, o del oscuro, que se nota en una figura pintada o en la composición de un cuadro. ‖ **de la sangre.** La totalidad de la sangre del cuerpo, encerrada en sus vasos. ‖ **gravitatoria.** *Fís.* Magnitud física de que depende la atracción que cada cuerpo ejerce sobre los demás. ‖ **inercial o inerte.** *Fís.* Magnitud física, propia de cada cuerpo, que se caracteriza por ser mayor o menor la fuerza requerida para imprimirle un movimiento determinado. ‖ **molecular. peso molecular.** ‖ **gran masa.** *Mil.* **masita.** ‖ **la masa.** Gran conjunto de gente que por su número puede influir en la marcha de los acontecimientos. ‖ **en la masa de la sangre.** loc. adv. fig. En la índole, condición o naturaleza de la persona. Ú. con los verbos *estar, tener, llevar,* etc. ‖ **en masa.** lóc. adv. En conjunto, totalmente, con intervención de todos o casi todos los componentes de una colectividad. Ú. t. c. loc. adj. ‖ **pegársele a** uno **algo de la masa.** fr. fig. y fam. Aprovecharse abusivamente el que maneja intereses.

masa². (Del b. lat. *mansa,* mansión.) f. *Ar.* Casa de campo, masada, masía.

masacrar. (Del fr. *massacrer.*) tr. Cometer una matanza humana o asesinato colectivos.

masacre. (Del fr. *massacre.*) f. Matanza de personas, por lo general indefensas, producida por ataque armado o causa parecida.

masada. (Del cat. *masada.*) f. Casa de campo y de labor, con tierras, apero y ganados; masía, masa².

masadero. m. Vecino o colono de una masada.

masageta. (Del lat. *Massagĕta.*) adj. Dícese del individuo de un antiguo pueblo de Escitia. Ú. m. c. s. y en pl.

masaje. (Del fr. *massage.*) m. Operación consistente en presionar, frotar o golpear rítmicamente y con intensidad adecuada determinadas regiones del cuerpo, principalmente las masas musculares, con fines terapéuticos, deportivos, estéticos, etc.

masajista. (De *masaje.*) com. Profesional que aplica el masaje.

masamuda. (Del ár. *Maṣmuda,* nombre de una tribu berberisca.) adj. Dícese del individuo de la tribu berberisca de Masmuda, una de las más antiguas e importantes del África Septentrional, y de cuyo seno salieron los almohades. Ú. t. c. s.

masar. (Del lat. *massāre.*) tr. **amasar.**

mascabado, da. (Del port. *mascavado.*) adj. V. **azúcar mascabado.**

mascada. f. Acción y efecto de mascar, mascadura. ‖ **2.** vulg. *And.* Golpe a puño cerrado y de abajo arriba en la mandíbula, y por ext., puñetazo en la boca. ‖ **3.** *Col., Cuba* y *Chile.* Porción de comida que cabe en la boca, bocado. ‖ **4.** *Amér. Central, Argent., Chile, Méj., Par.* y *Urug.* Porción de tabaco que se toma de una vez para mascarlo. ‖ **5.** *Méj.* Pañuelo, especialmente de seda, para adorno. ‖ **dar una mascada** a alguien. fr. fig. y fam. *Amér. Central.* Reprender a alguien.

mascadijo. m. Sustancia aromática, comúnmente vegetal, que se masca para perfumar el aliento.

mascado, da. p. p. de **mascar.** ‖ **2.** adj. fig. Dícese de conceptos, lecciones, etc., de muy fácil comprensión, o de acciones que pueden realizarse con gran facilidad. Ú. especialmente con los verbos *dar* y *estar.*

mascador, ra. adj. Que masca. Ú. t. c. s.

mascadura. f. Acción y efecto de mascar. ‖ **2.** *Hond.* Pan o bollo que se toma con el café o el chocolate. ‖ **3.**

P. Rico. Pedazo de tabaco que se toma de una vez para mascarlo.

mascar. (Del lat. tardío *masticāre,* masticar.) tr. Partir y triturar algo con la dentadura. ‖ **2.** fig. y fam. Triturar la comida con la dentadura torpemente. ‖ **3.** prnl. fig. y fam. Considerarse como inminente un hecho importante. *Se* MASCABA *la tragedia, la revolución.* ‖ **4.** *Mar.* Dicho de un cabo, rozarse.

máscara. (Problem. del ár. *masjara,* bufonada, antifaz.) f. Figura que representa un rostro humano, de animal o puramente imaginario, con la que una persona puede cubrirse la cara para no ser reconocida, tomar el aspecto de otra o practicar ciertas actividades escénicas o rituales. ‖ **2.** Traje singular o extravagante con que alguien se disfraza. ‖ **3.** Careta de colmenero. ‖ **4.** Careta que se usa para impedir la entrada de gases nocivos en las vías respiratorias. ‖ **5.** fig. Pretexto, disfraz. ‖ **6.** *Ar.* Tizne, hollín que se da en la cara. ‖ **7.** *Zool.* Órgano de las larvas de las libélulas y caballitos del diablo, que, en reposo queda plegado bajo la cabeza y se extiende hacia delante para capturar las presas de que el animal se alimenta. ‖ **8.** com. fig. Persona enmascarada. *Al salir del baile encontré dos* MÁSCARAS. ‖ **9.** f. pl. Reunión de gentes vestidas de **máscara,** y sitio en que se reúnen. *Voy a las* MÁSCARAS; *nos veremos en las* MÁSCARAS. ‖ **10.** Fiesta popular de hombres enmascarados con disfraces grotescos, mojiganga. ‖ **11.** Fiesta social, o menos popular, de personas enmascaradas, mascarada. ‖ **12.** Festejo de nobles a caballo, con vestidos y libreas vistosas, que se ejecutaba de noche, con hachas, corriendo parejas. ‖ **quitar a** uno **la máscara.** fr. fig. **desenmascarar,** dar a conocer los propósitos de una persona. ‖ **quitarse** uno **la máscara.** fr. fig. Dejar el disimulo y decir lo que siente, o mostrarse tal como es.

mascarada. f. Festín o sarao de personas enmascaradas. ‖ **2.** Comparsa de máscaras. ‖ **3.** fig. **farsa,** enredo, trampa para engañar.

mascarar. (De *máscara.*) tr. ant. **enmascarar.** ‖ **2.** *Ar.* Manchar la cara, con hollín o carbón especialmente; tiznar.

mascarero, ra. m. y f. Persona que vende o alquila los vestidos de máscara.

mascareta. f. d. de **máscara.**

mascarilla. (d. de *máscara.*) f. Máscara que solo cubre el rostro desde la frente hasta el labio superior. ‖ **2.** Máscara de distintas formas, que cubre la boca y la nariz para proteger al que respira, o a quien está en su proximidad, de posibles agentes patógenos o tóxicos. ‖ **3.** Vaciado que se saca sobre el rostro de una persona o escultura, y particularmente en un cadáver. ‖ **4.** Capa de diversos productos cosméticos con que se cubre la cara o el cuello durante cierto tiempo, generalmente breve, con fines estéticos. ‖ **quitarse** uno **la mascarilla.** fr. fig. **quitarse la máscara.**

mascarón. m. aum. de **máscara.** ‖ **2.** Cara disforme o fantástica que se usa como adorno en ciertas obras de arquitectura. ‖ **de proa.** Figura colocada como adorno en lo alto del tajamar de los barcos.

mascota. (Del fr. *mascotte.*) f. Persona, animal o cosa que sirve de talismán, que trae buena suerte. ‖ **2.** *And.* Sombrero flexible.

mascujada. f. Acción de mascujar.

mascujador, ra. adj. p. us. Que mascuja.

mascujar. (despect. de *mascar.*) tr. fam. **mascullar.**

masculillo. (Alteración de *basculillo, d. de *basculo, del fr. *bascule.*) m. Juego de muchachos en que dos cogen a otros dos y los mueven de modo que el trasero del uno dé contra el del otro. ‖ **2.** fig. Porrazo, golpe.

masculinidad. f. Cualidad de masculino. ‖ **2.** *Der.* Lo que es propio exclusivamente del varón. Aplícase al derecho y naturaleza de ciertas fundaciones. ‖ **3.** *Der.* V. **mayorazgo de masculinidad.**

masculinización. f. *Biol.* Fenómeno biológico que provoca en un animal hembra la aparición de caracteres sexuales secundarios propios del sexo masculino, v. gr., crecimiento de la cresta y desarrollo del plumaje de gallo, en una gallina. ‖ **2.** *Gram.* Acción de dar forma específica masculina a un nombre que no la tiene. ‖ **3.** *Gram.* Acción de dar género masculino a un nombre originariamente femenino o neutro.

masculino, na. (Del lat. *masculīnus.*) adj. Dícese del ser que está dotado de órganos para fecundar. ‖ **2.** Perteneciente o relativo a este ser. ‖ **3.** fig. Varonil, enérgico. ‖ **4.** *Gram.* V. **género masculino.**

másculo, la. (Del lat. *mascŭlus.*) adj. ant. **macho.** ‖ **2.** m. ant. Varón, o macho en cualquier especie animal.

mascullar. (despect. de *mascar.*) tr. fam. Mascar mal o con dificultad. ‖ **2.** fam. Hablar entre dientes, o pronunciar tan mal las palabras, que con dificultad puedan entenderse.

masecoral. m. **maese coral.**

masejicomar. m. **masecoral.**

masera. (De *masa.*) f. Artesa grande que sirve para amasar. ‖ **2.** Piel de carnero o lienzo en que se amasa la torta. ‖ **3.** Paño de lienzo con que se abriga la masa para que fermente. ‖ **4.** **buey,** crustáceo decápodo.

masería. f. Casa de campo, masía, masada.

masetero. (Del gr. μασητήρ, masticador.) adj. *Anat.* Dícese del músculo que sirve para elevar la mandíbula inferior de los vertebrados. Ú. t. c. s.

masía. (Del cat. *masia.*) f. *Ar.* Casa de campo, masa[2], masada.

másico[1]**.** (Del lat. *Massīcum.*) m. Vino famoso de la antigua Roma, así llamado porque procedía del monte Másico, en la Campania.

másico[2]**, ca.** adj. Perteneciente o relativo a la **masa**[1]**,** cantidad de materia que contiene un cuerpo. ‖ **2.** V. **número másico.**

masicoral. m. **masecoral.**

masicote. (Del fr. *massicot.*) m. Óxido de plomo que se obtiene haciendo pasar una corriente de aire sobre el metal fundido. Es de color amarillo y ha sido muy usado como pintura.

masieno, na. (Del lat. *Massiēnus.*) adj. Dícese del individuo de un pueblo antiguo de la Bética, que también se cita en la forma **mastieno.** Ú. t. c. s. ‖ **2.** Perteneciente o relativo a este pueblo.

masificación. f. Acción y efecto de masificar o masificarse.

masificar. tr. Hacer multitudinario algo que no lo era. Ú. t. c. prnl.

masílico, ca. adj. Perteneciente o relativo al país de los masilos o masilios. *Campos* MASÍLICOS.

masiliense. (Del lat. *Massiliensis.*) adj. Natural de Marsella. Ú. t. c. s. ‖ **2.** Perteneciente o relativo a esta ciudad.

masilio, lia. (Del lat. *Massylĭus.*) adj. Dícese del individuo de un pueblo de África antigua. Ú. t. c. s. ‖ **2.** Perteneciente o relativo a este pueblo. ‖ **3.** Por ext., **mauritano.** Apl. a pers., ú. t. c. s.

masilo, la. adj. **masilio.** Apl. a pers., ú. t. c. s.

masilla. (d. de *masa*[1]*.*) f. Pasta hecha de tiza y aceite de linaza, que usan los vidrieros para sujetar los cristales.

masita. (d. de *masa*[1]*.*) f. *Mil.* Pequeña cantidad de dinero que del haber de los soldados y cabos retenía el capitán para proveerlos de zapatos y ropa interior. ‖ **2.** *Argent., Bol., Par., Sto. Dom.* y *Urug.* Pasta o pastelillo dulce.

masivo, va. (Del fr. *massif.*) adj. *Med.* Dícese de la dosis de un medicamento cuando se acerca al límite máximo de tolerancia del organismo. ‖ **2.** fig. Dícese de lo que se apli-

ca en gran cantidad. ‖ **3.** Perteneciente o relativo a las masas humanas; hecho por ellas. *Emigración* MASIVA; *ataque* MASIVO; *manifestación* MASIVA.

maslo. (Del lat. *mascŭlus.*) m. Tronco de la cola de los cuadrúpedos. ‖ **2.** ant. **macho**[1]**,** animal del sexo masculino. ‖ **3.** Astil o tallo de una planta.

masón[1]**.** m. aum. de **masa**[1]**.** ‖ **2.** Bollo hecho de harina y agua, sin cocer, que sirve para cebar las aves.

masón[2]**, na.** (Del fr. *maçon*, albañil.) m. y f. Persona que pertenece a la masonería.

masonería. (De *masón*[2]*.*) f. Asociación secreta, **francmasonería.**

masónico, ca. (De *masón*[2]*.*) adj. Perteneciente o relativo a la masonería. *Signos* MASÓNICOS.

masoquismo. (Del nombre del novelista austriaco *L. Sacher-Masoch.*) m. Perversión sexual del que goza con verse humillado o maltratado por otra persona. ‖ **2.** Cualquier otra complacencia en sentirse maltratado o humillado.

masoquista. adj. Perteneciente o relativo al masoquismo. ‖ **2.** com. Persona que practica el masoquismo.

masora. (Del hebr. *māsōrāh*, tradición.) f. Doctrina crítica de los rabinos acerca del texto hebreo de la Biblia, para conservar su genuina lectura e inteligencia.

masoreta. (De *masora.*) m. Cada uno de los gramáticos hebreos que, recogiendo las seculares tradiciones precristianas, se ocuparon asiduamente, en los siglos VI a X de nuestra era, en fijar, por medio de vocales que añadían, la verdadera lectura de la Biblia, en dividir y estudiar los libros, partes, secciones, versículos, palabras, letras y mociones del texto sagrado hebreo, fijando los caracteres gramaticales de cada una de las materias clasificadas, su número, su posición y sus concordancias y diferencias.

masorético, ca. adj. Perteneciente o relativo a la masora, o debido a los trabajos de los masoretas.

masovero. (Del cat. *masover.*) m. *Ar.* El que vive en una masada o masía, masadero. ‖ **2.** En Cataluña, labrador que, viviendo en masía ajena, cultiva las tierras anejas a la misma a cambio de una retribución o de una parte de los frutos.

mastaba. f. Tumba egipcia en forma de pirámide truncada, de base rectangular, que comunica con un hipogeo funerario.

mastate. (Del nahua *maxtlatl.*) m. *C. Rica.* Corteza fibrosa con que los indios hacen sus taparrabos y otros tejidos. ‖ **2.** *Amér. Central* y *Méj.* Taparrabos que usaban los aztecas.

maste. (Del ant. fr. *mast*, hoy *mât.*) m. ant. **mástil.**

mástel. (De *maste*, influido por *árbol.*) m. ant. Tronco de la cola de los cuadrúpedos, maslo. ‖ **2.** ant. **mastelero.** ‖ **3.** Palo derecho que sirve para sostener una cosa.

masteleo. (Del ant. fr. *mastereau*, d. de *mast*, hoy *mât*, mástil.) m. ant. Mástil menor de las velas de las embarcaciones, mastelero.

mastelerillo. (d. de *mastelero*.) m. *Mar.* Palo menor o percha que se coloca en muchas embarcaciones sobre los masteleros. ‖ **de juanete.** *Mar.* Cada uno de los dos que se ponen sobre los masteleros de gavia y sostienen los juanetes. ‖ **de juanete de popa.** *Mar.* El que va sobre el mastelero de gavia. ‖ **de juanete de proa.** *Mar.* El que se pone sobre el mastelero de velacho. ‖ **de juanete mayor.** *Mar.* **mastelerillo de juanete de popa.** ‖ **de perico.** *Mar.* El que se pone sobre el mastelero de sobremesana y sostiene el perico.

mastelero. (De *masteleo.*) m. *Mar.* Palo o mástil menor que se pone en los navíos y demás embarcaciones de vela redonda sobre cada uno de los mayores, asegurado en la cabeza de este. ‖ **2.** V. **barcón mastelero.** ‖ **de gavia.** *Mar.* El que va sobre el palo mayor y sirve para sostener la verga y vela de gavia. ‖ **de juanete.** *Mar.* **mastelerillo de juanete.** ‖ **de perico.** *Mar.* **mastelerillo de perico.** ‖ **de popa.**

Mar. **mastelero de gavia.** ‖ **de proa.** *Mar.* **mastelero de velacho.** ‖ de que va sobre el palo de mesana y sostiene la verga y vela de sobremesana. ‖ **de velacho.** *Mar.* El que va sobre el palo trinquete y sostiene el velacho y su verga. ‖ **mayor.** *Mar.* **mastelero de gavia.** ‖ **masteleros de gavia.** *Mar.* El de gavia y el de velacho.

masticación. (Del lat. *masticatĭo, -ōnis.*) f. Acción y efecto de masticar.

masticador, ra. adj. Que mastica. Ú. t. c. s. ‖ **2.** *Zool.* Dícese del aparato bucal apto para la masticación. ‖ **3.** *Zool.* Dícese del animal que tiene este aparato. ‖ **4.** m. Filete de tres anillas que se pone al caballo en la boca, mastigador. ‖ **5.** Instrumento con que se tritura la comida destinada a personas que tienen dificultad para masticarla.

masticar. (Del lat. tardío *masticāre.*) tr. Triturar la comida con los dientes, mascar. ‖ **2.** fig. Rumiar o meditar.

masticatorio, ria. adj. Que sirve para ser masticado. Dícese especialmente de lo que se mastica con un fin medicinal. Ú. t. c. s. m. ‖ **2.** Que sirve para masticar.

masticino, na. (Del lat. *masticīnus.*) adj. Perteneciente o relativo al mástique.

másticis. (Del lat. *mastĭce.*) m. ant. Resina de un lentisco, mástique, almáciga[1].

mastieno. (Del gr. Μαστιανός, con infl. del lat. *Massiēnus.*) adj. Dícese de los antiguos pobladores de la costa meridional de España, desde Cartagena al estrecho de Gibraltar. Ú. t. c. s. ‖ **2.** Perteneciente o relativo a los **mastienos.**

mastigador. (De *mastigar.*) m. Filete de tres anillas sueltas que se pone al caballo en la boca para excitarle la salivación y el apetito.

mastigar. (Del lat. *masticāre,* mascar.) tr. ant. Triturar la comida con los dientes, masticar, mascar.

mástil[1]**.** (De *mástel.*) m. Palo de una embarcación. ‖ **2.** Palo menor de una vela. ‖ **3.** Cualquiera de los palos derechos que sirven para sostener una cosa; como tienda de campaña, bandera, cama, coche, etc. ‖ **4.** En ciertas grandes máquinas, torre, pieza o estructura vertical de gran altura respecto a la base. *Excavadora de* MÁSTIL. ‖ **5.** Pie o tallo de una planta cuando se hace grueso y leñoso. ‖ **6.** Parte del astil de la pluma, en cuyos costados nacen las barbas. ‖ **7.** Pieza estrecha y larga de los instrumentos de arco, púa y pulsación, sobre la cual se tienden y tensan las cuerdas.

mástil[2]**.** (Del nahua *maxtli.*) m. Especie de taparrabos, con extremos decorados, que usaban los aztecas.

mastín, na. (Del ant. fr. *mastin,* hoy *mâtin.*) adj. V. **perro mastín.** Ú. m. c. s.

mástique. (Del lat. *mastĭche,* y este del gr. μαστίχη.) m. Resina de un lentisco, másticis, almáciga[1]. ‖ **2.** Pasta de yeso mate y agua de cola que sirve para igualar las superficies que se han de pintar o decorar.

mastitis. (Del gr. μαστός, mama, e *-itis.*) f. *Med.* Inflamación de la mama.

masto. (Del lat. *masculus,* como *macho.*) m. *Ar.* Patrón de un injerto. ‖ **2.** *Ar.* Animal macho, principalmente entre las aves de corral.

mastodonte. (Del gr. μαστός, mama, y ὀδούς, ὀδόντος, diente.) m. *Paleont.* Mamífero fósil, parecido al elefante, con dos dientes incisivos en cada mandíbula, que llegan a tener más de un metro de longitud, y molares en los que sobresalen puntas redondeadas a manera de mamas. Se encuentran sus restos en los terrenos terciarios. ‖ **2.** fig. Persona o cosa muy voluminosa.

mastoides. (Del gr. μαστοειδής.) adj. *Zool.* De forma de mama. Dícese de la apófisis del hueso temporal de los mamíferos, situada detrás y debajo de la oreja. Ú. t. c. s.

mastología. (Del gr. μαστός, mama, y *-logía.*) f. *Med.* Tratado de la mama, sus funciones y sus enfermedades.

mastológico, ca. adj. Relativo a la mastología.

mastólogo, ga. m. y f. Persona especializada en mastología.

mastozoología. (Del gr. μαστός, mama, y *zoología.*) f. Parte de la zoología que trata de los mamíferos.

mastozoólogo, ga. m. y f. Persona que profesa la mastozoología o tiene en ella especiales conocimientos.

mastranto. (Metát. de *mentastro,* del lat. *mentastrum.*) m. **mastranzo.** ‖ **2.** *Col.* y *Venez.* Nombre que se da a diversas plantas aromáticas.

mastranzo. (Alteración de *mastranto.*) m. Planta herbácea anual, de la familia de las labiadas, con tallos erguidos, ramosos, de cuatro a seis decímetros de altura; hojas sentadas, elípticas, casi redondas, festoneadas, rugosas, verdes por el haz, blancas y muy vellosas por el envés; flores pequeñas en espiga terminal, de corola blanca, rósea o violácea, y fruto seco, encerrado en el cáliz y con cuatro semillas. Es muy común a orillas de las corrientes de agua, tiene fuerte olor aromático y se usa algo en medicina y contra los insectos parásitos. ‖ **2.** En algunos países de América, se aplica este nombre a diversas plantas aromáticas de esta especie.

mastuerzo. (De *nastuerzo.*) m. Planta herbácea anual, hortense, de la familia de las crucíferas, con tallos de unos cuatro decímetros, torcidos y divergentes; hojas glaucas, las inferiores recortadas, y lineales las superiores; flores en racimo, blancas y de pétalos iguales, y fruto seco, capsular, con dos semillas. Es de sabor picante y se come en ensalada. ‖ **2. berro.** ‖ **3.** fig. Hombre necio, torpe, majadero. Ú. t. c. adj.

masturbación. f. Estimulación de los órganos genitales o de zonas erógenas con la mano o por otro medio para proporcionar goce sexual.

masturbar. (Del lat. *masturbāri.*) tr. Practicar la masturbación. Ú. m. c. prnl.

masturbatorio, ria. adj. Perteneciente o relativo a la masturbación.

masvale. (Regresión y deformación de *malvasía.*) m. Especie de uva muy dulce y fragante, malvasía.

mata[1]**.** (Probablemente, del lat. tardío *matta,* estera.) f. Planta que vive varios años y tiene tallo bajo, ramificado y leñoso. ‖ **2.** Por ext., cualquier planta de poca alzada o tamaño. MATA *de tomate.* MATA *de claveles.* ‖ **3.** Ramita o pie de una hierba; como de la hierbabuena o la albahaca. ‖ **4.** Porción de terreno poblado de árboles de una misma especie. *Tiene una* MATA *de olivos excelente.* ‖ **5. lentisco.** ‖ **de la seda.** Arbustillo de la familia de las asclepiadáceas, de uno a dos metros de altura, de hojas lineares y lanceoladas, y flores blancas en umbela, que se abren en estío. Vive en África y en Arabia y suele hallarse en el Mediterráneo. ‖ **de pelo.** Conjunto o gran porción de la cabellera. ‖ **parda.** mata baja y espesa de encina o roble, chaparro. ‖ **rubia. coscoja.** ‖ **saltar** uno **de la mata.** fr. fig. y fam. Darse a conocer el que estaba oculto. ‖ **seguir** a uno **hasta la mata.** fr. fig. y fam. Perseguirlo y acosarlo con ahínco. ‖ **ser todo matas y por rozar.** fr. fig. y fam. que se dice del negocio tan enmarañado que dificultosamente se puede desenredar o aclarar.

mata[2]**.** (Del fr. *matte.*) f. *Metal.* Sulfuro múltiple que se forma al fundir menas azufrosas, crudas o incompletamente calcinadas.

mata[3]**.** (De *matar.*) f. Especie de truque en el juego de naipes, matarrata. ‖ **2.** En el juego de la matarrata, siete de espadas y de oros. ‖ **3.** ant. Matanza, mortandad, destrozo.

matabuey. f. Planta umbelífera de sabor amargo, amarguera.

matacaballo (a). loc. adv. **a mata caballo.**

matacabras. m. Viento norte fuerte.

matacallos. m. Planta de Chile y del Ecuador, semejante a la siempreviva, y cuyas hojas se emplean para curar los callos.

matacán. m. Composición venenosa para matar perros, estricnina. ‖ **2. nuez vómica.** ‖ **3.** Liebre que ha sido ya corrida por los perros. ‖ **4.** Piedra grande de ripio que se puede coger cómodamente con la mano. ‖ **5.** Dos de bastos, en el juego de naipes llamado cuca y **matacán.** ‖ **6.** *Murc.* Encina nueva. ‖ **7.** *Fort.* Obra voladiza en lo alto de un muro, de una torre o de una puerta fortificada, con parapeto y con suelo aspillerado, para observar y hostilizar al enemigo.

matacandelas. m. Instrumento, por lo común de hojalata, en forma de cucurucho, que, fijo en el extremo de una caña o vara, sirve para apagar las velas o cirios colocados en alto. ‖ **2.** V. **excomunión a matacandelas.**

matacandil. m. Planta herbácea anual, de la familia de las crucíferas, con tallos lisos de dos a tres decímetros de altura, hojas pecioladas, partidas en lóbulos irregularmente dentados; flores pedunculadas, de pétalos pequeños y amarillos, y fruto en vainillas con semillas elipsoidales, parduscas y lustrosas. Es común en terrenos algo húmedos y se ha usado contra el escorbuto. ‖ **2.** *Murc.* Langosta, crustáceo marino.

matacandiles. (De *matacandil.*) m. Planta herbácea de la familia de las liliáceas, con hojas radicales, largas, estrechas, acanaladas y laxas; flores olorosas, moradas, en espiga alrededor de un escapo central de 12 a 15 centímetros, y fruto capsular de envoltura membranosa y con semillas esféricas. Es muy común en terrenos secos y sueltos.

matacía. (De *matar.*) f. *Ar.* Matanza de los cerdos.

matación. f. p. us. Acción y efecto de matar.

matachín[1]**.** (Del it. *mattaccino*, payaso, bufón.) m. Antiguamente, hombre disfrazado ridículamente, con carátula y vestido de varios colores ajustado al cuerpo desde la cabeza a los pies. ‖ **2.** Danza de los **matachines,** que parodiaba las danzas guerreras de la antigüedad. ‖ **3.** Juego consistente en una especie de lucha con espadas de palo y vejigas llenas de aire, practicado por los **matachines** mientras bailaban. ‖ **dejar a uno hecho un matachín.** fr. fig. y fam. Avergonzarle.

matachín[2]**.** (De *matar.*) m. El que mata las reses, jifero. ‖ **2.** fig. y fam. Hombre pendenciero, camorrista.

matadero. m. Sitio donde se mata y desuella el ganado destinado al abasto público. ‖ **2.** fig. y fam. Trabajo o afán de grave incomodidad. *El ir tan lejos todos los días es un* MATADERO. ‖ **ir,** o **venir,** uno, o **llevar** a otro, **al matadero.** fr. fig. y fam. Meterse, o poner a otro, en peligro inminente de perder la vida.

matador, ra. adj. Que mata. Ú. t. c. s. ‖ **2.** fig. y fam. Muy pesado, molesto o trabajoso. ‖ **3.** fig. y fam. Muy feo, extravagante, de mal gusto. ‖ **4.** m. En el juego del hombre, cualquiera de las tres cartas del estuche. ‖ **5.** El que mata en la fiesta de toros, el espada.

matadura. (De *matar,* llagar a un animal.) f. Llaga o herida que se hace a la bestia por ludirla el aparejo o por el roce de un apero. ‖ **dar** a uno **las mataduras.** fr. fig. y fam. Zaherirle con aquello que siente más o que le causa más enojo y pesadumbre.

matafalúa. (Del ár. [*al-ḥa*]*bbat al-ḥaluwa*, el grano dulce, el anís.) f. ant. **matalahúva.** Ú. en Aragón.

matafuego. m. Instrumento o aparato para apagar los fuegos. ‖ **2.** Oficial destinado a apagar los incendios.

matagallegos. (Porque molesta mucho con sus espinas a los segadores.) m. **arzolla,** planta.

matagallina. f. *Rioja.* torvisco, planta.

matagallos. m. **aguavientos,** planta.

matahambre. m. *Cuba.* Especie de mazapán hecho con harina de yuca, azúcar y otros ingredientes.

matahombres. m. *Murc.* Insecto coleóptero negro con rayas rojas, carraleja[1].

matahúmos. m. ant. **despabiladeras.**

matajudío. m. **mújol,** pez.

matalahúga. (Del m. or. que *matafalúa.*) f. **matalahúva,** planta.

matalahúva. (Del m. or. que *matafalúa.*) f. **anís,** planta umbelífera. ‖ **2.** Semilla de esta planta.

matalobos. m. **acónito.**

matalón, na. (De *matar.*) adj. Dícese de la caballería flaca, endeble y que rara vez se halla libre de mataduras. Ú. t. c. s.

matalotaje. (Del fr. *matelotage,* marinería, salario de los marineros.) m. Prevención de comida que se lleva en una embarcación. ‖ **2.** Equipaje y provisiones que se llevan a lomo en los viajes por tierra. ‖ **3.** fig. y fam. Conjunto de muchas cosas diversas y mal ordenadas.

matalote[1]**.** adj. **matalón.** Ú. t. c. s.

matalote[2]**.** (Del fr. *matelot,* camarada de a bordo, marinero.) m. *Mar.* Buque anterior y buque posterior a cada uno de los que forman una columna, los cuales se denominan de proa y de popa respectivamente.

matambre. (De *matar* y *hambre.*) m. *Argent.* Capa de carne y grasa que se saca de entre el cuero y el costillar de los animales vacunos. ‖ **2.** *Argent.* Fiambre hecho por lo común con esa capa de carne, rellena y adobada.

matamiento. m. ant. Acción de matar o matarse.

matamoros. adj. Que se jacta de valiente, valentón.

matamoscas. m. Instrumento para matar moscas, compuesto generalmente de un enrejado con mango.

matancera. f. Mujer que se dedica a hacer embutidos con los productos de la matanza.

matancero[1]**.** m. Matarife, jifero.

matancero[2]**, ra.** adj. Natural de Matanzas. Ú. t. c. s. ‖ **2.** Perteneciente o relativo a esta ciudad de Cuba.

matanza. f. Acción y efecto de matar. ‖ **2.** Mortandad de personas ejecutada en una batalla, asalto, etc. ‖ **3.** Faena de matar los cerdos, salar el tocino, aprovechar los lomos y los despojos, hacer las morcillas, chorizos, etc. ‖ **4.** Época del año en que ordinariamente se matan los cerdos. *Vendrá Antón para la* MATANZA. ‖ **5.** Porción de ganado de cerda que se va a matar. ‖ **6.** Conjunto de piezas que resultan de la **matanza** del cerdo y que se comen frescas, adobadas o en embutido. ‖ **7.** fig. y fam. Preocupación y porfía en una pretensión, contrariedad, etc. *Toda mi* MATANZA *es que él se corrija.*

matapalo. m. Árbol americano de la familia de las apocináceas, que da caucho, y de cuya corteza se hacen sacos.

mataperrada. f. fam. Acción propia del mataperros.

mataperros. m. fig. y fam. p. us. Muchacho callejero y travieso.

matapiojos. m. *Col.* y *Chile.* **caballito del diablo.**

matapolvo. m. Lluvia o riego tan pasajero y menudo que apenas baña la superficie del suelo.

matapollo. m. *Murc.* torvisco, planta.

matapulgas. f. **mastranzo,** planta.

mataquintos. m. p. us. Cigarrillos de mala calidad y de sabor muy fuerte.

matar. (De efim. disc.) tr. Quitar la vida. Ú. t. c. prnl. ‖ **2.** Extinguir o apagar, dicho del fuego o la luz. ‖ **3.** Herir y llagar la bestia por ludirla el aparejo u otra cosa. Ú. t. c. prnl. ‖ **4.** Hablando de la cal o el yeso, quitarles la fuerza echándoles agua. ‖ **5.** En los juegos de cartas, echar una superior a la que ha jugado el contrario. ‖ **6.** Tratándose de las barajas, marcar o señalar con las uñas, cuando se está barajando, los filos de algunos naipes, para hacer fullerías en el juego. ‖ **7.** Apagar el brillo de los metales. ‖ **8.** Tratándose de aristas, esquinas, vértices, etc., redondearlos o achaflanarlos. ‖ **9.** Inutilizar en las oficinas de correos los sellos puestos en las cartas y otros envíos postales. ‖ **10.** fig. Acabar con uno. *Este trabajo me* MATA. *Lo están* MATANDO *a disgustos.* ‖ **11.** fig. Desazonar o incomodar a uno con necedades y pesadeces. *Ese hombre me* MATA *con tantas preguntas.* ‖ **12.** fig. Estrechar, violentar. ‖ **13.** fig. Extinguir, aniquilar. ‖ **14.** *Pint.* Rebajar un color o tono fuerte o desapacible. ‖ **15.** intr. Hacer la matanza del cerdo. ‖ **16.** prnl. fig. Acongojarse por no poder conseguir un intento. ‖ **17.** fig. Trabajar con afán y sin descanso, ya corporal, ya intelectualmente. ‖ **entre todos la matamos.** expr. fig. y fam. con que se redarguye al que reprende un defecto en que él mismo incurre. ‖ **estar a matar con** uno. fr. fig. Estar muy enemistado o irritado con él. ‖ **mátalas callando.** com. fig. y fam. Persona que con maña y secreto procura conseguir su intento. ‖ **matar el tiempo.** fr. Pasarlo. ‖ **matarlas callando.** fr. fig. y fam. Hacer cosas indebidas con secreto y apariencias de bondad. ‖ **matarse con** uno. fr. fig. Reñir, pelear con él. ‖ **matarse por** una cosa. fr. fig. Hacer vivas diligencias para conseguirla. ‖ **¡que me maten!** expr. fam. que se usa para asegurar la verdad de una cosa.

matarife. (De *matar.*) m. El que mata las reses, jifero.

mataronés, sa. adj. Natural de Mataró, ciudad de Barcelona. Ú. t. c. s. ‖ **2.** Perteneciente o relativo a esta ciudad o a su comarca.

matarrata. f. Juego de naipes, especie de truque.

matarratas. m. raticida. ‖ **2.** fig. y fam. Aguardiente de ínfima calidad y muy fuerte.

matarrubia. f. Variedad de encina achaparrada en que se forma el coscojo, agalla producida por el quermes; mata rubia.

matasanos. m. fig. y fam. Curandero o mal médico.

matasapo. m. *Chile.* Juego de muchachos parecido al de la apatusca.

matasellos. m. Estampilla con que se inutilizan en las oficinas de correos los sellos de las cartas. ‖ **2.** Dibujo o sello que se estampa con el **matasellos.**

matasiete. m. fig. y fam. Fanfarrón, hombre preciado de valiente.

matasuegras. f. Tubo enroscado de papel que tiene un extremo cerrado, y el otro terminado en una boquilla por la que se sopla para que se desenrosque bruscamente el tubo y asuste por broma.

matazón. f. *Amér.* Matanza de personas, masacre.

mate¹. (Del fr. *mat.*) adj. Amortiguado, sin brillo. *Oro* MATE, *sonido* MATE.

mate². (Por *jaque mate,* y este del persa árabe *šāh māt,* el rey murió.) m. Lance que pone término al juego de ajedrez, al no poder el rey de uno de los jugadores salvarse de las piezas que lo amenazan. ‖ **2.** En algunos juegos de naipes, como el tresillo, cualquiera de las tres cartas del estuche. ‖ **dar mate** a uno. fr. fig. Burlarse de él con risa. ‖ **dar mate ahogado.** fr. En el juego de ajedrez, estrechar al rey sin darle jaque, de manera que no tenga donde moverse. ‖ **2.** fig. y fam. Querer las cosas al punto, inmediatamente, y sin dejar tomar acuerdo.

mate³. (Del quechua *mati,* calabacita.) m. *Amér. Merid.* Calabaza que, seca, vaciada y convenientemente abierta y cortada, sirve para muchísimos usos domésticos. ‖ **2.** *Chile* y *Perú.* Lo que cabe en una de estas calabazas. ‖ **3.** *R. de la Plata.* Calabaza, fruto de la calabacera, especialmente el que se usa para preparar y servir la infusión de yerba, que se sorbe de ella mediante una bombilla. ‖ **4.** *R. de la Plata.* Por ext., cualquiera de los recipientes, de diversas formas y materias, que se emplean para tomar la infusión de yerba. ‖ **5.** *Bol.* y *R. de la Plata.* Calabacera. ‖ **6.** *Bol.* y *R. de la Plata.* Infusión de yerba **mate.** ‖ **7.** *Bol.* y *R. de la Plata.* Infusión o tisana que se obtiene de cualquier yer-

ba medicinal que se toma con bombilla, como el **mate:** MATE *de cedrón,* MATE *de menta,* MATE *de poleo,* etc. ‖ **8.** *Bol.* y *R. de la Plata.* fig. y fam. Cabeza humana. ‖ **9.** *Bol.* y *R. de la Plata.* fig. Juicio, talento, capacidad. ‖ **amargo.** *R. de la Plata.* El que se ceba sin azúcar. ‖ **cimarrón.** *R. de la Plata* y *Urug.* **mate amargo.** ‖ **cocido.** *R. de la Plata.* El que se prepara, por decocción, como el té, y no se sirve en el fruto de la calabacera. ‖ **de la Plata.** El preparado con azúcar. ‖ **de leche.** *R. de la Plata.* El que se prepara con leche en vez de agua. ‖ **lavado. mate** chirle por no renovarse oportunamente la yerba de la cebadura. ‖ **yerbeado.** *R. de la Plata.* **mate cocido.** ‖ **verde.** *R. de la Plata.* **mate amargo.** ‖ **barajar el mate.** fr. fam. *Urug.* Tomar el **mate,** al pasar, la persona a la que no le tocaba el turno. ‖ **cebar el mate.** *R. de la Plata.* Prepararlo añadiendo agua caliente a la yerba. ‖ **curar el mate.** *R. de la Plata.* Preparar la calabacita del **mate** eliminando los hollejos y partes superfluas del interior y adaptándola al tipo de infusión a que se destina. ‖ **2.** *R. de la Plata.* Hacer que la calabaza en que se toma el **mate** adquiera, antes del uso, el sabor particular de la yerba, de modo que el **mate** resulte más agradable.

mateada. f. *R. de la Plata.* Acción de **matear².** ‖ **2.** *Argent.* Reunión en la que varias personas se juntan para tomar mate.

matear¹. (De *mata³.*) tr. Sembrar las simientes o plantar las matas a cierta distancia unas de otras. ‖ **2.** intr. Extenderse las matas de trigo y de otros cereales echando muchos hijuelos. Ú. t. c. prnl. ‖ **3.** Registrar las matas del perro o el ojeador, en busca de la caza.

matear². (De *mate².*) intr. *R. de la Plata.* Tomar mate reiteradas veces.

matemática. (Del lat. *mathematīca,* y este del gr. μαθηματική, t. f. de -κός.) f. Ciencia que trata de la cantidad. Ú. m. en pl. ‖ **matemáticas aplicadas,** o **mixtas.** Estudio de la cantidad considerada en relación con ciertos fenómenos físicos. ‖ **puras.** Estudio de la cantidad considerada en abstracto.

matemáticamente. adv. m. Conforme a las reglas de las matemáticas. ‖ **2.** Exactamente.

matemático, ca. (Del lat. *mathematǐcus,* y este del gr. μαθηματικός.) adj. Perteneciente o relativo a las matemáticas. *Regla* MATEMÁTICA; *instrumento* MATEMÁTICO. ‖ **2.** fig. Exacto, preciso. ‖ **3.** m. y f. Persona que profesa las matemáticas o tiene en ellas especiales conocimientos. ‖ **4.** m. ant. El que profesaba la astrología, astrólogo.

matematismo. m. Tendencia de algunos filósofos modernos a tratar los problemas filosóficos según el espíritu y método de la matemática, o sea, en términos cuantitativos de masa y movimiento.

matercaria. f. ant. **matricaria,** planta herbácea.

materia. (Del lat. *materǐa.*) f. Realidad primaria de la que están hechas las cosas. ‖ **2.** Realidad espacial y perceptible por los sentidos, que, con la energía, constituye el mundo físico. ‖ **3.** Lo opuesto al espíritu. ‖ **4.** Muestra de letra que en la escuela imitan o copian los niños para aprender a escribir. ‖ **5.** pus. ‖ **6.** Asunto de que se compone una obra literaria, científica, etc. ‖ **7.** Asignatura, disciplina científicas. ‖ **8.** fig. Cualquier punto o negocio de que se trata. *Esa es* MATERIA *larga.* ‖ **9.** fig. Causa, ocasión, motivo. ‖ **de Estado.** Todo lo que pertenece al gobierno, conservación, aumento y reputación de los Estados. ‖ **del sacramento.** *Rel.* La cosa y la acción, casi siempre sensibles, a las que el ministro aplica las palabras rituales que constituyen la forma del sacramento; como, en el bautismo, el agua y la ablución. ‖ **médica.** Conjunto de los cuerpos orgánicos e inorgánicos de los cuales se sacan los medicamentos. ‖ **2.** Parte de la terapéutica que estudia los medicamentos. ‖ **parva. parvedad,** corta porción de alimento.

‖ **prima. primera materia.** ‖ **2.** *Fil.* Principio puramente potencial y pasivo que en unión con la forma sustancial constituye la esencia de todo cuerpo, y en las transmutaciones sustanciales permanece bajo cada una de las formas que se suceden. ‖ **próxima del sacramento.** *Rel.* Acción de aplicar a la **materia** remota de este, las palabras rituales que constituyen su forma; como, en el bautismo, la ablución. ‖ **remota del sacramento.** *Rel.* Cosa sobre la cual recae la acción o **materia** próxima del mismo; como, en el bautismo, el agua. ‖ **primera materia.** La que una industria o fabricación necesita para sus labores, aunque provenga, como sucede frecuentemente, de otras operaciones industriales. ‖ **cocer, o cocerse, las materias.** fr. Llegar a corromperse del todo los humores que hay en las heridas, llagas o apostemas, hasta ponerse en estado de reventar o de poder abrirse. ‖ **en materia de.** loc. prep. Hablando de, con lo relativo a. ‖ **entrar en materia.** fr. Empezar a tratar de un asunto después de algún preliminar.

material. (Del lat. *materiālis.*) adj. Perteneciente o relativo a la materia. ‖ **2.** Opuesto a lo espiritual. ‖ **3.** Opuesto a la forma. *Esta alhaja es de poco valor* MATERIAL. ‖ **4.** fig. Grosero, sin ingenio ni agudeza. ‖ **5.** *Teol.* V. **pecado material.** ‖ **6.** m. Elemento que entra como ingrediente en algunos compuestos. ‖ **7.** Cuero curtido. ‖ **8.** Cualquiera de las materias que se necesitan para una obra, o el conjunto de ellas. Ú. m. en pl. ‖ **9.** Conjunto de máquinas, herramientas u objetos de cualquier clase, necesario para el desempeño de un servicio o el ejercicio de una profesión. MATERIAL *de guerra, de incendios, de oficina, de una fábrica.* ‖ **es material.** expr. fam. p. us. Lo mismo da; es indiferente.

materialidad. f. Cualidad de material. *La* MATERIALIDAD *del alma es contraria a la fe.* ‖ **2.** Superficie exterior o apariencia de las cosas. ‖ **3.** Sonido de las palabras. *No atiende sino a la* MATERIALIDAD *de lo que oye.* ‖ **4.** *Teol.* Física y material sustancia de las acciones, ejecutadas con ignorancia inculpable o falta del conocimiento necesario para que sean buenas o malas moralmente.

materialismo. (De *material* e *-ismo.*) m. Doctrina según la cual la única realidad verdadera es la materia. ‖ **2.** Tendencia a dar importancia primordial a los intereses materiales. ‖ **histórico** o **dialéctico.** Versión marxista de la dialéctica idealista hegeliana, interpretada como económica, y basada en la relación de producción y trabajo.

materialista. adj. Perteneciente o relativo al materialismo. ‖ **2.** Dícese del partidario de esta tendencia filosófica. Ú. t. c. s. ‖ **3.** Dícese de la persona excesivamente preocupada por los bienes materiales. Ú. t. c. s. ‖ **4.** m. Persona que se dedica a la venta de materiales de construcción.

materialización. f. Acción y efecto de materializar.

materializar. tr. Considerar como material una cosa que no lo es. ‖ **2.** fig. Dar naturaleza material y sensible a un proyecto, a una idea o a un sentimiento. Ú. t. c. prnl. ‖ **3.** En parapsicología, formar con el ectoplasma apariencias de personas, animales o cosas. Ú. t. c. prnl. ‖ **4.** prnl. Ir dejando que en uno mismo preponderen la materia sobre el espíritu.

materialmente. adv. m. Con materialidad. ‖ **2. de hecho,** realmente, enteramente. ‖ **3.** *Teol.* Sin el conocimiento y advertencia que hacen buenas o malas las acciones.

maternal. adj. materno.

maternalmente. adv. m. Con afecto de madre.

maternidad. (De *materno.*) f. Estado o cualidad de madre. ‖ **2.** Hospital donde se atiende a las parturientas.

maternizar, da. p. p. de **maternizar.** ‖ **2.** adj. Que ha sido dotado de las propiedades de la leche de mujer. *Leche* MATERNIZADA.

maternizar. tr. Conferir propiedades de madre. ‖ **2.** Dotar a la leche vacuna de propiedades que posee la de mujer.

materno, na. (Del lat. *maternus.*) adj. Perteneciente o relativo a la madre. *Amor* MATERNO*; línea* MATERNA. ‖ **2.** V. **lengua materna.**

matero, ra. adj. *Amér. Merid.* Aficionado a tomar mate. Ú. t. c. s.

matete. m. *Argent.* y *Urug.* Confusión, enredo. ‖ **2.** *Argent.* y *Urug.* Reyerta, disputa. ‖ **3.** *Argent.* y *Urug.* Mezcla de sustancias deshechas en un líquido formando una masa inconsistente.

mático o **matico.** m. Planta de la familia de las piperáceas, originaria de América Meridional, cuyas hojas contienen un aceite esencial aromático y balsámico, se usan interior y exteriormente como astringentes.

matidez. f. Cualidad de mate[1]. ‖ **2.** *Med.* Sonido mate que se percibe en la percusión.

matiego, ga. adj. ant. Criado entre matas, rústico, grosero. ‖ **a la matiega.** loc. adv. Rudamente, toscamente.

matihuelo. (d. de *Matías.*) m. **tentetieso.**

matina. f. ant. **mañana.**

matinal. adj. De la mañana o relativo a ella.

matinée. (Del fr. *matinée.*) f. Fiesta, reunión, espectáculo, que tiene lugar en las primeras horas de la tarde.

matines. m. pl. ant. **maitines.**

matino. (Del lat. *matutīnum.*) m. ant. **mañana.**

matiz. (De *matizar.*) m. Unión de diversos colores mezclados con proporción. ‖ **2.** Cada una de las gradaciones que puede recibir un color sin perder el nombre que lo distingue de los demás. ‖ **3.** fig. Rasgo y tono de especial colorido y expresión en las obras literarias; y en lo inmaterial, grado o variedad que no altera la sustancia o esencia de una cosa. ‖ **4.** fig. Rasgo poco perceptible que da a algo un carácter determinado.

matización. f. Acción y efecto de matizar.

matizar. (Del b. lat. *matizāre,* usado desde el s. XII en pintura.) tr. Juntar, casar con hermosa proporción diversos colores, de suerte que sean agradables a la vista. ‖ **2.** Dar a un color determinado matiz. ‖ **3.** fig. Graduar con delicadeza sonidos, o expresiones conceptuales.

mato. m. Conjunto de matas.

matojo. m. despect. de **mata**[1], planta de tallo bajo, ramificado y leñoso. ‖ **2.** Mata de la familia de las quenopodiáceas, con tallos muy ramosos, articulados, de cuatro a seis decímetros de altura y algo lanuginosos; hojas garzas, estrechas, crasas y puntiagudas, y flores verduscas, axilares y solitarias, o en espiga terminal, con cáliz persistente de color róseo. Se cría en España y es planta barrillera. ‖ **3.** Planta de monte muy poblada y espesa.

matón. (De *matar.*) m. fig. y fam. Hombre jactancioso y pendenciero, que procura intimidar a los demás.

matonismo. (De *matón.*) m. Conducta del que quiere imponer su voluntad por la amenaza o el terror.

matorral. (De *matorro* y *-al.*) m. Campo inculto lleno de matas y malezas. ‖ **2.** Conjunto de matas intrincadas y espesas.

matorralejo. m. d. de **matorral.**

matorro. (De *mata*[1] y *-orro.*) m. *Cantabria.* **mata**[1], planta de tallo bajo, ramificado y leñoso.

matoso, sa. adj. Abundante o cubierto de matas.

matraca. (Del ár. *mitraqa,* martillo.) f. Rueda de tablas fijas en forma de aspa, entre las que cuelgan mazos que al girar ella producen ruido grande y desapacible. Se usa en algunos conventos para convocar a maitines, y en Semana Santa en lugar de campanas. ‖ **2.** Instrumento de madera compuesto de un tablero y una o más aldabas o mazos, que, al sacudirlo, produce ruido desapacible. ‖ **3.** fig. y fam. Burla y chasco con que se zahiere o reprende. Ú. por lo común con el verbo *dar*. ‖ **4.** fig. y fam. Importunación, insistencia molesta en un tema o pretensión.

matracalada. f. Muchedumbre desordenada de gente.

matraco, ca. adj. fam. Rústico aragonés, baturro. Ú. t. c. s.

matraquear. intr. fam. Hacer ruido continuado y molesto con la matraca. ‖ **2.** fig. y fam. Dar matraca, importunar.

matraqueo. m. fam. Acción y efecto de matraquear.

matraquista. com. fig. y fam. Persona que da matraca, que importuna o chasquea.

matraz. (Del fr. *matras*.) m. Vaso de vidrio o de cristal, de figura esférica y terminado en un tubo angosto y recto; se emplea en los laboratorios químicos. Los hay de fondo plano.

matreramente. adv. m. Con matrería.

matrería. (De *matrero*.) f. Perspicacia astuta y suspicaz.

matrero, ra. (De or. inc.) adj. Astuto, resabido. ‖ **2.** Suspicaz, receloso. ‖ **3.** Engañoso, pérfido. ‖ **4.** *Argent., Bol., Chile, Perú* y *Urug.* Fugitivo, vagabundo, que buscaba el campo para escapar de la justicia. Ú. t. c. s. ‖ **5.** rur. *Argent.* Dícese del ganado cimarrón. ‖ **6.** *Pan.* Dícese del toro mañoso, que esquiva el trapo con que se lo invita y trata de embestir al torero.

matriarca. (Del lat. *mater, -tris*, y *-arca*, a imagen de *patriarca*.) f. Mujer que ejerce el matriarcado.

matriarcado. (De *matriarca*.) m. Organización social, tradicionalmente atribuida a algunos pueblos primitivos, en que el mando residía en las mujeres. ‖ **2.** Predominio o fuerte ascendiente femenino en una sociedad o grupo.

matriarcal. adj. Dícese de la autoridad de la matriarca y de sus manifestaciones.

matricaria. (Forma mod. del lat. *matricālis herba*.) f. Planta herbácea anual, de la familia de las compuestas, con tallo ramoso, de cuatro a seis decímetros de altura; hojas en forma de corazón, pecioladas, partidas en gajos de margen serrado y contornos redondeados; flores de centro amarillo y circunferencia blanca en ramilletes terminales, y fruto seco y anguloso con una sola semilla. Es olorosa, común en España, y el cocimiento de las flores suele emplearse como antiespasmódico y emenagogo.

matricial. adj. *Mat.* Perteneciente o relativo al cálculo con matrices.

matricida. (Del lat. *matricīda*.) com. Persona que mata a su madre. Ú. t. c. adj.

matricidio. (Del lat. *matricidīum*.) m. Acción de matar a la propia madre. ‖ **2.** Delito cometido por el matricida.

matrícula. (Del lat. *matricŭla*.) f. Lista o catálogo de los nombres de las personas, o especificación de los bienes raíces, que se asientan para un fin determinado por las leyes o reglamentos. ‖ **2.** Documento en que se acredita este asiento. ‖ **3.** Conjunto de gente que se ha matriculado. ‖ **4.** Acción y efecto de matricular o matricularse. ‖ **5.** Inscripción oficial y placa que llevan los vehículos para indicar el número de matriculación. ‖ **6. matrícula de honor.** ‖ **de buques.** Registro que se lleva en las oficinas de las comandancias de marina, en el cual constan los dueños, clases, portes, dimensiones, etc., de las embarcaciones mercantes adscritas a cada una de ellas. ‖ **de honor.** Mejora de la nota de sobresaliente, que se concede en los exámenes y da derecho a una **matrícula** gratuita en el curso siguiente. ‖ **de mar.** Alistamiento de marineros y demás gente de mar, que se hace en las provincias marítimas para el servicio de la marina de guerra y el ejercicio de las profesiones marineras. ‖ **2.** Conjunto de la gente matriculada.

matriculación. f. Acción y efecto de matricular o matricularse.

matriculado, da. p. p. de **matricular.** ‖ **2.** adj. Dícese

del que se halla inscrito en una matrícula o registro. Ú. t. c. s.

matriculador, ra. m. y f. Persona que matricula.

matricular. tr. Inscribir o hacer inscribir el nombre de uno en la matrícula. ‖ **2.** *Mar.* Inscribir las embarcaciones mercantes nacionales en el registro propio del distrito marítimo a que pertenecen. ‖ **3.** prnl. Hacer uno que inscriban su nombre en la matrícula.

matrimonesco, ca. adj. fest. **matrimonial.**

matrimonial. (Del lat. *matrimoniālis*.) adj. Perteneciente o relativo al matrimonio. *Promesa* MATRIMONIAL. ‖ **2.** V. **capítulos matrimoniales.**

matrimonialmente. adv. m. Según el uso y costumbre de los casados.

matrimoniar. intr. Unirse en matrimonio, casarse. En Chile ú. solo como prnl.

matrimonio. (Del lat. *matrimonĭum*.) m. Unión de hombre y mujer concertada mediante determinados ritos o formalidades legales. ‖ **2.** En el catolicismo, sacramento propio de legos, por el cual el hombre y la mujer se ligan perpetuamente con arreglo a las prescripciones de la Iglesia. ‖ **3.** V. **palabra de matrimonio.** ‖ **4.** fam. Marido y mujer. *En este cuarto vive un* MATRIMONIO. ‖ **5.** fig. *P. Rico.* Plato que se hace de arroz blanco y habichuelas guisadas. ‖ **a yuras. matrimonio clandestino.** ‖ **civil.** El que se contrae según la ley civil, sin intervención del párroco. ‖ **clandestino.** El que se celebraba sin la presencia del propio párroco y sin testigos. ‖ **de conciencia.** El que por motivos graves se celebra y tiene en secreto con autorización del ordinario. ‖ **de la mano izquierda.** El contraído entre un príncipe y una mujer de linaje inferior, o viceversa, en el cual cada cónyuge conservaba su condición anterior. Llámase así porque en la ceremonia nupcial el esposo daba a la esposa la mano izquierda. ‖ **in artículo mortis,** o **in extremis.** El que se efectúa cuando uno de los contrayentes está en peligro de muerte y próximo a ella. ‖ **morganático. matrimonio de la mano izquierda.** ‖ **por sorpresa.** El que se celebra expresando su consentimiento los contrayentes ante testigos aptos y un sacerdote con jurisdicción, pero no requerido para ello. Siguió siendo válido, aunque nunca lícito, hasta principios del siglo XX. ‖ **rato.** El celebrado legítima y solemnemente con no ha llegado aún a consumarse. ‖ **constante el matrimonio.** loc. adv. *Der.* Durante el **matrimonio.** ‖ **consumar el matrimonio.** fr. Realizar los legítimamente casados el primer acto en que se pagan el débito conyugal. ‖ **consumir el matrimonio.** o **matrimonio.** fr. ant. **consumar el matrimonio.** ‖ **contraer matrimonio.** fr. Celebrar el contrato matrimonial.

matrimoño. m. ant. **matrimonio.**

matritense. (De *Matritum*, forma latina dada al nombre de Madrid.) adj. Natural de Madrid. ‖ **2.** Perteneciente o relativo a esta ciudad.

matriz. (Del lat. *matrix, -icis*.) f. Víscera hueca, de forma de redoma, situada en el interior de la pelvis de la mujer y de las hembras de los mamíferos; en ella se produce la hemorragia menstrual, y se desarrolla el feto hasta el momento del parto. ‖ **2.** V. **mola matriz.** ‖ **3.** Molde en que se funden objetos de metal que han de ser idénticos. ‖ **4.** Molde de cualquier clase con que se da forma a alguna cosa. ‖ **5.** Pieza metálica con un hueco en espiral que ajusta con el filete de un tornillo, tuerca. ‖ **6. rey de codornices.** ‖ **7.** Parte del libro talonario que queda encuadernada al cortar o separar los talones, cheques, títulos, etc., que lo forman. ‖ **8.** fig. Entidad principal, generadora de otras. Ú. en aposición con palabras como *Iglesia, lengua,* etc. ‖ **9.** *Mat.* Conjunto de números o símbolos algebraicos colocados en líneas horizontales y verticales y dispuestos en forma de rectángulo. ‖ **10.** *Min.* Roca en cuyo interior se ha formado un mineral. ‖ **11.** adj. fig. Aplícase a la escritura o instrumento que queda en el oficio o protocolo para que con ella, en caso de duda, se cotejen el original y los traslados.

matrona. (Del lat. *matrōna*.) f. Madre de familia, noble y virtuosa. ‖ **2.** Mujer especialmente autorizada para asistir a las parturientas. ‖ **3.** Mujer encargada de registrar, en las aduanas y oficinas semejantes, a las personas de su sexo.

matronal. (Del lat. *matronālis*.) adj. Perteneciente o relativo a la matrona.

matronaza. f. aum. de **matrona.** ‖ **2.** Madre de familia, corpulenta y grave.

matul. m. Bulto, lío, especialmente cierta cantidad de manojos de tabaco en rama, dispuestos en un atado.

matula. (Del ár. *maftūla*, p. de *fátal*, torcer.) f. p. us. Torcida, mecha de los velones, candiles, velas, etc.

matungo, ga. (De *matar*.) adj. *Argent.* y *Cuba.* Dícese del caballo que carece de buenas cualidades físicas. Ú. t. c. s.

maturinés, sa. adj. Natural de la ciudad de Maturín, capital del Estado venezolano de Monagas. Ú. t. c. s. ‖ **2.** Perteneciente o relativo a dicha ciudad.

maturranga. (De *matar*.) f. Treta, marrullería. Ú. m. en pl.

maturrango, ga. (De *matar*.) adj. *Amér. Merid.* Dícese del mal jinete. Ú. t. c. s. ‖ **2.** *Chile.* Dícese de la persona pesada y tosca en sus movimientos.

matusalén. (Por alusión a la longevidad del patriarca de este nombre.) m. Hombre de mucha edad.

matusaleno, na. (De *Matusalén*.) adj. desus. Muy anciano. ‖ **2.** desus. Muy antiguo.

matute. (Probablemente, abrev. de *matutino*, por hacerse muy temprano.) m. Introducción de géneros en una población sin pagar el impuesto de consumos. ‖ **2.** Género así introducido. ‖ **3.** p. us. Casa de juegos prohibidos. ‖ **de matute.** loc. adv. A escondidas, clandestinamente.

matutear. intr. Introducir matute.

matutero, ra. m. y f. Persona que se dedica a matutear.

matutinal. (Del lat. *matutinālis*.) adj. **matutino.**

matutino, na. (Del lat. *matutīnus*.) adj. Perteneciente o relativo a las horas de la mañana. ‖ **2.** Que ocurre o se hace por la mañana.

maula. (De *maular*.) f. Cosa inútil y despreciable. ‖ **2.** p. us. Pedazo de tela, piel o chapa que se vende como saldo o resto de mercancías. ‖ **3.** Engaño o artificio encubierto. ‖ **4.** art. Propina o agasajo que se daba a los criados ajenos. ‖ **5.** com. fig. y fam. Persona tramposa o mala pagadora. ‖ **6.** fig. y fam. Persona perezosa y mala cumplidora de sus obligaciones. ‖ **7.** adj. *Argent., Perú y Urug.* Cobarde, despreciable, taimado. Ú. t. c. s. ‖ **ser uno buena maula.** fr. fig. y fam. Ser taimado y bellaco.

maular. intr. Maullar el gato. Ú. solo en lenguaje festivo, unido al verbo *paular.*

maulería. (De *maulero*.) f. p. us. Puesto en que se venden retazos de diferentes telas. ‖ **2.** Hábito o condición del que tiene y emplea maulas o artificios para engañar.

maulero, ra. (De *maula*.) m. y f. Persona que vende retales de diferentes telas. ‖ **2.** Persona embustera y engañadora con artificio y disimulo.

maulino, na. adj. Natural de Maule. Ú. t. c. s. ‖ **2.** Perteneciente o relativo a esta provincia de Chile.

maulón. m. aum. de **maula,** persona tramposa u holgazana.

mauloso, sa. (De *maula*.) adj. *Chile.* **maulero,** persona embustera. Ú. t. c. s.

maullador, ra. adj. Que maúlla mucho.

maullar. intr. Dar maullidos.

maullido. m. Voz del gato, parecida al sonido de miau.

maúllo. m. **maullido.**

mauraca. (Del ár. *múhraqa*, holocausto, combustión, cosa que-

mada.) f. *And.* **moraga,** acto de asar al aire libre frutas secas y peces.

maure. m. Faja con que se ciñe la túnica. Es palabra originaria de Colombia.

mauritano, na. adj. Natural de Mauritania. ‖ **2.** Perteneciente o relativo a este Estado de África. Ú. t. c. s. ‖ **3.** Perteneciente o relativo a esta región de África antigua.

mauro, ra. (Del lat. *Maurus*.) adj. p. us. Natural de la región correspondiente a la antigua Mauritania, moro.

mauseolo. m. p. us. **mausoleo.**

máuser. m. Especie de fusil de repetición, inventado por el armero alemán Guillermo Mauser.

mausoleo. (Del lat. *Mausolēum*, sepulcro de Mausolo, rey de Caria.) m. Sepulcro magnífico y suntuoso.

mavorcio, cia. (Del lat. *mavortīus*.) adj. poét. Perteneciente a la guerra.

mavorte. (Del lat. *Mavors, -tis*.) n. p. m. poét. Dios de la guerra. ‖ **2.** m. poét. La guerra.

maxilar. (Del lat. *maxillāris*.) adj. Perteneciente o relativo a la quijada o mandíbula. *Arterias, venas* MAXILARES. ‖ **2.** V. **hueso maxilar.** Ú. t. c. s.

máxima. (Del lat. mediev. *maxĭma*, sentencia, regla.) f. Regla, principio o proposición generalmente admitida por los que profesan una facultad o ciencia. ‖ **2.** Sentencia, apotegma o doctrina buena para dirigir las acciones morales. ‖ **3.** Idea, norma o designio a que se ajusta la manera de obrar. ‖ **4.** *Mús.* Nota de la música antigua equivalente a dos longas.

maximalismo. m. Actitud de los maximalistas.

maximalista. adj. Dícese del partidario de las soluciones más extremadas en el logro de cualquier aspiración. Ú. t. c. s.

máximamente. adv. m. **máxime.**

máxime. (Del lat. *maxĭme*.) adv. m. En primer lugar, principalmente, sobre todo.

maximizar. tr. *Mat.* Buscar el máximo de una función.

máximo, ma. (Del lat. *maxĭmus*.) adj. sup. de **grande.** ‖ **2.** Dícese de lo más grande en su especie. ‖ **3.** *Arit.* V. **máximo común divisor.** ‖ **4.** *Astrol.* V. **conjunción máxima.** ‖ **5.** *Geom.* V. **círculo máximo.** ‖ **6.** m. Límite superior o extremo a que puede llegar una cosa.

máximum. (Del lat. *maxĭmum*, lo más grande.) m. Límite o extremo a que puede llegar una cosa, el máximo.

maxmordón. (De or. inc.) m. desus. Hombre de poca estima, tardo, pasmado y sin discurso. ‖ **2.** desus. Hombre taimado y solapado.

maxvelio. (De *maxwell*.) m. *Fís.* Unidad de flujo de inducción magnética en el sistema magnético cegesimal.

maxwell. (Del apellido de James Clerk *Maxwell*, físico y matemático escocés, 1831-79.) m. *Fís.* **maxvelio,** en la nomenclatura internacional.

maya¹. (De *mayo*, mes de la floración.) f. Planta herbácea perenne, de la familia de las compuestas, con hojas radicales, tumbadas, en círculo, gruesas, algo vellosas, estrechas en la base, anchas y redondeadas en el extremo opuesto y con pocos dientes al margen; flor única, terminal, sobre un escapo de uno o dos decímetros, con el centro amarillo y la corola blanca o matizada de rojo por la cara inferior, y fruto seco, casi esférico, con una sola semilla. Es común en los prados, y por el cultivo se han conseguido algunas variedades de flores completamente blancas o rojizas. ‖ **2.** Muchacha elegida entre las más hermosas de un pueblo, un barrio o una calle, en las fiestas de mayo, y que preside los festejos populares. ‖ **3.** En algunos lugares, **mayo,** árbol o palo alto. ‖ **4.** Canción que se entona en las fiestas de mayo. ‖ **hecha una maya.** loc. que se emplea para ponderar los atavíos de una muchacha o mujer.

maya². f. Juego de muchachos, consistente en esconderse todos, menos uno que queda al cuidado de un objeto, generalmente una piedra, al cual se da el nombre de **maya**. El lance está en llegar a la **maya** antes que el encargado de cuidarla, cuando este se separa de ella para descubrir a los escondidos.

maya[3]. adj. Dícese del individuo de cualquiera de las tribus indias que hoy habitan principalmente el Yucatán, Guatemala y otras regiones adyacentes. Ú. t. c. s. ‖ **2.** Perteneciente o relativo a estas tribus. ‖ **3.** m. Familia de lenguas habladas por los **mayas**.

mayador, ra. (De *mayar*.) adj. **maullador.**

mayal. (dialect. por *mallal*, de *mallar*, del lat. *malleāre*, golpear.) m. Palo del cual tira la caballería que mueve los molinos de aceite, tahonas y malacates. ‖ **2.** Instrumento compuesto de dos palos, uno más largo que otro, unidos por medio de una cuerda, con el cual se desgrana el centeno dando golpes sobre él.

mayar. intr. **maullar.**

mayate. (Del nahua *mayatl*.) m. *Méj.* Coleóptero de distintos colores y de vuelo regular.

mayear. intr. Hacer el tiempo propio del mes de mayo.

mayestático, ca. (Del lat. *maiestas, -ātis* e *ico*.) adj. Propio o relativo a la majestad. ‖ **2.** V. **plural mayestático.**

mayeto. m. *Cád.* Viñador de escaso caudal.

mayéutica. (Del gr. μαιευτική, t. f. de -κός, perito en partos.) f. Arte de partear. ‖ **2.** En sent. fig., úsase desde Sócrates para nombrar el arte con que el maestro, mediante su palabra, va alumbrando en el alma del discípulo nociones que este tenía en sí, sin él saberlo.

mayido. (De *mayar*.) m. **maullido.**

mayo. (Del lat. *maius*.) m. Quinto mes del año, según nuestro cómputo: tiene treinta y un días. ‖ **2.** V. **flores de mayo.** ‖ **3.** Árbol o palo alto, adornado de cintas, frutas y otras cosas, que se ponía en los pueblos en un lugar público, adonde durante el mes de **mayo** concurrían los mozos y mozas a divertirse con bailes y otros festejos. ‖ **4.** Muchacho que, en algunos lugares, acompañaba y servía a la **maya**[1]. ‖ **5.** Ramos o enramadas que ponían los novios a la puerta de sus novias. ‖ **6.** pl. Música y canto con que en la noche del último día de abril obsequiaban los mozos a las solteras. ‖ **para mayo.** loc. fig. y fam. *Chile.* Para las calendas griegas.

mayólica. (Del it. *maiolica*, alteración del lat. *Maiorica*, Mallorca, donde tuvo principio esta manufactura.) f. Loza común con esmalte metálico, fabricada antiguamente por los árabes y españoles, que la introdujeron en Italia.

mayonesa. (Del fr. *mayonnaise*.) f. Salsa que se hace batiendo aceite crudo y yema de huevo.

mayor. (Del lat. *maior, -ōris*.) adj. comp. de **grande.** Que excede a una cosa en cantidad o calidad. ‖ **2.** De mucha importancia. *Esas son palabras* MAYORES. ‖ **3.** Dícese de la persona que excede en edad a otra. *Hermano* MAYOR. *Pedro es* MAYOR *que Juan.* ‖ **4.** V. **mayor de edad.** Ú. t. c. s. ‖ **5.** Dícese de la persona entrada en años, de edad avanzada. *Hombre, señor* MAYOR. ‖ **6.** V. **anciano, adalid, adelantado, alcalde, alférez, alguacil, altar, armero, arresto, balsamita, ballestero, basílica, cabeza, cacho, camarera, camarero, canciller, capellán, capilla, carga, caza, cazador, centaura, cerero, colegial, colegio, correo, despensero, excomunión, facultad, fuerza, ganado, guarda, halconero, hombre, iglesia, libro, llantén, maestro, marcador, mayordomo, merino, mes, misa, monte, montero, mujer, mundo, necesidad, oficio, orden, palafrenero, penitenciero, pimpinela, pregonero, prestamero, repostero, sacristán, sanguinaria, sargentía, semana, séptima, sexta, siempreviva, tambor, tapicero, tercera, tordo mayor.** ‖ **7.** V. **aguas, causas, estudios, ferias, meses, palabras mayores.** ‖ **8.** V. **alcalde mayor entregador.** ‖ **9.** V. **alférez mayor de Castilla, de los peones, del pendón de la divisa, del rey.** ‖ **10.** V. **almirante mayor de la mar.** ‖ **11.** V. **aposentador mayor de casa y corte, de palacio.** ‖ **12.** V. **arte de maestría mayor.** ‖ **13.** V. **caballerizo mayor del rey.** ‖ **14.** V. **canciller mayor de Castilla.** ‖ **15.** V. **capellán mayor de los ejércitos, del rey.** ‖ **16.** V. **contaduría mayor de Cuentas.** ‖ **17.** V. **copero mayor de la reina, o del rey.** ‖ **18.** V. **copla de arte mayor.** ‖ **19.** V. **en cuarto mayor.** ‖ **20.** V. **guarda mayor del cuerpo real, del rey.** ‖ **21.** V. **justicia mayor de Aragón, de Castilla, de la casa del rey, del reino.** ‖ **22.** V. **juez mayor de Vizcaya.** ‖ **23.** V. **letanías mayores.** ‖ **24.** V. **naipe de mayor.** ‖ **25.** V. **notario mayor de los reinos.** ‖ **26.** V. **papel de marca mayor.** ‖ **27.** V. **pertiguero mayor de Santiago.** ‖ **28.** V. **mayor edad, mayor postor.** ‖ **29.** V. **sargento mayor.** Ú. t. c. s. ‖ **30.** V. **sargento mayor de brigada, de la plaza, de provincia.** ‖ **31.** V. **verso de arte mayor, de redondilla mayor.** ‖ **32.** V. **Carro Mayor.** ‖ **33.** *Astron.* V. **Can, Osa Mayor.** ‖ **34.** *Com.* V. **libro mayor.** ‖ **35.** *Der.* V. **testigo mayor de toda excepción.** ‖ **36.** *Mar.* V. **aguas, velas mayores.** ‖ **37.** *Mar.* V. **árbol, mastelero, palo mayor.** ‖ **38.** *Mar.* V. **vela mayor.** Ú. t. c. s. ‖ **39.** *Mil.* V. **estado, plana, ronda mayor.** ‖ **40.** *Mil.* V. **estado mayor central, general.** ‖ **41.** *Mús.* V. **compás, hexacordo, modo, proporción, semitono, séptima, sexta, tercera, tono mayor.** ‖ **42.** m. Superior o jefe de una comunidad o cuerpo. ‖ **43.** Oficial primero de una secretaría u oficina, especialmente el de cada una de las secciones del Consejo de Estado, el de cada uno, y el primer jefe permanente de cada ministerio. ‖ **44.** ant. Caudillo, capitán, jefe de guerra. Se usa todavía en algunos ejércitos como denominación de empleo equivalente al de comandante. ‖ **45.** pl. Abuelos y demás progenitores de una persona. ‖ **46.** Antepasados, sean o no progenitores del que habla o de otra persona determinada. ‖ **47.** En algunos estudios de gramática, clase superior en que se estudiaba la prosodia. ‖ **48.** f. *Lóg.* premisa mayor. Primera proposición del silogismo. ‖ **mayor de brigada. sargento mayor de brigada.** ‖ **general.** En un ejército reunido, oficial general encargado del detalle del servicio. ‖ **2.** En los departamentos, apostaderos y escuadras, jefe que desempeña funciones semejantes a las del estado **mayor** en el ejército. ‖ **mayor que.** *Mat.* Signo matemático que tiene esta figura (>), y colocado entre dos cantidades, indica ser **mayor** la primera que la segunda. ‖ **al por mayor.** loc. adv. En cantidad grande. *Vender* AL POR MAYOR. ‖ **por mayor.** loc. adj. y adv. Sumariamente o sin especificar las circunstancias. ‖ **2.** desus. **al por mayor.**

mayora. f. Mujer del mayor. ‖ **2.** *Ar.* V. **señora y mayora.**

mayoradgo. (Del lat. *maioraticus*.) m. ant. **mayorazgo.**

mayoral. (De *mayor*.) m. Pastor principal entre los que cuidan de los rebaños, especialmente de reses bravas. ‖ **2.** En las galeras, diligencias y otros carruajes, el que gobierna el tiro de mulas o caballos. ‖ **3.** En las cuadrillas de cavadores o de segadores, el que hace de cabeza o capataz. ‖ **4.** En las labranzas y en las cabañas de mulas, obrero o capataz que manda a otros mozos. ‖ **5.** Recaudador o administrador de diezmos, rentas, limosnas, etc. ‖ **6.** En los hospitales de leprosos, el que los administraba o gobernaba. ‖ **7.** ant. Superior de una comunidad.

mayorala. f. Mujer del mayoral. ‖ **2.** ant. **superiora.**

mayoralía. f. Rebaño que pastoreaba un mayoral, y se componía de cierto número de ovejas. ‖ **2.** Salario o precio que llevaba el mayoral por su trabajo de pastoreo.

mayorana. (Tal vez del lat. *amaracus*, con cruces de etim. pop.) f. **mejorana.**

mayorar. tr. ant. Dar en mayor o mejor porción.

mayorazga. f. La que goza y posee un mayorazgo. ‖ **2.** La sucesora en él. ‖ **3.** Mujer del mayorazgo.

mayorazgo. (De *mayoradgo*.) m. Institución del derecho civil, que por las leyes desvinculadoras del siglo XIX quedó circunscrita en España a títulos y derechos honoríficos, y que tiene por objeto perpetuar en la familia la propiedad de ciertos bienes con arreglo a las condiciones que se dicten al establecerla, o, a falta de ellas, a las prescritas por la ley. ‖ **2.** Conjunto de estos bienes vinculados. ‖ **3.** Poseedor de los bienes vinculados. ‖ **4.** Hijo mayor de una persona que goza y posee **mayorazgo.** ‖ **5.** fam. Hijo primogénito de cualquier persona. ‖ **6.** fam. Primogenitura. ‖ **alternativo.** Aquel en que el fundador establecía que en la sucesión alternaran las líneas por él designadas. ‖ **de agnación artificial, artificiosa** o **fingida.** *Der.* Aquel en que, llamando el fundador a la sucesión a varones de varones, establecía que si no tenía agnación propia o si se rompía en el transcurso del tiempo, entrara a poseer un cognado o una hembra, o un extraño, y de allí en adelante se sucediera de varón en varón, con exclusión de las hembras y de sus líneas. ‖ **de agnación rigurosa** o **verdadera.** *Der.* Aquel en que sucedían solo los varones de varones por línea masculina. ‖ **de femineidad.** *Der.* Aquel en que solamente sucedían las hembras, o por lo menos eran preferidas a los varones. ‖ **de masculinidad.** *Der.* Aquel que solo admitía a los varones, ya fueran descendientes de varón o de hembra. ‖ **de segundogenitura.** *Der.* Aquel a cuya sucesión eran siempre llamados los segundogénitos. ‖ **electivo.** *Der.* Aquel en que el poseedor tenía facultad para elegir por sucesor a cualquiera de sus hijos, y, a falta de estos, a un pariente descendiente del fundador. ‖ **incompatible.** *Der.* El que no podía estar juntamente con otro en una misma persona. ‖ **irregular.** *Der.* El que se apartaba de las reglas del **mayorazgo** regular, y tenía por ley la voluntad del fundador. ‖ **regular.** *Der.* En Castilla, aquel en cuya sucesión era preferido el varón a la hembra, y el mayor al menor en cada línea. ‖ **saltuario.** *Der.* El que sin atender a la línea buscaba para la sucesión al sujeto que tenía las calidades prevenidas en los llamamientos.

mayorazgüelo, la. m. y f. d. de **mayorazgo.**

mayorazguete, ta. m. y f. d. despect. de **mayorazgo.**

mayorazguista. com. *Der.* Persona que trata o escribe de mayorazgos.

mayordoma. f. Mujer del mayordomo. ‖ **2.** Mujer que ejerce funciones de mayordomo. ‖ **3.** adj. V. **salsa mayordoma.**

mayordomadgo. (De *mayordomo* y -*adgo*.) m. ant. Cargo de mayordomo.

mayordomazgo. (De *mayordomadgo*.) m. ant. **mayordomía.**

mayordombre. (De *mayor, de* y *hombre*.) m. ant. *Ar.* Hombre elegido como jefe de un gremio. ‖ **2.** Hombre principal o notable en una comunidad.

mayordombría. (De *mayordombre*.) f. ant. *Ar.* Oficio de prohombre.

mayordomear. (De *mayordomo*.) tr. Administrar o gobernar una hacienda o casa.

mayordomía. f. Cargo y empleo de mayordomo o administrador. ‖ **2.** Oficina del mayordomo. ‖ **3.** ant. **prestamera.**

mayordomo. (Del lat. *maior*, mayor, y *domus*, de casa.) m. Criado principal a cuyo cargo está el gobierno económico de una casa o hacienda. ‖ **2.** Oficial que se nombra en las congregaciones o cofradías para que atienda a los gastos y al cuidado y gobierno de las funciones. ‖ **3.** Cada uno de los individuos de ciertas cofradías religiosas. ‖ **de estado.** Persona a cuyo cargo estaba en la casa real el cuidado de la servidumbre del orden de los caballeros. ‖ **de fábrica.** El que recauda el derecho de fábrica. ‖ **de propios.** Administrador de los caudales y propios de un pueblo. ‖ **de semana.** Persona que en la casa real servía, la semana que le tocaba, a las órdenes del **mayordomo** mayor, y en su ausencia le suplía. ‖ **mayor.** Jefe principal de palacio, a cuyo cargo estaba el cuidado y gobierno de la casa del rey.

mayoreo. m. Venta al por mayor.

mayoría. f. Cualidad de mayor. ‖ **2.** Edad que la ley fija para tener uno pleno derecho de sí y de sus bienes, mayor edad. ‖ **3.** Mayor número de votos conformes en una votación. *Manuel tuvo seis votos de* MAYORÍA. ‖ **4.** Parte mayor de los individuos que componen una nación, ciudad o cuerpo. *Seguir la opinión de la* MAYORÍA. ‖ **5.** La mayor parte de un número o de una serie de cosas que se expresa. ‖ **6.** *Mar.* Oficina del mayor general. ‖ **7.** *Mil.* Oficina del sargento mayor. ‖ **absoluta.** La que consta de más de la mitad de los votos. ‖ **de cantidad.** Aquella en que se computan los votos en razón del interés respectivo que representa cada votante, como en las juntas de acreedores. ‖ **relativa.** La formada por el mayor número de votos, no con relación al total de estos, sino al número que obtiene cada una de las personas o cuestiones que se votan a la vez.

mayoridad. (Del lat. medie. *maiorĭtas, -átis*.) f. Cualidad de mayor. ‖ **2.** Cualidad de mayor de edad legal.

mayorino. (Del lat. *maiorĭnus*.) m. ant. **merino,** antiguo juez con amplia jurisdicción.

mayorista. m. En los estudios de gramática, teología, etc., el que estaba en la clase de mayores. ‖ **2.** com. Comerciante que vende al por mayor. ‖ **3.** adj. Aplícase al comercio en que se vende o compra al por mayor.

mayoritario, ria. (Del fr. *majoritaire*.) adj. Perteneciente o relativo a la mayoría. ‖ **2.** Que constituye mayoría.

mayormente. adv. m. Principalmente, con especialidad.

mayormiente. adv. m. ant. **mayormente.**

mayuato. (Del quechua *máyu*, río, y *attok*, zorro.) m. *NO. Argent.* Pequeño carnívoro sudamericano semejante al coatí.

mayueta. (Voz prerromana, probablemente céltica, con formas semejantes desde Asturias hasta el vascuence y más allá.) f. *Cantabria.* Fresa silvestre.

mayúsculo, la. (Del lat. *maiuscŭlus*, d. de *maior*.) adj. Algo mayor que lo ordinario en su especie. ‖ **2.** V. **letra mayúscula.** U. t. c. s. ‖ **3.** fig. y fam. Grandísimo, enorme. *Fue un disparate* MAYÚSCULO.

maza. (Del lat. vulg. **mattĕa*.) f. Arma antigua de palo guarnecido de hierro, o toda de hierro, con la cabeza gruesa. ‖ **2.** Insignia que llevan los maceros delante de los reyes o gobernantes. También las usan las ciudades, universidades y otros cuerpos en los actos públicos. ‖ **3.** V. **ballestero de maza.** ‖ **4.** Instrumento de madera dura, parecido a la **maza** antigua de combate, que sirve para machacar el esparto y el lino, y para otros usos. ‖ **5.** Pelota gruesa forrada de cuero y con mango de madera, que sirve para tocar el bombo. ‖ **6.** Pieza de madera o de hierro que en el martinete sirve para golpear sobre las cabezas de los pilotes. ‖ **7.** Tronco u otra cosa pesada en que se prende y asegura la cadena a los monos o micos para que no huyan. ‖ **8.** Palo, hueso u otra cosa que por diversión se solía poner, en las carnestolendas, atado a la cola de los perros. ‖ **9.** Trapo u otra cosa que se prende en los vestidos para burlarse de los que lo llevan. ‖ **10.** En los juegos de billar y trucos, extremo más grueso de los tacos. ‖ **11.** ant. Cubo de la rueda. Ú. en Chile. ‖ **12.** ant. Especiería, conjunto de especias. ‖ **13.** fig. y fam. Persona pesada y molesta en su conversación y trato. ‖ **de Fraga.** Máquina para clavar estacas, martinete[2]. ‖ **2.** fig. y fam. Persona que tiene gran autoridad en todo lo que dice. ‖ **3.** fig. y fam. Ciertas palabras sentenciosas o verdades desnudas, que hacen gran impresión en quien las oye. ‖ **sorda.** Espadaña de agua, llamada así por la mazorca de su extremo. ‖ **la maza y la mona.** fr. fig. con que se califican las personas que andan siempre juntas.

mazacote. (De or. inc.) m. Mezcla compuesta de piedras menudas, cemento y arena, hormigón. ‖ **2.** Cenizas de la planta llamada barrilla. ‖ **3.** *Argent.* y *Urug.* Pasta hecha de los residuos del azúcar que, después de refinada, quedan adheridos al fondo y paredes de la caldera. ‖ **4.** *Argent.* y *Urug.* Por ext., masa espesa y pegajosa como la del dulce. ‖ **5.** fig. Cualquier objeto de arte no bien concluido y en el cual se ha procurado más la solidez que la elegancia. ‖ **6.** fig. y fam. Guisado u otra vianda o cosa de masa, seca, dura y pegajosa. ‖ **7.** fig. y fam. Persona molesta y pesada.

mazacotudo, da. adj. *Amér.* amazacotado.

mazada. f. **mazazo.** ‖ **dar mazada** a uno. fr. fig. y fam. Hacerle o causarle daño o perjuicio grave.

Mazagatos. (De etim. disc.) n. p. **la de,** o **una de, Mazagatos.** loc. Situación difícil, ocasión arriesgada, pendencia, riña. Ú. con los verbos *andar, armarse, haber, ser, verse en,* etcétera.

mazamorra. (De or. inc.) f. Comida compuesta de harina de maíz con azúcar o miel, semejante a las poleadas, muy usada en el Perú. ‖ **2.** Bizcocho averiado, o fragmento o restos que quedan de él. ‖ **3.** Galleta rota que queda en el fondo de los sacos de provisión y se aprovecha para hacer la calandraca. ‖ **4.** *R. de la Plata.* Comida criolla hecha con maíz blanco partido y hervido que, una vez frío, se come con leche o sin ella y a veces con azúcar o con miel. ‖ **5.** fig. Cosa desmoronada y reducida a piezas menudas, aunque no sea comestible. ‖ **6.** fig. *Col.* y *Perú.* Mezcolanza, revoltillo de ideas o de cosas. ‖ **7.** *Col.* Ulceración de las pezuñas del ganado vacuno causada por infección microbiana.

mazana. (Del lat. *Mattiāna* [*mala*], una especie de manzanas.) f. ant. **manzana.**

mazaneta. (d. de *mazana*.) f. Pieza de figura de manzana que antiguamente se ponía en las joyas.

mazapán. (De or. inc.) m. Pasta hecha con almendras molidas y azúcar pulverizado. Se presenta en formas diversas, bien en barras, bien en figuras de mayor o menor tamaño. ‖ **2.** Pedazo de miga de pan con que los obispos se enjugaban los dedos untados del óleo que habían usado al administrar el bautismo a los príncipes. Por lo regular estaba revestida o envuelta en una tela rica y en un bizcocho o **mazapán** cilíndrico y perforado en el centro.

mazar. (De *maza*.) tr. Golpear la leche dentro de un odre para que se separe la manteca. ‖ **2.** Golpear una cosa para quebrantarla o deformarla, machacar.

mazarí. (De una forma vulg. del ár. *maṣrí*, egipcio.) adj. Dícese del ladrillo cuadrado o baldosa que se usaba para solados. Ú. t. c. s. m.

mazarota. (Del fr. *masselotte*.) f. Masa de metal, que, cuando se funden grandes piezas en moldes verticales, queda sobrante en la parte superior.

mazarrón. (Probablemente deformación de *zaharrón*.) adj. *Ar.* Decíase del que defraudaba al fisco, dejando de pagar el peaje u otro derecho de pasaje. Usáb. t. c. s. ‖ **2.** m. *Ar.* Pena en que incurría el que así defraudaba, y que era la pérdida de lo que transportaba.

mazateco, ca. adj. Dícese del grupo indígena que habita en el Estado mejicano de Oaxaca, en la zona limítrofe con Guerrero y Puebla. Ú. t. c. s. ‖ **2.** Lengua que habla dicho grupo indígena.

mazatleco, ca. adj. Natural de Mazatlán, ciudad del Estado mejicano de Sinaloa. Ú. t. c. s. ‖ **2.** Perteneciente o relativo a dicha ciudad.

mazazo. m. Golpe con maza o mazo. ‖ **2.** fig. Algo que causa fuerte impresión.

mazdeísmo. (Del persa *Mazda*, sobrenombre del rey del cielo, o principio del bien.) m. Religión de los antiguos persas, que creían en la existencia de dos principios divinos: uno bueno, Ormuz, creador del mundo, y otro malo, Ahrimán, destructor.

mazmodina. (Del ár. *maṣmūdiyya*, perteneciente o relativo a la tribu berberisca de los *Maṣmūda* o *Masamudas*.) f. Moneda de oro acuñada por los almohades, que corrió en los reinos cristianos.

mazmorra. (Del ár. *maṭmūra*, sima, caverna, calabozo.) f. Prisión subterránea.

maznar. (Probablemente, del lat. *machināri*, maquinar, moler.) tr. Amasar, ablandar o estrujar una cosa con las manos. ‖ **2.** Machacar el hierro cuando está caliente.

mazo. (De *maza*.) m. Martillo grande de madera. ‖ **2.** Cierta porción de mercancías u otras cosas juntas, atadas o unidas formando grupo. MAZO *de cintas, de plumas.* ‖ **3.** En el juego de la primera, suerte en que concurren el seis, el siete y el as de un palo, que vale cincuenta y cinco puntos. ‖ **4.** fig. Hombre molesto, fastidioso y pesado. ‖ **5.** *Ar.* Badajo de la campana. ‖ **rodero.** *Mar.* El de forma prismática y bocas redondeadas, con mango de un metro de largo, usado principalmente en los barcos para hacer estopa machacando cabos. ‖ **a macha mazo.** loc. adv. ant. **a macha martillo.** ‖ **a mazo y escoplo.** loc. adv. Firme, indeleblemente.

mazonado, da. p. p. de **mazonar.** ‖ **2.** adj. *Blas.* Dícese de la figura que representa en el escudo la obra de sillería.

mazonadura. f. ant. Acción y efecto de mazonar.

mazonar. (Del ant. *mazón*, y este del fr. *maçon*, albañil.) tr. ant. Hacer obras de mazonería.

mazonear. tr. p. us. Macerar o apisonar.

mazonera. (De *mazonar*.) f. ant. *Arq.* **recuadro.**

mazonería. (De *mazonar*.) f. Fábrica de cal y canto. ‖ **2.** Obra de relieve. ‖ **3.** ant. Bordado de oro y plata de realce. ‖ **4.** ant. Conjunto de varias piezas de plata u oro que se hacían para el servicio de las iglesias.

mazonero. (De *mazonar*.) m. *Ar.* **albañil.**

mazorca. (De or. inc.) f. Porción de lino o lana ya hilada y recogida del huso. ‖ **2.** Fruto en espiga densa, con granos muy juntos, de ciertas plantas gramíneas, como el maíz. ‖ **3.** Baya del cacao. ‖ **4.** Entre los herreros, labor que tienen los balaustres de algunos balcones en la mitad, por donde son más gruesos, y desde allí van adelgazando hasta los extremos. ‖ **5.** fig. *Argent.* Nombre que se daba a la Sociedad Popular Restauradora, organización que apoyaba al Gobernador de Buenos Aires Juan Manuel de Rosas. ‖ **6.** fig. *Chile.* Junta de personas que forman un gobierno despótico.

mazorgano. adj. V. **cámbaro mazorgano.**

mazorquero, ra. adj. *Argent.* Perteneciente o relativo a la mazorca. ‖ **2.** m. y f. *Argent.* Miembro de la **mazorca,** organización. ‖ **3.** *Chile.* Individuo que forma parte de una mazorca, gobierno despótico.

mazorral. (der. del ant. *manzorro*, probablemente del ár. *manzūr*, escaso, enclenque.) adj. Grosero, rudo, basto. ‖ **2.** *Impr.* Dícese de la composición que carece de cuadrados.

mazorralmente. adv. m. Grosera, rudamente.

mazuelo. m. d. de **mazo.** ‖ **2.** Mango o mano como de almirez, con que se toca el morterete.

mazurca. (Del polaco *mazurca*.) f. Danza de origen polaco, de movimiento moderado y compás ternario. ‖ **2.** Música de esta danza.

mbayá. adj. Dícese de una antigua tribu que ocupaba el nordeste del Paraguay. Apl. a pers., ú. t. c. s. ‖ **2.** Perteneciente o relativo a los indígenas de esta tribu. ‖ **3.** Lengua de estos indígenas, perteneciente a la familia guaycurú.

me. (Del lat. *me, mihi*, vulg. *mi*, casos de *ego*, yo.) Dativo o acusativo del pronombre personal de primera persona en género masculino o femenino y número singular. No admite preposición y se puede usar como enclítico. ME *oyó*; *óye*ME.

mea. (De *mear*.) f. fam. p. us. Voz con que el niño indica querer orinar. *Pedir la* MEA.

meada. (De *mear*.) f. Porción de orina que se expele de una vez. ‖ **2.** Sitio que moja o señal que hace una **meada.** *Aquí hay una* MEADA *de gato.*

meadero. (De *mear*.) m. Lugar destinado a orinar o usado para este fin.

meado. (De *mear*.) m. Porción de orina que se expele de una vez, meada. Ú. m. en pl.

meadura. f. desus. Porción de orina que se expele de una vez.

meaja[1]. (Del lat. vulg. *medialia*, pl. n. de *medialis*, que está en medio.) f. Moneda de vellón que corrió antiguamente en Castilla y valía la sexta parte de un dinero, o medio maravedí burgalés. ‖ **2.** Cierto derecho que los jueces exigían de las partes en las ejecuciones. ‖ **de huevo.** Pinta roja de la yema del huevo, galladura.

meaja[2]. (De *miaja*[2].) f. vulg. **migaja.**

meajuela. f. d. de **meaja**[2]. ‖ **2.** Cada una de las piezas pequeñas que se ponen pendientes en los sabores o en la montada del freno, para que, moviéndola, segregue más saliva el caballo.

meandro. (Del lat. *Maeander, -dri*, y este del griego Μαίανδρος.) m. Cada una de las curvas que describe el curso de un río. ‖ **2.** Por ext., la misma disposición de un camino. ‖ **3.** *Arq.* Adorno de líneas sinuosas y repetidas.

mear. (Del lat. *meïere*, vulg. *meiáre*.) intr. Expeler orina, orinar. Ú. t. c. tr. y c. prnl.

meatad. f. ant. **mitad.**

meato. (Del lat. *meátus*.) m. *Bot.* Cada uno de los diminutos espacios huecos intercelulares que hay en los tejidos parenquimatosos de las plantas. ‖ **2.** *Anat.* Cada uno de ciertos orificios o conductos del cuerpo. MEATO *urinario, auditivo.*

meauca. (De la onomatopeya de su voz.) f. Especie de gaviota, de unos cinco decímetros de largo y nueve de envergadura, con plumaje agrisado en el dorso y las alas, blanco en el pecho y vientre, pico amarillo con la punta encarnada, y pies pajizos. Es común en las costas de España.

meca. (Del ár. *Makka*, n. p. de la famosa ciudad.) f. V. **ceca**[2]. ‖ **2.** V. **bálsamo de la Meca.** ‖ **3.** V. **paja de Meca.** ‖ **4.** fig. Lugar que atrae por ser centro donde una actividad determinada tiene su mayor o mejor cultivo.

¡mecachis! interj. de extrañeza, o de enfado.

mecánica. (Del lat. *mechanïca*, y este del gr. [τέχνη, arte] μηχανική.) f. Parte de la física que trata del equilibrio y del movimiento de los cuerpos sometidos a cualesquiera fuerzas. ‖ **2.** Aparato o resorte interior que da movimiento a un ingenio o artefacto. ‖ **3.** fig. y fam. desus. Cosa despreciable y ruin. ‖ **4.** fig. y fam. desus. Acción mezquina e indecorosa. ‖ **5.** *Mil.* Buen orden interior y cuidado de los intereses y efectos de los soldados. ‖ **celeste.** Rama de la astronomía que estudia los movimientos de los astros por la interacción gravitatoria.

mecánicamente. adv. m. De un modo mecánico. ‖ **2.** fig. y fam. desus. Indignamente, con bajeza.

mecanicismo. m. Sistema biológico y médico que pretende explicar los fenómenos vitales por las leyes de la mecánica de los cuerpos inorgánicos. ‖ **2.** *Fil.* Doctrina según la cual toda realidad natural tiene una estructura semejante a una máquina y puede explicarse mecánicamente.

mecánico, ca. (Del lat. *mechanïcus*, y este del gr. μηχανικός.) adj. Perteneciente a la mecánica. *Principios* MECÁNICOS. ‖ **2.** Ejecutado por un mecanismo o máquina. ‖ **3.** fig. Aplicado a un acto, automático, hecho sin reflexión. ‖ **4.** Dícese de los agentes físicos materiales que pueden producir efectos como choques, rozaduras, erosiones, etc. ‖ **5.** Dícese de los oficios u obras que exigen más habilidad manual que intelectual. ‖ **6.** Dícese de las personas que se

dedican a estos oficios. Ú. t. c. s. ‖ **7.** fig. desus. Bajo e indecoroso. ‖ **8.** m. y f. Persona que profesa la mecánica. ‖ **9.** Persona dedicada al manejo y arreglo de las máquinas. ‖ **10.** m. p. us. Conductor asalariado de un automóvil. ‖ **dentista.** Persona que ayuda al dentista en la preparación de dientes o piezas de dentadura artificiales.

mecanismo. (Del lat. *mechanisma*, con adaptación del sufijo al usual *-ismo*.) m. Conjunto de las partes de una máquina en su disposición adecuada. ‖ **2.** Estructura de un cuerpo natural o artificial, y combinación de sus partes constitutivas. ‖ **3.** Medios prácticos que se emplean en las artes. ‖ **de defensa.** En el psicoanálisis, los que utiliza el yo para protegerse de los impulsos o ideas que podrían producirle desequilibrios psíquicos.

mecanización. f. Acción y efecto de mecanizar o mecanizarse.

mecanizado, da. p. p. de **mecanizar.** ‖ **2.** m. p. us. Proceso de elaboración mecánica.

mecanizar. tr. Implantar el uso de las máquinas en operaciones militares, industriales, etc. Ú. t. c. prnl. ‖ **2.** Someter a elaboración mecánica. ‖ **3.** fig. Dar la regularidad de una máquina a las acciones humanas. *Había* MECANIZADO *su vida.*

mecano[1]. (Del nombre comercial registrado *Meccano*.) m. Juguete a base de piezas, generalmente metálicas y atornillables, con las que pueden componerse diversas construcciones.

mecano[2], **na.** adj. Natural de la Meca. Ú. t. c. s. ‖ **2.** Perteneciente o relativo a esta ciudad de Arabia.

mecanografía. (De *mecanógrafo*.) f. Arte de escribir a máquina.

mecanografiar. tr. Escribir a máquina.

mecanográfico, ca. adj. Perteneciente o relativo a la mecanografía.

mecanógrafo, fa. (Del gr. μηχανή, máquina, y *-grafo*.) m. y f. Persona diestra en mecanografía, y especialmente quien la tiene por oficio.

mecanoterapia. (Del gr. μηχανή, máquina, y *terapia*.) f. Empleo de aparatos especiales para producir movimientos activos o pasivos en el cuerpo humano, con objeto de curar o aliviar ciertas enfermedades.

mecapal. (Del nahua *mecapalli*.) m. *Guat., Hond.* y *Méj.* Faja con dos cuerdas en los extremos que sirve para llevar carga a cuestas, poniendo parte de la faja en la frente y las cuerdas sujetando la carga.

mecapalero. m. *Guat., Hond.* y *Méj.* Cargador que usa el mecapal para cargar.

mecate. (Del nahua *mecatl*.) m. *Filip., Guat., Hond., Méj., Nicar.* y *Venez.* Bramante, cordel o cuerda de pita.

mecedero. m. Instrumento para mecer[1] el vino o el jabón, mecedor.

mecedor, ra. adj. Que mece o puede fácilmente mecer[1] o sirve para mecer. ‖ **2.** m. Instrumento de madera que sirve para mecer[1] o remover el vino en las cubas o el jabón en la caldera, y para otros usos semejantes. ‖ **3. columpio.**

mecedora. f. Silla de brazos que por lo común tiene el respaldo y el asiento de rejilla o lona, cuyos pies descansan sobre dos arcos o terminan en forma circular, en la cual puede mecerse[1] el que se sienta.

mecedura. f. Acción de mecer[1] o mecerse.

mecenas. (Por alusión a Cayo Cilnio *Mecenas*, amigo de Augusto y protector de las letras y de los literatos.) m. fig. Persona que patrocina las letras o las artes.

mecenazgo. (De *mecenas* y *-azgo*.) m. Cualidad de mecenas. ‖ **2.** Protección dispensada por una persona a un escritor o artista.

mecer[1]. (Del lat. *miscére*, mezclar.) tr. Menear y mover un líquido para que se mezcle o incorpore. ‖ **2.** Mover una cosa compasadamente de un lado a otro sin que mude de lugar, como la cuna de los niños. Ú. t. c. prnl.

mecer[2]. (Del lat. *mulgĕre*.) tr. *Ast.* **ordeñar.**

meco[1]. m. *And.* **cachada,** golpe.

meco[2], **ca.** adj. *Méj.* Dícese de ciertos animales cuando tienen color bermejo con mezcla de negro. ‖ **2.** m. y f. *Méj.* Indio salvaje.

meconio. (Del lat. *meconĭum*, y este del gr. μηχώνιον.) m. Excremento de los niños recién nacidos, alhorre. ‖ **2.** *Farm.* Jugo que se saca de las cabezas de las adormideras.

mecha. (Probablemente, del fr. *mèche*.) f. Cuerda retorcida o cinta tejida hecha de filamentos combustibles, generalmente de algodón, que se pone en las piqueras o mecheros de algunos aparatos del alumbrado y dentro de las velas y bujías. ‖ **2.** Tubo de algodón, trapo o papel, relleno de pólvora, para dar fuego a minas y barrenos. ‖ **3.** Cuerda de cáñamo que servía para prender la carga en las antiguas armas de fuego. ‖ **4.** Tejido de algodón que, impregnado de una composición química, arde con mucha facilidad y se usaba para encender cigarros. ‖ **5.** Porción de hilas atadas por en medio, que se emplea para la curación de enfermedades externas y operaciones quirúrgicas. ‖ **6.** Lonjilla de tocino gordo para mechar aves, carne y otras cosas. ‖ **7.** Mechón de pelos. ‖ **8.** Mechones de pelo teñidos de un tono diferente al resto del cabello. Ú. m. en pl. ‖ **9.** *Mar.* Especie de espiga de forma prismática cuadrangular en que terminan por su parte inferior los árboles y otras piezas, y que se encaja y asegura en la carlinga respectiva. ‖ **10.** *Mar.* Pieza principal y central, o sea el alma de un palo macho, sobre la que se adaptan o amadrinan otras para su refuerzo y forma conveniente. ‖ **de seguridad.** La de cáñamo embreado, con pólvora en la parte interior, y que, encendida por un extremo, propaga lentamente el fuego al otro, introducido en la carga del barreno. ‖ **aguantar** uno **la mecha,** o **mecha.** fr. fig. y fam. Sufrir o sobrellevar resignado una reprimenda, contrariedad o peligro. ‖ **alargar** uno **la mecha.** fr. fig. y fam. Aumentar la paga. ‖ **2.** fig. y fam. Alargar una gestión o negocio voluntariamente por un fin particular. ‖ **a toda mecha.** loc. adv. fig. y fam. Con gran rapidez. ‖ **reventar la mecha.** fr. fig. y fam. *Col.* Por alusión al juego del tejo, conseguir lo que se anhela vivamente.

mechar. tr. Introducir mechas de tocino gordo en la carne que se ha de asar o empanar.

mechazo. m. *Min.* Combustión de una mecha sin inflamar el barreno. Ú. por lo común en la frase **dar mechazo.**

mechera. (De *mechar*.) adj. V. **aguja mechera.** Ú. t. c. s. ‖ **2.** f. Ladrona de tiendas.

mechero. m. Cañutillo en el candil o velón, donde se pone la mecha para alumbrar o para encender lumbre. ‖ **2.** Cañón de los candeleros, en donde se coloca la vela. ‖ **3.** Boquilla de los aparatos de alumbrado. ‖ **4.** Encendedor de bolsillo.

mechinal. (der. mozár. de *machināle*, del lat. *machīna* con el sentido de andamio.) m. Agujero cuadrado que se deja en las paredes cuando se fabrica un edificio, para meter en él un palo horizontal del andamio. ‖ **2.** fig. y fam. Habitación o cuarto muy reducido.

mechoacán. (De *Michoacán*, Estado de Méjico.) m. Raíz de una planta vivaz de la familia de las convolvuláceas, oriunda de Méjico, parecida a la enredadera de campanillas: es blanca, gruesa, fusiforme y harinosa, y su fécula se ha usado en medicina como purgante. ‖ **negro. jalapa.**

mechón. m. aum. de **mecha.** ‖ **2.** Porción de pelos, hebras o hilos, separada de un conjunto de la misma clase.

mechoso, sa. adj. Que tiene mechas de pelo o mechones.

mechudo, da. adj. *Amér.* Que tiene mechas de pelo, mechones o greñas.

meda. (Del lat. *meta*, montón cónico.) f. *Ast.*, *Gal.*, *León* y *Zam.* Conjunto de haces de mies o paja, o de hierba, dispuestos en forma de cono; almiar.

medalla. (Del it. *medaglia*.) f. Pieza de metal batida o acuñada, comúnmente redonda, con alguna figura, inscripción, símbolo o emblema. ‖ **2.** Bajorrelieve redondo o elíptico. ‖ **3.** Distinción honorífica o premio que suele concederse en exposiciones o certámenes. ‖ **4.** fig. y fam. Antigua onza de oro. ‖ **5.** *Numism.* Moneda antigua fuera de uso.

medallón. m. aum. de **medalla.** ‖ **2.** Bajorrelieve de figura redonda o elíptica. ‖ **3.** Joya en forma de caja pequeña y chata, donde generalmente se colocan retratos, pinturas, rizos u otros objetos de recuerdo.

médano. (De or. inc.) m. **duna.** ‖ **2.** Montón de arena casi a flor de agua, en el lugar en que el mar tiene poco fondo.

medanoso, sa. adj. Que tiene médanos.

medaño. m. **médano.**

medellinense. adj. Natural de Medellín. Ú. t. c. s. ‖ **2.** Perteneciente o relativo a esta ciudad de Colombia.

media[1]. (Del adj. f. *media*.) f. Mitad de algunas cosas, especialmente de unidades de medida: MEDIA *de trigo.* ‖ **2.** *Mat.* **media aritmética.** ‖ **3.** *Mat.* Número que resulta al efectuar una serie determinada de operaciones con un conjunto de números y que, en determinadas condiciones, puede representar por sí solo a todo el conjunto. Recibe diferentes denominaciones según las operaciones que se realicen para obtenerlo, así: MEDIA *aritmética,* MEDIA *geométrica,* etc. ‖ **4.** Medida para áridos de capacidad de seis celemines. ‖ **5.** Tiempo. Precedido del artículo *la,* y refiriéndose a una hora consabida, equivale a esa hora seguida de la expresión **y media.** *Empezamos a* LA MEDIA *en punto.* ‖ **6. línea media.** ‖ **7.** pl. En el juego del mus, reunión de tres naipes del mismo valor, como tres reyes, tres cincos, etc., en una mano. ‖ **aritmética.** *Mat.* Cociente de dividir la suma de varias cantidades por el número de ellas. ‖ **cuadrática.** *Mat.* Dadas las fluctuaciones de una magnitud, se llama así la raíz cuadrada del cociente de dividir la suma de los cuadrados de las fluctuaciones por el número de las mismas. ‖ **geométrica.** *Mat.* Raíz enésima del producto de ene números. ‖ **ponderada.** *Mat.* Resultado de multiplicar cada uno de los números de un conjunto por un valor particular llamado su peso, sumar las cantidades así obtenidas, y dividir esa suma por la suma de todos los pesos. ‖ **proporcional.** *Mat.* media geométrica de dos números.

media[2]. (De *media* [*calza*].) f. Prenda de punto, seda, nailon, etc., que cubre el pie y la pierna hasta la rodilla o más arriba. ‖ **2.** *Amér.* Calcetín. ‖ **3.** V. **aguja de media.** ‖ **asnal.** fig. La usada antiguamente, mayor y más fuerte que las regulares. ‖ **de arrugar.** La larga y estrecha que se usaba antiguamente, y se ponía de modo que hiciese arrugas, teniendo esto por gala. ‖ **de peso.** La de seda que tenía un peso determinado por la ley.

mediacaña. (De *media*[1] y *caña*.) f. Moldura cóncava, cuyo perfil es, por lo regular, un semicírculo. ‖ **2.** Listón de madera con algunas molduras lisas, doradas o pintadas, con el cual se guarnecen las orillas de las colgaduras de las salas, frisos, etc. ‖ **3.** Canal, corte delantero y acanalado de un libro encuadernado. ‖ **4.** Formón de boca arqueada. ‖ **5.** Lima cuya figura es la de medio cilindro macizo terminado en punta. ‖ **6.** Tenacillas para rizar el pelo. ‖ **7.** Taco de punta semicircular que se usado en el juego de trucos. ‖ **8.** Pieza curva de la correa, que se apoya encima de la nariz del caballo. ‖ **9.** *Impr.* Filete de dos rayas, una fina y otra gruesa.

mediación. (Del lat. *mediatĭo, -ōnis.*) f. Acción y efecto de mediar.

mediado, da. p. p. de **mediar.** ‖ **2.** adj. Dícese de lo que solo contiene la mitad, poco más o menos, de su cabida.

La vasija está MEDIADA; *el teatro está* MEDIADO. ‖ **a mediados** del mes, del año, etc. loc. adv. Hacia la mitad del tiempo que se indica.

mediador, ra. (Del lat. *mediātor, -ōris.*) adj. Que media. Ú. t. c. s.

mediagua. f. *Amér.* **media agua,** construcción con el techo inclinado y de una sola vertiente.

medial. (De *medio.*) adj. Dícese de la consonante que se halla en el interior de una palabra.

medialuna. f. Cualquier cosa en forma de media luna. ‖ **2.** Instrumento en forma de media luna para desjarretar toros en la lidia. ‖ **3.** Pan o bollo en forma de media luna. ‖ **4.** *Fort.* Especie de fortaleza que se construye delante de las capitales de los baluartes, sin cubrir enteramente sus caras.

mediana. (Del lat. *mediāna,* t. f. de *-nus,* mediano.) f. En el juego de billar, taco algo mayor que los comunes, que sirve para jugar las bolas distantes de las barandas. ‖ **2.** Correa fuerte con que se ata el barzón al yugo de las yuntas. ‖ **3.** *Extr.* Caña muy delgada que se pone por punta al extremo de la caña de pescar. ‖ **4.** *Geom.* En un triángulo, la recta trazada desde un vértice al punto medio del lado opuesto.

medianamente. adv. m. Sin tocar en los extremos. ‖ **2.** No muy bien; de manera mediana.

medianedo. (De *mediano.*) m. ant. Línea donde se pone el mojón divisorio de un término.

medianejo, ja. adj. fam. despect. de **mediano.** Menos que mediano.

medianería. (De *mediano* y *-eria*[1].) f. ant. **medianía.** ‖ **2.** Pared común a dos casas u otras construcciones contiguas. ‖ **3.** Cerca, vallado o sitio vivo común a dos predios rústicos que deslinda. ‖ **por medianería.** loc. adv. ant. Entre dos cosas.

medianero, ra. (De *mediano* y *-ero.*) adj. Dícese de la cosa que está en medio de otras dos. ‖ **2.** V. **pared medianera.** ‖ **3.** Dícese de la persona que media e intercede para que otra consiga una cosa o para un arreglo o trato. Ú. m. c. s. ‖ **4.** ant. Aplicábase a la persona que tenía medianas conveniencias. ‖ **5.** ant. **medio.** ‖ **6.** m. Dueño de una casa que tiene medianería con otra u otras. ‖ **7.** Que lleva a medias tierras, ganados, etc.; mediero, aparcero.

medianeza. (De *mediano* y *-eza.*) f. ant. **medianía.**

medianía. (De *mediano* e *-ia.*) f. Término medio entre dos extremos; como entre la opulencia y la pobreza, entre el rigor y la blandura. ‖ **2.** fig. Persona que carece de prendas relevantes.

medianidad. f. p. us. **medianía.**

medianil. (De *mediano* e *-il.*) m. Parte de una haza de tierra que está entre la cabezada y la hondonada. ‖ **2.** Pared común a dos casas, medianería. ‖ **3.** *Impr.* El crucero más angosto de la forma o molde, que deja el espacio blanco de las márgenes interiores.

medianista. (De *mediano* e *-ista.*) m. En los estudios de gramática, estudiante de la clase de medianos.

mediano, na. (Del lat. *mediānus,* del medio.) adj. De calidad intermedia. ‖ **2.** Moderado; ni muy grande ni muy pequeño. ‖ **3.** fig. y fam. Casi nulo, y aun malo de todo punto. ‖ **4.** ant. *Arq.* V. **pared mediana.** ‖ **5.** m. pl. Clase de gramática en que se trataba del uso y construcción de las partes de la oración.

medianoche. f. Hora en que el Sol está en el punto opuesto al de mediodía. ‖ **2.** fig. Bollo pequeño partido longitudinalmente en dos mitades, entre las que se coloca una loncha de jamón, carne, etc.

mediante. p. a. de **mediar.** Que media. ‖ **2.** prep. Por medio de, con, con la ayuda de.

mediar. (Del lat. *mediāre.*) intr. Llegar a la mitad de una cosa. Ú. t. en sent. fig. ‖ **2.** Interceder o rogar por uno. ‖ **3.** Interponerse entre dos o más que riñen o contienden,

procurando reconciliarlos y unirlos en amistad. ‖ **4.** Existir o estar una cosa en medio de otras. ‖ **5.** Dicho del tiempo, pasar, transcurrir. ‖ **6.** Ocurrir entretanto alguna cosa. ‖ **7.** tr. p. us. Tomar un término medio entre dos extremos.

mediastino. (Del lat. *mediastīnus,* esclavo usado para cualquier trabajo.) m. *Anat.* Espacio irregular comprendido entre una y otra pleura y que divide el pecho en dos partes laterales.

mediatamente. adv. l. y t. Con intermisión o mediación de una cosa.

mediatización. f. Acción y efecto de mediatizar.

mediatizar. (De *mediato* e *-izar.*) tr. Privar al gobierno de un Estado de la autoridad suprema, que pasa a otro Estado, pero conservando aquel la soberanía nominal. ‖ **2.** Intervenir dificultando o impidiendo la libertad de acción de una persona o institución en el ejercicio de sus actividades o funciones.

mediato, ta. (Del lat. *mediātus,* p. p. de *mediāre,* mediar.) adj. Dícese de lo que en tiempo, lugar o grado está próximo a una cosa, mediando otra entre las dos; como el nieto respecto del abuelo.

mediator. (Del lat. *mediātor, -ōris.*) m. Juego de naipes de varios lances, semejante al tresillo, hombre y otros.

medicable. (Del lat. *medicabĭlis.*) adj. Capaz de curarse con medicinas.

medicación. (Del lat. *medicatĭo, -ōnis.*) f. Administración metódica de uno o más medicamentos con un fin terapéutico determinado. ‖ **2.** *Med.* Conjunto de medicamentos y medios curativos que tienden a un mismo fin.

medicamento. (Del lat. *medicamentum.*) m. Cualquier sustancia que, administrada interior o exteriormente a un organismo animal, sirve para prevenir, curar o aliviar la enfermedad y corregir o reparar las secuelas de esta. ‖ **heroico.** Se dice de la acción muy enérgica que solo se aplica en casos extremos.

medicamentoso, sa. (Del lat. *medicamentōsus.*) adj. Que sirve de medicamento. *La leche es un líquido* MEDICAMENTOSO. ‖ **2.** V. **vino medicamentoso.**

medicar. (Del lat. *medicāre.*) tr. ant. Administrar medicinas. Ú. en Ecuador. Ú. t. c. prnl.

medicastro. (despect. de *médico.*) m. Médico indocto. ‖ **2.** El que hace de médico sin serlo, medicinante, curandero.

medicina. (Del lat. *medicīna.*) f. Ciencia y arte de precaver y curar las enfermedades del cuerpo humano. ‖ **2.** **medicamento.** ‖ **intensiva.** Parte de la **medicina** referente a la vigilancia y el tratamiento de aquellos enfermos que por su gravedad requieren atención inmediata y mantenida. ‖ **legal.** *Der.* Las ciencias médicas en su aplicación a ilustrar pericialmente a los tribunales.

medicinable. adj. desus. **medicinal.**

medicinal. (Del lat. *medicinālis.*) adj. Perteneciente a la medicina. Dícese propiamente de aquellas cosas que tienen virtud saludable y contraria a un mal o achaque. ‖ **2.** V. **libra, vino medicinal.**

medicinalmente. adv. m. Conforme lo requiere la medicina.

medicinamiento. m. Acción y efecto de medicinar.

medicinante. p. a. de **medicinar.** Que medicina. ‖ **2.** m. p. us. El que hace de médico sin serlo, curandero, curiel, medicastro. ‖ **3.** p. us. Estudiante de medicina que se anticipa a visitar enfermos sin tener todavía el título.

medicinar. (Del lat. *medicināre.*) tr. Administrar o dar medicinas al enfermo. Ú. t. c. prnl.

medición. f. Acción y efecto de medir.

médico[1]**, ca.** (Del lat. *medĭcus.*) adj. Perteneciente o relativo a la medicina. Ú. t. c. s. ‖ **2.** V. **dedo, reconocimiento médico.** ‖ **3.** V. **hidrología, materia médica.** ‖ **4.** m. y f. Persona legalmente autorizada para profesar y ejercer la medicina. ‖ **5.** f. Mujer del **médico. ‖ de apelación.** Aquel a quien se llama para las consultas y casos graves. ‖ **de cabecera.** El que asiste especialmente y de continuo al enfermo. ‖ **de cámara.** El que presta servicio en el palacio de los reyes. ‖ **espiritual.** Persona que dirige y gobierna la conciencia y espíritu de otra. ‖ **forense.** El oficialmente adscrito a un juzgado de instrucción.

médico², ca. (Del gr. Μηδικός.) adj. Perteneciente o relativo a Media, o a los medos. *Las guerras* MÉDICAS.

medicolegal. adj. Perteneciente o relativo a la medicina legal o forense.

medicucho. (despect. de *médico*.) m. Médico indocto.

medida. (De *medir*.) f. Acción y efecto de medir. ‖ **2.** Expresión del resultado de una medición. ‖ **3.** Cualquiera de las unidades que se emplean para medir longitudes, áreas o volúmenes de líquidos o áridos. ‖ **4.** Número o clase de sílabas de un verso. ‖ **5.** Cinta que se corta igual a la altura de la imagen o estatua de un santo, en que se suele estampar su figura y las letras de su nombre con plata u oro. Se usa por devoción. ‖ **6.** Proporción o correspondencia de una cosa con otra. *Se paga el jornal a* MEDIDA *del trabajo*. ‖ **7.** Disposición, prevención. Ú. m. en pl. y con los verbos *tomar*, *adoptar*, etc. ‖ **8.** Grado, intensidad. *Ignoramos en qué* MEDIDA *puede favorecernos esto*. ‖ **9.** Cordura, prudencia, moderación. *Habló con* MEDIDA. ‖ **común.** Cantidad que cabe exactamente cierto número de veces en cada una de otras dos o más de la misma especie que se comparan entre sí. ‖ **ajustadme, o ajústeme usted, esas medidas.** fr. fig. y fam. que se usa cuando uno habla sin concierto, contradiciéndose en lo que dice, o cuando las cosas que se hacen no tienen la debida proporción. ‖ **a medida o a la medida.** loc. adj. que expresa que un objeto se hace con las **medidas** adecuadas a la persona o cosa a la que está destinado. *Traje* A MEDIDA, *muebles* A MEDIDA. ‖ **a medida del deseo.** loc. adv. con que se explica que a uno le salen las cosas según apetece. ‖ **a medida de** su **paladar.** loc. adv. fig. Según el gusto o deseo de uno. ‖ **a medida que.** loc. conjunt. Al mismo tiempo que, al paso que. ‖ **colmarse la medida.** fr. fig. **llenarse la medida.** ‖ **desconcertársele** a uno **las medidas.** fr. fig. Desbaratársele los medios que iba poniendo para conseguir un fin. ‖ **henchir, o llenar, las medidas.** fr. fig. Decir uno su sentimiento a otro claramente y sin rebozo ni adulación. ‖ **2.** fig. Adular excesivamente. ‖ **llenarse la medida.** fr. fig. Agotarse la paciencia en quien recibe continuamente agravios o disgustos. ‖ **tomarle** a uno **las medidas.** fr. fig. Hacer entero juicio de lo que es un sujeto. ‖ **tomarle** a uno **medidas de las espaldas.** fr. fig. y fam. **medirle las espaldas.** ‖ **tomar** uno **sus medidas.** fr. fig. Tomar las precauciones necesarias para acertar en algo y evitar que se malogre.

medidamente. adv. m. Con medida, con cuidado, con prevención.

medidor, ra. (Del lat. *metītor, -ōris*.) adj. Que mide algo. Apl. a pers., ú. t. c. s. ‖ **2.** Oficial que mide los granos y líquidos. ‖ **3.** *Amér.* Contador de agua, gas o energía eléctrica.

mediero, ra. m. y f. Persona que hace medias. ‖ **2.** Persona que las vende. ‖ **3.** Persona que va a medias en la explotación de tierras, cría de ganados u otras granjerías del campo.

medieval. (De *medio, evo* y *-al*.) adj. Perteneciente o relativo a la Edad Media de la historia.

medievalidad. f. Cualidad de medieval.

medievalismo. m. Cualidad o carácter de medieval.

medievalista. com. Persona versada en el conocimiento de lo medieval.

medievo. (De *medio* y *evo*.) m. Edad Media.

medinés, sa. adj. Natural de Medina. Ú. t. c. s. ‖ **2.** Perteneciente o relativo a cualquiera de las poblaciones así llamadas.

medio, dia. (Del lat. *medĭus*.) adj. Igual a la mitad de una

cosa. MEDIO *real;* MEDIA *naranja*. ‖ **2.** Dícese de lo que está entre dos extremos, en el centro de algo o entre dos cosas. ‖ **3.** Que está intermedio en lugar o tiempo. ‖ **4.** Que corresponde a los caracteres o condiciones más generales de un grupo social, pueblo, época, etc. *El español* MEDIO; *el hombre* MEDIO *de nuestro tiempo; la cultura* MEDIA *de aquel siglo; la riqueza* MEDIA *de tal país*. ‖ **5.** Con valor hiperbólico, una gran parte de la cosa expresada. MEDIO *Madrid fue a los toros*. ‖ **6.** Aplícase al estilo oratorio o literario exornado y elegante, pero no tan expresivo y elevado o vehemente como el sublime. ‖ **7.** V. **aplicación, distancia, edad, enseñanza, estatura, nota, parte, velocidad media.** ‖ **8.** V. **día, grado, mediodía, término medio.** ‖ **9.** V. **medio aderezo, medio doblero, medio galope, medio hermano, medio juez, medio luto, medio madero, medio pespunte, medio queso, medio rostrillo, medio término, medio tiempo, medio vecino, medio viento.** ‖ **10.** V. **media anata, media bata, media cama, media coleta, media colonia, media china, media espada, media firma, media gamarra, media lanza, media lengua, media luna, media luz, media mesa, media noche, media onza, media parte, media pasta, media pensión, media ración, media rima, media vecindad, media vida, media vuelta.** ‖ **11.** V. **medias calzas, medias palabras.** ‖ **12.** V. **siglos medios.** ‖ **13.** V. **medios términos.** ‖ **14.** fig. y fam. V. **media cuchara, media naranja.** ‖ **15.** fig. y fam. V. **medias tintas.** ‖ **16.** *Ar.* V. **media paleta.** ‖ **17.** *Anat.* V. **oído, ventrículo medio.** ‖ **18.** *Arq.* V. **medio bocel, medio punto.** ‖ **19.** *Arq.* V. **media naranja.** ‖ **20.** *Astron.* V. **medio cielo.** ‖ **21.** *Astron.* V. **Sol, tiempo medio.** ‖ **22.** *Esc.* V. **medio relieve.** ‖ **23.** *Esc.* V. **media talla.** ‖ **24.** *Fort.* V. **media luna.** ‖ **25.** *Mat.* V. **término medio.** ‖ **26.** *Pint.* V. **medio perfil.** ‖ **27.** *Pint.* V. **media tinta.** ‖ **28.** m. En el fútbol y otros deportes, cada uno de los jugadores que en la formación del equipo se sitúan entre los defensas y los delanteros. ‖ **29.** Parte que en una cosa equidista de sus extremos. ‖ **30.** Lo que puede servir para determinado fin. MEDIOS *de transporte, de comunicación*. ‖ **31. médium,** persona con facultades paranormales. ‖ **32.** Corte o sesgo que se toma en un negocio o dependencia. ‖ **33.** Diligencia o acción conveniente para conseguir una cosa. ‖ **34.** Sustancia fluida o sólida en que se desarrolla un fenómeno determinado. *La velocidad de la luz depende del índice refractivo del* MEDIO. ‖ **35.** Conjunto de circunstancias culturales, económicas y sociales en que vive una persona o un grupo humano. ‖ **36.** Sector, círculo o ambiente social. Ú. m. en pl. MEDIOS *aristocráticos,* MEDIOS *bien informados*. ‖ **37.** Elemento en que vive o se mueve una persona, animal o cosa. ‖ **38.** p. us. Mellizo, gemelo. ‖ **39.** Antigua moneda de Colombia y Méjico, mitad de un real fuerte, que equivalía a treinta y un céntimos de peseta. ‖ **40.** *Cuba.* Moneda de cinco centavos. ‖ **41.** *Nicar.* Unidad de medida para granos. ‖ **42.** *Nicar.* Recipiente en que se verifica esta medida, que es de boca cuadrada y tiene de luz por cada lado veinticinco centímetros, y de altura, doce centímetros y medio. ‖ **43.** *Arit.* Quebrado que tiene por denominador el número 2 y que, por consiguiente, supone la unidad dividida también en dos partes iguales. ‖ **44.** *Arit.* Cada uno de los términos segundo y tercero de una proporción. ‖ **45.** *Biol.* Conjunto de circunstancias o condiciones físicas y químicas exteriores a un ser vivo y que influyen en su desarrollo y en sus actividades fisiológicas. ‖ **46.** *Lóg.* En el silogismo, razón con que se prueba una cosa. ‖ **47.** *Teol.* V. **necesidad de medio.** ‖ **48.** pl. Caudal, rentas o hacienda que uno posee o goza. ‖ **49.** *Taurom.* Tercio correspondiente al centro del ruedo. ‖ **50.** adv. m. No del todo, no enteramente, no por completo. MEDIO *asado;* MEDIO *vestido.* Con verbos en infinitivo va precedido de la preposición *a.* A MEDIO *asar;* A MEDIO *vestir.* ‖ **ambiente.** Conjunto de circunstancias físicas que rodean a los seres vivos. ‖ **2.**

Por ext., conjunto de circunstancias físicas, culturales, económicas, sociales, etc., que rodean a las personas. ‖ **de comunicación.** Órgano destinado a la información pública. ‖ **de proporción.** *Esgr.* Distancia conveniente a que debe colocarse el diestro respecto de su contrario, para herir o evitar la herida. *Buscar, elegir el* MEDIO DE PROPORCIÓN; *salirse de él.* ‖ **interno.** *Biol.* Líquido que baña las células del interior de un organismo y mediante el cual se realizan la nutrición y la estimulación de aquellas. ‖ **a medias.** loc. adv. Por mitad; la mitad cada uno. *Dueño* A MEDIAS. ‖ **2.** Algo, pero no del todo; incompletamente. *Dormido* A ME- DIAS; *literato* A MEDIAS. ‖ **atrasado de medios.** loc. adj. Dícese del que está pobre, y señaladamente del que antes fue rico. ‖ **coger en medio.** fr. fam. Tener **en medio** o estar dos o más cosas a los lados de otra. ‖ **corto de medios.** loc. adj. Escaso de caudal. ‖ **de medio a medio.** loc. adv. En la mitad o en el centro. *La pedrada le acertó* DE MEDIO A MEDIO. ‖ **2.** Completamente, enteramente, de todo punto. *Se engaña usted* DE MEDIO A MEDIO. ‖ **de por medio.** loc. adv. p. us. **a medias.** *Pagar una deuda* DE POR MEDIO. ‖ **2. en medio,** o como de varias personas o cosas. *Poner tierra* DE POR MEDIO. ‖ **echar por en medio.** fr. fig. y fam. Tomar una resolución o **medio** extraordinario para salir de una dificultad, sin reparar en obstáculos o inconvenientes. ‖ **en este medio.** loc. adv. p. us. **en tanto.** ‖ **en medio.** loc. adv. En lugar o tiempo igualmente distante de los extremos; entre dos o varias personas o cosas. ‖ **2.** No obstante, sin embargo. EN MEDIO *de eso.* ‖ **3.** p. us. **entre tanto.** ‖ **entrar de por medio.** fr. Mediar entre discordes o desavenidos. ‖ **entre medias.** loc. adv. fam. **en medio.** ‖ **estar de por medio.** fr. Mediar en un negocio. ‖ **estrecho de medios.** loc. adj. **corto de medios.** ‖ **ir a medias.** fr. Colaborar o participar **a medias** en algún asunto. ‖ **media con limpio.** expr. que se usaba en Madrid, cuando uno se ajustaba en una posada, para que le dieran solamente por la noche **media** cama, y por compañero uno que estuviese limpio de sarna, tiña u otro achaque contagioso. ‖ **meterse de por medio,** o **en medio.** fr. Interponerse para componer una pendencia o sosegar una riña. ‖ **partir por en medio,** o **por medio.** fr. fig. **echar por en medio.** ‖ **poner los medios.** fr. Usarlos para el logro de lo que se intenta. ‖ **por en medio** o **por medio.** loc. adv. fig. En desorden y estorbando. ‖ **por medio de.** loc. prepos. Valiéndose de la persona o cosa que se expresa. ‖ **quitar de en medio** a uno. fr. fig. y fam. Apartarlo de delante, matándolo o alejándolo. ‖ **quitarse** uno **de en medio.** fr. fig. y fam. Apartarse de un lugar o salirse de un negocio para evitar un lance, disgusto o compromiso. ‖ **tomar el medio,** o **los medios.** fr. **poner los medios.**

medioambiental. adj. Perteneciente o relativo al medio ambiente.

mediocre. (Del lat. *mediocris*.) adj. De calidad media. ‖ **2.** De poco mérito, tirando a malo.

mediocremente. adv. m. De un modo mediocre.

mediocridad. (Del lat. *mediocrĭtas, -ātis.*) f. Cualidad de mediocre.

mediodía. m. Momento en que está el Sol en el punto más alto de su elevación sobre el horizonte. ‖ **2.** Período de extensión imprecisa alrededor de las doce de la mañana. ‖ **3.** V. **hilo de mediodía.** ‖ **4.** *Geogr.* **Sur,** punto opuesto al Norte. ‖ **medio.** Momento en que queda dividido en dos partes iguales el día civil medio. ‖ **verdadero. mediodía.** ‖ **hacer mediodía.** fr. Detenerse en un lugar, para comer, el que camina o va de viaje.

medioeval. adj. **medieval.**

medioevo. m. **medievo.**

mediomundo. m. **velo,** aparejo para pescar.

mediopaño. m. Tejido de lana semejante al paño, pero más delgado y de menos duración.

mediopensionado. m. Régimen de vida del medio-

pensionista. ‖ **2.** Conjunto de personas (alumnos, empleados, etc.) que viven como mediopensionistas.

mediopensionista. adj. Dícese de la persona que vive en alguna institución, sometida a régimen de media pensión. Ú. t. c. s.

mediopié. m. *Anat.* Parte media del pie, formada por el escafoides, el cuboides y las tres cuñas.

mediquillo. (d. despect. de *médico*.) m. Médico indocto, medicucho. ‖ **2.** En Filipinas, persona habilitada para ejercer la medicina sin tener título facultativo.

medir. (Del lat. *metiri*.) tr. Comparar una cantidad con su respectiva unidad, con el fin de averiguar cuántas veces la segunda está contenida en la primera. ‖ **2.** Tratándose de versos, comprobar su medida. ‖ **3.** fig. Comparar una cosa no material con otra. MEDIR *las fuerzas, el ingenio.* Ú. t. c. prnl. ‖ **4.** fig. Moderar las palabras o acciones. Ú. t. c. prnl. ‖ **5.** intr. Tener determinada dimensión, ser de determinada altura, longitud, superficie, volumen, etc. *Juan* MIDE *un metro setenta de altura. La finca* MIDE *cuatro mil metros cuadrados.* ‖ **medirse** uno **consigo mismo.** fr. fig. Ajustar uno sus acciones a sus propias facultades.

meditabundo, da. (Del lat. *meditabundus.*) adj. Que medita, cavila, o reflexiona en silencio.

meditación. (Del lat. *meditatĭo, -ōnis.*) f. Acción y efecto de meditar.

meditador, ra. adj. Que medita.

meditar. (Del lat. *meditāri.*) tr. Aplicar con profunda atención el pensamiento a la consideración de una cosa, o discurrir sobre los medios de conocerla o conseguirla. Ú. t. c. intr.

meditativo, va. (Del lat. *meditatīvus.*) adj. Propio de la meditación o referente a ella.

mediterráneo, a. (Del lat. *mediterranĕus.*) adj. Dícese de lo que está rodeado de tierra. *Mar* MEDITERRÁNEO. Ú. t. c. s. m. ‖ **2.** p. us. Dícese también de lo que está en el interior de un territorio. *Ciudad* MEDITERRÁNEA. ‖ **3.** Perteneciente al mar **Mediterráneo,** o a los territorios que baña. ‖ **4.** V. **fiebre mediterránea.** ‖ **descubrir el Mediterráneo.** fr. fig. y fam. Dar como novedad algo que en realidad es generalmente sabido.

médium. (Del lat. *medĭum,* medio.) com. Persona a la que se considera dotada de facultades paranormales que le permiten actuar de mediadora en la consecución de fenómenos parapsicológicos o de hipotéticas comunicaciones con los espíritus.

medo, da. (Del lat. *Medus.*) adj. Natural de Media. Ú. t. c. s. ‖ **2.** Perteneciente o relativo a esta región de Asia antigua.

medra. (De *medrar.*) f. Aumento, mejora, adelantamiento o progreso de una cosa.

medrana. f. fam. **miedo.**

medranza. (De *medrar.*) f. ant. Mejora, medro, medra.

medrar. (De **mejdrar,* síncopa de *mejorar.*) intr. Crecer, tener aumento los animales y plantas. ‖ **2.** fig. Mejorar uno de fortuna aumentando sus bienes, reputación, etc. ‖ **¡medrados estamos!** expr. irón. ¡Lucidos estamos!; ¡pues estamos bien! Ú. para significar el disgusto que resulta de una cosa inesperada.

medriñaque. (Como *meriñaque.*) m. Tejido filipino hecho con las fibras del abacá, del burí y de algunas otras plantas, y que se usó en Europa y América para forrar y ahuecar los vestidos de las mujeres. ‖ **2.** Especie de zagalejo corto.

medro. m. Mejora, medranza. ‖ **2.** Aumento de tamaño o crecimiento de animales y plantas.

medrosamente. adv. m. Temerosamente, con miedo.

medrosía. (De *medroso.*) f. ant. Miedo permanente.

medroso, sa. (Del lat. vulg. **metorōsus,* der. de *metus,* infl. por *pavorōsus.*) adj. Temeroso, pusilánime, que de cualquier cosa tiene miedo. Ú. t. c. s. ‖ **2.** Que infunde o causa miedo.

medula o **médula.** (Del lat. *medulla.*) f. Sustancia grasa, blanquecina o amarillenta, que se halla dentro de algunos huesos de los animales. ‖ **2.** *Bot.* Parte interior de las raíces y tallos de las plantas fanerógamas, constituida principalmente por tejido parenquimatoso y rodeada por haces de vasos leñosos y cribosos. ‖ **3.** fig. Sustancia principal de una cosa no material. ‖ **espinal.** *Anat.* Prolongación del encéfalo, la cual ocupa el conducto vertebral, desde el agujero occipital hasta la región lumbar. ‖ **oblonga,** u **oblongada.** *Anat.* Parte anterior, superior en el hombre, de la **medula** espinal, así llamada por su forma.

medular. (Del lat. *medullāris.*) adj. Perteneciente o relativo a la medula.

meduloso, sa. (Del lat. *medullōsus.*) adj. Que tiene medula.

medusa. (De *Medusa,* por la cabellera.) f. Una de las dos formas de organización en la alternancia de generaciones de gran número de celentéreos cnidarios y que corresponde a la fase sexuada, pues es libre y vive en el agua; su cuerpo recuerda por su aspecto acampanado a una sombrilla con tentáculos colgantes en sus bordes.

meduseo, a. (Del gr. μεγα-.) adj. Perteneciente o relativo a Medusa, famosa hechicera que, según la fábula, tenía serpientes por cabellos. *Cabello* MEDUSEO.

mefistofélico, ca. adj. Perteneciente o relativo a Mefistófeles. ‖ **2.** Digno o propio de él. ‖ **3.** Diabólico, perverso.

mefítico, ca. (Del lat. *mephitīcus.*) adj. Dícese de lo que, respirado, puede causar daño, y especialmente cuando es fétido. *Aire, gas* MEFÍTICO; *emanación* MEFÍTICA.

mega-. (Del gr. μεγα-.) elem. compos. que significa «grande»: MEGA*lito,* y, por ext., en algún caso, «amplificación»: MEGA*fonía.* ‖ **2.** Con el significado de «un millón» (10⁶), se emplea para formar nombres de múltiplos de determinadas unidades. Símb.: *M.*

megaciclo. (De *mega-* y *ciclo.*) m. *Radio.* Un millón de ciclos.

megafonía. f. Técnica que se ocupa de los aparatos e instalaciones precisos para aumentar el volumen del sonido. ‖ **2.** Conjunto de micrófonos, altavoces y otros aparatos que, debidamente coordinados, aumentan el volumen del sonido en un lugar de gran concurrencia.

megáfono. (De *mega-* y *-fono.*) m. Artefacto usado para reforzar la voz cuando hay que hablar a gran distancia.

megalítico, ca. adj. Propio del megalito o perteneciente a él. ‖ **2.** Construido con grandes bloques de piedra sin labrar.

megalito. (Del gr. μέγας, grande, y λίθος, piedra.) m. Monumento construido con grandes piedras sin labrar, muy común en la remotísima antigüedad.

megalomanía. (Del gr. μεγαλο- [de μέγας, grande] y μανία, locura.) f. Manía o delirio de grandezas.

megalómano, na. (Del gr. μεγαλο- [de μέγας, grande] y -*mano.*) adj. Que padece megalomanía.

megalópolis. f. Ciudad gigantesca.

mégano. m. Duna, médano.

megarense. (Del lat. *Megarensis.*) adj. Natural de Mégara. Ú. t. c. s. ‖ **2.** Perteneciente o relativo a esta ciudad de la Grecia antigua.

megaterio. (Del gr. μέγας, grande, y θηρίον, bestia.) m. Mamífero del orden de los desdentados, fósil, de unos seis metros de longitud y dos de altura, con huesos más robustos que los del elefante; cabeza relativamente pequeña, sin dientes ni colmillos y con solo cuatro muelas en cada lado de las mandíbulas; cuerpo muy grueso, patas cortas, pies grandísimos, con dedos armados de uñas fuertes y corvas, y cola de medio metro de diámetro en su arranque.

Vivía en América del Sur al comienzo del periodo cuaternario, y su régimen alimenticio era herbívoro, como demuestra su dentición. De las pampas argentinas proceden los principales esqueletos de este animal que se conservan en los museos.

megatón. (Del ing. *megaton.*) m. Unidad para medir la potencia explosiva de los ingenios nucleares; equivale a la de un millón de toneladas de trilita.

mege. (Del cat. *metge.*) m. ant. El que ejercía la medicina, médico¹.

mego, ga. (Del lat. *magīcus,* como leon. y gall. *meigo.*) adj. p. us. Manso, apacible, tratable y halagüeño.

meguez. (De *mego* y -*ez.*) f. p. us. Caricia, halago.

mehala. (Del ár. *mahalla,* campamento.) f. En Marruecos, nombre que se daba antes al cuerpo de ejército regular.

meigo, ga. (Del lat. *magīcus.*) m. y f. *León.* brujo.

meísmo. (Del ant. *meesmo,* y este del lat. vulg. *medipsīmus.*) adj. ant. mismo.

meitad. (Del lat. *mediĕtas, -ātis.*) f. ant. mitad.

mejala. f. mehala.

mejana. (Del lat. *mediāna,* que está en medio.) f. Isleta en un río.

mejedor. m. *Zam.* Paleta para mejer o mecer el vino o el jabón.

mejer. (Del dialect. *mejer,* y este del lat. *miscēre,* mezclar.) tr. Mover un líquido para que se mezcle, mecer.

mejicanismo. m. Vocablo, giro o modo de hablar propio de los mejicanos.

mejicano, na. adj. Natural de Méjico. Ú. t. c. s. ‖ **2.** Perteneciente o relativo a esta república de América. ‖ **3.** V. **toro mejicano.** ‖ **4.** V. **plata mejicana.** ‖ **5.** m. Idioma nahua o azteca.

Méjico. n. p. V. **anona, té, unto de Méjico.**

mejido, da. p. p. de **mejer.** ‖ **2.** adj. V. **huevo mejido.** ‖ **3.** V. **yema mejida.**

mejilla. (Del lat. *maxilla.*) f. Cada una de las dos prominencias que hay en el rostro humano debajo de los ojos. ‖ **2.** Parte más carnosa de la cara, carrillo. ‖ **3.** ant. Mandíbula, quijada, quejo.

mejillón. (Del port. *mexilhão.*) m. Molusco lamelibranquio marino, con la concha formada por dos valvas simétricas, convexas, casi triangulares, de color negro azulado por fuera, algo anacaradas por dentro, y de unos cuatro centímetros de longitud; tiene dos músculos aductores para cerrar la concha, pero el anterior es rudimentario. Vive asido a las rocas por medio de los filamentos del biso, es muy apreciado como comestible.

mejillonero, ra. adj. Perteneciente o relativo a la cría del mejillón. ‖ **2.** f. Instalación dedicada a la cría de mejillones.

mejor. (Del lat. *melĭor, -ōris.*) adj. comp. de **bueno.** Superior a otra cosa y que la excede en una cualidad natural o moral. ‖ **2.** Con el verbo *ser* en 3.ª pers. del sing., expreso o no, preferible o más conveniente. *Es* MEJOR *que evites las discusiones.* ‖ **3.** V. **mejor postor.** ‖ **4.** V. **medio rostrillo mejor.** ‖ **5.** adv. m. comp. de **bien.** Más bien, de manera más conforme a lo bueno o lo conveniente. ‖ **6.** antes o **más,** denotando idea de preferencia. MEJOR *quiero pedir limosna que cometer una villanía.* ‖ **a lo mejor.** loc. adv. fam. Quizá, tal vez. ‖ **en mejor.** loc. adv. Con más calidad. ‖ **lo mejor es enemigo de lo bueno.** fr. proverb. que indica que muchas veces, por querer mejorar, perdemos el bien que tenemos o el que podemos conseguir. ‖ **mejor que mejor.** expr. Mucho **mejor, o tanto que mejor.** exprs. **mejor todavía.**

mejora. (De *mejorar.*) f. Medra, adelantamiento o aumento de una cosa. ‖ **2.** Aumento de precio que cada licitador ofrece en las ventas, subastas, arriendos, etc.; puja. ‖ **3.** *Der.* Porción que de sus bienes deja el testador a alguno o algunos de sus hijos o nietos, además de la legítima estricta. Suele llamarse también así a la parte que el ascendiente deja a un descendiente, tomándola del tercio de libre disposición. ‖ **4.** *Der.* Escrito que en el antiguo procedimiento formulaba el apelante ante el tribunal superior, razonando el recurso que había interpuesto. ‖ **5.** *Der.* Gastos útiles y reproductivos que con determinados efectos legales hace en propiedad ajena quien tiene respecto de ella algún derecho similar o limitativo del dominio; como la posesión, el usufructo o el arrendamiento.

mejorable. adj. Que se puede mejorar.

mejoramiento. m. Acción y efecto de mejorar.

mejorana. (De *mayorana*.) f. Hierba vivaz de la familia de las labiadas, con tallos de tres a cuatro decímetros de altura, algo leñosos en la base; hojas aovadas, enteras, blanquecinas y lanuginosas; flores en espiga, pequeñas y blancas, y fruto seco con semillas redondas, menudas y rojizas. Es originaria de Oriente, se cultiva en los jardines por su excelente olor, y suele usarse en medicina como antiespasmódica. ‖ **silvestre.** Planta de la familia de las labiadas, con tallos de dos a cinco centímetros, hojas pecioladas, aovadas y angostas en la base; flores en grupos axilares de cáliz velloso y corola blanca. Es de olor muy agradable.

mejorar. (Del lat. *meliorāre*.) tr. Adelantar, acrecentar una cosa, haciéndola pasar a un estado mejor. ‖ **2.** Poner mejor, hacer recobrar la salud perdida. ‖ **3.** Aumentar cada licitador el precio puesto a una cosa que se ofrece en venta, subasta, etc. ‖ **4.** *Der.* Dejar en el testamento mejora a uno o a varios de los herederos. ‖ **5.** intr. Ir recobrando la salud perdida; restablecerse. Ú. t. c. prnl. ‖ **6.** Ponerse el tiempo más favorable o benigno. Ú. t. c. prnl. ‖ **7.** Ponerse en lugar o grado ventajoso respecto del que antes se tenía. Ú. t. c. prnl.

mejoría. (De *mejor*.) f. Aumento o medro de una cosa. ‖ **2.** Alivio en una dolencia, padecimiento o enfermedad. ‖ **3.** Ventaja o superioridad de una cosa respecto de otra. ‖ **4.** ant. Ventaja o mejora que deja un testador además de la legítima.

mejunje. (De etim. disc.) m. Cosmético o medicamento formado por la mezcla de varios ingredientes.

mela. f. *Vall.* Instrumento que sirve para melar². marcar el ganado lanar. ‖ **2.** Mezcla de pintura roja u ocre, por lo general con un mordiente, que se emplea para marcar el ganado lanar.

melada. (De *melar*.) f. Rebanada de pan tostado empapada en miel al modo de las torrijas. ‖ **2.** Pedazos de mermelada seca.

melado, da. adj. De color de miel. *Caballo* MELADO; *ojos* MELADOS. ‖ **2.** m. *Can.* y *Amér.* En la fabricación del azúcar de caña, jarabe que se obtiene por evaporación del jugo purificado de la caña antes de concentrarlo al punto de cristalización en los tachos. ‖ **3.** Pieza pequeña de arropía hecha con miel y cañamones.

meladucha. (De *melado*.) adj. V. **manzana meladucha.** Ú. t. c. s.

meladura. (De *melar*² y *-dura*.) f. Jarabe previo para hacer el azúcar.

meláfido. (Del gr. μήλας, negro, y [*pór*]*fido*.) m. Roca compuesta de feldespato y augita con algo de hierro magnético. Empléase en construcción.

melampo. m. desus. En el teatro, candelero con pantalla, que usaba el traspunte.

melancolía. (Del lat. *melancholǐa*, y este del gr. μελαγχολία, bilis negra.) f. Tristeza vaga, profunda, sosegada y permanente, nacida de causas físicas o morales, que hace que no se encuentre el que la padece gusto ni diversión en ninguna cosa. ‖ **2.** ant. Bilis negra o atrabilis. ‖ **3.** *Psiquiat.* Monomanía en que dominan las afecciones morales tristes.

melancólicamente. adv. m. Con melancolía.

melancólico, ca. (Del lat. *melancholǐcus*, y este del gr. μελαγχολικός.) adj. Perteneciente o relativo a la melancolía. ‖ **2.** Que tiene melancolía. Ú. t. c. s. ‖ **3.** *Astrol.* V. **cuadrante melancólico.**

melancolizar. (De *melancólico* e *-izar*, por haplología.) tr. Entristecer y desanimar a uno dándole una mala nueva, o haciendo cosa que le cause pena o sentimiento. Ú. t. c. prnl.

melanconía. f. ant. **melancolía.**

melanconioso, sa. (De *melanconía*.) adj. desus. **melancólico.**

melandro. (De *melón*².) m. *Ast.* Tasugo, tejón¹, meloncillo, melón².

melánico, ca. (Del gr. μέλας, μέλανος, negro, e *-ico*.) adj. *Zool.* Dícese de los animales que presentan coloración negra o parda oscura sin ser la habitual entre los miembros de su especie.

melanina. (Del gr. μέλας, μέλανος, negro, e *-ina*.) f. *Fisiol.* Pigmento de color negro o pardo negruzco que existe en forma de gránulos en el protoplasma de ciertas células de los vertebrados y al cual deben su coloración especial la piel, los pelos, la coroides, etc.

melanita. (Del gr. μέλας, μέλανος, negro, e *-ita*².) f. Variedad del granate, muy brillante, negra y opaca.

melanóforo. (Del gr. μέλας, μέλανος, negro, y *-foro*.) m. *Fisiol.* Célula que contiene melanina.

melanosis. (Del gr. tardío μελάνωσις, ennegrecimiento.) f. *Fisiol.* Alteración de los tejidos orgánicos, caracterizada por el color oscuro que presentan.

melanuria. (Del gr. μέλας, μέλανος, negro, y οὖρέω, orinar.) f. *Pat.* Enfermedad que se manifiesta principalmente por el color negro de la orina.

melapia. (Del lat. *melapǐum*, y este del gr. μῆλον, manzana, y ἄπιον, pera.) f. Variedad de la manzana común, que puede considerarse media entre la camuesa y la asperiega.

melar¹. (De *miel*.) adj. Que sabe a miel. *Trigo* MELAR. Ú. t. c. s., y hablando de los trigos, ú. m. en pl. ‖ **2.** V. **caña, higo melar.**

melar². (De *miel*.) intr. En los ingenios de azúcar, dar la segunda cochura al zumo de la caña, hasta que adquiere consistencia de miel. ‖ **2.** Hacer las abejas la miel y ponerla en los vasillos de los panales. Ú. t. c. tr. ‖ **3.** tr. *Vallad.* Marcar el ganado lanar después de esquilado, con instrumento apropiado impregnado en pez derretida.

melarquía. f. desus. **melancolía.**

melastomáceo, a. adj. *Bot.* **melastomatáceo.** ‖ **2.** f. pl. *Bot.* Familia de estas plantas.

melastomatáceo, a. (Del gr. μέλας, negro, στόμα, -ατος, boca, y *-áceo*.) adj. *Bot.* Dícese de plantas leñosas o herbáceas, angiospermas dicotiledóneas, vivientes en los países intertropicales, principalmente en América del Sur, que se asemejan a las mirtáceas por muchos de sus caracteres, pero difieren de ellas por carecer de glándulas productoras de aceite esencial en los órganos vegetativos; como el cordobán. Ú. t. c. s. f. ‖ **2.** f. pl. *Bot.* Familia de estas plantas.

melaza. (aum. despect. de *miel*.) f. Líquido más o menos viscoso, de color pardo oscuro y sabor muy dulce, que queda como residuo de la fabricación del azúcar de caña o remolacha. ‖ **2.** *Murc.* Heces de la miel.

melca. (Del lat. [*herba*] *melīca*, por *medīca*, procedente de Media.) f. Zahína, planta.

melcocha. (De *miel* y *cocha*, term. f. de *cocho*¹.) f. Miel que, estando muy concentrada y caliente, se echa en agua fría, y sobándola después, queda muy correosa. ‖ **2.** Cualquier pasta comestible compuesta principalmente de esta miel elaborada.

melcochero. m. El que hace o vende melcocha.

melcochudo, da. (De *melcocha* y *-udo*.) adj. *Amér.* Correoso, blando.

meldar. (Del b. lat. *meletāre*, y este del gr. μελετάω, estudiar.) tr. ant. Leer, aprender. ‖ **2.** ant. Decir, enseñar.

meldense. adj. Natural de Melde, hoy Meaux. Ú. t. c. s. ‖ **2.** Perteneciente o relativo a esta ciudad de las Galias.

melecina. f. ant. y hoy vulg. **medicina.** ‖ **2.** ant. Lavativa, ayuda.

melecinar. tr. ant. **medicinar.**

melecinero, ra. (De *melecina*.) m. y f. ant. Persona que ejerce de médico sin serlo, curandero, curiel, medicinante.

melena[1]. (De or. inc.) f. Cabello que desciende junto al rostro, y especialmente el que cae sobre los ojos. ‖ **2.** El que cae por atrás y cuelga sobre los hombros. ‖ **3.** Cabello suelto. *Estar en* MELENA. ‖ **4.** Crin del león. ‖ **5.** Almohadilla o piel que se pone a los bueyes bajo el yugo. ‖ **6.** Yugo de la campana. ‖ **andar a la melena.** fr. fig. y fam. **andar a la greña.** ‖ **hacer venir,** o **traer,** a uno **a la melena.** fr. fig. y fam. Obligarlo o precisarlo a que ejecute una cosa que no quería hacer. ‖ **venir a la melena.** fr. fig. y fam. Sujetarse.

melena[2]. (Del gr. μέλαινα, negra.) f. *Pat.* Fenómeno morboso que consiste en arrojar sangre negra por cámaras, bien sola o mezclada con excrementos, y como consecuencia de una hemorragia del estómago, de los intestinos o de otros órganos.

melenera. (De *melena*[1].) f. Parte superior del testuz de los bueyes, en la cual se asienta el yugo. ‖ **2.** Almohadilla o piel que se pone a los bueyes en la frente para que no les roce la cuerda o correa con que se les sujeta el yugo.

meleno. adj. Aplícase al toro que, en su testuz y cayendo sobre su frente, tiene una melena o mechón grande de pelo. ‖ **2.** m. fam. Payo, hombre del campo.

melenudo, da. (De *melena*, cabello largo, y *-udo*.) adj. Que tiene abundante y largo el cabello. Ú. t. c. s.

melera. f. La que vende miel. ‖ **2.** Daño que sufren los melones cuando son muy abundantes las lluvias o hay granizadas, que se manifiesta por manchas negras en la corteza, y hace que la carne se pudra y tome gusto amargo. ‖ **3. lengua de buey,** planta.

melero. (Del lat. *mellarĭus*, colmenero.) m. El que vende miel o trafica con ella. ‖ **2.** Sitio donde se guarda la miel.

melga. (De or. inc.) f. Faja de tierra que se marca para sembrar, amelga.

melgacho. (despect. de *mielga*[2].) m. Lija, pez.

melgar[1]. m. Campo abundante en mielgas.

melgar[2]. tr. Señalar melgas, amelgar.

melgo, ga. (Del lat. vulg. *gemellĭcus*.) adj. Mellizo, melguizo, mielgo.

melgrana. f. ant. **milgrana.**

melguizo, za. (Cruce de *melgo* y *mellizo*.) adj. *And.* Mellizo, mielgo.

meliáceo, a. (Del gr. μελία, fresno, y *-áceo*.) adj. *Bot.* Aplícase a árboles y arbustos angiospermos dicotiledóneos, de climas cálidos, con hojas alternas, rara vez sencillas, flores en panojas, casi siempre axilares, y fruto capsular con semillas de albumen carnoso o sin él; como la caoba y el cinamomo. Ú. t. c. s. f. ‖ **2.** f. pl. *Bot.* Familia de estas plantas.

mélico, ca. (Del lat. *melĭcus*, y este del gr. μελικός.) adj. Perteneciente al canto. ‖ **2.** Perteneciente a la poesía lírica.

melífero, ra. (Del lat. *mellĭfer, -ĕra*, que produce miel.) adj. Que lleva o tiene miel.

melificación. f. Acción de melificar.

melificado, da. p. p. de **melificar.** ‖ **2.** adj. **melifluo.**

melificador. (De *melificar* y *-dor*.) m. *Chile.* Cajón de lata con tapa de vidrio, para extraer la miel de abeja separada de la cera.

melificar. (Del lat. *mellificāre*.) intr. Hacer las abejas la miel. Ú. t. c. tr.

melifluamente. adv. m. fig. Dulcemente, con grandísima suavidad y delicadeza. Ú. m. en sent. peyorativo.

melifluidad. f. fig. Cualidad de melifluo.

melifluo, flua. (Del lat. *melliflŭus*, que destila miel.) adj. Que tiene miel o es parecido a ella en sus propiedades. ‖ **2.** Dulce, suave, delicado y tierno en el trato o en la manera de hablar. Ú. m. en sent. peyorativo.

meliloto. (Del lat. *melilōtos*, y este del gr. μελίλωτος.) m. *Bot.* Planta de la familia de las papilionáceas, con tallo derecho de cuatro a ocho decímetros de altura y ramoso; hojas de tres en tres, lanceoladas, obtusas y dentadas; flores amarillentas y olorosas, de cáliz persistente, y fruto en legumbre oval, indehiscente, que contiene de una a cuatro semillas. Es planta espontánea en los sembrados, y sus flores se usan en medicina como emolientes. ‖ **2.** fig. p. us. Hombre insensato o indolente.

melillense. adj. Natural de Melilla. Ú. t. c. s. ‖ **2.** Perteneciente o relativo a esta ciudad de África.

melindre. (De etim. disc.) m. Fruta de sartén, hecha con miel y harina. ‖ **2.** Dulce de pasta de mazapán con baño espeso de azúcar blanco, generalmente en forma de rosquilla muy pequeña. ‖ **3.** Especie de cinta muy estrecha, bocadillo. ‖ **4.** fig. Delicadeza afectada y excesiva en palabras, acciones y ademanes. Ú. m. en pl.

melindrear. intr. Hacer melindres o ademanes afectados.

melindrería. f. Hábito de melindrear.

melindrero, ra. adj. Que afecta demasiadas delicadezas o melindres. Ú. t. c. s.

melindrillo. (d. de *melindre*.) m. *Murc.* Especie de cinta muy estrecha, bocadillo.

melindrizar. intr. Hacer melindres en acciones, ademanes o palabras.

melindrosamente. adv. m. Con melindre, con afectación.

melindroso, sa. adj. Que afecta melindres o demasiada delicadeza en acciones y palabras. Ú. t. c. s.

melinita. (Del lat. *melīnus*, y este del gr. μήλινος, de color de membrillo, amarillento, e *-ita*[2].) f. Sustancia explosiva cuyo componente principal es el ácido pícrico.

melino, na. (Del lat. *Melīnum [pigmentum]*.) adj. Natural de Melo, hoy Milo. Ú. t. c. s. ‖ **2.** Perteneciente o relativo a esta isla. ‖ **3.** Dícese de la tierra de alumbre que se sacaba de la isla de Milo, y se empleaba para preparar algunas pinturas.

melión. (Del lat. *milīo, -ōnis*, milano.) m. Ave rapaz grande, leonada y de cola blanca; pigargo.

meliorativo, va. (Del lat. *meliorātus*, p. p. de *meliorāre*, mejorar, e *-ivo*.) adj. Que mejora. Se usa principalmente hablando de conceptos o estimaciones morales.

melis. (Del cat. *melis*, madera de pino impregnada de resina.) adj. V. **pino melis.** Ú. t. c. s. *Madera de* MELIS.

melisa. (Del gr. μέλισσα, abeja, por ser planta que gusta a estos insectos.) f. **toronjil,** planta.

melisma. (Del gr. μέλισμα, canto.) m. *Mús.* Canción o melodía breve. ‖ **2.** *Mús.* Grupo de notas sucesivas, que forman un neuma o adorno sobre una misma vocal.

melismático, ca. (Del gr. μέλισμα, -ατος, canto, e *-ico*.) adj. *Mús.* Perteneciente o relativo al melisma o a los melismas.

melito. (Del lat. *mellītus*, de miel.) m. *Farm.* Jarabe hecho con miel y una sustancia medicamentosa.

melocotón. (Del lat. *malum cotonĭum*, membrillo, en cuyo tronco suele injertarse el pérsico para obtener las mejores variedades del melocotonero.) m. Árbol que da **melocotones,** melocotonero. ‖ **2.** Fruto de este árbol. Es una drupa de olor agradable, esférica, de seis a ocho centímetros de diámetro, con un surco profundo que ocupa media circunferencia; epicarpio delgado, velloso, de color amarillo con manchas encarnadas; mesocarpio amarillento, de sabor agradable y adherido a un hueso pardo, duro y rugoso, que encierra una almendra muy amarga. ‖ **romano.** El muy grande y sabroso que tiene el hueso colorado.

melocotonar. m. Campo plantado de melocotoneros.

melocotonero. m. Árbol, variedad del pérsico, cuyo fruto es el melocotón.

melodía. (Del lat. *melodĭa*, y este del gr. μελῳδία.) f. Dulzura y suavidad de la voz o del sonido de un instrumento musical. ‖ **2.** *Mús.* Parte de la música, que trata del tiempo con relación al canto, y de la elección y número de sones con que han de formarse en cada género de composición los períodos musicales, ya sobre un tono dado, ya modulando para que el canto agrade al oído. ‖ **3.** *Mús.* Composición en que se desarrolla una idea musical, simple o compuesta, con independencia de su acompañamiento. Ú. en oposición a **armonía,** combinación de sonidos simultáneos diferentes, pero acordes. ‖ **4.** *Mús.* Cualidad del canto por la cual agrada al oído.

melódico, ca. adj. Perteneciente o relativo a la melodía.

melodiosamente. adv. m. De manera melodiosa.

melodioso, sa. adj. Dotado de melodía, dulce y agradable al oído.

melodista. com. Persona que, sin especial conocimiento técnico, compone melodías musicales, por lo general breves y sencillas.

melodrama. (Del gr. μέλος, canto con acompañamiento de música, y δρᾶμα, drama.) m. Drama puesto en música; ópera. ‖ **2.** Drama compuesto para este fin; letra de la ópera. ‖ **3.** Drama que se representaba acompañado de música instrumental en varios de sus pasajes. ‖ **4.** Obra teatral, cinematográfica o literaria en que se exageran toscamente los aspectos sentimentales y patéticos, y en la que se suele acentuar la división de los personajes en moralmente buenos y malvados, para satisfacer la sensiblería vulgar. ‖ **5.** Por ext., obra en que tales aspectos dominan sin que puedan considerarse peyorativos. ‖ **6.** fig. y fam. Narración o suceso en que abundan las emociones lacrimosas.

melodramáticamente. adv. m. De manera melodramática; con las condiciones propias del melodrama.

melodramático, ca. adj. Perteneciente o relativo al melodrama. ‖ **2.** Aplícase también a lo que en composiciones literarias de otro género, en la vida real, participa de las malas cualidades del melodrama. *Héroe, personaje, efecto* MELODRAMÁTICO.

melodreña. (Probablemente, metát. de [a]*molad*[e]*reña,* de *amoladera* y *-eña.*) adj. Dícese de la piedra de amolar.

melografía. (Del gr. μέλος, canto acompañado de música, y *-grafía.*) f. Arte de escribir música.

meloja. (De *miel,* y el suf. ant. *-oxa.*) f. Lavaduras de miel.

melojar. m. Sitio poblado de melojos.

melojo. (Del lat. *malum folĭum,* hoja mala.) m. Árbol de la familia de las fagáceas, semejante al roble albar, con raíces profundas y acompañadas de otras superficiales, de que nacen muchos brotes; tronco irregular y bajo, copa ancha, hojas aovadas, unidas al pecíolo por su parte más estrecha, vellosas en el envés y con pelos en el haz, y bellota solitaria o en grupos de dos a cuatro. Se cría en España.

melolonta. (Del gr. μηλολόνθη, especie de escarabajo.) m. Insecto coleóptero pentámero, de que se conocen varias especies, casi todas propias del antiguo continente, y muy nocivo a las plantas.

melomanía. (Del gr. μέλος, canto con acompañamiento de música, y μανία, manía.) f. Amor desordenado a la música.

melómano, na. (Del gr. μέλος, canto con acompañamiento de música, y *-mano.*) m. y f. Persona fanática de la música.

melón¹. (Del lat. tardío *melo, -ōnis.*) m. Planta herbácea anual, de la familia de las cucurbitáceas, con tallos tendidos, ramosos, ásperos, con zarcillos, y de tres a cuatro metros de longitud; hojas pecioladas, partidas en cinco lóbulos obtusos; flores solitarias de corola amarilla, y fruto elipsoidal de dos a tres decímetros de largo, con cáscara blanca, amarilla, verde o manchada de estos colores; carne olorosa, abundante, dulce, blanda, aguanosa, que deja en el interior un hueco donde hay muchas pepitas de corteza amarilla y almendra blanca. Es originaria de Oriente y muy estimada. ‖ **2.** Fruto de esta planta. ‖ **3.** fig. y fam. Hombre torpe o necio. ‖ **chino. melón de la China.** ‖ **de agua.** En algunas partes, sandía. ‖ **de Indias,** o **de la China.** Variedad de **melón,** cuyo fruto es esférico, de unos diez centímetros de diámetro, de corteza amarilla, muy lisa, delgada y quebradiza, y de carne muy dulce. ‖ **catar el melón.** fr. fig. Tantear o sondear a una persona o cosa. ‖ **decentar el melón.** fr. fig. Tomar sobre sí el riesgo que se corre de que una cosa salga mal, una vez empezada.

melón². (Del lat. vulg. *melo, -ōnis.*) m. Tejón, tasugo; meloncillo².

melona. (De *melón¹.*) f. fam. Mujer torpe o necia.

melonada. f. fig. y fam. Torpeza, tontería, dislate.

melonar. m. Terreno sembrado de melones¹.

meloncete. m. d. de **melón¹.**

meloncillo¹. m. d. de **melón¹.** ‖ **de olor. melón de Indias.**

meloncillo². (De *melón².*) m. Mamífero carnicero nocturno, del mismo género que la mangosta, de unos cuatro decímetros de longitud desde el hocico hasta el arranque de la cola, que es tan larga como el cuerpo; cabeza redonda, hocico saliente, orejas pequeñas, cuerpo rechoncho, patas cortas, dedos bien separados y con uñas grandes; pelaje largo, fuerte y de color ceniciento oscuro, con anillos más claros en la cola, terminada en un mechón de pelos, de los que se hacen pinceles. Vive en España y se alimenta con preferencia de roedores pequeños.

melonero, ra. m. y f. Persona que siembra, guarda o vende melones.

melopea. f. **melopeya.** ‖ **2.** Canto monótono, cantutía. ‖ **3.** vulg. Embriaguez, borrachera.

melopeya. (Del gr. μελοποιΐα, y este del gr. μελοποιΐα.) f. Arte de producir melodías. ‖ **2.** Entonación rítmica con que puede recitarse algo en verso o en prosa.

melosidad. f. Cualidad de meloso. ‖ **2.** Materia melosa. ‖ **3.** fig. Dulzura, suavidad y blandura de una cosa no material.

melosilla. f. Enfermedad de la encina, que daña a la bellota y hace que se desprenda del árbol.

meloso, sa. (Del lat. *mellōsus.*) adj. De calidad o naturaleza de miel. ‖ **2.** fig. Aplícase a personas, palabras, actitudes, etc., con sent. peyorativo.

melote. m. Residuo que queda después de cocer el guarapo, y que contiene el azúcar de quebrados y el mascabado. ‖ **2.** *Murc.* Conserva hecha con miel.

melquisedeciano, na. adj. Dícese del individuo de una antigua secta que creía a Melquisedec superior a Jesucristo. Ú. t. c. s. ‖ **2.** Perteneciente o relativo a esta secta.

melsa. (Del ant. a. al. *milzi.*) f. *Ar.* Bazo, víscera. ‖ **2.** fig. *Ar.* Flema, espacio o lentitud con que se hacen las cosas.

melva. (Del lat. vulg. *milva,* correspondiente a *milvus,* milano.) f. Pez muy parecido al bonito, del cual se distingue por tener las dos aletas dorsales muy separadas una de otra.

mella. (De *mellar.*) f. Rotura o hendidura en el filo de una arma o herramienta, o en el borde o en cualquier ángulo saliente de otro objeto, por un golpe o por otra causa. ‖ **2.** Vacío o hueco que queda en una cosa por faltar lo que lo ocupaba o henchía; como en la encía cuando falta un diente. ‖ **3.** fig. Menoscabo, merma, o pérdida material. ‖ **hacer mella.** fr. fig. Causar efecto en uno la reprensión, el consejo o la súplica. ‖ **2.** fig. Ocasionar pérdida o menoscabo.

mellado, da. p. p. de **mellar.** ‖ **2.** adj. Falto de uno o más dientes. Ú. t. c. s.

melladura. (De *mellar*.) f. **mella.**

mellar. (Del lat. *gemellāre*, igualar, de *gemellus*, gemelo.) tr. Hacer mellas. MELLAR *la espada, el plato*. Ú. t. c. prnl. ‖ **2.** fig. Menoscabar, disminuir, minorar una cosa no material. MELLAR *la honra, el crédito*. Ú. t. c. prnl.

melliza. (De etim. disc.) f. Cierto género de salchichón hecho con miel.

mellizo, za. (Del lat. vulg. *gemellicĭus*, de *gemellus*, gemelo.) adj. Nacido del mismo parto. Ú. t. c. s. ‖ **2.** Igual a otra cosa.

melloco. m. *Bot.* Planta de la familia de las baseláceas, que vive en los parajes fríos de la sierra ecuatoriana y cuya raíz tiene tubérculos feculentos y comestibles. ‖ **2.** Tubérculo de esta planta.

mellón. (De etim. disc.) m. Manojo de paja encendida, a manera de hachón. ‖ **2.** Haz de paja.

memada. f. fam. Dicho o acción propios del memo.

membrado[1], da. p. p. ant. de **membrar.** ‖ **2.** adj. ant. Célebre, famoso. ‖ **3.** ant. Cuerdo, astuto, prudente.

membrado[2], da. (Del fr. *membré*.) adj. *Blas.* Aplícase a las piernas de las águilas y otras aves, que son de diferente esmalte que el cuerpo.

membrana. (Del lat. *membrāna*.) f. Piel delgada a modo de pergamino. ‖ **2.** *Biol.* Cualquier tejido o agregado de tejidos que en conjunto presenta forma laminar y es de consistencia blanda. ‖ **alantoides.** *Biol.* **alantoides.** ‖ **basal.** *Histol.* Capa de naturaleza colágena que se encuentra en la base de casi todos los epitelios. ‖ **caduca.** *Biol.* **membrana** blanda que durante la preñez tapiza la cavidad interna de la matriz y envuelve al feto. ‖ **celular.** *Biol.* Capa muy tenue de protoplasma condensado que rodea una célula y a través de la cual se efectúa el cambio de sustancias entre el cuerpo celular y el medio exterior a este. ‖ **mucosa.** *Anat.* La que tapiza cavidades del cuerpo de los animales que tienen comunicación con el exterior; está provista de numerosas glándulas unicelulares que segregan moco. Ú. t. c. s. ‖ **nictitante.** *Zool.* Túnica casi transparente que forma el tercer párpado de las aves. ‖ **pituitaria.** *Anat.* Mucosa que reviste la cavidad de las fosas nasales y en la cual existen elementos nerviosos que en conjunto actúan como órgano del sentido del olfato. ‖ **serosa.** *Anat.* La que reviste cavidades del cuerpo de los animales que están incomunicadas con el exterior; se halla lubricada por líquidos albuminoideos. ‖ **vitelina.** *Embriol.* La más interna de las cubiertas del huevo. ‖ **falsa membrana.** *Pat.* Producción patológica, no organizada, que cubre ciertos tejidos lesionados en contacto con el exterior y que no tiene de **membrana** más que la apariencia; está constituida, la mayoría de las veces, de fibrina y detrito de elementos celulares.

membranáceo, a. (Del lat. *membranacěus*.) adj. *Bot.* y *Zool.* Semejante a la membrana.

membranoso, sa. adj. Compuesto de membranas. ‖ **2.** Semejante a la membrana.

membranza. (De *membrar*.) f. ant. Memoria o recuerdo.

membrar. (Del lat. *memorāre*.) tr. ant. Traer a la memoria alguna cosa, recordar. Usáb. m. c. prnl.

membrete. (Probable contaminación de *marbete*, con *membrar*.) m. p. us. Memoria o anotación que se hace de una cosa, poniendo solo lo sustancial y preciso, para copiarlo y extenderlo después con todas las formalidades y requisitos. ‖ **2.** p. us. Aviso por escrito o nota en que se hace un convite o se recomienda o recuerda una pretensión. ‖ **3.** Nombre o título de una persona o corporación puesto al final del escrito que a esta misma persona o corporación se dirige. ‖ **4.** Este mismo nombre o título puesto a la cabeza de la primera plana. ‖ **5.** Nombre o título de una

persona, oficina o corporación, estampado en la parte superior del papel de escribir.

membrilla. f. Variedad de membrillo que se cría en Murcia, achatado, con cáscara de color blanco amarillento cubierta de pelusa que desaparece por el roce, pedúnculo grueso y muy adherente y carne jugosa, fina y dulce.

membrillar. m. Terreno plantado de membrillos. ‖ **2.** Membrillo, arbusto.

membrillate. m. Dulce o carne de membrillo, codoñate.

membrillero. m. Membrillo, arbusto.

membrillo. (Del lat. *melimēlum*, manzana dulce, y este del gr. μελίμηλον.) m. Arbusto de la familia de las rosáceas, de tres a cuatro metros de altura, muy ramoso, con hojas pecioladas, enteras, aovadas o casi redondas, verdes por el haz y lanuginosas por el envés; flores róseas, solitarias, casi sentadas y de cáliz persistente, y fruto en pomo, de 10 a 12 centímetros de diámetro, amarillo, muy aromático, de carne áspera y granujienta, que contiene varias pepitas mucilaginosas. Es originario de Asia Menor; el fruto se come sabe en conserva, y las semillas sirven para hacer bandolina. ‖ **2.** Fruto de este arbusto. ‖ **3.** V. **carne de membrillo,** dulce de este fruto.

membrudamente. adv. m. Con fuerza y robustez.

membrudo, da. (De *miembro* y *-udo*.) adj. Fornido y robusto de cuerpo y miembros.

memeches. (a) loc. adv. *Guat.* A la espalda; forma de llevar las mujeres indígenas a los niños, sujetos a la espalda con el rebozo, manta, etc.

memela. f. *Hond.* Tortilla de masa de maíz con cuajada y dulce, cocida en hojas frescas de plátano. ‖ **2.** *Méj.* Tortilla dispuesta de este modo.

memento. (Del lat. *memento*, acuérdate.) m. Cada una de las dos partes del canon de la misa, en que se hace conmemoración de los fieles vivos y de los difuntos. ‖ **hacer sus mementos.** fr. fig. p. us. Detenerse a discurrir con particular atención y estudio lo que le importa.

memez. f. Cualidad de memo. ‖ **2.** Dicho o hecho propio del memo.

memnónida. (Del lat. *Memnonides*.) f. *Mit.* Cada una de las aves famosas que, según la fábula, iban desde Egipto a Troya, al sepulcro de Memnón, volaban alrededor de él y, al tercer día, se maltrataban y herían unas a otras. Ú. m. en pl.

memo, ma. (Voz que imita el tartamudeo.) adj. Tonto, simple, mentecato. Ú. t. c. s.

memorable. (Del lat. *memorabĭlis*.) adj. Digno de memoria.

memorando[1]. m. **memorándum.**

memorando[2], da. (Del lat. *memorandus*.) adj. p. us. Que debe recordarse.

memorándum. (Del lat. *memorandum*, cosa que debe recordarse.) m. Librito o cuaderno en que se apuntan las cosas de que uno tiene que acordarse. ‖ **2.** Comunicación diplomática, menos solemne que la memoria y la nota, por lo común no firmada, en que se recapitulan hechos y razones para que se tengan presentes en un asunto grave. ‖ **3.** Informe en que se expone algo que debe tenerse en cuenta para una acción o en determinado asunto. ‖ **4.** *Chile.* Resguardo bancario. El pl. es **memorandos.**

memorar. (Del lat. *memorāre*.) tr. p. us. Recordar una cosa; hacer memoria de ella. Ú. t. c. prnl.

memoratísimo, ma. (Del lat. *memoratissĭmus*.) adj. sup. p. us. Celebradísimo y digno de eterna memoria.

memorativo, va. (Del lat. *memoratīvus*.) adj. Dícese de lo que se hace en memoria de alguien o de algo.

memoria. (Del lat. *memorĭa*.) f. Potencia del alma, por medio de la cual se retiene y recuerda el pasado. ‖ **2.** Recuerdo que se hace o aviso que se da de una cosa pasada. ‖ **3.** Monumento para recuerdo o gloria de una cosa. ‖ **4.**

Obra pía o aniversario que instituye o funda uno y en que se conserva su **memoria**. ‖ **5.** Relación de gastos hechos en una dependencia o negociado, o apuntamiento de otras cosas, como una especie de inventario sin formalidad. ‖ **6.** Escrito simple a que se remitía el testador, para que fuese reputado y cumplido como parte integrante del testamento, según la legislación anterior al código civil. ‖ **7.** Exposición de hechos, datos o motivos referentes a determinado asunto. ‖ **8.** Estudio, o disertación escrita, sobre alguna materia. ‖ **9.** *Fís.* Dispositivo físico, generalmente electrónico, en el que se almacenan datos e instrucciones para recuperarlos y utilizarlos posteriormente. ‖ **10.** pl. Saludo cortés o afectuoso a un ausente, por escrito o por medio de tercera persona. ‖ **11.** Libro, cuaderno o papel en que se apunta una cosa para tenerla presente; como para escribir una historia. ‖ **12.** Relación de algunos acaecimientos particulares, que se escriben para ilustrar la historia. ‖ **13.** Libro o relación escrita en que el autor narra su propia vida o acontecimientos de ella. ‖ **14.** Dos o más anillos que se traen y ponen de recuerdo y aviso para la ejecución de una cosa, soltando uno de ellos para que cuelgue del dedo. ‖ **artificial. mnemotecnia.** ‖ **de gallo, o de grillo.** fig. y fam. Persona de poca memoria. ‖ **borrar, o borrarse, de la memoria** una cosa. fr. fig. Olvidarla del todo. ‖ **caerse una cosa de la memoria.** fr. fig. Olvidarse de ella. ‖ **conservar la memoria** de una cosa. fr. fig. Acordarse de ella, tenerla presente. ‖ **de memoria.** loc. adv. Teniendo en la memoria; puntualmente lo que se leyó u oyó. *Tomar* DE MEMORIA; *decir algo* DE MEMORIA. ‖ **2.** *Ar.* y *Murc.* **boca arriba.** *Dormir* DE MEMORIA. ‖ **encomendar** una cosa **a la memoria.** fr. Aprenderla o tomarla **de memoria.** ‖ **flaco de memoria.** loc. adj. Olvidadizo, de **memoria** poco firme. ‖ **hablar de memoria.** fr. fig. y fam. Decir alguien sin reflexión ni fundamento lo primero que se le ocurre. ‖ **hacer memoria.** fr. Recordar, acordarse. ‖ **huirse de la memoria** una cosa. fr. fig. Desaparecer enteramente de ella. ‖ **irse, o pasársele** a uno, una cosa **de la memoria.** fr. fig. Quedar olvidada. ‖ **recorrer la memoria.** fr. Reflexionar para acordarse de lo que pasó. ‖ **reducir a la memoria.** fr. fig. **traer a la memoria.** ‖ **refrescar la memoria.** fr. fig. Renovar el recuerdo de una cosa que se tenía olvidada. ‖ **renovar la memoria.** fr. Recordar de nuevo los asuntos ya pasados. ‖ **tener en memoria.** fr. con que uno ofrece a otro su protección. ‖ **traer a la memoria.** fr. **hacer memoria.** ‖ **venir a la memoria** una cosa. fr. fig. Presentarse de nuevo en el recuerdo.

memorial. (Del lat. *memoriális.*) m. Libro o cuaderno en que se apunta o anota una cosa para un fin. ‖ **2.** Papel o escrito en que se pide una merced o gracia, alegando los méritos o motivos en que se funda la solicitud. ‖ **3.** Boletín o publicación oficial de algunas colectividades. ‖ **ajustado.** *Der.* Apuntamiento en que se hacía constar todo el hecho de un pleito o causa. ‖ **haber perdido** uno **los memoriales.** fr. fig. y fam. Haber perdido la memoria de una cosa y no saber dar razón de ella.

memorialesco, ca. adj. Perteneciente o relativo al memorial. *Estilo* MEMORIALESCO.

memorialista. com. Persona que por oficio escribe memoriales o cualesquiera otros documentos que se le pidan.

memoriógrafo. (De *memoria* y *-grafo.*) m. Autor de libros de memorias.

memorión. m. aum. de **memoria.** ‖ **2.** Persona que tiene mucha memoria.

memorioso, sa. (Del lat. *memoriōsus.*) adj. Que tiene feliz memoria. Ú. t. c. s.

memorismo. m. Práctica pedagógica o método de estudio en que se da más importancia a la memoria que a la inteligencia.

memorista. adj. Que tiene feliz memoria. ‖ **2.** Perteneciente o relativo al memorismo. ‖ **3.** com. Persona partidaria de esta práctica pedagógica o de este método de estudio.

memorización. f. Acción y efecto de memorizar.

memorizar. tr. Fijar en la memoria alguna cosa.

memoroso, sa. adj. ant. **memorioso.**

mena[1]. (Del m. or. que *mina*[2].) f. *Min.* Mineral metalífero, principalmente el de hierro, tal como se extrae del criadero y antes de limpiarlo.

mena[2]. (Del lat. *maena*, anchoa, y este del gr. μαίνη.) f. Pez marino teleósteo del suborden de los acantopterigios, de quince centímetros de largo, comprimido por los lados, muy convexo por el abdomen, de color plomizo por el lomo, plateado y con manchas negras en los costados, aletas dorsales pardas, rojizas las demás, lo mismo que la cola. Se halla en las costas del Mediterráneo y es comestible poco estimado.

mena[3]. (Del lat. *minae*, almenas.) f. ant. Cada uno de los prismas que coronan los muros de las fortalezas, almena.

mena[4]. f. *Filip.* Marca del tamaño de los cigarros puros, vitola. ‖ **2.** *Mar.* Grueso de un cabo medido por la circunferencia.

ménade. (Del lat. *maenas, -ādis,* y este del gr. μαινάς, άδος, furia.) f. Cada una de ciertas sacerdotisas de Baco que, en la celebración de los misterios, daban muestras de frenesí. ‖ **2.** fig. Mujer descompuesta y frenética.

menador, ra. (De *menar.*) m. y f. *Murc.* Persona que da vueltas a la rueda para recoger la seda.

menaje. (Del fr. *ménage.*) m. Muebles y accesorios de una casa. ‖ **2.** En algunos cuerpos militares, vajilla y cubertería, servicio de mesa en general. ‖ **3.** Material pedagógico de una escuela.

menar. (Del lat. *mināri*, amenazar, en lat. vulg. *menāre*, llevar, conducir.) tr. Dar vueltas a la cuerda en el juego de la comba. ‖ **2.** Conducir ganado. ‖ **3.** *Murc.* Recoger la seda en la rueca.

menaza. (Del lat. *minacĭae*, amenazas.) f. ant. Palabra o acto con que se amenaza.

menazar. (De *menaza.*) tr. ant. Indicar con palabras o actos que se quiere hacer un mal a otro, amenazar.

mencieño, ña. adj. Natural de Doña Mencía. Ú. t. c. s. ‖ **2.** Perteneciente o relativo a esta población de Córdoba.

mención. (Del lat. *mentĭo, -ōnis.*) f. Recuerdo o memoria que se hace de una persona o cosa, nombrándola, contándola o refiriéndola. ‖ **honorífica.** Distinción o recompensa de menos importancia que el premio y el accésit. ‖ **hacer mención.** fr. Nombrar a una persona o cosa, hablando o escribiendo.

mencionar. tr. Hacer mención de una persona. ‖ **2.** Referir, recordar y contar una cosa para que se tenga noticia de ella.

menchevique. (Del ruso *men'shevik*, uno de la minoría, a través del fr., con infl. de *bolchevique.*) adj. Perteneciente o relativo al menchevismo. ‖ **2.** Dícese del partidario del menchevismo. Ú. t. c. s. ‖ **3.** Dícese del miembro de la facción minoritaria y menos radical del partido socialdemócrata ruso, a partir de 1903. Ú. t. c. s. ‖ **4.** Desde 1917, dícese del miembro de un sector de la oposición política soviética. Ú. t. c. s.

menchevismo. m. Doctrina y práctica de los mencheviques, históricamente una forma moderada del socialismo.

menda. (Del caló *menda,* dat. del pron. pers. de 1.ª pers.) pron. pers. fam. *Germ.* Yo. Ú. con el verbo en 3.ª persona. Ú. t. precedido de *el, este, mi.* ‖ **2.** pron. indet. Uno, uno cualquiera.

mendacidad. (Del lat. *mendacĭtas, -ātis.*) f. Hábito o costumbre de mentir.

mendacio. (Del lat. *mendacĭum.*) m. ant. **mentira,** expresión contraria a lo que se sabe. ‖ **2. mentira,** errata en escritos o impresos.

mendaz. (Del lat. *mendax, -ācis.*) adj. **mentiroso.**

mendelevio. (De *Mendeléyev,* químico ruso.) m. *Quím.* Elemento radiactivo artificial que se obtiene bombardeando el einstenio con partículas alfa. Se escinde espontáneamente, con una semivida de treinta minutos. Núm. atómico 101. Símb.: *Mv.*

mendeliano, na. adj. Perteneciente o relativo al mendelismo.

mendelismo. m. *Biol.* Conjunto de leyes acerca de la herencia de los caracteres de los seres orgánicos, derivadas de los experimentos del fraile agustino Mendel sobre el cruzamiento de variedades de guisantes.

mendicación. (Del lat. *mendicatĭo, -ōnis.*) f. p. us. Acción de mendigar, mendicidad.

mendicante. (Del lat. *mendicans, -antis.*) adj. Que mendiga o pide limosna de puerta en puerta. Ú. t. c. s. ‖ **2.** Dícese de las religiones que tienen por instituto pedir limosna, y de las que por privilegio gozan de ciertas inmunidades, así como de sus miembros.

mendicidad. (Del lat. *mendicĭtas, -ātis.*) f. Estado y situación de mendigo. ‖ **2.** Acción de mendigar.

mendiganta. (De *mendigante.*) f. desus. **mendiga.**

mendigante. p. a. de **mendigar.** Que mendiga. Ú. t. c. s. ‖ **2.** adj. p. us. **mendicante.** Ú. t. c. s.

mendigar. (Del lat. *mendicāre.*) tr. Pedir limosna de puerta en puerta. ‖ **2.** fig. Solicitar el favor de uno con importunidad y hasta con humillación.

mendigo, ga. (Del lat. *mendĭcus.*) m. y f. Persona que habitualmente pide limosna.

mendiguez. f. p. us. Acción de mendigar, mendicidad.

mendocino[1], na. adj. Perteneciente o relativo a la ciudad argentina o a la provincia de Mendoza. ‖ **2.** Natural de esta provincia o de su capital. Ú. t. c. s.

mendocino[2], na. (De los *Mendoza,* familia a la que se atribuía el origen de la superstición que consideraba de mal agüero derramar sal en la mesa.) adj. desus. Que cree en agüeros; supersticioso.

mendosamente. adv. m. p. us. Mentirosamente, o con equivocación.

mendoso, sa. (Del lat. *mendōsus.*) adj. Errado, equivocado, o mentiroso.

mendrugo. (De or. inc.) m. Pedazo de pan duro o desechado, y especialmente el sobrante que se suele dar a los mendigos. ‖ **2.** fig. y fam. Hombre rudo, tonto, zoquete. ‖ **buscar** uno **mendrugos en cama de galgos.** fr. fig. y fam. Acudir en su necesidad a otro más necesitado.

meneador, ra. adj. Que menea. Ú. t. c. s.

menear. (Del ant. *manear,* manejar, der. de *mano,* alterado por infl. del ant. *menar,* conducir.) tr. Mover una cosa de una parte a otra. Ú. t. c. s. prnl. ‖ **2.** fig. Manejar, dirigir, gobernar o guiar una dependencia o negocio. ‖ **3.** prnl. fig. y fam. Hacer con prontitud y diligencia una cosa, o andar de prisa. ‖ **peor es meneallo.** fr. fig. y fam. con que se denota lo inconveniente de hacer memoria o hablar de cosas que originaron disgustos o desavenencias, o a que no se ha de hallar remedio, disculpa o explicación satisfactoria.

menegilda. (Aféresis del n. p. *Hermenegilda.*) f. fam. p. us. En Madrid y otras regiones, criada de servicio.

meneo. m. Acción y efecto de menear o menearse. ‖ **2.** ant. Trato o comercio. ‖ **3.** fig. y fam. Vapuleo, tunda.

menés, sa. adj. Natural de Mena. Ú. t. c. s. ‖ **2.** Perteneciente o relativo a este valle.

menester. (Del lat. *ministerĭum.*) m. Falta o necesidad de una cosa. ‖ **2.** Oficio u ocupación habitual Ú. m. en pl. ‖ **3.** pl. Necesidades fisiológicas. ‖ **4.** fam. Instrumentos o cosas necesarias para los oficios u otros usos. ‖ **haber menester** una cosa. fr. Necesitarla. ‖ **no haber** uno **menester**

andadores. fr. fig. y fam. **poder andar sin andadores.** ‖ **ser menester.** fr. Ser precisa o necesaria una cosa. ‖ **ser menester la cruz y los ciriales.** fr. fig. y fam. Ser necesarias muchas diligencias para lograr una cosa.

menesteroso, sa. (De *menester.*) adj. Falto, necesitado, que carece de una cosa o de muchas. Ú. t. c. s.

menestra. (Del it. *minestra.*) f. Guisado compuesto con diferentes hortalizas y a menudo con trozos pequeños de carne o jamón. ‖ **2.** Legumbre seca. Ú. m. en pl. ‖ **3.** Ración de legumbres secas, guisadas o cocidas, que se suministra a la tropa, a los presidiarios, etc.

menestral, la. (Del lat. *ministeriālis,* empleado, dependiente.) m. y f. Persona que tiene un oficio mecánico.

menestralería. f. Cualidad de menestral.

menestralía. f. Cuerpo o conjunto de menestrales.

menestrete. (De *menester.*) m. *Mar.* Barra de hierro que se usaba para hacer salir fuera de los tablones las cabezas de los clavos.

menestril. m. ant. Músico que tocaba en algunas funciones religiosas, ministril.

menfita. (Del lat. *Memphītes,* y este del gr. Μεμφίτης.) adj. Natural de Menfis, ciudad del antiguo Egipto. Ú. t. c. s. ‖ **2.** Perteneciente o relativo a esta ciudad. ‖ **3.** f. Ónice de capas blancas y negras muy a propósito para camafeos.

menfítico, ca. adj. Perteneciente o relativo a la ciudad de Menfis.

Menga. (De *Dominga.*) n. p. f. **¿si encontrará Menga cosa que le venga?** fr. proverb. con que se zahiere al descontentadizo.

mengajo. (De etim. disc.) m. *Murc.* Jirón o pedazo de la ropa, que va arrastrando o colgando.

mengano, na. (Probablemente, del ár. *man kān,* quien sea, cualquiera.) m. y f. Voz que se usa en la misma acepción que *fulano* y *zutano,* pero siempre después del primero, y antes o después del segundo cuando se aplica a una tercera persona, ya sea existente, ya imaginaria.

menge. (Del cat. o prov. *menge, metge,* y este del lat. *medĭcus.*) m. ant. Persona autorizada para ejercer la medicina, médico.

mengía. (De *menge* e *-ía.*) f. ant. Medicamento o remedio.

mengua. f. Acción y efecto de menguar. ‖ **2.** Falta que padece una cosa para estar cabal y perfecta. ‖ **3.** Pobreza, necesidad y escasez de una cosa. ‖ **4.** fig. Descrédito, deshonra, especialmente cuando procede de falta de valor.

menguadamente. adv. m. De manera menguada. ‖ **2.** Deshonrada o cobardemente; sin crédito ni reputación.

menguado, da. p. p. de **menguar.** ‖ **2.** adj. Cobarde, pusilánime. Ú. t. c. s. ‖ **3.** Tonto, falto de juicio. Ú. t. c. s. ‖ **4.** Miserable, ruin o mezquino. Ú. t. c. s. ‖ **5.** V. **hora menguada.** ‖ **6.** m. Cada punto que se reduce para dar una forma determinada a una labor de punto o ganchillo.

menguamiento. m. desus. **mengua.**

menguante. p. a. de **menguar.** Que mengua. ‖ **2.** adj. *Astron.* V. **cuarto, Luna menguante.** ‖ **3.** *Mar.* V. **aguas de menguante.** ‖ **4.** f. Mengua y escasez que padecen los ríos o arroyos por el calor o sequedad. ‖ **5.** Descenso del agua del mar por efecto de la marea. ‖ **6.** Tiempo que dura. ‖ **7.** fig. Decadencia o mengua de una cosa. ‖ **de la Luna.** Intervalo entre el plenilunio y el novilunio.

menguar. (Del lat. vulg. *minuāre,* por *minuĕre.*) intr. Disminuir o irse consumiendo física o moralmente una cosa. ‖ **2.** Hablando de la Luna, disminuir la parte iluminada del astro visible desde la Tierra. ‖ **3.** En las labores de punto o ganchillo, ir reduciendo los puntos, para que resulte disminuido su número en la vuelta siguiente. Ú. t. c. tr. ‖ **4.** ant. Faltar lo que debiera o quisiera tenerse. ‖ **5.** tr. Disminuir o aminorar.

mengue. m. fam. El diablo.

menhir. (Del bretón *maen,* piedra, e *hir,* larga.) m. Monumento megalítico que consiste en una piedra larga hincada verticalmente en el suelo.

menina. (De *menino*.) f. Dama de familia noble que desde muy joven entraba a servir a la reina o a las infantas niñas.

meninge. (Del gr. μῆνιγξ, -ιγγος, membrana.) f. *Anat.* Cada una de las membranas de naturaleza conjuntiva que envuelven el encéfalo y la medula espinal.

meníngeo, a. adj. Propio de las meninges, o perteneciente a ellas.

meningitis. (De *meninge* e -*itis*.) f. *Pat.* Inflamación de las meninges.

meningococo. (Del gr. μῆνιγξ, -ιγγος, membrana, y κόκκος, grano.) m. *Microbiol.* Microorganismo, en forma de diplococo, que es causa de diversas enfermedades y principalmente de una forma de meningitis llamada cerebroespinal epidémica.

menino. (Del port. *menino*, niño.) m. Caballero de familia noble que desde muy joven entraba en palacio a servir a la reina o a los príncipes niños. ‖ **2.** *Murc.* Sujeto pequeño y remilgado.

menipeo, a. adj. Perteneciente o relativo a Menipo, escritor satírico de la antigua Grecia.

menique. (Como *meñique*.) adj. desus. Dícese del dedo más pequeño de la mano, meñique, auricular.

menisco. (Del gr. μηνίσκος, media luna; d. de μήνη, luna.) m. Vidrio cóncavo por una cara y convexo por la otra. ‖ **2.** *Anat.* Cartílago de forma semilunar y de espesor menguante de la periferia al centro; forma parte de la articulación de la rodilla y sirve para adaptar las superficies óseas de dicha articulación y para facilitar el juego de esta. ‖ **3.** *Fís.* Superficie libre, cóncava o convexa, del líquido contenido en un tubo estrecho. El *menisco* es cóncavo si el líquido moja las paredes del tubo, y convexo si no las moja.

menispermáceo, a. (Del gr. μήνη, luna, σπέρμα, semilla, por la figura de las semillas de estas plantas, y -*áceo*.) adj. *Bot.* Dícese de arbustos angiospermos dicotiledóneos, sarmentosos, flexibles, con hojas alternas, simples o compuestas, y provistas de rejoncitos en el ápice; flores pequeñas, por lo común en racimo; frutos capsulares, abayados y raras veces drupáceos, y semillas de albumen pequeño, nulo, y carnoso; como la coca de Levante. Ú. t. c. s. f. ‖ **2.** f. pl. *Bot.* Familia de estas plantas.

menjují. m. **benjuí,** bálsamo aromático.

menjunje. (De etim. disc.) m. **mejunje.**

menjurje. (Como *menjunje*.) m. p. us. **mejunje.**

menologio. (Del gr. μηνολόγιον.) m. Martirologio de los cristianos griegos ordenado por meses.

menonia. f. *Mit.* Cada una de las que se reunían en el sepulcro de Memnón, memnónida.

menonita. adj. Dícese del disidente de los anabaptistas que acepta la doctrina de Mennón, reformador holandés del siglo XVI. ‖ **2.** Perteneciente o relativo a dicha doctrina.

menopausia. (Del gr. μήν, μηνός, mes, y παῦσις, cesación.) f. *Fisiol.* Interrupción natural de la menstruación de la mujer, aproximadamente entre los cuarenta y cinco y cincuenta y cinco años. ‖ **2.** Época de la vida de la mujer en que deja de presentarse la menstruación.

menor. (Del lat. *minor, -ōris*.) adj. comp. de **pequeño.** Que es inferior a otra cosa en cantidad, intensidad o calidad. ‖ **2.** De menos importancia. *La obra* MENOR *de Quevedo*. ‖ **3.** Dícese de la persona que tiene menos edad que otra. ‖ **4. menor de edad.** Ú. t. c. s. ‖ **5.** V. **aciano, arresto, avutarda, bagaje, bardana, basílica, cabeza, carga, caza, celidonia, centaura, cicuta, colegial, colegio, consuelda, embarcación, excomunión, ganado, llantén, merino, mundo, necesidad, orden, ortiga, palmo, pimpinela, sanguinaria, séptima, sexta, siempreviva, sueldo menor.** ‖ **6.** V. **aguas, clérigos, letanías,**

paños menores. ‖ **7.** V. **en cuarto menor.** ‖ **8.** V. **menor edad.** ‖ **9.** V. **verso de arte menor.** ‖ **10.** V. **verso de redondilla menor.** ‖ **11.** V. **Carro Menor.** ‖ **12.** *Astron.* V. **Can, Osa Menor.** ‖ **13.** *Geom.* V. **círculo menor.** ‖ **14.** *Mar.* V. **aguas menores.** ‖ **15.** *Mús.* V. **compás, hexacordo, modo, proporción, semitono, séptima, sexta, tono menor.** ‖ **16.** m. Religioso de la orden de San Francisco. ‖ **17.** V. **clérigo de menores.** ‖ **18.** *Arq.* V. **menor edad,** es más corto que la entrega. ‖ **19.** pl. En los estudios de gramática, clase tercera, en que se enseñaban las oraciones y construcciones más fáciles de la lengua latina. ‖ **20.** f. *Lóg.* **premisa menor.** ‖ **que.** Signo matemático que tiene esta figura (<), y colocado entre dos cantidades, indica ser **menor** la primera que la segunda. ‖ **al por menor.** loc. adj. y adv. que se usa cuando las cosas se venden menudamente y no en grueso. ‖ **por menor.** loc. adj. y adv. Menudamente, por partes, por extenso. *Referir* POR MENOR *las circunstancias de un suceso*. ‖ **2.** desus. **al por menor.**

menoración. (Del lat. *minoratĭo, -ōnis*.) f. ant. Acción y efecto de menorar.

menorar. (Del lat. *minorāre*, disminuir.) tr. ant. Aminorar, disminuir.

menoreta. f. ant. d. de **menor.** Monja franciscana.

menorete. adj. fam. d. de **menor,** que solo se usa en los modos adverbiales familiares **al menorete,** o **por el menorete,** que valen lo mismo que **a lo menos,** o **por lo menos.**

menorgar. (Del lat. *minoricāre,* de *minorāre*.) tr. ant. Disminuir, aminorar.

menoría. (De *menor*.) f. Inferioridad y subordinación con que uno está sujeto a otro, y en grado inferior a él. ‖ **2.** La edad del hijo de familia o del pupilo en que no puede aún disponer de sí y de su hacienda. ‖ **3.** fig. Tiempo de la menor edad de una persona.

menoridad. f. ant. **menoría.**

menorista. m. En los estudios de gramática, el que estaba en la clase de menores.

menorqués, sa. adj. ant. Natural de Menorca. ‖ **2.** Perteneciente o relativo a esta isla.

menorquín, na. adj. Natural de Menorca. Ú. t. c. s. ‖ **2.** Perteneciente o relativo a esta isla.

menorragia. (Del gr. μήν, μηνός, mes, y -*rragia*.) f. *Med.* Hemorragia de la matriz durante el periodo menstrual, o sea menstruación excesiva.

menos. (Del lat. *minus*.) adv. comp. que denota la idea de carencia, disminución, restricción o inferioridad en comparación expresa o sobrentendida. *Gasta* MENOS; *sé* MENOS *altivo; yo tengo* MENOS *entendimiento que tú; Juan es* MENOS *prudente que su hermano; decir es* MENOS *que hacer;* MENOS *lejos;* MENOS *a propósito*. Se une al nombre, al adjetivo, al verbo, a otros adverbios y a modos adverbiales, y cuando la comparación es expresa, pide la conjunción *que*. También se construye con el artículo determinado en todos sus géneros y números, formando el superlativo relativo de inferioridad. *Ambrosio es el* MENOS *apreciable de mis amigos; Matilde es la* MENOS *estudiosa de mis hermanas; esto es lo* MENOS *cierto; estas peras son las* MENOS *sabrosas, y estos membrillos, los* MENOS *ásperos*. ‖ **2.** Denota a veces limitación indeterminada de cantidad expresa. *En esta importante batalla murieron* MENOS *de cien hombres; son* MENOS *de los diez*. ‖ **3.** Denota asimismo idea opuesta a la de preferencia. MENOS *quiero perder la honra que perder el caudal*. ‖ **4.** Ú. como sustantivo *El más y el* MENOS. ‖ **5.** m. *Álg.* y *Arit.* Signo de sustracción o resta, que se representa por una rayita horizontal (—). ‖ **6.** prep. **excepto,** a excepción de. *Todo* MENOS *eso*. ‖ **al, a lo, o por lo, menos.** loc. conjunt. con que se denota una excepción o salvedad. *Nadie ha venido,* AL, A LO, O POR LO, MENOS *que yo sepa*. ‖ **2.** Ya que no sea otra cosa, o ya que no sea más. *Permítaseme* AL, A LO, O POR LO, MENOS *decir mi opi-*

nión; valdrá AL, A LO, O POR LO, MENOS *cinco mil pesetas.* |
a menos que. loc. conjunt. A no ser que. | **de menos.** loc.
adv. que denota falta de número, peso o medida. *Te han
dado una peseta* DE MENOS. | **en menos.** loc. adv. comp. En
menor grado o cantidad. *Aprecio mi vida* EN MENOS *que mi
virtud; le han multado* EN MENOS *de cien pesetas.* | **hacer
menos** a alguien. Despreciarlo, no darle importancia. | **lo
menos.** expr. Igualmente, tan o tanto, en comparación de
otra persona o cosa. | **nada menos.** expr. para dar énfasis.
Se compró NADA MENOS *que un palacio.* | **ni mucho menos.**
expr. con que se niega algo rotundamente. *¿Has terminado
el trabajo?* ¡NI MUCHO MENOS! | **no ser para menos.** expr.
exclamativa con que se justifica algo. *Juan reprendió ásperamente a su hermano. La conducta de este* NO ERA PARA
MENOS. | **por lo menos.** loc. conjunt. Como mínimo.
menoscabador, ra. adj. Que menoscaba.
menoscabar. (De *menos* y *cabo*[1].) tr. Disminuir las cosas,
quitándoles una parte; acortarlas, reducirlas. Ú. t. c. prnl.
| **2.** fig. Deteriorar y deslustrar una cosa, quitándole parte
de la estimación o lucimiento que antes tenía. | **3.** fig.
Causar mengua o descrédito en la honra o en la fama.
menoscabo. m. Efecto de menoscabar o menoscabarse.
menoscuenta. (De *menos* y *cuenta*.) f. p. us. Descuento,
satisfacción de parte de una deuda.
menospreciable. adj. Digno de menosprecio.
menospreciablemente. adv. m. Con menosprecio.
menospreciador, ra. adj. Que menosprecia. Ú.
t. c. s.
menospreciamiento. m. ant. Acción y efecto de menospreciar.
menospreciar. (De *menos* y *preciar*.) tr. Tener a una per-
sona o cosa en menos de lo que merece. | **2. despreciar.**
menospreciativo, va. adj. Que implica o denota menosprecio.
menosprecio. m. Poco aprecio, poca estimación. | **2.**
Desprecio, desdén.
menostasia. (Formación moderna del gr. μήν, μηνός, mes, y
στάσις, detención.) f. *Fisiol.* Retención de la regla en la mujer, por obstáculo mecánico de su salida.
mensáfono. m. Aparato portátil que sirve para recibir
mensajes a distancia.
mensafónico, ca. adj. Perteneciente o relativo al
mensáfono o a este tipo de comunicación.
mensaje. (Del prov. *messatge*.) m. Recado que envía una
persona a otra. | **2.** Comunicación oficial entre el poder
legislativo y el ejecutivo, o entre dos asambleas legislati-
vas. | **3.** Comunicación escrita de carácter político social,
que una colectividad dirige al monarca o a elevados dig-
natarios o que estos dirigen a ella. | **4.** Aportación reli-
giosa, moral, intelectual o estética de una persona, doctrina u obra; trasfondo o sentido profundo transmitido
por una obra intelectual o artística. | **5.** *Biol.* Ordenación
molecular que, en el interior de la célula, un sistema bio-
químico induce sobre otro. | **6.** *Comunic.* Conjunto de se-
ñales, signos o símbolos que son objeto de una comuni-
cación. | **7.** *Comunic.* Contenido de esta comunicación. |
de la corona. En la monarquía constitucional, discurso que
el rey, reina propietaria o regente del reino, leen ante las
Cámaras reunidas en el recinto de una de ellas.
mensajería. f. ant. mensaje. | **2.** Carruaje que para ser-
vicio público hacia viajes periódicos a puntos determina-
dos. | **3.** Empresa o sociedad que los tenía establecidos.
Ú. m. en pl. y aplícase también a los buques que periódicamente navegan entre puertos determinados.
mensajero, ra. adj. V. **carta, letra, paloma mensajera.**
| **2.** m. y f. Persona que lleva un mensaje, recado, despa-
cho o noticia a otra. Ú. t. c. adj. | **3.** m. *Biol.* Uno de los
tipos de ácido ribonucleico, que transporta la información

genética desde el núcleo celular hasta los ribosomas donde
se elabora la proteína específica codificada en él.
mensil. adj. ant. **mensual.**
menso, sa. adj. coloq. *Méj.* **tonto,** necio.
menstruación. f. Acción de menstruar. | **2.** Menstruo
de las mujeres.
menstrual. (Del lat. *menstruālis*.) adj. Perteneciente o relativo al menstruo.
menstrualmente. adv. m. Mensualmente o con evacuación menstrual.
menstruante. (Del lat. *menstrüans, -antis*.) p. a. de **menstruar.** Que menstrúa. Ú. t. c. s. f.
menstruar. (De *menstruo*.) intr. Evacuar el menstruo.
menstruo, trua. (Del lat. *menstrūus*, de *mensis*, mes.) adj.
Perteneciente o relativo al **menstruo** de las mujeres y hem-
bras de ciertos animales. *Sangre* MENSTRUA. | **2.** adj. Per-
teneciente o relativo al mes. | **3.** m. Acción de menstruar.
| **4.** Sangre procedente de la matriz que todos los meses
evacuan naturalmente las mujeres y las hembras de ciertos
animales. | **5.** *Quím.* Disolvente o excipiente líquido.
menstruoso, sa. adj. p. us. Perteneciente o relativo al
menstruo. | **2.** p. us. Aplícase a la mujer que está con el
menstruo. Ú. t. c. s. f.
mensú. m. *NE. Argent.* **mensual,** peón rural.
mensual. (Del lat. *mensūalis*.) adj. Que sucede o se repite
cada mes. | **2.** Que dura un mes. | **3.** m. *Argent.* y *Urug.*
Peón contratado para realizar diversos trabajos en el
campo.
mensualidad. f. Sueldo o salario de un mes. | **2.** Can-
tidad que se paga mensualmente por una compra aplaza-
da, un servicio recibido, una ayuda prometida u obligada, etc.
mensualmente. adv. m. Por meses o cada mes.
ménsula. (Del lat. *mensŭla*, mesita.) f. *Arq.* Miembro de arquitectura perfilado con diversas molduras, que sobresale
de un plano vertical y sirve para recibir o sostener alguna
cosa. | **2.** Tablero horizontal adosado a una pared.
mensura. (Del lat. *mensūra*.) f. **medida.**
mensurabilidad. (Del lat. **mensurabilĭtas, -ātis*.) f. *Geom.*
Aptitud de un cuerpo para ser medido.
mensurable. (Del lat. *mensurabĭlis*.) adj. Que se puede me-
dir. | **2.** V. **canto, música mensurable.**
mensuración. f. Acción y efecto de mensurar.
mensurador, ra. (Del lat. *mensūrātor, -ōris*.) adj. p. us.
Que mensura. Ú. t. c. s.
mensural. (Del lat. *mensūralis*.) adj. Que sirve para medir.
mensurar. (Del lat. *mensūrāre*.) tr. **medir.** | **2.** ant. fig. Juz-
gar, contemplar.
mensurativo, va. adj. Perteneciente o relativo a la
medida.
menta[1]. (Del lat. *menta*.) f. **hierbabuena.**
menta[2]. (De *mentar*.) f. rur. *Argent.* Fama, reputación. Ú.
m. en pl. | **de mentas.** loc. adv. rur. *Argent.* **de oídas.** *Lo
conozco* DE MENTAS.
-menta. (Del lat. *-menta*, pl. n. de *-mentum*.) suf. de sustantivos
femeninos de valor colectivo, algunos procedentes del latín: *impedi*MENTA, *vesti*MENTA; otros, creados en español:
*osa*MENTA, *corna*MENTA, *pala*MENTA.
mentado, da. p. p. de **mentar.** | **2.** adj. Que tiene fama
o nombre; célebre.
mental. (Del b. lat. *mentālis*.) adj. Perteneciente o relativo a
la mente. | **2.** V. **enajenación, oración, reserva, restricción
mental.**
mentalidad. f. Capacidad, actividad mental. | **2.** Cul-
tura y modo de pensar que caracteriza a una persona, a
un pueblo, a una generación, etc.
mentalización. f. Acción y efecto de mentalizar o
mentalizarse.

mentalizar. tr. Preparar o predisponer la mente de alguien de modo determinado. Ú. t. c. prnl.

mentalmente. adv. m. Con el pensamiento.

mentar. (De *mente*.) tr. Nombrar o mencionar a una persona o cosa.

mentastro. (Del lat. *mentastrum*.) m. **mastranzo.**

mente. (Del lat. *mens, mentis*.) f. Potencia intelectual del alma. ‖ **2.** Designio, pensamiento, propósito, voluntad. ‖ **3.** *Psicol.* Conjunto de las actividades o procesos psíquicos conscientes e inconscientes. ‖ **de buena mente.** loc. adv. ant. De buena voluntad, de buena gana. ‖ **tener en la mente** una cosa. fr. Tenerla pensada o prevenida.

mentecapto, ta. (Del lat. *mente captus*, falto de mente.) adj. ant. **mentecato.** Usáb. t. c. s.

mentecatada. f. Dicho o hecho propio del mentecato.

mentecatería. (De *mentecato* y *-ería*².) f. Necedad, tontería, falta de juicio.

mentecatez. f. Necedad, tontería, falta de juicio. ‖ **2.** Dicho o hecho propio del mentecato.

mentecato, ta. (De *mentecapto*.) adj. Tonto, fatuo, falto de juicio, privado de razón. Ú. t. c. s. ‖ **2.** De escaso juicio o entendimiento. Ú. t. c. s.

mentesano, na. (Del lat. *Mentesānus*.) adj. Natural de Mentesa. Ú. t. c. s. ‖ **2.** Perteneciente o relativo a las ciudades de este nombre en la España antigua.

mentidero. (De *mentir* y *-dero*.) m. fam. Sitio o lugar donde para conversar se junta la gente ociosa.

mentido, da. p. p. de **mentir.** ‖ **2.** adj. Mentiroso, engañoso. MENTIDA *esperanza;* MENTIDA *fortaleza.*

mentir. (Del lat. *mentīri*.) intr. Decir o manifestar lo contrario de lo que se sabe, cree o piensa. ‖ **2.** Inducir a error. MENTIR *a uno los indicios, las esperanzas.* ‖ **3.** tr. Fingir, aparentar. Ú. t. c. prnl. *El vendaval* MENTÍA *el graznido del cuervo. Los que* SE MIENTEN *vengadores de los lugares sagrados.* ‖ **4.** desus. Falsificar una cosa. ‖ **5.** desus. Faltar a lo prometido; quebrantar un pacto. ‖ **miente más que departe.** expr. ant. **miente más que habla.** ‖ **miente más que habla.** expr. que se emplea para ponderar lo mucho que alguien **miente.** ‖ **¡miento!** exclam. que se emplea para corregirse uno a sí propio cuando advierte que ha errado o se ha equivocado.

mentira. (De *mentir*.) f. Expresión o manifestación contraria a lo que se sabe, cree o piensa. ‖ **2.** Errata o equivocación material en escritos o impresos. Se usa más tratándose de lo manuscrito. ‖ **3.** fig. y fam. Manchita blanca que suele aparecer en las uñas. ‖ **4.** fig. y fam. Chasquido que producen las coyunturas de los dedos al estirarlos. ‖ **oficiosa.** La que se dice con el fin de servir o agradar a uno. ‖ **coger a uno en mentira.** fr. fam. Hallar o verificar que ha mentido. ‖ **decir mentira por sacar verdad.** fr. Fingir que se sabe una cosa, para hacer que la manifieste otro que tiene noticia de ella. ‖ **parece mentira.** expr. hiperbólica con que se da a entender la extrañeza, sorpresa o admiración que causa alguna cosa.

mentirijillas (de). loc. adv. de mentirillas.

mentirillas. f. d. de **mentira.** ‖ **de mentirillas.** loc. adv. **de burlas.**

mentirón. m. aum. de **mentira.**

mentirosamente. adv. m. Fingidamente; con falsedad y engaño.

mentiroso, sa. adj. Que tiene costumbre de mentir. Ú. t. c. s. ‖ **2.** Dícese del libro o escrito que tiene muchos errores o erratas. ‖ **3.** Engañoso, aparente, fingido, falso. *Bienes* MENTIROSOS.

mentís. (2.ª pers. de pl. del pres. de indic. del verbo *mentir*.) m. Voz injuriosa y denigrante con que se desmiente a una persona. ‖ **2.** Hecho o demostración que contradice o niega categóricamente un aserto.

-mento. (Del lat. *-mentum*.) suf. no diptongado de sustantivos verbales, que suele designar una cosa concreta, y a veces significa acción y efecto. Toma la forma **-amento** cuando el verbo base es de la primera conjugación: *carg*AMENTO, *peg*AMENTO; **-imento,** cuando es de la tercera: *pul*IMENTO.

mentol. (De *menta* y *-ol*¹.) m. Parte sólida de la esencia de menta que puede considerarse como un alcohol secundario.

mentolado, da. adj. Que contiene mentol.

mentón. (Del fr. *menton*.) m. Barbilla o prominencia de la mandíbula inferior.

mentor. (Por alusión a *Méntor,* amigo de Ulises.) m. fig. Consejero o guía de otro. ‖ **2.** fig. El que sirve de ayo.

menú. (Del fr. *menu*.) m. Conjunto de platos que constituyen una comida. ‖ **2.** Carta del día donde se relacionan las comidas, postres y bebidas. ‖ **3.** Comida de precio fijo que ofrecen hoteles y restaurantes, con posibilidad limitada de elección. ‖ **4.** *Inform.* Lista presentada en pantalla que sirve de guía para la selección de las operaciones que puede realizar una computadora y un determinado programa.

menuceles. (Del lat. **minutiālis*, pequeño, de poca importancia.) m. pl. *Ál.* y *Ar.* **minucias,** diezmos de los frutos menores. ‖ **2.** *Ál.* y *Ar.* **menudos** de algunos animales.

menucia. (Del lat. *minutĭa*.) f. ant. y vulg. Pequeñez, minucia.

menudamente. adv. m. **por menudo.** ‖ **2.** Circunstanciadamente. *Contar* MENUDAMENTE. ‖ **3.** Úsase con algunos verbos de acción en frases como: *Seguir* MENUDAMENTE *el paso. Partir o rayar* MENUDAMENTE.

menudear. (De *menudo*.) tr. Hacer y ejecutar una cosa muchas veces, repetidamente, con frecuencia. ‖ **2.** intr. Caer o suceder una cosa con frecuencia. MENUDEAN *las gotas, los trabajos.* ‖ **3.** p. us. Contar y referir las cosas menudamente o muy por menor. ‖ **4.** p. us. Contar o escribir menudencias o cosas de poca entidad.

menudencia. (De *menudo* y *-encia*.) f. Pequeñez de una cosa. ‖ **2.** Exactitud, esmero y escrupulosidad con que se considera y reconoce una cosa, sin omitir lo más menudo y leve. ‖ **3.** Cosa de poco aprecio y estimación. ‖ **4.** pl. Despojos y partes pequeñas que quedan de las canales del tocino después de destrozadas. ‖ **5.** Morcillas, longanizas y otros despojos semejantes que se sacan del cerdo. ‖ **6. menudillo** de las aves.

menudeo. m. Acción de menudear. ‖ **2.** Venta al por menor.

menudero, ra. m. y f. Persona que trata en menudos de reses y despojos de aves o los vende. ‖ **2.** Persona que arrienda la renta de menudos.

menudillo. (d. de *menudo*.) m. En los cuadrúpedos, articulación entre la caña y la cuartilla. ‖ **2.** *Ar.* Salvado muy fino, moyuelo. ‖ **3.** pl. Interior de las aves, que se reduce a higadillo, molleja, sangre, madrecilla y yemas.

menudo, da. (Del lat. *minūtus*.) adj. Pequeño, chico o delgado. ‖ **2.** Despreciable, de poca o ninguna importancia. ‖ **3.** Plebeyo o vulgar. ‖ **4.** Aplicábase al dinero, y en especial a la plata, en monedas pequeñas; como pesetas u otras menores. ‖ **5.** Dícese del carbón mineral lavado cuyos trozos menudos han de tener un tamaño reglamentario no exceda de doce milímetros. Ú. t. c. s. ‖ **6.** Exacto y que con gran escrúpulo y menudencia examina y reconoce las cosas. ‖ **7.** En frases exclamativas toma a veces un sentido ponderativo. ¡MENUDO *enredo!* ‖ **8.** V. **ganado, hombre, rostrillo menudo.** ‖ **9.** fig. y fam. V. **gente, letra menuda.** ‖ **10.** ant. Miserable, escaso, apocado. ‖ **11.** m. *Méj.* **callos,** guiso. ‖ **12.** m. pl. Vientre, manos y sangre de las reses que se matan. ‖ **13.** En las aves, pescuezo, alones, pies, intestinos, higadillo, molleja, madrecilla, etc. ‖ **14.** Diezmo de los frutos menores, como hortalizas, frutas, miel, cera y otros semejantes, que se arrendaban y recaudaban con el nombre de renta de **menudos.** ‖ **15.** Monedas que suelen llevarse sueltas. ‖ **16.** adv. m. ant. **por menudo,** menudamente. ‖ **a la menuda.** loc. adv. **por menudo.** ‖ **a menudo.** loc. adv. Muchas veces, frecuentemente y con continuación. ‖ **por menudo.** loc. adv. Particularmente, con mucho detalle y pormenor. ‖ **2.** En las compras y ventas, por mínimas partes.

menuza. (Del lat. *minutĭa,* minucia.) f. ant. Pedazo o trozo pequeño de una cosa que se quiebra o rompe.

menuzar. (De *menuza.*) tr. ant. Dividir en partes muy pequeñas, desmenuzar.

menuzo. (De *menuza.*) m. p. us. Pedazo menudo.

meñique. (Cruce de *menino,* niño, y *mermellique* o **margarique,* variantes de *margarite,* procedentes del ant. fr. *margariz,* renegado, traidor, papel a veces atribuido a este dedo en dichos y consejas.) adj. Dícese del dedo más pequeño de la mano. Ú. t. c. s. ‖ **2.** fam. Muy pequeño.

meollada. (De *meollo* y *-ada.*) f. *And.* Sesos de una res.

meollar. (De *meollo* y *-ar.*) m. *Mar.* Especie de cordel que se forma torciendo tres o más filásticas, y sirve para hacer cajeta o badernas, aforrar cabos, etc.

meollo. (Del lat. vulg. *medullum,* clásico *medulla.*) m. Masa nerviosa contenida en el cráneo, seso[1]. ‖ **2.** Sustancia interior de los huesos, medula. ‖ **3.** fig. Sustancia o lo más principal de una cosa; fondo de ella. ‖ **4.** fig. Juicio o entendimiento.

meolludo, da. adj. p. us. Que tiene mucho meollo.

meón, na. adj. Que mea mucho o frecuentemente. Dícese especialmente de los niños que se orinan en sus ropas o fuera del lugar debido. Ú. t. c. s. ‖ **2.** V. **hierba meona.** Ú. t. c. s. ‖ **3.** V. **niebla meona.** ‖ **4.** f. fam. p. us. Mujer, y más comúnmente niña recién nacida.

mequetrefe. (De etim. disc.) m. fam. Hombre entremetido, bullicioso y de poco provecho.

meramente. adv. m. Solamente, simplemente, sin mezcla de otra cosa.

merar. (Como *amerar,* que se halla en cat., acaso del lat. *merum,* vino puro.) tr. Mezclar un licor con otro, o para aumentarle la virtud y calidad, o para templársela. Se usa particularmente hablando del agua que se mezcla con vino.

merca. (De *mercar.*) f. fam. Acción y efecto de mercar.

mercachifle. (De *mercar* y *chifle.*) m. **buhonero.** ‖ **2.** despect. Mercader de poca importancia.

mercadante. (Del it. *mercadante.*) m. **mercader.**

mercadantesco, ca. (De *mercadante.*) adj. ant. **mercantil.**

mercadantía. (De *mercadante* e *-ía.*) f. ant. **mercancía.**

mercadear. (De *mercado.*) intr. Hacer trato o comercio de mercancías.

mercadeo. m. Acción y efecto de mercadear. ‖ **2.** *Com.* Conjunto de operaciones por las que ha de pasar una mercancía desde el productor al consumidor.

mercader. (De *mercado;* es forma del cat. y arag.) m. El que trata o comercia con géneros vendibles. MERCADER *de libros, de hierro.* ‖ **de grueso.** El que comercia en géneros por mayor.

mercadera. f. p. us. Mujer que tiene tienda de comercio. ‖ **2.** p. us. Mujer del mercader.

mercadería. f. **mercancía.**

mercaderil. adj. Perteneciente o relativo al mercader.

mercadero. m. ant. **mercader.**

mercado. (Del lat. *mercātus.*) m. Contratación pública en lugar destinado al efecto y en días señalados. *Aquí hay* MERCADO *los martes.* ‖ **2.** Sitio público destinado permanentemente, o en días señalados, para vender, comprar o permutar bienes o servicios. ‖ **3.** Concurrencia de gente en un **mercado.** *El* MERCADO *se alborotó.* ‖ **4.** Conjunto de operaciones comerciales que afectan a un determinado

sector de bienes. ‖ **5.** Plaza o país de especial importancia o significación en un orden comercial cualquiera. ‖ **6.** Conjunto de consumidores capaces de comprar un producto o servicio. ‖ **7.** Cosa o cantidad que se compra. Ú. siempre precedido de los adjetivos *bueno* o *malo,* en sentido de *abundante* o *escaso.* ‖ **8.** Estado y evolución de la oferta y la demanda en un sector económico dado. ‖ **negro.** Tráfico clandestino de divisas monetarias o mercancías no autorizadas o escasas en el **mercado,** a precios superiores a los legales. ‖ **hacer el mercado.** fr. Comprar lo necesario para el consumo doméstico.

mercador. (Del lat. *mercātor, -ōris.*) m. ant. El que comercia en géneros vendibles.

mercadoría. f. ant. **mercancía.**

mercadotecnia. (De *mercado* y *-tecnia.*) f. Conjunto de principios y prácticas que buscan el aumento del comercio, especialmente de la demanda, y estudio de los procedimientos y recursos tendentes a este fin.

mercadotécnico, ca. adj. Perteneciente o relativo a la mercadotecnia.

mercadura. (Del lat. *mercatūra.*) f. ant. **mercancía.**

mercaduría. f. desus. **mercancía.**

mercal. (Del ár. *miṭqāl.*) m. **metical.**

mercancear. (De *mercancía.*) intr. ant. **comerciar.**

mercancía. (De it. *mercanzia.*) f. Trato de vender y comprar comerciando en géneros. ‖ **2.** Todo género vendible. ‖ **3.** Cualquier cosa mueble que se hace objeto de trato o venta.

mercancías. m. Tren de mercancías.

mercante. p. a. de **mercar.** Que merca. Ú. t. c. s. ‖ **2.** adj. **mercantil.** ‖ **3.** V. **buque, navío mercante.** ‖ **4.** m. **mercader.**

mercantesco, ca. adj. ant. **mercantil.**

mercantil. adj. Perteneciente o relativo al mercader, a la mercancía o al comercio. ‖ **2.** V. **derecho, navío mercantil.**

mercantilismo. m. Espíritu mercantil aplicado a cosas que no deben ser objeto de comercio. ‖ **2.** Sistema económico que atiende en primer término al desarrollo del comercio, principalmente al de exportación, y considera la posesión de metales preciosos como signo característico de riqueza.

mercantilista. adj. Perteneciente o relativo al mercantilismo. Ú. t. c. s. ‖ **2.** Partidario del mercantilismo. ‖ **3.** Experto en materia de derecho mercantil. Ú. t. c. s.

mercantilizar. tr. Convertir en mercantil algo que no lo es de suyo.

mercantilmente. adv. m. Según la forma, modo u ordenanzas del comercio.

mercantivo, va. adj. p. us. **mercantil.**

mercantivol. (Del cat. *mercantívol,* mercantil.) adj. V. **letra mercantívol.**

mercar. (Del lat. *mercāri,* comprar.) tr. Adquirir algo por dinero, comprar. Ú. t. c. prnl.

merced. (Del lat. *merces, -ēdis.*) f. Premio o galardón que se da por el trabajo. ‖ **2.** Dádiva o gracia que los reyes o señores hacen a sus súbditos, de empleos o dignidades, rentas, etc. ‖ **3.** Cualquier beneficio gracioso que se hace a uno, aunque sea de igual a igual. ‖ **4.** Voluntad o arbitrio de uno. *Está a* MERCED *de su amigo.* ‖ **5.** Tratamiento o título de cortesía que se usaba con aquellos que no tenían título o grado por donde se les debieran otros tratamientos superiores: *vuestra* o *su* MERCED. ‖ **6.** V. **pena de la nuestra merced.** ‖ **7.** ant. Misericordia, perdón. ‖ **8.** *Der.* Renta o precio, en el contrato de arrendamiento. ‖ **9.** n. p. Orden real y militar, fundada por San Pedro Nolasco e instituida por Jaime el Conquistador, cuya misión principal era redimir cautivos. ‖ **de agua.** Reparto que se hacía de ella en algunos pueblos para el uso de cada vecino. ‖ **a merced, o a mercedes.** loc. adv. Sin salario conocido; a voluntad de un señor o amo. Ú. con los verbos *estar, ir, servir, venir,* etc. ‖ **darse, o entregarse, a merced.** fr. **darse, o entregarse, a discreción.** ‖ **entre merced y señoría.** loc. adv. fig. y fam. que se usa para significar que una cosa es mediana: ni sobresaliente ni despreciable. ‖ **estar** uno **para hacer mercedes.** fr. fig. y fam. Estar acogedor, cordial, en disposición favorable. ‖ **la merced de Dios.** expr. con que se designaba la fritada de huevos y torreznos con miel. ‖ **¡merced!,** o **¡muchas mercedes!** expr. desus. **¡gracias!** ‖ **merced a.** loc. prepos. **gracias a.**

mercedario, ria. (Del lat. *mercedarĭus.*) adj. Dícese del religioso o religiosa de la real y militar orden de la Merced. Ú. t. c. s.

mercenario, ria. (Del lat. *mercenarĭus.*) adj. Aplícase a la tropa que por estipendio sirve en la guerra a un poder extranjero. ‖ **2. mercedario.** Ú. t. c. s. ‖ **3.** Que percibe un salario por su trabajo o una paga por sus servicios. Ú. t. c. s. ‖ **4.** m. El que desempeña por otro un empleo o servicio por el salario que le da.

mercendear. tr. ant. Hacer gracia o merced.

mercendero, ra. adj. ant. El que hacía o recibía merced. ‖ **2.** m. ant. **mercader.**

mercería. (Del cat. *merceria.*) f. Trato y comercio de cosas menudas y de poco valor o entidad; como alfileres, botones, cintas, etc. ‖ **2.** Conjunto de artículos de esta clase. ‖ **3.** Tienda en que se venden.

mercerizar. (Del nombre del químico inglés John *Mercer,* inventor del procedimiento, e *-izar.*) tr. Tratar los hilos y tejidos de algodón con una solución de sosa cáustica para que resulten brillantes.

mercero, ra. (De *mercería.*) m. y f. Persona que comercia en artículos de mercería.

merculino, na. adj. ant. Perteneciente o relativo al miércoles.

mercurial. (Del lat. *Mercuriālis.*) adj. Perteneciente o relativo al dios mitológico o al planeta Mercurio. ‖ **2.** Perteneciente al mercurio. ‖ **3.** f. Planta herbácea anual, de la familia de las euforbiáceas, con tallo de tres a cinco decímetros de altura, nudoso, ahorquillado y de ramos divergentes; hojas de color verde amarillento con pecíolo corto, lanceoladas y de margen dentado; flores verdosas, separadas las femeninas de las masculinas, las primeras axilares, casi sentadas y solitarias, y las segundas en espiga, sobre un pedúnculo largo y delgado. Es común en España, y su zumo se ha empleado como purgante.

mercúrico, ca. adj. *Quím.* Perteneciente o relativo al mercurio.

mercurio. (Del lat. *Mercurĭus.*) n. p. m. Planeta conocido de muy antiguo, el más próximo al Sol de los que hasta ahora se han observado, y que, como Venus, presenta fases y brilla algunas veces como lucero de la mañana y de la tarde. ‖ **2.** m. *Quím.* Metal blanco y brillante como la plata, más pesado que el plomo, y líquido a la temperatura ordinaria, azogue. Hállase en las minas en estado nativo, pero principalmente en combinación con el azufre, formando el cinabrio. Núm. atómico 80. Símb.: *Hg.* ‖ **3.** V. **barómetro de mercurio.** ‖ **dulce. calomelanos.**

merchán. adj. desus. Apóc. de **merchante.**

merchandía. f. ant. **mercancía.**

merchaniego, ga. adj. ant. Aplicábase al ganado que se llevaba a vender en las ferias y mercados.

merchante. (Del fr. ant. *merchant,* comerciante.) adj. **mercante.** ‖ **2.** m. El que compra y vende algunos géneros sin tener tienda fija.

merchantería. f. ant. Empleo u oficio de merchante. ‖ **2.** ant. **mercancía.**

merdellón, na. (Del it. arc. *merdellone,* merdoso.) m. y f. fam. Criado o criada que sirve con desaseo.

merdoso, sa. (De *mierda* y *-oso²*.) adj. Asqueroso, sucio, lleno de inmundicia.

mere. (Voz lat.) adv. m. desus. **meramente.**

merecedor, ra. adj. Que merece.

merecer. (Del lat. vulg. **merescĕre.*) tr. Hacerse uno digno de premio o de castigo. ‖ **2.** desus. Conseguir o alcanzar algo que se intenta o desea, lograr. ‖ **3.** Tener cierto grado o estimación una cosa, valer. *Eso no* MERECE *cien pesetas.* ‖ **4.** intr. Hacer méritos, buenas obras, ser digno de premio. ‖ **merecer bien** de uno. fr. Ser acreedor a su gratitud. ‖ **no merecer** uno **descalzar** a otro. fr. fig. y fam. **no servir** uno **para descalzar** a otro.

merecidamente. adv. m. Dignamente, con razón o justicia.

merecido, da. p. p. de **merecer.** ‖ **2.** m. Castigo de que se juzga digno a uno. *Llevó su* MERECIDO.

merecimiento. m. Acción y efecto de merecer. ‖ **2. mérito¹.**

merendar. (Del lat. *merendāre.*) intr. Tomar la merienda. ‖ **2.** En algunas partes, comer al mediodía. ‖ **3.** fig. p. us. Registrar y acechar con curiosidad lo que otro escribe o hace. En el juego se usa hablando del compañero que ve las cartas del otro. ‖ **4.** tr. Tomar en la merienda una u otra cosa. MERENDAR *fruta y almíbar.* ‖ **5.** prnl. fig. y fam. Derrotar o dominar a alguien en una competición o disputa. ‖ **6.** fig. y fam. p. us. Lograr o conseguir fácilmente una cosa.

merendero, ra. adj. V. **cuervo merendero.** ‖ **2.** m. Sitio en que se merienda. ‖ **3.** Establecimiento adonde se acude a merendar o comer por dinero.

merendilla, ta. f. d. de **merienda.**

merendillar. intr. *Extr.* Tomar la merendilla.

merendola. f. **merendona.**

merendona. f. aum. de **merienda.** ‖ **2.** fig. Merienda espléndida y abundante.

merengado, da. adj. V. **leche merengada.**

merengue. (Del fr. *meringue.*) m. Dulce, por lo común de figura aovada, hecho con claras de huevo y azúcar y cocido al horno. ‖ **2.** fig. Persona de complexión delicada. ‖ **3.** fig. y fam. *Argent., Par.* y *Urug.* Lío, desorden, trifulca. ‖ **4.** *Sto. Dom.* Danza popular, conocida también en otros países del Caribe.

meretricio, cia. (Del lat. *meretricĭus.*) adj. Perteneciente o relativo a las meretrices. ‖ **2.** m. Trato carnal con una meretriz.

meretriz. (Del lat. *meretrix, -ícis.*) f. Prostituta, ramera, mujer pública.

merey. m. **marañón,** árbol.

mergánsar. (De *mergo* y *ánsar.*) m. **mergo.** ‖ **2.** desus. Ánsar bravo.

mergo. (Del lat. *mergus.*) m. Cuervo marino; somorgujo.

mergón. (Del lat. **mergo, -ōnis,* de *mergus,* tallo enterrado.) m. Mugrón de la vid.

merideño, ña. adj. emeritense. Apl. a pers., ú. t. c. s. ‖ **2.** Natural de Mérida, ciudad de Venezuela. Ú. t. c. s.

meridiana. (Del lat. *meridiāna,* t. f. de *-nus,* meridiano.) f. Cama que sirve para estar vestido o medio vestido en ella, camilla. ‖ **2.** Especie de sofá sin respaldo ni brazos, que se utiliza como asiento y también para tenderse en él. ‖ **3.** p. us. Siesta que se hace después de comer.

meridiano, na. (Del lat. *meridiānus.*) adj. Perteneciente o relativo a la hora del mediodía. ‖ **2.** *Astrol.* V. **anteojo, cuadrante meridiano.** ‖ **3.** *Astron.* V. **altura, línea meridiana.** ‖ **4.** *Gnom.* V. **línea meridiana.** Ú. t. c. s. ‖ **5.** fig. Clarísimo, luminosísimo. *Luz* MERIDIANA. ‖ **6.** fig. V. **claridad meridiana.** ‖ **7.** m. *Astron.* Círculo máximo de la esfera celeste, que pasa por los polos del mundo y por el cenit y nadir del punto de la Tierra a que se refiere. ‖ **8.** *Geogr.* Cualquiera de los círculos máximos de la esfera terrestre que pasan por los dos polos. ‖ **9.** *Geogr.* Cualquier semicírculo de la esfera terrestre que va de polo a polo. ‖ **10.** *Geom.* Línea de intersección de una superficie de revolución con un plano que pasa por su eje. ‖ **inferior.** *Astron.* Semicírculo máximo que pasa por el nadir del observador y cuyo diámetro va de polo a polo. ‖ **superior.** *Astron.* Semicírculo máximo que pasa por el cenit del observador y cuyo diámetro va de polo a polo. ‖ **primer meridiano.** *Geogr.* El que arbitrariamente se toma como principio para contar sobre el Ecuador los grados de longitud geográfica de cada lugar de la Tierra. ‖ **a la meridiana.** loc. adv. A la hora del mediodía.

meridión. (Del lat. *meridies*, por infl. de *septentrión*.) m. ant. Hora en que el Sol está en el punto más alto, mediodía.

meridional. (Del lat. *meridionālis*.) adj. Perteneciente o relativo al Sur o Mediodía. Apl. a pers., ú. t. c. s.

merienda. (Del lat. *merenda*.) f. Comida ligera que se hace por la tarde antes de la cena. ‖ **2.** En algunas partes, comida que se toma al mediodía. ‖ **3.** fig. y fam. Joroba, corcova, giba. ‖ **de negros.** fig. y fam. Confusión y desorden en que nadie se entiende. ‖ **juntar meriendas.** fr. fig. y fam. Unir los intereses.

merindad. f. Sitio o territorio de la jurisdicción del merino. ‖ **2.** Oficio de merino. ‖ **3.** Distrito con una ciudad o villa importante que defendía y dirigía los intereses de los pueblos y caseríos sitos en su demarcación.

merinero, ra. adj. Perteneciente o relativo a los rebaños trashumantes formados principalmente por ganado merino. *Pastor* MERINERO, *perro* MERINERO.

merino, na. (Del lat. *maiorīnus*, perteneciente al o a el mayor.) adj. Dícese de los carneros y ovejas que tienen el hocico grueso y ancho, la nariz con arrugas transversas, y la cabeza y las extremidades cubiertas, como todo el cuerpo, de lana muy fina, corta y rizada. Ú. t. c. s. ‖ **2.** V. **aulaga merina.** ‖ **3.** V. **cabello merino.** ‖ **4.** m. Juez que tenía jurisdicción en un territorio determinado. ‖ **5.** El que cuida del ganado y de sus pastos, y de las divisiones de estos. ‖ **6.** Tejido de cordoncillo fino, en que la trama y urdimbre son de lana escogida y peinada. ‖ **chico.** ant. Oficial menor de justicia, alguacil. ‖ **mayor.** El nombrado directamente por el rey, con amplia jurisdicción en su territorio. ‖ **menor.** El nombrado por el **merino mayor** o por el adelantado, con jurisdicción limitada.

meriñaque. (De or. inc.) m. Falda interior amplia y rígida, miriñaque.

méritamente. adv. m. p. us. **merecidamente.**

meritar. (Del lat. *meritāre*.) intr. p. us. Hacer méritos.

meritísimo, ma. (Del lat. *meritissĭmus*.) adj. sup. de **mérito.** Dignísimo de una cosa.

mérito¹. (Del lat. *merĭtum*.) m. Acción que hace al hombre digno de premio o de castigo. ‖ **2.** Resultado de las buenas acciones que hacen digno de aprecio a un hombre. ‖ **3.** Hablando de cosas, lo que hace que tengan valor. ‖ **de condigno.** *Teol.* Merecimiento de las buenas obras ejercitadas por el que está en gracia de Dios. ‖ **de congruo.** *Teol.* Merecimiento de las buenas obras ejercitadas por el que está en pecado mortal. ‖ **méritos del proceso.** *Der.* Conjunto de pruebas y razones que resultan de él y sirven al juez para dar su fallo. ‖ **de mérito.** loc. adj. Notable y recomendable. *Cuadro* DE MÉRITO. ‖ **hacer mérito.** fr. fig. **hacer mención.** ‖ **hacer méritos.** fr. fig. Preparar o procurar el logro de una pretensión con servicios, diligencias u obsequios adecuados.

mérito², ta. (Del p. p. lat. *merĭtus*.) adj. ant. Digno, merecedor, benemérito.

meritoriamente. adv. m. Merecidamente, por méritos, de una manera digna.

meritorio, ria. (Del lat. *meritorĭus*.) adj. Digno de premio o galardón. ‖ **2.** m. y f. Persona que trabaja sin sueldo y solo por hacer méritos para entrar en una plaza remunerada.

merla. (Del lat. *merŭla*.) f. **mirlo,** pájaro.

merleta. (Del fr. *merlette*.) f. *Blas.* Cada una de las figuras de pájaros que se representan en los escudos.

Merlín¹. n. p. **saber más que Merlín.** fr. proverb. **saber más que Lepe.** Dícese por alusión a **Merlín,** encantador legendario, que, según la tradición, vivía en Gran Bretaña a principios del siglo VI.

merlín². (Del fr. *merlin*.) m. *Mar.* Cabo delgado de cáñamo alquitranado, que se emplea a bordo en cosiduras y otros usos semejantes.

merlo¹. (Del lat. *merŭlus*.) m. **mirlo,** pájaro. ‖ **2.** Zorzal marino, pez.

merlo². (De *merlón*.) m. ant. *Fort.* **merlón.**

merlón. (Del it. *merlone*, saetera de la muralla.) m. *Fort.* Cada uno de los trozos de parapeto que hay entre cañonera y cañonera.

merluza. (De or. inc.) f. Pez teleósteo marino, anacanto, de cuerpo simétrico, con la primera aleta dorsal corta y la segunda larga, tanto como la anal. Alcanza hasta un metro de longitud y es muy apreciado por su carne. Abunda en las costas de España. ‖ **2.** fig. y fam. Embriaguez, borrachera.

merluzo. m. fig. y fam. Hombre bobo, tonto.

merma. (De *mermar*.) f. Acción y efecto de mermar. ‖ **2.** Porción que se consume naturalmente o se sustrae o sisa de una cosa.

mermador, ra. adj. Que merma.

mermar. (Del lat. vulg. *minimāre*, de *minĭmus*.) intr. Bajar o disminuir una cosa o consumirse una parte de ella. Ú. t. c. prnl. ‖ **2.** tr. Hacer que algo disminuya o quitar a uno parte de cierta cantidad que le corresponde. MERMAR *la paga, la ración.*

mermelada. (Del port. *marmelada*.) f. Conserva de membrillos o de otras frutas, con miel o azúcar. ‖ **brava mermelada.** expr. fig. y fam. p. us. con que se tacha de despropósito una cosa mal hecha o mal dicha.

mero¹. m. Pez teleósteo marino, del suborden de los acantopterigios, que llega a tener un metro de largo; cuerpo casi oval, achatado, de color amarillento oscuro por el lomo y blanco por el vientre; cabeza grande, algo rojiza; boca armada de muchos dientes, agallas con puntas en el margen y guarnecidas de tres aguijones, once radios espinosos en la aleta dorsal, y cola robusta. Vive principalmente en el Mediterráneo, y su carne es considerada como una de las más delicadas.

mero², ra. (Del lat. *merus*.) adj. Puro, simple y que no tiene mezcla de otra cosa. Se usa hoy en sentido moral e intelectual. ‖ **2.** Insignificante, sin importancia. ‖ **3.** V. **mero imperio.**

merode. (Del fr. dialect. *méraude,* fr. *maraud,* hombre despreciable.) m. ant. Acción y efecto de merodear.

merodeador, ra. adj. Que merodea. Ú. t. c. s.

merodear. (De *merode*.) intr. *Mil.* Apartarse algunos soldados del cuerpo en que marchan, a ver qué pueden coger o robar en los caseríos y en el campo. ‖ **2.** Por ext., vagar por el campo cualquier persona o cuadrilla, viviendo de lo que coge o roba. ‖ **3.** Por ext., vagar por las inmediaciones de algún lugar, en general con malos fines.

merodeo. m. Acción y efecto de merodear.

merodista. com. p. us. Persona que merodea.

merolico. m. *Méj.* Vendedor callejero, especialmente de remedios medicinales, que atrae a los transeúntes gracias a su verborrea. ‖ **2.** fig. *Méj.* Parlanchín, hablador.

merovingio, gia. adj. Perteneciente a la familia o a la dinastía de los primeros reyes de Francia, el tercero de los cuales fue Meroveo. Aplicado a los reyes de esta dinastía, ú. t. c. s. *Los* MEROVINGIOS.

merquén. (Del arauc. *medquén*, molido.) m. *Chile.* Ají con sal que se lleva preparado para condimentar la comida durante los viajes.

meruéndano. m. *Ast.* y *León.* Fresa silvestre. ‖ **2.** Fruto de esta planta.

mes. (Del lat. *mensis*.) m. Cada una de las doce partes en que se divide el año. ‖ **2.** Número de días consecutivos desde uno señalado hasta otro de igual fecha en el **mes** siguiente. *Se le han dado dos* MESES *de término, contados desde el 15 de mayo.* ‖ **3.** Menstruo de las mujeres. ‖ **4.** Sueldo de un **mes.** ‖ **anomalístico.** *Astron.* Tiempo que pasa desde que la Luna está en su apogeo hasta que vuelve a él. Este **mes** es algo mayor que el periódico. ‖ **apostólico.** Cada uno de aquellos en que tocaba a la dataría romana la presentación de los beneficios y prebendas eclesiásticas de España, antes de que, por el concordato celebrado en 1753 con la corte de Roma, pasara al rey este derecho. ‖ **del obispo. mes ordinario.** ‖ **del rey. mes apostólico.** ‖ **lunar periódico.** *Astron.* Tiempo que invierte la Luna en dar una vuelta completa alrededor de la Tierra. ‖ **lunar sinódico.** *Astron.* Tiempo que gasta la Luna desde una conjunción con el Sol hasta la conjunción siguiente. Este es el que absolutamente se llama **mes** lunar o lunación, por ser manifiesto y algo mayor que el **mes** periódico. ‖ **mayor.** El último del embarazo de la mujer. ‖ **ordinario.** Aquel en que correspondía al ordinario la presentación de las prebendas y beneficios eclesiásticos. ‖ **solar astronómico.** *Astron.* Tiempo que gasta el Sol en recorrer con su movimiento propio aparente un signo del Zodiaco. ‖ **meses mayores.** Los últimos del embarazo de la mujer. ‖ **2.** Entre labradores, los anteriores e inmediatos a la cosecha. ‖ **caer** uno **en el mes del obispo.** fr. fig. y fam. Llegar a tiempo oportuno para lograr lo que deseaba.

mesa. (Del lat. *mensa*.) f. Mueble, por lo común de madera, que se compone de una o de varias tablas lisas sostenidas por uno o varios pies, y que sirve para comer, escribir, jugar u otros usos. ‖ **2.** En lo místico, acto de recibir los fieles la Eucaristía. ‖ **3.** En las asambleas políticas, colegios electorales y otras corporaciones, conjunto de personas que las dirigen con diferentes cargos, como los de presidente, secretario, etc. ‖ **4.** p. us. En las secretarías y oficinas, conjunto de negocios que pertenecen a un oficial. *Juan tiene la* MESA *de la infantería; Pedro está en la* MESA *de la casa real.* ‖ **5.** Terreno elevado y llano, de gran extensión, rodeado de valles o barrancos. ‖ **6.** Porción horizontal de la escalera de un edificio, meseta. ‖ **7.** En jardinería, macizos densos de arrayán, boj, etc., cortados horizontalmente a poca altura del suelo. ‖ **8.** Cúmulo de las rentas de las iglesias, prelados y dignidades, o de las órdenes militares. ‖ **9.** Plano principal del labrado de las piedras preciosas, que, al engastarlas, ocupa la parte más visible. ‖ **10.** Cualquiera de los planos que tienen las hojas de las armas blancas. ‖ **11.** Cada uno de los dos largueros que forman la armazón del ingenio del encuadernador. ‖ **12.** Partida del juego de trucos o de billar. ‖ **13.** Tanto que se paga por ella, en estos y otros juegos. ‖ **14.** fig. Comida o alimento que cada día toma una persona. ‖ **camilla.** La armada con bastidores y tarima para el brasero. ‖ **de altar. altar** donde se coloca el ara. ‖ **de batalla.** En las oficinas de correos, la que sirve para clasificar y distribuir las cartas. ‖ **de cambios. banco de comercio.** ‖ **de estado.** Aquella en que por cuenta del rey se servía la comida a los caballeros de su servidumbre y otros personajes. ‖ **de gallegos.** fig. y fam. **mesa gallega.** ‖ **de guarnición.** *Mar.* Especie de plataforma que se coloca en los costados de los buques, frente a cada uno de los tres palos principales, y en la que se afirman las tablas de jarcia respectivas. ‖ **de la vaca.** desus. En el juego, partido inferior donde hay otro de mayor cantidad o autoridad. ‖ **de lavar.** *Min.* Tablero

inclinado y con borde en tres de sus lados, en el cual se coloca el mineral para separar de él la ganga por medio de una corriente de agua que entra por la parte superior. ‖ **del pellejo.** *Chile.* **mesa** separada a la que se sienta la gente joven o de confianza. ‖ **del Sol.** ant. **zona tórrida.** ‖ **de luz.** *Argent.* **mesa de noche.** ‖ **de milanos.** fig. y fam. Aquella en que siempre falta o es muy escasa la comida. ‖ **de noche.** Mueble pequeño, con cajones, que se coloca al lado de la cama, para los servicios necesarios. ‖ **franca.** Aquella en que se da de comer a todos cuantos llegan, sin distinción de personas. ‖ **gallega.** fig. y fam. Aquella en que falta pan de trigo. ‖ **maestral.** En las órdenes militares, encomienda respectiva al maestre o a cualquier ciudad, villa o pertenencia suya. ‖ **redonda.** La que no tiene ceremonia, preferencia o diferencia en los asientos. ‖ **2.** La que en fondas, paradores, etc., estaba dispuesta para los que llegaban a comer a cierta hora por un precio determinado. ‖ **3.** fig. Grupo de personas versadas en determinada materia que se reúnen para confrontar sus opiniones sin diferencia de jerarquía entre los participantes. ‖ **revuelta.** Dibujo o trabajo caligráfico en que se representan varios objetos en estudiado desorden. ‖ **traviesa.** La que en el refectorio y sala de juntas de una comunidad está en el testero, y es donde se sientan los superiores. ‖ **2.** fig. Conjunto de los que se sientan en ella. ‖ **media, o segunda, mesa.** La redonda que, a precio más reducido que el de la principal, solía haber en algunas fondas o casas de comidas. ‖ **alzar la mesa.** fr. fig. y fam. **quitar la mesa.** ‖ **a mesa puesta.** loc. adv. Sin trabajo, gasto ni cuidado. Ú. m. con los verbos *estar, venir, vivir,* etc. ‖ **cubrir la mesa.** fr. fig. p. us. Poner por orden en ella las viandas o platos que se sirven. *En el banquete se* CUBRIÓ *dos veces* LA MESA. ‖ **dar** uno **la mesa,** o **mesa,** a otro. fr. Darle asiento en su **mesa,** para que le acompañe a comer. ‖ **dejar** a uno **debajo de la mesa.** fr. fig. y fam. u. Empezar a comer antes y esperar a que llegue. ‖ **de sobre mesa.** loc. adj. y adv. **de sobremesa.** ‖ **estar** uno **a mesa y mantel de** otro. fr. Comer diariamente con él y a su costa. ‖ **hacer mesa gallega.** fig. Llevarse todo el dinero del contrario en el juego. ‖ **levantar la mesa.** fr. fig. **quitar la mesa.** ‖ **levantarse** uno **de la mesa.** fr. Abandonar el sitio que ocupa en la **mesa** de comer. ‖ **poner la mesa.** fr. Cubrirla con los manteles, poniendo sobre ellos los cubiertos y demás utensilios necesarios para comer. ‖ **quitar** o **recoger la mesa.** fr. fig. Retirar de la **mesa,** después de comer, los restos de la comida y los utensilios empleados en ella. ‖ **sentarse** uno **a la mesa.** fr. Sentarse, para comer, junto a la **mesa** destinada al efecto. ‖ **servir la mesa.** fr. Asistir a los comensales llevando y repartiendo las comidas y bebidas. ‖ **sobre mesa.** loc. adv. **de sobre mesa.** ‖ **tener** a uno **a mesa y mantel.** fr. fig. Darle diariamente de comer.

mesada. (De *mes* y *-ada*.) f. Porción de dinero u otra cosa que se da o paga todos los meses. ‖ **de supervivencia.** Haber pasivo, fijado tradicionalmente en dos pagas y elevado luego en algunos casos hasta cinco del sueldo mensual del causante, para las familias de los funcionarios que no dejan otro derecho a pensión. ‖ **eclesiástica.** Derecho o regalía que la Corona cobraba en las Indias cada vez que presentaba eclesiásticamente para un beneficio, calculando los ingresos de un mes por los del quinquenio anterior, y cobrándola transcurrido un cuatrienio desde la toma de posesión.

mesadura. f. Acción de mesar o mesarse.

mesalina. (Por alusión a *Mesalina,* esposa de Claudio, emperador romano.) f. fig. Mujer poderosa o aristócrata y de costumbres disolutas.

mesana. (Del it. *mezzana*.) amb. *Mar.* El mástil que está más a popa en el buque de tres palos. ‖ **2.** f. *Mar.* Vela que va contra este mástil envergada en un cangrejo.

mesar. (Del lat. vulg. *messāre*, der. de *metĕre*, segar, cercenar.) tr. Arrancar los cabellos o barbas con las manos. Ú. m. c. prnl.

mesaraico, ca. (der. mod. del gr. μεσαραϊκός, del mesenterio.) adj. **mesentérico.**

mesareico, ca. adj. **mesaraico.**

mescabar. tr. ant. Disminuir o estropear, menoscabar.

mescabo. m. ant. Disminución o daño, menoscabo.

mesclador, ra. (De *mesclar*.) adj. ant. El que mescla o calumnia. Usáb. t. c. s.

mesclamiento. (De *mesclar*.) m. ant. Acción y efecto de mesclar.

mesclar. (Del lat. vulg. **misculāre*.) tr. ant. **mezclar.** Usáb. t. c. prnl. ‖ **2.** ant. Atribuir falsamente a uno algo deshonroso, calumniar.

mescolanza. (Del it. *mescolanza*.) f. fam. **mezcolanza.**

mese. f. ant. **mies.**

meseguería. (De *meseguero*.) f. Guarda de las mieses. ‖ **2.** Repartimiento que se hace entre los labradores para pagar la guarda de las mieses. ‖ **3.** Tanto que a cada uno de ellos corresponde.

meseguero, ra. (Del lat. **messicarĭus*, de *messis*, mies.) adj. Perteneciente o relativo a las mieses. ‖ **2.** m. El que guarda las mieses. ‖ **3.** *Ar.* El que guarda las viñas.

mesentérico, ca. adj. Perteneciente o relativo al mesenterio.

mesenterio. (Del gr. μεσεντέριον.) m. *Anat.* Repliegue del peritoneo, formado principalmente por tejido conjuntivo que contiene numerosos vasos sanguíneos y linfáticos y que une el estómago y el intestino con las paredes abdominales. En él se acumula a veces una enorme cantidad de células adiposas.

mesero[1]. (De *mes*.) m. El que después de haber salido de aprendiz de un oficio se ajusta con el maestro a trabajar, dándole este de comer y pagándole por meses.

mesero[2], **ra.** (De *mesa*.) m. y f. *Col.*, *Chile*, *Ecuad.*, *Guat.* y *Méj.* Camarero o camarera de café o restaurante.

meseta. (d. de *mesa*.) f. Porción de piso horizontal en que termina un tramo de escalera. ‖ **2.** Planicie extensa situada a considerable altura sobre el nivel del mar. ‖ **del toril.** En las plazas de toros, lugar llano sobre el chiquero, y localidades correspondientes a él.

mesiado. m. p. us. Dignidad de Mesías.

mesiánico, ca. adj. Perteneciente o relativo al Mesías o al mesianismo.

mesianismo. m. Doctrina relativa al Mesías. ‖ **2.** fig. Confianza inmotivada o desmedida en un agente bienhechor que se espera.

mesías. (Del lat. *Messīas*, y este del hebr. *masîh*, ungido.) n. p. m. El Hijo de Dios, Salvador y Rey descendiente de David, prometido por los profetas al pueblo hebreo. ‖ **2.** m. fig. Sujeto real o imaginario en cuyo advenimiento hay puesta confianza inmotivada o desmedida. ‖ **esperar** uno **al Mesías.** fr. fig. Esperar a una persona que ya llegó. Dícese por alusión a los judíos, que no reconocen al **Mesías** en Jesucristo.

mesiazgo. m. p. us. Dignidad de Mesías.

mesidor. (Del fr. *messidor*.) m. Décimo mes del calendario republicano francés, cuyos días primero y último coincidían, respectivamente, con el 19 de junio y el 18 de julio.

mesilla. f. d. de **mesa.** ‖ **2. mesa de noche.** ‖ **3.** Porción diaria de dinero que daba el rey a sus criados cuando estaban en jornada, en lugar de darles mesa de estado. ‖ **4.** fig. Reprensión dada a uno, advirtiéndole de un yerro o falta con poca seriedad o por modo de chanza. Se usaba en los colegios de las universidades. ‖ **5.** *Arq.* Porción horizontal de la escalera de un edificio, meseta. ‖ **6.** *Arq.* Losa que se sienta en la parte superior de los antepechos de las ventanas y encima de las balaustradas. ‖ **7.** *Arq.* V.

alero de mesilla. ‖ **corrida.** *Arq.* Mesa de escalera, que está entre dos tramos cuyas direcciones son paralelas. ‖ **de noche. mesa de noche.** ‖ **quebrantada.** *Arq.* La que está entre dos tramos contiguos de escalera, y es generalmente cuadrada.

mesillo. (d. de *mes*.) m. Primer menstruo de las mujeres después del parto.

mesingo, ga. adj. *Sal.* Débil, delicado. ‖ **2.** *Sal.* Que afecta demasiada delicadeza, melindroso.

mesita. f. d. de **mesa.** ‖ **de noche. mesa de noche.**

mesmedad. (De *mesmo*.) f. fam. Naturaleza, virtualidad. Solo se ha usado en la locución pleonástica **por su misma mesmedad,** para dar a entender que tal o cual cosa llegará natural y necesariamente a determinado fin, sin ayuda ni intervención de nadie.

mesmerismo. m. Doctrina del magnetismo animal, expuesta en la segunda mitad del siglo XVIII por el médico alemán Mesmer.

mesmo, ma. (Del lat. vulg. **medipsĭmus*.) adj. ant. y fam. **mismo.** ‖ **eso mesmo.** ant. También, igualmente, del mismo modo.

mesnada. (Del lat. **mansionāta*, p. p. de **mansionāre*, alojar.) f. Compañía de gente de armas que antiguamente servía bajo el mando del rey o de un ricohombre o caballero principal. ‖ **2.** fig. Compañía, junta, congregación.

mesnadería. f. Sueldo del mesnadero.

mesnadero. m. adj. V. **caballero mesnadero.** ‖ **2.** m. El que servía en la mesnada.

mesoamericano, na. adj. Perteneciente o relativo a Mesoamérica, región que los americanistas distinguen como de altas culturas, y cuyos límites se encuentran entre una línea que corre al norte de la capital de la República de Méjico, y otra que corta América Central por Honduras y Nicaragua.

mesocarpio. (Del gr. μέσος, medio, y καρπός, fruto.) m. *Bot.* Capa media de las tres que forman el pericarpio de los frutos; como la parte carnosa del melocotón.

mesocefalia. f. Cualidad de mesocéfalo.

mesocéfalo. (Del gr. μέσος, medio, y κεφαλή, cabeza.) adj. Dícese de la persona cuyo cráneo tiene las proporciones intermedias entre la braquicefalia y la dolicocefalia.

mesocracia. (Del gr. μέσος, medio, y *-cracia*.) f. Forma de gobierno en que la clase media tiene preponderancia. ‖ **2.** fig. Clase social acomodada, burguesía.

mesocrático, ca. adj. Perteneciente o relativo a la mesocracia.

mesodérmico, ca. adj. Perteneciente o relativo al mesodermo.

mesodermo. (Del gr. μέσος, medio, y δέρμα, piel.) m. *Biol.* La capa u hoja media de las tres en que se disponen las células del blastodermo después de haberse efectuado la segmentación.

mesón[1]. (Del lat. *mansĭo, -ōnis,* con infl. del fr. *maison.*) m. Hospedaje público donde por dinero se da albergue a viajeros, caballerías y carruajes. ‖ **2.** Modernamente, establecimiento típico, donde se sirven comidas y bebidas. ‖ **estar** una casa **como mesón,** o **parecer un mesón.** fr. Tener concurrencia extraordinaria de huéspedes o gentes extrañas.

mesón[2]. (Del gr. μέσος, medio, y *-ón*[2].) m. *Fís.* Cada una de las partículas efímeras producidas en ciertas reacciones nucleares, con masa intermedia entre el electrón y el nucleón.

mesonaje. m. p. us. Sitio o calle en que hay muchos mesones.

mesonero, ra. adj. Perteneciente o relativo al mesón. ‖ **2.** m. y f. Persona que posee o tiene a su cargo un mesón.

mesonil. adj. Relativo o perteneciente al mesón o al mesonero.

mesonista. adj. Perteneciente o relativo al mesón.

mesoterapia. (Del gr. μέσος, medio, por practicarse en el mesodermo, y *terapia.*) f. *Med.* Tratamiento de las enfermedades mediante múltiples inyecciones intradérmicas, de pequeñas dosis de distintos medicamentos, practicadas en la región afecta.

mesotórax. (Del gr. μέσος, medio, y θώραξ, pecho.) m. *Anat.* Parte media del pecho. ‖ **2.** *Zool.* Segmento medio del tórax de los insectos.

mesotrofia. (Del gr. μέσος, medio, y la raíz τροφ-, de τροφή, alimento.) f. *Ecol.* Propiedad de las aguas de lagos con poca transparencia y escasa profundidad, que no son ni oligotróficos ni eutróficos.

mesotrófico, ca. adj. *Ecol.* Perteneciente o relativo a la mesotrofia.

mesozoico, ca. (Del gr. μέσος, medio, ζῷον, animal, e *-ico.*) adj. *Geol.* Se aplica a los períodos geológicos triásico, jurásico y cretácico Ú. t. c. s. ‖ **2. secundario,** período geológico.

mesquino, na. adj. ant. **mezquino.**

Mesta. (Del lat. *mixta,* p. p. de *miscēre,* mezclar.) n. p. f. Agregado o reunión de los dueños de ganados mayores y menores, que cuidaban de su crianza y pasto, y vendían para el común abastecimiento. ‖ **2. Concejo de la Mesta.** ‖ **3.** V. **alcalde de la Mesta.**

mestal. m. Sitio poblado de mestos y otros arbustos.

mestenco, ca. (De *mesta* y *-enco.*) adj. ant. Que no tiene señor o amo conocido.

mestengo, ga. adj. ant. Dícese de los animales mesteños.

mesteño, ña. adj. Perteneciente o relativo a la Mesta. ‖ **2.** Que no tiene señor o amo conocido; dícese especialmente de caballos y reses vacunas. ‖ **3.** Dícese de los animales cerriles.

mester. m. ant. **menester.** Ú. en Salamanca. ‖ **2.** ant. Arte, oficio. ‖ **de clerecía.** Género de literatura cultivado por los clérigos o personas doctas de la Edad Media, por oposición al **de juglaría.** Poesía de los juglares o cantores populares en la Edad Media.

mesticia. (Del lat. *maestitīa.*) f. p. us. Aflicción, pena, tristeza.

mestizaje. m. Cruzamiento de razas diferentes. ‖ **2.** Conjunto de individuos que resultan de este cruzamiento. ‖ **3.** fig. Mezcla de culturas distintas, que da origen a una nueva.

mestizar. (De *mestizo.*) tr. Mezclar las castas por el ayuntamiento o cópula de individuos que no pertenecen a una misma.

mestizo, za. (Del lat. tardío *mixtīcius,* mixto, mezclado.) adj. Aplícase a la persona nacida de padre y madre de raza diferente, y con especialidad al hijo de hombre blanco e india, o de indio y mujer blanca. Ú. t. c. s. ‖ **2.** Aplícase al animal o vegetal que resulta de haberse cruzado dos razas distintas. ‖ **3.** fig. Aplícase a la cultura, hechos espirituales, etc., provenientes de la mezcla de culturas distintas.

mesto¹, ta. (Del lat. *mixtus,* mixto.) adj. p. us. Mezclado, mixto. ‖ **2.** *Ast.* Espeso, sucio. ‖ **3.** m. Vegetal mestizo, producto del alcornoque y la encina, parecido al primero en la corteza y a la segunda en el aspecto. ‖ **4. rebollo,** árbol. ‖ **5. aladierna.** ‖ **6.** *Ál.* Mezcla de varias semillas, como habas, yeros, titos, etc. ‖ **7.** *Ast.* Pan hecho de harina mal cernida. ‖ **8.** pl. Aguas reunidas de varias corrientes.

mesto², ta. (Del lat. *maestus.*) adj. p. us. Triste, afligido.

mestrual. adj. ant. **menstrual.**

mestruo. m. ant. **menstruo.**

mestuerzo. m. ant. **mastuerzo.**

mestura. (Del lat. *mixtūra.*) f. ant. **mezcla.** ‖ **2.** *Ar.* Trigo mezclado con centeno.

mesturar. (De *mestura.*) tr. ant. **misturar.** ‖ **2.** ant. Revelar, descubrir o publicar uno el secreto que se le ha confiado. ‖ **3.** ant. Denunciar o delatar.

mesturero, ra. (De *mesturar.*) adj. ant. Que descubría, revelaba o publicaba el secreto que se le había confiado o debía guardar. Usáb. t. c. s. ‖ **2.** Cizañero, chismoso.

mesura. (Del lat. *mensūra,* medida.) f. Gravedad y compostura en la actitud y el semblante. ‖ **2.** Reverencia, cortesía, demostración exterior de sumisión y respeto. ‖ **3.** Moderación, comedimiento. ‖ **4.** ant. Virtud de la templanza. ‖ **5.** ant. **medida.**

mesuradamente. adv. m. Poco a poco; con circunspección y prudencia.

mesurado, da. p. p. de **mesurar.** ‖ **2.** adj. Mirado, moderado, modesto, circunspecto. ‖ **3.** Reglado, templado o parco. ‖ **4.** ant. Proporcionado, arreglado de modo que nada le sobra ni le falta. ‖ **5.** ant. De calidad intermedia.

mesuramiento. (De *mesurar.*) m. ant. Mesura, moderación.

mesurar. (Del lat. *mensūrāre.*) tr. Infundir mesura. ‖ **2.** ant. Determinar la dimensión, medir. Ú. en Ecuador. ‖ **3.** ant. fig. Pensar una cosa con atención, considerar. ‖ **4.** prnl. Contenerse, moderarse.

meta¹. (Del lat. *meta.*) f. Pilar cónico que señalaba en el circo romano cada uno de los dos extremos de la espina. ‖ **2.** Término señalado a una carrera. ‖ **3.** En fútbol y otros juegos, portería. ‖ **4.** fig. Fin a que se dirigen las acciones o deseos de una persona. ‖ **5.** m. *Dep.* Portero, jugador que defiende la **meta.**

meta². f. *Cantabria.* Fresa silvestre, metra, mayueta.

meta-. (Del gr. μετα-.) elem. compos. que significa «junto a», «después de», «entre» o «con»: META*centro,* META*tórax.*

metabólico, ca. adj. *Biol.* Perteneciente o relativo al metabolismo.

metabolismo. (Del gr. μεταβολή, cambio, e *-ismo.*) m. *Fisiol.* Conjunto de reacciones químicas que efectúan constantemente las células de los seres vivos con el fin de sintetizar sustancias complejas a partir de otras más simples, o degradar aquellas para obtener otras. ‖ **basal. metabolismo** de un organismo en reposo y en ayunas.

metacarpiano, na. adj. Perteneciente o relativo al metacarpo. ‖ **2.** Dícese de cada uno de los cinco huesos del metacarpo. Ú. t. c. s.

metacarpo. (De *meta-* y el gr. καρπός, muñeca.) m. *Anat.* Conjunto de varios huesos largos que forman parte del esqueleto de los miembros anteriores de los batracios, reptiles y mamíferos y están articulados con los del carpo por uno de sus extremos y con las falanges de los dedos de la mano por el otro. En el hombre constituye el esqueleto de la parte de la mano comprendida entre la muñeca y los dedos y está formado por cinco huesos.

metacéntrico, ca. adj. Perteneciente o relativo al metacentro.

metacentro. (De *meta-* y *centro.*) m. En un cuerpo simétrico flotante, punto en que la vertical que pasa por el centro de empuje de las aguas, corta, cuando aquel se inclina un poco, a la dirección que toma en tal caso la línea que pasaba por los centros de gravedad y de presión, y que era vertical cuando el cuerpo estaba en reposo y adrizado. Cuando el **metacentro** está más alto que el centro de gravedad, el equilibrio es estable.

metacrilato. (De *meta-* y *acrilato.*) m. Producto de polimerización del ácido acrílico o de sus derivados. Es un sólido transparente, rígido y resistente a los agentes atmosféricos, y uno de los materiales plásticos más utilizados.

metad. f. ant. **mitad.**

metafísica. (Del gr. tardío μετὰ [τά] φυσικά, después de [los libros] físicos, designación que se aplicó en la ordenación de las obras de Aristóteles a los libros de la filosofía primera.) f. Parte de la filosofía que trata del ser en cuanto tal, y de sus propiedades, principios y causas primeras. ‖ **2.** fig. Modo de discurrir con demasiada sutileza en cualquier materia. ‖ **3.** fig. Lo que así se discurre.

metafísicamente. adv. m. De modo metafísico.

metafísico, ca. adj. Perteneciente o relativo a la metafísica. ‖ **2.** V. **imposibilidad metafísica.** ‖ **3.** fig. Oscuro y difícil de comprender. ‖ **4.** m. y f. Persona que profesa la metafísica.

metafonía. (De *meta-*, el gr. φωνή, voz, e *-ia*.) f. *Fon.* Cambio de timbre que la vocal tónica sufre por influjo de la vocal final o de un sonido vecino.

metáfora. (Del lat. *metaphŏra*, y este del gr. μεταφορά, traslación.) f. *Ret.* Tropo que consiste en trasladar el sentido recto de las voces a otro figurado, en virtud de una comparación tácita; v. gr.: *Las perlas del rocío; la primavera de la vida; refrenar las pasiones.* ‖ **continuada.** *Ret.* Alegoría en que unas palabras se toman en sentido recto y otras en sentido figurado.

metafóricamente. adv. m. De manera metafórica; por medio de metáfora.

metafórico, ca. (Del gr. μεταφορικός.) adj. Concerniente a la metáfora, que la incluye o contiene, o que abunda en tropos de esta clase.

metaforizar. tr. Usar metáforas o alegorías.

metagoge. (Del gr. μεταγωγή, traslación.) f. *Ret.* Tropo, especie de metáfora, que consiste en aplicar voces significativas de cualidades o propiedades de seres vivos a cosas inanimadas; como *reírse el campo.*

metal¹. (Del fr. *métal*, o cat. *metall*.) m. *Quím.* Cada uno de los elementos químicos buenos conductores del calor y de la electricidad, con un brillo característico, y sólidos a temperatura ordinaria, salvo el mercurio. Sus sales en disolución forman iones electropositivos (cationes). ‖ **2.** Nombre aplicado a los instrumentos de música construidos de esta materia. ‖ **3.** Azófar o latón. ‖ **4.** fig. Timbre de la voz. ‖ **5.** fig. Calidad o condición de una cosa. *Eso es de otro* METAL. ‖ **6.** *Blas.* Oro o plata, que respectivamente suelen representarse con los colores amarillo y blanco. ‖ **blanco.** Aleación de color, brillo y dureza semejantes a los de la plata, que ordinariamente se obtiene mezclando cobre, níquel y cinc. ‖ **campanil.** Bronce de campanas. ‖ **de imprenta.** Aleación, generalmente compuesta de cuatro partes de plomo y una de antimonio, que se usa para los caracteres de imprenta y planchas de estereotipia. ‖ **machacado.** *Min.* Oro o plata nativos que en hojas delgadas suelen hallarse entre las rocas de los filones. ‖ **precioso.** El oro, la plata y el platino. ‖ **noble.** *Quím.* El que no se oxida y permanece virtualmente inalterable; como el oro, el platino y el iridio. ‖ **acostarse el metal.** fr. *Min.* **acostarse la vena.** ‖ **el vil metal.** loc. fam. El dinero.

metal². m. ant. **metical,** moneda antigua marroquí.

metalado, da. (De *metal¹*.) adj. ant. De metal. ‖ **2.** fig. Mezclado, impuro.

metalario. (Del lat. *metallarĭus*.) m. p. us. **metalero.**

metalenguaje. (De *meta-* y *lenguaje*.) m. *Ling.* El lenguaje cuando se usa para hablar del lenguaje mismo; v. gr.: *«palabra» tiene tres sílabas.*

metalepsis. (Del gr. μετάληψις, cambio.) f. *Ret.* Tropo, especie de metonimia, que consiste en tomar el antecedente por el consiguiente, o al contrario. Por esta figura se traslada a veces el sentido, no de una sola palabra, como por la metonimia, sino de toda una oración; v. gr.: *Acuérdate de lo que me ofreciste,* por *cúmplelo.*

metalero, ra. adj. *Chile.* Perteneciente o relativo a los metales. *Saco* METALERO. ‖ **2.** m. Artífice que trata y trabaja en metales.

metálica. (De *metálico.*) f. desus. Arte de beneficiar los minerales y de extraer los metales que estos contienen, metalurgia.

metálico, ca. (Del lat. *metallĭcus*, y este del gr. μεταλλικός.) adj. De metal o perteneciente a él. ‖ **2.** Perteneciente a medallas. *Historia* METÁLICA. ‖ **3.** V. **arte, moneda metálica.** ‖ **4.** V. **barómetro metálico.** ‖ **5.** *Geom.* V. **línea metálica.** ‖ **6.** m. Artífice que trata o trabaja en metales. ‖ **7.** Dinero en oro, plata, cobre u otro metal, esto es, en su propia especie, a diferencia del papel moneda. ‖ **8.** Dinero en general.

metalífero, ra. (Del lat. *metallĭfer, -ĕra*.) adj. Que contiene metal.

metalingüísticamente. adv. m. De modo metalingüístico.

metalingüístico, ca. adj. Perteneciente o relativo al metalenguaje.

metalino, na. adj. ant. De metal.

metalista. (De *metal¹*.) com. Artífice que trabaja en metales.

metalistería. f. Arte de trabajar en metales.

metalización. f. Acción y efecto de metalizar o metalizarse.

metalizado, da. p. p. de **metalizar.** ‖ **2.** adj. fig. Dícese de la persona que sobrepone el dinero a cualquier otro bien. Ú. t. c. s.

metalizar. tr. *Quím.* Hacer que un cuerpo adquiera propiedades metálicas. ‖ **2.** Recubrir o impregnar de metal un objeto. ‖ **3.** prnl. Convertirse una cosa en metal, o impregnarse de él. ‖ **4.** fig. Aficionarse excesivamente al dinero.

metaloide. (De *metal* y *-oide*.) m. *Quím.* Elemento químico que presenta características externas de un metal, pero se comporta químicamente de modo indistinto, como metal o como elemento no metálico; v. gr.: el arsénico y el antimonio.

metaloterapia. (Del gr. μέταλλον, metal, y *terapia*.) f. *Med.* Aplicación terapéutica externa de los metales.

metalurgia. (Del gr. μεταλλουργός, minero, e *-ia*.) f. Arte de beneficiar los minerales y de extraer los metales que contienen, para ponerlos en disposición de ser elaborados. ‖ **2.** Ciencia que estudia las propiedades de los metales. ‖ **3.** Conjunto de industrias, en particular las pesadas, dedicadas a la elaboración de metales.

metalúrgico, ca. adj. Perteneciente o relativo a la metalurgia. ‖ **2.** m. y f. Persona que trabaja en la metalurgia, o se dedica a su estudio.

metalurgista. com. p. us. Persona que profesa la metalurgia.

metalla. (Del lat. *metalla*, metales, a través del cat.) f. Pedazos pequeños de oro con que los doradores sanean en el dorado las partes que quedan descubiertas.

metamatemática. (De *meta-* y *matemática*.) f. Teoría lógica formal de las pruebas en matemáticas.

metamórfico, ca. adj. *Geol.* Dícese del mineral o de la roca en que ha habido metamorfismo.

metamorfismo. (De *meta-*, el gr. μορφή, forma, e *-ismo*.) m. *Geol.* Transformación natural ocurrida en un mineral o en una roca después de su consolidación primitiva.

metamorfosear. (De *metamorfosis*.) tr. **transformar.** Ú. t. c. prnl.

metamorfóseos. m. desus. **metamorfosis.**

metamorfosi. f. p. us. **metamorfosis.**

metamorfosis. (Del lat. *metamorphōsis*, y este del gr. μεταμόρφωσις, transformación.) f. Transformación de una cosa en otra. ‖ **2.** fig. Mudanza que hace una persona o cosa de un estado a otro; como de la avaricia a la liberalidad, de la pobreza a la riqueza. ‖ **3.** *Zool.* Cambio que experimentan muchos animales durante su desarrollo, y que se manifiesta no solo en la variación de forma, sino también en las funciones y en el género de vida. Llámase **sencilla** cuando la forma del animal se mantiene constante, pero adquiere nuevos órganos, como las alas en los grillos; **complicada,** cuando la forma del animal al nacer no tiene ningún parecido con la de su estado adulto, como en las mariposas.

metano. (De *met*[*ilo*] y *-ano²*.) m. *Quím.* Hidrocarburo gaseoso e incoloro, producido por la descomposición de sustancias vegetales, y que se desprende del cieno de algunos pantanos, del fondo de las minas de carbón de piedra, etc. Mezclado con el aire, es inflamable.

metaplasmo. (Del lat. *metaplasmos,* y este del gr. μεταπλασμός, transformación.) m. *Gram.* Nombre genérico de las figuras de dicción.

metapsíquica. (De *meta-* y el gr. ψυχική, t. f. de *-κός,* psíquico.) f. *Fil.* Estudio de los fenómenos que exceden de los límites de la conciencia normal y común, de los que hasta ahora no se ha dado una explicación satisfactoria. Hoy se prefiere el nombre de parapsicología.

metástasis. (Del gr. μετάστασις, cambio de lugar.) f. *Pat.* Reproducción de un padecimiento en órganos distintos de aquel en que se presentó al principio, con desaparición o no de su manifestación primera.

metatarsiano, na. adj. Perteneciente o relativo al metatarso. ‖ **2.** Dícese de cada uno de los cinco huesos del metatarso. Ú. t. c. s.

metatarso. (De *meta-* y el gr. ταρσός, tarso.) m. *Anat.* Conjunto de huesos largos que forman parte de las extremidades posteriores de los batracios, reptiles y mamíferos, y que por un lado están articulados con el tarso y por el otro con las falanges de los dedos del pie. En el hombre está formado por cinco huesos, y constituye el esqueleto de la planta del pie.

metate. (Del nahua *metatl.*) m. Piedra sobre la cual, arrodilladas, molían ordinariamente las mujeres del pueblo en Méjico y Guatemala, con un cilindro, también de piedra, el maíz y otros granos. Se usaba en España para hacer el chocolate a brazo.

metátesis. (Del lat. *metathěsis,* y este del gr. μετάθεσις, trasposición.) f. *Gram.* Cambio de lugar de algún sonido en un vocablo, como en *perlado* por *prelado.* Era figura de dicción, según la preceptiva tradicional.

metatizar. (De *metát*[*esis*] e *-izar.*) tr. Pronunciar o escribir una palabra cambiando de lugar uno o más de sus sonidos o letras.

metatórax. (De *meta-* y *tórax.*) m. *Zool.* Parte del tórax de los insectos situada entre el mesotórax y el abdomen.

metazoo. (De *meta-* y *-zoo.*) adj. *Zool.* Dícese de los animales cuyo cuerpo está constituido por muchísimas células diferenciadas y agrupadas en forma de tejidos, órganos y aparatos; como los vertebrados, los moluscos y los gusanos. Ú. t. c. s. m. ‖ **2.** m. pl. *Zool.* Subreino de estos animales.

meteco. (Del gr. μέτοικος, extranjero.) adj. En la antigua Grecia, extranjero que se establecía en Atenas y que no gozaba de todos los derechos de ciudadanía. Usáb. t. c. s. ‖ **2.** Extranjero o forastero. Ú. t. c. s.

metedor, ra. m. y f. Persona que mete o incorpora una cosa en otra. ‖ **2.** p. us. Persona que mete contrabando. ‖ **3.** m. Paño de lienzo que solía ponerse debajo del pañal a los niños pequeños. ‖ **4.** *Impr.* Tablero en que se pone el papel que va a imprimirse.

metedura. f. Acción y efecto de meter. ‖ **de pata.** fig. y fam. Acción y efecto de meter la pata.

meteduría. f. p. us. Acción de meter o introducir contrabando.

metempsicosis o **metempsícosis.** (Del lat. *me-* *tempsychōsis,* y este del gr. μετεμψύχωσις.) f. Doctrina religiosa y filosófica de varias escuelas orientales, y renovada por otras de Occidente, según la cual transmigran las almas después de la muerte a otros cuerpos más o menos perfectos, conforme a los merecimientos alcanzados en la existencia anterior.

metemuertos. (De *meter* y *muerto.*) m. Racionista que en los teatros tenía la obligación de retirar los muebles en las mutaciones escénicas. ‖ **2.** fig. p. us. Entremetido, servidor oficioso e impertinente.

metense. adj. Natural del Meta. Ú. t. c. s. ‖ **2.** Perteneciente o relativo a este departamento de Colombia.

meteórico, ca. adj. Perteneciente o relativo a los meteoros. ‖ **2.** V. **piedra meteórica.**

meteorismo. (De *meteoro* e *-ismo.*) m. *Pat.* Abultamiento del vientre por gases acumulados en el tubo digestivo.

meteorito. (De *meteoro* e *-ito².*) m. Fragmento de un bólido que cae sobre la Tierra, aerolito.

meteorización. f. *Agr.* Acción y efecto de meteorizarse la tierra.

meteorizar. tr. Causar meteorismo. ‖ **2.** prnl. *Agr.* Recibir la tierra la influencia de los meteoros. ‖ **3.** *Med.* Padecer meteorismo.

meteoro o **metéoro.** (Del lat. *meteōrus,* y este del gr. μετέωρος, elevado en el aire.) m. Fenómeno atmosférico: aéreo, como los vientos; acuoso, como la lluvia, la nieve; luminoso, como el arco iris, el parhelio, la paraselene; eléctrico, como el rayo y el fuego de Santelmo.

meteorología. (Del gr. μετεωρολογία.) f. Ciencia que trata de la atmósfera y de los meteoros.

meteorológico, ca. (Del gr. μετεωρολογικός.) adj. Perteneciente o relativo a la meteorología o a los meteoros.

meteorologista. com. **meteorólogo.**

meteorólogo, ga. m. y f. Persona que profesa la meteorología o tiene en ella especiales conocimientos.

metepatas. com. Persona que mete la pata; inoportuno, indiscreto.

meter. (Del lat. *mittěre,* soltar, enviar.) tr. Encerrar, introducir o incluir una cosa dentro de otra o en alguna parte. Ú. t. c. prnl. ‖ **2.** p. us. Introducir algún género defraudando las rentas públicas. ‖ **3.** Tratándose de chismes, enredos, etc., promoverlos o levantarlos. ‖ **4.** Con voces como *miedo, ruido,* etc., ocasionar. ‖ **5.** Inducir o mover a uno a determinado fin. *Le* METIÓ *en este negocio, en el cuento.* ‖ **6.** En el juego del hombre, atravesar triunfo. METIÓ *la malilla.* ‖ **7.** En cualquier juego, poner el dinero que se ha de jugar o atravesarlo a la suerte. ‖ **8.** Embeber o encoger en las costuras de una prenda de ropa la tela que sobra, a fin de ajustarla a la medida que se desea. ‖ **9.** Con las palabras *memorial, solicitud,* etc., presentarlos. ‖ **10.** Estrechar o apretar las cosas, colocándolas de modo que en poco espacio quepa más de lo que ordinariamente cabría. METER *el pan en harina;* METER *letra, renglones.* ‖ **11.** Poner o colocar en un lugar una persona o cosa o disponerla en el grado que debe tener. ‖ **12.** ant. Emplear, destinar, dedicar. ‖ **13.** ant. Gastar, invertir. ‖ **14.** fam. Hablando de puñetazos, bofetadas y otros golpes, darlos. ‖ **15.** *Mar.* Dicho de las velas, cargarlas, o cargarlas y aferrarlas. ‖ **16.** prnl. Introducirse en una parte o en una dependencia sin ser llamado. ‖ **17.** Introducirse en el trato y comunicación con una persona, frecuentando su casa y conversación. ‖ **18.** Dejarse llevar con pasión por una cosa o cebarse en ella. METERSE *en los vicios, en enredos, en aventuras.* ‖ **19.** Hablando de ríos y arroyos, desembocar uno en otro o en el mar. ‖ **20.** Arrojarse al contrario o a los enemigos con las armas en la mano. ‖ **21.** En el juego de la cascarela, ceder la polla, conviniéndose a reponerla antes de elegir palo. ‖ **22.** Junto con nombres que significan profesión, oficio o estado, entrar en él. METERSE *fraile, sol-*

dado. ▌ **23.** Con la preposición *a* y algunos nombres que significan condición, estado o profesión, abrazarla, aparentarla o afectarla uno en su porte. METERSE A *labrador,* A *caballero.* ▌ **24.** Con la misma prep., arrogarse alguna capacidad o facultades que no se tienen. METERSE A *juzgar,* A *enseñar,* etc. ▌ **25.** Hablando de un cabo, promontorio o lengua de tierra, o de una ensenada, introducirse en el mar o entrarse este por la tierra. ▌ **a todo meter.** loc. adv. fam. Con gran velocidad o con gran ímpetu y vehemencia. ▌ **estar** uno **muy metido con** una persona. fr. fig. Tener gran intimidad con ella. ▌ **estar** uno **muy metido en** una cosa. fr. fig. Estar muy empeñado en su logro y consecución. ▌ **mete dos y saca cinco.** Acción de **meter** el ratero dos dedos de la mano en la bolsa ajena para robar. ▌ **meter a** uno **con** otro. fr. Ponerlo en su compañía para que lo ayude en el desempeño de sus obligaciones. ▌ **meter un cuento, una mentira, una trola.** fr. fig. Decir algo falso para engañar. ▌ **meterse** uno **con** otro. fr. Armarle camorra; darle motivo de inquietud o censurarlo en su conducta o en sus obras. ▌ **meterse** uno **donde** no lo **llaman, o donde nadie lo llama, o en lo que no le importa, o en lo que no le toca,** o **en lo que no le va ni le viene.** frs. fams. Entremeterse, mezclarse, introducirse uno en lo que no le incumbe o no es de su inspección. ▌ **meterse** uno **en sí, o en sí mismo.** fr. fig. Pensar o meditar por sí solo las cosas, sin querer pedir consejo o explicar lo que siente. ▌ **meterse** uno **en todo.** fr. fig. y fam. Introducirse inoportunamente en cualquier negocio, dando su dictamen sin que se le pida. ▌ **no me meto en nada.** expr. con que uno manifiesta que no tiene parte en una cosa cuyas consecuencias teme.

metesillas y sacamuertos. m. p. us. **metemuertos.**

metical. (Del ár. *mitqal,* peso, nombre de la más antigua unidad del sistema ponderal árabe, equivalente a cuatro gramos y cuarto, y sinónimo de dinar.) m. Moneda de vellón que corrió en España en el siglo XIII. ▌ **2.** Moneda de Marruecos.

meticón, na. (De *met[er]* e *-icón.*) adj. fam. Dícese de la persona entrometida. Ú. t. c. s.

meticulosamente. adv. m. De manera meticulosa.

meticulosidad. f. Cualidad de meticuloso.

meticuloso, sa. (Del lat. *meticulōsus.*) adj. p. us. **medroso,** temeroso, pusilánime. Ú. t. c. s. ▌ **2.** Excesivamente puntual; escrupuloso, concienzudo.

metiche. adj. *Méj.* **entrometido.** Ú. t. c. s.

metida. (Del p. p. de *meter.*) f. Acción y efecto de meter. ▌ **2.** fam. Herida, puñalada. ▌ **3.** fam. Zurra, azotaina. ▌ **4.** Conjunto de yemas y brotes producidos en cada período de actividad vital de una planta. ▌ **5.** fig. Impulso o avance que se da a una tarea. ▌ **6.** fig. Tute, acometida que se da a una cosa en su uso o consumo. Ú. especialmente en la frase *dar una* METIDA.

metidillo. m. **metedor** que se ponía a los niños pequeños.

metido, da. p. p. de **meter.** ▌ **2.** adj. Abundante en ciertas cosas. METIDO *en harina, en carnes.* ▌ **3.** V. **letra metida.** ▌ **4.** *Amér. Central* y *Merid.* Dícese de la persona entrometida. Ú. m. c. s. ▌ **5.** m. Golpe que se da a otro, acometiéndolo. ▌ **6.** Lejía amoniacal que hacían las lavanderas con orines o con excrementos de aves. ▌ **7.** Tela sobrante que suele dejarse **metida** en las costuras de una prenda de ropa. ▌ **8.** **metedor** que se ponía a los niños pequeños. ▌ **9.** fig. y fam. Represión, refutación o impugnación hecha vigorosa o desconsideradamente. ▌ **10.** fig. **metida,** impulso, avance en un trabajo. ▌ **11.** fig. **metida,** tute, acometida en el uso o consumo de alguna cosa. Ú. especialmente en la frase *dar un* METIDO.

metijón, na. (De *met[er]* e *-ijón.*) adj. fam. Dícese de la persona entrometida. Ú. t. c. s.

metílico, ca. adj. *Quím.* Dícese de los compuestos que contienen metilo. ▌ **2.** V. **alcohol metílico.**

metilo. (Del fr. *méthyle.*) m. *Quím.* Radical hipotético, componente del alcohol metílico y de otros cuerpos y que está constituido por un átomo de carbono y tres de hidrógeno.

metimiento. m. Acción y efecto de meter o introducir una cosa en otra. ▌ **2.** fam. Privanza, influencia, ascendiente.

metisaca. f. *Taurom.* Estocada imperfecta, en la cual el diestro clava el estoque en la res y lo saca rápidamente sin soltarlo, por considerar imperfecta la estocada.

metódicamente. adv. m. Con método, con orden.

metódico, ca. (Del lat. *methodĭcus,* y este del gr. μεθοδικός.) adj. Hecho con método. ▌ **2.** Que usa de método.

metodismo. m. Doctrina de una secta de protestantes fundada en Oxford en 1729 por John y Charles Wesley. ▌ **2.** *Med.* Sistema que desechaba la fuerza vital y atribuía todas las enfermedades a la estrechez o dilatación de los poros del cuerpo humano.

metodista. adj. Que profesa el metodismo. Ú. t. c. s. ▌ **2.** Perteneciente o relativo a él.

metodizar. tr. Poner orden y método en una cosa.

método. (Del lat. *methŏdus,* y este del gr. μέθοδος.) m. Modo de decir o hacer con orden una cosa. ▌ **2.** Modo de obrar o proceder; hábito o costumbre que cada uno tiene y observa. ▌ **3.** *Fil.* Procedimiento que se sigue en las ciencias para hallar la verdad y enseñarla. Puede ser analítico o sintético. ▌ **4.** Obra que enseña los elementos de una ciencia o arte. ▌ **braille. braille.** ▌ **real.** Vía administrativa del Estado para la tramitación de las preces de los fieles a la Santa Sede.

metodología. (Del gr. μέθοδος, método, y -*logía.*) f. Ciencia del método. ▌ **2.** Conjunto de métodos que se siguen en una investigación científica o en una exposición doctrinal.

metodológico, ca. adj. Perteneciente o relativo a la metodología.

metomentodo. com. fam. Persona que se mete en todo, entrometida.

metonimia. (Del lat. *metonymĭa,* y este del gr. μετωνυμία.) f. *Ret.* Tropo que consiste en designar una cosa con el nombre de otra tomando el efecto por la causa o viceversa, el autor por sus obras, el signo por la cosa significada, etc.; v. gr. *las canas* por *la vejez; leer a Virgilio,* por *leer las obras de Virgilio; el laurel* por *la gloria,* etc.

metonímico, ca. (Del lat. *metonymĭcus,* y este del gr. μετωνυμικός.) adj. Perteneciente a la metonimia, o que la incluye o contiene.

metopa o **métopa.** (Del lat. *metŏpa,* y este del gr. μετόπη.) f. *Arq.* Espacio que media entre triglifo y triglifo en el friso dórico.

metoposcopia. (Del gr. μετωποσκόπος, fisonomista, e -*ia.*) f. Arte de adivinar el porvenir por las líneas del rostro.

metra. f. *Ál.* y *Cantabria.* Fresa silvestre, meta, mayueta.

metraje. (Del fr. *métrage.*) m. Longitud de una película cinematográfica.

metralla. (Del fr. *mitraille.*) f. V. **bote de metralla.** ▌ **2.** *Art.* Munición menuda con que se cargaban las piezas de artillería, proyectiles y bombas, y actualmente otros explosivos. ▌ **3.** *Min.* Conjunto de pedazos menudos de hierro colado que saltan fuera de los moldes al hacer los lingotes. ▌ **4.** Conjunto de cosas inútiles o desechadas. Ú. t. en sent. fig.

metrallazo. m. Disparo hecho con metralla por una pieza de artillería. ▌ **2.** Herida o estrago originado por el mismo.

metralleta. (Del fr. *mitraillette.*) f. Arma de fuego, portátil, de repetición.

metreta. (Del lat. *metrēta,* y este del gr. μετρητής.) f. Medida para líquidos usada por los griegos y después por los romanos, equivalente a doce congios. ▌ **2.** Vasija en que guardaban el vino o el aceite.

-metría. (Del gr. -μετρία, de la raíz de μέτρον, medida.) elem. compos. que significa «medida» o «medición»: *econo*METRÍA, *crono*METRÍA.

métrica. (Del lat. [*ars*] *metrĭca*, y este del gr. μετρική [τέχνη].) f. Arte que trata de la medida o estructura de los versos, de sus clases y de las distintas combinaciones que con ellos pueden formarse.

métricamente. adv. m. Con sujeción a las reglas del metro[1].

métrico, ca. (Del lat. *metrĭcus*, y este del gr. μετρικός.) adj. Perteneciente o relativo al metro o medida. *Sistema* MÉTRICO. ‖ **2.** Perteneciente o relativo al metro o medida del verso. *Arte* MÉTRICA. ‖ **3.** V. **acento, quintal, sistema métrico.** ‖ **4.** V. **arte métrica.** ‖ **5.** V. **sistema métrico decimal.** ‖ **6.** V. **tonelada métrica de arqueo.** ‖ **7.** V. **tonelada métrica de peso.**

metrificación. f. Acción y efecto de metrificar.

metrificador, ra. m. y f. Persona que metrifica.

metrificar. (Del lat. *metrum*, y *-ficar*.) intr. Hacer versos a medida. ‖ **2.** Hacer versos. Ú. t. c. tr.

metrificatura. (De *metrificar*.) f. ant. Medida de versos. ‖ **2.** ant. Acción y efecto de metrificar.

metrista. (De *metro* e *-ista*.) com. Persona que metrifica.

metritis. (Del gr. μήτρα, matriz, e *-itis*.) f. *Med.* Inflamación de la matriz.

metro[1]. (Del gr. μέτρον, medida.) m. Medida peculiar de cada clase de versos. *Mudar de* METRO; *comedia en variedad de* METROS. ‖ **2.** Unidad de longitud, base del sistema métrico decimal, la cual se determinó dividiendo en diez millones de partes iguales la longitud calculada para el cuadrante de meridiano que pasa por París. ‖ **3.** Instrumento que tiene marcada la longitud del **metro** y sus divisores, y que se emplea para medir. ‖ **4.** Cantidad de materia que tiene la longitud de un **metro:** *he comprado tres* METROS *de tela.* ‖ **5.** desus. Norma, modelo. ‖ **cuadrado.** Cuadrado cuyo lado es un **metro.** ‖ **2.** Cantidad de una cosa cuya superficie mide un metro cuadrado. *Pagó el solar a tres mil pesetas por* METRO CUADRADO. ‖ **cúbico.** Cubo cuyo lado es un **metro.** ‖ **2.** Cantidad de alguna cosa cuyo volumen mide un **metro** cúbico. *Un* METRO CÚBICO *de agua.*

metro[2]. m. abrev. de **metropolitano,** ferrocarril o tranvía subterráneo.

-metro. (Del gr. μέτρον.) elem. compos. que significa medida, generalmente relacionada con el metro, unidad de longitud: *centí*METRO, *kiló*METRO, o bien, aparato para medir: *pluvió*METRO, *termó*METRO.

metrología. (Del gr. μέτρον, medida, y *-logía*.) f. Ciencia que tiene por objeto el estudio de los sistemas de pesas y medidas.

metrónomo. (Del gr. μέτρον, medida, y νόμος, regla.) m. Máquina a manera de reloj, para medir el tiempo e indicar el compás de las composiciones musicales.

metrópoli. (Del lat. *metropŏlis*, y este del gr. μητρόπολις.) f. Ciudad principal, cabeza de la provincia o Estado. ‖ **2.** Iglesia arzobispal que tiene dependientes otras sufragáneas. ‖ **3.** La nación, u originariamente una ciudad, respecto de sus colonias.

metrópolis. f. ant. **metrópoli.**

metropolitano, na. (Del lat. *metropolitānus*.) adj. Perteneciente o relativo a la metrópoli. ‖ **2.** Perteneciente o relativo al conjunto urbano formado por una ciudad y sus suburbios. ‖ **3.** arzobispal. ‖ **4.** V. **iglesia metropolitana.** ‖ **5.** m. El arzobispo, respecto de los obispos sufragáneos suyos. ‖ **6.** Tren subterráneo o al aire libre que circula por las grandes ciudades.

metrorragia. (Del gr. μήτρα, matriz, y *-rragia*.) f. *Med.* Hemorragia de la matriz, fuera del periodo menstrual.

mexicanismo. m. **mejicanismo.** La *x* se pronuncia como *j*.

mexicano, na. adj. **mejicano.** La *x* se pronuncia como *j*.

México. n. p. **Méjico.** La *x* se pronuncia como *j*.

mexiquense. adj. Natural del Estado de México, en la República Mexicana. Ú. t. c. s.

meya. (Del lat. *maia* o *maea*, y éste del gr. μαῖα, cangrejo marino.) f. Especie de centolla, noca.

meyor. adj. comp. ant. **mejor.**

meyoramiento. m. ant. **mejoramiento.**

mezcal. (Del nahua *mexcalli*.) m. Variedad de agave. ‖ **2.** Aguardiente que se obtiene por fermentación y destilación de las cabezas de esta planta.

mezcalero, ra. adj. Dícese del individuo perteneciente a una tribu de indios apaches que habitaban en Méjico. Ú. t. c. s.

mezcla. f. Acción y efecto de mezclar o mezclarse. ‖ **2.** Agregación o incorporación de varias sustancias o cuerpos que no tienen entre sí acción química. ‖ **3.** Tejido hecho de hilos de diferentes clases y colores. ‖ **4.** ant. fig. Cuento o chisme con que se intentaba hacer daño o incomodar a alguno. ‖ **5.** *Albañ.* Argamasa de cal, arena y agua.

mezclable. adj. Que se puede mezclar.

mezcladamente. adv. m. Unidamente, con mezcla de unas y otras cosas.

mezclado, da. p. p. de **mezclar.** ‖ **2.** adj. ant. **epiceno.** ‖ **3.** m. Género de tela o paño que antiguamente se hacía con mezclas.

mezclador, ra. m. y f. Persona que mezcla, une e incorpora una cosa con otra. ‖ **2.** ant. fig. Persona chismosa, cuentista, cizañera. ‖ **3.** f. Máquina que sirve para mezclar.

mezcladura. f. Acción y efecto de mezclar.

mezclamiento. m. Acción y efecto de mezclar.

mezclar. (De *mesclar*.) tr. Juntar, unir, incorporar una cosa con otra, confundiéndolas. Ú. t. c. prnl. ‖ **2.** Alterar el orden de las cosas, desordenarlas. ‖ **3.** fig. Meter a uno en algo que no le incumbe o no le interesa. *¡No me* MEZCLES *en tus asuntos!* Ú. t. c. prnl. SE MEZCLA *en todas las discusiones callejeras.* ‖ **4.** ant. fig. Enredar, poner división y enemistad entre las personas con chismes y cuentos. ‖ **5.** prnl. Introducirse o meterse uno entre otros. ‖ **6.** p. us. Hablando de familias o linajes, enlazarse unos con otros. ‖ **mezclarse** una cosa en otra. fr. fig. Introducirse en ella; participar de ella.

mezclilla. (d. de *mezcla*.) f. Tejido hecho como la mezcla, pero de menos cuerpo.

mezcolanza. (De *mescolanza*.) f. fam. Mezcla extraña y confusa, y algunas veces ridícula.

meznada. f. ant. Compañía de gente de armas, mesnada.

mezquinamente. adv. m. Pobre, miserablemente. ‖ **2.** Con avaricia.

mezquinar. tr. Regatear, escatimar alguna cosa, darla con mezquindad: MEZQUINAR *los alimentos;* MEZQUINAR *la ayuda.* ‖ **2.** *Argent.* Esquivar, apartar, hacer a un lado. *Algunos caballos, cuando se les va a poner el freno,* MEZQUINAN *la boca.* ‖ **3.** *Col.* Librar a alguien de un castigo.

mezquindad. f. Cualidad de mezquino. ‖ **2.** Acción o cosa mezquina.

mezquino, na. (Del ár. *miskīn*, pobre, desgraciado.) adj. p. us. Pobre, necesitado, falto de lo necesario. ‖ **2.** Que escatima excesivamente en el gasto. ‖ **3.** Falto de nobleza de espíritu. ‖ **4.** Pequeño, diminuto. ‖ **5.** desus. Desdichado, desgraciado, infeliz. ‖ **6.** m. En la Edad Media, siervo de la gleba, de origen español, a diferencia del exarico, que era de origen moro.

mezquita. (Del ár. *masŷd*, templo u oratorio musulmán.) f. Edificio en que los musulmanes practican sus ceremonias religiosas.

mezquital. m. Sitio poblado de mezquites.

mezquite. m. Árbol de América, de la familia de las mimosáceas, parecido a la acacia, que produce goma, y de cuyas hojas se saca un extracto que se emplea en las oftalmías, lo mismo que el zumo de la planta.

mi¹. (V. *fa*.) m. *Mús*. Tercera nota de la escala música.

mi². adj. poses. apóc. de **mío, a.** No se emplea sino antepuesto al nombre.

mí. (Del lat. *mihi*, dat. de *ego*, yo.) Forma del pronombre personal de primera persona en género masculino o femenino y número singular, que se emplea para las funciones de complemento con preposición. Cuando la preposición es *con*, se dice **conmigo.** ‖ **¡a mí qué!** expr. coloq. de indiferencia. ‖ **para mí.** expr. A mi parecer, según creo. ‖ **por mí.** expr. coloq. Por lo que a mi respecta. POR MÍ, *que se venga con nosotros*. Frecuentemente manifiesta indiferencia. POR MÍ, *puede gastarse todo el dinero que quiera.*

mía. (Del ár. *mi'a*, ciento.) f. *Mil*. En el antiguo Protectorado español de Marruecos, unidad regular indígena, dependiente del Majzén jalifiano, compuesta de unos cien hombres de infantería o de otros tantos de caballería. Designábanse así también unidades análogas de otros ejércitos coloniales.

miador, ra. (De *miar*.) adj. Que mía.

miagar. intr. *Cantabria*. **maullar.**

miaja¹. f. Antigua moneda de vellón, meaja¹.

miaja². f. **migaja,** parte pequeña del pan o de otra cosa.

mialgia. (Del gr. μῦς, μυός, músculo, y -*algia*.) f. *Pat*. Dolor muscular, miodinia.

mialmas (como unas). (De *mi²* y *alma*.) expr. fam. p. us. de agrado y satisfacción, que se aplica a personas y cosas.

miañar. intr. p. us. **maullar.**

miar. (De *miau*.) intr. p. us. **maullar.**

miasma. (Del gr. μίασμα, mancha.) m. Efluvio maligno que, según se creía, desprendían cuerpos enfermos, materias corruptas o aguas estancadas. Ú. m. en pl.

miasmático, ca. adj. Que produce o contiene miasmas. *Laguna, atmósfera* MIASMÁTICA. ‖ **2.** Ocasionado por los miasmas. *Enfermedad* MIASMÁTICA.

miau. (Onomat. Del gr. μύχη, hongo, y -*sis*, Onomat. Voz del gato, maullido.

mica¹. (Del lat. *mica*, miga, con probable infl. de *micáre*, brillar.) f. Mineral compuesto de hojuelas brillantes, elásticas, sumamente delgadas, que se rayan con la uña. Es un silicato múltiple con colores muy diversos y que forma parte integrante de varias rocas.

mica². f. Hembra del mico. ‖ **2.** *Guat*. **coqueta,** mujer que coquetea.

micáceo, a. adj. Que contiene mica¹ o se asemeja a ella.

micacita. (De *mica*, con la term. de *antracita*.) f. Roca compuesta de cuarzo granujiento y mica, de textura pizarrosa y colores verdosos. Se emplea en el firme de los caminos, y, dividida en placas delgadas, se usa, como las tejas, para cubrir los edificios.

micado. (Del japonés *mi*, sublime, y *cado*, puerta.) m. Nombre que se da al emperador del Japón.

micción. (Del lat. *mictĭo, -ônis*.) f. Acción de mear.

micelio. (der. mod. del gr. μύχη, hongo, y [*epit*]*elio*.) m. *Bot*. Talo de los hongos, formado comúnmente de filamentos muy ramificados y que constituye el aparato de nutrición de estas plantas.

micénico, ca. adj. Perteneciente o relativo a Micenas, antigua ciudad de Argólida, en el Peloponeso. ‖ **2.** Natural de dicha ciudad. Ú. t. c. s.

micer. (Del it. *messer*, mi señor, a través del cat. *misser*.) m. Título antiguo honorífico de la corona de Aragón, que se aplicó también a los letrados en las islas Baleares.

micetología. (Del gr. μύχης, -ητος, hongo, y -*logía*.) f. Ciencia de los hongos, micología.

mico. (Voz cumanagota.) m. Mono de cola larga. ‖ **2.** fig. y fam. Persona pequeña y muy fea. ‖ **3.** fig. y fam. Apelativo festivo y cariñoso aplicado a niños. ‖ **4.** fig. y fam. Hombre lujurioso. ‖ **capuchino.** *Col*. **mono capuchino.** ‖ **maicero.** *Col*. **carablanca.** ‖ **dar mico.** fr. fig. y fam. Faltar a una cita o a un compromiso adquirido. ‖ **dejar** a uno **hecho un mico.** fr. fig. y fam. Dejarlo corrido o avergonzado. ‖ **hacer mico.** fr. fig. y fam. **dar mico.** ‖ **quedarse hecho un mico.** fr. fig. y fam. Quedar corrido, avergonzado. ‖ **volverse mico.** fr. fig. y fam. Aturdirse o aturrullarse en la realización de una cosa.

micología. (Del gr. μύχη, hongo, y -*logía*.) f. Ciencia que trata de los hongos.

micólogo, ga. m. y f. Persona que se dedica al estudio de la micología o tiene en ella especiales conocimientos.

micosis. (Del gr. μύχη, hongo, y -*sis*, precedido de la vocal de unión -*o*-.) f. *Pat*. Infección producida por ciertos hongos en alguna parte del organismo.

micra. (Del gr. μιχρά, t. f. de μιχρός, pequeño.) f. Medida de longitud: es la milésima parte del milímetro. Ú. especialmente en las observaciones microscópicas. Se abrevia con la letra griega μ. En el sistema internacional corresponde al micrómetro.

micro-. (Del gr. μιχρο-.) elem. compos. que significa «pequeño»: MICRO*electrónica*, MICRO*scopio*, y por ext., en algún caso, «amplificación»: MICRÓ*fono*. ‖ **2.** Otras veces indica la millonésima parte de una unidad (10⁻⁶): MICRO*faradio*. Simb.: μ.

microbiano, na. adj. Perteneciente o relativo a los microbios.

microbicida. (De *microbio* y -*cida*.) adj. Que mata los microbios. Ú. t. c. s.

microbio. (Del gr. científico μιχρόβιος; de μιχρός, pequeño, y βίος, vida.) m. Nombre genérico que designa los seres organizados sólo visibles al microscopio, como bacterias, infusorios, levaduras, etc.

microbiología. (De *microbio* y -*logía*.) f. Estudio de los microbios.

microbiológico, ca. adj. Perteneciente o relativo a la microbiología.

microbiólogo, ga. m. y f. Persona que profesa la microbiología o tiene en ella especiales conocimientos.

microbús. (De *micro-* y *bus*.) m. Autobús de menor tamaño que el usual.

microcefalia. f. Cualidad de microcéfalo.

microcéfalo, la. (Del gr. μιχροχέφαλος; de cabeza pequeña.) adj. Dícese del animal que tiene la cabeza de tamaño menor del normal en la especie a que pertenece; y en general, que tiene la cabeza desproporcionada, por lo pequeña, con relación al cuerpo. Ú. t. c. s.

microcinta. (De *micro-* y *cinta*.) f. Cinta cinematográfica mucho más estrecha que la ordinaria.

microcircuito. m. *Electrón*. Circuito electrónico compacto, compuesto de elementos de pequeño tamaño. ‖ **neuronal.** *Fisiol*. Conjunto de conexiones e interacciones entre neuronas dentro de los centros nerviosos.

microcirugía. f. Cirugía realizada con micromanipuladores.

micrococo. (De *micro-* y el gr. χόχχος, grano.) m. *Bot*. Bacteria de forma esférica.

microcopia. (De *micro-* y *copia*.) f. Copia fotográfica de tamaño muy reducido, que se ha de leer o examinar mediante un aparato óptico que amplía considerablemente la imagen. ‖ **2.** Reproducción de textos por este procedimiento.

microcosmo. (Del gr. μιχρός, pequeño, y χόσμος, mundo.) m. El hombre, concebido como resumen completo del universo o macrocosmo.

microcosmos. m. **microcosmo.**

microeconomía. (De *micro-* y *economía.*) f. Estudio de la economía en relación con acciones individuales, de un comprador, de un fabricante, de una empresa, etc. Ú. en contraposición a macroeconomía.

microelectrónica. (De *micro-* y *electrónica.*) f. Técnica de diseñar y producir circuitos electrónicos en miniatura, aplicando especialmente elementos semiconductores.

microfaradio. (De *micro-* y *faradio.*) m. *Electr.* Medida de capacidad eléctrica equivalente a una millonésima de faradio.

microficha. (De *micro-* y *ficha.*) f. Ficha de película que contiene en tamaño muy reducido varias fotografías de páginas de un libro, documento, etc.

microfilmación. f. Acción y efecto de microfilmar.

microfilmador, ra. adj. Que microfilma. ‖ **2.** f. Máquina para microfilmar.

mierofilmar. (De *micro-* y *filmar.*) tr. Reproducir en microfilme una imagen o figura, especialmente manuscritos o impresos.

microfilme. (De *micro-* y *filme.*) m. Película que se usa principalmente para fijar en ella, en tamaño reducido, imágenes de impresos, manuscritos, etc., de modo que permita ampliarlas después en proyección o fotografía.

micrófito. (De *micro-* y el gr. φυτόν, planta.) m. *Bot.* Microbio de naturaleza vegetal.

micrófono. (De *micro-* y *-fono.*) m. Aparato que transforma las ondas sonoras en corrientes eléctricas para su amplificación.

microfotografía. (De *micro-* y *fotografía.*) f. Técnica fotográfica para reducir el tamaño de la página de un libro, documento, legajo, etc. ‖ **2.** Fotografía de un objeto de tamaño microscópico. ‖ **3.** Fotografía de una preparación microscópica, realizada con una cámara de especial precisión. ‖ **electrónica.** La que se hace de una preparación observada mediante el microscopio electrónico.

microfotográfico, ca. adj. Perteneciente o relativo a la microfotografía.

micrografía. (De *micro-* y *-grafía.*) f. Descripción de objetos vistos con el microscopio.

micrográfico, ca. adj. Perteneciente o relativo a la micrografía.

micrógrafo, fa. (De *micro-* y *-grafo.*) m. y f. Persona que profesa la micrografía o tiene en ella especiales conocimientos.

micromanipulador. m. Aparato que permite manejar objetos microscópicos.

micrométrico, ca. adj. Perteneciente o relativo al micrómetro. *Tornillo* MICROMÉTRICO.

micrómetro. (De *micro-* y *-metro.*) m. Instrumento, aparato o artificio óptico y mecánico destinado a medir cantidades lineales o angulares muy pequeñas. ‖ **2.** Medida de longitud; es la millonésima parte del metro.

micrón. (Del gr. μιχρόν, neutro de μιχρός, pequeño.) m. **micra.**

microonda. f. *Electr.* Onda electromagnética cuya longitud está comprendida en el intervalo del milímetro al metro y cuya propagación puede realizarse por el interior de tubos metálicos.

microondas. m. **horno de microondas.**

microorganismo. (De *micro-* y *organismo.*) m. **microbio.**

micrópilo. (De *micro-* y el gr. πύλη, puerta.) m. *Biol.* Orificio, único o múltiple, que existe en la cubierta del óvulo de algunos animales, como insectos y peces, por el cual penetra el espermatozoide. ‖ **2.** *Bot.* Orificio que perfora las membranas envolventes de la nuececilla, por el cual penetra en el óvulo vegetal el elemento masculino que ha de unirse con la oosfera en el momento de la fecundación.

microprocesador. m. *Electrón.* Circuito constituido por millares de transistores integrados en una ficha o pastilla, que realiza alguna determinada función de los computadores electrónicos digitales. Se emplean generalmente en el control de los procesos de fabricación.

microscopia o **microscopía.** (De *micro-* y *-scopia.*) f. Construcción y empleo del microscopio. ‖ **2.** Conjunto de métodos para la investigación por medio del microscopio.

microscópico, ca. adj. Perteneciente o relativo al microscopio. ‖ **2.** Hecho con ayuda del microscopio. *Vistas, observaciones* MICROSCÓPICAS. ‖ **3.** Tan pequeño, que no puede verse sino con el microscopio. ‖ **4.** Dícese, por ext., de lo que es muy pequeño.

microscopio. (De *micro-* y *-scopio.*) m. Instrumento óptico destinado a observar de cerca objetos extremadamente diminutos. La combinación de sus lentes hace que lo que se mira aparezca con dimensiones extraordinariamente aumentadas, volviéndose perceptible lo que no lo es a simple vista. ‖ **electrónico.** El que utiliza en vez de rayos luminosos un haz de electrones producidos por un tubo católico. Su poder de ampliación es hasta doscientas mil veces superior al del **microscopio** óptico. ‖ **solar.** El que en un cuarto oscuro hace aparecer sobre una superficie blanca la imagen muy agrandada de un objeto, mediante la luz del Sol, reflejada por un espejo y concentrada por uno o más lentes.

microscopista. com. Persona que profesa la microscopia.

microspora. (De *micro-* y el gr. σπορά, semilla.) f. *Bot.* Espora masculina de ciertos helechos.

microsporidio. (De *micro-* y el gr. σπόρος, semilla, con el suf. d. *-ídion.*) adj. *Zool.* Subtipo de protozoos intracelulares, de tamaño muy pequeño, con esporas minúsculas, parásitos de otros animales y causantes en especial de epizootias graves en insectos, crustáceos y peces. Ú. t. c. s. ‖ **2.** m. pl. *Zool.* Taxón de estos animales.

microsporofila. (De *micro-*, el gr. σπόρος, semilla, y φύλλον, hoja.) f. *Bot.* Hoja esporífera de ciertos helechos, formadora de microsporas o esporas masculinas. ‖ **2.** Por ext., los estambres de las fanerógamas.

microsurco. (De *micro-* y *surco.*) adj. Dícese del disco de gramófono cuyas estrías finísimas y muy próximas entre sí, permiten registrar gran cantidad de sonidos. Ú. t. c. s.

micrótomo. (De *micro-* y el gr. τόμος, parte cortada.) m. Instrumento que sirve para cortar los objetos que se han de observar con el microscopio.

micuré. (Voz guaraní: *mbycuré*, zorrillo hediondo.) m. Especie de zarigüeya descrita por Azara en el Paraguay a finales del siglo XVIII. Tiene medio metro de longitud sin contar la cola, que mide otro tanto, con grandes orejas y el pelaje negruzco y amarillo sucio.

michelín. (De *Michelin*, marca comercial anunciada con una figura humana formada con neumáticos.) m. fam. Pliegue de gordura que se forma en alguna parte del cuerpo.

michino, na. m. y f. fam. **gato, gata,** animal.

micho, cha. (De *mizo.*) m. y f. fam. **gato, gata,** animal.

michoacano, na. adj. Natural del Estado mejicano de Michoacán. Ú. t. c. s. ‖ **2.** Perteneciente o relativo a dicho Estado.

mida¹. (Del gr. μίδας, insecto parásito de las habas.) m. Larva de la mariposa de la encina y del roble, brugo.

mida². (De *medir.*) f. ant. **medida.** Ú. en Aragón.

midriasis. (Del gr. μυδρίασις.) f. *Pat.* Dilatación anormal de la pupila con inmovilidad del iris.

miedica. adj. despect. fam. Miedoso. Ú. t. c. s.

mieditis. f. fam. **miedo.**

miedo. (Del lat. *metus.*) m. Perturbación angustiosa del ánimo por un riesgo o daño real o imaginario. ‖ **2.** Recelo o aprensión que uno tiene de que le suceda una cosa contraria a lo que desea. ‖ **cerval.** fig. El grande o excesivo. ‖ **insuperable.** Der. El que, imponiéndose a la voluntad de uno, con amenaza de un mal igual o mayor, le impulsa a ejecutar un delito; es circunstancia eximente de responsabilidad criminal. ‖ **a miedo, o a miedos.** loc. adv. ant. Por **miedo, de miedo, o con miedo.** ‖ **ciscarse de miedo.** fr. fig. y fam. Tener muchísimo **miedo.** ‖ **de miedo.** expr. coloq. intensamente ponderativa, con valor adjetival: *Hace un frío* DE MIEDO («grandísimo»), *Fulanita está* DE MIEDO («enormemente atractiva»), o adverbial: *Fulano canta* DE MIEDO («estupendamente»), *presume* DE MIEDO («muchísimo»). ‖ **mucho miedo y poca vergüenza.** expr. con que se reprende al que teme mucho el castigo y comete sin recelo el delito que lo merece.

miedoso, sa. adj. fam. Que de cualquier cosa tiene miedo. Ú. t. c. s.

miedro. (Del lat. *metrum*, medida.) m. *León.* Medida para vino, de doce cántaros.

miel. (Del lat. *mel, mellis.*) f. Sustancia viscosa, amarillenta y muy dulce, que producen las abejas transformando en su estómago el néctar de las flores, y devolviéndolo por la boca para llenar con él los panales y que sirva de alimento a las crías. ‖ **2.** En la fabricación de azúcar, jarabe saturado obtenido entre dos cristalizaciones o cocciones sucesivas. ‖ **3.** fig. V. **dedada, luna de miel.** ‖ **blanca.** *And.* **miel** de las abejas. ‖ **de barrillos.** La que sale del pan de azúcar después de puesto el barro para blanquearlo. ‖ **de caldera. miel de caña.** ‖ **de caña, o de cañas.** Licor espeso que destila del zumo de las cañas dulces cuando se echa en las formas o bocoyes para cuajar los pilones de azúcar. ‖ **de caras.** La última que destila el azúcar después de seco el barro. ‖ **de claros.** La que se hace cociendo de nuevo las espumas del azúcar. ‖ **de furos.** Melaza que escurre del azúcar por la abertura que tienen en la parte inferior los moldes de los pilones. ‖ **de prima. miel de caña.** ‖ **negra.** *And.* **miel de caña.** ‖ **nueva. miel,** jarabe que se obtiene entre dos cocciones sucesivas en la fabricación de azúcar. ‖ **rosada.** Preparación farmacéutica de **miel** batida con agua de rosas y hervida después hasta que adquiere consistencia de jarabe. Es un colutorio muy usado. ‖ **silvestre.** La que labran las abejas en los huecos de los árboles o de las peñas. ‖ **2.** En América, la que labran en los árboles unas avispas negras, del tamaño de las moscas, que sale muy oscura. ‖ **virgen.** La más pura, que fluye naturalmente de los panales sacados de las colmenas, sin prensarlos ni derretirlos. ‖ **dejar** a uno **con la miel en los labios.** fr. fig. y fam. Privarle de lo que empezaba a gustar y disfrutar. ‖ **hacerse de miel.** fr. fig. Portarse más blanda y suavemente de lo que conviene. ‖ **miel sobre hojuelas.** expr. fig. y fam. que se usa para expresar que una cosa viene muy bien sobre otra, o le añade nuevo realce o atractivo. ‖ **quedarse a media miel.** fr. fig. y fam. Empezar a gustar un manjar o a satisfacer un deseo, y verse repentinamente interrumpido antes de quedar satisfecho. ‖ **2.** fig. y fam. No poder oír o entender sino a medias una conversación, canto o discurso interesante. ‖ **ser de mieles** una cosa. fr. fig. y fam. Ser muy gustosa, suave, dulce y deleitable. ‖ **vender miel al colmenero.** fr. Vender alguien sus géneros a quien está sobrado de ellos, o pretender dar noticias a quien está mejor enterado de ellas.

mielga[1]. (Del lat. *melíca,* de *medíca* [*herba*], hierba médica, procedente de Media.) f. Planta herbácea anual, de la familia de las papilionáceas, de raíz larga y recia, vástagos de seis a ocho decímetros de altura, hojas compuestas de otras ovaladas y aserradas por su margen, flores azules en espiga, y por fruto una vaina en espiral con simientes amarillas en forma de riñón. Abunda en los sembrados. ‖ **azafra-**

nada, o de flor amarilla. Especie que se diferencia de la común en ser de vástagos leñosos, en tener las hojas en forma de cuña y cubiertas de borra, y las vainas con aguijones.

mielga[2]. (Posiblemente de *mielga*[4], horca, bieldo.) f. Pez selacio del suborden de los escuálidos, de cuerpo casi plano por el vientre, aquillado por el lomo, cuya longitud no suele pasar de un metro; cabeza pequeña, boca con muchos dientes puntiagudos, piel gruesa, pardusca, sin escamas y cuajada de gruesos tubérculos córneos; dos aletas dorsales armadas de una púa muy dura y aguzada, y cola gruesa y corta. Vive en casi todos los mares tropicales y templados y es abundantísimo en todo el litoral español. La carne es comestible, aunque dura y fibrosa, y la piel se emplea como la de la lija.

mielga[3]. (De *amelga.*) f. *Agr.* Faja de tierra que se señala para la siembra, amelga.

mielga[4]. (Del lat. *merga,* horca.) f. *Agr.* Horca de aventar y cargar, bieldo, bieldro, etc.

mielgo, ga. (Del lat. vulg. **gemellícus,* de *gemellus,* gemelo.) adj. p. us. **mellizo.**

mielina. (Del gr. μυελός, medula, e *-ina.*) f. *Bioquím.* Lipoproteína que constituye la vaina de las fibras nerviosas.

mielítico, ca. adj. Que padece mielitis.

mielitis. (Del gr. μυελός, medula, e *-itis.*) f. *Med.* Inflamación de la medula espinal.

mieloma. (Del gr. μυελός, medula, y *-oma.*) m. Proliferación de células de la medula ósea productoras de proteínas de diversa naturaleza.

mielsa. f. *Ar.* Bazo, melsa.

miembro. (Del lat. *membrum.*) m. Cualquiera de las extremidades del hombre o de los animales articulados con el tronco. ‖ **2.** Órgano de la generación en el hombre y en algunos animales. ‖ **3.** Individuo que forma parte de un conjunto, comunidad o cuerpo moral. ‖ **4.** Parte de un todo unida con él. ‖ **5.** Parte o pedazo de una cosa separada de ella. ‖ **6.** *Arq.* Cada una de las partes principales de un orden arquitectónico o de un edificio. ‖ **7.** *Mat.* Cualquiera de las dos cantidades de una ecuación separadas por el signo de igualdad (=), o de una desigualdad separadas por los signos (>) o (<). Llámase **primer miembro** la cantidad escrita a la izquierda, y **segundo miembro,** la otra. ‖ **podrido.** fig. Sujeto separado de una comunidad o indigno de ella por sus culpas. ‖ **viril.** En el hombre, órgano de la generación.

mienta. f. *Ast.* y *Cantabria.* Hierbabuena, menta.

miente. (Del lat. *mens, mentis.*) f. ant. Facultad de pensar, pensamiento. Ú. en pl. en algunas frases. ‖ **2.** ant. Gana o voluntad. ‖ **caer en mientes, o en las mientes.** fr. Venir a la imaginación, hacerse presente en el pensamiento una cosa. ‖ **meter mientes.** fr. ant. **poner mientes.** ‖ **parar, o poner, mientes** en una cosa. fr. Considerarla, meditar y recapacitar sobre ella con particular cuidado y atención. ‖ **pasársele** a uno **por las mientes** una cosa. fr. Ocurrírsele, pensar en ella. ‖ **traer** una cosa **a las mientes.** fr. Recordarla. ‖ **venírsele** a uno una cosa **a las mientes.** fr. Ocurrírsele.

-miento. (Del lat. *-mentum.*) suf. de sustantivos verbales que suele significar acción y efecto. Toma la forma **-amiento** cuando el verbo base es de la primera conjugación: *debilit*AMIENTO, *levant*AMIENTO; **-imiento,** si es de la segunda o de la tercera: *atrevi*MIENTO, *floreci*MIENTO, *aburri*MIENTO, *senti*MIENTO.

mientra. (De *demientra* y del lat. *dum interim,* arc. *domientre.*) adv. t. desus. **mientras.** ‖ **de mientra.** loc. adv. ant. **mientras.** ‖ **en mientra.** loc. adv. ant. **mientras.**

mientras. (De *mientra.*) adv. t. En tanto, entre tanto. *Juan estudia; tú,* MIENTRAS, *te diviertes.* ‖ **2.** conj. t. Durante el tiempo en que. MIENTRAS *tú te diviertes, Juan estudia.* ‖

mientras que. loc. conjunt. advers. En cambio. *Juan estudia,* MIENTRAS QUE *tú no haces nada de provecho.* ‖ **mientras más.** loc. conjunt. correlativa fam. **cuanto más.** MIENTRAS MÁS *tiene, más desea.* ‖ **mientras tanto.** loc. adv. t. **entre tanto.**

mientre. (De *demientre.*) adv. t. ant. **mientras.**

miera. (Del lat. [*pix*] *mera,* pez pura.) f. Aceite espeso, muy amargo y de color oscuro, que se obtiene destilando bayas y ramas de enebro. Se emplea en medicina como sudorífico y depurativo, y lo usan regularmente los pastores para curar la roña del ganado. ‖ **2.** Trementina de pino. ‖ **3.** V. **enebro de la miera.**

miércoles. (Del lat. *Mercūri* [*dies*], con la terminación de *martes* y *jueves.*) m. Tercer día de la semana civil, cuarto de la litúrgica. ‖ **corvillo.** fam. **miércoles de ceniza.** ‖ **de ceniza.** Primer día de la cuaresma y cuadragésimo sexto anterior al domingo de Pascua de Resurrección. Se llama así porque en él se toma la ceniza, y cae entre el 4 de febrero y el 10 de marzo.

mierda. (Del lat. *mica.*) f. Excremento humano. ‖ **2.** Por ext., el de algunos animales. ‖ **3.** fig. y fam. Grasa, suciedad o porquería que se pega a la ropa o a otra cosa. ‖ **4.** fig. y fam. Cosa sin valor o mal hecha. ‖ **5.** com. fig. y fam. Persona sin cualidades ni méritos. ‖ **¡mierda!** exclam. vulg. de contrariedad o indignación. ‖ **vete a la mierda.** fr. fig. y vulg. **vete a paseo.** Ú. también con las demás personas.

mierla. (Del lat. *merŭla.*) f. desus. **mirlo,** pájaro.

mierra. (Voz emparentada con *narria.*) f. Cajón o escalera de carro para llevar arrastrando cosas de gran peso, narria.

mies. (Del lat. *messis.*) f. Cereal de cuya semilla se hace el pan. ‖ **2.** En las provincias montañesas de España, valles cerrados donde los vecinos tienen sus sembrados. ‖ **3.** Tiempo de la siega y cosecha de granos. ‖ **4.** fig. Muchedumbre de gentes convertidas a la fe cristiana, o prontas a su conversión. ‖ **5.** pl. Los sembrados.

miga¹. (Del lat. *mica.*) f. Porción pequeña de pan o de cualquier cosa. ‖ **2.** Parte interior y más blanda del pan, rodeada y cubierta por la corteza. ‖ **3.** ant. Papilla para los niños. ‖ **4.** fig. y fam. Sustancia y virtud interior de las cosas físicas. ‖ **5.** fig. y fam. Entidad, gravedad y sustancia de una cosa moral. *Discurso de* MIGA; *hombre de* MIGA. ‖ **6.** V. **arena de miga.** ‖ **7.** pl. Pan picado, humedecido con agua y sal y rehogado en aceite muy frito, con algo de ajo y pimentón. ‖ **hacer buenas,** o **malas, migas** dos o más personas. fr. fig. y fam. Avenirse bien en su trato y amistad, o al contrario. ‖ **hacerlo** a uno **migas.** fr. fig. y fam. **hacerlo** a uno **polvo.** ‖ **helársele** a uno **las migas entre la boca y la mano.** fr. fig. y fam. Malograrse algún negocio o pretensión cuando tiene mayores fundamentos para prometerse feliz resultado. ‖ **no estar,** o **no ser, para dar migas a un gato.** fr. fig. y fam. Ser o servir para muy poco, por endeblez o inhabilidad.

miga². (Aféresis de *amiga,* maestra.) f. *And.* Escuela de niñas.

migaja. (d. de *miga.*) f. Parte más pequeña y menuda del pan, que suele saltar o desmenuzarse al partirlo. ‖ **2.** Porción pequeña y menuda de cualquier cosa. ‖ **3.** fig. Parte pequeña de una cosa no material. ‖ **4.** fig. Nada o casi nada. ‖ **5.** pl. fig. Desperdicios o sobras de uno, que aprovechan otros. ‖ **reparar en migajas.** fr. fig. y fam. Detenerse, cuando se trata de cosas de importancia, en las de poca monta y escasearlas o escatimarlas.

migajada. f. Porción pequeña de una cosa.

migajón. (aum. de *migaja.*) m. Miga de pan o parte de ella. ‖ **2.** fig. y fam. Sustancia y virtud interior de una cosa.

migajuela. f. d. de **migaja.**

migar. tr. Desmenuzar o partir el pan en pedazos muy pequeños para hacer migas u otra cosa semejante. ‖ **2.** Echar estos pedazos en un líquido. MIGAR *la leche.*

migración. (Del lat. *migratĭo, -ōnis.*) f. **emigración.** ‖ **2.** Acción y efecto de pasar de un país a otro para establecerse en él. Se usa hablando de las históricas que hicieron las razas o los pueblos enteros. ‖ **3.** Viaje periódico de las aves, peces u otros animales migratorios. ‖ **4.** Desplazamiento geográfico de individuos o grupos, generalmente por causas económicas o sociales.

migraña. (Del lat. *hemicranĭa,* y este del gr. ἡμικρανία.) f. Dolor a intervalos de una parte de la cabeza, hemicránea, jaqueca.

migrar. (Del lat. *migrāre.*) intr. **emigrar,** cambiar el lugar de residencia. ‖ **2. inmigrar,** llegar a un país para establecerse en él.

migratorio, ria. adj. Que emigra. ‖ **2.** Perteneciente o relativo a la migración o emigración de personas. ‖ **3.** Perteneciente o relativo a los viajes periódicos de ciertos animales. ‖ **4.** Perteneciente o relativo a estos animales.

miguelete. (De *miquelete.*) m. Antiguo fusilero de montaña en Cataluña. ‖ **2.** Individuo perteneciente a la milicia foral de la provincia de Guipúzcoa.

miguero, ra. adj. Relativo a las migas; los pastores llaman al lucero de la mañana el *lucero* MIGUERO, porque hacen las migas cuando asoma.

mihrab. (Del ár. *miḥrāb,* nicho de oratorio.) m. Nicho u hornacina que en las mezquitas señala el sitio adonde han de mirar los que oran.

mijero. (Del lat. *milliarĭum.*) m. ant. Medida de 1.852 metros, milla. ‖ **2.** ant. Poste o columna que señalaba y fijaba en los caminos la distancia de cada milla.

mijo. (Del lat. *milium.*) m. Planta de la familia de las gramíneas, originaria de la India, con tallos de unos seis decímetros de longitud, hojas planas, largas y puntiagudas, y flores en panojas terminales, encorvadas en el ápice. ‖ **2.** Semilla de esta planta. Es pequeña, redonda, brillante y de color blanco amarillento. ‖ **3.** En algunas partes, **maíz.** ‖ **ceburro. trigo candeal.**

mikado. m. Título del emperador del Japón.

mil. (Del lat. *mille.*) adj. Diez veces ciento. ‖ **2. milésimo,** que sigue en orden al noningentésimo nonagésimo nono. *Número* MIL; *año* MIL. ‖ **3.** V. **sala de mil y quinientas.** ‖ **4.** fig. Dícese del número o cantidad grande indefinidamente. ‖ **5.** *Der.* V. **recurso de mil y quinientas.** ‖ **6.** m. Signo o conjunto de signos con que se representa el número **mil.** ‖ **7.** Conjunto de **mil** unidades, millar. Ú. m. en pl. *Ganó en el comercio muchos* MILES *de pesos.* ‖ **las mil y quinientas.** fig. y fam. Las lentejas, por la multitud de ellas que entran en una escudilla de potaje. ‖ **2.** fig. Hora demasiado tardía. *Vendrá* A LAS MIL Y QUINIENTAS.

milagrear. intr. Hacer milagros.

milagrería. (De *milagrero.*) f. Narración de hechos maravillosos que se quiere hacer aparecer como milagros. ‖ **2.** Propensión o tendencia a tomar como milagros hechos naturales o explicables naturalmente.

milagrero, ra. adj. Dícese de la persona que tiende a tomar por milagros las cosas que suceden naturalmente. ‖ **2.** Dícese también de la que finge milagros. ‖ **3.** fam. Que hace milagros.

milagro. (De *miraglo.*) m. Hecho no explicable por las leyes naturales y que se atribuye a intervención sobrenatural de origen divino. ‖ **2.** Cualquier suceso o cosa rara, extraordinaria y maravillosa. ‖ **3.** Ofrenda de los fieles a Dios o a los santos por un favor, exvoto. ‖ **4.** V. **trigo del milagro.** ‖ **colgar** a uno **el milagro.** fr. fig. e irón. Atribuirle o imputarle un hecho reprensible o vituperable. ‖ **de milagro.** loc. adv. para expresar que algo ha ocurrido cuando parecía imposible que ocurriese, o que no ha ocurrido cuando todo hacía creer que iba a suceder. ‖ **hacer** uno **milagros.** fr. fig. Hacer mucho más de lo que se puede hacer comúnmente con los medios disponibles. ‖ **¡milagro!**

exclam. que se usa para denotar la extrañeza que causa alguna cosa. ‖ **vivir** uno **de milagro.** fr. fig. Mantenerse con mucha dificultad. ‖ **2.** fig. Haber escapado de un gran peligro.

milagrón. (aum. de *milagro.*) m. fam. p. us. Aspaviento, extremo.

milagrosamente. adv. m. Por milagro, sobre el orden natural y ordinario de las cosas. ‖ **2.** De una manera que admira y suspende.

milagroso, sa. adj. Que excede a las fuerzas y facultades de la naturaleza. ‖ **2.** Que obra o hace milagros. ‖ **3.** Maravilloso, asombroso, pasmoso.

milamores. (De *mil* y *amor.*) f. Hierba anual de la familia de las valerianáceas, con tallo ramoso de seis a ocho decímetros de altura; hojas garzas, lanceoladas y enteras, con peciolo las inferiores, y sentadas, con algún diente en el margen, las superiores; flores pequeñas, en corimbos terminales, rojas o blancas, y cuya corola se prolonga con un espolón delgado, y fruto seco de tres celdillas, dos estériles y una semilla sin albumen. Es espontánea en lugares pedregosos, se cultiva en los jardines, y en Italia se come en ensalada.

milán. m. Tela de lino que se fabricaba en Milán. ‖ **2.** n. p. V. **hoja, mosca de Milán.**

milanés, sa. adj. Natural de Milán. Ú. t. c. s. ‖ **2.** Perteneciente o relativo a esta ciudad de Italia.

milanesa. f. Filete de carne empanado.

milano. (Del lat. vulg. **milānus,* der. de *milvus.*) m. Ave diurna del orden de las rapaces, que tiene unos siete decímetros desde el pico hasta la extremidad de la cola y metro y medio de envergadura; plumaje del cuerpo rojizo, gris claro en la cabeza, leonado en la cola y casi negro en las penas de las alas; pico y tarsos cortos, y cola y alas muy largas, por lo cual tiene el vuelo facilísimo y sostenido. Es sedentaria en España y se alimenta con preferencia de roedores pequeños, insectos y carroñas. ‖ **2.** **azor¹,** ave. ‖ **3.** Pez marino, teleósteo, del suborden de los acantopterigios, de unos veinticinco centímetros de largo, fusiforme, de lomo rojizo y vientre blanquecino con manchas oscuras, cabeza pequeña y mandíbula superior profundamente hendida por el medio, tres apéndices largos y cilíndricos junto a las aletas pectorales, y estas tan desarrolladas, que le sirven para los saltos con que se eleva sobre la superficie del agua. ‖ **4.** Apéndice de pelos de algunos frutos. ‖ **5.** Flor del cardo. ‖ **6.** V. **cola de milano.** ‖ **7.** fig. y fam. V. **mesa de milanos.**

milara. f. *Can.* Especie de cuchara de mango muy largo con la que se rasca la hoja de la tunera para arrancar y recoger la cochinilla.

mildeu. m. **mildiu.**

mildíu. (Del ing. *mildew,* moho.) m. Enfermedad de la vid, producida por un hongo microscópico que se desarrolla en el interior de las hojas, y también en los tallos y en el fruto.

milenario, ria. (Del lat. *millenarius.*) adj. Perteneciente al número mil o al millar. ‖ **2.** Dícese de lo que ha durado uno o varios milenios. ‖ **3.** Dícese de los que creían que Jesucristo reinaría sobre la tierra durante mil años antes del día del juicio. Ú. t. c. s. ‖ **4.** Dícese de los que creían que el juicio final y el fin del mundo acaecerían en el año 1000 de la era cristiana. Ú. t. c. s. ‖ **5.** m. Espacio de mil años. ‖ **6.** Milésimo aniversario de algún acontecimiento notable.

milenarismo. m. Doctrina o creencia de los milenarios.

milenarista. adj. Partidario o defensor del milenarismo. Ú. t. c. s. ‖ **2.** Perteneciente o relativo al milenarismo.

milenio. m. Período de mil años.

mileno, na. (Del lat. *millēni,* de mil en mil.) adj. Dícese de las telas cuya urdimbre se compone de mil hilos.

milenrama. (De *mil,* en y *rama.*) f. Planta herbácea de la familia de las compuestas, con tallo de cuatro a seis decímetros de altura; hojas dos veces divididas en lacinias muy estrechas y algo vellosas; flores en corimbos apretados, blancas y a veces rojizas, y fruto seco con una semilla suelta. Es común en España, y el cocimiento de sus flores se ha usado como tónico y astringente.

milenta. (Del lat. *mille,* con la term. de *cuarenta, cincuenta,* etc.) adj. fam. **mil.**

mileón. (Del lat. *milio, -ōnis.*) m. Especie de águila que caza ratas.

milésima. (Del lat. *millesĭma,* t. f. de *-mus,* milésimo.) f. Milésima parte de la unidad monetaria.

milésimo, ma. (Del lat. *millesĭmus.*) adj. Que sigue inmediatamente en orden al noningentésimo nonagésimo nono. ‖ **2.** Dícese de cada una de las mil partes iguales en que se divide un todo. Ú. t. c. s.

milesio, sia. (Del lat. *Milesĭus,* y este del gr. Μιλήσιος.) adj. Natural de Mileto. Ú. t. c. s. ‖ **2.** Perteneciente o relativo a esta antigua ciudad de Jonia. ‖ **3.** V. **fábula milesia.**

milgrana. (Del lat. *mille grana,* mil granos.) f. ant. Fruto del granado, granada.

milgranar. (De *milgrana.*) m. Campo plantado de granados.

milhojas. (De *mil* y *hoja.*) f. **milenrama,** planta. ‖ **2.** m. Pastel en forma de prisma rectangular, que contiene merengue entre dos capas de hojaldre espolvoreado con azúcar.

milhombres. m. fam. Apodo que se da al hombre pequeño y bullicioso que no sirve para nada.

mili. (abrev. de *milicia.*) f. Servicio militar.

mili-. (Del lat. *mille,* mil.) elem. compos. que significa la milésima parte de una unidad (10^{-3}): MILi*metro,* MILi*litro.* Símb.: *m.*

miliar¹. (Del lat. *milĭum,* mijo, y *-ar.*) adj. Que tiene el tamaño y la forma de un grano de mijo. ‖ **2.** *Med.* Dícese de una erupción de vejiguillas del tamaño de granos de mijo, y también de la fiebre acompañada de erupción de esta clase. Ú. frecuentemente c. s. f.

miliar². (Del lat. medievc. *millĭăre.*) adj. Dícese de la columna, piedra, etc., que antiguamente indicaba la distancia de mil pasos, miliario.

miliárea. (De *mili-* y *área.*) f. Medida de superficie equivalente a la milésima parte de una área, o sea, diez centímetros cuadrados.

miliario, ria. (Del lat. *milliarĭus.*) adj. Perteneciente o relativo a la milla. ‖ **2.** Columna o piedra que indica la distancia de mil pasos, miliar².

milibar. m. **milibaro** en la terminología internacional.

milibaro. (De *mili-* y *baro.*) m. Unidad de medida de la presión atmosférica equivalente a una milésima de baro.

milicia. (Del lat. *militĭa.*) f. Arte de hacer la guerra y de disciplinar a los soldados para ella. ‖ **2.** Servicio o profesión militar. ‖ **3.** Tropa o gente de guerra. ‖ **4.** Coros de los ángeles. La MILICIA **angélica.** ‖ **nacional.** Conjunto de los cuerpos sedentarios de organización militar, compuestos de individuos del orden civil e instituidos en España durante las luchas políticas del siglo XIX para defensa del sistema constitucional. ‖ **provincial.** Cada uno de ciertos cuerpos militares que estuvieron destinados a servicio menos activo que el del ejército. Ú. m. en pl. ‖ **urbana.** En cierta época, **milicia nacional.** ‖ **milicias populares.** Conjunto de voluntarios armados no pertenecientes al ejército regular. ‖ **universitarias.** Institución del ejército en que pueden hacer el servicio militar quienes cursan estudios universitarios.

miliciano, na. adj. Perteneciente a la milicia. ‖ **2.** m. y f. Individuo de una milicia. ‖ **3.** Miembro de las milicias populares.

milico. m. despect. *Argent., Bol., Chile, Ecuad., Perú* y *Urug.* Militar, soldado.

miligramo. (De *mili-* y *gramo*.) m. Milésima parte de un gramo.

mililitro. (De *mili-* y *litro*.) m. Milésima parte de un litro, o sea un centímetro cúbico.

milímetro. (De *mili-* y *-metro*.) m. Milésima parte de un metro.

militancia. f. Acción y efecto de militar en un partido o en una colectividad. | **2.** Conjunto de los militantes de un partido o de una colectividad.

militante. (Del lat. *militans, -antis.*) p. a. de **militar.** Que milita. Ú. t. c. s. | **2.** adj. V. **iglesia militante.**

militar¹. (Del lat. *militáris.*) adj. Perteneciente o relativo a la milicia o a la guerra, por contraposición a civil. | **2.** V. **administración, arquitectura, arte, casa, colegial, colegio, ingeniero, orden, sanidad, testamento, tribuno militar.** | **3.** Aplicábase al vestido seglar de casaca. | **4.** m. El que profesa la milicia.

militar². (Del lat. *militáre.*) intr. Servir en la guerra o profesar la milicia. | **2.** fig. Figurar en un partido o en una colectividad. | **3.** fig. Haber o concurrir en una cosa alguna razón o circunstancia particular que favorece o apoya cierta pretensión o determinado proyecto.

militara. f. fam. Esposa, viuda o hija de militar.

militarada. f. Intentona militar de carácter político.

militarismo. m. Preponderancia de los militares, de la política militar o del espíritu militar en una nación. | **2.** Modo de pensar de quien propugna dicha preponderancia.

militarista. adj. Perteneciente o relativo al militarismo. | **2.** Partidario del militarismo. Ú. t. c. s.

militarización. f. Acción y efecto de militarizar.

militarizar. tr. Infundir la disciplina o el espíritu militar. | **2.** Someter a la disciplina militar. | **3.** Dar carácter u organización militar a una colectividad.

militarmente. adv. m. Conforme al estilo o leyes de la milicia.

mílite. (Del lat. *miles, -ítis.*) m. El que sirve en la milicia, soldado. Ú. m. en sent. fig.

militronche. m. Deformación popular de **militar,** soldado.

milmillonésimo, ma. adj. Dícese de cada uno de los mil millones de partes iguales en que se divide un todo. Ú. t. c. s.

milo. (der. regres. de *miloca²*.) m. *Ast.* Lombriz de tierra.

miloca¹. (der. del lat. *milvus,* con suf. indígena.) f. Ave rapaz y nocturna, muy parecida al búho en forma y tamaño, de color leonado con manchas pardas alargadas por encima y finamente rayadas las del pecho y abdomen. Vive de ordinario en las peñas, y se alimenta de animales pequeños.

miloca². f. *Ast.* Lombriz de tierra.

milocha. (Como *miloca¹.*) f. **cometa,** armazón de caña o papel o tela.

milonga. f. Tonada popular del Río de la Plata, que se canta al son de la guitarra, y danza que se ejecuta con este son.

milonguero, ra. m. y f. Cantor de milongas. | **2.** Persona que las baila. | **3.** fam. p. us. *Argent.* Aficionado o concurrente asiduo a los bailes populares. | **4.** adj. *Argent.* Perteneciente o relativo a la milonga.

milord. m. Españolización del tratamiento inglés *my lord,* «mi señor», que se da a los *lores,* o señores de la nobleza inglesa. En plural, **milores.** | **2.** Birlocho con capota, muy bajo y ligero.

milpa. (Del nahua *milli,* heredad, y *pan,* en, sobre.) f. *Amér. Central* y *Méj.* Maizal, terreno sembrado de maíz.

milpiés. (De *mil* y *pie.*) m. Cochinilla¹ de tierra o de humedad.

milrayas. (Calco del fr. *mille-raies.*) m. Tejido con rayas muy finas y apretadas.

miltomate. (Del nahua *milli,* milpa, sembrado, y *tomatl,* tomate.) m. *Guat.* y *Méj.* Planta herbácea cuyo fruto es parecido al tomate, pero del tamaño y color de una uva blanca. | **2.** *Guat.* y *Méj.* Fruto de esta planta.

milla. (der. semiculto del lat. *milia,* pl. de *mille.*) f. Medida itineraria, usada principalmente por los marinos, y equivalente a la tercera parte de la legua, o sea mil ochocientos cincuenta y dos metros. | **2.** Medida para las vías romanas, de ocho estadios o mil pasos de cinco pies romanos, equivalente a cerca de un cuarto de legua.

millaca. (der. dialect. del mismo or. que *mijo.*) f. Carrizo, planta.

millar. (Del lat. *milliáre.*) m. Conjunto de mil unidades. | **2.** Signo (Ⅱ) usado para indicar que son **millares** los guarismos colocados delante de él. | **3.** Cantidad de cacao, que en unas partes es tres libras y media y en otras más. | **4.** En las dehesas, espacio de terreno en que se pueden mantener mil ovejas o dos hatos de ganado. Ú. m. en pl. | **5.** Número grande de indeterminado. Ú. m. en pl. | **cerrado.** Signo del **millar** que, con una raya horizontal delante y otra detrás, se ponía antiguamente en las cuentas para señalar las partidas fallidas. | **en blanco.** Signo del **millar,** sin cosa alguna delante ni detrás, que se ponía antiguamente en las cuentas para señalar las partidas dudosas.

millarada. f. Cantidad como de mil. Ú. m. por jactancia u ostentación. *Echar* MILLARADAS. | **a millaradas.** loc. adv. fig. A millares; innumerables veces.

millo. (Del dialect. *millo,* y este del lat. *milĭum,* mijo.) m. Mijo, planta. | **2.** Semilla de esta planta. | **3.** *Can.* y *Sal.* Maíz, planta. | **4.** *Can.* y *Sal.* Semilla de esta planta.

millón. (Del fr. *million,* o del it. *milione.*) m. Mil millares. *Un* MILLÓN *de pesetas, de habitantes.* | **2.** fig. Número muy grande de indeterminado. | **3.** pl. Servicio que los reinos tenían concedido al rey sobre el consumo de las seis especies, vino, vinagre, aceite, carne, jabón y velas de sebo, el cual se renovaba de seis en seis años. | **4.** V. **sala de Millones.**

millonada. f. Cantidad como de un millón.

millonario, ria. adj. Que posee un millón, o más, de unidades monetarias. | **2.** Muy rico, acaudalado. Ú. t. c. s. y en sent. fig. | **3.** Dícese de la cantidad o magnitud que se mide en millones.

millonésimo, ma. adj. Dícese de cada una del millón de partes iguales en que se divide un todo. Ú. t. c. s. | **2.** Que ocupa en una serie el lugar al cual preceden 999.999 lugares.

mimado, da. p. p. de **mimar.** | **2.** adj. Que está mal acostumbrado por el exceso de mimos. Dícese especialmente de los niños. Ú. t. c. s.

mimador, ra. adj. Que mima.

mimar. (De *mimo.*) tr. Hacer caricias y halagos. | **2.** Tratar con excesivo regalo, caricia y condescendencia a uno, y en especial a los niños.

mimbral. m. Sitio poblado de mimbres.

mimbrar. (De *mimbre.*) tr. p. us. Abrumar, molestar, humillar. Ú. t. c. prnl.

mimbre. (De *vimbre.*) amb. **mimbrera.** | **2.** Cada una de las varitas correosas y flexibles que produce la mimbrera.

mimbrear. intr. Moverse o agitarse con flexibilidad, como el mimbre. Ú. t. c. prnl.

mimbreño, ña. adj. De naturaleza de mimbre.

mimbrera. (De *mimbre,* y *-era.*) f. Arbusto de la familia de las salicáceas, cuyo tronco, de tres metros de altura, se puebla desde el suelo de ramillas largas y delgadas, flexibles, de corteza agrisada que se quita con facilidad, y madera blanca; hojas enteras, lanceoladas y muy estrechas; flores en amentos apretados, precoces, de anteras amarillas, y fruto capsular, velloso, cónico, con muchas semillas. Es común en España a orillas de los ríos, y sus ramas se emplean en obras de cestería. ‖ **2. mimbreral.** ‖ **3.** Nombre vulgar de varias especies de sauces.

mimbreral. m. Sitio poblado de mimbreras.

mimbrero, ra. adj. Persona que se dedica a hacer objetos de mimbre.

mimbrón. m. Mimbre grande.

mimbroso, sa. adj. Perteneciente al mimbre. ‖ **2.** Hecho de mimbres. ‖ **3.** Abundante en mimbreras.

mime. m. *P. Rico.* y *Sto. Dom.* Especie de mosquito. ‖ **caerle** a uno **mimes.** fr. fig. y fam. *P. Rico.* Tener mala suerte. ‖ **2.** *P. Rico.* Venir a menos.

mimeografía. f. Acción y efecto de mimeografiar. ‖ **2.** Copia mimeografiada.

mimeografiado, da. p. p. de **mimeografiar.** ‖ **2.** m. Acción y efecto de mimeografiar, mimeografía.

mimeografiar. tr. Reproducir en copias por medio del mimeógrafo.

mimeógrafo. (Del ing. *mimeograph.*) m. Multicopista que reproduce textos o figuras grabados en una lámina de papel especial, a través de cuyas incisiones pasa tinta mediante la presión de un cilindro metálico.

mimesis o **mímesis.** (Del lat. *mimēsis*, y este del gr. μίμησις.) f. *Ret.* Imitación que se hace de una persona, repitiendo lo que ha dicho, y remedándola en el modo de hablar y en gestos y ademanes, ordinariamente con el fin de ridiculizarla.

mimético, ca. (Del gr. μιμητικός.) adj. Que imita por mimetismo. ‖ **2.** Que imita por mimesis. ‖ **3.** Perteneciente o relativo a la mimesis. ‖ **4.** *Biol.* Perteneciente o relativo al mimetismo.

mimetismo. (Del gr. μιμητός, imitable, e -*ismo.*) m. Propiedad que poseen algunos animales y plantas de asemejarse, principalmente en el color, a los seres u objetos inanimados entre los cuales viven.

mímica. (Del lat. *mimĭca*, t. f. de -*cus*, mímico.) f. Arte de imitar, representar o expresarse por medio de gestos, ademanes o actitudes. ‖ **2.** Disposición a adaptar las opiniones y actitudes propias a las de otros.

mímico, ca. (Del lat. *mimĭcus*, y este del gr. μιμικός.) adj. Perteneciente al mimo y a la representación de los mimos. ‖ **2.** Perteneciente a la mímica. *Lenguaje* MÍMICO; *signos* MÍMICOS.

mimo¹. (Voz de creación expresiva.) m. Cariño, halago o demostración de ternura. ‖ **2.** Cariño, regalo o condescendencia excesiva con que se suele tratar especialmente a los niños.

mimo². (Del lat. *mimus*, y este del gr. μῖμος.) m. Entre griegos y romanos, farsante del género cómico más bajo; bufón hábil en gesticular y en imitar a otras personas en la escena o fuera de ella. ‖ **2.** Entre griegos y romanos, farsa, representación teatral ligera, festiva y generalmente obscena. ‖ **3.** Actor, intérprete teatral que se vale exclusiva o preferentemente de gestos y de movimientos corporales para actuar ante el público. ‖ **4. pantomima.**

mimodrama. m. **pantomima,** representación por figura y gestos, sin que intervengan palabras.

mimógrafo, fa. (Del lat. *mimŏgraphus*, y este del gr. μιμογράφος.) m. y f. Autor de mimos o farsas.

mimosa. (f. de *mimoso.*) f. Género de plantas exóticas, de la familia de las mimosáceas, que comprende muchas especies, algunas de las notables por los movimientos de contracción que experimentan sus hojas cuando se las toca o agita. ‖ **púdica,** y **sensitiva,** V. **mimosa.**

mimosáceo, a. (De *mimosa* y -*áceo.*) adj. *Bot.* Dícese de matas, arbustos o árboles angiospermos dicotiledóneos, con fruto en legumbre, hojas compuestas y flores regulares con estambres libres y comúnmente ramificados; como la sensitiva y la acacia. Ú. t. c. s. f. ‖ **2.** f. pl. *Bot.* Familia de estas plantas.

mimosamente. adv. m. Con mimo y cariño.

mimoso, sa. (De *mimo¹.*) adj. Melindroso, muy aficionado a caricias, regalón.

mina¹. (Del lat. *mina*, y este del gr. μνᾶ.) f. Unidad de peso, y moneda teórica griega antigua, equivalente a cien dracmas.

mina². (Del fr. *mine.*) f. Criadero de minerales de útil explotación. ‖ **2.** Excavación que se hace para extraer un mineral. ‖ **3.** Paso subterráneo, abierto artificialmente, para alumbrar o conducir aguas o establecer otra comunicación. ‖ **4.** Nacimiento u origen de las fuentes. ‖ **5.** V. **arena, pólvora de mina.** ‖ **6.** Barrita de grafito que va en el interior del lápiz. ‖ **7.** fig. Oficio, empleo o negocio del que con poco trabajo se obtiene mucho interés y ganancia. ‖ **8.** fig. Aquello que abunda en cosas dignas de aprecio, o de que puede sacarse algún provecho o utilidad. *Este libro es una* MINA *de noticias curiosas.* Ú. t. hablando de una persona. *Este hombre es una* MINA. ‖ **9.** *NE. Argent.* Nombre que se daba a los yerbales que crecían en la selva misionera. ‖ **10.** vulg. *Argent.* Mujer. ‖ **11.** *Méj.* V. **real de minas.** ‖ **12.** *Fort.* Galería subterránea que se abre en los sitios de las plazas, poniendo al fin de ella una recámara llena de pólvora u otro explosivo, para que, dándole fuego, arruine las fortificaciones de la plaza. ‖ **13.** *Mar.* **mina submarina.** ‖ **14.** *Mil.* Artificio explosivo provisto de espoleta, que, enterrado o camuflado, produce su explosión al ser rozado por una persona, vehículo, etc. ‖ **submarina.** Torpedo fijo que se emplea para la defensa de puertos, radas y canales, contra los buques enemigos. Se llama *eléctrica, electromagnética* y *de contacto,* según el agente o procedimiento empleado para provocar la explosión. ‖ **denunciar una mina.** fr. Acudir a la autoridad competente el que cree haberla descubierto, o se propone beneficiar la que está caducada, para que se registre su nombre y denuncia, y quede asegurado con esto su derecho a obtener la concesión de aquella **mina.** ‖ **encontrar** uno **una mina.** fr. fig. Hallar medios de vivir o de enriquecerse con poco trabajo. ‖ **volar la mina.** fr. fig. Descubrirse una cosa que estaba oculta y secreta. ‖ **2.** fig. Manifestar de pronto y explicar su sentimiento el que ha estado callándolo mucho tiempo.

minada. (De etim. disc.) f. *Ál.* Conjunto de reses vacunas que se destinan a la labranza en un pueblo o localidad. ‖ **2.** *Ál.* Sociedad en que se aseguran las reses de la **minada.**

minado, da. p. p. de **minar.** ‖ **2.** m. Acción y efecto de minar.

minador, ra. adj. Que mina. ‖ **2.** Dícese del buque destinado a colocar minas submarinas. Ú. t. c. s. m. ‖ **3.** m. Ingeniero o artífice que abre minas².

minal. adj. p. us. Perteneciente a la mina².

minar. (De *mina².*) tr. Abrir caminos o galerías por debajo de tierra. ‖ **2.** fig. Hacer grandes diligencias para conseguir alguna cosa. ‖ **3.** fig. Consumir, destruir poco a poco. ‖ **4.** *Mar.* Colocar minas submarinas para impedir el paso de buques enemigos. ‖ **5.** *Mil.* Hacer minas cavando la tierra y poniendo artificios explosivos para derribar muros, edificios, etc. ‖ **6.** *Mil.* Enterrar artificios explosivos para contener el avance del enemigo.

minarete. (Del fr. *minaret.*) m. **alminar.**

minaz. (Del lat. *minax, -ācis.*) adj. ant. Que amenaza.

mincio. m. ant. **minción¹.**

minción¹. (Del lat. *minutĭo, -ōnis,* disminución.) f. ant. Derecho de los señores y prelados a recibir una alhaja de los súbditos al morir estos, luctuosa.

minción². f. ant. **mención.**

mindango, ga. (Variante de *pendanga* o *pindonga.*) adj. *Murc.* Despreocupado, camandulero, socarrón.

mindanguear. (De *mindango*.) intr. *Murc.* Gandulear, pindonguear.

mindoniense. adj. Natural de Mondoñedo. Ú. t. c. s. ‖ **2.** Perteneciente o relativo a esta ciudad de la provincia de Lugo.

minera. f. ant. Criadero de minerales, mina². ‖ **2.** *And.* Cante de los mineros, de ritmo arrastrado y triste.

mineraje. m. Labor y beneficio de las minas.

mineral. (De *minero*.) adj. Perteneciente al numeroso grupo de las sustancias inorgánicas o a alguna de sus partes. *Reino* MINERAL; *sustancias* MINERALES. ‖ **2.** V. **agárico, agua, alquitrán, bezoárico, brea, carbón, turbit mineral.** ‖ **3.** m. Sustancia inorgánica que se halla en la superficie o en las diversas capas de la corteza del globo, y principalmente aquella cuya explotación ofrece interés. ‖ **4.** Origen y principio de las fuentes. ‖ **5.** Parte útil de una explotación minera. ‖ **6.** fig. Principio, origen y fundamento que produce algo con abundancia. ‖ **7.** fam. desus. **aceite mineral,** petróleo. ‖ **dormido.** Entre los antiguos mineros del Perú, el de las vetas que estaban sin explotar o beneficiar.

mineralización. f. Acción y efecto de mineralizar o mineralizarse.

mineralizar. tr. *Min.* Comunicar a una sustancia las condiciones de mineral o mena. *En este filón el azufre* MINERALIZA *el hierro.* Ú. t. c. prnl. ‖ **2.** prnl. Cargarse las aguas de sustancias minerales.

mineralogía. (De *mineral* y *-logía*.) f. Ciencia que estudia los minerales.

mineralógico, ca. adj. Perteneciente o relativo a la mineralogía.

mineralogista. com. Persona que profesa la mineralogía o tiene en ella especiales conocimientos.

minería. f. Arte de laborear las minas. ‖ **2.** Conjunto de los individuos que se dedican a este trabajo. ‖ **3.** El de los facultativos que entienden en cuanto concierne al mismo. ‖ **4.** Conjunto de las minas y explotaciones mineras de una nación o comarca.

minerista. m. desus. El que busca minas.

minero, ra. adj. Perteneciente a la minería. ‖ **2.** m. El que trabaja en las minas. ‖ **3.** El que las beneficia por su cuenta o especula en ellas. ‖ **4.** Criadero de minerales. ‖ **5.** Excavación que se hace para extraerlos. ‖ **6.** fig. p. us. Origen, principio o nacimiento de una cosa. ‖ **7.** fig. *Argent.* **ratón.**

mineromedicinal. adj. V. **agua mineromedicinal.**

minerva. (Del lat. *Minerva*, diosa de la sabiduría.) f. Mente, inteligencia. Ú. solo en la locución de **propia minerva,** de propia invención, y en alguna frase latina.) ‖ **2.** Culto exterior a Jesús Sacramentado que se estableció inicialmente en la iglesia de Santa María sobre Minerva en Roma. En Madrid y otros puntos, se llamaba así a la procesión del Santísimo que en las dominicas después del Corpus salía sucesivamente de cada parroquia. ‖ **3.** Aparato de ortopedia o vendaje enyesado propio para mantener erguida la cabeza en casos de fractura de la columna vertebral. ‖ **4.** *Impr.* Máquina de cortas dimensiones, movida por pedal o eléctricamente, y que sirve para imprimir prospectos, facturas, membretes y demás impresos pequeños.

minervista. com. Persona que maneja una minerva de imprenta.

minga. (Del quechua *mink'a*, alquiler, especialmente de jornaleros.) f. *N. Argent., Col., Chile, Par.* y *Perú.* Reunión de amigos y vecinos para hacer algún trabajo en común, sin más remuneración que la comilona que les paga el dueño cuando lo terminan. ‖ **2.** *Perú.* Chapuza que en día festivo hacen los peones en las haciendas a cambio de un poco de chicha, coca o aguardiente.

mingaco. (Del quechua *mink'akuy*, pedir ayuda a otro, prometiéndole algo.) m. *Chile.* **minga,** reunión de amigos o vecinos.

mingitorio, ria. (Del lat. *mingĕre*, mear, y *-torio*.) adj. Perteneciente o relativo a la micción. ‖ **2.** m. **urinario.**

minglana. (Del m. or. que *mingrana*.) f. ant. **milgrana.**

Mingo¹. (De *Domingo*.) n. p. **más galán que Mingo.** expr. fig. y fam. Dícese del hombre muy compuesto o ataviado.

mingo². m. Bola que, al empezarse cada mano del juego de billar, o cuando entra en una tronera, se coloca en el punto determinado de la cabecera de la mesa.

mingrana. (Alteración de *milgrana*.) f. ant. Fruto del granado, granada.

mingua. f. ant. **mengua.**

minguado, da. p. p. del ant. **minguar.** ‖ **2.** adj. ant. **menguado,** cobarde. ‖ **3.** ant. **menguado,** tonto. ‖ **4.** ant. **menguado,** miserable.

minguar. intr. ant. **menguar.**

mini-. (Del lat. *mínimus*, muy pequeño.) elem. compos. que significa «pequeño», «breve» o «corto»: MINI*fundio,* MINI*falda.*

miniar. (Del it. *miniare*.) tr. *Pint.* Pintar de miniatura.

miniatura. (Del it. *miniatura*.) f. Pintura primorosa de tamaño pequeño, hecha al temple sobre vitela o marfil, o al óleo sobre chapas metálicas o cartulinas. ‖ **2.** Pequeñez, tamaño pequeño o reducido. Ú. principalmente en la loc. adj. o adv. *en* MINIATURA.

miniaturista. com. Pintor de miniatura.

miniaturización. f. Arte de producir piezas y mecanismos de tamaño sumamente pequeño.

minifalda. f. Falda corta que queda muy por encima de las rodillas.

minifundio. (De *mini-* y *-fundio,* segundo elemento de *latifundio*.) m. Finca rústica que, por su reducida extensión, no puede ser objeto por sí misma de cultivo en condiciones remuneradoras. ‖ **2.** División de la propiedad rural en fincas demasiado pequeñas.

minifundismo. m. Sistema de división de la tierra basado en el minifundio.

minifundista. adj. Perteneciente o relativo al minifundio o al minifundismo. ‖ **2.** com. Propietario de uno o varios minifundios.

mínima. (Del lat. *mínima,* t. f. de *-mus, mínimo*.) f. desus. Cosa o parte sumamente pequeña. *Cuéntamelo todo; no se te quede en el tintero una* MÍNIMA. ‖ **2.** desus. *Mús.* **blanca.**

minimista. m. Antiguamente, el estudiante de la clase de mínimos en el estudio de gramática.

minimizar. tr. Reducir de volumen una cosa o quitarle importancia. ‖ **2.** *Mat.* Buscar el mínimo de una función.

mínimo, ma. (Del lat. *mínimus*.) adj. sup. de **pequeño.** ‖ **2.** Dícese de lo que una cosa puede ser en su especie, que no lo hay menor ni igual. ‖ **3. minucioso.** ‖ **4.** Dícese del religioso o religiosa de San Francisco de Paula. Ú. t. c. s. ‖ **5.** V. **acto mínimo.** ‖ **6.** m. Límite inferior, o extremo a que se puede reducir una cosa. ‖ **7.** *Hond.* Fruta del guineo. ‖ **8.** pl. Segunda de las clases en que se dividía la enseñanza de la gramática, y en la cual se enseñaban los géneros de los nombres y las primeras oraciones. ‖ **como mínimo.** expr. fam. Por lo menos. ‖ **lo más mínimo.** expr. fam. que, en frases negativas, significa «nada en absoluto».

mínimum. (Del lat. *mínimum,* la menor parte.) m. **mínimo,** límite o extremo.

minina. f. fam. **gata,** animal.

minino. (De la voz *min* de llamar al gato.) m. fam. **gato¹,** animal.

minio. (Del lat. *mínium*.) m. Óxido de plomo en forma de cuerpo pulverulento, de color rojo algo anaranjado, que se emplea mucho como pintura.

ministerial. adj. Perteneciente o relativo al ministerio o gobierno del Estado, o a alguno de los ministros encargados de su despacho. ‖ **2.** Dícese del que en las Cortes o en la prensa apoya habitualmente a un ministerio. *Diputado* MINISTE-RIAL. Ú. t. c. s. ‖ **3.** V. **crisis ministerial.**

ministerialismo. m. Condición de ministerial, que apoya habitualmente a un ministerio.

ministerialmente. adv. m. Con ministerio o facultades y oficios de ministro.

ministerio. (Del lat. *ministerĭum*, servicio.) m. Gobierno del Estado, considerado en el conjunto de los varios departamentos en que se divide. ‖ **2.** Empleo de ministro. ‖ **3.** Tiempo que dura su ejercicio. ‖ **4.** Cuerpo de ministros del Estado. ‖ **5.** Cada uno de los departamentos en que se divide la gobernación del Estado. MINISTERIO *de Agricultura, de Comunicaciones, de Hacienda, de Industria, de Marina, de Obras Públicas, de Trabajo,* etc. ‖ **6.** Edificio en que se hallan las oficinas de cada departamento ministerial. ‖ **7.** Cargo, empleo, oficio u ocupación. ‖ **8.** Uso o destino que tiene alguna cosa. ‖ **de Asuntos Exteriores.** El que entiende en todo lo concerniente a negocios o relaciones con otras potencias. ‖ **de Estado.** El que hoy en España se llama de *Asuntos Exteriores.* ‖ **de Fomento.** El que tuvo a su cargo promover adelantos y mejoras en la agricultura, la industria, el comercio y las obras públicas. Hasta el año 1900 tuvo también a su cargo la instrucción pública. ‖ **de Gracia y Justicia.** El que tenía a su cargo los asuntos eclesiásticos y cuanto concernía a la fe pública y a la administración de justicia. Actualmente **Ministerio de Justicia.** ‖ **de la Gobernación.** El que tenía a su cargo los ramos de administración local, y demás concernientes al orden interior del Estado. ‖ **de la Guerra** o **del Ejército.** El que dirigía y organizaba la fuerza armada y cuidaba del abastecimiento y guarnición de las plazas y de cuanto concierne a la defensa del Estado. Hoy se llama **ministerio** *de Defensa.* ‖ **de lo,** o **del, Interior.** En cierta época, **Ministerio de la Gobernación.** ‖ **de Ultramar.** El que tenía a su cargo la administración y gobierno de los territorios ultramarinos españoles. ‖ **público.** Representación de la ley y de la causa del bien público, que está atribuida al fiscal ante los tribunales de justicia.

ministra. (Del lat. *ministra.*) f. desus. La que ministra alguna cosa. ‖ **2.** La que, en la gobernación del Estado, ejerce la jefatura de un departamento ministerial. ‖ **3.** Mujer del ministro. ‖ **4.** Prelada de las monjas trinitarias.

ministrable. adj. Dícese de la persona en quien, sin haber sido ministro de un departamento, se aprecian probabilidades y aptitud para serlo.

ministración. f. ant. Acción de ministrar. ‖ **2.** ant. Cargo, empleo.

ministrador, ra. (Del lat. *ministrātor, -ōris.*) adj. desus. Que ministra. Ú. t. c. s.

ministrante. p. a. de **ministrar.** Que ministra. ‖ **2.** m. p. us. Practicante de un hospital.

ministrar. (Del lat. *ministrāre.*) tr. p. us. Servir o ejercer un oficio, empleo o ministerio. Ú. t. c. intr. ‖ **2.** p. us. Dar, suministrar a uno una cosa. MINISTRAR *dinero, especies.* ‖ **3.** ant. **administrar.**

ministrer. (Del fr. ant. *ministrer.*) m. ant. El que tañía instrumentos de cuerda o de viento.

ministril. (Del fr. ant. *menestril.*) m. Ministro inferior de poca autoridad o respeto, que se ocupa en los más ínfimos ministerios de justicia. ‖ **2.** El que en funciones de iglesia y otras solemnidades tocaba algún instrumento de viento. ‖ **3.** El que por oficio tañía instrumentos de cuerda o de viento.

ministro. (Del lat. *minister, -tri.*) m. El que ministra alguna cosa. ‖ **2.** Juez que se emplea en la administración de justicia. ‖ **3.** El que está empleado en el gobierno para la resolución de los negocios políticos y económicos. ‖ **4.** Jefe de cada uno de los departamentos ministeriales en que se divide la gobernación del Estado. ‖ **5.** El que va comisio-nado o enviado por otro. ‖ **6.** Cualquier representante o agente diplomático. ‖ **7.** En algunas religiones, prelado ordinario de cada convento. ‖ **8.** En la Compañía de Jesús, religioso que cuida del gobierno económico de las casas y colegios. ‖ **9.** Alguacil o cualquiera de los oficiales inferiores que ejecuta los mandatos y autos de los jueces. ‖ **10.** El que ayudaba a misa. ‖ **11.** En las misas solemnes cantadas, el diácono y el subdiácono. ‖ **12.** fig. Persona que ejecuta lo que otra quiere o dispone. ‖ **consultante.** El que en las consultas del viernes proponía el caso consultado y el dictamen del Consejo, o al rey cuando estaba en Madrid y recibía a este tribunal, o al Consejo pleno cuando el rey estaba ausente u ocupado. ‖ **de capa y espada.** En los tribunales reales, consejero que no era letrado, por lo que no tenía voto en los negocios de justicia, sino sólo en los consultivos y de gobierno. ‖ **de Dios. sacerdote,** hombre consagrado a Dios. ‖ **de la Corona.** En régimen monárquico, **ministro,** jefe de un departamento ministerial. ‖ **de la Orden Tercera.** Superior de ella a cuyo cargo está todo el gobierno de los negocios y encargos de la Orden. ‖ **de la Tabla.** Cada uno de los que componían el tribunal de la Tabla del Consejo. ‖ **del sacramento.** La persona que, en nombre de Cristo y haciendo sus veces, lo realiza o lo administra. ‖ **del Señor. ministro** de Dios. ‖ **general.** En la orden de San Francisco, **general,** prelado superior. ‖ **plenipotenciario.** El que llevando este título ocupa la segunda categoría de los reconocidos por el derecho internacional moderno, detrás del embajador, legado y nuncio. ‖ **residente.** Agente diplomático cuya categoría es inmediatamente inferior a la de **ministro** plenipotenciario. ‖ **sin cartera.** El que participa de la responsabilidad general política del Gobierno, pero no tiene a su cargo la dirección de ningún departamento. ‖ **primer ministro. ministro** superior que el rey solía nombrar para que le aliviase en parte el trabajo del despacho, encomendándole ciertos negocios con jurisdicción de despacharlos por sí solo. ‖ **2.** El jefe del Gobierno o presidente del consejo de **ministros.**

mino. Voz que se usa para llamar al gato[1].

minoca. f. *Ast.* Lombriz de tierra.

minoico, ca. adj. Perteneciente o relativo a la Creta antigua.

minoración. (Del lat. *minoratĭo, -ōnis.*) f. Acción y efecto de minorar o minorarse.

minorar. (Del b. lat. *minorāre;* de *minor,* menor.) tr. **aminorar.** Ú. t. c. prnl.

minorativo, va. adj. Que minora o tiene virtud de minorar. ‖ **2.** *Med.* Dícese del remedio o medicina que purga suavemente. Ú. t. c. s.

minoría. (Del lat. *minor,* menor, e -*ia.*) f. Parte menor de los individuos que componen una nación, ciudad o cuerpo. ‖ **2.** En materia internacional, parte de la población de un Estado que difiere de la mayoría de la misma población por la raza, la lengua o la religión. ‖ **3.** En las juntas, asambleas, etc., conjunto de votos contrarios a la opinión del mayor número de votantes. ‖ **4.** Fracción de un cuerpo deliberante menor que la parte mayoritaria. ‖ **5.** Menor edad legal de una persona. ‖ **6.** fig. Tiempo de la menor edad legal de una persona.

minoridad. (Del lat. *minor,* menor, e -*idad.*) f. **minoría,** menor edad legal de una persona. ‖ **2.** fig. Tiempo de la menor edad de una persona.

minorista. (Del lat. *minor,* menor, e -*ista.*) m. Clérigo que solo tiene las órdenes menores. ‖ **2.** com. Comerciante al por menor. ‖ **3.** adj. Aplicase al comercio al por menor.

minorita. (Del lat. *minor,* menor, e -*ita*[1].) m. Religioso de la orden de San Francisco.

minoritario, ria. (Del fr. *minoritaire.*) adj. Perteneciente o relativo a la minoría. ‖ **2.** Que está en minoría numérica.

mintroso, sa. adj. desus. **mentiroso.**

minucia. (Del lat. *minutĭa*, pequeñez.) f. Menudencia, cortedad, cosa de poco valor y entidad. ‖ **2.** pl. Diezmo que como pie de altar se pagaba de las frutas y producciones de poca importancia.

minuciosamente. adv. m. Con minuciosidad.

minuciosidad. f. Cualidad de minucioso.

minucioso, sa. adj. Que se detiene en las cosas más pequeñas.

minué. (Del fr. *menuet*.) m. Baile francés para dos personas, que ejecutan diversas figuras y mudanzas; estuvo de moda en el siglo XVIII. ‖ **2.** Composición musical de compás ternario, que se canta y se toca para acompañar este baile. ‖ **3. minueto.**

minuendo. (Del lat. *minuendus*; p. p. de fut. de *minuĕre*, disminuir.) m. *Álg.* y *Arit.* Cantidad de la que ha de restarse otra.

minuete. m. **minué.**

minueto. (Del it. *minuetto*.) m. Composición puramente instrumental, en compás ternario y movimiento moderado, que se intercala entre los tiempos de una sonata, cuarteto o sinfonía.

minúsculo, la. (Del lat. *minuscŭlus*.) adj. De muy pequeñas dimensiones, o de muy poca entidad. ‖ **2.** V. **letra minúscula.** Ú. t. c. s.

minusvalía. (Del lat. *minus*, menos, y *valía*.) f. Detrimento o disminución del valor de alguna cosa.

minusvalidez. f. Cualidad de minusválido.

minusválido, da. (Del lat. *minus*, menos, y *válido*.) adj. Dícese de la persona incapacitada, por lesión congénita o adquirida, para ciertos trabajos, movimientos, deportes, etc. Ú. t. c. s.

minusvalorar. (Del lat. *minus*, menos, y *valorar*.) tr. Subestimar, valorar alguna cosa menos de lo debido.

minuta. (Del lat. mediev. *minŭta*, borrador.) f. Extracto o borrador que se hace de un contrato u otra cosa, anotando las cláusulas o partes esenciales, para copiarlo después y extenderlo con todas las formalidades necesarias para su perfección. ‖ **2.** Borrador de un oficio, exposición, orden, etc., para copiarlo en limpio. ‖ **3.** Borrador original que en una oficina queda de cada orden o comunicación expedida por ella. ‖ **4.** Apuntación por por escrito se hace de una cosa para tenerla presente. ‖ **5.** Cuenta que de sus honorarios o derechos presentan los abogados y curiales. ‖ **6.** Lista o catálogo de personas o cosas. ‖ **rubricada.** La que rubrica el ministro o funcionario público que manda extenderla, y no es resultado de trámites preparatorios del acuerdo.

minutación. f. Acción y efecto de minutar².

minutar¹. (De *minuta*.) tr. Hacer el borrador de una consulta, o poner en extracto un instrumento o contrato. ‖ **2.** Pasar una minuta al cobro.

minutar². (De *minuto*, unidad de tiempo.) tr. Efectuar el cómputo de los minutos y segundos que dura algo, v. gr. una exposición oral, una composición musical, etc. ‖ **2.** *Radio.* Distribuir el tiempo correspondiente a las diversas emisiones o programas.

minutario. m. Cuaderno en que el escribano o el notario ponía los borradores o minutas de las escrituras o instrumentos públicos que se otorgaban ante él.

minutero. m. Manecilla que señala los minutos en el reloj.

minutisa. (Del lat. *minūtis*, pequeño, diminuto.) f. Planta herbácea de la familia de las cariofiláceas, con tallos de cuatro a cinco decímetros de altura, derechos y nudosos; hojas sentadas, blandas, lanceoladas y puntiagudas; flores olorosas, terminales, de colores variados del blanco al rojo, rodeadas por celdillas que salen de las escamas del cáliz, y fruto capsular con semillas menudas.

minuto, ta. (Del lat. *minūtus*, pequeño.) adj. desus. **menudo,** moneda pequeña. ‖ **2.** V. **cambio minuto.** ‖ **3.** m. Cada una de las sesenta partes iguales en que se divide un grado de círculo. ‖ **2.** Cada una de las sesenta partes iguales en que se divide una hora. ‖ **primero. minuto,** cada una de las sesenta partes en que se divide un grado de círculo o una hora. ‖ **segundo. segundo,** cada una de las sesenta partes iguales en que se divide el **minuto** de tiempo o el del círculo. ‖ **tercero.** Cada una de las sesenta partes iguales en que se divide el segundo de círculo.

miñambre. adj. *Các., Sal.* y *Zam.* Dícese de la persona débil, enclenque. Ú. m. c. s.

miñón¹. (Del cat. *minyó*, muchacho.) m. Soldado de tropa ligera destinado a la persecución de ladrones y contrabandistas, o a la custodia de los bosques reales. ‖ **2.** Individuo perteneciente a la milicia foral de las provincias de Álava y Vizcaya.

miñón². (der. de *mina²*.) m. En algunas provincias, escoria del hierro. ‖ **2.** *Min. Vizc.* Mena de hierro, de aspecto terroso.

miñona. (Del fr. *mignonne*.) f. *Impr.* Carácter de letra de siete puntos tipográficos.

miñosa. f. Lombriz de tierra.

mío. Voz con que se llama al gato¹, animal.

mío, a. (Del lat. *meus*.) adj. poses. de primera persona. Con la terminación del masculino en singular, ú. t. c. neutro. ‖ **a mía sobre tuya.** loc. adv. A golpes, a porfía; apresuradamente. ‖ **con lo mío me ayude Dios.** fr. proverb. con que se manifiesta que solo contamos y queremos contar con lo que legítimamente nos corresponde. ‖ **de mío.** loc. adv. Sin valerme de ajena industria; de mi propio caudal; con solo mi ingenio y discurso. ‖ **2.** Por mi naturaleza. ‖ **la mía.** loc. fam. con que se indica que ha llegado la ocasión favorable a la persona que habla. Ú. m. con el verbo *ser. Ahora* ES, o SERÁ, LA MÍA. ‖ **los míos.** Los que forman parte de la familia, partido, etc., de la primera persona gramatical.

miocardio. (Del gr. μῦς, μυός, músculo, y καρδία, corazón.) m. *Anat.* Parte musculosa del corazón de los vertebrados, situada entre el pericardio y el endocardio.

miocarditis. f. *Pat.* Inflamación del miocardio.

mioceno, na. (Del gr. μεῖον, menos, y καινός, reciente.) adj. *Geol.* Dícese del período que sigue al oligoceno y con el que comienza el terciario superior o neógeno. En sus estratos ya aparecen fósiles de animales y de vegetales iguales a los de hoy. Ú. t. c. s. ‖ **2.** *Geol.* Perteneciente o relativo a este período o época.

miodinia. (Del gr. μῦς, μυός, músculo, y ὀδύνη, dolor.) f. *Pat.* Dolor de los músculos.

miografía. (Del gr. μῦς, μυός, músculo, y *-grafía*.) f. Parte de la anatomía, que tiene por objeto la descripción de los músculos.

miolema. (Del gr. μῦς, μυός, músculo, y λέμμα, corteza, envoltura.) m. *Pat.* Membrana fina que envuelve cada fibra muscular, sarcolema.

miología. (Del gr. μῦς, μυός, músculo, y *-logía*.) f. Parte de la anatomía descriptiva que trata de los músculos.

mioma. (Del gr. μῦς, μυός, y *-oma*.) m. *Pat.* Tumor formado por elementos musculares.

miope. (Del lat. *myops, myōpis*, y este del gr. μύωψ, -ωπος.) adj. Dícese del ojo o del individuo afecto de miopía. Vulgarmente se llama **corto de vista.** Apl. a pers., ú. t. c. s. ‖ **2.** fig. Corto de alcances o de miras.

miopía. (De μυωπία.) f. *Med.* Defecto de la visión consistente en que los rayos luminosos procedentes de objetos situados a cierta distancia del ojo forman foco en un punto anterior a la retina. Vulgarmente se llama **vista corta.** ‖ **2.** fig. Cortedad de alcances o de miras.

miosis. (Del gr. μύω, guiñar los ojos, y *-sis*.) f. *Pat.* Contracción permanente de la pupila del ojo.

miosota. (Del lat. *myosòta*, y este del gr. μυὸς ὠτή, oreja de ratón.) f. **raspilla,** planta.

miosotis. (Del lat. *myosòtis*, y este del gr. μυοσωτίς, oreja de ratón.) f. **raspilla,** planta.

miquelete. (d. de *Miquelot* de Prats, antiguo jefe de esta tropa.) m. **miguelete.**

miquero. (De *mico,* porque trepa por las ramas de los árboles persiguiendo a los monos.) adj. V. **león miquero.**

miquis (con). (Del b. lat. *michi,* lat. *mihi,* dat. de *ego,* yo.) loc. fam. e irón. desus. **conmigo.**

mira. (De *mirar.*) f. Toda pieza que en ciertos instrumentos sirve para dirigir la vista o tirar visuales. ‖ **2.** En las armas de fuego, pieza que se coloca convenientemente para asegurar la puntería. ‖ **3.** Ángulo que tiene la adarga en la parte superior. ‖ **4.** En las fortalezas antiguas, obra que por su elevación permitía ver bien el terreno. ‖ **5.** En las fortalezas antiguas, obra avanzada. ‖ **6.** fig. Intención, reparo o advertencia que observa uno para el arreglo de su conducta, o en la ejecución de alguna cosa. ‖ **7.** fig. Intención, objeto o propósito, generalmente concreto. *Sin otra* MIRA *que ampararal desvalido.* Ú. t. en pl. *Amplitud de* MIRAS. ‖ **8.** *Albañ.* Cada uno de los reglones que al levantar un muro se fijan verticalmente en ellos la cuerda que va indicando las hiladas. ‖ **9.** *Topogr.* Regla graduada que se coloca verticalmente en los puntos del terreno que se quiere nivelar. ‖ **10.** pl. *Mar.* Cañones que se ponen en dos portas, mayores que las de los costados, que están en el castillo a uno y otro lado del bauprés. Llámanse regularmente **miras** de proa. ‖ **a la mira y a la maravilla.** loc. adv. con que se pondera la excelencia de una cosa. ‖ **andar, estar,** o **quedar,** uno **a la mira.** fr. fig. Observar con particular cuidado y atención los pasos y lances de una persona, o de un negocio o dependencia. *Ya* ESTOY A LA MIRA *de que este mozo no se extravíe.* ‖ **con miras a.** expr. **Con vistas a.** ‖ **poner la mira en** una cosa. fr. fig. Hacer la elección de ella, poniendo los medios necesarios para conseguirla.

mirabel. (Del fr. *mirabelle.*) m. Planta herbácea de la familia de las quenopodiáceas, de forma piramidal, con tallo ramoso de seis a ocho decímetros de altura; hojas alternas, enteras, muy menudas, y flores pequeñas, verdosas, en grupos axilares. ‖ **2. girasol,** planta.

mirable. (Del lat. *mirabìlis.*) adj. ant. Digno de admiración, admirable.

mirabolano o **mirabolanos.** (Del lat. cient. [*prunus*] *mirabolànus.*) m. **mirobálano,** árbol. ‖ **2.** Fruto de este árbol.

miraclo. (Del lat. *miracùlum.*) m. ant. **milagro.**

miraculosamente. adv. m. ant. **milagrosamente.**

miraculoso, sa. (Del lat. *miraculôsus.*) adj. ant. **milagroso.**

mirada. f. Acción y efecto de mirar. ‖ **2.** Vistazo, ojeada. ‖ **3.** Modo de mirar, expresión de los ojos.

miradero. (De *mirar* y *-dero.*) m. Lugar desde el que se contempla un panorama amplio, hermoso, etc. ‖ **2.** desus. Persona o cosa que es objeto de la atención pública.

mirado, da. p. p. de **mirar.** ‖ **2.** Dícese de la persona que obra con miramiento o de la que es cauta y reflexiva. Ú. con adverbios como *muy, tan, más, menos.* ‖ **3.** Precedido de adverbios como *bien, mal, mejor, peor,* merecedor de buen o mal concepto. ‖ **4.** m. ant. Acción y efecto de mirar.

mirador, ra. adj. Que mira. ‖ **2.** m. Corredor, galería, pabellón o terrado para explayar la vista. ‖ **3.** Balcón cerrado de cristales o persianas y cubierto con un tejadillo. ‖ **4.** Lugar bien situado para contemplar un paisaje o un acontecimiento.

miradura. f. desus. **mirada.**

miraglo. (Del lat. *miracùlum.*) m. ant. **milagro.**

miraguano. (Voz taína.) m. Palmera de poca altura, que crece en las regiones cálidas de América y Oceanía, y tiene hojas grandes en forma de abanico, flores axilares en racimo, y por fruto una baya seca llena de una materia semejante al algodón, pero más fina, que envuelve la semilla. ‖ **2.** Esta materia, que se emplea para rellenar almohadas, cojines, edredones, etc.

miramamolín. (Del ár. *amir al-muminin,* príncipe de los creyentes, título del califa.) m. **califa.** En España, esta forma se empleó casi exclusivamente para designar a los califas almohades.

miramelindos. m. **balsamina,** planta.

miramiento. m. Acción de mirar, atender o considerar una cosa. ‖ **2.** Respeto, atención y circunspección que se observan al ejecutar una acción o se guardan a una persona.

miranda. (Del lat. *miranda,* pl. n. de *mirandus,* digno de admiración.) f. Paraje alto desde el cual se descubre gran extensión de terreno. ‖ **de miranda.** loc. adv. fam. Sin hacer nada el que debía trabajar.

mirandés, sa. adj. Natural de Miranda de Ebro. Ú. t. c. s. ‖ **2.** Perteneciente o relativo a esta villa.

mirandino, na. adj. Natural del Estado de Miranda. Ú. t. c. s. ‖ **2.** Perteneciente o relativo a este Estado de Venezuela. ‖ **3.** Perteneciente o relativo al prócer venezolano generalísimo Francisco de Miranda o a su obra.

mirar. (Del lat. *mirâri,* admirarse.) tr. Aplicar la vista a un objeto. Ú. t. c. prnl. ‖ **2.** Tener un objetivo o un fin al ejecutar algo. *Solo* MIRA *a su provecho.* ‖ **3.** Observar las acciones de uno. ‖ **4.** Revisar, registrar. ‖ **5.** p. us. Apreciar, estimar una cosa. ‖ **6.** fig. Pensar, juzgar. ‖ **7.** fig. Inquirir, buscar una cosa; informarse de ella. ‖ **8.** intr. Estar situado, puesto o colocado un edificio o cualquier cosa enfrente de otra. ‖ **9.** Concernir, pertenecer, tocar. ‖ **10.** fig. Cuidar, atender, amparar o defender a una persona o cosa. Ú. con la prep. *por.* ‖ **bien mirado.** loc. adv. Si se piensa o considera con exactitud o detenimiento. BIEN MIRADO, *no tienes razón.* ‖ **¡mira!** interj. para avisar o amenazar a uno. ‖ **mira lo que haces.** expr. con que se avisa al que va a ejecutar una cosa mala o arriesgada, para que reflexione sobre ella y la evite. ‖ **mírame y no me toques** o **mírame y no me toques.** expr. fig. y fam. Aplícase a las personas sumamente delicadas de genio o de salud, y también a las cosas muy quebradizas y de poca resistencia. ‖ **¡mira quién habla!** expr. con que se reprocha a uno el mismo defecto que él censura en otro, o con que se le advierte que no debe hablar en determinadas circunstancias o de cierta materia. ‖ **mirar a ver.** expr. fam. Informarse de algo. ‖ **mírame a uno.** fr. fig. Tenerle afecto. ‖ **mirar cómo, con quién** o **lo que, se habla.** fr. fig. y fam. Tener cuidado con lo que se dice porque puede provocar la réplica o reacción violenta de otro. ‖ **mirar en ello.** fr. **mirarse en ello.** ‖ **mirar mal** a uno. fr. fig. Tenerle aversión. ‖ **mirar** uno **para lo que ha nacido.** fr. fig. con que se le amenaza para que haga o deje de hacer una cosa. ‖ **mirar por** una persona o cosa. fr. Ampararla, cuidar de ella. ‖ **mirar** una cosa **por encima.** fr. **mirarla** ligeramente. ‖ **mirar** a alguien **por encima del hombro.** fr. fig. y fam. Tratarlo como inferior. ‖ **mirarse** uno **a sí.** fr. fig. Atender a quién es, para no ejecutar una cosa ajena de su estado. ‖ **mirarse** en una cosa. fr. fig. y fam. Tenerla en gran estima; complacerse en ella. ‖ **2.** Considerar un asunto y meditar antes de tomar una resolución. ‖ **mirarse en ello.** fr. fig. y fam. Pensar detenidamente un asunto. ‖ **mirarse** uno **en otro.** fr. fig. **mirarse** en uno **como en un espejo.** ‖ **mirarse** unos **a otros.** fr. fig. Mostrar la extrañeza causada por algo que obliga a semejante acción, como esperando cada uno a ver por dónde se determinan los demás. ‖ **¡mire a quién se lo cuenta!** expr. con que se denota que de un suceso sabe más quien lo oye que quien lo refiere. ‖ **miren si es parda.** expr. fig. y fam. con que se explica que uno miente o pondera mucho lo que dice.

mirasol. (De *mirar* y *sol.*) m. **girasol,** planta.

miria-. (Del gr. μυρία, pl. n. de μυρίος, innumerable.) elem. compos. que significa «diez mil», en el sistema métrico decimal: MIRIÁ*metro*; o bien, «innumerables» o «muy numerosos»: MIRIÁ*podo.*

miríada. (Del gr. μυριάς, άδος.) f. Cantidad muy grande, pero indefinida.

miriámetro. (De *miria-* y *-metro.*) m. Medida de longitud, equivalente a diez mil metros.

miriápodo. adj. *Zool.* **miriópodo.** Ú. t. c. s.

mirificar. (Del lat. *mirificāre.*) tr. p. us. Hacer asombroso o admirable; enaltecer, ensalzar.

mirífico, ca. (Del lat. *mirificus.*) adj. poét. Admirable, maravilloso.

mirilla. f. d. de **mira**[1]. ‖ **2.** Abertura practicada en el suelo o en la pared que corresponde al portal o a la escalera de la casa, para ver quién llama a la puerta. ‖ **3.** Ventanillo de la puerta exterior de las casas. ‖ **4.** Pequeña abertura circular o longitudinal que tienen algunos instrumentos topográficos, y sirve para dirigir visuales.

miriñaque[1]. (De or. inc.) m. Alhajuela de poco valor que sirve para adorno o diversión.

miriñaque[2]. (De or. inc.) m. Zagalejo interior de tela rígida o muy almidonada y a veces con aros, que usaron las mujeres. ‖ **2.** *Argent.* Armadura de hierro que llevan las locomotoras en la parte delantera para apartar a un lado los objetos que impiden la marcha.

miriópodo. (Del gr. μυρίοπους, -ποδος; de pies innumerables.) adj. *Zool.* Dícese de animales artrópodos terrestres, con respiración traqueal, dos antenas y cuerpo largo y dividido en numerosos anillos, cada uno de los cuales lleva uno o dos pares de patas; como el ciempiés. Ú. t. c. s. ‖ **2.** m. pl. *Zool.* Clase de estos animales.

mirística. (Del gr. μυριστική, term. f. de -κός, oloroso.) f. *Bot.* Árbol de la India, de la familia de las miristicáceas, que crece hasta diez metros de altura, con tronco recto, de corteza negruzca y copa espesa y redondeada; hojas alternas, lanceoladas, agudas, enteras, coriáceas, de color verde oscuro por el haz, lanuginosas y blanquecinas por el envés; flores monoicas, blancas, inodoras, y fruto amarillento en baya globosa, cuya semilla es la nuez moscada.

miristicáceo, a. (De *myristica,* nombre de un género de plantas, y *-áceo.*) adj. *Bot.* Dícese de árboles angiospermos dicotiledóneos, dioicos, casi todos originarios de países tropicales, que tienen hojas esparcidas, sencillas y enteras, flores irregulares y apétalas, y fruto carnoso con arilo también carnoso; como la mirística. Ú. t. c. s. f. ‖ **2.** f. pl. *Bot.* Familia de estas plantas.

mirla. (Del lat. *merūla.*) f. **mirlo,** pájaro.

mirlamiento. m. Acción de mirlarse.

mirlar. tr. ant. Embalsamar cadáveres.

mirlarse. (De *mirlo.*) prnl. fam. Entonarse afectando gravedad y señorío en el rostro.

mirliflor. (De *mirlo,* afectación, y *flor.*) com. Persona vanidosa o presumida.

mirlo. (Del lat. *merūlus.*) m. Pájaro de unos veinticinco centímetros de largo. El macho es enteramente negro, con el pico amarillo, y la hembra de color pardo oscuro, con la pechuga algo rojiza, manchada de negro, y el pico igualmente pardo oscuro. Se alimenta de frutos, semillas e insectos, se domestica con facilidad, y aprende a repetir sonidos y aun la voz humana. ‖ **2.** fig. y fam. Gravedad y afectación en el rostro. ‖ **ser un mirlo blanco.** Ser de rareza extraordinaria. ‖ **soltar el mirlo.** fr. fig. y fam. Empezar a charlar.

mirobálano o **mirobálanos.** (Del lat. *myrobalānum,* y este del gr. μυροβάλανος.) m. Árbol de la India, de la familia

de las combretáceas, del cual hay varias especies, cuyos frutos, negros, rojos o amarillos, parecidos en figura y tamaño unos a la ciruela y otros a la aceituna, se usan en medicina y en tintorería. ‖ **2.** Fruto de este árbol.

mirobrigense. (Del lat. *Mirobrigensis.*) adj. Natural de la antigua Miróbriga, hoy Ciudad Rodrigo. Ú. t. c. s. ‖ **2.** Perteneciente o relativo a esta ciudad de la antigua Lusitania.

mirón, na. adj. Que mira, y más particularmente, que mira demasiado o con curiosidad. Ú. m. c. s. ‖ **2.** Dícese especialmente del que, sin jugar, presencia una partida de juego, o sin trabajar, mira cómo trabajan otros. Ú. m. c. s.

mirra. (Del lat. *myrrha,* y este del gr. μύρρα.) f. Gomorresina en forma de lágrimas, amarga, aromática, roja, semitransparente, frágil y brillante en su estructura. Proviene de un árbol de la familia de las burseráceas, que crece en Arabia y Abisinia. ‖ **líquida.** Licor gomoso y oloroso que sale de los árboles nuevos que producen la **mirra** ordinaria. Los antiguos la tenían por su hálito muy precioso.

mirrado, da. (Del lat. *myrrhātus.*) adj. Compuesto o mezclado con mirra.

mirrast. m. ant. **mirrauste.**

mirrauste. (Del cat. *mig-raust,* medio rostido.) m. Salsa que generalmente se hacía de leche de almendras, pan rallado, azúcar y canela; y que, espesada, se ponía a cocer con palominos ya medio asados y cortados en pequeños trozos.

mirringa. f. *Cuba.* Pizca, parte mínima de una cosa, porción insignificante de algo.

mirrino, na. (Del lat. *myrrhīnus.*) adj. De mirra o parecido a ella.

mirsináceo, a. (Del gr. μυρσίνη, mirto, y *-áceo.*) adj. *Bot.* Dícese de plantas angiospermas dicotiledóneas, comúnmente leñosas, a menudo dioicas, con hojas esparcidas, sin estípulas, y fruto en drupa o baya. Viven en los países intertropicales. Ú. t. c. s. f. ‖ **2.** f. pl. *Bot.* Familia de estas plantas.

mirtáceo, a. (Del lat. *myrtacĕus.*) adj. *Bot.* Dícese de árboles y arbustos angiospermos dicotiledóneos, casi todos tropicales, de hojas generalmente opuestas, en las cuales, lo mismo que en la corteza de las ramas, suele haber glándulas pequeñas y transparentes llenas de aceite esencial; flores blancas o encarnadas, y cáliz persistente en el fruto, que es capsular y contiene diversas semillas sin albumen; como el arrayán, el clavero y el eucalipto. Ú. t. c. s. f. ‖ **2.** f. pl. *Bot.* Familia de estos árboles y arbustos.

mirtídano. (Del lat. *myrtidānum,* y este del gr. μυρτίδανον, vino aderezado con bayas de mirto.) m. Pimpollo que nace al pie del mirto.

mirtino, na. (Del lat. *myrtīnus,* y este del gr. μύρτινος.) adj. De mirto o parecido a él.

mirto. (Del lat. *myrtus,* y este del gr. μύρτος.) m. **arrayán,** arbusto.

miruella. (Variante de *mirla.*) f. *Ast.* y *Cantabria.* **mirlo,** pájaro.

miruello. (Variante de *mirlo.*) m. *Ast.* y *Cantabria.* **mirlo,** pájaro.

mirza. (Del persa *mirza* o *mirzá,* abreviación de *amir-zāda,* hijo de príncipe, calificación aplicada luego a los nobles y personas instruidas.) m. Título honorífico entre los persas, equivalente al de señor.

misa. (Del b. lat. *missa,* envío, despedida.) f. Sacrificio incruento en que, bajo las especies de pan y vino, ofrece el sacerdote al Eterno Padre el cuerpo y sangre de Jesucristo. ‖ **2.** Orden del presbiterado. *Juan está ordenado de* MISA. ‖ **3.** V. **clérigo, día, de misa.** ‖ **4.** V. **fraile de misa y olla.** ‖ **cantada.** La que celebra con canto un solo sacerdote. ‖ **concelebrada.** La celebrada conjuntamente por varios sacerdotes. ‖ **conventual.** La mayor que se dice en los conventos. ‖ **de campaña.** La que se celebra al aire libre para fuerzas armadas y, por extensión, para un gran concurso de gente. ‖ **de cuerpo presente.** La que se dice por lo regular estando presente el cadáver, aunque algunas veces, por algún inconveniente que ocurre, se dice en otro día no impedido. ‖ **de difuntos.** La señalada por la Iglesia para que se diga por ellos. ‖ **del alba.** La que se celebra en algunos templos al romper el día. ‖ **de,** o **del, gallo.** La que se dice a medianoche o al comenzar la madrugada del día de Navidad. ‖ **de los cazadores. misa del alba.** ‖ **de parida,** o **de purificación.** La que se dice cuando una mujer va por primera vez a la iglesia después del parto. ‖ **de réquiem. misa de difuntos.** ‖ **en seco.** La que se dice sin consagrar, como la del que se adiestra para celebrar. ‖ **mayor.** La que se canta a determinada hora del día para que concurra todo el pueblo. ‖ **nueva.** La primera que dice o canta el sacerdote. ‖ **parroquial.** La que se celebra en las parroquias los domingos y fiestas de guardar, a la hora de mayor concurso: se aplica por todos los feligreses y generalmente la celebra el párroco. ‖ **privada,** o **rezada.** La que se celebra sin canto. ‖ **solemne.** La cantada en que acompañan al sacerdote el diácono y el subdiácono. ‖ **vespertina.** La que se celebra por las tardes. ‖ **votiva.** La que, no siendo propia del día, se puede decir en ciertos días por devoción. ‖ **misas gregorianas.** Las que en sufragio de un difunto se dicen durante treinta días seguidos y por lo común inmediatos al del entierro. ‖ **allá se,** o **te, lo dirán de misas.** fr. fam. con que se advierte a uno que pagará en la otra vida lo mal que obre en esta, o que pagará en otro tiempo lo que obre mal de presente. ‖ **ayudar a misa.** fr. Cooperar al santo sacrificio, respondiendo y sirviendo al celebrante. ‖ **cantar misa.** fr. Decir la primera **misa** un nuevo sacerdote, aun cuando sea rezada. ‖ **como en misa.** loc. fig. En profundo o en completo silencio. ‖ **decir misa.** fr. Celebrar el sacerdote este santo sacrificio. ‖ **de misa y olla.** loc. adj. que se dice del clérigo o fraile de cortos estudios y poca autoridad. ‖ **¡en qué pararán estas misas!** fr. fam. con que se expresa el temor de un mal resultado en negocio irregular. ‖ **ir a misa** una cosa. expr. fig. y fam. Ser indiscutiblemente verdadero lo que se dice. *Esto* VA A MISA. ‖ **no saber** uno **de la misa la media.** fr. fig. y fam. Ignorar una cosa o no poder dar razón de ella. ‖ **no saber de la misa la mitad.** fr. fig. y fam. *Ar.* **no saber de la misa la media.** ‖ **oír misa.** fr. Asistir y estar presente a ella. ‖ **que diga,** o **digan misas.** fr. fig. y fam. para indicar que a uno le tienen sin cuidado los comentarios de otro u otros. ‖ **ser misas de salud.** fr. fig. con que por desprecio se califican las maldiciones o malos deseos de uno contra otro. ‖ **ya se,** o **te, lo dirán de misas.** fr. fig. y fam. **allá se,** o **te, lo dirán de misas.**

misacantano. (De *misa* y *cantar.*) m. Sacerdote que dice o canta la primera misa. ‖ 2. Clérigo que está ordenado de todas órdenes y celebra misa.

misachico. (De un híbrido quechua-español.) m. *NO. Argent.* **romería,** ceremonia de campesinos que, entre festejos, realizan una procesión en honor de un santo.

misal. (Del b. lat. *missālis,* de misa.) adj. Aplícase al libro en que se contiene el orden y modo de celebrar la misa. Ú. m. c. s. ‖ 2. m. *Impr.* Grado de letra entre peticano y parangona.

misantropía. (Del gr. μισανθρωπία.) f. Cualidad de misántropo.

misantrópico, ca. adj. Perteneciente o relativo a la misantropía.

misántropo, pa. (Del gr. μισάνθρωπος.) m. y f. Persona que, por su humor tétrico, manifiesta aversión al trato humano.

misar. intr. fam. Decir misa. ‖ 2. fam. Oír misa.

misario. m. p. us. Acólito o muchacho que en las iglesias ayuda a misa.

miscelánea. (Del pl. n. lat. *miscellanĕa.*) f. Mezcla, unión de unas cosas con otras. ‖ 2. Obra o escrito en que se tratan muchas materias inconexas y mezcladas. ‖ 3. *Méj.* Tienda pequeña.

misceláneo, a. (Del lat. *miscellanĕus.*) adj. Mixto, vario, compuesto de cosas distintas o de géneros diferentes.

miscible. (Del lat. *miscibĭlis,* adj. verbal de *miscēre,* mezclar.) adj. **mezclable.**

miserabilísimo, ma. adj. sup. de **miserable.**

miserable. (Del lat. *miserabĭlis.*) adj. Desdichado, infeliz. ‖ 2. Abatido, sin valor ni fuerza. ‖ 3. **mezquino,** que escatima en el gasto. ‖ 4. Perverso, abyecto, canalla. ‖ 5. *Der.* V. **depósito miserable.**

miserablemente. adv. m. Desgraciada y lastimosamente; con desdicha e infelicidad. ‖ 2. Escasamente; con avaricia, poquedad y miseria.

miseración. (Del lat. *miseratĭo, -ōnis.*) f. Compasión de los trabajos y miserias ajenos, conmiseración.

miseraico, ca. adj. ant. **mesaraico.**

míseramente. adv. m. Con miseria.

miserando, da. (Del lat. *miserandus.*) adj. Digno de miseración.

miserear. (De *mísero.*) intr. fam. Portarse o gastar con escasez y miseria.

miserere. (Del imperat. lat. *miserēre,* ten compasión.) m. El salmo cincuenta, que empieza con esta palabra. ‖ 2. Canto solemne que se hace del mismo en las tinieblas de la Semana Santa. ‖ 3. Fiesta o función que se hace en cuaresma ante alguna imagen de Cristo, por cantarse en ella dicho salmo. ‖ 4. *Pat.* **cólico miserere,** oclusión intestinal aguda y muy grave.

miseria. (Del lat. *miserĭa.*) f. Desgracia, trabajo, infortunio. ‖ 2. Estrechez, falta de lo necesario para el sustento o para otra cosa; pobreza extremada. ‖ 3. Avaricia, mezquindad y demasiada parsimonia. ‖ 4. Plaga pedicular, producida de ordinario por el sumo desaseo de quien la padece. ‖ 5. fig. y fam. Cantidad insignificante. *Me envió una* MISERIA. ‖ **comerse** uno **de miseria.** fr. fig. y fam. Padecer gran pobreza y vivir miserablemente.

misericordia. (Del lat. *misericordĭa.*) f. Virtud que inclina el ánimo a compadecerse de los trabajos y miserias ajenos. ‖ 2. V. **obra de misericordia.** ‖ 3. *Teol.* Atributo de Dios, en cuya virtud perdona los pecados y miserias de sus criaturas. ‖ 4. p. us. Porción pequeña de alguna cosa, como la que suele darse de caridad o limosna. ‖ 5. Puñal con que solían ir armados los caballeros de la Edad Media para dar el golpe de gracia al enemigo. ‖ 6. Pieza en los asientos de los coros de las iglesias para descansar disimuladamente, medio sentado sobre ella, cuando se debe estar en pie.

misericordiosamente. adv. m. Piadosamente, con misericordia y clemencia.

misericordioso, sa. adj. Dícese del que se conduele de los trabajos y miserias ajenos. Ú. t. c. s.

miserioso, sa. (De *miseria* y *-oso²*.) adj. p. us. Miserable, avaro, mezquino.

miseriuca. f. d. despect. de **miseria.**

misero, ra. adj. fam. Aplícase a la persona que gusta de oír muchas misas. ‖ 2. fam. Dícese del sacerdote que no tiene más obvención que el estipendio de la misa.

mísero, ra. (Del lat. *miser, -a.*) adj. Desdichado, infeliz. ‖ 2. Abatido, sin fuerza. ‖ 3. Avariento, tacaño. ‖ 4. De pequeño valor.

misérrimo, ma. (Del lat. *miserrĭmus.*) adj. sup. de **mísero.**

misil o **mísil.** (Del lat. *missĭlis,* arrojadizo.) m. Proyectil autopropulsado, guiado electrónicamente.

misio, sia. (Del lat. *Mysĭus.*) adj. Natural de Misia. Ú. t.

c. s. ‖ **2.** Perteneciente o relativo a esta región de Asia antigua.

misión. (Del lat. *missĭo, -ōnis*.) f. Acción de enviar. ‖ **2.** Poder, facultad que se da a una persona de ir a desempeñar algún cometido. ‖ **3.** Cometido. ‖ **4.** Salida o peregrinación que hacen los religiosos y varones apostólicos de pueblo en pueblo o de provincia en provincia, o a otras naciones, predicando el Evangelio. ‖ **5.** Serie o conjunto de sermones fervorosos que predican los misioneros y varones apostólicos en las peregrinaciones evangélicas. ‖ **6.** Casa o iglesia de los misioneros. ‖ **7.** Comisión temporal dada por un gobierno a un diplomático o agente especial para determinado fin. ‖ **8.** Tierra, provincia o lugar en que predican los misioneros. ‖ **9.** desus. Lo que se señala a los segadores para sustento, de pan, carne y vino, por cierta cantidad de trabajo o tiempo. ‖ **10.** ant. Gasto, costa o expensas que se hacen en una cosa.

misional. adj. Perteneciente o relativo a los misioneros o a las misiones.

misionar. intr. Predicar o dar misiones, una serie de sermones o cada uno de estos. Ú. t. c. tr.

misionario. m. p. us. Eclesiástico que predica la religión cristiana en tierra de infieles, misionero[1]. ‖ **2.** p. us. Persona enviada de una parte a otra con un encargo. *La diputación y ciudad despedían* MISIONARIOS *o embajadores*.

misionero[1], ra. adj. Perteneciente o relativo a la misión que tiene por objeto predicar el Evangelio. ‖ **2.** m. Eclesiástico que en tierra de infieles enseña y predica la religión cristiana. ‖ **3.** m. y f. Persona que predica el Evangelio en las misiones.

misionero[2], ra. adj. Perteneciente o relativo a la provincia argentina de Misiones. ‖ **2.** Natural de esta provincia. Ú. t. c. s.

Misiones. n. p. *Argent*. V. **cedro de Misiones.**

misivo, va. (der. mod. del lat. *missus*, p. p. de *mittĕre*, enviar.) adj. Aplícase al papel, billete o carta que se envía a uno. Ú. m. c. s. f.

mismamente. adv. m. fam. Cabalmente, precisamente.

mismidad. f. *Fil*. Condición de ser uno mismo. ‖ **2.** *Fil*. Aquello por lo cual se es uno mismo. ‖ **3.** *Fil*. Identidad personal.

mismísimo, ma. adj. sup. fam. de **mismo.**

mismito, ta. adj. d. fam. de **mismo.**

mismo, ma. (Del lat. vulg. **metipsĭmus*, combinación del elemento enfático *-met*, que se añadía a los prons. pers., y un sup. de *ipse*, el mismo.) adj. Idéntico, no otro. *Este pobre es el* MISMO *a quien ayer socorrí; esa espada es la* MISMA *que sirvió a mi padre*. ‖ **2.** Exactamente igual. *De la* MISMA *forma; del* MISMO *color*. ‖ **3.** Por pleonasmo se aplica a los pronombres personales y a algunos adverbios para dar más energía a lo que se dice. *Yo* MISMO *lo haré; ella* MISMA *se condena; hoy* MISMO *lo veré; aquí* MISMO *te espero*. ‖ **así mismo.** loc. adv. De este o del **mismo** modo. ‖ **2. también.** ‖ **dar, o ser, lo mismo** una cosa. fr. Ser indiferente. ‖ **estar, o hallarse, en las mismas.** fr. fig. y fam. Encontrarse en la misma situación que antes. ‖ **por lo mismo.** loc. conjunt. causal. A causa de ello; por esta razón.

miso. fam. Voz que se usa para llamar al gato[1].

misoginia. (Del gr. μισογυνία.) f. Aversión u odio a las mujeres.

misógino, na. (Del gr. μισόγυνος.) adj. Que odia a las mujeres, manifiesta aversión hacia ellas o rehúye su trato. Ú. m. c. s. m.

misoneísmo. (Del gr. μισέω, odiar, νέος, nuevo, e *-ismo*.) m. Actitud propia del misoneísta, aversión a lo nuevo.

misoneísta. (Del gr. μισέω, odiar, νέος, nuevo, e *-ista*.) adj. Hostil a las novedades. Ú. t. c. s.

míspero. (Del lat. *mespĭlus* o *mespĭlum*, y este del griego

μέσπιλος.) m. *Ál., Burg*. y *Rioja*. Níspero, niéspero, nispolero. ‖ **2.** Fruto de este árbol.

misquito, ta. adj. Dícese del indio perteneciente a una tribu de la costa atlántica de Nicaragua. Ú. t. c. s. ‖ **2.** Perteneciente o relativo a esta tribu.

mistagógico, ca. (Del lat. *mystagogĭcus*, y este del gr. μυσταγωγικός.) adj. Perteneciente o relativo al mistagogo. ‖ **2.** Por ext., dícese también del discurso o escrito que pretende revelar alguna doctrina oculta o maravillosa.

mistagogo. (Del lat. *mystagōgus*, y este del gr. μυσταγωγός.) m. Sacerdote de la gentilidad grecorromana, que iniciaba en los misterios. ‖ **2.** p. us. Catequista que explicaba los misterios sagrados, especialmente los Santos Sacramentos.

mistamente. (De *misto*[2].) adv. m. *Der*. **mixtamente.**

mistar. intr. **musitar.** Ú. m. con negación.

mistela. (Probablemente, del it. *mistella*.) f. Bebida que se hace con aguardiente, agua, azúcar y otros ingredientes, como canela, hierbas aromáticas, etc. ‖ **2.** Líquido resultante de la adición de alcohol al mosto de uva en cantidad suficiente para que no se produzca la fermentación, y sin adición de ninguna otra sustancia.

misterial. adj. ant. **misterioso.**

misterialmente. adv. m. ant. **misteriosamente.**

misterio. (Del lat. *mysterĭum*, y este del gr. μυστήριον.) m. Arcano o cosa secreta en cualquier religión. ‖ **2.** En la religión cristiana, cosa inaccesible a la razón o que debe ser objeto de fe. ‖ **3.** Cualquier cosa arcana o muy recóndita, que no se puede comprender o explicar. ‖ **4.** Negocio secreto o muy reservado. ‖ **5.** Cada uno de los pasos de la vida, pasión y muerte de Jesucristo, cuando se consideran por separado. *Los* MISTERIOS *del Rosario*. ‖ **6.** Cualquier paso de estos o de la Sagrada Escritura, cuando se representan con imágenes. ‖ **7.** Pieza dramática que desarrolla algún paso bíblico de la historia y tradición cristianas. Reciben especialmente su nombre determinadas obras medievales de Francia y del antiguo Reino de Aragón. ‖ **8.** pl. *Litur*. Ceremonias del culto sagrado. ‖ **9.** Ceremonias secretas del culto de algunas divinidades. ‖ **hablar con, o de, misterio.** fr. Hablar cautelosa y reservadamente, o afectar oscuridad en lo que se dice, para dar en qué entender y qué discurrir a los que oyen. ‖ **hacer misterio.** fr. **hablar de misterio.** ‖ **no ser** una cosa **sin misterio.** fr. fig. No haber sido hecha por acaso y sin premeditación, sino con motivos justos y reservados. ‖ **que canta el misterio.** fr. **que canta el credo.**

misteriosamente. adv. m. Secreta y escondidamente; con misterio.

misterioso, sa. adj. Que encierra o incluye en sí misterio. ‖ **2.** Aplícase al que hace misterios y da a entender cosas recónditas donde no las hay.

mística. (Del lat. *mystĭca*, t. f. de *-cus*, místico[2].) f. Parte de la teología que trata de la vida espiritual y contemplativa y del conocimiento y dirección de los espíritus. ‖ **2.** Experiencia de lo divino. ‖ **3.** Expresión literaria de esta experiencia.

místicamente. adv. m. De un modo místico. ‖ **2.** Figurada o misteriosamente. ‖ **3.** Con el espíritu, espiritualmente.

misticismo. (De *místico*[2] e *-ismo*.) m. Estado de la persona que se dedica mucho a Dios o a las cosas espirituales. ‖ **2.** Estado extraordinario de perfección religiosa, que consiste esencialmente en cierta unión inefable del alma con Dios por el amor, y va acompañado accidentalmente de éxtasis y revelaciones. ‖ **3.** Doctrina religiosa y filosófica que enseña la comunicación inmediata y directa entre el hombre y la divinidad, en la visión intuitiva o en el éxtasis.

místico[1]. (Quizá del ár. *musaṭṭaḥ*, barco con cubierta en forma de azotea.) m. Embarcación costanera de tres palos, y algunas veces de dos, con velas latinas, usada en el Mediterráneo.

místico², ca. (Del lat. *mystĭcus*, y este del gr. μυστικός.) adj. Que incluye misterio o razón oculta. ‖ **2.** Perteneciente o relativo a la mística o al misticismo. ‖ **3.** Que se dedica a la vida espiritual. Ú. t. c. s. ‖ **4.** Que escribe mística. Ú. t. c. s. ‖ **5.** V. **teología mística.** ‖ **6.** *And.* Remirado. ‖ **7.** *Col., Cuba, Ecuad., Pan.* y *P. Rico.* Remilgado.

misticón, na. adj. fam. Que afecta mística y santidad. Ú. t. c. s.

mistificación. f. Acción y efecto de mistificar.

mistificador, ra. adj. Que mistifica. Ú. t. c. s.

mistificar. (Del fr. *mystifier.*) tr. Engañar, embaucar. ‖ **2.** Falsear, falsificar, deformar.

misti fori. loc. lat. **mixti fori.**

mistifori. m. **mixtifori.**

mistilíneo, a. (De *misto²* y *línea.*) adj. p. us. *Geom.* **mixtilíneo.**

mistión. (Del lat. *mixtĭo, -ōnis.*) f. desus. **mixtión.**

misto¹. (Del gr. μύστης, iniciado en los misterios.) m. Llamábase así al iniciado en los Pequeños Misterios del culto esotérico eleusino, en Grecia y en Roma.

misto², ta. (Del lat. *mistus.*) adj. p. us. **mixto.** Ú. t. c. s.

mistol. m *Argent.* y *Par.* Planta de la familia de las ramnáceas, cuyo tronco alcanza diez o quince metros de altura y unos sesenta centímetros de diámetro. Tiene ramas muy abundantes, rígidas y espinosas, flores pequeñas, dispuestas en cortas cimas compactas, y un fruto castaño, ovoide y más o menos de un centímetro de largo, con el que se suele elaborar arrope y otros alimentos. Se utiliza también con fines medicinales.

mistral. (Del prov. *mistral.*) adj. Dícese del viento entre poniente y tramontana, maestral. Ú. t. c. s.

mistura. (Del lat. *mistūra.*) f. p. us. **mixtura.**

misturar. (De *mistura.*) tr. p. us. **mixturar.**

misturero, ra. (De *misturar.*) adj. p. us. **mixturero.** Ú. t. c. s.

mita. (Del quechua *mit'a,* turno, semana de trabajo.) f. Repartimiento que en América se hacía por sorteo en los pueblos de indios, para sacar el número correspondiente de vecinos que debían emplearse en los trabajos públicos. ‖ **2.** Tributo que pagaban los indios del Perú.

mitad. (De *meitad.*) f. Cada una de las dos partes iguales en que se divide un todo. ‖ **2.** Parte que en una cosa equidista de sus extremos. ‖ **cara mitad.** fam. Marido o mujer, consorte. Ú. m. con algún pronombre posesivo. ‖ **engañarse en la mitad del justo precio.** fr. fig. Padecer engaño grave. ‖ **la mitad y otro tanto.** expr. fam. que se usa para no responder derechamente a lo que se pregunta, especialmente hablando de cantidad o número. ‖ **mentir por la mitad de la barba.** fr. fig. y fam. Mentir con descaro. ‖ **mitad y mitad.** loc. adv. Por partes iguales. ‖ **plantar,** o **poner,** a uno **en mitad del arroyo.** fr. fig. y fam. **plantarlo,** o **ponerlo, en la calle.**

mitadenco. (De *mitad* y *-enco.*) adj. *Ar.* Dícese del censo frumentario que se pagaba en dos especies, mitad a mitad. ‖ **2.** m. *Ar.* Mezcla de trigo y centeno, mitad y mitad aproximadamente.

mitán. m. Lienzo para forros de vestidos, holandeta, holandilla.

mitayo. (De *mita.*) m. Indio que en América daban por sorteo y repartimiento los pueblos para el trabajo. ‖ **2.** Indio que llevaba lo recaudado de la mita.

mítico, ca. (Del lat. *mythĭcus*, y este del gr. μυθικός.) adj. Perteneciente o relativo al mito.

mitificación. f. Acción y efecto de mitificar.

mitificar. tr. Convertir en mito cualquier hecho natural. ‖ **2.** Rodear de extraordinaria estima determinadas teorías, personas, sucesos, etc.

mitigación. (Del lat. *mitigatĭo, -ōnis.*) f. Acción y efecto de mitigar o mitigarse.

mitigadamente. adv. m. De manera mitigada.

mitigador, ra. adj. Que mitiga. Ú. t. c. s.

mitigar. (Del lat. *mitigāre.*) tr. Moderar, aplacar, disminuir o suavizar una cosa rigurosa o áspera. Ú. t. c. prnl.

mitigativo, va. (Del lat. *mitigatīvus.*) adj. Que mitiga o tiene virtud de mitigar.

mitigatorio, ria. (Del lat. *mitigatorĭus.*) adj. **mitigativo.**

mitin. (Del ing. *meeting.*) m. Reunión donde se discuten públicamente asuntos políticos o sociales.

mito¹. (Del gr. μῦθος.) m. Fábula, ficción alegórica, especialmente en materia religiosa. ‖ **2.** Relato o noticia que desfigura lo que realmente es una cosa, y le da apariencia de ser más valiosa o más atractiva. ‖ **3.** Persona o cosa rodeada de extraordinaria estima.

mito². m. Ave paseriforme de la familia de los páridos, plumaje blanco, negro y rosado y larga cola blanca y negra. Es común en España y vive en los bosques, donde construye nidos cerrados de forma inconfundible.

mitografía. (De *mito¹* y *-grafía.*) f. Ciencia que trata del origen y explicación de los mitos.

mitógrafo, fa. (De *mito¹* y *-grafo.*) m. y f. Persona que escribe acerca de los mitos, supersticiones, etc.

mitología. (Del lat. *mythologĭa*, y este del gr. μυθολογία.) f. Conjunto de mitos de un pueblo o de una cultura, especialmente de la griega y romana. ‖ **2.** Narración o estudio de los mitos.

mitológico, ca. (Del lat. *mythologĭcus*, y este del gr. μυθολογικός.) adj. Perteneciente a la mitología. ‖ **2.** m. **mitólogo.**

mitologista. com. **mitólogo.**

mitólogo, ga. (Del gr. μυθολόγος.) m. y f. Persona que profesa la mitología o tiene en ella especiales conocimientos.

mitomanía. (De *mito¹* y *manía.*) f. Tendencia morbosa a desfigurar, engrandeciéndola, la realidad de lo que se dice.

mitómano, na. (Del fr. *mythomane.*) adj. Dícese de la persona dada a la mitomanía. Ú. t. c. s.

mitón. (Del fr. *miton.*) m. Especie de guante de punto, que solo cubre desde la muñeca inclusive hasta la mitad del pulgar y el nacimiento de los demás dedos.

mitosis. (Del gr. μίτοs, tejer, y *-sis.*) f. *Biol.* Modalidad de la división de la célula, que se caracteriza esencialmente porque en el núcleo se hacen ostensibles los cromosomas y cada uno de estos se divide longitudinalmente en dos mitades que pasan a formar parte respectivamente de cada una de las dos porciones en que queda dividido el núcleo; a continuación, el citoplasma se divide en dos mitades, quedando constituidas así las dos células hijas.

mitote. (Del nahua *mitotl.*) m. Especie de baile o danza de los indios, en que entraba gran número de ellos y, asidos de las manos, formaban un gran corro, en medio del cual ponían una bandera, y junto a ella una vasija con bebida; así iban haciendo sus mudanzas al son de un tamboril, y bebiendo de rato en rato, hasta que se embriagaban. ‖ **2.** *Amér.* Fiesta casera. ‖ **3.** *Amér.* Melindre, aspaviento. ‖ **4.** *Méj.* Bulla, pendencia, alboroto.

mitotero, ra. adj. fig. *Amér.* Que hace mitotes o melindres. Ú. t. c. s. ‖ **2.** *Amér.* Bullanguero, amigo de diversiones. Ú. t. c. s. ‖ **3.** fig. *Amér.* Que hace mitotes, pendencias. Ú. t. c. s.

mitótico, ca. adj. *Biol.* Perteneciente a la mitosis.

mitra. (Del lat. *mitra*, y este del gr. μίτρα.) f. Toca o adorno de la cabeza entre los persas, de quienes lo tomaron otras naciones. ‖ **2.** Toca alta y apuntada con que en las grandes solemnidades se cubren la cabeza los arzobispos, obispos y algunas otras personas eclesiásticas que tienen este privilegio. ‖ **3.** Cubrecabeza de esa forma que llevaron diversos cuerpos militares antiguos. ‖ **4.** fig. Dignidad de arzobispo u obispo. ‖ **5.** fig. Territorio de su jurisdicción. ‖ **6.** fig. Cúmulo de las rentas de una diócesis o archidiócesis, de un obispo o arzobispo. ‖ **7.** fig. Obispillo o rabadilla de las aves.

mitrado, da. p. p. de **mitrar.** ‖ **2.** adj. Dícese de la persona que puede usar mitra. ‖ **3.** m. Arzobispo u obispo.

mitral. (De *mitra.*) adj. *Anat.* V. **válvula mitral.**

mitrar. (De *mitra.*) tr. fam. Otorgar e imponer una mitra.

mitridatismo. (Por alusión a la inmunidad atribuida a *Mitridates,* rey del Ponto.) m. *Fisiol.* Resistencia a los efectos de un veneno, adquirida mediante la administración prolongada y progresiva del mismo, empezando por dosis inofensivas.

mitridato. (De *Mitridates,* rey del Ponto.) m. *Farm.* Electuario compuesto de gran número de ingredientes, que se usó como remedio contra la peste, las fiebres malignas y las mordeduras de los animales venenosos.

mituano, na. adj. Natural de Mitú. Ú. t. c. s. ‖ **2.** Perteneciente o relativo a esta ciudad de Colombia.

mítulo. (Del lat. *mitŭlus.*) m. Mejillón, mocejón.

miura. m. Toro de la ganadería de Miura, famosa por la bravura e intención atribuida a sus reses. ‖ **2.** fig. y fam. Persona aviesa, de malas intenciones.

mixedema. (Del gr. μύξα, moco, y οἴδημα, hinchazón.) f. *Pat.* Edema producido por infiltración de sustancia mucosa en la piel, y a veces en los órganos internos, a consecuencia del mal funcionamiento de la glándula tiroidea.

mixoma. (Del gr. μύξα, moco, y *-oma.*) m. Tumor de los tejidos mucosos.

mixomatosis. (De *mixoma,* con la sílaba, *to* del tema de los n. gr. en *-ma,* y *-sis.*) f. *Veter.* Enfermedad infecciosa de los conejos, caracterizada por tumefacciones en la piel y membranas de estos animales.

mixomiceto. (del gr. μύξα, moco, y μύκης, -ητος, hongo.) adj. *Bot.* Dícese de organismos microscópicos con aspecto de moho, nutrición heterótrofa y reproducción por esporas, que abundan en la hojarasca de bosque y otros sustratos orgánicos. ‖ **2.** m. pl. *Bot.* Grupo al que pertenecen estos organismos, como el fuligo de las tenerías.

mixtamente. (De *mixto.*) adv. m. *Der.* Correspondiendo a los dos fueros, eclesiástico y civil.

mixtela. (De *mixto.*) f. desus. **mistela.**

mixtificación. f. **mistificación.**

mixtificador, ra. adj. **mistificador.**

mixtificar. (De *mistificar,* con *x* gráfica por influjo de *mixto.*) tr. **mistificar.**

mixti fori. (Del lat. *mixtus,* mezclado, y *forum,* tribunal.) loc. lat. *Der.* Aplicábase a los delitos de que podían conocer el tribunal eclesiástico y el seglar. ‖ **2.** fig. Dícese de las cosas o hechos cuya naturaleza no se puede deslindar con suficiente claridad.

mixtifori. (De *mixti fori.*) m. fam. Embrollo o mezcla de cosas heterogéneas.

mixtilíneo, a. (De *mixto* y *línea.*) adj. *Geom.* V. **ángulo mixtilíneo.** ‖ **2.** *Geom.* Dícese de toda figura cuyos lados son rectos unos y curvos otros.

mixtión. (Del lat. *mixtĭo, -ōnis.*) f. Mezcla, mixtura. ‖ **2.** *Blas.* Color heráldico de púrpura.

mixto, ta. (Del lat. *mixtus.*) adj. Mezclado e incorporado con una cosa. ‖ **2.** Compuesto de varios simples. Ú. m. c. s. m. ‖ **3.** Dicho de animal o vegetal, mestizo. ‖ **4.** V. **censo, fuero mixto.** ‖ **5.** V. **imperio mixto.** ‖ **6.** **matemáticas mixtas.** ‖ **7.** V. **tren mixto.** Ú. t. c. s. ‖ **8.** *Arit.* V. **número mixto.** ‖ **9.** *Der.* V. **obligación mixta.** ‖ **10.** *Esgr.* V. **compás mixto.** ‖ **11.** *Geom.* V. **ángulo mixto.** ‖ **12.** *Gram.* V. **vocal mixta.** ‖ **13.** *Mar.* V. **buque mixto.** ‖ **14.** *Mil.* V. **brigada mixta.** ‖ **15.** m. Cerilla, fósforo. ‖ **16.** *Art.* Cualquiera de las mezclas inflamables que se usan en la guerra para los artificios incendiarios, explosivos o de iluminación. ‖

17. f. *P. Rico.* En los bodegones, servicio de un solo plato hecho de arroz, habichuelas y carne.

mixtura. (Del lat. *mixtūra.*) f. Mezcla, juntura o incorporación de varias cosas. ‖ **2.** Pan de varias semillas. ‖ **3.** *Farm.* Poción compuesta de varios ingredientes.

mixturar. (De *mixtura.*) tr. p. us. Mezclar, incorporar o confundir una cosa con otra.

mixturero, ra. adj. p. us. Que mixtura. Ú. t. c. s. ‖ **2.** ant. Revolvedor, cizañero. Usáb. t. c. s.

miz. Voz para llamar al gato[1]. ‖ **2.** m. fam. **gato**[1], animal.

miza. (De *miz.*) f. fam. **gata,** micha.

mizarrón. adj. *Ar.* Decíase del que defraudaba al fisco, dejando de pagar el peaje u otro derecho de pasaje. Usáb. t. c. s. ‖ **2.** *Ar.* Pena en que los mismos incurrían, que era la pérdida de lo que transportaban.

mizcal. m. En Marruecos, **metical,** moneda.

mízcalo. (De or. inc.) m. Hongo comestible, muy jugoso, que suele hallarse en los pinares y es fácil de distinguir por el color verde oscuro que toma cuando se corta en pedazos.

mizo[1]. (De *miz.*) m. fam. **gato**[1], animal.

mizo[2]**, za.** adj. *Germ.* Manco o izquierdo.

mnemonia. (Del lat. *mnemonĭca,* y este del gr. μνημονική.) f. **mnemotecnia.**

mnemónico, ca. (Del gr. μνημονικός.) adj. Perteneciente o relativo a la memoria.

mnemotecnia. (Del gr. μνήμη, memoria, y *-tecnia.*) f. Arte que procura aumentar la capacidad y alcance de la memoria. ‖ **2.** Método por medio del cual se forma una memoria artificial.

mnemotécnica. f. **mnemotecnia.**

mnemotécnico, ca. adj. Perteneciente a la mnemotecnia. ‖ **2.** Que sirve para auxiliar a la memoria.

moa. f. *Germ.* Moneda.

moabita. (Del lat. *Moabīta,* y éste del hebr. *mŏ'abī,* perteneciente o relativo a *Moab,* hijo de Lot.) adj. Natural de la región de Moab, en la Arabia Pétrea, al oriente del mar Muerto. Ú. t. c. s. ‖ **2.** Perteneciente a esta región. ‖ **3.** ant. **almorávide.** Usáb. t. c. s.

moaré. (Del fr. *moiré.*) m. Tela fuerte que forma aguas, muaré.

mobiliario, ria. (Del fr. *mobiliaire.*) adj. **mueble.** Aplícase por lo común a los efectos públicos al portador o transferibles por endoso. ‖ **2.** m. Conjunto de muebles de una casa. ‖ **urbano.** Conjunto de instalaciones facilitadas por los ayuntamientos para el servicio del vecindario: bancos, papeleras, marquesinas, etc.

moblaje. m. **mobiliario.**

moblar. tr. desus. **amueblar.**

moble. (Del lat. *mobĭlis.*) adj. desus. **mueble,** móvil.

moca. m. Café de buena calidad que se trae de la ciudad de Arabia del mismo nombre.

mocadero. m. ant. Pañuelo de limpiar los mocos.

mocador. m. **moquero.**

mocar. tr. Sonar y limpiar los mocos. Ú. m. c. prnl.

mocárabe. (De *almocárabe.*) m. *Arq.* y *Carp.* Labor formada por la combinación geométrica de prismas acoplados, cuyo extremo inferior se corta en forma de superficie cóncava. Se usa como adorno de bóvedas, cornisas, etc.

mocarra. com. fam. El niño o mozo que se atreve a intervenir en cosas de mayores.

mocarro. m. fam. Moco que por descuido cuelga de las narices sin limpiar. ‖ **2.** V. **santo mocarro.**

mocasín. (Del ing. *moccasin.*) m. Calzado que usan los indios, hecho de piel sin curtir. ‖ **2.** Calzado moderno a imitación del anterior.

mocear. intr. Ejecutar acciones propias de gente moza. ‖ **2.** p. us. Desmandarse en travesuras deshonestas.

mocedad. (De *mozo* y *-edad.*) f. Época de la vida humana

que comprende desde la pubertad hasta la edad adulta. ‖
2. p. us. Travesura o desorden con que suelen vivir los
mozos por su poca experiencia. ‖ **3.** p. us. Diversión deshonesta y licenciosa.

mocejón. (Del lat. *muscellĭo, -ōnis,* de *muscellus,* d. de *muscŭlus.*)
m. Molusco lamelibranquio, cuya concha tiene las valvas
casi negras y más largas que anchas. Vive adherido a las
peñas de la costa.

moceña. f. desus. **morcella.**

moceril. adj. Propio de gente moza.

mocerío. m. Agregado o conjunto de mozos o de mozas,
gente joven, o de mozos y mozas solteros.

mocero. (De *moza.*) adj. p. us. Dado a la lascivia y al trato
de las mujeres. Ú. t. c. s.

mocete. m. *Ar.* y *Rioja.* Mozo joven, mocito, mozalbete.

mocetón, na. (aum. de *mozo.*) m. y f. Persona joven, alta,
corpulenta y membruda.

mocil. adj. p. us. Propio de gente moza.

moción. (Del lat. *motĭo, -ōnis.*) f. Acción y efecto de mover,
moverse o ser movido. ‖ **2.** fig. Alteración del ánimo. ‖ **3.**
Inspiración interior que Dios ocasiona en el alma. ‖ **4.**
Proposición que se hace o sugiere en una junta que deli-
bera. ‖ **5.** En las lenguas semíticas, nombre que se da a las
vocales y a los signos que las representan. ‖ **6.** *Gram.*
Cambio de la terminación de un nombre para indicar el
género, como *perro, perra.* ‖ **7.** ant. *Mar.* Tiempo en que
corre el viento favorable para una navegación.

mocito, ta. adj. Que está en el principio de la mocedad.
Ú. t. c. s.

moco. (Del lat. *muccus.*) m. Humor espeso y pegajoso que
segregan las membranas mucosas, y especialmente el que
fluye por las ventanas de la nariz. ‖ **2.** Materia pegajosa
y medio fluida que forma grumos dentro de un líquido,
por descomponerse las sustancias que estaban en disolución. ‖ **3.** Dilatación candente de la extremidad del pabilo
en una luz encendida. ‖ **4.** Escoria que sale del hierro encendido en la fragua cuando se martilla y apura. ‖ **5.** Porción derretida de las velas que corre y se va cuajando a lo
largo de ellas. ‖ **6.** *Mar.* Cada una de las perchas pequeñas
que penden de la cabeza del bauprés y sirven de guía a los
cabos que aseguran el botalón. ‖ **de herrero. moco,** escoria.
‖ **de pavo.** Apéndice carnoso y eréctil que esta ave tiene
sobre el pico. ‖ **2.** Planta herbácea de adorno, de la familia
de las amarantáceas, con tallo grueso, verde, ramoso, de
algo más de un metro de altura; hojas aovadas lampiñas,
y flores generalmente purpúreas, dispuestas en grupos de
espigas colgantes alrededor de otra central más larga. ‖ **3.**
Méj. **amaranto,** planta. ‖ **a moco de candil.** loc. adv. A la
luz del candil. ‖ **buscar** una cosa **a moco de candil.** fr. fig.
y fam. **escogerla a moco de candil.** ‖ **caérsele** a uno **el moco.**
fr. fig. y fam. Ser simple o poco advertido. ‖ **escoger** una
cosa **a moco de candil.** fr. fig. y fam. Escogerla con mucho
examen y cuidado, esto es, como aproximándola a la luz
para verla bien. ‖ **es moco de pavo.** fr. fig. y fam. con que
se da a entender la poca estimación o entidad de una cosa
que este tiene en poco. ‖ **haber quitado** a uno **los mocos.**
fr. fig. y fam. Haberlo criado o cuidado de él desde pequeño. Ú. m. para reconvenir al que se olvida de los beneficios que recibió en su niñez. ‖ **llorar a moco tendido.**
fr. fig. y fam. Llorar copiosa y aparatosamente. ‖ **no saber
quitarse los mocos.** fr. fig. y fam. con que se censura la
suma ignorancia de uno, y que se meta en lo que no entiende. ‖ **no ser** una cosa **moco de pavo.** fr. fig. y fam. Tener
importancia o valor. ‖ **quitar** a uno **los mocos.** fr. fig. y
fam. Darle de bofetadas.

mocoano, na. adj. Natural de Mocoa. Ú. t. c. s. ‖ **2.**
Perteneciente o relativo a esta ciudad de Colombia.

mocoso, sa. adj. Que tiene las narices llenas de mocos.
‖ **2.** fig. Aplícase, en son de censura o desprecio, al niño

atrevido o malmandado, y también al mozo poco experimentado o advertido. Ú. m. c. s. ‖ **3.** fig. p. us. Insignificante, de ningún valor ni importancia.

mocosuelo, la. adj. d. de **mocoso,** niño o joven inexperto. Ú. m. c. s.

mocosuena. adv. m. fam. Atendiendo más al sonido
que a la significación de las voces. *Traducir* MOCOSUENA.

mocoví. adj. Dícese de una tribu indígena que ocupó territorios entre los ríos Bermejo y Salado, en el norte de
Argentina. Apl. a pers., ú. t. c. s. ‖ **2.** Perteneciente o relativo a esta tribu. ‖ **3.** m. Lengua de estos indios, perteneciente a la familia guaycurú.

mocha. (De *mocho.*) f. Reverencia que se hacía bajando la
cabeza. ‖ **2.** fam. Cabeza humana.

mochacho, cha. (De *mocho.*) m. y f. ant. **muchacho.**

mochada. f. Golpe con la mocha o cabeza.

mochales. (De *mocha* y *-ales.*) adj. fam. Dícese de la persona chiflada o medio loca. Ú. m. con el verbo *estar.*

mochar. tr. Dar golpes con la mocha o cabeza, amochar.
‖ **2.** Desmochar, cortar.

mochazo. m. Golpe dado con la mocha o cabeza. ‖ **2.**
Golpe dado con el mocho de una arma.

moche. V. **a troche y moche.**

mocheta. (De *mocho* y *-eta.*) f. Extremo grueso, romo o
contundente opuesto a la parte punzante o cortante de
ciertas herramientas; como azadones, hachas, etc. ‖ **2.** Rebajo en el marco de las puertas y ventanas, donde encaja
el revalso. ‖ **3.** *Arq.* Ángulo diedro entrante, que se deja
o se abre en la esquina de una pared, o resulta al encontrarse el plano superior de un miembro arquitectónico con
un paramento vertical. ‖ **4.** *Arq.* Telar del vano de una
puerta o ventana.

mochete. (De *mocho* y *-ete.*) m. Cernícalo, ave.

mochil. (Del vasc. *motxil,* d. de *motil,* muchacho.) m. Muchacho que sirve a los labradores para llevar o traer recados
a los mozos del campo.

mochila. (De *mochil.*) f. Cierto género de caparazón que
en la jineta se lleva escotado de los dos arzones. ‖ **2.** Caja
de tabla delgada, forrada de cuero, que usan los soldados
para llevar el equipo, poniéndosela a la espalda, sujeta con
correas y afianzada en los hombros. ‖ **3.** Morral de los
cazadores, soldados y viandantes. ‖ **4.** Provisión de víveres
que cada soldado llevaba consigo en campaña para determinado número de días, y también el forraje para su caballo. ‖ **hacer mochila.** fr. Prevenirse los cazadores y
caminantes de comida y merienda para el camino.

mochilero. m. El que servía en el ejército llevando las
mochilas. ‖ **2.** El que viaja a pie con mochila.

mochillero. m. p. us. **mochilero.**

mocho, cha. (De or. inc.) adj. Dícese de todo aquello a
lo que falta la punta o la debida terminación, del animal cornudo que carece de astas, el árbol mondado de
ramas y copa, la torre sin chapitel, etc. ‖ **2.** fig. Pelón.
Pelado o con el pelo cortado. ‖ **3.** V. **trigo mocho.** ‖ **4.** fig.
Chile. Dícese del religioso motilón y de la religiosa lega.
Ú. t. c. s. ‖ **5.** m. Remate grueso y romo de un instrumento o utensilio largo; como la culata de una arma de
fuego. ‖ **váyase mocha por cornuda.** fr. fig. y fam. que se
dice cuando el defecto o la imperfección de una cosa se
compensa con la bondad o perfección de otra.

mochuelo¹. (De or. inc.) m. Ave rapaz nocturna, de unos
dos decímetros desde lo alto de la cabeza hasta la extremidad de la cola, y medio metro aproximadamente de envergadura, con plumaje muy suave, de color leonado, con
pintas pardas en las partes superiores, y amarillento claro
con manchas alargadas grises en el pecho y vientre; cuerpo
erguido, cabeza redonda, pico corto y encorvado, ojos
grandes de iris amarillo, cara circular, alas redondeadas,
cola corta y tarsos y dedos cubiertos de plumas blanque-

cinas y sedosas. Es común en España y se alimenta ordinariamente de roedores y reptiles. ‖ **2.** fig. y fam. Asunto o trabajo difícil o enojoso, de que nadie quiere encargarse. Ú. m. en las frases **cargar con el mochuelo; caerle, echarle, sacudirle** o **tocarle,** a uno **el mochuelo.** ‖ **3.** *Impr.* Omisión de una o más palabras, miembro del discurso, frase, etc., que se comete en la composición. ‖ **cada mochuelo a su olivo.** fr. fig. con que se indica que ya es hora de recogerse. ‖ **2.** fr. fig. con que se da a entender que cada cual debe estar en su puesto cumpliendo con su deber. ‖ **3.** fr. fig. con que se indica la acción de separarse varias personas que estaban reunidas, volviendo cada una a su casa o a su lugar de partida o procedencia.

mochuelo[2]. (De etim. disc.) m. Cierta vasija usada antiguamente en el servicio doméstico.

moda. (Del fr. *mode.*) f. Uso, modo o costumbre que está en boga durante algún tiempo, o en determinado país, con especialidad en los trajes, telas y adornos. Entiéndese principalmente de los recién introducidos. ‖ **2.** V. **tienda de modas.** ‖ **entrar en las modas.** fr. Seguir la que se estila, o adoptar los usos y costumbres del país o pueblo donde se reside. ‖ **estar de moda.** fr. Usarse o estilarse una prenda de vestir, tela, color, etc., o practicarse generalmente una cosa. ‖ **pasar** o **pasarse de moda.** fr. Perder actualidad o vigencia. ‖ **salir una moda.** fr. Empezar a usarse. ‖ **ser moda,** o **de moda.** fr. **estar de moda.**

modal. adj. Que comprende o incluye modo o determinación particular. ‖ **2.** Perteneciente o relativo al modo gramatical. ‖ **3.** m. pl. Acciones externas de cada persona, con que se hace notar y se singulariza entre las demás, dando a conocer su buena o mala educación. Usáb. c. amb.

modalidad. f. Modo de ser o de manifestarse una cosa.

modéjar. adj. desus. **mudéjar.**

modelable. adj. Que puede ser modelado.

modelado, da. p. p. de **modelar.** ‖ **2.** m. Acción y efecto de modelar.

modelador, ra. adj. Que modela.

modelar. (De *modelo.*) tr. Formar de cera, barro u otra materia blanda una figura o adorno. ‖ **2.** fig. Configurar o conformar algo no material. ‖ **3.** *Pint.* Presentar con exactitud el relieve de las figuras. ‖ **4.** prnl. fig. Ajustarse a un modelo.

modélico, ca. adj. Que sirve o puede servir de modelo.

modelista. (De *modelo* e *-ista.*) com. Operario encargado de los moldes para el vaciado de piezas de metal, cemento, etc. ‖ **2.** Operario especializado en hacer modelos o maquetas de diferentes industrias o artesanías.

modelo. (Del it. *modello.*) m. Vestido con características únicas, creado por determinado modista y, en general, cualquier prenda de vestir que esté de moda. ‖ **2.** Arquetipo o punto de referencia para imitarlo o reproducirlo. ‖ **3.** En las obras de ingenio y en las acciones morales, ejemplar que por su perfección se debe seguir e imitar. ‖ **4.** Representación en pequeño de alguna cosa. ‖ **5.** Esquema teórico, generalmente en forma matemática, de un sistema o de una realidad compleja (por ejemplo, la evolución económica de un país), que se elabora para facilitar su comprensión y el estudio de su comportamiento. ‖ **6.** Objeto, aparato, construcción, etc., o conjunto de ellos realizados con arreglo a un mismo diseño. *Auto* MODELO *1976. Lavadora último* MODELO. ‖ **7.** En empresas, indica que lo designado por el nombre anterior ha sido creado como ejemplar o se considera que puede serlo. Es siempre invariable. *Empresa* MODELO. *Granjas* MODELO. ‖ **8.** *Esc.* Figura de barro, yeso o cera, que se ha de reproducir en madera, mármol o metal. ‖ **9.** com. Persona de buena figura que en las tiendas de modas se pone los vestidos, trajes y otras prendas para que los vean los clientes. ‖ **10.**

Esc. y *Pint.* Persona u objeto que copia el artista. ‖ **vivo.** Persona, por lo común desnuda, que sirve para el estudio en el dibujo.

modenés, sa. adj. Natural de Módena. Ú. t. c. s. ‖ **2.** Perteneciente o relativo a esta ciudad de Italia.

moderación. (Del lat. *moderatĭo, -ōnis.*) f. Acción y efecto de moderar o moderarse. ‖ **2.** Cordura, sensatez, templanza en las palabras o acciones.

moderadamente. adv. m. Con moderación o templanza; sin exceso. ‖ **2.** Mediana y razonablemente.

moderado, da. p. p. de **moderar.** ‖ **2.** adj. Que tiene moderación. ‖ **3.** Que guarda el medio entre los extremos. ‖ **4.** Aplicóse a un partido liberal de España que tenía por mira proceder con moderación en las reformas y principalmente mantener el orden público y el principio de autoridad. ‖ **5.** Perteneciente o relativo a este partido. *Senador, periódico* MODERADO. Apl. a pers., ú. t. c. s. *Un* MODERADO; *los* MODERADOS.

moderador, ra. (Del lat. *moderātor, -ōris.*) adj. Que modera. Ú. t. c. s. ‖ **2.** V. **poder moderador.** ‖ **3.** m. y f. Persona que preside o dirige un debate, asamblea, mesa redonda, etc. ‖ **4.** m. Presidente de una reunión o asamblea en las iglesias protestantes. ‖ **5.** *Fís.* Sustancia que reduce la energía cinética de los neutrones sin absorberlos.

moderamiento. m. ant. Acción y efecto de moderar o moderarse.

moderante. p. a. de **moderar.** Que modera. ‖ **2.** m. En algunas universidades, el que presidía y dirigía las academias en que los estudiantes se adiestraban en los ejercicios escolásticos.

moderantismo. (Del fr. *modérantisme.*) m. p. us. Doctrina del partido moderado. ‖ **2.** p. us. Ideología política moderada.

moderar. (Del lat. *moderāri.*) tr. Templar, ajustar, arreglar una cosa, evitando el exceso. MODERAR *las pasiones, el precio, el calor, la velocidad.* Ú. t. c. prnl.

moderativo, va. adj. Que modera o tiene virtud para moderar.

moderato. (Del it. *moderato.*) adv. m. *Mús.* Con movimiento de velocidad intermedia entre la del andante y la del alegro. ‖ **2.** m. *Mús.* Composición, o parte de ella, que se ha de ejecutar con dicho movimiento.

moderatorio, ria. adj. Que modera o reduce a lo justo las cosas que tienen exceso.

modernamente. adv. m. Recientemente; de poco tiempo a esta parte. ‖ **2.** En los tiempos actuales.

modernidad. f. Cualidad de moderno.

modernismo. m. Afición a las cosas modernas con menosprecio de las antiguas, especialmente en arte y literatura. ‖ **2.** Movimiento religioso de fines del siglo XIX y comienzos del XX que pretendió poner de acuerdo la doctrina cristiana con la filosofía y la ciencia de la época, y favoreció la interpretación subjetiva, sentimental e histórica de muchos contenidos religiosos. ‖ **3.** Movimiento literario que, en Hispanoamérica y en España, entre finales del siglo XIX y principios del XX, se caracterizó por su voluntad de independencia artística, la creación de un mundo ideal de refinamientos, innovaciones del lenguaje, especialmente rítmicas, y una sensibilidad abierta a diversas culturas, sobre todo a la francesa.

modernista. adj. Perteneciente o relativo al modernismo. Apl. a pers., ú. t. c. s.

modernización. f. Acción y efecto de modernizar o modernizarse.

modernizador, ra. adj. Que moderniza.

modernizar. tr. Hacer que alguien o algo pase a ser moderno. Ú. t. c. prnl.

moderno, na. (Del lat. *modernus,* de hace poco, reciente.) adj. Perteneciente al tiempo del que se habla o a una época reciente. ‖ **2.** V. **edad moderna.** ‖ **3.** Dícese de lo que en cualquier tiempo se ha considerado contrapuesto a lo clásico. ‖ **4.** V. **latín moderno.** ‖ **5.** p. us. Dícese de la persona que lleva poco tiempo ejerciendo un empleo. ‖ **6. m.** En los colegios y otras comunidades, el que es nuevo, o no de los más antiguos. ‖ **7.** pl. Los que viven en la actualidad o han vivido hace poco tiempo. ‖ **a la moderna,** o **a lo moderno.** loc. adv. Según costumbre o uso **moderno.**

modestamente. adv. m. Con modestia y compostura o templanza en el modo.

modestia. (Del lat. *modestîa.*) f. Virtud que modera, templa y regla las acciones externas, conteniendo al hombre en los límites de su estado, según lo conveniente a él. ‖ **2.** Cualidad de humilde, falta de engreimiento o de vanidad. ‖ **3.** V. **plural de modestia.** ‖ **4.** Pobreza, escasez de medios, recursos, bienes, etc.

modesto, ta. (Del lat. *modestus.*) adj. Que tiene modestia. Ú. t. c. s.

módicamente. adv. m. Con escasez o estrechez. ‖ **2.** Con moderación.

modicidad. (Del lat. *modicîtas, -âtis.*) f. p. us. Cualidad de módico.

módico, ca. (Del lat. *modîcus.*) adj. Moderado, escaso, limitado.

modificable. adj. Que puede modificarse.

modificación. (Del lat. *modificatîo, -ônis.*) f. Acción y efecto de modificar o modificarse. ‖ **2.** *Biol.* Cualquier cambio que por influencia del medio se produce en los caracteres anatómicos o fisiológicos de un ser vivo y que no se transmite por herencia a los descendientes.

modificador, ra. (Del lat. *modificâtor, -ôris.*) adj. Que modifica. Ú. t. c. s.

modificante. p. a. de **modificar.** Que modifica. Ú. t. c. s.

modificar. (Del lat. *modificâre.*) tr. p. us. Limitar, determinar o restringir las cosas a cierto estado en que se singularicen y distingan unas de otras. Ú. t. c. prnl. ‖ **2.** p. us. Reducir las cosas a los términos justos, templando el exceso o exorbitancia. Ú. t. c. prnl. ‖ **3.** Transformar o cambiar una cosa mudando alguno de sus accidentes. ‖ **4.** *Fil.* Dar un nuevo modo de existir a la sustancia material. Ú. t. en sentido moral.

modificativo, va. adj. Que modifica o sirve para modificar.

modificatorio, ria. adj. Que modifica.

modillón. (Del it. *modiglione.*) m. *Arq.* Miembro voladizo sobre el que se asienta una cornisa o alero, o los extremos de un dintel.

modio. (Del lat. *modîus.*) m. Medida para áridos, que usaron los romanos y equivalía aproximadamente a 8,75 litros.

modismo. m. Expresión fija, privativa de una lengua, cuyo significado no se deduce de las palabras que la forman, v. gr., *a troche y moche.* ‖ **2.** idiotismo, expresión o sintagma privativo de una lengua, contrario a las reglas gramaticales, v. gr., *a ojos vistas.*

modista. (De *moda* e *-ista.*) com. Persona que tiene por oficio hacer trajes y otras prendas de vestir para señoras. ‖ **2.** ant. Persona que adoptaba, seguía o inventaba las modas. ‖ **3.** f. p. us. La que tiene tienda de modas.

modistilla. (d. de *modista.*) f. fam. Modista de poco valer en su arte. ‖ **2.** fam. Oficiala o aprendiza de modista.

modisto. m. Hombre que hace vestidos de señora.

modo. (Del lat. *modus.*) m. Forma variable y determinada que puede recibir un ser, sin que por recibirla se cambie o destruya su esencia. ‖ **2.** Moderación o templanza en las acciones o palabras. ‖ **3.** Urbanidad, cortesanía o decencia en el porte o trato. Ú. m. en pl. ‖ **4.** Forma o manera particular de hacer una cosa. ‖ **5.** *Der.* Encargo unido a

una donación que obliga al adquirente. ‖ **6.** *Fís.* Forma especial que puede adoptar un fenómeno. ‖ **7.** *Gram.* Cada una de las distintas maneras generales de manifestarse la significación del verbo. v. gr.: *indicativo, subjuntivo,* etc. ‖ **8.** *Mús.* Disposición o arreglo de los sonidos que forman una escala musical. ‖ **adverbial.** *Gram.* **locución adverbial.** ‖ **auténtico.** *Mús.* Cada uno de los cuatro primitivos del canto ambrosiano, cuya dominante era la quinta sobre la tónica. ‖ **condicional.** *Gram.* **modo potencial.** ‖ **conjuntivo.** *Gram.* **locución conjuntiva.** ‖ **de adquirir.** *Der.* Hecho jurídico por cuya virtud una persona adquiere el dominio u otro derecho real sobre una cosa. ‖ **deprecativo.** *Gram.* Según algunos gramáticos, el imperativo, cuando su oficio es rogar o suplicar. ‖ **discípulo.** *Mús.* **modo plagal.** ‖ **imperativo.** *Gram.* El que en el verbo español tiene un tiempo solamente, con el cual se manda, exhorta, ruega, anima o disuade. ‖ **indicativo.** *Gram.* El que enuncia la acción del verbo como real. ‖ **infinitivo.** *Gram.* En la gramática tradicional, el que en el verbo no expresa números ni personas ni tiempo determinado sin juntarse a otro verbo. Comprende las que hoy se denominan formas no personales del verbo: además del infinitivo, el gerundio y el participio. ‖ **maestro.** *Mús.* **modo auténtico.** ‖ **mayor.** *Mús.* Disposición de los sonidos de una escala musical cuya tercera nota se halla dos tonos más alta que la primera. ‖ **menor.** *Mús.* Disposición de los sonidos de una escala musical cuya tercera nota solo se halla tono y medio más alta que la primera. ‖ **optativo.** *Gram.* En las conjugaciones griega y sánscrita, el que indica deseo de que se verifique lo significado por el verbo. ‖ **plagal.** *Mús.* Cada uno de los cuatro añadidos en el canto gregoriano, y cuya dominante era la tercera por debajo de la tónica. ‖ **potencial.** *Gram.* En la gramática tradicional, el que expresa la acción del verbo como posible. ‖ **subjuntivo.** *Gram.* El que expresa la acción del verbo con significación de duda, posibilidad o deseo, y se llama subjuntivo porque dicho **modo** se usa en oraciones subordinadas. ‖ **al,** o **a, modo de.** loc. prepos. Como, a manera de. ‖ **a mi, tu, su, nuestro, vuestro modo.** loc. adv. Según puede, sabe o acostumbra la persona de que se trate. ‖ **cada uno tiene su modo de matar pulgas.** fr. proverb. con que se explica la variedad de genios y **modos** particulares que tienen las personas para discurrir u obrar. ‖ **de cualquier modo.** loc. adv. **de cualquier manera.** ‖ **de modo que.** loc. conjunt. **de suerte que.** ‖ **de ningún modo.** loc. adv. **de ninguna manera.** ‖ **por modo de juego.** loc. adv. **por juego.** ‖ **sobre modo.** loc. adv. En extremo, sobremanera.

modorra. (De *modorro.*) f. Somnolencia, sopor profundo. ‖ **2.** Sueño muy pesado y, a veces, patológico. ‖ **3. hora de la modorra.** ‖ **4.** *Mil.* Segundo de los cuartos en que para las centinelas se dividía la noche, comprendido entre el cuarto de prima y el de la modorrilla. ‖ **5.** *Veter.* Aturdimiento patológico del ganado lanar, producido por los cisticercos de los cenuros que se alojan en el cerebro y que pueden alcanzar gran tamaño.

modorrar. tr. Causar modorra. Ú. entre pastores. ‖ **2.** prnl. p. us. Ponerse la fruta blanda y mudar de color, como para pudrirse.

modorrilla. (De *modorra.*) f. fam. *Mil.* Tercero de los cuartos en que para las centinelas se dividía la noche, comprendido entre el de la modorra y el del alba.

modorrillo. m. Cierta clase de vasija usada antiguamente.

modorro, rra. (De or. inc.) adj. Que padece el accidente de modorra. ‖ **2.** Dícese del operario que se ha azogado en las minas. Ú. t. c. s. ‖ **3.** Dícese de la fruta que pierde el color y empieza a fermentar. ‖ **4.** fig. Inadvertido, ignorante, que no distingue las cosas. Ú. t. c. s.

modosidad. f. Cualidad de modoso.

modoso, sa. adj. Que guarda modo y compostura en su conducta y ademanes.

modrego. (Voz relacionada con *modorro*.) m. fam. Sujeto desmañado y que no tiene habilidad ni gracia para nada.

modulación. (Del lat. *modulatĭo, -ōnis*.) f. *Electr.* Modificación de la frecuencia o amplitud de las ondas eléctricas para la mejor transmisión de las señales. ‖ **2.** *Mús.* Acción y efecto de modular.

modulador, ra. (Del lat. *modulātor, -ōris*.) adj. Que modula. Ú. t. c. s.

modular[1]. (Del lat. *modulāri*.) tr. Variar el tono en el habla o en el canto, dando con afinación, facilidad y suavidad el que corresponda. ‖ **2.** *Electrón.* Variar el valor de la amplitud, frecuencia o fase de una onda portadora en función de una señal electromagnética para su transmisión radiada. ‖ **3.** intr. *Mús.* Pasar de una tonalidad a otra.

modular[2]. adj. Perteneciente o relativo al módulo.

módulo. (Del lat. *modŭlus*.) m. Dimensión que convencionalmente se toma como unidad de medida, y, más en general, todo lo que sirve de norma o regla. ‖ **2.** Pieza o conjunto unitario de piezas que se repiten en una construcción de cualquier tipo, para hacerla más fácil, regular y económica. ‖ **3.** *Arq.* Medida que se usa para las proporciones de los cuerpos arquitectónicos; en la antigua Roma, era el semidiámetro del fuste en su parte inferior. ‖ **4.** *Hidrául.* Obra o aparato dispuesto para regular la cantidad de agua que se introduce en una acequia o canal, o que pasa por un caño u orificio. ‖ **5.** *Mat.* Cantidad que sirve de medida o tipo de comparación en determinados cálculos. ‖ **6.** *Mat.* Divisor común en una congruencia. ‖ **7.** *Mat.* Razón constante entre los logaritmos de un mismo número tomados en bases diferentes. ‖ **8.** *Mús.* Acción y efecto de modular, modulación. ‖ **9.** *Numism.* Diámetro de una medalla o moneda.

moduloso, sa. (De *módulo* y *-oso*[2].) adj. p. us. Cadencioso, armonioso.

modurria. (De *modorra*.) f. ant. Abobamiento, bobería.

modus operandi. loc. lat. Manera especial de actuar o trabajar para alcanzar el fin propuesto.

modus vivendi. loc. lat. Modo de vivir, base o regla de conducta, arreglo, ajuste o transacción entre dos partes. Se usa especialmente refiriéndose a pactos internacionales, o acuerdos diplomáticos de carácter interino.

moer. m. Tela fuerte que hace aguas, moaré, muaré.

mofa. (De *mofar*.) f. Burla y escarnio que se hace de una persona o cosa con palabras, acciones o señales exteriores. Ú. especialmente con el verbo *hacer* y con la prep. *de*.

mofador, ra. adj. Que se mofa. Ú. t. c. s.

mofadura. f. p. us. mofa.

mofar. (Voz de creación expresiva.) intr. Hacer mofa. Ú. m. c. prnl. Usáb. t. c. tr.

mofeta. (Del it. *mofeta*, exhalación pestilente, y *moffetta*, el mamífero abajo indicado.) f. Cualquiera de los gases perniciosos que se desprenden de las minas y otros sitios subterráneos, ordinariamente el ácido carbónico o un carburo de hidrógeno. ‖ **2.** Mamífero carnicero de unos cinco decímetros de largo, comprendida la cola, que es de dos, y parecido exteriormente a la comadreja, de la cual se diferencia por su tamaño y el pelaje, pardo en el lomo y en el vientre, y blanco en los costados y la cola. Es propio de América, y lanza un líquido fétido que segregan dos glándulas situadas cerca del ano.

moflearse. prnl. *Các.* y *Sal.* Burlarse de uno hinchando los mofletes.

moflete. (Voz de creación expresiva.) m. fam. Carrillo demasiado grueso y carnoso, que parece que está hinchado.

mofletudo, da. adj. Que tiene mofletes.

moflir. (Voz de creación expresiva.) tr. ant. Comer, mascar a boca llena.

mogataz. (Del ár. *mugaṭṭas*, bautizado.) adj. V. **moro mogataz.** Ú. t. c. s.

mogate. (Del ár. *mugaṭṭī*, que cubre, cubierta.) m. Baño que cubre alguna cosa, y particularmente el barniz que usan los alfareros. ‖ **a,** o **de, medio mogate.** loc. adv. Díjose de las vasijas de barro solo vidriadas interior o exteriormente. ‖ **2.** fig. y fam. p. us. Con descuido o poca advertencia en lo que se ejecuta; sin la perfección debida.

mogato, ta. adj. p. us. Que finge o exagera humildad o cobardía. Ú. t. c. s.

mogo. m. ant. y hoy vulg. moho.

mogol, la. (Del turco *mugal*.) adj. mongol. ‖ **gran mogol.** Título de los soberanos de una dinastía mahometana en la India.

mogólico, ca. adj. **mongólico,** perteneciente a Mongolia. ‖ **2.** Perteneciente al gran mogol.

mogolla. f. *Col.* Pan moreno hecho de salvado.

mogollón, na. (De or. inc.) adj. p. us. Holgazán, vago, gorrón. ‖ **2.** m. Entremetimiento de uno donde no le llaman o no es convidado. ‖ **de mogollón.** loc. adv. fam. **de gorra.** ‖ **2.** De balde, gratuitamente. ‖ **3.** Aplícase a lo que se hace mal, descuidadamente o con apresuramiento.

mogón, na. (Voz relacionada con *mogote*.) adj. Dícese de la res vacuna a la cual falta una asta, o la tiene rota por la punta.

mogote. (Voz prerromana, quizá del vasc. **mokoti*, puntiagudo, der. de *moko*, punta.) m. Cualquier elevación del terreno que recuerde la forma de un monte. ‖ **2. mojón,** montón de piedras. ‖ **3.** Montículo aislado, de forma cónica y rematado en punta roma. ‖ **4.** Hacina o montón de haces en forma piramidal. ‖ **5.** Cada una de las dos cuernas de los gamos y venados, desde que los comienzan a nacer hasta que tienen como un palmo de largo.

mogrollo. (Quizá der. regres. de *mogollón*.) m. p. us. Que vive o come a costa ajena, gorrón, gorrista. ‖ **2.** fam. p. us. Sujeto tosco y que no tiene cortesía.

mohada. f. **mojada**[2], medida agraria.

moharra. (Quizá der. del ár. *muḥarrab*, aguzado.) f. Punta de la lanza, que comprende la cuchilla y el cubo con que se asegura en el asta.

moharrache. m. p. us. **moharracho.**

moharracho. m. p. us. Persona que se disfraza ridículamente o una función para alegrar o entretener a las demás, haciendo gestos y ademanes ridículos. ‖ **2.** fig. y fam. p. us. Figura mal hecha. ‖ **3.** Persona de ningún valer o mérito.

mohatra. (Del ár. *mujāara*, venta con riesgo.) f. Venta fingida o simulada que se hace cuando se vende teniendo prevenido o simulada que se hace cuando se vende teniendo prevenido quien compre aquello mismo a menos precio, o cuando se da a precio muy alto para volverlo a comprar a precio ínfimo, o cuando se da o presta a precio exorbitante. ‖ **2.** Fraude, engaño. ‖ **3.** V. **caballero de mohatra.**

mohatrar. intr. Hacer mohatras.

mohatrero, ra. m. y f. Persona que hace mohatras.

mohatrón, na. m. y f. **mohatrero.**

mohecer. tr. p. us. **enmohecer,** cubrir de moho. Ú. m. c. prnl.

moheda. (De or. inc.) f. Monte alto con jarales y maleza.

mohedal. m. **moheda.**

moheña. (De *moho* y *-eño*.) adj. V. **ortiga moheña.**

mohiento, ta. adj. desus. **mohoso.**

mohín. (De *mohíno*.) m. Mueca o gesto.

mohína. (De *mohíno*.) f. Enojo, enfado, tristeza. ‖ **2.** p. us. Mohín, mueca o gesto de disgusto. ‖ **3.** Pendencia, reyerta.

mohindad. f. desus. **mohína.**

mohíno, na. (De or. inc.) adj. Triste, melancólico, disgustado. ‖ **2.** Dícese del macho o mula hijos de caballo y burra. ‖ **3.** Dícese de las caballerías y reses vacunas que tienen el pelo, y sobre todo el hocico, de color muy negro. Ú. t. c. s. ‖ **4.** m. **rabilargo**, pájaro. ‖ **5.** En el juego, aquel contra quien van los demás que juegan. ‖ **6.** En el juego del revesino, partido que se hace a aquel contra quien van los demás, dándole algunas ventajas o exenciones. ‖ **tres al**, o **contra el**, **mohíno**. expr. fig. con que se significa la conjuración o unión de algunos contra otro u otros.

moho. (Quizá de formación expresiva, como port. *môfo*, it. *muffa*, alto al. *muff.*) m. Nombre de varias especies de hongos de tamaño muy pequeño que viven en los medios orgánicos ricos en materias nutritivas, provistos de un micelio filamentoso y ramificado del cual sale un vástago que termina en un esporangio esférico, a manera de cabezuela. ‖ **2.** Capa que se forma en la superficie de un cuerpo metálico por alteración química de su materia; como la herrumbre o el cardenillo. ‖ **3.** Alteración o corrupción de una sustancia orgánica cuando se cubre de ciertas vegetaciones criptógamas. ‖ **4.** Parte de la sustancia u objeto atacada por estas vegetaciones. ‖ **5.** fig. p. us. Desidia o dificultad de trabajar, ocasionada por el exceso de ocio y descanso. ‖ **2.** ‖ **no criar moho.** fr. fig. y fam. Hallarse una cosa en continuo movimiento o uso de modo que no esté ociosa ni parada. ‖ **no dejar criar moho** a una cosa. fr. fig. y fam. Tenerla en continuo ejercicio. ‖ **2.** fig. y fam. Gastarla prontamente.

mohoso, sa. adj. Cubierto de moho.

mohúr. m. Moneda de oro de la antigua India inglesa, que equivalía a quince rupias de plata.

moisés. n. p. V. **ley de Moisés.** ‖ **2.** fig. y fam. V. **lágrimas de Moisés.** ‖ **3.** m. Cestillo ligero de mimbre, lona u otra materia, con asas, que sirve de cuna portátil.

mojábana. f. Torta de harina con queso, almojábana.

mojada¹. f. Acción y efecto de mojar o mojarse. ‖ **2.** fam. Herida con arma punzante. ‖ **3.** *Murc.* Rebanada de pan que se moja y empapa en cualquier líquido.

mojada². (Del cat. *mojada*.) f. Medida agraria usada en Cataluña, que tiene 2.025 canas cuadradas y equivale a cerca de cuarenta y nueve áreas.

mojadedo (a). loc. adv. *Cineg.* Hablando de disparos, a corta distancia, a quemarropa.

mojado, da. p. p. de **mojar.** ‖ **2.** adj. fig. V. **papel mojado.** ‖ **3.** *Fon.* Dícese del sonido pronunciado con un contacto relativamente amplio del dorso de la lengua contra el paladar. *La CH puede ser más o menos* MOJADA. ‖ **4.** m. Acción y efecto de mojar.

mojador, ra. adj. Que moja. Ú. t. c. s. ‖ **2.** m. Tacita o receptáculo pequeño de vidrio o de metal con una esponja empapada de agua, para mojarse la punta de los dedos el que cuenta billetes o maneja papeles, o para mojar los sellos antes de pegarlos en los sobres. ‖ **3.** *Impr.* Depósito de agua limpia en que se mojaba el papel antes de la impresión.

mojadura. f. Acción y efecto de mojar o mojarse.

mojama. (Del m. or. que *almojama*.) f. Cecina de atún.

mojar. (Del lat. vulg. *molliāre*, por *mollire*, ablandar.) tr. Humedecer una cosa con agua u otro líquido. Ú. t. c. prnl. ‖ **2.** fig. y fam. Dar de puñaladas a uno. ‖ **3.** fig. y fam. **remojar**, convidar, celebrar. ‖ **4.** fig. y fam. **orinar.** Ú. t. c. prnl. ‖ **5.** intr. fig. Introducirse o tener parte en una dependencia o negocio. ‖ **6.** prnl. fig. y fam. Comprometerse con una opción clara en un asunto conflictivo.

mojarra. (De *moharra*.) f. Pez teleósteo del suborden de los acantopterigios, de unos dos decímetros de largo, con el cuerpo ovalado, comprimido lateralmente, de color oscuro, con tres manchas negras, una junto a la cola y las otras en las agallas; cabeza ancha y ojos grandes. Se pesca en las costas de España y es de carne estimada. ‖ **2.** Lancha pequeña al servicio de las almadrabas. ‖ **3.** *And.* y *Amér.* Cuchillo ancho y corto.

mojarrilla. (d. de *mojarra*.) com. fam. p. us. Persona que siempre está alegre y de chanza.

moje. (De *mojar*.) m. Salsa de cualquier guisado.

mojel. (Del cat. *moixell*, copo de estopa.) m. *Mar.* Cualquiera de las cajetas hechas de meollar, del largo de braza y media, las cuales van hacia los chicotes en disminución y sirven para dar vueltas al cable y al virador cuando se zarpa el ancla.

mojera. (De *moixera*, nombre arag. y cat. del mismo árbol.) f. Mostellar o mostajo, árbol.

mojete. (De *moje*.) m. *Ar.* y *Murc.* Salsa o moje de cualquier guisado.

mojí¹. (Del ár. *muhšà*, con imela *muhší*, relleno de varias cosas.) adj. V. **cazuela moji.**

mojí². (Apócope de *mojicón*.) m. Golpe con el puño en la cara, mojicón.

mojicón. (De *moj[ar]* e *-icón*.) m. Especie de bizcocho, hecho regularmente de mazapán y azúcar, cortado en trozos y bañado. ‖ **2.** Especie de bollo fino que se toma principalmente con chocolate. ‖ **3.** fam. Golpe que se da en la cara con la mano.

mojiganga. (Como *bojiganga*.) f. Fiesta pública que se hace con varios disfraces ridículos, enmascarados los hombres, especialmente en figuras de animales. ‖ **2.** Obrilla dramática muy breve, para hacer reír, en que se introducen figuras ridículas y extravagantes. ‖ **3.** fig. Cualquier cosa ridícula con que parece que uno se burla de otro.

mojigatería. f. Cualidad de mojigato. ‖ **2.** Acción propia de él.

mojigatez. f. Cualidad de mojigato.

mojigato, ta. (De **mojo*, voz para llamar al gato, y *gato*.) adj. Disimulado, que afecta humildad o cobardía para lograr su intento en la ocasión. Ú. t. c. s. ‖ **2.** Beato hazañero que hace escrúpulo de todo. Ú. m. c. s.

mojil, aj. mojí¹.

mojinete¹. (Probablemente, de *mohíno*, mulo.) m. Tejadillo de los muros. ‖ **2.** Línea horizontal más alta del tejado, caballete. ‖ **3.** *Argent.*, *Par.* y *Urug.* Frontón o remate triangular de las dos paredes más altas y angostas de un rancho, galpón o construcción similar, sobre las que se apoya el caballete.

mojinete². (De *moj[i]c[o]nete*.) m. p. us. Golpe suave dado en la cara a los niños para acariciarlos.

mojino, na. (De *mojí¹*.) adj. V. **cazuela mojina.**

mojo. (De *mojar*.) m. p. us. **moje.** ‖ **2.** p. us. **remojo.**

mojón¹. (Del lat. hispánico **mutŭlo, -ōnis, de mutŭlus*.) m. Señal permanente que se pone para fijar los linderos de heredades, términos y fronteras. ‖ **2.** Por ext., señal que se coloca en despoblado para que sirva de guía. ‖ **3.** Chito¹ o tanguilla en que se pone el dinero, y se tira jugando. ‖ **4.** p. us. **montón.** ‖ **5.** Porción compacta de excremento humano que se expele de una vez.

mojón². (Probablemente, del occit. *moisson*, borrachín.) m. Catavinos de oficio. ‖ **2.** ant. **mojonero.**

mojona¹. (De *mojonar*.) f. Acción de medir o amojonar las tierras.

mojona². (De *mojón²*.) f. Renta que se arrendaba en los lugares, y consistía en el tributo que se pagaba por la medida del vino o de otra especie.

mojonación. f. p. us. Acción y efecto de mojonar.

mojonar. (De *mojón¹*.) tr. p. us. Poner en las lindes mojones, amojonar.

mojonera. f. Lugar o sitio donde se ponen mojones¹. ‖ **2.** Serie de mojones¹ que señalan la confrontación de dos términos o jurisdicciones.

mojonero. (De *mojón²*.) m. p. us. El que afora.

mol¹. adj. ant. **mole¹.**

mol². (Abrev. de *molécula*.) m. **molécula gramo.**

mola¹. (Del lat. *mola*.) f. Harina de escanda, tostada y mezclada con sal, que los gentiles usaban en sus sacrificios, echándola en la frente de la res y en la hoguera en que esta había de ser quemada.

mola[2]. (Del lat. *mola*, masa carnosa de la matriz.) f. *Pat.* Masa carnosa e informe que en algunos casos se produce dentro de la matriz, ocasionando las apariencias de la preñez. Se llama también **mola matriz.**

mola[3]. f. *Col.* y *Pan.* Prenda femenina a manera de blusa, confeccionada con telas de distintos colores. ‖ **2.** Adorno de tela de diversos colores, confeccionado por los indios cunas de San Blas, en Panamá.

molada. (De *muela*.) f. Porción de color que se muele de una vez con la moleta. ‖ **2.** *Ar.* Cantidad de aceituna que se muele de una vez.

molar. (Del lat. *moláris*.) adj. Perteneciente o relativo a la muela. ‖ **2.** Apto para moler. ‖ **3.** V. **diente molar.** Ú. m. c. s. ‖ **4.** V. **piedra molar.**

molasa. (Del fr. *molasse*.) f. Arenisca de cemento calizo que se emplea en construcción.

molcajete. (Del nahua *mulcaxtil*, escudilla.) m. Mortero grande de piedra o de barro cocido, con tres pies cortos y resistentes, que se usa para preparar salsas.

moldar. (De *molde*.) tr. Ajustar a un molde. ‖ **2.** Hacer molduras en una cosa.

moldavo, va. adj. Natural de Moldavia. Ú. t. c. s. ‖ **2.** Perteneciente o relativo a este antiguo principado danubiano.

molde. (Del cat. ant. *motle*.) m. Pieza o conjunto de piezas acopladas, en que se hace en hueco la figura que en sólido quiere darse a la materia fundida, fluida o blanda, que en él se vacía: por ejemplo, un metal, la cera, etc. ‖ **2.** Cualquier instrumento, aunque no sea hueco, que sirve para estampar o para dar forma o cuerpo a una cosa; en este sentido se llaman **moldes** las letras de imprenta, las agujas de hacer media, los palillos de hacer encajes, etc. ‖ **3.** V. **letra de molde.** ‖ **4.** fig. Persona que por llegar al sumo grado en una cosa, puede servir de regla o norma en ella. ‖ **5.** ant. V. **escribano de molde.** ‖ **6.** *Impr.* Conjunto de letras o forma ya dispuesta para imprimir. ‖ **de tontos.** fig. Persona a quien cansan y fatigan con impertinencia y pesadez. ‖ **de molde.** loc. adj. Dícese de lo impreso, a distinción de lo manuscrito. ‖ **2.** loc. adv. fig. A propósito, con oportunidad. ‖ **3.** fig. Bien, perfectamente, con maestría.

moldeable. adj. Que puede ser moldeado.

moldeado, da. p. p. de **moldear.** ‖ **2.** m. Acción y efecto de moldear.

moldeador, ra. adj. Que moldea. Ú. t. c. s.

moldeamiento. m. Acción y efecto de moldear.

moldear. (De *molde*.) tr. Hacer molduras en una cosa. ‖ **2.** Sacar el molde de una figura. ‖ **3.** Dar forma a una materia echándola en un molde, vaciar.

moldeo. m. *Metal.* Proceso por el que se obtienen piezas echando materiales fundidos en un molde. Ú. t. en sent. fig.

moldero. (De *molde* y *-ero*.) m. ant. Impresor o estampador.

moldura[1]. (De *molde* y *-ura*.) f. Parte saliente de perfil uniforme, que sirve para adornar o reforzar obras de arquitectura, carpintería y otras artes.

moldura[2]. (Del lat. *molitúra*, de *molère*, moler.) f. *Ál.* Precio por moler en el molino, moltura, maquila.

moldurar. tr. Hacer molduras en una cosa.

mole[1]. (Del lat. *mollis*, forma culta o tomada de otro romance.) adj. Muelle, blando. ‖ **2.** V. **huevos moles.**

mole[2]. (Del lat. *moles*.) f. Cosa de gran bulto o corpulencia. ‖ **2.** Corpulencia o bulto grande.

mole[3]. (Del nahua *mulli*, salsa.) m. *Méj.* Salsa espesa preparada con diferentes chiles y muchos otros ingredientes y especias. ‖ **2.** *Méj.* Guiso de carne de pollo, de guajolote

o de cerdo que se prepara con esta salsa. ‖ **verde.** Salsa de este tipo que se hace con chiles y tomates verdes.

molécula. (d. del lat. *moles*, mole.) f. *Fís.* y *Quím.* En los fluidos, cada una de las partículas que se mueven con independencia de las restantes, y en los sólidos, agrupación de átomos ligados entre sí más fuertemente que con el resto de la masa. ‖ **gramo.** Cantidad de una sustancia química cuyo peso es su peso molecular expresado en gramos.

molecular. adj. Perteneciente o relativo a las moléculas. ‖ **2.** *Fís.* V. **atracción, peso molecular.**

moledera. (De *moler*.) f. Piedra en que se muele. ‖ **2.** fig. y fam. p. us. Molestia causada por la importunación.

moledero, ra. adj. Que se ha de moler o puede molerse. ‖ **2.** m. ant. Persona que muele o lleva a moler a los molinos.

moledor, ra. adj. Que muele. Ú. t. c. s. ‖ **2.** fig. y fam. Dícese de la persona que cansa o fatiga con su pesadez. Ú. t. c. s. ‖ **3.** m. Cada uno de los cilindros del trapiche o molino en que se machacan las cañas en los ingenios de azúcar. ‖ **4.** ant. Persona que muele o lleva a moler a los molinos.

moledura. f. Acción de moler. ‖ **2.** Fatiga, cansancio.

moleja. (De etim. disc.) f. ant. Molleja de las aves.

molejón. (De *muela*, piedra, y *-ejón*.) m. Artificio de afilar con una piedra que al girar se moja en el agua, mollejón. ‖ **2.** *Cuba.* Roca alta y tajada que sobresale en el mar, farallón.

molendero, ra. (De *molienda* y *-ero*.) m. y f. Persona que muele o lleva que moler a los molinos. ‖ **2.** m. El que muele y labra el chocolate.

moleña. (De *moleño*.) f. Pedernal, variedad de cuarzo.

moleño, ña. (De *muela* y *-eño*.) adj. Dícese de la roca a propósito para hacer piedras de molino.

moler. (Del lat. *molère*.) tr. Quebrantar un cuerpo, reduciéndolo a menudísimas partes, o hasta hacerlo polvo. ‖ **2.** Exprimir la caña de azúcar en el trapiche. ‖ **3.** fig. Cansar o fatigar mucho. ‖ **4.** fig. ú. m. en p. p. con los verbos *estar, dejar, quedar.* Estoy MOLIDO *de tanto trabajar.* ‖ **4.** fig. Estropear, maltratar. *Este cepillo* MUELE *la ropa; te he de* MOLER *a palos.* ‖ **5.** fig. Molestar gravemente y con impertinencia. ‖ **a todo moler.** loc. adv. fig. Entregarse uno con toda diligencia a la ejecución de una cosa.

molero. (De *muela*, piedra de molino.) m. El que hace o vende muelas de molino.

molestador, ra. adj. Que molesta. Ú. t. c. s.

molestamente. adv. m. Con molestia, insistencia y pesadez.

molestar. (Del lat. *molestáre*.) tr. Causar molestia. Ú. t. c. prnl.

molestia. (Del lat. *molestía*.) f. Fatiga, perturbación, extorsión. ‖ **2.** Enfado, fastidio, desazón o inquietud del ánimo. ‖ **3.** Desazón originada de leve daño físico o falta de salud. ‖ **4.** Falta de comodidad o impedimento para los libres movimientos del cuerpo, originada de cosa que lo oprima o lastime en alguna parte.

molesto, ta. (Del lat. *molestus*.) adj. Que causa molestia. ‖ **2.** Que la siente.

molestoso, sa. adj. ant. Que causa molestia. Ú. en Andalucía y América.

moleta. f. d. de **muela.** ‖ **2.** Piedra o guijarro, comúnmente de mármol, que se emplea para moler drogas, colores, etc. ‖ **3.** En la fábrica de cristales, aparato que sirve para alisarlos y pulirlos. ‖ **4.** *Blas.* Figura de estrella con un círculo en su interior. ‖ **5.** *Impr.* Instrumento para moler la tinta en el tintero.

molibdeno. (Del lat. *molybdaena*, y este del gr. μολύβδαινα, cristo de plomo.) m. *Quím.* Metal de color y brillo plomizos, pesado como el cobre, quebradizo y difícil de fundir; empléase en los laboratorios para preparar ciertos reactivos, y en la industria, en la fabricación de aceros. Núm. atómico 42. Símb.: *Mo*.

molicie. (Del lat. *mollitĭes*.) f. Blandura de las cosas al tacto. ‖ **2.** fig. Afición al regalo, nimia delicadeza, afeminación.

molido, da. p. p. de **moler**. ‖ **2.** adj. V. **oro molido**.

molienda. (Del pl. n. lat. *molenda*, cosas que se han de moler.) f. Acción de moler granos y algunas otras cosas. ‖ **2.** Porción o cantidad de caña de azúcar, trigo, aceituna, chocolate, etc., que se muele de una vez. ‖ **3.** p. us. El mismo molino. ‖ **4.** Temporada que dura la operación de moler la aceituna o la caña de azúcar. ‖ **5.** fig. y fam. Acción de molestar a uno. ‖ **6.** fig. y fam. Cosa que causa molestia. *Esto es una* MOLIENDA.

moliente. p. a. de **moler**. Que muele. ‖ **moliente y corriente**. expr. **corriente y moliente**.

molificable. adj. Susceptible de molificarse.

molificación. f. Acción y efecto de molificar o molificarse.

molificar. (Del lat. *mollificāre*.) tr. Ablandar o suavizar. Ú. t. c. prnl.

molificativo, va. adj. Que molifica o puede molificar.

molimiento. m. Acción de moler. ‖ **2.** fig. Fatiga, cansancio y molestia.

molinada. (De *molino* y *-ada*.) f. Molienda que se hace de una vez del trigo que se calcula necesario en una casa para pasar una temporada. ‖ **2.** *And.* Conjunto de capachos con aceituna que se prensan de una vez.

molinaje. m. *Murc.* Lo que se paga por moler en el molino.

molinar. m. Sitio donde están los molinos.

molinejo. m. d. de **molino**.

molinería. f. Conjunto de molinos. ‖ **2.** Industria molinera.

molinero, ra. (De *molino* y *-ero*.) adj. Perteneciente o relativo al molino o a la molinería. ‖ **2.** m. y f. Persona que tiene a su cargo un molino. ‖ **3.** Persona que trabaja en él. ‖ **4.** V. **espaldas de molinero**. ‖ **5.** f. Mujer del **molinero**.

molinés, sa. adj. Natural de Molina de Aragón. Ú. t. c. s. ‖ **2.** Perteneciente o relativo a esta ciudad de la provincia de Guadalajara.

molinete. m. d. de **molino**. ‖ **2.** Ruedecilla con aspas, generalmente de hojalata, que se pone en las vidrieras de una habitación para que, girando, renueve el aire de ella. ‖ **3.** Juguete de niños que consiste en una varilla en cuya punta hay una cruz o una estrella de papel que gira movida por el viento. ‖ **4.** *Danza.* Figura de baile en que todos los participantes, asidos de las manos, formaban círculo girando en diferentes direcciones. ‖ **5.** *Esgr.* Movimiento circular que se hace con la lanza, el sable, etc., alrededor de la cabeza, para defenderse a sí mismo y a su caballo de los golpes del enemigo. ‖ **6.** *Mar.* Especie de torno dispuesto horizontalmente y de babor a estribor, a proa del palo trinquete. ‖ **7.** *Taurom.* Suerte de la lidia en la que el matador gira airosamente en sentido contrario al de la embestida del toro, dándole salida.

molinetear. intr. *Taurom.* Dar molinetes.

molinillo. (d. de *molino*.) m. Instrumento pequeño para moler. ‖ **2.** Palillo cilíndrico con una rueda gruesa y dentada en su extremo inferior, que se hace girar a un lado y otro entre las manos extendidas, para batir el chocolate u otras cosas. ‖ **3.** Guarnición que se usaba antiguamente en los vestidos. ‖ **4.** V. **cerradura de molinillo**. ‖ **traer** uno **picado el molinillo**. fr. fig. y fam. Tener gana de comer. ‖ **tragarse** uno **el molinillo**. fr. fig. y fam. Mostrar demasiada tiesura en su porte y acciones.

molinismo. m. Doctrina del padre Luis Molina, jesuita español, sobre el libre albedrío y la gracia.

molinista[1]. adj. Partidario del molinismo. Apl. a pers., ú. t. c. s. ‖ **2.** Perteneciente o relativo a él.

molinista[2]. (De Miguel *Molinos*.) adj. Partidario del molinosismo, molinosista.

molino. (Del lat. *molīnum*.) m. Máquina para moler, compuesta de una muela, una solera y los mecanismos necesarios para transmitir y regularizar el movimiento producido por una fuerza motriz; como el agua, el viento, el vapor u otro agente mecánico. ‖ **2.** Artefacto con que, por un procedimiento determinado, se quebranta, machaca, lamina o estruja alguna cosa. MOLINO *del papel, de la moneda.* ‖ **3.** Casa o edificio en que hay un **molino**. ‖ **4.** V. **asiento, rueda de molino**. ‖ **5.** fig. Persona sumamente inquieta y bulliciosa, y que parece que nunca para. ‖ **6.** fig. La muy molesta. ‖ **7.** fig. y fam. p. us. La boca, porque en ella se muele la comida. ‖ **arrocero**. El que sirve para limpiar el grano de arroz de la película que lo cubre. ‖ **de sangre**. El movido por fuerza animal. ‖ **de viento**. El movido por el viento, cuyo impulso recibe en lonas tendidas sobre aspas grandes colocadas en la parte exterior del edificio. ‖ **molinos de viento**. fig. Enemigos fantásticos o imaginarios. ‖ **empatársele a** uno **el molino**. fr. fig. y fam. Tropezar con inconvenientes o dificultades; entorpecérsele o paralizársele un negocio. ‖ **estar picado el molino**. fr. fig. y fam. Ser la ocasión oportuna para hacer alguna cosa. ‖ **ir al molino**. fr. fig. y fam. Convenirse para obrar contra uno, especialmente en el juego. ‖ **tener picado el molino**. fr. fig. y fam. p. us. **traer picado el molinillo**.

molinosismo. m. Especie de quietismo, doctrina herética de Miguel Molinos, sacerdote español del siglo XVII.

molinosista. adj. Partidario del molinosismo. Apl. a pers., ú. t. c. s. ‖ **2.** Perteneciente o relativo a él.

molitivo, va. (Del lat. *mollīre*, ablandar, suavizar.) adj. Dícese de lo que molifica o puede molificar.

molo. (Del lat. *moles*, mole, a través de gr. bizantino μῶλος.) m. *Chile.* Murallón o terraplén para contener las aguas, malecón.

molón. (De *muela*.) m. *Ál.* Piedra grande de figura irregular, aproximadamente esférica, que se desprende de la cantera al barrenar. ‖ **2.** *Ál., Ecuad.* y *Perú.* Trozo de piedra sin labrar. ‖ **3.** *Nav.* Piedra o muela de molino.

molondra. (Cruce festivo de *mondo, orondo* y *remolón*.) f. *Ál.* y *Murc.* Cabeza grande.

molondro. (Como *molondra*.) m. fam. p. us. Hombre poltrón, perezoso y torpe.

molondrón. m. fam. **molondro**. ‖ **2.** *Ál.* Golpe dado en la cabeza, o con la cabeza.

moloso, sa. (Del lat. *Molossus*.) adj. Natural de la antigua Molosia. Ú. t. c. s. ‖ **2.** Perteneciente o relativo a esta región de Epiro. ‖ **3.** Dícese de cierta casta de perros procedente de Molosia. Ú. t. c. s. ‖ **4.** m. Pie de la poesía griega y latina, compuesto de tres sílabas largas.

molote. m. *Amér. Central, Ant., Col.* y *Méj.* **monote**, riña, alboroto.

molotov. V. **cóctel molotov**.

molsa. (Del cat. *molsa*, musgo, pulpa, lana o pluma de colchón.) f. ant. Lana o pluma de colchón.

molso, sa. (Del vasc. *molso*, montón.) adj. *Ál.* y *Vizc.* Abultado y deforme. ‖ **2.** Desgarbado, desaseado, sucio.

moltura. (Formación culta sobre *moler*.) f. Acción y efecto de moler granos o frutos. ‖ **2.** *Ar.* Lo que se paga al molinero por moler, maquila.

molturación. f. Acción y efecto de molturar.

molturador. m. El que moltura.

molturar. (De *moltura*.) tr. Moler granos o frutos.

molusco. (Del lat. *molluscus*, blando.) adj. *Zool.* Dícese de metazoos con tegumentos blandos, de cuerpo no segmentado en los adultos, desnudo o revestido de una concha, y con simetría bilateral, no siempre perfecta; como la limaza, el caracol y la jibia. Ú. t. c. s. m. ‖ **2.** m. pl. *Zool.* Tipo de estos animales.

molla. (Del cat. *molla*, meollo.) f. Parte magra de la carne. ‖ **2.** *Murc.* Parte blanda o miga del pan.

mollar. (De *muelle*[1].) adj. Blando y fácil de partir o quebrantar. ‖ **2.** V. **almendra, carne, cereza mollar.** ‖ **3.** fig. Dícese de las cosas que dan mucha utilidad sin carga considerable. ‖ **4.** fig. y fam. Aplícase al que se deja engañar o persuadir con facilidad.

molle. (Del quechua *mulli*.) m. Árbol de mediano tamaño, de la familia de las anacardiáceas, propio de América Central y Meridional, que tiene hojas fragantes, coriáceas y muy poco dentadas; flores en espigas axilares, más cortas que las hojas, y frutos rojizos. Su corteza y resina se estiman como nervinas y antiespasmódicas. ‖ **2.** Árbol de Bolivia, Ecuador y Perú, de la misma familia que el anterior y cuyos frutos se emplean para fabricar una especie de chicha.

mollear. (De *muelle*[1].) intr. Ceder una cosa a la fuerza o presión. ‖ **2.** Doblarse por su blandura:

molledo. (De *muelle*[1].) m. Parte carnosa y redonda de un miembro, especialmente la de los brazos, muslos y pantorrillas. ‖ **2.** Parte blanda o miga del pan.

molleja. (De etim. disc.) f. d. de **molla.** ‖ **2.** Apéndice carnoso, formado por la mayoría de las veces por infarto de las glándulas. ‖ **3.** Estómago muscular que tienen las aves, muy robusto especialmente en las granívoras, y que sirve para triturar y ablandar por medio de una presión mecánica los alimentos, que llegan a este órgano mezclados con los jugos digestivos. ‖ **criar molleja.** fr. fig. y fam. Empezar a hacerse holgazán y poltrón.

mollejo, ja. (Del lat. *mollicŭlus*, d. de *mollis*, blando.) adj. Blando al tacto. ‖ **2.** m. Porción de cosa blanda.

mollejón[1]. (De *molejón*.) m. Piedra de amolar, redonda y colocada en un eje horizontal sobre una artesa con agua, donde se moja a medida que da vueltas.

mollejón[2]. (aum. de *mollejo*.) m. Hombre muy gordo y flojo. ‖ **2.** fig. y fam. Hombre muy blando de genio.

mollejuela. f. d. de **molleja.**

mollentar. (Del lat. *mollens*, *-entis*, p. a. de *mollēre*, estar blando.) tr. ant. Poner blando, amollentar, mollescer. Usáb. t. c. prnl.

mollera. (De *muelle*[1] y *-era*.) f. Parte más alta del casco de la cabeza, junto a la comisura coronal. ‖ **2.** fig. Caletre, seso. ‖ **3.** Fontanela situada en la parte más alta de la frente. ‖ **cerrado de mollera.** loc. adj. fig. Rudo e incapaz. ‖ **cerrar,** o **cerrarse,** o **tener cerrada, la mollera.** fr. Endurecerse u osificarse la fontanela mayor, situada, en el feto y niños de poco tiempo, entre el hueso frontal y los dos parietales. ‖ **2.** fig. y fam. Tener ya juicio. ‖ **ser duro de mollera.** fr. fig. y fam. Ser porfiado o temoso. ‖ **2.** fig. y fam. Ser rudo para aprender. ‖ **tener ya dura la mollera.** fr. fig. y fam. No estar ya en estado de aprender.

mollero. (Variedad dialect. de *molledo*.) m. fam. Parte blanda de la carne. ‖ **2.** Parte blanda del pan.

mollescer. (Del lat. *mollescĕre*.) tr. ant. Poner blando, mollentar.

molleta. (De *mollete*.) f. Torta de pan de la flor de la harina, que algunas veces suele amasarse con leche. ‖ **2.** En algunas partes, pan moreno y de inferior calidad.

molletas. (De *muelle*[1], que, a veces, significa tenazas.) f. pl. Tijeras para recortar el pabilo o torcida de la luz, mondaderas, despabiladeras.

mollete. (De *muelle*[1] y *-ete*.) m. Panecillo de forma ovalada, esponjado y de poca cochura, ordinariamente blanco. ‖ **2.** En algunas partes, molledo del brazo. ‖ **3.** Carrillo grueso.

molletero, ra. m. y f. Persona que hace o vende molletes, panecillos.

molletudo, da. (De *mollete*, carrillo.) adj. p. us. De carrillos gruesos.

mollez. (De *muelle*[1] y *-ez*.) f. ant. Blandura física.

molleza. (Del lat. *mollitĭa*.) f. ant. Blandura moral, molicie.

mollicio, cia. (De *muelle*[1] e *-icio*.) adj. desus. Suave, blando, muelle[1].

mollidura. (De *mollir* y *-dura*.) f. ant. Blandura moral.

mollificar. (De *muelle*[1] y *-ficar*.) tr. p. us. Poner blando.

mollinear. (De *mollina*.) intr. impers. Lloviznar.

mollino, na. (De *muelle*[1].) adj. Dícese en especial del agua lluvia que cae menuda y blandamente. ‖ **2.** f. Llovizna, mollizna.

mollir. (Del lat. *mollīre*.) tr. ant. Poner blando.

mollizna. (De *mollina*, con cruce de *llovizna*.) f. Llovizna, mollina.

molliznar. (De *mollizna*.) intr. impers. Lloviznar, molliznear.

molliznear. intr. impers. Molliznar, lloviznar.

momeador, ra. adj. Que momea.

momear. intr. p. us. Hacer momos.

momentáneamente. adv. m. Inmediatamente, sin detención alguna. ‖ **2.** Por muy breve tiempo.

momentáneo, a. (Del lat. *momentanĕus*.) adj. Que se pasa enseguida; que solo dura un momento. ‖ **2.** Que se ejecuta prontamente y sin dilación.

momento. (Del lat. *momentum*.) m. Porción de tiempo muy breve en relación con otra. *Lo vi un* MOMENTO *esta tarde.* ‖ **2.** Instante, porción brevísima de tiempo. *Espera un* MOMENTO. ‖ **3.** Fracción de tiempo que en una serie de fracciones temporales sucesivas se singulariza por cualquier circunstancia. *Este fue el peor* MOMENTO *de su vida. Fue el* MOMENTO *decisivo del drama.* ‖ **4.** Oportunidad, ocasión propicia. *En su carrera no le ha llegado todavía su* MOMENTO. ‖ **5.** Situación en el tiempo actual o presente. *El* MOMENTO *internacional. Revista del* MOMENTO *social. Los poetas del* MOMENTO. ‖ **6.** Importancia, peso, trascendencia. *Asuntos de gran* MOMENTO. ‖ **de inercia.** *Mec.* Suma de los productos que resultan de multiplicar la masa de cada elemento de un cuerpo por el cuadrado de su distancia a una línea fija. ‖ **al momento.** loc. adv. Al instante, sin dilación, inmediatamente. ‖ **a cada momento,** o **cada momento.** loc. adv. A cada paso, con frecuencia, continuamente. ‖ **de momento,** o **por el momento.** loc. adv. **por de pronto.** ‖ **2.** Por ahora, en el tiempo actual. ‖ **de un momento a otro.** loc. adv. Pronto, sin tardanza. Ú. con verbos que denotan una acción futura. ‖ **por momentos.** loc. adv. Sucesiva y continuadamente y sin intermisión en lo que se ejecuta o se espera; progresivamente. ‖ **2.** **de un momento a otro,** pronto.

momería. (De *momo* y *-ería*[1].) f. Ejecución de cosas o acciones burlescas con gestos y figuras.

momero, ra. (De *momo* y *-ero*.) adj. p. us. Que hace momerías, gestos o figuras. Ú. t. c. s.

momia. (Del ár. *mūmiyā*, amalgama o betún con que los egipcios embalsaman los cadáveres.) f. Cadáver que naturalmente o por preparación artificial se deseca con el transcurso del tiempo sin entrar en putrefacción. ‖ **2.** fig. Persona muy seca y morena.

momificación. f. Acción y efecto de momificar o momificarse.

momificar. tr. Convertir en momia un cadáver. Ú. m. c. prnl.

momio, mia. (De *momia*.) adj. Magro y sin gordura. Ú. t. c. s. m. ‖ **2.** V. **carne momia.** ‖ **3.** m. fig. Lo que se da u obtiene sobre lo que corresponde legítimamente. ‖ **4.** fig. Cosa que se adquiere a poca costa, ganga. ‖ **de momio.** loc. adv. fig. y fam. **de balde.**

momo. (Del lat. *Momus*, y este del gr. Μῶμος, dios de la burla.) m. Gesto, figura o mofa, que se ejecuta regularmente para divertir en juegos, mojigangas y danzas.

momórdiga. (Del lat. cient. *momordĭca*, nombre que se da a la planta por la escotadura que tiene la hoja.) f. Balsamina, planta.

momperada. (Probablemente, alteración del fr. *nonpareille*.) adj. V. **lamparilla momperada.**

mona[1]. (De or. inc.) f. Hembra del mono. ‖ **2.** Mamífero cuadrumano de unos seis decímetros de altura, con pelaje de color pardo amarillento, grandes abazones, nalgas sin pelo y callosas, y cola muy corta. Se cría en África y en el Peñón de Gibraltar, y se domestica fácilmente. ‖ **3.** fig. y fam. Persona que hace las cosas por imitar a otra. ‖ **4.** fig. y fam. Embriaguez, borrachera. ‖ **5.** fig. y fam. Persona ebria. ‖ **6.** Juego de naipes en que se reparten entre todos los jugadores las cartas de la baraja, menos una que queda oculta. Cambiando sus cartas mutuamente, los jugadores van deshaciéndose de las que forman pareja, y el que queda al final sin poder hacerlo, pierde el juego. ‖ **7.** Cierto refuerzo que se ponen los lidiadores de a caballo en la pierna derecha, por ser la más expuesta a los golpes del toro. ‖ **8.** *Ar.* y *Murc.* Gusano de seda que no hila. ‖ **como la mona.** *Argent.*, *Perú* y *Urug.* loc. fig. con la que se indica el mal resultado o estado de los negocios, la salud, cualquier actividad, encargo, situación, etc. ‖ **corrido como una mona.** loc. fig. y fam. **hecho una mona.** ‖ **hecho una mona.** loc. fig. y fam. Dícese de la persona que ha quedado burlada y avergonzada.

mona[2]. (Del ár. *mu'na*, provisiones de boca.) f. Rosca con huevos, hornazo. ‖ **de Pascua.** La que es costumbre comer, en algunos pueblos, en la Pascua de Resurrección. ‖ **a freír monas.** loc. fig. y fam. **a freír espárragos.** Ú. m. con el verbo *mandar* o con los imperativos de *andar* o *irse*.

monacal. (Del lat. *monachālis*.) adj. Perteneciente o relativo a los monjes o a las monjas.

monacato. (Del lat. *monăchus*, monje, y *-ato*[1].) m. Estado o profesión de monje. ‖ **2.** Institución monástica.

monacillo. (Del lat. *monachellus*, d. de *monăchus*, monje.) m. p. us. **monaguillo.**

monacordio. (Alteración de *monocordio*.) m. Instrumento musical con teclado más extenso que el de la espineta.

monada. f. Acción propia de un mono. ‖ **2.** Gesto o figura afectada y enfadosa. ‖ **3.** Cosa pequeña, delicada y primorosa. ‖ **4.** fig. Acción impropia de persona cuerda y formal. ‖ **5.** fig. Halago, zalamería. ‖ **6.** fig. Acción graciosa de los niños. ‖ **7.** fig. Cosa fútil impropia de mayores.

mónada. (Del gr. μονάς, -άδος, unidad.) f. *Fil.* Cada una de las sustancias indivisibles, pero de naturaleza distinta, que componen el universo, según el sistema de Leibniz. ‖ **2.** *Zool.* Cualquiera de los protozoos que viven en las aguas estancadas, provistos de dos o tres flagelos que les sirven para nadar.

monadelfos. adj. *Bot.* Dícese de los estambres de una flor soldados entre sí por sus filamentos y que forman un solo haz. Ú. solo en pl.

monadología. (De *mónada* y *-logía*.) f. Teoría de las mónadas.

monago. (regres. de *monaguillo*.) m. fam. **monaguillo.**

monaguillo. (d. de *monago*.) m. Niño que ayuda a misa y hace otros servicios en la iglesia.

monaquismo. (Del lat. *monăchus*, monje, e *-ismo*.) m. Profesión de monje.

monarca. (Del lat. tardío *monarcha*, y este del gr. μονάρχης.) m. Príncipe soberano de un Estado.

monarquía. (Del lat. *monarchīa*, y este del gr. μοναρχία.) f. Estado regido por un monarca. ‖ **2.** Forma de gobierno en que el poder supremo corresponde con carácter vitalicio a un príncipe, designado generalmente según orden hereditario y a veces por elección. ‖ **3.** fig. Tiempo durante el cual ha perdurado este régimen político en un país.

monárquicamente. adv. m. Según el sistema monárquico; con arreglo a él.

monárquico, ca. (Del gr. μοναρχικός.) adj. Perteneciente

o relativo al monarca o a la monarquía. ‖ **2.** Partidario de la monarquía. Ú. t. c. s.

monarquismo. m. Adhesión a la monarquía.

monasterial. (Del lat. *monasteriālis*.) adj. Perteneciente o relativo al monasterio.

monasterio. (Del lat. *monasterĭum*, y este del gr. μοναστήριον.) m. Casa o convento, ordinariamente fuera de poblado, donde viven en comunidad los monjes. ‖ **2.** Por ext., casa de religiosos o religiosas.

monásticamente. adv. m. Según las reglas monásticas.

monástico, ca. (Del lat. *monastĭcus*, y este del gr. μοναστικός.) adj. Perteneciente al estado de los monjes o al monasterio.

moncheta. (Del cat. *moncheta*.) f. **alubia.**

monda[1]. f. Acción y efecto de mondar. ‖ **2.** Tiempo a propósito para la limpia de los árboles. ‖ **3.** Cáscara o mondadura de frutos y de otras cosas. ‖ **4.** Exhumación de huesos que de tiempo en tiempo se hacía en las parroquias de Madrid, cuando se enterraba en ellas a los fieles difuntos. ‖ **5.** La que se hace en un cementerio en el tiempo prefijado, conduciendo los restos humanos a la fosa o al osario. ‖ **ser la monda.** Expresión ponderativa aplicada a una cosa que parece extraordinaria en buen o mal sentido.

monda[2]. (Del lat. *munda*, f. o pl. n. de *mundus*, limpio.) f. Ofrenda de cera que varios pueblos circunvecinos a la Talavera de la Reina hacen con ciertas ceremonias a la imagen de Nuestra Señora del Prado de dicha ciudad, el tercer día de Pascua de Resurrección. ‖ **2.** pl. Fiestas públicas que se celebran con dicho motivo.

mondaderas. (De *mondar*.) f. pl. Tijeras para arreglar los pabilos y torcidas de luz, molletas, despabiladeras.

mondadientes. m. Instrumento pequeño y rematado en punta, que sirve para mondar los dientes sacando lo que se mete entre ellos.

mondador, ra. adj. Que monda. Ú. t. c. s.

mondadura. f. Acción y efecto de mondar. ‖ **2.** Despojo, cáscara o desperdicio de las cosas que se mondan. Ú. m. en pl.

mondaoídos. m. **mondaorejas.**

mondaorejas. m. Cucharilla de limpiar los oídos.

mondapozos. m. Pocero que monda o limpia pozos.

mondar. (Del lat. *mundāre*.) tr. Limpiar o purificar una cosa quitándole lo superfluo o extraño mezclado con ella. ‖ **2.** Limpiar el cauce de un río, canal o acequia. ‖ **3.** Podar, escamondar. ‖ **4.** Quitar la cáscara a las frutas, la corteza o piel a los tubérculos, la vaina a las legumbres. ‖ **5.** Cortar a uno el pelo. ‖ **6.** fig. y fam. Quitar a uno lo que tiene, especialmente el dinero. ‖ **7.** fig. Hablando del pecho o de la garganta, carraspear o toser repetidas veces para limpiarlos de mucosidad antes de hablar o cantar. ‖ **8.** fig. y fam. Azotar, apalear. ‖ **9.** prnl. **mondarse de risa.** ‖ **mondarse de risa.** fr. fig. y fam. Desternillarse de risa.

mondarajas. (De *mondar* y *-aja*.) f. pl. fam. Mondaduras, hablando de patatas principalmente, o de naranjas, manzanas o frutas análogas.

mondaria. f. ant. **mundaria.**

mondejo. (Quizá de *bandujo*.) m. Cierto relleno de la panza del puerco o del carnero.

mondo, da. (Del lat. *mundus*.) adj. Limpio y libre de cosas superfluas, mezcladas, añadidas o adherentes. ‖ **mondo y lirondo.** loc. fig. y fam. Limpio, sin añadidura alguna.

mondón. (De *mondo*.) m. Tronco de árbol sin corteza.

mondonga. f. despect. p. us. Criada zafia.

mondongo. (De *mondejo*.) m. Intestinos y panza de las reses, y especialmente los del cerdo. ‖ **2.** fam. Los del hombre. ‖ **3.** fig. *Guat.*, *Méj.* y *P. Rico.* Traje o adorno ridículo. ‖ **hacer el mondongo**. fr. Emplearlo en hacer morcillas, chorizos, longanizas, etcétera.

mondonguería. f. Tienda, lugar o barrio en que se venden mondongos.

mondonguero, ra. m. y f. Persona que vende mondongos. ‖ **2**. Persona que tiene por oficio componerlos y guisarlos. ‖ **3**. f. vulg. *P. Rico*. Mujer muy gorda, de movimientos pesados.

mondonguil. adj. fam. p. us. Perteneciente o relativo al mondongo.

monear. (De *mono*.) intr. fam. Hacer monadas.

monecillo. m. ant. **monaguillo**. Ú. en Andalucía y Murcia.

moneda. (Del lat. *monēta*.) f. Signo representativo del precio de las cosas. ‖ **2**. Pieza de oro, plata, cobre u otro metal, regularmente en figura de disco y acuñada con el busto del soberano o el sello del gobierno que tiene la prerrogativa de fabricarla, y que, bien por su valor efectivo, o bien por el que se le atribuye, sirve de medida común para el precio de las cosas. ‖ **3**. fig. y fam. Dinero, caudal. ‖ **4**. *Econ*. Conjunto de signos representativos del dinero circulante en cada país. ‖ **amonedada, o contante y sonante. moneda metálica**. ‖ **corriente**. La legal y usual. ‖ **cortada**. La que no tiene cordoncillo ni adorno ni leyenda en el canto. ‖ **2**. La que no tiene forma circular o está realmente cortada. ‖ **de soplillo**. La de cobre, de corto valor, que circuló en España durante los reinados de Felipe IV y Carlos II. ‖ **de vellón**. La acuñada con liga, en proporciones variables, de plata y cobre, y solo de cobre desde el reinado de Felipe V. ‖ **divisionaria**. La que equivale a una fracción exacta de la unidad monetaria legal. ‖ **fiduciaria**. La que representa un valor que intrínsecamente no tiene. ‖ **forera**. Tributo que de siete en siete años se pagaba al rey en reconocimiento del señorío real. ‖ **fraccionaria. moneda divisionaria**. ‖ **2. moneda** de menor valor en relación con otra u otras del mismo sistema. ‖ **imaginaria**. La que no ha existido o no existe ya, pero se usa como unidad de cuenta para algunos contratos y cambios; como el ducado de plata. ‖ **jaquesa**. La acuñada por los reyes de Aragón, primero en Jaca y después en otras partes de aquel reino, con cuño, peso y ley siempre determinados. ‖ **metálica**. Dinero amonedado, para distinguirlo del papel representativo de valor. ‖ **obsidional**. La especial que se bate en una plaza sitiada. ‖ **sonante. moneda metálica**. ‖ **trabucante**. La que tiene algo más del peso legal. ‖ **buena moneda**. La de oro o plata. ‖ **acuñar moneda**. fr. **labrar moneda**. ‖ **alterar la moneda**. fr. Alterar su valor, peso o ley. ‖ **batir moneda**. fr. **labrar moneda**. ‖ **correr la moneda**. fr. fig. Pasar sin dificultad en el comercio. ‖ **2**. fig. Haber abundancia de dinero en el público. ‖ **labrar moneda**. fr. Fabricarla y acuñarla. Se usa hablando de los que la hacen, pero más frecuentemente de los que la mandan hacer. ‖ **no hacemos moneda falsa**. expr. fig. y fam. usada por algunos para manifestar a otros que no hay inconveniente en que oigan lo que están tratando. ‖ **pagar en buena moneda**. fr. fig. Dar entera satisfacción en cualquier materia. ‖ **pagar en la misma moneda**. fr. fig. Ejecutar una acción correspondiendo a otra, o por venganza. ‖ **ser una cosa moneda corriente**. fr. fig. y fam. Estar admitida, o no causar ya sorpresa a nadie, por ocurrir con mucha frecuencia.

monedado, da. p. p. de **monedar**. ‖ **2**. adj. ant. V. **haber monedado**.

monedaje. m. Derecho que se pagaba al soberano por la fabricación de moneda. ‖ **2**. Servicio o tributo de doce dineros por libra que impuso en Aragón y Cataluña sobre los bienes muebles y raíces el rey don Pedro II.

monedar. tr. p. us. Hacer moneda, amonedar.

monedear. tr. p. us. Hacer moneda, amonedar.

monedería. f. Oficio de monedero.

monedero. adj. V. **sobre monedero**. ‖ **2**. m. Bolsa, saquillo u objeto pequeño de otra forma, en cuyo interior se lleva dinero en metálico. ‖ **3**. El que fabrica moneda. ‖ **falso**. El que acuña moneda falsa o subrepticia, o le da curso a sabiendas.

monegasco, ca. adj. Natural del principado de Mónaco. Ú. t. c. s. ‖ **2**. Perteneciente o relativo a este principado.

monema. m. *Ling*. Cada uno de los términos que integran un sintagma. ‖ **2**. *Ling*. Mínima unidad significativa.

mónera. (Del gr. μονήρης, solitario, peculiar.) f. *Microbiol*. Nombre con que se designó un microorganismo que fue considerado, erróneamente, como carente de núcleo.

monería. (De *mono*.) f. Acción propia de un mono. ‖ **2**. fig. Gesto, ademán o acción graciosa de los niños. ‖ **3**. Gesto, ademán o acción remilgada. ‖ **4**. fig. Cualquier cosa fútil y de poca importancia, o que suele ser enfadosa en personas mayores.

monesco, ca. adj. fam. Propio de los monos o de las monas, o parecido a sus gestos y visajes.

monesterial. adj. ant. Perteneciente al monesterio.

monesterio. m. ant. **monasterio**.

monetario, ria. (Del lat. *monetarĭus*.) adj. Perteneciente o relativo a la moneda. *Sistema* MONETARIO; *crisis* MONETARIA. ‖ **2**. m. Colección ordenada de monedas y medallas. ‖ **3**. Conjunto de estantes, cajones o tablas en que están ordenadamente colocadas las monedas y medallas. ‖ **4**. Pieza o sitio donde se colocan y conservan los cajones que contienen las series de las monedas y medallas.

monetización. f. Acción y efecto de monetizar.

monetizar. (Del lat. *monēta*, moneda, e -*izar*.) tr. Dar curso legal como moneda a billetes de banco u otros signos pecuniarios. ‖ **2**. Hacer moneda, monedar, amonedar.

monfí. (Del ár. *munfí*, por *munfà*, desterrado, bandido.) m. Moro o morisco que formaba parte de las cuadrillas de salteadores de Andalucía después de la Reconquista. Ú. m. en pl.

monfortino, na. adj. Natural de Monforte, ciudad de la provincia de Lugo. Ú. t. c. s. ‖ **2**. Perteneciente o relativo a esta ciudad.

mongo. m. Especie de judía cuya semilla es más pequeña que una lenteja y tiene el mismo sabor que esta. Se cultiva en Filipinas, donde sirve de principal alimento en varios pueblos.

mongol, la. adj. Natural de Mongolia. Ú. t. c. s. ‖ **2**. Perteneciente o relativo a este país asiático. ‖ **3**. m. Lengua de los **mongoles**.

mongólico, ca. adj. Mongol, perteneciente a Mongolia, o en general a la raza amarilla. ‖ **2**. Que padece mongolismo. Ú. t. c. s.

mongolismo. (Por alusión a la facies, que recuerda la de un mongol.) m. Enfermedad que se caracteriza por la coexistencia con un retraso mental, que puede llegar a la idiocia, y un conjunto variable de anomalías somáticas, entre las que destaca el pliegue cutáneo entre la nariz y el párpado, que da a la cara un aspecto típico. Está producida por la triplicación total o parcial de cierto cromosoma.

mongoloide. adj. Dícese de las personas que recuerdan por alguno de sus rasgos físicos, y especialmente por la oblicuidad de los ojos, a los individuos de las razas mongólicas. Ú. t. c. s.

moni. (Del ing. *money*, moneda.) m. fam. *And*. y *Amér*. Moneda, dinero. Ú. m. en pl.

moniato. m. Boniato, buniato.

monicaco. (Cruce de *monigote* con *macaco*.) m. despect. Hombre de mala traza. ‖ **2**. Hombre de poco valor.

monición. (Del lat. *monitĭo, -ōnis*.) f. Consejo que se da, o advertencia que se hace a uno, admonición.

monigote. (despect. der. de *monago*.) m. Lego de convento.

‖ **2.** fig. y fam. Persona ignorante y ruda, de ninguna representación ni valer. ‖ **3.** fig. y fam. Persona sin carácter, que se deja manejar por otros. ‖ **4.** fig. y fam. Muñeco o figura ridícula hecha de trapo o cosa semejante. ‖ **5.** fig. y fam. Pintura o estatua mal hecha. ‖ **6.** fam. *Chile y Perú.* **seminarista.** ‖ **7.** *Cuba.* Nombre vulgar de un bejuco silvestre que produce una flor blanca y morada. ‖ **8.** *Cuba.* Flor de esta planta. ‖ **9.** *Cuba.* Monaguillo. ‖ **10.** *Cuba.* Trozo o cilindro de madera en que los muchachos enrollan el hilo del papalote.

monilla. (d. de *mona*[1].) f. *Taurom.* Defensa de hierro que usaron los picadores y resguardaba desde la muñeca al codo del brazo derecho.

monillo. (d. de *mono*.) m. p. us. Jubón de mujer, sin faldillas ni mangas.

monimiáceo, a. (Del gr. μονίμιος, de Μονίμη, mujer de Mitrídates VI, rey del Ponto, y *-áceo*.) adj. *Bot.* Dícese de plantas leñosas angiospermas dicotiledóneas, con hojas opuestas o verticiladas, rara vez esparcidas, flores comúnmente unisexuales, carpelos con un solo óvulo, y fruto indehiscente; como el boldo. Ú. t. c. s. f. ‖ **2.** f. pl. *Bot.* Familia de estas plantas.

monín, na. adj. d. de **mono, na,** bonito, lindo. Ú. t. c. s.

moninfla. f. *And.* Perinola o peonza pequeña que se hace bailar con los dedos.

monipodio. (Alteración de *monopolio*.) m. Convenio de personas que se asocian y confabulan para fines ilícitos.

monís[1]. (De *mona*[2].) f. *Ar.* Especie de masa que se hace de huevos y azúcar, como los melindres.

monís[2]. (De *moni*.) m. Moneda, dinero. Ú. m. en pl.

monismo. (Del gr. μόνος, solo, único, e *-ismo*.) m. Concepción común a todos los sistemas filosóficos que tratan de reducir los seres y fenómenos del Universo a una idea o sustancia única, de la cual derivan y con la cual se identifican. Llámase así por antonomasia el materialismo evolucionista de Haeckel.

monista. adj. Perteneciente o relativo a esta doctrina filosófica. ‖ **2.** com. Partidario del monismo.

mónita. (Del libro apócrifo de advertimientos a los jesuitas, titulado *Monita privata Societatis Iesu*.) f. p. us. Artificio, astucia, con suavidad y halago.

monitor[1]**, ra.** (Del lat. *monĭtor, -ōris*.) m. y f. Persona que guía el aprendizaje deportivo, cultural, etc. ‖ **2.** m. El que amonesta o avisa. ‖ **3.** En el Ejército, ayudante de los profesores de educación física. ‖ **4.** Cierto subalterno que acompañaba en el foro al orador romano, para recordarle y presentarle los documentos y objetos de que debía servirse en su peroración. ‖ **5.** Esclavo que acompañaba a su señor en las calles para recordarle los nombres de las personas a quienes iba encontrando. ‖ **6.** Barco de guerra, artillado, acorazado y con espolón de acero a proa, que navega casi sumergido para ofrecer menos blanco vulnerable, y cuyo pequeño calado le permite hacer el servicio de exploración por vías fluviales. Fue inventado a fines del siglo XVIII en los Estados Unidos de América del Norte, y empleado en la guerra de Secesión. Actualmente en desuso.

monitor[2]. (Del lat. *monĭtor, -ōris*.) m. Cualquier aparato que revela la presencia de las radiaciones y da una idea más o menos precisa de su intensidad. Suelen ser detectores muy sensibles y de poca precisión. ‖ **2.** *TV.* Aparato receptor que toma las imágenes directamente de las instalaciones filmadoras y sirve para controlar la transmisión.

monitoria. f. Consejo, monición, advertencia.

monitorio, ria. (Del lat. *monitorĭus*.) adj. Dícese de lo que sirve para avisar o amonestar, y de la persona que lo hace. ‖ **2.** m. Monición, amonestación o advertencia que el Papa, los obispos y prelados dirigían a los fieles en general para la averiguación de ciertos hechos que en la misma se

expresaban, o para señalarles normas de conducta, principalmente en relación con circunstancias de actualidad.

monja. (f. de *monje*.) f. Religiosa de alguna de las órdenes aprobadas por la Iglesia, que se liga por votos solemnes, y generalmente está sujeta a clausura. ‖ **2.** Por ext., cualquier religiosa de una orden o congregación. ‖ **3.** V. **fisico, escrúpulo, pellizco de monja.** ‖ **4.** pl. fig. Partículas encendidas que quedan cuando se quema un papel, y se van apagando poco a poco. ‖ **5.** V. **devoción, hilo, vicario de monjas.** ‖ **blanca.** *Guat.* Cierta planta de la familia de las orquidáceas. Es la flor nacional de Guatemala.

monje. (Del lat. *monăchus*, y este del gr. μοναχός, solitario.) m. Solitario o anacoreta. ‖ **2.** Individuo de una de las órdenes religiosas sujeto a una regla común, y que vive en un monasterio. ‖ **3.** Religioso de una de las órdenes monacales. ‖ **4.** **paro carbonero,** pájaro. ‖ **5.** V. **oreja de monje,** planta.

monjerío. m. Conjunto de monjas.

monjía. (De *monje*.) f. Derecho, emolumento, prebenda, beneficio o plaza que el monje, como tal, tiene en su monasterio. ‖ **2.** Estado de monje o monja. ‖ **3.** Monasterio, convento.

monjil. adj. Propio de las monjas, o relativo a ellas. ‖ **2.** V. **paloma monjil.** ‖ **3.** m. Hábito o túnica de monja. ‖ **4.** Traje de lana que usaban por luto las mujeres. ‖ **5.** Manga perdida propia de este traje y de algunos otros usados antiguamente.

monjío. m. Estado de monja. ‖ **2.** Entrada de una mujer en religión. ‖ **3.** Conjunto de monjas.

monjita. f. d. de **monja.** ‖ **2.** Avecilla de la Argentina, que tiene de color gris blanquecino el lomo, las alas y la cola; blanco el pecho, y negra la cabeza, de suerte que parece llevar en ella una toca.

mono, na. (De or. inc., quizá forma abreviada de *mamona*, del ár. *maimūn*, feliz, mono.) adj. fig. y fam. Bonito, lindo, atractivo. Dícese especialmente de los niños y de las cosas pequeñas y delicadas. ‖ **2.** fam. *Col.* Dícese del pelo rubio, y también del que lo tiene. Ú. t. c. s. ‖ **3.** m. Nombre genérico con que se designa a cualquiera de los animales del suborden de los simios. ‖ **4.** fig. Persona que hace gestos o figuras parecidas a las del **mono.** ‖ **5.** fig. Joven de poco seso, y afectado en sus modales. ‖ **6.** fig. Figura humana o de animal, hecha de cualquier materia, o pintada, o dibujada. ‖ **7.** fig. Traje de faena, de tela fuerte y de color sufrido, que, para proteger el vestido corriente, usan los mecánicos, motoristas y muchos obreros, aviadores, etc., y también, para ciertos menesteres, las mujeres y los niños. Consta de cuerpo y pantalones en una pieza. ‖ **araña. mono** de América Meridional, de cuerpo delgado y de patas y cola muy largas; la longitud de las patas le da cierta semejanza con la araña. ‖ **aullador. mono** de América Meridional, de cola prensil, y con el hueso hioides, grande y hueco, en comunicación con la laringe, lo que le permite lanzar sonidos que se oyen a gran distancia. ‖ **capuchino.** Especie fácil de distinguir entre los demás **monos** americanos, porque su cola no es prensil: tiene la cabeza redondeada, ojos grandes y cuerpo cubierto de pelo largo y abundante, sobre todo en la cola. ‖ **de imitación.** fig. y fam. Persona que imita lo que hacen otros. ‖ **negro.** *Col.* **mono capuchino.** ‖ **sabio.** El adiestrado en varios ejercicios para exhibirlo en circos y barracas. ‖ **2.** *Taurom.* **monosabio.** ‖ **estar de monos** dos o más personas. fr. fig. y fam. Estar enojadas o reñidas. Se usa comúnmente refiriéndose a los novios. ‖ **meterle los monos** a uno. fr. fig. *Col.* **meterle** a uno **las cabras en el corral.** ‖ **quedarse hecho un mono.** fig. Quedarse corrido o avergonzado. ‖ **ser** alguien el **último mono.** loc. fig. y fam. Ser una persona insignificante, no contar para nada. ‖ **¿tengo monos en la cara?** fr. fig. y fam. con que uno interroga, molesto, a quien lo mira insistentemente.

mono-. (Del gr. μονο-.) elem. compos. que significa «único» o «uno solo»: MONO*manía.*

monoceronte. (Del lat. mediev. *monocĕron, -ontis,* y este del gr. μονόκερως.) m. Unicornio, animal fabuloso.

monocerote. (Del lat. *monocĕros, -ōtis,* y este del gr. μονόκερως.) m. Unicornio, animal fabuloso.

monoclamídeo, a. (De *mono-* y el gr. χλαμύς, -ύδος, clámide, manto.) adj. *Bot.* Dícese de las plantas angiospermas dicotiledóneas cuyas flores tienen cáliz pero no corola; como las urticáceas. Ú. t. c. s. f.

monoclínico. (De *mono-* y un der. de la raíz de κλίνω, inclinar.) adj. Dícese del sistema cristalográfico según el cual cristalizan minerales como el yeso, la ortosa y las micas.

monoclonal. (De *mono-, clon²* y *-al.*) adj. V. **anticuerpo monoclonal.**

monocloroacético, ca. (De *mono-, cloro* y *acético.*) adj. *Quím.* V. **ácido monocloroacético.**

monocolor. adj. De un solo color. ‖ **2.** Dícese de la colectividad formada por personas de una misma tendencia, especialmente política.

monocorde. (Del fr. *monocorde.*) adj. Dícese del instrumento musical que tiene una sola cuerda. ‖ **2.** Por ext., se dice del grito, canto u otra sucesión de sonidos que repiten una misma nota. ‖ **3.** Por ext., monótono, insistente sin variaciones.

monocordio. (Del gr. μονόχορδον.) m. Instrumento antiguo de caja armónica, como la guitarra, y una sola cuerda tendida sobre varios puentecillos fijos o movibles que la dividen en porciones desiguales, correspondientes con las notas de la escala. Se tocaba con una púa de cañón de pluma y servía de diapasón.

monocotiledón. (De *mono-* y el gr. κοτυληδών, cavidad.) adj. *Bot.* De un solo cotiledón.

monocotiledóneo, a. (De *monocotiledón* y *-eo.*) adj. *Bot.* Dícese del vegetal o planta cuyo embrión posee un solo cotiledón. Ú. t. c. s. f. ‖ **2.** f. pl. *Bot.* Grupo taxonómico constituido por las plantas angiospermas cuyo embrión tiene un solo cotiledón, como la palmera y el azafrán.

monocromático, ca. (De *mono-* y *cromático.*) adj. **monocromo.**

monocromo, ma. (Del lat. *monochrōmos* y este del gr. μονόχρωμος.) adj. De un solo color.

monocular. (De *mono-* y *ocular.*) adj. Dícese de la visión que se realiza con un solo ojo, o del aparato que se emplea al efecto.

monóculo, la. (Del lat. *monocŭlus.*) adj. Que tiene un solo ojo. Ú. t. c. s. ‖ **2.** m. Lente para un solo ojo. ‖ **3.** *Cir.* Vendaje que se aplica a un solo ojo.

monocultivo. (De *mono-* y *cultivo.*) m. Cultivo único o predominante de una especie vegetal en determinada región.

monodia. (Del lat. tardío *monodĭa,* y este del gr. μονῳδία.) f. *Mús.* Canto a una sola voz.

monódico, ca. adj. Perteneciente o relativo a la monodia.

monofásico, ca. (De *mono-, fase* y *-ico.*) adj. *Electr.* Se dice de la corriente eléctrica alterna, es decir, que cambia periódicamente de sentido, alcanzando valores iguales, y también de los aparatos que se alimentan con esta clase de corriente.

monofilo, la. (Del gr. μονόφυλλος.) adj. *Bot.* Dícese de los órganos de las plantas que constan de una sola hojuela o de varias soldadas entre sí.

monofisismo. m. Herejía de los monofisitas.

monofisita. (De *mono-* y el gr. φύσις, naturaleza, e *-ita¹.*) adj. Dícese de quien negaba que en Jesucristo hubiera dos naturalezas. Ú. m. c. s. y en pl. ‖ **2.** Perteneciente o relativo a estos herejes o a su doctrina.

monogamia. (Del lat. *monogamĭa,* y este del gr. μονογαμία.) f.

Cualidad de monógamo. ‖ **2.** Régimen familiar que veda la pluralidad de esposas.

monógamo, ma. (Del lat. *monogămus,* y este del gr. μονόγαμος.) adj. Casado con una sola mujer. Ú. t. c. s. ‖ **2.** Que se ha casado una sola vez. Ú. t. c. s. ‖ **3.** *Zool.* Dícese de los animales que sólo se aparean con un individuo del otro sexo.

monogenismo. (Del gr. μονογενής, de una sola especie, e *-ismo.*) m. Doctrina antropológica, según la cual todas las razas humanas descienden de un tipo primitivo y único.

monogenista. com. Partidario del monogenismo. Ú. t. c. adj.

monografía. (De *mono-* y *-grafía.*) f. Descripción y tratado especial de determinada parte de una ciencia, o de algún asunto en particular.

monográfico, ca. adj. Perteneciente o relativo a la monografía.

monografista. com. Persona que escribe monografías.

monograma. (De *mono-* y *-grama.*) m. **cifra** que como abreviatura se emplea en sellos, marcas, etc.

monoico, ca. (De *mono-* y el gr. οἶκος, casa.) adj. *Bot.* Aplícase a las plantas que tienen separadas las flores de cada sexo, pero en un mismo pie.

monolingüe. (De *mono-* y el lat. *lingŭa.*) adj. Que solo habla una lengua. Ú. t. c. s. ‖ **2.** Que está escrito en un solo idioma.

monolítico, ca. adj. Perteneciente o relativo al monolito. ‖ **2.** Que está hecho de una sola piedra.

monolito. (Del lat. *monolĭthus,* y este del gr. μονόλιθος.) m. Monumento de piedra de una sola pieza.

monologar. intr. Recitar soliloquios o monólogos.

monólogo. (Del gr. μονόλογος.) m. **soliloquio.** ‖ **2.** Especie de obra dramática en que habla un solo personaje.

monomanía. (De *mono-* y el gr. μανία, manía.) f. *Psiquiat.* Locura o delirio parcial sobre una sola idea o un solo orden de ideas. ‖ **2.** Preocupación o afición desmedida que se reprende o afea en persona de cabal juicio.

monomaniaco, ca o **monomaníaco, ca.** adj. Que padece monomanía. Ú. t. c. s.

monomaniático, ca. adj. **monomaniaco.**

monomaquia. (Del lat. *monomachĭa,* y este del gr. μονομαχία.) f. Duelo o combate singular, o de uno a uno.

monometalismo. (De *mono-, metal* e *-ismo.*) m. Sistema monetario con que rige un patrón único.

monometalista. com. Partidario del monometalismo. Ú. t. c. adj.

monomiario. (De *mono-* y el gr. μυέλιον, músculo.) adj. *Zool.* Dícese de los moluscos lamelibranquios que tienen un solo músculo aductor para cerrar la concha; como las ostras.

monomio. (De *mono-* y el gr. νομός, división, por haplología.) m. *Álg.* Expresión algebraica que consta de un solo término.

monona. (aum. de *mona.*) adj. fam. con que se encarece el donaire y gracia de una sola persona o cosa muy joven.

monopastos. (De *monospastos.*) m. Garrucha que funciona independiente.

monopatín. m. Juguete consistente en una tabla relativamente larga sobre ruedas, con la que se deslizan los niños tras impulsarse con un pie contra el suelo.

monopétalo, la. (De *mono-* y el gr. πέταλον, pétalo.) adj. *Bot.* De un solo pétalo. Dícese de las flores o de sus corolas.

monoplano. (De *mono-* y *plano.*) m. Aeroplano solo con un par de alas que forman un mismo plano.

monoplaza. adj. Dícese de los vehículos que tienen una sola plaza. Ú. t. c. s. m.

monopolio. (Del lat. *monopolĭum,* y este del gr. μονοπώλιον.) m. Concesión otorgada por la autoridad competente a una empresa para que esta aproveche con carácter exclusivo alguna industria o comercio. ‖ **2.** Convenio hecho entre los mercaderes de vender los géneros a un determinado precio. ‖ **3.** Acaparamiento. ‖ **4.** Ejercicio exclusivo de una actividad, con el dominio o influencia consiguientes. MONOPOLIO *del poder político, de la enseñanza,* etc. ‖ **5.** Situación de mercado en que la oferta de un producto se reduce a un solo vendedor. ‖ **6.** desus. Convenio de personas que se asocian con fines ilícitos, monipodio.

monopolista. com. Persona o entidad que ejerce monopolio.

monopolístico, ca. adj. Perteneciente o relativo a los monopolios.

monopolización. f. Acción de monopolizar.

monopolizador, ra. adj. Que monopoliza. Ú. t. c. s.

monopolizar. (De *monopolio* e *-izar*.) tr. Adquirir, usurpar o atribuirse uno el exclusivo aprovechamiento de una industria, facultad o negocio. ‖ **2.** Acaparar algo o a alguien de una manera exclusiva.

monopsonio. (De *mono-* y el gr. ὀψώνιον, aprovisionamiento de víveres.) m. *Econ.* Situación comercial en que hay un solo comprador para determinado producto o servicio.

monóptero, ra. (Del lat. *monoptĕros,* y este del gr. μονόπτερος, de una sola ala.) adj. *Arq.* Aplícase al templo, u otro edificio redondo, que tiene, en vez de muros, un círculo de columnas que sustentan el techo.

monoptongación. f. Acción y efecto de monoptongar.

monoptongar. (De *monoptongo.*) tr. Fundir en una sola vocal los elementos de un diptongo. Ú. t. c. intr. y prnl.

monoptongo. (De *mono-* y el gr. φθόγγος, sonido.) m. Vocal que resulta de una monoptongación.

monorquidia. (Del lat. moderno *monorchis,* pl. irregular *monorchídes,* y este del gr. μόνορχις, que sólo tiene un testículo, e *-ia.*) f. *Med.* Existencia de un solo testículo en el escroto.

monorraíl. adj. Dícese del tren que se desplaza por un solo raíl. Ú. t. c. s. m.

monorrimo, ma. (De *mono-* y *rima.*) adj. De una sola rima.

monorrítmico, ca. (De *mono-, ritmo* e *-ico.*) adj. De un solo ritmo.

monosabio. (De *mono-* y *sabio.*) m. Mozo que ayuda al picador en la plaza.

monosacárido. m. *Quím.* Polialcohol con un grupo adicional aldehídico o cetónico. Puede constar de tres, cuatro, cinco, seis o siete átomos de carbono. Existen **monosacáridos** libres, v. gr. la glucosa, o como unidades constituyentes de oligosacáridos y polisacáridos (celulosa, almidón, etc.).

monosépalo, la. (De *mono-* y *sépalo.*) adj. *Bot.* De un solo sépalo. Dícese de las flores o de sus cálices.

monosilábico, ca. adj. De una sola sílaba. ‖ **2.** *Fon.* Perteneciente o relativo al monosílabo. ‖ **3.** Dícese del idioma cuyas palabras constan generalmente de una sola sílaba.

monosilabismo. (De *monosílabo* e *-ismo.*) m. Conjunto de los caracteres propios de las lenguas monosilábicas. ‖ **2.** Calidad o condición de monosilábico.

monosílabo, ba. (Del lat. *monosyllăbus,* y este del gr. μονοσύλλαβος.) adj. *Fon.* Aplícase a la palabra de una sola sílaba. Ú. t. c. s. m.

monospastos. (De *mono-* y el gr. σπαστός, adj. verbal de σπάω, traer, tirar.) m. Garrucha que funciona independiente.

monospermo, ma. (De *mono-* y el gr. σπέρμα, semilla.) adj. *Bot.* Aplícase al fruto que solo contiene una semilla.

monóstrofe. (Del gr. μόνος, único, y στροφή, estrofa.) f. Composición poética de una sola estrofa o estancia.

monostrófico, ca. adj. Perteneciente o relativo a la monóstrofe.

monote. (De *mono.*) m. fam. Persona que parece no oír, ver ni entender y está fija en un punto como un hito. ‖ **2.** Riña, alboroto, motín.

monoteísmo. (De *mono-,* el gr. θεός, dios, e *-ismo.*) m. Doctrina teológica de los que reconocen un solo Dios.

monoteísta. adj. Que profesa el monoteísmo. Ú. t. c. s. ‖ **2.** Perteneciente o relativo al monoteísmo.

monotelismo. (Haplología de *monotelitismo,* der. de *monotelita.*) m. Herejía del siglo VII, que admitía en Cristo las dos naturalezas, divina y humana, pero solo una voluntad, divina.

monotelita. (Del gr. mederv. μονοθελητής, de μόνος, único y θελητής, que quiere.) adj. Partidario del monotelismo. Ú. t. c. s. ‖ **2.** Perteneciente o relativo al monotelismo.

monotipia. (De *mono-* y el gr. τύπος, tipo, letra.) f. *Impr.* Máquina de componer que funde los caracteres uno a uno. ‖ **2.** Arte de componer con esta máquina.

monotipo. m. **monotipia.**

monótonamente. adv. m. Con monotonía.

monotonía. (De gr. μονοτονία.) f. Uniformidad, igualdad de tono en el que habla, en la voz, en la música, etc. ‖ **2.** fig. Falta de variedad en cualquier cosa.

monótono, na. (Del gr. μονότονος.) adj. Que adolece de monotonía. *Paisaje, orador* MONÓTONO.

monotrema. (De *mono-* y el gr. τρῆμα, orificio.) adj. *Zool.* Dícese de los mamíferos que tienen cloaca como la de las aves, y, por tanto, con una sola abertura en la parte posterior del cuerpo; tienen, como ellas, pico y huesos coracoides; ponen huevos, y las crías que nacen de estos chupan la leche que se derrama de las mamas, que carecen de pezón; como el ornitorrinco. Ú. t. c. s. ‖ **2.** m. pl. *Zool.* Orden de estos animales.

monovalente. adj. *Quím.* Que funciona con una sola valencia.

monovero, ra. adj. Natural de Monóvar. Apl. a pers., ú. t. c. s. ‖ **2.** Perteneciente o relativo a esta villa.

monóxilo. (Del gr. μονόξυλος.) m. Barco hecho de un solo tronco o leño.

monseñor. (Del it. *monsignore.*) m. Título de honor que concede el Papa a determinados eclesiásticos. ‖ **2.** En Francia se daba en propiedad al delfín, y por extensión o cortesía a otros sujetos de alta dignidad, como duques, pares o presidentes de consejos. ‖ **3.** En algunos lugares, y por extensión, se aplica a los prelados.

monserga. (De or. inc.) f. fam. Lenguaje confuso y embrollado. ‖ **2.** Exposición o petición fastidiosa o pesada. Ú. m. en pl.

monstro. m. desus. **monstruo.**

monstruo. (Del lat. *monstrum,* con infl. del der. *monstruoso.*) m. Producción contra el orden regular de la naturaleza. ‖ **2.** Ser fantástico que causa espanto. ‖ **3.** Cosa excesivamente grande o extraordinaria en cualquier línea. ‖ **4.** Persona o cosa muy fea. ‖ **5.** Persona muy cruel y perversa. ‖ **6.** fig. y fam. Persona de extraordinarias cualidades para desempeñar una actividad determinada. ‖ **7.** Versos sin sentido que el maestro compositor escribe para indicar al libretista dónde ha de colocar el acento en los cantables.

monstruosamente. adv. m. De manera monstruosa.

monstruosidad. f. Desorden grave en la proporción que deben tener las cosas, según lo natural o regular. ‖ **2.** Suma fealdad o desproporción en lo físico o en lo moral. ‖ **3.** Cosa monstruosa.

monstruoso, sa. (Del lat. *monstruōsus.*) adj. Contrario al orden de la naturaleza. ‖ **2.** Excesivamente grande o extraordinario en cualquier línea. ‖ **3.** Muy feo. ‖ **4.** Enormemente vituperable o execrable.

monta. f. Acción y efecto de montar. ‖ **2.** Sitio en que el caballo o burro cubre a la yegua. ‖ **3.** Suma de varias partidas. ‖ **4.** Valor, calidad y estimación intrínseca de una cosa. ‖ **5.** *Mil.* Señal que se hace con el clarín para que monten los soldados de caballería. ‖ **de poca monta.** loc. De poca importancia.

montacargas. (De *montar* y *carga,* calco del fr. *monte-charge.*) m. Ascensor destinado a elevar pesos.

montada. (De *montar.*) f. Arco del freno del caballo en que encaja la lengua, desveno.

montadero. m. Poyo para montar.

montadgar. (De *montadgo.*) tr. ant. Cobrar montadgo.

montadgo. (Del b. lat. *montatícum,* der. del lat. *mons, montis, monte.*) m. ant. Tributo por el paso del ganado por un monte, montazgo.

montado, da. p. p. de **montar.** ‖ **2.** adj. Dícese del soldado que el caballero de orden militar enviaba a la guerra para que sirviese en su lugar. Ú. t. c. s. ‖ **3.** Aplícase al que sirve en la guerra a caballo. Ú. t. c. s. ‖ **4.** Dícese del caballo dispuesto y con todos los arreos y aparejos para montarlo. ‖ **5.** V. **artillería, plaza montada.** ‖ **6.** V. **plato montado.** ‖ **7.** m. Loncha de jamón, lomo, etc., sobre una rebanada de pan.

montador, ra. m. y f. Persona que monta. ‖ **2.** Operario especializado en el montaje de máquinas y aparatos. ‖ **3.** Persona que lleva a cabo el montaje de las películas. ‖ **4.** m. Poyo en el zaguán o en la puerta de una casa, para montar fácilmente en las caballerías. ‖ **5.** m. y f. Cualquier cosa que sirve para este fin.

montadura. f. Acción y efecto de montarse. ‖ **2.** Montura de una caballería. ‖ **3.** Cerco que asegura alguna cosa.

montaje. m. Acción y efecto de armar, o poner en su lugar, las piezas de un aparato o máquina. ‖ **2.** Combinación de las diversas partes de un todo. ‖ **3.** Cureña o armazón a la que se ajustan las piezas de artillería. ‖ **4.** En el cine, ordenación del material ya filmado para constituir la versión definitiva de una película. ‖ **5.** En el teatro, ajuste y coordinación de todos los elementos de la representación, sometiéndolos al plan artístico del director del espectáculo. ‖ **6.** fig. Lo que solo aparentemente corresponde a la verdad. ‖ **7.** *Acúst.* Grabación compuesta conseguida por la combinación de dos o más grabaciones. ‖ **8.** *Orfebr.* Ajuste y acoplamiento de las diversas partes de una joya. ‖ **fotográfico.** Fotografía conseguida con trozos de otras fotografías y diversos elementos con fines decorativos, publicitarios, informativos, etc.

montambanco. (De *montar, en* y *banco.*) m. ant. Charlatán que desde un banco o mesa anuncia y elogia sus géneros, saltaembanco.

montanear. (De *montano* y *-ear.*) intr. Pastar bellota o hayuco el ganado de cerda en montes o dehesas.

montanera. (De *montano* y *-era.*) f. Pasto de bellota o hayuco que el ganado de cerda tiene en los montes o dehesas. ‖ **2.** Tiempo en que está pastando. ‖ **estar uno en montanera.** fr. fig. y fam. Tener buen alimento y muy abundante durante una temporada.

montanero. (De *montano* y *-ero.*) m. Guarda de monte o dehesa.

montanismo. m. Herejía de Montano, fundada en el siglo II, que anunciaba el próximo fin del mundo y recomendaba un riguroso ascetismo.

montanista. (Del lat. *montanista,* de *Montānus,* nombre propio.) adj. Partidario del montanismo. Apl. a pers., ú. t. c. s. ‖ **2.** Perteneciente a él.

montano, na. (Del lat. *montānus.*) adj. Perteneciente o relativo al monte. ‖ **2.** V. **halcón, pimiento montano.**

montantada. (De *montante* y *-ada.*) f. desus. Jactancia vana. ‖ **2.** desus. Muchedumbre, número excesivo.

montante. p. a. de **montar.** ‖ **2.** adj. Que importa, monta o tiene determinada cuantía. ‖ **3.** *Blas.* Aplícase a los crecientes cuyas puntas están hacia el jefe del escudo, y a

las abejas y mariposas que se figuran en este volando hacia lo alto. ‖ **4.** m. Espadón de grandes gavilanes, que es preciso esgrimir con ambas manos. Hoy solo se usa por los maestros de armas para separar las batallas demasiado empeñadas. ‖ **5.** Pie derecho de una máquina o armazón. ‖ **6.** Importe, cuantía. ‖ **7.** *Arq.* Listón o columnita que divide el vano de una ventana. ‖ **8.** *Arq.* Ventana sobre la puerta de una habitación. ‖ **9.** f. *Mar.* Flujo o pleamar. ‖ **meter el montante.** fr. *Esgr.* Separar con él las batallas el maestro de armas. ‖ **2.** fig. Ponerse uno de por medio en una disputa o riña para cortarla o suspenderla.

montantear. intr. Gobernar o jugar el montante en el juego de la esgrima. ‖ **2.** fig. p. us. Hablar con jactancia, y querer manejar con superioridad las cosas y dependencias de los otros.

montantero. m. El que peleaba con montante.

montaña. (Del lat. **montanĕa,* de *mons, montis.*) f. Gran elevación natural del terreno. ‖ **2.** Territorio cubierto y erizado de montes. ‖ **3.** fig. Cualquier gran acumulación de algo. ‖ **4.** fig. y fam. Dificultad o problema de muy difícil resolución. ‖ **5.** ant. Monte de árboles o arbustos. Ú. en Colombia, C. Rica, Chile y Perú. ‖ **6.** V. **artillería, azul, fusilero, mal, tabaco, verde de montaña.** ‖ **rusa.** Vía férrea estrecha y en declive, con altibajos y revueltas, para deslizarse por ella en carritos como diversión.

montañero, ra. adj. Perteneciente o relativo a la montaña. ‖ **2.** m. y f. Persona que practica el montañismo.

montañés, sa. adj. Natural de una montaña. Ú. t. c. s. ‖ **2.** Perteneciente o relativo a la montaña. ‖ **3.** Natural de la Montaña. Ú. t. c. s. ‖ **4.** Perteneciente o relativo a Cantabria. ‖ **5. santanderino.** Ú. t. c. s. ‖ **6.** m. *And.* Vendedor de vinos al por menor.

montañesísimo. m. Amor y apego a las cosas características de la Montaña.

montañeta. f. d. de **montaña.**

montañismo. m. Deporte consistente en escalar montañas, alpinismo.

montañoso, sa. adj. Perteneciente o relativo a las montañas. *Superficie* MONTAÑOSA. ‖ **2.** Abundante en ellas. *Terreno* MONTAÑOSO.

montañuela. f. d. de **montaña.**

montar. (Del fr. *monter.*) intr. Ponerse o subirse encima de una cosa. Ú. t. c. tr. y c. prnl. ‖ **2.** Subir en un caballo u otra cabalgadura. Ú. t. c. tr. y c. prnl. ‖ **3.** Ir a caballo, cabalgar. *Juan* MONTA *bien.* Ú. t. c. tr. *Pedro* MONTABA *un alazán.* ‖ **4.** En las cuentas, importar o subir una cantidad total las partidas diversas, unidas y juntas. ‖ **5.** Ponerse o estar parte de una cosa cubriendo parte de otra. ‖ **6.** fig. Ser una cosa de importancia, consideración o entidad. ‖ **7.** tr. Multar, exigir multa por haber entrado en el monte ganados, caballerías, etc. ‖ **8.** Cubrir el caballo o el burro a la yegua, acaballar. ‖ **9.** Armar, o poner en su lugar, las piezas de cualquier aparato o máquina. Ú. t. en sent. fig. ‖ **10.** Batir la clara de huevo, o la nata, hasta ponerla esponjosa y consistente. ‖ **11.** Poner en una casa todo lo necesario para habitarla, o en un negocio, para que empiece a funcionar. ‖ **12.** En el teatro, disponer lo necesario para la representación de una obra. ‖ **13.** Tratándose de piedras preciosas, engastar. ‖ **14.** Hablando de armas de fuego portátiles, amartillarlas o ponerlas en condiciones de disparar. ‖ **15.** Poner en el disparador un arma de fuego. ‖ **16.** *Cinem.* Seleccionar y ajustar los diversos elementos de una filmación para obtener la copia definitiva de la película. ‖ **17.** *Mar.* Aplicado a un buque, mandarlo. ‖ **18.** *Mar.* Tener un buque, o poder llevar en sus baterías, tantos o cuantos cañones. ‖ **19.** *Mar.* Tratándose de un cabo, promontorio, etc., doblarlo o pasar al otro lado. ‖ **¡monta! ¡montas!** interj. fam. **¡anda!** ‖ **tanto monta.** expr. con que se significa que una cosa es equivalente a otra.

montaraz. (De *monte* y *-araz.*) adj. Que anda o está hecho a andar por los montes o se ha criado en ellos. ‖ **2.** fig. Aplícase al genio y propiedades agrestes, groseras y feroces. ‖ **3.** m. Guarda de montes o heredades. ‖ **4.** *Sal.* Mayordomo de campo, capataz que tiene a su cargo las labores y los ganados.

montaraza. f. *Sal.* Guardesa de montes o heredades. ‖ **2.** *Sal.* Mujer del montaraz.

montazgar. (De *montazgo.*) tr. Cobrar y percibir el montazgo.

montazgo. (Del lat. **montaticum*, de *mons, montis.*) m. Tributo pagado por el tránsito de ganado por un monte.

monte. (Del lat. *mons, montis.*) m. Gran elevación natural de terreno. ‖ **2.** Tierra inculta cubierta de árboles, arbustos o matas. ‖ **3.** ant. **montería.** ‖ **4.** Cartas que en ciertos juegos de naipes, o fichas que en el del dominó, quedan para robar después de haber repartido a cada uno de los jugadores las que le tocan. ‖ **5.** Juego de envite y azar, en el cual la persona que talla saca de la baraja dos naipes con abajo y forma el albur, otros dos por arriba con que hace el gallo, y apuntadas a estas cartas las cantidades que se juegan, se vuelve la baraja y se va descubriendo naipe por naipe hasta que sale alguno de número igual a otro de los que están apuntados, el cual de este modo gana sobre su pareja. ‖ **6. banca,** juego de naipes. ‖ **7.** V. **arta, corneta, cuchillo, perejil de monte.** ‖ **8.** V. **ayudante de montes.** ‖ **9.** fig. Grave estorbo o inconveniente que se halla en los negocios, difícil de vencer o superar. ‖ **10.** fig. y fam. Cabellera muy espesa y desaseada. ‖ **11.** fam. **monte de piedad.** ‖ **12.** *Chile.* **capote de monte.** ‖ **alto.** El poblado de árboles grandes. ‖ **2.** Estos mismos árboles. ‖ **bajo.** El poblado de arbustos, matas o hierbas. ‖ **2.** Estas matas o hierbas. ‖ **blanco. monte** descuajado que se destina a la repoblación. ‖ **cerrado. moheda.** ‖ **de piedad.** Establecimiento benéfico, combinado generalmente con una caja de ahorros, que dedica estos y su propio capital a préstamos, generalmente pignoraticios, con interés módico. ‖ **de Venus.** Pubis de la mujer. ‖ **2.** Pequeña eminencia en la palma de la mano a la raíz de cada uno de los dedos. ‖ **hueco. oquedal.** ‖ **mayor.** Producto bruto de la pesca que se reparten proporcionalmente los armadores y pescadores contratados a la parte, una vez deducidas las cargas comunes de gastos y seguros sociales. ‖ **pardo. encinar.** ‖ **pío. montepío.** ‖ **público.** Terreno inculto, poblado principalmente de árboles y otras plantas, perteneciente al Estado, provincia o municipio. ‖ **andar** uno **a monte.** fr. Andar fuera de poblado, huyendo de la justicia. ‖ **2.** fig. y fam. Dejar de concurrir por algún tiempo, sin motivo conocido, a donde solía ir con frecuencia. ‖ **3.** fig. y fam. Andar en malos pasos. ‖ **apostar un monte.** fr. *Extr.* Entresacar, limpiar y podar las matas bajas de un **monte** guiándolas convenientemente para que formen un **monte** alto. ‖ **batir,** o **correr, el monte. correr montes.** frs. Ir de montería. ‖ **criado a monte.** fr. fig. *Urug.* Dícese de la persona grosera, carente de urbanidad. ‖ **echarse al monte.** fr. Ponerse fuera de la ley en partida insurrecta o en bandolerismo. ‖ **montes de oro,** o **montes y maravillas.** expr. fig. y fam. con que se exagera la magnitud o importancia de lo que se promete o se espera. ‖ **no todo el monte es orégano.** fr. fig. con que se denota no todo es fácil o placentero en un asunto. ‖ **poner a monte** una nave. fr. *Mar.* Ponerla en tierra para carenarla. ‖ **ser uno de monte y ribera.** fr. fig. y fam. Servir para todo.

montea[1]. f. Acción de montear[1] la caza.

montea[2]. f. Acción de montear[2] o trazar la **montea** de una obra. ‖ **2.** *Arq.* Dibujo de tamaño natural que en el suelo o en una pared se hace del todo o parte de una obra para hacer el despiezo, sacar las plantillas y señalar los

cortes. ‖ **3.** *Arq.* Arte de cortar piedras y maderas, estereotomía. ‖ **4.** *Arq.* Sagita de un arco o bóveda.

monteador. m. El que montea[2].

montear[1]. (De *monte.*) tr. Buscar y perseguir la caza en los montes, ojearla hacia un sitio o paraje donde la esperan los cazadores.

montear[2]. tr. *Arq.* Trazar la montea de una obra. ‖ **2.** *Arq.* Voltear o formar arcos.

monteleva. (De *montar* y *levar.*) f. V. **almadraba de monteleva.**

montenegrino, na. adj. Natural de Montenegro. Ú. t. c. s. ‖ **2.** Perteneciente o relativo a Montenegro.

montepiado, da. adj. *Chile.* Dícese de la persona que recibe un montepío o pensión. Ú. t. c. s.

montepío. (De *monte pío.*) m. Depósito de dinero, formado ordinariamente de los descuentos hechos a los individuos de un cuerpo, o de otras contribuciones de los mismos, para socorrer a sus viudas y huérfanos. ‖ **2.** Establecimiento público o particular fundado con este objeto. ‖ **3.** Pensión que se recibe de un **montepío.**

montera[1]. (De *monte* y *-era.*) f. Prenda para abrigo de la cabeza, que generalmente se hace de paño; tiene varias hechuras, según el uso de cada provincia. ‖ **2.** Gorra que lleva el torero en armonía con el traje de luces. ‖ **3.** Cubierta de cristales sobre un patio, galería, etc. ‖ **4.** Cubierta convexa que tapa la caldera de un alambique y reúne los vapores de la destilación para que entren en el serpentín. ‖ **5.** *Mar.* Vela triangular de los últimos juanetes, monterilla.

montera[2]. f. Mujer del montero.

monterería. (De *montera* y *-ería[1].*) f. Sitio donde se hacen monteras. ‖ **2.** Tienda o sitio donde se venden.

monterero, ra. (De *montera* y *-ero.*) m. y f. Persona que hace o vende monteras.

montería. (De *monte* y *-ería[1].*) f. Caza de jabalíes, venados y otros animales de caza mayor. ‖ **2.** Arte de cazar, o conjunto de reglas y avisos que se dan para la caza. ‖ **3.** V. **alguacil de la montería.**

monteriano, na. adj. Natural de Montería. Ú. t. c. s. ‖ **2.** Perteneciente o relativo a esta ciudad de Colombia.

monterilla. f. d. de **montera.** ‖ **2.** *Mar.* Vela triangular que en tiempo bonancible se larga sobre los últimos juanetes. ‖ **3.** m. **alcalde de monterilla.**

montero, ra. (De *monte* y *-ero.*) adj. ant. **montés.** ‖ **2.** m. y f. Persona que busca y persigue la caza en el monte, o la ojea hacia el sitio en que la esperan los cazadores. ‖ **de cámara,** o **de Espinosa.** Criado distinguido de la casa real de Castilla que guardaba por las noches la cámara de los reyes. Debía ser hidalgo y natural u originario de la villa de Espinosa. ‖ **de lebrel.** El que tiene a su cuidado los lebreles que han de servir en los puntos de espera. ‖ **de trailla.** El que tiene a su cargo y cuidado los sabuesos de trailla. ‖ **mayor.** Oficial de palacio que tenía a su cargo las cacerías reales.

monterón. m. aum. de **montera[1]** de la cabeza.

monterrey. (Del nombre de su inventor.) m. Especie de pastel como el fajardo, de figura abarquillada.

monteruca. f. despect. de **montera[1]** de la cabeza.

montés. adj. Que anda, está o se cría en el monte. ‖ **2.** V. **cabra, gato, puerco, rosa montés.**

montesa[1]. adj. f. poét. De monte, montés.

Montesa[2]. n. p. V. **cruz de Montesa.**

montesco. m. Individuo de una familia de Verona, célebre en la tradición por su enconada rivalidad con la de los Capuletos. Ú. m. en pl. y fig. para designar bandas rivales. ‖ **haber Montescos y Capeletes.** fr. fig. y fam. **haber moros y cristianos.**

montesino, na. adj. De monte, montés. ‖ **2.** V. **trigo montesino.** ‖ **3.** ant. fig. Agreste, huraño.

montevideano, na. adj. Natural de Montevideo. Ú. t. c. s. ‖ **2.** Perteneciente o relativo a esta ciudad de Uruguay.

montículo. (Del lat. *monticŭlus*.) m. Monte pequeño, por lo común aislado, y obra, o de la naturaleza o del hombre.

montilla. m. Vino fino que se cría y elabora en el término municipal de Montilla.

montillano, na. adj. Natural de Montilla. Ú. t. c. s. ‖ **2.** Perteneciente o relativo a esta ciudad.

montiña. f. ant. Monte, montaña.

monto. m. Suma de varias partidas, monta.

montón. (De *monte*.) m. Conjunto de cosas puestas sin orden unas encima de otras. ‖ **2.** fig. y fam. Número considerable, en frases como la siguiente: *Tengo que decirte un* MONTÓN *de cosas.* ‖ **3.** *Agr.* V. **cara del montón.** ‖ **de tierra.** fig. y fam. Persona muy anciana, débil o achacosa. ‖ **a montón.** loc. adv. fig. a **bulto.** ‖ **2.** *Ar.* **a montones.** ‖ **a, de,** o **en, montón.** loc. adv. fig. y fam. Juntamente; sin separación o distinción. ‖ **a montones.** loc. adv. fig. y fam. Abundantemente, sobrada y excesivamente. ‖ **ser uno del montón.** fr. fig. y fam. Ser adocenado y vulgar, en su persona o condición social.

montonera. f. **montón,** gran cantidad de alguna cosa. ‖ **2.** *Col.* Montón de hierba o paja, almiar. ‖ **3.** *Amér. Merid.* Grupo o pelotón de gente de a caballo que intervenía como fuerza irregular en las guerras civiles de algunos países suramericanos.

montonero. (De *montón*.) m. El encargado de apuntar en las eras lo que cada labrador recolectaba, para saber el diezmo que le correspondía pagar. ‖ **2.** El que, no teniendo valor para sostener una lucha cuerpo a cuerpo, la provoca cuando está rodeado de sus partidarios. ‖ **3.** Individuo de la montonera. ‖ **4.** *Chile* y *Perú.* El que lucha en montón, es decir en grupos desordenados.

montoreño, ña. adj. Natural de Montoro. Ú. t. c. s. ‖ **2.** Perteneciente o relativo a esta ciudad.

montoso, sa. (Del lat. *montōsus*.) adj. p. us. **montuoso.**

montubio, bia. adj. *Amér.* Dícese de la persona montaraz, grosera. Ú. t. c. s. ‖ **2.** m. y f. *Col., Ecuad.* y *Perú.* Campesino de la costa.

montuno, na. adj. Perteneciente o relativo al monte. ‖ **2.** *And.* y *Amér.* Rudo, rústico, montaraz.

montuosidad. f. Cualidad de montuoso.

montuoso, sa. (Del lat. *montuōsus*.) adj. Relativo a los montes. ‖ **2.** Abundante en ellos. *Región* MONTUOSA.

montura. (De *montar* y -*ura*.) f. Bestia en que se puede cabalgar, cabalgadura. ‖ **2.** Conjunto de los arreos de una caballería de silla. ‖ **3.** Acción de montar las piezas de una máquina o aparato, montaje. ‖ **4.** Soporte mecánico de los instrumentos astronómicos destinados a la observación celeste. ‖ **5.** Armadura en que se colocan los cristales de las gafas. ‖ **acimutal.** *Astron.* La que permite mover el instrumento horizontal y verticalmente. ‖ **ecuatorial.** *Astron.* La paraláctica que tiene círculos graduados para medir diferencialmente las coordenadas del astro mirado y, muchas veces, aparato de relojería. ‖ **paraláctica.** *Astron.* La que permite seguir el movimiento diurno de los astros mediante un solo movimiento rotatorio del telescopio, refractor o reflector.

monuelo, la. adj. d. de **mono.** ‖ **2.** Aplícase generalmente al mozalbete afectado y sin seso. Ú. t. c. s.

monumental. (Del lat. *monumentālis*.) adj. Perteneciente o relativo a un monumento, obra pública u objeto de utilidad para la historia. ‖ **2.** fig. y fam. Muy excelente o señalado en su línea. ‖ **3.** fig. y fam. Muy grande.

monumentalidad. f. Carácter monumental de una obra de arte.

monumentalizar. tr. Dar carácter de monumental a una cosa.

monumento. (Del lat. *monumentum*.) m. Obra pública y patente, como estatua, inscripción o sepulcro, puesta en memoria de una acción heroica u otra cosa singular. ‖ **2.** Por ext., construcción que posee valor artístico, arqueológico, histórico, etc. ‖ **3.** Túmulo, altar o aparato que el Jueves Santo se forma en las iglesias, colocando en él, en una arquita a manera de sepulcro, la segunda hostia que se consagra en la misa de aquel día, para reservarla hasta los oficios del Viernes Santo, en que se consume. ‖ **4.** Objeto o documento de utilidad para la historia, o para la averiguación de cualquier hecho. ‖ **5.** Obra científica, artística o literaria, que se hace memorable por su mérito excepcional. ‖ **6.** Obra en que se sepulta un cadáver. ‖ **7.** fig. y fam. Persona de gran belleza y bien proporcionada físicamente. ‖ **nacional.** Obra artística o edificio que toma bajo su protección el Estado.

monviedrés. adj. ant. **murviedrés.** Apl. a pers., usáb. t. c. s.

monzón. (Del port. *monção*.) amb. Viento periódico que sopla en ciertos mares, particularmente en el océano Índico, unos meses en una dirección y otros en la opuesta.

moña[1]. (De or. prerromano, como *muñeca*.) f. Figurilla de mujer que sirve de juguete a las niñas. ‖ **2.** Maniquí para vestidos de mujer.

moña[2]. (De *moño*.) f. Lazo con que suelen adornarse la cabeza las mujeres. ‖ **2.** Adorno de cintas, plumas o flores que suele colocarse en lo alto de la divisa de los toros. ‖ **3.** Lazo de cintas negras que, sujeto con la coleta, se ponen los toreros en la parte posterior de la cabeza cuando salen a lidiar. ‖ **4.** *And.* Gorro muy adornado con que se cubre la cabeza de los niños de pecho.

moña[3]. f. ant. Enfado, desazón o tristeza. ‖ **2.** fig. y fam. Embriaguez, borrachera.

moñajo. m. despect. de **moño.**

moñista. adj. fam. Alabancioso, presuntuoso.

moño. (Probablemente, de una raíz prerromana *munn-*, bulto, protuberancia.) m. **castaña** o rodete que se hace con el cabello para tenerlo recogido o por adorno. ‖ **2.** Lazo de cintas. ‖ **3.** Grupo de plumas que sobresale en la cabeza de algunas aves. ‖ **4.** V. **paloma de moño.** ‖ **5.** pl. Adornos superfluos o de mal gusto que usan las mujeres. ‖ **6.** fig. Presunción, vanidad. ‖ **de picaporte.** El formado en trenza ancha y aplastada. ‖ **estar hasta el moño.** fr. fig. y fam. Estar harto, no aguantar más. ‖ **hacerse el moño.** fr. fig. y fam. Peinarse. ‖ **ponérsele** a uno una cosa en el moño. fr. fig. y fam. Antojársele, tomar una resolución caprichosa, sosteniéndola con empeño. ‖ **ponerse moños.** fr. fig. Atribuirse méritos, presumir. ‖ **quitar moños** a uno. fr. fig. y fam. Bajarle los humos.

moñón, na. adj. **moñudo.**

moñudo, da. adj. Que tiene moño, dicho de las aves.

moquear. intr. Echar mocos.

moqueo. m. Secreción nasal abundante.

moquero. m. Pañuelo para limpiarse los mocos.

moqueta. (Del fr. *moquette*.) f. Tela fuerte de lana, cuya trama se hace de cáñamo, y de la cual se hacen alfombras y tapices.

moquete. (De *moco*.) m. Puñada dada en el rostro, especialmente en las narices.

moquetear[1]. intr. fam. Moquear frecuentemente.

moquetear[2]. tr. Dar moquetes.

moquillo. (d. de *moco*.) m. Enfermedad catarral de algunos animales, y especialmente de los perros y gatos jóvenes. ‖ **2.** Pepita[1] de las gallinas. ‖ **3.** *Ecuad.* Nudo corredizo con que se sujeta el labio superior del caballo para domarlo.

moquita. f. Moco claro que fluye de la nariz.

moquitear. (De *moquita*.) intr. Moquear, especialmente llorando.

mor. m. Aféresis de amor. ‖ **por mor de.** loc. **por amor de,** por causa de.

mora¹. (Del lat. *mora.*) f. *Der.* Dilación o tardanza en cumplir una obligación; por lo común, la de pagar cantidad líquida y vencida. ‖ **2.** *Pros.* Unidad de medida de la cantidad silábica, equivalente a una sílaba breve.

mora². (Del lat. vulg. *mora,* lat. *morum.*) f. Fruto del moral, de unos dos centímetros de largo, con figura ovalada, formado por la agregación de globulillos carnosos, blandos, agridulces y, una vez maduro, de color morado. ‖ **2.** Fruto de la morera, muy parecido al anterior, pero de la mitad de su tamaño y, ya maduro, de color blanco amarillento y enteramente dulce. ‖ **3.** Fruto de la zarzamora. ‖ **4.** En algunos puntos, fresa silvestre. ‖ **5.** *Hond.* Frambuesa.

morabetino. m. ant. Antigua moneda española, maravedí. ‖ **2.** Moneda almorávide, de plata, muy pequeña.

morabito. (Del ár. *murābiṭ,* ermitaño, religioso profeso en una rábida.) m. Musulmán que profesa cierto estado religioso parecido en su forma exterior al de los anacoretas o ermitaños cristianos. ‖ **2.** Especie de ermita, situada en despoblado, en que vive un **morabito.**

morabuto. m. **morabito.**

moráceo, a. (Del lat. *morus,* moral, y *-áceo.*) adj. *Bot.* Dícese de árboles y arbustos angiospermos dicotiledóneos, que tienen hojas alternas con estípulas, flores unisexuales en cimas espiciformes, cada una de estas con flores de un solo sexo, o sentadas sobre un receptáculo carnoso; los frutos son aquenios o pequeñas drupas que están empotradas en los tejidos carnosos del receptáculo, como la mora, la higuera y el árbol del pan. Ú. t. c. s. f. ‖ **2.** f. pl. *Bot.* Familia de estas plantas.

moracho, cha. (De *mora²* y *-acho.*) adj. Morado poco intenso. Ú. t. c. s.

morada. (De *morar* y *-ada.*) f. Casa o habitación. ‖ **2.** Estancia de asiento o residencia algo continuada en un lugar.

morado, da. (De *mora²* y *-ado.*) adj. De color entre carmín y azul. Ú. t. c. s. ‖ **2.** V. **berenjena, grana morada.** ‖ **3.** V. **cambur morado.** ‖ **pasarlas moradas.** loc. fig. y fam. Encontrarse en una situación difícil, dolorosa o comprometida. ‖ **ponerse morado.** fr. fig. y fam. Hartarse de comida.

morador, ra. (Del lat. *morātor, -ōris.*) adj. Que habita o está de asiento en un lugar. Ú. t. c. s. ‖ **2.** *Murc.* V. **casa de moradores.**

moradura. (De *morado* y *-ura.*) f. **cardenal².**

moradux. m. Mejorana.

moraga. (Del ár. *muḥraqa,* cosa quemada, fuego, holocausto.) f. Manojo o maña que forman las espigaderas. ‖ **2.** *And.* Acto de asar con fuego de leña y al aire libre frutas secas, sardinas u otros peces. ‖ **3.** *Rioja.* Matanza del cerdo.

morago. m. Moraga, manojo que forman las espigaderas. ‖ **2.** *Rioja.* Tajada del lomo del cerdo que en las moragas o matanzas se come tostada a la lumbre.

moral¹. (Del lat. *morālis.*) adj. Perteneciente o relativo a las acciones o caracteres de las personas, desde el punto de vista de la bondad o malicia. ‖ **2.** Que no pertenece al campo de los sentidos, por ser de la apreciación del entendimiento o de la conciencia. *Prueba,* certidumbre MORAL. ‖ **3.** V. **evidencia, figura, filosofía, libro, teología, verdad, virtud moral.** ‖ **4.** Que no concierne al orden jurídico, sino al fuero interno o al respeto humano. *Aunque el pago no era exigible, tenía obligación* MORAL *de hacerlo.* ‖ **5.** f. Ciencia que trata del bien en general, y de las acciones humanas en orden a su bondad o malicia. ‖ **6.** Conjunto de facultades del espíritu, por contraposición a físico. ‖ **7.** Ánimos, arrestos. ‖ **8.** Estado de ánimo, individual o colectivo. En relación a tropas, o en el deporte, se refiere al espíritu, o a la confianza en la victoria.

moral². (De *mora²* y *-al.*) m. Árbol de la familia de las moráceas, de cinco a seis metros de altura, con tronco grueso y derecho, copa amplia, hojas ásperas, lanuginosas, acorazonadas, dentadas o lobuladas por el margen, y flores unisexuales en amentos espiciformes, separadas las masculinas de las femeninas. Su fruto es la mora. ‖ **2.** V. **higuera moral.** ‖ **3.** Árbol ecuatoriano tropical, de la familia de las moráceas, de madera incorruptible, muy empleada en la construcción de casas.

moraleda. (De *moral¹* y *-eda.*) f. Lugar plantado de morales o de moreras.

moraleja. (De *moral¹* y *-eja.*) f. Lección o enseñanza que se deduce de un cuento, fábula, ejemplo, anécdota, etc.

moralidad. (Del lat. *moralĭtas, -ātis.*) f. Conformidad de una acción o doctrina con los preceptos de la sana moral. ‖ **2.** Cualidad de las acciones humanas que las hace buenas. ‖ **3. moraleja.**

moralina. (De *moral,* con la term. *-ina* de nicotina, morfina, cocaína, etc.) f. Moralidad inoportuna, superficial o falsa.

moralista. com. Profesor de moral. ‖ **2.** Autor de obras de moral. ‖ **3.** El que estudia moral. ‖ **4.** m. Clérigo que se ordenaba sin haber estudiado más que latín y moral.

moralización. f. Acción y efecto de moralizar o moralizarse.

moralizador, ra. adj. Que moraliza. Ú. t. c. s.

moralizar. (De *moral¹* e *-izar.*) tr. Reformar las malas costumbres enseñando las buenas. Ú. t. c. prnl. ‖ **2.** intr. Discurrir sobre un asunto con aplicación a la enseñanza de las buenas costumbres.

moralmente. adv. m. Según las reglas y documentos morales, o con moralidad. ‖ **2.** Según el juicio general y el común sentir de los hombres. ‖ **3.** Según las facultades del espíritu, por contraposición a físicamente.

moranza. (De *morar* y *-anza.*) f. ant. Estancia o residencia continuada en un lugar.

morapio. (De *mora,* por el color oscuro.) m. fam. Vino oscuro, tinto.

morar. (Del lat. *morāre.*) intr. Habitar o residir habitualmente en un lugar.

moratiniano, na. adj. Propio y característico de cualquiera de los dos Moratines como escritores, o que tiene semejanza con las dotes o calidades por que se distinguen sus obras.

morato. (De *moro* y *-ato¹.*) adj. Dícese del trigo moreno.

moratón. m. fam. **cardenal².**

moratoria. (Del lat. *moratoria,* t. f. de *-rius,* dilatorio.) f. Plazo que se otorga para solventar una deuda vencida. Se dice especialmente de la disposición que difiere el pago de impuestos o contribuciones, y también, por ext., de las deudas civiles.

moravedí, moravedín o **moravidí.** m. ant. Maravedí, antigua moneda española.

moravo, va. adj. Natural de Moravia. Ú. t. c. s. ‖ **2.** Perteneciente o relativo a esta región de Checoslovaquia.

morbi. m. ant. Maravedí.

morbidez. (Del it. *morbidezza.*) f. Cualidad de mórbido, blando, delicado.

morbideza. f. desus. Cualidad de mórbido.

morbidil. m. ant. Maravedí, moravedí.

mórbido, da. (Del lat. *morbĭdus.*) adj. Que padece enfermedad o la ocasiona. ‖ **2.** Blando, delicado, suave.

morbífico, ca. (Del lat. *morbifĭcus,* que produce enfermedad.) adj. Que lleva consigo el germen de las enfermedades, o las ocasiona y produce.

morbilidad. (Del ing. *morbility.*) f. Proporción de personas que enferman en un sitio y tiempo determinado.

morbo. (Del lat. *morbus.*) m. Alteración de la salud del cuerpo humano, enfermedad. ‖ **2.** fig. Interés malsano por personas o cosas, o atracción hacia acontecimientos desagradables. ‖ **comicial.** *Pat.* **epilepsia.** ‖ **gálico.** *Pat.* Bubas o gálico. ‖ **regio.** *Pat.* **ictericia.** ‖ **tener morbo** una cosa. fr. fig. Producir **morbo,** interés malsano.

morbosidad. f. Cualidad de morboso. ‖ **2.** Conjunto de casos patológicos que caracterizan el estado sanitario de un país.

morboso, sa. (Del lat. *morbōsus.*) adj. **enfermo.** ‖ **2.** Que causa enfermedad, o concierne a ella. ‖ **3.** Que provoca reacciones mentales moralmente insanas o que es resultado de ellas. *Una novela* MORBOSA. *Su obsesión por la muerte parece* MORBOSA. ‖ **4.** Que manifiesta inclinación al morbo. Ú. t. c. s.

morca. (Del lat. *amurca.*) f. *Ar.* Hez del aceite.

morcacho. (De *morca* y *-acho.*) m. *Ar.* **morcajo.**

morcada. (De *morcar* y *-ada.*) f. *And.* Morocada, topetazo.

morcajo. (De *morca* y *-ajo.*) m. Mezcla de trigo y centeno, morcacho, tranquillón.

morcal. (Quizá de la familia de *morcón,* y *morcilla.*) m. Tripa gruesa para embutidos. ‖ **2.** Embutido hecho con esta tripa. ‖ **3.** Variedad de aceituna gruesa.

morcar. (De la raíz de *morueco.*) tr. Dar el golpe el toro con las astas o topar con la cabeza otros animales.

morceguila. f. Excremento o estiércol de los murciélagos, murcielaguina.

morcella. (Voz dialect. leonesa, de or. inc.) f. Chispa que salta del pabilo de una luz, y también, en general, de la lumbre o de una hoguera.

morceña. f. ant. **morcella.** Ú. en Salamanca.

morciguillo. (Del dialect. *morciego, murciego,* y este del lat. *mus, muris* y *caecus.*) m. p. us. **murciélago.**

morcilla. (Posiblemente de la raíz de *morcón.*) f. Trozo de tripa de cerdo, carnero o vaca, o materia análoga, rellena de sangre cocida, que se condimenta con especias y, frecuentemente, cebolla, y a la que suelen añadírsele otros ingredientes como arroz, piñones, miga de pan, etc. ‖ **2.** Tripa o piltrafa envenenada que se usaba para matar los perros callejeros. ‖ **3.** fig. y fam. Añadidura abusiva de palabras o cláusulas de su invención, que hacen los comediantes. ‖ **ciega.** La que se hace con la parte cerrada del intestino ciego. ‖ **dar morcilla.** Matar con **morcilla** envenenada. ‖ **que te den, o que le den morcilla.** expr. fig. y fam. que indica desprecio, mala voluntad hacia alguien, desinterés, etc.

morcillero, ra. m. y f. Persona que hace o vende morcillas. ‖ **2.** fig. y fam. Actor que tiene el vicio de añadir palabras o cláusulas de su invención a las del papel que representa.

morcillo¹. (De *murecillo.*) m. Parte carnosa del brazo, desde el hombro hasta cerca del codo. ‖ **2.** Parte alta, carnosa, de las patas de los bovinos.

morcillo², lla. (Del b. lat. *mauricellus,* d. de *maurus,* moro, referido al color negro.) adj. Aplícase al caballo o yegua de color negro con viso rojizo.

morcillón. m. aum. de **morcilla.** ‖ **2.** Estómago del cerdo, carnero u otro animal, relleno como la morcilla.

morcón. (Voz probablemente prerromana.) m. Tripa gruesa de algunos animales que se utiliza para hacer embutidos. ‖ **2.** Embutido hecho del intestino ciego o parte más gruesa de las tripas del animal. ‖ **3.** p. us. fig. y fam. Persona gruesa, pequeña y floja. ‖ **4.** p. us. fig. y fam. Persona sucia y desaseada.

morcuero. (Del lat. *Mercurīus,* montón de piedras en honor de este dios.) m. Montón de cantos sueltos, majano.

mordacear. tr. *Argent.* Ablandar, sobar el cuero con mordaza.

mordacidad. (Del lat. *mordacĭtas, -ātis.*) f. Cualidad de mordaz.

mordaga. f. fam. Embriaguez, borrachera.

mordante. (Del fr. *mordant,* mordiente.) m. *Impr.* Regla doble que usaban los cajistas para sujetar el original en el divisorio y señalar la línea que iban componiendo.

mordaz. (Del lat. *mordax, -ācis.*) adj. Que corroe o tiene actividad corrosiva. ‖ **2.** Áspero, picante y acre al gusto o paladar. ‖ **3.** fig. Que murmura o critica con acritud o malignidad no carentes de ingenio. ‖ **4.** Propenso a murmurar o criticar con acritud o malignidad normalmente ingeniosas.

mordaza. (Del lat. vulg. *mordacia,* del n. pl. de *mordax, -ācis.*) f. Instrumento que se pone en la boca para impedir el hablar. Ú. t. en sent. fig. ‖ **2.** *Argent.* Utensilio cilíndrico de madera, de aproximadamente cuarenta centímetros, con una hendidura a través de la cual pasa el tiento o tira de cuero para ser ablandado. ‖ **3.** *Argent.* Pequeña cuerda o tiento unido a un cabo de madera, con la que se hace **mordaza** a un caballo. ‖ **4.** *Art.* Aparato empleado en algunos montajes con objeto de disminuir el retroceso de las piezas de artillería. ‖ **5.** *Mar.* Máquina sencilla de hierro colocada en la cubierta del buque y que, cerrando sobre el canto de la gatera, detiene e impide la salida de la cadena del ancla. ‖ **6.** *Veter.* Instrumento compuesto de dos piezas semicilíndricas de madera dura, entre las cuales se sujeta convenientemente la parte alta del escroto, para evitar derrames en la castración. ‖ **hacer mordaza.** *Argent.* Dominar un caballo con **mordaza** u otro instrumento análogo.

mordazmente. adv. m. Con mordacidad.

mordedor, ra. adj. Que muerde. ‖ **2.** fig. Que satiriza o murmura.

mordedura. f. Acción de morder. ‖ **2.** Daño ocasionado por ella.

mordelón. m. coloq. *Méj.* Policía de tráfico que acepta mordidas o soborno.

mordente. (Del it. *mordente.*) m. **mordiente,** sustancia que se emplea para fijar los colores. ‖ **2.** *Mús.* **quiebro,** adorno musical de dos, tres o cuatro notas que se ejecutan rápidamente antes de otra.

morder. (Del lat. *mordēre.*) tr. Clavar los dientes en una cosa. ‖ **2.** Picar como mordiendo. ‖ **3.** Asir una cosa a otra, haciendo presa en ella. ‖ **4.** Gastar insensiblemente, o poco a poco, quitando partes muy pequeñas, como hace la lima. ‖ **5.** Corroer el agua fuerte la parte dibujada de la plancha o lámina que se somete a la acción de ella. ‖ **6.** fig. Murmurar o satirizar, hiriendo y ofendiendo en la fama o crédito. ‖ **7.** fig. Estar. Precedido de *estar que,* manifestar uno de algún modo su ira o enojo extremos. *Juan* ESTÁ QUE MUERDE. ‖ **8.** *Impr.* Impedir uno o más bordes de la frasqueta que se efectúe la impresión, por cubrir una parte del molde e interponerse entre este y el papel que se ha de imprimir. ‖ **a muerde y sorbe.** loc. con que se indica la manera de tomar los alimentos que tienen a la par de sólidos y líquidos, sin que uno sea enteramente lo uno ni lo otro.

mordicación. (Del lat. *mordicatĭo, -ōnis.*) f. Acción y efecto de mordicar.

mordicante. (Del lat. *mordĭcans, -antis.*) p. a. de **mordicar.** Que mordica. ‖ **2.** adj. Acre, corrosivo, que causa picazón. ‖ **3.** p. us. fig. Dícese de la persona que suele morder en las costumbres, figura, gustos, aficiones o extravagancias de los demás, pero nunca o rara vez en la honra.

mordicar. (Del lat. *mordicāre.*) tr. Picar o punzar como mordiendo.

mordicativo, va. (Del lat. *mordicatīvus.*) adj. desus. Que mordica o puede mordicar.

mordido, da. p. p. de **morder.** ‖ **2.** adj. fig. Menoscabado, escaso, desfalcado. ‖ **3.** f. Mordedura, mordisco. ‖ **4.** *Bol., Col., Méj., Nicar.* y *Pan.* Provecho o dinero obtenido de un particular por un funcionario empleado, con abuso de las atribuciones de su cargo. ‖ **5.** *Bol., Col., Méj., Nicar.* y *Pan.* Fruto de cohechos o sobornos.

mordiente. p. a. de **morder.** Que muerde. ‖ **2.** m. Sustancia que en tintorería y otras artes sirve de intermedio eficaz para fijar los colores o los panes de oro. ‖ **3.** Agua fuerte con que se muerde una lámina o plancha para grabarla.

mordihuí. (De *morder* y el imperat. de *huir*.) m. Gorgojo de las semillas.

mordimiento. (De *morder* y *-miento*.) m. Acción y efecto de morder.

mordiscar. tr. Moder algo repetidamente y con poca fuerza. ‖ **2.** Picar o punzar como mordiendo. ‖ **3.** Asir una cosa a otra haciendo presa en ella. ‖ **4.** Quitar poco a poco de algo partes muy pequeñas. ‖ **5.** Corroer el agua fuerte la plancha que se somete a su acción. ‖ **6.** Murmurar ofendiendo en la fama.

mordisco. m. Acción y efecto de **mordiscar.** ‖ **2.** Mordedura que se hace en un cuerpo vivo sin causar lesión grave. ‖ **3.** Pedazo que se saca de una cosa mordiéndola. ‖ **4.** fig. Beneficio que se saca de alguna cosa.

mordisquear. tr. Picar como mordiendo.

moreda. (Del lat. *morēta*, pl. n. de *-tum*, de *morus*, moral.) f. **moral**[2], árbol. ‖ **2.** Sitio poblado de moreras.

morel de sal. (De *mora*[2], a través del cat. o prov.) m. Pint. Cierto color morado carmesí, hecho a fuego, que sirve para pintar al fresco.

morelense. adj. Natural del Estado mejicano de Morelos, o de otras poblaciones del mismo nombre. Ú. t. c. s. ‖ **2.** Perteneciente o relativo a dicho Estado o a tales poblaciones.

moreliano, na. adj. Natural de Morelia, capital del Estado mejicano de Michoacán. Ú. t. c. s. ‖ **2.** Perteneciente o relativo a dicha ciudad.

morellano, na. adj. Natural de Morella. Ú. t. c. s. ‖ **2.** Perteneciente o relativo a esta ciudad.

morena[1]. (Del lat. *muraena*.) f. Pez teleósteo marino, del suborden de los fisóstomos, parecido a la anguila, de unos metro aproximadamente de longitud, casi cilindrico, sin aletas pectorales y con la dorsal y la anal unidas con la cola; cabeza de hocico prolongado, con dientes fuertes y puntiagudos, branquias reducidas a dos agujeros pequeños, y cuerpo viscoso y sin escamas, amarillento y con manchas de color castaño. Es comestible.

morena[2]. f. Hogaza o pan moreno.

morena[3]. (De or. prerromano, acaso relacionada con el vasc. *muru*, montón.) f. Montón de mieses apiladas en el rastrojo o en la era. ‖ **2.** Montón formado por acumulación de piedras y barro transportados por un glaciar.

morenero. (De *moreno,* morenillo.) m. Muchacho que en el rancho de esquileo lleva el plato o la cazuela del morenillo.

morenez. f. Color oscuro que tira a negro. ‖ **2.** En la raza blanca, color menos claro de la piel.

morenillo. (De *moreno,* por el color.) m. Masa de carbón molido y vinagre que usan los esquiladores para curar las cortaduras.

morenito. (De *moreno*.) m. *And.* Bebida compuesta de café, ron y azúcar.

moreno, na. (De *moro* y *-eno*.) adj. Aplícase al color oscuro que tira a negro. ‖ **2.** En la raza blanca, dícese del color de la piel menos claro del pelo negro o castaño. ‖ **3.** Aplícase al color de las cosas que tienen un tono más oscuro de lo normal. ‖ **4.** fig. y fam. **negro,** persona de esta raza. Ú. m. c. s. ‖ **5.** V. **azúcar moreno, o morena.** ‖ **6.** V. **ganado, trigo moreno.** ‖ **7.** *Cuba.* Nacido de negra y blanco o de blanca y negro, mulato. Ú. t. c. s. ‖ **8.** m. Morenillo de los esquiladores. ‖ **9.** f. Gresca, pendencia. ‖ **sobre eso,** o **sobre ello, morena.** expr. fam. que declara la resolución de sostener lo que se quiere, por todo empeño y a cualquier costa.

morenote, ta. adj. aum. de **moreno.**

morenura. f. **morenez.**

móreo, a. (De *mora*[2] y *-eo*.) adj. *Bot.* **moráceo.**

morera. (De *mora*[2] y *-era*.) f. Árbol de la familia de las moráceas, con tronco recto no muy grueso, de cuatro a seis metros de altura, copa abierta, hojas ovales, obtusas, dentadas o lobuladas, y flores verdosas, separadas las masculinas de las femeninas. Su fruto es la mora. Su hoja sirve de alimento al gusano de seda. ‖ **blanca. morera.** ‖ **negra. moral**[2].

moreral. m. Sitio plantado de moreras.

morería. f. Barrio en que habitaban los moros en algunos pueblos. ‖ **2.** País o territorio propio de moros.

moretón. m. fam. Moradura de la piel.

morfa. (Del mismo or. que *morfea*.) f. Hongo parásito que en forma de manchas fungosas y negruzcas ataca y destruye las hojas y ramas de los naranjos y limoneros.

morfea. (Del b. lat. *morphěa*.) adj. *Veter.* V. **blanca morfea.**

morfema. (Del gr. μορφή, forma, y *-ma*.) m. *Ling.* Término empleado en lingüística moderna con varia significación según las escuelas. Unas lo aplican solamente a los elementos mínimos que en una lengua expresan relaciones o categorías gramaticales (*de, no, yo, le, el* libro, cant-*ar,* casa-*s,* cas-*ero*), otras lo extienden a los elementos mínimos de carácter léxico (*sol, pan, casa*). El **morfema** puede ser una palabra, prefijo, infijo, sufijo, desinencia, etc., como en los ejemplos citados; un fonema en oposición con otro (ha*ce*-hí*ce*; di*ce*; di*je*), un rasgo acentual (*cante*-can*té*), etc.

Morfeo. (Del lat. *Morpheus,* y este del gr. Μορφεύς.) n. p. m. Dios del sueño en la mitología griega y romana. ‖ **estar en brazos de Morfeo.** fr. sig. y fam. Dormir.

morfina. (De *Morfeo* e *-ina*.) f. Alcaloide sólido, muy amargo y venenoso, que cristaliza en prismas rectos e incoloros; se extrae del opio, cuyas sales, en dosis pequeñas, se emplean en medicina como medicamento soporífero y anestésico.

morfinismo. m. Estado morboso producido por el abuso o empleo prolongado de la morfina o del opio.

morfinomanía. f. Uso indebido y persistente de la morfina o del opio.

morfinómano, na. adj. Que tiene el hábito de abusar de la morfina. Ú. t. c. s.

morfo- o -morfo, fa. (Del gr. μορφο- y -μορφος.) elem. compos. que significa «forma»: MORFO*logía,* iso*MORFO.*

morfología. (De *morfo*- y *-logía*.) f. Parte de la biología que trata de la forma de los seres orgánicos y de las modificaciones o transformaciones que experimenta. ‖ **2.** *Gram.* Tratado de las formas de las palabras.

morfológico, ca. adj. Perteneciente o relativo a la morfología.

morga. (Del lat. *amurca*.) f. Líquido fétido de las aceitunas, alpechín. ‖ **2. coca de Levante.**

morganático, ca. (Del b. lat. *morganaticum,* del al. *morgangeba,* regalo matinal, al. *morgengabe*.) adj. V. **matrimonio morganático.** ‖ **2.** Dícese del que contrae este matrimonio.

morgón. m. *Ar.* **murgaño.**

morgón. (De *mergón*.) m. Mugrón de la vid.

morguera. (De *muergo* y *-era*.) f. Arponcillo de casi medio metro de longitud, que los mariscadores introducen en la arena por los orificios en forma de ocho que dejan los sifones del muergo, que vive enterrado a veinte o treinta centímetros de profundidad.

moriángano. m. *Can.* Fresa[1] silvestre.

moribundo, da. (Del lat. *moribundus*.) adj. Que está muriendo o muy cercano a morir. Apl. a pers., ú. t. c. s.

morichal. m. Terreno poblado de moriches.

moriche. m. Árbol de América intertropical, de la familia de las palmas, con tronco liso, recto, de unos ocho decímetros de diámetro y gran elevación; hojas con pecíolos muy largos y hojuelas grandes y crespas, espádices de dos a tres metros, y fruto en baya aovada, algo mayor que un huevo de gallina. Del tronco se saca un licor azucarado potable y una fécula alimenticia, y de la corteza se hacen cuerdas muy fuertes. ‖ **2.** Pájaro americano, domesticable, más pequeño que el turpial, de pluma negra y luciente y muy estimado por su canto.

moridera. (De *morir* y *-dera.*) f. Sensación, generalmente pasajera, de muerte inminente que experimentan algunos enfermos.

moriego, ga. (De *moro* y *-iego.*) adj. **moro,** natural del África Septentrional frontera a España. ‖ **2.** *Ar.* V. **tierra moriega.**

morigeración. (Del lat. *morigeratío, -ōnis.*) f. Templanza o moderación en las costumbres y en el modo de vida.

morigerado, da. p. p. de **morigerar.** ‖ **2.** adj. Bien criado; de buenas costumbres.

morigerar. (Del lat. *morigerāri.*) tr. Templar o moderar los excesos de los afectos y acciones. Ú. t. c. prnl.

moriles. m. Vino fino que se cría y elabora en el término municipal de Moriles.

morilla. (Del fr. *morille.*) f. **colmenilla.**

morillero. m. Muchacho que sirve a los labradores, mochil.

morillo. (d. de *moro,* por las figuras con que suelen estar adornados.) m. Caballete de hierro que se pone en el hogar para sustentar la leña. Se usan dos generalmente.

moringa. f. **ben**[1], árbol.

moringáceo, a. (De *moringa* y *-áceo.*) adj. *Bot.* Dícese de plantas leñosas angiospermas dicotiledóneas, pertenecientes al mismo orden que las crucíferas, que tienen hojas pinadas y flores pentámeras y cigomorfas; como el **ben**[1]. Ú. t. c. s. f. ‖ **2.** f. pl. *Bot.* Familia de estas plantas.

moriondo, da. (De la raíz de *morueco* y *-iondo.*) adj. Dícese del ganado ovino, especialmente de la oveja cuando está en celo.

morir. (Del lat. vulg. *morīre,* lat. *mori.*) intr. Llegar al término de la vida. Ú. t. c. prnl. ‖ **2.** fig. Llegar cualquier cosa a su término. Ú. t. c. prnl. ‖ **3.** Sentir muy intensamente algún deseo, afecto, pasión, etc. Ú. m. c. prnl. MORIR *de frío, de hambre, de sed, de risa.* ‖ **4.** fig. Hablando del fuego, la luz, la llama, etc., apagarse o dejar de arder o lucir. Ú. t. c. prnl. ‖ **5.** fig. Cesar una cosa en su curso, movimiento o acción. MORIR *los ríos, la saeta.* ‖ **6.** fig. En algunos juegos, se dice de las cartas o manos que, por no saber quién los gana, se dan por no ejecutadas. ‖ **7.** fig. En el juego de la oca, dar con los puntos del dado a la casilla donde está pintada la muerte, lo que obliga a que vuelva a empezar el juego aquel que **muere.** ‖ **8.** prnl. fig. Entorpecerse o quedarse insensible un miembro del cuerpo, como si estuviera **muerto.** ‖ **morir** uno **civilmente.** fr. desus. Quedar separado del trato, comercio o sociedad humanos, o imposibilitado de obtenerlos. ‖ **morir,** o **morirse,** uno por una persona. fr. Amarla en extremo. ‖ **morir,** o **morirse,** uno **por** una cosa. fr. fig. Ser muy aficionado a ella o desearla vehementemente. ‖ **morir** uno **vestido.** fr. fig. y fam. **morir** violentamente. MORIRÁ VESTIDO. ‖ **¡muera!** interj. con que se manifiesta aversión a una persona o cosa, o el propósito de acabar con ella. Empléase generalmente en motines y asonadas.

morisco, ca. (De *moro* y *-isco.*) adj. Moruno, moro. ‖ **2.** Dícese del moro bautizado que, terminada la reconquista, se quedó en España. Ú. t. c. s. ‖ **3.** Perteneciente o relativo a ellos. ‖ **4.** ant. V. **alquinal morisco.** ‖ **5.** *Cád.* V. **avena morisca.** ‖ **6.** *Méj.* Decíase del descendiente de mulato y europea o de mulata y europeo. Usáb. t. c. s.

morisma. (De *moro* e *-isma,* suf. sugerido por *marisma.*) f. Secta

de los moros. ‖ **2.** Multitud de moros. ‖ **a la morisma.** loc. adv. A la manera de los moros.

morisqueta. (De *morisco* y *-eta.*) f. Ardid o treta propia de moros. ‖ **2.** fig. y fam. Acción con que uno pretende engañar, burlar o despreciar a otro. ‖ **3.** Arroz cocido con agua y sin sal. ‖ **4.** Carantoña, mueca.

morito. (d. de *moro.*) m. Ave paseriforme, poco mayor que una paloma, de pico muy largo, corvo y grueso en la punta; plumaje castaño en la cabeza, garganta y pecho, y verde brillante con reflejos cobrizos en las alas, dorso y cola; patas largas, verdosas y dedos y uñas muy delgados.

morlaco[1]**, ca.** (Del it. *morlacco,* hombre rústico.) adj. Natural de Morlaquia. Ú. t. c. s. ‖ **2.** Perteneciente o relativo a este país de la orilla oriental del Adriático. ‖ **3.** Que finge tontería o ignorancia. Ú. t. c. s.

morlaco[2]**.** (De or. inc.) m. Toro de lidia de gran tamaño. ‖ **2.** *Amér.* Peso duro, patacón.

morlés. m. Tela de lino, no muy fina, fabricada en Morlés, ciudad de Bretaña. ‖ **morlés de Morlés.** loc. fig. y fam. con que se da a entender que una cosa se diferencia poco o nada de otra.

morlón. (Cruce de *morlaco* con *molón.*) adj. Que finge tontería, morlaco[1].

mormón, na. (De *Mormon,* nombre de un profeta inventado en 1830 por el fundador del mormonismo.) m. y f. Persona que profesa el mormonismo.

mormónico, ca. adj. Perteneciente o relativo al mormonismo.

mormonismo. m. Secta religiosa fundada en los Estados Unidos, basada en la Biblia y el Libro de Mormón, y que durante algunos decenios proclamó y practicó la poligamia.

mormullar. intr. **murmurar.**

mormullo. m. **murmullo.**

mormurar. intr. **murmurar.**

moro, ra. (Del lat. *maurus.*) adj. Natural del África Septentrional frontera a España. Ú. t. c. s. ‖ **2.** Perteneciente o relativo a esta parte de África o a sus naturales. ‖ **3.** Por ext., que profesa la religión islámica. Ú. t. c. s. ‖ **4.** Dícese del musulmán que habitó en España desde el siglo VIII hasta el xv. Ú. t. c. s. ‖ **5.** Perteneciente o relativo a la España musulmana de aquel tiempo. ‖ **6.** Dícese del musulmán de Mindanao y de otras islas de Malasia. Ú. m. c. s. ‖ **7.** Dícese del caballo o yegua de pelo negro con una estrella o mancha blanca en la frente y calzado de una o dos extremidades. ‖ **8.** fig. y fam. Aplícase al vino que no está aguado, en contraposición al bautizado o aguado. ‖ **9.** fig. y fam. Dícese del niño o de la persona mayor que todavía no ha sido bautizado. ‖ **10.** V. **hierba, reina mora.** ‖ **11.** V. **trigo moro.** Ú. t. c. s. ‖ **12.** V. **raíz del moro.** ‖ **de paz. moro** marroquí que servía de intermediario para tratar con los demás **moros** en los presidios españoles de África. ‖ **2.** Persona que tiene disposiciones pacíficas y de quien nada hay que temer o recelar. ‖ **de rey.** Soldado de a caballo del ejército regular del imperio marroquí. ‖ **mogataz.** Soldado indígena al servicio de España en los antiguos presidios de África. ‖ **moros y cristianos.** Fiesta pública que se ejecuta vistiéndose algunos con trajes de **moros** y fingiendo lid o batalla con los cristianos. ‖ **a más moros, más ganancia.** expr. fig. tomada de las guerras españolas con los **moros,** con la cual se desprecian los riesgos, afirmando que a mayor dificultad es mayor la gloria del triunfo. ‖ **como moros sin señor.** loc. fig. que se dice de toda reunión o junta de personas en que reina gran confusión y desorden. ‖ **haber moros en la costa.** fr. fig. y fam. con que se recomienda la precaución y cautela. ‖ **haber moros y cristianos.** fr. fig. y fam. Haber gran pendencia, riña o discordia. ‖ **moros van, moros vienen.** loc. fig. y fam.

que se dice de aquel a quien le falta poco para estar enteramente borracho.

morocada. f. Topetada de carnero.

morocazo. m. *Cantabria.* **morocada.**

morocota. f. **morrocota.**

morocho, cha. (Del quechua *muruchu.*) adj. V. **maíz morocho.** Ú. t. c. s. ‖ **2.** fig. y fam. *Amér.* Tratándose de personas, robusto, fresco, bien conservado. ‖ **3.** fig. *Argent., Perú y Urug.* Dícese de la persona que tiene pelo negro y tez blanca.

morojo. (Pronunciación vulg. gall. de *morogo,* uno de los nombres del madroño.) m. **madroño,** fruto.

moro-moro. m. *Filip.* Comedia rústica cuyo tema es el conflicto entre moros y cristianos.

morón. (De etim. disc.) m. Montecillo de tierra.

moroncho, cha. adj. p. us. **morondo.**

morondanga. (De *morondo* y *-anga.*) f. Cosa inútil y de poca entidad. ‖ **2.** Mezcla de cosas inútiles. ‖ **3.** Enredo, confusión. ‖ **de morondanga.** loc. adj. despect. Despreciable, de poco valor.

morondo, da. (Forma festiva de *mondo.*) adj. Pelado o mondado de cabellos o de hojas.

moronía. f. **alboronía,** guiso.

morosamente. adv. m. Con tardanza, dilación o morosidad.

morosidad. (Del lat. *morosĭtas, -ātis.*) f. Lentitud, dilación, demora. ‖ **2.** Falta de actividad o puntualidad.

moroso, sa. (Del lat. *morōsus.*) adj. Que incurre en morosidad. Deudor MOROSO. ‖ **2.** Que la denota o implica. ‖ **3.** V. **delectación morosa.** ‖ **4.** V. **juro moroso.**

morquera. (Relacionado con *amurca.*) f. **hisopillo,** mata labiada.

morquero. (Del grupo de *morcón.*) m. Morcón, embutido.

morra¹. (Del m. or. que *morro¹.*) f. Parte superior de la cabeza. ‖ **andar a la morra.** fr. fig. y fam. **andar al morro.**

morra². (Del it. *morra.*) f. Juego entre dos personas que a un mismo tiempo dicen cada una un número que no pase de diez e indican otro con los dedos de la mano, y gana el que acierta el número que coincide con el que resulta de la suma de los indicados por los dedos. ‖ **2.** El puño, que en este juego vale por cero para la cuenta. ‖ **muda.** El mismo juego cuando se hace simplemente a pares o nones.

morra³. (De *morro².*) Voz que se suele usar para llamar a la gata.

morrada. (De *morra¹.*) f. Golpe dado con la cabeza, especialmente cuando dos topan, una con otra. ‖ **2.** fig. Guantada, bofetada.

morral. (De *morro¹.*) m. Talego que contiene el pienso y se cuelga de la cabeza de las bestias, para que coman cuando no están en el pesebre. ‖ **2.** Saco que usan los cazadores, soldados y viandantes, colgado por lo común a la espalda, para echar la caza, llevar provisiones o transportar alguna ropa. ‖ **3.** fig. y fam. Hombre zote y grosero. ‖ **4.** *Mar.* Vela rastrera, de lienzo más fino, que largan en los jabeques en la punta del botalón, con vientos flojos, cuando van en popa.

morralada. f. Lo que cabe en un morral.

morralla. (De *morro¹* y *-alla.*) f. Pescado menudo. ‖ **2.** fig. Multitud de gente de escaso valer. ‖ **3.** fig. Conjunto o mezcla de cosas inútiles y despreciables. ‖ **4.** *Méj.* Dinero menudo.

morrena. (Voz alpina.) f. *Geol.* Montón de piedras y barro que se acumulan.

morreo. (De *morro¹.*) m. Juego de muchachos en que el perdedor queda obligado a sacar con la boca un palillo clavado en la tierra.

morreras. (De *morro¹* y *-era.*) f. pl. *Ar.* Erupción en los labios.

morrilla. (d. de *morra¹.*) f. Alcaucil, alcachofa silvestre.

morrillo. (d. de *morro¹.*) m. Porción carnosa que tienen las reses en la parte superior y anterior del cuello. ‖ **2.** fam. Por ext., cogote abultado. ‖ **3.** **canto rodado.**

morriña. (Del gall. port. *morrinha.*) f. Hidropesía de las ovejas y otros animales, comalia. ‖ **2.** fig. y fam. Tristeza o melancolía, especialmente la nostalgia de la tierra natal.

morriñoso, sa. adj. Que tiene morriña. ‖ **2.** Raquítico, enteco.

morrión. (De *morra¹.*) m. Armadura de la parte superior de la cabeza, hecha en forma de casco, y que en lo alto suele tener un plumaje o adorno. ‖ **2.** Prenda del uniforme militar, a manera de sombrero de copa sin alas y con visera, que se ha usado para cubrir la cabeza. ‖ **3.** *Cetr.* Especie de vahído o vértigo que padecen las aves de altanería.

morro¹. (De or. inc.) m. Parte de la cabeza de algunos animales en que están la nariz y la boca. ‖ **2.** Labios de una persona, especialmente los abultados. ‖ **3.** Cualquier cosa redonda cuya figura sea semejante a la de la cabeza. MORRO *de la pistola.* ‖ **4.** Monte pequeño o peñasco redondeado. ‖ **5.** Guijarro pequeño y redondo. ‖ **6.** Monte o peñasco escarpado que sirve de marca a los navegantes en la costa. ‖ **7.** Extremo delantero y prolongado de ciertas cosas. *El* MORRO *de este coche es muy grande.* ‖ **andar al morro.** fr. fig. y fam. **andar al pelo.** ‖ **beber a morro.** fr. fam. Beber sin vaso, aplicando directamente la boca al chorro, a la corriente o a la botella. ‖ **caerse de morros.** fr. fam. **caer,** o **dar, de bruces.** ‖ **estar de morro, o de morros.** fr. fig. y fam. Mostrar enfado en la expresión del rostro. ‖ **jugar al morro con** uno. fr. fig. y fam. Engañarle, no cumpliendo lo que se le promete. ‖ **poner morros** o **torcer el morro.** fr. fig. y fam. Poner cara de enojo.

morro². Voz que se suele usar para llamar al gato, por imitación del murmullo que forma cuando lo acarician.

morrocota. (Quizá de *morocoto* o *morrocoto,* nombre indígena, en Venezuela, de un pez de gran tamaño y colores brillantes.) f. Antigua onza española, moneda de oro de veinte dólares. ‖ **2.** *Col.* Moneda antigua de oro o de plata y de tamaño grande.

morrocotudo, da. (De *morrocota* y *-udo.*) adj. fam. De mucha importancia o dificultad. ‖ **2.** fam. *Argent.* Fornido, corpulento.

morrocoy. (Voz cumanagota.) m. **morrocoyo.**

morrocoyo. (De *morrocoy.*) m. Galápago americano, común en la isla de Cuba, con el carapacho muy convexo, rugoso, de color oscuro y con cuadros amarillos.

morrón¹. (De *morro¹* y *-ón¹.*) adj. V. **pimiento morrón.** ‖ **2.** *Mar.* V. **bandera morrón.**

morrón². (De *morro².*) m. fam. Golpe, porrazo.

morroncho, cha. (De *morro².*) adj. *Murc.* **manso².**

morronga. (De *morro².*) f. fam. **gata.**

morrongo. (De *morro².*) m. fam. **gato¹,** animal.

morroña. (De *morro².*) f. fam. **gata.**

morroño. (De *morro².*) m. fam. **gato¹,** animal.

morrudo, da. (De *morro¹* y *-udo.*) adj. Que tiene morro. ‖ **2.** Bezudo, hocicudo. ‖ **3.** *Ar.* Aficionado a golosinas, goloso.

morsa¹. (Del fr. *morse.*) f. Mamífero carnicero muy parecido a la foca, que, como ella, vive por lo común en el mar, y de la cual se distingue principalmente por dos caninos que se prolongan fuera de la mandíbula superior más de medio metro.

morsa². f. *Argent.* **torno,** instrumento que sirve para sujetar piezas que se trabajan en carpintería, herrería, etc., compuesto de dos brazos paralelos unidos por un tornillo sin fin que, al girar, las acerca.

morsana. f. Arbolillo de Asia y África, de la familia de las cigofiláceas, con hojas opuestas, apareadas, pecioladas y compuestas de hojuelas trasovadas; flores con cáliz dividido en cinco partes, corola de cinco pétalos iguales y enteros, diez estambres y un pistilo y fruto en cápsula con muchas semillas. Sus brotes tiernos se comen encurtidos.

morse. (Del nombre del inventor.) m. Sistema de telegrafía que utiliza un código consistente en la combinación de rayas y puntos. ‖ **2.** Alfabeto utilizado en dicho sistema.

mortadela. (Del it. *mortadella*.) f. Embutido muy grueso que se hace con carne de cerdo y de vaca muy picada con tocino.

mortaja[1]. (Del lat. *mortualĭa*, vestidos de muerto.) f. Vestidura, sábana u otra cosa en que se envuelve el cadáver para el sepulcro. ‖ **2.** fig. *Amér.* Hoja de papel con que se lía el tabaco del cigarrillo. ‖ **de esparto.** fig. Esterilla de palma en que se duerme, petate.

mortaja[2]. (Probablemente, del fr. medio *mortaige*, hoy *mortaise*.) f. Hueco que se hace en una cosa para encajar otra, muesca.

mortajar. tr. desus. Poner la mortaja, amortajar.

mortal. (Del lat. *mortālis*.) adj. Que ha de morir o sujeto a la muerte. ‖ **2.** Por antonomasia, dícese del hombre. Ú. m. c. s. pl. ‖ **3.** Que ocasiona o puede ocasionar muerte espiritual o corporal. ‖ **4.** V. **pecado mortal.** ‖ **5.** Aplícase también a aquellas pasiones que mueven a desear la muerte de otro. *Odio* MORTAL; *enemistad* MORTAL. ‖ **6.** Que tiene o está con señas o apariencias de muerto. *Quedarse* MORTAL *del susto.* ‖ **7.** p. us. Muy cercano a morir o que parece estarlo. *Enrique está* MORTAL. ‖ **8.** fig. Fatigoso, abrumador. *De Madrid a Alcalá hay cuatro leguas* MORTALES. ‖ **9.** fig. Decisivo, concluyente. *Las señas son* MORTALES. ‖ **10.** fig. V. **salto mortal.** ‖ **11.** V. **restos mortales.**

mortaldad. (Del lat. *mortalĭtas*, -ātis.) f. ant. **mortandad.**

mortalidad. (Del lat. *mortalĭtas*, -ātis.) f. Cualidad de mortal. ‖ **2.** Número proporcional de defunciones en población o tiempo determinados.

mortalmente. adv. m. De manera mortal.

mortandad. (Alteración de *mortaldad*.) f. Multitud de muertes causadas por epidemia, cataclismo, peste o guerra.

mortecino, na. (Del lat. *morticĭnus*.) adj. p. us. Dícese del animal muerto naturalmente, y de su carne. Ú. t. c. s. ‖ **2.** fig. Bajo, apagado y sin vigor. ‖ **3.** fig. Que está casi muriendo o apagándose. ‖ **hacer la mortecina.** fr. fig. y fam. p. us. Fingirse muerto.

mortera. (De *mortero*.) f. Especie de cuenco de madera que sirve para beber o llevar la merienda.

morterada. f. Porción de vianda, condimento o salsa que de una vez se prepara en el mortero. ‖ **2.** *Art.* Porción de piedras u otros proyectiles que se disparaban de una vez con el mortero. ‖ **3.** Herida y daño producidos por el disparo de mortero.

morterazo. m. Disparo hecho con mortero. ‖ **2.** Ruido originado por el mismo. ‖ **3.** Herida y daño producidos por el disparo de mortero.

morterete. m. d. de **mortero.** ‖ **2.** Pieza pequeña de artillería, que se usaba frecuentemente en las salvas. ‖ **3.** Pieza pequeña de hierro, con su fogoncillo, que usan en las festividades, atacándola de pólvora, y cuyo disparo imita la salva de artillería. ‖ **4.** Pieza cerca hecha en forma de vaso con su mecha, que servía para iluminar los altares o teatros de perspectiva poniéndola en un vaso con agua. ‖ **5.** Escopleadura en forma de cono truncado inverso y oblicuo, que tenían las cureñas antiguas de artillería en las teleras de contera. ‖ **6.** Almirez o utensilio parecido, a cuyo son baila la gente rústica.

mortero. (Del lat. *mortarĭum*.) m. Utensilio de madera, piedra o metal, a manera de vaso, que sirve para machacar en él especias, semillas, drogas, etc. ‖ **2.** Pieza de artillería destinada a lanzar bombas. Es de gran calibre y corta longitud. ‖ **3.** Piedra plana, circular y de gran espesor, que en el suelo del alfarje de los molinos de aceite constituye la

parte céntrica y resistente sobre la cual se echa la aceituna para molerla y ruedan las piedras voladoras o el rulo. ‖ **4.** *Albañ.* Conglomerado o masa constituida por arena, conglomerante o aguja; puede contener además algún aditivo. ‖ **5.** *Blas.* Bonete redondo de terciopelo que usaron ciertos ministros de justicia de categoría superior, y que colocaban en vez de corona sobre el escudo de sus armas. ‖ **6.** ant. *Mar.* Émbolo o pistón de bomba.

morteruelo. m. d. de **mortero.** ‖ **2.** Juguete que usan los muchachos, y es una media esferilla hueca, que ponen en la palma de la mano y la hieren con un bolillo, haciendo varios sones con la compresión del aire y el movimiento de la mano. ‖ **3.** Guisado que se hace con hígado de cerdo machacado y desleído con especias y pan rallado.

mortífero, ra. (Del lat. *mortĭfĕrus*.) adj. Que ocasiona o puede ocasionar la muerte.

mortificación. (Del lat. cristiano *mortificatĭo*, -ōnis.) f. Acción y efecto de mortificar o mortificarse. ‖ **2.** Lo que mortifica.

mortificador, ra. (Del lat. cristiano *mortificātor*, -ōris.) adj. Que mortifica.

mortificar. (Del lat. cristiano *mortificāre*.) tr. *Med.* Dañar gravemente alguna parte del cuerpo. Ú. t. c. prnl. ‖ **2.** fig. Domar las pasiones castigando el cuerpo y refrenando la voluntad. Ú. t. c. prnl. ‖ **3.** fig. Afligir, desazonar o causar pesadumbre o molestia. Ú. t. c. prnl.

mortiguar. (Del lat. cristiano *mortificāre*.) tr. ant. Amortiguar, mortificar.

mortinato, ta. (Del lat. *mortŭus*, muerto, y *natus*, nacido.) adj. Dícese de la criatura que nace muerta. Ú. t. c. s.

mortis causa. (loc. lat. que significa *por causa de muerte*.) *Der.* V. **donación mortis causa.** ‖ **2.** *Der.* Aplícase al testamento y a ciertos actos de liberalidad, determinados por la muerte y sucesión del causante.

mortuorio, ria. (Del lat. *mortŭus*, muerto.) adj. Perteneciente o relativo al muerto o a las honras fúnebres. ‖ **2.** V. **cámara, casa mortuoria.** ‖ **3.** m. Preparativos y actos convenientes para enterrar a los muertos. ‖ **4.** *Ál.* Lugar en el cual hubo una población que ha desaparecido por completo.

morucho. (De *moro*.) m. Res vacuna de color negro imperfecto. ‖ **2.** Novillo embolado para que los aficionados lo lidien en la plaza de toros. ‖ **3.** Designación popular del toro negro. ‖ **4.** *Sal.* Toro de media casta brava.

morueco. (Como *marueco*, voz prerromana.) m. Carnero padre o que ha servido para la propagación.

morugo, ga. (De or. inc.) adj. Dícese de la persona taciturna, huraña, esquiva. Ú. t. c. s.

mórula. (Del lat. *morŭla*, dim. de *mora*.) f. ant. Demora o detención muy breve. ‖ **2.** *Biol.* Óvulo fecundado que, durante el período de segmentación, tiene el aspecto de una mora.

moruno, na. adj. **moro,** perteneciente a la antigua Mauritania o a sus naturales. *Alfanje* MORUNO. ‖ **2.** V. **arrayán, ochavo, pincho, tabaco, trigo moruno.** ‖ **3.** V. **berenjena, cabeza moruna.**

moruro. m. Especie de acacia de la isla de Cuba, cuya corteza sirve para curtir pieles.

morusa. (De or. inc.) f. p. us. fam. Moneda corriente. ‖ **2.** Antigua moneda de plata.

mosaico[1]**, ca.** (Del gr. Μωσαϊκός, relativo a Moisés.) adj. Perteneciente o relativo a Moisés. ‖ **2.** *Arq.* **salomónico,** referido a las columnas.

mosaico[2]**, ca.** (Del b. lat. *mosaĭcum* [*opus*] [obra] relativa a las Musas, artística.) adj. Aplícase a la obra taraceada de piedras o vidrios, generalmente de varios colores. Ú. t. c. s. m. ‖ **2.** m. *Biol.* Organismo formado por dos más clases de tejidos genéticamente distintos. ‖ **3.** *Bot.* Enfermedad de las plantas causada por virus, que generalmente se presenta como manchas irregulares de las hojas, de color verde claro, verde oscuro o amarillento. ‖ **de madera**, o **vegetal. taracea.**

mosaiquista. com. Fabricante de mosaicos. ‖ **2.** Persona que tiene por oficio revestir superficies con mosaicos.

mosaísmo. m. **ley de Moisés.** ‖ **2.** Civilización mosaica.

mosca. (Del lat. *musca.*) f. Insecto díptero, muy común y molesto, de unos seis milímetros de largo, de cuerpo negro, cabeza elíptica, más ancha que larga, ojos salientes, alas transparentes cruzadas de nervios, patas largas con uñas y ventosas, y boca en forma de trompa, con la cual chupa las sustancias de que se alimenta. ‖ **2.** Pelo que nace al hombre entre el labio inferior y el comienzo de la barba, y que algunos dejan crecer aun no llevando pera. ‖ **3.** Pequeña mancha negra o muy oscura. ‖ **4.** V. **peso mosca.** ‖ **5.** fam. Moneda corriente. ‖ **6.** Bienes de cualquier especie. ‖ **7. mosca artificial.** ‖ **8.** fig. y fam. Persona molesta, impertinente y pesada. ‖ **9.** fig. y fam. Desazón picante que inquieta y molesta. *Andrés está con* MOSCA. ‖ **10.** *Gran.* Baile de gitanos con el que suelen rematar la zambra. ‖ **11.** *Zool.* Cualquiera de los insectos dípteros del suborden de los braquíceros. ‖ **12.** pl. fig. y fam. Chispas que saltan de la lumbre. ‖ **artificial.** Artilugio de diversas formas que se utiliza como cebo en la pesca con caña. ‖ **borriquera. mosca de burro.** ‖ **de burro.** Insecto díptero, de unos ocho milímetros de largo, de color pardo amarillento, cuerpo oval y aplastado, revestido de piel coriácea muy dura, alas grandes, horizontales y cruzadas cuando el animal está parado, y patas cortas y fuertes. Vive parásito sobre las caballerías en aquellas partes donde el pellejo es más débil, particularmente alrededor del ano. ‖ **de España. cantárida** para vejigatorios. ‖ **de la carne.** Moscarda de la carne. ‖ **de Milán.** Parche pequeño de cantáridas. ‖ **de mula. mosca de burro.** ‖ **en leche.** fig. y fam. Mujer morena vestida de blanco. ‖ **muerta.** fig. y fam. Persona, al parecer, de ánimo o genio apagado, pero que no pierde la ocasión de su provecho. ‖ **moscas blancas.** fig. y fam. Copos de nieve que van cayendo por el aire. ‖ **volantes.** *Med.* Enfermedad de la vista, por efecto de la cual se cree ver cruzar delante de los ojos motas brillantes, opacas o diversamente coloridas. ‖ **aflojar** uno **la mosca.** fr. fig. y fam. ‖ **soltar la mosca.** ‖ **atar la mosca**, o **esas moscas, por el rabo.** loc. fig. y fam., que, usada en imperativo, pondera lo disparatado e incongruente de algo que se ha dicho. *¡*ÁTE*me* usted ESAS MOSCAS POR EL RABO! ‖ **cazar moscas.** fr. fig. y fam. Ocuparse en cosas inútiles o vanas. ‖ **con la mosca en**, o **detrás de, la oreja.** fr. fig. y fam. que se aplica al que está receloso y prevenido para evitar alguna cosa. ‖ **estar mosca.** fr. fig. y fam. **tener la mosca en**, o **detrás de, la oreja.** ‖ **¡moscas!** interj. que se usa para alejar una cosa que pica y molesta, o quejarse de ella. ‖ **papar moscas.** fr. fig. y fam. Estar embelesado y sin hacer nada, con la boca abierta. ‖ **picarle** a uno **la mosca.** fr. fig. y fam. Sentir o venirle a la memoria una idea que le inquieta, desazona y molesta. ‖ **por si las moscas.** fr. fig. y fam. Por si acaso, por lo que pueda suceder. ‖ **qué mosca te ha** o **le habrá picado** a uno. loc. con que se inquiere la causa o motivo de un malestar, desazón, mal humor, etc., considerados inoportunos por el que pregunta. ‖ **sacudirse** uno **las moscas.** fr. fig. y fam. Apartar de sí los embarazos o estorbos. ‖ **ser una mosca blanca.** fr. **ser un mirlo blanco.** ‖ **soltar** uno **la mosca.** fr. fig. y fam. Dar o gastar dinero a disgusto. ‖ **tener la mosca en**, o **detrás de, la oreja.** fr. Estar escamado, sobre aviso o recoloso de algo.

moscabado, da. adj. **mascabado.**

moscada. (Del lat. *muscus,* almizcle, y *-ada.*) adj. V. **nuez moscada.**

moscadero. (De *mosca* y *-dero.*) m. ant. Instrumento para espantar moscas.

moscar. (Del lat. vulg. **mossicāre,* lat. *morsicāre,* mordiscar.) tr. Hacer una muesca.

moscarda. (De *mosca* y *-arda.*) f. Especie de mosca de unos ocho milímetros de largo, de color ceniciento, con una mancha dorada en la parte anterior de la cabeza, ojos encarnados, rayas negras en el tórax, y cuadros parduscos en el abdomen. Se alimenta de carne muerta, sobre la cual deposita la hembra las larvas ya nacidas. ‖ **2.** En algunas partes, cresa o huevecillos que pone la reina de las abejas.

moscardear. intr. En algunas partes, poner la reina de las abejas la cresa o moscarda en los alvéolos.

moscardón. (De *moscarda* y *-ón*[1].) m. Especie de mosca de doce o trece milímetros de largo, de color pardo oscuro, muy vellosa, que deposita sus huevos entre el pelo de los rumiantes y solípedos en los puntos en que el animal se puede lamer, para que así pasen aquellos al estómago y produzcan larvas, que solo salen con los excrementos y caen a tierra cuando van a cambiarse en ninfas, antes de pasar a insectos perfectos. ‖ **2.** Especie de mosca zumbadora. ‖ **3.** Especie de avispa grande, avispón. ‖ **4.** Juego del abejón. ‖ **5.** fig. y fam. Hombre impertinente que molesta con pesadez y picardía.

moscareta. (Del valenciano *muixquereta,* der. de *muixca,* mosca.) f. Pájaro de unos catorce centímetros desde la punta del pico hasta la extremidad de la cola, y veintisiete de envergadura, pico delgado, poco más corto que la cabeza y encorvado en la punta; plumaje negruzco en el lomo, rojizo en la pechuga y blanco junto a la rabadilla, en los costados del cuello y en una mancha de las alas. Es común en España, tiene canto agradable, rara vez está quieto y se alimenta de moscas y otros insectos que caza al vuelo. ‖ **2.** *Murc.* **papamoscas,** pájaro.

moscarrón. m. fam. **moscardón.**

moscatel[1]. (Del cat. *moscatell.*) adj. V. **uva moscatel.** Ú. t. c. s. m. ‖ **2.** Aplícase al viñedo que produce esta clase de uva. ‖ **3.** Dícese del vino que se elabora con ella, después de solearla durante varios días. Ú. t. c. s. m.

moscatel[2]. (Del cat. *moscatell,* moscón.) m. fig. y fam. p. us. Hombre pesado e importuno. ‖ **2.** Adolescente muy crecido. ‖ **3.** Tonto, pazguato.

moscella. (Var. de *morcella, morceña.*) f. p. us. Chispa de la luz o de la lumbre.

mosco, ca. (De *mosca.*) adj. *Chile.* Dícese del caballo o yegua de color muy negro con algún que otro pelo blanco entre los negros. ‖ **2.** m. Mosquito, insecto.

moscón. (De *mosca* y *-ón*[1].) m. Especie de mosca, que se diferencia de la común en ser algo mayor que ella y tener las alas manchadas de rojo. ‖ **2.** Especie de mosca zumbadora, de un centímetro de largo, de cabeza leonada y cuerpo azul oscuro con reflejos brillantes, que deposita sus huevos en las carnes frescas, donde se cambian en larvas o cresa en doce o catorce horas. ‖ **3.** arce[1]. ‖ **4.** V. **pájaro moscón.** ‖ **5.** fig. y fam. Hombre pesado y molesto, especialmente en sus pretensiones amorosas. ‖ **6.** fig. y fam. **mosca,** persona impertinente.

moscona. (De *moscón.*) f. Mujer desvergonzada.

mosconear. tr. Importunar, molestar con impertinencia y pesadez. ‖ **2.** intr. Porfiar para lograr un propósito fingiendo ignorancia.

mosconeo. m. Acción de mosconear.

moscorra. (De *mosca.*) f. *Ál.* Embriaguez, borrachera.

moscovita. adj. Natural de Moscovia, antiguo principado que dio su nombre, en el inicio del régimen zarista, a toda Rusia. Ú. t. c. s. ‖ **2.** Perteneciente o relativo al antiguo principado de la ciudad de Moscú. ‖ **3.** desus. Natural de Rusia. ‖ **4.** desus. Perteneciente a Rusia.

moscovítico, ca. adj. Perteneciente o relativo a los moscovitas.

mosén. (Del cat. *mossén,* mi señor.) m. Título que se daba a los nobles de segunda clase en el antiguo reino de Aragón. ‖ **2.** Título que se da a los clérigos en el antiguo reino de Aragón.

mosolina. f. *Cantabria.* **aguardiente.**

mosqueado, da. p. p. de **mosquear.** ‖ **2.** adj. Sembrado de pintas.

mosqueador. m. Instrumento, especie de abanico, para espantar o ahuyentar las moscas. ‖ **2.** fig. y fam. Cola de una caballería o de una res vacuna.

mosquear. tr. Espantar o ahuyentar las moscas. Ú. t. c. prnl. ‖ **2.** fig. Responder y redargüir uno resentido y como picado por algo. ‖ **3.** fig. p. us. Azotar, vapulear. ‖ **4.** prnl. fig. p. us. Apartar de sí violentamente los impedimentos o estorbos. ‖ **5.** fig. Resentirse uno por el dicho de otro, creyendo que lo ha proferido para ofenderle.

mosqueo. m. Acción de mosquear o mosquearse.

mosquerío. m. Muchedumbre de moscas.

mosquero. (Del lat. *muscarium.*) m. Ramo o haz de hierba o conjunto de tiras de papel que se ata a la punta de un palo para espantar las moscas, o se cuelga del techo para recogerlas y matarlas. ‖ **2.** *And.* Fleco de correillas o cordones que se pone en las cabezadas y jáquimas para que las caballerías se espanten las moscas. ‖ **3.** *Amér.* Hervidero o abundancia de moscas.

mosquerola. adj. **mosqueruela.** Ú. t. c. s.

mosqueruela. (Del lat. vulg. *muscaríola*, der. de *muscus*, almizcle.) adj. V. **pera mosqueruela.** Ú. t. c. s.

mosqueta. (Del lat. *muscus*, almizcle, a través del cat. *mosqueta*.) f. Rosal con tallos flexibles, muy espinosos, de tres a cuatro metros de longitud, hojas lustrosas, compuestas de siete hojuelas ovales de color verde claro, y flores blancas, pequeñas, de olor almizclado, en panojas espigas y terminales. ‖ **silvestre.** Escaramujo, arbusto. ‖ **2.** Fruto de este arbusto.

mosquetazo. m. Disparo hecho con mosquete. ‖ **2.** Herida y daño producidos por el disparo del mosquete.

mosquete. (Del it. *moschetto*.) m. Arma de fuego antigua, mucho más larga y de mayor calibre que el fusil, la cual se disparaba apoyándola sobre una horquilla.

mosquetería. f. Tropa de mosqueteros. ‖ **2.** En los antiguos corrales de comedias, conjunto de mosqueteros.

mosqueteril. adj. fam. p. us. Perteneciente a la mosquetería de los antiguos corrales de comedias.

mosquetero. m. Soldado armado de mosquete. ‖ **2.** En los antiguos corrales de comedias, el que las veía de pie desde la parte posterior del patio.

mosquetón. (De *mosquete*.) m. Carabina corta que usaron algunos cuerpos militares. ‖ **2.** Arma de fuego más corta que el fusil y de cañón rayado. ‖ **3.** Anilla que se abre y cierra mediante un muelle.

mosquil. adj. Perteneciente o relativo a la mosca. ‖ **2.** m. *Sal.* Sitio donde se recogen las caballerías huyendo de las moscas, en las horas del resistero estival.

mosquillón. m. ant. Hombre que se finge ignorante.

mosquino, na. adj. p. us. **mosquil.**

mosquita. (de *mosca*.) f. Pájaro muy parecido a la curruca, que vive todo el año en Cerdeña, es poco común en España y tiene el lomo de color ceniciento oscuro y el vientre blanco que tira a rojizo. ‖ **muerta.** fig. y fam. **mosca muerta.**

mosquitera. f. **mosquitero.**

mosquitero. m. Pabellón o colgadura de cama hecho de gasa, para impedir que entren a molestar o picar los mosquitos.

mosquito. (d. de *mosco*.) m. Insecto díptero, de tres a cuatro milímetros de largo, cuerpo cilíndrico de color pardusco, cabeza con dos antenas, dos palpos en forma de pluma y una trompa recta armada interiormente de un aguijón; pies largos y muy finos, y dos alas transparentes

que con su rápido movimiento producen un zumbido agudo parecido al sonido de una trompetilla. El macho vive de los jugos de las flores, y la hembra chupa la sangre de las personas y de los animales de piel fina, produciendo con la picadura inflamación rápida acompañada de picor. Las larvas son acuáticas. ‖ **2.** Cualquiera de los insectos dípteros del suborden de los nematóceros. ‖ **3.** Larva de la langosta. ‖ **4.** fig. y fam. p. us. El que acude frecuentemente a la taberna.

mostacera. f. Tarro o frasco en que se prepara y sirve la mostaza para la mesa.

mostacero. m. **mostacera.**

mostacilla. (d. de *mostaza*.) f. Munición del tamaño de la semilla de mostaza, que se emplea para la caza de pájaros y otros animales pequeños. ‖ **2.** Abalorio de cuentecillas muy menudas. ‖ **3.** En diversos lugares, cosa muy pequeña.

mostacho. (Del it. *mostaccio*, variante de *mustacchio*.) m. Bigote del hombre. ‖ **2.** fig. y fam. Mancha o chafarrinada en el rostro. ‖ **3.** *Mar.* Cada uno de los cabos gruesos con que se asegura el bauprés a una y otra banda.

mostachón. (Probablemente del lat. *mustaceum*, como el cast. *mostaxó*.) m. Bollo pequeño hecho con pasta de almendra, azúcar y canela u otra especia fina.

mostachoso, sa. adj. Adornado de mostachos.

mostagán. (De *mosto*.) m. fam. **vino.**

mostajo. m. **mostellar.**

mostaza. (der. del adj. lat. *mustaceus*, de mosto, por el condimento con que se preparaba.) f. Planta anual de la familia de las crucíferas, con tallo algo velloso, de un metro de altura aproximadamente; hojas alternas, grandes, lanuginosas, divididas por el margen en varios segmentos dentellados; flores pequeñas, amarillas, en espigas, y fruto en silicuas de unos tres centímetros de longitud, con varias semillas de un milímetro de diámetro, negras por fuera, amarillas en el interior, y de sabor picante. Abunda en los campos, y la harina de la semilla es, por sus propiedades estimulantes, de frecuente empleo en condimentos y medicina. ‖ **2.** Semilla de esta planta. ‖ **3.** Salsa que se hace de esta semilla. ‖ **4.** Perdigón pequeño, mostacilla. ‖ **blanca.** Planta semejante a la **mostaza** común, de la cual se distingue principalmente por ser las vainillas del fruto más anchas, terminadas en una punta bastante larga, y con semillas de color blanco amarillento y de casi dos milímetros de diámetro. ‖ **negra. mostaza,** planta. ‖ **silvestre.** Planta común en los campos, muy parecida a la **mostaza** negra y a la blanca, y cuyas semillas, aunque menos excitantes, se emplean para adulterar la primera. ‖ **hacer la mostaza.** fr. fig. y fam. p. us. Entre muchachos, hacer salir sangre de las narices uno a otro cuando andan a puñetazos. ‖ **subírsele** a uno **la mostaza a las narices.** fr. fig. y fam. Irritarse, enojarse.

mostazal. m. Terreno poblado de mostaza.

mostazo. m. Mosto fuerte y pegajoso. ‖ **2. mostaza.**

¡moste! interj. **¡moxte!** ‖ **2.** V. **oste.**

mostear. intr. Destilar las uvas el mosto. ‖ **2.** Llevar o echar el mosto a las tinajas o cubas. ‖ **3.** Echar mosto en el vino añejo. Ú. t. c. tr.

mostela. (Del lat. *mustela*, comadreja, por la forma y color de este animal.) f. Haz o gavilla.

mostelera. f. Lugar o sitio donde se guardan o hacinan las mostelas.

mostellar. (Forma leon. der. de *mustalis*, de mosto, n. pl. *mustalia,* por el sabor del fruto de este serbal, y *-ar*.) m. Árbol de la familia de las rosáceas, de ocho a diez metros de altura, con tronco liso, ramas gruesas y copa abierta; hojas de pecíolo corto y lanuginoso, elípticas, enteras hacia la base, aserradas en lo demás, verdes por encima, blanquecinas y vellosas por el envés, de ocho a diez centímetros de largo y seis a siete de ancho; flores blancas, pedunculadas y en corimbos pequeños, y fruto ovoide, pequeño, carnoso, de color rojo y sabor dulce. Es común en los bosques de España, y su madera, blanquecina, se emplea en ebanistería y tornería.

mostén. adj. apóc. de **mostense.**

mostense. adj. fam. Dícese de la orden premonstratense y de los que la profesan. Ú. t. c. s.

mostillo. (d. de *mosto*.) m. Masa de mosto cocido, que suele condimentarse con anís, canela o clavo. ‖ **2. mosto agustín.** ‖ **3.** Salsa que se hace de mosto y mostaza.

mosto. (Del lat. *mustum*.) m. Zumo exprimido de la uva, antes de fermentar y hacerse vino. ‖ **2.** *Ant.* Residuo fétido del zumo de la caña de azúcar. ‖ **agustín.** Masa de mosto cocido con harina y especia fina, a la cual suelen agregarse algunos trozos de diversas frutas. ‖ **desliar el mosto.** fr. Separar el **mosto** de la lía.

mostrable. (Del lat. *monstrabĭlis*.) adj. Que se puede mostrar.

mostración. (Del lat. *monstratĭo, -ōnis*.) f. Acción de mostrar.

mostrado, da. p. p. de **mostrar.** ‖ **2.** adj. p. us. Hecho, acostumbrado o habituado a una cosa.

mostrador, ra. (Del lat. *monstrātor, -ōris*.) adj. Que muestra. Ú. t. c. s. ‖ **2.** V. **dedo mostrador.** ‖ **3.** m. Mesa o tablero que hay en las tiendas para presentar los géneros. ‖ **4.** Especie de mesa, cerrada en su parte exterior, que en los bares, cafeterías y otros establecimientos análogos se utiliza para poner sobre ella lo que piden los clientes. ‖ **5.** p. us. Esfera de reloj. ‖ **6.** Dispositivo destinado a hacer visible la información que da un aparato de medida.

mostranza. f. ant. Acción de mostrar.

mostrar. (Del lat. *monstrāre*.) tr. Manifestar o poner a la vista una cosa; enseñarla o señalarla para que se vea. ‖ **2.** Explicar, dar a conocer una cosa o convencer de su certidumbre. ‖ **3.** Hacer patente un afecto real o simulado. ‖ **4.** Dar a entender o conocer con las acciones una calidad del ánimo. MOSTRAR *valor, liberalidad.* ‖ **5.** prnl. Portarse uno de cierta manera, o darse a conocer en algún sentido. MOSTRARSE *amigo, príncipe.*

mostrativo, va. adj. Dícese de lo que muestra o se refiere a la acción de mostrar.

mostrenco, ca. (Alteración de *mestenco*.) adj. V. **bienes mostrencos.** ‖ **2.** fig. y fam. Dícese del que no tiene casa ni hogar, ni señor o amo conocido. Ú. t. c. s. ‖ **3.** fig. y fam. Ignorante o tardo en discurrir o aprender. Ú. t. c. s. ‖ **4.** fig. y fam. Dícese del sujeto muy gordo y pesado. Ú. t. c. s.

mostro. m. desus. **monstruo.**

mota. (De or. inc.) f. Nudillo o granillo que se forma en el paño, y se quita o corta con pinzas o tijeras. ‖ **2.** Partícula de hilo u otra cosa semejante que se pega a los vestidos o a otras partes. ‖ **3.** Mancha, pinta o dibujo redondeado o muy pequeño. ‖ **4.** fig. Defecto muy ligero o de poca entidad que se halla en las cosas inmateriales. ‖ **5.** Pella de tierra con que se cierra o ataja el paso del agua en una acequia. ‖ **6.** Eminencia de poca altura, natural o artificial, que se levanta sola en un llano. ‖ **7.** Ribazo o linde de tierra con que se detiene el agua o se cierra un campo. ‖ **8. pasa¹,** mechón de cabellos cortos y crespos. ‖ **9.** fig. *And.* Moneda de cobre.

motacén. (Del ár. *muḥtasib*.) m. *Ar.* **almotacén.**

motacila. (Del lat. *motacilla*.) f. Aguzanieves, caudatrémula.

motacú. m. *Bol.* Variedad de palmera, de brotes y frutos comestibles y con cuyo aceite se fabrica un tónico para el cabello.

mote¹. (Del prov. o fr. *mot*, palabra, dicho.) m. p. us. Sentencia breve que incluye un secreto o misterio que necesita ex-

plicación. ‖ **2.** La que llevaban como empresa los antiguos caballeros en las justas y torneos. ‖ **3.** Frase o tema inicial de un pasatiempo literario, generalmente dialogado y cortesano, que era frecuente entre damas y galanes de los siglos XVI y XVII y consistía en glosar y ampliar dicha frase, también llamada cabeza de **mote,** con donaires y requiebros a los que servía como de pie forzado. ‖ **4.** El pasatiempo mismo y sus glosas. ‖ **5.** Sobrenombre que se da a una persona por una cualidad o condición suya, apodo. ‖ **6.** *Argent., Chile* y *Perú.* Error gramatical en un escrito, o modo de hablar defectuoso. ‖ **7.** pl. Aleluyas o versillos que por sorteo acompañan a los nombres de los participantes en el juego de los estrechos.

mote². (Del quechua *mut'i*, maíz cocido.) m. Maíz desgranado y cocido con sal, que se emplea como alimento en algunas partes de América. ‖ **2.** *Chile.* Guiso o postre de trigo quebrantado o triturado, después de haber sido cocido en lejía y deshollejado.

motear. tr. Salpicar de motas una tela, para darle variedad y hermosura.

motejador, ra. adj. Que moteja. Ú. t. c. s.

motejar. tr. Notar, censurar las acciones de uno con motes o apodos.

motejo. m. Acción de motejar.

motel. (Del ing. *motel*, de *motorists' hotel*.) m. Establecimiento público, situado generalmente fuera de los núcleos urbanos y en las proximidades de las carreteras, en el que se facilita alojamiento en departamentos con entradas independientes desde el exterior, y con garajes o cobertizos para automóviles, próximos o contiguos a aquellos.

motero, ra. adj. *Chile.* Que vende mote². Ú. m. c. s. m. ‖ **2.** *Chile.* Aficionado a comer mote². ‖ **3.** *Chile.* Perteneciente o relativo al mote².

motete¹. (Del fr. *motet*.) m. Breve composición musical para cantar en las iglesias, que regularmente se forma sobre algunas palabras de la Escritura. ‖ **2.** Apodo, baldón, denuesto.

motete². (Voz tolteca a través del nahua.) m. *C. Rica, El Salv., Guat., Hond., Méj., Nicar., Pan., P. Rico* y *Sto. Dom.* Cesto grande fabricado con cintas entrelazadas de bejuco que los campesinos llevan en la espalda. Por ext., lío, envoltorio.

motil. (Del vasc. *motil*, muchacho.) m. p. us. Muchacho que sirve a los labradores.

motilar. (Del lat. *mutilāre*, cercenar.) tr. Cortar el pelo o raparlo.

motilidad. (Tecnicismo formado sobre el lat. *motus*, movimiento, con los suf. de *movilidad*.) f. Facultad de moverse. ‖ **2.** *Psicol.* Capacidad para realizar movimientos complejos y coordinados.

motilón, na. (De *motilar* y *-ón¹*.) adj. p. us. Que tiene muy poco pelo, pelón. Ú. t. c. s. ‖ **2.** Dícese del individuo de una tribu indígena de la sierra de los Motilones, a lo largo de la frontera entre Colombia y Venezuela, que se caracteriza por su corte de pelo en forma de casquete alrededor de la cabeza. Ú. t. c. s. ‖ **3.** m. fig. y fam. **lego,** donado. ‖ **4.** desus. Oficial inferior de justicia, alguacil.

motilona. (De *motilón*.) f. fig. y fam. Lega de una comunidad de monjas.

motín. (Del fr. *mutin*, insumiso, rebelde.) m. Movimiento desordenado de una muchedumbre, por lo común contra la autoridad constituida.

motivación. f. Acción y efecto de motivar. ‖ **2. motivo,** causa de algo. ‖ **3.** Ensayo mental preparatorio de una acción para animar o animarse a ejecutarla con interés y diligencia.

motivador, ra. adj. Que motiva.

motivar. tr. Dar causa o motivo para una cosa. ‖ **2.** Dar o explicar la razón o motivo que se ha tenido para hacer una cosa. ‖ **3.** Preparar mentalmente una acción.

motivo, va. (Del lat. tardío *motīvus*, relativo al movimiento.) adj. Que mueve o tiene eficacia o virtud para mover. ‖ **2.** V. **causa motiva.** ‖ **3.** m. Causa o razón que mueve para una cosa. ‖ **4.** En las bellas artes, en decoración, filatelia, etc., tema o asunto de una composición. ‖ **de mi, tu, su,** nuestro, vuestro **motivo propio.** loc. adv. Con resolución o intención libre y voluntaria.

moto[1]. (Quizá de *mota*.) m. Hito o mojón.

moto[2]. f. Abreviación de **motocicleta.**

moto-. (Del lat. *motus*, movido.) elem. compos. que significa «movido por motor»: MOTO*cicleta*, MOTO*nave.*

motocarro. m. Vehículo de tres ruedas, con motor, para transportar cargas ligeras.

motocicleta. (Del fr. *mocyclette*.) f. Vehículo automóvil de dos ruedas, con uno o dos sillines; a veces, con sidecar.

motociclismo. m. Deporte de los aficionados a correr en motocicleta.

motociclista. com. Persona que conduce una motocicleta. ‖ **2.** adj. Perteneciente o relativo a la motocicleta.

motolita. (Tal vez contracción del d. de *motacila*.) f. Aguzanieves, caudatrémula.

motolito, ta. (De *motolita*.) adj. Necio, bobalicón, poco avisado. Ú. t. c. s. ‖ **vivir** uno **de motolito.** fr. fig. Mantenerse a expensas de otro.

motón. (Del occit. [*cap de*] *moton*, [cabeza de] carnero.) m. *Mar.* Garrucha de diversas formas y tamaños, por donde pasan los cabos.

motonave. f. Nave con motor.

motonería. (De *motón*.) f. *Mar.* Conjunto de cuadernales y motones para el laboreo de los cabos de un buque.

motopesquero. (De *moto-* y *pesquero*.) m. Barco pesquero movido por motor.

motor, ra. (Del lat. *motor, -ōris*.) adj. Que mueve. Ú. t. c. s. m. ‖ **2.** m. Máquina destinada a producir movimiento a expensas de otra fuente de energía. Según la clase de esta, el **motor** se llama eléctrico, térmico, hidráulico, etc. ‖ **asíncrono.** Aquel cuya velocidad de rotación no coincide exactamente con la frecuencia de la corriente que lo alimenta. ‖ **de explosión.** El que funciona por la energía producida por la combustión de una mezcla de aire y gasolina. ‖ **de reacción.** Ingenio cuyo movimiento se obtiene mediante expulsión de un chorro de gases producido por él mismo. ‖ **Diesel.** El de explosión en que el carburante se inflama por la compresión a que se somete el aire en la cámara de combustión, sin necesidad de bujías. Llámase así por el nombre de su inventor. ‖ **fuera borda, fuera borda** o **fuera de borda** o **fuera de bordo.** Pequeño **motor,** generalmente de dos tiempos, provisto de una hélice, y que se coloca en la parte exterior de la popa de ciertas embarcaciones de recreo. ‖ **el primer motor.** Por antonom., **Dios.**

motora. f. Embarcación menor provista de motor.

motorismo. m. Deporte de los aficionados a correr en vehículo automóvil, especialmente en motocicleta.

motorista. com. Persona que guía un vehículo automóvil y cuida del motor. ‖ **2.** Persona que conduce una motocicleta. ‖ **3.** Persona aficionada al motorismo.

motorización. f. Acción y efecto de motorizar o motorizarse.

motorizado, da. p. p. de **motorizar.** ‖ **2.** adj. V. **división motorizada.**

motorizar. tr. Dotar de medios mecánicos de tracción o transporte a un ejército, industria, etc. Ú. t. c. prnl.

motoso, sa. adj. *Argent., Ecuad., Perú* y *Urug.* **motudo.** Ú. t. c. s.

motovelero. m. Buque de vela con motor auxiliar de propulsión.

motril. (De *motil*.) m. p. us. Muchacho que trabaja en una tienda. ‖ **2.** p. us. Muchacho que sirve a labradores.

motriz. (De *motor*.) adj. f. Que mueve. *Causa* MOTRIZ.

motudo, da. adj. *Argent., Chile, Perú* y *Urug.* Dícese del pelo dispuesto en forma de mota y de la persona que lo tiene. Ú. t. c. s.

motu proprio. (Lit., *con movimiento propio*.) loc. adv. lat. Voluntariamente; de propia, libre y espontánea voluntad. ‖ **2.** m. Bula pontificia o cédula real expedida de este modo.

movedizo, za. adj. Fácil de moverse o ser movido. ‖ **2.** Inseguro, que no está firme. ‖ **3.** Hablando de un animal, que no se está quieto, que se mueve mucho. ‖ **4.** Que se mueve o agita continua o frecuentemente. *El trigal era un* MOVEDIZO *mar de espigas.* ‖ **5.** fig. Inconstante, fácil en mudar de dictamen o intento.

movedor, ra. adj. Que mueve. Ú. t. c. s.

movedura. f. desus. Acción y efecto de mover o moverse. ‖ **2.** desus. Aborto del feto.

mover. (Del lat. *movēre*.) tr. Hacer que un cuerpo deje el lugar o espacio que ocupa y pase a ocupar otro. Ú. t. c. prnl. ‖ **2.** Menear o agitar una cosa o parte de algún cuerpo. MOVER *la cabeza.* ‖ **3.** fig. Dar motivo para una cosa; persuadir, inducir o incitar a ella; por extensión, dícese de los afectos del ánimo que inclinan o persuaden a hacer una cosa. ‖ **4.** fig. Seguido de la preposición *a,* causar u ocasionar. MOVER A *risa,* A *piedad,* A *lágrimas.* ‖ **5.** fig. Alterar, conmover. ‖ **6.** fig. Excitar o dar principio a una cosa en lo moral. MOVER *guerra, discordia, trato.* ‖ **7.** fig. desus. Abortar el feto. Ú. t. c. intr. ‖ **8.** intr. desus. Empezar a andar, irse. Ú. t. c. prnl. ‖ **9.** *Agr.* Empezar a echar o brotar las plantas por la primavera. ‖ **10.** *Arq.* Principiar un arco o bóveda.

movible. (Del lat. *movibĭlis*.) adj. Que por sí puede moverse, o es capaz de recibir movimiento por ajeno impulso. ‖ **2.** V. **fiesta, garrucha, gnomon, polea movible.** ‖ **3.** fig. Variable, voluble. ‖ **4.** *Astrol.* Dícese de cualquiera de los cuatro signos cardinales, Aries, Cáncer, Libra y Capricornio, por hacer en ellos mudanza el tiempo de una estación del año a otra.

movición. f. fam. Acción de moverse. ‖ **2.** vulg. Acción de abortar el feto, aborto.

movido, da. p. p. de **mover.** ‖ **2.** adj. Dícese del lapso de tiempo en que se ha tenido ajetreo o diversidad apresurada y anormal de quehaceres. *He tenido un día muy* MOVIDO. ‖ **3.** Dícese de lo que ha transcurrido o se ha desarrollado con agitación o con incidencias imprevistas. *El viaje fue muy* MOVIDO. ‖ **4.** *Taurom.* Dícese del lance o suerte que se practica sin quietud en los pies. ‖ **5.** Dícese de reuniones donde hay discusión viva. *Sesión* MOVIDA. ‖ **6.** *Amér. Central* y *Chile.* Dícese del huevo puesto en fárfara. ‖ **7.** *Guat.* y *Hond.* Enteco, raquítico. ‖ **8.** m. Acción de abortar el feto, aborto. ‖ **9.** f. **metida,** yemas y brotes subsiguientes a cada período de actividad vital de una planta.

moviente. p. a. de **mover.** Que mueve o se mueve. ‖ **2.** adj. Aplícase al territorio o Estado que en lo antiguo rendía vasallaje a otro. ‖ **3.** *Blas.* Dícese de la pieza que arranca de cualquiera de los bordes del escudo y se dirige hacia la parte interior, como si el resto de ella estuviera oculto.

móvil. (Del lat. *mobĭlis*.) adj. Que puede moverse o se mueve por sí mismo. ‖ **2.** Que no tiene estabilidad o permanencia. ‖ **3.** V. **timbre móvil.** ‖ **4.** *Astron.* V. **día del primer móvil.** ‖ **5.** m. Lo que mueve material o moralmente a una cosa. ‖ **6.** *Fís.* Cuerpo en movimiento.

movilidad. (Del lat. *mobilĭtas, -ātis*.) f. Cualidad de movible.

movilización. f. Acción y efecto de movilizar.

movilizar. (De *móvil* e *-izar*.) tr. Poner en actividad o movimiento tropas, etc. Ú. t. c. prnl. ‖ **2.** Convocar, incorporar a filas, poner en pie de guerra tropas u otros elementos militares. Ú. t. en sent. fig.

movimiento. m. Acción y efecto de mover o moverse. ‖ **2.** Estado de los cuerpos mientras cambian de lugar o de posición. ‖ **3.** En las artes del dibujo, variedad bien ordenada de las líneas y del claroscuro de una figura o composición. ‖ **4.** En los cómputos mercantiles y en algunas estadísticas, alteración numérica en el estado o cuenta durante un tiempo determinado. ‖ **5.** fig. Alteración, inquietud o conmoción. ‖ **6.** Alzamiento, rebelión. ‖ **7.** fig. Primera manifestación de un afecto, pasión o sentimiento; como celos, risa, ira, etc. ‖ **8.** Desarrollo y propagación de una tendencia religiosa, política, social, estética, etc., de carácter innovador. *El* MOVIMIENTO *de Oxford; el* MOVIMIENTO *socialista; el* MOVIMIENTO *romántico.* ‖ **9.** Conjunto de alteraciones o novedades ocurridas, durante un período de tiempo, en algunos campos de la actividad humana. MOVIMIENTO *bursátil; el* MOVIMIENTO *literario durante el año 1954.* ‖ **10.** fig. Variedad y animación en el estilo, o en la composición poética o literaria. ‖ **11.** *Astron.* Adelanto o atraso de un reloj en un intervalo fijo. ‖ **12.** *Esgr.* Cambio rápido en la posición del arma. ‖ **13.** *Mús.* Velocidad del compás. ‖ **14.** *Mús.* Nombre que se da a cada uno de los fragmentos de una sonata, sinfonía, etc., de acuerdo con el contraste de tiempo existente entre ellos. ‖ **acelerado.** *Mec.* Aquel en que la velocidad aumenta en cada instante de su duración. ‖ **compuesto.** *Mec.* El que resulta de la concurrencia de dos o más fuerzas en diverso sentido. ‖ **continuo.** El que se pretende hacer durar por tiempo indefinido sin gasto de fuerza motriz. ‖ **de reducción.** *Esgr.* El que se hace dirigiendo el sable o la espada desde los lados al centro. Es contrario al remiso. ‖ **de rotación.** *Mec.* Aquel en que un cuerpo se mueve alrededor de un eje. ‖ **de traslación.** *Astron.* El de los astros a lo largo de sus órbitas. MOVIMIENTO *de traslación de la Tierra.* ‖ **Mec.** El de los cuerpos que siguen curvas de gran radio con relación a sus propias dimensiones. MOVIMIENTO *de traslación de un proyectil.* ‖ **directo.** *Astron.* El de traslación o el de rotación de los astros cuando se verifica en el mismo sentido que los de la Tierra, o sea en el orden de los signos del Zodiaco. ‖ **diurno.** *Astron.* El de rotación aparente de la bóveda celeste, de levante a poniente, producido por el verdadero o real de la Tierra, de sentido contrario, en el término de un día sidéreo. ‖ **extraño.** *Esgr.* El que se hace retirando el sable o la espada. Es contrario a la estocada. ‖ **natural.** *Esgr.* El que se hace dirigiendo el sable o la espada hacia abajo. ‖ **ondulatorio.** El que efectúa la superficie del agua, o las partículas de un medio elástico, al paso de las ondas. Hay transporte de energía, pero no de materia. ‖ **oratorio.** Arranque o arrebato del orador, excitado la pasión. ‖ **paraláctico.** *Astron.* El que pueden ejecutar ciertos aparatos, como los ecuatoriales, en ascensión recta y en declinación. ‖ **primario.** *Astron.* **movimiento diurno.** ‖ **propio.** *Astron.* El de un astro cualquiera en su órbita o alrededor de su eje. ‖ **radial.** *Astron.* El que siguen determinados astros en la dirección del rayo visual, acercándose o alejándose de la Tierra. ‖ **remiso.** *Esgr.* El que se hace dirigiendo el sable o la espada desde el centro hacia los lados. ‖ **retardado.** *Mec.* Aquel en que la velocidad va disminuyendo. ‖ **retrógrado.** *Astron.* El real o aparente de un astro en sentido contrario al directo. ‖ **simple.** *Mec.* Aquel que resulta del impulso de una sola fuerza. ‖ **turbulento.** *Fís.* **movimiento** de un fluido en el que la presión y velocidad en cada punto fluctúan muy irregularmente. ‖ **uniforme.** *Mec.* Aquel en que es igual y constante la velocidad. ‖ **uniformemente acelerado.** *Mec.* Aquel en que la velocidad aumenta proporcionalmente al tiempo transcurrido. ‖ **uniformemente retardado.** *Mec.*

Aquel en que la velocidad disminuye proporcionalmente al tiempo transcurrido. ‖ **variado.** *Mec.* Aquel en que no es constante la velocidad. ‖ **verdadero.** *Astron.* El que es real y distinto del aparente de algunos astros. ‖ **violento.** *Esgr.* El que se hace dirigiendo el sable o la espada hacia arriba. Es contrario al natural. ‖ **primer movimiento.** fig. Repentino o involuntario ímpetu de una pasión. ‖ **hacer movimiento.** fr. *Arq.* Dícese de una obra cuando toda o una parte de ella se separa levemente de su posición natural o de equilibrio.

moviola. (Marca comercial.) f. Máquina empleada en los estudios cinematográficos y de televisión para proyectar filmes, regulándose el movimiento de la película de acuerdo con las necesidades del montador. Permite examinar adecuadamente el filme, cortar o intercalar escenas en él y sincronizar sus bandas sonoras.

moxa. (Del japonés *mókusa,* hierba para quemar.) f. *Cir.* Mecha de algodón, estopa u otra sustancia inflamable que, con objeto medicinal, se quema sobre la piel. ‖ **2.** *Cir.* Cauterización de la piel por este medio.

¡moxte! Voz para rechazar o espantar. ‖ **2.** V. **oxte.**

moya. (De *Moya,* apellido español.) m. *Chile.* Fulano, o Perico de los palotes.

moyana¹. (Del fr. *moyenne,* mediana.) f. Pieza antigua de artillería, semejante a la culebrina, pero de calibre mayor. ‖ **2.** fig. y fam. Mentira o ficción.

moyana². (Del m. or. que *moyuelo.*) f. Pan hecho con salvado, que suele darse a los perros de ganado.

moyo. (Del lat. *modius.*) m. Medida de capacidad que se usa para el vino, y en algunas comarcas para áridos.

moyuelo. (De or. inc.) m. Salvado muy fino, el último que se separa al amasar la harina.

moza. (De *mozo.*) f. Criada que sirve en menesteres humildes y de tráfago. ‖ **2.** p. us. Mujer que mantiene trato ilícito con alguno. ‖ **3.** Pala con que las lavanderas golpean la ropa, especialmente la gruesa, para poder lavarla más fácilmente. ‖ **4.** Pieza de las trébedes, en forma de horquilla, en que se asegura el rabo de la sartén. ‖ **5.** En algunos juegos, última mano. ‖ **de cámara.** La que servía en los oficios de la casa en grado inferior al de doncella. ‖ **de cántaro.** Criada que se tenía en casa con la obligación de traer agua y de ocuparse en otras haciendas domésticas. ‖ **de fortuna,** o **del partido. ramera.** ‖ **buena moza.** Mujer de aventajada estatura y gallarda presencia. ‖ **real moza. buena moza.**

mozalbete. m. d. de **mozo.** ‖ **2.** Mozo de pocos años, mocito, mozuelo.

mozalbillo. m. d. de **mozo.** ‖ **2.** Mozo de pocos años.

mozallón, na. m. y f. Persona moza y robusta.

mozancón, na. m. y f. Persona moza, alta y fornida.

mozárabe. (Del ár. *musta'rab,* arabizado.) adj. Dícese del individuo de las minorías hispánicas que, consentidas por el derecho islámico como tributarias, vivieron en la España musulmana hasta fines del siglo XI conservando su religión cristiana e incluso su organización eclesiástica y judicial. Ú. m. c. s. ‖ **2.** Dícese del individuo de las mismas comunidades emigrado a los reinos cristianos del Norte, llevando consigo elementos culturales musulmanes. Ú. m. c. s. ‖ **3.** Dícese del individuo de la comunidad toledana de ese tipo, mucho tiempo subsistente, que pudo por especial privilegio conservar la vieja liturgia visigótica frente a la romana. Ú. t. c. s. ‖ **4.** Dícese de todo lo relativo o perteneciente a las comunidades antedichas. ‖ **5.** Aplícase con mayor o menor exactitud a la lengua romance, heredera del latín vulgar visigótico, que, contaminada de árabe, hablaban cristianos y musulmanes en la España islámica. Ú. t. c. s. ‖ **6.** Especialmente, aplícase a la misa, rito o liturgia que usaron los **mozárabes** y que aún se conservan en una capilla de la catedral de Toledo.

mozarabía. f. Gente mozárabe de una ciudad o región.

mozarabismo. m. Rasgo lingüístico peculiar de los mozárabes. ‖ **2.** Elemento artístico típico del arte mozárabe. ‖ **3.** Conjunto de caracteres socioculturales de la mozarabía.

mozarrón, na. m. y f. aum. de mozo.

mozcorra. (Del vasc. *mozcor,* muchacha tetuda.) f. fam. p. us. Mujer pública, ramera.

mozo[1]. (De *mus mos,* con que se le llama.) m. **gato[1],** animal.

mozo[2], za. (De or. inc.) adj. Joven. Ú. t. c. s. ‖ **2.** Célibe, soltero. Ú. t. c. s. ‖ **3. mocero.** ‖ **4.** m. Hombre que sirve en las casas o al público en oficios humildes. Denótase el lugar y el trabajo en que se ocupa por medio de un sustantivo regido de la preposición *de.* MOZO DE *café,* DE *comedor,* DE *cocina.* ‖ **5.** Individuo sometido a servicio militar, desde que es alistado hasta que ingresa en la caja de reclutamiento. ‖ **6. cuelgacapas.** ‖ **7.** Puntal de una cosa expuesta a caerse, tentemozo. ‖ **8.** *And.* **moza,** pieza de las trébedes. ‖ **9.** *Germ.* **garabato,** instrumento metálico que sirve para colgar o asir. ‖ **10.** *Min.* Sostén sobre el que gira la palanca de un fuelle. ‖ **de caballos.** Criado que cuida de ellos. ‖ **de campo y plaza.** El que lo mismo sirve para las labores del campo que para las domésticas. ‖ **de cordel, o de cuerda.** El que se ponía en los lugares públicos con un cordel al hombro, a fin de que cualquiera pudiese contratarlo para llevar cosas de carga o para hacer algún otro mandado. ‖ **de escuadra.** Individuo de una milicia formada en Cataluña de mozos del campo contra malhechores y forajidos. ‖ **de espuela. espolique, mozo** que caminaba junto a la caballería de su amo. ‖ **de esquina. mozo de cordel.** ‖ **de estoques.** El que cuida de las espadas del matador de toros y le sirve como criado de confianza. ‖ **de mulas.** El que en las casas cuidaba de las mulas de coche o labranza. ‖ **2. mozo de espuela.** ‖ **de oficio.** En palacio, persona que empezaba a servir en un oficio de la casa o caballeriza, para ascender después a ayuda. ‖ **2.** En otras oficinas, persona destinada para el servicio mecánico de ellas. ‖ **de paja y cebada.** El que en las posadas y mesones llevaba cuenta de lo que cada pasajero tomaba para el ganado. ‖ **buen mozo.** Hombre de aventajada estatura y gallarda presencia. ‖ **real mozo. buen mozo.**

mozorro. m. *Nav.* Penitente que asiste, alumbrando con cirio, a las procesiones de la Semana Santa.

mozuelo, la. m. y f. d. de mozo. ‖ **2.** Chico, muchacho. ‖ **de la primera tijera.** El que está en el principio de la mocedad.

mu[1]. Onomatopeya con que se representa la voz del toro y de la vaca. ‖ **2.** m. **mugido.** ‖ **no decir ni mu.** fr. fam. No decir palabra alguna, permanecer en silencio.

mu[2]. f. desus. Sueño, acto de dormir. Es voz que usaban las nodrizas cuando querían que se durmieran los niños, diciéndoles: *Vamos a la* MU.

muaré. (Del fr. *moiré.*) m. Tela fuerte que forma aguas; moaré, mué.

mucamo, ma. (Voz brasileña, de or. inc.) m. y f. *Argent., Cuba, Chile, Par.* y *Urug.* Criado, servidor. ‖ **2.** *Argent.* En hospitales y hoteles, persona encargada de la limpieza.

múcara. (De or. inc.) f. *Mar.* Conjunto o reunión de bajos que no velan.

muceta. (Del it. *mozzetta.*) f. Esclavina que cubre el pecho y la espalda, y que, abotonada por delante, usan como señal de su dignidad los prelados, doctores, licenciados y ciertos eclesiásticos. Suele ser de seda, pero se hacen algunas de pieles.

mucilaginoso, sa. adj. Que contiene mucílago o tiene algunas de sus propiedades.

mucílago o mucilago. (Del lat. *mucīlāgo.*) m. Sustancia viscosa, de mayor o menor transparencia, que se halla en ciertas partes de algunos vegetales, o se prepara disolviendo en agua materias gomosas.

mucosidad. f. Materia glutinosa de la misma naturaleza que el moco, y semejante a este.

mucoso, sa. (Del lat. *mucōsus.*) adj. Semejante al moco. ‖ **2.** Que tiene mucosidad o la produce. ‖ **3.** V. **membrana mucosa.** Ú. t. c. s. ‖ **4.** V. **tiña mucosa.**

mucronato, ta. (Del lat. *mucronātus.*) adj. Terminado en punta. Es tecnicismo de varias ciencias. ‖ **2.** *Anat.* Cartílago xifoides del esternón.

múcura. (Voz cumanagota.) f. *Bol., Col.* y *Venez.* Ánfora de barro que se usa para conservar el agua. ‖ **2.** adj. *Col.* Inhábil, tonto.

muchachada. f. Acción propia de muchachos. ‖ **2.** Conjunto numeroso de muchachos.

muchachear. intr. Hacer cosas propias de muchachos.

muchachería. f. **muchachada.**

muchachez. f. Estado y propiedades de muchacho.

muchachil. adj. De muchachos, o propio de ellos.

muchacho, cha. (De *mochacho.*) m. y f. Niño o niña que no ha llegado a la adolescencia. ‖ **2.** Niño o niña que mama. ‖ **3.** Mozo o moza que sirve de criado. ‖ **4.** fam. Persona que se halla en la mocedad. Ú. t. c. adj.

muchachuelo, la. m. y f. d. de **muchacho.**

muchedumbre. (Del lat. *multitūdo, -ĭnis.*) f. Abundancia y multitud de personas o cosas.

muchedumbroso, sa. adj. p. us. Extraordinariamente abundante, que se presenta en muchedumbre.

muchiguar. (Del lat. **multiplicāre.*) tr. ant. Aumentar, multiplicar, amuchiguar.

muchilero. m. *Col.* **oropéndola.**

muchitanga. f. *Perú* y *P. Rico.* Populacho, muchedumbre de gente soez y grosera. ‖ **2.** *P. Rico.* Muchachería, multitud de muchachos que meten ruido.

mucho, cha. (Del lat. *multus.*) adj. Abundante, numeroso, o que excede a lo ordinario, regular o preciso. ‖ **2.** adv. c. Con abundancia, en alto grado, en gran número o cantidad; más de lo regular, ordinario o preciso. ‖ **3.** Antepónese, con valor aumentativo, a otros adverbios. MUCHO *antes;* MUCHO *después;* MUCHO *más;* MUCHO *menos.* ‖ **4.** p. us. En estilo familiar hace veces de adverbio de afirmación, equivalente a **sí** o **ciertamente.** *¿Ha visto usted la comedia nueva?* MUCHO. ‖ **5.** Con los tiempos del verbo *ser,* o en cláusulas interrogativas, admirativas o exclamativas, precedido de la partícula *que* y a veces seguido también de la misma, denota idea de dificultad o extrañeza. MUCHO *será que no llueva esta tarde; ¿qué* MUCHO *que haya preferido la pobreza a la deshonra?* ‖ **6.** Empleado con verbos expresivos de tiempo, denota larga duración. *Aún tardará* MUCHO *en llegar.* ‖ **mucho que sí.** loc. adv. fam. sí. ‖ **mucho, sí, ciertamente.** ‖ **ni con mucho.** loc. adv. que expresa la gran diferencia que hay de una cosa a otra. *El talento de Pedro no llega* NI CON MUCHO *al de Juan.* ‖ **ni mucho menos.** loc. adv. con que se niega una cosa o se encarece su inconveniencia. ‖ **por mucho que.** loc. conjunt. **por más que.**

muda. f. Acción de mudar una cosa. ‖ **2.** Conjunto de ropa que se muda de una vez, y se refiere normalmente a la ropa interior. ‖ **3.** p. us. Cierto afeite para el rostro. ‖ **4.** Tiempo de mudar las aves sus plumas. ‖ **5.** Acto de mudar la pluma o la piel ciertos animales. ‖ **6.** Cámara o cuarto en que se ponen las aves de caza para que muden sus plumas. ‖ **7.** Nido para las aves de caza. ‖ **8.** Tránsito o paso de un timbre de voz a otro que experimentan los muchachos regularmente cuando entran en la pubertad. *Estar de* MUDA. ‖ **estar en muda.** fr. fig. y fam. Callar demasiado en una conversación.

mudable. (Del lat. *mutābĭlis.*) adj. Que cambia o se muda con gran facilidad.

mudada. f. *And.* y *Amér.* Mudanza de casa.

mudadizo, za. adj. Mudable, inconstante.

mudamente. (De *mudo*.) adv. m. Callada y silenciosamente; sin hablar palabra.

mudamiento. m. desus. Acción y efecto de mudar o mudarse.

mudanza. f. Acción y efecto de mudar o mudarse. ‖ **2.** Traslación que se hace de una casa o de una habitación a otra. ‖ **3.** Cierto número de movimientos que se hacen a compás en los bailes y danzas. ‖ **4.** Inconstancia o variedad de los afectos o de los dictámenes. ‖ **5.** *Mús.* Cambio convencional del nombre de las notas en el solfeo antiguo, para poder representar el *si* cuando aún no tenía nombre. ‖ **deshacer la mudanza.** fr. *Danza.* Hacer al contrario en el baile toda la **mudanza** ya ejecutada. ‖ **hacer mudanza** o **mudanzas.** fr. fig. Portarse con inconsecuencia; ser inconstante en amores.

mudar¹. (Del ing. *mudar*.) m. *Bot.* Arbusto de la India, de la familia de las asclepiadáceas, cuya raíz, de corteza rojiza por fuera y blanca por dentro, tiene un jugo muy usado por los naturales del país como emético y contraveneno.

mudar². (Del lat. *mutāre*.) tr. Dar o tomar otro ser o naturaleza, otro estado, figura, lugar, etc. Ú. t. c. intr. ‖ **2.** Dejar una cosa que antes se tenía, y tomar en su lugar otra. MUDAR *casa, vestido.* ‖ **3.** Remover o apartar de un sitio o empleo. ‖ **4.** Efectuar un ave la muda de la pluma. ‖ **5.** Soltar periódicamente la epidermis y producir otra nueva, como lo hacen los gusanos de seda, las culebras y algunos otros animales. ‖ **6.** Efectuar un muchacho la muda de la voz. ‖ **7.** intr. fig. Variar, cambiar. MUDAR *de dictamen, de parecer.* Usáb. t. c. tr. ‖ **8.** prnl. Dejar el modo de vida o el afecto que antes se tenía, trocándolo por otro. ‖ **9.** Ponerse otra ropa o vestido, dejando el que antes se llevaba puesto. ‖ **10.** Dejar la casa que se habita y pasar a vivir en otra. ‖ **11.** fam. Irse uno del lugar, sitio o concurrencia en que estaba. ‖ **12.** fam. p. us. Exonerar el vientre, defecar.

mudéjar. (Del ár. *mudaǧǧan*.) adj. Dícese del musulmán a quien se permitía seguir viviendo entre los vencedores cristianos, sin mudar de religión, a cambio de un tributo. Ú. t. c. s. ‖ **2.** Perteneciente o relativo a los **mudéjares.** ‖ **3.** Dícese del estilo arquitectónico que floreció en España desde el siglo XIII hasta el XVI, caracterizado por la conservación de elementos del arte cristiano y el empleo de la ornamentación árabe.

mudez. (De *mudo* y -*ez*.) f. Imposibilidad física de hablar. ‖ **2.** fig. Silencio deliberado y persistente.

mudo, da. (Del lat. *mutus*.) adj. Privado físicamente de la facultad de hablar. Ú. t. c. s. ‖ **2.** Muy silencioso o callado. ‖ **3.** V. **cine, mapa, perro mudo.** ‖ **4.** V. **letra, morra² muda.** ‖ **5.** *Ecuad.* Tonto, bobo. Ú. t. c. s. ‖ **6.** *Astrol.* Dícese de los signos Cáncer, Escorpión y Piscis. ‖ **a la muda.** loc. adv. **a la sorda.** ‖ **hacer** una cosa **hablar a los mudos.** fr. fig. Provocar, por ser extraordinaria, efectos fuera de lo normal.

mué. m. p. us. **muaré,** moaré.

muebda. (Del lat. *movīta, de *movēre*.) f. ant. Movimiento, impulso.

mueblaje. m. **mobiliario.**

mueblar. tr. **amueblar.**

mueble. (Del ant. *moeble*, del lat. *mobĭlis*.) adj. V. **bienes muebles.** Ú. m. c. s. ‖ **2.** m. Cada uno de los enseres movibles que sirven para los usos necesarios o para decorar casas, oficinas y todo género de locales. ‖ **3.** *Ter.* Ganado lanar, cabrío, etc. ‖ **4.** *Blas.* Cada una de las piezas pequeñas que se representan en el escudo, tales como anillos, lises o besantes.

mueblería. f. Taller en que se hacen muebles. ‖ **2.** Tienda en que se venden.

mueblista. com. Persona que hace o vende muebles. Ú. t. c. adj.

mueca. (Como el fr. ant. *moque*, burla, port. *moca*, id.; parece voz expresiva.) f. Contorsión del rostro, generalmente burlesca.

muecín. (Del fr. *muezzin*.) m. Musulmán que convoca desde el almínar, almuédano, almuecín.

muela. (Del lat. *mola*.) f. Disco de piedra que se hace girar rápidamente alrededor de un eje y sobre la solera, para moler lo que entre ambas piedras se interpone. ‖ **2.** Piedra de asperón en forma de disco que, haciéndola girar, se usa para afilar herramientas. ‖ **3.** Cada uno de los dientes posteriores a los caninos y que sirven para moler o triturar los alimentos. ‖ **4.** Cerro escarpado en lo alto y con cima plana. ‖ **5.** Cerro artificial. ‖ **6.** Almorta, guija, tito. ‖ **7.** Cantidad de agua que basta para hacer andar una rueda de molino. *Una* MUELA *de agua.* ‖ **8.** Unidad de medida que sirve para apreciar la cantidad de agua que llevan las acequias. ‖ **9.** fig. Rueda o corro. ‖ **cordal. muela del juicio.** ‖ **de dados.** Conjunto de nueve pares de ellos. ‖ **del juicio.** Cada una de las que en la edad adulta nacen en las extremidades de las mandíbulas del hombre. ‖ **muelas de gallo.** fig. y fam. Persona que no tiene **muelas** o dientes, o los tiene malos o separados. ‖ **al que le duele la muela, que se la saque.** fr. proverb. que se suele usar para excusarse de tomar parte en negocios ajenos. ‖ **echar las muelas.** fr. fig. y fam. Estar muy irritado o furioso. ‖ **haberle salido** a uno **la muela del juicio.** fr. fig. Ser prudente, mirado en sus acciones.

muelar. m. Tierra sembrada de muelas o almortas.

muelo. (De *muela*.) m. Montón, y especialmente el de forma cónica, con que se recoge el grano en la era después de limpio.

muellaje. m. Derecho o impuesto que se cobra a toda embarcación que da fondo, y que suele aplicarse a la conservación de los muelles y limpieza de los puertos.

muelle¹. (Del lat. *mollis*.) adj. Delicado, suave, blando. ‖ **2.** Inclinado a los placeres sensuales. ‖ **3.** m. Pieza elástica, ordinariamente de metal, colocada de modo que pueda utilizarse la fuerza que hace para recobrar su posición natural cuando ha sido separada de ella. ‖ **4.** V. **colchón, sombrero de muelles.** ‖ **5.** Adorno compuesto de varios relicarios o dijes, que las mujeres de distinción llevaban pendiente a un lado de la cintura. ‖ **6.** pl. Tenazas grandes que usan en las casas de moneda para agarrar los rieles y tejos durante la fundición y echarlos en la copela. ‖ **real.** El que con su fuerza elástica mueve las ruedas de los relojes que no son de pesas; como los de bolsillo, sobremesa, etc. ‖ **2.** Pieza interior de la llave de las armas de fuego, que sirve para hacer caer con violencia el pie de gato. ‖ **flojo de muelles.** loc. fig. y fam. Dícese de la persona o animal que no aguanta la necesidad de hacer aguas mayores o menores.

muelle². (Del cat. *moll*.) m. Obra de piedra, hierro o madera, construida en dirección conveniente en la orilla del mar o de un río navegable, y que sirve para facilitar el embarque y desembarque de cosas y personas e incluso, a veces, para abrigo de las embarcaciones. ‖ **2.** V. **cortina de muelle.** ‖ **3.** Andén alto, cubierto o descubierto, que en las estaciones de ferrocarriles sirve para la carga y descarga de mercancías.

muellemente. adv. m. Delicada y suavemente; con blandura.

muenda. f. *Col.* Zurra, azotaina, tunda, paliza.

muer. m. p. us. **muaré.**

muera. (Del lat. *muria*, salmuera.) f. Sal de cocina.

muérdago. (De etim. disc.) m. Planta parásita, siempre verde, de la familia de las lorantáceas, que vive sobre los troncos y ramas de los árboles. Sus tallos se dividen desde la base en varios ramos, desparramados, ahorquillados, cilíndricos y divididos por nudos, armados de púas pequeñas. Sus hojas son lanceoladas, crasas y carnosas; sus flores, dioicas y de color amarillo, y el fruto una baya pequeña, traslúcida, de color blanco rosado, cuyo mesocarpio contiene una sustancia viscosa.

muerdisorbe (a). loc. adv. p. us. **a muerde y sorbe.**

muerdo. m. fam. Acción y efecto de morder. ‖ **2.** fam. Porción de comida que se toma cada vez, bocado. ‖ **3.** Corta cantidad de alimento. ‖ **4.** Trozo que se arranca con los dientes.

muérgano. (De *órgano*.) m. desus. órgano, instrumento musical. ‖ **2.** desus. navaja, molusco. ‖ **3.** *Col.* Objeto inútil, antigualla. ‖ **4.** *Ecuad.* Persona tonta o boba. Ú. t. c. adj.

muergo. (Probablemente, de *muérgano.*) m. navaja, molusco.

muermo. (Del lat. *morbus*, enfermedad.) m. *Veter.* Enfermedad virulenta y contagiosa de las caballerías, caracterizada principalmente por ulceración y flujo de la mucosa nasal e infarto de los ganglios linfáticos próximos. Es transmisible al hombre. ‖ **común.** ant. Bocio, papera.

muermoso, sa. adj. p. us. Aplícase a la caballería que tiene muermo.

muerte. (Del lat. *mors, mortis.*) f. Cesación o término de la vida. ‖ **2.** En el pensamiento tradicional, separación del cuerpo y el alma. ‖ **3.** muerte que se causa a otra persona con violencia. ‖ **4.** Figura del esqueleto humano como símbolo de la **muerte.** Suele llevar una guadaña. ‖ **5.** V. **artículo de la muerte.** ‖ **6.** V. **cerdo de muerte.** ‖ **7.** fig. desus. Afecto o pasión violenta que inmuta gravemente o parece que pone en peligro de morir, por no poderse tolerar. MUERTE *de risa, de amor.* ‖ **8.** fig. Destrucción, aniquilamiento, ruina. *La* MUERTE *de un imperio.* ‖ **9.** fig. V. **herradura, hilo de la muerte.** ‖ **a mano airada. muerte violenta.** ‖ **civil.** *Der.* Mutación de estado por la cual la persona en quien acontecía se consideraba como si no existiese para el ejercicio o la ordenación de ciertos derechos. Hoy tales efectos, muy atenuados, se conocen con el nombre de interdicción civil. ‖ **chiquita.** fig. y fam. Estremecimiento nervioso o convulsión instantánea que suele sobrevenir a algunas personas. ‖ **natural.** La que viene por enfermedad y no por lesión traumática. ‖ **pelada.** fig. y fam. Persona muy rapada de pelo o demasiado calva. ‖ **senil.** La que viene por pura vejez o decrepitud, sin accidente ni enfermedad, por lo menos en apariencia. ‖ **violenta.** La consecutiva a un traumatismo fortuito o la que se ejecuta privando de la vida a una intencionadamente, cualquiera que sea el medio que se emplee. ‖ **buena muerte.** La contrita y cristiana. ‖ **acusar a muerte.** fr. ant. Acusar de un delito al que corresponda pena capital. ‖ **a muerte.** loc. adj. o adv. Hasta conseguir la muerte o la destrucción de una de las partes. *Duelo, guerra* A MUERTE. *Luchar, combatir* A MUERTE. ‖ **2.** loc. adv. Implacablemente, con ferocidad. Ú. con verbos como *odiar, aborrecer,* etc. ‖ **a muerte o a vida.** loc. adv. **a vida o muerte.** ‖ **dar muerte.** fr. Matar, quitar la vida. ‖ **de mala muerte.** loc. adj. fig. y fam. De poco valor o importancia; baladí, despreciable. *Un empleíllo* DE MALA MUERTE. ‖ **de muerte.** loc. adv. fig. p. us. **a muerte,** implacablemente. ‖ **2.** loc. adj. V. **toro de muerte.** ‖ **3.** fig. y fam. Aplicado a sustantivos como *susto, disgusto,* etc., muy grande. *Un disgusto* DE MUERTE. ‖ **estar a la muerte.** fr. Hallarse en peligro inminente de morir. ‖ **hasta la muerte.** loc. con que se explica la inalterable resolución de ejecutar una cosa y permanecer constante. ‖ **luchar con la muerte.** fr. fig. Agonizar, estar en agonía. ‖ **sentir de muerte.** fr. con que se explica el sumo sentimiento o dolor de una cosa, parecido al de la **muerte.** ‖ **ser algo una muerte.** fr. fig. y fam. Ser en extremo molesto, insu-

frible o enfadoso. ‖ **tomarse** uno **la muerte por** su **mano.** fr. fig. Ejecutar alguna cosa voluntariamente contra la vida, la salud o el bienestar, despreciando las advertencias o consejos en contra de lo que hace. ‖ **volver de la muerte a la vida.** fr. fig. Restablecerse de una enfermedad gravísima.

muerto, ta. (Del lat. *mortŭus*.) p. p. irreg. de **morir.** ‖ **2.** Ú. a veces con significación transitiva, como si procediese del verbo matar. *He* MUERTO *una liebre.* ‖ **3.** adj. Que está sin vida. Apl. a pers., ú. t. c. s. ‖ **4.** V. **diente, flores de muerto.** ‖ **5.** fig. Aplicase al yeso o a la cal apagados con agua. ‖ **6.** V. **agua, arena, lengua, leña, letra, mosca, mosquita, obra, ortiga muerta.** ‖ **7.** V. **censo, fondo, fuego, peso muerto.** ‖ **8.** V. **horas muertas.** ‖ **9.** fig. Apagado, desvaído, poco activo o marchito. Dícese especialmente de los colores. ‖ **10.** fig. y fam. Muy fatigado. ‖ **11.** fig. En el juego del tresillo entre cuatro jugadores, el que por turno deja de jugar, pero hace la puesta. ‖ **12.** *Der.* V. **manos muertas.** ‖ **13.** *Fort.* V. **ángulo muerto.** ‖ **14.** *Mar.* V. **cuerpo muerto.** ‖ **15.** *Mar.* V. **jarcia, marea muerta.** ‖ **16.** *Mar.* V. **aguas muertas.** ‖ **17.** ant. *Mil.* V. **plaza muerta.** ‖ **18.** *Pint.* V. **naturaleza muerta.** ‖ **19.** m. pl. ant. *Mar.* Golpes dados a uno. Ú. en Andalucía. ‖ **de las agujas.** *Mar.* Boya fondeada en lugar adecuado de una bahía o puerto, a la que amarran los buques para compensar las agujas. Suele hallarse rodeada de otras boyas menores fondeadas para facilitar, mediante amarras, la inmovilidad del barco a los rumbos necesarios. ‖ **contar** y uno **con los muertos.** fr. fig. No hacerle caso; despreciarlo enteramente u olvidarse de él. ‖ **dar** a uno **un muerto.** fr. *Germ.* Ganarle con trampa en el juego lo que tiene. ‖ **desenterrar los muertos.** fr. y fam. Murmurar de ellos; descubrir las faltas y defectos que tuvieron. ‖ **echarle** a uno **el muerto.** fr. fig. Atribuirle la culpa de una cosa. ‖ **espantóse la muerta de la degollada.** fr. fig. y fam. con que se reprende al que hace los defectos de otros, teniéndolos él mayores. ‖ **estar muerto por** una persona o cosa. fr. fig. y fam. Amarla o desearla con vehemencia. ‖ **hacer el muerto.** fr. fig. Dejarse flotar tendido de espaldas sobre el agua. ‖ **hacerse el muerto.** fr. fig. Permanecer inactivo o silencioso, para pasar inadvertido. ‖ **levantar un muerto.** fr. fig. Cobrar alguien en el juego una puesta que no ha hecho. ‖ **más muerto que vivo.** loc. con que se explica el susto, temor o espanto de uno, que lo deja como privado de acción vital. Ú. con los verbos *estar, quedarse,* etc. ‖ **ni muerto ni vivo.** loc. ponderativa que se usa para significar que una persona o cosa no aparece, por más diligencias que se han hecho para encontrarla. ‖ **ser un muerto de hambre.** fr. fig. y despect. Ser un miserable, un mezquino.

muesca. (De *moscar*.) f. Concavidad o hueco que hay o se hace en una cosa para encajar otra. ‖ **2.** Corte que se hace en forma semicircular y hace al ganado vacuno en la oreja para que sirva de señal.

muescar. tr. *Sal.* Hacer muescas al ganado vacuno.

mueso¹. (Del lat. *morsus,* mordisco.) m. Porción de comida que cabe de una vez en la boca. ‖ **2.** Un poco de comida. ‖ **3.** Mordedura que se hace con los dientes. ‖ **4.** Pedazo que se arranca con la boca. ‖ **5.** Parte del freno que entra en la boca de la caballería.

mueso², sa. (Del lat. *morsus,* p. p. de *mordēre,* morder.) adj. V. **cordero mueso.**

muestra. (De *mostrar*.) f. Rótulo que, en madera, metal u otra materia, anuncia con caracteres gruesos, sobre las puertas de las tiendas, la clase de mercancía que en ellas se despacha, o el oficio o profesión de los que se ocupan. Suele colocarse también sobre los hierros de los balcones y en otras formas. ‖ **2.** Signo convencional que se pone en una tienda, establecimiento, etc., para denotar lo que se vende. ‖ **3.** Trozo de tela, o porción de un producto o mercancía, que sirve para conocer la calidad del género. ‖ **4.** Ejemplar o modelo que se ha de copiar o imitar; como el de escritura que en las escuelas copian los niños. ‖ **5.** Parte o porción extraída de un conjunto por métodos que permiten considerarla como representativa del mismo. ‖ **6.** Parte extrema de una pieza de paño, donde, entre dos listas de lana ordinaria, va la marca de la fábrica. ‖ **7.** Porte, además, apostura. ‖ **8. esfera** del reloj. ‖ **9.** desus. Cualquier reloj, especialmente el de faltriquera. ‖ **10.** En algunos juegos de naipes, carta que se vuelve y enseña para indicar el palo del triunfo. ‖ **11.** fig. Señal, indicio, demostración o prueba de una cosa. ‖ **12.** Agr. Primera señal de fruto que se advierte en las plantas. *Hay mucha* MUESTRA *de uva, de fruta.* ‖ **13.** Cineg. Detención que hace el perro en acecho de la caza para levantarla a su tiempo. ‖ **14.** Mil. revista, inspección de tropa formada. ‖ **hacer muestra.** fr. Manifestar, aparentar. ‖ **para muestra, basta un botón.** fr. con que se denota que, en prueba de lo que se dice, basta aducir un solo hecho, caso o argumento de entre los muchos que se podrían citar. ‖ **pasar muestra.** fr. Mil. **pasar revista.** ‖ **2.** fig. Registrar una cosa para reconocerla. ‖ **por la muestra se conoce el paño.** fr. fig. y fam. con que se da a entender que una cosa es indicio de cómo son las demás de su especie. ‖ **2.** fig. y fam. Dícese de las personas cuando se las juzga únicamente por alguno de sus actos. ‖ **tomar muestra.** fr. ant. Mil. **pasar muestra.**

muestrario. m. Colección de muestras de mercaderías.

muestreo. m. Acción de escoger muestras representativas de la calidad o condiciones medias de un todo. ‖ **2.** Técnica empleada para esta selección. ‖ **3.** Selección de una pequeña parte estadísticamente determinada, utilizada para inferir el valor de una o varias características del conjunto.

muévedo. (Del lat. vulg. *movĭtus*, de *movēre*, mover.) m. p. us. Feto abortado o expelido antes de tiempo.

mufla. (Del fr. *moufle*.) f. Hornillo semicilíndrico, o en forma de copa, que se coloca dentro de un horno para reconcentrar el calor y conseguir la fusión de diversos cuerpos.

muflir. (De la onomat. *mufl*.) tr. Germ. Comer a dos carrillos, moflir.

muftí. (Del ár. *muftī*, que da fetuas, jurisconsulto.) m. Jurisconsulto musulmán con autoridad pública, cuyas decisiones son consideradas como leyes, y hacen veces de las *responsa prudentium* en los latinos.

muga¹. (Del vasc. *muga*, mojón.) f. Mojón, término o límite.

muga². (De *mugar*.) f. Desove de los peces. ‖ **2.** Fecundación de las huevas de los peces y anfibios.

mugada. (De *mugar*.) f. Huellas del desove.

mugar. (De or. inc.) intr. Desovar los peces. ‖ **2.** Fecundar las huevas.

mugido. (Del lat. *mugītus*.) m. Voz del toro y de la vaca.

mugidor, ra. adj. Que muge.

múgil. (Del lat. *mugil, -ĭlis*.) m. **mújol**, pez.

mugir. (Del lat. *mugīre*.) intr. Dar mugidos la res vacuna. ‖ **2.** fig. Producir gran ruido el viento o el mar. ‖ **3.** fig. Manifestar uno su ira con gritos.

mugor. (Del lat. *mucor, -ōris*.) m. Moho, mugre.

mugre. (der. regres. de *mugroso* y *mugriento*.) f. Suciedad grasienta.

mugrería. f. Chile y Perú. **mugre**.

mugriento, ta. (De *mugor*.) adj. Lleno de mugre.

mugrón. (De *morgón*.) m. Sarmiento que, sin cortarlo de la vid, se entierra para que arraigue y produzca nueva planta. ‖ **2.** Vástago de otras plantas.

mugroso, sa. (De *mugor*.) adj. **mugriento**.

muguete. (Del fr. *muguet*.) m. Planta vivaz de la familia de las liliáceas, con solo dos hojas radicales, elípticas, de pecíolo largo, que abraza el escapo, el cual tiene dos de-

címetros de altura aproximadamente y sostiene un racimo terminal de seis a diez flores blancas, globosas, algo colgantes, de olor almizclado muy suave. Abunda en los montes más elevados de España, y por el cultivo pierde casi del todo el olor de las flores. La infusión de estas se usa en medicina contra las enfermedades cardiacas.

muharra. f. **moharra**.

muir. (Del lat. *mulgēre*.) tr. Ar. Ordeñar, mecer².

muisca. adj. **chibcha**.

muito, ta. adj. ant. **mucho**.

mujada. f. **mojada²**.

mujalata. (Del ár. *mujālaṭa*, mezcla, asociación.) f. En Marruecos, asociación agrícola, principalmente la constituida por un musulmán con un cristiano o judío.

mujer. (Del lat. *mulĭer, -ēris*.) f. Persona del sexo femenino. ‖ **2.** La que ha llegado a la edad de la pubertad. ‖ **3.** La casada, con relación al marido. ‖ **4.** V. **pez mujer**. ‖ **de digo y hago. mujer** fuerte, resuelta y osada. ‖ **de edad. mujer** muy avanzada en la madurez. ‖ **de gobierno.** Criada que tiene a su cargo el gobierno económico de la casa. ‖ **del arte, del partido, de mala vida, de mal vivir**, o **de punto. ramera.** ‖ **de su casa.** La que tiene gobierno y disposición para mandar y ejecutar los quehaceres domésticos, y cuida de su hacienda y familia con exactitud y diligencia. ‖ **fatal.** Aquella cuyo poder de atracción amorosa acarrea fin desgraciado a sí misma o a quienes atrae. Aplícase principalmente a personajes de ficción, sobre todo de cine, y a las actrices que los representan. ‖ **mayor. mujer** entrada en años. ‖ **mundana, perdida,** o **pública. ramera.** ‖ **ser mujer.** fr. Haber llegado una moza a estado de menstruar. ‖ **tomar mujer.** fr. Contraer matrimonio con ella.

mujercilla. (d. de *mujer*.) f. Mujer de poca estimación. ‖ **2.** p. us. Mujer perdida, de mala vida.

mujerero. adj. Amér. Dícese del hombre dado a mujeres.

mujeriego, ga. adj. Perteneciente o relativo a la mujer. ‖ **2.** Dícese del hombre dado a mujeres. Ú. t. c. s. ‖ **3.** m. Grupo o conjunto de mujeres. *En este lugar hay muy buen* MUJERIEGO. ‖ **a la mujeriega**, o **a mujeriegas.** locs. advs. Como cabalgan ordinariamente las mujeres, sentadas en la silla, sillón o albarda, y no a horcajadas como los hombres.

mujeril. adj. Perteneciente o relativo a la mujer. ‖ **2.** Adamado, afeminado.

mujerilmente. adv. m. Afeminadamente; a modo de mujer.

mujerío. m. Conjunto de mujeres.

mujerona. f. aum. de **mujer**. Aplícase a la que es muy alta y corpulenta, y también a la matrona respetable.

mujeruca. f. despect. de **mujer**.

mujerzuela. f. d. de **mujer**. ‖ **2.** Mujer de poca estimación. ‖ **3.** Mujer perdida, de mala vida.

mújol. (Voz cat.) m. Pez teleósteo, del suborden de los acantopterigios, de unos siete decímetros de largo, cabeza aplastada por encima, hocico corto, dientes muy pequeños y ojos medio cubiertos por una membrana traslúcida; cuerpo casi cilíndrico, lomo pardusco, con dos aletas, la primera de solo cuatro espinas, costados grises, y a lo largo seis o siete listas más oscuras, y vientre plateado. Abunda principalmente en el Mediterráneo, y su carne y sus huevas son muy estimadas.

mula¹. (Del lat. *mula*.) f. Hija de asno y yegua o de caballo y burra; es casi siempre estéril. ‖ **2.** V. **mosca de mula.** ‖ **3.** V. **mozo de mulas.** ‖ **cabañil.** La de la cabaña. ‖ **de paso.** La destinada a servir de cabalgadura, a diferencia de la de tiro, y enseñada a caminar manejando al paso de andadura. ‖ **hacer la mula.** fr. fig. y fam. Hacerse el remolón. ‖ **en la mula de San Francisco.** loc. adv. **a pie.** ‖ **írsele a** uno **la mula.** fr. fig. y fam. **írsele la lengua.**

mula[2]. f. Calzado de los patricios romanos, múleo. ‖ **2.** Calzado que usan hoy los papas, semejante al múleo.

mulada. f. Hato de ganado mular.

muladar. (De *muradal.*) m. Lugar o sitio donde se echa el estiércol o basura de las casas. ‖ **2.** fig. Lo que ensucia o inficiona material o moralmente.

muladí. (Del ár. *muwalladī,* mestizo de árabe y extranjera.) adj. Dícese del cristiano español que, durante la dominación de los árabes en España, abrazaba el islamismo y vivía entre los musulmanes. Ú. t. c. s.

mulante. m. desus. El encargado de cuidar las mulas, mulero.

mular. (Del lat. *mulāris.*) adj. Perteneciente o relativo al mulo o la mula.

mulata. (De *mulato.*) f. Crustáceo decápodo, braquiuro, de color pardo, casi negro, muy común en las costas del Cantábrico, donde se le ve andar de lado sobre las peñas en la bajamar. Su cuerpo es casi cuadrado y muy deprimido; las patas anteriores, cortas, con pinzas gruesas, y las restantes terminan con una uña fuerte y espinosa.

mulatear. (De *mulato.*) intr. *Chile.* Empezar a negrear o a ponerse morena la fruta que, cuando madura, es negra.

mulatero. m. El que alquila mulas. ‖ **2.** El encargado de cuidar las mulas, mulero.

mulatizar. intr. Tener el color del mulato.

mulato, ta. (De *mulo,* en el sentido de híbrido, aplicado primero a cualquier mestizo.) adj. Aplícase a la persona que ha nacido de negra y blanco, o al contrario. Ú. t. c. s. ‖ **2.** De color moreno. ‖ **3.** Por ext., dícese de lo que es moreno en su línea. ‖ **4.** V. **garbanzo mulato.** ‖ **5.** m. y f. ant. **muleto.** ‖ **6.** m. *Amér.* Mineral de plata de color oscuro o verde cobrizo.

mule. m. *Cantabria.* lisa, **mújol.**

múleo. (Del lat. *mullĕus [calcĕus].*) m. Calzado que usaban los patricios romanos; era de color purpúreo, puntiagudo, con la punta vuelta hacia el empeine, y por el talón subía hasta la mitad de la pierna.

muléolo. (Del lat. *mulleŏlus.*) m. **múleo.**

muleque. m. *Cuba.* Nombre que se daba al esclavo africano de siete a diez años de edad.

mulero. adj. V. **caballo mulero.** ‖ **2.** m. El encargado de cuidar las mulas, mulante, mulatero.

muleta. (De *mula*[1] y -*eta.*) f. Apoyo de madera, metal u otra materia, con su parte superior dispuesta para que estribe en ella la axila o el codo, y que en su parte media suele llevar un agarradero; sirve para cargar el cuerpo en él, evitando o aliviando el empleo de una o ambas piernas a quien tiene dificultad para caminar. ‖ **2.** Bastón o palo que lleva pendiente a lo largo un paño o capa, comúnmente encarnada, de que se sirve el torero para engañar al toro y hacerle bajar la cabeza cuando va a matarlo. ‖ **3.** fig. Cosa que ayuda en parte a mantener otra. ‖ **4.** fig. desus. Porción pequeña de alimento que se suele tomar antes de la comida regular. ‖ **pasar de muleta al toro.** fr. Burlarlo el torero con la **muleta.** ‖ **tener muletas** una cosa. fr. fig. y fam. Ser, por antigua, muy sabida.

muletada. (De *muleto.*) f. Hato o piara de ganado mular, generalmente cerril y de poca edad.

muletero. m. El que alquila mulas, mulatero.

muletilla. (d. de *muleta.*) f. muleta de los toreros. ‖ **2.** Especie de botón largo de pasamanería, para sujetar o ceñir la ropa. ‖ **3.** Bastón cuyo puño forma travesaño. ‖ **4.** Travesaño en el extremo de un palo, como el que lleva la muleta. ‖ **5.** fig. Voz o frase que se repite mucho por hábito. ‖ **6.** *Min.* Clavo con cabeza en forma de cruz, que se fija en un hastial para atar las cuerdas necesarias en el levantamiento del plano de una mina.

muletillero, ra. m. y f. Persona que usa muletillas o bordones en la conversación.

muleto, ta. m. y f. Mulo pequeño, de poca edad o cerril.

muletón. (Del fr. *molleton.*) m. Tela gruesa, suave y afelpada, de algodón o lana.

mulier. f. ant. **mujer.**

mulilla. (d. de *mula*[2].) f. Múleo, calzado.

mulillas. f. pl. Tiro de mulas que arrastra los toros y caballos muertos en las corridas.

mulo. (Del lat. *mulus.*) m. Hijo de caballo y burra o de asno y yegua; casi siempre estéril. ‖ **2.** fig. y fam. Persona fuerte y vigorosa. ‖ **castellano.** El que nace de garañón y yegua. ‖ **ser** alguien **un mulo de carga.** fr. fig. y fam. Ser el encargado de los trabajos pesados.

mulquía. (Del ár. *mulkiyya,* cosa relativa a la propiedad.) f. En Marruecos, documento autorizado por testigos, que acredita la legítima posesión de un terreno y se convierte en título de propiedad cuando aquella se ha ejercido por más de diez años.

mulso, sa. (Del lat. *mulsus,* endulzado con miel.) adj. Mezclado con miel o azúcar.

multa. (Del lat. *multa.*) f. Pena pecuniaria que se impone por una falta, exceso o delito, o por contravenir a lo que con esta condición se ha pactado.

multar. (Del lat. *multāre.*) tr. Imponer a alguien una multa.

multi-. (Del lat. *multi-.*) elem. compos. que significa «muchos»: MULTI*millonario,* MULTI*nacional.*

multicaule. (Del lat. *multicaulis,* de muchos tallos.) adj. *Bot.* Dícese de la planta que amacolla mucho.

multicolor. (Del lat. *multicŏlor, -ōris.*) adj. De muchos colores.

multicopiado, da. p. p. de **multicopiar.** ‖ **2.** m. Acción y efecto de multicopiar.

multicopiar. tr. Reproducir en copias por medio de multicopista.

multicopista. adj. Dícese de la máquina o aparato que reproduce en numerosas copias sobre láminas de papel textos impresos, mecanografiados o manuscritos, dibujos, grabados, etc., sirviéndose de diversos procedimientos. Ú. m. c. s. f.

multifamiliar. adj. *Amér.* Dícese del edificio de varias plantas, con numerosos apartamentos, cada uno de los cuales está destinado para habitación de una familia. Ú. t. c. s.

multifloro, ra. (Del lat. *multiflōrus.*) adj. *Bot.* Que produce o encierra muchas flores.

multiforme. (Del lat. *multiformis.*) adj. Que tiene muchas o varias figuras o formas.

multígrafo. (De *multi-* y -*grafo.*) adj. *Méj.* y *Venez.* **multicopista.** Ú. m. c. s.

multilateral. adj. Perteneciente o relativo a varios lados, partes o aspectos.

multilátero, ra. (De *multi-* y el lat. *latus, -ĕris,* lado.) adj. *Geom.* Aplícase a los polígonos de más de cuatro lados.

multimillonario, ria. adj. Dícese de la persona que posee muchos millones de unidades monetarias.

multinacional. adj. Perteneciente o relativo a muchas naciones. ‖ **2.** f. Sociedad mercantil o industrial cuyos intereses y actividades se hallan establecidos en muchos países.

multípara. (De *multi-* y -*paro.*) adj. Dícese de las hembras que tienen varios hijos de un solo parto. ‖ **2.** *Obst.* Dícese de la mujer que ha tenido más de un parto.

múltiple. (Del b. lat. *multiplus,* con la term. de *doble.*) adj. Vario, de muchas maneras; opuesto a simple. ‖ **2.** V. **eco, enlace, estrella múltiple.**

multiplicable. (Del lat. *multiplicabĭlis.*) adj. Que se puede multiplicar.

multiplicación. (Del lat. *multiplicatĭo, -ōnis.*) f. Acción y efecto de multiplicar o multiplicarse. ‖ **2.** *Álg.* y *Arit.* Operación de multiplicar.

multiplicador, ra. (Del lat. *multiplicātor, -ōris.*) adj. Que multiplica. Ú. t. c. s. ‖ **2.** *Álg.* y *Arit.* Aplícase al factor que indica las veces que el multiplicando se ha de tomar como sumando. Ú. m. c. s.

multiplicando. adj. *Álg.* y *Arit.* Aplícase al factor que ha de ser multiplicado. Ú. m. c. s.

multiplicar. (Del lat. *multiplicāre.*) tr. Aumentar el número o la cantidad de cosas de la misma especie. Ú. t. c. prnl. y a veces c. intr., especialmente hablando de lo que **se multiplica** por generación. Ú. t. en sent. fig. ‖ **2.** *Álg.* y *Arit.* Hallar el producto de dos factores, tomando uno de ellos, que se llama multiplicando, tantas veces por sumando como unidades contiene el otro, llamado multiplicador. ‖ **3.** *Mec.* Aumentar el número de vueltas de una pieza giratoria mediante un engranaje en el que esta tiene una rueda con un número de dientes menor que otra que actúa sobre ella. ‖ **4.** prnl. Afanarse, desvelarse.

multiplicativo, va. adj. Que multiplica o aumenta. ‖ **2.** *Gram.* **múltiplo.** Ú. t. c. s.

multíplice. (Del lat. *multĭplex, -ĭcis.*) adj. Vario, opuesto a simple, múltiple.

multiplicidad. (Del lat. *multiplicĭtas, -ātis.*) f. Cualidad de múltiple. ‖ **2.** Multitud, abundancia excesiva de algunos hechos, especies o individuos.

multiplico. m. p. us. Acción y efecto de multiplicarse por reproducción orgánica, especialmente el ganado.

múltiplo, pla. (Del b. lat. *multĭplus.*) adj. *Gram.* Dícese de los adjetivos o sustantivos numerales que expresan multiplicación. ‖ **2.** *Mat.* Dícese del número o cantidad que contiene a otro u otra varias veces exactamente. Ú. t. c. s.

multitud. (Del lat. *multitūdo, -ĭnis,* con cambio de term. en *-tud.*) f. Número grande de personas o cosas. ‖ **2.** fig. El común de la gente popular, vulgo.

multitudinario, ria. adj. Que forma multitud. ‖ **2.** Propio o característico de las multitudes.

multivisión. f. Sistema de proyección simultánea de diapositivas sobre varias pantallas.

mulla. f. ant. Acción y efecto de mullir[2].

mullicar. (De *mullir*[1].) tr. *Sal.* Cavar alrededor de las cepas.

mullido, da. p. p. de **mullir**[1]. ‖ **2.** m. Cosa blanda que se puede mullir y sirve para rellenar colchones, asientos, aparejos, etcétera. ‖ **3.** f. Montón de rozo, juncos, paja, etc., que suele haber en los corrales para cama del ganado.

mullidor[1]. (De *mullir*[1].) m. ant. **muñidor.**

mullidor[2]**, ra.** adj. Que mulle[1]. Ú. t. c. s.

mullir[1]. (Del lat. *mollīre,* ablandar.) tr. Esponjar una cosa para que esté blanda y suave. ‖ **2.** fig. p. us. Tratar y disponer las cosas industriosamente para conseguir un intento. ‖ **3.** *Agr.* Cavar alrededor de las cepas, de las patatas, etc., ahuecando la tierra. ‖ **haber quien se las mulla** a uno. fr. fig. y fam. p. us. con que se le da a entender que hay otro que le conoce sus ideas o intentos, y tiene habilidad para rechazarlos o resistirlos. ‖ **mullírselas** a uno. fr. fig. y fam. Castigarlo, mortificarlo.

mullir[2]. tr. ant. **muñir.**

mullo[1]. (Del lat. *mullus.*) m. **salmonete.**

mullo[2]. m. *Ecuad.* Abalorio, cuenta de rosario o collar.

muna. (Del m. or. que *mona*[2].) f. En Marruecos, suministro de víveres que las ciudades, los aduares y las tribus del campo tienen obligación de dar a los enviados del sultán o de un gobernador.

muncho, cha. adj. ant. y hoy vulg. **mucho.**

mundanal. adj. Perteneciente o relativo al mundo humano.

mundanalidad. f. Cualidad de mundanal.

mundanamente. adv. m. De modo mundano.

mundanear. (De *mundano.*) intr. p. us. Atender demasiado a las cosas del mundo, a sus pompas y placeres.

mundanería. f. Cualidad de mundano. ‖ **2.** Acción mundana.

mundano, na. (Del lat. *mundānus.*) adj. Perteneciente o relativo al mundo. ‖ **2.** Dícese de la persona que atiende demasiado a las cosas del mundo, a sus pompas y placeres. ‖ **3.** Perteneciente o relativo a la llamada buena sociedad. ‖ **4.** Que frecuenta las fiestas y reuniones de la buena sociedad. ‖ **5.** V. **mujer mundana.**

mundaria. (De *mundo* y *-ario.*) f. ant. **mujer mundana,** ramera. Usáb. t. c. adj.

mundial. (Del lat. *mundiālis.*) adj. Perteneciente o relativo a todo el mundo. ‖ **2.** ant. Perteneciente o relativo al mundo humano. ‖ **3.** m. *Dep.* Campeonato en que pueden participar todas las naciones del mundo.

mundicia. (Del lat. *munditĭa.*) f. p. us. Limpieza física. ‖ **2.** p. us. Limpieza moral.

mundificación. f. p. us. Acción y efecto de mundificar.

mundificar. (Del lat. *mundificāre.*) tr. Limpiar, purgar, purificar una cosa. Ú. t. c. prnl.

mundificativo, va. adj. Aplícase al medicamento que tiene virtud o facultad de mundificar.

mundillo. m. d. de **mundo.** ‖ **2.** fig. Conjunto limitado de personas que tienen una misma posición social, profesión o quehacer. ‖ **3.** Género de enjugador que por arriba remata en arcos de madera en lugar de cuerdas. También sirve para calentar la cama. ‖ **4.** Almohadilla cilíndrica de seis a siete decímetros de largo y unos dos de diámetro, que usan las mujeres para hacer encaje. ‖ **5.** Arbusto de la familia de las caprifoliáceas, muy ramoso, de dos a tres metros de altura, con hojas divididas en tres o cinco lóbulos agudos y dentados, flores blancas en grupos globosos bastante grandes, y fruto en baya carnosa de color rojo y con una sola semilla. Es espontáneo en España y se cultiva en los jardines. ‖ **6.** Cada uno de los grupos de flores de este arbusto.

mundinovi. (Del lat. *mundi novi,* mundos nuevos, con infl. del it. *mundi nuovi.*) m. **mundonuevo.**

mundo. (Del lat. *mundus.*) m. Conjunto de todas las cosas creadas. ‖ **2.** La Tierra que habitamos. ‖ **3.** La totalidad de los hombres; el género humano. ‖ **4.** Sociedad humana. *El comercio del* MUNDO; *burlarse del* MUNDO; *el Redentor del* MUNDO. ‖ **5.** Parte de la sociedad humana, caracterizada por alguna cualidad o circunstancia común a todos sus individuos. *El* MUNDO *pagano, cristiano, sabio.* ‖ **6.** Vida secular, en contraposición a la monástica. *Dejar el* MUNDO. ‖ **7.** En sentido ascético y moral, uno de los enemigos del alma, según la doctrina cristiana. ‖ **8.** Esfera con que se representa el globo terráqueo. ‖ **9.** Experiencia de la vida y del trato social. *Tener mucho* MUNDO. ‖ **10.** Ambiente en el que vive o trabaja una persona. *El* MUNDO *de las finanzas.* ‖ **11.** **baúl mundo.** ‖ **12.** Arbusto caprifoliáceo y flores del mismo, mundillo. ‖ **antiguo.** Porción del globo conocida de los antiguos, y que comprendía la mayor parte de Europa, Asia y África. ‖ **2.** Sociedad humana, durante el período histórico de la Edad Antigua. ‖ **centrado.** *Blas.* Esfera rodeada de un círculo máximo horizontal y un semicírculo vertical en la parte superior, y que lleva encima una cruz, signo de majestad. ‖ **gran mundo.** Grupo social distinguido por su riqueza o su rango. ‖ **mayor.** **macrocosmo.** ‖ **menor.** **microcosmo.** ‖ **el Nuevo Mundo.** La parte del globo en que están las dos Américas. ‖ **tercer mundo.** Eufemísticamente, conjunto de los países menos desarrollados económicamente. ‖ **el otro mundo.** La otra vida, que se espera después de esta. ‖ **este mundo y el otro.** loc. fig. y fam. Abundancia de dinero, riquezas u otra cosa semejante. *Tomás le prometió* ESTE MUNDO Y EL OTRO. ‖

medio mundo. loc. fig. y fam. Mucha gente. *Había allí* ME-DIO MUNDO. ‖ **todo el mundo.** loc. fig. La generalidad de las personas. TODO EL MUNDO *lo sabe; a vista de* TODO EL MUNDO. ‖ **un mundo.** fig. y fam. Muchedumbre, multitud. *Salió en su seguimiento* UN MUNDO *de muchachos.* ‖ **otros mundos.** expr. Astros hipotéticamente habitados. *Habitantes de* OTROS MUNDOS. ‖ **andar el mundo al revés.** fr. fig. y fam. Estar las cosas trocadas de como deben ser. ‖ **caérsele a uno el mundo encima.** fr. fig. y fam. Deprimirse. ‖ **correr mundo.** fr. fig. Viajar por muchos países. ‖ **dar el mundo un estallido.** fr. fig. Producirse una gran catástrofe social, política, etc. ‖ **desde que el mundo es mundo.** expr. fig. y fam. para explicar la antigüedad de una cosa o de su ejecución continua. ‖ **desterrar del mundo.** fr. fig. y fam. con que se explica que una persona o cosa es tan mala, que no debe ser admitida en parte alguna. ‖ **echar al mundo.** fr. Parir, dar a luz. ‖ 2. Producir uno una cosa nueva. ‖ **echar del mundo a uno.** fr. Separarlo del trato y comunicación de las gentes. ‖ **echarse al mundo.** fr. fig. Seguir las malas costumbres y los placeres. ‖ 2. fig. Prostituirse la mujer. ‖ **el, o este, mundo es un pañuelo.** fr. fig. y fam. que se dice cuando se produce un encuentro en un lugar extraño, o cuando se conoce una noticia en un sitio a donde no se sospechaba que pudiera llegar. ‖ **entrar** uno **en el mundo.** fr. Presentarse en la sociedad alternando en su trato y comunicación. ‖ **estar el mundo al revés.** fr. fig. y fam. **andar el mundo al revés.** ‖ **haber mundo nuevo.** fr. fig. Ocurrir novedades o alguna novedad. ‖ **hacer mundo nuevo.** fr. fig. Introducir novedades. ‖ **hacer un mundo de una cosa.** fr. fig. y fam. Dar demasiada importancia a una dificultad o a un contratiempo. ‖ **hundirse el mundo.** fr. fig. Ocurrir un cataclismo. *Parecía que* SE HUNDÍA EL MUNDO; *lo haré, aunque* SE HUNDA EL MUNDO. ‖ **hundírsele el mundo a** alguien. fr. fig. y fam. Sentirse desamparado ante un acontecimiento grave. ‖ **irse de este mundo.** fr. Morirse. ‖ **irse por el mundo adelante,** o **por esos mundos.** fr. con que se denota que una persona se ausenta de un lugar sin rumbo fijo. ‖ **lejos de este mundo.** loc. fig. con que se expresa el apartamiento del trato con la gente, de las diversiones, etc. ‖ **morir al mundo.** fr. Apartarse de él renunciando a sus bienes y placeres. ‖ **¡mundo mundillo, nacer en Granada, morir en Bustillo!** expr. con que se significan las mudanzas y altibajos que se pasan en la vida. ‖ **no ser uno de este mundo.** fr. fig. Estar totalmente abstraído de las cosas terrenas. ‖ 2. fig. Ser excesivamente bondadoso. ‖ **no ser nada del otro mundo.** fr. fig. y fam. Ser de poco valor. ‖ **ponerse** uno **el mundo por montera.** fr. fig. y fam. No tener en cuenta para nada la opinión de los hombres; no hacer caso del qué dirán. ‖ **por nada del mundo.** loc. adv. fig. con que alguien expresa la decisión de no hacer algo. ‖ **¿qué mundo corre?** expr. ¿Qué hay de nuevo? ‖ **reírse** uno **del mundo.** fr. fig. y fam. No dar importancia a lo que opinen los demás. ‖ **rodar mundo,** o **por el mundo.** fr. fig. y fam. Caminar por muchas tierras sin hacer mansión en ninguna o sin determinado motivo. ‖ **salir uno de este mundo.** fr. **morir.** ‖ **tener mundo,** o **mucho mundo.** fr. fam. Saber por experiencia lo bastante para no dejarse llevar de exterioridades ni de las primeras impresiones. ‖ **todo el mundo es país,** o **es uno.** expr. que disculpa el vicio o defecto que se pone a un determinado lugar, por ser común en todas partes. ‖ **valer un mundo.** fr. fig. y fam. Valer muchísimo. ‖ **venir** uno **al mundo.** fr. Nacer uno. ‖ **venírsele a** uno **el mundo encima.** fr. fig. y fam. **caérsele a** uno **el mundo encima.** ‖ **ver mundo.** fr. fig. Viajar por varias tierras y diferentes países.

mundología. f. Experiencia y habilidad para gobernarse en la vida.

mundonuevo. (De *mundo* y *nuevo,* a semejanza de *mundinovi.*) m. Cajón que contenía un cosmorama portátil o una colección de figuras de movimiento, y se llevaba por las calles para diversión de la gente.

munición. (Del lat. *munitĭo, -ōnis,* construcción o muro de defensa.) f. Pertrechos y bastimentos necesarios en un ejército o en una plaza de guerra. ‖ 2. Pedazos de plomo de forma esférica con que se cargan las escopetas para caza menor. Los hay de diversos calibres. ‖ 3. Carga que se pone en las armas de fuego. ‖ **municiones de boca.** *Mil.* Víveres y forraje para la manutención de hombres y caballerías. ‖ **de guerra.** *Mil.* Todo género de armas ofensivas y defensivas, pólvora, balas y demás pertrechos. ‖ **de munición.** loc. adj. Dícese de lo que el Estado suministra por contrata a la tropa para su manutención y equipo, a diferencia de lo que el soldado compra de su bolsillo. *Prenda* DE MUNICIÓN; *pan* DE MUNICIÓN. ‖ 2. fig. y fam. Dícese de lo que está hecho de prisa y sin esmero.

municionamiento. m. Acción y efecto de municionar.

municionar. tr. Proveer y abastecer de municiones una plaza o castillo, o a los soldados para su defensa o manutención.

municionero, ra. m. y f. Persona que municiona de pertrechos y bastimentos al ejército o una plaza.

municipal. (Del lat. *municipālis.*) adj. Perteneciente o relativo al municipio. *Ley, cargo* MUNICIPAL. ‖ 2. V. **administración, derecho, guardia municipal.** ‖ 3. m. Individuo de la guardia **municipal.**

municipalidad. f. Ayuntamiento de un término municipal.

municipalización. f. Acción y efecto de municipalizar.

municipalizar. tr. Convertir en municipal un servicio público que estaba a cargo de una empresa privada.

munícipe. (Del lat. *munĭceps, -ĭpis.*) com. Vecino de un municipio. ‖ 2. **concejal.**

municipio. (Del lat. *municipĭum.*) m. Entre los romanos, ciudad principal y libre, que se gobernaba por sus propias leyes y cuyos vecinos podían obtener los privilegios y derechos de los ciudadanos de Roma. ‖ 2. Conjunto de habitantes de un mismo término jurisdiccional, regido por un ayuntamiento. ‖ 3. El mismo ayuntamiento. ‖ 4. El término municipal.

munificencia. (Del lat. *munificentĭa.*) f. Generosidad espléndida. ‖ 2. Largueza, liberalidad del rey o de un magnate.

munificente. (Del lat. *munifĭcens, -entis.*) adj. Que ejerce munificencia.

munífico, ca. (Del lat. *munifĭcus.*) adj. **munificente.**

muniqués, sa. adj. Natural de Múnich. Ú. t. c. s. ‖ 2. Perteneciente o relativo a esta ciudad de Alemania.

munitoria. (der. culto del lat. *munītus,* defendido.) f. Arte de fortificar una plaza.

munúsculo. (Del lat. *munuscŭlum.*) m. p. us. Don o regalo pequeño e insignificante.

muñeca. (De or. prerromano, como *moño, muñón,* vasc. *muno, colina,* etc.) f. Parte del cuerpo humano en donde se articula la mano con el antebrazo. ‖ 2. Figurilla de mujer, que sirve de juguete a las niñas. ‖ 3. Maniquí para trajes y vestidos de mujer. ‖ 4. Pieza pequeña de trapo, que atada con un hilo por las puntas, encierra algún ingrediente o una sustancia medicinal para poder mezclar con el líquido en que se cuece o empapa. ‖ 5. Lío de trapo, de forma redondeada, que se embebe de un líquido para barnizar maderas y metales, para refrescar la boca de un enfermo o para cualquier otro uso. ‖ 6. **hito¹,** mojón. ‖ 7. fig. y fam. Mozuela frívola y presumida. ‖ 8. *Bol., Perú* y *R. de la Plata.* Habilidad o influencia para obtener algún fin. Suele usarse con el verbo *tener.* ‖ **menear** uno **las muñecas.** fr. fig. y fam. Trabajar mucho y con viveza en una obra. ‖

tener en la muñeca. fr. fig. *Cuba.* Tener en un puño. ‖ **tener muñeca.** fr. fig. *Sto. Dom.* Tener mano dura.

muñeco. (De *muñeca.*) m. Figurilla de hombre hecha de pasta, madera, trapos u otra cosa. ‖ 2. fig. y fam. Mozuelo afeminado e insustancial. ‖ 3. fig. y fam. Hombre de poco carácter. ‖ **tener muñecos en la cabeza.** fr. fig. Abrigar pretensiones superiores al propio valer. ‖ 2. Forjarse ilusiones desmedidas atribuyéndoles el valor de realidades. ‖ **vestir el muñeco.** fr. fig. Dar a una cosa apariencia atractiva y agradable.

muñeira. (Del gall. *muiñeira,* molinera.) f. Baile popular de Galicia. ‖ 2. Son con que se baila.

muñequear. (De *muñeca.*) intr. *Esgr.* Jugar las muñecas meneando la mano a una parte y a otra. ‖ 2. *Chile.* Empezar a echar la muñequilla el maíz y plantas semejantes. ‖ 3. tr. fig. *Argent., Bol.* y *Par.* Mover influencia para obtener algo. *Este asunto ha salido porque lo* HE MUÑEQUEADO. Ú. t. c. intr.

muñequería. (De *muñeca.*) f. fam. p. us. Exceso o demasía en los adornos, trajes y vestidos afeminados.

muñequero, ra. m. y f. Persona que se dedica a la fabricación o venta de muñecos. ‖ 2. f. Tira de cuero con que se rodea la muñeca para sujetarla cuando está relajada, o para protegerla cuando se ha de hacer un esfuerzo. ‖ 3. Pulsera de reloj. ‖ 4. ant. Pulsera de adorno de mujer.

muñequilla. f. d. de **muñeca.** ‖ 2. Pieza de trapo para barnizar o estarcir. ‖ 3. *Chile.* Mazorca tierna del maíz, morocho y plantas semejantes, cuando empieza a formarse.

muñidor. (De *muñir.*) m. Criado de cofradía, que sirve para avisar a los hermanos las fiestas, entierros y otros ejercicios a que deben concurrir. ‖ 2. Persona que gestiona activamente para concertar tratos o fraguar intrigas, o con cualquier otro fin semejante.

muñir. (Del lat. *monēre,* amonestar, avisar.) tr. Llamar o convocar a las juntas o a otra cosa. ‖ 2. Concertar, disponer, manejar las voluntades de otros.

muñón. (De or. prerromano, como *muñeca.*) m. Parte de un miembro cortado que permanece adherida al cuerpo. ‖ 2. El músculo deltoides y la región del hombro limitada por él. ‖ 3. *Art.* Cada una de las dos piezas cilíndricas a uno y otro lado del cañón, que le sirven para sostenerse en la cureña y le permiten girar en un plano vertical a fin de arreglar la puntería.

muñonera. f. *Art.* Rebajo semicircular que tiene cada una de las gualderas de la cureña, para alojar el muñón correspondiente de la pieza de artillería.

muquición. (De *muquir.*) f. *Germ.* **comida,** acción de comer. ‖ 2. Alimento que se toma.

muquir. (De la voz gitana que aparece en sánscr. *mukhá-,* boca.) tr. *Germ.* comer.

mur. (Del lat. *mus, mūris.*) m. ant. **ratón,** animal.

mura. f. Aféresis de **amura.**

muradal. (De *muro.*) m. **muladar.**

murador, ra. (De *murar*[2] y *-dor.*) adj. ant. Decíase del gato diestro en cazar ratones. *Gato maullador nunca buen* MURADOR.

murajes. (Del gall-port. *murugem.*) m. pl. Hierba de la familia de las primuláceas, con tallos tumbados de tres a cinco decímetros de largo; ramos abundantes, hojas opuestas, aovadas, lampiñas y sentadas, flores pedunculadas, axilares, solitarias, de corolas rojas en una variedad y azules en otra, y fruto capsular, pequeño, membranoso y con muchas semillas. Se usó antiguamente en medicina contra la hidropesía, la rabia y las mordeduras de animales venenosos.

mural. (Del lat. *murālis.*) adj. Perteneciente o relativo al muro. ‖ 2. Aplícase a las cosas que, extendidas, ocupan una buena parte de pared o muro. *Mapa* MURAL. ‖ 3. V. **corona mural.** ‖ 4. m. Pintura o decoración **mural.**

muralismo. m. Arte y técnica de la pintura mural.

muralista. com. Artista que cultiva la pintura y decoración murales.

muralla. (Del it. *muraglia,* pared, muralla.) f. Muro u obra defensiva que rodea una plaza fuerte o protege un territorio. ‖ 2. V. **contramaestre de muralla.**

murallón. m. aum. de **muralla.** ‖ 2. Muro robusto.

murar[1]. (De *muro.*) tr. Cercar y guarnecer con muro una ciudad, fortaleza o cualquier recinto.

murar[2]. (Del lat. *mus, muris,* ratón.) tr. p. us. Cazar ratones. ‖ 2. *Ast., León* y *Pal.* Acechar el gato al ratón.

murceguillo. (d. del dialect. *murciego.*) m. **murciélago.**

murceo. m. *Germ.* tocino.

murciano, na. adj. Natural de Murcia. Ú. t. c. s. ‖ 2. Perteneciente o relativo a esta ciudad y al antiguo reino de este nombre.

murciar. (De *murcio.*) tr. *Germ.* Hurtar o robar.

murciégalo. (Del lat. *mus, muris,* ratón, y *caecŭlus,* d. de *caecus,* ciego.) m. **murciélago.**

murciélago. (De *murciégalo.*) m. Quiróptero insectívoro que tiene fuertes caninos y los molares con puntas cónicas; tiene formado el dedo índice de las extremidades torácicas por solo una o a lo más dos falanges y sin uña. Es nocturno y pasa el día colgado cabeza abajo, por medio de las garras de las extremidades posteriores, en los desvanes o en otros lugares escondidos. Cuando la hembra cría lleva colgado del pezón al hijuelo, se cuelga ella por medio del pulgar de las extremidades torácicas. Hay varias especies.

murcielaguina. f. Estiércol de los murciélagos, que se acumula en las cuevas en que se albergan durante el día. Es uno de los abonos más apreciados.

murcigallero. (De *murciégalo.*) m. *Germ.* Ladrón que hurta a prima noche.

murciglero. (De *murciégalo.*) m. *Germ.* Ladrón nocturno.

murcio. (De *murciégalo.*) m. *Germ.* Ladrón o ratero.

murecillo. (d. de *mur,* ratón.) m. *Anat.* Músculo del cuerpo.

murena. (Del lat. *muraena,* y este del gr. μύραινα.) f. **morena**[1], pez.

mureño. (De *muro* y *-eño.*) m. *Ar.* **majano.**

murete. m. d. de **muro.**

murga[1]. (Del lat. *amurca.*) f. Jugo fétido de la aceituna, alpechín.

murga[2]. (Probablemente, de **musga,* forma semipopular de *música.*) f. fam. Compañía de músicos malos, que en pascuas, cumpleaños, etc., toca a las puertas de las casas acomodadas, con la esperanza de recibir algún obsequio. ‖ **dar la murga.** fr. fam. Molestar con palabras o acciones que causan hastío por prolijas o impertinentes.

murgaño. (De *mur,* con infl. de *musaraña.*) m. Especie de ratón de campo, musgaño.

murgón. (De or. inc.) m. Cría del salmón, esguín.

murguista. m. Músico que forma parte de una murga.

murgular. (Del lat. **mergulāre,* de *mergŭlus,* somormujo.) tr. ant. Zambullir, sumergir.

muria. (Del lat. *murus.*) m. *León.* Montones de cantos; especie de majanos.

muriacita. (Del lat. *muria,* salmuera, con la term. de *antracita.*) f. Roca de sulfato de cal anhidro.

muriático, ca. (De *muriato* e *-ico.*) adj. *Quím.* Dícese de las combinaciones del cloro y del hidrógeno. ‖ 2. V. **ácido muriático.**

muriato. (Del lat. *muria,* salmuera, y *-ato*[2].) m. *Quím.* Combinación del ácido clorhídrico con una base, clorhidrato.

múrice. (Del lat. *murex, -ĭcis.*) m. Molusco gasterópodo marino, con pie deprimido, que en la base de la abertura de la concha tiene una canal de longitud variable. Segrega, como la púrpura, un licor muy usado en tintorería por los antiguos. ‖ 2. poét. Color de púrpura.

múrido. (Del lat. *mus, muris,* ratón, e -*ido.*) adj. *Zool.* Dícese de mamíferos del orden de los roedores, que tienen clavículas, los incisivos inferiores agudos y tres o cuatro molares tuberculosos y con raíces a cada lado de ambas mandíbulas, el hocico largo y puntiagudo, y la cola larga y escamosa. Ú. t. c. s. m. ‖ 2. m. pl. *Zool.* Familia de estos roedores.

murmujear. (De *murmujo* y -*ear.*) intr. fig. y fam. Murmurar o hablar quedo. Ú. t. c. tr.

murmujo. (Del lat. tardío *murmurium.*) m. *Rioja,* **murmullo.**

murmullar. (De *murmullo.*) intr. **murmurar.**

murmullo. (Del lat. tardío *murmurium.*) m. Ruido que se hace hablando, especialmente cuando no se percibe lo que se dice. ‖ 2. Ruido continuado y confuso de algunas cosas.

murmuración. (Del lat. *murmuratio, -ōnis.*) f. Conversación en perjuicio de un ausente.

murmurador, ra. adj. Que murmura. Ú. t. c. s.

murmurar. (Del lat. *murmurāre.*) intr. Hacer ruido blando y apacible la corriente de las aguas. ‖ 2. Hacer ruido blando y apacible otras cosas; como el viento, las hojas de los árboles, etc. ‖ 3. fig. Hablar entre dientes, manifestando queja o disgusto por alguna cosa. Ú. t. c. tr. *¿Qué está usted* MURMURANDO? ‖ 4. fig. y fam. Conversar en perjuicio de un ausente, censurando sus acciones. Ú. t. c. tr.

murmurear. intr. ant. **murmurar.**

murmureo. (De *murmurear.*) m. Murmurio continuado.

murmurio. (Del lat. tardío *murmurium.*) m. Ruido seguido y confuso del hablar. ‖ 2. Ruido seguido y confuso de otras cosas.

muro. (Del lat. *murus.*) m. Pared o tapia. ‖ 2. **muralla.**

murria¹. (De or. inc.) f. fam. Especie de tristeza y cargazón de cabeza que hace andar cabizbajo y melancólico al que la padece.

murria². (Del lat. *muria,* salmuera.) f. Medicamento sumamente astringente, compuesto de ajos, vinagre y sal, que se usó en los hospitales para evitar la putrefacción de las llagas.

murriada. f. *Col.* Acción y efecto de murriar.

murriar. tr. *Col.* Impregnar una superficie con cemento muy diluido en agua.

múrrino, na. (Del lat. *murrīnus.*) adj. Aplícase a una especie de copa, taza o vaso muy estimado en la antigüedad, hecho de espato de flúor, frotado después con resina de mirra.

murrio, rria. adj. Que tiene murria¹.

murta. (Del lat. *murta.*) f. Especie de mirto, arrayán. ‖ 2. Fruto del murto.

murtal. m. Sitio poblado de murtas.

murtilla. (d. de *murta.*) f. Arbusto mirtáceo chileno, como de un metro de altura, con las ramas opuestas, las hojas pequeñas, ovaladas, lustrosas y duras, las flores blancas, y por fruto una baya roja, casi redonda, coronada por los cuatro dientes del cáliz, de olor agradable y sabor grato, y con tres huesecillos aplastados y parduscos. ‖ 2. Fruto de este arbusto. ‖ 3. Licor fermentado que se hace con este fruto. Es de color rojo claro, de olor y gusto muy agradables y sumamente estomacal.

murtina. f. **murtilla.**

murto. (Del lat. *murtus,* mirto, arrayán.) m. Arrayán, mirto. ‖ 2. **murtón.** (aum. de *murta.*) m. Fruto del murto o arrayán.

murucuyá. (Del guaraní *mburucuyá.*) f. Granadilla o pasionaria.

murueco. m. **morueco.** ‖ 2. ant. Ariete para batir murallas.

murviedrés, sa. adj. Natural de Murviedro, hoy Sa-

gunto. Ú. t. c. s. ‖ 2. Perteneciente o relativo a esta ciudad.

mus¹. (Voz vasca, del fr. *mouche.*) m. Cierto juego de naipes y de envite. ‖ **no hay mus.** fr. con que se niega lo que se pide.

mus². V. **chus²** y **tus².**

musa. (Del lat. *musa,* y este del gr. μοῦσα.) f. Cada una de las deidades que, según la fábula, habitaban, presididas por Apolo, en el Parnaso o en el Helicón y protegían las ciencias y las artes liberales, especialmente la poesía. Su número era vario en la mitología, pero más ordinariamente se creyó que eran nueve. ‖ 2. fig. Numen o inspiración del poeta. ‖ 3. fig. Ingenio poético propio y peculiar de cada poeta. *La* MUSA *de Píndaro, de Virgilio, de fray Luis de León.* ‖ 4. fig. **poesía.** *La* MUSA *latina; la* MUSA *española.* ‖ 5. pl. fig. Ciencias y artes liberales, especialmente humanidades o poesía. ‖ **entender la musa de uno.** fr. fig. Conocer su intención o malicia. ‖ **soplarle** a uno **la musa.** fr. fig. y fam. Estar inspirado para componer versos; acudirle con afluencia y fecundidad las ideas. ‖ 2. fig. y fam. Tener buena suerte en el juego.

musáceo, a. (De *Musa,* célebre médico de Augusto, a quien se dedicaron estas plantas, y -*áceo.*) adj. *Bot.* Dícese de hierbas angiospermas monocotiledóneas, perennes, algunas gigantescas, con tallo aparente formado por los pecíolos envainadores de las hojas caídas, y ya elevado a manera de tronco, ya corto o casi nulo; hojas alternas, simples y enteras con pecíolos envainadores y un fuerte nervio; flores irregulares con pedúnculos axilares o radicales, y por frutos bayas o drupas con semillas amiláceas o carnosas; como el banano y el abacá. Ú. t. c. s. f. ‖ 2. f. pl. *Bot.* Familia de estas plantas.

musageta. (Del lat. *Musagētes* y este del gr. Μουσαγέτης.) adj. *Mit.* Aplícase a Apolo y Hércules como conductores de las musas. Ú. t. en sent. fig. y c. s.

musaico, ca. adj. desus. **mosaico².**

musar. (Del it. *musare,* estar ocioso.) intr. ant. Esperar, aguardar.

musaraña. (Del lat. *mus araněus,* con la term. de *araña.*) f. **musgaño.** ‖ 2. Por ext., cualquier sabandija, insecto o animal pequeño. ‖ 3. fig. y fam. Figura contrahecha o fingida de una persona. ‖ 4. fig. y fam. Especie de nubecilla que se suele poner delante de los ojos. ‖ 5. fig. y fam. *Chile, El Salv., Nicar.* y *Sto. Dom.* Mueca que se hace con el rostro. *Hacer* MUSARAÑAS. ‖ **mirar a las musarañas.** fr. fig. y fam. Andar distraído. ‖ **pensar** en **las musarañas.** fr. fig. y fam. No atender a lo que él mismo u otro hace o dice.

muscardino. (Del it. *moscardino.*) m. **ratón almizclero.**

muscaria. (Del lat. *muscaria* [*avis*].) f. **moscareta,** pájaro.

muscarina. f. *Med.* Sustancia tóxica contenida en la seta *«Amanita muscaria»,* que produce intoxicación aguda y grave del sistema nervioso.

muscícapa. (Del lat. *musca,* mosca, y *capère,* coger.) f. **moscareta,** pájaro.

musco¹. (Del lat. *muscus,* musgo.) m. **musgo¹,** planta.

musco², ca. (Del lat. *muscus,* almizcle.) adj. De color pardo oscuro. ‖ 2. m. ant. **almizcle.** ‖ 3. ant. **desmán².**

muscular. adj. Perteneciente o relativo a los músculos. ‖ 2. *Fon.* V. **tensión muscular.**

musculatura. f. Conjunto y disposición de los músculos.

músculo. (Del lat. *muscŭlus.*) m. *Anat.* Cualquiera de los órganos compuestos principalmente de fibras contráctiles. ‖ 2. **rorcual.** ‖ **abductor.** *Anat.* **abductor.** ‖ **aductor.** *Anat.* **aductor.** ‖ **complexo.** *Anat.* Uno de los principales por el movimiento de la cabeza, compuesto de fibras y tendones entrelazados, que se extiende desde las apófisis transversas de las vértebras de la cerviz hasta el hueso occipital. ‖ **del sastre.** *Anat.* **músculo sartorio.** ‖ **estriado.** El que está formado por fibras musculares estriadas. ‖ **gemelo.** *Anat.*

Cada uno de los dos que concurren al movimiento de la pierna. Ú. m. en pl. ‖ **glúteo**. *Anat*. Cada uno de los tres que forman la nalga. ‖ **liso**. El que está formado por fibras musculares lisas. ‖ **lumbrical**. *Anat*. Cada uno de los cuatro de forma de lombriz, que en la mano y en el pie sirven para el movimiento de todos sus dedos menos el pulgar. ‖ **sartorio**. *Anat*. Uno de los del muslo, que se extiende oblicuamente a lo largo de sus caras anterior e interna. ‖ **serrato**. El que tiene dientes a modo de sierra. ‖ **subscapular**. *Anat*. El que está debajo de la escápula y aprieta el brazo contra las costillas.

musculoso, sa. (Del lat. *musculŏsus*.) adj. Aplícase a la parte del cuerpo que tiene músculos. ‖ **2.** Que tiene los músculos muy abultados y visibles.

museal. adj. **museístico**.

museístico, ca. adj. Perteneciente o relativo al museo.

muselina. (Del fr. *mousseline*.) f. Tela de algodón, seda, lana, etc., fina y poco tupida.

museo. (Del lat. *musēum*, y este del gr. μουσεῖον.) m. Edificio o lugar destinado al estudio de las ciencias, letras humanas y artes liberales. ‖ **2.** Lugar en que se guardan colecciones de objetos artísticos, científicos o de otro tipo, y en general de valor cultural, convenientemente colocados para que sean examinados. ‖ **3.** Institución, sin fines de lucro, abierta al público, cuya finalidad consiste en la adquisición, conservación, estudio y exposición de los objetos que mejor ilustran las actividades del hombre, o culturalmente importantes para el desarrollo de los conocimientos humanos. ‖ **4.** Por ext., lugar donde se exhiben objetos o curiosidades que pueden atraer el interés del público, con fines turísticos.

museografía. (De *museo* y *-grafía*.) f. Conjunto de técnicas y prácticas relativas al funcionamiento de un museo.

museográfico, ca. adj. Perteneciente o relativo a la museografía.

museógrafo, fa. m. y f. Persona versada en museografía.

museología. (De *museo* y *-logía*.) f. Ciencia que trata de los museos, su historia, su influjo en la sociedad, las técnicas de conservación y catalogación.

museológico, ca. adj. Perteneciente o relativo a la museología.

museólogo, ga. m. y f. Persona versada en museología.

musequí. (De or. inc.) m. ant. Parte de la coraza que cubría la espalda.

muserola. (Del it. *museruola*, pop. *muserola*.) f. Correa de la brida que da vuelta al hocico del caballo por encima de la nariz y sirve para asegurar la posición del bocado.

musgaño. (Del dialect. *murgaño*, del lat. **muricanĕus*, ratoncillo, con infl. de *musaraña*.) m. Pequeño mamífero insectívoro, semejante a un ratón, pero con el hocico largo y puntiagudo. Varias de sus especies son propias de Europa. En España se conoce el **musgaño** común, que habita en las huertas, y el enano, de unos siete centímetros, de los que corresponden cuatro al cuerpo y tres a la cola. El vulgo le atribuye saladamente propiedades venenosas.

musgo[1]. (Del lat. *muscus*.) m. Cada una de las plantas briofitas, con hojas bien desarrolladas y provistas de pelos rizoides o absorbentes, que tienen un tallo parenquimatoso en el cual se inicia una diferenciación en dos regiones: central y periférica. Estas plantas crecen abundantemente en lugares sombríos sobre las piedras, cortezas de árboles, el suelo y aun dentro del agua corriente o estancada. ‖ **2.** Conjunto de estas plantas que cubren una determinada superficie. *Roca cubierta de* MUSGO. ‖ **3.** pl. *Bot*. Clase de estas plantas. ‖ **marino**. Alga rojiza, coralina.

musgo[2], **ga.** adj. **musco**[2].

musgoso, sa. (Del lat. *muscŏsus*.) adj. Perteneciente o relativo al musgo[1]. ‖ **2.** Cubierto de musgo[1].

música. (Del lat. *musĭca*.) f. Melodía y armonía, y las dos combinadas. ‖ **2.** Sucesión de sonidos modulados para recrear el oído. ‖ **3.** Concierto de instrumentos o voces, o de ambas cosas a la vez. ‖ **4.** Arte de combinar los sonidos de la voz humana o de los instrumentos, o de unos y otros a la vez, de suerte que produzcan deleite, conmoviendo la sensibilidad, ya sea alegre, ya tristemente. ‖ **5.** Compañía de músicos que cantan o tocan juntos. *La* MÚSICA *de la Capilla Real*. ‖ **6.** Composición musical. ‖ **ligera**. *La* MÚSICA *de esta ópera es de tal autor*. ‖ **7.** Colección de papeles en que están escritas las composiciones musicales. *En este escritorio se guarda la* MÚSICA *de la capilla*. ‖ **8.** Por ext., cualquier sonido grato al oído. *La* MÚSICA *del viento entre las ramas. La* MÚSICA *del agua del arroyo*. ‖ **9.** Por antífrasis, ruido desagradable. ‖ **10.** fig. **música celestial**. ‖ **11.** V. **caja, libro, papel, reloj de música**. ‖ **armónica**. **música vocal**. ‖ **celestial**. fig. y fam. Palabras elegantes y promesas vanas y que no tienen sustancia ni utilidad. ‖ **instrumental**. La compuesta solo para instrumentos. ‖ **ligera**. Dícese de la muy melodiosa y pegadiza, que se capta y recuerda más fácilmente que otras. ‖ **llana. canto llano**. ‖ **mensurable. canto mensurable**. ‖ **ratonera**. fig. y fam. La mala o la producida por malas voces o instrumentos desafinados. ‖ **rítmica**. Aquella en la que prima el elemento rítmico. ‖ **vocal**. La compuesta para voces, solas o acompañadas de instrumentos. ‖ **y acompañamiento**. loc. fig. y fam. Gente de menor calidad en un concurso, a distinción de la primera o principal. ‖ **con buena música se viene**. expr. fig. y fam. con que se nota al que pide una impertinencia o cosa que no da gusto a la persona de quien se solicita. ‖ **con la música a otra parte**. expr. fig. y fam. con que se despide y reprende al que viene a incomodar o con impertinencias. Ú. con los verbos *ir, mandar, enviar*, etc. ‖ **dar música a un sordo**. fr. fig. y fam. Trabajar en vano para persuadir a uno. ‖ **ir la música por dentro**. fr. fig. **andar**, o **ir, por dentro la procesión**. ‖ **no entender** uno **la música**. fr. fig. y fam. Hacerse el desentendido de lo que no le tiene cuenta oír.

musicable. adj. Que puede ponerse en música.

musical. adj. Perteneciente o relativo a la música. ‖ **2.** Dícese de aquello en que la música interviene como elemento esencial. ‖ **3.** V. **frase, punto musical**. ‖ **4.** Dícese del género de películas equivalente a la opereta teatral. Ú. t. c. s. m.

musicalidad. f. Cualidad o carácter musical.

musicalmente. adv. m. Conforme a las reglas de la música.

musicante. com. **músico**, persona que ejerce o profesa la música.

musicastro. m. despect. de **músico**, persona que profesa la música.

músico, ca. (Del lat. *musĭcus*, y este del gr. μουσικός.) adj. Perteneciente o relativo a la música. *Instrumento* MÚSICO; *composición* MÚSICA. ‖ **2.** m. y f. Persona que ejerce, profesa o sabe el arte de la música. ‖ **músico mayor**. El director y jefe de una música militar.

musicógrafo, fa. (De *música* y *-grafo*.) m. y f. Persona que se dedica a escribir obras acerca de la música.

musicología. (De *música* y *-logía*.) f. Estudio científico de la teoría o la historia de la música.

musicólogo, ga. m. y f. Persona versada en musicología.

musicomanía. f. **melomanía**.

musicómano, na. m. y f. **melómano**.

musiquero. m. Mueble destinado a colocar en él partituras y libros de música.

musirse. (Del lat. *mucēre*.) prnl. *Ál*. **enmohecerse**.

musitar. (Del lat. *mussitāre.*) intr. Susurrar o hablar entre dientes. Ú. t. c. tr.

musivo. (Del lat. *musīvus,* de mosaico.) adj. V. **oro musivo.**

muslim o **muslime.** (Del ár. *muslim,* el que practica la entrega a Dios, que es el islam.) adj. **musulmán.** Apl. a pers., ú. t. c. s.

muslímico, ca. adj. Perteneciente o relativo a los muslimes.

muslo. (Del lat. *muscŭlus.*) m. Parte de la pierna, desde la juntura de las caderas hasta la rodilla.

musmón. (Del lat. *musmo, -ōnis,* y este del gr. μούσμων, -ονος.) m. Especie de carnero, que vive en Córcega y Cerdeña y suele ser considerado como el antecesor salvaje del carnero doméstico.

musola. (Del cat. *mussola.*) f. Escualo, especie de cazón, con manchitas lenticulares blancas, y a veces negras en el lomo. No suele pasar de un metro de longitud.

musquerola. adj. **mosquerola.** Ú. t. c. s.

mustaco. (Relacionado con *mostachón.*) m. Bollo o torta de harina amasada con mosto, manteca y otras cosas.

muste. Voz fam. V. **uste.**

mustela. (Del lat. *mustēla.*) f. ant. Comadreja. ‖ **2.** Tiburón muy parecido al cazón, de poco más de un metro de largo, cuerpo casi cilíndrico, cabeza pequeña, hocico prolongado, piel de color ceniciento oscuro por el lomo y blanco por el abdomen, sin escamas, pero llena de tuberculillos córneos que la hacen muy áspera; aletas pectorales cortas, y cola gruesa y escotada. Su carne es comestible y su piel se utiliza como lija.

mustiamente. adv. m. Tristemente, con melancolía y desmayo.

mustiar. tr. **marchitar.** Ú. m. c. prnl.

mustio, tia. (Probablemente, del lat. vulg. *mustǐdus,* viscoso, húmedo.) adj. Lánguido, marchito. Dícese especialmente de las plantas, flores y hojas. ‖ **2.** Melancólico, triste.

musulmán, na. (Del fr. *musulman.*) adj. Que profesa la religión de Mahoma. Ú. t. c. s. ‖ **2.** Perteneciente o relativo a Mahoma o a su religión.

muta. (Del fr. *meute.*) f. p. us. **jauría.**

mutabilidad. (Del lat. *mutabilĭtas, -ātis.*) f. Cualidad de mudable.

mutable. (Del lat. *mutabĭlis.*) adj. p. us. **mudable.**

mutación. (Del lat. *mutatǐo, -ōnis.*) f. Acción y efecto de mudar o mudarse. ‖ **2.** Cada una de las diversas perspectivas que se forman en el teatro variando el telón y los bastidores para cambiar la escena en que se supone la representación. ‖ **3.** Destemple de la estación en determinado tiempo del año, que se padece sensiblemente en algunos países. ‖ **4.** *Biol.* Cualquiera de las alteraciones producidas en la estructura o en el número de los genes o de los cromosomas de un organismo vivo, que se transmiten a los descendientes por herencia. ‖ **5.** *Biol.* Fenotipo producido por aquellas alteraciones. ‖ **6.** *Ling.* Cambio fonético en que se produce un salto, sin las etapas intermedias.

mutacionismo. m. *Biol.* Teoría que considera la causa principal de evolución de las especies biológicas es la mutación.

mutante. p. a. de **mutar.** ‖ **2.** adj. Que muda. ‖ **3.** m. Nuevo gen, cromosoma que ha surgido por mutación. ‖ **4.** *Biol.* Organismo producido por mutación. ‖ **5.** Descendencia de un organismo **mutante.**

mutanza. f. ant. **mudanza.**

mutar. (Del lat. *mutāre.*) tr. **mudar,** transformar. Ú. t. c. prnl. ‖ **2. mudar,** remover o apartar de un puesto o empleo.

mutatis mutandis. loc. lat. Cambiando lo que se deba cambiar.

mutilación. f. Acción y efecto de mutilar o mutilarse.

mutilado, da. p. p. de **mutilar.** Apl. a pers., ú. t. c. s.

mutilador, ra. adj. Que mutila.

mutilar. (Del lat. *mutilāre.*) tr. Cortar o cercenar una parte del cuerpo, y más particularmente del cuerpo viviente. Ú. t. c. prnl. ‖ **2.** Cortar o quitar una parte o porción de algo que de suyo debiera tenerlo. MUTILAR *el rezo, el ejército.*

mútilo, la. (Del lat. *mutĭlus.*) adj. Mutilado.

mutis. (Del lat. *mutāre,* mudar de lugar, que dio en it. la acotación *mùtisi,* múdese, relacionado con *mudo.*) m. Voz que emplea el apuntador en la representación teatral, o el autor en sus acotaciones, para indicar que un actor debe retirarse de la escena. ‖ **2.** Acto de retirarse de la escena y, por ext., de otros lugares. ‖ **3.** fam. Voz que se emplea para imponer silencio o para indicar que una persona queda callada. ‖ **hacer mutis.** loc. Salir de la escena o de otro lugar. ‖ **2.** Callar. ‖ **medio mutis.** Expresión que se emplea en el teatro para indicar que un actor simula retirarse de la escena y entra a otra.

mutismo. (Del lat. *mutus,* mudo, e *-ismo.*) m. Silencio voluntario o impuesto.

mutro, tra. adj. *Chile.* Dícese de la persona que pronuncia mal.

mutua. f. **mutualidad,** asociación.

mutual. adj. Mutuo, recíproco.

mutualidad. f. Cualidad de mutual. ‖ **2.** Régimen de prestaciones mutuas, que sirve de base a determinadas asociaciones. ‖ **3.** Denominación que suelen adoptar algunas de estas asociaciones. MUTUALIDAD *obrera,* MUTUALIDAD *escolar.*

mutualismo. m. Régimen de prestaciones mutuas entre los miembros de una mutualidad.

mutualista. adj. Perteneciente o relativo a la mutualidad. ‖ **2.** com. Miembro de una mutualidad o sociedad de socorros mutuos.

mutuamente. adv. m. Con recíproca correspondencia.

mutuante. (Del lat. *mutŭans, -antis,* p. a. de *mutuāre.*) com. Persona que da el préstamo.

mutuario, ria. m. y f. Persona que recibe el préstamo.

mutuatario, ria. (Del lat. *mutuātus,* p. p. de *mutuāri,* tomar prestado, y *-ario.*) m. y f. Mutuario.

mutuo, tua. (Del lat. *mutŭus.*) adj. Aplícase a lo que recíprocamente se hace entre dos o más personas, animales o cosas. Ú. t. c. s. ‖ **2.** V. **enseñanza, inducción mutua.** ‖ **3.** V. **giro mutuo.** ‖ **4.** m. *Der.* Contrato real en que se da dinero, aceite, granos u otra cosa fungible, de suerte que la haga suya el que la recibe, obligándose a restituir la misma cantidad de igual género en día señalado. En el derecho romano no tenía interés o rédito alguno, pero sí en el derecho español.

muy. (Del lat. *multum,* por reducción de un ant. *muito.*) adv. que se antepone a nombres adjetivados, adjetivos, participios, adverbios y modos adverbiales, para denotar en ellos grado superlativo de significación. MUY *hombre;* MUY *docto;* MUY *desengañado;* MUY *tarde;* MUY *de prisa.*

muy muy o **muimuy.** m. *Perú.* Crustáceo de tres a cinco centímetros de largo, con caparazón a modo de uña, de color gris, que vive bajo la arena de la rompiente marítima.

muz¹. (Del it. *muso,* hocico.) m. *Mar.* Extremidad superior y más avanzada del tajamar.

muz². V. **chuz.**

muza. f. ant. Esclavina de religiosos y titulados universitarios, muceta.

muzárabe. adj. **mozárabe.** Apl. a pers., ú. t. c. s.

muzo, za. (De or. inc.) adj. V. **lima muza.** Ú. t. c. s. f.

my. (Del gr. μῦ.) f. Duodécima letra del alfabeto griego, que corresponde a la *eme* del nuestro.

n. f. Decimosexta letra del abecedario español, y decimotercia de sus consonantes. Su nombre es **ene.** Representa un sonido de articulación nasal, oclusiva y sonora. Su punto de articulación es alveolar cuando va en principio de palabra o entre vocales *(nadie, cadena)*. Cuando es final de sílaba seguida de consonante, toma por lo común el punto de articulación de la consonante siguiente: así se hace bilabial *(envío, enmascarar)*; labiodental *(enfermo, infiel)*; interdental *(once, encima)*; dental *(antes, donde)*; alveolar *(ennegrecer, enlosar)*; palatal *(concha, conllevar)*, o velar *(cinco, engaño)*. ‖ **2.** Signo con que se suple en lo escrito el nombre propio de persona que no se sabe o no se quiere expresar. ‖ **3.** *Álg.* y *Arit.* Exponente de una potencia indeterminada.

na. (Del ant. *enna* por *en la*.) ant. En la.

naba. (Del lat. *napa*, nabo.) f. Planta bienal de la familia de las crucíferas, de cuatro a seis decímetros de altura, con hojas grandes, ásperas, gruesas, rugosas, las radicales partidas en tres lóbulos oblongos, y enteras y lanceoladas las superiores; flores pequeñas, amarillas, en espiga; fruto seco en vainillas cilíndricas con muchas semillas menudas, esféricas, de color pardusco y sabor picante, y raíz carnosa, muy grande, amarillenta o rojiza, esferoidal o ahusada, según las variedades, que se emplea para alimento de las personas y ganados en las provincias del norte de España, donde se cultiva mucho. ‖ **2.** Raíz de esta planta.

nabab. (Del fr. *nabab*.) m. Gobernador de una provincia en la India musulmana. ‖ **2.** fig. Hombre sumamente rico.

nababo. m. p. us. **nabab.**

nabal. adj. **nabar.** Ú. t. c. s.

nabar. adj. Perteneciente o relativo a los nabos, o que se hace con ellos. ‖ **2.** m. Tierra sembrada de nabos.

nabateo, a. (Del lat. *Nabataeus*.) adj. Dícese del individuo de un antiguo pueblo de la Arabia Pétrea, entre el Mar Rojo y el río Éufrates. Ú. t. c. s. ‖ **2.** Perteneciente o relativo a este pueblo.

nabato. m. *Germ.* Espinazo de los vertebrados. Ú. en Almería y Granada.

nabería. f. Conjunto de nabos. ‖ **2.** Potaje hecho con ellos.

nabí. (Del ár. *nabī*, profeta.) m. Entre los árabes, **profeta.**

nabicol. (De *nabo* y *col*.) m. **naba.**

nabina. (Del lat. *napina*.) f. Semilla del nabo. Es redonda, pardusca, de dos milímetros de diámetro, picante al gusto, y por presión da un aceite semejante al de colza.

nabiza. f. Hoja tierna del nabo, cuando empieza a crecer. Ú. m. en pl. *Caldo, ensalada de* NABIZAS. ‖ **2.** Raicillas tiernas de la naba.

nabla. (Del gr. νάβλα, a través del lat. *nabla*.) f. Instrumento musical muy antiguo, semejante a la lira, pero de marco rectangular y diez cuerdas de alambre, que se pulsaban con ambas manos.

nabo. (Del lat. *napus*.) m. Planta anual de la familia de las crucíferas, de cinco a seis decímetros de altura, con hojas glaucas, rugosas, lampiñas, grandes, partidas en tres lóbulos oblongos las radicales, y enteras, lanceoladas y algo envainadoras las superiores; flores en espiga terminal, pequeñas y amarillas; fruto seco en vainillas cilíndricas con 15 ó 20 semillas, y raíz carnosa, comestible, ahusada, blanca o amarillenta. ‖ **2.** Raíz de esta planta. ‖ **3.** Cualquier raíz gruesa y principal. ‖ **4.** fig. Tronco de la cola de las caballerías. ‖ **5.** *Arq.* Cilindro vertical colocado en el centro de un armazón, y en el cual se apoyan las diversas piezas que lo componen; como los peldaños de una escalera de caracol o los medios cuchillos de una armadura de chapitel. ‖ **6.** *Mar.* Madero redondo que sostiene una verga. ‖ **7.** *Mar.* Corazón del madero acebollado. ‖ **gallego. naba.** ‖ **arráncate, nabo.** Cierto juego que usaban los muchachos.

naborí. com. **naboría**, indio o india de servicio.

naboría. (Voz de probable origen taíno.) f. En los primeros tiempos de la conquista de América, indio o india de servicio. Usóse alguna vez c. m. ‖ **2.** Repartimiento que en América se hacía, al principio de la conquista, adjudicando cierto número de indios, en calidad de criados, para el servicio personal.

nácar. (Del ár. *nāqūr*, caracola.) m. Capa interna de las tres que forman la concha de los moluscos, constituida por la mezcla de carbonato cálcico y una sustancia orgánica, y dispuesta en láminas paralelas entre sí; cuando estas son lo bastante delgadas para que la luz se difracte al atravesarlas, producen reflejos irisados característicos.

nácara¹. (Del ár. *naqqāra*, tambor o timbal.) f. Timbal usado en la antigua caballería.

nácara². f. ant. **nácar.** Ú. en Cantabria y León.

nacarado, da. adj. Del color y brillo del nácar. ‖ **2.** Adornado con nácar.

nacáreo, a. adj. Perteneciente al nácar o parecido a él.

nacarigüe. m. *Hond.* Potaje de carne y pinole.

nacarino, na. adj. Propio del nácar o parecido a él.

nacarón. m. Nácar de inferior calidad.

nacascolo. (Del nahua *nacazcolotl*.) m. *Amér. Central.* **divi-diví**, árbol.

nacatamal. m. *Hond., Méj.* y *Nicar.* Tamal relleno de carne de cerdo.

nacatamalera. f. *Hond.* La que hace y vende nacatamales.

nacatete. m. *Méj.* Pollo que aún no ha echado la pluma.

nacedero. m. Lugar de donde nace algo. *La matriz es el* NACEDERO *de los mamíferos. El* NACEDERO *de un río. El* NACEDERO *de los cuernos del toro.* ‖ **2.** Nacimiento, y especialmente el de los animales.

nacela. (Del fr. *nacelle*.) f. *Arq.* Escocia, moldura cóncava.

nacencia. (Del lat. *nascentia*, nacimiento.) f. ant. y hoy vulg. Acción y efecto de nacer. ‖ **2.** Origen, linaje o familia de una persona. ‖ **3.** fig. Bulto o tumor que sin causa manifiesta nace en cualquier parte del cuerpo.

nacer. (Del lat. *nascĕre*.) intr. Salir el animal del vientre materno. ‖ **2.** Salir del huevo un animal ovíparo. ‖ **3.** Empezar a salir un vegetal de su semilla. ‖ **4.** Salir el vello, pelo o pluma en el cuerpo del animal, o aparecer las hojas, flores, frutos o brotes en la planta. ‖ **5.** fig. Empezar a dejarse ver un astro en el horizonte. ‖ **6.** fig. Tomar principio una cosa de otra; originarse en lo físico o en lo moral. ‖ **7.** fig. Prorrumpir o brotar. NACER *las fuentes, los ríos.* ‖ **8.** fig. Empezar una cosa desde otra, como saliendo de ella. ‖ **9.** fig. Inferirse una cosa de otra. ‖ **10.** fig. Dejarse ver o sobrevenir de repente una cosa que estaba oculta, que se ignoraba o no se esperaba. ‖ **11.** fig. Junto con la preposición *para,* y a veces con *a,* tener una cosa o persona propensión natural o estar destinada para un fin. ‖ **12.** Junto con la preposición *a,* iniciarse en una actividad. ‖ **13.** prnl. Entallecer una raíz o semilla al aire libre. ‖ **14.** Hablando de la ropa cosida, abrirse la costura hecha muy al borde de la tela, desprendiéndose dos hilos de la orilla. ‖ **haber nacido en** tal día. fr. fig. y fam. Haberse librado aquel día de un peligro de muerte. ‖ **haber nacido tarde.** fr. fig. y fam. Tener uno poca experiencia, inteligencia o noticias, especialmente cuando da su dictamen entre hombres de edad madura. ‖ **volver a nacer.** fr. fig. y fam. ‖ **haber nacido tal día.** ‖ **yo nací primero.** expr. con que se amonesta o censura a uno para contenerlo cuando se adelanta o se prefiere en una acción o elección a otro que tiene más años.

nacianceno, na. adj. Natural de Nacianzo. Ú. t. c. s. ‖ **2.** Perteneciente o relativo a esta antigua ciudad de Asia.

nacida. (De *nacer.*) f. Nacencia o landre.

nacido, da. p. p. de **nacer.** ‖ **2.** adj. p. us. Connatural y propio de una cosa; que lo tiene por sí misma, sin dependencia de otras. ‖ **3.** p. us. Propio, apto y a propósito para una cosa. ‖ **4.** Dícese de cualquiera de los seres humanos que han pasado, o de los que al presente existen. Ú. m. c. s. y en pl. ‖ **5.** V. **alma nacida.** ‖ **6.** *Der.* Dícese del feto con figura humana desprendido del seno materno y que vive al menos veinticuatro horas. ‖ **7.** m. Divieso o nacencia. ‖ **bien nacido.** De noble linaje. ‖ **2.** Dícese del que obra con nobleza. ‖ **mal nacido.** Dícese del que en sus acciones o comportamiento manifiesta su condición innoble o aviesa.

naciencia. (Del lat. *nascentĭa,* nacimiento.) f. ant. **nacimiento,** acción y efecto de nacer.

naciente. (Del lat. *nascens, -entis.*) p. a. de **nacer.** Que nace. ‖ **2.** adj. fig. Muy reciente; que comienza a ser o manifestarse. ‖ **3.** *Blas.* Dícese del animal cuya cabeza o cuello salen por encima de una pieza del escudo. ‖ **4.** n. p. m. Oriente, Este, punto cardinal.

nacimiento. m. Acción y efecto de nacer. ‖ **2.** Por antonom., el de Jesucristo. ‖ **3.** Lugar o sitio donde brota un manantial. ‖ **4.** El manantial mismo. ‖ **5.** Lugar o sitio donde tiene uno su origen o principio. ‖ **6.** Principio de una cosa o tiempo en que empieza. ‖ **7.** Representación del **nacimiento** de Jesucristo en el portal de Belén. ‖ **8.** Origen de una persona en orden a su calidad. ‖ **de nacimiento.** loc. adv. que explica que un defecto de sentido o de un miembro se padece porque se nació con él, y no por contingencia o enfermedad sobrevenida. *Ciego, manco* DE NACIMIENTO.

nación. (Del lat. *natĭo, -ōnis.*) f. Conjunto de los habitantes de un país regido por el mismo gobierno. ‖ **2.** Territorio de ese mismo país. ‖ **3.** fam. p. us. **nacimiento,** acción y efecto de nacer. *Ciego* de NACIÓN. ‖ **4.** Conjunto de personas de un mismo origen étnico y que generalmente hablan un mismo idioma y tienen una tradición común. ‖ **5.** m. p. us. Dícese de una **nación** contrapuesto al natural de otra. Ú. en Argentina y Bolivia. ‖ **de nación.** loc. con que se da a entender el origen de uno, o de dónde es natural.

nacional. adj. Perteneciente o relativo a una nación. ‖ **2.** Natural de una nación, en contraposición a extranjero. Ú. t. c. s. ‖ **3.** V. **bienes nacionales.** ‖ **4.** V. **concilio, fiesta,**

milicia, monumento, renta nacional. ‖ **5.** *Argent.* V. **territorio nacional.** ‖ **6.** m. Individuo de la milicia **nacional.**

nacionalidad. f. Condición y carácter peculiar de los pueblos e individuos de una nación. ‖ **2.** Estado propio de la persona nacida o naturalizada en una nación.

nacionalismo. m. Apego de los naturales de una nación a ella y a cuanto le pertenece. ‖ **2.** Doctrina que exalta en todos los órdenes la personalidad nacional completa, o lo que reputan como tal sus partidarios. ‖ **3.** Aspiración o tendencia de un pueblo o raza a constituirse en estado autónomo.

nacionalista. adj. Partidario del nacionalismo. Ú. t. c. s.

nacionalización. f. Acción y efecto de nacionalizar o nacionalizarse.

nacionalizar. (De *nación.*) tr. Naturalizar en un país personas o cosas de otro. Ú. t. c. prnl. ‖ **2.** Hacer que pasen a manos de nacionales de un país bienes o títulos de la deuda del Estado o de empresas particulares que se hallaban en poder de extranjeros. ‖ **3.** Hacer que pasen a depender del gobierno de la nación propiedades industriales o servicios explotados por los particulares.

nacionalmente. adv. m. Según la índole o costumbre de una nación.

nacionalsocialismo. m. Movimiento político y social del tercer Reich alemán (1933-1945), de carácter pangermanista, fascista y antisemita.

nacionalsocialista. adj. Perteneciente o relativo al nacionalsocialismo. ‖ **2.** Partidario de esta doctrina. Ú. t. c. s.

naco. (Del gall. port. *anaco,* pedazo.) m. *Amér.* Andullo de tabaco. ‖ **2.** *Col.* Puré de patata.

nacre. m. (del fr.) m. ant. **nácar.**

nacrita. (Del fr. *nacrite.*) f. Variedad de talco, de brillo igual al del nácar y susceptible de cristalización.

nacho, cha. (Del lat. *nasus,* nariz.) adj. *Ast.* Chato o romo de nariz. Ú. t. c. s.

nada. (Del lat. [res] *nata,* [cosa] nacida.) f. El no ser, o la carencia absoluta de todo ser. Se ha usado alguna vez c. n. ‖ **2.** Cosa mínima o de muy escasa entidad. ‖ **3.** pron. indef. Ninguna cosa, o la negación absoluta de las cosas, a distinción de la de las personas. ‖ **4.** Poco o muy poco en cualquier línea. *Pasó por aquí hace* NADA. ‖ **5.** **hombre de nada.** ‖ **6.** adv. neg. De ninguna manera, de ningún modo. ‖ **¡ahí es nada! ¡ahí que no es nada!** exprs. figs. y fams. **¡no es nada! antes de nada.** loc. adv. Antes de cualquier cosa. ‖ **como si nada.** loc. adv. Sin dar la menor importancia. *Hablan de milenios* COMO SI NADA. ‖ **2.** Imperturbable, inconmovible. *Le amenazamos y él* COMO SI NADA. ‖ **de nada.** loc. adj. De escaso valor, sin importancia. *Un librito* DE NADA; *una cuestión* DE NADA; *cosa* DE NADA. ‖ **2.** Respuesta cortés cuando a uno le dan las gracias por algo. ‖ **en nada.** loc. adv. fig. En muy poco. EN NADA *estuvo que riñésemos.* ‖ **nada más.** loc. no más. ‖ **nada menos.** loc. con que se pondera la autoridad, importancia o excelencia de una persona o cosa. NADA MENOS *que el Papa lo ha dicho en una encíclica.* ‖ **nada menos, o nada menos que eso.** loc. adv. con que se niega particularmente una cosa, encareciendo la negativa. ‖ **¡no es nada!** expr. fig. y fam. que se usa para ponderar por antífrasis una cosa que causa extrañeza o que no se juzgaba tan grande. ‖ **no ser nada.** fr. fig. con que se pretende minorar el daño producido por un temor o disgusto. ‖ **por nada.** loc. Por ninguna cosa, con negación absoluta. POR NADA *del mundo haría yo eso.* ‖ **2.** Por cualquier cosa, por mínima que sea. *Anda, que* POR NADA *llora.*

nadadera. f. Cada una de las calabazas o vejigas que se suelen usar para aprender a nadar.

nadadero. m. Lugar a propósito para nadar.

nadador, ra. adj. Que nada. Ú. t. c. s. ‖ **2.** m. y f. Persona diestra en nadar o que practica el deporte de la natación.
nadadura. f. ant. Acción de nadar.
nadal. (Del lat. *natālis.*) m. ant. Día de navidad, navidad. ‖ **2.** ant. *Ast.* Tiempo inmediato a ella.
nadar. (Del lat. *natāre.*) intr. Trasladarse una persona o un animal en el agua, ayudándose de los movimientos necesarios, y sin tocar el suelo ni otro apoyo. ‖ **2.** Flotar en un líquido cualquiera. ‖ **3.** fig. Abundar en una cosa. ‖ **4.** fig. y fam. Estar una cosa muy holgada dentro de otra que le debiera venir ajustada. Se suele usar hablando del vestido y del calzado.
nadería. (De *nada* y -*ería*².) f. Cosa de poca entidad o importancia.
nadga. (Del lat. **natīca.*) f. ant. **nalga.**
nadgada. (De *nadga* y -*ada.*) f. ant. **nalgada,** golpe dado con las nalgas. ‖ **2.** Golpe recibido en ellas.
nadi. (Del lat. *nati,* los nacidos.) pron. indef. ant. **nadie.**
nadie. (De *nadi.*) pron. indef. Ninguna persona. ‖ **2.** m. fig. Persona insignificante.
nadilla. pron. indef. d. fam. de **nada.** ‖ **2.** m. fig. p. us. **hombre de nada.**
nadir. (Del ár. *naẓir,* correspondiente u opuesto [al cenit].) m. *Astron.* Punto de la esfera celeste diametralmente opuesto al cenit. ‖ **del Sol.** *Astron.* Punto de la esfera celeste diametralmente opuesto al que ocupa en ella el centro del astro.
nádir. (Del ár. *nāẓir,* veedor, inspector.) m. En Marruecos, funcionario administrador de los bienes de una fundación pía.
nadita. pron. indef. d. fam. de **nada,** ninguna cosa.
nado, da. (Del lat. *natus.*) p. p. irreg. ant. de **nacer.**
nado (a). loc. adv. Nadando.
nafa. (Del ár. *nafha,* soplo aromático, olor.) f. *Murc.* **azahar.** Ú. solo en la locución **agua de nafa.**
nafra. (De *nafrar.*) f. *Ar.* Llaga o herida, especialmente por rozamiento.
nafrar. (De or. inc.) tr. *Ar.* Llagar o herir, especialmente por rozamiento.
nafta. (Del gr. νάφθα, a través del lat. *naphtha.*) f. Fracción ligera del petróleo natural, que se obtiene en la destilación de la gasolina como una parte de ésta. Sus variedades se usan como materia prima en la petroleoquímica, y algunas, como disolventes. ‖ **2.** En algunos países de América, **gasolina.**
naftaleno. (Del fr. *naphtalène.*) m. *Quím.* Hidrocarburo aromático que resulta de la condensación de dos anillos de benceno.
naftalina. (Del fr. *naphtaline.*) f. Hidrocarburo sólido, procedente del alquitrán de la hulla, muy usado como desinfectante.
nagua. (Voz taína.) f. Saya interior de tela blanca, enagua. Ú. m. en pl.
nagual. m. *Amér. Central* y *Méj.* Brujo, hechicero. ‖ **2.** *Guat., Hond., Méj.* y *Nicar.* Animal que una persona tiene de compañero inseparable.
naguapate. m. *Hond.* Planta crucífera cuyo cocimiento se usa contra las enfermedades venéreas.
naguatlato, ta. adj. Decíase del indio mejicano que sabía hablar la lengua nahua y servía de intérprete entre españoles e indígenas. Usáb. t. c. s.
náguatle. adj. **nahua.**
nagüela. (Del ár. *nawwāla.*) f. ant. Casa pajiza o pobre.
nahoa. adj. Nahua.
nahua. (Del nahua *náhuatl.*) adj. Dícese del individuo de un antiguo pueblo indio que habitó la altiplanicie mejicana y la parte de América Central antes de la conquista de estos países por los españoles, y alcanzó alto grado de civilización. Ú. t. c. s. ‖ **2.** Perteneciente o relativo a este pueblo.

‖ **3.** Aplícase a la lengua principalmente hablada por los indios mejicanos. Ú. t. c. s. m.
náhuatl. (De *náhuatl,* que suena bien; astuto.) m. Lengua hablada por los pueblos nahuas, impropiamente llamada también azteca o mejicana. Ú. t. c. adj.
nahuatlato, ta. adj. Dícese del que sabía hablar, en Méjico, la lengua náhuatl y servía de intérprete. ‖ **2.** Versado en la cultura y lengua náhuatl. Ú. m. c. s.
náhuatle. adj. **nahua.**
nahuatlismo. m. Giro o modo de hablar propio y privativo de la lengua nahua. ‖ **2.** Vocablo, giro o elemento fonético de esta lengua empleado en otra.
naife. (Del ár. *nā'if,* excelente.) m. Cierto diamante de calidad superior.
nailon. (Del ing. *nylon.*) m. Material sintético de índole nitrogenada, del que se hacen filamentos elásticos, muy resistentes. Se emplea en la fabricación de géneros de punto y tejidos diversos.
naipe. (De etim. disc.) m. Cada una de las cartulinas rectangulares, de aproximadamente un decímetro de alto y seis a siete centímetros de ancho; están cubiertas de un dibujo uniforme por una cara y llevan pintados en la otra cierto número de objetos, de uno a nueve en la baraja española, y de uno a diez en la francesa, o una de las tres figuras correspondientes a cada uno de los cuatro palos de la baraja. ‖ **2.** Retrato pequeño pintado al óleo sobre tabla, cobre, etc. ‖ **3.** pl. Conjunto de **naipes,** baraja. ‖ **de mayor.** Cada uno de los que, algo más largos que los demás de la baraja, preparan los fulleros para hacer trampas. ‖ **de tercio.** Cada uno de los que, cortados a propósito algo oblicuamente, quedan como terciados entre los demás de la baraja y sirven al fullero para hacer trampas. ‖ **acudir el naipe** a uno. fr. **acudirle el juego.** ‖ **cambiar el naipe.** fr. fig. Pasar a otro asunto, cambiar de conversación. ‖ **dar bien el naipe.** fr. Ser favorable la suerte. ‖ **dar el naipe.** fr. Tener buena suerte en el juego. ‖ **darle** a uno **el naipe por** una cosa. fr. fig. y fam. Tomar afición o manía por una cosa determinada. ‖ **2.** Tener habilidad o destreza para hacerla. ‖ **dar mal el naipe.** fr. Ser contraria la suerte. ‖ **estar como el naipe.** fr. fig. y fam. Estar uno muy flaco y seco. ‖ **2.** fig. y fam. Estar una cosa muy blanda o floja por haberla manoseado mucho. ‖ **florear el naipe.** fr. fig. Disponer la baraja para hacer fullerías. ‖ **peinar los naipes.** fr. fig. Barajarlos cogiendo sucesivamente y a la vez, de modo que se junten, el de encima y el de debajo de la baraja o de los que se tengan en la mano. ‖ **tener buen,** o **mal, naipe.** fr. fig. Tener buena, o mala, suerte en el juego.
naipera. f. *Ál.* Mujer que trabaja en la fabricación de naipes.
naipesco, ca. adj. Perteneciente o relativo a los naipes.
naire. (Del port. *naire.*) m. El que cuida los elefantes y los adiestra. ‖ **2.** Título de dignidad entre los malabares.
naja¹. (Voz sánscrita.) f. Género de ofidios venenosos, a que pertenecen la cobra y el áspid de Cleopatra. Tienen los dientes con surco para la salida del veneno, la cabeza con placas y las primeras costillas dispuestas de modo que pueden dar al cuerpo, a continuación de la cabeza, la forma de disco.
naja². (Del gitano *nachar,* marcharse, huir.) f. *Germ.* Ú. en la fr. fig. y fam. **salir de naja.** Marcharse precipitadamente.
najerano, na. adj. Natural de Nájera. Ú. t. c. s. ‖ **2.** Perteneciente o relativo a esta ciudad.
najerense. adj. **najerano.**
najerino, na. adj. **najerano.**
nalca. (Voz mapuche.) f. *Chile.* El pecíolo comestible del pangue. ‖ **2.** *Chile.* Por ext., la planta del pangue.
nalga. (Del lat. vulg. *natīca.*) f. Cada una de las dos porcio-

nes carnosas y redondeadas que constituyen el trasero. Ú. m. en pl.

nalgada. f. desus. **pernil** del puerco. ‖ **2.** Golpe dado con las nalgas. ‖ **3.** Golpe recibido en ellas.

nalgar. adj. Perteneciente o relativo a las nalgas.

nalgatorio. m. fam. Conjunto de ambas nalgas.

nalgón, na. adj. *Amér.* Que tiene gruesas las nalgas.

nalgudo, da. adj. Que tiene gruesas las nalgas.

nalguear. intr. Mover exageradamente las nalgas al andar. ‖ **2.** tr. *C. Rica* y *Méj.* Dar nalgadas, golpear a alguien en las nalgas.

nambimba. f. *Méj.* Pozole muy espumoso, hecho de masa de maíz, miel, cacao y chile.

nambira. f. *Hond.* Mitad de una calabaza que, quitada la pulpa, sirve para usos domésticos.

namorar. (De *enamorar,* por aféresis de la *e.*) tr. ant. **enamorar.**

nana[1]. (Voz infantil.) f. ant. Mujer casada, madre. ‖ **2.** fam. **abuela.** ‖ **3.** V. **el año de la nana.** ‖ **4.** Canto con que se arrulla a los niños. ‖ **5.** Especie de saco pequeño con una abertura anterior que se cierra generalmente con cremallera y que sirve de abrigo para niños de pecho. A veces suele tener una capucha. ‖ **6.** *Amér. Central, Méj.* y *Venez.* **niñera.** ‖ **7.** *Amér. Central, Méj.* y *Venez.* **nodriza.**

nana[2]. (Del quechua *nánay,* dolor.) f. *Argent., Chile, Par.* y *Urug.* Pupa, voz afectiva con que se alude a las lastimaduras o enfermedades de los niños. ‖ **2.** pl. *Argent., Chile, Par.* y *Urug.* Achaques o dolencias sin importancia, especialmente los de la vejez.

nanacate. (Del nahua *nanacatl.*) m. *Méj.* Hongo, comestible o alucinógeno.

nanay. Expresión familiar y humorística con que se niega rotundamente una cosa.

nance. m. *Hond., Méj.* y *Nicar.* Arbusto de la familia de las malpigiáceas, que da un fruto pequeño, sabroso y aromático. ‖ **2.** *Hond.* y *Méj.* Fruto de este arbusto.

nancear. (Por **enancear,* de *enanzar,* avanzar.) tr. *Amér. Central.* Cosechar nances. ‖ **2.** intr. *Hond.* **alcanzar.**

nancer. m. *Cuba.* **nance.**

nancite. m. *Nicar.* Fruto del nance.

nanche. m. *Méj.* **nance.**

nanear. (De *nano.*) intr. Andar como los enanos o los patos.

nanita. (d. de **nana**[1].) f. V. **el año de la nanita.**

nanjea. f. Árbol de Filipinas, de la familia de las moráceas, que crece hasta cinco o seis metros de altura. Su fruto es de forma oval, de unos 40 centímetros de largo por 30 de grueso, y su madera, fina y de color amarillo, se usa para construir escritorios e instrumentos de música.

nano, na. (Del lat. *nanus.*) adj. ant. **enano.**

nano-. (De *nano*.) elem. compos. de nombres que significan la milmillonésima parte de las respectivas unidades (10^{-9}). Su símbolo es *n*.

nanómetro. (De *nano-* y *-metro.*) m. Medida de longitud; es la milmillonésima parte del metro.

nanquín. m. Tela fina de algodón, de color amarillento, muy usada en el siglo XVIII y aun en el XIX, que se fabricaba en la población china del mismo nombre.

nansa. (Del lat. *nassa.*) f. Nasa de pescar. ‖ **2.** Estanque pequeño para tener peces.

nansú. (Del ing. *nainsook.*) m. Tela de algodón, blanca o de color, superior al lienzo, pero inferior a la batista. La usan las mujeres para blusas, pañuelos, ropa interior, etc.

nantar. (De **enantar,* de *enante,* del lat. *in ante.*) tr. *Ar.* y *Ast.* Aumentar o acrecentar, multiplicar.

nao. (Del cat. *nau.*) f. **nave.**

naochero. (Del cat. *nauxer.*) m. ant. Patrón o piloto de la nave, nauclero.

naonato, ta. (De *nao* y *nato,* nacido.) adj. Dícese de la persona nacida en un barco durante la navegación Ú. t. c. s.

napa. (Del fr. *nappe.*) f. Conjunto de las fibras textiles que se agrupan, al salir de una máquina cardadora, para formar un conjunto continuo de espesor constante y de igual anchura que la máquina. ‖ **2.** Piel de algunos animales, como el cordero o la cabra, en especial después de curtida y preparada para diversos usos. También, un producto que imita esta piel. ‖ **de agua.** Capa de agua en la superficie de la tierra, o subterránea. ‖ **de gas.** Capa de gas pesado que se extiende por el suelo.

napea. (Del gr. ναπαία, t. f. de ναπαῖος, perteneciente a los bosques, a través del lat. *napaea,* t. f. de *napaeus.*) f. *Mit.* Cualquiera de las ninfas que, según la mitología clásica, residían en los bosques.

napelo. (d. mozár. del lat. *napus,* nabo.) m. Acónito, planta; anapelo.

napeo, a. adj. Propio de las napeas o relativo a ellas.

napias. (De or. inc.) f. pl. fam. Narices, órgano de la cara humana, especialmente cuando es muy grande.

napoleón. (Por el busto de *Napoleón* que llevaban las primeras monedas de esta clase que circularon en España.) m. Moneda francesa de plata, de 5 francos, que tuvo curso en España con el valor de 19 reales.

napoleónico, ca. adj. Perteneciente o relativo a Napoleón o a su imperio, política, etc.

napolitana. (De *napolitano.*) f. En el juego de naipes de los tres sietes, conjunto de as, dos y tres de un mismo palo. ‖ **2.** En el revesino, conjunto de los cuatro ases, o de tres ases y el caballo de copas.

napolitano, na. adj. Natural de Nápoles. Ú. t. c. s. ‖ **2.** Perteneciente o relativo a esta ciudad o al antiguo reino de este nombre. ‖ **3.** Dícese de una especie de higos, muy sabrosos y de piel negra, que se crían en Murcia y Valencia. ‖ **4.** Dícese de la higuera que produce estos higos.

naque. (Variante de *ñaque.*) m. Compañía antigua de cómicos que constaba de solos dos hombres.

narango. m. *Amér. Central.* Moringa, ben, planta.

naranja. (Del ár. *nāranǧa.*) f. Fruto del naranjo, de forma globosa, de seis a ocho centímetros de diámetro; corteza rugosa, de color entre rojo y amarillo, como el de la pulpa, que está dividida en gajos, y es comestible, jugosa y de sabor agridulce. ‖ **2.** Bala de cañón usada antiguamente, del tamaño de una **naranja.** ‖ **3.** m. Color anaranjado. ‖ **agria.** Variedad que se distingue en tener la corteza más dura y menos lisa que las otras, y el gusto entre agrio y amargo. ‖ **cajel. naranja zajarí.** ‖ **clementina.** Variedad de **naranja mandarina,** de piel más roja, sin pepitas y muy dulce. ‖ **china.** Variedad cuya piel tira más a amarillo y es más lisa y delgada que la de la mandarina. ‖ **de sangre. sanguina,** de pulpa rojiza. ‖ **dulce.** Variedad que se diferencia de la común en ser casi encarnada y de gusto agridulce muy delicado. ‖ **mandarina,** o **tangerina.** Variedad que se distingue en ser pequeña, aplastada, de cáscara muy fácil de separar y pulpa muy dulce. ‖ **zajarí.** Variedad producida del injerto del naranjo dulce sobre el borde. Tiene el gusto agridulce, y la corteza interior, así como la pielecilla que divide los gajos de la pulpa, duras y muy tenaces. ‖ **media naranja.** fig. y fam. Persona que se adapta tan perfectamente al gusto y carácter de otra, que esta la mira como la mitad de sí misma. ‖ **2.** fig. y fam. El marido o la mujer, el uno respecto del otro. ‖ **3.** *Arq.* **cúpula** de un edificio. ‖ **¡naranjas!** interj. con que se denota asombro, extrañeza, desahogo, etc. Sirve también para negar, y equivale entonces a **nones.** Dícese también **¡naranjas chinas!** y **¡naranjas de la China!**

naranjada. f. Bebida hecha con zumo de naranja, agua y azúcar. ‖ **2.** ant. Conserva de naranja. ‖ **3.** fig. y fam. p. us. Dicho o hecho grosero.

naranjado, da. adj. De color de naranja, anaranjado.

naranjal. m. Sitio plantado de naranjos.

naranjera. f. **trabuco naranjero.**

naranjero, ra. adj. Perteneciente o relativo a la naranja. ‖ **2.** V. **bala, cañón, trabuco naranjero.** ‖ **3.** Dícese del caño o cañería cuya luz o diámetro interior es de ocho a diez centímetros. ‖ **4.** m. y f. Persona que vende naranjas. ‖ **5.** m. En algunas partes, **naranjo,** árbol.

naranjilla. (d. de *naranja*.) f. Naranja verde y pequeña de que se suele hacer conserva. ‖ **2.** *Ecuad.* Planta solanácea de fruto comestible. ‖ **3.** *Ecuad.* Este fruto.

naranjillada. f. *Ecuad.* Bebida que se prepara con el jugo de la **naranjilla,** fruto.

naranjo. (De *naranja*.) m. Árbol de la familia de las rutáceas, de cuatro a seis metros de altura, siempre verde, florido y con fruto, tronco liso y ramoso; copa abierta, hojas alternas, ovaladas, duras, lustrosas, pecioladas y de un hermoso color verde. Es originario de Asia y se cultiva mucho en España. Su flor es el azahar y su fruto la naranja. ‖ **2.** Madera de este árbol. ‖ **3.** fig. y fam. Hombre rudo o ignorante.

narbonense. (Del lat. *Narbonensis*.) adj. **narbonés,** perteneciente o relativo a Narbona.

narbonés, sa. adj. Natural de Narbona. Ú. t. c. s. ‖ **2.** Perteneciente o relativo a esta ciudad de Francia.

narceína. (Del gr. νάρκη, torpor, adormecimiento, e *-ina*.) f. Alcaloide que se obtiene del opio; es uno de los mejores hipnóticos.

narcisismo. m. Manía propia del **narciso**[2]. ‖ **2.** Por ext., excesiva complacencia en la consideración de las propias facultades u obras.

narcisista. com. **narciso**[2]. Ú. t. c. adj. ‖ **2.** adj. Perteneciente o relativo al narcisismo.

narciso[1]. (Del gr. νάρκισσος, a través del lat. *narcissus*.) m. Planta herbácea, anual, exótica, de la familia de las amarilidáceas, con hojas radicales largas, estrechas y puntiagudas; flores agrupadas en el extremo de un bohordo grueso de dos a tres centímetros de alto, blancas o amarillas, olorosas, con perigonio partido en seis lóbulos iguales y corona central acampanada; fruto capsular y raíz bulbosa. Se cultiva en los jardines por la belleza de sus flores. ‖ **2.** Flor de esta planta.

narciso[2]. (Por alusión a *Narciso,* personaje mitológico.) m. fig. El que cuida demasiado de su adorno y compostura, o se precia de galán y hermoso, como enamorado de sí mismo.

narcosis. (Del gr. νάρκωσις.) f. Producción del narcotismo; modorra, embotamiento de la sensibilidad.

narcótico, ca. (Del gr. ναρκωτικός, adormecedor.) adj. *Farm.* Dícese de las sustancias que producen sopor, relajación muscular y embotamiento de la sensibilidad; como el cloroformo, el opio, la belladona, etc. Ú. t. c. s. m. ‖ **2.** Perteneciente o relativo a la narcosis.

narcotina. (Del fr. *narcotine*.) f. Alcaloide que se extrae del opio por medio del éter sulfúrico, y es una sustancia sólida, transparente, inodora, insoluble en el agua y que cristaliza en prismas rectos de base rombal. Su acción narcótica es muy débil, y dudoso sus efectos terapéuticos.

narcotismo. m. Estado más o menos profundo de adormecimiento que procede del uso de los narcóticos. ‖ **2.** *Med.* Conjunto de efectos producidos por el narcótico.

narcotización. f. Acción y efecto de narcotizar.

narcotizado, ra. adj. Que narcotiza.

narcotizar. tr. Producir narcotismo. Ú. t. c. prnl. y en sent. fig.

narcotraficante. adj. Que trafica en drogas tóxicas. Ú. t. c. s.

narcotráfico. m. Comercio de drogas tóxicas en grandes cantidades.

nardino, na. (Del gr. νάρδινος, a través del lat. *nardīnus*.) adj. Compuesto con nardo, o que participa de sus cualidades.

nardo. (Del gr. νάρδος, a través del lat. *nardus*.) m. **espicanardo.** ‖ **2.** Planta de la familia de las liliáceas, con tallo sencillo y derecho, hojas radicales, lineares y prolongadas las del tallo a modo de escamas, y flores blancas, muy olorosas, especialmente de noche, dispuestas en espigas con el perigonio en forma de embudo y dividido en seis lacinias. Es originaria de los países intertropicales, se cultiva en los jardines y se emplea en perfumería. ‖ **3.** Flor de esta planta. ‖ **4.** Confección aromática que se preparaba antiguamente con el extracto de las raíces del **nardo** índico. ‖ **índico. nardo.**

nares. (Del lat. *nares*.) f. pl. *Germ.* Las narices.

narguile. (Del ár. *nārǧīla;* el nombre significa nuez de coco, por hacerse de ella la cápsula que contiene el tabaco.) m. Pipa para fumar muy usada por los orientales, compuesta de un largo tubo flexible, del recipiente en que se quema el tabaco y de un vaso lleno de agua perfumàda, a través de la cual se aspira el humo.

narigada. f. *Ecuad.* **polvo,** pulgarada, porción de polvo de tabaco que se coge con dos dedos a fin de aspirarlo por la nariz.

narigón, na. (De *narigudo,* con sustitución del suf. *-udo* por *-ón*[2].) adj. **narigudo.** Ú. t. c. s. ‖ **2.** m. aum. de **nariz.** ‖ **3.** Agujero en la ternilla de la nariz. ‖ **4.** Argolla, con cuerda o sin ella, que se pone en el hocico de los bueyes y otros animales para sujetarlos mejor.

narigudo, da. (Del lat. vulg. *naricūtus*.) adj. Que tiene grandes las narices. Ú. t. c. s. ‖ **2.** De figura de nariz.

nariguera. (Del tema de *narigudo,* y *-era*.) f. Pendiente que se ponen algunos indios en la ternilla que divide las dos ventanas de la nariz. ‖ **2.** *Col.* y *Ecuad.* **narigón,** argolla de los hocicos de algunos animales.

narigueta. (Del tema de *narigudo,* y *-eta*.) f. d. de **nariz.**

nariguetas. (pl. de *narigueta*.) adj. **narigudo,** que tiene grandes las narices. Ú. t. c. s.

narigueto, ta. (Del tema de *narigudo,* y *-eto*.) adj. Dícese de la persona que tiene algún defecto en la nariz. Ú. t. c. s.

nariguilla. (Del tema de *nariz,* e *-illa*.) f. d. de **nariz.**

narina. (Del fr. *narine*.) f. *Anat.* Cada uno de los orificios nasales externos.

nariñense. adj. Natural de Nariño. Ú. t. c. s. ‖ **2.** Perteneciente o relativo a este departamento de Colombia.

nariz. (Del lat. *nares,* que en esp. y otros romances ha tomado un suf. *-ic-*.) f. Facción saliente del rostro humano, entre la frente y la boca, con dos orificios que comunican con la membrana pituitaria y el aparato de la respiración. Ú. frecuentemente en pl. ‖ **2.** Parte de la cabeza de muchos animales vertebrados, poco o nada saliente por lo común, que tiene la misma situación y oficio que la **nariz** del hombre. ‖ **3.** p. us. Cada uno de los dos orificios que hay en la base de la **nariz.** ‖ **4.** fig. Sentido del olfato. ‖ **5.** fig. p. us. Olor fragante y delicado que exhalan los vinos generosos. *Este vino tiene buena* NARIZ. ‖ **6.** fig. Hierro en figura de **nariz,** donde encaja el picaporte o pestillo de las puertas o ventanas. ‖ **7.** fig. Extremidad aguda o en punta, que se forma en algunas obras para cortar el aire o el agua; como en las embarcaciones, en los estribos de los puentes y en otras fábricas. ‖ **8.** fig. Cañón del alambique, de la retorta y de otros aparatos. ‖ **aguileña.** La que es delgada y algo corva, a semejanza del pico del águila. ‖ **perfilada.** La que es perfecta y bien formada. ‖ **respingona.** Aquella cuya punta tira hacia arriba. ‖ **narices remachadas.** Las que están chatas o aplastadas. ‖ **asomar las narices.** fr. fig. y fam. Aparecer en un lugar, especialmente para husmear o fisgar. ‖ **darle** a uno **en la nariz** una cosa. fr. fig. Percibir el olor de ella. LE DIO EN LA NARIZ *lo que había de comer.* ‖ **2.** fig. y fam. Sospechar, barruntar lo que otro intenta ejecutar. ‖ **darse de narices con** alguien. fr. fig. y fam. Encontrarse bruscamente con él. ‖ **dejar** a uno **con tantas narices.** fr. fig. y fam. **dejar** a uno **con un palmo de narices.** ‖ **estar hasta las narices de** algo o de alguien. fr. fig. y fam. Estar cansado o harto de la persona o cosa expresada. ‖ **hablar por las narices.** fr. fig. Ganguear o hablar de modo que parece que la voz sale por ellas. ‖ **hacerle** a uno **las narices.** fr. fig. y fam. Maltratarlo. ‖ **hacer nariz.** fr. Carp. Perder un bastidor o un marco la exactitud de la forma rectangular. ‖ **hacerse** uno **las narices.** fr. fig. y fam. Recibir un golpe grande en ellas, de suerte que se las deshace. ‖ **2.** fig. y fam. Suceder una cosa en contra o en perjuicio de lo que se pretende. ‖ **hinchársele** a uno **las narices.** fr. fig. y fam. Enojarse o enfadarse en demasía. ‖ **2.** fig. y fam. Hablando del mar o de los ríos, crecer mucho estos o alterarse aquel. ‖ **llenársele** a uno **las narices de** mostaza. fr. fig. y fam. ‖ **hinchársele** a uno **las narices.** ‖ **meter las narices en** una cosa. fr. fig. y fam. Curiosear, entremeterse, sin ser llamado. ‖ **no saber** uno **dónde tiene las narices.** fr. fig. y fam. And. **no saber** uno **cuál es su mano derecha.** ‖ **no ver** uno **más allá de sus narices.** fr. fig. y fam. Ser poco avisado, corto de alcances. ‖ **pasar,** o **restregar,** una cosa a alguien **por las narices.** fr. fig. y fam. Mostrársela o hacérsela saber con demasiada insistencia, con ánimo de molestarlo, mortificarlo o producirle envidia. ‖ **salirle** a alguien algo **de las narices.** fr. fig. y fam. **darle la gana.** ‖ **tener** uno a otro **agarrado por las narices.** fr. fig. y fam. Dominarlo, tenerlo subordinado o sujeto a su voluntad. ‖ **tener largas narices,** o **narices de perro perdiguero.** fr. fig. y fam. Tener viveza en el olfato. ‖ **2.** fam. Prever o presentir una cosa que está próxima a suceder. ‖ **tener** a uno **montado en las narices.** fr. fig. y fam. Padecer constantemente sus impertinencias y molestias. ‖ **tocarse las narices.** fr. fig. y fam. Hacer el vago, holgazanear. ‖ **torcer las narices.** fr. fig. y fam. Mostrar alguien repugnancia ante algo que se le dice o propone.

narizón, na. adj. fam. Que tiene grandes las narices.

narizota. f. aum. de **nariz.**

narizotas. com. Persona que tiene narices grandes. Ú. frecuentemente como insulto. ‖ **2.** f. pl. Narices muy grandes.

narizudo, da. adj. fam. Méj. Que tiene grandes las narices.

narra[1]. (Voz tagala.) m. Árbol de Filipinas, de la familia de las papilionáceas, de unos veinte metros de altura, con tronco recto y copa espaciosa; hojas alternas, compuestas de hojuelas lanceoladas, enteras, lampiñas y muy agudas por el ápice; flores blancas en racimos axilares, y fruto en vaina casi circular, muy aplastada, con una ala membranosa en toda la circunferencia y dos o tres divisiones, cada cual con una semilla negruzca y arriñonada. Las raíces y corteza dan un tinte encarnado, y la madera, que es dura, de grano fino, color rojo vivo y susceptible de hermoso pulimento, es muy usada para objetos de ebanistería, y su infusión produce una agua azul que se tiene por diurética. ‖ **2.** Madera de este árbol.

narra[2]. (Del vasc. narra, arrastre.) f. Ál. Galga del carro.

narrable. (Del lat. narrabĭlis.) adj. Que puede ser narrado o contado.

narración. (Del lat. narratĭo, -ōnis.) f. Acción y efecto de narrar. ‖ **2.** Novela, cuento. ‖ **3.** Ret. Una de las partes en que suele considerarse dividido el discurso retórico, en la que se refieren los hechos para esclarecimiento del asunto de que se trata y para facilitar el logro de los fines del orador.

narrador, ra. (Del lat. narrātor, -ōris.) adj. Que narra. Ú. t. c. s.

narrar. (Del lat. narrāre.) tr. Contar, referir lo sucedido, o un hecho o una historia ficticios.

narrativa. (Del lat. narratīva, t. f. de -vus, narrativo.) f. p. us. **narración,** acción y efecto de narrar. ‖ **2.** Género literario constituido por la novela, la novela corta y el cuento. ‖ **3.** p. us. Habilidad o destreza en narrar o en contar las cosas. Tiene gran NARRATIVA.

narrativo, va. (Del lat. narratīvus.) adj. Perteneciente o relativo a la narración. Género, estilo NARRATIVO.

narratorio, ria. adj. **narrativo.**

narria. (Del vasc. narria.) f. Cajón o escalera de carro, a propósito para llevar arrastrando cosas de gran peso. ‖ **2.** fig. y fam. p. us. Mujer gruesa y pesada, que se mueve con dificultad. ‖ **3.** fig. y fam. p. us. Mujer que por llevar muchos guardapiés iba hueca y abultada.

narval. (Del danés narhval.) m. Cetáceo de unos s is metros de largo, con cabeza grande, hocico obtuso, bo a pequeña, sin más dientes que dos incisivos superiores, uno corto y otro que se prolonga horizontalmente hasta cerca de tres metros; cuerpo robusto, liso, brillante, blanco y con vetas pardas por el lomo; dos aletas pectorales y cola grande y ahorquillada. Se utilizan su grasa y el marfil de su diente mayor.

narvaso. (De or. inc.) m. Ast. y Cantabria. Caña del maíz con su follaje que, después de separada la mazorca, se guarda en haces para alimento del ganado vacuno.

nasa. (Del lat. nassa.) f. Arte de pesca que consiste en un cilindro de juncos entretejidos, con una especie de embudo dirigido hacia adentro en una de sus bases y cerrado con una tapadera en la otra para poder vaciarlo. ‖ **2.** Arte parecido al anterior, formado por una manga de red y ahuecado por aros de madera. ‖ **3.** Cesta de boca estrecha que llevan los pescadores para echar la pesca. ‖ **4.** Cesto o vasija, a manera de tinaja, para guardar pan, harina o cosas semejantes.

nasal. (Del b. lat. nasālis.) adj. Perteneciente o relativo a la nariz. Cavidad NASAL, fosas NASALES. ‖ **2.** Gram. Dícese del sonido en cuya pronunciación la corriente espirada sale total o parcialmente por la nariz. ‖ **3.** Gram. Dícese de la letra que representa este sonido, como la n. Ú. t. c. s. f.

nasalidad. f. Cualidad de nasal.

nasalización. f. Fon. Acción y efecto de nasalizar.

nasalizar. tr. Fon. Producir con articulación nasal sonidos del lenguaje que ordinariamente se pronuncian emitiendo solo por la boca el aire espirado.

nasardo. (Del fr. nasard.) m. Uno de los registros del órgano, así llamado porque imita la voz de un hombre gangoso o que produce un sonido nasal.

nascencia. (Del lat. nascentĭa.) f. ant. Acción y efecto de nacer.

nascer. (Del lat. nascĕre.) intr. ant. **nacer.**

nascimiento. m. ant. **nacimiento.**

naso. (Del lat. nasus.) m. fam. y fest. Nariz grande.

nasofaríngeo, a. adj. Anat. Dícese de lo que está situado en la faringe por encima del velo del paladar y detrás de las fosas nasales.

nasón. m. aum. de **nasa.**

nasturcio. (Del lat. nasturtĭum.) m. **mastuerzo,** planta.

nasudo, da. (De naso y -udo.) adj. p. us. De nariz grande.

nata[1]. (Probablemente, de natta, variante del b. lat. matta, manta.) f. Sustancia espesa, untuosa, blanca o un tanto amarillenta, que forma una capa sobre la leche que se deja en reposo. ‖ **2.** Sustancia espesa de algunos licores, que sobrenada en ellos. ‖ **3.** fig. Lo principal y más estimado en cualquier línea. ‖ **4.** Min. Amér. Escoria de la copelación. ‖ **5.** pl. **nata** batida con azúcar. ‖ **6.** natillas.

nata[2]. (Del lat. [res] nata, [cosa] nacida.) pron. indet. ant. **nada.**

natación. (Del lat. natatĭo, -ōnis.) f. Acción y efecto de nadar. ‖ **2.** Práctica y deporte consistentes en nadar.

natal. (Del lat. natālis.) adj. Perteneciente o relativo al nacimiento. ‖ **2.** V. **suelo natal.** ‖ **3.** Perteneciente o relativo al lugar donde uno ha nacido. ‖ **4.** m. desus. **nacimiento,** acción y efecto de nacer. ‖ **5.** desus. Día del nacimiento de una persona. ‖ **6.** ant. Natividad o Navidad de Jesucristo.

natalicio, cia. (Del lat. *natalicïus.*) adj. Perteneciente o relativo al día del nacimiento. Aplícase con frecuencia a las fiestas y regocijos que se hacen en él. Ú. t. c. s. m.

natalidad. (De *natal* e *-idad.*) f. Número proporcional de nacimientos en población y tiempo determinados.

natátil. (Del lat. *natatïlis.*) adj. Capaz de nadar o flotar sobre las aguas.

natatorio, ria. (Del lat. *natatorïus.*) adj. Perteneciente o relativo a la natación. ‖ **2.** Que sirve para nadar. ‖ **3.** V. **vejiga natatoria.** ‖ **4.** p. us. Aplícase al lugar destinado para nadar.

naterón. (De *nata*[1].) m. Cuajada de los residuos de hacer el queso, requesón.

natillas. (d. de *natas.*) f. pl. Plato de dulce que se obtiene mezclando yemas de huevo, leche y azúcar, y cociendo este compuesto hasta que tome consistencia. Suele componerse además, indebidamente, de harina o almidón.

natío, a. (Del lat. *natïvus.*) adj. p. us. Natural, nativo. *Oro* NATÍO. ‖ **2.** m. p. us. Nacimiento, naturaleza. ‖ **de su natío.** loc. adv. desus. **naturalmente.**

Natividad. (Del lat. *natīvïtas, -ātis.*) n. p. f. Nacimiento, y especialmente el de Jesucristo, el de la Virgen María y el de San Juan Bautista, que son los tres que celebra la Iglesia. ‖ **2.** p. us. Tiempo inmediato al día de Navidad.

nativo, va. (Del lat. *natïvus.*) adj. Que nace naturalmente. ‖ **2.** Perteneciente al país o lugar en que uno ha nacido. *Suelo* NATIVO; *aires* NATIVOS. ‖ **3.** Natural, nacido en el lugar de que se trata. Ú. t. c. s. ‖ **4.** Innato, propio y conforme a la naturaleza de cada cosa. ‖ **5.** Dícese de los metales y algunas otras sustancias minerales que se encuentran en sus menas libres de toda combinación.

nato, ta. (Del lat. *natus,* nacido.) p. p. irreg. de **nacer.** ‖ **2.** adj. Aplícase al título de honor o al cargo anejo a un empleo o a la calidad de un sujeto. ‖ **3.** Dícese de las aptitudes, cualidades y defectos connaturales.

natral. m. *Chile.* Terreno poblado de natris.

natri. (Del araucano *natreñ.*) m. Arbusto de la familia de las solanáceas, de dos a tres metros de altura, ramoso, con tallos pubescentes, hojas aovadas, oblongas y puntiagudas, y flores blancas. Es natural de Chile; el cocimiento de sus hojas se ha usado en medicina como febrífugo, y con su jugo, que es amargo, se untan el pecho las mujeres para destetar a los niños.

natrón. (Del ár. *naṭrūn,* nitro.) m. Sal blanca, traslúcida, cristalizable, eflorescente, que se halla en la naturaleza o se obtiene artificialmente. Es el carbonato sódico usado en las fábricas de jabón, vidrio y tintes. ‖ **2.** Cenizas de la planta llamada barrilla.

natura. (Del lat. *natūra.*) f. **naturaleza.** ‖ **2.** p. us. Partes genitales. ‖ **3.** ant. Conjunto de cosas semejantes por tener uno o varios caracteres comunes, especie. ‖ **4.** *Mús.* Escala natural del modo mayor. ‖ **a,** o **de, natura.** loc. adv. p. us. **naturalmente.**

natural. (Del lat. *naturālis.*) adj. Perteneciente a la naturaleza o conforme a la cualidad o propiedad de las cosas. ‖ **2.** Nativo de un pueblo o nación. Ú. t. c. s. ‖ **3.** Hecho con verdad, sin artificio, mezcla ni composición alguna. ‖ **4.** Espontáneo y sin doblez en su modo de proceder. ‖ **5.** Dícese también de las cosas que imitan a la naturaleza con propiedad. ‖ **6.** Regular y que comúnmente sucede, y por eso, fácilmente creíble. ‖ **7.** Que se produce por solas las fuerzas de la naturaleza, como contrapuesto a sobrenatural y milagroso. ‖ **8.** Aplícase a los señores de vasallos, o a los que por su linaje tenían derecho al señorío, aunque

no fuesen de la tierra. ‖ **9.** V. **ayuno, bálsamo, calor, derecho, filosofía, gas, hijo, historia, lengua, ley, lógica, luz, magia, muerte, razón, religión, signo, teología natural.** ‖ **10.** V. **ciencias, partes naturales.** ‖ **11.** *Filip.* Dícese del hijo de padre y madre indígenas, para diferenciarlo del mestizo. ‖ **12.** *Astron.* V. **día natural.** ‖ **13.** *Der.* V. **obligación, posesión natural.** ‖ **14.** *Esgr.* V. **movimiento natural.** ‖ **15.** *Mar.* V. **orden natural.** ‖ **16.** *Mús.* Dícese de la nota no modificada por sostenido ni bemol. ‖ **17.** *Taurom.* Dícese del pase de muleta que se hace con la mano izquierda y sin el estoque. Ú. t. c. s. ‖ **18.** m. Genio, índole, temperamento, complexión o inclinación propia de cada uno. ‖ **19.** Instinto e inclinación de los animales irracionales. ‖ **20.** ant. Patria o lugar donde se nace. ‖ **21.** ant. Físico, astrólogo o naturalista. ‖ **22.** *Esc.* y *Pint.* Forma exterior de una cosa, de la que copia directamente el artista. *Copiar del* NATURAL *las ropas; pintar un niño del* NATURAL. ‖ **al natural.** loc. adj. y adv. Sin artificio ni mezcla o elaboración. ‖ **2.** *Blas.* Dícese de las flores y animales que están con sus colores propios y no con los esmaltes ordinarios del blasón. ‖ **copiar del natural.** fr. *Esc.* y *Pint.* Copiar el modelo vivo. ‖ **quebrarle** a uno **el natural.** fr. fig. **quebrarle la condición.**

naturaleza. (De *natural* y *-eza.*) f. Esencia y propiedad característica de cada ser. ‖ **2.** En teología, estado natural del hombre, por oposición al estado de gracia. *El bautismo nos hace pasar del estado de la* NATURALEZA *al estado de gracia.* ‖ **3.** p. us. En sentido moral, luz que nace con el hombre y lo hace capaz de discernir el bien del mal. ‖ **4.** Conjunto, orden y disposición de todo lo que compone el universo. ‖ **5.** Principio universal de todas las operaciones naturales e independientes del artificio. En este sentido la contraponen los filósofos al arte. ‖ **6.** Virtud, calidad o propiedad de las cosas. ‖ **7.** Por ext., calidad, orden y disposición de los negocios y dependencias. ‖ **8.** Instinto, propensión o inclinación de las cosas, con que pretenden su conservación y aumento. ‖ **9.** Fuerza o actividad natural, contrapuesta a la sobrenatural y milagrosa. ‖ **10.** **sexo,** condición orgánica, especialmente en las hembras. ‖ **11.** Origen que uno tiene según la ciudad o país en que ha nacido. ‖ **12.** Cualidad que da derecho a ser tenido por natural de un pueblo para ciertos efectos civiles. ‖ **13.** Privilegio que se concede a los extranjeros para gozar de los derechos propios de los naturales. ‖ **14.** Especie, género, clase. *No he visto árboles de tal* NATURALEZA. ‖ **15.** Complexión o temperamento de cada individuo. *Ser de* NATURALEZA *seca, fría.* ‖ **16.** Señorío de vasallos o derecho adherido a él por el linaje. ‖ **17.** V. **carta, secreto de naturaleza.** ‖ **18.** ant. Parentesco, linaje. ‖ **19.** *Fil.* V. **prioridad de naturaleza.** ‖ **20.** *Esc.* y *Pint.* **natural. humana.** Conjunto de todos los hombres. *En toda la* NATURALEZA HUMANA *no se hallará hombre como este.* ‖ **muerta.** *Pint.* Cuadro que representa animales muertos o cosas inanimadas. ‖ **ser desfavorecido,** o **poco favorecido, de la naturaleza.** fr. Hallarse desnudo de las gracias y dotes naturales.

naturalidad. (Del lat. *naturalitas, -ātis.*) f. Cualidad de natural. ‖ **2.** Espontaneidad y sencillez en el trato y modo de proceder. ‖ **3.** Conformidad de las cosas con las leyes ordinarias y comunes. *Dios dispone los sucesos con admirable* NATURALIDAD. ‖ **4.** desus. Origen que alguien tiene según la ciudad o país en que ha nacido. ‖ **5.** desus. Derecho inherente a los naturales de un país.

naturalismo. (De *natural* e *-ismo.*) m. Sistema filosófico que atribuye todas las cosas a la naturaleza como primer principio. ‖ **2.** Escuela literaria del siglo XIX, opuesta al romanticismo: es determinista en su carácter y experimental en el método.

naturalista. adj. Perteneciente o relativo al naturalismo. ‖ **2.** Que profesa este sistema filosófico, o que se integra en el naturalismo literario. Ú. t. c. s. ‖ **3**. com. Persona que profesa las ciencias naturales o tiene en ellas especiales conocimientos.

naturalización. f. Acción y efecto de naturalizar o naturalizarse.

naturalizar. (De *natural* e *-izar*.) tr. Admitir en un país, como si de él fuera natural, a persona extranjera. ‖ **2**. Conceder oficialmente a un extranjero, en todo o en parte, los derechos y privilegios de los naturales del país en que obtiene esta gracia. ‖ **3**. Introducir y emplear en un país, como si fueran naturales o propias de él, cosas de otros países. NATURALIZAR *costumbres, vocablos*. Ú. t. c. prnl. ‖ **4**. Hacer que una especie animal o vegetal adquiera las condiciones necesarias para vivir y perpetuarse en país distinto de aquel de donde procede. Ú. t. c. prnl. ‖ **5**. prnl. Habituarse un extranjero a la vida de un país como si él fuera natural. ‖ **6**. Adquirir los derechos y deberes de los naturales de un país.

naturalmente. adv. m. Sin duda; consecuentemente. ‖ **2**. Por naturaleza. ‖ **3**. Con naturalidad. *Hablar* NATURALMENTE. ‖ **4**. De conformidad con las leyes de la naturaleza.

naturismo. (De *natura* e *-ismo*.) m. Doctrina que preconiza el empleo de los agentes naturales para la conservación de la salud y el tratamiento de las enfermedades.

naturista. adj. Dícese de la persona que profesa y practica el naturismo. Ú. t. c. s. ‖ **2**. Perteneciente o relativo al naturismo.

nauclero. (Del lat. *nauclērus*, y este del gr. ναύκληρος.) m. ant. Patrón o piloto de la nave.

nauchel. (De *nauchier*.) m. ant. Patrón o piloto de la nave, nauchel.

naucher. (Del cat. *nauxer*.) m. ant. Patrón o piloto de la nave, nauchel.

naufragar. (Del lat. *naufragāre*.) intr. Irse a pique o perderse la embarcación. Se usa también hablando de las personas que van en ella. ‖ **2**. fig. Perderse o salir mal un intento o negocio.

naufragio. (Del lat. *naufragĭum*.) m. Pérdida o ruina de la embarcación en el mar o en río o lago navegables. ‖ **2**. *Mar*. Buque naufragado, cuya situación ofrece peligro para los navegantes. ‖ **3**. fig. Pérdida grande; desgracia o desastre.

náufrago, ga. (Del lat. *naufrăgus*.) adj. Que ha padecido naufragio. Apl. a pers., ú. t. c. s. ‖ **2**. m. desus. tiburón.

naumaquia. (Del lat. *naumachĭa*, y este del gr. ναυμαχία.) f. Combate naval que como espectáculo se daba entre los antiguos romanos en un estanque o lago. ‖ **2**. Lugar destinado a este espectáculo. *La* NAUMAQUIA *de Mérida*.

náusea. (Del lat. *nausĕa*.) f. Gana de vomitar. Ú. m. en pl. ‖ **2**. fig. Repugnancia o aversión que causa una cosa. Ú. m. en pl.

nauseabundo, da. (Del lat. *nauseabundus*.) adj. Que causa o produce náuseas. ‖ **2**. p. us. Propenso a vómito.

nausear. (Del lat. *nauseāre*.) intr. desus. Tener náuseas. ‖ **2**. tr. p. us. Producir náuseas. *Su contemplación* NAUSEABA *a todos*.

nauseativo, va. adj. desus. **nauseabundo**.

nauseoso, sa. (Del lat. *nauseōsus*.) adj. p. us. **nauseabundo**, que produce náuseas.

nauta. (Del lat. *nauta*.) m. **hombre de mar**.

náutica. (Del lat. *nautĭca*, t. f. de *-cus*, náutico.) f. Ciencia o arte de navegar.

náutico, ca. (Del lat. *nautĭcus*.) adj. Perteneciente o relativo a la navegación. ‖ **2**. V. **carta, rosa náutica**.

nautilo. (Del lat. *nautĭlus*, y este del gr. ναυτίλος.) m. Molusco cefalópodo tetrabranquial, con numerosos tentáculos sin ventosas, provisto de una concha dividida interiormente

en celdas, en la última de las cuales se aloja el cuerpo del animal. Es propio del océano Índico.

nauyaca. (Del nahua *nahui*, cuatro, y *yacatl*, nariz.) f. *Méj*. Serpiente grande y venenosa, cuyo nombre le viene de tener hendido el labio superior, lo cual le da el aspecto de tener cuatro fosas nasales; por eso se le llama también cuatro narices.

nava. (Voz prelatina, que se halla también en el vasc. *naba*, tierra llana.) f. Tierra sin árboles y llana, a veces pantanosa, situada generalmente entre montañas.

navacero, ra. m. y f. Persona que forma y cultiva los navazos, huertos.

navaja. (Del lat. *novacŭla*.) f. Cuchillo cuya hoja puede doblarse sobre el mango para que el filo quede guardado entre las dos cachas o en una hendedura a propósito. ‖ **2**. Molusco lamelibranquio marino, cuya concha se compone de dos valvas simétricas, lisas, de color verdoso con visos blancos y azulados, de diez a doce centímetros de longitud y dos de anchura, y unidas por uno de los lados mayores para formar a modo de las cachas de la **navaja**. La carne es comestible poco apreciado. ‖ **3**. fig. Colmillo de jabalí y de algunos otros animales. ‖ **4**. fig. Aguijón cortante de algunos insectos. ‖ **5**. fig. y fam. Lengua de los maldicientes y murmuradores. ‖ **6**. Cada uno de los hierros laterales de la gafa que ruedan sobre los fieles al armar la ballesta. ‖ **barbera, navaja de afeitar.** | **cabritera.** La que sirve para despellejar las reses. ‖ **de afeitar.** La de filo agudísimo, hecha de acero muy templado, que sirve para hacer la barba. ‖ **comer de navaja.** fr. fig. y fam. Alimentarse de comidas secas, como cecina, queso, embutido, etc.

navajada. f. Golpe que se da con la navaja. ‖ **2**. Herida que resulta de este golpe.

navajazo. m. **navajada**.

navajero, ra. adj. Que usa la navaja habitualmente con propósitos delictivos. Ú. t. c. s. ‖ **2**. fig. *Col*. Aplícase a la persona muy hábil en alguna cosa. ‖ **3**. m. y f. *Mancha*. Persona que tiene por oficio fabricar, reparar o vender navajas. ‖ **4**. m. Estuche o bolsa en que se guardan las navajas, especialmente las de afeitar. ‖ **5**. Paño en que se limpia la navaja al afeitar. ‖ **6**. Especie de taza con el borde de caucho, que sirve para limpiar la navaja.

navajo. (De *nava* y *-ajo*.) m. despect. de **nava**. ‖ **2**. **lavajo**.

navajón. m. aum. de **navaja** de cortar.

navajonazo. m. Corte o herida hecha con navajón.

navajuela. f. d. de **navaja**.

naval. (Del lat. *navālis*.) adj. Perteneciente o relativo a las naves o a la navegación. ‖ **2**. V. **arquitectura, corona, ingeniero, pez, táctica, tercio naval**. ‖ **3**. m. ant. **morlés**, tela.

navanco. (De *nava* y *-anco*.) m. Pato bravío.

navarca. (Del b. gr. ναυάρχης.) m. Jefe o comandante de una armada griega. ‖ **2**. El de un buque romano.

navarrisco, ca. adj. desus. **navarro**.

navarro, rra. adj. Natural de Navarra. Ú. t. c. s. ‖ **2**. Perteneciente o relativo a esta región de España. ‖ **3**. Dícese de la variedad **navarra** del dialecto romance navarroaragonés. Ú. t. c. s. m. ‖ **4**. Dícese de la variedad del castellano hablado en Navarra. Ú. t. c. s. m. ‖ **5**. V. **libra navarra**.

navarroaragonés, sa. adj. Perteneciente o relativo a Navarra y Aragón. ‖ **2**. Dícese del dialecto romance nacido en Navarra y Aragón como resultado de la peculiar evolución experimentada allí por el latín. Con uso cancilleresco y literario hasta el siglo XV. Hoy subsiste en el habla rústica del Alto Aragón. Ú. t. c. s. m.

navazo. (De *nava* y *-azo*.) m. **navajo**, despect. de **nava**. ‖ **2**. Huerto que se forma, en algunos puntos de Andalucía, en los arenales inmediatos a las playas.

nave. (Del lat. *navis*.) f. Embarcación en general, barco. ‖ **2**. Embarcación de cubierta y con velas, en lo cual se distinguía de las barcas; y de las galeras, en que no tenía remos. Las había de guerra y mercantes. ‖ 3. Cada uno de los espacios que entre muros o filas de arcadas se extienden a lo largo de los templos u otros edificios importantes. ‖ 4. Por ext., cuerpo, o crujía seguida de un edificio, como almacén, fábrica, etc. ‖ **de San Pedro.** fig. Iglesia católica. ‖ **espacial.** Máquina provista de medios de propulsión y dirección que le permiten navegar en el espacio exterior a la atmósfera terrestre con o sin tripulantes, y que se destina a misiones científicas o técnicas. ‖ **principal.** La que ocupa el centro del templo desde la puerta de ingreso hasta el crucero o el presbiterio, generalmente con mayor elevación y más anchura que las laterales a ella paralelas. ‖ **quemar las naves.** fr. fig. Tomar una determinación extrema. Dícese con alusión a las naves destruidas por Hernán Cortés al comenzar la conquista de Méjico.

navecilla. f. d. de **nave.** ‖ 2. Naveta de incienso.

navegabilidad. f. Cualidad de navegable.

navegable. (Del lat. *navigabĭlis.*) adj. Dícese del río, lago, canal, etc., donde se puede navegar. ‖ 2. desus. Que puede navegar.

navegación. (Del lat. *navigatĭo, -ōnis.*) f. Acción de navegar. ‖ 2. Viaje que se hace con la nave. ‖ 3. Ciencia y arte de navegar, náutica. ‖ 4. V. **diario, patente de navegación.** ‖ **aérea.** Acción de navegar por el aire en globo, avión u otro vehículo. ‖ **de altura.** La que se hace por mar fuera de la vista de la tierra, y en la que se utiliza, para determinar la situación de la nave, la altura de los astros.

navegador, ra. (Del lat. *navigātor, -ōris.*) adj. Que navega. Ú. t. c. s.

navegante. p. a. de **navegar.** Que navega. Ú. t. c. s.

navegar. (Del lat. *navigāre.*) intr. Viajar o ir por el agua en embarcación o nave. Ú. t. c. tr. ‖ 2. Avanzar el buque o la embarcación. *El bergantín* NAVEGA *cinco millas por hora.* ‖ 3. Por analogía, hacer viaje o ir por el aire en globo, avión u otro vehículo. ‖ 4. fig. p. us. Andar de una parte a otra tratando y comerciando. ‖ 5. fig. Transitar o trajinar de una parte a otra. ‖ 6. tr. p. us. Conducir las mercaderías por mar de unas partes a otras para comerciar con ellas.

naveta. f. d. de **nave.** ‖ 2. Vaso o cajita que, generalmente en figura de navecilla, sirve en la iglesia para ministrar el incienso en la ceremonia de incensar. ‖ 3. Gaveta de escritorio. ‖ 4. Monumento megalítico de Baleares, de la Edad del Bronce. Tiene forma de nave invertida.

navícula. (Del lat. *navicŭla.*) f. d. de **nave.** ‖ 2. Diatomea muy abundante en las aguas dulces y marinas, cuyo caparazón tiene forma de navecilla.

navicular. (Del lat. *naviculāris.*) adj. De forma abarquillada o de navecilla. *Hojas, tallos* NAVICULARES. ‖ 2. *Anat.* V. **fosa navicular.** ‖ 3. *Anat.* V. **hueso navicular.** Ú. t. c. s.

naviculario. (Del lat. *naviculārius.*) m. Propietario o capitán de un buque mercante romano.

navichuela. f. d. de **nave.**

navichuelo. m. **navichuela.**

navidad. (Del lat. *nativĭtas, -ātis.*) n. p. f. Natividad de Nuestro Señor Jesucristo. ‖ 2. Día en que se celebra. ‖ 3. Tiempo inmediato a este día, hasta la festividad de Reyes. Ú. t. en pl. *Se harán los pagos por* NAVIDADES *y por San Juan.* ‖ 4. f. fig. **año,** período de doce meses, hablando de la edad de una persona. Ú. m. en pl. *José tiene muchas* NAVIDADES.

navideño, ña. adj. Perteneciente o relativo al tiempo de Navidad.

naviego, ga. adj. Natural de Navia. Ú. t. c. s. ‖ 2. Perteneciente o relativo a esta localidad.

naviero, ra. adj. Perteneciente o relativo a naves o a navegación. *Acciones* NAVIERAS. ‖ 2. m. Dueño de un na-

vío u otra embarcación capaz de navegar en alta mar. ‖ 3. El que avitualla un buque mercante.

navigación. f. ant. **navegación.**

navigar. intr. ant. **navegar.**

navío. (Del lat. *navigĭum.*) m. Bajel de guerra, de tres palos y velas cuadras, con dos o tres cubiertas o puentes y otras tantas baterías de cañones. ‖ 2. V. **alférez, capitán, teniente de navío.** ‖ 3. Bajel grande, de cubierta, con velas y muy fortificado, que se usa para el comercio, correos, etc. ‖ **Navío Argos.** *Astron.* Constelación del hemisferio austral, situada cerca y al occidente del Centauro y debajo del Can Mayor. ‖ **navío de alto bordo.** El que tiene muy altos los costados desde la línea de flotación a las bordas. ‖ **de aviso. aviso,** embarcación. ‖ **de carga. navío de transporte.** ‖ **de guerra. navío.** ‖ **de línea.** El que por su fortaleza y armamento puede combatir con otros en batalla ordenada o en formaciones de escuadra. ‖ **de transporte.** El que solo sirve para conducir mercancías, tropas, municiones o víveres. ‖ **mercante, mercantil,** o **particular.** El que sirve para conducir mercancías de unos puertos a otros. ‖ **montar un navío.** fr. Mandarlo.

náyade. (Del lat. *naĭas, -ădis,* y este del gr. ναυάς, -άδος.) f. *Mit.* Cualquiera de las ninfas que, según la mitología clásica, residían en los ríos y en las fuentes. ‖ 2. *Zool.* Ninfa acuática de ciertos insectos.

nayarita. adj. Natural del Estado mejicano de Nayarit. Ú. t. c. s. ‖ 2. Perteneciente o relativo a dicho Estado.

nayaritense. adj. **nayarita.** Ú. t. c. s.

nayuribe. f. Planta herbácea de la familia de las amarantáceas, que crece hasta seis o siete decímetros de altura, con tallos ramosos, hojas opuestas y flores moradas en espigas. Sus cenizas se emplean en tintorería para teñir de encarnado.

nazareno, na. (Del lat. *Nazarēnus.*) adj. Natural de Nazaret. Ú. t. c. s. ‖ 2. Perteneciente o relativo a esta ciudad de Galilea. ‖ 3. Dícese del que entre los hebreos se consagraba particularmente al culto de Dios: no bebía licor alguno que pudiera embriagar, y no se cortaba la barba ni el cabello. Ú. t. c. s. ‖ 4. Dícese de la imagen de Jesucristo vestida con un ropón morado. Ú. t. c. s. ‖ 5. fig. Que profesa la fe de Cristo, cristiano. Ú. t. c. s. ‖ 6. m. Penitente que en las procesiones de Semana Santa va vestido con túnica, por lo común morada. ‖ 7. Árbol americano de la familia de las ramnáceas, cuya madera, cocida en agua, da un tinte amarillo muy duradero, y por ser de grano fino con hermoso color morado, de vetas claras y oscuras, tiene gran estima en ebanistería. ‖ 8. f. pl. *R. de la Plata.* Lloronas, espuelas grandes usadas por los gauchos. ‖ **el Divino Nazareno. Jesucristo.** ‖ **El Nazareno.** Por antonom., **Jesucristo.** ‖ **cuando vengan los nazarenos.** expr. fig. y fam. con que se da a entender la imposibilidad de que suceda una cosa. ‖ **estar hecho un nazareno.** fr. Estar una persona maltrecha, lacerada y afligida.

nazareo, a. (Del lat. *Nazaraeus.*) adj. **nazareno,** natural de Nazaret. Ú. t. c. s. ‖ 2. Perteneciente o relativo a esta ciudad. ‖ 3. Hebreo que se consagraba al culto de Dios. Apl. a pers., ú. t. c. s.

nazarí. (Del ár. *naṣrī,* perteneciente o relativo a *Naṣr,* en esp. *Názar.*) adj. Dícese de los descendientes de Yúsuf ben Názar, fundador de la dinastía musulmana que reinó en Granada desde el siglo XIII al XV. Ú. t. c. s. m. y en pl. ‖ 2. Perteneciente o relativo a esta dinastía.

nazarita. adj. **nazarí.** Ú. t. c. s.

nazi. (Del al. *nazi,* abrev. fam. de *nacionalsocialista.*) adj. Perteneciente o relativo al nacionalsocialismo. ‖ 2. Partidario del nacionalsocialismo. Ú. t. c. s.

nazismo. (De *nazi.*) m. Nombre abreviado del nacionalsocialismo.

názora. (De or. inc.) f. ant. Nata[1] de la leche.

názula. (De etim. disc.) f. ant. En la región de Toledo, **requesón,** cuajada que se saca de los residuos de la leche después de hecho el queso.

-ncia. (Del lat. *-ntĭa.*) suf. de sustantivos femeninos abstractos, de significado muy variado, determinado por la base derivativa. Toma las formas **-ancia,** cuando la base derivativa termina en *-ante: extravag*ANCIA, *import*ANCIA; **-encia,** cuando termina en *-ente* o *-iente: insist*ENCIA, *depend*ENCIA.

ne. (Del lat. *nec.*) conj. ant. **ni.**

nea. f. Aféresis de **anea.**

neapolítano, na. adj. ant. **napolitano.** Apl. a pers., usáb. t. c. s.

nearca. (Del b. gr. νεάρχης.) m. Jefe de armada griego o romano, navarca.

nébeda. (Del lat. *nepēta.*) f. Planta herbácea de la familia de las labiadas, con tallos torcidos, velludos y ramosos, de cuatro a seis decímetros de longitud; hojas pecioladas, rugosas, ovales, aserradas por el margen, lanuginosas, de color verdinegro por encima y blanquecino por debajo; flores blancas o purpurinas en racimos colgantes, y fruto seco y capsular. Su olor y sabor son parecidos a los de la menta, y tiene las mismas propiedades excitantes.

nebel. m. Lira de marco rectangular, nabla.

nebí. m. **neblí.**

nebladura. (De *niebla* y *-dura.*) f. Daño que con la niebla reciben los sembrados. ‖ **2. modorra** del ganado lanar.

neblí. (De etim. disc.) m. Ave de rapiña que mide veinticuatro centímetros desde el pico hasta la extremidad de la cola y sesenta de envergadura; de plumaje pardo azulado en el lomo, blanco con manchas grises en el vientre y pardo en la cola, que termina con una banda negra de borde blanco; pico azulado y pies amarillos. Por su valor y rápido vuelo era muy estimado para la caza de cetrería.

neblina. (d. de *niebla.*) f. Niebla poco espesa y baja.

neblinear. intr. impers. *Chile.* Lloviznar.

neblinoso, sa. adj. Se dice del día o de la atmósfera en que abunda y es baja la niebla.

nebral. m. **enebral.**

nebreda. (De *nebro* y *-eda.*) f. **enebral.**

nebrina. (De *nebro* e *-ina.*) f. Fruto del enebro.

nebrisense. (Del lat. *Nebrissensis.*) adj. **lebrijano.** Apl. a pers., ú. t. c. s.

nebro. m. **enebro.**

nebular. (Del lat. *nebŭla* e *-izar.*) adj. Perteneciente o relativo a las nebulosas. *Hipótesis* NEBULAR, *anillo* NEBULAR.

nebulizador, ra. adj. Que nebuliza. ‖ **2.** m. *Tecnol.* Aparato, generalmente eléctrico, para nebulizar. Ú. t. c. s. f.

nebulizar. (De *nebŭla* e *-izar.*) tr. Transformar un líquido en partículas finísimas que forman una especie de nubecilla.

nebulón. (Del lat. *nebŭlo, -ōnis.*) m. p. us. Hombre taimado e hipócrita.

nebulosa. (Del lat. *nebulōsa.* t. f. de *-sus,* nebuloso.) f. *Astron.* Materia cósmica celeste, difusa y luminosa, que ofrece diversas formas, en general de contorno impreciso.

nebulosamente. adv. m. Con nebulosidad.

nebulosidad. (Del lat. *nebulosĭtas, -ātis.*) f. Cualidad de nebuloso. ‖ **2.** Pequeña oscuridad, sombra.

nebuloso, sa. (Del lat. *nebulōsus.*) adj. Que abunda en nieblas, o cubierto de ellas. ‖ **2.** Oscurecido por las nubes. ‖ **3.** fig. Sombrío, tétrico. ‖ **4.** fig. Falto de lucidez y claridad. ‖ **5.** fig. Difícil de comprender.

necear. (De *necio.*) intr. Decir necedades. ‖ **2.** Porfiar neciamente en una cosa.

necedad. f. Cualidad de necio. ‖ **2.** Dicho o hecho necio. ‖ **las necedades del rico pasan por sentencias en el mundo.**

fr. proverb. que pondera la importancia que suele darse a la riqueza.

necesaria. (Del lat. *necessarĭa,* t. f. de *-rius,* necesario.) f. **letrina,** retrete.

necesariamente. adv. m. Con o por necesidad.

necesario, ria. (Del lat. *necessarĭus.*) adj. Que forzosa o inevitablemente ha de ser o suceder. ‖ **2.** Dícese de lo que se hace y ejecuta obligado por otra cosa, como opuesto a voluntario y espontáneo, y también de las causas que obran sin libertad y por determinación de su naturaleza. ‖ **3.** Que es menester indispensablemente, o hace falta para un fin. ‖ **4.** *Der.* En el derecho antiguo, decíase del heredero obligado a aceptar la herencia, y especialmente cuando do era esclavo o siervo del testador. ‖ **5.** *Astron.* V. **términos necesarios.** ‖ **6.** *Der.* V. **condición necesaria.** ‖ **7.** adv. m. ant. Por necesidad, necesariamente. ‖ **hacerse el necesario.** fr. Hacerse de rogar, o, afectando celo, lograr ser considerado indispensable.

neceser. (Del lat. *nécessaire.*) m. Caja o estuche con diversos objetos de tocador, costura, etc.

necesidad. (Del lat. *necessĭtas, -ātis.*) f. Impulso irresistible que hace que las causas obren infaliblemente en cierto sentido. ‖ **2.** Todo aquello a lo cual es imposible sustraerse, faltar o resistir. ‖ **3.** Carencia de las cosas que son menester para la conservación de la vida. ‖ **4.** Falta continuada de alimento que hace desfallecer. ‖ **5.** Especial riesgo o peligro que se padece, y en que se necesita pronto auxilio. ‖ **6.** Evacuación corporal de orina o excrementos. Ú. m. en pl. ‖ **7.** V. **estado de necesidad.** ‖ **de medio.** *Teol.* Precisión absoluta de una cosa, sin la cual no se puede conseguir la salvación. *El bautismo es necesario con* NECESIDAD DE MEDIO. ‖ **de precepto.** Obligación fundada en una ley eclesiástica, y cuyo cumplimiento es conducente, pero no indispensable a la salvación. *La eucaristía es necesaria con* NECESIDAD DE PRECEPTO. ‖ **de primera necesidad.** expr. que se aplica a las cosas de las que no se puede prescindir. ‖ **extrema.** Estado en que ciertamente se perderá una vida si no es auxiliado o no sale de él. ‖ **grave.** *Teol.* Estado en que uno está expuesto a peligro de perder la vida temporal o eterna. Esta última llámase **necesidad grave espiritual.** ‖ **mayor.** Evacuación de excrementos. ‖ **menor.** Evacuación de orina. ‖ **de necesidad.** loc. adv. **necesariamente.** *Herida mortal* DE NECESIDAD. ‖ **hacer de la necesidad virtud.** fr. Afectar que se ejecuta de buena gana y voluntariamente lo que por precisión se había de hacer. ‖ **2.** Tolerar con ánimo constante y conforme lo que no se puede evitar. ‖ **la necesidad carece de ley.** fr. proverb. con que se explica que el que padece urgente **necesidad** se juzga dispensado de las leyes u obligaciones comunes. ‖ **la necesidad tiene cara de hereje.** expr. que se usa para denotar que generalmente se huye del necesitado, y también que la **necesidad** obliga a cualquier penalidad o trabajo con objeto de evitarla. Esta expresión puede ser traducción burlesca de la latina *nacéssitas cáret lege.* ‖ **obedecer a la necesidad.** fr. fig. Obrar como exigen las circunstancias. ‖ **por necesidad.** loc. adv. Necesariamente; por un motivo o causa irresistible. *Ha sentado plaza* POR NECESIDAD.

necesitado, da. p. p. de **necesitar.** ‖ **2.** adj. Pobre, que carece de lo necesario. Ú. t. c. s.

necesitar. (Del lat. *necessĭtas, -ātis.*) tr. Obligar y precisar a ejecutar una cosa. ‖ **2.** intr. Haber menester o tener precisión o necesidad de una persona o cosa. Ú. t. c. tr.

necezuelo, la. adj. d. de **necio.**

neciamente. adv. m. Con necedad.

necio, cia. (Del lat. *nescĭus.*) adj. Ignorante y que no sabe lo que podía o debía saber. Ú. t. c. s. ‖ **2.** Imprudente o falto de razón; terco y porfiado en lo que una vez dice. Ú. t. c. s. ‖ **3.** Aplícase también a las cosas ejecutadas con ignorancia, imprudencia o presunción. ‖ **a necias.** loc. adv.

neciamente. ‖ **más vale ser necio que porfiado.** fr. con que los prudentes excusan las altercaciones y porfías.

nécora. f. Decápodo braquiuro, cangrejo de mar, de cuerpo liso y elíptico.

necro-. (Del gr. νεϰϱο-.) elem. compos. que significa «muerto»: NECRO*fagia*, NECRO*filia*.

necrofagia. (De *necro-* y *-fagia*.) f. Acción de comer cadáveres o carroña.

necrófago, ga. (Del gr. νεϰϱοφάγος.) adj. Que se alimenta de cadáveres.

necrofilia. (De *necro-* y *-filia*.) f. Afición por la muerte o por alguno de sus aspectos. ‖ **2.** Perversión sexual de quien trata de obtener el placer erótico con cadáveres.

necrófilo, la. (De *necro-* y *-filo*.) adj. Perteneciente o relativo a la necrofilia. Ú. t. c. s.

necróforo, ra. (Del gr. νεϰϱοφόρος, que transporta cadáveres.) adj. *Zool.* Dícese de los insectos coleópteros que entierran los cadáveres de otros animales para depositar en ellos sus huevos. Ú. t. c. s.

necrolatría. (De *necro-* y *-latría*.) f. Adoración tributada a los muertos.

necrología. (De *necro-* y *-logía*.) f. Noticia o biografía de una persona notable muerta hace poco tiempo. ‖ **2.** Lista o noticia de muertos.

necrológico, ca. adj. Perteneciente o relativo a la necrología.

necromancia o **necromancía.** (Del lat. *necromantīa* y este del gr. νεϰϱομαντεία.) f. Adivinación por evocación de los muertos, nigromancia.

necrópolis. (Del gr. νεϰϱόπολις, ciudad de los muertos.) f. Cementerio de gran extensión, en que abundan los monumentos fúnebres.

necropsia. (De *necro-* y el gr. ὄψις, vista.) f. **necroscopia.**

necroscopia. (De *necro-* y *-scopia*.) f. Autopsia o examen de los cadáveres.

necroscópico, ca. adj. Perteneciente o relativo a la necroscopia.

necrosis. (Del lat. *necrōsis*, y este del gr. νέϰϱωσις.) f. *Pat.* Mortificación o gangrena de los tejidos del organismo. Se dice principalmente hablando del tejido óseo. ‖ **2.** Por ext., destrucción íntima de un tejido.

néctar. (Del lat. *nectar*, y este del gr. νέϰταϱ, nombre de la bebida de los dioses.) m. *Mit.* Licor suavísimo que, según la mitología clásica, estaba destinado al uso y regalo de los dioses. ‖ **2.** fig. Cualquier licor deliciosamente suave y gustoso. ‖ **3.** *Bot.* Jugo azucarado, producido por los nectarios, que chupan las abejas y otros insectos.

nectáreo, a. (Del lat. *nectarěus*.) adj. Que destila néctar o sabe a él.

nectarina. (De *néctar* e *-ina*.) f. Fruta que resulta del injerto de ciruelo y melocotonero.

nectarino, na. (De *néctar* e *-ino*.) adj. **nectáreo.**

nectario. (De *néctar* e *-io*.) m. *Bot.* Glándula de las flores de ciertas plantas que segrega un jugo azucarado.

necton. (Del gr. νηϰτόν, n. de νηϰτός, que nada.) m. *Biol.* Conjunto de los organismos acuáticos que, como los peces, son capaces de desplazarse activamente en su medio, a diferencia de los planctónicos.

nectónico, ca. adj. *Biol.* Perteneciente o relativo al necton.

neerlandés, sa. (Del fr. *néerlandais*.) adj. **holandés.** Apl. a pers., ú. t. c. s. ‖ **2.** m. Lengua germánica hablada por los habitantes de los Países Bajos, de la cual son dialectos el flamenco y el holandés.

nefandamente. adv. m. De modo nefando.

nefandario, ria. (De *nefando*.) adj. Aplícase a la persona que comete el pecado nefando.

nefando, da. (Del lat. *nefandus*.) adj. Indigno, torpe, de

que no se puede hablar sin repugnancia u horror. ‖ **2.** V. **pecado nefando.**

nefariamente. adv. m. De modo nefario.

nefario, ria. (Del lat. *nefarĭus*.) adj. Sumamente malvado, impío e indigno del trato humano.

nefas. (Del lat. *nefas*, injusto.) V. **por fas o por nefas.**

nefasto, ta. (Del lat. *nefastus*.) adj. V. **día nefasto.** ‖ **2.** Aplicado a día o a cualquier otra división del tiempo, triste, funesto, ominoso. ‖ **3.** Por ext., se aplica con igual sentido a personas o cosas desgraciadas o detestables. NEFASTO *gobernante*; NEFASTO *matrimonio*.

nefelibata. (Formación culta del gr. νεφέλη, nube, y βάτης, nombre de agente, de βαίνω, andar.) adj. fig. Dícese del soñador, del que anda por las nubes. Ú. t. c. s.

nefelismo. (Del gr. νεφέλη, nube, e *-ismo*.) m. Conjunto de caracteres que presentan las nubes.

nefelometría. f. Procedimiento de análisis químico y bacteriológico que se vale del nefelómetro.

nefelómetro. (Del gr. νεφέλη, nube, y *-metro*.) m. Instrumento para medir la turbidez de un fluido o para determinar la concentración y tamaño de las partículas en suspensión por medio de la luz que difunden en un tubo.

nefrítico, ca. (Del lat. *nephritĭcus*, y este del gr. νεφϱιτιϰός.) adj. Renal, perteneciente o relativo a los riñones. NEFRÍTICO. ‖ **2.** Que padece nefritis. Ú. t. c. s. ‖ **3.** V. **cólico, dolor nefrítico.** ‖ **4.** m. **palo nefrítico.** ‖ **5.** **piedra nefrítica.**

nefritis. (Del lat. *nephritis*, y este del gr. νεφϱῖτις.) f. *Pat.* Inflamación de los riñones.

nefrología. (Del gr. νεφϱός, riñón, y *-logía*.) f. Rama de la medicina que se ocupa del riñón y de sus enfermedades.

nefrológico, ca. adj. *Med.* Perteneciente o relativo a la nefrología.

nefrólogo, ga. m. y f. Persona especializada en nefrología.

nefrosis. (De νεφϱός, riñón, y *-sis*.) f. *Pat.* Enfermedad degenerativa del riñón.

nefrótico, ca. adj. Perteneciente o relativo a la nefrosis. ‖ **2.** Que padece nefrosis. Ú. t. c. s.

negable. adj. Que se puede negar.

negación. (Del lat. *negatĭo*, *-ōnis*.) f. Acción y efecto de negar. ‖ **2.** Carencia o falta total de una cosa. ‖ **3.** *Gram.* Partícula o voz que sirve para negar.

negado, da. p. p. de **negar.** ‖ **2.** adj. Incapaz o totalmente inepto para una cosa. Ú. t. c. s. ‖ **3.** Dícese de los primitivos cristianos que renegaban de la fe. Ú. t. c. s.

negador, ra. (Del lat. *negātor*, *-ōris*.) adj. Que niega. Ú. t. c. s.

negamiento. m. Acción y efecto de negar.

negar. (Del lat. *negāre*.) tr. Decir que algo no existe, no es verdad, o no es como otro cree o afirma. ‖ **2.** Dejar de reconocer una cosa, no admitir su existencia. ‖ **3.** Decir que no a la que se pretende o se pide, o no concederlo. ‖ **4.** Prohibir o vedar, impedir o estorbar. ‖ **5.** Olvidarse o retirarse de lo que antes se estimaba y se frecuentaba. ‖ **6.** No confesar uno el delito de que se le hace cargo. Se usa regularmente hablando de los preguntados jurídicamente acerca de este delito. ‖ **7.** Desdeñar, esquivar una cosa o no reconocerla como propia. ‖ **8.** Ocultar, disimular. ‖ **9.** prnl. Excusarse de hacer una cosa, o repugnar el introducirse o mezclarse en ella. ‖ **10.** No admitir uno al que va a buscarlo a su casa, haciendo decir que está fuera. ‖ **negarse uno a sí mismo.** fr. No ceder a sus deseos y apetitos, sujetándose enteramente a la ley, y gobernándose, no por su juicio, sino por el dictamen ajeno conforme a la doctrina del Evangelio.

negativa. (Del lat. *negatīva*, t. f. de *-vus*, negativo.) f. Negación o denegación, o lo que la contiene. ‖ **2.** Repulsa o no concesión de lo que se pide.

negativamente. adv. m. Con negación.

negativo, va. (Del lat. *negatīvus*.) adj. Que incluye o contiene negación o contradicción. ‖ **2.** Perteneciente a la negación. ‖ **3.** Dícese de las imágenes fotográficas, radiográficas, etc., que ofrecen invertidos los claros y oscuros, o los colores complementarios, de aquello que reproducen. Ú. t. c. s. m. ‖ **4.** V. **argumento, polo[1], precepto, signo, término negativo.** ‖ **5.** V. **cantidad, electricidad, proposición, prueba negativa.** ‖ **6.** *Der.* Aplícase al reo o testigo que, preguntado jurídicamente, no confiesa el delito o niega lo que se le pregunta.

negatrón. (De *negat[ivo]* con la term. de *electrón*.) m. *Fís.* **electrón.**

negligencia. (Del lat. *negligentĭa*.) f. Descuido, omisión. ‖ **2.** Falta de aplicación.

negligente. (Del lat. *neglĭgens, -entis*, p. a. de *neglĭgĕre*, mirar con indiferencia.) adj. Descuidado. Ú. t. c. s. ‖ **2.** Falto de aplicación. Ú. t. c. s.

negligentemente. adv. m. Con negligencia.

negociable. adj. Que se puede negociar.

negociación. (Del lat. *negotiatĭo, -ōnis*.) f. Acción y efecto de negociar.

negociado, da. p. p. de **negociar.** ‖ **2.** m. Cada una de las dependencias donde, en una organización administrativa, se despachan determinadas clases de asuntos. ‖ **3. negocio.** ‖ **4.** *Argent., Bol., Chile, Ecuad., Par., Perú* y *Urug.* Negocio de importancia, ilícito y escandaloso.

negociador, ra. (Del lat. *negotiātor, -ōris*.) adj. Que negocia. Ú. t. c. s. ‖ **2.** Dícese del ministro o agente diplomático que gestiona un negocio importante. Ú. t. c. s.

negociante. (Del lat. *negotĭans, -antis*.) p. a. de **negociar.** Que negocia. Ú. m. c. s. ‖ **2.** com. Persona que negocia géneros comerciales, comerciante.

negociar. (Del lat. *negotiāri*.) intr. Tratar y comerciar, comprando y vendiendo o cambiando géneros, mercaderías o valores para aumentar el caudal. ‖ **2.** Tratar asuntos públicos o privados procurando su mejor logro. Ú. t. c. tr. ‖ **3.** Tratar por la vía diplomática, de potencia a potencia, un asunto, como un tratado de alianza, de comercio, etc. Ú. t. c. tr. ‖ **4.** tr. Ajustar el traspaso, cesión o endoso de un vale, efecto o letra. ‖ **5.** Tratándose de valores, descontarlos.

negocio. (Del lat. *negotĭum*.) m. Cualquier ocupación, quehacer, o trabajo. ‖ **2.** Dependencia, pretensión, tratado o agencia. ‖ **3.** Todo lo que es objeto o materia de una ocupación lucrativa o de interés. ‖ **4.** Acción y efecto de negociar. ‖ **5.** Utilidad o interés que se logra en lo que se trata, comercia o pretende. ‖ **6.** Local en que se negocia o comercia. V. **7. agente, encargado, hombre de negocios.** ‖ **8.** fig. V. **alma del negocio.** ‖ **9.** *Der.* V. **gestor de negocios.** ‖ **de mala digestión.** fig. y fam. El que es dificultoso. ‖ **jurídico.** Acto de una o más voluntades que pretende algún efecto jurídico reconocido por la ley. ‖ **redondo.** fig. y fam. El muy ventajoso y que sale a medida del deseo. ‖ **agitarse un negocio.** fr. **agitarse una cuestión.** ‖ **desempatar un negocio.** fr. fig. y fam. Ponerlo a flote, aclarando las dudas y dificultades que tenía. ‖ **evacuar uno un negocio.** fr. fam. Finalizarlo, salir de él, concluirlo. ‖ **hacer** uno su **negocio.** fr. Sacar de un asunto el provecho que puede, sin otra mira que el interés propio. ‖ **2.** Hacer un lucro indebido en los asuntos de otro que le están encomendados.

negocioso, sa. (Del lat. *negotiōsus*.) adj. p. us. Diligente, pronto o cuidadoso de sus negocios.

negozuelo. m. d. de **negocio.**

negrada. f. *Cuba.* Conjunto o reunión de negros esclavos que constituía la dotación de una finca.

negral. adj. Que tira a negro. ‖ **2.** V. **pino, roble negral.** ‖ **3.** m. Moradura o equimosis.

negrear. intr. Mostrar color negro o negruzco. ‖ **2.** En-

negrecerse, tirar a negro. ‖ **3.** tr. *Pan.* y *Perú.* Insultar a una persona tratándola de negro.

negrecer. (Del lat. *nigrescĕre*.) intr. Ponerse negro. Ú. t. c. prnl.

negregar. (Del lat. *nigricāre,* ennegrecer.) intr. p. us. **negrear.**

negreguear. intr. p. us. **negrear.**

negregura. f. **negrura.**

negrería. f. Conjunto o muchedumbre de negros, y especialmente de los dedicados al cultivo de las haciendas del Perú.

negrero, ra. adj. Dedicado a la trata de negros. Apl. a pers., ú. t. c. s. ‖ **2.** m. y f. fig. Persona que trata con crueldad a sus subordinados o los explota.

negrestino, na. adj. p. us. Que tira a negro.

negreta. (De *negra*.) f. Ave palmípeda de medio metro de largo, que habita en las orillas del mar y se alimenta de pececillos. El macho es negro; la hembra, parda; ambos tienen el pico manchado de negro y rojo, los pies encarnados, las uñas negras y los dedos reunidos por una membrana. El macho, además del color, se distingue por un bulto o callo que tiene en el arranque del pico.

negrete. m. adj. de cierto bando de la montaña de Santander en el siglo xv.

negrilla. (d. de *negra*.) f. Especie de congrio que tiene el lomo de color oscuro. ‖ **2.** Hongo microscópico, con el talo formado por filamentos ramificados, que vive parásito en las hojas del olivo o de otras plantas.

negrillera. f. Sitio poblado de negrillos u olmos.

negrillo, lla. adj. d. de **negro.** ‖ **2.** V. **letra negrilla.** Ú. t. c. s. ‖ **3.** m. **olmo.** ‖ **4.** *Murc.* Tizón de los cereales. ‖ **5.** *Min. Amér.* Mena de plata cuprífera cuyo color es muy oscuro.

negrita. f. *Impr.* **letra negrilla** o **negrita.**

negrito, ta. adj. d. de **negro.** ‖ **2.** Aplíc. a personas de raza negra. Ú. t. c. s. ‖ **3.** m. Pájaro de la isla de Cuba, del tamaño del canario y de canto parecido al de este. Es de color negro, con algunas plumas blancas en el borde de las alas.

negritud. (Del fr. *négritude*.) f. *Sociol.* Conjunto de características sociales y culturales atribuidas a la raza negra.

negrizco, ca. adj. **negruzco.**

negro, gra. (Del lat. *niger, nigri*.) adj. De color totalmente oscuro, como el carbón, y en realidad falto de todo color. Ú. t. c. s. ‖ **2.** Dícese del individuo cuya piel es de color **negro.** Ú. t. c. s. ‖ **3.** Moreno, o que no tiene la blancura que le corresponde. *Este pan es* NEGRO. ‖ **4.** Oscuro u oscurecido y deslucido, o que ha perdido o mudado el color que le corresponde. *Está* NEGRO *el cielo; están* NEGRAS *las nubes.* ‖ **5.** fig. y fam. Tostado o bronceado por el sol. ‖ **6.** Dícese de la novela o del cine de tema criminal y terrorífico, que se desarrolla en ambientes sórdidos y violentos. ‖ **7.** V. **álamo, aliso, amate, ámbar, azúcar, beleño, chopo, espino, garbanzo, maíz, mechoacán, mercado, oso, panizo, pato, pino, pozo, salado, salsifí, tabaco, té, viómito negro.** ‖ **8.** V. **cabos negros.** ‖ **9.** V. **arma, azúcar, banderilla, caja, capilla, escopeta, espada, estepa, gente de capa, hombre de capa, jara, lista, magia, miel, morera, nueza, pez, pimienta, retama negra.** ‖ **10.** V. **grabado en negro.** ‖ **11.** V. **merienda de negros.** ‖ **12.** fig. Sumamente triste y melancólico. ‖ **13.** fig. Infeliz, infausto y desventurado. ‖ **14.** *Germ.* Astuto y taimado. ‖ **15.** m. y f. *And.* y *Amér.* Voz de cariño usada entre casados, novios o personas que se quieren bien. ‖ **16.** m. El que trabaja anónimamente para lucimiento y provecho de otro, especialmente en trabajos literarios. ‖ **17.** V. **espada negra.** ‖ **18.** *Mús.* Nota cuya duración es la mitad de una blanca. ‖ **animal. carbón animal.** ‖ **de humo.** Polvo que se recoge de los humos de materias resinosas y se emplea en la confección de algunas tintas, en el betún para el calzado y en otras preparaciones. ‖ **de la uña.** Parte extrema de la uña cuando está sucia. ‖ **2.** fig. Lo mínimo de cualquier cosa. ‖ **como negra en baño.** loc. fig. Con entono y afectada gravedad. ‖ **con la negra.** loc. adv. fig. y fam. *Chile.* Sin dinero. Ú. especialmente con verbos como *jugar, ganar, negociar,* etc. ‖ **esa es más negra, o esa sí que es negra.** fr. fig. y fam. con que se encarece el apuro o dificultad de una cosa. ‖ **estar uno negro.** fr. fig. y fam. Estar muy enfadado. ‖ **estar, o ponerse, negro** algo. fr. fig. y fam. Tener, o tomar mal cariz un asunto. ‖ **no somos negros.** expr. fam. con que se reprende al que trata a otros desconsiderada y ásperamente. ‖ **pasarlas negras.** loc. fig. y fam. **pasarlas moradas.** ‖ **poner a uno negro o ponerse** alguien **negro.** fr. fig. y fam. Irritar mucho a alguien o irritarse mucho uno mismo. ‖ **sacar lo que el negro del sermón.** fr. Sacar poco provecho de escuchar o leer algo que no se entiende. ‖ **tener la negra.** fr. fig. y fam. Tener mala suerte. ‖ **trabajar más que un negro, o como un negro.** fr. fig. y fam. Trabajar mucho. ‖ **verse uno negro** para hacer algo. fr. fig. y fam. Tener mucha dificultad para realizarlo.

negrófilo, la. m. y f. Enemigo de la esclavitud y trata de negros.

negroide. adj. Dícese de lo que presenta alguno de los caracteres de la raza negra o de su cultura. Apl. a pers., ú. t. c. s.

negror. (Del lat. *nigror, -ōris.*) m. Cualidad de negro.

negrota. f. *Germ.* Caldera de la cocina.

negrura. f. Cualidad de negro.

negruzco, ca. adj. De color moreno, algo negro.

neguijón. (Probablem. de *nigellio, -ōnis,* der. de *nigellus,* d. de *niger,* negro.) m. Enfermedad de los dientes, que los carcome y pone negros.

neguilla. (Del lat. *nigella,* d. f. de *niger,* negro.) f. Planta herbácea anual, de la familia de las cariofiláceas, lanuginosa, fosforescente, con tallo ramoso de seis a ocho decímetros de altura; hojas lineales y agudas; flores rojizas terminales y solitarias, y fruto capsular con muchas semillas negras, menudas, esquinadas y ásperas. Es muy abundante en los sembrados. ‖ **2.** Semilla de esta planta. ‖ **3.** Arañuela, planta. ‖ **4.** Mancha negra en la cavidad de los dientes de las caballerías, que sirve para conocer su edad. ‖ **5.** Como juego de palabras, entra, con la significación de **negativa,** en el ref. *Más vale celemín de* NEGUILLA *que fanega de trigo.* ‖ **6.** pl. *Sal.* Picardía, astucia.

neguillón. (aum. de *neguilla.*) m. **neguilla,** planta.

negundo. m. Árbol de la familia de las aceráceas, próximo del arce, pero con las flores dioicas y sin pétalos; coloración verde, excepto la variedad abigarrada, que es verde clara y blanquecina. Se cultiva como adorno de los paseos y en jardines.

negus. (Voz abisinia.) m. Emperador de Abisinia.

neis. m. Granito pizarroso, gneis.

néisico, ca. adj. Perteneciente al neis, gnéisico.

neivano, na. adj. Natural de Neiva. Ú. t. c. s. ‖ **2.** Perteneciente o relativo a esta ciudad de Colombia.

neja. f. *Méj.* Tortilla hecha de maíz cocido.

nejayote. m. *Méj.* Agua amarillenta en que se ha cocido el maíz.

neldo. m. Aféresis de **eneldo.**

nelumbio. m. **nelumbo.**

nelumbo. (De la voz del Senegal *nelumbu.*) m. Planta ninfácea, de flores blancas o amarillas y de hojas aovadas.

nema. (Del lat. *nema,* y este del gr. νῆμα, hilo, porque antiguamente se cerraban las cartas con un hilo antes de sellarlas.) f. Cierre o sello de una carta.

nematelminto. (Del gr. νῆμα, -ατος, hilo, y ἕλμινς, -ινθος, gusano.) adj. *Zool.* Dícese de gusanos de cuerpo fusiforme o cilíndrico y no segmentado, desprovistos de apéndices locomotores y con tegumentos impregnados de quitina,

que en su mayoría son parásitos de otros animales; como la lombriz intestinal. Ú. m. c. s. ‖ **2.** m. pl. *Zool.* Clase de estos gusanos.

nematócero. (Del gr. νῆμα, -ατος, hilo, y κέρας, cuerno, antena.) adj. *Zool.* Dícese de los insectos dípteros de cuerpo esbelto, alas estrechas y largas, patas delgadas y antenas largas. Ú. t. c. s. ‖ **2.** m. pl. *Zool.* Suborden de estos animales, que se conocen con el nombre de mosquitos.

nematodo. (Del gr. νηματώδης, filiforme, a través del pl. fr. *némmatodes,* o del it. *nematodi.*) adj. *Zool.* Dícese de los nematelmintos que tienen aparato digestivo, el cual consiste en un tubo recto que se extiende a lo largo del cuerpo, entre la boca y el ano. Ú. m. c. s. ‖ **2.** m. pl. *Zool.* Orden de estos gusanos.

nembrar. (Variante leon. de *membrar.*) tr. ant. Recordar. Usáb. m. c. prnl.

neme. m. *Col.* Betún o asfalto.

nemeo, a. (Del lat. *Nemaeus,* y este del gr. Νεμεαῖος.) adj. Natural de Nemea. Ú. t. c. s. ‖ **2.** Perteneciente o relativo a este santuario y comarca de Grecia antigua. ‖ **3.** Aplícase comúnmente a los juegos que se celebraban en honor de Heracles, por haber muerto al león que habitaba la montaña y selva próximas a esta ciudad.

nemiga. f. ant. **enemiga.**

némine discrepante. expr. lat. Sin contradicción, discordia ni oposición alguna. ‖ **2.** Por unanimidad.

nemon. m. ant. **gnomon.**

nemónica. f. **mnemónica.**

nemoroso, sa. (Del lat. *nemorōsus.*) adj. poét. Perteneciente o relativo al bosque. ‖ **2.** poét. Cubierto de bosques.

nemotecnia. f. **mnemotecnia.**

nemotécnica. f. **mnemotecnia.**

nemotécnico, ca. adj. **mnemotécnico.**

nen. (Del lat. *nec.*) conj. ant. **ni.**

nene, na. (Voz infantil.) m. y f. fam. Niño de corta edad. ‖ **2.** Suele usarse como expresión de cariño para personas de más edad, sobre todo en la terminación femenina. ‖ **3.** m. fig. irón. Hombre muy temible por sus fechorías.

neneque. m. *Hond.* Persona muy débil, que no puede valerse por sí misma.

nengún. adj. ant. Apóc. de **nenguno.** Ú. entre campesinos.

nenguno, na. (Del lat. *nec unus,* ni uno.) adj. ant. Ni uno solo, ninguno.

nenia. (Del lat. *nenia.*) f. Composición poética que en la antigüedad gentílica se cantaba en las exequias de una persona. ‖ **2.** La que se hace en alabanza de una persona después de muerta.

nenúfar. (Del ár. *nilúfar,* loto azulado.) m. Planta acuática de la familia de las ninfeáceas, con rizoma largo, nudoso y feculento; hojas enteras, casi redondas, de pecíolo central y tan largo que, saliendo del rizoma, llega a la superficie del agua, donde flota la hoja; flores blancas, terminales y solitarias, y fruto globoso, capsular, con muchas semillas pequeñas, elipsoidales y negruzcas. ‖ **amarillo.** Planta de la misma familia que la anterior, y de hojas acorazonadas y flores amarillas.

neo¹. m. *Quím.* **neón,** gas noble.

neo², a. adj. Apóc. de **neocatólico.** Perteneciente al neocatolicismo. ‖ **2.** m. El que defiende como derechos del Papa algunos de la mayoría atribuidos a la potestad civil, ultramontano.

neo-. (Del gr. νέος, nuevo.) elem. compos. que significa «reciente, nuevo».

neocatolicismo. (De *neocatólico* e *-ismo.*) m. Doctrina político-religiosa que aspira a restablecer en todo su rigor las tradiciones católicas en la vida social y en el gobierno del Estado. Empléase principalmente este nombre para significar que tal doctrina es retrógrada.

neocatólico, ca. (De *neo-* y *católico*.) adj. Perteneciente o relativo al neocatolicismo. ‖ **2.** Partidario del neocatolicismo. Ú. t. c. s.

neocelandés, sa. adj. **neozelandés.**

neoclasicismo. m. Corriente literaria y artística, dominante en Europa en la segunda mitad del siglo XVIII, la cual aspira a restaurar el gusto y normas del clasicismo.

neoclásico, ca. adj. Perteneciente o relativo al neoclasicismo. ‖ **2.** Partidario del neoclasicismo. Ú. t. c. s. ‖ **3.** Dícese del arte o estilo modernos que tratan de imitar los usados antiguamente en Grecia o en Roma.

neocolonialismo. m. Predominio e influencia económica, cultural, política, etc., sobre los países descolonizados o subdesarrollados en general por parte de antiguas potencias coloniales o de países poderosos.

neodarvinismo. m. *Biol.* Teoría que supone que en la evolución de las especies actúan los procesos de selección propugnados en el darwinismo, más los de mutación y otros factores genéticos concurrentes.

neodimio. (De *neo-* y *dimio*, segundo elemento de *praseodimio*.) m. *Quím.* Metal del grupo de las tierras raras, cuyas sales son de color rosa. Núm. atómico 60. Símb.: *Nd.*

neoespartano, na. adj. Natural del Estado venezolano de Nueva Esparta. Ú. t. c. s. ‖ **2.** Perteneciente o relativo a dicho Estado.

neófito, ta. (Del lat. *neophỹtus*, y este del gr. νεόφυτος.) m. y f. Persona recién convertida a una religión. ‖ **2.** Persona recién admitida al estado eclesiástico o religioso. ‖ **3.** Por ext., persona adherida recientemente a una causa, o recientemente incorporada a una agrupación o colectividad.

neógeno, na. (De *neo-* y *-geno*.) adj. *Geol.* Aplícase a la subdivisión del período terciario que comprende sus estratos más modernos, con las épocas miocena y pliocena, durante las cuales las faunas y floras, así como la distribución de tierras y mares, son ya casi las actuales.

neogranadino, na. adj. Natural del antiguo virreinato de Nueva Granada. Ú. t. c. s. ‖ **2.** Perteneciente o relativo a dicho virreinato, hoy República de Colombia.

neolatino, na. (De *neo-* y *latino*.) adj. Que procede o se deriva de los latinos o de la lengua latina. *Raza* NEOLATINA, *idioma* NEOLATINO.

neolector, ra. (De *neo-* y *lector*.) m. y f. Persona alfabetizada recientemente.

neoleonés, sa. adj. Natural del Estado mejicano de Nuevo León. Ú. t. c. s. ‖ **2.** Perteneciente o relativo a dicho Estado.

neolítico, ca. (De *neo-* y *lítico*.) adj. Perteneciente o relativo a la segunda edad de piedra, o sea la de la piedra pulimentada. Ú. t. c. s. m.

neológico, ca. adj. Perteneciente o relativo al neologismo.

neologismo. (De *neo-*, el gr. λόγος, palabra, e *-ismo*.) m. Vocablo, acepción o giro nuevo en una lengua. ‖ **2.** Uso de estos vocablos o giros nuevos.

neólogo, ga. m. y f. Persona que emplea neologismos.

neomejicano, na. adj. Natural de Nuevo Méjico. Ú. t. c. s. ‖ **2.** Perteneciente o relativo a este Estado norteamericano.

neomenia. (Del lat. *neomenĭa*, y este del gr. νεομηνία, luna nueva.) f. Primer día de la Luna.

neomexicano, na. adj. **neomejicano.**

neón. (Del gr. νέος, nuevo, y *-ón*².) m. *Quím.* Gas noble que se encuentra en pequeñas cantidades en la atmósfera terrestre. Núm. atómico 10. Símb.: *Ne.*

neoplasia. (Del fr. *néoplasie*.) f. *Pat.* Formación, en alguna parte del cuerpo, de un tejido cuyos elementos sustituyen a los de los tejidos normales. Se usa principalmente refiriéndose a los tumores cancerosos.

neoplásico, ca. adj. Perteneciente o relativo a las neoplasias.

neoplatonicismo. (De *neoplatónico*.) m. **neoplatonismo.**

neoplatónico, ca. (De *neo-* y *platónico*.) adj. Perteneciente o relativo al neoplatonismo. ‖ **2.** Dícese del que sigue esta doctrina. Ú. t. c. s.

neoplatonismo. (De *neo-* y *platonismo*.) m. Escuela filosófica que floreció principalmente en Alejandría en los primeros siglos de la era cristiana, y cuyas doctrinas eran una renovación de la filosofía platónica bajo la influencia del pensamiento oriental.

neoráceo, a. adj. *Bot.* **cneoráceo.**

neorama. (De *neo-* y el gr. ὅραμα, vista.) m. Especie de panorama, en que el espectador, colocado en el centro, ve pintado y alumbrado en un cilindro hueco el interior de un templo o palacio, un paisaje, etc.

neotenia. (Del fr. *néoténie*.) f. *Biol.* Fenómeno por el cual en determinados seres vivos se conservan caracteres larvarios o juveniles después de haberse alcanzado el estado adulto.

neotérico, ca. (Del lat. *neotericus*, y este del gr. νεωτερικός.) adj. desus. Nuevo, reciente, moderno. Díjose especialmente de los médicos y filósofos.

neoyorquino, na. adj. Natural de Nueva York. Ú. t. c. s. ‖ **2.** Perteneciente o relativo a esta ciudad de Estados Unidos.

neozelandés, sa. adj. Natural de Nueva Zelanda, cuyos aborígenes tienen el nombre de maoríes. Ú. t. c. s. ‖ **2.** Perteneciente o relativo a este país de Oceanía.

nepalés, sa. adj. Natural de Nepal. Ú. t. c. s. ‖ **2.** Perteneciente o relativo a este Estado de Asia.

nepentáceo, a. (De *nepente* y *-áceo*.) adj. *Bot.* Dícese de arbustos angiospermos dicotiledóneos, casi todos de Malasia, con hojas esparcidas, cuyos peciolos, muy ensanchados, se encorvan para formar una especie de pequeño odre al que el limbo foliar sirve de tapa. En este receptáculo hay glándulas secretoras de un líquido que digiere el cuerpo de los insectos y otros animalillos que han penetrado en aquel. Ú. t. c. s. f. ‖ **2.** f. pl. *Bot.* Familia de estas plantas.

nepente. (Del gr. νηπενθής, exento de dolor.) m. *Bot.* Planta tipo de la familia de las nepentáceas. ‖ **2.** *Mit.* Bebida que los dioses usaban para curarse las heridas o dolores, y que además producía olvido, como las aguas del Leteo.

neperiano, na. adj. Perteneciente o relativo al matemático escocés Juan Néper. ‖ **2.** V. **tablillas neperianas.**

nepote. (Del it. *nepote*, sobrino.) m. Pariente y privado del papa.

nepotismo. (De *nepote*.) m. Desmedida preferencia que algunos dan a sus parientes para las concesiones o empleos públicos.

neptúneo, a. adj. poét. Perteneciente o relativo a Neptuno o al mar.

neptuniano, na. adj. *Geol.* **neptúnico.**

neptúnico, ca. (De *Neptuno* e *-ico*.) adj. *Geol.* Dícese de los terrenos y de las rocas de formación sedimentaria.

neptunio. (De *Neptuno* e *-io*.) m. *Quím.* Elemento radiactivo artificial, primero de los transuránicos, formado en los reactores nucleares por bombardeo del uranio con neutrones. Es un metal de color argentino, que se asemeja al uranio por sus propiedades químicas. Núm. atómico 93. Símb.: *Np.*

neptunismo. (De *Neptuno* e *-ismo*.) m. *Geol.* Hipótesis que atribuye exclusivamente a la acción del agua la formación de la corteza terrestre.

neptunista. adj. Partidario del neptunismo. Ú. t. c. s.

neptuno. (Del lat. *Neptūnus*, dios de las aguas.) n. p. m. Planeta descubierto a mediados del siglo XIX, mucho mayor que la Tierra y distante del Sol 30 veces más que ella, no perceptible a simple vista. ‖ **2.** m. poét. El mar.

nequáquam. (En lat. *nequáquam*.) adv. neg. fam. De ninguna manera, de ningún modo.

nequicia. (Del lat. *nequitía*.) f. Maldad, perversidad.

ne quid nimis. expr. lat. que significa *nada con demasía*, y se usa aconsejando sobriedad y moderación en todo.

nereida. (Del lat. *Nerēis, -eídis*, y este del gr. Νηρεΐς, -ΐδος, hija de Nereo.) f. *Mit.* Cualquiera de las ninfas que, según la mitología clásica, residían en el mar, y eran jóvenes hermosas de medio cuerpo arriba, y peces en lo restante.

nerita. (Del gr. νηρίτης.) f. Molusco gasterópodo marino, de concha gruesa, redonda, con boca o abertura semicircular y espira casi plana. Hay diversas especies, todas comestibles.

nerítico, ca. (De *nerita* e *-ico*.) adj. *Biol.* Dícese de los organismos animales y vegetales que viven en el mar o en los lagos, en zonas próximas al litoral, a diferencia de los pelágicos. ‖ **2.** *Oceanogr.* Dícese de la zona marítima correspondiente a la plataforma continental.

nerolí o **nerolí.** (Del fr. *néroli*.) m. Producto que se obtiene destilando flores de distintos naranjos, en particular las del naranjo amargo. Se compone de un hidrocarburo y de un líquido oleoso, oxigenado, y se emplea en perfumería. Actualmente se denomina así también una sustancia química que tiene el mismo olor de la esencia natural.

nerón. (Por alusión al emperador romano.) m. fig. Hombre muy cruel.

neroniano, na. adj. Perteneciente o relativo al emperador Nerón, o que participa de alguna de sus cualidades. ‖ **2.** fig. Cruel, sanguinario.

nervadura. (De *nervio* y *-adura*.) f. *Arq.* nervio, arco que sirve para formar la estructura de las bóvedas góticas. ‖ **2.** Conjunto de los nervios de las bóvedas góticas. ‖ **3.** *Bot.* Conjunto de los nervios de una hoja.

nérveo, a. adj. Perteneciente o relativo a los nervios. ‖ **2.** Semejante a ellos.

nervezuelo. m. d. de **nervio.**

nerviar. tr. ant. Trabar con nervios.

nerviecillo. m. d. de **nervio.**

nervino, na. (Del lat. *nervínus*.) adj. Decíase del remedio que se consideraba útil para curar ciertas enfermedades, dando tono a los nervios y estimulando su acción.

nervio. (Del lat. vulg. *nervium*.) m. *Anat.* Cada uno de los cordones blanquecinos, compuestos de muchos filamentos o fibras nerviosas, que, partiendo del cerebro, la medula espinal u otros centros, se distribuyen por todas las partes del cuerpo. Son los órganos conductores de los impulsos nerviosos. ‖ **2.** Aponeurosis, o cualquier tendón o tejido blanco, duro y resistente. ‖ **3.** p. us. Cuerda de los instrumentos músicos. ‖ **4.** Haz fibroso que, en forma de hilo o cordoncillo, corre a lo largo de las hojas de las plantas por su envés, comúnmente más elevado que la superficie de ellas. ‖ **5.** Cada una de las cuerdas que se colocan al través en el lomo de un libro para encuadernarlo. ‖ **6.** Saliente en la piel o tela del lomo de un libro, producido por el cordel o bramante. ‖ **7.** Género de prisión que usaban los antiguos, a modo de cepo, en que ataban en ellos por los pies y por el cuello con una cadena. ‖ **8.** fig. Fuerza y vigor. ‖ **9.** fig. Eficacia o vigor de la razón. ‖ **10.** *Arq.* Arco que, cruzándose con otro u otros, sirve para formar la bóveda de crucería. Es elemento característico del estilo gótico. ‖ **11.** *Mar.* Cabo firme en la cara alta de una verga, al cual se asegura la relinga del grátil de una vela por medio de unos cabos delgados llamados envergues. ‖ **ciático.** *Anat.* El más grueso del cuerpo, terminación del plexo sacro, que se distribuye en los músculos posteriores del muslo, en los de la pierna y en la piel de esta y del pie. ‖ **de buey. vergajo.** ‖ **maestro.** Tendón flexor de las patas de

las caballerías. ‖ **óptico.** *Anat.* El que desde el ojo transmite al cerebro las impresiones luminosas. ‖ **vago.** *Anat.* **nervio** par que nace del bulbo de la medula espinal, desciende por las partes laterales del cuello, penetra en las cavidades del pecho y vientre, y termina en el estómago y plexo solar. Forma en su trayecto diversos plexos y da muchos ramos que se distribuyen por los órganos siguientes: faringe, esófago, laringe, tráquea, bronquios, corazón, estómago e hígado. ‖ **alterar** o **crispar los nervios a** uno, o **alterársele** o **crispársele los nervios.** frs. figs. y fams. **poner** o **ponérsele a** uno **los nervios de punta.** ‖ **poner** o **ponérsele a** uno **los nervios de punta.** fr. fig. y fam. Poner a alguien, o ponerse uno, muy nervioso, irritado o exasperado. ‖ **ser** uno **puro nervio** o **un puro nervio.** fr. fig. y fam. Ser muy activo o enojoso.

nerviosamente. adv. m. Con excitación nerviosa.

nerviosidad. f. Fuerza y actividad de los nervios. ‖ **2.** Nerviosismo.

nerviosismo. m. Estado pasajero de excitación nerviosa.

nervioso, sa. adj. Que tiene nervios. ‖ **2.** Perteneciente o relativo a los nervios. ‖ **3.** Aplícase a la persona cuyos nervios se excitan fácilmente. ‖ **4.** Por ext., dícese de la persona inquieta e incapaz de permanecer en reposo. ‖ **5.** fig. Fuerte y vigoroso. ‖ **6.** *Bot.* V. **hoja nerviosa.** ‖ **7.** *Anat.* V. **filete nervioso.** ‖ **8.** *Anat.* V. **centros nerviosos.**

nervosamente. adv. m. Con vigor, eficacia y actividad.

nervosidad. f. Fuerza y actividad de los nervios. ‖ **2.** Propiedad que tienen algunos metales de textura fibrosa de dejarse doblar sin romperse ni agrietarse. ‖ **3.** fig. Fuerza y eficacia de las razones y argumentos.

nervoso, sa. (Del lat. *nervōsus*.) adj. p. us. **nervioso.**

nervudo, da. adj. Que tiene fuertes y robustos nervios. ‖ **2.** Que tiene muy desarrollados los tendones y músculos. ‖ **3.** fig. Fuerte, vigoroso.

nervura. f. Conjunto de las partes salientes que en el lomo de un libro forman los nervios o cuerdas que sirven para encuadernar.

nescedad. f. ant. **necedad.**

nesciencia. (Del lat. *nescientía*.) f. p. us. Ignorancia, necedad, falta de ciencia.

nesciente. (Del lat. *nesciens, -entis*.) adj. Que no sabe.

nescientemente. adv. m. Por nesciencia o ignorancia. ‖ **2.** Impensadamente, inconscientemente.

nescio, cia. (Del lat. *nescíus*.) adj. ant. **necio.** Usáb. t. c. s.

nesga. (Del ár. *nasŷa*, tejido, pieza entretejida.) f. Tira o pieza de lienzo o paño, cortada en figura triangular, la cual se añade o entreteje a las ropas o vestidos para darles vuelo o el ancho que necesitan. ‖ **2.** fig. Pieza de cualquier cosa, cortada o formada en figura triangular y unida con otras.

nesgado, da. p. p. de **nesgar.** ‖ **2.** adj. Que tiene nesgas.

nesgar. (De *nesga*.) tr. Cortar una tela en dirección oblicua a la de sus hilos.

néspera. (Del lat. medieval *nespílus*, con forma f. romance.) f. **níspero**, árbol. ‖ **2.** **níspero,** fruto de este árbol.

néspilo. (Del lat. medieval *nespílus*.) m. ant. **níspero,** fruto.

nestóreo, a. adj. Propio del héroe griego Néstor o relativo a él.

nestorianismo. (De *nestoriano.*) m. Herejía del siglo v infundida por Nestorio, patriarca de Constantinopla, que profesaba la existencia de dos personas en Cristo, separando en Él la naturaleza divina de la humana.

nestoriano, na. (Del lat. *nestoriānus*.) adj. Partidario del nestorianismo. Ap. a pers., ú. t. c. s. ‖ **2.** Perteneciente o relativo a esta doctrina.

netáceo, a. adj. **gnetáceo.**

netamente. adv. m. Con limpieza y distinción.

netezuelo, la. m. y f. d. de **nieto.**

neto, ta. (Del cat. o fr. *net*, o del it. *netto*.) adj. Limpio, puro, claro y bien definido. ‖ **2.** Que resulta líquido en cuenta, después de comparar el cargo con la data; o en el precio, después de deducir los gastos. ‖ **3.** V. **peso neto.** ‖ **4.** V. **renta neta.** ‖ **5.** m. *Arq.* Pedestal de la columna, considerándolo desnudo de las molduras alta y baja. ‖ **en neto.** loc. adv. En limpio, líquidamente.

neuma¹. (Del gr. πνεῦμα, espíritu, soplo, aliento.) m. *Mús.* Notación que se empleaba para escribir la música antes del sistema actual. ‖ **2.** *Mús.* Grupo de notas de adorno con que solían concluir las composiciones musicales de canto llano, y que se vocalizaba con solo la última sílaba de la palabra final. Ú. m. en pl.

neuma². (Del gr. νεῦμα, movimiento de cabeza.) amb. *Ret.* Declaración de lo que se siente o quiere, por medio de movimiento o señas, como cuando se inclina la cabeza para conceder, o se mueve de uno a otro lado para negar, o bien por medio de una interjección o de voces de sentido imperfecto.

neumático, ca. (Del lat. *pneumatĭcus*, y este del gr. πνευματικός, relativo al aire.) adj. *Fís.* Aplícase a varios aparatos destinados a operar con el aire. *Tubo* NEUMÁTICO. ‖ **2.** V. **bomba, máquina neumática.** ‖ **3.** m. Llanta de caucho que se aplica a las ruedas de los automóviles, bicicletas, etc. Consta generalmente de un anillo tubular de goma elástica llamada cámara, que se llena de aire a presión, y de una cubierta de caucho vulcanizado muy resistente.

neumococo. (Del gr. πνεύμων, pulmón, y κόκκος, grano.) m. *Microbiol.* Microorganismo de forma lanceolada, que es el agente patógeno de ciertas pulmonías.

neumoconiosis. (Del gr. πνεύμων, pulmón, κόνις, polvo, y *-osis*.) f. *Pat.* Género de enfermedades crónicas producidas por la infiltración en el aparato respiratorio del polvo de diversas sustancias minerales, como el carbón, sílice, hierro y calcio. La padecen principalmente mineros, canteros, picapedreros, etc.

neumogástrico. (Del gr. πνεύμων, pulmón, y *gástrico*.) m. *Anat.* Nervio que forma el décimo par craneal, llamado también vago. Se extiende desde el bulbo a las cavidades del tórax y el abdomen.

neumología. (Del gr. πνεύμων, pulmón, y *-logía*.) f. *Med.* Estudio o tratado de las enfermedades de los pulmones o de las vías respiratorias en general.

neumológico, ca. adj. *Med.* Perteneciente o relativo a la neumología.

neumólogo, ga. m. y f. Persona especializada en neumología.

neumonía. (Del gr. πνευμονία.) f. *Pat.* **pulmonía.**

neumónico, ca. (Del gr. πνευμονικός.) adj. *Med.* Perteneciente o relativo al pulmón. ‖ **2.** *Pat.* Que padece neumonía. Ú. t. c. s.

neumonitis. f. **neumonía,** pulmonía.

neumotórax. (Del gr. πνεύμων, aire, y *tórax*.) m. *Med.* Enfermedad producida por la entrada del aire exterior o del aire pulmonar en la cavidad de la pleura. ‖ **artificial.** *Pat.* El producido para fines terapéuticos mediante la inyección de aire u otro gas, con el fin de inmovilizar el pulmón.

neuquino, na. adj. Perteneciente o relativo a la provincia argentina del Neuquén o a su capital. ‖ **2.** Natural de esta provincia o de esta ciudad. Ú. t. c. s.

neuralgia. (Del gr. νεῦρον, nervio, y *-algia*.) f. *Pat.* Dolor continuo a lo largo de un nervio y de sus ramificaciones, por lo común sin fenómenos inflamatorios.

neurálgico, ca. adj. Perteneciente o relativo a la neuralgia. ‖ **2.** fig. Dícese del momento, situación, lugar, etc., que se considera decisivo en un asunto, problema, cuestión, etc. ‖ **3.** *Med.* V. **punto neurálgico.**

neurastenia. (Del gr. νεῦρον, nervio, y *astenia*.) f. *Psiquiat.* Conjunto de estados nerviosos, mal definidos, caracterizados por síntomas muy diversos, entre los que son constantes la tristeza, el cansancio, el temor y la emotividad.

neurasténico, ca. adj. *Psiquiat.* Perteneciente o relativo a la neurastenia. ‖ **2.** *Psiquiat.* Que padece neurastenia. Ú. t. c. s.

neurisma. f. **aneurisma.**

neurita. (Del gr. νεῦρον, nervio, e *-ita³*.) f. *Anat.* Prolongación filiforme que arranca de una célula nerviosa y, después de dar ramas laterales en número variable, termina generalmente formando una ramificación más o menos abundante, que se pone en contacto con células musculares, glandulares, etc., o con el cuerpo de otra célula nerviosa.

neuritis. (Del gr. νεῦρον, nervio, e *-itis*.) f. *Pat.* Inflamación de un nervio y de sus ramificaciones, generalmente acompañada de neuralgia, atrofia muscular y otros fenómenos patológicos.

neuro-. (Del gr. νευρο-.) elem. compos. que significa «nervio» o «sistema nervioso»: NEURO*tomía*, NEURO*biología*.

neuroanatomía. f. Anatomía del sistema nervioso.

neuroanatómico, ca. adj. Perteneciente o relativo a la neuroanatomía.

neuroanatomista. com. Persona especializada en neuroanatomía.

neurobiología. f. Biología del sistema nervioso.

neurobiológico, ca. adj. Perteneciente o relativo a la neurobiología.

neurobiólogo, ga. m. y f. Persona especializada en neurobiología.

neurociencia. f. *Biol.* Cualquiera de las ciencias que se ocupan del sistema nervioso, como la neurología, la neurobiología, etc. Ú. m. en pl.

neurocirugía. f. Cirugía del sistema nervioso.

neurocirujano. m. y f. Persona especializada en neurocirugía.

neuroembriología. f. Embriología del sistema nervioso.

neuroembriólogo, ga. m. y f. Persona especializada en neuroembriología.

neuroendocrino, na. adj. Perteneciente o relativo a las influencias nerviosas y endocrinas, y en particular a la interacción entre los sistemas nervioso y endocrino.

neuroendocrinología. f. *Med.* Ciencia que estudia las relaciones entre el sistema nervioso y las glándulas endocrinas.

neuroepidemiología. f. *Med.* Ciencia que estudia las epidemias de enfermedades del sistema nervioso.

neuroepitelio. (De *neuro-* y *epitelio*.) m. *Anat.* Epitelio de los órganos de los sentidos.

neuroesqueleto. (De *neuro-* y *esqueleto*.) m. *Anat.* Esqueleto interno de los animales vertebrados, formado por piezas óseas o cartilaginosas, que protege el sistema nervioso central.

neuroglia. (De *neuro-* y el gr. bizantino γλία, liga.) f. *Anat.* Conjunto de células provistas de largas prolongaciones ramificadas, que están situadas entre las células y fibras nerviosas, tanto en la sustancia gris como en la blanca, y que, al parecer, desempeñan una función trófica.

neurología. (De *neuro-* y *-logía*.) f. Tratado del sistema nervioso, en su doble aspecto morfológico y fisiológico.

neurólogo, ga. m. y f. Persona especializada en neurología.

neuroma. (De *neuro-* y *-ma*.) m. *Pat.* Tumor más o menos voluminoso, circunscrito y acompañado de intenso dolor, que se forma en el espesor del tejido de los nervios.

neurona. (Del gr. νεῦρον, nervio, a través del fr. *neurone*.) f. *Anat.* Célula nerviosa, que generalmente consta de un cuerpo de forma variable y provisto de diversas prolongaciones, una de las cuales, de aspecto filiforme y más larga que las demás, es la neurita.

neuronal. adj. Perteneciente o relativo a la neurona.

neurópata. (Del gr. νεῦρον, nervio, y -παθής, que sufre.) com. Persona que padece enfermedades nerviosas, principalmente neurosis.

neuróptero. (De *neuro-* y *-ptero.*) adj. *Zool.* Dícese de insectos con metamorfosis complicada, que tienen boca dispuesta para masticar, cabeza redonda, cuerpo prolongado y no muy consistente, y cuatro alas membranosas y reticulares; como la hormiga león. Ú. t. c. s. ‖ **2.** m. pl. *Zool.* Orden de estos insectos.

neurosis. (De *neuro-* y *-sis.*) f. *Pat.* Conjunto de enfermedades cuyos síntomas indican un trastorno del sistema nervioso, sin que el examen anatómico descubra lesiones en dicho sistema.

neurótico, ca. adj. Que padece neurosis. Ú. t. c. s. ‖ **2.** Perteneciente o relativo a la neurosis.

neurotomía. (De *neuro-* y *-tomía.*) f. *Cir.* Disección de un nervio.

neurótomo. (Del gr. νεῦρον, nervio, y τομός, cortante.) m. *Cir.* Instrumento de dos cortes, largo y estrecho, que principalmente se usa para disecar los nervios.

neurotransmisor, ra. (De *neuro-* y *transmisor.*) adj. *Bioquím.* Dícese de sustancias, productos o compuestos que transmiten los impulsos nerviosos en la sinapsis. Ú. t. c. s. m.

neuston. (Del gr. νευστόν, n. de νευστός, que nada.) m. Conjunto de organismos de dimensiones reducidas que viven en contacto con la película superficial de las aguas.

neutonio. (De *newton* e *-io.*) m. *Fís.* Unidad de fuerza en el sistema basado en el metro, el kilogramo, el segundo y el amperio. Equivale a cien mil dinas.

neutral. (Del lat. *neutrālis.*) adj. Que no es ni de uno ni de otro; que, entre dos partes que contienden, permanece sin inclinarse a ninguna de ellas. Dícese de personas y cosas. Apl. a pers., ú. t. c. s. ‖ **2.** Hablando de una nación o un Estado, que no toma parte en la guerra movida por otros y se acoge al sistema de obligaciones y derechos inherentes a tal actitud. Ú. t. c. s.

neutralidad. f. Cualidad o actitud de neutral.

neutralismo. m. Tendencia a permanecer neutral, especialmente en los conflictos internacionales.

neutralista. adj. Dícese de la persona o entidad partidaria del neutralismo. Ú. t. c. s.

neutralización. f. Acción y efecto de neutralizar o neutralizarse.

neutralizar. tr. Hacer neutral. Ú. t. c. prnl. ‖ **2.** *Quím.* Hacer neutra una sustancia o una disolución de ella. ‖ **3.** fig. Debilitar el efecto de una causa por la concurrencia de otra diferente u opuesta. Ú. t. c. prnl.

neutrino. (De *neutro* e *-ino.*) m. *Fís.* Partícula eléctricamente neutra, cuya masa es inapreciable.

neutro, tra. (Del lat. *neūter*, *neūtra*, ni uno ni otro.) adj. V. **abeja, línea, reacción neutra.** ‖ **2.** *Gram.* V. **género, verbo neutro.** ‖ **3.** Indiferente en política o que se abstiene de intervenir en ella. *Masa* NEUTRA. ‖ **4.** *Fís.* Se dice del cuerpo que posee cantidades iguales de electricidad positiva y negativa. ‖ **5.** *Quím.* Dícese del compuesto que no tiene carácter ácido ni básico, y, por ext., del líquido en que está disuelto. ‖ **6.** *Zool.* Aplícase a ciertos animales asexuados en el estado adulto, como las abejas obreras.

neutrón. (De *neutro* y *-ón*^{2}.) m. *Fís.* Partícula desprovista de carga eléctrica y cuya masa es aproximadamente igual a la del protón. Interviene en la constitución de los núcleos atómicos, y tiene vida efímera fuera de ellos por descomponerse en un protón y un negatrón. ‖ **lento. neutrón** con velocidad del mismo orden que la agitación molecular

a temperatura normal. ‖ **rápido.** El de velocidad comparable con la de la luz.

neutrónico, ca. adj. *Fís.* Perteneciente o relativo al neutrón.

nevada. f. Acción y efecto de nevar. ‖ **2.** Porción o cantidad de nieve que ha caído de una vez y sin interrupción.

nevadilla. (d. de *nébeda*, con posible influjo de *nevada*.) f. Planta herbácea anual, de la familia de las cariofiláceas, con tallos tumbados, vellosos, de tres a cuatro decímetros de longitud; hojas elípticas, estrechas y puntiagudas; flores pequeñas, verdosas, en cabezuelas apretadas y ocultas por brácteas anchas, membranosas y plateadas, fruto seco con una sola semilla de albumen harinoso. Abunda en los lugares áridos; el cocimiento de las flores, con sus brácteas, se suele emplear como refrescante, y toda la planta se ha usado en cataplasmas para curar los panadizos. ‖ **2. aladierna,** arbusto.

nevado, da. (Del lat. *nivātus.*) adj. Cubierto de nieve. ‖ **2.** fig. Blanco como la nieve. ‖ **3.** *Taurom.* Dícese del toro que, siendo de color uniforme, tiene multitud de manchas blancas. ‖ **4.** m. *Amér.* Montaña cubierta de nieves perpetuas.

nevar. (Del lat. vulg. *nivāre.*) intr. impers. Caer nieve. ‖ **2.** tr. fig. Poner blanca una cosa dándole este color o esparciendo en ella cosas blancas.

nevasca. (De *nieve* y *-asca.*) f. Acción de nevar. ‖ **2.** Nieve caída. ‖ **3.** Ventisca de nieve.

nevatilla. f. Aguzanieves, pizpita, caudatrémula, nevereta.

nevazo. (De *nieve* y *-azo.*) m. Acción de nevar. ‖ **2.** Nieve caída. ‖ **3.** Nevada intensa.

nevazón. (De *nieve* y *-azón.*) f. *Argent., Chile y Ecuad.* **nevasca,** temporal de nieve.

nevera. (Del lat. *nivaria*, t. f. de *-rius.*) Sitio en que se guarda o conserva nieve. ‖ **2.** Armario revestido con una materia aisladora y provisto de un depósito de hielo para el enfriamiento o conservación de alimentos y bebidas. También las hay en que el frío se produce por corriente eléctrica o por otros medios. ‖ **3.** f. desus. La que vendía nieve. ‖ **4.** fig. Pieza o habitación demasiadamente fría.

nevereta. (Del cat. *nevereta.*) f. Aguzanieves, nevatilla, caudatrémula.

nevería. (De *nieve* y *-ería*^{1}.) f. desus. **botillería,** local donde se hacían y vendían bebidas heladas y refrescos. ‖ **2.** *Méj.* **heladería.**

nevero. (Del lat. *nivarius.*) m. Lugar de las montañas elevadas donde se conserva la nieve todo el año. ‖ **2.** Esta misma nieve. ‖ **3.** desus. El que vendía nieve o refrescos helados.

nevisca. (De *nieve* e *-isca.*) f. Nevada corta de copos menudos.

neviscar. (De *nevisca.*) intr. impers. Nevar ligeramente o en corta cantidad.

nevoso, sa. (Del lat. *nivōsus.*) adj. Que frecuentemente tiene nieve. ‖ **2.** Dícese también del temporal que precede a la nevada.

newton. (Del apellido de Isaac *Newton*, célebre científico inglés, 1642-1727.) m. *Fís.* **neutonio** en la nomenclatura internacional.

nexo. (Del lat. *nexus.*) m. **nudo**^{1}, unión o vínculo de una cosa con otra.

ni. (Del lat. *nec.*) conj. copulat. que enlaza vocablos o frases que denotan negación, precedida o seguida de otra u otras igualmente negativas. *No como* NI *duermo; nada hizo* NI *dejó hacer a los demás; nunca faltes a tu deber* NI *prefieras a la honra el provecho; a nadie quiso recibir*, NI *a sus más íntimos amigos;* NI *lo sé* NI *quiero saberlo;* NI *Juan* NI *Pedro* NI *Felipe te darán la razón.* ‖ **2.** En cláusula que empieza con verbo precedido del adverbio *no* y en que hay que negar dos o más términos, igualmente puede omitirse o expresarse delante del primero esta conjunción. *No descansa de día* NI *de noche; no descansa* NI *de día* NI *de noche.* Si se coloca el verbo al fin de cláusulas como esta, necesariamente ha de expresarse la conjunción **ni** precediendo así a la primera como a las demás negaciones. NI *de día* NI *de noche descansa.* ‖ **3.** Cuando **ni** encabeza una oración sin relacionarla con otra, o cuando expresa una relación distinta de la copulativa negativa «y no», equivale a *ni siquiera* y forma frases que expresan el extremo a que puede llegarse en algo. *Eso no se lo crees* NI *tú.* NI *los más fuertes pudieron resistirlo.* ‖ **4.** Tiene valor semejante en exclamaciones enérgicas como ¡NI *soñarlo*!, ¡NI *mucho menos*! ‖ **5.** desus. Tomaba a veces el carácter de conjunción disyuntiva, equivalente a **o.** *¿Te hablé yo* NI *te vi?* ‖ **6.** A veces no va precedida ni seguida de otra negación y equivale a *no. Perdió el caudal y la honra;* NI *podía esperarse otra cosa de su conducta.* ‖ **ni bien.** loc. adv. desus. No del todo, en frases de sentido contrapuesto. NI BIEN *de corte,* NI BIEN *de aldea.* ‖ **ni que.** loc. fam., que seguida de un verbo en forma condicional, sirve para negar un supuesto y equivale a *como si.* Ú. m. en frs. excls. ¡NI QUE *fuera yo tonto!*

nía. (der. de *nial.*) f. *Burg.* y *Pal.* Manojo de mies cortada y tendida en el suelo para formar gavillas. Ú. m. en pl.

nial. (De *nidal.*) m. Montón de hierba, almiar, niara, niazo.

niara. (der. de *nia,* quizá a través de un dialect. *niar,* con term. f.) f. Almiar, nial, niazo.

niazo. (De *nía* y *-azo.*) m. *Sal.* Almiar, nial, niara.

nicaragua. (Del Estado americano de este nombre.) f. **balsamina,** planta. Ú. m. en pl.

nicaragüense. adj. Natural de Nicaragua. Ú. t. c. s. ‖ **2.** Perteneciente o relativo a esta república de América.

nicaragüeñismo. m. Locución, giro o modo de hablar peculiar de los nicaragüenses.

nicaragüeño, ña. adj. **nicaragüense.** Ú. t. c. s.

niceno, na. (Del lat. *Nicaenus.*) adj. Natural de Nicea. Ú. t. c. s. ‖ **2.** Perteneciente o relativo a esta antigua ciudad de Asia Menor.

nicle. (Del b. lat. *nichilus.*) m. Calcedonia con listas, unas más oscuras que las otras.

nicociana. (Del fr. *nicotiane.*) f. **tabaco,** planta.

nicomediense. (Del lat. *Nicomediensis.*) adj. Natural de Nicomedia. Ú. t. c. s. ‖ **2.** Perteneciente o relativo a esta antigua ciudad de Asia Menor.

nicótico, ca. (De *Nicot* e *-ico.*) adj. p. us. Referente al nicotismo.

nicotina. (Del fr. *nicotine.*) f. *Quím.* Alcaloide sin oxígeno, líquido, oleaginoso, incoloro, que se pone amarillo y después pardo oscuro en contacto con el aire, desprende vapores muy acres y se disuelve fácilmente en agua o alcohol. Se extrae del tabaco y es un veneno violento.

nicotinismo. (De *nicotina* e *-ismo.*) m. *Pat.* **nicotismo.**

nicotismo. (De *Nicot.*) m. *Pat.* Conjunto de trastornos morbosos causados por el abuso del tabaco.

nictagináceo, a. (Del lat. *nyctágo, -inis,* y *-áceo.*) adj. *Bot.* Dícese de hierbas y plantas leñosas angiospermas dicotiledóneas, casi todas originarias de países tropicales, con hojas generalmente opuestas, enteras y pecioladas, flores rodeadas en su base por un involucro de brácteas, que a veces tienen colores vivos, y fruto indehiscente con una sola semilla de albumen amiláceo; como el dondiego. Ú. t. c. s. f. ‖ **2.** f. pl. *Bot.* Familia de estas plantas.

nictagíneo, a. (De *nyctágo, -inis,* nombre científico del dondiego de noche, y *-eo.*) adj. *Bot.* **nictaginâceo.**

nictálope. (Del lat. *nyctálops, -ópis,* y este gr. νυϰτάλωψ, -ωπος.) adj. Dícese de la persona o del animal que ve mejor de noche que de día. Ú. t. c. s.

nictalopía. (Del lat. *nyctalopía,* y este del gr. νυϰταλωπία.) f. Cualidad o carácter de nictálope.

nictémero, ra. (Del gr. νυξ, νυϰτός, noche, y ἡμέρα, día.) adj. *Biol.* Que tiene la duración de un solo día. ‖ **2.** *Biol.* Efímero, de corta duración. ‖ **3.** *Zool.* Dícese de las aves y peces que ofrecen una mezcla de colores negro y blanco. ‖ **4.** m. Espacio de tiempo que consta de un día entero o de veinticuatro horas.

nictímero. m. **nictémero.**

nictitante. (Del lat. *nictĭtans, -antis,* p. pres. a. de *nictitâre,* frec. de *nictâre,* guiñar.) adj. *Zool.* V. **membrana nictitante.**

nicho. (Del it. *nicchio.*) m. Concavidad en el espesor de un muro, para colocar en ella una estatua, un jarrón u otra cosa. ‖ **2.** Por ext., cualquier concavidad formada para colocar una cosa; como las construcciones de los cementerios para colocar los cadáveres.

nidada. f. Conjunto de los huevos puestos en el nido. ‖ **2.** Conjunto de los polluelos de una misma puesta mientras están en el nido.

nidal. (De *nido* y *-al.*) m. Lugar señalado donde la gallina u otra ave doméstica va a poner sus huevos. ‖ **2.** Huevo que se deja en un lugar señalado para que la gallina acuda a poner allí. ‖ **3.** fig. Sitio donde uno acude con frecuencia y le sirve de acogida, o en donde reserva o esconde una cosa. ‖ **4.** fig. Principio, fundamento o motivo de que suceda o prosiga una cosa.

nidificar. (Del lat. *nidificâre.*) intr. Hacer nidos las aves.

nidio, dia. (Del lat. *nitĭdus.*) adj. *Ast.* Resbaladizo, escurridizo. ‖ **2.** *Sal.* Limpio, terso, liso.

nido. (Del lat. *nidus.*) m. Especie de lecho que forman las aves con hierbecillas, pajas, plumas u otros materiales blandos, para poner sus huevos y criar los pollos. Unas utilizan con tal fin los agujeros de las peñas, ribazos, troncos o edificios; otras lo construyen de ramas, o de barro, o de sustancias gelatinosas, dándole forma cóncava, y lo suspenden de los árboles o lo asientan en ellos, en las rocas o en las paredes, y algunas prefieren el suelo sin otro abrigo que la hierba y la tierra. ‖ **2.** Por ext., cavidad, agujero o conjunto de celdillas donde procrean diversos animales. ‖ **3.** Lugar donde ponen las aves, nidal. ‖ **4.** fig. Sitio donde se acude con frecuencia. ‖ **5.** fig. Principio o fundamento de una cosa. ‖ **6.** fig. Casa, patria o habitación de uno. *El patrio* NIDO. ‖ **7.** fig. Lugar donde se juntan gentes de mala conducta. *Esa casa es un* NIDO *de bribones y de pícaros.* ‖ **8.** fig. Lugar originario de ciertas cosas inmateriales. NIDO *de herejías, de discordias, de difamaciones,* etc. ‖ **de urraca.** *Fort.* Trinchera circular muy reducida, que construye el sitiador de una plaza al extremo de los aproches, para adelantar y proteger sus trabajos. ‖ **caerse del** o **de un nido.** fr. fig. y fam. Mostrar ignorancia de algo muy conocido o pecar de inocente y crédulo.

nidrio, dria. adj. *Ál.* Lívido, cárdeno, hablando del rostro.

niebla. (Del lat. *nebŭla.*) f. Nube muy baja, que dificulta más o menos la visión según la concentración de las gotas que la forman. ‖ **2.** Nube o mancha en la córnea. ‖ **3.** Honguillo oscuro de los cereales, añublo. ‖ **4.** fig. Confusión u oscuridad que no deja percibir y apreciar debidamente las cosas o negocios. ‖ **5.** fig. Munición, para armas de caza, consistente en perdigones menudísimos. ‖ **6.** *Med.* Grumos que en ciertas enfermedades suele formar la orina después de fría y en reposo. ‖ **meona.** Aquella de la cual se desprenden gotas menudas que no llegan a ser lluvizna.

niego. (Del lat. vulg. *nío,* nido, y *-ego.*) adj. V. **halcón niego.**

niel. (Del lat. *nigellus,* d. de *niger,* negro, seguramente a través del cat. *niell.*) m. Labor en hueco sobre metales preciosos, rellena con un esmalte negro hecho de plata y plomo fundidos con azufre.

nielado, da. p. p. de **nielar.** ‖ **2.** m. Acción y efecto de nielar.

nielar. tr. Adornar con nieles. ‖

niervo. (Del lat. *nervus*.) m. desus. y hoy vulg. **nervio.**

niéspera. f. En algunas partes, **níspero,** fruto. ‖

niéspero. m. ant. **níspero.**

niéspola. f. *Ar.* **níspero,** fruto. ‖

nietastro, tra. m. y f. Respecto de una persona, hijo o hija de su hijastro o de su hijastra.

nietecito, ta. m. y f. d. de **nieto, ta.**

nietezuelo, la. m. y f. d. de **nieto, ta.** ‖

nieto, ta. (*Nieta*, del lat. vulg. *nepta*, por *neptis*, y *nieto*, de *nieta*.) m. y f. Respecto de una persona, hijo o hija de su hijo o de su hija. ‖ **2.** Por ext., descendiente de una línea en las terceras, cuartas y demás generaciones. Ú. t. con los adjetivos *segundo*, *tercero*, etc.

nieve. (Del lat. *nix, nivis*.) f. Agua helada que se desprende de las nubes en cristales sumamente pequeños, los cuales, agrupándose al caer, llegan al suelo en copos blancos. ‖ **2.** Tiempo de una nieva con frecuencia. Ú. comúnmente en pl. *En tiempo de* NIEVES. ‖ **3.** V. **avecilla, pajarita de las nieves.** ‖ **4.** V. **agua, bola, pozo, punto de nieve.** ‖ **5.** V. **agua nieve.** ‖ **6.** ant. Acción de nevar. ‖ **7.** nieve caída. ‖ **8.** fig. Suma blancura de cualquier cosa. Ú. frecuentemente en poesía. ‖ **9.** *Cuba, Méj.* y *P. Rico.* Polo, sorbete helado. ‖ **carbónica.** Anhídrido carbónico sólido, de color blanco, que, cuando se sublima a la presión atmosférica, mantiene la temperatura de -78,5° C. Se denomina también hielo seco, y tiene múltiples aplicaciones como refrigerante.

nigérrimo, ma. (Del lat. *nigerrimus*.) adj. sup. de **negro.** Negrísimo, muy negro.

nigola. f. *Mar.* Cuerdas horizontales de jarcias y gavias, que sirven de escalones para subir a los palos; aflechate, flechaste.

nigromancia o **nigromancía.** (De *necromancia*, con alteración por etim. pop., que lo relacionó con *negro*.) f. Práctica supersticiosa que pretende adivinar el futuro invocando a los muertos. ‖ **2.** fam. Magia negra o diabólica.

nigromante. (De *nigromancia*.) com. Persona que ejerce la nigromancia.

nigromántico, ca. adj. Perteneciente o relativo a la nigromancia. ‖ **2.** m. y f. Persona que ejerce la nigromancia.

nigua. (Voz taína.) f. Insecto díptero originario de América y muy extendido también en África, del suborden de los afanípteros, parecido a la pulga, pero mucho más pequeño y de trompa más larga. Las hembras fecundadas penetran bajo la piel de los animales y del hombre, principalmente en los pies, y allí depositan la cría, que ocasiona mucha picazón y úlceras graves.

nihilidad. (Del lat. *nihil*, nada, e -*idad*.) f. Condición o cualidad de no ser nada.

nihilismo. (Del lat. *nihil*, nada, e -*ismo*.) m. *Fil.* Negación de toda creencia. ‖ **2.** Negación de todo principio religioso, político y social.

nihilista. adj. Que profesa el nihilismo. Ú. t. c. s. ‖ **2.** Perteneciente o relativo al nihilismo.

nilad. (Voz tagala.) m. Arbusto de Filipinas, de la familia de las rubiáceas, con tallos ramosos de unos dos metros de altura; hojas aovadas, opuestas, gruesas, enteras y lampiñas; flores blancas, axilares, en ramilletes poco apretados, y fruto en drupa elipsoidal del tamaño de un guisante, coronada por el cáliz y cosa de dos semillas. Abunda en los contornos de la ciudad de Manila, nombre que significa tierno poblado de este arbusto.

nilón. m. **nailon.**

nimbar. tr. Rodear de nimbo o aureola una figura o imagen.

nimbo. (Del lat. *nimbus*.) m. Disco luminoso de la cabeza de las imágenes, aureola. ‖ **2.** *Meteor.* Capa de nubes formada por cúmulos tan confundidos, que presenta un aspecto casi uniforme. ‖ **3.** *Numism.* Círculo que en ciertas medallas, y particularmente en las del Bajo Imperio, rodea la cabeza de algunos emperadores.

nimiamente. adv. m. Con nimiedad.

nimiedad. (Del lat. *nimiĕtas, -ātis*.) f. Exceso, demasía. ‖ **2.** Prolijidad, minuciosidad. ‖ **3.** Pequeñez, insignificancia. Este valor es el que más se ha generalizado en el uso.

nimio, mia. (Del lat. *nimius*, excesivo, abundante, sentido que se mantiene en español; pero fue también mal interpretada la palabra, y recibió acepciones de significado contrario.) adj. Excesivo, exagerado; en general, dícese de cosas no materiales. ‖ **2.** Prolijo, minucioso, escrupuloso. ‖ **3.** Insignificante, sin importancia; en general, dícese de cosas no materiales.

nin. (Es *ni* con la *n* final de *non*.) conj. ant. **ni.**

ninfa. (Del gr. νύμφη, a través del lat. *nympha*.) f. *Mit.* Cualquiera de las fabulosas deidades de las aguas, bosques, selvas, etc., llamadas con varios nombres, como dríada, nereida, etc. ‖ **2.** fig. Joven hermosa. Ú. a veces en sent. peyorativo. ‖ **3.** *Zool.* Insecto en estado juvenil durante la metamorfosis gradual, que se diferencia del adulto en su menor tamaño y en el incompleto desarrollo de las alas. ‖ **4.** pl. Labios pequeños de la vulva. ‖ **Egeria.** fig. Consejero o director de una persona, a quien impulsa de manera sigilosa o poco ostensible. Dícese por alusión a la **ninfa** que se supone inspiraba a Numa Pompilio sus resoluciones.

ninfea. (Del gr. νυμφαία, a través del lat. *nymphaea*.) m. **nenúfar,** planta.

ninfáceo, a. (De *ninfea* y -*áceo*.) adj. *Bot.* Dícese de plantas angiospermas dicotiledóneas, acuáticas, de rizoma rastrero y carnoso; hojas flotantes, grandes y de pedúnculo largo; flores regulares, terminales, con muchos pétalos en series concéntricas, de colores brillantes y fruto globoso; como el nenúfar y el loto. Ú. t. c. s. ‖ **2.** f. pl. *Bot.* Familia de estas plantas.

ninfo. (De *ninfa*.) m. fig. y fam. **narciso²**.

ninfómana. f. Mujer que padece de ninfomanía.

ninfomanía. (De *ninfa* y *manía*.) f. **furor uterino.**

ninfomaníaco, ca. adj. Perteneciente o relativo a la ninfomanía.

ningún. adj. indef. Apóc. de **ninguno.** Solo se emplea antepuesto a nombres masculinos singulares. NINGÚN *hombre*; NINGÚN *tiempo*.

ningunear. tr. No hacer caso de alguien, no tomarlo en consideración. ‖ **2.** Menospreciar a una persona.

ninguno, na. (Del lat. *nec unus*, ni uno.) adj. indef. Ni una sola de las personas o cosas significadas por el sustantivo al que acompaña. El masculino sufre apócope antepuesto al sustantivo. *No había* NINGUNA *golondrina. No he tenido* NINGÚN *problema; no he tenido problema* NINGUNO. Hoy no suele usarse en plural. ‖ **2.** ant. *Der.* Nulo y sin valor. ‖ **3.** pron. indef. Ni una sola de las personas o cosas significadas por el sustantivo al que representa. *¿Ha venido algún alumno? No ha venido* NINGUNO. *He probado todas las llaves;* NINGUNA *funciona.* ‖ **4.** V. **bienes de ninguno.**

ninivita. (Del lat. *Ninivita*.) adj. Natural de Nínive. Ú. t. c. s. ‖ **2.** Perteneciente o relativo a esta ciudad de Asia antigua.

niña. (De la voz infantil *ninna*.) f. Pupila del ojo. ‖ **niñas de los ojos.** fig. y fam. Persona o cosa del mayor cariño o aprecio de uno. ‖ **saltársele a uno las niñas de los ojos.** fr. fig. **saltársele los ojos.** ‖ **sobre las niñas de los ojos.** loc. fig. **sobre los ojos.** ‖ **tocar a uno en las niñas de los ojos.** fr. fig. Producir un sentimiento extremo la pérdida o el daño de aquello que se ama o estima mucho.

niñada. f. Hecho o dicho impropio de la edad varonil, y

semejante a lo que suelen hacer los niños, que no tienen advertencia ni reflexión.

niñato¹. (Del lat. *non natus*, con cruce de *niño*.) m. Becerrillo que se halla en el vientre de la vaca cuando la matan estando preñada.

niñato², ta. (De *niño* y *-ato¹*.) adj. Dícese del joven sin experiencia. Ú. t. c. s. ‖ **2.** Dícese del jovenzuelo petulante y presuntuoso. Suele emplearse con valor despectivo.

niñear. intr. Hacer niñadas o portarse uno como si fuera niño.

niñera. f. Criada destinada a cuidar niños.

niñería. f. Acción de niños o propia de ellos. Dícese regularmente de sus diversiones y juegos. ‖ **2.** Poquedad o cortedad de las cosas, que las hace poco estimadas de los hombres. ‖ **3.** fig. Hecho o dicho de poca entidad o sustancia.

niñero, ra. adj. Que gusta de niños o de niñerías.

niñeta. f. p. us. Pupila o niña del ojo.

niñez. f. Período de la vida humana, que se extiende desde el nacimiento a la pubertad. ‖ **2.** fig. Principio o primer tiempo de cualquier cosa. ‖ **3.** fig. p. us. **niñería,** acción propia de niños. ‖ **4.** Ú. m. en pl.

niño, ña. (De la voz infantil *ninno*.) adj. Que está en la niñez. Ú. t. c. s. ‖ **2.** Por ext., que tiene pocos años. Ú. t. c. s. ‖ **3.** V. **pájaro niño.** ‖ **4.** fig. Que tiene poca experiencia. Ú. t. c. s. ‖ **5.** fig. En sent. despect., que obra con poca reflexión y advertencia. Ú. t. c. s. ‖ **6.** V. **juego, madre, maestro de niños.** ‖ **7.** V. **limbo de los niños.** ‖ **8.** fig. En el trato afectivo, persona que ha pasado de la niñez. Ú. m. en vocativo. ‖ **9.** m. y f. *And.* y *Can.* Persona soltera, aunque tenga muchos años. ‖ **10.** En diversos países de América, tratamiento que se da a personas de más consideración social. Ú. mucho ante nombres propios. ‖ **la niña bonita.** loc. con que se designa al número quince, especialmente en los sorteos. ‖ **niño o niña bien.** Joven efeminado y acomodada un tanto vacuo y presuntuoso. ‖ **bitongo.** fam. **niño zangolotino.** ‖ **de coro.** El que en las catedrales y en algunas iglesias canta con otros en los oficios divinos. ‖ **de la bola.** Por antonom., el Niño Jesús, aludiendo al mundo, puesto en su mano o debajo de sus pies, con que se representa su imagen. ‖ **2.** fig. y fam. El que es afortunado. ‖ **de la doctrina. doctrino.** ‖ **de la piedra. expósito.** ‖ **de la rollona.** El que siendo ya de edad, tiene propiedades y modales de niño. ‖ **de pecho. niño de teta.** ‖ **de teta.** El que aún está en la lactancia. ‖ **2.** fig. y fam. El que es muy inferior en alguna de sus cualidades. ‖ **gótico.** fig. y fam. Joven presuntuoso e insustancial. ‖ **Jesús.** Imagen que representa a Cristo en su niñez; también se usa esta expresión considerándolo en dicha edad. ‖ **niño probeta.** Aquel que, por esterilidad de la madre u otras razones, ha sido concebido mediante una técnica de laboratorio que consiste en la implantación de un óvulo fecundado en el útero materno. ‖ **zangolotino.** fam. Muchacho que quiere o a quien se quiere hacer pasar por **niño.** ‖ **a anda niño.** loc. adv. Manera de transportar a una distancia corta un sillar, un mueble pesado u otro objeto análogo, inclinándolo ligeramente a un lado, ora al opuesto, y haciéndolo girar cada vez sobre la parte que se apoya en el suelo. ‖ **como niño con zapatos nuevos.** expr. fig. y fam. que se dice de la persona muy satisfecha y regocijada por algo que acaba de obtener o lograr. ‖ **desde niño.** loc. adv. Desde el tiempo de la niñez. ‖ **¡qué niño envuelto, o muerto!** expr. fig. y fam. de poca estimación.

niobio. (De *Niobe*, hija de Tántalo, e *-io*.) m. *Quím.* Metal pulverulento de color gris, que se asemeja al tantalio y le acompaña en ciertos minerales. Es sumamente raro. Núm. atómico 41. Símb.: *Nb*.

nioto. m. ant. **cazón¹,** pez.

nipa. (Del malayo *nipah*.) f. Planta de la familia de las palmas, de unos tres metros de altura, con tronco recto y nudoso; hojas casi circulares, de un metro aproximadamente de diámetro, partidas en lacinias ensiformes reunidas por los ápices; flores verdosas, separadas las masculinas de las femeninas, pero todas en un mismo pedúnculo, y fruto en drupa aovada, de corteza negruzca, dura por fuera y estoposa por dentro, que cubre una nuez muy consistente. Abunda en las marismas de las islas de la Oceanía intertropical; de ella se saca la tuba, y de sus hojas se hacen tejidos ordinarios, y muy especialmente techumbres para las barracas o casas de caña y tabla de los indígenas. ‖ **2.** Hoja de este árbol. ‖ **3.** V. **vino de nipa.**

nipis. (Voz tagala.) m. Tela fina casi transparente y de color amarillento, que tejen en Filipinas con las fibras más tenues sacadas de los pecíolos de las hojas del abacá.

nipón, na. adj. Natural del Japón. Ú. t. c. s. ‖ **2.** Perteneciente o relativo al Japón.

nipos. m. pl. *Germ.* Moneda. ‖ **2.** Caudal, bienes de cualquier especie.

níquel. (Del al. *nickel.*) m. *Quím.* Metal de color y brillo semejantes a los de la plata, muy duro, magnético, algo más pesado que el hierro. Entra en varias aleaciones, por ej. en el metal blanco. Núm. atómico 28. Símb.: *Ni*. ‖ **2.** *Cuba* y *P. Rico.* Moneda de cinco centavos. ‖ **3.** *Urug.* Moneda. ‖ **4.** *Urug.* Caudal, bienes.

niquelado, da. p. p. de **niquelar.** ‖ **2.** m. Acción y efecto de niquelar.

niquelador, ra. m. y f. Persona que tiene por oficio niquelar.

niqueladura. f. Acción y efecto de niquelar.

niquelar. tr. Cubrir con un baño de níquel otro metal.

niquelina. f. Arseniato natural de níquel rojo.

niquiscocio. (Alteración despect. de *negocio*.) m. p. us. fam. Negocio de poca importancia, o cosa despreciable que se trae frecuentemente entre manos.

niquitoso, sa. adj. *Ar.* Dengoso, minucioso.

nirvana. (Voz sánscrita.) m. En el budismo, bienaventuranza obtenida por la absorción e incorporación del individuo en la esencia divina.

níscalo. m. **mízcalo.**

niscome. m. *Méj.* Olla en que se cuece el maíz dispuesto para tortilla.

níspera. f. **níspero,** fruto.

níspero. (Del lat. vulg. **nespĭrum,* lat. *mespĭlum*.) m. Árbol de la familia de las rosáceas, con tronco tortuoso, delgado y de ramas abiertas y algo espinosas; hojas pecioladas, grandes, elípticas, duras, enteras o dentadas en la mitad superior, verdes por el haz y lanuginosas por el envés; flores blancas, axilares y casi sentadas, y por fruto la níspola. Es espontáneo, pero también se cultiva. ‖ **2.** Fruto de este árbol. ‖ **3.** *Amér.* Zapote, chicozapote, árbol. ‖ **4.** *Amér.* Fruto de este árbol. ‖ **5.** *El Salv.* y *Nicar.* Árbol de la familia de las sapotáceas, alto y de madera fina y que, a diferencia del chicozapote, tiene corteza suave y frutos de pulpa dulce y aromática. ‖ **del Japón.** Arbusto siempre verde, de la familia de las rosáceas, de uno a dos metros de altura, con hojas ovales, puntiagudas y vellosas por el envés; flores blancas con olor de almendra, y fruto amarillento, casi esférico, de unos tres centímetros de diámetro, con semillas muy gruesas, y de sabor agridulce. Originario del Japón, se cultiva en los jardines y fructifica en el levante y mediodía de España. ‖ **espinoso o silvestre. espino,** arbolillo rosáceo. ‖ **mondar nísperos.** fr. fig. y fam. Apartarse de la materia de que se trata; estar ocioso en determinada ocasión. Ú. m. en forma negativa.

níspola. (der. del lat. *mespĭlum,* con la *n-* del lat. vulg. **nespĭrum*.) f. Fruto del níspero. Es aovado, amarillento, rojizo, de unos tres centímetros de diámetro, coronado por las lacinias del cáliz, duro y acerbo cuando se desprende del árbol; blando, pulposo, dulce y comestible cuando está pasado.

nispolero. m. *Murc.* **níspero,** árbol.

nistagmo. (Del gr. νυσταγμός, acción de adormilarse.) m. *Med.* Oscilación espasmódica del globo ocular alrededor de su eje horizontal o de su eje vertical, producida por determinados movimientos de la cabeza o del cuerpo y reveladora de ciertas alteraciones patológicas del sistema nervioso o del oído interno.

niste. (Del nahua *nextli,* ceniza.) adj. *Nicar.* Del color de la ceniza. Dícese especialmente del indio, quien, en vez de palidecer, se pone **niste.**

nitaíno. m. Noble, persona de la nobleza entre los indios taínos.

nitidez. f. Cualidad de nítido.

nítido, da. (Del lat. *nitĭdus.*) adj. Limpio, terso, claro, puro, resplandeciente. ǁ **2.** Que se distingue bien, no confuso.

nito. m. Helecho que se cría en Filipinas, de tallo casi voluble y hojas que nacen sobre un pezoncito, todas ladeadas y divididas en dos. De los peciolos se saca el filamento que sirve para fabricar sombreros y petacas. ǁ **2.** pl. fam. Ú. como respuesta para ocultar lo que se come o se lleva, cuando alguno con curiosidad lo pregunta.

nitor. (Del lat. *nitor, -ōris.*) m. p. us. Cualidad de nítido.

nitración. f. *Quím.* Acción y efecto de nitrar.

nitrado, da. adj. *Quím.* Dícese del compuesto orgánico que ha experimentado la nitración.

nitrador. m. *Quím.* Recipiente dotado por lo general de una pared doble, con un serpentín de calentamiento o enfriamiento y un agitador, que se usa para nitrar.

nitral. m. Criadero de nitro.

nitrar. tr. *Quím.* Introducir en un compuesto orgánico el grupo funcional positivo, formado por un átomo de nitrógeno y dos de oxígeno, por lo general empleando una mezcla de ácidos nítrico y sulfúrico concentrados, este último como deshidratante.

nitrato. (De *nitro* y *-ato*[2].) m. *Quím.* Sal formada por la combinación del ácido nítrico con una base. ǁ **de amonio.** *Quím.* Cuerpo incoloro que forma cristales delicuescentes e higroscópicos, soluble en agua y en alcohol, que se descompone por el calor produciendo gas hilarante. Tiene uso como oxidante y como fundente de metales, y se emplea para la producción de mezclas frigoríficas, fertilizantes y explosivos. ǁ **de Chile.** *Quím.* Abono nitrogenado natural extraído del caliche, que se encuentra en yacimientos situados en la zona desértica del norte de Chile. Consiste, principalmente, en **nitrato** sódico, **nitrato** potásico y pequeñas cantidades de sales de boro, yodo y otros elementos. ǁ **de potasio.** *Quím.* Polvo cristalino e incoloro, soluble en agua, alcohol y glicerina, de gran poder oxidante. Tiene uso en la fabricación del vidrio, mechas, pólvora y combustibles sólidos para cohetes balísticos, en la elaboración del tabaco, para adobar carnes y como fertilizante. ǁ **de sodio.** *Quím.* Cuerpo sólido que cristaliza en romboedros semejantes a cubos, de color blanco, extraordinariamente higroscópicos, que constituye el principal componente aprovechable del **nitrato de Chile,** del que se extrae. En caliente, es un oxidante muy enérgico, y tiene uso en la industria del vidrio, en pirotecnia y como fertilizante.

nitrería. f. Sitio o lugar donde se recoge y beneficia el nitro.

nítrico, ca. adj. Perteneciente o relativo al nitro o al nitrógeno. ǁ **2.** *Quím.* V. **ácido nítrico.** ǁ **3.** *Quím.* V. **celulosa nítrica.**

nitrito. m. *Quím.* Sal formada por la combinación del ácido nítroso con una base.

nitro. (Del gr. νίτρον, a través del lat. *nitrum.*) m. Nitrato potásico, que se encuentra en forma de agujas o de polvillo blanquecino en la superficie de los terrenos húmedos y sa-

lados. Cristaliza en prismas casi transparentes; es de sabor fresco, un poco amargo, y, echado al fuego, deflagra con violencia. ǁ **2.** V. **espuma de nitro.** ǁ **cúbico.** Sal semejante al **nitro,** pero con sodio en vez de potasio, y que cristaliza en romboedros casi cúbicos. ǁ **de Chile. nitrato de Chile.** ǁ **de Noruega.** Nitrato cálcico.

nitro-. (Del gr. νίτρον.) *Quím.* elem. compos. que denota la presencia, en un compuesto orgánico, del grupo funcional formado por un átomo de nitrógeno y dos de oxígeno, con una valencia positiva. Puede ir precedido de un prefijo multiplicador, que indica el número de esos grupos presentes, y así se dice: *d*iNITRO-, *tri*NITRO-, etc.

nitrobenceno. m. *Quím.* Líquido oleoso, incoloro o amarillo claro, que se obtiene tratando benceno con una mezcla de ácidos nítrico y sulfúrico concentrados. Ligeramente soluble en agua, y muy soluble en alcohol y éter. Es tóxico.

nitrobencina. f. *Quím.* Cuerpo resultante de la combinación del ácido nítrico con la bencina.

nitrocelulosa. f. *Quím.* Cada una de las sustancias que se obtienen del mismo modo que el nitrato de celulosa, con el que pueden identificarse, y que difieren entre sí en el grado de nitración. Las más nitradas tienen aspecto fibroso, semejante al algodón, son insolubles en el alcohol y en el éter, solubles en acetona, y se utilizan como explosivos con el nombre de pólvora de algodón. Otras, menos nitradas, se disuelven en una mezcla de éter y alcohol, y en esta forma reciben el nombre de colodión. Por adición de ciertos compuestos, por ejemplo el alcanfor, se obtiene una masa plástica llamada celuloide.

nitrocompuesto. m. *Quím.* Compuesto orgánico en el que está presente el grupo funcional formado por un átomo de nitrógeno y dos de oxígeno, que resulta de eliminar el radical hidroxilo del ácido nítrico. Casi todos los compuestos de este tipo son estables y tienen color amarillento.

nitroformo. m. *Quím.* Producto de la nitración triple del metano, que forma cristales incoloros, los cuales funden a quince grados centígrados, convirtiéndose en un líquido de aspecto oleoso, que detona si se lo calienta rápidamente.

nitrogelatina. f. Explosivo formado por una mezcla de nitroglicerina, nitrato de sodio y serrín. Pertenece al grupo de las dinamitas de base activa.

nitrogenado, da. (De *nitrógeno* y *-ado*.) adj. Que contiene nitrógeno.

nitrógeno. (Del gr. νίτρον, nitro, y *-geno*.) m. *Quím.* Metaloide gaseoso, incoloro, transparente, insípido e inodoro, que no sirve para la respiración ni para la combustión, y que constituye aproximadamente las cuatro quintas partes del aire atmosférico. Es elemento fundamental en la composición de los seres vivos. Núm. atómico 7. Símb.: *N.*

nitroglicerina. f. Líquido aceitoso e inodoro, de sabor ligeramente dulce, más pesado que el agua, poco soluble en esta y soluble en alcohol y en éter. Se prepara por nitración de la glicerina. Es un explosivo de alta potencia, muy sensible al choque, que, mezclado con un cuerpo absorbente, forma la dinamita. Tiene uso en medicina como vasodilatador de acción poco duradera.

nitroglicol. m. Líquido amarillento, volátil, insoluble en agua y soluble en alcohol. Es venenoso, y hace explosión por efecto del calor o del impacto, aunque no se utiliza como explosivo, por su inestabilidad. Su punto de fusión es muy bajo, por lo que se emplea para mezclarlo con la glicerina y evitar que esta se congele.

nitrosidad. f. Cualidad de nitroso.

nitroso, sa. (Del lat. *nitrōsus.*) adj. Que tiene nitro o se le parece en alguna de sus propiedades. ǁ **2.** *Quím.* Dícese en general de los compuestos oxidados del nitrógeno en grado inferior al ácido nítrico.

nivel. (Del prov. *nivel*.) m. Instrumento para averiguar la diferencia o la igualdad de altura entre dos puntos. ‖ **2.** Horizontalidad. ‖ **3.** Altura a que llega la superficie de un líquido. *El* NIVEL *de la riada.* ‖ **4.** V. **paso a nivel.** ‖ **5.** fig. Altura que una cosa alcanza, o a que está colocada. ‖ **6.** fig. Grado o altura que alcanzan ciertos aspectos de la vida social. NIVEL *económico,* NIVEL *de cultura.* ‖ **7.** fig. Igualdad o equivalencia en cualquier línea o especie. ‖ **8.** *Arq.* V. **arco a nivel.** ‖ **9.** *Topogr.* V. **curva, plano de nivel.** ‖ **de agua.** Tubo de latón u hojalata, montado sobre un trípode y con encajes en sus extremidades, donde se aseguran otros dos tubos de cristal. Echando agua en el tubo hasta que el líquido suba por los de cristal, la altura que toma en estos determina un plano de nivel. ‖ **de aire.** Regla metálica que lleva encima un tubo de cristal cerrado por ambas extremidades, con la superficie interior ligeramente arqueada, y casi lleno de un líquido. Cuando la burbuja de aire que queda dentro se detiene entre dos rayas señaladas en el tubo, la regla está horizontal, y si el instrumento se monta sobre un trípode, añadiéndole pínulas o un anteojo, sirve para nivelaciones topográficas. ‖ **de albañil.** Triángulo rectángulo isósceles con los dos catetos prolongados igualmente, hecho con tres listones de madera o metal, y con una plomada pendiente del vértice opuesto a la hipotenusa, por cuyo punto medio pasa precisamente el hilo de aquella cuando el instrumento se coloca apoyado en dicha hipotenusa. ‖ **de vida.** Grado de bienestar, principalmente material, alcanzado por la generalidad de los habitantes de un país, los componentes de una clase social, los individuos que ejercen una misma profesión, etc. ‖ **a nivel.** loc. adv. En un plano horizontal. ‖ **2. a cordel.** ‖ **estar a un nivel.** fr. fig. Haber entre dos o más cosas o personas perfecta igualdad en algún concepto.

nivelación. f. Acción y efecto de nivelar.

nivelador, ra. adj. Que nivela. Ú. t. c. s.

nivelar. tr. Echar el nivel para reconocer si existe o falta la horizontalidad. ‖ **2.** Poner un plano en la posición horizontal justa. ‖ **3.** Por ext., poner a igual altura dos o más cosas materiales. ‖ **4.** En la construcción, igualar un terreno o superficie, allanarlo. ‖ **5.** fig. Igualar una cosa con otra material o inmaterial. Ú. t. c. prnl. ‖ **6.** *Topogr.* Hallar la diferencia de altura entre dos puntos de un terreno.

níveo, a. (Del lat. *nivĕus.*) adj. poét. De nieve, o semejante a ella.

nivoso, sa. (Del lat. *nivōsus.*) adj. Que frecuentemente tiene nieve. ‖ **2.** m. Cuarto mes del calendario republicano francés, cuyos días primero y último coincidían, respectivamente, con el 21 de diciembre y el 19 de enero.

nixtamal. m. *Méj.* Maíz ya cocido en agua de cal, que sirve para hacer tortillas después de molido.

nizardo, da. adj. Natural de Niza. Ú. t. c. s. ‖ **2.** Perteneciente o relativo a esta ciudad de Francia.

no. (Del lat. *non.*) adv. neg., que con este sentido se emplea principalmente respondiendo a una pregunta. ‖ **2.** En una frase, se aplica al verbo para indicar la falta de lo significado por él. ‖ **3.** Precediendo a nombres abstractos, indica la inexistencia de lo designado por esos nombres. ‖ **4.** En sent. interrog., suele emplearse como expletiva para pedir o pidiendo contestación afirmativa. *¿*NO *me obedeces?*; también cuando se espera que la respuesta va a ser afirmativa. *¿*NO *ibas a marcharte?* *Sí, pero cambié de opinión.* ‖ **5.** Antecede al verbo a que sigue el adverbio *nada* u otro vocablo que expresa negación. *Eso* NO *vale nada;* NO *ha venido nadie.* ‖ **6.** Ú. a veces solamente para avivar la afirmación de la frase a que pertenece, haciendo que la atención se fije en una idea contrapuesta a otra. *Más vale* *ayunar que* NO *enfermar; él lo podrá decir mejor que* NO *yo;* cláusulas cuyo sentido no se alteraría omitiendo este adverbio. ‖ **7.** En frases en que va seguido de la preposición *sin,* forma con ella sentido afirmativo. *Sirvió,* NO *sin gloria, en la última guerra;* NO *lo dijo sin intención; esto es, sirvió con gloria; lo dijo con intención.* ‖ **8.** Ú. repetido para dar más fuerza a la negación. NO, NO *lo haré;* NO *lo haré,* NO. ‖ **9.** En algunos casos toma carácter de sustantivo. *Nunca hubo entre nosotros un sí ni un* NO. ‖ **¡a que no!** fr. Especie de reto que se dirige a uno, en sentido de que no podrá o no se atreverá a decir o hacer cierta cosa. Ú. t. encabezando una frase, con el mismo sentido. ¡A QUE NO *eres capaz de saltar esa tapia!* ‖ **no bien.** loc. adv. Tan pronto como. NO BIEN *amanezca, saldremos de viaje.* ‖ **no más.** expr. solamente. *Me dio cincuenta pesetas* NO MÁS. ‖ **2.** Equivale a **basta** de en giros elípticos. NO MÁS *rogar inútilmente.* ‖ **no, que no.** loc. que se usa para afirmar o asegurar lo que se dice y de que otro duda, valiéndose para ello de la negación contrapuesta irónicamente. ‖ **no, sino,** loc. con que se da a entender que se tiene por mejor o por más cierto aquello de que se trata, que su contrario o su contradictorio. NO, SINO *póngame el dedo en la boca.* ‖ **no, sino no.** loc. no, que no. ‖ **no tal.** expr. fam. con que se refuerza la negación. ‖ **no ya.** loc. No solamente. ‖ **¡pues no!** Modo de hablar con que se contradice o deshace la duda o sentir contrario, acerca de la determinación o de la opinión que se tiene. ‖ **y que no.** loc. **no, que no.**

nobelio. (Del instituto *Nobel,* donde fue descubierto.) m. *Quím.* Elemento radiactivo artificial que se obtuvo bombardeando el curio con iones de carbono. Núm. atómico 102. Símb.: *No.*

nobiliario, ria. (Del lat. *nobĭlis,* noble, y *-ario.*) adj. Perteneciente o relativo a la nobleza. ‖ **2.** Aplícase al libro que trata de la nobleza y genealogía de las familias. Ú. t. c. s.

nobilísimamente. adv. m. sup. Con suma nobleza.

nobilísimo, ma. (Del lat. *nobilissĭmus.*) adj. sup. de **noble.** Muy noble.

noble. (Del lat. *nobĭlis.*) adj. Preclaro, ilustre, generoso. ‖ **2.** Principal en cualquier línea; excelente o aventajado en ella. ‖ **3.** Dícese de la persona que por su ilustre nacimiento o por concesión del soberano posee algún título del reino, y por ext., de sus parientes. Ú. t. c. s. ‖ **4.** Aplicado a lo irracional e insensible, singular o particular en su especie, o que aventaja a los demás individuos de ella. ‖ **5.** Honroso, estimable, como contrapuesto a deshonrado y vil. ‖ **6.** V. **arte, granate, metal, ópalo noble.** ‖ **7.** *Quím.* Dícese de los cuerpos químicamente inactivos. Tales son los metales como el platino y el oro, o gases como el helio y el argón. ‖ **8.** m. Moneda de oro que se usó en España, dos quilates más fina que el escudo. ‖ **veneciano.** Título de honor con que en la república de Venecia se distinguieron los descendientes de las 16 familias que dieron principio a su aristocrático gobierno.

noblecer. (De *noble* y *-ecer.*) tr. ant. Hacer noble a uno, ennoblecer.

noblemente. adv. m. Con nobleza.

nobleza. f. Cualidad de noble. ‖ **2.** Conjunto o cuerpo de los nobles de un Estado o de una región. ‖ **3.** V. **brazo de la nobleza.** ‖ **4.** Tela de seda, especie de damasco sin labores.

noblote, ta. adj. fam. Que procede con nobleza.

noca. (Del ár. *nâqor,* caracola.) f. Crustáceo marino, parecido a la centolla, pero de carapacho liso, fuerte, muy convexo, elíptico, y de unos 25 centímetros de ancho; nocla. Es comestible, y vive en las costas de España.

noceda. f. Sitio plantado de nogales.

nocedal. (Del lat. *nucētum.*) m. Sitio plantado de nogales.

nocente. (Del lat. *nocens, -entis.*) adj. p. us. Que daña. ‖ **2.** p. us. Que ha incurrido en culpa. Ú. t. c. s.

nocible. (Del lat. *nocibĭlis*.) adj. p. us. **nocivo.**

nocimiento. (De *nocir* y *-miento*.) m. ant. Daño o perjuicio.

noción. (Del lat. *notĭo, -ōnis*.) f. Conocimiento o idea que se tiene de una cosa. ‖ **2.** Conocimiento elemental. Ú. m. en pl.

nocional. adj. Perteneciente o relativo a la noción.

nocir. (Del lat. *nocēre*.) tr. ant. Dañar, ofender, perjudicar.

nocividad. f. Cualidad de dañoso o nocivo.

nocivo, va. (Del lat. *nocīvus*.) adj. Dañoso, pernicioso, perjudicial.

nocla. f. **noca.**

noctambular. intr. Andar vagando de noche.

noctambulismo. m. Cualidad de noctámbulo.

noctámbulo, la. (Del lat. *nox, noctis*, noche, y *ambulāre*, andar.) adj. Que anda vagando durante la noche.

noctiluca. (Del lat. *noctilūca*.) f. Sapito de luz, luciérnaga. ‖ **2.** *Zool.* Protozoo flagelado, marino, de cuerpo voluminoso y esférico y con un solo flagelo, cuyo protoplasma contiene numerosas gotitas de grasa que al oxidarse producen fosforescencia. A la presencia de este flagelado se debe frecuentemente la luminosidad que se observa en las aguas del mar durante la noche.

noctívago, ga. (Del lat. *noctivăgus*.) adj. poét. Que anda vagando durante la noche. Ú. t. c. s.

nocturnal. (Del lat. *nocturnālis*.) adj. p. us. **nocturno.**

nocturnancia. f. ant. Tiempo de la noche muy entrada.

nocturnidad. f. Cualidad o condición de nocturno. ‖ **2.** *Bot.* y *Zool.* Condición de los animales y vegetales nocturnos. ‖ **3.** *Der.* Circunstancia agravante de responsabilidad, resultante de ejecutarse de noche ciertos delitos.

nocturnino, na. adj. p. us. **nocturno.**

nocturno, na. (Del lat. *nocturnus*.) adj. Perteneciente a la noche, o que se hace en ella. ‖ **2.** fig. p. us. Que anda siempre solo, melancólico y triste. ‖ **3.** *Bot.* y *Zool.* Aplícase a los animales que de día están ocultos y buscan el alimento durante la noche, y a las plantas que solo de noche tienen abiertas sus flores. ‖ **4.** m. Cada una de las tres partes del oficio de maitines, compuesta de antífonas, salmos y lecciones. ‖ **5.** *Mús.* Pieza de música vocal o instrumental, de melodía dulce, propia para recordar los sentimientos apacibles de una noche tranquila. ‖ **6.** *Mús.* Serenata en que se cantan o tocan composiciones de carácter sentimental.

nocharniego, ga. adj. ant. Que anda de noche, nocherniego.

noche. (Del lat. *nox, noctis*.) f. Tiempo en que falta la claridad del día. ‖ **2.** V. **alcalde, anteojo, dama, dondiego, mesa, mesilla, mesita, papagayo, saco de noche.** ‖ **3.** fig. Confusión, oscuridad o tristeza en cualquier línea. ‖ **buena. nochebuena.** ‖ **cerrada.** Espacio de tiempo en que la oscuridad de la **noche** es total. ‖ **de bodas.** La del día de la boda. ‖ **de perros.** loc. fig. y fam. Aquella que hace muy mal tiempo. ‖ **2.** fig. y fam. La que se ha pasado muy mal. Ú. especialmente con los verbos *pasar* y *tener*. ‖ **de verbena. verbena,** velada popular de algunas festividades. ‖ **intempesta.** poét. **noche** muy entrada. ‖ **toledana.** fig. y fam. La que uno pasa sin dormir. ‖ **vieja. nochevieja.** ‖ **buena,** o **mala, noche.** Además del sentido recto, se llama así a la que se ha pasado con diversión, con quietud, descanso y sosiego; o al contrario, con desvelo, inquietud o desazón. ‖ **media noche. medianoche.** ‖ **2.** V. **hilo de medianoche.** ‖ **primera noche.** Horas primeras de la **noche.** ‖ **a buenas noches.** loc. adv. fig. y fam. **a oscuras.** Ú. con los verbos *estar, dejar* y *quedarse*. ‖ **a media noche.** loc. adv. A primera **noche.** ‖ **ayer noche.** loc. adv. **anoche.** ‖ **buenas noches.** expr. fam. que se emplea como salutación y como despedida durante la **noche** al irse a acostar. ‖ **buenas**

noches, cuarta. fr. fig. y fam. desus. Esto se acabó. ‖ **cerrar la noche.** fr. Pasar del crepúsculo vespertino a la falta total de la luz del día. ‖ **de la noche a la mañana.** loc. fig. Inopinadamente, de pronto, en muy breve espacio de tiempo. ‖ **de noche.** loc. adv. Después del crepúsculo vespertino. ‖ **grand noche.** loc. adv. Muy de **noche.** ‖ **hacer uno noche** alguna cosa. fr. fig. y fam. Hurtarla o hacerla desaparecer. ‖ **hacer noche** en alguna parte. fr. Detenerse y parar en un lugar para pasar la **noche.** ‖ **hacerse de noche.** fr. Empezar a venir la **noche,** anochecer. ‖ **hacerse noche** una cosa. fr. fig. Desaparecer o faltar de entre las manos, o ser hurtada. ‖ **noche y día.** expr. fig. Siempre, continuamente. ‖ **pasar de claro en claro,** o **en claro, la noche.** fr. fig. Pasarla sin dormir. ‖ **pasar la noche en blanco.** fr. fig. **pasarla en claro.** ‖ **temprano es noche.** expr. fig. y fam. con que se denota que se hace o pide una cosa antes de tiempo.

nochebuena. f. Noche de la vigilia de Navidad.

nochebuena. m. Torta grande amasada con aceite, almendras, piñones y otras cosas, para la colación de nochebuena. En algunas partes se suele hacer solo con aceite, huevos y miel. ‖ **2.** Tronco grande de leña que ponen en el fuego la noche de Navidad.

nocherniego, ga. (Disimilación de **nochorniego*, y este de **nochorno*, del lat. *nocturnus*, y *-iego*.) adj. Que anda de noche.

nochero. m. *Chile* y *Urug.* Vigilante nocturno de un local, obra, etc.

nochevieja. f. Última noche del año.

nochizo. (Probablemente, der. mozár. del lat. *nux, nucis*.) m. Avellano silvestre.

nodación. (Del lat. *nodatĭo, -ōnis*.) f. *Pat.* Impedimento causado por un nodo en el juego de una articulación o en la movilidad de los tendones o de los ligamentos.

nodal. adj. Perteneciente o relativo al nodo. ‖ **2.** *Fís.* Dícese de las líneas que permanecen fijas en las membranas o en las placas vibrantes.

nodátil. (De *nodo* y *-átil*.) adj. *Anat.* V. **juntura nodátil.**

nodo. (Del lat. *nodus*.) m. *Astron.* Cada uno de los dos puntos opuestos en que la órbita de un astro corta la Eclíptica. ‖ **2.** *Astron.* V. **línea de los nodos.** ‖ **3.** *Fís.* Cada uno de los puntos que permanecen fijos en un cuerpo vibrante. En una cuerda vibrante son siempre **nodos** los extremos, y puede haber varios **nodos** intermedios. ‖ **4.** *Pat.* Tumor producido por un depósito de ácido úrico en los huesos, tendones o ligamentos. Es característico de la gota. ‖ **ascendente.** *Astron.* Aquel en que el planeta pasa de la parte austral a la boreal de la esfera celeste. ‖ **austral.** *Astron.* **nodo descendente.** ‖ **boreal.** *Astron.* **nodo ascendente.** ‖ **descendente.** *Astron.* Aquel en que el planeta pasa de la parte boreal a la austral de la esfera celeste.

nodriza. (Del lat. *nutrix, -īcis*.) f. **ama de cría.** ‖ **2.** Aplícase, en aposición, al buque o avión que sirve para abastecer de combustible a otro u otros.

nódulo. (Del lat. *nodŭlus*.) m. Concreción de poco volumen. ‖ **linfático.** Concreción de pequeño tamaño y forma esferoidal, constituida por la acumulación de linfocitos, principalmente en el tejido conjuntivo de las mucosas.

Noé. n. p. V. **arca de Noé.**

noema. (Del gr. νόημα.) m. *Fil.* Pensamiento como contenido objetivo del pensar, a diferencia del acto intencional o noesis. Es término frecuente en la fenomenología.

noemático, ca. adj. Referente al noema.

noesis. (Del gr. νόησις.) f. *Fil.* Visión intelectual, pensamiento. ‖ **2.** En fenomenología, acto intencional de intelección o intuición.

noético, ca. adj. Referente a la noesis.

nogada. (Del lat. *nux, nucis*, nuez, y *-ada*.) f. Salsa hecha de nueces y especias, con que se suelen guisar algunos pescados.

nogal. (Del lat. *nucālis*, semejante o relativo a la nuez.) m. Árbol de la familia de las yuglandáceas, de unos quince metros de altura, con tronco corto y robusto, del cual salen gruesas y vigorosas ramas para formar una copa grande y redondeada; hojas compuestas de hojuelas ovales, puntiagudas, dentadas, gruesas y de olor aromático; flores blanquecinas de sexos separados, y por fruto la nuez. Su madera es dura, homogénea, de color pardo rojizo, veteada, capaz de hermoso pulimento y muy apreciada en ebanistería, y el cocimiento de las hojas se usa en medicina como astringente y contra las escrófulas. ‖ **2.** Madera de este árbol. ‖ **3.** adj. Del color de la madera de este árbol.

nogalina. (De *nogal* e *-ina.*) f. Colorante obtenido de la cáscara de la nuez, usado para pintar imitando el color nogal.

noguera. (Del lat. medieval [*arbor*] *nucaría.*) f. **nogal,** árbol.

noguerado, da. (De *noguera* y *-ado.*) adj. Aplícase al color pardo oscuro, como el de la madera de nogal.

nogueral. (De *noguera* y *-al.*) m. Sitio plantado de nogales.

noguerón. m. aum. de **noguera.**

nogueruela. (d. de *noguera.*) f. Nombre usual de una planta escrofulariácea que se usa en medicina.

noli. m. *Col.* **nolí.**

nolí. m. *Col.* Palma cuyo fruto da aceite.

nolición. (Del lat. escolástico *nolitío, -ónis.*) f. *Fil.* Acto de no querer.

noli me tángere. (fr. lat. que equivale a «no me toques».) m. *Med.* Úlcera maligna que no se puede tocar sin peligro. ‖ **2.** Cosa que se considera o se trata como exenta de contradicción o examen. Con frecuencia se usa en sent. irón.

nolit. (Del cat. *nolit,* flete.) m. ant. Precio del alquiler de la nave, flete.

nolito. m. ant. **nolit.**

noluntad. (Antónimo de *voluntad,* basado en el lat. *nolo,* no quiero, antónimo de *volo,* quiero.) f. *Fil.* Acto de no querer.

noma. (Del gr. voμή, pasto.) f. *Med.* Gangrena de la boca y de la cara. Aparece principalmente en niños débiles en el curso de las enfermedades infecciosas.

nómada. (Del gr. voμάς, -ἀδος, a través del lat. *nomas, -ādis.*) adj. Aplícase a la familia o pueblo que anda vagando sin domicilio fijo, y a la persona en quien concurren estas circunstancias. Ú. t. c. s.

nómade. adj. p. us. **nómada.**

nomadismo. (De *nómada* e *-ismo.*) m. *Etnol.* Estado social de las épocas primitivas o de los pueblos poco civilizados, consistente en cambiar de lugar con frecuencia.

nomás. adv. *Argent., Méj.* y *Venez.* **no más,** solamente. ‖ **2.** *Argent.* y *Venez.* Apenas, precisamente. ‖ **3.** *Argent., Bol., Méj.* y *Venez.* En oraciones exhortativas, añade énfasis a la expresión. *Atrévase* NOMÁS. *Pase* NOMÁS. Ú. m. pospuesto.

nombradamente. adv. m. p. us. Con distinción del nombre, expresamente.

nombradía. (De *nombrado* e *-ía.*) f. Fama, reputación.

nombrado, da. adj. Célebre, famoso.

nombramiento. m. Acción y efecto de nombrar. ‖ **2.** Cédula o despacho en que se designa a uno para un cargo u oficio.

nombrar. (Del lat. *nomināre.*) tr. Decir el nombre de una persona o cosa. ‖ **2.** Hacer mención particular, generalmente honorífica, de una persona o cosa. ‖ **3.** Elegir o señalar a uno para un cargo, empleo u otra cosa.

nombre. (Del lat. *nomen, -ĭnis.*) m. Palabra con que son designados los objetos físicos, psíquicos o ideales, como *casa, virtud, elegancia, coseno.* ‖ **2.** Título de una cosa por el cual es conocida. ‖ **3.** Fama, opinión, reputación o crédito. ‖ **4.** Sobrenombre que se da a uno, apodo. ‖ **5.** V. **cuestión de nombre.** ‖ **6.** *Gram.* **nombre sustantivo.** ‖ **7.** *Gram.* Categoría de palabras que comprende el **nombre** sustantivo y el adjetivo. ‖ **8.** *Mil.* Palabra que se daba por señal secreta para reconocer durante la noche a los ami-

gos, haciéndosela decir. ‖ **abstracto.** El sustantivo que no designa una cosa real, sino alguna cualidad de los seres. ‖ **adjetivo.** *Gram.* **adjetivo.** ‖ **ambiguo.** *Gram.* El **nombre** común de cosa que se emplea como masculino o como femenino; v. gr.: *El calor y la calor; el mar y la mar.* ‖ **animado.** *Gram.* El que designa personas, animales o seres considerados vivientes (*ángel, centauro,* etc.). ‖ **apelativo.** **sobrenombre.** v. gr.: *El caballero de los Leones.* ‖ **2.** **nombre común.** ‖ **colectivo.** *Gram.* El que en singular expresa número determinado de cosas de una misma especie, o muchedumbre o conjunto; v. gr.: *docena, enjambre.* ‖ **comercial.** Denominación distintiva de un establecimiento, registrada como propiedad industrial. ‖ **común.** *Gram.* El que se aplica a personas o cosas pertenecientes a conjuntos de seres a los que conviene igualmente por poseer todos las mismas propiedades. Así, *naranja* es un **nombre común,** que se aplica a los objetos que poseen las propiedades de forma, color, olor, sabor, etc., que distinguen a una naranja de cualquier otra fruta. ‖ **2.** *Gram.* El apelativo de persona que no posee género gramatical determinado y se construye con artículos, adjetivos y pronombres masculinos y femeninos para aludir a persona de sexo masculino o femenino respectivamente; v. gr.: *El mártir y la mártir; el artista y la artista.* ‖ **concreto.** *Gram.* El sustantivo que designa seres reales o que nos podemos representar como tales. ‖ **de pila.** El que se da a la criatura cuando se bautiza. ‖ **2.** Por ext., se dice del **nombre** que se inscribe en el registro civil. ‖ **epiceno.** *Gram.* **nombre** común perteneciente a la clase de los animados que, con un solo género gramatical, masculino o femenino, puede designar al macho o a la hembra indistintamente o conjuntamente: *una hormiga, un milano.* ‖ **genérico.** *Gram.* **nombre común.** ‖ **inanimado.** *Gram.* El que designa seres carentes de vida animal: *roca, árbol.* ‖ **numeral.** *Gram.* El que significa número; como *par, decena, millar.* ‖ **postizo.** **apodo.** ‖ **propio.** *Gram.* El que se aplica a seres animados o inanimados para designarlos y diferenciarlos de otros de su misma clase, y que, por no evocar necesariamente propiedades de dichos seres, puede imponerse a más de uno (*Antonio, Toledo*), incluso a seres de distinta clase (*Marte*). ‖ **sustantivo.** *Gram.* Clase de palabras caracterizadas en español por poseer género inherente, masculino o femenino, expresado normalmente en el caso de los animados por medios gramaticales o léxicos (*Antonio-Antonia; oso-osa; caballo-yegua*); presentan con frecuencia variación numérica (*oso-osos*) y, sobre todo, pueden desempeñar, entre otras, las funciones de sujeto oracional y de vocativo sin cambiar de categoría gramatical. Los **nombres** sustantivos pueden ser **comunes** y **propios.** ‖ **mal nombre. apodo.** ‖ **a nombre de** uno. loc. adv. **en nombre de** uno. ‖ **2.** Con destino a alguien cuyo **nombre** sigue a la prep. *de.* ‖ **dar el nombre.** fr. ant. *Mil.* Decir el santo a los centinelas. ‖ **decirse** uno a otro **los nombres de las fiestas, o de las pascuas.** fr. fig. y fam. Injuriarse recíprocamente, echarse en cara sus defectos, con ocasión de una quimera o riña. ‖ **en el nombre.** loc. adv. con que, a manera de deprecación, se implora el auxilio y favor de Dios o de sus santos para dar principio a una cosa. ‖ **en nombre de** uno. loc. adv. Actuando en representación suya. ‖ **hacer nombre de Dios.** fr. fig. y fam. Dar principio a una cosa, especialmente en las que hay ganancia, con alusión a la deprecación que se suele hacer del **nombre** de Dios para empezarlas. ‖ **lo limaré de mi nombre.** expr. con que uno encarece la seguridad que tiene de la verdad que ha dicho, por ser la firma la más segura testificación de lo que se propone. ‖ **no tener nombre** una cosa. fr. fam. Ser tan vituperable, que no se quiere o no se puede calificar. ‖ **poner nombre.** fr. fig. Señalar o determinar un precio en los ajustes o compras. ‖ **por nombre** fulano. expr. elípt. que equivale a decir que tiene por **nombre** o se llama fulano. ‖ **romper el nombre.** fr. *Mil.* Cesar, al llegar la aurora, el que se había dado para reconocerse durante la noche. ‖ **tener a nombre** de uno una plaza. fr. **tenerla por** uno.

nome. m. ant. **nombre.**

nomenclador. (Del lat. *nomenclātor, -ōris.*) m. **nomenclátor.** ‖ **2.** El que tiene la nomenclatura de una ciencia.

nomenclátor. (Del lat. *nomenclātor.*) m. Catálogo de nombres, ya de pueblos, ya de sujetos, ya de voces técnicas de una ciencia o facultad.

nomenclatura. (Del lat. *nomenclatūra.*) f. Lista de nombres de personas o cosas, nómina. ‖ **2.** Conjunto de las voces técnicas propias de una facultad. NOMENCLATURA *química.* ‖ **biológica.** *Bot.* y *Zool.* Conjunto de principios y reglas que se aplican para la denominación inequívoca, única y distintiva de los taxones animales y vegetales.

nomenclatural. adj. Perteneciente o relativo a la nomenclatura, en especial a la empleada por los biólogos.

nomeolvides. (De *no, me* y *olvides.*) f. Flor de la raspilla.

-nomía. (Del gr. -νομία, de la raíz de νόμος, ley, norma.) elem. compos. que significa «conjunto de leyes o normas»: geoNOMÍA, bibliotecoNOMÍA.

nómico, ca. adj. **gnómico.**

nómina. (Del lat. *nomĭna,* pl. n. de *nomen,* nombre.) f. Lista o catálogo de nombres de personas o cosas. ‖ **2.** Relación nominal de los individuos que en una oficina pública o particular han de percibir sus haberes y justificar con su firma haberlos recibido. ‖ **3.** Estos haberes. *Cobrar la* NÓMINA. ‖ **4.** En lo antiguo, reliquia en que estaban escritos nombres de santos. Hoy se llama así a ciertos amuletos supersticiosos.

nominación. (Del lat. *nominatĭo, -ōnis.*) f. Acción y efecto de nombrar.

nominador, ra. (Del lat. *nominātor, -ōris.*) adj. Que nombra para un empleo o comisión. Ú. t. c. s.

nominal. (Del lat. *nomĭnālis.*) adj. Perteneciente al nombre. ‖ **2.** Que tiene nombre de una cosa y le falta la realidad de ella en todo o en parte. *Sueldo, empleo, valor* NOMINAL. ‖ **3.** p. us. Partidario del nominalismo. ‖ **4.** p. us. Perteneciente al nominalismo.

nominalismo. (De *nominal* e *-ismo.*) m. *Fil.* Tendencia a negar la existencia objetiva de los universales, considerándolos como meras convenciones o nombres. Se opone a realismo y a idealismo.

nominalista. adj. Partidario del nominalismo. Ú. t. c. s. ‖ **2.** Perteneciente o relativo a este sistema.

nominalización. f. *Ling.* Acción y efecto de nominalizar.

nominalizar. tr. *Ling.* Convertir en nombre o en sintagma nominal una palabra o una porción de discurso cualquiera, mediante algún procedimiento morfológico o sintáctico: *goteo* (de *gotear*); *el qué dirán.* Ú. t. c. prnl.

nominalmente. adv. m. Por su nombre o por sus nombres. ‖ **2.** Solo de nombre, y no real o efectivamente.

nominar. (Del lat. *nomināre.*) tr. Dar nombre a una persona o cosa.

nominátim. *Der.* adv. latino con que se denota estar designadas por sus nombres las personas favorecidas en disposiciones de última voluntad.

nominativo, va. (Del lat. *nominatīvus.*) adj. *Com.* Aplícase a los títulos e inscripciones, ya del Estado, ya de sociedades mercantiles, que precisamente han de extenderse a nombre o a favor de uno y han de seguir teniendo poseedor designado por el nombre, en oposición a los que son al portador. ‖ **2.** m. *Gram.* Caso de la declinación que designa el sujeto del verbo y no lleva preposición. ‖ **3.** pl. En los estudios de gramática latina, parte de la analogía que precedía a los verbos. ‖ **4.** desus. fig. y fam. Rudimentos o principios de cualquier facultad o arte.

nominilla. (d. de *nómina.*) f. En las oficinas, apunte o nota autorizada que se entrega a los que cobran como pasivos, para que, presentándola, puedan percibir su haber.

nómino. (De *nominar.*) m. p. us. Sujeto capaz de ejercer los empleos y cargos públicos honoríficos por nominación que se hace para ellos de su persona.

nomo. m. **gnomo.**

nomografía. f. Rama de las matemáticas que estudia la teoría y aplicaciones de los ábacos o nomogramas.

nomograma. (Del gr. νόμος, ley, y *-grama.*) Representación gráfica que permite realizar con rapidez cálculos numéricos aproximados.

nomon. m. Reloj de sol, gnomon.

nomónica. f. **gnomónica.**

nomónico, ca. adj. **gnomónico.**

nomparell. (Del fr. *non pareille.*) m. *Impr.* Carácter de letra de seis puntos tipográficos.

non¹. (Del lat. *non.*) adv. ant. **no.**

non². (De *non* [*par*].) adj. **impar.** Ú. t. c. s. ‖ **2.** m. pl. Negación repetida de una cosa, o el decir que no, e insistir con pertinacia en este dictamen. Ú. frecuentemente con el verbo *decir.* ‖ **andar de nones.** fr. fig. y fam. No tener ocupación u oficio, o andar desocupado y libre. ‖ **2.** fig. y fam. En algunas partes se usa para ponderar la singularidad o rareza de una cosa que no tiene igual. ‖ **de non.** loc. adj. o adv. Sin pareja. Ú. m. con el verbo *estar.* ‖ **quedar de non.** fr. fam. Quedar solo o sin compañero cuando van otros en pareja.

nona. (Del lat. *nona* [*hora*], hora novena del día entre los antiguos.) f. Última de las cuatro partes iguales en que dividían los romanos el día artificial, y comprendía desde el fin de la novena hora temporal, a media tarde, hasta el fin de la duodécima y última, a la puesta del Sol. ‖ **2.** En el rezo eclesiástico, última de las horas menores, que se dice antes de vísperas. ‖ **3.** pl. En el antiguo cómputo romano y en el eclesiástico, el día 7 de marzo, mayo, julio y octubre, y el 5 de los demás meses.

nonada. (De *no* y *nada.*) f. Cosa de insignificante valor. ‖ **2.** pron. indef. desus. **nada.**

nonagenario, ria. (Del lat. *nonagenarĭus.*) adj. Que ha cumplido noventa años y no llega a cien. Ú. t. c. s.

nonagésimo, ma. (Del lat. *nonagesĭmus.*) adj. Que sigue inmediatamente en orden al o a lo octogésimo nono. ‖ **2.** Dícese de cada una de las noventa partes iguales en que se divide un todo. Ú. t. c. s. ‖ **de la Eclíptica.** *Astron.* Punto de ella que dista noventa grados del otro en que corta al horizonte.

nonagonal. adj. Perteneciente al nonágono.

nonágono, na. (Del lat. *nonus,* noveno, y -*gono.*) adj. *Geom.* Dícese del polígono de nueve ángulos y nueve lados. Ú. t. c. s. m.

nonato, ta. (Del lat. *non natus,* no nacido.) adj. No nacido naturalmente, sino sacado del claustro materno mediante la operación cesárea. ‖ **2.** fig. Dícese de la cosa aún no acaecida o que todavía no existe.

noneco, ca. adj. *C. Rica* y *Nicar.* Tonto, medroso, que no se atreve a hablar o que lo hace con timidez. Ú. t. c. s.

noningentésimo, ma. (Del lat. *noningentesĭmus.*) adj. Que sigue inmediatamente en orden al o a lo octingentésimo nonagésimo nono. ‖ **2.** Dícese de cada una de las novecientas partes iguales en que se divide un todo. Ú. t. c. s.

nonio. (De *Nonius,* forma latinizada de *Núñez,* apellido del inventor.) m. Pieza de varios instrumentos matemáticos, que se aplica contra una regla o un limbo graduados, para apreciar fracciones pequeñas de las divisiones menores.

non numerata pecunia. expr. lat. *Der.* Nombre de

la excepción que el confesante del recibo de dinero oponía, negando que este le hubiese sido entregado.

nono, na. (Del lat. *nonus*.) adj. Que sigue al octavo, noveno.

non plus ultra. (Lit., *no más allá*.) expr. lat. que se usa en castellano como sustantivo masculino para ponderar las cosas, exagerándolas y levantándolas a lo más que pueden llegar.

non sancta. (Lit., *no santa*.) expr. fam. V. **gente non sancta.**

noosfera. (Del gr. vóoç, inteligencia, y *esfera*.) f. Conjunto de los seres inteligentes con el medio en que viven.

nopal. (Del nahua *nopalli*.) m. *Méj.* Planta de la familia de las cactáceas, de unos tres metros de altura, con tallos aplastados, carnosos, formados por una serie de paletas ovales de tres a cuatro decímetros de largo y dos de ancho, erizadas de espinas que representan las hojas; flores grandes, sentadas en el borde de los tallos, con muchos pétalos encarnados o amarillos, y por fruto el higo chumbo. Procedente de Méjico, se ha hecho casi espontáneo en el mediodía de España, donde sirve para formar setos vivos. ‖ **de la cochinilla.** Variedad que se diferencia de la planta anterior por tener muy pocas espinas en las palas, sobre las cuales vive la cochinilla.

nopaleda. f. Terreno poblado de nopales.

nopalera. f. **nopaleda.**

nopalito. m. *Méj.* Hoja tierna de tuna que suele comerse guisada.

noque. (Del ár. *nuqāa*, agua en que se macera algo.) m. Pequeño estanque o pozuelo en que se ponen a curtir las pieles. ‖ **2.** Pie que en los molinos de aceite se hace de varios capachos llenos de aceituna molida, para que cargue sobre ellos la viga. ‖ **3.** *Argent., Bol.* y *Urug.* Recipiente de variado tamaño, hecho de cuero o de madera, destinado a la elaboración de la aloja o del vino, a la conservación y transporte de líquidos, sustancias grasas, cereales, etc.

noquero. (De *noque*.) m. El que tiene por oficio curtir pieles, curtidor.

norabuena. f. **enhorabuena.** ‖ **2.** adv. m. **en hora buena.**

noramala. adv. m. **en hora mala.**

nora tal, o **en tal.** adv. m. p. us. **noramala.**

noray. (De or. inc.) m. *Mar.* Poste, bolardo o cualquier cosa que se utiliza para afirmar las amarras de los barcos. ‖ **2.** *Mar.* Amarra que se da en tierra para asegurar la embarcación.

norcoreano, na. adj. Natural de Corea del Norte. Ú. t. c. s. ‖ **2.** Perteneciente o relativo a este país de Asia.

nordestal. adj. p. us. Que está en el Nordeste o viene de la parte del Nordeste.

nordeste. m. Punto del horizonte entre el Norte y el Este, a igual distancia de ambos. ‖ **2.** Viento que sopla de esta parte.

nordestear. intr. *Mar.* Declinar o apartarse la brújula del Norte o Septentrión hacia el Este o Levante.

nórdico, ca. adj. Natural de los pueblos del norte de Europa. ‖ **2.** Perteneciente o relativo a estos pueblos. ‖ **3.** m. Grupo de las lenguas germánicas del Norte, como el noruego, el sueco, el danés y el islandés.

nordista. adj. Dícese del partidario de los estados del Norte en la guerra de secesión de los Estados Unidos de América. Ú. t. c. s.

noria. (Del ár. *nā'ūra*, rueda hidráulica.) f. Máquina compuesta generalmente de dos grandes ruedas, una horizontal a manera de linterna, movida con una palanca de la que tira una caballería, y otra vertical que engrana en la primera y lleva colgada una maroma con arcaduces para sacar agua de un pozo. ‖ **2.** Pozo formado en figura comúnmente ovalada, del cual se saca el agua con la máquina. ‖ **3.** fig. y fam. Cualquier cosa, asunto o negocio en que, sin adelantar nada, se trabaja mucho y se anda como dando vueltas.

norial. adj. p. us. Perteneciente a la noria.

norirlandés, sa. adj. Natural de Irlanda del Norte. Ú. t. c. s. ‖ **2.** Perteneciente o relativo a este territorio.

norma. (Del lat. *norma*, escuadra.) f. Escuadra que usan los artífices para arreglar y ajustar los maderos, piedras y otras cosas. ‖ **2.** Regla que se debe seguir o a que se deben ajustar las conductas, tareas, actividades, etc. ‖ **3.** *Der.* Precepto jurídico.

normal. (Del lat. *normālis*.) adj. Dícese de lo que se halla en su natural estado. ‖ **2.** Que sirve de norma o regla. ‖ **3.** Dícese de lo que por su naturaleza, forma o magnitud se ajusta a ciertas normas fijadas de antemano. ‖ **4.** V. **escuela normal.** Ú. t. c. s. ‖ **5.** *Geom.* Aplícase a la línea recta perpendicular a otra recta o a un plano. ‖ **6.** *Geom.* Aplícase al plano perpendicular a otro plano. ‖ **7.** *Geom.* Aplícase a la línea recta perpendicular en el punto de contacto al plano tangente a una superficie curva. ‖ **8.** *Mús.* V. **diapasón normal.** ‖ **9.** f. Línea recta perpendicular a otra línea, a un plano o a una superficie.

normalidad. f. Cualidad o condición de normal. *Volver a la* NORMALIDAD.

normalista. adj. Perteneciente o relativo a la escuela normal. ‖ **2.** com. Alumno o alumna de una escuela normal.

normalizar. tr. Regularizar o poner en orden lo que no lo estaba. ‖ **2.** Hacer que una cosa sea normal. ‖ **3.** tipificar, ajustar a un tipo, modelo o norma.

normalmente. adv. m. De manera normal.

normando, da. (Del fr. *normand*.) adj. Dícese de los escandinavos que desde el siglo IX hicieron incursiones en varios países de Europa y se establecieron en ellos. Ú. t. c. s. ‖ **2.** Perteneciente o relativo a estos pueblos. ‖ **3.** Natural de Normandía. Ú. t. c. s. ‖ **4.** Perteneciente o relativo a esta antigua provincia de Francia.

normano, na. adj. p. us. **normando.** Apl. a pers., ú. t. c. s.

normativa. f. Conjunto de normas aplicables a una determinada materia o actividad.

normativo, va. adj. Que sirve de norma. ‖ **2.** V. **gramática normativa.**

nornordeste. m. Punto del horizonte entre el Norte y el Nordeste, a igual distancia de ambos. ‖ **2.** Viento que sopla de esta parte.

nornorueste. m. **nornorueste.**

nornorueste. m. Punto del horizonte entre el Norte y el Noroeste, a igual distancia de ambos. ‖ **2.** Viento que sopla de esta parte.

noroeste. m. Punto del horizonte entre el Norte y el Oeste, a igual distancia de ambos. ‖ **2.** Viento que sopla de esta parte.

noroestear. intr. *Mar.* Declinar o apartarse la brújula del Norte hacia el Noroeste, o inclinarse a soplar de este rumbo el viento reinante.

norsantandereano, na. adj. Natural del norte de Santander. Ú. t. c. s. ‖ **2.** Perteneciente o relativo a este departamento de Colombia.

nortada. f. Viento norte fresco que sopla por algún tiempo seguido.

norte. (Del anglosajón *nord*.) m. **polo ártico.** ‖ **2.** Lugar de la Tierra o de la esfera celeste que cae del lado del polo ártico, respecto de otro con el cual se compara. ‖ **3.** Viento que sopla del **Norte.** ‖ **4.** fig. Dirección, guía, con alusión a la Estrella polar, que sirve de guía a los navegantes. ‖ **5.** n. p. m. Punto cardinal del horizonte, que cae frente a un observador a cuya derecha esté el Oriente. ‖ **6.** *Astron.* **Estrella polar.** ‖ **7.** V. **abeto, grama del Norte.** ‖ **8.** *Astron.*

V. **Estrella del Norte.** | **magnético.** Dirección a que demora el polo del mismo nombre.

norteado, da. adj. vulg. *Méj.* Desorientado, perdido.

norteamericano, na. adj. Natural de un país de América del Norte. Ú. t. c. s. | **2.** Perteneciente o relativo a América del Norte. | **3.** Estadounidense, natural de los Estados Unidos de América, o ciudadano de este país. Ú. t. c. s. | **4.** Perteneciente o relativo a esta nación.

nortear. tr. Observar el Norte para la dirección del viaje, especialmente por mar. | **2.** intr. Declinar hacia el Norte el viento reinante.

norteño, ña. adj. Perteneciente o relativo al Norte. | **2.** Que está situado en la parte norte de un país.

nortino. adj. *Chile.* Habitante de las provincias del Norte. Ú. t. c. s.

noruego, ga. adj. Natural de Noruega. Ú. t. c. s. | **2.** Perteneciente o relativo a esta nación de Europa. | **3.** m. Lengua de Noruega.

norueste. m. **noroeste.**

noruestear. (De *norueste.*) intr. *Mar.* **noroestear.**

nos. (Del lat. *nos*, pl. de *ego*, yo.) Forma del dativo y acusativo plural del pronombre personal de primera persona en género masculino o femenino. No admite preposición y se puede usar como enclítica: NOS *miró; mira*NOS. En las primeras personas del verbo en plural a que se pospone como sufijo, pierden estas su *s* final; v. gr.: *sentémo*NOS. Empleado en vez de **nosotros**, puede estar en cualquier caso de la declinación, excepto en vocativo, y en los oblicuos pide preposición; v. gr.: *venga a* NOS *el tu reino; ruega por* NOS, *Santa Madre de Dios.* Este modo de hablar es anticuado; pero a veces se usa aún **nos** cuando se aplican a sí mismas el número plural ciertas personas de muy alta categoría, como el rey, el papa, los obispos.

nosocomio. (Del gr. νοσοκομεῖον, a través del latín tardío *nosocomīum.*) m. *Med.* Hospital de enfermos.

nosogenia. (Del gr. νόσος y -*genia.*) f. *Med.* Origen y desarrollo de las enfermedades. | **2.** *Med.* Parte de la nosología que estudia estos fenómenos.

nosografía. (Del gr. νόσος, enfermedad, y -*grafía.*) f. *Med.* Parte de la nosología que trata de la clasificación y descripción de las enfermedades.

nosología. (Del gr. νόσος, enfermedad, y -*logía.*) f. *Med.* Parte de la medicina que tiene por objeto describir, diferenciar y clasificar las enfermedades.

nosológico, ca. adj. Perteneciente o relativo a la nosología.

nosomántica. (Del gr. νόσος, enfermedad, y μαντικὴ [τέχνη], arte de la adivinación.) f. Modo de curar por encantamiento o ensalmo.

nosotros, tras. (De *nos* y *otros.*) Nominativos masculino y femenino del pronombre personal de primera persona en número plural. Con preposición se emplea también en los casos oblicuos. Por ficción, que el uso autoriza, algunos escritores se aplican el número plural, diciendo **nosotros**, en vez de yo.

nostalgia. (Del gr. νόστος, regreso, y -*algia.*) f. Pena de verse ausente de la patria o de los deudos o amigos. | **2.** Tristeza melancólica originada por el recuerdo de una dicha perdida, añoranza.

nostálgico, ca. adj. Perteneciente o relativo a la nostalgia. | **2.** Que padece nostalgia. Ú. t. c. s.

nosticismo. m. **gnosticismo.**

nóstico, ca. adj. **gnóstico.**

nostramo, ma. m. y f. **nuestramo.** | **2.** m. *Mar.* Tratamiento propio de los contramaestres.

nostras. (Del lat. *nostras*, de nuestra tierra.) adj. *Med.* Aplícase a ciertas enfermedades propias de los países europeos, en oposición a las originarias de otras regiones. | **2.** *Med.* V. **cólera nostras.**

nota. (Del lat. *nota.*) f. Marca o señal que se pone en una cosa para reconocerla o para darla a conocer. | **2.** Reparo que se hace a un libro o escrito, que por lo regular se suele poner en los márgenes. | **3.** Advertencia, explicación, comentario o noticia de cualquier clase que en impresos o manuscritos va fuera del texto. | **4.** Reparo o censura desfavorable que se hace de las acciones y porte de una persona. | **5.** Apuntamiento de algunas cosas o materias para extenderlas después o acordarse de ellas. *Tomar* NOTA. | **6.** Mensaje breve escrito que no tiene forma de carta. | **7.** Papel donde se comunica este mensaje. | **8.** Noticia breve de un hecho que aparece en la prensa escrita. | **9.** Cada una de las calificaciones que se conceden a un examen. | **10.** Calificación alta en una prueba académica. *Aspiro a* NOTA. | **11.** Cuenta, factura. | **12.** Comunicación diplomática que dirigen, en nombre de sus respectivos gobiernos, ya el ministerio de asuntos exteriores, a los representantes extranjeros, ya estos a aquel. | **13.** Fama concepto, crédito. *Escritor de* NOTA. | **14.** p. us. Estilo de un escritor. | **15.** *Der.* Especie de apuntamiento muy sucinto que se forma acerca de los recursos de casación civil por infracción de ley. | **16.** *Mús.* Cualquiera de los signos que usan los músicos para representar los sonidos. | **17.** *Mús.* Cada uno de estos sonidos en cuanto está producido por una vibración de frecuencia constante. *El* LA. | **discordante.** *Mús.* La que desentona en una composición musical. | **2.** fig. y fam. Persona, dicho o acción que rompe la armonía del conjunto. | **dominante.** *Mús.* La quinta, contando desde la que da el tono. | **2.** fig. y fam. Característica más destacada en una persona o cosa. | **marginal.** Uno de los asientos que, en los registros públicos, acreditan circunstancias que atañen a la inscripción principal o al instrumento matriz. | **oficiosa.** Noticia de los proyectos o acuerdos del gobierno u otras autoridades que se comunica a la prensa antes de su publicación oficial. | **verbal.** Comunicación diplomática, sin firma, sin autoridad obligatoria y sin los requisitos formales ordinarios, que por vía de simple observación o recuerdo se dirigen entre sí el ministro de asuntos exteriores y los representantes extranjeros. | **notas tironianas.** Signos taquigráficos que se usaron en la antigüedad y en la Edad Media, y cuya invención se atribuye a Tirón, liberto de Cicerón. | **mala nota.** Mala fama. | **caer en nota.** fr. fig. y fam. **dar la nota.** | **dar la nota.** fr. fig. y fam. Dar motivo de escándalo o murmuración. | **tomar nota.** fr. Apuntar algo que debe tener recordado. | **2.** fig. Grabar en la memoria algo que se debe recordar.

nota bene. loc. lat. que se emplea en castellano con su propia significación de *nota, observa* o *repara bien*, especialmente en impresos o manuscritos, para llamar la atención hacia alguna particularidad.

notabilidad. f. Cualidad de notable. | **2.** Persona muy notable por sus buenas cualidades o por sus méritos.

notabilísimo, ma. adj. sup. de **notable.**

notable. (Del lat. *notabĭlis.*) adj. Digno de nota, atención o cuidado. | **2.** Dícese de lo que es grande y sobresaliente, por lo cual se hace reparar en su línea. | **3.** Calificación usada en los exámenes de enseñanza, inferior al *sobresaliente* y superior al *aprobado*. Ú. m. c. s. | **4.** m. pl. Personas principales en una localidad o en una colectividad. *Reunión de* NOTABLES.

notablemente. adv. m. De un modo no común ni vulgar.

notación. (Del lat. *notatĭo, -ōnis.*) f. Acción y efecto de notar o señalar. | **2.** Escritura musical. | **3.** *Mat.* Sistema de signos convencionales que se adopta para expresar ciertos conceptos matemáticos.

notar. (Del lat. *notāre.*) tr. Señalar una cosa para que se conozca o se advierta. | **2.** Reparar, observar o advertir. |

3. Apuntar brevemente una cosa para extenderla después o acordarse de ella. ‖ **4.** Poner notas, advertencias o reparos a los escritos o libros. ‖ **5.** p. us. Dictar uno para que otro escriba. ‖ **6.** Censurar, reprender las acciones de uno. ‖ **7.** Causar descrédito o infamia. ‖ **8.** Percibir una sensación o darse cuenta de ella. ‖ **hacerse notar.** fr. fig. y fam. Hacer alguien algo para llamar la atención.

notaria. f. Mujer del notario. ‖ **2.** Mujer que ejerce el notariado.

notaría. f. Oficio de notario. ‖ **2.** Oficina del notario.

notariado, da. adj. Dícese de lo que está autorizado ante notario o abonado con fe notarial. ‖ **2.** m. Carrera, profesión o ejercicio de notario. ‖ **3.** Colectividad de notarios.

notarial. adj. Perteneciente o relativo al notario. ‖ **2.** Hecho o autorizado por notario. ‖ **3.** V. **acta notarial.**

notariato. m. Título o nombramiento de notario. ‖ **2.** Ejercicio de este cargo.

notario. (Del lat. *notarĭus.*) m. El que desempeñaba la labor de escribano, fedatario. ‖ **2.** El que actuaba en negocios eclesiásticos. ‖ **3.** Funcionario público autorizado para dar fe de los contratos, testamentos y otros actos extrajudiciales, conforme a las leyes. ‖ **4.** desus. El que en lo antiguo escribía con abreviaturas. ‖ **5.** El que escribía al dictado. ‖ **de caja.** *Ar.* **notario** del número de Zaragoza. Es oficio honorífico. ‖ **de diligencias.** El que solo estaba habilitado para practicar las correspondientes a la ejecución de autos, acuerdos o decretos judiciales. ‖ **mayor de los reinos.** Ministro de Justicia.

noticia. (Del lat. *notitĭa.*) f. Noción, conocimiento. ‖ **2.** Contenido de una comunicación antes desconocido. *Dar* NOTICIA *de un acuerdo.* ‖ **3.** p. us. Divulgación de una doctrina. ‖ **4.** El hecho divulgado. NOTICIA *triste.* ‖ **bomba.** fig. La que impresiona por ser imprevista y muy importante. ‖ **remota.** Recuerdo confuso de lo que se supo o sucedió. ‖ **atrasado de noticias.** loc. Que ignora lo que saben todos o lo que es muy común.

noticiar. tr. Dar noticia o hacer saber una cosa.

noticiario. m. Película cinematográfica en que se ilustran brevemente los sucesos de actualidad. ‖ **2.** Programa de radio o de televisión en que se transmiten noticias. ‖ **3.** Sección de un periódico en la que se dan noticias diversas, generalmente breves.

noticiero, ra. adj. Que da noticias. *Periódico* NOTICIERO. ‖ **2.** m. y f. Persona que da noticias como por oficio.

notición. m. aum. de **noticia.** ‖ **2.** fam. Noticia extraordinaria, o la poco digna de crédito.

noticioso, sa. adj. Sabedor o que tiene noticia de una cosa. ‖ **2.** Erudito y que tiene conocimientos de varias materias. ‖ **3.** m. *Amér.* Programa de radio o de televisión en que se transmiten noticias.

notificación. f. Acción y efecto de notificar. ‖ **2.** Documento en que se hace constar.

notificado, da. p. p. de **notificar.** ‖ **2.** adj. *Der.* Aplícase al sujeto a quien se ha hecho la notificación. Ú. t. c. s.

notificar. (Del lat. *notificāre.*) tr. Hacer saber una resolución de la autoridad con las formalidades preceptuadas para el caso. ‖ **2.** Por ext., dar extrajudicialmente, con propósito cierto, noticia de una cosa.

notificativo, va. adj. Que sirve para notificar.

noto[1]. (Del lat. *notus,* y este del gr. νότος.) m. **austro.** ‖ **bóreo.** Movimiento del mar en que las aguas se mueven del austro hacia el septentrión, o al contrario.

noto[2], **ta.** (Del lat. *notus,* p. p. de *noscĕre,* conocer.) adj. p. us. Sabido, público y notorio.

noto[3], **ta.** (Del lat. *nothus,* y este del gr. νόθος.) adj. p. us. Bastardo o ilegítimo. *Hijo* NOTO.

notocordio. (Del gr. νῶτον, dorso, χορδή, cuerda, e *-io.*) m.

Anat. Cordón celular macizo dispuesto a lo largo del cuerpo de los animales cordados, debajo de la medula espinal, a la que sirve de sostén; constituye el eje primordial del neuroesqueleto y a su alrededor se forma la columna vertebral en los vertebrados.

notomía. f. ant. **anatomía.** ‖ **2.** ant. Esqueleto humano.

notoriamente. adv. m. Manifiestamente, con notoriedad.

notoriedad. f. Cualidad de notorio. ‖ **2.** Nombradía, fama.

notorio, ria. (Del b. lat. *notorĭus.*) adj. Público y sabido por todos. ‖ **2.** Claro, evidente. ‖ **3.** V. **arte notoria.** ‖ **4.** Der. V. **recurso de injusticia notoria.**

notro. (Del arauc. *notru,* ciruelillo.) m. *Chile.* Árbol de la familia de las proteáceas, de hojas oblongas, flores numerosas de un rojo vivo, dispuestas en corimbos flojos. Su madera es buena para obras de ornato.

noúmeno. (Del gr. νοούμενον, cosa pensada.) m. *Fil.* Esencia o causa hipotética de los fenómenos, según las noticias que el entendimiento recibe de los sentidos o de la propia conciencia.

nova. (Del lat. *nova,* nueva.) f. *Astron.* La estrella que adquiere temporalmente un brillo superior al normal suyo.

novaciano, na. adj. Partidario de la herejía de Novato, que negaba a la Iglesia la facultad de perdonar los pecados cometidos después del bautismo. Ú. m. c. s.

novación. (Del lat. *novatĭo, -ōnis.*) f. *Der.* Acción y efecto de novar.

novador, ra. (Del lat. *novātor, -ōris.*) m. y f. Persona inventora de novedades. Tómase regularmente por la que las inventa peligrosas en materias de doctrina.

noval. (Del lat. *novālis* o *novāle.*) adj. Aplícase a la tierra que se cultiva por primera vez, y también a las plantas y frutos que produce.

novallo, lla. adj. ant. **noval.**

novar. (Del lat. *novāre.*) tr. *Der.* Sustituir una obligación a otra otorgada anteriormente, la cual queda anulada en este acto.

novatada. (De *novato.*) f. Vejamen y molestias que, en algunas colectividades, los antiguos hacen a los recién llegados. ‖ **2.** Por ext., contrariedad o tropiezo sufridos en algún asunto o negocio por inexperiencia. ‖ **pagar la novatada.** fr. fig. y fam. Sufrir algún perjuicio al hacer algo por primera vez.

novato, ta. (De *nuevo* y *-ato*[1].) adj. Nuevo o principiante en cualquier facultad o materia. Ú. t. c. s.

novator, ra. (Del lat. *novātor, -ōris.*) m. y f. **novador.**

novecientos, tas. adj. Nueve veces ciento. ‖ **2.** **noningentésimo,** ordinal. *Número* NOVECIENTOS; *año* NOVECIENTOS. ‖ **3.** m. Conjunto de signos con que se representa el número **novecientos.**

novedad. (Del lat. *novĭtas, -ātis.*) f. Cualidad de nuevo. ‖ **2.** Cosa nueva. ‖ **3.** Cambio producido en una cosa. ‖ **4.** Suceso reciente, noticia. ‖ **5.** Alteración en la salud. ‖ **6.** fig. Extrañeza o admiración que causan las cosas antes no vistas ni oídas. ‖ **7.** pl. Géneros o mercancías adecuadas a la moda. ‖ **hacer novedad.** fr. Causar una cosa extrañeza, por no esperada. ‖ **2.** Innovar uno en algo lo que ya estaba en práctica.

novedoso, sa. (De *novedad* y *-oso*[2], por haplología.) adj. Que implica novedad. Ú. m. en América. ‖ **2.** p. us. **novelero,** amigo o deseoso de novedades.

novel. (Del cat. *novell,* nuevo.) adj. Que comienza a practicar un arte o profesión, o tiene poca experiencia en ellos. Ú. t. c. s. ‖ **2.** V. **caballero novel.**

novela. (Del it. *novella,* noticia, relato novelesco.) f. Obra literaria en prosa en la que se narra una acción fingida en todo o en parte, y cuyo fin es causar placer estético a los lectores con la descripción o pintura de sucesos o lances interesantes, de caracteres, de pasiones y de costumbres. ‖ **2.** fig. Hechos interesantes de la vida real que parecen ficción. ‖ **3.** fig. Ficción o mentira en cualquier materia. ‖ **4.** *Der.* Cualquiera de las leyes nuevas o constituciones imperiales que dieron Teodosio II y sus inmediatos sucesores después de la publicación del Código teodosiano, Justiniano después de sus compilaciones legales, y los demás emperadores bizantinos posteriores al derecho justinianeo. ‖ **5.** *Mar.* V. **orza de novela.** ‖ **bizantina.** Género novelesco, de carácter aventurero, que se desarrolló en España durante los siglos XVI y XVII, a imitación de novelistas griegos antiguos, en el que una pareja de enamorados pasa infortunios y peligros sin cuento por lugares diversos, hasta que logra reunirse felizmente. ‖ **de caballerías. libro de caballerías.** ‖ **de ciencia ficción.** Tipo de relato cultivado modernamente en que el autor, inspirándose en los progresos de la técnica, narra peripecias extraordinarias, a veces en el espacio extraterrestre o haciendo que los personajes vivan en tiempos futuros o pasados. ‖ **histórica.** La que se constituyó como género en el siglo XIX, desarrollando su acción en épocas pretéritas, con personajes reales o ficticios, y tratando de evocar los ambientes, costumbres e ideales de aquellas épocas. ‖ **morisca.** Relato cultivado en España especialmente en el siglo XVI, el cual describe peripecias entre moros y cristianos que rivalizan en valor, sentimientos y cortesía. ‖ **pastoril.** La que, durante los siglos XVI y XVII, narraba las aventuras y desventuras amorosas de pastores idealizados. ‖ **picaresca.** La que, normalmente en primera persona, relataba las peripecias poco honorables de un pícaro; se cultivó durante los siglos XVI y XVII. ‖ **por entregas. novela** de larga extensión que, en el siglo XIX y buena parte del XX, se distribuía en fascículos periódicos a los suscriptores; desarrollaba, en general, peripecias melodramáticas de personajes contemporáneos, y frecuentemente carecía de calidad literaria. ‖ **rosa.** Variedad de relato novelesco, cultivado en época moderna, con personajes y ambientes muy convencionales, en el cual se narran las vicisitudes de dos enamorados, cuyo amor triunfa frente a la adversidad. ‖ **sentimental.** Tipo de **novela** cultivado en España durante los siglos XV y XVI; narra una historia amorosa, a veces con personajes y lugares simbólicos, y ofrece un fino análisis de los sentimientos de los amantes, cuyo destino suele ser trágico.

novelable. adj. Que se puede novelar.

novelador, ra. m. y f. Persona que escribe novelas, novelista.

novelar. tr. Referir un suceso con forma o apariencia de novela. ‖ **2.** intr. Componer o escribir novelas. ‖ **3.** fig. Contar, publicar cuentos y patrañas.

novelería. f. Afición o inclinación a novedades. ‖ **2.** Afición o inclinación a fábulas o novelas, a leerlas o a escribirlas. ‖ **3.** Cuentos, fábulas o novedades fútiles.

novelero, ra. (De *novela,* ficción, y *-ero.*) adj. Amigo de novedades, ficciones y cuentos. Ú. t. c. s. ‖ **2.** Deseoso de novedades, o que las esparce. Ú. t. c. s. ‖ **3.** Inconstante y vario en el modo de proceder. Ú. t. c. s.

novelesco, ca. adj. Propio o característico de las novelas. ‖ **2.** Tómase generalmente por fingido o de pura invención, como *historia* NOVELESCA; por singular e interesante, como *lance* NOVELESCO, o por exaltado, sentimental, soñador, dado a lo ideal o fantástico; v. gr.: *persona, imaginación* NOVELESCA.

novelista. com. Persona que escribe novelas.

novelística. f. Tratado histórico o preceptivo de la novela. ‖ **2.** Literatura novelesca.

novelístico, ca. adj. Perteneciente o relativo a la novela.

novelizar. tr. Dar a alguna narración forma y condiciones novelescas.

novelo. (Del port. y gall. *novelo.*) m. *Can.* Ovillo de hilos.

novelón. m. aum. de **novela.** ‖ **2.** Novela extensa, y por lo común dramática y mal escrita.

novén. (De *noveno.*) m. **maravedí novén.**

novena. (Del lat. *novēna,* t. f. de *-nus.*) f. Ejercicio devoto que se practica durante nueve días, por lo común seguidos, con oraciones, lecturas, letanías y otros actos piadosos, dirigidos a Dios, a la Virgen o a los santos. ‖ **2.** Libro en que se contienen las oraciones y preces de una **novena.** ‖ **3.** Sufragios y ofrendas por los difuntos, aunque se cumplan en uno o dos días lo que se había de hacer en los nueve. ‖ **andar novenas.** fr. Frecuentar este piadoso ejercicio.

novenario. m. Espacio de nueve días que se emplea en los pésames, lutos y devociones entre los parientes inmediatos de un difunto. ‖ **2.** El mismo tiempo empleado en el culto de un santo, con sermones. ‖ **3.** Exequias o sufragios celebrados generalmente en el noveno día después de una defunción.

novendial. (Del lat. *novendiālis.*) adj. p. us. Aplícase a cualquiera de los días del novenario celebrado por los difuntos.

noveno, na. (Del lat. *novēnus.*) adj. Que sigue inmediatamente en orden al o a lo octavo. ‖ **2.** Dícese de cada una de las nueve partes iguales en que se divide un todo. Ú. t. c. s. ‖ **3.** m. Cada una de las nueve partes en que se dividía el cúmulo de los diezmos, para distribuirlas según la disposición pontificia. ‖ **4.** Canon o renta territorial que paga el cultivador al dueño, cuando consiste en la **novena** parte de los frutos.

noventa. (Del lat. *nonaginta,* con cruce de *novem.*) adj. Nueve veces diez. ‖ **2. nonagésimo,** ordinal. *Número* NOVENTA; *año* NOVENTA. ‖ **3.** m. Conjunto de signos con que se representa el número noventa.

noventavo, va. adj. *Arit.* **nonagésimo,** dicho de cada una de las noventa partes de un todo. Ú. t. c. s.

noventón, na. adj. El que tiene entre noventa y noventa y nueve años. Ú. t. c. s.

noviar. intr. p. us. *Argent.* flirtear. Ú. m. en formas no personales.

noviazgo. m. Condición o estado de novio o novia. ‖ **2.** Tiempo que dura.

noviciado. m. Tiempo destinado para la probación en las religiones, antes de profesar. ‖ **2.** Casa o cuarto en que habitan los novicios. ‖ **3.** Conjunto de novicios. ‖ **4.** Régimen y ejercicio de los novicios. ‖ **5.** fig. Tiempo primero que se gasta en aprender cualquier facultad y en experimentar los ejercicios y actos de ella, y las ventajas y daños que puede traer.

novicio, cia. (Del lat. *novicius.*) m. y f. Persona que, en la religión donde tomó el hábito, no ha profesado todavía. ‖ **2.** V. **maestro de novicios.** ‖ **3.** fig. Principiante en cualquier arte o facultad. Ú. t. c. adj. ‖ **4.** fig. e. p. us. Persona muy compuesta y arreglada en sus acciones, especialmente en la modestia, por ser esto lo que de ordinario se ve en los **novicios** de las religiones. ‖ **sacar la novicia a libertad.** fr. **sacar a libertad la novicia.**

noviciote. m. fam. Novicio entrado en años, o muy alto de cuerpo.

noviembre. (Del lat. *novembris.*) m. Undécimo mes del año; tiene treinta días.

novilunio. (Del lat. tardío *novilunium.*) m. Conjunción de la Luna con el Sol.

novillada. f. Conjunto de novillos. ‖ **2.** Lidia o corrida de novillos.

novillejo, ja. m. y f. d. de **novillo, lla.**

novillero, ra. m. y f. Persona que cuida de los novillos. ‖ **2.** Persona que lidia novillos. ‖ **3.** fam. Persona que hace novillos o deja de asistir a alguna parte. ‖ **4.** m. Corral o cobertizo donde separan y encierran los novillos. ‖ **5.** Parte de la dehesa, muy abundante en hierba, que se separa o sirve para pastar los novillos, y también para paridera de las vacas.

novillo, lla. (Del lat. *novellus, -lla*, nuevo, joven.) m. y f. Res vacuna de dos o tres años, en especial cuando no está domada. ‖ **2.** m. fig. y fam. Sujeto cuya mujer comete adulterio. ‖ **3.** *Chile* y *Méj.* Ternero castrado. ‖ **4.** pl. Lidia de **novillos.** ‖ **hacer novillos.** fr. fam. Dejar uno de asistir a alguna parte contra lo debido o acostumbrado, especialmente los escolares.

novio, via. (Del lat. **novĭus*, de *novus*, nuevo.) m. y f. Persona recién casada. ‖ **2.** La que está próxima a casarse. ‖ **3.** La que mantiene relaciones amorosas en expectativa de futuro matrimonio. ‖ **4.** m. fig. El que entra de nuevo en una dignidad o estado. ‖ **5.** *Col., Ecuad.* y *Venez.* Planta geraniácea de flores rojas, muy común en los jardines. Hay varias especies, que se distinguen por su tamaño y el color de las flores, que también pueden ser rosadas, blancas y jaspeadas. ‖ **6.** *Mont.* El que por vez primera mata una res. ‖ **la novia, de contado, y el dote, de prometido.** fr. proverb. con que se significa el riesgo que puede haber en diferir el cumplimiento de una promesa favorable, cuando se recibe la carga que le es aneja. ‖ **pedir** uno **la novia.** fr. Ir a pedirla con solemnidad y públicamente, por lo común a casa de sus padres. ‖ **quedarse** una **aderezada, o compuesta, y sin novio.** fr. fig. y fam. No lograr lo que deseaba o esperaba, después de haber hecho gastos o preparativos, creyéndolo indefectible. ‖ **sacar la novia por el vicario.** fr. Conseguir el **novio** que el juez saque la **novia** de casa de sus padres y la deposite donde libremente pueda declarar su voluntad.

novísima. (Del lat. *novissĭma*, t. f. de *-mus*, novísimo.) f. **novísima recopilación.**

novísimo, ma. (Del lat. *novissĭmus*.) adj. sup. de **nuevo.** ‖ **2.** Último en el orden de las cosas. ‖ **3.** m. *Teol.* Cada una de las cuatro últimas situaciones del hombre, que son muerte, juicio, infierno y gloria. Ú. m. en pl.

novohispano, na. adj. Natural de la Nueva España, actualmente Méjico. Ú. t. c. s. ‖ **2.** Perteneciente o relativo a la Nueva España.

novomejicano, na. adj. **neomejicano.**

novomexicano, na. adj. **novomejicano.**

noxa. (Del lat. *noxa*.) f. ant. Daño, perjuicio. ‖ **2.** *Der.* Dimisión hecha del esclavo o del animal que había causado daño, por medio de la cual, según el derecho romano, el dueño se eximía de la obligación de indemnizar al damnificado.

noyó. (Del fr. *noyau*, hueso de fruta.) m. Licor compuesto de aguardiente, azúcar y almendras amargas.

-nte. suf. de adjetivos verbales, llamados tradicionalmente participios activos. Toma la forma **-ante** cuando el verbo base es de la primera conjugación; o **-iente**, si es de la segunda o tercera. Significa «que ejecuta la acción expresada por la base»: *agobi*ANTE, *verane*ANTE, *absorb*ENTE, *dirig*ENTE, *depend*IENTE, *cruj*IENTE. Muchos de estos adjetivos suelen sustantivarse, y algunos se han lexicalizado como sustantivos y han generado, a veces, una forma femenina en **-nta**: *depend*IENTE, *depend*IENTA, *dirig*ENTE.

nubada. f. Golpe abundante de agua que cae de una nube en lugar determinado, a distinción de la lluvia general. ‖ **2.** fig. Concurso abundante de algunas cosas.

nubado, da. adj. **nubarrado.**

nubarrada. f. p. us. **nubada.**

nubarrado, da. adj. Aplícase a las telas coloreadas en figura de nubes.

nubarrón. m. Nube grande, oscura y densa, separada de las otras.

nube. (Del lat. *nubes*.) f. Masa de vapor acuoso suspendida en la atmósfera y que por la acción de la luz parece de color ya blanco, ya oscuro, o de diverso matiz. ‖ **2.** Agrupación o cantidad muy grande de algo que va por el aire, como polvo, humo, pájaros o insectos. ‖ **3.** fig. Gran cantidad de personas o cosas juntas. ‖ **4.** fig. Cualquier cosa que oscurece o encubre otra, como lo hacen las **nubes** con el Sol. ‖ **5.** Entre los lapidarios, sombra que aparece en las piedras preciosas, oscureciendo sus luces. ‖ **6.** Especie de chal muy ligero, hecho de punto, con que las señoras se envolvían la cabeza al salir de noche. ‖ **7.** Pequeña mancha blanquecina que se forma en la capa exterior de la córnea. ‖ **8.** *Meteor.* V. **techo de nubes.** ‖ **de lluvia.** Capa de **nubes** compactas. ‖ **de verano. nube** tempestuosa que suele presentarse en el verano con lluvia fuerte y repentina, y que pasa pronto. ‖ **2.** fig. Disturbio o disgusto pasajero. ‖ **nubes de Magallanes.** *Astron.* Cúmulos estelares visibles a simple vista cerca del polo austral. Son dos, y se distinguen con los apelativos de *Mayor* y *Menor*. ‖ **andar por las nubes.** fr. fig. **estar por las nubes.** ‖ **2.** fig. **estar o vivir en las nubes.** ‖ **como caído de las nubes.** loc. adv. fig. De súbito y sin ser esperado. ‖ **descargar la nube.** fr. Desatarse en agua o granizo. ‖ **2.** fig. Desahogar uno su cólera o enojo. ‖ **estar o vivir en las nubes.** fr. fig. Ser despistado, soñador, no apercibirse de la realidad. ‖ **estar por las nubes.** fr. fig. Ser muy cara una cosa, tener un precio muy alto. ‖ **levantar o, hasta, las nubes** a una persona o cosa. fr. fig. **ponerla en, o sobre, las nubes. ‖ levantarse** uno **a las nubes.** fr. fig. **levantarse a las estrellas. ‖ poner en, por o sobre, las nubes** a una persona o cosa. fr. fig. Alabarla, encarecerla hasta más no poder. ‖ **ponerse por las nubes.** fr. fig. Estar una persona sumamente enojada. ‖ **2.** Ponerse algo sumamente caro. ‖ **remontarse** uno **a las nubes.** fr. fig. Levantar muy alto el concepto o el estilo. ‖ **subir a, o hasta, las nubes** a una persona o cosa. fr. fig. **ponerla en, o sobre, las nubes. ‖ subir** una cosa **a las nubes.** fr. fig. Haberse encarecido mucho el precio de una cosa.

nubiense. adj. **nubio.** Ú. t. c. s.

nubífero, ra. (Del lat. *nubĭfer, -ĕra*.) adj. poét. Que trae nubes.

núbil. (Del lat. *nubĭlis*.) adj. Dícese de la persona que está en edad de contraer matrimonio, y más propiamente de la mujer.

nubilidad. f. Cualidad de núbil. ‖ **2.** Edad en que se tiene aptitud para contraer matrimonio.

nubiloso, sa. (Del lat. *nubilōsus*.) adj. desus. **nubloso.**

nubio, a. adj. Perteneciente o relativo a Nubia. ‖ **2.** Natural de esta región de África. Ú. t. c. s. ‖ **3.** m. Lengua hablada por los **nubios.**

nublado, da. p. p. de **nublar.** ‖ **2.** m. Nube que amenaza tormenta. ‖ **3.** fig. Suceso que produce inminente de adversidad o daño, o cosa que causa turbación en el ánimo. ‖ **4.** fig. p. us. Multitud, abundancia excesiva de cosas que caen o se ven reunidas. ‖ **aguantar el nublado.** fr. fig. y fam. Esperar con paciencia a que pase el enfado de un superior. ‖ **descargar el nublado.** fr. Llover, nevar o granizar copiosamente. ‖ **2.** fig. Desahogar o desahogarse la cólera o enojo de uno con expresiones vehementes. ‖ **pasar el nublado.** fr. fig. y fam. Terminar una situación de peligro o enfado sin que se haya producido ningún daño.

nublar. (Del lat. *nubĭlāre*.) tr. **anublar.** Ú. t. c. prnl.

nublo, bla. (Del lat. *nubĭlus*.) adj. Cubierto de nubes. ‖ **2.** m. Nube que amenaza tormenta. ‖ **3.** Honguillo o tizón de los cereales.

nubloso, sa. (Del lat. *nubilōsus*.) adj. Cubierto de nubes. ‖ **2.** Desgraciado, adverso, contrario.

nubosidad. f. Estado o condición de nuboso.

nuboso, sa. adj. Cubierto de nubes. ‖ **2.** Desgraciado, amenazador.

nuca. (Del ár. *nuqrat* [*ar-raqaba*], el hoyo [del cuello].) f. Parte alta de la cerviz, correspondiente al lugar en que se une el espinazo con la cabeza.

nucir. (Del lat. *nocēre*.) tr. ant. **dañar.**

nuclear. adj. Perteneciente al núcleo. ‖ **2.** *Fís.* Perteneciente o relativo al núcleo de los átomos. ‖ **3.** Que emplea energía **nuclear.** ‖ **4.** V. **bomba, desintegración, escisión, explosión, fragmentación, fusión nuclear.**

nucleario, ria. adj. Perteneciente o relativo al núcleo.

nucleico. adj. *Bioquím.* V. **ácido nucleico.**

nucleido. (De *núcleo* e *-ido*.) m. *Fís.* Cuerpo simple cuyos átomos no solo tienen el mismo número de protones nucleares, sino también el mismo número de neutrones.

núcleo. (Del lat. *nuclĕus*.) m. Almendra o parte mollar de los frutos que tienen cáscara dura. ‖ **2.** Hueso de las frutas. ‖ **3.** fig. Elemento primordial al que se van agregando otros para formar un todo. ‖ **4.** fig. Parte o punto central de alguna cosa material o inmaterial. ‖ **5.** *Astron.* Parte más densa y luminosa de un astro. ‖ **6.** *Biol.* Corpúsculo contenido en el citoplasma de las células y constituido esencialmente por cromatina; actúa como órgano rector de las funciones de nutrición y de reproducción de la célula, por lo cual es indispensable para la vida de esta. ‖ **7.** *Fís.* Parte central del átomo, que contiene la mayor porción de su masa y posee una carga eléctrica positiva correspondiente al número atómico del respectivo cuerpo simple. ‖ **8.** *Ling.* Elemento fundamental de una unidad compuesta. ‖ **atómico.** *Fís.* Parte central del átomo.

nucléolo. (Del lat. *nucleŏlus*.) m. *Biol.* Corpúsculo diminuto, único o múltiple, situado en el interior del núcleo celular y que, a diferencia de la cromatina, se tiñe por los colorantes ácidos de anilina.

nucleón. (De *núcleo* y *-ón²*.) m. *Fís.* Cada uno de los corpúsculos, neutrones o protones, que intervienen en la constitución de los núcleos atómicos. Todos tienen, aproximadamente, igual masa.

nucleótido. (De *núcleo* e *-ido*, con inserción de *-t-* por analogía con *-tico*.) m. *Biol.* Compuesto orgánico constituido por una base nitrogenada, un azúcar y ácido fosfórico. Según que el azúcar sea la ribosa o la desoxirribosa, el **nucleótido** resultante se denomina ribonucleótido o desoxirribonucleótido.

nuco. (Del arauc. *nucu*, pájaro de mal agüero.) m. *Chile.* Ave de rapiña, nocturna, semejante a la lechuza.

nuche. m. *Col.* Larva que se introduce en la piel de los animales.

nudamente. adv. m. **desnudamente.**

nudillo. (d. de *nudo¹*.) m. Parte exterior de cualquiera de las junturas de los dedos, donde se unen los huesos de que se componen. ‖ **2.** Cada uno de los puntos que forman la costura de las medias, los cuales se hacen dando una vuelta a la hebra del derecho y otra en sentido contrario, con lo cual queda al revés la carrera. ‖ **3.** V. **jubón de nudillos.** ‖ **4.** ant. Billete doblado y cerrado en forma de nudo. ‖ **5.** *Arq.* Zoquete o pedazo corto y grueso de madera, que se empotra en la fábrica para clavar en él una cosa; como las vigas de techo, marcos de ventana, etc.

nudismo. (Del lat. *nūdus*, desnudo, e *-ismo*.) m. Actitud o práctica de quienes sostienen que la desnudez completa es conveniente para un perfecto equilibrio físico e incluso moral. ‖ **2.** Doctrina o teoría que lo propugna.

nudista. adj. Dícese de la persona que practica el nudismo. Ú. t. c. s.

nudo¹. (Del lat. **nudus*, por nodus.) m. Lazo que se estrecha y cierra de modo que con dificultad se pueda soltar por sí solo, y que cuanto más se tira de cualquiera de los dos cabos, más se aprieta. ‖ **2.** En los árboles y plantas, parte del tronco por la cual salen las ramas, y en estas, parte por donde arrojan los vástagos; tiene por lo regular figura redondeada. ‖ **3.** En algunas plantas y en sus raíces, parte

que sobresale algo y por donde parece que están unidas las partes de que se compone; como en las cañas, bejucos, etc. ‖ **4.** Bulto o tumor que suele producirse en los tendones por enfermedad o en los huesos por rotura, cuando estos vuelven a unirse. ‖ **5.** En los animales, unión de unas partes con otras, especialmente de los huesos, como se ve en la cola de algunos. ‖ **6.** p. us. **ligamen,** maleficio con que se creía impedir la generación. ‖ **7.** Parte del cáliz litúrgico situada entre el pie y la copa. ‖ **8.** Lugar en donde se unen o cruzan dos o más sistemas de montañas. ‖ **9.** Lugar donde se cruzan varias vías de comunicación. ‖ **10.** Enlace o trabazón de los sucesos que preceden a la catástrofe o al desenlace, en los poemas épico y dramático y en la novela. ‖ **11.** fig. Principal dificultad o duda en algunas materias. ‖ **12.** fig. Unión, lazo, vínculo. *El* NUDO *del matrimonio; el* NUDO *de las voluntades.* ‖ **13.** *Mar.* Cada uno de los puntos de división de la corredera. ‖ **14.** *Mar.* Trayecto de navegación que se mide con cada una de estas divisiones. ‖ **15.** *Mar.* Refiriéndose a la velocidad de una nave, equivale a milla por hora. ‖ **ciego.** El difícil de desatar, o por muy apretado, o por su forma especial. ‖ **de tejedor.** El que se hace uniendo los dos cabos y formando con ellos dos lazos encontrados; y, apretándolos, es **nudo** que no se puede desatar. ‖ **de tripas. miserere,** cólico. ‖ **en la garganta.** Impedimento que suele sentir en ella y estorba el tragar, hablar y algunas veces respirar. ‖ **2.** fig. Aflicción o congoja que impide explicarse o hablar. ‖ **gordiano.** El que ataba al yugo la lanza del carro de Gordio, antiguo rey de Frigia, el cual dicen que estaba hecho con tal artificio que no se podía descubrir ninguno de los dos cabos. ‖ **2.** fig. Cierto juego de sortijas. ‖ **3.** fig. Cualquier **nudo** muy enredado o imposible de desatar. ‖ **4.** fig. Dificultad insoluble. ‖ **marinero.** El muy seguro y fácil de deshacer a voluntad. ‖ **atravesársele,** o **ponérsele** a uno **un nudo en la garganta.** fr. fig. No poder hablar por susto, pena o vergüenza. ‖ **dar,** o **echar, otro nudo a la bolsa.** fr. Resistirse uno a dar dinero.

nudo², da. (Del lat. *nudus*.) adj. **desnudo.** ‖ **2.** V. **nuda propiedad.** ‖ **3.** V. **nudo propietario.**

nudosidad. (De *nudoso* e *-idad*.) f. *Med.* Tumefacción o induración circunscrita en forma de nudo.

nudoso, sa. (Del lat. *nodōsus*.) adj. Que tiene nudos. ‖ **2.** *Anat.* V. **juntura nudosa.**

nudrimiento. (Del lat. *nutrimentum*.) m. ant. Acción y efecto de nudrir.

nudrir. (Del lat. *nutrire*.) tr. ant. **nutrir.**

nuececilla. f. d. de **nuez.** ‖ **2.** *Bot.* Masa parenquimatosa que está rodeada por membranas y constituye la mayor parte del óvulo de los vegetales.

nuecero, ra. m. y f. Persona que vende nueces.

nuégado. (Del lat. *mux, nucis,* nuez.) m. Pasta cocida al horno, hecha con harina, miel y nueces, y que también suele hacerse de piñones, almendras, avellanas, cañamones, etc. Ú. m. en pl. ‖ **2.** Plato de pan rallado, almendras machacadas y miel; hormigos. ‖ **3.** Hormigón¹ de piedra menuda, arena y mortero.

nuera. (Del lat. *nurus,* con cruce de *suegra* en las vocales.) f. Respecto de una persona, mujer de su hijo.

nuerza. (De *anorza*.) f. *Gran.* **nueza.**

nueso, sa. pron. ant. **nuestro.**

nuestramo, ma. m. y f. desus. Contracc. del nombre adjetivo *nuestro, nuestra* y el sustantivo *amo, ama*. ‖ **2.** m. *Germ.* Escribano, poderdante.

nuestro, tra. (Del lat. *noster, nostra*.) Pronombre posesivo de primera persona. Con la terminación del masculino singular y precedido de *lo,* se emplea también como neutro. **nuestro, nuestra** conciertan en género con la persona o cosa poseída, la cual ha de estar en singular, y se refieren a dos o más poseedores. **nuestros, nuestras** piden que sean dos o más los poseedores y también las personas o cosas poseídas. En sus cuatro formas suele referirse este pronombre a un solo poseedor cuando una persona de elevada jerarquía o un escritor se aplican a sí mismos, por ficción que uno autoriza, el número plural, y dicen **nuestro, nuestra, nuestros, nuestras,** en vez de *mi* o *mis*. NUESTRO *Consejo,* hablando un monarca; NUESTRA *conducta,* NUESTRAS *opiniones,* hablando un escritor. ‖ **la nuestra.** loc. fam. con que se indica que ha llegado la ocasión favorable a la persona que habla. Ú. m. con el verbo *ser. Ahora* ES, O SERÁ, LA NUESTRA. ‖ **los nuestros.** Los que son del mismo partido, profesión o naturaleza del que habla.

nueva. (De *nuevo.*) f. Noticia de una cosa que no se ha dicho o no se ha oído antes. ‖ **2.** V. **correo de malas nuevas.** ‖ **cogerle** a uno **de nuevas** alguna cosa. fr. fam. Saberla inopinadamente. ‖ **hacerse** uno **de nuevas.** fr. Dar a entender con afectación y disimulo que no ha llegado a su noticia aquello que le dice otro, siendo cierto que ya lo sabía.

nuevamente. adv. m. Otra vez, de nuevo. ‖ **2.** adv. t. desus. Hace poco, recientemente.

nueve. (Del lat. *novem.*) adj. Ocho más uno. ‖ **2.** noveno, ordinal. *Número* NUEVE; *año* NUEVE. Apl. a los días del mes, ú. t. c. s. *El* NUEVE *de octubre.* ‖ **3.** m. Signo o cifra con que se representa el número **nueve.** ‖ **4.** Carta o naipe que tiene **nueve** señales. *El* NUEVE *de copas.*

nuevo, va. (Del lat. *novus.*) adj. Recién hecho o fabricado. ‖ **2.** Que se ve o se oye por primera vez. ‖ **3.** Repetido o reiterado para renovarlo. ‖ **4.** Distinto o diferente de lo que antes había o se tenía aprendido. ‖ **5.** Que sobreviene o se añade a una cosa que había antes. ‖ **6.** Recién incorporado a un lugar o a un grupo. *Es* NUEVO *en el colegio.* ‖ **7.** Principiante en una profesión o en alguna actividad. ‖ **8.** Dícese del producto agrícola de cosecha recentísima, para distinguirlo del almacenado de cosechas anteriores. *Patatas* NUEVAS, *trigo* NUEVO, *maíz* NUEVO. ‖ **9.** fig. En oposición a viejo, se dice de lo que está poco o nada deteriorado por el uso. ‖ **10.** V. **año, calendario, colegial, cristiano, estilo, maravedí nuevo.** ‖ **11.** V. **carne, fruta, ley, miel, misa nueva.** ‖ **12.** V. **nueva academia, nueva recopilación.** ‖ **13.** V. **Nuevo Testamento.** ‖ **14.** *Astron.* V. **Luna nueva.** ‖ **15.** V. **el Nuevo Mundo.** ‖ **de nuevo.** loc. adv. Otra vez, una vez más.

nuevoleonense. adj. neoleonés.

nuevoleonés, sa. adj. neoleonés.

nuez. (Del lat. *nux, nucis.*) f. Fruto del nogal. Es una drupa ovoide, de tres o cuatro centímetros de diámetro, con el epicarpio fino y liso, de color verde con pintas negruzcas, el mesocarpio correoso y caedizo, y el endocarpio duro, pardusco, rugoso y dividido en dos mitades simétricas, que encierran la semilla, desprovista de albumen y con dos cotiledones gruesos, comestibles y muy oleaginosos. ‖ **2.** Fruto de otros árboles que tiene alguna semejanza con el del nogal por la naturaleza de su pericarpio. NUEZ *de coco, de areca, de burí, de nipa, moscada.* ‖ **3.** Prominencia que forma el cartílago tiroides en la parte anterior del cuello del varón adulto. ‖ **4.** Hueso sujeto al tablero de la ballesta para afirmar o armar la cuerda, y que solía hacerse con la parte inferior de un mogote de ciervo. ‖ **5.** V. **cascarón, pierna de nuez.** ‖ **6.** *Mús.* Pieza movible que en el extremo inferior del arco del violín e instrumentos análogos sirve para dar, por medio de un tornillo, más o menos tensión a las cerdas. ‖ **de ciprés.** piña de ciprés. ‖ **de cola.** cola[3]. ‖ **de especia.** nuez moscada. ‖ **ferreña.** La desmedrada y muy dura. ‖ **moscada.** Fruto de la mirística, de forma ovoide, cubierto por la macis, y con una almendra pardusca por fuera y blanquecina por dentro. Se emplea como condimento y para sacar el aceite que contiene en abundancia. ‖ **2.** La común que, cogida en verde antes de cuajar la cáscara y convertida en almíbar, se cubre des-

pués con alcorza. ‖ **póntica.** Avellana. ‖ **vómica.** Semilla de un árbol de Oceanía, de la familia de las loganiáceas; aplastada, dura, redondeada, como de dos centímetros de diámetro y tres milímetros de grueso, de color gris, de sabor acre e inodora. Es muy venenosa; pero en cortas dosis se emplea en medicina como emética y febrífuga. ‖ **apretar** a uno **la nuez.** fr. fig. y fam. Matarlo ahogándolo. ‖ **cascarle** a uno **las nueces.** fr. fig. y fam. **cascarle las liendres.** ‖ **volver las nueces al cántaro.** fr. fig. y fam. Suscitar de nuevo un tema después de muy disputado y concluido. ‖ **2.** fig. Restituir las cosas a su anterior estado, especialmente las relaciones personales.

nueza. (De etim. disc.) f. Planta herbácea vivaz, de la familia de las cucurbitáceas, con tallos de dos a tres metros de largo, trepadores, vellosos y con zarcillos en espiral; hojas ásperas, pecioladas, grandes y partidas en cinco gajos, como la de la parra; flores dioicas, de color verde amarillento, axilares y pedunculadas, y por fruto bayas encarnadas. Es común en nuestro país. ‖ **blanca.** Planta semejante a la anterior, pero con flores blancas y monoicas, y bayas negras. Es la especie más abundante en el norte de Europa. ‖ **negra.** Planta herbácea de la familia de las dioscoréaceas, con tallos trepadores de tres a cuatro metros de largo; hojas alternas, acorazonadas y de borde partido; flores dioicas, verdosas, en racimos axilares, y por fruto bayas rojizas. Es común en España.

nugatorio, ria. (Del lat. *nugatorĭus.*) adj. p. us. Engañoso, frustráneo; que burla la esperanza que se había concebido o el juicio que se tenía hecho.

nulamente. adv. m. Inválidamente; sin valor ni efecto.

nulidad. f. Cualidad de nulo. ‖ **2.** p. us. Vicio que disminuye o anula la estimación o validez de una cosa. ‖ **3.** p. us. Incapacidad, ineptitud. ‖ **4.** fam. Persona incapaz, inepta. *Rufino es una* NULIDAD. ‖ **5.** *Der.* V. **recurso de nulidad.**

nulo, la. (Del lat. *nullus.*) adj. Falto de valor y fuerza para obligar o tener efecto, por ser contrario a las leyes, o por carecer de las solemnidades que se requieren en la sustancia o en el modo. ‖ **2.** Incapaz, física o moralmente, para una cosa. ‖ **3.** Ni uno solo, ninguno. ‖ **4.** En boxeo, se dice del combate sin vencedor, por haber conseguido ambos púgiles igual número de puntos.

nullíus. (Del lat. *nullíus,* genit. de *nullus.*) adj. *Der.* V. **bienes nullíus.**

numantino, na. (Del lat. *Numantīnus.*) adj. Natural de Numancia. Ú. t. c. s. ‖ **2.** Perteneciente o relativo a esta antigua ciudad de la España Citerior.

numen. (Del lat. *numen.*) m. Cualquiera de los dioses de la mitología clásica. ‖ **2.** Inspiración del artista o escritor.

numerable. (Del lat. *numerabĭlis.*) adj. Que se puede numerar.

numeración. (Del lat. *numeratĭo, -ōnis.*) f. Acción y efecto de numerar. ‖ **2.** *Arit.* Sistema para expresar de palabra o por escrito todos los números con una cantidad limitada de vocablos y de caracteres o guarismos. ‖ **arábiga, o decimal.** Sistema, hoy universal, que con el valor absoluto y la posición relativa de los diez signos introducidos por los árabes en Europa puede expresar cualquier cantidad. ‖ **romana.** La que usaban los romanos, que expresa los números por medio de siete letras del alfabeto latino: I, V, X, L, C, D y M.

numerador. (Del lat. *numerātor, -ōris,* el que cuenta.) m. *Arit.* Guarismo que señala el número de partes iguales de la unidad contenidas en un quebrado. Se escribe encima del denominador, separado de este por una raya horizontal. ‖ **2.** Aparato con que se marca la numeración correlativa.

numeradora. f. *Impr.* Máquina para numerar correlativamente los ejemplares de un modelo u obra.

numeral. (Del lat. *numerālis.*) adj. Perteneciente o relativo al número. ‖ **2.** V. **letra numeral.** ‖ **3.** *Gram.* V. **adjetivo, nombre numeral.**

numerar. (Del lat. *numerāre*.) tr. Contar por el orden de los números. ‖ **2.** Expresar numéricamente la cantidad. ‖ **3.** Marcar con números. ‖ **4.** *Tecnol.* En la industria textil, determinar el número o relación entre la longitud y el peso de un hilo.

numerario, ria. (Del lat. *numerarĭus*.) adj. Del número o perteneciente a él. ‖ **2.** Dícese de la persona incorporada con carácter fijo al conjunto de los que componen un cuerpo determinado. Ú. t. c. s. ‖ **3.** V. **profesor numerario.** ‖ **4.** m. Moneda acuñada, o dinero efectivo.

numéricamente. adv. m. Con determinación a individuo; individualmente. ‖ **2.** Con relación al número.

numérico, ca. (Del b. lat. *numerĭcus*.) adj. Perteneciente o relativo a los números. ‖ **2.** Compuesto o ejecutado con ellos. *Cálculo* NUMÉRICO.

número. (Del lat. *numĕrus*.) m. *Arit.* Expresión de la cantidad computada con relación a una unidad. ‖ **2.** Signo o conjunto de signos con que se representa el **número.** ‖ **3.** Cantidad de personas o cosas de determinada especie. ‖ **4.** Condición, categoría, situación o clase de personas o cosas. ‖ **5.** Tratándose de publicaciones periódicas, cada una de las hojas o cuadernos correspondientes a distinta fecha de edición, en la serie cronológica respectiva. ‖ **6.** Cada una de las partes, actos o ejercicios del programa de un espectáculo u otra función destinada al público. ‖ **7.** Billete de lotería o de una rifa. *Tengo un* NÚMERO *para el sorteo del viernes.* ‖ **8.** p. us. Determinada medida proporcional o cadencia, que hace armoniosos los períodos músicos y los de poesía y retórica, y por eso agradables y gustosos al oído. ‖ **9.** p. us. **verso**[1], que es de terminado **número** de sílabas. ‖ **10.** fam. Acción extravagante o inconveniente con que se llama mucho la atención. Ú. generalmente con los verbos *montar, hacer y dar.* ‖ **11.** fig. Individuo sin graduación en la Guardia Civil. ‖ **12.** Por ext., individuo sin graduación en la policía armada y en las milicias dependientes de las autoridades de ciertas provincias españolas. ‖ **13.** *Gram.* Accidente gramatical que expresa, por medio de cierta diferencia en la terminación de las palabras, si estas se refieren a una sola persona o cosa o a más de una. ‖ **14.** *Tecnol.* En la industria textil, relación entre la longitud y el peso de un hilo. ‖ **abstracto.** *Arit.* El que no se refiere a unidad de especie determinada. ‖ **arábigo.** Cifra o guarismo perteneciente a la numeración arábiga. ‖ **atómico.** *Quím.* **número** de cargas elementales positivas del núcleo de un átomo. Este **número** es el de orden del cuerpo simple en el sistema periódico. ‖ **cardinal.** Cada uno de los **números** enteros en abstracto, como *diez, mil.* ‖ **complejo.** *Arit.* El que se compone de la suma de un **número** real y otro imaginario, como 2+3i. ‖ **compuesto.** *Arit.* El que se expresa con dos o más guarismos. ‖ **concreto.** *Arit.* El que expresa cantidad de especie determinada. ‖ **cósico.** *Arit.* El que es potencia exacta de otro. ‖ **deficiente.** *Arit.* El que es inferior a la suma de sus partes alícuotas. ‖ **de guarismo. número arábigo.** ‖ **denominado.** *Arit.* **número complejo.** ‖ **dígito.** *Arit.* El que puede expresarse con un solo guarismo; en la numeración decimal lo son los comprendidos desde el cero al nueve, ambos inclusive. ‖ **dual.** *Gram.* El que, además del singular y del plural, tienen algunas lenguas para significar el conjunto de dos. ‖ **entero.** *Arit.* El que consta exclusivamente de una o más unidades, a diferencia de los quebrados y de los mixtos. ‖ **fraccionario.** *Arit.* **número quebrado.** ‖ **imaginario.** El que se produce al sacar la raíz cuadrada de un **número** negativo. La unidad imaginaria se representa por el signo $i = \sqrt{-1}$. ‖ **impar.** *Arit.* El que no es exactamente divisible por dos. ‖ **incomplejo.** **número** concreto que expresa unidades de una sola especie. ‖ **llano. número romano.** ‖ **má-**

sico. *Fís.* Con referencia a un nucleido, es el **número** entero que más se aproxima al peso atómico de aquel, expresado en la escala física. ‖ **mixto.** El compuesto de entero y de quebrado. ‖ **musical.** Cada uno de los pasajes musicales, frecuentemente con canto o baile, que forman parte de una obra teatral o cinematográfica. ‖ **natural.** *Arit.* Cada uno de los elementos de la sucesión 1, 2, 3... ‖ **ordinal.** *Arit.* El que expresa ideas de orden o sucesión; como *segundo, tercero.* ‖ **par.** *Arit.* El que es exactamente divisible por dos. ‖ **perfecto.** *Arit.* El que es igual a la suma de sus partes alícuotas. ‖ **plano.** *Arit.* El que procede de la multiplicación de dos **números** enteros. ‖ **plural.** *Gram.* El de la palabra que se refiere a dos o más personas o cosas. ‖ **primero,** o **primo.** *Arit.* El que solo es exactamente divisible por sí mismo y por la unidad; como *5, 7,* etc. ‖ **quebrado.** *Arit.* El que expresa una o varias partes alícuotas de la unidad. ‖ **redondo.** El que con unidades completas de cierto orden expresa una cantidad con aproximación y no exactamente. ‖ **romano.** El que se significa con letras del alfabeto latino; a saber: I (uno), V (cinco), X (diez), L (cincuenta), C (ciento), D (quinientos) y M (mil). ‖ **simple.** *Arit.* **número primo.** ‖ **2.** *Arit.* El que se expresa con un solo guarismo. ‖ **singular.** *Gram.* El de la palabra que se refiere a una sola persona o cosa. ‖ **sólido.** *Arit.* El que procede de la multiplicación de tres **números** enteros. ‖ **sordo.** *Arit.* El que no tiene raíz exacta. ‖ **superante.** *Arit.* El que es superior a la suma de sus partes alícuotas. ‖ **áureo número.** *Cronol.* **número** que se escribía con caracteres de oro en los sitios públicos de Atenas, y correspondía al año en que, cada diecinueve, se volvían a repetir las fases lunares en las mismas fechas, según el cálculo que descubrió Metón en 432 a. C. ‖ **2.** *Cronol.* **ciclo decemnovenal.** ‖ **números amigos.** *Arit.* Dícese del par de **números** en que cada uno de ellos es igual a la suma de las partes alícuotas del otro, como el 284 y el 220. ‖ **congruentes.** *Mat.* Dícese del par de **números** enteros que, divididos por un tercer **número** llamado módulo, dan restos iguales. ‖ **de número.** loc. adj. Dícese de cada uno de los individuos de una corporación compuesta de limitado **número** de personas. *Académico, escribano* DE NÚMERO. ‖ **en números rojos.** loc. Con saldo negativo en una cuenta bancaria. ‖ **hacer número** una persona o cosa. fr. No servir ni ser útil más que para aumentar el **número** de su especie. ‖ **2.** p. us. expr. de cortesía para ofrecerse una persona al servicio de otra. *Para* HACER NÚMERO *entre los servidores de usted.* ‖ **hacer números.** fr. fig. y fam. Calcular las posibilidades de una cosa. ‖ **llenar el número** de una cosa. fr. Completarlo. *Juan* LLENÓ EL NÚMERO *de los regidores.* ‖ **número uno.** expr. fig. y fam. Persona o cosa que sobresale en algo, destacando sobre todas las demás. ‖ **sin número.** loc. adj. fig. En grandísima abundancia. Ú. pospuesta al nombre al que se refiere. *Había gente* SIN NÚMERO.

numerosamente. adv. m. En gran número. ‖ **2.** p. us. Con cadencia, medida y proporción.

numerosidad. (Del lat. *numerosĭtas, -ātis*.) f. p. us. Multitud numerosa.

numeroso, sa. (Del lat. *numerōsus*.) adj. Que incluye gran número o muchedumbre de personas o cosas. ‖ **2.** p. us. Armonioso, o que tiene proporción, cadencia o medida. Ú. m. antepuesto al sustantivo. ‖ **3.** pl. Muchos.

númida. (Del lat. *Numĭda*.) adj. Natural de Numidia. Ú. t. c. s. ‖ **2.** Perteneciente o relativo a esta región de África antigua.

numídico, ca. (Del lat. *Numidĭcus*.) adj. Perteneciente o relativo a Numidia.

numinoso, sa. (Del lat. *numen, -mĭnis,* y *-oso*[2].) adj. Perteneciente o relativo al numen como manifestación de poderes religiosos o mágicos.

numisma. (Del lat. *numisma.*) m. *Numism.* **moneda** acuñada.

numismática. (De *numisma* y *-tica.*) f. Ciencia que trata del conocimiento de las monedas y medallas, principalmente de las antiguas.

numismático, ca. (De *numisma* y *-tico.*) adj. Perteneciente o relativo a la numismática. ‖ **2.** m. El que profesa esta ciencia o tiene en ella especiales conocimientos.

numo. (Del lat. *nummus.*) m. p. us. Moneda o dinero.

numular. (Del lat. *nummŭlus,* d. de *nummus,* y *-ar.*) adj. Extendido y redondo como una moneda. *Esputo* NUMULAR.

numulario, ria. (Del lat. *nummularĭus.*) adj. V. **tabla numularia.** ‖ **2.** m. El que comercia o trata con dinero.

numulita. (Del lat. *nummŭlus,* d. de *nummus,* moneda, e *-ita²*.) f. **numulites.**

numulites. (Del lat. cient. *nummulītes.*) m. Foraminífero fósil, con caparazón calcáreo en forma de moneda, cuyo diámetro alcanza, a veces, varios centímetros.

nunca. (Del lat. *nunquam.*) adv. t. En ningún tiempo. ‖ **2.** Ninguna vez. ‖ **nunca jamás.** loc. adv. **nunca,** con sentido enfático.

nunciar. (Del lat. *nuntiāre.*) tr. ant. Hacer saber, notificar, anunciar.

nunciatura. f. Cargo o dignidad de nuncio. ‖ **2.** Tribunal de la Rota de la **nunciatura** apostólica en España. ‖ **3.** Casa en que vive el nuncio y está su tribunal. ‖ **4.** V. **auditor de la nunciatura.** ‖ **5.** V. **Rota² de la nunciatura apostólica.**

nuncio. (Del lat. *nuntĭus.*) m. El que lleva aviso, noticia o encargo de un sujeto a otro, enviado a este para tal efecto. ‖ **2.** Representante diplomático del Papa, que ejerce además, como legado, ciertas facultades pontificias. ‖ **3.** fig. Anuncio o señal. *El viento del sur suele ser en Madrid* NUNCIO *de lluvia.* ‖ **apostólico. nuncio** del Papa.

nuncupativo. (Del lat. *nuncupatīvus.*) adj. V. **testamento nuncupativo.**

nuncupatorio, ria. (Del lat. *nuncupāre,* poner o dar nombre a una cosa, y *-torio.*) adj. Aplícase a las cartas o escritos con que se dedica una obra, o en que se nombra e instituye a uno por heredero o se le confiere un empleo.

nuño. (Del arauc. *nuyu.*) m. Planta americana de la familia de las iridáceas, de raíces fibrosas, bastante drásticas, y flores rosadas.

nupcial. (Del lat. *nuptiālis.*) adj. Perteneciente o relativo a las nupcias. ‖ **2.** V. **bendiciones, teas nupciales.**

nupcialidad. f. Número proporcional de nupcias o matrimonios en un tiempo y lugar determinados.

nupcias. (Del lat. *nuptĭas.*) f. pl. Casamiento, boda.

nutación. (Del lat. *nutatĭo, -ōnis,* bamboleo.) f. *Astron.* Oscilación periódica del eje de la Tierra, causada principalmente por la atracción lunar. ‖ **2.** Oscilación periódica de un eje en movimiento.

nutra. (Del lat. *lutra.*) f. **nutria.**

nutria. (Del lat. vulg. **nutrĭa,* lat. *lutra.*) f. Mamífero carnicero, de tres a cuatro decímetros de altura y unos nueve desde el hocico hasta el arranque de la cola, que tiene cerca de seis; cabeza ancha y aplastada, orejas pequeñas y redondas, cuerpo delgado, patas cortas, con los dedos de los pies unidos por una membrana, y pelaje espeso, muy suave y de color pardo rojizo. Vive a orillas de los ríos y arroyos, se alimenta de peces, y se la busca por su piel, muy apreciada en peletería. ‖ **2.** Piel de este animal. ‖ **de mar.** Especie de **nutria** que vive en las costas, y de cuya piel se hace importante comercio en China.

nutricio, cia. (Del lat. *nutricĭus.*) adj. Capaz de nutrir. ‖ **2.** Que procura alimento para otra persona.

nutrición. f. Acción y efecto de nutrir o nutrirse. ‖ **2.** *Farm.* Preparación de los medicamentos, mezclándolos con otros para aumentarles la virtud y darles mayor fuerza.

nutrido, da. p. p. de **nutrir.** ‖ **2.** adj. fig. Lleno, abundante. *Estudio* NUTRIDO *de ideas; biografía muy* NUTRIDA *de datos.* ‖ **3.** *Mil.* V. **fuego nutrido.**

nutriente. p. a. de **nutrir.** Que nutre. Ú. t. c. s.

nutriero. m. *Argent.* y *Urug.* Persona que se dedica a cazar nutrias y a traficar con las pieles de estos animales.

nutrimental. (Del b. lat. *nutrimentālis.*) adj. p. us. Que sirve de sustento o alimento.

nutrimento. (Del lat. *nutrimentum.*) m. Acción y efecto de nutrir o nutrirse. ‖ **2.** Sustancia de los alimentos. ‖ **3.** fig. Materia o causa del aumento, actividad o fuerza de una cosa en cualquier línea, especialmente en lo moral.

nutrimiento. m. **nutrimento.**

nutrir. (Del lat. *nutrĭre.*) tr. Aumentar la sustancia del cuerpo animal o vegetal por medio del alimento, reparando las partes que se van perdiendo en virtud de las acciones catabólicas. ‖ **2.** fig. Aumentar o dar nuevas fuerzas en cualquier línea, especialmente en lo moral. ‖ **3.** fig. **llenar,** colmar abundantemente.

nutritivo, va. adj. Que nutre.

nutriz. (Del lat. *nutrix, -ĭcis.*) adj. f. Que nutre. ‖ **2.** f. desus. **nodriza.**

nutual. (Del lat. *nutus,* voluntad, y *-al.*) adj. Dícese de las capellanías y otros cargos, eclesiásticos o civiles, que son amovibles a voluntad del que los confiere.

ny. (Del gr. νῦ.) f. Decimotercera letra del alfabeto griego, que corresponde a la que en el nuestro se llama *ene.*

Ñ

ñ. f. Decimoséptima letra del abecedario español, y decimocuarta de sus consonantes. Su nombre es **eñe**. Representa un sonido de articulación nasal, palatal y sonora.

ña. (Forma reducida de *señora*.) f. En algunas partes de América, tratamiento vulgar.

ñacaniná. f. *Argent.* Serpiente grande y venenosa de las llanuras del Chaco.

ñacurutú. (Voz del guaraní paraguayo.) m. *Amér.* Ave nocturna, especie de lechuza, de color amarillento y gris, uñas y pico corvos. Es domesticable.

ñagaza. f. p. us. Señuelo para coger aves, añagaza.

ñame. (Voz del Congo.) m. Planta herbácea de la familia de las dioscoreáceas, con tallos endebles, volubles, de tres a cuatro metros de largo; hojas grandes y acorazonadas; flores pequeñas y verdosas en espigas axilares, y raíz grande, tuberculosa, de corteza casi negra y carne parecida a la de la batata, que cocida es comestible, muy usual en los países intertropicales. ‖ **2.** Raíz de esta planta. ‖ **3.** aje².

ñandú. (Del guaraní *ñandú*, avestruz y araña.) m. Ave del orden de las reformes, afín al de las estrucioniformes; de ahí su descripción como avestruz de América. Se diferencia del verdadero por tener tres dedos en cada pie y ser más pequeño y de plumaje gris poco fino.

ñandubay. (Voz del guaraní paraguayo.) m. Árbol americano de la familia de las mimosáceas, de madera rojiza muy dura e incorruptible.

ñandutí. (Del guaraní *ñandú*, araña, y un segundo elemento que probablemente se explica como *tejido*.) m. *Amér. Merid.* Tejido muy fino que hacían principalmente las mujeres del Paraguay, hoy muy generalizado en la América del Sur para toda clase de ropa blanca.

ñangotado, da. p. p. de **ñangotarse**. ‖ **2.** adj. *P. Rico.* Servil, adulador. Ú. t. c. s. ‖ **3.** *P. Rico.* Alicaído, sin ambiciones. Ú. t. c. s.

ñangotarse. prnl. *P. Rico.* y *Sto. Dom.* Ponerse en cuclillas. ‖ **2.** *P. Rico.* Humillarse, someterse. ‖ **3.** *P. Rico.* Perder el ánimo.

ñangué. m. *Cuba.* **túnica de Cristo**, planta.

ñaña. f. *Chile.* **niñera.** ‖ **2.** *Argent.* y *Chile.* Hermana mayor.

ñáñigo, ga. adj. Decíase del individuo afiliado a una sociedad secreta formada por negros en la isla de Cuba. Usáb. m. c. s.

ñaño, ña. (Del quechua *ñaña*, hermana de ella.) m. y f. *Perú.* niño. ‖ **2.** adj. *Col.* y *Pan.* Consentido, mimado en demasía. ‖ **3.** *Ecuad.* y *Perú.* Unido por amistad íntima. ‖ **4.** m. *Chile.* Hermano mayor.

ñapa. (Del quechua *yapa*, ayuda, aumento.) f. *Col.*, *C. Rica*, *Cuba*, *Ecuad.*, *El Salv.*, *Guat.*, *Hond.*, *Nicar.*, *Pan.*, *Perú*, *P. Rico*, *Sto. Dom.*, *Urug.* y *Venez.* Añadidura, propina, yapa.

ñapango, ga. adj. *Col.* Mestizo, mulato.

ñapindá. (Del guaraní *añapindá*, de *aña*, diablo, y *pindá*, anzuelo.) m. *R. de la Plata.* Planta de la familia de las mimosáceas; especie de acacia muy espinosa, con flores amarillentas y de grato aroma.

ñaque. (Voz de creación expresiva.) m. Conjunto o montón de cosas inútiles y ridículas. ‖ **2.** Compañía antigua de dos cómicos, naque.

ñaruso, sa. adj. *Ecuad.* Dícese de la persona picada de viruelas.

ñato, ta. adj. *Amér.* De nariz corta y aplastada, chato.

ñengo, ga. adj. *Méj.* Desmedrado, flaco, enclenque. Ú. t. c. s.

ñeque. adj. *C. Rica*, *Hond.* y *Nicar.* Fuerte, vigoroso. ‖ **2.** m. *Chile*, *Ecuad.* y *Perú.* Fuerza, energía. ‖ **3.** *Perú.* Valor, coraje.

ñipe. m. *Chile.* Arbusto de la familia de las mirtáceas, cuyas ramas se emplean para teñir.

ñique. m. *Hond.* En el juego del trompo, golpe que se da a un trompo con el clavo de otro, con objeto de partirlo, arrancarle astillas o rayarlo.

ñiquiñaque. m. fam. p. us. Sujeto o cosa muy despreciable.

ñire. (Voz araucana.) m. *Chile.* Árbol de unos 20 metros de altura, de la familia de las fagáceas, con flores solitarias y hojas elípticas, obtusas y profundamente aserradas.

ñisñil. m. Especie de anea americana que crece en los pantanos, y con cuyas hojas se tejen canastillos y se cubren ranchos. También las comen los animales.

ño. (Forma reducida de *señor*.) m. En algunas partes de América, tratamiento vulgar.

ñoclo. (Del it. *nocchio* o *gnocco*.) m. Especie de melindre hecho de masa de harina, azúcar, manteca de vaca, huevos, vino y anís, de que se forman unos panecitos del tamaño de nueces, los cuales se cuecen en el horno sobre papeles polvoreados de harina.

ñoco, ca. adj. *Col.*, *P. Rico*, *Sto. Dom.* y *Venez.* Dícese de la persona a quien le falta un dedo o una mano. Ú. t. c. s.

ñocha. (Voz araucana.) f. *Chile.* Hierba bromeliácea, cuyas hojas sirven para hacer sogas, canastos, sombreros, esteras y aventadores.

ñoñería. f. Acción o dicho propio de persona ñoña.

ñoñez. f. Cualidad de ñoño. ‖ **2.** Acción o dicho propio de persona ñoña.

ñoño, ña. (Del lat. *nonnus*, anciano, preceptor, ayo.) adj. fam. Dícese de la persona sumamente apocada y de corto ingenio. ‖ **2.** Dicho de las cosas, soso, de poca sustancia. ‖ **3.** ant. Caduco, chocho.

ñoqui. (Del it. *gnocchi*.) m. *Argent.*, *Chile*, *Perú* y *Urug.* Masa hecha con patatas mezcladas con harina de trigo, mantequilla, leche, huevo y queso rallado, dividida en trocitos, que se cuecen en agua hirviente con sal. ‖ **a la romana.** Masa análoga a la anterior hecha con sémola y que, hervida en leche, se corta en redondeles una vez enfriada y se sazona de queso colocándola en el horno.

ñora¹. f. *Murc.* **noria**, máquina de elevar agua.

ñora². (De *Ñora*, pueblo de Murcia.) f. *Murc.* Pimiento muy picante, guindilla.

ñorbo. m. *Ecuad.* y *Perú.* Flor pequeña, muy fragante, de una pasionaria muy común como adorno en las ventanas. ‖ **2.** pl. fig. Ojos de hermosas pestañas.

ñoro. m. *Murc.* ñora², pimiento.

ñu. m. Antílope propio del África del Sur, que parece un caballito con cabeza de toro.

ñublado. m. ant. **nublado.**

ñublar. (De *añublar*.) tr. ant. **nublar.**

ñublino, na. adj. Natural de Ñuble. Ú. t. c. s. ‖ **2.** Perteneciente o relativo a esta provincia de Chile.

ñublo. (De *nublo*, con la ñ de *añublar*.) m. ant. **nublo.**

ñubloso, sa. (De *ñublo* y *-oso²*.) adj. desus. **nubloso.**

ñudillo. m. desus. **nudillo.**

ñudo. (De *nudo*, con la ñ de *añudar*.) m. p. us. **nudo.**

ñudoso, sa. (De *ñudo* y *-oso²*.) adj. p. us. **nudoso.**

ñuto, ta. (Del quechua *ñut'u*, desmenuzado, reducido a polvo.) adj. *Col., Ecuad., N. Argent.* y *Perú.* Dícese de la carne blanda o ablandada a golpes. Ú. t. c. s. m. ‖ **2.** m. *Perú.* Añicos, trizas, polvo.

O

o¹. f. Decimoctava letra del abecedario español, cuarta de sus vocales. Pronúnciase emitiendo la voz con los labios un poco sacados hacia fuera en forma redondeada, y libre gran parte de la cavidad bucal por retraimiento de la lengua, cuyo dorso se eleva hacia el velo del paladar. ‖ **2.** *Dial.* Signo de la proposición particular negativa. ‖ **no saber ni hacer la o con un canuto.** fr. fig. y fam. Ser muy ignorante.

o². (Del lat. *ubi*.) adv. l. ant. En donde.

o³. (Del lat. *aut*.) conj. disyunt. que denota diferencia, separación o alternativa entre dos o más personas, cosas o ideas. *Antonio* O *Francisco; blanco* O *negro; herrar* O *quitar el banco; vencer* O *morir.* ‖ **2.** Suele preceder a cada uno de los o más términos contrapuestos. *Lo harás* O *de grado* O *por fuerza.* ‖ **3.** Denota además idea de equivalencia, significando **o sea, o lo que es lo mismo.** *El protagonista,* O *el personaje principal de la fábula, es Hércules.*

¡o!⁴ interj. ant. ¡oh!

oasis. (Del gr. ὄασις, a través del lat. *oăsis.*) m. Sitio con vegetación y a veces con manantiales, que se encuentra aislado en los desiertos arenales de África y Asia. ‖ **2.** fig. Tregua, descanso, refugio en las penalidades o contratiempos de la vida.

oaxaqueño, ña. adj. Natural del Estado o de la ciudad mejicana de Oaxaca. Ú. t. c. s. ‖ **2.** Perteneciente o relativo a dicho Estado.

obcecación. (Del lat. *obcaecatĭo, -ōnis.*) f. Ofuscación tenaz y persistente. ‖ **2.** *Der.* V. **arrebato y obcecación.**

obcecadamente. adv. m. Con obcecación.

obcecar. (Del lat. *obcaecăre.*) tr. Cegar, deslumbrar u ofuscar. Ú. t. c. prnl. *Los nervios* OBCECARON *a Juan y no supo contestar a las preguntas.* SE OBCECA *en su idea y no reacciona.*

obcegar. (Del lat. *obcaecăre.*) tr. ant. **obcecar.**

obduración. (Del lat. *obduratĭo, -ōnis.*) f. Porfía en resistir lo que conviene; obstinación y terquedad.

obedecedor, ra. adj. Que obedece. Ú. t. c. s.

obedecer. (De un der. en *-sco* del lat. *oboedīre.*) tr. Cumplir la voluntad de quien manda. ‖ **2.** Ceder un animal con docilidad a la dirección que se le da. *El caballo* OBEDECE *al freno, a la mano.* ‖ **3.** fig. Ceder una cosa inanimada al esfuerzo que se hace para cambiar su forma o su estado. *El oro* OBEDECE *al martillo; la enfermedad* OBEDECE *a los remedios.* ‖ **4.** intr. fig. Tener origen una cosa, proceder, dimanar. *Tu cansancio* OBEDECE *a la falta de sueño.*

obedecible. adj. Que puede o debe ser obedecido.

obedecimiento. m. Acción de obedecer.

obediencia. (Del lat. *oboedientĭa.*) f. Acción de obedecer. ‖ **2.** Precepto del superior, especialmente en las órdenes regulares. ‖ **3.** En las mismas órdenes, permiso que da el superior a un súbdito para ir a predicar, o asignación de oficio para otro convento, o para hacer un viaje. ‖ **4.** En las dichas órdenes, oficio o empleo de comunidad, que sirve o desempeña un religioso por orden de sus superiores. ‖ **5.** V. **precepto formal de obediencia.** ‖ **ciega.** fig. La que se presta sin examinar los motivos o razones del que man-

da. ‖ **debida.** *Der.* La que se rinde al superior jerárquico y es circunstancia eximente de responsabilidad en los delitos. ‖ **acatar obediencia.** fr. ant. Tenerla o rendirla. ‖ **a la obediencia.** expr. cortés con que uno se somete al gusto de otro. ‖ **dar la obediencia** a uno. fr. Sujetarse a él; reconocerlo por superior.

obediencial. adj. Perteneciente o relativo a la obediencia. ‖ **2.** V. **letras obedienciales.**

obediente. (Del lat. *oboedĭens, -entis.*) p. a. de **obedecer.** Que obedece. ‖ **2.** adj. Propenso a obedecer.

obedientemente. adv. m. Con obediencia.

obelisco. (Del gr. ὀβελίσκος, a través del lat. *obeliscus.*) m. Pilar muy alto, de cuatro caras iguales un poco convergentes, y terminado por una punta piramidal muy achatada, que sirve de adorno en lugares públicos. ‖ **2.** Señal que se solía poner en el margen de los libros para anotar una cosa particular.

óbelo. (Del gr. ὀβελός, a través del lat. *obĕlus.*) m. **obelisco.**

obencadura. f. *Mar.* Conjunto de los obenques.

obenque. (Del fr. ant. *hobent.*) m. *Mar.* Cada uno de los cabos gruesos que sujetan la cabeza de un palo o de un mastelero a la mesa de guarnición o a la cofa correspondiente.

obertura. (Del fr. *ouverture.*) f. Pieza de música instrumental con que se da principio a una ópera, oratorio u otra composición lírica.

obesidad. (Del lat. *obesĭtas, -ātis.*) f. Cualidad de obeso.

obeso, sa. (Del lat. *obēsus.*) adj. Dícese de la persona que tiene gordura en demasía.

óbice. (Del lat. *obex, -ĭcis,* cerrojo, obstáculo.) m. Obstáculo, embarazo, estorbo, impedimento.

obispado. m. Dignidad de obispo. ‖ **2.** Territorio o distrito asignado a un obispo para ejercer sus funciones y jurisdicción. ‖ **3.** Local o edificio donde funciona la curia episcopal.

obispal. adj. Perteneciente o relativo al obispo.

obispalía. f. **1.** Palacio o casa del obispo. ‖ **2.** Dignidad de obispo. ‖ **3.** Territorio de jurisdicción del obispo.

obispar. intr. Obtener un obispado; ser nombrado para él.

obispillo. (d. de *obispo*.) m. Muchacho que en algunas catedrales visten de obispo la víspera y día de San Nicolás de Bari, y le hacen asistir a vísperas y misa mayor. ‖ **2.** En las universidades, estudiante nuevo a quien ponían una mitra de papel y le tributaban burlesco acatamiento. ‖ **3.** Morcilla grande y gruesa que se hace cuando se matan los puercos. Algunos acostumbran a hacerla de carne picada con huevos, almendras y especias. ‖ **4.** Rabadilla de las aves.

obispo. (Del gr. ἐπίσκοπος, a través del lat. *episcŏpus.*) m. Prelado superior de una diócesis, a cuyo cargo está la cura espiritual y el gobierno eclesiástico de los diocesanos. ‖ **2.** V. **mes del obispo.** ‖ Pez selacio del suborden de los ráyidos, de más de dos metros y medio de largo, con cabeza abultada, ojos prominentes, cola muy larga con dos carreras de espinas, y hocico prolongado en una especie de visera cuyo perfil recuerda la forma de una mitra. ‖ **4.** Morcilla grande. ‖ **auxiliar.** Prelado sin jurisdicción propia, con título in pártibus, que se nombra algunas veces para que ayude en sus funciones a algún **obispo** o arzobispo. ‖ **comprovincial. coepíscopo.** ‖ **de anillo. obispo in pártibus infidélium.** ‖ **2. obispo auxiliar.** ‖ **de la primera silla. metropolitano.** ‖ **de título. obispo in pártibus infidélium.** ‖ **2. obispo auxiliar.** ‖ **electo.** El que solo tenía el nombramiento del rey, sin estar aún consagrado ni confirmado. ‖ **in pártibus,** o **in pártibus infidélium.** El que toma título de país o territorio ocupado por los infieles y en el cual no reside. ‖ **regionario.** El que no tenía silla determinada e iba a predicar en diferentes lugares o a ejercer su ministerio donde le llamaba la necesidad. ‖ **sufragáneo.** El de una diócesis que con otra u otras compone la provincia del metropolitano. ‖ **titular. obispo de título.** ‖ **trabajar para el obispo.** fr. fig. y fam. Trabajar sin recompensa.

óbito. (Del lat. *obĭtus.*) m. Fallecimiento de una persona.

obituario. (De *óbito.*) m. Libro parroquial en que anotan las partidas de defunción y de entierro. ‖ **2.** Registro de las fundaciones de aniversario de óbitos.

obiubi. m. *Venez.* Mono de color negro, que duerme de día con la cabeza metida entre las piernas.

objeción. (Del lat. *obiectĭo, -ōnis.*) f. Razón que se propone o dificultad que se presenta en contrario de una opinión o designio, o para impugnar una proposición. ‖ **de conciencia.** Negativa a realizar actos o servicios invocando motivos éticos o religiosos, especialmente en el servicio militar.

objecto. (Del lat. *obiectus.*) m. ant. Objeción, tacha, reparo.

objetante. p. a. de **objetar.** Que objeta. Ú. t. c. s.

objetar. (Del lat. *obiectāre.*) tr. Oponer reparo a una opinión o designio; proponer una razón contraria a lo que se ha dicho o intentado. ‖ **2.** intr. Acogerse a la objeción de conciencia.

objetivación. f. Acción y efecto de objetivar.

objetivamente. adv. m. En cuanto al objeto, o por razón del objeto. ‖ **2.** De manera objetiva, desapasionada.

objetivar. tr. Dar carácter objetivo a una idea o sentimiento.

objetividad. f. Cualidad de objetivo.

objetivo, va. adj. Perteneciente o relativo al objeto en sí y no a nuestro modo de pensar o de sentir. ‖ **2.** Desinteresado, desapasionado. ‖ **3.** *Fil.* Dícese de lo que existe realmente, fuera del sujeto que lo conoce. ‖ **4.** *Med.* Dícese del síntoma que está al alcance de los sentidos del médico. ‖ **5.** m. **objeto,** fin o intento. ‖ **6.** *Mil.* Blanco para ejercitarse en el tiro y cualquier otro objeto sobre el que se dispara un arma de fuego. ‖ **7.** *Ópt.* Sistema de lentes de los instrumentos ópticos, colocado en la parte que se dirige hacia el objeto.

objeto. (Del lat. *obiectus.*) m. Todo lo que puede ser materia de conocimiento o sensibilidad de parte del sujeto, incluso este mismo. ‖ **2.** Lo que sirve de materia o asunto al ejercicio de las facultades mentales. ‖ **3.** Término o fin de los actos de los potencias. ‖ **4.** Fin o intento a que se dirige o encamina una acción u operación. ‖ **5.** Materia o asunto de que se ocupa una ciencia. ‖ **6. cosa.** ‖ **7.** ant. Objeción, tacha o reparo. ‖ **de atribución. objeto,** término o fin de los actos de las potencias. ‖ **postal.** Cada uno de los **objetos** que se envían por correo, como cartas, tarjetas, paquetes, impresos, etc. ‖ **al,** o **con objeto de.** loc. conjunt. final. Con la finalidad de; para. Únese con el infinitivo. *Vengo* AL OBJETO DE *quedarme; vengo* CON OBJETO DE *quedarme.* ‖ **al,** o **con objeto de que.** loc. conjunt. final. Para que. Únese con el subjuntivo. *Te llamo* CON OBJETO DE QUE *vengas. Vino* AL OBJETO DE QUE *recuperases tu dinero.*

objetor, ra. adj. Que objeta. ‖ **2.** m. **objetor de concien-**

cia. ‖ **de conciencia.** Persona que hace objeción de conciencia.

oblación. (Del lat. *oblatĭo, -ōnis.*) f. Ofrenda y sacrificio que se hace a Dios. ‖ **a la curia.** Modo de legitimar a los hijos naturales, introducido en el derecho romano por los emperadores Teodosio II y Valentiniano III como atractivo hacia los cargos curiales, que eran gravosos y de día en día menos aceptos.

oblada. (Del lat. *oblāta,* oblata.) f. Ofrenda que se lleva a la iglesia y se da por los difuntos, que regularmente es un pan o rosca.

oblata. (Del lat. *oblāta,* ofrecida.) f. Dinero que se da al sacristán o a la fábrica de la iglesia por razón del gasto de vino, hostias, cera u ornamentos para decir las misas. ‖ **2.** En la misa, la hostia ofrecida y puesta sobre la patena, y el vino en el cáliz, antes de ser consagrados. *Incensar la* OBLATA.

oblativo, va. adj. Perteneciente o relativo a la oblación.

oblato, ta. (Del lat. *oblātus,* ofrecido.) adj. Dícese del niño ofrecido por sus padres a Dios y confiado a un monasterio para que se eduque culta y piadosamente y, si se aficionase, entrase en religión. Ú. t. c. s. ‖ **2.** Entre los benedictinos, el seglar que los asiste con hábito como sirviente. ‖ **3.** desus. Seglar, generalmente soldado inválido, a quien el rey colocaba en alguna abadía o priorato rico para que la comunidad lo tuviese y sustentase. ‖ **4.** desus. Seglar que alcanzaba en la corte pensión sobre algún beneficio eclesiástico. ‖ **5.** m. f. Religioso de alguna de las diversas congregaciones que se dan a sí mismas el nombre de **oblatos** u **oblatas.** ‖ **6.** f. Religiosa perteneciente a la congregación del Santísimo Redentor, fundada en España en el siglo XIX para librar a las jóvenes del peligro de la prostitución.

oblea. (Del lat. *oblāta,* a través del ant. fr. *oublée.*) f. Hoja muy delgada de masa de harina y agua, cocida en molde, y cuyos trozos, cuadrados o circulares, servían más generalmente para pegar sobres, cubiertas de oficios, cartas o para poner el sello en seco. ‖ **2.** Cada uno de estos trozos. ‖ **3.** Trocito por lo común circular, hecho de goma arábiga preparada en láminas y usado también para cerrar cartas. ‖ **4.** Hoja delgada de pan ázimo de la que se sacan las hostias y las formas. ‖ **5.** fig. y fam. Persona o animal extremadamente escuálidos o desmedrados. *Salir de la enfermedad hecho una* OBLEA.

obleera. f. Vaso o caja para obleas.

oblicuamente. adv. m. Con oblicuidad.

oblicuángulo. adj. *Geom.* Se dice de la figura o del poliedro en que no es recto ninguno de sus ángulos.

oblicuar. (Del lat. *obliquāre.*) tr. Dar a una cosa dirección oblicua con relación a otra. ‖ **2.** intr. *Mil.* Marchar con dirección diagonal por cualquiera de los flancos sin perder el frente de formación.

oblicuidad. (Del lat. *obliquĭtas, -ātis.*) f. Dirección al sesgo, al través, con inclinación. ‖ **2.** *Geom.* Inclinación que aparta del ángulo recto la línea o el plano que se considera respecto de otra u otro. ‖ **de la Eclíptica.** *Astron.* Ángulo que forma la Eclíptica con el Ecuador, y que en la actualidad es de 23 grados y 27 minutos.

oblicuo, cua. (Del lat. *obliquus.*) adj. Sesgado, inclinado al través o desviado de la horizontal. ‖ **2.** V. **ángulo, caso, cilindro, compás, cono, fuego oblicuo.** ‖ **3.** V. **ascensión, esfera oblicua.** ‖ **4.** *Geom.* Dícese del plano o línea que se encuentra con otro u otra, y hace con él o ella ángulo que no es recto.

obligación. (Del lat. *obligatĭo, -ōnis.*) f. Aquello que alguien está obligado a hacer. ‖ **2.** Imposición o exigencia moral que debe regir la voluntad libre. ‖ **3.** Vínculo que sujeta a hacer o abstenerse de hacer una cosa, establecido por precepto de ley, por voluntario otorgamiento o por derivación recta de ciertos actos. ‖ **4.** Correspondencia que uno debe tener y manifestar al beneficio que ha recibido de otro. ‖ **5.** Documento notarial o privado en que se reconoce una deuda o se promete su pago u otra prestación o entrega. ‖ **6.** Título, comúnmente amortizable, al portador y con interés fijo, que representa una suma prestada o exigible por otro concepto a la persona o entidad que lo emitió. ‖ **7.** Casa donde el obligado vendía el género que estaba de su cargo. ‖ **8.** Carga, miramiento, reserva o incumbencia inherentes al estado, a la dignidad o a la condición de una persona. ‖ **9.** pl. Familia que cada uno tiene que mantener, y particularmente la de los hijos y parientes. *Estar cargado de* OBLIGACIONES. ‖ **alternativa.** *Der.* Aquella que, entre varias prestaciones, puede pagarse con una sola y completa, correspondiendo la elección, por regla general, al deudor. ‖ **civil.** Por contraposición a la natural, aquella cuyo cumplimiento es exigible legalmente aunque no siempre sea valedera en conciencia. ‖ **de probar.** *Der.* Deber que impone la ley a una de las partes litigantes, generalmente al que afirma, de aportar las pruebas de sus asertos o alegaciones. ‖ **mancomunada.** *Der.* Aquella cuyo cumplimiento es exigible a dos o más deudores, o por dos o más acreedores, cada uno en su parte correspondiente. ‖ **natural.** *Der.* La que, siendo lícita en conciencia, no es, sin embargo, legalmente exigible por el acreedor, aunque puede producir algunos efectos jurídicos; como las deudas de menores, de mujer casada, las de juego o las ya prescritas. ‖ **pura.** *Der.* La que es perfecta y exigible desde luego, sin condición ni plazo. ‖ **solidaria.** *Der.* Aquella en que cada uno de los acreedores puede reclamar por sí la totalidad del crédito, o en que cada uno de los deudores está obligado a satisfacer la deuda entera, sin perjuicio del posterior abono o resarcimiento que el cobro o el plazo determinen entre el que la realiza y sus cointeresados. ‖ **constituirse** uno **en obligación de** una cosa. fr. Obligarse a ella. ‖ **correr obligación** a uno. fr. Estar obligado.

obligacionista. com. Portador o tenedor de una o varias obligaciones negociables.

obligado, da. (Del lat. *obligātus*.) p. p. de **obligar**. ‖ **2.** adj. Dícese de lo que es forzoso realizar por imposición legal, moral, social, etc. ‖ **3.** m. y f. *Der.* Persona que ha contraído legalmente una obligación a favor de otra. ‖ **4.** m. Persona a cuya cuenta corría el abastecer a un pueblo o ciudad de algún género; como carne, carbón, etc. ‖ **5.** *Mús.* Lo que canta o toca un músico como principal, acompañándole las demás voces e instrumentos.

obligamiento. m. ant. **obligación.**

obligar. (Del lat. *obligāre*.) tr. Mover e impulsar a hacer o cumplir una cosa; compeler, ligar. ‖ **2.** Ganar la voluntad de uno con beneficio u obsequios. ‖ **3.** Hacer fuerza en una cosa para conseguir un efecto. *Esta mecha no entra en la muesca sino* OBLIGÁNDOLA. ‖ **4.** *Der.* Sujetar los bienes al pago de deudas o al cumplimiento de otras prestaciones exigibles. ‖ **5.** prnl. Comprometerse a cumplir una cosa.

obligativo, va. adj. p. us. **obligatorio**[1].

obligatoriedad. f. Cualidad de obligatorio.

obligatorio[1]**, ria.** (Del lat. *obligatōrĭus*.) adj. Dícese de lo que obliga a su cumplimiento y ejecución.

obligatorio[2]**, ria.** m. y f. *Der.* Tenedor de una obligación contraída legalmente a su favor por otra persona.

obliteración. (Del lat. *oblitterātĭo, -ōnis*.) f. Acción y efecto de obliterar u obliterarse.

obliterador, ra. adj. Que cierra u obstruye.

obliterar. (Del lat. *oblitterāre*, olvidar, borrar.) tr. Anular, tachar, borrar. ‖ **2.** *Med.* Obstruir o cerrar un conducto o cavidad. Ú. t. c. prnl.

oblito. (Del lat. *oblītum*, olvidado.) m. *Cir.* Cuerpo extraño olvidado en el interior de un paciente durante una intervención quirúrgica.

oblongada. (De *oblongo*.) adj. V. **medula oblongada.**

oblongo, ga. (Del lat. *oblongus*.) adj. Más largo que ancho. ‖ **2.** V. **medula oblonga.**

obnoxio, xia. (Del lat. *obnoxĭus*, obligado, sujeto a algo.) adj. ant. Expuesto a contingencia o peligro.

obnubilación. (Del lat. *obnubilatĭo, -ōnis*.) f. Acción y efecto de obnubilar u obnubilarse. ‖ **2.** *Ópt.* Visión de los objetos como al través de una nube.

obnubilar. (Del lat. *obnubilāre*.) tr. Anublar, oscurecer, ofuscar. Ú. t. c. prnl.

oboe. (Del fr. *hautbois*.) m. Instrumento músico de viento, semejante a la dulzaina, de cinco a seis decímetros de largo, con seis agujeros y doce hasta trece llaves. Consta de tres trozos; el primero tiene en su extremidad superior un tudel que remata en una boquilla o lengüeta de caña; el tercero va ensanchando hasta terminar en figura de campana. ‖ **2.** Persona que ejerce o profesa el arte de tocar este instrumento.

óbolo. (Del gr. ὀβολός, a través del lat. *obŏlus*.) m. Peso que se usó en la antigua Grecia y era la sexta parte de la dracma, equivalente a cerca de seis decigramos. ‖ **2.** Moneda de plata de los antiguos griegos, que en Atenas era primitivamente de 72 centigramos. ‖ **3.** fig. Cantidad exigua con que se contribuye para un fin determinado. ‖ **4.** *Farm.* Medio escrúpulo, o sea 12 granos.

obra. f. Cosa hecha o producida por un agente. ‖ **2.** Cualquier producción del entendimiento en ciencias, letras o artes, y con particularidad la que es de alguna importancia. ‖ **3.** Tratándose de libros, volumen o volúmenes que contienen un trabajo literario completo. ‖ **4.** Edificio en construcción. *En este lugar hay muchas* OBRAS. ‖ **5.** Lugar donde se está construyendo algo, o arreglando el pavimento. ‖ **6.** Compostura o innovación que se hace en un edificio. *En casa de Pedro hay* OBRA. ‖ **7.** Medio, virtud o poder. *Por* OBRA *del Espíritu Santo*. ‖ **8.** Trabajo que cuesta, o tiempo que requiere, la ejecución de una cosa. *Esta pieza tiene mucha* OBRA. ‖ **9.** Labor que tiene que hacer un artesano. ‖ **10.** Acción moral, y principalmente la que se encamina al provecho del alma, o la que le hace daño. ‖ **11. derecho de fábrica.** ‖ **12.** V. **plomo de obra.** ‖ **13.** V. **carpintero de obra de afuera.** ‖ **14.** V. **maestro de obras.** ‖ **15.** V. **maestro de altas obras.** ‖ **16.** V. **alcalde de obras y bosques.** ‖ **17.** *Metal.* Parte estrecha y prismática de un horno alto situada inmediatamente encima del crisol. ‖ **coronada.** *Fort.* Una de las exteriores, que consta de dos medios baluartes y uno entero, trabados con dos cortinas. ‖ **de caridad.** La que se hace en bien del prójimo. ‖ **de El Escorial.** fig. y fam. Cosa que tarda mucho en terminarse. ‖ **de fábrica.** Puente, viaducto, alcantarilla u otra de las construcciones semejantes que se ejecutan en una vía de comunicación, acueducto, etc., diferentes de las explanaciones. ‖ **de manos.** La que se ejecuta interviniendo principalmente el trabajo manual. ‖ **de misericordia.** Cada uno de aquellos actos con que se socorre al necesitado, corporal o espiritualmente. ‖ **de romanos.** fig. Cualquier cosa que cuesta mucho trabajo y tiempo, o que es grande, perfecta y acabada en su línea. ‖ **de taller.** La realizada en un taller de artes plásticas, bajo la dirección del maestro, por los colaboradores y discípulos. ‖ **en pecado mortal.** fig. y fam. La que, o no consigue el fin que se intenta, o no tiene la correspondencia debida. ‖ **exterior.** *Fort.* La que se hace delante de la contraescarpa afuera para mayor defensa. ‖ **manual.** ant. Operación quirúrgica. ‖ **muerta.** *Mar.* Parte del casco de un barco, que está por encima de la línea de flotación. ‖ **2.** fig. *Rel.* Acción buena en sí, pero que por estar en pecado mortal el que la ejecuta, no es meritoria de la vida eterna. ‖ **pía.** Establecimiento piadoso para el culto de

Dios o el ejercicio de la caridad con el prójimo. ‖ **2.** fig. y fam. Cualquier cosa en que se halla utilidad. ‖ **prima. obra de zapatería** que se hace nueva, a distinción de la de componer y remendar el calzado. ‖ **2.** V. **maestro de obra prima.** ‖ **pública.** La que es de interés general y se destina a uso público; como camino, puerto, faro, etc. ‖ **2.** V. **ayudante de obras públicas.** ‖ **social.** Centro o institución con fines benéficos o culturales. ‖ **viva.** fig. Acción buena que se ejecuta en estado de gracia. ‖ **2.** *Mar.* **fondo,** parte de un buque que va debajo del agua. ‖ **buena obra. obra de caridad.** ‖ **alzar de obra.** fr. Entre obreros y trabajadores, suspender el trabajo. ‖ **de obra.** loc. adv. que con algunos verbos significa que la acción de estos se efectúa de manera material y corpórea, por oposición a la verbal o inmaterial. *Maltratar de palabra y* DE OBRA. ‖ **¡es obra!** exclam. con que se encarece la dificultad, trabajo o molestia de una cosa. ‖ **hacer mala obra.** fr. Causar incomodidad o perjuicio. ‖ **meter en obra** una cosa. fr. **ponerla por obra.** ‖ **obra de.** loc. adv. que sirve para determinar una cantidad sobre poco más o menos, cuando no se puede señalar a punto fijo. *En* OBRA DE *un mes se acaba la vendimia.* ‖ **poner por obra** una cosa. fr. Emprenderla; dar principio a ella. ‖ **seca está la obra.** expr. fam. y fest. con que los artífices u oficiales dan a entender al dueño de una **obra** que es menester remojarla dándoles para refrescar. ‖ **sentarse la obra.** fr. *Arq.* Enjugarse la humedad de la fábrica, y adquirir esta la unión y firmeza necesarias. ‖ **tomar uno una obra.** fr. Encargarse de ella, concertándola para ponerla en ejecución. ‖ **¡ya es obra!** exclam. **¡es obra!**

obrada. f. Labor que en un día hace un hombre cavando la tierra, o una yunta arándola. ‖ **2.** Medida agraria usada en las provincias de Palencia, Segovia y Valladolid, en equivalencia, respectivamente, de 53 áreas y 832 miliáreas, de 39 áreas y 303 miliáreas y de 46 áreas y 582 miliáreas.

obrador, ra. (Del lat. *operátor, -óris.*) adj. Que obra. Ú. t. c. s. ‖ **2.** m. Taller¹ artesanal, especialmente el de confitería y repostería.

obradura. (De *obrar.*) f. Lo que de cada vez se exprime en el molino de aceite en cada prensa.

obraje. m. Obra hecha a mano o con una máquina. ‖ **2.** Oficina o paraje donde se labran paños y otras cosas para el uso común. ‖ **3.** Prestación de trabajo que se imponía a los indios de América, y que las leyes procuraron extinguir.

obrajero. m. Capataz o jefe que gobierna la gente que trabaja en una obra.

obrar. (Del lat. *operári.*) tr. Hacer una cosa, trabajar en ella. ‖ **2.** Ejecutar o practicar una cosa no material. ‖ **3.** Causar, producir o hacer efecto una cosa. ‖ **4.** Construir, edificar, hacer una obra. ‖ **5.** intr. Evacuar el vientre, defecar. ‖ **6.** Existir una cosa en sitio determinado. *El expediente* OBRA *en poder del fiscal.*

obregón. m. Cada uno de los miembros de la congregación de hospitalarios fundada en Madrid por don Bernardino de Obregón, en el año 1565. Ú. m. en pl.

obrepción. (Del lat. *obreptio, -ónis,* introducción furtiva.) f. *Der.* Falsa narración de un hecho, que se hace al superior para sacar o conseguir de él un rescripto, empleo o dignidad, de modo que oculta el impedimento que haya para su logro.

obrepticiamente. adv. m. De manera obrepticia.

obrepticio, cia. (Del lat. *obreptitius.*) adj. *Der.* Que se pretende o consigue mediante obrepción.

obrería. f. Cargo de obrero. ‖ **2.** Renta destinada para la fábrica de una iglesia o de otras comunidades. ‖ **3.** Cuidado de ella. ‖ **4.** Sitio u oficina destinada para este despacho.

obrerismo. m. Régimen económico fundado en el predominio del trabajo obrero como elemento de producción

y creador de riqueza. ‖ **2.** Conjunto de los obreros, considerado como entidad económica. ‖ **3.** Conjunto de actitudes y doctrinas sociales encaminadas a mejorar las condiciones de vida de los obreros.

obrerista. adj. Dícese de lo que se relaciona o pertenece al obrerismo.

obrero, ra. (Del lat. *operarius.*) adj. Que trabaja. Ú. t. c. s. ‖ **2.** Perteneciente o relativo al trabajador. ‖ **3.** V. **abeja obrera.** ‖ **4.** m. y f. Trabajador manual retribuido. ‖ **5.** m. El que cuida de las obras en las iglesias o comunidades; en algunas catedrales es dignidad. ‖ **6.** Dignidad de las órdenes militares que asiste a las juntas; en lo antiguo cuidaba del convento, y, en defecto de los comendadores mayores, era capitán de lanzas. ‖ **7.** Dezmero que en algunas partes pagaba directamente su cuota a la obrería de la iglesia catedral. ‖ **8.** ant. El que ejecutaba obras bajo la dirección de un arquitecto; maestro de obras, aparejador. ‖ **9.** ant. El que obraba o hacía una cosa. ‖ **de villa. albañil.**

obrizo. (Del gr. ὄβρυζον, a través del lat. *obrȳzum.*) adj. V. **oro obrizo.**

obscenamente. adv. m. Impuramente, con torpeza y lascivia, de manera indecente.

obscenidad. (Del lat. *obscenítas, -átis.*) f. Calidad de obsceno. ‖ **2.** Cosa obscena. *Decir* OBSCENIDADES; *libro lleno de* OBSCENIDADES.

obsceno, na. (Del lat. *obscēnus.*) adj. Impúdico, torpe, ofensivo al pudor. *Hombre, poeta* OBSCENO; *canción, pintura* OBSCENA.

obscuración. (Del lat. *obscuratio, -ónis.*) f. **oscuridad.**

obscuramente. adv. m. **oscuramente.**

obscurantismo. m. **oscurantismo.**

obscurantista. adj. **oscurantista.** Apl. a pers., ú. t. c. s.

obscurar. (Del lat. *obscurāre.*) tr. e intr. ant. **oscurecer.** Usáb. t. c. prnl.

obscurecer. (De *obscuro.*) tr. **oscurecer.**

obscurecimiento. m. **oscurecimiento.**

obscuridad. (Del lat. *obscurítas, -átis.*) f. **oscuridad.**

obscuro, ra. (Del lat. *obscūrus.*) adj. **oscuro.**

obsecración. (Del lat. *obsecratio,* deprecación.) f. Ruego, instancia.

obsecuencia. (Del lat. *obsequentía.*) f. Sumisión, amabilidad, condescendencia.

obsecuente. (Del lat. *obsēquens, -entis.*) adj. Obediente, rendido, sumiso.

obsequiador, ra. adj. Que obsequia. Ú. t. c. s.

obsequiante. p. a. de **obsequiar.** Que obsequia. Ú. t. c. s.

obsequiar. tr. Agasajar a uno con atenciones, servicios o regalos. ‖ **2.** Enamorar, requebrar a una mujer, galantear.

obsequias. (Del lat. *obsequías,* acus. pl. de *-ae.*) f. pl. ant. Honras funerales, exequias. ‖ **2.** ant. Canto fúnebre en alabanza o memoria de un difunto.

obsequio. (Del lat. *obsequĭum.*) m. Acción de obsequiar. ‖ **2.** Regalo que se hace. ‖ **3.** Rendimiento, deferencia, afabilidad. ‖ **en obsequio a, en obsequio de.** locs. preps. **en atención a.**

obsequiosamente. adv. m. Con reverencia, cortejo y acatamiento.

obsequiosidad. f. Cualidad de obsequioso.

obsequioso, sa. (Del lat. *obsequiósus.*) adj. Rendido, cortesano y dispuesto a hacer la voluntad de otro.

observable. (Del lat. *observabílis.*) adj. Que se puede observar.

observación. (Del lat. *observatio, -ónis.*) f. Acción y efecto de observar. ‖ **2.** *Mar.* V. **punto de observación.**

observador, ra. (Del lat. *observātor, -óris.*) adj. Que observa. Ú. t. c. s. ‖ **2.** m. y f. Persona que es admitida en congresos, reuniones científicas, literarias, etc., sin ser miembro de pleno derecho. ‖ **3.** m. En los primeros tiempos de la aviación militar, tripulante de un vehículo aéreo, auxiliar de navegación y encargado de la exploración y reconocimiento.

observancia. (Del lat. *observantĭa*.) f. Cumplimiento exacto y puntual de lo que se manda ejecutar; como ley, religión, estatuto o regla. ‖ **2.** En algunas órdenes religiosas se denomina así el estado antiguo de ellas, a distinción de la reforma. ‖ **3.** Reverencia, honor, acatamiento que hacemos a los mayores y a las personas superiores y constituidas en dignidad. ‖ **4.** *Der.* En el antiguo derecho aragonés, práctica, uso o costumbre recogida y autorizada con fuerza de ley por compilación oficial. ‖ **regular observancia. observancia,** estado antiguo de una orden religiosa. ‖ **poner en observancia** una cosa. fr. Hacer ejecutar puntualmente y que se observe con todo rigor lo que se manda, impone y ordena.

observante. (Del lat. *observans, -antis*.) p. a. de **observar.** Que observa o cumple lo mandado. ‖ **2.** adj. Dícese del religioso de ciertas familias de la orden de San Francisco, y de estas mismas familias. Apl. a pers., ú. t. c. s. ‖ **3.** Dícese también de algunas religiones, a diferencia de las reformadas.

observar. (Del lat. *observāre*.) tr. Examinar atentamente. OBSERVAR *los síntomas de una enfermedad;* OBSERVAR *la conducta de uno.* ‖ **2.** Guardar y cumplir exactamente lo que se manda y ordena. ‖ **3.** Advertir, reparar. ‖ **4.** Mirar con atención y recato, atisbar. ‖ **5.** *Astron.* Contemplar atentamente a la simple vista, o con el auxilio de instrumentos, los astros, con objeto de determinar su naturaleza física y las leyes de su movimiento. ‖ **6.** *Meteor.* Estudiar los fenómenos meteorológicos con fines científicos o útiles para la vida.

observatorio. (De *observar*.) m. Lugar o posición que sirve para hacer observaciones. ‖ **2.** Edificio con inclusión del personal e instrumentos apropiados y dedicados a observaciones, por lo común astronómicas o meteorológicas.

obsesión. (Del lat. *obsessĭo, -ōnis,* asedio.) f. Perturbación anímica producida por una idea fija. ‖ **2.** Idea que con tenaz persistencia asalta la mente.

obsesionar. tr. Causar obsesión. Ú. t. c. prnl.

obsesivo, va. adj. Perteneciente o relativo a la obsesión.

obseso, sa. (Del lat. *obsessus,* p. p. de *obsidēre,* cercar, asediar.) adj. Que padece obsesión. Ú. t. c. s.

obsidiana. (Del lat. *obsidiāna lapis*.) f. Mineral volcánico vítreo, de color negro o verde muy oscuro. Es un feldespato fundido naturalmente, y los indios americanos hacían de él armas cortantes, flechas y espejos.

obsidional. (Del lat. *obsidionālis*.) adj. Perteneciente o relativo al sitio de una plaza. ‖ **2.** V. **corona, línea, moneda obsidional.**

obsolescencia. f. Cualidad o condición de obsolescente.

obsolescente. (Del lat. *obsolescens, -entis*.) adj. Que está volviéndose obsoleto, que está cayendo en desuso.

obsoleto, ta. (Del lat. *obsolētus*.) adj. Poco usado. ‖ **2.** Anticuado, inadecuado a las circunstancias actuales.

obstaculizar. tr. Impedir o dificultar la consecución de un propósito.

obstáculo. (Del lat. *obstacŭlum*.) m. Impedimento, dificultad, inconveniente. ‖ **2.** En algunos deportes, cada una de las dificultades que presenta una pista.

obstancia. (Del lat. *obstantĭa*.) f. ant. **objeción.**

obstante. p. a. de **obstar.** Que obsta. ‖ **no obstante.** loc. conjunt. Sin embargo, sin que estorbe ni perjudique para una cosa.

obstar. (Del lat. *obstāre*.) intr. Impedir, estorbar, hacer con-

tradicción y repugnancia. ‖ **2.** impers. Oponerse o ser contraria una cosa a otra.

obstetra. (De *obstetricia,* por analogía con *terapeuta, pediatra,* etc.) com. *Med.* Tocólogo.

obstetricia. (De lat. *obstetricĭa*.) f. *Med.* Parte de la medicina, que trata de la gestación, el parto y el puerperio.

obstétrico, ca. adj. Perteneciente o relativo a la obstetricia.

obstinación. (Del lat. *obstinatĭo, -ōnis*.) f. Pertinacia, porfía, terquedad.

obstinadamente. adv. m. Terca y porfiadamente; con pertinacia y tenacidad en el ánimo.

obstinado, da. p. p. de **obstinarse.** ‖ **2.** adj. Perseverante, tenaz.

obstinarse. (Del lat. *obstināri*.) prnl. Mantenerse uno en su resolución y tema; porfiar con necedad y pertinacia, sin dejarse vencer por los ruegos y amonestaciones razonables, ni por obstáculos o reveses. ‖ **2.** Negarse el pecador a las persuasiones cristianas.

obstrucción. (Del lat. *obstructĭo. -ōnis*.) f. Acción y efecto de obstruir u obstruirse. ‖ **2.** En asambleas políticas u otros cuerpos deliberantes, táctica enderezada a impedir o retardar los acuerdos. ‖ **3.** *Med.* Impedimento para el paso de las materias sólidas, líquidas o gaseosas en las vías del cuerpo.

obstruccionismo. m. Ejercicio de la obstrucción en asambleas deliberantes.

obstruccionista. adj. Que practica el obstruccionismo. Apl. a pers., ú. t. c. s. ‖ **2.** Perteneciente o relativo al obstruccionismo.

obstructor, ra. adj. Que obstruye. Ú. t. c. s.

obstruir. (Del lat. *obstruĕre*.) tr. Estorbar el paso, cerrar un conducto o camino. ‖ **2.** Impedir la acción. ‖ **3.** fig. Impedir la operación de un agente, sea en lo físico, sea en lo inmaterial. ‖ **4.** prnl. Cerrarse o taparse un agujero, grieta, conducto, etc.

obtemperar. (Del lat. *obtemperāre*.) tr. Obedecer, asentir.

obtención. (Del lat. *obtentĭo, -ōnis*.) f. Acción y efecto de obtener.

obtener. (Del lat. *obtinēre*.) tr. Alcanzar, conseguir y lograr una cosa que se merece, solicita o pretende. ‖ **2.** Tener, conservar y mantener. ‖ **3.** Fabricar o extraer un material o un producto con ciertas cosas o de cierta manera.

obtenible. adj. Que puede obtenerse.

obtento. (Del lat. *obtentus,* poseído, ocupado.) m. En la cancelaría, renta eclesiástica, como beneficio, curato, préstamo, canonjía, etc., que sirve de congrua.

obtentor. (De *obtento*.) adj. Dícese del que obtiene o ha obtenido una cosa, y especialmente del que posee un beneficio eclesiástico.

obtestación. (Del lat. *obtestatĭo, -ōnis*.) f. *Ret.* Figura que consiste en poner por testigo de una cosa a Dios, a los hombres, a la naturaleza, a las cosas inanimadas, etc.

obturación. (Del lat. *obturatĭo, -ōnis*.) f. Acción y efecto de obturar.

obturador, ra. adj. Dícese de lo que sirve para obturar. Ú. t. c. s. m. ‖ **2.** m. *Fotogr.* Dispositivo mecánico de la cámara fotográfica por el que se controla el tiempo de exposición de la película a la luz.

obturar. (Del lat. *obturāre*.) tr. Tapar o cerrar una abertura o conducto introduciendo o aplicando un cuerpo.

obtusángulo. (De *obtuso y ángulo*.) adj. *Geom.* V. **triángulo obtusángulo.**

obtuso, sa. (Del lat. *obtūsus,* p. p. de *obtundĕre,* despuntar, embotar.) adj. Romo, sin punta. ‖ **2.** fig. Torpe, tardo de comprensión. ‖ **3.** *Geom.* V. **ángulo obtuso.**

obué. m. oboe.

obús. (Del fr. *obus,* y este del al. *haubitze,* de origen checo.) m. *Mil.* Pieza de artillería de menor longitud que el cañón en relación a su calibre. ‖ **2.** En uso no técnico, designa cualquier proyectil disparado por una pieza de artillería. ‖ **3.** V. **cañón obús.** ‖ **4.** *Automov.* Piececita que sirve de cierre a la válvula del neumático, y está formada principalmente de un obturador cónico y de un resorte.

obusera. (De *obús*.) adj. V. **lancha obusera.** Ú. t. c. s.

obvención. (Del lat. *obventĭo, -ōnis*.) f. Utilidad, fija o eventual, además del sueldo que se disfruta. Ú. m. en pl.

obvencional. adj. Perteneciente o relativo a la obvención.

obviamente. adv. m. De manera obvia; sin dificultad, sin duda alguna.

obviar. (Del lat. *obviāre*.) tr. Evitar, rehuir, apartar y quitar de en medio obstáculos o inconvenientes. ‖ **2.** intr. p. us. Obstar, estorbar, oponerse.

obvio, via. (Del lat. *obvĭus*.) adj. Que se encuentra o pone delante de los ojos. ‖ **2.** fig. Muy claro o que no tiene dificultad.

obyecto, ta. (Del lat. *obiectus*, p. p. de *obiicĕre*, poner delante.) adj. ant. Interpuesto, intermedio, puesto delante. ‖ **2.** m. Objeción o réplica.

oc. (Del prov. *oc*, sí, y este del lat. *hoc*, neutro de *hic*.) V. **lengua de oc.**

oca[1]. (Del lat. vulg. *auca*.) f. Ganso, ave; ánsar. ‖ **2.** Juego que consiste en una serie de 63 casillas, ordenadas en espiral, pintadas sobre un cartón o tabla. Estas casillas representan objetos diversos: cada nueve, desde el uno, hay representado un ganso u *oca*, y en algunas de ellas ríos, pozos y otros puntos de azar: los dados deciden la suerte.

oca[2]. (Del quechua *oqa*.) f. Planta anual de la familia de las oxalidáceas, con tallo herbáceo, erguido y ramoso; hojas compuestas de tres hojuelas ovales; flores pedunculadas, amarillas, con estrías rojas y pétalos dentados, y raíz con tubérculos feculentos, casi cilíndricos, de color amarillo y sabor parecido al de la castaña, que en el Perú se comen cocidos. ‖ **2.** Raíz de esta planta.

ocal. (De *hueco*.) adj. Dícese de ciertas peras y manzanas muy gustosas y delicadas, de otras frutas y de cierta especie de rosas. ‖ **2.** V. **capullo ocal.** Ú. t. c. s. ‖ **3.** V. **seda ocal.** Ú. t. c. s.

ocalear. intr. Hacer los gusanos los capullos ocales.

ocapi. m. **okapi.**

ocarina. (Del it. *ocarina*, der. de *oca*, del lat. *auca*.) f. Instrumento músico de forma ovoide más o menos alargada y de varios tamaños, con ocho agujeros que modifican el sonido según se tapan con los dedos. Es de timbre muy dulce.

ocasión. (Del lat. *occasĭo, -ōnis*.) f. Oportunidad o comodidad de tiempo o lugar, que se ofrece para ejecutar o conseguir una cosa. ‖ **2.** Causa o motivo por que se hace o acaece una cosa. ‖ **3.** Peligro o riesgo. ‖ **4.** ant. Defecto o vicio corporal. ‖ **próxima.** *Teol.* Aquella en que siempre o casi siempre se cae en la culpa, por la cual en conciencia induce grave obligación de evitarla. ‖ **remota.** *Teol.* Aquella que de suyo no induce a pecado, por lo cual no hay obligación grave de evitarla. ‖ **asir, coger,** o **tomar, la ocasión por el copete, por la melena,** o **por los cabellos.** fr. fig. y fam. Aprovechar con avidez una **ocasión** o coyuntura. ‖ **de ocasión.** loc. adv. **de lance.**

ocasionadamente. adv. m. Con tal motivo.

ocasionado, da. p. p. de **ocasionar.** ‖ **2.** adj. Provocativo, molesto y mal acondicionado; que por su naturaleza y genio da fácilmente causa a desazones y riñas. ‖ **3.** Expuesto a contingencias y peligros. ‖ **4.** ant. Defectuoso, imperfecto, o que tiene un vicio corporal.

ocasionador, ra. adj. Dícese del que ocasiona. Ú. t. c. s.

ocasional. adj. Dícese de lo que ocasiona. ‖ **2.** Que sobreviene por una ocasión o accidentalmente.

ocasionalmente. adv. m. Por ocasión o contingencia.

ocasionar. tr. Ser causa o motivo para que suceda una cosa. ‖ **2.** Mover o excitar. ‖ **3.** Poner en riesgo o peligro.

ocaso. (Del lat. *occāsus*.) m. Puesta del Sol, o de otro astro, al transponer el horizonte. ‖ **2.** Occidente, punto cardinal. ‖ **3.** fig. Decadencia, declinación, acabamiento.

occidental. (Del lat. *occidentālis*.) adj. Perteneciente o relativo al occidente. ‖ **2.** V. **bezoar, cuadrante, hemisferio, jacinto, turquesa occidental.** ‖ **3.** *Astron.* Dícese del planeta que se pone después de puesto el Sol. ‖ **4.** Natural de occidente. Ú. t. c. s.

occidente. (Del lat. *occĭdens, -entis*, p. a. de *occidĕre*, caer.) n. p. m. Punto cardinal del horizonte por donde se pone el Sol en los días equinocciales. ‖ **2.** fig. Conjunto de naciones de la parte occidental de Europa. ‖ **3.** m. Lugar de la esfera celeste o región de la Tierra que, respecto de otro con el cual se compara, cae hacia donde se pone el Sol. ‖ **4.** fig. Conjunto de países de varios continentes, cuyas lenguas y culturas tienen su origen principal en Europa.

occiduo, dua. (Del lat. *occidŭus*.) adj. Perteneciente o relativo al ocaso.

occipital. (Del lat. *occĭput, -ĭtis*, nuca.) adj. Perteneciente o relativo al occipucio. ‖ **2.** *Anat.* V. **ángulo occipital.** ‖ **3.** *Anat.* V. **hueso occipital.** Ú. t. c. s.

occipucio. (Del cruce del lat. *occĭput, -ĭtis* y *occipitĭum*, de una misma significación, occipucio.) m. Parte de la cabeza por donde esta se une con las vértebras del cuello.

occisión. (Del lat. *occisĭo, -ōnis*.) f. Muerte violenta.

occiso, sa. (Del lat. *occīsus*, p. p. de *occidĕre*, matar.) adj. Muerto violentamente.

occitánico, ca. adj. Perteneciente o relativo a Occitania.

occitano, na. adj. Natural de Occitania. Ú. t. c. s. ‖ **2.** Perteneciente o relativo a esta antigua región del mediodía de Francia. ‖ **3.** m. **lengua de oc.**

oceánico, ca. adj. Perteneciente o relativo al océano.

oceanicultura. f. Cultivo de las plantas y animales oceánicos, como alimento o para otros fines.

oceánidas. f. pl. Ninfas del mar, hijas del dios Océano.

océano. (Del lat. *oceănus*.) m. Grande y dilatado mar que cubre la mayor parte de la superficie terrestre. ‖ **2.** Cada una de las grandes subdivisiones de este mar. OCÉANO *Atlántico, Pacífico, Índico, Boreal, Austral.* ‖ **3.** fig. Inmensidad de algunas cosas.

oceanografía. (De *océano* y *-grafía*.) f. Ciencia que estudia los mares y sus fenómenos, así como la fauna y la flora marinas.

oceanográfico, ca. adj. Perteneciente o relativo a la oceanografía.

ocelado, da. adj. Que tiene ocelos.

ocelo. (Del lat. *ocellus*, ojito.) m. *Zool.* Cada ojo simple de los que forman un ojo compuesto de los artrópodos. ‖ **2.** Mancha redonda y bicolor en las alas de algunos insectos o en las plumas de ciertas aves.

ocelote. (Del azteca *ocelotl*, tigre.) m. Mamífero carnívoro americano, de la familia de los félidos, de pequeño tamaño. Mide poco más de un metro del hocico a la cola y apenas 50 centímetros de alto; su cuerpo es proporcionado y esbelto, su pelo brillante, suave y con dibujos de varios matices. Vive en los bosques más espesos, caza de noche y se alimenta de aves y mamíferos pequeños, monos, ratas, etc. Puede domesticarse.

ocena. (Del gr. ὄζαινα, hedor, a través del lat. *ozaena*.) f. *Med.* Fetidez patológica de la membrana pituitaria.

ociar. (Del lat. *otiāri*.) tr. ant. Divertir a uno del trabajo en que está empleado, haciéndole que se entretenga en otra cosa que le deleite. ‖ **2.** intr. Dejar el trabajo, darse al ocio. Ú. t. c. prnl.

ocio. (Del lat. *otĭum*.) m. Cesación del trabajo, inacción o total omisión de la actividad. ‖ **2.** Tiempo libre de una persona. ‖ **3.** Diversión u ocupación reposada, especialmente en obras de ingenio, porque estas se toman regularmente por descanso de otras tareas. ‖ **4.** pl. Obras de ingenio que uno forma en los ratos que le dejan libres sus principales ocupaciones.

ociosamente. adv. m. Sin ocupación o ejercicio. ‖ **2.** Sin fruto ni utilidad. ‖ **3.** Sin necesidad.

ociosidad. (Del lat. *otiosĭtas, -ātis.*) f. Vicio de no trabajar, perder el tiempo o gastarlo inútilmente. ‖ **2.** Efecto del ocio, como juegos, diversiones, etc.

ocioso, sa. (Del lat. *otiōsus.*) adj. Dícese de la persona que está sin trabajo o sin hacer alguna cosa. Ú. t. c. s. ‖ **2.** Que no tiene uso ni ejercicio de aquello a que está destinado. ‖ **3.** Desocupado o exento de hacer cosa que le obligue. Ú. t. c. s. ‖ **4.** Inútil, sin fruto, provecho ni sustancia. ‖ **5.** V. **palabra ociosa.**

ocle. f. *Ast.* Alga, sargazo.

oclocracia. (Del gr. ὀχλοκρατία.) f. Gobierno de la muchedumbre o de la plebe.

ocluir. (Del lat. *occludĕre,* cerrar.) tr. *Med.* Cerrar un conducto, como un intestino, con algo que lo obstruya, o una abertura, como la de los párpados, de modo que no se pueda abrir naturalmente. Ú. t. c. prnl.

oclusión. (Del lat. *occlusĭo, -ōnis.*) f. Acción y efecto de ocluir u ocluirse. ‖ **2.** *Fon.* Cierre completo del canal vocal de una articulación.

oclusivo, va. (Del lat. *occlūsus.*) adj. Perteneciente o relativo a la oclusión. ‖ **2.** Que la produce. ‖ **3.** *Fon.* Dícese del sonido en cuya articulación los órganos de la palabra forman en algún punto del canal vocal un contacto que interrumpe la salida del aire espirado. ‖ **4.** *Fon.* Dícese de la letra que representa este sonido; como *p, t, k.* Ú. t. c. s. f.

ocluso, sa. (Del lat. *occlūsus,* p. p. de *occludĕre,* cerrar.) adj. V. **aire ocluso.**

ocotal. m. Sitio poblado de ocotes.

ocote. (Del azteca *ocotl,* tea.) m. *Guat.* y *Méj.* Especie de pino muy resinoso, cuya madera, hecha rajas, sirve para encender.

ocozoal. (Del mejic., o esa, y *coatl,* serpiente.) m. Culebra de cascabel de Méjico, de unos dos metros de longitud, lomo pardo con manchas irregulares negruzcas y vientre amarillento rojizo.

ocozol. (Del náhuatl *ocotl,* ocote, y *zotl,* sudor.) m. Árbol norteamericano de la familia de las hamamelidáceas, de unos 15 metros de altura, con tronco grueso y liso, copa grande y espesa, hojas alternas, pecioladas y partidas en cinco lóbulos dentellados; flores verdosas unisexuales, apétalas, y fruto capsular. El tronco y las ramas exudan el liquidámbar.

ocráceo, a. adj. Que participa de las cualidades del ocre, especialmente del color.

ocre. (Del gr. ὤχρα, de ὠχρός, amarillo, a través del lat. *ochra.*) m. Mineral terroso, deleznable, de color amarillo, que es un óxido de hierro hidratado, frecuentemente mezclado con arcilla. Se usa como mena de hierro y se emplea en pintura. ‖ **2.** Cualquier mineral terroso que tenga color amarillo. ocre *de antimonio, de bismuto, de níquel.* ‖ **3.** Color de cualquiera de estos minerales. ‖ **calcinado, o quemado.** El que por la acción del fuego se convierte en almagre artificial. ‖ **rojo.** Óxido rojo de hierro, almagre. ‖ **tostado. ocre calcinado.**

octacordio. (Del lat. *octachordos.*) m. Instrumento músico griego antiguo que tenía ocho cuerdas. ‖ **2.** Sistema musical compuesto de ocho sonidos.

octaédrico, ca. adj. Perteneciente o relativo al octaedro o de su figura.

octaedro. (Del gr. ὀκτάεδρος, a través del lat. *octaĕdros.*) m.

Geom. Poliedro regular de ocho caras o planos, que son otros tantos triángulos.

octagonal. adj. Perteneciente o relativo al octágono.

octágono, na. (Del gr. ὀκτάγωνος, a través del lat. *octagōnos.*) adj. *Geom.* Aplícase al polígono de ocho ángulos y ocho lados. Ú. t. c. s. m.

octanaje. f. Número de octanos de un carburante.

octano. (Del lat. *octo,* ocho, y la term. de *metano.*) m. Unidad en que se expresa el poder antidetonante de la gasolina o de otros carburantes en relación con cierta mezcla de hidrocarburos que se toma como base. ‖ **2.** V. **índice de octano.**

octante. (Del lat. *octans, -antis,* la octava parte.) m. Instrumento astronómico de la especie del quintante y del sextante, y de análoga aplicación, cuyo sector comprende solo 45 grados o la octava parte del círculo.

octava. (Del lat. *octava.*) f. Espacio de ocho días, durante los cuales celebra la Iglesia una fiesta solemne o hace conmemoración del objeto de ella. ‖ **2.** Último de los ocho días. ‖ **3.** Librito en que se contiene el rezo de una **octava;** como la de Pentecostés, Epifanía, etc. ‖ **4.** Combinación métrica de ocho versos endecasílabos, en que los seis primeros riman alternamente y los dos últimos forman un pareado. ‖ **5.** Toda combinación de ocho versos, cualquiera que sea el número de sílabas de que estos se compongan y el modo de estar en ella ordenados los consonantes. ‖ **6.** Impuesto que por consumos se cobraba antiguamente y era una azumbre por cada arroba de vino, aceite o vinagre. ‖ **7.** *Mús.* Sonido que forma la consonancia más sencilla y perfecta con otro, y en la **octava** alta es producido por un número exactamente doble de vibraciones que este. ‖ **8.** *Mús.* Serie diatónica que incluyen los siete sonidos constitutivos de una escala y la repetición del primero de ellos. ‖ **aguda. octava italiana.** ‖ **cerrada.** Entre los eclesiásticos, la que no admite ni da lugar al rezo de otro santo o festividad alguna; como la de Pentecostés. ‖ **de culebrina. falconete.** ‖ **italiana.** Estrofa de ocho versos heptasílabos o endecasílabos en la que el cuarto y el octavo son agudos y riman entre sí. ‖ **real. octava** de versos endecasílabos. ‖ **rima. octava real.**

octavar. intr. Deducir la octava parte de las especies que estaban sujetas al pago del tributo llamado millones. ‖ **2.** *Mús.* Formar octavas o diapasones en los instrumentos de cuerdas.

octavario. m. Período de ocho días. ‖ **2.** Fiesta que se hace en los ocho días de una octava.

octaviano, na. (Del lat. *octaviānus.*) adj. Perteneciente o relativo a Octavio César Augusto. ‖ **2.** V. **paz octaviana.**

octavilla. (d. de *octava.*) f. Octava parte de un pliego de papel. ‖ **2.** Volante de propaganda política o social. ‖ **3.** Impuesto que por consumos se cobraba antiguamente en las ventas por menor, y era de medio cuartillo por cada azumbre de vino, aceite o vinagre. ‖ **4.** Estrofa de ocho versos de arte menor.

octavín. (De *octavo.*) m. **flautín.**

octavo, va. (Del lat. *octāvus.*) adj. Que sigue inmediatamente en orden al o a su séptimo. ‖ **2.** Dícese de cada una de las ocho partes iguales en que se divide un todo. Ú. t. c. s. ‖ **de final.** Cada una de las ocho competiciones cuyos ganadores pasan a los cuartos de final de un campeonato o concurso que se gana por eliminación del contrario y no por puntos. Ú. m. en pl. ‖ **en octavo.** loc. adj. Dícese del libro, folleto, etc., de papel de tina, cuyas hojas corresponden a ocho por pliego. Dícese también de otros libros cuya altura es de dieciséis a veintidós centímetros. Cuando la altura mide dieciséis o más, dícese en octavo **marquilla.** ‖ **en octavo mayor.** loc. adj. En octavo que exceda a la marca ordinaria de este tamaño. ‖ **en octavo menor.** loc. adj. En octavo más pequeño que la dicha marca.

octeto. (Del lat. *octo,* ocho.) m. *Mús.* Composición para ocho instrumentos u ocho voces. ‖ **2.** *Mús.* Conjunto de estos ocho instrumentos o voces.

octingentésimo, ma. (Del lat. *octingentesimus.*) adj. Que sigue inmediatamente en orden al o a lo septingentésimo nonagésimo nono. ‖ **2.** Dícese de cada una de las 800 partes iguales en que se divide un todo. Ú. t. c. s.

octocoralario. adj. *Zool.* Dícese de los celentéreos antozoos cuya boca está rodeada por ocho tentáculos; como el alción. Ú. t. c. s. ‖ **2.** m. pl. *Zool.* Orden de estos animales.

octogenario, ria. (Del lat. *octogenarius.* del distrib. *octogeni,* ochenta.) adj. Que ha cumplido la edad de ochenta años y no llega a la de noventa. Ú. t. c. s.

octogésimo, ma. (Del lat. *octogesimus.*) adj. Que sigue inmediatamente en orden al o a lo septuagésimo nono. ‖ **2.** Dícese de cada una de las 80 partes iguales en que se divide un todo. Ú. t. c. s.

octogonal. adj. Perteneciente o relativo al octógono.

octógono, na. (Del lat. *octogonus.*) adj. *Geom.* Aplícase al polígono de ocho ángulos y ocho lados, octágono. Ú. t. c. s. m.

octópodo, da. (Del gr. ὀκτώ, ocho, y πούς, ποδός, pie.) adj. *Zool.* Dícese de los moluscos cefalópodos dibranquiales que, como el pulpo, tienen ocho tentáculos provistos de ventosas, todos aproximadamente iguales. Ú. t. c. s. ‖ **2.** m. pl. *Zool.* Orden de estos animales.

octosilábico, ca. adj. De ocho sílabas. ‖ **2.** Perteneciente o relativo al verso octosílabo; escrito en versos octosílabos.

octosílabo, ba. (Del lat. *octosyllabus.*) adj. De ocho sílabas. ‖ **2.** m. Verso que tiene ocho sílabas.

octóstilo, la. (Del lat. *octo* y *stylus,* columna.) adj. *Arq.* Que tiene ocho columnas.

octubre. (Del lat. *October, -bris.*) m. Décimo mes del año. Tiene treinta y un días.

óctuple. adj. Que contiene ocho veces una cantidad.

óctuplo, pla. adj. **óctuple.**

ocuje. m. *Cuba.* **calambuco,** árbol.

ocular. (Del lat. *ocularis.*) adj. Perteneciente o relativo a los ojos. ‖ **2.** Aplícase a lo que se hace por medio de ellos. ‖ **3.** V. **inspección, testigo ocular.** ‖ **4.** m. *Ópt.* Sistema de lentes que a fin de ampliar la imagen real dada por el objetivo, se coloca en el extremo de un instrumento por el que mira el observador. ‖ **celeste.** El que invierte la imagen de los objetos. ‖ **del alza.** *Art.* Pieza metálica, móvil o fija, en el extremo superior del alza, con un taladro en su parte media, por el cual se dirigen las visuales que, pasando por la mira, han de terminar en el objeto que se pretende batir. ‖ **negativo.** *Astron.* El que aumenta la imagen objetiva formada dentro de su sistema óptico. ‖ **positivo.** *Astron.* El que aumenta la imagen objetiva formada delante de su sistema óptico. ‖ **terrestre.** El que, constituido por dos o más lentes, endereza la imagen invertida en los anteojos y telescopios.

ocularista. m. Fabricante de ojos artificiales.

ocularmente. adv. m. Con inspección material de la vista.

oculista. com. Especialista en las enfermedades de los ojos.

ocultación. (Del lat. *occultatio, -onis.*) f. Acción y efecto de ocultar u ocultarse.

ocultador, ra. adj. Que oculta. Ú. t. c. s.

ocultamente. adv. m. Con secreto, y sin que se entienda ni perciba. ‖ **2.** Escondidamente, sin ser visto ni oído.

ocultar. (Del lat. *occultare.*) tr. Esconder, tapar, disfrazar, encubrir a la vista. Ú. t. c. prnl. y en sent. fig. ‖ **2.** Reservar el Santísimo Sacramento. ‖ **3.** Callar advertidamente lo que se pudiera o debiera decir, o disfrazar la verdad.

ocultis (de). loc. adv. fam. Oculta, disimuladamente o en secreto.

ocultismo. m. Conjunto de conocimientos y prácticas mágicas y misteriosas, con las que se pretende penetrar y dominar los secretos de la naturaleza. ‖ **2.** Dedicación a las ciencias ocultas.

ocultista. adj. Perteneciente o relativo al ocultismo. ‖ **2.** com. Persona que practica el ocultismo.

oculto, ta. (Del lat. *occultus.*) adj. Escondido, ignorado, que no se da a conocer ni se deja ver ni sentir. ‖ **2.** fig. V. **mano oculta.** ‖ **de oculto.** loc. adv. **de incógnito.** ‖ **2.** Sin ser visto. ‖ **en oculto.** loc. adv. En secreto, sin publicidad.

ocume. m. Árbol propio de Guinea que se usa en ebanistería. ‖ **2.** Madera de este árbol.

ocumo. m. *Venez.* Planta de la familia de las aráceas, con tallo corto, hojas triangulares, flores amarillas y rizoma casi esférico con mucha fécula. Es comestible.

ocupación. (Del lat. *occupatio, -onis.*) f. Acción y efecto de ocupar. ‖ **2.** Trabajo o cuidado que impide emplear el tiempo en otra cosa. ‖ **3.** Empleo, oficio o dignidad. ‖ **4.** *Der.* Modo natural y originario de adquirir la propiedad de ciertas cosas que carecen de dueño. ‖ **5.** *Ret.* Anticipación o prevención de un argumento. ‖ **militar.** Permanencia en un territorio de ejércitos de otro Estado que, sin anexionarse aquel, interviene en su vida pública y la dirige.

ocupacional. (Del ing. *occupational.* en *occupational therapy.*) adj. Perteneciente o relativo a la ocupación laboral. ‖ **2.** V. **enfermedad, terapéutica ocupacional.**

ocupada. adj. Dícese de la mujer preñada.

ocupador, ra. adj. Que ocupa o toma una cosa. Ú. t. c. s.

ocupante. p. a. de **ocupar.** Que ocupa. Ú. t. c. s.

ocupar. (Del lat. *occupare.*) tr. Hablando de territorios, lugares, edificios, locales, etc., y también de objetos menores, tomar posesión o apoderarse de ellos, invadirlos o instalarse en ellos. ‖ **2.** Obtener, gozar un empleo, dignidad, mayorazgo, etc. ‖ **3.** Llenar un espacio o lugar. ‖ **4.** Habitar una casa. ‖ **5.** Dar que hacer o en qué trabajar, especialmente en un oficio o arte. ‖ **6.** Embarazar o estorbar a uno. ‖ **7.** fig. Llamar la atención de uno; darle en qué pensar. ‖ **8.** prnl. Emplearse en un trabajo, ejercicio o tarea. ‖ **9.** Preocuparse por una persona prestándole atención. ‖ **10.** Poner la consideración en un asunto o negocio. ‖ **11.** Asumir la responsabilidad de un asunto, encargarse de él.

ocurrencia. (De *ocurrir.*) f. Encuentro, suceso casual, ocasión o coyuntura. ‖ **2.** Idea inesperada, pensamiento, dicho agudo u original que ocurre a la imaginación. ‖ **de acreedores.** *Der.* Denominación antigua de alguno de los litigios que hoy se llaman concurso de acreedores o quiebra, y también tercería de mejor derecho.

ocurrente. p. a. de **ocurrir.** Que ocurre. ‖ **2.** adj. Dícese del que tiene ocurrencias o dichos agudos.

ocurrido, da. p. p. de **ocurrir.** ‖ **2.** adj. **ocurrente,** ingenioso.

ocurrir. (Del lat. *occurrere.*) intr. Prevenir, anticiparse o salir al encuentro. ‖ **2.** Acaecer, acontecer, suceder una cosa. ‖ **3.** Recurrir a un juez o autoridad. ‖ **4.** En el rezo eclesiástico, caer juntamente o en el mismo día una fiesta con otra de mayor o menor clase de rito. ‖ **5.** Acudir, concurrir. ‖ **6.** prnl. Venirse a la mente una idea, de repente y sin esperarla. Usáb. c. intr.

ocurso. (Del lat. *occursus.* encuentro, choque.) m. ant. Concurso, copia.

ochava. (Del lat. *octava.*) f. Octava parte de un todo. ‖ **2.** Fiesta de ocho días que hace la Iglesia. ‖ **3.** El último de los ochos días de esta fiesta. ‖ **4.** Octava parte del marco de la plata, equivalente a 75 granos, o sea 359 centigramos. ‖ **5. chaflán**, esquina de un edificio. ‖ **6.** Parte de la acera correspondiente al chaflán.

ochavado, da. (De *ochavar*.) adj. Dícese de cada figura con ocho ángulos iguales y cuyo contorno tiene ocho lados, cuatro alternados iguales y los otros cuatro también iguales entre sí, por lo común desiguales a los primeros.

ochavar. (De *ochava*.) tr. Dar figura ochavada a una cosa.

ochavario. (Del lat. *octavarïus*.) m. ant. Periodo de ocho días de una fiesta solemne de la Iglesia. ‖ **2.** Último de los ocho días.

ochavero. (Del lat. *octavarïus*, de *octăvus*, octavo.) adj. *Sor.* Dícese del madero escuadrado que tiene el largo de 18 pies, canto de tres pulgadas y tabla de seis dedos, o sea la octava parte de la vara. Ú. m. c. s.

ochavo, va. (Del lat. *octăvus*.) adj. ant. Que sigue al séptimo, octavo. Ú. t. c. s. ‖ **2.** m. Moneda de cobre con peso de un octavo de onza y valor de dos maravedís, mandada labrar por Felipe III y que, conservando el valor primitivo, pero disminuyendo en peso, se siguió acuñando hasta mediados del siglo XIX. ‖ **3.** Edificio o lugar que tiene figura ochavada. ‖ **4.** V. **clavo de a ochavo.** ‖ **5.** fig. Cosa insignificante, de poco o ningún valor. ‖ **moruno.** Moneda pequeña de cobre sin acuñación española o muy borrosa, que se supone procede de Marruecos: valía un **ochavo** ordinario. ‖ **no tener un ochavo.** fr. No tener dinero.

ochavón, na. (De *ochavo*.) adj. *Cuba.* Aplícase al mestizo nacido de blanco y cuarterona o de cuarterón y blanca.

ochenta. (Del lat. *octogïnta*.) adj. Ocho veces diez. ‖ **2. octogésimo**, ordinal. *Número* OCHENTA, *año* OCHENTA. ‖ **3.** m. Conjunto de signos con que se representa el número **ochenta.**

ochental. adj. ant. **octogenario.** Usáb. t. c. s.

ochentanario, ria. adj. ant. **octogenario.** Usáb. t. c. s.

ochentañal. adj. ant. Decíase de la persona de ochenta años. Usáb. t. c. s.

ochentavo, va. adj. *Arit.* **octogésimo,** dícese de cada una de las 80 partes en que se divide un todo.

ochenteno, na. adj. **octogésimo,** ordinal.

ochentón, na. adj. fam. **octogenario.** Ú. t. c. s.

ocho. (Del lat. *octo*.) adj. Siete y uno. ‖ **2. octavo,** ordinal. *Número* OCHO, *año* OCHO. Apl. a los días del mes, ú. t. c. s. *El* OCHO *de octubre.* ‖ **3.** m. Signo o cifra con que se representa el número **ocho.** ‖ **4.** Carta o naipe que tiene **ocho** señales. *El* OCHO *de oros.* ‖ **5.** V. **doblón, madero, real de a ocho.** ‖ **6.** *Sev.* Cuarta parte de un cuartillo de vino. ‖ **dar,** o **echar,** a uno **con los ochos y las nueves.** fr. fig. y fam. Decirle cuanto se ofrece sobre una queja que se tiene de él, explicándola con palabras sensibles.

ochocientos, tas. adj. Ocho veces ciento. ‖ **2. octingentésimo,** ordinal. *Número* OCHOCIENTOS, *año* OCHOCIENTOS. ‖ **3.** m. Conjunto de signos con que se representa el número **ochocientos.**

ochosén. m. Moneda de cobre del antiguo reino de Aragón, que valía un dinero y dos meajas, o sea ocho meajas, y era el sueldo menor.

ochubre. (Del lat. *octŭber*, por *octŏber*.) m. ant. **octubre.**

oda. (Del lat. *oda*, y este del gr. ᾠδή.) f. Composición poética del género lírico, que admite asuntos muy diversos y muy diferentes tonos y formas, y se divide frecuentemente en estrofas o partes iguales.

odalisca. (Del turco *ŏdah liq*, concubina, a través del fr.) f. Esclava dedicada al servicio del harén del gran turco. ‖ **2.** Concubina turca.

odeón. (Del gr. ᾠδεῖον, a través del lat. *odēum*.) m. *Arqueol.* Teatro o lugar destinado en Grecia para los espectáculos musicales. Por analogía se llaman así algunos teatros modernos de canto.

odiar. tr. Tener odio.

odio. (Del lat. *odĭum*.) m. Antipatía y aversión hacia alguna cosa o persona cuyo mal se desea.

odiosamente. adv. m. Con odio. ‖ **2.** De modo que merece odio.

odiosidad. f. Cualidad de odioso. ‖ **2.** Aversión procedente de causa determinada.

odioso, sa. (Del lat. *odiōsus*.) adj. Digno de odio. ‖ **2.** V. **privilegio odioso.** ‖ **3.** *Der.* Dícese de lo que contraría los designios o las presunciones que las leyes favorecen.

odisea. (De *Odisea*, título de un poema homérico.) f. fig. Viaje largo y en el cual abundan las aventuras adversas y favorables al viajero. ‖ **2.** Por ext., sucesión de peripecias, por lo general desagradables, que le ocurren a una persona.

odómetro. (Del gr. ὁδός, camino, y *-metro*.) m. Aparato que cuenta los pasos, podómetro. ‖ **2.** Aparato que cuenta las distancias y marca la cantidad devengada, taxímetro.

odontalgia. (Del gr. ὀδονταλγία, de ὀδών, ὀδόντος, diente, y ἄλγος, dolor.) f. *Pat.* Dolor de dientes o de muelas.

odontálgico, ca. adj. Relativo a la odontalgia o que sirve para curarla.

odontología. (Del gr. ὀδών, ὀδόντος, diente, y *-logia*.) f. Estudio de los dientes y del tratamiento de sus dolencias.

odontológico, ca. adj. Perteneciente o relativo a la odontología.

odontólogo, ga. m. y f. Especialista en odontología. ‖ **2. dentista.**

odorable. (Del lat. *odorabĭlis*.) adj. ant. Que despide olor o puede ser olido.

odorante. (Del lat. *odŏrans, -antis*.) adj. Oloroso, fragante.

odoratísimo, ma. (Del lat. *odoratissĭmus*.) adj. sup. ant. Muy oloroso.

odorato. (Del lat. *odorātus*.) m. ant. Sentido del olfato.

odorífero, ra. (Del lat. *odorĭfer, -ĕri*; de *odor*, olor, y *ferre*, llevar.) adj. Que huele bien, que tiene buen olor o fragancia.

odorífico, ca. (Formación culta a imitación de *sudorífico*.) adj. Que da buen olor.

odre. (Del lat. *uter, utris*.) m. Cuero, generalmente de cabra, que, cosido y empegado por todas partes menos por la correspondiente al cuello del animal, sirve para contener líquidos, como vino o aceite. ‖ **2.** fig. y fam. Persona borracha o muy bebedora.

odrería. f. Taller donde se hacen odres. ‖ **2.** Tienda donde se venden.

odrero. m. El que hace o vende odres.

odrezuelo. m. d. de **odre.**

odrina. f. Odre hecho con el cuero de un buey. ‖ **estar** uno **hecho una odrina.** fr. fig. Estar lleno de enfermedades y llagas, como el cuero lleno de botanas.

odrisio, sia. (Del lat. *Odrisĭus*.) adj. Dícese del individuo de un antiguo pueblo de Tracia. Ú. t. c. s. ‖ **2.** Perteneciente o relativo a este pueblo. ‖ **3.** Natural de Tracia. Ú. t. c. s. ‖ **4.** Perteneciente o relativo a Tracia.

oenoteráceo, a. (Del gr. οἰνοθήρας o ὀνοθήρας, la onagra o adelfa.) adj. *Bot.* Dícese de matas o arbustos angiospermos dicotiledóneos, con hojas simples, alternas u opuestas, enteras o dentadas, flores axilares o terminales en espiga o en racimo, fruto capsular abayado o drupáceo, casi siempre con muchas semillas sin albumen; como la fucsia. Ú. t. c. s. f. ‖ **2.** f. pl. *Bot.* Familia de estas plantas.

oersted. (Del apellido del físico danés Hans Christian *Oersted*, 1777-1851.) m. *Fís.* **oerstedio** en la nomenclatura internacional.

oerstedio. (De *oersted*.) m. *Fís.* Unidad de excitación magnética o poder imanador en el sistema magnético cegesimal.

oesnoroeste. m. **oesnorueste.**

oesnorueste. n. p. m. Punto del horizonte entre el Oeste y el Noruese, a igual distancia de ambos. ‖ **2.** m. Viento que sopla de esta parte.

oeste. (Del al. *west.*) n. p. m. Occidente, punto cardinal. ‖ **2.** m. Viento que sopla de esta parte.

oesudoeste. m. **oesudueste.**

oesudueste. m. Punto del horizonte entre el Oeste y el Sudoeste, a igual distancia de ambos. ‖ **2.** Viento que sopla de esta parte.

ofendedor, ra. adj. El que ofende, ofensor. Ú. t. c. s.

ofender. (Del lat. *offendĕre.*) tr. Hacer daño a uno físicamente, hiriéndolo o maltratándolo. ‖ **2.** Injuriar de palabra o denostar. ‖ **3.** Decir o hacer algo que demuestre falta de respeto, consideración o acatamiento. ‖ **4.** Fastidiar, enfadar y desplacer. *Hay olores que* OFENDEN. ‖ **5.** prnl. Picarse o enfadarse por un dicho o hecho.

ofendículo. (Del lat. *offendicŭlum.*) m. p. us. Obstáculo, tropiezo.

ofendido, da. p. p. de **ofender.** ‖ **2.** adj. Que ha recibido alguna ofensa. Ú. t. c. s.

ofensa. (Del lat. *offensa.*) f. Acción y efecto de ofender.

ofensador, ra. (Del lat. *offensātor, -ōris.*) adj. ant. El que ofensa.

ofensar. (Del lat. *offensāre.*) tr. ant. Ofender, dañar, agraviar.

ofensión. (Del lat. *offensĭo, -ōnis.*) f. Daño, molestia o agravio.

ofensiva. (De *ofensivo.*) f. Situación o estado del que trata de ofender o atacar. ‖ **tomar** uno **la ofensiva.** fr. Prepararse para acometer al enemigo, y acometerle de hecho. ‖ **2.** fig. Ser el primero en alguna competencia, pugna, etc.

ofensivamente. adv. m. Con daño, ofensa o injuria.

ofensivo, va. (der. de *ofender.*) adj. Que ofende o puede ofender. ‖ **2.** V. **arma, polémica ofensiva.**

ofensor, ra. (Del lat. *offensor, -ōris.*) adj. Que ofende. Ú. t. c. s.

oferente. (Del lat. *offĕrens, -entis,* p. a. de *offerre,* ofrecer.) adj. Que ofrece. Ú. m. c. s.

oferta. (Del lat. *offerre,* ofrecer.) f. Promesa que se hace de dar, cumplir o ejecutar una cosa. ‖ **2.** Don que se presenta a uno para que lo acepte. ‖ **3.** Propuesta para contratar. ‖ **4.** *Econ.* Conjunto de bienes o mercancías que se presentan en el mercado con un precio dado y en un momento determinado. ‖ **5.** Puesta a la venta de un producto rebajado de precio. ‖ **6.** Este mismo producto.

ofertar. tr. En el comercio, ofrecer en venta un producto. ‖ **2.** *Amér.* **ofrecer,** prometer algo. ‖ **3.** *Amér.* **ofrecer,** dar voluntariamente una cosa. ‖ **4.** *Amér.* **ofrecer,** dedicar o consagrar algo a Dios o a los santos.

ofertorio. (Del b. lat. *offertorĭum,* acción de ofrecer.) m. Parte de la misa, en la cual, antes de consagrar, ofrece a Dios el sacerdote la hostia y el vino del cáliz. ‖ **2.** Antífona que dice el sacerdote antes de ofrecer la hostia y el cáliz. ‖ **3. velo ofertorio.**

oficial. (Del lat. *officiālis.*) adj. Que es de oficio, o sea que tiene autenticidad y emana de la autoridad derivada del Estado, y no particular o privado. *Documento, noticia* OFICIAL. ‖ **2.** En el estilo cortesano se ha solido tomar alguna vez por oficioso, hacendoso, cuidadoso. ‖ **3.** Dícese de instituciones, edificios, centros de enseñanza, etc., que se sufragan con fondos públicos y están bajo la dependencia del Estado o de las entidades territoriales. ‖ **4.** Dícese del alumno inscrito en un centro **oficial,** y que asiste a las clases. ‖ **5.** m. El que se ocupa o trabaja en un oficio. ‖ **6.** El que en un oficio manual ha terminado el aprendizaje y no es maestro todavía. ‖ **7.** Empleado que bajo las órdenes de un jefe estudia y prepara el despacho de los negocios en una oficina. ‖ **8.** El encargado de ejecutar la pena de muerte, verdugo. ‖ **9.** En algunas partes, carnicero que corta y pesa la carne. ‖ **10.** En concejo o municipio, el que

tiene cargo; como alcalde, regidor, etc. ‖ **11.** Juez eclesiástico diocesano, provisor. ‖ **12.** *Mil.* Militar que posee un grado o empleo, desde alférez o segundo teniente, en adelante. Aplícase más especialmente hasta el empleo de capitán inclusive. ‖ **de la sala.** *Der.* En Madrid, escribano que actuaba en las causas criminales. ‖ **2.** *Der.* Auxiliar de los tribunales colegiados, de grado jerárquico inferior al de secretario. ‖ **de puente y cubierta.** *Mar.* El que con título de capitán o piloto se halla a las inmediatas órdenes del que manda el buque, efectúa las guardias de mar y de puerto, así como todas aquellas funciones de carácter técnico administrativo que los reglamentos o normas consuetudinarias le atribuyen. ‖ **de secretaría.** Empleado de un ministerio, que tiene a su cargo el despacho de un negociado. ‖ **general.** Cada uno de los generales de brigada, de división o tenientes generales. ‖ **mayor.** En algunos organismos del Estado, funcionario público del que dependen servicios comunes, como Inspección del Personal administrativo, Habilitación, Registro, Archivo, etc. ‖ **2.** Por ext., se aplica al funcionario administrativo de mayor jerarquía o antigüedad en algunas dependencias **oficiales. ‖ real.** *Der.* Cierto ministro de capa y espada en diferentes lugares de las Indias, el cual con otros formaba tribunal y era su cuidado atender a la cuenta y razón de los caudales del rey. ‖ **primer oficial.** El más antiguo de los **oficiales** enrolados en un buque mercante con título de capitán o piloto, jefe de los servicios de puente y cubierta, como más inmediato subordinado del capitán que ejerce el mando. ‖ **ser** uno **buen oficial.** fr. fig. y fam. Tener habilidad o inteligencia en cualquier materia.

oficiala. (De *oficial.*) f. La que se ocupa o trabaja en un oficio. ‖ **2.** La que en un oficio manual ha terminado el aprendizaje y no es maestra todavía. ‖ **3.** Empleada que bajo las órdenes de un jefe estudia y prepara el despacho de los negocios de una oficina.

oficialía. f. Empleo de oficial de contaduría, secretaría o cosa semejante. ‖ **2.** Calidad de oficial que adquirían los artesanos después de haber pasado por las categorías de aprendices y meseros, que los facultaba para trabajar libre y privadamente en su oficio. ‖ **mayor.** Oficina del oficial mayor. ‖ **2.** Conjunto de funcionarios o empleados que despachan los asuntos dependientes de aquel.

oficialidad. f. Conjunto de oficiales del ejército o de parte de él. ‖ **2.** Goce del carácter o calidad de cosa oficial.

oficialismo. m. *Amér.* Conjunto de hombres de un gobierno. ‖ **2.** *Amér.* Conjunto de tendencias o fuerzas políticas que apoyan al gobierno.

oficialista. adj. *Amér.* Dícese de la persona que es partidaria del oficialismo o pertenece a él. Ú. t. c. s.

oficializar. tr. Dar carácter o validez oficial a lo que antes no lo tenía.

oficialmente. adv. m. Con carácter oficial. ‖ **2.** fig. Autorizadamente o con público reconocimiento en el orden privado. *Esos novios tienen relaciones* OFICIALMENTE.

oficiante. p. a. de **oficiar.** Que oficia. ‖ **2.** m. El que oficia en las iglesias; preste.

oficiar. (De *oficio.*) tr. Ayudar a cantar las misas y demás oficios divinos. ‖ **2.** Celebrar de preste la misa y demás oficios divinos. ‖ **3.** Comunicar una cosa oficialmente y por escrito. ‖ **4.** intr. fig. y fam. Con la preposición *de,* obrar con el carácter que seguidamente se determina. OFICIAR DE *conciliador.*

oficina. (Del lat. *officīna.*) f. Local donde se hace, se ordena o trabaja una cosa. ‖ **2.** Departamento donde trabajan los empleados públicos o particulares. ‖ **3.** Laboratorio de farmacia. ‖ **4.** fig. Parte o lugar donde se fragua y dispone una cosa no material. ‖ **5.** pl. Piezas bajas de las casas, como bóvedas y sótanos, que servían para ciertos menesteres domésticos.

oficinal. (De *oficina*, laboratorio.) adj. *Farm.* y *Med.* Dícese de cualquier planta que se use como medicina. ‖ **2.** *Farm.* y *Med.* Dícese del medicamento que se halla en las boticas preparado según las reglas de la farmacopea.

oficinesco, ca. adj. Perteneciente a las oficinas del Estado, o propio y característico de ellas. Se usa generalmente en sentido peyorativo.

oficinista. com. Persona que está empleada en una oficina.

oficio. (Del lat. *officĭum*.) m. Ocupación habitual. ‖ **2.** Cargo, ministerio. ‖ **3.** Profesión de algún arte mecánica. ‖ **4.** Función propia de alguna cosa. ‖ **5.** Acción o gestión en beneficio o en daño de alguno. ‖ **6.** Cualquiera de los cuartos que en palacio estaban destinados a preparar el servicio de los reyes. ‖ **7.** Comunicación de iglesia, referente a los asuntos del servicio público en las dependencias del Estado, y por ext., la que media entre individuos de varias corporaciones particulares sobre asuntos concernientes a ellas. ‖ **8.** Lugar en que trabajan los empleados, oficina. ‖ **9.** Rezo diario a que los eclesiásticos están obligados, compuesto de maitines, laudes, etc. ‖ **10.** V. **gajes, percances del oficio.** ‖ **11.** V. **mozo, prebenda de oficio.** ‖ **12.** *Der.* V. **auto de oficio.** ‖ **13.** pl. Funciones de iglesia, y más particularmente las de Semana Santa. ‖ **de boca.** En palacio, cualquiera de los cargos que tenían relación con la mesa de los reyes. ‖ **de difuntos.** El que tiene destinado la Iglesia para rogar por los muertos. ‖ **de escribano.** Cargo de tal. ‖ **2.** Su despacho. ‖ **de la boca. oficio de boca.** ‖ **de república.** Cualquiera de los cargos municipales o provinciales que son electivos. ‖ **enajenado.** Empleo o destino cuya provisión por una o más veces vendía la Corona hasta principios del siglo XIX, como fuente de ingresos. Solían ser cargos que no tenían jurisdicción directa, propia e importante. ‖ **mayor. oficio, rezo.** ‖ **parvo.** El que la Iglesia ha establecido en honra y alabanza de Nuestra Señora, semejante al cotidiano de los eclesiásticos. ‖ **servil.** El mecánico o bajo, en oposición a las artes liberales o nobles. ‖ **Santo Oficio. Inquisición,** tribunal. ‖ **2.** V. **calificador, comisario, consultor del Santo Oficio.** ‖ **buenos oficios.** fr. Diligencias eficaces en pro de otro. ‖ **correr bien el oficio.** fr. fam. Sacar el mayor partido posible del cargo, **oficio** o profesión que se ejerce. Generalmente se usa con sentido peyorativo. ‖ **de oficio.** loc. adv. Con carácter oficial. ‖ **2.** *Der.* Dícese de las diligencias que se practican judicialmente sin instancia de parte, y de las costas que, según lo sentenciado, nadie debe pagar. ‖ **estar** uno **sin oficio ni beneficio.** fr. fig. y fam. Estar ocioso, sin carrera ni ocupación. ‖ **haber aprendido buen oficio.** fr. fam. que se aplica irónicamente al que se ha dedicado a alguno de más utilidad que honra. ‖ **hacer** uno **su oficio.** fr. Desempeñarlo bien. ‖ **no tener** uno **oficio ni beneficio.** fr. fig. y fam. **estar sin oficio ni beneficio.** ‖ **tomar** uno **por oficio** una cosa. fr. fig. y fam. Hacerla con frecuencia.

oficionario. m. Libro en que se contiene el oficio canónico.

oficiosamente. adv. m. Con oficiosidad. ‖ **2.** Sin usar del carácter oficial que tiene el que actúa.

oficiosidad. (Del lat. *officiosĭtas, -ātis*.) f. Diligencia y aplicación al trabajo. ‖ **2.** Diligencia y cuidado en los oficios de amistad. ‖ **3.** Importunidad y falso escrúpulo del que se entremete en oficio o negocio que no le incumbe.

oficioso, sa. (Del lat. *officiōsus*.) adj. Aplícase a la persona hacendosa y solícita en ejecutar lo que atañe a su cuidado. ‖ **2.** Que se manifiesta solícito por ser agradable y útil a uno. ‖ **3.** Que se entremete en oficio o negocio que no le incumbe. ‖ **4.** Provechoso, eficaz para determinado fin. ‖ **5.** Aplícase en diplomacia a la benévola mediación de una tercera potencia que practica amistosas diligencias en pro de la armonía entre otras. ‖ **6.** Por contraposición a oficial, dícese de lo que hace o dice alguno sin formal ejercicio del cargo público que se tiene. ‖ **7.** Dícese de cualquier medio de difusión al que se atribuye cierta representación de órganos de gobierno, partidos políticos, sindicatos u otras entidades. ‖ **8.** V. **mentira, nota oficiosa.**

ofidio. (Del gr. ὀφίδιον, d. de ὄφις, serpiente.) adj. *Zool.* Dícese de reptiles que carecen de extremidades, con boca dilatable y cuerpo largo y estrecho revestido de epidermis escamosa que mudan todos los años. Algunos tienen en su mandíbula superior, además de dientes ordinarios, uno o varios provistos de un canal que da paso a un líquido venenoso; como la víbora. Ú. t. c. s. ‖ **2.** m. pl. *Zool.* Orden de estos reptiles.

ofiolatría. (Del gr. ὄφις, serpiente, y λατρεία, adoración.) f. Culto de las serpientes.

ofiómaco. (Del gr. ὀφιομάχος, a través del lat. *ophiomāchus*.) m. Especie de langosta, insecto ortóptero.

ofita. (Del gr. ὀφίτης; de ὄφις, serpiente, a través del lat. *ophītes*.) f. Roca compuesta de feldespato, piroxena y nódulos calizos o cuarzosos, y de color y textura variables. Se emplea como piedra de adorno.

Ofiuco. (Del gr. ὀφιοῦχος, el que tiene asida una serpiente, a través del lat. *ophiūchus*.) n. p. m. *Astron.* **Serpentario,** constelación.

ofrecedor, ra. adj. Que ofrece. Ú. t. c. s.

ofrecer. (De un der. del lat. *offerre*.) tr. Prometer, obligarse uno a dar, hacer o decir algo. ‖ **2.** Presentar y dar voluntariamente una cosa. OFRECER *dones a los santos;* OFRECER *ayuda a los damnificados.* ‖ **3.** Manifestar y poner patente una cosa para que todos la vean. ‖ **4.** Presentar, implicar. *El proyecto* OFRECE *algunas dificultades.* ‖ **5.** Mostrar una cosa determinado aspecto. ‖ **6.** Dedicar o consagrar a Dios o un santo la obra buena que se hace, un objeto piadoso o símbolo de gratitud, y también el daño que se recibe o padece, sufriendo resignadamente como en descuento de culpas cometidas y como testimonio de amor o respeto a la divinidad. ‖ **7.** Dar una limosna, dedicándola a Dios en la misa y en otras funciones eclesiásticas. ‖ **8.** Decir o exponer qué cantidad se está dispuesto a pagar por algo. ‖ **9.** fig. y fam. Entrar a beber en la taberna. ‖ **10.** prnl. Venirse impensadamente una cosa a la imaginación. ‖ **11.** Ocurrir o sobrevenir. ‖ **12.** Entregarse voluntariamente a otro para ejecutar alguna cosa. ‖ **13.** Desear, apetecer. *¿Qué se le* OFRECE?

ofrecimiento. m. Acción y efecto de ofrecer u ofrecerse.

ofrenda. (Del lat. *offerenda*, cosas que se han de ofrecer.) f. Don que se dedica a Dios o a los santos, para implorar su auxilio o una cosa que se desea, y también para cumplir con un voto u obligación. ‖ **2.** Pan, vino u otras cosas que llevan los fieles a la iglesia por sufragio a los difuntos, al tiempo de la misa y en otras ocasiones. ‖ **3.** Lo que se da en algunos pueblos al tiempo de los entierros, para la manutención de los ministros de la Iglesia. ‖ **4.** Ofrecimiento de dinero que se da a los sacerdotes pobres cuando celebran la primera misa, para lo cual convida el padrino a sus conocidos; y así, se suele decir al tiempo de la citación si hay o no **ofrenda.** ‖ **5.** Por ext., dádiva o servicio en muestra de gratitud o amor.

ofrendar. (De *ofrenda*.) tr. Ofrecer dones y sacrificios a los seres sobrenaturales por un beneficio recibido o solicitado o en señal de rendimiento y adoración. ‖ **2.** Entregar algo en obsequio o beneficio de personas, acciones, ideas, etc., por un impulso de amor, acatamiento o solidaridad.

oftalmía u **oftalmía.** (Del gr. ὀφθαλμία, a través del lat. *ophthalmĭa*.) f. *Med.* Inflamación de los ojos.

oftálmico, ca. (Del gr. ὀφθαλμικός, a través del lat. *ophthalmĭcus*.) adj. *Med.* Perteneciente o relativo a los ojos. ‖ **2.** *Med.* Perteneciente o relativo a la oftalmía.

oftalmología. (Del gr. ὀφθαλμός, ojo, y -logía.) f. Med. Parte de la patología, que trata de las enfermedades de los ojos.

oftalmológico, ca. adj. Perteneciente o relativo a la oftalmología.

oftalmólogo, ga. (Del m. or. que oftalmología.) m. y f. Especialista en oftalmología.

oftalmoscopia. f. Med. Exploración del interior del ojo por medio del oftalmoscopio.

oftalmoscopio. (Del gr. ὀφθαλμός, ojo, y -scopio.) m. Med. Instrumento para reconocer las partes interiores del ojo.

ofuscación. (Del lat. offuscatĭo, -ōnis.) f. **ofuscamiento.**

ofuscador, ra. adj. Que ofusca o causa ofuscación. Ú. t. c. s.

ofuscamiento. (De ofuscar.) m. Turbación que padece la vista por un reflejo grande de luz que da en los ojos, o por vapores o fluxiones que dificultan la visión. ‖ **2.** fig. Oscuridad de la razón, que confunde las ideas.

ofuscar. (Del lat. offuscāre.) tr. Deslumbrar, turbar la vista. Ú. t. c. prnl. ‖ **2.** Oscurecer y hacer sombra. ‖ **3.** fig. Trastornar, conturbar o confundir las ideas; alucinar. Ú. t. c. prnl.

ogaño. adv. t. **hogaño.**

ogro. (Del fr. ogre.) m. Gigante que, según las mitologías y consejas de los pueblos del norte de Europa, se alimentaba de carne humana. ‖ **2.** fig. Persona insociable o de mal carácter.

¡oh! interj. que se usa para manifestar muchos y muy diversos movimientos del ánimo, y más ordinariamente asombro, pena o alegría.

ohm. (Del apellido de Jorge Simón Ohm, físico alemán, 1787-1854.) m. Fís. **ohmio,** en la nomenclatura internacional.

óhmico, ca. adj. Perteneciente o relativo al ohmio.

ohmio. (De ohm.) m. Fís. Unidad de resistencia eléctrica en el sistema basado en el metro, el kilogramo, el segundo y el amperio. Es la resistencia eléctrica que da paso a una corriente de un amperio cuando entre sus extremos existe una diferencia de potencial de un voltio.

oíble. (Del lat. audibĭlis.) adj. Que se puede oír.

oída. f. Acción y efecto de oír. ‖ **de,** o **por, oídas.** loc. adv. Por haberlo oído de otro u otros, sin poder atestiguarlo personalmente.

-oide. (Del gr. -ειδής, de la raíz εἶδος, forma, precedido de la vocal de unión -o-.) elem. compos. que significa «parecido a», «en forma de»: metalOIDE, androOIDE; adopta también las formas **-oideo:** lipoIDEO, hialOIDEO, y **-oides:** cuboIDES, deltOIDES.

-oideo. V. **-oide.**

-oides. V. **-oide.**

oídio. (De gr. ᾠδίον, a través del lat. mod. oidĭum.) m. Hongo de pequeño tamaño que vive parásito sobre las hojas de la vid y produce en esta planta una grave enfermedad.

oído. (Del lat. audītus.) m. Sentido que permite percibir los sonidos. ‖ **2.** Anat. Cada uno de los órganos que sirven para la audición. ‖ **3.** Aptitud para percibir y reproducir los temas y melodías musicales. Fulano tiene buen OÍDO. ‖ **4.** V. **cera de los oídos.** ‖ **5.** V. **silbido de oídos.** ‖ **6.** Agujero que en la recámara tienen algunas armas de fuego para comunicar este a la carga. ‖ **7.** Orificio que se deja en el taco de un barreno para colocar la mecha. ‖ **interno.** Anat. Parte interna del oído de los vertebrados. ‖ **medio.** Anat. Parte media del oído de los vertebrados. ‖ **abrir** uno los **oídos.** fr. fig. Escuchar con atención. ‖ **abrir** uno tanto **oído,** o **tanto el oído.** fr. fig. Escuchar con mucha atención o curiosidad lo que otro propone o refiere. ‖ **aguzar** uno los **oídos.** fr. fig. Escuchar con atención. ‖ **al oído.** loc. adv. Dícese de lo que se aprende oyendo, sin otro estudio y sin más auxilio que la memoria. ‖ **2.** Bajo reserva, confidencialmente. ‖ **3.** Con verbos como decir, comunicar, etc., en

voz muy baja, cerca de la oreja para que nadie más lo oiga. ‖ **aplicar** uno el **oído.** fr. Oír con atención. ‖ **cerrarle** a uno los **oídos.** fr. fig. Alucinarle para que no oiga lo que le conviene. ‖ **cerrar** uno los **oídos.** fr. fig. Negarse a oír razones o excusas. ‖ **dar oídos.** fr. Dar crédito a lo que se dice, o a lo menos escucharlo con gusto y aprecio. ‖ **de oído.** loc. adv. que indica la manera de aprender alguna cosa, o a cantar o tocar un instrumento sin conocer las reglas del arte. ‖ **duro de oído.** loc. adj. Dícese del que es algo sordo. ‖ **2.** Dícese del que carece de facilidad para percibir la medida y armonía de los versos. ‖ **entrar,** o **entrarle,** a uno una cosa **por un oído, y salir, o salirle, por el otro.** fr. fig. No hacer caso ni aprecio de lo que le dicen; desatender y no estimar el aviso, noticia o consejo que le dan. ‖ **hacer** uno **oídos de mercader.** fr. fig. Hacerse sordo y no querer oír lo que le dicen. ‖ **ladrar** a uno **al oído.** fr. fig. Estarle sugiriendo continua y fuertemente una idea. ‖ **llegar** una cosa **a oídos** de uno. fr. fig. Venir a su noticia. ‖ **negar** uno los **oídos, no dar oídos.** frs. figs. No permitir que se le vea para hablarle sobre una cosa que se le propone o que se solicita de él. ‖ **oído a la caja.** fr. fig. con que en sentido exclamativo se llama la atención hacia alguna cosa. ‖ **oído al parche.** fr. fig. **oído a la caja.** ‖ **¡oídos que tal oyen!** expr. fam. para explicar la extrañeza que causa un despropósito. ‖ **2.** fam. Suélese decir también cuando se oye una cosa de gran gusto o que sorprende. ‖ **prestar oídos.** fr. **dar oídos.** ‖ **regalar** a uno el **oído.** fr. fig. y fam. Lisonjearle, diciéndole cosas que le agraden. ‖ **ser** uno **todo oídos.** fr. fig. **abrir** uno los **oídos.** ‖ **taparse** uno los **oídos.** fr. fig. que denota repugnancia en escuchar una cosa por ser disonante o porque desagrada. ‖ **tener** uno **oído, o buen oído.** fr. Tener disposición para la música. ‖ **tener** uno **oídos de mercader.** fr. fig. **hacer oídos de mercader.**

oidor, ra. (De oír.) adj. Que oye. Ú. t. c. s. ‖ **2.** m. Ministro togado que en las audiencias del reino oía y sentenciaba las causas y pleitos.

oidoría. f. Empleo o dignidad de oidor.

oíl. (Del lat. hoc. illud, a través del ant. fr. oïl, sí.) V. **lengua de oíl.**

oímiento. m. ant. Acción de oír. ‖ **2.** ant. Der. Audiencia que se daba a cualquier actor o reo.

oír. (Del lat. audīre.) tr. Percibir con el oído los sonidos. ‖ **2.** Atender los ruegos, súplicas o avisos de uno. ‖ **3.** Hacerse uno cargo, o darse por enterado, de aquello de que le hablan. ‖ **4.** Asistir a la explicación que el maestro hace de una facultad para aprenderla. OYÓ a Juan; OYÓ teología. ‖ **5.** Der. Admitir la autoridad peticiones, razonamientos o pruebas de las partes antes de resolver. ‖ **¡ahora lo oigo!** expr. fam. con que se da a entender la novedad que causa una cosa que se dice o la que se dice y que no se tenía noticia. ‖ **como lo oye, lo oyes,** etc., expr. fam. que afirma algo que resulta difícil de creer. ‖ **como quien oye llover.** expr. fig. y fam. con que se denota el poco aprecio que se hace de lo que se escucha o sucede. ‖ **¡oiga! ¡oigan!** interjs. que denotan extrañeza o enfado, y que también se emplean en tono de represión. ‖ **oír bien.** fr. fig. Escuchar favorablemente con agrado. ‖ **oír, ver y callar.** fr. con que se advierte o aconseja a uno que no se entremeta en lo que no le toca, ni hable cuando no le pidan consejo. ‖ **¡oye!** interj. **¡oiga!** Ú. t. repetida. ‖ **¿oyes? ¿oye usted?** exprs. que se usan para llamar al que está distante, y también para dar más fuerza a lo que se previene o manda. ‖ **ser** uno **bien oído.** fr. Lograr estimación o aceptación en lo que dice.

oíslo. (De oís, 2.ª pers. de pl. del pres. de indic. de oír, y el pron. lo.) com. fam. Persona querida y estimada, principalmente la mujer respecto del marido.

ojal. (De ojo.) m. Hendedura ordinariamente reforzada en sus bordes y a propósito para abrochar un botón, una muletilla u otra cosa semejante. ‖ **2.** Agujero que atraviesa de parte a parte algunas cosas. ‖ **3.** *Min.* Lazada que se hace en la punta del cintero de un torno para meter la pierna el que sube o baja colgado.

¡ojalá! (Del ár. *wa-šā' Allāh*, y quiera Dios.) interj. con que se denota vivo deseo de que suceda una cosa.

ojaladera. f. Mujer que tiene por oficio hacer ojales.

ojalado, da. adj. *Veter.* Aplícase a la res vacuna que alrededor de los ojos tiene, formando líneas circulares, el pelo más oscuro que el resto de la cabeza.

ojalador, ra. m. y f. Persona que tiene por oficio hacer ojales. ‖ **2.** m. Instrumento para hacerlos.

ojaladura. f. Conjunto de ojales de un vestido.

ojalar. tr. Hacer y formar ojales.

ojalatero. (De *¡ojalá!*) adj. fam. desus. Aplicábase al que, en las contiendas civiles, se limitaba a desear el triunfo de su partido. Ú. t. c. s.

ojanco. (aum. despect. de *ojo*.) m. Gigante de solo un ojo en medio de la frente, cíclope.

ojar. (De *ojo*.) tr. ant. **ojear**[1], mirar.

ojaranzo. (Del ár. *al-jariný*, o *al-jabaný*, el brezo.) m. Variedad de jara de metro y medio de altura aproximadamente, ramosa, de tallos algo rojizos, hojas pecioladas, acorazonadas, lampiñas y grandes; flores en pedúnculos axilares de corola grande y blanca, y fruto capsular. ‖ **2. adelfa.** ‖ **3.** *And.* **rododendro.**

ojeada. (De *ojear*[1].) f. Mirada pronta y ligera que se da a algo o hacia alguien.

ojeador. m. El que ojea o espanta con voces la caza.

ojear[1]. tr. Dirigir los ojos y mirar con atención a determinada parte. ‖ **2.** Hacer mal de ojo, aojar[1].

ojear[2]. (De *oxear*.) tr. Espantar la caza con voces, tiros, golpes o ruido, para que se levante, acosándola hasta que llega al sitio donde se le ha de tirar o coger con redes, lazos, etc. ‖ **2.** fig. Espantar y ahuyentar de cualquier suerte.

ojén. (De *Ojén*, villa de la provincia de Málaga.) m. Aguardiente preparado con anís y azúcar hasta la saturación.

ojeo. m. Acción y efecto de ojear[2]. ‖ **echar un ojeo.** fr. Cazar ojeando. ‖ **irse uno a ojeo.** fr. fig. y fam. Buscar con cuidado una cosa que desea o pretende.

ojera. (De *ojo*.) f. Mancha más o menos lívida, perenne o accidental, alrededor de la base del párpado inferior. Ú. m. en pl. ‖ **2.** ant. Copita de cristal para lavar los ojos, lavaojos.

ojeriza. (De *ojo*.) f. Enojo y mala voluntad contra uno.

ojeroso, sa. adj. Que tiene ojeras.

ojerudo, da. adj. Aplícase a la persona que tiene habitualmente grandes ojeras.

ojete. m. d. de **ojo.** ‖ **2.** Abertura pequeña y redonda, ordinariamente reforzada en su contorno con cordoncillo o con anillos de metal, para meter por ella un cordón o cualquier otra cosa que afiance. ‖ **3.** Agujero redondo u oval con que se adornan algunos bordados. ‖ **4.** fam. **ano.**

ojeteado, da. p. p. de **ojetear.** ‖ **2.** adj. V. **jubón ojeteado.**

ojetear. tr. Hacer ojetes en alguna cosa.

ojetera. f. Parte del corsé o jubón, en la cual van colocados los ojetes u ojales.

ojialegre. adj. fam. Que tiene los ojos alegres, vivos y bulliciosos.

ojienjuto. ta. (De *ojo* y *enjuto*.) adj. fam. Que tiene dificultad para llorar.

ojigarzo, za. adj. De ojos garzos.

ojimel. m. **ojimiel.**

ojimiel. (Del gr. ὀξύμελι, a través del lat. *oxyměli*.) m. Composición farmacéutica que se prepara cociendo juntas dos partes de miel y una de vinagre, hasta que toman punto de jarabe. Algunas veces se le añaden otros ingredientes.

ojimoreno, na. (De *ojo* y *moreno*.) adj. fam. Que tiene los ojos pardos.

ojinegro, gra. adj. fam. Que tiene los ojos negros.

ojiprieto, ta. adj. fam. Que tiene los ojos oscuros, casi negros.

ojito. m. d. de **ojo.** ‖ **hacer ojitos.** fr. fig. y fam. Lanzar miradas insinuantes, coquetear con la mirada. ‖ **ser uno el ojito derecho** de otro. fr. fig. y fam. **ser uno el ojo derecho** de otro.

ojituerto, ta. adj. Bizco, bisojo.

ojiva. (Del fr. *ogive*.) f. Figura formada por dos arcos de círculo iguales, que se cortan en uno de sus extremos y volviendo la concavidad el uno al otro. ‖ **2.** *Arq.* Arco que tiene esta figura. ‖ **3.** Parte delantera o superior del proyectil, cuyo corte longitudinal tiene la forma correspondiente a su propio nombre. ‖ **4.** Ingenio cargado de explosivo o provisto de instrumentación que se desprende de los grandes cohetes cuando estos alcanzan su máxima velocidad. Dícese a veces, cabeza o cápsula.

ojival. adj. De figura de ojiva. ‖ **2.** *Arq.* Aplicase al estilo arquitectónico que dominó en Europa durante los tres últimos siglos de la Edad Media, y cuyo fundamento consistía en el empleo de la ojiva para toda clase de arcos.

ojizaino, na. adj. fam. Que mira atravesado y con malos ojos.

ojizarco, ca. adj. fam. Que tiene los ojos azules.

ojo. (Del lat. *ocŭlus*.) m. Órgano de la vista en el hombre y en los animales. ‖ **2.** Parte visible de este órgano en la cara. ‖ **3.** Agujero que tiene la aguja para que entre el hilo. ‖ **4.** Abertura o agujero que atraviesa de parte a parte alguna cosa. ‖ **5.** Anillo que tienen las herramientas para que entren por el de los dedos, del astil o mango con que se manejan para trabajar. ‖ **6.** Anillo, generalmente elíptico, por donde se agarra o hace fuerza en la llave para mover el pestillo de la cerradura. ‖ **7.** Agujero por donde se mete la llave en la cerradura. ‖ **8.** Abertura que tienen algunas letras cuando en todo o en parte llevan una curva cerrada. ‖ **9.** Manantial que surge en un llano. ‖ **10.** Cada una de las gotas de aceite o grasa que nadan en otro líquido. ‖ **11.** Círculo de colores que tiene el pavo real en la extremidad de cada una de las plumas de la cola. ‖ **12.** Espacio entre dos estribos o pilas de un puente. ‖ **13.** Boca abierta en el muro de ciertos molinos para dar entrada al agua que pone en movimiento la rueda. ‖ **14.** Mano que se da a la ropa con el jabón cuando se lava. ‖ **15.** Palabra que se pone como señal al margen de manuscritos o impresos para llamar la atención hacia una cosa. ‖ **16.** Atención, cuidado o advertencia que se pone en una cosa. ‖ **17.** Cada uno de los huecos o cavidades que tienen dentro de sí el pan, el queso y otras cosas esponjosas. ‖ **18.** Agujero redondo o alargado que en la parte superior del pie tienen algunas balanzas para ver al través si el fiel está perpendicular o caído. Algunas tienen dos **ojos.** ‖ **19.** Cada uno de los espacios de la red, malla. ‖ **20.** fig. Aptitud singular para apreciar rápidamente las circunstancias que concurren en algún caso. ojo *clínico, médico, marinero.* ‖ **21.** *Impr.* Grueso en los caracteres tipográficos, que puede ser distinto en los de un mismo cuerpo. ‖ **22.** *Impr.* Relieve de los tipos, que impregnado en tinta produce la impresión. ‖ **23.** V. **candelero, mal de ojo.** ‖ **24.** V. **ángulo, blancura, cámara anterior, cámara posterior, niña del ojo.** ‖ **25.** V. **sangre en el ojo.** ‖ **26.** V. **lo blanco del ojo.** ‖ **27.** V. **caída, vista de ojos.** ‖ **28.** V. **claridad, niñas del ojo.** ‖ **29.** V. **lápiz de ojos.** ‖ **30.** pl. Anillos de la tijera en los cuales entran los dedos. ‖ **31.** Se toma por expresión de gran cariño o por el objeto de él, y úsase regularmente diciendo: mis ojos, *sus* ojos, ojos *míos*, etc. ‖ **a la funerala.** fig. y fam. El amoratado a consecuencia de un golpe. ‖ **compuesto.** *Zool.* El de muchos artrópodos, especialmente insectos y crustáceos, formado por multitud de **ojos** simples, unidos entre sí con la interposición de una membrana oscura. ‖ **de agua. ojo,** manantial. ‖ **de besugo.** fig. y fam. El que está medio vuelto, porque se parece a los del besugo cocido. ‖ **de boticario.** Sitio en las boticas, donde se guardan las esencias y medicamentos de más valor. ‖ **de breque.** fig. y fam. El pitarroso y remellado. Ú. t. en sent. despect. ‖ **de buey.** Planta herbácea de la familia de las compuestas, de cuatro a seis decímetros de altura, con hojas garzas, casi abrazadoras, oblongas y festoneadas; flores terminales, redondas y amarillas, y fruto seco, menudo, con semilla suelta en su interior. Es común en los sembrados. ‖ **2.** fam. Doblón de a ocho, u onza de oro. ‖ **3.** Ventana o claraboya circular. ‖ **4.** *Mar.* Farol pequeño de aceite, con una lente que sirve a bordo para leer la graduación del sextante, y otros usos. ‖ **de carnero,** o **de carnero degollado.** fig. y fam. **ojos** saltones y de expresión triste. ‖ **de gallo.** Color que tienen algunos vinos, parecido al **ojo** del gallo. ‖ **2.** Callo redondo y algo cóncavo hacia el centro, que suele formarse en los dedos de los pies. ‖ **de gato.** Ágata de forma orbicular y color blanco amarillento, con fibras de asbesto y amianto. ‖ **de la escalera.** Espacio vacío que queda dentro de las vueltas de los tramos, cuando los peldaños no están adheridos a una alma central. ‖ **de la tempestad.** Rotura de las nubes que cubren la zona de calma que hay en el vórtice de un ciclón, por la cual suele verse el azul del cielo. ‖ **del culo.** ano. ‖ **Ojo del Toro.** *Astron.* **Aldebarán.** ‖ **de patio.** Hueco sin techumbre comprendido entre las paredes o galerías que forman el patio, y más particularmente abertura superior por donde le entra la luz y se ve el cielo. ‖ **de perdiz.** Labor de pasamanería que en el cruce de los hilos forma unos nudos lenticulares. ‖ **2.** Punto oscuro que se presenta en el centro de los nudos de las maderas, que suele ser indicio de la existencia de la hupe. ‖ **de pollo. ojo de gallo,** callo en los dedos de los pies. ‖ **regañado.** fig. El que tiene un frunce que lo desfigura y le impide cerrarse por completo. ‖ **ojos blandos.** fig. y fam. **ojos tiernos.** ‖ **de bitoque.** fig. y fam. Los que miran atravesado. ‖ **de cangrejo.** Ciertas piedrezuelas calcáreas, convexas por un lado y planas por otro, que crían interiormente los cangrejos, y que solo se ven en ellos al tiempo de la muda. ‖ **de gato.** fig. y fam. Persona que tiene de color agrisado o incierto. ‖ **de sapo.** fig. y fam. Persona que los tiene muy hinchados, reventones y tiernos. ‖ **rasgados.** Los que tienen muy prolongada la comisura de los párpados. ‖ **reventones,** o **saltones.** Los que son muy abultados y parecen estar fuera de su órbita. ‖ **tiernos.** fig. Los que padecen alguna fluxión ligera y continua. ‖ **turnios.** fig. Los muy brillantes y animados. ‖ **vivos.** Los muy brillantes y animados. ‖ **cuatro ojos.** fig. y fam. Persona que lleva anteojos. ‖ **abrir** uno **el ojo.** fr. fig. y fam. Estar advertido para que no le engañen. ‖ **abrir** uno **los ojos.** fr. fig. Conocer las cosas como ellas son, para sacar provecho y evitar las que pueden causar perjuicio o ruina. ‖ **abrir los ojos** a uno. fr. fig. Desengañarle en cosas que le pueden importar. ‖ **2.** Descubrirle algo de que estaba ajeno. ‖ **abrir** uno **tanto ojo.** fr. fig. y fam. Asentir con alegría a lo que se le promete, o desear con ansia aquello de que se está hablando. ‖ **a cierra ojos.** loc. adv. A medio dormir, a duermevela. ‖ **2.** fig. Sin reparar en inconvenientes ni detenerse a mirar los riesgos que pueden ofrecerse. ‖ **3.** fig. Sin examen ni reparo, precipitadamente. ‖ **alegrársele** a uno **los ojos.** fr. Manifestar en ellos el regocijo extraordinario que ha causado un objeto, noticia o suceso agradable. ‖ **al ojo.** loc. adv. Cercanamente o a la vista. ‖ **alzar** uno **los ojos al cielo.** fr. fig. Levantar el corazón a Dios implorando su favor. ‖ **andar** uno **con cien ojos.** fr. fig. y fam. **estar con cien ojos.** ‖ **andar** uno **con ojo.** fr. fig. y fam. **andar con cien ojos.** ‖ **a ojo.** loc. adv. Sin peso, sin medida, a bulto. ‖ **2.** fig. A juicio, arbitrio o discreción de uno. A OJO *de buen varón.* ‖ **a ojo de buen cubero.** expr. fig. y fam.

Sin medida, sin peso y a bulto. ‖ **a ojos cegarritas.** loc. adv. fam. Entornándolos para dirigir la mirada. ‖ **a ojos cerrados.** loc. adv. **a cierra ojos.** ‖ **a ojos vistas.** loc. adv. Visible, clara, patente, palpablemente. ‖ **2.** loc. adv. Con toda claridad, sin disimulo alguno. ‖ **a quien tanto ve, con un ojo le basta.** fr. que se usa para reprender al que es muy curioso y se mete a registrar lo que no quieren que vea o entienda. ‖ **arrasársele** a uno **los ojos,** de o en, **agua,** o **lágrimas.** fr. fig. Llenarse los **ojos** de lágrimas antes de romper a llorar. ‖ **avivar** uno **el ojo o los ojos.** fr. Andar con cuidado y diligencia para no dejarse engañar ni sorprender. ‖ **bailarle** a uno **los ojos.** fr. fig. Ser bullicioso, alegre y vivo. ‖ **bajar** uno **los ojos.** fr. fig. Ruborizarse, y también humillarse y obedecer prontamente lo que le mandan. ‖ **cerrar** uno **el ojo.** fr. fig. y fam. **cerrar los ojos,** morir. ‖ **cerrar** uno **los ojos.** fr. fig. Dormir, entrar o estar en sueño. Ú. frecuentemente con negación. ‖ **2.** fig. Expirar o morir. ‖ **3.** fig. Sujetar el entendimiento al dictamen de otro. ‖ **4.** fig. Obedecer sin examen ni réplica. ‖ **5.** fig. Arrojarse temerariamente a hacer una cosa sin reparar en inconvenientes. ‖ **cerrarle** a uno **los ojos.** fr. fig. No apartarse de un enfermo hasta que expire. ‖ **2.** fig. cerrarle los oídos. ‖ **clavar** uno **los ojos** en una persona o cosa. fr. fig. Mirarla con particular cuidado y atención. ‖ **comer** uno **con los ojos.** fr. fig. y fam. Apetecer o desear la comida cuando tiene un buen aspecto externo. ‖ **comerse con los ojos** a una persona o cosa. fr. fig. y fam. Mostrar en las miradas el incentivo vehemente de una pasión; como codicia, amor, odio, envidia. ‖ **como los ojos de la cara.** expr. fam. que se usa para ponderar el aprecio que se hace de una cosa o el cariño o cuidado con que se trata, aludiendo al que cada viviente tiene con sus **ojos.** ‖ **con el ojo tan largo.** loc. adv. fig. Con cuidado, atención y vigilancia. ‖ **costar** una cosa **un ojo,** o **un ojo, de la cara.** fr. fig. y fam. Ser excesivo su precio, o mucho el gasto que se ha tenido en ella. ‖ **dar** uno **de ojos.** fr. fig. y fam. Caer de pechos en el suelo. ‖ **2.** fig. Encontrarse con una persona. ‖ **3.** fig. Caer en un error. ‖ **dar en los ojos** una cosa. fr. fig. Ser tan clara y patente, que se hace conocer a primera vista. ‖ **dar en los ojos** con una cosa. fr. fig. Ejecutarla con propósito de enfadar o disgustar a uno. ‖ **dar en ojos** a uno. fr. fig. que se usa con un complemento precedido de **con,** p. ej. **darse de, o del, ojo.** fr. **hacerse del ojo.** ‖ **delante de los ojos.** loc. adv. En su presencia, a su vista. ‖ **de medio ojo.** loc. adv. fig. y fam. No enteramente descubierto o en público. ‖ **desencapotar los ojos.** fr. fig. Deponer el ceño y enojo y mirar con agrado. ‖ **despabilar,** o **despabilarse, los ojos.** fr. fig. y fam. Vivir con cuidado y advertencia. ‖ **dichosos los ojos,** o **dichosos los ojos que te, le, os, etc., ven.** expr. que se usa cuando se encuentra a una persona después de largo tiempo que no se la ve. ‖ **dormir** uno **con los ojos abiertos.** fr. fig. y fam. Estar o vivir con precaución y cuidado para no dejarse sorprender ni engañar. ‖ **dormir** uno **los ojos.** fr. fig. con que se expresa la afectación y el melindre de la persona que los cierra y entreabre para que parezcan mejor, o para dar a entender un afecto interior. ‖ **echar el ojo,** o **tanto ojo,** a una persona o cosa. fr. fig. y fam. Mirarla con atención, mostrando deseo de ella. ‖ **encima de los ojos.** loc. adv. **sobre los ojos.** ‖ **enclavar los ojos.** fr. **clavar los ojos.** ‖ **en los ojos** de uno. loc. adv. **delante de los ojos** de uno. ‖ **ensortijar los ojos** del caballo. fr. Revolverlos por lozanía al entrar en el combate. ‖ **entrar** a uno **los ojos cerrados.** fr. fig. Meterse en un negocio o admitir una cosa sin examen ni reflexión. ‖ **entrarle** a uno una cosa, **por el ojo,** o **por los ojos.** fr. fig. Gustarle por su aspecto. ‖ **entrarle** a uno, una persona, **por el ojo derecho** o **por el izquierdo.** fr. fig. y fam. Ser aceptada con simpatía o antipatía. ‖ **en un abrir,** o **en un abrir y cerrar,** o **en un volver, de ojos.** fr. fig. y fam.

En un instante, con extraordinaria brevedad. ‖ **estar** uno **con cien ojos.** fr. fig. Vivir prevenido o receloso. ‖ **estar** una cosa **tan en los ojos.** fr. fig. Ser vista con mucha frecuencia. ‖ **estimar sobre los ojos** una cosa. fr. fig. usada cortésmente para mostrar que uno agradece el beneficio u oferta que se le hace. ‖ **hablar con los ojos.** fr. fig. Dar a entender con una mirada o guiñada lo que se quiere decir a otro. ‖ **hacer del ojo.** fr. Hacer uno a otro señas guiñando un **ojo,** para que le entienda sin que otros lo noten. ‖ **2.** fig. y fam. Estar dos personas de un mismo parecer y dictamen en una cosa, sin habérselo comunicado la una a la otra. ‖ **hacer los ojos telarañas.** fr. fig. Turbarse la vista. ‖ **hacer ojo.** fr. fig. Inclinarse la balanza a un lado, por estar desequilibrada. ‖ **hacerse del ojo.** fr. **hacer del ojo.** ‖ **hacerse ojos** uno. fr. fig. Estar solícito y atento para conseguir o ejecutar una cosa que desea, o para verla o examinarla. ‖ **hasta los ojos.** loc. adv. fig. para ponderar el exceso de una cosa en que uno se halla metido, o de una pasión que padece. *Empeñado, enamorado,* HASTA LOS OJOS. ‖ **henchirle** a uno **el ojo** una cosa. fr. **llenarle el ojo.** ‖ **írsele** a uno **los ojos por,** o **tras,** una cosa. fr. fig. Desearla con vehemencia. ‖ **levantar** unos **los ojos al cielo.** fr. fig. **alzar los ojos al cielo.** ‖ **llenarle** a uno **el ojo** una cosa. fr. fig. y fam. Contentarle mucho, por parecer perfecta y aventajada en su especie. ‖ **llevar,** o **llevarse,** una cosa **los ojos.** fr. fig. Atraer la atención. ‖ **llevar** uno **los ojos clavados en el suelo.** fr. fig. y fam. que se usa para denotar la modestia y compostura de una persona. ‖ **llorar** uno **con ambos ojos.** fr. fig. con que se pondera una pérdida grande o un contratiempo que le sucede. ‖ **llorar** uno **con un ojo.** fr. fig. con que se moteja al que en una desgracia aparenta más sentimiento del que realmente tiene. ‖ **más ven cuatro ojos que dos.** fr. fig. con que se da a entender que las resoluciones salen mejor conferidas y consultadas que tomadas por un solo dictamen. ‖ **mentir** a uno **el ojo.** fr. fig. y fam. Equivocarse, engañarse en una cosa o precio por algunas señales exteriores. ‖ **meter** una cosa **por los ojos.** fr. fig. Encarecerla, brindando con ella insistentemente a fin de que uno la compre o acepte. ‖ **meterse** uno **por el ojo de una aguja.** fr. fig. y fam. Ser bullicioso y entremetido; introducirse aprovechando cualquier ocasión para conseguir lo que desea. ‖ **mirar con buenos,** o **malos, ojos** a una persona o cosa. fr. fig. Mirarla con afición o cariño, o al contrario. ‖ **mirar** a uno **con otros ojos.** fr. fig. Hacer de él diferente concepto, estimación y aprecio del que antes se hacía o del que otros hacen. ‖ **mirar de mal ojo.** fr. fig. Mostrar desafecto o desagrado. ‖ **¡mucho ojo!** expr. de aviso, para que se mire bien, se oiga o considere atentamente lo que pasa o se dice. ‖ **¡mucho ojo, que la vista engaña!** expr. con que se advierte a uno que vaya prevenido, sin fiarse de apariencias. ‖ **no decir** a uno **«buenos ojos tienes».** fr. fig. y fam. No dirigirle la palabra; no hacerle caso. ‖ **no hay más que abrir ojos y mirar.** fr. con que se pondera la perfección, grandeza y estimación de una cosa. ‖ **no levantar** uno **los ojos.** fr. fig. Mirar al suelo por humildad, modestia, etc. ‖ **no pegar** uno **los ojos,** o **los ojos.** fr. fig. y fam. **no pegar ojo.** ‖ **no pegar ojo.** fr. fig. y fam. No poder dormir. ‖ **no quitar los ojos** de una persona o cosa. fr. fig. y fam. Poner en ella atención grande y persistente. ‖ **no quitar ojo.** fr. fig. y fam. Mirar a alguien o algo con gran atención e insistencia. ‖ **no saber** uno **dónde tiene los ojos.** fr. fig. y fam. Ser muy ignorante o inhábil en las cosas más claras y triviales. ‖ **no tener** uno **adónde volver los ojos.** fr. fig. y fam. que se usa hablando de la persona desvalida. ‖ **ofender** uno **los ojos.** fr. fig. Servir de escándalo, o dársele a una persona. ‖ **no tener** uno **ojos en la cara.** fr. fig. y fam. que se dice a alguien que no ve algo que es claro y manifiesto. ‖ **¡ojo!** interj. para llamar la atención sobre alguna cosa. ‖ **ojo a la margen.** expr. fig. que se usa para encargar que se

ponga advertencia en una cosa. ‖ **ojo al cristo, que es de plata.** expr. fig. y fam. con que se advierte a uno que tenga cuidado con una cosa, por el riesgo que hay de que la hurten. ‖ **ojo alerta.** expr. fam. con que se advierte a uno que esté con cuidado para evitar un riesgo o fraude. ‖ **ojo avizor.** expr. Alerta, con cuidado. ‖ **ojos que te vieron ir.** expr. con que se significa que la ocasión que se perdió una vez, no suele volver. ‖ **2.** exclam. con que uno muestra el temor de no volver a ver a una persona ausente y amada, o de no recobrar el dinero o alhaja de que se ha desprendido. ‖ **pasar los ojos por** un escrito. fr. fig. Leerlo ligeramente. ‖ **pasar por ojo.** fr. *Mar.* Embestir de proa un buque a otro y echarlo a pique. ‖ **2.** fig. Destruir a uno, arruinarle. ‖ **pelar los ojos.** fr. fig. y fam. *Nicar.* Abrir desmesuradamente los **ojos.** ‖ **poner** a uno **delante de los ojos** una cosa. fr. fig. y fam. Convencerle con la razón o con la experiencia para que deponga el dictamen errado en que está. ‖ **poner los ojos en** una persona o cosa. fr. fig. Escogerla para algún designio. ‖ **2.** fig. Denotar afición o cariño a ella. ‖ **poner** uno **los ojos en albo.** fr. ant. **poner los ojos en blanco.** ‖ **poner los ojos en blanco.** fr. Volverlos de modo que apenas se descubra más que lo blanco de ellos. ‖ **2.** fig. Denotar gran admiración o asombro. ‖ **por sus ojos bellidos.** loc. adv. Por su buena cara, de balde y sin costar trabajo alguno. ‖ **quebrar el ojo al diablo.** fr. fig. y fam. Hacer lo mejor, más justo y razonable. ‖ **quebrar los ojos** a uno. fr. fig. y fam. Desplacerle y desagradarle en lo que se conoce que es de su gusto. ‖ **2.** fig. Ser la luz tan activa, que no se puede mirar a ella sin que se ofenda la vista; como sucede cuando se quiere mirar al Sol. ‖ **quebrarse** uno **los ojos.** fr. fig. Cansarse los **ojos** de la mucha fatiga que se tiene en una cosa; como en leer o estudiar. ‖ **2.** fig. Turbársele la vista al moribundo, que es señal de estar ya a los últimos. ‖ **rasársele** a uno **los ojos de,** o **en, agua,** o **lágrimas.** fr. fig. **arrasársele los ojos de agua.** ‖ **revolver** uno **los ojos.** fr. Volver la vista en redondo, vaga y desatentadamente, por efecto de una violenta pasión o accidente. ‖ **sacar** los **ojos** a uno. fr. fig. y fam. Apretarle e instarle con molestia a que haga una cosa. ‖ **2.** fig. y fam. Hacerle gastar mucho dinero por antojo o en peticiones importunas. ‖ **sacarse los ojos.** fr. fig. que exagera el enojo y cólera con que dos o más personas riñen y altercan sobre una materia o negocio. ‖ **salirle** a uno **los ojos** alguna cosa. fr. fig. y fam. **salirle a la cara,** conocérsele en el semblante. ‖ **saltar** a uno **los ojos.** fr. Ser muy clara. ‖ **2.** fig. Ser vistosa y sobresaliente por su primor. ‖ **saltarle** uno **a los ojos** a otro. fr. fig. Tener contra él gran irritación y enojo. ‖ **saltársele** a uno **los ojos.** fr. fig. con que se significa la gran ansia o deseo con que apetece una cosa, infiriéndolo de la tenaz atención con que mira. ‖ **saltar** a uno **un ojo.** fr. Herírselo, cegárselo. ‖ **ser** uno **el ojo derecho** de otro. fr. fig. y fam. Ser de su mayor confianza y cariño. ‖ **ser** uno **todo ojos.** fr. fig. y fam. que se usa para ponderar la extremada atención con que se mira algo. ‖ **sin pegar el ojo,** o **los ojos,** o **sin pegar ojo.** fr. fig. y fam. Sin poder dormir. ‖ **sobre los ojos.** fr. fig. que con el verbo *poner* y otros se usa para ponderar la estimación que se hace de una persona. ‖ **taparse de medio ojo.** fr. desus. Taparse las mujeres la cara con la mantilla, sin descubrir más que un **ojo,** para ver sin ser conocidas. ‖ **tener el ojo tan largo.** fr. fig. y fam. Estar observando o vigilando con mucha atención. ‖ **tener entre ojos,** o **sobre ojo,** a uno. fr. fig. y fam. Aborrecerle, tenerle mala voluntad. ‖ **tener los ojos clavados en el suelo.** fr. fig. y fam. **llevar los ojos clavados en el suelo.** ‖ **tener los ojos en** una cosa. fr. fig. Mirarla con gran atención, y observarla con todo cuidado. ‖ **tener** uno **malos ojos.** fr. fig. Ser aciago o desgraciado en las cosas que mira o examina. ‖ **tener ojo** a una cosa. fr. fig. Atender, poner la mirada en ella. ‖ **tierno de ojos.** loc. Dícese del que en ellos padece una fluxión ligera y continua. ‖ **torcer los ojos.** fr. Volverlos hacia un lado, dejando de mirar hacia el frente. ‖ **tornar** uno **los ojos en albo.** fr. ant. **poner los ojos en albo.** ‖ **traer al ojo** una cosa. fr. fig. Cuidar atentamente de un negocio o persona sin dejarla olvidar. ‖ **traer entre ojos.** fr. fig. Observar a uno, por el recelo que se tiene de él. ‖ **traer a uno sobre ojo.** fr. fig. **traer entre ojos.** ‖ **2.** fig. y fam. Estar enojado con él. ‖ **un ojo a** una cosa **y otro a** otra. expr. fig. con que se explica la concurrencia de diversas intenciones a un tiempo. UN OJO A *la sartén* Y OTRO A *la gata.* ‖ **valer** una cosa **un ojo de la cara.** fr. fig. y fam. Ser de mucha estimación o aprecio. ‖ **vendarse uno los ojos.** fr. fig. No querer asentir ni sujetarse a la razón por clara que sea. ‖ **venirse a los ojos** una cosa. fr. fig. y fam. **saltar a los ojos.** ‖ **2.** fig. y fam. Llamar fuertemente la atención por sus vivos colores o por otras calidades o circunstancias. ‖ **vidriarse los ojos.** fr. Tomar la apariencia o semejanza del vidrio, que es señal de cercana muerte en los enfermos. ‖ **volver los ojos.** fr. Torcerlos al tiempo de mirar, lo cual hacen muy comúnmente los niños. ‖ **volver los ojos** a uno. fr. fig. Atenderle, interesarse por él.

ojoche. m. *C. Rica.* Árbol de gran altura que se cubre de flores casi por completo, y cuyo fruto sirve de alimento al ganado.

ojoso, sa. adj. Que tiene muchos ojos; como el pan, el queso, etc.

ojota. (Del quechua *ushuta.*) f. *Amér. Merid.* Calzado a manera de sandalia, hecho de cuero o de filamento vegetal, que usaban los indios del Perú y de Chile, y que todavía usan los campesinos de algunas regiones de América del Sur.

ojuelo. m. d. de **ojo.** Ú. frecuentemente en plural, por los ojos risueños, alegres y agraciados. ‖ **2.** pl. En algunas partes, anteojos para leer.

okapi. m. Mamífero artiodáctilo rumiante, de la misma familia que la jirafa, aunque con el cuello y las patas más cortos. El pelaje es pardo rojizo; la cara, blanca, y las patas y cuartos traseros, listados como en las cebras. Es esquivo, de costumbres nocturnas y vive en bosques frondosos del África ecuatorial.

-ol[1]. (De la term. de *alcohol* o *fenol.*) Suf. que en química orgánica, forma nombres de compuestos que contienen hidroxilo, especialmente alcoholes y fenoles: *colester*OL, *benz*OL.

-ol[2]. (apóc. del lat. *oleum,* aceite.) *Quím.* Suf. de sustantivos que significa «aceite»: *icti*OL, *cumin*OL.

ola. (De or. inc.) f. Onda de gran amplitud que se forma en la superficie de las aguas. ‖ **2.** Fenómeno atmosférico que produce variación repentina en la temperatura de un lugar. OLA *de fuego,* OLA *de frío.* ‖ **3.** fig. Movimiento impetuoso de la gente apiñada, oleada. ‖ **verde.** fig. *Col.* Adecuación de las señales de tránsito que permite, al encenderse sucesivamente con luz verde y al marchar los vehículos a una velocidad establecida, que estos avancen sin parar en largos trechos de calles y avenidas de las ciudades. ‖ **quebrar, o romperse, las olas.** fr. **quebrar,** o **romperse, el mar.**

olaje. m. Sucesión continuada de olas, oleaje.

olambre. f. **olambrilla.**

olambrilla. f. Azulejo decorativo de unos siete centímetros de lado, que se combina con baldosas rectangulares, generalmente rojas, para formar pavimentos y revestir zócalos.

ole. (De *¡olé!*) interj. **¡olé!** ‖ **2.** m. Cierto baile andaluz. ‖ **3.** Son de este baile.

¡olé! (Del ár. *wa-lláh,* ¡por Dios!, que se emplea en sentido admirativo; o podría ser creación expresiva.) interj. con que se anima y aplaude. Ú. t. c. s. y en pl.

oleáceo, a. (Del lat. científico *oleacěus.*) adj. *Bot.* Dícese de árboles y arbustos angiospermos dicotiledóneos, que tienen hojas opuestas y alternas, flores hermafroditas, algunas veces unisexuales y casi siempre tetrámeras, fruto en drupa o en baya y semillas generalmente sin albumen; como el olivo, el fresno y el jazmín. Ú. t. c. s. f. ‖ **2.** f. pl. *Bot.* Familia de estas plantas.

oleada[1]. f. Ola grande. ‖ **2.** Embate y golpe de la ola. ‖ **3.** fig. Movimiento impetuoso de mucha gente apiñada.

oleada[2]. (De *óleo.*) f. Cosecha abundante de aceite.

oleado, da. adj. Dícese de la persona que ha recibido los santos óleos. Ú. t. c. s.

oleaginosidad. f. Cualidad de oleaginoso.

oleaginoso, sa. (Del lat. *oleagǐnus,* aceitoso, de *olea,* aceituna.) adj. Oleoso, aceitoso.

oleaje. m. Sucesión continuada de olas.

olear[1]. (De *óleo.*) tr. Aceitar una ensalada u otro alimento. ‖ **2.** Dar a un enfermo el sacramento de la extremaunción. ‖ **3.** Signar con óleo sagrado a una persona, para denotar el carácter de su dignidad.

olear[2]. intr. Hacer o producir olas, como el mar.

oleario, ria. (Del lat. *olearǐus.*) adj. Oleoso, aceitoso.

oleastro. (Del lat. *oleaster. -tri.*) m. **acebuche.**

oleaza. (Del lat. *oleacěus.*) f. *Ar.* Agua que queda en el fondo de las pilas de los molinos de aceite después de apartar este.

oledero, ra. (De *oler.*) adj. Que despide olor.

oledor, ra. adj. Que exhala olor o lo percibe. Ú. t. c. s. ‖ **2.** m. ant. **cajita** en que se guarda el pomo para perfumes.

oleico, ca. adj. V. **ácido oleico.**

oleícola. adj. Perteneciente o relativo a la oleicultura.

oleicultor. m. Persona que se dedica a la oleicultura.

oleicultura. f. Arte de cultivar el olivo y mejorar la producción del aceite.

oleífero, ra. adj. Se dice de la planta que contiene aceite.

oleína. (Del lat. *olěum,* aceite.) f. *Quím.* Sustancia líquida, ligeramente amarillenta, que entra en la composición de las grasas y mantecas y en la de los aceites.

óleo. (Del lat. *olěum,* aceite.) m. Aceite de oliva. ‖ **2.** Por antonom., el que usa la Iglesia en los sacramentos y otras ceremonias. Ú. m. en pl. *Los santos* ÓLEOS. ‖ **3.** Acción de olear. ‖ **4.** Pintura hecha al **óleo,** generalmente ejecutada sobre lienzo. ‖ **santo óleo.** El de la extremaunción. ‖ **al óleo.** loc. adj. y adv. Dícese de la pintura realizada con colores desleídos en aceite secante, y de este modo de pintar. ‖ **andar al óleo.** fr. fig. y fam. Estar una cosa muy adornada y compuesta. ‖ **¡bueno va el óleo!** expr. fig. e irón. que se usa para explicar que una cosa no va como debe ir. ‖ **estar al óleo.** fr. fig. y fam. **andar al óleo.**

oleoducto. (Del lat. *olěum,* aceite, y *ductus,* conducción.) m. Tubería provista de bombas y otros aparatos para conducir el petróleo a larga distancia.

oleografía. f. Cromo que imita la pintura al óleo.

oleómetro. m. Instrumento usado para medir la densidad de los aceites.

oleorresina. f. Jugo líquido, o casi líquido, procedente de varias plantas, formado por resina disuelta en aceite volátil.

oleosidad. f. Cualidad de oleoso.

oleoso, sa. (Del lat. *oleōsus.*) adj. **aceitoso.**

oler. (Del lat. *olēre.*) tr. Percibir los olores. ‖ **2.** Procurar percibir o identificar un olor. Ú. t. c. intr. ‖ **3.** fig. Conocer o adivinar una cosa que se juzgaba oculta, barruntarla. Ú. m. c. prnl. ‖ **4.** fig. Inquirir con curiosidad y diligencia lo que hacen otros, para aprovecharse de ello o con algún otro fin. ‖ **5.** intr. Exhalar y echar de sí fragancia que deleita el sentido del olfato, o hedor que le molesta. ‖ **6.** fig.

Parecerse o tener señas y visos de una cosa, que por lo regular es mala. *Este hombre me* HUELE *a hereje.* ‖ **no oler bien** una cosa. fr. fig. Dar sospecha de que encubre un daño o fraude. ‖ **oler donde guisan.** expr. fig. y fam. Buscar ocasiones favorables para satisfacer los gustos y provechos. Ú. m. con los verbos *andar, estar,* etc.

olfacción. (Del lat. *olfacĕre,* oler.) f. Acción de oler.

olfatear. (De *olfato.*) tr. Oler con ahínco y persistentemente. ‖ **2.** fig. y fam. Indagar, averiguar con viva curiosidad y empeño.

olfateo. m. Acción y efecto de olfatear.

olfativo, va. adj. Perteneciente o relativo al sentido del olfato. *Nervio* OLFATIVO.

olfato. (Del lat. *olfactus.*) m. Sentido con que los seres animados perciben los olores. En los vertebrados está constituido el órgano olfativo por células especiales situadas en la membrana pituitaria, y en los invertebrados suele estar formado por elementos tegumentarios de las antenas, palpos, etc. ‖ **2.** fig. Sagacidad para descubrir o entender lo que está disimulado o encubierto.

olfatorio, ria. (Del lat. *olfactorĭus.*) adj. Perteneciente o relativo al olfato.

olíbano. (Del ár. *al-lubnà,* el estoraque.) m. Incienso aromático.

oliera. (De *olio.*) f. Vaso en que se guarda el santo óleo o crisma.

olifante. (De *elefante.*) m. Cuerno de marfil que figura entre los arreos militares de los caballeros medievales y particularmente el cuerno de Roldán.

oligarca. (Del gr. ὀλιγάρχης.) m. Cada uno de los individuos que componen una oligarquía.

oligarquía. (Del gr. ὀλιγαρχία.) f. Gobierno de pocos. ‖ **2.** Forma de gobierno en la cual el poder supremo es ejercido por un reducido grupo de personas que pertenecen a una misma clase social. ‖ **3.** Conjunto de algunos poderosos negociantes que se aúnan para que todos los negocios dependan de su arbitrio.

oligárquico, ca. (Del gr. ὀλιγαρχικός.) adj. Perteneciente a la oligarquía.

oligisto. (Del gr. ὀλίγιστος, muy poco, porque da menos metal que otra mena parecida.) m. Mineral opaco, de color gris negruzco o pardo rojizo, muy duro y pesado, de textura compacta, concrecionada, granujienta o terrosa. Es un óxido de hierro, y por su riqueza en metal es muy apreciado en siderurgia. ‖ **rojo. hematites,** mineral.

oligo-. (Del gr. ὀλίγο-, poco.) elem. compos. que significa «poco» o «insuficiente»: OLIGOpolio, OLIGOfrenia.

oligoceno, na. (De *oligo-* y el gr. καινός, reciente.) adj. Geol. Dícese de la época o período del terciario, que sigue al eoceno y con el cual finaliza el terciario antiguo o paleógeno. Ú. t. c. s. ‖ **2.** *Geol.* Perteneciente o relativo a esta época o período.

oligoelemento. (De *oligo-* y *elemento.*) m. Biol. Todo elemento químico que es indispensable, en pequeñísimas cantidades, para completar el crecimiento y el ciclo reproductivo de plantas y animales.

oligofrenia. (De *oligo-* y el gr. φρήν, inteligencia.) f. Med. Deficiencia mental.

oligofrénico, ca. adj. Med. Dícese del que padece oligofrenia. Ú. t. c. s. ‖ **2.** Perteneciente o relativo a la oligofrenia.

oligopolio. (De *oligo-* y el gr. πωλέω, vender.) m. Econ. Aprovechamiento de alguna industria o comercio por reducido número de empresas.

oligopsonio. (De *oligo-* y el gr. ὀψώνιον, aprovisionamiento de víveres.) m. Econ. Situación comercial en que es muy reducido el número de compradores de determinado producto o servicio.

oligotrofia. (De *oligo-* y la raíz gr. τρεφ-, τροφ-, alimentar.) f.

Ecol. Propiedad de las aguas de lagos profundos de alta montaña, con escasa cantidad de sustancias nutritivas y poca producción de fitoplancton.

oligotrófico, ca. adj. Ecol. Perteneciente o relativo a la oligotrofia.

olimpiaco, ca u **olimpíaco, ca.** (Del lat. *olympiăcus.*) adj. ant. olímpico.

olimpiada u **olimpíada.** (Del gr. Ὀλυμπιάς, a través del lat. *Olympĭas, -ădis.*) f. Fiesta o juego que se hacía cada cuatro años en la antigua ciudad de Olimpia. ‖ **2.** Competición universal de juegos atléticos que se celebra modernamente cada cuatro años en lugar señalado de antemano y con exclusión de los profesionales del deporte. ‖ **3.** Período de cuatro años comprendido entre las celebraciones consecutivas de juegos olímpicos. Fue costumbre entre los griegos contar el tiempo por **olimpiadas** a partir del solsticio de verano del año 776 antes de Jesucristo, en que se fijó la primera.

olimpíade. f. ant. olimpiada.

olímpicamente. adv. m. De manera olímpica.

olímpico, ca. (Del gr. ὀλυμπικός, a través del lat. *olympĭcus.*) adj. Perteneciente o relativo al Olimpo. ‖ **2.** Perteneciente o relativo a Olimpia, ciudad de Grecia antigua. ‖ **3.** Perteneciente o relativo a los juegos de las olimpiadas. ‖ **4.** V. **corona olímpica.** ‖ **5.** fig. Altanero, soberbio. OLÍMPICO *desdén.*

olimpo. (Del gr. Ὄλυμπος.) n. p. m. Morada de los dioses del paganismo. ‖ **2.** m. Conjunto de los dioses mitológicos que residían en el monte **Olimpo.** ‖ **estar en el Olimpo.** fr. fig. Ensimismarse, enorgullecerse, apartarse de la realidad.

olingo. m. *Hond.* Mono de los llamados aulladores y cuya voz es de gran potencia.

olio. m. óleo.

olisca. (De *oliscar.*) f. Olfato, sentido.

oliscar. tr. Oler algo uno o un animal con cuidado y persistencia. ‖ **2.** fig. Averiguar, inquirir, husmear, buscar, procurar saber algo. ‖ **3.** intr. Empezar a oler mal una cosa. ‖ **4.** fig. Ofrecer a lacayo o a una cosa indicios de tal condición. OLISCAR *a lacayo, a terceras.*

olisco, ca. adj. Que huele mal. Ú. t. c. s. m. ‖ **2.** Que tiene indicios o sospechas, husmeador.

oliscoso, sa. adj. Husmeador.

olismear. (De *oler* y *husmear.*) tr. fig. Husmear noticias, curiosear.

olisquear. (De *oliscar.*) tr. Oler uno o un animal una cosa. ‖ **2.** Husmear uno, curiosear.

oliva. (Del lat. *olīva.*) f. Olivo, árbol. ‖ **2.** Fruto del olivo, aceituna. ‖ **3.** Lechuza, ave. ‖ **4.** fig. paz.

olivar¹. m. Sitio plantado de olivos.

olivar². tr. Enfardar o podar las ramas bajas de los árboles para que las superiores formen buena copa, como se hace a los olivos. ‖ **2.** prnl. Levantarse ampollas en el pan al ser cocido, a consecuencia de haberse enfriado la masa antes de entrar en el horno.

olivarda¹. (De *oliva,* por el color del ave.) f. Ave, variedad del nebli, que se distingue en ser más pequeña y en tener el cuerpo de color amarillo verdoso.

olivarda². (Del neerl. *alantswortel,* énula campana.) f. Planta de la familia de las compuestas, de cinco decímetros a un metro de altura, de tronco leñoso, bastante ramosa, con hojas lanceoladas, sentadas, abrazadoras por la base, con dientes en el margen y pobladas de pelillos glandulosos que segregan una especie de resina viscosa; flores en cabezuelas amarillas, de pedúnculos desiguales para formar ramo piramidal, y fruto seco con una sola semilla, suelta y menuda. Es común en España y se ha empleado como astringente y cicatrizante.

olivarero, ra. adj. Perteneciente o relativo al cultivo del olivo y a sus industrias derivadas. ‖ **2.** Que se dedica a este cultivo. Ú. t. c. s.

olivastro de Rodas. (Del lat. *oleaster, -tri,* con influjo de *olivo.*) m. **áloe,** planta.

olivera. (Del lat. *olivaria.*) f. **olivo,** árbol.

olivero. m. Sitio donde se coloca la oliva o aceituna en la recolección hasta que se lleva al trujal.

olivícola. adj. Perteneciente o relativo a la olivicultura.

olivicultor, ra. m. y f. Persona que se dedica a la olivicultura.

olivicultura. f. Cultivo y mejoramiento del olivo.

olivífero, ra. (Del lat. *olivĭfer, -ēri.*) adj. poét. Abundante en olivos.

olivillo. (d. de *olivo.*) m. Arbusto de la familia de las cneoráceas, de dos a tres metros de altura, con hojas ovales, sentadas, lustrosas y persistentes; flores axilares amarillas, y por fruto bayas color pardo rojizo.

olivino. (De *oliva,* aceituna, por el color.) m. **peridoto,** mineral.

olivo. (Del lat. *olīvum.*) m. Árbol de la familia de las oleáceas, con tronco corto, grueso y torcido; copa ancha y ramosa que se eleva hasta cuatro o cinco metros, hojas persistentes coriáceas, opuestas, elípticas, enteras, estrechas, puntiagudas, verdes y lustrosas por la haz y blanquecinas por el envés; flores blancas, pequeñas, en ramitos axilares, y por fruto la aceituna, que es drupa ovoide de dos a cuatro centímetros de eje mayor, según las castas, de sabor algo amargo, color verde amarillento, morado en algunas variedades, y con un hueso grande y muy duro que encierra la semilla. Originario de Oriente, es muy cultivado en España para extraer del fruto el aceite común. ‖ **2.** Madera de este árbol. ‖ **acebucheno.** El que bastardea y da, como el acebuche, fruto escaso y pequeño, por falta de cuidado o por mala calidad del terreno. ‖ **arbequín.** El muy cultivado en Cataluña y que produce fruto pequeño, como la aceituna manzanilla, pero bueno, y aceite muy apreciado. El árbol es de tamaño mediano, frondoso y de buen aspecto cuando lleva el fruto. ‖ **manzanillo.** El que da aceituna manzanilla. ‖ **silvestre.** El menos ramoso que el cultivado y de hojas más pequeñas. Su fruto es la acebuchina. ‖ **dar el olivo.** fr. fig. y fam. *Argent.* Despedir, echar, expulsar. ‖ **tomar el olivo.** fr. *Taurom.* Guarecerse en la barrera. ‖ **2.** Huir, escapar. ‖ **3.** Despedirse, marcharse.

olivoso, sa. adj. poét. **olivífero.**

olma. f. Olmo muy corpulento y frondoso.

olmeda. (De *olmo,* con el suf. derivativo del lat. *-etum.*) f. Sitio plantado de olmos.

olmedano, na. adj. Natural de Olmedo. Ú. t. c. s. ‖ **2.** Perteneciente o relativo a alguna de las villas de este nombre.

olmedo. (Del lat. *ulmētum.*) m. Sitio plantado de olmos.

olmo. (Del lat. *ulmus.*) m. Árbol de la familia de las ulmáceas, que crece hasta la altura de 20 metros, con tronco robusto y derecho, de corteza gruesa y resquebrajada; copa ancha y espesa; hojas elípticas o trasovadas, aserradas por el margen, ásperas y lampiñas por la haz, lisas y vellosas por el envés y verdes por ambas caras; flores precoces, de color blanco rojizo, en hacecillos sobre las ramas, y frutos secos, con una semilla oval, aplastada, de ala membranosa en todo su contorno, verde al principio y amarillenta después, de rápido desarrollo. Abunda en España, es buen árbol de sombra y de excelente madera.

ológrafo, fa. adj. **hológrafo**

olomina. f. *C. Rica.* Pececillo muy abundante en todos los ríos y arroyos; no es comestible.

olopopo. m. *C. Rica.* Especie de mochuelo de gran tamaño, que abunda en la costa del Pacífico. Su nombre procede de su grito habitual.

olor. (Del lat. *olor, -ōris.*) m. Impresión que los efluvios de los cuerpos producen en el olfato. ‖ **2.** Lo que es capaz de

producir esa impresión. ‖ **3.** Olfato, sentido corporal. ‖ **4.** V. **agua, grama, guisante, jabón, jabonete, meloncillo, retama, rosal de olor.** ‖ **5.** fig. Esperanza, promesa u oferta de una cosa. ‖ **6.** fig. Lo que causa o motiva una sospecha en cosa que está oculta o por suceder. ‖ **7.** fig. Fama, opinión y reputación. *Morir en* OLOR *de santidad.* ‖ **estar** uno **al** olor. fr. fig. y fam. **estar al husmo.**

olorizar. tr. Esparcir olor, perfumar.

oloroso, sa. (De *olor.*) adj. Que exhala de sí fragancia. ‖ **2.** V. **asa, uña olorosa.** ‖ **3.** V. **junco, perifollo oloroso.** ‖ **4.** m. Vino de Jerez de color dorado oscuro y mucho aroma, de dieciocho o veinte grados y que, al envejecer, puede llegar a veinticuatro o veinticinco.

olote. (Del azteca *olote.*) m. *Nicar.* Zuro[1] de la mazorca de maíz.

olura. (Del lat. *olus, -ēris.*) f. ant. Verdura, hortaliza.

olvidadero, ra. adj. ant. Que con facilidad se olvida.

olvidadizo, za. adj. Que con facilidad se olvida de las cosas. ‖ **2.** fig. Desagradecido.

olvidado, da. p. p. de **olvidar.** ‖ **2.** adj. Dícese del que olvida. ‖ **3.** Desagradecido.

olvidanza. (De *olvidar.*) f. ant. **olvido.**

olvidar. (Del lat. **oblītare,* forma sobre el p. p. *oblĭtus,* de *oblivisci.*) tr. Dejar de tener en la memoria lo que se tenía o debía tener. Ú. t. c. prnl. ‖ **2.** Dejar de tener en el afecto o afición a una persona o cosa. Ú. t. c. prnl. ‖ **3.** No tener en cuenta alguna cosa. OLVIDA *los agravios que te hicieron.* Ú. t. c. prnl. ‖ **4.** p. us. Hacer perder la memoria de una cosa. ‖ **estar olvidada** una cosa. fr. fig. Hacer mucho tiempo que se hizo o sucedió.

olvido. m. Cesación de la memoria que se tenía. ‖ **2.** Cesación del afecto que se tenía. ‖ **3.** Descuido de una cosa que se debía tener presente. ‖ **dar, o echar, al olvido,** o en **olvido.** fr. **olvidar.** ‖ **enterrar en el olvido.** fr. fig. Olvidar para siempre. ‖ **entregar al olvido.** fr. fig. **olvidar.** ‖ **no tener en olvido** a una persona o cosa. fr. Tenerla presente. ‖ **poner en olvido.** fr. **olvidar.** ‖ **2.** Hacer olvidar.

olvidoso, sa. adj. ant. Que se olvida de las cosas. ‖ **2.** Desagradecido.

olla. (Del lat. *olla.*) f. Vasija redonda de barro o metal, que comúnmente forma barriga, con cuello y boca anchos y con una o dos asas, la cual sirve para cocer alimentos, calentar agua, etc. ‖ **2.** Contenido o cabida de esta vasija. ‖ **3.** Comida preparada con carne, tocino, legumbres y hortalizas, principalmente garbanzos y patatas, a lo que se añade a veces algún embuchado y todo junto se cuece y sazona. Es en España el plato principal de la comida diaria. ‖ **4.** Remolino que forman las aguas en un hoyo, en ciertos parajes del mar o de un río. ‖ **5.** V. **cabeza, tumbo de olla.** ‖ **a presión.** Recipiente de metal, con cierre hermético para que el vapor producido en el interior, regulado por una válvula, cueza los alimentos con gran rapidez. ‖ **carnicera.** Aquella en que, por su tamaño, se puede cocer mucha carne. ‖ **ciega. alcancía,** hucha de barro. ‖ **de campaña.** Marmita que sirve para cocer el rancho de la tropa, tanto en campaña como en guarnición. ‖ **de cohetes.** fig. y fam. Grave riesgo, sumo peligro. ‖ **de fuego.** olla de barro llena de materias inflamables y explosivas, con que mechas encendidas se arrojaba con la mano o un foso o al campo enemigo próximo, y rompiéndose al caer, iluminaba o incendiaba. ‖ **de grillos.** fig. y fam. Lugar en que hay gran desorden y confusión y nadie se entiende. ‖ **podrida.** La que, además de la carne, tocino y legumbres, tiene en abundancia jamón, aves, embutidos y otras cosas suculentas. ‖ **las ollas de Egipto.** fig. Vida regalona que se tuvo en otro tiempo. Ú. con los verbos *recordar, desear, volver,* etc. ‖ **acá, que hay olla.** expr. fig. y fam. con que se llama a uno y se da a entender que le conviene acudir. ‖ **a las ollas de Miguel.** Juego que los muchachos hacen formando una rueda, y dadas las manos, dicen una coplilla que empieza: A LAS OLLAS DE MIGUEL, *que están cargadas de miel;* y acabada, va volviendo uno de ellos la espalda hacia dentro de la rueda, y en acabándose de volver todos, repiten la copla, dándose unos a otros con las asentaderas, sin soltarse las manos. ‖ **estar** uno **a la olla de** otro. fr. Mantenerse a su costa, comiendo en su casa. ‖ **hacer** a uno **la olla gorda.** fr. fig. y fam. **hacerle el caldo gordo.** ‖ **no hay olla sin tocino.** fr. fig. que se usa para explicar que si falta algo de lo sustancial no está perfecta una cosa. ‖ **2.** fig. Sirve también para motejar al que siempre habla de lo mismo.

ollado. (Del lat. *ocŭlus,* a través del gall. y port. *ollado,* de *ollo.*) m. *Mar.* **ollao.**

ollao. (De *ollado.*) m. *Mar.* Cualquiera de los ojetes que se abren en las velas, toldos, fundas, etc., y que, reforzados como los ojales de la ropa, sirven para que por ellos pasen cabos.

ollar[1]. (Del gall. o port. *ollo,* ojo.) m. Cada uno de los dos orificios de la nariz de las caballerías.

ollar[2]. (De *olla.*) adj. V. **piedra ollar.**

ollaza. m. aum. de **olla.** Ú. en el ref. *A cada* OLLAZA *su coberteraza.*

ollera. (De *olla.*) f. Herrerillo, pájaro.

ollería. (De *ollero.*) f. Fábrica donde se hacen ollas y otras vasijas de barro. ‖ **2.** Tienda o barrio donde se venden. ‖ **3.** Conjunto de ollas y otras vasijas de barro.

ollero, ra. (Del lat. *ollarĭus.*) m. y f. Persona que hace o vende ollas y otros utensilios de barro.

olleta. (f. *Venez.* Guiso de maíz.

olluco. m. *Perú.* **melloco,** planta.

olluela. f. d. de **olla.**

-oma. V. **-ma.**

omagua. adj. Dícese del individuo de una tribu de la alta Amazonia muy relacionada con El Dorado. Ú. t. c. s. ‖ **2.** Perteneciente o relativo a los **omaguas.** ‖ **3.** m. Lengua de estos indios.

omaso. (Del lat. *omāsum.*) m. Tercer estómago de los rumiantes.

ombligada. f. Parte que en los cueros corresponde al ombligo.

ombligo. (Del lat. *umbilĭcus.*) m. Cicatriz redonda y arrugada que se forma en medio del vientre, después de romperse y secarse el cordón umbilical. ‖ **2.** Cordón que va desde el vientre del feto a la placenta o pares. ‖ **3.** fig. Medio o centro de cualquier cosa. ‖ **de Venus.** Planta herbácea anual de la familia de las crasuláceas, con hojas radicales, pecioladas, carnosas, redondas y umbilicadas; tallo de tres a cuatro decímetros, con algunas hojuelas puntiagudas, y flores amarillentas en espiga, pequeñas y colgantes. Es común en los tejados, y sus hojas, machacadas, se han empleado como emoliente. ‖ **2.** Pieza calcárea de forma elíptica, pequeña, plana y blanca por una cara, rugosa como el **ombligo** de un animal, y de color entre rojo y dorado por la otra, que sirve de opérculo a la concha de ciertos múrices. Llevado en sortijas, pendientes o botones, tiénese vulgarmente por preservativo del dolor de cabeza. ‖ **marino. ombligo de Venus,** pieza calcárea de las conchas de algunos múrices. ‖ **encogérsele** a uno **el ombligo.** fr. fig. y fam. Amedrentarse o desalentarse. ‖ **haberle cortado el ombligo** a uno. fr. fig. y fam. Tener captada su voluntad.

ombliguero. m. Venda que se pone a los niños recién nacidos para sujetar el pañito o cabezal que cubre el ombligo, hasta que este se seque.

ombría. (Del lat. *umbra,* sombra.) f. Parte sombría de un terreno, umbría.

ombú. (Del guaraní *umbú.*) m. Árbol de América Meridional, de la familia de las fitolacáceas, con la corteza gruesa y blanda, madera fofa, copa muy densa, hojas alternas, elípticas, acuminadas, con pecíolos largos y flores dioicas en racimos más largos que las hojas.

omecillo. m. ant. Muerte causada a una persona por otra, homicidio. ‖ **2.** ant. Odio, aversión.

omega. (Del gr. ὦ μέγα, o grande.) f. O larga, letra última del alfabeto griego.

omental. adj. *Anat.* Perteneciente o relativo al omento.

omento. (Del lat. *omentum.*) m. *Anat.* Tejido que une el estómago y los intestinos con las paredes intestinales, redaño, mesenterio.

omero. (Del lat. *ulmus,* olmo.) m. **aliso,** árbol.

omeya. (Del ár. *Umayya,* n. p. del antepasado de los califas cuya dinastía tomó su nombre.) adj. Dícese de cada uno de los descendientes del jefe árabe de este nombre, fundadores del Califato de Damasco, sustituido en el siglo VIII por la dinastía abasí. Ú. t. c. s. ‖ **2.** Perteneciente o relativo a este linaje y dinastía.

ómicron. (Del gr. ὄ μικρόν, o pequeña.) f. O breve del alfabeto griego.

ominar. (Del lat. *omināri.*) tr. Predecir el futuro por señales de superstición, agorar.

ominoso, sa. (Del lat. *ominōsus.*) adj. Azaroso, de mal agüero, abominable, vitando.

omisible. adj. Que se puede omitir.

omisión. (Del lat. *omissĭo, -ōnis.*) f. Abstención de hacer o decir. ‖ **2.** Falta por haber dejado de hacer algo necesario o conveniente en la ejecución de una cosa o por no haberla ejecutado. ‖ **3.** Flojedad o descuido del que está encargado de un asunto. ‖ **4.** V. **pecado de omisión.**

omiso, sa. (Del lat. *omissus.*) p. p. irreg. de **omitir.** ‖ **2.** adj. Flojo y descuidado.

omitir. (Del lat. *omittĕre.*) tr. Abstenerse de hacer una cosa. ‖ **2.** Pasar en silencio una cosa. Ú. t. c. prnl.

ommiada. adj. Descendiente del califa Omeya.

ómnibus. (Del lat. *omnĭbus,* para todos.) m. Vehículo de gran capacidad, que sirve para transportar personas, generalmente dentro de las poblaciones, por precio módico. ‖ **2.** V. **tren ómnibus.**

omnímodamente. adv. m. De todos modos, por completo.

omnímodo, da. (Del lat. *omnimŏdus.*) adj. Que lo abraza y comprende todo.

omnipotencia. (Del lat. *omnipotentĭa.*) f. Poder omnímodo, atributo únicamente de Dios. ‖ **2.** fig. Poder muy grande.

omnipotente. (Del lat. *omnipŏtens, -entis.*) adj. Que todo lo puede. Es atributo solo de Dios. ‖ **2.** fig. Que puede muchísimo.

omnipotentemente. adv. m. Con omnipotencia.

omnipresencia. (Del lat. *omnis,* todo, y *praesentĭa,* presencia.) f. Presencia a la vez en todas partes, en realidad condición solo de Dios. ‖ **2.** fig. Presencia intencional del que quisiera estar en varias partes y acude de prisa a ellas.

omnipresente. adj. Que está presente a la vez en todas partes, atributo solo de Dios. ‖ **2.** Que procura acudir de prisa a las partes que lo requieren.

omnisapiente. (Del lat. *omnis,* todo, y *sapiens, -entis,* sabio.) adj. **omnisciente.**

omnisciencia. (Del lat. *omnis,* todo, y *scientĭa,* ciencia.) f. Conocimiento de todas las cosas reales y posibles, atributo exclusivo de Dios. ‖ **2.** Conocimiento de muchas ciencias o materias.

omnisciente. (Del lat. *omnis,* todo, y *sciens, -entis,* que sabe.) adj. **omniscio.**

omniscio, cia. (Del b. lat. *omniscĭus.*) adj. Que tiene omnisciencia. ‖ **2.** fig. Dícese del que tiene sabiduría o conocimiento de muchas cosas.

omnívoro, ra. (Del lat. *omnivŏrus;* de *omnis,* todo, y *vorāre,* comer.) adj. *Zool.* Aplicase a los animales que se alimentan de toda clase de sustancias orgánicas. Ú. t. c. s.

omóplato u **omoplato.** (Del gr. ὠμοπλάτη.) m. *Anat.* Cada uno de los dos huesos anchos, casi planos, situados a uno y otro lado de la espalda, donde se articulan los húmeros y las claviculas.

-ón[1], na. suf. de sustantivos y adjetivos, derivados de sustantivos, adjetivos y verbos, de valor aumentativo, intensivo o expresivo: barracÓN, inocentÓN; despectivo: llorÓN, mirÓN. Forma también sustantivos de acción o efecto, que suelen denotar algo repentino o violento: apagÓN, chapuzÓN, resbalÓN; adjetivos que indican privación de lo designado por la base: pelÓN, rabÓN, y otros derivados numerales, que significan edad: cuarentÓN, sesentÓN. Muchas veces hay cambio del género femenino de la base: cabezÓN, barracÓN; otras, además, cambio semántico: camisÓN, cinturÓN, sillÓN. Se combina con: **-acho:** corpACHÓN; **-ajo:** migAJÓN; **-arro:** abejARRÓN; **-ejo:** asnEJÓN; **-ete:** mocETÓN.

-ón[2]. suf. que, en química, forma nombres de gases nobles: criptÓN; neÓN; radÓN, y, en fisica atómica, nombres de partículas elementales: fotÓN, neutrÓN, protÓN.

onagra. (Del gr. ὀνάγρα, adelfa.) f. Arbusto de la familia de las oenoteráceas, con tallo derecho, raíz blanca, que una vez seca, despide un olor como a vino, hojas abrazadoras y aovadas y flores de forma de rosas.

onagrarieo, a. (De onagra.) adj. *Bot.* **oenoteráceo.**

onagro. (Del gr. ὄναγρος.) m. Asno salvaje o silvestre. **2.** Máquina antigua de guerra, parecida a la ballesta, pero con el extremo de la palanca donde se ponía la piedra arrojadiza bastante cóncavo y con figura parecida a la de una oreja de asno.

onanismo. (De *Onán*, personaje bíblico.) m. **masturbación.**

once. (Del lat. undĕcim.) adj. Diez y uno. **2.** undécimo, ordinal. *Número* ONCE, *año* ONCE. Apl. a los días del mes, ú. t. c. s. *El* ONCE *de octubre.* **3.** m. Conjunto de signos con que se representa el número **once.** **4.** Equipo de jugadores de fútbol, dicho así por constar de **once** individuos. **con sus onces de oveja.** loc. adv. fig. y fam. que se usa para dar a entender que uno se entremete en lo que no le toca. **estar** una cosa **a las once.** fr. fam. Estar ladeada y sin la rectitud que debe. Se usa generalmente hablando de la parte del vestido que se lleva mal puesta. **hacer** u **tomar las once.** fr. Tomar un refrigerio ligero entre las once y las doce de la mañana, o, a diferentes horas de la tarde, según los países.

oncear. tr. Pesar o dar por onzas.

onceavo, va. adj. Undécimo, partitivo. Ú. t. c. s.

oncejera. f. (De oncejo.) f. Lazo para cazar oncejos y otros pájaros pequeños.

oncejo. (De un ant. *hocejo*, de hoz, con probable influjo del ant. onceja, uña.) m. **vencejo,** pájaro.

oncemil. m. *Germ.* Cota de malla.

onceno, na. (De once.) adj. **undécimo.** Ú. t. c. s. **el onceno, no estorbar.** expr. fam. con que se da a entender, como queriendo añadir un mandamiento a los diez del Decálogo, cuán importuno es hacer mala obra y estorbar a uno que haga lo que tiene que hacer.

oncijera. f. Lazo para cazar oncejos, oncejera.

oncogén. m. *Gen.* Cada uno de los genes cuya activación provoca la aparición de la enfermedad cancerosa.

oncogénico, ca. adj. *Gen.* Perteneciente o relativo a los oncogenes.

oncología. (Del gr. ὄγκος, tumor, y -logía.) f. Parte de la medicina que trata de los tumores.

oncológico, ca. adj. Perteneciente o relativo a la oncología.

oncólogo, ga. m. y f. Persona que profesa la oncología o tiene en ella especiales conocimientos.

onda. (Del lat. unda.) f. Cada una de las elevaciones que se forman al perturbar la superficie de un líquido. **2.** Movimiento que se propaga en un fluido. **3.** Cada una de las curvas, a manera de eses, que se forman natural o artificialmente en algunas cosas flexibles, como el pelo, las telas, etc. Ú. m. en pl. **4.** Cada uno de los recortes, a manera de semicírculo, más o menos prolongados o variados, con que se adornan las guarniciones de vestidos u otras prendas. **5.** *Fís.* V. **superficie de onda.** **6.** V. **longitud de onda.** **7.** V. **tren de ondas.** **corta.** *Radio.* La que tiene una longitud comprendida entre 10 y 50 metros. **electromagnética.** Forma de propagarse a través del espacio los campos eléctricos y magnéticos producidos por las cargas eléctricas en movimiento. Para las **ondas** comprendidas entre diferentes intervalos de frecuencia se emplean denominaciones especiales, como **ondas** radioeléctricas, microondas, ondas luminosas, rayos X, rayos gamma, etc. **herciana** o **hertziana. onda** descubierta por Hertz, que transporta energía electromagnética y que tiene la propiedad de propagarse en el vacío a la misma velocidad que la luz. **larga.** *Radio.* La que tiene una longitud de mil metros o menos. **luminosa.** *Fís.* La que se origina de un cuerpo luminoso y transmite su luz. **normal.** *Radio.* La que tiene una longitud comprendida entre 200 y 300 metros. **portadora.** *Electr.* La electromagnética de alta frecuencia, que se puede radiar y propagar a distancia y que mediante su modulación puede transmitir señales de baja frecuencia, como las del sonido, vídeo, etc. La frecuencia de la **onda** portadora radiada identifica la estación emisora. **progresiva.** La que se propaga libremente en un medio. **radioeléctrica. onda** electromagnética empleada en la radiodifusión, televisión, etc. **sinusoidal. onda** plana cuya magnitud perturbada sigue la ley del seno de una variable. **sonora.** *Fís.* La que se origina en un cuerpo elástico y transmite el sonido. **captar la onda.** fr. fig. Entender una indirecta, insinuación, etc. **cortar las ondas.** fr. Cortar el agua.

onde. (Del lat. unde.) conj. causal ant. Por lo cual, por cual razón. **2.** adv. l. ant. En donde. **3.** adv. l. ant. De donde.

ondeado. m. Cualquier cosa hecha en ondas o que las tiene.

ondear. intr. Hacer ondas el agua impelida por el aire. **2.** Moverse otras cosas en el aire formando ondas. ONDEAR *la bandera.* **3.** fig. Formar unos dobleces que se hacen en una cosa; como el pelo, el vestido, la ropa blanca, etc.

ondeo. m. Acción de ondear.

ondina. (De onda.) f. Ninfa, ser fantástico o espíritu elemental del agua, según algunas mitologías.

ondisonante. adj. Dícese del mar que suena con el oleaje, undisono.

ondoso, sa. (Del lat. undōsus.) adj. Que tiene o se mueve haciéndola, undoso.

ondra. (De ondrar.) f. ant. **honra.**

ondrar. (Del lat. honorāre.) tr. ant. **honrar.**

ondulación. f. Acción y efecto de ondular. **2.** *Fís.* Movimiento que se propaga en un fluido o en un medio elástico sin traslación permanente de sus moléculas. **3.** Formación en ondas de una cosa. La ONDULACIÓN *del terreno.* **periódica.** *Fís.* La producida por perturbaciones que se suceden con intervalos iguales.

ondulado, da. p. p. de **ondular.** **2.** adj. Aplicase a los cuerpos cuya superficie o cuyo perímetro forma ondas pequeñas.

ondular. (Del lat. undŭla, ola pequeña.) intr. Moverse una cosa formando giros en figura de eses como las banderas agitadas por el viento. **2.** tr. Hacer ondas en el pelo.

ondulatorio, ria. adj. Que se extiende en forma de ondulaciones. ‖ **2.** Que ondula, ondulante. ‖ **3.** V. **movimiento ondulatorio.**

onecer. (De *adonecer*, crecer.) intr. *Sal.* Crecer, cundir o aprovechar.

onerario, ria. (Del lat. *onerarĭus*.) adj. Aplícase a las naves y bastimentos de carga que usaban los antiguos.

oneroso, sa. (Del lat. *onerōsus*.) adj. Pesado, molesto o gravoso. ‖ **2.** V. **causa onerosa.** ‖ **3.** V. **contrato oneroso.**

onfacino. (Del lat. *omphacĭnus*, y este del gr. ὀμφάκινος, de agraz.) adj. V. **aceite onfacino.**

onfacomeli. (Del lat. *omphacŏmĕl*, *-ellis*, y este del gr. ὀμφακόμελι.) m. Bebida medicinal que se hacía antiguamente dejando fermentar al sol el zumo del agraz mezclado con miel.

ónice. (Del lat. *onyx*, *-ỹchis*.) f. Ágata listada de colores alternativamente claros y muy oscuros, que suele emplearse para hacer camafeos, ónique, ónix.

onicomancia u **onicomancía.** (Del gr. ὄνυξ, -υχος, uña, y μαντεία, adivinación.) f. Práctica supersticiosa de adivinar el porvenir, particularmente de los niños, por medio del examen de los trazos o figuras que les quedan señalados en las uñas, untadas previamente con aceite y hollín.

ónique. f. Ónice, ónix.

oniquina. (De *ónique*.) adj. V. **piedra oniquina.**

onírico, ca. (Del gr. ὄνειρος, ensueño.) adj. Perteneciente o relativo a los sueños.

oniromancia u **oniromancía.** (Del gr. ὄνειρος, ensueño, y μαντεία, adivinación.) f. Arte que por medio de los sueños pretende adivinar lo porvenir.

ónix. f. Ónice, ónique.

onocrótalo. (Del lat. *onocrotălus*, y este del gr. ὀνοκρόταλος.) m. Pelícano, alcatraz[2].

onomancia u **onomancía.** (Del gr. ὄνομα, nombre, y μαντεία, adivinación.) f. Arte que pretende adivinar por el nombre de una persona la dicha o desgracia que le ha de suceder.

onomasiología. (Del gr. ὀνομασία, denominación, y *-logía*.) f. Rama de la semántica, que investiga los significantes que corresponden a un concepto dado.

onomasiológico, ca. adj. Perteneciente o relativo a la onomasiología, y al punto de vista adoptado por esta.

onomástico, ca. (Del gr. ὀνομαστικός.) adj. Perteneciente o relativo a los nombres y especialmente a los propios. *Día* ONOMÁSTICO (el del santo de una persona); *lista* ONOMÁSTICA *de los reyes de Egipto.* Ú. t. c. s. ‖ **2.** f. Ciencia que trata de la catalogación y estudio de los nombres propios. ‖ **3.** Día en que una persona celebra su santo.

onomatopeya. (Del lat. *onomatopoeia*, y este del gr. ὀνοματοποιΐα.) f. Imitación del sonido de una cosa en el vocablo que se forma para significarla. *Muchas palabras han sido formadas por* ONOMATOPEYA. ‖ **2.** El mismo vocablo que imita el sonido de la cosa nombrada con él. ‖ **3.** *Ret.* Empleo de vocablos onomatopéyicos para imitar el sonido de las cosas con ellos significadas.

onomatopéyico, ca. adj. Perteneciente o relativo a la onomatopeya; formado por onomatopeya.

onoquiles. (Del lat. *onochīles*, y este del gr. ὀνοχειλές.) f. Planta herbácea anual, de la familia de las borragináceas, de dos a tres decímetros de altura, vellosa y erizada de pelos ásperos, con tallos gruesos y carnosos; hojas inferiores lanceoladas y acorazonadas por la base y abrazadoras las superiores; flores acampanadas, de color azul purpúreo, en ramos terminales y parados; fruto seco formado por cuatro aquenios en el fondo del cáliz, y raíz gruesa, de que se saca una tintura roja muy estimada por perfumistas y confiteros. Es común en España, donde se ha cultivado por sus aplicaciones a la tintorería, y su infusión en aceite se emplea en algunas partes como vulneraria.

onosma. (Del lat. *onosma*, y este del gr. ὄνοσμα.) f. Especie de orcaneta u onoquiles, planta.

onoto. m. *Venez.* **bija**, árbol. ‖ **2.** Fruto de este árbol.

ontina. (De or. inc.) f. Planta de la familia de las compuestas, con tallos de cuatro a seis decímetros de altura, erguidos, leñosos, cubiertos de hojas pequeñas, aovadas y carnosas. Las flores nacen en racimos, en la extremidad de los vástagos, y son amarillentas y sumamente pequeñas. Toda la planta exhala un olor agradable.

ontogenia. (Del gr. ὄν, ὄντος, el ser, y γένος, origen.) f. *Biol.* Desarrollo del individuo, referido en especial al período embrionario.

ontogénico, ca. adj. Perteneciente o relativo a la ontogenia.

ontología. (Del gr. ὄν, ὄντος, el ser, y *-logía*.) f. Parte de la metafísica, que trata del ser en general y de sus propiedades trascendentales.

ontológico, ca. adj. Perteneciente o relativo a la ontología. ‖ **2.** V. **argumento ontológico.**

ontologismo. m. *Fil.* Teoría de Gioberti, filósofo italiano del siglo XIX, que pretende explicar el origen de las ideas mediante la adecuada intuición del Ser absoluto.

ontólogo, ga. m. y f. Persona que profesa o conoce la ontología.

ontrón. m. *León.* Charco que suele haber en las montañas, cubierto de un césped resistente y grueso.

onubense. (Del lat. *Onubensis*.) adj. Natural de la antigua Ónuba, hoy Huelva. Ú. t. c. s. ‖ **2.** Perteneciente o relativo a esta antigua ciudad de los turdetanos. ‖ **3.** Natural de Huelva. Ú. t. c. s. ‖ **4.** Perteneciente o relativo a Huelva.

onusto, ta. (Del lat. *onustus*.) adj. ant. Cargado, pesado.

onza[1]. (Del lat. *uncĭa*.) f. Peso que consta de 16 adarmes y equivale a 287 decigramos. Es una de las 16 partes iguales del peso de la libra, y la del marco de la plata se divide en ocho ochavas. ‖ **2.** Duodécima parte del as o libra romana. ‖ **3.** Por ext., duodécima parte de varias medidas antiguas. ‖ **4.** V. **cinto de onzas.** ‖ de oro. Moneda de este metal, con peso de una **onza** aproximadamente, que se acuñó desde el tiempo de Felipe III hasta el de Fernando VII, y valía 320 reales, o sea ochenta pesetas. ‖ media onza. Moneda de oro de la mitad del peso y valor que la **onza.** ‖ **¡buenas cuatro onzas!** expr. irón. con que se explica el peso de una persona que otra carga sobre sí. ‖ **más vale onza que libra.** fr. para expresar que la calidad se estima en más que la cantidad de una cosa. ‖ por onzas. loc. adv. fig. y fam. escasamente. *Parece que le dan a comer* POR ONZAS.

onza[2]. (Del lat. *lynx*, *lyncis*.) f. Mamífero carnicero, semejante a la pantera, de unos seis decímetros de altura y cerca de un metro de largo, sin contar la cola, que tiene otro tanto; con pelaje sobre el del leopardo y aspecto de perro. Vive en los desiertos de las regiones meridionales de Asia y en África, es domesticable, y en Persia se empleaba para la caza de gacelas.

onzavo, va. (De *once*.) adj. **onceavo.**

oolítico, ca. adj. *Geol.* Dícese de los terrenos formados de oolitos.

oolito. (Del gr. ὠόν, huevo, y λίθος, piedra.) m. *Geol.* Caliza compuesta de concreciones semejantes a las huevas de pescado.

oosfera. (Del gr. ὠόν, huevo y *esfera*.) f. *Bot.* Óvulo de los vegetales.

opa[1]. (Del quechua *upa*, bobo, sordo.) adj. *Argent.*, *Bol.* y *Urug.* Tonto, idiota. Ú. t. c. s.

¡opa![2] Voz para levantar, ¡aúpa!, ¡upa!

opacamente. adv. m. En estado de opacidad.

opacar. tr. *Amér.* Oscurecer, nublar. Ú. t. c. prnl.

opacidad. (Del lat. *opacĭtas*, *-ātis*.) f. Cualidad de opaco.

opaco, ca. (Del lat. *opācus*.) adj. Que impide el paso a la luz, a diferencia de diáfano. ‖ **2.** Oscuro, sombrío. ‖ **3.** fig. Triste y melancólico. ‖ **4.** *Anat.* V. **córnea opaca.**

opado, da. (De or. inc.) adj. fig. Hablando de personas, presumido. ‖ **2.** Hablando del lenguaje, afectado, redundante e hiperbólico.

opalescencia. f. Reflejos de ópalo.

opalescente. adj. Que parece de ópalo o irisado como él.

opalino, na. adj. Perteneciente o relativo al ópalo. ‖ **2.** De color entre blanco y azulado con reflejos irisados. ‖ **3.** Dícese del vidrio opalescente. Ú. t. c. s. f. ‖ **4.** Se dice de cualquier objeto fabricado con dicho vidrio. Ú. t. c. s. f.

opalizar. tr. Dar a alguna cosa color opalino.

ópalo. (Del lat. *opălus.*) m. Mineral silíceo con algo de agua, lustre resinoso, translúcido u opaco, duro, por quebradizo y de colores diversos. ‖ **de fuego.** El de color rojo muy encendido, brillante y translúcido, que suele encontrarse en Méjico. ‖ **girasol.** El que amarillea y no destella sino algunos de los colores del arco iris. ‖ **noble.** El que es casi transparente, con juego interior de variados reflejos y bellísimos colores.

opción. (Del lat. *optĭo, -ōnis.*) f. Libertad o facultad de elegir. ‖ **2.** La elección misma. ‖ **3.** Derecho que se tiene a un oficio, dignidad, etc. ‖ **4.** *Der.* Derecho a elegir entre dos o más cosas, fundado en precepto legal o en negocio jurídico.

opcional. adj. Perteneciente o relativo a la opción.

open. (Del ing. *open.*) m. *Dep.* Competición deportiva en que pueden participar todas las categorías.

ópera. (Del lat. *opĕra,* obra.) f. Poema dramático puesto en música en el que a veces se intercala un trozo declamado. ‖ **2.** Poema dramático escrito para este fin; letra de la **ópera.** ‖ **3.** Género formado por esta clase de obras. ‖ **4.** Música de la **ópera.** ‖ **5.** ant. Cualquier obra enredosa o larga, ya sea de manos o de ingenio.

operable. (Del lat. *operabĭlis.*) adj. Que puede obrarse o es factible. ‖ **2.** Que tiene virtud de operar o hace operación o efecto. ‖ **3.** *Cir.* Que puede ser operado.

operación. (Del lat. *operatĭo, -ōnis.*) f. Acción y efecto de operar. ‖ **2.** Ejecución de una cosa. ‖ **3.** *Com.* Negociación o contrato sobre valores o mercaderías. OPERACIÓN *de Bolsa, de descuento,* etc. ‖ **4.** *Mat.* Conjunto de reglas que permiten, partiendo de una o varias cantidades o expresiones, llamadas datos, obtener otras cantidades o expresiones llamadas resultados. ‖ **5.** *Mil.* V. **base, diario de operaciones.** ‖ **cesárea.** *Cir.* La que se hace abriendo la matriz para extraer el feto.

operacional. adj. Relativo o perteneciente a las operaciones matemáticas, militares o comerciales. ‖ **2.** Dícese de las unidades militares que están en condiciones de operar.

operador, ra. (Del lat. *operātor, -ōris,* el que hace.) adj. *Cir.* Que opera. Ú. t. c. s. ‖ **2.** m. y f. Persona que se ocupa de establecer las comunicaciones no automáticas en una central telefónica. ‖ **3.** *Cinem.* y *TV.* Técnico encargado de la parte fotográfica del rodaje. ‖ **4.** *Cinem.* Persona que maneja el proyector y el equipo sonoro en la proyección de películas. ‖ **5.** Persona o mecanismo que realiza determinadas acciones. ‖ **6.** m. *Mat.* Símbolo matemático que denota un conjunto de operaciones que han de realizarse.

operante. (Del lat. *opĕrans, -antis.*) p. a. de **operar.** Que opera. Ú. t. c. s. ‖ **2.** V. **gracia operante.**

operar. (Del lat. *operāri.*) tr. Realizar, llevar a cabo algo. Ú. t. c. prnl. ‖ **2.** *Cir.* Ejecutar sobre el cuerpo animal vivo, con ayuda de instrumentos adecuados, diversos actos curativos, como extirpar, amputar, implantar, corregir, coser, etc., órganos, miembros o tejidos. ‖ **3.** intr. Producir las cosas el efecto para el cual se destinan. ‖ **4.** Obrar, trabajar; ejecutar diversos menesteres u ocupaciones. ‖ **5.** Negociar, especular, realizar acciones comerciales de compra, venta, etc. ‖ **6.** Llevar a cabo acciones de guerra, mover un ejército con arreglo a un plan. ‖ **7.** Maniobrar, lle-

var a cabo alguna acción con auxilio de aparatos. ‖ **8.** Realizar operaciones matemáticas. ‖ **9.** Robar, estafar, llevar a cabo actos delictivos. ‖ **10.** prnl. Someterse a una intervención quirúrgica.

operario, ria. (Del lat. *operarĭus.*) m. y f. **obrero,** trabajador manual. ‖ **2.** m. En algunas órdenes, religioso que se destina para cuidar de lo espiritual, confesando y asistiendo a los enfermos y moribundos.

operativo, va. adj. Dícese de lo que obra y hace su efecto. ‖ **2.** *Inform.* V. **sistema operativo.**

operatorio, ria. adj. Que puede operar. ‖ **2.** Relativo a las operaciones quirúrgicas. *Medicina* OPERATORIA.

opercular. adj. Que sirve de opérculo.

opérculo. (Del lat. *opercŭlum,* tapadera.) m. Pieza generalmente redonda, que, a modo de tapadera, sirve para cerrar ciertas aberturas; como las de las agallas de la mayor parte de los peces, la concha de muchos moluscos univalvos o las cápsulas de varios frutos.

opereta. (Del it. *operetta.*) f. Espectáculo musical de origen francés, especie de ópera de asunto frívolo y carácter alegre, con alguna parte declamada. ‖ **2.** Género formado por este tipo de obras.

operista. com. Actor que canta en las óperas. ‖ **2.** Músico que compone óperas.

operístico, ca. adj. Perteneciente o relativo a la ópera.

operoso, sa. (Del lat. *operōsus.*) adj. Dícese de la persona que trabaja mucho y afanosamente. ‖ **2.** Dícese de las cosas que cuestan mucho trabajo y fatiga.

opiáceo, a. adj. Perteneciente o relativo al opio. ‖ **2.** Dícese de los compuestos de opio. ‖ **3.** fig. Que calma como el opio.

opiado, da. adj. Compuesto con opio.

opiata. f. Electuario en cuya composición entra el opio. ‖ **2.** Electuario en que no entra el opio, formado por la mezcla de algunos polvos aglomerados con jarabe o miel.

opiato, ta. adj. Compuesto con opio. ‖ **2.** m. **opiata.**

opilación. (Del lat. *oppilatĭo, -ōnis.*) f. Obstrucción en general. ‖ **2.** Supresión del flujo menstrual. ‖ **3.** Acumulación del humor seroso en el cuerpo, hidropesía.

opilar. (Del lat. *oppilāre.*) tr. ant. Obstruir, cerrar el paso. ‖ **2.** prnl. Dejar de tener la hembra el flujo menstrual.

opilativo, va. adj. Que opila u obstruye.

opimo, ma. (Del lat. *opīmus.*) adj. Rico, fértil, abundante.

opinable. (Del lat. *opinabĭlis.*) adj. Que puede ser defendido en pro y en contra.

opinante. (Del lat. *opīnans, -antis.*) p. a. de **opinar.** Que opina. Ú. t. c. s.

opinar. (Del lat. *opināri.*) intr. Formar o tener opinión. ‖ **2.** Expresarla de palabra o por escrito. Ú. t. c. tr. ‖ **3.** Discurrir sobre las razones, probabilidades o conjeturas referentes a la verdad o certeza de una cosa.

opinión. (Del lat. *opinĭo, -ōnis.*) f. Dictamen, juicio o parecer que se forma de una cosa cuestionable. ‖ **2.** Fama o concepto en que se tiene a una persona o cosa. ‖ **pública.** Sentir o estimación en que coincide la generalidad de las personas acerca de asuntos determinados. ‖ **andar** uno **en opiniones.** fr. Estar puesto en duda su crédito o reputación. ‖ **casarse** uno **con su opinión.** fr. fig. y fam. Aferrarse al juicio propio.

opio. (Del lat. *opĭum,* y este del gr. ὄπιον.) m. Resultado de la desecación del jugo que se hace fluir por incisiones de las cabezas de adormideras verdes. Es opaco, moreno, amargo y de olor fuerte característico, y se emplea como narcótico. ‖ **dar el opio.** fr. fig. y fam. Cautivar el ánimo o los sentidos, embelesar.

opíparamente. adv. m. De manera opípara.

opíparo, ra. (Del lat. *opipărus.*) adj. Copioso y espléndido, tratándose de banquete, comida, etc.

opitulación. (Del lat. *opitulatĭo, -ōnis.*) f. p. us. Auxilio, ayuda, socorro.

oploteca. (Del gr. ὅπλον, arma, y θήκη, estante.) f. Galería o museo de armas antiguas, preciosas o raras.

opobálsamo. (Del lat. *opobalsămum*, y este del gr. ὀποβάλσαμον.) m. Resina verde amarillenta, ligera, amarga, olorosa, y astringente, que fluye de un árbol indígena de Siria, Somalia y Arabia, de la familia de las burseráceas, y se emplea en medicina.

oponente. adj. Que opone o se opone. ‖ **2.** Dícese de la persona o el grupo de personas que se opone a otra u otras en cualquier materia. Ú. t. c. s.

oponer. (Del lat. *oponĕre.*) tr. Poner una cosa contra otra para estorbarle o impedirle su efecto. Ú. t. c. prnl. ‖ **2.** Proponer una razón o discurso contra lo que otro dice o siente. ‖ **3.** ant. Imputar, achacar, atribuir una cosa a uno. ‖ **4.** prnl. Ser una cosa contraria o repugnante a otra. ‖ **5.** Estar una cosa situada o colocada enfrente de otra. ‖ **6.** Impugnar, estorbar, contradecir un designio. ‖ **7.** desus. Pretender un cargo o empleo por oposición. OPONERSE *a una cátedra, a una canonjía.*

oponible. adj. Que se puede oponer.

opopánax. (Del lat. *opopánax*, y este del gr. ὀποπάναξ.) m. **opopónaco.**

opopónace. (Del lat. *opopánax*, opopónaco.) f. **pánace**, planta.

opopónaco. (De *opopánax.*) m. Gomorresina rojiza por fuera y amarilla veteada de rojo por dentro, de sabor acre y amargo y de olor aromático muy fuerte, que se saca de la pánace y algunas otras umbelíferas muy parecidas a ella. Tiene uso en farmacia y en perfumería.

oporto. m. Vino de color oscuro y sabor ligeramente dulce, fabricado principalmente en Oporto, ciudad de Portugal.

oportunamente. adv. m. Convenientemente, a su tiempo y sazón.

oportunidad. (Del lat. *opportunĭtas, -ātis.*) f. Sazón, coyuntura, conveniencia de tiempo y lugar.

oportunismo. (De *oportuno.*) m. Actitud o conducta sociopolítica, económica, etc., que prescinde en cierta medida de los principios fundamentales, tomando en cuenta las circunstancias de tiempo y lugar. Úsase a veces con valor peyorativo. ‖ **2.** Actitud que consiste en aprovechar al máximo las circunstancias para obtener el mayor beneficio posible, sin tener en cuenta principios ni convicciones.

oportunista. adj. Perteneciente o relativo al oportunismo. ‖ **2.** com. Persona que practica el oportunismo.

oportuno, na. (Del lat. *opportūnus.*) adj. Que se hace o sucede en tiempo a propósito y cuando conviene. ‖ **2.** Dícese también del que es ocurrente y pronto en la conversación.

oposición. (Del lat. *opposĭtĭo, -ōnis.*) f. Acción y efecto de oponer u oponerse. ‖ **2.** Disposición de algunas cosas, de modo que estén unas enfrente de otras. ‖ **3.** Contrariedad o repugnancia de una cosa con otra. ‖ **4.** Procedimiento selectivo consistente en una serie de ejercicios en que los aspirantes a un puesto de trabajo muestran su respectiva competencia, juzgada por un tribunal. Ú. m. en pl. ‖ **5.** Contradicción o resistencia a lo que otro u otros hacen o dicen. ‖ **6.** Grupos o partidos que en un país se oponen a la política del Gobierno. ‖ **7.** Minoría que en los cuerpos legislativos impugna habitualmente los actos y las doctrinas del Gobierno. ‖ **8.** Por ext., se aplica a otros cuerpos deliberantes, o a las fracciones de la opinión pública adversas al poder establecido. ‖ **9.** *Astrol.* Aspecto de dos astros que ocupan casas celestes diametralmente opuestas. ‖ **10.** *Astron.* Situación relativa de dos o más planetas u otros cuerpos celestes cuando tienen longitudes que difieren en dos ángulos rectos. ‖ **leer** uno **de oposición.** fr. Ex-

plicar oral y públicamente una lección en las **oposiciones.** ‖ **poder** uno **leer de oposición.** fr. fig. **poder poner cátedra.**

oposicionista. adj. Perteneciente o relativo a la oposición. ‖ **2.** com. Persona que pertenece o es adicta a la oposición política.

opositar. intr. Hacer oposiciones a un cargo o empleo.

opósito, ta. (Del lat. *opposĭtus.*) p. p. irreg. de **oponer.** ‖ **2.** m. ant. Defensa, posición, impedimento o embarazo puesto en contra. ‖ **al opósito.** loc. adv. ant. Por contraposición u oposición; en contra; contra.

opositor, ra. (De *oposición.*) m. y f. Persona que se opone a otra en cualquier materia. ‖ **2.** Aspirante a una cátedra, empleo, cargo o destino que se ha de proveer por oposición o concurso. ‖ **3.** *Amér.* Partidario de la oposición en política.

opoterapia. (Del gr. ὀπός, jugo, y θεραπεία, curación.) f. Procedimiento curativo por el empleo de órganos animales crudos, de sus extractos o de las hormonas aisladas de las glándulas endocrinas.

opoterápico, ca. adj. Relativo o perteneciente a la opoterapia.

opresar. (De *opreso.*) tr. ant. Oprimir, apretar.

opresión. (Del lat. *oppressĭo, -ōnis.*) f. Acción y efecto de oprimir. ‖ **2.** Molestia producida por algo que oprime. ‖ **de pecho.** Dificultad de respirar.

opresivamente. adv. m. Con opresión.

opresivo, va. (De *opreso.*) adj. Que oprime.

opreso, sa. (Del lat. *oppressus.*) p. p. irreg. de **oprimir.**

opresor, ra. (Del lat. *oppressor, -ōris.*) adj. Que abusa de su poder o autoridad sobre alguien. Ú. t. c. s.

oprimir. (Del lat. *opprimĕre.*) tr. Ejercer presión sobre una cosa. ‖ **2.** fig. Someter a una persona, a un pueblo, a una nación, etc., vejándolo, afligiéndolo o tiranizándolo.

oprobiar. tr. Vilipendiar, infamar, causar oprobio.

oprobio. m. Ignominia, afrenta, deshonra.

oprobiosamente. adv. m. Con oprobio.

oprobioso, sa. (De *oprobrioso.*) adj. Que causa oprobio.

oprobriar. (De *oprobrio.*) tr. ant. **oprobiar.**

oprobrio. (Del lat. *opprobrium.*) m. ant. **oprobio.**

oprobrioso, sa. (Del lat. *opprobriōsus.*) adj. ant. **oprobioso.**

opción. (Del lat. *optatĭo, -ōnis.*) f. *Ret.* Figura que consiste en manifestar vehemente deseo de lograr o de que suceda una cosa.

optar. (Del lat. *optāre.*) tr. Escoger una cosa entre varias. Ú. t. c. intr. ‖ **2.** Intentar entrar en la dignidad, empleo u otra cosa a que se tiene derecho.

optativo, va. (Del lat. *optatīvus.*) adj. Que pende de opción o la admite. ‖ **2.** *Gram.* V. **modo optativo.** Ú. t. c. s.

óptica. (Del gr. ὀπτική, t. f. de -κός, óptico.) f. Parte de la física, que estudia las leyes y los fenómenos de la luz. ‖ **2.** Aparato compuesto de lentes y espejos, que sirve para ver estampas y dibujos agrandados y como de bulto. ‖ **3.** fig. **punto de vista**, modo de considerar un asunto u otra cosa. ‖ **4.** Establecimiento donde se comercia con instrumentos de **óptica.**

óptico, ca. (Del gr. ὀπτικός.) adj. Perteneciente o relativo a la óptica. ‖ **2.** V. **ángulo, nervio, plano, rayo, telégrafo óptico.** ‖ **3.** V. **pirámide óptica.** ‖ **4.** m. y f. Comerciante de objetos de óptica, particularmente de anteojos. ‖ **5.** Persona con titulación oficial para trabajar en materia de óptica. ‖ **6.** m. Aparato compuesto de lentes y espejos para ver estampas o dibujos agrandados.

optimación. f. Acción y efecto de optimar. ‖ **2.** Método matemático para determinar los valores de las variables que hacen máximo el rendimiento de un proceso o un sistema.

óptimamente. adv. m. Con suma bondad y perfección.

optimar. tr. Buscar la mejor manera de realizar una actividad.

optimate. (Del lat. *optimátes*, los nobles o senadores.) m. Persona de muy relevante dignidad, prócer. Ú. m. en pl.

optimismo. (De *óptimo*.) m. Sistema filosófico que consiste en atribuir al universo la mayor perfección posible, como obra de un ser infinitamente perfecto. ‖ **2.** Propensión a ver y juzgar las cosas en su aspecto más favorable.

optimista. adj. Que profesa el optimismo filosófico. Ú. t. c. s. ‖ **2.** Que propende a ver y juzgar las cosas en su aspecto más favorable. Ú. t. c. s.

optimizar. tr. **optimar.**

óptimo, ma. (Del lat. *optĭmus*.) adj. sup. de **bueno.** Sumamente bueno; que no puede ser mejor.

optómetro. (Del gr. ὀπτεύω, ver, y -*metro*.) m. Instrumento para medir el límite de la visión distinta, calcular la dirección de los rayos luminosos en el ojo y elegir cristales.

opuestamente. adv. m. Con oposición y contrariedad.

opuesto, ta. (Del lat. *opposĭtus*.) p. p. irreg. de **oponer.** ‖ **2.** adj. Enemigo o contrario. ‖ **3.** *Bot.* Dícese de las hojas, flores, ramas y otras partes de la planta, cuando están encontradas o las unas nacen enfrente de las otras. ‖ **4.** *Geom.* V. **ángulos opuestos por el vértice.**

opugnación. (Del lat. *oppugnatĭo, -ōnis*.) f. Oposición con fuerza y violencia. ‖ **2.** Contradicción por fuerza de razones.

opugnador. (Del lat. *oppugnātor, -ōris*.) m. El que hace oposición con fuerza y violencia.

opugnar. (Del lat. *oppugnāre*.) tr. Hacer oposición con fuerza y violencia. ‖ **2.** Asaltar o combatir una plaza o ejército. ‖ **3.** Contradecir, oponerse.

opulencia. (Del lat. *opulentĭa*.) f. Abundancia, riqueza y sobra de bienes. ‖ **2.** fig. Sobreabundancia de cualquier otra cosa.

opulentamente. adv. m. Con opulencia.

opulento, ta. (Del lat. *opulentus*.) adj. Que tiene opulencia.

opuncia. (Del lat. cient. *Opuntia* [herba].) f. **nopal,** planta.

opúsculo. (Del lat. *opuscŭlum*, d. de *opus*, obra.) m. Obra científica o literaria de poca extensión.

oque (de). (Del ár. *ḥaqq*, retribución, propina.) loc. adv. **de balde.**

oquedad. (De *hueco*.) f. Espacio que en un cuerpo sólido queda vacío, natural o artificialmente. ‖ **2.** fig. Insustancialidad de lo que se habla o escribe.

oquedal. (De *hueco*.) m. Monte solo de árboles, limpio de hierba y de matas.

oqueruela. (De *hueco*.) f. Lazadilla que la hebra forma por sí sola al tiempo de coser, cuando el hilo está muy retorcido.

-or[1]. (Del lat. -*or, -ōris*.) suf. de sustantivos abstractos masculinos, en gran parte formados ya en latín: am**OR**, cal**OR**, rig**OR**; algunos se han formado en español, a partir de adjetivos o verbos: dulz**OR**, blanc**OR**, tembl**OR**.

-or[2]**, ra.** (Del lat. -*or, -ōris*.) suf. de adjetivos y sustantivos verbales que significa «agente». Aparece en palabras heredadas del latín: cens**OR**, defens**OR**, lect**OR**, cant**OR**, y en otras creadas en español: revis**OR**, reflect**OR**.

ora. conj. distrib., aféresis de **ahora.** *Tomando* **ORA** *la espada,* **ORA** *la pluma.*

oración. (Del lat. *oratĭo, -ōnis*.) f. Obra de elocuencia, razonamiento pronunciado en público a fin de persuadir a los oyentes o mover su ánimo. Algunas **oraciones** toman nombre de su asunto o de la ocasión en que pronuncian. **ORACIÓN** *deprecatoria, fúnebre, inaugural.* ‖ **2.** Súplica, deprecación, ruego que se hace a Dios y a los santos. ‖ **3.** Elevación de la mente a Dios para alabarlo o pedirle mercedes. ‖ **4.** En la misa, en el rezo eclesiástico y rogaciones públicas, deprecación particular que empieza con el distingue con la voz *Oremus* e incluye la conmemoración

del santo o de la festividad del día. ‖ **5.** Hora de las **oraciones.** ‖ **6.** V. **casa de oración.** ‖ **7.** *Gram.* Palabra o conjunto de palabras con que se expresa un sentido gramatical completo. ‖ **8.** *Gram.* V. **parte de la oración.** ‖ **9.** pl. Primera parte de la doctrina cristiana que se enseña a los niños, y es el padrenuestro, el avemaría, etc. ‖ **10.** Punto del día cuando va a anochecer, porque en aquel tiempo se toca en las iglesias la campana para que recen los fieles el avemaría. ‖ **11.** El mismo toque de la campana, que en algunas partes se repite al amanecer y al mediodía. ‖ **activa.** *Gram.* Aquella en que el sujeto realiza la acción del verbo. ‖ **adjetiva.** *Gram.* La subordinada que funciona como complemento del sujeto o de otro complemento de la **oración** principal. ‖ **adverbial.** *Gram.* La subordinada que funciona como complemento circunstancial de la principal. ‖ **compuesta.** *Gram.* La que está formada por dos o más **oraciones** simples enlazadas gramaticalmente. ‖ **coordinada.** *Gram.* **oración** compuesta en que la unión de los componentes se realiza por coordinación. ‖ **de ciego.** Composición poética y religiosa que de memoria sabían los ciegos, y decían o cantaban por las calles para sacar limosna. ‖ **2.** fig. Razonamiento dicho sin gracia ni calor y en un mismo tono. ‖ **de relativo.** *Gram.* **oración adjetiva.** ‖ **dominical.** La del padrenuestro. ‖ **jaculatoria. jaculatoria.** ‖ **mental.** Recogimiento interior del alma, que eleva la mente a Dios meditando en él. ‖ **pasiva.** *Gram.* Aquella en que el sujeto gramatical no realiza la acción del verbo, sino que la recibe. ‖ **principal.** *Gram.* Aquella que en las **oraciones** compuestas expresa el juicio fundamental. ‖ **simple.** *Gram.* La que tiene un solo predicado. ‖ **subordinada.** *Gram.* La que en las **oraciones** compuestas adjetivas, adverbiales y sustantivas depende de la principal. ‖ **sustantiva.** *Gram.* La subordinada que hace el oficio de sujeto, complemento directo o indirecto. ‖ **vocal.** Deprecación que se hace a Dios con palabras. ‖ **corromper las oraciones.** fr. fig. y fam. Intervenir en un asunto para trastocarlo o frustrarlo. ‖ **romper las oraciones.** fr. Interrumpir la plática con alguna impertinencia.

oracional. (Del b. lat. *oratiōnále*, libro de rezo.) adj. Concerniente a la oración gramatical. ‖ **2.** m. Libro compuesto de oraciones o que trata de ellas.

oracionero, ra. adj. Rezador. Ú. t. c. s. ‖ **2.** m. El que se dedica a rezar oraciones.

oráculo. (Del lat. *oracŭlum*.) m. Respuesta que da Dios o por sí o por sus ministros. ‖ **2.** Contestación que las pitonisas y sacerdotes de la gentilidad pronunciaban como dada por los dioses a las consultas que esta voz ídolos se hacían. ‖ **3.** Lugar, estatua o simulacro que representaba la deidad cuyas respuestas se pedían. ‖ **4.** **juego del oráculo.** ‖ **5.** fig. Persona a quien todos escuchan con respeto y veneración por su mucha sabiduría y doctrina. ‖ **6.** fig. V. **palabras de oráculo.** ‖ **del campo.** Manzanilla, planta. ‖ **2.** Flor de esta planta.

orador, ra. (Del lat. *orátor, -ōris*.) m. y f. Persona que habla en público, pronuncia discursos o imparte conferencias. ‖ **2.** El que por su naturaleza y estudio tiene las cualidades que hacen al hombre apto para lograr los fines de la oratoria. ‖ **3.** Persona que pide y ruega. ‖ **4.** m. Predicador evangélico.

oraje. (De las ffemas cat., prov. y fr. del lat. *auraticum.) m. desus. **borrasca,** temporal fuerte. ‖ **2.** Estado del tiempo, temperatura, etc.

oral[1]. (Del lat. *os, oris*, boca.) adj. Expresado con la boca o con la palabra, a diferencia de escrito. *Lección, tradición* **ORAL.** ‖ **2.** Perteneciente o relativo a la boca. ‖ **3.** V. **vía oral.**

oral[2]. (Del lat. *aura*, aire.) m. *Ast.* Viento fresco y suave que sopla en las cuencas de los ríos y en las playas del mar.

oralmente. adv. m. Con la boca, con la palabra.

oranés, sa. adj. Natural de Orán. Ú. t. c. s. ‖ **2.** Perteneciente o relativo a esta ciudad y provincia de Argelia.

orangista. adj. Partidario de la casa de Orange. Apl. a pers., ú. t. c. s. ‖ **2.** Perteneciente o relativo a la política de esos partidarios.

orangután. (Del malayo *orang,* hombre, y *hútan,* bosque, hombre de los bosques.) m. Mono antropomorfo que llega a unos dos metros de altura, con cabeza gruesa, frente estrecha, nariz chata, hocico saliente, cuerpo robusto, piernas cortas, brazos y manos tan desarrollados, que aun estando erguido llegan hasta los tobillos, piel negra y pelaje espeso y rojizo. Vive en las selvas de Sumatra y Borneo.

orar. (Del lat. *orāre.*) intr. Hablar en público para persuadir y convencer a los oyentes o mover su ánimo. ‖ **2.** Hacer oración a Dios, vocal o mentalmente. ‖ **3.** tr. Rogar, pedir, suplicar.

orario. (Del lat. *orarĭum.*) m. Pañuelo que en el Imperio romano se usaba para limpiarse el sudor de la frente; luego se llamaron así piezas de vestido litúrgico. ‖ **2.** Estola grande y preciosa que usa el Papa.

orate. (Del cat. *orat.*) com. Persona que ha perdido el juicio. ‖ **2.** fig. y fam. Persona de poco juicio, moderación y prudencia. ‖ **3.** V. **casa de orates.**

oratoria. (Del lat. *oratoria.*) f. Arte de hablar con elocuencia. ‖ **2.** Género literario formado por el discurso, la disertación, el sermón, el panegírico, etc.

oratoriamente. adv. m. Con estilo oratorio.

oratoriano. adj. Perteneciente o relativo a la congregación del Oratorio. ‖ **2.** m. Presbítero de dicha congregación.

oratorio¹. (Del lat. *oratorĭum.*) m. Lugar destinado para retirarse a hacer oración a Dios. ‖ **2.** Sitio que hay en las casas particulares, donde por privilegio se celebra el santo sacrificio de la misa. ‖ **3.** Congregación de presbíteros fundada por San Felipe Neri. ‖ **4.** Composición dramática y música sobre asunto sagrado, que solía cantarse en cuaresma. ‖ **5.** V. **ayuda de oratorio.** ‖ **festivo.** Entre los colegios de los Salesianos, lugar en que se reúne la juventud los días de fiesta para cumplir con sus deberes religiosos y divertirse honestamente. ‖ **ser un oratorio.** fr. fig. Ser un convento o casa lugar en que se practica mucho la virtud y hay gran recogimiento.

oratorio², ria. (Del lat. *oratorĭus.*) adj. Perteneciente o relativo a la oratoria, a la elocuencia o al orador. ‖ **2.** V. **movimiento oratorio.** ‖ **3.** V. **lugares oratorios.**

orbe. (Del lat. *orbis.*) m. Redondez o círculo. ‖ **2.** Esfera celeste o terrestre. ‖ **3.** Conjunto de todas las cosas creadas, mundo. ‖ **4.** Pez teleósteo del suborden de los plectognatos, de forma casi esférica, con unos tres decímetros de diámetro, cubierto de espinas largas, fuertes y erizadas, sobre todo cuando se siente en peligro; la cabeza se confunde con el resto del cuerpo y la boca es muy pequeña y sin dientes, pero con mandíbulas huesosas muy fuertes. Vive en el mar de las Antillas, se alimenta de moluscos y crustáceos y no es comestible. ‖ **5.** *Astron.* Cada una de las esferas cristalinas imaginadas en los antiguos sistemas astronómicos, que se suponía corresponder a un planeta cualquiera y servirle de sustentáculo y vehículo.

orbedad. (Del lat. *orbĭtas, -ātis,* privación.) f. ant. **orfandad.**

orbicular. (Del lat. *orbiculāris.*) adj. Redondo o circular.

orbicularmente. adv. m. De un modo orbicular.

órbita. (Del lat. *orbĭta.*) f. *Astron.* Trayectoria que, en el espacio, recorre un cuerpo sometido a la acción gravitatoria ejercida por los astros. ‖ **2.** *Fís.* Trayectoria que recorren las partículas sometidas a campos electromagnéticos en los aceleradores de partículas. ‖ **3.** *Fís.* Trayectoria que recorre un electrón alrededor del núcleo del átomo. ‖ **4.** *Anat.* Cuenca del ojo. ‖ **5.** fig. Espacio a que alcanza la virtud de un agente. ‖ **estar en órbita.** fr. fig. Actuar de acuerdo con un acontecimiento o tendencia de actualidad. ‖ **poner en órbita.** Lanzar al espacio un satélite artificial de modo que recorra una **órbita** previamente determinada. ‖ **2.** fig. Hacer notoria o popular a una persona, cosa, idea, etc., o procurar para ella una estimación que favorezca su éxito.

orbital. adj. V. **hueso orbital.** ‖ **2.** Relativo a la órbita.

orbitario, ria. adj. Perteneciente o relativo a la órbita.

orca. (Del lat. *orca.*) f. Cetáceo que llega a unos diez metros de largo, con cabeza redondeada, cuerpo robusto, boca rasgada, con 20 ó 25 dientes rectos en cada mandíbula; aletas pectorales muy largas, alta, grande y triangular la dorsal; cola de más de un metro de anchura; color azul oscuro por el lomo y blanco por el vientre. Vive en los mares del Norte y persigue las focas y ballenas; a veces llega a las costas del Cantábrico y aun al Mediterráneo.

orcaneta. (Del fr. *orcanette.*) f. **onoquiles,** planta. ‖ **amarilla.** Planta herbácea anual, de la familia de las borragináceas, muy vellosa, con tallos derechos de uno a dos decímetros; hojas lanceoladas, pecioladas las inferiores y sentadas las de encima; flores acampanadas, de color amarillo, en ramos terminales; fruto seco, formado por cuatro aquenios en el fondo del cáliz, y raíz gruesa, de que se saca una tinta roja. Es común en España.

orcina. (Del it. *orcina.*) f. Materia colorante de ciertos líquenes.

orco¹. m. **orca,** cetáceo.

orco². (Del lat. *orcus,* ultratumba, y por ext., Plutón, dios de la muerte y aun la muerte misma.) m. Lugar, contrapuesto a la tierra, adonde iban a parar los muertos, según la Roma clásica. ‖ **2.** poét. Reino de la muerte, infierno. ‖ **3.** **huerco.**

orcheliano. (De *Orchell,* n. p.) adj. V. **triángulo orcheliano.**

orchilla. (Del mozár. *orchella.*) f. *Ecuad.* Especie de liquen, urchilla.

órdago. (Del vasco *or dago,* ahí está.) m. Envite del resto en el juego del mus. ‖ **de órdago.** loc. fam. Excelente, de superior calidad.

ordalía. (Del b. lat. *ordalia.*) f. Medio de averiguación o prueba, usado por algunos pueblos primitivos, en la Edad Media europea y aun posteriormente y también fundado en el sometimiento ritual a prácticas destinadas a establecer la certeza, principalmente con fines judiciales. Una de sus formas es el **juicio de Dios.**

orden. (Del lat. *ordo, -ĭnis.*) amb. Colocación de las cosas en el lugar que les corresponde. ‖ **2.** Concierto, buena disposición de las cosas entre sí. ‖ **3.** Regla o modo que se observa para hacer las cosas. ‖ **4.** Serie o sucesión de las cosas. ‖ **5.** Nombre que se aplica a las diversas filas de granos que forman la espiga. ‖ **6.** Cada uno de los grados del sacramento de este nombre, que se iban recibiendo sucesivamente y constituían ministros de la Iglesia. ‖ **7.** V. **administrador, hombre de orden.** ‖ **8.** V. **corneta de órdenes.** ‖ **9.** m. Sexto de los siete sacramentos de la Iglesia, por el cual son instituidos los sacerdotes y los ministros del culto. ‖ **10.** Relación o respecto de una cosa a otra. ‖ **11.** En determinadas épocas, grupo o categoría social. ORDEN *senatorial.* ‖ **12.** *Arq.* Cierta disposición y proporción de los cuerpos principales que componen un edificio. ‖ **13.** *Ling.* Conjunto de fonemas que, en una lengua, poseen el mismo punto de articulación. ‖ **14.** *Geom.* Calificación que se da a una línea según el grado de la ecuación que la representa. ‖ **15.** *Bot.* y *Zool.* Cada uno de los grupos taxonómicos en que se dividen las clases y que se subdividen en familias. ORDEN *de los artiodáctilos.* ‖ **16.** *Teol.* Cierta categoría o coro de espíritus angélicos. ‖ **17.** f. Instituto religioso aprobado por el Papa y cuyos individuos viven bajo las reglas establecidas por su fundador o por sus reformadores. ‖ **18.** Mandato que se debe obedecer, observar y ejecutar. ‖ **19.** V. **carta orden.** ‖ **20.** Cada uno de los institutos civiles o militares creados para premiar por medio de condecoraciones a las personas beneméritas. ORDEN *de Carlos III, de Cristo,* etc. ‖ **abierto.** *Mil.* Formación en que la tropa se dispersa para ofrecer menor blanco vulnerable y cubrir mayor espacio de terreno. ‖ **atlántico.** *Arq.* El que en vez de columnas o pilastras lleva atlantes para sostener los arquitrabes. ‖ **cerrado.** *Mil.* Formación en que la tropa se agrupa para ocupar menor espacio. ‖ **compuesto.** *Arq.* El que en el capitel de sus columnas reúne las volutas del jónico con las dos filas de hojas de acanto del corintio, guarda las proporciones de éste para lo demás y lleva en la cornisa dentículos y modillones sencillos. ‖ **corintio.** *Arq.* El que tiene la columna de unos diez módulos o diámetros de altura, el capitel adornado con hojas de acanto y caulículos, y la cornisa con modillones. ‖ **de batalla.** *Mil.* y *Mar.* Situación o formación de las tropas o de una escuadra del modo más favorable, para poder hacer fuego contra el enemigo o para otros fines. ‖ **de caballería.** Dignidad, título de honor que se daba a los hombres nobles o a los esforzados que prometían vivir justa y honestamente, y defender con las armas la religión, al rey, la patria y a los agraviados y menesterosos. Dase ahora a los novicios de las **órdenes** militares cuando se les arma caballeros. ‖ **2.** Conjunto, cuerpo y sociedad de los caballeros que profesan las armas con autoridad pública bajo las leyes universales dictadas por el pundonor de las gentes y aprobadas por el uso de las naciones. ‖ **3. orden militar.** ‖ **4.** ant. Destreza militar y enseñanza de las cosas de la guerra. ‖ **de la banda. orden** de caballería fundada en España por el rey don Alfonso XI de Castilla por los años de 1330, y cuya particular divisa era una banda roja o faja carmesí. ‖ **de la Visitación. Salesas. orden** ‖ **del día.** Determinación de lo que en el día de que se trata deba ser objeto de las discusiones o tareas de una asamblea o corporación. ‖ **2.** *Mil.* La que diariamente se da a los cuerpos de un ejército o guarnición señalando el servicio que han de prestar las tropas. ‖ **de marcha.** *Mar.* Disposición en que se colocan los diferentes buques de una escuadra para navegar evitando abordajes. ‖ **de parada.** *Mil.* Situación o formación de un batallón, regimiento, etc., en que, colocada la tropa con mucho frente y poco fondo, como en el **orden** de batalla, están las banderas y los oficiales como unos tres pasos más adelantados hacia el frente. ‖ **dórico.** *Arq.* El que tiene la columna de ocho módulos o diámetros a lo más de altura, el capitel sencillo y el friso adornado con metopas y triglifos. ‖ **establecido.** Organización social, política, económica, ideológica, etc., vigente en una colectividad. Ú. siempre con el artículo determinado. EL ORDEN ESTABLECIDO. ‖ **jónico.** *Arq.* El que tiene la columna de unos nueve módulos o diámetros de altura, el capitel, adornado con grandes volutas, y dentículos en la cornisa. ‖ **mayor.** Nombre que se daba a cada uno de los grados de subdiácono, diácono y sacerdote. Ú. m. en pl. ‖ Cada uno de los dos ministerios clericales, diaconado y presbiterado. ‖ **menor.** Nombre que se daba a cada uno de los grados de ostiario, lector, exorcista y acólito que han sido suprimidos. Usáb. m. en pl. ‖ **militar.** Cualquiera de las de caballeros. ‖ **natural.** Manera de ser, existir u ocurrir las cosas, según las leyes de la naturaleza. ‖ **2.** *Mar.* El de navegación de una escuadra o división cuando cada uno de sus buques sigue al matalote de proa que previamente le ha sido designado. ‖ **paraninfico.** *Arq.* El que tiene estatuas de ninfas en lugar de columnas. ‖ **público.** Situación y estado de legalidad normal en que las autoridades ejercen sus atribuciones propias y las ciudadanos las respetan y obedecen sin protesta. ‖ **sacerdotal. orden,** sacramento. ‖ **tercera.** Agrupación de seglares que, dependiendo de las **órdenes** mendicantes (franciscanos, dominicos, carmelitas, etc.), se guían para su perfección espiritual, en cierta

extensión, por la regla de la **orden** correspondiente. ‖ **2.** V. **ministro de la orden tercera.** ‖ **toscano.** *Arq.* El que se distingue por ser más sólido y sencillo que el dórico. ‖ **real orden.** En el régimen constitucional monárquico, la firmada por un ministro en nombre del rey. ‖ **a la orden,** o **a las órdenes.** expr. de cortesía con que uno se ofrece a la disposición de otro. ‖ **¡a la orden!** o **¡a sus órdenes!** Fórmulas militares del acatamiento o saludo ante un superior. ‖ **a la orden.** *Com.* Expresión que denota ser transferible, por endoso, un valor comercial. ‖ **consignar las órdenes.** fr. *Mil.* Dar al centinela la **orden** de lo que ha de hacer. ‖ **dar órdenes.** fr. Mandar. ‖ **2.** Conferir el obispo las **órdenes** sagradas a los eclesiásticos. ‖ **del orden de.** loc. adv. Aproximadamente. ‖ **de orden de.** loc. adv. Por mandato de quien se expresa. ‖ **en orden.** loc. adv. Ordenadamente u observando el **orden.** ‖ **en orden a.** loc. adv. Tocante a, respecto a. ‖ **estar a la orden del día** una cosa. fr. Estar de moda, en boga, andar al uso. ‖ **hacer órdenes.** fr. **dar órdenes.** ‖ **llamar** a uno **al orden.** fr. Advertirle con autoridad que se atenga al asunto que ha de tratar, o que guarde en sus palabras o en su conducta el decoro debido. ‖ **poner** una cosa **en orden.** fr. Reducirla a método y regla, quitando y enmendando la imperfección o los abusos que se han introducido o la confusión o desconcierto que padece. ‖ **2.** fig. Reglar y concordar una cosa para que tenga su debida proporción, forma o régimen. ‖ **por su orden.** loc. adv. Sucesivamente y con su siguiendo las cosas.

ordenación. (Del lat. *ordinatio, -ōnis.*) f. Disposición, prevención. ‖ **2.** Acción y efecto de ordenar u ordenarse. *En la ORDENACIÓN de los presbíteros hay muchas ceremonias.* ‖ **3.** Colocación de las cosas en el lugar que les corresponde. ‖ **4.** Buena disposición de las cosas. ‖ **5.** Regla que se observa para hacer ordenadamente las cosas. ‖ **6.** Mandato, orden, precepto. ‖ **7.** Cierta oficina de cuenta y razón; como la **ordenación** de pagos en algunos ministerios. ‖ **8.** Parte de la arquitectura, que trata de la capacidad que debe tener cada pieza del edificio, según su destino. ‖ **9.** *Pint.* Parte de la composición de un cuadro, según la cual se arreglan y distribuyen las figuras del modo conveniente. ‖ **de montes,** o **forestal. dasocracia.**

ordenada. (Del lat. *ordinatae* [*lineae*], líneas paralelas.) adj. *Geom.* Aplícase a la coordenada vertical en el sistema cartesiano. Ú. m. c. s.

ordenadamente. adv. m. Concertadamente, con método y proporción.

ordenado, da. p. p. de **ordenar.** ‖ **2.** adj. Dícese de la persona que guarda orden y método en sus acciones.

ordenador, ra. (Del lat. *ordinātor, -ōris.*) adj. Que ordena. Ú. t. c. s. ‖ **2.** V. **comisario ordenador.** ‖ **3.** m. Jefe de una ordenación de pagos u oficina de cuenta y razón. ‖ **4.** Máquina electrónica dotada de una memoria de gran capacidad y de métodos de tratamiento de la información, capaz de resolver problemas aritméticos y lógicos gracias a la utilización automática de programas registrados en ella.

ordenamiento. m. Acción y efecto de ordenar. ‖ **2.** Ley, pragmática u ordenanza que da el superior para que se observe una cosa. ‖ **3.** Breve código de leyes promulgadas al mismo tiempo, o colección de disposiciones referentes a determinada materia. ‖ **real,** o **de Alcalá.** Colección de leyes de Castilla, promulgadas en el siglo XIV en las Cortes de Alcalá de Henares.

ordenancista. adj. Dícese del jefe u oficial que cumple y aplica con rigor la ordenanza. ‖ **2.** Aplícase por ext. a los superiores en cualquier orden que exigen de los subordinados el riguroso cumplimiento de sus deberes.

ordenando. (Del lat. *ordinandus,* que ha de ser ordenado.) m. El que está para recibir alguna de las órdenes sagradas.

ordenante. p. a. de **ordenar.** Que ordena. ‖ **2.** m. El que está para ordenarse.

ordenanza. (De *ordenar*.) f. Método, orden y concierto en las cosas que se ejecutan. ‖ **2.** Conjunto de preceptos referentes a una materia. Ú. m. en pl. ‖ **3.** La que está hecha para el régimen de los militares y buen gobierno en las tropas, o para el de una ciudad o comunidad. Ú. t. en pl. ‖ **4.** Mandato, disposición, arbitrio y voluntad de uno. ‖ **5.** ant. Escuadrón de caballería. ‖ **6.** Ordenación de las piezas de cada edificio. ‖ **7.** Distribución conveniente de las figuras de un cuadro. ‖ **8.** *Mil.* Soldado que está a las órdenes de un oficial o de un jefe para los asuntos del servicio. Ú. m. c. s. m. ‖ **9.** m. Empleado subalterno que en ciertas oficinas tiene el especial encargo de llevar órdenes.

ordenar. (Del lat. *ordināre*.) tr. Poner en orden, concierto y buena disposición una cosa. ‖ **2.** Mandar y prevenir que se haga una cosa. ‖ **3.** Encaminar y dirigir a un fin. ‖ **4.** Conferir las órdenes a uno. ‖ **5.** prnl. Recibir la tonsura, los grados o las órdenes sagradas.

ordeña. f. *Nicar.* Ordeño.

ordeñadero. m. Sitio donde se ordeña a las vacas, cabras u ovejas. ‖ **2.** Vasija en que cae la leche cuando se ordeña.

ordeñador, ra. adj. Que ordeña. Ú. t. c. s. ‖ **2.** m. y f. Persona que trabaja en la recolección de aceitunas a mano. ‖ **3.** f. Máquina para efectuar el ordeño de las vacas mediante succión.

ordeñar. (Del lat. *ordiniāre*, de *ordināre*.) tr. Extraer la leche exprimiendo la ubre. ‖ **2.** fig. Coger la aceituna, llevando la mano rodeada al ramo para que este las vaya soltando. ‖ fig. y fam. Obtener el máximo provecho posible de algo o alguien.

ordeño. (De *ordeñar*.) m. Acción y efecto de ordeñar. ‖ **a ordeño.** loc. adv. Ordeñando la aceituna.

órdiga! (¡**la**). exclam. vulg. de admiración o sorpresa. Ú. m. en la expr. **¡anda la órdiga!**

ordinación. (Del lat. *ordinatĭo, -ōnis*.) f. ant. Orden o disposición. ‖ **2.** *Ar.* Conjunto de preceptos referentes a una materia.

ordinal. (Del lat. *ordinālis*.) adj. Perteneciente al orden. ‖ **2.** *Arit.* V. **número ordinal.** Ú. t. c. s. ‖ **3.** *Gram.* V. **adjetivo ordinal.** Ú. t. c. s.

ordinar. tr. ant. ordenar.

ordinariamente. adv. m. Frecuentemente, regularmente, por lo común. ‖ **2.** Sin cultura o urbanidad, groseramente.

ordinariez. (De *ordinario*.) f. Falta de urbanidad y cultura. ‖ **2.** Acción o expresión grosera.

ordinario, ria. (Del lat. *ordinarĭus*.) adj. Común, regular y que sucede habitualmente. ‖ **2.** Contrapuesto a noble, plebeyo. ‖ **3.** Bajo, basto, vulgar y de poca estimación. ‖ **4.** Que no tiene grado o distinción en su línea. ‖ **5.** Dícese del gasto de cada día que tiene cualquiera en su casa, y también de lo que acostumbra comer. Ú. t. c. s. ‖ **6.** Dícese del juez o tribunal de la justicia civil en oposición a los del fuero privilegiado; y también del obispo diocesano. Ú. t. c. s. ‖ **7.** Decíase del correo que venía en períodos fijos y determinados, a distinción del extraordinario, que se despachaba cuando convenía. Ú. t. c. s. ‖ **8.** Dícese del que se despacha por tierra o mar, para diferenciarlo del aéreo y del certificado. ‖ **9.** V. **alcalde, inquisidor, juez, mes, paso, pleito, tren ordinario.** ‖ **10.** V. **jurisdicción, justicia, mampostería, pena, vía ordinaria.** ‖ **11.** *Der.* Aplícase este nombre al despacho corriente con providencias de tramitación en los negocios. ‖ **12.** m. desus. Arriero o carretero que habitualmente conducía personas, géneros u otras cosas de un pueblo a otro. ‖ **13.** También se da este nombre al que desempeña comisiones de esta clase viajando en ferrocarril. ‖ **de ordinario.** loc. adv. Común y regularmente; con frecuencia; muchas veces.

ordinativo, va. (Del lat. *ordinatīvus*.) adj. Perteneciente o relativo a la ordenación o arreglo de una cosa.

ordovícico, ca. (De *Ordovices*, antigua tribu del norte de Gales.) adj. *Geol.* Dícese del segundo de los seis períodos geológicos en que se divide la era paleozoica. Ú. t. c. s. ‖ **2.** *Geol.* Perteneciente a los terrenos de este período en donde aparecen los primeros vertebrados, abundan los invertebrados marinos y algunas plantas colonizan el medio terrestre.

orea. f. **oréade.**

oréada. f. **oréade.**

oréade. (Del gr. ὀρειάς, que vive en los montes, a través del lat. *oreas, -ādis*.) f. *Mit.* Cualquiera de las ninfas que, según los gentiles, residían en los bosques y montes.

orear. (De lat. *aura*, aire.) tr. Dar el viento en una cosa, refrescándola. ‖ **2.** Dar en una cosa el aire para que se seque o se le quite la humedad o el olor que ha contraído. Ú. m. c. prnl. *Los campos* SE HAN OREADO. ‖ **3.** prnl. Salir uno a tomar el aire.

orebce. (Del lat. *aurĭfex, -ĭcis*.) m. ant. Artífice que trabaja en oro.

orecer. (Del lat. *aurescĕre*.) tr. ant. Convertir en oro una cosa.

orégano. (Del lat. *origānum*.) m. Planta herbácea vivaz, de la familia de las labiadas, con tallos erguidos, prismáticos, vellosos, de cuatro a seis decímetros de altura; hojas pequeñas, ovaladas, verdes por el haz y lanuginosas por el envés; flores purpúreas en espigas terminales, y fruto seco y globoso. Es aromático, abunda en los montes de España, y las hojas y flores se usan como tónicas y en condimentos. ‖ **no es orégano todo el monte.** fr. fig. **no todo el monte es orégano.** ‖ **orégano sea.** expr. fig. y fam. con que se expresa el temor de que un negocio o empresa tenga mal resultado.

oreja. (Del lat. *auricŭla*.) f. Órgano de la audición. ‖ **2.** Sentido de la audición. ‖ **3.** Ternilla que en el hombre y en muchos animales forma la parte externa del órgano del oído. ‖ **4.** Parte del zapato que, sobresaliendo a un lado y otro, sirve para ajustarlo al empeine del pie por medio de cintas, botones o hebillas. ‖ **5.** Cada una de las dos partes simétricas que suelen llevar en la punta o en la boca ciertas armas y herramientas. Ú. m. en pl. ‖ **6.** Cada una de las vertederas del arado romano. Ú. m. en pl. ‖ **7.** Cada una de las asas o agarraderos de una vasija, bandeja, etc. ‖ **8.** V. **corredor de oreja.** ‖ **9.** V. **papilla, perilla de la oreja.** ‖ **10.** V. **vino de dos orejas.** ‖ **11.** fig. *Col.* Desviación en las autopistas que, mediante una corta vuelta, las cruza perpendicularmente pero en plano de nivel diferente. ‖ **12.** com. fig. Persona aduladora que lleva chismes y cuentos y lo tiene por oficio. ‖ **13.** fig. *El Salv.* Espía que oye las conversaciones para transmitirlas a las autoridades gubernativas. ‖ **de abad.** Fruta de sartén que se hace en forma de hojuela. ‖ **2.** **ombligo de Venus,** planta. ‖ **de fraile. ásaro.** ‖ **de mar. oreja marina.** ‖ **de monje. ombligo de Venus,** planta. ‖ **de negro.** *Argent.* y *Urug.* **timbó.** ‖ **2.** oro. Planta herbácea vivaz, de la familia de las primuláceas, con hojas poco elevadas sobre el suelo, grandes, ovales, casi redondas, carnosas y velludas por el envés; flores en umbela, amarillas, olorosas, sobre un bohordo de dos a tres decímetros, y fruto capsular con muchas semillas. Es originaria de los Alpes y se cultiva en los jardines. ‖ **de ratón. vellosilla.** ‖ **marina.** Molusco gasterópodo cuya concha es ovalada, de espira muy baja, borde delgado en la mitad de su contorno, con una especie de labio en la otra mitad, donde hay una serie de agujeros que van cerrándose a medida que el animal crece; arrugada y pardusca por fuera y brillantemente nacarada por dentro. Vive en los mares de España. ‖ **cuatro orejas.** fig. y fam. Hombre que, según moda antigua, llevaba grandes tufos y muy pelada la cabeza por encima y por detrás. ‖ **aguzar las orejas.** fr. fig. Levantarlas las caballerias, poniéndolas tiesas. ‖ **2.** fig. Prestar mucha atención; poner gran cuidado. ‖ **amusgar las orejas.** fr. ant. fig. **dar oídos.** ‖ apearse uno por las orejas. fr. fig. y fam. Caerse uno de la cabalgadura. ‖ **2.** fig. y fam. **apearse por la cola.** ‖ **aplastar la oreja.** fr. **dormir.** ‖ **asomar** uno **la oreja.** fr. fig. y fam. **descubrir** uno **la oreja.** ‖ **bajar** uno **las orejas.** fr. fig. y fam. Ceder con humildad en una disputa o réplica. ‖ **calentar** a uno **las orejas.** fr. fig. y fam. Reprenderle severamente. ‖ **cerrar** una **la oreja.** fr. ant. fig. **cerrar los oídos.** ‖ **con las orejas caídas,** o **gachas.** loc. adv. fig. y fam. Con tristeza y sin haber conseguido lo que se deseaba. ‖ **con las orejas tan largas.** loc. adv. fig. que significa la atención o curiosidad con que uno uno oye o desea oír una cosa. ‖ **dar orejas.** fr. ant. fig. **dar oídos.** ‖ **de cuatro orejas.** loc. fig. y fam. con que se designa al animal que tiene cuernos y principalmente el toro. ‖ **descubrir** uno **la oreja.** fr. fig. y fam. **vérsele** a uno **el plumero.** ‖ **desencapotar las orejas.** fr. fig. Dicho de algunos animales, enderezarlas, ponerlas tiesas. ‖ **enseñar** uno **la oreja.** fr. fig. y fam. **descubrir la oreja.** ‖ **estar a la oreja.** fr. fig. Estar siempre con otro, sin apartarse de él ni dar lugar a que se le hable reservadamente. ‖ **2.** fig. Estar instando y porfiando sobre una pretensión. ‖ **hacer** uno **orejas de mercader.** fr. fig. Darse por desentendido, hacer que no oye. ‖ **ladrar** a uno **a la oreja.** fr. fig. Ladrarle **al oído.** ‖ **mojar la oreja.** fr. fig. Buscar pendencia, insultar. ‖ **no hay orejas para cada martes.** expr. fig. y fam. con que se advierte que no es fácil salir de los riesgos cuando frecuentemente se repiten o se buscan. ‖ **no valer** uno **sus orejas llenas de agua.** fr. fig. y fam. Ser muy despreciable. ‖ **planchar la oreja.** fr. fig. **dormir.** ‖ **poner** a uno **las orejas coloradas.** fr. fig. y fam. Decirle palabras desagradables o darle una severa represión. ‖ **repartir orejas.** fr. fig. Suplantar testigos de oídas de una cosa que no oyeron. ‖ **retiñir las orejas.** fr. fig. Perjudicar, ser nocivo y en extremo opuesto a un sujeto aquello que oye, de suerte que quisiera no haberlo oído. ‖ **taparse las orejas.** fr. fig. con que se pondera la disonancia o escándalo que causa una cosa que se dice, y que para no oírla se debían tapar los oídos. ‖ **tener** uno **de la oreja** a otro. fr. fig. Tenerle a su arbitrio para que haga lo que le pide o le manda. ‖ **tirar** uno **la oreja,** o **las orejas.** fr. fig. y fam. Jugar a los naipes; porque cuando se brujulea, parece que se tira de las orejas (esto es, de las puntas, extremos o ángulos) a las cartas. También, y más comúnmente, dícese en este sentido: **tirar de la oreja a Jorge.** ‖ **tirarse** uno **de una oreja, y no alcanzarse la otra.** fr. fig. con que se explica el sentido del que no consiguió lo que deseaba, o lo perdió por no haber sido solícito y prudente para lograrlo. ‖ **ver** uno **las orejas al lobo.** fr. fig. Hallarse en gran riesgo o peligro próximo. ‖ **vérsele** a uno **la oreja.** fr. fig. y fam. **descubrir** uno **la oreja.**

orejano, na. adj. Dícese de la res que no tiene marca en las orejas ni en otra parte alguna del cuerpo. Ú. t. c. s.

orejeado, da. (De *oreja,* oído.) adj. Dícese del que está prevenido o avisado para que cuando otro le hable pueda responderle o no trate la cosa que oiga.

orejear. intr. Mover las orejas un animal. ‖ **2.** fig. Hacer una cosa de mala gana y con violencia. ‖ **3.** tr. fig. *Argent.* **brujulear,** descubrir poco a poco las cartas. ‖ **4.** *Col.* Sujetar por las orejas las bestias caballares o mulares para comenzar a domarlas.

orejera. f. Cada una de las dos piezas de la gorra o montera que cubren las orejas y se atan debajo de la barba. ‖ **2.** Cada una de las dos piezas de acero que a uno y otro lado tenían ciertos cascos antiguos para defender las orejas. ‖ **3.** Cada una de las dos piezas o palos que el arado común lleva introducidas oblicuamente a uno y otro lado del dental y que sirve para ensanchar el surco. Modernamente estas piezas se hacen de hierro. ‖ **4.** Rodaja que se metían los indios en un agujero abierto en la parte inferior de la oreja.

orejeta. f. d. de **oreja.**

orejisano, na. adj. Dícese de la res que carece de marca en las orejas y, por ext., que no la tiene en ninguna parte del cuerpo.

orejón, na. adj. **orejudo,** que tiene orejas grandes. ‖ **2.** m. Pedazo de melocotón o de otra fruta, secado al aire y al sol. Ú. m. en pl. ‖ **3.** Tirón de oreja. ‖ **4.** Entre los antiguos peruanos, persona noble que, después de varias ceremonias y pruebas, una de las cuales consistía en horadarle las orejas, ensanchándoselas por medio de una rodaja, entraba en un cuerpo privilegiado y podía aspirar a los primeros puestos del imperio. ‖ **5.** Nombre que se dio en la conquista a varias tribus de América. ‖ **6.** *Col.* Sabanero de Bogotá, y por ext., persona zafia y tosca. ‖ **7.** *Fort.* Cuerpo que sale fuera del flanco de un baluarte cuyo frente se ha prolongado.

orejudo, da. adj. Que tiene orejas grandes o largas. ‖ **2.** m. Murciélago insectívoro, cuyas orejas son muy grandes en relación con el pequeño tamaño del animal.

orejuela. f. d. de **oreja.** ‖ **2.** Cada una de las dos asas pequeñas que suelen tener las escudillas, bandejas u otros utensilios semejantes.

orellano, na. (Del ant. *oriella,* orilla.) adj. ant. Apartado.

orenga. (Variante de *varenga.*) f. *Mar.* Cada uno de los maderos fijados a una y otra banda desde la serviola al tajamar, brazal. ‖ **2.** *Mar.* Cuaderna que encaja en la quilla y cuyas ramas forman las costillas del casco.

orensano, na. adj. Natural de Orense. Ú. t. c. s. ‖ **2.** Perteneciente o relativo a esta ciudad o a su provincia.

orenza. (De *gruenza,* del cat. *gronxar,* mecer.) f. *Ar.* Tolva del molino.

oreo. (De *orear.*) m. Soplo del aire que da suavemente en una cosa. ‖ **2.** Acción y efecto de orear u orearse.

oreoselino. (Del gr. ὀρεοσέλινον, a través del lat. *oreoselīnum.*) m. Planta herbácea de la familia de las umbelíferas, con tallo erguido, fistuloso, estriado, de seis a ocho decímetros de altura; hojas grandes, anchas y divididas en gajos; flores en umbela, pequeñas y blanquecinas; raíces unidas a un cuerpo globoso e interiormente blancas, y semilla pequeña, ovalada, chata, surcada y ribeteada.

orespe. m. ant. Artífice que trabaja en oro.

oretano, na. (Del lat. *Oretānus.*) adj. Dícese de un pueblo prerromano que habitaba la Oretania, región de la Hispania Tarraconense que comprendía la actual provincia de Ciudad Real y parte de las de Toledo y Jaén. ‖ Dícese también de los individuos que formaban este pueblo. Ú. t. c. s. ‖ **3.** Perteneciente o relativo a los **oretanos** o a la Oretania.

orfanato. (Del b. lat. *orphănus,* huérfano.) m. Asilo de huérfanos.

orfandad. (der. culto de *huérfano.*) f. Estado de huérfano. ‖ **2.** Pensión que por derecho o por otro motivo disfrutan los huérfanos. ‖ **3.** fig. Falta de ayuda, favor o valimiento en que una persona o cosa se encuentran.

orfanidad. f. ant. Estado de huérfano, orfandad.

orfebre. (Del fr. *orfèvre.*) m. El que labra objetos artísticos de oro, plata y otros metales preciosos, o aleaciones de ellos. ‖ **2.** *Col.* El que labra objetos artísticos de cobre u otros metales.

orfebrería. f. Arte del orfebre.

orfeón. (Del fr. *orphéon.*) m. Sociedad de cantantes en coro, sin instrumentos que los acompañen.

orfeonista. m. Individuo de un orfeón.

órfico, ca. adj. Perteneciente o relativo a Orfeo. ‖ **2.** Perteneciente o relativo al orfismo.

orfismo. m. Religión de misterios de la antigua Grecia,

cuya fundación se atribuía a Orfeo. Caracterizábanla principalmente la creencia en la vida de ultratumba y en la metempsícosis, así como la peculiar régimen de vida a que habían de someterse los que en ella se iniciaban.

orfo. (Del gr. ὄρφος, a través del lat. *orphus*.) m. Pescado semejante al besugo, de color rubio, ojos grandes y dientes como de sierra.

orfre u **orfrés.** (Del occit. *aurfrès*.) m. ant. Arte del orfebre. ‖ 2. ant. Galón de oro.

organdí. (Del fr. *organdi*.) m. Tela blanca de algodón muy fina y transparente.

organero. m. El que fabrica y compone órganos.

organicismo. (De *orgánico*.) m. Doctrina médica que atribuye todas las enfermedades a lesión material de un órgano.

organicista. adj. Que sigue la doctrina del organicismo. Ú. t. c. s. ‖ 2. Perteneciente o relativo al organicismo.

orgánico, ca. (Del lat. *organĭcus*.) adj. Aplícase al cuerpo que está con disposición o aptitud para vivir. ‖ 2. Que tiene armonía y consonancia. ‖ 3. V. **ley orgánica.** ‖ 4. fig. Dícese de lo que atañe a la constitución de corporaciones o entidades colectivas o a sus funciones o ejercicios. ‖ 5. *Med.* Dícese de los síntomas y trastornos en los cuales la alteración patológica de los órganos va acompañada de lesiones visibles y relativamente duraderas. Opónese a funcional. ‖ 6. *Quím.* Dícese de la sustancia cuyo componente constante es el carbono, en combinación con el hidrógeno o con el nitrógeno, ya separados o juntos, y también con otros elementos.

organigrama. (De *organización* y *-grama*.) m. Sinopsis o esquema de la organización de una entidad, de una empresa o de una tarea. ‖ 2. *Tecnol.* Representación gráfica de las operaciones sucesivas en un proceso industrial, de informática, etc.

organillero, ra. m. y f. Persona que tiene por ocupación tocar el organillo.

organillo. (d. de *órgano*.) m. Órgano pequeño o piano que se hace sonar por medio de un cilindro con púas movido por un manubrio, y encerrado en un cajón portátil.

organismo. m. Conjunto de órganos del cuerpo animal o vegetal y de las leyes por que se rige. ‖ 2. Ser viviente. ‖ 3. fig. Conjunto de leyes, usos y costumbres por que se rige un cuerpo o institución social. ‖ 4. fig. Conjunto de oficinas, dependencias o empleos que forman un cuerpo o institución.

organista. com. Persona que ejerce o profesa el arte de tocar el órgano.

organístico, ca. adj. Perteneciente o relativo al órgano, instrumento músico.

organización. f. Acción y efecto de organizar u organizarse. ‖ 2. Disposición de los órganos de la vida, o manera de estar organizado el cuerpo animal o vegetal. ‖ 3. Conjunto de personas con los medios adecuados que funcionan para alcanzar un fin determinado. ‖ 4. fig. Disposición, arreglo, orden.

organizado, da. p. p. de **organizar.** ‖ 2. adj. **orgánico,** dicho del cuerpo con aptitud para vivir. ‖ 3. *Biol.* Dícese de la materia o sustancia que tiene la estructura peculiar de los seres vivientes.

organizador, ra. adj. Que organiza o tiene especial aptitud para organizar.

organizar. tr. Establecer o reformar algo para lograr un fin, coordinando los medios y las personas adecuados. ‖ 2. Disponer y preparar un conjunto de personas, con los medios adecuados, para lograr un fin determinado. Ú. t. c. prnl. ‖ 3. Poner algo en orden. ‖ 4. Preparar alguna cosa disponiendo todo lo necesario. Ú. t. ‖ 5. desus. Disponer el órgano para que esté acorde y templado.

órgano. (Del gr. ὄργανον, a través del lat. *organum*.) m. Instru-

mento músico de viento, compuesto de muchos tubos donde se produce el sonido, unos fuelles que impulsan el aire y un teclado y varios registros ordenados para modificar el timbre de las voces. ‖ 2. V. **canto de órgano.** ‖ 3. Aparato refrigerante formado por una serie de tubos de estaño, alrededor de los cuales se pone nieve o hielo y dentro del líquido que se trata de enfriar. Se usaba antiguamente en las alojerías y tabernas. ‖ 4. Cualquiera de las partes del cuerpo animal o vegetal que ejercen una función. ‖ 5. fig. Medio o conducto que pone en comunicación dos cosas. ‖ 6. fig. Persona o cosa que sirve para la ejecución de un acto o un designio. ‖ **de manubrio. organillo.** ‖ expresivo. *Mús.* armonio. ‖ **los órganos de Móstoles.** loc. fig. y fam. Personas, dichos, hechos, opiniones, ideas, etc., que debieran compadecerse o convenir en una relación de semejanza, conformidad o armonía, y son, por el contrario, muy disonantes o incongruentes entre sí.

organogenia. (Del gr. ὄργανον, órgano, y γένος, origen.) f. Estudio de la formación y desarrollo de los órganos.

organografía. (Del gr. ὄργανον, órgano, y *-grafía*.) f. Parte de la zoología y de la botánica, que tiene por objeto la descripción de los órganos de los animales o de los vegetales. En el primer caso se llama animal; en el segundo, vegetal.

organográfico, ca. adj. Perteneciente o relativo a la organografía.

organoléptico, ca. (Del gr. ὄργανον, órgano, y ληπτικός, receptivo.) adj. Se dice de las propiedades de los cuerpos que pueden percibir por los sentidos.

organología. (Del gr. ὄργανον, órgano, y *-logía*.) f. Tratado de los órganos de los animales o de los vegetales.

orgánulo. m. *Biol.* Estructura o parte de una célula que en ésta cumple la función de un órgano.

orgasmo. (Del gr. ὀργασμός.) m. Culminación del placer sexual. ‖ 2. Exaltación de la vitalidad de un órgano.

orgia. (Del gr. ὄργια, fiestas de Baco, a través del lat. *orgía*.) f. **orgía.**

orgía. (De *orgia*.) f. Festín en que se come y bebe inmoderadamente y se cometen otros excesos. ‖ 2. fig. Satisfacción viciosa de apetitos o pasiones desenfrenadas.

orgiástico, ca. adj. Perteneciente o relativo a la orgía.

orgivense. adj. Natural de Órgiva. Ú. t. c. s. ‖ 2. Perteneciente o relativo a esta ciudad de las Alpujarras, en Granada.

orgullecer. intr. ant. Cobrar orgullo, ensoberbecerse.

orgulleza. f. ant. **orgullo.**

orgullo. (Del cat. *orgull*.) m. Arrogancia, vanidad, exceso de estimación propia, que a veces es disimulable por nacer de causas nobles y virtuosas.

orgullosamente. adv. m. Con orgullo.

orgulloso, sa. adj. Que tiene orgullo. Ú. t. c. s.

orí. m. Grito que en el juego del escondite dan los escondidos para que los empiecen a buscar. ‖ 2. Por ext., este mismo juego.

oribe. (Del lat. *aurĭfex, -ĭcis*.) m. Artífice que trabaja en oro.

oricalco. (Del lat. *orichalcum*.) m. ant. Cobre, bronce o latón, auricalco.

orientación. f. Acción y efecto de orientar u orientarse. ‖ 2. Posición o dirección de una cosa respecto a un punto cardinal.

orientador, ra. adj. Que orienta. Ú. t. c. s.

oriental. (Del lat. *orientālis*.) adj. Perteneciente o relativo al Oriente. ‖ 2. Natural de Oriente. Ú. t. c. s. ‖ 3. Perteneciente o relativo a las regiones de Oriente. ‖ 4. *Cuba.* Natural de la provincia de Oriente (antes Santiago de Cuba). Ú. t. c. s. ‖ 5. Perteneciente o relativo a esta provincia cubana. ‖ 6. uruguayo. ‖ 7. V. **alabastro, amatista, bezoar, crisólito, cuadrante, esmeralda, granate, hemisferio, iglesia, jacinto, rubí, topacio, turquesa, zafiro oriental.** ‖ 8. *Astron.*

Aplícase al planeta Venus, porque sale por la mañana antes de nacer el Sol.

orientalismo. m. Conocimiento de la civilización y costumbres de los pueblos orientales. ‖ **2.** Predilección por las cosas de Oriente. ‖ **3.** Carácter oriental.

orientalista. adj. Perteneciente o relativo al orientalismo. ‖ **2.** com. Persona que cultiva las lenguas, literaturas, historia, etc., de los países de Oriente.

orientar. (De *oriente.*) tr. Colocar una cosa en posición determinada respecto a los puntos cardinales. ‖ **2.** Determinar la posición o dirección de una cosa respecto a un punto cardinal. ‖ **3.** Informar a uno de lo que ignora y desea saber, del estado de un asunto o negocio, para que sepa mantenerse en él. Ú. t. c. prnl. ‖ **4.** fig. Dirigir o encaminar una cosa hacia un fin determinado. Ú. t. c. prnl. ‖ **5.** *Geogr.* Designar en un mapa por medio de una flecha u otro signo el punto septentrional, para que se venga en conocimiento de la situación de los objetos que comprende. ‖ **6.** *Mar.* Disponer las velas de un buque de manera que reciban el viento de lleno, en cuanto lo permita el rumbo que lleva.

oriente. (Del lat. *oriens, -entis,* p. a. de *oriri,* aparecer, nacer.) m. Nacimiento de una cosa. ‖ **2.** n. p. m. Punto cardinal del horizonte, por donde nace o aparece el Sol en los equinoccios. ‖ **3.** m. Lugar de la Tierra o de la esfera celeste que, respecto de otro con el cual se compara, cae hacia donde sale el Sol. ‖ **4.** Asia y las regiones inmediatas a ella de Europa y África. ‖ **5.** Viento que sopla de la parte de **Oriente.** ‖ **6.** Brillo especial de las perlas. ‖ **7.** fig. Mocedad o edad temprana del hombre. ‖ **8.** *Astrol.* Horóscopo o casa primera del tema celeste. ‖ **9.** *Pat.* V. **tifo de Oriente.**

orificación. f. Acción y efecto de orificar.

orificador. m. Instrumento que sirve para orificar.

orificar. (Del lat. *aurum,* oro, y *facĕre,* hacer.) tr. Rellenar con oro la picadura de una muela o de un diente.

orífice. (Del lat. *aurĭfex, -ĭcis;* de *aurum,* oro, y *facĕre,* hacer.) m. Artífice que trabaja en oro.

orificia. (De *orífice.*) f. ant. Arte de trabajar en oro.

orificio. (Del lat. *orificĭum.*) m. Boca o agujero. ‖ **2.** *Anat.* Abertura de ciertos conductos, y más comúnmente **ano.**

oriflama. (Del lat. *aurum,* oro, y *flamma,* llama.) f. Estandarte de la abadía de San Dionisio, de seda encarnada y bordado de oro, que como pendón guerrero usaban los antiguos reyes de Francia. ‖ **2.** Por ext., cualquier estandarte, pendón o bandera de colores que se despliega al viento.

orifrés. (Del occitano *aurfrés.*) m. Galón de oro o plata, orofrés.

origen. (Del lat. *orīgo, -ĭnis.*) m. Principio, nacimiento, manantial, raíz y causa de una cosa. ‖ **2.** Patria, país donde uno ha nacido o tuvo principio la familia o de donde una cosa proviene. ‖ **3.** Ascendencia o familia. ‖ **4.** fig. Principio, motivo o causa moral de una cosa. ‖ **5.** *Teol.* V. **prioridad de origen.** ‖ **de las coordenadas.** *Geom.* Punto de intersección de los ejes coordenados.

origenismo. m. Conjunto de las doctrinas heréticas atribuidas a Orígenes. ‖ **2.** Secta que las profesaba.

origenista. adj. Partidario del origenismo. Apl. a pers., ú. t. c. s. ‖ **2.** Perteneciente o relativo a esta secta.

original. (Del lat. *originālis.*) adj. Perteneciente o relativo al origen. ‖ **2.** Dícese de la obra científica, artística, literaria o de cualquier otro género producida directamente por su autor sin ser copia, imitación o traducción de otra. *Escritura, cuadro* ORIGINAL. Ú. t. c. s. *El* ORIGINAL *de una escritura, de una estatua.* ‖ **3.** Se dice asimismo de la lengua en que se escribió una obra o se rodó una película, a diferencia del idioma o idiomas al que se han traducido o doblado. *Solo conociendo en la lengua* ORIGINAL *una obra, puede formarse de ella juicio cabal y exacto.* ‖ **4.** Dícese igualmente de lo que en letras y artes no denota estudio

de imitación, y se distingue de lo vulgar o conocido por cierto carácter de novedad, fruto de la creación espontánea. ‖ **5.** También se aplica al escritor o al artista que da a sus obras este carácter de novedad. ‖ **6.** V. **gracia, justicia, pecado original.** ‖ **7.** Aplicado a personas o a cosas de la vida real, singular, extraño, contrario a lo acostumbrado, general o común. *Es un hombre muy* ORIGINAL; *tiene cosas* ORIGINALES. Apl. a pers., ú. t. c. s. *Es un* ORIGINAL. ‖ **8.** m. Manuscrito o impreso que se da a la imprenta para que con arreglo a él se haga impresión o reimpresión de una obra. ‖ **9.** Cualquier escrito que sirve de modelo para sacar de él una copia. ‖ **10.** Persona retratada, respecto del retrato. ‖ **saber** uno de un **buen original** una cosa. fr. fig. **saberla de buena tinta.**

originalidad. f. Cualidad de original. ‖ **2.** Actitud, comportamiento o acción originales, poco corrientes.

originalmente. adv. m. Radicalmente, con su principio, desde su nacimiento y origen. ‖ **2.** En su original o según el original. ‖ **3.** De un modo original; con originalidad.

originar. tr. Ser instrumento, motivo, principio u origen de una cosa. ‖ **2.** prnl. Traer una cosa su principio u origen de otra.

originariamente. adv. m. Por origen y procedencia; originalmente.

originario, ria. (Del lat. *originarĭus.*) adj. Que da origen a una persona o cosa. ‖ **2.** Que trae su origen de algún lugar, persona o cosa.

origíneo, a. adj. ant. Perteneciente al origen.

orilla¹. (d. romance del lat. *ora,* orilla.) f. Término, límite o extremo de la extensión superficial de algunas cosas. ‖ **2.** Extremo o remate de una tela o de otra cosa que se teje. ‖ **3.** Límite de la tierra que la separa del mar, lago, río, etc.; faja de tierra que está más inmediata al agua. ‖ **4.** Aquella senda que en las calles se toma para poder andar por ella, arrimado a las casas. ‖ **5.** fig. Límite, término o fin de una cosa no material. ‖ **6.** pl. *Argent.* y *Méj.* Arrabales, afueras de una población. ‖ **a la orilla.** loc. adv. fig. Cercanamente o con inmediación. ‖ **salir** uno **a la orilla.** fr. fig. Haber vencido, aunque con trabajo, las dificultades o riesgos que ofrecía un negocio.

orilla². (De un d. del lat. *aura,* aura.) f. Vientecillo fresco. ‖ **2.** *And.* Estado atmosférico del tiempo. *Hace una buena* ORILLA.

orillar. (De *orilla¹.*) tr. fig. Concluir, arreglar, ordenar, desenredar un asunto. HE ORILLADO *todas mis cosas.* ‖ **2.** intr. Llegarse o arrimarse a las orillas. Ú. t. c. prnl. ‖ **3.** Dejar orillas al paño o a otra tela. ‖ **4.** Guarnecer la orilla de una tela o ropa.

orillero, ra. (De *orilla¹.*) adj. *Amér. Central, Argent., Cuba, Urug.* y *Venez.* **arrabalero.** Ú. t. c. s. ‖ **2.** m. El que caza junto o en las orillas exteriores de un coto.

orillo. m. Orilla¹ del paño o tejido en piezas, hecho, por lo regular, en un hilo más basto y de uno o más colores. ‖ **2.** V. **zapatilla de orillo.**

orín¹. (Del lat. *aerīgo, -ĭnis,* roya de cereales, cruzado con *aurīgo.*) m. Óxido rojizo que se forma en la superficie del hierro por la acción del aire húmedo.

orín². m. orina. Ú. m. en pl.

orina. (Del lat. *urīna.*) f. Líquido excrementicio, por lo común de color amarillo cetrino, que secretado en los riñones pasa a la vejiga, de donde es expelido fuera del cuerpo por la uretra. ‖ **2.** V. **incontinencia, mal de orina.** ‖ **3.** V. **vejiga de la orina.**

orinal. (Del lat. *urinālis.*) m. Recipiente de vidrio, loza, barro u otros materiales, para recoger los excrementos humanos. ‖ **del cielo.** fig. y fam. Lugar donde llueve con mucha frecuencia.

orinar. (Del lat. *urīnāre.*) intr. Expeler naturalmente la orina. Ú. t. c. prnl. ‖ **2.** tr. Expeler por la uretra algún otro líquido. ORINAR *sangre.*

orinecer. intr. ant. Enmohecerse, cubrirse de orín[1]. Usáb. t. c. prnl.

oriniento, ta. adj. Tomado de orín[1]. ‖ **2.** fig. Entorpecido por no usarse.

orinque. (Del fr. *orin.*) m. *Mar.* Cabo que une y sujeta una boya a un ancla fondeada.

oriol. (Del lat. *aureŏlus,* oropéndola, a través del cat. *oriol.*) m. **oropéndola.**

oriolano, na. adj. Natural de Orihuela. Ú. t. c. s. ‖ **2.** Perteneciente o relativo a esta ciudad.

oriónidas. f. pl. *Astron.* Estrellas fugaces cuyo punto radiante está en la constelación de Orión.

oripié. m. *Murc.* Pie de un monte. *Tengo un campo en el* ORIPIÉ.

oriundez. f. Origen, procedencia, ascendencia.

oriundo, da. (Del lat. *oriundus.*) adj. Que trae su origen de algún lugar.

orive. m. Artífice que trabaja en oro.

orla. (Del lat. **orŭla,* d. de *ora,* borde.) f. Orilla de paños, telas, vestidos u otras cosas, con algún adorno que la distingue. ‖ **2.** Adorno que se dibuja, pinta, graba o imprime en las orillas de una hoja de papel, vitela o pergamino, en torno de lo escrito o impreso, o rodeando un retrato, viñeta, cifra, etc. ‖ **3.** Lámina de cartulina, papel, etc., en que se agrupan los retratos de los condiscípulos de una promoción escolar o profesional cuando terminan sus estudios u obtienen el título correspondiente. ‖ **4.** *Blas.* Pieza hecha en forma de filete y puesta dentro del escudo, aunque separada de sus extremos otra tanta distancia como ella tiene de ancho, que por lo ordinario es la duodécima parte de la mitad del escudo, que corresponde a la mitad de la bordura.

orlador, ra. adj. Que hace orlas. Ú. t. c. s.

orladura. f. Juego y adorno de toda la orla. ‖ **2.** **orla.**

orlar. tr. Adornar un vestido u otra cosa con guarniciones al canto. ‖ **2.** *Blas.* Poner la orla en el escudo.

orleanista. adj. Partidario de la casa de Orleans. Apl. a pers., ú. t. c. s. ‖ **2.** Perteneciente o relativo a esta casa.

orlo[1]. (De or. inc.) m. Oboe rústico usado en los Alpes, de unos dos metros de largo, boca ancha y encorvada y sonido intenso y monótono. ‖ **2.** Registro por medio del cual da al órgano un sonido semejante al del **orlo.**

orlo[2]. (De *orla.*) m. Base cuadrada de poca altura, plinto.

ormesí. (De or. inc.) m. Tela fuerte de seda, muy tupida y prensada, que hace visos y aguas.

ormino. (Del gr. ὄρμινον, a través del lat. *hormīnum.*) m. **gallocresta,** planta.

ornadamente. adv. m. Con ornato y compostura.

ornamentación. f. Acción y efecto de ornamentar.

ornamental. adj. Perteneciente o relativo a la ornamentación o adorno.

ornamentar. (De *ornamento.*) tr. Engalanar con adornos, adornar.

ornamento. (Del lat. *ornamentum.*) m. Adorno, compostura, atavío que hace vistosa una cosa. ‖ **2.** fig. Cualidades y prendas morales del sujeto, que lo hacen más recomendable. ‖ **3.** *Arq.* y *Esc.* Ciertas piezas que se ponen para acompañar a las obras principales. ‖ **4.** pl. Vestiduras sagradas que usan los sacerdotes cuando celebran, y también los atributos del altar, que son de lino o seda.

ornar. (Del lat. *ornāre.*) tr. **adornar.** Ú. t. c. prnl.

ornatísimo, ma. (Del lat. *ornatissĭmus.*) adj. sup. ant. Muy adornado.

ornato. (Del lat. *ornātus.*) m. Adorno, atavío, aparato.

ornear. intr. *Gal.* y *León.* Dar su voz el asno, rebuznar.

ornitodelfo, fa. (Del gr. ὄρνις, -ιθος, pájaro, y δελφύς, ma-

triz.) adj. *Zool.* Que tiene un solo orificio de expulsión, de los huevos, del excremento y de la orina, monotrema.

ornitología. (Del gr. ὄρνις, -ιθος, pájaro, y *-logía*) f. *Zool.* Parte de la zoología que trata de las aves.

ornitológico, ca. adj. Perteneciente o relativo a la ornitología.

ornitólogo, ga. m. y f. Persona que profesa la ornitología o tiene en ella especiales conocimientos.

ornitomancia u **ornitomancía.** (Del gr. ὄρνις, -ιθος, pájaro, y μαντεία, adivinación.) f. Adivinación por el vuelo y canto de las aves.

ornitóptero. (Del gr. ὄρνις, -ιθος, pájaro, y *-ptero*.) m. Avión que se sostiene y avanza gracias a que sus alas ejecutan movimientos parecidos a los de las aves.

ornitorrinco. (Del gr. ὄρνις, -ιθος, pájaro, y ῥύγχος, pico.) m. Mamífero del orden de los monotremas, del tamaño próximo al de un conejo, de cabeza casi redonda y mandíbulas ensanchadas y cubiertas por una lámina córnea, por lo cual su boca se asemeja al pico de un pato; pies palmeados, sobre todo en las extremidades torácicas, y cuerpo y cola cubiertos de pelo gris muy fino. Vive en Australia y se alimenta de larvas, de insectos y de pececillos.

oro. (Del lat. *aurum.*) m. Metal amarillo, el más dúctil y maleable de todos y uno de los más pesados, solo atacable por el cloro, el bromo y el agua regia; se encuentra siempre nativo en la naturaleza. Es uno de los metales preciosos. Núm. atómico 79. Símb.: *Au.* ‖ **2.** Color amarillo como el de este metal. Ú. t. c. adj. ‖ **3.** Moneda o monedas de oro. *No tengo más que* ORO; *pagar en* ORO. ‖ **4.** V. **ascua, batidor, boca, bodas, botón, bula, carro, castellana, dineral, doblón, ducado, edad, librillo, libro, litargirio, maravedí, onza, pesante, pico, pino, platero, siglo, sueldo, tirador, toisón de oro.** ‖ **5.** Joyas y otros adornos femeninos de este metal. ‖ **6.** fig. Caudal, riquezas. ‖ **7.** Cualquiera de los naipes del palo de **oros.** *Juegue usted un* ORO; *he robado tres* OROS. ‖ **8.** *Blas.* Uno de los dos metales heráldicos. En pintura se expresa por el color dorado o el amarillo, y en el grabado común por un puntillado menudo sobre blanco o sobre el fondo del dibujo. ‖ **9.** *Dep.* Medalla de **oro,** primer premio de algunas competiciones, especialmente las olímpicas. ‖ **10.** pl. Uno de los cuatro palos de la baraja española, en cuyos naipes se representan una o varias monedas de **oro.** ‖ **oro batido.** El adelgazado y reducido a hojas sutilísimas, que sirve para dorar. ‖ **coronario.** El que es muy fino y subido de quilates. ‖ **de copela.** El obtenido por copelación. ‖ **de tíbar.** El muy acendrado. ‖ **en polvo,** El que se halla naturalmente en arenillas. ‖ **2.** fig. **oro molido,** cosa excelente en su línea. ‖ **fulminante.** El precipitado del agua regia por la acción del amoniaco, y que por frotamiento o percusión causa explosión de mayor fuerza y estruendo que la de la pólvora. ‖ **mate.** El que no está bruñido. ‖ **molido.** El que se preparaba para las iluminaciones de libros y miniaturas, mezclando con miel el metal batido en hojas muy delgadas o panes, moliéndolo todo y lavándolo después repetidamente para recoger el polvo fino que resultaba. ‖ **2.** El que resulta de disolver el metal en agua regia y empapar en el liquido obtenido trapos de hilo, que después se queman para recoger las cenizas, donde se encuentra el **oro** en polvo. ‖ **3.** fig. Cosa excelente en su línea. ‖ **musivo.** Bisulfuro de estaño, de color de **oro,** que se emplea en pintura y para algunos otros usos. ‖ **nativo.** El que en estado natural y casi puro se halla en algunos terrenos. ‖ **obrizo.** El muy puro, acendrado y subido de quilates. ‖ **potable.** Cada una de las varias preparaciones liquidas del **oro** que hacían los alquimistas con el objeto de que pudiera beberse este metal, que creían era de gran provecho en algunas enfermedades. ‖ **verde. electro,** aleación de **oro** y plata. ‖ V. **a peso de oro.** ‖ **como mil**

oros. loc. adv. fig. **como un oro.** ‖ **como oro en paño.** loc. adv. fig. que explica el aprecio que se hace de una cosa por el cuidado que se tiene con ella. ‖ **como un oro.** loc. adv. fig. que se emplea para ponderar la hermosura, aseo y limpieza de una persona o cosa. ‖ **de oro.** loc. adj. fig. Precioso, inmejorable, floreciente, feliz. *Corazón* DE ORO, *edad* DE ORO. ‖ **de oro y azul.** loc. adj. fig. Dícese de una persona muy compuesta y adornada. ‖ **el oro y el moro.** loc. fig. y fam. con que se ponderan ciertas ofertas ilusorias, y que expresa también el exagerado aprecio de lo que se espera o posee. ‖ **es como un oro, patitas y todo.** expr. fig. y fam. que se usa para burlarse de uno o dar a entender que es conocido por astuto y bellaco. ‖ **es otro tanto oro.** expr. fig. y fam. **valer tanto oro como pesa.** ‖ **hacerse uno de oro.** fr. fig. Adquirir muchas riquezas con su industria y modo de vivir. ‖ **oro, majado luce.** expr. fig. que enseña que las cosas cobran más estimación cuando están más experimentadas y probadas. ‖ **pesar** a uno a, o en, oro. fr. fig. Pagar espléndidamente a aquel de quien se ha recibido o se espera recibir algún servicio o favor. ‖ **poner** a uno **de oro y azul.** fr. fig. y fam. **ponerle como chupa de dómine.** ‖ **valer** uno o una cosa **más oro que pesa, más que su peso en oro, tanto oro como pesa,** o **todo el oro del mundo.** fr. fig. y fam. Ser muy valioso o de gran excelencia.

orobanca. (Del gr. ὀροβάγχη, a través del lat. *orobanche*.) f. Planta anual de la familia de las orobancáceas, que vive parásita sobre las raíces de algunas leguminosas y tiene el tallo erguido, grueso, sencillo, escamoso, de unos cuatro decímetros de alto, con flores de corola personada, blanca o gris, que nacen en las axilas de las escamas y forman en la extremidad del tallo un grupo como cabezuela.

orobancáceo, a. (De *orobanca*.) adj. *Bot.* Dícese de plantas angiospermas dicotiledóneas, herbáceas, que viven parásitas sobre las raíces de otras plantas; algo carnosas, con escamas en lugar de hojas, flores terminales solitarias o en espiga, y fruto capsular con multitud de semillas muy menudas y de albumen carnoso; como la orobanca o hierba tora. Ú. t. c. s. ‖ **2.** f. pl. *Bot.* Familia de estas plantas.

orobias. (Del gr. ὀροβίας, a través del lat. *orobias*.) m. Incienso en granos menudos del tamaño de la algarroba.

orofrés. m. ant. Galón de oro o plata, orifrés.

orogénesis. (Del gr. ὄρος, montaña, y γένεσις, origen.) f. *Geol.* Parte de la geología que trata de la formación de las montañas.

orogenia. (Del gr. ὄρος, montaña, y γένος, origen.) f. Parte de la geología que estudia la formación de las montañas.

orogénico, ca. adj. Perteneciente o relativo a la orogenia.

orografía. (Del gr. ὄρος, montaña, y *-grafía*.) f. Parte de la geografía física, que trata de la descripción de las montañas. ‖ **2.** Conjunto de montes de una comarca, región, país, etc.

orográfico, ca. adj. Perteneciente o relativo a la orografía.

orón. m. Serón grande y redondo. ‖ **2.** *Murc.* Sitio en que se guarda el trigo en las casas de la huerta. ‖ **3.** *Murc.* Especie de tubo de grandes dimensiones, hecho de pleita, para contener grano.

orondado, da. (De *orondo*.) adj. ant. Ensortijado, enroscado, que va variando en ondas.

orondadura. (De *orondado*.) f. ant. Diversidad de color en forma de ondas.

orondo, da. (De or. inc.) adj. Aplícase a las vasijas de mucha concavidad, hueco o barriga. ‖ **2.** fam. Hueco, hinchado, esponjado. ‖ **3.** fig. y fam. Lleno de presunción y muy contento de sí mismo. ‖ **4.** fig. y fam. Grueso, gordo.

oronimia. f. Parte de la toponimia que estudia el origen y significación de los orónimos.

oronímico, ca. adj. Perteneciente o relativo a la oronimia.

orónimo. (Del gr. ὄρος, montaña, y ὄνομα, nombre.) m. Nombre de cordillera, montaña, colina, etc.

oropel. (Del fr. ant. *oripel*.) m. Lámina de latón, muy batida y adelgazada, que imita al oro. ‖ **2.** fig. Cosa de poco valor y mucha apariencia. ‖ **3.** fig. Adorno o requisito de una persona. ‖ **gastar** uno **mucho oropel.** fr. fig. y fam. Ostentar gran vanidad y fausto, sin tener posibles para ello.

oropelero. m. El que fabrica o vende oropel de latón.

oropéndola. (Del lat. *aurĕus*, dorado, y *pinnŭla*, pluma.) f. Ave del orden de las paseriformes, de unos 25 centímetros desde la punta del pico hasta la extremidad de la cola y 43 de envergadura; plumaje amarillo, con las alas y la cola negras; así como el pico y las patas. Abunda en España durante el verano, se alimenta de insectos, gusanos y frutas y hace el nido colgándolo, con hebras de esparto o lana, en las ramas horizontales de los árboles, de modo que se mueva al impulso del viento.

oropimente. (Del cat. *orpiment*.) m. Mineral compuesto de arsénico y azufre, de color de limón, de textura laminar o fibrosa y brillo craso anacarado. Es venenoso y se emplea en pintura y tintorería.

oroya. (Del quechua *oroya*, cable con plataforma corrediza para pasar ríos.) f. *Amér. Merid.* Cesta o cajón del andarivel.

orozuz. (Del ár. *'urúg sús*, raíces de la planta llamada *sús*, regaliz.) m. Planta herbácea vivaz de la familia de las papilionáceas, con tallos leñosos, de un metro aproximadamente de altura; hojas compuestas de hojuelas elípticas, puntiagudas, glaucas y algo viscosas por el envés; flores pequeñas, azuladas, en racimos axilares, flojos y pedunculados; fruto con pocas semillas, y rizomas largos, cilíndricos, pardos por fuera y amarillos por dentro. Es común en España a orillas de muchos ríos; el jugo de sus rizomas, dulce y mucilaginoso, se usa mucho en medicina como pectoral y emoliente.

orquesta. (De *orquestra*.) f. Conjunto de instrumentos, principalmente de cuerda y de viento, que tocan unidos en los teatros y otros lugares. ‖ **2.** Conjunto de músicos que no son de banda y tocan en el teatro o en un concierto. ‖ **3.** Lugar destinado para los músicos, y comprendido entre la escena y las lunetas o butacas.

orquestación. f. Acción y efecto de orquestar.

orquestal. adj. Perteneciente o relativo a la orquesta.

orquestar. tr. Instrumentar para orquesta.

orquestina. f. Orquesta de pocos y variados instrumentos dedicada por lo general a ejecutar música bailable.

orquestra. (Del gr. ὀρχήστρα, lugar donde danzaba el coro en el teatro griego, a través del lat. *orchestra*.) f. **orquesta.**

orquidáceo, a. (De *Orchis*, nombre de un género de plantas.) adj. *Bot.* Dícese de hierbas angiospermas monocotiledóneas vivaces, de hojas radicales y envainadoras, con flores de forma y coloración muy raras, fruto en cápsula y semillas sin albumen, y raíz con dos tubérculos elipsoidales y simétricos; como el compañón de perro, el satirión y la vainilla. Ú. t. c. s. f. ‖ **2.** f. pl. *Bot.* Familia de estas plantas.

orquídeo, a. (Del gr. ὄρχις, testículo, planta bulbosa, a través del lat. *orchis*.) adj. *Bot.* **orquidáceo.** Ú. t. c. s. f. ‖ **2.** f. Flor de una planta orquidácea.

orquitis. (Del gr. ὄρχις, testículo, e *-itis*.) f. *Pat.* Inflamación del testículo.

-orrio. V. **-rro.**

-orro. V. **-rro.**

ortega. (De or. inc.) f. Ave gallinácea, poco mayor que la perdiz, con las alas cortas, el plumaje de color ceniciento rojizo en general, blanco en la garganta y en la punta de la cola, negro en el abdomen y en el centro de las plumas mayores, y mucho más oscuro en el collar del macho que en el de la hembra. Es común en España, corre más que vuela, y su carne es muy estimada.

ortiga. (Del lat. *urtīca*.) f. Planta herbácea de la familia de las urticáceas, con tallos prismáticos de seis a ocho decímetros de altura; hojas opuestas, elípticas, agudas, aserradas por el margen y cubiertas de pelos que segregan un líquido urente; flores verdosas en racimos axilares y colgantes, las masculinas en distinto pie que las femeninas, y fruto seco y comprimido. Es muy común en España. ‖ **de mar. acalefo.** ‖ **de pelotillas. ortiga romana.** ‖ **menor,** o **moheña.** Especie que se distingue de la común en que sus hojas son ovales, y en tener en un mismo pie o planta las flores masculinas y femeninas, aunque unas y otras forman racimos separados. ‖ **muerta.** Planta herbácea de la familia de las labiadas, con tallos vellosos de tres a cuatro decímetros de altura; hojas pecioladas, puntiagudas, acorazonadas en la base y desigualmente dentadas por el margen; flores en grupos axilares, de corola blanca o purpúrea, y fruto seco, indehiscente, con una sola semilla. Es común en los sitios húmedos. ‖ **romana.** Especie muy parecida a la moheña, de la que se distingue principalmente por las cabezuelas, de dos milímetros de diámetro, formadas por sus flores femeninas. ‖ **ser uno como unas ortigas.** fr. fig. y fam. Ser áspero y desapacible en el trato y en las palabras.

ortigal. m. Terreno cubierto de ortigas.

ortivo, va. (Del lat. *ortīvus*.) adj. *Astron.* Perteneciente o relativo al orto. **Amplitud** ORTIVA.

orto. (Del lat. *ortus*.) m. Salida o aparición del Sol o de otro astro por el horizonte.

orto-. (Del gr. ὀρθό-, recto.) elem. compos. que significa «recto», o «correcto»: ORTOdoncia, ORTOfonía, ORTóptero.

ortodoncia. (De *orto-* y ὀδών, diente.) f. *Cir.* Rama de la odontología, que procura corregir las malformaciones y defectos de la dentadura. ‖ **2.** Tratamiento y corrección de las malformaciones dentarias.

ortodoxia. (Del gr. ὀρθόδοξια, a través del lat. *orthodoxīa*.) f. Conformidad con el dogma de una religión. Entre católicos, conformidad con el dogma católico. ‖ **2.** Por ext., conformidad con la doctrina fundamental de cualquier secta o sistema. ‖ **3.** Por ext., conformidad con doctrinas o prácticas generalmente admitidas. ‖ **4.** Designa también comúnmente el conjunto de las Iglesias cristianas orientales.

ortodoxo, xa. (Del gr. ὀρθόδοξος, a través del lat. *orthodoxus*.) adj. Conforme con el dogma de una religión. Entre católicos, conforme con el dogma católico. *Escritor* ORTODOXO, *opinión* ORTODOXA. Ú. t. c. s. LOS ORTODOXOS. ‖ **2.** Por ext., conforme con la doctrina fundamental de cualquier secta o sistema. ‖ **3.** Por ext., conforme con doctrinas o prácticas generalmente aceptadas. ‖ **4.** Calificativo con que se distinguen ciertas iglesias de la Europa oriental, como la griega, la rusa y la rumana. ‖ **5.** Perteneciente o relativo a estas iglesias. Apl. a pers., ú. t. c. s.

ortodromia. (Del gr. ὀρθόδρομος, que corre derechamente.) f. *Mar.* Arco de círculo máximo, camino más corto que puede seguirse en la navegación entre dos puntos.

ortodrómico, ca. adj. *Mar.* Perteneciente o relativo a la ortodromia. *Línea, navegación* ORTODRÓMICA.

ortoepía. (De *orto-* y el gr. ἔπος, palabra.) f. Arte de pronunciar correctamente.

ortofonía. (De *orto-* y el gr. φωνή, voz.) f. Corrección de los defectos de la voz y de la pronunciación.

ortogonal. (der. mod. de *ortogonio*.) adj. Dícese de lo que está en ángulo recto. ‖ **2.** *Geom.* V. **proyección ortogonal.**

ortogonio. (Del gr. ὀρθογώνιος, a través del lat. *orthogonīus*.) adj. *Geom.* V. **triángulo ortogonio.**

ortogradismo. (De *orto-* y el lat. *gradior*, caminar.) m. *Antrop.* y *Biol.* **bipedación.**

ortografía. (Del gr. ὀρθογραφία, a través del lat. *orthographīa*.) f. *Geom.* Delineación del alzado de un edificio u otro objeto. ‖ **2.** *Gram.* Parte de la gramática, que enseña a escribir correctamente por el acertado empleo de las letras y de los signos auxiliares de la escritura. ‖ **3.** Forma correcta de escribir respetando las normas de la **ortografía.** ‖ **degradada,** o **en perspectiva.** *Geom.* ortografía proyecta. ‖ **geométrica.** *Geom.* Proyección ortogonal en un plano vertical. ‖ **proyecta.** *Geom.* perspectiva lineal.

ortográfico, ca. adj. Perteneciente o relativo a la ortografía. ‖ **2.** V. **acento ortográfico.**

ortógrafo, fa. (Del gr. ὀρθογράφος, a través del lat. *orthográphus*.) m. y f. Persona que sabe o profesa la ortografía.

ortología. (Del gr. ὀρθολογία.) f. Arte de pronunciar correctamente y, en sentido más general, de hablar con propiedad.

ortológico, ca. adj. Perteneciente o relativo a la ortología.

ortólogo, ga. m. y f. Persona versada en ortología.

ortopeda. com. Especialista en ortopedia.

ortopedia. (De *orto-*, y el gr. παιδέια, educación.) f. Arte de corregir o de evitar las deformidades del cuerpo humano, por medio de ciertos aparatos o de ejercicios corporales.

ortopédico, ca. adj. Perteneciente o relativo a la ortopedia. ‖ **2.** V. **corsé ortopédico.** ‖ **3.** V. **plantilla ortopédica.** ‖ **4.** m. y f. **ortopedista.**

ortopedista. com. Especialista en ortopedia.

ortóptero. (De *orto-* y *-ptero*.) adj. *Zool.* Dícese de insectos masticadores, de metamorfosis sencillas, que tienen un par de élitros consistentes y otro de alas membranosas plegadas longitudinalmente; como los saltamontes y los grillos. Ú. t. c. s. ‖ **2.** m. pl. *Zool.* Orden de estos insectos.

ortosa. (Formado sobre el gr. ὀρθός, recto.) f. Feldespato de estructura laminar, de color blanco o gris amarillento, opaco, de cruceros en ángulo recto y muy abundante en las rocas ígneas, como el granito. Es un silicato de alúmina y potasa.

oruga. (Del lat. vulg. *urūca*, del lat. *erūca*.) f. Planta herbácea anual, de la familia las cruciferas, con tallos vellosos de cuatro a cinco decímetros de altura, hojas lanceoladas y partidas en varios gajos puntiagudos, flores axilares y terminales de pétalos blancos con venas moradas, y fruto en vainilla cilíndrica, con semillas globosas, amarillentas y menudas. Es común en los linderos de los campos cultivados, y las hojas se usan como condimento por su sabor picante. ‖ **2.** Salsa gustosa que se hace de esta planta, con azúcar o miel, vinagre y pan tostado, y se distingue llamándola **oruga** de azúcar o de miel. ‖ **3.** Larva de los insectos lepidópteros que es vermiforme, con doce anillos casi iguales y de colores muy variados, según las especies; su boca está provista de un aparato masticador con el que tritura los alimentos, que son principalmente hojas vegetales. ‖ **4.** *Mec.* Llanta articulada, a manera de cadena sin fin, que se aplica a las ruedas de cada lado del vehículo y permite a este avanzar por terreno escabroso. ‖ **oruga lo que dio.** expr. fig. y fam. que se dice cuando una cosa se ha perdido o desperdiciado.

orujo. (De *borujo*.) m. Hollejo de la uva, después de exprimida y sacada toda la sustancia. ‖ **2.** Residuo de la aceituna molida y prensada, del cual se saca aceite de calidad inferior.

orureño, ña. adj. Natural de Oruro. Ú. t. c. s. ‖ **2.** Perteneciente o relativo a esta ciudad de Bolivia o al departamento así llamado.

orvallar. (De *orvallo*.) intr. impers. En algunas partes, **lloviznar.**

orvalle. (Del fr. *orvale*.) m. **gallocresta,** planta semejante a la salvia.

orvallo. (De or. inc.) m. En algunas partes, **llovizna.**

orza[1]. (Del lat. *urceŭs*.) f. Vasija vidriada de barro, alta y sin asas, que sirve por lo común para guardar conserva.

orza[2]. (De or. inc.) f. *Mar.* Acción y efecto de orzar. ‖ **2.** *Mar.* Pieza suplementaria metálica y de forma aproximadamente de triángulo rectángulo, cuyo cateto mayor se aplica y asegura exteriormente a la quilla de los balandros de regata, a fin de aumentar su calado y procurar su mayor estabilidad y mejor gobierno para ceñir. ‖ **a popa.** Cabo con que se lleva a popa el car de la entena. ‖ **de avante, o de novela.** *Mar.* **orza** a popa del trinquete. ‖ **a orza.** loc. adv. *Mar.* Dícese cuando el buque navega poniendo la proa hacia la parte de donde viene el viento; y porque suele tumbarse o ladearse cuando navega así, se dice, por semejanza, de las cosas que están torcidas o ladeadas.

orzaga. (Del ár. *'uššáqa*.) f. Planta fruticosa de la familia de las quenopodiáceas, que crece hasta metro y medio de altura, con tallos herbáceos, hojas alternas, pecioladas, elípticas, algo arrugadas, de color blanquecino; flores pequeñas, verdosas, en grupos axilares, separadas las masculinas de las femeninas, y fruto esférico, casi leñoso. Es planta barrillera, común en nuestras costas.

orzar. (De *orza*[2].) intr. *Mar.* Inclinar la proa hacia la parte de donde viene el viento.

orzaya. (Del vasc. *aurzaya*.) f. Criada destinada a cuidar niños, niñera.

orzoyo. (Del it. *orsoio*.) m. Pelo o hebra de la seda dispuesto para labrar el terciopelo.

orzuela. f. d. de **orza**[1].

orzuelo[1]. (Del lat. *hordeŏlus*.) m. Divieso pequeño que nace en el borde de uno de los párpados.

orzuelo[2]. (d. de *uzo*, con cruce de *orzuelo*[1].) m. Trampa oscilante, a modo de ratonera, para coger perdices vivas. ‖ **2.** Especie de cepo para prender las fieras por los pies.

os[1]. (Del lat. *vos*.) Dativo y acusativo del pronombre personal de segunda persona en género masculino o femenino y número plural. No admite preposición y puede usarse como sufijo. os amé; amaos. En el tratamiento de *vos* hace indistintamente oficio de singular o plural. *Yo os perdono* (dirigiéndose a una sola persona, o a dos o más). Cuando se emplea como sufijo con las segundas personas de plural del imperativo de los verbos, pierden estas personas su *d* final. *Deteneos.* Exceptúase únicamente *id.*

¡os![2] Voz para espantar la caza y las aves domésticas, **¡ox!**

osa. (Del lat. *ursa*.) f. Hembra del oso. ‖ **Osa Mayor.** *Astron.* Constelación siempre visible en el hemisferio boreal, y fácil de conocer por el brillo de siete de sus estrellas, cuatro que forman cuadrilátero, y las otras tres un arco de círculo que parte de uno de los vértices del mismo cuadrilátero, semejando en conjunto un carro sin ruedas. ‖ **Osa Menor.** *Astron.* Constelación boreal de forma semejante a la de la Osa Mayor, pero menor y con disposición inversa y estrellas menos brillantes, una de las cuales, la más separada del cuadrilátero, es la polar, que dista menos de grado y medio del polo ártico.

osadamente. adv. m. Atrevidamente, con intrepidez o sin conocimiento o reflexión.

osadía. (De *osado*.) f. Atrevimiento, audacia, resolución.

osado, da. p. p. de **osar.** ‖ **2.** adj. Que tiene osadía. ‖ **a osadas.** loc. adv. ant. Atrevidamente, osadamente. ‖ **2.** ant. Ciertamente, en verdad, a fe.

osambre. m. desus. **osamenta.**

osamenta. (Del lat. *ossa*, huesos.) f. Esqueleto del hombre y de los animales. ‖ **2.** Los huesos sueltos del esqueleto.

osar[1]. (De *hueso*.) m. osario.

osar[2]. (Del lat. vulg. *ausāre*, frec. de *audēre*.) intr. Atreverse, emprender alguna cosa con audacia. Ú. t. c. tr.

osario. (Del lat. *ossarĭum*.) m. Lugar destinado en las iglesias o en los cementerios para reunir los huesos que se sacan de las sepulturas a fin de volver a enterrar en ellas. ‖ **2.** Cualquier lugar donde se hallan huesos.

oscense. (Del lat. *Oscensis*.) adj. Natural de Osca, hoy Huesca. Ú. t. c. s. ‖ **2.** Perteneciente o relativo a esta antigua ciudad de la España Tarraconense. ‖ **3.** Natural de Huesca. Ú. t. c. s. ‖ **4.** Perteneciente o relativo a esta ciudad o a su provincia.

oscilación. (Del lat. *oscillatio, -ōnis*.) f. Acción y efecto de oscilar. ‖ **2.** Cada uno de los vaivenes de un movimiento oscilatorio.

oscilador. m. *Fís.* Aparato destinado a producir oscilaciones eléctricas o mecánicas.

oscilante. (Del lat. *oscillans, -antis*.) p. a. de **oscilar.** Que oscila. ‖ **2.** adj. V. **piedra oscilante.**

oscilar. (Del lat. *oscillāre*, balancearse.) intr. Efectuar movimientos de vaivén a la manera de un péndulo o de un cuerpo colgado de un resorte o movido por él. ‖ **2.** fig. Crecer y disminuir alternativamente, con más o menos regularidad, la intensidad de algunas manifestaciones o fenómenos. *oscilar el precio de las mercancías, la presión atmosférica*, etc. ‖ **3.** fig. Titubear, vacilar.

oscilatorio, ria. adj. Aplícase al movimiento de los cuerpos que oscilan, y a su aptitud o disposición para oscilar.

oscilógrafo. m. Aparato registrador de oscilaciones.

oscitancia. (Del lat. *oscitāre*, bostezar.) f. Inadvertencia que proviene de descuido.

osco, ca. (Del lat. *Oscus*.) adj. Dícese del individuo de uno de los antiguos pueblos de la Italia central. Ú. t. c. s. ‖ **2.** Perteneciente o relativo a estos pueblos. ‖ **3.** m. Lengua **osca.**

osculatriz. (Del lat. *osculari*, besar.) adj. f. *Geom.* Dícese de la circunferencia que tiene con otra curva un contacto de segundo orden en el punto considerado, o sea cuando son iguales sus dos primeras derivadas. Ú. t. c. s. f.

ósculo. (Del lat. *oscŭlum*.) m. Beso de afecto.

oscuramente. adv. m. Con oscuridad.

oscurana. f. oscuridad.

oscurantismo. m. Oposición sistemática a que se difunda la instrucción en las clases populares.

oscurantista. adj. Partidario del oscurantismo. Apl. a pers., ú. t. c. s.

oscurecer. tr. Privar de luz y claridad. ‖ **2.** fig. Disminuir la estimación y esplendor de las cosas; deslustrarlas y abatirlas. ‖ **3.** fig. Ofuscar la razón, alterando o confundiendo la realidad de las cosas, para que no se conozcan o parezcan diversas. ‖ **4.** fig. Dificultar la inteligencia del concepto, por los términos empleados para expresarlo. ‖ **5.** *Pint.* Dar mucha sombra a una parte de la composición para que otras resalten. ‖ **6.** intr. impers. Ir anocheciendo, faltar la luz y claridad del día cuando el Sol empieza a ocultarse. ‖ **7.** prnl. Aplicado al día, a la mañana, al cielo, etc., nublarse. Ú. t. en sent. fig. ‖ **8.** fig. y fam. No parecer una cosa, por haberla hurtado u ocultado.

oscurecimiento. m. Acción y efecto de oscurecer u oscurecerse.

oscuridad. f. Falta de luz y claridad para percibir las cosas. ‖ **2.** Densidad muy sombría; como la de los bosques altos y cerrados. ‖ **3.** fig. Humildad, bajeza en la condición social. ‖ **4.** fig. Falta de luz y conocimiento en el alma o en las potencias intelectuales. ‖ **5.** fig. Falta de claridad en lo escrito o hablado. ‖ **6.** Carencia de noticias acerca de una cosa o sus causas y circunstancias.

oscuro, ra. adj. Que carece de luz o claridad. ‖ **2.** Dícese del color que se acerca al negro, y del que se contrapone a otro más claro de su misma clase. *Azul* OSCURO; *verde* OSCURO. Ú. t. c. s. ‖ **3.** V. **cámara oscura.** ‖ **4.** fig. Humilde, bajo o poco conocido. Aplícase comúnmente a los linajes. ‖ **5.** fig. Confuso, falto de claridad, poco inteligible.

Dicese del lenguaje y de las personas. ‖ **6.** fig. Incierto, peligroso, temeroso. *Porvenir* OSCURO. ‖ **7.** *Argent.* V. **cuarto oscuro.** ‖ **8.** *Pint.* V. **claro oscuro.** ‖ **9.** m. *Pint.* Parte en que se representan las sombras. ‖ **10.** *Pint.* V. **claro, masa, toque de oscuro.** ‖ **11.** En las representaciones teatrales, oscurecimiento de la escena que puede desempeñar distintas funciones, entre ellas las propias del telón. ‖ **a oscuras.** loc. adv. Sin luz. ‖ **2.** fig. Sin vista. ‖ **3.** fig. Sin conocimiento de una cosa; sin comprender lo que se oye o se lee. ‖ **estar, o hacer, oscuro.** fr. Faltar claridad en el cielo por estar nublado, y especialmente cuando es de noche.

osear. (De *¡ox!*) tr. **oxear.**

osecico, llo, to. m. d. de **hueso.**

óseo, a. (Del lat. *ossĕus.*) adj. De hueso. ‖ **2.** De la naturaleza del hueso.

osera. f. Cueva donde se recoge el oso para abrigarse y para criar sus hijuelos.

osería. f. ant. Cacería de osos.

osero. (Del lat. *ossarĭum.*) m. Lugar de los templos y cementerios en que se hallan los huesos de las sepulturas. ‖ **2.** Cualquier lugar donde se hallan huesos.

oseta. (De *osar.*) f. *Germ.* Lo que pertenece a la rufianesca. ‖ **echar la oseta.** fr. *Germ.* Hablar recio, jurando y perjurando, y diciendo con enfado cuanto se viene a la boca.

osezno. m. Cachorro del oso.

osezuelo. m. d. de **hueso.**

osiánico, ca. adj. Perteneciente o relativo a Osián, supuesto bardo escocés, y a las poesías que se le atribuyen.

osificación. f. Acción y efecto de osificarse.

osificarse. (Del lat. *os, ossis,* hueso, y *facĕre,* hacer.) prnl. Volverse, convertirse en hueso o adquirir la consistencia de tal una materia orgánica.

osífraga. (Del lat. *ossifrăga.*) f. Quebrantahuesos, ave.

osífrago. (Del lat. *ossifrăgus.*) m. Quebrantahuesos, ave.

-osis. V. **-sis.**

osmanlí. (Del turco *uṭmānlī,* otomano.) adj. Turco, otomano. Apl. a pers., ú. t. c. s.

osmazomo. (Del gr. ὀσμή, olor, y ζωμός, jugo.) m. Mezcla de varios principios azoados procedentes de la carne, a los que debe el caldo su olor y sabor característicos.

osmio. (Del gr. ὀσμή, olor.) m. *Quím.* Metal semejante al platino, fácilmente atacable por los ácidos, y que forma con el oxígeno un ácido de olor muy fuerte y desagradable. Núm. atómico 76. Símb.: *Os.*

ósmosis u **osmosis.** (Del gr. ὠσμός, acción de empujar, impulso.) f. *Fís.* Paso recíproco de líquidos de distinta densidad a través de una membrana que los separa.

osmótico, ca. adj. Perteneciente o relativo a la ósmosis.

oso. (Del lat. *ursus.*) m. Mamífero carnicero plantígrado, que llega a tener un metro de altura en la cruz y metro y medio desde la punta del hocico hasta la cola; pelaje pardo, abundante, largo y lacio; cabeza grande, ojos pequeños, extremidades fuertes y gruesas, cinco dedos en cada una, con uñas recias y ganchosas, y cola muy corta. Vive en lo más espeso de los montes del norte de España; se alimenta con preferencia de vegetales, si bien, acosado por el hambre, ataca a toda clase de ganados y aun al hombre; es de andar perezoso, trepa a los árboles y se pone en dos pies para acometer y defenderse. ‖ **2.** V. **oreja de oso.** ‖ **blanco.** Especie mayor que la común, con cabeza aplastada, hocico puntiagudo y pelaje blanco y liso. Habita en los países marítimos más septentrionales, es muy feroz, y aventurándose sobre los témpanos de hielo, persigue y devora las focas, morsas y peces que puede coger zambulléndose en el mar. ‖ **colmenero.** El que tiene por costumbre robar colmenas para comerse la miel. ‖ **hormiguero.** Mamífero desdentado de América, que se alimenta de hormigas, re-cogiéndolas con su lengua larga, delgada y casi cilíndrica, cuando alarmadas acuden atropelladamente a la salida del hormiguero que el oso deshace con sus uñas. Tiene más de un metro de largo desde el hocico hasta la raíz del maslo, y su pelo es áspero y tieso, de color agrisado y con listas negras de bordes blancos que van desde la nuca a la pierna por los lados del pescuezo y del lomo. ‖ **marino.** Especie de foca de dos metros aproximadamente de largo, cabeza parecida a la del **oso,** ojos prominentes, orejas puntiagudas y pelaje pardo rojizo muy suave. Habita en el océano polar Antártico. ‖ **marítimo. oso blanco.** ‖ **marsupial.** Mamífero marsupial australiano semejante a un **oso** pequeño. Carece de cola, y su pelaje es muy tupido, blando, suave y de color ceniciento. Es inofensivo y se alimenta de las partes verdes de los eucaliptos. ‖ **negro.** Especie de **oso** mayor que el común, con el hocico más prolongado, pelaje más liso, de color negro, y que come hormigas con preferencia a otros alimentos. ‖ **pardo. oso común** de España. ‖ **hacer uno el oso.** fr. fig. y fam. Exponerse a la burla o lástima de las gentes, haciendo o diciendo tonterías. ‖ **2.** fig. y fam. Galantear, cortejar sin reparo ni disimulo.

-oso[1]. suf. adoptado por convenio en la nomenclatura química para designar compuestos en los que el elemento principal actúa con la valencia mínima: *ácido sulfur*OSO.

-oso[2], **sa.** (Del lat. *-ōsus.*) suf. de adjetivos derivados de sustantivos, de verbos y de adjetivos. Los derivados de sustantivos denotan, en general, abundancia de lo significado por la base: *bosc*OSO, *garb*OSO, *rumb*OSO, o tienen significado activo: *afrent*OSO, como los derivados de verbos: *resbal*OSO, *tropez*OSO. Los derivados de adjetivos pueden intensificar el significado del primitivo: *grav*OSO, *voluntari*OSO, o bien atenuarlo: *amarill*OSO, *verd*OSO.

osornino, na. adj. Natural de Osorno. Ú. t. c. s. ‖ **2.** Perteneciente o relativo a esta ciudad y provincia chilenas.

ososo, sa. (Del lat. *ossōsus.*) adj. Perteneciente o relativo al hueso. ‖ **2.** Que tiene hueso o huesos. ‖ **3.** De hueso o de la naturaleza del hueso.

osta. (Del cat. *osta.*) f. *Mar.* Cabos o aparejos que mantienen firmes los picos cangrejos en los balances o cuando van orientadas sus velas, y que sirven también para guiarlos cuando se izan o arrían.

ostaga. (Del fr. *mar. utag*[lu]*g.*) f. *Mar.* Cabo que pasa por el motón situado en la cruz de las vergas de gavia y por el de la cabeza del mastelero, y sirve para izar dichas velas.

oste. Voz para rechazar a personas o cosas. ‖ **no decir oste ni moste.** fr. **sin decir oxte ni moxte.**

osteítis. (Del gr. ὀστέον, hueso, e *-itis.*) f. *Pat.* Inflamación de los huesos.

ostensible. (Del lat. *ostendĕre,* mostrar.) adj. Que puede manifestarse o mostrarse. ‖ **2.** Claro, manifiesto, patente.

ostensiblemente. adv. m. De un modo ostensible.

ostensión. (Del lat. *ostensĭo, -ōnis.*) f. Manifestación de una cosa.

ostensivo, va. (Del lat. *ostendĕre,* mostrar.) adj. Que muestra u ostenta una cosa.

ostensorio. (Del lat. *ostensus,* p. p. de *ostendĕre,* mostrar.) m. Custodia que se emplea para la exposición del Santísimo en el interior de las iglesias o para ser conducida procesionalmente a manos del sacerdote. ‖ **2.** Parte superior de la custodia, donde se coloca el viril.

ostentación. (Del lat. *ostentatĭo, -ōnis.*) f. Acción y efecto de ostentar. ‖ **2.** Jactancia y vanagloria. ‖ **3.** Magnificencia exterior y visible.

ostentador, ra. (Del lat. *ostentātor, -ōris.*) adj. Que ostenta. Ú. t. c. s.

ostentar. (Del lat. *ostentāre.*) tr. Mostrar o hacer patente una cosa. ‖ **2.** Hacer gala de grandeza, lucimiento y boato.

ostentativo, va. adj. Que hace ostentación de una cosa.

ostento. (Del lat. *ostentum*.) m. Apariencia que denota prodigio de la naturaleza o cosa milagrosa o monstruosa.

ostentosamente. adv. m. Con ostentación.

ostentoso, sa. (Del lat. *ostentáre*.) adj. Magnífico, suntuoso, aparatoso y digno de verse.

osteolito. m. *Paleont.* Hueso fósil.

osteología. (Del gr. ὀστεολογία.) f. Parte de la anatomía, que trata de los huesos.

osteológico, ca. adj. Perteneciente o relativo a la osteología.

osteólogo, ga. (Del gr. ὀστέον, hueso, y *-logo*.) m. y f. Especialista en osteología.

osteoma. (Del gr. ὀστέον, hueso, y *-oma*.) m. *Pat.* Tumor de naturaleza ósea o con elementos de tejido óseo.

osteomalacia. (Del gr. ὀστέον, hueso, y μαλακός, blando, a través del lat. *osteomalacïa*.) f. *Pat.* Proceso morboso consistente en el reblandecimiento de los huesos por la pérdida de sus sales calcáreas.

osteomielitis. f. *Pat.* Inflamación simultánea del hueso y de la medula ósea.

osteopatía. (Del gr. ὀστέον, hueso, y *-patía*.) f. *Med.* Término general para las enfermedades óseas.

osteotomía. f. *Cir.* Resección de un hueso.

ostero. m. Obrero que maneja la osta.

ostia. (Del lat. *ostrêa*.) f. **ostra.**

ostiariado. m. Orden de ostiario, que era la inferior de las menores, actualmente suprimida.

ostiario. (Del lat. *ostiarïus*.) m. Clérigo que habia obtenido la primera de las órdenes menores, hoy suprimida, cuyas funciones eran abrir y cerrar la iglesia, llamar a los dignos a tomar la comunión y repeler a los indignos.

ostilla. (Del fr. ant. *ostille*.) f. ant. **ajuar.**

ostión. (De *ostia*.) m. **ostrón.**

ostra. (Del lat. *ostrêa*, a través del port. *ostra*.) f. Molusco acéfalo lamelibranquio marino, monomiario, con concha de valvas desiguales, ásperas, de color pardo verdoso por fuera, lisas, blanco y algo anacaradas por dentro, de las cuales la mayor es más convexa que la otra y está adherida a las rocas. Es comestible muy apreciado. ‖ **2.** Concha de la madreperla. ‖ **3.** fig. y fam. El misántropo o de carácter aburrido. Ú. t. c. adj. ‖ **aburrirse como una ostra.** fr. fig. y fam. Aburrirse extraordinariamente.

ostracismo. (Del gr. ὀστρακισμός.) m. Destierro político acostumbrado entre los atenienses. ‖ **2.** fig. Exclusión voluntaria o forzosa de los oficios públicos, a la cual suelen dar ocasión los trastornos políticos.

ostral. m. Lugar donde se crían las ostras. ‖ **2.** Lugar en que se crían las perlas.

ostrera. f. En las costas del Cantábrico, **ostrero,** lugar donde se crían las ostras.

ostrero, ra. adj. Perteneciente o relativo a las ostras. ‖ **2.** m. y f. Persona que vende ostras. ‖ **3.** m. Lugar donde se crían y conservan vivas las ostras. ‖ **4.** Lugar en que se crían las perlas.

ostrícola. (De *ostra*, y el lat. *colêre*, cultivar.) adj. Perteneciente o relativo a la cría y conservación de las ostras.

ostricultura. f. Arte de criar ostras.

ostrífero, ra. (Del lat. *ostrïfer*.) adj. Que cría ostras o abunda en ellas.

ostro[1]. (Del lat. *ostrêum*.) m. **ostrón.**

ostro[2]. (Del lat. *ostrum*.) m. Cualquiera de los moluscos cuya tinta servía antiguamente para dar a las telas el color de púrpura. ‖ **2.** fig. Color o tinte de púrpura.

ostro[3]. (Del lat. *auster, -tri*.) m. Viento del Sur, austro. ‖ **2.** Sur, punto cardinal.

ostrogodo, da. (De *Austrogoti*, del germ. *austro-*, oriental, y *got*, godo.) adj. Dícese del individuo de aquella parte del pueblo godo que estuvo establecido al oriente del Dniéper, y fundó un reino en Italia. Ú. t. c. s. ‖ **2.** Perteneciente o relativo a los **ostrogodos.**

ostrón. (aum. de *ostra*.) m. Especie de ostra, mayor y más basta que la común.

ostugo. (Del lat. vulg. *festúcum*, brizna.) m. **rincón.** ‖ **2.** Porción pequeñísima, pizca.

osudo, da. adj. De mucho hueso, huesudo.

osuno, na. adj. Perteneciente o relativo al oso.

otacusta. (Del gr. ὠτακουστής, a través del lat. *otacusta*.) m. ant. Espía o escucha. ‖ **2.** ant. fig. Persona que vive de traer y llevar cuentos, chismes y enredos.

otacústico, ca. (De *otacusta*.) adj. Dícese del aparato que ayuda y perfecciona el sentido del oído.

otalgia. (Del gr. ὠταλγία.) f. *Pat.* Dolor de oídos.

otar. (Del lat. *altus*, a través del ant. *oto*.) tr. ant. Mirar desde un lugar alto.

otario, ria. adj. *Argent.* y *Urug.* Tonto, necio, fácil de embaucar.

oteador, ra. adj. Que otea. Ú. t. c. s.

otear. (De or. inc.) tr. Registrar desde lugar alto lo que está abajo. ‖ **2.** Escudriñar, registrar o mirar con cuidado.

otero. (De *oto*.) m. Cerro aislado que domina un llano.

oteruelo. m. d. de **otero.**

otilar. intr. *Ar.* Aullar el lobo.

otitis. (De or. inc.) f. *Pat.* Inflamación del órgano del oído. ‖ **externa.** *Pat.* La que no pasa más allá de la membrana del tambor. ‖ **interna.** *Pat.* La que afecta la caja del tímpano y la trompa de Eustaquio.

oto. (Del lat. *otus*, búho.) m. Especie de lechuza grande, autillo[2].

otoba. f. Árbol de la América tropical, semejante a la mirística, y cuyo fruto es muy parecido a la nuez moscada.

otología. (Del gr. οὖς, ὠτός, oído y *-logía*.) f. *Med.* Parte de la patología, que estudia las enfermedades del oído.

otológico, ca. adj. Perteneciente o relativo a la otología.

otólogo. m. Especialista en otología.

otomán. m. Tela de tejido acordonado que se usa principalmente para vestidos de mujer.

otomana. (Del fr. *ottomane*.) f. Sofá otomano, o sea al estilo de los que usan los turcos o los árabes.

otománico, ca. (De *otomano*.) adj. ant. **turco,** perteneciente o relativo a Turquía.

otomano, na. (Del ár. *'Uțmān*, n. p. del fundador de la dinastía que de él tomó nombre.) adj. Natural de Turquía. Ú. t. c. s. ‖ **2.** Perteneciente o relativo a Turquía.

otoñada. f. Tiempo o estación del otoño. ‖ **2.** Otoño, estación del año. ‖ **3.** Sazón de la tierra y abundancia de pastos en el otoño. *Con estas lluvias tendremos buena* OTOÑADA.

otoñal. adj. Propio del otoño o perteneciente a él. ‖ **2.** V. **trigo otoñal.** ‖ **3.** fig. Aplícase a personas de edad madura. Ú. t. c. s.

otoñar. (Del lat. *autumnáre*.) intr. Pasar el otoño. ‖ **2.** Brotar la hierba en el otoño. ‖ **3.** prnl. Sazonarse, adquirir tempero la tierra, por llover suficientemente en el otoño.

otoñizo, za. adj. Propio del otoño o perteneciente a él.

otoño. (Del lat. *autumnus*.) m. Estación del año que, astronómicamente, comienza en el equinoccio del mismo nombre y termina en el solsticio de invierno. ‖ **2.** Época templada del año, que en el hemisferio boreal corresponde a los meses de septiembre, octubre y noviembre, y en el austral a nuestra primavera. ‖ **3.** Segunda hierba o heno que producen los prados en la estación del **otoño.** ‖ **4.** Período de la vida humana en que esta declina de la plenitud hacia la vejez.

otor. (De *autor*.) m. ant. *Der.* Persona señalada en juicio por poseedora o autora de una cosa para poder ser demandada.

otorgadero, ra. adj. Que se puede o debe otorgar.

otorgador, ra. adj. Que otorga. Ú. t. c. s.

otorgamiento. (De *otorgar.*) m. Permiso, consentimiento, licencia, parecer favorable. ‖ **2.** Acción de otorgar un documento; como poder, testamento, etc. ‖ **3.** Escritura de contrato o de última voluntad. ‖ **4.** Parte final del documento, especialmente del notarial, en que este se aprueba, cierra y solemniza.

otorgante. p. a. de **otorgar.** Que otorga. Ú. t. c. s.

otorgar. (Del lat. **auctoricāre,* de *auctorāre.*) tr. Consentir, condescender o conceder una cosa que se pide o se pregunta. ‖ **2.** Hacer merced y gracia de una cosa. ‖ **3.** *Der.* Disponer, establecer, ofrecer, estipular o prometer una cosa. Se usa por lo común cuando interviene solemnemente la fe notarial.

otorgo. (De *otorgar.*) m. ant. **otorgamiento.** ‖ **2.** Contrato esponsalicio y capitulaciones matrimoniales.

otoría. (De *otor.*) f. ant. *Der.* Designación o nombramiento que hacía en juicio aquel a quien demandaban una cosa o le atribuían haberla hecho, determinando otra persona contra quien, como responsable o autor de ella, se debía dirigir la acción, demanda o inquisición.

otorrea. (Del gr. οὖς, ὠτός, oído y ῥέω, fluir.) f. *Med.* Flujo mucoso o purulento procedente del conducto auditivo externo, y también de la caja del tambor cuando, a consecuencia de enfermedad, se ha perforado la membrana timpánica.

otorrinolaringología. (Del gr. οὖς, ὠτός, oído; ῥίς, ῥινός, nariz; λάρυγξ, -υγγος, laringe, y *-logia*.) f. Parte de la patología, que trata de las enfermedades del oído, nariz y laringe.

otorrinolaringólogo, ga. m. y f. Especialista en otorrinolaringología.

otosclerosis. (Del gr. οὖς, ὠτός, oído, y σκλήρωσις, endurecimiento.) f. Esclerosis de los tejidos del oído interno y medio, con formación de tejido esponjoso en la cápsula del laberinto, que conduce a la sordera.

otoscopia. (De *otoscopio.*) f. *Med.* Exploración del órgano del oído.

otoscopio. (Del gr. οὖς, ὠτός, oído y *-scopio*.) m. *Med.* Instrumento para reconocer el órgano del oído.

otramente. adv. m. De otra suerte.

otraño. adv. t. En otro año.

otre. (De *otri.*) adj. ant. otre.

otri. (De *otro,* infl. por *qui.*) adj. ant. **otro.** Usáb. t. c. s. Las formas **otre** y **otri** se usan aún en algunos pueblos de Navarra, Soria, Logroño, Aragón y Cuenca.

otro, tra. (Del lat. *altĕrum,* acus. de *alter.*) adj. Aplícase a la persona o cosa distinta de aquella de que se habla. Ú. t. c. s. ‖ **2.** Ú. muchas veces para explicar la suma semejanza entre dos cosas o personas distintas. *Es* OTRO *Cid.* ‖ **3.** V. **el otro mundo.** ‖ **4.** V. **la otra vida.** ‖ **5.** Con artículo y ante sustantivos como *día, tarde, noche,* que sitúa en un pasado cercano. *El* OTRO *día vi a tu primo. Hablamos del asunto la* OTRA *tarde.* ‖ **6.** Con *a* y artículo, ante sustantivos como *día, semana, mes, año,* equivale a siguiente. *Convinimos en reunirnos de nuevo al* OTRO *día. La* OTRA *semana nos pagarán.* ‖ **7.** Aplícase a cualquier persona distinta de la que habla o piensa. *Uno dijo, y dice, el otro.* fr. que se usa para autorizar una cita cuyo autor es anónimo o desconocido o no se quiere nombrar. ‖ **esa es otra.** expr. con que se explica que lo que se dice es nuevo despropósito, impertinencia o dificultad. ‖ **¡otra!** Voz con que se pide en espectáculos públicos la inmediata repetición de un pasaje, canto, etc., que ha agradado extraordinariamente. ‖ **2.** interj. que denota la impaciencia causada por la pesadez o los errores del interlocutor. ‖ **otra, u otro, que tal.** expr. fam. con que se da a entender la semejanza de cualidades

de algunas personas o cosas. Se usa generalmente en sentido peyorativo. ‖ **otra, u otro, que tal, o que bien baila.** expr. fig. y fam. **otra, u otro que tal.** ‖ **otra te pego.** expr. fig. y fam. que denota la continuación en la impertinencia de los dichos o en la adversidad de los hechos. ‖ **2.** Desagrado que causa dicha impertinencia. ‖ **3. dale bola.**

otrora. (De *otra hora.*) adv. t. p. us. En otro tiempo.

otrosí. (Del lat. *altĕrum,* otro, y *sic,* así.) adv. c. Demás de esto, además. Ú. por lo común en lenguaje jurídico. ‖ **2.** m. *Der.* Cada una de las peticiones o pretensiones que se ponen después de la principal.

otubre. m. ant. **octubre.**

ova. (Del lat. *ulva.*) f. Cualquiera de las algas unicelulares, de color verde, cuyo tallo está dividido en filamentos sencillos o ramificados, o bien en láminas grandes y foliáceas, o estrechas a modo de cintas, y que se crían en el mar o en los ríos y estanques, flotantes en el agua o fijas al fondo por apéndices radicosos. Ú. m. en pl. ‖ **de río.** Alga de agua dulce, ajomate. ‖ **marina.** La que tiene expansiones laminares huecas, tubulosas, casi siempre ramificadas y que vive en aguas marinas y salobres.

ovación. (Del lat. *ovatĭo, -ōnis.*) f. Uno de los triunfos menores que concedían los romanos por haber vencido a los enemigos sin derramar sangre, o por alguna victoria de no mucha consideración. ‖ **2.** V. **corona de ovación.** ‖ **3.** fig. Aplauso ruidoso que colectivamente se tributa a una persona o cosa.

ovacionar. tr. Aclamar, tributar un aplauso ruidoso.

ovado, da. (Del lat. *ovātus,* en forma de huevo.) adj. Aplícase al ave después de haber sido sus huevos fecundados por el macho. ‖ **2.** De figura de huevo. ‖ **3.** De figura de óvalo.

oval. (De lat. *ovum,* huevo.) adj. De figura de óvalo.

oval². (Del lat. *ovālis.*) adj. V. **corona oval.**

ovalado, da. p. p. de **ovalar.** ‖ **2.** adj. De figura de óvalo.

ovalar. tr. Dar a una cosa figura de óvalo.

óvalo. (Del lat. *ovum,* huevo, por la forma.) m. Cualquier curva cerrada, con la convexidad vuelta siempre a la parte de afuera, de forma parecida a la de la elipse, y simétrica respecto de uno o de dos ejes.

ovante. (Del lat. *ovans, -antis,* p. a. de *ovāre,* triunfar.) adj. Aplícase al que entre los romanos conseguía el honor de la ovación. ‖ **2.** Victorioso o triunfante.

ovar. (Del lat. *ovum,* huevo.) intr. Poner huevos, aovar.

ovárico, ca. adj. *Anat.* y *Bot.* Perteneciente o relativo al ovario. ‖ **2.** *Anat.* V. **vesícula ovárica.**

ovario. (De *ovo.*) m. *Arq.* Moldura adornada con óvalos. ‖ **2.** *Bot.* Parte inferior del pistilo, que contiene los óvulos. ‖ **3.** *Anat.* Glándula sexual femenina, par, ovoidea, situada a cada lado del útero en los ligamentos anchos.

ovariotomía. (De *ovario,* y el gr. τομή, sección, corte.) f. *Cir.* Operación que consiste en la extirpación de uno o de ambos ovarios.

ovaritis. (De *ovario* e *-itis.*) f. *Pat.* Inflamación de los ovarios.

ovas. (Del lat. *ova,* huevos.) f. pl. Huevecillos juntos de algunos peces, hueva.

ovecico. m. d. de **huevo.**

oveja. (Del lat. *ovicŭla.*) f. Hembra del carnero. ‖ **2.** fig. y fam. V. **panza de oveja.** ‖ **3.** *Amér. Merid.* **llama²**, animal. ‖ **negra.** fig. Persona que, en una familia o colectividad poco numerosa, difiere desfavorablemente de las demás. ‖ **renil.** La machorra o castrada. ‖ **encomendar las ovejas al lobo.** fr. fig. Encargar los negocios, hacienda u otras cosas a quien las pierda o destruya.

ovejería. f. *Amér. Merid.* Ganado ovejuno y hacienda destinada a su crianza. ‖ **2.** *Chile.* Crianza de ovejas.

ovejero, ra. adj. Que cuida de las ovejas. Ú. t. c. s.

ovejuela. f. d. de **oveja.**

ovejuno, na. adj. Perteneciente o relativo a las ovejas.

overa. (Del lat. *ovum,* huevo.) f. Ovario de las aves.

overo, ra. (De or. inc.) adj. Aplícase a los animales de color parecido al del melocotón, y especialmente al caballo. Ú. t. c. s. ‖ **2.** *Amér.* Dícese de las caballerías de color pío.

overol. (Del ing. *overall.*) m. *Amér.* **mono,** traje de faena o una pieza.

ovetense. adj. Natural de Oviedo. Ú. t. c. s. ‖ **2.** Perteneciente o relativo a esta ciudad.

ovezuelo. m. d. de **huevo.**

ovicida. (Del lat. *ovum,* huevo, y *-cida.*) adj. Dícese de los productos químicos que se emplean contra los insectos y ácaros en la fase de huevo.

ovidiano, na. adj. Propio y característico de Ovidio como escritor, o que tiene semejanza con su estilo.

óvido. (Del lat. *ovis,* oveja, y de *-ido.*) adj. *Zool.* Dícese de los mamíferos rumiantes de la familia de los bóvidos, muchos de ellos cubiertos de abundante lana, con cuernos de sección triangular y retorcidos en espiral o encorvados hacia atrás; como los carneros y cabras. Ú. t. c. s. m.

oviducto. (Del lat. *ovum,* huevo, y *ductus,* conducto.) m. *Anat.* Conducto por el que los óvulos de los animales salen del ovario para ser fecundados. En la especie humana se llama trompa de Falopio.

ovil. (Del lat. *ovīle.*) m. Redil, aprisco.

ovillar. intr. Hacer ovillos. ‖ **2.** prnl. Encogerse y recogerse haciéndose un ovillo.

ovillejo. m. d. de **ovillo.** ‖ **2.** Combinación métrica que consta de tres versos octosílabos, seguidos cada uno de ellos de un pie quebrado que con él forma consonancia, y de una redondilla cuyo último verso se compone de los tres pies quebrados. Antiguamente se dio el mismo nombre a otras combinaciones métricas. ‖ **decir de ovillejo.** fr. Decir coplas de repente dos o más sujetos, de modo que con el último verso de la que uno de ellos dice, forme consonante el primero de la que dice otro.

ovillo. (Del lat. *globellus.*) m. Bola o lío que se forma devanando hilo de lino, algodón, seda, lana, etc. ‖ **2.** fig. Cosa enredada y de figura redonda. ‖ **3.** fig. Montón o multitud confusa de cosas, sin trabazón ni arte. ‖ **hacerse** uno **un ovillo.** fr. fig. y fam. Encogerse, contraerse, acurrucarse por miedo, dolor u otra causa natural. ‖ **2.** fig. y fam. Embrollarse, confundirse hablando o discurriendo.

ovino, na. (Del lat. *ovis,* oveja.) adj. Se aplica al ganado lanar. ‖ **2.** m. Animal ovino.

ovio, via. adj. desus. **obvio.**

ovíparo, ra. (Del lat. *ovipărus.*) adj. *Zool.* Dícese de los animales que ponen huevos en los que la segmentación no ha comenzado o no está todavía muy adelantada; como las aves, moluscos, insectos, etc. Ú. t. c. s.

oviscapto. (Del lat. *ovum,* huevo, y el gr. σκάπτω, cavar.) m. *Zool.* Órgano perforador que llevan en el extremo del abdomen las hembras de muchos insectos, con el que abren lugar en la tierra o al través de los tejidos vegetales y aun animales, en que depositar con seguridad los huevos que han de poner.

ovo. (Del lat. *ovum,* huevo.) m. *Arq.* Ornamento en forma de huevo.

ovoide. (Del lat. *ovum,* huevo, y *-oide.*) adj. De figura de huevo. Ú. t. c. s. ‖ **2.** m. Conglomerado de carbón u otra sustancia que tiene dicha forma.

ovoideo, a. (De *ovoide.*) adj. De figura de huevo.

óvolo. (Del lat. mod. *ovŭlum,* d. de *ovum,* huevo.) m. *Arq.* **cuarto bocel.** ‖ **2.** *Arq.* Adorno en figura de huevo, rodeado por un cascarón y con puntas de flecha intercaladas entre cada dos.

ovoso, sa. adj. Que tiene ovas.

ovovivíparo, ra. (Del lat. *ovum,* huevo, y *vivipărus,* vivíparo.) adj. *Zool.* Dícese del animal de generación ovípara cuyos huevos se detienen durante algún tiempo en las vías genitales, no saliendo del cuerpo materno hasta que está muy adelantado su desarrollo embrionario; como la víbora. Ú. t. c. s.

ovulación. (De *óvulo.*) f. *Fisiol.* Expulsión del ovario, espontánea o inducida, de uno o varios óvulos.

ovular[1]. adj. Perteneciente o relativo al óvulo o a la ovulación.

ovular[2]. intr. Realizar la ovulación.

óvulo. (Del lat. mod. *ovŭlum,* d. de *ovum,* huevo.) m. *Biol.* Cada una de las células sexuales femeninas que se forman en el ovario de los animales y que casi siempre necesitan unirse a gametos masculinos para dar origen a nuevos individuos. ‖ **2.** *Bot.* Cada uno de los cuerpos esferoidales en el ovario de la flor, en que se produce la oosfera, rodeados por una doble membrana provista de un orificio o micrópilo.

¡ox! (Del ár. *uš,* o bien formación espontánea.) Voz para espantar la caza y las aves domésticas.

oxalato. m. *Quím.* Combinación del ácido oxálico y un radical. ‖ **potásico.** *Quím.* Sal compuesta de ácido oxálico y de potasio.

oxálico, ca. (Del lat. *oxális,* acedera.) adj. *Quím.* Perteneciente o relativo a las acederas o productos análogos. ‖ **2.** V. **ácido oxálico.**

oxalidáceo, a. (Del lat. *oxális, -ĭdis,* acedera.) adj. *Bot.* Dícese de plantas angiospermas dicotiledóneas, herbáceas, rara vez leñosas, que tienen hojas alternas, simples o compuestas, flores actinomorfas pentámeras, solitarias o en umbela, y fruto en cápsula con semillas de albumen carnoso; como la aleluya y el carambolo. Ú. t. c. s. f. ‖ **2.** f. pl. *Bot.* Familia de estas plantas.

oxalídeo, a. (Del gr. ὀξαλίς, a través del lat. *oxális, -ĭdis,* acedera.) adj. *Bot.* **oxalidáceo.**

oxalme. (Del gr. ὀξάλμη, a través del lat. *oxalme.*) m. Salmuera con vinagre.

¡oxe! V. **¡ox!**

oxear. (De *ox.*) tr. Espantar las aves domésticas y la caza.

oxiacanta. (Del gr. ὀξυάκανθα.) f. **espino,** arbolillo.

oxiacetilénico, ca. adj. Perteneciente o relativo a la mezcla de oxígeno y acetileno. Dícese de los sopletes que emplean dicha mezcla.

oxicorte. m. Técnica de cortar metales con soplete oxiacetilénico.

oxidable. adj. Que se puede oxidar.

oxidación. f. Acción y efecto de oxidar u oxidarse.

oxidante. p. a. de **oxidar.** Que oxida o sirve para oxidar. Ú. t. c. s. m.

oxidar. (De *óxido.*) tr. Transformar un cuerpo por la acción del oxígeno o de un oxidante. Ú. t. c. prnl.

óxido. (Del gr. ὀξύς, ácido.) m. *Quím.* Combinación del oxígeno con un metal, generalmente, y a veces con un metaloide, la cual se distingue de los ácidos por no ejercer acción sobre la tintura de tornasol, en unos casos, y en otros, por devolver el color azul a la que previamente fue enrojecida.

oxidrilo. m. *Quím.* **hidroxilo.**

oxigenación. f. Acción y efecto de oxigenar.

oxigenado, da. p. p. de **oxigenar.** ‖ **2.** adj. Que contiene oxígeno.

oxigenar. tr. *Quím.* Combinar el oxígeno formando óxidos. Ú. t. c. prnl. ‖ **2.** prnl. fig. Airearse, respirar el aire libre.

oxígeno. (Del gr. ὀξύς, ácido, y *-geno.*) m. *Quím.* Metaloide gaseoso, esencial a la respiración, algo más pesado que el aire y parte integrante de él, del agua, de los óxidos, de casi todos los ácidos y de la mayoría de las sustancias orgánicas. Núm. atómico 8. Símb.: *O.*

oxigonio. (Del gr. ὀξύς, agudo, y γωνία, ángulo.) adj. *Geom.*
V. **triángulo oxigonio.**

oximel. m. Jarabe de vinagre y miel, ojimel.

oximiel. m. Jarabe de vinagre y miel, ojimiel.

oxipétalo. (Del gr. ὀξύς, agudo, y πέταλον, hoja.) m. Planta
trepadora del Brasil, de la familia de las asclepiadáceas,
de hojas acorazonadas y flores azules dispuestas en racimo, que sirve de adorno en los jardines.

oxitócico. (Del gr. ὀξύς, agudo, rápido, y τόκος, parto.) adj. Dícese de las sustancias que producen la contracción del músculo uterino; se utilizan para provocar el parto. Ú. t. c. s.

oxítono, na. (Del gr. ὀξύς, agudo, y τόνος, intensidad.) adj.
Gram. **agudo,** que carga el acento en la última sílaba. ‖ **2.**
V. **verso oxítono.**

oxiuro. (Del gr. ὀξύς, agudo, y οὐρά, cola.) m. *Zool.* Nematodo parásito del hombre y en especial del niño. Las hembras miden hasta 10 mm de longitud y llegan para efectuar
la puesta hasta el recto, en donde con sus mordeduras provocan un molestísimo prurito en los rebordes del ano.

oxizacre. (Del gr. ὀξύς, ácido, y σάκχαρ, azúcar.) m. Bebida
que se hacía antiguamente con zumo de granadas agrias y
azúcar. ‖ **2.** Por ext., bebida ácida y dulce que se hacía
con otros ingredientes.

oxoniense. (Del lat. *Oxonĭum.*) adj. Natural o vecino de
Oxford. Ú. t. c. s. ‖ **2.** Perteneciente o relativo a esta ciudad inglesa.

oxte. Voz que se emplea para rechazar a persona o cosa
que molesta, ofende o daña. ‖ **sin decir oxte ni moxte.** expr.
adv. y fam. Sin pedir licencia, sin hablar palabra, sin desplegar los labios.

oyente. p. a. de **oír.** Que oye. Ú. t. c. s. ‖ **2.** m. Asistente
a un aula, no matriculado como alumno.

ozona. f. *Quím.* **ozono.**

ozono. (Del gr. ὄζω, tener olor.) m. *Quím.* Estado alotrópico
del oxígeno, producido por la electricidad, de cuya acción
resulta un gas muy oxidante, de olor fuerte a marisco y de
color azul cuando se liquida. Se encuentra en muy pequeñas proporciones en la atmósfera después de las tempestades.

ozonómetro. (De *ozono* y *-metro.*) m. *Quím.* Reactivo preparado para graduar el ozono existente en el aire; consiste
en una tira de papel de filtro impregnada de engrudo hecho con una parte de yoduro de potasio, diez de almidón
y doscientas de agua, que se vuelve más o menos azul según la cantidad de oxígeno electrizado que hay en la atmósfera.

p. f. Decimonona letra del abecedario español, y decimoquinta de sus consonantes. Su nombre es **pe,** y representa un sonido de articulación bilabial, oclusiva y sorda.

pabellón. (Del ant. fr. *paveillon.*) m. Tienda de campaña en forma de cono, sostenida interiormente por un palo grueso hincado en el suelo y sujeta al terreno alrededor de la base con cuerdas y estacas. ‖ **2.** Colgadura plegadiza que cobija y adorna una cama, un trono, un altar, etc. ‖ **3.** Bandera nacional. ‖ **4.** Pirámide truncada que en las piedras preciosas forman las facetas del tallado. ‖ **5.** Ensanche cónico con que termina la boca de algunos instrumentos de viento; como la corneta y el clarinete. ‖ **6.** Grupo de fusiles que se forman enlazándolos por las bayonetas y apoyando las culatas en el suelo. ‖ **7.** Edificio que constituye una dependencia de otro mayor, inmediato o próximo a aquel. ‖ **8.** Cada una de las construcciones o edificios que forman parte de un conjunto, como los de una exposición, ciudad universitaria, hospital, cuartel, etc. ‖ **9.** Cada una de las habitaciones donde se alojan en los cuarteles los jefes y oficiales. ‖ **10.** fig. Nación a que pertenecen las naves mercantes. ‖ **11.** fig. Patrocinio, protección que se dispensa, o a la que uno se acoge. ‖ **12.** fig. poét. Cosa que cobija a manera de bóveda. ‖ **13.** *Arq.* Resalto de una fachada en medio de ella o en algún ángulo, que suele coronarse de ático o frontispicio. ‖ **14.** pl. *Col.* Cohetes grandes y luminosos. ‖ **15.** *Venez.* Plato en que se sirven separadamente carne frita, arroz y judías. ‖ **de la oreja. oreja,** parte externa del oído. ‖ **el pabellón cubre la mercancía.** Norma del derecho de gentes por la que un Estado beligerante no podía apoderarse de un buque mercante neutral. ‖ **2.** fr. fig. con que se denota que una autoridad o persona respetable ampara cosas ilícitas o viciosas.

pabilo o **pábilo.** (Del lat. vulg. *papilus.*) m. Mecha que está en el centro de la vela. ‖ **2.** Parte carbonizada de esta mecha.

pabilón. (De *pabilo.*) m. desus. Parte de seda, lana o estopa que pende algo separada del copo de la rueca.

pabiloso, sa. adj. Que tiene exceso de pábilo quemado y da poca luz. ‖ **2.** fig. Mortecino.

pablar. (Del cruce entre *hablar* y *parlar.*) intr. **ni hablar ni pablar.** loc. fam. con que se denota el sumo silencio de uno.

Pablo. n. p. **¡guarda, Pablo!** expr. p. us. fam. con que se advierte un peligro o contingencia.

pábulo. (Del lat. *pabŭlum.*) m. Alimento que se toma para subsistir. ‖ **2.** fig. Lo que sirve para mantener la existencia de algunas cosas o acciones. ‖ **dar pábulo.** fr. **echar leña al fuego.**

paca¹. (Del guaraní *paka.*) f. Mamífero roedor, de unos cinco decímetros de largo, con pelaje espeso y lacio, pardo por el lomo y rojizo por el cuello, vientre y costados; cola y pies muy cortos, hocico agudo y orejas pequeñas y redondas. Es propio de América del Sur, en cuyos montes vive en madrigueras; se alimenta de vegetales, gruñe como el cerdo, se domestica con facilidad y su carne es muy estimada.

paca². (Del fr. ant. *pacque.*) f. Fardo o lío, especialmente de lana o de algodón en rama, y también de paja, forraje, etc.

pacado, da. (Del lat. *pacātus,* pacato.) adj. ant. Decíase de lo que estaba apaciguado.

pacana. (De or. azteca.) f. Árbol de la familia de las yuglandáceas, propio de América del Norte, de unos 30 metros de altura, con tronco grueso y copa magnífica; hojas compuestas de hojuelas ovales y dentadas; flores verdosas en amentos largos, y fruto seco del tamaño de una nuez, de cáscara lisa y forma de aceituna, con almendra comestible. La madera de este árbol, semejante al nogal, es muy apreciada. ‖ **2.** Fruto de este árbol.

pacato, ta. (Del lat. *pacātus,* p. p. de *pacāre,* pacificar.) adj. De condición excesivamente pacífica, tranquila y moderada. Ú. t. c. s. ‖ **2.** De poco valor, insignificante. ‖ **3.** Mojigato, que tiene o manifiesta excesivos escrúpulos. Ú. t. c. s.

pacay. (Del quechua *páqay.*) m. *Amér. Merid.* **guamo,** árbol. ‖ **2.** Fruto de este árbol.

pacaya. f. *C. Rica, Guat., Hond.* y *Nicar.* Planta de la familia de las palmas, cuyas hojas sirven para alfombrar las calles en las festividades públicas y cuyos cogollos se toman como legumbre. ‖ **2.** *Guat.* Disgusto o enojo oculto.

pacayal. m. *C. Rica, Guat., Hond.* y *Nicar.* Lugar sembrado de pacayas.

pacayar. m. *Perú.* **pacayal.**

pacción. (Del lat. *pactĭo, -ōnis.*) f. ant. **pacto.**

paccionar. tr. ant. **pactar.** Ú. en el p. p.

pacedero, ra. adj. Que tiene hierba para pasto. *Terreno* PACEDERO

pacedura. f. desus. Apacentamiento o pasto de ganado.

pacense. (Del lat. *Pacensis*) adj. Natural de Badajoz. Ú. t. c. s. ‖ **2.** Natural de Beja (Portugal). Ú. t. c. s. ‖ **3.** Perteneciente o relativo a cualquiera de estas dos ciudades.

paceño, ña. adj. Natural de La Paz. Ú. t. c. s. ‖ **2.** Perteneciente o relativo a esta ciudad de Bolivia.

pacer. (Del lat. *pascĕre.*) intr. Comer el ganado la hierba en los campos, prados, montes o dehesas. Ú. t. c. tr. ‖ **2.** tr. Comer, roer o gastar una cosa. ‖ **3.** **apacentar,** dar pasto a los ganados.

paciencia. (Del lat. *patientĭa.*) f. Capacidad de padecer o soportar algo sin alterarse. ‖ **2.** Capacidad para hacer cosas pesadas o minuciosas. ‖ **3.** Facultad de saber esperar cuando algo se desea mucho. ‖ **4.** Lentitud para hacer cosas. ‖ **5.** Resalte inferior del asiento de una silla de coro, de modo que, levantado aquel, pueda servir de apoyo a quien está de pie. ‖ **6.** Bollo redondo y muy pequeño hecho con harina, huevo, almendra y azúcar y cocido en el horno. ‖ **7.** V. **banco de la paciencia.** ‖ **8.** fig. Tolerancia o consentimiento en mengua del honor. ‖ **acabar, consumir,** o **gastar,** a uno **la paciencia.** fr. Irritarle, enfadarle. ‖ **con paciencia se gana el cielo.** fr. proverb. con que se exhorta a no atropellar las pretensiones por tener demasiado deseo de conseguirlas. ‖ **paciencia y barajar.** fr. proverb. con que se anima a otro o a uno mismo a perseverar en un intento después de un fracaso. ‖ **probar** uno **la paciencia** a otro. fr.

Darle continuos motivos para que llegue a irritarse. | **tentar de,** o **la, paciencia** a uno. fr. **probar** uno **la paciencia** a otro.

paciente. (Del lat. *patĭens, -entis*, p. a. de *pati*, padecer, sufrir.) adj. Que tiene paciencia. | **2.** *Fil.* Dícese del sujeto que recibe o padece la acción del agente. Ú. t. c. s. m. | **3.** *Gram.* V. **persona paciente.** Ú. t. c. s. | **4.** com. Persona que padece física y corporalmente; el doliente, el enfermo; en propiedad, aquel que se halla bajo atención médica. | **5.** Por ext., quien es o va a ser reconocido médicamente.

pacientemente. adv. m. Con paciencia.

pacienzudo, da. adj. Que tiene mucha paciencia.

pacificación. (Del lat. *pacificatĭo, -ōnis*.) f. Acción y efecto de pacificar. | **2.** Convenio entre los Estados para dar fin a una guerra.

pacificador, ra. (Del lat. *pacificātor, -ōris*.) adj. Que pacifica. Ú. t. c. s.

pacíficamente. adv. m. Con paz y quietud. | **2.** Sin oposición o contradicción.

pacificar. (Del lat. *pacificāre*.) tr. Establecer la paz donde había guerra o discordia. | **2.** Reconciliar a los que están opuestos o discordes. Ú. t. c. prnl. | **3.** intr. Tratar de asentar paces, pidiéndolas o deseándolas. | **4.** prnl. fig. Sosegarse y aquietarse las cosas turbadas o alteradas. PA-CIFICARSE *los vientos.*

pacífico, ca. (Del lat. *pacifĭcus*.) adj. Tranquilo, sosegado, que no provoca luchas o discordias. | **2.** En paz, no alterado por guerras o disturbios. | **3.** Que no tiene o no halla oposición, contradicción o alteración en su estado. | **4.** Dícese del sacrificio que ofrecían los gentiles por la paz y la salud; y por ext., del mismo sacrificio en la ley antigua de Moisés.

pacifismo. m. Conjunto de doctrinas encaminadas a mantener la paz entre las naciones.

pacifista. adj. Perteneciente o relativo al pacifismo. | **2.** Dícese del partidario del pacifismo. Ú. t. c. s.

pación. (Del lat. *pastĭo, -ōnis*.) f. *Ast.* y *Cantabria.* Pasto que produce un prado después de segarlo.

paco[1]. (Del quechua *p'aqo*, rojizo.) m. **paca**[1], roedor. | **2.** *Amér.* Mineral de plata con ganga ferruginosa. | **3. llama**[2], rumiante. | **4.** *Col., Chile, Ecuad.* y *Pan.* fam. Policía. | **5.** *Argent., Chile* y *Perú.* Color rojizo o bermejo. Ú. t. c. adj.

paco[2]. (De la onomat. *pac*.) m. Nombre que se daba al moro de las posesiones españolas de África que, aislado y escondido, disparaba sobre los soldados. | **2.** Por ext., cualquier combatiente que dispara en igual forma.

paco[3]. m. *Nicar.* Tamal de maíz tierno.

pacón. m. *Hond.* y *Nicar.* **jaboncillo,** árbol.

pacora. f. *Col.* Cuchillo ancho y corto usado para descamar y sajar los peces.

pacota. f. *Argent.* Grupo de gente que acompaña a alguien. | **2.** *Méj.* Persona o cosa insignificante y de escaso valor.

pacotilla. (De *paca*[2].) f. Porción de géneros que los marineros u oficiales de un barco pueden embarcar por su cuenta libres de flete. | **2.** *Chile, Ecuad.* y *Guat.* Chusma, gente baja y maleante. | **hacer** uno su **pacotilla.** fr. fig. Reunir un caudal más o menos grande con una especulación, empleo o trabajo cualquiera. | **ser de pacotilla** una cosa. fr. fig. Ser de inferior calidad; estar hecha sin esmero.

pacotillero, ra. adj. Que negocia con pacotillas. Ú. m. c. s. | **2.** m. y f. *Amér.* Buhonero o mercader ambulante.

pactar. tr. Acordar algo entre dos o más personas o entidades, obligándose mutuamente a su observancia. | **2.** Contemporizar una autoridad con sus sometidos a ella.

pacto. (Del lat. *pactum*.) m. Concierto o tratado entre dos o más partes que se comprometen a cumplir lo estipulado. | **2.** Lo estudiado por tal concierto. | **comisorio.** *Der.* El prohibido en derecho y por el que se faculta al acreedor con prenda o hipoteca para quedarse, en pago, con estas a su voluntad, sin venta de la cosa ni otra garantía de equidad. | **de cuotalitis.** El reprobado en derecho, que celebra el abogado con su cliente convirtiendo los honorarios en una parte de la ganancia obtenida en el litigio. | **de retro.** Estipulación por la cual el comprador se obliga a devolver la cosa al vendedor por su precio. | **sucesorio.** El relativo a herencia futura, de licitud dudosa, y al cual es en general contrario el derecho español. | **renunciar al pacto.** fr. Apartarse del que se supone hecho con el demonio.

pacú. (De or. guaraní.) m. *Argent.* Pez de río, de gran tamaño y muy estimado por su carne.

pácul. m. Plátano silvestre que se cría en Filipinas y del cual se saca un filamento útil para tejidos, pero de calidad inferior al del abacá.

pachá. (Del fr. *pacha*.) m. **bajá.** | **vivir como un pachá.** loc. Vivir con lujo y opulencia.

pacha. (De or. quechua.) f. *Nicar.* Biberón. | **2.** *Nicar.* Botella pequeña y aplanada que se usa corrientemente para llevar licor.

pachaco, ca. (De *pacho*.) adj. *C. Rica (Guanacaste).* Aplastado.

pachacho, cha. adj. *Chile.* Se dice de las personas o animales rechonchos y de piernas cortas.

pachamanca. (Del quechua *pacha*, general, y *manka*, olla.) f. *Amér. Merid.* Carne condimentada con ají que se asa entre piedras caldeadas o en un agujero que se abre en la tierra cubierto con piedras calientes.

pachanga. f. Danza originaria de Cuba. | **2.** pop. *Méj.* Alboroto, fiesta, diversión bulliciosa. | **3.** Partido informal de fútbol o baloncesto que se juega en una sola portería o canasta. Ú. t. en d.

pachango, ga. adj. *Hond.* y *Nicar.* Regordete.

pachanguero, ra. adj. Dícese de un espectáculo, una fiesta, y especialmente una música fácil y bulliciosa.

pacharán. (Del vasc. *patxaran*, endrina.) m. Licor obtenido por maceración de endrinas en aguardiente anisado.

pacheco. m. *Venez.* Frío intenso.

pachiquil. m. *N. Argent.* **rodete,** rosca que se pone en la cabeza para cargar sobre ella algún peso. | **2.** *N. Argent.* Lío o atado de cosas. | **3.** *N. Argent.* fig. Enredo, intriga entre personas en procura de beneficios propios.

pacho, cha. (De la onomat. *pach*.) adj. Indolente. | **2.** *Nicar.* Flaco, aplastado.

pachocha. f. Especie de gazpacho que consiste en un trozo grande de pan mojado en agua, vinagre y sal y una vez esponjado se rocía con aceite. | **2.** *Col., Cuba, Chile, Pan.* y *Perú.* **pachorra.**

pachón, na. adj. V. **perro pachón.** Ú. t. c. s. | **2.** *Chile, Hond., Méj.* y *Nicar.* Peludo, lanudo. | **3.** m. fam. Hombre de genio pausado y flemático.

pachorra. f. fam. Flema, tardanza, indolencia.

pachorrudo, da. adj. fam. Que procede con mucha pachorra.

pachucho, cha. adj. Pasado de puro maduro. | **2.** fig. y fam. Flojo, alicaído, desmadejado. | **3.** *Extr.* Dícese de una persona gruesa y pesada.

pachulí. (Del fr. *patchouli*.) m. Planta labiada, perenne, procedente del Asia u Oceanía tropicales; es muy olorosa, semejante al almizcle, y se usa en perfumería. | **2.** Perfume de esta planta.

pachuqueño, ña. adj. Natural de Pachuca, capital del Estado mejicano de Hidalgo. Ú. t. c. s. | **2.** Perteneciente o relativo a dicha ciudad.

padecer. (Del lat. *patiscĕre*, de *pati*.) tr. Sentir física y corporalmente un daño, dolor, enfermedad, pena o castigo. Ú. t. c. intr. | **2.** Soportar agravios, injurias, pesares, etc.

Ú. t. c. intr. ‖ **3.** Sufrir algo nocivo o desventajoso. PADECER *engaño, error, equivocación*. ‖ **4. soportar,** tolerar, sufrir. ‖ **5.** fig. Recibir daños las cosas.

padecimiento. m. Acción de padecer o sufrir daño, injuria, enfermedad, etc.

padilla. (Del lat. *patella*, plato en que se cocía la vianda y se servía a la mesa.) f. desus. Sartén pequeña. ‖ **2.** desus. Horno para cocer pan, con una abertura en el centro de la plaza, por donde entra el aire para la combustión y se saca después la ceniza.

padrastro. (Del lat. vulg. *patraster, -tri*; despect. de *pater*, padre.) m. Marido de la madre, respecto de los hijos habidos antes por ella. ‖ **2.** fig. Mal padre. ‖ **3.** fig. Cualquier obstáculo, impedimento o inconveniente que estorba o hace daño en una materia. ‖ **4.** fig. Pedacito de pellejo que se levanta de la carne inmediata a las uñas de las manos, y causa dolor y estorbo. ‖ **5.** fig. **dominación,** monte o colina.

padrazo. m. fam. Padre muy indulgente con sus hijos.

padre. (Del lat. *pater, -tris*.) m. Varón o macho que ha engendrado. ‖ **2.** Varón o macho, respecto de sus hijos. ‖ **3.** V. **hermano de padre.** ‖ **4.** Macho en el ganado destinado a la procreación. ‖ **5.** Cabeza de una descendencia, familia o pueblo. ‖ **6.** Nombre que se da a ciertos religiosos y a los sacerdotes. ‖ **7.** *Teol.* Primera persona de la Santísima Trinidad. ‖ **8.** fig. Origen, principio. ‖ **9.** fig. Autor de una obra de ingenio, inventor de otra cosa cualquiera. ‖ **10.** pl. El **padre** y la madre. ‖ **11.** Antepasados. ‖ **12.** adj. fam. Muy grande. *Se armó un escándalo* PADRE. ‖ **apostólico.** Cada uno de los **padres** de la Iglesia que conservaron con los apóstoles y discípulos de Jesucristo. ‖ **conscripto.** Entre los romanos, senador. ‖ **de almas.** Prelado, eclesiástico o cura. ‖ **de familia, o de familias.** Jefe de una familia aunque no tenga hijos. ‖ **de la patria.** Título de honor dado a alguien por los especiales servicios prestados al pueblo. ‖ **2.** irón. Dícese de los diputados a Cortes o senadores. ‖ **del yermo.** anacoreta. ‖ **de mancebía.** El que tenía a su cargo el cuidado y gobierno de la mancebía. ‖ **de pila.** Padrino en el bautismo. ‖ **de pobres.** fig. Sujeto muy caritativo y limosnero. ‖ **de provincia.** En algunas órdenes religiosas, sujeto que ha sido provincial o ha tenido puesto equivalente. ‖ **2.** Título que durante el régimen foral se concedía en las provincias vascongadas al que había sido diputado en las juntas generales del país o había prestado a este algún servicio eminente. Los **padres** de provincia formaban un cuerpo consultivo para los asuntos forales. ‖ **de su patria. padre de la patria.** ‖ **espiritual.** Confesor que cuida y dirige el espíritu y conciencia del penitente. ‖ **eterno.** *Teol.* Padre, primera persona de la Trinidad. ‖ **nuestro.** Oración dominical que empieza con estas palabras. ‖ **2.** Cada una de las cuentas del rosario más gruesas que las demás o que se diferencian de ellas de alguna otra manera, para advertir cuándo se ha de rezar un **padrenuestro.** ‖ **Santo.** Por antonom., el Papa. ‖ **Beatísimo Padre.** Tratamiento que se da al Papa. ‖ **nuestros primeros padres.** Adán y Eva, progenitores del linaje humano. ‖ **Santo Padre.** Cada uno de los primeros doctores de la Iglesia griega y latina, que escribieron sobre los misterios y sobre la doctrina de la religión. ‖ **2. Padre Santo,** el Papa. ‖ **de padre y muy señor mío.** fr. fam. con que se expresa la gran intensidad o magnitud de una cosa. ‖ **dormir uno con sus** padres. fr. Haber muerto. ‖ **hallar uno padre y madre.** fr. fig. Hallar quien le cuide y favorezca. ‖ **mi padre es Dios.** expr. con que nos ponemos, en los trabajos o desamparos, debajo de su paternal protección divina. ‖ **mi padre las guardará.** expr. fig. que reprende al que echa el trabajo y cuidado a otros, aun debiendo aliviarlos de ellos por respeto u otra obligación. ‖ **no ahorrarse** uno **con nadie, ni con su padre.** fr. fam. Atender solo a su propio interés.

2. fam. Decir libremente su sentir, sin guardar respeto a nadie. ‖ **sin padre ni madre, ni perro que me ladre.** loc. fig. y fam. de que se usa para manifestar la total independencia o desamparo en que se halla uno. ‖ **tener el padre alcalde.** fr. fig. Contar con un poderoso protector. ‖ **¡tu padre!** exclam. fam. de irritación o enojo.

padrear. intr. Parecerse uno a su padre en las facciones o en las costumbres. ‖ **2.** Ejercer el macho las funciones de la generación. Dícese de los animales, y por ext., de los mozos de vida licenciosa.

padrejón. m. Histerismo en el hombre.

padrenuestro. m. **padre nuestro.**

padrillo. m. *Argent., Chile, Par., Perú* y *Urug.* Caballo padre.

padrina. f. Madrina.

padrinazgo. m. Acto de asistir como padrino a un bautismo o a una función pública. ‖ **2.** Título o cargo de padrino. ‖ **3.** fig. Protección, favor que uno dispensa a otro.

padrino. (Del lat. *patrīnus*, de *pater, patris*.) m. El que tiene, presenta o asiste a otra persona que recibe el sacramento del bautismo, de la confirmación, del matrimonio o del orden si es varón, o que profesa, si se trata de una religiosa. ‖ **2.** El que presenta y acompaña a otro que recibe algún honor, grado, etc. ‖ **3.** El que asiste a otro para sostener sus derechos, en certámenes literarios, torneos, desafíos, etc. ‖ **4.** pl. El **padrino** y la madrina. ‖ **5.** fig. Influencias de que uno dispone por relaciones o amistades, para conseguir algo o desenvolverse en la vida.

padrón[1]. m. aum. de **padre.** ‖ **2.** Padre muy indulgente. ‖ **3.** *Bol., Col., Cuba, Nicar., Pan., Sto. Dom.* y *Venez.* Caballo semental.

padrón[2]. (Del lat. *patrōnus*.) m. Nómina de los vecinos o moradores de un pueblo. ‖ **2.** Patrón o dechado. ‖ **3.** Columna con una lápida o inscripción que recuerda un suceso. ‖ **4.** Nota de infamia que queda en la memoria por una mala acción.

padronazgo. m. ant. Derecho del patrono.

padronero. m. ant. El que tiene derecho de patronato.

padronés, sa. adj. Natural de Padrón. Ú. t. c. s. ‖ **2.** Perteneciente o relativo a esta villa gallega.

padrote. m. *Amér. Central, Col., Pan., P. Rico* y *Venez.* Macho destinado en el ganado para la generación y procreación.

paduano, na. adj. Natural de Padua. Ú. t. c. s. ‖ **2.** Perteneciente o relativo a esta ciudad de Italia.

paella. (Del valenciano *paella*.) f. Plato de arroz seco, con carne, pescado, mariscos, legumbres, etc., que se usa mucho en la región valenciana. ‖ **2.** Sartén en que se hace, paellera.

paellera. f. Recipiente de hierro a modo de sartén, de poco fondo y con dos asas, que sirve para hacer la paella. ‖ **2.** Tipo de foco utilizado en los decorados para dar luz de fondo.

¡paf! Voz onomatopéyica con que se expresa el ruido que hace una persona o cosa al caer o chocar contra algún objeto.

pafio, fia. (Del lat. *Paphius*.) adj. Natural de Pafos. Ú. t. c. s. ‖ **2.** Perteneciente o relativo a esta ciudad de Chipre antigua.

paflón. (De *plafón*.) m. *Arq.* Plano inferior de un cuerpo voladizo, sofito.

paga. f. Acción de pagar o satisfacer una cosa. ‖ **2.** Cantidad de dinero que se da en pago. ‖ **3.** Sueldo de un empleado. ‖ **4.** Expiación de la culpa por medio de la pena correspondiente. ‖ **5.** Esta misma pena. ‖ **6.** Correspondencia del amor a otro beneficio. ‖ **de tocas.** Socorro que se pagaba a la viuda de algunos funcionarios. ‖ **indebida, o de lo indebido.** *Der.* Cuasicontrato dimanado del acto de entregar erróneamente cantidad no debida ni exigible. Es más frecuente decir **cobro de lo indebido.** ‖ **viciosa.** La que tiene un defecto que la invalida. ‖ **buena, o mala, paga.** fig. Persona que prontamente y sin dificultad paga lo que debe o lo que se libra contra ella, o al contrario. ‖ **en tres pagas.** loc. adv. fig. con que se nota al mal pagador. Algunos añaden: **tarde, mal y nunca.** ‖ **ver la paga al ojo.** fr. fig. y fam. Hacer un trabajo o ejecutar algo con diligencia cuando hay seguridad de la pronta recompensa.

pagable. adj. Que se puede pagar.

pagadero, ra. adj. Que se ha de pagar y satisfacer a cierto tiempo señalado. ‖ **2.** Que puede pagarse fácilmente. ‖ **3.** m. Tiempo, ocasión o plazo en que uno ha de pagar lo que debe, o satisfacer con la pena lo que ha hecho.

pagado, da. p. p. de **pagar.** ‖ **2.** adj. Ufano, satisfecho de alguna cosa.

pagador, ra. adj. Que paga. Ú. t. c. s. ‖ **2.** m. Persona encargada por el Estado, una corporación o un particular, de satisfacer sueldos, pensiones, créditos, etc.

pagaduría. (De *pagador.*) f. Casa, sitio o lugar público donde se paga.

pagamento. m. Acción y efecto de pagar. ‖ **a pagamento.** loc. adv. ant. A contento, a satisfacción.

pagamiento. m. ant. Acción y efecto de pagar.

pagana. f. *Ast.* Pieza de madera de roble, de 30 pies de longitud y con una escuadría de 12 pulgadas de tabla por 10 de canto.

paganía. (De *pagano.*) f. p. us. **paganismo.**

paganismo. (Del lat. tardío *paganismus.*) m. Religión de los gentiles o paganos. ‖ **2.** Conjunto de los gentiles.

paganizar. intr. Profesar el paganismo el que no era pagano. ‖ **2.** tr. Introducir el paganismo o elementos paganos en algo. Ú. t. c. prnl.

pagano¹. (De *pagar.*) m. fam. El que paga. Por lo común se da este nombre al pagador de quien otros abusan, y al que sufre perjuicio por culpa ajena aun cuando no desembolse dinero.

pagano², na. (Del lat. *paganus.*) adj. Aplícase a los idólatras y politeístas, especialmente a los antiguos griegos y romanos. Ú. t. c. s. ‖ **2.** Por ext., aplícase a todo infiel no bautizado. Ú. t. c. s.

pagar. (Del lat. *pacāre,* apaciguar, calmar, satisfacer.) tr. Dar uno a otro, o satisfacer, lo que le debe. ‖ **2.** Adeudar derechos los géneros que se introducen. ‖ **3.** fig. Satisfacer el delito, falta o yerro por medio de la pena correspondiente. ‖ **4.** fig. Corresponder al afecto, cariño u otro beneficio. ‖ **5.** prnl. Prendarse, aficionarse. ‖ **6.** Ufanarse de una cosa; hacer estimación de ella. ‖ **a luego pagar.** loc. adv. **al contado.** ‖ **estamos pagados.** expr. que se usa para dar a entender que se corresponde por una parte a lo que se merece de otra. ‖ **pagarla, o pagarlas.** loc. verbal fam. Sufrir el culpable su condigno castigo o la venganza de que se hizo más o menos merecedor. Muchas veces se usa en son de amenaza. *Me* LA PAGARÁS; *me* LAS HAS DE PAGAR. ‖ **pagarla doble.** fr. Recibir agravado el castigo que se merecía, por haberlo rehuido la primera vez.

pagaré. (1.ª pers. de sing. del fut. del verbo *pagar,* palabra con que suelen dar principio estos documentos.) m. Papel de obligación por una cantidad que ha de pagarse a tiempo determinado. ‖ **a la orden.** *Com.* El que es transmisible por endoso, sin nuevo consentimiento del deudor.

pagaya. f. Remo filipino, especie de zagual, pero más largo y de pala mayor, sobrepuesta y atada con bejuco. Sirve indistintamente para bogar y sustituir al timón, como la espadilla.

pagel. (Del cat. *pagell.*) m. Pez teleósteo, del suborden de los acantopterigios, común en los mares de España, de unos dos decímetros de largo, con cabeza y ojos grandes, rojizo por el lomo, plateado por el vientre y con aletas y

cola encarnadas. Su carne es blanca, comestible y bastante estimada.

página. (Del lat. *pagina.*) f. Cada una de las dos haces o planas de la hoja de un libro o cuaderno. ‖ **2.** Lo escrito o impreso en cada **página.** *No he podido leer más que dos* PÁGINAS *de este libro.* ‖ **3.** fig. Suceso, lance o episodio en el curso de una vida o de una empresa. PÁGINA *gloriosa; triste* PÁGINA.

paginación. f. Acción y efecto de paginar. ‖ **2.** Serie de las páginas de un escrito o impreso.

paginar. tr. Numerar páginas o planas.

pago¹. (De *pagar.*) m. Entrega de un dinero o especie que se debe. ‖ **2.** Satisfacción, premio o recompensa. ‖ **3.** V. **carta de pago.** ‖ **4.** V. **balanza, papel de pagos.** ‖ **5.** V. **dación en pago.** ‖ **dar el pago.** fr. fig. que se usa para avisar a uno que le sobrevendrá o sobrevino el daño correspondiente o que naturalmente se sigue a los vicios o imprudencias. ‖ **2.** fig. Corresponder mal al beneficio o servicio recibido. ‖ **en pago.** loc. adv. fig. En satisfacción, descuento o recompensa. ‖ **hacer pago.** fr. fig. Cumplir, satisfacer.

pago². (Del lat. *pagus.*) m. Distrito determinado de tierras o heredades, especialmente de viñas u olivares. ‖ **2.** Pueblecito o aldea. ‖ **3.** *R. de la Plata.* y *Perú.* Lugar en el que ha nacido o está arraigada una persona y, por ext., lugar, pueblo, región. Ú. m. en pl.

pago³, ga. p. p. irreg. p. us. de **pagar.** ‖ **2.** adj. Dícese de aquel o aquello que está pagado.

pagoda. (Del port. *pagode.*) f. Templo de las deidades en algunos pueblos de Oriente. ‖ **2.** Cualquiera de las deidades que en ellos se adoran.

pagote. (De *pagar.*) m. fam. El que sufre un perjuicio por culpa de otros, **pagano¹**.

pagro. (Del lat. *pagrus.*) m. Pez teleósteo, del suborden de los acantopterigios, común en los mares de España, muy semejante al pagel, de doble largo que este y con el hocico obtuso.

paguro. (Del lat. *pagūrus,* y este del gr. πάγουρος.) m. **ermitaño,** crustáceo marino.

paico. (Del quechua *paycu.*) m. *Amér. Merid.* Planta herbácea de la familia de las quenopodiáceas, usada como antihelmíntico en la medicina popular.

paidología. (Del gr. παῖς, παιδός, niño, y *-logía*) f. Ciencia que estudia todo lo relativo a la infancia y su buen desarrollo físico e intelectual.

paidológico, ca. adj. Perteneciente o relativo a la paidología.

paila. (Del lat. *patella,* padilla.) f. Vasija grande de metal, redonda y poco profunda. ‖ **2.** *Amér.* Sartén, vasija. ‖ **3.** V. **casa de pailas.** ‖ **4.** Dispositivo metálico que permite calentar el agua en las cocinas de carbón. ‖ **5.** *Nicar.* Machete de hoja ancha y delgada, con mango de un pie de largo, que emplean los operarios para cortar la caña de azúcar.

pailebot. (Del ing. *pilot's boat,* bote del piloto.) m. **pailebote.**

pailebote. (De *pailebot.*) m. Goleta pequeña, sin gavias, muy rasa y fina.

pailero, ra. m. y f. *Ecuad., Méj.* y *Perú.* Persona que hace, compone o vende pailas y objetos análogos; estañador, calderero. ‖ **2.** *Ant., C. Rica, Méj., Nicar.* y *Venez.* Persona que maneja las pailas en los ingenios de azúcar o en las fábricas de sal. ‖ **3.** m. *Nicar.* Operario que corta la caña de azúcar con la paila o machete.

pailón. m. aum. de **paila.** ‖ **2.** *Hond.* Hondonada de fondo redondeado.

paina. f. *Argent.* Copo blanco formado por los abundantes pelos que cubren las semillas del palo borracho.

painel. m. **panel.**

paipay. m. Abanico de palma en forma de pala y con

mango, muy usado en Filipinas, y a su ejemplo en otras partes. Plural, **paipáis.**

pairar. (Del occit. ant. *pairar*, soportar, aguantar, tener paciencia.) intr. *Mar.* Estar quieta la nave con las velas tendidas y largas las escotas.

pairo. m. *Mar.* Acción de pairar la nave. Ú. comúnmente en la loc. adv. **al pairo.** ‖ **estar, quedarse,** etc., **al pairo.** fr. fig. y fam. Estar a la expectativa, para actuar cuando sea necesario.

país. (Del fr. *pays*.) m. Nación, región, provincia, o territorio. ‖ **2. paisaje,** pintura o dibujo. ‖ **3.** Papel, piel o tela que cubre la parte superior del varillaje del abanico. ‖ **vivir sobre el país.** fr. *Mil.* Mantenerse las tropas a expensas de los que habitan el territorio que dominan. ‖ **2.** fig. Vivir a costa ajena, valiéndose de estafas y otros procedimientos similares.

paisaje. m. Extensión de terreno que se ve desde un sitio. ‖ **2.** Extensión de terreno considerada en su aspecto artístico. ‖ **3.** Pintura o dibujo que representa cierta extensión de terreno.

paisajista. adj. Dícese del pintor de paisajes. Ú. t. c. s. ‖ **2.** Dícese del especialista en la creación de parques y jardines y en la planificación y conservación del entorno natural. Ú. t. c. s.

paisajístico, ca. adj. Perteneciente o relativo al paisaje, en su aspecto artístico.

paisana. f. Música y danza llamada así porque se baila al modo de los campesinos.

paisanaje. m. Conjunto de paisanos. ‖ **2.** Circunstancia de ser de un mismo país dos o más personas.

paisano, na. adj. Que es del mismo país, provincia o lugar que otro. Ú. t. c. s. ‖ **2.** m. y f. Campesino, que vive y trabaja en el campo. ‖ **3.** m. El que no es militar. ‖ **de paisano.** loc. adv. Se dice de los militares o los eclesiásticos cuando no visten uniforme o hábito.

paisista. (Del lat. *pays*, paisaje.) adj. **paisajista.** Ú. t. c. s.

paja. (Del lat. *palĕa*.) f. Caña de trigo, cebada, centeno y otras gramíneas, después de seca y separada del grano. ‖ **2.** Conjunto de estas cañas. ‖ **3.** Estas mismas cañas trituradas. ‖ **4. pajilla,** para sorber líquidos, especialmente refrescos. ‖ **5.** *Nicar.* **paja de agua.** ‖ **6.** Arista o parte pequeña y delgada de una hierba o cosa semejante. ‖ **7.** V. **hombre de paja.** ‖ **8.** V. **mozo de paja y cebada.** ‖ **9.** fig. Cosa ligera, de poca consistencia o entidad. ‖ **10.** fig. Lo inútil y desechado en cualquier materia, a distinción de lo escogido de ella. ‖ **brava.** Hierba de la familia de las gramíneas, que crece hasta tres o cuatro decímetros de altura. Es propia de las tierras de gran altitud en América Meridional. Es apreciada como pasto, y como combustible en los hornos de minerales. ‖ **cebadaza.** La de cebada. ‖ **centenaza.** La de centeno. ‖ **de agua.** Medida antigua de aforo, que equivalía a la decimosexta parte del real de agua, o poco más de dos centímetros cúbicos por segundo. ‖ **2.** *Col., Guat.* y *Hond.* **grifo**[1], llave de metal, colocada en la boca de las cañerías. ‖ **de camello, de esquinanto, o de Meca. esquenanto.** ‖ **larga.** La de cebada que no se trilla, sino que se quebranta, humedeciéndola para que no se corte. ‖ **2.** fig. Persona en exceso alta, delgada y desairada. ‖ **pelaza.** La de la cebada machacada en las eras con cilindros de piedra en vez de trillos, para que resulte larga y hebrosa. ‖ **trigaza.** La de trigo. ‖ **alzar uno las pajas con la cabeza.** fr. fig. y fam. Haber caído de espaldas. ‖ **buscar uno la paja en el oído.** fr. fig. y fam. Buscar ocasión para hacer mal a otro, reñir o enemistarse con él. ‖ **echar pajas.** fr. con que se explica un género de sorteo que se hace ocultando entre los dedos tantas pajas o palillos desiguales cuantos son los sujetos que sortean, y el que saca la menor pierde la suerte. ‖ **en alza allá esas pajas. en daca las pajas. en quítame allá esas pajas.** locs. fams. con que se

da a entender la brevedad o facilidad con que se puede hacer una cosa. ‖ **hacer buenas pajas** con uno. fr. fig. y fam. **hacer buenas migas.** ‖ **hacerse** uno **una paja.** fr. fig. y vulg. **masturbarse.** ‖ **no dormirse** uno **en las pajas.** fr. fig. y fam. Estar atento para aprovechar bien las ocasiones. ‖ **no haberle echado** uno a otro **paja ni cebada.** fr. fig. y despect. No conocer o no haber tratado al sujeto de quien se habla o se pide informe. ‖ **no importar,** o no **montar,** una cosa **una paja.** fr. fig. Valer muy poco una cosa por inútil o de poca entidad. ‖ **no pesar** una cosa **una paja.** fr. fig. Tener una cosa poca importancia o sustancia. ‖ **¡pajas!** interj. que se usa para dar a entender que en una cosa no quedará uno inferior a otro. *Pedro es muy valiente. Pues Juan,* ¡PAJAS! ‖ **por quítame allá esas pajas.** loc. fig. y fam. Por cosa de poca importancia; sin fundamento o razón. ‖ **quitar,** o **sacar,** uno **la paja.** fr. fig. y fam. Ser el primero que bebió del vino que había en una vasija. ‖ **quitar pajas.** fr. sacar **cartas.** ‖ **quitar,** o sacar, una **albarda.** fr. fig. y fam. con que se manifiesta que una cosa es muy fácil y no tiene qué hacer. ‖ **tomar** uno **las pajas con el cogote.** fr. fig. y fam. **alzar las pajas con la cabeza.** ‖ **un quítame allá esas pajas.** loc. fam. con que se indica una cosa de poca dificultad o poca importancia.

pajada. f. Paja mojada y revuelta con salvado, que se suele dar a las caballerías.

pajado, da. adj. pajizo, de color de paja.

pajar. (Del lat. *palearium*.) m. Sitio donde se guarda la paja.

pájara. f. Pájaro, ave pequeña. ‖ **2. cometa,** armazón. ‖ **3. pajarita**[1] de papel. ‖ **4.** Mujer astuta, sagaz y cautelosa. Ú. t. c. adj. ‖ **5.** *And.* Hembra de la perdiz. ‖ **6.** En ciclismo, bajón físico súbito que impide al corredor mantener el ritmo de la carrera. ‖ **pinta.** Especie de juego de prendas.

pajarear. intr. Cazar pájaros. ‖ **2.** fig. Andar vagando, sin trabajar o sin ocuparse en cosa útil. ‖ **3.** *Amér.* Espantarse la caballería. ‖ **4.** *Amér.* **oxear,** espantar a las aves. ‖ **5.** *Méj.* Intentar oír o enterarse de algo con disimulo.

pajarel. (Del cat. *passerell*.) m. **pardillo,** ave.

pajarera. f. Jaula grande o sitio destinado a la cría de pájaros.

pajarería. f. Abundancia o muchedumbre de pájaros. ‖ **2.** Tienda donde se venden pájaros y otros animales domésticos; como gatos, perros, etc.

pajarero, ra. adj. Relativo o perteneciente a los pájaros. *Redes* PAJARERAS. ‖ **2.** fam. Alegre y festivo. ‖ **3.** fam. Abigarrado y de colores chillones, hablando de telas, adornos, pinturas, etc. ‖ **4.** *Amér.* Espantadizo, hablando de las caballerías. ‖ **5.** m. y f. Persona que se dedica a la caza, cría o venta de pájaros. ‖ **6.** m. *Amér.* Muchacho encargado de espantar a los pájaros en los sembrados.

pajarete. (De *Pajarete,* su lugar de elaboración.) m. Vino licoroso, muy fino y delicado.

pajaril (hacer). (Del ant. *passarín.*) fr. *Mar.* Amarrar el puño de la vela con un cabo y cargarlo hacia abajo, para que aquella esté fija y tiesa cuando el viento es largo.

pajarilla. f. **agüileña,** planta. ‖ **2.** Bazo, especialmente del cerdo. ‖ **3.** *Ar.* **palomilla,** mariposa nocturna. ‖ **abrasarse las pajarillas.** fr. fig. y fam. Hacer mucho calor. ‖ **alegrársele** a uno **la pajarilla,** o **las pajarillas.** fr. fig. y fam. Mostrar alegría por la vista o el recuerdo de algo agradable. ‖ **asarse,** o **caerse, las pajarillas.** fr. fig. y fam. **abrasarse las pajarillas.** ‖ **hacer temblar la pajarilla** a uno. fr. fig. Causarle miedo. ‖ **traerle** a uno **las pajarillas volando.** fr. fig. y fam. Complacerle en todo, por difícil que sea.

pajarita[1]**.** f. Figura de papel que resulta de doblarlo varias veces hasta conseguir la forma deseada, generalmente de pájaro. ‖ **2.** V. **cuello de pajarita.** ‖ **3.** Tipo de corbata que se anuda por delante en forma de lazo sin caídas. ‖ **de las nieves. lavandera blanca.**

pajarita[2]. f. Ventana alta sobre la puerta de los pajares cubiertos, por la que se termina de llenarlos, tapiándola luego.

pajarito. m. d. de **pájaro.** ‖ **morirse** o **quedarse** uno **como un pajarito.** fr. fig. y fam. Morir con sosiego, sin hacer gestos ni ademanes. ‖ **quedarse** uno **pajarito.** fr. fig. y fam. Quedarse aterido por el frío.

pájaro. (Del ant. *pássaro.*) m. Cualquier especie de ave, especialmente si es pequeña. ‖ **2. perdigón**[1], perdiz macho de reclamo. ‖ **3.** V. **leche de pájaro.** ‖ **4.** V. **red de pájaros.** ‖ **5.** fig. Hombre astuto y sagaz, que suele suscitar recelos. Ú. t. c. adj. ‖ **6.** desus. El que sobresale o es especialista en una materia, particularmente en las de política. ‖ **7.** *Zool.* Ave paseriforme. ‖ **8.** pl. *Zool.* En clasificaciones en desuso, orden de las aves paseriformes. ‖ **arañero. trepa-rriscos.** ‖ **bitango. cometa,** juguete de niños. ‖ **bobo.** Ave palmípeda, de unos cuatro decímetros de largo, con el pico negro, comprimido y alesnado, el lomo negro, el pecho y vientre blancos, así como la extremidad de las remeras. Anida en las costas, y por sus malas condiciones para andar y volar se deja coger fácilmente. ‖ **burro. ra-bihorcado.** ‖ **carpintero.** Ave trepadora, de plumaje negro manchado de blanco en las alas y cuello; pico largo y delgado, pero muy fuerte. Se alimenta de insectos, que caza entre las cortezas de los árboles. ‖ **de cuenta.** fig. y fam. Hombre a quien por sus condiciones o por su valer hay que tratar con cautela o con respeto. ‖ **2.** loc. adj. Aplícase a aquellas personas de quien se debe desconfiar por su conducta o a quienes conviene tratar con mucha cautela. ‖ **del sol. ave del paraíso.** ‖ **diablo. cuervo marino.** ‖ **gordo.** fig. y fam. **pez gordo.** ‖ **loco. pájaro solitario.** ‖ **mosca.** Ave del orden de los paseriformes, propia de América intertropical, tan pequeña, que su longitud total es de tres centímetros y de cinco de envergadura; pico recto, negro y afilado; plumaje brillante de color verde dorado con cambiantes bermejos en la cabeza, cuello y cuerpo, gris claro en el pecho y vientre, y negro rojizo en las alas y cola. Se alimenta del néctar de las flores y cuelga el nido de las ramas más flexibles de los árboles. Hay varias especies, de tamaños diversos, pero todas pequeñas y de precioso plumaje. ‖ **moscón.** Ave del orden de las paseriformes, de pico pequeño y plumaje ceniciento, rojizo y gris, que fabrica su nido en forma de bolsa y lo cuelga de una rama flexible, generalmente encima del agua. Se alimenta de insectos y semillas. ‖ **niño. pájaro bobo.** ‖ **polilla. martín pescador.** ‖ **resucitado. pájaro mosca.** ‖ **solitario.** Ave del orden de las paseriformes, de plumaje general azulado oscuro, negro en las alas y pardo en la cola; pico, pies y uñas negros. Mide dos decímetros de largo y tres de envergadura. Se alimenta de insectos, anida en las torres y en las hendiduras de las rocas escarpadas, tiene el canto del mirlo común y no es raro en España. ‖ **tonto. ave tonta.** ‖ **trapaza.** Ave del orden de las paseriformes, de unos 13 centímetros de largo, desde la punta del pico hasta la extremidad de la cola, y 22 de envergadura; plumaje general rojizo, blanco en el pecho, abdomen y lados de la cola, negro en las alas y timoneras centrales; pico y pies negros. Se alimenta de insectos, anida en tierra y es común en España durante el verano. ‖ **cazar el pájaro.** fr. Reclamar con perdigón[1] las perdices del campo. ‖ **chico pájaro para tan gran jaula.** expr. fig. y fam. con que se nota y zahiere al que fabrica o habita casa que no es correspondiente, por excesiva, a su estado y dignidad. ‖ **2.** fig. y fam. Significa también el poco mérito o prendas de uno para el empleo o dignidad que posee o pretende. ‖ **el pájaro voló,** o **ya voló.** expr. fig. voló el golondrino. ‖ **matar dos pájaros de una pedrada,** o **de un tiro.** fr. fig. y fam. Hacer o lograr dos cosas de una sola vez. ‖ **pájaro viejo no entra en mi jaula.** fr. proverb. que enseña que a los versados o exprimentados en una

cosa, no es fácil engañarlos. ‖ **saltar el pájaro del nido.** fr. fig. Huir alguien del sitio donde se pensaba hallarle.

pajarota o **pajarotada.** f. fam. Infundio, bulo.

pajarraco. m. despect. Pájaro grande desconocido, o cuyo nombre no se sabe. ‖ **2.** fig. y fam. Hombre disimulado y astuto.

pajaza. f. Desecho que los caballos dejan de la paja larga que comen.

pajazo. m. Mancha a modo de cicatriz en la córnea transparente de las caballerías.

paje. (Del fr. *page.*) m. Criado cuyo ejercicio es acompañar a sus amos, asistir en las antesalas, servir a la mesa y otros ministerios decentes y domésticos. ‖ **2.** Cualquiera de los muchachos destinados en las embarcaciones para su limpieza y aseo y para aprender el oficio de marinero, para optar a plazas de grumete cuando tienen más edad. ‖ **3.** Familiar de un prelado. ‖ **4.** fig. Pinzas pendientes de un cordón o de una cinta, con que las señoras sujetaban y suspendían de la cola del vestido para no arrastrarla. ‖ **5.** fig. Mueble formado por un espejo con pie alto y una mesilla para utensilios de tocador. ‖ **de armas.** El que llevaba las armas, como la espada, la lanza, etc., para servírselas a su amo cuando las necesitaba. ‖ **de bolsa.** El del secretario del despacho universal o de los tribunales reales, que llevaba la bolsa o cartera de los papeles. ‖ **de cámara.** El que sirve dentro de ella a su señor. ‖ **de escoba.** paje de las embarcaciones. ‖ **de guión.** El que llevaba el estandarte o pendón del jefe militar. Suele decir del rey se llamaba alférez. ‖ **de hacha.** El que iba delante de las personas principales alumbrándoles el camino. ‖ **de jineta.** El que acompañaba al capitán llevando la lancilla, distintivo de aquel empleo. ‖ **de lanza. paje de armas.**

pajea. f. **ajea,** planta.

pajear. intr. Comer bien mucha paja las caballerías. ‖ **2.** fam. Portarse, conducirse. Ú. por lo común en la fr. *cada uno tiene su modo de* PAJEAR.

pajecillo. (d. de *paje.*) m. Mueble en que se pone la palangana, palanganero. ‖ **2.** *And.* Bufete pequeño en que se ponen los velones y candelabros.

pajel. m. **pagel.**

pajera. adj. V. **horca pajera.** ‖ **2.** f. Pajar pequeño que suele haber en las caballerizas para servirse prontamente de la paja.

pajería. f. Tienda donde se vende paja.

pajero. m. El que compra o lleva paja a vender de un lugar a otro. ‖ **2.** *Nicar.* Fontanero.

pajil. adj. Perteneciente o relativo a los pajes.

pajilla. (d. de *paja.*) f. Cigarrillo hecho de una hoja de maíz. ‖ **2.** Caña delgada de avena, centeno u otras plantas gramíneas, o tubo artificial de forma semejante, que sirve para sorber líquidos, especialmente refrescos.

pajizo, za. adj. Hecho o cubierto de paja. ‖ **2.** De color de paja.

pajo. m. Especie de mango filipino, pero mucho menor, del que se hace dulce, y puesto en salmuera sirve en lugar de aceitunas.

pajolero, ra. (De *pajuela,* compárese *empajolar.*) adj. Dícese de la persona impertinente y molesta. Ú. t. c. s. ‖ **2.** Se dice de toda cosa despreciable y molesta a la persona que habla. ‖ **3. fam.** Según el contexto y la situación, expresa el punto de vista más o menos hostil o afectivo del hablante ante el nombre al cual acompaña. *Toda tu* PAJOLERA *vida has hecho el zascandil; cautiva a todos con su gracia* PAJOLERA.

pajón. (aum. de *paja.*) m. Caña alta y gruesa de los rastrojeras. ‖ **2.** *Amér.* Gramínea silvestre, muy rica en fibra, que en época de escasez sirve de alimento al ganado.

pajonal. m. Terreno cubierto de pajón. ‖ **2.** *Argent., Chile, Urug.* y *Venez.* Por ext., herbazal.

pajoso, sa. adj. Que tiene mucha paja. ‖ **2.** De paja o semejante a ella.

pajote. m. Estera de cañas y paja con que cubren ciertas plantas los agricultores.

pajucero. m. *Ar.* Lugar en que se pone a pudrir el pajuz.

pajuela. f. d. de **paja.** ‖ **2.** Paja de centeno, tira de cañaheja o torcida de algodón, cubierta de azufre y que arrimada a una brasa arde con llama. ‖ **3.** *Bol., Col. y Chile.* Laminita de oro, plata u otra materia que sirve para limpiar los dientes o los oídos.

pajuerano, na. (De *para afuera.*) m. y f. *Argent., Bol. y Urug.* Persona procedente del campo o de una pequeña población que ignora las costumbres de la ciudad.

pajuncio. m. despect. **paje.**

pajuno, na. adj. Perteneciente a los pajes.

pajuz. m. *Ar.* Paja a medio pudrir y desechada de los pesebres. ‖ **2.** *Ar.* Paja muy menuda que los labradores abandonan en la era y destinan para estiércol.

pajuzo. m. *Ar.* **pajuz.**

pal. (De fr. *pal,* y este del lat. *palus.*) m. *Blas.* Palo o partición y mueble del escudo. ‖ **2.** *Mar.* Linguete grande, y en especial, el del cabrestante.

pala. (Del lat. *pala.*) f. Instrumento compuesto de una tabla de madera o una plancha de hierro, comúnmente de forma rectangular o redondeada, y un mango grueso, cilíndrico y más o menos largo, según los usos a que se destina. ‖ **2.** Hoja de hierro en figura de trapecio por lo común, con filo por un lado y un ojo en el opuesto para enastarla, que forma parte de los azadones, azadas, hachas y otras herramientas. ‖ **3.** Parte ancha de diversos objetos, siempre que tenga alguna semejanza con las **palas** de madera o hierro usadas en la industria. ‖ **4.** *Dep.* Tabla de madera fuerte, con mango, que se usa para jugar a la pelota. ‖ **5.** *Dep.* Especie de cucharón de madera con que se coge y lanza la bola en el juego de la argolla. ‖ **6.** *Dep.* **raqueta,** que se emplea en el juego del volante. ‖ **7.** *Dep.* Parte ancha del remo, con que se impulsa la embarcación haciendo fuerza en el agua. ‖ **8.** Asiento de metal en que el lapidario engasta las piedras. ‖ **9.** Cuchilla rectangular con mango corto y perpendicular al dorso, que sirve a los curtidores para descarnar las pieles. ‖ **10.** Parte superior del calzado, que abraza el pie por encima. ‖ **11.** Diente incisivo superior. ‖ **12.** Cada uno de los cuatro dientes que muda el potro a los treinta meses de edad. ‖ **13.** Cada una de las divisiones del tallo del nopal. ‖ **14.** Cada una de las chapas de que se compone una bisagra. ‖ **15.** Parte lisa de la charretera o capona, que se sujeta al hombro. ‖ **16.** Hombrera del uniforme, rigida o de paño, en la cual se ostentan las insignias del empleo o grado. ‖ **17.** V. **cabe, cofrade, higo, higuera de pala.** ‖ **18.** fig. y fam. Astucia o artificio para conseguir o averiguar una cosa. ‖ **19.** fig. y fam. Destreza o habilidad de un sujeto, con aplicación a los diestros jugadores de pelota. ‖ **20.** *Dep.* Parte delantera del esquí, de forma curva y menor espesor. ‖ **21.** *Mar.* Vela pequeña supletoria. ‖ **22.** *Mar.* Cada una de las aletas o partes activas de una hélice. ‖ **23.** *Mús.* En los instrumentos de viento, parte ancha y redondeada de las llaves que tapan los agujeros del aire. ‖ **de cuchara,** del **timón. pala** de madera o de hierro usada en la industria. ‖ **corta pala.** fig. y fam. Persona poco inteligente en una cosa. ‖ **hacer pala.** fr. Entre los jugadores de pelota, poner la **pala** de firme para recibirla y que se rebata con su mismo impulso. ‖ **meter la pala.** fr. fig. y fam. Engañar con disimulo y habilidad. ‖ **meter** uno **su media pala.** fr. fig. y fam. Concurrir en parte o con algún oficio a la consecución de un intento.

palabra. (Del lat. *parabŏla.*) f. Sonido o conjunto de sonidos articulados que expresan una idea. ‖ **2.** Representación gráfica de estos sonidos. ‖ **3.** Facultad de hablar. ‖ **4.** Aptitud oratoria. ‖ **5.** Empeño que hace uno de su fe y probidad en testimonio de la certeza de lo que refiere o asegura. ‖ **6.** Promesa u oferta. ‖ **7.** Derecho, turno para hablar en las asambleas políticas y otras corporaciones. *Pedir, conceder, tener, retirar la* PALABRA; *hacer uso de la* PALABRA. ‖ **8.** Junta esta voz con las partículas *no* o *ni* y un verbo, sirve para dar más fuerza a la negación de lo que el verbo significa. Con la partícula *no* se pospone al verbo, y con la partícula *ni* algunas veces se antepone. NO *entiendo* PALABRA; NI PALABRA *entiendo.* ‖ **9.** V. **familia de palabras.** ‖ **10.** ant. Dicho, razón, sentencia, parábola. ‖ **11.** ant. Metal de la voz. ‖ **12.** *Teol.* Segunda persona de la Santísima Trinidad, Verbo. ‖ **13.** pl. Dichos vanos, que no responden a ninguna realidad. ‖ **14.** Dicciones o voces supersticiosas, regularmente extrañas y muchas veces de ninguna significación, que usan los sortílegos y las hechiceras. ‖ **15.** Pasaje o texto de un autor o escrito. ‖ **16.** Las que constituyen la forma de los sacramentos. ‖ **clave.** *Inform.* Entre las **palabras** que forman un título o entran en un documento, las más significativas o informativas sobre su contenido. ‖ **2.** *Inform.* Expresión abreviada de una sentencia. ‖ **3.** *Inform.* **palabra** reservada cuyo uso es esencial para el significado y la estructura de una sentencia. ‖ **de Dios.** El Evangelio, la Escritura, los sermones y doctrina de los predicadores evangélicos. ‖ **de honor. palabra,** empeño que hace uno de su fe. ‖ **de matrimonio.** La que se da recíprocamente de contraerlo y se acepta, por la cual quedan moralmente obligados a su cumplimiento los que la dan. ‖ **de rey.** fig. y fam. Ú. para encarecer o ponderar la seguridad y certeza de la **palabra** que se da o de la oferta que se hace. ‖ **gruesa.** Dicho inconveniente u obsceno. ‖ **ociosa.** La que no tiene fin determinado y se dice por diversión o pasatiempo. ‖ **pesada.** La injuriosa o sensible. Ú. m. en pl. ‖ **picante.** La que hiere o mortifica a la persona a quien se dice. ‖ **preñada.** fig. Dicho que incluye en sí más sentido que el que manifiesta, y se deja al discurso del que lo oye. Ú. m. en pl. ‖ **santa palabra.** Dicho u oferta que complace. Ú. particularmente cuando se llama a comer. ‖ **palabras al aire.** fig. y fam. Las que no merecen aprecio por la insustancialidad del que las dice o por el poco fundamento en que se apoyan. ‖ **cruzadas. crucigrama.** ‖ **de buena crianza.** Expresiones de cortesía o de cumplimiento. ‖ **de la ley, o del duelo.** Las que las leyes dan y señalan por gravemente injuriosas, y que ofenden y piden satisfacción. ‖ **de oráculo.** fig. Aquellas respuestas anfibológicas que algunas personas usan al dar su respuesta, disfrazando lo que quieren decir. ‖ **de presente.** Las que recíprocamente se dan los esposos en el acto de casarse. ‖ **libres.** Las deshonestas. ‖ **mayores.** Las injuriosas y ofensivas. ‖ **medias palabras.** Las que no se pronuncian enteramente por defecto de la lengua. ‖ **2.** Insinuación embozada, reticencia, aquello por que por alguna razón no se dice del todo, sino incompleta y confusamente. ‖ **ahorrar palabras.** fr. con que se insta a una para que finalice un negocio o ejecute lo que se dice, dejándose de proponer excusas. ‖ **a la primera palabra.** loc. adv. fig. con que se explica la prontitud en la inteligencia de lo que se dice o en el conocimiento de que habla. ‖ **2.** Dícese también hablando de los mercaderes, cuando al comenzar el trato piden un precio excesivo. A LA PRIMERA PALABRA *me pidió tanto por la vara de paño.* ‖ **alzar la palabra.** fr. **soltar la palabra.** ‖ **a media palabra.** loc. adv. fig. con que se pondera la eficacia de persuadir, o por la amistad o por la autoridad que se tiene con otro. ‖ **atravesar una palabra con** uno. fr. fam. ant. Hablar con él. ‖ **bajo su palabra.** loc. adv. Sin otra seguridad que la **palabra** que uno da de hacer una cosa. ‖ **2.** fig. y fam. Dícese de las cosas materiales que están con poca seguridad y consistencia y amenazando ruina. ‖ **beber las palabras** a uno. fr. Escucharle o atenderle con sumo cuidado. ‖ **2.** fig. Servirle con esmero. ‖ **coger la palabra.** fr.

fig. Valerse de ella o reconvenir con ella, o hacer prenda de ella, para obligar al cumplimiento de la oferta o promesa. ‖ **coger las palabras.** fr. fig. Observar cuidadosamente las que uno dice, o para notarlas de impropias y bárbaras, o porque puedan importar. ‖ **comerse las palabras.** fr. fig. y fam. Hablar precipitada o confusamente omitiendo sílabas o letras. ‖ **2.** Omitir en lo escrito alguna **palabra** o parte de ella. ‖ **correr la palabra.** fr. Mil. Avisarse sucesivamente unas a otras las centinelas de una muralla o cordón, para que estén toda la noche alerta. ‖ **cruzar la palabra con** una persona. fr. Tener trato con ella. ‖ **cuatro palabras.** fr. Conversación corta. ‖ **dar la palabra.** fr. fig. Conceder el uso de ella en un debate. ‖ **dar** uno **palabra,** o su **palabra.** fr. Prometer hacer una cosa. ‖ **dar palabra y mano.** fr. fig. Contraer esponsales. Algunas veces se usa para asegurar más el cumplimiento de una promesa. ‖ **decir** uno la **última palabra** en un asunto. fr. Resolverlo o esclarecerlo de manera definitiva. ‖ **dejar** a uno **con la palabra en la boca.** fr. Volverle la espalda sin escuchar lo que va a decir. ‖ **de palabra.** loc. adv. Por medio de la expresión oral. ‖ **de palabra en palabra.** loc. adv. De una razón o de un dicho en otro. Ú. para explicar que por grados se va encendiendo una contienda o disputa. ‖ **dirigir la palabra** a uno. fr. Hablar singular y determinadamente con él. ‖ **dos palabras.** fr. **cuatro palabras.** ‖ **empeñar** uno **la palabra.** fr. **dar palabra.** ‖ **en dos palabras.** expr. fig. y fam. **en dos paletas.** ‖ **en dos,** o **en pocas, palabras. en una palabra.** exprs. figs. con que se significa la brevedad o concisión con que se expresa o se dice una cosa. ‖ **escapársele** a uno **una palabra.** fr. Proferir, por descuido o falta de reparo, una voz o expresión disonante o que puede ser molesta. ‖ **estar colgado,** o **pendiente, de las palabras de** uno. fr. fig. Oírle con suma atención. ‖ **faltar** uno **a la,** o **a su, palabra.** fr. Dejar de hacer lo que ha prometido u ofrecido. ‖ **faltar palabras.** fr. fig. Resultar difícil expresar una cosa por causa de su bondad o maldad extrema. ‖ **gastar palabras.** fr. fig. Hablar inútilmente. ‖ **írsele** a uno **una palabra.** fr. escapársele una palabra. ‖ **llevar la palabra.** fr. Hablar una persona en nombre de otras que la acompañan. ‖ **mantener** uno **su palabra.** fr. fig. Perseverar en lo ofrecido. ‖ **medir** uno **las palabras.** fr. fig. Hablar con cuidado para no decir más de lo que convenga. ‖ **mudar las palabras.** fr. **torcer las palabras.** ‖ **ni palabra mala, ni obra buena.** fr. proverb. **ni obra buena, ni palabra mala.** ‖ **no decir,** o **no hablar, palabra.** fr. Callar o guardar silencio, o no repugnar ni contradecir lo que se propone o pide. ‖ **2.** fig. No responder a propósito o no dar razón suficiente en lo que se habla. ‖ **no ser más que palabras** una cosa. fr. fig. No haber en una disputa o altercación cosa sustancial ni que merezca particular sentimiento, cuidado o atención. ‖ **no tener** uno **más que palabras.** fr. fig. Ser baladrón o jactarse de valiente, no correspondiendo en las ocasiones. ‖ **no tener** uno **más que una palabra.** fr. fig. Ser formal y sincero en lo que dice. ‖ **no tener** uno **palabra.** fr. fig. Faltar fácilmente a lo que ofrece o contrata. ‖ **no tener** uno **palabras.** fr. fig. No explicarse en una materia, o por sufrimiento o por ignorancia. Suele añadirse en esta forma: **no tener palabras hechas.** ‖ **oír dos palabras,** o **una palabra.** fr. fig. que se usa para pedir uno a otro que le escuche, que dirá brevemente lo que quiere que le oiga. ‖ **¡palabra!** interj. desus. que se usaba para llamar a una conversación. ‖ **2. palabra de honor.** ‖ **palabra por palabra.** loc. adv. **al pie de la letra.** ‖ **pasar la palabra.** fr. Mil. correr la palabra. ‖ **pedir la palabra.** fr. que se usa con fórmula para solicitar el que la dice, que se le permita hablar. ‖ **2.** Demandar o exigir que se cumpla lo prometido. ‖ **quitarle** a uno la **palabra,** o las **palabras, de la boca.** fr. fig. Decir uno lo mismo que estaba a punto de expresar su interlocutor. ‖ **2.** fr. fig. y fam. Tomar uno la **palabra,** interrumpiendo

al que habla y no dejándole continuar. ‖ **remojar la palabra.** fr. fig. y fam. Echar un trago. ‖ **ser la última palabra del credo.** loc. fig. y fam. Ser lo menos importante. ‖ **ser** una cosa **palabras mayores.** fr. Ser una cosa de importancia considerable, mayor de lo esperado. ‖ **sin decir,** o **hablar, palabra.** loc. adv. Callando o guardando silencio; sin repugnar ni contradecir lo que se propone o pide. ‖ **sobre** su **palabra.** loc. adv. **bajo** su **palabra.** ‖ **soltar la palabra.** fr. fig. Absolver, libertar o dispensar a uno de la obligación en que se constituyó por la **palabra.** ‖ **2.** fig. Dar **palabra** de hacer una cosa. Ya HE SOLTADO LA PALABRA; es preciso cumplirla. ‖ **tener la palabra.** fr. Estar en el uso de ella, haberle llegado a una su turno para hablar. ‖ **tener palabras.** fr. fig. Decirse dos o más personas **palabras** desagradables. ‖ **tomar la palabra.** fr. fig. **coger la palabra.** ‖ **2.** fig. Empezar a hablar. ‖ **torcer las palabras.** fr. fig. Darles otro sentido del que ellas propiamente tienen, o de aquel en que se dicen naturalmente. ‖ **trabarse de palabras.** fr. fig. **tener palabras.** ‖ **traer en palabras** a uno. fr. Entretenerle con ofertas o promesas, sin llegar al cumplimiento de lo que pretende. ‖ **tratar mal de palabra** a uno. fr. Injuriarle con un dicho ofensivo. ‖ **trocar las palabras.** fr. **torcer las palabras.** ‖ **última palabra.** loc. Decisión que se da como definitiva e inalterable. He dicho mi ÚLTIMA PALABRA. ¿Es esta su ÚLTIMA PALABRA? ‖ **¡una palabra!** expr. **¡palabra!** ‖ **vender palabras.** fr. fig. Engañar o traer entretenido a uno con ellas. ‖ **venir** uno **contra** su **palabra.** fr. fig. Faltar a ella. ‖ **volverle** a uno **las palabras al cuerpo.** fr. fig. y fam. Obligarle a que se desdiga, o convencerle de que ha faltado a la verdad.

palabrada. f. Palabras ofensivas.

palabreja. f. d. despect. Palabra de escasa importancia o interés en el discurso.

palabreo. m. Acción y efecto de hablar mucho y en vano.

palabrería. f. Abundancia de palabras vanas y ociosas.

palabrerío. m. **palabrería.**

palabrero, ra. (De palabra.) adj. Que habla mucho. Ú. t. c. s. ‖ **2.** Que ofrece fácilmente y sin reparo, no cumpliendo nada. Ú. t. c. s.

palabrimujer. adj. Dícese del hombre que tiene el tono de la voz como de mujer. Ú. t. c. s.

palabrista. adj. **palabrero.**

palabrita. (d. de palabra.) f. Palabra sensible o que lleva mucha intención. Le dije cuatro PALABRITAS al oído. ‖ **palabritas mansas.** fig. y fam. Persona que tiene suavidad en la persuasiva a modo de hablar, reservando segunda intención en el ánimo.

palabro. m. Palabra mal dicha o estrambótica. ‖ **2. palabrota,** palabra malsonante.

palabrón, na. adj. **palabrero.**

palabrota. f. despect. Dicho ofensivo, indecente o grosero.

palacete. m. Casa de recreo construida y alhajada como un palacio, pero más pequeña.

palacial. adj. Perteneciente o relativo al palacio.

palaciano, na. adj. **palaciego.** ‖ **2.** m. Nav. Dueño de un palacio en Navarra.

palaciego, ga. adj. Perteneciente o relativo a palacio. ‖ **2.** Dícese del que servía o asistía en palacio y sabía sus estilos y modas. Ú. t. c. s. ‖ **3.** fig. **cortesano.** Ú. t. c. s.

palacio. (Del lat. palatĭum.) m. Casa destinada para residencia de los reyes. ‖ **2.** Cualquier casa suntuosa, destinada a habitación de grandes personajes, o para las juntas de corporaciones elevadas. ‖ **3.** Casa solariega de una familia noble. ‖ **4.** En el antiguo reino de Toledo y en Andalucía, sala principal en una casa particular. ‖ **5.** V. maestro del sacro palacio. ‖ **6.** ant. Sitio donde el rey daba audiencia pública. ‖ **dar palacio.** fr. Entre los tiradores de oro y plata, hacer pasar los alambres por alguno de los agujeros de la hilera[1]. ‖ **echar a palacio** una cosa. fr. fig. y fam. No hacer caso de ella. ‖ **estar** uno **embargado para palacio.** fr. fig. y fam. con que se excusa de hacer una cosa por suponer ocupación precisa. ‖ **hacer** uno **palacio.** fr. Hacer público lo escondido o secreto. ‖ **hacer, mantener,** o **tener, palacio.** fr. Conversar festivamente por pasatiempo y corrección.

palada. f. Porción que la pala puede coger de una vez. ‖ **2.** Cada movimiento hecho al usar la pala. ‖ **3.** Golpe que se da al agua con la pala del remo. ‖ **4.** *Mar.* Cada una de las revoluciones de la hélice.

paladar. (De una forma vulg. en *-āre* del lat. *palātum.*) m. Parte interior y superior de la boca del animal vertebrado. ‖ **2.** V. **aguja paladar.** ‖ **3.** fig. Gusto y sabor que se percibe en los manjares. ‖ **4.** fig. Gusto, sensibilidad para discernir, aficionarse o repugnar alguna cosa en lo inmaterial o espiritual. ‖ **hablar al paladar.** fr. fig. **hablar al gusto.**

paladear. (De *paladar.*) tr. Tomar poco a poco el gusto de una cosa. Ú. t. c. prnl. ‖ **2.** Limpiar la boca o el paladar a los animales para que apetezcan el alimento, cuando por un accidente padecen en ella lo han aborrecido o no pueden comer. ‖ **3.** Poner en el paladar al recién nacido miel u otra cosa suave, para que con este dulce o sabor se aficione al pecho y mame sin repugnancia. ‖ **4.** fig. Tomar gusto a una cosa por medio de algo que complazca y entretenga. ‖ **5.** intr. Empezar el niño recién nacido a dar, con algunos movimientos de la boca, señas de que quiere mamar.

paladeo. m. Acción de paladear o paladearse.

paladial. adj. Perteneciente o relativo al paladar. ‖ **2.** Dícese del sonido que se articula en cualquier punto del paladar, palatal.

paladín. (De *paladino.*) m. Caballero fuerte y valeroso que, voluntario en la guerra, se distingue por sus hazañas. ‖ **2.** fig. Defensor denodado de alguna persona o cosa.

paladinamente. adv. m. Públicamente, claramente, sin rebozo.

paladino, na. (Del lat. *palatīnus;* de *palatīum,* palacio, con infl. del lat. *palam,* abiertamente.) adj. Público, claro y patente. ‖ **2.** m. paladín. ‖ **a paladinas.** loc. adv. ant. **paladinamente.**

paladio. (De *Palas,* asteroide.) m. *Quím.* Metal bastante raro cuyas cualidades participan de las de la plata y el platino. Solo se ha empleado para las escalas y círculos graduados de algunos instrumentos de matemáticas y en una aleación usada por los dentistas. Núm. atómico 46. Símb.: Pd.

paladión. (Del m. o. que *paladio.*) m. fig. Objeto en que se estriba o se cree que consiste la defensa y seguridad de una cosa.

palado, da. adj. *Blas.* Dícese del escudo dividido verticalmente por seis palos.

palafito. (Del it. *palafitta.*) m. Vivienda primitiva construida por lo común dentro de un lago, sobre estacas o pies derechos.

palafrén. (Del cat. *palafré.*) m. Caballo manso en que solían montar las damas, y muchas veces los reyes y príncipes para hacer sus entradas. ‖ **2.** Caballo en que va montado el criado de un jinete.

palafrenero. (De *palafrén.*) m. Criado que lleva del freno el caballo. ‖ **2.** Mozo de caballos. ‖ **3.** Criado que monta el palafrén. ‖ **mayor.** En las caballerizas reales, picador, jefe de la regalada, que tenía de la cabezada el caballo cuando montaba el rey.

palahierro. (De *palo* y *hierro.*) m. Rangua o tejuelo encajado en la solera del molino, para que sobre él gire el gorrón de la muela.

palamallo. (Del it. *pala a maglio.*) m. Juego semejante al del mallo.

palamenta. (De *pala.*) f. Conjunto de los remos en la embarcación que usa de ellos. ‖ **2.** *Col.* Palizada, palenque. ‖ **estar** uno **debajo de la palamenta.** fr. p. us. fig. Estar sujeto a que hagan de él lo que quisieren.

palanca. (Del lat. *p[h]alanga,* y este del gr. φάλαγξ, garrote.) f. Barra inflexible, recta, angular o curva, que se apoya y puede girar sobre un punto, y sirve para transmitir una fuerza. ‖ **2.** Pértiga o palo de que se sirven los palanquines para llevar entre dos un gran peso. ‖ **3.** fig. Valimiento, intercesión poderosa o influencia que se emplea para lograr algún fin. ‖ **4.** *Dep.* Plataforma desde la que salta al agua el nadador. ‖ **5.** *Fort.* Fortín construido de estacas y tierra. Por lo regular es obra exterior, que sirve para defender la campaña. ‖ **6.** *Mar.* Cabo que carga los puños de las velas mayores. ‖ **7.** Arbusto fétido.

palancada. f. Golpe dado con la palanca.

palancana. f. Jofaina, palangana.

palanciano, na. adj. ant. **palaciego.** Usáb. t. c. s.

palangana. (De or. inc.) f. Jofaina, palancana. ‖ **2.** com. fig. *Argent., Perú* y *Urug.* Fanfarrón, pedante. Ú. t. c. adj.

palanganear. (De *palangana.*) intr. *Argent., Chile, Perú* y *Urug.* **fanfarronear.**

palanganero. m. Mueble de madera o hierro, por lo común de tres pies, donde se coloca la palangana para lavarse, y a veces un jarro con agua, el jabón y otras cosas para el aseo de la persona.

palangre. (Del cat. *palangre.*) m. Cordel largo y grueso del cual penden a trechos unos ramales con anzuelos en sus extremos.

palangrero. m. Barco de pesca con palangre. ‖ **2.** Pescador que usa este aparejo.

palanquear. tr. **apalancar,** mover con palanca. ‖ **2.** fig. *Argent.* y *Urug.* Emplear alguien su influencia para que una persona consiga un fin determinado.

palanquera. (De *palanca.*) f. Valla de madera.

palanquero, ra. adj. Que apalanca. ‖ **2.** m. Operario que movía el fuelle en las ferrerías.

palanqueta. f. d. de **palanca.** ‖ **2.** Barreta de hierro que sirve para forzar las puertas o las cerraduras. ‖ **3.** Barreta de hierro con dos cabezas gruesas, que en lugar de bala se empleaba en la carga de la artillería de marina para romper las jarcias y arboladura de los buques enemigos.

palanquetazo. m. vulg. Roto con palanqueta.

palanquilla. (d. de *palanca.*) f. V. **hierro palanquilla.**

palanquín[1]. (De *palanca.*) m. Ganapán o mozo de cordel que lleva cargas de una parte a otra. ‖ **2.** *Mar.* Cada uno de los cabos que sirven para cargar los puños de las velas mayores, llevándolos a la cruz de sus vergas respectivas. ‖ **3.** *Mar.* Aparejo que se usa a bordo para meter los cañones en batería, después de hecha la carga. ‖ **de retenida.** *Mar.* Aparejo cuyos motones se afirman, uno en la parte trasera de la cureña de las piezas de artillería y otro en una argolla firme en la cubierta, inmediata a la crujía, y que sirve para asegurar aquellas contra los balances.

palanquín[2]. (Del port. *palanquim.*) m. Especie de andas usadas en Oriente para llevar en ellas a las personas importantes.

palasan. (De or. tagalo.) m. **rota[3],** planta.

palastro. (De *pala.*) m. Chapa o planchita sobre la que se coloca el pestillo de una cerradura. ‖ **2.** Hierro o acero laminado.

palatabilidad. f. Cualidad de ser grato al paladar un alimento.

palatal. adj. Perteneciente o relativo al paladar. ‖ **2.** *Fon.* Dícese del sonido cuya articulación se forma en cualquier punto del paladar, y más propiamente de la vocal o consonante que se pronuncia aplicando o acercando el dorso de la lengua a la parte correspondiente al paladar duro, como la *i* y la *ñ.* ‖ **3.** f. Letra que representa este sonido.

palatalización. f. *Fon.* Acción y efecto de palatalizar.

palatalizar. tr. *Fon.* Dar a un sonido articulación palatal. Ú. t. c. intr. y prnl.

palatinado. m. Dignidad o título de uno de los príncipes palatinos de Alemania. ‖ **2.** Territorio de los príncipes palatinos.

palatino¹, na. (Del lat. *palátum,* paladar.) adj. Perteneciente al paladar. ‖ **2.** *Anat.* Dícese especialmente del hueso par que contribuye a formar la bóveda del paladar. Ú. t. c. s. ‖ **3.** *Anat.* V. **bóveda palatina.**

palatino², na. (Del lat. *palatínus.*) adj. Perteneciente a palacio o propio de los palacios. ‖ **2.** Dícese de los que antiguamente tenían oficio principal en los palacios de los príncipes. Después en Alemania, Francia y Polonia fue dignidad de gran consideración. Ú. t. c. s. ‖ **3.** f. desus. Adorno de martas, seda, plumas, etc., que usaban las mujeres para cubrir y abrigar la garganta y el pecho a modo de una corbata ancha y tendida.

palay. m. *Filip.* Arroz con cáscara.

palazo. m. Golpe dado con la pala.

palazón. f. Conjunto de palos de que se compone una fábrica; como casa, barraca, embarcación, etc.

palca. (Del quechua *palqa* o *pallqa,* bifurcado, horqueta.) f. *Bol.* Cruce de dos ríos o de dos caminos. ‖ **2.** *Bol.* Horquilla formada por una rama.

palco. (Del it. *palco,* duplicado de *balco,* balcón.) m. Espacio con varios asientos y en forma de balcón que hay en los teatros y otros lugares de recreo. ‖ **2.** En lo antiguo, **aposento,** pieza pequeña que había en los teatros. ‖ **3.** Tabladillo o palenque donde se coloca la gente para ver una función. ‖ **de platea.** El que está alrededor de la platea o patio de butacas. ‖ **escénico.** Lugar del teatro en que se representa la escena.

paleación. f. ant. Acción y efecto de paliar.

paleador, ra. adj. Que trabaja con la pala o usa de ella. Ú. m. c. s.

paleal. (Del fr. *palléal.*) adj. *Zool.* Perteneciente o relativo al manto de los moluscos. ‖ **2.** *Zool.* V. **cavidad paleal.**

palear¹. (De *pala.*) tr. Trabajar con pala, apalear².

palear². tr. ant. **paliar.**

Palencia. (De *pala,* por influencia del nombre de la ciudad de *Palencia.*) n. p. V. **jabón de Palencia.**

palenque. (Del cat. *palenc,* empalizada.) m. Valla de madera o estacada que se hace para la defensa de un puesto, para cerrar el terreno en que se ha de hacer una fiesta pública, o para otros fines. ‖ **2.** Camino de tablas que desde el suelo se elevaba hasta el tablado del teatro, cuando había entrada de torneo u otra función semejante. ‖ **3.** Terreno cercado por una estacada para celebrar algún acto solemne. ‖ **4.** *Argent., Bol., Par.* y *Urug.* Poste liso y fuerte clavado en tierra, que sirve para atar animales.

palenquear. tr. *Argent.* y *Urug.* Sujetar animales al palenque.

palense. adj. Natural de Palos de Moguer. Ú. t. c. s. ‖ **2.** Perteneciente o relativo a esta villa de la provincia de Huelva.

palente. (Del lat. *pallens, -entis,* p. a. de *pallēre,* palidecer.) adj. ant. Descolorido, pálido.

palentino, na. adj. Natural de Palencia. Ú. t. c. s. ‖ **2.** Perteneciente o relativo a esta ciudad o a su provincia.

paleo-. (Del gr. παλαιός, antiguo.) elem. compos. que significa en general «antiguo» o «primitivo», referido frecuentemente a eras geológicas anteriores a la actual: PALEOcristiano, PALEOlítico.

paleoceno, na. (De *paleo-,* y el gr. καινός, nuevo.) adj. *Geol.* Dícese del periodo o época más antiguo de los que constituyen el terciario. Ú. t. c. s.

paleocristiano, na. (De *paleo-* y *cristiano.*) adj. Dícese del arte cristiano primitivo hasta el siglo VI. Ú. t. c. s. m.

paleofitopatología. (De *paleo-,* *fito-* y *patología.*) f.

Paleont. Ciencia que estudia las huellas dejadas por la enfermedad en restos de plantas fósiles.

paleógeno, na. (De *paleo-* y *-geno.*) adj. *Geol.* Aplícase a una subdivisión del periodo terciario que comprende sus estratos más antiguos, es decir, las épocas paleocena, eocena y oligocena.

paleografía. f. Arte de leer la escritura y signos de los libros y documentos antiguos. ‖ **2.** Disciplina teórica de dicho arte.

paleográfico, ca. adj. Perteneciente o relativo a la paleografía.

paleógrafo, fa. (De *paleo-* y *-grafo.*) m. y f. Persona que profesa la paleografía o tiene en ella especiales conocimientos.

paleolítico, ca. (De *paleo-* y el gr. λίθος, piedra.) adj. *Geol.* Perteneciente o relativo al primer periodo de la edad de piedra, o sea, el de la piedra tallada. Ú. t. c. s. m.

paleólogo, ga. m. y f. Persona que conoce las lenguas antiguas.

paleontografía. (De *paleo-,* el gr. ὤν, ὄντος, ente, ser, y *-grafía.*) f. Descripción de los seres orgánicos cuyos restos o vestigios se encuentran fósiles.

paleontográfico, ca. adj. Perteneciente o relativo a la paleontografía.

paleontología. (De *paleo-,* el gr. ὤν, ὄντος, ente, ser y *-logía.*) f. Ciencia que trata de los seres orgánicos cuyos restos o vestigios se encuentran fósiles.

paleontológico, ca. adj. Perteneciente o relativo a la paleontología.

paleontólogo, ga. m. y f. Persona que profesa la paleontología o tiene en ella especiales conocimientos.

paleopatología. (De *paleo-* y *patología.*) f. *Paleont.* Ciencia que estudia las huellas dejadas por la enfermedad en los restos de seres vivos, entre ellos el hombre.

paleopatológico, ca. adj. Perteneciente o relativo a la paleopatología.

paleopatólogo, ga. m. y f. Especialista en paleopatología.

paleoterio. (De *paleo-* y el gr. θηρίον, bestia.) m. *Paleont.* Mamífero perisodáctilo que vivió en el periodo oligoceno y al que se considera como uno de los antepasados del caballo.

paleozoico, ca. (De *paleo-* y el gr. ζῷον, animal.) adj. *Geol.* Dícese del segundo de los periodos de la historia de la Tierra, o sea, el más antiguo de los sedimentarios. Ú. t. c. s. m.

palera. f. *Murc.* **nopal,** planta.

palería. (De *palero¹.*) f. Arte u oficio de formar o limpiar las madres e hijuelas para desaguar las tierras bajas y húmedas.

palermitano, na. adj. Natural de Palermo. Ú. t. c. s. ‖ **2.** Perteneciente o relativo a esta ciudad de Sicilia.

palero¹. m. En diversos oficios, el que trabaja con pala. ‖ **2.** El que hace o vende palas. ‖ **3.** El que ejerce el arte u oficio de la palería. ‖ **4.** *Mar.* El aprendiz fogonero que palea el carbón para alimentar el hogar de la caldera. ‖ **5.** *Mar.* El que en un buque mercante tiene a su cargo la limpieza del servicio de máquina. ‖ **6.** *Mil.* Soldado que trabaja con pala.

palero². (De pala.) m. *León* y *Tierra de Campos.* Sauce, salguero. ‖ **2.** *Ast.* y *León.* Chopo, álamo.

palestino, na. (Del lat. *Palaestínus.*) adj. Natural de Palestina. Ú. t. c. s. ‖ **2.** Perteneciente o relativo a este país de Asia.

palestra. (Del lat. *palaestra,* lugar donde se lucha.) f. Sitio o lugar donde antiguamente se lidiaba o luchaba. ‖ **2.** fig. poét. La misma lucha. ‖ **3.** fig. Sitio o paraje en que se celebran ejercicios literarios públicos o se discute o controvierte sobre cualquier asunto.

paléstrico, ca. (Del lat. *palaestrĭcus.*) adj. p. us. Perteneciente o relativo a la palestra.

palestrita. (Del lat. *palaestrīta.*) m. p. us. El que se ejercitaba en la palestra.

paleta. f. d. de **pala.** ‖ **2.** Tabla pequeña con un agujero en uno de sus extremos por donde el pintor mete el dedo pulgar y sobre la que tiene ordenados los colores. ‖ **3.** fig. Por ext., colorido. *La* PALETA *de Goya.* ‖ **4.** Instrumento de hierro o acero inoxidable compuesto por un platillo redondo con agujeros y un astil largo, que se emplea en la cocina, principalmente para sacar los fritos de la sartén. ‖ **5.** Badil u otro instrumento semejante con que se remueve la lumbre. ‖ **6.** Utensilio de palastro, de figura triangular y mango de madera, que usan los albañiles para manejar la mezcla o mortero. ‖ **7.** Omóplato, paletilla. ‖ **8. pala,** diente incisivo. ‖ **9.** Cada una de las tablas de madera o planchas metálicas, planas o curvas, que se fijan sobre una rueda o eje para que ellas mismas muevan algo o para ser movidas por el agua, el viento u otra fuerza. ‖ **10.** *C. Rica, Méj., Nicar., P. Rico* y *Sto. Dom.* Dulce o helado en forma de pala, que se chupa cogiéndolo por un palito que sirve de mango. ‖ **11.** *Taurom.* Parte anterior externa del asta del toro. ‖ **media paleta.** *Ar.* Oficial de albañil que sale de aprendiz y no gana gajes de oficial. ‖ **de paleta.** loc. adv. fig. Oportunamente, a la mano, a pedir de boca. ‖ **en dos paletas.** loc. adv. fig. y fam. Brevemente, en un instante.

paletada¹. f. Porción que la paleta o la pala puede coger de una vez. ‖ **2.** Golpe que se da con la paleta. ‖ **3.** Trabajo que hace el albañil cada vez que aplica el material con la paleta. ‖ **en dos paletadas.** loc. adv. fig. y fam. **en dos paletas.**

paletada². (De *paleto.*) f. **paletería.**

paletazo. (De *paleta.*) m. Golpe de pala o de cuerno del toro con el asta, varetazo.

paletear. (De *paleta.*) intr. *Mar.* Remar mal, metiendo y sacando la pala del remo en el agua sin adelantar nada. ‖ **2.** *Mar.* Golpear el agua las paletas de las ruedas, en los barcos que tenían este sistema, sin arrancar del sitio, debido a la poca fuerza del vapor o a algún accidente del buque.

paleteo. m. Acción de paletear.

paletería. f. Acción o actitud propia del paleto. ‖ **2.** Conjunto de paletos.

paletero¹. (De *paleto.*) m. *Mont.* Gamo de dos años.

paletero², ra. m. y f. *Méj.* y *Nicar.* Persona que fabrica o vende paletas de dulce o helado.

paletilla. (d. de *paleta.*) f. **omóplato.** ‖ **2.** Ternilla en que termina el esternón y que corresponde a la región llamada boca del estómago. ‖ **3.** Candelero bajo con asa, palmatoria. ‖ **4.** *Esc.* y *Pint.* V. **encarnación de paletilla.** ‖ **caerse la paletilla.** fr. fam. Relajarse esta ternilla. ‖ **levantarle a** uno **la paletilla.** fr. fig. y fam. Darle un disgusto, o decirle palabras de sentimiento. ‖ **ponerle a** uno **la paletilla en su lugar.** fr. fig. y fam. Reprenderle agriamente.

paleto, ta. (De *pala.*) adj. Dícese de la persona o cosa rústica y zafia. Ú. t. c. s. ‖ **2.** Aplícase a la persona falta de trato social. Ú. m. c. s. ‖ **3.** m. **gamo.**

paletó. (Del fr. *paletot.*) m. Gabán de paño grueso, largo y entallado, pero sin faldas como el levitón.

paletón. (De *paleta.*) m. Parte de la llave donde están situados los dientes y las guardas.

paletoque. (Del ant. fr. *paltoke.*) m. p. us. Capotillo de dos haldas largo hasta las rodillas y sin mangas.

palhuén. (De or. araucano.) m. Arbusto americano de la familia de las papilionáceas, de más de dos metros de altura y menos de tres y muy espinoso.

pali. (Del sánscr. *pâli,* serie, colección, por la de los libros búdicos.) adj. Dícese de una lengua hermana de la sánscrita, pero

menos antigua, que empezó a usarse en la provincia de Magada. Ú. t. c. s. m.

palia. f. Lienzo sobre que se extienden los corporales para decir misa. ‖ **2.** Cortina o mampara exterior que se pone delante del sagrario en que está reservado el Santísimo. ‖ **3.** Lienzo que se pone sobre el cáliz.

paliacate. (De or. nahua.) m. *Méj.* Pañuelo grande de vivos colores, usado por la gente del campo.

paliación. f. Acción y efecto de paliar.

paliadamente. adv. m. Disimulada o encubiertamente.

paliar. (der. del b. lat. *palliātus,* cubierto con un *pallium,* capa.) tr. p. us. Encubrir, disimular, cohonestar. ‖ **2.** Mitigar la violencia de ciertas enfermedades. ‖ **3.** fig. Mitigar, suavizar, atenuar una pena, disgusto, etc. ‖ **4.** fig. Disculpar, justificar una cosa.

paliativo, va. (De *paliar.*) adj. Dícese de lo que mitiga, suaviza o atenúa. Dícese especialmente de los remedios que se aplican a las enfermedades incurables para mitigar su violencia y refrenar su rapidez. Ú. t. c. s. m. ‖ **2.** fig. **paliatorio.** Ú. m. c. s.

paliatorio, ria. (De *paliar.*) adj. Capaz de encubrir, disimular o cohonestar una cosa.

palidecer. intr. Ponerse pálido. ‖ **2.** fig. Padecer una cosa disminución o atenuación de su importancia o esplendor.

palidez. (De *pálido.*) f. Decoloración de la piel humana y, por ext., de otros objetos, cuando su color natural o más característico es o parece desvaído.

pálido, da. (Del lat. *pallĭdus.*) adj. Que presenta o manifiesta palidez. ‖ **2.** fig. Desanimado, falto de expresión y colorido. Dícese especialmente hablando de obras literarias.

paliducho, cha. adj. Que tiende a pálido; se emplea frecuentemente con valor afectivo.

palier. (Del fr. *palier.*) m. *Mec.* En algunos vehículos automóviles, cada una de las dos mitades en que se divide el eje de las ruedas motrices. ‖ **2.** *Argent.* Rellano de las escaleras al que se abren diversos departamentos o pisos y, modernamente, el ascensor.

palillero, ra. m. y f. Persona que hace o vende palillos para mondar los dientes. ‖ **2.** m. Cañuto, cajita o cosa semejante en que se guardan los palillos para limpiarse los dientes. ‖ **3.** Pieza de una u otra materia y de figura varia y caprichosa, con muchos agujeritos en que se colocan los palillos o mondadientes para ponerlos en la mesa. ‖ **4.** Mango de la pluma de escribir.

palillo. (d. de *palo.*) m. Varilla, por la parte inferior aguda y por la superior redonda y hueca, donde se encaja la aguja para hacer media. ‖ **2.** Mondadientes de madera. ‖ **3.** Bolillo para hacer encajes y pasamanería. ‖ **4.** Cualquiera de las dos varitas redondas y de grueso proporcionado, que rematan en forma de perilla y sirven para tocar el tambor. ‖ **5.** Varita con que un cantador de flamenco, sentado, lleva el compás golpeando en el borde de la silla. ‖ **6.** Vena gruesa de la hoja del tabaco. ‖ **7.** fig. Conversación de poca importancia. ‖ **8.** fig. y fam. Persona muy delgada. ‖ **9.** V. **tabaco de palillos.** ‖ **10.** pl. Bolillos que se ponen en el billar en ciertos juegos. ‖ **11.** Palitos de boj u otra madera dura que emplean los escultores para modelar el barro. ‖ **12.** Par de palitos usados para tomar los alimentos en algunos países orientales. ‖ **13.** fig. y fam. Aquellos primeros principios o reglas menudas de las artes o ciencias. ‖ **14.** fig. y fam. Lo insustancial y poco importante o despreciable de una cosa. ‖ **15.** *And.* Castañuelas. ‖ **de barquillero,** o **de suplicaciones.** Tablilla angosta señalada en un extremo, que colocada sobre un perno en la tapa de la arquilla o cesta del barquillero, se hace girar e indica, según el sitio en que para, quién gana la suerte. ‖ **como palillo de barquillero,** o **de suplicaciones.** loc. adv. fig.

y fam. Yendo y viniendo sin punto de reposo. ‖ **tocar todos los palillos.** fr. fam. Tantear todos los medios para un fin.

palimpsesto. (Del gr. παλίμψηστος, a través del lat. *palimpsestus.*) m. Manuscrito antiguo que conserva huellas de una escritura anterior borrada artificialmente. ‖ **2.** Tablilla antigua en que se podía borrar lo escrito para volver a escribir.

palíndromo. (Del gr. πάλιν, de nuevo, y δρόμος, carrera.) m. Palabra o frase que se lee igual de izquierda a derecha, que de derecha a izquierda. *Anilina; dábale arroz a la zorra el abad.*

palingenesia. (Formado como el adj. gr. παλιγγενής, de πάλιν, de nuevo, y γένεσις, nacimiento.) f. Regeneración, renacimiento de los seres.

palingenésico, ca. adj. Perteneciente o relativo a la palingenesia.

palinodia. (Del lat. *palinodĭa* y este del gr. παλινῳδία.) f. Retractación pública de lo que se había dicho. Ú. m. en la fr. **cantar la palinodia,** que significa retractarse públicamente, y, por ext., reconocer el yerro propio, aunque sea en privado.

palinología. (Del gr. παλύνω, esparcir, y *-logía.*) f. Ciencia que estudia el polen y las esporas, vivos o fósiles.

palio. (Del lat. *pallĭum.*) m. Prenda principal, exterior, del traje griego, a manera de manto, usada comúnmente sobre la túnica. ‖ **2.** Capa o balandrán. ‖ **3.** Insignia pontifical que da el Papa a los arzobispos y a algunos obispos, la cual es como una faja blanca con cruces negras, que pende de los hombros sobre el pecho. ‖ **4.** Especie de dosel colocado sobre cuatro o más varas largas, bajo el cual se lleva procesionalmente el Santísimo Sacramento, o una imagen. Lo usan también los jefes de Estado, el Papa y algunos prelados. ‖ **5.** Paño de seda o tela preciosa, que se ofrecía como premio al vencedor en determinados juegos de carrera. ‖ **6.** Cualquier cosa que forma una manera de dosel o cubre como él. ‖ **7.** *Zool.* Manto de los moluscos, de los braquiópodos y de otros grupos de animales. ‖ **correr el palio.** fr. Participar en los juegos de carrera en cuya meta se ponía como premio un **palio** de seda. ‖ **recibir con,** o **bajo, palio.** fr. que se usa para significar la demostración que solo se hace con el Sumo Pontífice, jefes de Estado, emperadores, reyes y prelados cuando entran en una ciudad o villa de sus dominios o en sus templos. ‖ **2.** fig. Hacer singular estimación de la venida muy deseada de uno.

palique. (De *palo.*; v. *palillo*, palique.) m. fam. Conversación de poca importancia. ‖ **2.** Artículo breve de tono crítico o humorístico.

paliquear. intr. Estar de palique, charlar.

palisandro. (Corrupción a través del hol. y fr. de *palo santo.*) m. Madera del guayaco, compacta y de hermoso color rojo oscuro, muy estimada para la construcción de muebles de lujo.

palista. com. Jugador de pelota con pala.

palitoque. m. **palitroque.**

palitroque. m. Palo pequeño, tosco o mal labrado. ‖ **2.** *Taurom.* Banderilla.

paliza. f. Zurra de golpes dados con palo. ‖ **2.** fig. y fam. Disputa en que uno queda confundido o maltrecho. ‖ **3.** fig. Cualquier esfuerzo que produce agotamiento. ‖ **dar la paliza.** fr. fig. y fam. Soltar un rollo o discurso pesado.

palizada. (De *palo.*) f. Sitio cercado de estacas. ‖ **2.** Defensa hecha de estacas y terraplenada para impedir la salida de los ríos o dirigir su corriente. ‖ **3.** *Blas.* Conjunto de piezas en forma de palos, fajas punteadas o agudas, encajadas las unas en las otras. ‖ **4.** *Fort.* **empalizada.**

palizón. m. aum. de **paliza.**

palma. (Del lat. *palma.*) f. **palmera,** árbol. ‖ **2.** Hoja de la palmera, principalmente si, por haber estado atada con

otras en el árbol, se ha conseguido que las lacinias queden juntas y que por falta de luz no llega a adquirir el color verde. ‖ **3.** datilera. ‖ **4.** palmito¹, planta. ‖ **5.** Parte inferior y algo cóncava de la mano, desde la muñeca hasta los dedos. ‖ **6.** V. **cera de palma.** ‖ **7.** fig. Mano del hombre. ‖ **8.** fig. Gloria, triunfo. ‖ **9.** *Bot.* Cualquiera de las plantas angiospermas monocotiledóneas, siempre verdes, de tallo leñoso, sin ramas, recto y coronado por un penacho de grandes hojas que se parten en lacinias y se renuevan anualmente, dejando sobre el tronco la base del peciolo; flores axilares en espádice ramoso, generalmente dioicas y muy numerosas, y fruto en drupa o baya con una semilla; como la palmera, el cocotero, el burí y el palmito. ‖ **10.** *Veter.* Parte inferior del casco de las caballerías. ‖ **11.** pl. Palmadas de aplausos. ‖ **12.** *Bot.* Familia de las plantas de este nombre. ‖ **brava.** Árbol de Filipinas, de la familia de las **palmas,** que se diferencia muy poco del burí: tiene las hojas en forma de abanico con pliegues puntiagudos. La madera del tronco, que es durísima, sirve para hacer estacadas, canales y zumbilines y para otros varios usos, y con las hojas se cubren los techos de las casas. ‖ **cana.** *Cuba.* Una de las variedades del guano² silvestre, parecido al coco y cuyo tronco se emplea para hacer cercas. ‖ **enana. palmito¹,** planta. ‖ **indiana. coco¹,** árbol. ‖ **negra.** *Amér.* **caranday.** ‖ **real.** Árbol de la familia de las **palmas,** muy abundante en la isla de Cuba, de unos 15 metros de altura, con tronco limpio y liso, de cerca de medio metro de diámetro, duro en la parte exterior, filamentoso y blando en lo interior; hojas pecioladas, de cuatro a cinco metros de longitud, con lacinias de un metro; flores blancas y menudas en grandes racimos, y fruto redondo, del tamaño de la avellana, colorado, con hueso que envuelve una almendra muy apetecida por los cerdos. ‖ **andar uno en palmas.** fr. Ser estimado y aplaudido de todos. ‖ **batir palmas.** Aplaudir, dar palmadas de aplauso. ‖ **2.** Seguir con palmadas los distintos ritmos de la danza andaluza. ‖ **como por la palma de la mano.** loc. adv. fig. y fam. con que se significa la facilidad de ejecutar o conseguir una cosa. ‖ **enterrar con palma** a una persona. fr. fig. Enterrarla en estado de virginidad. ‖ **ganar uno la palma.** fr. **llevarse la palma.** ‖ **2.** fig. **ganar la palmeta.** ‖ **liso,** o **llano, como la palma de la mano.** loc. adj. fig. y fam. con que se exagera y pondera que una cosa es muy llana y sin obstáculo ni tropiezo. ‖ **llevar en palmas** a uno. fr. fig. Complacerle y darle gusto en todo. ‖ **llevarse** uno **la palma.** fr. fig. Sobresalir o exceder en competencia de otros, mereciendo el aplauso general. ‖ **raso como la palma de la mano.** loc. adj. fig. y fam. **liso,** o **llano,** etc. ‖ **recibir,** o **traer, en palmas** a uno. fr. fig. **llevarle en palmas.**

palmáceo, a. adj. *Bot.* Aplícase a las plantas de la familia de las palmas. ‖ **2.** f. pl. *Bot.* Familia de estas plantas.

palmacristi. (Del lat. *palma*, palma, y *Christi*, de Cristo.) f. **ricino.**

palmada. f. Golpe dado con la palma de la mano. ‖ **2.** Ruido que se hace golpeando una con otra las palmas de las manos. Ú. m. en pl.

palmadilla. (d. de *palmada.*) f. Baile llamado así por la palmada que aquel a quien toca sacar a bailar a otro, da a este en las manos, bailando delante de él, en señal de haberle elegido.

palmado, da. (Del lat. *palmātus.*) adj. De figura de palma. ‖ **2.** V. **toga, túnica palmada.**

palmar¹. (Del lat. *palmāris.*) adj. Dícese de las cosas de palma. ‖ **2.** Perteneciente a la palma de la mano y a la palma del casco de los animales. ‖ **3.** Perteneciente al palmo o que consta de un palmo. ‖ **4.** fig. Claro, patente y manifiesto, y que fácilmente puede saberse. ‖ **5.** m. Sitio o lugar donde se crían palmas. ‖ **6.** En la fábrica de paños, instrumento formado de la cabeza de la cardencha, o la misma cardencha, para sacar el pelo suavemente al paño. ‖ **ser más viejo que un palmar.** fr. fam. Ser alguien o algo muy viejo o antiguo.

palmar². intr. fam. Morir una persona. ‖ **2.** tr. *Germ.* Dar por fuerza una cosa.

palmarés. (Del fr. *palmarès.*) m. Lista de vencedores en una competición. ‖ **2.** Historial, relación de méritos, especialmente de deportistas.

palmariamente. adv. m. De modo muy patente y claro.

palmario, ria. (De *palmar*¹, de a palmo.) adj. Claro, patente, manifiesto.

palmatoria. f. **palmeta.** ‖ **2.** Especie de candelero bajo, con mango y pie, generalmente de forma de platillo. ‖ **ganar uno la palmatoria.** fr. fig. **ganar la palmeta.**

palmeado, da. p. p. de **palmear.** ‖ **2.** adj. De figura de palma. ‖ **3.** V. **piedra palmeada.** ‖ **4.** *Bot.* Aplícase a las hojas, raíces, etc., que semejan una mano abierta. ‖ **5.** *Zool.* Dícese de los dedos de aquellos animales que los tienen ligados entre sí por una membrana.

palmear. intr. Dar golpes con las palmas de las manos una con otra y más especialmente cuando se dan en señal de regocijo o aplauso. ‖ **2.** tr. *Impr.* Nivelar el molde o forma con el tamborilete y el mazo. ‖ **3.** *Mar.* Trasladar una embarcación de un punto a otro haciendo fuerza o tirando con las manos, aseguradas alternativamente en objetos fijos inmediatos. ‖ **4.** prnl. *Mar.* Asirse de un cabo o cable fijo por sus dos extremos o pendiente de uno de ellos, y avanzar valiéndose de las manos. Ú. t. c. intr.

palmejar. (Del cat. *paramitjal.*) m. *Mar.* Tablón que interiormente, y de popa a proa, va endentado y clavado a las varengas del navío, para ligar entre las cuadernas e impedir las flexiones del casco.

palmenta. f. *Germ.* Carta a un ausente.

palmentero. (De *palmenta.*) m. *Germ.* Cartero o correo.

palmeo. m. Medida por palmos. ‖ **2.** Acción y efecto de palmear, especialmente cuando se trata de palmas de regocijo o aplauso, o de acompañamiento para el cante flamenco.

palmera. (De *palma.*) f. Árbol de la familia de las palmas, que crece hasta 20 metros de altura, con tronco áspero, cilíndrico y de unos tres decímetros de diámetro; copa sin ramas y formada por las hojas, que son pecioladas, de tres a cuatro metros de largo, con el nervio central recio, leñoso, de sección triangular y partidas en muchas lacinias, duras, correosas, puntiagudas, de unos 30 centímetros de largo y dos de ancho; flores amarillentas, dioicas, y por fruto los dátiles, en grandes racimos que penden a los lados del tronco, debajo de las hojas.

palmeral. m. Bosque de palmeras.

palmero¹. (De *palma.*) m. Peregrino de Tierra Santa que traía palma, como los de Santiago llevaban conchas en señal de su romería. ‖ **2.** El que ata las hojas de palma para que no se pongan verdes.

palmero², ra. adj. Natural de La Palma. Ú. t. c. s. ‖ **2.** Perteneciente a esta isla, una de las Canarias.

palmero³, ra. m. y f. Persona que acompaña con palmas los bailes y ritmos flamencos de Andalucía.

palmesano, na. adj. Natural de Palma de Mallorca. Ú. t. c. s. ‖ **2.** Perteneciente a esta ciudad.

palmeta. (d. de *palma.*) f. Instrumento que se usaba en las escuelas para golpear en la mano, como castigo, a los niños. ‖ **2.** Golpe dado con la **palmeta.** ‖ **ganar la palmeta.** fr. fig. Llegar un niño a la escuela antes que los demás, con lo que ganaba el privilegio de aplicar a los otros el castigo con la **palmeta.** ‖ **2.** fig. Llegar una persona antes que otra a una parte. ‖ **3.** fig. Anticiparse una persona a otra en la ejecución de una cosa.

palmetazo. m. Golpe dado con la palmeta. ‖ **2.** fig. Corrección hecha con desabrimiento o descortesía.

palmiche¹. (De *palma,* con suf. mozár. *-icius.*) m. **palma real.** ‖ **2.** Fruto de este árbol. ‖ **3.** Palma propia de grandes altitudes, de tronco muy delgado, de unos seis metros de altura, cuya madera, en astillas, sirve para alumbrar a los indios americanos en la caza de pájaros nocturnos. ‖ **4.** *And.* Fruto del palmito¹.

palmiche². f. *Cuba.* Tela ligera para trajes de hombre.

palmífero, ra. (Del lat. *palmifer, -ĕri,* que produce palmeras.) adj. poét. Que lleva palmas o abunda en ellas.

palmilla. f. Cierto género de paño, que particularmente se labraba en Cuenca. ‖ **2.** Plantilla del zapato.

palmípedo, da. (Del lat. *palmĭpes, -ĕdis.*) adj. Dícese de las aves que tienen los dedos palmeados, a propósito para la natación; como el ganso, el pelícano, la gaviota y el pájaro bobo. Ú. t. c. s. ‖ **2.** f. pl. En clasificaciones zoológicas en desuso, orden de estas aves.

palmita. f. d. de **palma.** ‖ **llevar, recibir** o **traer** a uno **en palmitas.** fr. fig. **llevar en palmas.**

palmitera. f. *Murc.* **palmito¹,** planta.

palmitieso, sa. (De *palma* y *tieso.*) adj. Dícese de la caballería que tiene los cascos con la palma plana o convexa.

palmito¹. (De *palma.*) m. Planta de la familia de las palmas, con tronco subterráneo o apenas saliente, que sin embargo se alza a dos y tres metros de altura en los individuos cultivados, hojas en figura de abanico, formadas por 15 ó 20 lacinias estrechas, fuertes, correosas y de unos diez centímetros, que parten de un peciolo largo, casi leñoso, comprimido y armado de aguijones; flores amarillas, en panoja ramosa, ceñida por una espata coriácea, y fruto rojizo, elipsidal, de dos centímetros de largo, comestible y con hueso muy duro. Es común en los terrenos incultos de Andalucía y de las provincias de Levante, donde se aprovechan las hojas para hacer escobas, esteras y serijos. ‖ **2.** Cogollo de la planta anterior, blanco, casi cilíndrico, de tres a cuatro centímetros de largo y uno de grueso. Es comestible. ‖ **como un palmito.** loc. fig. y fam. con que se da a entender que uno está curiosa y limpiamente vestido.

palmito². (d. de *palmo.*) m. fig. y fam. Cara de mujer. *Buen* PALMITO. ‖ **2.** fig. y fam. Talle esbelto de la mujer.

palmo. (Del lat. *palmus.*) m. Distancia que va desde el extremo del pulgar hasta el del meñique, estando la mano extendida y abierta. Se usa como medida de longitud. ‖ **2.** Medida de longitud de unos 21 centímetros, que constituye la cuarta parte de una vara y está dividida en doce partes iguales o dedos. ‖ **3. palmo menor.** ‖ **4.** Juego de muchachos en que se tiran monedas contra una pared, y gana la moneda el que hace caer la suya a un **palmo** o menos de distancia de la del otro. ‖ **de tierra.** fig. Espacio muy pequeño de ella. ‖ **menor.** Ancho que dan unidos los cuatro dedos, índice, mayor, anular y meñique. ‖ **con un palmo de lengua,** o **con un palmo de lengua fuera.** loc. adv. fig. y fam. **con la lengua de un palmo.** ‖ **crecer a palmos.** fr. fig. y fam. Crecer mucho en poco tiempo. ‖ **dejar** a uno **con un palmo de narices.** fr. fig. y fam. Chasquearle, privándole de lo que esperaba conseguir. ‖ **no adelantar,** o **no ganar, un palmo de terreno,** o **de tierra,** en una cosa. fr. fig. y fam. Adelantar muy poco o casi nada en ella. ‖ **palmo a palmo.** loc. adv. fig. con que se expresa la dificultad o lentitud para conseguir una cosa. ‖ **2.** fig. De modo completo y minucioso. ‖ **tener medido a palmos** un terreno, lugar, etc. fr. fig. Tener conocimiento práctico del terreno o lugar.

palmoteo. f. **palmoteo,** acción de palmotear.

palmotear. (De *palma.*) intr. Golpear una con otra las palmas de las manos.

palmoteo. m. Acción de palmotear. ‖ **2.** Acción de dar con la palmeta.

palo. (Del lat. *palus*.) m. Trozo de madera, más largo que grueso, generalmente cilíndrico y fácil de manejar. ‖ **2.** Madera. *Cuchara de* PALO ‖ **3.** Diversos tipos de madera, por lo general de América del Sur. PALO *de rosa.* PALO *de Campeche.* ‖ **4.** Diversos árboles o arbustos, generalmente de América del Sur. PALO *santo,* PALO *brasil.* ‖ **5.** Golpe que se da con un palo. ‖ **6.** Pena capital que se ejecuta en un instrumento de palo. ‖ **7.** Cada una de las cuatro series en que se divide la baraja de naipes, y que en la española se denominan, respectivamente, oros, copas, espadas y bastos. ‖ **8.** Pezoncillo por donde una fruta pende del árbol. ‖ **9.** Trazo de algunas letras que sobresale de las demás por arriba o por abajo, como el de la *d* y la *p.* ‖ **10.** fig. y fam. Daño o perjuicio. Ú. m. con los verbos *dar, llevar* o *recibir.* ‖ **11.** *R. de la Plata.* Pedacito del tronco de la rama que, en la yerba mate, se mezcla con la hoja triturada. ‖ **12.** *Blas.* Pieza heráldica rectangular que desciende desde el jefe a la punta del escudo, y ocupa la tercera parte del ancho total. Representa la lanza del caballero y la estacada o palenque de los campamentos. ‖ **13.** *Cetr.* **alcándara.** ‖ **14.** *Dep.* En algunos deportes, como béisbol, golf, polo, etc., instrumento con que se golpea la pelota. ‖ **15.** *Mar.* Cada uno de los maderos que se colocan perpendicularmente a la quilla de una embarcación, destinados a sostener las velas. ‖ **16.** pl. **palillos** del billar. ‖ **17.** Una de las principales suertes del juego de billar, que consiste en derribar los palos con las bolas. ‖ **18.** *Med.* Nombre primitivo de la quina en España. ‖ **áloe.** Madera del agáloco, muy resinosa, amarga y purgante como el acíbar, empleada en farmacia y como sahumerio en Oriente. ‖ **2.** Madera del calambuc, muy parecida a la anterior. ‖ **3. palo del águila.** ‖ **a pique.** rur. *Argent.* Poste clavado en tierra, firme y perpendicularmente. ‖ **blanco.** Nombre común a varios árboles de Canarias y América, de la familia de las simarubáceas, con corteza elástica y amarga, de hojas oblongas, redondeadas en el ápice y flores en panículas con pétalos amarillos. Se cría en los montes y es medicinal. ‖ **2.** *Chile.* **testaferro.** ‖ **borracho.** *Argent.* y *Urug.* Árbol de la familia de las bombáceas, del que existen dos especies principales: el amarillo o yuchán y el rosado o samuhú, caracterizados por el color de la corola de sus flores. Las semillas están recubiertas por abundantes pelos sedosos, que forman como un copo blanco, al que se denomina paina. La planta se utiliza como adorno y con fines industriales. ‖ **brasil.** Madera dura, compacta, de color encendido como brasas, capaz de hermoso pulimento, que sirve principalmente para teñir de encarnado, y procede del árbol del mismo nombre. ‖ **cajá.** *Cuba.* Árbol silvestre, de la familia de las sapindáceas, de unos cuatro metros de altura, hojas trifoliadas, elípticas, dentadas, de color castaño en el envés, flores de cuatro pétalos en racimos axilares y madera de color anaranjado, usada en carpintería. ‖ **campeche. palo de Campeche.** ‖ **cochino.** *Cuba.* Árbol silvestre, de la familia de las burseráceas, de corteza blanquecina, brillante en las ramas, flores de cuatro pétalos y fruto parecido a la aceituna. Segrega una resina de color rojizo, olor fuerte y sabor amargo, y la madera se aprovecha para toneles. ‖ **codal.** El de tamaño o medida de un codo, que se colgaba al cuello en señal de penitencia pública. Aún hoy se usa este género de penitencia en algunas comunidades religiosas. ‖ **cortado.** Vino de Jerez con sabor de oloroso y olor de amontillado. ‖ **de áloe. palo áloe.** ‖ **de Bañón. aladierna.** ‖ **de Campeche.** Madera dura, negruzca, de olor agradable, que sirve principalmente para teñir de encarnado, y que procede de un árbol americano de la familia de las papilionáceas. ‖ **de ciego.** fig. Golpe que se da desatentadamente y sin duelo,

como lo daría quien no viese. ‖ **2.** Daño o injuria que se hace por desconocimiento o por irreflexión. ‖ **de esteva.** Esteva en los coches de caballos. ‖ **de favor.** En algunos juegos de naipes, el que se elige para que, cuando gana triunfo, tenga preferencia o se duplique el interés. ‖ **de Fernambuco.** Especie de palo del Brasil, de color menos encarnado. Uno de los árboles que producen la goma elástica o caucho. ‖ **de jabón.** Liber de un árbol de la familia de las rosáceas, que se cría en América tropical. Es de color blanquecino fibroso, de superficies lisas, de seis a ocho milímetros de grueso, y macerado en agua da un líquido espumoso que puede reemplazar al jabón para quitar manchas en las telas. ‖ **del águila.** Madera de un árbol de la familia de las timeleáceas, algo parecido al palo áloe. ‖ **de la rosa. alarguez.** ‖ **2. palo de rosa.** ‖ **de las Indias. palo santo.** ‖ **del Brasil. palo de Fernambuco.** ‖ **2. palo brasil.** ‖ **del pastor.** Unidad de medida agraria usada en Navarra y aplicada a terrenos de pastos. ‖ **de Pernambuco. palo de Fernambuco.** ‖ **de planchar.** Tablero grueso y estrecho, de madera dura, usado por los sastres para planchar las perneras de los pantalones, las mangas de ciertas prendas de vestir, y para sentar las costuras rectas. ‖ **de rosa.** Madera de un árbol americano de la familia de las borragináceas, que es muy compacta, olorosa, roja con vetas negras, y muy estimada en ebanistería, sobre todo para muebles pequeños. ‖ **2.** *Farm.* Parte leñosa, amarilla rojiza y muy olorosa, de la raíz de una convolvulácea de Canarias. ‖ **dulce.** Raíz del orozuz. ‖ **duz. orozuz.** ‖ **enjabonado.** *Argent., Par.* y *Urug.* **palo jabonado.** ‖ **ensebado.** *Cuba, Chile, Guat., Méj., P. Rico, Sto. Dom.* y *Venez.* **palo jabonado.** ‖ **grueso.** *Chile.* Persona influyente, de mando. ‖ **jabonado.** *Argent., Perú* y *Urug.* **cucaña, palo** largo, untado de jabón o grasa, por el cual se ha de trepar. ‖ **lucio.** *Nicar.* **palo jabonado.** ‖ **macho.** *Mar.* Cada una de las perchas principales que constituyen la arboladura de un buque. Según su situación, se distinguen con los nombres de bauprés, trinquete, mayor y mesana. ‖ **mayor.** *Mar.* El más alto del buque y que sostiene la vela principal. ‖ **nefrítico.** Madera del ben, de color blanco rojizo y algo olorosa, cuya infusión se ha empleado contra las enfermedades de las vías urinarias. ‖ **santo. guayacán.** ‖ **2.** *Argent.* y *Par.* Árbol de la misma familia que el guayaco, cuya madera, muy dura, se emplea en ebanistería y tornería. Tiene también aplicaciones medicinales. ‖ **palos flamantes.** *Blas.* Los ondeados y piramidales en forma de llamas. ‖ **andar a palos.** fr. fig. y fam. Estar riñendo siempre. ‖ **cada palo que aguante su vela.** expr. fig. y fam. que indica que cada uno debe cargar con las consecuencias derivadas de sus actos. ‖ **a palo seco.** loc. adv. *Mar.* Dícese de una embarcación cuando camina recogidas las velas. ‖ **2.** fig. Escuetamente, sin nada accesorio o complementario. ‖ **3.** fig. Sin comer ni beber. ‖ **caérsele a uno los palos del sombrajo.** fr. fig. y fam. Abatirse, desanimarse. ‖ **correr a palo seco.** fr. *Mar.* Navegar en tiempo de borrasca sin vela ninguna. ‖ **dar palo.** fr. fig. y fam. Salir o suceder algo al contrario de como se esperaba o deseaba. ‖ **de tal palo, tal astilla.** fr. proverb. que da a entender que comúnmente todos tienen las propiedades o inclinaciones conforme a su principio u origen. ‖ **derrengar, o doblar,** a uno **a palos.** fr. fig. y fam. Darle muchos palos en las costillas hasta inutilizarle. ‖ **echar a palos.** fr. fig. Echar a alguien de un sitio de mala manera. ‖ **ello dirá si es palo o pedrada.** expr. fig. y fam. **ello dirá.** ‖ **estar del mismo palo.** fr. fig. Estar uno en el mismo estado o disposición que otro. ‖ **meter el palo en candela.** fr. fig. y fam. Provocar una situación de la que puede resultar pendencia. ‖ **no dar palo.** fr. fig. y fam. **haraganear.** ‖ **no se dan palos de balde.** expr. fig. y fam. con que se explica que ninguno obra sin interés y que de balde nada se consigue. ‖ **poner** a uno **en un palo.** fr. fig. Ahorcarle, castigarle con otro género de muerte, o ponerle a la vergüenza en la argolla. ‖ **terciar** uno **el palo.** fr. Levantarlo en alto para dar un golpe con él.

paloduz. m. **orozuz.**

paloma. (Del lat. vulg. *palumba.*) f. Ave domesticada que provino de la **paloma** silvestre. Hay muchas variedades o castas, que se diferencian principalmente por el tamaño o el color. ‖ **2.** V. **pie de paloma.** ‖ **3.** fam. Bebida compuesta de agua y aguardiente anisado. ‖ **4.** fig. Persona de genio apacible y quieto. ‖ **5.** *Germ.* Sábana de la cama. ‖ **6.** *Mar.* Parte media o cruz de una verga, entre los galápagos, en la cual se fijan los cuadernales o motones de las drizas. ‖ **7.** *Zool.* Cualquiera de las aves que tienen la mandíbula superior abovedada en la punta y los dedos libres; como la **paloma** propiamente dicha y la tórtola. ‖ **8.** n. p. f. *Astron.* Constelación austral compuesta de 15 estrellas pequeñas y dos más brillantes, que alcanzan a verse desde España en los meses de enero y febrero. ‖ **9.** f. pl. *Mar.* Ondas espumosas que se forman en el mar cuando empieza a soplar viento fresco. ‖ **10.** *Zool.* Orden de las **palomas.** ‖ **brava. paloma** silvestre. ‖ **calzada.** Variedad doméstica que se distingue por tener el tarso y los dedos cubiertos de pluma. ‖ **de moño.** Variedad doméstica que se distingue por tener largas y vueltas en la punta las plumas del colodrillo. ‖ **de toca.** Variedad de color regularmente blanco, que tiene sobre la cabeza una porción de plumas largas que caen por los lados de ella. ‖ **duenda.** La doméstica o casera. ‖ **mensajera.** Variedad que se distingue por su instinto de volver al palomar desde largas distancias, y se utiliza para enviar de una parte a otra escritos de corta extensión. ‖ **monjil. paloma de toca.** ‖ **moñuda. paloma de moño.** ‖ **palomariega.** La que está criada en el palomar y sale al campo. ‖ **real.** La mayor de todas las variedades de la **paloma** doméstica, de las cuales se diferencia en tener el arranque del pico de un hermoso color de azufre. ‖ **rizada.** Variedad que se distingue por tener las plumas rizadas. ‖ **silvestre.** Especie de **paloma** que mide unos 36 centímetros desde la punta del pico hasta el extremo de la cola, y 70 de envergadura, con plumaje general apizarrado, de reflejos verdosos en el cuello y morados en el pecho, blanco en el obispillo y ceniciento en el borde externo de las alas, que están cruzadas por dos fajas negras; pico azulado oscuro y pies de color pardo rojizo. Es muy común en España, anida tanto en los montes como en las torres de las poblaciones, y se considera como el origen de las castas domésticas. ‖ **sin hiel.** fig. Persona de genio apacible y quieto. ‖ **torcaz.** Especie de **paloma** que mide desde el pico hasta el extremo de la cola unos 40 centímetros y 75 de envergadura; tiene la cabeza, dorso y cola de color gris azulado, el cuello verdoso y cortado por un collar incompleto muy blanco; alas apizarradas con el borde exterior blanco, pecho rojo cobrizo, lo inferior del vientre blanquecino, pico castaño y patas moradas. Habita en el campo y anida en los árboles más elevados. ‖ **tripolina.** Variedad de **paloma** doméstica, pequeña de cuerpo, con los pies calzados de plumas y la cabeza ceñida por varias plumas levantadas en forma de diadema. ‖ **zorita, zura, zurana,** o **zurita.** Especie de **paloma** que mide 34 centímetros desde la punta del pico hasta el extremo de la cola, y 68 de envergadura, con plumaje general ceniciento azulado, más oscuro en las partes superiores que en las inferiores, de reflejos metálicos verdes en el cuello y morados en el pecho, alas con una mancha y el borde exterior negros, pico amarillo y patas de color negro rojizo. Es común en España y vive en los bosques.

palomadura. (De *palomar*[2].) f. *Mar.* Ligadura con que se sujeta la relinga a su vela.

palomar[1]. m. Lugar donde se crían palomas. ‖ **alborotar el palomar.** fr. fig. y fam. **alborotar el cortijo.**

palomar[2]. adj. Aplícase a una especie de hilo bramante más delgado y retorcido que el regular.

palomariega. (De *palomar*[1].) adj. V. **paloma palomariega.**

palomear. intr. Andar a caza de palomas. ‖ **2.** Ocuparse mucho tiempo en cuidarlas.

palomera. f. Palomar pequeño de palomas domésticas. ‖ **2.** Páramo de corta extensión. ‖ **3.** *And.* Casilla en que anidan y crían las palomas.

palomería. f. Caza de las palomas que van de paso.

palomero, ra. adj. V. **virote palomero.** ‖ **2.** m. y f. Persona que trata en la venta y compra de palomas. ‖ **3.** Persona aficionada a la cría de estas aves.

palometa. f. Pez comestible, parecido al jurel, aunque algo mayor que este. ‖ **2. japuta,** pez. ‖ **3. palomilla**[1], armazón triangular para sostener algo. ‖ **4. palomita,** roseta de maíz tostado.

palomilla[1]. f. Mariposa nocturna, ceniciento, de alas horizontales y estrechas y antenas verticales. Habita en los graneros y causa en ellos grandes daños. ‖ **2.** Cualquier mariposa muy pequeña. ‖ **3.** Ninfa de un insecto. ‖ **4. fumaria,** hierba. ‖ **5. onoquiles,** planta. ‖ **6.** Parte anterior de la grupa de las caballerías. *Este caballo es alto de* PALOMILLA. ‖ **7.** Caballo de color muy blanco y semejante al de la paloma. ‖ **8.** Punta que sobresale en el remate de algunas albardas. ‖ **9.** Armazón de tres piezas en forma de triángulo rectángulo, que sirve para sostener tablas, estantes u otras cosas. ‖ **10. chumacera,** pieza con una muesca en que descansa y gira cualquier eje de maquinaria. ‖ **11.** En los coches de caballos de cuatro ruedas, cada uno de los dos trozos de hierro que van de la caja a las ballestas del juego trasero, y sobre los cuales, cuando la hay, se apoya la tabla que sirve de zaga. ‖ **12.** Grano de maíz tostado. ‖ **13. paloma,** agua con aguardiente anisado. ‖ **14.** pl. *Mar.* Ondas espumosas del mar. ‖ **de tintes. onoquiles,** planta.

palomilla[2]. f. fig. y fam. *Chile, Hond., Méj. y Pan.* Plebe, vulgo, gentuza, pandilla de vagabundos o matones. ‖ **2.** com. *Perú.* Pilluelo, muchacho travieso y callejero.

palomina. adj. V. **uva palomina.** ‖ **2.** f. Excremento de las palomas. ‖ **3. fumaria,** hierba.

palomino. m. Pollo de la paloma brava. ‖ **2.** fam. Mancha de excremento en la ropa interior.

palomita. f. Roseta de maíz tostado o reventado. ‖ **2.** Refresco de agua con algo de anís.

palomo. (Del lat. *palumbus.*) m. Macho de la paloma. ‖ **2. paloma torcaz.** ‖ **3.** fam. V. **Juan Palomo.** ‖ **4.** fig. Propagandista o muñidor muy diestro en estos oficios. ‖ **ladrón.** El que con arrullos y caricias lleva las palomas ajenas al palomar propio. ‖ **zarandulí.** *And.* El pintado de negro. ‖ **zumbón.** *And.* El que tiene el buche pequeño y alto.

palón. m. *Blas.* Insignia semejante a la bandera, de la cual se distingue en ser una cuarta parte más larga que ancha, con cuatro farpas o puntas redondas en el extremo.

palor. (Del lat. *pallor, -ōris.*) m. p. us. **palidez.**

palotada. f. Golpe que se da con el palote o palillo. ‖ **no dar palotada.** fr. fig. y fam. No acertar en cosa alguna de las que dice o hace. ‖ **2.** fig. y fam. No haber empezado a hacer aún una cosa que le estaba encargada o encomendada.

palotazo. m. *Taurom.* **varetazo.**

palote. m. Palo mediano, como las baquetas con que se tocan los tambores. ‖ **2.** Cada uno de los trazos que suelen hacer los niños en el papel pautado, como ejercicio caligráfico para aprender a escribir. ‖ **3.** *Méj.* **horcate.** Ú. m. en pl. ‖ **4.** V. **Perico de, o de los palotes.**

paloteado, da. p. p. de **palotear.** ‖ **2.** m. Danza en que los bailarines hacen figuras, paloteando a compás de la música. ‖ **3.** fig. y fam. Riña o contienda ruidosa o en que hay golpes.

palotear. intr. Herir unos palos con otros o hacer ruido con ellos. ‖ **2.** fig. Hablar mucho y contender sobre un asunto.

paloteo. m. Acción y efecto de palotear.

palpable. adj. Que puede tocarse con las manos. ‖ **2.** fig. Patente, evidente.

palpablemente. adv. m. Patente o claramente, sin duda y con evidencia, y como si se tocara con las manos.

palpación. f. Acción y efecto de palpar. ‖ **2.** Med. Método exploratorio que se ejecuta aplicando los dedos o la mano sobre las partes externas del cuerpo o las cavidades accesibles.

palpadura. f. palpación, acción y efecto de palpar.

palpallén. (De or. araucano.) m. Arbusto americano de la familia de las compuestas, que alcanza dos metros de altura, con hojas aovadas, dentadas y cubiertas de un tomento blanquecino, y flores amarillas.

palpamiento. m. palpación, acción y efecto de palpar.

palpar. (Del lat. palpāre.) tr. Tocar con las manos una cosa para percibirla o reconocerla por el sentido del tacto. ‖ **2.** Emplear el sentido del tacto para orientarse en la oscuridad. ‖ **3.** fig. Conocer una cosa tan claramente como si se tocara.

pálpebra. (Del lat. palpēbra.) f. Anat. párpado.

palpebral. (Del lat. palpebrālis.) adj. Perteneciente o relativo a los párpados.

palpi. (Del araucano pal-pud.) m. Arbusto americano de la familia de las escrofulariáceas, de unos 30 centímetros de alto, hojas angostas, casi lineares, aserradas y flores amarillas, dispuestas en forma de un tirso alargado.

palpitación. (Del lat. palpitatĭo, -ōnis.) f. Acción y efecto de palpitar. ‖ **2.** Fisiol. Movimiento interior, involuntario y trémulo de algunas partes del cuerpo. ‖ **3.** Pat. Latido del corazón, sensible e incómodo para el enfermo, y más frecuente que el normal.

palpitante. (Del lat. palpĭtans, -āntis.) p. a. de palpitar. Que palpita. ‖ **2.** adj. fig. Vivo, de actualidad.

palpitar. (Del lat. palpitāre.) intr. Contraerse y dilatarse alternativamente el corazón. ‖ **2.** Aumentar la palpitación natural del corazón a causa de una emoción. ‖ **3.** Moverse o agitarse una parte del cuerpo interiormente con movimiento trémulo e involuntario. ‖ **4.** fig. Manifestarse vehementemente algún afecto o pasión. Se usa también refiriéndose a los mismos afectos. *En sus gestos y palabras* PALPITA *el rencor.*

pálpito. (De palpitar.) m. Presentimiento, corazonada.

palpo. (Del lat. palpum.) m. Zool. Cada uno de los apéndices articulados y movibles que en forma y número diferentes tienen los artrópodos alrededor de la boca para palpar y sujetar lo que comen.

palqui. (De or. araucano.) m. Arbusto americano de la familia de las solanáceas, de olor fétido, con muchos tallos erguidos, hojas enteras, lampiñas, algo ondeadas, estrechas y terminadas en punta por ambos extremos, y flores en panojas terminales con brácteas. Su cocimiento se emplea en Chile contra la tiña, y como sudorífico; y la planta, para hacer jabón.

palquista. m. Ladrón que se introduce por los balcones o ventanas.

palta. (De or. quechua.) f. Amér. Merid. aguacate, fruto.

palto. m. Amér. Merid. aguacate, árbol.

palucha. f. fam. Cuba. Charla frívola y sin sustancia.

paluchear. intr. fam. Cuba. parlotear.

paluchería. f. fam. Cuba. palucha.

paludamento. (Del lat. paludamentum.) m. Manto de púrpura bordado de oro que usaban en campaña los emperadores y caudillos romanos.

palude. (Del lat. palus, -ūdis.) f. ant. Laguna, charca, paúl.

palúdico, ca. (Del lat. palus, -ūdis, laguna.) adj. palustre². ‖

‖ **2.** Perteneciente o relativo al paludismo. ‖ **3.** Que padece paludismo. Ú. t. c. s. ‖ **4.** Pat. V. fiebre palúdica.

paludícola. adj. Que habita en los pantanos.

paludismo. (Del lat. palus, -ūdis, laguna.) m. Pat. Enfermedad febril producida por un protozoo, y transmitida al hombre por la picadura de mosquitos anofeles.

palumbario. (Del lat. palumbarius.) adj. V. halcón palumbario.

palurdo, da. (Del fr. balourd.) adj. Tosco, grosero. Dícese por lo común de la gente del campo y de las aldeas. Ú. t. c. s.

palustre¹. (De pala.) m. Paleta de albañil.

palustre². (Del lat. paluster.) adj. Perteneciente o relativo a laguna o pantano. ‖ **2.** V. ácoro palustre.

palla. f. Argent. y Chile. Selección de los minerales según la ley de los mismos. ‖ **2.** Chile. Canto del pallador.

pallaco. (Del quechua pallákuy, recoger para sí.) m. Chile. Mineral bueno que se recoge entre los escombros de una mina abandonada.

pallada. f. Amér. Merid. Canto del pallador.

pallador. (Del quechua pállay, recolectar.) m. Amér. Merid. Cantor popular errante.

pallaquear. tr. Perú. pallar².

pallar¹. m. Judía del Perú, gruesa como una haba, casi redonda y muy blanca.

pallar². (Del quechua pállay, recoger del suelo, cosechar.) tr. Entresacar o escoger la parte metálica o más rica de los minerales. ‖ **2.** Amér. Merid. Improvisar coplas, en controversia con otro cantor.

pallas. (De etim. disc.) f. Baile de los indígenas del Perú.

pallaza. f. Construcción en piedra, de planta redonda o elíptica con cubierta de paja, destinada en parte a vivienda y en parte al ganado.

pallete. (Del fr. paillet.) m. Mar. Tejido que se hace a bordo con hilos o cordones de cabos y sirve de defensa contra el roce o golpeo de ciertas partes del buque.

pallón. (De etim. disc.) m. Esferilla de oro o plata que resulta en la copela al hacer el ensayo de menas auríferas o argentíferas. ‖ **2.** Ensaye de oro, luego que se le ha incorporado la plata en la copelación, y antes de apartarlo por el agua fuerte.

palloza. f. pallaza.

pamandabuán. m. Embarcación filipina con remos semejante a la banca, pero mucho mayor.

pambil. m. Ecuad. Palma más pequeña que la real, pero con tronco esbelto y follaje ancho. Los troncos se usan en construcción, enteros o en tablas.

pamela. (De Pamela, nombre de la heroína y título de la obra del novelista inglés S. Richardson.) f. Sombrero de paja, bajo de copa y ancho de alas, que usan las mujeres, especialmente en el verano.

pamema. (Del cruce de pamplina y memo.) f. fam. Hecho o dicho fútil y de poca entidad, a que se ha querido dar importancia. ‖ **2.** melindre, delicadeza afectada y excesiva en palabras, acciones y ademanes. ‖ **3.** fingimiento, simulación.

pampa. (Del quechua pampa, llano, llanura.) f. Cualquiera de las llanuras extensas de América Meridional que no tienen vegetación arbórea.

pámpana. f. Hoja de la vid. ‖ tocar, o zurrar, la pámpana a uno. fr. fig. y fam. Golpearlo, azotarlo, castigarlo.

pampanada. f. Zumo que se saca de los pámpanos para suplir el del agraz, porque casi tiene el mismo sabor.

pampanaje. m. Abundancia de pámpanos. ‖ **2.** fig. hojarasca, cosa inútil.

pampango, ga. adj. Natural o habitante de Pampanga. Ú. t. c. s. ‖ **2.** Perteneciente o relativo a esta provincia de la isla de Luzón.

pampanilla. f. Taparrabos de tela o de cualquier otra cosa.

pámpano. (Del lat. *pampĭnus*.) m. Sarmiento verde, tierno y delgado, o pimpollo de la vid. ‖ **2. pámpana,** hoja de la vid. ‖ **3. salpa,** pez.

pampanoso, sa. adj. Que tiene muchos pámpanos.

pampeano, na. adj. Natural de la región argentina de las pampas. Ú. t. c. s. ‖ **2.** Perteneciente o relativo a las pampas. ‖ **3.** Natural de la provincia argentina de la Pampa. Ú. t. c. s. ‖ **4.** Perteneciente o relativo a esta provincia.

pampear. intr. *Amér. Merid.* Recorrer la pampa.

pamperdido. adj. **pan perdido.**

pampero, ra. adj. Natural de las pampas. ‖ **2.** Perteneciente o relativo a esta región argentina. ‖ **3.** Dícese del viento impetuoso procedente de dicha región, que suele soplar en el Río de la Plata. Ú. t. c. s. m.

pampino, na. adj. Dícese de la persona que trabaja en la pampa salitrera.

pampirolada. f. Salsa que se hace con pan y ajos machacados en el mortero y desleídos en agua. ‖ **2.** fig. y fam. Cualquier necedad o cosa insustancial.

pamplina. (De **papavĕrina,* y este del lat. *papāver,* amapola.) f. **álsine,** planta. ‖ **2.** Planta herbácea anual, de la familia de las papaveráceas, con tallos de dos a tres decímetros; hojas partidas en lacinias muy estrechas y agudas; flores de cuatro pétalos amarillos, en panojas pequeñas, y fruto seco en vainillas con muchas simientes. Infesta los sembrados de suelo arenisco, que en la primavera parecen teñidos de amarillo por la abundancia de flores. ‖ **3.** fig. y fam. Dicho o cosa poca entidad, fundamento o utilidad. Ú. m. en pl. *¡Con buena* PAMPLINA *te vienes!* ‖ **de agua.** Planta herbácea anual, de la familia de las primuláceas, con tallo sencillo o ramoso de dos a tres decímetros de altura; hojas pequeñas, garzas, trasovadas y enteras, algo pecioladas las inferiores; flores blancas en panojas terminales, y fruto seco, capsular, con bastantes semillas. Es común en los sitios húmedos, y su cocimiento, de sabor amargo, se ha empleado como aperitivo. ‖ **de canarios. álsine,** planta.

pamplinada. f. Dicho o cosa fútil, pamplina.

pamplinero, ra. adj. Propenso a decir pamplinas.

pamplinoso, sa. adj. **pamplinero.**

pamplonés, sa. adj. Natural de Pamplona. Ú. t. c. s. ‖ **2.** Perteneciente o relativo a esta ciudad.

pamplonica. adj. fam. **pamplonés,** natural de Pamplona. Ú. t. c. s.

pampón. (aum. de *pampa.*) m. *Perú.* Corral grande.

pamporcino. (De *pan* y *porcino.*) m. Planta herbácea, vivaz, de la familia de las primuláceas, con rizoma grande y en forma de torta, del que parten muchas raicillas; hojas radicales, de largos peciolos, acorazonadas, obtusas, abigarradas de verde en la haz y rojizas en el envés; flores elegantes, aisladas, de corola con tubo purpurino y divisiones róseas, pendientes de un pedúnculo, primero erguido, y arrollado en espiral después de la fecundación, para esconder en tierra el fruto, que es seco, capsular y redondo, con varias semillas negras, menudas y arrugadas. Es espontánea en toda Europa, y el rizoma, que buscan y comen los cerdos, se emplea como purgante, generalmente en pomadas, pues es peligroso su uso interno. ‖ **2.** Fruto de esta planta.

pamposado, da. (De *pan* y *posado.*) adj. p. us. Desidioso, flojo y poltrón.

pampringada. f. Rebanada de pan empapada en pringue. ‖ **2.** fig. y fam. Cosa sin importancia o inoportuna.

pamue. adj. Se dice del indígena de África Occidental perteneciente a la República de Guinea Ecuatorial. Ú. t. c. s. ‖ **2.** m. Lengua de los **pamues.**

pan. (Del lat. *panis.*) m. Porción de masa de harina y agua que se cuece en un horno y sirve de alimento, entendiéndose que es de trigo cuando no se expresa otro grano. Puede tener varias formas que toman nombres especiales, pero se llama **pan** a la pieza grande, redonda y achatada. ‖ **2.** Masa muy sobada y delicada, dispuesta con manteca o aceite, que usan en las pastelerías y cocinas para pasteles y empanadas. ‖ **3.** V. **árbol, arca del pan.** ‖ **4.** V. **canto, cornero, pedazo de pan.** ‖ **5.** V. **tierra de pan llevar.** ‖ **6.** fig. Masa de otras cosas, en figura de **pan.** PAN *de higos, de jabón, de sal.* ‖ **7.** fig. Todo lo que en general sirve para el sustento diario. ‖ **8.** fig. **trigo.** *Este año hay mucho* PAN. ‖ **9.** fig. Hoja de harina cocida entre dos hierros a la llama, que sirve para hostias, obleas y otras cosas semejantes. ‖ **10.** fig. Hoja muy delicada que forman los batidores de oro, plata u otros metales a fuerza de martillo, y cortada después, la guardan o mantienen entre hojas de papel, y sirve para dorar o platear. ‖ **11.** En Galicia, cada una de las semillas de que se hace **pan,** menos el trigo. ‖ **12.** pl. Los trigos, centenos, cebadas, etc., desde que nacen hasta que se siegan. ‖ **aflorado. pan de flor.** ‖ **agradecido.** fig. Persona agradecida al beneficio. ‖ **ázimo.** El que se hace sin poner levadura en la masa. ‖ **bazo.** El que se hace de moyuelo y una parte de salvado. ‖ **bendito.** El que suele bendecirse en la misa y se reparte al pueblo. ‖ **2.** fig. y fam. Cualquier cosa que, cuando se reparte entre muchos, es recibida con gran aceptación. ‖ **candeal.** El que se hace con harina de trigo candeal. ‖ **cenceño. pan ázimo.** ‖ **de azúcar. pilón¹.** ‖ **de flor.** El que se hace con la flor de la harina de trigo. ‖ **de la boda.** fig. Regalos, agasajos, parabienes, diversiones y alegrías de que gozan los recién casados. ‖ **de molde.** El que tiene forma rectangular en su totalidad, carece de corteza dura y está partido en rebanadas cuadradas. Se usa principalmente para hacer emparedados y sándwiches. ‖ **de munición.** El que se da a los soldados, penados, presos, etc., fabricado por lo común en grandes cantidades. ‖ **de perro. perruna.** ‖ **2.** fig. Daño y castigo que se hace o da a uno. Dícese por alusión al **pan** con zarazas, que suele darse a los perros para matarlos. ‖ **de pistola. pan** largo y duro que se usa especialmente en la sopa. ‖ **de poya.** Aquel con que se contribuía en los hornos públicos por precio de la cochura. ‖ **de proposición.** El que se ofrecía todos los sábados en la ley antigua, y se ponía en el tabernáculo. Eran doce, en memoria de las doce tribus; no se cocían en los hornos comunes, sino en vasos hechos a propósito y solo los podían comer los sacerdotes y levitas. ‖ **de salvado. pan integral.** ‖ **de tierra.** *Amér.* **cazabe.** ‖ **de trastrigo.** fig. y fam. Ú. solo en la loc. **buscar pan de trastrigo,** que significa pretender uno cosas fuera de tiempo o mezclarse en las que solo daños pueden ocasionarle. ‖ **eucarístico.** Hostia consagrada. ‖ **fermentado. pan** de harina y agua con fermento, cocido en horno. ‖ **floreado. pan de flor.** ‖ **francés.** Cierta clase de **pan** muy esponjoso, hecho con harina de trigo. ‖ **2.** *Guat.* El que se hace con harina de trigo, sal y muy poca manteca. ‖ **integral.** El que se elabora con harina integral. ‖ **mal conocido.** fig. Favor o beneficio mal agradecido. ‖ **mediado. pan por mitad.** ‖ **mollete.** Panecillo ovalado y esponjado. ‖ **o vino.** Especie de juego semejante al de las chapas que se hace con una tejilla o cosa parecida mojada por una cara, que llaman vino, así como a la otra la llaman **pan.** ‖ **perdido.** fig. Persona que ha dejado su casa y se ha metido a holgazana y vagabunda. ‖ **pintado.** El que se hace para las bodas y otras funciones adornándolo por la parte superior con unas labores. ‖ **porcino. pamporcino.** ‖ **por mitad.** Entre labradores, arrendamiento de tierras pagado en granos, por igual porción de trigo y cebada. ‖ **regañado.** El que se abre en el horno, o por la fuerza del fuego, o por la incisión que se le hace al tiempo de echarlo a cocer. ‖ **seco. pan** solo, sin otra vianda o comida. ‖ **sentado.** El muy metido en harina, cuando pasa un día después de su cochura y mientras permanece correoso. ‖ **sobornado.** El que en el tendido se pone en el hueco de dos hileras, por lo que queda de diferente figura. ‖ **subcinericio.** El cocido en el rescoldo o debajo de la ceniza. ‖ **supersubstancial. pan eucarístico.** ‖ **terciado.** Renta de las tierras que se paga en granos, siendo las dos terceras partes de trigo y la otra de cebada. ‖ **y agua.** Cierta cantidad limitada de maravedís que daban las órdenes militares a sus caballeros por razón de alimentos. ‖ **y quesillo.** Planta herbácea de la familia de las crucíferas, con tallo de tres a cuatro decímetros de altura; hojas estrechas, recortadas o enteras, pecioladas las radicales y abrazadoras las superiores; flores blancas, pequeñas, en panojas, y fruto seco en vainilla triangular, con muchas semillas menudas, redondas, aplastadas y de color amarillento. Es abundantísima en todos los terrenos incultos y aun encima de las tapias y tejados. Su cocimiento es astringente y se ha empleado contra las hemorragias. ‖ **al pan, pan y al vino, vino.** expr. fig. **pan por pan, vino por vino.** ‖ **a pan y cuchillo, o a pan y manteles.** locs. advs. que se dicen del que mantiene a otro dentro de una misma casa y a su misma mesa. ‖ **coger a uno el pan bajo el sobaco.** fr. fig. y fam. Ganarle la voluntad, dominarlo. ‖ **comer el pan de uno.** fr. fig. y fam. Ser su familiar o doméstico, o estar mantenido por él. ‖ **comer uno el pan de los niños.** fr. fig. y fam. Ser muy viejo. Se usa para dar a entender que está de más o estorba ya en el mundo. ‖ **comer pan con corteza.** fr. fig. y fam. Ser una persona adulta y entrar por sí misma sin la ayuda de otra. ‖ **2.** fig. y fam. Estar ya bueno un enfermo. ‖ **con su pan se lo coma.** expr. fig. con que uno a da a entender la indiferencia con que mira el medro, la conducta o resolución de otra persona. ‖ **contigo, pan y cebolla.** expr. fig. con que ponderan su desinterés los enamorados. ‖ **del pan y del palo.** expr. fig. y fam. que enseña que no se debe usar excesivo rigor, sino mezclar la suavidad y el agasajo con el castigo. ‖ **2.** También significa que con lo útil y provechoso se suele recompensar el trabajo y la fatiga. ‖ **echarse los panes.** fr. Inclinarse o caerse al madurar la mieses. ‖ **¡el pan de cada día!** expr. fig. con que se censura al que repite de continuo consejos, peticiones o quejas. ‖ **engañar el pan.** fr. fig. y fam. Comer con el pan una cosa de gusto, para que sepa mejor y se no desperdicie. ‖ **escalfar el pan.** fr. Cocerlo con demasiado fuego, de suerte que saca en la corteza unas ampollas. ‖ **ganar pan.** fr. fig. Adquirir caudal. ‖ **hacer un pan como unas hostias.** fr. fig. y fam. Haber hecho algo con gran desacierto o mal resultado. ‖ **¡ni qué pan caliente!** fr. fig. y fam. *Amér. Central, Col., Ecuad.* y *P. Rico.* Se emplea para rechazar las excusas, explicaciones, etc., de otro. ‖ **no cocérsele a uno el pan.** fr. fig. y fam. No estar tranquilo hasta hacer, decir o saber lo que se desea. ‖ **no comer uno el pan de balde.** fr. fig. No recibir de gracia una cosa, sino por su fatiga y trabajo. ‖ **no comer pan.** fr. fig. No ocasionar gasto las cosas que pueden ser útiles, y por ello no hay daño en conservarlas. ‖ **no haber pan partido.** fr. fig. Haber gran amistad y estrecha confianza entre dos o más personas. ‖ **no le comerán el pan las gallinas.** expr. fig. y fam. que significa que uno llegará tarde al lugar adonde se dirige. ‖ **pan por pan, vino por vino.** expr. fig. con que se da a entender que uno ha dicho a otro una cosa llanamente, sin rodeos y con claridad. ‖ **pan y callejuela.** expr. fig. con que se explica a uno se le deja paso libre para que vaya donde quiera. ‖ **pan, y pan como hogaza, y pan a comello.** expr. fig. que explica que una cosa es la misma que otra, y no tiene nueva utilidad, aunque se signifique como diversa. ‖ **repartir pan bendito.** fr. fig. y fam. Distribuirla en porciones muy pequeñas; con alusión al pan bendito que se suele dar en la iglesia. ‖ **ser algo pan comido.** fr. fig. y fam. Ser muy fácil de conseguir. ‖ **ser una**

cosa **el pan nuestro de cada día.** fr. fig. y fam. Ocurrir cada día o frecuentemente. ‖ **ser** una cosa **pan y miel.** fr. fig. Ser muy buena y agradable. ‖ **valerle** a uno **un pan por ciento.** fr. fig. y fam. Obtener, material o moralmente, considerable ventaja de haber alguna cosa.

pan-. (Del pref. gr. παν-.) elem. compos. que significa «totalidad». PAN*teísmo*.

pana. (Del fr. *panne.*) f. Tela gruesa semejante al terciopelo, que puede ser lisa o con hendiduras generalmente verticales. ‖ **2.** *Mar.* Cada una de las tablas levadizas que forman el suelo de una embarcación menor.

pánace. (Del lat. *panáces*, y este del gr. πανακές.) f. Planta herbácea, vivaz, de la familia de las umbelíferas, con tallo estriado, poco ramoso, velludo en la base, de una o dos metros de altura; hojas de pecíolos lanuginosos, partidas en lóbulos acorazonados; flores amarillas en umbelas muy pobladas, semillas aovadas y menudas, y raíz gruesa y jugosa, de que se saca el opopónaco.

panacea. (Del lat. *panacēa*, y este del gr. πανάκεια.) f. Medicamento a que se atribuye eficacia para curar diversas enfermedades. ‖ **2.** fig. Remedio o solución general para cualquier mal. ‖ **universal.** Remedio que buscaban los antiguos alquimistas para curar todas las enfermedades.

panadear. tr. p. us. Hacer pan para venderlo.

panadeo. m. p. us. Acción de panadear.

panadería. f. Oficio de panadero. ‖ **2.** Sitio, casa o lugar donde se hace o vende el pan.

panadero, ra. (De *pan.*) m. y f. Persona que tiene por oficio hacer o vender pan. ‖ **2.** m. pl. Baile español semejante al zapateado.

panadizo. (Alteración de *panarizo.*) m. Inflamación aguda del tejido celular de los dedos, principalmente de su tercera falange. ‖ **2.** p. us. fig. y fam. Persona que tiene el color muy pálido, y que anda continuamente enferma.

panado, da. adj. p. us. Dícese del líquido en que pone en infusión pan tostado y que, a veces sustituye a los caldos.

panal. (De *pan.*) m. Conjunto de celdillas prismáticas hexagonales de cera, colocadas en series paralelas, que las abejas forman dentro de la colmena para depositar la miel. ‖ **2.** Cuerpo de estructura semejante, que fabrican las avispas. ‖ **3.** Azucarillo, bolado. ‖ **longar.** El que está trabajado a lo largo de la colmena. ‖ **saetero.** El labrado de través, de un témpano al otro de la colmena.

panamá. (De *Panamá*, n. p.) m. Sombrero de pita, con el ala recogida o encorvada, pero que suele bajarse sobre los ojos. ‖ **2.** Tela de algodón a hilos gruesos, muy apta para el bordado.

panameñismo. m. Locución, giro o modo de hablar propio y peculiar de los panameños.

panameño, ña. adj. Natural de Panamá. Ú. t. c. s. ‖ **2.** Perteneciente o relativo a esta república de América.

panamericanismo. m. Tendencia a fomentar las relaciones de todo orden entre los países del Hemisferio Occidental, principalmente entre los Estados Unidos de Norteamérica y los países hispanoamericanos.

panamericanista. com. Persona que profesa ideas de panamericanismo.

panamericano, na. adj. Perteneciente o relativo al panamericanismo. Ú. t. c. s.

panarizo. (Del gr. παρωνύχιον, a través del lat. *paranícīum*, alteración de *paronychīum*.) m. **panadizo.**

panarra. (De *pennaria*.) m. fam. Hombre simple, tonto. ‖ **2. murciélago.**

panatela. (Del it. *panatella*.) f. Especie de bizcocho grande y delgado.

panateneas. (Del gr. Παναθήναια.) f. pl. Fiestas, las más famosas que se celebraban en Atenas en honor de la diosa Atenea o Minerva, patrona de la ciudad.

panática. (Del b. lat. *panatica.*) f. Provisión de pan en las embarcaciones.

panatier. (Del fr. *panetier.*) m. El encargado de la panetería de palacio, panetero.

panca[1]. f. Embarcación filipina, especie de banca, que lleva realzadas las bordas con unas tablas, por debajo de las cuales pasan los palos donde se sujetan las batangas volantes. Se gobierna con la pagaya; tiene bancadas fijas y zaguales en vez de remos, y se destina comúnmente a la pesca.

panca[2]. (Del quechua *p'anqa.*) f. *Amér.* Hoja que cubre la mazorca del maíz.

pancada. (Del port. *pancada,* golpe, y este del m. or. que *palanca.*) f. Contrato, muy usado en Indias, de vender las mercaderías por junto y en montón, especialmente las menudas. ‖ 2. *Gal.* Golpe brusco.

pancarpia. (Del lat. *pancarpĭae* [*coronae*], y este del gr. παγϰαρπιος.) f. Corona compuesta de diversas flores.

pancarta. (Del b. lat. *pancharta,* y este del gr. πᾶν, todo, y χάρτες, hoja, papel.) f. Pergamino que contiene copiados varios documentos. ‖ 2. Cartelón de tela, cartón, etc., que, sostenido adecuadamente en una o varias pértigas, se exhibe en reuniones públicas, y contiene letreros de grandes caracteres, con lemas, expresiones de deseos colectivos, peticiones, etcétera.

pancellar. m. Pieza de la armadura que cubría el vientre.

pancera. (De *panza.*) f. Pieza de la armadura que cubría el vientre.

panceta. f. Hoja de tocino entreverada con magro.

pancilla. (d. de *panza.*) f. V. **letra pancilla.**

pancismo. m. Tendencia o actitud de quienes acomodan su comportamiento a lo que creen más conveniente y menos arriesgado para su provecho y tranquilidad.

pancista. (De *panza.*) com. Persona que practica el pancismo como conducta habitual.

panclastita. (Del gr. πᾶν, todo, y ϰλαστός, roto.) f. Explosivo muy violento, derivado del ácido pícrico.

panco. m. Embarcación filipina de cabotaje, algo semejante al pontín y de construcción parecida a la europea.

pancraciasta. m. Atleta dedicado a los ejercicios del pancracio.

pancracio. (Del lat. *pancratĭum,* y este del gr. παγϰράτιον.) m. Combate gímnico de origen griego, que estuvo muy de moda entre los romanos. La lucha, el pugilato y toda clase de medios, como la zancadilla y los puntapiés, eran lícitos en este combate para derribar o vencer al contrario.

pancrático, ca. adj. *Anat.* **pancreático.**

páncreas. (Del gr. πάγϰρεας.) m. *Anat.* Glándula propia de los animales vertebrados, que en la mayoría de ellos es compacta o lobulada, está situada junto al intestino delgado y tiene uno o varios conductos excretores que desembocan en el duodeno. Consta de una parte exocrina, la cual elabora un jugo que vierte en el intestino y contribuye a la digestión porque contiene varios fermentos, y otra endocrina, que produce una hormona, la insulina, cuya función consiste en impedir que pase de un cierto límite la cantidad de glucosa existente en la sangre.

pancreático, ca. adj. Perteneciente al páncreas.

pancromático, ca. (Del gr. πᾶν, todo, y χρωματιϰός, de color.) adj. *Fotogr.* Dícese de las placas y películas cuya sensibilidad es aproximadamente igual para los diversos colores.

pancho[1]. m. Cría del besugo.

pancho[2]. (Del lat. *pantex, -ĭcis,* panza.) m. fam. Vientre, barriga, panza.

pancho[3]**, cha.** adj. Tranquilo, inalterado. ‖ 2. Satisfecho con algo. *Tan* PANCHO.

panchón. m. *Ast.* Pan moreno hecho con harina poco cernida.

panda. (De *pando,* curvado, de donde *panda,* fullería en los naipes [curvándolos].) f. Cada una de las galerías o corredores de un claustro. ‖ 2. Pandilla que forman algunos para hacer daño. ‖ 3. Reunión de gente para divertirse.

pandanáceo, a. (De *pandanus,* nombre científico basado en una palabra malaya.) adj. *Bot.* Dícese de plantas angiospermas monocotiledóneas, vivaces, de tallo sarmentoso y rastrero, con hojas largas y estrechas, semillas frecuentemente dentadas y espinosas, flores reunidas en espádice y frutos en baya o drupa con semillas de albumen carnoso; como el bombonaje. Ú. t. c. s. f. ‖ 2. f. pl. *Bot.* Familia de estas plantas.

pandáneo, a. adj. *Bot.* **pandanáceo.**

pandar. (De *pando,* v. *panda.*) tr. *Germ.* Trampear en el juego, especialmente curvando las cartas.

pandear. (De *pando.*) intr. Torcerse una cosa encorvándose, especialmente en el medio. Se usa hablando de las paredes, vigas y otras cosas. Ú. m. c. prnl.

pandectas. (Del lat. *Pandectae,* y este del gr. πανδέϰται.) f. pl. Recopilación de varias obras, especialmente las del derecho civil que el emperador Justiniano puso en los 50 libros del Digesto. ‖ 2. Código del mismo emperador, que las Novelas y demás constituciones que lo componen. ‖ 3. Conjunto del Digesto y del Código. ‖ 4. Entre los hombres de negocios, índice alfabético de nombres de personas con remisión a su cuenta.

pandemia. (Del gr. πανδημία, reunión del pueblo.) f. *Pat.* Enfermedad epidémica que se extiende a muchos países o que ataca a casi todos los individuos de una localidad o región.

pandemónium. (Del gr. πᾶν, todo, y δαίμονιον, demonio.) m. Capital imaginaria del reino infernal. ‖ 2. fig. y fam. Lugar en que hay mucho ruido y confusión.

pandeo. m. Acción y efecto de pandear o pandearse. ‖ 2. En la construcción, flexión de una viga, provocada por una compresión lateral.

pandera. f. **pandero.**

panderada. f. Conjunto de muchos panderos. ‖ 2. fig. y fam. Necedad, dicho insustancial o fuera de propósito.

panderazo. m. Golpe dado con el pandero o la pandera.

pandereta. f. d. de **pandera.** ‖ 2. Pandero con sonajas o cascabeles.

panderetazo. m. Golpe dado con la pandereta.

panderete[1]. m. d. de **pandero.** ‖ 2. V. **tabique de panderete**[1].

panderete[2]. (De *pandar.*) m. *Germ.* Encuentro de dos naipes preparado con fullería.

panderetear. (De *pandereta.*) intr. Tocar el pandero en bulla y alegría. ‖ 2. Festejarse y bailar al son de él.

panderetero. m. Acción y efecto de panderetear. ‖ 2. Regocijo y bulla al son del pandero.

panderetero, ra. (De *pandereta.*) m. y f. Persona que toca el pandero. ‖ 2. Persona aficionada a tocarlo. ‖ 3. Persona que hace o vende panderos.

panderetólogo. m. fest. En la tuna, el estudiante diestro en tocar la pandereta.

pandero. (Del lat. *pandorĭum.*) m. Instrumento rústico formado por uno o dos aros superpuestos, de un centímetro o menos de ancho, provistos de sonajas o cascabeles y cuyo vano está cubierto por uno de sus cantos o por los dos con piel muy lisa y estirada. Tócase haciendo resbalar uno o más dedos por ella o golpeándola con ellos o con toda la mano. ‖ 2. fig. y fam. Persona necia y que habla mucho con poca sustancia. ‖ 3. **cometa,** juguete de muchachos. ‖ 4. fig. y fam. **culo.**

panderón. (De *pandero.*) m. *And.* Plano inclinado, de superficie lisa y suave, formado por grandes hojas de pizarra de color acerado y bruñido aspecto, que forma la parte convexa de algunas lomas de Sierra Nevada. PANDERONES *del Veleta, del Mulhacén,* etc.

pandiculación. (Del lat. *pandiculári,* desperezarse.) f. Acción y efecto de estirarse o desperezarse.

pandilla. (De *panda.*) f. Trampa, fullería, especialmente la hecha juntando cartas. ‖ **2.** Liga o unión. ‖ **3.** La que forman algunos para engañar a otros o hacerles daño. ‖ **4.** Bando, bandería. ‖ **5.** Grupo de amigos que suelen reunirse para conversar o solazarse, o con fines menos lícitos.

pandillaje. m. Influjo de personas reunidas en pandilla para fines poco lícitos.

pandillero, ra. adj. Dícese de la persona que forma pandillas. Ú. t. c. s.

pandillista. m. El que forma o fomenta pandillas.

pando, da. (Del lat. *pandus,* curvado.) adj. Que pandea. ‖ **2.** Dícese de lo que se mueve lentamente, como los ríos cuando van por tierra llana. ‖ **3.** Poco profundo, de poco fondo. Dícese principalmente de las aguas y de las concavidades que las contienen. ‖ **4.** Dícese de la caballería que por ser muy larga de cuartillas y débil, casi toca en el suelo con los menudillos. ‖ **5.** fig. Dícese del sujeto pausado y flemático. ‖ **6.** m. Terreno casi llano situado entre dos montañas.

pandorga. (De lat. **panduríca;* de *pandúra,* especie de laúd; en algunas acepciones se confunde con *andorga.*) f. Figurón a modo de estafermo, que en cierto juego antiguo daba con el brazo al jugador poco diestro. ‖ **2.** Este mismo juego. ‖ **3.** Cometa que se sube en el aire. ‖ **4.** Vientre, barriga, panza. ‖ **5.** fig. y fam. Mujer muy gorda y pesada, o floja en sus acciones. ‖ **6.** *Murc.* Zambomba, instrumento músico.

panecillo. (d. de *pan.*) m. Pan pequeño equivalente en peso a la mitad de una libreta. ‖ **2.** Mollete esponjado, que se usa principalmente para el desayuno. ‖ **3.** Lo que tiene forma de un pan pequeño.

panegírico, ca. (Del lat. *panegyrícus,* y este del gr. πανηγυρικός.) adj. Perteneciente o relativo a la oración o discurso en alabanza de una persona; laudatorio, encomiástico. *Discurso* PANEGÍRICO, *oración* PANEGÍRICA. ‖ **2.** m. Discurso o sermón en alabanza de alguien. ‖ **3.** Elogio de alguna persona, hecho por escrito.

panegirista. (Del lat. *panegyrista,* y este del gr. πανηγυριστής.) m. Orador que pronuncia el panegírico. ‖ **2.** fig. El que alaba a otro de palabra o por escrito.

panegirizar. (Del gr. πανηγυρίζω, celebrar una fiesta.) tr. p. us. Hacer el panegírico de una persona.

panel¹. (Del ant. fr. *panel.*) m. Cada uno de los compartimientos, limitados comúnmente por fajas o molduras, en que para su ornamentación se dividen los lienzos de pared, las hojas de puertas, etc. ‖ **2.** Elemento prefabricado que se utiliza para construir divisiones verticales en el interior o exterior de las viviendas y otros edificios. ‖ **3.** Especie de cartelera de diversas materias y grandes dimensiones que, montada sobre una estructura metálica en paredes de edificios, carreteras u otros lugares, sirve como propaganda de productos, establecimientos, itinerarios públicos, etc. ‖ **4.** *Mar.* Cada una de las tablas que forman el suelo movible de algunas embarcaciones pequeñas.

panel². (Del ing. *panel.*) m. *Cuba* y *P. Rico.* Lista de jurados. ‖ **2.** Grupo de personas que discuten un asunto en público.

panela. (De *pan.*) f. Bizcochuelo de figura prismática. ‖ **2.** *Col.* y *Hond.* Azúcar mascabado en panes prismáticos, chancaca. ‖ **3.** *Blas.* Hoja de álamo puesta como mueble en el escudo.

panelero, ra. (De *panela.*) adj. *Col.* y *Hond.* Dícese de la persona que labora o vende panela. Ú. t. c. s.

pane lucrando. (De *panis,* pan, y *lucrári,* ganar, obtener; ganando el pan; para ganar el pan.) expr. lat. que, precedida de

la preposición *de,* se aplica a las obras artísticas o literarias que no se hacen con el esmero debido, ni por amor al arte y a la gloria, sino descuidadamente y con el exclusivo fin de ganarse la vida.

panenteísmo. (Del gr. πᾶν, todo; ἐν, en, y θεός, Dios.) m. *Fil.* Teoría de Krause de que Dios contiene al mundo y este trasciende de Dios.

panera. (Del lat. *panaría,* t. f. de *-rius,* panero.) f. Troje o cámara donde se guardan los cereales, el pan o la harina. ‖ **2.** Cesta grande sin asa, generalmente de esparto, que sirve para transportar pan. ‖ **3.** Especie de cesta o nasa de pescar. ‖ **4.** Recipiente hecho de diversas materias, que se utiliza para colocar el pan en la mesa. ‖ **5.** *Ast.* Hórreo con seis o más pegollos.

panero¹. (Del lat. *panaríum.*) m. Canasta redonda que sirve en las tahonas para echar el pan que se va sacando del horno. ‖ **2.** Estera pequeña y redonda.

panero², ra. adj. Dícese de la persona que gusta de comer mucho pan.

paneslavismo. (Del gr. πᾶν, todo, y de *eslavo.*) m. Tendencia política que aspira a la confederación de todos los pueblos de origen eslavo.

paneslavista. adj. Perteneciente o relativo al paneslavismo. ‖ **2.** Partidario del paneslavismo. Ú. t. c. s.

panetela. (De *panatela.*) f. Especie de papas que se hacen con caldo muy sustancioso y pan rallado, a lo cual se suele agregar gallina picada, yemas de huevo, azúcar u otros ingredientes. ‖ **2.** Cigarro puro largo y delgado. ‖ **3.** *And., Cuba* y *P. Rico.* Especie de bizcocho.

panetería. (De *panetero.*) f. Oficina o lugar destinado en palacio para la distribución del pan y para el cuidado de la ropa de mesa.

panetero, ra. (Del fr. *panetier,* panadero.) m. y f. Persona encargada de la panetería.

paneuropeísmo. m. Tendencia o doctrina que aspira a la aproximación política, económica y cultural de los países de Europa.

paneuropeo, a. adj. Relativo a toda Europa.

panfilismo. (De *pánfilo.*) m. Benignidad extremada.

pánfilo, la. (De lat. *Pamphílus,* n. p., y este del gr. πάμφιλος, bondadoso.) adj. Muy pausado, desidioso, flojo y tardo en obrar. Ú. t. c. s. ‖ **2.** m. Juego de burla que consistía en apagar una cerilla con que querían quemar a uno, y el apagarla había de ser soplando y pronunciando a un tiempo la palabra **pánfilo.**

panfletario, ria. adj. Dícese del estilo propio de los panfletos. ‖ **2.** m. y f. **panfletista.**

panfletista. com. Autor de un panfleto o de panfletos.

panfleto. (Del ing. *pamphlet.*) m. Libelo difamatorio. ‖ **2.** Opúsculo de carácter agresivo.

pangal. (De *pangue.*) m. *Chile.* Terreno en que abundan los pangues.

pangasinán, na. adj. Natural o habitante de Pangasinán. Ú. t. c. s. ‖ **2.** Perteneciente o relativo a esta provincia de las Filipinas. ‖ **3.** m. Dialecto perteneciente a las lenguas indonésicas que se habla en la zona interior de la isla de Luzón.

pangelín. (Del port. *angelim.*) m. Árbol leguminoso del Brasil, que crece hasta 12 ó 14 metros de altura, con tronco recto y grueso, copa espaciosa, hojas semejantes a las del nogal, flores pequeñas y dispuestas en racimos, y fruto aovado, de cuatro a cinco centímetros de largo, con una sutura elevada y longitudinal: contiene una almendra dura y rojiza llena de un meollo de gusto entre amargo y agrio, muy desagradable, que se usa en medicina como antihelmíntico.

pange lingua. m. Himno que empieza con estas palabras y se canta en honor y alabanza del Santísimo Sacramento.

pangermanismo. (Del gr. πᾶν, todo, y de *Germania*.) m. Doctrina que proclama y procura la unión y predominio de todos los pueblos de origen germánico.

pangermanista. adj. Perteneciente o relativo al pangermanismo. ‖ **2.** Partidario de esta doctrina. Ú. t. c. s.

pangolín. (Del malayo *penggoling*, rodillo, a través del ing.) m. Mamífero del orden de los desdentados, cubierto todo, desde la cabeza hasta los pies y la cola, de escamas duras y puntiagudas, que el animal puede erizar, sobre todo al arrollarse en bola, como lo hace para defenderse. Hay varias especies propias del centro de África y del sur de Asia, y varían en tamaño, desde seis a ocho decímetros de largo hasta el arranque de la cola, que es casi tan larga como el cuerpo.

pangue. (Del araucano *panke*.) m. *Chile*. Planta acaule, de la familia de las gunneráceas, con grandes hojas de más de un metro de largo y cerca de medio de ancho, orbiculares y lobuladas. De su centro nace un bohordo cilíndrico que lleva muchas espigas de flores. El fruto parece una drupa pequeña porque su cáliz se vuelve carnoso, y el rizoma, que es astringente, se usa en medicina y para teñir y curtir. Es frecuente en los lugares pantanosos y a lo largo de los arroyos.

paniaguado. (De *paniaguado*.) m. Servidor de una casa, que recibe del dueño de ella habitación, alimento y salario. ‖ **2.** fig. El allegado a una persona y favorecido por ella.

pánico, ca. (Del gr. Πανικός, a través del lat. *panīcus*.) adj. Referente al dios Pan. ‖ **2.** Aplícase al miedo grande o temor muy intenso. Ú. t. c. s. m.

panícula. (Del lat. *panícula*.) f. *Bot*. Panoja o espiga de flores.

paniculado, da. adj. En forma de panícula.

panicular. (De *panículo*.) adj. *Anat*. Perteneciente o relativo al panículo.

panículo. (Del lat. *pannicŭlus*, tela fina.) m. *Anat*. Capa de tejido adiposo situada debajo de la piel de los vertebrados. ‖ **adiposo.** *Anat*. panículo.

paniego, ga. adj. Que come mucho pan, o es muy aficionado a él. *Gente honrada no es* PANIEGA. ‖ **2.** Dícese del terreno que produce trigo. ‖ **3.** m. *Sal*. Saco o costal para llevar a vender el carbón.

panificable. adj. Que se puede panificar.

panificación. f. Acción y efecto de panificar.

panificadora. f. **tahona**, fábrica de pan.

panificar. (der. pop. del lat. *panis*, pan, y *facĕre*, hacer.) tr. Convertir la harina en pan. ‖ **2.** Romper las dehesas y tierras eriales, arándolas, cultivándolas y haciéndolas de pan llevar.

paniguado, da. (Del lat. *panificātus*, mantenido a pan.) adj. **paniaguado.**

panilla. (Del b. lat. *panellus*, cierta medida de capacidad.) f. Medida que se usa solo para el aceite y es la cuarta parte de una libra. ‖ **2.** *And*. **abacería.**

panique. m. Murciélago de Oceanía, del tamaño del conejo, con la cabeza parecida a la del perro, cola corta y pelo oscuro que tira a rojizo. Es herbívoro, su carne se come, y su piel se utiliza en peletería.

panislámico, ca. adj Perteneciente o relativo al panislamismo.

panislamismo. (Del gr. πᾶν, todo, e *islamismo*.) m. Moderna tendencia de los pueblos musulmanes a lograr, mediante la unión de todos ellos, su independencia política, religiosa y cultural respecto de las demás naciones.

panislamista. com. Partidario del panislamismo. Ú. t. c. adj.

panizal. m. *Ast*. Espuma ligera que forma la sidra cuando se echa en el vaso. Sirve para apreciar la buena calidad del líquido. *Formar buen* PANIZAL.

panizo. (Del lat. *panīcum*.) m. Planta anua de la familia de las gramíneas, originaria de Oriente, de cuya raíz salen varios tallos redondos como de un metro de altura, con hojas planas, largas, estrechas y ásperas, y flores en panojas grandes, terminales y apretadas. ‖ **2.** Grano de esta planta. Es redondo, de tres milímetros de diámetro, reluciente y de color entre amarillo y rojo. Empléase en varias partes para alimento del hombre y de los animales, especialmente de las aves. ‖ **3. maíz.** ‖ **4.** *Chile*. Criadero de minerales. ‖ **5.** *Chile*. Persona de la que se obtiene, o se piensa obtener, gran provecho. ‖ **de Daimiel.** Planta de la familia de las gramíneas, que tiene las hojas planas con nervios gruesos y flores en panoja con ramos verticilados terminados por dos espiguillas. ‖ **negro. zahína**, planta graminea. ‖ **2.** semilla de esta planta. ‖ **3. panizo de Daimiel.**

panjí. m. **árbol del Paraíso.**

panléxico. m. Diccionario muy extenso que abarca tecnicismos, regionalismos, etc.

pano. adj. Familia lingüística americana extendida en las regiones entre el río Ucayali y las cabeceras del Juruá y Purús, entre Perú y Brasil.

panocha. (Del lat. *panucŭla*, manojo, racimo, panoja.) f. **panoja.**

panocho, cha. adj. *Murc*. Perteneciente o relativo a la huerta de Murcia. ‖ **2.** m. y f. Habitante de la huerta. ‖ **3.** m. Habla o lenguaje huertano.

panoja. (Del lat. *panucŭla*, manojo, racimo, panoja.) f. Mazorca del maíz, del panizo o del mijo. ‖ **2.** Racimo de uvas o de otra fruta. ‖ **3.** Conjunto de tres o más boquerones u otros pescados pequeños, que se fríen pegados por las colas. ‖ **4.** *Bot*. Conjunto de espigas, simples o compuestas, que nacen de un eje o pedúnculo común; como en la grama y en la avena.

panol. (De *pañol*.) m. ant. *Mar*. Cualquier compartimiento del buque que sirve para depósito o almacén.

panoli. (Del valenciano *pa en oli*, pan con aceite, una especie de bollo.) adj. vulg. Dícese de la persona simple y sin voluntad. Ú. t. c. s.

panonio, nia. (Del lat. *Pannonĭus*.) adj. Natural de la Panonia. Ú. t. c. s. ‖ **2.** Perteneciente a esta antigua región de Europa.

panoplia. (Del gr. πανοπλία.) f. Armadura completa con todas las piezas. ‖ **3.** Colección de armas ordenadamente colocadas. ‖ **3.** Parte de la arqueología, que estudia las armas de mano y las armaduras antiguas. ‖ **4.** Tabla, generalmente en forma de escudo, donde se colocan floretes, sables y otras armas de esgrima.

panóptico, ca. (Del gr. πᾶν, todo, y ὀπτικός, óptico.) adj. Aplícase al edificio construido de modo que toda su parte interior se pueda ver desde un solo punto. Ú. t. c. s. m.

panorama. (Del gr. πᾶν, todo, y ὅραμα, vista.) m. Vista pintada en un gran cilindro hueco, en cuyo centro hay una plataforma circular, aislada, para los espectadores, y cubierta por lo alto a fin de hacer invisible la luz cenital. ‖ **2.** Paisaje muy dilatado que se contempla desde un punto de observación. ‖ **3.** En los teatros, gran tela de superficie plana, de color uniforme o con pinturas, situada al fondo de la escena, que, adecuadamente iluminada, da la sensación del cielo natural o de amplitud ambiental. ‖ **4.** fig. Aspecto de conjunto de una cuestión.

panorámico, ca. adj. Perteneciente o relativo al panorama. ‖ **2.** Se dice de lo hecho o lo visto a una distancia que permite contemplar el conjunto de lo que se quiere abarcar. ‖ **3.** f. *Cinem*. y *Fotogr*. Fotografía o sucesión de fotografías que muestran un amplio sector del campo visible desde un punto. ‖ **4.** *Cinem*. y *TV*. Amplio movimiento giratorio de la cámara, sin desplazamiento.

panormitano, na. (Del lat. *Panormitānus*; de *Panormus*, Palermo.) adj. Natural de Palermo. Ú. t. c. s. ‖ **2.** Perteneciente a esta ciudad de Sicilia.

panoso, sa. (Del lat. *panôsus*.) adj. **harinoso.** ‖ 2. V. **haba panosa.**

panque. m. **pangue,** planta.

pansa. (Del lat. *pansa,* tendida.) f. *Ar.* Uva seca, pasa[1].

pansido, da. (Del lat. *pansa,* pasa, a través del cat. *pansir.*) adj. *Murc.* Pasado, con referencia a las frutas, como uvas y ciruelas.

panspermia. (Del gr. πανσπερμία, mezcla de semillas de todas especies.) f. Doctrina que sostiene hallarse difundidos por todas partes gérmenes de seres organizados que no se desarrollan hasta encontrar circunstancias favorables para ello.

pantagruélico, ca. (De *Pantagruel,* personaje y título de una obra de Rabelais.) adj. Dícese, hablando de comidas, de las de cantidades excesivas. *Festín* PANTAGRUÉLICO.

pantalán. (De or. filipino.) m. Muelle o embarcadero pequeño para barcos de poco tonelaje, que avanza algo en el mar.

pantalón. (Del fr. *pantalon.*) m. Prenda de vestir, antes propia del hombre y ahora también usada por las mujeres, que se ciñe al cuerpo en la cintura y baja cubriendo cada pierna hasta los tobillos. Ú. m. en pl. ‖ 2. Prenda interior de la mujer, más ancha y corta que el **pantalón** de los hombres. ‖ **abotinado.** Aquel cuyos perniles se estrechan en la parte inferior ajustándose al calzado. ‖ **bombacho. pantalón** ancho cuyos perniles terminan en forma de campana abierta por el costado y con botones y ojales para cerrarla, ajustándolo a la pierna. ‖ 2. *Amér.* **bombacha, pantalón.** ‖ 3. **pantalón** ancho, ceñido a los tobillos. ‖ **tejano.** El de tela recia, ceñido y en general, azulado, usado originariamente por los vaqueros de Tejas. ‖ **vaquero. pantalón tejano.** ‖ **bajarse los pantalones.** fr. fig. y vulg. Ceder en condiciones deshonrosas. ‖ **llevar bien puestos los pantalones** o **ponerse uno los pantalones.** fr. fig. y fam. Imponer su autoridad, especialmente en el hogar. ‖ **ponerse** una mujer **los pantalones.** fr. fig. y fam. **ponerse los calzones.**

pantalonero, ra. m. y f. Persona especialmente dedicada a coser pantalones.

pantalla. (En port. *pantalha.*) f. Lámina de una u otra forma y materia, que se sujeta delante o alrededor de la luz artificial, para que no moleste a los ojos o para dirigirla hacia donde se quiera. ‖ 2. Especie de mampara que se pone delante de las chimeneas para resguardarse del resplandor de la llama o del exceso del calor. ‖ 3. Telón sobre el que se proyectan las imágenes del cinematógrafo u otro aparato de proyecciones. ‖ 4. Por ext., mundo que rodea a la televisión o al cine. ‖ 5. fig. Persona o cosa que, puesta delante de otra, la oculta o le hace sombra. ‖ 6. fig. Persona que, a sabiendas o sin conocerlo, llama hacia sí la atención en tanto que otra hace o logra secretamente una cosa. Ú. m. en la fr. **servir de pantalla.** ‖ 7. *Amér. Merid.* Instrumento para hacer o hacerse aire, paipay, soplillo. ‖ 8. *Argent.* Cartelera de menor tamaño, que se coloca junto al borde de las aceras o en las esquinas de las calles. ‖ **electrónica.** Superficie en la que aparecen imágenes en los aparatos electrónicos. ‖ **radioscópica.** *Fís.* La fluorescente que utiliza una sustancia sensible a los rayos X. ‖ **pequeña pantalla.** fam. **televisión,** medio de comunicación. ‖ 2. Aparato de televisión.

pantallear. tr. *Argent., Par.* y *Urug.* Hacer aire con una pantalla, paipay o soplillo.

pantana. f. Especie de calabacín de las islas Canarias.

pantanal. f. Tierra pantanosa.

pantano. (Del it., quizá voz prerromana en el nombre *Pantánus,* cierto lago de Italia antigua.) m. Hondonada donde se recogen y naturalmente se detienen las aguas, con fondo más o menos cenagoso. ‖ 2. Gran depósito artificial de agua. ‖ 3. fig. Dificultad, óbice, estorbo grande.

pantanoso, sa. adj. Dícese del terreno donde hay pantanos. ‖ 2. Dícese del terreno donde abundan charcos y cenagales. ‖ 3. fig. Lleno de inconvenientes, dificultades u obstáculos.

pantasana. f. Arte de pesca que consiste en un cerco de redes caladas a plomo, rodeadas de otras redes horizontales, en la cual quedan presos los peces que ahuyentados saltan por cima del cerco.

panteísmo. (Del gr. πᾶν, παντός, todo, y Θεός, Dios.) m. Sistema de los que creen que la totalidad del universo es el único Dios.

panteísta. adj. Que sigue la doctrina del panteísmo. Ú. t. c. s. ‖ 2. Perteneciente al panteísmo.

panteístico, ca. adj. Perteneciente o relativo al panteísmo.

panteón. (Del gr. Πάνθειον, a través del lat. *Panthêon,* templo dedicado en Roma antigua a todos los dioses.) m. Monumento funerario destinado a enterramiento de varias personas. ‖ 2. *And., Amér. Central, Col., Chile, Ecuad., Méj., Pan.* y *Perú.* Cementerio.

panteonero. m. *And., Amér. Central, Col., Chile, Ecuad., Méj., Pan.* y *Perú.* Sepulturero.

pantera. (Del lat. *panthêra,* y este del gr. πάνθηρ.) f. **leopardo.** ‖ 2. Agata amarilla, mosqueada de pardo o rojo, que imita la piel de la **pantera.** ‖ 3. fig. *Méj.* Atrevido, audaz. Ú. t. c. adj. ‖ **negra.** Variedad de leopardo de pelaje negro.

pantocrátor. m. En el arte bizantino y románico, representación del Salvador sentado, bendiciendo, y encuadrado en una curva cerrada en forma de almendra.

pantógrafo. (Del gr. πᾶν, παντός, todo, y *-grafo.*) m. Instrumento que sirve para copiar, ampliar o reducir un plano o dibujo. Consiste en un paralelogramo articulado, con dos de sus lados adyacentes prolongados; uno de estos se fija por un solo punto en la mesa, en otro se coloca un estilo con el cual se siguen las líneas del dibujo, y un lápiz sujeto a un tercer lado traza la copia, ampliación o reducción que se desea. Aplícase más comúnmente a este último objeto.

pantómetra. (Del gr. πᾶν, παντός, todo, y μέτρον, medida.) f. Especie de compás de proporción, cuyas piernas llevan marcadas en sus caras diversas escalas divididas en partes iguales o proporcionales, y se emplea en la resolución de algunos problemas matemáticos. ‖ 2. Instrumento de topografía para medir ángulos horizontales, compuesto de un cilindro de metal que se mantiene fijo y lleva una graduación en su borde superior, y otro cilindro igual con miras para dirigir visuales, que va sobre el primero y puede girar a uno y otro lado.

pantomima. (De *pantomimo.*) f. Representación por figura y gestos sin que intervengan palabras. ‖ 2. fig. Comedia, farsa, acción de fingir algo con que no se siente.

pantomímico, ca. (Del lat. *pantomimícus.*) adj. Perteneciente a la pantomima o al pantomimo.

pantomimo. (Del lat. *pantomímus,* y este del gr. παντόμιμος, que lo imita todo.) m. Truhán, bufón o representante que en los teatros remeda o imita diversas figuras.

pantoque. (Del gascón *pantòc.*) m. *Mar.* Parte casi plana del casco de un barco, que forma el fondo junto a la quilla. ‖ 2. *Mar.* V. **aguas del pantoque.**

pantorra. (Del port. *panturra.*) f. fam. **pantorrilla.** Ú. m. en pl.

pantorrilla. (De *pantorra.*) f. Parte carnosa y abultada de la pierna, por debajo de la corva.

pantorrillera. f. Género de calceta gruesa para abultar las pantorrillas.

pantorrilludo, da. adj. Que tiene muy gordas las pantorrillas.

pantufla. f. **pantuflo.**

pantuflazo. m. Golpe que se da con el pantuflo.

pantuflo. (Del fr. *pantoufle.*) m. Calzado, especie de chinela o zapato sin orejas ni talón, que para mayor comodidad se usa en casa.

panucho. m. *Méj.* Tortilla de maíz rellena con fréjoles y carne de cazón.

panudo. (De *pan.*) adj. *Cuba.* Aplícase al fruto del aguacate, cuando su carne es consistente, que es como más se aprecia.

panul. (De or. araucano.) m. *Chile.* **apio.**

panza. (Del lat. *pantex, -ícis.*) f. Barriga o vientre. Aplícase comúnmente al muy abultado. ‖ **2.** Parte convexa y más saliente de ciertas vasijas o de otras cosas. ‖ **3.** *Zool.* Primera de las cuatro cavidades en que se divide el estómago de los rumiantes. ‖ **al trote.** fig. y fam. Persona que anda siempre comiendo a costa ajena o donde halla ocasión de meterse, y que ordinariamente padece hambre y necesidad. ‖ **de burra.** fig. y fam. Pergamino en que se daba el título del grado en las universidades. ‖ **2.** fig. y fam. Nombre que se da al cielo uniformemente entoldado y de color gris oscuro. ‖ **de oveja.** fig. y fam. **panza de burra,** pergamino. ‖ **en gloria.** fig. y fam. Persona muy sosegada de suyo y a quien alteran poco las cosas.

panzada. f. Golpe que se da con la panza. ‖ **2.** fam. Hartazgo o atracón.

panzón, na. adj. De panza grande. ‖ **2.** m. Panza grande.

panzudo, da. adj. Que tiene mucha panza.

pañal. (De *paño.*) m. Sabanilla o pedazo de lienzo en que se envolvía a los niños de teta. Actualmente se denomina así a la tira de tela o celulosa absorbente que se pone a los niños pequeños o a las personas que sufren incontinencia de orina. ‖ **2.** p. us. Faldón o caídas de la camisa del hombre. ‖ **3.** pl. Envoltura de los niños de teta. ‖ **4.** fig. Primeros principios de la crianza y nacimiento, especialmente en orden a la calidad. ‖ **estar** uno **en pañales.** fr. fig. y fam. Tener poco o ningún conocimiento de una cosa. ‖ **haber salido** uno **de pañales.** fr. fig. y fam. **haber salido de mantillas.** ‖ **sacar de pañales** a uno. fr. fig. y fam. Libertarlo de la miseria; ponerlo en mejor fortuna.

pañalón. (aum. de *pañal.*) m. fig. y fam. Persona que por desaliño o negligencia trae colgando a veces las caídas de la camisa.

pañería. f. Comercio o tienda de paños. ‖ **2.** Conjunto de los mismos paños.

pañero, ra. adj. Perteneciente o relativo a los paños. *Industria* PAÑERA. ‖ **2.** m. y f. Persona que vende paños.

pañetar. tr. *Col.* Enlucir, cubrir con pañete las paredes, techos, etc., de los edificios.

pañete. m. d. de **paño.** ‖ **2.** Paño de inferior calidad. ‖ **3.** Paño de poco cuerpo. ‖ **4.** *Col.* Capa o enlucido de yeso, estuco, etc., que se da a las paredes. ‖ **5.** pl. Cierto género de calzoncillos que usan los pescadores y curtidores que trabajan desnudos. También los usan los religiosos descalzos que no llevan camisa. ‖ **6.** Enagüillas o paño ceñido que ponen a las imágenes de Cristo desnudo en la cruz.

pañí. (Voz gitana de or. ario, del sánscr. *pániya,* bebida.) f. *Germ.* **agua.**

pañil. (Del arauc. *pagil.*) m. *Chile.* Árbol de la familia de las escrofulariáceas, de unos tres metros de alto, con hojas grandes, oblongas, almendadas, arrugadas, con vello amarillento en su cara inferior, y flores anaranjadas dispuestas en cabezuelas globosas. Sus hojas se usan en medicina para la curación de úlceras.

pañito. (d. de *paño.*) m. Trozo de tela adornado o labor hecha de encaje, ganchillo, etc., que se usa para cubrir o embellecer bandejas, sillones, mesas y otros objetos.

pañizuelo. m. **pañuelo.**

paño. (Del lat. *pannus.*) m. Tela de lana muy tupida y con pelo tanto más corto cuanto más fino es el tejido. ‖ **2.** Tela de diversas clases de hilos. ‖ **3.** Ancho de una tela cuando

varias piezas de ella se cosen unas al lado de otras. ‖ **4.** Tapiz u otra colgadura. ‖ **5.** Trozo de tela cuadrado o rectangular que se emplea en la cocina para secar la vajilla o para cualquier otro uso. ‖ **6.** Cualquier pedazo de lienzo u otra tela. ‖ **7.** Mancha oscura que varía el color natural del cuerpo, especialmente del rostro. ‖ **8.** Excrecencia membranosa que desde el ángulo interno del ojo se extiende a la córnea, interrumpiendo la vista. ‖ **9.** Accidente que disminuye el brillo o la transparencia de algunas cosas. ‖ **10.** Enlucido o capa de yeso, estuco, etc., que se da a las paredes. ‖ **11.** Lienzo de pared. ‖ **12.** *Mar.* Velas que lleva desplegadas el navío. *Va con poco* PAÑO. ‖ **13.** *Sto. Dom.* Decoloración pruriginosa de la piel provocada por un hongo. ‖ **14.** pl. Cualquier género de vestiduras. ‖ **15.** *Esc. y Pint.* Ropas de amplio corte que forman pliegues. ‖ **berbí.** El que antiguamente se fabricaba con trama y urdimbre sin peinar. ‖ **buriel. paño** pardo del color natural de la lana. ‖ **de altar. mantel,** lienzo mayor para cubrir la mesa del altar. ‖ **de Arrás.** Tapiz hecho en aquella ciudad, antiguamente flamenca y hoy francesa. ‖ **de cáliz.** Cuadrado de tela con que se cubre el cáliz, regularmente del mismo género y color que la casulla. ‖ **de hombros. humeral, paño** que usa el sacerdote en ciertos oficios rituales. ‖ **de lágrimas.** fig. Persona en quien se encuentra frecuentemente atención, consuelo o ayuda. ‖ **de lampazo.** Tapiz que solo representa vegetales. ‖ **de manos. toalla.** ‖ **de mesa.** Mantel de la mesa de comer. ‖ **de púlpito.** Paramento con que se adorna exteriormente el púlpito cuando se ha de predicar, que regularmente es de tela rica y de color litúrgico correspondiente al día. ‖ **de ras. paño de Arrás.** ‖ **de tumba.** Cubierta negra con que se tiende para las exequias. ‖ **pardillo.** El más tosco, grueso y basto que se hace, de color pardo, sin tinte, de que vestía la gente humilde y pobre. ‖ **paños calientes.** fig. p. us. Diligencias e instancias que se hacen para avivar a uno en orden a que ejecute lo que le está encomendado. ‖ **2.** fig. y fam. Diligencias y buenos oficios que se aplican para templar el rigor o aspereza con que se ha de proceder en una materia. ‖ **3.** fig. y fam. Remedios paliativos e ineficaces. ‖ **de agua tibia.** *Ecuad.* y *Perú.* **paños calientes,** remedio ineficaz. ‖ **de corte.** Tapices con que se adornan y abrigan los aposentos en el invierno. ‖ **de escusa.** Especie de bata o ropa de cámara, usada antiguamente. ‖ **menores.** Vestidos que se ponen debajo de los que de ordinario se traen exteriormente. ‖ **tibios.** *Amér.* **paños calientes,** remedio ineficaz. ‖ **al paño.** loc. adv. En lenguaje teatral, detrás de un telón o bastidor, o asomado a cualquiera de los intersticios o vanos de la decoración. Dícese del actor que así colocado observa o habla en la representación escénica. ‖ **conocer** uno **el paño.** fr. fig. y fam. Estar bien enterado del asunto de que se trata. ‖ **dar un paño.** fr. En el lenguaje teatral, decir el traspunte a un actor lo que este ha de hablar **al paño.** ‖ **haber paño de que cortar.** fr. fig. y fam. Haber materia abundante de que disponer o de que hablar. ‖ **poner el paño al púlpito.** fr. fig. y fam. Hablar profusamente y con afectada solemnidad. ‖ **ser** una cosa **del mismo paño que** otra. fr. fig. y fam. Ser de la misma materia, origen o calidad. ‖ **tender el paño del púlpito.** fr. fig. y fam. **poner el paño al púlpito.**

pañol. (De etim. disc.) m. *Mar.* Cualquiera de los compartimientos que se hacen en diversos lugares del buque, para guardar víveres, municiones, pertrechos, herramientas, etc.

pañolería. f. Tienda de pañuelos. ‖ **2.** Comercio de pañuelos.

pañolero[1], ra. m. y f. Persona que vende pañuelos. ‖ **2.** f. Mujer del **pañolero.**

pañolero[2]. m. *Mar.* Marinero encargado de uno o más pañoles.

pañoleta. f. Prenda triangular, a modo de medio pañuelo, que se pone al cuello como adorno o abrigo. ‖ **2.** Corbata estrecha de nudo, y del color de la faja, que se ponen al cuello los toreros con el traje de luces.

pañolito. m. d. de **pañuelo.**

pañolón. m. Pañuelo grande, de abrigo.

pañosa. f. fam. Capa de paño. ‖ **2.** *Taurom.* Capa que usan los toreros. ‖ **3.** *Taurom.* Por ext., muleta.

pañoso, sa. (Del lat. *pannōsus.*) adj. Dícese de la persona asquerosa y vestida de remiendos y arambeles.

pañuelo. (d. de *paño.*) m. Pedazo de tela pequeño, generalmente cuadrado, que sirve para limpiarse la nariz o el sudor y para otras cosas. ‖ **2.** Trozo de tela, por lo general cuadrado y mayor que el de bolsillo, usado para abrigarse o como accesorio en la indumentaria femenina y masculina. ‖ **de bolsillo, o de la mano.** El que se utiliza para limpiarse la nariz o el sudor. ‖ **de hierbas.** El de tela basta, tamaño algo mayor que el ordinario y con dibujos estampados en colores comúnmente oscuros.

papá. (Del fr. *papa.*) m. fam. Padre. ‖ **2.** V. **hijo de papá.** ‖ **3.** pl. El padre y la madre.

papa¹. (Del lat. *papas.*) m. Sumo Pontífice romano, vicario de Cristo, sucesor de San Pedro en el gobierno universal de la iglesia católica, de la cual es cabeza visible, y padre espiritual de todos los fieles. ‖ **2.** Voz infantil para llamar al padre. ‖ **ser uno más papista que el papa.** fr. Mostrar en un asunto más celo que el directamente interesado en el mismo.

papa². (Del quechua *papa.*) f. **patata,** planta. ‖ **2. patata,** tubérculo. ‖ **3. patata. patata de caña.**

papa³. (Del lat. *pappa,* comida de niños.) f. fam. Tontería, vaciedad, paparrucha. ‖ **2.** pl. fig. y fam. Cualquier especie de comida. ‖ **3.** Sopas blandas que se dan a los niños. ‖ **4.** Por ext., cualesquiera sopas muy blandas. ‖ **5.** Masa blanda de barro o de otra cosa. ‖ **ni papa.** loc. adv. Con los verbos *saber, entender,* y semejantes, en frases negativas, nada.

papable. adj. Se dice del cardenal a quien se reputa merecedor de la tiara. ‖ **2.** fig. Se aplica al que se designa como sujeto probable para obtener un empleo.

papachar. tr. *Méj.* **apapachar.**

papacho. m. *Méj.* **apapacho.**

papada. (De *papo¹.*) f. Abultamiento carnoso que se forma debajo de la barba, o entre ella y el cuello. ‖ **2.** Pliegue cutáneo que sobresale en el borde inferior del cuello de ciertos animales, y se extiende hasta el pecho.

papadgo. m. ant. Dignidad de papa¹. ‖ **2.** ant. Tiempo que dura.

papado. m. Dignidad de papa¹. ‖ **2.** Tiempo que dura.

papafigo. (De *papar* y *figo.*) m. Ave del orden de las paseriformes, de unos 14 centímetros de largo, desde la punta del pico hasta la extremidad de la cola, y 25 de envergadura; plumaje de color pardo verdoso en la espalda, alas y cola, ceniciento en el vientre, plomizo en el cuello, negro en la cabeza del macho y rojizo en la de la hembra, y pardo oscuro en los pies y el pico. Abunda en España, se alimenta principalmente de insectos y a veces de frutas, sobre todo de higos, canta muy bien y enjaulado vive bastantes años. ‖ **2.** En algunas partes, **oropéndola.** ‖ **3.** *Mar.* **papahígo,** vela.

papagaya. f. Hembra del papagayo.

papagayo. (De or. inc.) m. Ave del orden de las psitaciformes de unos 35 centímetros desde lo alto de la cabeza hasta la extremidad de la cola, y seis decímetros de envergadura; pico fuerte, grueso y muy encorvado; patas de tarsos delgados y dedos muy largos, con los cuales coge el alimento para llevarlo a la boca, y plumaje amarillento en la cabeza, verde en el cuerpo, encarnado en el encuentro de las alas y en el extremo de las dos remeras principales.

Es propio de los países tropicales, pero en domesticidad vive en los climas templados y aprende a repetir palabras y frases enteras, por lo cual se le aprecia mucho. Hay diversas especies con plumaje muy distinto, pero siempre con colores brillantes. ‖ **2.** Pez marino del orden de los acantopterigios, que llega a tener cuatro decímetros de largo; cabeza de hocico saliente, con dobles labios carnosos; cuerpo oblongo, cubierto de escamas delgadas y de colores rojo, verde, azul y amarillo, más oscuros por el lomo que en los costados; vientre plateado; una sola aleta dorsal, de color verde azulado, con el borde negro, y cola rojiza. Vive entre las rocas de las costas y su carne es comestible. ‖ **3.** Planta herbácea anual, de la familia de las amarantáceas, con tallo derecho, lampiño y ramoso; hojas alternas, entre lanceoladas y aovadas, de tres colores, manchadas de encarnado en su base, de amarillo en el medio y de verde en su extremidad; flores chicas y poco vistosas, y semilla menuda y negra. Originaria de China, sirve de adorno en nuestros jardines, donde crece hasta la altura de un metro aproximadamente. ‖ **4.** Planta vivaz de la familia de las aráceas, con hojas radicales, grandes, de pecíolos largos y empinados, forma de escudo y colores muy vivos, róseos en el centro y verdes en el margen; flores sobre un escapo delgado; de espata blanca y espádice amarilleno, y fruto en baya rojiza, con pocas semillas. Procede del Brasil, y en Europa se cultiva en estufas. ‖ **5.** Víbora muy venenosa, de color verde, que vive en las ramas de los árboles tropicales del Ecuador. ‖ **6.** Denunciador, soplón. ‖ **7.** *Argent.* Botella de forma especial que se usa para recoger la orina del varón encamado. ‖ **de noche. guácharo,** pájaro. ‖ **hablar como el, o como un, papagayo.** fr. fig. Decir algunas cosas buenas y discretas, sin inteligencia ni conocimiento. ‖ **2.** fig. Hablar mucho.

papahígo. m. Especie de montera que puede cubrir toda la cabeza hasta el cuello, salvo los ojos y la nariz, y que se usa para defenderse del frío. ‖ **2. papafigo,** ave. ‖ **3.** *Mar.* Cualquiera de las velas mayores, excepto la mesana, cuando se navega con ellas solas.

papahuevos. (De *papar* y *huevo.*) m. p. us. fig. y fam. **papanatas.**

papaína. (De *papayo.*) f. *Quím.* Fermento, capaz de digerir las materias albuminoideas, que existe en el látex del papayo.

papaíto. m. fam. d. de **papá.**

papal¹. adj. Perteneciente o relativo al papa¹. ‖ **2.** V. **iglesia, vida papal.** ‖ **3.** V. **zapatos papales.**

papal². m. *Amér.* Terreno sembrado de papas².

papalina¹. (De *papal¹.*) f. Gorra o birrete con dos puntas, que cubre las orejas. ‖ **2.** Cofia de mujer, generalmente de tela ligera y con adornos.

papalina². (De *papelina¹.*) f. fam. Embriaguez, borrachera.

papalino, na. adj. Perteneciente o relativo al papa¹.

papalmente. adv. m. Como papa¹, con autoridad y poder pontificio.

papalote. (Del náhuatl *papalotl,* mariposa.) m. *Cuba* y *Méj.* Cometa de papel.

papamoscas. (De *papar* y *mosca.*) m. Pájaro de unos 15 centímetros de largo, desde el pico hasta la extremidad de la cola, de color gris por encima, blanquecino por debajo con algunas manchas pardas en el pecho, y cerdas negras y largas en la comisura del pico. Se domestica con facilidad y sirve para limpiar de moscas las habitaciones. ‖ **2.** fig. y fam. **papanatas.**

papanatas. (De *papar* y *nata¹.*) com. fig. y fam. Persona simple y crédula o demasiado cándida y fácil de engañar.

papandujo, ja. (De *papa³.*) adj. fam. Flojo o pasado de maduro, como sucede a las frutas y otras cosas.

papar. (Del b. lat. *pappāre,* comer.) tr. Comer cosas blandas sin mascar; como sopas, papas, etc. ‖ **2.** fam. Tomar comida, comer. ‖ **3.** fig. y fam. Ú. en exclamaciones para llamar la atención de otro sobre algo en que no reparaba como debía, o para indicarle que recibe su merecido. ¡PÁPATE *esa!*

páparo, ra. (De *papa*³.) adj. Dícese del individuo de una tribu, ya extinguida, del istmo de Panamá. Ú. t. c. s. ‖ **2.** m. Aldeano u hombre del campo, simple e ignorante, que de cualquier cosa que ve, para él extraordinaria, se queda admirado y pasmado.

paparote, ta. (De *páparo*.) m. y f. p. us. **papanatas.**

paparrabias. (De *papar* y *rabia*.) com. p. us. fam. **cascarrabias.**

paparrasolla. f. p. us. Ente imaginario con que se amedrenta a los niños a fin de que se callen cuando lloran.

paparrucha. (De *páparo*.) f. fam. Noticia falsa y desatinada de un suceso, esparcida entre el vulgo. ‖ **2.** fam. Tontería, estupidez, cosa insustancial y desatinada. ‖ **3.** *León.* Masa blanda, como la del barro.

paparruchada. f. fam. **paparrucha,** noticia falsa y desatinada, tontería, estupidez.

papasal. m. p. us. Juego de niños que consistía en hacer unas rayas en la ceniza, y al que perdía se le daba un golpe debajo del papo o de la barba con un paño relleno de ceniza. ‖ **2.** p. us. Este mismo paño. ‖ **3.** fig. Friolera, bagatela, cosa insubstancial o que sirve de entretenimiento.

papatoste. com. **papanatas.**

papaveráceo, a. (Del lat. *papăver*, adormidera.) adj. *Bot.* Dícese de plantas angiospermas dicotiledóneas, con jugo acre y olor fétido; hojas alternas, más o menos divididas y sin estípulas; flores regulares nunca azules, y fruto capsular con muchas semillas menudas, oleaginosas y de albumen carnoso; como la adormidera, la amapola y la zadorija. Ú. t. c. s. ‖ **2.** f. pl. *Bot.* Familia de estas plantas.

papaverina. (Del lat. *papăver*, adormidera.) f. *Quím.* Alcaloide cristalino contenido en el opio, y que tiene acción antiespasmódica.

papaya. (De or. caribe.) f. Fruto del papayo, generalmente de forma oblonga, hueco y que encierra las semillas en su concavidad; la parte mollar, semejante a la del melón, es amarilla y dulce, y de él se hace, cuando verde, una confitura muy estimada.

papayáceo, a. (De *papayo*, nombre de una planta.) adj. *Bot.* **caricáceo.**

papayo. m. Árbol de la familia de las caricáceas, propio de los países cálidos, con tronco fibroso y de poca consistencia, coronado por grandes hojas palmeadas. Tiene un látex abundante y corrosivo, que mezclado con agua sirve para ablandar las carnes.

papaz. (Del gr. mod. παπᾶς, presbítero.) m. Nombre que daban los moros de las costas de África a los sacerdotes cristianos.

papazgo. m. p. us. **papado.**

papear. (Voz onomatopéyica.) intr. Balbucir, tartamudear, hablar sin sentido.

papel. (Del lat. *papýrus*, a través del cat. *paper*.) m. Hoja delgada hecha con pasta de fibras vegetales obtenidas de trapos, madera, paja, etc., molidas, blanqueadas y desleídas en agua, que se hace secar y endurecer por procedimientos especiales. ‖ **2.** V. **balón, cigarro, pólvora de papel.** ‖ **3.** V. **cesto de los papeles.** ‖ **4.** Pliego, hoja o pedazo de **papel** en blanco, manuscrito o impreso. ‖ **5.** Conjunto de resmas, cuadernos o pliegos de **papel.** ‖ **6.** Carta, credencial, título, documento o manuscrito de cualquier clase. ‖ **7.** V. **bloqueo en el papel.** ‖ **8.** Impreso que no llega a formar libro. ‖ **9.** fam. Periódico diario. Ú. m. en pl. ‖ **10.** Parte de la obra dramática que ha de representar cada actor, la cual se le da para que la estudie. ‖ **11.** Personaje de la obra dramática representado por el actor. *Representar o hacer primeros o segundos* PAPELES; PAPELES *de galán, de barba,*

de gracioso; el PAPEL *de Segismundo, de doña Irene.* ‖ **12.** fig. Cargo o función que uno desempeña en alguna situación o en la vida. *Representar un gran* PAPEL *o un* PAPEL *desairado; hacer mal, o bien, su* PAPEL. ‖ **13.** *Com.* Documento que contiene la obligación del pago de una cantidad; como libranza, billete de banco, pagaré, etc. *Mil duros en metálico y ciento en* PAPEL. ‖ **14.** *Com.* Conjunto de valores mobiliarios que salen a negociación en el mercado. ‖ **15.** pl. Documentos con que se acredita el estado civil o la calidad de una persona. ‖ **ahuesado.** El fabricado con pasta que imita el color del hueso. ‖ **atlántico.** *Impr.* **folio atlántico.** ‖ **biblia.** El que es muy delgado pero resistente y de buena calidad, propio para imprimir obras muy extensas. ‖ **blanco.** El que no está escrito ni impreso, por contraposición al que lo está. ‖ **carbón.** El fino y entintado por una de sus caras que sirve para la obtención de copias a mano o a máquina. ‖ **cebolla.** El de escribir, muy delgado, que suele emplearse para copias. ‖ **celo.** celo². ‖ **comercial.** El de cartas de tamaño holandesa, rayado con pauta estrecha. ‖ **continuo.** El que se hace a máquina en piezas de mucha longitud. ‖ **costero. papel quebrado.** ‖ **cuché.** El muy satinado y barnizado que se emplea principalmente en revistas y obras que llevan grabados o fotograbados. ‖ **de aluminio.** Lámina muy fina de aluminio o estaño aleado, utilizada para envolver alimentos y en la fabricación de condensadores eléctricos. ‖ **de añafea. papel de estraza.** ‖ **de barba** o **de barbas.** El de tina, que no está recortado de los bordes. ‖ **de calcar** o **de calco. papel carbón.** ‖ **2.** El translúcido o apergaminado a través del cual pueden verse los dibujos originales para ser calcados. ‖ **de caña.** El de embalar, satinado por una cara y verjurado. ‖ **de culebrilla. papel** fino de escribir, usado en los siglos XVI y XVII, llamado así por la que representaba su filigrana. ‖ **2. papel de seda.** ‖ **de cúrcuma.** *Quím.* El impregnado en la tinta de cúrcuma, que sirve como reactivo para reconocer los álcalis. ‖ **de China.** El que se fabrica con la parte interior de la corteza de la caña del bambú, y por su fibra larga es muy consistente a pesar de su extremada delgadez. ‖ **de estaño. papel de aluminio.** ‖ **de estracilla.** El más fino que el de estraza. ‖ **de estraza. papel** muy basto, áspero, sin cola y sin blanquear. ‖ **de filtro.** El poroso y sin cola, hecho con trapos de algodón lavados con ácidos diluidos y que se usa para filtrar. ‖ **de fumar.** El que se usa para liar cigarrillos. ‖ **del Estado.** Diferentes documentos que emite el Estado reconociendo créditos, sean o no reembolsables o amortizables, a favor de sus tenedores. ‖ **de lija.** Hoja de **papel** fuerte, con vidrio molido, arena cuarzosa o polvos de esmeril, encolados en una de sus caras, que se emplea en lugar de la piel de lija. ‖ **de luto.** El que en señal de duelo lleva orla de color negra. ‖ **de mano. papel de tina.** ‖ **de marca.** El de tina, del tamaño que tiene ordinariamente el **papel** sellado. ‖ **de marca mayor.** El de tina, de longitud y latitud dobles que el de marca; ordinariamente sirve para estampar mapas y libros grandes. ‖ **de marquilla.** El de tina, de tamaño medio entre el de marca y el de marca mayor. ‖ **2.** El de tina, grueso, lustroso y muy blanco, que se emplea ordinariamente para dibujar. ‖ **de música.** El rayado con pentagramas para escribir música. ‖ **de pagos.** Hoja timbrada que expende la Hacienda, para hacer pagos al Estado. El valor, el número y la clase se repiten en la parte superior, y en la inferior, que se devuelve al interesado como comprobante. ‖ **de plata. papel de aluminio.** ‖ **de seda.** El muy fino, transparente y flexible que se asemeja en algo a la tela de seda. ‖ **de tina.** El de hilo que se hace en molde pliego a pliego. ‖ **de tornasol.** *Quím.* El impregnado en la tintura de tornasol, que sirve como reactivo para reconocer los ácidos. ‖ **en blanco. papel blanco.** ‖ **en derecho.** *Der.* **alegación en derecho.** ‖ **estucado.** El opaco y muy liso propio para la impresión de fotograbados de trama fina. ‖ **florete.** El de primera suerte, así llamado por ser más blanco y lustroso. ‖ **higiénico.** El de celulosa, destinado al uso en el retrete. ‖ **japonés.** El fabricado con la parte interior de la corteza del moral hecha pasta, a la cual se añade una pequeña porción de harina de arroz. Es satinado, de grueso regular, fibra larga, flexible y de color amarillento. ‖ **mojado.** fig. El de poca importancia o que prueba poco para un asunto. ‖ **2.** fig. y fam. Cualquier cosa inútil o inconsistente. ‖ **moneda.** El que por autoridad pública substituye al dinero en metálico y tiene curso como tal. ‖ **pautado.** El que tiene pauta para aprender a escribir o pentagrama para la música. ‖ **picado.** *Amér.* **confeti,** pedacitos de **papel** de colores. ‖ **pintado.** El de varios colores y dibujos que se emplea en adornar con tal las paredes de las habitaciones y en otros usos. ‖ **pluma.** El fabricado con pasta muy ligera y esponjosa. ‖ **quebrado.** El que se rompe, mancha o arruga durante la fabricación, del cual se forman las costeras. ‖ **rayado.** El que, después de recortado en pliegos, recibe rayas sutiles de lápiz o tinta pálida, a fin de escribir sobre ellas. ‖ **secante.** El esponjoso y sin cola, que se emplea para enjugar lo escrito a fin de que no se emborrone. ‖ **sellado.** El que tiene estampadas las armas de la nación, con el precio de cada pliego, y clase, como impuesto de timbre, y sirve para formalizar documentos y para otros usos oficiales. ‖ **tela.** Tejido de algodón, muy fino, engomado por las dos caras y transparente, que se emplea para calcar dibujos. ‖ **vegetal.** El satinado y transparente que usan los dibujantes, arquitectos, etc. ‖ **vergé, vergueteado,** o **verjurado.** El que lleva una filigrana de rayitas o puntizones muy menudos y otros más separados que los cortan perpendicularmente. ‖ **vitela.** El liso y sin grano, de gran calidad, cuya superficie permite la reproducción detallada de los dibujos más finos. ‖ **volante.** Impreso de muy reducida extensión, cuyos ejemplares se venden o distribuyen con facilidad. ‖ **embadurnar,** o **embarrar,** o **emborronar, papel.** fr. fig. y fam. Escribir cosas inútiles o despreciables. ‖ **hacer** uno **buen,** o **mal, papel.** fr. fig. Estar o salir lucida o desairadamente en algún acto o negocio. ‖ **hacer el papel.** fr. fig. Fingir o representar algo diestramente. ‖ **hacer papel.** fr. fig. **hacer figura.** ‖ **2.** fig. **hacer el papel.** ‖ **hacer** algo o alguien **su papel.** fr. fig. Cumplir con su cargo o ministerio o ser de provecho para una cosa. ‖ **manchar papel.** fr. fig. y fam. **embadurnar papel.** ‖ **tener** uno **buenos papeles.** fr. fig. Tener instrumentos legales y certificaciones que prueban su nobleza o sus méritos. ‖ **2.** fig. Tener razón o justificación en lo que propone o disputa. ‖ **traer** uno **los papeles mojados.** fr. fig. y fam. Ser falsas o sin fundamento las noticias que da.

papelear. intr. Revolver papeles, buscando en ellos una noticia u otra cosa. ‖ **2.** fig. y fam. Pretender tener función lucida en un acto.

papeleo. m. Acción y efecto de papelear o revolver papeles. ‖ **2.** Exceso de trámites en la resolución de un asunto.

papelera. f. Recipiente para echar los papeles inútiles y otros desperdicios. ‖ **2.** Fábrica de papel. ‖ **3.** Abundancia o exceso de papel escrito ‖ **4.** p. us. Escritorio, mueble para guardar papeles.

papelería. f. Tienda donde se vende papel y otros objetos de escritorio. ‖ **2.** Conjunto de papeles esparcidos sin orden, generalmente rotos y desechados.

papelerío. m. *Amér.* **papelería,** conjunto de papeles desordenados.

papelero, ra. adj. p. us. Dícese de la persona vana, ostentosa, y amiga de hacer lo que no le corresponde. Ú. t. c. s. ‖ **2.** m. y f. Persona que fabrica o vende papel. Ú. t. c. adj. *Asociación* PAPELERA.

papeleta. f. **cédula,** pedazo de papel escrito o para escribir. ‖ **2.** Papel que el alumno entrega al profesor el día del examen para que anote en él la calificación obtenida. ‖ **3.** Papel en el que figura cierta candidatura o dictamen, y con el que se emite el voto en unas elecciones. ‖ **4.** p. us. Cucurucho de papel en que se incluye una cosa, y especialmente aquel en que se pone dinero de propina. ‖ **5.** fig. y fam. Asunto difícil de resolver. ‖ **de empeño.** Resguardo que se da al que empeña una cosa para que pueda rescatarla mediante el pago de la cantidad convenida. ‖ **del monte.** papeleta de empeño.

papeletear. tr. Anotar en papeletas los datos que interesan para algún fin, o escudriñar un texto con este propósito.

papeleteo. m. Acción y efecto de papeletear.

papeletizar. tr. **papeletear.**

papelillo. m. d. de **papel.** ‖ **2.** Cigarro de papel. ‖ **3.** Paquete de papel que contiene una pequeña dosis medicinal en polvo.

papelina[1]**.** (Del b. lat. *papelina,* ración extraordinaria de vino que se daba en ciertos cabildos.) f. p. us. Vaso para beber, estrecho por el pie y ancho por la boca.

papelina[2]**.** (Del fr. *papeline*.) f. Tela muy delgada, de urdimbre de seda fina con trama de seda basta.

papelista. com. Fabricante de papel. ‖ **2.** Almacenista de papel. ‖ **3.** p. us. Persona que maneja papeles y tiene conocimiento de ellos. ‖ **4.** p. us. Persona que tiene por oficio empapelar habitaciones.

papelón, na. adj. p. us. Dícese de la persona que ostenta y aparenta más de lo que es. Ú. t. c. s. ‖ **2.** Papel en que se ha escrito acerca de algún asunto o negocio, y que se desprecia por algún motivo. ‖ **3.** Cartón delgado hecho de dos papeles pegados. ‖ **4.** fig. y fam. Actuación deslucida o ridícula de alguien. ‖ **5.** *Amér.* Pan de azúcar sin refinar.

papelonado. (Del fr. *papelonné*.) adj. *Blas.* Dícese del escudo ornado de varias filas superpuestas, a modo de las escamas de los peces, de medios aros delgados que dejan ver entre unos y otros el color del fondo.

papelonear. intr. p. us. fam. Ostentar vanamente autoridad o valimiento.

papelorio. m. despect. Fárrago de papel o de papeles.

papelote[1]**.** m. despect. Papel o escrito despreciable. ‖ **2.** Desperdicios de papel y papel usado, que se emplean para fabricar nueva pasta.

papelote[2]**.** m. *Cuba.* **papalote,** juguete que se echa al aire para que vuele.

papelucho. m. despect. Papel o escrito despreciable.

papelujo. m. despect. **papelucho.**

papera. (De *papo*[1].) f. Inflamación del tiroides, bocio. ‖ **2.** *Pat.* Inflamación de las glándulas de la saliva. ‖ **3.** *Pat.* Tumor inflamatorio y contagioso que en los caballos jóvenes se produce a la entrada del conducto respiratorio y en los ganglios submaxilares. ‖ **4.** pl. *Pat.* Escrófulas, lamparones.

papero[1]**.** m. Puchero en que se hacen las papas para los niños. ‖ **2.** Papilla de los niños.

papero[2]**, ra.** (De *papa*[2].) m. y f. Persona que cultiva papas o negocia con ellas.

papialbillo. (De *papo*[1], parte abultada, y *albillo,* d. de *albo*.) m. **jineta**[1], animal.

papiamento, ta. (Del ant. *papear,* hablar confusamente.) adj. Dícese del idioma o lengua criolla de Curazao.

papila. (Del lat. *papilla,* pezón de la teta.) f. *Anat.* Cada una de las pequeñas prominencias cónicas formadas en la piel y en las membranas mucosas, especialmente en la lengua, por las ramificaciones de los nervios y de los vasos. ‖ **2.** *Anat.* Prominencia que forma el nervio óptico en el fondo del ojo y desde donde se extiende la retina. ‖ **3.** *Bot.* Cada una de las prominencias cónicas que tienen ciertos órganos de algunos vegetales.

papilar. adj. *Anat.* y *Bot.* Perteneciente o relativo a las papilas.

papilionáceo, a. (Del lat. *papíllo, -ónis.*) adj. De figura de mariposa. ‖ **2.** *Bot.* Dícese de plantas angiospermas dicotiledóneas, hierbas, matas, arbustos o árboles, con fruto casi siempre en legumbre; flores con corola amariposada en inflorescencias de tipo de racimo o espiga y con diez estambres, todos libres o todos unidos por sus filamentos, o bien uno libre y nueve unidos por sus filamentos; como el guisante, la retama y el algarrobo. Ú. t. c. s. f. ‖ **3.** f. pl. *Bot.* Familia de estas plantas.

papiloma. (De *papila* y *-oma.*) m. *Pat.* Variedad de epitelioma caracterizada por el aumento de volumen en las papilas de la piel o de las mucosas, con induración de la dermis subyacente. ‖ **2.** *Pat.* Tumor pediculado en forma de botón o cabezuela. ‖ **3.** Excrecencia de la piel por hipertrofia de sus elementos normales.

papilla. f. Comida hecha a base de féculas, harinas, etc., hervidas en agua o leche, que presenta la consistencia de una pasta fina y espesa. La toman generalmente niños y enfermos. ‖ **2.** Sustancia opaca a los rayos X, utilizada en el estudio radiológico del aparato digestivo. ‖ **3.** fig. Cautela, o astucia halagüeña para engañar a uno. ‖ **dar papilla** a uno. fr. fig. y fam. Engañarlo con cautela o astucia. ‖ **echar** uno **la primera papilla.** fr. ponderativa, fig. y fam. Vomitar mucho. Varíase algunas veces la forma de la frase, diciendo: **echar,** o **arrojar, hasta la papilla.**

papillote. (Del fr. *papillote.*) m. Rizo de pelo formado y sujeto con un papel. ‖ **a la papillote.** loc. adv. Asado de carne o pescado con manteca y aceite y envuelto en un papel.

papín. m. Especie de dulce casero.

papión. m. **zambo,** mono americano.

papiro. (Del lat. *papýrus.*) m. Planta vivaz, indígena de Oriente, de la familia de las ciperáceas, con hojas radicales, largas, muy estrechas y enteras; cañas de dos a tres metros de altura y un decímetro de grueso, cilíndricas, lisas, completamente desnudas y terminadas por un penacho de espigas con muchas flores pequeñas y verdosas, y toda ella rodeada de brácteas lineales que se encorvan hacia abajo, como el varillaje de un paraguas. ‖ **2.** Lámina sacada del tallo de esta planta y que empleaban los antiguos para escribir en ella. ‖ **3.** Manuscrito en **papiro.**

pápiro. (Del gr. πάπυρος, papel.) m. vulg. Billete de banco, especialmente el de mucho valor.

papiroflexia. (De *papiro,* papel, y el lat. *flexus,* p. p. de *flectĕre.*) f. Arte y habilidad de dar a un trozo de papel, doblándolo convenientemente, la figura de determinados seres u objetos.

papirofléxico, ca. adj. Perteneciente o relativo a la papiroflexia.

papirola. (De *papiro.*) f. Figura que se hace doblando una y otra vez una hoja de papel.

papirolada. f. fam. Salsa de pan y ajos machacados, pampirolada.

papirología. f. Ciencia auxiliar de la historia que se aplica al estudio de los papiros. ‖ **2.** Por ext. humorística, técnica de hacer pajaritas y otras figuras doblando papel.

papirólogo, ga. adj. Persona versada en papirología.

papirotada. (De *páparo.*) f. Golpe en la cabeza, capirotazo.

papirotazo. (De *papirote.*) m. Golpe en la cabeza, capirotazo.

papirote. m. Golpe en la cabeza. ‖ **2.** fig. y fam. Tonto, bobo, corto de ingenio.

papisa. f. Voz sin verdadera aplicación, que quiere significar *mujer papa,* y que se inventó y se ha usado únicamente para designar al personaje fabuloso llamado la **papisa** Juana.

papismo. m. m. Nombre que los protestantes y cismáticos dan a la iglesia católica, a sus organismos y doctrinas.

papista. adj. Nombre que hereges y cismáticos dan al católico romano porque obedece al Papa y así lo confiesa. Ú. t. c. s. ‖ **2.** fam. Partidario de la rigurosa observación de las disposiciones del Sumo Pontífice. Ú. t. c. s.

papo[1]. (De *papar.*) m. Parte abultada del animal entre la barba y el cuello. ‖ **2.** Buche de las aves. ‖ **3.** Nombre vulgar del bocio en las regiones donde es endémico. ‖ **4.** Cada uno de los pedazos de tela ahuecada o en figura de bollo, que sobresalía por entre las cuchilladas en trajes antiguos. ‖ **5.** *Vol.* Porción de comida que se cría de una vez al ave de rapiña. ‖ **6.** pl. Moda de tocado que usaron las mujeres, con unos huecos o bollos que cubrían las orejas. ‖ **de viento.** *Mar.* Seno formado por el viento en una vela que no está completamente extendida. ‖ **estar** una cosa **en papo de buitre.** fr. fig. y fam. Haber caído algo en poder de quien o no lo soltará de la mano, o será difícil recobrarlo. ‖ **hablar de papo.** fr. fig. y fam. Hablar con presunción o vanidad. ‖ **hablar,** o **ponerse, papo a papo** con uno. fr. Hablarle cara a cara, con desenfado y claridad, lo que se le ofrece.

papo[2]. (Del lat. *pappus,* vilano.) m. Flor peluda volante de algunas plantas.

papón. m. Fantasma para meter miedo; bu, coco.

papón[2]**, na.** (De *papo*[1].) adj. *Sal.* Glotón, comilón. ‖ **2.** *Ast., Gal., León* y *Sal.* Babieca, simplón. Ú. t. c. s.

paporrear. tr. Golpear a uno, vapulear. ‖ **2.** Hablar sin fundamento.

paporreta. (De *papo*[1].) f. despect. *Perú.* Repetición mecánica de lo que ha aprendido de memoria sin entenderlo o entendiéndolo a medias. ‖ **de paporreta.** loc. adv. *Perú.* **de memoria.** *Aprender* DE PAPORRETA. ‖ **2.** *Perú.* Con poca o ninguna conciencia de lo que se dice. *Hablar* DE PAPORRETA.

paporretear. (De *paporreta.*) tr. despect. *Perú.* Aprender de memoria sin entender lo que se aprende o entendiéndolo a medias. ‖ **2.** *Perú.* Repetir algo sin entenderlo.

paporretero, ra. adj. *Perú.* Dícese del que paporretea. Ú. t. c. s.

páprika. (De or. húngaro.) f. Pimentón.

papú o **papúa.** (Del malayo *papua,* crespo.) adj. Natural de la Papuasia. Ú. t. c. s. ‖ **2.** Perteneciente o relativo a esta región de la Nueva Guinea.

papudo, da. adj. Que tiene crecido y grueso papo. Dícese comúnmente de las aves.

papujado, da. adj. Aplícase a las aves, especialmente a las gallinas, que tienen mucha pluma y carne en el papo. ‖ **2.** fig. Abultado, elevado o sobresaliente y hueco.

pápula. (Del lat. *papŭla.*) f. *Med.* Tumorcillo eruptivo que se presenta en la piel sin ulcera ni serosidad.

papuloso, sa. adj. Que tiene los caracteres de la pápula.

paquear. (De *paco*[2].) tr. Disparar como los pacos[2].

paquebot. m. **paquebote.**

paquebote. (Del fr. *paquebote.*) m. Embarcación que lleva la correspondencia pública, y generalmente pasajeros también, de un puerto a otro.

paqueo. m. Acción y efecto de paquear.

paquete[1]. (Del fr. *paquet.*) m. Lío o envoltorio bien dispuesto y no muy aparente de cosas de una misma o distinta clase. ‖ **2.** Conjunto de cartas o papeles que forman mazo, o conjunto de cosas sobre o cubierta. ‖ **3. paquebote.** ‖ **4.** fig. En las motocicletas, persona que va detrás o al lado del conductor. ‖ **5.** *Impr.* Trozo de composición tipográfica en que entran aproximadamente mil letras. ‖ **6.** *Inform.* Conjunto de programas o de datos.

ciego. El que contiene correspondencia que, por falta de tiempo u otra causa, no se incluyó en el especial del punto a que va destinado. ‖ **de acciones.** Conjunto grande de acciones de una compañía, pertenecientes a un solo titular. ‖ **de medidas.** fig. Conjunto de disposiciones tomadas para poner en práctica alguna decisión. *El Gobierno presentó un* PAQUETE DE MEDIDAS *económicas.* ‖ **postal.** El que se ajusta a determinados requisitos y se envía por correo.

paquete², ta. adj. *Argent.* Dícese de la persona bien vestida y de las casas o locales bien puestos. Ú. t. c. s. ‖ **de paquete** o **hecho un paquete.** fr. fig. y fam. *Argent.* Emperejilado, bien vestido, acicalado.

paquetear. intr. *Argent.* y *Urug.* Presumir, mostrarse ante los demás bien vestido. *Compré unos zapatos para* PAQUETEAR.

paquetería¹. (De *paquete*.) f. Género menudo de comercio que se guarda o vende en paquetes. ‖ **2.** Comercio de este género.

paquetería². f. *Argent., Par.* y *Urug.* Compostura en el vestir o en el arreglo de casas o locales. ‖ **2.** *Argent., Par.* y *Urug.* Conjunto de prendas o adornos que una persona se pone para ir bien vestida.

paquetero, ra. adj. Que hace paquetes. Ú. t. c. s. ‖ **2.** m. y f. Persona que se encarga de los paquetes de los periódicos para repartirlos entre los vendedores. ‖ **3.** m. *Ar.* Contrabandista que introduce contrabando en pequeñas porciones.

paquidermia. (Del gr. παχύς, denso, y δέρμα, piel.) f. *Pat.* Espesamiento patológico de la piel, por causas diversas, como edemas o inflamaciones crónicas. ‖ **2.** *Pat.* **mixedema.**

paquidérmico, ca. adj. Relativo o referente a los paquidermos. ‖ **2.** *Pat.* Relativo a la paquidermia. ‖ **3.** fig. Que tiene, según opinión vulgar, caracteres comparables en algo a los del elefante. *Andares* PAQUIDÉRMICOS. *Matrona* PAQUIDÉRMICA.

paquidermo. (Del gr. παχύς, denso, y δέρμα, piel.) adj. *Zool.* Dícese del mamífero artiodáctilo, omnívoro o herbívoro, de piel muy gruesa y dura; como el jabalí y el hipopótamo. Ú. t. c. s. m. ‖ **2.** m. pl. *Zool.* Suborden de estos animales.

paquistaní. adj. Perteneciente o relativo al Paquistán. ‖ **2.** Natural del Paquistán. Ú. t. c. s.

par¹. (Del lat. *par, paris.*) adj. Igual o semejante totalmente. ‖ **2.** V. **tiro par.** ‖ **3.** *Arit.* V. **número par.** ‖ **4.** *Zool.* Dícese del órgano que corresponde simétricamente a otro igual. ‖ **5.** m. Conjunto de dos personas o dos cosas de una misma especie. ‖ **6.** Conjunto de dos mulas o bueyes de labranza. *Juan tiene ocho* PARES *de labor.* ‖ **7.** Título de alta dignidad en algunos Estados. ‖ **8.** *Arq.* Cada uno de los dos maderos que en un cuchillo de armadura tienen la inclinación del tejado. ‖ **9.** *Fís.* Conjunto de dos cuerpos heterogéneos que en condiciones determinadas producen una corriente eléctrica. ‖ **10.** f. pl. Placenta del útero. ‖ **de fuerzas.** *Mec.* Sistema de dos fuerzas iguales paralelas, de sentidos contrarios y aplicadas en dos puntos distintos, que crean un movimiento de rotación. ‖ **a la par.** loc. adv. Juntamente o a un tiempo. ‖ **2.** Igualmente, sin distinción o separación. ‖ **3.** Tratándose de monedas, efectos públicos u otros negociables, con igualdad entre su valor nominal y el que obtienen en cambio. ‖ **al par.** loc. adv. Juntamente, a un tiempo, sin distinción. ‖ **2.** Igualmente, sin distinción o separación. ‖ **a par.** loc. adv. Cerca o inmediatamente a una cosa o junto a ella. ‖ **2.** Con semejanza o igualdad. ‖ **3.** Juntamente o a un tiempo. ‖ **4.** Igualmente, sin distinción ni separación. ‖ **a pares.** loc. adv. **de dos en dos.** ‖ **de par en par.** loc. adv. con que se significa estar abiertas enteramente las puertas o ventanas. ‖ **2.** fig. Sin impedimento ni obstáculo que estorbe; clara o patentemente. ‖ **echar a pares y nones.** fr. **jugar a pares y nones.**

‖ **ir a la par.** fr. En el juego o en el comercio, ir de compañía a partir igualmente la ganancia o la pérdida. ‖ **jugar a pares y nones.** fr. Sortearla teniendo uno en el puño cerrado un número, el que quiere, de garbanzos u otra cualquier cosa, y preguntando al otro: ¿**pares o nones**? Si responde **pares**, siendo nones los garbanzos, o nones, siendo **pares**, pierde; pero si acierta, gana lo que se juega. ‖ **sentir a par de muerte.** fr. **sentir de muerte.** ‖ **sin par.** loc. adj. fig. Singular, que no tiene igual o semejante. Ú. para ponderar la excelencia de alguna persona o cosa.

par². (Del lat. *per.*) prep. **por**, en fórmulas de juramento. PAR *Dios.*

para. (Del ant. *pora.*) prep. con que se denota el fin o término a que se encamina una acción. ‖ **2.** Hacia, denotando el lugar que es el término de un viaje o movimiento o la situación de aquel. ‖ **3.** Se usa indicando el lugar o tiempo a que se difiere o determina el ejecutar una cosa o finalizarla. *Pagaré* PARA *San Juan.* ‖ **4.** Se usa también determinando el uso que conviene o puede darse a una cosa. *Esto es bueno* PARA *las mangas del vestido.* ‖ **5.** Se usa como partícula adversativa, significando el estado en que se halla actualmente una cosa, contraponiéndolo a lo que se quiere aplicar o se dice de ella. *Con buena calma te vienes* PARA *la prisa que yo tengo.* ‖ **6.** Denota la relación de una cosa con otra, o lo que es propio o le toca respecto de sí misma. *Poco le alaban* PARA *lo que merece.* ‖ **7.** Significando el motivo o causa de una cosa, por que, o por lo que. ¿PARA *qué madrugas tanto?* ‖ **8.** Por, o a fin de. PARA *acabar la pendencia, me llevé a uno de los que reñían.* ‖ **9.** Significa la aptitud y capacidad de un sujeto. *Antonio es* PARA *todo,* PARA *mucho,* PARA *nada.* ‖ **10.** Junto con verbo, significa unas veces la resolución, disposición o aptitud de hacer lo que el verbo denota, y otras la proximidad o inmediación a hacerlo, y en este último sentido se junta con el verbo *estar. Estoy* PARA *marchar de un momento a otro; estuve* PARA *responderle una fresca.* ‖ **11.** Junto con los pronombres personales *mí, sí,* etc., o con algunos verbos, denota la particularidad de la persona, o que la acción del verbo es interior, secreta y no se comunica a otro. PARA *sí hace; leer* PARA *sí;* PARA *mí tengo.* ‖ **12.** Junto con algunos nombres, se usa supliendo el verbo *comprar* o con el sentido de *entregar a, obsequiar a,* etc. *Dar* PARA *fruta. Estos libros son* PARA *los amigos.* ‖ **13.** Usado con la partícula *con,* explica la comparación de una cosa con otra. ¿*Quién es usted* PARA *conmigo?* ‖ **para con.** loc. prepos. Respecto de. ‖ **para eso.** loc. que se usa despreciando una cosa, o por fácil o por inútil. PARA ESO *no me hubiera molestado en venir.* ‖ **para que.** loc. conjunt. final que se usa en el sentido interrogativo y afirmativo, y vale respectivamente: *para* cuál fin u objeto, y *para* tal fin u objeto de que. En sentido interrogativo lleva acento la partícula *que.* ¿PARA QUÉ *sirve ese instrumento?; le riño* PARA QUE *se enmiende.*

para-. (Del gr. παρα-.) pref. que puede significar «junto a», «al margen de», «contra»: PARA*cronismo,* PARÁ*frasis,* PA-RA*doja.*

paraba. f. *Bol.* Especie de papagayo.

parabién. (De la frase *para bien sea,* que se suele dirigir al favorecido por un suceso próspero.) m. **felicitación.**

parábola. (Del lat. *parabŏla,* y este del gr. παραβολή.) f. Narración de un suceso fingido, de que se deduce, por comparación o semejanza, una verdad importante o una enseñanza moral. ‖ **2.** *Geom.* Curva abierta, simétrica respecto de un eje, con un solo foco, que resulta de cortar un cono circular recto por un plano paralelo a una generatriz que encuentra todas las otras en una sola hoja.

parabolano. (De *parábola.*) m. Persona que en la iglesia oriental tenía por oficio asistir a los enfermos de los hospitales y cuidar del enterramiento de los que morían dentro de la ortodoxia. ‖ **2.** El que usa de parábolas o ficciones. ‖ **3.** fig. y fam. El que inventa o propaga noticias falsas o exageradas. ‖ **4. embustero.**

parabólico, ca. (Del lat. *parabolĭcus,* y este del gr. παραβολικός.) adj. Perteneciente o relativo a la parábola, o que encierra o incluye ficción doctrinal. ‖ **2.** Dícese de la antena de televisión que permite captar emisoras situadas a gran distancia. Ú. t. c. s. f. ‖ **3.** *Geom.* Perteneciente a la parábola. ‖ **4.** *Geom.* De figura de parábola o parecido a ella.

parabolizar. tr. Representar, ejemplificar, simbolizar. Ú. t. c. intr.

paraboloide. (De *parábola* y *-oide.*) m. *Geom.* Superficie que puede dar una sección parabólica en cualquiera de sus puntos. ‖ **2.** *Geom.* Sólido limitado por un **paraboloide** elíptico y un plano perpendicular a su eje. ‖ **de revolución.** *Geom.* El que resulta del giro de una parábola alrededor de su eje. ‖ **elíptico.** *Geom.* Superficie convexa y cerrada por una parte, abierta e indefinida por la opuesta, cuyas secciones planas son todas parábolas o elipses. ‖ **hiperbólico.** *Geom.* Superficie alabeada, que se extiende indefinidamente en todos sentidos, de curvaturas contrarias como una silla de caballo, y cuyas secciones planas son todas parábolas e hipérbolas.

parabrisas. m. Bastidor con cristal que lleva el automóvil en su parte anterior para resguardar a los viajeros del aire cuando aquel se pone en movimiento.

paraca. (Del quechua *paraqa,* de *páraq,* pluvial.) f. *Amér.* Viento muy fuerte del Pacífico.

paracaídas. m. Artefacto hecho de tela u otra materia análoga, resistente, que, al extenderse en el aire, toma la forma de una sombrilla grande. Se usa para moderar la velocidad de caída de los cuerpos que se arrojan desde las aeronaves. ‖ **2.** Por ext., lo que sirve para evitar o disminuir el golpe de una caída desde un sitio elevado.

paracaidismo. m. Práctica del lanzamiento en paracaídas.

paracaidista. com. Soldado especialmente adiestrado que desciende con paracaídas. ‖ **2.** Persona diestra en el manejo del paracaídas.

paracentesis. (Del lat. *paracentēsis,* y este del gr. παρακέντησις.) f. *Cir.* Punción que se hace en el vientre para evacuar la serosidad acumulada anormalmente en la cavidad del peritoneo.

paracleto. (Del lat. *paraclētus,* y este del gr. παράκλητος, abogado, intercesor.) m. **paráclito.**

paráclito. (Del lat. *paraclītus,* forma más reciente de *paraclētus.*) m. Nombre que se da al Espíritu Santo, enviado para consolador de los fieles.

paracronismo. (De *para-* y el gr. χρόνος, tiempo.) m. Anacronismo que consiste en suponer acaecido un hecho después del tiempo en que sucedió.

parachispas. m. Especie de pantalla metálica que se coloca en las bocas de las estufas o chimeneas de calefacción para impedir la salida de las chispas.

parachoques. m. Pieza o aparato que llevan exteriormente los automóviles y otros carruajes, en la parte delantera y trasera, para amortiguar los efectos de un choque.

parada. f. Acción de parar o detenerse. ‖ **2.** Lugar o sitio donde se para. ‖ **3.** Fin o término del movimiento de una cosa, especialmente en la carrera. ‖ **4.** Suspensión o pausa, especialmente en la música. ‖ **5.** Sitio o lugar donde se recogen o juntan las reses. ‖ **6.** Lugar en que los caballos o asnos cubren a las yeguas. ‖ **7.** Tiro de mulas o caballos, o un caballo solo, que se previenen a cierta distancia y se mudan para hacer la jornada o viaje con mayor brevedad. ‖ **8.** Punto en que los tiros de relevo están apostados. ‖ **9.** Lugar en que se detienen los vehículos destinados a trans-

portes públicos y donde esperan los pasajeros. ‖ **10.** Lugar asignado en las ciudades para que estacionen en él los vehículos de alquiler o taxis. ‖ **11.** Presa de un río. ‖ **12.** Cantidad de dinero que en el juego se expone a una sola suerte. ‖ **13.** ant. Número, porción o cantidad dispuesta o prevenida para un fin. ‖ **14.** *Esgr.* Movimiento defensivo, quite. ‖ **15.** *Mil.* Formación de tropas para pasarles revista o hacer alarde de ellas en una solemnidad. ‖ **16.** *Mil.* Reunión de la tropa que entra de guardia. ‖ **17.** *Mil.* Lugar donde esta tropa se reúne, para partir cada soldado o grupo a su respectivo destino. ‖ **18.** *Mil.* V. **orden de parada.** ‖ **de coches.** Lugar asignado en las ordenanzas municipales para que en él se estacionen los coches de alquiler. ‖ **de taxis.** Lugar donde estos vehículos esperan clientes. ‖ **discrecional.** En ciertas líneas de transporte, lugar previamente señalado donde el conductor no tiene que detener el vehículo, salvo a petición de los interesados. ‖ **en firme.** *Equit.* La del caballo que, refrenado en su carrera, se contiene de pronto y queda como clavado en aquel mismo punto. ‖ **2.** fig. Interrupción repentina en un negocio o en un razonamiento. ‖ **general.** *Esgr.* Movimiento circular y rapidísimo de la espada, que recorre todas las líneas. ‖ **doblar la parada.** fr. En los juegos de envite, poner cantidad doble de la que estaba puesta antes. ‖ **2.** Pujar una cosa doblando la anterior licitación. ‖ **llamar de parada.** fr. *Mont.* Dícese cuando el perro topa con el jabalí, venado o gamo, y la presa o está quieta. ‖ **salirle a uno a la parada.** fr. fig. **salirle al encuentro,** adelantarse a uno en lo que quiere decir o ejecutar.

paradera. (De *parada.*) f. Compuerta con que se quita el agua al caz del molino. ‖ **2.** Clase de red que está siempre parada o dispuesta esperando la pesca a imitación de una almadraba.

paradero. m. Lugar o sitio donde se para o se va a parar. ‖ **2.** fig. Fin o término de una cosa. ‖ **3.** En algunos sitios de América, parada de taxis u otros vehículos colectivos. ‖ **4.** *Cuba.* Estación de ferrocarril. ‖ **5.** *Col.* y *Perú.* Parada de autobuses y tranvías.

paradeta. f. d. de **parada.** ‖ **2.** *Mil.* Especie de danza de la escuela española, en que se hacían unas breves paradas en el movimiento, a consonancia del tañido.

paradiástole. (Del lat. *paradiastŏle,* y este del gr. παραδιαστολή.) f. *Ret.* Figura que consiste en usar en las cláusulas voces, al parecer de significación semejante, dando a entender que la tienen diversa.

paradigma. (Del lat. *paradigma,* y este del gr. παράδειγμα.) m. Ejemplo o ejemplar. ‖ **2.** *Ling.* Cada uno de los esquemas formales a que se ajustan las palabras nominales y verbales para sus respectivas flexiones. ‖ **3.** *Ling.* Conjunto virtual de elementos de una misma clase gramatical, que pueden aparecer en un mismo contexto. Así, los sustantivos *caballo, rocín, corcel, jamelgo,* etc., que pueden figurar en el contexto: *El — relincha,* constituyen un **paradigma.**

paradigmático, ca. adj. Perteneciente o relativo al paradigma. ‖ **2.** *Ling.* Dícese de las relaciones que existen entre dos elementos de un paradigma.

paradina. (Como *pardina,* del lat. **parietīna,* de *paríes, -ĕtis.*) f. Monte bajo de pasto, donde suele haber corrales para el ganado lanar. ‖ **2.** pl. Paredes ruinosas.

paradisíaco, ca o **paradisiaco, ca.** (Del lat. *paradisĭacus.*) adj. Perteneciente o relativo al paraíso.

paradislero. (De *parada,* lugar donde se juntan las reses.) m. Cazador a espera o a pie quedo. ‖ **2.** fig. El que anda como a caza de noticias, o las finge o inventa.

parado, da. p. p. de **parar.** ‖ **2.** adj. Remiso, tímido o flojo en palabras, acciones o movimientos. ‖ **3.** Desocupado, o sin ejercicio o empleo. Ú. t. c. m. pl. ‖ **4.** V. **coche parado.** ‖ **5.** *Amér.* Derecho o en pie. ‖ **6.** *Chile, Perú* y *P. Rico.* Orgulloso, engreído. ‖ **a lo bien parado.** expr. con que se nota que uno desecha lo que puede servir o aprovechar aún, por gustar de lo mejor y más nuevo. ‖ **lo mejor parado.** fr. que denota lo más selecto, seguro o provechoso. LO MEJOR PARADO *de su hacienda.*

paradoja. (Del lat. *paradoxa,* t. f. de *-xus,* paradoja.) f. Idea extraña u opuesta a la común opinión y al sentir de los hombres. ‖ **2.** Aserción inverosímil o absurda, que se presenta con apariencias de verdadera. ‖ **3.** *Ret.* Figura de pensamiento que consiste en emplear expresiones o frases que envuelven contradicción. *Mira al avaro, en sus* RIQUEZAS, POBRE.

paradójico, ca. adj. Que incluye paradoja o que usa de ella.

paradojo, ja. (Del lat. *paradoxus,* y este del gr. παράδοξος.) adj. desus. **paradójico.**

parador, ra. adj. Que para o se para. ‖ **2.** Dícese del caballo o yegua que se para con facilidad, y del que lo hace bien, es decir, quedando cuadrado y en buena postura. ‖ **3.** Dícese del jugador que arriesga mucho. Ú. t. c. s. ‖ **4.** m. **mesón.** ‖ **5. parador nacional de turismo.** ‖ **nacional de turismo.** En España, cierto tipo de establecimiento hotelero dependiente de organismos oficiales.

paraestatal. adj. Dícese de las instituciones, organismos y centros que, por delegación del Estado, cooperan a los fines de este sin formar parte de la administración pública.

parafernales. (Del pl. gr. παράφερνα.) adj. pl. *Der.* V. **bienes parafernales.**

parafernalia. f. Conjunto de ritos o de cosas que rodean determinados actos o ceremonias.

parafina. (Del lat. *parum affīnis,* que tiene poca afinidad; referido a su estabilidad química y a su escasa afinidad con el agua, con la que no se mezcla.) f. *Quím.* Nombre común a varias sustancias sólidas, opalinas, inodoras, menos densas que el agua y fácilmente fusibles, compuestas por una mezcla de hidrocarburos, que se obtiene normalmente como subproducto de la fabricación de aceites lubrificantes derivados del petróleo. Tiene múltiples aplicaciones industriales y farmacéuticas.

parafínico, ca. adj. *Quím.* Perteneciente o relativo a la parafina. ‖ **2.** *Quím.* Alifático o de cadena abierta.

parafraseador, ra. adj. Que parafrasea. Ú. t. c. s.

parafrasear. tr. Hacer la paráfrasis de un texto o escrito.

paráfrasis. (Del lat. *paraphrăsis,* y este del gr. παράφρασις.) f. Explicación o interpretación amplificativa de un texto para ilustrarlo o hacerlo más claro o inteligible. ‖ **2.** Traducción en verso en la cual se imita el original, sin verterlo con escrupulosa exactitud.

parafraste. (Del lat. *paraphrastus,* y este del gr. παραφραστής.) m. Autor de paráfrasis. ‖ **2.** El que interpreta textos por medio de paráfrasis.

parafrastes. m. ant. **parafraste.**

parafrásticamente. adv. m. Con paráfrasis, de modo parafrástico.

parafrástico, ca. (Del gr. παραφραστικός.) adj. Perteneciente a la paráfrasis; propio de ella, que la encierra o incluye.

paragoge. (Del lat. *paragōge,* y este del gr. παραγωγή.) f. *Gram.* Adición de algún sonido al fin de un vocablo, como en *fraque* por *frac.* Era figura de dicción según la preceptiva tradicional.

paragógico, ca. adj. *Gram.* Que se añade por paragoge.

paragón. (De *paragonar.*) m. desus. Comparación, parangón.

paragonar. (Del it. *paragonare,* y este del gr. παραχονᾶν, aguzar.) tr. Comparar, parangonar.

parágrafo. (Del lat. *paragrăphus,* y este del gr. παράγραφος.) m. **párrafo.**

paragranizo. m. *Agr.* Cobertizo de tela basta o de hule que se coloca sobre ciertos sembrados o frutos para que el granizo pueda malograr.

paraguas. m. Utensilio portátil para resguardarse de la lluvia, compuesto de un bastón y un varillaje cubierto de tela que puede extenderse o plegarse.

paraguatán. m. *Amér. Central.* Árbol de la familia de las rubiáceas, que se da profusamente en el territorio venezolano. Es de madera rosada, que admite pulimento, y de su corteza se hace una tinta roja.

paraguay. (Del guaraní *Paraguay,* nombre del río y del país, de *pará,* mar, *gúa* o *guara,* oriundo, o de *paraguá,* corona de plumas, e *y,* río.) m. Papagayo del Paraguay, de plumaje verde, manchado de amarillo en el cuerpo, de azul y rojo en las alas, encarnado en la parte anterior de la cabeza, azul y ceniciento junto a los oídos y anaranjado en el colodrillo. ‖ **2.** *Perú.* Penacho morado de la espiga del maíz. ‖ **3.** V. **hierba, té del Paraguay.**

paraguayismo. m. Locución, giro o modo de hablar propio y peculiar de los paraguayos.

paraguayo, ya. adj. Natural del Paraguay. Ú. t. c. s. ‖ **2.** Perteneciente o relativo al Paraguay. ‖ **3.** m. *Cuba.* Machete de hoja larga y recta. ‖ **4.** *Bol.* Rosquete que se hace de azúcar, clavo y almidón. ‖ **5.** f. Fruta de hueso semejante al pérsico y de sabor también parecido, de forma aplastada y de mucho consumo en Europa.

paraguazo. m. Golpe dado con paraguas.

paragüería. (De *paragüero.*) f. Tienda de paraguas.

paragüero, ra. m. y f. Persona que hace o vende paraguas. ‖ **2.** m. Mueble dispuesto para colocar paraguas y bastones.

parahusar. tr. Taladrar con el parahúso.

parahúso. (De *par* a *huso,* referido a cada uno de los dos husos grandes que se emplean para torcer el hilo.) m. Instrumento manual usado por los cerrajeros y otros artífices para taladrar.

paraíso. (Del lat. *paradīsus;* este del gr. παράδεισος, y este del ár. *pairīdaeza,* cercado.) m. En el Antiguo Testamento, jardín de delicias donde Dios colocó a Adán y Eva. ‖ **2.** Cielo, lugar en que los bienaventurados gozan de la presencia de Dios. ‖ **3.** V. **árbol, ave, grana, granos del Paraíso.** ‖ **4.** Conjunto de asientos del piso más alto de algunos teatros. ‖ **5.** fig. Cualquier sitio o lugar muy ameno. ‖ **de los bobos.** fig. y fam. Imaginaciones alegres con que cada uno se finge a su arbitrio conveniencias o gustos. ‖ **terrenal. Paraíso** de Adán.

paraje. (De *parar.*) m. Lugar, sitio. ‖ **2.** Estado, ocasión y disposición de una cosa.

parajismero, ra. adj. Dícese del que hace muecas y visajes.

parajismo. (Como *parasismo.*) m. Mueca, visaje, gesticulación exagerada.

paral. (der. del lat. *palus.*) m. Madero que sale de un mechinal o hueco de una fábrica y sostiene el extremo de un tablón de andamio. ‖ **2.** Madero que se aplica oblicuo a una pared y sirve para asegurar el puente de un andamio. ‖ **3.** *Mar.* Madero o palo que tiene en medio una muesca que se unta con sebo para que, encajada en ella la quilla de una embarcación, se deslice y corra al botarla al agua o vararla.

paraláctico, ca. adj. *Astron.* Perteneciente a la paralaje. *Triángulo* PARALÁCTICO. ‖ **2.** *Astron.* Aplícase al dispositivo astronómico que permite seguir con un movimiento el aparente de los astros. ‖ **3.** *Astron.* V. **movimiento paraláctico.** ‖ **4.** *Astron.* V. **montura paraláctica.**

paralaje. (Del gr. παράλλαξις, cambio, diferencia.) f. *Astron.* Diferencia entre las posiciones aparentes que en la bóveda celeste tiene un astro, según el punto desde donde se supone observado. ‖ **anua.** *Astron.* Diferencia de los ángulos que con el radio de la órbita terrestre hacen dos líneas dirigidas a un astro desde sus dos extremos. ‖ **de altura.** *Astron.* Diferencia de los ángulos que forman con la vertical las líneas dirigidas a un astro desde el punto de observación y desde el centro de la Tierra. ‖ **horizontal.** *Astron.* La de altura, cuando el astro está en el horizonte.

paralasis. f. p. us. **paralaje.**

paralaxi. (Del gr. παράλλαξις, cambio.) f. **paralaje.**

paralela. (Del lat. *parallēla*, t. f. de -*lus*, paralelo.) f. *Fort.* Trinchera con parapeto, que abre el sitiador paralelamente a las defensas de una plaza. ‖ **2.** pl. Barras paralelas en que se hacen ejercicios gimnásticos. ‖ **asimétricas.** *Dep.* Aparato gimnástico compuesto de dos barras colocadas a diferente altura.

paralelamente. adv. m. Con paralelismo.

paralelar. tr. Parangonar, comparar, hacer paralelo.

paralelepípedo. (Del lat. *parallelepipĕdus*, y este del gr. παραλληλεπίπεδον.) m. *Geom.* Sólido compuesto por seis paralelogramos, siendo iguales y paralelos cada dos opuestos entre sí.

paralelismo. (De *paralelo.*) m. Calidad de paralelo o continuada igualdad de distancia entre líneas o planos.

paralelo, la. (Del lat. *parallēlos*, y este del gr. παράλληλος.) adj. *Geom.* Aplícase a las líneas o planos equidistantes entre sí y que por más que se prolonguen no pueden encontrarse. ‖ **2.** fig. Correspondiente o semejante. ‖ **3.** V. **esfera paralela.** ‖ **4.** m. Cotejo o comparación de una cosa con otra. ‖ **5.** Comparación de una persona con otra, por escrito o de palabra. ‖ **6.** *Geogr.* Cada uno de los círculos menores **paralelos** al Ecuador, que se suponen descritos en el globo terráqueo y que sirven para determinar la latitud de cualquiera de sus puntos o lugares. ‖ **7.** *Geom.* Cada uno de los círculos que en una superficie de revolución resultan de cortarla por planos perpendiculares a su eje.

paralelogramo. (Del lat. *parallelogrammus*, y este del gr. παραλληλόγραμμος.) m. *Geom.* Cuadrilátero cuyos lados opuestos son paralelos entre sí.

paralipómenos. (Del lat. *paralipomĕna*, y este del gr. παραλειπόμενα, cosas omitidas.) m. pl. Suplemento o adición a algún escrito.

paralipsis. (Del gr. παράλειψις, preterición.) f. *Ret.* Figura que consiste en aparentar que se quiere omitir una cosa, preterición.

parálisis. (Del lat. *paralῠsis*, y este del gr. παράλυσις.) f. *Pat.* Privación o disminución del movimiento de una o varias partes del cuerpo. ‖ **agitante.** *Pat.* Enfermedad crónica y progresiva, propia de la edad adulta, caracterizada por temblores, rigidez, contracciones e inmovilidad de los órganos de deglución. ‖ **infantil.** *Pat.* Enfermedad infecciosa, contagiosa, que ataca de modo preferente, aunque no exclusivo, a los niños, y cuya manifestación principal es la **parálisis** fláccida e indolora de los músculos, especialmente los de los miembros.

paraliticado, da. (De *paralítico.*) adj. p. us. Impedido por la parálisis o afectado por ella.

paraliticarse. prnl. p. us. Ponerse paralítico, paralizarse.

paralítico, ca. (Del lat. *paralytĭcus*, y este del gr. παραλυτικός.) adj. Enfermo de parálisis. Ú. t. c. s.

paralización. f. fig. Detención que experimenta una cosa dotada de acción o movimiento.

paralizador, ra. adj. Que paraliza.

paralizar. (Del fr. *paralyser*.) tr. Causar parálisis. Ú. t. c. prnl. ‖ **2.** fig. Detener, entorpecer, impedir la acción y movimiento de una cosa. Ú. t. c. prnl.

paralogismo. (Del lat. *paralogismus*, y este del gr. παραλογισμός.) m. Razonamiento falso.

paralogizar. tr. Intentar persuadir con discursos falaces y razones aparentes. Ú. t. c. prnl.

paramagnético, ca. (De *para-* y *magnético.*) adj. Dícese de materiales que tienen mayor permeabilidad magnética que el vacío y son ligeramente atraídos por los imanes.

paramecio. (der. del gr. παραμήκης, alargado.) m. Nombre de un género de protozoos ciliados, con especies muy comunes en las aguas dulces de charcas y estanques; algunas son grandes y alcanzan hasta 2 mm de longitud, con forma típica de zapatilla. Se utilizan sus cultivos en biología experimental.

paramédico, ca. (De *para-* y *médico.*) adj. Que tiene relación con la medicina sin pertenecer propiamente a ella.

paramentar. tr. Adornar o ataviar una cosa.

paramento. (Del lat. *paramentum.*) m. Adorno o atavío con que se cubre una cosa. ‖ **2.** Sobrecubiertas o mantillas del caballo. ‖ **3.** *Arq.* Cualquiera de las dos caras de una pared. ‖ **4.** *Cant.* Cualquiera de las seis caras de un sillar labrado. ‖ **paramentos sacerdotales.** Vestiduras y demás adornos que usan los sacerdotes para celebrar misa y otros divinos oficios. ‖ **2.** Adornos del altar.

paramera. f. Región, o vasta extensión de territorio, donde abundan los páramos.

parámetro. (De *para-* y -*metro.*) m. *Mat.* Variable que, en una familia de elementos, sirve para identificar cada uno de ellos mediante su valor numérico.

paramilitar. (De *para-* y *militar.*) adj. Dícese de ciertas organizaciones civiles con estructura o disciplina de tipo militar.

páramo. (Del lat. *parāmus.*) m. Terreno yermo, raso y desabrigado. ‖ **2.** fig. Cualquier lugar sumamente frío y desamparado. ‖ **3.** *Bol., Col.* y *Ecuad.* Llovizna.

parancero. (De *paranza.*) m. Cazador que caza con lazos, perchas u otras invenciones.

parangón. (De *paragón.*) m. Comparación o semejanza.

parangona. (De *paragón.*) f. *Impr.* Grado de letra, la mayor después del gran canon, peticano y misal.

parangonar. (De *paragonar.*) tr. Hacer comparación de una cosa con otra. ‖ **2.** *Impr.* Justificar en una línea las letras, adornos, etc., de cuerpos desiguales.

parangonizar. tr. ant. **parangonar.**

paraninfico. adj. *Arq.* V. **orden paraninfico.**

paraninfo. (Del lat. *paranimphus*, y este del gr. παρανυμφος; de παρά, al lado de, y νύμφη, novia.) m. Salón de actos en algunas universidades. ‖ **2.** En las universidades, el que anunciaba la entrada del curso, estimulando al estudio con una oración retórica. ‖ **3.** p. us. Padrino de bodas. ‖ **4.** p. us. El que anuncia una felicidad.

paranoia. (Del gr. παράνοια; de παρά, al lado, contra, y νούς, espíritu.) f. Perturbación mental fijada en una idea o en un orden de ideas.

paranoico, ca. adj. Perteneciente o relativo a la paranoia. ‖ **2.** Que la padece. Ú. t. c. s.

paranomasia. f. p. us. **paronomasia,** semejanza de voces que se distinguen por la vocal acentuada.

paranormal. (De *para-* y *normal.*) adj. Dícese de los fenómenos y problemas que estudia la parapsicología.

paranza. (De *parar*[2].) f. Tollo, chozo o puesto donde el cazador de montería se oculta para esperar y tirar a las reses. ‖ **2.** Pequeño corral de cañizo que en las golas del Mar Menor de Cartagena se dispone para coger los peces, que entran fácilmente y no pueden salir sin gran dificultad.

parao. (Del bisaya *parau.*) m. *Filip.* Embarcación a la manera de una banca o un baroto con quilla profunda y una sola vela.

parapara. f. *Amér.* Fruto del paraparo. Es negro y redondo.

paraparo. m. *Amér.* Árbol de la familia de las sapindáceas, cuya corteza y parte exterior del fruto se usa en Venezuela como jabón.

parapetarse. prnl. *Fort.* Resguardarse con parapetos u otra cosa que supla la falta de estos. Ú. t. c. tr. ‖ **2.** fig. Precaverse de un riesgo por algún medio de defensa.

parapeto. (Del it. *parapetto.*) m. *Arq.* Pared o baranda que se pone para evitar caídas, en los puentes, escaleras, etc. ‖ **2.** *Fort.* Terraplén corto, formado sobre el principal, hacia la parte de la campaña, el cual defiende de los golpes enemigos el pecho de los soldados.

paraplejía o **paraplejia.** (Del lat. *paraplexía,* y este del gr. παραπληξία.) f. *Pat.* Parálisis de la mitad inferior del cuerpo.

parapléjico, ca. adj. *Pat.* Perteneciente o relativo a la paraplejia. ‖ **2.** *Pat.* Que la padece. Ú. t. c. s.

parapoco. (De *para* y *poco.*) com. fig. y fam. Persona poco avisada y corta de genio.

parapsicología. f. Estudio de los fenómenos y comportamientos psicológicos, de cuya naturaleza y efectos no ha dado hasta ahora cuenta la psicología científica. Entre ellos están la telepatía, las premoniciones, la levitación, etc.

parapsicológico, ca. adj. Perteneciente o relativo a la parapsicología.

parapsicólogo, ga. adj. Que cultiva la parapsicología. Ú. t. c. s.

parar¹. (De *parar²,* arriesgar en el juego.) m. Juego de cartas en que se saca una para los puntos y otra para el banquero, y de ellas gana la primera que hace parejo con las que van saliendo de la baraja.

parar². (Del lat. *parāre,* preparar.) intr. Cesar en el movimiento o en la acción; no pasar adelante en ella. Ú. t. c. prnl. ‖ **2.** Ir a dar a un término o llegar al fin. ‖ **3.** Recaer, venir a estar en dominio o propiedad de alguna cosa, después de otros dueños que la han poseído o por los cuales ha pasado. ‖ **4.** Reducirse o convertirse una cosa en otra distinta de la que se juzgaba o esperaba. ‖ **5.** Habitar, hospedarse. *No sabemos dónde* PARA *Ramón;* PARAR *en casa de mi tío.* ‖ **6.** tr. Detener e impedir el movimiento o acción de uno. ‖ **7.** Prevenir o preparar. ‖ **8.** Arriesgar dinero u otra cosa de valor a una suerte del juego. ‖ **9.** Hablando de los perros de caza, mostrarla, suspendiéndose al verla o descubrirla, o con alguna otra señal. ‖ **10.** Poner a uno en estado diferente del que tenía. *Tal me* HAN PARADO, *que no puedo valerme.* Ú. t. c. prnl. *Al oír esto, la doncella* SE PARÓ *colorada.* ‖ **11.** ant. Adornar, componer o ataviar una cosa. ‖ **12.** ant. Ordenar, mandar, disponer. ‖ **13.** *Esgr.* Quitar con la espada el golpe del contrario. Por ext., se dice en otros juegos y deportes. ‖ **14.** *Murc.* y *Amér.* Estar o poner de pie. Ú. t. c. prnl. ‖ **15.** prnl. Estar pronto o aparejado a exponerse a un peligro. ‖ **16.** fig. Detenerse o suspender la ejecución de un designio por algún obstáculo o reparo que se presenta. ‖ **17.** Construido con la preposición *a* y el infinitivo de algunos verbos que significan acción del entendimiento, ejecutar dicha acción con atención y sosiego. ‖ **¡dónde va a parar!** fr. con la que se ponderan las excelencias de una cosa en comparación con otra. ‖ **dónde vamos, iremos,** etc., **a parar.** fr. fam. con la que se expresa asombro o consternación ante nuevas cosas o situaciones. ‖ **no parar.** fr. fig. Ejecutar o solicitar una cosa con eficacia, viveza o instancia. ‖ **no parar en ...** fr. fam. Seguido de un nombre de lugar, no aparecer mucho por él. ‖ **parar mal.** fr. malparar. ‖ **quedar** o **salir bien** o **mal parado.** loc. Tener buena o mala fortuna en un asunto. ‖ **sin parar.** loc. adv. Prontamente, al punto; sin dilación ni tardanza, detención o sosiego. ‖ **y pare usted de contar.** loc. con que se pone fin a una cuenta, narración o enumeración.

pararrayo. m. pararrayos.

pararrayos. (De *parar²,* detener, y *rayo.*) m. Artificio compuesto de una o más varillas de hierro terminadas en punta y unidas entre sí y con la tierra húmeda, o con el agua, por medio de conductores metálicos, el cual se coloca sobre los edificios o los buques para preservarlos de los efectos de la electricidad de las nubes.

parasanga. (Del grecolat. *parasanga.*) f. Medida itineraria equivalente a 5.250 metros, usada por los persas desde tiempos muy remotos.

parasceve. (Del lat. *parascēve,* y este del gr. παρασκευή, preparación.) f. Nombre que se daba al viernes por ser el día en que los judíos preparaban la comida para el sábado; por excelencia se aplica al Viernes Santo, en que murió Cristo, ya que era la **parasceve** o preparación para la Pascua.

paraselene. (De *para-* y Σελήνη, Luna.) f. *Meteor.* Imagen de la Luna, que se representa en una nube.

parasemo. (Del lat. *parasēmum,* y este del gr. παράσημον.) m. Mascarón de proa de las galeras de los antiguos griegos y romanos.

parasicología. f. parapsicología.

parasicológico, ca. adj. parapsicológico.

parasicólogo, ga. adj. parapsicólogo.

parasíntesis. (Del gr. παρασύνθεσις.) f. *Gram.* Formación de vocablos en que intervienen la composición y la derivación; como *encañonar.*

parasintético, ca. adj. *Gram.* Dícese de los vocablos que se forman por parasíntesis.

parasismo. m. paroxismo.

parasitario, ria. adj. Perteneciente o relativo a los parásitos.

parasiticida. (De *parásito,* y *-cida.*) adj. Dícese de la sustancia que se emplea para destruir los parásitos.

parasítico, ca. adj. Perteneciente o relativo a los parásitos.

parasitismo. m. *Biol.* Modo de vida y tipo de asociación propia de los organismos parásitos. ‖ **2.** fig. Costumbre o hábito de los que viven a costa de otros a manera de parásitos.

parásito, ta o **parasito, ta.** (Del gr. παράσιτος, comensal, a través del lat. *parasitus.*) adj. *Biol.* Dícese del organismo animal o vegetal que vive a costa de otro de distinta especie, alimentándose de sus sustancias y depauperándolo sin llegar a matarlo. Ú. t. c. s. ‖ **2.** fig. Dícese de los ruidos que perturban las transmisiones radioeléctricas. Ú. t. c. m. pl. ‖ **3.** m. Por antonom., piojo. ‖ **4.** fig. Persona que vive a costa ajena.

parasitología. (De *parásito* y *-logía.*) f. Parte de la biología, que trata de los seres parásitos.

parasol. (De *parar²* y *sol.*) m. quitasol.

parástade. (Del lat. *parastas, -ādis,* y este del gr. παραστάς; de παρίστημι, arrimar.) m. *Arq.* Pilastra colocada junto a una columna y detrás de ella para sostener mejor el peso de la techumbre.

parata. (Forma andaluza mozár. de *parada.*) f. Bancal pequeño y estrecho, formado en un terreno pendiente, cortándolo y allanándolo, para sembrar o hacer plantaciones en él.

parataxis. (Del gr. παράταξις, coordinación.) f. *Gram.* Coordinación.

paratífico, ca. adj. *Pat.* Perteneciente o relativo a la paratifoidea. ‖ **2.** Que padece esta enfermedad. Ú. t. c. s.

paratifoideo, a. (De *para-* y *tifoidea.*) adj. *Pat.* Dícese de la infección intestinal que ofrece la mayoría de los síntomas de la fiebre tifoidea y se diferencia de ella en originarse por un microbio distinto del específico de la tifoidea. Ú. m. c. s. f.

paratiroides. (De *para-* y *tiroides.*) adj. *Anat.* Dícese de cada una o de todas las glándulas de secreción interna situadas en torno del tiroides, de muy pequeño tamaño y cuya lesión produce la tetania. Ú. t. c. s. f.

paraulata. f. *Venez.* Ave semejante al tordo y del mismo tamaño.

parazonio. (Del lat. *parazonĭum,* y este del gr. παραζώνιον.) m. Espada ancha y sin punta que, como señal de distinción, llevaban sujeta con una correa en el lado izquierdo de la cintura los jefes de las milicias griegas y sobre todo romanas.

parca. (Del lat. *parca.*) f. *Mit.* Cada una de las tres deidades hermanas, Cloto, Láquesis y Átropos, con figura de viejas, de las cuales la primera hilaba, la segunda devanaba y la tercera cortaba el hilo de la vida del hombre. ‖ **2.** fig. poét. La muerte.

parcamente. adv. m. Con parquedad o escasez.

parce. (Del lat. *parce,* 2.ª pers. de sing. del imperat. de *parcĕre,* perdonar.) m. p. us. Cédula que por premio daban los maestros de gramática a sus discípulos y les servía de absolución para alguna falta ulterior. ‖ **2.** p. us. Primera palabra de la primera de las Lecciones de Job, que se cantaban en el oficio de difuntos y designaba esta oración ritual. *Entré en la iglesia al acabarse el* PARCE.

parcela. (Del fr. *parcelle,* y este del lat. **particella.*) f. Porción pequeña de terreno, de ordinario sobrante de otra mayor que se ha comprado, expropiado o adjudicado. ‖ **2.** En el catastro, cada una de las tierras de distinto dueño que constituyen un pago o término. ‖ **3.** Parte pequeña de algunas cosas.

parcelable. adj. Que se puede parcelar.

parcelación. f. Acción y efecto de parcelar o dividir en parcelas.

parcelar. tr. Medir, señalar las parcelas para el catastro. ‖ **2.** Dividir una finca grande para venderla o arrendarla en porciones más pequeñas.

parcelario, ria. adj. Perteneciente o relativo a la parcela de terreno.

parcial. (Del b. lat. *partiālis.*) adj. Relativo a una parte del todo. ‖ **2.** No cabal o completo. *Eclipse* PARCIAL. ‖ **3.** Que juzga o procede con parcialidad, o que la incluye o denota. *Escritor* PARCIAL, *juicio* PARCIAL. ‖ **4.** Que sigue el partido de otro, o está seguro de su parte. Ú. t. c. s. ‖ **5.** **partícipe.** ‖ **6.** m. Examen que el alumno hace de una parte de la asignatura. ‖ **7.** V. **indulgencia parcial.**

parcialidad. f. Unión de algunos que se confederan para un fin, separándose del común y formando cuerpo aparte. ‖ **2.** Conjunto de muchos, que componen una familia o facción separada del común. ‖ **3.** Cada una de las agrupaciones en que se dividían o dividen los pueblos primitivos. ‖ **4.** Amistad, estrechez, familiaridad en el trato. ‖ **5.** Designio anticipado o prevención en favor o en contra de personas o cosas, que da como resultado la falta de neutralidad o insegura rectitud en el modo de juzgar o de proceder. ‖ **6.** ant. Sociabilidad, afabilidad en el genio, para tratar con otros y ser tratado por ellos.

parcializar. tr. ant. Aplicar una cosa más a uno que a otro, por especial afecto o parcialidad.

parcialmente. adv. m. En cuanto a una o más partes. ‖ **2.** Apasionadamente, sin la debida equidad. ‖ **3.** ant. Amigable y familiarmente.

parcidad. (Del lat. *parcĭtas, -ātis.*) f. p. us. Moderación, parquedad.

parcionero, ra. (Del fr. ant. *parçonier.*) adj. desus. **partícipe.**

parcir. (Del lat. *parcĕre.*) tr. ant. **perdonar.**

parcísimo, ma. (Del lat. *parcissĭmus.*) adj. p. us. sup. de **parco².**

parco¹. (Del lat. *parco,* 1.ª pers. de sing. del pres. de indic. de *parcĕre,* perdonar.) m. p. us. **parce.**

parco², ca. (Del lat. *parcus.*) adj. Corto, escaso o moderado en el uso o concesión de las cosas. ‖ **2.** Sobrio, templado y moderado en la comida o bebida.

parcha. (Voz americana.) f. Nombre genérico con que se conocen en algunas partes de América diversas plantas de la familia de las pasifloráceas. ‖ **granadilla.** Planta de la familia de las pasifloráceas, propia de América tropical, con tallos sarmentosos y trepadores, de 18 a 20 metros de longitud, cuadrangulares y ramosos; hojas gruesas, acorazonadas, puntiagudas, lisas y enteras; flores muy grandes, olorosas, encarnadas por dentro, con los filamentos externos manchados de blanco, púrpura y violeta, y fruto ovoide, amarillento, liso, del tamaño de un melón y con pulpa sabrosa y agridulce.

parchar. tr. **emparchar,** poner parches.

parchazo. (aum. de *parche.*) m. *Mar.* Golpazo que pega una vela contra su palo o mastelero, ya por un cambio súbito del viento, ya por un descuido en el gobierno del buque. ‖ **2.** fig. y fam. Burla o chasco. ‖ **pegar un parchazo** a uno. fr. fig. y fam. **pegarle un parche.**

parche. (Del fr. ant. *parche.*) m. Pedazo de tela, papel, piel, etc., que por medio de un aglutinante se pega sobre una cosa, generalmente para tapar un agujero. ‖ **2.** Trozo de lienzo u otra cosa que contiene un ungüento, bálsamo, etc., y se pone sobre una herida o parte enferma del cuerpo. ‖ **3.** Círculo de papel untado con pez o trementina y adornado de cintas, que como suerte de lidia se ponía en la frente del toro. ‖ **4.** Cada una de las dos pieles del tambor. ‖ **5.** V. **bolsillo de parche.** ‖ **6.** fig. Tambor, instrumento músico. ‖ **7.** fig. Cualquier cosa sobrepuesta a otra y como pegada, que desdice de la principal. ‖ **8.** fig. Pegote o retoque mal hecho, especialmente en la pintura. ‖ **pegar un parche** a uno. fr. fig. y fam. Engañarle sacándole dinero u otra cosa, pidiéndoselo prestado o de otro modo, con ánimo de no volvérselo.

parchear. tr. Poner parches. ‖ **2.** Sobar o manosear a una persona.

parchís. (Del indostánico *pacīsī;* de *pacīs,* veinticinco.) m. Juego que se practica en un tablero con cuatro salidas en el que cada jugador, provisto de cuatro fichas del mismo color, trata de hacerlas llegar a la casilla central. El número de casillas que se ha de recorrer en cada jugada se determina tirando un dado.

parchista. com. p. us. fig. y fam. Persona que pega un parche o da un sablazo de dinero a uno.

pardal. (Del lat. *pardālis,* y este del gr. πάρδαλις, leopardo, o también un ave, quizá el chorlito.) adj. Aplícase a la gente de las aldeas, por regularmente vestidas de pardo. ‖ **2.** m. **leopardo.** ‖ **3.** **camello pardal.** ‖ **4.** **gorrión.** ‖ **5.** **pardillo,** ave. ‖ **6.** Acónito o anapelo. ‖ **7.** fig. y fam. Hombre bellaco, astuto.

pardear. intr. Sobresalir o distinguirse el color pardo. ‖ **2.** Ir tomando una cosa color pardo.

pardela. (De or. portugués.) f. Ave acuática, palmípeda, parecida a la gaviota, pero más pequeña.

¡pardiez! interj. fam. **¡par Dios!**

pardilla. f. pardillo, ave.

pardillo, lla. (d. de *pardo.*) adj. Aldeano, palurdo. Ú. t. c. s. ‖ **2.** Dícese de la persona incauta que se deja estafar fácilmente. Ú. t. c. s. ‖ **3.** V. **paño pardillo.** Ú. t. c. s. *Gente del* PARDILLO. ‖ **4.** V. **vino pardillo.** Ú. t. c. s. ‖ **5.** V. **perdiz pardilla.** ‖ **6.** V. **ámbar pardillo.** ‖ **7.** m. Ave del orden de las paseriformes, de unos 14 centímetros desde la punta del pico hasta el extremo de la cola, de dos decímetros y medio de envergadura; plumaje de color pardo rojizo en general, negruzco en las alas y la cola, manchado de blanco en el arranque de esta y en las remeras extremas, carmesí en la cabeza y en el pecho, y blanco en el abdomen. La hembra tiene colores menos vivos. Es uno de los pájaros más lindos de España, se alimenta de semillas, principalmente de linaza y cañamones, canta bien y se domestica con facilidad.

pardina. (Del lat. *parietina*, de *paríes, -ětis*.) f. *Ar.* Monte de pasto con corrales o tenadas, paridina.

¡pardiobre! (De *par*, o *por, Dios*.) interj. ant. **¡pardiez!**

pardisco, ca. adj. **pardusco.**

pardo, da. (Del lat. *pardus*, leopardo, por el color; compárese *pardal*.) adj. Del color de la tierra, o de la piel del oso común, intermedio entre blanco y negro, con tinte rojo amarillento, y más oscuro que el gris. ‖ **2.** oscuro, especialmente hablando de las nubes o del día nublado. ‖ **3.** Aplícase a la voz que no tiene timbre claro y que es poco vibrante. ‖ **4.** V. **caballero, día, león, monte, oso pardo.** ‖ **5.** V. **águila, gramática, lógica, mata, voz parda.** ‖ **6.** *Amér.* Decíase del **mulato,** mestizo de negra y blanco o al contrario. Usáb. m. c. s. ‖ **7.** m. **leopardo.**

pardomonte. m. Cierta clase de paño ordinario que en el siglo XVIII se usaba para capas de la gente artesana.

pardusco, ca. adj. De color que tira a pardo.

pareado, da. p. p. de **parear.** ‖ **2.** adj. V. **versos pareados.** ‖ **3.** m. Estrofa que forman dos **pareados.**

parear. (De *par*.) tr. Juntar, igualar dos cosas comparándolas entre sí. ‖ **2.** Formar pares de las cosas, poniéndolas de dos en dos. ‖ **3.** *Taurom.* Poner banderillas.

parecencia. f. p. us. Parecido, semejanza.

parecer¹. (infinit. de *parecer²*.) m. Opinión, juicio o dictamen. ‖ **2.** Orden de las facciones del rostro y disposición del cuerpo. ‖ **arrimarse al parecer de uno.** fr. fig. Seguir su dictamen o adherirse a él. ‖ **casarse uno con su parecer.** fr. fig. **casarse con su opinión.** ‖ **tomar parecer de uno.** fr. **tomar consejo de uno.**

parecer². (De un der. vulg. en *-escĕre* del lat. *parēre*.) intr. Aparecer o dejarse ver alguna cosa. ‖ **2.** Opinar, creer. Ú. m. c. impers. ‖ **3.** Hallarse o encontrarse lo que se tenía por perdido. ‖ **4.** Tener determinada apariencia o aspecto. ‖ **5.** prnl. Tener semejanza, asemejarse. ‖ **a lo que parece, al parecer.** locs. conjunts. con que se explica el juicio o dictamen que se forma en una materia, según lo que ella propia muestra o la idea que suscita. ‖ **parece que se cae, y se agarra.** expr. fig. y fam. que se aplica al que a lo tonto hace su negocio. ‖ **parecer bien, o mal.** fr. Tener las cosas buena disposición, simetría, adorno y hermosura, de modo que ocasione gusto el mirarlas, o al contrario. ‖ **2.** Ser o no ser acertada o plausible una cosa. ‖ **parecerle a uno una cosa.** fr. Con un matiz de duda o indeterminación, opinar, creer. ‖ **por el bien parecer.** loc. adv. con que se da a entender que uno obra por atención y respeto a lo que pueden decir o juzgar de él, y no según su propia inclinación o genio. ‖ **quien no parece, perece.** fr. proverb. con que se explica que entre muchos que tienen interés en una cosa, por lo común sale perjudicado el que no se halla presente.

parecido, da. p. p. de **parecer.** ‖ **2.** adj. Dícese del que se parece a otro. ‖ **3.** Con los adverbios *bien* o *mal,* que tiene buena o mala disposición de facciones o aire de cuerpo. ‖ **4.** con el verbo *ser* y los adverbios *bien* o *mal,* bien o mal visto. ‖ **5.** m. **semejanza.**

pared. (Del lat. *paríes, -ětis*.) f. Obra de albañilería vertical, que cierra o limita un espacio. ‖ **2.** V. **calendario, manta de pared.** ‖ **3.** fig. Superficie plana y alta que forman las cebadas y los trigos cuando están bastante crecidos y cerrados. ‖ **4.** fig. Conjunto de cosas o personas que se aprietan o unen estrechamente. ‖ **5.** *Dep.* En alpinismo, corte vertical o muy derecho en la cara de una montaña. ‖ **6.** *Fís.* Cara o superficie lateral de un cuerpo. ‖ **7.** *Min.* Cara lateral de una excavación. ‖ **horma.** La de piedra seca. ‖ **maestra.** *Arq.* Cualquiera de las principales y más gruesas que mantienen y sostienen el edificio. ‖ **mediana.** ant. *Arq.* **pared medianera.** ‖ **medianera.** La de dos casas. ‖ **andar a tienta paredes.** fr. fam. Seguir una conducta vacilante, sin rumbo ni idea fija. ‖ **arrimarse uno a**

las paredes. fr. fig. y fam. Estar ebrio, porque el borracho suele hacer esta acción para no caer. ‖ **coserse uno con la pared.** fr. fig. y fam. Estar o andar muy junto a ella. ‖ **darse uno contra una pared.** fr. fig. Tener gran despecho o cólera, que le saca fuera de sí. ‖ **darse uno contra,** o **por, las paredes.** fr. fig. y fam. Apurarse y fatigarse sin acertar con lo que desea. ‖ **de pared.** loc. adj. Dícese de los objetos destinados a estar adosados a una **pared** o pendientes de ella. *Reloj* DE PARED, *almanaque* DE PARED. ‖ **descargar las paredes.** fr. *Arq.* Aligerar su peso por medio de arcos o de estribos. ‖ **entre cuatro paredes.** loc. adv. fig. con que se explica que uno está retirado del trato de las gentes, o encerrado en su casa o cuarto. ‖ **hablar las paredes.** fr. fig. con que se denota la posibilidad de que se descubran cosas que se dicen o hacen con mucho secreto. ‖ **hasta la pared de enfrente.** fr. fig. y fam. Resueltamente, sin titubeo ni cortapisa. ‖ **las paredes oyen.** expr. fig. que aconseja tener muy en cuenta dónde y a quién se dice una cosa que importa sea secreta, por el riesgo que puede haber de que se publique o sepa. ‖ **las paredes tienen ojos.** expr. fig. con que se advierte que no se ejecute lo que es malo, fiándose en que no se descubrirá por el secreto del retiro en que se ejecuta. ‖ **pared en,** o **por, medio.** loc. adv. con que se explica la inmediación y contigüidad de una casa o habitación respecto de otra, cuando solo las divide una **pared.** ‖ **2.** fig. Denota la inmediación o cercanía de una cosa. ‖ **pegado a la pared.** loc. fig. y fam. Avergonzado, confuso, como privado de acción o sin saber qué contestar. Ú. con los verbos *dejar* y *quedarse.* ‖ **subirse por las paredes.** fr. fig. Mostrarse extraordinariamente irritado.

paredaño, ña. adj. Que está pared por medio del lugar a que se alude.

paredina. f. ant. Pared vieja en el campo, restos de edificios en él.

paredón. m. aum. de **pared.** ‖ **2.** Pared que queda en pie, como ruina de un edificio antiguo. ‖ **3.** Sitio, generalmente delante de un muro, donde se da muerte por fusilamiento. ‖ **al paredón.** loc. adv. con la que se expresa el deseo de que alguien a quien se atribuyen ciertas culpas, sea ejecutado.

pareja. (De *parejo*.) f. Conjunto de dos personas, animales o cosas que tienen entre sí alguna correlación o semejanza, y especialmente la formada por hombre y mujer. ‖ **2.** Cada una de estas personas, animales o cosas considerada en relación con la otra. ‖ **3.** desus. En las fiestas, unión de dos caballeros de un mismo traje, librea, adornos y jaeces de caballos, que corren juntos y unidos, y el primor consiste en ir iguales, por lo que se le dio este nombre: las fiestas se componen de varias **parejas** y diversas cuadrillas. ‖ **4.** Compañero o compañera en los bailes. *En el baile de ayer fue mi* PAREJA *la duquesa.* ‖ **5.** pl. En el juego de dados, los dos números o puntos iguales que salen de una tirada; como seises, cincos, etc. ‖ **6.** En los naipes, dos cartas iguales en número o semejantes en figura; como dos reyes, dos seises. ‖ **7.** Arte de pesca compuesta de dos barcos que arrastran una red barredera de profundidad. ‖ **8.** *Equit.* Carrera que dan dos jinetes juntos, sin adelantarse ninguno, por lo cual suelen ir dadas las manos. ‖ **correr parejas,** o **a las parejas.** fr. fig. Ir iguales o sobrevenir juntas algunas cosas, o ser semejantes dos o más personas en una prenda o habilidad.

parejero, ra. (De *pareja*.) adj. Que corría parejas. ‖ **2.** Se aplicaba al caballo o yegua adiestrado para correrlas. ‖ **3.** *Amér. Merid.* Dícese del caballo de carrera y en general de todo caballo veloz. Ú. t. c. s. ‖ **4.** *Venez.* Dícese de quien procura andar siempre acompañado de alguna persona calificada. ‖ **5.** *P. Rico, Sto. Dom.* y *Venez.* Vanidoso, presumido. Ú. t. c. s. ‖ **6.** *Cuba.* Confianzudo, que toma excesiva confianza, atrevido.

parejo, ja. (Del lat. *parícŭlus*, d. de *par, paris*, igual.) adj. Igual o semejante. ‖ **2.** Liso, llano. ‖ **por parejo,** o **por un parejo.** loc. adv. Por igual, o de un mismo modo.

parejuelo. (De *parejo*.) m. *And.* Madero de menor escuadría que la común en los pares con que se forma la pendiente de las armaduras de los edificios, y que tiene igual aplicación.

parejura. (De *parejo*.) f. Igualdad o semejanza.

parel. adj. *Mar.* Dícese del remo que boga al igual con otro de la banda opuesta en una misma bancada. ‖ **2.** V. **bogar a pareles.**

parella. (De or. inc.) f. *Murc.* Rodilla, paño de limpiar.

paremia. (Del gr. παροιμία, proverbio.) f. Refrán, proverbio, adagio, sentencia.

paremiología. (De *paremiólogo*.) f. Tratado de refranes.

paremiológico, ca. adj. Perteneciente o relativo a la paremiología.

paremiólogo, ga. (Del gr. παροιμία, proverbio, y -*logo*.) m. y f. Persona que profesa la paremiología o tiene en ella especiales conocimientos.

parénesis. (Del gr. παραίνεσις; de παραινέω, exhortar.) f. Exhortación o amonestación.

parenético, ca. (Del gr. παραινετικός.) adj. Perteneciente o relativo a la parénesis.

parénquima. (Del gr. científico παρέγχυμα, sustancia de los órganos.) m. *Bot.* Cualquiera de los tejidos vegetales constituidos por células de forma aproximadamente esférica o cúbica y separadas entre sí por meatos. ‖ **2.** *Zool.* Tejido de los órganos glandulares. ‖ **3.** *Zool.* Tejido de tipo conjuntivo que recuerda al **parénquima** vegetal.

parenquimatoso, sa. adj. Perteneciente o relativo al parénquima.

parentación. (Del lat. *parentatĭo, -ōnis*.) f. p. us. Ceremonia fúnebre.

parentado. m. ant. **parentesco.**

parental. (Del lat. *parentālis*.) adj. Perteneciente a los padres o parientes. ‖ **2.** *Biol.* Lo que se refiere a uno o a ambos progenitores. Ú. t. c. s.

parentela. (Del lat. *parentēla*.) f. Conjunto de los parientes de alguien. ‖ **2.** ant. **parentesco.**

parentesco. m. Vínculo por consanguinidad o afinidad. ‖ **2.** fig. Unión, vínculo o liga que tienen las cosas. ‖ **espiritual.** Vínculo que contraen en los sacramentos del bautismo y de la confirmación el ministrante y los padrinos con el bautizado o confirmado. ‖ **lingüístico.** Relación de afinidad entre dos o más lenguas en virtud de su origen común.

paréntesis. (Del lat. *parenthĕsis*.) m. Oración o frase incidental, sin enlace necesario con los demás miembros del período, cuyo sentido interrumpe y no altera. ‖ **2.** Signo ortográfico ( ) en que suele encerrarse esta oración o frase. ‖ **3.** fig. Suspensión o interrupción. ‖ **4.** *Mat.* Signo igual al ortográfico que, aislando una expresión algebraica, indica que una operación se efectúa sobre esa expresión toda entera. ‖ **abrir el paréntesis.** fr. *Gram.* Poner la primera mitad de este signo ortográfico al principio de la oración o frase que se injiere en un período. ‖ **cerrar el paréntesis.** fr. *Gram.* Poner la segunda mitad de este signo ortográfico al fin de la oración o frase que se injiere en un período. ‖ **entre,** o **por, paréntesis.** expr. fig. que se usa para suspender el discurso o conversación, interponiendo una especie ajena a ellos.

parentético, ca. adj. *Gram.* Perteneciente o relativo a la paréntesis.

pareo[1]. m. Acción y efecto de parear o unir una cosa con otra.

pareo[2]. m. Pañuelo grande que, anudado a la cintura o bajo los brazos, usan las mujeres, generalmente sobre el bañador, para cubrir su cuerpo.

parergon. (Del gr. πάρεργον, obra, a través del lat. *parergon*.) m. Aditamento a una cosa, que le sirve de ornato.

paresa. f. Mujer de un **par**[1], dignidad.

paresia. (Del gr. πάρεσις, debilitación.) f. *Pat.* Parálisis leve que consiste en la debilidad de las contracciones musculares.

parestesia. (De *para-* y el gr. αἴσθησις, sensación.) f. *Pat.* Sensación o conjunto de sensaciones anormales y especialmente el hormigueo, adormecimiento o ardor que experimentan en la piel ciertos enfermos del sistema nervioso o circulatorio.

pargo. m. **pagro.**

parguela. adj. fam. *And.* Parecido a una mujer en su persona y en sus maneras. Ú. t. c. s. m.

parhelia. f. *Meteor.* **parhelio.**

parhelio. (Del gr. παρήλιος; de παρά, al lado, y ἥλιος, Sol.) m. *Meteor.* Fenómeno luminoso poco común, que consiste en la aparición simultánea de varias imágenes del Sol reflejadas en las nubes y por lo general dispuestas simétricamente sobre un halo.

parhilera. (De *par*[1] e *hilera*.) f. *Arq.* Madero en que se afirman los pares y que forma el lomo de la armadura.

paria. (Del port. *pária*.) com. Persona de la casta ínfima de los indios que siguen la ley de Brahma. Esta casta está privada de todos los derechos religiosos y sociales. ‖ **2.** fig. Persona excluida de las ventajas de que gozan las demás, e incluso de su trato, por ser considerada inferior.

pariambo. (Del lat. *pariambus*, y este del gr. παρίαμβος.) m. **pirriquio.** ‖ **2.** Pie de la poesía griega y latina, que consta, como el baquio, de una sílaba breve y dos largas. ‖ **3.** Pie de la poesía griega y latina, que consta de una sílaba larga y cuatro breves.

parias[1]. f. pl. p. us. **placenta** del útero.

parias[2]. (Del b. lat. *pariāre*, igualar una cuenta, pagar.) f. pl. Tributo que paga un príncipe a otro en reconocimiento de superioridad.

parición. f. Tiempo de parir el ganado. ‖ **2. parto,** acción de parir. Ú. m. en América.

paridad. (Del lat. *parĭtas, -ātis*.) f. Comparación de una cosa con otra por ejemplo o símil. ‖ **2.** Igualdad de las cosas entre sí. ‖ **3.** *Econ.* Relación de una moneda con el patrón monetario internacional vigente. ‖ **correr la paridad.** fr. **correr la comparación.**

paridera. adj. Dícese de la hembra fecunda de cualquier especie. ‖ **2.** f. Sitio en que pare el ganado, especialmente el lanar. ‖ **3.** Acción de parir el ganado. ‖ **4.** Tiempo en que pare.

paridigitado, da. adj. *Zool.* Dicho de animales, que tiene los dedos en número par.

parido, da. p. p. de **parir.** ‖ **2.** adj. Dícese de la hembra que ha poco tiempo que parió. Ú. t. c. s. ‖ **3.** V. **misa de parida.** ‖ **4.** fig. y fam. V. **gata parida.** ‖ **salga la parida.** Juego de muchachos, que consiste en arrimarse en hilera unos a otros y apretarse hasta echar fuera a uno de ellos, que entonces va a colocarse a un extremo de la fila para empujar a los demás.

paridora. adj. Dícese de la hembra muy fecunda.

páridos. (De *paro*[1], y el gr. εἶδος, forma.) m. pl. *Zool.* Familia de pájaros pertenecientes a las paseriformes, que se caracteriza por tener el pico reducido, afilado y casi cónico, con orificios nasales tapados por cortas cerdas. Son de costumbres arborícolas y muy insectívoros.

parienta. adj. **pariente,** familiar por consanguinidad o afinidad. Ú. m. c. s. ‖ **2.** f. fam. Mujer respecto del marido.

pariente. (Del lat. *parens, -entis*, madre o padre y en época tardía, pariente.) adj. Respecto de una persona, dícese de cada uno de los ascendientes, descendientes y colaterales de su misma familia, ya sea por consanguinidad o afinidad. Ú. m.

c. s. ‖ **2.** fig. y fam. Allegado, semejante o parecido. ‖ **3.** m. fam. El marido respecto de la mujer. ‖ **4.** Nombre que daba por escrito el rey de España a los títulos de Castilla sin grandeza. ‖ **5.** pl. ant. Los padres. ‖ **mayor.** El que representa la línea primogénita o principal de un linaje.

parietal. (Del lat. *parietális.*) adj. Perteneciente o relativo a la pared. ‖ **2.** *Anat.* V. **hueso parietal.** Ú. m. c. s.

parietaria. (Del lat. *parietaría.*) f. Planta herbácea anual, de la familia de las urticáceas, con tallos rojizos, erguidos, de cuatro a seis decímetros, sencillos o con ramas muy cortas; hojas alternas, enteras, pecioladas, ásperas y lanceoladas; flores en grupos axilares, pequeñas y verdosas, y fruto seco, envuelto por el perigonio. Crece ordinariamente junto a las paredes y se ha usado en cataplasmas.

parificación. f. p. us. Acción y efecto de parificar.

parificar. tr. p. us. Probar o apoyar con una paridad o ejemplo lo que se ha dicho o propuesto.

parigual. (De *par*[1] e *igual.*) adj. Igual o muy semejante.

parihuela. f. Artefacto compuesto de dos varas gruesas con unas tablas atravesadas en medio donde se coloca la carga para llevarla entre dos. ‖ **2. camilla,** cama portátil. Ú. t. en pl.

parima. f. *Argent.* Garza grande y de color violado.

parimiento. (Del lat. *par, paris,* igual, conforme.) m. ant. Convenio o ajuste hecho a prevención.

pario, ria. (Del lat. *Parius.*) adj. Natural de Paros. Ú. t. c. s. ‖ **2.** Perteneciente o relativo a esta isla del archipiélago.

paripé. (Del caló *paruipén,* cambio, trueque.) m. fam. Fingimiento, simulación o acto hipócrita. ‖ **hacer el paripé.** fr. fam. Presumir, darse tono.

parir. (Del lat. *parère.*) intr. Expeler en tiempo oportuno, la hembra de cualquier especie vivípara, el feto que tenía concebido. Ú. t. c. tr. ‖ **2. aovar.** ‖ **3.** tr. fig. Producir una cosa otra. ‖ **4.** fig. Expresar acertada y claramente lo que se piensa. ‖ **5.** fig. Hacer salir a luz o al público lo que estaba oculto o ignorado. ‖ **no parir.** fr. fig. No dar más de sí una cuenta, por más que se examine o repase. ‖ **parir a medias.** fr. fig. y fam. Ayudar uno a otro en un trabajo dificultoso.

París. n. p. V. **alfiler, punta de París.**

parisién. (Del fr. *parisien.*) adj. **parisiense.** Ú. solo en sing. y t. c. s.

parisiena. (Del fr. *parisienne,* de París.) f. *Impr.* Carácter de letra de cinco puntos.

parisiense. (Del lat. *Parisiensis.*) adj. Natural de París. Ú. t. c. s. ‖ **2.** Perteneciente o relativo a esta ciudad, capital de Francia.

parisilábico, ca. adj. **parisílabo.**

parisílabo, ba. (De *par*[1] y *sílaba.*) adj. Que tiene igual número de sílabas que otro, dicho de vocablos o versos.

parisino, na. adj. **parisiense.**

paritario, ria. adj. Dícese principalmente de los organismos de carácter social constituidos por representantes de patronos y obreros en número igual y con los mismos derechos. ‖ **2.** Que las diversas partes que la forman tienen igualdad en el número y derechos de sus miembros, hablando de cualquier comisión o asamblea.

paritorio. m. Sala de una maternidad donde tiene lugar el parto. ‖ **2.** *And., Col., Cuba* y *Venez.* **parto,** acción de parir.

parla. f. p. us. Acción de parlar con desembarazo o expedición. ‖ **2. labia.** ‖ **3.** Verbosidad insustancial. *Todo cuanto dijo no fue más que* PARLA.

parlador, ra. adj. Que parla mucho. Ú. t. c. s.

parladuría. f. Expresión impertinente que desagrada.

parlaembalde. com. fig. y fam. Persona que habla mucho y sin sustancia.

parlamentar. intr. Hablar o conversar unos con otros. ‖ **2.** Entablar conversaciones con la parte contraria para

intentar ajustar la paz, una rendición, un contrato o para zanjar cualquier diferencia.

parlamentariamente. adv. m. En forma parlamentaria; según las normas prácticas del parlamento.

parlamentario, ria. adj. Perteneciente o relativo al parlamento judicial o político. ‖ **2.** V. **información, inmunidad parlamentaria.** ‖ **3.** V. **interregno parlamentario.** ‖ **4.** m. y f. Persona que va a parlamentar. ‖ **5.** Ministro o individuo de un parlamento.

parlamentarismo. m. Sistema político en que el poder legislativo está confiado al parlamento, ante el cual es responsable el gobierno.

parlamentear. intr. ant. **parlamentar.**

parlamento. m. Cámara o asamblea legislativa, nacional o provincial. ‖ **2.** Razonamiento u oración que se dirigía a un congreso o junta. ‖ **3.** Entre actores, relación larga en verso o prosa. ‖ **4.** Acción de parlamentar. ‖ **5.** Asamblea de los grandes del reino, que bajo los primeros reyes de Francia se convocaba para tratar negocios importantes. ‖ **6.** Cada uno de los tribunales superiores de justicia que en Francia tenían además atribuciones políticas y de policía. ‖ **7.** La Cámara de los Lores y la de los Comunes en Inglaterra.

parlanchín, na. adj. fam. Que habla mucho y sin oportunidad, o que dice lo que debía callar. Ú. t. c. s.

parlante. p. a. de **parlar.** Que parla. ‖ **2.** adj. *Blas.* V. **armas parlantes.**

parlar. (Del occ. *parlar,* hablar.) intr. Hablar con desembarazo o expedición. Ú. t. c. tr. ‖ **2.** Hablar mucho y sin sustancia. ‖ **3.** Hacer algunas aves sonidos que se asemejan a la locución humana. ‖ **4.** tr. Revelar y decir lo que se debe callar o lo que hay necesidad de que se sepa.

parlatorio. m. Acto de hablar o parlar con otros. ‖ **2.** Lugar destinado para hablar y recibir visitas. ‖ **3.** Locutorio de los conventos y cárceles.

parlería. f. **verbosidad.** ‖ **2.** Chisme, cuento o hablilla.

parlero, ra. adj. Que habla mucho. ‖ **2.** Que lleva chismes o cuentos de una parte a otra, o dice lo que debía callar. ‖ **3.** Cantora, hablando de aves. ‖ **4.** fig. Dícese de las cosas que de alguna manera dan a entender los afectos del ánimo o descubren lo que se ignoraba. *Ojos* PARLEROS. ‖ **5.** fig. Dícese de cosas que hacen ruido armonioso. *Fuente* PARLERA, *arroyo* PARLERO.

parleta. f. fam. Conversación, por diversión o pasatiempo, en materia varia e indiferente o de poca importancia.

parlón, na. adj. fam. **parlero,** que habla mucho. Ú. t. c. s.

parlotear. intr. fam. Hablar mucho y sin sustancia unos con otros, por diversión o pasatiempo.

parloteo. m. Acción y efecto de parlotear.

parmesano, na. adj. Natural de Parma. Ú. t. c. s. ‖ **2.** Perteneciente o relativo a esta ciudad y antiguo ducado de Italia. ‖ **3.** m. Queso de pasta dura, fabricado con leche de vaca y originario de la llanura de Lombardía en Italia.

parnasiano, na. adj. Perteneciente o relativo a la escuela poética llamada del Parnaso, que floreció en Francia en el último tercio del siglo XIX. Apl. a pers., ú. t. c. s.

parnaso. (Del gr. Παρνασός, a través del lat. *Parnàsus.*) m. fig. Conjunto de todos los poetas, o de los de un pueblo o tiempo determinado. ‖ **2.** Colección de poesías de varios autores.

parné. (Del caló *parné,* dinero, moneda.) m. pop. **dinero,** moneda. ‖ **2.** pop. Hacienda, caudal, bienes de cualquier clase.

paro[1]. (Del lat. *parus.*) m. Nombre genérico de diversos pájaros con pico recto y fuerte, alas redondeadas, cola larga y tarsos fuertes; como el alionín, el herrerillo y el pájaro moscón. ‖ **carbonero.** Ave del orden de las paseriformes, que tiene unos 16 centímetros desde la punta del pico hasta la extremidad de la cola, y tres decímetros de envergadura, con plumaje de color pardo verdoso en las partes superiores del cuerpo, negro en la cabeza, cuello, cola y bandas laterales del abdomen, bermejizo en el pecho y vientre, y blanco a uno y otro lado del pico y debajo de la cola. Se alimenta de insectos y frutos, canta regularmente, y es pájaro abundante y sedentario en España, muy inquieto y atrevido.

paro². (De *parar²*.) m. Acción y efecto de parar², cesar un movimiento o una acción. ‖ **2.** Interrupción de un ejercicio o de una explotación industrial o agrícola por parte de los empresarios o patronos, en contraposición a la huelga de operarios. ‖ **3. huelga**, cesación voluntaria en el trabajo por común acuerdo de obreros o empleados. ‖ **4.** Situación del que se encuentra privado de trabajo.

paro³, ra. adj. ant. Natural de Paros. ‖ **2.** Perteneciente o relativo a esta isla.

⁴paro, ra. (Del lat. *-părus*, de la raíz de *pario*, parir.) elem. compos. que significa «que pare», «que se reproduce»: *multi*PARA.

parodia. (Del lat. *parodia*, y este del gr. παρῳδία.) f. Imitación burlesca, escrita las más de las veces en verso, de una obra seria de literatura. La **parodia** puede también serlo del estilo de un escritor o de todo un género de poemas literarios. ‖ **2.** Cualquier imitación burlesca de una cosa seria. ‖ **3.** *Mús.* Imitación burlesca de una música seria, o aplicación de una letra burlesca a una melodía seria.

parodiador, ra. adj. Que parodia. Ú. t. c. s.

parodiar. tr. Hacer una parodia. ‖ **2.** Remedar, imitar.

paródico, ca. adj. Perteneciente o relativo a la parodia; que la encierra o incluye.

parodista. com. Autor o autora de parodias.

parola. f. fam. **verbosidad.** ‖ **2.** fam. Conversación larga e insustancial.

parolero, ra. adj. fam. **parlero,** que habla mucho.

pároli. (Del it. *paroli*, los apuesto.) m. En varios juegos, especialmente en el del monte, jugada que se hace no cobrando la suerte ganada, para cobrar el triple si se gana la jugada siguiente.

parolina. f. fam. **parola.**

paronimia. (Del gr. παρωνυμία.) f. Circunstancia de ser parónimos dos o más vocablos.

parónimo, ma. (Del gr. παρώνυμος.) adj. Aplícase a cada uno de dos o más vocablos que tienen entre sí relación o semejanza, o por su etimología o solamente por su forma o sonido.

paroniquia. (Del gr. παρωνυχία, panadizo, a través del lat. *paronychia*.) f. *Pat.* **panadizo.**

paroniquiáceo. a. (De *paroniquia* y *-áceo.*) adj. *Bot.* Dícese de plantas pertenecientes a la familia de las cariofiláceas, herbáceas, ramosas y rastreras, con hojas opuestas la mayoría de las veces y por lo común con estípulas; flores regulares, hermafroditas, poco vistosas, y fruto seco encerrado en el cáliz, con muchas semillas de albumen amiláceo; como la nevadilla y la quebrantapiedras. Ú. t. c. s.

paronomasia. (Del gr. παρονομασία, a través del lat. *paronomasia*.) f. Semejanza entre dos o más vocablos que no se diferencian sino por la vocal acentuada en cada uno de ellos; v. gr.: *azar* y *azor; lago, lego* y *Lugo; jácara* y *jícara.* ‖ **2.** Semejanza de distinta clase que entre sí tienen otros vocablos; como *adaptar* y *adoptar; acera* y *acero; Marte* y *mártir.* ‖ **3.** Conjunto de dos o más vocablos que forman **paronomasia.** ‖ **4.** *Ret.* Figura que consiste en el uso de parónimos con el fin de producir un efecto de estilo.

paronomásticamente. adv. m. Por paronomasia.

paronomástico, ca. adj. Perteneciente o relativo a la paronomasia.

parótida. (Del gr. παρωτίς, a través del lat. *parōtis*.) f. *Anat.*

Cada una de las dos glándulas situadas debajo del oído y detrás de la mandíbula inferior, en el hombre y los animales mamíferos, con un conducto excretorio que vierte en la boca la saliva que segrega. ‖ **2.** *Pat.* Tumor inflamatorio en la glándula del mismo nombre.

parotiditis. f. *Pat.* Proceso inflamatorio de la glándula parótida.

paroxismal. adj. *Med.* Perteneciente o relativo al paroxismo.

paroxismo. (Del gr. παροξυσμός.) m. *Pat.* Exacerbación o acceso violento de una enfermedad. ‖ **2.** *Pat.* Accidente peligroso o casi mortal, en que el paciente pierde el sentido y la acción por largo tiempo. ‖ **3.** fig. Exaltación extrema de los afectos y pasiones.

paroxístico, ca. adj. **paroxismal.**

paroxítono, na. (De *para-* y *oxítono.*) adj. *Pros.* **grave,** que lleva su acento tónico en la penúltima sílaba. Ú. t. c. s. ‖ **2.** *Gram.* V. **verso paroxítono.**

parpadear. intr. Abrir y cerrar repetidamente los párpados. ‖ **2.** fig. Vacilar u oscilar la luminosidad de un cuerpo o de una imagen.

parpadeo. m. Acción y efecto de parpadear.

párpado. (Del lat. vulg. **palpĕtrum*.) m. Cada una de las membranas movibles, cubiertas de piel y con armazón cartilaginosa, que sirven para resguardar el ojo en el hombre, los mamíferos, las aves y muchos reptiles.

parpalla. (Del occit. *parpalhola,* moneda antigua.) f. Moneda de cobre que valía dos cuartos.

parpallota. f. **parpalla.**

parpar. intr. Dar graznidos los patos.

parpayuela. f. *Ast.* **codorniz.**

parque. (Del fr. *parc*.) m. Terreno o sitio cercado con plantas, para caza o para recreo, generalmente inmediato a un palacio o a una población. ‖ **2.** Terreno destinado en el interior de una población a prados, jardines y arbolado para recreo y ornato. ‖ **3.** Conjunto de instrumentos, aparatos o materiales destinados a un servicio público. PARQUE *de incendios, de aviación, sanitario.* ‖ **4.** Paraje destinado en las ciudades para estacionar transitoriamente automóviles y otros vehículos. ‖ **5.** Pequeño recinto protegido, de diversas formas, donde se deja a los niños que aún no andan, para que jueguen. ‖ **6.** *Mil.* Sitio donde se colocan las municiones de guerra en los campamentos, y también aquel en que se sitúan los víveres y vivanderos. ‖ **de artillería.** Sitio en que se reúnen las piezas, carruajes, máquinas y demás efectos pertenecientes a la artillería. ‖ **móvil.** Conjunto de material rodante, propiedad del Estado o de algún ministerio u organismo análogo. ‖ **nacional.** Paraje extenso y agreste que el Estado acota para que en él se conserve la fauna y la flora y para evitar que las bellezas naturales se desfiguren con aprovechamientos utilitarios. ‖ **zoológico.** Lugar en que se conservan, cuidan y a veces se crían fieras y otros animales no comunes, para el conocimiento de la zoología.

parqué. (Del fr. *parquet*.) m. Entarimado hecho con maderas finas de varios tonos que, convenientemente ensambladas, forman dibujos geométricos. ‖ **2.** En el lenguaje financiero, conjunto de valores bursátiles.

parqueadero. m. *Col.* y *Pan.* **aparcamiento,** lugar.

parquear. tr. *Amér.* **aparcar.**

parquedad. f. Moderación económica y prudente en el uso de las cosas. ‖ **2.** Moderación, sobriedad.

parqueo. m. *Amér.* Acción y efecto de parquear.

parqui. m. **palqui.**

parquímetro. m. Máquina destinada a regular mediante pago del tiempo de estacionamiento de los vehículos.

parra¹. (De or. inc.) f. Vid, y en especial la que está levantada artificialmente y extiende mucho sus vástagos. ‖ **2.** *Amér. Central.* Especie de bejuco que destila un agua que beben los caminantes. ‖ **de Corinto.** Casta de vid originaria de Corinto, cuya uva no tiene granillos y hecha pasa es muy apreciada en el comercio. ‖ **subirse** uno **a la parra.** fr. fig. y fam. **montar en cólera.** ‖ **2.** Darse importancia, enorgullecerse. ‖ **3.** Tomarse alguno atribuciones que no le corresponden.

parra². f. Vasija de barro bajo y ancho, con dos asas, que regularmente sirve para echar miel.

parrado, da. adj. En forma de parra.

parrafada. f. fam. Conversación detenida y confidencial. ‖ **2.** fam. Trozo largo y pesado de charla o conversación.

parrafear. intr. Conversar sin gran necesidad y con carácter confidencial. ‖ **2.** Hablar excesivamente y sin sustancia.

parrafeo. m. Acción y efecto de parrafear.

párrafo. (Del lat. *paragrǎphus.*) m. Cada una de las divisiones de un escrito señaladas por letra mayúscula al principio del renglón y punto y aparte al final del trozo de escritura. ‖ **2.** *Gram.* Signo ortográfico (§) con que, a veces, se denota cada una de estas divisiones. ‖ **español. párrafo** en que la primera línea va sin sangrar y la última centrada al medio. ‖ **francés. párrafo** que como en el caso anterior, lleva la primera línea llena y las demás sangradas. ‖ **echar párrafos.** fr. fig. y fam. Hablar mucho. ‖ **echar un párrafo.** fr. fig. y fam. Conversar amigable y familiarmente. ‖ **párrafo aparte.** expr. fig. y fam. que se usa para mudar de asunto en la conversación.

parragón. m. Barra de plata de ley, que los ensayadores tienen prevenida para rayar en la piedra de toque y deducir por comparación la calidad de los objetos que han de contrastar.

parral¹. (De *parra*¹.) m. Conjunto de parras sostenidas con armazón de madera u otro artificio. ‖ **2.** Sitio donde hay parras. ‖ **3.** Viña que se ha quedado sin podar y cría muchos vástagos.

parral². (De *parra*².) m. Vasija grande de barro, semejante a la parra, que sirve también para contener miel.

parrancas (a). loc. adv. *Vallad.* **a horcajadas.**

parranda. (De etim. disc.) f. fam. Juerga bulliciosa, especialmente la que se hace yendo de un sitio a otro. ‖ **2.** Cuadrilla de músicos o aficionados que salen de noche tocando instrumentos de música o cantando para divertirse.

parrandear. intr. Ir de parranda.

parrandeo. m. Acción y efecto de parrandear.

parrandero, ra. adj. Que parrandea. Ú. t. c. s.

parrandista. m. Individuo de una parranda.

parrar. intr. Extender mucho sus ramas los árboles y plantas, al modo de las parras.

parrel. (De *parra*¹.) adj. *Ar.* y *Murc.* Variedad de uva, de hollejo tierno y color subido casi negro.

parresia. (Del lat. *parrhesía.*) f. *Ret.* Figura que consiste en aparentar que se habla audaz y libremente al decir cosas, ofensivas al parecer, y en realidad gratas o halagüeñas para aquel a quien se las dicen.

parricida. (Del lat. *parricída.*) com. Persona que comete parricidio. Ú. t. c. adj.

parricidio. (Del lat. *parricidǐum.*) m. Delito cometido por el que mata a su ascendiente o descendiente, directos o colaterales, o a su cónyuge.

parrilla¹. (De *parra*².) f. Botija ancha de asiento y estrecha de boca.

parrilla². (De *parra*¹.) f. Utensilio de hierro en figura de rejilla, con mango y pies, y a propósito para poner a la lumbre lo que se ha de asar o tostar. Ú. m. en pl. ‖ **2.** Armazón de barras de hierro donde, en el hogar de los hornos de reverbero y de las máquinas de vapor, se quema el combustible. ‖ **3.** Comedor público en que se preparan asados a la vista de la clientela y, por extensión, cualquier

restaurante de cierta categoría. ‖ **4.** *Col., Chile, El Salv.* y *Guat.* Baca de un automóvil. ‖ **5.** pl. *Germ.* **potro,** tormento. ‖ **de salida.** Espacio señalado al principio de un circuito de carrera, en que se sitúan los vehículos para comenzar la competición.

parrillada. f. Plato compuesto de diversos pescados o mariscos, asados a la parrilla. ‖ **2.** Plato compuesto de carne de vaca, chorizo, morcilla, etc., asados a la parrilla.

parriza. (De *parra*¹.) f. **labrusca.**

parro. m. **pato,** ave palmípeda.

párroco. (Del gr. πάροχος, a través del lat. *parǒchus.*) m. Cura que tiene una feligresía. Ú. t. c. adj.

parrocha. f. Sardina joven.

parrón. (De *parra*¹.) m. **parriza.** ‖ **2.** *Chile.* Parral, emparrado.

parroquia. (Del gr. παροικία, alterado en lat. *parochǐa.*) f. Iglesia en que se administran los sacramentos y se atiende espiritualmente a los fieles de una feligresía. ‖ **2.** Conjunto de feligreses. ‖ **3.** Territorio que está bajo la jurisdicción espiritual del cura de almas. ‖ **4.** V. **ayuda de parroquia.** ‖ **5.** Clero destinado al culto y administración de sacramentos en una feligresía. *En la procesión del Corpus van todas las* PARROQUIAS. ‖ **6.** Conjunto de personas que acuden asiduamente a una misma tienda, establecimiento público, etc. ‖ **7.** *Gal.* Demarcación administrativa local, dentro del municipio. ‖ **cumplir con la parroquia.** fr. **cumplir con la iglesia.**

parroquial. adj. Perteneciente o relativo a la parroquia. ‖ **2.** V. **iglesia parroquial.** Ú. t. c. s. ‖ **3.** V. **derecho, misa parroquial.**

parroquialidad. f. Asignación o pertenencia a determinada parroquia.

parroquiano, na. adj. Perteneciente a determinada parroquia. Ú. t. c. s. ‖ **2.** m. y f. Persona que acostumbra a ir siempre a una misma tienda o establecimiento público.

pársec. (Del ing. PARallax SECond.) m. *Astron.* Unidad de longitud igual a la distancia de un cuerpo celeste cuya paralaje anual es de un segundo. Equivale a 3,26 años luz.

parsi. (Del persa *parsi.*) m. Pueblo de la antigua Persia, que ocupaba la región conocida hoy con el nombre de Farsistán, y tenía lengua, literatura y religión propias. ‖ **2.** Pueblo procedente de la antigua Persia y seguidor de la religión de Zoroastro, que habita actualmente en la India. ‖ **3.** Idioma hablado por los **parsis.**

parsimonia. (Del lat. *parsimonǐa.*) f. Frugalidad y moderación en los gastos. ‖ **2.** Circunspección, templanza. ‖ **3.** cachaza, lentitud.

parsimonioso, sa. adj. Escaso, cicatero, ahorrativo. ‖ **2.** Cachazudo, lento, flemático.

parsismo. m. Religión de los parsis.

parte. (Del lat. *pars, partis.*) f. Porción indeterminada de un todo. ‖ **2.** Cantidad o porción especial o determinada de un agregado numeroso. ‖ **3.** Porción que le corresponde a uno en cualquier reparto o distribución. ‖ **4.** Sitio o lugar. ‖ **5.** Cada una de las divisiones principales, comprensivas de otras menores, que suele haber en una obra científica o literaria. ‖ **6.** En ciertos géneros literarios, obra entera, pero relacionada con otra u otras que también se llaman **partes;** v. gr.: *una trilogía.* ‖ **7.** Cada uno de los ejércitos, facciones, sectas, banderías, etc., que se oponen, luchan o contienden. ‖ **8.** Cada una de las personas que contratan entre sí o que tienen participación o interés en un mismo negocio. ‖ **9.** Cada una de las personas o de los grupos de ellas que contienden, discuten o dialogan. ‖ **10.** Cada una de las palabras de que se compone un renglón. ‖ **11.** Precedido de la preposición *a* y el pronombre *esta,* significa el tiempo presente o la época de que se habla, con relación al tiempo pasado. *De poco tiempo a esta* PARTE, *muchos se quejan de los nervios.* ‖ **12.** Lado a que uno se inclina o se opone en cuestión, riña o pendencia. ‖ **13.** Papel representado por un actor en una obra dramática. ‖ **14.** Cada uno de los actores o cantantes de que se compone una compañía. ‖ **15.** Cada uno de los aspectos en que se puede considerar una persona o cosa: *Por una* PARTE *es un sitio ameno, pero por otra está muy distante de la ciudad.* ‖ **16.** *Der.* El que litiga, se muestra **parte** o se persona en un pleito. ‖ **17.** m. Correo que se establecía cuando el soberano estaba fuera de su corte, para recibir sus órdenes y darle cuenta de lo que ocurría. ‖ **18.** Casa donde iba a parar el **parte.** ‖ **19.** Despacho o cédula que se entregaba a los correos que iban de posta, en que se daba noticia del lugar adonde se encaminaban, del día y hora en que habían partido y por orden de quién iban. ‖ **20.** Escrito, ordinariamente breve, que por el correo o por otro medio cualquiera se envía a una persona para darle aviso o noticia urgente. ‖ **21.** Comunicación de cualquier clase transmitida por telégrafo, teléfono, radiotelevisión, etc. PARTE *de guerra.* PARTE *meteorológico.* ‖ **22.** fig. y fam. Chisme que se va a contar enseguida a la persona afectada. *Lleva el* PARTE. ‖ **23.** Usado como adverbio, sirve para distribuir los miembros de la oración. ‖ **24.** Con las preps. *de* o *por* indica procedencia u origen. DE PARTE o POR PARTE *de padre era pariente del conde.* ‖ **25.** f. pl. Prendas y dotes naturales que adornan a una persona. ‖ **26.** Facción o partido. ‖ **27.** Órganos de la generación. ‖ **actora.** *Der.* **actor**[1], demandante o acusador. ‖ **alicuanta.** La que mide exactamente a su todo: *3 es* PARTE ALICUANTA *de 11.* ‖ **alicuota.** La que mide exactamente a su todo; como 2 respecto de 4. ‖ **de fortuna.** *Astrol.* Cierto punto del cielo, que dista del ascendiente tanto como la Luna del Sol, al que los astrólogos hacían mucho caso. ‖ **de la oración.** *Gram.* Cada una de las distintas clases de palabras que tienen en la oración diferente oficio. En español suelen contarse nueve: a saber: artículo, nombre, adjetivo, pronombre, verbo, adverbio, preposición, conjunción e interjección. ‖ **del mundo.** Cada una de las grandes divisiones en que los geógrafos consideran comprendidos todos los continentes e islas del globo terráqueo, y que hoy son seis: Europa, Asia, África, América, Oceanía y la Antártida. ‖ **de por medio.** Actor que representa papeles de ínfima importancia. ‖ **de rosario.** Una de las tres **partes** del salterio de la Virgen, la cual consta de cinco dieces. ‖ **facultativa. parte médico.** ‖ **inferior.** Hablando del hombre, el cuerpo con todas sus potencias activas y pasivas, por contraposición al alma o **parte superior.** ‖ **integral, o integrante.** La que es necesaria para la integridad o totalidad del compuesto, pero no para su esencia. *El brazo o la pierna son* PARTES INTEGRANTES *del hombre.* ‖ **médico.** Comunicado oficial sobre el estado de salud de alguien. ‖ **superior.** Alma racional con sus potencias y actos, por contraposición al cuerpo o **parte inferior.** ‖ **media parte.** Porción del sueldo contratado a buena cuenta a los cómicos por el empresario. ‖ **partes naturales, pudendas,** o **vergonzosas.** Las de la generación. ‖ **tercera,** o **tercia, parte.** Tributo que antiguamente satisfacían las casas de Madrid en equivalencia de la regalía de aposento y que ascendía a la tercera **parte** de la renta. ‖ **a partes.** loc. adv. a trechos. ‖ **cargar a,** o **sobre, una parte.** fr. Encaminarse, dirigirse a ella. ‖ **2.** Aglomerarse, inclinarse, hacer peso a un lado. ‖ **dar parte.** fr. Notificar, dar cuenta a uno de lo que ha sucedido; avisarle para que llegue a su noticia. Por ext., se dice del aviso dado a la autoridad. ‖ **2.** Dar participación de un negocio; admitir en él a alguien. ‖ **3.** *Mil.* Comunicar por escrito regular o eventualmente las novedades o situaciones que hayan podido plantearse. ‖ **dar parte sin novedad.** fr. Decir a un superior que no ha ocurrido ninguna. ‖ **de mi parte.** loc. adv. **por mi parte.** ‖ **2.** En nombre mío o por encargo mío. Ú. t. con los demás posesivos. ‖ **de parte a**

parte. loc. adv. Desde un lado al extremo opuesto, o de una cara a la otra opuesta. ‖ **2.** De una persona o de un partido a otro. DE PARTE A PARTE *se enviaron regalos.* ‖ **de parte de.** loc. adv. **a favor de.** *La justicia no está* DE PARTE DE *Narciso; está* DE MI PARTE. ‖ **2.** En nombre o de orden de. DE PARTE *del rey.* ‖ **echar a mala parte.** fr. Interpretar desfavorablemente o atribuir a mal fin las acciones ajenas. ‖ **2.** Interpretar o usar una palabra o frase en concepto desfavorable, como contraria a la razón, a la justicia, a la urbanidad o a la decencia. ‖ **echar uno por otra parte.** fr. Seguir distinto rumbo u opinión que otro, o dejar la que él mismo había adoptado, para seguir otra dirección. ‖ **en parte.** loc. adv. En algo de lo que pertenece a un todo; no enteramente. EN PARTE *tiene razón.* ‖ **en partes.** loc. adv. **a partes.** ‖ **entrar uno a la parte.** fr. **ir a la parte.** ‖ **hacer uno de su parte.** fr. Aplicar los medios que están en su arbitrio, posibilidad o comprensión, para el logro de un fin. ‖ **hacer las partes.** fr. Dividir, distribuir, partir un todo en **partes.** ‖ **hacer las partes de uno.** fr. Obrar o ejecutar una cosa por él o en su nombre, interesándose en su favor. ‖ **ir uno a la parte.** fr. Interesarse o tener **parte** con otra u otras personas en un negocio, trato o comercio. ‖ **juntar partes.** fr. **juntar cabos.** ‖ **la parte del león.** expr. fig. con que, por reminiscencia de una fábula de Esopo, se denotan el abuso de la fuerza y la falta de equidad en el reparto o en la ordenación de las cosas. ‖ **llamarse uno a la parte.** fr. Reclamar intervención o participación en un asunto. ‖ **llevar uno la mejor,** o **la peor, parte.** fr. Estar próximo a vencer, o ser vencido. ‖ **meterse a parte.** fr. ant. Ponerse de parte de uno, tomar interés por él. ‖ **mostrarse parte.** fr. *Der.* **apersonarse,** comparecer. ‖ **no ir a una cosa a ninguna parte.** fr. fig. y fam. No tener o no merecer importancia. ‖ **nombrar partes.** fr. Explicar o referir en conversación los sujetos que se debieran encubrir o disimular, por sus autores de una culpa. Ú. m. con negación. *Sin* NOMBRAR PARTES. ‖ **no parar en ninguna parte.** fr. Mudar de habitación con frecuencia o viajar de continuo. ‖ **2.** fig. Sentir o mostrar inquietud y desasosiego. ‖ **no ser parte de la oración.** fr. fig. Estar uno excluido de lo que se trata, o no venir una cosa a propósito de ello. ‖ **no ser parte en una cosa.** fr. No tener influjo en ella. ‖ **parte por parte.** loc. adv. Distinta y completamente; sin omitir nada. ‖ **pescar a la parte.** fr. Enrolarse sin jornal, por cierta **parte** del producto de la pesca. ‖ **poner uno de su parte.** fr. **hacer de su parte.** ‖ **ponerse de parte de uno.** fr. Adherirse a su opinión o sentir. ‖ **por la mayor parte.** loc. adv. En el mayor número, o en lo más de una cosa, o comúnmente. ‖ **por mí parte.** loc. adv. Por lo que a mí toca o yo puedo hacer. Ú. con los demás pronombres posesivos con nombres sustantivos. ‖ **por partes.** loc. adv. Con distinción y separación de los puntos o circunstancias de la materia que se trata. ‖ **saber uno de buena parte** una cosa. fr. **saberla de buena tinta.** ‖ **salva sea la parte.** expr. fam. con que se elude mencionar directamente la **parte** del cuerpo en la cual aconteció lo que se refiere. ‖ **ser parte a,** o **para, que.** fr. Contribuir o dar ocasión a, o para, que. ‖ **ser parte en una cosa.** fr. tener **parte** en ella. ‖ **tener uno de su parte** a otro. fr. Contar con su favor. ‖ **tener parte con una mujer.** fr. Tener trato y comunicación carnal con ella. ‖ **tener parte en una cosa.** fr. Tener participación en ella. ‖ **2. tomar parte en una cosa.** fr. **tomar en mala parte. echar a mala parte.** ‖ **tomar parte en una cosa.** fr. Interesarse activamente en ella.

partear. tr. Asistir el facultativo o la comadrona a la mujer que está de parto.

parteluz. (De *partir* y *luz.*) m. *Arq.* Mainel o columna delgada que divide en dos un hueco de ventana.

partencia. f. desus. Acto de partir, marcha.

partenogénesis. (Del gr. παρθένος, virgen, y γένεσις, generación.) f. *Biol.* Modo de reproducción de algunos animales y plantas, que consiste en la formación de un nuevo ser por división reiterada de células sexuales femeninas que no se han unido previamente con gametos masculinos. ‖ **artificial** o **experimental.** *Zool.* Desarrollo de animales a partir de óvulos que no han sido fecundados por espermatozoides, provocado por la acción de ciertos factores químicos o físicos.

partenogenético, ca. adj. *Biol.* Dícese de la reproducción que se verifica por partenogénesis y del animal o de la planta que tienen este modo de reproducción.

partenopeo, a. (Del lat. *Parthenopĭus.*) adj. Natural de Parténope, antiguo nombre de la ciudad de Nápoles. Ú. t. c. s. ‖ **2.** Perteneciente o relativo a esta ciudad de Italia.

partería. f. p. us. Oficio de partear.

partero, ra. m. y f. Persona con títulos legales que asiste a la parturienta. ‖ **2.** f. Mujer que, sin tener estudios o titulación, ayuda o asiste a la parturienta.

parterre. (Del fr. *parterre.*) m. Jardín o parte de él con césped, flores y anchos paseos.

partesana. (Del it. *partigiana.*) f. Arma ofensiva, a modo de alabarda, con el hierro muy grande, ancho, cortante por ambos lados, adornado en la base con dos aletas puntiagudas o en forma de media luna, y encajado en un asta de madera fuerte y regatón de hierro. Fue durante algún tiempo insignia de los cabos de escuadra de infantería.

partible. (Del lat. *partibĭlis.*) adj. Que se puede o se debe partir.

partición. (Del lat. *partitĭo, -ōnis.*) f. División o repartimiento que se hace entre algunas personas, de hacienda, herencia o cosa semejante. ‖ **2.** *Álg.* y *Arit.* **división,** una de las cuatro reglas.

particionero, ra. (De *partición.*) adj. p. us. **partícipe.**

participación. (Del lat. *participatĭo, -ōnis.*) f. Acción y efecto de participar. ‖ **2.** Aviso, parte o noticia que se da a uno. ‖ **3.** Parte que se juega en un décimo de lotería, y billete en que consta. ‖ **4.** V. **cuentas en participación.** ‖ **5.** ant. Comunicación o trato.

participante. p. a. de **participar.** Que participa. Ú. t. c. s. ‖ **2.** V. **excomunión de participantes.**

participar. (Del lat. *participāre.*) intr. Tomar uno parte en una cosa. ‖ **2.** Recibir una parte de algo. ‖ **3.** Compartir, tener las mismas opiniones, ideas, etc., que otra persona. Ú. m. con la prep. *de.* ‖ **4.** tr. Dar parte, noticiar, comunicar.

partícipe. (Del lat. *partĭceps, -ĭpis.*) adj. Que tiene parte en una cosa, o entra con otras a la distribución de ella. Ú. t. c. s.

participial. (Del lat. *participiālis.*) adj. *Gram.* Perteneciente al participio.

participio. (Del lat. *participĭum.*) m. *Gram.* Forma del verbo, llamada así porque en sus varias aplicaciones participa, ya de la índole del verbo, ya de la del adjetivo. Como tal, hace a veces oficio de nombre. Divídese en **activo** y **pasivo,** denotando aquel acción y este pasión, en sentido gramatical. También suele llamarse **de presente** al primero y **de pretérito** al segundo. Algunos de los pasivos toman a veces significación activa; como *callado,* el que calla; *atrevido,* el que se atreve. Son **regulares** los que acaban en *-ado* o en *-ido,* según pertenezcan a la primera conjugación o a la segunda y la tercera; como *amado,* de *amar,* y *temido* y *partido,* de *temer* y *partir.* Son **irregulares** los que tienen cualquier otra terminación; como *escrito, impreso.* ‖ **2.** ant. Comunicación o trato.

partícula. (Del lat. *particŭla.*) f. Parte pequeña de materia. ‖ **2.** *Gram.* Término de diversa amplitud con que suelen designarse las partes invariables de la oración, que sirven para expresar las relaciones que se establecen entre las distintas frases y especialmente al elemento que entra en la formación de ciertos vocablos; v. gr.: *ab* (ABjurar), *abs* (ABStraer), *di* (DIsentir), etc. ‖ **adversativa.** *Gram.* La que expresa contraposición entre lo que significa rectamente y el sentido en que se emplea. ‖ **alfa.** *Fís.* Núcleo de helio procedente de alguna desintegración o reacción nuclear. ‖ **compositiva.** *Gram.* En el uso de algunos autores, **prefijo.** ‖ **elemental.** *Fís.* Ente físico más simple que el núcleo atómico y que se considera como el componente último constituyente de la materia. ‖ **prepositiva.** *Gram.* **partícula compositiva,** prefijo.

particular. (Del lat. *particulāris.*) adj. Propio y privativo de una cosa, o que le pertenece con singularidad. ‖ **2.** Especial, extraordinario, o pocas veces visto en su línea. ‖ **3.** Singular o individual, como contrapuesto a universal o general. ‖ **4.** Dícese, en las comunidades y repúblicas, del que no tiene título o empleo que lo distinga de los demás. Ú. t. c. s. ‖ **5.** Dícese de lo privado, de lo que se es o propiedad o uso públicos. ‖ **6.** Dícese del acto extraoficial o privado que ejecuta la persona que tiene oficio o carácter público. ‖ **7.** V. **juicio, navío, proposición, secretario, voto particular.** ‖ **8.** m. Representación privada que solían hacer uno o más actores o aficionados para muestra de su habilidad, cuando se formaban las compañías, o con otro motivo. ‖ **9.** Punto o materia de que se trata. *Hablemos de este* PARTICULAR. ‖ **en particular.** loc. adv. Distinta, separada, singular o especialmente. ‖ **sin otro particular.** loc. adv. Sin más cosas que decir o añadir. ‖ **2.** Con el exclusivo objeto de.

particularidad. (Del b. lat. *particularĭtas, -ātis.*) f. Singularidad, especialidad, individualidad. ‖ **2.** Distinción que en el trato o cariño se hace de una persona respecto de otras. ‖ **3.** Cada una de las circunstancias o partes menudas de una cosa.

particularismo. m. Preferencia excesiva que se da al interés particular sobre el general. ‖ **2.** Propensión a obrar por el propio albedrío.

particularista. adj. Dícese del partidario del particularismo. Ú. t. c. s. ‖ **2.** Perteneciente o relativo a esta tendencia.

particularización. f. Acción y efecto de particularizar.

particularizar. (De *particular.*) tr. Expresar una cosa con todas sus circunstancias y particularidades. ‖ **2.** Hacer distinción especial de una persona en el afecto, atención o correspondencia. ‖ **3.** prnl. Distinguirse, singularizarse en una cosa.

particularmente. adv. m. Singular o especialmente, con particularidad. ‖ **2.** Con individualidad y distinción. ‖ **3.** Con carácter particular o privado.

partida. (De *partir.*) f. Acción de partir o salir de un punto. ‖ **2.** Registro o asiento de bautismo, confirmación, matrimonio o entierro, que se escribe en los libros de las parroquias o del registro civil. ‖ **3.** Copia certificada de alguno de estos registros o asientos. ‖ **4.** Cada uno de los artículos y cantidades parciales que contiene una cuenta. ‖ **5.** Cantidad o porción de un género de comercio; como trigo, aceite, madera, lencería. ‖ **6.** Pequeño grupo de tropas que hace la descubierta. ‖ **7.** Grupo de paisanos armados sin un mando militar superior. ‖ **8.** Conjunto poco numeroso de gente armada, con organización militar u otra semejante. ‖ **9.** Conjunto de personas de ciertos trabajos y oficios. ‖ **10.** Cada una de las manos de un juego, o conjunto de ellas previamente convenido. ‖ **11.** Cantidad de dinero que se atraviesa en ellas. ‖ **12.** Conjunto de compañeros que juegan contra otros tantos. ‖ **13.** Número de manos de un mismo juego necesarias para que cada uno de los jugadores gane o pierda definitivamente. ‖ **14.** fam. Comportamiento o proceder. Ú. generalmente con calificativo, o en tono exclamatorio. *Buena* PARTIDA; *mala* PARTIDA;

¡qué PARTIDA! ‖ **15.** Parte o lugar. ‖ **16.** ant. Parte litigante. ‖ **17.** fig. Ida al otro mundo, muerte del hombre. ‖ **de campo.** Excursión de varias personas para solazarse en el campo. ‖ **de caza.** Excursión de varias personas para cazar. ‖ **doble.** Método de cuenta y razón, en que se llevan a la par el cargo y la data. ‖ **serrana.** fig. y fam. Comportamiento o proceder injusto y desleal. ‖ **entablar una partida.** Inscribir en los libros parroquiales una partida que a su debido tiempo no lo fue. ‖ **andar** uno **las siete partidas.** fr. fig. Andar mucho y por muchas partes. ‖ **comerse,** o **tragarse,** uno **la partida.** fr. fig. y fam. Darse cuenta de la intención disimulada y capciosa de otro, aparentando no haberla comprendido.

partidamente. adv. m. ant. Separadamente, con división.

partidario, ria. adj. Que sigue un partido o bando, o entra en él. Ú. t. c. s. ‖ **2.** Decíase del médico o cirujano encargado de la asistencia o curación de los enfermos de un partido, lugar. Ú. t. c. s. ‖ **3.** Adicto a una persona o idea. Ú. t. c. s. ‖ **4.** m. Paisano que hace la guerra de guerrillas, guerrillero. ‖ **5.** En algunas zonas mineras, el que contrata o arrienda un modo especial de laboreo.

partidismo. m. Adhesión o sometimiento a las opiniones de un partido con preferencia a los intereses generales. ‖ **2.** Por ext., inclinación hacia algo o alguien en un asunto en el que se debería ser imparcial.

partidista. adj. Perteneciente o relativo al partidismo. Apl. a pers., ú. t. c. s.

partido, da. p. p. de **partir.** ‖ **2.** adj. Franco, liberal y que reparte con otros lo que tiene. ‖ **3.** *Blas.* Dícese del escudo, pieza o animal heráldico divididos de arriba abajo en dos partes iguales. ‖ **4.** *Blas.* V. **escudo partido en,** o **por, banda.** ‖ **5.** m. Parcialidad o coligación entre los que siguen una misma opinión o interés. ‖ **6.** Provecho, ventaja o conveniencia. *Sacar* PARTIDO. ‖ **7.** Amparo, favor o protección de que se goza. *Blas tiene* PARTIDO *para el logro de su pretensión.* ‖ **8.** En el juego, conjunto o agregado de varios que entran en el juego como compañeros, contra otros tantos. ‖ **9.** En el juego, ventaja que se da al que juega menos, como para compensar o igualar la habilidad del otro. ‖ **10.** Trato, convenio o concierto. ‖ **11.** V. **moza, mujer del partido.** ‖ **12.** Medio apto y proporcionado que se adopta para conseguir una cosa. *En este apuro es indispensable tomar otro* PARTIDO. ‖ **13.** Distrito o territorio de una jurisdicción o administración que tiene por cabeza un pueblo principal. ‖ **14.** V. **cabeza, capitán de partido.** ‖ **15.** Territorio o lugar en que el médico o cirujano tiene obligación de asistir a los enfermos por el sueldo que se le señala. ‖ **16.** Conjunto o agregado de personas que siguen y defienden una misma facción, opinión o causa. ‖ **17.** En ciertos juegos, competencia concertada entre los jugadores. PARTIDO *de pelota.* ‖ **18.** *And.* Piso o cuarto de una casa. ‖ **judicial.** Distrito o territorio que comprende varios pueblos de una provincia, en que, para la administración de justicia, ejerce jurisdicción un juez de primera instancia. ‖ **robado.** En los juegos, el que es tan ventajoso para una de las partes, que no tiene defensa la otra. ‖ **darse** uno **a partido.** fr. fig. Ceder de su empeño u opinión. ‖ **formar partido** uno. fr. Solicitar a otros, inducirlos y alentarlos para que juntos coadyuven a un fin. ‖ **ser un buen partido.** fr. fig. y fam. Ser persona casadera que disfruta de una buena posición. ‖ **tomar partido.** fr. *Mil.* Alistarse para servir en las tropas de un general o de un ejército los que eran del contrario. ‖ **2.** Hacerse una bandería. ‖ **3.** Determinarse o resolverse el que estaba suspenso o dudoso en decidirse.

partidor. (Del lat. *partītor, -ōris.*) m. El que divide o reparte una cosa. ‖ **2.** El que parte una cosa, rompiéndola. PARTIDOR *de leña.* ‖ **3.** Instrumento con que se parte o rompe. ‖ **4.** Obra destinada para repartir por medio de compuertas en diferentes conductos las aguas que corren por un cauce. ‖ **5.** Sitio donde se hace esta división o repartimiento. ‖ **6.** Varilla o púa que empleaban las mujeres para abrirse la raya del pelo. ‖ **7.** V. **contador partidor.** ‖ **8.** *Arit.* **divisor.**

partidura. f. Crencha, raya.

partija. (Del lat. *particŭla.*) f. desus. d. de **parte.** ‖ **2.** Partición o repartimiento.

partil. (Del lat. *partīlis.*) adj. *Astrol.* V. **aspecto partil.**

partimiento. (De *partir.*) m. **partición.** ‖ **2.** ant. Partida o salida.

partiquino, na. (Del it. *particina,* d. de *parte,* parte.) m. y f. Cantante que ejecuta en las óperas parte muy breve o de muy escasa importancia.

partir. (Del lat. *partīre.*) tr. Dividir una cosa en dos o más partes. ‖ **2.** Hender, rajar. PARTIR *la cabeza.* ‖ **3.** Repartir o distribuir una cosa entre varios. ‖ **4.** Romper o cascar los huesos o las cáscaras duras de algunos frutos, para sacar su almendra. ‖ **5.** Distinguir o separar una cosa de otra, determinando lo que a cada uno pertenece. PARTIR *los términos de un lugar.* ‖ **6.** Distribuir o dividir en clases. ‖ **7.** Acometer en pelea, batalla o conflicto de armas. ‖ **8.** Entre colmeneros, hacer de una colmena dos, sacando del peón que está en disposición para ello la mitad de las abejas con su reina, para poblar otro, dejando en el peón antiguo la reina en embrión; de modo que así se hace enjambrar por fuerza. ‖ **9.** *Álg.* y *Arit.* **dividir,** hallar cuántas veces una cantidad está contenida en otra. ‖ **10.** ant. **departir,** dividir en partes. Usáb. t. c. prnl. ‖ **11.** ant. Finalizar, concluir o acabar una cosa. ‖ **12.** intr. Tomar un hecho, una fecha o cualquier otro antecedente como base para un razonamiento o cómputo. PARTIR *de un supuesto falso; a* PARTIR *de ese día.* ‖ **13.** fig. Resolver o determinarse el que estaba suspenso o dudoso. ‖ **14.** Empezar a caminar, ponerse en camino. Ú. t. c. prnl. ‖ **15.** fig. y fam. Desbaratar, desconcertar, anonadar a uno. ‖ **16.** prnl. Dividirse en opiniones o parcialidades. ‖ **17.** fam. **desternillarse de risa.** medio partir. fr. *Arit.* Dividir una cantidad por un número dígito. ‖ **partir abierto.** fr. Entre colmeneros, dejar abierto, al tiempo de enjambrar, el vaso sin témpano, y con un lienzo que cuelga como una saya de la cintura de una mujer; llámase abierto este modo de **partir,** a distinción del cerrado. ‖ **partir cerrado.** fr. Entre colmeneros, **partir** las colmenas calculando prudentemente del vaso que se **parte** han pasado las suficientes abejas al que se está poblando; y entonces dicen **partir** cerrado, porque no se puede distinguir bien, pues sobre el peón lleno solo sienta un rincón del vacío, por el que han de subir las abejas.

partisano, na. m. y f. Guerrillero, miembro de un grupo armado de gente civil.

partitivo, va. (Del. tardío del lat. *partīre,* partir.) adj. Que puede partirse o dividirse. ‖ **2.** *Gram.* Dícese del nombre y del adjetivo numeral que expresan división de un todo en partes; como *mitad, medio, tercia, cuarta.*

partitura. (Del it. *partitura.*) f. Texto completo de una obra musical para varias voces o instrumentos.

parto¹. (Del lat. *partus.*) m. Acción de parir. ‖ **2.** El ser que ha nacido. ‖ **3.** fig. Cualquier producción física. ‖ **4.** fig. Producción del entendimiento o ingenio humano, y cualquiera de sus conceptos declarados o dados a luz. ‖ **5.** fig. Cualquier cosa especial que puede suceder y se espera que sea de importancia. ‖ **el parto de los montes.** fig. Cualquier cosa fútil y ridícula que sucede o sobreviene cuando se esperaba o se anunciaba una grande o de consideración. ‖ **venir el parto derecho.** fr. fig. Suceder una cosa favorablemente o como se deseaba.

parto², ta. adj. Natural de Partia, región del Asia antigua. Ú. t. c. s.

partura. f. ant. Concierto o apuesta.

parturienta. (Del lat. *parturiens, -entis*, p. a. de *parturire*, estar de parto.) adj. Aplícase a la mujer que está de parto o recién parida. Ú. t. c. s.

parturiente. adj. **parturienta.** Ú. t. c. s.

párulis. (Del gr. παρουλίς; de παρά y ὀυλή, herida.) m. *Pat.* Flemón de las encías.

parusía. (Del gr. παρουσία, presencia, llegada.) f. Advenimiento glorioso de Jesucristo al fin de los tiempos.

parva. (Parece del lat. *parva*, pequeña.) f. **parvedad,** corta porción de alimento. ‖ **2.** Mies tendida en la era para trillarla, o después de trillada, antes de separar el grano. ‖ **3.** Desayuno, entre la gente trabajadora. ‖ **4.** fig. Montón o cantidad grande de una cosa. ‖ **afrailar la parva.** fr. fig. *And.* Amontonarla después de trillada, para aventarla cuando haya viento a propósito. ‖ **salirse uno de la parva.** fr. fig. y fam. Apartarse del intento o del asunto.

parvada. f. *Agr.* Conjunto de parvas. ‖ **2.** Conjunto de pollos que de una vez sacan las aves.

parvedad. (Del lat. *parvĭtas, -ātis*.) f. Pequeñez, poquedad, cortedad o tenuidad. ‖ **2.** Corta porción de alimento que se toma por la mañana en los días de ayuno.

parvero. m. Montón largo que se forma de la parva para aventarla.

parvidad. f. **parvedad.**

parvificar. tr. Amenguar el tamaño de alguna cosa. ‖ **2.** Empequeñecer, escasear, atenuar. Ú. t. c. prnl.

parvificencia. (De *parvifico*.) f. Escasez o cortedad en el porte y gasto.

parvífico, ca. (Del lat. *parvus*, escaso, corto, y *facĕre*, hacer.) adj. p. us. Escaso, corto y miserable en el gasto.

parvo, va. (Del lat. *parvus*.) adj. **pequeño.** ‖ **2.** V. **materia parva.** ‖ **3.** V. **oficio parvo.**

parvulario. (De *párvulo*.) m. Lugar donde se cuida y educa a párvulos. ‖ **2.** Conjunto de los niños que reciben educación preescolar.

parvulez. (De *párvulo*.) f. Pequeñez, poquedad. ‖ **2.** Sencillez, candor.

párvulo, la. (Del lat. *parvŭlus*, d. de *parvus*, pequeño.) adj. De muy corta edad. ‖ **2. niño.** Ú. m. c. s. ‖ **3.** fig. Inocente, que sabe poco o es fácil de engañar. ‖ **4.** fig. Humilde, cuitado.

pasa¹. (Del lat. *passa*, f. de *passus*, tendida, secada al sol, sobrentendiéndose *uva*, uva.) f. Uva seca enjugada naturalmente en la vid, o artificialmente al sol, o cociéndola en lejía. ‖ **2.** Especie de afeite que usaron las mujeres, llamado así porque se hacía con **pasas¹.** ‖ **3.** fig. Cada uno de los mechones de cabellos cortos, crespos y ensortijados de los negros. ‖ **de Corinto.** La que procede de uvas propias de esta región griega y se distingue por su pequeño tamaño y que carece de pepita. La de gran tamaño, desecada al sol. ‖ **estar uno hecho una pasa,** o **quedarse como una pasa.** fr. fig. y fam. Estar o volverse una persona muy seca de cuerpo y arrugada de rostro.

pasa². (De *pasar*.) f. Canalizo entre bajos por el cual pueden pasar los barcos. ‖ **2.** ant. *Vol.* Paso de las aves.

pasable. adj. Que se puede pasar.

pasabola. m. Lance del juego del billar en que la bola impulsada por el jugador toca lateralmente a otra y va a dar en la banda opuesta desde donde vuelve para tocar a la tercera.

pasacaballo. (De *pasar* y *caballo*.) m. Embarcación antigua, sin palos, muy aplanada en sus fondos.

pasacalle. (De *pasar* y *calle*.) m. *Mús.* Marcha popular de compás muy vivo.

pasacólica. f. *Med.* Cólico pasajero.

pasada. f. Acción de pasar de una parte a otra. ‖ **2.** Ac-

ción y efecto de planchar ligeramente. ‖ **3.** Acción y efecto de dar un último repaso o retoque a un trabajo cualquiera. ‖ **4. paso geométrico.** ‖ **5.** Renta suficiente para mantenerse y pasar la vida. ‖ **6.** Partida de juego. ‖ **7.** fig. y fam. Mal comportamiento de una persona con otra. Ú. generalmente acompañada del adjetivo *mala.* ‖ **8.** Sitio por donde se pasa. ‖ **9.** Puntada larga que se da en la ropa al bordarla o zurcirla. ‖ **dar pasada.** fr. Tolerar, disimular, dejar pasar una cosa. ‖ **dar una pasada a algo.** fr. fig. y fam. Hacer una revisión ligera o final a un trabajo ya hecho. ‖ **de pasada.** loc. adv. **de paso.**

pasadera. (De *pasar*.) f. Cada una de las piedras que se ponen para atravesar a pie enjuto charcos, arroyos, etc. ‖ **2.** Cualquier cosa convenientemente colocada para que, caminando sobre ella, pueda atravesarse una corriente de agua. ‖ **3.** *Col.* Acción y efecto de pasar repetidamente por un sitio. ‖ **4.** *Mar.* Cordel de tres o más filásticas.

pasaderamente. adv. m. Medianamente, de un modo pasadero.

pasadero, ra. (De *pasar*.) adj. Que se puede pasar con facilidad. ‖ **2.** Medianamente bueno de salud. ‖ **3.** Dícese de la cosa que es tolerable y puede pasar, aunque tenga defecto o tacha. ‖ **4.** En las paredes de mampostería, dícese de la piedra que atraviesa toda la pared y sobresale por el paramento exterior. Ú. t. c. s. f. ‖ **5.** Que goza de mediana salud, belleza, etc. ‖ **6.** ant. fig. Transitorio, perecedero. ‖ **7.** m. Cada una de las piedras que sirven para atravesar un río, charco, arroyo, etc. ‖ **8.** Cualquier cosa que se pone para atravesar una corriente.

pasadía. f. **pasada,** renta, sustentación.

pasadillo. (De *pasado*.) m. Especie de bordadura que pasa por ambos lados de la tela.

pasadizo. m. Paso estrecho que en las casas o calles sirve para ir de una parte a otra atajando camino. ‖ **2.** fig. Cualquier otro medio que sirve para pasar de una parte a otra.

pasado, da. p. p. de **pasar.** ‖ **2.** adj. V. **capitán pasado.** ‖ **3.** V. **tela pasada.** ‖ **4.** V. **la vida pasada.** ‖ **5.** *Veter.* V. **clavo pasado.** ‖ **6.** m. Tiempo que pasó. ‖ **7.** Cosas que sucedieron en él. ‖ **8.** Militar que ha desertado de un ejército y sirve en el enemigo. ‖ **9.** V. **bordado al,** o **de, pasado.** ‖ **10.** pl. Ascendientes o antepasados.

pasador, ra. adj. Que pasa de una parte a otra. Dícese frecuentemente del que pasa contrabando de un país a otro. Ú. t. c. s. ‖ **2.** m. Cierto género de flecha o saeta muy aguda, que se disparaba con ballesta. ‖ **3.** Barreta de hierro sujeta con grapas a una hoja de puerta o ventana, o a una tapa, y que sirve para cerrar corriéndola hasta hacerla entrar en una hembrilla fija en el marco. ‖ **4.** Varilla de metal que en las bisagras, charnelas y piezas semejantes une las palas pasando por los anillos y sirve de eje para el movimiento de estas piezas. ‖ **5.** Aguja grande de metal, concha u otra materia, que usan las mujeres para sujetar el pelo recogido o algún adorno de la cabeza. ‖ **6.** Sortija que se pasa por las puntas de una corbata para mantenerla ceñida al cuello. ‖ **7.** Género de broche que usaban las mujeres para mantener la falda en la cintura. ‖ **8.** Imperdible que se clava en el pecho de los uniformes, y al cual se sujetan medallas. ‖ **9.** Prendedor con que se sujeta la corbata a la camisa. ‖ **10.** Utensilio, generalmente cónico y de hojalata, con fondo agujereado de la misma materia o de tela metálica y que se usa para colar un líquido. ‖ **11.** Utensilio de colar un líquido. ‖ **12.** Botón suelto con que se abrochan dos o más ojales. ‖ **13.** *Mar.* Instrumento de hierro, a modo de punzón, que sirve para abrir los cordones de los cabos cuando se empalma uno con otro.

pasadura. (De *pasar*.) f. p. us. Tránsito o pasaje de una parte a otra. ‖ **2.** p. us. fig. Llanto convulsivo de algunos niños que llega a privarles, aunque brevemente, de la respiración.

pasagonzalo. (De *pasar* y el n. p. *Gonzalo.*) m. p. us. fam. Pequeño golpe dado con la mano, y particularmente, en las narices.

pasaje. m. Acción de pasar de una parte a otra. ‖ **2.** Derecho que se paga por pasar por un lugar. ‖ **3.** Sitio o lugar por donde se pasa. ‖ **4.** Precio que se paga en los viajes marítimos y aéreos por el transporte de una o más personas. ‖ **5.** Boleto o billete para un viaje. ‖ **6.** Totalidad de los viajeros. ‖ **7.** Estrecho que está entre dos islas o entre una isla y la tierra firme. ‖ **8.** Trozo o lugar de un libro o escrito, oración o discurso; texto de un autor. ‖ **9.** Acogida que se hace a uno o trato que se le da. ‖ **10.** En la religión de San Juan, derecho que pagan al tesoro los caballeros que han de profesar en ella. ‖ **11.** Paso público entre dos calles, algunas veces cubierto. ‖ **12.** *Mús.* Tránsito o mutación hecha con arte, de una voz o de un tono a otro.

pasajero, ra. (De *pasaje.*) adj. Aplícase al lugar o sitio por donde pasa continuamente mucha gente. ‖ **2.** Que pasa presto o dura poco. ‖ **3.** Viajero transeúnte. Ú. t. c. s. ‖ **4.** Dícese de la persona que viaja en un vehículo, especialmente en avión, barco, tren, etc., sin pertenecer a la tripulación. Ú. t. c. s. ‖ **5.** V. **ave pasajera.**

pasajuego. m. En el juego de pelota, rechazo que a esta se le da desde el resto, lanzándola en dirección contraria hasta el saque.

pasamanar. tr. Fabricar o disponer una cosa con pasamanos.

pasamanería. f. Obra o fábrica de pasamanos. ‖ **2.** Oficio de pasamanero. ‖ **3.** Taller donde se fabrican pasamanos. ‖ **4.** Tienda donde se venden.

pasamanero, ra. m. y f. Persona que hace pasamanos, franjas, etc. ‖ **2.** Persona que los vende.

pasamano. (De *pasar* y *mano.*) m. Género de galón o trencilla, cordones, borlas, flecos y demás adornos de oro, plata, seda, algodón o lana, que se hace y sirve para guarnecer y adornar los vestidos y otras cosas. ‖ **2.** Listón que se coloca sobre las barandillas. ‖ **3.** *Mar.* Paso que hay en los navíos de popa a proa, junto a la borda.

pasamanos. m. **pasamano,** listón sobre las barandillas.

pasamento. m. ant. **pasamiento.**

pasamiento. (De *pasar.*) m. Paso o tránsito. ‖ **2.** ant. Partida o ida al otro mundo, muerte de la persona.

pasamontañas. m. Montera que puede cubrir toda la cabeza hasta el cuello, salvo el rostro o por lo menos los ojos y la nariz, y que se usa para defenderse del frío.

pasamuros. m. *Electr.* Aislador que permite el paso de un conductor eléctrico a través de un muro o de una pared metálica.

pasante. p. a. de **pasar.** Que pasa. ‖ **2.** adj. *Blas.* Aplícase al lobo, zorro, corzo u otro animal que se pinta en el escudo en actitud de andar o pasar. ‖ **3.** m. El que asiste y acompaña al maestro de una facultad en el ejercicio de ella, para imponerse enteramente en su práctica. PASANTE *de abogado, de médico.* ‖ **4.** Profesor, en algunas facultades, que quien va a estudiar los que están para examinarse. ‖ **5.** El que pasa o explica la lección a otro. ‖ **6.** En algunas órdenes, religioso estudiante que, acabados los años de sus estudios, espera, imponiéndose en los ejercicios escolásticos, para entrar en las lecturas, cátedras o púlpito. ‖ **de pluma.** El que pasa con un abogado y tiene la incumbencia de escribir lo que le dictare.

pasantía. f. Ejercicio del pasante en las facultades y profesiones. ‖ **2.** Tiempo que dura este ejercicio.

pasanza. (De *pasar.*) f. ant. Exención de derecho de portazgo o peaje.

pasapán. (De *pasar* y *pan.*) m. fam. Garguero, tragadero.

pasapasa. m. **juego de pasa pasa.**

pasaperro (coser a). (De *pasar* y *perro.*) fr. fig. Encuadernar en pergamino libros de poco volumen, haciéndoles dos taladros con un punzón por el borde del lomo y pasando por ellos una correhuela que sujeta hojas y tapas.

pasaportar. tr. Dar o expedir pasaporte. ‖ **2.** Despedir a alguien, echarlo de donde está. ‖ **3.** fig. Dar muerte, asesinar.

pasaporte. (Del fr. *passeport.*) m. Licencia o despacho por escrito que se da para poder pasar libre y seguramente de un pueblo o país a otro. ‖ **2.** Licencia que se da a los militares, con itinerario para que en los lugares se les asista con alojamiento y bagajes. ‖ **3.** fig. Licencia franca o libertad de ejecutar una cosa. ‖ **dar pasaporte** a alguno. fr. fam. Romper trato o relaciones con él. ‖ **2.** fig. Dar muerte, asesinar.

pasapurés. m. Utensilio de cocina para colar y homogeneizar, mediante presión, patatas, verduras, lentejas, etc., después de cocidas.

pasar. (Del lat. *passāre,* de *passus,* paso.) tr. Llevar, conducir de un lugar a otro. ‖ **2.** Mudar, trasladar a uno de un lugar o de una clase a otros. Ú. t. c. intr. y c. prnl. ‖ **3.** Cruzar de una parte a otra. PASAR *la sierra, un río.* Seguido de la prep. *por,* ú. t. c. intr. ‖ **4.** Enviar transmitir. PASAR *un recado, los autos.* ‖ **5.** Junto con ciertos nombres que indican un punto limitado o determinado, ir más allá de él. PASAR *la raya;* PASAR *el término.* ‖ **6.** Penetrar o traspasar. ‖ Hablando de géneros prohibidos o que adeudan derechos, introducirlos o extraerlos sin registro. ‖ **8.** Exceder, aventajar, superar. Ú. t. c. prnl. ‖ **9.** Transferir o trasladar una cosa de un sujeto a otro. Ú. t. c. intr. ‖ **10.** Sufrir, tolerar. ‖ **11.** Llevar una cosa por encima de otra, de modo que la vaya tocando. PASAR *la mano, el peine, el cepillo.* ‖ **12.** Introducir una cosa por el hueco de otra. PASAR *una hebra por el ojo de una aguja.* ‖ **13.** Colar[2] un líquido. PASAR *por manga.* ‖ **14.** Cerner, cribar, tamizar. PASAR *por tamiz.* ‖ **15.** Hablando de comida o bebida, deglutir, tragar. ‖ **16.** No poner reparo, censura o tacha en una cosa. ‖ **17.** Dar o conceder el poder temporal el pase a las bulas, breves o decretos pontificios. ‖ **18.** Callar u omitir algo de lo que se debía decir o tratar. ‖ **19.** Disimular o no darse por enterado de una cosa. *Ya se* HE PASADO *muchas.* ‖ **20.** p. us. Estudiar privadamente una ciencia o facultad. ‖ **21.** p. us. Asistir al estudio de uno abogado o acompañar al médico en sus visitas para adiestrarse en la práctica. ‖ **22.** p. us. Explicar privadamente una facultad o ciencia a un discípulo. ‖ **23.** Recorrer el estudiante la lección, o repasarla para decirla. ‖ **24.** Recorrer, leyendo o estudiando, un libro o tratado. ‖ **25.** Leer o estudiar sin reflexión, o rezar sin devoción o sin atención. ‖ **26.** Desecar una cosa al sol, o al aire o con lejía. ‖ **27.** ant. Hablando de leyes, ordenanzas, preceptos, etcétera, traspasar, quebrantar. ‖ **28.** Moverse, trasladarse de un lugar a otro. ‖ **29.** Proyectar una película cinematográfica. ‖ **30.** intr. Extenderse o comunicarse una cosa de unos a otros, como se dice de los contagios, y a su semejanza, de otras cosas. ‖ **31.** Mudarse, trocarse o convertirse una cosa en otra, mejorándose o empeorándose. ‖ **32.** Tener lo necesario para vivir. ‖ **33.** En algunos juegos de naipes, no entrar, y en el dominó, dejar de poner ficha por no tener ninguna adecuada. ‖ **34.** Conceder graciosamente algo. ‖ **35.** Hablando de cosas inmateriales, tener movimiento o correr de una parte a otra. *La noticia* PASÓ *de uno a otro pueblo.* ‖ **36.** Con la preposición *a* y los infinitivos de algunos verbos y con algunos sustantivos, proceder a la acción o lugar de lo que significan tales verbos o nombres. PASAR *a almorzar;* PASAR *a la sala de espera.* ‖ **37.** Con referencia al tiempo, ocuparlo bien o mal. PASAR *la tarde en los toros, en la iglesia; la noche en un grito, el* *verano en Vizcaya.* ‖ **38.** Terminar o acabar la vida, morir una persona. Júntase siempre con alguna otra voz que determina la significación. PASAR *a mejor vida.* ‖ **39.** Hablando de las mercaderías y géneros vendibles, valer o tener precio. ‖ **40.** Vivir, tener salud. ‖ **41.** Hablando de la moneda, ser admitida sin reparo o por el valor que le está señalado. ‖ **42.** Durar o mantenerse aquellas cosas que se podrían gastar. *Este vestido puede* PASAR *este verano.* ‖ **43.** Cesar, acabarse una cosa. PASAR *la cólera, el enojo.* Ú. t. c. prnl. ‖ **44.** Ser tratado o manejado por uno un asunto. Se usa hablando de los escribanos y notarios ante quienes se otorgan los instrumentos. ‖ **45.** fig. Ofrecerse ligeramente una cosa al discurso o a la imaginación. ‖ **46.** Seguido de la preposición *por* más adjetivo, ser tenido en concepto o en opinión de. PASAR POR *discreto,* POR *tonto.* ‖ **47.** Con la preposición *sin* y algunos nombres, no necesitar la cosa significada por ellos. *Bien podemos* PASAR SIN *coche.* Ú. t. c. prnl. ‖ **48.** imper. Ocurrir, acontecer, suceder. ‖ **49.** prnl. Tomar un partido contrario al que antes se tenía, o ponerse de la parte opuesta. ‖ **50.** Acabarse o dejar de ser. ‖ **51.** Olvidarse o borrarse de la memoria una cosa. ‖ **52.** Perder la sazón o empezarse a pudrir las frutas, carnes o cosas semejantes. ‖ **53.** Perderse en algunas cosas la ocasión o el tiempo de que logren su actividad en el efecto. PASARSE *la lumbre, la nieve, el arroz.* ‖ **54.** Hablando de la lumbre de carbón, encenderse bien. ‖ **55.** Exceder en una calidad o propiedad, o usar de ella con demasía. PASARSE *de bueno;* PASARSE *de cortés.* ‖ **56.** Dejar salir gotas por sus poros, rezumar. PASARSE *un cántaro, el papel.* ‖ **57.** Entre los profesores de facultades, exponerse al examen o prueba en el consejo, juntas o universidades, para poder ejercitarlas. ‖ **58.** En ciertos juegos, hacer más puntos de los que se han fijado para ganar, y en consecuencia perder la partida. ‖ **59.** Hablando de aquellas cosas que encajan en otras, las aseguran o cierran, estar flojas o no alcanzar al efecto que se pretende. PASARSE *el pestillo en la cerradura.* ‖ **lo pasado, pasado.** expr. con que se exhorta a olvidar o perdonar los motivos de queja o de enojo, como si no hubieran existido. ‖ **pasar de largo.** fr. Ir o atravesar por una parte sin detenerse. ‖ **2.** fig. No hacer reparo o reflexión en lo que se lee o trata. ‖ **pasar en blanco, o en claro,** una cosa. fr. Omitirla, no hacer mención de ella, o dejar de advertirla. ‖ **pasarlo.** loc. verbal. Estar en un determinado estado de salud o de fortuna una persona. *¿Cómo* LO PASA *usted?* ‖ **pasar** uno por una casa, oficina, etc. fr. Al punto que se designa, para cumplir un encargo o entrar en un asunto. ‖ **pasar** uno **por** alguna cosa. fr. fig. Sufrirla, tolerarla. ‖ **pasar** uno **por alto** alguna cosa. fr. fig. Omitir o dejar de decir algo que se debió o se pudo tratar; olvidarse de ella; no tenerla presente; no echar de ver una cosa por inadvertencia o descuido, o prescindir de ella deliberadamente. ‖ **pasar** uno **por encima.** fr. fig. Atropellar por los inconvenientes que se proponen o que ocurren en un intento. ‖ **2.** fig. Anticiparse en un empleo al menos antiguo al que, según su grado o categoría, tocaba entrar en él. ‖ **pasarse de listo.** fr. fig. Errar, equivocarse por exceso de malicia. ‖ **por donde pasa, moja.** expr. fig. y fam. que se usa, con relación a ciertas bebidas, frutas y condimentos, para dar a entender que si no tienen las condiciones de frescura o bondad que fueran de apetecer, satisfacen, al menos, de algún modo la sed o el apetito. ‖ **2.** Se usa también para denotar que los que manejan caudales ajenos suelen aprovecharlos lícita o ilícitamente. ‖ **un buen pasar.** Modo de hablar con que se explica que uno goza de medianas comodidades.

pasarela. (Del it. *passerella.*) f. Puente pequeño o provisional. ‖ **2.** En los buques de vapor, puentecillo transversal colocado delante de la chimenea. ‖ **3.** Puentecillo para peatones, destinado a salvar carreteras, ferrocarriles, etc.

‖ **4.** Pasillo estrecho y algo elevado, destinado al desfile de artistas, modelos de ropa, etc., para que puedan ser contemplados por el público.

pasatiempo. m. Diversión y entretenimiento en que se pasa el rato.

pasatoro (a). loc. adv. *Taurom.* Dícese de la manera de dar la estocada al pasar el toro, y no recibiéndolo ni a volapié.

pasaturo. m. desus. El que pasaba con otro una ciencia o facultad, atendiendo a su explicación. Usáb. entre los estudiantes.

pasavante. (De *pasar* y *avante.*) m. *Mar.* Documento que da a un buque el jefe de las fuerzas navales enemigas para que no sea molestado en su navegación. ‖ **2.** *Mar.* Documento que, con carácter provisional, da un cónsul a un buque mercante adquirido en el extranjero, para que pueda venir a abanderarse y matricularse en un puerto español. ‖ **3.** ant. *Mil.* Persona que va a parlamentar.

pasavolante. (De *pasar* y *volante.*) m. Acción ejecutada ligeramente, o con brevedad y sin reparo. ‖ **2.** Especie de culebrina de muy poco calibre, ya en desuso.

pasavoleo. (De *pasar* y *voleo.*) m. Lance del juego de pelota, que consiste en que el que vuelve la pelota la pasa por encima de la cuerda hasta más allá del saque.

pascal. (Del apellido de Blaise *Pascal,* matemático y físico francés, 1623-1662.) m. *Fís.* Unidad de medida equivalente a la presión uniforme que ejerce la fuerza de un newton sobre la superficie plana de un metro cuadrado. Simb.: *Pa.*

pascalio. m. *Fís.* **pascal,** en la nomenclatura española.

pascana. (Del quechua *páskana,* de *páskay,* desatar.) f. *Argent., Bol., Col., Ecuad.* y *Perú.* Etapa o parada en un viaje. ‖ **2.** *Argent., Bol.* y *Perú.* Posada, tambo, mesón.

pascasio. (Del lat. *pascha,* pascua.) m. fig. y fam. En las universidades, estudiante que se iba a pasar las pascuas fuera de la ciudad.

pasco. (Del lat. *pascŭum.*) m. ant. **pasto.**

Pascua. (Del lat. *pascha,* y este del hebr. *pesaḥ,* sacrificio por la inmunidad del pueblo, con infl. del lat. *pascuus, pascualis,* adj. de *pasco,* pacer.) n. p. f. Fiesta la más solemne de los hebreos, que celebraban a la mitad de la luna de marzo, en memoria de la libertad del cautiverio de Egipto. ‖ **2.** En la iglesia católica, fiesta solemne de la Resurrección del Señor, que se celebra el domingo siguiente al plenilunio posterior al 20 de marzo. Oscila entre el 22 de marzo y el 25 de abril. ‖ **3.** Cualquiera de las solemnidades del nacimiento de Cristo, del reconocimiento y adoración de los Reyes Magos y de la venida del Espíritu Santo sobre el Colegio apostólico. ‖ **4.** V. **mona de Pascua.** ‖ **5.** fig. y fam. V. **cara de pascua.** ‖ **6.** pl. Tiempo desde la Natividad de Nuestro Señor Jesucristo hasta el día de Reyes inclusive. ‖ **Pascua de flores, o florida.** La de Resurrección. ‖ **del Espíritu Santo. Pentecostés,** fiesta católica. ‖ **dar las pascuas.** fr. Felicitar a uno en ellas. ‖ **de Pascuas a Ramos.** loc. adv. fig. y fam. **de tarde en tarde.** ‖ **estar** uno **como una pascua, o como unas pascuas.** fr. fig. y fam. Estar alegre y regocijado. ‖ **hacer la pascua** a uno. fr. fig. y fam. Fastidiarlo, molestarlo, perjudicarlo. ‖ **hacer pascua.** fr. Empezar a comer carne en la cuaresma. ‖ **santas pascuas.** loc. fam. con que se da a entender que es forzoso conformarse con lo que sucede, se hace o se dice.

pascual. (Del lat. *paschālis.*) adj. Perteneciente o relativo a la Pascua. ‖ **2.** V. **ciclo, cirio, cordero, tiempo pascual.**

pascuense. adj. Natural de la isla chilena de Pascua. Ú. t. c. s. ‖ **2.** Perteneciente o relativo a esta isla.

pascuero. adj. V. **estudiante pascuero.**

pascuilla. (d. de *Pascua.*) f. Primer domingo después del de Pascua de Resurrección.

pase[1]. m. Acción y efecto de pasar. ‖ **2.** Acción y efecto de pasar en el juego. ‖ **3.** Cada uno de los movimientos que hace con las manos el magnetizador, ya a distancia, ya tocando ligeramente el cuerpo de la persona que quiere someter a su influencia. ‖ **4.** *Esgr.* **finta²**, amago de golpe. ‖ **5.** *Taurom.* Cada una de las veces que el torero, después de haber llamado o citado al toro con la muleta, lo deja pasar, sin intentar clavarle la espada. ‖ **de castigo.** *Taurom.* El que da el torero de modo que el toro haga un gran esfuerzo en la embestida y pierda poderío. ‖ **de muleta.** *Taurom.* Cada una de las veces que el matador deja pasar al toro para preparación o adorno.

pase². (Imper. del verbo *pasar*, palabra con que por lo común empiezan esta clase de documentos.) m. Permiso que da un tribunal o superior para que use de un privilegio, licencia o gracia. ‖ **2.** Dado por escrito, se suele tomar por pasaporte en algunos países. ‖ **3.** Licencia por escrito, para pasar algunos géneros de un lugar a otro; para transitar por algún sitio, para penetrar en un local; para viajar gratuitamente, etc. ‖ **4.** El que da el Estado a los rescriptos y bulas pontificias y a los agentes extranjeros. ‖ **de pernocta.** El que se da a los soldados para que puedan ir a dormir a sus casas.

paseadero. m. p. us. Lugar para pasear.

paseador, ra. adj. Que se pasea mucho y frecuentemente. ‖ **2.** m. Lugar para pasear.

paseandero, ra. adj. *Argent., Chile, Par., Perú* y *Urug.* **paseador**, persona que pasea mucho y con frecuencia. Ú. t. c. s.

paseante. p. a. de **pasear**. Que pasea o se pasea. Ú. t. c. s. ‖ **en corte**. fig. y fam. Decíase del que no tiene destino ni se emplea en alguna ocupación útil y honesta.

pasear. (De *paso*.) intr. Ir andando por distracción o por ejercicio. Ú. t. c. tr. y c. prnl. ‖ **2.** Con iguales fines, ya a caballo, en carruaje, etc., ya por agua en una embarcación. Ú. t. c. prnl. ‖ **3.** Andar el caballo con movimiento o paso natural. ‖ **4.** tr. Hacer pasear. PASEAR *un niño*; PASEAR *a un caballo*. ‖ **5.** fig. Llevar una cosa de una parte a otra, o hacerla ver acá y allá. ‖ **6.** prnl. fig. Discurrir acerca de una materia sin hacer pie en ella, o vagamente. ‖ **7.** fig. Dicho de otras cosas que no son materiales, andar vagando. ‖ **8.** fig. Estar ocioso. Se usa así porque quien lo está tiene más holgura para **pasear**.

paseata. (De *paseo* con infl. de *caminata*.) f. Paseo de larga duración.

paseíllo. m. Desfile de las cuadrillas por el ruedo antes de comenzar la corrida. Ú. m. en la expr. **hacer el paseíllo**.

paseo. (De *pasear*.) m. Acción de pasear o pasearse. ‖ **2.** Lugar o sitio público para pasearse. ‖ **3.** Acción de ir uno con pompa o acompañamiento por determinada carrera. ‖ **4.** Distancia corta, que puede recorrerse paseando. ‖ **5.** *Taurom.* **paseíllo**. ‖ **anda**, o **andad, a paseo**. expr. fig. y fam. que por eufemismo se emplea para despedir a una o varias personas con enfado, desprecio o disgusto, o por burla, o para rehusar o denegar alguna cosa. ‖ **a paseo**. loc. fig. y fam. con que se manifiesta el desagrado o desaprobación de lo que alguien propone, dice o hace. Ú. frecuentemente con los verbos *echar, enviar* o *mandar*. ‖ **dar un paseo**. fr. Pasear a pie. ‖ **2.** Pasear a caballo, o en un carruaje o embarcación. ‖ **vete**, o **idos, a paseo**. expr. fig. y fam. **anda**, o **andad, a paseo**.

pasera¹. f. Piedra que pasa o atraviesa una pared.

pasera². (De *pasa¹*.) f. Lugar donde se ponen a desecar las frutas para que se hagan pasas. ‖ **2.** Operación de pasar algunas frutas.

paseriforme. adj. Que tiene aspecto de pájaro. ‖ **2.** *Zool.* Dícese de aves que se caracterizan por tener tres dedos dirigidos hacia delante y uno hacia atrás, para poder asirse con facilidad a las ramas, aunque hay especies terrícolas. ‖ **3.** f. pl. *Zool.* Orden de estas aves.

pasero¹, ra. adj. Dícese de la caballería enseñada al paso.

pasero², ra. m. y f. Persona que vende pasas.

pasibilidad. (Del lat. *passibilĭtas, -ātis*.) f. Calidad de pasible.

pasible. (Del lat. *passibĭlis*.) adj. Que puede o es capaz de padecer.

pasicorto, ta. adj. Que tiene corto el paso.

pasiego, ga. adj. Natural de Pas. Ú. t. c. s. ‖ **2.** Perteneciente o relativo al valle de la provincia de Santander. ‖ **3.** f. Nodriza, especialmente de familias de alcurnia.

pasificación. f. Proceso de convertir la uva fresca en pasa¹.

pasiflora. (Del lat. científico *passiflora*.) f. **pasionaria**, planta.

pasifloráceo, a. adj. *Bot.* Dícese de hierbas o arbustos angiospermos dicotiledóneos, trepadores originarios de países cálidos, principalmente de América del Sur, con hojas alternas, sencillas o compuestas, flores regulares, casi siempre hermafroditas y pentámeras, solitarias o en racimos, y fruto en baya, o capsular con muchas semillas; como el pasionaria. Ú. t. c. s. f. ‖ **2.** f. pl. *Bot.* Familia de estas plantas.

pasiflóreo, a. adj. *Bot.* **pasifloráceo**.

pasil¹. m. Piedra puesta para pasar un río o arroyo. ‖ **2.** Parte por donde se puede atravesar a pie un río o un arroyo. ‖ **3.** Paso estrecho, vereda.

pasil². (De *pasa¹*.) m. *And.* **pasera²**, lugar donde se ponen a desecar las frutas para que se hagan pasas. ‖ **2.** *And.* Explanada próxima al almijar, donde se solean las uvas destinadas a la elaboración del vino dulce.

pasilargo, ga. adj. Que tiene largo el paso.

pasillo. (d. de *paso*.) m. Pieza de paso, larga y angosta, de cualquier edificio. ‖ **2.** Camino aéreo que se asigna a los aviones en sus trayectorias regulares. ‖ **3.** Cada una de las puntadas largas sobre que se forman los ojales y ciertos bordados. ‖ **4.** Cláusula de la Pasión de Cristo, cantada a muchas voces en los oficios solemnes de Semana Santa. ‖ **5.** Pieza dramática breve, cómica. ‖ **6.** *Col., Ecuad.* y *Pan.* Baile popular. ‖ **7.** *Col., Ecuad.* y *Pan.* Composición musical de compás 3 por 4, con la cual se baila el **pasillo**.

pasión. (Del lat. *passĭo. -ōnis*.) f. Acción de padecer. ‖ **2.** Por antonom., la de Jesucristo. ‖ **3.** Lo contrario a la acción. ‖ **4.** Estado pasivo en el sujeto. ‖ **5.** Cualquier perturbación o afecto desordenado del ánimo. ‖ **6.** Inclinación o preferencia muy vivas de una persona a otra. ‖ **7.** Apetito o afición vehemente a una cosa. ‖ **8.** Sermón sobre los tormentos y muerte de Jesucristo, que se predica el Jueves y Viernes Santo. ‖ **9.** Parte de cada uno de los cuatro Evangelios, que describe la **Pasión** de Cristo. ‖ **10.** ant. *Med.* Afecto o dolor sensible de alguna de las partes del cuerpo enfermo. ‖ **de ánimo.** Tristeza, depresión, abatimiento, desconsuelo.

pasional. adj. Perteneciente o relativo a la pasión, especialmente amorosa.

pasionaria. (De *pasión*, por la semejanza que parece existir entre las diferentes partes de la flor y los atributos de la Pasión de Jesucristo.) f. Planta originaria del Brasil, de la familia de las pasifloráceas, con tallos ramosos, trepadores y de 15 a 20 metros de largo; hojas pecioladas, verdes por la haz, glaucas por el envés, partidas en tres, cinco o siete lóbulos enteros y con largas estípulas; flores olorosas, pedunculadas, axilares, solitarias, de seis a siete centímetros de diámetro, con las lacinias del cáliz verdes por fuera, azuladas por dentro, y figura de hierro de lanza; corola con filamentos purpurinos y blancos, formando círculo como una corona de espinas, cinco estambres con anteras elípticas, tres estigmas en forma de clavo, y fruto amarillo del tamaño y figura de un huevo de paloma, y con muchas semillas. Se cultiva en jardines. ‖ **2.** Flor de esta planta.

pasionario. m. Libro de canto por donde se canta la Pasión en Semana Santa.

pasioncilla. (d. de *pasión*.) f. Pasión pasajera o leve. ‖ **2.** despect. Movimiento ruin del ánimo en contra de alguna persona.

pasionera. f. *Murc.* **pasionaria.**

pasionero. m. El que canta la Pasión en los oficios divinos de la Semana Santa. ‖ **2.** Cada uno de los sacerdotes destinados en algunos hospitales a la asistencia espiritual de los enfermos.

pasionista. m. Persona que canta la Pasión en los oficios de Semana Santa. ‖ **2.** Dícese del individuo perteneciente a la congregación de la Pasión y Cruz de Cristo, fundada en el siglo XVII por San Pablo de la Cruz. Ú. t. c. s. ‖ **3.** Perteneciente o relativo a dicha congregación.

pasitamente. adv. m. ant. Con gran tiento, blandamente. ‖ **2.** ant. En voz baja.

pasito. m. d. de **paso**[1]. ‖ **2.** adv. m. Con gran tiento, blandamente. ‖ **3.** En voz baja.

pasitrote. (De **paso**[1] y *trote*.) m. Aire más rápido que el paso y más cómodo que el trote, que adoptan, con frecuencia, los asnos, y, raras veces, las demás caballerías.

pasivamente. adv. m. Con pasividad, sin operación ni acción de su parte. ‖ **2.** fig. De un modo pasivo; dejando, el que tiene interés en un asunto, obrar a los otros, sin hacer por sí cosa alguna. ‖ **3.** *Gram.* En sentido pasivo.

pasividad. (Del lat. *passivitas, -átis*.) f. Calidad de pasivo.

pasivo, va. (Del lat. *passivus*.) adj. Aplícase al sujeto que recibe la acción del agente, sin cooperar con ella. ‖ **2.** Aplícase al que deja obrar a los otros, sin hacer por sí cosa alguna. ‖ **3.** Aplícase al haber o pensión que disfrutan algunas personas en virtud de servicios que prestaron o del derecho ganado con ellos y que les fue transmitido. ‖ **4.** V. **dividendo, escándalo, voto pasivo.** ‖ **5.** V. **situación, voz pasiva.** ‖ **6.** V. **clases pasivas.** ‖ **7.** *Mec.* V. **resistencia pasiva.** ‖ **8.** *Der.* Aplícase a los juicios, tanto civiles como criminales, con relación al reo o persona que es demandada. ‖ **9.** *Gram.* Que implica o denota pasión, en sentido gramatical. *Participio, verbo* PASIVO. ‖ **10.** *Gram.* V. **voz pasiva.** Ú. t. c. s. f. ‖ **11.** m. *Com.* Importe total de los débitos y gravámenes que tiene contra sí una persona o entidad, y también el coste o riesgo que contrapesa los provechos de un negocio; todo lo cual se considera como disminución de su activo. ‖ **refleja.** *Gram.* Construcción oracional de significado **pasivo**, cuyo verbo, en tercera persona, aparece en forma activa precedido de *se* y sin complemento agente. *Esos museos* SE INAUGURARON *hace cincuenta años.*

pasmado, da. p. p. de **pasmar.** ‖ **2.** adj. V. **madera pasmada.** ‖ **3.** *Blas.* Se dice de ciertos peces que se representan con la boca abierta y sin lengua, aletas ni barbas. ‖ **4.** Dícese de la persona alelada, absorta o distraída. ‖ **5.** *Blas.* V. **águila pasmada.** ‖ **6.** *Blas.* V. **delfín pasmado.**

pasmar. tr. Enfriar mucho o bruscamente. Ú. t. c. prnl. ‖ **2.** Hablando de las plantas, helarlas en tanto grado, que se quedan secas y abrasadas. Ú. t. c. prnl. ‖ **3.** Ocasionar o causar suspensión o pérdida de los sentidos y del movimiento. Ú. m. c. prnl. ‖ **4.** fig. Asombrar con extremo. Ú. t. c. intr. y c. prnl. ‖ **5.** prnl. Contraer la enfermedad llamada pasmo. ‖ **6.** *Chile* y *Perú.* Desmedrarse, encanijarse. ‖ **7.** *Pint.* Empañarse los colores o los barnices.

pasmarota. f. fam. Cualquiera de los ademanes o demostraciones con que se aparenta la enfermedad del pasmo u otra. ‖ **2.** fam. Cualquiera de los ademanes con que se aparenta admiración o extrañeza de una cosa que no lo merece.

pasmarotada. f. **pasmarota.**

pasmarote. m. fam. Persona embobada o pasmada por pequeña cosa.

pasmo. (Del lat. vulg. *pasmus*, y este del clás. *spasmus*.) m. Efecto de un enfriamiento que se manifiesta por romadizo, dolor de huesos y otras molestias. ‖ **2.** Rigidez y tensión convulsiva de los músculos. ‖ **3.** Enfermedad del sistema nervioso con contracciones de los músculos producida por un bacilo que entra por las heridas, tétanos. ‖ **4.** fig. Admiración y asombro extremados, que dejan como en suspenso la razón y el discurso. ‖ **5.** fig. Objeto mismo que ocasiona esta admiración o asombro. ‖ **de pasmo.** loc. adv. **pasmosamente.**

pasmón, na. m. y f. **pasmarote.**

pasmosamente. adv. m. De una manera pasmosa.

pasmoso, sa. adj. fig. Que causa pasmo o gran admiración y asombro. ‖ **2.** ant. Perteneciente al pasmo o espasmo.

paso[1]**.** (Del lat. *passus*.) m. Movimiento de cada uno de los pies para ir de una parte a otra. ‖ **2.** Espacio que comprende la longitud de un pie y la distancia entre este y el talón del que se ha movido hacia adelante. ‖ **3.** **paso romano.** ‖ **4.** **peldaño,** escalón. ‖ **5.** Movimiento regular y cómodo con que camina todo cuadrúpedo, levantando sus extremidades una a una y sin dar lugar a salto o suspensión alguna. ‖ **6.** Acción de pasar. ‖ **7.** Lugar o sitio por donde se pasa de una parte a otra. ‖ **8.** Diligencia que se hace en solicitud de una cosa. Ú. m. en pl. ‖ **9.** Estampa o huella que queda impresa al andar. ‖ **10.** Licencia o concesión de poder pasar sin estorbo. ‖ **11.** Licencia o facultad de transferir a otro la gracia, merced, empleo o dignidad que uno tiene. ‖ **12. exequátur.** ‖ **13.** En los estudios, especialmente de gramática, ascenso de una clase a otra. ‖ **14.** Repaso o explicación que hace el pasante a sus discípulos, o conferencia de estos entre sí sobre las materias que estudian. ‖ **15.** Lance o suceso digno de reparo. ‖ **16.** Adelantamiento que se hace en cualquier situación, de ingenio, virtud, estado, ocupación, empleo, etc. ‖ **17.** Movimiento seguido con que anda un ser animado. ‖ **18.** Modo o manera de andar. ‖ **19.** Trance de la muerte o cualquier otro grave conflicto. ‖ **20.** Cualquiera de los sucesos más notables de la Pasión de Jesucristo. ‖ **21.** Efigie o grupo que representan un suceso de la Pasión de Cristo, y se saca en procesión por la Semana Santa. ‖ **22.** Lucha o combate que en determinado lugar de tránsito se obligaban a mantener uno o más caballeros contra todos los que acudieran a su reto. ‖ **23.** Cada una de las mudanzas que se hacen en los bailes. ‖ **24.** Cláusula o pasaje de un libro o escrito. ‖ **25.** Puntada larga que se da en la ropa cuando, por usada, está clara y próxima a romperse. ‖ **26.** Puntada larga que se da para apuntar o hilvanar. ‖ **27.** Acción o acto de la vida o conducta del hombre. ‖ **28.** Pieza dramática muy breve; como, por ejemplo, el de *Las aceitunas,* de Lope de Rueda. ‖ **29.** Cada uno de los avances que realiza un aparato contador. ‖ **30.** *Geogr.* Estrecho de mar. PASO *de Calais.* ‖ **31.** *Mec.* Distancia entre dos resaltes sucesivos en la hélice de un tornillo. ‖ **32.** *Mont.* Sitio del monte, por donde acostumbra pasar la caza. ‖ **33.** *Vol.* Tránsito de las aves de una región a otra para invernar o estar en el verano o primavera. ‖ **34.** V. **ave, mula de paso.** ‖ **35.** m. *Dep.* En baloncesto, falta en que incurre el jugador que da más de tres **pasos** llevando la pelota en la mano. ‖ **36.** adv. m. Blandamente. ‖ **37.** Quedo, en voz baja. ‖ **a nivel.** Sitio en que un ferrocarril se cruza con otro camino del mismo nivel. ‖ **atrás.** *Mil.* Movimiento retrógrado en la velocidad del paso ordinario y longitud de 33 centímetros. ‖ **castellano.** En las bestias caballares, **paso** largo y corto. ‖ **corto.** *Mil.* El de marcha a razón de 120 por minuto y longitud de 33 centímetros. ‖ **de ambladura,** o **andadura.** En las caballerías, **ambladura.** ‖ **de ataque,** o **de carga.** *Mil.* **paso ligero.** ‖ **de cebra.** Lugar por el que se puede cruzar una calle y en el que el viandante tiene preferencia. Está señalizado mediante unas franjas blancas, paralelas, que recuerdan la piel de las cebras. ‖ **de comedia.** Lance, suceso o pasaje de un poema dramático, y especialmente el elegido para considerarlo o representarlo suelto. ‖ **2.** fig. Lance o suceso de la vida real, que divierte o causa cierta novedad o extrañeza. ‖ **de gallina.** fig. y fam. Diligencia insuficiente para el logro y consecución de un intento. ‖ **de garganta.** Inflexión de la voz, o gorjeo, en el canto. Consiste en una contracción de los músculos, a fin de dar a las cuerdas vocales mayor excitabilidad. Es atributo del teatro lírico, y se generalizó en el siglo XIX. ‖ **del Ecuador.** Fiesta que suele celebrarse en los barcos al pasar el Ecuador. ‖ **2.** Fiesta, y a veces viaje, que celebran los estudiantes cuando están a mitad de carrera. ‖ **de la hélice.** Distancia entre dos puntos de esta curva, correspondientes a la misma generatriz, o sea entre las dos extremidades de una espira. ‖ **de la madre.** fam. pasitrote. ‖ **de papeles.** Lectura que al comenzar los ensayos de una obra teatral dan los actores a sus papeles respectivos, con el fin de cotejarlos con el ejemplar del apuntador y limpiarlos de posibles errores. ‖ **geométrico.** Medida de cinco pies, equivalente a un metro y 393 milímetros. ‖ **grave.** Danza. Aquel en que un pie se aparta del otro describiendo un semicírculo. ‖ **largo.** Mil. El de la marcha con velocidad de 120 por minuto y longitud de 75 centímetros. ‖ **lateral.** Mil. El de longitud indeterminada, que se da a derecha o izquierda y cuyo compás es el del **paso** ordinario. ‖ **lento.** Mil. El de la marcha a razón de 76 por minuto y longitud de 55 centímetros. ‖ **libre.** El que está desembarazado de obstáculos, peligros o enemigos. Le dejaron el PASO LIBRE para seguir su viaje. ‖ **ligero.** Mil. El de la marcha con velocidad de 180 por minuto y longitud de 83 centímetros. ‖ **ordinario.** Mil. El de la marcha a razón de 120 por minuto y longitud de 65 centímetros. ‖ **redoblado.** Mil. El ordinario, según la táctica moderna. ‖ **regular.** Mil. paso lento. ‖ **romano.** Medida de cinco pies romanos o distancia en un doble paso contado desde el talón del pie que avanza hasta el extremo anterior de este mismo pie al posarse. ‖ **buen paso.** fig. Vida regalada. ‖ **mal paso.** fig. Suceso en que uno se encuentra con líos o dificultades. ‖ **abrir paso.** fr. **abrir camino.** ‖ **a buen paso.** loc. adv. Aceleradamente, de prisa. ‖ **a cada paso.** loc. adv. fig. Repetida, continuada, frecuentemente, a menudo. ‖ **acortar los pasos.** fr. fig. Contener, embarazar los progresos de uno. ‖ **a dos pasos.** loc. adv. fig. A corta distancia. Fuencarral está A DOS PASOS de Madrid. ‖ **a ese paso.** loc. adv. fig. Según eso, de ese modo. ‖ **a ese paso, el día, o la vida, es un soplo.** expr. con que se reprende al que gasta sin reparo ni moderación. ‖ **alargar el paso.** fr. fam. Andar o ir deprisa. ‖ **al paso.** loc. adv. Sin detenerse. ‖ **2.** Al pasar por una parte yendo a otra. ‖ **3.** Andando, sin correr ni forzar el **paso.** ‖ **al paso que.** loc. conjunt. fig. Al modo, a imitación, como. ‖ **2.** fig. Al mismo tiempo, a la vez. AL PASO QUE yo le hacía beneficios, me correspondía con ingratitudes. ‖ **andar en malos pasos.** fr. fig. Frecuentar malas compañías o comportarse de modo que pueden seguirse malas consecuencias. ‖ **a paso de buey.** loc. adv. fig. Con mucha lentitud, o con mucha consideración y tiento. ‖ **a paso de carga.** loc. adv. fig. Precipitadamente, sin detenerse. ‖ **a paso de tortuga.** loc. adv. fig. **a paso de buey.** ‖ **a paso largo.** loc. adv. fig. Aceleradamente, de prisa. ‖ **a paso llano.** loc. adv. fig. Sin tropiezo ni dificultad. ‖ **a paso tirado.** loc. adv. a paso largo. ‖ **a pocos pasos.** loc. adv. A poca distancia. ‖ **2.** fig. Con corta o poca diligencia. ‖ **apretar el paso.** fr. fam. **alargar el paso.** ‖ **asentar** uno **el paso.** fr. fig. y fam. Vivir con quietud y prudencia. ‖ **a un paso o a dos pasos o a cuatro pasos.** loc. adv. a pocos pasos. ‖ **avivar el paso.** fr. fam. **alargar el paso.** ‖ **cada paso es un gazapo, o un tropiezo.** expr. fig. y fam. con que se alude a las repetidas faltas que uno comete en el desempeño de su cargo. ‖ **cambiar el paso.** fr. Mil. Sentar un pie en tierra,

cargar el cuerpo rápidamente sobre el otro colocándolo junto al primero, y con este, y sin perder el compás, dar el paso siguiente. ‖ **ceder el paso.** fr. Dejar una persona, por cortesía, que otra pase antes que ella. ‖ **cerrar el paso.** fr. Obstaculizarlo o cortarlo. ‖ **2.** fig. Impedir el progreso de un negocio. ‖ **coger** a uno **al paso.** fr. fig. y fam. Encontrarle y detenerle para tratar con él una cosa. ‖ **coger al paso.** fr. En el juego de ajedrez, comerse un peón que pasó dos casas sin pedir permiso. ‖ **coger los pasos.** fr. Ocupar los caminos por donde se recela que puede venir un daño o huye alguien puede escaparse. ‖ **comer al paso.** fr. Lance del juego de ajedrez que consiste en la opción que se le ofrece a un peón que ha alcanzado la quinta fila de su bando para tomar un peón contrario, que en su jugada de salida avanza dos casillas en lugar de una. La acción del bando que realiza esta jugada debe ser inmediata. ‖ **contar los pasos** a uno. fr. fig. Observar o averiguar todo lo que hace. ‖ **cortar los pasos** a uno. fr. fig. Impedirle la ejecución de lo que intenta. ‖ **dar paso.** fr. Permitir el **paso** o el acceso. Aquella puerta DA PASO al salón. ‖ **2.** fig. Favorecer una la aparición de una situación nueva. La inhibición del gobernador DIO PASO a graves desórdenes. ‖ **dar pasos.** fr. fig. **gestionar.** ‖ **dar un mal paso.** fr. Sufrir un fallo al andar o al correr, del que se sigue daño. ‖ **2.** fr. fig. Hacer algo de lo que se sigue o puede seguirse detrimento. ‖ **dar un paso atrás.** fr. fig. Experimentar un retroceso en lo que se hace o se intenta. ‖ **dar un paso o un buen paso o un paso adelante.** fr. fig. Realizar un progreso perceptible en lo que se hace o se intenta. ‖ **dar un paso en falso.** fr. dar un mal paso. ‖ **de paso.** loc. adv. Sin permanencia fija, provisionalmente. ‖ **2.** fig. Aprovechando la ocasión. ‖ **3.** Ligeramente, sin detención. ‖ **de paso en paso.** loc. adv. fig. Poco a poco, despacio y por grados. ‖ **hacer uno el paso.** fr. fig. y fam. Ponerse en ridículo. ‖ **llevar el paso.** fr. Seguirlo en una forma regular, acomodándolo a compás y medida, o bien al de la persona con quien se va. ‖ **marcar el paso.** fr. Mil. Figurarlo en su compás y duración sin avanzar ni retroceder. ‖ **más que de paso.** loc. adv. fig. De prisa, precipitadamente, con violencia. ‖ **no dar paso.** fr. fig. No hacer gestiones para el despacho de un negocio. ‖ **no poder dar paso, o un paso.** fr. fig. No poder andar, o no poder adelantar en algún intento. ‖ **por el paso en que estoy.** expr. **por el paso en que estoy, o ¡paso!** interj. que se emplea para contener a uno o para poner paz entre los que riñen. ‖ **paso ante paso.** loc. adv. **paso entre paso.** ‖ **paso a paso.** loc. adv. Poco a poco, despacio y por grados. ‖ **paso entre paso.** loc. adv. Lentamente, poco a poco. ‖ **paso por paso.** loc. adv. Ú. para denotar la exactitud y lentitud con que se hace o se adquiere una cosa. ‖ **por el paso en que estoy, o en que me hallo.** expr. con que se asegura la verdad de sus palabras. Dícese con alusión al trance de la muerte, en que regularmente se habla con ingenuidad. ‖ **por los mismos pasos.** loc. adv. fig. Siguiendo las huellas de uno o utilizando sus procedimientos. ‖ **por sus pasos contados.** loc. adv. fig. Por su orden o curso regular. ‖ **sacar de su paso** a uno. fr. fig. y fam. Hacerle obrar fuera de su costumbre u orden regular. ‖ **salir al paso de** una cosa. fr. fig. Darse por enterado de ella e impugnar su veracidad o su fundamento. ‖ **salir uno del paso.** fr. fig. y fam. Desembarazarse de cualquier manera de un asunto, compromiso, dificultad, apuro o trabajo. ‖ **salir de su paso.** fr. fig. y fam. Variar la costumbre regular en las acciones y modo de obrar. ‖ **salirle** a uno **al paso.** fr. fig. Encontrarle de improviso o deliberadamente, deteniéndolo en su marcha. ‖ **2.** fig. Contrariarlo, atajarlo en lo que dice o intenta. ‖ **seguir los pasos** a uno. fr. fig. Observar su conducta para averiguar si es fundada una sospecha que se tiene de él. ‖ **seguir los pasos de** uno. fr. fig. Imitarle en sus acciones. ‖ **sentar el paso.** fr. Hablando de las caballerías, caminar con paso tranquilo y sosegado. ‖ **tomar los pasos.** fr. fig. **coger los pasos.** ‖ **tomar paso.** fr. Habituarse las caballerías, o a seguir el modo de andar que les enseñan, o a volver a este, dejando el trote o el galope con que caminaban. ‖ **tomar** uno **un paso.** fr. ponderativa, fig. caminar o andar con gran prisa o celeridad. ‖ **volver** uno **sobre sus pasos.** fr. fig. Desdecirse, rectificar su dictamen o su conducta.

paso², sa. (Del lat. *pansus* o *passus*, extendido.) adj. Dícese de la fruta extendida al sol para secarse, y también de la desecada por cualquier otro procedimiento. *Higo* PASO; *uva* PASA.

pasodoble. m. *Mús.* Marcha a cuyo compás puede llevar la tropa el paso ordinario. ‖ **2.** Baile que se ejecuta al compás de esta música.

pasote. m. *Méj.* **epazote,** planta.

paspié. (Del fr. *passe-pied.*) m. Danza que tiene los pasos del minué, con variedad de mudanzas.

pasquín. (Del it. *Pasquino,* nombre de una estatua en Roma, en la cual solían fijarse libelos o escritos satíricos.) m. Escrito anónimo que se fija en sitio público, con expresiones satíricas contra el Gobierno o contra una persona particular o corporación determinada.

pasquinada. f. Dicho agudo y satírico que se divulga.

pasquinar. tr. Satirizar con pasquines o pasquinadas.

pássim. adv. lat. Aquí y allí, en una y otra parte, en lugares diversos. Ú. en las anotaciones de impresos y manuscritos castellanos.

pasta. (Del lat. *pasta.*) f. Masa hecha de una o diversas cosas machacadas. ‖ **2.** Masa trabajada con manteca o aceite y otras cosas, que sirve para hacer pasteles, hojaldres, empanadas, etc. ‖ **3.** Pieza pequeña hecha con masa de harina y otros ingredientes, cocida al horno, que se recubre a veces con chocolate, mermelada, etc. ‖ **4.** Masa hecha con harina de la parte exterior del grano de trigo, porque contiene la mayor cantidad de gluten, de que se hacen los fideos, tallarines, macarrones, ravioles, canelones, etc. ‖ **5.** Designación genérica de estas variedades. ‖ **6.** Porción de oro, plata u otro metal fundido y sin labrar. ‖ **7.** pop. Dinero, caudal. ‖ **8.** Cartón que se hace de papel deshecho y machacado. ‖ **9.** Masa que resulta de macerar y machacar el trapo, madera y otras materias para hacer papel. ‖ **10.** Encuadernación de los libros que se hace de cartones cubiertos con pieles bruñidas y por lo común jaspeadas. ‖ **11.** ant. Hoja, lámina o plancha de metal. ‖ **12.** *Pint.* Unión perfecta de los colores, empaste. ‖ **de chocolate.** Masa de cacao molido y mezclado con poco azúcar para su consistencia, que se traía de América para mezclar en las moliendas. ‖ **española.** Encuadernación en piel de cordero teñida de color leonado o castaño y decorada generalmente en jaspe salpicado. ‖ **italiana.** Encuadernación de los libros que se hace de cartones cubiertos con pergamino muy fino o avitelado. ‖ **valenciana.** Encuadernación en piel de cordero que se arruga para teñirla; ofrece tonos más varios y jaspeado más caprichoso que los de la **pasta** española. ‖ **buena pasta.** fig. Índole apacible; genio blando o pacífico. ‖ **media pasta.** Encuadernación a la holandesa.

pastadero. m. Terreno donde pasta el ganado.

pastaflora. (Del it. *pasta frolla.*) f. Pasta hecha con harina, azúcar y huevo, tan delicada que se deshace en la boca. ‖ **ser uno de pastaflora.** fr. fig. Ser de carácter blando y demasiado condescendiente.

pastar. tr. Llevar o conducir el ganado al pasto. ‖ **2.** intr. Pacer el ganado el pasto.

paste. m. *C. Rica, Guat., Hond.* y *Nicar.* Planta cucurbitácea cuyo fruto contiene un tejido poroso usado como esponja. ‖ **2.** *Hond.* Planta parásita que vive sobre los árboles.

pastear. intr. Pacer el ganado al pasto. ‖ **2.** tr. Llevar el ganado a pastar.

pasteca. (De or. inc.) f. *Mar.* Especie de motón herrado, con una abertura en uno de los lados de su caja, para que pase el cabo con que se ha de trabajar.

pastel. (Del fr. ant. *pastel.*) m. Masa de harina y manteca, cocida al horno, en que ordinariamente se envuelve crema o dulce, y a veces carne, fruta o pescado. ‖ **2.** Pastelillo de dulce. ‖ **3. hierba pastel.** ‖ **4.** Pasta en forma de bolas o tabletas hecha con las hojas verdes de la hierba **pastel,** que da un hermoso color azul y sirve también para teñir de negro y otros colores. ‖ **5.** Lápiz compuesto de una materia colorante y agua de goma. ‖ **6. pintura al pastel.** ‖ **7.** En el juego, fullería que consiste en barajar y disponer los naipes de modo que se tome los que reparte lo principal del juego, o se lo dé a otro su parcial. ‖ **8.** fig. y fam. Convenio secreto entre algunos con malos fines, o con excesiva transigencia. ‖ **9.** fig. y fam. Persona pequeña de cuerpo y muy gorda. ‖ **10.** *Fort.* Reducto irregular de cualquier figura acomodada al terreno. ‖ **11.** *Impr.* Defecto que sale por haber dado demasiada tinta o estar esta muy espesa. ‖ **12.** *Impr.* Conjunto de letra inútil destinada para fundirse de nuevo. ‖ **13.** *Impr.* Conjunto de tipos, líneas o planas desordenadas. ‖ **en bote.** Guisado de pierna de carnero picada con tocino y cocida con grasa de la olla, sazonado con especias y espesado con pan y queso rallados. ‖ **2.** fig. y fam. **pastel,** persona pequeña y gruesa. ‖ **descubrirse el pastel.** fr. fig. y fam. Hacerse pública y manifiesta una cosa que se procuraba ocultar o disimular.

pastelear. intr. fig. y fam. Contemporizar por miras interesadas.

pasteleo. m. Acción y efecto de pastelear.

pastelería. f. Local donde se hacen pasteles, pastas u otros dulces. ‖ **2.** Tienda donde se venden. ‖ **3.** Arte de trabajar pasteles, pastas, etc. ‖ **4.** Conjunto de pasteles o pastas.

pastelero, ra. adj. Perteneciente o relativo a la pastelería. ‖ **2.** V. **calabaza pastelera.** ‖ **3.** m. y f. Persona que tiene por oficio hacer o vender pasteles. ‖ **4.** fig. y fam. Persona acomodadiza en demasía, que elude las decisiones vigorosas.

pastelillo. m. Pastel pequeño de carne o pescado. ‖ **2.** Pastel pequeño de dulce.

pastelista. com. Pintor o pintora que practica la pintura al pastel.

pastelón. m. Pastel en que se ponen otros ingredientes además de la carne picada; como pichones, pollos, despojos de aves, etc. ‖ **2.** *Chile.* Loseta grande de cemento que se utiliza para pavimentar.

pastenco, ca. adj. Aplícase a la res recién destetada que se echa al pasto. Ú. t. c. s.

pastense. adj. Natural de Pasto. Ú. t. c. s. ‖ **2.** Perteneciente a esta ciudad de Colombia.

pasterización. f. **pasteurización.**

pasterizado, da. p. p. de **pasterizar.** ‖ **2.** adj. **pasteurizado.**

pasterizar. tr. **pasteurizar.**

pastero. m. El que echa en los capachos la pasta de la aceituna molida.

pasteurización. f. Acción y efecto de pasteurizar.

pasteurizado, da. p. p. de **pasteurizar.** ‖ **2.** adj. Que ha sido sometido a los procedimientos de pasteurización. *Leche* PASTEURIZADA.

pasteurizar. (Del fr. *pasteuriser.*) tr. Elevar la temperatura de un alimento líquido a un nivel inferior al de su punto de ebullición durante un corto tiempo, enfriándolo después rápidamente, con el fin de destruir los microorganismos sin alterar la composición y cualidades del líquido.

pastiche. (Del fr. *pastiche.*) m. Imitación o plagio que consiste en tomar determinados elementos característicos de la obra de un artista y combinarlos, de forma que den la impresión de ser una creación independiente.

pastilla. f. Porción de pasta de uno u otro tamaño y figura, y ordinariamente pequeña y cuadrangular o redonda. PASTILLA *de olor, de jabón.* ‖ **2.** En sentido estricto, porción muy pequeña de pasta compuesta de azúcar y alguna sustancia agradable al gusto. PASTILLA *de menta, de café con leche, de goma.* ‖ **3.** *Electrón.* Artefacto de pequeño tamaño que, en forma de **pastilla** generalmente cuadrangular y de poca altura, se emplea en la electrónica y otros usos. ‖ **4.** *Farm.* Pequeña porción de pasta medicinal. ‖ **gastar** uno **pastillas de boca.** fr. fig. y fam. Hablar suavemente y ofrecer mucho, cumpliendo poco.

pastillero. m. Estuche pequeño destinado a guardar pastillas.

pastinaca. (Del lat. *pastīnăca.*) f. **chirivía,** planta. ‖ **2.** Pez selacio marino del suborden de los ráyidos, de cabeza puntiaguda, cuerpo aplastado, redondo, liso y como de medio metro de diámetro, sin aletas; de color amarillento con manchas oscuras por el lomo y blanquecino por el vientre; cola delgada, larga, cónica y armada con un aguijón muy fuerte, a manera de anzuelo, con los bordes aserrados y con el cual hiere al animal para defenderse. Vive en los mares de España y su carne es comestible. ‖ **3.** desus. **zanahoria.**

pastines. m. pl. *Argent.* y *Urug.* Pasta alimenticia cortada en porciones menudas de diversas formas, tales como estrellas, dedales, semillas, letras, cabello de ángel, etc. Se emplea en sopas.

pastizal. m. Terreno de abundante pasto.

pasto. (Del lat. *pastus.*) m. Acción de pastar. ‖ **2.** Hierba que el ganado pace en el mismo terreno donde se cría. ‖ **3.** Cualquier cosa que sirve para el sustento del animal. ‖ **4.** Sitio en que pasta el ganado. Ú. m. en pl. *Galicia tiene buenos* PASTOS. ‖ **5.** fig. Materia que sirve a la actividad de los agentes que consumen las cosas; como el combustible, la hacienda del jugador o del pródigo, etc. ‖ **6.** fig. Hecho, noticia u ocasión que sirve para fomentar alguna cosa. *Dar* PASTO *a la murmuración.* ‖ **7.** *Méj.* **cesped.** ‖ **8.** *Cetr.* Porción de comida que se da de una vez a las aves. ‖ **espiritual.** Doctrina o enseñanza que se da a los fieles. ‖ **seco.** El que se da en el invierno a los ganados. Consiste en paja o frutos secos. ‖ **verde.** El que en primavera y parte del verano se da a las caballerías y al ganado o lo toman directamente del campo. ‖ **a pasto.** loc. adv. Hablando de la comida o bebida, hasta saciarse, hasta más no querer. ‖ **a todo pasto.** loc. adv. con que se da a entender que el uso de una cosa se puede hacer o se hace copiosamente y sin restricciones. ‖ **de pasto.** loc. De uso diario y frecuente. *Vino* DE PASTO.

pastoforio. (Del lat. *pastophorĭum.*) m. Habitación o celda que tenían en los templos ciertos sacerdotes de la gentilidad.

pastón. m. *Ast.* Pedazo de tierra de mala calidad que se deja para pasto.

pastor, ra. (Del lat. *pastor, -ōris.*) m. y f. Persona que guarda, guía y apacienta el ganado. Por lo común se entiende el de ovejas. ‖ **2.** m. Prelado o cualquier otro eclesiástico que tiene fieles a él encomendados y obligación de cuidar de ellos. ‖ **3.** V. **aguja, asiento, berza de pastor.** ‖ **4.** V. **palo de pastor.** ‖ **protestante.** Sacerdote de esta iglesia o secta. ‖ **el Buen Pastor.** Atributo que se da a Cristo, porque se dio a sí mismo ese dictado. *Ego sum pástor bonus.* ‖ **el pastor sumo,** o **universal.** El Sumo Pontífice, por tener el cuidado de los demás **pastores** eclesiásticos y el gobierno de todo el rebaño de Cristo, que es la Iglesia.

pastorada. f. Acción propia de pastores. ‖ **2. pastoreo.** ‖ **3.** Reunión de pastores. ‖ **4.** Provisiones que lleva el pastor.

pastoral. adj. Perteneciente al pastor de ganado. *Literatura, música* PASTORAL. ‖ **2.** Perteneciente o relativo al pastor, prelado. ‖ **3.** V. **anillo, báculo, carta, teología pastoral.** ‖ **4.** Perteneciente o relativo a la poesía en que se pinta la vida de los pastores. ‖ **5.** f. Especie de drama bucólico, cuyos interlocutores son pastores y pastoras. ‖ **6.** amb. **carta pastoral.** ‖ **7.** Composición pastoril, literaria o musical.

pastoralmente. adv. m. Como pastor, al modo o manera de los pastores.

pastorear. tr. Llevar los ganados al campo y cuidar de ellos mientras pacen. ‖ **2.** fig. Cuidar los prelados vigilantemente de sus fieles; dirigirlos y gobernarlos.

pastorela. (Del fr. *pastourelle.*) f. Tañido y canto sencillo y alegre a modo del que usan los pastores. ‖ **2.** Composición poética de los provenzales, especie de égloga o de idilio, que refiere el encuentro de un caballero y una pastora.

pastoreo. m. Acción y efecto de pastorear el ganado.

pastoría. f. Oficio de pastor. ‖ **2. pastoreo.** ‖ **3.** Conjunto de pastores.

pastoricio, cia. (Del lat. *pastorĭcĭus.*) adj. p. us. Perteneciente a los pastores.

pastoriego, ga. adj. p. us. Perteneciente o relativo al pastor.

pastoril. adj. Propio o característico de los pastores. ‖ V. **novela pastoril.**

pastorilmente. adv. m. Al modo o manera de los pastores.

pastorón, na. (aum. de *pastor,* con probable infl. de *pasta.*) adj. *Gran.* Dícese de la persona, por lo común joven, de buen natural, tranquila y parada, con algo de tímida rusticidad. *Esta muchacha es muy* PASTORONA.

pastosidad. f. Calidad de pastoso.

pastoso[1], sa. (De *pasta.*) adj. Aplícase a las cosas que al tacto son suaves y blandas a semejanza de la masa. ‖ **2.** Dícese de la voz que sin resonancias metálicas es agradable al oído. ‖ **3.** *Pint.* Pintado con buena masa y pasta de color.

pastoso[2], sa. (De *pasto.*) adj. *Amér.* Dícese del terreno que tiene buenos pastos.

pastral. (Del lat. *pastorālis.*) m. *Ar.* Especie de morcilla con sangre y carne o bofes, boheña.

pastrano, na. (De *pasto.*) adj. Dícese del burdo o mal hecho. *Letra* PASTRANA. ‖ **2.** f. Mentira fabulosa, patraña.

pastraña. (Del lat. **pastoranĕa.*) f. ant. Mentira fabulosa, patraña.

pastrija. (Del lat. **pastorilĭa.*) f. Patraña, embuste. ‖ **2.** *Nav.* y *Rioja.* Callejeo, especialmente nocturno.

pastueño. adj. *Taurom.* Dícese del toro de lidia que acude sin recelo al engaño.

pastura. (Del lat. *pastūra.*) f. Pasto o hierba de que se alimentan los animales. ‖ **2.** Porción de comida que se da de una vez a los bueyes. ‖ **3.** Sitio con pasto o hierba.

pasturaje. (De *pasturar.*) m. Lugar de pasto abierto o común. ‖ **2.** Derechos con que se contribuye para poder pastar los ganados.

pasturar. (De *pastura.*) tr. ant. Apacentar, alimentar el ganado.

pastuso, sa. adj. Natural de Pasto. Ú. t. c. s. ‖ **2.** Perteneciente o relativo a esta ciudad de Colombia.

pasudo, da. adj. *Col., Méj., Sto. Dom.* y *Venez.* Dícese del pelo ensortijado como el de los negros y de la persona que tiene este pelo. Ú. t. c. s.

pasuso, sa. adj. *C. Rica* y *Urug.* **pasudo.**

pata[1]. (De or. inc.) f. Pie y pierna de los animales. ‖ **2.** Pie de un mueble. ‖ **3.** Hembra del pato. ‖ **4.** En las prendas de vestir, cartera, golpe, portezuela. ‖ **5.** fam. Pierna de una persona. ‖ **de banco.** fig. y fam. Absurdo, despropósito. ‖ **de cabra.** Instrumento de boj o de hueso, algo parecido a la **pata** de una cabra, con que los zapateros alisan los bordes de las suelas después de desvirarlas. ‖ **2. pie de cabra.** ‖ **de gallina.** Daño que tienen algunos árboles y consiste en grietas que, partiendo del corazón del tronco, se dirigen en sentido radial a la periferia. Es principio de pudrición. ‖ **de gallo.** Planta anual de la familia de las gramíneas, con las cañas dobladas por la parte inferior, de unos seis decímetros de altura, hojas largas y flores en espigas que forman panoja, con aristas muy cortas. ‖ **2.** fig. y fam. Despropósito, dicho necio e impertinente. Ú. generalmente con el verbo *salir* y la preposición *con*. ‖ **3.** fig. Arruga con tres surcos divergentes, como los dedos de la **pata** de gallo, que con los años se forma en el ángulo externo de cada ojo. ‖ **de león. pie de león.** ‖ **de palo.** Pieza de madera, convenientemente adaptada, con que se suple la falta de la pierna de una persona. ‖ **de pobre.** fig. y fam. Pierna hinchada y con llagas y parches. ‖ **galana.** fig. y fam. **pata** coja. ‖ **2.** fig. y fam. Persona coja o que tiene una pierna encogida. ‖ **patas de perdiz.** fig. y fam. Persona que lleva medias coloradas. ‖ **a cuatro patas.** loc. adv. fam. **a gatas.** ‖ **a la pata coja.** Juego con el que los muchachos se divierten, llevando un pie en el aire y saltando con el otro. ‖ **a la pata la llana, o a la pata llana,** o **a la pata llana.** loc. adv. Llanamente, sin afectación. ‖ **ancorar a pata de ganso.** fr. *Mar.* Echar tres áncoras al navío en forma de triángulo, una a estribor, otra a babor y otra hacia la parte de donde viene el viento. ‖ **a pata.** loc. adv. fam. **a pie.** ‖ **bailar en una pata.** fr. fam. *Can.* y *Amér.* Estar muy contento. ‖ **dormir a pata ancha.** fr. fig. y fam. *Argent.* **dormir a pierna suelta.** ‖ **echar la pata.** fr. fig. y fam. Aventajarse. ‖ **echar uno las patas por alto.** fr. fig. y fam. **despotricar.** ‖ **enseñar** uno la, o su, **pata.** fr. fig. y fam. **enseñar la reja.** ‖ **estirar la pata.** fr. fig. y fam. Morir. ‖ **hacer la pata.** fr. fig. y fam. *Chile* y *Perú.* Adular, lisonjear. ‖ **hacer pata ancha,** o **la pata ancha.** fr. fig. y fam. *Argent.* Hacer frente a un peligro o dificultad, jugarse el pellejo. ‖ **mala pata.** expr. fam. Mala suerte. ‖ **meter uno la pata.** fr. fig. y fam. Intervenir en alguna cosa con dichos o hechos inoportunos. ‖ **otra pata que le nace al cojo.** fr. fig. y fam. *Col.* Se usa para indicar que a las dificultades existentes se añaden otras nuevas. ‖ **patas arriba.** loc. adv. fig. y fam. Al revés, o vuelto lo de abajo hacia arriba. ‖ **2.** fig. y fam. con que se da a entender el desconcierto o trastorno de una cosa. ‖ **poner de patas en la calle** a uno. fr. fig. y fam. **ponerle de patitas en la calle.** ‖ **sacar** uno la, o su, **pata.** fr. fig. y fam. **enseñar la,** o su, **pata.** ‖ **salir con una pata de gallo.** fr. fig. y fam. **salir por petenenras.** ‖ **tener** uno **mala pata.** fr. y fam. Tener poca o mala suerte. ‖ **ver las patas a la gallina.** fr. fam. *Argent.* Descubrir un peligro, darse cuenta de él. *Tomó en serio su enfermedad cuando* VIO LAS PATAS A LA SOTA.

pata². (Del it. *patta*, empate.) f. Empate en los juegos. Se usa sobre todo con los verbos *quedar, ser* y *salir*. ‖ **pata es la traviesa.** expr. que se dice cuando uno ha engañado a otro en una cosa y él ha sido engañado en otra.

patabán. m. *Cuba.* Árbol de la familia de las combretáceas, que se cría en las ciénagas y da una madera dura y de color oscuro, que se emplea para postes y otros usos. Es una variedad del mangle.

pataca¹. (De or. inc.) f. ant. Antigua moneda de plata de una onza. ‖ **2. parpalla.**

pataca². (De *patata*.) f. **aguaturma.** ‖ **2.** Tubérculo de la raíz de esta planta, que es de color rojizo o amarillento, fusiforme, de seis a siete centímetros de longitud y cuatro o cinco de diámetro por la parte más gruesa, carne acuosa algo azucarada y buen comestible para el ganado.

pataco, ca. (De *pata¹*.) adj. p. us. Patán, aldeano. Ú. t. c. s.

patacón. (De *pataca¹*.) m. Moneda de plata, de peso de

una onza, y cortada con tijeras. ‖ **2.** fam. Antigua moneda de plata de una onza. ‖ **3.** Moneda de cobre de valor de dos cuartos; luego se llamó así en algunas partes, la de diez céntimos. ‖ **4.** *Col.* y *Venez.* Rebanada de plátano verde cortada de través, despachurrada y frita.

patache. (De or. inc.) m. Embarcación que antiguamente era de guerra, y se destinaba en las escuadras para llevar avisos, reconocer las costas y guardar las entradas de los puertos. Hoy solo se usa esta embarcación en la marina mercante.

patada¹. (De *pata¹*.) f. Golpe dado con el pie o con lo llano de la pata del animal. ‖ **2.** fam. Paso, visita o gestión para un fin. *Me ha costado esto muchas* PATADAS. ‖ **3.** fig. y fam. Estampa, pista, huella. ‖ **a patadas.** loc. adv. fig. y fam. Con excesiva abundancia y por todas partes.

patada². adj. *Blas.* V. **cruz patada.**

patadión. m. Tira muy ancha de tela de diferentes colores, que las mujeres de algunas islas filipinas usan en vez de falda, ciñéndola y sujetándola a la cintura.

patagón, na. adj. Natural de Patagonia. Ú. t. c. s. ‖ **2.** Perteneciente a esta región de América Meridional.

patagónico, ca. adj. Perteneciente a Patagonia o a los patagones.

patagorrilla. f. **patagorrillo.**

patagorrillo. (Del cruce de *pata* con **batigorrillo*, batiburrillo.) m. Guisado que se hace de la asadura picada del puerco u otro animal.

patagua. (De or. mapuche.) f. Árbol de Chile, correspondiente a la familia de las tiliáceas, con tronco recto y liso de seis a ocho metros de altura, copa frondosa, hojas alternas, partidas en tres lóbulos agudos, flores blancas axilares, fruto esférico capsular, y madera blanca, ligera y útil para carpintería.

pataje. m. **patache,** embarcación.

patajú. m. *Amér.* Planta de tallo herbáceo, con largas y anchas hojas que recogen y filtran en el tronco el agua de la lluvia, la cual, mediante un pinchazo, puede beber el viajero.

patalear. intr. Mover las piernas o patas violentamente y con ligereza, o para herir con ellas, o en fuerza de un accidente o dolor. ‖ **2.** Dar patadas en el suelo violentamente y con prisa por enfado o pesar.

pataleo. m. Acción de patalear. ‖ **2.** Ruido hecho con las patas o los pies. ‖ **3.** fig. y fam. V. **derecho al pataleo** y **derecho de pataleo.**

pataleta. f. fam. Convulsión, especialmente cuando se cree que es fingida. ‖ **2.** fig. y fam. Disgusto, enfado.

pataletilla. f. Baile antiguo en que se levantaban los pies alternativamente en cadencia al compás de la música, moviéndolos en el aire.

patán. (De *pata².*) m. fam. Aldeano o rústico. ‖ **2.** fig. y fam. Hombre zafio y tosco. Ú. t. c. adj.

patanco. m. *Cuba.* Planta silvestre, cactácea de color verde claro, flores blancas y fruto pardo.

patanería. f. fam. Grosería, rustiquez, simpleza, ignorancia.

patao. m. *Cuba.* Pez, como de unos 30 centímetros de largo, de color plateado, lomo abultado a modo de corcova, hocico cónico, boca grande y cola muy ahorquillada. Es comestible.

pataplum. interj. **cataplum.**

patarata. (De or. inc.) f. Cosa ridícula y despreciable. ‖ **2.** Expresión, demostración afectada y ridícula de un sentimiento o cuidado, o exceso en cortesías y cumplimientos.

pataratero, ra. adj. Que usa pataratas en el trato o conversación. Ú. t. c. s.

patarra. f. *And.* Falta de gracia y viveza, sosería, pesadez.

patarráez. (Del it. *paterasso*.) m. *Mar.* Cabo grueso que se emplea para reforzar la obencadura.

patarroso, sa. adj. *And.* Que tiene patarra. Ú. t. c. s.

patas. m. fam. Pateta, el diablo.

patasca. (Del quechua *phatasqa*, maíz reventado.) f. *Argent.* Guiso de cerdo cocido con maíz. ‖ **2.** *Pan.* Disputa, pendencia.

patata. (De la confusión de las voces americanas *papa* y *batata*.) f. Planta herbácea anual, de la familia de las solanáceas, originaria de América y cultivada hoy en casi todo el mundo, con tallos ramosos de cuatro a seis decímetros de altura, hojas desigual y profundamente partidas, flores blancas o moradas en corimbos terminales, fruto en baya carnosa, amarillenta, con muchas semillas blanquecinas, y raíces fibrosas que en sus extremos llevan gruesos tubérculos redondeados, carnosos, muy feculentos, pardos por fuera, amarillentos o rojizos por dentro y que son uno de los alimentos más útiles para el hombre. ‖ **2.** Cada uno de los tubérculos de esta planta. ‖ **3. batata,** tubérculo. ‖ **de caña. pataca**[2].

patatal. m. Terreno plantado de patatas.

patatar. m. Terreno plantado de patatas.

patatero, ra. adj. Perteneciente o relativo a la patata. ‖ **2.** Que se dedica al comercio de patatas. Ú. t. c. s. ‖ **3.** Dícese de la persona que con frecuencia se alimenta o se supone que se alimenta con patatas. ‖ **4.** fig. y fam. p. us. **chusquero.**

patatín que si patatán (que si), o que patatín que patatán. fr. fam. Argucias, disculpas del que no quiere entrar en razones. ‖ **2.** Conversaciones, argumentos, etc., opuestos y de los que no resulta nada. ‖ **3.** expr. fam. **¡dale que dale!** ‖ **4.** loc. que expresa la acción de hablar ininterrumpidamente de cosas vanas u ociosas.

patatús. (De *pata*[1].) m. fam. Desmayo, lipotimia.

patavino, na. (Del lat. *Patavīnus*; de *Patavĭum*, Padua.) adj. Natural de Padua. Ú. t. c. s. ‖ **2.** Perteneciente o relativo a esta ciudad de Italia.

patax. m. desus. **patache,** embarcación.

patay. m. *Amér. Merid.* Pasta seca hecha del fruto del algarrobo.

pate. m. *Hond.* Árbol corpulento, de corteza amarga y cáustica que se usa como medicamento.

paté[1]**.** (Del fr. *patté*.) adj. *Blas.* **cruz paté.**

paté[2]**.** (Del fr. *pâté*.) m. Pasta comestible hecha de carne o hígado picado, generalmente de cerdo o aves.

pateadura. f. Acción y efecto de patear. ‖ **2.** fig. y fam. Represión o refutación violenta y abrumadora.

pateamiento. m. p. us. Acción y efecto de patear.

patear. (De *pata*[1].) tr. fam. Dar golpes con los pies. ‖ **2.** Mostrar al público su desaprobación de un discurso, pieza teatral u otro espectáculo golpeando con los pies en el suelo. ‖ **3.** fig. y fam. Tratar desconsiderada y rudamente a uno, al reprenderle, al reprobar sus obras o al discutir con él. ‖ **4.** intr. fam. Dar patadas en señal de enojo, dolor o desagrado. ‖ **5.** fig. y fam. Andar mucho, haciendo diligencias para conseguir una cosa. ‖ **6.** fig. y fam. Estar sumamente encolerizado o enfadado.

patena. (Del lat. *patēna*.) f. Platillo de oro o plata o de otro metal, dorado, en el cual se pone la hostia en la misa, desde el acabado el paternóster hasta el momento de consumir. ‖ **2.** Lámina o medalla grande con una imagen esculpida, que se pone al pecho, y la usan para adorno las labradoras. ‖ **limpio como una patena, o más limpio que una patena.** locs. figs. Muy limpio.

patencia. f. Cualidad o condición de patente o manifiesto.

patentar. tr. Conceder y expedir patentes. ‖ **2.** Obtenerlas, tratándose de la propiedad industrial.

patente. (Del lat. *patens*, *-entis*, p. a. de *patēre*, estar descubierto, manifiesto.) adj. Manifiesto, visible. ‖ **2.** fig. Claro, perceptible. ‖ **3.** V. **letras patentes.** ‖ **4.** f. Título o despacho real para el goce de un empleo o privilegio. ‖ **5.** Cédula que dan algunas cofradías o sociedades a sus individuos para que conste que lo son, y para el goce de los privilegios o ventajas de ellas. ‖ **6.** Cédula o despacho que dan superiores a los religiosos cuando los mudan de un convento a otro o les dan licencia para ir a alguna parte. ‖ **7.** Comida o refresco que, por costumbre, hacen pagar los más antiguos al que entra de nuevo en un empleo u ocupación. ‖ **8.** Convite a los mozos del pueblo del forastero que corteja a una moza. ‖ **9.** Documento expedido por la hacienda pública, que acredita haber satisfecho determinada persona la cantidad que la ley exige para el ejercicio de algunas profesiones o industrias. ‖ **10.** Por ext., cualquier testimonio que acredita una cualidad o mérito. ‖ **11. patente de contramarca. carta de contramarca.** ‖ **de corso.** Cédula o despacho con que el gobierno de un Estado autoriza a un sujeto para hacer el corso contra los enemigos de la nación. ‖ **2.** fig. Autorización que se tiene o se supone para realizar actos prohibidos a los demás. ‖ **de invención.** Documento en que oficialmente se otorga un privilegio de invención y propiedad industrial de lo que el documento acredita. ‖ **de navegación.** Despacho expedido a favor de un buque para autorizar su bandera y su navegación y acreditar su nacionalidad. ‖ **de sanidad.** Certificación que llevan las embarcaciones que van de un puerto a otro, de haber o no haber peste o contagio en el lugar de su salida. En el primer caso se llama **patente sucia,** y en el segundo, **patente limpia** o **en blanco. cédula en blanco.**

patentemente. adv. m. Visiblemente, claramente, llanamente.

patentizar. tr. Hacer patente o manifiesta una cosa.

pateo. m. fam. Acción de patear, en señal de enojo, de desagrado.

páter. (Del lat. *pater*.) m. Sacerdote.

patera. f. Enfermedad de la pezuña de los ovinos que obliga a recortársela y se atribuye a excesiva humedad de la dehesa en que pastan.

pátera. (Del lat. *patĕra*.) f. Plato o cuenco de poco fondo de que se usaba en los sacrificios antiguos.

paternal. (De *paterno*.) adj. Propio del afecto, cariño o solicitud de padre.

paternalismo. m. Tendencia a aplicar las formas de autoridad y protección propias del padre en la familia tradicional a relaciones sociales de otro tipo; políticas, laborales, etc. Ú. frecuentemente con carácter peyorativo.

paternalista. adj. Dícese de quien adopta el paternalismo como forma de conducta. Ú. t. c. s. ‖ **2.** Dícese de todo cuanto responde o parece responder a dicha actitud.

paternalmente. adv. De modo propio y digno de un padre.

paternidad. (Del lat. *paternĭtas*, *-ātis*.) f. Calidad de padre. ‖ **2.** Tratamiento que en algunas órdenes dan los religiosos inferiores a los padres condecorados de su orden, y que los seculares dan por reverencia a todos los religiosos en general, considerándolos como padres espirituales.

paterno, na. (Del lat. *paternus*.) adj. Perteneciente al padre, o propio suyo, o derivado de él. ‖ **2.** V. **casa paterna.**

paternóster. (Del lat. *Pater noster*, Padre nuestro, palabras con que principia la oración dominical.) m. Oración del padrenuestro. ‖ **2.** Padrenuestro que se dice en la misa, y es una de las partes de ella. ‖ **3.** Cada uno de los aditamentos de alambre que su adaptan al chambel para aumentarle su capacidad de pesca. ‖ **4.** El chambel y su preparado con estos artilugios. ‖ **5.** fig. y fam. Nudo gordo y muy apretado.

patero, ra. adj. *Chile* y *Perú.* Adulador, lisonjero. Ú. t. c. s. ‖ **2.** m. Cazador de patos salvajes.

pateta. (De *pata*[1].) m. fam. Patillas o el diablo. Ú. en frases como estas: *Ya se lo llevó* PATETA; *no lo hiciera* PATETA. ‖ **2.** fam. Persona que tiene un vicio en la conformación de los pies o de las piernas.

patéticamente. adv. m. De modo patético.

patético, ca. (Del lat. *patheticus*, y este del gr. παθητικός, que impresiona, sensible.) adj. Dícese de lo que es capaz de mover y agitar el ánimo infundiéndole afectos vehementes, y con particularidad dolor, tristeza o melancolía.

patetismo. m. Cualidad de patético.

patí. (De or. guaraní.) m. *Argent.* Pez de río, sin escamas, de color gris azulado con manchas verdosas y carne amarilla. Alcanza los 7 kilogramos de peso, y es apreciado por su sabor.

-patía. (Del gr. πάθεια, de la raíz παθ-, sufrir, experimentar, a través del lat. *-pathia*.) elem. compos. que significa «sentimiento, afección o dolencia»: *homeo*PATÍA, *tele*PATÍA.

patiabierto, ta. (De *pata*[1] y *abierto*.) adj. fam. Que tiene las piernas torcidas e irregulares, y separadas una de otra.

patialbillo. (De *pata*[1] y *albillo*.) m. Especie de gato de algalia, jineta.

patialbo, ba. (De *pata*[1] y *albo*.) adj. Dícese del animal que tiene blancas las patas.

patiblanco, ca. adj. Dícese del animal que tiene blancas las patas. ‖ **2.** V. **perdiz patiblanca.**

patibulario, ria. adj. Perteneciente o relativo al patíbulo. ‖ **2.** Que por su repugnante aspecto o aviesa condición produce horror y espanto, como en general los condenados al patíbulo. *Cara* PATIBULARIA, *drama* PATIBULARIO.

patíbulo. (Del lat. *patibulum*.) m. Tablado o lugar en que se ejecuta la pena de muerte.

paticojo, ja. (De *pata*[1] y *cojo*.) adj. fam. **cojo.** Ú. t. c. s.

patidifuso, sa. (De *pata*[1] y *difuso*.) adj. fig. y fam. Que se queda parado de asombro.

patiecillo. m. d. de **patio.**

patiestevado, da. (De *pata*[1] y *estevado*.) adj. De piernas arqueadas. Ú. t. c. s.

patihendido, da. (De *pata*[1] y *hendido*.) adj. Aplícase al animal que tiene los pies hendidos o divididos en partes.

patilla. (d. de *pata*[1].) f. Parte que se añade a una cosa, con el fin de que pueda sujetarse a otra y, así cumplir mejor su cometido. *Hace cuatro días que no me puedo poner las gafas, porque se me rompió una* PATILLA. ‖ **2.** Porción de barba que se deja crecer en cada uno de los carrillos. ‖ **3.** Cierta postura de la mano izquierda en los trastes de la vihuela. ‖ **4.** En algunas llaves de las armas de fuego, pieza que descansa sobre el punto para disparar. ‖ **5.** Gozne de las hebillas. ‖ **6.** Pata, cartera, golpe o portezuela de las prendas de vestir. ‖ **7.** *Arq.* Hierro plano y estrecho, terminado en punta por uno de sus extremos y ensanchado en el otro, para sujetar, por medio de clavos, algún madero o hierro. ‖ **8.** *Carp.* Parte saliente de un madero para encajar en otro. ‖ **9.** *Mar.* Aguja de marear, brújula. ‖ **10.** *Col., P. Rico, Sto. Dom.* y *Venez.* Sandía. ‖ **11.** pl. usado c. m. sing. El diablo. *Válgate* PATILLAS. ‖ **levantar** a uno **de patilla.** fr. fig. y fam. Exasperarle, hacer que pierda la paciencia. ‖ **patilla y cruzado, y vuelta a empezar.** expr. fig. y fam. con que se reprende la repetición de actos inútiles.

patilludo, da. adj. Que tiene exageradas patillas.

patimuleño, ña. adj. Que tiene el casco a modo de mula. Dícese principalmente del caballo.

patín[1]. m. d. de **patio.**

patín[2]. (De *pato*.) m. **petrel,** ave.

patín[3]. (Del fr. *patin*.) m. Aparato de patinar que consiste en una plancha que se adapta a la suela del calzado y lleva una especie de cuchilla o dos pares de ruedas, según sirva para ir sobre el hielo o sobre un pavimento duro, liso y muy llano. En el segundo caso se llama **patín de ruedas.** ‖ **2. patinete.**

pátina. (Del lat. *patina*, plato, por el barniz de que están revestidos los platos antiguos.) f. Especie de barniz duro, de color aceitunado y reluciente, que por la acción de la humedad se forma en los objetos antiguos de bronce. ‖ **2.** Tono sentado y suave que da el tiempo a las pinturas al óleo. Se aplica también a otros objetos antiguos. ‖ **3.** Este mismo tono obtenido artificialmente.

patinadero. m. Lugar donde se patina sobre hielo artificial o sobre un pavimento duro y muy liso.

patinador, ra. adj. Que patina. Ú. t. c. s.

patinaje. m. Acción de patinar[1]. ‖ **2.** Práctica de este ejercicio como deporte.

patinar[1]. (De *patín*[3].) intr. Deslizarse o ir resbalando con patines sobre el hielo o sobre un pavimento duro, llano y muy liso. ‖ **2.** Deslizarse o resbalar las ruedas de un carruaje de cualquier especie, sin rodar, o dar vueltas y sin avanzar, por falta de adherencia con el suelo o por defecto en el libre movimiento de las ruedas sobre los ejes. ‖ **3.** Escurrirse o deslizarse en el suelo o en una superficie muy lisa y resbaladiza. ‖ **4.** fig. y fam. Perder la buena dirección o la eficacia en lo que se está haciendo o diciendo, errar, equivocarse.

patinar[2]. tr. Dar pátina a un objeto.

patinazo. m. Acción y efecto de patinar bruscamente una o más ruedas de un coche. ‖ **2.** fig. y fam. Desliz notable en que uno incurre una persona.

patinejo. m. d. de **patín**[1].

patinete. m. Juguete que consiste en una plancha sobre ruedas y provista de un manillar para conducirlo, sobre el que se deslizan los niños poniendo un pie sobre él e impulsándose con el otro contra el suelo.

patinillo[1]. m. d. de **patín**[1].

patinillo[2]. m. d. de **patio.**

patio. m. Espacio cerrado con paredes o galerías, que en las casas y otros edificios se suele dejar al descubierto. ‖ **2. patio de butacas.** ‖ **3.** Espacio que media entre las líneas de árboles y el término o margen de un campo. ‖ **4.** V. **ojo de patio.** ‖ **de butacas.** En los teatros, planta baja que ocupan las butacas o lunetas y que en los antiguos corrales de comedias carecía de asientos casi toda ella. ‖ **pasarse al patio.** fr. fig. y fam. *Argent.* y *Urug.* Tomarse demasiada confianza.

patiquebrar. (De *pata*[1] y *quebrar*.) tr. Romper una o más patas a un animal. Ú. t. c. prnl.

patita. f. d. de **pata**[1]. ‖ **poner** a uno **de patitas en la calle.** fr. fig. y fam. Despedirle, echarle fuera de un lugar.

patitieso, sa. (De *pata*[1] y *tieso*.) adj. fam. Dícese del que, por un accidente repentino, o por frío, se queda sin sentido ni movimiento en las piernas o pies. ‖ **2.** fig. y fam. Que se queda sorprendido por la novedad o extrañeza que le causa una cosa. ‖ **3.** fig. y fam. Que por presunción o afectación anda muy erguido y tieso.

patituerto, ta. (De *pata*[1] y *tuerto*.) adj. Que tiene torcidas las piernas o patas. ‖ **2.** fig. y fam. Dícese de lo que se desvía de la línea que debe seguir, por estar mal hecho o torcido.

patizambo, ba. (De *pata*[1] y *zambo*.) adj. Que tiene las piernas torcidas hacia afuera y junta mucho las rodillas. Ú. t. c. s.

patizuelo. m. d. de **patio** de una casa.

pato[1]. (De la onomat. *pat*.) m. Ave palmípeda, con el pico más ancho en la punta que en la base y en esta más ancho que alto; su cuello es corto, y también los tarsos, por lo que anda con dificultad. Tiene una mancha de color verde metálico en cada ala; la cabeza del macho es también verde, y el resto del plumaje blanco y ceniciento; la hembra es de color rojizo. Se encuentra en abundancia en estado salvaje y se domestica con facilidad; su carne es menos estimada que la de la gallina. ‖ **2.** V. **cola de pato.** ‖ **3.** fig. y fam. Persona sosa, sin gracia, patosa. Ú. t. c. adj. ‖ **4.** *Cuba.* Botella de forma especial que se usa para recoger la orina del varón encamado. ‖ **5.** fig. *Cuba, P. Rico* y *Venez.* Hombre afeminado. ‖ **6.** *Argent.* Juego de fuerza y habilidad entre jinetes, que consistía en disputarse la posesión de un **pato** metido en una bolsa y con el pescuezo fuera. ‖ **7.** *Argent.* Competencia deportiva en la que dos equipos, de cuatro jugadores cada uno, intentan introducir en el aro una pelota de seis asas llamada **pato.** ‖ **cuchara. cuchareta,** ave zancuda. ‖ **de flojel.** Especie de gran tamaño, muy apreciada por su excelente plumón, del que se despoja la hembra para tapizar el nido, y con el cual se fabrican colchas ligerísimas y de mucho abrigo. ‖ **negro.** Ave palmípeda, especie de **pato** con el pico ancho y robusto, plumaje negro o pardo en general, pero blancas algunas plumas de las alas y dos manchas simétricas en la cabeza; tarsos y dedos rojos, y verdoso el pico. Tiene unos cinco decímetros desde la cabeza hasta la punta de la cola y muy cerca de un metro de envergadura. ‖ **real. azulón.** ‖ **estar uno hecho un pato,** o **un pato de agua.** fr. fig. y fam. Estar muy mojado o sudado. ‖ **salga pato o gallareta.** expr. fig. y fam. **salga lo que saliere.**

pato² (**pagar uno el**). (Parece que del vulg. *pato,* por *pacto.*) fr. fig. y fam. Padecer o llevar pena o castigo no merecido, o que ha merecido otro.

pato-. (Del gr. παθο-.) elem. compos. que significa «dolencia o afección»: PATO*geno,* PATO*grafía.*

patochada. (De *pata¹.*) f. Disparate, despropósito, dicho necio o grosero.

patogenia. (Del gr. πάθος, dolencia, y γεννάω, engendrar.) f. Parte de la patología, que estudia cómo se engendran estados morbosos.

patogénico, ca. adj. Perteneciente o relativo a la patogenia.

patógeno, na. (Del gr. πάθος, dolencia, y *-geno.*) Dícese de los elementos y medios que originan y desarrollan las enfermedades. *Gérmenes* PATÓGENOS.

patognomónico, ca. (Del gr. πάθος, enfermedad, y γνωμονικός, que indica.) adj. *Pat.* Dícese del síntoma que caracteriza y define una determinada enfermedad.

patografía. (Del gr. πάθος, dolencia, y *-grafía.*) *Med.* Descripción de las enfermedades.

patojera. f. Deformidad que tienen los patojos.

patojo, ja. (De *pato.*) adj. Que tiene las piernas o pies torcidos o desproporcionados, e imita al pato en andar meneando el cuerpo de un lado a otro. ‖ **2.** m. y f. *Guat.* Niño, muchacho.

patología. (Del gr. πάθος, afección, dolencia, y *-logía.*) f. Parte de la medicina que estudia las enfermedades.

patológico, ca. (Del gr. παθολογικός.) adj. Perteneciente o relativo a la patología. ‖ **2.** Que se convierte en enfermedad. ‖ **3.** V. **anatomía patológica.**

patólogo, ga. m. y f. Especialista en patología.

patón, na. adj. fam. Que tiene grandes patas.

patoso, sa. adj. Se dice de la persona que, sin serlo, presume de chistosa y aguda. ‖ **2.** Dícese de la persona inhábil o desmañada.

patota. f. *Argent., Par., Perú* y *Urug.* Grupo, normalmente integrado por jóvenes, que suele darse a provocaciones, desmanes y abusos en lugares públicos.

patotero, ra. (De *patota.*) adj. *Argent., Par., Perú* y *Urug.* Que manifiesta o posee los caracteres propios de una patota. ‖ **2.** m. *Argent., Par., Perú* y *Urug.* Integrante de una patota.

patraña. (De *pastraña.*) f. Mentira o noticia fabulosa, de pura invención.

patrañero, ra. adj. Que suele contar o inventar patrañas. Ú. t. c. s.

patrañuela. f. d. de **patraña.**

patria. (Del lat. *patrĭa.*) f. Tierra natal o adoptiva ordenada como nación, a la que se siente ligado el ser humano por vínculos jurídicos, históricos y afectivos. ‖ **2.** Lugar, ciudad o país en que se ha nacido. ‖ **3.** V. **padre de la,** o de **su, patria.** ‖ **celestial.** Cielo o gloria. ‖ **común.** *Der.* Llamábase así a Madrid, cuando se permitía practicar en la capital diligencias que no se podían hacer en el lugar de naturaleza o vecindad del interesado. ‖ **chica.** Lugar, pueblo, ciudad o región en que se ha nacido. ‖ **merecer** uno **bien de la patria.** fr. Hacerse acreedor a su gratitud por relevantes hechos o beneficios.

patriada. f. *R. de la Plata* y *Urug.* Campaña de un grupo social o político que se hace invocando la necesidad de salvar a la patria. ‖ **2.** Cualquier acción en que se arriesga algo, hecha en bien de los demás.

patriar. (De *patria.*) tr. *Argent.* **reyunar,** cortar a un caballo la mitad de su oreja derecha para señalarlo como propiedad del Estado.

patriarca. (Del gr. πατριάρχης, a través del lat. *patriarcha.*) m. Nombre que se da a algunos personajes del Antiguo Testamento, por haber sido cabezas de dilatadas y numerosas familias. ‖ **2.** Título de dignidad concedido a los obispos de algunas iglesias principales, como las de Alejandría, Jerusalén y Constantinopla. ‖ **3.** Título de dignidad concedido por el Papa a algunos prelados sin ejercicio ni jurisdicción. PATRIARCA *de las Indias.* ‖ **4.** Nombre que se da a algunos de los fundadores de algunas órdenes religiosas. ‖ **5.** fig. Persona que por su edad y sabiduría ejerce autoridad en una familia o en una colectividad. ‖ **como un patriarca.** expr. fig. que se usa para ponderar las comodidades o descanso de una persona. *Tiene una vida* COMO UN PATRIARCA.

patriarcadgo. (De *patriarca.*) m. ant. **patriarcado.**

patriarcado. m. Dignidad de patriarca. ‖ **2.** Territorio de la jurisdicción de un patriarca. ‖ **3.** Tiempo que dura la dignidad de un patriarca. ‖ **4.** Gobierno o autoridad del patriarca. ‖ **5.** *Sociol.* Organización social primitiva en que la autoridad es ejercida por un varón jefe de cada familia, extendiéndose desde la punta de la casa a los parientes aun lejanos de mismo linaje. ‖ **6.** *Sociol.* Período de tiempo en que predomina este sistema.

patriarcal. adj. Perteneciente o relativo al patriarca y a su autoridad y gobierno. ‖ **2.** V. **cruz, iglesia patriarcal.** ‖ **3.** fig. Dícese de la autoridad y gobierno ejercidos con sencillez y benevolencia. ‖ **4.** f. Iglesia del patriarca. ‖ **5.** Territorio del patriarca.

patriarcazgo. (De *patriarcadgo.*) m. ant. **patriarcado.**

patriciado. (Del b. lat. *patricĭātus.*) m. Dignidad o condición de patricio. Desde Constantino, esta dignidad se consideró propia de cónsules, generales o reyes. ‖ **2.** Conjunto o clase de los patricios.

patriciano¹, na. (Del lat. *Patricĭānus.*) adj. Dícese de ciertos herejes del siglo XI seguidores de Patricio, que aborrecían el cuerpo, porque creían que era obra del demonio, lo cual, a veces, les llevaba al suicidio. Ú. t. c. s. ‖ **2.** Perteneciente a su secta.

patriciano². na. adj. ant. **patricio.** Apl. a pers., usáb. t. c. s.

patricida. (Construcción etimológica sobre *parricida.*) com. ant. **parricida.**

patricidio. (Construcción etimológica sobre *parricidio.*) m. ant. **parricidio.**

patricio, cia. (Del lat. *patricĭus.*) adj. Descendiente de los primeros senadores romanos establecidos por Rómulo. Todos ellos formaban la clase social privilegiada, que se oponía a los plebeyos. Ú. t. c. s. ‖ **2.** Dícese del que obtenía la dignidad del patriciado. Ú. m. c. s. ‖ **3.** Perteneciente o relativo a los **patricios.** ‖ **4.** m. Individuo que por su nacimiento, riqueza o virtudes descuella entre sus conciudadanos.

patriedad. (De *patria*.) f. ant. **patrimonialidad.**

patrimonial. (Del lat. *patrimoniális*.) adj. Perteneciente o relativo al patrimonio. ‖ **2.** Perteneciente a uno por razón de su patria, padre o antepasados. ‖ **3.** *Ling.* Dícese de las palabras de un idioma que, en su evolución, han seguido las leyes fonéticas correspondientes a esa lengua.

patrimonialidad. f. Derecho del natural de un país a obtener los beneficios eclesiásticos reservados a los oriundos de él.

patrimonialista. adj. Que propicia la conservación del patrimonio familiar o de una sociedad. Ú. t. c. s.

patrimonio. (Del lat. *patrimonĭum*.) m. Hacienda que una persona ha heredado de sus ascendientes. ‖ **2.** fig. Bienes propios adquiridos por cualquier título. ‖ **3.** Bienes propios, antes espiritualizados y hoy capitalizados y adscritos a un ordenando, como título para su ordenación. ‖ **4.** **patrimonialidad.** ‖ **5.** *Der.* Conjunto de bienes pertenecientes a una persona natural o jurídica, o afectos a un fin, susceptibles de estimación económica. ‖ **6.** *Econ.* Diferencia entre los valores económicos pertenecientes a una persona física o jurídica y las deudas u obligaciones de que responde. ‖ **nacional.** *Econ.* Suma de los valores asignados, para un momento de tiempo, a los recursos disponibles de un país, que se utilizan para la vida económica. ‖ **real.** Bienes pertenecientes a la corona o dignidad real. ‖ **constituir patrimonio.** fr. Sujetar u obligar una porción determinada de bienes para congrua sustentación del ordenando, con aprobación del ordinario eclesiástico.

patrio, tria. (Del lat. *patrĭus*.) adj. Perteneciente o relativo a la patria. ‖ **2.** Perteneciente al padre o que proviene de él. ‖ **3.** V. **patria potestad.**

patriota. (Del gr. πατριώτης, compatriota.) com. Persona que tiene amor a su patria y procura todo su bien. ‖ **2.** p. us. Persona de la misma patria que otra, compatriota.

patriotería. f. fam. Alarde propio del patriotero.

patriotero, ra. adj. fam. Que alardea excesiva e inoportunamente de patriotismo. Ú. t. c. s.

patriótico, ca. adj. Perteneciente o relativo al patriota o a la patria. *Sus intenciones son benéficas* y PATRIÓTICAS.

patriotismo. m. Amor a la patria. ‖ **2.** Sentimiento y conducta propios del patriota.

patrística. (Del lat. *patres*, padres.) f. Ciencia que tiene por objeto el conocimiento de la doctrina, obras y vidas de los Santos Padres.

patrístico, ca. adj. Perteneciente o relativo a la patrística.

patrocinador, ra. adj. Que patrocina. Ú. t. c. s.

patrocinar. tr. Defender, proteger, amparar, favorecer. ‖ **2.** Sufragar una empresa, con fines publicitarios, los gastos de un programa de radio o televisión, de una competición deportiva o de un concurso.

patrocinio. (Del lat. *patrocinĭum*.) m. Amparo, protección, auxilio. ‖ **de Nuestra Señora.** Título de una fiesta de la Virgen María, que se celebra en una de las dominicas de noviembre. ‖ **de San José.** Título que se da a una fiesta del patriarca San José, celebrada en la tercera dominica de la Pascua de Resurrección.

patrología. (Del gr. πατήρ, πατρός, padre, y -*logía*.) f. **patrística.** ‖ **2.** Tratado sobre los Santos Padres. ‖ **3.** Colección de sus escritos.

patrón, na. (Del lat. *patrōnus*.) m. y f. Defensor, protector. ‖ **2.** Que tiene cargo de patronato. ‖ **3.** Santo titular de una iglesia. ‖ **4.** Protector escogido por un pueblo o congregación, ya sea un santo, ya la Virgen o Jesucristo en alguna de sus advocaciones. ‖ **5.** Dueño de la casa donde

uno se aloja u hospeda. ‖ **6.** Amo, señor. ‖ **7. patrono,** persona que emplea obreros en trabajos y oficios. ‖ **8.** m. El que manda y dirige un pequeño buque mercante. ‖ **9.** V. **baratería de patrón.** ‖ **10.** Modelo que sirve de muestra para sacar otra cosa igual. ‖ **11.** Metal que se toma como tipo para la evaluación de la moneda en un sistema monetario. ‖ **12.** Planta en que se hace un injerto. ‖ **de bote,** o **lancha.** *Mar.* Hombre de mar encargado del gobierno de una embarcación menor. ‖ **oro.** Sistema monetario basado en la equivalencia establecida por ley, a tipo fijo, entre una moneda y una cantidad de oro de determinada calidad. ‖ **cortado por el mismo patrón.** loc. Dícese de una persona o cosa en la que se advierte gran semejanza con otra.

patrona. f. Galera inmediatamente inferior en dignidad a la capitana de una escuadra.

patronado, da. adj. Aplícase a las iglesias y beneficios que tienen patrono. ‖ **2.** m. *Ar.* **patronato.**

patronal. adj. Perteneciente al patrono o al patronato. ‖ **2.** f. Colectividad de los patronos.

patronato. (Del lat. *patronātus*.) m. Derecho, poder o facultad que tienen el patrono o patronos. ‖ **2.** Corporación que forman los patronos. ‖ **3.** Fundación de una obra pía. ‖ **4.** Cargo de cumplir algunas obras pías, que tiene las personas designadas por el fundador. ‖ **5.** Consejo formado por varias personas, que ejercen funciones rectoras, asesoras o de vigilancia en una fundación, en un instituto benéfico o docente, etc., para que cumpla debidamente sus fines. ‖ **6.** V. **derecho de patronato.** ‖ **de legos.** Vínculo fundado con el gravamen de una obra pía. ‖ **real.** Derecho que tenía el rey de España de presentar sujetos idóneos para los obispados, prelacías seculares y regulares, dignidades y prebendas en las catedrales o colegiatas, y otros beneficios.

patronazgo. m. **patronato.**

patronear. tr. Ejercer el cargo de patrón en una embarcación.

patronero. m. desus. Que tiene cargo de patronato.

patronil. adj. desus. Perteneciente o relativo al patrón o dueño de una casa.

patronímico, ca. (Del gr. πατρωνυμικός, a través del lat. *patronymĭcus*.) adj. Entre los griegos y romanos, decíase del nombre que, derivado del perteneciente al padre u otro antecesor, y aplicado al hijo u otro descendiente, denotaba en estos la calidad de tales. ‖ **2.** Aplícase al apellido que antiguamente se daba en España a hijos, formado del nombre de sus padres; v. gr.: *Fernández*, de *Fernando*; *Martínez*, de *Martín*. Ú. t. c. s.

patrono, na. (Del lat. *patrōnus*.) m. y f. Defensor, protector, amparador. ‖ **2.** El que tiene derecho o cargo de patronato. ‖ **3.** Santo titular de una iglesia. ‖ **4.** Santo elegido como protector de un pueblo o congregación religiosa o laica. ‖ **5.** Amo, señor. ‖ **6.** Dueño de la casa donde uno se hospeda. ‖ **7.** Señor del directo dominio en los feudos. ‖ **8.** Persona que emplea obreros en trabajo u obra de manos.

patrulla. f. Partida de soldados u otra gente armada, en corto número, que ronda para mantener el orden y seguridad en las plazas y campamentos. ‖ **2.** Grupo de buques o aviones que prestan servicio en una costa, paraje de mar, o campo minado, para la defensa contra ataques submarinos o aéreos, o para observaciones meteorológicas. ‖ **3.** Servicio que se realiza una **patrulla.** ‖ **4.** fig. Corto número de personas que van acuadrilladas.

patrullar. (Del fr. *patrouiller*.) intr. Rondar una patrulla. Ú. t. c. tr. ‖ **2.** Prestar servicio de patrulla los buques o aviones. Ú. t. c. tr.

patrullero, ra. adj. Dícese del buque o avión destinado a patrullar. Ú. t. c. s. ‖ **2.** *Cuba* y *Ecuad.* Aplícase a los vehículos que usa la policía para la vigilancia pública. Ú. t. c. s. m.

patuco. m. Calzado de punto, generalmente en forma de bota, que se pone a los bebés a modo de zapato o que usan las personas mayores para abrigarse los pies en la cama.

patudo, da. adj. fam. Que tiene grandes patas o pies. ‖ **2.** fig. y fam. V. **ángel patudo.**

patulea. (De *patullar*.) f. fam. Soldadesca desordenada. ‖ **2.** fam. Gente desbandada y maleante. ‖ **3.** fam. Muchedumbre de chiquillos.

patuleco, ca. (De *pata*.) adj. *Amér.* Persona que tiene un defecto físico en los pies o en las piernas.

patullar. (Del fr. *patouiller*.) intr. Pisar con fuerza y desatentadamente. ‖ **2.** fig. y fam. Dar muchos pasos o hacer muchas diligencias para conseguir una cosa. ‖ **3.** fam. Hablar varios ruidosa o frívolamente.

paturro, rra. adj. *Col.* Rechoncho, chaparro.

pauji. (Voz americana.) m. Ave de América tropical, perteneciente al orden de las galliformes, y a una familia especial exclusivamente americana; es de plumaje negro, con manchas blancas; tiene pico grueso, con un tubérculo encima, de forma ovoide; es ave muy confiada que se domestica con facilidad. Su carne es comestible. ‖ **de copete.** guaco, ave. ‖ **de piedra. pauji.**

paujil. m. **pauji.**

paúl[1]. (Del lat. vulg. *padūle*, metátesis de *palus, -ūdis*, laguna, pantano.) m. Sitio pantanoso cubierto de hierbas.

paúl[2]. (Del sobrenombre del fundador.) adj. Dícese del clérigo regular que pertenece a la congregación de misioneros fundada en Francia por San Vicente de Paúl en el siglo XVII. Ú. m. en pl. y t. c. s.

paular[1]. (De *paúl*[1].) m. Pantano o atolladero.

paular[2]. (De *pablar*.) intr. Parlar o hablar. Solo tiene uso en lenguaje festivo unido al verbo *maular*. *Sin* PAULAR *ni maular; ni* PAULA *ni maula.*

paulatinamente. adv. m. Poco a poco, despacio, lentamente.

paulatino, na. (Del lat. *paulātim*.) adj. Que procede u obra despacio o lentamente.

paulilla. (Del mozár. *paulilla*, polilla.) f. Palomilla, mariposa nocturna.

paulina. (Del nombre del papa *Paulo* III.) f. Carta o despacho de excomunión que se expide en los tribunales pontificios para el descubrimiento de algunas cosas que se sospecha haber sido robadas u ocultadas maliciosamente. ‖ **2.** p. us. fig. y fam. Represión áspera y fuerte. ‖ **3.** p. us. fig. y fam. Carta ofensiva anónima.

paulinia. (De Simón *Paulli*, botánico dinamarqués del siglo XVII, a quien se dedicó esta planta.) f. Arbusto de la familia de las sapindáceas, con tallos sarmentosos de tres a cuatro metros de longitud, hojas persistentes y alternas, flores blancas y fruto capsular ovoide, de tres divisiones, cada una con su semilla del tamaño de un guisante, color negro por fuera y almendra amarillenta, que después de tostada se usa en el Brasil, donde se cría la planta, para preparar una bebida refrescante y febrífuga.

paulino, na. adj. Perteneciente o relativo al apóstol San Pablo.

paulonia. (De la princesa Ana *Pavlovna*, hija del zar Pablo I, a la cual fue dedicada esta planta.) f. Árbol de la familia de las escrofulariáceas, con hojas grandes, opuestas y acorazonadas; flores azules, olorosas y dispuestas en panojas; cáliz con cinco divisiones; tubo de la corola largo y encorvado, y su limbo oblicuo y laciniado; cuatro estambres, caja leñosa y semillas aladas. Se cría en el Japón y se cultiva en los jardines de Europa, donde suele alcanzar la altura de 10 a 12 metros.

pauperismo. (Del ing. *pauperism*.) m. Situación permanente de pobreza en una parte de la sociedad de un país.

paupérrimo, ma. (Del lat. *pauperrĭmus*.) adj. sup. Muy pobre.

pausa. (Del lat. *pausa*.) f. Breve interrupción del movimiento, acción o ejercicio. ‖ **2.** Tardanza, lentitud. *Hablar con* PAUSA. ‖ **3.** *Ling.* Silencio de duración variable que delimita un grupo fónico o una oración, y signo ortográfico que lo representa. ‖ **4.** *Mús.* Breve intervalo en que se deja de cantar o tocar. ‖ **5.** *Mús.* Signo de la **pausa** en la música escrita. ‖ **a pausas**. loc. adv. Interrumpidamente, por intervalos.

pausadamente. adv. m. Con lentitud, tardanza o pausa.

pausado, da. p. p. de *pausar*. ‖ **2.** adj. Que obra con pausa o lentitud. ‖ **3.** Que se ejecuta o acaece de este modo. ‖ **4.** adv. m. **pausadamente.**

pausar. (Del lat. *pausāre*.) intr. Interrumpir o retardar un movimiento, ejercicio o acción. Ú. t. c. tr.

pauta. (Del lat. *pacta*, pl. de *pactum*, convenio, pacto.) f. Instrumento o aparato para rayar el papel blanco, a fin de que al escribir no se tuerzan los renglones. ‖ **2.** Raya o conjunto de rayas hechas con este instrumento. ‖ **3.** fig. Cualquier instrumento o norma que sirve para gobernarse en la ejecución de una cosa. ‖ **4.** fig. Dechado o modelo. *La vida de los santos es nuestra* PAUTA.

pautado, da. p. p. de **pautar**. ‖ **2.** adj. V. **papel pautado.** ‖ **3.** f. desus. **pentagrama.**

pautador. m. El que pauta o hace pautas.

pautar. tr. Rayar el papel con la pauta. ‖ **2.** fig. Dar reglas o determinar el modo de ejecutar una acción. ‖ **3.** *Mús.* Señalar en el papel las rayas necesarias para escribir las notas musicales.

pava[1]. f. Hembra del pavo. ‖ **2.** fig. y fam. Mujer sosa y desgarbada. Ú. t. c. adj. ‖ **3.** fig. *Argent., Bol., Chile, Par.* y *Urug.* Recipiente de metal, o hierro esmaltado, con asa en la parte superior, tapa y pico, que se usa para calentar agua. ‖ **4.** *Pan.* Sombrero de mujer, de ala ancha. ‖ **andallo, pavas**, o **andallo, pavas, y eran gansos todos**. expr. fig. y fam. que se usa para significar el gusto y complacencia en lo que se ve o oye; y también, por ironía, sirve para reprenderlo cuando es reparable. ‖ **pelar la pava**. fr. fig. y fam. Conversar los enamorados; el hombre desde la calle, y la mujer, asomada a una reja o balcón.

pava[2]. (Del ing. *pipe*, tubo.) f. Fuelle grande usado en ciertos hornos metalúrgicos. ‖ **2.** V. **horno de pava.**

pavada. f. Manada de pavos. ‖ **2.** Juego de niños, que se hace sentándose todos en corro con las piernas extendidas, menos uno, que recitando ciertas palabras cuenta sucesivamente los pies hasta llegar al octavo, que hace esconder, y continuando del mismo modo hasta que uno solo quede descubierto, pierde el niño a quien este pertenece. ‖ **3.** fig. y fam. Sosería, insulsez.

pavana. (Del it. *pavana*, forma vulgar de *padovana*, de Padua.) f. Danza española, grave y seria y de movimientos pausados. ‖ **2.** Tañido de esta danza. ‖ **3.** Especie de esclavina que usaron las mujeres. ‖ **4.** V. **entrada, salida de pavana.**

pavero, ra. adj. y m. f. Persona que cuida de las manadas de pavos o los vende. ‖ **2.** m. Sombrero de ala ancha y recta y copa cónica, que usan los andaluces.

pavés. (De *pavese*.) m. Escudo oblongo y de suficiente tamaño para cubrir casi todo el cuerpo del combatiente. ‖ **alzar**, o **levantar**, **uno sobre el pavés**. fr. fig. Erigirle en caudillo, encumbrarle, ensalzarle.

pavesa. (Del lat. *pulvisia*, de *pulvis, -ĕris*, polvo.) f. Partecilla ligera que salta de una materia inflamada y acaba por convertirse en ceniza. ‖ **estar uno hecho una pavesa**. fr. fig. y fam. Estar muy extenuado y débil. ‖ **ser uno una pavesa**. fr. fig. y fam. Ser muy débil y apacible.

pavesada. (De *pavés*.) f. **empavesada.**

pavesina. f. Pavés pequeño.

pavezno. (De *pavo*.) m. **pavipollo.**

Pavía[1]. n. p. V. **soldado de Pavía.** | **echar por las de Pavía.** fr. fig. y fam. Hablar o responder con alteración, despecho o descomedimiento.

pavía[2]. (De *Pavía*, ciudad de Italia, de donde procede esta fruta.) f. Variedad del pérsico, cuyo fruto tiene la piel lisa y la carne jugosa y pegada al hueso. | **2.** Fruto de este árbol.

paviano, na. adj. Natural de Pavía. Ú. t. c. s. | **2.** Perteneciente o relativo a esta ciudad de Italia.

pávido, da. (Del lat. *pavĭdus*.) adj. Tímido, medroso o lleno de pavor. Ú. m. en poesía.

pavimentación. f. Acción y efecto de pavimentar.

pavimentar. tr. **solar**[3].

pavimento. (Del lat. *pavimentum*.) m. **suelo,** piso artificial.

pavimiento. m. ant. **pavimento.**

paviota. f. **gaviota.**

pavipollo. m. Pollo del pavo.

pavisoso, sa. (De *pavo* y *soso*.) adj. Bobo, sin gracia ni arte.

pavitonto, ta. adj. Necio, estúpido.

pavo. (Del lat. *pavus*, el pavo real.) m. Ave del orden de las galliformes, oriunda de América del Norte, donde en estado salvaje llega a tener un metro de alto, trece decímetros desde la punta del pico hasta el extremo de la cola, dos metros de envergadura y 20 kilogramos de peso; plumaje de color pardo verdoso con reflejos cobrizos y manchas blanquecinas en los extremos de las alas y de la cola; cabeza y cuello cubiertos de carúnculas rojas, así como la membrana eréctil que lleva encima del pico; tarsos negruzcos muy fuertes, dedos largos, y en el pecho un mechón de cerdas de tres a cuatro centímetros de longitud. La hembra es algo menor, pero semejante al macho en todo lo demás. En domesticidad el ave ha disminuido de tamaño y ha cambiado el color del plumaje; hay variedades negras, rubias y blancas. | **2.** V. **moco de pavo.** | **3.** V. **edad del pavo.** | **4.** fig. y fam. Hombre soso o incauto. Ú. t. c. adj. | **5.** fig. *C. Rica, Chile, El Salv., Ecuad., Guat., Hond., Méj., Nicar., Pan.* y *Perú.* Pasajero clandestino, polizón. | **marino. combatiente,** ave. | **real.** Ave del orden de las galliformes, oriunda de Asia, de unos 70 centímetros de largo sin contar la cola, que alcanza el metro y medio en el macho. Este tiene el plumaje azul y verde con irisaciones doradas, y un penacho sobre la cabeza; en época de celo despliega en abanico su larga cola, de vistoso diseño, para atraer a las hembras, que son más pequeñas, de color ceniciento, y cola reducida. Existen variedades albinas. | **ruán. pavo real.** | **ruante.** *Blas.* Pavón que tiene extendidas las plumas de la cola formando la rueda. | **comer pavo.** fr. fam. En un baile, quedarse sin bailar una mujer, por no haber sido invitada a ello. | **de toma un pavo a daca un pavo, van dos pavos.** expr. que indica que, entre obtener una cosa y perderla, la diferencia es doblada. | **subírsele a uno el pavo.** fr. fig. y fam. **ruborizarse.**

pavón. (Del lat. *pavo, -ōnis*.) m. **pavo real.** | **2.** Nombre de algunas mariposas, así llamadas por las manchas redondeadas de sus alas. | **3.** Capa superficial de óxido abrillantado, de color azulado, negro o café, con que se evitan las piezas de acero para mejorar su aspecto y evitar su corrosión. | **4.** n. p. m. *Astron.* Constelación celeste que está cerca del polo antártico. | **diurno.** Mariposa diurna que tiene dos manchas redondas en las alas posteriores y otras dos menos perfectas en las anteriores. No hace capullo. | **nocturno.** Mariposa nocturna de gran tamaño, la mayor de las especies españolas. Es de color pardo con manchas grises y cuatro ojos en las alas. Hace capullo abierto por un extremo. Se alimenta de las hojas de los olmos y de otros árboles. Hay otra variedad de menor tamaño.

pavonada. (De *pavón*.) f. fam. Paseo u otra diversión semejante, que dura poco tiempo. | **2.** fig. Ostentación o pompa con que uno se deja ver. | **darse uno una pavonada.** fr. fam. Ir a recrearse o divertirse.

pavonado, da. p. p. de **pavonar.** | **2.** adj. Azulado oscuro. | **3.** m. Acción y efecto de pavonar el hierro o el acero.

pavonador, ra. adj. Que pavona. Ú. t. c. s.

pavonar. (De *pavón*, por el color del plumaje.) tr. Dar pavón al hierro o al acero.

pavonazo. (Del it. *pavonazzo*.) m. *Pint.* Color mineral rojo oscuro con que se suple el carmín en la pintura al fresco. Es un peróxido de hierro, aluminoso.

pavonear. (De *pavón*.) intr. Hacer uno vana ostentación de su gallardía o de otras prendas. Ú. m. c. prnl. | **2.** fig. y fam. Traer a uno entretenido o hacerle desear una cosa.

pavoneo. m. Acción de pavonear o pavonearse.

pavor[1]. (Del lat. *pavor, -ōris*.) m. Temor, con espanto o sobresalto.

pavor[2]. (Del lat. *vapor, -ōris*.) m. *Murc.* Vapor, especialmente de la tierra.

pavorde. (Del cat. *paborde*.) m. Prepósito eclesiástico de ciertas comunidades. | **2.** En la iglesia metropolitana y en la universidad de Valencia, título de honor que se daba a algunos catedráticos de teología, cánones o derecho civil, que tenían silla en el coro después de los canónigos y usaban hábitos canonicales.

pavordear. intr. Producir una colmena pequeños enjambres, jabardear.

pavordía. f. Dignidad de pavorde. | **2.** Derecho de percibir los frutos de esta dignidad. | **3.** Territorio en que el pavorde gozaba de este derecho.

pavorido, da. (De *pavor*.) adj. Lleno de pavor[1].

pavorosamente. adv. m. Con pavor[1] o temor.

pavoroso, sa. adj. Que causa pavor[1].

pavura. f. Pavor[1] o temor.

payacate. m. *Méj.* **paliacate.**

payada. f. *Argent., Chile* y *Urug.* Canto del payador. | **2.** *Argent.* Competencia o contrapunto de dos o más payadores. | **de contrapunto.** *Argent., Chile* y *Urug.* Competencia en la que, alternándose, dos payadores improvisan cantos sobre un mismo tema.

payador. m. *Argent., Chile* y *Urug.* Cantor popular que, acompañándose con una guitarra, y generalmente en contrapunto con otro, improvisa sobre temas variados.

payaguá. adj. *Argent.* y *Par.* Dícese de los indios del grupo guaycurú que habitó el Chaco paraguayo frente a la Asunción. Ú. t. c. s. | **2.** Perteneciente o relativo a estos indios o a su dialecto. | **3.** m. Dialecto hablado por estos indios.

payana. (Del quichua *pállay*, recolectar, recoger del suelo.) f. *Argent. (NO.* y *Cuyo).* **juego de los cantillos.**

payanés, sa. adj. Natural de Popayán. Ú. t. c. s. | **2.** Perteneciente a esta ciudad de Colombia.

payar. intr. *Argent., Chile* y *Urug.* Cantar payadas.

payasada. f. Acción o dicho propio de payaso. | **2.** fig. Acción ridícula o falta de oportunidad.

payaso, sa. (Del it. *pagliaccio*.) m. y f. Artista de circo que hace de gracioso, con traje, ademanes, dichos y gestos apropiados. | **2.** adj. Aplícase a la persona de poca seriedad, propensa a hacer reír con sus dichos o hechos. Ú. menos en la forma femenina.

payé. (De or. guaraní.) m. *NE. Argent., Par.* y *Urug.* Brujería sortilegio, hechizo. | **2.** *NE. Argent., Par.* y *Urug.* Amuleto, talismán.

payés, sa. (Del cat. *pagès*.) m. y f. Campesino o campesina de Cataluña o de las islas Baleares.

payo, ya. (Del n. p. *Payo*, Pelayo.) adj. **aldeano.** Ú. t. c. s. m. ‖ **2.** m. Campesino ignorante y rudo. ‖ **3.** Para el gitano, el que no pertenece a su raza. ‖ **4.** *Germ.* V. **red de payo.**

payuelas. f. pl. **viruelas locas.**

paz. (Del lat. *pax, pacis*.) f. Situación y relación mutua de quienes no están en guerra. ‖ **2.** Pública tranquilidad y quietud de los Estados, en contraposición a la guerra o a la turbulencia. ‖ **3.** Tratado o convenio que se concuerda entre los gobernantes para poner fin a una guerra. Ú. t. c. pl. ‖ **4.** Sosiego y buena correspondencia de unos con otros, especialmente en las familias, en contraposición a las disensiones, riñas y pleitos. ‖ **5.** Reconciliación, vuelta a la amistad o a la concordia. Ú. m. en pl. ‖ **6.** Virtud que pone en el ánimo tranquilidad y sosiego, opuestos a la turbación y las pasiones. ‖ **7.** Genio pacífico, sosegado y apacible. ‖ **8.** *Rel.* Ceremonia que precede a la comunión en la celebración de la Eucaristía, y en la que los sacerdotes y los fieles se ofrecen mutuamente la **paz** como signo de reconciliación. ‖ **9. portapaz.** ‖ **10.** desus. Salutación que se hace dando un beso en el rostro. ‖ **11.** V. **bandera, beso, iris, juez, moro de paz.** ‖ **octaviana.** fig. Quietud y sosiego generales, como se gozaban en el imperio romano en la época de Octavio Augusto. ‖ **a la paz de Dios.** loc. fam. usada como fórmula de saludo o de despedida. ‖ **andar la paz por el coro.** fr. fig. e irón. Haber riñas y desazones en una comunidad o familia. ‖ **aquí paz y después gloria.** fr. **aquí gracia y después gloria.** ‖ **con paz sea dicho.** expr. Con beneplácito y permiso, o sin ofensa. ‖ **dar la paz a uno.** fr. Darle un abrazo, o darle a besar una imagen, en señal de **paz** y fraternidad, como se hace en las misas solemnes. ‖ **2.** ant. **dar paz.** ‖ **dar paz a uno.** fr. Saludarle besándole en el rostro en señal de amistad. ‖ **dejar en paz a uno.** fr. No inquietarle ni molestarle. ‖ **descansar en paz.** fr. Morir y salvarse; conseguir la bienaventuranza. Piadosamente se dice de todos los que mueren en la religión católica. ‖ **en paz y en haz.** loc. adv. Con vista y consentimiento. ‖ **estar en paz.** fr. En el juego, se toma por la igualdad de caudal o del dinero que se ha expuesto, de modo que no hay pérdida ni ganancia, o por la igualdad del número de tantos de una parte u otra. ‖ **2.** Dícese de la igualdad en las cuentas cuando se paga enteramente el alcance o deuda. ‖ **3.** fig. Aplícase también al desquite o correspondencia en las acciones o palabras que intervienen de un sujeto a otro. ‖ **hacer las paces.** fr. **reconciliarse,** rehacer amistades, o terminar una lucha. ‖ **ir en paz, o con la paz de Dios.** fr. con que cortésmente despide uno al que estaba en su compañía o conversación. ‖ **meter paz.** fr. **poner paz.** ‖ **¡paz!** interj. que se usa para ponerla o solicitarla entre los que riñen. ‖ **paz y pan.** expr. con que se significa que estas dos cosas son la causa y fundamento principal de la quietud pública. ‖ **paz y salvo.** *Col.* loc. con que se denomina el certificado oficial que se expide a una persona, de no adeudar nada al fisco en concepto de impuestos. Ú. t. c. s., cuyo pl. es **paz y salvos.** ‖ **poner en paz a dos o más personas, o poner paz entre ellas.** frs. **mediar,** interponerse entre los que riñen. ‖ **quedar en paz.** fr. **estar en paz.** ‖ **reposar en paz.** fr. **descansar en paz.** ‖ **sacar a paz y a salvo** a uno. fr. Librarle de todo peligro o riesgo. ‖ **vaya, o vete, en paz, o con la paz de Dios.** fr. **vaya, o vete, con Dios.** ‖ **venir** uno **de paz.** fr. Venir sin ánimo de reñir, cuando se temía lo contrario. ‖ **y en paz.** loc. adv. que se usa para indicar que se da por terminado un asunto.

pazguatería. f. Calidad de pazguato. ‖ **2.** Acción propia de él.

pazguato, ta. (Seguramente formado como *apazguado*.) adj. Simple, que se pasma y admira de lo que ve u oye. Ú. t. c. s.

pazo. (Del lat. *palatīum*.) m. En Galicia, casa solariega, y especialmente la edificada en el campo.

pazote. m. **epazote.**

pazpuerca. adj. fam. Dícese de la mujer sucia y grosera. Ú. t. c. s.

¡pche! o **¡pchs!** interjs. que denotan indiferencia, displicencia o reserva.

pe. f. Nombre de la letra *p.* ‖ **de pe a pa.** loc. adv. fig. y fam. Enteramente, desde el principio al fin.

pea. (De *peer*.) f. vulg. Embriaguez, borrachera.

peaje. (Del fr. *péage*, o cat. *peatge*.) m. Derecho de tránsito.

peajero. m. El que cobra el peaje.

peal. (Del lat. *pedālis*.) m. Parte de la media que cubre el pie. ‖ **2.** Media sin pie que se sujeta a este con una trabilla. ‖ **3.** Paño con que se cubre el pie. ‖ **4.** Esterilla circular de esparto que se pone en las jaulas de los reclamos de perdiz. ‖ **5.** fig. y fam. Persona inútil, torpe, despreciable. ‖ **6.** *Cantabria* y *Amér.* Cuerda o soga con que se amarran o traban las patas de un animal. ‖ **7.** *Amér.* Lazo que se arroja a un animal para derribarlo.

peán. (Del gr. παιάν.) m. Canto coral griego en honor de Apolo. ‖ **2.** Himno de guerra o de ciertas solemnidades en la antigua Grecia.

peana. (der. del lat. *pes, pedis*, pie.) f. Basa, apoyo o pie para colocar encima una figura u otra cosa. ‖ **2.** Tarima que hay delante del altar, arrimada a él. ‖ **por la peana se adora, o se besa, al santo.** expr. fig. y fam. con que se denota que uno hace la corte u obsequio a una persona por ganarse la voluntad de otra que tiene con ella íntima relación o dependencia.

peaña. (Del lat. *pedanĕa*.) f. **peana.**

peatón, na. (Del fr. *piéton*.) m. y f. Persona que va a pie por una vía pública. ‖ **2.** m. Valijero o correo de a pie encargado de la conducción de la correspondencia entre pueblos cercanos.

peatonal. adj. Perteneciente o relativo al peatón. *Calle* PEATONAL.

pebete[1]**.** (Del cat. *pevet*.) m. Pasta hecha con polvos aromáticos, regularmente en figura de varilla, que encendida exhala un humo muy fragante. ‖ **2.** Cañutillo formado de una masa de pólvora y otros ingredientes, que sirve para encender los artificios de fuego. ‖ **3.** fig. y fam. Cualquier cosa que tiene mal olor.

pebete[2]**, ta.** m. y f. fam. p. us. *Argent.* y *Urug.* Niño, niña. ‖ **2.** m. *Argent.* Pan de forma ovalada que se amasa con harina de trigo candeal, de miga esponjosa, corteza fina y tostada.

pebetero. (De *pebete*[1].) m. Vaso para quemar perfumes y especialmente el que tiene cubierta agujereada.

pebida. f. *Ast.* **pepita.**

pebrada. (De *pebre*.) f. Salsa de pebre o pimienta.

pebre. (Del lat. *piper, -ēris*, pimienta.) amb. Salsa en que entran pimienta, ajo, perejil y vinagre, y con la cual se sazonan diversos alimentos. ‖ **2.** En algunas partes, pimienta, especia. ‖ **3.** m. *Chile.* Puré de patatas.

pebrina. f. Enfermedad epidémica mortal del gusano de seda, producida por un microsporidio.

peca. (De *picar*.) f. Cualquiera de las manchas amarillo-rojizas, que suelen salir en el cutis y aumentan generalmente por efecto del sol y del aire.

pecable. adj. Capaz de pecar. ‖ **2.** Aplícase a la materia misma en que se puede pecar.

pecado. (Del lat. *peccātum*.) m. Transgresión voluntaria de leyes y preceptos religiosos. ‖ **2.** Cualquier cosa que se aparta de lo recto y justo, o que falta a lo que es debido. ‖ **3.** Exceso o defecto en cualquier línea. ‖ **4.** fig. y fam. El diablo. *Eres el* PECADO. ‖ **5.** Juego de naipes y de envite en que la suerte preferente es la de nueve puntos, cometiéndose **pecado** en pasar de este número. ‖ **6.** fig. y fam.

V. el costal de los pecados. ‖ **actual.** Acto con que el hombre peca voluntariamente. ‖ **capital. pecado mortal.** ‖ **contra natura, o contra naturaleza.** Sodomía o cualquier otro acto carnal contrario a la generación. ‖ **de bestialidad. bestialidad, pecado** cometido con una bestia. ‖ **de comisión.** Obra, palabra o deseo que prohíbe la ley de Dios. ‖ **de omisión. pecado** en que se incurre dejando de hacer aquello a que uno está obligado por ley moral. ‖ **grave. pecado mortal.** ‖ **habitual.** Acto continuado o costumbre de pecar. ‖ **material.** *Teol.* Acción contraria a la ley, cuando el que la ejecuta ignora inculpablemente esa cualidad. ‖ **mortal.** Culpa que priva al hombre de la vida espiritual de la gracia, y le hace enemigo de Dios y digno de la pena eterna. ‖ **2.** fig. y fam. V. **obra en pecado mortal.** ‖ **nefando.** El de sodomía, por su torpeza y obscenidad. ‖ **original.** Aquel en que es concebido el hombre por descender de Adán. ‖ **2.** fig. y fam. Desgracia de que participa uno por la relación que tiene con otra persona o con algún cuerpo. ‖ **venial.** El que levemente se opone a la ley de Dios, o por la parvedad de la materia, o por falta de plena advertencia. ‖ **el pecado de la lenteja.** fig. y fam. Defecto leve que uno pondera o exagera mucho. ‖ **conocer** uno su **pecado.** fr. Confesarlo. ‖ **de mis pecados.** loc. con que se significa un afecto particular acerca del sujeto o cosa de que se habla. *Estas cuentas* DE MIS PECADOS. ‖ **estar en pecado.** fr. fig. Estar mal o sumamente desazonado con un sujeto o especie. ‖ **estar hecho un pecado.** fr. fig. Haber resultado mal una cosa, o con el efecto contrario a lo que se pretendía. ‖ **pagar** uno **su pecado.** fr. Padecer uno la pena correspondiente a una mala acción, aunque por la dilación pareciera estar olvidada. ‖ **por mis pecados, o por malos, o por negros, de mis pecados.** expr. Por mis culpas o en castigo de ellas.

pecador, ra. (Del lat. *peccātor, -ōris.*) adj. Que peca. Ú. t. c. s. ‖ **2.** Sujeto al pecado o que puede cometerlo. Ú. t. c. s. ‖ **3.** f. fam. **ramera.** ‖ **¡pecador, o pecadora, de mí!** expr. fam., a modo de interjección, con que se explica la extrañeza o sentimiento en lo que se ejecuta, se ve, se oye o sucede.

pecadorizo, za. adj. Dícese de la persona propensa a pecar. Ú. t. c. s.

pecadriz. (Del lat. *peccātrix, -icis.*) adj. f. ant. **pecatriz.** Usáb. t. c. s.

pecaminoso, sa. (Del lat. *peccāmen, -ĭnis,* pecado.) adj. Perteneciente o relativo al pecado o al pecador. ‖ **2.** fig. Se aplica a las cosas que están o parecen contaminadas de pecado.

pecante. (Del lat. *peccans, -antis.*) p. a. de **pecar.** Que peca. Ú. t. c. s. ‖ **2.** adj. Dícese de lo que es excesivo en su línea. ‖ **3.** V. **humor pecante.**

pecar. (Del lat. *peccāre.*) íntr. Cometer un pecado. ‖ **2.** Faltar absolutamente a cualquier obligación y a lo que es debido y justo, o a las reglas del arte o política. ‖ **3.** Faltar a las reglas en cualquier línea. ‖ **4.** Dejarse llevar de la afición a una cosa. *Desde niño* PECÓ *por espadachín; en viendo dulces, no puedo menos de* PECAR; *el joven* PECA *de confiado.* ‖ **5.** Dar motivo para un castigo o pena. *¿En qué* HA PECADO *Joaquín?* ‖ **6.** *Med.* Predominar o exceder un humor en las enfermedades. ‖ **aquí no peco.** expr. fam. con que se da a entender el propósito de cometer una demasía en ocasión propicia para eludir la responsabilidad o el castigo.

pecarí. (De or. guaraní.) m. *Amér. Merid.* **saíno,** báquira.

pecatriz. (Del lat. *peccātrix.*) adj. f. ant. Pecadora. Usáb. t. c. s.

pecblenda. (Del al. *Pechblende.*) f. *Min.* Mineral de uranio, de composición muy compleja, en la que entran ordinariamente varios metales raros y entre ellos el radio.

peccata minuta. (Del lat. *peccāta,* pecados, faltas, y *minūta,* pequeños.) expr. fam. Error, falta o vicio leve.

pece[1]. (Del lat. *piscis.*) m. ant. **pez**[1]. ‖ **2.** Lomo de tierra que queda entre cada dos surcos.

pece[2]. (Del lat. *pix, pícis,* la pez.) f. Tierra o mortero amasados para hacer tapias u otras fábricas.

pececillo. m. d. de **pez**[1], animal.

peceño, ña. adj. Que tiene el color de la pez. Aplícase ordinariamente al caballo de este pelo. ‖ **2.** Que sabe a la pez.

pecera. f. Vasija o globo de cristal, que se llena de agua y sirve para tener a la vista uno o varios peces.

peceto. m. *Argent.* Corte de carne extraído del cuarto trasero de las vacunos.

pecezuela. f. d. de **pieza.**

pecezuelo[1]. m. d. de **pie.**

pecezuelo[2]. m. d. de **pez**[1].

peciento, ta. adj. p. us. Del color de la pez.

pecilgar. (De *pelcigar.*) tr. ant. **pellizcar.**

pecilgo. (De *pecilgar.*) m. desus. **pellizco.**

peciluengo, ga. (De *pezón* y *luengo.*) adj. Aplícase a la fruta que tiene largo el pezón del cual pende en el árbol.

pecina[1]. f. ant. Estanque de peces, piscina.

pecina[2]. (Del lat. *picīna,* t. f. de *-nus;* de *pix, pícis,* la pez.) f. Cieno negruzco que se forma en los charcos o cauces donde hay materias orgánicas en descomposición.

pecinal. m. Charco de agua estancada o laguna que tiene mucha pecina[2].

pecinoso, sa. adj. Que tiene pecina[2].

pecio. (Del b. lat. *pecium.*) m. Pedazo o fragmento de la nave que ha naufragado o porción de lo que ella contiene. ‖ **2.** Derechos que el señor del puerto de mar exigía de las naves que naufragaban en sus marinas y costas.

peciolado, da. adj. *Bot.* Dícese de las hojas que tienen peciolo.

pecíolo o peciolo. (Del b. lat. *pecciōlus,* d. de *pes, pedis.*) m. *Bot.* Pezón o tallito de la hoja.

pécora. (Del lat. *pecŏra,* pl. de *pecus.*) f. Res o cabeza de ganado lanar. ‖ **2. mala pécora.** ‖ **3.** V. **carta pécora.** ‖ **mala pécora.** fig. y fam. Persona astuta, taimada y viciosa, y más comúnmente siendo mujer. ‖ **2.** fig. y fam. Pécora.

pecorea. (De *pecorear.*) f. ant. Hurto o pillaje que salen a hacer algunos soldados, desbandados del cuartel o campamento. ‖ **2.** fig. Diversión ociosa y fuera de casa, andando de aquí para allí.

pecorear. (De *pécora.*) tr. p. us. Hurtar o robar ganado. ‖ **2.** Salir las abejas a recoger el néctar de las flores. ‖ **3.** intr. Andar los soldados a la desbandada hurtando y saqueando.

pecoso, sa. adj. Que tiene pecas.

pectar. (Del lat. *pactum,* pecho[2].) tr. ant. Pagar pecho. ‖ **2.** Pagar una multa.

pectina. (Del gr. πηκτός, coagulado.) f. *Quím.* Producto ternario, semejante a los hidratos de carbono, que está disuelto en el jugo de muchos frutos maduros.

pectíneo. (Del lat. *pecten,* peine.) m. *Anat.* Músculo del muslo que hace girar el fémur.

pectiniforme. (Del lat. *pecten, -ĭnis,* peine, y de *forma.*) adj. *Bot.* y *Zool.* De figura de peine o dentado como él.

pectoral. (Del lat. *pectoralis.*) adj. Perteneciente o relativo al pecho. *Cavidad* PECTORAL. ‖ **2.** Útil o provechoso para el pecho. Ú. t. c. s. m. ‖ **3.** m. Cruz que por insignia pontifical llevan sobre el pecho los obispos y otros prelados. ‖ **4.** Racional del sumo sacerdote en la antigua ley.

pectosa. (Del gr. πηκτός, coagulado.) f. *Quím.* Sustancia parecida a la pectina, que está unida a la celulosa en la membrana de las células vegetales; es insoluble en el agua y se disuelve fácilmente en los álcalis diluidos.

pecuario, ria. (Del lat. *pecuarĭus*.) adj. Perteneciente al ganado.

peculado. (Del lat. *peculātus*.) m. *Der*. Delito que consiste en el hurto de caudales del erario, hecho por aquel a quien está confiada su administración.

peculiar. (Del lat. *peculiāris*.) adj. Propio o privativo de cada persona o cosa.

peculiaridad. f. Calidad de peculiar. ‖ **2.** Detalle, signo peculiar.

peculiarismo. m. Tendencia a acentuar lo peculiar.

peculiarmente. adv. m. Propiamente, especialmente, con particularidad.

peculio. (Del lat. *peculĭum*.) m. Hacienda o caudal que el padre o señor permitía al hijo o siervo para su uso y comercio. ‖ **2.** fig. Dinero que particularmente tiene cada uno, sea o no hijo de familia. ‖ **adventicio.** *Der*. **bienes adventicios.** ‖ **castrense.** *Der*. **bienes castrenses.** ‖ **cuasi castrense.** *Der*. **bienes cuasi castrenses.** ‖ **profecticio.** *Der*. **bienes profecticios.**

pecunia. (Del lat. *pecunĭa*.) f. fam. Moneda o dinero.

pecunial. (Del lat. *pecuniālis*.) adj. ant. Perteneciente al dinero efectivo, pecuniario.

pecuniariamente. adv. m. En dinero efectivo. ‖ **2.** Mirando el aspecto pecuniario de lo que se trata o dice. *Tal cosa convendría* PECUNIARIAMENTE, *pero me enemistaría con Fulano*.

pecuniario, ria. (Del lat. *pecuniarĭus*.) adj. Perteneciente al dinero efectivo. ‖ **2.** V. **pena pecuniaria.**

pecha. f. Tributo o contribución, pecho². ‖ **2.** *Can.* Competición, encuentro. ‖ **3.** *Can.* Puja.

pechada¹. (De *pechar¹*.) f. fam. *Argent.* y *Urug.* Acto de sacar dinero a uno, sablazo. ‖ **2.** *And.* Panzada, hartazgo.

pechada². f. *Amér.* Golpe, encontrón dado con el pecho o con los hombros. ‖ **2.** *Amér.* Golpe que da el jinete con el pecho del caballo. ‖ **3.** *Argent.* y *Chile.* Atropello, empujón.

pechador, ra. m. y f. *Amér.* Sablista, estafador.

pechar¹. (De *pecho²*.) tr. Pagar pecho o tributo. ‖ **2.** ant. Pagar una multa. ‖ **3.** *Amér.* Sablear, estafar. ‖ **4.** intr. Asumir una carga o sujetarse a su perjuicio. Lleva generalmente la prep. *con*.

pechar². (De *pecho³*.) tr. *Gal.*, *León* y *Sal.* Cerrar con llave o cerrojo.

pechar³. (De *pecho³*.) tr. *Amér.* Dar pechadas.

pechardino de manga. m. *Germ.* Engaño que uno hace a otro, obligándole a que pague algo por ambos.

pechazo. m. aum. de **pecho¹.** ‖ **2.** Golpe dado con el pecho. ‖ **3.** *Amér. Merid.* Sablazo, estafa.

pechblenda. f. **pecblenda.**

peche. (Del nahua *pechtic*, delgado.) adj. *El Salv.* Dícese de la persona flaca o enfermiza. Ú. t. c. s.

pechear. tr. Embestir con el pecho a la manera de los gallos de pelea.

pechelingue. m. p. us. Pirata de mar.

pechera¹. f. Pedazo de lienzo o paño que se pone en el pecho para abrigarlo. ‖ **2.** Guarnición de encaje de la camisola, chorrera. ‖ **3.** Parte de la camisa y otras prendas de vestir, que cubre el pecho. ‖ **4.** Pedazo de vaqueta forrado en cordobán y relleno de borra o cerdas, que puesto a los caballos y mulas en el pecho, les sirve de apoyo para que tiren. ‖ **5.** fam. Parte exterior del pecho, especialmente en las mujeres.

pechera². f. ant. Tributo, contribución, pecho².

pechería. f. Conjunto de toda clase de pechos o tributos. ‖ **2.** Padrón o repartimiento de lo que deben pagar los pecheros.

pechero¹. (De *pecho¹*.) m. Babero o babador.

pechero², ra. adj. Obligado a pagar o contribuir con pecho² o tributo. Ú. t. c. s. ‖ **2.** plebeyo, por contraposición a noble. Ú. t. c. s.

pechiblanco, ca. adj. Aplícase al animal que tiene el pecho blanco.

pechicolorado. (De *pecho¹* y *colorado*.) m. **pechirrojo.**

pechiche. m. *Ecuad.* Árbol de la familia de las verbenáceas, que da una madera fina e incorruptible y una frutilla como la cereza, pero de color negro cuando está madura y se emplea para hacer dulce.

pechigonga. f. Juego de naipes en que se dan nueve cartas a cada jugador en tres veces, las dos primeras a cuatro y la tercera a una; se puede envidar según se van recibiendo. El mejor punto es 55, y el que llega a juntar las nueve cartas seguidas, desde el as hasta el nueve, tiene **pechigonga.**

pechil. (De *pecho³* y este del lat. *pestŭlum*.) m. *Sal.* **cerradura,** mecanismo de hierro para cerrar.

pechín. m. **alpechín.**

pechina. (Del lat. *pecten*, *-ĭnis*, peine, y también concha.) f. Concha de los peregrinos, venera¹. ‖ **2.** *Arq.* Cada uno de los cuatro triángulos curvilíneos que forman el anillo de la cúpula con los arcos torales sobre que estriba.

pechirrojo. (De *pecho¹* y *rojo*.) m. Pardillo, ave.

pechisacado, da. (De *pecho¹* y *sacar*.) adj. fig. y fam. Engreído, arrogante.

pecho¹. (Del lat. *pectus*.) m. Parte del cuerpo humano, que se extiende desde el cuello hasta el vientre, y en cuya cavidad se contienen el corazón y los pulmones. ‖ **2.** Lo exterior de esta misma parte. ‖ **3.** Parte anterior del tronco de los cuadrúpedos entre el cuello y las patas anteriores. ‖ **4.** V. **angina, do, niño, opresión de pecho.** ‖ **5.** V. **golpe de pecho.** ‖ **6.** Aparato respiratorio. ‖ **7.** Cada una de las mamas de la mujer. ‖ **8.** p. us. Cuesta pendiente, repecho, pechuga. ‖ **9.** fig. Interior del hombre. ‖ **10.** fig. Valor, esfuerzo, fortaleza y constancia. ‖ **11.** fig. Calidad de la voz, o su duración, y sostenimiento para cantar o perorar. ‖ **abierto de pechos.** loc. adj. Dícese del caballo o yegua que al andar dirige con exceso la mano hacia afuera, formando una especie de semicírculo y cojeando mucho. ‖ **abrir** uno **su pecho a,** o **con,** otro. fr. fig. Descubrirle o declararle su secreto. ‖ **abrir** uno **su pecho a la esperanza.** fr. fig. Empezar a cambiar en el resultado favorable de una empresa. ‖ **a pecho descubierto.** loc. adv. Sin armas defensivas, sin resguardo. ‖ **2.** fig. Con sinceridad y nobleza. ‖ **¡buen pecho!** expr. que se usa como intj. **¡buen ánimo!** ‖ **criar** a uno **a los pechos.** fr. fig. Instruirlo, educarlo o tenerlo muy conocido. ‖ **criar** uno **a sus pechos** a otro. fr. fig. y fam. Protegerlo, fomentarlo, hacerlo a sus maneras, darle la mano para su establecimiento o sus progresos. ‖ **dar el pecho.** fr. Dar de mamar. ‖ **declarar** uno su **pecho.** fr. **declarar** su **corazón.** ‖ **de pechos.** loc. adv. Con el pecho apoyado en o sobre una cosa. Ú. con los verbos *caer, echarse, estar,* etc. ‖ **descubrir** uno su **pecho** a otro. fr. fig. Hacer entera confianza de él o comunicarle lo más secreto del corazón. ‖ **echar el pecho al agua.** fr. fig. Emprender con resolución u osadamente una cosa de mucho peligro o dificultad. ‖ **echarse** uno **a pechos** un vaso, taza, etc. fr. Beber con ansia y en gran cantidad. ‖ **entre pecho y espalda.** loc. fig. y fam. En el estómago. Ú. m. con los verbos *echarse* o *meterse,* con referencia a comida o bebida copiosa. *¡Lo que aquel hombre* SE ECHÓ ENTRE PECHO Y ESPALDA! ‖ **fiar el pecho.** fr. fig. **abrir** uno su **pecho.** ‖ **no caber** a uno una cosa **en el pecho.** fr. fig. Sentir ansia de manifestarla, descubrir lo que no era necesario decir. ‖ **no pudrírsele** a uno una cosa **en el pecho.** fr. fig. y fam. No tardar en decirla. ‖ **no quedarse** uno **con nada en el pecho.** fr. fig. y fam. **no quedarse con nada en el cuerpo.** ‖ **¡pecho al agua!** expr. fig. y fam. que denota arrojo y resolución. ‖ **pecho arriba.** loc. adv. a **repecho.** ‖ **pecho por el suelo,** o

por tierra. loc. adv. Humildemente, con mucha sumisión. ‖ **2.** *Cetr.* Dícese de las aves que vuelan muy bajas y cerca del suelo. ‖ **poner a los pechos** una pistola, etc. fr. fig. Amenazar con un daño inmediato para cohibir la voluntad ajena. ‖ **poner** uno **el pecho** a una cosa. fr. Arrostrarla. ‖ **quedarse** uno con una cosa **en el pecho.** fr. fig. y fam. **quedarse con** una cosa **en el cuerpo.** ‖ **tener pecho.** fr. fig. Tener paciencia y ánimo. ‖ **tomar** uno **a pechos** una cosa. fr. fig. Tomarla con mucha eficacia y empeño; hacer de ella grande asunto. ‖ **tomar el pecho.** fr. Coger el niño con la boca el pezón del **pecho,** para mamar.

pecho². (Del lat. *pactum,* pacto.) m. Tributo que se pagaba al rey o señor territorial por razón de los bienes o haciendas. ‖ **2.** fig. Contribución o censo que se pagaba por obligación a cualquier otro sujeto, aunque no fuera rey.

pecho³. (Del lat. vulg. *pestŭlus,* por *pessŭlus,* pestillo, cerradura.) m. *Ast., León* y *Sal.* Pestillo, cerradura.

pechoño, ña. adj. *Argent.* Santurrón. Ú. t. c. s.

pechuelo. m. d. de **pecho**¹.

pechuga. (De *pecho*¹.) f. Pecho de ave, que está como dividido en dos, a una y otra parte del caballete. Ú. frecuentemente en plural. ‖ **2.** Cada una de estas dos partes del pecho del ave. ‖ **3.** fig. y fam. Pecho de hombre o de mujer. ‖ **4.** p. us. fig. y fam. Cuesta, pendiente, repecho. ‖ **5.** *Perú.* Egoísmo descarado que se manifiesta desvergonzadamente. ‖ **6.** *Ecuad., Pan.* y *Perú.* Abuso de confianza. ‖ **7.** *C. Rica, El Salv., Guat., Hond., Nicar.* y *Pan.* Enfado que se le causa a una persona.

pechugazo. m. Caída o encuentro de pechos.

pechugón, na. (De *pechuga.*) adj. Dícese de la mujer de pecho abultado. Ú. t. c. s. f. ‖ **2.** *Chile.* Dícese de la persona de mucho empuje y resolución. Ú. t. c. s. ‖ **3.** *Amér. Central, Col., Chile, Perú* y *Venez.* Indelicado, sinvergüenza, gorrón. Ú. t. c. s. ‖ **4.** m. Golpe fuerte que se da con la mano en el pecho de otro. ‖ **5.** Caída o encuentro de pechos. ‖ **6.** fig. Esfuerzo extremado o impulso fuerte.

pechuguera. (De *pechuga.*) f. Tos pectoral y tenaz.

pedagogía. (Del gr. παιδαγωγία.) f. Ciencia que se ocupa de la educación y la enseñanza. ‖ **2.** Por ext., y en general, lo que enseña y educa por doctrina o ejemplos.

pedagógicamente. adv. m. Con arreglo a la pedagogía; de una manera pedagógica.

pedagógico, ca. (Del gr. παιδαγωγικός.) adj. Perteneciente o relativo a la pedagogía. ‖ **2.** Dícese de lo expuesto con claridad que sirve para educar o enseñar.

pedagogo, ga. (Del gr. παιδαγωγός, a través del lat. *paedagōgus.*) m. y f. En casas principales, el que instruye y educa niños, ayo. ‖ **2.** Persona que tiene como profesión educar a los niños. ‖ **3.** Persona versada en pedagogía de grandes cualidades como maestro. ‖ **4.** fig. El que anda siempre con otro, y lo lleva a donde quiere o le dice lo que ha de hacer.

pedaje. (Del b. lat. *pedatĭcum,* y este del lat. *pes, pedis,* pie.) m. ant. Derecho de tránsito, peaje.

pedal. (Del lat. *pedālis,* del pie.) m. Palanca que pone en movimiento un mecanismo oprimiéndola con el pie. ‖ **2.** *Mús.* En la armonía, sonido prolongado sobre el cual se suceden diferentes acordes. ‖ **3.** *Mús.* Cada uno de los dispositivos o grandes teclas que se gobiernan con los pies; en el piano sirven para modificar el sonido, y en el órgano son pieza de un teclado para producir sonidos graves.

pedalada. f. Cada uno de los impulsos dados a un pedal con el pie.

pedalear. intr. Poner en movimiento un pedal. Se usa especialmente con referencia al de los velocípedos y bicicletas.

pedaleo. m. Acción y efecto de pedalear.

pedaliáceo, a. adj. *Bot.* Dícese de hierbas angiospermas dicotiledóneas, bastante difundidas en África, Asia suboccidental y Australia, con raíz blanca y fusiforme, hojas opuestas o alternas, casi siempre sencillas, flores axilares, solitarias, de cáliz persistente y corola tubular, y frutos capsulares con semillas sin albumen; como la alegría. Ú. t. c. s. f. ‖ **2.** f. pl. *Bot.* Familia de estas plantas.

pedáneo, a. (Del lat. *pedanĕus.*) adj. V. **alcalde pedáneo.** Ú. t. c. s. ‖ **2.** V. **juez pedáneo.** Ú. t. c. s.

pedanía. f. Lugar anejo a un municipio y regido por un alcalde pedáneo. ‖ **2.** Territorio bajo la jurisdicción de un juez pedáneo.

pedante. (Del it. *pedante.*) adj. Dícese de la persona engreída que hace inoportuno y vano alarde de erudición, téngala o no en realidad. Ú. t. c. s. ‖ **2.** m. desus. Maestro que enseñaba a los niños la gramática yendo a las casas.

pedantear. (De *pedante.*) intr. Hacer, por ridículo engreimiento, inoportuno y vano alarde de erudición.

pedantería. f. Vicio de pedante. ‖ **2.** Dicho o hecho pedante.

pedantescamente. adv. m. Con pedantería.

pedantesco, ca. (Del lat. *pedantesco.*) adj. Perteneciente o relativo a los pedantes o a su estilo y modo de hablar.

pedantismo. m. p. us. **pedantería.**

pedazar. (De *pedazo.*) tr. ant. Hacer pedazos algo, despedazar.

pedazo. (Del lat. *pittacĭum,* y este del gr. πιττάκιον.) m. Parte o porción de una cosa separada del todo. ‖ **2.** Cualquier parte de un todo físico o moral. ‖ **de alcornoque, de animal,** o **de bruto.** fig. y fam. Persona incapaz y necia. ‖ **del alma, de las entrañas,** o **del corazón.** fig. y fam. Persona muy querida. Usan frecuentemente estas expresiones las madres respecto de los hijos pequeños. ‖ **de pan.** fig. Lo más preciso para mantenerse. *Ganar un* PEDAZO DE PAN. ‖ **2.** fig. Precio bajo o interés muy corto. *He comprado esto por un* PEDAZO DE PAN. ‖ **a pedazos.** loc. adv. Por partes, en porciones. ‖ **caerse** uno **a pedazos.** fr. fig. y fam. Andar tan desgarbado, que parece que se va cayendo. ‖ **2.** fig. y fam. Estar muy cansado de un trabajo corporal. ‖ **3.** fig. y fam. Ser muy bonachón y sin malicia. ‖ **hacerse** uno **pedazos.** loc. adv. **a pedazos.** ‖ **estar** uno **hecho pedazos.** fr. fig. y fam. **caerse a pedazos,** estar cansado. ‖ **hacerse** uno **pedazos.** fr. fig. y fam. Poner excesivo empeño o actividad en algún ejercicio físico que se toma por recreo. ‖ **2.** fig. y fam. **hacerse añicos.** ‖ **morirse** por sus pedazos. fr. fig. y fam. ponderativa. Estar una persona muy apasionada de otra. ‖ **ser** uno **un pedazo de pan.** fr. fig. y fam. Ser de condición afable y bondadosa.

pedazuelo. m. d. de **pedazo.**

pederasta. (Del gr. παιδεραστής.) m. El que comete pederastia.

pederastia. (Del gr. παιδεραστία.) f. Abuso deshonesto cometido contra los niños. ‖ **2.** Concúbito entre personas del mismo sexo, o contra el orden natural, sodomía.

pedernal. (Formado sobre el lat. *petrīnus.*) m. Variedad de cuarzo, que se compone de sílice con muy pequeñas cantidades de agua y alúmina. Es compacto, de fractura concoidea, translúcido en los bordes, lustroso como la cera y por lo general de color gris amarillento más o menos oscuro. Da chispas herido por el eslabón. ‖ **2.** fig. Suma dureza en cualquier cosa.

pedernalino, na. adj. De pedernal o que participa de sus propiedades. Ú. t. en sent. fig. *Entrañas* PEDERNALINAS.

pedestal. (Del fr. *piédestal.*) m. Cuerpo sólido, generalmente de figura de paralelepípedo rectangular, con basa y cornisa, que sostiene una columna, estatua, etc. ‖ **2.** Pie o peana, especialmente la de cruces y cosas semejantes. ‖ **3.** fig. Fundamento en que se asegura o afirma una cosa, o la que sirve de medio para alcanzarla.

pedestre. (Del lat. *pedestris.*) adj. Que anda a pie. ‖ **2.** Que se hace a pie. ‖ **3.** Dícese del deporte que consiste particularmente en andar y correr. ‖ **4.** fig. Llano, vulgar, inculto, bajo.

pedestrismo. m. Conjunto de deportes pedestres.

pediatra. (Del gr. παῖς, παιδός, niño, y ἰατήρ, médico.) com. Especialista en pediatría.

pediatría. (Del gr. παῖς, παιδός, niño, y ἰατρεία, curación.) f. Rama de la medicina que se ocupa de la salud y enfermedades de los niños.

pedicelo. (Del lat. científico *pedicellus*, d. de *pedicŭlus*.) m. *Bot.* Columna carnosa que sostiene el sombrerillo de las setas.

pedicoj. (Del lat. *pes, pedis*, pie, y de *cojo*.) m. p. us. Salto que se da con un pie solo.

pedicular. (Del lat. *pediculāris*.) adj. Se aplicó a la supuesta enfermedad en que el enfermo se plagaba de piojos. ‖ **2.** Perteneciente o relativo al piojo.

pediculicida. (Del lat. *pediculus*, piojo, y -*cida*.) adj. Dícese del producto químico que sirve para matar piojos. Ú. t. c. s. m.

pedículo. (Del lat. *pediculus*, d. de *pes, pedis*, pie.) m. *Bot.* Pedúnculo de la hoja, flor o fruto. ‖ **2.** *Anat.* Tallo más o menos delgado que une una formación anormal, por ejemplo una verruga o un cáncer, al órgano o tejido correspondiente. ‖ **3.** piojo, insecto.

pediculosis. (Del lat. *pediculus*, piojo.) f. *Pat.* Enfermedad de la piel producida por el insistente rascamiento que motiva la abundancia de piojos, sobre todo de los piojos del cuerpo. Sus caracteres principales son las estrías del rascamiento y un color oscuro del tegumento que se denomina *piel de vagabundo.*

pedicuro, ra. (Del lat. *pes, pedis*, pie, y *curāre*, curar.) m. y f. Persona que tiene por oficio cuidar de los pies, extirpando o curando callos, uñeros, etc.

pedido, da. p. p. de **pedir.** ‖ **2.** m. Acción y efecto de pedir. ‖ **3.** Encargo hecho a un fabricante o vendedor, de géneros de su tráfico. ‖ **4.** Donativo o concesión que pedían los soberanos a sus vasallos y súbditos en caso de necesidad. ‖ **5.** Tributo que se pagaba en los lugares. ‖ **6.** f. Petición de mano. *La* PEDIDA *será el 16 de mayo.*

pedidor, ra. (Del lat. *petītor, -ōris.*) adj. p. us. Que pide, y especialmente que lo hace con impertinencia. Ú. t. c. s.

pedidura. f. Acción de pedir.

pediente. p. a. ant. de **pedir.** Que pide. Usáb. t. c. s.

pedigón, na. (De *pedir.*) adj. p. us. fam. Que pide, especialmente con insistencia. Ú. t. c. s. ‖ **2.** fam. Que pide con frecuencia e inoportunidad. Ú. t. c. s.

pedigrí. (Del ing. *pedigree*.) m. Genealogía de un animal. ‖ **2.** Documento en que consta.

pedigüeñería. f. Calidad de pedigüeño.

pedigüeño, ña. (De *pedigón*.) adj. Que pide con frecuencia e importunidad. Ú. t. c. s.

pediluvio. (Del lat. *pes, pedis*, pie, y *luĕre*, lavar.) m. Baño de pies tomado por medicina. Ú. m. en pl.

pedimento. (De *pedir*.) m. Acción y efecto de pedir, petición. ‖ **2.** *Der.* Escrito que se presenta ante un juez. ‖ **3.** *Der.* Cada una de las solicitudes o pretensiones que en el escrito se formulan. ‖ **a pedimento.** loc. adv. A instancia, a solicitud, a petición.

pedimiento. m. ant. Acción y efecto de pedir, petición.

pedio, a. adj. *Anat.* Relativo al pie o perteneciente a él.

pedir. (Del lat. *petĕre*.) tr. Rogar o demandar a uno que dé o haga una cosa, de gracia o de justicia. ‖ **2.** Por antonom., **pedir** limosna. ‖ **3.** Poner precio a la mercancía el que vende. ‖ **4.** Requerir una cosa, exigirla como necesaria o conveniente. ‖ **5.** Querer, desear o apetecer. ‖ **6.** Proponer uno a los padres o parientes de una mujer el deseo o intento de que la concedan por esposa para sí o para otro. ‖ **7.** En el juego de pelota y otros, preguntar a los que miran si el lance o jugada se ha hecho según las reglas

o leyes del juego, constituyéndolos en jueces de la acción. ‖ **8.** En el juego de naipes, obligar a servir la carta del palo que se ha jugado. ‖ **9.** En el mismo juego, exigir o reclamar una o más cartas cuando es potestativo hacerlo. ‖ **10.** desus. Interrogar, preguntar. ‖ **11.** desus. Consentir, tolerar.

pedo. (Del lat. *pedĭtum*.) m. Ventosidad que se expele del vientre por el ano. ‖ **lo de lobo. bejín.**

pedorrear. intr. Echar pedos repetidos.

pedorreo. m. Acción y efecto de pedorrear.

pedorrera. (De *pedorro*.) f. Frecuencia o abundancia de ventosidades expelidas del vientre. ‖ **2.** pl. Calzones ajustados, llamados escuderiles porque los usaban los escuderos.

pedorrero, ra. (De *pedorro*.) adj. Que frecuentemente y sin reparo expele las ventosidades del vientre. Ú. t. c. s.

pedorreta. f. Sonido que se hace con la boca, imitando el pedo.

pedorro, rra. (De *pedo*.) adj. Que echa pedos repetidos. Ú. t. c. s.

pedrada. f. Acción de despedir o arrojar con impulso una piedra. ‖ **2.** Golpe que se da con la piedra tirada. ‖ **3.** Señal que deja. ‖ **4.** Adorno de cinta, que antiguamente usaban los soldados para llevar plegada el ala del sombrero. ‖ **5.** Lazo que solían ponerse las mujeres a un lado de la cabeza. ‖ **6.** fig. y fam. Expresión dicha con intención de que otro la sienta y se dé por aludido. ‖ **como pedrada en ojo de boticario.** loc. fig. y fam. que expresa que una cosa viene muy a propósito de lo que se está tratando.

pedral. m. *Mar.* Piedra que atada a un cabo o a una red sirve para mantenerlos en posición vertical dentro del agua. Ú. m. en pl.

pedrea. f. Acción de apedrear o apedrearse. ‖ **2.** Combate a pedradas. ‖ **3.** Pedrusco, granizada. ‖ **4.** fam. Conjunto de los premios menores de la lotería nacional.

pedregal. (der. del lat. *petra*.) m. Sitio o terreno cubierto casi todo él de piedras sueltas.

pedregoso, sa. (der. del lat. *petra*.) adj. Aplícase al terreno naturalmente cubierto de piedras. ‖ **2.** ant. Que padece mal de piedra. Ú. t. c. s.

pedregullo. (Del port. *pedregulho*, pedrusco.) m. *Argent.* **ripio**, piedras menudas.

pedregullo. (De *piedra*.) m. Ripio, casquijo, conjunto de pedrezuelas para hacer rellenos o mortero.

pedrejón. m. Piedra grande o suelta.

pedreñal. (Del b. lat. **petrinĕus*, por *petrĭnus*.) m. Especie de trabuco que se disparaba con chispa de pedernal.

pedrera. (De *piedra*.) f. Cantera, sitio o lugar de donde se sacan las piedras.

pedreral. m. Especie de artolas de madera para conducir a lomo piedras o cosas semejantes.

pedrería. f. Conjunto de piedras preciosas; como diamantes, esmeraldas, rubíes, etc.

pedrero. (De *piedra*.) m. El que labra las piedras. ‖ **2.** Boca de fuego antigua, especialmente destinada a disparar pelotas de piedra. ‖ **3.** Soldado que usaba honda en la guerra, hondero. ‖ **4.** ant. **lapidario,** el que labra piedras preciosas o comercia en ellas. ‖ **5.** *Ast.* Pequeño entrante de la costa cubierto de cantos rodados. ‖ **6.** *Tol.* **niño de la piedra.**

pedrés. (Del lat. *petrensis*, de piedra.) adj. V. **sal pedrés.**

pedreta. f. d. de **piedra.** ‖ **2.** Cantillo o pitón.

pedrezuela. f. d. de **piedra.**

pedrisca. f. Granizo grueso.

pedriscal. (De *pedrisco*.) m. Sitio de piedras sueltas.

pedrisco. m. Piedra o granizo grueso que cae de las nubes en abundancia y con gran violencia. ‖ **2.** Conjunto o abundancia de piedras.

pedrisquero. m. **pedrisco,** granizo.

pedrizo, za. adj. **pedregoso,** cubierto de piedras. ‖ **2.** f. p. us. **pedregal.**

pedro. m. *Germ.* Vestido afelpado que usaban los ladrones. ‖ **2.** *Germ.* Capote o tudesquillo. ‖ **3.** *Germ.* Cerrojo de puertas o ventanas. ‖ **Jiménez. Pedrojiménez.** ‖ **bien está,** o **se está, San Pedro en Roma.** fr. proverb. que se dice contra cualquier mudanza que se propone a uno, si él juzga que no es conveniente. ‖ **como Pedro por su casa.** loc. fig. y fam. Con entera libertad o llaneza, sin miramiento alguno. Dícese cuando alguien entra o se mete de este modo en alguna parte, sin título ni razón para ello. ‖ **viejo es,** o **ya es duro, Pedro para cabrero.** fr. proverb. que indica ser poco a propósito para el estudio o para el trabajo la persona ya muy entrada en años.

pedroche. m. p. us. **pedregal.**

pedrojiménez. m. Variedad de uva propia de algunos pagos de Andalucía, y especialmente de Jerez de la Frontera, cuyos racimos son grandes, algo ralos y de granos esféricos, muy lisos, translúcidos y de color dorado. ‖ **2.** Vino dulce hecho de esta uva.

pedroso, sa. (Del lat. *petrōsus.*) adj. ant. Dícese del terreno con muchas piedras.

pedrusco. m. fam. Pedazo de piedra sin labrar.

pedunculado, da. adj. *Bot.* Dícese de las flores y de los frutos que tienen pedúnculo.

pedúnculo. (Del lat. científico *peduncŭlus.*) m. *Bot.* Pezón de la hoja, flor o fruto. ‖ **2.** *Zool.* Prolongación del cuerpo, mediante la cual están fijos al suelo algunos animales de vida sedentaria, como las percebes.

peer. (Del lat. *pedĕre.*) intr. Arrojar o expeler la ventosidad del vientre por el ano. Ú. t. c. prnl.

pega¹. f. Acción de pegar o conglutinar una cosa con otra. ‖ **2.** Sustancia cualquiera que sirve para pegar. ‖ **3.** Baño que se da con la pez a determinados recipientes o vasijas. ‖ **4.** Remiendo del vestido. ‖ **5.** fam. **chasco,** burla. ‖ **6.** Pregunta capciosa o difícil de contestar. ‖ **7.** Obstáculo, contratiempo, dificultad, reparo, que se presenta por lo común de modo imprevisto. ‖ **8.** fam. Zurra o paliza. *Le dio una* PEGA *de patadas.* ‖ **9.** *Min.* Acción de pegar fuego a un barreno. ‖ **10.** *Col., Cuba, Chile* y *Perú.* **trabajo,** ocupación retribuida. ‖ **11.** *Cuba* y *P. Rico.* Liga para cazar pájaros. ‖ **12.** *Chile.* Período en que se transmiten las enfermedades contagiosas. ‖ **13.** *Chile.* Edad en que culminan los atractivos de una persona: *Estar en toda la* PEGA. ‖ **14.** *Chile.* Entretenimiento, jarana. ‖ **de pega.** loc. adj. De mentira, falso, fingido: *Erudito* DE PEGA, *diplomático* DE PEGA. ‖ **saber** uno **a la pega.** fr. fig. y fam. Imitar y seguir las malas costumbres y resabios de su mala educación o de su trato con malas compañías. ‖ **ser** uno **de la pega.** fr. fam. Pertenecer a cuadrilla de gente viciosa y corrompida.

pega². (Del lat. *pica.*) f. Urraca, marica. ‖ **reborda. alcaudón,** pájaro.

pegadillo. m. d. de **pegado.** ‖ **de mal de madre.** fig. y fam. Hombre pesado en la conversación, molesto y entremetido.

pegadizo, za. adj. **pegajoso,** que se pega con facilidad. ‖ **2.** Que se graba en la memoria con facilidad. ‖ **3.** Fácilmente contagioso. ‖ **4.** Que se arrima a otra persona o se introduce con ella para comer o divertirse a costa suya. ‖ **5.** postizo, no natural. ‖ **6.** fig. y fam. **piojo pegadizo.**

pegado, da. p. p. de **pegar.** ‖ **2.** m. Parche medicinal. ‖ **3.** f. En algunos deportes, potencia que el deportista puede de imprimir a sus puños, golpes o tiros.

pegador. (De *pegar.*) m. *Min.* Operario que en las minas y canteras está encargado de pegar fuego a las mechas de los barrenos. ‖ **2.** *And.* Rémora, pez.

pegadura. f. Acción de pegar. ‖ **2.** Unión física o costura que resulta de haberse pegado una cosa con otra.

pegajosidad. f. Calidad de pegajoso.

pegajoso, sa. adj. Que se pega con facilidad. ‖ **2.** Contagioso o que se comunica con facilidad. ‖ **3.** V. **artemisa pegajosa.** ‖ **4.** fig. y fam. **empalagoso,** que causa fastidio por sus excesivas zalamerías. ‖ **5.** fig. y fam. Dícese de los oficios y empleos en que se manejan intereses, de los que fácilmente puede abusarse. ‖ **6.** *Taurom.* Que recarga las suertes y busca reiteradamente el engaño, hablando de toros.

pegamento. m. Sustancia propia para pegar o conglutinar.

pegamiento. m. Acción de pegar o pegarse una cosa con otra.

pegamoide. (De *pegamento* y *-oide.*) m. Celulosa disuelta con que se impregna una tela o papel y se obtiene una especie de hule resistente.

pegamoscas. f. Planta cariofilácea, cuya flor tiene el cáliz cubierto de pelos pegajosos, en los cuales quedan pegados los insectos que llegan a tocarlos o se posan en ellos.

pegar. (Del lat. *picāre.*) tr. Adherir, conglutinar una cosa con otra. ‖ **2.** Unir o juntar una cosa con otra, atándola, cosiéndola o encadenándola con ella. PEGAR *un botón.* ‖ **3.** Arrimar o aplicar una cosa a otra, de modo que entre las dos no quede espacio alguno. ‖ **4.** Comunicar uno a otro una cosa por el contacto, trato, etc. Se usa comúnmente hablando de enfermedades contagiosas, vicios, costumbres u opiniones. Ú. t. c. prnl. ‖ **5.** fig. Castigar o maltratar a alguien con golpes. ‖ **6.** Dar determinados golpes. PEGAR *un bofetón, un puntapié, una paliza, un sablazo, un tiro.* ‖ **7.** fig. Junto con algunos nombres, expresa la acción que estos significan. PEGAR *voces,* PEGAR *saltos.* ‖ **8.** Arraigar una planta. Ú. t. c. intr. ‖ **9.** intr. Tener efecto una cosa o hacer impresión en el ánimo. ‖ **10.** Armonizar una cosa con otra. ‖ **11.** Estar una cosa próxima o contigua a otra. ‖ **12.** Dar o tropezar en una cosa con fuerte impulso. ‖ **13.** Realizar una acción con decisión y esfuerzo. ‖ **14.** Asirse o unirse por su naturaleza una cosa a otra, de modo que sea dificultoso separarla. ‖ **15.** Tratándose de versos, rimar uno con otro. ‖ **16.** Incidir intensamente la luz o el sol en una superficie. ‖ **17.** prnl. Reñir, enredarse a golpes o en pelea dos o más personas. ‖ **18.** Hablando de guisos, quemarse por haberse adherido a la olla, cazuela, etc., alguna parte sólida de lo que cuece. ‖ **19.** fig. Introducirse o agregarse uno a donde no es llamado o no tiene motivo para ello. ‖ **20.** fig. Insinuarse una cosa en el ánimo, de modo que produzca en él complacencia o afición. ‖ **21.** fig. Aficionarse o inclinarse mucho a una cosa, de modo que sea muy difícil dejarla o separarse de ella. ‖ **pegar,** o **pegarla,** con uno. fr. fig. Enzarzarse en una disputa verbal. ‖ **pegar con** uno. fr. fig. Decir o hacer una cosa que le cause sentimiento o pesadumbre. ‖ **pegársela** a uno. fr. fam. Chasquearle, burlar su buena fe, confianza o fidelidad. ‖ **pegársele** a uno una cosa. fr. fig. y fam. Sacar este utilidad de lo que maneja o trata. ‖ **2.** fig. y fam. Quedar perjudicado en el manejo de los intereses ajenos.

pegaseo, a. (Del lat. *Pegasēus.*) adj. Perteneciente o relativo al caballo mitológico Pegaso o a las musas.

pegásides. (Del lat. *Pegasĭdes.*) f. pl. Las musas.

pegata. (De *pegar,* chasquear.) f. fam. Engaño con que a uno se le estafa o se le burla en una materia.

pegatina. f. Adhesivo pequeño que lleva impresa propaganda política, comercial, etcétera.

pegatoste. m. p. us. **pegote,** emplasto.

pegmatita. (Del gr. πῆγμα, conglomerado.) f. Roca de color claro y textura laminar, compuesta de feldespato y algo de cuarzo.

pego. m. Fullería que consiste en pegar disimuladamente dos naipes para que salgan como uno solo, cuando le convenga al tramposo. ‖ **dar,** o **tirar, el pego.** fr. Ganar con baraja preparada para esta fullería. ‖ **2.** fig. y fam. Engañar con ficciones o artificios.

pegollo. (Del lat. *peducullus,* pie.) m. *Ast.* Cada uno de los pilares de piedra o madera sobre los cuales descansan los hórreos.

pegón, na. adj. fam. Aficionado a pegar golpes a otros. Ú. t. c. s.

pegote. (De *pegar.*) m. Emplasto o bizma que se hace de pez u otra cosa pegajosa. ‖ **2.** Fruto del cadillo. ‖ **3.** fig. Adición o intercalación inútil e impertinente hecha en alguna obra literaria o artística. ‖ **4.** fig. y fam. Cualquier sustancia espesa que se pega. ‖ **5.** fig. y fam. Persona impertinente que no se aparta de otra, particularmente en las horas y ocasiones en que se suele comer. ‖ **6.** fig. y fam. **parche,** cualquier cosa sobrepuesta.

pegotear. intr. fam. Introducirse uno en las casas a las horas de comer, sin ser invitado.

pegotería. f. fam. Acción y efecto de pegotear.

pegual. (De *pihuela,* con cruce de *apegualar,* apiolar.) m. *Amér. Merid.* Cincha con argollas para sujetar los animales cogidos con lazo o para transportar objetos pesados.

peguera. (Del lat. *picaría.*) f. Hoyo donde se quema leña de pino para sacar de ella alquitrán y pez. ‖ **2.** En los esquileos, lugar donde se calienta la pez para marcar el ganado.

peguero. (De *peguera.*) m. El que por oficio saca o fabrica la pez. ‖ **2.** El que trata con ella.

pegujal. (Del lat. *peculiaris.*) m. fig. Pequeña porción de siembra o de ganado. ‖ **2.** Pequeña porción de terreno que el dueño de una finca agrícola cede al guarda o al encargado para que la cultive por su cuenta como parte de su remuneración anual. ‖ **3.** desus. **peculio.**

pegujalero. (De *pegujal.*) m. Labrador que tiene poca siembra o labor. ‖ **2.** Ganadero que tiene poco ganado.

pegujar. m. desus. **pegujal.**

pegujarero. m. **pegujalero.**

pegujón. (De *pegar.*) m. Conjunto de lanas o pelos que se aprietan y pegan unos con otros a manera de ovillo o pelotón.

pegullo. (Del lat. *peculĭum,* peculio.) m. *Ar.* Hato o rebaño de ganado.

pegullón. m. **pegujón.**

pegunta. f. Señal o marca que se pone con pez derretida al ganado, especialmente al lanar.

peguntar. (De *pegar* y *untar.*) tr. Marcar o señalar las reses con pez derretida.

pegunte. m. Sustancia o mezcla pegajosa. Ú. m. en Andalucía.

peguntoso, sa. adj. Que con facilidad se pega o adhiere. Ú. m. en Andalucía.

pehuén. (Del arauc. *pewen.*) m. *Chile.* **araucaria,** árbol.

pehuenche. (De *pehuén.*) adj. *Chile.* Aplícase al habitante de una parte de la cordillera de los Andes, generalmente como despectivo. Ú. t. c. s.

peina. (De *peine.*) f. **peineta,** peine convexo de mujer.

peinada. (De *peinar*[1].) f. Acción de peinar o peinarse. *Voy a darme una* PEINADA.

peinado, da. p. p. de **peinar**[1]. ‖ **2.** adj. fam. Dícese del hombre que se adorna con esmero mujeril. ‖ **3.** fig. Dícese del estilo excesivamente cuidado. ‖ **4.** m. Cada una de las diversas formas de arreglarse el cabello. ‖ **5.** En la industria textil, operación que tiene por objeto depurar y enderezar paralelamente las fibras textiles.

peinador, ra. (De *peinar*[1].) adj. Que peina. Ú. t. c. s. ‖ **2.** m. Prenda o lienzo ajustada al cuello con que se protege el vestido del que se peina o se afeita. ‖ **3.** f. En la industria textil, máquina que efectúa la operación de peinado. Ú. t. c. adj. ‖ **4.** *Col.* y *Pan.* Mueble de tocador.

peinadura. f. Acción de peinar o peinarse. ‖ **2.** Cabellos que salen o se arrancan con el peine.

peinar[1]. (Del lat. *pectināre.*) tr. Desenredar, componer el cabello. Ú. t. c. prnl. ‖ **2.** fig. Desenredar o limpiar el pelo o lana de algunos animales. ‖ **3.** Tocar o rozar ligeramente una cosa a otra. Ú. m. entre carpinteros. ‖ **4.** Cortar o quitar parte de piedra o tierra de una roca o montaña, escarpándola. ‖ **5.** V. **peinar los naipes.** ‖ **6.** fig. Rastrear minuciosamente un territorio diversas personas en busca de alguien o de algo. ‖ **no peinarse** una mujer **para** uno. fr. fig. y fam. No ser para el hombre que la solicita.

peinar[2]. (De *peino.*) tr. ant. Dar o dejar algo en prenda.

peinazo. m. *Carp.* Listón o madero que atraviesa entre los largueros de puertas y ventanas para formar los cuarterones.

peindra. (Del lat. *pignora.*) f. ant. **prenda.** ‖ **2.** ant. **embargo,** retención de bienes.

peindrar. (Del lat. *pignorāre.*) tr. ant. **prendar,** sacar una prenda o alhaja.

peine. (Del lat. *pecten, -ĭnis.*) m. Utensilio de madera, marfil, concha u otra materia, provisto de dientes muy juntos, con el cual se desenreda y compone el pelo. ‖ **2. carda,** instrumento para cardar. ‖ **3.** Barra que, como las **peines,** tiene una serie de púas, entre las cuales pasan en el telar los hilos de la urdimbre. ‖ **4.** En algunas armas de fuego, pieza metálica que contiene una serie de proyectiles. ‖ **5.** Instrumento de puntas aceradas que sirve para dar tormento. ‖ **6.** En los teatros, enrejado con poleas situado en el telar de los escenarios, de donde se cuelgan las decoraciones. ‖ **7. empeine**[1], del pie. ‖ **8.** fig. y fam. **púa,** persona astuta. Tómase ordinariamente en sentido despectivo. *Mariano es un buen* PEINE. ‖ **a sobre** PEINE. loc. adv. fig. A medias, a la ligera, imperfectamente. ‖ **sobre peine.** loc. adv. Por encima del cabello y sin ahondar mucho. Regularmente se dice cuando se corta. ‖ **2.** fig. Ligeramente o sin especial reflexión o cuidado. ‖ **ya apareció el peine.** expr. fig. y fam. que se emplea cuando es descubierto el presunto autor de una fechoría.

peinecillo. m. Peineta pequeña.

peinería. f. Taller donde se fabrican peines. ‖ **2.** Tienda donde se venden.

peinero, ra. m. y f. Persona que fabrica o vende peines.

peineta. f. Peine convexo que usan las mujeres por adorno o para asegurar el peinado. ‖ **2.** Borrén trasero de la silla vaquera. ‖ **de teja.** La que por su forma y dimensiones recuerda una teja.

peinetero. (De *peineta.*) m. El que fabrica o vende peines o peinetas.

peinilla. f. *And.* Lendrera o peine corto de dos hileras opuestas de dientes. ‖ **2.** *Col.* y *Ecuad.* Peine alargado y angosto de una sola hilera de dientes. ‖ **3.** *Col., Ecuad., Pan.* y *Venez.* Especie de machete.

peino. (Del lat. *pignus.*) m. ant. Prenda.

peje. (Del lat. *piscis.*) m. **pez**[1], animal vertebrado acuático. ‖ **2.** fig. Hombre astuto, sagaz e industrioso. ‖ **ángel. angelote,** pez selacio. ‖ **araña.** Pez teleósteo marino del suborden de los acantopterigios, que llega a tener unos 25 centímetros de largo; cuerpo comprimido y liso, de color amarillento oscuro por el lomo, más claro y con manchas negras en los costados y plateado por el vientre; cabeza casi cónica, boca oblicua, ojos muy juntos y dos aletas dorsales, una que corre a todo lo largo del cuerpo, y la otra, sita en el arranque de la cabeza, pequeña y de espinas muy fuertes, sobre todo la primera, que es movible y hueca y sirve al animal para atacar y defenderse, lanzando por ella un líquido venenoso que segrega una glándula situada en su base. Vive en el Mediterráneo, medio enterrado en la arena, y su carne es comestible. ‖ **diablo. escorpina.**

pejegallo. m. *Chile.* Pez de unos 80 centímetros de largo, de cuerpo redondeado, sin escama y con pellejo azulado. Tiene una especie de cresta carnosa que le baja hasta la boca, y de ahí su nombre.

pejemuller. m. **pez mujer.**

pejepalo. m. Abadejo sin aplastar y curado al humo.

pejerrey. m. Pez marino del orden de los teleósteos, acantopterigio, que no suele pasar de 13 a 14 centímetros de largo; cuerpo fusiforme, de color plateado y reluciente, con dos bandas más obscuras a lo largo de cada costado, cabeza casi cónica, aletas pequeñas y cola ahorquillada. Abunda en todas las aguas costeras españolas y en las lagunas litorales, incluso en las salobres; puede entrar en los ríos y llegar a vivir en el agua dulce. Vive formando cardumes y es pesca bastante estimada. ‖ **2.** *Argent.* Nombre de diversas especies de peces marinos o de agua dulce, parecidos al precedente, pero de tamaño mayor.

pejesapo. m. Pez teleósteo marino del suborden de los acantopterigios, que llega a un metro de longitud, con cabeza enorme, redonda, aplastada y con tres apéndices superiores largos y movibles; boca grandísima, colocada, así como los ojos, en la parte superior de la cabeza; cuerpo pequeño y fusiforme, aletas pectorales muy grandes, y pequeñas las del dorso y cola. Carece de escamas; es de color oscuro por el lomo y blanco por el vientre, y tiene por todo el borde del cuerpo como unas barbillas carnosas.

pejibaye. m. *C. Rica.* **pijibay,** especie de corojo.

pejiguera. (Del lat. *persicarĭa,* duraznillo, de *persĭcus.*) f. fam. Cualquier cosa que sin traernos gran provecho nos pone en problemas y dificultades. ‖ **2.** V. **hierba pejiguera.**

pején. m. *Cantabria.* **pejino.** Ú. t. c. adj.

pejino, na. (De *peje.*) m. y f. Persona del pueblo bajo de la ciudad española de Santander o de poblaciones marítimas de su provincia. ‖ **2.** m. Lenguaje de los **pejinos.** ‖ **3.** adj. Perteneciente o relativo a los **pejinos.**

pela. f. Acción y efecto de pelar.

pelada. (Del lat. *pilāta,* t. f. de *-tus,* pelado.) f. Piel de carnero u oveja, a la cual se le arranca la lana después de muerta la res. ‖ **2.** Fruto de un cacto, tuna, chula.

peladera. f. Caída del pelo.

peladero. m. Sitio donde se pelan los cerdos o las aves. ‖ **2.** fig. y fam. Sitio donde se juega con fullerías. ‖ **3.** *Amér.* Terreno pelado, desprovisto de vegetación.

peladilla. f. Almendra confitada con un baño de azúcar. ‖ **2.** Canto rodado pequeño.

peladillo. (d. de *pelado.*) m. Variedad del pérsico, cuyo fruto tiene la piel lustrosa y la carne dura y pegada al hueso. ‖ **2.** Fruto de este árbol. ‖ **3.** pl. Lana de peladas.

pelado, da. p. p. de **pelar.** ‖ **2.** adj. fig. que aparece desprovisto de lo que por naturaleza suele adornarlo, cubrirlo o rodearlo. *Un monte* PELADO; *un hueso* PELADO. ‖ **3.** Dícese del número que consta de decenas, centenas o millares justos. *El veinte* PELADO. ‖ **4.** V. **letra, muerte pelada.** ‖ **5.** Dícese de la persona pobre o sin dinero. Ú. t. c. s. ‖ **6.** *Ecuad.* **calvo,** que ha perdido el pelo. Ú. t. c. s. m. ‖ **7.** m. y f. *Méj.* Persona de las capas sociales menos pudientes y de inferior cultura; grosero. ‖ **8.** m. Acción y efecto de pelar o cortar el cabello. ‖ **bailar** uno **el pelado.** fr. fig. y fam. Estar sin dinero.

pelador, ra. m. y f. Persona que pela o descorteza una cosa. Ú. t. c. adj.

peladura. f. Acción y efecto de pelar o descortezar una cosa. ‖ **2.** Monda, hollejo, cáscara.

pelafustán, na. m. y f. fam. **pelagatos.**

pelagallos. m. fig. y fam. **pelagatos.**

pelagartar. (De or. inc.) m. *Murc.* Terreno impropio para el cultivo, pues solo contiene piedras.

pelagatos. m. fig. y fam. Hombre insignificante o mediocre, sin posición social o económica.

pelagianismo. m. Secta de Pelagio. ‖ **2.** Conjunto de los sectarios o de las doctrinas de este hereje.

pelagiano, na. (Del lat. *pelagiānus.*) adj. Sectario de Pelagio, heresiarca del siglo V, cuyo error fundamental consistía en negar que el pecado de Adán se hubiese transmitido a su descendencia. Ú. t. c. s. ‖ **2.** Perteneciente a la doctrina o secta de Pelagio.

pelágico, ca. (Del lat. *pelagĭcus.*) adj. Perteneciente al piélago. ‖ **2.** *Biol.* Dícese de los animales y vegetales marinos, que viven en zonas alejadas de la costa, a diferencia de los neríticos. ‖ **3.** *Biol.* Por ext., se aplica también a organismos que viven en las aguas de los lagos grandes.

pelagoscopio. m. *Fís.* Aparato que sirve para estudiar el fondo del mar.

pelagra. (Del it. *pellagra.*) f. *Pat.* Enfermedad crónica, con manifestaciones cutáneas y perturbaciones digestivas y nerviosas, producida por defectos de la alimentación, sobre todo de ciertas vitaminas.

pelagroso, sa. adj. *Pat.* Perteneciente o relativo a la pelagra. ‖ **2.** *Pat.* Que padece pelagra. Ú. t. c. s.

pelaire. (Del cat. *paraire.*) m. El que prepara la lana que ha de tejerse.

pelairía. f. Oficio u ocupación del pelaire.

pelaje. m. Naturaleza y calidad del pelo o de la lana que tiene un animal. ‖ **2.** fig. y fam. Disposición y calidad de una persona o cosa, especialmente del vestido. Ú. por lo común con calificación despectiva.

pelambrar. (De *pelambre.*) tr. Meter las pieles en el agua con cal o pelambre de las tenerías.

pelambre. (De *pelo.*) amb. Porción de pieles que se apelambran. ‖ **2.** Conjunto de pelo abundante en todo el cuerpo. ‖ **3.** Mezcla de agua y cal con que se pelan los pellejos en los noques de las tenerías. ‖ **4.** p. us. Falta de pelo en las partes donde es natural tenerlo.

pelambrera. (De *pelambre.*) f. Sitio donde se apelambran las pieles. ‖ **2.** Porción de pelo o de vello espeso y crecido. ‖ **3.** Pelo o vello abundante y revuelto. ‖ **4. alopecia.**

pelambrero. (De *pelambre.*) m. Oficial que apelambra las pieles.

pelamen. m. fam. Conjunto de pelo, pelambre.

pelamesa. (De *pelar* y *mesar.*) f. Riña o pelea en que los contendientes se asen y mesan los cabellos o barba. ‖ **2.** Porción de pelo que se puede asir o mesar.

pelanas. m. fam. Persona inútil y despreciable.

pelandusca. (De *pelar.*) f. fam. Prostituta, ramera.

pelantrín. (De *pelado,* con cruce de *labrantín.*) m. Labrantín, pegujalero.

pelar. (Del lat. *pilāre.*) tr. Cortar, arrancar, quitar o raer el pelo. Ú. t. c. prnl. ‖ **2.** Quitar las plumas al ave. ‖ **3.** fig. Despellejar, quitar la piel a un animal. ‖ **4.** fig. Mondar o quitar la piel, la película o la corteza a una cosa. ‖ **5.** fig. Quitar con engaño, arte o violencia los bienes a otro. ‖ **6.** fig. y fam. Dejar a uno sin dinero. ‖ **7.** fig. Criticar, murmurar, despellejar. ‖ **8.** *Centr.* Comer el halcón una que todavía tiene pluma. ‖ **9.** prnl. Perder el pelo por enfermedad u otro accidente. ‖ **10.** Sufrir desprendimiento de piel por tomar con exceso el sol, por rozadura, etc. ‖ **11.** *Méj.* Irse, escapar, huir precipitadamente. ‖ **duro de pelar.** loc. fig. y fam. Difícil de conseguir o ejecutar. ‖ **2.** Dícese de la persona difícil de convencer. ‖ **pelarse** uno **de fino.** fr. fig. y fam. Ser muy astuto. ‖ **pelárselas.** loc. verbal fig. y fam. Apetecer alguien con vehemencia una cosa. *Este* PELA *por figurar.* ‖ **2.** fig. y fam. Ejecutar alguna cosa con vehemencia, actividad o rapidez. *Corre que* SE LAS PELA. *Escribe que* SE LAS PELA. *Grita que* SE LAS PELA. ‖ **que pela.** loc. fig. y fam. Dicho de cosas calientes o frías, que producen una sensación extremada. *Esta sopa está* QUE PELA; *corre un gris* QUE PELA.

pelarela. (De *pelar.*) f. p. us. Caída del pelo.

pelargonio. (Del gr. πελαργός, cigüeña.) m. Planta de la familia de las geraniáceas, de flores cigomorfas con diez estambres, algunos sin anteras, que vive en África y en los países asiáticos y europeos de la zona mediterránea y comprende muchas especies cultivadas en los jardines como ornamentales, que suelen ser designadas impropiamente con el nombre de geranios.

pelarruecas. (De *pelar* y *rueca*.) f. fig. y fam. Mujer pobre que vive de hilar.

pelásgico, ca. (Del lat. *Pelasgĭcus*.) adj. Perteneciente o relativo a los pelasgos.

pelasgo, ga. (Del lat. *Pelasgus*.) adj. Dícese del individuo de un pueblo de incierto origen que en muy remota antigüedad se estableció en territorios de Grecia y de Italia. Ú. t. c. s. ‖ **2.** Perteneciente a él. ‖ **3.** Natural de la Grecia antigua o de alguna de sus regiones. Ú. t. c. s. ‖ **4.** Perteneciente a la Grecia antigua o a alguna de sus regiones.

pelaza. (De *pelo*.) adj. V. **paja pelaza.** ‖ **2.** f. p. us. Pendencia, riña, disputa.

pelazga. (De *pelo*.) f. p. us. fam. Pendencia, riña, disputa.

pelcigar. (Del lat. *vellicicăre*; de *vellicăre*, pellizcar, con influjo de *pellis*, piel.) intr. ant. *Ál., Burg.* y *Rioja.* **pellizcar.**

pelcigo. (De *pelcigar*.) m. ant. *Ál., Burg.* y *Rioja.* **pellizco.**

peldaño. (De or. inc.) m. Cada una de las partes de un tramo de escalera, que sirven para apoyar el pie al subir o bajar por ella.

pelde. (De *apelde*.) f. p. us. Toque de campanas antes de amanecer, apelde.

peldefebre. (Del fr. *poil de chèvre*, pelo de cabra.) m. Cierto género antiguo de tela de lana y pelo de cabra, a modo del llamado pelo de camello.

pelea. (De *pelear*.) f. Acción y efecto de pelear o pelearse.

peleador, ra. adj. Que pelea, combate, contiende o lidia. ‖ **2.** Que propende o es aficionado a pelear.

pelear. (De *pelo*.) intr. Batallar, combatir o contender con armas. ‖ **2.** Contender o reñir, aunque sea sin armas o solo de palabra. Ú. t. c. prnl. ‖ **3.** fig. Luchar los animales entre sí. ‖ **4.** fig. Combatir entre sí u oponerse las cosas unas a otras. Se usa frecuentemente hablando de los elementos. ‖ **5.** fig. Resistir y trabajar por vencer las pasiones y apetitos, o combatir estos entre sí. ‖ **6.** fig. Afanarse, resistir o trabajar continuadamente por conseguir una cosa, o para vencerla o sujetarla. ‖ **7.** prnl. Desavenirse, enemistarse, separarse en discordia.

pelecaniforme. (Del gr. πελεκάν, -ανος, pelicano, y *-forme*.) adj. *Zool.* Dícese de aves predominantemente marinas, cuyas patas presentan los cuatro dedos dirigidos hacia delante y unidos entre sí por una membrana; el pico es largo, a menudo provisto de una bolsa dilatable. Ú. t. c. s. ‖ **2.** f. pl. *Zool.* Orden de estas aves.

pelechar. intr. Echar los animales pelo o pluma. ‖ **2.** Cambiar de pluma las aves. ‖ **3.** fig. y fam. Comenzar a medrar, a mejorar de fortuna o a recobrar la salud.

pelecho. m. Acción y efecto de pelechar.

pelegrinar. intr. ant. **peregrinar.**

pelegrino. m. ant. **peregrino.** Aún se dice entre los aldeanos de Burgos y Soria, como vulgarismo en casi toda España.

pelele. (De or. inc.) m. Figura humana de paja o trapos que se suele poner en los balcones o que mantea el pueblo en las carnestolendas. ‖ **2.** Traje de punto de una pieza que se pone a los niños para dormir. ‖ **3.** fig. y fam. Persona simple o inútil.

pelendengue. m. **perendengue.**

pelendón, na. (Del pl. lat. *Pelendŏnes* o *Pellendŏnes*.) adj. Dícese de una tribu celtíbera que ocupaba la región de las fuentes del Duero. ‖ **2.** Dícese también de los miembros de esta tribu. Ú. t. c. s. ‖ **3.** Perteneciente o relativo a los **pelendones.**

peleón, na. (De *pelea*.) adj. Pendenciero, camorrista. ‖ **2.** fam. V. **vino peleón.** Ú. t. c. s. ‖ **3.** f. fam. Pendencia, cuestión, riña o contienda.

pelerina. (Del fr. *pèlerine*.) f. Toquilla de punto, como capa corta, que usan las mujeres. Se ha llamado así a las diferentes formas de esclavina.

pelete. (De *pelo*.) m. En el juego de la banca y otros semejantes, el que apunta estando de pie. ‖ **2.** p. us. fig. y fam. Hombre pobre, de pocos haberes, pelón. ‖ **en pelete.** loc. adv. Enteramente desnudo, en cueros.

peletería. f. Oficio de adobar y componer las pieles finas o de hacer con ellas prendas de abrigo, y también de emplearlas como forros y adornos en ciertos trajes. ‖ **2.** Comercio de pieles finas. ‖ **3.** Conjunto o surtido de ellas. ‖ **4.** Tienda donde se venden.

peletero, ra. (Del fr. *pelletier*.) m. y f. Persona que tiene por oficio trabajar en pieles finas o venderlas. ‖ **2.** adj. Perteneciente o relativo a la peletería.

pelgar. (De *pielga*.) m. fam. Hombre sin habilidad ni ocupación.

peliagudo, da. (De *pelo* y *agudo*.) adj. Dícese del animal que tiene el pelo largo y delgado, como el conejo, el cabrito, etc. ‖ **2.** fig. y fam. Dícese del negocio o cosa difícil de resolver o entender. ‖ **3.** fig. y fam. Aplícase al sujeto sutil o mañoso.

peliblanco, ca. adj. Que tiene blanco el pelo.

peliblando, da. adj. Que tiene el pelo blando y suave.

pelicano, na. adj. Que tiene cano el pelo.

pelícano o **pelicano.** (Del lat. *pelicānus*, y este del gr. πελεκάν.) m. Ave acuática del orden de las pelecaniformes, que llega a tener 13 decímetros desde la punta del pico hasta la extremidad de la cola, y dos metros de envergadura, con plumaje blanco, algo bermejo en el lomo y buche, negro en las remeras y amarillento en el penacho que cubre la cabeza; pico muy largo y ancho, que en la mandíbula inferior lleva una membrana grande y rojiza, la cual forma una especie de bolsa donde deposita los alimentos; alas agudas, cola pequeña y redonda, tarsos cortos y fuertes, y pies palmeados. El modo como abre la bolsa para dar alimento a sus polluelos ha ocasionado la fábula de que se abría el pecho con el pico para alimentarlos con su sangre. ‖ **2.** *Cir.* Gatillo de sacar dientes y muelas. ‖ **3.** pl. **aguileña,** planta.

pelicorto, ta. adj. Que tiene corto el pelo.

película. (Del lat. *pellicŭla*.) f. Piel delgada y delicada. ‖ **2.** Capa delgada que se forma sobre algunas cosas o las recubre. ‖ **3.** Telilla que a veces cubre ciertas heridas y úlceras. ‖ **4.** Pellejo, hollejo de la fruta. ‖ **5.** Cinta de celuloide dispuesta para ser impresionada fotográficamente. ‖ **6.** Cinta de celuloide que contiene una serie continua de imágenes fotográficas para reproducirlas proyectándolas en la pantalla del cinematógrafo o en otra superficie adecuada. ‖ **7.** Obra cinematográfica. ‖ **de dibujos animados. dibujos animados. ‖ en color.** La que se impresiona con los colores naturales. ‖ **en blanco y negro.** Se dice de la que no está impresionada en color.

pelicular. adj. Perteneciente o relativo a la película.

peliculero, ra. adj. Perteneciente o relativo a la película de cine, o propio de ella. ‖ **2.** fig. y fam. Fantasioso, que se deja llevar de la imaginación. ‖ **3.** m. y f. fam. Artista de cine.

peliculón. m. aum. de **película.** ‖ **2.** fam. Película cinematográfica muy buena. ‖ **3.** fam. Película larga y aburrida.

peliduro, ra. adj. Que tiene duro el pelo. Se aplica especialmente a determinadas razas caninas.

peliforra. (De *pelo*.) f. fam. Prostituta, ramera.

peligno, na. (Del lat. *Pelignus*.) adj. Natural de un territorio de la Italia antigua comprendido en el que ahora se llama de los Abruzos. Ú. t. c. s. ‖ **2.** Perteneciente a él.

peligrar. intr. Estar en peligro.

peligro. (Del lat. *pericŭlum.*) m. Riesgo o contingencia inminente de que suceda algún mal. ‖ **2.** Lugar, paso, obstáculo o situación en que aumenta la inminencia del daño. ‖ **correr peligro.** fr. Estar expuesto a él. ‖ **quien ama, o busca, el peligro, en él perece.** fr. proverb. con que se amonesta a los temerarios.

peligrosamente. adv. m. Arriesgadamente; con contingencia o peligro.

peligrosidad. f. Calidad de peligroso.

peligroso, sa. (Del lat. *periculōsus.*) adj. Que tiene riesgo o puede ocasionar daño. ‖ **2.** fig. Aplícase a la persona que puede causar daño o cometer actos delictivos.

pelilargo, ga. adj. Que tiene largo el pelo.

pelillo. (d. de *pelo.*) m. fig. y fam. Causa o motivo muy leve de desazón, y que se debe despreciar. Ú. m. en pl. ‖ **no tener** uno **pelillos en la lengua.** fr. fig. y fam. **no tener pelos en la lengua.** ‖ **pararse** uno **en pelillos.** fr. fig. y fam. Notar las cosas más leves, pudiendo llegar a ser motivo de disgusto, o detenerse en cosas de poca importancia. Ú. m. con neg. ‖ **pelillos a la mar.** Modo que tienen los muchachos de afirmar que no faltarán a lo que han tratado o convenido, lo cual hacen arrancándose cada uno un pelo de la cabeza, y soplándolo dicen: PELILLOS A LA MAR. ‖ **2.** Olvido de agravios y restablecimiento del trato amistoso. ‖ **reparar** uno **en pelillos.** fr. fig. y fam. **pararse en pelillos.** Ú. m. con neg.

peliloso, sa. adj. fig. y fam. Quisquilloso, delicado en el trato con los demás; que repara en pelillos.

pelinegro, gra. adj. Que tiene negro el pelo.

pelirrojo, ja. adj. Que tiene rojo el pelo. Ú. t. c. s.

pelirrubio, bia. adj. Que tiene rubio el pelo.

pelitieso, sa. adj. Que tiene el pelo tieso y erizado.

pelitre. (Del prov. y cat. *pelitre.*) m. Planta herbácea anual de la familia de las compuestas, con tallos inclinados, de tres a cuatro decímetros de longitud; hojas partidas en lacinias muy estrechas; flores terminales con centro amarillo y circunferencia blanca por encima y roja por el envés, y raíz casi cilíndrica, de dos a tres decímetros de largo y un centímetro de grueso, parda por fuera, blanquecina por dentro, de sabor salino muy fuerte y que se ha usado en medicina como masticatorio para provocar la salivación. La raíz, reducida a polvo, se usa como insecticida. Es planta propia del norte de África y se cultiva en los jardines. ‖ **2.** Raíz de esta planta.

pelitrique. (De *pelo.*) m. fam. Cualquier cosa de poca entidad o valor, y por lo común, adorno inútil del vestido, tocado, etc.

pelma. (De *pelmazo.*) m. p. us. fam. Cualquier cosa apretada más de lo conveniente. ‖ **2.** p. us. Comida que se asienta en el estómago. ‖ **3.** com. fig. y fam. Persona tarda en sus acciones. ‖ **4.** fig. y fam. Persona molesta e importuna.

pelmacería. (De *pelmazo.*) f. fam. Tardanza o pesadez en las acciones.

pelmazo, za. (De or. inc.) m. p. us. Cualquier cosa apretada o aplastada más de lo conveniente. ‖ **2.** p. us. Comida que se asienta en el estómago. ‖ **3.** m. y f. fig. y fam. Persona tarda en sus acciones. Ú. t. c. adj. ‖ **4.** fig. y fam. Persona molesta, fastidiosa e inoportuna.

pelo. (Del lat. *pilus.*) m. Filamento cilíndrico, sutil, de naturaleza córnea, que nace y crece entre los poros de la piel de casi todos los mamíferos y de algunos otros animales de distinta clase. ‖ **2.** Conjunto de estos filamentos. ‖ **3.** Cabello de la cabeza humana. ‖ **4.** Pluma fina de las aves debajo del plumaje exterior. ‖ **5.** Vello que tienen algunas frutas como los melocotones, en la cáscara o pellejo, y al-

gunas plantas en hojas y tallos. ‖ **6.** Cualquier hebra delgada de lana, seda u otra cosa semejante. ‖ **7.** Brizna o raspilla que, desprendida en parte del cañón de la pluma de ave para escribir, impedía formar las letras limpiamente. ‖ **8.** Cuerpo extraño que se agarra a los puntos de la pluma de escribir y hace que la letra salga borrosa. ‖ **9.** Muelle de poquísimo resalto en que descansa el gatillo de algunas armas de fuego cuando están montadas. ‖ **10.** En los tejidos, parte que queda en su superficie y sobresale en la haz y cubre el hilo. *Caérsele el PELO a un vestido.* ‖ **11.** Capa o color de los caballos y otros animales. ‖ **12.** Seda en crudo. ‖ **13.** Raya opaca en las piedras preciosas, que les quita valor. ‖ **14.** Raya o grieta por donde con facilidad saltan las piedras, el vidrio y los metales. ‖ **15.** Enfermedad que padecen las mujeres en los pechos, cuando están criando, por obstrucción de los conductos de la leche. ‖ **16.** Parte fibrosa de la madera, que se separa de las demás al cortarla o labrarla. ‖ **17.** En el juego de trucos y de billar, levedad del contacto de una bola con otra cuando chocan oblicuamente. ‖ **18.** fig. Cualquier cosa mínima o de poca importancia o entidad. ‖ **19.** V. **camelote, carne, espacio, gente, mata de pelo.** ‖ **20.** *Veter.* Enfermedad que padecen las caballerías en los cascos, con que se les abren y se les levanta o desune una parte de ellos. ‖ **de aire.** fig. Viento casi imperceptible. *No hace ni corre un* PELO DE AIRE. ‖ **de camello.** Tejido hecho con **pelo** de este animal o imitado con el pelote del macho cabrío. ‖ **de cofre,** o **de Judas.** fr. fig. y fam. **pelo** bermejo. ‖ **2.** fig. y fam. Persona que lo tiene de este color. ‖ **de la dehesa.** fig. y fam. Resabios que conservan las gentes rústicas. ‖ **malo.** Plumón de las aves. ‖ **pelos táctiles.** *Anat.* vibrisas. ‖ **2.** Tipos de cerdas o filamentos que poseen numerosos artrópodos. ‖ **pelos y señales.** fig. y fam. Pormenores y circunstancias de una cosa. *Contar un suceso con todos sus* PELOS Y SEÑALES. ‖ **agarrarse** uno **de un pelo.** fr. fig. y fam. **asirse de un pelo.** ‖ **al pelo.** loc. adv. Según o hacia el lado a que se inclina el **pelo;** como en las pieles, en los paños, etc. ‖ **2.** fig. y fam. A punto, con toda exactitud, a medida del deseo. ‖ **a medios pelos.** loc. adv. fig. y fam. Medio embriagado. ‖ **andar al pelo.** fr. fig. y fam. Andar a golpes. ‖ **a pelo.** loc. adv. fam. Con la cabeza descubierta. ‖ **2.** Manera de montar las caballerías, sin silla, albarda ni otras guarniciones. ‖ **3.** fig. y fam. **al pelo,** a punto, con exactitud. ‖ **4.** fig. y fam. A tiempo, a propósito o a ocasión. ‖ **así me, te, nos,** etc., **luce el pelo.** fr. irón. fig. y fam. que significa que la persona está perdiendo el tiempo sin hacer nada, o que no saca provecho de lo que hace. ‖ **asirse** uno **de un pelo.** fr. fig. y fam. **asirse de un cabello.** ‖ **buscar el pelo al huevo.** fr. fig. y fam. Andar buscando motivos ridículos para reñir y enfadarse. ‖ **caérsele** a uno **el pelo.** fr. fig. y fam. Recibir una reprimenda, castigo o sanción cuando una persona se descubre que ha hecho una cosa mal. ‖ **como el pelo de la masa.** loc. fig. y fam. Llano, liso y mondo. ‖ **contra pelo.** loc. adv. **a contrapelo.** ‖ **2.** fig. y fam. Fuera de tiempo, fuera de propósito. ‖ **cortar un pelo en el aire.** fr. fig. **hender un cabello en el aire.** ‖ **dar** a uno **para el pelo.** fr. fig. y fam. Darle una tunda o azotaína. Ú. generalmente en son de amenaza. ‖ **de medio pelo.** loc. adj. fig. y fam. despect. Dícese de las personas que quieren aparentar más de lo que son, o de las cosas de poco mérito o importancia. ‖ **de pelo en pecho.** loc. adj. fig. y fam. Dícese de la persona vigorosa, robusta y denodada. ‖ **de poco pelo.** loc. fig. De poca importancia. ‖ **echar buen pelo.** fr. fig. y fam. **pelechar,** mejorar de fortuna. ‖ **echar pelos a la mar.** fr. fig. y fam. Reconciliarse o más personas. ‖ **en pelo.** loc. adv. **a pelo,** con la cabeza descubierta. ‖ **2.** Aplicado a caballerías, sin montura. ‖ **3.** fig. y fam. Desnudamente, sin los adherentes que de ordinario suelen acompañar. ‖ **estar** una cosa **en un pelo.** loc. fam. **estar a punto** de. ‖ **estar** uno **hasta los pelos.** fr. fig. y fam. Estar harto o cansado de alguna persona o de algún asunto. ‖ **hacer el pelo.** fr. Aderezarlo. ‖ **largo como pelo de huevo,** o **de rata.** loc. fig. y fam. Tacaño, miserable. ‖ **montar al pelo.** fr. Dícese de las armas de fuego cuando se construyen de manera que, por sobresalir o resaltar muy poco el disparador donde se sostiene la patilla de la llave, esta cae apenas se toca el gatillo. ‖ **no cubrirle pelo** a uno. fr. fig. No poder medrar o hacer fortuna. ‖ **no tener** uno **pelo de tonto.** fr. vig. y fam. Ser listo y avisado. ‖ **no tener** uno **pelos en la lengua.** fr. fig. y fam. Decir sin reparo ni empacho lo se que piensa o siente, o hablar con demasiada libertad y desembarazo. ‖ **no tocar** a uno **al pelo,** o **al pelo de la ropa.** fr. fig. **no tocarle a la ropa.** ‖ **no ver,** o **no vérsele el pelo** a uno. fr. fig. y fam. Notar la ausencia de una persona en los lugares a donde solía acudir. ‖ **pelo a pelo.** loc. adv. fig. y fam. Sin adehala o añadidura en los trueques o cambios de una cosa por otra. ‖ **pelo arriba.** loc. adv. **contra pelo.** *Peinarse* PELO ARRIBA. ‖ **pelo por pelo.** loc. adv. fig. y fam. **pelo a pelo.** ‖ **poner al pelo.** fr. **montar al pelo.** ‖ **ponérsele** a uno **los pelos de punta.** fr. fig. y fam. Erizársele el cabello por frío o por alguna otra circunstancia. ‖ **2.** fig. y fam. Sentir gran pavor. ‖ **por los pelos.** loc. En el último instante. *Cogió el tren* POR LOS PELOS. ‖ **rascarse** uno **pelo arriba.** fr. fig. y fam. Sacar dinero de la faltriquera. Dícese especialmente del que lo siente y tiene dificultad en hacerlo. ‖ **relucirle** a uno **el pelo.** fr. fig. y fam. Estar gordo y bien tratado. Dícese también frecuentemente de los caballos y otros animales. ‖ **salir de pelo** una cosa. fr. Hacerla según el genio natural de cada uno. ‖ **ser capaz de contarle los pelos al diablo.** fr. fig. y fam. Ser muy hábil y diestro. ‖ **ser** uno **de buen pelo.** fr. irón. Tener mala índole. ‖ **soltarse** uno **el pelo.** fr. fig. y fam. Decidirse a hablar u obrar sin miramiento. ‖ **¡son pelos de cochino!** expr. que se usa para significar que una cosa o la una cosa la estimación y valor que merece. ‖ **tener pelos** un negocio. fr. fig. y fam. Ofrecer dificultad, ser enredoso o complicado. ‖ **tener** uno **pelos en el corazón.** fr. fig. y fam. Tener gran valor y ánimo. ‖ **2.** fig. y fam. Ser inhumano y poco sensible a los males ajenos. ‖ **tirarse uno de los pelos.** fr. fig. y fam. Arrepentirse de algo. ‖ **2.** fig. y fam. Estar muy furioso. ‖ **tomar el pelo** a uno. fr. fig. y fam. Burlarse de él con elogios, promesas o halagos fingidos. ‖ **traer** una cosa **por los pelos.** fr. fig. y fam. **traer** una cosa **por los cabellos.** ‖ **un pelo.** fig. y fam. Muy poco. *Le faltó* UN PELO *para llegar; no acertó por* UN PELO.

pelón, na. adj. Que no tiene pelo o tiene muy poco. Ú. t. c. s. ‖ **2.** Que lleva cortado el pelo al rape. Ú. t. c. s. ‖ **3.** V. **trigo pelón.** ‖ **4.** fig. y fam. Que tiene muy escasos recursos económicos. Ú. t. c. s. ‖ **5.** *Ecuad.* Que tiene mucho pelo.

pelona. (De *pelón.*) f. Caída del pelo.

pelonería. (De *pelón.*) f. fam. Pobreza, o escasez y miseria.

pelonía. (De *pelón.*) f. Caída del pelo.

peloponense. (Del lat. *Peloponnensis.*) adj. **peloponesio.** Ú. t. c. s.

peloponesiaco, ca o **peloponesíaco, ca.** (Del lat. *Peloponnesīacus*) adj. Perteneciente al Peloponeso.

peloponesio, sia. (Del lat. *Peloponesīus,* y este del gr. Πηλοποννήσιος.) adj. Natural del Peloponeso. Ú. t. c. s. ‖ **2.** Perteneciente a esta península de la Grecia antigua.

pelosilla. (De *peloso.*) f. **vellosilla,** planta.

peloso, sa. (Del lat. *pilōsus.*) adj. Que tiene pelo.

pelota¹. (Del prov. *pelota.*) f. Bola pequeña de goma elástica, recubierta de lana, pelote u otra materia y forrada de cuero o paño para jugar. También se hace de una esfera hueca de caucho. ‖ **2. balón.** ‖ **3.** Juego que se hace con ella. ‖ **4.** Bola de materia blanda, como nieve, barro, etc.,

que se amasa fácilmente. ‖ **5.** Bala de piedra, plomo o hierro, con que se cargaban los arcabuces, mosquetes, cañones y otras armas de fuego. ‖ **6.** Batea de piel de vaca que usaban en América para pasar los ríos personas y cargas. ‖ **7.** fig. Acumulación de deudas o desazones que, siendo una por una de escasa entidad, juntas resultan graves. ‖ **8.** fig. y fam. Prostituta, ramera. ‖ **9.** V. **corredor de pelota.** ‖ **10.** com. fig. y fam. Adulador, persona que hace la rosca. ‖ **de viento.** desus. **balón** de algunos juegos que se hinchaba con aire a presión. ‖ **vasca.** *Dep.* Conjunto de especialidades deportivas de **pelota,** que se practica en un frontón o trinquete. ‖ **devolver la pelota** a alguien. fr. fig. y fam. **rechazar la pelota.** ‖ **estar la pelota en el tejado.** fr. fig. y fam. Ser todavía dudoso el éxito de un negocio cualquiera. ‖ **hacer la pelota** a alguien. fr. fig. y fam. Adularla para conseguir algo. ‖ **hacerse** uno **una pelota.** fr. fig. y fam. **hacerse un ovillo.** ‖ **jugar a la pelota con** uno. fr. fig. y fam. Traerle engañado con razones, haciéndole ir y venir inútilmente o andar de una parte a otra sin efecto. ‖ **no tocar pelota.** fr. fig. y fam. No dar uno en el punto de la dificultad. ‖ **rechazar** uno **la pelota.** fr. fig. Rebatir lo que otro dice, con sus mismas razones o fundamentos. ‖ **sacar** uno **pelotas de una alcuza.** fr. fig. y fam. Ser muy astuto o agudo para conseguir lo que desea. ‖ **volver** uno **la pelota.** fr. fig. **rechazar la pelota.**

pelota² (en). (De *pelo.*) loc. adv. Desnudo, en cueros. Ú. t. en pl. ‖ **dejar** a uno **en pelota.** fr. fig. y fam. Quitarle o robarle todo lo que tiene. ‖ **2.** Desnudarle de la ropa exterior o de toda ella. Ú. t. en pl.

pelotari. (Del vasco *pelotari.*) com. Persona que tiene por oficio jugar a la pelota en un frontón.

pelotazo. m. Golpe dado con la pelota de jugar. ‖ **2.** vulg. **lingotazo.**

pelote. m. Pelo de cabra, que se emplea para rellenar muebles de tapicería y sirve también para otros usos industriales. ‖ **2.** ant. Prenda de abrigo de pieles finas que cubre el torso, pelliza.

pelotear. tr. Repasar y señalar las partidas de una cuenta, y cotejarlas con sus justificantes respectivos. ‖ **2.** intr. Jugar a la pelota por entretenimiento, sin la formalidad de hacer partido. ‖ **3.** fig. Arrojar una cosa de una parte a otra. ‖ **4.** fig. Reñir dos o más personas entre sí. ‖ **5.** fig. Disputar, controvertir o contender sobre una cosa. ‖ **6.** *Bol.* Pasar un río en la batea llamada pelota. Ú. t. c. tr. ‖ **7.** *Argent.* Traer a alguien a mal traer, tratarlo sin consideración.

peloteo. m. Acción y efecto de pelotear. ‖ **2.** Acción y efecto de **hacer la pelota,** adular.

pelotera. (De *pelote.*) f. fam. Riña, contienda o revuelta.

pelotería¹. (De *pelota.*) f. p. us. Conjunto o copia de pelotas¹.

pelotería². (De *pelo.*) f. p. us. Conjunto de pelote.

pelotero, ra. adj. V. **escarabajo pelotero.** ‖ **2.** m. y f. Persona que tiene por oficio hacer pelotas de jugar. ‖ **3.** Persona que las suministra en el juego. ‖ **4.** m. fam. Riña, contienda, pelotera. ‖ **traer** a uno **al pelotero.** fr. fig. y fam. **traerle al retortero.**

pelotilla. (d. de *pelota.*) f. Bolita de cera, armada de puntas de vidrio, que usaban los disciplinantes. ‖ **2.** V. **ortiga de pelotillas.** ‖ **darse** uno **con la pelotilla.** fr. Azotarse con ella el disciplinante. ‖ **2.** fig. y fam. Beber vino en abundancia. ‖ **hacer la pelotilla** a una persona. fr. fig. y fam. Adularla con miras interesadas.

pelotillero, ra. adj. fig. Que adula. Ú. t. c. s.

peloto. (De *pelo.*) adj. V. **trigo peloto.** Ú. t. c. s.

pelotón¹. m. aum. de **pelota.** ‖ **2.** Conjunto de pelos o cabellos unidos, apretados o enredados. ‖ **3.** fig. Conjunto de personas sin orden y como en tropel. ‖ **4.** *Dep.* Grupo numeroso de ciclistas que, durante una prueba, marchan juntos.

pelotón². (Del fr. *peloton*.) m. *Mil.* Pequeña unidad de infantería que forma parte normalmente de una sección. Suele estar a las órdenes de un sargento o de un cabo.

pelta. (Del lat. *pelta*, y este del gr. πέλτη.) f. Escudo ligero usado por los antiguos soldados griegos. ‖ **2.** *Bot.* En los líquenes, apotecio plano y poco prominente.

peltado, da. (Del lat. *peltātus*, armado de pelta o escudo.) adj. *Bot.* Aplícase a la hoja de lámina redondeada y con el pecíolo inserto en el centro.

peltasta. (Del gr. πελταστής, οῦ.) m. Soldado de infantería del antiguo ejército griego, dotado de pelta.

peltre. (De or. inc.) m. Aleación de cinc, plomo y estaño.

peltrero. m. El que trabaja en cosas de peltre.

pelú. (Del arauc. *polu*.) m. *Chile.* Árbol leguminoso, con hojas de 10 a 20 pares de foliolos, orbiculares, flores muy hermosas de color dorado, legumbre con cuatro alas longitudinales denticuladas, y madera dura y preciosa.

peluca. (Del fr. *perruque*, con cruce de *pelo*.) f. Cabellera postiza. ‖ **2.** fig. y fam. Persona que la lleva o la usa. ‖ **3.** fig. y fam. Represión acre y severa dada a un inferior.

pelucona. (De *peluca*, por alusión a la cabellera larga del busto en estas monedas.) f. fam. Onza de oro, y especialmente cualquiera de las acuñadas con el busto de uno de los reyes de la casa de Borbón, hasta Carlos IV inclusive.

peluche. (Del fr. *peluche*.) m. **felpa**, tejido con pelo largo por la haz, hecho de diversas fibras. ‖ **2.** Juguete hecho de este tejido.

peludo, da. adj. Que tiene mucho pelo. ‖ **2.** m. Ruedo afelpado que tiene los espartos largos y majados. ‖ **3.** *R. de la Plata.* **armadillo,** animal. ‖ **4.** *Argent., Bol., Par. y Urug.* Borrachera. ‖ **caer como peludo de regalo.** fr. fig. *Argent.* y *Urug.* Llegar de sorpresa o inoportunamente.

peluqueada. f. p. us. *Argent., Col., C. Rica, Par., Urug. y Venez.* Acción y efecto de peluquear o peluquearse.

peluquear. tr. *Col., C. Rica, Par., Urug. y Venez.* Cortar el pelo a una persona. Ú. t. c. prnl.

peluquería. f. Establecimiento donde trabaja el peluquero. ‖ **2.** Oficio de peluquero.

peluquero, ra. m. y f. Persona que tiene por oficio peinar, cortar el pelo o hacer y vender pelucas, rizos, etc. ‖ **2.** Dueño de una peluquería. ‖ **3.** f. Mujer del peluquero.

peluquín. m. Peluca pequeña o que solo cubre parte de la cabeza. ‖ **2.** Peluca con bucles y coleta que se usó a fines del siglo XVIII y a principios del XIX.

pelusa. (despect. de *pelo*.) f. Pelo muy tenue de algunas frutas. ‖ **2.** Pelo menudo que con el uso se desprende de las telas. ‖ **3.** Vello tenue que aparece en la cara de las personas y en el cuerpo de los polluelos de algunas aves. ‖ **4.** Aglomeración de polvo y suciedad que se forma generalmente debajo de los muebles. ‖ **5.** fig. y fam. V. **gente de pelusa.** ‖ **6.** fig. y fam. Envidia propia de los niños.

pelusilla. (d. de *pelusa*.) f. **vellosilla,** planta.

pelvi. (Del persa *pehlawī*, heroico.) adj. Aplícase a la lengua irania o persa media, particularmente en la época sasánida, y a lo que se escribió en ella. Ú. t. c. s. m.

pelviano, na. adj. *Anat.* Perteneciente o relativo a la pelvis. *Cavidad* PELVIANA.

pelvímetro. (De *pelvis*, y *-metro*.) m. Instrumento en forma de compás de piernas curvas, que se emplea para apreciar la forma y amplitud de la pelvis y deducir la facilidad o dificultad con que ha de verificarse el parto.

pelvis. (Del lat. *pelvis*, lebrillo.) f. *Anat.* Cavidad del cuerpo de los mamíferos, situada en la parte posterior del tronco, inferior en el hombre, y en cuya formación entran los huesos sacro, cóccix e innominados. Contiene la porción final del tubo digestivo, la vejiga urinaria y algunos órganos, correspondientes al aparato genital, principalmente en las

hembras. ‖ **2.** *Anat.* Cavidad en forma de embudo, que está situada en cada uno de los riñones de los mamíferos y se continúa con el uréter.

pella. (Del lat. *pilŭla*, d. de *pila*, pelota.) f. Masa que se une y aprieta, regularmente en forma redonda. ‖ **2.** Conjunto de los tallitos de la coliflor y otras plantas semejantes, antes de florecer, que son la parte más delicada y que más se aprecia. ‖ **3.** Especie de pelota compuesta de mixtos, que en la artillería antigua se arrojaba para incendiar. ‖ **4.** Masa de los metales fundidos o sin labrar. ‖ **5.** Manteca del puerco tal como se quita de él. ‖ **6.** Porción pequeña y redondeada de manjar blanco, merengue, etc., con que se adornan algunos platos de postre. ‖ **7.** ant. Conjunto o multitud de personas. ‖ **8.** fig. y fam. Cantidad o suma de dinero, y más comúnmente la que se debe o defrauda. ‖ **9.** *Min.* Masa de amalgama de plata que se obtiene al beneficiar con azogue minerales argentíferos. ‖ **hacer pellas.** fr. fig. y fam. **hacer novillos.**

pellada. (De *pella*.) f. Porción de yeso o argamasa que un peón de albañil puede sostener en la mano, o con la llana. ‖ **2.** Masa unida y prieta generalmente redondeada, pella. ‖ **no dar pellada.** fr. Estar parada una obra de albañilería, o no trabajarse en ella. ‖ **no dar pellada en** una cosa. fr. fig. Tener suspensa su ejecución.

pelleja. (Del lat. *pellicŭla*.) f. Piel quitada del cuerpo del animal. ‖ **2.** Cuero curtido con la lana o el pelo. ‖ **3.** Toda la lana que se esquila de un animal. ‖ **4.** Prostituta, ramera. ‖ **dar, dejar,** o **perder,** uno **la pelleja.** fr. fig. y fam. **dar, dejar,** o **perder, el pellejo.** ‖ **salvar** uno **la pelleja.** fr. fig. y fam. **salvar el pellejo.** ‖ **soltar** uno **la pelleja.** fr. fig. y fam. **soltar el pellejo.**

pellejazo. m. aum. de pellejo. ‖ **2.** *Gran.* Caída violenta.

pellejería. f. Lugar donde se adoban o venden pellejos. ‖ **2.** Oficio o comercio de pellejero. ‖ **3.** Conjunto de pieles o pellejos.

pellejero, ra. (De *pellejo*.) m. y f. Persona que tiene por oficio adobar o vender pieles.

pellejina. f. Pelleja pequeña.

pellejo. (De *pelleja*.) m. Piel del animal, especialmente cuando está separada del cuerpo. ‖ **2.** Piel del hombre. ‖ **3.** Piel de algunas frutas y hortalizas. ‖ **4.** Cuero cosido para contener líquidos, odre. ‖ **5.** fig. y fam. Persona ebria. ‖ **dar, dejar,** o **perder,** uno **el pellejo.** fr. fig. y fam. **morir,** acabar la vida. ‖ **estar,** o **hallarse,** uno **en el pellejo** de otro. fr. fig. y fam. Estar o hallarse en las mismas circunstancias o situación moral que otro. Ú. por lo común en sentido condicional. *si yo me* HALLARA EN *su* PELLEJO; *si usted* ESTUVIERA EN *mi* PELLEJO. ‖ **jugarse el pellejo.** loc. fig. y fam. Arriesgar la vida. ‖ **mudar** uno **el pellejo.** fr. fig. y fam. Mudar de condición o costumbres. ‖ **no caber** uno **en el pellejo.** fr. fig. y fam. Estar muy gordo. ‖ **2.** fig. y fam. Estar muy contento, satisfecho o envanecido. ‖ **no tener** uno **más que el pellejo.** fr. fig. y fam. Estar sumamente flaco. ‖ **pagar** uno **con el pellejo.** fr. fig. y fam. Pagar con la vida. ‖ **quitar** a uno **el pellejo.** fr. fig. y fam. Quitarle la vida. ‖ **2.** fig. y fam. Murmurar, hablando muy mal de él. ‖ **3.** fig. y fam. Tomarle con maña e industria lo que tiene o la mayor parte. ‖ **salvar** uno **el pellejo.** fr. fig. y fam. Librar la vida de un peligro. ‖ **soltar** uno **el pellejo.** fr. fig. y fam. **dar el pellejo.**

pellejudo, da. adj. Que tiene la piel floja o sobrada.

pellejuela. f. d. de **pelleja.**

pellejuelo. m. d. de **pellejo.**

pelleta. (Del lat. *pellis*, piel.) f. p. us. **pelleja.**

pelletería. f. p. us. **pellejería.**

pelletero, ra. m. y f. p. us. **pellejero.**

pellica. (Del lat. *pellis*, piel.) f. Cubierta o cobertor de cama hecho de pellejos finos. ‖ **2.** Pellico hecho de pieles finas y adobadas. ‖ **3.** Piel pequeña adobada.

pellico. (De *pellica*.) m. Zamarra de pastor. ‖ **2.** Vestido de pieles que se le parece.

pellijero, ra. m. y f. p. us. **pellejero.**

pellín. (Del arauc. *pelliñ*, corazón duro de ciertos árboles.) m. *Chile.* Especie de haya cuya madera es muy dura e incorruptible. ‖ **2.** *Chile.* Corazón o cerno de ese mismo árbol. ‖ **3.** *Chile.* fig. Persona o cosa muy fuerte y de gran resistencia.

pelliquero, ra. m. y f. Persona que hace o vende pellicas.

pelliza. (Del lat. *pellicia*, t. f. de *-cius*, hecho de pieles.) f. Prenda de abrigo hecha o forrada de pieles finas. ‖ **2.** Chaqueta de abrigo con el cuello y las bocamangas reforzadas de otra tela. ‖ **3.** *Mil.* Chaqueta de paño azul con las orillas, el cuello y las bocamangas revestidos de astracán y con trencillas de estambre negro para cerrarlas sobre el pecho. ‖ **4.** *Mil.* **dormán.**

pellizcador, ra. adj. Que pellizca.

pellizcar. (Del lat. **vellicicāre*; de *vellicāre*, con infl. de *pellis*, piel.) tr. Asir con el dedo pulgar y cualquiera de los otros una pequeña porción de piel y carne, apretándola de suerte que cause dolor. Ú. t. c. prnl. ‖ **2.** Asir y golpear leve o sutilmente una cosa. ‖ **3.** Tomar o quitar pequeña cantidad de una cosa. ‖ **4.** prnl. p. us. fig. y fam. Impacientarse o perecerse por una cosa.

pellizco. m. Acción y efecto de pellizcar. ‖ **2.** Señal que deja en la carne un pellizco. ‖ **3.** Porción pequeña de una cosa, que se toma o se quita. ‖ **de monja.** Bocadito de masa con azúcar.

pello. (der. regres. de *pellón*.) m. Especie de zamarra fina.

pellón. (Del lat. *pellis*, piel.) m. Vestido talar antiguo, que se hacía regularmente de pieles. ‖ **2.** *Amér.* Pelleja curtida que se usa sobre la silla de montar.

pellote. (Del lat. *pellis*, piel.) m. Vestido talar antiguo, pellón.

pelluzgón. m. Porción de pelo, lana o estopa que se coge de una vez con todos los dedos. ‖ **2. mechón,** porción de pelos, hebras o hilos de una misma clase. Ú. m. en la fr. *Tener la barba a* PELLUZGONES.

pena[1]. (Del lat. *poena*.) f. Castigo impuesto por autoridad legítima al que ha cometido un delito o falta. ‖ **2.** Cuidado, aflicción o sentimiento interior grande. ‖ **3.** Dolor, tormento o sentimiento corporal. ‖ **4.** Dificultad, trabajo. *Con mucha* PENA *he terminado este negocio.* ‖ **5.** V. **alma en pena.** ‖ **6.** V. **siervo de la pena.** ‖ **7.** Cinta adornada con una joya en cada punta, que usaban las mujeres anudándola al cuello y dejando los cabos pendientes sobre el pecho. ‖ **8.** Velo de luto riguroso que, sujeto del sombrero, llevaban las mujeres, flotante sobre la espalda. ‖ **9.** *Col., C. Rica, Méj., Pan.* y *Venez.* Vergüenza. ‖ **10.** *Der.* V. **conmutación de pena. accesoria.** *Der.* La que se impone según ley, como inherente, en ciertos casos, a la principal. ‖ **aflictiva.** *Der.* La de mayor gravedad, entre las de la clase primera, que señalaba el código penal. ‖ **capital.** La de muerte. ‖ **correccional.** *Der.* La de segunda clase, entre las de diversa gravedad, que el código penal determinaba. ‖ **de daño.** *Rel.* Privación perpetua de la vista de Dios en la otra vida. ‖ **de la nuestra merced.** Conminación que los reyes usaban para amenazar con su indignación o castigo al que contraviniera a sus mandatos. ‖ **de la vida. pena capital.** ‖ **del homicillo. homicillo.** ‖ **del talión.** La que imponía al reo un daño igual al que él había causado. ‖ **2.** fig. Perjuicio que, de intereses o moral, que sufre el que causó otro semejante. ‖ **de sentido.** *Rel.* La que atormenta los sentidos o el cuerpo de los condenados. ‖ **leve.** *Der.* Cualquiera de las de menos rigor, como represión privada, arresto menor o multa pequeña, que la ley señala

como castigo de las faltas. ‖ **ordinaria.** *Der.* Se llamaba así, en la legislación antigua, a la **pena** capital. ‖ **pecuniaria. multa.** ‖ **penas de cámara.** *Der.* Condenaciones pecuniarias que los jueces y tribunales imponían a las partes con aplicación a la cámara real o fisco. ‖ **acusar a pena.** fr. ant. Acusar criminalmente, pidiendo el castigo. ‖ **a duras, graves,** o **malas, penas.** loc. adv. Con gran dificultad o trabajo. ‖ **a penas.** loc. adv. **apenas.** ‖ **merecer la pena** una cosa. fr. **valer la pena.** ‖ **ni pena ni gloria.** expr. fig. que manifiesta la insensibilidad con que uno ve u oye las cosas. ‖ **pasar uno la pena negra.** fr. fig. Padecer aflicción grave física o moral. ‖ **pasar uno las penas del purgatorio.** fr. fig. Padecer continuas molestias o aflicciones. ‖ **so pena.** loc. adv. Bajo la **pena** o castigo adecuado. Frase conminatoria, hoy anticuada. ‖ **valer la pena** una cosa. fr. Ser importante o estar bien empleado el trabajo que cuesta. Ú. t. con neg.

pena[2]. (Del lat. *pinna*.) f. Cada una de las plumas mayores del ave, que situadas en las extremidades de las alas o en el arranque de la cola, sirven principalmente para dirigir el vuelo. ‖ **2.** ant. Pluma de ave. ‖ **3.** Pluma de escribir. ‖ **4.** *Mar.* Parte extrema y más delgada de una entena.

penable. (De *penar*.) adj. Que puede recibir pena o ser penado.

penachera. f. **penacho.**

penacho. (Del it. *pennacchio*.) m. Grupo de plumas que tienen algunas aves en la parte superior de la cabeza. ‖ **2.** Adorno de plumas que sobresale en los cascos o morriones, en el tocado de las mujeres, en la cabeza de las caballerías engalanadas para fiestas reales u otras solemnidades, etc. ‖ **3.** fig. Lo que tiene forma o figura de tal. ‖ **4.** Masa de aire sobresaturado de vapor de agua y que contiene a menudo contaminantes sólidos, líquidos o gaseosos, vertida a la atmósfera por una chimenea. ‖ **5.** fig. y fam. Vanidad, presunción o soberbia.

penachudo, da. adj. Que tiene o lleva penacho.

penachuelo. m. d. de **penacho.**

penadamente. adv. m. Con pena o dificultad.

penadilla. f. Penado, vasija.

penado, da. p. p. de **penar.** ‖ **2.** adj. Penoso o lleno de penas. ‖ **3.** Difícil, trabajoso. ‖ **4.** Dícese de una especie de vasija usada antiguamente en España para beber, la cual se hacía muy estrecha de boca a fin de que fuese dando en corta cantidad de la bebida. Ú. t. c. s. m. ‖ **5.** m. y f. Delincuente condenado a una pena.

penador. (De *penar*.) adj. V. **libro penador.**

penal. (Del lat. *poenālis*.) adj. Perteneciente o relativo a la pena, o que la incluye. ‖ **2.** *Der.* Perteneciente o relativo al crimen. ‖ **3.** Perteneciente o relativo a las leyes, instituciones o acciones destinadas a perseguir crímenes o delitos. ‖ **4.** V. **derecho, figura penal.** ‖ **5.** m. Lugar en que los penados cumplen condenas superiores a la del arresto. *El* PENAL *de Ocaña* o *de Cartagena.*

penalidad. (De *penal*.) f. Trabajo aflictivo, molestia, incomodidad. ‖ **2.** *Der.* Calidad de penable. ‖ **3.** *Der.* Sanción impuesta por la ley penal, las ordenanzas, etc.

penalista. adj. Dícese del jurisconsulto que se dedica con preferencia al estudio de la ciencia o derecho penal. Ú. t. c. s.

penalización. f. Acción y efecto de penalizar.

penalizar. tr. Imponer una sanción o castigo.

penalti. (Del ing. *penalty*.) m. En el fútbol y otros deportes, máxima sanción que se aplica a ciertas faltas del juego cometidas por un equipo dentro de su área. ‖ **casarse de penalti.** fr. fam. Casarse por haber quedado embarazada la mujer.

péname. m. *Ar.* **pésame.**

penante. p. a. de **penar.** Que sufre pena. ‖ **2.** adj. Dícese de la vasija de beber de boca estrecha.

penar. tr. Imponer pena. ‖ **2.** *Der.* Señalar la ley el castigo para un acto u omisión. ‖ **3.** intr. Padecer, sufrir, tolerar un dolor o pena. ‖ **4.** Padecer las penas de la otra vida en el purgatorio. ‖ **5.** Agonizar mucho tiempo. ‖ **6.** prnl. Afligirse, acongojarse, padecer una pena o sentimiento. ‖ **penar** uno **por** una cosa. fr. fig. Desearla con ansia.

penates. (Del lat. *penâtes.*) m. pl. *Mit.* Dioses domésticos a quienes daba culto la gentilidad.

penca. (De or. inc.) f. Hoja, o tallo en forma de hoja, craso o carnoso, de algunas plantas, como el nopal y la pita. ‖ **2.** Nervio principal y pecíolo de las hojas de ciertas plantas, como la acelga, el cardo, la lechuga, etc. ‖ **3.** Troncho o tallo de ciertas hortalizas. ‖ **4.** fig. Tira de cuero o vaqueta con que el verdugo azotaba a los delincuentes. ‖ **5.** Maslo, tronco de la cola de algunos cuadrúpedos. ‖ **6.** *Germ.* V. **disciplinante de penca.** ‖ **hacerse** uno **de pencas.** fr. fig. y fam. No consentir fácilmente en lo que se pide, aun cuando lo desee el que lo ha de conceder.

pencal. m. *And.* y *Argent.* Terreno plantado de nopales.

pencazo. m. Golpe dado con la penca, tira de cuero.

penco. (De *penca.*) m. *And.* y *Amér.* Penca de ciertas plantas. ‖ **2.** *León* y *Sal.* Pata de caballería. ‖ **3.** Caballo flaco o matalón. ‖ **4.** Persona rústica o tosca. ‖ **5.** Persona inútil. ‖ **6.** *And., Can., Cuba* y *Méj.* Persona despreciable. ‖ **7.** *Can.* y *Cuba.* Ramera. ‖ **tirar** o **soltar el penco.** fr. *León* y *Zam.* Cocear una caballería.

pencudo, da. adj. Que tiene pencas, hoja carnosa de algunas plantas y parte de ella cuando no lo es en su totalidad.

pendanga. f. En el juego de quínolas, la sota de oros. ‖ **2.** fam. Prostituta, ramera.

pendejear. intr. fam. *Col.* Hacer o decir necedades o tonterías.

pendejo. (Del lat. *pectiniculus*; de *pecten, -inis,* pubis.) m. Pelo que nace en el pubis y en las ingles. ‖ **2.** fig. y fam. Hombre cobarde y pusilánime. ‖ **3.** fig. y fam. Hombre tonto, estúpido. ‖ **4.** fig. y fam. **pendón,** persona de vida licenciosa. ‖ **5.** *And.* Muérdago. ‖ **6.** *And.* Especie de calabaza.

pendencia. (De *pender.*) f. Contienda, riña de palabras o de obras. ‖ **2.** ant. Calidad de lo que está por decidir. ‖ **3.** *Der.* Estado de un juicio que está pendiente de resolución.

pendenciar. intr. Reñir o tener pendencia.

pendenciero, ra. adj. Propenso a riñas o pendencias.

pendenzuela. f. d. de **pendencia.**

pender. (Del lat. *pendère.*) intr. Estar colgada, suspendida o inclinada alguna cosa. ‖ **2.** Estar subordinado a una persona o a una cosa, depender. ‖ **3.** fig. Estar por resolverse o terminarse un pleito o negocio.

pendiente. (Del lat. *pendens, -entis.*) p. a. de **pender.** Que pende. ‖ **2.** adj. Inclinado, en declive. *Terreno* PENDIENTE. ‖ **3.** fig. Que está por resolverse o terminarse. ‖ **4.** Sumamente atento, preocupado por algo que se espera o sucede. Se usa sobre todo con el verbo *estar. Todos estaban* PENDIENTES *de las palabras del orador.* ‖ **5.** m. Arete con adorno colgante o sin él. ‖ **6.** Joya que se lleva colgando ‖ **7.** *Blas.* Parte inferior de los estandartes y banderas. ‖ **8.** *Carp.* Inclinación de las armaduras de los techos para el desagüe. ‖ **9.** *Mín.* Cara superior de un criadero. ‖ **10.** f. Cuesta o declive de un terreno.

pendil. (De *pender.*) m. p. us. Manto de mujer. ‖ **2.** *And.* Candil de alumbrar. ‖ **tomar el pendil.** fr. fig. y fam. Marcharse o ausentarse. ‖ **tomar el pendil y la media manta.** fr. fig. y fam. *And.* Irse a dormir.

pendingue (tomar el). fr. fig. y fam. **tomar el pendil.**

pendol. m. *Mar.* Operación que hacen los marineros con objeto de limpiar los fondos de una embarcación, cargando de peso a una banda o lado y descubriendo así el fondo del costado opuesto. Ú. m. en pl.

péndola[1]. (Del lat. *pennula,* d. de *penna,* pluma.) f. p. us. Pluma de ave. ‖ **2.** Pluma de escribir.

péndola[2]. (Del lat. *pendûla,* pendiente, term. f. de *pendûlus.*) f. Varilla o varillas metálicas con una lenteja u otro adorno semejante en su parte inferior y que con sus oscilaciones regula el movimiento de los relojes finos, como los de pared y sobremesa. ‖ **2.** fig. Reloj que tiene **péndola.** ‖ **3.** *Arq.* Cualquiera de los maderos de un faldón de armadura que van desde la solera a la lima tesa. ‖ **4.** *Arq.* Cualquiera de las varillas verticales que sostienen el piso de un puente colgante o tienen oficio parecido en otras obras.

pendolaje. m. Derecho de apropiarse en las presas de mar todos los géneros que están sobre cubierta, aunque pertenezcan a los individuos de la embarcación apresada.

pendolario. (De *péndola*[1].) m. **pendolista.**

pendolista. (De *péndola*[1].) com. Persona que escribe con muy buena letra. ‖ **2.** **memorialista.**

pendolón. m. aum. de **péndola**[2] de reloj. ‖ **2.** *Arq.* Madero de armadura en situación vertical que va desde la hilera a la puente.

pendón[1]. (Del lat. fr. u occitano *penon.*) m. Insignia militar que consistía en una bandera más larga que ancha y que se usaba para distinguir los regimientos, batallones, etc. ‖ **2.** Insignia militar, que era una bandera o estandarte pequeño, y se usaba en la milicia para distinguir los regimientos, batallones y demás cuerpos del ejército que iban a la guerra. Hoy usan banderas o estandartes, según sus institutos. ‖ **3.** Divisa o insignia usada por las iglesias y cofradías para guiar las procesiones. ‖ **4.** Vástago que sale del tronco principal del árbol. ‖ **5.** fig. y fam. Persona, especialmente mujer, muy alta, desvaída y desaliñada. ‖ **6.** fig. y fam. Persona de vida irregular y desordenada. ‖ **7.** *Blas.* Insignia semejante a la bandera, de la cual se distingue en el tamaño, pues es un tercio más larga que ella, y redonda por el pendiente. ‖ **8.** pl. Riendas para gobernar las mulas de guías. ‖ **caballeril.** El rectangular, de un tercio más de longitud que de anchura, usado como insignia por los señores que llevaban más de 10 caballeros y menos de 50. ‖ **de Castilla,** o **morado.** Insignia personal del monarca. ‖ **posadero.** El largo y rematado en punta, que se plantaba para designar los lugares donde debían posar o acampar las huestes, y usado como insignia propia los señores que llevaban bajo sus órdenes más de 50 caballeros y menos de 100. ‖ **puñal. pendón caballeril. ‖ y caldera.** Privilegio que daban los reyes a los ricoshombres de Castilla cuando venían en su socorro con sus gentes a la guerra, que era llevar como divisa propia un pendón o estandarte en señal de que podían levantar gente, y la caldera significando que la mantenían a su costa. ‖ **alzar pendón,** o **pendones.** fr. **alzar bandera,** o **banderas.** ‖ **a pendón herido.** loc. adv. fig. Con toda fuerza, unión y diligencia para socorrer una necesidad, cual es ver el estandarte o pendón en peligro de que lo ganen los enemigos. ‖ **levantar pendón,** o **pendones.** fr. **alzar pendón,** o **pendones.** ‖ **seguir el pendón de** uno. fr. *Mil.* Alistarse bajo sus banderas.

pendón[2], **na.** adj. fig. y fam. Dícese de la mujer de vida licenciosa. Ú. m. c. s.

pendonear. (De *pendón.*) intr. **pindonguear.**

pendoneo. m. Acción y efecto de pendonear.

pendoneta. (d. de *pendón.*) f. Pendón pequeño o estandarte.

pendonista. adj. Dícese de la persona que en una procesión lleva el pendón o lo acompaña.

pendrar. (Del lat. *pignorâre,* de *pignus,* prenda.) tr. ant. Retener judicialmente algo a uno para que responda del juicio, embargar. ‖ **2.** Dar o dejar algo en prenda, empeñar, pignorar.

péndula. f. ant. **péndola**[2].

pendular. adj. Propio del péndulo o relativo a él.

péndulo, la. (Del lat. *pendŭlus*, pendiente.) adj. ant. Que pende, pendiente. **║ 2.** m. Péndola del reloj. **║ 3.** *Mec.* Cuerpo grave que puede oscilar suspendido de un punto por un hilo o varilla. **║ de compensación.** El que se hace de metales de dilatación diferente, para evitar que los agentes atmosféricos alteren la regularidad de sus movimientos. **║ eléctrico.** *Fís.* Esferilla de una sustancia muy ligera, como la medula de saúco, que colgada en un hilo de seda indica que un cuerpo está electrizado, si al aproximarlo a ella se desvía de su posición. **║ sidéreo.** *Astron.* Reloj magistral que en los observatorios se emplea para marcar el tiempo sidéreo.

pendura (a la). (De *pender*.) loc. adv. *Mar.* Dícese de todo lo que cuelga, y muy especialmente del ancla cuando pende de la serviola.

pene. (Del lat. *penis*.) m. **miembro viril.**

peneca. m. *Chile.* Niño, chiquillo.

penedo. m. ant. Peñasco aislado, peñedo.

peneque. adj. fam. Embriagado, borracho. Ú. comúnmente con los verbos *estar*, *ir* o *ponerse*. **║ 2.** fam. *And.* Dícese de la persona o del animal que al andar se tambalea.

penetrabilidad. f. Calidad de penetrable.

penetrable. (Del lat. *penetrabĭlis*.) adj. Que se puede penetrar. **║ 2.** fig. Que fácilmente se penetra o se entiende.

penetración. (Del lat. *penetratĭo, -ōnis*.) f. Acción y efecto de penetrar. **║ 2.** Inteligencia cabal de una cosa difícil. **║ 3.** Perspicacia de ingenio, agudeza. **║ pacífica.** Influjo económico y político que una nación ejerce en país extraño, sin imponerlo por fuerza de armas.

penetrador, ra. (Del lat. *penetrātor, -ōris*.) adj. Agudo, perspicaz, sutil, de vivo ingenio.

penetral. (Del lat. *penetralis*.) m. p. us. Estancia interior de un edificio, o parte retirada o recóndita de una cosa. Ú. m. en pl.

penetrante. p. a. de **penetrar.** Que penetra. **║ 2.** adj. Que entra mucho en alguna cosa, profundo. **║ 3.** fig. Agudo, alto, subido o elevado, hablando de la voz, del grito, etc. **║ 4.** fig. Dícese del humor, la intención, la ironía, etc., mordaz o incisiva. **║ 5.** *Cir.* V. **herida penetrante.**

penetrar. (Del lat. *penetrāre*.) tr. Introducir un cuerpo en otro por sus poros. **║ 2.** Introducirse en el interior de un espacio, aunque haya dificultad o estorbo. **║ 3.** Hacerse sentir con violencia e intensidad una cosa; como el frío, los gritos, etc. **║ 4.** fig. Llegar lo agudo del dolor, sentimiento u otro afecto a lo interior del alma. **║ 5.** fig. Comprender el interior de uno, o una cosa dificultosa. Ú. t. c. intr. y c. prnl.

penetrativo, va. adj. Que penetra, es capaz o tiene virtud de penetrar.

pénfigo. (Del gr. πέμφιξ, -ιγος, ampolla.) m. *Pat.* Nombre que se da a varias enfermedades caracterizadas por la formación de ampollas cutáneas llenas de una sustancia amarilla.

peniano, na. adj. *Anat.* Perteneciente o relativo al pene. **║ 2.** *Zool.* V. **hueso peniano.**

penibético, ca. adj. Perteneciente o relativo a la cordillera Penibética.

penicilina. f. *Farm.* Sustancia antibiótica extraída de los cultivos del moho *Penicillium notatum*, que se emplea para combatir las enfermedades causadas por ciertos microorganismos.

penígero, ra. (Del lat. *penniger, ĕri*.) adj. poét. Alado, que tiene alas o plumas.

penino. m. *Can.* **pinito,** cada uno de los primeros pasos que da al niño o el convaleciente.

península. (Del lat. *paeninsŭla*.) f. Tierra cercada por el agua, y que solo por una parte relativamente estrecha está unida y tiene comunicación con otra tierra de extensión mayor.

peninsular. adj. Natural de una península. Ú. t. c. s. **║ 2.** Perteneciente o relativo a una península. **║ 3.** Por antonom., se dice de lo relativo a la península Ibérica, en oposición a lo perteneciente a las islas y a las tierras españolas de África.

penique. (Del anglosajón *penig*, dinero.) m. Moneda inglesa de cobre, que valía la duodécima parte del chelín, y hoy la centésima de la libra esterlina.

penisla. f. **península.**

penitencia. (Del lat. *paenitentĭa*.) f. Sacramento en el cual, por la absolución del sacerdote, se perdonan los pecados cometidos después del bautismo al que los confiesa con el dolor, propósito de la enmienda y demás circunstancias debidas. **║ 2.** Virtud que consiste en el dolor de haber pecado y el propósito de no pecar más. **║ 3.** Serie de ejercicios penosos con que uno procura la mortificación de sus pasiones y sentidos. **║ 4.** Cualquier acto de mortificación interior o exterior. **║ 5.** Pena que impone el confesor al penitente para satisfacción del pecado o para preservación de él. **║ 6.** Dolor y arrepentimiento que se tiene de una mala acción, o sentimiento de haber ejecutado una cosa que no se quisiera haber hecho. **║ 7.** Castigo público que imponía el tribunal de la Inquisición a algunos reos. **║ 8.** Casa donde vivían estos penitenciados. **║ 9.** V. **hábito de penitencia. ║ canónica,** o **pública.** Serie de ejercicios laboriosos o públicos impuestos por los sagrados cánones al culpable de ciertos delitos. **║ hacer penitencia.** fr. fig. Comer parcamente. **║ oír de penitencia.** fr. **oír de confesión.**

penitenciado, da. (De *penitenciar*.) adj. Castigado por la Inquisición. Ú. t. c. s.

penitencial. (Del lat. *paenitentiālis*.) adj. Perteneciente a la penitencia o que la incluye. **║ 2.** m. desus. Libro que recogía las normas y ritos para la imposición de penitencias públicas.

penitenciar. tr. Imponer penitencia.

penitenciaría. (De *penitenciario*.) f. Establecimiento penitenciario en que sufren condenas los penados, sujetos a un régimen que, haciéndoles expiar sus delitos, va enderezado a su enmienda y mejora. **║ 2.** Dignidad, oficio o cargo de penitenciario. **║ 3.** n. p. f. Tribunal eclesiástico de la corte de Roma, compuesto de varios individuos y un cardenal presidente, para acordar y despachar las bulas y gracias de dispensaciones pertenecientes a materias de conciencia.

penitenciario, ria. (De *penitencia*.) adj. Relativo a la penitenciaría o penal. **║ 2.** Aplícase al presbítero secular o regular que tiene la obligación de confesar a los penitentes en una iglesia determinada. Ú. t. c. s. **║ 3.** Dícese de la canonjía o beneficio que lleva aneja esta obligación. **║ 4.** Aplícase a cualquiera de los sistemas modernamente adoptados para castigo y corrección de los penados, y al régimen o al servicio de los establecimientos destinados a este objeto. **║ 5.** m. Cardenal presidente del Tribunal de la Penitenciaría en Roma.

penitenciería. f. ant. Penitenciaría de la curia romana.

penitenciero. m. ant. **penitenciario. ║ mayor. penitenciario,** cardenal de la Penitenciaría en Roma.

penitenta. f. p. us. Mujer que se confiesa sacramentalmente.

penitente. (Del lat. *paenĭtens, -entis*.) adj. Perteneciente a la penitencia. **║ 2.** Que tiene penitencia. **║ 3.** com. Persona que hace penitencia. **║ 4.** Persona que se confiesa sacramentalmente con un sacerdote. **║ 5.** Persona que en las procesiones o rogativas públicas va vestida de túnica en señal de penitencia.

peno, na. (Del lat. *Poenus*.) adj. Natural de Cartago. **║ 2.** Perteneciente a esta ciudad.

penol. (Por *penón*, de *pena*[2], parte más fina de una entena.) m. *Mar*. Punta o extremo de las vergas. ‖ **a toca penoles.** loc. adv. *Mar*. Ú. para dar a entender que una embarcación pasa tan inmediata a otra, que casi se roza con ella.

penoso, sa. adj. Trabajoso, que causa pena o tiene gran dificultad. ‖ **2.** Que padece una aflicción o pena. ‖ **3.** fam. Presumido de lindo o de galán.

pensable. adj. Que puede ser pensado.

pensado, da. p. p. de **pensar.** ‖ **2.** adj. Con el adverbio *mal*, propenso a desestimar o interpretar desfavorablemente las acciones, intenciones o palabras ajenas. Ú. también con el adverbio *peor*. ‖ **de pensado.** loc. adv. ant. De intento, con previa meditación y estudio.

pensador[1], ra. (De *pensar*[1].) adj. Que piensa. ‖ **2.** Que piensa, medita o reflexiona con intensidad y eficacia. *Un hombre* PENSADOR *no dejará de conocer los males que nos amenazan.* ‖ **3.** m. y f. Persona que se dedica a estudios muy elevados y profundiza mucho en ellos.

pensador[2]. m. En los cortijos de Andalucía, mozo encargado de dar los piensos al ganado de labor.

pensamiento. m. Potencia o facultad de pensar. ‖ **2.** Acción y efecto de pensar. ‖ **3.** Idea inicial o capital de una obra cualquiera. ‖ **4.** Cada una de las ideas o sentencias notables de un escrito. ‖ **5.** Conjunto de ideas propias de una persona o colectividad. ‖ **6.** fig. Sospecha, malicia, recelo. ‖ **7.** trinitaria, flor. ‖ **8.** Taberna. ‖ **9.** *Esc.* y *Pint.* Bosquejo de la primera idea o invención, que forman los profesores de las bellas artes para componer una obra. ‖ **beberle a uno los pensamientos.** fr. fig. y fam. Adivinárselos para ponerlos prontamente en ejecución. ‖ **como el pensamiento.** loc. adv. fig. Con suma ligereza o prontitud. ‖ **derramar el pensamiento.** fr. fig. Divertirlo, ocuparlo con ideas diversas y cosas diferentes. ‖ **encontrarse con, o en, los pensamientos.** fr. fig. Pensar a la vez dos o más personas una misma cosa sin habérsela comunicado recíprocamente. ‖ **en un pensamiento.** loc. adv. fig. Brevísima e instantáneamente. ‖ **ni por pensamiento.** expr. fig. con que se explica que una cosa ha estado tan lejos de ejecutarse, que ni aun se ha ofrecido a la imaginación. ‖ **no pasarle a uno por el pensamiento** una cosa. fr. fig. No ocurrírsele, no pensar en ella.

pensar[1]. (Del lat. *pensāre*, pesar, calcular, pensar.) tr. Imaginar, considerar o discurrir. ‖ **2.** Reflexionar, examinar con cuidado una cosa para formar dictamen. ‖ **3.** Intentar o formar ánimo de hacer una cosa. ‖ **ni pensarlo.** expr. fig. con que se niega el permiso para hacer algo. ‖ **pensar mal.** fr. Ser mal pensado. ‖ **sin pensar.** loc. adv. De improviso o inesperadamente.

pensar[2]. (De *pienso*[1].) tr. Echar pienso a los animales.

pensativo, va. (De *pensar*[1].) adj. Que medita intensamente y está absorto en sus pensamientos.

pensel. (De *pensier*.) m. Flor que se vuelve al sol como los girasoles.

penseque. (De la fr. *pensé que...*) m. fam. Error nacido de ligereza, descuido o falta de meditación.

pensier. (Del prov. *pensier*, la flor pensamiento.) m. ant. Pensamiento, flor, trinitaria.

pensil o **pénsil.** (Del lat. *pensĭlis*, colgante.) adj. Pendiente o colgado en el aire. ‖ **2.** m. fig. Jardín delicioso.

pensilvano, na. adj. Natural de Pensilvania. Ú. t. c. s. ‖ **2.** Perteneciente o relativo a este Estado, que es uno de los Estados Unidos de América Septentrional.

pensión. (Del lat. *pensĭo, -ōnis*.) f. Cantidad periódica, temporal o vitalicia que se asigna a alguien desde las instituciones de la seguridad social. ‖ **2.** Renta o canon anual que perpetua o temporalmente se impone sobre una finca. ‖ **3.** Pupilaje, casa donde se reciben huéspedes mediante precio convenido. ‖ **4.** Precio del pupilaje. ‖ **5.** Auxilio pecuniario que bajo ciertas condiciones se concede para estimular o ampliar estudios o conocimientos científicos, artísticos o literarios. ‖ **6.** p. us. fig. Trabajo, molestia o cuidado que lleva consigo la posesión o goce de una cosa. ‖ **7.** *Amér*. Pena, pesar. ‖ **completa.** Régimen de hospedaje que incluye habitación y todas las comidas del día. ‖ **media pensión.** Régimen de pensionado que incluye la enseñanza y la comida del mediodía. ‖ **2.** Régimen de hospedaje en que los huéspedes tienen derecho a habitación y una comida diaria. ‖ **casar la pensión.** fr. *Der*. Libertar el beneficio sobre que está impuesta la carga de la **pensión,** ajustándose a pagar de una vez la renta de cierto número de años o una cantidad alzada.

pensionado, da. adj. Que tiene o cobra una pensión. Ú. t. c. s. ‖ **2.** m. **internado**[1], establecimiento donde se vive en régimen de pensión.

pensionar. tr. Imponer una pensión o un gravamen. ‖ **2.** Conceder pensión a una persona o establecimiento.

pensionario. m. El que paga una pensión. ‖ **2.** Consejero, abogado o dignidad de letras en una república.

pensionista. com. Persona que tiene derecho a percibir y cobrar una pensión. ‖ **2.** Persona que está en un colegio o casa particular y paga cierta pensión por sus alimentos y enseñanza.

pensoso, sa. adj. ant. Meditativo, pensativo.

penta-. (Del gr. πεντα-.) elem. compos. que significa «cinco»: PENTágono, PENTAgrama.

pentacordio. (Del gr. πεντάχορδος, de cinco cuerdas.) m. *Arqueol*. Lira antigua de cinco cuerdas.

pentadáctilo, la. adj. *Zool*. Que tiene cinco dedos. Ú. t. c. s.

pentadecágono. adj. *Geom*. Dícese del polígono de quince ángulos y quince lados.

pentaedro. (De *penta-* y ἧδρα, cara.) m. *Geom*. Sólido que tiene cinco caras.

pentagonal. adj. *Geom*. **pentágono.**

pentágono, na. (Del gr. πεντάγωνος.) adj. *Geom*. Aplícase al polígono de cinco ángulos y cinco lados. Ú. t. c. s.

pentagrama o **pentágrama.** (De *penta-* y γραμμή, línea.) m. *Mús*. Renglonadura formada con cinco rectas paralelas y equidistantes, sobre la cual se escribe la música.

pentámero, ra. (Del gr. πενταμερής, compuesto de cinco partes.) adj. *Bot*. Dícese del verticilo que consta de cinco piezas y de la flor que tiene corola y cáliz con este carácter. ‖ **2.** *Zool*. Se dice de los insectos coleópteros que tienen cinco artejos en cada tarso; como el *cárabo*[1]. Ú. t. c. s. m. ‖ **3.** m. pl. *Zool*. Suborden de estos animales.

pentámetro. (Del gr. πεντάμετρος, a través del lat. *pentamĕtrus*.)n, adj. Poét. V. **verso pentámetro.** Ú. t. c. s.

pentapolitano, na. (Del lat. *Pentapolitānus*.) adj. Natural de una de las comarcas o provincias compuestas de cinco ciudades a que los antiguos daban el nombre de Pentápolis. Ú. t. c. s. ‖ **2.** Perteneciente a ella.

pentarquía. (Del gr. πενταρχία.) f. Gobierno formado por cinco personas.

pentasílabo, ba. (De *penta-* y συλλαβή, sílaba.) adj. Que consta de cinco sílabas. *Verso* PENTASÍLABO.

pentatlón. m. Conjunto de cinco pruebas atléticas que actualmente consiste en 200 y 1.500 metros lisos, salto de longitud y lanzamiento de disco y jabalina.

pentavalente. adj. *Quím*. Que tiene cinco valencias.

Pentecostés. (Del lat. *Pentecoste*, y este del gr. πεντηκοστή, t. f. de -τός, quincuagésimo.) n. p. m. Fiesta de los judíos instituida en memoria de la ley que Dios les dio en el monte Sinaí, que se celebraba cincuenta días después de la Pascua del Cordero. ‖ **2.** Festividad de la Venida del Espíritu Santo que celebra la Iglesia el domingo, quincuagésimo día que sigue al de Pascua de Resurrección, contando ambos, y fluctúa entre el 10 de mayo y el 13 de junio.

pentedecágono, na. (De *penta-* y δεκάγωνος, decágono.)

adj. *Geom.* Aplícase al polígono de quince ángulos y quince lados. Ú. m. c. s. m.

pentélico, ca. adj. Perteneciente o relativo al monte Pentélico de Grecia.

pentodo. (De *penta-* y ὁδός, camino.) m. Válvula electrónica compuesta de cinco electrodos.

pentrita. f. Sólido cristalino de color blanco, insoluble en agua y alcohol y soluble en acetona, que se produce al nitrar fuertemente cierto polialcohol. Es uno de los explosivos rompedores más potentes.

penúltimo, ma. (Del lat. *paenultimus*.) adj. Inmediatamente anterior a lo último o postrero. Ú. t. c. s.

penumbra. (Del lat. *paene*, casi, y *umbra*, sombra.) f. Sombra débil entre la luz y la oscuridad, que no deja percibir dónde empieza la una o acaba la otra. ‖ **2.** *Astron.* En los eclipses, sombra parcial que hay entre los espacios enteramente oscuros y los enteramente iluminados.

penumbroso, sa. adj. Que está en la penumbra.

penuria. (Del lat. *penuria*.) f. Escasez, falta de las cosas más precisas o de alguna de ellas.

peña. (Del lat. *pinna*, pluma, ala, almena, etc.) f. Piedra grande sin labrar, según la produce la naturaleza. ‖ **2.** Monte o cerro peñascoso. ‖ **3.** Corro o grupo de amigos o camaradas. ‖ **4.** Nombre que toman ciertos círculos de recreo. ‖ **5.** ant. Piel para forro o guarnición. ‖ **viva.** La que está adherida naturalmente al terreno. ‖ **durar por peñas** una cosa. fr. desus. fig. Durar por largo tiempo. *Este lienzo* DURA POR PEÑAS. ‖ **ser** uno **peña,** o **una peña.** fr. fig. Ser insensible.

peñado. (De *peña*.) m. ant. Peñasco aislado, peñedo.

Peñaranda. (De *Peñaranda*, por juego verbal con *empeñar*.) n. p. f. vulg. **casa de empeños.** ‖ **estar** una cosa **en Peñaranda.** fr. fam. Estar empeñada.

peñascal. m. Sitio cubierto de peñascos.

peñascaró. m. *Germ.* **aguardiente.**

peñascazo. m. *And.* y *Nicar.* Golpe con una piedra que se tira.

peñasco. m. Peña grande y elevada. ‖ **2.** Tela llamada así por ser de mucha duración. ‖ **3.** **múrice,** molusco. ‖ **4.** *Anat.* Porción del hueso temporal de los mamíferos que es muy dura y encierra el oído interno.

peñascoso, sa. adj. Aplícase al sitio, lugar o montaña donde hay muchos peñascos.

peñedo. (Del lat. *pinnetum*; de *pinna*, almena.) m. ant. Peñasco aislado.

peñera. (De or. inc.) f. *Ast.* Cedazo fino.

peñerar. (De *peñera*.) tr. *Ast.* Separar con el cedazo la harina del salvado y otras materias análogas, cerner.

peñíscola. (Del lat. *paeniscula*, por *paeninsula*.) f. ant. **península.**

peño. (Del lat. *pignus*.) m. En algunas partes, **expósito.** ‖ **2.** ant. Lo que se da o se deja en prenda.

peñol¹. m. **peñón.**

peñol². m. ant. *Mar.* Punta de la verga, penol.

péñola. (Del lat. *pennula*, pluma.) f. **pluma** de ave para escribir.

peñolada. (De *péñola*.) f. p. us. Acción o escritura de una cosa corta.

peñón. m. aum. de **peña.** ‖ **2.** Monte peñascoso.

péñora. (Del lat. *pignora*, pl. n. de *pignus*.) f. ant. Lo que se da o se deja en prenda.

peñorar. (Del lat. *pignorare*.) tr. ant. Dejar en prenda, pignorar.

peñuela. f. d. de **peña,** piedra.

peón¹. (Del lat. *pedo, -onis*.) m. ant. Peatón, persona que camina o anda a pie. ‖ **2.** Jornalero que trabaja en cosas materiales que no requieren arte ni habilidad. ‖ **3.** Infante o soldado de a pie. ‖ **4.** Juguete de madera, de figura cónica y terminado en una púa de hierro, al cual se arrolla

una cuerda para lanzarlo y hacerle bailar. ‖ **5.** Cualquiera de las piezas del juego de damas; de las ocho negras y ocho blancas, respectivamente iguales, del ajedrez, y de algunas de otros juegos también de tablero. ‖ **6.** Árbol de la noria o de cualquier otra máquina que gira como ella. ‖ **7.** Colmena de abejas. ‖ **8.** V. **alférez mayor de los peones.** ‖ **9.** *Taurom.* **peón de brega.** ‖ **caminero.** Obrero destinado a la conservación y reparación de los caminos públicos. ‖ **de brega.** Torero subalterno que ayuda al matador durante la lidia. ‖ **de mano.** *Albañ.* Operario que ayuda al oficial de albañil para emplear los materiales. ‖ **doblado.** En el juego de ajedrez, se dice del peón que se coloca delante o detrás de otro de igual color, por haber comido una pieza o peón del color contrario. ‖ **a peón.** loc. adv. fam. **a pie.** Dícese especialmente de la perdiz cuando va andando por el suelo. ‖ **a torna peón.** loc. adv. **a torna punta.**

peón². (Del lat. *paeon*, y este del gr. παιών.) m. Pie de la poesía griega y latina, que se compone de cuatro sílabas, cualquiera de ellas larga y las demás breves.

peonada. f. Obra que un peón o jornalero hace en un día. ‖ **2.** Medida agraria usada en algunas provincias y equivalente a tres áreas y 804 miliáreas. ‖ **3.** Conjunto de peones que trabajan en una obra. ‖ **4.** ant. Conjunto de soldados de infantería. ‖ **pagar una peonada.** fr. fig. y fam. Corresponder ejecutando una acción como en pago de otra semejante.

peonaje. m. Conjunto de peones o soldados de infantería. ‖ **2.** Conjunto de peones que trabajan en una obra.

peonería. (De *peonero*.) f. p. us. Tierra que un hombre labra ordinariamente en un día. ‖ **2.** ant. Conjunto de soldados de infantería.

peonero. m. ant. **peón¹,** soldado de infantería.

peonía¹. (Del lat. *paeonia*, y este del gr. παιωνία.) f. Planta de la familia de las ranunculáceas, de grandes flores rojas o rosáceas, propia de lugares húmedos y laderas montañosas; con frecuencia se la llama a esta flor rosa albardera o de **peonía.** Se cultiva como ornamental. ‖ **2.** *Amér. Merid.* y *Cuba.* Planta leguminosa, especie de bejuco trepador, medicinal toda ella, tallo, flores, semillas y raíces; tiene flores pequeñas, blancas o rojas, en espiga, y semillas en vaina, gruesas, duras, esféricas y de un rojo vivo con un lunar negro. Se usan para collares, pulseras y rosarios.

peonía². (De *peón¹*.) f. Porción de tierra o heredad que, después de hecha la conquista de un país, se solía asignar a cada soldado de a pie para que se estableciese en él. ‖ **2.** Obra que un peón puede hacer en un día.

peonio, nia. adj. Natural de Peonia. Ú. t. c. s. ‖ **2.** Perteneciente o relativo a esta región, al norte de la antigua Macedonia.

peonza. (De *peón¹*.) f. Peón, trompo. ‖ **2.** Juguete de madera, semejante al peón, pero sin punta de hierro, y que se hace bailar azotándolo con un látigo. ‖ **3.** fig. y fam. Persona chiquita, regordeta y bulliciosa. ‖ **a peonza.** loc. adv. fam. **a pie.**

peor. (Del lat. *peior, -oris*.) adj. comp. de **malo.** De mala condición o de inferior calidad respecto de otra cosa con que se compara. ‖ **2.** adv. m. comp. de **mal.** Más mal, de manera más contraria a lo bueno o lo conveniente. ‖ **peor que peor.** expr. que se usa para significar que lo que se propone por remedio o disculpa de una cosa, la empeora. ‖ **ponerse** alguien **en lo peor.** fr. fig. Suponer que sucederá algo desfavorable, muy temido o perjudicial. ‖ **tanto peor.** expr. **peor todavía.**

peorar. (Del lat. *peiorare*.) tr. ant. Hacer más malo de lo que es o está algo. Ú. t. c. prnl.

peoría. f. p. us. Calidad de peor. ‖ **2.** p. us. Acción o efecto de peorar.

pepa¹. f. **pepita²,** semilla o simiente de algunos frutos.

Pepa[2]. (Hipocorístico del n. p. *Josefa*.) f. Se usa en la exclam. irónica ¡viva la Pepa!, alusiva a la Constitución de 1812, promulgada el día de San José. Se aplica a toda situación de desbarajuste, despreocupación o excesiva licencia.

pepe. m. Melón malo como pepino. ‖ **2.** *Bol.* Petimetre, lechuguino, pisaverde.

pepena. f. *Amér. Central* y *Méj.* Acción y efecto de pepenar.

pepenar. (De or. azteca.) tr. *Amér. Central* y *Méj.* Recoger del suelo, rebuscar.

pepián. m. Guiso de carne con tocino y almendra machacada, pipián.

pepinar. m. Sitio o terreno sembrado de pepinos.

pepinillo. (d. de *pepino*.) m. Variedad de pepino de pequeño tamaño, en adobo.

pepino. (d. del lat. *pepo*, *-ōnis*, melón, y este del gr. πέπων.) m. Planta herbácea anual, de la familia de las cucurbitáceas, con tallos blandos, rastreros, vellosos y de dos a tres metros de longitud; hojas pecioladas, pelosas, partidas en lóbulos agudos; flores amarillas, separadas las masculinas de las femeninas, y fruto pulposo, cilíndrico, de seis a doce centímetros de largo y cinco de grueso, amarillo cuando está maduro, y antes verde más o menos claro por la parte exterior, interiormente blanco y con multitud de semillas ovaladas y puntiagudas por uno de sus extremos, chatas y negruzcas. Es comestible. ‖ **2.** Fruto de esta planta. ‖ **3.** fig. Cosa insignificante, de poco o ningún valor. Ú. en frases como *No dársele a uno un* PEPINO *de*, o *por* una cosa. ‖ **4.** adj. fam. Dícese del melón poco maduro. ‖ **del diablo. cohombrillo.**

pepión. (De or. inc.) m. Moneda menuda usada en Castilla en el siglo XIII, y cuyo valor fijó don Alfonso el Sabio en la decimoctava parte de un metical.

pepita[1]. (Alteración vulg. del lat. *pituíta*.) f. *Veter.* Enfermedad que las gallinas suelen tener en la lengua, y es un tumorcillo que no las deja cacarear. ‖ **no tener uno pepita en la lengua.** fr. fig. y fam. Hablar con libertad y desahogo.

pepita[2]. (De etim. disc.) f. Simiente de algunas frutas; como el melón, la pera, la manzana, etc. ‖ **2.** Trozo rodado de oro u otros metales nativos, que suelen hallarse en los terrenos de aluvión. ‖ **de San Ignacio. haba de San Ignacio**, simiente de esta planta.

pepitero. m. *And.* Corazón del pimiento.

pepito. m. Bocadillo que tiene dentro un filete de carne. ‖ **2.** Bollo alargado relleno de crema o chocolate.

pepitoria. (Antes *petitoria*, del ant. fr. *petite-oie*, guiso de menudillos de ganso.) f. Guisado que se hace con todas las partes comestibles del ave, o solo con los despojos, y cuya salsa tiene yema de huevo. ‖ **2.** fig. Conjunto de cosas diversas y sin orden.

pepitoso, sa. adj. Abundante en pepitas. ‖ **2.** Aplícase a la gallina que padece pepita[1].

pepla. f. **plepa.**

peplo. (Del lat. *peplum*, y este del gr. πέπλον.) m. Especie de vestidura exterior, amplia y suelta, sin mangas, que bajaba de los hombros a la cintura formando caídas en punta por delante. La usaron las mujeres en la Grecia antigua.

pepón. (Del lat. *pepo*, *-ōnis*, melón, y este del gr. πέπων.) m. Sandía, fruto.

pepona. f. Muñeca grande de cartón, que servía de juguete a las niñas.

pepónide. (Del lat. *pepo*, *-ōnis*, melón.) f. *Bot.* Fruto carnoso unido al cáliz, con una sola celda y muchas semillas adheridas a tres placentas; como la calabaza, el pepino y el melón.

pepsina. (Del gr. πέψις, digestión.) f. *Fisiol.* Fermento segregado por las glándulas gástricas que es capaz de digerir las sustancias albuminoideas. Extraída del estómago de al-

gunos animales, especialmente del cerdo, que es omnívoro como el hombre, se usa como medicamento opoterápico.

peptona. (Del gr. πεπτός, cocido, digerido.) f. *Fisiol.* Cualquiera de las sustancias producidas por transformación de los principios albuminoideos, mediante la acción de la pepsina contenida en el jugo gástrico.

pepú. m. *Cuba.* Colonia[2], planta.

pequén. (Del arauc. *pequeñ*.) m. *Chile.* Ave rapaz, diurna, del tamaño de un palomo, muy semejante a la lechuza; pero que habita en cuevas a campo raso, de las cuales despoja a algún roedor. Su graznido es lúgubre y muy frecuente.

pequeñamente. adv. m. p. us. Con pequeñez.

pequeñarra. com. fam. Persona pequeña y desmedrada.

pequeñez. f. Calidad de pequeño. ‖ **2.** Infancia, corta edad. ‖ **3.** Cosa de poco momento, de leve importancia. ‖ **4.** Mezquindad, ruindad, bajeza de ánimo.

pequeñeza. f. ant. **pequeñez.**

pequeñín, na. adj. d. de **pequeño.** Apl. a pers., ú. t. c. s.

pequeño, ña. (Creación expresiva, común a todas las lenguas romances.) adj. Corto, que no tiene la extensión que le corresponde. ‖ **2.** Dícese de personas o cosas que tienen poco o menor tamaño que otras de su misma especie. ‖ **3.** De muy corta edad. Ú. t. c. s. ‖ **4.** V. **balancín pequeño.** ‖ **5.** V. **pequeña pantalla.** ‖ **6.** fig. Bajo, abatido y humilde, como contrapuesto a poderoso y soberbio. ‖ **7.** fig. Corto, breve o de poca importancia, aunque no sea corpóreo. ‖ **en pequeño.** loc. adv. Con proporciones reducidas.

pequeñuelo, la. adj. d. de **pequeño.** Ú. t. c. s.

pequín. (De *Pequín*, capital del antiguo imperio chino.) m. Tela de seda, parecida a la sarga, generalmente pintada de varios colores, y que antiguamente se traía de China.

pequinés, sa. adj. Natural de Pequín. Ú. t. c. s. ‖ **2.** Perteneciente o relativo a esta ciudad de China. ‖ **3.** V. **perro pequinés.** Ú. t. c. s.

per-. (Del lat. *per*, a través de.) prep. que significa intensidad o totalidad en PER*tinaz*, PER*vivir*, PER*fecto*. A veces significa «mal»: PER*jurar*, PER*vertir*.

pera. (Forma f. del lat. *pirum*.) f. Fruto del peral, carnoso y de tamaño, piel y forma que varían según las castas. Contiene unas semillas ovaladas, chatas y negras. Es comestible y más o menos dulce, aguanoso, áspero, etc., según la multitud de variedades o castas que se cultivan. ‖ **2.** Recipiente de goma en forma de **pera**, que se usa para impulsar líquidos, aire, etc. ‖ **3.** Llamador de timbre o interruptor de luz de forma parecida a una **pera**. ‖ **4.** fig. Porción de pelo que se deja crecer en la punta de la barba, perilla. ‖ **5.** fig. Renta o destino lucrativo o descansado. ‖ **6.** *Veter.* Inflamación de la membrana que tiene el ganado lanar entre las dos pezuñas de las patas anteriores que le fuerza a cojear. ‖ **7.** adj. fig. y fam. Dícese de la persona muy elegante y refinada, que raya en lo cursi. ‖ **ahogadiza.** Especie de **pera** muy áspera. ‖ **almizcleña. pera mosqueruela.** ‖ **bergamota. calabacil.** Cualquier casta de **peras** parecidas en su figura a la calabaza vinatera. ‖ **de agua.** Variedad muy estimada, de carne suave y caracterizada por la abundancia de su jugo. ‖ **en dulce.** fig. Persona o animal de excelentes cualidades. ‖ **mosquerola, mosqueruela,** o **musquerola.** Especie de **pera** enteramente redonda, de tres a cuatro centímetros de diámetro, de color encarnado oscuro en la parte donde le da el sol y verde amarillento en el resto, de carne granujienta y de gusto dulce; tiene el pezón largo y como enclavado en ella. ‖ **verdiñal.** La que tiene la piel verde aun después de madura. ‖ **como pera,** o **peras, en tabaque.** expr. fig. y fam. que se dice de aquellas cosas que se cuidan o presentan con delicadeza y esmero. ‖ **dar para peras** a uno. fr. fig. y fam. Maltratar o castigar a uno. Ú. especialmente en son de amenaza. ‖ **escoger** uno **como entre peras.** fr. fig. y fam. Elegir cuidadosamente para sí lo mejor. ‖ **hacerse** uno **una pera.** fr. fig. y vulg. **masturbarse.** ‖ **partir peras con** uno. fr. fig. y fam. Tratarle con familiaridad y llaneza. Ú. m. con neg. ‖ **pedir peras al olmo.** fr. fig. y fam. Esperar en vano de uno lo que naturalmente no puede provenir de su educación, de su carácter o de su conducta. ‖ **poner** a uno **las peras a cuarto,** o **a ocho.** fr. fig. y fam. Estrecharle obligándole a ejecutar o conceder lo que no quería.

perada. f. Conserva que se hace de la pera rallada. ‖ 2. Bebida alcohólica que se obtiene por fermentación del zumo de la pera.

peragrar. (Del lat. *peragrāre*.) intr. ant. Ir viajando de una parte a otra.

peraile. m. ant. Cardador de paños, pelaire.

peral. (De *pera*.) m. Árbol de la familia de las rosáceas cuya altura varía entre tres y catorce metros según las distintas variedades o castas con tronco recto, liso y copa bien poblada; hojas pecioladas, lampiñas, aovadas y puntiagudas; flores blancas en corimbos terminales, y por fruto la pera. Se cultiva mucho en las huertas, y su madera, de color blanco rojizo y de fibra fina y homogénea, que no se alabea ni hiende, se aprecia mucho para escuadras, reglas y plantillas de dibujo. ‖ 2. Madera de este árbol.

peraleda. f. Terreno poblado de perales.

peralejo. (De *peral*.) m. Árbol de la familia de las malpigiáceas, con hojas ovales, lampiñas y brillantes por encima, tomentosas y rojizas por el envés; racimo terminal erguido, largo, con vello rojo; flores amarillas y fruto esférico, seco, con tres semillas. Crece en las regiones cálidas de América y su corteza se emplea como curtiente.

peraltar. (De *peralto*.) tr. Arq. Levantar la curva de un arco, bóveda o armadura más de lo que corresponde al semicírculo. ‖ 2. Tecnol. En las carreteras, vías férreas, etc., levantar la parte exterior de una curva.

peralte. (De *peraltar*.) m. Arq. Lo que en la altura de un arco, bóveda o armadura excede al semicírculo. ‖ 2. Arq. Elevación de una armadura sobre el ángulo recto o cartabón, o la de una cúpula sobre el semicírculo. ‖ 3. Tecnol. En las carreteras, vías férreas, etc., mayor elevación de la parte exterior de una curva en relación con la interior.

peralto. (Del lat. **peraltus*, muy alto.) m. **altura,** dimensión de alto a bajo.

perantón. (aum. de *peralto*.) m. **mirabel,** planta herbácea. ‖ 2. Abanico muy grande. ‖ 3. fig. y fam. Persona muy alta.

perborato. m. Quím. Sal producida por la oxidación del borato.

perca. (Del port. *perca*.) f. Pez teleósteo fluvial, del suborden de los acantopterigios, que llega a tener seis decímetros de largo, de cuerpo oblongo, cubierto de escamas duras y ásperas, verdoso en el lomo, plateado en el vientre y dorado, con seis o siete fajas negruzcas en los costados. Es de carne comestible y delicada. ‖ 2. **raño, pez.**

percador. (De *perca*, raño.) m. p. us. Germ. Ladrón que emplea la ganzúa.

percal. (Del fr. *percale*.) m. Tela de algodón blanca o pintada más o menos fina, y de escaso precio.

percalina. f. Percal de un color solo.

percán. (Del mapuche *percan*.) m. Chile. Moho que, por la humedad, se forma en diversas sustancias vegetales y animales.

percance. (De *percanzar*.) m. Contratiempo, daño, perjuicio imprevistos. ‖ 2. p. us. Utilidad o provecho eventual sobre el sueldo o salario. Ú. m. en pl. ‖ **percances del oficio.** loc. irón. **gajes del oficio.**

percanzar. (Del cat. *percaçar*, con infl. de *alcanzar*.) tr. ant. Alcanzar, tocar, comprender.

per cápita. fr. adv. lat. Por cabeza, individualmente.

percatación. f. Acción y efecto de percatarse.

percatar. (De *per-* y *catar*, examinar, considerar.) intr. Advertir, considerar, cuidar. Ú. t. c. prnl. ‖ 2. prnl. Darse cuenta clara de algo, tomar conciencia de ello. Ú. m. con la prep. *de*.

percebe. (Del b. lat. *pollicĭpes*, *-edis*.) m. Crustáceo cirrópodo, que tiene un caparazón compuesto de cinco piezas y un pedúnculo carnoso con el cual se adhiere a los peñascos de las costas. Se cría formando grupos y es comestible. Ú. m. en pl. ‖ 2. fig. y fam. Persona torpe o ignorante.

percebimiento. (De *percibir*.) m. p. us. Acción y efecto de apercibir o apercibirse.

percepción. (Del lat. *perceptĭo*, *-ōnis*.) f. Acción y efecto de percibir. ‖ 2. Sensación interior que resulta de una impresión material hecha en nuestros sentidos. ‖ 3. Conocimiento, idea. ‖ **extrasensoria** o **extrasensorial.** percepción de fenómenos sin mediación normal de los sentidos, comprobada al parecer estadísticamente.

perceptibilidad. f. Calidad de perceptible.

perceptible. (Del lat. *perceptibĭlis*.) adj. Que se puede comprender o percibir. ‖ 2. Que se puede recibir o cobrar.

perceptiblemente. adv. m. Conocidamente, de un modo sensible o perceptible.

perceptivo, va. (Del lat. *percipĕre*, percibir.) adj. Que tiene virtud de percibir.

perceptor, ra. adj. Que percibe. Ú. t. c. s.

percibir. (Del lat. *percipĕre*.) tr. Recibir una cosa y encargarse de ella. PERCIBIR *el dinero, la renta.* ‖ 2. Recibir por uno de los sentidos las imágenes, impresiones o sensaciones externas. ‖ 3. Comprender o conocer una cosa.

percibo. m. Acción y efecto de percibir o recibir una cosa.

percloruro. m. Quím. Cloruro que contiene la cantidad máxima de cloro.

percocería. (De *percocero*.) f. Profesión y ejercicio del percocero.

percocero. (Del lat. *percussor*, *-ōris*.) m. El que labra a martillo obra menuda de platería.

percochar. tr. And. Ensuciar, cubrir de mugre. Ú. t. c. prnl.

percocho. m. And. Suciedad, mugre. ‖ 2. Hond. Tela o traje excesivamente sucio.

percochón, na. adj. And. Desaliñado, mugriento. Ú. t. c. s.

percollar. tr. Germ. Hurtar o robar.

percontear. (De *per-* y el lat. *contus*, cuento[2].) tr. Ast. Poner cuentos[2] o puntales. ‖ 2. intr. Ast. Servir de cuento[2], puntal o sostén.

perconteo. (De *percontear*.) m. Ast. Pie derecho, puntal.

percuciente. (Del lat. *percutiens*, *-entis*, p. a. de *percutĕre*, herir.) adj. p. us. Que hiere o golpea.

percudir. (Del lat. *percutĕre*.) tr. Penetrar la suciedad en alguna cosa. ‖ 2. Maltratar o ajar la tez o el lustre de las cosas.

percusión. (Del lat. *percussĭo*, *-ōnis*.) f. Acción y efecto de percutir. ‖ 2. V. **arma, instrumento, llave de percusión.**

percusionista. com. Persona que ejerce o profesa el arte de tocar instrumentos de percusión.

percusor. (Del lat. *percussor*, *-ōris*.) m. El que hiere. Se usa esta voz en el derecho canónico, donde se comunican censuras contra los **percusores** de los clérigos. ‖ 2. **percutor.**

percutir. (Del lat. *percutĕre*.) tr. Dar repetidos golpes, golpear.

percutor. (Del fr. *percuteur*.) m. Pieza que golpea en cualquier máquina, y especialmente el martillo o la aguja con que se hace detonar el cebo del cartucho en las armas de fuego.

percha[1]. (Del fr. *perche*, o del cat. *perxa*, y este del lat. *pertĭca*.) f.

Madero o estaca larga y delgada, que regularmente se atraviesa en otras para sostener una cosa; como parras, etc. ‖ **2.** Pieza o mueble de madera o metal con colgaderos en que se pone ropa, sombreros u otros objetos. Puede estar sujeto a la pared o constar de un palo largo y de un pie para que estribe en el suelo. ‖ **3.** Utensilio ligero que consta de un soporte donde se cuelga un traje u otra prenda parecida y que tiene en su parte superior un gancho para suspenderlo de una **percha** o barra. ‖ **4.** Colgadero. ‖ **5.** Acción y efecto de perchar el paño. ‖ **6.** Lazo de cazar perdices u otras aves. ‖ **7.** Especie de bandolera que usan los cazadores para colgar en ella las piezas que matan. ‖ **8. percha** de las aves de cetrería, alcándara. ‖ **9.** Pescante de madera o hierro, de que los barberos colgaban las bacías en la puerta de la tienda, como muestra de su oficio. ‖ **10.** *Mar.* Tronco enterizo del árbol, descortezado o no, que por su especial tamaño sirve para la construcción de piezas de arboladura, vergas, botalones, palancas, etc. ‖ **11.** *Mar.* Cada madero fijado por sus extremos desde la serviola al tajamar, brazal. ‖ **estar en percha** una cosa. fr. fig. Estar asido y asegurado lo que se desea coger y asegurar.

percha[2]. (Del fr. *perche*, y este del lat. *perca*.) f. **perca**, pez.

perchado, da. adj. *Blas.* Aplícase a las aves puestas en ramas o perchas.

perchar. (De *percha*[1].) tr. Colgar el paño y sacarle el pelo con la carda.

perchel. (Del cat. *perxell*.) m. Aparejo de pesca, consistente en uno o varios palos dispuestos para colgar las redes. ‖ **2.** Lugar en que se colocan.

perchelero, ra. adj. Dícese de la persona que vive o frecuenta el Perchel de Málaga y participa de sus peculiares caracteres en modales y lenguaje.

perchero. m. Conjunto de perchas o lugar en que las hay. ‖ **2. percha**[1], pieza o mueble para colgar ropa o sombreros.

percherón, na. (Del fr. *percheron*, natural del Perche, antigua provincia de Francia.) adj. Dícese del caballo o yegua perteneciente a una raza francesa que por su fuerza y corpulencia es muy a propósito para arrastrar grandes pesos. Ú. t. c. s.

perchón. (De *percha*[1].) m. Pulgar de la vid en el cual ha dejado el podador más yemas de las convenientes.

perchonar. intr. Dejar perchones en las vides. ‖ **2.** Armar perchas o lazos en el paraje donde concurre la caza.

perchufar. intr. ant. Burlar, chufar.

perdedero. m. Ocasión o motivo de perder. ‖ **2.** Lugar por donde se zafa la liebre perseguida.

perdedor, ra. adj. (De *perder*.) adj. Que pierde. Ú. t. c. s.

perder. (Del lat. *perdere*.) tr. Dejar de tener, o no hallar, uno la cosa que poseía, sea por culpa o descuido del poseedor, sea por contingencia o desgracia. ‖ **2.** Desperdiciar, disipar o malgastar una cosa. ‖ **3.** No conseguir lo que se espera, desea o ama. ‖ **4.** Ocasionar un daño a las cosas, desmejorándolas o desluciéndolas. ‖ **5.** Ocasionar a uno ruina o daño en la honra o en la hacienda. ‖ **6.** Dicho de juegos, batallas, oposiciones, pleitos, etc., no obtener lo que en ellos se disputa. Ú. t. c. intr. ‖ **7.** Salirse poco a poco el contenido de un recipiente. *Esta rueda* PIERDE *aire.* ‖ **8.** Padecer un daño, ruina o disminución en lo material, inmaterial o espiritual. PERDER *una batalla.* ‖ **9.** Decaer del concepto, crédito o estimación en que se estaba. Ú. t. c. intr. ‖ **10.** Junto con algunos nombres, faltar a la obligación de lo que significan o hacer una cosa en contrario. PERDER *el respeto, la cortesía.* ‖ **11.** intr. Tratándose de una tela, desteñirse, bajar de color cuando se lava. ‖ **12.** Empeorar de aspecto o de salud. ‖ **13.** prnl. Errar uno el camino o rumbo que llevaba. ‖ **14.** No hallar camino ni salida. PERDERSE *en un bosque, en un laberinto.* ‖ **15.** fig.

No hallar modo de salir de una dificultad. ‖ **16.** fig. Conturbarse o arrebatarse sumamente por un accidente, sobresalto o pasión, de modo que no pueda darse razón de sí. ‖ **17.** fig. Entregarse ciegamente a los vicios. ‖ **18.** fig. Borrarse el tema o ilación en un discurso. ‖ **19.** fig. No percibirse una cosa por el sentido que a ella concierne, especialmente el oído y la vista. ‖ **20.** fig. No aprovecharse una cosa que podía y debía ser útil, o aplicarse mal para otro fin. Ú. t. c. tr. ‖ **21.** fig. Naufragar o irse a pique. ‖ **22.** fig. Ponerse a riesgo de perder la vida o sufrir otro grave daño. ‖ **23.** fig. Amar mucho o con ciega pasión a una persona o cosa. ‖ **24.** fig. Dejar de tener uso o estimación las cosas que se apreciaban o se ejercitaban. ‖ **25.** fig. Padecer un daño o ruina espiritual o corporal, y especialmente quedar sin honra una mujer. ‖ **26.** Hablando de las aguas corrientes, ocultarse o filtrarse debajo de tierra o entre peñas o hierbas. ‖ **no habérsele perdido nada** a uno en algún lugar. loc. fig. que se usa para justificar la ausencia de alguien o reprocharle su presencia. ‖ **no se perderá.** expr. con que se explica que uno es inteligente y no se descuida en lo que es de utilidad y provecho. ‖ **saber perder.** fr. tener buen perder. ‖ **tener uno buen o mal perder.** fr. Mostrarse ecuánime o molesto el que ha tenido alguna pérdida en el juego, en trances aleatorios, etc.

perdición. (Del lat. *perditĭo, -ōnis.*) f. Acción de perder o perderse. ‖ **2.** fig. Ruina o daño grave en lo temporal o espiritual. ‖ **3.** fig. Pasión desenfrenada de amor. ‖ **4.** fig. Condenación eterna. ‖ **5.** fig. Desbarate o desarreglo en las costumbres o en el uso de los bienes temporales. ‖ **6.** fig. Causa o sujeto que ocasiona un grave daño.

pérdida. (Del lat. tardío *perdĭta*, pérdida.) f. Carencia, privación de lo que se poseía. ‖ **2.** Daño o menoscabo que se recibe en una cosa. ‖ **3.** Cantidad o cosa perdida. ‖ **4.** Billa limpia. ‖ **a pérdidas y ganancias.** loc. adv. Con los verbos *ir* y *estar*, exponer en compañía de otros una cantidad de dinero, llevando parte en el menoscabo o utilidad que resulte. ‖ **no tener pérdida** una cosa. fr. fig. y fam. Ser fácil de hallar.

perdidamente. adv. m. Con exceso, con vehemencia, con abandono e inconsideradamente. ‖ **2.** Inútilmente, sin provecho.

perdidizo, za. adj. Dícese de lo que se finge que se pierde, y de la persona que se escabulle. ‖ **hacer perdidiza** una cosa. fr. fam. Ocultarla. ‖ **hacerse uno el perdidizo.** fr. fam. Ausentarse o retraerse disimuladamente. ‖ **hacerse perdidizo.** fr. Disponer voluntariamente un jugador el perder por complacer al contrario, o a quien debe respeto por una atención o por otro motivo.

perdido, da. p. p. de **perder.** ‖ **2.** adj. Que no tiene o no lleva destino determinado. ‖ **3.** V. **caso, fondo, pan perdido.** ‖ **4.** V. **centinela, gente, manga, mano, perdida.** ‖ **5.** V. **ratos perdidos.** ‖ **6.** Unido a ciertos adjetivos, aumenta y refuerza el sentido de estos. *Histérica* PERDIDA, *enamorado* PERDIDO, *tonto* PERDIDO. ‖ **7.** m. El hombre sin provecho y sin moral. ‖ **8.** *Impr.* Cierto número de ejemplares que se tiran de más en cada pliego, para que supliendo con ellos los que salgan de la prensa imperfectos o inútiles, no resulte incompleta la edición. ‖ **9.** f. **mujer perdida**, prostituta. ‖ **perdido por** una persona. fig. Ciegamente enamorado de ella. ‖ **perdido por** una cosa. fig. Muy aficionado a ella. ‖ **ser uno un perdido.** fr. Ser demasiado franco o pródigo. ‖ **2.** fig. Estar destituido de estimación y crédito. ‖ **ponerse perdido.** fr. fig. y fam. Ensuciarse mucho, ponerse muy sucio.

perdidoso, sa. adj. Que pierde o padece una pérdida. ‖ **2.** Que es fácil de perder o perderse.

perdigana. f. *Ar.* y *Rioja.* Perdiz nueva.

perdigar. tr. Soasar la perdiz o cualquier otra ave o alimento para que se conserve algún tiempo sin dañarse. ‖

2. Preparar la carne en cazuela con alguna grasa para que esté más sustanciosa. ‖ **3.** fig. y fam. Disponer o preparar una cosa para un fin.

perdigón[1]. (De *perdiz*.) m. Pollo de la perdiz. ‖ **2.** Perdiz nueva. ‖ **3.** Perdiz macho que emplean los cazadores como reclamo. ‖ **4.** Cada uno de los granos de plomo que forman la munición de caza. ‖ **5.** V. **cartucho de perdigones.** ‖ **zorrero.** El más grueso que el ordinario. ‖ **cazar** uno **con perdigones de plata.** fr. fig. y fam. Comprar la caza para pasar por cazador.

perdigón[2]. (De *perder*.) m. fam. El que pierde mucho en el juego. ‖ **2.** fig. y fam. Mozo desatentado y de poco juicio, que malbarata su hacienda. ‖ **3.** fam. En las academias militares y otros centros docentes, alumno que ha perdido el curso.

perdigonada. f. Tiro de perdigones. ‖ **2.** Herida que produce.

perdigonera. f. Bolsa en que los cazadores llevaban los perdigones.

perdiguero, ra. adj. Dícese del animal que caza perdices. ‖ **2.** V. **perro perdiguero.** Ú. t. c. s. ‖ **3.** V. **águila perdiguera.** ‖ **4.** m. Recovero que compra de los cazadores la caza para revenderla.

perdimiento. m. Perdición o pérdida.

perdis. (De *perdido*.) m. fam. Hombre de poco asiento y de moral laxa, perdulario. Ú. m. en las frases *ser un* PERDIS, o *estar hecho un* PERDIS.

perdiz. (Del lat. *perdix, -ícis*.) f. Ave gallinácea, que llega a 38 centímetros de longitud, desde la punta del pico hasta la extremidad de la cola, y 52 de envergadura, con cuerpo grueso, cuello corto, cabeza pequeña, pico y pies encarnados, y plumaje de color ceniciento rojizo en las partes superiores, más vivo en la cabeza y cuello, blanco con un collar negro, azulado con manchas negras en el pecho y rojo amarillento en el abdomen. Es abundante en España. Anda más que vuela, se mantiene de semillas silvestres, y su carne es muy estimada. ‖ **2.** V. **ojo, patas de perdiz.** ‖ **blanca.** Ave gallinácea, poco mayor que la **perdiz** común, de la cual se distingue por el pico ceniciento, las patas del mismo color y con plumas hasta las uñas, y el plumaje blanco en el cuerpo y negro en la cola y alas, aunque los extremos de estas también son blancos. Vive en las regiones altas y frías, y en verano toma color gris amarillento con manchas negras. ‖ **blancal.** La patiblanca, que en los países fríos toma en el invierno el color blanco, distinguiéndose entonces de la blanca tan solamente en los pies, que no tienen pluma. ‖ **cordillerana.** *Chile.* Especie de **perdiz** muy distinta de la europea, más pequeña, de alas puntiagudas y tarsos robustos y reticulares por delante. No es comestible y habita en lo alto de la cordillera de los Andes. ‖ **pardilla.** Ave gallinácea, que llega a medir 33 centímetros desde la punta del pico hasta la extremidad de la cola, y 55 de envergadura; es muy parecida a la **perdiz** común, pero tiene el pico y las patas de color gris verdoso, y el plumaje, que en un aspecto general es de color pardo obscuro, lo tiene amarillento rojizo en la cabeza, gris con rayas negras en el cuello y pecho, y manchado de pardo castaño en medio del abdomen. Es la especie más común en Europa y la que más abunda en el norte de España. ‖ **patiblanca.** Especie de **perdiz,** que se diferencia de la común principalmente en tener las piernas manchadas de negro, y el pico, las alas y los pies de color blanco que tira a verde. ‖ **real. perdiz.** ‖ **oler a perdices.** fr. fam. con que, jugando del vocablo, se advierte el gran riesgo de que resulte pérdida donde se busca ganancia. ‖ **perdices en campo raso.** expr. fig. con que se da a entender que una cosa es difícil de conseguir, por alusión a la dificultad que hay en cazar las **perdices** fuera del monte. ‖ **perdiz, o no comerla.** expr. con la que se da a entender que por ser buen bocado

la **perdiz,** no se satisfacen con menos de una entera los aficionados a este alimento. ‖ **2.** fig. y fam. Todo o nada.

perdón. m. Acción de perdonar. ‖ **2.** Remisión de la pena merecida, de la ofensa recibida o de alguna deuda u obligación pendiente. ‖ **3.** V. **cuenta de perdón.** ‖ **4.** **indulgencia,** remisión de los pecados. ‖ **5.** fam. Gota de aceite, cera u otra cosa que cae ardiendo. ‖ **6.** pl. Obsequios que se traen de una romería, tales como frutas secas, dulces y otras golosinas. ‖ **con perdón.** loc. adv. que se usa para referirse a algo que por decencia se cree que no puede mentarse sin licencia o venia de los oyentes.

perdonable. adj. Que puede ser perdonado o merece perdón.

perdonador, ra. adj. Que perdona o remite. Ú. t. c. s.

perdonamiento. m. ant. perdón.

perdonanza. (De *perdonar*.) f. ant. Perdón de la pena u ofensa. ‖ **2.** ant. Arte con que se oculta lo que se siente o se sabe. ‖ **3.** Indulgencia o tolerancia.

perdonar. (Del lat. *per y donāre,* dar.) tr. Remitir la deuda, ofensa, falta, delito u otra cosa el perjudicado por ello. ‖ **2.** Exceptuar a uno de lo que comúnmente se hace con todos, o eximirle de la obligación que tiene. ‖ **3.** Precedido del adverbio *no,* da a entender que la acción del verbo que seguidamente se expresa o se supone, se realiza en todas las ocasiones posibles. NO PERDONAR *modo o medio de conseguir una cosa;* NO PERDONAR *ocasión de lucirse;* NO PERDONAR *un baile* (asistir a todos); NO PERDONAR *ni un pormenor del suceso* (referirlo con pelos y señales). ‖ **4.** fig. Renunciar a un derecho, goce, o disfrute. ‖ **perdonar hecho y por hacer.** fr. con que se nota la excesiva y culpable indulgencia de uno.

perdonavidas. (De *perdonar y vida*.) com. fig. y fam. Baladrón, persona que presume de lo que no es y se jacta de valiente.

perdulario, ria. adj. Que pierde las cosas frecuentemente. Ú. t. c. s. ‖ **2.** Sumamente descuidado en sus intereses o en su persona. Ú. t. c. s. ‖ **3.** Vicioso incorregible. Ú. t. c. s.

perdurabilidad. f. Calidad de perdurable o perpetuo. ‖ **2.** Condición de lo que dura mucho.

perdurable. (Del lat. *perdurabĭlis*.) adj. Perpetuo o que dura siempre. ‖ **2.** Que dura mucho tiempo. ‖ **3.** f. Tela de lana basta y tupida que se usaba para vestidos, sempiterna.

perdurablemente. adv. m. Eternamente, perennemente, sin fin.

perduración. (Del lat. *perduratĭo, -ōnis*.) f. Acción y efecto de perdurar o durar mucho.

perdurar. (Del lat. *perdurāre*.) intr. Durar mucho, subsistir, mantenerse en un mismo estado.

perecear. (De *pereza*.) tr. fam. Dilatar, retardar, diferir una cosa por flojedad, negligencia o pereza.

perecedero, ra. adj. Poco durable; que ha de perecer o acabarse. ‖ **2.** m. fam. Necesidad, estrechez o miseria en las cosas precisas para el sustento humano.

perecer. (Del lat. **perescĕre,* de *perīre*.) intr. Acabar, fenecer o dejar de ser. ‖ **2.** fig. Padecer un gran daño, trabajo, fatiga o molestia de una pasión. ‖ **3.** fig. Padecer una ruina espiritual, especialmente la extrema de la eterna condenación. ‖ **4.** fig. Tener suma pobreza; carecer de lo necesario para la manutención de la vida. ‖ **5.** prnl. fig. Desear o apetecer con ansia una cosa. Ú. construido con la prep. *por.* ‖ **6.** fig. Padecer con violencia un afecto o pasión.

pereciendo. ger. de **perecer.** ‖ **2.** fam. V. **don pereciendo.**

perecimiento. m. Acción de perecer.

pereda. f. p. us. **peraleda.**

peregrina. f. *Cuba.* Arbusto euforbiáceo que da unas flores rojas. Hay variedades.

peregrinación. (Del lat. *peregrinatĭo, -ōnis.*) f. Acción y efecto de peregrinar.

peregrinaje. m. **peregrinación.**

peregrinamente. adv. m. De un modo raro, extraño, extraordinario, rara vez visto. ‖ **2.** Con gran primor.

peregrinar. (Del lat. *peregrināre.*) intr. Andar uno por tierras extrañas. ‖ **2.** Ir en romería a un santuario por devoción o por voto. ‖ **3.** fig. Estar en esta vida, en que se camina a la patria celestial. ‖ **4.** fig. y fam. Andar de un lugar a otro buscando o resolviendo algo.

peregrinidad. (Del lat. *peregrinĭtas, -ātis.*) f. Calidad de peregrino, extraño, raro.

peregrino, na. (Del lat. *peregrīnus.*) adj. Aplícase al que anda por tierras extrañas. ‖ **2.** Dícese de la persona que por devoción o por voto va a visitar un santuario; y más propiamente si lleva el bordón y la esclavina. Ú. m. c. s. ‖ **3.** Hablando de aves, que pasan de un lugar a otro. ‖ **4.** Dícese de los animales o cosas que proceden de un país extraño. ‖ **5.** fig. Extraño, especial, raro o pocas veces visto. ‖ **6.** fig. Adornado de singular hermosura, perfección o excelencia. ‖ **7.** fig. Que está en esta vida mortal de paso para la eterna.

pereion. (Del gr. περαιών, que atraviesa.) m. *Zool.* Cefalotórax de los crustáceos comúnmente cubierto por un caparazón y en el cual hay, en general, un par de ojos, dos pares de antenas, tres de piezas bucales y cinco de patas locomotoras.

perejil. (Del occitano *pe[i]ressil.*) m. Planta herbácea vivaz, de la familia de las umbelíferas, que crece hasta siete decímetros de altura, con tallos angulosos y ramificados, hojas pecioladas, lustrosas, de color verde oscuro, partidas en tres gajos dentados; flores blancas o verdosas y semillas menudas, parduscas, aovadas y con venas muy finas. Espontánea en algunas partes, se cultiva mucho en las huertas, por ser un condimento muy usado. ‖ **2.** fig. y fam. Adorno o compostura excesiva, especialmente la que usan las mujeres en los vestidos y tocados. Ú. m. en pl. ‖ **3.** pl. fig. y fam. Títulos y signos de dignidad o empleos que, juntos con uno más principal, condecoran a un sujeto. ‖ **perejil de mar. perejil marino.** ‖ **de monte. oreoselino.** ‖ **de perro. cicuta menor.** ‖ **macedonio. apio caballar.** ‖ **mal sembrado.** fig. y fam. Barba rala. ‖ **marino. hinojo marino.**

perejila. f. Juego de naipes que consiste en hacer 31 tantos, con otras varias suertes, y en el cual el siete de oros es comodín. ‖ **2.** Siete de oros en este juego.

perenal. adj. p. us. **perennal.**

perencejo. m. Voz que designa a una persona indeterminada, **perengano.**

perención. (Del lat. *peremptĭo, -ōnis.*) f. *Der.* Prescripción que anulaba el procedimiento, cuando transcurría cierto número de años sin haber hecho gestiones las partes. Hoy se llama caducidad de la instancia.

perendeca. f. fam. Prostituta, ramera.

perendengue. (Del lat. *pendĕre,* colgar.) m. **pendiente,** arete. ‖ **2.** Por ext., cualquier otro adorno femenino de poco valor. ‖ **3.** Moneda de vellón, con valor de cuatro maravedís, que se acuñó en tiempo de Felipe IV. ‖ **4.** pl. Adornos, atavíos. ‖ **5.** Requilorios, dificultades, trabas.

perene. adj. p. us. **perenne.**

perengano, na. (De *per-* y *mengano.*) m. y f. Voz usada para aludir a una persona cuyo nombre se ignora o no se quiere expresar después de haber aludido a otra u otras con palabras de igual indeterminación, como *fulano, mengano, zutano.*

perennal. adj. **perenne.**

perennalmente. adv. m. y t. **perennemente.**

perenne. (Del lat. *perennis.*) adj. Continuo, incesante, que no tiene intermisión. ‖ **2.** V. **loco perenne.** ‖ **3.** *Bot.* Que vive más de dos años.

perennemente. adv. m. y t. Incesantemente, continuamente.

perennidad. (Del lat. *perennĭtas, -ātis.*) f. Perpetuidad, continuación incesable.

perennifolio, lia. adj. *Bot.* Dícese de los árboles y plantas que conservan su follaje todo el año.

perennigélido, da. (De *perenne* y *gélido.*) adj. *Geol.* Dícese de los terrenos permanentemente helados.

perennizar. tr. Hacer perenne, eternizar.

perenquén. m. *Can.* **salamanquesa.**

perentoriamente. adv. m. Con término perentorio. ‖ **2.** Con urgencia.

perentoriedad. f. Calidad de perentorio. ‖ **2.** urgencia.

perentorio, ria. (Del lat. *peremptorĭus.*) adj. Dícese del último plazo que se concede, o de la final resolución que se toma en cualquier asunto. ‖ **2.** Concluyente, decisivo, determinante. ‖ **3.** Urgente, apremiante. ‖ **4.** *Der.* V. **excepción perentoria.** ‖ **5.** *Der.* V. **término perentorio.**

pereque. m *Col.* Molestia, impertinencia. ‖ **poner en pereque.** fr. fam. Incomodar a alguien, hacerle objeto de bromas, burlas o chanzas.

perero. m. Instrumento que se usaba antiguamente para ayudar a mondar peras, membrillos, manzanas y otras frutas.

pereta. f. *Murc.* Clase de pera pequeñita y temprana.

peretero. m. *Murc.* Árbol que produce peretas.

pereza. (Del lat. *pigritĭa.*) f. Negligencia, tedio o descuido en las cosas a que estamos obligados. ‖ **2.** Flojedad, descuido o tardanza en las acciones o movimientos. ‖ **pereza, ¿quieres sopas?** expr. fam. con que se reprende al que por desidia o negligencia deja o pierde aquello que le conviene. ‖ **sacudir la pereza.** fr. Vencerla. ‖ **2.** Emprender o continuar con buen ánimo una tarea o diligencia.

perezosamente. adv. m. Lentamente, flojamente, con pereza y tardanza.

perezoso, sa. adj. Negligente, descuidado o flojo en hacer lo que debe o necesita ejecutar. Ú. t. c. s. ‖ **2.** Tardo, lento o pesado en el movimiento o en la acción. ‖ **3.** Que por demasiada afición a dormir se levanta de la cama tarde o con repugnancia. Ú. t. c. s. ‖ **4.** m. Mamífero desdentado, propio de la América tropical, que tiene unos 60 centímetros de largo y 25 de altura, cabeza pequeña, ojos obscuros, pelaje pardo, áspero y largo, piernas cortas, pies sin dedos aparentes, armados de tres uñas muy largas y fuertes, y cola rudimentaria. Es de andar muy lento, trepa con dificultad a los árboles, de cuyas hojas se alimenta, y para bajar se deja caer hecho una bola. ‖ **5.** *Perú y Urug.* Tumbona, silla de tijera con asiento y respaldo de lona. ‖ **6.** f. *Cantabria y León.* Mesa que se forma haciendo girar sobre sus goznes un tablero adosado a la pared hasta que descansa por la otra parte con un pie o tentemozo.

perfección. (Del lat. *perfectĭo, -ōnis.*) f. Acción de perfeccionar o perfeccionarse. ‖ **2.** Calidad de perfecto. ‖ **3.** Cosa perfecta. ‖ **4.** *Der.* En los actos jurídicos, fase y momento en que, al concurrir todos los requisitos, nacen los derechos y obligaciones. ‖ **a la perfección.** loc. adv. perfectamente.

perfeccionador, ra. adj. Que perfecciona o da perfección a una cosa.

perfeccionamiento. m. Acción y efecto de perfeccionar o perfeccionarse.

perfeccionar. tr. Acabar enteramente una obra, dándole el mayor grado posible de bondad o excelencia. Ú. t. c. prnl. ‖ **2.** fig. Mejorar una cosa o hacerla más perfecta. ‖ **3.** *Der.* Completar los requisitos para que un acto civil, especialmente un contrato, tenga plena fuerza jurídica. Ú. t. c. prnl.

perfeccionismo. m. Tendencia a mejorar indefinidamente un trabajo sin decidirse a considerarlo acabado.

perfeccionista. adj. Dícese de la persona que tiende al perfeccionismo. Ú. t. c. s. Ú. con frecuencia en sent. irón.

perfectamente. adv. m. Cabalmente, sin falta, con perfección, pulidez o esmero. ‖ ¡perfectamente! exclam. de asentimiento o cabal conformidad.

perfectibilidad. f. Calidad de perfectible.

perfectible. adj. Capaz de perfeccionarse o de ser perfeccionado.

perfectivo, va. (Del lat. *perfectivus*.) adj. Que da o puede dar perfección. ‖ **2.** *Gram.* Aplícase a los tiempos verbales que indican acciones acabadas. Ú. t. c. s. m.

perfecto, ta. (Del lat. *perfectus*.) adj. Que tiene el mayor grado posible de bondad o excelencia en su línea. ‖ **2.** Antepuesto a un sustantivo al que califica, significa que posee el grado máximo de una determinada cualidad o defecto. *Jesús es un* PERFECTO *caballero*. ‖ **3.** V. **codo, colon, contrato perfecto.** ‖ **4.** V. **rima perfecta.** ‖ **5.** *Arit.* V. **número perfecto.** ‖ **6.** *Der.* De plena eficacia jurídica. ‖ **7.** *Gram.* V. **futuro, pretérito perfecto.**

perfeto, ta. adj. desus. **perfecto.**

perficiente. (Del lat. *perficiens, -entis*, p. a. de *perficĕre*, perfeccionar.) adj. Que perfecciona.

pérfidamente. adv. m. Con perfidia o infidelidad.

perfidia. (Del lat. *perfidia*.) f. Deslealtad, traición o quebrantamiento de la fe debida.

pérfido, da. (Del lat. *perfidus*.) adj. Desleal, infiel, traidor, que falta a la fe que debe. Ú. t. c. s.

perfil. (Del ant. occitano *perfil*, dobladillo.) m. Postura en que no se deja ver sino una sola de las mitades laterales del cuerpo. ‖ **2.** Conjunto de rasgos peculiares que caracterizan a una persona o cosa. ‖ **3.** Cada una de las rayas delgadas que se hacen con la pluma llevada de manera conveniente. ‖ **4.** Adorno sutil y delicado, especialmente el que se pone al canto o extremo de una cosa. ‖ **5.** *Geom.* Figura que representa un cuerpo cortado real o imaginariamente por un plano vertical. ‖ **6.** *Metal.* Barra metálica obtenida por laminación, forja, estampación o estirado cuya sección transversal tiene diversas formas, tales como simples tes, dobles tes, cuadradas, redondas, rectangulares, triangulares, etcétera. ‖ **7.** *Pint.* Contorno aparente de la figura, representado por líneas que determinan la forma de aquella. ‖ **8.** pl. Complementos y retoques con que se remata una obra o cosa. ‖ **9.** fig. Miramientos en la conducta o en el trato social. ‖ **medio perfil.** *Pint.* Postura o figura del cuerpo que no está enteramente ladeado. ‖ **corromper los perfiles.** fr. *Pint.* No ajustarse el aprendiz al dibujo del maestro. ‖ **de perfil.** loc. De lado. ‖ **pasar perfiles.** fr. *Pint.* Afianzar el dibujo estarcido, pasándolo con lápiz, pluma o cosa semejante. ‖ **tomar perfiles.** fr. *Pint.* Señalar con lápiz, en un papel transparente puesto sobre una pintura o estampa, los contornos de ella.

perfilado, da. p. p. de **perfilar.** ‖ **2.** adj. Dícese del rostro adelgazado y largo en proporción. ‖ **3.** V. **nariz perfilada.**

perfilador, ra. adj. Que perfila. Ú. t. c. s.

perfiladura. f. Acción de perfilar una cosa. ‖ **2.** El mismo perfil.

perfilar. tr. Dar, presentar el perfil o sacar los perfiles a una cosa. ‖ **2.** fig. Afinar, hacer con primor, rematar esmeradamente una cosa. ‖ **3.** *Metal.* Hacer perfiles. ‖ **4.** prnl. Colocarse de perfil. ‖ **5.** fig. y fam. Aderezarse, componerse.

perfoliada. (De *perfoliata*.) f. Planta herbácea de la familia de las umbelíferas, con las hojas del tallo perfoliadas, redondas por la base y aovadas por la punta, umbelas de cinco radios y costillas del fruto muy tenues.

perfoliado, da. (De *per-* y lat. *foliātus*, de muchas hojas.) adj. *Bot.* V. **hoja perfoliada.**

perfoliata. (De *per-* y lat. *foliāta*, la que tiene muchas hojas.) f. **perfoliada.**

perfolla. f. *Murc.* Hoja que cubre el fruto del maíz, especialmente cuando está seca.

perforación. f. Acción y efecto de perforar.

perforador, ra. adj. Que perfora u horada. Ú. t. c. s.

perforar. (Del lat. *perforāre*.) tr. Agujerear una cosa atravesándola. ‖ **2.** Agujerear una cosa atravesando alguna capa.

perforista. com. Persona que tiene como oficio disponer los materiales de trabajo para los ordenadores, perforando o picando fichas.

perfumadero. m. Vaso para quemar perfumes.

perfumador, ra. adj. Que confecciona o compone cosas olorosas para perfumar. Ú. t. c. s. ‖ **2.** m. Vaso o aparato para quemar perfumes y esparcirlos.

perfumar. (Del lat. *per*, por, y *fumāre*, producir humo.) tr. Sahumar, aromatizar una cosa, quemando materias olorosas. Ú. t. c. prnl. ‖ **2.** fig. Dar buen olor a algo o a alguien mediante perfume. Ú. t. c. prnl. ‖ **3.** intr. Exhalar perfume, fragancia, olor agradable.

perfume. (De *perfumar*.) m. Materia odorífica y aromática que puesta al fuego desprende un humo fragante y oloroso. ‖ **2.** El mismo humo u olor que exhalan las materias olorosas. ‖ **3.** fig. Cualquier sustancia que se utiliza para dar buen olor a personas o cosas. ‖ **4.** fig. Cualquier olor bueno o muy agradable.

perfumear. tr. Echar perfumes.

perfumería. (De *perfumero*.) f. Tienda donde se venden perfumes. ‖ **2.** Arte de fabricar perfumes. ‖ **3.** Conjunto de productos y materias de esta industria. ‖ **4.** Lugar donde se preparan perfumes o se adoban las ropas o pieles con olores.

perfumero, ra. m. y f. Persona que prepara o vende perfumes.

perfumista. com. Persona que prepara o vende perfumes.

perfunctoriamente. adv. m. p. us. De manera perfunctoria.

perfunctorio, ria. (Del lat. *perfunctorĭus*.) adj. p. us. Hecho sin cuidado, a la ligera.

perfusión. f. Baño, untura.

pergal. (Del lat. *pellicăle*; de *pellis*, piel.) m. Recorte de las pieles, de que se hacen las túrdigas para abarcas.

pergaminero. m. El que trabaja en pergaminos o los vende.

pergamino. (Del b. lat. *pergamīnum*.) m. Piel de la res, limpia del vellón o del pelo, raída, adobada y estirada, que sirve para escribir en ella, forrar libros y otros usos. ‖ **2.** Título o documento escrito en pergamino. ‖ **3.** pl. fig. Antecedentes nobiliarios de una familia o de una persona. ‖ **de paño.** *mont.* Papel de pasta de trapos o de pulpa de vegetal. ‖ **en pergamino.** loc. adv. Dícese de la encuadernación en que las cubiertas del libro son de **pergamino.**

pergenio. m. **pergeño.**

pergeñar. (De *pergeño*.) tr. fam. Disponer o ejecutar una cosa con más o menos habilidad.

pergeño. (Del lat. *per*, por, y *genĭum*, disposición.) m. fam. Traza, apariencia, disposición exterior de una persona o cosa.

pérgola. (Del it. *pergola*, y este del lat. *pergŭla*, balcón.) f. Armazón de hierro para sostener una planta. ‖ **2.** Jardín que tienen algunas casas sobre la techumbre.

peri. (Del persa *peri*, hada.) f. Hada hermosa y bienhechora de la mitología pérsica.

peri-. (Del gr. περι-.) pref. que significa «alrededor de»: PERiscopio, PERIstilo, PERIcráneo.

periambo. (Del lat. *periambus*.) m. Pie griego y latino de dos sílabas breves, pariambo, pirriquio.

periantio. (Del gr. περί, alrededor, y ἄνθος, flor.) m. *Bot.* **perianto.**

perianto. m. *Bot.* Envoltura típica de la flor de las plantas fanerógamas, formada por dos verticilos de hojas florales, el cáliz y la corola.

pericárdico, ca. adj. *Anat.* Perteneciente o relativo al pericardio.

pericardio. (Del gr. περικάρδιον.) m. *Anat.* Envoltura del corazón, que está formada por dos membranas: una externa y fibrosa, y otra interna y serosa.

pericarditis. (De *pericardio* e *-itis*.) f. *Pat.* Inflamación aguda o crónica del pericardio.

pericarpio. (Del gr. περικάρπιον.) m. *Bot.* Parte exterior del fruto de las plantas, que cubre las semillas.

pericia. (Del lat. *peritïa*.) f. Sabiduría, práctica, experiencia y habilidad en una ciencia o arte.

pericial. (De *pericia*.) adj. Perteneciente o relativo al perito. *Juicio, tasación* PERICIAL. ‖ 2. m. Funcionario del cuerpo de aduanas.

pericialmente. adv. m. Con pericia.

periclitar. (Del lat. *periclitäri*.) intr. Peligrar, estar en peligro; decaer, declinar.

perico. (d. de *Pero*, Pedro.) m. Especie de tocado que se usó antiguamente, y se hacía de pelo postizo y adornaba la parte delantera de la cabeza. ‖ 2. Ave trepadora, especie de papagayo, de unos 25 centímetros de altura, con pico róseo, ojos encarnados de contorno blanco, manchas rojizas, diseminadas en el cuello, lomo verdinegro y vientre verde pálido, plumas remeras de color verde azulado en el lado externo y amarillo en el interno, y mástil negro; plumas timoneras verdosas y su mástil negro por encima y amarillento por debajo, y pies de color gris. Es indígena de Cuba y de América Meridional, vive en los bosques durante el celo y la cría, y pasa el resto del año en las tierras cultivadas, donde destruye la flor y el fruto del naranjo, las siembras del maíz y la pulpa del café. Da gritos agudos y desagradables y se domestica fácilmente. ‖ 3. En el juego del truque, caballo de bastos. ‖ 4. fig. Abanico grande. ‖ 5. fig. Espárrago de gran tamaño. ‖ 6. fig. Vaso para excrementos. ‖ 7. Persona que gusta de callejear, a veces de vida desenvuelta. Aplícase con más frecuencia a mujeres. ‖ 8. *Col.* Café con un poco de leche servido en taza pequeña. ‖ 9. *Mar.* Juanete del palo de mesana que se cruza sobre el mastelero de sobremesana. ‖ 10. *Mar.* Vela que se larga en él. ‖ 11. *Mar.* V. **mastelerillo, mastelero de perico.** ‖ 12. pl. *Col.* **huevos revueltos.** ‖ **Perico de, o el de, los palotes.** Personaje proverbial. Persona indeterminada, un sujeto cualquiera. ‖ **entre ellas.** fam. Hombre que gusta de estar siempre entre mujeres. ‖ **ligero. perezoso,** mamífero. ‖ **como Perico por su casa.** loc. adv. y fam. **como Pedro por su casa.** ‖ **¿de cuándo acá Perico con guantes?** expr. fig. y fam. **¿de cuándo acá?** ‖ **hablar como un perico.** fr. fig. y fam. *Guat., Pan., P. Rico y Venez.* Hablar demasiado y sin sentido.

pericón, na. (De *perico*.) adj. Aplícase al que suple a otros, especialmente hablando del caballo o mula que sirve para cualquier puesto de tiro. Ú. t. c. s. ‖ 2. m. En el juego de quínolas, caballo de bastos, que hace de comodín. ‖ 3. Abanico muy grande. ‖ 4. *Argent.* y *Urug.* Baile popular en cinco partes que ejecutan con acompañamiento de guitarras varias parejas en número par, y que se suele interrumpir con pausas para que un bailarín diga una copla, o un dicho, al que replica su compañero de pareja.

pericote[1]. m. Nombre de un baile popular asturiano.

pericote[2]. m. *Amér. Merid.* **ratón,** roedor pequeño.

pericráneo. (Del gr. περικράνιος.) m. *Anat.* Membrana fibrosa que cubre exteriormente los huesos del cráneo.

peridoto. (De or. inc.) m. Mineral granujiento o cristalino, silicato de magnesia y hierro, de color verde amarillento, brillo fuerte, poco menos duro que el cuarzo y que suele encontrarse entre las rocas volcánicas. Los cristales de color más uniforme y transparentes se emplean en Oriente como piedras finas de poco valor.

perieco, ca. (Del gr. περίοικος.) adj. *Geogr.* Aplícase al morador del globo terrestre con relación a otro que ocupa un punto del mismo paralelo que el primero y diametralmente opuesto a él. Ú. t. c. s. y más comúnmente en plural.

periferia. (Del gr. περιφέρεια, a través del lat. *peripherïa*.) f. Contorno de un círculo, circunferencia. ‖ 2. Término o contorno de una figura curvilínea. ‖ 3. fig. Espacio que rodea un núcleo cualquiera.

periférico, ca. adj. Perteneciente o relativo a la periferia.

perifollo. (Del lat. *caerefolïum*.) m. Planta herbácea anual, de la familia de las umbelíferas, con tallos de tres a cuatro decímetros de altura, finos, ramosos, huecos y estriados; hojas muy recortadas en lóbulos lanceolados; flores blancas en umbelas pequeñas, y semilla menuda, negra, aovada, puntiaguda y estriada. Se cultiva en las huertas por usarse como condimento las hojas, que son aromáticas y de gusto agradable. ‖ 2. pl. fig. y fam. Adornos de mujer en el traje y peinado, y especialmente de los que son excesivos o de mal gusto. ‖ **oloroso.** Planta herbácea vivaz, de la familia de las umbelíferas, con tallos ramosos, velludos, huecos, y de seis a ocho decímetros de altura; hojas grandes, pelosas, de color verde claro, algunas veces manchadas de blanco, partidas en lóbulos recortados, ovales, puntiagudos y dentados; flores blancas en parasoles ralos, y semilla comprimida de un centímetro de largo, asurcada profundamente y con pico algo corvo. Es espontáneo en el norte de España, tiene olor de anís y se ha cultivado para condimento.

perifonear. (De *perífono*.) tr. p. us. Transmitir por medio del teléfono sin hilos una pieza de música, un discurso o una noticia en condiciones determinadas y a hora fija.

perifonía. (De *perífono*.) f. p. us. Acción y efecto de perifonear. ‖ 2. p. us. Arte de construir, instalar y manejar el perífono.

perífono. (De *peri-* y *-fono*.) m. p. us. Aparato que sirve para perifonear.

periforme. adj. De forma de pera.

perifrasear. intr. Usar perífrasis.

perífrasi. f. **perífrasis.**

perífrasis. (Del lat. *periphrăsis*, y este del gr. περίφρασις.) f. *Ret.* **circunlocución.**

perifrástico, ca. (Del gr. περιφραστικός.) adj. Perteneciente o relativo a la perífrasis; abundante en ellas. *Estilo* PERIFRÁSTICO.

perigallo. m. Pellejo que con exceso pende de la barba o de la garganta y que suele proceder de la mucha vejez o suma flacura. ‖ 2. Cinta de color llamativo, que llevaban las mujeres en la parte superior de la cabeza. ‖ 3. Especie de honda hecha de un simple bramante. ‖ 4. fig. y fam. Persona alta y delgada. ‖ 5. *Mar.* Aparejo de varias formas que sirve para mantener suspendida una cosa.

perigeo. (Del gr. περίγειος.) m. *Astron.* Punto en que la Luna se halla más próxima a la Tierra.

perigonio. (De *peri-* y γόνος, semen.) m. *Bot.* Envoltura externa de las flores homoclamídeas, formada generalmente por un verticilo simple de hojas florales coloreadas o tépalos, v. gr. en los lirios.

perihelio. (Del gr. περί, cerca de, y ἥλιος, el Sol.) m. *Astron.* Punto en que un planeta se halla más cerca del Sol.

perilustre. (Del lat. *perillustris*.) adj. Muy ilustre.

perilla. (d. de *pera*.) f. Adorno en figura de pera. ‖ 2. Parte superior del arco que forman por delante los fustes de la silla de montar. ‖ **3.** Porción de pelo que se deja crecer en la punta de la barba. ‖ **4.** Extremo del cigarro puro, por donde se fuma. ‖ **5.** *Méj.* **picaporte.** ‖ **de la oreja.** Parte inferior no cartilaginosa de la oreja. ‖ **de perilla, o de perillas.** loc. adv. fig. y fam. A propósito o a tiempo.

perillán, na. (De las antiguas formas castellanas *Per.* Pedro, e *Illán,* Julián.) m. y f. fam. Persona pícara, astuta. El femenino es poco usado. Ú. t. c. adj.

perillo. (d. de *pero*[1].) m. Panecillo de masa dulce, muy pequeño y con piquitos alrededor.

perimétrico, ca. adj. Perteneciente o relativo al perímetro.

perímetro. (Del gr. περίμετρος, a través del lat. *perimĕtros*.) m. Contorno de una superficie. ‖ **2.** *Geom.* Contorno de una figura.

perimido, da. p. p. de **perimir.** ‖ **2.** adj. *Argent.* Obsoleto, caduco.

perimir. (Del lat. *perimĕre*, destruir.) tr. *Der. Argent.* y *Col.* Caducar el procedimiento por haber transcurrido el término fijado por la ley sin que lo hayan impulsado las partes. Ú. t. en sent. fig.

perínclito, ta. (De *per-* e *ínclito*.) adj. Grande, heroico, ínclito en sumo grado.

perindola. f. Pequeña peonza que se baila con los dedos, perinola.

periné. m. *Anat.* Espacio que media entre el ano y las partes sexuales.

perineal. adj. Perteneciente o relativo al perineo. *Región* PERINEAL.

perineo. (Del lat. *perinaeon*, y este del gr. περίναιος.) m. **periné.**

perinola. (De la onomat. *pirn*, del giro.) f. Peonza pequeña que baila cuando se hace girar rápidamente con dos dedos un manguillo que tiene en la parte superior. El cuerpo de este juguete es a veces un prisma de cuatro caras marcadas con letras y sirve entonces para jugar a interés. ‖ **2.** Adorno en figura de **perinola.** ‖ **3.** fig. y fam. Mujer pequeña de cuerpo y vivaracha.

perinquina. (De *per-* e *inquina*.) f. Inquina grande.

perinquinoso, sa. adj. Que tiene perinquina o inquina grande.

perioca. (Del lat. *periŏcha*, y este del gr. περιοχή.) f. Sumario, argumento de un libro o tratado.

periódicamente. adv. m. Con periodicidad.

periodicidad. f. Calidad de periódico.

periódico, ca. (Del lat. *periodĭcus*, y este del gr. περιοδικός.) adj. Que guarda período determinado. ‖ **2.** Que se repite con frecuencia a intervalos determinados. ‖ **3.** Dícese del impreso que se publica con determinados intervalos de tiempo. Ú. m. c. s. m. ‖ **4.** V. **cometa, mes lunar, sistema periódico.** ‖ **5.** V. **ondulación periódica.** ‖ **6.** *Arit.* Dícese de la fracción decimal que tiene período. ‖ **7.** *Fís.* Dícese de los fenómenos cuyas fases todas se repiten permanentemente y con regularidad. ‖ **8.** m. Diario, publicación que sale diariamente.

periodicucho. m. despect. de **periódico.** Periódico despreciable.

periodismo. m. Ejercicio o profesión de periodista.

periodista. com. Persona que compone, escribe o edita un periódico. ‖ **2.** Persona que, profesionalmente, prepara o presenta las noticias en un periódico o en otro medio de difusión.

periodístico, ca. (De *periodista*.) adj. Perteneciente o relativo a periódicos y periodistas. *Lenguaje, estilo* PERIODÍSTICO.

período o periodo. (Del lat. *periŏdus*, y este del gr. περίοδος.) m. Tiempo que una cosa tarda en volver al estado o posición que tenía al principio. ‖ **2.** Espacio de tiempo que incluye toda la duración de una cosa. ‖ **3.** Menstruo de

las mujeres y de las hembras de ciertos animales. ‖ **4.** *Arit.* Cifra o grupo de cifras que se repiten indefinidamente, después del cociente entero, en las divisiones inexactas. ‖ **5.** *Cronol.* Ciclo de tiempo. PERÍODO *juliano, de* Metón. ‖ **6.** *Fís.* Tiempo que tarda un fenómeno periódico en recorrer todas sus fases, como el que emplea un péndulo en su movimiento de vaivén, la Tierra en su movimiento alrededor del Sol, etc. ‖ **7.** *Gram.* Conjunto de oraciones que, enlazadas unas con otras gramaticalmente, forman sentido cabal. ‖ **8.** *Med.* Tiempo que duran ciertos fenómenos que se observan en el curso de las enfermedades.

periostio. (Del gr. περιόστεον, a través del lat. *periostěum*.) m. *Anat.* Membrana fibrosa adherida a los huesos, que sirve para su nutrición y renovación.

periostitis. (De *periostio* e *-itis*.) f. *Pat.* Inflamación del periostio.

peripatético, ca. (Del lat. *peripatetĭcus*, y este del gr. περιπατητικός.) adj. Que sigue la filosofía o doctrina de Aristóteles. Ú. t. c. s. ‖ **2.** Perteneciente o relativo a sistema o secta. ‖ **3.** fig. y fam. Ridículo o extravagante en sus dictámenes o máximas.

peripato. (Del gr. περίπατος, paseo, porque paseando enseñaba Aristóteles.) m. *Fil.* Nombre dado al liceo o escuela de Aristóteles. ‖ **2.** Doctrina aristotélica. *Según* el PERIPATO.

peripecia. (Del gr. περιπέτεια.) f. En el drama o cualquier otra composición análoga, mudanza repentina de situación debida a un accidente imprevisto que cambia el estado de las cosas. ‖ **2.** fig. Accidente de esta misma clase en la vida real.

periplo. (Del gr. περίπλους, a través del lat. *periplus*.) m. **cincunnavegación.** Empléase únicamente como término de geografía antigua. ‖ **2.** Obra antigua en que se cuenta o refiere un viaje de cincunnavegación. *El* PERIPLO *de Hannón.* ‖ **3.** Por ext., cualquier viaje o recorrido, por lo común con regreso al punto de partida. ‖ **4.** fig. Recorrido o trayectoria espiritual de un sujeto.

períptero, ra. (Del gr. περίπτερος, a través del lat. *periptĕros*.) adj. *Arq.* Dícese del templo clásico rodeado por columnas que deja paso entre estas y el muro. Ú. t. c. s. m.

peripuesto, ta. (De *peri-*, ampliación de *per-* y *puesto*.) adj. fam. Que se adereza y viste con demasiado esmero y afectación.

periquear. intr. Disfrutar de excesiva libertad las mujeres. Ú. m. en ger. con el verbo *andar*.

periquete. m. fam. Brevísimo espacio de tiempo. Ú. m. en la loc. adv. **en un periquete.**

periquillo. m. d. de **perico.** ‖ **2.** Especie de dulce hecho solo de azúcar, y delicado como melindre. ‖ **3.** Nombre que festivamente dieron al copete postizo.

periquín. m. *Sant.* Baile popular.

periquito. (d. de *Perico*.) m. **perico,** ave. ‖ **entre ellas.** fig. y fam. **Perico entre ellas.** ‖ **cátate, o ya tenemos, a Periquito hecho fraile.** fr. fam. que se aplica al que alcanza una dignidad basada aunque poco merecida. ‖ **hablar periquitos.** fr. vig. y fam. *Chile.* **hablar pestes** de una persona.

perís. m. *León.* En el juego de bolos, el bolo llamado también **diez de bolos.**

periscio, cia. (Del gr. περίσκιος.) adj. *Geogr.* Dícese del habitante de las zonas polares, en torno del cual gira su sombra cada veinticuatro horas en la época del año en que no se pone el Sol en dichas zonas. Ú. t. c. s. y más comúnmente en plural.

periscópico, ca. adj. Perteneciente o relativo al periscopio.

periscopio. (Del gr. περισκοπέω, mirar en torno.) m. Cámara lúcida instalada en un tubo vertical que sirve para ver los objetos exteriores cuando está por encima de un obstáculo que impide la visión directa. El más conocido es el de los buques submarinos.

perisodáctilo. (Del gr. περισσός, impar, y δάκτυλος, dedo.) adj. *Zool.* Dícese de los mamíferos, en general corpulentos, que tienen los dedos en número impar, por lo menos en las extremidades abdominales, y terminados en pesuños, estando el dedo central más desarrollado que los demás; como el tapir, el rinoceronte y el caballo. Ú. t. c. s. m. ‖ **2.** m. pl. *Zool.* Orden de estos animales.

perisología. (Del lat. *perissologia*, y este del gr. περισσολογία.) f. *Ret.* Vicio de la elocución, que consiste en repetir o amplificar inútilmente los conceptos.

perista. com. *Germ.* Persona que comercia con objetos robados a sabiendas de que lo son.

peristáltico, ca. (Del gr. περισταλτικός.) adj. *Fisiol.* Que tiene la propiedad de contraerse. Dícese principalmente del movimiento de contracción que hacen los intestinos para impulsar los materiales de la digestión y expeler los excrementos.

per ístam. Voces latinas de la frase *Per istam sánctam unctiónem*, que en lenguaje familiar equivalen en castellano a **en blanco** o **en ayunas.** Úsanse con los verbos *dejar, estar* y *quedarse,* y el que las dice suele hacerse al mismo tiempo la señal de la cruz en la boca.

perístasis. (Del lat. *peristāsis*.) f. *Ret.* Tema, asunto o argumento del discurso.

peristilo. (Del gr. περίστυλος, a través del lat. *peristÿlum*.) m. Entre los antiguos, lugar o sitio rodeado de columnas por la parte interior, como los atrios. ‖ **2.** Galería de columnas que rodea un edificio o parte de él.

perístole. (Del gr. περιστολή, compresión del vientre.) f. *Fisiol.* Acción peristáltica del conducto intestinal.

peritación. f. Trabajo o estudio que hace un perito.

peritaje. m. **peritación.** ‖ **2.** Estudios o carrera de perito.

peritar. tr. Evaluar en calidad de perito.

perito, ta. (Del lat. *peritus*.) adj. Sabio, experimentado, hábil, práctico en una ciencia o arte. Ú. t. c. s. ‖ **2.** m. Persona que en alguna materia tiene título de tal, conferido por el Estado. ‖ **3.** *Der.* Persona que, poseyendo especiales conocimientos teóricos o prácticos, informa, bajo juramento, al juzgador sobre puntos litigiosos en cuanto se relacionan con su especial saber o experiencia.

peritoneal. adj. *Anat.* Perteneciente o relativo al peritoneo.

peritoneo. (Del gr. περιτόναιον, a través del lat. *peritonaeum*.) m. *Anat.* Membrana serosa, propia de los vertebrados y de otros animales, que reviste la cavidad abdominal y forma pliegues que envuelven las vísceras situadas en esta cavidad.

peritonitis. (De *peritoneo* e *-itis*.) f. *Pat.* Inflamación del peritoneo.

perjudicado, da. p. p. de **perjudicar.** Ú. t. c. s. ‖ **2.** adj. *Der.* Dícese de efectos o títulos de crédito, en especial de las letras de cambio, cuya eficacia se disminuye por la omisión de formalidades que deben amparar las respectivas acciones.

perjudicador, ra. adj. Que perjudica. Ú. t. c. s.

perjudicar. (Del lat. *praeiudicāre*.) tr. Ocasionar daño o menoscabo material o moral. Ú. t. c. prnl.

perjudiciable. adj. ant. **perjudicial.**

perjudicial. adj. Que perjudica o puede perjudicar.

perjudicialmente. adv. m. Con perjuicio.

perjuicio. (Del lat. *praeiudicĭum*.) m. Efecto de perjudicar o perjudicarse. ‖ **2.** *Der.* Ganancia lícita que deja de obtenerse, o deméritos o gastos que se ocasionan por acto u omisión de otro, y que este debe indemnizar, a más del daño o detrimento material causado por modo directo. ‖ **sin perjuicio.** loc. adv. Dejando a salvo.

perjurador, ra. adj. Que jura en falso. Ú. t. c. s.

perjurar. (Del lat. *periurāre*.) intr. Jurar en falso. Ú. t. c. prnl. ‖ **2.** Jurar mucho o por vicio, o por añadir fuerza

al juramento. ‖ **3.** prnl. Faltar a la fe ofrecida en el juramento.

perjurio. (Del lat. *periurĭum*.) m. Juramento en falso. ‖ **2.** Quebrantamiento de la fe jurada.

perjuro, ra. adj. Que jura en falso. Ú. t. c. s. ‖ **2.** Que quebranta maliciosamente el juramento que ha hecho. ‖ **3.** m. p. us. Acción y efecto de perjurar.

perla. (De etim. disc.) f. Concreción nacarada, generalmente de color blanco agrisado, reflejos brillantes y figura más o menos esferoidal, que suele formarse en lo interior de las conchas de diversos moluscos, sobre todo en las madreperlas. Se estima mucho en joyería cuando tiene buen oriente y es de figura regular. ‖ **2.** Concreción análoga de color y brillo como el de las **perlas,** conseguida artificialmente por diversos procedimientos. ‖ **3.** V. **té perla.** ‖ **4.** V. **concha de perla.** ‖ **5.** V. **hilo de perlas.** ‖ **6.** fig. Persona de excelentes prendas, o cosa preciosa o exquisita en su clase. ‖ **7.** V. **gris perla.** ‖ **8.** fig. Especie de píldora, hueca o llena de alguna sustancia medicinal o alimenticia. ‖ **9.** fig. En el juego del tresillo, reunión de la espada, la malilla y el rey o el punto. ‖ **10.** *Blas.* Pieza principal formada por media banda, media barra y medio palo, algo menores, reunidos por sus dos extremos en el centro del escudo, formando una Y griega. También se llama palio por su parecido a la insignia de los metropolitanos. ‖ **11.** *Impr.* Carácter de letra de cuatro puntos tipográficos. ‖ **de perlas.** loc. adv. Perfectamente, de molde.

perlado¹, da. (De *perla*.) adj. De color de perla. ‖ **2.** Que tiene figura o brillo de perla. ‖ **3.** Que está adornado con perlas o vidrios que las imitan. ‖ **4.** V. **cebada perlada.**

perlado². (Del lat. *praelātus*, preferido, elegido.) m. ant. El que tiene alguna dignidad de las superiores de la Iglesia.

perlar. tr. poét. Cubrir o salpicar de gotas de agua, lágrimas, etc., alguna cosa. Ú. t. c. prnl.

perlático, ca. (De *paralítico*.) adj. Que padece perlesía. Apl. a pers., ú. t. c. s.

perlé. (Del fr. *perlé*.) m. Fibra de algodón mercerizado, más o menos gruesa, que se utiliza para bordar, hacer ganchillo, etc.

perlería. f. Conjunto de muchas perlas.

perlero, ra. adj. Perteneciente o relativo al perla. *Industria* PERLERA.

perlesía. (De *parálisis*.) f. Privación o disminución del movimiento de partes del cuerpo. ‖ **2.** Debilidad muscular producida por la mucha edad o por otras causas, y acompañada de temblor.

perlezuela. f. d. de **perla.**

perlífero, ra. adj. Que tiene o produce perlas.

perlino, na. adj. De color de perla.

perlita. (De *perla*.) f. **fonolita,** mineral.

perlongar. (De *prolongar*, alterado por imitación del cat. *perllongar*.) intr. *Mar.* Ir navegando a lo largo de una costa. ‖ **2.** *Mar.* Extender un cabo para que se pueda tirar de él.

permaná. m. *Bol.* Chicha cruceña de primera calidad.

permanecer. (Del lat. *permanēre*.) intr. Mantenerse sin mutación en un mismo lugar, estado o calidad. ‖ **2.** Estar en algún sitio durante cierto tiempo.

permanencia. f. Duración firme, constancia, perseverancia, estabilidad, inmutabilidad. ‖ **2.** Estancia en un lugar o sitio. ‖ **3.** pl. Estudio vigilado por el profesor en un instituto o escuela, tarea por la que el dicho profesor recibía una remuneración especial.

permanente. (Del lat. *permănens, -entis*.) adj. Que permanece. ‖ **2.** fam. Dícese de la ondulación artificial del cabello que se mantiene durante largo tiempo. Ú. t. c. f. ‖ **3.** V. **fortificación, gas permanente.**

permanentemente. adv. m. Con permanencia.

permanganato. m. *Quím.* Sal formada por la combinación del ácido derivado del manganeso con una base.

permansión. (Del lat. *permansĭo, -ōnis.*) f. **permanencia.**

permeabilidad. f. Calidad de permeable. ‖ **magnética.** *Fís.* En el campo magnético, cociente de dividir la inducción por el poder imanador.

permeable. (Del lat. *permeabĭlis,* penetrable.) adj. Que puede ser penetrado por el agua u otro fluido.

pérmico, ca. adj. *Geol.* Se dice de la capa o terreno superior y más moderno que el carbonífero. ‖ **2.** m. Período o tiempo de formación de dicho terreno. Es el más moderno de la edad primaria.

permisible. adj. Que se puede permitir.

permisión. (Del lat. *permissĭo, -ōnis.*) f. Acción de permitir. ‖ **2. permiso.** ‖ **3.** *Ret.* Figura que se comete cuando el que habla finge permitir o dejar al arbitrio ajeno una cosa.

permisionario, ria. adj. Que disfruta permiso. Ú. t. c. s.

permisivamente. adv. m. Con consentimiento tácito, sin licencia expresa.

permisividad. f. Condición de permisivo. ‖ **2.** Tolerancia excesiva. ‖ **3.** *Fís.* En el campo eléctrico, cociente de dividir la inducción por la intensidad.

permisivo, va. adj. Que permite o consiente.

permiso, sa. (Del lat. *permissum.*) p. p. irreg. ant. de **permitir.** ‖ **2.** m. Licencia o consentimiento para hacer o decir una cosa. ‖ **3.** En las monedas, diferencia consentida entre su ley o peso efectivo y el que exactamente se les supone. Si la diferencia es en más, se llama **en fuerte,** y si en menos, se dice **en feble.**

permisor, ra. (Del lat. *permissor, -ōris.*) adj. p. us. Que permite.

permistión. (Del lat. *permistĭo, -ōnis.*) f. p. us. Mezcla de algunas cosas, por lo común líquidas.

permitidero, ra. adj. p. us. Que se puede permitir.

permitidor, ra. adj. Que permite. Ú. t. c. s.

permitir. (Del lat. *permittĕre.*) tr. Dar su consentimiento, el que tenga autoridad competente, para que otros hagan o dejen de hacer una cosa. Ú. t. c. prnl. ‖ **2.** No impedir lo que se pudiera y debiera evitar. ‖ **3.** Hacer posible alguna cosa. *El buen tiempo* PERMITIÓ *que se celebrase la cena en el jardín.* ‖ **4.** En las antiguas facultades universitarias y en la oratoria, conceder una cosa como si fuese verdadera, o por no hacer al caso de la cuestión o asunto principal, o por la facilidad con que se comprende su respuesta o solución. ‖ **5.** *Teol.* No impedir Dios una cosa mala; aunque sin voluntad directa de ella. *Dios* PERMITE *los pecados.* ‖ **6.** prnl. Tener los medios o tomarse una persona la libertad de hacer o decir algo.

permuta. f. Acción y efecto de permutar una cosa por otra. ‖ **2.** Resignación o renuncia que dos eclesiásticos hacen de sus beneficios en manos del ordinario, con súplica recíproca para que dé libremente al uno el beneficio del otro. ‖ **3.** Cambio, entre dos beneficiados u oficiales públicos, de los empleos que respectivamente tienen. ‖ **4.** *Der.* Contrato por el que se entrega una cosa a cambio de recibir otra.

permutabilidad. f. Calidad de permutable.

permutable. (Del lat. *permutabĭlis.*) adj. Que se puede permutar.

permutación. (Del lat. *permutatĭo, -ōnis.*) f. Acción y efecto de permutar.

permutar. (Del lat. *permutāre.*) tr. Cambiar una cosa por otra, sin que en el cambio entre dinero a no ser el necesario para igualar el valor de las cosas cambiadas y transfiriéndose los contratantes recíprocamente el dominio de ellas. ‖ **2.** Cambiar entre sí dos eclesiásticos los beneficios que poseen o dos oficiales públicos los empleos que sirven. ‖ **3.** Variar la disposición u orden en que estaban dos o más cosas.

perna. (Del lat. *perna.*) f. Molusco acéfalo propio de los mares tropicales, y cuya concha, rugosa y negruzca en lo exterior y nacarada por dentro, tiene forma algo semejante a un pernil.

pernada. f. Golpe que se da con la pierna, o movimiento violento que se hace con ella. ‖ **2.** V. **derecho de pernada.** ‖ **3.** *Mar.* Rama, ramal o pierna de algún objeto.

pernales. (De *pierna.*) m. pl. *León.* Estacas largas que se ponen en los bordes del carro para sujetar y aumentar la altura de los cañizos y lograr que cargue mucha paja o heno.

Pernambuco. n. p. V. **palo de Pernambuco.**

pernaza. f. aum. de **pierna.**

perneador, ra. adj. Que tiene muchas fuerzas en las piernas y puede andar mucho.

pernear. intr. Mover violentamente las piernas. ‖ **2.** fig. y fam. Andar mucho y con fatiga en la solicitud o diligencia de un negocio. ‖ **3.** fig. Impacientarse e irritarse por no lograr lo que se desea. ‖ **4.** tr. *And.* Poner a vender por cabezas, en la feria, el ganado de cerda.

perneo. m. *And.* Mercado del ganado de cerda.

pernera. f. Parte del calzón o pantalón que cubre cada pierna.

pernería. f. *Mar.* Conjunto o provisión de pernos.

perneta. f. d. de **pierna.** ‖ **en pernetas.** loc. adv. Con las piernas desnudas.

pernete. m. d. de **perno.**

pernezuela. f. d. de **pierna.**

perniabierto, ta. adj. Que tiene las piernas abiertas o apartadas una de otra.

pernicie. (Del lat. *pernicies.*) f. ant. Perdición, daño, ruina.

perniciosamente. adv. m. Perjudicialmente, con muy grave daño.

pernicioso, sa. (Del lat. *perniciōsus.*) adj. Gravemente dañoso y perjudicial. ‖ **2.** V. **fiebre perniciosa.**

pernicote. m. *Sal.* Hueso del pernil de puerco.

pernigón. (Del it. *pernicone.*) m. Especie de ciruela redonda y tierna, que venía de Génova en dulce.

pernil. (Del lat. *perna,* pierna, especialmente de animal.) m. Anca y muslo del animal. ‖ **2.** Por antonom., el del puerco. ‖ **3.** Parte de calzón o pantalón, que cubre cada pierna.

pernio. (Del lat. *perna,* pierna, a través del cit. *pernĭo.*) m. Gozne que se pone en las puertas y ventanas para que giren las hojas.

perniquebrar. tr. Romper, quebrar una pierna o las dos. Ú. t. c. prnl.

pernituerto, ta. adj. Que tiene torcidas las piernas.

perno. (Del lat. *perna,* pierna, a través del cat. *pern.*) m. Pieza de hierro u otro metal, larga, cilíndrica, con cabeza redonda por un extremo y asegurada con una chaveta, una tuerca o un remache por el otro, que se usa para afirmar piezas de gran volumen. ‖ **2.** Pieza del pernio o gozne, en que está la espiga.

pernocta. (Del lat. *per nocta.*) f. V. **pase de pernocta.**

pernoctación. (Del lat. *pernoctatĭo, -ōnis.*) f. Acción de pernoctar.

pernoctar. (Del lat. *pernoctāre.*) intr. Pasar la noche en determinado lugar, especialmente fuera del propio domicilio.

pernochar. intr. ant. Pasar la noche.

pernotar. (Del lat. *pernotāre,* notar bien.) tr. Notar o advertir bien algo.

pero¹. (Del lat. *pirum.*) m. Variedad de manzano, cuyo fruto es más largo que grueso. ‖ **2.** Fruto de este árbol. ‖ **ese pero no está maduro.** expr. fig. con que se previene a uno para que no prosiga en lo que emprende, por no ser ocasión u ofrecer inconveniente.

Pero². (De *Pedro.*) n. p. **Botero.** V. **las calderas de Pero Botero.** ‖ **pero jimén. perojimén.** ‖ **jiménez. perojiménez.**

pero³. (Del lat. *per hoc.*) conj. advers. con que a un concepto se contrapone otro diverso o ampliativo del anterior. *El* *dinero hace ricos a los hombres,* PERO *no dichosos; le injurié con efecto,* PERO *él primero me había injuriado a mí.* ‖ **2.** Empléase a principio de cláusula sin referirse a otra anterior, solo para dar énfasis o fuerza de expresión a lo que se dice. PERO *¿dónde vas a meter tantos libros?* PERO *¡qué hermosa noche!* ‖ **3.** desus. **sino²**. ‖ **4.** m. fam. Defecto u objeción. *Este cuadro no tiene* PERO; *es tan poco amigo de hacer favores, que nunca deja de poner algún* PERO *a todo lo que se le pide.* ‖ **pero que muy.** expr. que se antepone a adjetivos y adverbios para darles mayor relieve. *Toca el clarinete* PERO QUE MUY *bien.*

perogrullada. (De *Perogrullo*.) f. fam. Verdad o certeza que, por notoriamente sabida, es necedad o simpleza el decirla.

perogrullesco, ca. adj. Perteneciente o relativo a la perogrullada.

Perogrullo. (De *Pero*, n. p., y *grullo*.) n. p. V. **verdad de Perogrullo.**

perojimén. m. **perojiménez.**

perojiménez. m. **pedrojiménez.**

perojo. m. *Sant.* Pera pequeña y redonda que madura temprano.

perol. (Del cat. *perol*.) m. Vasija de metal, de forma semejante a media esfera, que sirve para cocer diferentes cosas. ‖ **ir de perol.** fr. *And.* Salir al campo de jira.

perola. f. Especie de perol, más pequeño que el ordinario.

peroné. (Del gr. περόνη, corchete, clave, a través del fr. *pérone*.) m. *Anat.* Hueso largo y delgado de la pierna, detrás de la tibia, con la cual se articula.

peronismo. m. Movimiento político argentino surgido en 1945 tras la subida al poder de Juan Domingo Perón.

peronista. adj. Perteneciente o relativo al peronismo. ‖ **2.** Partidario de ese movimiento. Ú. t. c. s.

peroración. (Del lat. *peroratĭo, -ōnis*.) f. Acción y efecto de perorar. ‖ **2.** *Ret.* Última parte del discurso, en que se hace la enumeración de las pruebas y se trata de mover con más eficacia que antes el ánimo del auditorio. ‖ **3.** *Ret.* En sentido restricto, parte exclusivamente patética de la **peroración.**

perorar. (Del lat. *perorāre*.) intr. Pronunciar un discurso u oración. ‖ **2.** fam. Hablar uno en la conversación familiar como si estuviera pronunciando un discurso. ‖ **3.** fig. Pedir con instancia.

perorata. (De *perorar*.) f. Oración o razonamiento molesto o inoportuno.

perote. m. despect. *And.* Natural o vecino de Álora, en la provincia de Málaga.

peróxido. (De *per-* y *óxido*.) m. *Quím.* En la serie de los óxidos, el que tiene la mayor cantidad posible de oxígeno. ‖ **de hidrógeno.** Líquido incoloro e inestable, soluble en el agua y en el alcohol, de múltiples aplicaciones, y cuya fórmula es H_2O_2. Se conoce comúnmente con el nombre de agua oxigenada.

perpalo. m. *Ar.* Barra para levantar pesos.

perpejana. f. Moneda de cobre de dos cuartos.

perpendicular. (Del lat. *perpendiculāris*.) adj. *Geom.* Aplícase a la línea o al plano que forma ángulo recto con otra línea o con otro plano. Apl. a línea, ú. t. c. s. f.

perpendicularidad. f. Calidad de perpendicular.

perpendicularmente. adv. m. Rectamente, derechamente, sin torcerse a un lado ni a otro.

perpendículo. (Del lat. *perpendicŭlum*.) m. **plomada,** pesa de metal. ‖ **2.** *Geom.* Altura de un triángulo. ‖ **3.** *Mec.* Cuerpo que oscila suspendido de un hilo o varilla.

perpetración. (Del lat. *perpetratĭo, -ōnis*.) f. Acción y efecto de perpetrar.

perpetrador, ra. (Del lat. *perpetrātor, -ōris*.) adj. Que perpetra. Ú. t. c. s.

perpetrar. (Del lat. *perpetrāre*.) tr. Cometer, consumar un delito o culpa grave.

perpetua. (Del lat. *perpetŭa,* t. f. de *-tŭus,* perpetuo, por serlo el color de la flor aun después de arrancada.) f. Planta herbácea anual, de la familia de las amarantáceas, con tallo derecho, articulado y ramoso; hojas opuestas, aovadas y vellosas; flores reunidas en cabezuela globosa, solitarias y terminales, con tres brácteas, perigonio dividido en cinco partes, tres estambres, y el fruto en forma de caja que encierra una sola semilla. Las flores son pequeñas, moradas o anacaradas, o jaspeadas de estos dos colores, y cogidas poco antes de granar la simiente, persisten meses enteros sin padecer alteración, por lo cual sirven para hacer guirnaldas, coronas y otros adornos semejantes. Se cría en la India y se cultiva en los jardines, donde llega a tener la altura de cuatro a seis decímetros. ‖ **2.** Flor de esta planta. ‖ **amarilla.** Planta herbácea vivaz, de la familia de las compuestas, con tallos algo ramosos, blanquecinos, duros y leñosos en la parte inferior; hojas sentadas, lineales, blanquecinas y vellosas, y flores pequeñas y amarillas que forman corimbo terminal y convexo. Estas flores, separadas de la planta poco antes de abrirse del todo, se conservan meses enteros sin alteración. Es espontánea en España y se cultiva en los jardines, donde llega a tener la altura de seis a siete decímetros. ‖ **3.** Planta de la familia de las compuestas, muy parecida a la anterior, con hojas lineales y persistentes y flores de mayor tamaño y de color amarillo más vivo y hermoso. Es originaria de Oriente y se cultiva en los jardines, donde llega a tener la altura de tres a cuatro decímetros. ‖ **4.** Flor de esta planta. ‖ **5.** Planta de la familia de las compuestas, parecida a las dos anteriores, con hojas lineales y lanceoladas, flores de color de azufre y escamas plateadas en la base de las cabezuelas. Es originaria de Virginia, se cultiva en los jardines, llega a tener cinco o seis decímetros de altura, y se ha usado algo en medicina. ‖ **6.** Flor de esta planta. ‖ **encarnada. perpetua.**

perpetuación. f. Acción de perpetuar o perpetuarse una cosa.

perpetual. (Del lat. *perpetuālis*.) adj. ant. **perpetuo.**

perpetualidad. (De *perpetual*.) f. ant. **perpetuidad.**

perpetualmente. adv. m. ant. **perpetuamente.**

perpetuamente. adv. m. Perdurablemente, para siempre.

perpetuán. (De *perpetuo*.) m. Tela de lana, basta y muy tupida y duradera.

perpetuar. (Del lat. *perpetuāre*.) tr. Hacer perpetua o perdurable una cosa. Ú. t. c. prnl. ‖ **2.** Dar a las cosas una larga duración. Ú. t. c. prnl.

perpetuidad. (Del lat. *perpetuĭtas, -ātis*.) f. Duración sin fin. ‖ **2.** fig. Duración muy larga o incesante.

perpetuo, tua. (Del lat. *perpetŭus*.) adj. Que dura y permanece para siempre. ‖ **2.** Aplícase a ciertos cargos vitalicios, ya se obtengan por herencia, ya por elección. ‖ **3.** Refiriéndose a ciertos cargos o puestos, que no están sujetos a reelección. ‖ **4.** V. **calendario, censo, vicario perpetuo.** ‖ **5.** V. **vicaria perpetua.** ‖ **6.** *Der.* V. **perpetuo silencio.**

perpiaño. (De or. inc.) adj. *Arq.* V. **arco perpiaño.** ‖ **2.** m. Piedra que atraviesa toda la pared.

perpiñanés, sa. adj. Natural de Perpiñán. Ú. t. c. s. ‖ **2.** Perteneciente o relativo a esta ciudad o a su provincia.

perplejamente. adv. m. Confusamente, dudosamente, con irresolución.

perplejidad. (Del lat. *perplexĭtas, -ātis*.) f. Irresolución, confusión, duda de lo que se debe hacer en una cosa.

perplejo, ja. (Del lat. *perplēxus*.) adj. Dudoso, incierto, irresoluto, confuso.

perpunte. (Del lat. *perpunctus,* a través del cat. *perpunt*.) m. Jubón fuerte, acolchado y pespuntado, usado para preservar y guardar el cuerpo de las armas blancas.

perqué. (Del it. *perchè,* porqué.) m. Antigua composición poética, caracterizada por el empleo de la pregunta y respuesta ¿*por qué?, porque.* ‖ **2.** Libelo infamatorio, escrito en la misma forma de pregunta y respuesta.

perquirir. (Del lat. *perquirĕre.*) tr. Investigar, buscar una cosa con cuidado y diligencia.

perra. f. Hembra del perro. ‖ **2.** fig. *ramera.* ‖ **3.** fig. y fam. Rabieta de niño. ‖ **4. tema,** obstinación, porfía. ‖ **5.** fig. y fam. Dinero, riqueza. Ú. m. en pl. *Tener* PERRAS. ‖ **6.** fig. y fam. Embriaguez, borrachera. ‖ **chica.** fig. y fam. Moneda de cobre o aluminio que valía cinco céntimos de peseta. ‖ **gorda, o grande.** fig. y fam. Moneda de cobre o aluminio que valía diez céntimos de peseta. ‖ **la perra la parirá lechones.** expr. fig. y fam. que significa que todo le sale bien a quien tiene buena suerte. ‖ **soltar uno la perra.** fr. fig. y fam. Gloriarse o jactarse de una cosa antes de lograrla, especialmente cuando está expuesta a perderse o no conseguirse.

perrada. f. Conjunto de perros. ‖ **2.** fig. y fam. Acción villana que se comete faltando bajamente a la fe prometida o a la debida correspondencia.

perramente. adv. m. fig. y fam. Muy mal.

perreda. f. ant. Empleo u ocupación de mucho trabajo.

perrengue. m. desus. fam. El que con facilidad y vehemencia se enoja, encoleriza o emperra. ‖ **2.** fig. y fam. El negro, o porque se encoleriza con facilidad, o por llamarle perro disimuladamente.

perrera. f. Lugar o sitio donde se guardan o encierran los perros. ‖ **2.** Coche municipal destinado a la recogida de perros vagabundos o abandonados. ‖ **3.** Departamento que hay en los trenes, destinado para llevar perros. ‖ **4.** Empleo u ocupación que tiene mucho trabajo o molestia y poca utilidad. ‖ **5.** fam. Mal pagador. ‖ **6.** fam. Rabieta de niño, perra.

perrería. f. Muchedumbre de perros. ‖ **2.** fig. Conjunto o agregado de personas malvadas. ‖ **3.** fig. Expresión o demostración de enojo, enfado o ira. ‖ **4.** fig. Acción mala o inesperada contra uno, jugarreta.

perrero, ra. m. y f. Persona que tiene por oficio recoger los perros abandonados o vagabundos. ‖ **2.** Persona que es muy aficionada a tener y criar perros. ‖ **3.** Persona que cuida o tiene a su cargo los perros de caza. ‖ **4.** m. El que en las iglesias catedrales tenía cuidado de echar fuera a los perros.

perrezno. m. Perrillo o cachorro.

perrillo. m. Gatillo de las armas de fuego. ‖ **2.** Pieza de hierro, en forma de mediacaña arqueada y con dientes finos en la parte interior, que en substitución de la cadenilla de barbada se pone a las caballerías muy duras de boca. ‖ **de falda. perro faldero.** ‖ **de todas bodas.** fig. y fam. Persona a la que le gusta estar en todas las fiestas y lugares de diversión.

perrito. m. d. de *perro.* ‖ **caliente.** fig. Panecillo caliente, generalmente untado de tomate frito y mostaza, en el que se introduce una salchicha cocida.

perro¹, rra. adj. fig. y fam. Muy malo, indigno.

perro². (De or. inc.) m. Mamífero doméstico de la familia de los cánidos, de tamaño, forma y pelaje muy diversos, según las razas. Tiene olfato muy fino y es inteligente y muy leal al hombre. ‖ **2.** V. **berza, cabeza, cara, compañón, diente, lengua, pan, perejil, vejiga de perro.** ‖ **3.** fig. Nombre que las gentes de ciertas religiones daban a las de otras por afrenta y desprecio. ‖ **4.** fig. Persona despreciable. ‖ **5.** fig. Hombre tenaz, firme y constante en alguna opinión o empresa. Ú. t. c. adj. ‖ **6.** fig. Mal o daño que se ocasiona a alguien al engañarle en un acuerdo o pacto. ‖ **alano.** El de raza cruzada, que se considera producida por la unión del dogo y el lebrel. Es corpulento y fuerte; tiene grande la cabeza, las orejas caídas, el hocico romo y arremangado, la cola larga y el pelo corto y suave. ‖ **albarraniego.** El algunas partes, **perro** de ganado trashumante. ‖ **alforjero. perro** de caza enseñado a quedarse en el rancho guardando las alforjas. ‖ **ardero.** El que caza ardillas. ‖ **braco. perro perdiguero.** ‖ **2.** El pequeño y fino con el hocico quebrado. ‖ **bucero.** Sabueso de hocico negro. ‖ **caliente.** fig. **perrito caliente.** ‖ **cobrador.** El que tiene la habilidad de traer a su amo el animal que cae al tiro, o de coger el que huye malherido. ‖ **chico.** fig. y fam. **perra chica.** ‖ **chihuahua.** El de tamaño pequeño y sin pelo. ‖ **chino.** Casta o variedad de **perro** que carece completamente de pelo y tiene las orejas pequeñas y rectas, el hocico pequeño y puntiagudo y el cuerpo gordo y de color obscuro. Es estúpido y pacífico, y está siempre como tiritando. ‖ **danés.** El que participa de los caracteres de lebrel y mastín. ‖ **de aguas.** El de una raza que se cree originaria de España, con cuerpo grueso, cuello corto, cabeza redonda, hocico agudo, orejas caídas, y pelo largo, abundante, rizado y generalmente blanco. Es muy inteligente y se distingue por su aptitud para nadar. ‖ **de ajeo.** El perdiguero acostumbrado a acosar tanto las perdices, que las hace ajear antes de levantar el vuelo. ‖ **de ayuda.** El enseñado a socorrer y defender a su amo. ‖ **de busca.** *Mont.* Especie de **perro** que sirve para seguir la caza. ‖ **de casta.** El que no es cruzado. ‖ **de engarro. perro** pequeño, semejante al de ajeo, que también sirve para cazar perdices. ‖ **de lanas. perro de aguas.** ‖ **2. perro faldero.** ‖ **de muestra.** El que se para al ver u olfatear la pieza de caza, como mostrándosela al cazador. ‖ **de presa. perro dogo.** ‖ **de punta y vuelta.** Entre cazadores, el que hace punta o muestra la caza y toma después la vuelta para cogerla cara a cara. ‖ **de Terranova.** Especie de **perro** de aguas, de gran tamaño, pelo largo, sedoso y ondulado, de color blanco con grandes manchas negras, y cola algo encorvada hacia arriba. Tiene los pies palmeados a propósito para nadar, y es muy inteligente. ‖ **dogo.** El de cuerpo y cuello gruesos y cortos, pecho ancho, cabeza redonda, frente cóncava, hocico obtuso, labios gordos, cortos en el centro y colgantes por ambos lados, orejas pequeñas con la punta doblada, patas muy robustas, y pelaje generalmente leonado, corto y recio. Es animal pesado, de fuerza y valor extraordinarios, y se utiliza para la defensa de las propiedades, para las cazas peligrosas y para luchar contra las fieras. Hay variedades de diferentes tamaños. ‖ **faldero.** El que por ser pequeño puede estar en las faldas de las mujeres. ‖ **galgo.** Casta de **perro** muy ligero, con la cabeza pequeña, los ojos grandes, el hocico puntiagudo, las orejas delgadas y colgantes, el cuerpo delgado y el cuello, la cola y las patas largas. ‖ **gozque. perro** pequeño muy sentido y ladrador. ‖ **grande.** fig. y fam. **perra gorda o grande.** ‖ **guión. perro** delantero de la jauría. ‖ **jateo. perro raposero.** ‖ **lebrel.** Variedad de **perro** que se distingue en tener el labio superior y las orejas caídas, el hocico recio, el cuerpo largo y las piernas retiradas atrás. Se le dio este nombre por ser muy apto para la caza de las liebres. ‖ **lebrero.** El que sirve para cazar liebres. ‖ **lucharniego.** El adiestrado para cazar de noche. ‖ **marino. cazón.** ‖ **mastín.** El grande, fornido, de cabeza redonda, orejas pequeñas y caídas, ojos encendidos, boca rasgada, dientes fuertes, cuello corto y grueso, pecho ancho y robusto, manos y pies recios y nervudos, y pelo largo, algo lanoso. Es muy valiente y leal, y el mejor para la guarda de los ganados. ‖ **mudo. mapache.** ‖ **pachón.** El de raza muy parecida a la del perdiguero, pero con las piernas más cortas y torcidas, la cabeza redonda y la boca muy grande. ‖ **pequinés.** El de raza chino-tibetana, de 4 a 8 kg de peso, colores diversos, patas cortas y cabeza de tipo acondroplásico, que recuerda la de un mastín de nariz aplastada. ‖ **perdiguero**. El de talla mediana, con cuerpo recio, cuello ancho y fuerte, cabeza fina, hocico saliente, labios colgantes, orejas grandes y caidas, patas altas y nervudas, cola larga y pelaje corto y fino. Es muy apreciado para la caza por lo bien que olfatea y sigue las pistas. ‖ **podenco**. El de cuerpo algo menor, pero más robusto que el del lebrel, con la cabeza redonda, las orejas tiesas, el lomo recto, el pelo medianamente largo, la cola enroscada y las manos y pies pequeños, pero muy fuertes. Es poco ladrador y sumamente sagaz y ágil para la caza, por su gran vista, olfato y resistencia. ‖ **policía**. El adiestrado para descubrir y perseguir aquello que se desea capturar. ‖ **quitador**. El que está enseñado a quitar la caza a los otros para que no la despedacen o se la coman, y traerla a la mano. ‖ **raposero**. perro de unos dos pies de altura, de pelo corto y orejas grandes, caídas y muy dobladas. Se emplea en la caza de montería y especialmente en la de zorras. ‖ **rastrero**. El de caza, que la busca por el rastro. ‖ **sabueso**. Variedad de podenco, algo mayor que el común y de olfato muy fino. ‖ **tomador**. El que coge bien la pieza. ‖ **ventor**. El de caza, que sigue a esta por el olfato y viento. ‖ **viejo**. fig. y fam. Hombre sumamente cauto, advertido y prevenido por la experiencia. ‖ **zarcero**. Casta de perro pequeño y corto de pies, que entra con facilidad en las zarzas a buscar la caza. ‖ **zorrero**. perro raposero. ‖ **a espeta perros**. loc. adv. fig. y fam. De estampia, súbitamente y con mucha precipitación. ‖ **a otro perro con ese hueso**. expr. fig. y fam. con que se repele al que propone artificiosamente una cosa incómoda o desagradable, o cuenta algo que no debe creerse. ‖ **atar los perros con longaniza**. fr. fig. y fam. con que se alaba, casi siempre con ironía, la abundancia o la esplendidez. ‖ **como el perro y el gato**. loc. adv. fig. y fam. con que se explica el aborrecimiento mutuo que se tienen algunos. ‖ **como perro con cencerro, con cuerno, con maza, o con vejiga**. locs. advs. figs. y fams. con que se explica que alguien se marchó del lugar deprisa y avergonzado, después del conocimiento de cierta cosa. ‖ **como perros y gatos**. loc. adv. fig. y fam. **como el perro y el gato**. ‖ **dar perro** a alguien. fr. fig. y fam. Causarle mal, daño o molestia al no cumplir lo acordado. ‖ **dar perro muerto**. fr. fig. y fam. **dar perro**. ‖ **darse** uno **a perros**. fr. fig. y fam. Irritarse mucho. ‖ **de perro, o perros**. loc. fam. Dícese de lo que es sumamente molesto y desagradable. ‖ **echar a perros** una cosa. fr. fig. y fam. Emplearla mal o malbaratarla. ‖ **echar, o soltar los perros a** alguien. fr. fig. y fam. Vituperarle, echarle una bronca. ‖ **en dando en que el perro ha de rabiar, rabia**. fr. proverb. que advierte el riesgo de que alguien caiga en un vicio o falta cuando se le atribuye con insistencia. ‖ **estar como los perros en misa**. fr. fig. y fam. Estar fuera de lugar, estorbar. ‖ **hinchar el perro**. fr. fig. y fam. Dar a lo que se dice o hace proporciones exageradas. ‖ **irle** a uno **como a los perros en misa**. fr. fig. y fam. *Col.* Sobrevenirle percances e infortunios, irle muy mal. ‖ **morir** uno **como un perro**. fr. fig. Morir sin dar señales de arrepentimiento. ‖ **2**. Morir solo, abandonado, sin ayuda alguna. ‖ **muerto el perro, se acabó la rabia**. fr. proverb. con que se da a entender que cesando una causa cesan con ella sus efectos. ‖ **no quiero perro con cencerro**. expr. fig. y fam. con que uno explica que no quiere ciertas cosas que traen consigo más perjuicio que comodidad. ‖ **todo junto, como al perro los palos**. expr. fig. que se emplea para significar que todos los males le han venido a uno de una vez. ‖ **2**. Se usa también para decir que llegará el día en que alguien tenga que pagar todos los males o daños que ha hecho. ‖ **tratar** a uno **como a un perro**. fr. fig. y fam. Maltratarle, despreciarle.

perrona. f. *Ast.* **perra gorda**.

perroquete. (Del fr. *perroquet*.) m. *Mar.* **mastelerillo de juanete**.

perruna. f. Pan muy moreno hecho de harina sin cerner, que ordinariamente se da a los perros. ‖ **2**. **torta perruna**.

perrunilla. f. *And., Extr. y Sal.* Especie de bizcocho o pequeña torta hecha con manteca, harina, azúcar y otros ingredientes.

perruno, na. adj. Perteneciente o relativo al perro. ‖ **2**. V. **berza, sarna, torta perruna**.

persa. adj. Natural de Persia. Ú. t. c. s. ‖ **2**. Perteneciente o relativo a esta nación de Asia. ‖ **3**. m. Idioma que se habla en dicha nación. ‖ **4**. Nombre aplicado en 1814 a los firmantes de un manifiesto, favorable a la monarquía absoluta, que empezaba con la frase «Era costumbre en los antiguos persas...».

per se. expr. lat. Por sí o por sí mismo. Ú. m. en lenguaje filosófico.

persecución. (Del lat. *persecutĭo, -ōnis*.) f. Acción y efecto de perseguir. ‖ **2**. Por antonom., cada una de las crueles y sangrientas que ordenaron algunos emperadores romanos contra los cristianos en los tres primeros siglos de la Iglesia. ‖ **3**. fig. Instancia enfadosa y continua con que se acosa a uno a fin de que condescienda a lo que de él se solicita.

persecutor, ra. adj. Que persigue.

persecutorio, ria. (Del lat. *persecūtus*.) adj. Que implica persecución o se refiere a ella. *Manía* PERSECUTORIA.

perseguible. adj. Que debe o puede ser perseguido judicialmente. Ú. t. en sent. fig.

perseguidor, ra. adj. Que persigue al que huye. Ú. t. c. s. ‖ **2**. Que molesta, fatiga o hace sufrir a otro. Ú. t. c. s.

perseguimiento. m. Acción y efecto de perseguir.

perseguir. (Del lat. *persĕqui*.) tr. Seguir al que va huyendo, con ánimo de alcanzarle. ‖ **2**. fig. Seguir o buscar a uno en todas partes con frecuencia e importunidad. ‖ **3**. fig. Molestar, conseguir que alguien sufra o padezca procurando hacerle el mayor daño posible. ‖ **4**. Tratar de conseguir o de alcanzar algo. ‖ **5**. fig. Suceder repetidas veces una misma cosa o situación en la vida de una persona. *Me* PERSIGUE *la mala suerte*. ‖ **6**. fig. Solicitar o pretender con frecuencia, instancia o molestia. ‖ **7**. *Der.* Proceder judicialmente contra uno. Por ext., se aplica a las faltas y delitos. PERSEGUIR *las infracciones*.

perseidas. f. pl. *Astron.* Estrellas fugaces cuyo punto radiante está en la constelación de Perseo. Suelen observarse hacia el 10 de agosto.

persevante. (Del fr. *poursuivant*.) m. En el orden o regla de caballería, oficial de armas inmediatamente inferior al faraute.

perseverancia. (Del lat. *perseverantĭa*.) f. Acción y efecto de perseverar. ‖ **final**. Constancia en la virtud y en mantener la gracia hasta la muerte.

perseverantemente. adv. m. Con perseverancia.

perseveranza. f. ant. **perseverancia**.

perseverar. (Del lat. *perseverāre*.) intr. Mantenerse constante en la prosecución de lo comenzado, en una actitud o en una opinión. ‖ **2**. Durar permanentemente o por largo tiempo.

persiana. (Del fr. *persienne*.) f. Especie de celosía, formada de tablillas fijas o movibles, que sirve principalmente para graduar la entrada de luz en las habitaciones. ‖ **2**. Tela de seda con varias flores grandes tejidas, y diversidad de matices.

persianista. com. Persona que se dedica a la construcción, colocación o arreglo de persianas.

persiano, na. (Del lat. *Persiānus, de Persia*, Persia.) adj. Natural de Persia. Ú. t. c. s. ‖ **2**. Perteneciente o relativo a esta nación.

persicaria. (Del lat. *persicaria*.) f. **duraznillo**.

pérsico, ca. (Del lat. *Persĭcus*.) adj. **persa**, perteneciente a

Persia. ‖ **2.** V. **albaricoque, fuego pérsico.** ‖ **3.** m. Árbol frutal de la familia de las rosáceas, originario de Persia y cultivado en varias provincias de España. Tiene las hojas aovadas y aserradas, las flores de color de rosa claro y el fruto es una drupa con el hueso lleno de arrugas asurcadas. ‖ **4.** Fruto de este árbol.

persignar. (Del lat. *persignāre*.) tr. **signar,** hacer la señal de la cruz. Ú. t. c. prnl. ‖ **2.** Signar y santiguar a continuación. Ú. t. c. prnl. ‖ **3.** prnl. fig. y fam. Manifestar alguien admiración, sorpresa o extrañeza. ‖ **4.** fig. y fam. Comenzar a vender.

pérsigo. m. **pérsico,** árbol. ‖ **2.** Fruto de este árbol.

persistencia. f. Acción y efecto de persistir. ‖ **retiniana.** *Cinem.* Tiempo durante el que la retina conserva la impresión de las imágenes y da continuidad a las películas cinematográficas y de televisión.

persistir. (Del lat. *persistěre*.) intr. Mantenerse firme o constante en una cosa. ‖ **2.** Durar por largo tiempo.

persona. (Del lat. *persōna*.) f. Individuo de la especie humana. ‖ **2.** Hombre o mujer cuyo nombre se ignora o se omite. ‖ **3.** Hombre o mujer distinguidos en la vida pública. ‖ **4.** Hombre o mujer de prendas, capacidad, disposición y prudencia. ‖ **5.** Personaje que toma parte en la acción de una obra literaria. ‖ **6.** V. **acepción, aceptación, aceptador, aceptor de personas.** ‖ **7.** *Der.* Sujeto de derecho. ‖ **8.** *Fil.* Supuesto inteligente. ‖ **9.** *Gram.* Accidente gramatical propio del verbo y de algunos pronombres que indica si el sujeto de la oración es el que habla, o aquel a quien se habla, o aquel o aquello de que se habla. Las **personas** se denominan, respectivamente, primera, segunda y tercera, y las tres constan de singular y plural. ‖ **10.** *Gram.* Nombre sustantivo relacionado mediata o inmediatamente con la acción del verbo. ‖ **11.** *Teol.* El Padre, el Hijo o el Espíritu Santo, que son tres **personas** distintas con una misma esencia. ‖ **física.** *Der.* Cualquier individuo de la especie humana. ‖ **grata.** La que se acepta. Dícese más comúnmente en estilo o lenguaje diplomático. ‖ **jurídica.** Ser o entidad capaz de derechos y obligaciones aunque no tiene existencia individual física; como las corporaciones, asociaciones, sociedades y fundaciones. ‖ **paciente.** *Gram.* La que recibe la acción del verbo. ‖ **social.** **persona jurídica.** ‖ **torpe.** *Der.* En el antiguo derecho, la que por su mala fama o por su vileza no podía ser preferida en las herencias a los hermanos del testador que no tenía herederos forzosos. ‖ **primera persona.** *Gram.* La que habla de sí misma en el discurso. ‖ **segunda persona.** *Gram.* Aquella a quien se dirige el discurso. ‖ **tercera persona.** La que media entre otras. *Llegó a mí la noticia por* TERCERA PERSONA; *se valió de* TERCERA PERSONA. ‖ **2.** tercero, intermediario. *Sin perjuicio de* TERCERA PERSONA; *sin intervención de* TERCERA PERSONA. ‖ **3.** *Gram.* La **persona** o cosa de que se habla. ‖ **aceptar personas.** fr. Distinguir o favorecer a unos más que a otros por un motivo o afecto particular, sin atender al mérito ni a la razón. ‖ **de persona a persona.** loc. adv. Estando uno solo con otro; entre ambos y sin intervención de tercero. ‖ **en persona.** loc. adv. Por uno mismo o estando presente. ‖ **hacer uno de persona.** fr. fam. Afectar poder o mérito sin tenerlo; jactarse vanamente. ‖ **hacer uno de su persona.** fr. fam. Evacuar, exonerar el vientre. ‖ **hacerse uno persona.** fr. fig. hacer de persona. ‖ **por su persona.** loc. adv. **en persona.** ‖ **ser muy persona.** fr. Tener uno excelentes prendas o cualidades humanas.

personación. f. Acción y efecto de personarse o comparecer en un lugar. ‖ **2.** *Der.* Acto de comparecer formalmente como parte en un juicio.

personada. (Del lat. *personāta*, enmascarada.) adj. *Bot.* Dícese de la corola gamopétala irregular, labiada, cuyo labio inferior tiene una protuberancia que se junta con el labio superior.

personado. m. Prerrogativa que alguien tiene en la Iglesia, sin jurisdicción ni oficio, pero con silla en el coro y renta eclesiástica. ‖ **2.** Persona que tiene esta prerrogativa. ‖ **3.** En Cataluña, beneficio cuyo goce es compatible con otros.

personaje. m. Sujeto de distinción, calidad o representación en la vida pública. ‖ **2.** Cada uno de los seres humanos, sobrenaturales o simbólicos, ideados por el escritor, que toman parte en la acción de una obra literaria. ‖ **3.** Criatura de ficción que interviene en una obra literaria, teatral o cinematográfica. A veces pueden ser animales, especialmente en los dibujos animados. ‖ **4.** ant. Beneficio eclesiástico compatible con otro, personado.

personal. (Del lat. *personālis*.) adj. Perteneciente a la persona o propio o particular de ella. ‖ **2.** V. **alusión, carga, cédula, derecho, estatuto, privilegio, pronombre personal.** ‖ **3.** V. **señas personales.** ‖ **4.** m. Conjunto de las personas que trabajan en un mismo organismo, dependencia, fábrica, taller, etc. ‖ **5.** Capítulo de las cuentas de ciertas oficinas, en que se consigna el gasto del **personal** de ellas. ‖ **6.** Tributo que pagaban en algunas partes los cabezas de familia que eran del estado general. ‖ **7.** f. *Dep.* En baloncesto, falta que comete un jugador al tocar o empujar a otro del equipo contrario para impedir una jugada.

personalidad. (De *personal*.) f. Diferencia individual que constituye a cada persona y la distingue de otra. ‖ **2.** Conjunto de características o cualidades originales que destacan en algunas personas. *Andrés es un escritor con* PERSONALIDAD. ‖ **3.** Persona de relieve, que destaca en una actividad o en un ambiente social. *Al acto asistieron el gobernador y otras* PERSONALIDADES. ‖ **4.** Inclinación o aversión que se tiene a una persona, con preferencia o exclusión de las demás. ‖ **5.** Dicho o escrito que se contrae a determinadas personas, en ofensa o perjuicio de las mismas. ‖ **6.** *Der.* Aptitud legal para intervenir en un negocio o para comparecer en juicio. ‖ **7.** *Der.* Representación legal y bastante con que uno interviene en él. ‖ **8.** *Fil.* Conjunto de cualidades que constituyen a la persona o supuesto inteligente.

personalismo. m. Adhesión a una persona o a las tendencias que ella representa, especialmente en política. ‖ **2.** Tendencia a subordinar el interés común a miras personales. ‖ **3.** Sátira o agravio dirigidos a una persona que se designa expresamente.

personalista. adj. Que practica el personalismo. Ú. t. c. s.

personalizar. tr. Incurrir en personalidades hablando o escribiendo. ‖ **2.** Dar carácter personal a algo. ‖ **3.** *Gram.* Usar como personales algunos verbos que generalmente son impersonales; v. gr.: *Hasta que Dios* AMANECE; ANOCHECIMOS *en Alcalá.*

personalmente. adv. m. En persona o por sí mismo.

personamiento. m. *Der.* **personación.**

personarse. prnl. Presentarse personalmente en una parte. ‖ **2.** Reunirse una persona con otra para tratar algo. ‖ **3.** *Der.* Comparecer como parte interesada en un juicio o pleito.

personera. f. *Seg.* Mujer que, en unión de otras que ostentan cargos municipales, auxilia a la alcaldesa en las fiestas anuales en honra de Santa Águeda.

personería. f. p. us. Cargo o ministerio de personero. ‖ **2.** ant. V. **carta de personería.** ‖ **3.** *Der.* **personalidad,** capacidad y representación legal.

personero. m. p. us. El constituido procurador para entender o solicitar negocios ajenos.

personificación. f. Acción y efecto de personificar. ‖ **2.** *Ret.* **prosopopeya.**

personificar. (De *persona* y el lat. *facĕre*, hacer.) tr. Atribuir vida o acciones o cualidades propias del ser racional al irracional, o a las cosas inanimadas, incorpóreas o abstractas. ‖ **2.** Atribuir a una persona determinada un suceso, sistema, opinión, etc. *Lutero* PERSONIFICA *la Reforma.* ‖ **3.** Representar en una persona una opinión, sistema, etc. ‖ **4.** Representar en los discursos o escritos, bajo alusiones o nombres supuestos, a personas determinadas. Ú. t. c. prnl.

personilla. (d. de *persona*.) f. despect. Persona muy pequeña de cuerpo o de mala traza, o condición. ‖ **2.** Niño o persona muy querida.

personudo, da. adj. Persona de buena estatura y corpulencia.

perspectiva. (Del lat. tardío *perspectīva* [*ars*], óptica.) f. Arte que enseña el modo de representar en una superficie los objetos, en la forma y disposición con que aparecen a la vista. ‖ **2.** Obra o representación ejecutada con este arte. ‖ **3.** fig. Conjunto de objetos que desde un punto determinado se presentan a la vista del espectador, especialmente cuando están lejanos. ‖ **4.** fig. Apariencia o representación engañosa y falaz de las cosas. ‖ **5.** fig. Contingencia que puede preverse en el curso de algún negocio. Ú. m. en pl. ‖ **6.** *Geom.* V. **ortografía en perspectiva.** ‖ **aérea.** Aquella que por la disminución de tamaños y la graduación de tonos representa el alejamiento de las figuras y objetos, conservando estos su aspecto de corporeidad en su ambiente. ‖ **caballera.** Modo convencional de representar los objetos en un plano y como si se vieran desde lo alto, conservando en la proporción debida sus formas y las distancias que los separan. ‖ **lineal.** Aquella en que solo se representan los objetos por las líneas de sus contornos.

perspectivo. m. p. us. El que profesa la perspectiva.

perspicacia. (Del lat. *perspicacĭa*.) f. Agudeza y penetración de la vista. ‖ **2.** fig. Penetración de ingenio o entendimiento.

perspicacidad. (Del fr. *perspicacité*.) f. Agudeza y penetración de la vista. ‖ **2.** Agudeza y penetración del entendimiento.

perspicaz. (Del lat. *perspĭcax, -ācis*.) adj. Dícese de la vista, la mirada, etc., muy aguda y que alcanza mucho. ‖ **2.** fig. Aplícase al ingenio agudo y penetrativo al que lo tiene.

perspicuidad. (Del lat. *perspicuĭtas, -ātis*.) f. Calidad de perspicuo.

perspicuo, cua. (Del lat. *perspicŭus*.) adj. Claro, transparente y terso. ‖ **2.** fig. Dícese de la persona que se explica con claridad, y del mismo estilo inteligible.

persuadidor, ra. adj. p. us. **persuasor,** que persuade. Ú. t. c. s.

persuadir. (Del lat. *persuadēre*.) tr. Inducir, mover, obligar a uno con razones a creer o hacer una cosa. Ú. t. c. prnl.

persuasible. (Del lat. *persuasibĭlis*.) adj. Dícese de lo que puede hacerse creer o puede creerse en fuerza de las razones o fundamentos que lo apoyan.

persuasión. (Del lat. *persuasĭo, -ōnis*.) f. Acción y efecto de persuadir o persuadirse. ‖ **2.** Aprehensión o juicio que se forma en virtud de un fundamento.

persuasiva. f. Facultad, virtud o eficacia para persuadir.

persuasivo, va. (Del lat. *persuāsus*, p. p. de *persuadēre*.) adj. Que tiene fuerza y eficacia para persuadir.

persuasor, ra. (Del lat. *persuāsor, -ōris*.) adj. Que persuade. Ú. t. c. s.

persuasorio, ria. adj. **persuasivo.**

perta. (Del lat. *perdīta*.) f. *Ál., Rioja* y *Sor.* **pérdida.**

pertenecer. (Del lat. *pertinēre*, con el suf. *-scēre*.) intr. Tocar a uno o ser propia de él una cosa, o serle debida. ‖ **2.** Ser una cosa del cargo, ministerio u obligación de uno. ‖ **3.**

Referirse o hacer relación una cosa a otra, o ser parte integrante de ella.

pertenecido. m. p. us. **pertenencia.**

pertenencia. (Del b. lat. *pertinentĭa*.) f. Acción o derecho que uno tiene a la propiedad de una cosa. ‖ **2.** Espacio o término que toca a uno por jurisdicción o propiedad. ‖ **3.** Unidad de medida superficial para las concesiones mineras, cuya extensión ha variado con las leyes y hoy está reducida a un cuadro de una hectárea. ‖ **4.** Cosa accesoria o dependiente de la principal, y que entra con ella en la propiedad. *Francisco compró la hacienda con todas sus* PERTENENCIAS.

pértica. (Del lat. *pertĭca*.) f. Medida agraria de longitud que consta de dos pasos o diez pies geométricos y equivale aproximadamente a dos metros y 70 centímetros.

pértiga. (Del lat. *pertĭca*.) f. Vara larga. ‖ **2.** Vara larga para practicar el deporte del salto de altura. ‖ **3.** ant. Medida de dos pasos o diez pies geométricos, pértica.

pertigal. (Del lat. *perticālis*.) m. **pértiga.**

pértigo. m. Lanza del carro.

pertigueño. adj. *And.* Dícese del madero en rollo con más de ocho varas de longitud y diez o doce pulgadas de diámetro. Ú. t. c. s. ‖ **2.** *Huelva.* V. **cuartón de pertigueño.**

pertiguería. f. Empleo de pertiguero.

pertiguero. (Del lat. *perticarĭus*.) m. Ministro secular en las iglesias catedrales, que asiste acompañada a los que oficían en el altar, coro, púlpito y otros ministerios, llevando en la mano una pértiga o vara larga guarnecida de plata. ‖ **mayor de Santiago.** Dignidad en esta iglesia, de gran autoridad y representación, que es como protector y patrono de ella, y simpre la han tenido personas de la primera nobleza.

pertinace. adj. ant. **pertinaz.**

pertinacia. (Del lat. *pertinacĭa*.) f. Obstinación, terquedad o tenacidad en mantener una opinión, una doctrina o la resolución que se ha tomado. ‖ **2.** fig. Gran duración o persistencia.

pertinaz. (Del lat. *pertĭnax, -ācis*.) adj. Obstinado, terco o muy tenaz en su dictamen o resolución. ‖ **2.** fig. Muy duradero o persistente. *Enfermedad* PERTINAZ.

pertinazmente. adv. m. Con pertinacia.

pertinencia. f. Calidad de pertinente. ‖ **2.** ant. **pertenencia.**

pertinente. (Del lat. *pertĭnens, -entis*, p. a. de *pertinēre*, pertenecer.) adj. Perteneciente a una cosa. ‖ **2.** Dícese de lo que viene a propósito. *En la lógica hay términos* PERTINENTES *e impertinentes.* ‖ **3.** *Der.* Conducente o concerniente al pleito. ‖ **4.** *Ling.* Dícese de cada uno de los rasgos fonológicos que distinguen un fonema de otro en una lengua determinada.

pertinentemente. adv. m. Oportunamente, a propósito.

pertrechar. tr. Abastecer de pertrechos. ‖ **2.** fig. Disponer o preparar lo necesario para la ejecución de una cosa. Ú. t. c. prnl.

pertrechos. (De or. inc.) m. pl. Municiones, armas y demás instrumentos, máquinas, etc., necesarios para el uso de los soldados y defensa de las fortificaciones o de los buques de guerra. Ú. t. en sing. ‖ **2.** Por ext., instrumentos necesarios para cualquier operación.

perturbable. adj. Que se puede perturbar.

perturbación. (Del lat. *perturbatĭo, -ōnis*.) f. Acción y efecto de perturbar o perturbarse. ‖ **de la aguja.** *Mar.* Desviación que se produce en la dirección de la aguja magnética por la acción combinada del hierro del buque.

perturbadamente. adv. m. Con perturbación o desorden.

perturbado, da. p. p. de **perturbar.** ‖ **2.** adj. Dícese de la persona que tiene alteradas sus facultades mentales. Ú. t. c. s.

perturbador, ra. (Del lat. *perturbātor, -ōris.*) adj. Que perturba. Ú. t. c. s.

perturbar. (Del lat. *perturbāre.*) tr. Inmutar, trastornar el orden y concierto, o la quietud y el sosiego de algo o de alguien. Ú. t. c. prnl. ‖ **2.** Impedir el orden del discurso al que va hablando. ‖ **3.** prnl. Perder el juicio una persona.

Perú. n. p. V. **anona, bálsamo, lentisco del Perú. ‖ valer** una cosa **un Perú.** fr. fig. y fam. Ser de mucho precio o estimación.

peruanismo. m. Vocablo, giro o modo de hablar propio de los peruanos.

peruano, na. adj. Natural del Perú. Ú. t. c. s. ‖ **2.** Perteneciente o relativo a este país de América.

peruétano. (Der. del lat. *pirus,* peral.) m. Peral silvestre, cuyo fruto es pequeño, aovado, de corteza verde y sabor acerbo. ‖ **2.** Fruto de este árbol. ‖ **3.** fig. Porción saliente y puntiaguda de una cosa.

perulero[1]**.** (De *perol.*) m. Vasija de barro, angosta de suelo, ancha de barriga y estrecha de boca.

perulero[2]**, ra.** adj. Natural del Perú. ‖ **2.** Perteneciente o relativo a este país. ‖ **3.** m. y f. Persona que ha venido desde el Perú a España, y especialmente la adinerada.

perusino, na. (Del lat. *Perusinus.*) adj. Natural de Perusa. Ú. t. c. s. ‖ **2.** Perteneciente o relativo a esta ciudad de Italia.

peruviano, na. adj. Natural del Perú. ‖ **2.** Perteneciente o relativo a este país. ‖ **3.** V. **corteza peruviana.**

perversamente. adv. m. Con perversidad.

perversidad. (Del lat. *perversĭtas, -ātis.*) f. Calidad de perverso.

perversión. (Del lat. *perversĭo, -ōnis.*) f. Acción y efecto de pervertir o pervertirse.

perverso, sa. (Del lat. *perversus.*) adj. Sumamente malo, que causa daño intencionadamente. Ú. t. c. s. ‖ **2.** Que corrompe las costumbres o el orden y estado habitual de las cosas. Ú. t. c. s.

pervertidor, ra. adj. Que pervierte. Ú. t. c. s.

pervertimiento. m. p. us. Acción y efecto de pervertir o pervertirse.

pervertir. (Del lat. *pervertĕre.*) tr. Viciar con malas doctrinas o ejemplos las costumbres, la fe, el gusto, etc. Ú. t. c. prnl. ‖ **2.** Perturbar el orden o estado de las cosas.

pervigilio. (Del lat. *pervigilĭum.*) m. Falta y privación de sueño; vela o vigilia continua.

pervinca. (Del lat. *pervinca.*) f. **vincapervinca,** planta.

pervivencia. f. Acción y efecto de pervivir.

pervivir. (Del lat. *pervivĕre.*) intr. Seguir viviendo a pesar del tiempo o de las dificultades.

pervulgar. (Del lat. *pervulgāre.*) tr. p. us. Divulgar, publicar, propagar una cosa haciéndola saber a todos.

pesa. f. Pieza metálica que se utiliza como término de comparación para determinar el peso de un cuerpo. ‖ **2.** Pieza de peso suficiente que, colgada de una cuerda, se emplea para dar movimiento a ciertos relojes o de contrapeso para subir y bajar lámparas, etc. ‖ **3.** *Col., C. Rica, Méj., Nicar.* y *Venez.* Carnicería, tienda donde se vende carne. ‖ **4.** *Dep.* Pieza muy pesada que se emplea en halterofilia o para hacer gimnasia. Ú. m. en pl. ‖ **dineral.** Cualquiera de las piezas con que se pesan las monedas de oro y plata. ‖ **como, conforme,** o **según, caigan,** o **cayeren, las pesas.** loc. adv. fig. con que se da a entender que una cosa se hará o no, según las circunstancias.

pesacartas. m. Balanza delicada con un platillo para pesar las cartas.

pesada. f. Cantidad que se pesa de una vez. ‖ **2.** Acción y efecto de pesar. ‖ **3.** ant. Opresión del corazón y dificultad de respirar durante el sueño. ‖ **4.** ant. Ensueño angustioso y tenaz.

pesadamente. adv. m. Con pesadez. ‖ **2.** Con pesar, molestia o desazón; de mala gana. ‖ **3.** Gravemente o con exceso. ‖ **4.** Con tardanza o demasiada lentitud en el movimiento o en la acción.

pesadez. f. Calidad de pesado. ‖ **2.** Pesantez, gravedad terrestre. ‖ **3.** fig. Gordura de la persona, obesidad. ‖ **4.** fig. Terquedad o impertinencia propia del que es molesto y enfadoso. ‖ **5.** fig. Cargazón, exceso, duración desmedida. PESADEZ *del tiempo, de cabeza.* ‖ **6.** fig. Molestia, trabajo, fatiga.

pesadilla. f. Ensueño angustioso y tenaz. ‖ **2.** Opresión del corazón y dificultad de respirar durante el sueño. ‖ **3.** fig. Preocupación grave y continua que siente una persona a causa de alguna adversidad. ‖ **4.** fig. Persona o cosa enojosa o molesta.

pesado, da. p. p. de **pesar.** ‖ **2.** adj. Que pesa mucho. ‖ **3.** V. **día, espato, sueño pesado.** ‖ **4.** V. **industria, palabra pesada.** ‖ **5.** fig. **obeso.** ‖ **6.** fig. Intenso, profundo, hablando del sueño. ‖ **7.** fig. Cargado de humores, vapores o cosa semejante. *Tiempo* PESADO, *cabeza* PESADA. ‖ **8.** fig. Tardo o muy lento. ‖ **9.** fig. Molesto, enfadoso, impertinente. ‖ **10.** fig. Aburrido, que no tiene interés. ‖ **11.** fig. Que precisa mucha atención o es difícil de hacer. ‖ **12.** fig. Ofensivo, sensible. ‖ **13.** fig. Duro, violento, insufrible, que es difícil de soportar.

pesador, ra. adj. Que pesa. Ú. t. c. s. ‖ **2.** m. y f. *Col., C. Rica, Méj., Nicar.* y *Venez.* Carnicero, vendedor de carne.

pesadumbre. f. Calidad de pesado. ‖ **2.** Fuerza de gravedad de la Tierra. ‖ **3.** Injuria, agravio. ‖ **4.** fig. Molestia, desazón, padecimiento físico o moral. ‖ **5.** fig. Motivo o causa del pesar, desazón o sentimiento en acciones o palabras. ‖ **6.** fig. Riña o contienda con uno, que ocasiona desazón o disgusto.

pesadura. f. ant. Calidad de pesado. ‖ **2.** Fuerza de gravedad.

pesaje. m. Acción y efecto de pesar algo.

pesalicores. (De *pesar*[2] y *licor.*) m. Areómetro para líquidos menos densos que el agua.

pésame. m. Expresión con que se hace saber a alguien el sentimiento que tiene de su pena o aflicción.

pesamedello. (De la fr. *pésame de ello.*) m. Baile y cantar español de los siglos XVI y XVII.

pesante. p. a. de **pesar.** Que pesa. ‖ **2.** adj. Entristecido o arrepentido de lo hecho. ‖ **3.** m. Pesa de medio adarme. ‖ **de oro.** Moneda de oro de la Edad Media.

pesantez. f. Fuerza de gravedad de la Tierra.

pesar[1]**.** (De *pesar*[2].) m. Sentimiento o dolor interior que molesta y fatiga el ánimo. ‖ **2.** Dicho o hecho que causa sentimiento o disgusto. ‖ **3.** Arrepentimiento o dolor de los pecados o de otra cosa mal hecha. ‖ **a pesar** o **a pesar de.** loc. conjunt. conc. Contra la voluntad o gusto de las personas y, por ext., contra la fuerza o resistencia de las cosas; no obstante. Pide la preposición *de* cuando la voz que inmediatamente le sigue no es un pronombre posesivo. *Lo haré* A PESAR *tuyo;* DE *cuantos quieran impedirlo;* DEL *cariño que te profeso;* DE *ser ya muy anciano.* ‖ **a pesar de los pesares.** loc. adv. A PESAR de todas las cosas, a pesar de todos los obstáculos.

pesar[2]**.** (Del lat. *pensāre.*) intr. Tener gravedad o peso. ‖ **2.** Tener determinado peso. *La máquina* PESA *ochenta kilos.* ‖ **3.** Tener mucho peso. ‖ **4.** fig. Tener una persona o cosa estimación o valor; ser digna de mucho aprecio. ‖ **5.** fig. Causar un hecho o dicho arrepentimiento o dolor. Ú. solo en las terceras personas con los pronombres *me, te, se, le,* etc. ‖ **6.** fig. Hacer fuerza en el ánimo la razón o el motivo de una cosa. ‖ **7.** tr. Determinar el peso, o más propiamente, la masa de una cosa por medio de la balanza o de otro instrumento equivalente. ‖ **8.** fig. Examinar con atención o considerar con prudencia las razones de una cosa para hacer juicio de ella. ‖ **9.** *Mat.* **ponderar.** ‖ **mal que** me, te, le, nos, os, les **pese.** loc. adv. **mal de mi, de tu, de su, de** nuestro, **de** vuestro **grado.** ‖ **no pesarle** a uno **de haber nacido.** fr. fig. Presumir de gentileza, hermosura y otras prendas. ‖ **pese a.** loc. conjunt. conc. **a pesar** o **a pesar de.** ‖ **pese a quien pese.** fr. fig. A todo trance, a pesar de todos los obstáculos o daños resultantes.

pesario. (Del lat. *pessărĭum.*) m. *Cir.* Aparato que se coloca en la vagina para corregir el descenso de la matriz.

pesaroso, sa. adj. Sentido o arrepentido de lo que se ha dicho o hecho. ‖ **2.** Que por causa ajena tiene pesadumbre o sentimiento.

pesca. f. Acción y efecto de pescar. ‖ **2.** Oficio y arte de pescar. ‖ **3.** Lo que se pesca o se ha pescado. *Sitio abundante en* PESCA. ‖ **costera.** La que se efectúa por embarcaciones de tamaño medio a una distancia máxima de sesenta millas del litoral. ‖ **de altura.** La que se efectúa en aguas relativamente cerca del litoral. En el caso de España, entre los paralelos 0° y 60° y los meridianos 15° E. y 20° O. ‖ **de arrastre.** La que se hace arrastrando redes. ‖ **de bajura.** La que se efectúa por pequeñas embarcaciones en las proximidades de la costa. ‖ **de gran altura.** La que se efectúa en aguas muy retiradas en cualquier lugar del océano. ‖ **litoral. pesca costera.** ‖ **¡brava, buena,** o **linda, pesca!** fig. y fam. Persona muy sagaz, industriosa o artificiosa. ‖ **2.** fig. y fam. Persona de malas costumbres.

pescada. f. Merluza, pez. ‖ **2.** En algunas partes, merluza seca. ‖ **3.** *Germ.* Llave hecha con un alambre, ganzúa. ‖ **en rollo,** o **fresca.** Merluza, pez.

pescadería. f. Sitio, puesto o tienda donde se vende pescado.

pescadero, ra. m. y f. Persona que vende pescado, especialmente al por menor.

pescadilla. f. Cría de la merluza que ha pasado su primera fase de crecimiento y no ha adquirido aún su desarrollo normal.

pescado. (Del lat. *piscātus.*) m. Pez comestible sacado del agua por cualquiera de los procedimientos de pesca. ‖ **2.** En algunas partes, pez[1], **pescado de río.** ‖ **3.** Abadejo salado. ‖ **4.** V. **cola, comida, día, espina de pescado.** ‖ **azul.** El abundante en grasa, como la sardina. ‖ **blanco.** El poco graso, como la merluza y el lenguado que, por esta razón, suele recomendarse para ciertos regímenes alimenticios. ‖ **ahumársele** a uno **el pescado.** fr. fig. y fam. Sulfurarse, irritarse, enfurruñarse.

pescador, ra. (Del lat. *piscātor, -ōris.*) adj. Que pesca. Ú. m. c. s. ‖ **2.** m. y f. Persona que pesca por oficio o por afición. ‖ **3.** V. **martín pescador.** ‖ **4.** V. **águila, rana pescadora.** ‖ **5.** m. **pejesapo.** ‖ **6.** n. p. m. V. **anillo del Pescador.**

pescante. m. Pieza saliente de madera o hierro sujeta a una pared, a un poste o al costado de un buque, etc., y que sirve para sostener o colgar de ella alguna cosa. ‖ **2.** Brazo de una grúa. ‖ **3.** En los carruajes, asiento exterior desde donde el cochero gobierna las mulas o caballos. ‖ **4.** p. us. Delantera del vehículo automóvil desde donde se dirige el mecánico o conductor. ‖ **5.** En los teatros, tramoya que sirve para hacer bajar o subir en el escenario personas o figuras.

pescar. (Del lat. *piscāri.*) tr. Sacar o tratar de sacar del agua peces y otros animales útiles al hombre. ‖ **2.** fig. y fam. Contraer una dolencia o enfermedad. ‖ **3.** fig. y fam. Coger, agarrar o tomar cualquier cosa. ‖ **4.** fig. y fam. Coger a uno en las palabras o en los hechos, cuando no lo esperaba, o sin prevención. ‖ **5.** fig. y fam. Lograr o conseguir astutamente lo que se pretendía o anhelaba. ‖ **6.** fig.

y fam. Entender, captar con rapidez el significado de algo. ‖ **7.** V. **caña de pescar.** ‖ **8.** *Mar.* Sacar alguna cosa del fondo del mar o de un río. PESCAR *un ancla.*

pesce. (Del lat. *piscis.*) m. ant. **pez**[1].

pescola. (De *pos* y *cola.*) f. *And.* Punta de besana.

pescozada. f. **pescozón.** ‖ **2.** Bofetada que quien armaba caballero daba al caballero novel.

pescozón. m. Golpe que se da con la mano en el pescuezo o en la cabeza.

pescozudo, da. adj. Que tiene muy grueso el pescuezo.

pescuda. (De *pescudar.*) f. desus. Averiguación, pregunta.

pescudar. (Del lat. *perscrutāri.*) tr. desus. Averiguar, preguntar.

pescuezo. (Del lat. *post,* después, y *cuezo,* que significó cogote.) m. Parte del cuerpo animal o humano desde la nuca hasta el tronco. ‖ **2.** fig. Altanería, vanidad o soberbia. *Tener* PESCUEZO; *sacar el* PESCUEZO. ‖ **andar al pescuezo.** fr. fig. y fam. Andar a golpes. ‖ **apretar,** o **estirar,** a uno **el pescuezo.** fr. fig. y fam. Ahorcarle. ‖ **torcer el pescuezo.** fr. fig. y fam. **morir,** acabar uno la vida. ‖ **torcer,** o **retorcer,** a alguien **el pescuezo.** fr. fig. y fam. Matarle ahorcándole o con otro género de muerte semejante.

pescuño. (Del lat. *post,* detrás, y *cunĕus,* cuña.) m. Cuña gruesa y larga con que se aprietan la esteva, reja y dental que tiene la cama del arado.

pese a. loc. adv. **a pesar** o **a pesar de.**

pesebre. (Del lat. *praesēpe.*) m. Especie de cajón donde comen las bestias. ‖ **2.** Sitio destinado para este fin. ‖ **3.** Notable cúmulo de estrellas situadas en la constelación del Cangrejo. ‖ **4. belén,** nacimiento. ‖ **conocer** uno **el pesebre.** fr. p. us. fig. y fam. irón. Asistir con frecuencia y facilidad donde le dan de comer.

pesebrejo. m. d. de **pesebre.** Pesebre pequeño donde comen las bestias. ‖ **2.** Sitio donde está este pesebre. ‖ **3.** Cada uno de los alveolos en las quijadas de las caballerías.

pesebrera. f. Disposición u orden de los pesebres en las caballerizas. ‖ **2.** Conjunto de ellos.

pesebrista. com. **belenista.**

pesebrón. (aum. de *pesebre.*) m. Cajón que tienen los coches de caballos debajo del suelo, para asentar los pies. ‖ **2.** En los calesines y calesas, el mismo suelo.

peseta. (d. de *peso,* moneda.) f. Moneda cuyo peso y ley han variado según los tiempos. Es la unidad monetaria en España. ‖ **2.** pl. fam. Dinero, riqueza. *Tener* PESETAS. *Cuestión de* PESETAS. ‖ **columnaria.** La labrada en América, que tiene el escudo de las armas reales entre columnas, y valía cinco reales de vellón. ‖ **cambiar la peseta.** fr. fig. y fam. Vomitar a consecuencia de haberse mareado o emborrachado. ‖ **hacer la peseta.** fr. fig. y vulg. **dar** o **hacer un corte de mangas.** ‖ **mirar la peseta.** fr. Considerar con cuidado la opción más conveniente, antes de hacer un gasto.

pésete. m. ant. Especie de juramento, maldición o execración.

pesetero, ra. adj. Aplícase a la persona aficionada al dinero; ruin, tacaño, avaricioso. ‖ **2.** Se decía de lo que costaba o valía una peseta. A veces con uso despectivo. *Coche* PESETERO.

pesga. (De *pesgar.*) f. desus. Pesa, generalmente metálica, con que se pesa en la balanza.

pesgar. (Del lat. **pensicăre.*) tr. desus. Tener peso o presión. ‖ **2.** desus. fig. Abrumar, agobiar.

pesgo. (De *pesgar.*) m. desus. Peso, pesadez.

pesgua. f. *Venez.* Árbol semejante al madroño, cuyas hojas secas son aromáticas y se usan para perfumar los templos esparciéndolas por el suelo, particularmente en Caracas.

¡pesia! (Contracc. de *pese a;* de *pesar*[2].) interj. p. us. de desazón o enfado. ‖ **¡pesia tal!** interj. p. us. **¡pesia!**

pesiar. (De *ipesia!*) intr. p. us. Echar maldiciones y reniegos.

pésicos. m. pl. Antiguos habitantes de una parte de la región de los astures, en la España primitiva.

pesillo. m. d. de **peso.** ‖ 2. Balanza pequeña y muy exacta que sirve para pesar monedas.

pésimamente. adv. m. Muy mal, rematadamente mal, del modo peor.

pesimismo. (De *pésimo.*) m. Sistema filosófico que consiste en atribuir al universo la mayor imperfección posible. ‖ 2. Propensión a ver y juzgar las cosas en su aspecto más desfavorable.

pesimista. adj. Que profesa el pesimismo. ‖ 2. Que propende a ver y juzgar las cosas por el lado más desfavorable. Ú. t. c. s.

pésimo, ma. (Del lat. *pessĭmus.*) adj. sup. de **malo.** Sumamente malo, que no puede ser peor.

peso. (Del lat. *pensum.*) m. Pesantez. ‖ 2. Fuerza de gravitación universal ejercida sobre la materia. ‖ 3. Magnitud de dicha fuerza. ‖ 4. El que por ley o convenio debe tener una cosa. *Pan falto de* PESO; *dar buen* PESO. ‖ 5. El de la pesa o conjunto de pesas que se necesitan para equilibrar en la balanza un cuerpo determinado. ‖ 6. **pesa del reloj.** ‖ 7. Cosa pesada. ‖ 8. Objeto pesado que sirve para hacer presión o para equilibrar una carga. ‖ 9. El que arroja en la báscula cada boxeador antes de una competición deportiva y con arreglo al cual se le clasifica en la categoría que le corresponde. ‖ 10. Balanza u otro utensilio para pesar. ‖ 11. V. **media², tonelada de peso.** ‖ 12. V. **corredor del peso.** ‖ 13. Antigua moneda de plata española, que tuvo diversos valores, y de donde procede el actual **peso,** unidad monetaria. ‖ 14. Moneda de cinco pesetas a la par. ‖ 15. Moneda imaginaria que en el uso común se suponía valer 15 reales de vellón. ‖ 16. Unidad monetaria de diversos países americanos. ‖ 17. Puesto o sitio público donde se vendían al por mayor comestibles, principalmente de despensa; como tocino, legumbres, etc. ‖ 18. fig. Entidad, sustancia e importancia de una cosa. ‖ 19. fig. Fuerza y eficacia de las cosas no materiales. ‖ 20. fig. Carga o gravamen que uno tiene a su cuidado. ‖ 21. fig. Cargo o abundancia de humores en una parte del cuerpo. ‖ 22. fig. Pesadumbre, dolor, disgusto, preocupación. ‖ 23. *Dep.* Bola de hierro de un **peso** establecido que se lanza en determinados ejercicios atléticos. ‖ 24. *Mat.* Valor asociado a un número de un conjunto con el que, según el criterio que corresponda, se expresa la importancia del mismo en el conjunto. ‖ **atómico.** *Quím.* Relación entre la masa media por átomo de la composición nuclear natural de un elemento y 1/12 de la masa de un átomo del nucleico ¹²C. ‖ **bruto.** El total, inclusa la tara. ‖ **corrido. peso** algo mayor que el justo. ‖ **de artifara.** *Germ.* Pan de trigo. ‖ **de cruz.** La balanza de brazos iguales. ‖ **duro.** Moneda de plata de **peso** de una onza y que valía ocho reales fuertes o 20 de vellón. ‖ 2. **duro,** moneda de 5 pesetas. ‖ **ensayado.** Moneda imaginaria que se tomaba como unidad en las casas de moneda de América para apreciar las barras de plata, y que excedía el **peso** fuerte en el importe de los gastos de braceaje y señoreaje. ‖ **específico.** *Fís.* El de un cuerpo en comparación con el de otro de igual volumen tomado como unidad. ‖ **fuerte. peso duro.** ‖ **gallo.** En categoría inferior a la de **peso** pluma, el boxeador profesional que pesa menos de 53 kilos 524 gramos, y el no profesional que no pasa de los 54 kilos. ‖ **ligero.** En categoría superior a la de **peso** pluma, el boxeador profesional que pesa menos de 61 kilos 235 gramos, y el no profesional que no pasa de los 62 kilos. ‖ **molecular.** *Quím.* Suma de los **pesos** atómicos que entran en la fórmula molecular de un compuesto. ‖ **mosca.** El boxeador profesional que pesa menos de 50 kilos 802 gramos, y el no profesional que no pasa de los

51 kilos. ‖ **muerto.** *Mar.* Máxima carga de un barco mercante, expresada en toneladas métricas, que comprende, además del **peso** de la carga comercial, el del combustible, agua, víveres, dotación y pasaje. ‖ **neto.** El que resta del **peso** bruto, deducida la tara. ‖ **pesado.** El boxeador profesional que pesa más de 79 kilos 378 gramos, y el no profesional que rebasa los 80 kilos. ‖ **pluma.** En categoría superior a la de **peso** gallo, el boxeador profesional que pesa menos de 57 kilos 152 gramos, y el no profesional que no pasa de los 58 kilos. ‖ **real. peso,** lugar de venta de ciertas especies. ‖ **sencillo. peso,** moneda imaginaria de 15 reales. ‖ **a peso de dinero, oro,** o **plata.** loc. adv. fig. A precio muy subido. ‖ **caerse** una cosa **de,** o **por, su peso.** fr. fig. Estar clara su mucha razón o la evidencia de su verdad. ‖ **de peso.** loc. adj. Con el **peso** cabal que debe tener una cosa por su ley. ‖ 2. fig. Dícese de la persona juiciosa, sensata o influyente. ‖ 3. Dícese de una razón o un motivo de valor decisivo o poderoso. ‖ **de su peso.** loc. adv. Naturalmente o de su propio movimiento. ‖ **en peso.** loc. adv. En el aire, o sin que el cuerpo grave descanse sobre otro que el de la persona o cosa que lo sujeta. ‖ 2. Enteramente o del todo. *La noche o el día* EN PESO. ‖ 3. fig. En duda, sin inclinarse a una parte o a otra. ‖ **llevar** uno **en peso** una cosa. fr. fig. Tenerla a su solo cargo y cuidado. ‖ **no valer a peso de oveja** una cosa. fr. p. us. fig. y fam. Ser muy despreciable. ‖ **tomar** uno **a peso** una cosa. fr. Sopesarla. ‖ 2. fig. Examinarla o considerarla con cuidado.

pésol. (Del cat. *pèsol,* y este del lat. *pisŭlum.*) m. Bisalto, guisante.

pesor. m. *And., Amér. Central* y *Ant.* Peso, pesantez.

pespuntador, ra. adj. Que pespunta. Ú. t. c. s.

pespuntar. (Del lat. *post,* después, detrás, y *punctus,* punto.) tr. Coser o labrar de pespunte, o hacer pespuntes.

pespunte. (De *pespuntar.*) m. Labor de costura, con puntadas unidas, que se hacen volviendo la aguja hacia atrás después de cada punto, para meter la hebra en el mismo sitio por donde pasó antes. ‖ **medio pespunte.** Labor que se ejecuta dejando la mitad de los hilos que se habían de coger en cada puntada, de suerte que entre **pespunte** y **pespunte** queden tantos hilos de hueco como lleva cada puntada.

pespuntear. tr. Hacer pespuntes.

pesquera. (Del lat. *piscaria.*) f. Sitio o lugar donde frecuentemente se pesca. ‖ 2. **presa,** muro para detener el agua.

pesquería. (De *pesquera.*) f. Trato o ejercicio de los pescadores. ‖ 2. Acción de pescar. ‖ 3. Sitio donde frecuentemente se pesca.

pesqueridor, ra. adj. ant. Que pesquiere o busca. Usáb. t. c. s.

pesquerir. tr. ant. **pesquirir.**

pesquero, ra. adj. Que pesca. Aplícase a las embarcaciones y a las industrias relacionadas con la pesca. ‖ 2. m. Barco **pesquero.**

pesquirir. tr. ant. Investigar, averiguar, buscar con diligencia, perquirir.

pesquis. (De *pesquisar,* o *pescar.*) m. Cacumen, agudeza, perspicacia.

pesquisa. f. Información o indagación que se hace de una cosa para averiguar la realidad de ella o sus circunstancias. ‖ 2. m. ant. Persona que atestigua una cosa, testigo.

pesquisar. tr. Hacer pesquisa de una cosa.

pesquisidor, ra. adj. Que pesquisa. Ú. t. c. s. ‖ 2. V. **juez pesquisidor.**

pestalociano, na. adj. Perteneciente o relativo a Pestalozzi, célebre pedagogo suizo, y a su método de enseñanza.

pestano, na. (Del lat. *Paestănus.*) adj. Natural de Pesto.

Ú. t. c. s. ‖ **2.** Perteneciente o relativo a esta ciudad de la Italia antigua.

pestaña. (De or. inc.) f. Cada uno de los pelos que hay en los bordes de los párpados, para defensa de los ojos. ‖ **2.** Adorno angosto que se pone al canto de las telas o vestidos, de fleco, encaje o cosa semejante, que sobresale algo. ‖ **3.** Orilla o extremidad del lienzo, que dejan las costureras para que no se vayan los hilos en la costura. ‖ **4.** Parte saliente y angosta en el borde de alguna cosa; como en la llanta de una rueda de locomotora, en la orilla de un papel o una plancha de metal, etc. ‖ **5.** pl. *Bot.* Pelos rígidos que están colocados en el borde de dos superficies opuestas, sin hacer parte ni de una ni de otra. ‖ **vibrátil.** *Biol.* Filamento del cuerpo de células y protozoos, cilio. ‖ **jugarse** uno **las pestañas.** loc. fig. y fam. Jugarse todo el caudal o fortuna de que se dispone. ‖ **no mover pestaña.** fr. fig. **no pestañear.** ‖ **no pegar pestaña.** fr. fig. y fam. **no pegar ojo.** ‖ **quemarse las pestañas.** loc. fig. y fam. Estudiar con ahínco.

pestañear. intr. Mover los párpados. ‖ **2.** fig. Tener vida. ‖ **no pestañear. sin pestañear.** frs. figs. que denotan la suma atención con que se está mirando una cosa, o la serenidad con que se arrostra un peligro inesperado.

pestañeo. (De *pestañear.*) m. Movimiento rápido y repetido de los párpados.

pestañoso, sa. adj. Que tiene grandes pestañas. ‖ **2.** Que tiene pestañas, como algunas plantas.

peste. (Del lat. *pestis.*) f. Enfermedad contagiosa y grave que causa gran mortandad en los hombres o en los animales. ‖ **2.** Por ext., cualquier enfermedad, aunque no sea contagiosa, que causa gran mortandad. ‖ **3.** Mal olor. ‖ **4.** fig. Cualquier cosa mala o de mala calidad en su línea, o que puede ocasionar daño grave. ‖ **5.** fig. Corrupción de las costumbres y desórdenes de los vicios, por la ruina escandalosa que ocasionan. ‖ **6.** fig. y fam. Excesiva abundancia de cosas en cualquier línea. ‖ **7.** *Germ.* Dado de jugar. ‖ **8.** pl. Palabras de enojo o amenaza y execración. *Echar* PESTES. ‖ **peste bubónica,** o **levantina.** *Pat.* Enfermedad infecciosa epidémica y febril, caracterizada por bubones en diferentes partes del cuerpo y que produce con frecuencia la muerte. Se llama levantina por haber provenido las más de las veces de los países orientales. ‖ **decir,** o **hablar, pestes** de una persona. fr. fig. y fam. Hablar mal de ella.

pesticida. adj. Que se destina a combatir plagas. Ú. t. c. s.

pestíferamente. adv. m. Muy mal o de un modo dañoso y pernicioso.

pestífero, ra. (Del lat. *pestifer, -ěri.*) adj. Que puede ocasionar peste o daño grave, o que es muy malo en su línea. ‖ **2.** Que tiene muy mal olor.

pestilencia. (Del lat. *pestilentĭa.*) f. Enfermedad contagiosa y grave que origina gran mortandad. ‖ **2.** Cualquier otra enfermedad no contagiosa que causa gran mortandad. ‖ **3.** Mal olor. ‖ **4.** Cualquier cosa mala que puede originar daño grave.

pestilencial. adj. Pestilente.

pestilencialmente. adv. m. Con pestilencia.

pestilencioso, sa. (Del lat. *pestilentiōsus.*) adj. Perteneciente a la pestilencia.

pestilente. (Del lat. *pestilens, -entis.*) adj. Que origina peste. ‖ **2.** Que da mal olor.

pestillo. (Del lat. **pestellum,* por el clásico *pessŭlum.*) m. Pasador con que se asegura una puerta, corriéndolo a modo de cerrojo. ‖ **2.** Pieza prismática que sale de la cerradura por la acción de la llave o a impulso de un muelle y entra en el cerradero. ‖ **3.** fig. *P. Rico.* Novio, cortejador, festejante. ‖ **de golpe.** El de algunas cerraduras, dispuesto de

modo que, dando un golpe a la puerta, queda cerrada y no se puede abrir sin llave.

pestiño. (Del lat. *pistus,* majado, batido.) m. Fruta de sartén, hecha con porciones pequeñas de masa de harina y huevos batidos, que después de fritas en aceite se bañan con miel.

pestorejazo. m. Golpe dado en el pestorejo.

pestorejo. (Del lat. *post auricŭlum,* detrás de la oreja.) m. Exterior de la cerviz, cerviguillo.

pestorejón. m. Golpe dado en el pestorejo.

pestuga. (Del lat. *festŭca.*) f. *And.* Varilla flexible, fusta.

pesuña. (Del lat. *pedis,* del pie, y *ungŭla,* uña.) f. Conjunto de los pesuños, pezuña.

pesuño. (De *pesuña.*) m. Cada uno de los dedos, cubierto con su uña, de los animales de pata hendida.

peta-. elem. compos. que, con el significado de mil billones (10^{15}) sirve para formar nombres de múltiplos de determinadas unidades. PETA*gramo.* Símb.: P.

petaca. (Del náhuatl *petlacalli,* caja hecha de cañas y cuero.) f. Arca de cuero, o de madera o mimbres con cubierta de piel, y a propósito para formar el tercio de la carga de una caballería. Se ha usado mucho en América. ‖ **2.** Estuche de cuero, metal u otra materia adecuada, que sirve para llevar cigarros o tabaco picado. ‖ **3.** *Méj.* **maleta.** ‖ **4.** pl. *Méj.* Caderas, nalgas.

petaco. m. *Pal.* Tejo o chito de tirar a la tanguilla.

petacón, na. adj. *Méj.* Aplícase lo abultado en forma de nalgas; referido a personas, nalgón.

petalismo. (Del gr. πεταλισμός.) m. Votación popular de destierro usada entre los siracusanos.

pétalo. (Del gr. πέταλον.) m. *Bot.* Hoja transformada, por lo común de bellos colores, que forma parte de la corola de la flor.

petalla. f. *Albañ. Sal.* Especie de alcotana que por uno de sus extremos termina en un martillo.

petanca. f. Especie de juego de bochas.

petanque. m. *Min.* Mineral de plata nativa.

petaquita. f. *Col.* Enredadera de flores rosadas.

petar¹. (Del cat. *petar,* peer.) intr. fam. Agradar, complacer.

petar². (Formación parecida a *petar¹.*) intr. *Gal.* y *León.* Golpear en el suelo, llamar a la puerta.

petardear. tr. *Mil.* Batir una puerta con petardos. ‖ **2.** p. us. fig. Estafar, engañar, pedir algo de prestado con ánimo de no volverlo.

petardero. m. Soldado que aplica y dispara el petardo. ‖ **2.** p. us. fig. El que estafa o pega petardos.

petardista. com. Persona que estafa o pega petardos.

petardo. (Del fr. *pétard.*) m. Tubo de cualquier materia no muy resistente que se rellena de pólvora u otro explosivo y se liga y ataca convenientemente para que, al darle fuego, se produzca una detonación considerable. ‖ **2.** ant. *Mil.* Aparato de bronce afianzado a un tablón o plancha metálica, que en los siglos XVI y XVII se destinaba ocasionalmente a derribar puertas o paredes de poco espesor. ‖ **3.** *Col.* Bolsa pequeña de papel, cerrada y aplanada, que contiene pólvora y se coloca en el borde del bocín para que explosione al caer el tejo encima, en el juego del turmequé. ‖ **4.** fig. Estafa, engaño, petición de una cosa con ánimo de no volverla. ‖ **pegar un petardo** a uno. fr. fig. y fam. Pedirle dinero prestado no volvérselo, o ejecutar alguna otra estafa o engaño semejante. ‖ **ser** uno **un petardo.** fr. fig. y fam. *Col.* Ser una causa de detención, embargo o suspensión de la acción.

petarte. (Del fr. *pétard.*) m. ant. **petardo.**

pétaso. (Del lat. *petăsus,* y este del gr. πέτασος.) m. Sombrero de ala ancha que usaban los griegos y romanos para protegerse del sol y de la lluvia, especialmente en los viajes y en la caza.

petate. (Del náhuatl *petlatl,* estera.) m. Estera de palma, que se usa en los países cálidos para dormir sobre ella. ‖ **2.**

Lío de la cama, y la ropa de cada marinero, de cada soldado en el cuartel y de cada penado en su prisión. ‖ **3.** fam. Equipaje de cualquiera de las personas que van a bordo. ‖ **4.** fig. y fam. Hombre embustero y estafador. ‖ **5.** fig. y fam. Hombre despreciable. ‖ **liar** uno **el petate.** fr. fig. y fam. Mudar de vivienda, y especialmente cuando es despedido. ‖ **2.** fig. y fam. **morir,** acabar la vida.

petenera. (De etim. disc.) f. Aire popular parecido a la malagueña, con que se cantan coplas de cuatro versos octosílabos. ‖ **salir por peteneras.** fr. fig. y fam. Hacer o decir alguna cosa fuera de propósito.

petequia. (Del gr. πιττάχια, pl. de πιττάχιον, emplasto, a través del it.) f. *Pat.* Pequeña mancha en la piel, debida a efusión interna de sangre.

petequial. adj. Referente a la petequia. ‖ **2.** Que tiene petequias. ‖ **3.** V. **tifus petequial.**

petera. (De *petar*[1].) f. fam. Riña, contienda, pelotera. ‖ **2.** fam. Obstinación y cólera en la expresión de algún deseo, y principalmente terquedad y rabieta de los niños temosos.

peteretes. (De *petar.*) m. pl. p. us. Golosinas, bocados apetitosos.

peticano. (De *peticanon.*) m. *Impr.* Carácter de letra de 26 puntos.

peticanon. (Del fr. *petit canon.*) m. *Impr.* **peticano.**

petición. (Del lat. *petitĭo, -ōnis.*) f. Acción de pedir. ‖ **2.** Cláusula u oración con que se pide. *Las* PETICIONES *del padrenuestro.* ‖ **3.** Escrito en que se hace una **petición.** ‖ **4.** *Der.* Escrito que se presenta ante un juez, pedimento. ‖ **de mano.** fr. fig. Ceremonia para solicitar en matrimonio a una mujer. ‖ **de principio.** *Lóg.* Vicio del razonamiento que consiste en poner por antecedente lo mismo que se quiere probar.

peticionar. (Del fr. *petitionner.*) tr. *Amér.* Presentar una petición o súplica, especialmente a las autoridades.

peticionario, ria. (De *petición.*) adj. Que pide o solicita oficialmente una cosa. Ú. t. c. s.

petifoque. (Del fr. *petit foc.*) m. *Mar.* Foque mucho más pequeño que el principal, de lona más delgada, y que se orienta por fuera de él.

petigrís. (Del fr. *petit-gris.*) m. Variedad de ardilla que se cría en Siberia, y cuya piel es muy estimada en peletería. ‖ **2.** Piel de este animal.

petillo. (d. de *peto.*) m. Pedazo de tela cortado en triángulo, que las mujeres usaron de adorno delante del pecho. ‖ **2.** Joya de la misma figura.

petimetre, tra. (Del fr. *petit maître,* pequeño señor, señorito.) m. y f. Lechuguino, persona que se preocupa mucho de su compostura y de seguir las modas.

petirrojo. (De *peto* y *rojo.*) m. Pájaro del tamaño del pardillo, con las partes superiores aceitunadas, cuello, frente, garganta y pecho de color rojo vivo uniforme, y el resto de las partes inferiores blanco brillante.

petiseco, ca. adj. Raquítico, marchito, rugoso, dícese de las plantas y frutos, y por ext., de las personas.

petiso, sa. adj. **petizo.**

petitoria. (Del lat. *petitorĭa,* t. f. de *-rĭus,* petitorio.) f. fam. Acción de pedir. ‖ **2.** Palabras con que se pide.

petitorio, ria. (Del lat. *petitorĭus.*) adj. Perteneciente o relativo a petición o súplica, o que la contiene. ‖ **2.** *Der.* V. **juicio petitorio.** ‖ **3.** m. fam. Petición repetida e impertinente. ‖ **4.** *Farm.* Cuaderno impreso de los medicamentos simples y compuestos que debe haber surtido en las boticas.

petizo, za. (Del port. *petito,* caballo de poca alzada.) adj. *Argent., Bol., Chile, Par., Perú* y *Urug.* Pequeño, bajo, de poca altura, estatura o alzada. ‖ **2.** m. *Argent., Chile, Par.* y *Urug.* Caballo de poca alzada. ‖ **3.** m. y f. *Argent., Bol., Chile, Par., Perú* y *Urug.* Persona de baja estatura. ‖ **de los mandados.** *Argent.* y *Urug.* Caballo que en las estancias se usa para las comisiones y compras. ‖ **2.** Chico que en las casas suele hacer toda clase de trabajos, mandadero.

peto. (Del lat. *pectus,* pecho, a través del it. *petto,* pecho.) m. Armadura del pecho. ‖ **2.** Adorno o vestidura que se pone en el pecho. ‖ **3.** Parte opuesta a la pala y en el otro lado del ojo, afilada o sin afilar, que tienen algunas herramientas; como el hacha, la podadera y el azadón. ‖ **4.** V. **azadón de peto.** ‖ **5.** *Cuba.* Pez de gran tamaño, de color azul por el lomo y pálido por el vientre; es comestible. ‖ **6.** *Zool.* Parte inferior de la coraza de los quelonios. ‖ **volante.** El que llevaban los hombres de armas sobre el **peto** principal.

petra. (Del arauc. *potra.*) f. *Chile.* Mirtácea de unos tres metros de alto, con muchas ramas, cubiertas de un vello rojizo las más tiernas; hojas anchas, elípticas, muy variables, y flores blancas, dispuestas en paniculo a lo largo de las ramas. La baya es negra, semejante a la del arrayán, comestible y de sabor agradable. Sus hojas y corteza son medicinales, y el polvo de ellas se usa en agricultura como insecticida y constituye un importante ramo de comercio.

petral. (Del lat. *pectorāle.*) m. Correa o faja que, asida por ambos lados a la parte delantera de la silla de montar, ciñe y rodea el pecho de la cabalgadura. ‖ **2.** *Mil.* V. **carga de petral.**

petraria. (De *petra,* piedra.) f. Máquina de guerra para lanzar gruesas piedras, balista.

petrarquesco, ca. adj. Propio y característico del Petrarca. ‖ **2.** Parecido a cualquiera de las dotes o calidades por que se distingue este insigne poeta.

petrarquismo. m. Corriente de interés y de imitación de la obra de Petrarca a través de los siglos.

petrarquista. adj. Admirador del Petrarca, o imitador de su estilo poético. Ú. t. c. s.

petrel. (De or. inc.) m. Ave palmípeda, muy voladora, del tamaño de una alondra, común en todos los mares, donde se la ve a enormes distancias de la tierra, nadando en las crestas de las olas, para coger los huevos de peces, moluscos y crustáceos, con que se alimenta. Es de plumaje pardo negruzco, con el arranque de la cola blanco, y vive en bandadas, que anidan entre las rocas de las costas desiertas.

pétreo, a. (Del lat. *petrĕus.*) adj. De piedra, roca o peñasco. ‖ **2.** Pedregoso, cubierto de muchas piedras. ‖ **3.** De la calidad de la piedra.

petrera. (Del lat. *petra,* piedra.) f. ant. **pedrea,** combate a pedradas. ‖ **2.** ant. Riña en que había mucho ruido y voces.

petrificación. (De *petrificar.*) f. Acción y efecto de petrificar o petrificarse.

petrificar. (Del lat. *petra,* piedra, y *facĕre,* hacer.) tr. Transformar o convertir en piedra, o endurecer una cosa de modo que lo parezca. Ú. t. c. prnl. ‖ **2.** fig. Dejar a uno inmóvil de asombro o de terror.

petrífico, ca. adj. Que petrifica o que tiene virtud de petrificar.

petrodólar. m. Unidad monetaria empleada para cuantificar las reservas de divisas acumuladas por países productores de petróleo, y especialmente las depositadas en bancos europeos.

petroglifo. (Del gr. πέτρα, roca, y un der. -γλυφος, del verbo que significa cincelar, grabar.) m. Grabado sobre roca obtenido por descascaramiento o percusión, propio de pueblos prehistóricos.

petrografía. (Del gr. πέτρα, roca, y -*grafía.*) f. Descripción de las rocas.

petrográfico, ca. adj. Perteneciente o relativo a la petrografía.

petrolear. tr. Pulverizar con petróleo alguna cosa. ‖ **2.**

Bañar en petróleo alguna cosa. ‖ **3.** intr. Abastecerse de petróleo un buque.

petróleo. (Del b. lat. *petrolĕum*, y este del bizantino πετρέλαιον, aceite de roca.) m. Líquido natural oleaginoso e inflamable, constituido por una mezcla de hidrocarburos, que se extrae de lechos geológicos continentales o marítimos. Mediante diversas operaciones de destilación y refino se obtienen de él distintos productos utilizables con fines energéticos o industriales (gasolina, nafta, queroseno, gasóleo, etc.)

petroleología. f. Estudio del petróleo.

petroleoquímico, ca. adj. Perteneciente o relativo a la industria que utiliza el petróleo o el gas natural como materias primas para la obtención de productos químicos. ‖ **2.** f. Ciencia y técnica correspondientes a esta industria.

petrolero, ra. adj. Perteneciente o relativo al petróleo. ‖ **2.** Dícese de la persona que con fines subversivos, sistemáticamente incendia o trata de incendiar por medio del petróleo. Ú. t. c. s. ‖ **3.** m. Buque aljibe destinado al transporte de petróleo. ‖ **4.** m. y f. Persona que vende petróleo al por menor.

petrolífero, ra. (De *petróleo*, y el lat. *ferre*, llevar.) adj. Que contiene petróleo.

petrología. (Del gr. πέτρα, roca, y -*logia*.) f. Estudio de las rocas.

petrolquímico, ca. adj. **petroleoquímico.**

petroquímico, ca. adj. **petroleoquímico.** ‖ **2.** f. **petroleoquímica.**

petroso, sa. (Del lat. *petrōsus*.) adj. Aplícase al sitio o paraje en que hay muchas piedras. ‖ **2.** Anat. Dícese también de cierta porción del hueso temporal.

Petrus in cunctis. (Lit., *Pedro en todo*.) loc. lat. con que se moteja al muy entremetido.

petulancia. (Del lat. *petulantĭa*.) f. Insolencia, atrevimiento o descaro. ‖ **2.** Vana y ridícula presunción.

petulantemente. adv. m. Con petulancia.

petunia. (Del fr. *petun*, y este del tupí guaraní *petÿ*, tabaco.) f. Planta de la familia de las solanáceas, muy ramosa, con las hojas aovadas y enteras, y las flores infundibuliformes, grandes, olorosas y de diversos colores.

peucédano. (Del gr. πευκέδανον, a través del lat. *peucedănum*.) m. **servato**, planta.

peuco. (Del arauc. *peuco*.) m. *Chile.* Ave de rapiña, diurna, semejante al gavilán, aunque el color varía según la edad y el sexo del animal, dominando el gris ceniciento. Se alimenta de pajarillos, palomas y aun de pollos de otras aves, y a falta de ellos, come lagartijas y otros reptiles. ‖ **bailarín.** *Chile.* Nombre vulgar del **peuco** blanco. ‖ **blanco.** *Chile.* Ave de rapiña muy parecida al cernícalo hasta en el modo de mantenerse en el aire; pero el color es negro por el lomo y muy blanco por el vientre; por la cabeza, gris claro.

peúco. (De *pie*.) m. Calcetín o botita de lana para los niños de corta edad.

peumo. (Del arauc. *peñu*.) m. *Chile.* Árbol de la familia de las lauráceas, de hoja aovada y siempre verde, y fruto ovalado y rojizo que contiene una pulpa blanca y mantecosa comestible.

peyorar. (Del lat. *peiorāre*.) tr. ant. Poner o hacer peor algo. ‖ **2.** intr. ant. Ponerse o hacerse peor algo.

peyorativo, va. (De *peyorar*.) adj. Dícese de aquellas palabras o modos de expresión que indican una idea desfavorable. ‖ **2.** ant. Que empeora.

pez¹. (Del lat. *piscis*.) m. Vertebrado acuático, de respiración branquial, generalmente con extremidades en forma de aleta, aptas para la locomoción y sustentación en el agua. La piel, salvo raras excepciones, está protegida por escamas. La forma de reproducción es ovípara en la mayoría de estos animales. ‖ **2.** Pescado de río. ‖ **3.** fig. Montón

prolongado de trigo en la era, u otro cualquier bulto de la misma figura. ‖ **4.** fig. y fam. Cosa que se adquiere con utilidad y provecho, especialmente cuando ha costado mucho trabajo o solicitud, con alusión a la pesca. *Caer el* PEZ. ‖ **5.** pl. *Zool.* Taxón al que pertenecen los **peces.** ‖ **6.** n. p. *Astron.* Duodécimo signo del Zodíaco. ‖ **Pez austral.** n. p. *Astron.* Piscis. ‖ **pez ballesta.** *Zool.* **pez** plectognato, con la piel cubierta de escudetes, cuerpo deprimido y la primera aleta dorsal sostenida por fuertes radios espinosos. Es intertropical, pero hay una especie en el Mediterráneo. ‖ **de colores.** El de forma y tamaño semejantes a los de la carpa, pero de colores vivos: rojo y dorado. Procede de Asia. ‖ **del diablo.** Es una especie de gobio. ‖ **de pega. chafarrocas.** ‖ **de San Pedro. gallo, pez** marino. ‖ **emperador. pez espada.** ‖ **espada. pez** teleósteo marino del suborden de los acantopterigios, que llega a tener cuatro metros de longitud; de piel áspera, sin escamas, negruzca por el lomo y blanca por el vientre; cuerpo rollizo, cabeza apuntada, con la mandíbula superior en forma de espada de dos cortes y como de un metro de largo. Se alimenta de plantas marinas y su carne es muy estimada. ‖ **gordo.** fig. Persona de mucha importancia o muy acaudalada. ‖ **luna.** Teleósteo marino, plectognato, de cuerpo comprimido y truncado por detrás, casi circular, de color plateado, con las aletas dorsal, caudal y anal unidas entre sí. Común en el Mediterráneo, puede alcanzar casi los dos metros de largo. ‖ **martillo. pez** selacio del suborden de los escuálidos, cuya longitud suele ser de dos a tres metros, pero puede llegar a cinco y medio; su cabeza tiene dos grandes prolongaciones laterales, que dan al animal el aspecto de un martillo. Vive en los mares tropicales y en los templados, siendo frecuente en las costas meridionales de España y en las del norte de África. ‖ **mujer. manatí.** ‖ **reverso. rémora, pez.** ‖ **sierra. priste.** ‖ **volante.** Volador, **pez.** ‖ **Pez volador.** n. p. *Astron.* Constelación austral cercana al polo antártico. ‖ **zorro.** Escualo muy parecido al marrajo, inconfundible por tener la aleta caudal tan larga o más que el resto del cuerpo, y que puede alcanzar los cinco metros de longitud. ‖ **estar uno como el pez en el agua.** fr. fig. y fam. Disfrutar comodidades y conveniencias. ‖ **estar uno pez** en alguna materia. fr. fig. y fam. Ignorarla por completo. ‖ **picar el pez.** fr. fig. y fam. Dejarse engañar una persona, cayendo incautamente en algún ardid o trampa que se prepara a este fin. ‖ **2.** fig. y fam. Ganar al juego. ‖ **reírse de los peces de colores.** fr. fig. No dar importancia a las consecuencias de un acto propio o ajeno, no tomarlas en serio. Es frecuente su uso como exclamación en primera persona: ME RÍO YO DE LOS PECES DE COLORES. Ú. frecuentemente como antífrasis para destacar la importancia de lo que la ha provocado. ‖ **salga pez o salga rana.** expr. fig. y fam. Dícese de los que emprenden a ciegas una cosa de dudoso éxito.

pez². (Del lat. *pix, picis*.) f. Sustancia resinosa, sólida, lustrosa, quebradiza y de color pardo amarillento, que se obtiene echando en agua fría el residuo que deja la trementina al acabar de sacarle el aguarrás. ‖ **2.** Excremento de los niños recién nacidos, alhorre. ‖ **blanca, o de Borgoña.** Trementina desecada al aire. ‖ **elástica.** Mineral semejante al asfalto, pero menos duro y bastante elástico. ‖ **griega. colofonia.** ‖ **naval.** Mixto de varios ingredientes, como son **pez** común, sebo de vacas, etc., derretidos al fuego. ‖ **negra.** La que resulta de la destilación de las trementinas impuras, y es de color muy oscuro, por quedar mezclada con negro de humo. ‖ **dar uno la pez.** fr. fig. y fam. Llegar al último extremo de cualquier cosa, por alusión a la **pez** que suele hallarse en el interior de las corambres. ‖ **pez con pez.** loc. adv. fig. Totalmente desocupado, desembarazado o vacío, por alusión a lo que sucede en los pellejos empegados cuando no tienen nada dentro.

pezolada. (De *pezuelo.*) f. Porción de hilos sueltos sin tejer que están en los principios y fines de las piezas de paño.

pezón. (Del lat. *pecciolus,* de *pediciolus,* d. de *pes, pedis,* con el suf. *-ón.*) m. *Bot.* Ramita que sostiene la hoja, la inflorescencia o el fruto en las plantas. ‖ **2.** Parte central, eréctil y más prominente de los pechos o tetas, por donde los hijos chupan la leche. ‖ **3.** Extremo del eje, que sobresale de la rueda en los carros y coches. ‖ **4.** Palo de unos 40 centímetros de largo por cinco de grueso, que se encaja perpendicularmente en el extremo del pértigo y en el cual se ata el yugo. ‖ **5.** En los molinos de papel, extremo y remate del árbol. ‖ **6.** fig. Punta o cabo de tierra o de cosa semejante. ‖ **7.** fig. Parte saliente de ciertas frutas, como el limón, así llamada porque semeja el **pezón** de las hembras. ‖ **8.** *Germ.* Asidero de la bolsa.

pezonera. (De *pezón.*) f. Pieza de hierro que en los carruajes atraviesa la punta del eje para que no se salga la rueda. ‖ **2.** Pieza de hierro o de madera que sujeta la lanza del arado o del carro al yugo. ‖ **3.** Pieza redonda de distintas materias, con un hueco en el centro, que usan las mujeres para formar los pezones cuando crían. ‖ **4.** *Ecuad.* y *Perú.* Aparato para succionar la leche de los pechos de las madres lactantes.

pezpalo. (De *pez*[1] y *palo.*) m. Abadejo o bacalao sin aplastar, secado.

pezpita. (De *pizpita.*) f. Aguzanieves, pizpita, caudatrémula.

pezpítalo. m. **pezpita.**

pezuelo. (Del lat. *pecciolus,* como *pezón.*) m. Principio o fundamento del lienzo, que es una especie de fleco de muchos hilos, en los cuales se va atando con un nudo cada hebra de las de la urdimbre de la tela que se va a tejer.

pezuña. (De *pesuña.*) f. Conjunto de los pesuños de una misma pata en los animales de pata hendida.

phi. (Del gr. φῖ.) f. Vigésima primera letra del alfabeto griego, que se pronuncia *fi.* En el latín represéntase con *ph,* y en los idiomas neolatinos con estas mismas letras, o solo con *f,* como acontece en el nuestro, según su ortografía moderna; v. gr.: *falange, filosofía.*

pi. (Del gr. πῖ.) f. Decimosexta letra del alfabeto griego, que corresponde a la que en el nuestro se llama *pe.* ‖ **2.** *Mat.* Símbolo de la razón de la circunferencia al diámetro.

piache. (Del gall. *tarde piache.*) Voz que solo tiene uso en la expresión familiar **tarde piache,** que significa que uno llegó tarde, o no se halló a tiempo en un negocio o pretensión.

piada. f. Acción o modo de piar. ‖ **2.** p. us. fig. y fam. Expresión de uno, parecida a la que otro suele usar. *Salvador tiene muchas* PIADAS *de su maestro.*

piador, ra. adj. Que pía.

piadosamente. adv. m. Misericordiosamente, con lástima y piedad. ‖ **2.** Según la piedad y las creencias cristianas.

piadoso, sa. (Del ant. *piadad,* piedad.) adj. Benigno, blando, misericordioso, que se inclina a la piedad y conmiseración. ‖ **2.** Aplícase a las cosas que mueven a compasión o se originan de ella. ‖ **3.** Religioso, devoto.

piafar. (De or. inc.) intr. Alzar el caballo, ya una mano, ya otra, dejándola caer con fuerza y rapidez casi en el mismo sitio de donde las levantó.

pial. m. *Amér.* **peal.**

pialar. (De *peal.*) tr. *Amér.* Echar un lazo a un animal para derribarlo, apealar.

piamadre. f. *Anat.* Meninge interna de las tres que tienen los batracios, reptiles, aves y mamíferos. Es tenue, muy rica en vasos y está en contacto con el tejido nervioso del encéfalo y de la médula espinal.

piamáter. (Del lat. *pia mater,* madre piadosa.) f. *Anat.* **piamadre.**

piamente. adv. m. Con piedad.

piamontés, sa. adj. Natural del Piamonte. Ú. t. c. s. ‖ **2.** Perteneciente o relativo a este país de Italia.

pian. (De or. tupi o guaraní.) m. Enfermedad contagiosa, propia de países cálidos, caracterizada por la erupción en la cara, manos, pies y regiones genitales, de unas excrecencias fungosas semejantes a frambuesas, blancas o rojas, susceptibles de ulcerarse.

pianista. com. Fabricante de pianos. ‖ **2.** Persona que los vende. ‖ **3.** Persona que profesa o ejercita el arte de tocar este instrumento.

piano. (De *pianoforte.*) adv. m. *Mús.* Con sonido suave y poco intenso. *Tocar* PIANO. ‖ **2.** m. Instrumento músico de teclado y percusión. Se compone principalmente de cuerdas metálicas, de diferentes longitud y diámetro, que, ordenadas de mayor a menor en una caja sonora, y golpeadas por macillos, producen sonidos claros y vibrantes, tanto más o menos intensos cuanto es más o menos fuerte la pulsación de las teclas. Según su forma y dimensión, los hay de mesa, de cola y media cola, verticales, diagonales, etc. ‖ **de manubrio. organillo.**

pianoforte. (Del it. *pianoforte.*) m. **piano.**

pianola. (Nombre comercial registrado.) f. Piano que puede tocarse mecánicamente por pedales o por medio de corriente eléctrica. ‖ **2.** Aparato que se une al piano y sirve para ejecutar mecánicamente las piezas preparadas al objeto.

pian, pian. loc. adv. fam. **pian, piano.**

pian pianito. loc. adv. fam. **pian, piano.**

pian, piano. (Del it. *pian* y *piano.* despacio.) loc. adv. fam. Poco a poco, a paso lento.

piante. p. a. de **piar.** Que pía. Ú. solo en la expresión familiar **piante ni mamante,** que, junta con los verbos *quedar, dejar* y otros, precedidos de negación, da a entender que no queda viviente alguno.

piar. (De or. inc.) intr. Emitir algunas aves, y especialmente el pollo, cierto género de sonido o voz. ‖ **2.** fig. y fam. Llamar, clamar con anhelo, deseo e insistencia por una cosa. ‖ **3.** *Germ.* Beber vino. Ú. t. c. tr.

piara. (Seguramente de *piar.*) f. Manada de cerdos, y por ext., la de yeguas, mulas, etc. ‖ **2.** ant. Rebaño de ovejas.

piariego, ga. adj. Aplícase al sujeto que tiene piara de yeguas, mulas o puercos.

piastra. (Del it. *piastra.*) f. Moneda de plata, de valor variable según los países que la usan.

pibe, ba. m. y f. *Argent.* **chaval,** niño o joven. ‖ **2.** *Argent.* Fórmula de tratamiento afectuosa.

piberío. m. *R. de la Plata.* Conjunto de pibes o chiquillos.

pica[1]**.** (De la onomat. *pic.*) f. Especie de lanza larga, compuesta de un asta con hierro pequeño y agudo en el extremo superior. La usaron los soldados de infantería. ‖ **2.** Garrocha del picador de toros. ‖ **3.** Escoda con puntas piramidales en los cortes, que usan los canteros para labrar piedra no muy dura. ‖ **4.** Medida para profundidades, equivalente a 14 pies, o sea tres metros y ochenta y nueve centímetros. ‖ **5.** Soldado armado de pica. ‖ **6.** Uno de los palos de la baraja francesa. Ú. m. en pl. ‖ **7.** En la explotación de resinas, acto de refrescar, por finos cortes de azuela, las heridas que van formando la entalladura, por las que surge la miera. ‖ **8.** *Murc.* Época en que principia el celo de las perdices. ‖ **9.** *P. Rico.* Ruleta instalada en pabellones o quioscos construidos alrededor de la plaza pública o de la iglesia, para celebrar las fiestas patronales. ‖ **seca.** Soldado que en lo antiguo servía en la milicia con la **pica,** sin ventaja o grado. ‖ **suelta.** Soldado que servía con ella en la guerra y no iba armado de coselete. ‖ **a pica seca.** loc. adv. ant. fig. Con trabajo y sin utilidad o graduación. ‖ **calar la pica.** fr. fig. Prepararla, ponerla en disposición de servirse de ella. ‖ **pasar por las picas.** fr. fig.

Pasar muchos trabajos e incomodidades. ‖ **poder pasar por las picas de Flandes.** fr. fig. ponderativa. Tener una cosa toda su perfección y poder pasar por cualquier censura y vencer toda dificultad. ‖ **poner una pica en Flandes.** fr. fig. y fam. Ser mucha la dificultad para conseguir una cosa. ‖ **saltar por las picas de Flandes.** fr. fig. y fam. Atropellar por cualesquiera respetos o inconvenientes. ‖ **2.** fig. y fam. **poner una pica en Flandes.**

pica². (Del lat. *pica,* urraca.) f. *Med.* Afición del apetito a comer materias extrañas, tierra, etc.

picacero, ra. adj. Aplícase a las aves de rapiña, como el halcón, el azor, etc., que cazan picazas.

picacho. m. Punta aguda, a modo de pico, que tienen algunos montes y riscos.

picada. f. Acción y efecto de picar un ave, un reptil o un insecto. ‖ **2.** Acción y efecto de morder un pez al anzuelo. ‖ **3.** fam. *Col.* **punzada,** dolor agudo y pasajero. ‖ **4.** *Amér. Central, Argent., Bol., C. Rica, Par.* y *Urug.* Camino o senda abierta por el hombre a través de la espesura del monte. ‖ **5.** *Argent.* **tapa¹,** acompañamiento de una bebida, por lo común alcohólica.

picadero. (De *picar.*) m. Lugar o sitio donde los picadores adiestran y trabajan los caballos, y las personas aprenden a montar. ‖ **2.** Madero de corto tamaño con una muesca en medio donde los carpinteros aseguran las cuñas u otros palos que adelgazan con la azuela. ‖ **3.** Hoyo que hacen los gamos escarbando el suelo con las manos, al mismo tiempo que se aguzan los cuernos contra los árboles en la época del celo o ronca. ‖ **4.** *Argent.* Pista de arena en el circo. ‖ **5.** *Mar.* Cada uno de los maderos cortos que se colocan a lo largo del eje longitudinal de un dique o grada, y en sentido perpendicular al mismo, para que sobre ellos descanse la quilla del buque en construcción o en carena.

picadillo. (De *picado*) m. Cierto género de guisado que se hace picando carne cruda con tocino, verduras y ajos, y cociéndolo y sazonándolo todo con especias y huevos batidos. ‖ **2.** Lomo de cerdo, picado, que se adoba para hacer chorizos. ‖ **estar,** o **venir, uno de picadillo.** fr. fig. y fam. Estar, uno, enfadado y deseoso de que se ofrezca la más leve ocasión para dar a entender su sentimiento.

picado, da. p. p. de **picar.** ‖ **2.** adj. Dícese del patrón que se traza con picaduras para señalar el dibujo, principalmente entre las encajeras. ‖ **3.** Aplícase a lo que está labrado con picaduras o sutiles agujerillos puestos en orden. *Zapato, tafetán* PICADO. ‖ **4.** Dícese de la persona que tiene huellas o cicatrices de viruelas. ‖ **5.** fig. y fam. Resentido, disgustado u ofendido por algo. ‖ **6.** *Amér.* Achispado, calamocano. ‖ **7.** m. Carne cruda **picada** con varios ingredientes y especias. ‖ **8.** Acción y efecto de picar la bola de billar. ‖ **9.** *Cuba.* **picada,** camino. ‖ **10.** *Mús.* Modo de ejecutar una serie de notas interrumpiendo momentáneamente el sonido entre unas y otras, por contraposición al ligado. ‖ **11.** *Cinem.* y *TV.* Ángulo de toma por el cual la cámara se inclina sobre el objeto filmado. ‖ **en picada.** loc. adv. *Col.* **en picado.** ‖ **en picado.** loc. adv. para expresar el vuelo de un avión hacia abajo o su caída casi verticalmente y a gran velocidad. ‖ **2.** fig. Con verbos como *caer* y *entrar,* descender rápida o irremediablemente. *Su salud* CAYÓ EN PICADO. *Los negocios* ENTRARON EN PICADO.

picador. (De *picar.*) m. El que tiene el oficio de domar y adiestrar caballos. ‖ **2.** Torero a caballo que pica con garrocha a los toros. ‖ **3.** Tajo de cocina. ‖ **4.** *Min.* El que tiene por oficio arrancar el mineral por medio del pico u otro instrumento semejante.

picadura. f. Acción y efecto de picar una cosa. ‖ **2.** Pinchazo que se hace con un instrumento agudo. ‖ **3.** En los vestidos o calzado, cisura que artificiosamente se hace

para adorno o para conveniencia. ‖ **4.** Mordedura o punzada de un ave o un insecto o de ciertos reptiles. ‖ **5.** Señal que deja esa **picadura.** ‖ **6.** Tabaco picado para fumar, que, según lo esté en filamentos o en partículas informes, se llama en hebra o al cuadrado. ‖ **7.** Principio de caries en la dentadura. ‖ **8.** Agujero, grietas, etc., producidos por la herrumbre en una superficie metálica.

picafigo. (De *picar* y *figo.*) m. **papafigo,** pájaro.

picaflor. (De *picar* y *flor.*) m. **pájaro mosca.**

picagallina. (De *picar* y *gallina.*) f. **álsine,** planta.

picagrega. f. **pega reborda.**

picajón, na. adj. fam. Que fácilmente se pica o da por ofendido. Ú. t. c. s.

picajoso, sa. adj. Que fácilmente se pica o da por ofendido. Ú. t. c. s.

pical. m. En varias comarcas de España, sitio de confluencia o cruce de diferentes caminos vecinales.

picamaderos. (De *picar* y *madero.*) m. **pájaro carpintero.**

picana. (De *picar,* con el suf. quechua *-na.*) f. *Amér. Merid.* Aguijada de los boyeros.

picanear. (De *picana.*) tr. *Amér. Merid.* Aguijar a los bueyes.

picante. p. a. de **picar.** Que pica. ‖ **2.** adj. V. **palabra picante.** ‖ **3.** fig. Aplícase a lo dicho con cierta acrimonia o mordacidad, que, por tener en el modo alguna gracia, se suele escuchar con gusto, o a lo que expresa ideas o conceptos un tanto libres. ‖ **4.** m. Acerbidad o acrimonia que tienen algunas cosas, que avivan el sentido del gusto. ‖ **5.** fig. Acrimonia o mordacidad en el decir. ‖ **6.** *Germ.* **pimienta.** ‖ **7.** *Méj.* **chile¹.** ‖ **8.** *Méj.* Salsa o guiso con exceso de chile.

picantemente. adv. m. Con intención de picar o herir.

picaño¹. (De *pico.*) m. p. us. Remiendo que se echa al zapato.

picaño², ña. (De *picar.*) adj. Pícaro, holgazán, andrajoso y de poca vergüenza.

picapedrero. m. El que pica piedras, cantero.

picapica. (De *picar.*) f. Polvos, hojas o pelusilla vegetales que, aplicados sobre la piel de las personas, causan una gran comezón. Proceden de varias clases de árboles americanos.

picapleitos. (De *picar* y *pleito.*) m. fam. **pleitista.** ‖ **2.** fam. Abogado sin pleitos, que anda buscándolos. ‖ **3.** fam. Abogado enredador y rutinario. ‖ **4.** ant. Hombre embustero, trapisondista.

picaporte. (Del cat. *picaportes,* aldaba.) m. Instrumento para cerrar de golpe las puertas y ventanas. las puertas y ventanas. ‖ **2.** Llave con que se abre el **picaporte.** ‖ **3.** Llamador, aldaba. ‖ **4.** V. **moño de picaporte.** ‖ **de resbalón.** Especie de cerradura cuyo pestillo entra en el cerradero y queda encajado por la presión en un resorte.

picaposte. m. Picamaderos, picarrelincho.

picapuerco. (De *picar* y *puerco.*) m. Ave trepadora, de unos 16 centímetros de longitud, desde la punta del pico hasta la extremidad de la cola, y 35 de envergadura, con plumaje negro brillante en las partes superiores, manchado de blanco en las alas, ceniciento en los lados de la cabeza y el cuello, sonrosado en el pecho y rojo vivo en la nuca y el abdomen. Es común en España y se alimenta de insectos que saca del interior de la madera.

picar. (De *pico¹.*) tr. Pinchar una superficie con instrumento punzante. Ú. t. c. prnl. ‖ **2.** Herir el picador al toro en el morrillo con la garrocha, procurando detenerlo cuando acomete al caballo. ‖ **3.** Morder o herir con el pico o la boca ciertos animales. ‖ **4.** Cortar o dividir en trozos muy menudos. ‖ **5.** Tomar las aves la comida con el pico. ‖ **6.** Morder el pez el cebo puesto en el anzuelo para pescarlo; y por ext., acudir a un engaño o caer en él. ‖ **7.** Enardecer el paladar ciertas cosas excitantes; como la pimienta, la guindilla, etc. Ú. t. c. intr. ‖ **8.** Comer uvas de un racimo tomándolas grano a grano. Ú. m. c. intr. ‖ **9.** Avivar con la espuela a la cabalgadura, espolear. ‖ **10.** Adiestrar el picador al caballo. ‖ **11.** Llamar a la puerta. ‖ **12.** Golpear con el taco la bola de billar imprimiéndole un movimiento giratorio, distinto del de traslación. ‖ **13.** Recortar o agujerear papel o tela haciendo dibujos. ‖ **14.** En los medios de transporte públicos, taladrar el revisor los billetes de los viajeros. ‖ **15.** Corroer, horadar un metal por efecto de la oxidación. Ú. m. c. prnl. ‖ **16.** Golpear con pico, piqueta u otro instrumento adecuado, la superficie de las piedras para labrarlas, o la de las paredes para revocarlas. ‖ **17.** Restablecer las asperezas de las caras de la muela de molino, cuando se han desgastado por el uso. ‖ **18.** fig. Mover, excitar o estimular. Ú. t. c. intr. ‖ **19.** fig. Enojar y provocar a otro con palabras o acciones. ‖ **20.** fig. Desazonar, inquietar, estimular. Se usa regularmente hablando de los juegos. ‖ **21.** En el juego de los cientos, contar el que es mano 60 puntos cuando según las jugadas debía contar 30, por no tener todavía ninguno el contrario. ‖ **22.** *Murc.* Moler o desmenuzar una cosa. ‖ **23.** *Mar.* Cortar a golpe de hacha o de otro instrumento cortante. ‖ **24.** *Mar.* Remar o bogar más de prisa. ‖ **25.** *Mar.* Hacer funcionar una bomba. ‖ **26.** *Mil.* Seguir al enemigo que se retira, atacando la retaguardia de su ejército. ‖ **27.** *Mús.* Hacer sonar una nota de manera muy clara, dejando un cortísimo silencio que la desligue de la siguiente. ‖ **28.** *Pint.* Concluir con algunos golpecitos graciosos y oportunos una cosa pintada. ‖ **29.** intr. Experimentar cierto ardor, escozor o desazón alguna parte del cuerpo. *Me* PICA *la garganta.* Ú. t. c. impers. *¿Dónde te* PICA? *Me* PICA *en todo el cuerpo.* ‖ **30.** Calentar mucho el sol. ‖ **31.** Tomar una ligera porción de un manjar o cosa comestible. ‖ **32.** Abrir un libro a la ventura para disertar sobre el punto que aparezca a la vista. ‖ **33.** fig. Empezar a concurrir compradores. ‖ **34.** fig. Empezar a obrar o tener efecto algunas cosas no materiales. PICAR *la peste.* ‖ **35.** fig. Tener ligeras o superficiales noticias de las facultades, ciencias, etc. ‖ **36.** Volar las aves veloz y verticalmente hacia tierra. ‖ **37.** Descender un avión casi verticalmente, por accidente o por decisión del piloto. ‖ **38.** fig. Junto con la preposición *en,* tocar, llegar, rayar. PICAR EN *valiente,* EN *poeta.* ‖ **39.** prnl. Agujerearse la ropa por la acción de la polilla. ‖ **40.** Cariarse un diente, una muela, etc. ‖ **41.** Dañarse o empezar a pudrirse una cosa, y también avinagrarse el vino o carcomerse las semillas. ‖ **42.** Estar en celo los animales por haber conocido hembra. ‖ **43.** Agitarse la superficie del mar formando olas pequeñas a impulso del viento. ‖ **44.** fig. Ofenderse, enfadarse o enojarse, a causa de alguna palabra o acción ofensiva o indecorosa. ‖ **45.** fig. Preciarse, jactarse de alguna cualidad o habilidad que se tiene. PICARSE *de caballero.* ‖ **46.** fig. Dejarse llevar de la vanidad, creyendo poder ejecutar lo mismo o más que otro en cualquier línea. ‖ **picar** uno **más alto,** o **muy alto. fr.** fig. Jactarse alguien con demasía de las calidades o partes que tiene, o pretender y solicitar una cosa muy exquisita y elevada, desigual a sus méritos y calidad. ‖ **picárselas.** loc. verbal fig. *Argent.* y *Perú.* Irse, por lo común rápidamente.

pícaramente. adv. m. Ruin e infamemente, con vileza y picardía.

picaraza. f. Urraca, pega, picaza, marica.

picardear. tr. Enseñar a alguno a hacer o decir picardías. ‖ **2.** intr. Decirlas o ejecutarlas. ‖ **3.** Retozar, enredar, travesear. ‖ **4.** prnl. Resabiarse, adquirir algún vicio o mala costumbre.

picardía. (De *pícaro.*) f. Acción baja, ruindad, vileza, engaño o maldad. ‖ **2.** Bellaquería, astucia o disimulo en decir una cosa. ‖ **3.** Travesura de muchachos, chasco, burla

inocente. ‖ **4.** Intención o acción deshonesta o impúdica. ‖ **5.** p. us. Junta o gavilla de pícaros. ‖ **6.** pl. Dichos injuriosos, denuestos. ‖ **7.** m. pl. Camisón corto, con tirantes, hecho generalmente de tela transparente.

picardihuela. f. d. de **picardía.**

picardo, da. adj. Natural de Picardía. Ú. t. c. s. ‖ **2.** Perteneciente o relativo a esta provincia de Francia. ‖ **3.** m. Dialecto de los **picardos.**

picaresca. f. Reunión de pícaros. ‖ **2.** Profesión de pícaros. ‖ **3.** Subgénero literario formado por las novelas picarescas. ‖ **4.** Forma de vida ruin, aprovechada y carente de honradez.

picaresco, ca. adj. Perteneciente o relativo a los pícaros. ‖ **2.** Aplícase a las producciones literarias en que se pinta la vida de los pícaros, y a este género de literatura. ‖ **3.** V. **novela picaresca.**

picaril. adj. Perteneciente o relativo a los pícaros.

picarizar. tr. Hacer pícaro a otro.

pícaro, ra. (De etim. disc.) adj. Bajo, ruin, doloso, falto de honra y vergüenza. Ú. t. c. s. ‖ **2.** Astuto, taimado. Ú. t. c. s. ‖ **3.** fig. Dañoso y malicioso en su línea. *Hace un aire* PÍCARO. ‖ **4.** m. y f. Tipo de persona descarada, traviesa, bufona y de mal vivir, no exenta de cierta simpatía, protagonista de obras magistrales de la literatura picaresca española. ‖ **de cocina. pinche.**

picarón, na. adj. aum. de **pícaro.** Muy pícaro.

picaronazo, za. adj. Muy pícaro.

picarote. adj. Muy pícaro.

picarrelincho. (De *picar* y *relinchar.*) m. Picamaderos, picaposte.

picarro. m. Picamaderos, picarrelincho.

picaruña. f. *Murc.* Becada, chocha.

picasiano, na. adj. Perteneciente o relativo al pintor español Pablo Ruiz Picasso.

picatoste. (De *picar,* cortar, y *tostar.*) m. Rebanadilla de pan tostada con manteca o frita.

pica y huye. f. *Venez.* Insecto himenóptero, especie de hormiga muy pequeña, pero maligna, pues su picadura es dolorosa y produce calentura. En cuanto pica se va a todo correr, y de ahí su nombre.

picayos. m. pl. *Cantabria.* Danza popular de carácter religioso propia de romerías, procesiones y también de algunos actos profanos. ‖ **2.** Canto con que se acompaña esta danza.

picaza[1]. (Del lat. *pica*.) f. **urraca.** ‖ **chillona,** o **manchada. pega reborda.** ‖ **marina. flamenco,** ave zancuda.

picaza[2]. (De *pico*[1].) f. *Murc.* Azada o legón pequeño que sirve para cavar la tierra superficialmente y limpiarla de las hierbas.

picazo[1]. m. Golpe que se da con la pica o con alguna cosa puntiaguda y punzante. ‖ **2.** Señal que queda de este golpe.

picazo[2]. (De *pico*[1].) m. **picotazo.**

picazo[3]. (De *picaza*[1].) m. Pollo de la picaza.

picazo[4], **za.** (De *picaza,* urraca.) adj. Dícese del caballo o yegua de color blanco y negro mezclados en forma irregular y manchas grandes. Ú. t. c. s. m.

picazón. (De *picar.*) f. Desazón y molestia que causa una cosa que pica en alguna parte del cuerpo. ‖ **2.** fig. Enojo, desabrimiento o disgusto.

picazuroba. f. Ave gallinácea, semejante en el tamaño, forma y plumaje a la tórtola, pero con el pico y los pies de color negro rojizo, el pecho carmesí, y el vientre encarnado. Se encuentra en América desde el Brasil hasta los Estados Unidos.

pícea. (Del lat. *picĕa.*) f. Árbol parecido al abeto común, del cual se distingue por tener las hojas puntiagudas y las piñas más delgadas y colgantes al extremo de las ramas superiores. No la hay silvestre en España.

píceo, a. (Del lat. *picéus*.) adj. De pez² o parecido a ella.
Picio. n. p. **más feo que Picio.** expr. fig. y fam. Dícese de la persona excesivamente fea.
pícnico, ca. adj. De cuerpo rechoncho y con tendencia a la obesidad.
pico¹. (Del m. or. que *pica¹*.) m. Parte saliente de la cabeza de las aves, compuesta de dos piezas córneas, una superior y otra inferior, que terminan generalmente en punta y les sirven para tomar el alimento. ‖ **2.** Parte puntiaguda que sobresale en la superficie o en el borde o límite de alguna cosa. ‖ **3.** Herramienta de cantero, con dos puntas opuestas aguzadas y enastada en un mango largo de madera, que sirve principalmente para desbastar la piedra. ‖ **4.** Instrumento formado por una barra de hierro o acero, de unos 60 centímetros de largo y cinco de grueso, algo encorvada, aguda por un extremo y con un ojo en el otro para enastarla en un mango de madera. Es muy usado para cavar en tierras duras, remover piedras, etc. ‖ **5.** Punta acanalada que tienen en el borde algunas vasijas, para que se vierta con facilidad el líquido que contengan, y en los candiles y velones, para que la mecha no arda más de lo necesario. ‖ **6.** Cúspide aguda de una montaña. ‖ **7.** Montaña de cumbre puntiaguda. ‖ **8.** Pañal triangular de los niños, generalmente de tejido afelpado. ‖ **9.** Parte pequeña en una cantidad que excede a un número redondo. *Mil pesetas y tres de* PICO. ‖ **10.** Esta misma parte cuando se ignora cuál sea o no se quiere expresar. *Cien pesetas y* PICO. ‖ **11.** Cantidad indeterminada de dinero. Se usa generalmente en sent. despectivo. ‖ **12.** V. **azadón de pico.** ‖ **13.** V. **sombrero de tres picos.** ‖ **14.** fig. y fam. Boca de una persona. ‖ **15.** Pinza de las patas delanteras de los crustáceos. ‖ **16.** fig. y fam. Facundia, expedición y facilidad en el decir. ‖ **17.** Punta o porción de ganado. ‖ **18.** fig. y fam. *Col.* Beso. ‖ **19.** *Chile.* Crustáceo del género bálano, de figura semejante a la cabeza del ave de su nombre y de carne blanca y sabrosa. ‖ **20.** *Zool.* Órgano chupador de los hemípteros, el cual consiste en un tubo que contiene cuatro cerdas largas y punzantes con las que el animal perfora los tejidos vegetales o animales, haciendo salir de ellos los líquidos de que se alimenta. ‖ **barreno o carpintero. pájaro carpintero.** ‖ **cangrejo.** *Mar.* **cangrejo,** verga que se ajusta al palo. ‖ **de cigüeña.** Planta herbácea anual, de la familia de las geraniáceas, con tallos velludos y ramosos de cuatro a seis decímetros de altura; hojas pecioladas, grandes y recortadas en segmentos dentados por el margen; flores pequeñas, amoratadas, en grupillos sobre un largo pedúnculo, y fruto seco, abultado en la base y lo demás de forma cónica muy prolongada, el cual contiene cinco semillas. Es común en España en terrenos incultos y hay diversas especies. ‖ **de frasco.** *Venez.* **tucán.** ‖ **de oro.** fig. Persona que habla bien. ‖ **abrir el pico.** fr. fig. y fam. Intentar hablar o replicar. Ú. m. en formas negativas. ‖ **andar de picos pardos.** fr. fig. y fam. Ir de juerga a diversión a sitios de mala nota. ‖ **andar uno a picos pardos.** fr. fig. y fam. Entregarse a cosas inútiles o torpes, por no trabajar y por andarse a la briba, pudiendo aplicarse a las útiles y provechosas. ‖ **a pico de jarro.** loc. adv. con que se explica la acción de beber sin medida. ‖ **callar o cerrar uno el, o su, pico.** fr. fig. y fam. **callar.** ‖ **2.** fig. y fam. Disimular, no darse por enterado de lo que sabe. ‖ **cortado a pico.** loc. adj. Dícese de la escarpa vertical en un terreno. ‖ **de pico.** loc. adv. fig. y fam. **de boquilla,** con falsedad. ‖ **2.** Se dice del ave que vuela hacia el cazador. ‖ **echar mucho pico.** fr. fig. y fam. Hablar en demasía. ‖ **hacer el pico.** fr. fig. y fam. Mantenerle de comida. ‖ **hincar el pico.** fr. fam. Acabar la vida una persona o un animal. ‖ **irse uno a, o de picos pardos. andar de picos pardos.** ‖ **limpiarle** a uno **el pico.** fr. fig. y fam. *P. Rico.* Matar a una persona. ‖ **llevarse** a uno **en el pico.** fr. fig. y fam.

fam. Hacerle una gran ventaja en la ejecución o comprensión de una cosa, y más regularmente en materia de ciencia. ‖ **no perderá por su pico.** expr. fig. y fam. con que se nota al que se alaba jactanciosamente. ‖ **perder, o perderse,** uno **por el pico.** fr. fig. y fam. Venirle daño por haber hablado lo que no debía. ‖ **pico a viento.** loc. adv. Con el viento en la cara. Ú. entre cazadores. ‖ **pico por sí.** loc. adv. *Cetr.* Sin embarazo alguno de capirote ni de otra cosa en el **pico** del ave de rapiña. ‖ **poner en pico** a uno alguna cosa. fr. fig. y fam. Hablar, o dar noticia, de lo que sería mejor tener callado. ‖ **tener** una cosa **en el pico de la lengua.** fr. fig. y fam. **tenerla en la punta de la lengua.** ‖ **tener** uno mucho **pico.** fr. fig. y fam. Descubrir todo lo que se sabe o hablar más de lo regular.
pico². (Del lat. *picus*.) m. Picarro, picamaderos, picarrelincho. ‖ **verde.** Ave trepadora, semejante al pájaro carpintero, pero con plumaje verdoso y muy encarnado en el moño de la cabeza. Es común en España.
pico³. m. Medida de peso usada en Filipinas, igual a 10 chinantas, y equivalente a 63 kilogramos y 262 gramos.
pico-. (De *pico¹*, pequeña cantidad excedente.) Elemento compositivo inicial de nombres que significan la billonésima parte (10^{-12}) de las respectivas unidades. PICO*faradio,* PI-CO*gramo.* Su símbolo es *p.*
picofeo. (De *pico¹* y *feo.*) m. *Col.* **tucán,** ave.
picola. f. Especie de pico de cantero.
picoleta. f. *Ál.* Vasija con un cañoncito que le sirve de pico y un asa en la parte opuesta, pistero. ‖ **2.** *Ar.* y *Murc.* Piqueta de albañil.
picolete. (De fr. *picolet.*) m. Grapa dentro de la cerradura, para sostener el pestillo.
picón, na. (De *picar.*) adj. Dícese del caballo, mulo o asno cuyos dientes incisivos superiores sobresalen de los inferiores, por lo cual no pueden cortar bien la hierba. ‖ **2.** Picajón, picajoso. ‖ **3.** m. Chasco, zumba o burla que se hace a uno para picarle e incitarle a que ejecute una cosa. ‖ **4.** Especie de carbón muy menudo, hecho de ramas de encina, jara o pino, que solo sirve para los braseros. ‖ **5.** En algunas partes, arroz quebrantado. ‖ **6.** Pez pequeño de agua dulce, especie de barbo, que tiene la cabeza alargada y el hocico puntiagudo. ‖ **7.** *Can.* Restos volcánicos que retienen la humedad. ‖ **8.** f. *Sor.* Becada, chocha, picarúa.
piconero, ra. m. y f. Persona que fabrica o vende el carbón llamado **picón.** ‖ **2.** m. Picador de toros.
picor. m. Desazón que causa una cosa que pica, picazón. ‖ **2.** Escozor que resulta en el paladar por haber comido alguna cosa picante.
picosa. (De *picar.*) f. *Germ.* Paja menuda de gramíneas seca y triturada.
picoso, sa. (De *picar.*) adj. Aplícase al que está muy picado o señalado de viruelas. ‖ **2.** *Méj.* Aplícase al guiso que tiene exceso de chile.
picota. (De *pico¹* y *pica¹*.) f. Rollo o columna de piedra o de fábrica, que había a la entrada de algunos lugares, donde se exponían públicamente las cabezas de los ajusticiados, o los reos. ‖ **2.** Juego de muchachos, en que cada jugador tira un palo puntiagudo para clavarlo en el suelo y derribar el del contrario. ‖ **3.** Variedad de cereza, que se caracteriza por su forma apuntada, consistencia carnosa y muy escasa adherencia al pedúnculo. ‖ **4.** fig. Parte superior, en punta, de una torre o montaña muy alta. ‖ **5.** *Mar.* Barra ahorquillada donde descansa el perno sobre el cual gira el guimbalete.
picotada. f. picotazo.
picotazo. m. Acción y efecto de picar un ave, un reptil o un insecto.
picote. (En port. *picoto* y *picote*.) m. Tela áspera y basta de

pelo de cabra. ‖ **2.** Cierta tela de seda muy lustrosa con la que se hacían vestidos. ‖ **3.** Vestido tosco.

picoteado, da. p. p. de **picotear.** ‖ **2.** adj. Dícese de la fruta **picoteada** por las aves. ‖ **3.** Que tiene picos.

picotear. (De *pico*[1].) tr. Golpear o herir las aves con el pico. ‖ **2.** intr. fig. Mover de continuo la cabeza el caballo, de arriba hacia abajo y viceversa. ‖ **3.** fig. y fam. Hablar mucho de cosas inútiles e insustanciales. ‖ **4. picar,** comer de diversas cosas y en ligeras porciones. Ú. t. c. intr. ‖ **5.** prnl. fig. y fam. Contender o reñir las mujeres entre sí, diciéndose palabras más o menos desagradables.

picoteo. m. Acción y efecto de picotear.

picotería. (De *picotero*.) f. p. us. Prurito de hablar.

picotero, ra. (De *picotear*, hablar.) adj. fam. Que habla mucho y sin sustancia ni razón, o dice lo que debía callar. Ú. t. c. s.

picotillo. m. Picote de inferior calidad.

picotín. m. Cuarta parte del cuartal, medida para áridos.

picrato. (Del gr. πικϱός, amargo.) m. *Quím.* Sal formada por el ácido pícrico.

pícrico. (Del gr. πικϱός, amargo.) adj. *Quím.* V. **ácido pícrico.**

picta. adj. lat. V. **toga picta.**

pictografía. (Del lat. *pictus*, p. p. de *pingĕre*, pintar, y *-grafía*.) f. Escritura ideográfica que consiste en dibujar los objetos que han de explicarse con palabras.

pictográfico, ca. adj. Perteneciente o relativo a la pictografía.

pictograma. (Del lat. *pictus*, pintado, y *-grama*.) m. Signo de la escritura de figuras o símbolos, ideograma.

pictórico, ca. (Del lat. *pictor, -ōris,* pintor.) adj. Perteneciente o relativo a la pintura. ‖ **2.** Adecuado para ser representado en pintura.

picuda. f. *Col., Cuba, P. Rico* y *Venez.* **barracuda.**

picudear. tr. *El Salv.* Extraer los picudos de las plantas de algodón.

picudilla. (De *picudillo*.) f. Ave zancuda, de unos 20 centímetros de longitud, desde la punta del pico hasta la extremidad de la cola, y 35 de envergadura; con pico delgado, largo y negruzco, cabeza pequeña, alas agudas, cola corta y redonda; plumaje de color pardo oscuro en la cabeza, lomo y alas, blanquecino en el pecho y vientre y transversalmente rayado de blanco y negro en la cola; tarsos largos, finos y de color verde muy oscuro, lo mismo que los pies. Prefiere los parajes húmedos, se alimenta de insectos y gusanos, que busca entre la tierra, y es ave de paso en España.

picudillo, lla. adj. d. de **picudo.** ‖ **2.** V. **aceituna picudilla.** Ú. t. c. s.

picudo, da. (De *pico*[1].) adj. Que tiene pico. ‖ **2.** Que tiene forma de pico. ‖ **3.** Que tiene hocico. ‖ **4.** fig. y fam. Aplícase a la persona que habla mucho e insustancialmente. ‖ **5.** m. Asador, espetón. ‖ **6.** *El Salv.* Insecto muy dañino que destruye la planta del algodón.

picha. f. **pene,** miembro viril.

pichagua. f. *Venez.* Fruto del pichagüero.

pichagüero. m. *Venez.* Especie de calabaza.

pichana. (Del quechua *pichana,* de *pichay,* barrer.) f. *Argent.* Escoba rústica hecha con un manojo de ramillas.

pichanal. m. *Argent.* (*NO.* y *Cuyo.*) Terreno poblado de pichanas.

pichanga. (Del quechua.) f. *Col.* Escoba de barrer. ‖ **2.** *Argent.* (*NO.* y *Cuyo.*) Vino que no ha terminado de fermentar. ‖ **engaña puchanga.** com. *Argent.* **engañapichanga, engañabobos.**

piche. adj. V. **trigo piche.** Ú. t. c. s.

pichel. (Del occitano o fr. *pichier*.) m. Vaso alto y redondo, ordinariamente de estaño, algo más ancho del suelo que de la boca y con su tapa engoznada en el remate del asa.

pichelería. f. Oficio de pichelero.

pichelero. m. El que hace picheles.

pichelingue. m. Pirata, pechelingue.

pichella. (De *pichel.*) m. *Ar.* Jarro o vasija para medir vino, y cuya cabida es por término medio la mitad de un litro.

pichi[1]. (De or. araucano.) m. *Chile.* Arbusto de la familia de las solanáceas, con hermosas flores blancas, solitarias y muy numerosas en el extremo de los ramos tiernos. Se usa en medicina como diurético.

pichi[2]. m. Prenda de vestir femenina, semejante a un vestido sin mangas y escotado, que se pone encima de una blusa, jersey, etc.

pichí o **pichín.** m. fam. *Argent., Chile* y *Urug.* **pipí,** orina, en lenguaje infantil.

pichicato, ta. adj. *Méj.* **cicatero.**

pichihuén. (Del arauc. *pichi,* pequeño, y *huenu,* arriba.) m. Pez acantopterigio, muy estimado por su carne y que suele tener unos 40 centímetros de largo.

pichincha. (Del port. *pechincha.*) f. *Argent.* Ganga, ocasión.

pichinchero, ra. m. y f. *Argent.* Persona que busca pichinchas.

pichingo, ga. adj. *Argent.* (*NO.* y *Cuyo.*) Pequeño, muy chico.

pichiruche. m. *Chile* y *Perú.* Dícese de la persona insignificante.

pichoa. f. *Chile.* Planta de la familia de las euforbiáceas, de raíz gruesa, con muchos tallos, largos de un decímetro o más, poblados de hojas alternas, ovaladas y oblongas que se terminan en umbelas trífidas con radios dicótonos. Es hierba muy purgante.

pichola. (De *pichel.*) f. Medida de vino usada en Galicia y equivalente a poco más de un cuartillo.

pichón. (Del it. *piccióne,* y este del lat. *pipío, -ōnis.*) m. Pollo de la paloma casera. ‖ **2.** fig. y fam. Nombre que suele darse a las personas del sexo masculino en señal de cariño.

pichona. (De *pichón,* nombre cariñoso.) f. fam. Nombre que suele darse a las personas del sexo femenino en señal de cariño. ‖ **2.** *Murc.* Juego de naipes usado entre gente del pueblo.

pichuleador, ra. m. y f. fam. p. us. *Argent.* Persona que pichulea.

pichulear. tr. *Chile.* Engañar. ‖ **2.** *Argent.* y *Urug.* Buscar afanosamente ventajas o ganancias pequeñas en compras o negocios.

pichuleo. m. fam. p. us. *Argent.* Acción y efecto de pichulear.

pichulero, ra. m. y f. fam. p. us. *Argent.* **pichuleador.**

pidén. (Del arauc. *pidén*.) m. *Chile.* Ave parecida a la gallareta o foja española; es de color aceitunado por encima y rojizo por el vientre; pico rojo en la base, que se va formando azulado y verdoso en el extremo; ojos purpúreos y tarsos y pies rojos. Frecuenta las riberas y se alimenta de gusanos y vegetales. Es muy tímida, y se domestica por su canto, que es melodioso.

pidientero. (De *pedir*.) m. Pordiosero, mendigo.

pídola. f. Juego de muchachos que consiste en saltar por encima de uno encorvado.

pidón, na. adj. fam. Que pide con frecuencia e importunidad, pedigüeño. Ú. t. c. s.

pie. (Del lat. *pes, pĕdis.*) m. Extremidad de cualquiera de los dos miembros inferiores del hombre, que sirve para sostener el cuerpo y andar. ‖ **2.** Parte análoga en muchos animales. ‖ **3.** Base o parte en que se apoya alguna cosa. ‖ **4.** Tallo de las plantas y tronco del árbol. ‖ **5.** Parte entera. ‖ **6.** Poso, hez, sedimento. ‖ **7.** Masa cilíndrica de uva pisada ya en el lagar y que, ceñida apretadamente con una tira de pleita, se coloca debajo de la prensa para exprimirla y sacar el mosto. ‖ **8.** Lana estambrada para las urdimbres. ‖ **9.** Imprimación que se usa en los tintes para asegurar y dar permanencia al color que definitivamente se emplea. ‖ **10.** En las medias, calcetas o botas, parte que cubre el **pie.** ‖ **11.** Cada una de las partes, de dos, tres o más sílabas, de que se compone y con que se mide un verso en aquellas poesías que, como la griega, la latina y las orientales, atienden a la cantidad. ‖ **12.** desus. Cada uno de los metros que se usan para versificar en la poesía castellana. ‖ **13.** En el juego, el último en orden de los que juegan, a distinción del primero, llamado mano. ‖ **14.** Palabra con que termina lo que dice un personaje en una representación dramática, cada vez que a otro le toca hablar. ‖ **15.** Medida de longitud usada en muchos países, aunque con varia dimensión. ‖ **16.** Regla, planta, uso o estilo. *Se puso sobre el* PIE *antiguo.* ‖ **17.** Parte final de un escrito, y espacio en blanco que queda en la parte inferior del papel, después de terminado. *Al* PIE *de la carta. Cabeza y* PIE *del testamento.* ‖ **18.** Nombre o título de una persona o corporación a la que se dirige un escrito y que se pone al **pie** de este. ‖ **19.** Explicación o comentario breve que se pone debajo de un grabado o fotografía. ‖ **20.** Parte, especialmente la primera, sobre la que se forma una cosa. PIE *de librería, de ejército.* ‖ **21.** Parte opuesta en algunas cosas a la que es principal en ellas, que llaman cabecera. Ú. m. en pl. *Los* PIES *de la iglesia; a los* PIES *de la cama.* ‖ **22.** Fundamento, principio o base para alguna cosa. ‖ **23.** Ocasión o motivo de hacerse o decirse una cosa. *Dar* PIE; *tomar* PIE. ‖ **24.** V. **aceite, agua, clavo de pie.** ‖ **25.** V. **llave del pie.** ‖ **26.** *Geom.* En una línea trazada desde un punto hacia una recta o un plano, punto en que la línea corta a la recta o al plano. ‖ **27.** *Chile.* Seña, parte del precio que se anticipa en una compra como prenda de seguridad. ‖ **28.** *Carp.* Cada una de las partes inferiores de un mueble, que lo sustentan. ‖ **29.** pl. Con los adjetivos *muchos, buenos* y otros semejantes, agilidad y ligereza en el caminar. ‖ **ambulacral.** *Zool.* Cada uno de los apéndices tubuliformes, y eréctiles, a veces terminados en ventosa, que salen por pequeños orificios del dermatoesqueleto de los equinodermos. Intervienen en la función respiratoria de estos animales y en muchos casos actúan como órganos de locomoción. ‖ **columbino. pie de paloma.** ‖ **cuadrado.** Medida de superficie de un cuadrado cuyo lado es un **pie** y equivale a 776 centímetros cuadrados. En la medición de solares es frecuente usar el **pie cuadrado.** ‖ **cúbico.** Volumen de un cubo de un **pie** de lado, equivalente a 21 decímetros cúbicos y 63 centésimas de decímetro cúbico. ‖ **de altar.** Emolumentos que se dan a los curas y otros ministros eclesiásticos por las funciones que ejercen, además de la congrua o renta que tienen por sus prebendas o beneficios. ‖ **de amigo.** Todo aquello que sirve para afirmar y fortalecer otra cosa. ‖ **2.** Instrumento de hierro a modo de horquilla, que se ponía debajo de la barba a los reos a quienes se azotaba o se exponía públicamente, para impedirles que bajasen la cabeza y ocultasen el rostro. ‖ **de banco.** fig. y fam. **pata de gallo,** despropósito. ‖ **2.** fig. y fam. V. **razón, salida de pie de banco.** ‖ **de becerro.** aron, planta. ‖ **de burro. bálano,** marisco cirrópodo. ‖ **de calgar. pie izquierdo** del jinete. ‖ **2. pie izquierdo de la cabalgadura.** ‖ **de cabra.** Palanqueta hendida por uno de sus extremos en forma de dos uñas u orejas. ‖ **2. percebe. de carnero.** *Mar.* Cualquiera de los puntales que hay desde la escotilla hasta la sobrequilla, y tienen a trechos unos pedazos de madera, por donde baja la gente de mar a la bodega. ‖ **de fuerza.** p. us. Parte primera, por pequeña que sea, sobre la que se forma un cuerpo militar. ‖ **2.** p. us. Base de composición de los cuerpos a su fuerza. ‖ **3.** *Amér.* Tropas de un país. ‖ **de gallina. quijones.** ‖ **de gallo.** Lance en el juego de damas, que se hace cuando uno de los jugadores tiene tres damas y la calle mayor, y el otro solo una dama; y el que

tiene las tres las pone en un figura que se asemeja al **pie** de gallo, para que el contrario pierda la suya sin pasar de 12 jugadas. ‖ **2.** Armadura de hierro de donde colgaban las sopandas o correones de los antiguos coches. ‖ **3. pata de gallina.** ‖ **4. pata de gallo,** despropósito. ‖ **5.** loc. *Mar.* Atadura de tres ramales anudados a un cordel. ‖ **de gato. patilla,** parte de la llave de algunas armas de fuego. ‖ **de gibao.** Danza aristocrática que tuvo uso en España hasta mediar el siglo XVII. ‖ **de imprenta.** Expresión de la oficina, lugar y año de la impresión, que suele ponerse al principio o al fin de los libros y otras publicaciones. ‖ **de león.** Planta herbácea anual, de la familia de las rosáceas, con tallos erguidos, ramosos, de cuatro a cinco decímetros; hojas algo abrazadoras, plegadas y hendidas en cinco lóbulos dentados, algo parecidos al **pie** del león, y flores pequeñas y verdosas, en corimbos terminales. Es común en España y se ha empleado en cocimientos como tónica y astringente. ‖ **de liebre.** Especie de trébol muy común en terrenos arenosos de España. Tiene el tallo derecho, de dos decímetros y medio de alto, delgado, muy ramoso y lleno de vello blanco, así como las hojas, que son pequeñas y puntiagudas. Las flores son encarnadas, pequeñas, muy vellosas y suaves, y nacen formando una espiga de figura oval, blanquizca. ‖ **de montar. pie de cabalgar.** ‖ **Pie de Orión.** n. p. *Astron.* **Rigel.** ‖ **de paliza.** Tunda, zurra. ‖ **de paloma. onoquiles.** ‖ **derecho.** *Arq.* Madero de los edificios que se pone verticalmente para que cargue sobre él una cosa. ‖ **2.** Cualquier madero que se usa en posición vertical. ‖ **de tierra.** fig. **palmo de tierra.** ‖ **forzado.** Verso o cada uno de los consonantes o asonantes fijados de antemano para una composición que haya de acabar necesariamente en dicho verso, o que, necesariamente haya de tener la rima prefijada. ‖ **geométrico.** **pie** romano antiguo, que tiene con el de Castilla la relación de 1.000 a 923. ‖ **quebrado.** Verso corto, de cinco sílabas a lo más, y de cuatro generalmente, que alterna con otros más largos en ciertas combinaciones métricas llamadas coplas de **pie quebrado.** ‖ **2.** V. **copla de pie quebrado.** ‖ **siete pies de tierra.** fr. **sepultura,** hoyo donde se entierra un cadáver. ‖ **a cuatro pies.** loc. adv. **a gatas.** ‖ **a pie.** loc. adv. con que se explica el modo de caminar uno sin caballería ni en carruaje. ‖ **a pie enjuto.** loc. adv. Sin mojarse los **pies** al andar por sitio donde hay o debiera haber agua. ‖ **2.** fig. Sin zozobras ni peligros. ‖ **3.** fig. Sin fatiga ni trabajo. ‖ **a pie firme.** loc. adv. Sin moverse o apartarse del sitio que se ocupaba. ‖ **2.** fig. Constante o firmemente, o con seguridad. ‖ **a pie juntillas, o juntillo,** o **a pies juntillas.** loc. adv. Con los **pies** juntos. *Saltó* A PIE JUNTILLAS. ‖ **2.** fig. fam. Con gran porfía y terquedad. *Creer* A PIE JUNTILLAS; *negar* A PIE JUNTILLO. ‖ **a pie llano.** loc. adv. Sin escalones. ‖ **2.** fig. Fácilmente, sin embarazo ni impedimento. ‖ **a pie quedo.** loc. adv. Sin moverse los **pies;** sin andar. ‖ **2.** fig. Sin trabajo o diligencia propia. ‖ **arrastrar** uno **los pies.** fr. fig. y fam. Estar ya muy viejo. ‖ **asentar** uno el **pie.** fr. Pisar seguro, sentar el **pie**

‖ **2.** fig. Nombre o título de una persona o corporación a la que se dirige un escrito y que se pone al **pie** de este.

— columna derecha —

Emolumentos que se dan a los curas y otros ministros

En la segunda columna continúan las definiciones de **pie** de amigo, banco, becerro, burro, etc.

con firmeza. ‖ **2.** fig. Proceder con tiento y madurez en sus operaciones, por la experiencia o escarmiento que ya tiene. ‖ **besar los pies** a uno. fr. fig. que de palabra o por escrito se usa hablando, con personas reales, por respeto y sumisión, y con damas, por cortesanía y rendimiento. ‖ **buscarle tres, o cinco, pies al gato.** fr. fig. y fam. Empeñarse temerariamente en cosas que pueden acarrearle daño. ‖ **2.** Buscar soluciones o razones faltas de fundamento o que no tienen sentido. ‖ **caer de pies** uno. fr. fig. Tener felicidad en aquellas cosas en que hay peligro. ‖ **cerrado como pie de muleto.** expr. fig. y fam. De genio duro y obstinado; que no da oídos a las razones. ‖ **cojear** uno **del mismo pie que** otro. fr. fig. y fam. Adolecer del mismo vicio o defecto que él. ‖ **comerle** a uno **los pies.** fr. fig. Tener prisa por ir a alguna parte. ‖ **comer por los pies** a uno. fr. fig. Ocasionarle gastos excesivos; serle muy gravoso. ‖ **con buen pie.** loc. adv. fig. Con felicidad, con dicha. ‖ **con los pies.** loc. adv. Mal, desacertadamente. *Hacer* CON LOS PIES alguna cosa. ‖ **con mal pie.** loc. adv. fig. Con infelicidad o desdicha. ‖ **con pies, o pies, de plomo.** loc. adv. fig. y fam. Despacio, con cautela y prudencia. Ú. comúnmente con el verbo *ir.* ‖ **con pie derecho.** loc. adv. fig. Con buen agüero, con buena fortuna. ‖ **con un pie en el hoyo, el sepulcro, o la sepultura.** loc. adv. fig. y fam. Cercano a la muerte, por vejez o por enfermedad. ‖ **cortar por el pie.** fr. Echar abajo los árboles, cortándolos a ras de la tierra. ‖ **dar con el pie** a una cosa. fr. fig. Tratarla con desprecio o poca estimación. ‖ **dar el pie** a uno. fr. Servirle de apoyo para subir a un lugar alto, tomándole un **pie** para ayudarle. ‖ **dar** a uno **el pie y tomarse** este **la mano.** fr. fig. y fam. Ofrecer ayuda a uno, y propasarse este, tomándose otras libertades que exceden de la que se le permite. ‖ **dar pie.** fr. fig. Ofrecer ocasión o motivo para una cosa. ‖ **dar por el pie** a una cosa. fr. Derribarla o destruirla del todo. ‖ **de a pie.** loc. adv. Dícese de los soldados, guardas, porteros y otros, que para sus ocupaciones no usan caballo, por contraposición a los que lo tienen. ‖ **2.** V. **escudero, lanzada de a pie.** fr. fig. ‖ **dejar** a uno **a pie.** fr. fig. Quitarle la conveniencia o empleo que tenía; dejarle desacomodado. ‖ **del pie a la mano.** expr. fig. De un instante para otro. ‖ **de pie. de pies.** locs. advs. **en pie.** ‖ **de pies a cabeza.** loc. adv. **enteramente.** ‖ **donde pongo los pies, pongo los ojos.** expr. fig. con que uno explica el dolor que tiene en los **pies,** y que le lastiman ponen si lo tuviera en los ojos. ‖ **echar el pie adelante** a uno. fr. fig. y fam. Aventajarle, excederle en una cosa. ‖ **echar el pie atrás.** fr. fig. y fam. No mantenerse firme en el puesto que se ocupaba o en la resolución que se tenía. ‖ **echar pie a tierra.** fr. Descabalgar o bajarse del coche, etc. ‖ **echarse a los pies de uno.** fr. fig. Pedirle con acatamiento y sumisión una cosa. ‖ **el que está en pie, mire no caiga.** fr. proverb. que enseña el cuidado que se debe tener en la prosperidad, por lo inconstante que es la fortuna. ‖ **en buen pie.** loc. adv. fig. En buen estado, en el orden debido. ‖ **2.** fig. **con buen pie.** ‖ **en pie.** loc. adv. con que se denota que un ha levantado ya de la cama restablecido de una enfermedad, o que no hace cama por ella. Ú. con los verbos *andar, estar,* etc. ‖ **2.** Empléase también para explicar la forma de estar o ponerse uno derecho, erguido o afirmado sobre los **pies.** ‖ **3.** fig. Con permanencia y duración, sin destruirse ni acabarse. ‖ **4.** fig. Constante y firmemente. ‖ **5.** V. **cosecha en pie.** ‖ **en pie de guerra.** loc. adv. Dícese del ejército que en tiempo de paz se halla apercibido y preparado como si fuese a entrar en campaña. Ú. con los verbos *estar,. poner* y alguna otro, y suele aplicarse también a la plaza, comarca o nación que se arma y pertrecha de todo lo necesario para combatir. ‖ **entrar con buen pie, o con el pie derecho, o con pie derecho.** frs. figs. Empezar a dar acertadamente los primeros pasos en un negocio. ‖ **estar a los pies de uno.**

fr. fig. **besarle los pies.** ‖ **estar** uno **al pie del cañón.** loc. fam. No desatender ni por un momento un deber, ocupación, etc. ‖ **estar** uno **a los pies de los caballos.** fr. fig. Estar muy abatido y despreciado. ‖ **estar** uno **con el pie en el estribo.** fr. fig. Estar dispuesto y próximo a hacer un viaje. ‖ **estar** uno **con un pie en el aire.** fr. fig. y fam. No estar de asiento en una parte o estar próximo a hacer un viaje. ‖ **estar** uno **con un pie en la sepultura.** fr. fig. **estar** uno **con un pie en el hoyo, el sepulcro, o la sepultura.** ‖ **estar en pie** una cosa. fr. fig. Permanecer, durar, existir. ‖ **estar** uno **en un pie, o en uno pie como grulla, o como las grullas.** fr. fig. y fam. **andar en un pie,** etc. ‖ **faltarle** a uno **los pies.** fr. fig. Perder el equilibrio a punto de caer o estar para caer. ‖ **hacer** a uno **levantar los pies del suelo.** fr. fig. Inquietarle, obligándole a ejecutar lo que no pensaba. ‖ **hacer pie.** fr. fig. Hallar fondo en que sentar los **pies,** sin necesidad de nadar, el que entra en un río, lago, etc. ‖ **2.** En los lagares, preparar el montón de uva o de aceituna que se ha de pisar. ‖ **3.** fig. Afirmarse o ir con seguridad en un proyecto o intento. ‖ **4.** fig. Pararse o estar de asiento en una parte o lugar. ‖ **herir de pie y de mano.** fr. Temblar violentamente por cualquier causa. ‖ **ir** uno **por su pie.** fr. Ir andando. ‖ **2.** Valerse por sí mismo. ‖ **ir** uno **por su pie a la pila.** fr. fig. con que se le motejaba de cristiano nuevo, por lo tardío de su bautismo. ‖ **írsele los pies** a uno. fr. Escurrirse o deslizarse uno, resbalar. ‖ **2.** fig. Cometer por imprudencia una falta a desacierto. ‖ **irse uno los pies, o por sus pies.** fr. Huir, escapar, por la ventaja que hace en la carrera al que le sigue. ‖ **juntos los pies.** loc. adv. **a pie juntillas.** ‖ **más viejo que andar a pie.** expr. fig. **más viejo que la sarna.** ‖ **meter el pie.** fr. fig. y fam. Introducirse en una casa, o bien en un negocio o dependencia. ‖ **meter un pie.** fr. fig. y fam. Empezar uno a experimentar adelantamiento en el logro de su pretensión. ‖ **mirarse** uno **a los pies.** fr. fig. Reconocer las faltas o defectos que tiene, para no envanecerse; abatir su presunción. ‖ **nacer de pie, o de pies.** fr. fig. y fam. Tener buena fortuna. ‖ **no bullir** uno **pie ni mano.** fr. Permanecer inmóvil, como muerto. ‖ **no caber de pie.** fr. fig. y fam. con que se da a entender la estrechez con que se está en una parte por el demasiado concurso de gente. ‖ **no dar** uno **pie con bola.** fr. fig. No acertar. ‖ **2.** Atolondrarse, aturdirse. ‖ **no dar pie ni patada.** fr. fig. y fam. No ejecutar una materia diligencia alguna. ‖ **no dejar** a uno **sentar el pie en el suelo.** fr. fig. y fam. Traerle continuamente ejercitado y ocupado, sin permitirle rato de ocio o descanso. ‖ **no irse una cosa por pies.** fr. fig. Tenerla asegurada; no ser fácil que deje de lograrse. ‖ **no llegarle** a uno **al pie.** fr. fig. No llegarle a la suela del zapato. ‖ **no llevar una cosa ni pies ni cabeza.** fr. fig. y fam. **no tener pies ni cabeza.** ‖ **no poderse tener uno en pie.** fr. Padecer gran debilidad por enfermedad o por descaecimiento originado de cansancio, etc. ‖ **no poner** uno **los pies en el suelo.** fr. fig. ponderativa. Correr o caminar con gran ligereza o velocidad. ‖ **no tener una cosa pies ni cabeza.** fr. fig. y fam. No tener orden ni concierto. ‖ **parar los pies** a uno. fr. fig. y fam. Detener o interrumpir la acción del que procede de manera inconveniente o descomedida. ‖ **pasar del pie a la mano.** fr. Hablando de las bestias, tener el paso tan largo, que con el **pie** pisan más adelante de donde pisaron con la mano. ‖ **perder pie.** fr. No encontrar el fondo en el agua el que entra en un río, lago, etc. ‖ **2.** fig. Confundirse y no hallar salida en el discurso. ‖ **pie adelante.** loc. adv. Con adelantamiento o mejora en lo que se pretende. Ú. más en frases negativas. *No he podido ir* PIE ADELANTE. ‖ **pie ante pie.** loc. adv. **paso a paso.** ‖ **pie a tierra.** expr. que se usa para mandar a uno que se apee de la caballería. ‖ **2.** Se extiende al que está en un lugar alto para decirle que baje. ‖ **3.** loc. Desmontado del caballo. ‖ **pie atrás.** loc. adv. fig. con que se explica la pérdida, detención o atraso en lo que se intenta. ‖ **pie con bola.** expr. fam. Justamente, sin sobrar ni faltar nada. ‖ **pie con pie.** loc. adv. fig. Muy de cerca y como tocándose una persona a otra con los **pies.** ‖ **pies, ¿para qué os quiero?** expr. que denota la resolución de huir de un peligro. ‖ **poner** a uno **a los pies de los caballos.** fr. fig. y fam. Tratarle o hablar de él con el mayor desprecio. ‖ **poner** a uno **el pie sobre el cuello,** o **el pescuezo.** fr. fig. Humillarle o sujetarle. ‖ **poner los pies en** una parte. fr. Ir a ella. Ú. más con negación. ‖ **poner** uno **los pies en el suelo.** fr. fig. y fam. Levantarse de la cama. ‖ **poner pies con cabeza** las cosas. fr. fig. y fam. Confundirlas, trastornarlas, contra el orden regular. ‖ **poner** uno **pies en pared.** fr. fig. y fam. Mantenerse con tenacidad en su opinión o dictamen; insistir con empeño y tesón. ‖ **poner pies en polvorosa.** fr. fig. y fam. Huir, escapar. ‖ **ponerse** uno **de pies en la dificultad.** fr. fig. Haberla entendido y penetrado. ‖ **ponerse de pies en un negocio.** fr. fig. y fam. Entenderlo o comprenderlo; hacerse cargo de él. ‖ **por pies.** loc. adv. Corriendo, alejándose rápidamente de un lugar. Ú. con los verbos *salir, escapar, irse, salvarse,* etc. ‖ **quedarse** uno **a pie.** fr. fam. No haber podido servirse del vehículo en que se proponía viajar. ‖ **quedar,** o **quedarse, en pie la dificultad.** fr. fig. Subsistir una dificultad o poder volver a ocurrir. ‖ **recalcarse el pie.** fr. Lastimarse por haberse torcido en un movimiento violento. ‖ **saber de qué pie cojea** uno. fr. fig. y fam. Conocer a fondo el vicio o defecto moral de que adolece. ‖ **sacar con los pies adelante** a uno. fr. fig. y fam. Llevarle a enterrar. ‖ **sacar** a uno **el pie del lodo.** fr. fig. y fam. Sacarle de un apuro. ‖ **sacar los pies** a un niño. fr. fam. Vestirle de corto, ponerle a andar. ‖ **sacar los pies de las alforjas,** o **del plato.** fr. fig. y fam. Hablando del tímido, vergonzoso o comedido, empezar éste a atreverse a hablar o a hacer algunas cosas. ‖ **ser pies y manos de** uno. fr. fig. Servirle de alivio y descanso en todos sus asuntos. ‖ **sin pies ni cabeza.** fr. fig. y fam. **no tener** una cosa **pies ni cabeza.** ‖ **tener** a uno **debajo de los pies.** fr. fig. Tenerle el pie sobre el cuello. ‖ **tener** uno **el pie en dos zapatos.** fr. fig. Solicitar o esperar dos o más conveniencias para lograr la que antes pudiere. ‖ **tener** uno **el pie en el estribo,** o **estar con el pie en el estribo.** fr. fig. **tener** a uno **el pie sobre el cuello,** o **el pescuezo.** fr. Tenerle humillado o sujeto. ‖ **tener pies.** fr. fig. Andar a correr mucho, ligera y velozmente. ‖ **tener un pie dentro.** fr. fig. y fam. **meter un pie.** ‖ **tomar** pie una cosa. fr. fig. Arraigarse o coger fuerza. ‖ **tomar** uno **pie** de una cosa. fr. fig. Valerse o tomar ocasión y pretexto de ella. ‖ **traer** a uno **debajo de los pies.** fr. fig. **tenerle debajo de los pies.** ‖ **tres pies,** o **un pie, a la francesa.** loc. adv. fam. De prisa, inmediatamente. Ú. con verbos de movimiento, como *ir, salir, escapar, marcharse.* ‖ **un pie tras otro.** loc. adv. con que a uno se le despide o se le dice que se vaya, recordándole festivamente el modo de andar. ‖ **vestirse** uno **por los pies.** fr. fig. y fam. Ser del sexo masculino. ‖ **volver pie atrás** uno. fr. fig. Retroceder del camino o propósito que seguía.

piecezuela. f. d. de **pieza.**

piecezuelo. m. d. de **pie.**

piedad. (Del lat. *píetas, -átis.*) f. Virtud que inspira, por el amor a Dios, tierna devoción a las cosas santas; y por el amor al prójimo, actos de amor y compasión. ‖ **2.** Amor entrañable que consagramos a los padres y a objetos venerandos. ‖ **3.** Lástima, misericordia, conmiseración. ‖ **4.** V. **monte de piedad.** ‖ **5.** Representación en pintura o escultura del dolor de la Virgen María al sostener el cadáver de Jesucristo descendido de la cruz.

piedra. (Del lat. *petra.*) f. Sustancia mineral, más o menos dura y compacta, que no es terrosa ni de aspecto metálico. ‖ **2.** Trozo de roca tallado para la construcción. ‖ **3.** **piedra** labrada con alguna inscripción o figura. *Hállanse escrituras,* PIEDRAS *y otros vestigios que aseguran esta verdad.* ‖

4. cálculo, concreción anormal. ‖ **5.** Granizo grueso. ‖ **6.** Lugar o sitio donde se dejaban los niños expósitos. ‖ **7.** En ciertos juegos, tanto con que se señalan los puntos ganados. ‖ **8.** Pedernal que se aseguraba en el pie de gato de las armas de chispa para que al disparar choque con el rastrillo y diese fuego. ‖ **9.** Aleación de hierro y cerio que, moldeada en trozos pequeños, se emplea en los encendedores de bolsillo para producir la chispa. ‖ **10.** Muela de molino. ‖ **11.** V. **azúcar, cartón, sal piedra.** ‖ **12.** V. **banco, carbón, edad, jabón, mal, pauji de piedra.** ‖ **13.** V. **hijo, niño de la piedra.** ‖ **afiladera, o aguzadera. piedra amoladera.** ‖ **alumbre. alumbre.** ‖ **amoladera. piedra de amolar.** ‖ **angular.** La que en los edificios hace esquina, juntando y sosteniendo dos paredes. ‖ **2.** fig. Base o fundamento principal de una cosa. ‖ **azufre. azufre.** ‖ **berroqueña. granito,** roca de cuarzo. ‖ **bezar. bezar.** ‖ **bornera. piedra** negra de que en algunas partes se hacen muelas de molino. ‖ **calaminar.** Calamina, mineral. ‖ **ciega.** La preciosa que no tiene transparencia. ‖ **de afilar,** o **de amolar. asperón[1].** ‖ **de cal. caliza.** ‖ **de chispa. pedernal.** ‖ **de escándalo.** fig. Origen o motivo de escándalo. ‖ **de escopeta,** o **de fusil. pedernal.** ‖ **del águila. etites.** ‖ **de la ijada.** Nombre que los conquistadores de América dieron al jade. ‖ **de la luna,** o las **Amazonas. labradorita.** ‖ **del escándalo.** fig. **piedra de escándalo.** ‖ **del Labrador,** o **del sol. labradorita.** ‖ **de lumbre. pedernal.** ‖ **de Moca.** Calcedonia con dendritas. ‖ **de moler.** *Amér.* La de buen tamaño, con una cara cóncava o plana sobre la cual una persona desliza otra **piedra** llamada mano, para triturar diversos tipos de granos. ‖ **de pipas. espuma de mar.** ‖ **de rayo.** Hacha de **piedra** pulimentada, que cree el vulgo proceder de la caída de un rayo. ‖ **de toque.** Jaspe granoso, generalmente negro, que emplean los plateros para toque. ‖ **2.** fig. Lo que conduce al conocimiento de la bondad o malicia de una cosa. ‖ **divina.** *Farm.* Mezcla de alumbre, vitriolo azul, nitro y alcanfor, que se usa como colirio. ‖ **dura.** Toda **piedra** de naturaleza del pedernal, como la calcedonia, el ópalo y otras. ‖ **falsa.** La natural o artificial que imita las preciosas. ‖ **filosofal.** La materia con que los alquimistas pretendían hacer oro artificialmente. ‖ **fina. piedra preciosa.** ‖ **franca.** La que es fácil de labrar. ‖ **fundamental.** La primera que se pone en los edificios. ‖ **2.** fig. Origen y principio donde dimana una cosa, o que le sirve como de base y fundamento. ‖ **imán. imán[1],** mineral. ‖ **infernal.** Nitrato de plata. Se emplea en cirugía para quemar y destruir carnosidades. ‖ **inga. pirita.** ‖ **jabaluna.** *And.* **piedra** caliza de color oscuro, como del jabalí, cuando está mojada. ‖ **jaspe. jaspe.** ‖ **judaica. judaica.** ‖ **lipes. vitriolo azul.** ‖ **litográfica.** Mármol algo arcilloso, de grano fino, en cuya superficie alisada se dibuja o graba lo que se quiere estampar. ‖ **loca. espuma de mar.** ‖ **mármol. mármol.** ‖ **medoreña. piedra amoladera.** ‖ **meteórica. aerolito.** ‖ **molar.** Arenisca de cemento silíceo, muy tenaz y resistente, de la cual se tallan las muelas de molino. ‖ **nefrítica. jade.** Llámase así porque con ella se hacían antiguamente amuletos para curar el mal de riñones. ‖ **ollar.** Variedad de serpentina compuesta principalmente de talco y clorita, de la cual se tallan vasijas en algunos países. ‖ **oninquina. ónique.** ‖ **oscilante.** La de gran tamaño y forma comúnmente redondeada que con facilidad se mueve, por estar en equilibrio sobre otra. ‖ **palmeada.** La que en su fractura presenta estrías parecidas a hojas de palma. ‖ **pómez. piedra** volcánica, esponjosa, frágil, de color agrisado y textura fibrosa, que raya el vidrio y el acero y es muy usada para desgastar y pulir. ‖ **preciosa.** La que es fina, dura, rara y por lo común transparente, o al menos translúcida, y que tallada se emplea en adornos de lujo. ‖ **rodada. canto rodado.** ‖ **seca.** La que se emplea en la mampostería en seco. ‖ **viva. peña viva.** ‖ **voladora.** Rueda de **piedra,** sujeta por un eje horizontal que gira con movimientos de rotación y traslación alrededor del árbol del alfarje en los molinos de aceite. Algunos alfarjes tienen dos o tres de diferente tamaño y colocadas en escala gradual para que puedan producir los efectos del rulo. ‖ **ablandar las piedras.** fr. fig. ponderativa. Excitar gran compasión un caso lastimoso. ‖ **a piedra y lodo.** loc. adv. fig. Completamente cerrado. Dícese de puertas, ventanas, etc. ‖ **bien está la piedra en el agujero.** fr. fig. y fam. que advierte que las personas o las cosas no se deben sacar del lugar que les corresponde. ‖ **de piedra,** loc. adj. fig. y fam. Atónito, paralizado por la sorpresa. Ú. m. con los verbos *dejar* y *quedar. Se quedó* DE PIEDRA *al conocer la fecha de la boda.* ‖ **echar a,** o **en, la piedra.** fr. fig. Dejar a los hijos en una casa de expósitos, también llamada de la **piedra,** por la que había en una concavidad para que los dejaran allí. ‖ **echar la primera piedra.** fr. **poner la primera piedra.** ‖ **echarse una piedra en la manga.** expr. fig. con que se reconviene a uno por haber caído en la misma culpa que reprende. ‖ **hablar las piedras.** fr. fig. **hablar las paredes.** 2. Producir consecuencias extraordinarias o escandalosas, desmesuradas, etc. ‖ **hallar uno la piedra filosofal.** fr. fig. Hallar modo oculto de hacer caudal o de ser rico. ‖ **hasta las piedras.** expr. fig. Todos sin excepción. ‖ **levantarse las piedras contra** uno. fr. fig. con que se ponderan las muchas desgracias que acaecen a una persona, o con que se denota su mala reputación. ‖ **menos de una piedra.** fr. fig. y fam. con que se aconseja a uno que se conforme con lo que pueda obtener, aunque sea muy poco. ‖ **no dejar** uno **piedra por mover.** fr. fig. Poner todas las diligencias y medios para conseguir un fin ‖ **no dejar piedra sobre piedra.** fr. fig. Quedar en completa destrucción y ruina un edificio, ciudad o fortaleza. ‖ **no quedarle** a uno **piedra por mover.** fr. fig. **no dejar piedra por mover.** ‖ **no quedar piedra sobre piedra.** fr. fig. **no dejar piedra sobre piedra.** ‖ **picar la piedra.** fr. Desigualar la superficie de la **piedra** de molino o tahona con un instrumento cortante o punzante, para que más fácilmente muela. ‖ 2. *Cant.* Labrarla. ‖ **poner la primera piedra.** fr. Ejecutar la ceremonia de asentar la **piedra** fundamental en un edificio notable que se quiere construir. ‖ 2. fig. y fam. Dar principio a una pretensión o negocio. ‖ **señalar con piedra blanca,** o **negra.** fr. fig. Celebrar con aplauso y regocijo el día feliz y dichoso, o, por el contrario, lamentar y llorar el aciago y desdichado. Es tomado de que los antiguos señalaban los días afortunados con una **piedra** blanca, y los desgraciados con una negra. ‖ **ser la piedra del escándalo.** fr. fig. Ser una persona o cosa el motivo u origen de una disensión, cuestión o pendencia, y por eso se la blanco de la indignación y ojeriza de todos. ‖ **tener** uno su **piedra en el rollo.** fr. fig. Ser persona de distinción en el pueblo y corresponderle lugar en las cosas de atención y honra. ‖ **tirar** uno **la piedra y esconder la mano.** fr. fig. Hacer daño a otro, ocultando que se lo hace. ‖ **tirar** uno **piedras.** fr. fig. y fam. Estar loco o muy irritado. ‖ **tirar** uno **piedras a su tejado.** fr. fig. y fam. Conducirse de manera perjudicial a sus intereses.

piedrezuela. f. d. de **piedra.**

piejo. (Del lat. *pediculus.*) m. vulg. **piojo.**

piel. (Del lat. *pellis.*) f. *Anat.* Tegumento extendido sobre todo el cuerpo del animal, que en los vertebrados está formado por una capa externa o epidermis y otra interna o dermis. ‖ 2. Cuero curtido. ‖ 3. Cuero curtido de modo que se conserve por fuera su pelo natural. Sirve para forros y adornos y para prendas de abrigo. ‖ 4. *Bot.* Epicarpio de ciertos frutos; como ciruelas, peras, etc. ‖ **de ángel.** Tela de seda parecida al raso, pero menos rígida y con menos brillo que este. ‖ **de rata.** Capa del ganado caballar, de color gris ceniciento, semejante al del ratón. ‖ **de Rusia.** piel adobada a la cual se da olor agradable y permanente por medio de un aceite sacado de la corteza del abedul. ‖ **roja.** Indio indígena de la América del Norte. ‖ **dar** uno **la piel.** fr. fig. y fam. Acabar uno la vida, morir. ‖ **ser** uno **de la,** o **la, piel del diablo.** fr. fig. y fam. Ser muy travieso, enredador y revoltoso, y no admitir sujeción. ‖ **quitar** o **sacar la piel a tiras.** fr. fig. y fam. **poner verde,** criticar duramente a una persona. ‖ **soltar** uno **la piel.** fr. fig. y fam. **dar la piel.**

piélago. (Del lat. *pelăgus,* y este del gr. πέλαγος.) m. Parte del mar, que dista mucho de la tierra. ‖ 2. **mar.** ‖ 3. ant. Balsa, estanque. ‖ 4. fig. Lo que por su abundancia y copia es dificultoso de enumerar y contar.

pielero. m. El que compra pieles crudas o comercia con ellas.

pielga. (Del lat. **pedĭca.*) f. *Sal.* Madero de unos 30 centímetros de largo y convenientemente horadado para que, al formar la corraliza, entren los cañizos enhiestos, que se atan por arriba con vilortas.

pielgo. (Del lat. **pedĭcus.*) m. **piezgo.**

piensador. m. El que da el pienso al ganado y cuida de la limpieza de los locales en que se aloja.

pienso[1]. (Del lat. *pensum.*) m. Porción de alimento seco que se da al ganado. ‖ 2. En general, alimento para el ganado. ‖ **a pienso.** loc. adv. Tomando alimentos secos el animal que ordinariamente pasta en el campo.

pienso[2]. (Del lat. *pensāre.*) m. ant. Pensamiento humano. ‖ **ni por pienso.** loc. adv. **ni por sueños.**

pierde. m. fam. Se usa en la frase **no tener pierde** una cosa. Ser fácil de encontrar, atiéndose a las instrucciones recibidas.

piérides. (Del lat. *Pierĭdes.*) f. pl. Las musas.

pierio, ria. (Del lat. *Pierĭus.*) adj. poét. Perteneciente o relativo a las musas.

pierna. (Del lat. *perna.*) f. Extremidad inferior de las personas. ‖ 2. Parte de esa extremidad comprendida entre la rodilla y el pie. ‖ 3. Muslo de los cuadrúpedos y aves. ‖ 4. Cada una de las dos piezas, agudas por uno de sus extremos, que forman el compás. ‖ 5. fig. Tratando de ciertas cosas, la que unida con otras forma o compone un todo. PIERNA *de sábana.* ‖ 6. En los tejidos, desigualdad o falta de rectitud en las orillas o en el corte. ‖ 7. Especie de cantarilla larga y angosta que desde la parte inferior va ensanchando muy poco hasta cerca de la boca, donde se vuelve a estrechar. ‖ 8. En el arte de escribir, trazo que en algunas letras, como la *M* y la *N,* va de arriba abajo. ‖ 9. *Impr.* Cada uno de los dos maderos o pies derechos que se ponían a un lado y a otro de la prensa, para ceñir y asegurar toda la máquina. ‖ 10. *Argent.* Figura que en el juego del póquer se forma con tres cartas del mismo valor. ‖ 11. com. *Argent.* Cada uno de los individuos que se reúnen para jugar, particularmente a la baraja. ‖ 12. *Argent.* Persona dispuesta a prestar compañía. ‖ 13. *Argent.* Persona lista, avispada. Ú. t. c. adj. ‖ 14. pl. usado c. sing. m. Títere, persona sin autoridad ni relieve. ‖ **de nuez.** *Bot.* Cada uno de los cuatro lóbulos en que está dividida la semilla de una nuez común. ‖ **a la pierna.** loc. adv. *Equit.* Dícese del caballo cuando anda de costado. ‖ **a pierna suelta,** o **tendida.** loc. adv. fig. y fam. Sin preocupación, tranquilamente. ‖ **como pierna de nuez.** loc. fig. y fam. que explica que una cosa no se hace con la rectitud que le corresponde. ‖ **cortar** a uno **las piernas.** fr. fig. y fam. Imposibilitarle para una cosa. Ú. t. c. prnl. ‖ **dormir a pierna suelta,** o **tendida.** fr. fig. y fam. que se explica que una cosa goza y disfruta una cosa con quietud y sin cuidado. ‖ 2. fr. fig. y fam. Dormir profundamente. ‖ **echar** a uno **la pierna encima.** fr. fig. y fam. Excederle o sobrepujarle. ‖ **echar piernas.** fr. fig. y fam. Preciarse o jactarse de galán o valiente. ‖ **en piernas.** loc. adv. Con las **piernas** desnudas. ‖ **estirar** uno **la pierna.** fr. fig. y fam. **estirar la pata.** ‖ **estirar,** o **extender,** uno **las piernas.** fr. fig. y fam. Ir a pie, pasear. ‖ **hacer pierna.** fr. fig. y fam. *Argent.* Colaborar, ayudar. ‖ **hacer piernas.** fr. fig. Afirmarse los caballos en ellas y jugarlas bien. ‖ **2.** fig. Presumir los hombres de galanes y bien formados. ‖ **3.** fig. Estar firme y constante en un propósito. ‖ **4.** fig. Hacer ejercicio andando. ‖ **meter,** o **poner, piernas** al caballo. fr. Avivarle o apretarle para que corra o salga con prontitud. ‖ **ponerse sobre las piernas** el caballo. fr. Suspenderse con garbo sobre ellas. ‖ **traer las piernas** a uno. fr. Darle friegas en ellas.

piernitendido, da. adj. Extendido de piernas.

piesco. (Del lat. [*malum*] *persĭcum*.) m. **melocotón.**

pietismo. m. Movimiento religioso protestante iniciado en Alemania en el siglo XVII, principalmente por Philipp Jakob Spener, como reacción evangélica contra el intelectualismo y el formalismo dominantes en las iglesias luterana y calvinista.

pietista. (Del lat. *pĭĕtas, -ātis,* piedad.) adj. Se aplica a ciertos protestantes que practican o aconsejan el ascetismo más riguroso. Ú. t. c. s. ‖ **2.** Perteneciente o relativo al pietismo.

pieza. (Del célt. **pettia.*) f. Pedazo o parte de una cosa. ‖ **2.** Trozo de tela con que se remienda una prenda de vestir u otro tejido. ‖ **3.** Moneda de metal. ‖ **4.** Alhaja, herramienta, utensilio o mueble trabajados con arte. PIEZA *de plata.* ‖ **5.** Cada una de las partes que suelen componer un artefacto. ‖ **6.** Porción de tejido que se fabrica de una vez. ‖ **7.** Tira de papel continuo que se hace de una vez. ‖ **8.** Cualquier sala o aposento de una casa. ‖ **9.** Espacio de tiempo o lugar. ‖ **10.** Animal de caza o pesca. ‖ **11.** Porción de terreno cultivado perteneciente a un dueño. ‖ **12.** Cada uno de los objetos que componen un conjunto; o cada unidad de ciertas cosas o productos que pertenecen a una misma especie. *Esta vajilla tiene cincuenta* PIEZAS. *Los panecillos se venden a peseta la* PIEZA. ‖ **13.** Bolillo o figura de madera, marfil u otra materia, que sirve para jugar a las damas, al ajedrez y a otros juegos. ‖ **14.** Obra dramática y con particularidad la que no tiene más que un acto. ‖ **15.** Composición suelta de música vocal o instrumental. ‖ **16.** Con calificativo encomiástico, cosa sobresaliente. ‖ **17.** V. **crujía de piezas.** ‖ **18.** ant. Cantidad o porción. ‖ **19.** *Blas.* Cualquiera de las figuras que se forman en el escudo y que como la banda, el palo, el sotuer, etc., no representan objetos naturales o artificiales. ‖ **de artillería.** Cualquier arma de fuego que no es portátil. ‖ **de autos.** *Der.* Conjunto de papeles cosidos, pertenecientes a una causa o pleito. ‖ **de batir.** Antigua boca de fuego que servía para embestir murallas y otros lugares fuertes. ‖ **de examen.** Obra dificultosa con que el artífice acredita su habilidad, cuando se examina de maestro. ‖ **2.** fig. Obra de mérito relevante. ‖ **de leva.** *Mar.* Cañonazo que se tira al tiempo de zarpar las embarcaciones. ‖ **de recibo.** La que en la casa está destinada para admitir visitas. ‖ **eclesiástica. beneficio,** emolumentos y derechos de que goza un eclesiástico. ‖ **honorable.** *Blas.* La que ocupa el tercio de la anchura del escudo. ‖ **honorable disminuida.** *Blas.* La que tiene la misma figura y menos ancho que la honorable. ‖ **tocada.** fig. Aquel asunto que particularmente pertenece o hiere a uno, o la que no puede tocarse sin inconveniente. ‖ **¡buena, gentil,** o **linda pieza!** loc. irón. ¡buena alhaja! **una pieza.** loc. fig. y fam. Sorprendido, suspenso o admirado por haber visto u oído alguna cosa extraordinaria o inesperada. Ú. m. con los verbos *dejar* o *quedar* o *quedarse.* ‖ **hacer piezas.** fr. Despedazar y hacer trozos una cosa. ‖ **hacerse** uno **piezas.** fr. fig. y fam. **hacerse pedazos.** ‖ **hecho una pieza.** loc. fig. y fam. **de una pieza.** ‖ **jugar una pieza.** fr. fig. Ejecutar contra una acción, que le lastime y haga resentirse. Dícese por alusión a los juegos de damas y ajedrez. ‖ **pieza por pieza.** loc. adv. fig. Parte por parte, con gran cuidado y exactitud, sin re-

servar circunstancia. ‖ **terciar una pieza.** fr. *Art.* Reconocerla y examinar su calidad. ‖ **tocar pieza.** fr. fig. Hablar o discurrir sobre una materia determinada, o decir alguna cosa en concurrencia de otros para que discurran sobre ella.

piezgo. (Del lat. **pedīcus.*) m. Parte correspondiente a cualquiera de las extremidades del animal de cuyo cuero se ha hecho el odre. ‖ **2.** fig. Todo cuero adobado, aderezado para transportar líquidos.

piezoelectricidad. (Del gr. πιέζω, comprimir, *y electricidad.*) f. Conjunto de fenómenos eléctricos que se manifiestan en algunos cuerpos sometidos a presión u otra acción mecánica.

piezoeléctrico, ca. adj. Perteneciente o relativo a la piezoelectricidad.

piezómetro. (Del gr. πιέζω, comprimir, y *-metro.*) m. *Fís.* Instrumento que sirve para medir el grado de compresibilidad de los líquidos.

pífano. (Del al. *Pfeife,* silbato.) m. Flautín de tono muy agudo, usado en las bandas militares. ‖ **2.** Persona que toca este instrumento.

pífaro. m. ant. **pífano.**

pifia. f. Golpe en falso que se da con el taco en la bola de billar o de trucos. ‖ **2.** fig. y fam. Error, descuido, paso o dicho desacertado. ‖ **3.** *Chile, Ecuad.* y *Perú.* Burla, escarnio o rechifla.

pifiar. (Del al. *pfeifen,* silbar.) intr. Hacer que se oiga demasiado el soplo del que toca la flauta travesera, que es un defecto muy notable. ‖ **2.** Hacer una pifia en el billar o en los trucos. ‖ **3.** tr. *Argent., Chile* y *Perú.* Burlar, escarnecer, hacer bromas pesadas. ‖ **4.** *Chile* y *Ecuad.* **rechiflar.**

pigargo. (Del gr. πύγαργος, a través del lat. *pygargus.*) m. Ave rapaz, que llega a tener aproximadamente un metro desde la punta del pico hasta la extremidad de la cola, y dos metros y medio de envergadura; cuerpo grueso, pico fuerte y corvo, plumaje leonado, cola blanca, y pies, ojos y pico amarillos. Vive de ordinario en las costas y se alimenta de peces y aves acuáticas. ‖ **2.** Ave rapaz, de unos 60 centímetros de longitud, desde lo alto de la cabeza hasta la extremidad de la cola, y 13 decímetros de envergadura, con plumaje de color ceniciento oscuro en las partes superiores, blanco con manchas parduscas en las inferiores, y cola blanca con tres manchas grises muy desvanecidas. No es rara en España y se alimenta ordinariamente de reptiles, pero en ocasiones ataca a las aves de corral.

pigmentación. f. Acción y efecto de pigmentar o pigmentarse.

pigmentar. tr. **colorar,** dar color a algo. ‖ **2.** Producir coloración anormal y prolongada en la piel y otros tejidos, por diversas causas. Ú. t. c. prnl.

pigmentario, ria. (Del lat. *pigmentarĭus.*) adj. Perteneciente o relativo al pigmento. ‖ **2.** V. **capa, célula pigmentaria.**

pigmento. (Del lat. *pigmentum.*) m. *Biol.* Materia colorante que, disuelta o en forma de gránulos, se encuentra en el protoplasma de muchas células vegetales y animales. ‖ **2.** Cualquiera de las materias colorantes que se usan en la pintura.

pigmeo, a. (Del lat. *pygmaeus,* y este del gr. πυγμαῖος.) adj. Dícese de cierto pueblo fabuloso y de cada uno de sus individuos, los cuales, según la antigua poesía griega, no tenían más de un codo de alto, si bien eran muy belicosos y hábiles flecheros. Ú. t. c. s. ‖ **2.** fig. Muy pequeño. Apl. a pers., ú. t. c. s. y a veces a animales. *Gallina* PIGMEA. En ocasiones, ú. con valor despect. ‖ **3.** V. **cambur pigmeo.** ‖ **4.** m. y f. Individuo perteneciente a los pueblos enanos que viven en las selvas de la región ecuatorial de África y en grupos aislados en las Filipinas, Borneo y Nueva Guinea.

pignoración. (Del lat. *pignoratĭo, -ōnis.*) f. Acción y efecto de pignorar.

pignorar. (Del lat. *pignorāre.*) tr. Dar o dejar en prenda, empeñar.

pignoraticio, cia. (Del lat. *pignoratitĭus.*) adj. Perteneciente o relativo a la pignoración.

pigre. (Del lat. *piger, -gri.*) adj. Tardo, negligente, desidioso.

pigricia. (Del lat. *pigritĭa.*) f. Pereza, ociosidad, negligencia, descuido.

pigro, gra. (Del lat. *piger, pigra.*) adj. desus. **pigre.**

pihua. (der. regres. de *pihuela.*) f. Especie de abarca o coriza[1].

pihuela. (Del lat. *pediŏla,* de *pes, pedis.*) f. Correa con que se guarnecen y aseguran los pies de los halcones y otras aves. ‖ **2.** fig. Dificultad o estorbo que impide la ejecución de una cosa. ‖ **3.** pl. fig. Grillos con que se aprisiona a los reos.

pijada. f. vulg. Cosa insignificante. ‖ **2.** Dicho o hecho inoportuno, impertinente o molesto.

pijama. (Del ing. *pyjamas.*) m. Traje ligero y de tela lavable, compuesto de chaqueta o blusa y pantalón, que se usa sobre todo para dormir. Ú. t. c. f. en algunos países de América.

pije. m. *Chile* y *Perú.* **cursi.**

pijibay. m. *C. Rica* y *Hond.* Variedad del corojo, de fruta amarilla, de sabor muy dulce y de hojas que sirven para cubrir techos de edificios.

pijije. m. *Amér. Central.* Ave zancuda, que vive en lugares pantanosos; de color acanelado; canta bien, por lo común de noche, y su carne se estima como buen alimento.

pijo, ja. (De or. inc.) m. y f. **pene,** miembro viril. ‖ **2.** m. Cosa insignificante, nadería.

pijojo. m. *Cuba.* Árbol silvestre que da una madera de color amarillento, dura, pesada y de grano fino.

pijota. (De or. inc.) f. Cría de la merluza, pescadilla.

pijote. m. **esmeril**[2], pieza de artillería.

pijotería. f. Menudencia molesta; dicho o pretensión desagradable.

pijotero, ra. adj. Se dice despectivamente de lo que produce hastío, cansancio u otras cosas, según el sustantivo a que se aplica.

pila[1]. (Del lat. *pila,* columna, rimero.) f. Montón, rimero o cúmulo que se hace poniendo una sobre otra las piezas o porciones de que consta una cosa. PILA *de lana, de tocino.* ‖ **2.** Conjunto de toda la lana que se corta cada año, perteneciente a un dueño. ‖ **3.** *Arq.* Cada uno de los machones que sostienen dos arcos contiguos o los tramos metálicos de un puente. ‖ **4.** *Blas.* Pieza en figura de triángulo, cuya base, de dos tercios de la anchura del escudo, está en el jefe, y el vértice opuesto, en la parte inferior, muy cerca de la punta.

pila[2]. (Del lat. *pila,* mortero.) f. Pieza grande de piedra o de otra materia, cóncava y profunda, donde cae o se echa el agua para varios usos. ‖ **2.** Pieza de piedra, cóncava, con su pedestal de lo mismo, y tapa de madera, que hay en las iglesias parroquiales para administrar el sacramento del bautismo. ‖ **3.** V. **nombre, padre de pila.** ‖ **4.** fig. Parroquia o feligresía. ‖ **5.** *Fís.* Generador de corriente eléctrica que utiliza la energía liberada en una reacción química. ‖ **6.** *Metal.* Receptáculo en la delantera de los hornos de fundición, en el cual cae el metal fundido. ‖ **atómica. reactor nuclear.** ‖ **bautismal. pila**[2] para administrar el sacramento del bautismo. ‖ **reversible.** *Fís.* La que puede recuperar su estado primitivo mediante una corriente, llamada de carga, que tiene sentido opuesto a la suministrada por la **pila.** ‖ **sacar de pila,** o **tener en la pila,** a uno. fr. Ser padrino de una criatura en el bautismo.

pilada[1]. (De *pila*[1].) f. Porción de paño que se abatana de una vez. ‖ **2.** Montón, rimero.

pilada[2]. (De *pila*[2].) f. Mezcla de cal y arena que se amasa de una vez.

pilapila. (De or. arauc.) f. *Chile.* Planta de la familia de las malváceas, de tallo por lo común rastrero, rollizo, ramoso, de 60 a 80 centímetros de largo y con nuevas raíces junto al peciolo de cada hoja inferior. Se usa en medicina como atemperante de la sangre.

pilar[1]. (De *pila*[1].) m. Hito o mojón que se pone para señalar los caminos. ‖ **2.** Especie de pilastra, sin proporción fija entre su grueso y altura, que se pone aislada en los edificios, o sirve para sostener otra fábrica o armazón cualquiera. ‖ **3.** fig. Persona que sirve de amparo. ‖ **4.** fig. Cosa que sostiene o en que se apoya algo. ‖ **del velo del paladar.** Cada uno de los repliegues musculares que unen los bordes laterales de aquella membrana a las paredes de la laringe.

pilar[2]. (De *pila*[2].) m. **pilón,** fuente pública a veces adosada en la pared. ‖ **2.** Abrevadero.

pilar[3]. (Del lat. vulg. **pilāre.*) tr. Descascarar los granos en el pilón, golpeándolos con una o las dos manos o con majaderos largos de madera o de metal.

pilarejo. m. d. de **pilar.**

pilastra. (der. regres. de *pilatrón.*) f. Columna de sección cuadrangular.

pilastrón. (Del it. *pilastrone.*) m. aum. de **pilastra.**

pilatero. (Del cat. y arag. *pilater.*) m. Batanero que en el obraje de paños asiste a las pilas del batán para deslavazarlos y enfurtirlos.

pilatuna. f. *Col.* Acción indecorosa, jugarreta, pillería.

pilca. f. *Amér. Merid.* Pared de piedra en seco, pirca.

pilcha. (Del arauc. *pulcha,* arruga.) f. *Argent., Chile* y *Urug.* Prenda del recado de montar. ‖ **2.** rur. *Argent., Chile, Perú* y *Urug.* Prenda de vestir, originariamente pobre o en mal estado. Ú. m. en pl. ‖ **3.** *Argent.* Prenda de vestir, particularmente si es elegante y cara. Ú. m. en pl.

píldora. (Del lat. *pillŭla.*) f. Bolita que se hace mezclando un medicamento con un excipiente adecuado para ser administrado por vía oral. ‖ **2.** Por antonom., **píldora** anticonceptiva. ‖ **3.** Bola o mecha de estopas, hilas u otra materia que, mojada en algún medicamento, se ponía antiguamente en las heridas o llagas. ‖ **4.** fig. y fam. Pesadumbre o mala nueva que se da a uno. ‖ **alefangina.** *Farm.* **píldora** purgante en cuya composición entran áloe, nuez moscada, cinamomo y otras sustancias aromáticas. ‖ **dorar la píldora.** fr. fig. y fam. Suavizar con artificio y blandura la mala noticia que se da a uno o la contrariedad que se le causa. ‖ **tragarse uno la píldora.** fr. fig. y fam. Creer una patraña.

píldorero. m. *Farm.* Aparato para hacer píldoras.

píleo. (Del lat. *pilĕus.*) m. Especie de sombrero o gorra que entre los romanos llevaban los hombres libres, y ponían a los esclavos cuando les daban libertad. ‖ **2.** Capelo de los cardenales.

pilero. (De *pila*[2].) m. Peón que amasa con los pies el barro destinado a la fabricación de adobes y objetos de alfarería.

pileta. (De *pila*[2].) f. d. de **pila.** ‖ **2.** Pila pequeña que solía haber en las casas para tomar agua bendita. ‖ **3.** *And.* Hoyo que se hace al pie de la planta al regarla. ‖ **4.** *And., Can., Argent., Par.* y *Urug.* Pila de cocina o de lavar. ‖ **5.** *Can., Argent.* y *Urug.* Abrevadero. ‖ **6.** *R. de la Plata.* **piscina.** ‖ **7.** *Min.* Sitio en que se recogen las aguas dentro de las minas. ‖ **tirarse a la pileta.** fr. fig. y fam. *Argent.* Acometer una empresa de resultado incierto, arriesgarse.

pililo, la. m. y f. p. us. *Argent.* (*Cuyo*) y *Chile.* Persona andrajosa y sucia.

pilme. (Del arauc. *pulmi.*) m. *Chile.* Coleóptero de color negro, muy pequeño, que causa mucho daño en las huertas.

pilo[1]. (Del lat. *pilum.*) m. Arma arrojadiza, a modo de lanza o venablo, usada en lo antiguo.

pilo². m. *Chile*. Arbusto que vive en sitios húmedos; tiene hojas menudas y flores amarillas, y su cáscara es un vomitivo muy enérgico.

pilocarpina. (Del lat. mod. *pilocarpus*, nombre genérico del jaborandi.) f. Alcaloide que se obtiene de las hojas del jaborandi.

pilón¹. (De *pila¹*.) m. Pan de azúcar refinado, de figura cónica. ‖ **2**. Pesa que, pendiente del brazo mayor del astil de la romana, puede moverse libremente y determinar el peso de las cosas, cuando se equilibra con ellas. ‖ **3**. Piedra grande, pendiente de los husillos, en los molinos de aceite o en los lagares, que sirve de contrapeso para que la viga apriete. ‖ **4**. Montón o pila de cal mezclada con arena y amasada con agua, que se deja algún tiempo en figura piramidal, para que cuando tenga que emplearse, fragüe mejor. ‖ **5**. Montón en que se colocan las hojas de tabaco hasta que estas alcanzan el conveniente grado de curación. ‖ **6**. Montón, gran cantidad. ‖ **7**. V. **azúcar de pilón.** ‖ **8**. *Méj.* Adehala.

pilón². (De *pila²*.) m. aum. de **pila.** ‖ **2**. Receptáculo de piedra, que se construye en las fuentes para que, cayendo el agua en él, sirva de abrevadero, de lavadero o para otros usos. ‖ **3**. Especie de mortero de madera o de metal, que sirve para majar granos u otras cosas. ‖ **beber del pilón** uno. fr. fig. y fam. Recibir y publicar las noticias del vulgo. ‖ **haber bebido del pilón.** fr. fig. y fam. Haber cedido el rigor que un juez o ministro ejerció al comienzo de su cargo. ‖ **llevar** a uno **al pilón.** fr. fig. y fam. Hacer de él cuanto se quiere.

pilón³. (Del gr. πυλών, puerta, portal.) m. Portada de los templos del antiguo Egipto.

pilonero, ra. (De *pilón²*.) adj. fig. y fam. Aplícase a las noticias vulgares o al que las publica.

pilongo, ga. (Del lat. *pilonicus*, de *pila²*.) adj. Bautizado en la misma pila. ‖ **2**. En algunas partes aplícase al beneficio eclesiástico destinado a personas bautizadas en ciertas y determinadas pilas o parroquias. ‖ **3**. Dícese del que es extremadamente alto y flaco. ‖ **4**. V. **castaña pilonga.** Ú. t. c. s. f.

pilórico, ca. adj. *Anat.* Perteneciente o relativo al píloro.

píloro. (Del gr. πυλωρός, portero, a través del lat. *pylōrus*.) m. *Anat.* Abertura posterior, inferior en el hombre, de los batracios, reptiles, aves y mamíferos, por la cual pasan los alimentos al intestino.

piloso, sa. (Del lat. *pilōsus*.) adj. De mucho pelo. ‖ **2**. Perteneciente o relativo al pelo. ‖ **3**. *Anat.* V. **bulbo piloso.**

pilotaje¹. m. Acción y efecto de pilotar. ‖ **2**. Ciencia y arte que enseñan el oficio de piloto. ‖ **3**. Cierto derecho que pagan las embarcaciones en algunos puertos y entradas de ríos, en que se necesitan pilotos prácticos.

pilotaje². m. Conjunto de pilotes hincados en tierra para consolidar los cimientos.

pilotar. tr. Dirigir un buque, especialmente a la entrada o salida de puertos, barras, etc. ‖ **2**. Dirigir un automóvil, globo, aeroplano, etc.

pilote. (Del ant. fr. *pilot*.) m. Madero rollizo armado frecuentemente de una punta de hierro, que se hinca en tierra para consolidar los cimientos.

pilotear¹. tr. **pilotar.**

pilotear². tr. Hincar pilotes para reforzar los cimientos de una construcción.

pilotín. m. d. de **piloto.** ‖ **2**. El que servía en los buques como ayudante del piloto.

piloto. (Del it. *piloto*.) m. El que gobierna y dirige un buque en la navegación. ‖ **2**. El segundo en un buque mercante. ‖ **3**. El que dirige un automóvil, un globo, un avión, etc. ‖ **4**. V. **faro piloto.** ‖ **5**. fig. El que guía la lección o el discurso en una empresa o en investigaciones o estudios.

‖ **6**. fig. Construido en aposición indica que la cosa designada por el nombre que le precede funciona como modelo o con carácter experimental. *Piso* PILOTO. *Instituto* PILOTO. ‖ **7**. *Germ.* Ladrón que va delante de otros, guiándolos para hacer el hurto. ‖ **de altura**. El que sabe dirigir la navegación en alta mar por las observaciones de los astros.

pilpil. m. *Chile*. Bejuco de hojas trifoliadas y flores blancas que produce el cóguil.

pil-pil. (Onomatopeya del agua hirviendo.) m. **bacalao al pil-pil.**

pilpilén. (De or. araucano.) m. *Chile*. Ave zancuda y ribereña, de pico rojo y largo, que le sirve para abrir las valvas de los mariscos de que se alimenta. Tiene tres dedos en cada pie, sin pulgar, tarsos rojos y plumaje negro y blanco, con grandes manchas de cada color.

piltra. (Del ant. fr. *peautre*, catre.) f. *Germ.* Cama¹ de las personas.

piltraca. f. **piltrafa.** ‖ **2**. p. us. Mujer despreciable.

piltrafa. (De or. inc.) f. Parte de carne flaca, que casi no tiene más que el pellejo. ‖ **2**. pl. Por ext., restos de comida o desechos de otras cosas. ‖ **3**. fig. Persona de ínfima consistencia física o moral.

piltro. m. *Germ.* Aposento, cuarto o pieza de una casa. ‖ **2**. *Germ.* Mozo del rufián.

pilucho, cha. adj. *Chile*. Desnudo, sin vestido.

pilvén. (De or. araucano.) m. Pez de agua dulce, americano, que tiene unos 10 centímetros de largo y anda siempre en cardumen.

pilla. f. *Ar.* pillaje.

pillabán. m. *Ast.* y *León*. Pillastre, granuja.

pillada. f. fam. Acción propia de un pillo.

pillador, ra. adj. Que hurta o toma por fuerza una cosa. Ú. t. c. s. ‖ **2**. m. *Germ.* Jugador de dinero con trampas, fullero.

pillaje. m. Hurto, latrocinio, rapiña. ‖ **2**. *Mil.* Robo, despojo, saqueo hecho por los soldados en país enemigo.

pillar. (Del it. *pigliare*, coger.) tr. Hurtar o robar. ‖ **2**. Coger, agarrar o aprehender a una persona o cosa. ‖ **3**. Alcanzar o atropellar embistiendo. *A Pedro lo* PILLÓ *un automóvil; ¡que te* PILLA *el toro!* ‖ **4**. fam. Sorprender a uno en flagrante delito o engaño. ‖ **5**. fig. y fam. Sobrevenir a uno alguna cosa, cogerle desprevenido, sorprenderle. *La enfermedad me* PILLÓ *sin dinero; la noche nos* PILLÓ *en el monte.* ‖ **6**. fig. y fam. Coger, hallar o encontrar a uno en determinada situación, temple, etc. *Me* PILLAS *de buen humor.* ‖ **7**. Hallarse o encontrarse en determinada situación local respecto de la persona que es complemento indirecto. *El Ministerio me* PILLA *muy lejos; tu casa nos* PILLA *de camino.* Ú. t. c. intr. *Ese barrio* PILLA *muy a trasmano.* ‖ **8**. Aprisionar con daño o algo o alguien. Ú. t. c. prnl. ME PILLÉ *un dedo con la puerta.* ‖ **9**. *Germ.* Jugar dinero con trampas. ‖ **aquí te pillo, aquí te mato.** expr. fig. y fam. **aquí te cojo, aquí te mato.** ‖ **quien pilla, pilla.** expr. fam. con que se designa al que procura solo sus intereses personales sin tener ningún tipo de respeto ni miramiento.

pillastre. m. fam. **pillo²**.

pillastrón. m. aum. de **pillastre.**

pillear. intr. fam. Hacer vida de pillo o proceder habitualmente como tal.

pillería. f. fam. Gavilla de pillos². ‖ **2**. fam. Calidad de pillo². ‖ **3**. fam. **pillada.**

pillete. m. d. de **pillo²**.

pillín. m. d. de **pillo²**.

pillo¹. (Del arauc. *pillu*.) m. Ave zancuda, especie de ibis, de color blanco con manchas negras, patas muy largas en proporción del cuerpo del ave, así como el cuello, que tiene unos 60 centímetros de altura, y del cual pende una bolsita o papo; el pico es grueso, convexo y puntiagudo, de un decímetro de largo y desnudo de plumas hasta la frente. Tiene cuatro dedos en cada pie, unidos por una membranita, y la cola corta. Vive en los lugares húmedos y se alimenta de reptiles.

pillo², lla. (De *pillar*.) adj. fam. Dícese del pícaro que no tiene crianza ni buenos modales. Ú. m. c. s. m. ‖ **2.** fam. Sagaz, astuto. Ú. m. c. s. m.

pillopillo. (Del arauc. *pillupillu*.) m. *Chile*. Árbol, especie de laurel, de forma piramidal y flores blanquecinas dioicas. Su corteza interior es purgante y vomitiva.

pilluelo, la. adj. fam. d. de **pillo²**. Ú. m. c. s. m.

pimental. m. Terreno sembrado de pimientos.

pimentero. (De *pimienta*.) m. Arbusto trepador, de la familia de las piperáceas, con tallos ramosos que llegan a 10 metros de longitud, leñosos en las partes viejas, herbáceos en las recientes, y con nudos gruesos de trecho en trecho, de donde nacen raíces adventicias; hojas alternas, pecioladas, gruesas, enteras, nerviosas, aovadas y de color verde oscuro; flores en espigas, pequeñas y verdosas, y cuyo fruto es la pimienta. Es planta tropical y hay varias especies. ‖ **2.** Vasija en que se pone la pimienta molida, para servirse de ella en la mesa. ‖ **falso. turbinto, árbol.**

pimentón. m. aum. de **pimiento.** ‖ **2.** Polvo que se obtiene moliendo pimientos encarnados secos. ‖ **3.** En algunas partes, **pimiento,** fruto.

pimentonero. m. Vendedor de pimentón. ‖ **2.** Pájaro castellano cuyas plumas son de color negruzco, salvo las del pecho, que son rojas.

pimienta. f. Fruto del pimentero. Es una baya redonda, carnosa, rojiza, de unos cuatro milímetros de diámetro, que toma, cuando seca, color pardo o negruzco; se arruga algo y contiene una semilla esférica, córnea y blanca. Es aromática, ardiente, de gusto picante, y muy usada para condimento. ‖ **2.** Cosecha de pimientos. ‖ **blanca.** Aquella que, privada de la corteza, queda de color casi blanco. ‖ **de Chiapa,** o **de Tabasco. malagueta.** ‖ **falsa.** Fruto del turbinto. Es una baya redonda, de seis a ocho milímetros de diámetro, negra y de un olor y gusto parecidos al de la **pimienta** común. ‖ **inglesa.** Malagueta seca y molida, después de haberle quitado la corteza y semillas. ‖ **larga.** Fruto de un pimentero asiático, de hojas largas, estrechas, poco simétricas, y flores amarillentas. Es de forma elipsoidal, algo mayor y de color más claro que la común. Se ha usado en medicina. ‖ **loca. pimienta silvestre.** ‖ **negra.** Aquella que conserva la película o corteza. ‖ **silvestre. sauzgatillo.** ‖ **2.** Fruto de esta planta. ‖ **comer uno pimienta.** fr. fig. y fam. Enojarse, picarse. ‖ **hacer pimienta.** fr. fig. y fam. *ant.* **hacer novillos.** ‖ **ser uno como una,** o **una pimienta.** fr. fig. y fam. Ser muy vivo, agudo y pronto en comprender y obrar. ‖ **tener mucha pimienta.** fr. fig. y fam. Estar muy alto el precio de un género o mercancía.

pimientilla. f. *Hond.* Arbusto de la familia de las verbenáceas, que segrega la cera vegetal.

pimiento. (Del lat. *pigmentum,* color para pintar.) m. Planta herbácea anual, de la familia de las solanáceas, con tallos ramosos de cuatro a seis decímetros de altura; hojas lanceoladas, enteras y lampiñas; flores blancas, pequeñas, axilares, y fruto en baya hueca, muy variable en forma y tamaño, según las castas, pero generalmente cónico, de punta obtusa, terso en la superficie, primeramente verde, después rojo o amarillo, y con multitud de semillas planas, circulares, amarillentas, sujetas en una expansión interior del pedúnculo. Es planta americana muy cultivada en España. ‖ **2.** Fruto de esta planta, muy usado como alimento por su sabor, picante en algunas variedades. ‖ **3.** Arbusto de la pimienta, pimentero. ‖ **4.** **pimentón,** pimiento molido. ‖ **5.** Hongo parásito de varios vegetales, roya. ‖ **de bonete. pimiento de hocico de buey.** ‖ **de cerecilla. pimiento de las Indias.** ‖ **de cornetilla.** Variedad del **pimiento,** que tiene la forma de un cucurucho con la punta encorvada. Es de

gusto picante. ‖ **de hocico de buey.** Variedad del **pimiento,** que se diferencia en ser más grueso que el de las otras castas. Es el más dulce de todos. ‖ **de las Indias. guindilla.** ‖ **loco,** o **montano. sauzgatillo.** ‖ **morrón. pimiento de hocico de buey.** ‖ **silvestre. pimiento loco.** ‖ **importar,** o **no importar,** algo un pimiento. fr. fig. y fam. Importar poco o nada. ‖ **no valer un pimiento.** fr. fig. y fam. No valer nada.

pimpampum. (De or. onomatopéyico.) m. Juego en que se procura derribar a pelotazos muñecos puestos en fila.

pimpante. (Del fr. *pimpant*.) adj. Rozagante, garboso.

pimpido. m. Pez muy parecido a la mielga y cuya carne es más sabrosa que la de aquél.

pimpín. (De or. onomatopéyico.) m. Juego de muchachos, semejante al de la pizpirigaña. ‖ **2. aguzanieves.**

pimpina. f. *Venez.* Botella de barro, de cuerpo esférico y cuello largo, que se usa para enfriar el agua, como el botijo poroso de España.

pimpinela. (Del b. lat. *pimpinélla*.) f. Planta herbácea vivaz, de la familia de las rosáceas, con tallos erguidos, rojizos, esquinados, ramosos, de cuatro a seis decímetros de altura; hojas compuestas de un número impar de hojuelas pecioladas, elípticas, dentadas en el margen y muy lisas; flores terminales, en espigas apretadas, en que las femeninas ocupan lo alto del grupo y las masculinas la base, sin corola y con cáliz purpurino, que se hincha, endurece y convierte en fruto elipsoidal, con cuatro aristas a lo largo, y que encierra dos o tres semillas pequeñas, alargadas, de color pardo. Abunda en España y se ha empleado en medicina como tónica y diaforética. ‖ **mayor.** Planta que se diferencia de la anterior en llegar a un metro de altura, tener las hojuelas sin pecíolo, ser más elipsoidal la espiga de las flores, que son hermafroditas, con el cáliz negro rojizo y una sola semilla en el fruto. Es común en España y se empleó en medicina como vulneraria y contra las hemorragias. ‖ **menor. pimpinela.**

pimplar. tr. fam. Beber vino u otra bebida alcohólica, especialmente si es con exceso. Ú. t. c. prnl.

pimpleo, a. (Del lat. *pimplēus*.) adj. Perteneciente o relativo a las musas.

pimplón. m. *Ast.* y *Cantabria*. **salto de agua.**

pimpollada. f. **pimpollar.**

pimpollar. m. Sitio poblado de pimpollos, plantas.

pimpollear. intr. **pimpollecer.**

pimpollecer. intr. Echar renuevos o pimpollos las plantas.

pimpollejo. m. d. de **pimpollo.**

pimpollo. (De *pino* y *pollo*.) m. Pino nuevo. ‖ **2.** Árbol nuevo. ‖ **3.** Vástago o tallo nuevo de las plantas. ‖ **4.** Rosa por abrir. ‖ **5.** fig. y fam. Niño o niña, y también el joven o la joven, que se distinguen por su belleza, gallardía y donosura. ‖ **de oro.** fig. y fam. **pimpollo,** niño o niña, joven.

pimpolludo, da. adj. Que tiene muchos pimpollos.

pimpón. (De *ping-pong*.) m. Juego semejante al tenis, que se practica sobre una mesa de medidas reglamentarias, con pelota ligera y con palas pequeñas de madera a modo de raquetas.

pina. (Del lat. *pinna,* pluma, almena.) f. Mojón terminado en punta. ‖ **2.** Cada uno de los trozos curvos de madera que forman en círculo la rueda del coche o carro, donde encajan por la parte interior los rayos y por el exterior se asientan las llantas de hierro. ‖ **3.** ant. **almena.** ‖ **4.** *Sal.* Juego de la chueca. ‖ **5.** *Bot.* **pinna.**

pinabete. (De *pino* y *abeto*.) m. Abeto, árbol.

pinacate. (Del náhuatl *pinacatl*.) m. *Méj.* Escarabajo de color negruzco y hediondo que suele criarse en lugares húmedos.

pinacoteca. (Del gr. πινακοθήκη, a través del lat. *pinacothéca*.) f. Galería o museo de pinturas.

pináculo. (Del lat. *pinnaculum*.) m. Parte superior y más alta de un edificio o templo. ‖ **2.** Remate en la arquitectura gótica y, por ext., en otros estilos, el adorno terminal, piramidal o cónico. ‖ **3.** fig. Parte más sublime de una ciencia o de otra cosa inmaterial.

pinada. f. **pinar.**

pinado, da. adj. *Bot.* **pinnado.**

pinar. m. Sitio o lugar poblado de pinos.

pinarejo. m. d. de **pinar.**

pinariego, ga. adj. Perteneciente al pino.

pinastro. (Del lat. *pinaster, -tri.*) m. **pino rodeno.**

pinatero. m. *Cuba.* **cao,** ave.

pinatífido, da. (Del lat. *pinnātus,* alado, y *findĕre,* dividir.) adj. *Bot.* Hendido al través en tiras largas.

pinato. m. *Murc.* Pino tierno y de poca altura, cuyas ramas tocan al suelo.

pinaza. f. Embarcación pequeña, estrecha y ligera de remo y de velas que se usó en la marina mercante. ‖ **2.** Hojarasca del pino y demás coníferas.

pincarrasca. f. **pincarrasco.**

pincarrascal. m. Sitio poblado de pincarrascos.

pincarrasco. (De *pino* y *carrasco.*) m. Especie de pino de tronco tortuoso, corteza resquebrajada y de color pardo rojizo, copa clara e irregular, hojas largas, delgadas y poco rígidas, y piñas de color de canela, con piñones pequeños. Es propio de los terrenos áridos del litoral mediterráneo.

pincel. (Del cat. *pinzell.*) m. Instrumento compuesto por un mango largo y delgado de madera o metal que en uno de los extremos tiene sujeto un manojo de pelos o cerdas. Se usa principalmente para pintar. ‖ **2.** Cualquiera de las plumas que los vencejos tienen debajo de la segunda pluma del ala. ‖ **3.** fig. Mano o sujeto que pinta. ‖ **4.** fig. Obra pintada. ‖ **5.** fig. Modo de pintar. ‖ **6.** *Mar.* Palo largo y delgado, con una escobilla, con que se da alquitrán a los costados y palos de la nave.

pincelada. f. Trazo o golpe que el pintor da con el pincel. ‖ **2.** fig. Expresión compendiosa de una idea o de un rasgo muy característico. ‖ **dar la última pincelada.** fr. fig. Perfeccionar o concluir una obra, negocio o dependencia.

pincelar. tr. Representar o figurar algo con líneas y colores convenientes. ‖ **2.** Cubrir con color la superficie de las cosas. ‖ **3.** Copiar en dibujo, pintura o fotografía la figura de una persona.

pincelero, ra. m. y f. Persona que hace o vende pinceles. ‖ **2.** m. **brucero.** ‖ **3.** Caja en que los pintores al óleo guardan los pinceles.

pincelote. m. aum. de **pincel.**

pincerna. (Del lat. *pincerna.*) com. Persona que tenía por oficio servir la copa a su señor.

pinciano, na. (Del lat. *Pintiānus,* de *Pintia,* mansión romana, cuyo sitio se ha creído equivocadamente que ocupa la ciudad de Valladolid.) adj. Natural de Valladolid. Ú. t. c. s. ‖ **2.** Perteneciente o relativo a Valladolid.

pincha. f. Espina de plantas o pescados que puede clavarse en el cuerpo. ‖ **2.** Mujer que presta servicios auxiliares en la cocina.

pinchadiscos. com. Persona encargada del equipo de sonido de una discoteca y de la selección de las piezas.

pinchadura. f. Acción y efecto de pinchar o pincharse.

pinchar. (De or. inc.) tr. Picar, punzar o herir con algo agudo o punzante, como una espina, un alfiler, etc. Ú. t. c. prnl. ‖ **2.** Poner inyecciones. Ú. t. c. prnl. ‖ **3.** fig. Picar, estimular. ‖ **4.** fig. Enojar, zaherir. ‖ **5.** fig. Intervenir un teléfono. ‖ **6.** intr. Referido al conductor u ocupantes de un vehículo, sufrir un pinchazo en una rueda. PINCHAMOS *en el kilómetro treinta. Fulano* PINCHÓ *al salir de la curva.* ‖ **ni pincha ni corta.** fr. fig. y fam. que se aplica a lo que tiene poco valimiento o influjo en un asunto. Ú. t. referido a personas.

pinchaúvas. m. fig. y fam. Pillete que en los mercados comía la granuja, picándola con un alfiler, palillo u otro instrumento. ‖ **2.** fig. y fam. Hombre despreciable.

pinchazo. m. Acción y efecto de pinchar o pincharse.

pinche. com. Persona que presta servicios auxiliares en la cocina. ‖ **2.** adj. despect. *Méj.* Despreciable, mezquino, poca cosa. Es voz malsonante.

pincho[1]. m. Aguijón o punta aguda de hierro u otra materia. ‖ **2.** Varilla de acero, como de un metro de longitud, con mango en un extremo y punta a veces dentada en el otro, con que los consumeros y aduaneros reconocen las cargas. ‖ **3.** Porción de comida que se toma como aperitivo que a veces se atraviesa con un palillo. ‖ **moruno.** Comida constituida por varios trozos de carne que se presentan ensartados en una varilla metálica o de madera y que se sirve asado.

pincho[2], **cha.** adj. fam. Compuesto, bien vestido.

pinchón. m. **pinzón,** pájaro.

pinchonazo. m. Pinchazo, punzadura.

pinchudo, da. adj. Que tiene pinchos o fuertes púas.

pindárico, ca. (Del lat. *Pindarĭcus.*) adj. Propio y característico del poeta griego Píndaro, o que tiene semejanza con cualquiera de las dotes o calidades por que se distinguen sus producciones.

pindonga. f. fam. Mujer callejera.

pindonguear. intr. Andar sin necesidad ni provecho de un sitio a otro, callejear.

pindongueo. m. Acción y efecto de pindonguear.

pineal. (Del lat. *pinĕa,* piña.) adj. V. **glándula pineal.**

pineda[1]. (Del lat. *pinēta,* pl. de *pinētum.*) f. **pinar.**

pineda[2]. f. Especie de cinta de hilo y estambre, tejida o variada de diversos colores, que servía regularmente para ligas.

pinedo. (Del lat. *pinētum.*) m. *Amér. Merid.* **pinar.**

pinero. m. Obrero portuario especializado en carga y descarga de madera en rollo. ‖ **2.** Obrero que conduce por un río los troncos de árbol. ‖ **3.** *Bol.* y *Chile.* Entre carpinteros, obrero que trabaja el pino; labor que se considera de poca esmero o calidad.

pinga. f. *Filip.* Percha, por lo común de metro y medio de largo, que sirve para conducir al hombro toda carga que se puede llevar colgada en las dos extremidades del palo.

pingajo. m. fam. Harapo o jirón que cuelga de alguna parte.

pingajoso, sa. adj. Lleno de pingajos.

pinganello. m. Canelón de hielo colgante, carámbano, calamoco.

pinganillo. m. *León.* **pinganello.**

pinganitos (en). (De *pingar.*) loc. adv. fam. En fortuna próspera o en puestos elevados. *Poner a uno* EN PINGANITOS.

pingar. (Del lat. **pendicāre,* de *pendēre.*) intr. Pender, colgar. ‖ **2.** Gotear lo que está empapado en algún líquido. ‖ **3.** Brincar, saltar. ‖ **4.** *Ar.* Alzar la bota para beber. ‖ **5.** tr. Apartar una cosa de su posición vertical o perpendicular, inclinar.

pingo[1]. m. *Argent., Chile* y *Urug.* Caballo.

pingo[2]. (De *pingar.*) m. fam. Harapo o jirón que cuelga. ‖ **2.** fam. Mujer despreciable. ‖ **3.** *Méj.* Muchacho travieso. ‖ **4.** pl. fam. Vestidos de mujer cuando son de poco precio, aunque estén en buen uso o sean nuevos. ‖ **andar, estar,** o **ir, de pingo.** fr. fig. y fam. Andar una mujer de visitas y paseos en vez de estar dedicada al recogimiento y a las labores de su casa.

pingopingo. m. *Chile.* Arbusto de la familia de las efedráceas, que a veces alcanza cinco metros de altura; con ramas articuladas y hojas opuestas a manera de escamas;

flores pequeñas y por fruto unas nuececitas que, así como sus hojas, son diuréticas y depurativas.

pingorota. f. La parte más alta y aguda de las montañas y otras cosas elevadas.

pingorote. m. fam. Porción saliente y puntiaguda de una cosa.

pingorotudo, da. adj. fam. Empinado, alto o elevado.

ping-pong. (Del fr. *Ping-Pong*, marca registrada.) m. **pimpón.**

pingue. (De or. inc.) m. Embarcación de carga, que se ensancha en la bodega para que quepan más géneros.

pingüe. (Del lat. *pinguis*.) adj. Craso, gordo, mantecoso. ‖ **2.** fig. Abundante, copioso, fértil.

pingüedinoso, sa. (Del lat. *pinguēdo, -dĭnis*, grasa, manteca.) adj. Que tiene gordura.

pingüinera. f. *Argent.* Lugar de la costa donde los pingüinos se reúnen en la época en que hacen los nidos y en la de la cría.

pingüino. (Del fr. *pingouin*.) m. Nombre común de varias aves caradriformes del hemisferio norte, como el alca y sus afines. ‖ **2. pájaro bobo.**

pinguosidad. (De *pingüe*.) f. Grasa, crasitud, untuosidad.

pinífero, ra. (Del lat. *pinĭfer, -ĕri*; de *pinus*, pino, y *ferre*, llevar.) adj. poét. Abundante en pinos.

pinillo. (d. de *pino*.) m. Planta herbácea anual, de la familia de las labiadas, con tallos tendidos, velludos, ramosos y de uno a dos decímetros de largo; hojas perfoliadas, oblongas, partidas en dos o tres lacinias, y flores pequeñas, amarillas, solitarias y axilares. Toda la planta es viscosa, frecuente en la zona mediterránea de España, y despide un olor parecido al del pino. ‖ **2. mirabel,** planta herbácea.

pinito. (d. de *pino*[2].) m. Cada uno de los primeros pasos que da el niño o el convaleciente. Ú. m. en pl. y con el verbo *hacer*. ‖ **2.** pl. fig. Primeros pasos que se dan en algún arte o ciencia.

pinjado, da. p. p. de **pinjar.** ‖ **2.** adj. ant. V. **banco pinjado.**

pinjante. adj. Dícese de la joya o pieza de oro, plata u otra materia, que se lleva colgada a modo de adorno. Ú. m. c. s. ‖ **2.** *Arq.* Aplícase al adorno que cuelga de lo superior de la fábrica. Ú. m. c. s.

pinjar. (Del lat. *penjar*.) intr. ant. Pender, estar colgado.

pinna. (Del lat. *pĭnna*, pluma.) f. p. us. *Bot.* En las hojas compuestas, folíolo.

pinnado, da. (Del lat. *pinnātus*, de *pĭnna*, pluma.) adj. *Bot.* Dícese de la hoja compuesta de hojuelas insertas a uno y otro lado del pecíolo, como las barbas de una pluma.

pinnípedo, da. (Del lat. *pinna*, aleta, y *pes, pedis*, pie.) adj. *Zool.* Dícese de mamíferos marinos que se alimentan exclusivamente de peces, con cuerpo algo pisciforme, las patas anteriores provistas de membranas interdigitales, y las posteriores ensanchadas en forma de aletas, a propósito para la natación, pero con uñas; la piel está revestida de un pelaje espeso y el tejido adiposo subcutáneo es muy abundante; como la foca. Ú. t. c. s. m. ‖ **2.** m. pl. *Zool.* Orden de estos animales.

pino[1]. (Del lat. *pinus*.) m. Árbol de la familia de las abietáceas, con las flores masculinas y femeninas separadas en distintas ramas; por fruto la piña, y por semilla el piñón; su tronco, elevado y recto, contiene más o menos cantidad de trementina; las hojas son muy estrechas, puntiagudas y punzantes casi siempre por su extremidad, persisten durante el invierno y están reunidas por la base en hacecillos de a dos, tres o cinco. De las muchas especies que se conocen, solo seis hay silvestres en España, todas con las hojas reunidas de dos en dos. ‖ **2.** Madera de este árbol. *Muebles de* PINO. ‖ **3.** Ejercicio gimnástico que consiste en poner el cuerpo verticalmente con los pies hacia arriba, apoyando las manos en el suelo. ‖ **4.** fig. poét. Nave o

embarcación. ‖ **5.** *Germ.* V. **montaña de pinos.** ‖ **albar.** Especie de pino que crece hasta la altura de 20 a 30 metros, con la corteza rojiza en lo alto del tronco y ramas gruesas, piñas pequeñas y hojas cortas. Su madera es muy estimada en construcción. ‖ **2. pino piñonero.** ‖ **alerce. alerce.** ‖ **blanco.** *Gran.* **pino negral,** resinable. ‖ **blanquillo.** En Madrid, **pino albar.** ‖ **bravo.** En Galicia, **pino rodeno.** ‖ **carrasco,** o **carrasqueño. pincarrasco.** ‖ **cascalbo. pino negral,** resinable. ‖ **de cargo.** Pieza de madera de hilo, de 10 varas de longitud con una escuadría de 18 pulgadas de tabla por 12 de canto. ‖ **de Cuenca.** En Madrid, **pino negral,** resinable. ‖ **de oro.** fig. Especie de adorno que antiguamente usaban las mujeres en el tocado. ‖ **2.** fig. Cualquier persona o cosa de excelentes cualidades. ‖ **de Valsaín. pino albar,** de corteza rojiza en lo alto. ‖ **doncel,** o **manso. pino piñonero.** ‖ **marítimo. pino rodeno.** ‖ **melis.** Variedad del **pino** negral muy estimada para entarimados, puertas y otras obras de carpintería. ‖ **negral.** Especie de **pino** que llega a más de 40 metros de altura, con la corteza de un blanco ceniciento, hojas largas y fuertes y piñas pequeñas. Su madera es muy elástica y bastante rica en resina. ‖ **2.** *Áv.* **pino rodeno,** resinable. ‖ **negro.** Especie de **pino** de 10 a 20 metros de altura, corteza bastante lisa, de color pardo oscuro, hojas cortas y piñas pequeñas. ‖ **piñonero.** Especie de **pino** que llega a 30 metros de altura, de tronco muy derecho y copa ancha, casi aparasolada, hojas largas y piñas aovadas, con piñones comestibles. ‖ **pudio. pino negral,** resinable. ‖ **real.** *And.* **pino piñonero.** ‖ **rodeno.** Especie de **pino** de mediana altura, corteza áspera, pardusca y a trechos rojiza; hojas muy largas, gruesas y rígidas, y piñas grandes, puntiagudas y un poco encorvadas. Su madera es la más abundante en resina. ‖ **royo.** *Ar.* **pino albar,** de corteza rojiza en lo alto. ‖ **salgareño. pino negral,** resinable. ‖ **tea.** Especie de **pino** cuya madera es muy resinosa, de color rojizo, compacta y dura. Se usa para suelos, puertas, balcones y obras semejantes. ‖ **ser uno como un,** o **un, pino de oro.** fr. fig. y fam. Ser bien dispuesto, airoso y bizarro.

pino[2], na. (De *pino*.) adj. Muy pendiente o muy derecho. *La cuesta del monte es muy* PINA. ‖ **2.** m. fam. **pinito,** primer paso del niño o del convaleciente. Ú. m. en pl. y con el verbo *hacer*. ‖ **a pino.** loc. adv. con que se explica el modo de tocar las campanas, levantándolas en alto y haciéndolas dar vueltas. ‖ **en pino.** loc. adv. En pie, derecho, sin caer.

pinocha[1]. f. Hoja o rama del pino.

pinocha[2]. (De *panocha*.) f. *Ar.* Panoja del maíz y del panizo.

pinochera. (De *pinocha*[2].) f. *Ar.* Espata que cubre la panoja del maíz y del panizo.

pinocho. (De *pino*[1].) m. Pino nuevo. ‖ **2.** Ramo de pino. ‖ **3.** Piña de pino rodeno, negro y resinable.

pinol. m. *C. Rica, Ecuad.* y *Guat.* **pinole.** ‖ **2.** *Guat., Hond.* y *Nicar.* Harina de maíz tostado.

pinolate. m. *Guat.* Bebida de pinole, agua y azúcar.

pinole. (Del náhuatl *pinolli*.) m. Mezcla de polvos de vainilla y otras especias aromáticas, que venía de América y servía para echarla en el chocolate, al cual daba exquisito olor y sabor. ‖ **2.** *Méj.* Harina de maíz tostado, a veces endulzado y mezclado con cacao, canela o anís.

pinolillo. m. *Méj.* Insecto de color rojo y muy pequeño, que parece polvo de pinole. ‖ **2.** *C. Rica, Hond.* y *Nicar.* Pinol con cacao, de que se hace una bebida. ‖ **3.** *Méj.* Larva de un género de garrapata.

pinoso, sa. adj. Que tiene pinos.

pinrel. (Del caló *pinré*.) m. *Germ.* El pie de las personas. Ú. m. en pl.

pinsapar. m. Sitio poblado de pinsapos.

pinsapo. (Del lat. *pinus*, pino, y *sapinus*, sabino.) m. Árbol del género del abeto, de 20 a 25 metros de altura, corteza blanquecina, flores monoicas, hojas cortas, esparcidas y casi punzantes, que persisten durante muchos años, y piñas derechas, más gruesas que las del abeto. Aunque extendido como árbol de adorno por toda Europa, solo es espontáneo en una parte de la serranía de Ronda.

pinta¹. (De *pintar*.) f. Mancha o señal pequeña en el plumaje, pelo o piel de los animales y en la masa de los minerales. ‖ **2.** Adorno en forma de lunar o mota, con que se matiza alguna cosa. ‖ **3.** Gota de agua u otro líquido. ‖ **4.** Señal que tienen los naipes en sus extremos, por donde se conoce, sin descubrirlos por entero, de qué palo son. ‖ **5.** Carta que al comienzo de un juego de naipes, se descubre y que designa el palo de triunfos. ‖ **6.** fig. Aspecto o facha por donde se conoce la calidad buena o mala de personas o cosas. También se aplica a la muestra de ciertas cosechas. ‖ **7.** pl. Juego de naipes, parecido al del parar. ‖ **8.** Tifus, tabardillo. ‖ **9.** m. Sinvergüenza, desaprensivo. *Fulano es un* PINTA. ‖ **descubrir** a uno **por la pinta.** fr. **sacarle por la pinta.** ‖ **no quitar pinta.** fr. fig. y fam. Parecerse uno grandísima semejanza a otro, no solo en la apariencia exterior, sino también en el genio y acciones. ‖ **sacar** a uno **por la pinta.** fr. fig. y fam. Conocerle por alguna señal. ‖ **2.** Deducir un parentesco por el parecido físico.

pinta². (De or. inc.) f. Antigua medida de capacidad para líquidos, equivalente a media azumbre escasa en algunas regiones de España. ‖ **2.** Medida cuya capacidad varía según los países y a veces, dentro de un país, según sea para líquidos o para áridos.

pintacilgo. (De *pinta¹* y *cilgo*, del lat. *silȳbum*, cardo.) m. Jilguero, cardelina, sietecolores.

pintada. f. **gallina de Guinea.** ‖ **2.** Acción de pintar en las paredes letreros preferentemente de contenido político o social. ‖ **3.** Letrero o conjunto de letreros de dicho carácter que se han pintado en un determinado lugar.

pintadera. f. Instrumento que se emplea para adornar con ciertas labores la cara superior del pan u otras cosas.

pintadillo. (De *pintado*.) m. **pintacilgo.**

pintado, da. p. p. de **pintar.** ‖ **2.** adj. Naturalmente matizado de diversos colores. ‖ **3.** V. **pan, papel, tabardillo pintado.** ‖ **4.** **pintojo.** ‖ **el más pintado.** loc. fig. y fam. El más hábil, prudente o experimentado. ‖ **2.** fig. El de más valer. ‖ **pintado,** o **como pintado.** fig. Con los verbos *estar, venir* y otros, ajustado y medido; muy a propósito. ‖ **que ni pintado.** loc. fig. y fam. **pintado,** o **como pintado.**

pintador, ra. m. y f. *And.* Persona que pinta o siembra a golpe.

pintalabios. m. Cosmético usado para colorear los labios que se presenta, generalmente, en forma de barra guardada en un estuche.

pintamonas. com. fig. y fam. Pintor de corta habilidad.

pintar. (Del lat. *pictāre*, de *pictus*, con la *n* de *pingĕre*.) tr. Representar o figurar un objeto en una superficie, con las líneas y los colores convenientes. ‖ **2.** Cubrir con un color la superficie de las cosas; como persianas, puertas, etc. ‖ **3.** Hacer adornos con la pintadera. ‖ **4.** Escribir, formar la letra, y también señalar o trazar un signo ortográfico. PINTAR *el acento.* ‖ **5.** Dibujar o dejar una marca un lápiz o cosa semejante. Ú. t. c. intr. *Este bolígrafo ya no* PINTA. ‖ **6.** fig. Describir o representar viva y animadamente personas o cosas por medio de la palabra. ‖ **7.** fig. Fingir, engrandecer, ponderar o exagerar una cosa. ‖ **8.** *Min.* Labrar la boca de un barreno, emboquillar. ‖ **9.** intr. Empezar a tomar color y madurar ciertos frutos. Ú. t. c. prnl. ‖ **10.** Mostrarse la pinta de las cartas cuando se talla. ‖ **11.** Con sujeto que sea un palo de la baraja, señalar que este es el triunfo en el juego. ‖ **12.** fig. y fam. Empezar a mostrarse la cantidad o la calidad buena o mala de una cosa. ‖ **13.** fig. En frases negativas o interrogativas que envuelven negación, importar, significar, valer. *¿Qué* PIN-

TAS *tú aquí? Yo aquí no* PINTO *nada, y por tanto, me voy.* ‖ **14.** *Ast., León* y *Sor.* Probarle bien una cosa a uno; sentarle bien. ‖ **15.** *And.* Sembrar a golpe. ‖ **16.** prnl. Darse colores en el rostro, maquillarse. ‖ **pintar como querer.** expr. fig. Presentar las cosas, no como son o han de ser, sino conforme al capricho o la conveniencia de quien las presenta. ‖ **pintar de,** o **de la, primera.** fr. Dejar enseguida concluido lo que se pinta o la convenio ni retocar. ‖ **pintarla.** loc. verbal fig. y fam. Afectar uno en porte y modales autoridad, distinción, elegancia o gentileza. ‖ **pintarse uno solo para** una cosa. fr. fig. y fam. Ser muy apto o tener mucha habilidad para ella.

pintarrajar. tr. fam. Manchar de varios colores y sin arte una cosa.

pintarrajear. tr. fam. **pintarrajar.** Ú. t. c. prnl. ‖ **2.** prnl. Pintarse o maquillarse mucho y mal.

pintarrajo. m. fam. Pintura mal trazada y de colores impropios.

pintarroja. (De *pinta¹* y *roja.*) f. lija, pez.

pintarrojo. (De *pinta¹* y *rojo.*) m. *Gal.* Pardillo, pájaro.

pintauñas. m. Cosmético de laca, de secado rápido, usado para colorear las uñas y darles brillo.

pintear. (De *pinta*, gota.) intr. impers. Caer pintas o gotas, lloviznar.

pinteño, ña. adj. Natural de Pinto. Ú. t. c. s. ‖ **2.** Perteneciente o relativo a esta villa de la provincia de Madrid.

pintiparado, da. (De *pintiparar.*) adj. Dícese de lo que viene adecuado a otra cosa, o a propósito para el fin propuesto. ‖ **2.** Parecido, semejante a otro; que en nada difiere de él.

pintiparar. tr. p. us. Asemejar, hacer parecida una cosa a otra.

Pinto¹. n. p. ‖ **estar** uno **entre Pinto y Valdemoro.** fr. fig. y fam. Estar medio borracho. ‖ **2.** Estar indeciso, vacilante.

pinto², ta. (Del lat. *pictus*, con la *n* de *pingĕre.*) adj. ant. Dicho de animales y cosas, de diversos colores. ‖ **2.** V. **pájara pinta.**

pintojo, ja. adj. Que tiene pintas o manchas.

pintón, na. (De *pintar.*) adj. Dícese de las uvas y otros frutos cuando van tomando color al madurar. ‖ **2.** Aplícase al ladrillo que no está perfecta e igualmente cocido. ‖ **3.** m. Gusanillo que pica el tallo del maíz para penetrar en él y deja la planta lacia y amarillenta. ‖ **4.** Enfermedad de la planta de maíz, causada por el referido gusanillo.

pintonear. (De *pintón,* dicho de los frutos.) intr. Enverar las frutas.

pintor, ra. (Del lat. *pictor, -ōris,* con la *n* de *pingĕre.*) m. y f. Persona que profesa o ejercita el arte de la pintura. ‖ **2.** Persona que tiene por oficio pintar puertas, ventanas, paredes, etcétera.

pintoresco, ca. (De *pintor.*) adj. Se aplica a paisajes, escenas, tipos, figuras y a cuanto puede presentar una imagen grata, peculiar y con cualidades pictóricas. ‖ **2.** fig. Dícese del lenguaje, estilo, etc., con que se pintan viva y animadamente las cosas. ‖ **3.** fig. Estrafalario, chocante.

pintoresquismo. m. Cultivo voluntario de lo pintoresco o afición a ello.

pintorrear. (De *pintar.*) tr. fam. Manchar de varios colores y sin arte una cosa. Ú. t. c. prnl.

pintura. f. Arte de pintar. ‖ **2.** Tabla, lámina o lienzo en que está pintada una cosa. ‖ **3.** La misma obra pintada. ‖ **4.** Color preparado para pintar. ‖ **5.** fig. Descripción o representación viva y animada de personas o cosas por medio de la palabra. ‖ **a dos visos.** La que se forma artificialmente, de suerte que mirada de un modo representa una figura, y mirada de otro, otra distinta. ‖ **a la aguada.** **aguada,** dibujo o pintura hecha con colores disueltos en agua. ‖ **a la chamberga.** Manera de pintar esculturas de madera, puertas, ventanas, paredes y otras cosas no expuestas a la intemperie, usando colores preparados con barniz de pez griega y aguarrás. ‖ **al encausto.** La que se hace empleando colores mezclados con cera y se aplica en caliente. Tuvo uso principalmente en la antigüedad. ‖ **al fresco.** La que se hace en paredes y techos con colores disueltos en agua de cal y extendidos sobre una capa de estuco fresco. ‖ **al óleo.** La hecha con colores desleídos en aceite secante. ‖ **al pastel.** La que se hace sobre papel con lápices blandos, pastosos y de colores variados. ‖ **al temple.** La hecha con colores preparados con líquidos glutinosos y calientes; como agua de cola, etc. ‖ **bordada.** La que se hace con sedas de varios colores, mediante la aguja, sobre piel o tejido. ‖ **cerífica. pintura** al encausto hecha con cera de varios colores. ‖ **de aguazo. aguazo.** ‖ **de miniatura. miniatura.** ‖ **de mosaico. mosaico²**. ‖ **de porcelana.** La hecha de esmalte, usando colores minerales y uniéndolos y endureciéndolos con el fuego. ‖ **embutida.** La que imita objetos de la naturaleza, embutiendo fragmentos de varias materias con la debida unión, según conviene a lo que se intenta representar. Divídese en metálica, marmórea o lapídea, lignaria y plástica, según la calidad de los fragmentos que se embuten. ‖ **figulina.** La hecha con colores metálicos sobre vasijas de barro, perfeccionándolos con el fuego. ‖ **rupestre.** La prehistórica, que se encuentra en rocas o en cavernas. ‖ **tejida.** La que se hace en la tela, imitando objetos de la naturaleza por medio del tejido. ‖ **vítrea.** La hecha con colores preparados, usando pincel y endureciéndolos al fuego. ‖ **hacer pinturas** un caballo. fr. fig. y fam. Hacer escarceos y gallardear, o por sí mismo, o excitado por el jinete. ‖ **no poder ver** a uno **ni en pintura.** fr. fam. Tenerle gran aversión.

pinturero, ra. (De *pintura.*) adj. fam. Dícese de la persona que alardea ridícula o afectadamente de bien parecida, fina o elegante. Ú. t. c. s. ‖ **2.** fam. Que presume de airoso, gentil, apuesto. Ú. t. c. s.

pinuca. f. *Chile.* Marisco de cerca de un decímetro de largo y dos centímetros de ancho, de piel gruesa, coriácea, blanco, pardusco y arrugado. Es comestible.

pínula. (Del lat. *pinnŭla.*) f. Tablilla metálica que en los instrumentos topográficos y astronómicos sirve para dirigir visuales por una abertura circular o longitudinal que la misma tiene.

pinza. (Del fr. *pince,* tenaza.) f. Instrumento de diversas formas y materias cuyos extremos se aproximan para sujetar alguna cosa. ‖ **2.** Último artejo de algunas patas de ciertos artrópodos, como el cangrejo, el alacrán, etc., formado con dos piezas que pueden aproximarse entre sí y sirven como órganos prensores. ‖ **3.** Pliegue que se cose en la tela para darle una forma determinada. ‖ **4.** pl. Instrumento de metal, a manera de tenacillas, que sirve para coger o sujetar cosas menudas. ‖ **5.** V. **compás de pinzas.** ‖ **no se lo sacarán ni con pinzas.** expr. fig. y fam. con que se expresa la dificultad de averiguar de una persona reservada o cauta lo que se desea saber.

pinzar. tr. Sujetar con pinza. ‖ **2.** Plegar una cosa, pellizcándola con los dedos, con un muelle, etc.

pinzón. m. Ave paseriforme, del tamaño de un gorrión, con plumaje de color rojo oscuro en la cara, pecho y abdomen, ceniciento en lo alto de la cabeza y del cuello, pardo rojizo en el lomo, verde amarillento en la rabadilla, negro en la frente, pardo con dos franjas transversales, una blanca y otra amarilla, en las alas, y negro con manchas blancas en la cola. Abunda en España, se alimenta principalmente de insectos, canta bien y la hembra es de color pardo. ‖ **2.** *Mar.* Palanca que da impulso al émbolo de la bomba aspirante, guimbalete. ‖ **real.** El de pico muy grueso y robusto, que se alimenta principalmente de piñones.

pinzote. (De *pinza.*) m. *Mar.* Barra o palanca que se en-

cajaba en la cabeza del timón y servía para moverlo. ‖ **2.** *Mar.* Hierro acodillado en forma de escarpia que se clava para servir de gozne o macho, como los del timón donde se enganchan las correspondientes hembras.

piña. (Del lat. *pinĕa.*) f. Fruto del pino y otros árboles. Es de figura aovada, más o menos aguda, de tamaño que varía, según las especies, desde dos hasta 20 centímetros de largo y aproximadamente la mitad de grueso, y se compone de varias piezas leñosas, triangulares, delgadas en la parte inferior, por donde están asidas, y recias por la superior, colocadas en forma de escama a lo largo de un eje común, y cada una con dos piñones y rara vez uno. ‖ **2.** Ananás, planta y fruto. ‖ **3.** Mazorca del maíz, especialmente cuando carece de farfolla. ‖ **4.** Tejido blanco mate, transparente y finísimo, que los indígenas de Filipinas fabrican con los filamentos de las hojas del ananás. Sirve para hacer pañuelos, toallas, fajas, camisas y vestidos de niños y señoras. ‖ **5.** fig. Conjunto de personas o cosas unidas o agregadas estrechamente. ‖ **6.** *Sal.* Cresta de pavo. ‖ **7.** *Can., Argent.* y *Urug.* Trompada, puñetazo. ‖ **8.** *Mar.* Especie de nudo, generalmente redondeado, que se teje con los chicotes descolchados de un cabo. ‖ **9.** *Min.* Masa esponjosa de plata, de figura cónica, que queda en los moldes, donde se destila en los hornos la pella sacada de minerales argentíferos. ‖ **10.** V. **plata de piña.** ‖ **de América. ananás.** ‖ **de ciprés.** Fruto de este árbol, que es una gálbula redonda, leñosa, con superficie desigual, color bronceado, de unos tres centímetros de diámetro, y en lo interior con muchas semillas negras y menudas. ‖ **de incienso.** Cada una de las cinco figuras de **piña** que se clavan en el cirio pascual.

piñal. m. *Amér.* Plantío de piñas o ananás.

piñata. (Del it. *pignatta.*) f. Especie de olla panzuda. ‖ **2.** Vasija de barro, llena de dulces, que en el baile de máscaras del primer domingo de cuaresma suele colgarse del techo para que algunos de los concurrentes, con los ojos vendados, procuren romperla de un palo o bastonazo. Por ext., la que se pone en una fiesta familiar, de cumpleaños o infantil. ‖ **3.** V. **baile, domingo de piñata.**

piño. (Del cr. *pignon,* muela.) m. **diente.** Ú. m. en pl.

piñón¹. (De *piña.*) m. Simiente del pino. Es de tamaños diferentes, según las especies, desde dos a 20 milímetros de largo y uno a cinco de grueso, elipsoidal, con tres aristas obtusas, cubierta leñosa muy dura y almendra blanca, dulce y comestible en el pino piñonero. ‖ **2.** Almendra comestible de la semilla del pino piñonero. ‖ **3.** Burro más trasero de la recua, en el cual suele ir montado el arriero. ‖ **4.** Arbusto de la familia de las euforbiáceas, de dos a cinco metros de altura, con hojas acorazonadas, divididas casi siempre en lóbulos y pecioladas; flores en cima y fruto carnoso con semillas crasas. Se cría en las regiones cálidas de América, sus semillas se emplean en medicina como purgantes, y en la industria para extraer su aceite, y las raíces sirven para teñir de color violado. ‖ **5.** En las armas de fuego, pieza que sostiene la patilla de la llave cuando está para disparar. ‖ **6.** *Cetr.* Huesecillo último de las alas del ave. ‖ **comer los piñones en** alguna parte. fr. fig. y fam. Hacer nochebuena en ella. *Ese criado no* COMERÁ *aquí* LOS PIÑONES. ‖ **estar** uno **a partir un piñón con** otro. fr. fig. y fam. Haber unidad de miras y estrecha unión entre ambos. ‖ **hacer piñones.** fr. Piñonear el macho de la perdiz. Ú. entre cazadores.

piñón². (Del fr. *pignon.*) m. Rueda pequeña y dentada que engrana con otra mayor en una máquina. ‖ **2.** *Arq.* Remate triangular de los hastiales góticos.

piñón³. (Del lat. *pinna,* pluma.) m. *Cetr.* Cualquiera de las plumas pequeñas, en forma de segunda ala, que los halcones tienen debajo de las alas.

piñonata. (De *piñonate.*) f. Género de conserva que se hace de almendra raspada y sacada como en hojas, y azúcar en punto para que se incorpore.

piñonate. (Del cat. *pinyonat*, de *pinyó*, piñón.) m. Cierto género de pasta que se compone de piñones y azúcar. ‖ **2.** Masa de harina frita cortada en pedacitos que, rebozados con miel o almíbar, se unen unos a otros, formando por lo común una piña.

piñoncillo. m. *Cetr.* **piñón**³.

piñonear. intr. Sonar con el roce el piñón y la patilla de la llave de algunas armas de fuego cuando estas se montan. ‖ **2.** Castañetear el macho de la perdiz cuando está en celo. ‖ **3.** fig. y fam. Dar muestras, en las costumbres e inclinaciones, de que se ha pasado ya de la niñez a la mocedad. ‖ **4.** fig. y fam. Galantear los hombres ya maduros a las mujeres, como si fueran mozos. Ú. en tono burlesco.

piñoneo. m. Acción y efecto de piñonear.

piñonero. (De *piñón*¹.) adj. V. **pino piñonero.** ‖ **2.** m. **pinzón real.**

piñorar. (Del lat. *pignorāre*.) tr. ant. Dar en prenda, pignorar.

piñuela. (d. de *piña*.) f. Tela o estofa de seda. ‖ **2.** Gálbula del ciprés. ‖ **3.** *C. Rica, Ecuad.* y *Nicar.* Planta bromeliácea, algo parecida al cacto, que se emplea mucho para cercar o potreros o fincas rústicas.

piñuelo. (De *piña*.) m. **erraj.** ‖ **2.** *Murc.* Granillo o simiente de la uva y de algunos otros frutos.

pío¹. m. Voz que forma el pollo de cualquier ave. Ú. también de esta voz para llamarlos a comer. ‖ **2.** fam. Deseo vivo y ansioso de una cosa. ‖ **3.** *Germ.* Vino de uvas. ‖ **no decir pío, o ni pío.** fr. fig. No chistar, no despegar los labios.

pío², **a.** (Del lat. *pius.*) adj. Devoto, inclinado a la piedad, dado al culto de la religión y a las cosas pertenecientes al servicio de Dios y de los santos. ‖ **2.** Benigno, blando, misericordioso, compasivo. ‖ **3.** V. **acervo, monte, pósito pío.** ‖ **4.** V. **obra pía.**

pío³, **a.** (Del fr. *pie.*) adj. Dícese del caballo, mulo o asno cuyo pelo, blanco en su fondo, presenta manchas más o menos extensas de otro color cualquiera, negro, castaño, alazán, etc.

piocha¹. (Del it. *pioggia.*) f. Joya de varias figuras que usaban las mujeres para adorno de la cabeza. ‖ **2.** Flor de mano, hecha de plumas delicadas de aves.

piocha². (Del fr. *pioche*, de *pic*, pico.) f. *Alban.* Herramienta con una boca cortante, que sirve para desprender los revoques de las paredes y para escafilar los ladrillos.

piocha³. (Del náhuatl *piochtli.*) f. *Méj.* Barba de mentón. ‖ **2.** adj. fam. *Méj.* Agraciado, excelente, magnífico.

piogenia. (Del gr. πύον, pus, y γεννάω, producir.) f. *Med.* Formación de pus.

piojento, ta. adj. Perteneciente o relativo a los piojos. ‖ **2.** Que tiene piojos. ‖ **3.** V. **hierba piojenta.**

piojera. (De *piojo.*) adj. V. **hierba piojera.** ‖ **2.** f. Abundancia de piojos. ‖ **3.** Miseria, escasez.

piojería. f. Abundancia de piojos. ‖ **2.** fig. y fam. Miseria, escasez, menudencia o poquedad.

piojillo. m. Insecto anopluro, que vive parásito sobre las aves y se alimenta de materias córneas de la piel y plumas de estos animales. ‖ **matar** uno **el piojillo.** fr. fig. y fam. Ir sacando adelante su negocio mañosa o disimuladamente.

piojo. (Del lat. *peducŭlus.*) m. Insecto hemíptero, anopluro, de dos a tres milímetros de largo, con piel flexible, resistente y de color pardo amarillento; cuerpo ovalado y chato, sin alas, con las patas terminadas en uñas y antenas muy cortas, filiformes y con cinco articulaciones, y boca con tubo a manera de trompa que le sirve para chupar. Vive parásito sobre los mamíferos, de cuya sangre se alimenta; su fecundidad es extraordinaria, y hay diversas especies. ‖ **2.** piojo de las aves, piojillo. ‖ **3.** *Min.* Partícula

que a los golpes del martillo suele saltar de la cabeza de la barrena, y que clavándose en las manos del operario, le produce la sensación de una picadura. ‖ **de mar.** Crustáceo de tres a cuatro centímetros de largo, de figura ovalada, cabeza cónica, seis segmentos torácicos, seis pares de patas y abdomen rudimentario. Vive como parásito sobre la piel de la ballena y de otros grandes mamíferos marinos. ‖ **pegadizo.** fig. y fam. Persona importuna y molesta que no puede uno apartar de sí. ‖ **resucitado.** fig. y fam. Persona de humilde origen, que logra elevarse por malos medios. ‖ **como piojo, o piojos, en costura.** loc. adv. fig. y fam. de que se usa para denotar que se está con mucha estrechez y apretura en un sitio.

piojoso, sa. adj. Que tiene muchos piojos. Ú. t. c. s. ‖ **2.** fig. Miserable, mezquino. Ú. t. c. s. ‖ **3.** fig. Sucio, harapiento.

piojuelo. m. d. de **piojo.** ‖ **2.** pulgón.

piola. (Del lat. *pediŏla*, traba.) f. Cuerda delgada, cordel. ‖ **2.** *Mar.* Cabito formado de dos o tres filásticas. ‖ **3.** *Murc.* Especie de triquitraque.

piolar. (Como el fr. *piauler*, voz onomatopéyica.) intr. Pipiar los pollos o los pajaritos.

piolet. (Del ing. *piolet.*) m. En el deporte de montaña, instrumento que utilizan los alpinistas para asegurar sus movimientos sobre nieve o hielo.

piolín. m. *Amér.* Cordel delgado de cáñamo, algodón, u otra fibra.

pión, na. (De *piar.*) adj. Que pía mucho o con exceso. Ú. t. c. s.

pionero, ra. (Del fr. *pionnier.*) m. y f. Persona que inicia la exploración de nuevas tierras. ‖ **2.** Persona que da los primeros pasos en alguna actividad humana. Ú. t. c. s. ‖ **3.** *Biol.* Grupo de organismos animales o vegetales que inicia la colonización de un nuevo territorio. *Los líquenes son* PIONEROS *en el poblamiento de rocas que aún no tienen suelo vegetal.*

pionía. f. Semilla del bucare, que es parecida a la alubia, si bien más redonda, muy dura y de brillante y hermosísimo color encarnado con manchitas negras en ambos extremos.

pionono. (De Pío *nono.*) m. Dulce hecho de bizcocho, cubierto de crema o de huevo, y generalmente enrollado.

piopollo. (Voz imitativa del sonido del instrumento.) m. *And.* Instrumento músico semejante al birimbao.

piornal. m. Sitio poblado de piornos.

piorneda. f. Terreno poblado de piornos.

piorno. (De or. inc.) m. **gayomba,** arbusto. ‖ **2.** Cítiso, codeso.

piorrea. (Del gr. πυόρροια.) f. *Pat.* Flujo de pus y especialmente en las encías.

pipa¹. (Del lat. vulg. **pipa*, flautilla.) f. Utensilio para fumar consistente en un tubo terminado en un recipiente, en que se coloca y enciende el tabaco picado u otra sustancia, cuyo humo se aspira por el extremo de la boquilla del tubo. ‖ **2.** Cantidad de tabaco que se coloca en una **pipa** para fumarlo. ‖ **3.** Tonel o candiota que sirve para transportar o guardar vino u otros licores. ‖ **4.** V. **piedra de pipas.** ‖ **5.** Lengüeta de las chirimías, por donde se echa el aire. ‖ **6.** Flautilla de alcacer, pipiritaña. ‖ **7.** espoleta¹. ‖ **tomar pipa.** fr. fam. Marcharse, irse, huir.

pipa². (De la onomat. *pip.*) f. Pepita² de frutas. ‖ **2.** *C. Rica.* Fruto completo del cocotero, con su corteza exterior e interior. ‖ **3.** *C. Rica.* fig. y fam. **cabeza.** *Me duele la* PIPA.

pipar¹. intr. Fumar en pipa.

pipar². (De la onomat. *pip.*) tr. *Burg.* Tomar a pellizcos un alimento, o una a una las uvas de un racimo.

piperáceo, a. (Del lat. *piper, -ĕris*, pimienta.) adj. *Bot.* Dícese de plantas angiospermas dicotiledóneas, herbáceas o leñosas, de hojas gruesas, enteras o aserradas, flores hermafroditas en espigas o en racimos y fruto en baya, cápsula o drupa con semillas de albumen córneo o carnoso; como el betel, la cubeba y el pimentero. Ú. t. c. s. f. ‖ **2.** f. pl. *Bot.* Familia de estas plantas.

pipería. f. Conjunto o provisión de pipas[1]. ‖ **2.** *Mar.* Conjunto de pipas en que se lleva la aguada y otros géneros. ‖ **abatir la pipería.** fr. *Mar.* Deshacer o desbaratar las pipas o barriles que en las embarcaciones sirven para llevar el agua dulce.

piperina. (Del lat. *piper, -ĕris*, pimienta.) f. *Quím.* Alcaloide extraído de la pimienta.

pipermín. (Del ing. *pepper-mint*.) m. Licor de menta que se obtiene mezclando alcohol, menta y agua azucarada.

pipero, ra. m. y f. Persona que vende pipas, caramelos, y otras golosinas, en la calle.

pipeta. (d. de *pipa*[1].) f. Tubo de cristal ensanchado en su parte media, que sirve para trasladar pequeñas porciones de líquido de un vaso a otro. ‖ **2.** Tubo de varias formas cuyo orificio superior se tapa a fin de que la presión atmosférica impida la salida del líquido.

pipetear. intr. Tomar con la pipeta cierta cantidad de líquido. Ú. t. c. tr.

pipi. m. **pipiolo.** ‖ **2.** fam. Piojo, insecto hemíptero parásito de los mamíferos.

pipi[1]**.** m. **pitpit,** pájaro.

pipi[2]**.** m. En lenguaje infantil, orina.

pipián. m. Guiso americano que se compone de carnero, gallina, pavo u otra ave, con tocino gordo y almendra machacada.

pipiar. (Del lat. *pipiāre*.) intr. Dar voces las aves cuando son pequeñas.

pipil. (Del nahua *pipil,* niño.) adj. *El Salv., Hond.* y *Nicar.* Dícese del indígena precolombino, descendiente directo de los aztecas, que habitaba en el occidente de El Salvador. Ú. t. c. s. ‖ **2.** Perteneciente o relativo a esos indígenas. ‖ **3.** m. Lengua de los **pipiles.**

pípila. f. *Méj.* Hembra del guajolote. ‖ **2.** *Méj.* **Prostituta.**

pipiola. f. *Méj.* Especie de abeja muy pequeña.

pipiolera. f. *Méj.* **chiquillería.**

pipiolo, la. (d. del lat. *pipĭo, -ōnis,* pichón, polluelo.) m. y f. fam. Principiante, novato o inexperto. ‖ **2.** m. *Méj.* Niño, muchacho.

pipión. m. ant. **pepión,** moneda.

pipiricojo (a). loc. adv. **a la pata coja.**

pipirigallo. (De la onomat. *pipiri* y *gallo*.) m. Planta herbácea vivaz, de la familia de las papilionáceas, con tallos torcidos, de unos cuatro decímetros de altura; hojas compuestas de un número impar de hojuelas enteras y elípticas; flores encarnadas, olorosas, en espigas axilares y cuyo conjunto semeja la cresta y carúnculas del gallo, y fruto seco, cubierto de puntitas y con una sola semilla. Es común en España, se considera como una de las plantas mejores para prados, y una de sus variedades se cultiva en los jardines por la belleza de la flor.

pipirigaña. f. Juego de pellizcarse las manos, pizpirigaña.

pipirijaina. f. fam. Compañía de cómicos de la legua.

pipiripao. m. fam. Convite espléndido y magnífico. Entiéndese regularmente de los que se van haciendo un día en una casa y otro en otra. ‖ **2.** fam. V. **tierra del pipiripao.**

pipiritaña. f. (De or. onomatopéyico.) f. Flautilla que suelen hacer los muchachos con las cañas del alcacer.

pipirrana. f. *And.* Ensaladilla hecha con pepino y tomate principalmente, y preparada de una manera especial.

pipita. (De or. onomatopéyico.) f. *And.* Pajarita de las nieves, aguzanieves.

pipitaña. (De or. onomatopéyico.) f. Flautilla de alcacer, pipiritaña.

pipo[1]**.** (Del gr. πῖποϛ.) m. Ave trepadora, de unos 12 centí-

metros de longitud, desde la punta del pico hasta la extremidad de la cola, y 20 de envergadura, con plumaje negro manchado de blanco, menos la parte inferior del arranque de la cola, que es de color ceniciento, y la parte superior del lomo, que es rojizo. Anida sobre los árboles y se alimenta de los insectos que viven en ellos.

pipo[2]**.** m. *And.* Botijo. ‖ **2.** *Extr.* Grano o semilla de ciertas legumbres.

piporro. (aum. despect. de *pipa*[1], lengüeta.) m. fam. **fagot,** instrumento músico. ‖ **2.** Persona que lo toca. ‖ **3.** Botijo.

pipote. m. Pipa pequeña que sirve para encerrar y transportar licores, pescados y otras cosas.

pique[1]**.** (De *picar*.) m. Resentimiento, desazón o disgusto ocasionado de una disputa u otra cosa semejante. ‖ **2.** Empeño en hacer una cosa por amor propio o por rivalidad. ‖ **3.** Acción y efecto de picar poniendo señales en un libro, etc. ‖ **4.** En el juego de los cientos, lance en que el que es mano cuenta 60 puntos antes que el contrario cuente uno; y esto sucede cuando va jugando y contando y llega al número treinta, que en su lugar cuenta 60. ‖ **5.** Especie de pulga, nigua. ‖ **6.** *And.* y *Chile.* Juego infantil que consiste en tirar contra la pared monedas o canicas, hasta que una de ellas, de retroceso, se acerque o toque a alguna de las restantes. ‖ **7.** *N. Argent., Nicar.* y *Par.* Senda estrecha que se abre en la selva. ‖ **8.** *Argent.* En competencias, y refiriéndose por lo común a animales y automotores, aceleración inicial. ‖ **a los piques.** loc. adv. *Argent.* Con mucha prisa, apresuradamente. ‖ **a pique.** loc. adv. Cerca, a riesgo, en contingencia. ‖ **2.** *Mar.* Dícese de la costa que forma como una pared, o cuya orilla está cortada a plomo. ‖ **echar a pique.** fr. *Mar.* Hacer que un buque se sumerja en el mar. ‖ **2.** fig. Destruir o desbaratar una cosa. ECHAR A PIQUE *la hacienda.* ‖ **estar,** o **ponerse, a pique.** fr. *Mar.* Con relación al ancla fondeada, estar o colocar el buque verticalmente sobre ella, teniendo teso su cable. ‖ **irse a pique.** fr. *Mar.* Hundirse en el agua una embarcación u otro objeto flotante. ‖ **2.** fig. y fam. Malograrse una cosa o un intento.

pique[2]**.** (De *pica*[1].) m. *Mar.* Varenga en forma de horquilla, que se coloca a la parte de proa. ‖ **2.** *Argent.* V. **palo a pique.**

piqué. (Del fr. *piqué,* picado.) m. Tela de algodón con diversos tipos de labor, que se emplea en prendas de vestir y otras cosas.

piquera. (De *pico*.) f. Agujero o puertecita que se hace en las colmenas para que las abejas puedan entrar y salir. ‖ **2.** Agujero que tienen en uno de sus dos frentes los toneles y alambiques, para que abriéndolo pueda salir el líquido. ‖ **3.** Agujero que en la parte inferior de los hornos altos sirve para dar salida al metal fundido. ‖ **4.** Canutillo de la mecha de encender. ‖ **5.** Ventana o rompimiento hecho en la pared de un jaraíz que da a la calle, para descargar por él los carros de uva. ‖ **6.** Herida en las carnes. ‖ **7.** *Burg.* Cada dos o cuatro surcos de terreno sembrado, torna. ‖ **8.** *Cuba.* Parada de carruajes de alquiler.

piquería. f. Tropa de piqueros.

piquero. m. Soldado que servía en el ejército con pica. ‖ **2.** *Chile, Ecuad.* y *Perú.* Ave palmípeda, de pico recto puntiagudo; anda en grandes bandadas y se alimenta de peces. De ella procede en gran parte el guano de las islas de Chincha.

piqueta. (d. de *pica*[1].) f. **zapapico.** ‖ **2.** Herramienta de albañilería, con mango de madera y dos bocas opuestas, una plana como de martillo, y otra aguzada como de pico.

piquete. m. Golpe o herida de poca importancia hecha con instrumento agudo o punzante. ‖ **2.** Agujero pequeño que se hace en las ropas u otras cosas. ‖ **3.** Jalón pequeño. ‖ **4.** Grupo poco numeroso de soldados que se emplea en diferentes servicios extraordinarios. ‖ **5.** Pequeño grupo de personas que exhibe pancartas con lemas, consignas políticas, peticiones, etc. ‖ **6.** Grupo de personas que pacifica o violentamente, intenta imponer o mantener una consigna de huelga. ‖ **7.** *Col.* Merienda campestre.

piquetero. m. Muchacho que lleva de una parte a otra las piquetas a los trabajadores de las minas.

piquetilla. (d. de *piqueta*.) f. Piqueta pequeña que en lugar de la punta tiene el remate ancho y afilado, y sirve a los albañiles solo para hacer agujeros pequeños en paredes delgadas.

piquillín. m. *Argent.* Árbol de la familia de las ramnáceas, que da una frutilla rojiza de la que se hace arrope y aguardiente, y cuya madera, de buena calidad, se emplea para muebles y herramientas. También se utiliza la raíz para teñir de morado.

piquituerto. (De *pico* y *tuerto*.) m. Pájaro de mandíbulas muy encorvadas, con las cuales separa las escamas de las piñas, saca los piñones y los parte.

pira¹. (Del lat. *pyra*, y este del gr. πυρά.) f. Hoguera en que antiguamente se quemaban los cuerpos de los difuntos y las víctimas de los sacrificios. ‖ **2.** fig. **hoguera.** ‖ **3.** *Blas.* Punta del escudo.

pira². (Del caló.) f. Fuga, huida. ‖ **ir de pira.** fr. En la jerga estudiantil, no entrar en la clase. ‖ **2.** Ir de parranda, juerga o jarana. ‖ **ser uno un pira.** fr. fam. **ser un pirante.**

pira³. Voz que se usa repetida para llamar a las gallinas.

pirado, da. p. p. de *pirar.* ‖ **2.** adj. fam. Dícese de la persona alocada. Ú. t. c. s.

piragón. (De *pira¹*.) m. Mariposilla del fuego, pirausta, piral.

piragua. (De or. caribe.) f. Embarcación larga y estrecha, mayor que la canoa, hecha generalmente de una pieza o con bordas de tabla o cañas. Navega a remo y vela, y la usan los indios de América y Oceanía. ‖ **2.** Embarcación pequeña, estrecha y muy liviana que se usa en los ríos y en algunas playas. ‖ **3.** Planta trepadora sudamericana, de la familia de las aráceas, con tallos escamosos, hojas grandes, muy verdes, lanceoladas, con aberturas ovaladas en su disco y espata axilar de color blanco amarillento. ‖ **4.** *P. Rico.* Helado, hielo rallado al que se añade un jarabe.

piragüero, ra. m. y f. El que gobierna la piragua. ‖ **2.** *P. Rico.* Vendedor de helados.

piragüismo. m. Deporte consistente en la competición de dos o más piraguas, movidas a remo por sendos piragüistas, que pueden ir sentados o de rodillas.

piragüista. com. Deportista que tripula o forma parte de la tripulación de una piragua.

piral. (Del lat. *pyralis*, y este del gr. πυραλίς.) m. Mariposilla del fuego, pirausta, piragón.

piramidal. adj. De figura de pirámide. ‖ **2.** *Anat.* V. **hueso piramidal.** ‖ **3.** *Anat.* Dícese de cada uno de dos músculos pares, situados el uno en la parte anterior e inferior del vientre, y el otro en la posterior de la pelvis y superior del muslo.

pirámide. (Del lat. *pyramis, -ĭdis*, y este del gr. πυραμίς.) f. *Geom.* Sólido que tiene por base un polígono cualquiera; sus caras (tantas en número como los lados de aquel) son triángulos que se juntan en un solo punto, llamado vértice, y forman un ángulo poliedro. Si la base es un cuadrilátero, la **pirámide** se llama cuadrangular; si un pentágono, pentagonal, etc. ‖ **2.** *Arq.* Monumento, por lo común de piedra o ladrillo, con forma de **pirámide.** *Las* PIRÁMIDES *egipcias, las* PIRÁMIDES *aztecas.* ‖ **cónica.** ant. *Geom.* **cono,** volumen limitado por una superficie cónica. ‖ **de edades.** Diagrama que representa la distribución proporcional de los grupos de edades de una población según su sexo, por medio de escalones rectangulares y perpendiculares a un eje, cuyo conjunto sugiere muchas veces la forma de una **pirámide.** ‖ **óptica.** La que forman los rayos

ópticos principales, que tiene por base el objeto y por vértice el punto impresionado en la retina. ‖ **regular.** *Geom.* La que tiene por base un polígono regular y por caras triángulos isósceles iguales.

pirandón, na. (De *pirarse*.) m. y f. Persona aficionada a ir de pira² o de parranda.

pirante. (De *pira²*.) com. Golfante, sinvergüenza, bribón. Ú. m. en la frase **ser** uno **un pirante.**

piraña. f. Pez teleósteo de los ríos de América del Sur, de pequeño tamaño y boca armada de numerosos y afilados dientes. Vive en grupos y es temido por su voracidad, que le lleva a atacar al ganado que cruza los ríos. Existen varias especies del mismo género.

pirar. (De *pira²*.) intr. vulg. Hacer novillos, faltar a clase. ‖ **2.** prnl. Fugarse, irse. *Manolo* PIRÓSE *de casa, se escapó.* ‖ **pirárselas.** loc. verbal. **pirarse.**

pirata. (Del gr. πειρατής, a través del lat. *pirāta*.) adj. **pirático.** ‖ **2.** Clandestino. *Edición* PIRATA. ‖ **3.** m. Ladrón que roba en el mar. ‖ **4.** fig. Sujeto cruel y despiadado. ‖ **aéreo.** Persona que, bajo amenazas, obliga a la tripulación de un avión a modificar su rumbo.

piratear. (De *pirata*.) intr. Ejercer la piratería. ‖ **2.** fig. Cometer acciones delictivas o contra la propiedad, como hacer ediciones sin permiso del autor o propietario, contrabando, etc.

piratería. (De *piratear*.) f. Ejercicio de pirata. ‖ **2.** Robo o presa que hace el pirata. ‖ **3.** fig. Robo o destrucción de los bienes de otro.

pirático, ca. (Del lat. *piratĭcus*.) adj. Perteneciente al pirata o a la piratería.

pirausta. (Del gr. πυραύστης, a través del lat. *pyrausta*.) f. Mariposilla que los antiguos suponían vivía en el fuego y que moría si se apartaba de él.

pirca. (Del quechua *pirca*, pared.) f. *Amér. Merid.* Pared de piedra en seco.

pircar. tr. *Amér. Merid.* Cerrar un lugar con muro de piedra en seco.

pirco. (Del arauc. *pidcu*.) m. Guiso chileno de fréjoles, maíz y calabaza.

pircún. (De or. araucano.) m. Arbustillo americano muy conocido por su raíz en forma de nabo grueso, que es en extremo purgante y emética. Pertenece a la familia de las fitolacáceas y se conocen diversas especies.

pirenaico, ca. (Del lat. *Pyrenaĭcus*.) adj. Natural de los montes Pirineos o que habita en ellos. Ú. t. c. s. ‖ **2.** Perteneciente o relativo a los montes Pirineos.

piretógeno, na. (Del gr. πυρετός, fiebre, y -'geno.) adj. *Med.* Que produce fiebre, pirógeno. Ú. t. c. s. m.

piretología. (Del gr. πυρετός, fiebre, y -logía.) f. Parte de la patología, que trata de las fiebres denominadas esenciales.

piretro. (Del lat. *pyrĕthrum*.) m. Pelitre.

pirexia. (Del gr. πῦρ, fuego, y ἕξις, estado.) f. *Pat.* Fiebre esencial, no sintomática.

pírgano. m. *Can.* Vástago con que se une la rama al tronco de la palmera. Se utiliza para mangos de escobas y en cestería.

pirgüín. (De or. araucano.) m. *Chile.* Especie de sanguijuela, de una pulgada de largo, que vive en los remansos de los ríos y aguas dulces estancadas y penetra en el hígado e intestinos del ganado, al que suele causar la muerte. ‖ **2.** Enfermedad causada por este parásito.

pirhuín. (De or. araucano.) m. **pirgüín.**

pírico, ca. (Del gr. πῦρ, fuego.) adj. Perteneciente o relativo al fuego, y especialmente a los fuegos artificiales.

piriforme. (Del lat. *pirum*, pera, y *forma*.) adj. Que tiene figura de pera.

pirincho. (Del guaraní *pirirīta*.) m. *Argent., Par.* y *Urug.* Ave parecida a la urraca, trepadora, de plumaje ceniciento. Tiene las plumas del cuello y cabeza erguidas.

pirineo, a. (Del lat. *Pyrenaeus*.) adj. Perteneciente a los Pirineos.

piripi. adj. fam. Borracho. Ú. m. en la fr. **estar piripi.**

pirita. (Del gr. πυρίτης, a través del lat. *pyrites*.) f. Mineral brillante, de color amarillo de oro. Es un sulfuro de hierro. ‖ **arsenical.** La que se compone de azufre, arsénico y hierro. ‖ **cobriza,** o **de cobre.** La que se compone de azufre, hierro y cobre. ‖ **de hierro. pirita.** ‖ **magnética.** Mineral compuesto de protosulfuro y bisulfuro de hierro, de color amarillo de bronce con visos pardos o rojizos, magnético y fusible. ‖ **marcial. pirita de hierro.**

piritoso, sa. adj. Que contiene pirita.

pirla. (De la onomatopeya *pirl* del giro.) f. **perinola,** clase de peonza pequeña.

pirlitero. (De *pirla*, perinola.) m. Especie de espino que da majuelas. ‖ **2.** Rosal silvestre.

piro. m. fam. Acción y efecto de pirarse. Ú. en la fr. **darse el piro.**

piro-. (Del gr. πυρο-.) elem. compos. que significa «fuego»: PIRÓ*foro*, PIRO*tecnia*.

pirobolista. (Del gr. πυροβόλα, máquinas para lanzar proyectiles incendiarios.) m. *Mil.* Ingeniero dedicado especialmente a la construcción de minas militares.

piroelectricidad. f. *Fís.* Conjunto de cargas eléctricas que se presentan en las superficie de ciertos cristales por los cambios de temperatura.

pirofilacio. (De *piro-* y el gr. φύλαξ, guarda, custodia.) m. Caverna dilatada que en otro tiempo se suponía existir, llena de fuego, en lo interior de la Tierra.

pirofórico. adj. V. **hierro pirofórico.**

piróforo. (Del gr. πυροφόρος.) m. *Quím.* Sustancia que se inflama al contacto con el aire.

pirogálico, ca. (De *piro-* y el lat. *gallicus*.) adj. *Quím.* Dícese de un ácido que se presenta en forma de agujas blancas, muy solubles en el agua, y que se emplea como revelador fotográfico y como absorbente del oxígeno en el análisis de los gases.

pirógeno, na. (De *piro-* y *-geno*.) adj. *Med.* Que produce fiebre, piretógeno. Ú. t. c. s. m.

pirograbado. m. Procedimiento para grabar o tallar superficialmente en madera por medio de una punta de platino incandescente. ‖ **2.** Talla o grabado así obtenida.

pirograbador, ra. m. y f. Persona que tiene por oficio realizar pirograbados.

pirología. f. Ciencia dedicada al estudio del fuego y de sus aplicaciones.

pirolusita. (De *piro-* y el gr. λύσις, descomposición.) f. **manganesa,** mineral.

piromancia o **piromancía.** (Del gr. πυρομαντεία, a través del lat. *pyromantía*.) f. Adivinación supersticiosa por el color, chasquido y disposición de la llama.

piromanía. f. Tendencia patológica a la provocación de incendios.

pirómano, na. adj. Dícese de la persona que padece piromanía. Ú. t. c. s.

piromántico, ca. adj. Perteneciente a la piromancia. ‖ **2.** m. y f. Persona que la profesa.

pirómetro. m. Instrumento para medir temperaturas muy elevadas. El más conocido consiste en dos reglas graduadas y convergentes, entre las cuales un cilindro de arcilla puede avanzar tanto más cuanto mayor sea la temperatura a que se ha sometido antes de graduarlo.

pirón. m. *Argent.* Especie de tortilla hecha de harina de mandioca cocida en caldo, que se solía comer con el puchero a guisa de pan.

piropear. tr. fam. Decir piropos.

piropeo. m. Acción de piropear.

piropo. (Del gr. πυρωπός, a través del lat. *pyrōpus*.) m. Variedad del granate, de color rojo de fuego, muy apreciada como

piedra fina. ‖ **2.** Rubí, carbúnculo. ‖ **3.** fam. Lisonja, requiebro.

piróscafo. (De *piro-* y el gr. σκάφη, barco.) m. **buque de vapor.**

piroscopio. m. *Fís.* Termómetro diferencial, con una de sus bolas plateadas, que se emplea en el estudio de los fenómenos de reflexión y de radiación del calor.

pirosfera. (De *piro-* y el gr. σφαῖρα, esfera.) f. *Geol.* Masa candente que, según se cree, ocupa el centro de la Tierra.

pirosis. (Del gr. πύρωσις, acción de arder.) f. *Fisiol.* Sensación como de quemadura, que sube desde el estómago hasta la faringe, acompañada de flatos y excreción de saliva clara.

pirotecnia. f. Arte que trata de todo género de invenciones de fuego, en máquinas militares y en otros artificios para diversión y festejo.

pirotécnico, ca. adj. Perteneciente o relativo a la pirotecnia. ‖ **2.** m. El que conoce y practica el arte de la pirotecnia.

piroxena. (De *piro-* y el gr. ξένος, huésped.) f. Mineral de color blanco, verde o negruzco, brillo vítreo y fractura concoidea, que forma parte integrante de diversas rocas y es un silicato de hierro, cal y magnesia, con dureza comparable a la del acero.

piroxilina. (De *piro-* y el pl. gr. ξύλινα (λίνα), hilos de algodón.) f. **pólvora de algodón.**

piróxilo. (De *piro-* y el gr. ξύλον, madera.) m. Producto de la acción del ácido nítrico sobre una materia semejante a la celulosa, como madera, algodón, etc. *El algodón pólvora es un* PIRÓXILO.

pirquén. (Del arauc. *pilquén*, trapos.) m. *Chile.* Solo se emplea en las frases **sacar a pirquén** y **trabajar al pirquén.** En el lenguaje de las minas, trabajar sin condiciones ni sistema determinados, sino en la forma que el operario quiera, pagando lo convenido al dueño de la mina.

pirquinear. intr. *Chile.* **trabajar al pirquén.**

pirquinero. m. *Chile.* El que trabaja al pirquén. ‖ **2.** Persona mezquina o ruin.

pirrarse. prnl. fam. Desear con vehemencia una cosa. Solo se usa con la preposición *por.*

pírrico¹, ca. (Del gr. πυρριχός, de Πυρρός, Pirro, rey de Epiro.) adj. Dícese del triunfo o victoria obtenidos con más daño del vencedor que del vencido.

pírrico², ca. (Del gr. πυρρίχη.) adj. Dícese de una danza practicada en la Grecia antigua, en la cual se imitaba un combate.

pirriquio. (Del lat. *pyrrhichīus*, y este del gr. πυρρίχιος.) m. Pie de la poesía griega y latina, compuesto de dos sílabas breves.

pirrol. (Compuesto del gr. πυρρός, rojo, rubio, y de un elemento compositivo del lat. *oleum*, aceite.) m. *Biol.* y *Quím.* Heterociclo nitrogenado que forma parte de sustancias de gran interés biológico, como los pigmentos biliares, las hemoglobinas, las clorofilas, etc.

pirrólico, ca. adj. *Quím.* Relativo al pirrol o sus derivados. ‖ **2.** *Quím.* Dícese de los compuestos que contienen pirrol.

pirroniano, na. adj. **pirrónico.**

pirrónico, ca. (De Pirrón, filósofo escéptico.) adj. **escéptico.** Apl. a pers., ú. t. c. s.

pirronismo. (De Pirrón, filósofo escéptico.) m. **escepticismo.**

pirueta. (Del fr. *pirouette*, cabriola y perinola, y este de la onomat. *pir* del giro.) f. **cabriola,** brinco que dan los que danzan. ‖ **2.** Voltereta. ‖ **3.** Salto acrobático consistente en uno o varios giros alrededor del eje vertical del saltador. ‖ **4.** *Equit.* Vuelta rápida que se hace dar al caballo, obligándole a alzarse de manos y girar apoyado sobre los pies.

piruétano. m. Peral silvestre. ‖ **2.** Fruto de este árbol.

piruetear. intr. Hacer piruetas.

piruja. f. Mujer joven, libre y desenvuelta. ‖ **2.** *Méj.* **prostituta.**

pirulí. m. Caramelo, generalmente de forma cónica, con un palito que sirve de mango.

pirulo. m. *Ar.* Perinola pequeña. ‖ **2. botijo.**

pis. m. **pipí**[2].

pisa. f. Acción de pisar. ‖ **2.** Porción de aceituna o uva que se estruja de una vez en el molino o lagar. ‖ **3.** fam. Zurra o tunda de patadas o coces que se da a uno. ‖ **4.** *Germ.* Casa de mujeres públicas, mancebía.

pisada. f. Acción y efecto de pisar. ‖ **2.** Huella o señal que deja estampada el pie en la tierra. ‖ **3.** Golpe dado con el pie o con la pata del animal, patada. ‖ **seguir las pisadas de** uno. fr. fig. Imitarle, seguir su ejemplo.

pisadero. m. rur. *Argent.* Lugar donde se pisa el barro para la fabricación de adobe.

pisador, ra. adj. Que pisa. ‖ **2.** Dícese del caballo que levanta mucho los brazos y pisa con violencia y estrépito. ‖ **3.** m. El que pisa la uva. ‖ **4.** f. Máquina que sirve para aplastar y estrujar la uva.

pisadura. f. **pisada.**

pisano, na. (Del lat. *Pisānus.*) adj. Natural de Pisa. Ú. t. c. s. ‖ **2.** Perteneciente o relativo a esta ciudad de Italia.

pisapapeles. m. Utensilio que se pone sobre los papeles para que no se muevan.

pisar. (Del lat. vulg. *pinsāre.*) tr. Poner el pie sobre alguna cosa. ‖ **2.** Apretar o estrujar una cosa con los pies o a golpe de pisón o maza. PISAR *la aceituna, los paños, las uvas.* ‖ **3.** Poner sucesivamente los pies en el suelo al andar. ‖ **4.** En las aves, cubrir el macho a la hembra. ‖ **5.** Cubrir en parte una cosa a otra. ‖ **6.** Tratándose de teclas o de cuerdas de instrumentos de música, apretarlas con los dedos. ‖ **7.** fig. Entrar en un lugar, estar en él. *Hace un año que no* PISO *un hospital.* ‖ **8.** fig. y fam. Anticiparse a otro con habilidad o audacia, en el logro o disfrute de un objetivo determinado. ‖ **9.** Pisotear moralmente a uno, tratar mal, humillar. ‖ **10.** intr. En los edificios, estar el suelo o piso de una habitación fabricado sobre otra.

pisasfalto. (Del lat. *pissasphaltos*, y este del gr. πισσάσφαλτος.) m. Variedad de asfalto de consistencia parecida a la de la pez.

pisaúvas. com. Persona que pisa la uva.

pisaverde. m. fig. y fam. Hombre presumido y afeminado, que no conoce más ocupación que la de acicalarse, perfumarse y andar vagando todo el día en busca de galanteos.

pisca. f. *Col.* y *Venez.* Hembra del pavo. ‖ **2.** *Col.* Mujer de vida alegre.

piscator. (De *Piscator*, nombre de un astrólogo milanés.) m. Especie de almanaque con pronósticos meteorológicos.

piscatorio, ria. (Del lat. *piscatorĭus.*) adj. Perteneciente o relativo a la pesca o a los pescadores. ‖ **2.** Aplícase a la égloga o composición poética en que se pinta la vida de los pescadores. Ú. t. c. s. f.

piscícola. adj. Perteneciente o relativo a la piscicultura.

piscicultor, ra. (Del lat. *piscis*, pez, y *cultor, -ōris*, el que cultiva.) m. y f. Persona dedicada a la piscicultura.

piscicultura. (Del lat. *piscis*, pez, y *cultūra*, cultivo.) f. Arte de repoblar de peces los ríos y los estanques; de dirigir y fomentar la reproducción de los peces y mariscos.

piscifactoría. (Del lat. *piscis*, pez, y *factorĭa.*) f. Establecimiento donde se practica la piscicultura.

pisciforme. (Del lat. *piscis*, pez, y *forma*, forma.) adj. De forma de pez.

piscina. (Del lat. *piscīna.*) f. Estanque que se suele hacer en los jardines para tener peces. ‖ **2.** Lugar en donde se echan y sumen algunas materias sacramentales; como el agua del bautismo, las cenizas de los lienzos que han servido para los óleos, etc. ‖ **3.** Estanque destinado al baño, a la na-

tación o a otros ejercicios y deportes acuáticos. ‖ **probática.** La que había en Jerusalén, inmediata al templo de Salomón, y servía para lavar y purificar las reses destinadas a los sacrificios.

piscis. (Del lat. *piscis.*) n. p. m. *Astron.* Duodécimo y último signo o parte del Zodiaco, de 30 grados de amplitud, que el Sol recorre aparentemente al terminar el invierno. ‖ **2.** *Astron.* Constelación zodiacal que en otro tiempo debió de coincidir con el signo de este nombre, pero que actualmente, por resultado del movimiento retrógrado de los puntos equinocciales, se halla delante del mismo signo y un poco hacia Oriente. ‖ **3.** adj. Referido a personas nacidos bajo este signo del zodiaco. Ú. t. c. s.

piscívoro, ra. (Del lat. *piscis*, pez y *vorāre*, comer.) adj. *Zool.* Que se alimenta de peces, ictiófago. Ú. t. c. s.

pisco[1]. m. Aguardiente fabricado originalmente en Pisco, lugar peruano. ‖ **2.** desus. Botija en que se exporta este aguardiente.

pisco[2]. (Del quechua *pishku.*) m. *Col.* y *Venez.* **pavo**, ave. ‖ **2.** despect. *Col.* Individuo de poca o ninguna importancia.

piscolabis. (De or. inc.) m. fam. Ligera refacción que se toma, no tanto por necesidad como por ocasión o por regalo. ‖ **2.** fig. En algunos juegos de naipes, encima del tresillo, acción de echar un triunfo superior al que ya está en la mesa, con lo cual se gana baza.

pisiforme. (Del lat. *pisum*, guisante, y *forma.*) adj. Que tiene la figura de guisante. ‖ **2.** *Anat.* Dícese de uno de los huesos del carpo, que en el hombre es el cuarto de la primera fila. Ú. t. c. s. m.

piso. m. Acción y efecto de pisar. ‖ **2.** Pavimento natural o artificial de las habitaciones, calles, caminos, etc. ‖ **3.** Cada una de las diferentes plantas que superpuestas forman la altura de un edificio. *Los quirófanos están en el segundo* PISO. ‖ **4.** Conjunto de habitaciones que constituyen vivienda independiente en una casa de varios altos. ‖ **5.** Habitación de un seglar en un monasterio mediante ciertos convenios con los superiores. *Dama de* PISO; *estar de* PISO. ‖ **6.** Suela del calzado. ‖ **7.** Convite que ha de pagar a los mozos del pueblo el forastero que corteja a una joven. ‖ **8.** desus. Nivel o altura uniforme del suelo de las habitaciones de una casa. *Todas las piezas están en un* PISO. ‖ **9.** *Min.* Conjunto de labores subterráneas situadas a una misma profundidad.

pisón. (De *pisar*, apretar.) m. Instrumento pesado y grueso, de figura por lo común de cono truncado, que está provisto de un mango, y sirve para apretar tierra, piedras, etc. ‖ **2.** Mazo del batán. ‖ **3.** El batán mismo ‖ **a pisón.** loc. adv. A golpe de **pisón.**

pisonear. tr. **apisonar.**

pisotear. tr. Pisar repetidamente, maltratando o ajando una cosa. ‖ **2.** fig. Humillar, maltratar de palabra a una o más personas.

pisoteo. m. Acción de pisotear.

pisotón. m. Pisada fuerte sobre el pie de otro o sobre otra cosa.

pispa. (De la onomat. *pisp.*) f. *Can.* Pizpita, aguzanieves. ‖ **2.** Muchachita vivaracha.

pispajo. m. Trapajo, pedazo roto de una tela o vestido. ‖ **2.** Cosa despreciable, de poco valor. ‖ **3.** En sent. despect., se aplica a personas desmedradas o pequeñas, especialmente niños.

pispar o **pispiar.** tr. *Argent.* Indagar, oír, u observar curioseando.

pista. (Del it. dialect. *pista.*) f. Huella o rastro que dejan los animales o personas en la tierra por donde han pasado. ‖ **2.** Espacio acotado para ciertos tipos de carreras, juegos o competiciones, en hipódromos, velódromos, estadios, campos de tenis, etc. ‖ **3.** Espacio destinado al baile en salones de recreo, discotecas, etc. ‖ **4.** Espacio en que actúan los artistas de un circo o de una sala de fiestas. ‖ **5.** Camino carretero que se construye provisionalmente para fines militares. ‖ **6.** Terreno especialmente acondicionado para el despegue y aterrizaje de aviones. ‖ **7. autopista.** ‖ **8.** Cada uno de los espacios paralelos de una cinta magnética en que se registran grabaciones independientes, que se pueden oír luego por separado o simultáneamente. ‖ **9.** fig. Conjunto de indicios o señales que pueden conducir a la averiguación de algo. ‖ **seguir la pista** a uno. fr. fig. y fam. Perseguirle, espiarle.

pistache. m. Dulce o helado que se prepara con el fruto del pistachero.

pistachero. m. **alfóncigo,** árbol.

pistacho. (Del fr. *pistache.*) m. Fruto del alfóncigo.

pistadero. m. Instrumento de madera u otra materia, con que se pista.

pistar. (Del it. meridional *pistare.*) tr. Machacar, aprensar una cosa o sacarle el jugo.

pistera. f. *El Salv.* y *Nicar.* **monedero,** bolsillo para llevar monedas.

pistero¹. (De *pisto.*) m. Vasija pequeña con un cañoncito que le sirve de pico y un asa en la parte opuesta, que se usa para dar de beber a los enfermos. ‖ **2.** fig. *Col.* Hematoma alrededor del ojo, producido por un puñetazo.

pistero², ra. adj. *Amér. Central.* Dícese de la persona muy aficionada al dinero. Ú. t. c. s. ‖ **2.** m. **monedero.**

pistilo. (Del lat. *pistíllum.*) m. *Bot.* Órgano femenino vegetal, que ordinariamente ocupa el centro de la flor y consta de uno o más carpelos; en su base se encuentra el ovario y en su ápice el estigma, frecuentemente sostenido por un estilo. Su conjunto constituye el gineceo.

pisto. (Del lat. *pistus,* machacado.) m. Jugo o sustancia que se obtiene de la carne de ave, y se da caliente al enfermo que solo puede tragar líquidos. ‖ **2.** Fritada de pimientos, tomates, huevo, cebolla o de otros alimentos, picados o revueltos. ‖ **3.** fig. Mezcla confusa de diversas cosas en un discurso o en un escrito. ‖ **4.** *Amér. Central.* Dinero. ‖ **a pistos.** loc. adv. fig. y fam. Poco a poco, con escasez y miseria. ‖ **darse pisto.** fr. fig. y fam. Darse importancia.

pistola. (Del al. *pistole.*) f. ant. Arma de fuego, corta y en general semiautomática, con la que se apunta y dispara con una sola mano. ‖ **2.** Arma de fuego, de corto alcance, provista de un cargador en la culata, y que se puede usar con una sola mano. ‖ **3.** Utensilio que proyecta pintura pulverizada. ‖ **4.** fig. Barra pequeña de pan. ‖ **ametralladora.** Arma de fuego, automática, de corto alcance, que dispara cápsulas en ráfaga. ‖ **de arzón.** Cada una de las dos que, guardadas en las pistoleras, se llevan en el arzón de la silla de montar. ‖ **de bolsillo. cachorrillo.** ‖ **de cinto.** La que se lleva enganchada en la cintura.

pistolera. f. Estuche o funda donde se guarda la pistola.

pistolero. m. El que utiliza de ordinario la pistola para atracar, asaltar, o, mercenariamente, realizar atentados personales.

pistoletazo. m. Disparo hecho con pistola. ‖ **2.** Ruido originado por el mismo. ‖ **3.** Herida y daño producidos por el disparo de la pistola.

pistolete. (Del fr. *pistolet.*) m. Arma de fuego más corta que la pistola. ‖ **2. cachorrillo.**

pistón. (Del fr. *piston.*) m. **émbolo.** ‖ **2.** Parte o pieza central de la cápsula, donde está colocado el fulminante. ‖ **3.** Llave en forma de émbolo que tienen diversos instrumentos músicos de viento. ‖ **4.** V. **escopeta, fusil, llave de pistón.**

pistonudo, da. adj. vulg. Muy bueno, superior, estupendo.

pistoresca. (Del it. *pistolese,* de *Pístoia,* ciudad de Italia donde fabricaban estas armas.) f. Arma corta de acero, a manera de puñal o daga.

pistraje. (despect. de *pisto.*) m. fam. Bebida, condimento o bodrio desabrido o de mal gusto.

pistraque. m. fam. **pistraje.**

pistura. (Del lat. *pistūra.*) f. Acción o efecto de pistar.

pita¹. (De or. inc.) f. Planta vivaz, oriunda de Méjico, de la familia de las amarilidáceas, con hojas o pencas radicales, carnosas, en pirámide triangular, con espinas en el margen y en la punta, color verde claro, de 15 a 20 centímetros de anchura en la base y de 12 a 14 decímetros de largo; flores amarillentas, en ramilletes, sobre un bohordo central que no se desarrolla hasta que la planta tiene 20 ó 30 años, pero entonces se eleva en pocos días a la altura de seis o siete metros. Es muy útil para hacer setos vivos en terrenos secos y cálidos; se ha naturalizado en las costas del Mediterráneo; de las hojas se saca buena hilaza, y una variedad de esta planta produce, por incisiones en su tronco, un líquido azucarado, de que se hace el pulque. ‖ **2.** Hilo que se hace de las hojas de esta planta.

pita². Voz que se usa repetida para llamar a las gallinas. Ú. m. en pl. ‖ **2.** f. **gallina.**

pita³. f. Bolita de cristal, cantillo, pitón. ‖ **2.** Billalda o talla, juego de niños. ‖ **3.** Palo pequeño que se emplea en el juego de la billalda o tala. ‖ **4.** pl. **juego de los cantillos.**

pita⁴. (De *pitar¹.*) f. **silba.**

pitaco. m. Bohordo de la pita¹.

pitada. (De *pitar¹.*) f. Sonido o golpe de pito. ‖ **2.** fig. Salida de tono, o concepto inoportuno o extravagante. Ú. m. en la fr. **dar una pitada.**

pitadera. f. *And.* Tallo de cebada usado como pito por los niños.

pitagórico, ca. (Del lat. *Pythagorĭcus.*) adj. Que sigue la escuela, opinión o filosofía de Pitágoras. Ú. t. c. s. ‖ **2.** Perteneciente o relativo a ellas. ‖ **3.** V. **letra, tabla pitagórica.**

pitahaya o **pitajaya.** f. *Amér.* Planta de la familia de los cactos, trepadora y de hermosas flores encarnadas o blancas según sus variedades. Algunas dan fruto c　　　　o　　　　m　　　　e　　　　s　　　　tible.

pitajaña. f. *Amér. Merid.* Planta de la familia de las cactáceas, cuyos tallos sin hojas serpean ciñéndose a otras plantas; con flores amarillas, grandes y hermosas, que se abren al anochecer, despiden suavísimo olor como de vainilla y se marchitan al salir el sol.

pitancería. f. Sitio o lugar donde se reparten, distribuyen o apuntan las pitanzas. ‖ **2.** Distribución que se hace por pitanzas. ‖ **3.** Lo destinado a ellas. ‖ **4.** Empleo de pitancero.

pitancero. m. El que está destinado para repartir las pitanzas. ‖ **2.** En algunas iglesias catedrales, ministro que tiene el cuidado de apuntar o avisar las faltas en el coro. ‖ **3.** En los conventos de las órdenes militares, religioso refitolero o mayordomo.

pitanga. f. *Argent.* Árbol de la familia de las mirtáceas, de hojas olorosas, fruto comestible, semejante a una guinda negra, y cuya corteza da un olor astringente. ‖ **2.** Fruto de este árbol. ‖ **3.** *Can.* y *Urug.* Fruto del pitanguero.

pitanguero. m. *Can.* y *Urug.* Árbol de dos a cuatro metros de altura con flores blancas y olorosas, el fruto es de color rojo, comestible, del tamaño de una guinda pequeña, y en su forma se asemeja a una calabaza redonda.

pitanza. (Del fr. *pitance.*) f. Distribución que se hace diariamente de una cosa, ya sea comestible o pecuniaria. ‖ **2.** Ración de comida que se distribuye a los que viven en comunidad o a los pobres. ‖ **3.** fam. Alimento cotidiano. ‖ **4.** fam. Precio o estipendio que se da por una cosa.

pitaña. (Cruce de *pitarra* y *legaña.*) f. p. us. **legaña,** pitarra.

pitañoso, sa. adj. p. us. **legañoso.**

pitao. (Del arauc. *pithau,* callo.) m. Árbol americano de la familia de las rutáceas, de cinco a siete metros de altura, siempre verde, con hojas oblongas, aovadas, lampiñas, algo aserradas y grandes; flores blancas, dioicas, y fruto compuesto de cuatro drupas monospermas. Sus hojas son resolutivas y antihelmínticas.

pitar[1]. (De la onomat. *pit.*) intr. Tocar o sonar el pito[1]. ‖ **2.** Zumbar, hacer una cosa ruido o sonido continuado. *A Jesús le* PITAN *los oídos.* ‖ **3.** fig. y fam. Hablando de personas o cosas, dar el rendimiento que se esperaba de ellas. ‖ **4.** fig. y fam. Tener una situación de preeminencia o autoridad. ‖ **5.** Dar una pita a alguno, manifestar desagrado contra él **pitándole** o silbándole. ‖ **6.** Pagar lo que se debe. ‖ **7.** *Amér. Merid.* Fumar cigarrillos. ‖ **8.** *Chile.* Engañar a uno, chasquearlo, burlarse de él. ‖ **irse, marcharse, salir,** etc., **pitando.** fr. fig. y fam. Salir apresuradamente, con prisa.

pitar[2]. (Del ant. fr. *piteer.*) tr. Distribuir, repartir o dar las pitanzas.

pitarque. m. *Murc.* Zanja de riego, acequia.

pitarra[1]. f. **legaña.**

pitarra[2]. f. *P. Vasco.* Sidra obtenida de un segundo prensado del orujo después de macerarlo durante doce horas en un tercio de su peso de agua. ‖ **2.** *Extr.* y *Nav.* Vino de elaboración casera. ‖ **3.** *Extr.* Cosecha de vino.

pitarro. m. *León.* Chorizo pequeño que en las matanzas caseras se hace para los niños.

pitarroso, sa. (De *pitarra.*) adj. **legañoso.**

pite. (Del quechua *piti,* cosa pequeña.) m. *Col.* y *Ecuad.* Porción pequeña de una cosa. ‖ **2.** *Col.* Juego infantil que consiste en arrojar tejos o monedas contra una pared, árbol, etc. Gana quien sitúa las monedas lo más apartadas posible de la pared, árbol, etc. ‖ **3.** pl. *Col.* Entresijos del cordero.

pitecántropo. (Del gr. πίθηκος, mono, y ἄνθρωπος, hombre.) m. *Paleont.* **antropopiteco.**

pítele. m. Extremo de la pita[3] de jugar con un palo.

pitera. f. *And., Can.* y *Murc.* **pita**[1], planta.

pitezna. f. Pestillo de hierro que tienen los cepos y que al más leve contacto se dispara y hace que se junten los zoquetes en que queda preso el animal.

pítico, ca. (Del lat. *Pythicus.*) adj. Perteneciente a Apolo, pitio.

pitido. m. Silbido del pito[1]. ‖ **2.** Sonido que emiten los pájaros. ‖ **3.** Zumbido, ruido continuado.

pitihué. (Onomat. del canto del ave.) m. *Chile.* Ave trepadora, variedad del pico[2]; habita en los bosques y matorrales, se nutre de insectos y fabrica su nido en los huecos de los árboles.

pitillera. f. Cigarrera que se ocupa en hacer pitillos. ‖ **2.** Petaca para guardar pitillos.

pitillo. (d. de *pito.*) m. **cigarrillo.** ‖ **2.** *Cuba.* Cañutillo, planta.

pítima. (De *epítema.*) f. Socrocio que se aplica sobre el corazón. ‖ **2.** fig. y fam. Embriaguez, borrachera.

pitiminí. (Del fr. *petit,* pequeño, y *menu,* menudo.) m. V. **rosal de pitiminí.** ‖ **de pitiminí.** loc. fig. De poca importancia.

pitio, tia. (Del lat. *Pythius.*) adj. Perteneciente a Apolo, considerado como vencedor de la serpiente Pitón. ‖ **2.** Dícese más ordinariamente de ciertos juegos o certámenes que se celebraban en Delfos en honra de Apolo.

pitipié. (Del fr. *petit pied,* pie pequeño.) m. Escala de un mapa o plano para calcular las distancias y medidas reales.

pitiriasis. (Del gr. πίτυρον, salvado.) f. *Med.* Enfermedad de la piel producida por rascarse, especialmente en las picaduras de los piojos; pediculosis. ‖ **alba.** Decoloración de la piel producida por un hongo.

pitirre. (Voz semejante al grito de esta ave.) m. *Cuba* y *P. Rico.* Pájaro algo más pequeño que el gorrión, pero de cola más larga; de color oscuro; anida en los árboles y se alimenta de insectos.

pitiyanqui. (Del fr. *petit* y *yanqui.*) m. *P. Rico.* Nombre que se aplica despectivamente al imitador del norteamericano.

pito[1]. (De la onomat. *pit.*) m. Instrumento pequeño que produce un sonido agudo cuando se sopla en él, silbato. ‖ **2.** Persona que toca este instrumento. ‖ **3. castañeta,** instrumento y sonido que se produce con él. ‖ **4. castañeta,** sonido que resulta de juntar el dedo medio con el pulgar y separarlos con fuerza golpeando la base lateral exterior del pulgar con el medio. ‖ **5.** Claxon, bocina. ‖ **6.** Vasija pequeña de barro, que produce un sonido semejante al gorjeo de los pájaros cuando, llena de agua hasta cierta altura, se sopla por el pico. ‖ **7.** Garrapata casi circular, de tres a cuatro milímetros de diámetro, de color amarillento y con una mancha encarnada en el dorso. Es muy común en las sabanas de la América Meridional, ataca al hombre y le produce con su picadura una comezón insoportable. ‖ **8.** Taba con que juegan los muchachos. ‖ **9.** Cigarrillo de papel. ‖ **10.** *Ast.* Pollo de gallina. ‖ **11.** *Murc.* Capullo de seda abierto por una punta. ‖ **pitos flautos.** fam. Devaneos de barro, entretenimientos frívolos y vanos. ‖ **cuando pitos, flautas, o flautos; cuando flautas, o flautos, pitos.** expr. fig. y fam. con que se explica que las cosas suelen suceder al revés de lo que se deseaba o podía esperarse. ‖ **2.** expr. fig. y fam. con que se expresa que cuando desaparece una circunstancia aparece otra, y no se va a uno libre de ellas. ‖ **no dársele, o no importarle,** a uno **un pito de** una cosa. fr. fig. y fam. Hacer desprecio de ella. ‖ **no tocar pito.** fr. fig. y fam. No tener parte en una dependencia o negocio. ‖ **no valer un pito** una persona o cosa. fr. fig. y fam. Ser inútil o de ningún valor o importancia. ‖ **por pitos o por flautas.** fr. fig. y fam. Por un motivo o por otro. ‖ **tomar** a alguien **por el pito del sereno.** fr. fig. y fam. Darle poca o ninguna importancia.

pito[2]. (De *pico*[2], con cambio de terminación.) m. Picarro, picamaderos, picaposte.

pito[3], **ta.** adj. *Ar.* Dicho de personas, tieso, robusto. ‖ **2.** Valiente.

pitoche. m. despect. de **pito**[1]. ‖ **no importar un pitoche.** fr. **no importar un pito.** ‖ **no valer un pitoche.** fr. **no valer un pito.**

pitoflero, ra. (De or. inc.) m. y f. fam. Músico de corta habilidad. ‖ **2.** fig. Persona chismosa, entremetida o chocarrera.

pitoitoy. (De or. onomatopéyico.) m. *Amér.* Ave zancuda de las costas; de plumaje compacto, oscuro por el lomo y blanco con manchas por el vientre, pico corto y tarsos altos. Al emprender el vuelo lanza el grito especial del que proviene su nombre.

pitón[1]. (Del m. or. que *pito*[2].) m. Cuerno que empieza a salir a los animales; como el cordero, cabrito, etc., y también la punta del cuerno del toro. ‖ **2.** Tubo recto o curvo, pero siempre cónico, que arranca de la parte inferior del cuello en los botijos, pisteros y porrones, y sirve para moderar la salida del líquido que en ellos que se contiene. ‖ **3.** Renuevo del árbol cuando empieza a abotonar. ‖ **4.** Bohordo de la pita, pitreo, pitaco. ‖ **5.** fig. Bulto pequeño que sobresale en punta en la superficie de una cosa. ‖ **6.** *Ar.* Piedrecilla o bola para el juego de los cantillos.

pitón[2]. (Del gr. πύθων, dragón, demonio, adivino.) m. Adivino, mago, hechicero. ‖ **2. serpiente pitón.**

pitonisa. (Del lat. *pythonissa.*) f. Sacerdotisa de Apolo, que daba los oráculos en el templo de Delfos sentada en el trípode. ‖ **2.** Encantadora, hechicera. Ú. en la traducción de algunos lugares de la Escritura. *La* PITONISA *de Endor.* ‖ **3.** Adivinadora.

pitorá o pitora. f. *Col.* Serpiente muy venenosa.

pitorra. (De *pita*[2].) f. **chochaperdiz.**

pitorrearse. prnl. Guasearse o burlarse de alguien.

pitorreo. m. Acción y efecto de pitorrearse.

pitorro. adj. m. Se dice del carnero con cuernos fuertes y largos. Ú. t. c. s. ‖ **2.** m. Pitón[1] de los botijos.

pitote. m. **mitote,** barullo.

pitpit. (De or. onomatopéyico.) m. Ave del orden de las paseriformes, que mide 18 centímetros desde la punta del pico hasta la extremidad de la cola, y 30 de envergadura, con plumaje de aspecto general ceniciento verdoso y con manchas pardas, pero amarillento en la garganta y el pecho, y blanco en el abdomen. Es bastante común en España y se alimenta de insectos.

pítreo. m. Bohordo de la pita, pitón[1], pitaco.

pituco, ca. adj. p. us. *Argent., Chile, Par., Perú y Urug.* Dícese del petimetre. Ú. t. c. s.

pituita. (Del lat. *pituïta*.) f. *Fisiol.* Humor de las mucosas y especialmente de la nariz, moco.

pituitario, ria. adj. Que contiene pituita. ‖ **2.** Que segrega pituita o moco. ‖ **3.** V. **glándula, membrana pituitaria.**

pituitoso, sa. (Del lat. *pituïtösus*.) adj. Que contiene pituita. ‖ **2.** Que segrega pituita o moco.

pituso, sa. adj. Pequeño, gracioso, lindo, refiriéndose a niños. Ú. t. c. s.

piujar. m. vulg. Pegujal o pegujar.

piular. (Del cat. *piular*.) intr. Piar el pollo. ‖ **2.** fig. Suspirar o clamar por una cosa.

piulido. m. Acción de piular.

piune. (Del arauc. *piune*, romerillo.) m. Arbolillo americano de la familia de las proteáceas, de hojas grandes, hermosas, cubiertas de un vello color de orín por debajo y con racimos flojos de flores amarillas. Se cría en los montes y se usa como medicamento.

piuquén. (Del arauc. *piuqueñ*.) m. *Chile.* Especie de avutarda, mayor que la europea, de color blanco, menos la cabeza, que es ceniciento, así como los cuchillos de las alas, y negras las primeras guías. La cola es corta y tiene 18 plumas blancas. Se alimenta de hierbas y se reproduce hasta los dos años; es mansa y se domestica con facilidad. Su carne es más estimada que la del pavo.

piurano, na. adj. Natural de Piura. Ú. t. c. s. ‖ **2.** Perteneciente a esta ciudad del Perú.

piure. (Del arauc. *piur*.) m. *Chile.* Animal procordado, de la clase de los tunicados, sedentario, cuyo cuerpo, de color rojo y de cuatro a seis centímetros de longitud, tiene la forma de un saco con dos aberturas, que son, respectivamente, la boca y el ano. Es comestible muy apreciado.

pívot. (Del fr. *pivot*.) com. *Dep.* Jugador de baloncesto cuya misión básica consiste en situarse en las cercanías del tablero para recoger rebotes o anotar puntos.

pivotante. adj. Dícese de lo que tiene caracteres de pivote o que funciona como tal. ‖ **2.** *Bot.* Aplícase a la raíz que se hunde verticalmente, como una prolongación del tronco.

pivotar. (Del fr. *pivoter*.) intr. Moverse o apoyarse sobre un pivote. Ú. t. en sent. fig.

pivote. (Del fr. *pivot*.) m. Extremo cilíndrico o puntiagudo de una pieza, donde se apoya o inserta otra, bien con carácter fijo o bien de manera que una de ellas pueda girar u oscilar con facilidad respecto de la otra.

píxide. (Del lat. *pyxis, -ĭdis*, y este del gr. πυξίς, caja pequeña.) f. Copón o caja pequeña en que se guarda el Santísimo Sacramento o se lleva a los enfermos.

piyama. m. **pijama.** Ú. t. c. f., en algunos países de América.

pizarra. (De or. inc.) f. Roca homogénea, de grano muy fino, comúnmente de color negro azulado, opaca, tenaz, y que se divide con facilidad en hojas planas y delgadas. Procede de una arcilla metamorfoseada por las acciones telúricas. ‖ **2.** Trozo de esta roca, cortado y preparado para tejar y solar. ‖ **3.** Trozo de **pizarra** pulimentado, de

forma rectangular, usado para escribir o dibujar en él con pizarrín, yeso o lápiz blanco. ‖ **4. encerado** para escribir en él con tiza o clarión. ‖ **5.** Por ext., placa de plástico blanco usada para escribir o dibujar en ella con un tipo especial de rotuladores cuya tinta se borra con facilidad.

pizarral. m. Lugar o sitio en que se hallan las pizarras.

pizarreño, ña. adj. Perteneciente o relativo a la pizarra, o parecido a ella.

pizarrería. f. Sitio donde se extraen y labran pizarras.

pizarrero. m. Persona que labra, pule y asienta las pizarras en los edificios.

pizarrín. m. Barrita de lápiz o de pizarra no muy dura, generalmente cilíndrica, que se usa para escribir o dibujar en las pizarras de piedra.

pizarrista. com. Persona ocupada en el trabajo con lajas pizarrosas. ‖ **2.** Persona que, en ciertos deportes, anota en una pizarra los nombres de los competidores.

pizarrón. m. *Amér.* **pizarra, encerado.**

pizarroso, sa. adj. Abundante en pizarra. ‖ **2.** Que tiene apariencia de pizarra.

pizate. m. **pazote,** planta.

pizca. (De *pizco*[1].) loc. fam. Porción mínima o muy pequeña de una cosa. ‖ **2.** *Méj.* En las labores del campo, recolección o cosecha, sobre todo de granos: café, maíz, algodón. ‖ **ni pizca.** loc. adv. fam. Nada.

pizcar. (De or. onomatopéyico.) tr. fam. Pellizcar en la piel. ‖ **2.** Tomar una porción mínima de una cosa.

pizco[1]. (De *pizcar*.) m. fam. Pellizco en la piel. ‖ **2.** Porción mínima que se toma de una cosa.

pizco[2]. (Del lat. *piscus*, de *piscŭlus*, pececillo.) m. *Cantabria.* Pececillo nuevo, jaramugo.

pizmiento, ta. (De **pecimiento*, por cruce de *peciento* y *pecina*.) adj. Atezado, de color de pez.

pizote. m. *C. Rica, Guat., Hond. y Nicar.* Plantígrado de color pardo, semejante a la ardilla, pero mucho mayor y muy glotón, que anda en manadas. Puede domesticarse.

pizpereta. adj. fam. **pizpireta.**

pizpierno. m. *León.* Brazuelo del cerdo, lacón[2].

pizpireta. (De or. onomatopéyico.) adj. fam. Aplícase a la mujer viva, pronta y aguda.

pizpirigaña. (De or. inc.) f. Juego con que se divierten los muchachos, pellizcándose suavemente en las manos unos a otros.

pizpita. (De la onomat. *pizp*.) f. Nevatilla, aguzanieves.

pizpitillo. m. **pizpita.**

pizza. (Del it. *pizza*.) f. Especie de torta chata, hecha con harina de trigo amasada, encima de la cual se pone queso, tomate frito y otros ingredientes, como anchoas, aceitunas, etc. Se cuece en el horno.

pizzería. f. Establecimiento comercial en que se elaboran y se venden pizzas. ‖ **2.** Restaurante especializado en la preparación de pizzas y otras comidas italianas.

pizzicato. (Del it. *pizzicato*.) adj. *Mús.* Dícese del sonido que se obtiene en los instrumentos de arco pellizcando las cuerdas con los dedos. ‖ **2.** m. *Mús.* Trozo de música que se ejecuta en esta forma.

placa. (Del fr. *plaque*.) f. Plancha de metal u otra materia, en general rígida y poco gruesa. ‖ **2.** Insignia de alguna de las órdenes caballerescas, que se lleva bordada o sobrepuesta en el vestido. *La* PLACA *de la orden de Carlos III.* ‖ **3.** La que, colocada en algún lugar público, sirve de guía, orientación, anuncio, prohibición, o como recuerdo de una efeméride. ‖ **4.** La que sirve para anunciar el ejercicio de una profesión y que suele colocarse en lugares visibles, como fachadas, portales, puertas de oficinas, etc. ‖ **5.** Insignia o distintivo que llevan los agentes de policía para acreditar que lo son. ‖ **6.** Parte superior de las cocinas económicas. ‖ **7.** La que exponen en la entrada principal de los hoteles, restaurantes, talleres mecánicos, etc., con símbolos que acreditan la categoría de los mismos. ‖ **8.** Lámina, plancha o película que se forma o está superpuesta en un objeto. ‖ **9.** Moneda antigua de los Países Bajos, que corrió en los demás dominios españoles y valía aproximadamente la cuarta parte de un real de plata vieja. ‖ **10.** *Automov.* **matrícula** de los vehículos. ‖ **11.** *Fotogr.* Planchuela de metal yodurada sobre la que se hacía la daguerrotipia. ‖ **12.** *Fotogr.* Vidrio cubierto en una de sus caras por una capa de sustancia alterable por la luz y en la que puede obtenerse una prueba negativa. ‖ **13.** *Geol.* Cualquiera de las grandes partes semirrígidas de la litosfera que flotan sobre el manto y cuyas zonas de choque forman los cinturones de actividad volcánica, sísmica o tectónica. ‖ **giratoria.** Armazón circular de hierro, giratoria y cubierta con planchas con carriles que forman dos o más vías cruzadas, y que sirve en las estaciones de los caminos de hierro para hacer que los carruajes cambien de vía.

placabilidad. (Del lat. *placabilĭtas, -ātis.*) f. Facilidad o disposición de aplacarse una cosa; como la ira, el calor, etc.

placable. (Del lat. *placabĭlis.*) adj. **aplacable.**

placación. (Del lat. *placatĭo, -ōnis.*) f. ant. Acción y efecto de placar o aplacar.

placar. (Del lat. *placāre.*) tr. ant. Aplacar, calmar, apaciguar.

placarte. (Del fr. *placard.*) m. p. us. Cartel, edicto u ordenanza que se fijaba en las esquinas para noticia del público.

placativo, va. (Del lat. *placātum*, supino de *placāre*, apaciguar, calmar.) adj. Capaz de aplacar.

placear. (De *plaza.*) tr. Destinar algunos géneros comestibles a la venta al por menor en el mercado. ‖ **2.** Publicar o hacer manifiesta una cosa.

placebo. (Del lat. *placebo*, 1.ª pers. del sing. del fut. imperf. de indic. de *placēre.*) m. *Med.* Sustancia que, careciendo por sí misma de acción terapéutica, produce algún efecto curativo en el enfermo, si este la recibe convencido de que esa sustancia posee realmente tal acción.

placel. m. *Mar.* **placer**[1].

pláceme. m. felicitación.

placemiento. (De *placer*, agradar.) m. ant. Agrado, placer, gusto.

placenta. (Del lat. *placenta*, torta.) f. Órgano redondeado y aplastado como una torta, intermediario durante la gestación entre la madre y el feto, que por una de sus caras, algo convexa, se adhiere a la superficie interior del útero; de la cara opuesta, plana, nace el cordón umbilical. ‖ **2.** *Bot.* Parte vascular del fruto a la que están unidos los huevecillos o semillas. ‖ **3.** *Bot.* Borde del carpelo, generalmente engrosado, en el que se insertan los óvulos.

placentación. f. *Bot.* Disposición de las placentas, y por consiguiente de los óvulos, en el ovario de los vegetales. ‖ **2.** *Embriol.* Implantación del embrión de los mamíferos placentarios en el útero de la madre, con formación de una placenta.

placentario, ria. adj. Perteneciente o relativo a la placenta. ‖ **2.** m. pl. *Zool.* Grupo de mamíferos que se desarrollan en el útero de la madre, con formación de una placenta.

placenteramente. adv. m. Alegremente, con regocijo y agrado.

placentería. f. ant. **placer**[2], goce espiritual. ‖ **2. placer**[2], sensación agradable.

placentero, ra. adj. Agradable, apacible, alegre.

placentín. adj. **placentino.** Apl. a pers., ú. t. c. s.

placentino, na. (Del lat. *Placentīnus.*) adj. Natural de Plasencia. Ú. t. c. s. ‖ **2.** Perteneciente o relativo a cualquiera de las dos ciudades de este nombre, de España e Italia.

placer[1]. (Del cat. *placel*, de *plaza.*) m. Banco de arena o piedra en el fondo del mar, llano y de bastante extensión. ‖ **2.** Arenal donde la corriente de las aguas depositó partículas de oro. ‖ **3.** Pesquería de perlas en las costas de América. ‖ **4.** *Cuba.* Campo yermo, o terreno plano y descubierto, en el interior o en las inmediaciones de una ciudad. ‖ **5.** *Mar.* V. **agua de placer.**

placer[2]. (infinit. sustantivado.) m. Goce, disfrute espiritual. ‖ **2.** Satisfacción, sensación agradable producida por la realización o suscepción de algo que gusta o complace. ‖ **3.** Voluntad, consentimiento, beneplácito. ‖ **4.** Diversión, entretenimiento. ‖ **5.** V. **casa, gentilhombre de placer.** ‖ **a placer.** loc. adv. Con todo gusto, a toda satisfacción, sin impedimento ni embarazo alguno. ‖ **2.** *Ar.* **despacio.**

placer[3]. (Del lat. *placēre.*) intr. Agradar o dar gusto. ‖ **que me place.** expr. con que se denota que agrada o se aprueba una cosa.

placeramente. adv. m. ant. Públicamente, sin rebozo.

placero, ra. adj. Perteneciente a la plaza o propio de ella. ‖ **2.** Aplícase a la persona que vende en la plaza los géneros y cosas comestibles. Ú. t. c. s. ‖ **3.** fig. Dícese de la persona ociosa que anda en conversación por las plazas. Ú. t. c. s.

plácet. (Del lat. *placet*, de *placēre.*) m. Aprobación, opinión favorable.

placeta. f. d. de **plaza.**

placetuela. f. d. de **placeta.**

placibilidad. f. Calidad de placible.

placible. (Del lat. *placibĭlis.*) adj. Agradable, que da gusto y satisfacción.

placiblemente. adv. m. ant. **apaciblemente.** ‖ **2.** ant. Con agrado y placer.

plácidamente. adv. m. Con sosiego y tranquilidad.

placidez. f. Calidad de plácido.

plácido, da. (Del lat. *placĭdus.*) adj. Quieto, sosegado y sin perturbación. ‖ **2.** Grato, apacible.

placiente. p. a. de **placer**[3]. p. us. Que place. ‖ **2.** adj. Agradable, gustoso y bien visto.

placimiento. (De *placer*, agradar.) m. ant. Agrado, gusto, voluntad.

plácito. (Del lat. *placĭtum*, opinión.) m. Parecer, dictamen, sentido.

plafón. (Del fr. *plafond.*) m. *Arq.* Plano inferior del saliente de una cornisa. ‖ **2.** Adorno en la parte central del techo de una habitación, en el cual está el tornapunta para suspender la lámpara. ‖ **3.** Lámpara plana traslúcida, que se coloca pegada al techo para disimular las bombillas.

plaga[1]. (Del lat. *plaga*, llaga.) f. Calamidad grande que aflige a un pueblo. ‖ **2.** Daño grave o enfermedad que sobreviene a una persona. ‖ **3.** p. us. Úlcera, llaga. ‖ **4.** fig. Cualquier infortunio, trabajo, pesar o contratiempo. ‖ **5.** fig. Copia o abundancia de una cosa nociva. Suele aplicarse también a la que no es nociva. *Este año ha habido* PLAGA *de albaricoques;* PLAGA *de erratas.* ‖ **6.** fig. Azote que aflige a la agricultura; como la langosta, la filoxera, etc.

plaga[2]. (Del lat. *plaga*, espacio de terreno.) f. Espacio entre dos paralelos, clima. ‖ **2.** Dirección trazada en el plano del horizonte, rumbo[1].

plagado, da. p. p. de **plagar.** ‖ **2.** adj. Herido o castigado.

plagal. (Del b. lat. *plaga*, modo musical.) adj. *Mús.* V. **modo plagal.**

plagar. (Del lat. *plagāre.*) tr. Llenar o cubrir a alguna persona o cosa de algo generalmente nocivo o no conveniente. Ú. t. c. prnl. ‖ **2.** ant. Ulcerar, llagar. Ú. t. c. prnl.

plagiar. (Del lat. *plagiāre.*) tr. Entre los antiguos romanos, comprar a un hombre libre sabiendo que lo era y retenerlo en servidumbre, o utilizar un siervo ajeno como si fuera propio. ‖ **2.** fig. Copiar en lo sustancial obras ajenas, dándolas como propias. ‖ **3.** *Amér.* Apoderarse de una persona para obtener rescate por su libertad.

plagiario, ria. (Del lat. *plagiarĭus*.) adj. Que plagia. Ú. m. c. s.

plagio. (Del lat. *plagĭum*.) m. Acción y efecto de plagiar.

plagioclasa. (Del gr. πλάγιος, oblicuo, y un der. de κλάω, romper.) f. *Geol.* Grupo de feldespatos que cristalizan en el sistema triclínico. Constituyen una serie componente de ciertas rocas ígneas básicas y tienen diversa proporción de óxidos de aluminio, con sodio y calcio. Las más conocidas son la albita y la labradorita.

plagióstomo. (Del gr. πλάγιος, oblicuo, y στόμα, boca.) m. *Zool.* selacio.

plagoso, sa. (Del lat. *plagōsus*.) adj. ant. Que hace llagas.

plaguero. m. Jefe de equipo en los tratamientos contra las plagas del campo.

plaguicida. (De *plaga*[1] y *-cida*.) adj. Dícese del agente que combate las plagas del campo. Ú. t. c. s.

plan. (De *plano*.) m. Altitud o nivel. ‖ **2.** Intento, proyecto, estructura. ‖ **3.** Extracto o escrito en que sumariamente se apunta una cosa. ‖ **4.** p. us. Descripción que por lista, nombres o partidas se hace de un ejército, rentas o cosa semejante. ‖ **5.** Representación gráfica de un terreno o de una construcción. ‖ **6.** Dieta, régimen alimenticio. *El* PLAN *que siguió fue muy severo, porque necesitaba perder 30 kilos.* ‖ **7.** Ligue, persona con quien se mantiene una relación amorosa frívola o trivial. *No cuentes conmigo, porque me ha salido un* PLAN *para esta noche.* ‖ **8.** *Mar.* Parte inferior y más ancha del fondo de un buque en la bodega; o bien la que de cada lado de la quilla es casi horizontal y está formada por la primera sección, o sea la más inferior de las varengas. ‖ **9.** *Mar.* V. **agua de plan.** ‖ **10.** *Min.* Conjunto de labores de la mina a una misma profundidad. ‖ **de estudios.** Conjunto de enseñanzas y prácticas que, con determinada disposición, han de cursarse para cumplir un ciclo de estudios u obtener un título.

plana[1]. (Del lat. *plana*.) f. **llana**[1] de albañil.

plana[2]. (Del lat. *plana*, t. f. de *-nus*, llano.) f. Cada una de las dos caras o haces de una hoja de papel. ‖ **2.** Escrito que hacen los niños en una cara del papel en que aprenden a escribir. ‖ **3.** Porción extensa de país llano. *La* PLANA *de Urgel.* ‖ **4.** *Impr.* Conjunto de líneas ya ajustadas, de que se compone cada página. ‖ **mayor.** *Mar.* En una escuadra, el conjunto de generales, jefes, oficiales y marinería que, sin formar parte de la dotación en ninguno de sus buques, está afecto de la insignia. ‖ **2.** *Mil.* Conjunto y agregado de los jefes y otros individuos de un batallón o regimiento, que no pertenecen a ninguna compañía; como coronel, teniente coronel, tambor mayor o cabo de tambores, etc. ‖ **a plana renglón,** o **a plana y renglón.** loc. adv. con que se denota la circunstancia de haberse hecho o haberse de hacer una copia manuscrita, o una reimpresión, de modo que tenga en cada una de sus **planas** los mismos renglones, y en cada uno de sus renglones las mismas palabras que el escrito o impreso que ha servido de original. ‖ **2.** fig. Dícese de una cosa que viene totalmente ajustada a lo que se necesita, sin sobrar ni faltar. *El tiempo me vino* A PLANA RENGLÓN, O A PLANA Y RENGLÓN. ‖ fr. fig. Concluir y finalizar una cosa. ‖ **corregir,** o **enmendar, la plana** a uno. fr. fig. Advertir o notar persona de más inteligencia, que presume tenerla, algún defecto en lo que otra ha ejecutado. ‖ **2.** fig. Exceder una persona a otra, haciendo una cosa mejor que ella.

planada. (De *plano*.) f. Terreno llano dilatado.

planador. (Del lat. *planātor, -ōris*, que allana.) m. Oficial de platero que con el martillo aplana sobre el tas la vajilla y piezas lisas. ‖ **2.** El que aplana y pule las planchas para grabar.

planco. (Del lat. *plancus*.) m. **planga,** ave.

plancton. (Del gr. πλαγκτόν, lo que va errante.) m. *Biol.* Conjunto de organismos animales y vegetales, generalmente diminutos, que flotan y son desplazados pasivamente en aguas saladas o dulces.

planctónico, ca. adj. *Biol.* Perteneciente o relativo al plancton.

plancha. (Del fr. *planche*.) f. Lámina o pedazo de metal llano y delgado respecto de su tamaño. ‖ **2.** Utensilio de hierro, ordinariamente triangular y muy liso y acerado por su cara inferior, y que en la superior tiene un asa por donde se coge para planchar. En la actualidad, el calor de la **plancha** procede generalmente de la energía eléctrica. ‖ **3.** Acción y efecto de planchar la ropa. *Mañana es día de* PLANCHA. ‖ **4.** Conjunto de ropa planchada. ‖ **5.** Trozo de hierro que, sujeto por una cadena al juego trasero de las diligencias, se colocaba delante de una de las ruedas posteriores, la cual quedaba inmóvil al encajarse en él y servía de freno en las bajadas muy pendientes. ‖ **6.** Placa de hierro, cobre, etc., que se usa para asar o tostar alimentos. ‖ **7.** Postura horizontal del cuerpo en el aire, sin más apoyo que el de las manos asidas a un barrote; o bien la misma posición del cuerpo flotando de espaldas. ‖ **8.** fig. y fam. Desacierto o error por el cual la persona que lo comete queda en situación desairada o ridícula. Ú. m. en la frase **hacer,** o **tirarse, una plancha.** ‖ **9.** *Mál.* Madero en rollo, de tres a ocho varas de longitud y de nueve a quince pulgadas de diámetro. ‖ **10.** *Carp.* Dintel de madera que cierra un vano. ‖ **11.** *Impr.* Reproducción estereotípica o galvanoplástica preparada para la impresión. ‖ **12.** *Mar.* Tablón con tojinos o travesaños clavados de trecho en trecho, que se pone como puente entre la tierra y una embarcación, o entre dos embarcaciones. Por ext., se da este nombre a los puentes provisionales para diversos usos. ‖ **de agua.** *Mar.* Entablado flotante sobre el que se coloca la maestranza para hacer ciertos trabajos en los buques a flote. ‖ **de blindaje.** Cada una de las piezas metálicas, de gran dureza y resistencia, con las cuales se protegen contra los proyectiles los navíos de guerra y otros artefactos militares. ‖ **de viento.** *Mar.* Andamio que se cuelga del costado de un buque para que puedan trabajar los pintores, calafates o cualesquiera otros operarios. ‖ **a la plancha.** loc. adj. y adv. Dícese de la manera de preparar ciertos alimentos, asándolos o tostándolos sobre una placa caliente. *Carne a la* PLANCHA.

planchada. (De *plancha*.) f. Tablazón que, apoyada en la costa del mar o de un río u otro receptáculo, y sostenida por un caballete introducido en el agua, sirve para el embarco y desembarco y otros usos de la navegación. ‖ **2.** *Mar.* Explanada que se disponía para procurar a la artillería de los barcos asiento horizontal en las cubiertas de mucha curvatura.

planchado, da. p. p. de **planchar.** ‖ **2.** m. Acción y efecto de planchar. *Mañana es día de* PLANCHADO. ‖ **3.** Conjunto de ropa que se ha de planchar o se tiene ya planchada. ‖ **dejar planchado** a uno. fr. fig. y fam. Dejarlo sin poder reaccionar por alguna palabra o hecho inesperado.

planchador, ra. m. y f. Persona que plancha o tiene por oficio planchar.

planchar. tr. Pasar la plancha caliente sobre la ropa, para estirarla, asentarla o darle brillo. ‖ **2.** Quitar las arrugas a la ropa por procedimientos mecánicos. ‖ **3.** Por ext., alisar o estirar otro tipo de cosas. *Le* PLANCHARON *el pelo el día de su primera comunión.*

planchazo. m. aum. de **plancha,** desacierto o error.

planchear. tr. Cubrir una cosa con planchas o láminas de metal.

plancheta. (De *plancha*.) f. Instrumento de topografía, que consiste en un tablero montado horizontalmente sobre un trípode, y en cuya superficie se trazan con lápiz las visuales dirigidas por medio de una alidada a los diferentes puntos del terreno. ‖ **echarla** uno **de plancheta.** fr. fam. Hacer alarde de valiente o de aventajado en cualquier línea.

planchete. m. ant. Perrillo blanquecino, blanchete.

planchón. m. aum. de **plancha.**

planchuela. f. d. de **plancha.** ‖ **2.** V. **hierro planchuela.**

planeador. (De *planear.*) m. Aeronave sin motor, más pesada que el aire y con estructura de avión, que se sustenta y avanza aprovechando solamente las corrientes atmosféricas.

planeamiento. m. Acción y efecto de planear, trazar un plan.

planear. tr. Trazar o formar el plan de una obra. ‖ **2.** Hacer planes o proyectos. ‖ **3.** intr. Volar las aves con las alas extendidas e inmóviles. ‖ **4.** *Aviac.* Descender un avión en planeo.

planeo. (De *planear.*) m. Acción de volar las aves sin mover las alas. ‖ **2.** *Aviac.* Descenso de un avión sin la acción del motor y en condiciones normales.

planeta. (Del lat. *planēta,* y este del gr. πλανήτης, errante.) m. *Astron.* Cuerpo sólido celeste que gira alrededor de una estrella y que se hace visible por la luz que refleja. En particular los que giran alrededor del Sol. ‖ **2.** *Astron.* Cada uno de los siete astros que, según el sistema de Tolomeo, se creía que giraban alrededor de la Tierra; a saber: la Luna, Mercurio, Venus, el Sol, Marte, Júpiter y Saturno. ‖ **3.** *Astron.* Astro que gira alrededor de un **planeta** primario, satélite. ‖ **4.** f. *Litur.* Especie de casulla con la hoja de delante más corta que las ordinarias. ‖ **exterior.** *Astron.* **planeta superior.** ‖ **inferior,** o **interior.** *Astron.* Aquel cuya órbita es menor que la de la Tierra y, por tanto, dista menos del Sol; como Venus. ‖ **primario.** *Astron.* **planeta,** cuerpo celeste. ‖ **secundario.** *Astron.* satélite. ‖ **superior.** *Astron.* Aquel cuya órbita es mayor que la de la Tierra y, por tanto, dista del Sol más que esta; como Marte.

planetario, ria. (Del lat. *planetarĭus.*) adj. Perteneciente o relativo a los planetas. ‖ **2.** m. Aparato que representa los planetas del sistema solar y reproduce los movimientos respectivos. ‖ **3.** Edificio en que está instalado.

planetícola. (Del lat. *planēta,* y *colĕre,* habitar.) com. Supuesto habitador de cualquiera de los planetas, exceptuada la Tierra.

planetoide. m. Planeta telescópico, asteroide.

planga. (De *planco.*) f. Ave rapaz diurna, que tiene unos seis decímetros desde la punta del pico hasta la extremidad de la cola, y 17 de envergadura, con plumaje de color blanco negruzco y algunas manchas blancas redondeadas. Es un águila que ordinariamente se halla en los montes con arbolado, viviendo de la caza, pero que temporalmente acude a las lagunas en busca de peces.

planicie. (Del lat. *planitĭes.*) f. Terreno llano de alguna extensión.

planificación. f. Acción y efecto de planificar. ‖ **2.** Plan general, científicamente organizado y frecuentemente de gran amplitud, para obtener un objetivo determinado, tal como el desarrollo económico, la investigación científica, el funcionamiento de una industria, etc.

planificar. tr. Trazar los planos para la ejecución de una obra. ‖ **2.** Hacer plan o proyecto de una acción. ‖ **3.** Someter a planificación.

planilla. (d. de *plana.*) f. *And.* y *Amér.* Estado de cuentas, liquidación, ajuste de gasto. ‖ **2.** Nómina. ‖ **3.** Impreso o formulario con espacios en blanco para rellenar, en los que se dan informes, se hacen peticiones o declaraciones, etc., ante la administración pública.

planímetro. (De *plano* y *-metro.*) m. Instrumento que sirve para medir áreas de figuras planas.

planisferio. (De *plano* y *esfera.*) m. Carta en que la esfera celeste o la terrestre está representada en un plano.

plano, na. (Del lat. *planus.*) adj. Llano, liso, sin estorbos ni tropiezos. ‖ **2.** *Arit.* V. **número plano.** ‖ **3.** *Esc.* V. **talla plana.** ‖ **4.** *Geom.* Perteneciente o relativo al **plano.** ‖ **5.** *Geom.* V. **ángulo, triángulo plano.** ‖ **6.** *Geom.* V. **epicicloide, superficie plana.** ‖ **7.** *Mat.* V. **geometría, trigonometría plana.** ‖ **8.** m. *Geom.* **superficie plana.** ‖ **9.** *Topogr.* Representación gráfica en una superficie y mediante procedimientos técnicos, de un terreno o de la planta de un campamento, plaza, fortaleza o cualquier otra cosa semejante. ‖ **10.** Posición, punto de vista desde el cual se puede considerar algo. ‖ **coordenado.** *Geom.* Cada uno de los tres **planos** que se cortan en un punto y sirven para determinar la posición de los demás puntos del espacio por medio de las líneas coordenadas paralelas a sus intersecciones mutuas. ‖ **de nivel.** *Topogr.* El paralelo al nivel del mar, que se elige para contar desde él las alturas de los diversos puntos del terreno. ‖ **de simetría.** *Geom.* **plano** que divide una figura o un cuerpo en dos partes, de tal modo que cada una de ellas es la imagen especular de la otra. ‖ **geométrico.** *Persp.* Superficie **plana** paralela al horizonte, colocada en la parte inferior del cuadro, donde se proyectan los objetos, para construir después, según ciertas reglas, su perspectiva. ‖ **horizontal.** El definido por la superficie de un líquido en reposo. ‖ **inclinado.** *Mec.* Superficie **plana,** resistente, que forma ángulo agudo con el horizonte, y por medio de la cual se facilita la elevación o el descenso de pesos y otras cosas. ‖ **óptico.** *Persp.* Superficie del cuadro donde deben representarse los objetos y que se considera siempre como vertical. ‖ **vertical.** Trayectoria seguida en el vacío por un cuerpo en su caída libre. ‖ **dar de plano.** fr. Dar con el ancho de un instrumento cortante o con la mano abierta. ‖ **de plano.** loc. adv. fig. Enteramente, clara y manifiestamente. ‖ **2.** *Der.* Decisión de resolución judicial adoptada sin trámites. ‖ **levantar un plano.** fr. *Topogr.* Proceder a formarlo y dibujarlo según las reglas del arte.

planta. (Del lat. *planta.*) f. Parte inferior del pie. ‖ **2.** **vegetal,** ser orgánico que crece y vive sin mudar de lugar por impulso voluntario. ‖ **3.** Árbol u hortaliza que, sembrada y nacida en alguna parte, está dispuesta para transplantarse en otra. ‖ **4.** Lugar plantado de árboles y otras **plantas.** ‖ **5.** Diseño en que se da idea para la fábrica o formación de una cosa. PLANTA *de un edificio.* ‖ **6.** Especial y artificiosa postura de los pies para esgrimir, danzar o andar, la cual se varía según los ejercicios en que se usa. ‖ **7.** Proyecto o disposición que se hace para asegurar el acierto y buen logro de un negocio o pretensión. ‖ **8.** Plan que determina las diversas dependencias y empleados de una oficina, universidad u otro establecimiento. ‖ **9.** Cada uno de los pisos o altos de un edificio. ‖ **10.** Fábrica central de energía; instalación industrial; en algunos países hispanoamericanos, especialmente central eléctrica. ‖ **11.** *Arq.* Figura que forman sobre el terreno los cimientos de un edificio o la sección horizontal de las paredes cada uno de los diferentes pisos. ‖ **12.** *Arq.* Diseño de esta figura. ‖ **13.** *Esgr.* Combinación de líneas trazadas real o imaginariamente en el suelo para fijar la dirección de los compases. ‖ **14.** *Min.* Conjunto de labores situadas en la mina a una misma profundidad. ‖ **15.** *Persp.* Pie de la perpendicular bajada desde un punto al plano horizontal. ‖ **baja.** Piso bajo de un edificio. ‖ **buena planta.** fam. Buena presencia. ‖ **de planta,** o **de nueva planta.** loc. adv. De nuevo, desde los cimientos; a ras del suelo o poco elevado sobre él. *Hacer* DE PLANTA, o DE NUEVA PLANTA, *un edificio.* ‖ **echar plantas.** fr. fig. y fam. Echar bravatas y amenazas. ‖ **fijar** uno **las plantas.** fr. fig. p. us. Afirmarse en un concepto u opinión.

plantación. (Del lat. *plantatĭo, -ōnis.*) f. Acción y efecto de plantar. ‖ **2.** Finca, conjunto de lo plantado. ‖ **3.** Terreno en el que se cultivan plantas de una misma clase.

plantado, da. p. p. de **plantar.** ‖ **bien plantado.** Que tiene buena planta o presencia.

plantador, ra. (Del lat. *plantātor, -ōris.*) adj. Que planta. Ú. t. c. s. ‖ **2.** p. us. *Argent.* Colono o dueño de una plantación. ‖ **3.** m. Instrumento pequeño de hierro que usan los hortelanos para plantar.

plantagináceo, a. (Del lat. *plantāgo, -ĭnis,* llantén.) adj. *Bot.* Dícese de plantas angiospermas dicotiledóneas, herbáceas, con hojas sencillas, enteras o dentadas, rara vez laciniadas, y sin estípulas; flores hermafroditas o monoicas, actinomorfas, tetrámeras y dispuestas en espigas; fruto en caja; como el llantén y la zaragatona. Ú. t. c. s. f. ‖ **2.** f. pl. *Bot.* Familia de estas plantas.

plantaina. (Del lat. *plantāgo, -ĭnis.*) f. Llantén, plantaje².

plantaje¹. m. Conjunto de plantas.

plantaje². (Del cat. *plantatge.*) m. *Murc.* Llantén, plantaina.

plantamiento. (De *plantar².*) m. ant. Acción de plantar².

plantar¹. (Del lat. *plantāris.*) adj. *Anat.* Perteneciente a la planta del pie.

plantar². (Del lat. *plantāre.*) tr. Meter en tierra una planta o un vástago, esqueje, etc., para que arraigue. También se usa hablando de tubérculos y bulbos. ‖ **2.** Poblar de plantas un terreno. ‖ **3.** fig. Fijar verticalmente una cosa. PLANTAR *una cruz.* ‖ **4.** fig. p. us. Asentar o colocar una cosa en el lugar en que debe estar para ser usada. ‖ **5.** fig. p. us. Establecer un sistema, institución, ordenación, reforma, etc. ‖ **6.** fig. Fundar, establecer. PLANTAR *la fe.* ‖ **7.** fig. y fam. Tratándose de golpes, darlos. ‖ **8.** fig. y fam. Poner o introducir a uno en una parte contra su voluntad. PLANTAR *en la calle, en la cárcel.* ‖ **9.** fig. y fam. Dejar a uno burlado o abandonarle. ‖ **10.** fig. y fam. Decir a uno tales claridades o injurias, que se quede aturdido y sin acertar a responder. ‖ **11.** prnl. fig. y fam. Ponerse de pie firme ocupando un lugar o sitio. ‖ **12.** fig. y fam. Llegar con brevedad a un lugar, o en menos tiempo del que regularmente se gasta. *En dos horas* SE PLANTÓ *en Alcalá.* ‖ **13.** fig. y fam. Pararse un animal en términos de que cuesta mucho trabajo hacerle salir del punto en que lo hace. ‖ **14.** fig. y fam. En algunos juegos de cartas, no querer más de las que se tienen. Ú. t. c. intr. ‖ **15.** fig. Resolverse a no hacer o a resistir alguna cosa.

plantario. (Del lat. *plantarĭum.*) m. Semillero o almáciga.

plante. (De *plantarse.*) m. Protesta colectiva con abandono de su cometido habitual, de personas que viven agrupadas bajo una misma autoridad o trabajan en común, para exigir o rechazar enérgicamente alguna cosa. PLANTE *en una cárcel, en una fábrica.* ‖ **dar un plante. dar un plantón.**

planteamiento. m. Acción y efecto de plantear¹.

plantear¹. (De *planta.*) tr. Tantear, trazar o hacer planta de una cosa para procurar el acierto en ella. ‖ **2.** fig. p. us. Tratándose de sistemas, instituciones, reformas, etc., establecerlos o ponerlos en ejecución. ‖ **3.** fig. Tratándose de problemas matemáticos, temas, dificultades o dudas, proponerlos, suscitarlos o exponerlos. ‖ **4.** fig. Enfocar la solución de un problema, lléguese o no a obtenerla. Ú. t. c. prnl.

plantear². (De *planto.*) intr. ant. Llorar, sollozar o gemir. Usáb. t. c. tr.

plantel. (De *planta.*) m. Criadero de plantas. ‖ **2.** fig. Establecimiento, lugar o reunión de gente, en que se forman personas hábiles o capaces en algún ramo del saber, profesión, ejercicio, etc. ‖ **3.** *Argent.* Conjunto de animales seleccionados pertenecientes a un establecimiento ganadero. ‖ **4.** *Argent.* Personal con que cuenta una institución. ‖ **5.** *Argent.* Conjunto de integrantes de un equipo deportivo.

planteo. m. Planteamiento. ‖ **2.** *Argent.* Protesta, exigencia, colectiva o individual.

plantía. f. ant. **plantío.**

plantificación. f. desus. Acción y efecto de plantificar.

plantificar. (Del lat. *planta,* planta, y *facĕre,* hacer.) tr. Establecer sistemas, instituciones, reformas, etc. ‖ **2.** fig. y fam. Tratándose de golpes, darlos. ‖ **3.** fig. y fam. Poner a uno en alguna parte contra su voluntad. ‖ **4.** prnl. fig. y fam. Plantarse, llegar pronto a un lugar.

plantígrado, da. (Del lat. *planta,* planta del pie, y *gradus,* marcha.) adj. *Zool.* Dícese de los cuadrúpedos que al andar apoyan en el suelo toda la planta de los pies y las manos; como el oso, el tejón, etc. Ú. t. c. s.

plantilla. (d. de *planta.*) f. Suela sobre la cual los zapateros arman el calzado. ‖ **2.** Pieza de badana, tela, corcho o palma con que interiormente se cubre la planta del calzado. ‖ **3.** Soleta o lienzo u otra tela, que se echa en la parte inferior de los pies de las medias y calcetines cuando están rotos. ‖ **4.** Pieza principal donde se fijaban y guarnecían todos los demás hierros de la llave del arcabuz y otras armas de fuego. ‖ **5.** Pieza de hierro terminada en arco que sirve de patrón para dar a las llantas de los carruajes la curvatura conveniente. ‖ **6.** Tabla o plancha cortada con los mismos ángulos, figuras y tamaños que ha de tener la superficie de una pieza, y puesta sobre ella, sirve en varios oficios de regla para cortarla y labrarla. ‖ **7.** Plano reducido, o porción del plano total, de una obra. ‖ **8.** Relación ordenada por categorías de las dependencias y empleados de una oficina, servicios públicos o privados, etc., cuya dotación está prevista en los presupuestos económicos. ‖ **9.** fig. y fam. p. us. Arrogancia o fanfarronería. ‖ **10.** *Astrol.* Figura o tema celeste. ‖ **11.** *Carp.* Dibujo de tamaño natural de una obra o parte, montea². ‖ **ortopédica.** La que sirve para corregir un defecto de la configuración ósea del pie o la pierna. ‖ **de plantilla.** Dícese de los funcionarios, empleados o trabajadores incluidos en una **plantilla.**

plantillar. tr. Echar plantillas al calzado.

plantillazo. m. En el juego del fútbol, acción punible de quien adelanta la suela de la bota, generalmente en alto, con riesgo de lesionar a un contrario.

plantillero, ra. adj. p. us. Que hace o dice arrogancias o fanfarronerías.

plantiniano, na. adj. Aplícase a la oficina y a las ediciones del famoso impresor de Amberes Cristóbal Plantín y sus sucesores.

plantío, a. (De *plantar¹.*) adj. Aplícase a la tierra o sitio plantado o que se puede plantar. ‖ **2.** m. Acción de plantar. ‖ **3.** Lugar plantado recientemente de vegetales. ‖ **4.** Conjunto de estos vegetales.

plantista. m. Entre jardineros, el que está destinado para cuidar de la cría o plantío de los árboles y otras plantas. ‖ **2.** fam. El que echa fieros y plantas.

planto. (Del lat. *planctus.*) m. ant. Llanto con gemidos y sollozos. ‖ **2.** *Lit.* Composición elegíaca.

plantón. (De *planta.*) m. Pimpollo o arbolito nuevo que ha de ser trasplantado. ‖ **2.** Estaca o rama de árbol plantada para que arraigue. ‖ **3.** Soldado a quien se obligaba a estar de guardia en un puesto, sin relevarlo a hora regular, como castigo. ‖ **4.** p. us. Persona destinada a guardar la puerta exterior de una casa, oficina, etc. ‖ **5. comisionado de apremio.** ‖ **dar un plantón.** fr. Retrasarse uno mucho en acudir a donde otro le espera, o no ir. ‖ **estar uno de, en, plantón.** fr. fam. Estar parado y fijo en una parte por mucho tiempo.

plantonar. (De *plantón.*) m. *Murc.* Plantío de olivos nuevos.

plantosa. f. *Germ.* Taza o vaso para beber.

planudo, da. adj. *Mar.* Aplícase al buque que puede navegar en poca agua por tener adecuado su plan.

planura. (De *plano.*) f. ant. Terreno llano y dilatado, llanura.

plañidera. (De *plañidero.*) f. Mujer llamada y pagada que iba a llorar en los entierros.

plañidero, ra. (De *plañido.*) adj. Lloroso y lastimero.

plañido, da. p. p. de **plañir.** ‖ **2.** m. Lamento, queja y llanto.

plañimiento. m. p. us. Acción y efecto de plañir.

plañir. (Del lat. *plangĕre.*) intr. Gemir y llorar, sollozando o clamando. Ú. t. c. prnl.

plaqué. (Del fr. *plaqué*, chapeado.) m. Chapa muy delgada, de oro o de plata, sobrepuesta y fuertemente adherida a la superficie de otro metal de menos valor.

plaqueta. (De *placa.*) f. *Biol.* Elemento con forma de disco oval o redondeado, constituyente de la sangre de los vertebrados. Interviene en la coagulación de la sangre.

plaquín. (De *placa.*) m. Cota de armas larga, ancha de cuerpo y de mangas.

plasenciano, na. (De *Plasencia.*) adj. Natural de Plasencia. Ú. t. c. s. ‖ **2.** Perteneciente o relativo a Plasencia.

plasma[1]**.** (Del lat. *plasma*, y este del gr. πλάσμα, formación.) m. *Biol.* Parte líquida de la sangre, que contiene en suspensión los elementos sólidos componentes de esta. ‖ **2.** *Biol.* Líquido que resulta de suprimir de la sangre sus elementos sólidos. ‖ **3.** *Biol.* Linfa privada de sus células. ‖ **4.** *Fís.* Materia gaseosa fuertemente ionizada, con igual número de cargas libres positivas y negativas. Se la llama también cuarto estado de la materia, y tiene gran importancia en el estudio de astrofísica.

plasma[2]**.** f. Ágata de color verde oscuro, prasma.

plasmación. f. Acción y efecto de plasmar o plasmarse.

plasmador, ra. (Del lat. *plasmātor, -ōris.*) adj. Creador. Aplícase especialmente a Dios. Usado c. s. es nombre propio.

plasmar. (Del lat. *plasmāre.*) tr. Moldear una materia para darle una forma determinada. Ú. t. en sent. fig.

plasmático, ca. (Del gr. πλασματικός.) adj. Perteneciente o relativo al plasma.

plasta. (De *plaste.*) f. Cualquiera cosa que está blanda; como la masa, el barro, etc. ‖ **2.** Cosa aplastada. ‖ **3.** fig. y fam. Lo que está hecho sin regla ni método. *La fachada de este edificio es una* PLASTA; *el discurso de aquel orador fue una* PLASTA. ‖ **4.** adj. fig. y fam. Dícese de la persona excesivamente pesada. Ú. t. c. s. com.

plaste. (Del gr. πλαστή, modelada.) m. Masa hecha de yeso mate y agua de cola, para llenar los agujeros y hendeduras de una cosa que se ha de pintar.

plastecer. tr. Llenar, cerrar, tapar con plaste.

plastecido. m. Acción y efecto de plastecer.

plastia. f. *Med.* Operación quirúrgica con la cual se pretende restablecer, mejorar o embellecer la forma de una parte del cuerpo, o modificar favorablemente una alteración morbosa subyacente a ella.

-plastia. Del gr. πλαστός, formado, modelado.) elem. compos. que significa «reconstrucción»: *rino*PLASTIA, *auto*PLASTIA.

plástica. (Del lat. *plastĭca*, y este del gr. πλαστική, t. f. de -κός, plástico.) f. Arte de plasmar, o formar cosas de barro, yeso, etc.

plasticidad. f. Calidad de plástico.

plástico, ca. (Del lat. *plastĭcus*, y este del gr. πλαστικός.) adj. Perteneciente a la plástica. ‖ **2.** Capaz de ser modelado. *Arcilla* PLÁSTICA. ‖ **3.** Dícese del material que, mediante una compresión más o menos prolongada, puede cambiar de forma y conservar esta de modo permanente, a diferencia de los cuerpos elásticos. ‖ **4.** Dícese de ciertos materiales sintéticos que pueden moldearse fácilmente y en cuya composición entran principalmente derivados de la celulosa, proteínas y resinas. Ú. t. c. m. *Una caja de* PLÁSTICO. ‖ **5.** Que forma o da forma. *Fuerza* PLÁSTICA; *virtud* PLÁSTICA. ‖ **6.** V. **alimento, cuadro plástico.** ‖ **7.** fig. Aplícase al estilo o a la frase que por su concisión, exactitud y fuerza expresiva da mucho realce a las ideas o imágenes mentales.

plastificación. m. **plastificado,** acción y efecto de plastificar.

plastificado, da. p. p. de **plastificar.** ‖ **2.** m. Acción y efecto de plastificar.

plastificar. tr. Recubrir con una lámina de material plástico, papeles, documentos, telas, gráficos, etc.

plastrón. (Del fr. *plastron.*) m. Corbata muy ancha que cubre el centro de la pechera de la camisa. ‖ **2.** *Zool.* **peto,** lado ventral, más o menos plano, del caparazón de las tortugas o quelonios.

plata. (Del lat. *plattus, *platus, plano, del gr. πλατύς.) f. Metal blanco, brillante, sonoro, dúctil y maleable, más pesado que el cobre y menos que el plomo. Es uno de los metales preciosos. Núm. atómico 47. Símb.: *Ag.* ‖ **2.** fig. Moneda o monedas de **plata.** *No tengo* PLATA; *pagar en* PLATA. ‖ **3.** Dinero en general; riqueza. ‖ **4.** V. **batidor, bodas, dineral, ducado, edad, librillo, litargirio, maestre, maravedí, papel, real, siglo de plata.** ‖ **5.** fig. Alhaja que conserva su valor intrínseco, aunque pierda la hechura o adorno. ‖ **6.** fig. Lo que sin ser gravoso es de valor y utilidad en cualquier tiempo que se use. ‖ **7.** *Blas.* Uno de los dos metales que se usa en el blasón y se distingue por el fondo blanco del escudo o de la partición en que se pone. ‖ **8.** *Dep.* Medalla de **plata,** segundo premio de algunas competiciones, especialmente las olímpicas. ‖ **9.** adj. Plateado, de color semejante al de la plata. ‖ **agria.** Mineral muy friable, de color gris y brillo metálico; se compone de **plata,** azufre y antimonio. ‖ **bruneta.** ant. Cierta especie de **plata** sin labrar. ‖ **córnea.** Mineral de color amarillento, dúctil y de aspecto córneo, que se compone de cloro y **plata.** ‖ **de piña.** *Mín.* **piña,** masa esponjosa de este metal. ‖ **encantada.** Obsidiana de color verde aceitunado, algo translúcida por los bordes y cubierta la superficie de una sustancia vítrea de color blanco nacarado que ha dado origen a su nombre. ‖ **gris.** Mineral cristalino, blando y de color gris oscuro, que se compone de **plata** y azufre. ‖ **labrada.** Conjunto de piezas de este metal destinadas al uso doméstico o al servicio de un templo, etc. ‖ **mejicana.** La acuñada fuera de las casas de la moneda, aunque de ley igual a la legítima. ‖ **nativa.** La que en estado natural y casi pura se halla en algunos terrenos. ‖ **quebrada.** Moneda de plata a cuyo valor, respecto de otra de su clase, se agregaba un quebrado; como el realito columnario. ‖ **roja.** Mineral de color y brillo de rubí, que se compone de azufre, arsénico y **plata.** ‖ **seca.** Mineral de **plata** que en la amalgamación no se junta con el azogue. ‖ **¡adiós mi plata!** *Argent., Chile, Par.* y *Urug.* fr. fig. y fam. p. us. por la que se indica un hecho o situación perjudicial para el que habla. ‖ **como una plata.** loc. fig. y fam. Limpio y hermoso, reluciente. ‖ **en plata.** loc. adv. fig. y fam. Brevemente, sin rodeos ni circunloquios. ‖ **2.** fig. y fam. En sustancia, en resolución, en resumen.

plataforma. (Del fr. *plate-forme.*) f. Tablero horizontal, descubierto y elevado sobre el suelo, donde se colocan personas o cosas. ‖ **2.** Suelo superior, a modo de azotea, de las torres, reductos y otras obras. ‖ **3.** Vagón descubierto y con bordes de poca altura en sus cuatro lados. ‖ **4.** Parte anterior y posterior de tranvías, vagones, etc., por donde se accede a la zona de asientos. También se llama **plataforma** a la parte anterior del autobús. ‖ **5.** Pieza de madera, de forma circular, que en el molino arrocero se mantiene fija a conveniente distancia sobre la volandera. ‖ **6.** desus. Máquina que sirve para señalar y cortar los dientes de las ruedas de engranaje, especialmente las de los aparatos de relojería. ‖ **7.** fig. Apariencia, pretexto, colorido.

‖ **8.** fig. Programa o conjunto de reivindicaciones o exigencias que presenta un grupo político, sindical, profesional, etc. ‖ **9.** fig. Conjunto de personas, normalmente representativas, que dirigen un movimiento reivindicativo. ‖ **10.** *Fort.* Obra interior que se levanta sobre el terraplén de la cortina, como el caballero sobre el baluarte. ‖ **continental.** Superficie de un fondo submarino cercano a la costa, comprendido entre el litoral y las profundidades no mayores de 200 m. En su límite hay una acentuación brusca de la pendiente, que es el talud oceánico o continental. ‖ **giratoria.** Dispositivo que permite, girando sobre un eje vertical, invertir la dirección de una locomotora.

platal. m. Gran suma de plata o dinero.

platalea. (Del lat. *platalĕa*.) f. Cuchareta, ave.

platanáceo, a. (De *platănus*, nombre de un género de plantas.) adj. *Bot.* Dícese de árboles angiospermos dicotiledóneos, que tienen hojas alternas palmeadas y lobuladas, sin estípulas, flores monoicas sobre receptáculos globosos, y fruto en baya o drupa, generalmente con una semilla que tiene abundante albumen córneo o carnoso; como el plátano. Ú. t. c. s. f. ‖ **2.** f. pl. *Bot.* Familia de estos árboles.

platanal. m. **platanar.**

platanar. m. Conjunto de plátanos que crecen en un lugar.

platáneo, a. adj. *Bot.* **platanáceo.**

platanero, ra. adj. Perteneciente o relativo al plátano. ‖ **2.** *Cuba* y *P. Rico.* Dícese del viento moderado que tiene, sin embargo, fuerza suficiente para desarraigar los plátanos. ‖ **3.** m. y f. Plátano, banano. ‖ **4.** m. El que cultiva plátanos o negocia con su fruto. ‖ **5.** f. Platanar.

plátano. (Del lat. *platănus*, y este del gr. πλάτανος.) m. Árbol de la familia de las platanáceas, con una altura de quince a veinte o más metros y amplia copa; tronco cilíndrico, de corteza lisa de tono claro, verde grisáceo, que se renueva anualmente, desprendiéndose en placas irregulares; hojas caedizas y alternas, de limbo amplio, palmeado-lobuladas, con pecíolo ensanchado en su base, que recubre la yema subsiguiente. Es árbol de sombra, muy apreciado para plantaciones lineales en calles y paseos. Su madera blanca rosada, de dureza media, ofrece un bello jaspeado y se presta para trabajos de ebanistería. ‖ **2.** Planta herbácea de grandes dimensiones, que en algunos países, llaman banano; pertenece a la familia de las musáceas; alcanza una altura de dos a tres metros y un fuste de unos veinte centímetros de diámetro, formado por las vainas de las hojas, enrolladas apretadamente unas sobre otras y terminadas en un amplio limbo, de unos dos metros de longitud y unos treinta centímetros de anchura, redondeadas en su ápice; el conjunto de estas hojas forma el penacho o copa de la planta. ‖ **3.** Fruto de esta planta; es una baya alargada, de diez a quince centímetros de longitud, algo encorvada y de corteza lisa y amarilla. En América se conoce con el nombre de banana. ‖ **4.** V. **mancha de plátano.** ‖ **falso.** Árbol frondoso, botánicamente incluido en los llamados arces, cuyas hojas, amplias y palmeado-lobuladas, recuerdan las del verdadero **plátano** de sombra. ‖ **grande.** Fruto de una planta musácea de origen indo-malayo, llamada higuera de Adán, muy cultivada hoy en África tropical; es mucho más grande, encorvado y verde al exterior; estos **plátanos** se comen en diversas preparaciones. ‖ **guineo.** Fruto de otra musácea del mismo género que el anterior, procedente de una especie originaria de la India y muy cultivada en América Central y las Antillas. ‖ **2.** Fruto de esta planta.

platea. (De or. inc.) f. Patio o parte baja de los teatros. ‖ **2.** V. **palco de platea.**

plateado, da. (De p. p. de **platear.**) p. p. de **platear.** ‖ **2.** adj. Bañado en plata. ‖ **3.** De color semejante al de la plata. ‖ **4.** m. Acción y efecto de platear.

plateador, ra. adj. Que platea. ‖ **2.** m. y f. Persona que platea alguna cosa.

plateadura. f. Acción y efecto de platear. ‖ **2.** Plata que se emplea en esta operación.

platear. tr. Dar o cubrir de plata una cosa.

platel. (Del fr. ant. *platel.*) m. Especie de plato o bandeja.

platelminto. (Del gr. πλατύς, ancho, y ἕλμινς, -ινθος, gusano.) adj. *Zool.* Dícese de gusanos, parásitos en su mayoría y casi todos hermafroditas, de cuerpo comúnmente aplanado, sin aparato circulatorio ni respiratorio; el aparato digestivo falta en muchas especies parásitas, y cuando existe carece de ano; como la tenia y la duela. Ú. t. c. s. ‖ **2.** m. pl. *Zool.* Clase de estos animales.

platense. adj. Perteneciente o relativo a la ciudad argentina de La Plata. ‖ **2.** **rioplatense.** Ú. t. c. s.

plateresco, ca. adj. Aplícase al estilo español de ornamentación empleado por los plateros del siglo XVI, aprovechando elementos de las arquitecturas clásica y ojival. Ú. t. c. s. m. ‖ **2.** *Arq.* Dícese del estilo arquitectónico en que se emplean estos adornos. Ú. t. c. s. m.

platería. f. Arte y oficio de platero. ‖ **2.** Obrador en que trabaja el platero. ‖ **3.** Tienda en que se venden obras de plata u oro. ‖ **4.** Calle o barrio donde trabajaban y tenían sus tiendas los plateros.

platero. m. Artífice que labra la plata. ‖ **2.** El que vende objetos labrados de plata u oro, o joyas con pedrería. ‖ **3.** adj. *Murc.* Se dice de los asnos cuyo color es gris plateado. Ú. t. c. s. ‖ **de oro. orifice.**

plática¹. (Del lat. *platĭca*.) f. Conversación; acto de hablar una o varias personas con otra u otras. ‖ **2.** Discurso en que se enseña la doctrina cristiana, se elogian los actos de virtud o se reprenden los vicios o faltas de los fieles. ‖ **a libre plática.** loc. adv. *Mar.* Aplícase a un buque cuando es admitido a comunicación, pasada la cuarentena o dispensado de ésta. ‖ **de plática en plática.** loc. adv. fig. **de palabra en palabra.**

plática². f. ant. **práctica.**

platicable. adj. ant. **practicable.**

platicador, ra. adj. Que platica, conversador.

platicar. tr. Conversar, hablar unos con otros. Ú. m. c. intr. ‖ **2.** Conferir o tratar un negocio o materia. Ú. m. c. intr.

platija. (Del lat. *platessa.*) f. Pez teleósteo marino, anacanto; semejante al lenguado, pero de escamas más fuertes y unidas, y color pardo con manchas amarillas en la cara superior. Vive en el fondo de las desembocaduras de los ríos al norte de España y su carne es poco apreciada.

platilla. (Del fr. *platille.*) f. Especie de lienzo delgado y basto, bocadillo.

platillero, ra. m. y f. Persona que toca los platillos en las bandas de música.

platillo. (d. de *plato*.) m. Pieza pequeña de figura semejante al plato, cualquiera que sea su uso o la materia de que esté formada. ‖ **2.** Cada una de las dos piezas, por lo común en forma de plato o de disco, que tiene la balanza. ‖ **3.** En ciertos juegos de naipes, recipiente, por lo común de forma circular, donde los jugadores ponen, en moneda o en fichas, la cantidad que se atraviesa en cada mano. ‖ **4.** Esta misma cantidad. ‖ **5.** Guisado compuesto de carne y verduras picadas. ‖ **6.** Extraordinario que comen los religiosos en sus comunidades los días festivos. ‖ **7.** V. **dulce de platillo.** ‖ **8.** fig. Objeto o asunto de murmuración. Ú. m. con los verbos *hacer* y *ser.* ‖ **9.** *Mús.* Cada una de las dos chapas metálicas en forma de plato que tienen en el centro una correa doblada por la cual se pasan las manos para sujetar dichas chapas y hacerlas chocar una con otra. ‖ **volador** o **volante.** Supuesto objeto volante, cuyo origen y naturaleza se desconocen, pero al que se atribuye con frecuencia procedencia extraterrestre.

platina[1]. (De *plata*.) f. platino.

platina[2]. (Del fr. *platine*.) f. Parte del microscopio, en que se coloca el objeto que se quiere observar. ‖ **2.** Disco de vidrio deslustrado o de metal, y perfectamente plano para que ajuste en su superficie el borde del recipiente de la máquina neumática. En su centro tiene un agujero en el que se adapta el tubo por el cual se extrae el aire para hacer el vacío. ‖ **3.** *Impr.* Mesa fuerte y ancha, forrada de una plancha bien lisa de hierro, bronce o cinc, que sirve para ajustar, imponer y acuñar las formas. ‖ **4.** *Impr.* Superficie plana de la prensa o máquina de imprimir, sobre la cual se coloca la forma.

platinado. p. p. de **platinar.** ‖ **2.** m. Acción y efecto de platinar.

platinar. tr. Cubrir un objeto con una capa de platino.

platinífero, ra. adj. Que contiene platino.

platinista. m. Obrero que trabaja en platino.

platino. (De *platina*[1].) m. *Quím.* Metal de color de plata, aunque menos vivo y brillante, muy pesado, difícilmente fusible e inatacable por los ácidos, excepto el agua regia. En estado de pureza es relativamente blando, lo que permite estirarlo en finos hilos y extenderlo en delgadas láminas. Es uno de los metales preciosos. Núm. atómico 78. Símb.: *Pt.* ‖ **2.** *Mec.* Cada una de las piezas que establecen contacto en el ruptor del sistema de encendido de un motor de explosión. Ú. m. en pl.

platinoide. m. Liga de diversos metales para fabricar bobinas eléctricas de gran resistencia.

platinotipia. (De *platino* y *tipo*.) f. *Fotogr.* Procedimiento que da imágenes positivas sobre papel sensibilizado con sales de platino. ‖ **2.** Cada una de las pruebas así obtenidas.

platirrinia. (De *platirrino*.) f. Anchura exagerada de la nariz.

platirrino. (Del gr. πλατύς, ancho, y ῥίς, ῥινός, nariz.) adj. *Zool.* Dícese de simios indígenas de América, cuyas fosas nasales están separadas por un tabique cartilaginoso, tan ancho que las ventanas de la nariz miran a los lados. Ú. t. c. s. ‖ **2.** m. pl. *Zool.* Grupo de estos animales.

plato. (Del lat. **plattus, *platus*, plano.) m. Vasija baja y redonda, con una concavidad en medio y borde comúnmente plano alrededor. Se emplea en las mesas para servir los alimentos y comer en él y para otros usos. ‖ **2.** Platillo de la balanza. ‖ **3.** Alimento que se sirve en los **platos.** ‖ **4.** fig. Comida, u ordinario que cada día se gasta en comer. ‖ **5.** fig. Tema de murmuración. Ú. m. con los verbos *hacer* y *ser.* ‖ **6.** *Arq.* Ornato que se pone en el friso del orden dórico sobre la metopa y entre los triglifos. ‖ **7.** *Dep.* Disco de arcilla que sirve de blanco en las pruebas de tiro al **plato.** ‖ **combinado.** El que tiene diversos alimentos y se sirve en cafeterías o locales análogos a modo de comida entera. ‖ **compuesto.** El que se hace de variedad de dulces, o de leche, huevos y otros ingredientes semejantes; como la bizcochada, los huevos moles, etc. ‖ **del día.** En algunos restaurantes y cafeterías, comida completa, diferente todos los días de la semana, que se ofrece a los clientes por un precio más económico que el de la carta. ‖ **de segunda mesa.** fig. y fam. Persona o cosa cuya posesión no lisonjea por pertenecer o haber pertenecido a otro. ‖ **fuerte.** El principal de una comida. ‖ **2.** fig. El asunto o intervención más importante en una serie de ellos. ‖ **hondo.** Aquel cuya concavidad tiene mucha hondura. ‖ **llano.** Aquel cuya concavidad tiene poca hondura. ‖ **montado.** Cualquier comestible que para mayor lucimiento se presenta sobre una base, canastillo o templete, a veces comestible y con frecuencia vistosamente adornado. ‖ **playo.** *Argent., Par.* y *Urug.* **plato llano.** ‖ **sopero. plato hondo.** ‖ **trinchero.** El que

sirve para trinchar en él los alimentos. ‖ **2. plato llano.** ‖ **comer en un mismo plato.** fr. fig. y fam. Tener dos o más personas gran amistad o confianza. ‖ **entre dos platos.** loc. fig. que expresa el aparato, ostentación o ceremonia con que se hace u ofrece una fineza. ‖ **hacer el plato** a uno. fr. fig. y fam. Mantenerlo, darle de comer. ‖ **hacer plato.** fr. Servir o distribuir a otros en la mesa la comida. ‖ **nada entre dos platos.** loc. fig. y fam. que se usa para denotar una cosa que se daba a entender ser grande o de estimación. ‖ **no haber quebrado,** o **roto,** uno **un plato.** fr. fig. y fam. Tener el aspecto o la impresión de no haber cometido ninguna falta. ‖ **pagar uno los platos rotos.** fr. fig. y fam. Ser castigado injustamente por un hecho que no ha cometido o del que no es el único culpable. ‖ **poner el plato** a uno. fr. fig. Ponerle en situación de hacer o decir lo que no quiere. ME PUSO EL PLATO *para que le dijese mi sentir.* ‖ **ser,** o **no ser, plato del gusto** de uno. fr. fig. y fam. Serle o no grata una persona o cosa. ‖ **ser** uno **plato de segunda mesa.** fr. fig. y fam. Ser o sentirse uno postergado o desconsiderado.

plató. (Del fr. *plateau*.) m. *Cinem.* y *TV.* Cada uno de los recintos cubiertos de un estudio, acondicionados para que sirvan de escenario en el rodaje de las películas y en la grabación de los programas de televisión.

Platón[1]. n. p. V. **ideas de Platón.**

platón[2]. m. *Amér.* Recipiente de gran tamaño y de diversos usos según las comarcas: jofaina, cazuela, fuente, etc.

platónicamente. adv. m. Idealmente, con desinterés, de honesto modo.

platónico, ca. (Del lat. *Platonícus*.) adj. Que sigue la escuela y filosofía de Platón. Ú. t. c. s. ‖ **2.** Perteneciente a ella. ‖ **3.** Desinteresado, honesto. ‖ **4.** V. **amor platónico.**

platonismo. m. Escuela y doctrina filosófica de Platón.

platudo, da. (De *plata*, moneda.) adj. fam. *Amér.* Que tiene mucho dinero, rico, adinerado.

platuja. f. **platija.**

platusa. f. **platija.**

plausibilidad. f. Calidad de plausible.

plausible. (Del lat. *plausibĭlis*.) adj. Digno o merecedor de aplauso. ‖ **2.** Atendible, admisible, recomendable. *Hubo para ello motivos* PLAUSIBLES.

plausiblemente. adv. m. Con aplauso.

plausivo, va. (De *plauso*.) adj. Que aplaude.

plauso. (Del lat. *plausus*.) m. p. us. **aplauso.**

plaustro. (Del lat. *plaustrum*.) m. poét. **carro**[1], vehículo de transporte.

plautino, na. (Del lat. *Plautīnus*.) adj. Propio y característico del poeta latino Plauto, o que tiene semejanza con alguna de las dotes y calidades distintivas de sus obras.

playa. (Del lat. tardío *plagĭa*.) f. Ribera del mar o de un río grande, formada de arenales en superficie casi plana. ‖ **2.** Porción de mar contigua a esta ribera. ‖ **3.** V. **uva de playa.** ‖ **4.** *Argent., Par., Perú, Urug.* y *Venez.* Espacio plano, ancho y despejado, destinado a usos determinados en los poblados y en las industrias de mucha superficie. PLAYA *de estacionamiento.* PLAYA *de maniobras,* etc.

playado, da. adj. Dícese del río, mar, etc., que tiene playa.

playazo. m. Playa grande y extendida.

playero, ra. adj. Perteneciente a la playa. *Vestido* PLAYERO. Ú. t. c. s. ‖ **2.** m. y f. Persona que conduce el pescado desde la playa para venderlo. ‖ **3.** f. Zapatilla de lona con suela de goma que se usa en verano. ‖ **4.** Cante popular andaluz, parecido a la seguidilla gitana. Ú. m. en pl. ‖ **5.** m. *Argent.* Peón encargado de una playa de estacionamiento o de maniobras.

playo, ya. (De *playa*.) adj. *Argent., Par.* y *Urug.* Dícese de lo que tiene poco fondo. Ú. c. s. m. ‖ **2.** V. **plato playo.** ‖

3. m. *Ecuad.* Especie de tenazas pequeñas, generalmente con ranuras finas en sus extremos.

playón. m. aum. de **playa.**

playuela. f. d. de **playa.**

plaza. (Del lat. vulg. **plattĕa.*) f. Lugar ancho y espacioso dentro de un poblado al que suelen afluir varias calles. ‖ **2.** Aquel donde se venden los mantenimientos y se tiene el trato común de los vecinos, y donde se celebran las ferias, los mercados y fiestas públicas. ‖ **3.** Cualquier lugar fortificado con muros, reparos, baluartes, etc., para que la gente se pueda defender del enemigo. ‖ **4.** Sitio determinado para una persona o cosa, en el que cabe, con otras de su especie. PLAZA *de colegial; caballeriza de siete* PLAZAS. ‖ **5.** Espacio, sitio o lugar. ‖ **6.** Oficio, ministerio, puesto o empleo. ‖ **7.** Asiento que se hace en los libros acerca del que voluntariamente se presenta para servir de soldado. ‖ **8.** Población en que se hacen operaciones considerables de comercio al por mayor, y principalmente de giro. ‖ **9.** Gremio o reunión de negociantes de una **plaza** de comercio. ‖ **10.** Suelo del horno. ‖ **11.** V. **artillería, coche, gente de plaza.** ‖ **12.** V. **caballero en plaza.** ‖ **13.** *Fort.* V. **radio de la plaza.** ‖ **alta.** *Fort.* Fortificación superior al terraplén, no tan alta como el caballero, y que se coloca en la semigola o paralela al flanco. ‖ **baja.** *Fort.* Batería que se pone detrás del orejón, el cual sirve principalmente para cubrirla. ‖ **de abastos. plaza,** mercado. ‖ **de armas.** Población fortificada según arte. ‖ **2.** Sitio o lugar en que se acampa y forma el ejército cuando está en campaña, o el en que se forman y hacen el ejercicio las tropas que están de guardia en una **plaza.** ‖ **3.** Ciudad o fortaleza que se elige en el paraje donde se hace la guerra, a fin de poner en ella las armas y demás pertrechos militares para el tiempo de la campaña. ‖ **de capa y espada.** La que obtenía el ministro de esta clase en los antiguos Consejos. ‖ **de soberanía.** Denominación diferenciadora aplicada al territorio nacional de Ceuta y al de Melilla cuando quedaron ambos enclavados dentro de la zona del Protectorado español en Marruecos. ‖ **de toros.** Circo donde lidian toros. ‖ **fuerte. plaza de armas.** ‖ **mayor.** La que constituye o constituyó el núcleo principal de la vida urbana en numerosos pueblos y ciudades. ‖ **montada.** *Mil.* Soldado u oficial que usa caballo. ‖ **muerta.** ant. *Mil.* La que los capitanes tenían sin soldado en sus compañías, aprovechándose del sueldo que este había de percibir. ‖ **viva.** *Mil.* La del soldado que aunque no esté presente se cuenta como si lo estuviera. ‖ **asentar plaza.** fr. sentar plaza. ‖ **atacar bien la plaza.** fr. fig. y fam. Comer mucho. ‖ **borrar la plaza.** fr. *Mil.* Quitarla, testando el asiento que se hizo de ella. ‖ **ceñir la plaza.** fr. Cercarla o sitiarla. ‖ **echar en la plaza, o en plaza,** una cosa. fr. fig. y fam. **sacarla a plaza.** ‖ **en plaza.** loc. adv. ant. **en público.** ‖ **en pública plaza.** loc. adv. **en público.** ‖ **estar sobre una plaza.** fr. Tenerla sitiada o asediada. ‖ **hacer plaza.** fr. Hablando de ciertas cosas, venderlas al por menor públicamente. ‖ **2.** Hacer lugar; despejar un sitio por violencia o mandato. ‖ **3.** fig. y fam. **sacar a la plaza** una cosa. ‖ **pasar plaza de.** fr. fig. Ser tenida o reputada una persona o cosa por lo que no es en realidad. ‖ **¡plaza!** Voz que se usaba cuando salía el rey o en otras ocasiones de gran concurso, para mandar a la gente que dejara libre el paso. ‖ **romper plaza.** fr. fig. Ser primero en la lidia un toro, o gozar de tal precedencia una divisa o ganadería. ‖ **sacar a la plaza, o a plaza,** una cosa. fr. fig. y fam. Publicarla. ‖ **sentar plaza.** fr. Entrar a servir de soldado. ‖ **socorrer la plaza.** fr. fig. Suministrar socorro a una persona necesitada.

plazo. (Del lat. *placĭtum,* convenido.) m. Término o tiempo señalado para una cosa. ‖ **2.** Vencimiento del término. ‖ **3.** Cada parte de una cantidad pagadera en dos o más veces. ‖ **4.** ant. Campo o sitio elegido para un desafío. ‖ **a plazo**

fijo. loc. adv. Sin poder retirar un depósito bancario hasta que se haya cumplido el **plazo** estipulado. ‖ **correr el plazo.** fr. **correr el término.** ‖ **en tres plazos.** loc. adv. fig. y fam. **en tres pagas.**

plazoleta. f. d. de **plazuela.** ‖ **2.** Espacio, a manera de plazuela, que suele haber en jardines y alamedas.

plazuela. (Del lat. *plateŏla.*) f. d. de **plaza.**

ple. (Del ing. *play,* juego.) m. Juego de pelota, en que se arroja esta contra la pared.

pleamar. (De *plenamar.*) f. *Mar.* Fin o término de la creciente del mar. ‖ **2.** Tiempo que esta dura.

plébano o plebano. (De *peble.*) m. En algunas partes, párroco, cura párroco.

plebe. (Del lat. *plebs, plebis.*) f. En la antigua Roma, clase social que carecía de los privilegios de los patricios. ‖ **2.** En el pasado, clase social común, fuera de los nobles, eclesiásticos y militares. ‖ **3.** La clase social más baja. ‖ **4.** V. **tribuno de la plebe.**

plebeo, a. adj. ant. Perteneciente a la plebe.

plebeyez. f. Calidad de plebeyo o villano.

plebeyo, ya. (Del lat. *plebēius.*) adj. Propio de la plebe o perteneciente a ella. ‖ **2.** Dícese de la persona que no es noble ni hidalga. Ú. t. c. s. ‖ **3.** Dícese de la persona que en la antigua Roma pertenecía a la plebe. Ú. t. c. s. ‖ **4.** V. **edil plebeyo.**

plebezuela. f. d. de **plebe.**

plebiscitario, ria. adj. Perteneciente o relativo al plebiscito.

plebiscito. (Del lat. *plebiscĭtum.*) m. Ley que la plebe de Roma establecía separadamente de las clases superiores de la república, a propuesta de su tribuno. Por algún tiempo obligaba solamente a los plebeyos, y después fue obligatoria para todo el pueblo. ‖ **2.** Resolución tomada por todo un pueblo a pluralidad de votos. ‖ **3.** Consulta que los poderes públicos someten al voto popular directo para que apruebe o rechace una determinada propuesta sobre soberanía, ciudadanía, poderes excepcionales, etc.

pleca. (De or. inc.) f. *Impr.* Filete pequeño y de una sola raya.

plectognato. (Del gr. πλεκτός, unido, y γνάθος, mandíbula.) adj. *Zool.* Dícese de los peces teleósteos que tienen la mandíbula superior fija, de modo que no ejecuta movimientos independientes de la parte de la cabeza; piel provista de anchas placas óseas, a veces con púas, que forman un verdadero caparazón; carecen de aletas abdominales; como el orbe y el pez luna. ‖ **2.** m. pl. *Zool.* Suborden de estos peces.

plectro. (Del lat. *plectrum,* y este del gr. πλῆκτρον.) m. Palillo o púa que usaban los antiguos para tocar instrumentos de cuerda. ‖ **2.** fig. En poesía, inspiración, estilo.

plegable. adj. Capaz de plegarse.

plegadamente. adv. m. Confusamente, sin la claridad necesaria.

plegadera. f. Instrumento de madera, hueso, marfil, etc., a manera de cuchillo, a propósito para plegar o cortar papel.

plegadizo, za. adj. Fácil de plegar o doblarse.

plegado, da. p. p. de **plegar.** ‖ **2.** m. Acción y efecto de plegar.

plegador[1]. (Del lat. *precător, -ōris.*) m. *Ar.* El que recoge la limosna para una cofradía o comunidad.

plegador[2], ra. adj. Que pliega. Ú. t. c. s. ‖ **2.** m. Instrumento con que se pliega una cosa. ‖ **3.** En el arte de la seda, madero grueso y redondo donde se revuelve la urdimbre para ir tejiendo la tela.

plegadura. (Del lat. *plicatūra.*) f. Acción y efecto de plegar.

plegamiento. m. *Geol.* Efecto producido en la corteza terrestre por el movimiento conjunto de rocas sometidas a una presión lateral. ‖ **anticlinal.** *Geol.* anticlinal. ‖ **sinclinal.** *Geol.* sinclinal.

plegar. (Del lat. *plicāre*.) tr. Hacer pliegues en una cosa. Ú. t. c. prnl. ‖ **2.** Doblar e igualar con la debida proporción los pliegos de que se compone un libro que se ha de encuadernar. ‖ **3.** En el arte de la seda, revolver la urdimbre en el plegador para ponerla en el telar. ‖ **4.** prnl. fig. Doblarse, ceder, someterse.

plegaria. (Del b. lat. *precaria*.) f. Deprecación o súplica humilde y ferviente para pedir una cosa. ‖ **2.** Señal que se hacía con las campanas en las iglesias al mediodía para que todos los fieles hiciesen oración. ‖ **3.** fig. En Toledo, criado de los prebendados, que acudía a asistir a su amo al tiempo de la **plegaria.** ‖ **hacer plegarias.** fr. Rogar con manifestaciones y demostraciones exageradas para que se conceda algo que se desea.

pleguería. f. Conjunto de pliegues, en especial en las obras de arte.

pleguete. (d. de *pliegue*.) m. Tijereta de las vides y de otras plantas.

pleistoceno, na. (Del gr. πλεῖστος, muchísimo, y καινός, nuevo.) adj. *Geol.* Se aplica a la época del cuaternario inferior, o más antiguo, que comprende un período preglaciar, cuatro glaciaciones y tres períodos interglaciares. Aparecen ya los restos fósiles humanos y restos de culturas prehistóricas. Ú. t. c. s. ‖ **2.** *Geol.* Perteneciente o relativo a esta época del cuaternario inferior.

pleita. (Del lat. vulg. *plecta*, entrelazamiento.) f. Faja o tira de esparto trenzado en varios ramales, o de pita, palma, etc., que cosida con otras sirve para hacer esteras, sombreros, petacas y otras cosas.

pleiteador, ra. adj. Que pleitea. Ú. t. c. s. ‖ **2.** Que tiene afición a pleitear. Ú. t. c. s.

pleiteamiento. (De *pleitear*.) m. ant. Litigación, pleito.

pleitear. (De *pleito*.) tr. Litigar o contender judicialmente sobre una cosa. ‖ **2.** ant. Pactar, concertar, ajustar.

pleiteoso, sa. adj. ant. Que tiene afición a pleitear, pleitista.

pleités. adj. ant. Versado en pleitos y dado a ellos. ‖ **2.** ant. Que media entre dos o más personas para componer sus desavenencias. ‖ **3.** ant. Que en nombre de uno trata, ajusta o litiga un negocio. ‖ **4.** ant. Inteligente en tratar o en ajustar negocios entre personas desavenidas.

pleitesía. (De *pleités*.) f. Rendimiento, muestra reverente de cortesía. ‖ **2.** ant. Pleito, contienda. ‖ **3.** ant. Pacto, convenio, concierto, avenencia. ‖ **4.** ant. Capitulación, rendición, sometimiento.

pleitista. adj. Dícese de la persona revoltosa y que con ligero motivo mueve y ocasiona contiendas y pleitos. Ú. t. c. s.

pleito. (Del lat. *placĭtum*, decreto, sentencia.) m. ant. Pacto, convenio, ajuste, tratado o negocio. ‖ **2.** Contienda, diferencia, disputa, litigio judicial entre partes. ‖ **3.** Contienda, lid o batalla que se determina por las armas. ‖ **4.** Disputa, riña o pendencia doméstica o privada. ‖ **5.** Proceso o cuerpo de autos sobre cualquier causa. ‖ **civil.** *Der.* Aquel en que se litiga sobre una cosa, hacienda, posesión o regalía. ‖ **criminal.** *Der.* **causa,** proceso. ‖ **de acreedores.** *Der.* concurso de acreedores. ‖ **de cédula.** *Der.* En las chancillerías, **pleito** que se veía con dos o más salas y con asistencia del presidente en virtud de cédula real. ‖ **de justicia.** ant. **pleito** o causa criminal. ‖ **homenaje.** Homenaje de fidelidad al rey o al señor. ‖ **ordinario.** fig. Aquello que se dilata y se hace común y muy frecuente, cediendo del rigor con que se comenzó. ‖ **2.** fig. y fam. Disturbio o altercado frecuente. ‖ **3. juicio declarativo.** ‖ **a pleito.** loc. adv. ant. Con condición. ‖ **arrastrar el pleito.** fr. *Der.* **arrastrar la causa.** ‖ **cometer pleito.** fr. ant. **cometer pleitesía.** ‖ **conocer de un pleito.** fr. *Der.* Ser juez de él. ‖ **contestar** uno **el pleito.**

fr. Der. **contestar la demanda.** ‖ **dar el pleito por concluso.** *fr. Der.* **dar la causa por conclusa.** ‖ **ganar** uno **el pleito.** fr. fig. Lograr aquello en que había dificultad. ‖ **¿hablaba usted de mi pleito?** expr. fig. y fam. con que se zahiere al que no acierta a hablar de otra cosa que de sus cuitas o negocios. ‖ **poner a pleito.** fr. fig. Oponerse con ardor y eficacia a una cosa sin tener razón o justo motivo para ello. ‖ **poner pleito** a uno. fr. Entablarlo contra él. ‖ **salir con el pleito.** fr. Ganarlo. ‖ **tener mal pleito.** fr. fig. No tener razón en lo que se pide, o carecer de medios competentes para conseguirlo. ‖ **ver el pleito.** fr. *Der.* Hacerse relación de él hablando las partes o sus abogados ante los juzgadores. ‖ **ver** uno **el pleito mal parado.** fr. fig. Reconocer el riesgo, peligro o aprieto en que se halla o la inminencia de perderse una cosa.

plena. f. Canto y baile popular de Puerto Rico.

plenamar. (De *plena* y *mar*.) f. **pleamar.**

plenamente. adv. m. Llena y enteramente.

plenariamente. adv. m. Plenamente, enteramente. ‖ **2.** *Der.* Con juicio plenario, o sin omitir las formalidades establecidas por las leyes.

plenario, ria. (Del lat. *plenarius*.) adj. Lleno, entero, cumplido, que no le falta nada. ‖ **2.** *Der.* V. **juicio plenario.** ‖ **3.** m. *Der.* Parte del proceso criminal que sigue al sumario hasta la sentencia, y durante el cual se exponen los cargos y las defensas en forma contradictoria. ‖ **4. pleno,** reunión o junta general de una corporación.

pleneramente. adv. m. ant. Plenamente, enteramente.

plenero, ra. (Del lat. *plenarius*.) adj. ant. Cumplido, cabal, completo, llenero.

plenilunio. (Del lat. *plenilunĭum*.) m. **luna llena.**

plenipotencia. (Del lat. *plenus*, pleno, y *potentĭa*, poder.) f. Poder pleno, que se concede a otro para ejecutar, concluir o resolver una cosa.

plenipotenciario, ria. (De *plenipotencia*.) adj. Dícese de la persona que envían los reyes y las repúblicas a los congresos o a otros Estados, con el pleno poder y facultad de tratar, concluir y ajustar las paces u otros intereses. Ú. t. c. s.

plenitud. (Del lat. *plenitūdo*.) f. Totalidad, integridad o calidad de pleno. ‖ **2.** Abundancia o exceso de un humor en el cuerpo. ‖ **3.** fig. Apogeo, momento álgido o culminante de algo. *Estás en la* PLENITUD *de la vida.* ‖ **de los tiempos.** Época de la Encarnación de Jesucristo.

pleno, na. (Del lat. *plenus*.) adj. Completo, lleno. ‖ **2.** Dícese del momento culmen o central de algo. *Juan está en* PLENOS *exámenes. Era* PLENO *verano.* ‖ **3.** En ocasiones se utiliza con valor enfático para resaltar aquello de lo que se está hablando. *La bala le hirió en* PLENO *pecho.* ‖ **4.** V. **sede plena.** ‖ **5.** V. **plena cimbra.** ‖ **6.** m. Reunión o junta general de una corporación. ‖ **en pleno.** loc. adj. Entero, con todos los miembros de la colectividad que se expresa. *El ayuntamiento* EN PLENO.

pleon. (Del gr. πλέω, nadar.) m. *Zool.* Abdomen de los crustáceos, formado por varios segmentos; cada uno de estos lleva un par de apéndices pequeños y relacionados con la función reproductora.

pleonasmo. (Del lat. *pleonasmus*, y este del gr. πλεονασμός.) m. *Gram.* Figura de construcción, que consiste en emplear en la oración uno o más vocablos innecesarios para el recto y cabal sentido de ella, pero con los cuales se da gracia o vigor a la expresión; v. gr.: *Yo lo vi con mis ojos.* ‖ **2.** Demasía o redundancia viciosa de palabras.

pleonásticamente. adv. m. Cometiendo pleonasmo.

pleonástico, ca. (Del gr. πλεοναστικός.) adj. Perteneciente al pleonasmo; que lo encierra o incluye.

plepa. (De or. inc.) f. fam. Persona, animal o cosa que tiene muchos defectos en lo físico o en lo moral.

plesímetro. (Del gr. πλήσσω, golpear, y *-metro*.) m. *Med.*

Instrumento, formado por lo común de una chapa, de marfil o caucho endurecido, sobre el cual se golpea con los dedos, o con un martillo adecuado, para explorar por percusión las cavidades naturales.

plesiosauro. (Del gr. πλησίος, próximo, y σαῦρος, lagarto.) m. *Paleont.* Reptil gigantesco perteneciente al período geológico secundario y del que hoy se hallan solamente restos en estado fósil. Se supone que tenía la figura de un enorme lagarto.

pletina. (De or. inc.) f. Pieza metálica de forma rectangular y de espesor reducido.

plétora. (Del gr. πληθώρα.) f. *Fisiol.* Exceso de sangre o de otros humores en el cuerpo o en una parte de él. ‖ **2.** fig. Abundancia excesiva de alguna cosa.

pletoría. f. ant. *Fisiol.* Exceso de sangre o de otros humores.

pletórico, ca. (Del gr. πληθωρικός.) adj. Que tiene plétora de sangre o de otros humores. ‖ **2.** fig. Que tiene plétora o abundancia de algunas otras cosas.

pleura. (Del gr. πλευρά, costado.) f. *Anat.* Cada una de las membranas serosas que en ambos lados del pecho de los mamíferos cubren las paredes de la cavidad torácica y la superficie de los pulmones. Llámase **pulmonar** la parte que está adherida a cada pulmón, y **costal** la que cubre las paredes.

pleural. adj. Perteneciente a la pleura.

pleuresía. f. *Pat.* Enfermedad que consiste en la inflamación de la pleura. ‖ **2.** *Pat.* **dolor de costado.** ‖ **falsa.** *Pat.* Dolor de los músculos del pecho, pleurodinia.

pleurítico, ca. (Del gr. πλευριτικός.) adj. Que padece pleuresía. Ú. t. c. s. ‖ **2.** Perteneciente a la pleura.

pleuritis. f. *Pat.* Inflamación de la pleura.

pleurodinia. (Del gr. πλευρά, costado, y ὀδύνη, dolor.) f. *Pat.* Dolor en los músculos de las paredes del pecho.

pleuronectiforme. (De *pleuronecto,* y *-forme.*) adj. *Zool.* Dícese de peces de cuerpo plano, muy comprimido, con los dos ojos en el mismo costado, que viven en el fondo del mar tendidos sobre uno de sus flancos, al acecho de sus presas, como el lenguado, el rodaballo y la solla. ‖ **2.** m. pl. *Zool.* Taxón de estos peces.

pleuronecto. (Del gr. πλευρά, costado, y νηκτός, que nada.) m. *Zool.* **platija.**

plexiglás. (Del ing. *plexiglass,* vidrio flexible.) m. Resina sintética que tiene el aspecto del vidrio. ‖ **2.** Material transparente y flexible de que se hacen telas, tapices, etc.

plexo. (Del lat. *plexus,* tejido, entrelazado.) m. *Anat.* Red formada por varios filamentos nerviosos y vasculares entrelazados. *El* PLEXO *hepático.* ‖ **sacro.** *Anat.* El constituido por las anastomosis que forman entre sí la mayoría de las ramas nerviosas sacras. ‖ **solar.** *Anat.* Red nerviosa que rodea a la arteria aorta ventral, y procede especialmente del gran simpático y del nervio vago.

pléyade. (Del lat. *Pleïades.*) f. fig. Grupo de personas famosas, especialmente en las letras, que viven en la misma época.

plica. (Del lat. *plica.*) f. Sobre cerrado y sellado en que se reserva algún documento o noticia que no debe publicarse hasta fecha u ocasión determinada. ‖ **2.** *Pat.* Enfermedad que consiste en aglomerarse y pegarse el pelo de modo que no se puede desenredar ni cortar sin que la sangre brote.

pliego. (De *plegar.*) m. Porción o pieza de papel de forma cuadrangular, doblada por el medio. En el papel impreso los dobleces son dos o más. ‖ **2.** Por ext., la hoja de papel que no se expende ni se usa doblada. ‖ **3.** Conjunto de páginas de un libro o folleto cuando, en el tamaño de fábrica, no forman más que un **pliego.** ‖ **4.** Papel o memorial comprensivo de las condiciones o cláusulas que se proponen o se aceptan en un contrato, una concesión gubernativa, una subasta, etc. ‖ **5.** Carta, oficio o documento

de cualquier clase que cerrado se envía de una parte a otra. ‖ **6.** Conjunto de papeles contenidos en un mismo sobre o cubierta. ‖ **7.** ant. Plegadura o pliegue. El que tiene las dimensiones del papel sellado (435 milímetros de largo por 315 de ancho). ‖ **de cargos.** Resumen de las faltas que aparecen en un expediente contra el funcionario a quien se le comunica para que pueda contestar defendiéndose. ‖ **de condiciones.** Documento en que constan las cláusulas de un contrato o subasta. ‖ **prolongado.** **pliego** en el cual la proporción del largo con el ancho es diferente de la que corresponde a la marca ordinaria, resultando el **pliego,** ya doblado, más largo que los comunes. ‖ **pliegos de cordel.** Obras populares, como romances, novelas cortas, comedias, vidas de santos, etc., que se imprimían en **pliegos** sueltos y para venderlos se solían colgar de unos bramantes puestos horizontalmente en los portales y tiendas.

pliegue. (De *plegar.*) m. Doblez, especie de surco o desigualdad que resulta en cualquiera de aquellas partes en que una tela o cosa flexible deja de estar lisa o extendida. ‖ **2.** Doblez hecho artificialmente por adorno o para otro fin en la ropa o en cualquier cosa flexible. ‖ **3.** *Geol.* **plegamiento.**

plieguecillo. (d. de *pliego.*) m. Medio pliego común doblado por la mitad a lo ancho.

plinto. (Del lat. *plinthus,* y este del gr. πλίνθος, ladrillo.) m. *Arq.* Parte cuadrada inferior de la basa. ‖ **2.** Base cuadrada de poca altura. ‖ **3.** *Dep.* Aparato gimnástico de madera con la superficie almohadillada utilizado para realizar pruebas de salto.

plioceno, na. (Del gr. πλεῖον, más, y καινός, reciente.) adj. *Geol.* Dícese del período o época que sigue al mioceno y con el cual finaliza el terciario. Durante él ya casi alcanzan su configuración actual los continentes, océanos y mares. Ú. t. c. s. ‖ **2.** *Geol.* Perteneciente o relativo a este período o época.

plisado, da. p. p. de **plisar.** ‖ **2.** m. Acción y efecto de plisar.

plisar. (Del fr. *plisser,* y este del lat. *plicāre.*) tr. Hacer que una tela o cosa flexible quede formando pliegues.

plomada. f. Estilo o barrita de plomo que, en algunos oficios, sirve para señalar una cosa. ‖ **2.** Pesa de plomo o de otro metal, cilíndrica o cónica, colgada de una cuerda, que sirve para señalar la línea vertical. ‖ **3.** Sonda para medir la profundidad de las aguas. ‖ **4.** Azote hecho de correas, en cuyo remate había unas bolas de plomo. ‖ **5.** Conjunto de plomos que se ponen en la red para pescar. ‖ **6.** Golpe o herida de los perdigones. ‖ **7.** Acción y efecto de plomear. ‖ **8.** ant. Bala de las armas de fuego. ‖ **9.** *Art.* Plancha de plomo que se colocaba sobre el oído del cañón, para preservar la pólvora de la humedad y evitar que por descuido pudiese inflamarse la carga. ‖ **10.** *Germ.* Obra de fábrica levantada a plomo, pared.

plomado, da. p. p. de **plomar.** ‖ **2.** adj. V. **carta plomada.**

plomar. (Del lat. *plumbāre.*) tr. Poner un sello de plomo pendiente de hilos en un documento, privilegio o diploma.

plomazo. m. Golpe o herida que causa el perdigón disparado con arma de fuego. ‖ **2.** fig. y fam. Persona o cosa pesada y molesta.

plomazón. (De *pluma.*) f. Almohadilla de cuero, pequeña, fija en una tabla y rellena de plumón, sobre la cual se cortan los panes para dorar o platear.

plombagina. (Del fr. *plombagine,* y este del lat. *plumbāgo, -ĭnis,* mineral con plomo.) f. Grafito, plumbagina.

plomear. intr. Cubrir el blanco los perdigones de un tiro con la amplitud, precisión y alcance correspondientes a las características de la carga que dispara.

plomería. f. Cubierta de plomo que se pone en los edificios. ‖ **2.** Almacén o depósito de plomos. ‖ **3.** Taller del plomero.

plomero. m. El que trabaja o fabrica cosas de plomo. ‖ **2.** En Andalucía y diversos países de América, **fontanero.**

plomizo, za. adj. Que tiene plomo. ‖ **2.** De color de plomo. ‖ **3.** Parecido al plomo en alguna de sus cualidades.

plomo. (Del lat. *plumbum.*) m. *Quím.* Metal pesado, dúctil, maleable, blando, fusible, de color gris que tira ligeramente a azul, que al aire se toma con facilidad y que con los ácidos forma sales venenosas. Se obtiene principalmente de la galena. Núm. atómico 82. Símb.: *Pb.* ‖ **2. plomada,** pesa de metal. ‖ **3. V. azúcar, blanco, lápiz, sal, vitriolo de plomo.** ‖ **4.** V. **lápiz plomo.** ‖ **5.** fig. Cualquier pieza o pedazo de **plomo** que se pone en las redes y en otras cosas para darles peso. ‖ **6.** fig. Bala de las armas de fuego. ‖ **7.** fig. y fam. Persona o cosa pesada y molesta. ‖ **8.** pl. Cortacircuitos, fusible. ‖ **9.** V. **con pie** o **pies de plomo.** ‖ **blanco.** Carbonato de plomo. ‖ **corto.** El mezclado con arsénico, que se usa en la fabricación de perdigones para que la munición resulte redonda y sin los apéndices o colas que produce el **plomo** puro. ‖ **de obra.** El argentífero. ‖ **dulce.** El refinado. ‖ **pobre.** El escaso de plata. ‖ **rico.** El abundante en plata. ‖ **a plomo.** loc. adv. **verticalmente.** ‖ **2.** fig. A punto, con oportunidad, al pelo. ‖ **caer a plomo.** fr. fig. y fam. Caer con todo el peso del cuerpo.

plomoso, sa. (Del lat. *plumbōsus.*) adj. Que tiene plomo. ‖ **2.** Parecido al plomo.

plorar. (Del lat. *plorāre.*) intr. ant. **llorar.**

pluma. (Del lat. *pluma.*) f. Cada una de las piezas de que está cubierto el cuerpo de las aves. Consta de un tubo o cañón inserto en la piel y de un astil guarnecido de barbillas. ‖ **2.** Conjunto de **plumas.** *Un colchón de* PLUMA. ‖ **3. pluma** de ave que, cortada convenientemente en la extremidad del cañón, servía para escribir. ‖ **4.** Instrumento de metal, semejante al pico de la **pluma** a ave cortada para escribir, que sirve para el mismo efecto colocado en un mango de madera, hueso u otra materia. ‖ **5.** fig. **pluma estilográfica.** ‖ **6. pluma** preparada para servir de adorno, o adorno hecho de **plumas.** ‖ **7. pluma** artificial hecha a imitación de la verdadera. ‖ **8.** V. **alumbre, carne, clavellina, gente, pasante de pluma.** ‖ **9.** V. **papel, peso pluma.** ‖ **10.** fig. Cada una de las virutas que se sacan al tornear. ‖ **11.** fig. Mástil de una grúa. ‖ **12.** fig. Cualquier instrumento con que se escribe, en forma de pluma. ‖ **13.** fig. Habilidad o destreza caligráfica. ‖ **14.** fig. Escritor, autor de libros u otros escritos. *Miguel es la mejor* PLUMA *de su tiempo.* ‖ **15.** fig. Estilo o manera de escribir. *Tal obra se escribió con* PLUMA *elocuente, hábil, torpe, benévola, mordaz,* etc. ‖ **16.** fig. Profesión o ministerio del escritor. *José mancha o vende su* PLUMA. ‖ **17.** fig. y fam. Ventosidad, pedo. ‖ **18.** *Germ.* Remo de bogar o remar. ‖ **de agua.** Unidad de medida que sirve para aforar las aguas, y cuya equivalencia varía mucho según los países. ‖ **en sangre.** *Cetr.* La de las aves que no tiene el cañón seco, y por el humor rojo que suele tener, se llama así. ‖ **estilográfica.** La de mango hueco lleno de tinta que fluye a los puntos de ella, excusando el empleo del tintero. ‖ **viva.** La que se quita de las aves estando vivas, y sirve para rellenar almohadas, colchones, etc., porque siempre se mantiene hueca. ‖ **al correr de la pluma,** o **vuela pluma.** locs. advs. figs. Con los verbos *escribir, componer* y otros semejantes, muy de prisa, a merced de la inspiración, sin detenerse a meditar, sin vacilación ni esfuerzo. ‖ **dejar correr la pluma.** fr. fig. Escribir con abandono y sin meditación. ‖ **2.** fig. Dilatarse demasiado en la materia o punto que por escrito se va tratando. ‖ **echar buena pluma.** fr. fig. y fam. **echar buen pelo.** ‖ **hacer a pluma y a pelo.** fr. fig. y fam. Haciendo alusión a la destreza del buen cazador, estar una persona

dispuesta para faenas o empresas diversas. ‖ **hacer la pluma.** fr. *Cetr.* **hacer la plumada.** ‖ **llevar la pluma** a uno. fr. fig. y fam. Ser su amanuense; escribir lo que dicta. ‖ **poner uno la pluma bien,** o **mal.** fr. fig. Expresar por escrito, bien o mal, las ideas. *¡Qué* BIEN PONE LA PLUMA *el pícaro!* ‖ **vivir uno de su pluma.** fr. fig. Ganarse la vida escribiendo.

plumada. f. Acción de escribir una cosa corta. ‖ **2.** Rasgo o trazo que se hace sin levantar la pluma del papel. ‖ **3.** *Cetr.* Plumas que han comido los halcones y las tienen aún en el buche. ‖ **4.** *Cetr.* Plumas que se preparan para que las traguen los halcones. ‖ **hacer la plumada.** fr. *Cetr.* Arrojar el azor las plumas que comió.

plumado, da. (Del lat. *plumātus.*) adj. Que tiene pluma.

plumaje. m. Conjunto de plumas que adornan y visten al ave. ‖ **2.** Penacho de plumas que se pone por adorno en los sombreros, morriones y cascos. ‖ **3.** *Cetr.* Clase de pluma con que se distinguen las diversas especies de aves de caza.

plumajear. tr. ant. Mover una cosa de un lado a otro como si fuera un plumaje.

plumajería. f. Cúmulo o agregado de plumajes.

plumajero. m. El que hace o vende plumas o plumajes.

plumaria. (Del lat. *plumarĭa,* t. f. de *-rĭus,* plumario) adj. V. **arte plumaria.**

plumario. (Del lat. *plumarĭus.*) m. El que ejercita el arte plumaria. ‖ **2.** ant. El que tiene por oficio escribir, plumista.

plumazo. (Del lat. *plumacĭum.*) m. Colchón o almohada grande llena de pluma. ‖ **2.** Trazo fuerte de pluma y especialmente el que se hace para tachar lo escrito. ‖ **de un plumazo.** loc. adv. fig. y fam. con que se denota el modo expeditivo de abolir o suprimir una cosa.

plumazón. f. Conjunto de plumas de un ave. ‖ **2.** Conjunto de plumas de un adorno.

plumbado, da. (Del lat. *plumbātus.*) adj. Con sello cancilleresco de plomo.

plumbagina. f. Grafito, plombagina.

plumbagináceo, a. (De *Plumbago,* nombre de un género de plantas.) adj. *Bot.* Dícese de plantas angiospermas dicotiledóneas, fruticosas o herbáceas, con hojas sencillas comúnmente enteras, con estípulas o sin ellas, flores solitarias y con más frecuencia en espigas o panojas; fruto coriáceo o membranoso con una sola semilla de albumen amiláceo; como la belesa. Ú. t. c. s. ‖ **2.** f. pl. *Bot.* Familia de estas plantas.

plumbagíneo, a. (Del lat. *plumbāgo, -ĭnis,* belesa.) adj. *Bot.* **plumbagináceo.**

plúmbeo, a. (Del lat. *plumbĕus.*) adj. De plomo. ‖ **2.** fig. Que pesa como el plomo.

plúmbico, ca. adj. *Quím.* Perteneciente o relativo al plomo.

plumeado. (De plumear.) m. *Pint.* Conjunto de rayas semejantes a las que se hacen con la pluma, y que suelen usar algunos en la miniatura.

plumear. tr. *Pint.* Formar líneas con el lápiz o la pluma, para sombrear un dibujo. ‖ **2.** Escribir con pluma.

plúmeo, a. (Del lat. *plumĕus.*) adj. Que tiene pluma.

plumería. f. Conjunto o abundancia de plumas.

plumerilla. f. *R. de la Plata.* Mimosa de flor roja.

plumerío. m. Conjunto de plumas.

plumero. (Del lat. *plumarĭum.*) m. Mazo o atado de plumas sujeto a un mango que sirve para quitar el polvo. ‖ **2.** Vaso o caja donde se ponen las plumas. ‖ **3.** Penacho de plumas. ‖ **vérsele** a uno **el plumero.** fr. fig. y fam. Descubrirse sus intenciones o pensamientos.

plumier. (Del fr. *plumier.*) m. Caja o estuche que sirve para guardar plumas, lápices, etc.

plumífero, ra. (Del lat. *pluma,* pluma, y *ferre,* llevar.) adj. poét. Que tiene o lleva plumas. ‖ **2.** despect. El que tiene por oficio escribir. Ú. t. c. s. ‖ **3.** Autor de obras publicadas, especialmente literarias. Ú. t. c. s.

plumilla. f. d. de **pluma.** ‖ **2.** *Bot.* Yemilla del embrión de la planta. ‖ **3.** Pluma, instrumento de metal que colocado en el palillero y mojado en tinta sirve para escribir o dibujar.

plumín. m. Pequeña lámina de metal que se inserta en el portaplumas o está fija en el extremo de las plumas estilográficas para poder escribir o dibujar.

plumión. m. Plumón del ave.

plumista. m. El que tiene por oficio o profesión escribir, y especialmente el escribano encargado de pleitos y asuntos judiciales. ‖ **2.** El que hace o vende objetos de pluma.

plumón. m. Pluma muy delgada, semejante a la seda, que tienen las aves debajo del plumaje exterior. ‖ **2.** Colchón lleno de esta pluma.

plumoso, sa. (Del lat. *plumōsus.*) adj. Que tiene pluma o mucha pluma.

plúmula. (Del lat. *plumŭla,* d. de *pluma,* pluma.) f. *Bot.* Yemecilla que en el embrión de la planta es rudimento del tallo.

plural. (Del lat. *plurālis.*) adj. Múltiple, que se presenta en más de un aspecto. *Alardeaba de su* PLURAL *conocimiento en el campo de las ciencias.* ‖ **2.** *Gram.* V. **número plural.** Ú. t. c. s. ‖ **de modestia.** *Gram.* **plural** del pronombre personal de primera persona, empleado en vez del singular cuando alguien quiere quitarse importancia. ‖ **mayestático.** **plural** del pronombre personal de primera persona empleado en vez del singular para expresar la autoridad y dignidad de reyes, papas, etc.

pluralidad. (Del lat. *pluralĭtas, -ātis.*) f. Multitud, copia y número grande de algunas cosas, o el mayor número de ellas. ‖ **2.** Calidad de ser más de uno. ‖ **a pluralidad de votos.** loc. adv. Por mayoría.

pluralismo. m. Sistema por el cual se acepta o reconoce la pluralidad de doctrinas o métodos en materia política, económica, etc.

pluralizar. tr. *Gram.* Dar número plural a palabras que ordinariamente no lo tienen; v. gr.: *Los* CIROS; *los* HÉCTORES. ‖ **2.** Referir o atribuir una cosa que es peculiar de uno a dos o más sujetos, pero sin generalizar.

pluri-. (Del lat. *pluris-.*) elem. compos. que significa «pluralidad»: PLURIempleo, PLURIlingüe.

pluricelular. adj. *Biol.* Dícese de la planta o del animal cuyo cuerpo está formado por muchas células.

pluriempleado, da. m. y f. Persona en situación de pluriempleo.

pluriempleo. m. Situación social caracterizada por el desempeño de varios cargos, empleos, oficios, etc., por la misma persona.

plurilingüe. adj. Dícese del que habla varias lenguas. ‖ **2.** Escrito en diversos idiomas.

plurivalencia. f. Pluralidad de valores que posee una cosa.

plurivalente. adj. **polivalente,** que tiene varios valores.

plus. (Del lat. *plus,* más.) m. Gratificación o sobresueldo que suele darse a la tropa en campaña y en otras circunstancias extraordinarias. ‖ **2.** Cualquier adehala o gaje suplementario u ocasional.

pluscuamperfecto. (Del lat. *plus,* más; *quam,* que, y *perfectus,* perfecto.) adj. *Gram.* V. **pretérito pluscuamperfecto.** Ú. t. c. s.

plusmarquista. com. Persona que ostenta la mejor marca en una especialidad atlética.

plus minusve. loc. lat. Más o menos.

pluspetición. f. *Der.* Exceso cuantitativo de la demanda sobre lo exigible o debido, y excepción producida por tal causa.

plus ultra. loc. lat. Más allá.

plusvalía. f. Acrecentamiento del valor de una cosa por causas extrínsecas a ella.

plúteo. (Del lat. *plutĕus.*) m. Cada uno de los cajones o tablas de un estante o armario de libros.

plutocracia. (Del gr. πλουτοκρατία, gobierno de los ricos.) f. Preponderancia de los ricos en el gobierno del Estado. ‖ **2.** Predominio de la clase más rica de un país.

plutócrata. com. Individuo de la plutocracia.

plutocrático, ca. adj. Perteneciente o relativo a la plutocracia.

Plutón. (Del lat. *Pluto, -ōnis.*) n. p. m. *Astron.* Planeta descubierto en 1930, menor que la Tierra y distante del Sol cuarenta y nueve veces más que ella. Es invisible a simple vista.

plutoniano, na. adj. *Geol.* **plutónico.**

plutónico, ca. adj. *Geol.* Perteneciente o relativo al plutonismo.

plutonio. (Del lat. *Pluto. -ōnis.*) m. *Quím.* Elemento radiactivo artificial. Se forma en los reactores nucleares por desintegración del neptunio y, lo mismo que el uranio, es escindible con la consiguiente liberación de energía. Es un metal con propiedades químicas análogas a las del uranio y el neptunio. Número atómico 94. Símb.: Pu.

plutonismo. (De *Plutón,* dios mitológico de las regiones subterráneas.) m. *Geol.* Sistema que atribuye la formación del globo a la acción del fuego interior, del cual son efecto los volcanes.

plutonista. adj. *Geol.* Partidario del plutonismo. Ú. t. c. s.

pluvia. (Del lat. *pluvia.*) f. ant. **lluvia.** Ú. aún en poesía.

pluvial. (Del lat. *pluviālis.*) adj. V. **agua, capa pluvial.**

pluvímetro. m. **pluviómetro.**

pluviométrico, ca. adj. Perteneciente o relativo al pluviómetro.

pluviómetro. (Del lat. *pluvia,* lluvia, y *-metro.*) m. Aparato que sirve para medir la lluvia que cae en lugar y tiempo dados.

pluviosidad. f. Cantidad de lluvia que recibe un sitio en un período determinado de tiempo.

pluvioso, sa. (Del lat. *pluviōsus.*) adj. **lluvioso.** ‖ **2.** m. Quinto mes del calendario republicano francés, cuyos días primero y último coincidían respectivamente con el 20 de enero y el 18 de febrero.

poa. (De or. inc.) f. *Mar.* Seno o doble seno de cabo cuyos chicotes se fijan en dos o tres puntos de cada una de las relingas de caída de las velas, y en el cual se hacen firmes las bolinas. ‖ **2.** **espiguilla,** planta.

pobeda. f. Sitio o lugar poblado de pobos.

población. (Del lat. *populatĭo, -ōnis.*) f. Acción y efecto de poblar. ‖ **2.** Conjunto de personas que habitan la Tierra o cualquier división geográfica de ella. ‖ **3.** Conjunto de edificios y espacios de una ciudad. ‖ **4.** V. **casco, densidad, radio de población.** ‖ **activa.** Parte de la **población** de un país ocupada en el proceso productivo y por cuyo trabajo recibe retribución.

poblacho. (De *pueblo.*) m. despect. Pueblo ruin, y destartalado. ‖ **2.** ant. La gente baja, la plebe.

poblada. (De *pueblo.*) f. *Amér. Merid.* Multitud, gentío, turba, populacho, en especial cuando está en actitud levantisca o agresiva; motín, asonada, tumulto.

poblado, da. p. p. de **poblar.** ‖ **2.** m. Población, ciudad, villa o lugar.

poblador, ra. adj. Habitante. Ú. t. c. s. ‖ **2.** Fundador de una colonia. Ú. t. c. s.

poblamiento. m. Acción y efecto de poblar. ‖ **2.** *Geogr.* Proceso de asentamiento de un grupo humano en las diversas regiones de la Tierra.

poblano[1], na. adj. *Amér.* Lugareño, campesino. Ú. t. c. s.

poblano², na. adj. Natural de la ciudad o Estado mejicanos de Puebla. Ú. t. c. s. ‖ **2.** Perteneciente o relativo a dicha ciudad o Estado.

poblanza. (De *poblar.*) f. ant. Acción y efecto de poblar.

poblar. (Del lat. *popŭlus*, pueblo.) tr. Fundar uno o más pueblos. Ú. t. c. intr. ‖ **2.** Ocupar con gente un sitio para que habite o trabaje en él. ‖ **3.** Por ext., se dice de animales y cosas. POBLAR *una colmena, un monte.* ‖ **4.** Procrear mucho. ‖ **5.** prnl. Hablando de los árboles y otras cosas capaces de aumento, recibirlo en gran cantidad.

poblazo. m. Pueblo ruin y destartalado.

poblazón. f. ant. Acción y efecto de poblar.

poblezuelo. m. d. de **pueblo.**

pobo. (Del lat. *popŭlus*, álamo.) m. **álamo blanco.**

pobra. (De *pobre.*) adj. fam. desus. Decíase de la mujer que pedía limosna de puerta en puerta. Usáb. t. c. s.

pobrar. tr. ant. **poblar.**

pobre. (Del lat. *pauper*, *-ēris.*) adj. Necesitado, que no tiene lo necesario para vivir. Ú. t. c. s. ‖ **2.** V. **pobre diablo, pobre esguízaro, pobre hombre.** ‖ **3.** Escaso, insuficiente. *Esta lengua es* POBRE *de voces.* ‖ **4.** V. **plomo pobre.** ‖ **5.** V. **abogado, padre, procurador de pobres.** ‖ **6.** fig. y fam. V. **pata de pobre.** ‖ **7.** fig. Humilde, de poco valor o entidad. ‖ **8.** fig. Infeliz, desdichado y triste. ‖ **9.** fig. Pacífico, quieto y de buen genio e intención; corto de ánimo y espíritu. ‖ **10.** *Der.* Persona que reúne las circunstancias exigidas por la ley para concederle los beneficios de la defensa gratuita en el enjuiciamiento civil o criminal. ‖ **11.** *Der.* V. **información pobre.** ‖ **12.** com. **mendigo, ga.** ‖ **de solemnidad.** El que lo es de notoriedad. ‖ **limosnero. mendigo.** ‖ **voluntario.** El que voluntariamente se desapropia de todo lo que posee, como hacen los religiosos con el voto de pobreza. ‖ **y soberbio.** El que, teniendo necesidad de auxilio o socorro, procura ocultarlo no admitiéndolo, o el que no se contenta con lo que le dan o con el favor que le hacen, por creerse merecedor de más. ‖ **¡pobre de mí!** expr. ¡Triste, infeliz, pecador de mí! ‖ **pobre de ti, de él,** etc. Exclamación de amenaza.

pobredad. (Del lat. *paupĕrtas*, *-ātis.*) f. ant. **pobreza.**

pobremente. adv. m. Con pobreza.

pobrería. f. Conjunto de pobres.

pobrero. m. El que en las comunidades tiene el encargo de dar limosna a los pobres.

pobreta. (De *pobre.*) f. fig. y fam. **ramera.**

pobrete, ta. adj. d. de **pobre.** ‖ **2.** Desdichado, infeliz, abatido. Ú. t. c. s. ‖ **3.** fam. Dícese del sujeto inútil y de corta habilidad, ánimo o espíritu, pero de buen natural. Ú. t. c. s.

pobretear. (De *pobrete.*) intr. Comportarse como pobre.

pobretería. (De *pobrete.*) f. Conjunto de pobres. ‖ **2.** Escasez o miseria en las cosas. ‖ **3.** Tacañería, preocupación excesiva por el dinero.

pobreto. m. desus. **pobrete.**

pobretón, na. (aum. de *pobrete.*) adj. Muy pobre. Ú. t. c. s.

pobreza. (De *pobre.*) f. Calidad de pobre. ‖ **2.** Falta, escasez. ‖ **3.** Dejación voluntaria de todo lo que se posee, y de todo lo que el amor propio puede juzgar necesario, de la cual hacen voto solemne los religiosos el día de su profesión. ‖ **4.** Escaso haber de la gente pobre. ‖ **5.** fig. Falta de magnanimidad, de gallardía, de nobleza del ánimo. ‖ **6.** *Der.* V. **información de pobreza.**

pobrismo. (De *pobre.*) m. p. us. **pobretería.**

pocero. (Del lat. *putearius.*) m. El que fabrica o hace pozos o trabaja en ellos. ‖ **2.** El que limpia los pozos o depósitos de las inmundicias.

pocilga. (Del lat. *porcilĭca*, de *porcīle*.) f. Establo para ganado de cerda. ‖ **2.** fig. y fam. Cualquier lugar hediondo y asqueroso.

pocillo. (Del lat. *pocillum.*) m. Tinaja o vasija empotrada en la tierra para recoger un líquido, como el aceite y vino en los molinos y lagares. ‖ **2.** Pequeña vasija de loza, como la del chocolate; jícara.

pócima. (De *apócima.*) f. Cocimiento medicinal de materias vegetales. ‖ **2.** fig. Cualquier bebida medicinal. ‖ **3.** fig. y fam. Por ext., cualquier líquido desagradable de beber.

poción. (Del lat. *potĭo*, *-ōnis*; de *potāre*, beber.) f. Cualquier líquido que se bebe. ‖ **2.** Líquido compuesto que se bebe, especialmente el medicinal.

poco, ca. (Del lat. *paucus.*) adj. Escaso, limitado y corto en cantidad o calidad. ‖ **2.** m. Cantidad corta o escasa. *Un* POCO *de agua.* ‖ **3.** adv. c. Con escasez, en corto grado, en reducido número o cantidad, menos de lo regular, ordinario o preciso. ‖ **4.** Empleado con verbos expresivos de tiempo, denota corta duración de tiempo. *Tardó* POCO *en llegar.* ‖ **5.** Antepónese a otros adverbios, denotando idea de comparación. POCO *antes;* POCO *después;* POCO *más;* POCO *menos.* ‖ **a pocas.** loc. adv. ant. **por poco.** ‖ **a poco.** loc. adv. A breve término; corto espacio de tiempo después. ‖ **de poco.** loc. adj. De escaso valor o importancia. *Cosa* DE POCO; *cuestión* DE POCO. ‖ **de poco más o menos.** loc. adj. que se aplica a las personas o cosas despreciables o de **poca** estimación. ‖ **en poco.** loc. adv. con que se da a entender que estuvo muy a pique de suceder una cosa. EN POCO *estuvo que riñésemos.* ‖ **poco a poco.** loc. adv. Despacio, con lentitud. ‖ **2.** De corta en corta cantidad. ‖ **3.** expr. empleada para contener o amenazar al que se va precipitado en obras o palabras, y también para denotar que en aquello de que se trata conviene proceder con orden y detenimiento. ‖ **poco más o menos.** loc. adv. Con corta diferencia. *Habrá en el castillo seiscientos hombres,* POCO MÁS O MENOS. ‖ **por poco.** loc. adv. con que se da a entender que apenas faltó nada para que sucediese una cosa. *Tropezó y* POR POCO *se cae.* ‖ **¡qué poco!** expr. con que se da a entender la imposibilidad o dificultad de que suceda lo que se supone. ‖ **sobre poco más o menos.** loc. adv. **poco más o menos.** ‖ **tener uno en poco** a una persona o cosa. fr. Desestimarla, no hacer bastante aprecio de ella. ‖ **un poco.** loc. adv. con que se aporta un valor afirmativo respecto de un adjetivo pado. *Está* UN POCO *sucio.*

pocoyo. m. *Nicar.* Ave nocturna inofensiva que se sitúa y canta al borde de los caminos.

póculo. (Del lat. *pocŭlum.*) m. Vaso para beber. ‖ **2.** ant. Cualquier líquido que se bebe.

pocha. f. *Ál., Ar., Nav.* y *Rioja.* Judía blanca temprana.

pocho, cha. adj. Descolorido, quebrado de color. ‖ **2.** Dícese de lo que está podrido o empieza a pudrirse, especialmente de la fruta. ‖ **3.** Dícese de la persona floja de carnes o que no disfruta de buena salud. ‖ **4.** fig. Muy bueno, excelente.

pochote. m. *C. Rica* y *Hond.* **ceiba,** árbol.

poda. f. Acción y efecto de podar. ‖ **2.** Tiempo en que se ejecuta.

podadera. f. Herramienta acerada, con corte curvo y mango de madera o hierro, que se usa para podar.

podador, ra. (Del lat. *putător*, *-ōris.*) adj. Que poda. Ú. t. c. s.

podadura. (De *podar.*) f. p. us. Acción y efecto de podar.

podagra. (Del lat. *podagra*, y este del gr. ποδάγρα.) f. *Pat.* Enfermedad de gota, y especialmente cuando se padece en los pies.

podálico, ca. adj. *Med.* Dícese de una maniobra obstétrica, por la cual el tocólogo ayuda al parto tirando de los pies del feto.

podar. (Del lat. *putāre.*) tr. Cortar o quitar las ramas superfluas de los árboles, vides y otras plantas para que fructifiquen con más vigor.

podatario. m. ant. El que tiene poder para representar a otra persona.

podazón. (Del lat. *putatĭo, -ōnis.*) f. Tiempo o sazón de podar los árboles. ‖ **2.** ant. Acción y efecto de podar.

podenco, ca. adj. V. **perro podenco.** Ú. t. c. s. ‖ **2.** y fam. V. **vuelta de podenco.** ‖ **3.** fig. y fam. V. **cama de podencos.** ‖ **¡guarda, que es podenco!** expr. fam. **¡guarda, Pablo!**

podenquero. m. Entre cazadores, el que cuida o tiene a su cargo los podencos.

poder¹. (De *poder².*) m. Dominio, imperio, facultad y jurisdicción que uno tiene para mandar o ejecutar una cosa. ‖ **2.** Gobierno de un país. ‖ **3.** Fuerzas de un Estado, en especial las militares. ‖ **4.** Acto o instrumento en que consta la facultad que uno da a otro para que en lugar suyo y representándole pueda ejecutar una cosa. Ú. frecuentemente en pl. ‖ **5.** Posesión actual o tenencia de una cosa. *Los autos están en* PODER *del relator.* ‖ **6.** Fuerza, vigor, capacidad, posibilidad, poderío. ‖ **7.** Suprema potestad rectora y coactiva del Estado. ‖ **absoluto, o arbitrario. despotismo.** ‖ **constituyente.** El que corresponde al Estado para organizarse, constituirse y reformando sus constituciones. ‖ **ejecutivo.** En los gobiernos representativos, el que tiene a su cargo gobernar el Estado y hacer observar las leyes. ‖ **espiritual.** El que pertenece a la Iglesia. ‖ **judicial.** El que ejerce la administración de justicia. ‖ **legislativo.** Aquel en que reside la facultad de hacer y reformar las leyes. ‖ **liberatorio. fuerza liberatoria.** ‖ **moderador.** El que ejerce el jefe supremo del Estado, sea rey o presidente. ‖ **real.** Autoridad real. ‖ **temporal.** Gobierno civil de un Estado. ‖ **poderes públicos.** Conjunto de las autoridades que gobiernan un Estado. ‖ **a poder de.** loc. adv. A fuerza de, o con repetición de actos. A PODER DE *ruegos logró su intento.* ‖ **2.** A fuerza de, con copia, con abundancia de una cosa. A PODER DE *dinero ha logrado el empleo.* ‖ **a su poder.** loc. adv. Con todo su **poder,** fuerzas, capacidad, posibilidad o poderío. ‖ **a todo poder.** loc. adv. Con todo el vigor o esfuerzo posible. ‖ **a todo su poder.** loc. adv. a **su poder.** ‖ **caer bajo el poder** de uno. fr. fig. y fam. Estar sujeto a su dominio o voluntad. ‖ **caer** uno **en poder de las lenguas.** fr. fig. ant. Exponerse, dar motivo a que se hable mal de él con libertad. ‖ **de poder absoluto.** loc. adv. **despóticamente.** ‖ **de poder a poder.** loc. adv. con que se da a entender que una cosa se ha disputado o contendido de una parte y otra con todas las fuerzas disponibles en el caso. *Los ejércitos dieron la batalla* DE PODER A PODER. ‖ **2.** Taurom. loc. adv. que sirve para expresar que en la suerte de banderillas, el diestro provoca la arrancada de la res y avanza hacia ella para que el encuentro sea brusco y en un terreno equidistante de los lugares de partida. ‖ **en poder de.** loc. adv. Con verbos como *estar* u *obrar,* indica que la cosa de que se trata es tenida por alguien que se expresa. ‖ **estar bajo el poder de** uno. fr. **caer bajo el poder de** uno. ‖ **hacer un poder.** fr. fig. y fam. con que se incita a hacer un esfuerzo al que se excusa de hacer una cosa que le mandan, diciendo que no puede. ‖ **¡poder de Dios!** exclam. que sirve para exagerar el mérito, grandeza o abundancia de una cosa. *Casarse* POR PODER. ‖ con intervención de un apoderado. *Casarse* POR PODER.

poder². (Del lat. **potēre,* formado según *potes,* etc.) tr. Tener expeditas la facultad o potencia de hacer una cosa. ‖ **2.** Tener facilidad, tiempo o lugar de hacer una cosa. Ú. m. con negación. ‖ **3.** intr. Ser más fuerte que otro, ser capaz de vencerle. *En la discusión* ME PUEDE. Ú. t. en sent. fig. ME PUEDEN *sus impertinencias.* ‖ **4.** impers. Ser contingente o posible que suceda una cosa. PUEDE *que llueva mañana.* ‖ **a más no poder.** loc. adv. con que se explica que uno ejecuta una cosa impelido y forzado y sin **poder** excusarlo ni resistirlo. ‖ **2. hasta más no poder.** ‖ **3. no poder más.** ‖

hasta más no poder. fr. Todo lo posible. *Alabar una cosa* HASTA MÁS NO PODER. ‖ **no poder con** uno. fr No **poder** sujetarlo ni reducirlo a la razón. ‖ **2.** fr. fam. Sentir repugnancia hacia una persona o cosa. NO PUEDO CON *la sidra.* ‖ **no poder** uno **consigo mismo.** fr. fig. Aburrirse, fastidiarse aun de sí propio. ‖ **no poder más.** fr. Tener precisión de ejecutar una cosa. ‖ **2.** Estar sumamente fatigado o rendido de hacer una cosa, o no **poder** continuar su ejecución. ‖ **3.** No tener tiempo o lugar suficientes para concluir lo que se está haciendo. ‖ **no poder menos.** fr. Ser necesario o preciso. ‖ **no poder parar.** fr. Tener gran desasosiego o inquietud por causa de un dolor o molestia. ‖ **no poderse tener.** fr. Tener gran debilidad o flaqueza una persona o cosa. ‖ **no poderse valer.** fr. Hallarse uno en estado de no **poder** remediar el daño que le amenaza o evitar una acción. ‖ **2.** No tener expedito el uso de un miembro. ‖ **no poderse valer con** uno. fr. No poder reducirlo a su intento o a lo que debe ejecutar. ‖ **no poder tragar** a uno. fr. Tenerle aversión. ‖ **no poder ver** a uno. fr. fig. Aborrecerle. ‖ **no poder ver** a uno **pintado,** o **ni pintado.** fr. Aborrecerle con tanto extremo, que ofende el verle u oírle. ‖ **poder** a uno. fr. fam. Tener más fuerza que él; vencerle luchando cuerpo a cuerpo. ‖ **poder** uno **leer.** fr. fig. desus. **poder poner cátedra.** ‖ **por lo que pudiere tronar.** fr. Por lo que sucediere o acaeciere; y dícese cuando uno se previene o trata de prevenirse contra un riesgo o contingencia. ‖ **puede que.** loc. que se antepone a verbos en modo subjuntivo con el significado de «acaso, quizá». ‖ **¿se puede?** fr. utilizada para pedir permiso de entrada en un sitio donde hay alguien.

poderdante. (De *poder¹* y *dante.*) com. Persona que da poder o facultades a otra para que la represente en juicio o fuera de él.

poderhabiente. (De *poder¹* y *habiente.*) com. Persona que tiene poder o facultad de otra para representarla, administrar sus negocios, etc.

poderío. (De *poder¹.*) m. Facultad de hacer o impedir una cosa. ‖ **2.** Hacienda, bienes y riquezas. ‖ **3.** Poder, dominio, señorío, imperio. ‖ **4.** Potestad, facultad, jurisdicción. ‖ **5.** Vigor, facultad o fuerza grande.

poderosamente. adv. m. Con poder, con fuerza.

poderoso, sa. adj. Que tiene poder. Ú. t. c. s. ‖ **2.** Muy rico; colmado de bienes de fortuna. Ú. t. c. s. ‖ **3.** Grande, excelente, o magnífico en su línea. ‖ **4.** Activo, eficaz, que tiene virtud para una cosa. *Remedio* PODEROSO. ‖ **5.** ant. Que tiene en su poder una cosa.

podiatra. (Del gr. πούς, ποδός, pie, y ἰατρός, médico.) m. *Amér.* Médico especializado en las enfermedades de los pies.

podio. (Del lat. *podĭum,* y este del gr. πόδιον.) m. *Arq.* Pedestal largo en que estriban varias columnas. ‖ **2.** Plataforma o tarima sobre la que se coloca a una persona para ponerla en lugar preeminente por alguna razón (triunfos deportivos, presidir actos oficiales, dirigir una orquesta, etc.).

podium. m. **podio, plataforma.**

podo. m. desus. Acción y efecto de podar.

podo- o **-podo.** (Del gr. ποδο- y -ποδος.) elem. compos. que significa «pie»: PODÓ*logo,* mirió*podo.*

podología. (Del gr. πούς, ποδός, pie, y *-logía.*) f. *Med.* Rama de la actividad médica, que tiene por objeto el tratamiento de las afecciones y deformidades de los pies, cuando dicho tratamiento no rebasa los límites de la cirugía menor.

podólogo, ga. m. y f. *Med.* Especialista en podología.

podómetro. (Del gr. πούς, ποδός, pie, y *-metro.*) m. Aparato en forma de reloj de bolsillo, para contar el número de pasos que da la persona que lo lleva y la distancia recorrida.

podón. m. Podadera grande y fuerte usada para podar y rozar. ‖ **2.** Herramienta para podar, con mango a modo de martillo y una boca en forma de hacha y la otra en forma de cuchillo.

podre. (Del lat. *putris*, podrido.) f. Putrefacción de algunas cosas. ‖ **2. pus.**

podrecer. (Del lat. *putrescĕre*.) tr. p. us. **pudrir.** Ú. t. c. intr. y c. prnl.

podrecimiento. m. p. us. Acción y efecto de podrecer.

podredumbre. f. Putrefacción o corrupción material de las cosas. ‖ **2.** Por ext., cosa podrida. ‖ **3.** Corrupción moral. ‖ **4.** fig. p. us. Sentimiento hondo y no comunicado.

podredura. (De *podrir*.) f. Putrefacción, corrupción de las cosas.

podrición. (De *podrir*.) f. Putrefacción de las cosas.

podridero. m. Lugar en que se pudre.

podrido, da. p. p. de **podrir.** ‖ **2.** adj. fig. Se dice de la persona o institución que está corrompida o dominada por la inmoralidad. ‖ **3.** V. **olla podrida.** ‖ **4.** fig. V. **miembro podrido.**

podrigorio. (De *podrir*.) m. fam. Persona llena de achaques y dolencias.

podrimiento. m. **pudrimiento.**

podrir. (Del lat. *putrēre*.) tr. **pudrir.** Ú. t. c. prnl.

poema. (Del it. *poèma*, y este del gr. ποίημα.) m. Obra en verso, o perteneciente a su género, aunque esté escrita en prosa, a la esfera de la poesía. Tradicionalmente se daba este nombre a las de gran extensión. POEMA *épico, dramático.* ‖ **2.** Suele también tomarse por *poema* épico. ‖ **en prosa.** Subgénero literario al que pertenecen obras en prosa, normalmente cortas, que expresan un contenido análogo al de un poema lírico, aunque con posibilidades de tensión continua menor que en este, sin que ello se sienta, en principio, como una merma de su calidad. ‖ **sinfónico.** Composición para orquesta, de forma libre y desarrollo sugerido por una idea poética u obra literaria, expresa en el título y a veces también explicada en un breve programa o argumento.

poemario. m. Conjunto o colección de poemas.

poemático, ca. adj. Perteneciente o relativo al poema o a los poemas. ‖ **2.** Que posee caracteres de poema lírico o épico.

poesía. (Del lat. *poĕsis*, y este del gr. ποίησις.) f. Manifestación de la belleza o del sentimiento estético por medio de la palabra, en verso o en prosa. ‖ **2.** Cada uno de los géneros en que se dividen las obras literarias. POESÍA *épica, lírica, dramática.* ‖ **3.** Por antonom., **poesía** lírica. ‖ **4.** Poema, composición en verso. ‖ **5.** Poema lírico en verso. ‖ **6.** Idealidad, lirismo, cualidad que suscita un sentimiento hondo de belleza, manifiesta o no por medio del lenguaje. ‖ **7.** Arte de componer obras poéticas en verso o en prosa.

poeta. (Del lat. *poēta*.) m. El que compone obras poéticas y está dotado de las facultades necesarias para componerlas. ‖ **2.** El que hace versos.

poetar. (Del lat. *poetāre*.) intr. ant. **poetizar.**

poetastro. m. Mal poeta.

poética. (Del lat. *poetĭca*, y este del gr. ποιητική, t. f. de -κός, poético.) f. **poesía**, arte de componer obras poéticas. ‖ **2.** Ciencia que se ocupa de la naturaleza y principios de la poesía, y de sus géneros. ‖ **3.** Ciencia que se ocupa de los procedimientos artísticos de la poesía, con especial atención al lenguaje literario. ‖ **4.** Conjunto de principios o de reglas, explícitos o no, que observan un género literario, una escuela o un autor.

poéticamente. adv. m. Con poesía, de manera poética.

poético, ca. (Del lat. *poetĭcus*, y este del gr. ποιητικός.) adj. Perteneciente o relativo a la poesía. ‖ **2.** Que manifiesta o expresa en alto grado las cualidades propias de la poesía, en especial las de la lírica. ‖ **3.** Que participa de las cua-

lidades de la idealidad, espiritualidad y belleza propias de la poesía. ‖ **4.** Propio o característico de la poesía; apto o conveniente para ella. *Lenguaje, estilo* POÉTICO. ‖ **5.** V. **arte, licencia poética.**

poetisa. (Del lat. *poetissa*.) f. Mujer que compone obras poéticas y está dotada de las facultades necesarias para componerlas. ‖ **2.** Mujer que hace versos.

poetización. f. Acción y efecto de poetizar.

poetizar. (De *poeta*.) intr. Hacer o componer versos u obras poéticas. ‖ **2.** tr. Embellecer alguna cosa con el encanto de la poesía; darle carácter poético.

poetría. (Del lat. *poetrĭa*, y este del gr. ποιήτρια.) f. ant. **poesía.**

pogromo. (Del ruso *pogrom*, devastación, destrucción.) m. Matanza y robo de gente indefensa por una multitud enfurecida; en especial, asalto a las juderías con matanza de habitantes suyos.

poíno. (De *poyo*.) m. Codal que sirve de encaje y sustenta las cubas en las bodegas.

poiquilotermia. (Compuesto del gr. ποικίλος, vario, variado, y un der. de θερμός, caliente.) f. *Zool.* Incapacidad de regulación de la temperatura del cuerpo, por lo que esta varía de acuerdo con la temperatura ambiental.

poiquilotérmico, ca. adj. *Zool.* Perteneciente o relativo a la poiquilotermia; dícese en particular de los animales llamados de sangre fría.

poiquilotermo, ma. adj. *Zool.* **poiquilotérmico.** Ú. t. c. s.

poisa. (Del lat. *pulsus*, arrojado.) f. *León.* Cáscara que envuelve los granos de los cereales.

pola. (Del lat. *popŭlus*, pueblo.) f. ant. Puebla, población, pueblo, lugar.

polaca. f. Prenda de vestir que usaron algunas clases militares.

polacada. f. Acto despótico o de favoritismo. Tuvo origen este nombre, aplicado por sus enemigos, a los actos del partido polaco que gobernó en España.

polaco, ca. adj. Natural de Polonia. Ú. t. c. s. ‖ **2.** Perteneciente o relativo a este país de Europa. ‖ **3.** Dícese del partido político que gobernó, en España, desde 1850 a 1854. Ú. t. c. s. ‖ **4.** Dícese del individuo de uno de los bandos en que se dividían los aficionados madrileños al teatro, en el siglo XVIII y comienzos del XIX. Ú. m. c. s. ‖ **5.** m. Lengua de los **polacos**, una de las eslavas.

polacra. (Del lat. *polacra*.) f. Buque de cruz, de dos o tres palos enterizos y sin cofas.

polaina. (Del fr. *poulaine*, calzado, y este del ant. fr. *poulanne*, piel de Polonia.) f. Especie de media calza, hecha regularmente de paño o cuero, que cubre la pierna hasta la rodilla y a veces se abotona o abrocha por la parte de afuera.

polar. adj. Perteneciente o relativo a los polos. ‖ **2.** V. **círculo, coordenada polar.** ‖ **3.** *Astron.* V. **Estrella Polar.**

polaridad. (De *polar*.) f. *Fís.* Propiedad que tienen los agentes físicos de acumularse en los polos de un cuerpo y de polarizarse. ‖ **2.** fig. Condición de lo que tiene propiedades o potencias opuestas, en partes o direcciones contrarias, como los polos.

polarimetría. (De *polarímetro*.) f. *Fís.* Procedimiento analítico que utiliza el polarímetro.

polarímetro. (De *polaridad* y *-metro*.) m. *Fís.* Aparato destinado a medir el sentido y la extensión del poder rotatorio de un cuerpo sobre la luz polarizada.

polariscopio. m. *Fís.* Instrumento para averiguar si un rayo de luz emana directamente de un foco o está ya polarizado.

polarización. f. *Fís.* Acción y efecto de polarizar o polarizarse.

polarizar. (De *polar*.) tr. *Fís.* Modificar los rayos luminosos por medio de refracción o reflexión, de tal manera que queden incapaces de refractarse o reflejarse de nuevo en ciertas direcciones. Ú. t. c. prnl. ‖ **2.** intr. Suministrar una tensión fija a alguna parte de un aparato electrónico. ‖ **3.** prnl. *Fís.* Hablando de una pila eléctrica, disminuir la corriente que produce, por aumentar la resistencia del circuito a consecuencia del depósito de hidrógeno sobre uno de los electrodos. ‖ **4.** Concentrar la atención o el ánimo en una cosa.

polca. f. Danza de origen polaco de movimiento rápido y en compás de dos por cuatro. ‖ **2.** Música de esta danza. ‖ **alemana. chotis.**

polcar. intr. p. us. Bailar la polca.

pólder. m. Terreno pantanoso ganado al mar y que una vez desecado se dedica al cultivo.

polea. (Del fr. *poulie*.) f. Rueda acanalada en su circunferencia y móvil alrededor de un eje. Por la canal o garganta pasa una cuerda o cadena en cuyos dos extremos actúan, respectivamente, la potencia y la resistencia. ‖ **2.** Rueda metálica de llanta plana que se usa en las transmisiones por correas. ‖ **3.** V. **garganta de polea.** ‖ **4.** *Mar.* Motón doble, o sea de dos cuerpos, uno prolongación del otro, y cuyas roldanas están en el mismo plano. ‖ **combinada.** La que forma parte de un sistema de **poleas;** como los cuadernales y aparejos. ‖ **fija.** La que no muda de sitio, y en este caso la resistencia se halla en un extremo de la cuerda. ‖ **loca.** La que gira libremente sobre su eje. ‖ **movible.** La que cambia de sitio bajando y subiendo, y entonces un extremo de la cuerda está asegurado a un punto fijo, y la resistencia se sujeta a la armadura de la misma **polea.** ‖ **simple.** La que funciona sola e independiente.

poleadas. (De *polenta*.) f. pl. Gachas o puches.

poleame. m. Conjunto o acopio de poleas para una o más embarcaciones.

polemarca. m. En la antigua Grecia, uno de los arcontes que era, a la vez, general del ejército.

polémica. (Del gr. πολεμική, t. f. de -κός, polémico.) f. Arte que enseña los ardides con que se debe ofender y defender cualquier plaza. ‖ **2. teología dogmática.** ‖ **3.** Controversia por escrito sobre materias teológicas, políticas, literarias o cualesquiera otras.

polémico, ca. (Del gr. πολεμικός.) adj. Perteneciente o relativo a la polémica. ‖ **2.** Dícese de la persona que levanta polémicas en torno a él. ‖ **3.** *Fort.* V. **zona polémica.**

polemista. (Del gr. πολεμιστής, combatiente.) com. Escritor que sostiene polémicas. ‖ **2.** Persona aficionada a sostener polémicas.

polemizar. intr. Sostener o entablar una polémica.

polemoniáceo, a. (De *polemonio*.) adj. *Bot.* Dícese de plantas angiospermas dicotiledóneas, arbustos o hierbas, de hojas generalmente enteras, enteras o profundamente partidas y sin estípulas; flores casi siempre en corimbo, de corola con cinco pétalos soldados por la base, y fruto capsular, con tres divisiones y muchas semillas menudas de albumen carnoso; como el polemonio. Ú. t. c. s. f. ‖ **2.** f. pl. *Bot.* Familia de estas plantas.

polemonio. (Del gr. πολεμώνιον.) m. Planta herbácea de la familia de las polemoniáceas, de siete a ocho decímetros de altura, con tallos rollizos, asurcados, algo encarnados y ramosos; hojas sentadas, partidas en gajos estrechos y lanceoladas; flores olorosas, de corola azul, morada o blanca, y fruto de tres celdas que encierran muchas simientes pequeñas y puntiagudas. Es originaria de Asia Menor, sus raíces son fibrosas y perennes, fue usada antiguamente en medicina como sudorífica, y hoy se cultiva en los jardines porque conserva las hojas durante el invierno y da en verano y otoño muchas y hermosas flores.

polen. (Del lat. *pollen, -ĭnis,* flor de la harina.) m. *Bot.* Conjunto de granos diminutos contenidos en las anteras de las flores, cada uno de los cuales está constituido por dos células rodeadas en común por dos membranas resistentes.

polenta. (Del lat. *polenta,* torta de harina.) f. Puches de harina de maíz.

poleo. (Del lat. *pulegĭum, puleĭum.*) m. Planta herbácea anual, de la familia de las labiadas, con tallos tendidos, ramosos, velludos y algo esquinados; hojas descoloridas, pequeñas, pecioladas, casi redondas y dentadas, y flores azuladas o moradas en verticilos bien separados. Toda la planta tiene olor agradable, se usa en infusión como estomacal y abunda en España a orillas de los arroyos. ‖ **2.** fam. Jactancia y vanidad en el andar o hablar. ‖ **3.** fam. Viento frío o recio. *Corre un buen* POLEO.

poleví. m. Especie de calzado, ponleví.

pólex. (Del lat. *pollex.*) m. ant. Dedo pulgar.

poli-¹. (Del gr. πολυ-, mucho.) elem. compos. que significa «pluralidad o abundancia»: POLI*físico,* POLI*morfo,* PO-LI*uria.*

poli-². (Del gr. πόλις.) Elemento compositivo que significa «ciudad»:

poliadelfos. (De *poli-* y el gr. ἀδελφός, hermano.) adj. *Bot.* Dícese de los estambres de una flor cuando están soldados entre sí por sus filamentos, formando tres o más haces distintos. Ú. solo en pl.

poliandria. (De *poli-* y el gr. ἀνήρ, ἀνδρός, varón.) f. Estado de la mujer casada simultáneamente con dos o más hombres. ‖ **2.** *Bot.* Condición de la flor que tiene muchos estambres.

poliantea. (Del gr. πολυανθής, de muchas flores.) f. Colección o agregado de noticias en materias diferentes y de distinta clase.

poliarca. m. En la Grecia antigua, gobernador de una ciudad.

poliarquía. (Del gr. πολυαρχία.) f. Gobierno de muchos.

poliárquico, ca. adj. Perteneciente o relativo a la poliarquía.

pólice. (Del lat. *pollex, -ĭcis.*) m. Dedo pulgar.

policía. (Del lat. *polītīa,* y este del gr. πολιτεία.) f. Buen orden que se observa y guarda en las ciudades y repúblicas, cumpliéndose las leyes u ordenanzas establecidas para su mejor gobierno. ‖ **2.** Cuerpo encargado de velar por el mantenimiento del orden público y la seguridad de los ciudadanos, a las órdenes de las autoridades políticas. ‖ **3.** desus. Cortesía, buena crianza y urbanidad en el trato y costumbres. ‖ **4.** desus. Limpieza, aseo. ‖ **5.** V. **perro policía.** ‖ **6.** com. **agente de policía.** ‖ **7.** V. **comisaría, juez de policía.** ‖ **gubernativa. policía,** cuerpo de ella. ‖ **judicial.** La que tiene por objeto la averiguación de los delitos públicos y la persecución de los delincuentes, encomendada a los juzgados y tribunales. ‖ **secreta.** Aquella cuyos individuos no llevan uniforme a fin de pasar inadvertidos. ‖ **urbana.** La que se refiere al cuidado de la vía pública en general: limpieza, higiene, salubridad y ornato de los pueblos. Está hoy encomendada a los ayuntamientos o los alcaldes.

policíaco, ca o **policiaco, ca.** adj. Relativo o perteneciente a la policía. Ú. a veces en sent. despect. ‖ **2.** Dícese de las obras literarias o cinematográficas cuyo tema es la búsqueda del culpable de un delito.

policial. adj. Perteneciente o relativo a la policía.

policitación. (Del lat. *pollicitatĭo, -ōnis.*) f. Promesa que no ha sido aceptada todavía.

policivo, va. adj. *Col.* Policiaco.

policlínica. f. Establecimiento privado con distintas especialidades médicas y quirúrgicas.

policopia. f. Aparato para sacar varias copias de un escrito; copiador.

policopiado. adj. *Bol.* Multicopista. Ú. m. c. s. m.

policopista. adj. *Bol.* Multicopista. Ú. m. c. s.

policroísmo. (Del gr. πολύχροια, gran variedad de colores.) m. *Mineral.* Propiedad de ciertos minerales, que ofrecen distinto color según se miren por reflexión o por refracción.

policromado, da. p. p. de **policromar.** ‖ **2.** adj. Dícese de lo que está pintado de varios colores, especialmente las esculturas.

policromar. tr. Aplicar o poner diversos colores a algo, como estatuas, paredes, etc.

policromía. f. Cualidad de policromo.

policromo, ma o **policromo, ma.** (Del gr. πολύχρωμος.) adj. De varios colores.

polichinela. m. Personaje burlesco de las farsas, pulchinela.

polideportivo, va. (De *poli-* y *deportivo.*) adj. Aplícase al lugar, instalaciones, etc., destinado al ejercicio de varios deportes. Ú. t. c. s.

polidero. m. ant. Pedazo de trapo o cuero con que se protegen los dedos para devanar el hilo o para alisarlo, pulidero.

polideza. f. ant. Calidad de polido.

polidipsia. (Del gr. πολυδίψιος, sediento.) f. Necesidad de beber con frecuencia y abundantemente, que se presenta en algunos estados patológicos, v. gr. en la diabetes.

polido, da. adj. ant. **pulido.**

polidor. (Del lat. *politor, -ōris.*) m. ant. **pulidor.**

poliédrico, ca. adj. *Geom.* Perteneciente o relativo al poliedro.

poliedro. (Del gr. πολύεδρος.) adj. *Geom.* V. **ángulo poliedro.** ‖ **2.** m. *Geom.* Sólido terminado por superficies planas.

poliéster. (Del ing. *polyester,* nombre facticio.) m. *Quím.* Resina termoplástica obtenida por polimerización del estireno, y otros productos químicos. Se endurece a la temperatura ordinaria y es muy resistente a la humedad, a los productos químicos y a las fuerzas mecánicas. Se usa en la fabricación de fibras, recubrimientos de láminas, etc.

polietileno. (De *poli-* y *etileno.*) m. Polímero preparado a partir de etileno. Se emplea en la fabricación de envases, tuberías, recubrimientos de cables, objetos moldeados, etc.

polifacético, ca. (De *poli-* y *faceta.*) adj. Que ofrece varias facetas o aspectos. ‖ **2.** Por ext., se aplica a las personas de variada condición o de múltiples aptitudes.

polifagia. (Del gr. πολυφαγία, voracidad.) f. Excesivo deseo de comer que se presenta en algunos estados patológicos.

polífago, ga. (Del lat. πολυφάγος, voraz.) adj. Que tiene polifagia.

polifarmacia. (De *poli-* y el gr. φάρμακον, medicamento.) f. Prescripción de gran número de medicamentos o abuso de ellos.

polifásico, ca. (De *poli-* y *fase.*) adj. De varias fases. ‖ **2.** *Electr.* Se dice de la corriente eléctrica alterna, constituida por la combinación de varias corrientes monofásicas del mismo período, pero cuyas fases no concuerdan.

polifonía. (Del gr. πολυφωνία, mucha voz.) f. *Mús.* Conjunto de sonidos simultáneos en que cada uno expresa su idea musical, pero formando con los demás un todo armónico.

polifónico, ca. adj. Perteneciente o relativo a la polifonía.

polífono, na. adj. Perteneciente a la polifonía.

polígala. (Del lat. *polygăla,* y este del gr. πολύγαλον.) f. Planta herbácea de la familia de las poligaláceas, con tallos delgados; hojas opuestas, flores en espiga, azules, violáceas o róseas; fruto capsular y raíz perenne, dura y de sabor amargo. El cocimiento de la raíz se usa en medicina contra el reumatismo y el tratamiento de las vías respiratorias.

poligaláceo, a. (De *poligala.*) adj. *Bot.* Dícese de plantas angiospermas dicotiledóneas, leñosas o herbáceas, que tienen hojas sencillas, esparcidas u opuestas, con estípulas o sin ellas, flores hermafroditas en grupos terminales, y fruto en cápsula o en drupa con semillas de albumen carnoso o nulo; como la poligala y la ratania. Ú. t. c. s. f. ‖ **2.** f. pl. *Bot.* Familia de estas plantas.

poligáleo, a. (De *poligala.*) adj. *Bot.* poligaláceo.

poligalia. (De *poli-* y el gr. γάλα, leche.) f. *Med.* Exceso de secreción láctea en las paridas.

poligamia. (Del lat. *polygamīa,* y este del gr. πολυγαμία.) f. Estado o calidad de polígamo. ‖ **2.** Régimen familiar en que se permite al varón tener pluralidad de esposas.

polígamo, ma. (Del gr. πολύγαμος.) adj. Dícese del hombre que tiene a un tiempo varias mujeres. Ú. t. c. s. ‖ **2.** Por ext. y p. us., dícese del que sucesivamente tuvo varias. ‖ **3.** *Bot.* Aplícase a las plantas que tienen en uno o más pies flores masculinas, femeninas y hermafroditas; como la parietaria, el fresno y el almez. ‖ **4.** *Zool.* Dícese del animal que se junta con varias hembras, y de la especie a que pertenece.

poligenismo. (De *poli-* y el gr. γένεσις, generación.) m. Doctrina que admite variedad de orígenes en la especie humana, en contraposición al monogenismo.

poligenista. com. Persona que profesa el poligenismo.

poliginia. (De *poli-* y el gr. γυνή, hembra, pistilo.) f. *Bot.* Condición de la flor que tiene muchos pistilos. ‖ **2.** *Zool.* Régimen social de algunos animales en que el macho reúne un harén de hembras, como ocurre, v. gr., con los gallos, faisanes y otras aves, o entre los ciervos.

políglota. com. Persona versada en varias lenguas. ‖ **2.** f. La Sagrada Biblia impresa en varios idiomas. *La* POLÍGLOTA *de Arias Montano.*

poliglotía. (De *poligloto.*) f. Conocimiento práctico de diversos idiomas.

poliglotismo. (De *poligloto.*) m. Dominio de varios idiomas.

polígloto, ta o **poligloto, ta.** (Del gr. πολύγλωττος.) adj. Escrito en varias lenguas. ‖ **2.** Aplícase también a la persona versada en varias lenguas. Ú. m. c. s.

poligonáceo, a. (Del lat. *polygōnus,* y este del gr. πολύγονον.) adj. *Bot.* Dícese de plantas angiospermas dicotiledóneas, arbustos o hierbas, de tallos y ramos nudosos, hojas sencillas o alternas; flores hermafroditas, o unisexuales por aborto, cuyos frutos son cariópsides o aquenios con una sola semilla de albumen amiláceo; como el alforfón, la sanguinaria mayor, el ruibarbo y la acedera. Ú. t. c. s. f. ‖ **2.** f. pl. *Bot.* Familia de estas plantas.

poligonal. adj. *Geom.* Perteneciente o relativo al polígono. ‖ **2.** *Geom.* Dícese del prisma o pirámide cuyas bases son polígonos.

polígono, na. (Del gr. πολύγωνος.) adj. *Geom.* **poligonal.** ‖ **2.** m. *Geom.* Porción de plano limitado por líneas rectas. ‖ **3.** *Geom.* V. **línea de los polígonos.** ‖ **4.** *Urb.* Unidad urbanística constituida por una superficie de terreno, delimitada para fines de valoración catastral, ordenación urbana, planificación industrial, comercial, residencial, etc. ‖ **de tiro.** *Mil.* Campo de tiro destinado a estudios y experiencias de la artillería. ‖ **exterior.** *Fort.* El que se forma tirando líneas rectas de punta a punta de todos los baluartes de una plaza. ‖ **interior.** *Fort.* Figura compuesta de las líneas que forman las cortinas y semigolas.

poligrafía. (Del gr. πολυγραφία.) f. Arte de escribir por diferentes modos secretos o extraordinarios, de suerte que lo escrito no sea inteligible sino para quien pueda descifrarlo. ‖ **2.** Arte de descifrar los escritos de esta clase. ‖ **3.** Ciencia del polígrafo.

poligráfico, ca. adj. Perteneciente o relativo a la poligrafía.

polígrafo, fa. (Del gr. πολυγράφος.) m. y f. Persona que se dedica al estudio y cultivo de la poligrafía. ‖ **2.** Autor que ha escrito sobre materias diferentes. ‖ **3.** *C. Rica.* Multicopista. Ú. t. c. s.

polilla. (De or. inc.) f. Mariposa nocturna de un centímetro de largo, ceniciento, con una mancha negra en las alas, que son horizontales y estrechas, cabeza amarillenta y antenas casi verticales. Su larva, de unos dos milímetros de longitud, se alimenta de borra y hace una especie de capullo, destruyendo para ello la materia en donde anida, que suele ser de lana, tejidos, pieles, papel, etc. ‖ **2.** Larva de este insecto. ‖ **3.** V. **pájaro polilla.** ‖ **4.** fig. Lo que menoscaba o destruye insensiblemente una cosa. ‖ **comerse** uno **de polilla.** fr. fig. y fam. Irse uno consumiendo por los cuidados o pasiones insensiblemente. ‖ **no tener uno polilla en la lengua.** fr. fig. y fam. Hablar con libertad o decir francamente su sentir.

polimatía. f. Sabiduría que abarca conocimientos diversos.

polimento. m. ant. Acción y efecto de polir.

polimérico, ca. adj. Dícese de lo perteneciente o relativo al polímero.

polimerización. (De *polímero*.) f. Reacción química en la que dos o más moléculas se combinan para formar otra en la que se repiten unidades estructurales de las primitivas y su misma composición porcentual cuando estas son iguales.

polímero. (Del gr. πολυμερής, compuesto de varias partes.) m. Compuesto químico, natural o sintético, formado por polimerización y que consiste esencialmente en unidades estructurales repetidas.

polimetría. (De *poli-* y el gr. μέτρον, medida.) f. *Ret.* Variedad de metros en una misma composición.

polimétrico, ca. adj. Dícese de la composición poética escrita en diversas clases de metro.

polímita. (Del lat. *polymīta*, t. f. de *-tus*, y este del gr. πολύμιτος.) adj. Aplicase a la ropa tejida de hilos de varios colores.

polimórfico, ca. adj. *Quím.* **polimorfo.**

polimorfismo. (De *polimorfo*.) m. *Quím.* Propiedad de los cuerpos que pueden cambiar de forma sin variar su naturaleza.

polimorfo, fa. (Del gr. πολύμορφος.) adj. *Quím.* Que puede tener varias formas. ‖ **2.** *Bot.* y *Zool.* Dícese de la especie, animal o vegetal, en la que se presentan, normalmente, individuos de varias formas o aspectos, como ocurre en ciertos insectos sociales, que diferencian castas; en ciertos cnidiarios, que se alternan la fase pólipo con la fase medusa, así como en animales coloniales, con zooides de aspecto diferente. ‖ **3.** *Bioquim.* Dícese de las enzimas, o proteínas en general, que se presentan bajo varias formas moleculares. Es un fenómeno importante en la genética y en la patología molecular.

polín. (Del fr. *poulain*.) m. Rodillo que se coloca debajo de fardos, bultos, etc., de gran peso, para que, girando, los transporte. ‖ **2.** Trozo de madera prismático, que sirve para levantar fardos en los almacenes, y aislarlos del suelo. ‖ **3.** *Col., Cuba* y *Pan.* Traviesa de ferrocarril.

polinesio, sia. adj. Perteneciente o relativo a la Polinesia. ‖ **2.** Dícese de los habitantes de este país. Ú. t. c. s.

polineuritis. (De *poli-* y *neuritis*.) f. *Pat.* Inflamación simultánea de varios nervios periféricos.

polinización. f. *Bot.* Paso o tránsito del polen desde el estambre en que se ha producido hasta el pistilo en que ha de germinar.

polinizar. tr. *Bot.* Efectuar la polinización.

polinomio. (De *poli-* y el gr. νόμος, división.) m. *Álg.* Expresión compuesta de dos o más términos algebraicos unidos por los signos más o menos. Los de dos o tres términos reciben los nombres especiales de binomio y trinomio, respectivamente.

polinosis. (Del lat. *pollen, -īnis,* polen, y *-osis*.) f. *Med.* Trastorno alérgico producido por el polen.

polio[1]. (Del lat. *polīon,* y este del gr. πόλιον.) m. **zamarrilla,** planta.

polio[2]. f. fam. **poliomielitis.**

poliomielitis. (Del gr. πολιός, gris, y μυελός, médula.) f. *Pat.* Grupo de enfermedades, agudas o crónicas, producidas por la lesión de las astas anteriores o motoras de la médula. Sus síntomas principales son la atrofia y parálisis de los músculos correspondientes a las lesiones medulares. ‖ **aguda. parálisis infantil.**

poliorcética. (Del gr. πολιορκητική.) f. Arte de atacar y defender las plazas fuertes.

polipasto. m. **polispasto.**

polipero. (De *pólipo,* animal marino.) m. *Zool.* Masa de naturaleza calcárea, generalmente ramificada, producida por los pólipos de una misma colonia de antozoos y en la cual están implantados aquellos. La acumulación de **poliperos** calcáreos, en cantidades enormes, llega a formar en los mares tropicales escollos, arrecifes y aun islas de considerable extensión.

polipétalo, la. (De *poli-* y *pétalo*.) adj. *Bot.* Dícese de las corolas con muchos pétalos y de las flores cuyas corolas tienen este carácter.

pólipo. (Del lat. *polypus,* y este del gr. πολύπους.) m. *Zool.* Una de las dos formas de organización que se presenta en los celentéreos cnidiarios, bien como tipo único, v. gr. en las actinias y restantes antozoos, bien en alternancia con una forma medusa, como ocurre en el ciclo reproductor alternante de muchos cnidiarios. El **pólipo** vive fijo en el fondo de las aguas por uno de sus extremos, y lleva en el otro la boca, rodeada de tentáculos. ‖ **2. pulpo.** ‖ **3.** *Pat.* Tumor de estructura diversa, pero de forma pediculada, que se forma y crece en las membranas mucosas de diferentes cavidades y principalmente de la nariz y de la vagina y la matriz en la mujer.

polipodiáceo, a. (De *polipodio*.) adj. *Bot.* Dícese de helechos no arborescentes con rizomas ramificados lateralmente, provistos por lo común de frondas pinadas que llevan esporangios en el envés; como el polipodio. Ú. t. c. s. f. ‖ **2.** f. pl. *Bot.* Familia de estas plantas.

polipodio. (Del lat. *polypodĭum,* y este del gr. πολυπόδιον, d. de πολύπους, de muchos pies.) m. Planta considerada como tipo de la familia de las polipodiáceas.

poliptoton. (Del lat. *polyptŏton,* y este del gr. πολύπτωτον, que tiene muchos casos.) f. *Ret.* **traducción,** figura o licencia poética.

polir. (Del lat. *polīre*.) tr. ant. **pulir.**

polisarcia. (Del lat. *polysarcĭa* y este del gr. πολυσαρκία.) f. *Med.* Gordura exagerada de las personas.

polisemia. (De *poli-* y el gr. σῆμα, significado.) f. *Gram.* Pluralidad de significados de una palabra.

polisépalo, la. (De *poli-* y *sépalo*.) adj. *Bot.* De muchos sépalos. Dícese de las flores o de sus cálices.

polisílabo, ba. (Del lat. *polysyllăbus,* y este del gr. πολυσύλλαβος.) adj. Aplicase a la palabra que consta de varias sílabas. Ú. t. c. s. m.

polisíndeton. (Del lat. *polysyndĕton,* y este del gr. πολυσύνδετον.) m. *Ret.* Figura que consiste en emplear repetidamente las conjunciones para dar fuerza o energía a la expresión de los conceptos.

polisintético, ca. (De *poli-* y *sintético*.) adj. Dícese del idioma en que se unen diversas partes de la frase formando palabras de muchas sílabas.

polisón. (Del fr. *polisson*.) m. Armazón que, atada a la cintura, se ponían las mujeres para que abultasen los vestidos por detrás.

polispasto. (Del lat. *polyspaston,* y este del gr. πολύσπαστον.) m. Aparejo de dos grupos de poleas uno fijo y otro móvil, polipasto.

polista[1]. (De *polo[2]*.) m. Indígena o mestizo de Filipinas, que presta servicio en los trabajos comunales.

polista[2]. (De *polo[4]*.) com. Jugador de polo. Ú. t. c. adj.

polistilo, la. (De gr. πολύστυλος.) adj. *Arq.* Que tiene muchas columnas. *Pórtico* POLISTILO. ‖ **2.** *Bot.* Que tiene muchos estilos.

politécnico, ca. (De *poli-* y *técnico.*) adj. Que abraza muchas ciencias o artes.

politeísmo. (De *poli-* y el gr. θεός, dios.) m. Doctrina de los que creen en la existencia de muchos dioses.

politeísta. adj. Perteneciente o relativo al politeísmo. ‖ **2.** Que profesa el politeísmo. Ú. t. c. s.

política. (Del lat. *politice,* y este del gr. πολιτική, t. f. de -κός, *politico.*) f. Arte, doctrina u opinión referente al gobierno de los Estados. ‖ **2.** Actividad de los que rigen o aspiran a regir los asuntos públicos. ‖ **3.** Actividad del ciudadano cuando interviene en los asuntos públicos con su opinión, con su voto, o de cualquier otro modo. ‖ **4.** Cortesía y buen modo de portarse. ‖ **5.** Por ext., arte o traza con que se conduce un asunto o se emplean los medios para alcanzar un fin determinado. ‖ **6.** Orientaciones o directrices que rigen la actuación de una persona o entidad en un asunto o campo determinado.

políticamente. adv. m. Conforme a las leyes o reglas de la política.

politicastro. m. despect. Político inhábil, rastrero, mal intencionado, que actúa con fines y medios turbios.

político, ca. (Del lat. *politicus,* y este del gr. πολιτικός.) adj. Perteneciente o relativo a la doctrina política. ‖ **3.** Perteneciente o relativo a la actividad política. ‖ **3.** Cortés, urbano. ‖ **4.** Cortés con frialdad y reserva, cuando se esperaba afecto. ‖ **5.** Dícese de quien interviene en las cosas del gobierno y negocios del Estado. Ú. t. c. s. ‖ **6.** V. año, derecho, jefe político. ‖ **7.** V. economía, geografía política. ‖ **8.** Aplicado a un nombre significativo de parentesco por consanguinidad, denota el correspondiente parentesco por afinidad. *Padre* POLÍTICO (suegro); *hermano* POLÍTICO (cuñado); *hijo* POLÍTICO (yerno); *hija* POLÍTICA (nuera).

politicón, na. (aum. de *político.*) adj. Que se distingue por su exagerada y ceremoniosa cortesanía. Ú. t. c. s. ‖ **2.** Que muestra extremada afición a los asuntos públicos.

politiquear. intr. Intervenir o brujulear en política. ‖ **2.** Tratar de política con superficialidad o ligereza. ‖ **3.** *Amér.* Hacer política de intrigas y bajezas.

politiqueo. m. fam. Acción y efecto de politiquear.

politiquería. f. Acción y efecto de politiquear.

politiquero, ra. adj. Que politiquea. Ú. t. c. s.

politizar. tr. Dar orientación o contenido político a acciones, pensamientos, etc., que, corrientemente, no lo tienen. Ú. t. c. prnl. ‖ **2.** Inculcar a alguien una formación o conciencia política. Ú. t. c. prnl.

poliuria. (De *poli-* y el gr. οὖρον, orina.) f. *Pat.* Secreción y excreción de gran cantidad de orina.

polivalencia. f. Calidad de polivalente.

polivalente. (De *poli-* y el lat. *valens, -entis.*) adj. **plurivalente,** que posee varios valores. ‖ **2.** *Med.* Dotado de varias valencias o eficacias. Se aplica principalmente a los sueros y vacunas curativos cuando poseen acción contra varios microbios. ‖ **3.** *Quím.* Se aplica a los elementos que tienen varias valencias.

polivalvo, va. (De *poli-* y *valva.*) adj. *Zool.* Aplícase a los testáceos cuya concha tiene más de dos valvas.

póliza. (Del it. *polizza,* y este del gr. ἀπόδειξις, indicación.) f. Libranza o documento en que se da la orden para percibir o cobrar algún dinero. ‖ **2.** Guía o documento que acredita ser legítimos, y no de contrabando, los géneros y mercancías que se llevan. ‖ **3.** Sello suelto con que se satisface el impuesto del timbre en determinados documentos. ‖ **4.** Documento justificativo del contrato de seguros, fletamentos, operaciones de bolsa y otras negociaciones comerciales. ‖ **5.** Papeleta de entrada para alguna función religiosa o seglar. ‖ **6.** Pasquín, papel anónimo o cartel clandestino.

polizón. (Del fr. *polisson,* vagabundo, y este del lat. *politio, -ōnis.*) m. Sujeto ocioso y sin destino, que anda de corrillo en corrillo. ‖ **2.** El que se embarca clandestinamente.

polizonte. m. despect. Agente de policía.

polo¹. (Del lat. *polus,* y este del gr. πόλος.) m. Cualquiera de los dos extremos del eje de rotación de una esfera o cuerpo redondeado. ‖ **2.** Región contigua a un **polo** terrestre. ‖ **3.** fig. Marca registrada de un tipo de helado que se come cogiéndolo de un palillo hincado en su base. ‖ **4.** *Astron.* V. **altura de polo.** ‖ **5.** *Electr.* Cada una de las extremidades del circuito de una pila o de ciertas máquinas eléctricas. ‖ **6.** *Fís.* Cualquiera de los dos puntos opuestos de un cuerpo, en los cuales se acumula en mayor cantidad la energía de un agente físico; como el magnetismo en los extremos de un imán. ‖ **7.** *Geom.* En las coordenadas polares, punto que se escoge para trazar desde él los radios vectores. ‖ **8.** *Astron.* y *Geogr.* Cada uno de los dos puntos de intersección de la esfera terrestre o celeste, del diámetro normal a un plano que se toma como referencia. ‖ **antártico.** *Astron.* y *Geogr.* El opuesto al ártico. ‖ **ártico.** *Astron.* y *Geogr.* El de la esfera celeste inmediato a la Osa Menor, y el correspondiente del globo terráqueo. ‖ **austral.** *Astron.* y *Geogr.* **polo antártico.** ‖ **boreal.** *Astron.* y *Geogr.* **polo ártico.** ‖ **celeste.** Cada uno de los dos puntos en que el eje terrestre corta la superficie de la esfera celeste. ‖ **de desarrollo. polo industrial.** ‖ **de un círculo en la esfera.** *Geom.* Cualquiera de los dos extremos del diámetro perpendicular al plano del círculo mismo. ‖ **gnomónico.** Punto determinado en la superficie o faz del reloj de sol por la intersección con ella de la línea paralela al eje del mundo, tirada por la extremidad del gnomon. ‖ **industrial.** Zona oficialmente delimitada, cuyo desarrollo industrial se trata de conseguir mediante diversas medidas de favor a las industrias que en aquella se establezcan. ‖ **magnético.** Cada uno de los puntos del globo terrestre situados en las regiones polares, adonde se dirige naturalmente la aguja imantada. ‖ **negativo.** *Electr.* Extremidad de menor potencial del circuito de una pila o de ciertas máquinas eléctricas, por la que sale la corriente. ‖ **norte.** *Astron.* y *Geogr.* El boreal o ártico. ‖ **positivo.** *Electr.* Extremidad de mayor potencial del circuito de una pila o de ciertas máquinas eléctricas por la que entra la corriente. ‖ **sur.** *Astron.* y *Geogr.* El austral o antártico. ‖ **terrestre.** Cada uno de los dos puntos de intersección del eje de rotación de la Tierra con la superficie de esta. ‖ **de polo a polo.** loc. adv. fig. con que se pondera la gran distancia que hay de una parte a otra, o entre dos opiniones, doctrinas, sistemas, etcétera.

polo². m. Cierto baile y canto popular de Andalucía.

polo³. m. Prestación personal redimible en metálico, impuesta en Filipinas a los varones de cierta edad y condiciones.

polo⁴. (Del ing. *polo,* y este del tibetano *polo,* pelota.) m. Juego practicado entre grupos de jinetes que, con mazas de astiles largos, impulsan una bola de madera hacia una meta. ‖ **2.** Prenda de punto que llega hasta la cintura, con cuello, y abotonada por delante desde arriba hasta la altura del pecho.

pololear. (De *pololo.*) tr. *Amér.* Molestar, importunar. ‖ **2.** *Chile.* Galantear, requebrar.

pololo¹. m. Pantalón corto, generalmente bombacho, que usan los niños pequeños. Ú. m. en pl. ‖ **2.** Pantalones cortos y con peto que usaban niñas y mujeres para hacer gimnasia. Ú. m. en pl. ‖ **3.** pl. Pantalones bombachos cortos que se ponen debajo de la falda y la enagua, y forman parte de algunos trajes regionales femeninos.

pololo². m. (De or. araucano.) m. *Chile.* Insecto, como de un centímetro y medio, fitófago, y que al volar produce un zumbido como el moscardón. Tiene la cabeza pequeña; el cuerpo con un surco por encima y verrugas; élitros cortos y de un hermoso color verde; el vientre ceniciento; las patas anteriores rojizas, y las posteriores verdes. ‖ **2.** fig. *Chile.* El que sigue o pretende a una mujer.

polonés, sa. adj. Natural de Polonia. Ú. t. c. s. ‖ **2.** Perteneciente o relativo a este país.

polonesa. (De *polonés*.) f. Prenda de vestir de la mujer, a modo de gabán corto ceñido a la cintura y guarnecido con pieles. ‖ **2.** *Mús.* Composición que imita cierto aire de danza y canto polacos, y se caracteriza por sincopar las dos primeras notas de cada compás.

Polonia. n. p. V. *trigo de Polonia.*

polonio. m. *Quím.* Metal raro semejante al bismuto y considerado como un producto de la desintegración del radio. Es radiactivo. Núm. atómico 84. Símb.: *Po.*

polono, na. adj. ant. Natural de Polonia. ‖ **2.** Perteneciente a este país.

poltrón, na. (Del it. *poltrone*.) adj. Flojo, perezoso, haragán, enemigo del trabajo. ‖ **2.** V. **silla poltrona.** Ú. t. c. s.

poltronería. (De *poltrón*.) f. Pereza, haraganería, flojedad o aversión al trabajo.

poltronizarse. prnl. Hacerse poltrón.

polución. (Del lat. *pollutĭo, -ōnis*.) f. Efusión del semen. ‖ **2.** Acto carnal. ‖ **3.** Contaminación intensa y dañina del agua o del aire, producida por los residuos de procesos industriales o biológicos. ‖ **4.** fig. En sentido moral, corrupción, profanación.

poluto, ta. (Del lat. *pollūtus*, p. p. de *polluĕre*, profanar, manchar.) adj. Sucio, inmundo.

polvareda. f. Cantidad de polvo que se levanta de la tierra, agitada por el viento o por otra causa cualquiera. ‖ **2.** fig. Efecto causado entre las gentes por dichos o hechos que las alteran o apasionan. ‖ **armar, levantar,** o **mover, polvareda,** o **una polvareda.** fr. fig. y fam. **armar, levantar,** o **mover, una cantera,** dar motivo a grandes disensiones.

polvera. f. Recipiente que sirve para contener los polvos y la borla con que suelen aplicarse.

polverío. m. *And.* polvareda.

polvificar. tr. fam. Reducir a polvo una cosa.

polvillo. m. d. de **polvo.** ‖ **2.** *Amér.* Nombre común de los hongos que atacan a los cereales, como el tizón.

polvo. (Del lat. *pulvus*, por *pulvis*.) m. Parte más menuda y deshecha de la tierra muy seca, que con cualquier movimiento se levanta en el aire. ‖ **2.** Lo que queda de otras cosas sólidas, moliéndolas hasta reducirlas a partes muy menudas. ‖ **3.** Porción de cualquier cosa menuda o reducida a **polvo,** que se puede tomar de una vez con la yemas de los dedos pulgar e índice. ‖ **4.** En el lenguaje de la droga, heroína. ‖ **5.** V. **batata, oro en polvo.** ‖ **6.** V. **tabaco de polvo.** ‖ **7.** Partículas de sólidos que flotan en el aire y se posan sobre los objetos. ‖ **8.** vulg. y coloq. **coito.** Ú. m. en la expresión **echar un polvo.** ‖ **9.** pl. Producto cosmético de diferentes colores que se utiliza para el maquillaje. ‖ **de arroz.** El obtenido de esta semilla que se usaba muy frecuentemente en el tocador femenino. ‖ **de batata.** Dulce que se hace con pulpa de batata cocida, amasada y a la que se añade almíbar, canela, limón y vainilla. ‖ **de capuchino.** El de las semillas de la cebadilla. ‖ **de tierra. cola de caballo.** ‖ **polvos de cartas.** Arenilla que se echaba para secar los escritos recientes. ‖ **de gas.** Producto que se obtiene pasando cloro por una capa de cal y que permite el transporte del cloro en forma sólida. Se usa como decolorante y desinfectante. ‖ **de Juanes.** Mercurio precipitado de rojo, inventado por el célebre cirujano español Juan de Vigo. ‖ **de la madre Celestina.** fig. y fam. Modo secreto y maravilloso con que se hace una cosa. ‖ **de pica pica.** polvo o pelusa de ciertas sustancias vegetales que produce picazón. ‖ **de salvadera.** arenilla. ‖ **de Soconusco.** pinole. ‖ **escribir en el polvo.** fr. fig. **escribir en la arena.** ‖ **estar** uno

hecho polvo. fr. fig. y fam. Hallarse sumamente abatido por las adversidades, las preocupaciones o la falta de salud. ‖ **hacerle** a uno **polvo.** fr. fig. y fam. Aniquilarle, vencerle en una contienda. ‖ **2.** fig. y fam. Dejarle muy cansado o abatido. ‖ **3.** fig. y fam. Causarle un gran contratiempo o trastorno. ‖ **hacer morder el polvo** a uno. fr. fig. Rendirle, vencerle en la pelea, matándole o derribándole. ‖ **hacer polvo** una cosa. fr. fig. y fam. Deshacerla o destruirla por completo. ‖ **levantar del polvo,** o **del polvo de la tierra,** a uno. fr. fig. Elevarlo de la infelicidad y abatimiento a una dignidad o empleo. ‖ **limpio de polvo y paja.** expr. fig. y fam. Dado o recibido sin trabajo o gravamen. ‖ **2.** fig. y fam. Dícese del producto líquido, descontadas las expensas. ‖ **matar el polvo.** fr. fig. Regar el suelo para que no se levante **polvo.** ‖ **no verse de polvo.** fr. fig. y fam. que se usa para denotar las muchas palabras ásperas o injuriosas con que se ha maltratado u ofendido a uno. ‖ **sacar del polvo** a uno. fr. fig. **levantarlo del polvo.** ‖ **sacar polvo debajo del agua.** fr. fig. y fam. ponderativa. Ser muy sagaz y viva una persona. ‖ **sacudir el polvo** a uno. fr. fig. y fam. Pegarle. ‖ **2.** fig. y fam. Impugnarle, rebatirle fuertemente. ‖ **sacudir el polvo de los pies,** o **de los zapatos.** fr. fig. Apartarse de un lugar digno de castigo y aborrecimiento.

pólvora. (Del lat. *pulvis, -ĕris*, polvo.) f. Mezcla, por lo común de salitre, azufre y carbón, que a cierto grado de calor se inflama, desprendiendo bruscamente gran cantidad de gases. Empléase casi siempre en granos, y es el principal agente de la pirotecnia. Hoy varía mucho la composición de este explosivo. ‖ **2.** Conjunto de fuegos artificiales que se disparan en una celebración. *Hubo* PÓLVORA *en aquella festividad.* ‖ **3.** fig. Mal genio de uno, que con ligero motivo u ocasión se irrita y enfada. ‖ **4.** V. **árbol, fiesta de pólvora.** ‖ **5.** fig. Viveza, actividad y vehemencia de una cosa. ‖ **6.** ant. **polvo,** partículas a que se reduce una cosa sólida. ‖ **de algodón.** La que se hace con la borra de una planta, impregnada de los ácidos nítrico y sulfúrico. ‖ **de cañón.** La de grano grueso, con que se cargan las piezas de artillería. ‖ **de caza.** La de grano menudo, usada en las escopetas de los cazadores. ‖ **de fusil.** La de grano mediano, que se emplea en las cargas de los fusiles. ‖ **de guerra.** La que se destina a usos militares. ‖ **de mina.** La de grano muy grueso, con que se rellenan los barrenos para hacer saltar rocas y piedras. ‖ **de papel.** La que consiste en hojas de papel bañadas de diversas composiciones, inflamable a un alto grado de calor. ‖ **detonante,** o **fulminante.** La que es inflamable al choque y aun al rozamiento con un cuerpo duro. ‖ **lenta.** La que necesita un tiempo apreciable, aunque siempre corto, para convertirse totalmente en gases. ‖ **prismática.** La de cañón lenta, cuyos granos son de forma prismática y más o menos irregulares. ‖ **progresiva. pólvora lenta.** ‖ **sorda.** fig. Sujeto que hace daño a otro u otros sin estrépito y con gran disimulo. ‖ **viva.** Aquella cuya inflamación total es casi instantánea. ‖ **pólvoras de duque. polvoraduque.** ‖ **correr la pólvora.** fr. Ejecutar varias maniobras corriendo a escape a caballo y disparando las armas, ejercicio muy usado por los moros como diversión o festejo. ‖ **gastar la pólvora en chimangos.** fr. fig. *Argent.* y *Urug.* Hacer esfuerzos por algo o alguien que, en realidad, tiene poca importancia. ‖ **gastar pólvora en gallinazos. gastar la pólvora en chimangos.** ‖ **gastar la pólvora en salvas.** fr. fig. Poner medios inútiles y fuera de tiempo para un fin. ‖ **mojar la pólvora** a uno. fr. fig. Templar al que estaba colérico o enojado sin motivo justo, dándole una razón que le convence y le da a conocer su engaño. ‖ **no haber inventado uno la pólvora.** fr. fig. y fam. Ser muy corto de alcances. ‖ **ser uno una pólvora.** fr. fig. Ser muy vivo, pronto y eficaz. ‖ **tirar uno con pólvora ajena.** fr. fig. y fam. Gastar o jugar con dinero ajeno o ganado a otro en el juego. ‖ **volar con pólvora.** fr. fig. que se usa para explicar el grave castigo que merece alguno, o amenazar con él.

polvoraduque. (De *pólvoras de duque*.) f. Salsa que se hacía de clavo, jengibre, azúcar y canela.

polvoreamiento. m. Acción de polvorear.

polvorear. tr. Echar, esparcir o derramar polvo o polvos sobre una cosa.

polvorera. f. **polvera**.

polvoriento, ta. adj. Que tiene mucho polvo.

polvorilla. com. fig. Persona de gran vivacidad, propensa al arrebato pasajero e intrascendente.

polvorín. m. Pólvora muy menuda y otros explosivos, que sirven para cebar las armas de fuego. ‖ **2.** Frasquito en que se lleva la pólvora. ‖ **3.** Lugar o edificio convenientemente dispuesto para guardar la pólvora y otros explosivos.

polvorista. m. El técnico de inventos del fuego en máquinas militares y artificios, como cohetes, etc.

polvorizable. adj. Que puede polvorizarse.

polvorización. f. Acción y efecto de polvorizar.

polvorizar. tr. Esparcir polvos sobre una cosa. ‖ **2.** Reducir a polvo una cosa.

polvorón. (De *pólvora*, partículas a que se reduce una cosa sólida.) m. Torta, comúnmente, pequeña, de harina, manteca y azúcar, cocida en horno fuerte y que se deshace en polvo al comerla.

polvoroso, sa. (De *pólvora*, partículas a que se reduce una cosa sólida.) adj. Que tiene mucho polvo.

polla. (De *pollo*[1].) f. Gallina nueva, medianamente crecida, que no pone huevos o que hace poco tiempo que ha empezado a ponerlos. ‖ **2.** En algunos juegos de naipes, **puesta**, cantidad que pone el que pierde para disputarla en la mano siguiente. ‖ **3.** vulg. y coloq. **pene**. ‖ **4.** *Amér.* **apuesta**, especialmente en carreras de caballos. ‖ **5.** *Amér.* Carrera de caballos donde se corre la **polla**. ‖ **6.** fig. y fam. Jovencita. ‖ **de agua.** Zancuda del tamaño de la codorniz con plumaje algo parecido. ‖ **2.** Pequeña zancuda semejante a la fúlica o al rascón. ‖ **3.** Ave zancuda, de unos 25 centímetros de longitud, desde el pico hasta la extremidad de la cola, y 50 de envergadura, con plumaje rojizo, verdoso en las partes superiores y ceniciento azulado en las inferiores. Vive en parajes pantanosos y se alimenta de animalillos acuáticos.

pollada. f. Conjunto de pollos que de una vez sacan las aves, particularmente las gallinas. ‖ **2.** *Art.* Multitud de granadas que se disparaban de un mortero al mismo tiempo.

pollancón, na. (De *pollo*[1].) m. y f. Pollo o polla de mayor tamaño. ‖ **2.** fig. y fam. El que apenas entrado en la adolescencia, es ya tan corpulento como los jóvenes de mucha más edad.

pollastre. m. Pollo o polla algo crecidos. ‖ **2.** fig. y fam. Jovenzuelo que se las echa de hombre.

pollastro, tra. (Del lat. *pullaster, -tra*; de *pullus*, pollo.) m. y f. **pollastre**.

pollazón. (Del lat. *pullatĭo, -ōnis*, cría de pollos.) f. Echadura de huevos que de una vez empollan las aves. ‖ **2.** Conjunto de pollos que de una vez sacan las aves.

pollear. (De *pollo*[1] y *polla*.) intr. Empezar un muchacho o muchacha a hacer cosas propias de los jóvenes.

pollera. (Del lat. *pullarĭa*, t. f. de *-rĭus*, pollero.) f. La que tiene por oficio criar o vender pollos. ‖ **2.** Lugar o sitio en que se crían los pollos. ‖ **3.** Especie de cesto de mimbres o red, angosto de arriba y ancho de abajo, que sirve para criar los pollos y tenerlos guardados. ‖ **4.** Andador en figura de campana, hecho de mimbres, que se pone a los niños para que aprendan a andar sin caerse. ‖ **5.** Falda que las mujeres se ponían sobre el guardainfante y encima de la cual

se asentaba la basquiña o la saya. ‖ **6.** *Amér.* Falda externa del vestido femenino.

pollería. (De *pollero*.) f. Sitio, casa o calle donde se venden gallinas, pollos o pollas y otras aves comestibles.

pollero. (Del lat. *pullarĭus*.) m. El que tiene por oficio criar y vender pollos. ‖ **2.** Lugar en que se crían pollos.

pollez. (Del lat. *pullitĭes*.) f. *Cetr.* Tiempo que se mantienen sin mudar la pluma los azores, halcones y otras aves de rapiña.

pollezno. m. ant. Pollo de ave.

pollinarmente. adv. m. Cabalgando en un pollino.

pollinejo, ja. m. y f. d. de **pollino.**

pollino, na. (Del lat. *pullīnus*.) m. y f. Asno joven y cerril. ‖ **2.** Por ext., cualquier borrico. ‖ **3.** ant. Hijo o cría de aves o cuadrúpedos. ‖ **4.** fig. Persona simple, ignorante o ruda. Ú. t. c. adj. ‖ **5.** f. *P. Rico.* Flequillo.

pollito, ta. (d. de *pollo*[1].) m. y f. fig. y fam. Niño o niña de corta edad.

pollo[1]**.** (Del lat. *pullus*.) m. Cría que sacan de cada huevo las aves y particularmente las gallinas. ‖ **2.** Cría de las abejas. ‖ **3.** V. **culo, ojo de pollo.** ‖ **4.** V. **echadura de pollos.** ‖ **5.** V. **ajo pollo.** ‖ **6.** ant. Cría de cualquier animal. ‖ **7.** fig. y fam. Joven. ‖ **8.** fig. y fam. Hombre astuto y sagaz. ‖ **9.** *Ar.* En las viñas de regadío, margen que levantan a trechos los cavadores para que se estanque el agua cuando las riegan. ‖ **10.** *Cetr.* Ave que no ha mudado aún la pluma. ‖ **tomatero.** El de gallina, que por la segunda muda o pelecho. ‖ ant. usar un **hecho un pollo de agua.** fr. fig. y fam. **estar hecho una agua.** ‖ **pollo con pollo.** loc. *Cetr.* Explica que los pollos sencillos se deben cebar con pedigoncillos. ‖ **sacar pollos.** fr. Fomentar los huevos y darles el calor correspondiente y continuado para que se vaya formando el **pollo** a su tiempo salga, rompiendo el cascarón. ‖ **voló el pollo.** expr. fig. y fam. **voló el golondrino.**

pollo[2]**.** m. fig. y fam. Escupitajo, esputo.

polluelo, la. (De *pollo*[1].) m. y f. d. de **pollo**[1].

poma. (Del lat. *poma*, pl. n. de *pomum*.) f. Fruta de árbol. ‖ **2.** Manzana, fruto. ‖ **3.** Casta de manzana pequeña y chata, de color verdoso y de buen gusto. ‖ **4.** Vaso en que se queman perfumes. ‖ **5.** Pomo para perfumes y cajita en que se lleva. ‖ **6.** Especie de bola elaborada con varios ingredientes, por lo común odoríferos.

pomáceo, a. (De *poma*.) adj. *Bot.* Dícese de plantas pertenecientes a la familia de las rosáceas, que tienen hojas por lo común alternas, flores hermafroditas, en corimbos terminales, pentámeras, fruto en pomo y semillas sin albumen; como el peral y el manzano. Ú. t. c. s. f.

pomada. (De *poma*.) f. Mixtura de una sustancia grasa y otros ingredientes, que se emplea como cosmético o medicamento.

pomar. (De *poma*.) m. Sitio, lugar o huerta donde hay árboles frutales, especialmente manzanos.

pomarada. (De *pomar*.) f. Sitio poblado de manzanos.

pomarrosa. (De *poma* y *rosa*.) f. Fruto del yambo[2], semejante en su forma a una manzana pequeña, de color amarillento con partes rosadas, sabor dulce, olor de rosa y una sola semilla.

pombero. (Del port. *pombeiro*, avizor, espía, buscador de esclavos negros o apresador de indios.) m. *NE. Argent.* y *Par.* Duende imaginado de diversas formas, del que se dice que protege a los pájaros y a los cocuyos y rapta a los niños que los persiguen.

pomelo. (De *poma*.) m. En algunas partes, toronja.

pomerano, na. adj. Natural de Pomerania. Ú. t. c. s. ‖ **2.** Perteneciente a esta antigua provincia de Prusia.

pómez. (Del lat. *pumex, -ĭcis*.) f. **piedra pómez.**

pomífero, ra. (Del lat. *pomĭfer, -ĕri*.) adj. poét. Que lleva o da manzanas. ‖ **2.** ant. Dícese del árbol que lleva o da frutos.

pomo. (Del lat. *pomum.*) m. Agarrador o tirador de una puerta, cajón, etc., de forma más o menos esférica. ‖ **2. poma,** bola odorífera. ‖ **3.** Frasco o vaso pequeño de vidrio, cristal, porcelana o metal, que sirve para contener y conservar los licores y confecciones olorosas. ‖ **4.** Extremo de la guarnición de la espada, que está encima del puño y sirve para tenerla unida y firme con la hoja. ‖ **5.** *Murc.* Ramillete de flores. ‖ **6.** *Bot.* Fruto con mesocarpio carnoso y endocarpio coriáceo que contiene varias semillas o pepitas; como la manzana y la pera. ‖ **7.** *Argent.* Recipiente cilíndrico de material flexible en que se expenden cosméticos, fármacos, pinturas, etc., de consistencia líquida o cremosa. ‖ **8.** *Argent.* Juguete, por lo común cilíndrico y flexible, con el que se arroja agua durante el carnaval.

pomol. m. *Méj.* Tortilla de harina de maíz muy fina, que suele tomarse en el desayuno.

pomología. (Del lat. *pomum,* fruto, y *-logía.*) f. Parte de la agricultura que trata de los frutos comestibles.

pomológico, ca. adj. Perteneciente o relativo a la pomología.

pomologista. com. **pomólogo.**

pomólogo, ga. m. y f. Persona versada en pomología.

pompa. (Del lat. *pompa.*) f. Acompañamiento suntuoso, numeroso y de gran aparato, que se hace en una función, ya sea de regocijo o fúnebre. ‖ **2.** Fausto, vanidad y grandeza. ‖ **3.** Procesión solemne. ‖ **4.** Ampolla que forma el agua por el aire que se le introduce. ‖ **5.** Fuelle hueco o ahuecamiento que se forma con la ropa, cuando toma aire. ‖ **6.** Rueda que hace pavo real, extendiendo y levantando la cola. ‖ **7.** *Mar.* Bomba para elevar agua. ‖ **de jabón.** Vesícula que por juego forman los muchachos insuflando aire en agua saturada de jabón. ‖ **hacer pompa.** fr. fig. Extenderse los árboles con follaje hacia todas partes. ‖ **2.** fig. Ahuecar las mujeres las faldas, cogiendo aire y sentándose de repente. ‖ **3.** fig. Hacer vana ostentación de una cosa.

pompático, ca. adj. Ostentoso, pomposo.

pompear. intr. Hacer pompa u ostentación de algo. ‖ **2.** prnl. fam. Comportarse con vanidad o ir con gran comitiva y acompañamiento. ‖ **3.** fam. Pavonearse.

pompeyano, na. (Del lat. *Pompeiānus.*) adj. Perteneciente a Pompeyo el Magno o a sus hijos. ‖ **2.** Partidario de aquel o de estos. Ú. t. c. s. ‖ **3.** Natural de Pompeya. Ú. t. c. s. ‖ **4.** Perteneciente a esta ciudad de la Italia antigua. ‖ **5.** Dícese de los objetos de arte hallados en Pompeya y de los que se han hecho modernamente a imitación de los antiguos.

pompo, pa. adj. *Col.* Romo, sin filo.

pompón. (Del fr. *pompon.*) m. *Mil.* Esfera metálica o bola de estambre o seda con que se adornaban la parte anterior y superior de los morriones a principios del siglo XIX. ‖ **2.** Bola de lana, o de otro género, que se usa como adorno.

pomponearse. prnl. fam. Pavonearse.

pomposamente. adv. Con pompa, con ostentación, con autoridad y aparato.

pomposidad. f. Calidad de pomposo.

pomposo, sa. (Del lat. *pompōsus.*) adj. Ostentoso, magnífico, grave y autorizado. ‖ **2.** Hueco, hinchado y extendido circularmente. ‖ **3.** fig. Dícese del lenguaje, estilo, etc., ostentosamente exornado.

pómulo. (Del lat. *pomulum,* manzanita, por la forma.) m. Hueso y prominencia de cada una de las mejillas. ‖ **2.** Parte del rostro correspondiente a este hueso.

ponasí. m. *Cuba.* Arbusto silvestre, de hojas elípticas y puntiagudas y flores de color rojo oscuro. Es venenoso, y se usa en medicina convenientemente preparado.

poncela. f. ant. **poncella.**

poncella. (Del cat. *poncella.*) f. ant. Mujer que no ha conocido varón, doncella.

ponceño, ña. adj. Natural de Ponce. Ú. t. c. s. ‖ **2.** Perteneciente a esta ciudad de Puerto Rico.

poncí. adj. **poncil.**

poncidre. (De or. inc.) adj. **poncil.**

poncil. (De or. inc.) adj. Dícese de una especie de limón o cidra agria y de corteza muy gruesa. Ú. t. c. s. m.

poncillero. m. *Murc.* Árbol que da ponciles.

ponchada[1]**.** f. Cantidad de ponche dispuesta para beberla juntas varias personas.

ponchada[2]**.** (De *poncho.*) f. desus. *Argent., Chile, Par.* y *Urug.* Lo que cabe en un poncho. ‖ **2.** *Argent., Chile, Par.* y *Urug.* Gran cantidad de cosas.

ponchazo. m. *Argent.* Golpe dado con el poncho. ‖ **a los ponchazos.** loc. adv. *Argent.* De la mejor manera posible y con esfuerzo, dentro de la falta de medios o recursos. Ú. t. en sent. despect.

ponche. (Del ing. *punch.*) m. Bebida que se hace mezclando ron u otro licor espirituoso con agua, limón y azúcar. A veces se le añade té. ‖ **de huevo.** El que se hace mezclando ron con leche, clara de huevo y azúcar.

ponchera. f. Recipiente en que se prepara y sirve el ponche.

poncho[1]**.** m. Prenda de abrigo, que consiste en una manta, cuadrada o rectangular, de lana de oveja, alpaca, vicuña, o de otro tejido, que tiene en el centro una abertura para pasar la cabeza, y cuelga de los hombros generalmente hasta más abajo de la cintura. ‖ **2.** Especie de capote de monte. ‖ **3.** Capote militar con mangas y esclavina, ceñido al cuerpo con cinturón. ‖ **alzar** o **levantar el poncho.** fr. fig. *Urug.* Rebelarse contra la autoridad.

poncho[2]**, cha.** adj. Manso, perezoso, dejado y flojo.

ponderable. (Del lat. *ponderabĭlis.*) adj. Que se puede pesar. ‖ **2.** Digno de ponderación.

ponderación. (Del lat. *ponderatĭo, -ōnis.*) f. Atención, consideración, peso y cuidado con que se hace una cosa. ‖ **2.** Exageración de una cosa. ‖ **3.** Acción de pesar una cosa. ‖ **4.** Compensación o equilibrio entre dos pesos.

ponderadamente. adv. m. Con ponderación.

ponderado, da. p. p. de **ponderar.** ‖ **2.** adj. Dícese de la persona que procede con tacto y prudencia. ‖ **3.** *Mat.* V. **media ponderada.**

ponderador, ra. (Del lat. *ponderātor, -ōris.*) adj. Que pondera o exagera. Ú. t. c. s. ‖ **2.** Que pesa o examina. Ú. t. c. s. ‖ **3.** Que compensa o favorece el equilibrio.

ponderal. (Del lat. *ponderāle,* peso.) adj. p. us. Perteneciente al peso.

ponderar. (Del lat. *ponderāre.*) tr. Determinar el peso de una cosa. ‖ **2.** fig. Examinar con cuidado algún asunto. ‖ **3.** Exagerar, encarecer. ‖ **4.** Contrapesar, equilibrar. ‖ **5.** *Mat.* Atribuir un peso a un elemento de un conjunto con el fin de obtener la media ponderada.

ponderativo, va. (Del lat. *ponderātum,* supino de *ponderāre,* pesar.) adj. Que pondera o encarece una cosa. ‖ **2.** Dícese de la persona que tiene por hábito ponderar o exagerar mucho las cosas.

ponderosamente. adv. m. Con pesadez. ‖ **2.** Atenta y cuidadosamente.

ponderosidad. f. Calidad de ponderoso.

ponderoso, sa. (Del lat. *ponderōsus.*) adj. Que pesa mucho. ‖ **2.** Que hace o se hace con gran cuidado.

pondo. m. *Ecuad.* Especie de tinaja.

ponedero, ra. adj. Que se puede poner o está para ponerse. ‖ **2.** Dícese de las aves que ya ponen huevos. ‖ **3.** m. **nidal,** lugar destinado para que pongan huevos las gallinas y otras aves. ‖ **4.** Parte o lugar en que se halla el nidal de la gallina.

ponedor, ra. adj. Que pone. ‖ **2.** Aplícase al caballo o yegua enseñado a levantarse de manos, sosteniéndose con aire sobre las piernas. ‖ **3.** Dícese de las aves que ya ponen huevos. ‖ **4.** m. El que ofrece precio en subastas, postor, licitador.

ponencia. f. Comunicación o propuesta sobre un tema concreto que se somete al examen y resolución de una asamblea. ‖ **2.** Encargo dado al ponente; función de ponente. ‖ **3.** Persona o comisión designada para actuar como ponente. ‖ **4.** Informe o dictamen dado por el ponente.

ponente. (Del lat. *ponens, -entis*, p. a. de *ponĕre*, poner.) adj. Autor de una ponencia. ‖ **2.** Aplícase al magistrado, funcionario o miembro de un cuerpo colegiado o asamblea a quien se designa para hacer relación de un asunto y proponer la resolución. Ú. t. c. s.

ponentino, na. adj. p. us. De poniente u occidente. Ú. t. c. s.

ponentisco, ca. (De *poniente*.) adj. p. us. De poniente u occidente. Ú. t. c. s.

poner. (Del lat. *ponĕre*.) tr. Colocar en un sitio o lugar una persona o cosa, o disponerla en el lugar o grado que debe tener. Ú. t. c. prnl. ‖ **2.** Disponer una cosa con lo que ha menester para algún fin. PONER *la olla, la mesa.* ‖ **3.** Contar o determinar. *De Madrid a Toledo* PONEN *doce leguas.* ‖ **4.** Admitir un supuesto o hipótesis. PONGAMOS *que esto sucedió así.* ‖ **5.** Apostar una cantidad. PONGO *cien reales a que Pedro no viene mañana.* ‖ **6.** Reducir, estrechar o precisar a uno a que cumpla una cosa contra su voluntad. PONER *en empeño, en ocasión.* ‖ **7.** Dejar una cosa a la resolución, arbitrio o disposición de otro. *Yo lo* PONGO *en ti.* ‖ **8.** Escribir una cosa en el papel. ‖ **9.** Soltar o deponer el huevo las aves. Ú. t. c. intr. ‖ **10.** Dedicar a uno a un empleo u oficio. Ú. t. c. prnl. ‖ **11.** Establecer, instalar. PUSO *un negocio.* ‖ **12.** Representar una obra de teatro o proyectar una película en el cine o en la televisión. ‖ **13.** En el juego, arriesgar una cantidad de dinero. ‖ **14.** Aplicar, adaptar. ‖ **15.** Hacer la operación necesaria para que algo funcione. PONER *la radio.* ‖ **16.** Tratándose de nombres, motes, etc., aplicarlos a personas o cosas. ‖ **17.** Trabajar para un fin determinado. PONER *de su parte.* ‖ **18.** Exponer una cosa a un agente determinado. *Lo* PUSO *al sol.* ‖ **19.** Exponer a uno a una cosa desagradable o mala. *Le* PUSE *a un peligro, a un desaire.* Ú. t. c. prnl. ‖ **20.** Escotar o concurrir con otros, dando cierta cantidad. ‖ **21.** Añadir voluntariamente cosa a la narración. *Eso lo* PONE *de su cosecha.* ‖ **22.** Decir. *¿Qué* PONE *este papel?* Ú. t. c. impers. *¿Qué* PONE *aquí?* ‖ **23.** En algunos juegos de naipes, tener un jugador la obligación de meter en el fondo una cantidad igual a la que habría de percibir si ganara. ‖ **24.** Tratar a uno mal de palabra. *Le* PUSO *de oro y azul. ¡Cómo se* PUSIERON! ‖ **25.** Con la preposición *a* y el infinitivo de otro verbo, empezar a ejecutar la acción de lo que el verbo significa. PONER *a asar;* PONERSE *a escribir.* ‖ **26.** Con la preposición *a* y algunos nombres, ejercer la acción de los verbos a que los nombres corresponden. PONER EN *duda,* dudar; PONER EN *disputa,* disputar. Algunas veces se usa sin la preposición *en.* ‖ **27.** Con la preposición *por* y algunos nombres, valerse o usar para un fin de lo que el nombre significa. PONER POR *intercesor,* POR *medianero.* ‖ **28.** Con algunos nombres, causar lo que los nombres significan. PONER *miedo.* ‖ **29.** Con los nombres *ley, contribución* u otros semejantes, establecer, imponer o mandar lo que los nombres significan. ‖ **30.** Con algunos nombres precedidos de las palabras *de, por, cual, como,* tratar a uno como expresan los mismos nombres, que unas veces toman un sentido recto y otras en el irónico. PONER *a uno de ladrón,* POR *embustero,* CUAL *digan dueñas,* COMO *chupa de dómine.* ‖ **31.** Con ciertos adjetivos o expresiones calificativas, hacer adquirir a una persona la

condición o estado que estos adjetivos o expresiones significan: PONER *colorado;* PONER *de mal humor.* Ú. t. c. prnl. PONERSE *pálido.* ‖ **32.** prnl. Oponerse a uno; hacerle frente o reñir con él. ‖ **33.** Vestirse o ataviarse. PONTE *bien, que es día de fiesta.* ‖ **34.** Mancharse o llenarse. PONERSE *de lodo, de tinta.* ‖ **35.** Compararse, competir con otro. ME PONGO *con el más pintado.* ‖ **36.** Hablando de los astros, ocultarse debajo del horizonte. ‖ **37.** Llegar a un lugar determinado. SE PUSO *en Toledo en seis horas de viaje.* ‖ **38.** fam. Introduciendo discurso directo, decir: *Tu padre* SE PONÍA *«tiene la culpa aquella muñeca».* ‖ **no ponérsele a uno** *nada por delante.* fr. fig. **no ponérsele cosa por delante.** ‖ **poner** a uno **ante** el alcalde, el juez, etc. fr. Demandarle, querellarse de él. ‖ **poner** a uno **a parir.** fr. fig. y fam. **poner** a alguien de palabra en un trance estrecho, apremiándole para que confiese, resuelva o se decida. ‖ **2.** Tratar mal de palabra a una persona o censurarla agriamente en su ausencia. ‖ **poner bien** a uno. fr. fig. Darle estimación y crédito en la opinión de otro, o deshacer la mala opinión que se tenía de él. ‖ **2.** fig. Suministrarle medios, caudal o empleo con que viva holgadamente. ‖ **poner colorado** a uno. fr. fig. y fam. Avergonzarle. Ú. t. c. prnl. ‖ **poner como nuevo** a uno. fr. fig. y fam. Maltratarle de obra o de palabra; sonrojarle, zaherirle. ‖ **poner en** tal cantidad. fr. En las subastas, ofrecerla, hacer postura de ella. ‖ **poner en claro.** fr. Averiguar o explicar con claridad alguna cosa intrincada o confusa. ‖ **poner mal** a uno. fr. Enemistarle, perjudicarle, haciéndole perder la estimación con chismes y malos informes. ‖ **poner por delante** a uno alguna cosa. fr. Suscitarle obstáculos o hacerle reflexiones para disuadirle de un propósito. ‖ **poner por encima.** fr. Preferir, anteponer una cosa, subordinar a ella otra u otras. ‖ **2.** En los juegos de envite, **poner** o parar a una suerte los que están fuera de ellos. ‖ **ponerse al corriente.** fr. Enterarse, adquirir el conocimiento necesario. ‖ **ponerse** uno **bien.** fr. fig. Adelantarse en conveniencias y medios para mantener su estado. ‖ **2.** Recuperar la salud, reponerse de una enfermedad. ‖ **ponerse de largo.** fr. Vestir una jovencita las galas de mujer y presentarse así ataviada en sociedad. ‖ **ponérsele** a uno una cosa. fr. fig. Tener por cierto que sucederá lo pensado o imaginado. SE ME PUSO *que vendría.* ‖ **ponerse rojo.** fr. fig. Ruborizarse, sentir vergüenza. ‖ **ponerse** uno **tan alto.** fr. fig. Ofenderse, resentirse, dando muestras de superioridad. ‖ **poner tibio** a uno. loc. fig. y fam. Hablar mal de él, censurándole ásperamente.

póney. (Del ing. *poney, pony*.) m. **poni.**

ponferradino, na. adj. Natural de Ponferrada. Ú. t. c. s. ‖ **2.** Perteneciente o relativo a esta ciudad de la provincia de León.

pongo[1]. (Del malayo *pongo*.) m. Especie de orangután.

pongo[2]. (Del quechua *punco*.) m. *Bol., Chile, Ecuad. y Perú.* Indio que hace oficios de criado. ‖ **2.** *Bol., Chile, Ecuad. y Perú.* Indio que trabaja en una finca y que está obligado a servir al propietario, durante una semana, a cambio del permiso que este le da para sembrar una fracción de su tierra. ‖ **3.** *Ecuad. y Perú.* Paso angosto y peligroso de un río.

poni. m. Nombre que se da a determinados caballos de raza de poca alzada.

ponientada. f. Viento duradero de poniente.

poniente. (Del lat. *ponens, -entis*, p. a. de *ponĕre*.) n. p. m. Occidente, punto cardinal. ‖ **2.** m. Viento que sopla de la parte occidental.

ponimiento. m. p. us. Acción y efecto de poner o ponerse. ‖ **2.** ant. Impuesto o tributo, contribución. ‖ **3.** ant. Orden de pago.

ponleví. (Del fr. *pont-levis*, puente levadizo.) m. Forma especial que se dio a los zapatos y chapines, según moda traída de Francia. El tacón era de madera, muy alto, inclinado hacia adelante y con disminución progresiva por su parte semicircular, desde su arranque hasta abajo. ‖ **a la ponleví.** loc. adj. Dícese del calzado que tiene dicha forma. ‖ **2.** Dícese del tacón de esta clase de calzado.

ponqué. m. *Venez.* Especie de torta hecha con harina, manteca, huevos y azúcar.

pontadgo. (Del b. lat. *pontatícum.*) m. ant. **pontazgo.**

pontaje. m. **pontazgo.**

pontana. (Del lat. *pontāna*, t. f. de *-nus.*) f. p. us. Cada una de las losas que cubren el cauce de un arroyo o de una acequia.

pontazgo. (De *pontadgo.*) m. Derechos que se pagan en algunas partes para pasar por los puentes.

pontazguero, ra. m. y f. Persona encargada de cobrar el pontazgo.

ponteadero. m. *Col.* Lugar escogido para la construcción o montaje de un puente.

pontear. (Del lat. *pons, pontis,* puente.) tr. Fabricar o hacer un puente, o echarlo en un río o brazo de mar para pasarlos.

pontecilla. f. ant. d. de **puente.**

pontederiáceo, a. adj. *Bot.* Dícese de plantas angiospermas monocotiledóneas, acuáticas, perennes, con rizoma rastrero, hojas radicales, anchas, enteras y de pecíolos envainadores; flores amarillas o azules, solitarias o en espiga, racimo o umbela, y frutos en cajas indehiscentes con semillas de albumen amiláceo; como el camalote. Ú. t. c. s. ‖ **2.** f. pl. *Bot.* Familia de estas plantas.

pontevedrés, sa. adj. Natural de Pontevedra. Ú. t. c. s. ‖ **2.** Perteneciente o relativo a esta ciudad o a su provincia.

pontezuelo, la. m. y f. d. de **puente.**

póntico, ca. (Del lat. *Pontícus.*) adj. Perteneciente al Ponto Euxino, hoy mar Negro. ‖ **2.** Perteneciente al Ponto, región de Asia antigua. ‖ **3.** V. **cereza, nuez póntica.** ‖ **4.** ant. *Med.* Agrio, astringente.

pontificado. (Del lat. *pontificātus.*) m. Dignidad de pontífice. ‖ **2.** Tiempo en que cada uno de los sumos pontífices ostenta esta dignidad. ‖ **3.** Aquel en que un obispo o arzobispo permanece en el gobierno de su iglesia.

pontifical. (Del lat. *pontificālis.*) adj. Perteneciente o relativo al sumo pontífice. ‖ **2.** Perteneciente o relativo a un obispo o arzobispo. ‖ **3.** V. **bendición pontifical.** ‖ **4.** m. Conjunto o agregado de ornamentos que sirven a un obispo para la celebración de los oficios divinos. Ú. t. en pl. ‖ **5.** Libro que contiene las ceremonias pontificias y las de las funciones episcopales. ‖ **6.** Renta de diezmos eclesiásticos que corresponde a cada parroquia. ‖ **de pontifical.** loc. adv. fig. y fam. En traje de ceremonia o de etiqueta. Ú. m. con los verbos *estar* y *ponerse.*

pontificalmente. adv. m. Según la práctica y estilos de los obispos o pontífices.

pontificar. intr. Celebrar funciones litúrgicas con rito pontifical. ‖ **2.** fig. Presentar como innegables dogmas o principios sujetos a examen. ‖ **3.** fig. Exponer opiniones con tono dogmático y suficiente.

pontífice. (Del lat. *pontĭfex, -ĭcis.*) m. Magistrado sacerdotal que presidía los ritos y ceremonias religiosas en la antigua Roma. ‖ **2.** Obispo o arzobispo de una diócesis. ‖ **3.** Por antonom., prelado supremo de la Iglesia católica romana. Ú. comúnmente con los calificativos *sumo* o *romano.*

pontificio, cia. (Del lat. *pontifĭcius.*) adj. Perteneciente o relativo al pontífice. ‖ **2.** V. **derecho, rescripto pontificio.** ‖ **3.** V. **curia pontificia.**

pontín. (De *pontón.*) m. Embarcación filipina de cabotaje, mayor que el panco. Está aparejada de pailebote con velas de lona.

ponto. (Del lat. *pontus,* y este del gr. πόντος.) m. poét. **mar,** masa de agua salada en el planeta terrestre.

pontocón. m. Puntapié, puntillón.

pontón. (Del lat. *ponto, -ōnis.*) m. Barco chato, para pasar los ríos o construir puentes, y en los puertos para limpiar su fondo con el auxilio de algunas máquinas. ‖ **2.** Buque viejo que, amarrado de firme en los puertos, sirve de almacén, de hospital o de depósito de prisioneros. ‖ **3.** Pieza de madera de hilo, que tiene tres pulgadas de canto por tres o cuatro de tabla en los marcos de Galicia, y seis por seis en los de Asturias. ‖ **4.** Puente formado de maderos o de una sola tabla. ‖ **flotante.** Barca hecha de maderos unidos, para pasar un río, etc.

pontonero. m. El que está empleado en el manejo o construcción de los pontones.

ponzoña. (De *ponzoñar.*) f. Sustancia que tiene en sí cualidades nocivas a la salud, o destructivas de la vida. ‖ **2.** fig. Doctrina o práctica nociva y perjudicial a las buenas costumbres.

ponzoñar. (Del lat. *potionāre.*) tr. ant. **emponzoñar.**

ponzoñosamente. adv. m. Con ponzoña.

ponzoñoso, sa. (De *ponzoña.*) adj. Que tiene o encierra en sí ponzoña. ‖ **2.** fig. Nocivo a la salud espiritual, o perjudicial a las buenas costumbres.

pop. (De or. ingl.) adj. invar. Dícese de un cierto tipo de música ligera y popular derivado de estilos musicales negros y de la música folclórica británica. ‖ **2.** *Mar.* ...

popa. (Del lat. *puppis,* con la *a* de *prora.*) f. Parte posterior de una embarcación. ‖ **2.** ant. En los coches de caballos, asiento en que se va de frente. ‖ **3.** V. **castillo, espejo, mastelero de popa.** ‖ **4.** *Mar.* V. **viento en popa.** ‖ **5.** V. **orza a popa.** ‖ **amollar en popa.** fr. *Mar.* Arribar hasta ponerse viento en **popa.** ‖ **de popa a proa.** loc. adv. fig. Entera o totalmente.

popal. m. V. **sarco de popal.**

popamiento. m. Acción y efecto de popar.

popar. (Del lat. *palpāre,* acariciar, halagar.) tr. Despreciar o tener en poco a alguien. ‖ **2.** Acariciar o halagar. ‖ **3.** fig. Tratar con blandura y cuidado, mimar.

popayanejo, ja. adj. Natural de Popayán. Ú. t. c. s. ‖ **2.** Perteneciente o relativo a esta ciudad de Colombia.

pope. (Del ruso *pop,* sacerdote.) m. Sacerdote de la Iglesia ortodoxa griega.

popel. (De or. inc.) adj. *Mar.* Dícese de la cosa que está situada más a popa que otra u otras con que se compara.

popelín. m. **popelina.**

popelina. (Del fr. *popeline.*) f. Cierta tela delgada, distinta de la papelina.

popés. (De *popa.*) m. *Mar.* Cualquiera de los cabos muy gruesos que en ayuda de los obenques se colocaban uno por cada banda en el palo mayor y en el trinquete.

poplíteo, a. (Del lat. *poples, -ĭtis,* corva.) adj. *Anat.* Perteneciente a la corva. *Músculo* POPLÍTEO; *arteria* POPLÍTEA.

popocho, cha. adj. *Col.* Repleto, harto. ‖ **2.** *Col.* Plátano de baja calidad.

popotal. m. *Méj.* Sitio en que se cría el popote.

popote. (Del náhuatl *popotl.*) m. Paja semejante al bálago, aunque su caña es más corta y el color tira a dorado, usada en Méjico para hacer escobas. ‖ **2.** *Méj.* Pajilla para sorber líquidos.

población. (Del lat. *populatĭo, -ōnis.*) f. p. us. Acción y efecto de poblar.

populachería. (De *populachero.*) f. Fácil popularidad que se alcanza entre el vulgo, halagando sus pasiones.

populachero, ra. adj. Perteneciente o relativo al populacho. *Costumbres, demostraciones* POPULACHERAS. ‖ **2.** Propio para halagar al populacho, o para ser comprendido y estimado por él. *Héroe* POPULACHERO; *drama, discurso* POPULACHERO.

populacho. (despect. del lat. *popŭlus,* pueblo.) m. Lo ínfimo de la plebe. ‖ **2.** La multitud en revuelta o desorden.

popular[1]. (Del lat. *populáris*.) adj. Perteneciente o relativo al pueblo. ‖ **2.** Que es peculiar del pueblo o procede de él. ‖ **3.** Propio de las clases sociales menos favorecidas. ‖ **4.** Que está al alcance de los menos dotados económica o culturalmente. ‖ **5.** Que es estimado o, al menos, conocido por el público en general. ‖ **6.** Dicho de una forma de cultura, que el pueblo considera propia y constitutiva de su tradición. ‖ **7.** V. **aire, arte, cultura, lengua popular.**

popular[2]. tr. ant. **poblar.**

popularidad. (Del lat. *popularĭtas, -ātis*.) f. Aceptación y aplauso que uno tiene en el pueblo.

popularismo. m. Tendencia o afición a lo popular en formas de vida, arte, literatura, etc.

popularista. adj. Relativo o referente al popularismo. Ú. t. c. s.

popularización. f. Acción y efecto de dar carácter popular a una cosa.

popularizar. tr. Acreditar a una persona o cosa, extender su estimación en el concepto público. Ú. t. c. prnl. ‖ **2.** Dar carácter popular a una cosa. prnl.

popularmente. adv. m. De manera grata a la multitud. ‖ **2.** Tumultuosamente; en gran multitud.

populazo. m. **populacho.**

populeón. (Del lat. *popŭlus*, álamo.) m. Ungüento calmante, compuesto de manteca de cerdo, hojas de adormidera, belladona y otros simples, entre los cuales figuran como base principal las yemas del chopo o álamo negro.

populetano, na. (Del lat. *populétum*, alameda.) adj. Perteneciente o relativo al monasterio de Poblet, en la provincia de Tarragona.

populista. adj. Perteneciente o relativo al pueblo. *Partido* POPULISTA.

pópulo. (Del lat. *popŭlus*.) m. **pueblo.** Ú. únicamente en la frase familiar **hacer una de pópulo bárbaro,** que significa tomar una resolución violenta o desatinada, sin reparar en inconvenientes.

populoso, sa. (Del lat. *populōsus*.) adj. Aplícase a la provincia, ciudad, villa o lugar que está muy poblado. ‖ **2.** ant. Poblado o lleno.

popurrí. (Del fr. *pot pourri*.) m. Mezcolanza de cosas diversas, cajón de sastre. ‖ **2.** *Mús.* Composición musical formada de fragmentos o temas de obras diversas.

popusa. f. *Bol., El Salv.* y *Guat.* Tortilla de maíz rellena de queso o de trocitos de carne.

poquedad. (Del lat. *paucĭtas, -ātis*, con influjo de *poco*.) f. Escasez, miseria, corta cantidad de una cosa. ‖ **2.** Timidez, pusilanimidad y falta de espíritu. ‖ **3.** Cosa de ningún valor o de poca entidad.

poquedumbre. f. ant. **poquedad.**

póquer. (Del ing. *poker*.) m. Juego de naipes en que cada jugador recibe cinco; es juego de envite, y gana el que reúne la combinación superior de las varias establecidas.

poqueza. f. ant. **poquedad.**

póquil. (Del arauc. *pocull*.) m. Hierba americana de la familia de las compuestas, con hojas superiores angostas, cabezuelas globosas, flores hermafroditas hinchadas, cortas y casi cerradas, que se emplean para teñir de amarillo.

poquito, ta. adj. d. de **poco.** ‖ a **poquito.** loc. adv. **poco a poco.** ‖ a **poquitos.** loc. adv. En pequeñas y repetidas porciones. ‖ **de poquito.** loc. fam. Dícese del que es pusilánime o tiene corta habilidad en lo que maneja.

por. (Del lat. *pro*, infl. por *per*.) prep. con que se indica la persona agente en las oraciones en pasiva. ‖ **2.** Se junta con los nombres de lugar para determinar tránsito por ellos. *Ir a Toledo* POR *Illescas.* ‖ **3.** Se junta con nombres de lugar para indicar localización aproximada. *Ese pueblo está* POR *Toledo.* ‖ **4.** Indica parte o lugar concreto. *Agarré a Juan* POR *el brazo.* ‖ **5.** Se junta con los nombres de tiempo, determinándolo. POR *San Juan;* POR *agosto.* ‖ **6.** En

clase o calidad de. *Recibir* POR *esposa.* ‖ **7.** Ú. para denotar la causa. POR *una delación la detuvieron; cerrado* POR *vacaciones.* ‖ **8.** Ú. para denotar el medio de ejecutar una cosa. POR *señas;* POR *teléfono.* ‖ **9.** Denota el modo de ejecutar una cosa. POR *fuerza;* POR *todo lo alto;* POR *las buenas.* ‖ **10.** Ú. para denotar el precio o cuantía. POR *cien duros lo compré;* POR *la casa me ofrece la huerta.* ‖ **11.** A favor o en defensa de alguno. POR *él daré la vida.* ‖ **12. en lugar de.** *Tiene sus maestros* POR *padres.* ‖ **13.** En juicio u opinión de. *Tener* POR *santo; dar* POR *buen soldado.* ‖ **14.** Junto con algunos nombres, denota que se da o reparte con igualdad una cosa. *A pichón* POR *barba; a peseta* POR *persona.* ‖ **15.** Denota multiplicación de números. *Tres* POR *cuatro, doce.* ‖ **16.** También denota proporción. *A tanto* POR *ciento.* ‖ **17.** Ú. para comparar entre sí dos o más cosas. *Villa* POR *villa, Valladolid en Castilla.* ‖ **18.** Denota idea de compensación o equivalencia. *Lo uno* POR *lo otro; comido* POR *servido.* ‖ **19.** En orden a, o acerca de. *Se alegaron varias razones* POR *una y otra sentencia.* ‖ **20. a través.** POR *el ojo de una aguja;* POR *un colador.* ‖ **21. sin¹,** cuando equivale a carencia o falta. *Esto está* POR *pulir. Quedan plazas* POR *cubrir.* ‖ **22.** Se pone muchas veces en lugar de la preposición *a* y el verbo *traer* u otro, supliendo su significación. *Ir* POR *leña,* POR *vino,* POR *pan.* ‖ **23.** Con el infinitivo de algunos verbos, **para¹.** POR *no incurrir en la censura.* ‖ **24.** Con el infinitivo de otros verbos, denota la acción futura de estos mismos verbos. *Está* POR *venir,* POR *llegar; la sala está* POR *barrer.* ‖ **25.** Detrás de un verbo, y delante del infinitivo de ese mismo verbo, significa falta de utilidad. *Comer* POR *comer; barrió* POR *barrer; lo está planchando* POR *planchar.* ‖ **26.** Precedida de *no*, o seguida de un adjetivo o un adverbio o de *que*, tiene sentido concesivo POR *mucho pintarte estarás más guapa;* POR *atrevido* QUE *sea no lo hará.* ‖ **por. de.** loc. adv. Por lo cual. ‖ **por que.** loc. conjunt. causal. **porque.** ‖ **2.** loc. conjunt. final. **porque. para que.** *Hice cuanto pude* POR QUE *no llegara este caso.* ‖ **por qué.** loc. adv. interrog. Por cuál razón, causa o motivo. Ú. con interrogación y sin ella. ¿POR QUÉ *se agrada la compañía de un hombre como ese? No acierto a explicarme* POR QUÉ *le tengo tanto cariño.* ‖ También se emplea la forma **por** con este sentido de **¿por qué?** en el lenguaje familiar. **por si. por si acaso.**

pora. (Del lat. *pro ad.*) prep. ant. **para¹.**

porcachón, na. m. y f. fam. aum. de **puerco.** Ú. t. c. adj.

porcal. (De *puerco*.) adj. V. **ciruela porcal.**

porcallón, na. m. y f. fam. aum. de **puerco.** Ú. t. c. adj.

porcariza. f. ant. **porqueriza.**

porcarizo. m. ant. **porquerizo.**

porcel. (Del cat. *porcell*.) m. *Murc.* Chichón, porcino.

porcelana. (Del it. *porcellana*.) f. Especie de loza fina, transparente, clara y lustrosa, inventada en la China e imitada en Europa. ‖ **2.** Vasija o figura de **porcelana.** ‖ **3.** Esmalte blanco con una mezcla de azul con que los plateros adornan las joyas y piezas de oro. ‖ **4.** Color blanco mezclado de azul. ‖ **5.** V. **pintura de porcelana.**

porcelanita. (De *porcelana*.) f. Roca compacta, frágil, brillante y listada de diversos colores, que procede de arcillas o pizarras tostadas por el calor de las minas de carbón incendiadas y por la influencia de las rocas volcánicas.

porcentaje. (Del ing. *percentage*.) m. **tanto por ciento.**

porcentual. adj. Dícese de la composición, distribución, etc., calculadas o expresadas en tantos por ciento.

porcicultor, ra. m. y f. Persona que se dedica a la porcicultura.

porcicultura. (Del lat. *porcus*, puerco, cerdo, y *cultura*, cultivo, cuidado.) f. Arte de criar cerdos.

porcino, na. (Del lat. *porcīnus*.) adj. Perteneciente al puerco. ‖ **2.** V. **pan porcino.** ‖ **3.** m. Puerco pequeño. ‖ **4.** Chichón, porcel.

porción. (Del lat. *portĭo, -ōnis.*) f. Cantidad segregada de otra mayor. ‖ **2.** fig. Cantidad que corresponde a cada partícipe en un reparto o distribución. ‖ **3.** fig. Cantidad de comida que diariamente se da a una persona para su alimento, y en especial la que se da en las comunidades. ‖ **4.** fig. Prebenda de algunas iglesias catedrales o colegiales. ‖ **5.** fam. Número considerable e indeterminado de personas o cosas. ‖ **6.** Cuota individual en cosa que se distribuye entre varios partícipes. ‖ **congrua.** Cuota que se pagaba a los párrocos que no percibían los diezmos por estar unidos a una comunidad o dignidad o por estar secularizados. ‖ **2.** Cuota que se considera estrictamente necesaria para sustento de los eclesiásticos.

porcionero, ra. (De *porción.*) adj. Partícipe, parcionero. Ú. t. c. s.

porcionista. com. Persona que tiene acción o derecho a una porción. ‖ **2.** En los colegios y pensiones, persona que paga por su estancia y alimentación.

porcipelo. (Del lat. *porcus, porci,* puerco, y de *pelo.*) m. fam. Cerda fuerte y aguda del puerco.

porciúncula. (Del lat. *portiuncŭli,* d. de *portĭo, -ōnis.*) f. Jubileo que se gana el día 2 de agosto en las iglesias y conventos de la orden de San Francisco.

porco. m. ant. **puerco.**

porcuno, na. adj. Perteneciente o relativo al puerco. ‖ **2.** Dicho de los frutos que son malos o se dan a los puercos.

porche. (Del cat. *porxe.*) m. Soportal, cobertizo. ‖ **2.** Espacio alto y por lo común enlosado que hay delante de algunos templos y palacios.

pordiosear. (De *por Dios.*) intr. Mendigar o pedir limosna de puerta en puerta. ‖ **2.** fig. Pedir porfiadamente y con humildad una cosa.

pordioseo. m. Acción de pordiosear.

pordiosería. (De *pordiosero.*) f. Acción de pordiosear.

pordiosero, ra. adj. Dícese del mendigo que pide limosna. Ú. t. c. s. ‖ **2.** V. **hierba de los pordioseros.**

porfía. (Del lat. *perfidĭa.*) f. Acción de porfiar. ‖ **a porfía.** loc. adv. Con emulación, a competencia.

porfiadamente. adv. m. Obstinada, tenazmente, con porfía y ahínco.

porfiado, da. p. p. de **porfiar.** ‖ **2.** adj. Dícese del sujeto terco y obstinado en su dictamen y parecer. Ú. t. c. s.

porfiador, ra. adj. Que porfía mucho. Ú. t. c. s.

porfiar. intr. Disputar y altercar obstinadamente y con tenacidad. ‖ **2.** Importunar y hacer instancia con repetición y porfía por el logro de una cosa. ‖ **3.** Continuar insistentemente una acción para el logro de un intento en que se halla resistencia. PORFIAR *en abrir la puerta.*

porfídico, ca. adj. Perteneciente o relativo al pórfido. ‖ **2.** Parecido al pórfido.

pórfido. (Del it. *porfido.*) m. Roca compacta y dura, formada por una sustancia amorfa, ordinariamente de color oscuro y con cristales de feldespato y cuarzo.

porfijar. (De *por* y *fijo*[1].) tr. ant. Adoptar a uno como hijo, prohijar.

porfina. f. *Quím.* Núcleo tetrapirrólico cíclico que origina las porfirinas por sustitución en los átomos de carbono de los pirroles.

porfiosamente. adv. m. ant. **porfiadamente.**

porfioso, sa. (De *porfía.*) adj. Obstinado, terco.

porfirina. f. *Biol.* y *Quím.* Anillo de porfina sustituido. Se encuentra unido a elementos metálicos como hierro o magnesio en sustancias de gran interés biológico, v. gr., hemoglobinas, clorofilas, etc.

porfirizar. tr. *Farm.* Reducir un cuerpo a polvo finísi-

mo, desmenuzándolo sobre una losa de materia mineral de gran dureza con moleta de la misma materia.

porfolio. (Adaptación del fr. *portefeuille,* cartera.) m. Conjunto de fotografías o grabados de diferentes clases que forman un tomo o volumen encuadernable.

porgadero. (De *porgar.*) m. *Ar.* Harnero, cedazo, criba.

porgar. (Del lat. *purgāre,* limpiar.) tr. *Ar.* **ahechar.**

porhijar. (De *por* e *hijo.*) tr. ant. Adoptar a uno como hijo, prohijar.

poridad. (Del lat. *purĭtas, -ātis.*) f. ant. **puridad.** ‖ **en poridad.** loc. adv. ant. **en puridad.**

pormenor. (De *por* y *menor.*) m. Conjunto de circunstancias menudas y particulares de una cosa. Ú. m. en pl. *No entro en los* PORMENORES *de esta acción.* ‖ **2.** Cosa o circunstancia secundaria en un asunto.

pormenorizar. tr. Describir o enumerar minuciosamente.

porno. adj. fam. **pornográfico.** *Una película* PORNO.

pornografía. (De *pornógrafo.*) f. Tratado acerca de la prostitución. ‖ **2.** Carácter obsceno de obras literarias o artísticas. ‖ **3.** Obra literaria o artística de este carácter.

pornográfico, ca. adj. Dícese del autor de obras obscenas. ‖ **2.** Perteneciente o relativo a la pornografía.

pornógrafo, fa. (Del gr. πορνογράφος.) m. y f. Persona que escribe acerca de la prostitución. ‖ **2.** Autor de obras pornográficas.

poro[1]. (Del lat. *porus,* y este del gr. πόρος, vía, pasaje.) m. Espacio que hay entre las moléculas de los cuerpos. ‖ **2.** Intersticio que hay entre las partículas de los sólidos de estructura discontinua. ‖ **3.** Orificio, por su pequeñez invisible a simple vista, que hay en la superficie de los animales y de los vegetales.

poro[2]. (Del quechua *puru.*) m. *R. de la Plata.* Calabaza en forma de pera y con cuello, que sirve para diversos usos, especialmente para cebar mate.

porongo. (Del quechua *puruncu.*) m. Planta de la familia de las cucurbitáceas, herbácea anual de hojas grandes y frutos blancos o amarillentos, de siete a noventa centímetros de largo, que se emplean como recipientes para diversos usos y que, tiernos, pueden comerse como zapallitos. Es originaria de la India, islas Molucas y Abisinia. Se cultiva en casi todos los países de América del Sur. ‖ **2.** *R. de la Plata.* **poro**[2]. ‖ **3.** *Perú.* Recipiente de hojalata, con cuello angosto, tapa y asa, que sirve para la venta de leche. ‖ **4.** *Perú.* Calabaza grande y alargada que sirve de depósito. ‖ **5.** *Argent., Bol., Chile, Pan., Perú* y *Urug.* Vasija de arcilla para guardar agua o chicha[2].

poronguero. m. *Perú.* Vendedor de leche, que lleva en los recipientes llamados porongos.

pororó. (De or. guaraní.) m. *Amér. Merid.* Rosetas de maíz.

porosidad. (De *poroso.*) f. Calidad de poroso.

poroso, sa. adj. Que tiene poros.

poroto. (Del quechua *purutu.*) m. *Amér. Merid.* Especie de alubia de la cual se conocen muchas variedades en color y tamaño. ‖ **2.** *Amér. Merid.* Guiso que se hace con este vegetal. ‖ **apuntarse un poroto.** fr. fig. y fam. *Argent., Chile, Par., Perú* y *Urug.* Anotarse o apuntarse un tanto en el juego, o un acierto en cualquier actividad.

porque. (De *por* y *que.*) conj. causal. Por causa o razón de que. *No pudo asistir* PORQUE *estaba ausente;* PORQUE *es rico no quiere estudiar.* ‖ **2.** conj. final. **para que.** *Recemos* PORQUE *no llueva.*

porqué. (De *por qué.*) m. fam. Causa, razón o motivo. ‖ **2.** fam. p. us. Ganancia, sueldo, retribución.

porquecilla. f. d. de **puerca.**

porquera. (Del lat. *porcarĭa,* t. f. de *-rĭus.*) adj. V. **lanza porquera.** Ú. t. c. s. ‖ **2.** f. Lugar o sitio en que se encaman y habitan los jabalíes en el monte.

porquería. (De *porquera.*) f. fam. Suciedad, inmundicia o basura. ‖ **2.** fig. y fam. Cosa vieja, rota o que no desempeña su función como debiera. ‖ **3.** fig. y fam. Acción sucia o indecente. ‖ **4.** fig. y fam. Grosería, desatención y falta de crianza o respeto. ‖ **5.** fig. y fam. Cualquier cortedad o cosa de poco valor. ‖ **6.** fig. y fam. Cosa que no gusta o no agrada. ‖ **7.** fig. y fam. Comida de poco valor nutritivo o indigesta. ‖ **porquería son sopas.** expr. fam. con que se reconviene al que desprecia o desdeña una cosa digna de aprecio.

porqueriza. (De *porquera*.) f. Sitio o pocilga donde se crían y recogen los puercos.

porquerizo. (De *porquero*.) m. El que guarda los puercos.

porquero, ra. (Del lat. *porcarĭus*.) m. y f. Persona que guarda los puercos.

porquerón. m. fam. Corchete o ministro de justicia encargado de prender a los delincuentes o malhechores y llevarlos a la cárcel.

porqueta. (d. de *puerca*.) f. **cochinilla**[1], crustáceo.

porquezuelo, la. m. y f. d. de **puerco.** ‖ **2.** f. desus. **tuerca.**

porra. (Del lat. *porrum*, puerro, por la figura de esta planta.) f. **clava.** ‖ **2. cachiporra.** ‖ **3.** Por ext., instrumento de forma análoga, de diversas materias, usado por algunos cuerpos encargados de vigilancia, tráfico, etc. ‖ **4.** Martillo de bocas iguales y mango largo algo flexible, que se maneja con las dos manos a la vez. ‖ **5.** Fruta de sartén semejante al churro, pero más gruesa. ‖ **6.** fig. y fam. Vanidad, jactancia o presunción. *Juan gasta mucha* PORRA. ‖ **7.** fig. y fam. Sujeto pesado, molesto o porfiado. ‖ **8.** *Méj.* Grupo de partidarios que en actos públicos apoyan ruidosamente a los suyos o rechazan a los contrarios. ‖ **9.** m. fig. Entre muchachos, el último en el orden de jugar. ‖ **a la porra.** fig. y fam. **a paseo.** ‖ **hacer porra.** fr. fig. y fam. Pararse sin poder o querer pasar adelante en una cosa. ‖ **¡porra!** o **¡porras!** interj. fam. de disgusto o enfado.

porracear. tr. Aporrear, dar porrazos.

porráceo, a. (Del lat. *porracĕus*.) adj. De color verdinegro, semejante al del puerro. Ú. m. en medicina, hablando de la bilis y del vómito.

porrada. f. Golpe que se da con la porra. ‖ **2.** Por ext., el que se da con la mano o con un instrumento. ‖ **3.** El que se recibe por una caída, o por topar con un cuerpo duro. ‖ **4.** fig. y fam. Necedad, disparate. ‖ **5.** Conjunto o montón de cosas, cuando es muy abundante.

porral. m. Terreno plantado de puerros.

porrazo. m. Golpe que se da con la porra. ‖ **2.** Por ext., cualquier golpe que se da con otro instrumento. ‖ **3.** El que se recibe por una caída, o por topar con un cuerpo duro. ‖ **4.** *Ecuad.* **porrada,** conjunto abundante de algo. ‖ **5.** V. de **golpe y porrazo.**

porrear. (De *porra*.) intr. fam. Insistir con pesadez en una cosa; machacar, molestar a uno.

porrería. (De *porra*.) f. fam. Necedad, tontería. ‖ **2.** fam. Tardanza, pesadez.

porrero, ra. adj. Persona habituada a fumar porros. Ú. t. c. s.

porreta. f. Hojas verdes del puerro. ‖ **2.** Por ext., las de ajos y cebollas. ‖ **3.** Las primeras que brotan de los cereales antes de formarse la caña. ‖ **en porreta,** o **en porretas.** loc. adv. fam. **en cueros.**

porretada. f. Conjunto o montón de cosas de una misma especie.

porrilla. (d. de *porra*.) f. Martillo de dos brazos o hierros algo arqueados, con que los herradores labran los clavos. ‖ **2.** *Veter.* Tumor duro, de naturaleza huesosa, que se forma en las articulaciones de los menudillos de las caballerías y bueyes, privando de flexibilidad y movimiento a la parte enferma.

porrillo (a). loc. adv. fam. En abundancia, copiosamente.

porrina. (Del lat. *porrīna*.) adj. *Murc.* V. **seda porrina.** ‖ **2.** f. Estado de las mieses o sembrados cuando están muy pequeños y verdes. ‖ **3.** Hojas verdes del puerro.

porrino. (Del lat. *porrīna*.) m. Simiente de los puerros. ‖ **2.** Planta del puerro criada en sementero, cuando está en disposición de trasplantarse.

porrista. com. *Méj.* **hincha,** partidario.

porro[1]. (Del lat. *porrum*.) m. **puerro.**

porro[2]. (De *porra*.) adj. fig. y fam. Aplícase al sujeto torpe, rudo y necio. Ú. t. c. s. m.

porro[3]. (De or. inca.) m. Cigarrillo de hachís o marihuana mezclado con tabaco.

porrón[1]. (De or. inc.) m. Vasija de barro de vientre abultado para agua. ‖ **2.** Redoma de vidrio muy usada en algunas provincias para beber vino a chorro por el largo pitón que tiene en la panza.

porrón[2], **na.** (aum. de *porro*[2].) adj. fig. y fam. Pelmazo, pachorrudo, tardo.

porrudo[1], **da.** (De *porra*.) m. *Murc.* Palo o cayado con que el pastor guía su ganado.

porrudo[2], **da.** (De *porro*[2].) adj. *And.* Testarudo, tozudo.

porsiacaso. (De *por si acaso*.) m. p. us. *N. Argent.* y *Venez.* Alforja o saco pequeño en que se llevan provisiones de viaje.

porta-. (De *portar*.) elem. compos. que significa persona, artefacto, utensilio, etc., que sirve para sostener o llevar una cosa: PORTA*estandarte,* PORTA*caja.*

porta. f. ant. **puerta.** ‖ **2.** *Anat.* V. **vena porta.** ‖ **3.** *Art.* Portezuela de la tronera de la batería. ‖ **4.** *Mar.* Cada una de las aberturas, a modo de ventanas, situadas en los costados y en la popa de los buques, para darles luz y ventilación, para efectuar su carga y descarga y, principalmente, para colocar la artillería.

portaalmizcle. m. Cabra de almizcle, almizclero.

portaaviones. m. Buque de guerra dotado de las instalaciones necesarias para el transporte, despegue y aterrizaje de aparatos de aviación.

portabandera. f. Especie de bandolera con un seno a manera de cuja, donde se mete el regatón del asta de la bandera para llevarla cómodamente.

portacaja. f. Correa a modo de tahalí, de donde cuelga el tambor o caja para poderlo tocar.

portacarabina. f. *Mil.* Bolsa pequeña, hecha de vaqueta, pendiente de dos correas que bajan de la silla, en donde entra la boca de la carabina y se afirma para que no cabecee.

portacartas. m. Bolsa, cartera o valija en que se llevan las cartas. ‖ **2.** ant. El que tenía por oficio llevar y traer las cartas de un lugar a otro.

portacincha. m. *Equit.* Cada una de las correas con hebilla, bajo las faldas de la silla de montar, desde se abrochan las correas de la cincha. Ú. m. en pl.

portacomidas. m. *Col.* y *P. Rico.* **portaviandas.**

portachuelo. (De *portichuelo*.) m. Boquete abierto en la convergencia de dos montes.

portada. (De *puerta*.) f. Ornato de arquitectura que se hace en las fachadas principales de los edificios suntuosos. ‖ **2.** Primera plana de los libros impresos, en que se pone el título del libro, el nombre del autor y el lugar y año de la impresión. ‖ **3.** En el arte de la seda, división que se hace cierto número de hilos para formar la urdimbre. *Esta tela lleva ochenta* PORTADAS. ‖ **4.** Pieza de madera de sierra, de nueve o más pies de longitud, con una escuadría de veinticuatro dedos de tabla por tres de canto. ‖ **5.** fig. Frontispicio o cara principal de cualquier cosa. ‖ **la buena portada honra la casa.** expr. fig. y fam. que se suele decir al que tiene grande la boca.

portadera. (De *portar*.) f. **aportadera**, cada una de las cajas de madera que, se ponen sobre el aparejo de la caballería para llevar cosas.

portadgo. (Del b. lat. *portatǐcum*, y este del lat. *porta*, puerta.) m. ant. **portazgo**.

portadguero. (De *portadgo*.) m. ant. **portazguero**.

portadilla. (De *portada*, pieza de madera de sierra.) adj. V. **tabla portadilla**. Ú. t. c. s. ‖ **2.** f. *Impr.* **anteportada**. ‖ **3.** *Impr.* En el interior de una obra dividida en varias partes, hoja en que solo se pone el título de la parte inmediata siguiente.

portado, da. p. p. de **portar**. ‖ **2.** adj. Con los adverbios *bien* y *mal*, dícese de la persona que se trata y viste con decoro, o al contrario.

portador, ra. (Del lat. *portātor, -ōris*.) adj. Que lleva o trae una cosa de una parte a otra. Ú. t. c. s. ‖ **2.** m. y f. Persona sana, enferma o convaleciente, que lleva en su cuerpo el germen de una enfermedad y la propaga. ‖ **3.** m. Tabla redonda con un borde y un mango en medio para cogerla, sobre la cual se llevan platos de comida u otra cosa. ‖ **4.** *Com.* Tenedor de efectos públicos o valores comerciales que no son nominativos, sino transmisibles sin endoso, por estar emitidos a favor de quienquiera que sea poseedor de ellos. Ú. m. en la expr. *al portador*.

portaequipaje o **portaequipajes.** m. Espacio que, cubierto por una tapa, suelen tener los automóviles de turismo para guardar la rueda de repuesto, las herramientas, el equipaje, etc. ‖ **2.** Artefacto en forma de parrilla, que se coloca sobre el techo del automóvil para llevar maletas y otros bultos.

portaestandarte. m. Oficial destinado a llevar el estandarte de un regimiento de caballería.

portafolio o **portafolios.** (Del fr. *portefeuille*.) m. Cartera de mano, para llevar libros, papeles, etc.

portafusil. m. Correa que pasa por dos anillos que tienen el fusil y otras armas de fuego semejantes y sirve para echarlas a la espalda, dejándolas colgadas del hombro.

portaguión. m. En los antiguos regimientos de dragones, oficial destinado a llevar el guión.

portaherramientas. m. En las máquinas de labrar metales, pieza que sujeta la herramienta.

portaje. m. Derechos que se pagan por pasar por un sitio, portazgo. ‖ **2.** ant. **puerto**.

portal. (De *puerta*.) m. Zaguán o primera pieza de la casa, por donde se entra a las demás, y en la cual está la puerta principal. ‖ **2.** Pieza inmediata a la puerta de entrada en una casa de vecinos que sirve de paso para acceder a las distintas viviendas. ‖ **3.** **soportal**, atrio cubierto. ‖ **4.** Pórtico de un templo o de un edificio suntuoso. ‖ **5.** En algunas partes, puerta de la ciudad. ‖ **6.** Nacimiento, belén.

portalada. (De *portal*.) f. Portada, de uno o más huecos, comúnmente monumental, situada en el muro de cerramiento, y que da acceso al patio en que tienen su portal las casas señoriales.

portalámpara o **portalámparas.** m. Parte metálica destinada a recibir el casquillo y asegurar la conexión de la lámpara con el circuito eléctrico.

portalápiz. m. Estuche o tubo de metal para resguardar la punta afilada de los lápices.

portalejo. m. d. de **portal**.

portaleña. (De *portal*.) adj. Anteportada o portadilla de un libro. Ú. t. c. s. ‖ **2.** f. *Mar.* Cañonera, tronera, portañola.

portalero. (De *portal*.) m. Guarda que estaba a la entrada de una población para registrar los géneros que entraban y de que se debían pagar derechos.

portalibros. m. Correas, con tablas o sin ellas, para llevar libros y cuadernos.

portaligas. m. *Argent., Chile, Perú* y *Urug.* **liguero** de las mujeres.

portalira. m. **poeta**, liróforo.

portalón. (aum. de *portal*.) m. Puerta grande que hay en los palacios antiguos y cierra no la casa, sino un patio descubierto. ‖ **2.** *Mar.* Abertura a manera de puerta, hecha en el costado del buque y que sirve para la entrada y salida de personas y cosas.

portallaves. m. *Méj.* y *Venez.* Llavero, anillo de metal para llevar las llaves.

portamantas. m. Par de correas enlazadas por un travesaño de cuero o metal, con las que se sujetan y llevan a la mano las mantas o abrigos para viaje.

portamanteo. m. **manga¹**, maleta.

portaminas. m. Instrumento de metal, madera o plástico, que contiene minas de recambio y se utiliza como lápiz.

portamira. com. *Topogr.* Persona que en los trabajos topográficos de nivelación conduce la mira o regla graduada.

portamonedas. m. Bolsita o cartera comúnmente con cierre, para llevar dinero a mano.

portanario. (Del b. lat. *portanarǐus*, portero, y este del lat. *porta*, puerta.) m. *Anat.* Abertura posterior del estómago hacia el intestino, píloro.

portante. p. a. de **portar**. ‖ **2.** adj. Dícese de los cuadrúpedos que amblan. Ú. m. c. s. ‖ **3.** Dícese del estilo de ambladura. ‖ **4.** m. **ambladura**. ‖ **5.** Andares y piernas del hombre. ‖ **coger el portante.** fr. fig. y fam. **tomar el portante**. ‖ **dar el portante** a uno. fr. fig. y fam. Despedirlo. ‖ **de portante.** loc. adv. A paso ligero, deprisa. ‖ **tomar el portante.** fr. fig. y fam. Irse, marcharse. ‖ **tomar uno un portante.** fr. fig. **tomar un paso.**

portantillo. (d. de *portante*.) m. **pasitrote**.

portanuevas. com. Persona que trae o da noticias.

portanvecs. (Del lat. *portans*, que lleva, y *vices*, veces.) m. *Ar.* Teniente o vicario de otro y que hace sus veces.

portañola. (d. de *porta*.) f. *Mar.* Cañonera, tronera.

portañuela. (d. de *porta*.) f. Tira de tela con que se tapa la bragueta o abertura que tienen los calzones o pantalones por delante.

portaobjeto o **portaobjetos.** m. Pieza del microscopio, o lámina adicional en que se coloca el objeto para observarlo.

portapaz. amb. Placa de metal, madera, marfil, etc., con alguna imagen o signos en relieve que, en las misas solemnes se besaba en la ceremonia de la paz.

portapliegos. m. Cartera pendiente del hombro o de la cintura, que sirve para llevar pliegos.

portaplumas. m. Mango en que se coloca la pluma metálica para escribir o dibujar.

portar. (Del lat. *portāre*.) tr. ant. Llevar o traer. ‖ **2.** Traer el perro al cazador la pieza cobrada, herida o muerta. ‖ **3.** prnl. Actuar o proceder de la manera que el adverbio o la expresión adverbial indique. PORTARSE *mal*; SE PORTÓ *como un hombre*; ME PORTÉ *con frialdad*. ‖ **4.** Tratarse con decencia y lucimiento en el ornato de su persona y casa, o usar de liberalidad y franqueza en las ocasiones de lucimiento. ‖ **5.** Por ext., distinguirse, quedar con lucimiento en cualquier empeño. ‖ **6.** intr. *Mar.* Hablando de velas y aparejos, ir en viento. ‖ **portar bien.** loc. *Mar.* No formar la vela bolsos ni arrugas y trabajar por igual al recibir el viento, quedando perfectamente llena.

portarretrato. m. Marco de metal, madera, cuero u otro material que se usa para colocar retratos en él.

portátil. (Del lat. *portātum*, supino de *portāre*, llevar.) adj. Movible y fácil de transportar.

portaventanero. m. Carpintero que hace puertas y ventanas.

portaviandas. m. **fiambrera** de cacerolas sobrepuestas.

portavoz. m. fig. El que por tener autoridad en una escuela, secta u otra colectividad suele representarla o llevar su voz. ‖ **2.** fig. Funcionario autorizado para divulgar de manera oficiosa, lo que piensa un gobierno acerca de un asunto determinado. ‖ **3.** *Mil.* Bocina que usan los jefes para mandar las maniobras al tender los puentes militares.

portazgar. tr. Cobrar el portazgo.

portazgo. (De *portadgo*.) m. Derechos que se pagan por pasar por un sitio determinado de un camino. ‖ **2.** Edificio donde se cobran.

portazguero. m. Encargado de cobrar el portazgo.

portazo. m. Golpe recio que se da con la puerta, o el que esta da movida por el viento. ‖ **2.** Acción de cerrar la puerta para desairar a uno y despreciarle.

porte. (De *portar*.) m. Acción de portear[1]. ‖ **2.** Cantidad que se da o paga por llevar o transportar una cosa de un lugar a otro. ‖ **3.** Con referencia a edificios y vehículos, tamaño, capacidad. ‖ **4.** Modo de gobernarse y portarse en conducta y acciones. ‖ **5.** Buena o mala disposición de una persona, y mayor o menor decencia o lucimiento con que se presenta o se trata. ‖ **6.** Calidad, nobleza o lustre de la sangre. ‖ **7.** Grandeza, buque o capacidad de una cosa.

porteador, ra. adj. Que portea o tiene por oficio portear. Ú. t. c. s.

portear[1]. tr. Conducir o llevar de una parte a otra una cosa por el precio convenido o señalado. ‖ **2.** prnl. Pasarse de una parte a otra, y se usa particularmente hablando de las aves pasajeras.

portear[2]. intr. Dar golpes las puertas y ventanas o darlos con ellas.

portecica, lla, ta. f. ant. d. de **puerta.**

portegado. (Del lat. *porticātus*.) m. ant. Pórtico, atrio. ‖ **2.** *Ál.* Tejavana, cobertizo.

portento. (Del lat. *portentus*.) m. Cualquier cosa, acción o suceso singular que por su extrañeza o novedad causa admiración o terror. ‖ **2.** Persona admirable por alguna condición.

portentosamente. adv. m. De modo portentoso.

portentoso, sa. (Del lat. *portentōsus*.) adj. Singular, extraño y que por su novedad causa admiración, terror o pasmo.

porteño, ña. adj. Aplícase a naturales de diversas ciudades de España y América en las que hay puerto. Ú. t. c. s. ‖ **2.** Perteneciente o relativo a estas ciudades. ‖ **4.** Natural de la ciudad argentina de Buenos Aires. ‖ **4.** Natural de esta ciudad. Ú. t. c. s. ‖ **5.** Natural de Valparaíso. Ú. t. c. s. ‖ **6.** Perteneciente o relativo a esta ciudad chilena. ‖ **7.** Natural de Puerto Carreño. Ú. t. c. s. ‖ **8.** Perteneciente a esta ciudad de Colombia.

porteo. m. Acción y efecto de portear.

porterejo. m. d. de **portero.**

portería[1]. (De *portero*.) f. Pabellón, garita o pieza del zaguán de los edificios o establecimientos públicos o particulares, desde donde el portero vigila la entrada y salida de las personas, vehículos, etc. ‖ **2.** Empleo u oficio de portero. ‖ **3.** Su habitación. ‖ **4.** En el juego del fútbol y otros semejantes, marco rectangular formado por dos postes y un larguero, por el cual ha de entrar el balón o la pelota para marcar tantos. ‖ **de damas.** En los palacios y algunas casas importantes, puerta que tienen destinada para servicio de las mujeres.

portería[2]. f. *Mar.* Conjunto de todas las portas de un buque.

porteril. adj. Relativo o perteneciente al portero o a la portería. *Tabuco* PORTERIL.

portero, ra. (Del lat. *portarĭus*.) adj. Aplícase al ladrillo que no se ha cocido bastante. ‖ **2.** m. y f. Persona que en las casas de vecinos, tiene a su cargo el guardar, cerrar y abrir el portal y vigilar la entrada y salida de personas, limpiar la entrada, escalera, etc. ‖ **3.** Funcionario subalterno encargado de la vigilancia, limpieza, servicios auxiliares, etc., en oficinas públicas. ‖ **4.** Persona encargada de funciones análogas en edificios privados. ‖ **5.** Jugador que en algunos deportes defiende la portería de su bando. ‖ **automático** o **eléctrico.** Mecanismo eléctrico para abrir los portales en las casas de vecinos desde el interior de las viviendas. Va auxiliado por un sistema telefónico que permite saber quién llama. ‖ **de cadenas.** Oficio de palacio, cuya ocupación era vigilar la entrada exterior y descorrer las cadenas para franquear el acceso a las personas que tenían derecho de apearse ante la puerta. ‖ **de damas.** Oficio de palacio, cuya ocupación era guardar la entrada de las habitaciones que en otro tiempo ocupaban las damas solteras y después las camaristas. ‖ **de estrados.** El que sirve en tribunal o consejo para que el público y los que hayan de asistir a las juntas o actos guarden respeto y compostura. También solía haberlos en ciertas casas principales privadas. ‖ **de golpe.** El que en la cárcel cuida de una segunda puerta, que suele tener pestillo de ruido para notar cuándo se mueve. ‖ **de sala.** El que en palacio presta servicio en los aposentos principales. ‖ **de vara.** Ministro de justicia, inferior al alguacil.

portezuela. f. d. de **puerta.** ‖ **2.** Puerta de carruaje. ‖ **3.** Entre sastres, cartera, golpe.

portezuelo. m. d. de **puerto.**

porticado, da. adj. Dícese de la construcción que tiene soportales.

pórtico. (Del lat. *portĭcus*.) m. Sitio cubierto y con columnas que se construye delante de los templos u otros edificios suntuosos. ‖ **2.** Galería con arcadas o columnas a lo largo de un muro de fachada o de patio.

portichuelo. m. d. de **puerto.** ‖ **2.** Puerto bajo en las estribaciones de una montaña.

portier. (Del fr. *portière*.) m. Cortina de tejido grueso que se pone ante las puertas de habitaciones que dan a los pasillos, escaleras y otras partes menos interiores de las casas.

portilla. (De *puerta*.) f. Paso, en los cerramientos de las fincas rústicas, para carros, ganados o peatones. Tiene a veces barrera o bances con que interceptar el tránsito. ‖ **2.** *Mar.* Cada una de las aberturas pequeñas y de forma varia que se hacen en los costados de los buques, las cuales, cerradas con un cristal grueso, sirven para dar claridad y ventilación a pañoles, alojamientos, etcétera.

portillera. f. Paso de entrada en las fincas rústicas.

portillo. (De *puerta*.) m. Abertura que hay en las murallas, paredes o tapias. ‖ **2.** Postigo o puerta chica en otra mayor. ‖ **3.** En algunas poblaciones, puerta no principal por donde no podía entrar cosa que haya de adeudar derechos. ‖ **4.** Camino angosto entre dos alturas. ‖ **5.** fig. Cualquier hueco o abertura que se abre en un muro, vallado, etc. ‖ **6.** fig. Mella o hueco que queda en una cosa quebrada; como plato, escudilla, etc. ‖ **7.** fig. Entrada o salida que, para la consecución de alguna cosa, queda abierta por falta de cuidado o de medios. ‖ **diezmar a portillo.** fr. Diezmar el ganado lanar o cabrío al tiempo de desfilar uno a uno por una puerta estrecha o portillo.

Pórtland. n. p. m. V. **cemento de Pórtland.**

portón. m. aum. de **puerta.** ‖ **2.** Puerta que divide el zaguán de lo demás de la casa. ‖ **3.** *Taurom.* Puerta del toril que da a la plaza.

portor. m. En el mundo del circo, acróbata que sostiene o recibe a sus compañeros, ya sea en los equilibrios de tierra, ya en los ejercicios aéreos.

portorriqueño, ña. adj. **puertorriqueño.** Apl. a pers., ú. t. c. s.

portrecho. (Del lat. *protractus*.) m. ant. Espacio, distancia.

portuario, ria. adj. Perteneciente o relativo al puerto de mar o a las obras del mismo.

portuense. (Del lat. *portuensis*.) adj. Natural de cualquier población denominada Puerto. Ú. t. c. s. ‖ **2.** Perteneciente a ella. ‖ **3.** Natural de El Puerto de Santa María, en la provincia de Cádiz. Ú. t. c. s. ‖ **4.** Del puerto de Ostia, en Italia. *Obispo* PORTUENSE.

portugalés, sa. (Del lat. *Portucalensis*.) adj. ant. Natural de Portugal. ‖ **2.** Perteneciente a este país. ‖ **3.** Dícese de una facción que luchaba en Badajoz con la de los bejaranos en tiempo de don Sancho IV de Castilla, y de los individuos de este bando. Apl. a pers., ú. t. c. s.

portugalujo, ja. adj. Natural de Portugalete, villa de Vizcaya. Ú. t. c. s. ‖ **2.** Perteneciente o relativo a esta villa.

portugués, sa. (Del port. *português*.) adj. Natural de Portugal. Ú. t. c. s. ‖ **2.** Perteneciente o relativo a esta nación europea. ‖ **3.** m. Lengua **portuguesa.** ‖ **4.** Moneda de oro que circulaba en España hacia 1570.

portuguesada. f. Dicho o hecho en que se exagera la importancia de una cosa.

portuguesismo. m. Voz o giro propio de la lengua portuguesa.

portuguesista. com. Persona versada en la lengua y cultura portuguesas.

portulacáceo, a. (Del lat. *portulāca*, verdolaga.) adj. *Bot.* Dícese de plantas angiospermas dicotiledóneas, herbáceas o fruticosas, con hojas carnosas provistas de estípulas que a veces están transformadas en manojitos de pelos, flores hermafroditas tetrámeras o pentámeras y fruto en cápsula; como la verdolaga. Ú. t. c. s. f. ‖ **2.** f. pl. *Bot.* Familia de estas plantas.

portulano. (Del it. *portolano*, y este del lat. *portus*, puerto.) m. Colección de planos de varios puertos, encuadernada en forma de atlas.

porvenir. m. Suceso o tiempo futuro. ‖ **2.** Situación futura en la vida de una persona, empresa, etc.

¡porvida! interj. **¡por vida!** Ú. t. c. s.

pos. (Del lat. *post*.) adv. **detrás.** Ú. solo en la loc. adv. **en pos.** ‖ **2.** m. **postre** de las comidas.

pos-. (Del lat. *post-*.) pref. que significa «detrás de» o «después de»: POS*bélico*, POS*poner*, POS*tónico*; a veces conserva la forma latina **post-:** POST*dorsal*, POST*fijo*.

posa. (De *posar*.) f. Clamor de campanas por los difuntos. ‖ **2.** Parada que hace el clero cuando se lleva a enterrar un cadáver, para cantar el responso. ‖ **3.** ant. Descanso, quietud, reposo. ‖ **4.** ant. **pausa.** ‖ **5.** pl. p. us. Nalgas, posaderas, asentaderas.

posada. (De *posar*.) f. Lugar donde por precio se hospedan o albergan personas, en especial arrieros, viajantes, campesinos, etc. ‖ **2.** Casa propia de cada uno donde habita o mora. ‖ **3.** **casa de huéspedes,** o **de posadas.** ‖ **4.** Lugar donde acampa la tropa. ‖ **5.** Estuche compuesto de cuchara, tenedor y cuchillo, que se lleva en la faltriquera cuando se va de camino. ‖ **6.** Alojamiento que se da a una persona. ‖ **7.** Precio del hospedaje. ‖ **8.** ant. En palacio y en las casas de los señores, cuarto destinado a la habitación de las mujeres sirvientes. ‖ **de colmenas. asiento de colmenas.** ‖ **franca.** Hospedaje que se hace sin interés en alguna ocasión. ‖ **hacer posada.** fr. **hacer venta.** ‖ **más acá hay posada.** expr. fig. y fam. con que se moteja al que exagera o sube de punto una cosa.

posaderas. (De *posar*.) f. pl. Nalgas.

posadería. (De *posadero*.) f. ant. Posada, mesón o albergue donde se acogía a los viajeros.

posadero, ra. adj. V. **pendón posadero.** ‖ **2.** m. y f. Persona que tiene casa de posadas y hospeda en ella a los que se lo pagan. ‖ **3.** m. Cierta especie de asiento que se hace de espadaña o de soga de esparto. de unos cuatro deci-

metros de alto, de hechura cilíndrica y de que se sirven comúnmente en tierra de Toledo y en La Mancha. También se hacen de corcho en Andalucía. ‖ **4. sieso.**

posado, da. (De *posar*, descansar.) adj. ant. Difunto, muerto. Usáb. t. c. s.

posador, ra. (De *posar*.) adj. ant. El que tenía por oficio aposentar u hospedar.

posante. p. a. de **posar.** Que posa. ‖ **2.** adj. *Mar.* Dícese del buque quieto y descansado; esto es, de aquel cuyos movimientos y balances no son violentos.

posar¹. (Del lat. *pausāre*.) intr. Alojarse u hospedarse en una posada o casa particular. ‖ **2.** Descansar, asentarse o reposar. ‖ **3.** Hablando de las aves u otros animales que vuelan, o de aviones o aparatos astronáuticos, asentarse en un sitio o lugar o sobre una cosa después de haber volado. Ú. t. c. prnl. ‖ **4.** ant. Morar, habitar. ‖ **5.** tr. Soltar la carga que se trae a cuestas, para descansar o tomar aliento. ‖ **6.** Poner suavemente. ‖ **7.** prnl. Depositarse en el fondo las partículas sólidas que están en suspensión en un líquido, o caer el polvo sobre las cosas o en el suelo.

posar². (Del fr. *poser*.) intr. Permanecer en determinada postura para retratarse o para servir de modelo a un pintor o escultor.

posarmo. m. *Cantabria.* Especie de berza.

posavasos. m. Soporte de cualquier material, utilizado para que los vasos de bebida no dejen huella en la mesa.

posaverga. f. *Mar.* Palo largo que llevaban a prevención los buques, para reemplazar o componer un mastelero o verga que les faltase o se rompiese. Amarrábase sobre la borda, y servía entonces de resguardo para que la gente no cayese al mar.

posbélico, ca. adj. Posterior a una guerra.

posca. (Del lat. *posca*.) f. Mezcla de agua y vinagre que empleaban los romanos como refresco y para otros usos.

poscomunión. (Del lat. *postcommunio, -ōnis*.) f. Oración que se dice en la misa después de la comunión.

posdata. (De *postdata*.) f. Lo que se añade a una carta ya concluida y firmada. Díjose así porque la fecha o data se ponía al fin de la carta.

pose. (Del fr. *pose*.) f. Postura poco natural y, por ext., afectación en la manera de hablar y comportarse.

poseedor, ra. adj. Que posee. Ú. t. c. s. ‖ **de buena fe.** *Der.* El que ignora que sea vicioso su título o modo de adquirir. ‖ **tercer,** o **tercero, poseedor.** *Der.* A los efectos de sufrir o no, según proceda en justicia, un embargo o litigio promovido entre extraños sobre cosas o bienes, quien adquirió estos por título singular del demandado o condenado. A los efectos de soportar las consecuencias de una hipoteca, quien adquirió por título también singular bienes gravados previa y eficazmente con aquella.

poseer. (Del lat. *possidēre*.) tr. Tener uno en su poder una cosa. ‖ **2.** Saber suficientemente una cosa; como arte, doctrina, idioma, etc. ‖ **3.** Tener un hombre relación carnal con una mujer. ‖ **4.** *Der.* Tener una cosa con ánimo de dueño, y no a sabiendas de que pertenezca a otro ni por cesión o tolerancia del propietario. ‖ **5.** prnl. Dominarse uno a sí mismo; refrenar sus ímpetus y pasiones. ‖ **estar poseído** uno. fr. Estar penetrado de una idea o pasión.

poseído, da. p. p. de **poseer.** ‖ **2.** adj. **poseso.** Ú. t. c. s. ‖ **3.** fig. Dícese del que ejecuta acciones furiosas o malas. Ú. t. c. s.

posentador, ra. adj. ant. **aposentador.** Usáb. m. c. s.

posesión. (Del lat. *possessio, -ōnis*.) f. Acto de poseer o tener una cosa corporal con ánimo de conservarla para sí o para otro; y por ext., dícese también de las cosas incorpóreas, las cuales en rigor no se poseen. ‖ **2.** Apoderamiento del espíritu del hombre por otro espíritu que obra en él como agente interno y unido con él. ‖ **3.** Cosa poseída. Dícese principalmente de las fincas rústicas. *Antonio tiene muchas* POSESIONES. ‖ **4.** Territorio situado fuera de las fronteras de una nación, pero que le pertenece por convenio, ocupación o conquista. Ú. m. en pl. *Las* POSESIONES *de ultramar*. ‖ **5.** V. **acto de posesión.** ‖ **civil.** *Der.* La que uno tiene con justa causa y buena fe y con ánimo y creencia de señor; esta **posesión** civil siempre es justa y se contrapone a la natural, en cuanto esta, o no es justa, o no tiene los efectos del derecho. ‖ **clandestina.** *Der.* La que se toma o se tiene furtiva u ocultamente. ‖ **de buena fe.** *Der.* La que uno tiene ignorando que sea vicioso el título o modo de adquirir la cosa. ‖ **de mala fe.** *Der.* La que se tiene careciendo a sabiendas de título o modo legítimo de adquisición de la cosa poseída. ‖ **natural.** *Der.* Real aprehensión o tenencia de una cosa corporal. ‖ **pretoria.** *Der.* La que era constituida por decisión judicial, con facultad de disfrute en pago de un crédito o alcance. ‖ **turbativa.** *Der.* La que uno adquiere violentando la que pacíficamente tenía otro. ‖ **vel cuasi.** *Der.* loc. lat. con que se ha solido denotar que una **posesión** es, no tan solo real y corporal, sino además comprensiva de los derechos y demás bienes inmateriales objeto de la cuasi **posesión.** ‖ **violenta.** *Der.* La viciada por el uso de fuerza, en oposición a la que se denomina pacífica. ‖ **amparar** a uno **en la posesión.** fr. *Der.* Mantenerle en la que tiene. ‖ **aprehender la posesión.** fr. *Der.* **tomar posesión.** ‖ **dar posesión** a uno. fr. *Der.* Poner real y efectivamente a su disposición la cosa corporal, entregarle u otorgar un instrumento como símbolo de la tradición real, que se excusa, o bien dar señal con algún acto u objeto de transferir derechos o cosas incorporales. ‖ **recobrar,** o **retener, la posesión.** fr. *Der.* Ser uno amparado judicialmente, por vía sumaria de interdicto, ante el peligro inminente de verse turbado en el goce de una cosa o contra el despojo consumado de ella. ‖ **tomar posesión.** fr. Hacerse cargo de la cosa que se va a poseer, en ejercicio del derecho, uso o libre disposición.

posesional. adj. Perteneciente a la posesión o que la incluye. *Acto* POSESIONAL.

posesionar. tr. Poner en posesión de una cosa. Ú. m. c. prnl.

posesionero. m. Ganadero que ha adquirido la posesión de los pastos arrendados.

posesivo, va. (Del lat. *possessivus.*) adj. Perteneciente o relativo a la posesión. ‖ **2.** *Gram.* V. **adjetivo, pronombre posesivo.** Ú. t. c. s.

poseso, sa. (Del lat. *possessus.*) p. p. irreg. de **poseer.** ‖ **2.** adj. Dícese de la persona que padece posesión o apoderamiento de algún espíritu. Ú. t. c. s.

posesor, ra. (Del lat. *possessor, -ōris.*) adj. Dícese del que posee, poseedor.

posesorio, ria. (Del lat. *possessorius.*) adj. Perteneciente o relativo a la posesión, o que la denota. *Interdicto, acto* POSESORIO. ‖ **2.** *Der.* V. **juicio posesorio.**

posete. (De *posar.*) m. *Murc.* Destilador o pie de jarra.

posfecha. f. p. us. Fecha posterior a la verdadera.

posfijo. m. **postfijo.**

posguerra. f. Tiempo inmediato a la terminación de una guerra y durante el cual subsisten las perturbaciones ocasionadas por la misma.

posibilidad. (Del lat. *possibilĭtas, -ātis.*) f. Aptitud, potencia u ocasión para ser o existir las cosas. ‖ **2.** Aptitud o facultad para hacer o no hacer una cosa. ‖ **3.** Medios disponibles, hacienda propia. Ú. m. en pl. ‖ **hacer** uno **su posibilidad.** fr. ant. **hacer lo posible.**

posibilismo. m. Partido político fundado y dirigido por Castelar en el último cuarto del siglo XIX, que propugnaba una evolución democrática de la monarquía constitucional. ‖ **2.** Tendencia a aprovechar para la realización de determinados fines o ideales, las posibilidades existentes

en doctrinas, instituciones, circunstancias, etc., aunque no sean afines a aquellos.

posibilista. adj. Perteneciente o relativo al posibilismo. ‖ **2.** Partidario de esta doctrina. Ú. t. c. s.

posibilitar. tr. Facilitar y hacer posible una cosa dificultosa y ardua.

posible. (Del lat. *possibĭlis.*) adj. Que puede ser o suceder. ‖ **2.** Que se puede ejecutar. ‖ **3.** *Astron.* V. **términos posibles.** ‖ **4.** m. Posibilidad, facultad, medios disponibles para hacer algo. ‖ **5.** pl. Bienes, rentas o medios que uno posee o goza. *Mis* POSIBLES no alcanzan a eso. Ú. t. en sing. ‖ **hacer** uno **lo posible,** o **todo lo posible.** fr. No omitir circunstancia ni diligencia alguna para el logro de lo que intenta o le ha sido encargado. ‖ **no ser posible** una cosa. fr. fig. Ser muy grande la dificultad de ejecutarla, o de conceder lo que se pide.

posición. (Del lat. *positĭo, -ōnis.*) f. Postura, actitud o modo en que alguno o algo está puesto. ‖ **2.** Acción de poner. ‖ **3.** Categoría o condición social de cada persona respecto de los demás. ‖ **4.** Acción y efecto de suponer. *La regla de falsa* POSICIÓN. ‖ **5.** Situación o disposición. *Las* POSICIONES *de la esfera.* ‖ **6.** fig. Actitud o manera de pensar, obrar o conducirse respecto de cierta cosa. ‖ **7.** *Der.* Estado que en el juicio determinan, para el demandante como para el demandado, las acciones y las posiciones o defensas utilizadas respectivamente. ‖ **8.** *Der.* Cada una de las preguntas que cualquiera de los litigantes ha de absolver o contestar bajo juramento, ante el juzgador, estando citadas para este acto las otras partes. ‖ **9.** *Mil.* Punto fortificado o naturalmente ventajoso para los lances de la guerra. ‖ **militar.** *Mil.* La del soldado cuando se cuadra al frente a la voz táctica de ¡firmes! ‖ **falsa posición.** *Arit.* Suposición que se hace de uno o más números para resolver una cuestión. ‖ **absolver posiciones.** fr. *Der.* Contestarlas. ‖ **tomar posición.** fr. **tomar partido.**

posicionamiento. m. Acción y efecto de posicionar.

posicionar. intr. Tomar posición. Ú. t. c. prnl.

positivismo. m. Calidad de atenerse a lo positivo. ‖ **2.** Demasiada afición a comodidades y goces materiales. ‖ **3.** Actitud práctica. ‖ **4.** Sistema filosófico que admite únicamente el método experimental y rechaza toda noción a priori o todo concepto universal y absoluto.

positivista. adj. Perteneciente o relativo al positivismo. *Doctrina* POSITIVISTA. ‖ **2.** Partidario del positivismo. Ú. t. c. s.

positivo, va. (Del lat. *positīvus.*) adj. Cierto, efectivo, verdadero y que no ofrece duda. ‖ **2.** Por oposición a **negativo,** se aplica a lo consistente en la existencia y no en su falta. ‖ **3.** Aplícase a lo que es útil o práctico. ‖ **4.** Dícese del que busca la realidad de las cosas o su aspecto práctico. ‖ **5.** Aplícase al derecho o ley divina o humana promulgados, en contraposición principalmente al natural. ‖ **6.** V. **adjetivo, derecho, ocular, polo¹, signo, término positivo.** ‖ **7.** V. **cantidad, electricidad, prueba, teología positiva.** ‖ **8.** V. **actos positivos.** ‖ **9.** *Fotogr.* Se aplica a las copias fotográficas en que los claros y oscuros no aparecen invertidos, sino como se ven en la realidad. Ú. t. c. s. ‖ **10.** *Lóg.* Afirmativo, en contraposición de negativo. ‖ **de positivo.** loc. adv. Ciertamente, sin duda.

pósito. (Del lat. *posĭtus,* depósito. establecimiento.) m. Instituto de carácter municipal y de muy antiguo origen, destinado a mantener acopio de granos, principalmente de trigo, y prestarlos en condiciones módicas a los labradores y vecinos durante los meses de menos abundancia. ‖ **2.** Casa en que se guarda el grano de dicho instituto. ‖ **3.** Por ext., ciertas asociaciones formadas para cooperación o mutuo auxilio entre personas de clase humilde. PÓSITO *de pescadores.* ‖ **pío.** El que está erigido con cláusulas de carácter caritativo o benéfico.

positrón. m. *Fís.* Partícula elemental con carga eléctrica igual a la del electrón, pero positiva.

positura. (Del lat. *positūra*.) f. **postura.** ‖ **2.** Estado o disposición de una cosa.

posliminio. m. **postliminio.**

posma. f. fam. Pesadez, flema, cachaza. ‖ **2.** com. fig. y fam. Persona lenta y pesada en su modo de obrar. Ú. t. c. adj.

posmeridiano. m. **postmeridiano.**

poso. (De *posar*.) m. Sedimento del líquido contenido en una vasija. ‖ **2.** Descanso, quietud, reposo. ‖ **3.** ant. Lugar para descansar o detenerse.

posó. m. Moño en forma de nudo grande, atravesado por dos o más alfileres de plata u oro, que con el pelo se hacen las mujeres filipinas en la parte posterior de la cabeza.

posología. (Del gr. πόσον, cuánto, qué cantidad, y *-logía*.) f. *Med.* Parte de la terapéutica, que trata de las dosis en que deben administrarse los medicamentos.

posón. (De *posar*.) m. Asiento cilíndrico de esparto o anea.

pospalatal. f. **postpalatal.**

pospelo (a). loc. adv. Contra la dirección natural del pelo. ‖ **2.** fig. Contra el modo o curso natural de una cosa.

pospierna. f. Muslo de las caballerías.

posponer. (Del lat. *postponĕre*; de *post*, después de, y *ponĕre*, poner.) tr. Poner o colocar a una persona o cosa después de otra. ‖ **2.** fig. Apreciar a una persona o cosa menos que a otra; darle inferior lugar en el juicio y la estimación.

posposición. f. Acción de posponer.

pospositivo, va. (Del lat. *postpositīvus*.) adj. *Gram.* Que se pospone.

pospuesto, ta. (Del lat. *postposĭtus*.) p. p. irreg. de **posponer.**

post-. V. **pos-.**

posta. (Del it. *posta*.) f. Conjunto de caballerías que se apostaban en los caminos a distancia de dos o tres leguas, para que los tiros, los correos, etc., pudiesen ser renovados. ‖ **2.** Casa o lugar donde están las postas. ‖ **3.** Distancia que hay de una **posta** a otra. ‖ **4.** Tajada o pedazo de carne, pescado u otra cosa. ‖ **5.** Bala pequeña de plomo, mayor que los perdigones, que sirve de munición para cargar las armas de fuego. ‖ **6.** En los juegos de envite, porción de dinero que se envida y pone sobre la mesa. ‖ **7.** Tarjetón con un letrero conmemorativo. ‖ **8.** V. **corneta, legua, silla de posta.** ‖ **9.** V. **casa, maestro de postas.** ‖ **10.** *Arq.* Dibujo de ornamentación compuesta de líneas curvas en forma de ondas, volutas o eses unidas y que, a semejanza de la greca, se emplea principalmente en frisos y espacios análogos de mucha longitud. ‖ **11.** ant. *Mil.* Gente apostada; y en tal sentido se solía dar este nombre al soldado que estaba de centinela. ‖ **12.** ant. *Mil.* Apostadero o puesto militar. ‖ **13.** ant. *Mil.* Puesto o sitio donde está apostado o puede apostarse un centinela. ‖ **14.** m. Persona que corre y va por la **posta** a una diligencia, propia o ajena. ‖ **a posta.** loc. adv. fam. **aposta.** ‖ **a su posta.** loc. adv. ant. A su propósito, a su voluntad. ‖ **correr. uno la posta.** fr. p. us. Caminar con celeridad en caballos a propósito para este ministerio, que están prevenidos a ciertas distancias. También se corre en carruaje. ‖ **12.** ant. *Mil.* Estar un enfermo a punto de morir. ‖ **irse uno por la posta.** fr. fig. y fam. Estar un enfermo a punto de morir. ‖ **hacer posta.** fr. ant. *Mil.* Estar de centinela. ‖ **por la posta.** loc. adv. Corriendo la **posta.** ‖ **2.** fig. y fam. Con prisa, presteza y velocidad.

postal. (De *posta*.) adj. Concerniente al ramo de correos. *Servicio* POSTAL. ‖ **2.** V. **tarjeta postal.** Ú. t. c. s. f. ‖ **3.** V. **casilla, giro postal.**

postar. (De *posta*.) tr. ant. **apostar.**

postdata. (Del lat. *post* y *data*.) f. **posdata.**

postdiluviano, na. (Del lat. *post*, después de, y de *diluviano*.) adj. Posterior al diluvio universal.

postdorsal. (Del lat. *post*, después de, y de *dorsal*.) adj. *Fon.* Dícese del sonido cuya articulación se forma principalmente con la parte posterior del dorso de la lengua. ‖ **2.** *Fon.* Dícese de la letra que representa este sonido, como la *k*. Ú. t. c. s. f.

poste. (Del lat. *postis*.) m. Madero, piedra o columna colocada verticalmente para servir de apoyo o de señal. ‖ **2.** Cada uno de los dos palos verticales de la portería del fútbol y de otros deportes. ‖ **3.** fig. p. us. Mortificación o castigo que en los colegios se da a los colegiales poniéndolos en pie durante algún tiempo en un lugar señalado. ‖ **4.** ant. Madero hincado para sostener lo que puede desplomarse, puntal. ‖ **asistir al poste.** fr. p. us. En algunas universidades, ponerse el catedrático, después de bajarse de la cátedra, a esperar por cierto tiempo si a los discípulos se les ofrece alguna dificultad, para resolverla. ‖ **dar poste.** fr. fig. Hacer que uno espere en sitio determinado más del tiempo regular o en que había convenido. ‖ **llevar poste.** fr. fig. y fam. Aguardar a uno que falta a la cita. ‖ **oler uno el poste.** fr. fig. y fam. Prever y evitar el daño que podría sucederle. ‖ **quedarse al poste.** fr. asistir al poste. ‖ **ser uno un poste.** fr. fig. y fam. Ser muy lerdo. ‖ **2.** fig. y fam. Estar muy sordo.

postear. intr. ant. **correr la posta.**

postelero. (De *poste*.) m. *Mar.* Puntal que sirve y sujeta las mesas de guarnición, desde su canto al costado, para que no padezcan en los balances.

postema. (De *apostema*.) f. *Pat.* Absceso supurado. ‖ **2.** fig. p. us. Persona pesada o molesta. ‖ **no criarle, o no hacérsele,** a uno **postema** una cosa. fr. fig. y fam. Descubrir fácilmente alguien a otros lo que sabe, y con especialidad cuando es cosa secreta. ‖ **2.** fig. y fam. Manifestar sin dilación y con franqueza a otro las quejas o resentimientos que tiene de él.

postemación. f. ant. **apostemación.**

postemero. m. Instrumento de cirugía, como una lanceta grande, que sirve para abrir las postemas.

póster. (Del ing. *poster*.) m. Cartel que se cuelga en la pared como elemento decorativo.

pósteramente. adv. m. ant. Posterior, últimamente, al fin.

postergación. f. Acción y efecto de postergar.

postergar. (Del lat. *postergāre*.) tr. Hacer sufrir atraso, dejar atrasada una cosa, ya sea respecto del lugar que debe ocupar, ya del tiempo en que había de tener su efecto. ‖ **2.** Tener en menos o apreciar a una persona o cosa menos que a otra. ‖ **3.** Perjudicar a un empleado dando a otro más moderno el ascenso u otra recompensa que por su antigüedad correspondía al primero.

posteridad. (Del lat. *posterĭtas, -ātis*.) f. Conjunto de personas que vivirá después de cierto momento o de cierta persona. ‖ **2.** Fama póstuma. ‖ **3.** El tiempo futuro.

posterior. (Del lat. *posterĭor, -ōris*.) adj. Que fue o viene después. ‖ **2.** Que está o queda detrás. ‖ **3.** V. **cámara posterior de la boca.** ‖ **4.** V. **cámara posterior del ojo.**

posterioridad. f. Calidad de posterior.

posteriormente. adv. ord. y t. Después, detrás, por contraposición a delante.

posteta. f. Porción de pliegos que baten de una vez los encuadernadores. ‖ **12.** *Impr.* Agregado o conjunto de pliegos de papel que los impresores meten unos dentro de otros para empaquetar las impresiones.

postfijo, ja. (Del lat. *post*, después de, y *fijo*.) adj. p. us. **sufijo.** Ú. m. c. s. m.

postigo. (Del lat. *postīcum*.) m. Puerta falsa que ordinariamente está colocada en sitio excusado de la casa. ‖ **2.** Puerta que está fabricada en una pieza sin tener división ni más de una hoja, la cual se asegura con llave, cerrojo, picaporte, etc. ‖ **3.** Puerta chica abierta en otra mayor. ‖

4. Cada una de las puertecillas que hay en las ventanas o puertaventanas. ‖ **5.** Tablero sujeto con bisagras o goznes en el marco de una puerta o ventana para cubrir cuando conviene la parte encristalada. ‖ **6.** Cualquiera de las puertas no principales de una ciudad o villa.

postila. (Del lat. *post illa.*) f. Acotación o glosa de un texto, apostilla.

postilación. f. Acción de postilar.

postilador, ra. m. y f. Persona que postila.

postilar. tr. Glosar o apostillar un texto.

postilla[1]. (Del lat. *pustella*, por *pustūla.*) f. **costra.**

postilla[2]. (Del lat. *post illa.*) f. Acotación o glosa de un texto, apostilla.

postillón. (De *posta.*) m. Mozo que iba a caballo, bien delante de las postas para guiar a los caminantes, bien delante de un tiro para conducir al ganado.

postilloso, sa. adj. Que tiene postillas[1].

postín. m. Presunción afectada o sin fundamento. ‖ **darse postín.** fr. **darse tono.** ‖ **de postín.** Lujoso, distinguido.

postinear. intr. Darse postín, presumir.

postinero, ra. adj. Dícese de la persona que se da postín.

postiza. (De *postizo.*) f. Castañuela de tocar, y por lo común la más fina y pequeña que las regulares. Ú. m. en pl. ‖ **2.** *Mar.* Obra muerta que se ponía exteriormente a las galeras y galeotas desde su cubierta principal en ambos costados, para aumentar la manga y colocar los remos en la posición más ventajosa.

postizo, za. (De lat. **posticĭus*, de *posĭtus*, puesto.) adj. Que no es natural ni propio, sino agregado, imitado, fingido o sobrepuesto. ‖ **2.** V. **nombre postizo.** ‖ **3.** m. Entre peluqueros, añadido o tejido de pelo que sirve para suplir la falta o escasez de este.

postliminio. (Del lat. *postliminĭum.*) m. En el derecho romano, reintegración del que había sido prisionero del enemigo a sus derechos de ciudadano romano.

postmeridiano, na. (Del lat. *postmeridiānus.*) adj. Perteneciente o relativo a la tarde, o que es después de mediodía. ‖ **2.** m. *Astron.* Cualquiera de los puntos del paralelo de declinación de un astro, a occidente del meridiano del observador.

postnominal. adj. *Gram.* Dícese de la palabra que se deriva de un sustantivo o de un adjetivo: *decanato*, de *decano; amarillear*, de *amarillo.* Ú. t. c. s.

postónico, ca. (Del lat. *post*, después de, y *tónico.*) adj. *Pros.* Dícese de los elementos de la palabra que están después de la sílaba tónica. *Vocal, sílaba* POSTÓNICA.

postoperatorio, ria. adj. Dícese de lo que se produce o aplica después de una operación quirúrgica. Ú. t. c. s. m. ‖ **2.** V. **curso postoperatorio.** Ú. t. c. s. m.

postor. (Del lat. *posĭtor, -ōris.*) m. El que ofrece precio en una subasta o almoneda, licitador. ‖ **2.** *Cineg.* El que coloca a cada tirador en su puesto. ‖ **mayor,** o **mejor postor.** Licitador que hace la postura más ventajosa en una subasta.

postpalatal. (Del lat. *post* y *palatal.*) adj. *Fon.* Dícese del sonido cuya pronunciación choca la raíz de la lengua contra el velo del paladar. ‖ **2.** *Fon.* Dícese de la letra que representa este sonido, como la *k* ante vocal. Ú. t. c. s. f.

postración. (Del lat. *prostratĭo, -ōnis.*) f. Acción y efecto de postrar o postrarse. ‖ **2.** Abatimiento por enfermedad o aflicción.

postrador, ra. (Del lat. *prostrātor, -ōris.*) adj. Que postra. ‖ **2.** m. Tarima baja de madera que se pone al pie de la silla en el coro, para que el religioso se postre sobre ella.

postrar. (Del lat. *prostrāre.*) tr. Rendir, humillar o derribar una cosa. ‖ **2.** Enflaquecer, debilitar, quitar el vigor y fuerzas a uno. Ú. t. c. prnl. ‖ **3.** prnl. Arrodillarse o ponerse a los pies de alguien, humillándose o en señal de respeto, veneración o ruego.

postre. (Del lat. *poster, -ĕri.*) adj. **postrero.** ‖ **2.** m. Fruta, dulce u otras cosas que se sirven al fin de las comidas o banquetes. ‖ **a la postre,** o **al postre.** loc. adv. A lo último, al fin. ‖ **a postre.** adv. t. y t. ant. **a la postre.**

postremas (a). (De *postremo.*) loc. adv. ant. **a la postre.**

postremero, ra. (De *postremo.*) adj. **postrimero.**

postremo, ma. (Del lat. *postrĕmus.*) adj. Postrero o último. ‖ **2.** ant. Sucesor, descendiente.

postrer. adj. apóc. de **postrero.**

postreramente. adv. ord. y t. **a la postre.**

postrero, ra. (De **postrarĭus*, por *postrēmus*, infl. por *primarĭus.*) adj. Último en una lista o serie. ‖ **2.** Dícese de la parte más retirada o última en un lugar.

postrimer. adj. apóc. de **postrimero.**

postrimeramente. adv. ord. y t. Última y finalmente, a la postre.

postrimería. (De *postrimero.*) f. Último periodo o últimos años de la vida. ‖ **2.** Periodo último de la duración de una cosa. Ú. m. en pl. *En las* POSTRIMERÍAS *del siglo pasado.* ‖ **3.** *Teol.* Cada uno de los novísimos del hombre.

postrimero, ra. (De *postremero*, con la *i* de *primero.*) adj. **postrero.**

post scríptum. loc. lat. que se usa como sustantivo masculino, equivalente a **postdata.**

póstula. f. Acción y efecto de postular.

postulación. (Del lat. *postulatĭo, -ōnis.*) f. Acción y efecto de postular.

postulado, da. p. p. de **postular.** ‖ **2.** m. Proposición cuya verdad se admite sin pruebas y que es necesaria para servir de base en ulteriores razonamientos. ‖ **3.** *Geom.* Supuesto que se establece para fundar una demostración.

postulador. (Del lat. *postulātor, -ōris.*) m. En derecho canónico, cada uno de los capitulares que postulan. ‖ **2.** El que por comisión legítima de parte interesada solicita en la curia romana la beatificación y canonización de una persona venerable.

postulanta. (De *postulante.*) f. Mujer que pide ser admitida en una comunidad religiosa.

postulante. p. a. de **postular.** Que postula. Ú. t. c. s.

postular. (Del lat. *postulāre.*) tr. Pedir, pretender. ‖ **2.** Pedir por la calle en una colecta. ‖ **3.** Pedir para prelado de una iglesia a una persona que, según derecho, no puede ser elegida.

póstumo, ma. (Del lat. *postŭmus.*) adj. Que sale a la luz después de la muerte del padre o autor. *Hijo* PÓSTUMO; *obra* PÓSTUMA. ‖ **2.** Dícese de los elogios, honores, etc., que se tributan a un difunto.

postura. (Del lat. *positūra.*) f. Planta, acción, figura, situación o modo en que está puesta una persona, animal o cosa. ‖ **2.** Acción de poner o plantar árboles tiernos o plantas. ‖ **3.** Precio que la justicia ponía a las cosas comestibles. ‖ **4.** Precio que el comprador ofrece para una cosa que se vende o arrienda, particularmente en almoneda o por justicia. ‖ **5.** Pacto o concierto, ajuste o convenio. ‖ **6.** Porción o cantidad que se suele apostar entre dos sobre si una cosa será o no será. ‖ **7.** Conjunto de huevos puestos de una vez. ‖ **8.** Acción de ponerlos. ‖ **9.** Planta o arbolillo tierno que se trasplanta. ‖ **10.** En los juegos de azar, cantidad que arriesga un jugador en cada suerte. ‖ **11.** ant. Adorno de algunas cosas. ‖ **12.** fig. Posición o actitud que adopta respecto de algún asunto. ‖ **13.** *Ál.* y *Guip.* Medida agraria de unos 34 metros y 26 centímetros cuadrados de superficie. ‖ **del Sol.** Ocaso o puesta del Sol. ‖ **postura de regidor.** loc. adv. con que se explicaba en los abastos públicos que el precio de los géneros no había de ser fijo durante el arrendamiento, sino el que la justicia determinara con arreglo al que sucesivamente fueran tomando los géneros. ‖ **hacer postura.** fr. Tomar parte como licitador en una puja o subasta. ‖ **plantar de postura.** fr. Plantar poniendo árboles tiernos, a diferencia de los que se plantan de pepita, de barbado, de garrote, etc.

postural. adj. Relativo a la postura. *Dolor* POSTURAL; *ejercicios* POSTURALES.

postverbal. adj. *Gram.* Dícese de la palabra que se deriva de una forma verbal; así, *llamada* de *llamar.* Ú. t. c. s.

posventa. (De *pos* y *venta*.) f. Plazo durante el cual el vendedor o fabricante garantiza al comprador asistencia, mantenimiento o reparación de lo comprado. ‖ **2.** V. **servicio posventa.**

pota. (Del cat. *pota, pata*.) f. Calamar basto.

potabilidad. f. Cualidad de potable.

potabilizador, ra. adj. Que potabiliza. Ú. t. c. s.

potabilizar. tr. Hacer potable.

potable. (Del lat. *potabĭlis*.) adj. Que se puede beber. ‖ **2.** V. **oro potable.** ‖ **3.** fig. y fam. Pasable, aceptable.

potación. (Del lat. *potatĭo, -ōnis*.) f. Acción de potar[2]. ‖ **2.** bebida.

potada. f. En algunas partes, potala, piedra para fondear.

potador, ra. adj. Decíase del que igualaba y marcaba las pesas y medidas, potero.

potaje. (Del fr. *potage*, puchero, cocido.) m. Caldo de olla u otro guisado. ‖ **2.** Por antonom., guiso hecho con legumbres, verduras y otros ingredientes que se come especialmente los días de abstinencia. ‖ **3.** Legumbres secas. *Provisión de* POTAJES *para la cuaresma.* ‖ **4.** Bebida o brebaje en que entran muchos ingredientes. ‖ **5.** fig. Conjunto de varias cosas inútiles mezcladas y confusas.

potajera. f. Mujer que vendía antiguamente potajes en los mercados.

potajería. f. Conjunto o agregado de legumbres secas con que se hacen potajes. ‖ **2.** Lugar en que se guardan y distribuyen las semillas o potajes.

potajier. (Del fr. *potagier*.) m. Jefe de la potajería de algunas antiguas casas reales.

potala. f. *Mar.* Piedra que, atada a la extremidad de un cabo, sirve para hacer fondear los botes o embarcaciones menores. ‖ **2.** *Mar.* Buque pesado y poco marinero.

potámide. (Del gr. ποταμηίς, -ίδος, del río.) f. *Mit.* Ninfa de los ríos. Ú. m. en pl.

potar[1]. (De *pote*, medida.) tr. Igualar y marcar las pesas y medidas.

potar[2]. (Del lat. *potāre*.) tr. **beber.**

potasa. (Del fr. *potasse*.) f. *Quím.* Óxido de potasio, base salificable, delicuescente.

potásico, ca. adj. *Quím.* Perteneciente o relativo al potasio. ‖ **2.** V. **oxalato potásico.**

potasio. m. *Quím.* Elemento metálico de color argentino que se oxida rápidamente por la acción del aire y cuyos compuestos se usan como abono. Núm. atómico 19. Símb.: K.

pote. (Del cat. *pot*, bote, tarro.) m. Especie de vaso de barro, alto, que se usaba para beber o guardar líquidos y preparados. ‖ **2.** Tiesto en forma de jarra en que se plantan y tienen flores y hierbas olorosas. ‖ **3.** Vasija redonda, generalmente de hierro, con barriga y boca ancha y con tres pies, que suele tener dos asas pequeñas, una a cada lado, y otra grande en forma de semicírculo. Sirve para guisar ‖ **4.** Comida equivalente en Galicia y Asturias a la olla de Castilla. ‖ **5.** p. us. Medida o cosa que sirve de patrón para arreglar otras. ‖ **6.** fig. y fam. Puchero o gesto que precede al llanto. ‖ **a pote.** loc. adv. fam. **abundantemente.** ‖ **darse pote.** fr. fig. y fam. Darse postín, darse tono.

potencia. (Del lat. *potentĭa*.) f. Capacidad para ejecutar

una cosa o producir un efecto. POTENCIA *auditiva, visiva.* ‖ **2.** Capacidad generativa. ‖ **3.** Poder y fuerza, especialmente de un Estado. ‖ **4.** Nación o Estado soberano. ‖ **5.** Cada uno de los grupos de rayos de luz que en número de tres se ponen en la cabeza de las imágenes de Jesucristo, y en número de dos en la frente de las de Moisés. ‖ **6.** fig. Persona o entidad poderosa o influyente. ‖ **7.** *Fil.* Por antonom., cualquiera de las tres facultades del alma: entendimiento, voluntad y memoria. ‖ **8.** *Fil.* Capacidad pasiva para recibir el acto; capacidad de llegar a ser. ‖ **9.** *Fil.* Lo que está en calidad de posible y no en acto. ‖ **10.** *Fís.* Energía que suministra un generador en cada unidad de tiempo. ‖ **11.** *Mat.* Producto que resulta de multiplicar una cantidad por sí misma una o más veces. ‖ **pura potencia.** *Fil.* La que se concibe como carente de toda actualidad, pero capaz de recibir alguna. ‖ **segunda potencia.** y *Arit.* **cuadrado,** multiplicación de una cantidad por sí misma. ‖ **tercera potencia.** *Álg.* y *Arit.* Cubo[2] de un monomio, polinomio o número. ‖ **de potencia a potencia.** loc. adv. De igual a igual, como dos Estados soberanos. ‖ **elevar a potencia.** fr. *Álg.* y *Arit.* Multiplicar una cantidad por sí misma tantas veces como su exponente indica. ‖ **2.** fig. Aumentar en cantidad, grado, intensidad, etc. ‖ **en potencia.** loc. adv. *Fil.* **potencialmente.** Ú. m. con el verbo *estar.* ‖ **lo último de potencia.** loc. Todo el esfuerzo de que uno es capaz.

potenciación. f. Acción y efecto de potenciar.

potencial. adj. Que tiene o encierra en sí potencia, o perteneciente a ella. ‖ **2.** Aplícase a las cosas que tienen la virtud o eficacia de otras y equivalen a ellas. *Las cosas muy calientes tienen fuego* POTENCIAL. ‖ **3.** Que puede suceder o existir, en contraposición de lo que existe. ‖ **4.** *Cir.* V. **cauterio, energía, fuego potencial.** ‖ **5.** m. Fuerza o poder disponibles de determinado orden. POTENCIAL *militar, económico, industrial,* etc. ‖ **6.** *Electr.* Energía eléctrica acumulada en un cuerpo conductor y que se mide en unidades de trabajo. ‖ **7.** *Fís.* Función matemática que permite determinar en ciertos casos la duración e intensidad de un campo de fuerzas en cualquier punto dado de este. ‖ **8.** *Gram.* **modo potencial.**

potencialidad. (De *potencial*.) f. Capacidad de la potencia, independiente del acto. ‖ **2.** Equivalencia de una cosa respecto de otra en virtud y eficacia.

potencialmente. adv. m. Equivalente o virtualmente. ‖ **2.** *Fil.* En estado de capacidad, aptitud o disposición para una cosa.

potenciar. tr. Comunicar potencia a una cosa o incrementar la que ya tiene.

potentado. (Del lat. *potentātus*.) m. Príncipe o soberano que tiene dominio independiente en una provincia o Estado, pero toma investidura de otro príncipe superior. ‖ **2.** Cualquier monarca, príncipe o persona poderosa y opulenta.

potente. (Del lat. *potens, -entis*.) adj. Que tiene poder, eficacia o virtud para una cosa. ‖ **2.** Dícese del que tiene capacidad y medios de dominar. ‖ **3.** Dícese del que tiene grandes riquezas. ‖ **4.** Dícese del hombre capaz de engendrar. ‖ **5.** fam. Grande, abultado, desmesurado.

potentemente. adv. m. Poderosamente, con eficacia y vigor.

potenza. (Del fr. *potence*.) f. *Blas.* Palo que, puesto horizontalmente sobre otro, forma de la figura de una T.

potenzado, da. adj. V. **cruz potenzada.** ‖ **2.** *Blas.* Aplícase a las piezas terminadas en una potenza.

potera. (De *pota*.) f. Aparejo para pescar calamares, formado por una pieza de plomo cuya parte inferior está erizada de afilados ganchitos.

poterna. (Del fr. *poterne*.) f. *Fort.* En las fortificaciones, puerta menor que cualquiera de las principales, y mayor que un portillo, que da al foso o al extremo de una rampa.

potero. (De *pote*, medida.) m. El que igualaba y marcaba las pesas y medidas, potador.

potestad. (Del lat. *potestas, -ātis*.) f. Dominio, poder, jurisdicción o facultad que se tiene sobre una cosa. ‖ **2.** En algunas poblaciones de Italia, corregidor, juez o gobernador. ‖ **3.** p. us. **potentado.** ‖ **4.** p. us. *Mat.* Producto de multiplicar una cantidad por sí misma una o más veces, potencia. ‖ **5.** pl. *Teol.* Espíritus bienaventurados que ejercen cierta ordenación en cuanto a las diversas operaciones que los espíritus superiores ejecutan en los inferiores. Forman el sexto coro. ‖ **tuitiva.** *Der.* La del poder real, aplicada al amparo de los súbditos a quienes hacían agravio los jueces eclesiásticos. ‖ **patria potestad.** Autoridad que los padres tienen, con arreglo a las leyes, sobre sus hijos no emancipados.

potestativo, va. (Del lat. *potestatīvus*.) adj. Que está en la facultad o potestad de uno. ‖ **2.** *Der.* V. **condición potestativa.**

potetería. (De *potetero*.) f. *And.* Halago empalagoso y fingido.

potetero, ra. adj. *And.* Que hace poteterías. Ú. t. c. s.

potingue. (De *pote*.) m. fam. y fest. Cualquier bebida de botica o de aspecto y sabor desagradable. ‖ **2.** fam. fest. Cualquier producto cosmético, especialmente las cremas. Ú. m. en pl. *Usa muchos* POTINGUES *para que no le salgan arrugas.*

potísimo, ma. (Del lat. *potissĭmus*.) adj. Principalísimo, fortísimo.

potista. (De *potar*.) com. fam. Bebedor con exceso, en especial de líquidos alcohólicos.

potito. m. Alimento envasado y preparado a modo de puré, para niños de corta edad.

poto. m. *Perú.* Vasija pequeña, para líquidos. *Un* POTO *de chicha.* ‖ **2.** NO. *Argent.* y *Perú.* Trasero, nalgas.

potoco, ca. adj. *Chile.* Bajo, gordo, rechoncho. Ú. t. c. s.

potorillo. m. Arbusto de vistosas flores encarnadas, de la región seca de la costa ecuatoriana.

potorro. m. *Ál.* Vaso o vasija en que se sirve la sal, salero.

potosí. (De *Potosí*, monte hoy de Bolivia.) m. fig. Riqueza extraordinaria. ‖ **valer** una cosa **un Potosí.** fr. fig. y fam. **valer un Perú.**

potosino, na. adj. Natural de Potosí. Ú. t. c. s. ‖ **2.** Perteneciente o relativo a esta ciudad de Bolivia o al departamento del mismo nombre. ‖ **3.** Natural del Estado mejicano de San Luis Potosí. Ú. t. c. s. ‖ **4.** Perteneciente o relativo a dicho Estado.

potra[1]. (De *potro*.) f. Yegua desde que nace hasta que muda los dientes de leche, que, generalmente, es a los cuatro años y medio de edad.

potra[2]. (De etim. disc.) f. fam. Hernia de una víscera u otra parte blanda. ‖ **2.** Hernia en el escroto. ‖ **3.** fig. y fam. Buena suerte. ‖ **cantarle** a uno **la potra.** fr. fig. y fam. Sentir el herniado algún dolor en la parte lastimada, lo que comúnmente sucede en la mudanza de tiempo.

potrada. f. Conjunto de potros de una yeguada o de un dueño.

potranca. (De *potro*.) f. Yegua que no pasa de tres años.

potranco. (De *potro*.) m. Caballo que no tiene más de tres años.

potrear. (De *potro*.) intr. Ostentar viveza y gallardía una persona que no es joven. ‖ **2.** tr. fam. Molestar, mortificar a una persona.

potrera. (De *potro*.) adj. V. **cabezada potrera.**

potrero[1]. m. El que cuida de los potros cuando están en la dehesa. ‖ **2.** Sitio destinado a la cría y pasto de ganado caballar. ‖ **3.** *Argent.* y *Perú.* Terreno inculto y sin edificar, donde suelen jugar los muchachos. ‖ **4.** *Amér.* Finca rústica, cercada y con árboles, destinada principalmente a la cría y sostenimiento de toda especie de ganado.

potrero[2]. m. fam. Cirujano que con particularidad se dedica a curar potras[2].

potril. (De *potro*.) adj. V. **dehesa potril.** Ú. t. c. s.

potrilla. (d. de *potra[1]*.) m. fig. y fam. Viejo que ostenta lozanía y mocedad.

potrillo. m. d. de **potro.** ‖ **2.** Caballo que no tiene más de tres años.

potro. (De or. inc.) m. Caballo desde que nace hasta que muda los dientes de leche, que, generalmente, es a los cuatro años y medio de edad. ‖ **2.** Aparato gimnástico formado por cuatro patas y un paralelepípedo forrado de cuero u otro material, sostenido por ellas. ‖ **3.** Máquina de madera que sirve para sujetar los caballos cuando se resisten a dejarse herrar o curar. ‖ **4.** Aparato de madera en el cual sentaban a los procesados, para obligarles a declarar por medio del tormento. ‖ **5.** Hoyo que los colmeneros abren en tierra para hacer los peones. ‖ **6.** desus. Sillón para uso de las parturientas en el acto del alumbramiento. ‖ **7.** ant. Orinal de barro. ‖ **8.** fig. Todo aquello que molesta y desazona gravemente. ‖ **de primer bocado.** Caballo desde que muda los cuatro dientes llamados palas, que suele ser a los dos años y medio de edad, hasta que muda los cuatro dientes incisivos inmediatos a las palas, lo que suele suceder al cumplir tres años y medio. ‖ **de segundo bocado.** Caballo desde que muda los cuatro dientes incisivos inmediatos a las palas, que suele ser a los tres años y medio de edad, hasta que muda los otros cuatro dientes incisivos inmediatos a los colmillos, lo que por lo regular le sucede al cumplir los cuatro años y medio. ‖ **manda potros y da pocos.** expr. fig. y fam. con que se motoja al que es largo en prometer y corto en cumplir lo prometido.

potroso, sa. adj. Que tiene hernia o potra[2]. Ú. t. c. s. ‖ **2.** fig. y fam. Afortunado, que tiene buena suerte.

povisa. (Del lat. *pulvisĭa*, de *pulvis*, polvo.) f. Chispa o pavesa y tamo volante. ‖ **2.** *Ast.* Polvo del trigo.

poya. (De *poyar[1]*.) f. Derecho que se pagaba en pan o en dinero, en el horno común. ‖ **2.** V. **forno, horno, pan de poya.** ‖ **3.** Residuo formado por las gárgolas del lino, después de machacadas y separadas de la simiente.

poyal. m. Paño listado con que se cubren los poyos en algunos lugares. ‖ **2.** Banco de piedra o materia análoga arrimado a una pared, poyo.

poyar[1]. (De *poyo*.) intr. Pagar la poya.

poyar[2]. (Del lat. **podiāre*.) tr. ant. Aumentar el precio de una cosa, pujar.

poyata. (De *poyo*.) f. Vasar o anaquel que sirve para poner vasos y otras cosas. ‖ **2. repisa.**

poyete. m. d. de **poyo.**

poyetón. m. aum. de **poyo,** banco. ‖ **irse al** o **sentarse en el poyetón.** fr. fig. y fam. Quedarse soltera.

poyo. (Del lat. *podĭum*.) m. Banco de piedra, yeso u otra materia, que ordinariamente se fabrica arrimado a las paredes, junto a las puertas de las casas de campo, en los zaguanes y otras partes. ‖ **2.** Derecho que se abonaba a los jueces por administrar justicia.

poza. (De *pozo*.) f. Charca o concavidad en que hay agua detenida. ‖ **2.** Sitio o lugar donde el río es más profundo. ‖ **3.** Balsa o alberca para empozar y macerar el cáñamo o el lino. ‖ **lamer la poza.** fr. fig. y fam. Ir poco a poco chupando el dinero a uno con arte y simulación.

pozal. m. Cubo o zaque con que se saca el agua del pozo. ‖ **2.** Brocal del pozo. ‖ **3.** Vasija empotrada en tierra para recoger líquidos.

pozalero. m. *Murc*. El que hace pozales o cubos de madera para sacar agua del pozo.

pozanco. m. Poza que queda en las orillas de los ríos al retirarse las aguas después de una avenida.

pozo. (Del lat. *puteus*.) m. Hoyo que se hace en la tierra ahondándolo hasta encontrar vena de agua. Suele vestirse de piedra o ladrillo para su mayor subsistencia. ‖ **2**. Hoyo profundo, aunque esté seco. ‖ **3**. Sitio o lugar en donde los ríos tienen mayor profundidad. En algunas partes los hacen artificiales, para pescar salmones. ‖ **4**. En el juego de la cascarela y otros, cierto número de pollas, que se va separando para limitar lo que se juega en una mano, y se van jugando una a una hasta apurarlas. El número es arbitrario. ‖ **5**. En el juego de la oca, casilla de la cual no sale el jugador que cayó en ella hasta que no caiga otro. ‖ **6**. fig. Cosa llena, profunda o completa en su línea. *Ser un* POZO *de ciencia*. ‖ **7**. *Argent., Par.* y *Urug*. Bache, hoyo que se forma en el pavimento de calles o caminos por el uso o el transcurso del tiempo u otras causas. ‖ **8**. *Col*. Lugar de un río apropiado para bañarse. ‖ **9**. *Mar*. Parte de bodega de un buque, que corresponde verticalmente a cada escotilla. ‖ **10**. *Mar*. Sentina o parte de bodega que corresponde a la caja de bombas. ‖ **11**. *Mar*. Distancia o profundidad que hay desde el canto de la borda hasta la cubierta superior en las embarcaciones que no tienen combés. ‖ **12**. *Mar*. Compartimiento o depósito que en los barcos pesqueros se forma para conservar vivos los peces. ‖ **13**. *Mar*. V. **buque de pozo**. ‖ **14**. *Mín*. Hoyo profundo para bajar a las minas. ‖ **Airón. pozo** o sima de gran profundidad. ‖ **2**. Ú. en sent. fig. y fam. como lugar donde alguna cosa se pierde, desaparece sin que haya esperanza de recobrarla, o se olvida. *Caer* una cosa *en el* POZO AIRÓN, *echar* una cosa *en el* POZO AIRÓN, *lo tragó el* POZO AIRÓN. ‖ **artesiano. pozo** de gran profundidad, para que el agua contenida entre dos capas subterráneas impermeables encuentre salida y suba naturalmente a mayor o menor altura del suelo. ‖ **ciego**. *Argent*. **pozo negro**. ‖ **de la hélice**. *Mar*. Largo conducto rectangular que atraviesa verticalmente la popa de algunas embarcaciones de hélice para suspender esta. ‖ **de lobo**. Pequeña excavación disimulada con ramaje y con una o varias estacas puntiagudas clavadas en el fondo, que sirve para dificultar el paso de la caballería en la guerra o para cazar con trampa algunas fieras. ‖ **de nieve**. Excavación seca donde se guardaba y conservaba la nieve para el verano. Estaba vestido de piedra o ladrillo, y tenía sus desaguaderos por la parte inferior. ‖ **de petróleo**. Perforación profunda hecha para localizar o extraer petróleo. ‖ **negro**. El que para depósito de aguas inmundas se hace junto a las casas, cuando no hay alcantarillas. ‖ **caer** una cosa **en un pozo**. fr. fig. Quedar en olvido o en riguroso secreto.

pozol. m. *C. Rica* y *Hond*. **pozole**. ‖ **2**. *Guat*. Maíz pulverizado.

pozole. m. *Méj*. Guiso de maíz tierno, carne y chile con mucho caldo. ‖ **2**. *Méj*. Bebida hecha de maíz morado y azúcar.

pozuela. f. d. de **poza**.

pozuelo. (Del lat. *puteolus*.) m. d. de **pozo**. ‖ **2**. Vasija empotrada en tierra para recoger líquidos.

prácrito. (Del sánscr. *prākŗta*, común.) m. Idioma vulgar de la India antigua, en oposición al sánscrito o lengua clásica.

práctica. (Del lat. *practica*.) f. Ejercicio de cualquier arte o facultad, conforme a sus reglas. ‖ **2**. Destreza adquirida con este ejercicio. ‖ **3**. Uso continuado, costumbre o estilo de una cosa. ‖ **4**. Modo o método que particularmente observa uno en sus operaciones. ‖ **5**. Ejercicio que bajo la dirección de un maestro y por cierto tiempo tienen que hacer algunos para habilitarse y poder ejercer públicamente su profesión. Ú. m. en pl. ‖ **6**. Aplicación de una idea o doctrina; contraste experimental de una teoría. ‖ **en la práctica**. loc. adv. Casi en realidad. ‖ **llevar a la práctica**. fr. **poner en práctica**. ‖ **poner en práctica**. fr. Realizar ideas, planes, proyectos, etc.

practicable. adj. Que se puede practicar o poner en práctica. ‖ **2**. En el decorado teatral, dícese de la puerta u otro accesorio que no es meramente figurado sino que puede usarse.

practicador, ra. adj. Que practica. Ú. t. c. s.

practicaje. m. *Mar*. Ejercicio de la profesión de piloto práctico. ‖ **2**. *Mar*. Derechos del práctico de puerto que pagan las embarcaciones. ‖ **3**. *Mar*. Fondo como ituido en los puertos con el importe de arbitrios o derech : por servicios a la navegación, destinado a las atencione de personal y material.

prácticamente. adv. m. Experimentadamente, con uso y ejercicio de algo. *A cocinar se aprende* PRÁCTICAMENTE. ‖ **2**. **en la práctica**, casi en la realidad. Ú. con frecuencia opuesto a teóricamente. *La cueva que descubrieron es* PRÁCTICAMENTE *inaccesible*. ‖ **3**. adv. c. Casi, por poco. *Ya tengo la casa* PRÁCTICAMENTE *arreglada*.

practicanta. f. **practicante**, persona que hace curas en los hospitales y la que en las boticas prepara medicamentos.

practicante. p. a. de **practicar**. Que practica. ‖ **2**. Aplícase a la persona que practica y profesa su religión. Ú. t. c. s. ‖ **3**. com. Persona que posee título para el ejercicio de la cirugía menor. ‖ **4**. Persona que por tiempo determinado se instruye en la práctica de la cirugía y medicina, al lado y bajo la dirección de un facultativo. ‖ **5**. Persona que en los hospitales hace las curaciones o administra a los enfermos las medicinas ordenadas por el facultativo de visita. ‖ **6**. Persona que en las boticas está encargada, bajo la dirección del farmacéutico, de la preparación y despacho de los medicamentos.

practicar. tr. Ejercitar, poner en práctica una cosa que se ha aprendido y especulado. ‖ **2**. Usar o ejercer algo continuadamente. ‖ **3**. Realizar las prácticas que permiten a algunos habilitarse y poder ejercer públicamente su profesión. ‖ **4**. Ejecutar, hacer, llevar a cabo. PRACTICAR *diligencias*, PRACTICAR *una operación quirúrgica*, PRACTICAR *un orificio*. ‖ **5**. Profesar, llevar a la práctica las normas y preceptos de una determinada religión. ‖ **6**. Ensayar, entrenar, repetir algo varias veces para perfeccionarlo. Ú. t. c. intr. *Tendrás que* PRACTICAR *más si quieres la medalla de oro*.

práctico, ca. (Del lat. *practicus*, y este del gr. πραχτικός.) adj. Perteneciente a la práctica. ‖ **2**. Aplícase a las facultades que enseñan el modo de hacer una cosa. ‖ **3**. Experimentado, versado y diestro en una cosa. ‖ **4**. Dícese de lo que comporta utilidad o produce provecho material inmediato. ‖ **5**. m. *Mar*. El que por el conocimiento del lugar en que navega dirige el rumbo de las embarcaciones, llamándose **de costa** o **de puerto**, respectivamente, según sea en una o en otro donde ejerce su profesión.

practición, na. (aum. de *práctico*.) m. y f. fam. Persona diestra en una facultad, más por haberla practicado mucho que por ser muy docta en ella.

pradal. m. **pradera**.

pradejón. m. Prado de corta extensión.

pradeño, ña. adj. Perteneciente o relativo al prado.

pradera. f. Conjunto de prados. ‖ **2**. Prado grande. ‖ **3**. Lugar del campo llano y con hierba.

pradería. f. Conjunto de prados.

praderoso, sa. (De *pradera*.) adj. Abundante en praderas.

pradezuelo. m. d. de **prado**.

pradial. (De *prado*, a imitación del fr. *prairial*.) m. Noveno mes del calendario republicano francés.

prado. (Del lat. *pratum*.) m. Tierra muy húmeda o de regadío, en la cual se deja crecer o se siembra la hierba para pasto de los ganados. ‖ **2.** Sitio ameno que sirve de paseo en algunas poblaciones. ‖ **3.** V. **grama de prados.** ‖ **4.** V. **reina de los prados.** ‖ **de guadaña.** El que se siega anualmente. ‖ **a prado.** loc. adv. Pastando el animal en el campo.

prae mánibus. loc. adv. lat. A la mano o entre las manos.

pragmática. (Del lat. *pragmatica*, t. f. de *-cus*, pragmático.) f. desus. Ley emanada de competente autoridad, que se diferenciaba de los reales decretos y órdenes generales en las fórmulas de su publicación. ‖ **2.** Disciplina que estudia el lenguaje en su relación con los usuarios y las circunstancias de la comunicación.

pragmático¹. (Del lat. *pragmaticus*.) adj. *Der.* Aplícase al autor jurista que interpreta o glosa las leyes nacionales. Ú. t. c. s.

pragmático², ca. adj. Perteneciente o relativo al pragmatismo. ‖ **2.** Perteneciente o relativo a la disciplina denominada pragmática.

pragmatismo. (Del ing. *pragmatism*.) m. Método filosófico según el cual el único criterio válido para juzgar de la verdad de toda doctrina científica, moral o religiosa, se ha de fundar en sus efectos prácticos. ‖ **2.** Propensión a adaptarse a las condiciones reales.

pragmatista. adj. Partidario del pragmatismo o perteneciente a él. Ú. t. c. s.

praliné. (Del fr. *praline*.) m. Crema de chocolate y almendra o avellana.

prángana. f. *Méj.* y *P. Rico.* Pobreza extrema. ‖ **estar en la prángana.** *Méj.* y *P. Rico.* Estar sin dinero.

prao. (Del bisaya *parau*.) m. *Mar.* Embarcación malaya de poco calado, muy larga y estrecha.

praseodimio. (Del gr. πράσιος, verde pálido, y δίδυμος, hermano gemelo.) m. *Quím.* Metal del grupo de las tierras raras cuyas sales son de color verde. Núm. atómico 59. Símb.: *Pr*.

prasio. (Del lat. *prasius*.) m. Cristal de roca en cuya masa se encierran muchos cristales largos, delgados y verdes, de silicato de magnesia, cal y hierro.

prasma. (Del gr. πράσιος, de color verde.) m. Ágata de color verde oscuro.

pratense. (Del lat. *pratensis*.) adj. Que se produce o vive en el prado.

prática. f. ant. **práctica.**

praticultura. (Del lat. *pratum*, prado, y *cultura*, cultivo.) f. Parte de la agricultura, que trata del cultivo de los prados.

pravedad. (Del lat. *pravitas, -atis.*) f. Iniquidad, perversidad, corrupción de costumbres.

praviana. (De *Pravia*, n. p.) f. Canción popular asturiana.

pravo, va. (Del lat. *pravus*.) adj. Perverso, malvado y de dañadas costumbres.

praxis. (Del gr. πρᾶξις.) f. Práctica, en oposición a teoría o teórica.

praza. f. ant. **plaza.** Ú. en el ref. *Maridar de PRAZA e parir escondida, gentil sabandija.*

pre. (Del fr. *prêt*, préstamo.) m. **prest.**

pre-. (Del lat. *prae*.) pref. que significa anterioridad local o temporal, prioridad o encarecimiento: PREfijar, PREhistoria, PREpósito, PREclaro.

prea. (Del lat. *praeda*.) f. ant. Acción de prender, tomar, saquear o coger. ‖ **2.** Lo prendido, tomado o cogido.

preadamita. m. Supuesto antecesor de Adán. Ú. m. en pl.

preadamítico, ca. adj. Lo relativo o perteneciente al preadamita. ‖ **2.** m. Tiempo o época de los preadamitas.

preámbulo. (Del lat. *praeambulus*, que va delante.) m. Exordio, prefación, aquello que se dice antes de dar principio a lo que se trata de narrar, probar, mandar, pedir, etc. ‖ **2.** Rodeo o digresión antes de entrar en materia o de empezar a decir claramente una cosa.

prear. (Del lat. *praedari*.) tr. ant. Apresar, saquear, robar.

prebenda. (Del lat. *praebenda*.) f. Renta aneja a un canonicato u otro oficio eclesiástico. ‖ **2.** Cualesquiera de los beneficios eclesiásticos superiores de las iglesias catedrales y colegiatas, como dignidad, canonicato, ración, etc. ‖ **3.** Dote que piadosamente se da por una fundación a una mujer para tomar estado de religiosa o casada, o a un estudiante para seguir los estudios. ‖ **4.** fig. y fam. Oficio, empleo o ministerio lucrativo y poco trabajoso. ‖ **de oficio.** Cualquiera de las cuatro canonjías, doctoral, magistral, lectoral y penitenciaria.

prebendado. (De *prebenda*.) m. Dignidad, canónigo o racionero de alguna iglesia catedral o colegial.

prebendar. tr. Conferir prebenda a uno. ‖ **2.** intr. Obtenerla. Ú. t. c. prnl.

prebestad. f. ant. Oficio de preboste.

prebostadgo. m. ant. **prebostazgo.**

prebostal. adj. Perteneciente a la jurisdicción del preboste.

prebostazgo. m. Oficio de preboste.

preboste. (Del cat. *prebost*.) m. Sujeto que es cabeza de una comunidad, y la preside o gobierna. ‖ **2.** *Mil.* **capitán preboste.**

precación. (Del lat. *precatio, -onis*.) f. ant. **deprecación.**

precalentamiento. m. Ejercicio que efectúa el deportista como preparación en el esfuerzo que posteriormente ha de realizar. ‖ **2.** Calentamiento de un motor, aparato, etc., antes de someterlo a la función que debe desempeñar.

precámbrico, ca. adj. *Geol.* Aplícase a los períodos arqueozoico y algonquino. Ú. t. c. s. ‖ **2.** *Geol.* Relativo a la era geológica que abarca desde la formación de la corteza terrestre hasta hace aproximadamente 600 millones de años. Se caracteriza por intensa actividad volcánica y clima variado. En ella aparecen las primeras formas de vida.

precariamente. adv. m. De modo precario.

precariedad. f. Calidad de precario.

precario, ria. (Del lat. *precarius*.) adj. De poca estabilidad o duración. ‖ **2.** No posee los medios o recursos suficientes. ‖ **3.** *Der.* Que se tiene sin título, por tolerancia o por inadvertencia del dueño.

precarista. adj. *Der.* Dícese del que posee, retiene o disfruta en precario cosas ajenas. Ú. t. c. s.

precaución. (Del lat. *praecautio, -onis*.) f. Reserva, cautela para evitar o prevenir los inconvenientes, dificultades o daños que pueden temerse.

precaucionarse. prnl. Precaverse, prevenirse, guardarse, cautelarse.

precautelar. tr. Prevenir y poner los medios necesarios para evitar o impedir un riesgo o peligro.

precautorio, ria. adj. Dícese de lo que precave o sirve de precaución.

precaver. (Del lat. *praecavere*.) tr. Prevenir un riesgo, daño o peligro, para guardarse de él y evitarlo. Ú. t. c. prnl.

precavidamente. adv. m. Con precaución.

precavido, da. adj. Sagaz, cauto, que sabe precaver los riesgos.

precedencia. (Del lat. *praecedentia*.) f. Anterioridad, prioridad de tiempo; anteposición, antelación en el orden. ‖ **2.** Preeminencia o preferencia en el lugar y asiento y en algunos actos honoríficos. ‖ **3.** Primacía, superioridad.

precedente. (Del lat. *praecedens, -entis*.) p. a. de **preceder.** Que precede o es anterior y primero en el orden de la colocación o de los tiempos. ‖ **2.** m. **antecedente,** acción o circunstancia anterior que sirve para juzgar hechos posteriores. ‖ **3.** Aplicación de una resolución anterior en un caso igual o semejante al que se presenta.

preceder. (Del lat. *praecedĕre.*) tr. Ir delante en tiempo, orden o lugar. Ú. t. c. intr. ‖ **2.** Anteceder o estar antepuesto. ‖ **3.** fig. Tener una persona o cosa preferencia, primacía o superioridad sobre otra.

precelente. (Del lat. *praecellens, -ēntis.*) adj. p. us. Muy excelente.

precepción. (Del lat. *praeceptĭo, -ōnis.*) f. ant. Precepto, instrucción o documento.

preceptista. adj. Dícese de la persona que da o enseña preceptos y reglas. Ú. t. c. s. ‖ **2.** Por antonom., **preceptista** en materia literaria.

preceptiva. f. Conjunto de preceptos aplicables a determinada materia. ‖ **literaria.** Tratado normativo de retórica y poética.

preceptivamente. adv. m. De un modo preceptivo.

preceptivo, va. (Del lat. *praeceptivus.*) adj. Que incluye o encierra en sí preceptos. ‖ **2.** Ordenado por un precepto.

precepto. (Del lat. *praeceptum.*) m. Mandato u orden que el superior hace observar y guardar al inferior o súbdito. ‖ **2.** Cada una de las instrucciones o reglas que se dan o establecen para el conocimiento o manejo de un arte o facultad. ‖ **3.** Por antonom., cada uno de los del Decálogo o mandamientos de la ley de Dios. ‖ **4.** V. **día, fiesta, necesidad de precepto.** ‖ **afirmativo.** Cualquiera de los del Decálogo, en que se manda hacer una cosa. ‖ **formal de obediencia.** El que en las órdenes religiosas usan los superiores para estrechar a la obediencia en alguna cosa a los súbditos. ‖ **negativo.** Cualquiera de los del Decálogo, en que se prohíbe hacer una cosa. ‖ **cumplir con el precepto.** fr. **cumplir con la Iglesia.**

preceptor, ra. (Del lat. *praeceptor, -ōris.*) m. y f. Persona que enseña. ‖ **2.** Persona que enseñaba gramática latina.

preceptoril. adj. despect. Propio de un preceptor o relativo a él.

preceptuar. tr. Dar o dictar preceptos.

preces. (Del lat. *preces,* pl. de *prex,* súplica.) f. pl. Versículos tomados de la Sagrada Escritura y oraciones destinadas por la Iglesia para pedir a Dios socorro en las necesidades públicas o particulares. ‖ **2.** Ruegos, súplicas. ‖ **3.** Oraciones dirigidas a Dios, a la Virgen o a los santos. ‖ **4.** Súplicas o instancias con que se pide y obtiene una bula o despacho de Roma.

precesión. (Del lat. *praecessĭo, -ōnis.*) f. *Ret.* Figura de dicción en que se deja incompleta una frase para que se sobrentienda, reticencia. ‖ **de los equinoccios.** *Astron.* Movimiento retrógrado de los puntos equinocciales o de intersección del Ecuador con la Eclíptica, en virtud del cual se anticipan un poco de año en año las épocas de los equinoccios o el principio de las estaciones.

preciado, da. adj. Precioso, excelente y de mucha estimación. ‖ **2.** Jactancioso, vano.

preciador, ra. adj. p. us. Dícese del que precia o aprecia.

preciar. (Del lat. *pretiāre.*) tr. p. us. **apreciar.** ‖ **2.** prnl. Gloriarse, jactarse y hacer vanidad de una cosa buena o mala.

precinta. (Del lat. *praecincta,* t. f. de *-tus,* p. p. de *praecingĕre,* ceñir.) f. Pequeña tira, por lo regular de cuero, que se ponía en los cajones a sus esquinas para darles firmeza. ‖ **2.** Tira estampada, de papel, que en las aduanas se aplica a las cajas de tabacos de regalía y hace las veces del marchamo en los tejidos. ‖ **3.** *Mar.* Tira con que se cubren las junturas de las tablas de los buques. ‖ **4.** *Mar.* Tira de lona vieja embreada, que se arrolla en espiral alrededor de un cabo antes de forrarlo con filástica o meollar.

precintado, da. p. p. de **precintar.** ‖ **2.** m. **precinto,** ligadura o señal sellada.

precintar. (De *precinto.*) tr. Poner precinto o precinta. ‖ **2.** Asegurar y fortificar los cajones, poniéndoles por lo ancho y a lo largo precintas que abracen las junturas de las tablas. ‖ **3.** *Mar.* Poner precintas.

precinto. (Del lat. *praecinctus,* acción de ceñir.) m. Acción y efecto de precintar. ‖ **2.** Ligadura o señal sellada con que se cierran cajones, baúles, fardos, paquetes, legajos, puertas, cajas fuertes, etc., con el fin de que no se abran sino cuando y por quien corresponda legalmente.

precio. (Del lat. *pretĭum.*) m. Valor pecuniario en que se estima una cosa. ‖ **2.** Premio o prez que se ganaba en las justas. ‖ **3.** fig. p. us. Estimación, importancia o crédito. *Es hombre de gran* PRECIO. ‖ **4.** fig. Esfuerzo, pérdida o sufrimiento que sirve de medio para conseguir una cosa, o que se presta y padece con ocasión de ella. *Al* PRECIO *de su salud va fulano saliendo de apuros.* ‖ **5.** *Der.* Prestación consistente en numerario o en valores de inmediata o fácil realización que un contratante da o promete, por conmutación de la cosa, servicio o derecho que adquiere. ‖ **fijo.** El que se estipula a una mercancía y no admite regateo. ‖ **a precio de coste.** loc. adv. **a coste y costas.** ‖ **abrir precio.** fr. Hacer el primer ejemplar de **precio** en la venta de los géneros o mercancías. ‖ **alzar el precio** de una cosa. fr. fig. Aumentarlo o subirlo. ‖ **no tener precio** una persona o cosa. fr. fig. Valer mucho. Ú. muchas veces irónicamente. ‖ **poner a precio.** fr. **poner talla.** ‖ **poner en precio** una cosa. fr. Ajustar, concertar el valor que se le ha de dar o llevar por ella. ‖ **poner precio** a una cosa. fr. Apreciar, señalar el valor o tasa que se ha de dar o llevar por ella. ‖ **romper precio.** fr. **abrir precio.** ‖ **tener en precio,** o **en mucho precio,** una cosa. fr. Estimarla, apreciarla.

preciosa. f. En algunas iglesias catedrales, distribución que se da a los prebendados por asistir a la conmemoración que se dice por el alma de un bienhechor.

preciosamente. adv. m. Rica o primorosamente, con precio y estimación.

preciosidad. (Del lat. *pretiosĭtas, -ātis.*) f. Calidad de precioso. ‖ **2.** Cosa preciosa.

preciosismo. m. Extremado atildamiento del estilo. Generalmente se usa en sentido peyorativo. ‖ **2.** Tendencia al refinamiento y frivolidad excesivos del lenguaje y comportamiento, característicos de la sociedad francesa a mediados del siglo XVII.

preciosista. adj. Perteneciente o relativo al preciosismo. Apl. a pers., ú. t. c. s.

precioso, sa. (Del lat. *pretiōsus.*) adj. Excelente, exquisito, primoroso y digno de estimación y aprecio. ‖ **2.** De mucho valor o elevado coste. *Metales* PRECIOSOS. ‖ **3.** V. **piedra preciosa.** ‖ **4.** fig. p. us. Chistoso, festivo, decidor, agudo. ‖ **5.** fig. y fam. **hermoso.** *Esta mujer es* PRECIOSA; *aquel niño es* PRECIOSO.

preciosura. f. fam. Persona o cosa bonita.

precipicio. (Del lat. *praecipitĭum.*) m. Despeñadero o derrumbadero por cuya proximidad no se puede andar sin riesgo de caer. ‖ **2.** Despeño o caída precipitada y violenta. ‖ **3.** fig. Ruina espiritual.

precipitación. (Del lat. *praecipitatĭo, -ōnis.*) f. Acción y efecto de precipitar o precipitarse. ‖ **2.** *Meteor.* Agua procedente de la atmósfera, y que en forma sólida o líquida se deposita sobre la superficie de la tierra.

precipitadamente. adv. m. Arrebatadamente, sin consideración ni prudencia. ‖ **2.** Atropelladamente, con mucha prisa.

precipitadero. (De *precipitar.*) Lugar donde se puede precipitar o despeñar. ‖ **2.** fig. Ocasión de ruina espiritual.

precipitado, da. (De *precipitar.*) adj. Atropellado, atronado, alocado, inconsiderado. ‖ **2.** Se dice de las cosas realizadas con mucha prisa. ‖ **3.** m. *Quím.* Materia que por resultado de reacciones químicas se separa del líquido en que estaba disuelta y se posa más o menos rápidamente. ‖ **blanco.** *Quím.* Protocloruro de mercurio obtenido por precipitación. ‖ **rojo.** *Quím.* Bióxido de mercurio obtenido por la ebullición de este metal en contacto con el aire, o por la descomposición del nitrato mediante el calor.

precipitante. (Del lat. *praecipĭtans, -antis.*) p. a. de **precipitar.** Que precipita. ‖ **2.** m. *Quím.* Cualquiera de los agentes que obran la precipitación.

precipitar. (Del lat. *praecipitāre.*) tr. Despeñar, arrojar o derribar de un lugar alto. Ú. t. c. prnl. ‖ **2.** Provocar la aceleración de unos hechos. Ú. t. c. prnl. ‖ **3.** fig. Exponer a uno o incitarle a una ruina espiritual o temporal. ‖ **4.** *Quím.* Producir en una disolución una materia sólida que cae al fondo de la vasija. ‖ **5.** prnl. fig. Arrojarse inconsideradamente y sin prudencia a decir una cosa.

precípite. (De lat. *praeceps, -ipĭtis.*) adj. p. us. Puesto en peligro o riesgo de caer o precipitarse.

precipitosamente. adv. m. Con precipitación.

precipitoso, sa. adj. p. us. Pendiente, resbaladizo y arriesgado para despeñarse o precipitarse. ‖ **2.** fig. p. us. Dícese del atropellado, inconsiderado, o ligero en obrar.

precipuamente. adv. m. Principalmente, especialmente.

precípuo, pua. (Del lat. *praecipŭus.*) adj. Señalado o principal.

precisamente. adv. m. Justa y determinadamente; con precisión. ‖ **2.** Necesaria, forzosa o indispensablemente; por una necesidad absoluta o sin poderse evitar.

precisar. tr. Fijar o determinar de modo preciso. ‖ **2.** Obligar, forzar determinando y sin excusa a ejecutar una cosa. ‖ **3.** intr. Ser necesario o imprescindible. Ú. t. c. tr.

precisión. (Del lat. *praecisĭo, -ōnis.*) f. Obligación o necesidad indispensable que fuerza y precisa a ejecutar una cosa. ‖ **2.** Determinación, exactitud, puntualidad, concisión. ‖ **3.** Tratándose del lenguaje, estilo, etc., concisión y exactitud rigurosa. ‖ **4.** V. **arma de precisión.** ‖ **5.** *Lóg.* Abstracción o separación mental que hace el entendimiento de dos cosas realmente identificadas, en virtud de la cual se concibe la una como distinta de la otra. ‖ **de precisión.** loc. adj. Dícese de los aparatos, máquinas, instrumentos, etc., construidos con singular esmero para obtener resultados exactos.

preciso, sa. (Del lat. *praecisus.*) adj. Necesario, indispensable, que es menester para un fin. ‖ **2.** Puntual, fijo, exacto, cierto, determinado. *Llegar al tiempo* PRECISO. ‖ **3.** Distinto, claro y formal. ‖ **4.** desus. Separado, apartado o cortado. ‖ **5.** Tratándose del lenguaje, estilo, etc., conciso y rigurosamente exacto. ‖ **6.** *Lóg.* Abstraído o separado por el entendimiento.

precitado, da. adj. Antes citado.

precito, ta. (Del lat. *praescĭtus,* sabido de antemano.) adj. Condenado a las penas del infierno, réprobo.

preclaramente. adv. m. Con mucho esclarecimiento.

preclaro, ra. (Del lat. *praeclārus.*) adj. Esclarecido, ilustre, famoso y digno de admiración y respeto.

preclásico, ca. adj. Dícese de lo que antecede a lo clásico en artes y en letras.

preclusión. (Del lat. *praeclusĭo, -ōnis.*) f. *Der.* Carácter del proceso, según el cual el juicio se divide en etapas, cada una de las cuales clausura la anterior sin posibilidad de replantear lo ya decidido en ella.

preclusivo, va. adj. *Der.* Que causa o determina preclusión.

precocidad. f. Calidad de precoz.

precognición. (Del lat. *praecognitĭo, -ōnis.*) f. Conocimiento anterior.

precolombino, na. (De *pre-* y *Colombus.*) adj. Anterior a los viajes y descubrimientos de Cristóbal Colón.

preconcebir. tr. Establecer previamente y con sus pormenores algún pensamiento o proyecto que ha de ejecutarse. *Lo hizo con arreglo al plan* PRECONCEBIDO. ‖ **2.** *Der.* **premeditar.**

preconización. f. Acción y efecto de preconizar.

preconizador, ra. adj. Que preconiza. Ú. t. c. s.

preconizar. (Del lat. *praeconizāre.*) tr. Encomiar, tributar elogios públicamente a una persona o cosa. ‖ **2.** Designar el Papa un nuevo obispo. ‖ **3.** *Rel.* Hacer relación en el consistorio romano de las prendas y méritos de un sujeto que era presentado por un rey o príncipe soberano para una prelacía.

preconocer. (Del lat. *praecognoscĕre.*) tr. Prever, conjeturar, conocer anticipadamente una cosa.

precontrato. m. *Der.* Contrato preliminar en virtud del cual dos o más personas se comprometen a firmar, en un plazo cierto, un contrato que por el momento no quieren o no pueden estipular.

precordial. (Del lat. *praecordĭum.*) adj. Se dice de la región o parte del pecho que corresponde al corazón.

precoz. (Del lat. *praecox, -ōcis.*) adj. Dícese del fruto temprano, prematuro. ‖ **2.** Dícese del proceso que aparece antes de lo habitual. ‖ **3.** fig. Aplícase a la persona que en corta edad muestra cualidades morales o físicas que de ordinario son más tardías, y por antonom., a la que después suele destacar en talento, agudeza, valor de ánimo u otra prenda estimable. También se dice de estas mismas cualidades. ‖ **4.** *Med.* Relativo a las etapas tempranas de una enfermedad o proceso orgánico. *Diagnóstico* PRECOZ.

precursor, ra. (Del lat. *praecursor, -ōris.*) adj. Que precede o va delante. Ú. t. c. s. ‖ **2.** fig. Que profesa o enseña doctrinas o acomete empresas que no tendrán razón ni hallarán acogida sino en tiempo venidero. ‖ **3.** m. Por antonom., San Juan Bautista, que nació antes que Cristo y anunció su venida al mundo.

preda. (Del lat. *praeda.*) f. ant. **prea,** presa, botín.

predador, ra. (Del lat. *praedātor, -ōris.*) adj. Saqueador, que saquea. Ú. t. c. s. ‖ **2.** Dícese del animal que mata a otros de distinta especie para comérselos.

predar. (Del lat. *praedāri.*) tr. ant. Prear, apresar, saquear, robar.

predatorio, ria. (Del lat. *praedatorĭus.*) adj. Perteneciente o relativo al acto de hacer presa. *El instinto* PREDATORIO *de la araña. La ocupación* PREDATORIA *del cazador.* ‖ **2.** Perteneciente o relativo al robo o al saqueo. *Expediciones* PREDATORIAS *de guerrilleros.*

predecesor, ra. (Del lat. *praedecessor, -ōris.*) m. y f. Persona que precedió a otra en una dignidad, empleo o encargo. ‖ **2.** **antecesor,** ascendiente de una persona.

predecible. adj. Que puede predecirse.

predecir. (Del lat. *praedicĕre.*) tr. Anunciar por revelación, ciencia o conjetura, algo que ha de suceder.

predefinición. (De *predefinir.*) f. *Teol.* Decreto o determinación de Dios para la existencia de las cosas en un tiempo señalado.

predefinir. (Del lat. *praedefinīre.*) tr. *Teol.* Determinar el tiempo en que han de existir las cosas. ‖ **2.** Determinar el tiempo en que han de suceder las cosas.

predela. (Del it. *predella.*) f. Banco o banca de retablo, parte inferior horizontal, de este.

predestinación. (Del lat. *praedestinatĭo, -ōnis.*) f. Destinación anterior de una cosa. ‖ **2.** *Teol.* Por antonom., ordenación de la voluntad divina con que ab aeterno tiene elegidos a los que por medio de su gracia han de lograr la gloria.

predestinado, da. p. p. de **predestinar.** ‖ **2.** adj. Que fatalmente tiene que acabar de una manera determinada.

3. Elegido por Dios desde la eternidad para lograr la gloria. Ú. t. c. s. ‖ **4.** fig. y vulg. Dícese del marido engañado o cornudo.

predestinar. (Del lat. *praedestināre*.) tr. Destinar anticipadamente una cosa para un fin. ‖ **2.** *Teol.* Por antonom., destinar y elegir Dios ab aeterno a los que por medio de su gracia han de lograr la gloria.

predeterminación. f. Acción y efecto de predeterminar.

predeterminar. (Del lat. *praedetermināre*.) tr. Determinar o resolver con anticipación una cosa.

predial. adj. Perteneciente o relativo al predio. *Servidumbre* PREDIAL.

prédica. (De *predicar*.) f. Sermón o plática. ‖ **2.** Por ext., perorata, discurso vehemente.

predicable. (Del lat. *praedicabĭlis*.) adj. Digno de ser predicado. Aplícase a los asuntos propios de los sermones. ‖ **2.** m. *Lóg.* Cada una de las clases a que se reducen todas las cosas que se pueden predicar o predicar del sujeto. Divídense en cinco, que son: género, especie, diferencia, individuo y propio.

predicación. (Del lat. *praedicatĭo, -ōnis*.) f. Acción de predicar. ‖ **2.** Doctrina que se predica o enseñanza que se da con ella.

predicadera. (De *predicar*.) f. *Ar.* Púlpito de una iglesia. ‖ **2.** pl. fam. Cualidades o dotes de un predicador.

predicado, da. p. p. de **predicar.** ‖ **2.** m. *Lóg.* Lo que se afirma del sujeto en una proposición. ‖ **3.** *Ling.* Segmento del discurso que, junto al sujeto, constituye una oración gramatical. ‖ **nominal.** *Ling.* El constituido por un nombre, un adjetivo o un sintagma o proposición en función nominal, y por un verbo como *ser* o *estar*, el cual sirve de nexo con el sujeto, de tal modo que se establece concordancia entre estos tres componentes de la oración. ‖ **verbal.** *Ling.* El formado por un verbo que, por sí solo o acompañado de complementos, constituye el predicado de una oración gramatical.

predicador, ra. (Del lat. *praedicātor, -ōris*.) adj. Que predica. Ú. t. c. s. ‖ **2.** V. **diablo predicador.** ‖ **3.** m. Orador evangélico que predica o declara la palabra de Dios.

predicamental. adj. *Fil.* Perteneciente al predicamento o a una cosa que es raíz de otra.

predicamento. (Del lat. *praedicamentum*.) m. *Lóg.* Cada una de las clases o categorías a que se reducen todas las cosas y entidades físicas. Regularmente se dividen en diez, que son: sustancia, cantidad, cualidad, relación, acción, pasión, lugar, tiempo, situación y hábito. ‖ **2.** Dignidad, opinión, lugar o grado de estimación en que se halla uno y que ha merecido por sus obras.

predicante. p. a. de **predicar.** Que predica. Dícese solo del ministro de una religión no católica. Ú. t. c. s.

predicar. (Del lat. *praedicāre*.) tr. Publicar, hacer patente y clara una cosa. ‖ **2.** Pronunciar un sermón. ‖ **3.** p. us. Alabar con exceso a uno sujeto. ‖ **4.** fig. Reprender agriamente a uno de un vicio o defecto. ‖ **5.** fig. y fam. Amonestar o hacer observaciones a uno para persuadirle de una cosa. ‖ **6.** *Gram.* y *Lóg.* Decir algo de un sujeto.

predicativo, va. (Del lat. *praedicatīvus*.) adj. *Gram.* Perteneciente al predicado o que tiene carácter de tal.

predicatorio. (De *predicar*.) m. ant. Púlpito de una iglesia.

predicción. (Del lat. *praedictĭo, -ōnis*.) f. Acción y efecto de predecir. ‖ **2.** Palabras que manifiestan aquello que se predice.

predicho, cha. (Del lat. *praedictus*.) p. p. irreg. de **predecir.**

predilección. (Del lat. *prae*, pre-, y *dilectĭo, -ōnis*.) f. Cariño especial con que se distingue a una persona o cosa entre otras.

predilecto, ta. (Del lat. *prae*, pre-, y *dilectus*, amado.) adj. Preferido por amor o afecto especial.

predio. (Del lat. *praedĭum*.) m. Heredad, hacienda, tierra o posesión inmueble. ‖ **dominante.** *Der.* Aquel en cuyo favor está constituida una servidumbre. ‖ **rústico.** El que, fuera de las poblaciones, está dedicado a uso agrícola, pecuario o forestal. ‖ **sirviente.** *Der.* El que está gravado con cualquier servidumbre en favor de alguien o de otro **predio.** ‖ **urbano.** El que está sito en poblado, y el edificio que, fuera de población, se destina a vivienda y no a menesteres campestres.

predisponer. (Del lat. *praedisponěre*.) tr. Preparar, disponer anticipadamente algunas cosas o el ánimo de las personas para un fin determinado. Ú. t. c. prnl.

predisposición. f. Acción y efecto de predisponer o predisponerse.

predispuesto, ta. (Del lat. *praedisposĭtus*.) p. p. irreg. de **predisponer.**

predominación. f. Acción y efecto de predominar.

predominancia. f. Condición del que o de lo que predomina.

predominar. tr. Prevalecer, preponderar. Ú. m. c. intr. ‖ **2.** fig. Exceder mucho en altura una cosa respecto de otra. *Esta casa* PREDOMINA *a la otra.*

predominio. m. Imperio, poder, superioridad, influjo o fuerza dominante que se tiene sobre una persona o cosa.

predorsal. adj. *Anat.* Situado en la parte anterior de la espina dorsal. ‖ **2.** *Fon.* Dícese del sonido en cuya articulación interviene principalmente la parte anterior del dorso de la lengua. ‖ **3.** *Fon.* Dícese de la letra que representa este sonido, como la *ch.* Ú. t. c. s. f.

predorso. m. *Fon.* Parte anterior del dorso de la lengua.

preelegir. (Del lat. *praeeligěre*.) tr. Elegir con anticipación, predestinar.

preeminencia. (Del lat. *praeeminentĭa*.) f. Privilegio, exención, ventaja o preferencia que goza uno respecto de otro por razón o mérito especial. ‖ **2.** V. **cédula de preeminencias.**

preeminente. (Del lat. *praeemĭnens, -entis*.) adj. Sublime, superior, honorífico y que está más elevado.

preescolar. adj. Perteneciente o relativo al período educacional anterior al de la enseñanza primaria.

preestablecido, da. adj. Dícese de lo establecido por ley o reglamento con anterioridad a un momento determinado.

preexcelso, sa. (Del lat. *praeexcelsus*.) adj. Sumamente ilustre, grande y excelso.

preexistencia. (Del lat. *praeexistentĭa*.) f. *Fil.* Existencia anterior, con alguna de las prioridades de naturaleza u origen. ‖ **2.** *Der.* Existencia real de una cosa o de un derecho antes del acto o momento en que haya de tratarse de ella.

preexistir. (Del lat. *praeexistěre*.) intr. *Fil.* Existir antes, o realmente, o con antelación de naturaleza u origen.

prefabricado, da. adj. Dícese de las casas u otras construcciones cuyas partes esenciales se envían ya fabricadas al lugar de su emplazamiento; donde solo hay que acoplarlas y fijarlas.

prefacio. (Del lat. *praefatĭo*.) m. Prólogo o introducción de un libro. ‖ **2.** Parte de la misa, que precede inmediatamente al canon.

prefación. (Del lat. *praefatĭo, -ōnis*.) f. p. us. Prólogo o introducción de un libro.

prefecto. (Del lat. *praefectus*.) m. Entre los romanos, título de varios jefes militares o civiles. ‖ **2.** Ministro que preside y manda en un tribunal, junta o comunidad eclesiástica. ‖ **3.** Persona a quien compete cuidar de que se desempeñen debidamente ciertos cargos. *El* PREFECTO *de los estudios públicos.* ‖ **4.** En Francia, gobernador de un departamento, a semejanza del que en España lo es de una provincia. ‖ **del pretorio, o pretorio.** Magistrado que desde el tiempo de Constantino se destinaba para gobernar cualquiera de las provincias o departamentos en que se dividió el imperio romano, con autoridad para administrar justicia y juzgar de los negocios en último recurso o instancia. ‖ **2.** Comandante de la guardia pretoriana de los emperadores romanos, el cual era como su principal ministro.

prefectura. (Del lat. *praefectūra.*) f. Dignidad, empleo o cargo de prefecto. ‖ **2.** Territorio gobernado por un prefecto. ‖ **3.** Oficina o despacho del prefecto.

preferencia. (Del lat. *praefĕrens, -entis,* p. a. de *praeferre,* preferir.) f. Primacía, ventaja o mayoría que una persona o cosa tiene sobre otra, ya en el valor, ya en el merecimiento. ‖ **2.** Elección de una cosa o persona, entre varias; inclinación favorable o predilección hacia ella. ‖ **de preferencia.** loc. adv. Con preferencia.

preferentemente. adv. m. Con preferencia.

preferible. adj. Digno de preferirse.

preferiblemente. adv. m. Con preferencia.

preferir. (Del lat. *praeferre,* llevar o poner delante.) tr. Dar la preferencia. Ú. t. c. prnl. ‖ **2.** Exceder, aventajar. ‖ **3.** prnl. Gloriarse, jactarse.

prefiguración. (Del lat. *praefiguratĭo, -ōnis.*) f. Representación anticipada de una cosa.

prefigurar. (Del lat. *praefigurāre.*) tr. Representar anticipadamente una cosa.

prefijación. f. *Gram.* Modo de formar nuevas voces por medio de prefijos.

prefijar. (De *pre-* y *fijar.*) tr. Determinar, señalar o fijar anticipadamente una cosa. ‖ **2.** *Gram.* Anteponer un afijo a una palabra.

prefijo, ja. (Del lat. *praefixus,* p. p. de *praefigĕre,* colocar delante.) p. p. irreg. de **prefijar.** ‖ **2.** adj. *Gram.* Dícese del afijo que va antepuesto; como en DESconfiar, REponer. Ú. t. c. s. m. ‖ **3.** m. Cifras o letras que indican zona, ciudad o país, y que para establecer comunicación telefónica automática, se marcan antes del número del abonado a quien se llama.

prefilatelia. f. Estudio de las marcas, estampillas o señales similares que se utilizaron para franquear correspondencia antes de la invención de los sellos de correos.

prefinición. (Del lat. *praefinitĭo, -ōnis.*) f. Acción de prefinir.

prefinir. (Del lat. *praefinīre.*) tr. Señalar o fijar el término o tiempo para ejecutar una cosa.

prefloración. (De *pre-* y *floración.*) f. *Bot.* Disposición de las distintas piezas florales en las flores que aún no se han abierto.

prefoliación. (De *pre-* y *foliación.*) f. *Bot.* Disposición de unas hojas respecto de otras, antes de abrirse la yema.

preformación. f. *Biol.* Idea sustentada por ciertos biólogos del siglo XVIII, según la cual en el germen de los seres vivos estaban contenidas, en miniatura, las estructuras del adulto.

preformismo. m. *Biol.* Teoría elaborada y sostenida por los partidarios de la preformación.

preformista. adj. *Biol.* Perteneciente o relativo a la preformación y al preformismo. ‖ **2.** *Biol.* Dícese del partidario de esta teoría. Ú. t. c. s.

prefulgente. (Del lat. *praefulgens, -entis.*) adj. Muy resplandeciente y lúcido.

pregar. (Del lat. *plicāre,* doblar.) tr. ant. Clavar, afianzar.

preglaciar. adj. Que es anterior a la época glaciar. Ú. t. c. s.

pregón. (Del lat. *praeconĭum.*) m. Promulgación o publicación que en voz alta se hace en los sitios públicos de una cosa que conviene que todos sepan. ‖ **2.** Discurso elogioso en que se anuncia al público la celebración de una festividad y se le incita a participar en ella. ‖ **3.** ant. Alabanza hecha en público de una persona o cosa. ‖ **4.** *Ast.* y *Cantabria.* Proclama o amonestación canónica de próximo matrimonio, en que se leen los nombres y circunstancias de los que han de casarse. ‖ **tras cada pregón, azote.** expr. fig. y fest. con que se zahiere al que tras cada bocado quiere beber.

pregonar. (Del lat. *praeconāre.*) tr. Publicar, hacer notoria en voz alta una cosa para que llegue a conocimiento de todos. ‖ **2.** Decir y publicar a voces uno la mercancía o género que lleva para vender. ‖ **3.** fig. Publicar lo que estaba oculto o lo que debía callarse. ‖ **4.** fig. Alabar en público los hechos, virtudes o cualidades de una persona. ‖ **5.** p. us. Declarar a uno malhechor, proscribir.

pregonería. f. Oficio o ejercicio del pregonero. ‖ **2.** Cierto derecho o tributo.

pregonero, ra. (De *pregón.*) adj. Que publica o divulga una cosa que se ignoraba. Ú. t. c. s. ‖ **2.** m. Oficial público que en alta voz da los pregones, publica y hace notorio lo que se quiere hacer saber a todos. ‖ **mayor.** Dignidad o empleo honorífico que percibía ciertos emolumentos por los arriendos de las rentas públicas.

pregunta. (De *preguntar.*) f. Demanda o interrogación que se hace para que uno responda lo que sabe de un negocio u otra cosa. ‖ **2.** pl. Serie de preguntas, comúnmente formuladas por escrito; interrogatorio. ‖ **absolver las preguntas.** fr. Responder el testigo a las de un interrogatorio o declarar a su tenor bajo juramento. ‖ **andar, estar,** o **quedar,** uno **a la cuarta pregunta.** fr. fig. y fam. Estar escaso de dinero o no tener ninguno.

preguntadera. f. *Col.* Acción reiterada y fastidiosa de preguntar.

preguntador, ra. (Del lat. *percontātor, -ōris.*) adj. Que pregunta. Ú. t. c. s. ‖ **2.** Molesto e impertinente en preguntar. Ú. t. c. s.

preguntar. (Del lat. *percontāri.*) tr. Demandar e interrogar o hacer preguntas a uno para que diga y responda lo que sabe sobre un asunto. Ú. t. c. prnl. ‖ **2.** Exponer en forma de interrogación un asunto, bien para indicar duda o bien para vigorizar la expresión, cuando se reputa imposible o absurda la respuesta en determinado sentido. Ú. t. c. prnl.

pregunteo. m. Acción y efecto de preguntar.

preguntón, na. adj. fam. Dícese del que pregunta con insistencia.

pregustación. f. Acción y efecto de pregustar.

pregustar. (Del lat. *praegustāre.*) tr. Hacer la salva de reyes y grandes señores.

prehelénico, ca. adj. Perteneciente o relativo a la Grecia anterior a la civilización de los antiguos helenos.

prehispánico, ca. adj. Dícese de la América anterior a la conquista y colonización españolas, y de sus pueblos, lenguas y civilizaciones.

prehistoria. f. Período de la vida de la humanidad anterior a todo documento escrito y que solo se conoce por determinados vestigios: construcciones, instrumentos, huesos humanos o de animales, etc. ‖ **2.** Estudio de este período. ‖ **3.** Obra que versa acerca de ese período. ‖ **4.** Período en que se incuba un movimiento cultural, religioso, político, etc. *La* PREHISTORIA *del Romanticismo está en el siglo XVIII.* ‖ **5.** En una actividad humana determinada, período que antecede a un momento de especial significación.

prehistórico, ca. adj. Perteneciente o relativo al período estudiado por la prehistoria. ‖ **2.** fig. Anticuado, viejo.

prehomínido. adj. *Zool.* Primate fósil próximo a la línea filética de la especie humana, como el pitecántropo o la raza de Neandertal, junto a cuyos restos se han hallado vestigios de cultura. Ú. t. c. s.

preinserto, ta. (De *pre-* e *inserto.*) adj. Que antes se ha insertado.

prejudicial. (Del lat. *praeiudiciālis.*) adj. *Der.* Que requiere o pide decisión anterior y previa a la sentencia de lo principal. ‖ **2.** *Der.* Dícese de la acción o excepción que ante todas las cosas se debe examinar y definir. ‖ **3.** *Der.* V. **cuestión prejudicial.**

prejudicio. (Del lat. *praeiudicĭum.*) m. p. us. **prejuicio.**

prejuicio. m. Acción y efecto de prejuzgar.

prejuzgar. (Del lat. *praeiudicāre.*) tr. Juzgar de las cosas antes del tiempo oportuno, o sin tener de ellas cabal conocimiento.

prelacía. f. Dignidad u oficio de prelado.

prelación. (Del lat. *praelatĭo, -ōnis.*) f. Antelación o preferencia con que una cosa debe ser atendida respecto de otra con la cual se compara.

prelada. (Del lat. *praelāta,* t. f. de *-tus,* prelado.) f. Superiora de un convento de religiosas.

prelado. (Del lat. *praelātus,* puesto delante, preferido.) m. Superior eclesiástico constituido en una de las dignidades de la Iglesia, como abad, obispo, arzobispo, etc. ‖ **2.** Superior de un convento o comunidad eclesiástica. ‖ **consistorial.** Superior de canónigos o monjes que se provee por el consistorio del papa. ‖ **doméstico.** Eclesiástico de la familia del papa.

prelaticio, cia. adj. Propio del prelado. *Traje* PRELATICIO.

prelatura. (Del b. lat. *praelatūra.*) f. Dignidad y oficio de prelado.

preliminar. (Del lat. *prae,* antes, y *limināris,* del umbral, de la puerta.) adj. Que sirve de preámbulo o proemio para tratar sólidamente una materia. ‖ **2.** fig. Que antecede o se antepone a una acción, a una empresa, a un litigio o a un escrito o a otra cosa. Ú. t. c. s. ‖ **3.** m. Cada uno de los artículos generales que sirven de fundamento para el ajuste y tratado de paz definitivo entre las potencias contratantes o sus ejércitos. Ú. m. en pl.

preliminarmente. adv. m. Con anticipación, con anterioridad.

prelucir. (Del lat. *praelucēre.*) intr. Lucir con anticipación.

preludiar. (De *preludio.*) intr. *Mús.* Probar, ensayar un instrumento o la voz, por medio de escalas, arpegios, etc., antes de comenzar la pieza principal. Ú. t. c. tr. ‖ **2.** tr. fig. Preparar o iniciar una cosa, darle entrada.

preludio. (Del lat. *praeludĭum.*) m. Lo que precede y sirve de entrada, preparación o principio a una cosa. ‖ **2.** *Mús.* Lo que se toca o canta para ensayar la voz, probar los instrumentos o fijar el tono, antes de comenzar la ejecución de una obra musical. ‖ **3.** *Mús.* Composición musical de corto desarrollo y libertad de forma, generalmente destinada a preceder la ejecución de otras obras. ‖ **4.** *Mús.* Obertura o sinfonía, pieza que antecede a una obra musical.

prelusión. (Del lat. *praelusĭo, -ōnis.*) f. Preludio, introducción de un discurso o tratado.

premamá. adj. Aplícase a la ropa o accesorios destinados a las mujeres embarazadas.

premática. f. desus. **pragmática.**

prematrimonial adj. Dícese de lo que se realiza inmediatamente antes del matrimonio o como preparación a él. *Relaciones* PREMATRIMONIALES; *cursillos* PREMATRIMONIALES.

prematuramente. adv. t. Antes de tiempo, fuera de sazón.

prematuro, ra. (Del lat. *praematūrus.*) adj. Que no está en sazón. ‖ **2.** Que ocurre antes de tiempo. ‖ **3.** Dícese del niño que nace antes del término de la gestación. Ú. t. c. s. ‖ **4.** *Der.* Aplícase a la mujer que no ha llegado a edad de admitir varón.

premeditación. (Del lat. *praemeditatĭo, -ōnis.*) f. Acción de premeditar. ‖ **2.** *Der.* Una de las circunstancias que agravan la responsabilidad criminal de los delincuentes.

premeditadamente. adv. m. Con premeditación.

premeditar. (Del lat. *praemeditāri.*) tr. Pensar reflexivamente una cosa antes de ejecutarla. ‖ **2.** *Der.* Proponerse de caso pensado perpetrar un delito, tomando al efecto previas disposiciones.

premia. (De *premiar²*.) f. ant. Apremio, fuerza, coacción. ‖ **2.** Urgencia, necesidad, precisión. ‖ **3.** V. **caballero de premia.**

premiación. f. *Bol., Ecuad.* y *Perú.* Acción y efecto de premiar, distribuir los premios asignados en un concurso, una competencia, etc. ‖ **2.** En diversos países de América, reparto o distribución de premios en un concurso, competencia, etc.

premiador, ra. adj. Que premia. Ú. t. c. s.

premiar¹. (Del lat. *praemiāri.*) tr. Remunerar, galardonar con mercedes, privilegios, empleos o rentas los méritos y servicios de uno.

premiar². (Del lat. *premĕre.*) tr. ant. Dar prisa, apremiar.

premiativo, va. adj. ant. Decíase de lo que premia² o da prisa.

premidera. (De *premir.*) f. Un listón del telar que sirve de pedal, cárcola.

premio. (Del lat. *praemĭum.*) m. Recompensa, galardón o remuneración que se da por algún mérito o servicio. ‖ **2.** Vuelta, demasía, cantidad que se añade al precio o valor por vía de compensación o de incentivo. ‖ **3.** Aumento de valor dado a algunas monedas o por el curso del cambio internacional. ‖ **4.** Cada uno de los lotes sorteados en la lotería nacional. ‖ **5.** Recompensa que se otorga en rifas, sorteos o concursos. ‖ **extraordinario.** Máxima calificación que puede otorgarse en una graduación académica. ‖ **gordo.** fig. y fam. El lote o **premio** mayor de la lotería pública, y especialmente el correspondiente a la de Navidad. ‖ **a premio.** loc. adv. Con interés o rédito.

premiosamente. adv. m. De manera premiosa.

premiosidad. f. Calidad de premioso.

premioso, sa. (De *premiar²*.) adj. Tan ajustado o apretado, que dificultosamente se puede mover. ‖ **2.** Gravoso, molesto. ‖ **3.** Que apremia o estrecha. ‖ **4.** fig. p. us. Rígido, estricto. ‖ **5.** fig. Dícese de la persona falta de expedición o de agilidad, tarda, torpe para la acción o la expresión. ‖ **6.** Dícese de la persona que habla o escribe con mucha dificultad. ‖ **7.** fig. Dícese también del lenguaje o estilo que carece de espontaneidad y soltura.

premir. (Del lat. *premĕre.*) tr. ant. Oprimir, apretar.

premisa. (Del lat. *praemissa,* puesta o colocada delante.) f. *Lóg.* Cada una de las dos primeras proposiciones del silogismo, de donde se infiere y saca la conclusión. ‖ **2.** fig. Señal o indicio por donde se infiere una cosa o se viene en conocimiento de ella. ‖ **mayor.** *Lóg.* Primera proposición de un silogismo. ‖ **menor.** *Lóg.* Segunda proposición de un silogismo.

premiso, sa. (Del lat. *praemissus,* p. p. de *praemittĕre,* enviar delante.) adj. Prevenido, propuesto o enviado con anticipación. ‖ **2.** *Der.* Que precede. Solo tiene uso en algunas fórmulas. PREMISA *la venia necesaria.*

premitir. (Del lat. *praemittĕre.*) tr. ant. Adelantar, anticipar.

premoción. (Del lat. *praemotĭo, -ōnis.*) f. Moción anterior, que incluye a otro efecto u operación. Es de uso escolástico.

premolar. adj. Dícese de los molares que en la dentición del mamífero adulto han reemplazado a los de la primera dentición; están situados al lado de los caninos y su raíz es más sencilla que la de las otras muelas. Ú. m. c. s.

premonición. m. Presentimiento, presagio. ‖ **2.** Advertencia moral.

premonitor, ra. adj. Que anuncia o presagia.

premonitorio, ria. (Del lat. *praemonitorĭus*, que avisa anticipadamente.) adj. **premonitor.** ‖ **2.** Que tiene carácter de premonición o advertencia moral. ‖ **3.** *Med.* Se dice del fenómeno o síntoma precursor de alguna enfermedad y del estado de la persona en que se manifiestan.

premonstratense. adj. Dícese de la orden de canónigos regulares fundada por San Norberto, y de los individuos que la profesan. Apl. a pers., ú. t. c. s.

premoriencia. (Del lat. *praemorĭens, -entis*, premoriente.) f. *Der.* Muerte anterior a otra.

premoriente. (Del lat. *praemorĭens, -entis*.) p. a. de **premorir.** *Der.* Que premuere. Ú. t. c. s.

premorir. (Del lat. *praemŏri*.) intr. *Der.* Morir una persona antes que otra.

premostrar. (Del lat. *praemonstrāre*.) tr. Mostrar con anticipación a otra condición o circunstancia.

premostratense. adj. **premonstratense.** Apl. a pers., ú. t. c. s.

premuerto, ta. (Del lat. *praemortŭus*.) p. p. irreg. de **premorir.** Ú. t. c. s.

premunir. tr. *Amér.* Proveer de alguna cosa como prevención o cautela para algún fin. Ú. t. c. prnl.

premura. (Del it. *premura*.) f. Aprieto, apuro, prisa, urgencia, instancia.

prenatal. adj. Que existe o se produce antes del nacimiento.

prenda. (Del lat. *pignŏra*, pl. n. de *pignus*.) f. Cosa mueble que se sujeta especialmente a la seguridad o cumplimiento de una obligación. ‖ **2.** Cualquiera de las alhajas, muebles o enseres de una casa, particularmente cuando se dan a vender. ‖ **3.** Cualquiera de las partes que componen el vestido y calzado del hombre o de la mujer. ‖ **4.** Lo que se da o hace en señal, prueba o demostración de una cosa. ‖ **5.** fig. Cualquier cosa no material que sirve de seguridad y firmeza para un objeto. ‖ **6.** fig. Lo que se ama intensamente; como hijos, mujer, amigos, etc. ‖ **7.** fig. Cada una de las perfecciones o cualidades físicas o morales que posee una persona. *Hombre de* PRENDAS. ‖ **8.** pl. **juego de prendas.** ‖ **pretoria.** *Der.* La constituida por autoridad del juez, comprensiva de los productos de la cosa empeñada o trabada. ‖ **en prenda, o en prendas.** loc. adv. En empeño o fianza. ‖ **estar por más la prenda.** fr. fig. y fam. com que se nota que la retribución o recompensa que hace uno para mostrar su agradecimiento es inferior a los beneficios recibidos. ‖ **hacer prenda.** fr. Retener una alhaja para la seguridad de un crédito. ‖ **2.** fig. Valerse de un dicho o hecho para reconvenir con él y obligar a la ejecución de lo que se ha ofrecido. ‖ **meter prendas.** fr. fig. Introducirse a participar en un negocio o dependencia. ‖ **no dolerle** a alguien **prendas.** fr. fig. Ser fiel cumplidor de sus obligaciones. ‖ **2.** fig. No escatimar garantías, concesiones, gastos o recursos para lograr un acuerdo u otro propósito cualquiera. ‖ **sacar prendas.** fr. **embargar.** ‖ **soltar prenda** alguien. fr. fig. y fam. Decir algo que le deje comprometido a una cosa. Ú. m. con negación.

prendador, ra. (Del lat. *pignorātor, -ōris*.) adj. Que prenda o saca una prenda. Ú. t. c. s.

prendamiento. m. Acción y efecto de prendar o prendarse.

prendar. (Del lat. *pignorāre*.) tr. Sacar una prenda o alhaja como garantía de una deuda o como pago de un daño recibido. ‖ **2.** Ganar la voluntad y agrado de uno. ‖ **3.** prnl. Aficionarse, enamorarse de una persona o cosa. Ú. con la prep. *de*.

prendario, ria. adj. Relativo a la prenda. *Mercancia* PRENDARIA.

prendedero. m. Cualquier instrumento que sirve para prender o asir una cosa. ‖ **2.** Broche con que las mujeres prendían las sayas para enfaldarlas. ‖ **3. prendedor,** broche

que las mujeres usan como adorno o para sujetar alguna prenda. ‖ **4.** Cinta o tira de tela usada para asegurar el pelo.

prendedor. m. El que prende. ‖ **2.** Cualquier instrumento que sirve para prender. ‖ **3.** Instrumento para prender papeles. ‖ **4.** Broche que las mujeres usan como adorno o para sujetar alguna prenda.

prendedura. (De *prender*, cubrir.) f. Pinta sanguínea de la yema del huevo, galladura.

prender. (Del lat. vulg. *prendĕre*.) tr. Asir, agarrar, sujetar una cosa. ‖ **2.** Sujetar una cosa a otra mediante un alfiler, unas puntadas, etc. ‖ **3.** Asegurar a una persona privándola de la libertad, y principalmente, ponerla en la cárcel por delito cometido u otra causa. ‖ **4.** Hacer presa una cosa en otra, enredarse. ‖ **5.** Cubrir o fecundar el macho o fecundarse la hembra. ‖ **6.** Hablando del fuego, de la luz o de cosas combustibles, encender o incendiar. ‖ **7.** Adornar, ataviar, engalanar a una mujer. Ú. t. c. prnl. ‖ **8.** ant. Tomar, recibir. ‖ **9.** intr. Arraigar la planta en la tierra. ‖ **10.** Empezar a ejecutar su cualidad o comunicar su virtud una cosa a otra, ya sea material o inmaterial. Dícese regularmente del fuego cuando empieza a quemar una cosa.

prendería. f. Tienda en que se compran y venden prendas, alhajas o muebles usados.

prendero, ra. m. y f. Persona que tiene prendería o comercia con muebles, alhajas o prendas.

prendido, da. p. p. de **prender.** ‖ **2.** m. Adorno, especialmente el que las mujeres se ponen en el pelo. ‖ **3.** Patrón o dibujo picado que sirve de regla para hacer los encajes. ‖ **4.** Parte del encaje hecha sobre lo que ocupa el dibujo.

prendimiento. m. Acción de prender; prisión, captura. ‖ **2.** Por antonom., el de Jesucristo en el Huerto, y la pintura o grupo escultórico que lo representa.

prenoción. (Del lat. *praenotĭo, -ōnis*.) f. *Fil.* Anticipada noción o primer conocimiento de las cosas.

prenombre. (Del lat. *praenōmen, -inis*.) m. Nombre que entre los romanos precedía al de familia.

prenotar. (Del lat. *praenotāre*.) tr. Notar con anticipación.

prensa. (Del cat. *premsa*.) f. Máquina que sirve para comprimir, y cuya forma varía según los usos a que se aplica. ‖ **2.** fig. Taller donde se imprime, imprenta. ‖ **3.** fig. Conjunto o generalidad de las publicaciones periódicas y especialmente las diarias. ‖ **4.** fig. Conjunto de personas dedicadas al periodismo. *Han permitido que la* PRENSA *entre en el juicio.* ‖ **5.** V. **conferencia, rueda de prensa.** ‖ **amarilla.** La caracterizada por su entrega al sensacionalismo. ‖ **dar a la prensa.** fr. Imprimir y publicar una obra. ‖ **entrar, o meter, en prensa.** fr. Comenzar la tirada del impreso. ‖ **meter en prensa** a uno. fr. fig. Apretarle y estrecharle mucho para obligarle a ejecutar una cosa. ‖ **sudar la prensa.** fr. fig. Imprimir mucho o continuamente. ‖ **tener** uno **buena,** o **mala, prensa.** fr. fig. Serle favorable o adversa. ‖ **2.** fig. Gozar de buena o mala fama.

prensado, da. p. p. de **prensar.** ‖ **2.** m. Acción y efecto de prensar. ‖ **3.** Lustre, lisura o labor que queda en los tejidos o telas por efecto de la prensa.

prensador, ra. adj. Que prensa. Ú. t. c. s.

prensadura. f. Acción de prensar.

prensaestopas. m. *Mec.* Pieza metálica roscada con que se aprieta la estopa alrededor del vástago movible de un grifo o llave de paso, para evitar la salida de líquidos o gases.

prensar. tr. Apretar en la prensa una cosa.

prensero. m. *Col.* Cada uno de los individuos que introducen la caña en los trapiches.

prensil. (Del lat. *prensus, prehensus*.) adj. Que sirve para asir o coger. *Cola, trompa* PRENSIL.

prensión. (Del lat. *prehensĭo, -ōnis.*) f. Acción y efecto de prender una cosa.

prensista. com. Persona que en las imprentas trabaja en la prensa.

prensor, ra. (Del lat. *prehensus*, p. p. de *prehendĕre*, coger.) adj. Que prende o agarra. ‖ **2.** Dícese de las aves de mandíbulas robustas, la superior encorvada desde la base, y las patas con dos dedos dirigidos hacia atrás; como el guacamayo y el loro. Ú. t. c. s. ‖ **3.** f. pl. *Zool.* En clasificaciones zoológicas en desuso, las especies representantes de algunos órdenes de aves, en especial del de las psitaciformes.

prenunciar. (Del lat. *praenuntiāre.*) tr. Anunciar de antemano.

prenuncio. (Del lat. *praenuntĭus.*) m. Anuncio anticipado, presagio.

preñado[1]. (Del lat. *praegnātus*, embarazo.) m. Embarazo de la mujer. ‖ **2.** Tiempo que dura el embarazo. ‖ **3.** Feto o criatura en el vientre materno.

preñado[2], da. p. p. de **preñar.** ‖ **2.** adj. Dícese de la mujer, o de la hembra de cualquier especie, que ha concebido y tiene el feto o la criatura en el vientre. ‖ **3.** fig. Dícese de la pared que está desplomada y forma como una barriga. ‖ **4.** fig. Lleno o cargado. *Nube* PREÑADA. ‖ **5.** fig. Que incluye en sí una cosa que no se descubre. ‖ **6.** fig. V. **palabra preñada.**

preñar. (Del lat. **praegnāre.*) tr. Empreñar, fecundar o hacer concebir a la hembra. ‖ **2.** fig. Llenar, henchir.

preñez. f. Embarazo de la mujer o de la hembra de cualquier especie. ‖ **2.** Tiempo que dura el embarazo. ‖ **3.** fig. Estado de un asunto que no ha llegado a su resolución. ‖ **4.** fig. Confusión, dificultad, oscuridad de alguna cosa. *La obligación de ser Rey era una* PREÑEZ *espiritual.*

preocupación. (Del lat. *praeoccupatĭo, -ōnis.*) f. Acción y efecto de preocupar o preocuparse.

preocupadamente. adv. m. Con preocupación.

preocupar. (Del lat. *praeoccupāre.*) tr. Ocupar antes o anticipadamente una cosa, o prevenir a uno en la adquisición de ella. ‖ **2.** Producir intranquilidad, temor, angustia o inquietud algo que ha ocurrido o va a ocurrir. Ú. t. c. prnl. ‖ **3.** Interesar algo a alguien de modo que le sea difícil admitir o pensar en otras cosas. ‖ **4.** prnl. Estar interesado o encaprichado en favor o en contra de una persona, opinión u otra cosa.

preopinante. (Del lat. *praeopīnans, -antis*, p. a. de *praeopīnāri*, pensar de antemano.) adj. Dícese de cualquiera de los que en una discusión ha hablado o manifestado su opinión antes que otro. Ú. t. c. s.

preordinación. (Del lat. *praeordinatĭo, -ōnis.*) f. *Teol.* Acción y efecto de preordinar.

preordinadamente. adv. m. *Teol.* Con preordinación.

preordinar. (Del lat. *praeordināre.*) tr. *Teol.* Determinar Dios y disponer todas las cosas ab aeterno para que tengan su efecto en los tiempos que les pertenecen.

prepalatal. adj. *Fon.* Dícese del sonido que se pronuncia aplicando o acercando el dorso de la lengua a la parte anterior del paladar. ‖ **2.** Dícese de la letra que representa este sonido, como la *ch.* Ú. t. c. s. f.

preparación. (Del lat. *praeparatĭo, -ōnis.*) f. Acción y efecto de preparar o prepararse. ‖ **2.** Conocimientos que alguien tiene de cierta materia. ‖ **3.** *Farm.* Preparado farmacológico. ‖ **4.** *Hist. Nat.* Porción de un tejido o de cualquier otro material, dispuesta sobre un portaobjeto para su observación microscópica. ‖ **anatómica.** Parte del organismo especialmente disecada para su estudio anatómico.

preparado, da. p. p. de **preparar.** ‖ **2.** adj. *Farm.* Dícese de la droga o medicamento **preparado.** Ú. t. c. s. m.

preparador, ra. (Del lat. *praeparātor, -ōris.*) m. y f. Persona que prepara. ‖ **2.** Entrenador o responsable del rendimiento de un deportista o de un equipo.

preparamento. m. **preparamiento.**

preparamiento. m. Acción y efecto de preparar o prepararse.

preparar. (Del lat. *praeparāre.*) tr. Prevenir, disponer o hacer una cosa con alguna finalidad. ‖ **2.** Prevenir o disponer a una persona para una acción futura. ‖ **3.** Hacer las operaciones necesarias para obtener un producto. ‖ **4.** Estudiar. Ú. t. c. prnl. ‖ **5.** Enseñar, dar clases a alguien antes de una prueba. ‖ **6.** *Farm.* Templar la fuerza del principio activo de las medicinas hasta reducirlas al grado conveniente para la curación. ‖ **7.** prnl. Disponerse, prevenirse y aparejarse para ejecutar una cosa o con algún otro fin determinado.

preparativo, va. adj. Dícese de lo que se prepara para algo. ‖ **2.** m. Cosa dispuesta y preparada. ‖ **3.** Lo que se hace para preparar algo. Ú. m. en pl. *Los* PREPARATIVOS *de la boda me ocupan todo el día.*

preparatoriamente. adv. m. Con preparación.

preparatorio, ria. (Del lat. *praeparatorĭus.*) adj. Dícese de lo que se prepara y dispone.

prepasado, da. (De *pre-* y *pasado.*) adj. ant. Dícese del tiempo ya pasado. Usáb. t. c. s.

preponderancia. f. Exceso del peso, o mayor peso, de una cosa respecto de otra. ‖ **2.** fig. Superioridad de crédito, consideración, autoridad, fuerza, etc.

preponderar. (Del lat. *praeponderāre.*) intr. Pesar más una cosa respecto de otra. ‖ **2.** fig. Prevalecer o hacer más fuerza una opinión u otra cosa que aquella con la cual se compara. ‖ **3.** fig. Ejercer una persona o un conjunto de ellas influjo dominante o decisivo.

preponer. (Del lat. *praeponĕre.*) tr. Anteponer o preferir una cosa a otra.

preposición. (Del lat. *praepositĭo, -ōnis.*) f. *Gram.* Parte invariable de la oración, cuyo oficio es denotar el régimen o relación que entre sí tienen dos palabras o términos. También se usa como prefijo. ‖ **inseparable.** *Gram.* Prefijo que funcionaba primitivamente como **preposición.** No se pueden utilizar solas: *intra*, *extra*, etc.

preposicional. adj. *Gram.* Dícese de la voz que tiene caracteres o cualidades propios de las preposiciones o pueden usarse como tales. ‖ **2.** *Gram.* Dícese del sintagma que se introduce en una oración por medio de una preposición.

prepositivo, va. (Del lat. *praepositīvus.*) adj. Perteneciente o relativo a la preposición. ‖ **2.** *Gram.* V. **locución, partícula prepositiva.**

prepósito. (Del lat. *praepositus.*) m. Sujeto que preside o manda en algunas religiones o comunidades religiosas.

prepositura. (Del lat. *praepositūra.*) f. Dignidad, empleo o cargo de prepósito. ‖ **2.** *Val.* Dignidad de pavorde.

preposteración. (Del lat. *praeposteratĭo, -ōnis.*) f. Acción y efecto de preposterar.

prepósteramente. adv. m. y t. Fuera de tiempo u orden.

preposterar. (Del lat. *praeposterāre.*) tr. Trastrocar el orden de algunas cosas, poniendo después lo que debía estar antes.

prepóstero, ra. (Del lat. *praeposterus*; de *prae*, antes, y *posterus*, postrero.) adj. Trastrocado, hecho al revés y sin tiempo.

prepotencia. (Del lat. *praepotentĭa.*) f. Cualidad de prepotente.

prepotente. (Del lat. *praepōtens, -entis.*) adj. Más poderoso que otros, o muy poderoso. Ú. t. c. s. com. ‖ **2.** Que abusa de su poder o hace alarde de él. Ú. t. c. s. com.

prepucio. (Del lat. *praeputĭum.*) m. *Anat.* Piel móvil que cubre el bálano. ‖ **del clítoris.** Pliegue mucoso formado por los labios menores que cubren el clítoris.

prepuesto, ta. (Del lat. *praepositus.*) p. p. irreg. de **preponer.**

prerrafaelismo. m. Arte y estilo pictóricos anteriores a Rafael de Urbino. ‖ **2.** Movimiento estético inglés de la segunda mitad del s. XIX, que propugnaba la imitación del arte inmediatamente anterior a Rafael de Urbino.

prerrafaelista. adj. Perteneciente o relativo al prerrafaelismo. ‖ **2.** Dícese de los pintores anteriores a Rafael de Urbino. Ú. t. c. s. ‖ **3.** com. Miembro de la Hermandad Prerrafaelista constituida en Inglaterra en la segunda mitad del s. XIX, o seguidor de ella.

prerrogativa. (Del lat. *praerogativa.*) f. Privilegio, gracia o exención que se concede a uno para que goce de ella, aneja regularmente a una dignidad, empleo o cargo. ‖ **2.** Facultad importante de alguno de los poderes supremos del Estado, en orden a su ejercicio o a las relaciones con los demás poderes de clase semejante. ‖ **3.** fig. Atributo de excelencia o dignidad muy honrosa en cosa inmaterial.

prerromance. adj. *Ling.* Aplícase a cada una de las lenguas que existieron en los territorios donde después se impuso el latín. Ú. t. c. s. m.

prerrománico, ca. adj. Dícese del arte medieval de la Europa Occidental anterior al románico. Ú. t. c. s. m. ‖ **2.** Perteneciente o relativo a este arte.

prerromano, na. adj. Anterior al dominio o civilización de los antiguos romanos.

prerromanticismo. m. Caracteres y condiciones de algunos escritores y sus obras, semejantes a los de la escuela romántica, pero antes de su establecimiento y predominio.

prerromántico, ca. adj. Perteneciente o relativo al prerromanticismo. ‖ **2.** Dícese de la literatura y trabajos literarios publicados o escritos en España antes de 1835. Ú. t. c. s. ‖ **3.** Dícese del autor cuya obra es de un carácter del prerromanticismo. Ú. t. c. s.

presa. (Del lat. *prensa*, p. p. de *prendĕre*, coger, agarrar.) f. Acción de prender o tomar una cosa. ‖ **2.** Cosa apresada o robada. ‖ **3.** Animal que es o puede ser cazado o pescado. ‖ **4.** Acequia o zanja de regar. ‖ **5.** Muro grueso de piedra u otros materiales que se construye a través de un río, arroyo o canal, para almacenar el agua a fin de derivarla o regular su curso fuera del cauce. ‖ **6. represa,** lugar donde las aguas están detenidas o almacenadas. ‖ **7.** Conducto por donde se lleva el agua para dar movimiento a las ruedas de los molinos u otras máquinas hidráulicas. ‖ **8.** Tajada, pedazo o porción pequeña de una cosa comestible. ‖ **9.** Cada uno de los colmillos o dientes agudos y grandes que tienen en ambas quijadas algunos animales. ‖ **10.** Lance de lucha o juego en que el luchador sujeta e inmoviliza al contrario, llave. ‖ **11.** fig. Persona, animal o cosa que sufre o padece aquello que se expresa. *Fue* PRESA *del terror al ver arder su vivienda.* ‖ **12.** V. **perro de presa.** ‖ **13.** *Ar.* Cocido para enfermos hecho con menos ingredientes que el normal. ‖ **14.** *Cetr.* Ave prendida por halcón u otra ave de rapiña. ‖ **15.** *Cetr.* Uña del halcón u otra ave de rapiña. ‖ **de caldo.** Pisto, jugo de carne machacada y prensada, especialmente para enfermos. ‖ **pinta. parar**[1], juego de cartas. ‖ **buena, o mala, presa.** La que ha sido hecha con arreglo, o en contravención, a las normas jurídicas internacionales de la navegación y del tráfico marítimo. ‖ **caer a la presa.** fr. *Cetr.* Bajar el halcón a hacer **presa** en el ave que se le ponen de muestra para adiestrarlo. ‖ **hacer presa.** fr. Asir a una persona, un animal o una cosa y asegurarla a fin de que no se escape. ‖ **2.** fig. Aprovechar la circunstancia, acción o situación en perjuicio ajeno y en favor del intento propio.

presada. (De *presa.*) f. Agua que se junta y retiene en el

caz del molino para servir de fuerza motriz durante cierto tiempo, si la corriente no basta para el trabajo continuo.

presado, da. (Del lat. *prasius*, de color verde.) adj. De color verde claro.

presagiar. (Del lat. *praesagiāre.*) tr. Anunciar o prever una cosa, induciéndola de presagios o conjeturándola.

presagio. (Del lat. *praesagium.*) m. Señal que indica, previene y anuncia un suceso. ‖ **2.** Especie de adivinación o conocimiento de las cosas futuras por medio de señales que se han visto o de intuiciones y sensaciones.

presagioso, sa. adj. Que presagia o contiene presagio.

présago, ga o **presago, ga.** (Del lat. *praesāgus.*) adj. Que anuncia, adivina o presiente algo.

presar. (Del lat. *prensāre, prehensāre.*) tr. ant. Aprehender, apresar.

presbicia. f. *Med.* Defecto o imperfección del présbita.

présbita o **présbite.** (Del gr. πρεσβύτης, a través del fr. *presbyte*, viejo.) adj. *Med.* Dícese de quien padece un defecto de la vista consistente en que por debilidad de la acomodación del ojo, se proyecta la imagen detrás de la retina y, en consecuencia, percibe confusos los objetos próximos y con mayor facilidad los lejanos. Ú. t. c. s.

presbiterado. (Del lat. *presbyterātus.*) m. Dignidad de presbítero.

presbiteral. adj. Perteneciente o relativo al presbítero.

presbiterato. m. **presbiterado.**

presbiteriano, na. adj. Dícese del protestante ortodoxo en Inglaterra, Escocia y América que no reconoce la autoridad episcopal sobre los presbíteros. Ú. t. c. s. ‖ **2.** Perteneciente a los **presbiterianos.**

presbiterio. (Del lat. *presbyterīum*, y este del gr. πρεσβυτέριον.) m. Área del altar mayor hasta el pie de las gradas por donde se sube a él, que regularmente suele estar cercada con una reja o barandilla. ‖ **2.** Reunión de los presbíteros con el obispo.

presbítero. (Del lat. *presbýter, -ěri*, y este del gr. πρεσβύτερος, más anciano.) m. Clérigo ordenado de misa, o sacerdote.

presciencia. (Del lat. *praescientĭa.*) f. Conocimiento de las cosas futuras.

prescindencia. f. Acción y efecto de prescindir.

prescindible. adj. Dícese de aquello de que se puede prescindir o hacer abstracción.

prescindir. (Del lat. *praescindĕre*, cortar por delante.) intr. Hacer abstracción de una persona o cosa; pasarla en silencio, omitirla. ‖ **2.** Abstenerse, privarse de ella, evitarla.

prescito, ta. adj. Condenado al infierno, precito. Ú. t. c. s.

prescribir. (Del lat. *praescribĕre.*) tr. Preceptuar, ordenar, determinar una cosa. ‖ **2.** Recetar, ordenar remedios. ‖ **3.** intr. Extinguirse un derecho, una acción o una responsabilidad. ‖ **4.** *Der.* Adquirir un derecho real o extinguirse un derecho o acción de cualquier clase por el transcurso del tiempo en las condiciones previstas por la ley. ‖ **5.** Concluir o extinguirse una carga, obligación o deuda por el transcurso de cierto tiempo.

prescripción. (Del lat. *praescriptĭo, -ōnis.*) f. Acción y efecto de prescribir. ‖ **2.** ant. Introducción, proemio o epígrafe con que se empieza una obra o escrito.

prescriptible. (De *prescripto.*) adj. Que puede prescribir o prescribirse.

prescripto, ta. p. p. irreg. **prescrito.**

prescrito, ta. (Del lat. *praescriptus.*) p. p. irreg. de **prescribir.**

presea. (Del lat. *praesidĭa*, pl. n. de *praesidĭum*, defensa.) f. Alhaja, joya, tela, etc., preciosas. ‖ **2.** ant. Mueble o utensilio que sirve para el uso y comodidad de las casas.

preselección. f. Selección previa.

preseleccionado, da. adj. Dícese de la persona que

ha sido seleccionada previamente para intervenir en algo, especialmente en alguna competición deportiva. Ú. t. c. s.

preseleccionar. tr. Seleccionar previamente.

presencia. (Del lat. *praesentĭa*.) f. Asistencia personal, o estado de la persona que se halla delante de otra u otras o en el mismo sitio que ellas. ‖ **2.** Por ext., asistencia o estado de una cosa que se halla delante de otra u otras o en el mismo sitio que ellas. ‖ **3.** Talle, figura y disposición del cuerpo. ‖ **4.** Representación, pompa, fausto. ‖ **5.** fig. Memoria de una imagen o idea, o representación de ella. ‖ **6.** *Quím.* V. **acción de presencia.** ‖ **de ánimo.** Serenidad o tranquilidad que conserva el ánimo, así en los sucesos adversos como en los prósperos. ‖ **de Dios.** Consideración de estar delante del Señor.

presencial. (Del lat. *praesentiālis*.) adj. Perteneciente o relativo a la presencia.

presencialmente. adv. m. Con presencia, personalmente.

presenciar. tr. Hallarse presente o asistir a un hecho, acontecimiento, etc.

presenil. adj. *Med.* Dícese de los estados o fenómenos de apariencia senil, pero ocurridos antes de la senectud.

presentable. adj. Que está en condiciones de presentarse o ser presentado.

presentación. (Del lat. *praesentatĭo, -ōnis*) f. Acción y efecto de presentar o presentarse. ‖ **2.** Aspecto exterior de algo. *La* PRESENTACIÓN *de la moda está espléndida.* ‖ **3.** En las representaciones teatrales, el arte de hacerlas con propiedad y con la mayor perfección. *La* PRESENTACIÓN *de la comedia ha sido buena.* ‖ **4.** V. **asiento de presentación.** ‖ **5.** *Obst.* Parte del feto que se encaja en la pelvis y aparece al exterior en el parto. PRESENTACIÓN *de cara.* ‖ **6.** n. p. Fiesta particular que celebra la Iglesia el día 21 de noviembre, en conmemoración de que fue presentada la Virgen María a Dios por sus padres en el templo.

presentado, da. p. p. de **presentar.** ‖ **2.** adj. Aplícase en algunas órdenes religiosas al teólogo que ha seguido su carrera y, acabadas sus lecturas, está esperando el grado de maestro. Ú. t. c. s. ‖ **3.** *P. Rico.* Dícese de la persona entremetida. Ú. t. c. s. ‖ **4.** m. Eclesiástico que ha sido propuesto para una dignidad, un oficio o un beneficio en uso del derecho de patronato.

presentador, ra. adj. Que presenta. Ú. t. c. s. ‖ **2.** m. y f. Persona que, profesional u ocasionalmente, presenta y comenta un espectáculo, o un programa televisivo o radiofónico.

presentalla. (De *presentar.*) f. Ofrenda de los fieles a Dios o a los santos por un beneficio.

presentáneamente. adv. t. Ahora, al punto, sin intermisión de tiempo.

presentáneo, a. (Del lat. *praesentanĕus.*) adj. Eficaz de tal modo, que tiene virtud para producir prontamente y sin dilación su efecto.

presentar. (Del lat. *praesentāre.*) tr. Hacer manifestación de una cosa, ponerla en la presencia de alguien. Ú. t. c. prnl. ‖ **2.** Dar gratuita y voluntariamente una cosa a alguien. ‖ **3.** En frases construidas con voces como *excusas, respetos,* etc., ofrecer, dar. ‖ **4.** Tener ciertas características o apariencias. *La operación* PRESENTÓ *serias dificultades. Desde ayer el enfermo* PRESENTA *una notable mejoría.* ‖ **5.** Proponer a un sujeto para una dignidad, oficio o beneficio eclesiástico. ‖ **6.** Introducir a uno en la casa o en el trato de otro, a veces recomendándole personalmente. ‖ **7.** Colocar provisionalmente una cosa para ver el efecto que producirá colocada definitivamente. ‖ **8.** Dar a conocer al público a una persona o cosa. *A las ocho* PRESENTARÁN *la última obra de Cela.* ‖ **9.** Comentar o anunciar un espectáculo, un programa de televisión, de radio, etc. ‖ **10.** Dar el nombre de una persona a otra en presencia de am-

bas para que se conozcan. ‖ **11.** V. **presentar en sociedad.** ‖ **12.** prnl. Ofrecerse voluntariamente a la disposición de una persona para un fin. ‖ **13.** Comparecer en algún lugar o acto. ‖ **14.** Comparecer ante un jefe o autoridad de quien se depende. ‖ **15.** Aparecer en cierto lugar de forma inesperada o a una hora intempestiva o no acordada. ‖ **16.** Producirse, mostrarse, aparecer. *Ya* SE PRESENTÓ *la lluvia.* ‖ **17.** Darse a conocer una persona a otra sin que intervenga ningún mediador, indicándole el nombre y otras circunstancias que contribuyan a su identificación. ‖ **18.** *Der.* Comparecer en juicio.

presente. (Del lat. *praesens, -entis*.) adj. Que está delante o en presencia de uno, o concurre con él en el mismo sitio. Ú. t. c. s. ‖ **2.** Dícese del tiempo en que actualmente está uno cuando refiere una cosa. Ú. t. c. s. m. ‖ **3.** V. **palabras, participio de presente.** ‖ **4.** *Gram.* V. **tiempo presente.** Ú. t. c. s. ‖ **5.** m. Obsequio, regalo que una persona da a otra en señal de reconocimiento o afecto. ‖ **al presente,** o **de presente.** loc. adv. Ahora, cuando se está diciendo o tratando. ‖ **2.** En la época actual. ‖ **mejorando lo presente.** expr. que se emplea por cortesía cuando se alaba a una persona delante de otra. ‖ **por el, por la,** o **por lo, presente.** loc. adv. Por ahora, en este momento. ‖ **tener presente** a alguien o algo. fr. fig. Recordarlo, retenerlo en la memoria.

presentemente. adv. t. Ahora.

presentero. m. El que presenta para prebendas o beneficios eclesiásticos.

presentimiento. m. Acción y efecto de presentir.

presentir. (Del lat. *praesentĭre*.) tr. Intuir, tener la sensación de que algo va a suceder. ‖ **2.** Adivinar una cosa antes que suceda, por algunos indicios o señales que la preceden.

presepio. (Del lat. *praesepĭum*.) m. Pesebre de las bestias. ‖ **2.** Lugar cubierto para caballos y bestias de carga. ‖ **3.** Lugar cubierto para ganado.

presera. (De *presa,* por alusión a los aguijones de esta planta.) f. **amor de hortelano,** planta.

presero. m. Guarda de una presa o acequia.

preservación. f. Acción y efecto de preservar o preservarse.

preservador, ra. adj. Que preserva. Ú. t. c. s.

preservar. (Del lat. *praeservāre.*) tr. Proteger, resguardar anticipadamente a una persona, animal o cosa, de algún daño o peligro. Ú. t. c. prnl.

preservativamente. adv. m. Con preservación, a fin de preservar.

preservativo, va. adj. Que tiene virtud o eficacia de preservar. ‖ **2.** m. Funda fina y elástica para cubrir el pene durante el coito, a fin de evitar la fecundación o el posible contagio de enfermedades.

presidario. m. **presidiario.**

presidencia. f. Dignidad, empleo o cargo de presidente. ‖ **2.** Acción de presidir. ‖ **3.** Sitio que ocupa el presidente o su oficina o morada. ‖ **4.** Tiempo que dura el cargo. ‖ **5.** Persona o conjunto de personas que presiden algo.

presidencial. adj. Perteneciente a la presidencia o al presidente. *Silla* PRESIDENCIAL; *atribuciones* PRESIDENCIALES.

presidencialismo. m. Sistema de organización política en que el presidente de la República es también jefe del gobierno, sin depender de la confianza de las Cámaras.

presidencialista. adj. Perteneciente al presidencialismo, o partidario de él.

presidenta. f. La que preside. ‖ **2. presidente,** cabeza de un gobierno, consejo, tribunal, junta, sociedad, etc. ‖ **3. presidente,** jefa del Estado. ‖ **4.** fam. Mujer del presidente.

presidente. (Del lat. *praesĭdens, -entis*.) p. a. de **presidir.** Que preside. ‖ **2.** com. Persona que preside. ‖ **3.** Cabeza o superior de un gobierno, consejo, tribunal, junta, sociedad, etc. ‖ **4.** En los regímenes republicanos, el jefe del Estado normalmente elegido por un plazo fijo. ‖ **5.** m. Entre los romanos, juez gobernador de una provincia. ‖ **6.** En algunas religiones, el que substituye al prelado. ‖ **7.** Maestro que, puesto en la cátedra, asistía al discípulo que realizaba un ejercicio literario.

presidiable. adj. Que merece estar en presidio, establecimiento penitenciario.

presidiar. (Del lat. *praesidiāri*.) tr. Guarnecer con soldados un puesto, plaza o castillo para que estén guardados y defendidos.

presidiario, ria. m. y f. Persona que cumple en presidio su condena.

presidio. (Del lat. *praesidĭum*.) m. Guarnición de soldados que se ponía en las plazas, castillos y fortalezas para su custodia y defensa. ‖ **2.** Ciudad o fortaleza que se podía guarnecer de soldados. ‖ **3.** Establecimiento penitenciario en que, privados de libertad, cumplen sus condenas los penados por graves delitos. ‖ **4.** Conjunto de presidiarios de un mismo lugar. ‖ **5.** Pena consistente en la privación de libertad, señalada para varios delitos, con diversos grados de rigor y de tiempo. ‖ **6.** fig. m. p. us. Auxilio, ayuda, socorro, amparo.

presidir. (Del lat. *praesidēre*.) tr. Tener el primer puesto o lugar más importante o de más autoridad en una asamblea, corporación, junta, tribunal, acto, empresa, etc. ‖ **2.** Predominar, tener una cosa principal influjo. *Es un instituto en que la caridad lo* PRESIDE *todo.* ‖ **3.** Asistir el maestro desde la cátedra, al discípulo que realizaba un ejercicio literario.

presilla. (d. de *presa*.) f. Cordón pequeño con forma de anilla que se cose al borde de una prenda para pasar por él un botón, corchete, broche, etc. ‖ **2.** Costura que se hace para evitar que una tela se abra o se deshilache. ‖ **3.** desus. Cierta especie de tela.

presión[1]. (Del lat. *pressĭo, -ōnis*.) f. Acción y efecto de apretar o comprimir. ‖ **2.** Fuerza que ejerce un cuerpo sobre cada unidad de superficie. ‖ **3.** fig. Fuerza o coacción que se hace sobre una persona o colectividad. ‖ **4.** V. **grupo de presión.** ‖ **5.** V. **olla a presión.** ‖ **arterial. tensión arterial.** ‖ **atmosférica.** La que ejerce la atmósfera sobre todos los objetos inmersos en ella. ‖ **crítica. presión** característica de cada líquido, por encima de la cual es imposible que hierva por mucho que se caliente. ‖ **fiscal.** Relación existente entre los ingresos de la hacienda pública de un país y el valor del producto nacional neto. ‖ **osmótica.** *Fís.* La que ejercen las partículas de un cuerpo disuelto en un líquido sobre las paredes del recipiente que contiene la solución, y que es exactamente igual a la que ejercerían aquellas partículas si estuvieran en forma gaseosa en idénticas condiciones de volumen y temperatura. ‖ **sanguínea.** La **presión** ejercida por la sangre circulante sobre las paredes de los vasos. ‖ **social.** Conjunto de influencias que ejerce la sociedad sobre los individuos que la componen.

presión[2]. f. ant. **prisión.**

presionar. (De *presión*[1].) tr. Ejercer presión sobre alguna persona o cosa. ‖ **2.** *Mil.* Ejercer presión sobre el enemigo para hacerle abandonar sus posiciones.

preso, sa. (Del lat. *prensus*.) p. p. irreg. de **prender.** ‖ **2.** adj. Dícese de la persona que sufre prisión. Ú. t. c. s. ‖ **3.** fig. Dominado por un sentimiento, estado de ánimo, etc. *Fue* PRESO *de la ira ante tal calumnia.* ‖ **preso por mil, preso por mil y quinientos.** expr. fig. y fam. que advierte que el que llega a excederse en una cosa, se atreve a ejecutar otros muchos excesos, sin temor de la pena o riesgo que le amenaza. ‖ **2.** fig. y fam. Indica también la resolución de llevar a cabo un empeño, aunque sea con mayor coste o sacrificio de lo que se había pensado.

presocrático, ca. adj. Dícese de los filósofos griegos anteriores a Sócrates y de su filosofía. Ú. t. c. s. m.

prest. (Del fr. *prêt*, y este del lat. *praestus*, de *praesto*.) m. desus. Parte del haber del soldado que se le entregaba en mano semanal o diariamente.

presta. f. *Extr.* **hierbabuena.**

prestación. (Del lat. *praestatĭo, -ōnis*.) f. Acción y efecto de prestar. ‖ **2.** Cosa o servicio exigido por una autoridad o convenido en un pacto. ‖ **3.** Cosa o servicio que un contratante da o promete al otro. ‖ **4.** Renta, tributo o servicio pagadero al señor, al propietario o a alguna entidad corporativa. PRESTACIONES *jurisdiccionales, territoriales, enfitéuticas,* etc. ‖ **5. prestación social.** ‖ **6.** pl. Servicios, comodidades que ofrece una cosa. *Los automóviles actuales ofrecen buenas* PRESTACIONES. ‖ **personal.** Servicio personal obligatorio exigido por la ley a los vecinos de un pueblo para obras o servicios de utilidad común. ‖ **social.** Cada uno de los servicios que el Estado, instituciones públicas o empresas privadas deben dar a sus empleados.

prestadizo, za. adj. Que se puede prestar.

prestado, da. p. p. de **prestar.** ‖ **2.** m. ant. Préstamo. ‖ **de prestado.** loc. adv. Con cosas **prestadas.** *Hoy voy* DE PRESTADO. ‖ **2.** De modo precario, con poca estabilidad o duración.

prestador, ra. (Del lat. *praestātor, -ōris*.) adj. Que presta. Ú. t. c. s.

prestamente. adv. m. Pronta y ligeramente, con brevedad y presteza.

prestamera. (De *préstamo*.) f. Estipendio o pensión procedente de rentas eclesiásticas que se daba temporalmente a los que estudiaban para sacerdotes o que militaban por la Iglesia, y que ahora es una especie de beneficio eclesiástico.

prestamería. f. Dignidad de prestamero. ‖ **2.** Goce de prestamera.

prestamero. m. El que goza de una prestamera. ‖ **mayor.** Señor o caballero principal que tenía de la Iglesia algunos beneficios desmembrados y secularizados, que se le concedieron para él y sus sucesores en algunas comarcas. PRESTAMERO MAYOR *de Vizcaya, de Castilla.*

prestamista. com. Persona que da dinero a préstamo.

préstamo. m. El dinero que el Estado o una corporación toma de los particulares con una garantía. ‖ **2.** El dinero o valor que toma un particular para devolverlo. ‖ **3. prestamera.** ‖ **4.** V. **casa de préstamos.** ‖ **5.** Terreno donde se excava la tierra necesaria para hacer los terraplenes. ‖ **6.** *Der.* Denominación contractual genérica que abarca las dos especies de mutuo o simple **préstamo** y comodato. ‖ **7.** *Ling.* Elemento, generalmente léxico, que una lengua toma de otra, y que no pertenecía al conjunto patrimonial. ‖ **a la gruesa.** *Com.* **contrato a la gruesa.**

prestancia. (Del lat. *praestantĭa*.) f. Excelencia o calidad superior entre los de su clase. ‖ **2.** Aspecto de distinción.

prestante. (Del lat. *praestans, -antis*.) adj. Excelente o de calidad superior entre los de su clase.

prestar. (Del lat. *praestāre*.) tr. Entregar algo a alguien para que lo utilice durante algún tiempo y después lo restituya o devuelva. ‖ **2.** Ayudar, asistir o contribuir al logro de una cosa. ‖ **3.** Dar o comunicar. ‖ **4.** Junto con los nombres *atención, paciencia, silencio,* etc., tener u observar lo que estos nombres significan. ‖ **5.** intr. Aprovechar, ser útil o conveniente para la consecución de un intento. ‖ **6.** Dar de sí, extenderse. ‖ **7.** prnl. Ofrecerse, allanarse, avenirse a una cosa. ‖ **8.** Dar motivo u ocasión para algo. *Su actitud* SE PRESTA *a malos entendidos.*

prestatario, ria. (Del lat. *praestātus*, prestado.) adj. Que toma dinero a préstamo. Ú. t. c. s.

preste. (Del ant. fr. *prestre*, y este del lat. *presbȳter*.) m. Sacerdote que celebra la misa cantada asistido del diácono y el subdiácono, o el que con capa pluvial preside en función pública de oficios divinos. ‖ **2.** ant. Presbítero, sacerdote.

‖ **Juan.** Título legendario del emperador de los abisinios, que equivalía a rey, porque antiguamente eran sacerdotes estos príncipes.

presteza. (De *presto*.) f. Prontitud, diligencia y brevedad en hacer o decir una cosa.

prestidigitación. f. Arte o habilidad de hacer juegos de manos y otros trucos para distracción del público.

prestidigitador, ra. (Del fr. *prestidigitateur*.) m. y f. Persona que hace juegos de manos y otros trucos.

préstido. (Del lat. *prestitus*, dado, concedido.) m. ant. Dinero o préstamo que el Estado o una corporación toma, empréstito. ‖ **2.** Dinero o valor que un particular toma para devolverlo.

prestigiador, ra. (Del lat. *praestigiātor*.) adj. Que causa prestigio. ‖ **2.** m. y f. p. us. Prestidigitador.

prestigiar¹. (Del lat. *praestigiāre*.) tr. ant. Hacer prestigios o juegos de manos, embaucar.

prestigiar². (De *prestigio*.) tr. Dar prestigio, autoridad o importancia.

prestigio. (Del lat. *praestigĭum*.) m. Realce, estimación, renombre, buen crédito. ‖ **2.** Ascendiente, influencia, autoridad. ‖ **3.** p. us. Fascinación que se atribuye a la magia o es causada por medio de un sortilegio. ‖ **4.** p. us. Engaño, ilusión o apariencia con que los prestigiadores emboban y embaucan al pueblo.

prestigioso, sa. (Del lat. *praestigiōsus*.) adj. Que causa prestigio. ‖ **2.** Que tiene prestigio.

préstimano. m. El que hace juegos de manos.

prestimonio. (Del b. lat. *praestimonĭum*, y este del lat. *praestāre*, proveer.) m. **préstamo.**

prestiño. m. pestiño.

presto¹, ta. (Del lat. tardío *praestus*.) adj. Pronto, diligente, ligero en la ejecución de una cosa. ‖ **2.** Aparejado, pronto, preparado o dispuesto para ejecutar una cosa o para un fin. ‖ **3.** adv. t. Luego, al instante, con gran prontitud y brevedad. ‖ **de presto.** loc. adv. Prontamente, con presteza.

presto². (Del it. *presto*.) adv. m. *Mús.* Con movimiento muy rápido. ‖ **2.** m. *Mús.* Composición o parte de ella con que se ejecuta este movimiento.

presumible. adj. Que se puede presumir.

presumido, da. p. p. de presumir. ‖ **2.** adj. Vano, jactancioso, orgulloso, que tiene alto concepto de sí mismo. Ú. t. c. s. ‖ **3.** Dícese de la persona que se compone o arregla mucho.

presumir. (Del lat. *praesumĕre*.) tr. Sospechar, juzgar o conjeturar una cosa por tener indicios o señales para ello. ‖ **2.** intr. Vanagloriarse, tener alto concepto de sí mismo. ‖ **3.** Cuidar mucho su arreglo una persona para parecer atractiva.

presunción. (Del lat. *praesumptĭo, -ōnis*.) f. Acción y efecto de presumir. ‖ **2.** *Der.* Cosa que por ministerio de la ley se tiene como verdad. ‖ **de hecho y de derecho.** *Der.* La que tiene carácter absoluto o preceptivo, en contra de la cual no vale ni se admite prueba. ‖ **de ley, o de solo derecho.** *Der.* La que por ordenamiento legal se reputa verdadera, en tanto que no exista prueba en contrario.

presuncioso, sa. (Del lat. *praesumptiōsus*.) adj. ant. Lleno de presunción.

presunta. (Del lat. *praesumpta*, t. f. de *-ptus*, presunto.) f. ant. Presunción, orgullo.

presuntamente. adv. m. Por presunción.

presuntivamente. adv. m. Con presunción, sospecha o conjetura.

presuntivo, va. (Del lat. *praesumptīvus*.) adj. Que se puede presumir o está apoyado en presunción.

presunto, ta. (Del lat. *praesumptus*.) p. p. irreg. de **presumir.**

presuntuosamente. adv. m. Vanamente, con vanagloria y demasiada confianza.

presuntuosidad. (De *presuntuoso*.) f. Presunción, vanagloria.

presuntuoso, sa. (Del lat. *praesumptuōsus*.) adj. Lleno de presunción y orgullo. Ú. t. c. s. ‖ **2.** Que pretende pasar por muy elegante o lujoso. Ú. t. c. s.

presuponer. (De *pre-* y *suponer*.) tr. Dar antecedentemente por sentada, cierta, notoria y constante una cosa para pasar a tratar de otra relacionada con la primera. ‖ **2.** Hacer cálculo previo a un presupuesto de gastos e ingresos.

presuposición. f. Suposición previa. ‖ **2.** Lo que se supone causa o motivo de una cosa.

presupuestar. tr. Formar el cómputo de los gastos o ingresos, o de ambas cosas que resultan de un negocio público o privado. ‖ **2.** Incluir una partida en el presupuesto del Estado o de una corporación.

presupuestario, ria. adj. Perteneciente o relativo al presupuesto, especialmente al de un Estado.

presupuesto, ta. p. p. irreg. de **presuponer.** ‖ **2.** m. Motivo, causa o pretexto con que se ejecuta una cosa. ‖ **3.** Supuesto o suposición. ‖ **4.** Cómputo anticipado del coste de una obra o de los gastos y rentas de una corporación. ‖ **5.** Cantidad de dinero calculado para hacer frente a los gastos generales de la vida cotidiana, de un viaje, etc. ‖ **6.** ant. Propósito formado por el entendimiento y aceptado por la voluntad. ‖ **presupuesto que.** loc. conjunt. **supuesto que.**

presura. (Del lat. *pressūra*.) f. Opresión, aprieto, congoja. ‖ **2.** Prisa, prontitud y ligereza. ‖ **3.** Ahínco, porfía.

presuranza. (De *presura*.) f. ant. Presteza, apresuración.

presurizar. (De ing. *pressurize*.) tr. Mantener la presión atmosférica normal en un recinto, independientemente de la presión exterior; por ejemplo, en la cabina de pasajeros de un avión.

presurosamente. adv. m. Prontamente, con velocidad y apresuración.

presuroso, sa. (De *presura*.) adj. Rápido, ligero, veloz.

pretal. m. petral.

pretencioso, sa. (Del fr. *prétentieux*.) adj. Presuntuoso, que pretende ser más de lo que es.

pretendencia. (De *pretender*.) f. **pretensión.**

pretender. (Del lat. *praetendĕre*.) tr. Querer conseguir algo. ‖ **2.** Hacer diligencias para conseguir algo. ‖ **3.** Cortejar un hombre a una mujer para hacerse novios o para casarse con ella.

pretendienta. f. La que pretende o solicita una cosa.

pretendiente. p. a. de pretender. Que pretende o solicita una cosa. ‖ **2.** adj. Aspirante a desempeñar un cargo público. Ú. m. c. s. ‖ **3.** Que aspira al noviazgo o al matrimonio con una mujer. Ú. m. c. s.

pretensión. (Del lat. *praetensĭo, -ōnis*.) f. Solicitación para conseguir una cosa que se desea. ‖ **2.** Derecho bien o mal fundado que uno juzga tener sobre una cosa. ‖ **3.** Aspiración ambiciosa o desmedida. Ú. m. en pl. ‖ **barajarle a** uno una **pretensión.** fr. Ser causa de que se malogre. ‖ **barajársele a** uno una **pretensión.** fr. Malogrársele.

pretensioso, sa. adj. pretencioso.

pretenso, sa. (Del lat. *praetensus*.) p. p. irreg. de **pretender.** ‖ **2.** m. p. us. **pretensión.**

pretensor, ra. (De *pretenso*.) adj. Que pretende. Ú. t. c. s.

pretérición. (Del lat. *praeterĭtĭo, -ōnis*.) f. Acción y efecto de preterir. ‖ **2.** En la filosofía antigua, forma de lo que no existe de presente, pero que existió en algún tiempo. ‖ **3.** *Der.* Omisión, en la institución de herederos, de uno que ha de suceder forzosamente, según la ley. ‖ **4.** *Ret.* Figura que consiste en aparentar que se quiere omitir o pasar por alto aquello mismo que se dice.

preterintencional. adj. *Der.* Que causa un mal superior al deseado o planeado.

preterintencionalidad. f. *Der.* Calidad de preterintencional. Puede considerarse circunstancia atenuante de la responsabilidad criminal.

preterir. (Del lat. *praeterire*, pasar adelante.) tr. defect. Hacer caso omiso de una persona o cosa. ‖ **2.** *Der.* Omitir en la institución de herederos a los que son forzosos, sin desheredarlos expresamente en el testamento.

pretérito, ta. (Del lat. *praeteritus*, p. p. de *praeterire*, pasar, dejar atrás.) adj. Dícese de lo que ya ha pasado o sucedió. ‖ **2.** *Gram.* V. **tiempo pretérito.** Ú. t. c. s. ‖ **3.** *Gram.* V. **participio de pretérito.** ‖ **anterior.** *Gram.* Tiempo que indica una acción acabada antes de otra también pasada. ‖ **imperfecto.** *Gram.* Tiempo que indica haber sido presente la acción del verbo, coincidiendo con otra acción ya pasada. ‖ **indefinido.** *Gram.* **pretérito perfecto simple.** ‖ **perfecto.** *Gram.* Tiempo que denota ser ya pasada la significación del verbo, y se divide en **simple** y **compuesto.** ‖ **pluscuamperfecto.** *Gram.* Tiempo que enuncia que una cosa estaba ya hecha, o podía estarlo, cuando otra se hizo.

pretermisión. (Del lat. *praetermissio*, *-ōnis*.) f. Falta por haber dejado de hacer una cosa o por haberla hecho sin las debidas condiciones. ‖ **2.** Descuido del que tiene a su cargo un asunto. ‖ **3.** *Ret.* **preterición.**

pretermitir. (Del lat. *praetermittĕre*.) tr. Dejar a un lado, omitir.

preternatural. (Del lat. *praeternaturālis*.) adj. Que se halla fuera del ser o estado natural de una cosa.

preternaturalizar. (De *preternatural*.) tr. Alterar, trastornar el ser o estado natural de una cosa. Ú. t. c. prnl.

preternaturalmente. adv. m. De modo preternatural.

pretexta. (Del lat. *praetexta*.) f. Especie de toga o ropa talar, orlada por abajo con una lista o tira de púrpura, que usaban los magistrados romanos, los mancebos y doncellas nobles. Ú. t. c. adj.

pretextar. tr. Valerse de un pretexto.

pretexto. (Del lat. *praetextus*.) m. Motivo o causa simulada o aparente que se alega para hacer una cosa o para excusarse de no haberla ejecutado.

pretil. (Por *petril*, del lat. *petorile*, de *pectus*, *-ōris*, pecho.) m. Murete o vallado de piedra u otra materia, que se pone en los puentes y en otros lugares para preservar de caídas. ‖ **2.** Por ext., sitio llano, calzada o paseo a lo largo de un **pretil.**

pretina. (Del lat. *pectorina*, de *pectus*, *-ōris*.) f. Correa o cinta con hebilla o broche para sujetar en la cintura ciertas prendas de ropa. ‖ **2.** Cintura donde se ciñe la **pretina.** ‖ **3.** Parte de los calzones, briales, basquiñas y otras ropas, que se ciñe y ajusta a la cintura. ‖ **4.** fig. Lo que ciñe o rodea una cosa. ‖ **meter,** o **poner,** a uno **en pretina.** fr. fig. y fam. **meterle en cintura.**

pretinazo. m. Golpe dado con la pretina.

pretinero. m. Artífice u oficial que fabrica pretinas.

pretinilla. (d. de *pretina*.) f. Cinturón que usaban las mujeres asegurado por delante con una hebilla, y a veces solía estar guarnecido de piedras preciosas.

pretónico, ca. (De *pre-* y *tónico*.) adj. *Pros.* Dícese del elemento de la palabra que va antes de la sílaba tónica, protónico.

pretor[1]. (Del lat. *praetor*, *-ōris*.) m. Magistrado romano que ejercía jurisdicción en Roma o en las provincias.

pretor[2]. (De *prieto*, negro.) m. En la pesca de atunes, negrura de las aguas en los lugares donde estos abundan.

pretoría. (De *pretor[1]*.) f. Dignidad de pretor.

pretorial. adj. Perteneciente o relativo al pretor[1]. ‖ **2.** V. **audiencia pretorial.**

pretorianismo. m. Influencia política abusiva ejercida por algún grupo militar.

pretoriano, na. (Del lat. *praetoriānus*.) adj. Perteneciente o relativo al pretor[1]. ‖ **2.** Aplícase a los soldados de la guardia de los emperadores romanos. Ú. t. c. s. ‖ **3.** V. **guardia pretoriana.**

pretoriense. adj. Perteneciente al pretorio.

pretorio, ria. (Del lat. *praetorĭus*.) adj. **pretorial.** ‖ **2.** V. **derecho, edicto, prefecto pretorio.** ‖ **3.** *Der.* V. **posesión, prenda pretoria.** ‖ **4.** m. Palacio donde habitaban y donde juzgaban las causas los pretores romanos o los presidentes de las provincias. ‖ **5.** V. **prefecto del pretorio.**

pretura. (Del lat. *praetūra*.) f. Empleo o dignidad de pretor.

preuniversitario, ria. adj. Dícese de las enseñanzas preparatorias para el ingreso en la Universidad.

prevalecer. (Del lat. *praevalescĕre*.) intr. Sobresalir una persona o cosa; tener alguna superioridad o ventaja entre otras. ‖ **2.** Conseguir, obtener una cosa en oposición de otros. ‖ **3.** Arraigar las plantas y semillas en la tierra; ir creciendo y aumentando poco a poco. ‖ **4.** fig. Crecer y aumentar una cosa no material.

prevaler. (Del lat. *praevalēre*.) intr. **prevalecer.** ‖ **2.** prnl. Valerse o servirse de una cosa.

prevaricación. (Del lat. *praevaricatĭo*, *-ōnis*.) f. Acción y efecto de prevaricar.

prevaricador, ra. (Del lat. *praevaricātor*, *-ōris*.) adj. Que prevarica. Ú. t. c. s. ‖ **2.** Que pervierte e incita a una o faltar a las obligaciones de su oficio o religión. Ú. t. c. s.

prevaricar. (Del lat. *praevaricāre*.) intr. Delinquir los empleados públicos dictando o proponiendo a sabiendas o por ignorancia inexcusable, resolución de manifiesta injusticia. ‖ **2.** *Der.* Cometer el crimen de prevaricato. ‖ **3.** Por ext., cometer uno cualquier otra falta menos grave en el ejercicio de sus deberes. ‖ **4.** fam. **desvariar,** decir desatinos. ‖ **5.** desus. Hacer prevaricar.

prevaricato. (Del lat. *praevaricātus*.) m. *Der.* Incumplimiento malicioso, o por ignorancia culpable, de las funciones públicas que se desempeñan. ‖ **2.** *Der.* Injusticia dolosa o culposa cometida por un juez o magistrado.

prevención. (Del lat. *praeventĭo*, *-ōnis*.) f. Acción y efecto de prevenir. ‖ **2.** Preparación y disposición que se hace anticipadamente para evitar un riesgo o ejecutar una cosa. ‖ **3.** Provisión de mantenimiento o de otra cosa que sirve para un fin. ‖ **4.** Concepto, por lo común desfavorable, que se tiene de una persona o cosa. ‖ **5.** Puesto de policía o vigilancia de un distrito, donde se lleva preventivamente a las personas que han cometido algún delito o falta. ‖ **6.** *Der.* Acción y efecto de prevenir el juez las primeras diligencias. ‖ **7.** *Mil.* Guardia del cuartel, que cela el orden y policía de la tropa. ‖ **8.** *Mil.* Lugar donde está. ‖ **9.** V. **estado de prevención.** ‖ **a prevención.** loc. adv. **de prevención.** ‖ **2.** *Der.* Ú. para denotar que un juez conoce de una causa con exclusión de otros que eran igualmente competentes, por habérseles anticipado en el conocimiento de ella. ‖ **de prevención.** loc. adv. Por si acaso, por **prevención,** para prevenir.

prevenidamente. adv. m. Anticipadamente, de antemano, con prevención.

prevenido, da. p. p. de **prevenir.** ‖ **2.** adj. Apercibido, dispuesto, aparejado para una cosa. ‖ **3.** Provisto, abundante, lleno. *Frasco bien* PREVENIDO. ‖ **4.** Próvido, advertido, cuidadoso.

prevenir. (Del lat. *praevenīre*.) tr. Preparar, aparejar y disponer con anticipación las cosas necesarias para un fin. ‖ **2.** Prever, ver, conocer de antemano o con anticipación un daño o perjuicio. ‖ **3.** Precaver, evitar, estorbar o impedir una cosa. ‖ **4.** Advertir, informar o avisar a uno de una cosa. ‖ **5.** Imbuir, impresionar, preocupar a alguien, induciéndole a prejuzgar personas o cosas. ‖ **6.** Anticiparse a un inconveniente, dificultad u objeción. ‖ **7.** *Der.* Ordenar y ejecutar un juzgado las diligencias iniciales o preparatorias de un juicio civil o criminal, señaladamente las que por ser urgentes no se deben demorar aunque no esté definida todavía la competencia. ‖ **8.** *Der.* Instruir las primeras diligencias para asegurar los bienes y las resultas de un juicio. ‖ **9.** prnl. Disponer con anticipación; prepararse de antemano para una cosa. ‖ **prevenírsele** a uno una cosa. fr. Venirle al pensamiento, ocurrírsele.

preventivamente. adv. m. Con, o por, prevención.

preventivo, va. (Del lat. *praeventum*, supino de *praevenire*, prevenir.) adj. Dícese de lo que previene. ‖ **2.** V. **anotación, prisión preventiva.**

preventorio. m. Establecimiento destinado a prevenir el desarrollo o propagación de ciertas enfermedades, especialmente la tuberculosis infantil.

prever. (Del lat. *praevidēre*.) tr. Ver con anticipación. ‖ **2.** Conocer, conjeturar por algunas señales o indicios lo que ha de suceder. ‖ **3.** Disponer o preparar medios contra futuras contingencias.

previamente. adv. m. Con anticipación o antelación.

previdencia. (Del lat. *praevidentia*.) f. Calidad o condición de previdente. ‖ **2.** Visión o conocimiento anticipados.

previdente. (Del lat. *praevidens*, *-entis*.) adj. Que ve o conoce con anticipación.

previlejar. tr. ant. **privilegiar.**

previo, via. (Del lat. *praevius*.) adj. Anticipado, que va delante o que sucede primero. ‖ **2.** V. **autorización, cuestión previa.** ‖ **3.** m. *Cinem.* y *TV.* Técnica que consiste en reproducir un sonido grabado con anterioridad, generalmente canciones, al que un actor procura seguir mímicamente.

previsible. adj. Que puede ser previsto o entra dentro de las previsiones normales.

previsión. (Del lat. *praevisĭo*, *-ōnis*.) f. Acción y efecto de prever. ‖ **2.** Acción de disponer lo conveniente para atender a contingencias o necesidades previsibles.

previsor, ra. (Del lat. *praevisum*, supino de *praevidēre*, prever.) adj. Que prevé. Ú. t. c. s.

previsto, ta. (De *pre-* y *visto*.) p. p. irreg. de **prever.**

prez. (Del prov. *pretz*, y este del lat. *pretium*.) amb. Honor, estima o consideración que se adquiere o gana con una acción gloriosa. ‖ **2.** ant. **fama,** opinión de las gentes sobre alguien. ‖ **3.** ant. **fama,** opinión del público de la excelencia de alguien en su profesión, trabajo, arte, etc.

priado. adv. t. ant. **privado**².

priapismo. (Del lat. tardío *priapismus*, y este del gr. πριαπισμός.) m. *Fisiol.* Erección continua y dolorosa del miembro viril, sin apetito venéreo.

priego. (De *pregar*.) m. ant. Clavo de hierro.

priesa. (Del lat. *pressus*, p. p. de *premĕre*, estrechar.) f. p. us. **prisa.** Ú. vulgarmente en algunas regiones. ‖ **a, o de, priesa.** loc. adv. p. us. **a, o de, prisa.** Ú. vulgarmente en algunas regiones.

priesco. (Del lat. [*pomum*] *persicum*.) m. ant. **prisco.**

prietamente. adv. m. ant. **apretadamente.**

prieto, ta. (De *apretar*.) adj. Ajustado, ceñido, estrecho, duro, denso. ‖ **2.** Aplícase al color muy oscuro y que casi no se distingue del negro. ‖ **3.** V. **coco, maravedí, vómito prieto.** ‖ **4.** V. **carpintero de prieto.** ‖ **5.** fig. Mísero, escaso, codicioso.

prima. (Del lat. *prima*, primera.) f. Primera de las cuatro partes iguales en que dividían los romanos el día artificial, y que comprendía desde el principio de la primera hora temporal, a la salida del Sol, hasta el fin de la tercera, a media mañana. ‖ **2.** Una de las siete horas canónicas, que se canta a primera hora de la mañana, después de laudes. ‖ **3.** En algunos instrumentos de cuerda, la primera y la más delgada de todas, que produce un sonido muy agudo. ‖ **4.**

prima tonsura. ‖ **5.** Cantidad extra de dinero que se da a alguien a modo de recompensa, estímulo, agradecimiento, etc. ‖ **6.** Cantidad que el cesionario de un derecho o una cosa da al cedente por añadidura del coste originario. ‖ **7.** Premio concedido, la mayoría de las veces por el gobierno, a fin de estimular operaciones o empresas que se reputan de conveniencia pública o que interesan al que lo concede. ‖ **8.** ant. Superioridad, excelencia, ventaja, sobre otros de su clase. ‖ **9.** *Cetr.* Halcón hembra. ‖ **10.** *Com.* Suma que en ciertas operaciones de bolsa se obliga el comprador a plazo a pagar al vendedor por el derecho a rescindir el contrato. ‖ **11.** *Com.* Precio que el asegurado paga al asegurador, de cuantía unas veces fija y otras proporcional. ‖ **12.** *Mil.* Primero de los cuartos en que las centinelas se dividía la noche, y comprendía desde las ocho a las once.

primacía. (Del lat. *primas*, *-ātis*; de *primus*, primero; en b. lat. *primatĭa*.) f. Superioridad, ventaja o excelencia que una cosa tiene con respecto a otra de su especie. ‖ **2.** Dignidad o empleo de primado.

primacial. adj. Perteneciente o relativo al primado o a la primacía.

primada. (De *primo*, simple, incauto.) f. fam. Acción propia del primo o persona incauta.

primadgo. (De *primado*.) m. ant. **primazgo.**

primado¹. (Del lat. *primātus*.) m. Primer lugar, grado, superioridad o ventaja que una cosa tiene respecto de otras de su especie. ‖ **2.** Primero y más preeminente de todos los arzobispos y obispos de un reino o región, ya ejerza sobre ellos algunos derechos de jurisdicción o potestad, ya solo goce de ciertas prerrogativas honoríficas. ‖ **3.** Superioridad, excelencia, ventaja sobre otros de su clase.

primado², **da.** adj. Que tiene preeminencia o calidad de primado. ‖ **2.** V. **iglesia primada.** ‖ **3.** Perteneciente o relativo al primado. *Silla* PRIMADA.

prima facie. loc. adv. lat. **a primera vista.** Ú. en lenguaje jurídico y familiar.

primal, la. (De *primo*, primero.) adj. Aplícase a la res ovejuna o cabría que tiene más de un año y no llega a dos. Ú. t. c. s. ‖ **2.** m. Cordón o trenza de seda.

primamente. adv. m. ant. Primorosamente, con esmero y perfección.

primar. (Del fr. *primer*.) intr. Prevalecer, predominar, sobresalir.

primariamente. adv. m. Principalmente, fundamentalmente. ‖ **2.** En primer lugar.

primario, ria. (Del lat. *primarius*.) adj. Principal o primero en orden o grado. ‖ **2.** V. **enseñanza, instrucción, luz primaria.** ‖ **3.** V. **movimiento, planeta, vertical primario.** ‖ **4.** Primitivo, poco civilizado. ‖ **5.** *Electr.* Respecto de una bobina de inducción u otro aparato semejante, dícese de la corriente inductora y del circuito por donde fluye. ‖ **6.** *Geol.* Perteneciente a uno o varios de los terrenos sedimentarios más antiguos. ‖ **7.** m. p. us. **catedrático de prima.**

primate. (Del lat. *primas*, *-ātis*.) m. Personaje distinguido; prócer. Ú. m. en pl. ‖ **2.** adj. *Zool.* Aplícase a los mamíferos de superior organización, plantígrados, con extremidades terminadas en cinco dedos provistos de uñas, de los cuales el pulgar es oponible a los demás, por lo menos en los miembros torácicos. Ú. m. c. s. m. ‖ **3.** m. pl. *Zool.* Orden de estos animales.

primavera¹. (Del lat. *prima*, primera, y *ver*, *veris*, primavera.) f. Estación del año, que astronómicamente principia en el equinoccio del mismo nombre y termina en el solsticio de verano. ‖ **2.** Época templada del año, que en el hemisferio boreal corresponde a los meses de marzo, abril y mayo, y en el austral a los de septiembre, octubre y noviembre. ‖ **3.** Planta herbácea perenne, de la familia de las primuláceas, con hojas anchas, largas, arrugadas, ásperas al tacto y tendidas sobre la tierra. De entre ellas se elevan varios tallitos desnudos que llevan flores amarillas en figura de quitasol. ‖ **4.** fig. Hablando de la edad de las personas jóvenes, **año**, período de doce meses. Ú. en pl. ‖ **5.** fig. Cierto tejido de seda sembrado y matizado de flores de varios colores. ‖ **6.** fig. Cualquier cosa vistosamente varia y de hermoso colorido. ‖ **7.** fig. Tiempo en que una cosa está en su mayor vigor y hermosura.

primavera². adj. fig. Dícese de la persona simple, cándida o fácil de engañar. Ú. t. c. s.

primaveral. adj. Perteneciente o relativo a la primavera.

primaz. (Del lat. *primas, -ãtis.*) m. ant. Primado más preeminente de todos los arzobispos y obispos de una nación.

primazgo. (De *primadgo.*) m. Parentesco que tienen entre sí los primos. ‖ **2.** **primacía,** dignidad.

primearse. prnl. fam. Darse tratamiento de primos el rey y los grandes, o estos entre sí.

primer. adj. Apócope de **primero.** Ú. siempre antepuesto al sustantivo. ‖ **2.** V. **primer caballerizo del rey.** ‖ **3.** V. **primer espada, primer meridiano, primer miembro, primer ministro, primer movimiento, primer pronto, primer secretario de Estado y del Despacho, primer teniente, primer vertical.** ‖ **4.** V. **el primer motor.** ‖ **5.** V. **potro de primer bocado.**

primera. f. Juego de naipes en que las cartas tienen otros valores que no son los suyos. Se reparten cuatro cartas a cada jugador y se gana todo con la suerte del flux. ‖ **2.** pl. Bazas que hace un jugador antes que los demás hagan ninguna.

primeramente. adv. t. y ord. Previamente, anticipadamente, antes de todo.

primería. (De *primero.*) f. ant. Superioridad o excelencia de uno o de algo con respecto a otro de su especie. ‖ **2.** ant. Principio del ser de algo.

primeridad. (De *primero.*) f. ant. Prioridad o anterioridad en el tiempo o en el orden. ‖ **2.** Superioridad con relación a otros de su especie.

primerizo, za. adj. Que hace por vez primera una cosa, o es novicio o principiante en un arte, profesión o ejercicio. Ú. t. c. s. ‖ **2.** Aplícase especialmente a la hembra que pare por primera vez. Ú. t. c. s. f.

primero, ra. (Del lat. *primarìus.*) adj. Dícese de la persona o cosa que precede a las demás de su especie en orden, tiempo, lugar, situación, clase o jerarquía. Ú. t. c. s. ‖ **2.** Excelente, grande y que sobresale y excede a otros. ‖ **3.** Antiguo, y que antes se ha poseído y logrado. *Se restituyó al estado* PRIMERO *en que se hallaba.* ‖ **4.** Con referencia a una serie de términos ya mencionados en el discurso, dícese del que ha hido antes que el otro u otros. ‖ **5.** V. **artículo de primera necesidad.** ‖ **6.** V. **minuto, número primero.** ‖ **7.** V. **causa primera.** ‖ **8.** V. **primera enseñanza, primera escuela, primera intención, primera materia.** ‖ **9.** V. **primeras letras.** ‖ **10.** V. **obispo de la primera silla.** ‖ **11.** V. **nuestros primeros padres.** ‖ **12.** f. Marcha o velocidad más corta del motor de un vehículo. *Si quieres ir por ese camino tendrás que poner la* PRIMERA. ‖ **13.** adv. t. **primeramente.** ‖ **14.** Antes, más bien, de mejor gana, con más o mayor gusto. Ú. para contraposición adversativa de una cosa que se pretende o se intenta. PRIMERO *pediría limosna que prestado.* ‖ **a las primeras.** loc. adv. **a las primeras de cambio.** ‖ **a primeros.** loc. adv. En los primeros días del año, mes, etc., que se expresa o se sobrentiende. ‖ **de primera.** loc. fig. y fam. Sobrentendiéndose clase, calidad, etc., sobresaliente en su línea. ‖ **de primero.** loc. adv. Antes o al principio. ‖ **no ser el primero.** fr. con que se pretende excusar la acción de un sujeto, dando a entender que hay otros ejemplares, o que el que la ejecuta lo tiene por costumbre.

primevo, va. (Del lat. *primaevus.*) adj. ant. Primitivo o primero. ‖ **2.** Dícese de la persona de más edad respecto de otras.

primicerio, ria. (Del lat. *primicerìus.*) adj. Aplícase a la persona que es primera o superior a las demás en su línea. ‖ **2.** m. En algunas iglesias catedrales o colegiales, el que dirige o gobierna el coro, chantre. ‖ **3.** En la universidad de Salamanca, graduado elegido anualmente, alternando entre las facultades, el cual ejercía ciertas funciones económicas y gubernativas referentes a la capilla, y ocupaba el lugar inmediato al rector.

primicia. (Del lat. *primitìae, -arum,* primicias.) f. Fruto primero de cualquier cosa. ‖ **2.** Prestación de frutos y ganados que además del diezmo se daba a la Iglesia. ‖ **3.** Noticia, hecho, que se da a conocer por primera vez. ‖ **4.** pl. fig. Principios o primeros frutos que produce cualquier cosa no material.

primicial. adj. Perteneciente a primicias.

primiciero. m. El encargado de cobrar las primicias o prestación que se daba a la iglesia. ‖ **2.** Local donde se guardaba lo recogido con la primicia.

primiclerio. m. **primicerio.**

primichón. (De *primo.*) m. Madeja pequeña de seda torcida usada generalmente en los bordados de imaginería.

primigenio, nia. (Del lat. *primigenìus.*) adj. Primitivo, originario.

primilla. (d. de *prima,* primera.) f. Perdón de la primera culpa o falta que se comete. ‖ **2.** *And.* Cernícalo, ave.

primípara. (Del lat. *primipăra.*) f. Hembra que pare por primera vez.

primitivamente. adv. m. Originariamente, al principio, en tiempo anterior a cualquier otro. ‖ **2.** De manera primitiva.

primitivismo. m. Condición, mentalidad, tendencia o actitud propia de los pueblos primitivos. ‖ **2.** Tosquedad, rudeza, elementalidad. ‖ **3.** Carácter peculiar del arte o literatura primitivos.

primitivo, va. (Del lat. *primitīvus.*) adj. Primero en su línea, o que no tiene ni toma origen de otra cosa. ‖ **2.** Perteneciente o relativo a los orígenes o primeros tiempos de alguna cosa. ‖ **3.** Dícese de los pueblos aborígenes o de civilización poco desarrollada, así como de los individuos que los componen, de su misma civilización o de las manifestaciones de ella. Ú. t. c. s. ‖ **4.** Rudimentario, elemental, tosco. ‖ **5.** V. **lotería primitiva.** Ú. t. c. s. ‖ **6.** *Gram.* Aplícase a la palabra que no se deriva de otra de la misma lengua. ‖ **7.** *Esc.* y *Pint.* Aplícase al artista y a la obra artística pertenecientes a épocas anteriores a las que se consideran clásicas dentro de la civilización o ciclo; dícese en especial de los artistas y obras del occidente europeo anteriores al Renacimiento o a su influjo. Ú. t. c. s. m.

primo, ma. (Del lat. *primus.*) adj. **primero.** ‖ **2.** Primoroso, excelente. ‖ **3.** V. **danza, obra prima.** ‖ **4.** V. **hilo primo.** ‖ **5.** V. **prima tonsura.** ‖ **6.** *Arit.* V. **número primo.** ‖ **7.** m. y f. Respecto de una persona, hijo o hija de su tío o tía. ‖ **8.** Tratamiento que daba el rey a los grandes de España en cartas privadas y documentos oficiales. ‖ **9.** fam. Persona incauta que se deja engañar o explotar fácilmente. ‖ **10.** fam. p. us. Hombre de raza negra. ‖ **11.** m. *Germ.* **jubón.** ‖ **12.** adv. m. **en primer lugar.** ‖ **carnal. primo hermano.** ‖ **cormano.** ant. **primo hermano. hermano.** Respecto de una persona, hijo o hija de tíos carnales. ‖ **segundo.** Respecto de una persona, hijo o hija de tíos segundos. ‖ **a primas.** loc. adv. ant. Primeramente, al principio. ‖ **hacer el primo.** fr. fig. y fam. Dejarse engañar fácilmente. También se dice en el mismo sentido, **caer,** o **coger, de primo,** cuando se refieren al engañador. ‖ **ser una cosa prima her-**

mana de otra. fr. fig. y fam. Ser semejante o muy parecida a ella.

primogénito, ta. (Del lat. *primogenĭtus*.) adj. Aplícase al hijo que nace primero. Ú. t. c. s.

primogenitor. (Del lat. *primus*, primero, y *genĭtor*, -ōris, el que engendra.) m. ant. Padre o ascendiente de uno.

primogenitura. f. Dignidad, prerrogativa o derecho del primogénito.

primor. (Del lat. *primores*.) m. Destreza, habilidad, esmero o excelencia en hacer o decir una cosa. ‖ 2. Arte, belleza y hermosura de la obra ejecutada con él. ‖ 3. Persona de buenas cualidades. ‖ 4. ant. Primacía, principalidad.

primordial. (Del lat. *primordiālis*.) adj. Primitivo, primero. Aplícase al principio fundamental de cualquier cosa.

primordio. (Del lat. *primordĭum*, origen, comienzo.) m. Lo originario o primero.

primorear. intr. Hacer primores. Ú. particularmente entre los que tocan instrumentos, para expresar que ejecutan diestramente cualquier capricho.

primorosamente. adv. m. Perfectamente, con delicadeza, esmero y acierto.

primoroso, sa. adj. Excelente, delicado y perfecto. ‖ 2. Diestro, experimentado y que hace o dice con perfección alguna cosa.

prímula. f. primavera, planta.

primuláceo, a. (Del lat. *primŭla*, nombre científico de la primavera, planta.) adj. *Bot.* Dícese de plantas herbáceas angiospermas dicotiledóneas, con hojas radicales o sobre el tallo; flores hermafroditas, regulares, de cáliz persistente y corola de cuatro a cinco pétalos, y fruto capsular, con muchas semillas de albumen carnoso; como el pamporcino, la lisimaquia y la primavera. Ú. t. c. s. ‖ 2. f. pl. *Bot.* Familia de estas plantas.

princeps. (Del lat. *princeps*.) adj. Dícese de la primera edición de una obra. Ú. t. c. s.

princesa. (Del fr. *princesse*, de *prince*, y este del lat. *princeps*.) f. Mujer del príncipe. ‖ 2. La que por sí goza o posee un estado que tiene el título de principado. ‖ 3. En España, título que se da a la hija del rey, inmediata sucesora del reino. ‖ **de Asturias. princesa** heredera del trono.

principada. (De *príncipe*.) f. fam. Abuso de autoridad.

principadgo. m. ant. **principado.**

principado. (Del lat. *principātus*.) m. Título o dignidad de príncipe. ‖ 2. Territorio o lugar sobre que recae este título. ‖ 3. Territorio o lugar sujeto a la potestad de un príncipe. ‖ 4. Primacía, ventaja o superioridad con que una cosa excede en alguna calidad a otra con la cual se compara. ‖ 5. pl. *Teol.* Espíritus bienaventurados, príncipes de todas las virtudes celestiales, que cumplen los mandatos divinos. Forman el séptimo coro.

principal. (Del lat. *principālis*.) adj. Dícese de la persona o cosa que tiene el primer lugar en estimación o importancia y se antepone y prefiere a otras. ‖ 2. desus. Ilustre, esclarecido en nobleza. ‖ 3. Dícese del que es el primero en un negocio o cuya cabeza está. ‖ 4. Esencial o fundamental, por oposición a accesorio. ‖ 5. Aplicado a edición, primera, príncipe. ‖ 6. Decíase del piso que en los edificios se halla sobre el bajo o el entresuelo. Usáb. t. c. s. m. ‖ 7. V. **manjar, nave, punto, rayo principal.** ‖ 8. m. En las plazas de armas, cuerpo de guardia encargado de ayudar a las providencias de policía o de justicia, y de comunicar diariamente la orden y el santo a los demás puestos de guardia de la guarnición. ‖ 9. Capital de una obligación o censo, en oposición a rédito, pensión o canon. ‖ 10. Jefe de una casa de comercio, fábrica, almacén, etc. ‖ 11. *Der.* El que da poder a otro para que le represente, poderdante.

principalía. (De *principal*.) f. ant. **principalidad.** ‖ 2. Colectividad de jefes existente en los pueblos de Filipinas,

durante el régimen español, presidida por el gobernadorcillo.

principalidad. f. Calidad de principal o de primero en su línea.

principalmente. adv. m. Primeramente, antes que todo, con antelación o preferencia. ‖ 2. Fundamental o esencialmente.

principar. (Del lat. *principāri*.) intr. ant. Mandar, dominar o regir como príncipe.

príncipe. (Del lat. *princeps, -ĭpis*.) adj. V. **edición príncipe.** Ú. t. c. s. ‖ 2. m. El primero y más excelente, superior o aventajado en una cosa. ‖ 3. En España, título que se da al hijo del rey, inmediato sucesor en el trono. ‖ 4. Individuo de familia real o imperial. ‖ 5. Soberano de un Estado. ‖ 6. Título de honor que dan los reyes. ‖ 7. Cualquiera de los grandes de un reino o monarquía. ‖ 8. Entre colmeneros y en algunas partes, pollo de las abejas de la clase de reinas, que no se halla aún en estado de procrear. ‖ **azul.** fig. Hombre ideal soñado o esperado por una mujer. ‖ **de Asturias.** Título que se da al hijo del rey, inmediato sucesor de la corona de España. ‖ **de las tinieblas.** Satanás. ‖ **de la sangre.** El que era de la familia real de Francia y podía suceder en el reino. ‖ **heredero.** El que está destinado a suceder al rey. ‖ **portarse** uno **como un príncipe.** fr. fig. Tratarse con fausto y magnificencia o tener rasgos y acciones de tal.

principela. f. Tejido de lana, semejante a la lamparilla, pero más fino y con cierto granillo, usado antiguamente para vestidos de mujeres y capas de hombres.

principesa. (De *príncipe*.) f. ant. **princesa.**

principesco, ca. adj. Dícese de lo que es o parece propio de un príncipe o princesa.

principiador, ra. adj. Que principia. Ú. t. c. s.

principianta. (De *principiante*.) f. Aprendiza de cualquier arte u oficio.

principiante. p. a. de **principiar.** Que principia. ‖ 2. adj. Que empieza a estudiar, aprender o ejercer un oficio, arte, facultad o profesión. Ú. m. c. s.

principiar. (Del lat. *principiāre*.) tr. Comenzar, dar principio a una cosa. Ú. t. c. intr.

principio. (Del lat. *principĭum*.) m. Primer instante del ser de una cosa. ‖ 2. Punto que se considera como primero en una extensión o cosa. ‖ 3. Base, origen, razón fundamental sobre la cual se procede discurriendo en cualquier materia. ‖ 4. Causa, origen de algo. ‖ 5. Cualquiera de los alimentos que se servían entre la olla o el cocido y los postres. ‖ 6. En la universidad de Alcalá, cualquiera de los tres ejercicios que hacían los teólogos de una de las cuatro partes del libro de las sentencias, después de haber pasado un examen previo que tanteaba su capacidad y suficiencia. ‖ 7. Cualquiera de las primeras proposiciones o verdades fundamentales por donde se empiezan a estudiar las ciencias o las artes. ‖ 8. Cualquier cosa que entra con otra en la composición de un cuerpo. ‖ 9. Norma o idea fundamental que rige el pensamiento o la conducta. Ú. m. en pl. ‖ 10. *Lóg.* V. **petición de principio.** ‖ 11. pl. *Impr.* Todo lo que precede al texto de un libro. ‖ **activo.** *Med.* Sustancia contenida, en un fármaco o preparado, por obra de la cual esta adquiere su peculiar propiedad medicinal. ‖ **de contradicción.** *Fil.* Enunciado lógico y metafísico que consiste en decir: Es imposible que una cosa sea y no sea al mismo tiempo. ‖ **de derecho.** *Der.* Norma no legal supletoria de ella y constituida por doctrina o aforismos que gozan de general y constante aceptación de jurisconsultos y tribunales. ‖ **inmediato.** *Quím.* Sustancia orgánica de composición definida, que entra en la constitución de los seres vivos o de alguno de sus órganos. ‖ **a los principios,** o **al principio.** loc. adv. Al empezar una cosa. ‖ **a principios** del mes, año, etc. loc. adv. En sus primeros días. ‖ **del prin-**

cipio al fin. loc. adv. Entera y absolutamente. ‖ **desde un principio.** loc. adv. Desde los comienzos, desde el inicio de algo. ‖ **en principio.** loc. adv. Dícese de lo que se acepta o acoge en esencia, sin que haya entera conformidad en la forma o los detalles. ‖ **principio quieren las cosas.** fr. proverb. con que se decide a empezar o proseguir una cosa que se teme o se duda si se conseguirá o logrará. ‖ **tener, tomar,** o **traer, principio** una cosa de otra. fr. Proceder o provenir de ella.

principote. m. fam. Persona que hace ostentación de una clase superior a la suya.

pringado, da. p. p. de **pringar.** ‖ **2.** m. y f. fig. y fam. Persona que se deja engañar fácilmente. ‖ **3.** f. Rebanada de pan empapada en pringue.

pringamoza. f. *Ant., Col., Guat., Pan.* y *Venez.* Bejuco de la familia de las euforbiáceas, cubierto de una pelusa que produce en la piel gran picazón. ‖ **2.** *Col.* y *Hond.* Especie de ortiga.

pringar. (De or. inc.) tr. Empapar con pringue el pan u otro alimento. ‖ **2.** Estrujar con pan algún alimento grasoso. ‖ **3.** Echar a uno pringue hirviendo, castigo usado antiguamente. ‖ **4.** Manchar con pringue o con cualquier otra sustancia grasienta o pegajosa. Ú. t. c. prnl. ‖ **5.** fam. Herir haciendo sangre. ‖ **6.** fig. y fam. Denigrar, infamar, poner mala nota en la fama de alguno. ‖ **7.** intr. fig. y fam. Tomar parte en un negocio o dependencia. ‖ **8.** prnl. fig. y fam. Interesarse uno indebidamente en el caudal, hacienda o negocio que maneja. ‖ **pringar uno en todo.** fr. fig. y fam. Tomar parte a la vez en muchos negocios o asuntos de varia y distinta naturaleza.

pringón, na. adj. fam. Puerco, sucio, lleno de grasa o pringue. ‖ **2.** m. Acción de mancharse con pringue. ‖ **3.** fam. Mancha de pringue.

pringor. (De *pringue.*) m. Jugo, sustancia.

pringoso, sa. adj. Que tiene pringue o está grasiento o pegajoso.

pringote. (De *pringue.*) m. Amasijo que hacen algunos al comer la olla, mezclando la carne, el tocino y el chorizo.

pringue. (De or. inc.) amb. Grasa que suelta el tocino u otra cosa semejante sometida a la acción del fuego. ‖ **2.** Castigo que consistía en echar **pringue** hirviendo a alguien. ‖ **3.** fig. Suciedad, grasa o porquería que se pega a la ropa o a otra cosa.

prionodonte. (Del gr. πρίων, sierra, y ὀδούς, ὀδόντος, diente.) m. *Paleont.* Especie de armadillo fósil de gran tamaño.

prior. (Del lat. *prior, -óris,* el primero.) adj. En lo escolástico, dícese de lo que precede a otra cosa en cualquier orden. ‖ **2.** En algunas religiones, superior o prelado ordinario del convento. ‖ **3.** En otras, segundo prelado después del abad. ‖ **4.** Superior de cualquier convento de los canónigos regulares y de las órdenes militares. ‖ **5.** Dignidad que hay en algunas iglesias catedrales. ‖ **6.** En algunos obispados, párroco o cura. ‖ **7.** El cabeza de cualquier consulado, establecido con autoridad legítima para entender en asuntos de comercio. ‖ **gran prior.** En la religión de San Juan, dignidad superior a la demás de cada lengua.

priora. (De *prior.*) f. Prelada de algunos conventos de religiosas. ‖ **2.** En algunas religiones, segunda prelada, que tiene el gobierno y mando después de la superiora.

prioradgo. m. ant. Dignidad de prior o priora.

prioral. adj. Perteneciente o relativo al prior o a la priora.

priorato[1]. (Del lat. *prioratus,* preeminencia.) m. Oficio, dignidad o empleo de prior o de priora. ‖ **2.** Distrito o territorio en que tiene jurisdicción el prior. ‖ **3.** En la religión de San Benito, casa en que habitan algunos monjes pertenecientes a un monasterio principal, cuyo abad nombra el superior inmediato, llamado prior, para que los gobierne.

priorato[2]. (De la comarca catalana de este nombre.) m. Vino tinto muy renombrado en gran parte de España.

priorazgo. (De *prioradgo.*) m. Dignidad de prior o priora.

prioresa. f. desus. **priora.**

prioridad. (Del lat. *prior, -óris,* anterior.) f. Anterioridad de una cosa respecto de otra, o en tiempo o en orden. ‖ **2.** Anterioridad o precedencia de una cosa respecto de otra que depende o procede de ella. ‖ **de naturaleza.** *Fil.* Anterioridad o preferencia de una cosa respecto de otra precisamente en cuanto es causa suya, aunque existan en un mismo instante de tiempo. ‖ **de origen.** *Teol.* La que se considera en aquellas personas de la Trinidad que son principio de otra u otras que de ellas proceden: como el Padre, que es principio del Verbo, y ambos principio del Espíritu Santo.

prioritario, ria. adj. Dícese de lo que tiene prioridad respecto de algo.

prioste. (De *preboste.*) m. Mayordomo de una hermandad o cofradía.

prisa. (De *priesa.*) f. Prontitud y rapidez con que sucede o se ejecuta una cosa. ‖ **2.** Necesidad o deseo de ejecutar algo con urgencia. ‖ **3.** Rebato, escaramuza o pelea muy encendida y confusa. ‖ **4.** Gran concurrencia de gente en un sitio para obtener algo. ‖ **5.** Entre sastres y otros oficiales, acumulación de mucho trabajo. ‖ **6.** ant. Aprieto, conflicto, consternación, ahogo. ‖ **7.** ant. Muchedumbre, tropel. ‖ **a gran prisa, gran,** o **más, vagar. a más prisa, gran,** o **más, vagar.** frs. proverbs. con que se da a entender que no se deben atropellar las cosas ni sacarlas de su curso regular, porque de otro modo se tarda más en la ejecución o logro de ellas. ‖ **andar** uno **de prisa.** fr. fig. Aplícase al que parece que le falta tiempo para cumplir con las ocupaciones y negocios que tiene a su cargo. ‖ **a prisa.** loc. adv. **aprisa.** ‖ **a toda prisa.** loc. adv. Con la mayor prontitud. ‖ **correr prisa** una cosa. fr. Ser urgente. ‖ **dar prisa.** fr. Instar y obligar a uno a que ejecute una cosa con presteza y brevedad. ‖ **2.** Acometer al contrario con ímpetu, brío y resolución, obligándole a huir. ‖ **dar prisa** una cosa. fr. **correr prisa.** ‖ **darse** uno **prisa.** fr. fam. Acelerarse, apresurarse en la ejecución de una cosa. ‖ **de prisa.** loc. adv. **deprisa.** ‖ **de prisa y corriendo.** loc. adv. Con la mayor celeridad, atropelladamente, sin detención o pausa alguna. ‖ **estar** uno **de prisa.** fr. Tener que hacer una cosa con urgencia. ‖ **meter** uno **prisa.** fr. Apresurar las cosas. ‖ **tener** uno **prisa.** fr. **estar de prisa.** ‖ **vísteme despacio, que estoy de prisa.** expr. fig. y fam. **a gran prisa, más vagar.**

priscal. (De *aprisco.*) m. Lugar en el campo, donde se recogen los ganados por la noche.

priscilianismo. m. Herejía de Prisciliano, heresiarca español del siglo IV, que profesaba algunos de los errores de los gnósticos y maniqueos.

priscilianista. adj. Adepto al priscilianismo.

prisciliano, na. adj. Adepto al priscilianismo. ‖ **2.** Perteneciente o relativo a Prisciliano.

prisco. (Del ant. *priesco,* y este del lat. [*pomum*] *persícum.*) m. Albérchigo, árbol. ‖ **2.** Fruto de este árbol.

prisión. (Del lat. *prehensío, -ónis.*) f. Acción de prender, asir o coger. ‖ **2.** Cárcel o sitio donde se encierra y asegura a los presos. ‖ **3.** Presa que hace el halcón de cetrería, volando a poca altura. ‖ **4.** Atadura con que están presas las aves de caza. ‖ **5.** ant. Toma u ocupación de una cosa. ‖ **6.** fig. Cualquier cosa que ata o detiene físicamente. ‖ **7.** fig. Lo que une estrechamente las voluntades y afectos. ‖ **8.** *Der.* Pena de privación de libertad, inferior a la reclusión y superior a la de arresto. ‖ **9.** pl. Grillos, cadenas y otros instrumentos con que en las cárceles se asegura a los delincuentes. ‖ **de Estado.** Cárcel en que se encierran los reos de Estado. ‖ **mayor.** La que dura desde seis años y un día hasta doce años. ‖ **menor.** La de seis meses y un día a seis años. ‖ **preventiva.** *Der.* La que sufre el procesado durante la sustanciación del juicio. ‖ **reducir** a uno **a prisión.** fr. *Der.* Encarcelarle. ‖ **renunciar la prisión.** fr. **renunciar la cadena.**

prisionero, ra. m. y f. Militar u otra persona que en campaña cae en poder del enemigo. ‖ **2.** Persona que está presa, generalmente por causas que no son delito. ‖ **3.** fig. Persona que está dominada por un afecto o pasión. ‖ **de guerra.** El que se entrega al vencedor precediendo capitulación.

prisma. (Del lat. *prisma*, y este del gr. πρῖσμα.) m. *Geom.* Cuerpo terminado por dos caras planas, paralelas e iguales que se llaman bases, y por tantos paralelogramos cuantos lados tenga cada base. Si estas son triángulos, el **prisma** se llama triangular; si pentágonos, pentagonal, etc. ‖ **2.** fig. Punto de vista, perspectiva. ‖ **3.** *Ópt.* **prisma** triangular de cristal, que se usa para producir la reflexión, la refracción y la descomposición de la luz. ‖ **cenit.** *Astron.* Sistema óptico cuyo principal elemento es un **prisma** de reflexión adaptable al ocular astronómico para facilitar las observaciones cenitales. ‖ **objetivo.** *Astron.* **prisma** de poco ángulo y mucho diámetro, que se coloca delante del objetivo de un anteojo para observar muchos espectros a la vez.

prismático, ca. adj. De figura de prisma. ‖ **2.** V. **anteojo prismático.** Ú. t. c. s. pl. ‖ **3.** V. **pólvora prismática.** ‖ **4.** m. pl. *Ópt.* **gemelos prismáticos.**

priso, sa. (Del lat. *prensus*, p. p. de *prendĕre*.) p. p. irreg. ant. de *prender.*

priste. (Del gr. πρίστις.) m. **pez sierra.**

prístino, na. (Del lat. *pristĭnus.*) adj. Antiguo, primero, primitivo, original.

prisuelo. (De *priso.*) m. Frenillo o bozo que se pone a los hurones para que no puedan chupar la sangre de los conejos al apresarlos.

privación. (Del lat. *privatĭo, -ōnis.*) f. Acción de despojar, impedir o privar. ‖ **2.** Carencia o falta de una cosa en sujeto capaz de tenerla. ‖ **3.** Pena con que se desposee a uno del empleo, derecho o dignidad que tenía, por un delito que ha cometido. ‖ **4.** fig. Ausencia del bien que se apetece y desea. ‖ **5.** Renuncia voluntaria a algo. ‖ **la privación es causa del apetito.** fr. proverb. con que se pondera el deseo de las cosas que no podemos alcanzar, haciendo poco aprecio de las que poseemos.

privada. (De *privado.*) f. Retrete, excusado. ‖ **2.** Plasta grande de suciedad o excremento echada en el suelo o en la calle.

privadamente. adv. m. Familiar o separadamente, en particular.

privadero. (De *privada.*) m. Pocero, el que limpia los pozos negros.

privado¹, da. (Del lat. *privātus.*) p. p. de *privar.* ‖ **2.** adj. Que se ejecuta a vista de pocos, familiar o domésticamente, sin formalidad ni ceremonia alguna. ‖ **3.** Particular y personal de cada uno. ‖ **4.** V. **higiene, misa privada.** ‖ **5.** *Can.* Con el verbo *estar,* muy contento, lleno de gozo. ‖ **6.** m. El que tiene privanza.

privado². (Del célt. **brigos,* brío.) adv. m. ant. Presto, luego, al punto.

privanza. (De *privar.*) f. Primer lugar en la gracia y confianza de un príncipe o alto personaje, y por ext., de cualquier otra persona.

privar. (Del lat. *privāre.*) tr. Despojar a uno de una cosa que poseía. ‖ **2.** Destituir a uno de un empleo, ministerio, dignidad, etc. ‖ **3.** Prohibir o vedar. ‖ **4.** Quitar o perder el sentido, como sucede con un golpe violento u olor sumamente vivo. Ú. m. c. prnl. ‖ **5.** Complacer o gustar extraordinariamente. *A Fulano le* PRIVA *este género de pasteles.* ‖ **6.** intr. Tener privanza. ‖ **7.** Tener general aceptación una persona o cosa. ‖ **8.** prnl. Dejar volunta-

riamente una cosa de gusto, interés o conveniencia. PRIVARSE *del paseo.*

privatista. com. Persona que profesa el derecho privado, o tiene en él especiales conocimientos.

privativamente. adv. m. Propia y singularmente, con exclusión de todos los demás.

privativo, va. (Del lat. *privatīvus.*) adj. Que causa privación o la significa. ‖ **2.** Propio y peculiar singularmente de una cosa o persona, y no de otras.

privatización. f. Acción y efecto de privatizar.

privatizar. (Del lat. *privātus,* y el sufijo verbal *-izar.*) tr. Transferir una empresa o actividad pública al sector privado.

privilegiadamente. adv. m. De un modo privilegiado.

privilegiado, da. p. p. de *privilegiar.* ‖ **2.** adj. V. **altar privilegiado.** ‖ **3.** Que goza de un privilegio. Ú. t. c. s.

privilegiar. tr. Conceder privilegio.

privilegiativo, va. adj. Que encierra o incluye en sí privilegio.

privilegio. (Del lat. *privilegīum.*) m. Exención de una obligación o ventaja exclusiva o especial que goza alguien por concesión de un superior o por determinada circunstancia propia. ‖ **2.** Documento en que consta la concesión de un privilegio. ‖ **3.** V. **concertador de privilegios.** ‖ **4.** V. **hidalgo de privilegio.** ‖ **convencional.** El que se da o concede mediante un pacto o convenio con el privilegiado. ‖ **de introducción.** Derecho de goce exclusivo durante plazo fijo de un procedimiento industrial o de una fabricación que se implanta de nuevo en un país. ‖ **de invención.** Derecho de aprovechar exclusivamente, por tiempo determinado, una producción o un procedimiento industrial hasta entonces no conocidos o no usados. ‖ **del canon.** El que gozaban las personas del estado clerical y religioso, de que quien pegase a alguna de ellas, incurría inmediatamente en penas canónicas. ‖ **del fuero.** El que tenían los eclesiásticos para ser juzgados por sus tribunales. ‖ **favorable.** El que favorece al privilegiado y no perjudica a nadie, como el de comer carne o lacticinios en cuaresma. ‖ **gracioso.** El que se da o concede sin atención a los méritos del privilegiado, sino solo por gracia, beneficencia o parcialidad del superior. ‖ **local.** El que se concede a un lugar determinado, fuera de cuyos límites no se extiende. ‖ **odioso.** El que perjudica a tercero. ‖ **personal.** El que se concede a una persona y no pasa a los sucesores. ‖ **real.** El que está unido a la posesión de una cosa o al ejercicio de un cargo. ‖ **remuneratorio.** El que se concede en premio de una acción meritoria. ‖ **rodado.** El que se expedía con el signo rodado.

privillejar. tr. ant. **privilegiar.**

privillejo. m. ant. **privilegio.**

pro. (Del lat. *prode,* provecho.) amb. Provecho, ventaja. ‖ **2.** V. **hombre de pro.** ‖ **buena pro.** Modo de hablar con que se saludaba al que estaba comiendo o bebiendo. ‖ **2.** Usáb. en los contratos y remates para demostrar que se habían perfeccionado o eran ya obligatorios. ‖ **el pro y el contra.** fr. con que se denota la confrontación de lo favorable y lo adverso de una cosa. ‖ **en pro.** loc. adv. En favor.

pro-. (Del lat. *pro-.*) pref. que puede significar «por» o «en vez de»: PROnombre, PROcónsul; «ante» o «delante de»: PRÓlogo, PROgenitura; «impulso o movimiento hacia adelante»: PROmover, PROpulsar, PROseguir; «publicación»: PROclamar, PROferir; «negación o contradicción»: PROhibir, PROscribir.

proa. (De *prora.*) f. Parte delantera de la nave, con la cual corta las aguas, y por ext., parte delantera de otros vehículos. ‖ **2.** V. **capitán, mascarón, mastelero, viento de proa.** ‖ **poner la proa** a una cosa. fr. fig. Fijar la mira en ella, haciendo las diligencias conducentes para su logro y consecución. ‖ **poner la proa** a uno. fr. fig. Formar el propósito de perjudicarle.

proal. adj. Perteneciente a la proa.

probabilidad. (Del lat. *probabílitas, -átis.*) f. Verosimilitud o fundada apariencia de verdad. ‖ **2.** Calidad de probable, que puede suceder.

probabilismo. (Del lat. *probabílis,* probable.) m. *Teol.* Doctrina de ciertos teólogos según los cuales en la calificación de la bondad o malicia de las acciones humanas se puede lícita y seguramente seguir la opinión probable, en contraposición de la más probable.

probabilista. adj. *Teol.* Que profesa la doctrina del probabilismo. Apl. a pers., ú. t. c. s.

probable. (Del lat. *probabílis.*) adj. Verosímil, o que se funda en razón prudente. ‖ **2.** Que se puede probar. ‖ **3.** Dícese de aquello que hay buenas razones para creer que se verificará o sucederá.

probablemente. adv. m. Con verosimilitud o fundada apariencia de verdad.

probación. (Del lat. *probatío, -ónis.*) f. **prueba.** ‖ **2.** En las órdenes regulares, examen y prueba que debe hacerse, al menos durante un año, de la vocación y virtud de los novicios antes de profesar.

probado, da. p. p. de **probar.** ‖ **2.** adj. Acreditado por la experiencia. *Es remedio* PROBADO. ‖ **3.** Dícese de la persona que ha sufrido con paciencia grandes tribulaciones o adversidades. ‖ **4.** *Der.* Acreditado como verdad en los autos. Dícese *lo alegado y* PROBADO, para denotar la materia que está sometida al juicio. ‖ **5.** *Der.* V. **alegato de bien probado.**

probador, ra. (Del lat. *probátor, -óris.*) adj. Que prueba. Ú. t. c. s. ‖ **2.** m. En los talleres de costura, almacenes, tiendas de ropa, etc., habitación en que los clientes se prueban las prendas de vestir. ‖ **3.** ant. Abogado defensor.

probadura. f. Acción de probar o gustar.

probanza. (De *probar.*) f. Averiguación o prueba que jurídicamente se hace de una cosa. ‖ **2.** Cosa o conjunto de ellas que acreditan una verdad o un hecho.

probar. (Del lat. *probáre.*) tr. Hacer examen y experimento de las cualidades de personas o cosas. ‖ **2.** Examinar si una cosa está arreglada a la medida, muestra o proporción de otra a que se debe ajustar. Ú. t. c. prnl. ‖ **3.** Justificar, manifestar y hacer patente la certeza de un hecho o la verdad de una cosa con razones, instrumentos o testigos. ‖ **4.** Gustar una pequeña porción de una comida o bebida. PROBÉ *la sopa para asegurarme de que tenía sal.* ‖ **5.** Comer o beber alguna cosa. Ú. m. en fr. negativas. *Desde el año pasado no* PRUEBA *el alcohol.* ‖ **6.** ant. Aprobar, dar por bueno. ‖ **7.** intr. Con la preposición *a* y el infinitivo de otros verbos, hacer prueba, experimentar o intentar una cosa. PROBÓ A *levantarse y no pudo.* ‖ **8.** Ser a propósito o convenir una cosa, o producir el efecto que se necesita. Regularmente se usa con los adverbios *bien* o *mal.*

probática. (Del lat. *probatíca piscína,* y este del gr. προβατικός, perteneciente a los corderos o a los rebaños.) adj. V. **piscina probática.**

probativo, va. adj. **probatorio,** que sirve para probar alguna cosa.

probatoria. (Del lat. *probatoría.*) f. *Der.* Término concedido por la ley o por el juez para hacer la prueba.

probatorio, ria. (Del lat. *probatoríus.*) adj. Que sirve para probar o averiguar la verdad de una cosa. ‖ **2.** *Der.* V. **término probatorio.**

probatura. (De *probar.*) f. fam. Ensayo, prueba.

probeta. (De *probar.*) f. Manómetro de mercurio, de poca altura, para conocer el grado de enrarecimiento del aire en la máquina neumática. ‖ **2.** Máquina para probar la calidad y violencia de la pólvora. ‖ **3.** Tubo de cristal, con pie o sin él, cerrado por un extremo y destinado a contener líquidos o gases. ‖ **4.** Vasija cuadrilonga y de poco fondo, usada por los fotógrafos en sus operaciones. ‖ **5.** Muestra de cualquier sustancia o material para probar su elasticidad, resistencia, etc. ‖ **6.** V. **niño probeta.** ‖ **graduada.** La que tiene señales para medir volúmenes.

probidad. (Del lat. *probítas, -átis.*) f. **honradez.**

problema. (Del lat. *probléma,* y este del gr. πρόβλημα.) m. Cuestión que se trata de aclarar. ‖ **2.** Proposición o dificultad de solución dudosa. ‖ **3.** Conjunto de hechos o circunstancias que dificultan la consecución de algún fin. ‖ **4.** Disgusto, preocupación. Ú. m. en pl. *Mi hijo sólo da* PROBLEMAS. ‖ **5.** *Mat.* Proposición dirigida a averiguar el modo de obtener un resultado cuando ciertos datos son conocidos. ‖ **determinado.** *Mat.* Aquel que no puede tener sino una solución, o más de una en número fijo. ‖ **indeterminado.** *Mat.* Aquel que puede tener indefinido número de soluciones.

problemáticamente. adv. m. De modo problemático.

problemático, ca. (Del lat. *problematícus,* y este del gr. προβληματικός.) adj. Dudoso, incierto, o que se puede defender por una y otra parte. ‖ **2.** f. Conjunto de problemas pertenecientes a una ciencia o actividad determinadas.

problematismo. m. Calidad de problemático.

probo, ba. (Del lat. *probus.*) adj. Que tiene probidad.

probóscide. (Del lat. *proboscis, -ídis,* trompa.) f. *Zool.* Aparato bucal en forma de trompa o pico, dispuesto para la succión, que es propio de los insectos dípteros.

proboscidio. (De *probóscide.*) adj. *Zool.* Dícese de los mamíferos que tienen trompa prensil formada por la soldadura de la nariz con el labio superior, y cinco dedos en las extremidades, terminado cada uno de ellos en una pequeña pezuña y englobados en una masa carnosa; como el elefante. Ú. t. c. s. ‖ **2.** m. pl. *Zool.* Orden de estos animales.

procacidad. (Del lat. *procacítas, -átis.*) f. Desvergüenza, insolencia, atrevimiento. ‖ **2.** Dicho o hecho desvergonzado, insolente.

procapellán. m. En la antigua capilla real era el primero en dignidad de los capellanes.

procaz. (Del lat. *procax, -ácis.*) adj. Desvergonzado, atrevido.

procedencia. (Del lat. *procédens, -entis,* procedente.) f. Origen, principio o donde nace o se deriva una cosa. ‖ **2.** Punto de partida de un barco, un tren, un avión, una persona, etc., cuando llega al término de su viaje. ‖ **3.** Conformidad con la moral, la razón o el derecho. ‖ **4.** *Der.* Fundamento legal y oportunidad de una demanda, petición o recurso.

procedente. (Del lat. *procédens, -entis.*) p. a. de **proceder.** Que procede, dimana o trae su origen de una persona o cosa. ‖ **2.** Arreglado a la prudencia, a la razón o a un fin que se persigue. ‖ **3.** Conforme a derecho, mandato, práctica o conveniencia. *Demanda, recurso, acuerdo* PROCEDENTE.

proceder¹. (infinit. sustantivado.) m. Modo, forma y orden de portarse y gobernar uno sus acciones bien o mal.

proceder². (Del lat. *procedére.*) intr. Ir en realidad o figuradamente algunas personas o cosas unas tras otras guardando cierto orden. ‖ **2.** Obtenerse, nacer u originarse una cosa de otra, física o moralmente. ‖ **3.** Tener su origen alguien o algo en un determinado lugar, o descender de cierta persona, familia o cosa que se expresa. ‖ **4.** Venir, haber salido de cierto lugar. *El vuelo* PROCEDE *de La Habana.* ‖ **5.** Portarse y gobernar uno sus acciones bien o mal. ‖ **6.** Pasar a poner en ejecución una cosa a la cual precedieron algunas diligencias. PROCEDER *a la ejecución de papa.* ‖ **7.** Continuar en la ejecución de algunas cosas que piden tracto sucesivo. ‖ **8.** Hacer una cosa conforme a razón, derecho, mandato, práctica o conveniencia. *Ya ha* empezado la función y PROCEDE guardar silencio. ‖ **9.** Teol. Hablando de la Santísima Trinidad, significa que el Eterno Padre produce al Verbo Divino, engendrándolo con su entendimiento, del cual **procede**; y que amándose el Padre y el Hijo, producen al Espíritu Santo, que **procede** de los dos. ‖ **proceder contra** uno. fr. Der. Iniciar o seguir procedimiento criminal contra él. ‖ **proceder en infinito.** fr. fig. que se usa para ponderar lo dilatado o interminable de una cosa. Querer referir todas mis desventuras, sería PROCEDER EN INFINITO.

procedido, da. p. p. de **proceder.** ‖ **2.** m. ant. Lo producido, producto.

procedimiento. m. Acción de proceder. ‖ **2.** Método de ejecutar algunas cosas. ‖ **3.** Der. Actuación por trámites judiciales o administrativos. ‖ **contradictorio.** Dícese del que permite impugnar lo que en él se pretende.

procela. (Del lat. procella.) f. poét. Borrasca, tormenta.

proceleusmático. (Del lat. proceleusmaticus pes, y este del gr. προκελευσματικός.) m. Pie de la poesía griega y latina, compuesto de dos pirriquios.

proceloso, sa. (Del lat. procellōsus.) adj. Borrascoso, tormentoso, tempestuoso.

prócer. (Del lat. procer, -ēris.) adj. Eminente, elevado, alto. ‖ **2.** m. Persona de la primera distinción o constituida en alta dignidad. ‖ **3.** Cada uno de los individuos que, por derecho propio o nombramiento del rey, formaban, bajo el régimen del Estatuto Real, el estamento a que daban nombre.

procerato. m. Dignidad de prócer.

proceridad. (Del lat. procerĭtas, -ātis.) f. Eminencia, elevación, altura. ‖ **2.** Vigor, lozanía, incremento anticipado. Dícese de las personas y de las plantas.

procero, ra o **prócero, ra.** (Del lat. procērus.) adj. Eminente, elevado, alto.

proceroso, sa. (De prócer.) adj. Dícese de la persona de alta estatura, corpulenta y de gran peso.

procesado, da. adj. Aplícase al escrito y letra de proceso. ‖ **2.** Declarado y tratado como presunto reo en un proceso criminal. Ú. t. c. s. ‖ **3.** V. **letra procesada.**

procesador. m. Inform. Elemento de un sistema informático capaz de llevar a cabo procesos.

procesal. adj. Perteneciente o relativo al proceso. Costas PROCESALES. ‖ **2.** V. **derecho procesal.** ‖ **3.** V. **letra procesal.**

procesamiento. m. Acto de procesar.

procesar. tr. Formar autos y procesos. ‖ **2.** Der. Declarar y tratar a una persona como presunto reo de delito. ‖ **3.** Tecnol. Someter a un proceso de transformación física, química o biológica. ‖ **4.** Tecnol. Someter datos o materiales a una serie de operaciones programadas.

procesión. (Del lat. processio, -ōnis.) f. Acción de proceder una cosa de otra. ‖ **2.** Acto de ir ordenadamente de un lugar a otro muchas personas con algún fin público y solemne, por lo común religioso. ‖ **3.** V. **cursor de procesiones.** ‖ **4.** fig. y fam. Una o más hileras de personas o animales que van de un lugar a otro. ‖ **5.** Teol. Acción eterna con que el Padre produce al Verbo, y acción con que estas dos personas producen al Espíritu Santo. A esta última es a la que más comúnmente se da el nombre de **procesión.** ‖ **andar,** o **ir, por dentro la procesión.** fr. fig. y fam. Sentir pena, cólera, inquietud, dolor, etc., aparentando serenidad o sin darlo a conocer.

procesional. adj. Ordenado en forma de procesión. ‖ **2.** Perteneciente a ella.

procesionalmente. adv. m. En forma de procesión.

procesionaria. f. Nombre común a las orugas de varias especies de lepidópteros que causan grandes estragos en los pinos, encinas y otros árboles.

procesionario. adj. V. **libro procesionario.** Ú. t. c. s.

proceso. (Del lat. processus.) m. Acción de ir hacia adelante. ‖ **2.** Transcurso del tiempo. ‖ **3.** V. **cabeza de proceso.** ‖ **4.** Conjunto de las fases sucesivas de un fenómeno natural o de una operación artificial. ‖ **5.** Der. Agregado de los autos y demás escritos en cualquier causa civil o criminal. ‖ **6.** Der. Causa criminal. ‖ **7.** Der. V. **méritos del proceso.** ‖ **8.** ant. Der. Procedimiento, actuación por trámites judiciales o administrativos. ‖ **seguir** uno un proceso a otro. Seguir una serie de cosas que no tiene fin. ‖ **fulminar el proceso.** fr. Der. Hacerlo y sustanciarlo hasta ponerlo en estado de sentencia. ‖ **vestir el proceso.** fr. Der. Formarlo con todas las diligencias y solemnidades requeridas por derecho.

procinto. (Del lat. procinctus, preparado.) m. ant. Estado inmediato y próximo de ejecutarse una cosa. Decíase especialmente en la milicia cuando estaba para darse una batalla.

proclama. f. Notificación pública. Ú. regularmente hablando de las amonestaciones para los que quieren casarse u ordenarse. ‖ **2.** Alocución política o militar, de viva voz o por escrito. ‖ **correr las proclamas.** fr. **correr las amonestaciones.**

proclamación. (Del lat. proclamatio, -ōnis.) f. Publicación de un decreto, bando o ley, que se hace solemnemente para que llegue a noticia de todos. ‖ **2.** Actos públicos y ceremonias con que se festeja e inaugura un nuevo reinado, principado, etc. ‖ **3.** Alabanza pública y común.

proclamar. (Del lat. proclamāre.) tr. Publicar en alta voz una cosa para que se haga notoria a todos. ‖ **2.** Declarar solemnemente el principio o inauguración de un reinado, etc. ‖ **3.** Dar voces la multitud en honor de una persona. ‖ **4.** Conferir, por unanimidad, algún cargo. ‖ **5.** fig. Dar señales inequívocas de un afecto, pasión, etc. ‖ **6.** prnl. Declararse uno investido de un cargo, autoridad o mérito.

proclisis. f. Gram. Unión de una palabra proclítica a la que le sigue.

proclítico, ca. (Del gr. προκλίνω, inclinarse hacia adelante.) adj. Gram. Dícese de la voz que, sin acentuación prosódica, se liga en la cláusula con el vocablo subsiguiente. Tales son los artículos, los pronombres posesivos mi, tu, su, las preposiciones de una sílaba y otras varias partículas.

proclive. (Del lat. proclīvis.) adj. Que está inclinado hacia adelante o hacia abajo. ‖ **2.** Inclinado o propenso a una cosa, frecuentemente a lo malo.

proclividad. (Del lat. proclivĭtas, -ātis.) f. Calidad de proclive.

proco. (Del lat. procus, galán, pretendiente.) m. p. us. El que pretende a una mujer. ‖ **2.** p. us. El que la demanda en matrimonio o la apadrina en su profesión religiosa.

procomún. (De pro, provecho, y común.) m. Utilidad pública.

procomunal. m. Utilidad pública.

procónsul. (Del lat. proconsul, -ŭlis.) m. Entre los antiguos romanos, gobernador de una provincia con jurisdicción e insignias consulares.

proconsulado. (Del lat. proconsulātus.) m. Oficio, dignidad o empleo de procónsul. ‖ **2.** Tiempo que duraba esta dignidad.

proconsular. (Del lat. proconsulāris.) adj. Perteneciente o relativo al procónsul.

procordado. (Del lat. proconsulāris.) adj. Zool. Dícese de animales cordados que no tienen encéfalo, estando reducido su sistema nervioso central a un cordón que equivale a la médula espinal de los vertebrados; carecen de toda clase de esqueleto y respiran por branquias situadas en la pared de la faringe. Viven en el mar. Ú. t. c. s. m. ‖ **2.** m. pl. Zool. Subtipo de estos animales.

procrastinación. (Del lat. *procrastinatĭo, -ōnis.*) f. Acción y efecto de procrastinar.

procrastinar. (Del lat. *procrastinare.*) tr. Diferir, aplazar.

procreación. (Del lat. *procreatĭo, -ōnis.*) f. Acción y efecto de procrear.

procreador, ra. (Del lat. *procreātor, -ōris.*) adj. Que procrea. Ú. t. c. s.

procrear. (Del lat. *procreāre.*) tr. Engendrar, multiplicar una especie.

proctología. (Del gr. πρωκτός, ano, y *-logía.*) f. *Med.* Conjunto de conocimientos y prácticas relativos al recto y a sus enfermedades.

proctológico, ca. adj. *Med.* Perteneciente o relativo a la proctología.

proctólogo, ga. m. y f. *Med.* Especialista en proctología.

proctoscopia. f. *Med.* **rectoscopia.**

proctoscopio. m. *Med.* **rectoscopio.**

procura. f. Acción y efecto de procurar. ‖ **2.** Cargo de procurador. ‖ **3.** Oficina del procurador. ‖ **4.** Cuidado asiduo en los negocios.

procuración. (Del lat. *procuratĭo, -ōnis.*) f. Cuidado o diligencia con que se trata y maneja un negocio. ‖ **2.** Comisión o poder que uno da a otro para que en su nombre haga o ejecute una cosa. ‖ **3.** Oficio o cargo de procurador. ‖ **4.** Oficina del procurador. ‖ **5.** Contribución o derechos que los prelados exigen de las iglesias que visitan, para el hospedaje y mantenimiento suyo y de sus familiares durante el tiempo de la visita.

procurador, ra. (Del lat. *procurātor, -ōris.*) adj. Que procura. Ú. t. c. s. ‖ **2.** m. y f. Persona que en virtud de poder o facultad de otro ejecuta en su nombre una cosa. ‖ **3.** Persona que, con la necesaria habilitación legal, ejerce ante los tribunales la representación de cada interesado en un juicio. ‖ **4.** En las comunidades, persona por cuya mano corren las dependencias económicas de la casa, o los negocios y diligencias de su provincia. ‖ **5.** En las comunidades religiosas, persona que tiene a su cargo el gobierno económico del convento. ‖ **a Cortes. procurador en Cortes.** ‖ **astricto.** *Der. Ar.* El que estaba obligado a seguir ciertas causas, especialmente las criminales, porque en Aragón nunca se procedía de oficio en ellas. ‖ **de Cortes. procurador en Cortes.** ‖ **del Reino.** Cada uno de los individuos que, elegido por las provincias, formaban, bajo el régimen del Estatuto Real, el estamento a que daban nombre. ‖ **de pobres.** fig. y fam. Sujeto que se mezcla o introduce en negocios o dependencias en que no tiene interés alguno; y si cae en persona de no buen crédito o que perjudica a uno, se suele decir: *¿Quién mete a Judas a ser* PROCURADOR DE POBRES? ‖ **en Cortes.** En ciertas épocas, las personas elegidas o designadas para representar distintas comunidades en las Cortes. ‖ **síndico general.** Sujeto que en los ayuntamientos o concejos tenía el cargo de promover los intereses de los pueblos, defendía sus derechos y se quejaba de los agravios que se les hacían. ‖ **síndico personero.** El que se nombraba por elección en los pueblos, y principalmente en aquellos en que el oficio de procurador síndico general era perpetuo o vitalicio.

procuraduría. f. Oficio o cargo de procurador o procuradora. ‖ **2.** Oficina donde despacha el procurador.

procurar. (Del lat. *procurāre.*) tr. Hacer diligencias o esfuerzos para que suceda lo que se expresa. ‖ **2.** Conseguir o adquirir algo. Ú. m. c. prnl. SE PROCURÓ *un buen empleo.* ‖ **3.** Ejercer el oficio de procurador.

procurrente. (Del lat. *procurrens, -entis,* lo que se extiende o sobresale.) m. *Geogr.* Gran pedazo de tierra que se adelanta y avanza mar adentro; como lo es Italia.

prodición. (Del lat. *proditĭo, -ōnis.*) f. Traición, entrega.

prodigalidad. (Del lat. *prodigalĭtas, -ātis.*) f. Profusión, des-
perdicio, consumo de la propia hacienda, gastando excesivamente. ‖ **2.** Copia, abundancia o multitud.

pródigamente. adv. m. Con prodigalidad.

prodigar. (De *pródigo.*) tr. Disipar, gastar pródigamente o con exceso y desperdicio una cosa. ‖ **2.** Dar con profusión y abundancia. ‖ **3.** fig. Tratándose de elogios, favores, etc., dispensarlos profusa y repetidamente. Ú. t. c. prnl. ‖ **4.** prnl. Excederse indiscretamente en la exhibición personal.

prodigiador. (Del lat. *prodigiātor, -ōris.*) m. ant. El que por los prodigios o cosas extraordinarias que suceden, pronostica o anuncia lo que ha de suceder.

prodigio. (Del lat. *prodigĭum.*) m. Suceso extraño que excede los límites regulares de la naturaleza. ‖ **2.** Cosa especial, rara o primorosa en su línea. ‖ **3. milagro,** hecho de origen divino. ‖ **4.** Persona que posee una cualidad en grado extraordinario.

prodigiosamente. adv. m. De un modo prodigioso.

prodigiosidad. f. Calidad de prodigioso.

prodigioso, sa. (Del lat. *prodigiōsus.*) adj. Maravilloso, que encierra en sí prodigio. ‖ **2.** Excelente, primoroso, exquisito.

pródigo, ga. (Del lat. *prodĭgus.*) adj. Dícese de la persona que desperdicia y consume su hacienda en gastos inútiles, sin medida ni razón. Ú. t. c. s. ‖ **2.** Que desperdicia generosamente la vida u otra cosa estimable. ‖ **3.** Muy dadivoso. ‖ **4.** Que tiene o produce gran cantidad de algo. *La naturaleza es más* PRÓDIGA *y fecunda que la imaginación humana.*

proditor. (Del lat. *prodĭtor, -ōris.*) m. ant. El que hace entrega o traición.

proditorio, ria. (De *proditor.*) adj. ant. Que incluye traición o pertenece a ella.

pro domo súa. expr. lat. Título de un discurso de Cicerón, que ahora se usa para significar el modo egoísta con que obra alguno.

prodrómico, ca. adj. Perteneciente o relativo al pródromo.

pródromo. (Del lat. *prodrŏmus,* y este del gr. πρόδρομος, que precede.) m. Malestar que precede a una enfermedad.

producción. (Del lat. *productĭo, -ōnis.*) f. Acción de producir. ‖ **2.** Cosa producida. ‖ **3.** Acto o modo de producirse. ‖ **4.** Suma de los productos del suelo o de la industria.

producibilidad. f. Calidad de producible.

producible. adj. Que se puede producir.

producidor, ra. (De *producir.*) adj. **productor.** Ú. t. c. s.

producimiento. m. ant. Acción y efecto de producir.

producir. (Del lat. *producĕre.*) tr. Engendrar, procrear, criar. Se usa hablando más propiamente de las obras de la naturaleza, y por ext., de las del entendimiento. ‖ **2.** Dar, llevar, rendir fruto los terrenos, árboles, etc. ‖ **3.** Rentar, redituar interés, utilidad o beneficio anual una cosa. ‖ **4.** fig. Procurar, originar, ocasionar. ‖ **5.** fig. Fabricar, elaborar cosas útiles. ‖ **6.** *Der.* Exhibir, presentar, manifestar una a la vista y examen aquellas razones o motivos o las pruebas que pueden apoyar su justicia o el derecho que tiene para su pretensión. ‖ **7.** *Econ.* Crear cosas o servicios con valor económico. ‖ **8.** prnl. Explicarse, darse a entender por medio de la palabra.

productibilidad. f. **producibilidad.**

productible. adj. **producible.**

productividad. f. Calidad de productivo. ‖ **2.** Capacidad o grado de producción por unidad de trabajo, superficie de tierra cultivada, equipo industrial, etc. ‖ **3.** *Econ.* Aumento o disminución de los rendimientos físicos o financieros, originado en la variación de cualquiera de los factores que intervienen en la producción: trabajo, capital, técnica, etc.

productivo, va. (Del lat. *productīvus.*) adj. Que tiene virtud de producir. ‖ **2.** Que es útil o provechoso. ‖ **3.** Econ. Que arroja un resultado favorable de valor entre precios y costes.

producto, ta. (Del lat. *productus.*) p. p. irreg. de **producir.** ‖ **2.** m. Cosa producida. ‖ **3.** Caudal que se obtiene de una cosa que se vende, o el que ella reditúa. ‖ **4.** *Álg.* y *Arit.* Cantidad que resulta de la multiplicación. ‖ **nacional bruto.** *Econ.* Valor de todos los bienes y servicios producidos en la economía de un país en un periodo de tiempo dado. ‖ **nacional neto.** *Econ.* Resultado del **producto** nacional bruto menos el valor asignado a la depreciación del capital utilizado en la producción.

productor, ra. (Del lat. *productor, -ōris,* el que lleva por delante.) adj. Que produce. Ú. t. c. s. ‖ **2.** m. y f. En la organización del trabajo, cada una de las personas que intervienen en la producción de bienes o servicios. ‖ **3.** Persona que con responsabilidad financiera y comercial organiza la realización de una obra cinematográfica, discográfica, televisiva, etc., y aporta el capital necesario. ‖ **4.** f. Empresa o asociación de personas que se dedican a la producción cinematográfica o discográfica.

proejar. (Del cat. *proejar.*) intr. Remar contra la corriente o la fuerza del viento que embiste a la embarcación por la proa.

proel. (Del lat. *prora,* a través del cat. *proer.*) adj. *Mar.* Aplícase a la parte que está más cerca de la proa en cualquiera de las cosas de que se compone una embarcación. *Extremo* PROEL *de la quilla.* ‖ **2.** m. *Mar.* Marinero que en un bote, lancha, falúa, etc., maneja el remo de proa, maneja el bichero para atracar o desatracar, y hace las veces de patrón a falta de este. ‖ **3.** *Mar.* Cada uno de los hombres de confianza que ocupaban la proa de una embarcación para dirigir las maniobras de aquella parte, y especialmente para defenderla.

proemial. adj. Perteneciente al proemio.

proemio. (Del lat. *prooemĭum,* y este del gr. προοίμιον.) m. Prólogo, discurso antepuesto al cuerpo de un libro.

proeza. (De or. inc.) f. Hazaña, valentía o acción valerosa.

profanación. (Del lat. *profanatĭo, -ōnis.*) f. Acción y efecto de profanar.

profanador, ra. (Del lat. *profanātor, -ōris.*) adj. Que profana. Ú. t. c. s.

profanamente. adv. m. Con profanidad.

profanamiento. m. **profanación.**

profanar. (Del lat. *profanāre.*) tr. Tratar una cosa sagrada sin el debido respeto, o aplicarla a usos profanos. ‖ **2.** fig. Deslucir, desdorar, deshonrar, prostituir, hacer uso indigno de cosas respetables.

profanía. (De *profano.*) f. ant. **profanidad.**

profanidad. (Del lat. *profanĭtas, -ātis.*) f. Calidad de profano. ‖ **2.** Exceso en el fausto o pompa exterior.

profano, na. (Del lat. *profānus.*) adj. Que no es sagrado ni sirve a usos sagrados, sino puramente secular. ‖ **2.** Que no demuestra el respeto debido a las cosas sagradas. ‖ **3.** Libertino o muy dado a cosas del mundo. Ú. t. c. s. ‖ **4.** Inmodesto, deshonesto en el atavío o compostura. ‖ **5.** Que carece de conocimientos y autoridad en una materia. Ú. t. c. s.

profazador, ra. (De *profazar.*) adj. ant. Chismoso que con cuentos y enredos procura desavenir a los que se profesan amistad. Usáb. t. c. s.

profazamiento. m. ant. Acción y efecto de profazar.

profazar. (De etim. disc.) tr. Abominar, censurar o hablar mal de una persona o cosa.

profazo. (De *profazar.*) m. ant. Abominación, descrédito, mala fama en que cae uno por mal se profesos.

profecía. (Del lat. *prophetīa,* y este del gr. προφητεία.) f. Don sobrenatural que consiste en conocer por inspiración divina las cosas distantes o futuras. ‖ **2.** Predicción hecha en virtud de don sobrenatural. ‖ **3.** Cada uno de los libros canónicos del Antiguo Testamento, en que se contienen los escritos de cualquiera de los profetas mayores. *La* PROFECÍA *de Isaías, la de Jeremías, la de Ezequiel, la de Daniel.* ‖ **4.** fig. Juicio o conjetura que se forma de una cosa por las señales que se observan en ella. ‖ **5.** pl. Libros canónicos del Antiguo Testamento, en que se contienen los escritos de los doce profetas menores.

profecticio, cia. (Del lat. *profecticĭus.*) adj. *Der.* V. **bienes profecticios.** ‖ **2.** *Der.* V. **peculio profecticio.**

proferimiento. m. ant. Acción y efecto de proferir.

proferir. (Del lat. *proferre.*) tr. Pronunciar, decir, articular palabras o sonidos. ‖ **2.** ant. Ofrecer, prometer, proponer. Usáb. t. c. prnl.

proferta. (De *proferto.*) f. ant. Acción de proferir u ofrecer. ‖ **2.** Lo que se profiere u ofrece.

proferto, ta. p. p. irreg. ant. de **proferir,** ofrecer.

profesar. (De *profeso.*) tr. Ejercer una ciencia, arte, oficio, etc. ‖ **2.** Enseñar una ciencia o arte. ‖ **3.** Ejercer una cosa con inclinación voluntaria y continuación en ella. PROFESAR *amistad, el mahometismo.* ‖ **4.** Creer, confesar. PROFESAR *un principio, una doctrina, una religión.* ‖ **5.** fig. Sentir algún afecto, inclinación o interés y perseverar voluntariamente en ellos. PROFESAR *cariño, odio,* etc. ‖ **6.** intr. Obligarse en una orden religiosa a cumplir los votos propios de su instituto.

profesión. (Del lat. *professĭo, -ōnis.*) f. Acción y efecto de profesar. ‖ **2.** Ceremonia eclesiástica en que alguien profesa en una orden religiosa. ‖ **3.** Empleo, facultad u oficio que una persona tiene y ejerce con derecho a retribución. ‖ **hacer profesión de** una costumbre o habilidad. fr. Jactarse de ella.

profesional. adj. Perteneciente a la profesión. ‖ **2.** Dícese de la persona que ejerce una profesión. Ú. t. c. s. ‖ **3.** Dícese de quien practica habitualmente una actividad, incluso delictiva, de la cual vive. Ú. t. c. s. *Es un relojero* PROFESIONAL. *Es un* PROFESIONAL *del sablazo.* ‖ **4.** Dícese de lo que está hecho por **profesionales** y no por aficionados. *Fútbol* PROFESIONAL. ‖ **5.** V. **enfermedad profesional.** ‖ **6.** com. Persona que ejerce su profesión con relevante capacidad y aplicación.

profesionalidad. f. Calidad de profesional.

profesionalismo. m. Cultivo o utilización de ciertas disciplinas, artes o deportes, como medio de lucro.

profesionalizar. tr. Dar carácter de profesión a una actividad. ‖ **2.** Convertir a un aficionado en **profesional,** persona que ejerce una actividad como profesión.

profeso, sa. (Del lat. *professus,* p. p. de *profitēri,* declarar.) adj. Dícese del religioso que ha profesado. Ú. t. c. s. ‖ **2.** Igualmente se aplica al colegio o casa de profesos.

profesor, ra. (Del lat. *professor, -ōris.*) m. y f. Persona que ejerce o enseña una ciencia o arte. ‖ **2.** V. **claustro de profesores.** ‖ **adjunto. profesor** o **profesora** normalmente adscritos a una determinada cátedra o departamento. ‖ **agregado.** En los institutos de bachillerato y en las universidades, **profesor** numerario adscrito a una cátedra o a un departamento, de rango administrativo inmediatamente inferior al de catedrático. ‖ **asociado.** Persona que trabaja fuera de la universidad y es contratada temporalmente por ella. ‖ **numerario.** El que pertenece a una plantilla de funcionarios.

profesorado. m. Cargo de profesor. ‖ **2.** Cuerpo de profesores.

profesoral. adj. Perteneciente o relativo al profesor o al ejercicio del profesorado.

profeta. (Del lat. *prophēta,* y este del gr. προφήτης.) m. El que posee el don de profecía. ‖ **2.** fig. El que por señales o cálculos hechos previamente, conjetura y predice acontecimientos futuros.

profetal. (Del lat. *prophetãlis*.) adj. **profético.**

profetar. (Del lat. *prophetãre*.) tr. ant. **profetizar.**

proféticamente. adv. m. Con espíritu profético, a modo de profeta.

profético, ca. (Del lat. *propheticus*, y este del gr. προφητικός.) adj. Perteneciente o relativo a la profecía o al profeta.

profetisa. (Del lat. *prophetissa*.) f. Mujer que posee el don de profecía.

profetismo. m. Tendencia de algunos filósofos y escritores de religión, principalmente antiguos, a profetizar. *El* PROFETISMO *de Maimónides.*

profetizador, ra. adj. Que profetiza. Ú. t. c. s.

profetizar. (Del lat. *prophetizãre*.) tr. Anunciar o predecir las cosas distantes o futuras, en virtud del don de profecía. ‖ **2.** fig. Conjeturar o hacer juicios del éxito de una cosa por algunas señales que se han observado o por cálculos hechos previamente.

proficiente. (Del lat. *proficiens*, *-entis*.) adj. Dícese del que va aprovechando en una cosa.

proficuo, cua. (Del lat. *proficuus*.) adj. Provechoso, ventajoso, favorable.

profierta. (De *proferto*.) f. ant. Oferta, promesa.

profijamiento. m. ant. **prohijamiento.**

profijar. (Del lat. *pro*, por, y *filius*, hijo.) tr. ant. **prohijar.**

profiláctica. (Del gr. προφυλακτική, t. f. de -κός, profiláctico.) f. *Med.* Ciencia médica de conservar la salud y preservar de la enfermedad.

profiláctico, ca. (Del gr. προφυλακτικός, de προφυλάσσω, prevenir, precaver.) adj. *Med.* Dícese del que y de lo que puede preservar de la enfermedad. ‖ **2.** m. **preservativo.**

profilaxis. (Del gr. προφύλαξις.) f. *Med.* Preservación de la enfermedad.

profligar. (Del lat. *profligãre*.) tr. desus. Sacudir, vencer, destruir, desbaratar.

pro forma. loc. lat. Para cumplir una formalidad. Ú. hablando de liquidaciones, facturas, recibos, etc., que se emplean para justificar operaciones posteriores a la fecha de los estados de cuenta en que figuran.

prófugo, ga. (Del lat. *profugus*.) adj. Dícese de la persona que anda huyendo, principalmente de la justicia o de otra autoridad legítima. Ú. t. c. s. ‖ **2.** m. Mozo que se ausenta o se oculta para eludir el servicio militar.

profundamente. adv. m. Con profundidad. ‖ **2.** fig. Agudamente, con intensidad.

profundar. tr. Ir a lo profundo, ahondar.

profundidad. (Del lat. *profunditas*, *-ãtis*.) f. Calidad de profundo. ‖ **2.** Lugar o parte honda de una cosa. ‖ **3.** Dimensión de los cuerpos perpendicular a una superficie dada. ‖ **4.** fig. Hondura o penetración y viveza del pensamiento y de las ideas.

profundizar. tr. Cavar en una zanja, hoyo, cauce, etc., para hacerlo más hondo. ‖ **2.** fig. Discurrir con la mayor atención y examinar o penetrar una cosa para llegar a su perfecto conocimiento. Ú. t. c. intr.

profundo, da. (Del lat. *profundus*.) adj. Que tiene el fondo muy distante de la boca o borde de la cavidad. ‖ **2.** Más cavado y hondo que lo regular. ‖ **3.** Extendido a lo largo, o que tiene gran fondo. *Selva* PROFUNDA; *esta casa tiene poca fachada, pero es* PROFUNDA. ‖ **4.** Dícese de lo que penetra mucho o va hasta muy adentro. *Raíces* PROFUNDAS; *herida* PROFUNDA. ‖ **5.** fig. Intenso, o muy vivo y eficaz. *Sueño* PROFUNDO; *oscuridad* PROFUNDA; *pena* PROFUNDA. ‖ **6.** fig. Difícil de penetrar o comprender. *Concepto* PROFUNDO. ‖ **7.** fig. Tratándose del entendimiento, de las cosas a él concernientes o de sus producciones, extenso, vasto, que penetra o ahonda mucho. *Talento, saber, pensamiento* PROFUNDO. ‖ **8.** fig. Dícese de la

persona cuyo entendimiento ahonda o penetra mucho. *Filósofo, matemático, sabio* PROFUNDO. ‖ **9.** fig. Humilde en sumo grado. PROFUNDA *reverencia.* ‖ **10.** *Mús.* V. **bajo profundo.** ‖ **11.** m. La parte más honda de una cosa. ‖ **12.** Lo más íntimo de uno. ‖ **13.** poét. Mar, masa de agua salina que cubre gran parte de la Tierra. ‖ **14.** poét. El infierno de los condenados y el de las almas del paganismo.

profusamente. adv. m. Con excesiva abundancia, con profusión.

profusión. (Del lat. *profusio*, *-õnis*.) f. Abundancia, copia en lo que se da, difunde o derrama. ‖ **2.** Prodigalidad, abundancia excesiva, superfluidad.

profuso, sa. (Del lat. *profusus*, p. p. de *profundere*, derramar, disipar.) adj. Abundante, copioso. ‖ **2.** Prodigado superfluamente.

progenie. (Del lat. *progenies*.) f. Casta, generación o familia de la cual se origina o desciende una persona. ‖ **2.** Descendencia o conjunto de hijos de alguien.

progenitor, ra. (Del lat. *progenitor*, *-õris*.) m. y f. Pariente en línea recta ascendente de una persona. ‖ **2.** m. pl. El padre y la madre.

progenitura. (Del lat. *progenitum*, supino de *progignere*, engendrar.) f. Casta de que uno procede. ‖ **2.** desus. Calidad de primogénito. ‖ **3.** desus. Derecho de primogénito.

progimnasma. (Del lat. *progymnasma*, y este del gr. προγύμνασμα.) m. *Ret.* Ensayo o ejercicio preparatorio, como el que hace un orador para prepararse a hablar en público.

prognatismo. m. Calidad de prognato.

prognato, ta. (Del gr. πρό, hacia adelante, y γνάθος, mandíbula.) adj. Dícese de la persona que tiene salientes las mandíbulas. Ú. t. c. s.

progne. (Del lat. *progne*, y este del gr. Πρόκνη, la hija de Pandión, rey de Atenas.) f. poét. Golondrina, pájaro.

prognosis. (Del gr. πρόγνωσις.) f. Conocimiento anticipado de algún suceso. Se usa comúnmente hablando de la previsión meteorológica del tiempo.

programa. (Del lat. *programma*, y este del gr. πρόγραμμα.) m. Edicto, bando o aviso público. ‖ **2.** Previa declaración de lo que se piensa hacer en alguna materia u ocasión. ‖ **3.** Tema que se da para un discurso, diseño, cuadro, etc. ‖ **4.** Sistema y distribución de las materias de un curso o asignatura, que forman y publican los profesores encargados de explicarlas. ‖ **5.** Anuncio o exposición de las partes de que se han de componer ciertos actos o espectáculos o de las condiciones a que han de sujetarse, reparto, etc. ‖ **6.** Impreso que contiene este anuncio. ‖ **7.** Proyecto ordenado de actividades. ‖ **8.** Serie ordenada de operaciones necesarias para llevar a cabo un proyecto. ‖ **9.** Serie de las distintas unidades temáticas que constituyen una emisión de radio o de televisión. ‖ **10.** Cada una de dichas unidades temáticas. *Va a comenzar el* PROGRAMA *deportivo.* ‖ **11.** Cada una de las operaciones que, en un orden determinado, ejecutan ciertas máquinas. ‖ **12.** *Inform.* Conjunto de instrucciones que permite a una computadora realizar determinadas operaciones. ‖ **continuo. sesión continua.**

programación. f. Acción y efecto de programar. ‖ **2.** Conjunto de los programas de radio o televisión.

programador, ra. adj. Que programa. Ú. t. c. s. ‖ **2.** m. Aparato que ejecuta un programa automáticamente. ‖ **3.** m. y f. Persona que elabora programas de ordenador.

programar. tr. Formar programas, previa declaración de lo que se piensa hacer y anuncio de las partes de que se ha de componer un acto o espectáculo o una serie de ellos. ‖ **2.** Idear y ordenar las acciones necesarias para realizar un proyecto. Ú. t. c. prnl. ‖ **3.** Preparar ciertas máquinas por anticipado para que empiecen a funcionar en el momento previsto. ‖ **4.** Preparar los datos previos indispensables para obtener la solución de un problema mediante una calculadora electrónica. ‖ **5.** *Inform.* Elaborar programas para los ordenadores. ‖ **6.** *Mat.* Determinar el valor máximo de una función de muchas variables cuyos valores extremos son conocidos.

programático, ca. adj. Perteneciente o relativo al programa, declaración de lo que se piensa hacer en alguna materia.

progresar. intr. Avanzar, mejorar, hacer adelantos alguien o algo en determinada materia.

progresión. (Del lat. *progressĭo, -ōnis.*) f. Acción de avanzar o de proseguir una cosa. ‖ **2.** *Mat.* Sucesión de números o términos algebraicos entre los cuales hay una ley de formación constante, **bien porque mantienen su diferencia,** en lo que consiste la **progresión aritmética, bien porque** mantienen su razón o cociente, que es la **progresión geométrica.** ‖ **ascendente.** *Mat.* Aquella en que cada término tiene mayor valor que el antecedente. ‖ **descendente.** *Mat.* Aquella en que cada término tiene menos valor que el antecedente.

progresismo. m. Ideas y doctrinas progresivas. ‖ **2.** Partido político que pregonaba estas ideas.

progresista. (De *progreso.*) adj. Aplícase a un partido liberal de España, que tenía por mira principal el más rápido desenvolvimiento de las libertades públicas. ‖ **2.** Perteneciente o relativo a este partido. *Senador, periódico* PROGRESISTA. Apl. a pers., ú. t. c. s. *Un* PROGRESISTA; *los* PROGRESISTAS. ‖ **3.** Dícese de la persona, colectividad, etc., con ideas avanzadas, y de la actitud que esto entraña. Apl. a pers., ú. t. c. s.

progresivamente. adv. m. Con progresión.

progresivo, va. (De *progreso.*) adj. Que avanza, favorece el avance o lo procura. ‖ **2.** Que progresa o aumenta en cantidad o en perfección. ‖ **3.** V. **pólvora progresiva.**

progreso. (Del lat. *progressus.*) m. Acción de ir hacia adelante. ‖ **2.** Avance, adelanto, perfeccionamiento.

prohibición. (Del lat. *prohibitĭo, -ōnis.*) f. Acción y efecto de prohibir.

prohibido, da. p. p. de **prohibir.** ‖ **2.** V. **fruto prohibido.**

prohibir. (Del lat. *prohibēre.*) tr. Vedar o impedir el uso o ejecución de una cosa.

prohibitivo, va. adj. Dícese de lo que prohíbe. ‖ **2.** fig. Dícese de las cosas cuyos precios son muy altos. *Los pisos son cada vez más* PROHIBITIVOS.

prohibitorio, ria. (Del lat. *prohibitorĭus.*) adj. Dícese de lo que prohíbe.

prohijación. f. Acción y efecto de prohijar.

prohijador, ra. adj. Que prohíja. Ú. t. c. s.

prohijamiento. m. Acción y efecto de prohijar.

prohijar. (De *prohijar.*) tr. Adoptar por hijo. ‖ **2.** fig. Acoger como propias las opiniones o doctrinas ajenas.

prohombre. (De etim. disc.) m. En los gremios de los artesanos, veedor o cada uno de los maestros del mismo oficio, que por su probidad y conocimientos se elegía para el gobierno del gremio. ‖ **2.** El que goza de especial consideración entre los de su clase.

proindivisión. f. Estado y situación de los bienes pro indiviso.

pro indiviso. loc. lat. *Der.* Dícese de los caudales o de las cosas singulares que están en comunidad, sin dividir.

proís. (Del cat. *proís.*) m. *Mar.* Piedra u otra cosa en tierra, en que se amarra la embarcación. ‖ **2.** *Mar.* Amarra que se da en tierra para asegurar la embarcación.

proíz. (De *proíza.*) m. **prois.**

proíza. (De *prois.*) f. ant. *Mar.* Cierto cable que se ponía a proa para anclar o amarrar el navío.

prójima. f. fam. Mujer de poca estimación pública o de dudosa conducta. ‖ **2.** fam. Mujer respecto del marido.

prójimo. (Del lat. *proxĭmus.*) m. Cualquier hombre respecto de otro, considerados bajo el concepto de la solidaridad humana. ‖ **al prójimo, contra una esquina.** expr. fig. y fam. con que se moteja a los egoístas. ‖ **no tener prójimo** uno. fr. fig. Ser muy duro de corazón, no lastimarse del mal ajeno.

prolación. (Del lat. *prolatĭo, -ōnis.*) f. ant. Acción de proferir o pronunciar.

prolapso. (Del lat. *prolapsus,* p. p. de *prolābi,* deslizarse, caer.) m. *Med.* Caída o descenso de una víscera, o del todo o parte de un órgano.

prole. (Del lat. *proles.*) f. Linaje, hijos o descendencia de alguien. ‖ **2.** fig. y fam. Conjunto numeroso de personas que tienen algún tipo de relación entre sí.

prolegómeno. (Del gr. προλεγόμενα, preámbulos.) m. Tratado que se pone al principio de una obra o escrito, para establecer los fundamentos generales de la materia que se ha de tratar después. Ú. m. en pl. ‖ **2.** fig. Preparación, introducción excesiva o innecesaria de algo. Ú. m. en pl. *Déjate de* PROLEGÓMENOS *y ve al grano.*

prolepsis. (Del gr. πρόληψις.) f. *Ret.* Figura de dicción en que anticipa el autor la objeción que pudiera hacerse, anticipación. ‖ **2.** *Fil.* En la doctrina de los epicúreos y los estoicos, conocimiento anticipado de alguna cosa.

proletariado. m. Clase social constituida por los proletarios.

proletario, ria. (Del lat. *proletarĭus.*) adj. Decíase del que carecía de bienes y solamente estaba comprendido en las listas vecinales por su persona y prole. Usáb. t. c. s. m. ‖ **2.** Perteneciente o relativo a la clase obrera. ‖ **3.** m. y f. Persona de la clase obrera. ‖ **4.** m. En la antigua Roma, ciudadano pobre que únicamente con su prole podía servir al Estado.

proliferación. f. Acción y efecto de proliferar.

proliferante. adj. Que se reproduce o multiplica, en formas similares.

proliferar. intr. Reproducirse en formas similares. ‖ **2.** fig. Multiplicarse abundantemente.

prolífero, ra. adj. **prolífico.**

prolífico, ca. (Del lat. *proles,* prole, y *facĕre,* hacer.) adj. Que tiene virtud de engendrar. ‖ **2.** Dícese del escritor, artista, etc., autor de muchas obras.

prolijamente. adv. m. Con prolijidad.

prolijear. tr. Extenderse en demasía en explicaciones, digresiones, etc.

prolijidad. (Del lat. *prolixĭtas, -ātis.*) f. Calidad de prolijo.

prolijo, ja. (Del lat. *prolixus.*) adj. Largo, dilatado con exceso. ‖ **2.** Cuidadoso o esmerado. ‖ **3.** Impertinente, pesado, molesto.

prologal. adj. Perteneciente o relativo al prólogo.

prologar. tr. Escribir el prólogo de una obra.

prólogo. (Del gr. πρόλογος.) m. Escrito antepuesto al cuerpo de la obra en un libro de cualquier clase. ‖ **2.** Discurso que en el teatro griego y latino, y también en el antiguo de pueblos modernos, solía preceder al poema dramático, y se recitaba ante el público. ‖ **3.** Primera parte de algunas obras dramáticas y novelas, desligada en cierto modo de las posteriores, y en la cual se representa una acción de que es consecuencia la principal, que se desarrolla después. ‖ **4.** fig. Lo que sirve como de exordio o principio para ejecutar una cosa.

proloquista. com. Persona que escribe el prólogo de un libro.

prolonga. (De *prolongar.*) f. *Art.* Cuerda que une el avantrén con la cureña cuando se suelta la clavija para salvar un mal paso.

prolongable. adj. Que se puede prolongar.

prolongación. f. Acción y efecto de prolongar o prolongarse. ‖ **2.** Parte prolongada de una cosa.

prolongadamente. adv. m. y t. Dilatadamente, con extensión o con larga duración.

prolongado, da. p. p. de **prolongar.** ‖ **2.** adj. Más largo que ancho. ‖ **3.** V. **en cuarto prolongado.** ‖ **4.** V. **pliego prolongado.**

prolongador, ra. adj. Que prolonga. Ú. t. c. s.

prolongamiento. m. Acción y efecto de prolongar o prolongarse.

prolongar. (Del lat. *prolongāre.*) tr. Alargar, dilatar o extender una cosa a lo largo. Ú. t. c. prnl. ‖ **2.** Hacer que dure una cosa más tiempo de lo regular. Ú. t. c. prnl.

proloquio. (Del lat. *proloquĭum.*) m. Proposición, sentencia.

prolusión. (Del lat. *prolusĭo, -ōnis.*) f. **prelusión.**

promanar. (Del lat. *promanāre.*) intr. p. us. Proceder, originarse o nacer.

promediar. tr. Repartir una cosa en dos partes iguales o casi iguales. ‖ **2.** Determinar el promedio. ‖ **3.** intr. Interponerse entre dos o más personas para ajustar un negocio. ‖ **4.** Llegar a su mitad un espacio de tiempo determinado. *Antes de* PROMEDIAR *el mes de junio.*

promedio. (Del lat. *pro medio.*) m. Punto en que una cosa se divide por mitad o casi por la mitad. ‖ **2. término medio.**

promesa. (Del lat. *promissa,* pl. de *promissus.*) f. Expresión de la voluntad de dar a uno o hacer por él una cosa. ‖ **2.** Ofrecimiento hecho a Dios o a sus santos de ejecutar una obra piadosa. ‖ **3.** Persona o cosa que promete por sus especiales cualidades. ‖ **4.** Cantidad que se estampaba en los pagarés de la lotería primitiva, como premio correspondiente a la suma que se había jugado. ‖ **5.** fig. Augurio, indicio o señal que hace esperar algún bien. ‖ **6.** Der. Ofrecimiento solemne, sin fórmula religiosa, pero equivalente al juramento, de cumplir bien y fielmente un cargo o función que va a ejercerse. ‖ **7.** Der. Contrato preparatorio de otro más solemne o detallado al cual precede, especialmente el de compraventa. ‖ **simple promesa.** La que no se confirma con voto o juramento.

promesante. com. *NO. Argent.* y *Chile.* Persona que cumple una promesa piadosa, generalmente en procesión.

promesar. tr. *NO. Argent.* Hacer promesas, por lo general piadosas.

prometedor, ra. adj. Que promete. Ú. t. c. s.

prometer. (Del lat. *promittēre.*) tr. Obligarse a hacer, decir o dar alguna cosa. ‖ **2.** Asegurar la certeza de lo que se dice. ‖ **3.** Dar muestras una persona o cosa de que será verdad lo que se expresa. *La película* PROMETE *ser aburrida.* ‖ **4.** intr. Mostrar una persona o cosa especiales cualidades, que pueden llegar a hacerla triunfar. *El nuevo refresco de menta* PROMETE. ‖ **5.** prnl. Esperar una cosa o mostrar gran confianza de lograrla. ‖ **6.** Ofrecerse uno, por devoción o agradecimiento, al servicio o culto de Dios o de sus santos. ‖ **7.** Darse mutuamente palabra de casamiento, por sí o por tercera persona. ‖ **prometérselas uno felices.** fr. fam. Tener, con poco fundamento, halagüeña esperanza de conseguir una cosa.

prometido, da. p. p. de **prometer.** ‖ **2.** m. y f. Persona que ha contraído esponsales legales o que tiene una mutua promesa de casarse. ‖ **3.** m. Promesa de hacer o cumplir algo fijado. ‖ **4.** Talla que en los arriendos se ponía de premio a los ponedores o pujadores desde la primera postura hasta el primer remate, y que pagaba el que hacía la mejora.

prometiente. p. a. de **prometer.** Que promete. Ú. t. c. s.

prometimiento. (De *prometer.*) m. **promesa.**

prometio. (Del gr. Προμηθεύς, Prometeo.) m. *Quím.* Metal del grupo de las tierras raras. Núm. atómico 61. Símb.: *Pm.*

prominencia. (Del lat. *prominentĭa.*) f. Elevación de una cosa sobre lo que está alrededor o cerca de ella.

prominente. (Del lat. *promĭnens, -entis,* p. a. de *prominēre,* elevarse, sobresalir.) adj. Que se levanta o sobresale sobre lo que

está a su inmediación o alrededores. ‖ **2.** fig. Ilustre, famoso, destacado.

promiscuación. f. Acción de promiscuar.

promiscuamente. adv. m. Con promiscuidad, sin distinción.

promiscuar. (De *promiscuo.*) intr. Comer en días de cuaresma y otros en que la Iglesia lo prohíbe, carne y pescado en una misma comida. ‖ **2.** fig. Participar indistintamente en cosas heterogéneas u opuestas, físicas o inmateriales.

promiscuidad. f. Mezcla, confusión. ‖ **2.** Convivencia con personas de distinto sexo.

promiscuo, cua. (Del lat. *promiscŭus.*) adj. Mezclado confusa o indiferentemente. ‖ **2.** Que tiene dos sentidos o se puede usar igualmente de un modo o de otro, por ser ambos equivalentes. ‖ **3.** Se dice de la persona que mantiene relaciones sexuales con otras varias, así como de su comportamiento, modo de vida, etc.

promisión. (Del lat. *promissĭo, -ōnis.*) f. Promesa de hacer o cumplir algo fijado. ‖ **2.** V. **Tierra de Promisión.** ‖ **3.** Der. Oferta o promesa de dar o de hacer, acerca de la cual no ha mediado estipulación o pacto con la persona a quien favorece o interesa.

promisorio, ria. (Del lat. *promissum,* supino de *promittēre,* prometer.) adj. Que encierra en sí promesa. *Juramento* PROMISORIO.

promitente. m. *And.* y *Amér.* Que promete.

promoción. (Del lat. *promotĭo, -ōnis.*) f. Acción y efecto de promover. ‖ **2.** Conjunto de los individuos que al mismo tiempo han obtenido un grado o empleo, principalmente en los cuerpos de escala cerrada. ‖ **3.** Elevación o mejora de las condiciones de vida, de productividad, intelectuales, etc.

promocionar. tr. Elevar o hacer valer artículos comerciales, cualidades, personas, etcétera. Ú. m. en el lenguaje sociológico o comercial. Ú. t. c. prnl.

promontorio. (Del lat. *promontorĭum.*) m. Altura muy considerable de tierra. ‖ **2.** fig. Cualquier cosa que hace demasiado bulto y causa gran estorbo. ‖ **3.** Altura considerable de tierra que avanza dentro del mar.

promotor, ra. (Del lat. *promōtor, -ōris.*) adj. Que promueve una cosa, haciendo las diligencias conducentes a su logro. Ú. t. c. s. ‖ **de la fe.** Individuo de la Sagrada Congregación de Ritos, de la clase de consultores natos, que en las causas de beatificación y en las de canonización tiene el deber de suscitar dudas y oponer objeciones, sin perjuicio de votar después en pro con arreglo a su conciencia. ‖ **fiscal.** Funcionario que hasta la vigente organización judicial, estuvo encargado en los juzgados de defender la observancia de las leyes, de acusar a los responsables de delitos públicos, y también de sostener los derechos e intereses generales.

promovedor, ra. adj. Que promueve. Ú. t. c. s.

promover. (Del lat. *promovēre.*) tr. Iniciar o adelantar una cosa, procurando su logro. ‖ **2.** Levantar o elevar a una persona a una dignidad o empleo superior al que tenía. ‖ **3.** Tomar la iniciativa para la realización o el logro de algo.

promulgación. (Del lat. *promulgatĭo, -ōnis.*) f. Acción y efecto de promulgar.

promulgador, ra. (Del lat. *promulgātor, -ōris.*) adj. Que promulga. Ú. t. c. s.

promulgar. (Del lat. *promulgāre.*) tr. Publicar una cosa solemnemente. ‖ **2.** fig. Hacer que una cosa se divulgue y propague mucho en el público. ‖ **3.** Der. Publicar formalmente una ley u otra disposición de la autoridad, a fin de que sea cumplida y hecha cumplir como obligatoria.

pronación. (De *prono.*) f. Movimiento del antebrazo que hace girar la mano de fuera a dentro presentando el dorso de ella.

pronaos. m. *Arq.* En los templos antiguos, pórtico que había delante del santuario o cela.

prono, na. (Del lat. *pronus.*) adj. Muy inclinado a una cosa. ‖ **2.** Que está echado sobre el vientre. ‖ **3.** V. **decúbito prono.**

pronombre. (Del lat. *pronōmen, -ĭnis.*) m. *Gram.* Parte de la oración, que suple al nombre o lo determina. ‖ **demostrativo.** *Gram.* Aquel con que material o intelectualmente se demuestran o señalan personas, animales o cosas. Son esencialmente tres: *este, ese* y *aquel.* ‖ **indefinido.** *Gram.* **pronombre indeterminado.** ‖ **indeterminado.** *Gram.* El que vagamente alude a personas o cosas; como *alguien, nadie, uno,* etc. ‖ **personal.** *Gram.* El que directamente representa personas, animales o cosas. Consta de las tres personas gramaticales, en cada una de las cuales son respectivamente nominativos *yo, tú, él,* y además tiene las formas esencialmente reflexivas *se, sí,* propias de la tercera persona. Es la única parte de la oración que en la lengua española cambia de estructura al declinarse. ‖ **posesivo.** *Gram.* El que denota posesión o pertenencia. Son los siguientes: *mío, mía* y *nuestro, nuestra,* de primera persona; *tuyo, tuya* y *vuestro, vuestra,* de segunda persona, y *suyo, suya,* de tercera; y respectivamente denotan lo que pertenece a cada una de estas tres personas o es propio de ellas. ‖ **relativo.** *Gram.* El que se refiere a persona, animal o cosa de que anteriormente se ha hecho mención; como *quien, cuyo, cual, que.*

pronominal. (Del lat. *pronominālis.*) adj. *Gram.* Perteneciente al pronombre o que participa de su índole o naturaleza. ‖ **2.** *Gram.* V. **verbo pronominal.**

pronosticación. f. Acción y efecto de pronosticar.

pronosticador, ra. adj. Que pronostica. Ú. t. c. s.

pronosticar. tr. Conocer por algunos indicios lo futuro.

pronóstico. (Del lat. *prognostĭcum,* y este del gr. προγνωστιϰόν.) m. Acción y efecto de pronosticar. ‖ **2.** Señal por donde se conjetura o adivina una cosa futura. ‖ **3.** Calendario en que se incluye el anuncio de los fenómenos astronómicos y meteorológicos. ‖ **4.** *Med.* Juicio que forma el médico respecto a los cambios que pueden sobrevenir durante el curso de una enfermedad, y sobre su duración y terminación por los síntomas que la han precedido o la acompañan. ‖ **reservado.** *Med.* El que se reserva el médico, a causa de las contingencias que prevé en los efectos de una lesión. ‖ **de pronóstico reservado.** loc. adv. para señalar lo que es de dudoso resultado o se presupone un desenlace peligroso. ‖ **2.** Por ext., de incierto o mal resultado. ‖ **3.** Peligroso, amenazador.

prontamente. adv. t. Con prontitud.

pronteza. (De *pronto.*) f. desus. Presteza, celeridad.

prontitud. (Del lat. *promptitūdo.*) f. Celeridad, presteza o velocidad en ejecutar una cosa. ‖ **2.** Viveza de ingenio o de imaginación. ‖ **3.** Viveza de genio, precipitación.

pronto, ta. (Del lat. *promptus.*) adj. Veloz, acelerado, ligero. ‖ **2.** Dispuesto, aparejado para la ejecución de una cosa. ‖ **3.** m. fam. Decisión repentina motivada por una pasión u ocurrencia inesperada. *Le dio un* PRONTO, *y tomó la capa para salirse de casa.* ‖ **4.** fam. Ataque repentino y aparatoso de algún mal. ‖ **5.** adv. t. Presto, prontamente. ‖ **6.** Con anticipación al momento oportuno, con tiempo de sobra. ‖ **primer pronto.** fam. Primer arranque o movimiento del ánimo. ‖ **en el primer pronto.** loc. en el primer momento o a primera vista. ‖ **de pronto.** loc. adv. Apresuradamente, sin reflexión. ‖ **2. de repente.** ‖ **por de, o el, o lo, pronto.** loc. adv. De primera intención, interinamente, en el entretanto, provisionalmente.

prontuario. (Del lat. *promptuarĭum,* despensa.) m. Resumen o breve anotación de varias cosas a fin de tenerlas presentes cuando se necesiten. ‖ **2.** Compendio de las reglas de una ciencia o arte.

prónuba. (Del lat. *pronŭba.*) f. poét. Madrina de boda.

pronuncia. (De *pronunciar.*) f. *Der. Ar.* Cada declaración, condena o mandato del juez; pronunciamiento. ‖ **2.** *Col.* y *Ecuad.* **habla.** *La noticia me dejó sin* PRONUNCIA.

pronunciable. adj. Que se pronuncia fácilmente.

pronunciación. (Del lat. *pronuntiatĭo, -ōnis.*) f. Acción y efecto de pronunciar. ‖ **2.** Parte de la antigua retórica, que enseñaba a moderar y arreglar el semblante y acción del orador.

pronunciado, da. p. p. de **pronunciar.** ‖ **2.** adj. Muy marcado o acentuado. *Tiene los rasgos muy* PRONUNCIADOS.

pronunciador, ra. (Del lat. *pronuntiātor, -ōris.*) adj. Que pronuncia. Ú. t. c. s.

pronunciamiento. m. Alzamiento militar contra el gobierno, promovido por un jefe del ejército u otro caudillo. ‖ **2.** *Der.* Cada una de las declaraciones, condenas o mandatos del juzgador. ‖ **de previo y especial pronunciamiento.** loc. *Der.* Que califica el asunto judicial que se ha de resolver por separado y antes del fallo principal.

pronunciar. (Del lat. *pronuntiāre.*) tr. Emitir y articular sonidos para hablar. ‖ **2.** Determinar, resolver. Ú. t. c. prnl. ‖ **3.** Resaltar, acentuar, destacar. Ú. t. c. prnl. *Esa falda blanca* PRONUNCIA *tus caderas.* ‖ **4.** fig. Sublevar, levantar, rebelar. Ú. m. c. prnl. ‖ **5.** *Der.* Publicar la sentencia o auto. ‖ **6.** prnl. Declararse o mostrarse a favor o en contra de alguien o de algo.

pronuncio. (De *pro-* y *nuncio.*) m. Eclesiástico investido transitoriamente de las funciones del nuncio pontificio.

propagación. (Del lat. *propagatĭo, -ōnis.*) f. Acción y efecto de propagar o propagarse.

propagador, ra. (Del lat. *propagātor, -oris.*) adj. Que propaga. Ú. t. c. s.

propaganda. (Del lat. *propaganda,* que ha de ser propagada.) f. Congregación de cardenales nominada *De propaganda fide,* para difundir la religión católica. ‖ **2.** Por ext., asociación cuyo fin es propagar doctrinas, opiniones, etc. ‖ **3.** Acción o efecto de dar a conocer una cosa con el fin de atraer adeptos o compradores. ‖ **4.** Textos, trabajos y medios empleados para este fin.

propagandismo. m. Tendencia a convertir una cosa o persona en materia de propaganda.

propagandista. adj. Dícese de la persona que hace propaganda, especialmente en materia política. Ú. t. c. s.

propagandístico, ca. adj. Perteneciente o relativo a la propaganda o divulgación, que a propaganda se refiere.

propagar. (Del lat. *propagāre.*) tr. Multiplicar por generación u otra vía de reproducción. Ú. t. c. prnl. ‖ **2.** fig. Extender o aumentar una cosa. Ú. t. c. prnl. ‖ **3.** fig. Extender el conocimiento de una cosa o la afición a ella. Ú. t. c. prnl.

propagativo, va. adj. Que tiene virtud de propagar o propagarse.

propalador, ra. adj. Que propala. Ú. t. c. s.

propalar. (Del lat. *propalāre.*) tr. Divulgar una cosa oculta.

propano. m. *Quím.* Hidrocarburo gaseoso derivado del petróleo, que tiene los mismos usos que el butano.

propao. (Del port. *propau,* y este del lat. *pro* y *palus,* palo.) m. *Mar.* Pieza gruesa de madera, atravesada por varias cabillas y empernada horizontalmente a los guindastes, que sirve para amarrar algunos cabos de maniobra y para sujeción de los retornos por donde aquellos laborean.

proparoxítono, na. (Del gr. πρό, antes, y παροξύτονος, grave.) adj. *Gram.* Que se acentúa en la antepenúltima sílaba, esdrújulo. ‖ **2.** *Gram.* V. **verso proparoxítono.**

propartida. (De *pro-* y *partida.*) f. Tiempo que antecede inmediatamente a la partida.

propasar. (De or. inc.) tr. Pasar más adelante de lo debido. Ú. m. c. prnl. ‖ **2.** prnl. Excederse de lo razonable en lo que se hace o se dice. ‖ **3.** Cometer un atrevimiento o faltar al respeto, principalmente un hombre a una mujer.

propedéutica. f. Enseñanza preparatoria para el estudio de una disciplina.

propedéutico, ca. (Del gr. προ, antes, y παιδευτικός, referente a la enseñanza.) adj. Perteneciente o relativo a la propedéutica.

propender. (Del lat. *propendĕre*.) intr. Inclinarse alguien, por naturaleza, por afición o por otro motivo, hacia una determinada cosa.

propensamente. adv. m. Con inclinación o propensión a un objeto.

propensión. (Del lat. *propensĭo, -ōnis*.) f. Acción y efecto de propender.

propenso, sa. (Del lat. *propensus*.) p. p. irreg. de **propender.** ‖ **2.** adj. Con tendencia o inclinación a lo que se expresa.

propiamente. adv. m. Con propiedad.

propiciación. (Del lat. *propitiatĭo, -ōnis*.) f. Acción agradable a Dios, con que se le mueve a piedad y misericordia. ‖ **2.** Sacrificio que se ofrecía en la ley antigua para aplacar la justicia divina y tener a Dios propicio.

propiciador, ra. (Del lat. *propitiātor, -ōris*.) adj. Que propicia. Ú. t. c. s.

propiciamente. adv. m. Benigna, favorablemente.

propiciar. (Del lat. *propitiāre*.) tr. Ablandar, aplacar la ira de uno, haciéndole favorable, benigno y propicio. ‖ **2.** Atraer o ganar el favor o benevolencia de alguno. ‖ **3.** Favorecer la ejecución de algo.

propiciatorio, ria. (Del lat. *propitiatorĭus*.) adj. Que tiene virtud de hacer propicio. ‖ **2.** m. Lámina cuadrada de oro, que en la ley antigua se colocaba sobre el arca del Testamento, de suerte que la cubría toda. ‖ **3.** Templo, santos, imágenes y reliquias. ‖ **4.** **reclinatorio,** mueble para arrodillarse.

propicio, cia. (Del lat. *propitĭus*.) adj. Favorable, inclinado a hacer un bien. *Muéstrate* PROPICIO *a nosotros. Hombre* PROPICIO *al perdón.* ‖ **2.** Favorable para que algo se logre. *Ocasión* PROPICIA, *momento* PROPICIO.

propiedad. (De *propriedad*.) f. Derecho o facultad de poseer alguien una cosa y poder disponer de ella dentro de los límites legales. ‖ **2.** Cosa que es objeto del dominio, sobre todo si es inmueble o raíz. ‖ **3.** Atributo o cualidad esencial de una persona o cosa. ‖ **4.** fig. Semejanza o imitación perfecta. ‖ **5.** fig. Defecto contrario a la pobreza religiosa, en que incurre el profeso que usa una cosa como propia. ‖ **6.** *Fil.* Accidente necesario e inseparable. ‖ **7.** *Gram.* Significado o sentido peculiar y exacto de las voces o frases. ‖ **8.** *Mús.* Cada una de las tres especies de hexacordos que se usaron en el solfeo del canto llano. ‖ **horizontal.** La que recae sobre uno o varios pisos, viviendas o locales de un edificio, adquiridos separadamente por diversos propietarios, con ciertos derechos y obligaciones comunes. ‖ **nuda propiedad.** *Der.* La que carece del usufructo. ‖ **en propiedad.** loc. adv. Como propio. ‖ **2.** Se aplica al cargo o empleo que disfruta una persona durante toda su vida laboral. *He sacado la plaza* EN PROPIEDAD.

propienda. (De or. inc.) f. Cada una de las tiras de lienzo que se fijan en los banzos del bastidor para bordar.

propietariamente. adv. m. Con derecho de propiedad.

propietario, ria. (Del lat. *proprietarĭus*.) adj. Que tiene derecho de propiedad sobre una cosa, especialmente sobre bienes inmuebles. Ú. m. c. s. ‖ **2.** Que tiene cargo u oficio que le pertenece, a diferencia del que solo transitoriamente desempeña las funciones inherentes a él. ‖ **3.** Dícese del religioso que incurre en el defecto contrario a la pobreza

que profesó, usando los bienes temporales sin la debida licencia o teniéndoles sumo apego. ‖ **4.** *Dep.* Dícese del equipo que juega en su propio campo o cancha. Ú. t. c. s. ‖ **nudo propietario.** *Der.* El que tiene la nuda propiedad de una cosa.

propileo. (Del lat. *propylaeum*, y este del gr. προπύλαιον.) m. Vestíbulo de un templo, peristilo.

propina. (Del lat. *propīna*.) f. Colación o agasajo que se repartía entre los concurrentes a una junta, y que después se redujo a dinero. ‖ **2.** Agasajo que sobre el precio convenido y como muestra de satisfacción se da por algún servicio. ‖ **3.** Gratificación pequeña con que se recompensa un servicio eventual. ‖ **de propina.** loc. adv. fam. **por añadidura.**

propinación. (Del lat. *propinatĭo, -ōnis*.) f. Acción y efecto de propinar.

propinar. (Del lat. *propināre*.) tr. p. us. Dar a beber. ‖ **2.** Por ext., administrar una medicina. ‖ **3.** fig. Dar la clase de golpe expresada por el complemento explícito: *bofetada, paliza, patada.*

propincuidad. (Del lat. *propinquĭtas, -ātis*.) f. Calidad de propincuo.

propincuo, cua. (Del lat. *propinquus*.) adj. Allegado, cercano, próximo.

propio, pia. (De *proprio*.) adj. Perteneciente a uno que tiene la facultad exclusiva de disponer de ello. ‖ **2.** Característico, peculiar de cada persona o cosa. *Esas preguntas son* PROPIAS *de un niño.* ‖ **3.** Conveniente, adecuado. *Dar el pésame es lo* PROPIO *en estas ocasiones.* ‖ **4.** Natural, no postizo ni artificial. *Pelo* PROPIO. ‖ **5.** Referente a la misma persona que habla o a la persona o cosa de que se habla. Ú. antepuesto al sustantivo, y sirve para destacar o reforzar lo que se expresa. *Me insultó en mi* PROPIA *cara.* ‖ **6.** V. **amor, cura, feudo, movimiento, nombre, quebrado propio.** ‖ **7.** V. **bienes propios.** ‖ **8.** V. **estimación, fracción propia.** ‖ **9.** Dícese, por oposición a *figurado*, del significado o uso original de las palabras. ‖ **10.** Dícese de la reproducción o imitación de alguien a algo hecha con gran exactitud y precisión. ‖ **11.** *Fil.* Dícese del accidente que se sigue necesariamente o es inseparable de la esencia y naturaleza de las cosas. Ú. t. c. s. ‖ **12.** m. Persona que expresamente se envía de un punto a otro con carta o recado. ‖ **13.** Heredad, dehesa, casa u otro cualquier género de hacienda que tiene una ciudad, villa o lugar para satisfacer los gastos públicos. Ú. m. en pl. ‖ **14.** V. **bienes, mayordomo de propios.** ‖ **al propio.** loc. adv. fig. y fam. Con propiedad, justa e idénticamente.

propóleos. (Del lat. *propoleos*, genit. de *prpōlis.*) m. Sustancia cérea con que las abejas bañan las colmenas o vasos antes de empezar a obrar.

proponedor, ra. adj. Que propone.

proponer. (Del lat. *proponĕre*.) tr. Manifestar con razones una cosa para conocimiento de uno, o para inducirle a adoptarla. ‖ **2.** Determinar o hacer propósito de ejecutar o no una cosa. Ú. m. c. prnl. ‖ **3.** En las escuelas, presentar los argumentos en pro y en contra de una cuestión. ‖ **4.** Recomendar o presentar a alguien para desempeñar un empleo, cargo, etc. ‖ **5.** En el juego del ecarté, invitar a tomar nuevas cartas. ‖ **6.** Hacer una propuesta. ‖ **7.** *Mat.* Hacer una proposición. PROPONER *un problema.*

proporción. (Del lat. *proportĭo, -ōnis*.) f. Disposición, conformidad o correspondencia debida de las partes de una cosa con el todo o entre cosas relacionadas entre sí. ‖ **2.** Disposición u oportunidad para hacer o lograr una cosa. ‖ **3.** Coyuntura, conveniencia. ‖ **4.** La mayor o menor dimensión de una cosa. ‖ **5.** V. **compás, medio, regla de proporción.** ‖ **6.** *Mat.* Igualdad de dos razones. Llámase **aritmética** o **geométrica,** según sean las razones de una u otra especie. ‖ **armónica.** *Mat.* Serie de tres números, en la que el máximo tiene respecto del mínimo la misma razón que la diferencia entre el máximo y el medio tiene respecto de la diferencia entre el medio y el mínimo; como 6, 4, 3. ‖ **continua.** *Mat.* La que forman tres términos consecutivos de una progresión. ‖ **mayor.** *Mús.* Uno de los tiempos que se usaban en la música y se anotaba al principio del pentagrama, después de la clave y del carácter del compás mayor, con un 3 y un 1 debajo, que significa que de las redondas, de las cuales en compasillo solo entra una en el compás, en el ternario mayor entran tres. ‖ **menor.** *Mús.* Otro de los tiempos que se usaban en la música, el cual se anotaba al principio del pentagrama con un 3 y un 2 debajo, después del carácter del compasillo; lo cual significa que de las figuras que en el compasillo entran dos, en este género de tiempo entran tres; y así, porque en el compasillo entran dos blancas en el compás, en el ternario menor entran tres. ‖ **a proporción.** loc. adv. Según, conforme a.

proporcionable. adj. Que puede proporcionarse.

proporcionablemente. adv. m. **proporcionadamente.**

proporcionadamente. adv. m. Con proporción.

proporcionado, da. (Del lat. *proportionătus*.) adj. Regular, competente o apto para lo que es menester. ‖ **2.** Que guarda proporción. ‖ **3.** Que no es demasiado grande ni demasiado pequeño.

proporcional. (Del lat. *proportionālis*.) adj. Perteneciente a la proporción o que la incluye en sí. ‖ **2.** *Gram.* Dícese del nombre o del adjetivo numeral que expresa cuántas veces una cantidad contiene en sí otra inferior; como *doble, triple*. ‖ **3.** *Mat.* V. **media proporcional.**

proporcionalidad. (Del lat. *proportionālĭtas, -ātis*.) f. Conformidad o proporción de unas partes con el todo o de cosas relacionadas entre sí.

proporcionalmente. adv. m. En o a proporción.

proporcionar. (De *proporción*.) tr. Disponer y ordenar una cosa con la debida correspondencia en sus partes. ‖ **2.** Poner en aptitud o disposición las cosas, a fin de conseguir lo que se desea. Ú. t. c. prnl. ‖ **3.** Poner a disposición de uno lo que necesita o le conviene. Ú. t. c. prnl.

proposición. (Del lat. *propositĭo, -ōnis*.) f. Acción y efecto de proponer. ‖ **2.** V. **pan de proposición.** ‖ **3.** *Lóg.* Expresión de un juicio entre dos términos, sujeto y predicado, que afirma o niega este de aquel, e incluye o excluye el primero respecto del segundo. ‖ **4.** *Mat.* Enunciación de una verdad demostrada o que se trata de demostrar. ‖ **5.** *Gram.* Unidad lingüística de estructura oracional, esto es, constituida por sujeto y predicado, que se une mediante coordinación o subordinación a otra u otras **proposiciones** para formar una oración compuesta. ‖ **6.** *Gram.* Oración gramatical. ‖ **7.** *Ret.* Parte del discurso, en que se anuncia o expone aquello de que se quiere convencer y persuadir a los oyentes. ‖ **afirmativa.** *Dial.* Aquella cuyo sujeto está contenido en la extensión del predicado. ‖ **disyuntiva.** *Dial.* La que expresa la incompatibilidad de dos o más predicados en un sujeto. ‖ **hipotética.** *Dial.* La que afirma o niega condicionalmente. ‖ **negativa.** *Dial.* Aquella cuyo sujeto no está contenido en la extensión del predicado. ‖ **particular.** *Dial.* Aquella cuyo sujeto se toma en una parte de su extensión. ‖ **universal.** *Dial.* Aquella cuyo sujeto se toma en toda su extensión. ‖ **absolver las proposiciones** de un interrogatorio. fr. *Der.* **absolver posiciones.** ‖ **barajar una proposición.** fr. Desecharla o no tomarla en consideración. ‖ **recoger una proposición.** fr. Darla por no dicha.

propósito. (Del lat. *proposĭtum*.) m. Ánimo o intención de hacer o de no hacer una cosa. ‖ **2.** Objeto, mira, cosa que se pretende conseguir. ‖ **3.** Asunto, materia que se trata. ‖ **a propósito.** loc. adv. con que se expresa que una cosa es adecuada u oportuna para lo que se desea o para el fin a que se destina. ‖ **2. de propósito.** ‖ **3.** loc. adv. con que

se expresa que una cosa al ser mencionada, ha sugerido o recordado la idea de hablar de otra. Ú. a veces añadiendo al final la preposición *de*. ‖ **de propósito.** loc. adv. Con intención determinada; voluntaria y deliberadamente. ‖ **fuera de propósito.** loc. adv. Sin venir al caso, sin oportunidad o fuera de tiempo.

propretor. (Del lat. *propraetor, -ōris*.) m. Magistrado romano que después del año de la pretura, vivía a ser pretor. ‖ **2.** Pretor que, acabado el tiempo de su pretura, pasaba a gobernar una provincia pretorial.

propretura. f. Empleo o dignidad de propretor.

propriedad. (Del lat. *propriĕtas, -ātis*.) f. ant. **propiedad.**

proprio, pria. (Del lat. *proprĭus*.) adj. ant. **propio.**

própter nuptias. loc. lat. *Der.* V. **donación própter nuptias.**

propuesta. (Del lat. *proposĭta*, t. f. de *-tus*, propuesto.) f. Proposición o idea que se manifiesta y ofrece a uno para un fin. ‖ **2.** Consulta de uno o más sujetos hecha al superior para un empleo o beneficio. ‖ **3.** Consulta de un asunto o negocio a la persona, junta o cuerpo que lo ha de resolver.

propuesto, ta. (Del lat. *proposĭtus*.) p. p. irreg. de **proponer.**

propugnación. f. Acción y efecto de propugnar.

propugnáculo. (Del lat. *propugnacŭlum*.) m. p. us. Fortaleza o lugar murado usado para defenderse y pelear contra el enemigo. ‖ **2.** fig. Cualquier cosa que defiende a otra, aunque no sea material, contra las que intentan destruirla o menoscabarla.

propugnador, ra. adj. Que propugna. Ú. t. c. s.

propugnar. (Del lat. *propugnāre*.) tr. Defender, amparar.

propulsa. f. Acción y efecto de propulsar.

propulsar. (Del lat. *propulsāre*.) tr. Impeler hacia adelante. ‖ **2.** Rechazar, repulsar.

propulsión. f. Acción y efecto de propulsar. ‖ **a chorro.** Procedimiento empleado para que un avión, proyectil, cohete, etc., avance en el espacio, por efecto de la reacción producida por la descarga de un fluido que es expulsado a gran velocidad por la parte posterior.

propulsor, ra. (Del lat. *propulsor, -ōris*.) adj. Que propulsa. Ú. t. c. s.

prora. (Del lat. *prora*, y este del gr. πρῷρα.) f. poét. **proa.**

pro rata. loc. lat. **prorrata.**

pro rata parte. loc. lat. **prorrata.**

prorrata. (De *pro rata parte*, a parte o porción fija, determinada.) f. Cuota o porción que toca a uno de lo que se reparte entre varios, hecha la cuenta proporcionada a lo más o menos que cada uno debe pagar o percibir. ‖ **a prorrata.** loc. adv. Mediante prorrateo.

prorratear. (De *prorrata*.) tr. Repartir una cantidad entre varios, según la parte que proporcionalmente toca a cada uno.

prorrateo. (De *prorratear*.) m. Repartición de una cantidad, obligación o carga entre varios, proporcionada a lo que debe tocar a cada uno. ‖ **2.** *Der.* Procedimiento de jurisdicción voluntaria para distribuir entre varias fincas forales la carga de la pensión de todas.

prórroga. f. Continuación de una cosa por un tiempo determinado. ‖ **2.** Plazo por el cual se continúa o prorroga una cosa. ‖ **3.** *Dep.* Periodo suplementario de juego, de diferente duración según los deportes, que se añade al tiempo establecido cuando existe un empate. ‖ **4.** *Mil.* Aplazamiento del servicio militar que se concede, de acuerdo a la legislación vigente, a los llamados a este servicio.

prorrogable. adj. Que se puede prorrogar.

prorrogación. (Del lat. *prorogatĭo, -ōnis*.) f. Continuación de una cosa por un tiempo determinado.

prorrogar. (Del lat. *prorogāre*.) tr. Continuar, dilatar, extender una cosa por un tiempo determinado. ‖ **2.** Suspender, aplazar. ‖ **3.** ant. Echar de un territorio, desterrar.

prorrogativo, va. adj. Que prorroga.

prorrumpir. (Del lat. *prorumpĕre.*) intr. Salir algo con ímpetu. ‖ **2.** fig. Proferir repentinamente y con fuerza o violencia una voz, suspiro u otra demostración de dolor o pasión vehemente. Ú. con la prep. *en.* PRORRUMPIÓ EN *sollozos.*

prosa. (Del lat. *prosa.*) f. Estructura o forma que toma naturalmente el lenguaje para expresar los conceptos, y no está sujeta, como el verso, a medida y cadencia determinadas. ‖ **2.** Lenguaje prosaico en la poesía. ‖ **3.** En la misa, secuencia que en ciertas solemnidades se dice o canta después de la aleluya o del tracto. ‖ **4.** fig. y fam. Demasía de palabras para decir cosas poco o nada importantes. ‖ **5.** fig. Aspecto o parte de las cosas que se opone al ideal y a la perfección de ellas. ‖ **echar** o **tirar prosa.** loc. fig. *Chile, Ecuad., Pan.* y *Perú.* Darse importancia, tomar actitudes de superioridad.

prosado, da. adj. Que está en prosa, por oposición a lo que está en verso.

prosador, ra. m. y f. Escritor o escritora de obras literarias en prosa. ‖ **2.** fig. y fam. Hablador impertinente.

prosaicamente. adv. m. De manera prosaica.

prosaico, ca. (Del lat. tardío *prosaĭcus.*) adj. Perteneciente o relativo a la prosa, o escrito en prosa. ‖ **2.** Dícese de la obra poética, o de cualquiera de sus partes, que adolece de prosaísmo. ‖ **3.** fig. Dicho de personas o de ciertas cosas, falto de idealidad o elevación. *Hombre, pensamiento, gusto* PROSAICO. ‖ **4.** fig. Insulso, vulgar. *Vida* PROSAICA.

prosaísmo. m. Defecto de la obra en verso, o de cualquiera de sus partes, que consiste en la falta de armonía o entonación poéticas, o en la demasiada llaneza de la expresión, o en la insulsez y trivialidad del concepto. ‖ **2.** fig. Insulsez y trivialidad en el fondo de las obras en prosa. ‖ **3.** fig. Calidad de prosaico, vulgar, trivial.

prosapia. (Del lat. *prosapĭa.*) f. Ascendencia, linaje o generación de una persona.

proscenio. (Del lat. *proscenĭum,* y este del gr. προσκήνιον.) m. En el antiguo teatro griego y latino, lugar entre la escena y la orquesta, más bajo que la primera y más alto que la segunda, y en el cual estaba el tablado en que representaban los actores. ‖ **2.** Parte del escenario más inmediata al público, que viene a ser la que media entre el borde del mismo escenario y el primer orden de bastidores.

proscribir. (Del lat. *proscribĕre.*) tr. Echar a uno del territorio de su patria, comúnmente por causas políticas. ‖ **2.** desus. Declarar a uno público malhechor, dando facultad a cualquiera para que le quite la vida, y a veces ofreciendo premio a quien lo entregue vivo o muerto. ‖ **3.** fig. Excluir o prohibir una costumbre o el uso de algo.

proscripción. (Del lat. *proscriptĭo, -ōnis.*) f. Acción y efecto de proscribir.

proscripto, ta. (Del lat. *proscriptus.*) p. p. irreg. de **proscribir.** ‖ **2.** adj. Desterrado, proscrito. Ú. t. c. s.

proscriptor, ra. (Del lat. *proscriptor.*) adj. Que proscribe. Ú. t. c. s.

proscrito, ta. p. p. irreg. de **proscribir.** ‖ **2.** adj. Desterrado, proscripto.

prosear. (De *prosa.*) intr. *Urug.* Conversar.

prosecretario. m. *Amér.* **vicesecretario.**

prosecución. (Del lat. *prosecutĭo, -ōnis.*) f. Acción y efecto de proseguir. ‖ **2.** Seguimiento, persecución.

proseguible. adj. Que se puede proseguir.

proseguimiento. m. Acción y efecto de proseguir.

proseguir. (Del lat. *prosĕqui.*) tr. Seguir, continuar, llevar adelante lo que se tenía empezado. ‖ **2.** intr. Seguir alguien o algo en una misma actitud, estado, etc. *La huelga de trenes* PROSEGUIRÁ *toda la semana.*

proselitismo. m. Celo de ganar prosélitos.

proselitista. adj. Celoso de ganar prosélitos. Ú. t. c. s.

prosélito. (Del lat. tardío *proselўtus,* y este del gr. προσήλιτος.) m. Persona convertida a la religión católica, y en general a cualquier religión. ‖ **2.** fig. Partidario que se gana para una facción, parcialidad o doctrina.

prosénquima. (Del gr. πρός, hacia, y ἔγχυμος, lleno de jugo.) m. *Bot.* y *Zool.* Tejido fibroso de los animales y de las plantas.

proseo. m. *Urug.* Acción de prosear, conversación.

prosificación. f. Acción y efecto de prosificar.

prosificador, ra. adj. Que prosifica.

prosificar. tr. Poner en prosa una composición poética.

prosimio. (De *pro-* y *simio.*) adj. *Zool.* Aplícase a ciertos mamíferos primates nocturnos, de pequeño tamaño, con dentición muy parecida a la de los insectívoros, las cuatro extremidades terminadas en mano, cara cubierta de pelo y ojos muy grandes. Viven en los árboles, se alimentan de insectos y otros pequeños animales y se encuentran en las regiones tropicales del antiguo continente, especialmente en Madagascar. Ú. m. c. s. m. ‖ **2.** m. pl. *Zool.* Suborden de estos animales.

prosinodal. (De *pro-* y *sinodal.*) adj. V. **juez prosinodal.**

prosista. com. Escritor o escritora de obras en prosa.

prosístico, ca. adj. Perteneciente o relativo a la prosa literaria.

prosita. (d. de *prosa.*) f. Discurso o pedazo corto de una obra en prosa.

prosodia. (Del lat. *prosodĭa,* y este del gr. προσῳδία.) f. *Gram.* Parte de la gramática, que enseña la recta pronunciación y acentuación. ‖ **2.** Estudio de los rasgos fónicos que afectan a la métrica, especialmente de los acentos y de la cantidad. ‖ **3.** Parte de la fonología dedicada al estudio de los rasgos fónicos que afectan a unidades inferiores al fonema, como las moras, o superiores a él, como las sílabas u otras secuencias de la palabra u oración. ‖ **4.** **métrica.**

prosódico, ca. (Del lat. *prosodĭcus,* y este del gr. προσῳδικός.) adj. *Gram.* Perteneciente o relativo a la prosodia.

prosopografía. (Del gr. πρόσωπον, aspecto, y *-grafía.*) f. *Ret.* Descripción del exterior de una persona o de un animal.

prosopopeya. (Del gr. προσωποποιΐα.) f. *Ret.* Figura que consiste en atribuir a las cosas inanimadas o abstractas, acciones y cualidades propias de seres animados, o a los seres irracionales las del hombre. ‖ **2.** fam. Afectación de gravedad y pompa. *Gasta mucha* PROSOPOPEYA.

prospección. (Del lat. *prospectio, -ōnis.*) f. Exploración del subsuelo basada en el examen de los caracteres del terreno y encaminada a descubrir yacimientos minerales, petrolíferos, aguas subterráneas, etc. ‖ **2.** Exploración de posibilidades futuras basada en indicios presentes. PROSPECCIÓN *de mercados, de tendencias de opinión,* etc. ‖ **3.** *Med. Cuba.* Reconocimiento general que se hace para descubrir enfermedades latentes o incipientes.

prospectar. (Del lat. *prospectus,* de *prospicĕre,* mirar, examinar, a través del ing. *to prospect.*) tr. Realizar prospecciones en un terreno, explorar sus yacimientos minerales.

prospectiva. f. Conjunto de análisis y estudios realizados con el fin de explorar o predecir el futuro, en una determinada materia.

prospectivo, va. (Del lat. *prospicere,* mirar.) adj. Que se refiere al futuro.

prospecto. (Del lat. *prospectus,* de *prospicĕre,* mirar, examinar.) m. Exposición o anuncio breve que se hace al público sobre una obra, escrito, espectáculo, mercancía, etc. ‖ **2.** Papel o folleto que acompaña a ciertos productos, especialmente los farmacéuticos, en el que se explica su composición, utilidad, modo de empleo, etc.

prosperado, da. (De *prosperar.*) adj. Rico, poderoso.

prósperamente. adv. m. Con prosperidad.

prosperar. (Del lat. *prosperāre*.) tr. Ocasionar prosperidad. *Dios te* PROSPERE. ‖ **2.** intr. Tener o gozar prosperidad. *El comercio* PROSPERA.

prosperidad. (Del lat. *prosperĭtas, -ātis*.) f. Curso favorable de las cosas. ‖ **2.** Buena suerte o éxito en lo que se emprende, sucede u ocurre.

próspero, ra. (Del lat. *prospěrus*.) adj. Favorable, propicio, venturoso.

prostaféresis. (Del gr. πρόσθεν, delante, y ἀφαίρεσις, substracción.) f. *Astron.* Diferencia entre la anomalía media y la verdadera de un astro.

próstata. (Del gr. προστάτης.) f. *Anat.* Glándula pequeña irregular, de color rojizo, que tienen los machos de los mamíferos unida al cuello de la vejiga de la orina y a la uretra, y que segrega un líquido blanquecino y viscoso.

prostático, ca. adj. Perteneciente o relativo a la próstata. ‖ **2.** Dícese del varón que padece afección morbosa de la próstata. Ú. t. c. s. m.

prostatitis. (De *próstata* e *-itis*.) f. *Pat.* Inflamación de la próstata.

prosternación. f. Acción y efecto de prosternarse.

prosternarse. (De etim. disc.) prnl. Arrodillarse o inclinarse por respeto, postrarse.

próstesis. (Del gr. πρόσθεσις.) f. *Gram.* Adición de un sonido al principio de un vocablo, prótesis.

prostético, ca. (Del gr. προσθετικός.) adj. *Gram.* **protético.**

prostibulario, ria. adj. Perteneciente o relativo al prostíbulo.

prostíbulo. (Del lat. *prostibŭlum*.) m. Local donde se ejerce la prostitución.

próstilo. (Del gr. πρόστυλος.) adj. *Arq.* V. **templo próstilo.**

prostitución. (Del lat. *prostitutĭo, -ōnis*.) f. Acción y efecto de prostituir o prostituirse. ‖ **2.** Actividad a la que se dedica la persona que mantiene relaciones sexuales con otras, a cambio de dinero.

prostituir. (Del lat. *prostituěre*.) tr. Hacer que alguien se dedique a mantener relaciones sexuales con otras personas, a cambio de dinero. Ú. t. c. prnl. ‖ **2.** fig. Deshonrar, vender uno su empleo, autoridad, etcétera, abusando bajamente de ella por interés o por adulación. Ú. t. c. prnl.

prostituta. (Del lat. *prostitūta*.) f. Mujer que mantiene relaciones sexuales con hombres, a cambio de dinero.

prostituto, ta. (Del lat. *prostitūtus*.) p. p. irreg. de **prostituir.**

prostrar. (Del lat. *prostrāre*.) tr. ant. **postrar.** Usáb. t. c. prnl.

prosudo, da. adj. *Ecuad.* Dícese de la persona que echa o tira prosa, esto es, que se da importancia, generalmente por causas fútiles.

prosuponer. (De *pro-* y *suponer*.) tr. ant. **presuponer.**

prosupuesto, ta. p. p. irreg. de **prosuponer.** ‖ **2.** m. ant. **presupuesto.**

protactinio. (De *proto-* y *actinio*, cuerpo simple radiactivo.) m. *Quím.* Elemento metálico radiactivo que se encuentra en los minerales de uranio. Núm. atómico 91. Símb.: *Pa*.

protagonismo. m. Condición de protagonista. ‖ **2.** Afán de mostrarse como la persona más calificada y necesaria en determinada actividad, independientemente de que se posean o no méritos que lo justifiquen.

protagonista. (Del gr. πρωταγωνιστής.) com. Personaje principal de la acción en una obra literaria o cinematográfica. ‖ **2.** Por ext., persona o cosa que en un suceso cualquiera desempeña la parte principal.

protagonizar. tr. Representar un papel en calidad de protagonista. ‖ **2.** Por ext., desempeñar alguien o algo el papel más importante en cualquier hecho o acción.

prótasis. (Del gr. πρότασις.) f. Primera parte del poema dramático; exposición. ‖ **2.** *Ret.* Primera parte del período en que queda pendiente el sentido, que se completa o cierra en la segunda, llamada apódosis.

protático, ca. (Del gr. προτατικός.) adj. Perteneciente a la prótasis del poema dramático. Aplícase con particularidad al personaje que solo figura en ella para hacer la exposición de la obra.

proteáceo, a. adj. *Bot.* Se aplica a plantas angiospermas dicotiledóneas, por lo general árboles y arbustos del hemisferio austral, principalmente en Australia, que tienen sus hojas alternas y dentadas; flores hermafroditas, agrupadas en espiga o racimo, y fruto con semilla sin albumen; como el ciruelillo. Ú. t. c. s. f. ‖ **2.** f. pl. *Bot.* Familia de estas plantas.

protección. (Del lat. *protectĭo, -ōnis*.) f. Acción y efecto de proteger.

proteccionismo. m. *Econ.* Política económica que grava la entrada en un país de productos extranjeros en competencia con los nacionales. ‖ **2.** *Econ.* Doctrinas que fundamentan la política proteccionista.

proteccionista. adj. Partidario del proteccionismo. Ú. t. c. s. ‖ **2.** Perteneciente o relativo al proteccionismo.

protector, ra. (Del lat. *protector, -ōris*.) adj. Que protege. Ú. t. c. s. ‖ **2.** Que por oficio cuida de los derechos o intereses de una comunidad. Ú. t. c. s. ‖ **3.** m. En algunos deportes, pieza u objeto que cubre y protege las partes del cuerpo más expuestas a los golpes.

protectorado. m. Dignidad, cargo o virtud de protector y su ejercicio. ‖ **2.** Parte de soberanía que un Estado ejerce, señaladamente sobre las relaciones exteriores, en territorio que no ha sido incorporado plenamente al de su nación y en el cual existen autoridades propias de los pueblos autóctonos. ‖ **3.** Territorio en que se ejerce esta soberanía compartida. ‖ **4.** Alta dirección e inspección que se reserva el poder público sobre las instituciones de beneficencia particular. ‖ **5.** Conjunto de autoridades que ejercen tal potestad.

protectoría. f. Empleo o ministerio de protector.

protectorio, ria. (Del lat. *protectorĭus*.) adj. Perteneciente o relativo a la protección.

protectriz. adj. Dícese de la mujer que protege. Ú. t. c. s. f.

proteger. (Del lat. *protegěre*.) tr. Amparar, favorecer, defender. ‖ **2.** Resguardar a una persona, animal o cosa de un perjuicio o peligro, poniéndole algo encima, rodeándole, etc. Ú. t. c. prnl.

protegido, da. p. p. de **proteger.** ‖ **2.** m. y f. Favorito, persona que recibe la protección de otra. ‖ **3.** Ahijado.

proteico, ca. (De *proteo*.) adj. Que cambia de formas o de ideas. ‖ **2.** *Quím.* **proteínico.**

proteína. (Voz científica construida sobre el gr. πρωτεῖον, preeminente, primer premio.) f. *Biol.* y *Quím.* Cualquiera de las numerosas sustancias que forman parte de la materia fundamental de las células y de las sustancias vegetales y animales. Son moléculas formadas por una gran cantidad de aminoácidos. Generalmente se disuelven en agua o en soluciones acuosas de sales minerales diluidas. Entre ellas figuran las enzimas, ciertas hormonas y la albúmina o clara de huevo.

proteínico, ca. adj. Referente o relativo a las proteínas, y también en general a los prótidos.

proteo. (Por alusión a este dios fabuloso, al cual se atribuyó la facultad de poder cambiar de forma a su antojo.) m. fig. Hombre que cambia frecuentemente de opiniones y afectos.

protervamente. adv. m. Con protervia.

protervia. (Del lat. *protervĭa*.) f. Obstinación en la maldad, perversidad.

protervidad. (Del lat. *protervĭtas, -ātis*.) f. Obstinación en la maldad, perversidad.

protervo, va. (Del lat. *protervus.*) adj. Obstinado en la maldad, perverso. Ú. t. c. s.

protésico, ca. adj. Perteneciente o relativo a la **prótesis**, reparación artificial de un órgano. ‖ **2.** m. y f. Ayudante de odontólogo encargado de preparar y ajustar las piezas y aparatos para la prótesis dental.

prótesis. (Del gr. πρόθεσις.) f. *Cir.* Procedimiento mediante el cual se repara artificialmente la falta de un órgano o parte de él; como la de un diente, un ojo, etc. ‖ **2.** Aparato o dispositivo destinado a esta reparación. ‖ **3.** *Gram.* Figura de dicción que consiste en añadir algún sonido al principio de un vocablo, como en *amatar* por *matar*.

protesta. f. Acción y efecto de protestar. ‖ **2.** Promesa con aseveración o atestación de ejecutar una cosa. ‖ **3.** Promesa solemne de un alto dignatario al tomar posesión de su cargo. ‖ **4.** *Der.* Declaración jurídica que se hace para que no se perjudique, antes bien se asegure, el derecho que uno tiene. ‖ **de mar.** Declaración justificada del que manda un buque, para dejar a salvo su responsabilidad en casos fortuitos.

protestación. (Del lat. *protestatío, -ōnis.*) f. **protesta.** ‖ **de la fe.** Declaración, confesión pública que uno hace de la religión verdadera o de la creencia que profesa. ‖ **2.** Fórmula dispuesta por el concilio de Trento y sus pontífices para enseñar en público las verdades de la fe católica.

protestante. p. a. de **protestar.** Que protesta. ‖ **2.** adj. Que sigue el luteranismo o cualquiera de sus sectas. Ú. t. c. s. ‖ **3.** Perteneciente a estos sectarios. ‖ **4.** Perteneciente a alguna de las iglesias cristianas formadas como consecuencia de la Reforma.

protestantismo. m. Creencia religiosa de los protestantes. ‖ **2.** Conjunto de ellos.

protestar. (Del lat. *protestāri.*) tr. Declarar alguien su intención de ejecutar una cosa. ‖ **2.** Confesar públicamente la fe y creencia que uno profesa y en que desea vivir. ‖ **3.** *Com.* Hacer el protesto de una letra de cambio. ‖ **4.** intr. Expresar alguien impetuosamente su queja o disconformidad. ‖ **5.** Con la prep. *de*, aseverar son ahínco y con firmeza. ‖ **6.** Con la prep. *contra*, negar la validez o legalidad de un acto, tachándolo de vicioso.

protestativo, va. adj. Dícese de lo que protesta o declara una cosa o da testimonio de ella.

protesto. m. Acción y efecto de protestar. ‖ **2.** *Com.* Diligencia que, por no ser aceptada o pagada una letra de cambio, se practica bajo fe notarial para que no se perjudiquen o amengüen los derechos y acciones entre las personas que han intervenido en el giro o en los endosos de él. ‖ **3.** *Com.* Testimonio por escrito del mismo requerimiento.

protético, ca. (Del gr. προθετικός.) adj. *Gram.* Perteneciente o relativo a la prótesis.

prótido. (der. del gr. πρωτεῖον, preeminencia, primer premio.) m. *Biol.* y *Quím.* Cualquiera de los tipos de sustancias componentes de los seres vivos, que forman la parte fundamental de las células, de los órganos y de los líquidos orgánicos, como la sangre, la leche o los jugos vegetales. Sus moléculas se componen únicamente de proteínas, o bien de proteína y otro componente que le confiere carácter químico y biológico peculiar, como la hemoglobina.

proto-. (Del gr. πρωτο-, primero.) elem. compos. que significa «prioridad, preeminencia o superioridad»: PROTO*mártir*, PROTO*médico*, PROTO*tipo*.

protoalbéitar. (De *proto-* y *albéitar.*) m. Primero entre los albéitares. ‖ **2.** Vocal del protoalbeiterato.

protoalbeiterato. m. Tribunal en que se examinaban y aprobaban los albéitares para poder ejercer su facultad.

protocloruro. (De *proto-* y *cloruro.*) m. *Quím.* Cuerpo resultante de la combinación del cloro con un radical simple

o compuesto, en la proporción menor en que aquel puede combinarse con estos.

protocolar[1]. tr. **protocolizar.**

protocolar[2]. adj. Relativo al protocolo.

protocolario, ria. adj. fig. Se dice de lo que se hace con solemnidad no indispensable, pero usual.

protocolización. f. Acción y efecto de protocolizar.

protocolizar. tr. Incorporar al protocolo una escritura matriz u otro documento que requiera esta formalidad.

protocolo. (Del b. lat. *protocollum*, y este del b. gr. πρωτόκολλον.) m. Ordenada serie de escrituras matrices y otros documentos que ante un notario o escribano autoriza y custodia con ciertas formalidades. ‖ **2.** Acta o cuaderno de actas relativas a un acuerdo, conferencia o congreso diplomático. ‖ **3.** Por ext., regla ceremonial diplomática o palatina establecida por decreto o por costumbre.

protohistoria. (Del gr. πρῶτος, primero, y ἱστορία, historia.) f. Período de la vida de la humanidad subsiguiente a la prehistoria del que se poseen tradiciones originariamente orales. ‖ **2.** Estudio de ese período. ‖ **3.** Obra que versa sobre él.

protohistórico, ca. adj. Perteneciente o relativo a la protohistoria.

protomártir. (De *proto-* y *mártir.*) m. El primero de los mártires. Es nombre que se da a San Esteban por haber sido el primero de los discípulos de Cristo que padeció martirio.

protomedicato. m. Tribunal formado por los protomédicos y examinadores, que reconocía la suficiencia de los que aspiraban a ser médicos, y concedía las licencias necesarias para el ejercicio de dicha facultad. Hacía también veces de cuerpo consultivo. ‖ **2.** Empleo o título honorífico de protomédico.

protomédico. (De *proto-* y *médico.*) m. Cada uno de los médicos del rey que componían el tribunal del protomedicato.

protón. (Del gr. πρῶτον, primero.) m. *Fís.* Partícula elemental que constituye por sí sola el núcleo del átomo de hidrógeno, y forma parte de todos los demás núcleos.

protónico, ca. (De *pro-*, y *tónico.*) adj. *Pros.* Dícese de un elemento de la voz que está antes de la sílaba tónica.

protonotario. (De *proto-* y *notario.*) m. Primero y principal de los notarios y jefe de ellos, y el que despachaba con el príncipe y refrendaba sus despachos, cédulas y privilegios. ‖ **apostólico.** Dignidad eclesiástica, con honores de prelacía, que el Papa concede a algunos clérigos.

protoplaneta. (De *proto-* y *planeta.*) m. Planeta recién formado.

protoplasma. (Del gr. πρῶτος, primero, y πλάσμα, formación.) m. *Biol.* Sustancia constitutiva de las células, de consistencia más o menos líquida, estructura coloidal y composición química muy compleja; contiene una gran cantidad de agua en la que están disueltos en suspensión numerosos cuerpos orgánicos y algunas sales inorgánicas.

protoplasmático, ca. adj. *Biol.* y *Bot.* Perteneciente o relativo al protoplasma.

protórax. m. *Zool.* El primero de los tres segmentos en que se divide el tórax de los insectos.

protosol. (De *proto-* y *sol.*) m. Masa cósmica que dio origen a un sistema planetario.

protosulfuro. m. *Quím.* Primer grado de combinación de un radical con el azufre.

prototípico, ca. adj. Perteneciente al arquetipo o prototipo.

prototipo. (Del gr. πρωτότυπος.) m. Ejemplar original o primer molde en que se fabrica una figura u otra cosa. ‖ **2.** El más perfecto ejemplar y modelo de una virtud, vicio o cualidad.

protóxido. (De *proto-* y *óxido.*) m. *Quím.* Cuerpo que resulta de la combinación del oxígeno con un radical simple o compuesto, en su primer grado de oxidación.

protozoario, ria. (Del gr. πρῶτος, primero, y ζφάριον, animalillo.) adj. *Zool.* **protozoo.**

protozoo. (Del gr. πρῶτος, primero, y ζῷον, animal.) m. *Zool.* Dícese de los animales, casi siempre microscópicos, cuyo cuerpo está formado por una sola célula o por una colonia de células iguales entre sí. Ú. m. c. s. ‖ **2.** m. pl. *Zool.* Subreino o tipo de estos animales.

protráctil. (Del lat. *protactĭlis.*) adj. *Zool.* Dícese de la lengua de algunos animales que puede proyectarse mucho fuera de la boca, como en algunos reptiles; v. gr.: el camaleón.

pro tribunali. loc. adv. lat. En estrados y audiencia pública o con el traje y aparato de juez. ‖ **2.** fig. y fam. Con tono autoritario.

protuberancia. (Del lat. *protuberantia.*) f. Prominencia más o menos redonda. ‖ **anular** o **cerebral.** *Anat.* Eminencia cuadrilátera en la cara inferior del encéfalo que continúa a los pedúnculos cerebrales y antecede al bulbo raquídeo. Forman parte de ella importantes núcleos y vías nerviosas.

protuberante. (Del lat. *protŭberans, -antis,* p. a. de *protuberāre,* sobresalir.) adj. Que sobresale o lo hace más de lo normal.

protutor. (De *pro-* y *tutor.*) m. Cargo familiar establecido por el código civil para intervenir las funciones de la tutela y asegurar su recto ejercicio.

provagar. (De *pro-* y *vagar.*) intr. ant. Proseguir en el camino comenzado; pasar adelante en él.

provecer. (Del lat. *proficĕre.*) tr. ant. Aumentar, mejorar, adelantar, aprovecer.

provecto, ta. (Del lat. *provectus.*) adj. Caduco, viejo. ‖ **2.** Maduro, entrado en días. ‖ **3.** V. **edad provecta.**

provechar. (De *provecho.*) tr. ant. **aprovechar.**

provecho. (Del lat. *profectus.*) m. Beneficio o utilidad que se consigue o se origina de una cosa o por algún medio. ‖ **2.** Utilidad o beneficio que se proporciona a otro. ‖ **3.** Aprovechamiento o adelantamiento en las ciencias, artes o virtudes. ‖ **4.** V. **hombre de provecho.** ‖ **5.** pl. Aquellas utilidades y emolumentos que se adquieren o permiten fuera del sueldo o salario. ‖ **buen provecho.** expr. fam. con que se explica el deseo de que una cosa sea útil o conveniente a la salud o bienestar de uno. Dícese frecuentemente a los que están comiendo o bebiendo. ‖ **de provecho.** loc. adj. Dícese de la persona o cosa útil o a propósito para lo que se desea o intenta.

provechosamente. adv. m. Con provecho o utilidad.

provechoso, sa. adj. Que causa provecho o es de provecho o utilidad.

proveedor, ra. m. y f. Persona o empresa que provee o abastece de todo lo necesario para un fin a grandes grupos, asociaciones, comunidades, etc.

proveeduría. f. Cargo y oficio de proveedor. ‖ **2.** Casa donde se guardan y distribuyen las provisiones.

proveer. (Del lat. *providēre.*) tr. Preparar, reunir las cosas necesarias para un fin. Ú. t. c. prnl. ‖ **2.** Suministrar o facilitar lo necesario o conveniente para un fin. PROVEER *de víveres una plaza;* PROVEER *a una persona de ropa, de libros.* Ú. t. c. prnl. ‖ **3.** Tramitar, resolver, dar salida a un negocio. ‖ **4.** Dar o conferir una dignidad, empleo, cargo, etc. ‖ **5.** *Der.* Dictar un juez o tribunal una resolución que a veces es sentencia definitiva. ‖ **6.** prnl. Desembarazar, exonerar el vientre. ‖ **para mejor proveer.** expr. *Der.* Fórmula con que se designa la resolución que el juez o tribunal dicta de oficio, terminada la sustanciación del asunto y antes de sentenciarlo, reclamando datos o disponiendo pruebas para fallar con mayor conocimiento de causa.

proveído. (De *proveer.*) m. *Der.* Resolución judicial interlocutoria o de trámite.

proveimiento. m. desus. Acción de proveer.

provena. (Del lat. *propāgo, -ĭnis.*) f. Mugrón de la vid.

proveniencia. f. Procedencia, origen de una cosa.

provenir. (Del lat. *provenīre,* crecer, desenvolverse.) intr. Nacer, originarse, proceder alguien o algo del lugar, persona, cosa, etc., que se expresa.

provento, ta. (Del lat. *proventus.*) p. p. irreg. ant. de **provenir.** ‖ **2.** m. Producto, renta.

provenzal. adj. Natural de la Provenza. Ú. t. c. s. ‖ **2.** Perteneciente o relativo a esta antigua provincia de Francia. ‖ **3.** m. **lengua de oc.** ‖ **4.** Lengua de los **provenzales,** tal como ahora la hablan.

provenzalismo. m. Vocablo, giro o modo de hablar peculiares de la lengua provenzal.

provenzalista. com. Persona que cultiva la lengua o literatura provenzales.

proverbiador. (De *proverbiar.*) m. Libro o cuaderno donde se anotan algunas sentencias especiales y otras cosas dignas de recordar.

proverbial. (Del lat. *proverbiālis.*) adj. Perteneciente o relativo al proverbio o que le incluye. ‖ **2.** V. **frase proverbial.** ‖ **3.** Muy notorio, conocido de siempre, consabido de todos.

proverbialmente. adv. m. En forma de proverbio o como proverbio.

proverbiar. intr. fam. Usar mucho proverbios.

proverbio. (Del lat. *proverbĭum.*) m. Sentencia, adagio o refrán. ‖ **2.** Agüero o superstición que consiste en creer que ciertas palabras, oídas casualmente en determinadas noches del año, anuncian la dicha o desdicha de quien las oye. ‖ **3.** Obra dramática cuyo objeto es poner en acción un **proverbio** o refrán. ‖ **4.** n. p. m. pl. Libro de la Sagrada Escritura, que contiene varias sentencias de Salomón.

proverbista. com. fam. Persona aficionada a decir, coleccionar o estudiar proverbios.

proveza. (De *proveer.*) f. ant. Provecho, mejora, adelanto.

provicero. m. Vaticinador, adivino.

próvidamente. adv. m. De manera próvida.

providencia. (Del lat. *providentĭa.*) f. Disposición anticipada o prevención que mira o conduce al logro de un fin. ‖ **2.** Disposición que se toma en un lance sucedido, para componer o remediar el daño que pueda resultar. ‖ **3.** Por antonom., la de Dios. ‖ **4.** *Der.* Resolución judicial a la que no se exigen por la ley fundamentos y que decide cuestiones de trámite o peticiones accidentales y sencillas no sometidas a tramitación de mayor solemnidad. ‖ **5.** *Der.* V. **auto de providencia.** ‖ **6.** n. p. fig. **Dios.** ‖ **a la Providencia.** loc. adv. Sin más amparo que el de Dios. ‖ **tomar** uno **providencia,** o **una providencia.** fr. Adoptar una determinación.

providencial. (Del lat. *providentiālis.*) adj. Perteneciente o relativo a la providencia. ‖ **2.** fig. Aplícase al hecho o suceso casual que libra de un daño o peligro inminente.

providencialismo. m. Doctrina según la cual todo sucede por disposición de la Divina Providencia.

providencialista. adj. Que profesa la doctrina del providencialismo. Ú. t. c. s.

providencialmente. adv. m. Provisionalmente, por inmediata providencia. ‖ **2.** De manera providencial.

providenciar. tr. Dar disposiciones para lo que se va a hacer. ‖ **2.** Dar disposiciones después de un largo para concertar algo o remediar un daño. ‖ **3.** Dar el juez por sí una disposición para resolver cuestiones accidentales o de trámite de un asunto.

providente. (Del lat. *providens, -entis.*) adj. Avisado, prudente. ‖ **2.** Próvido, prevenido, diligente para proveer.

próvido, da. (Del lat. *providus.*) adj. Prevenido, cuidadoso y diligente para proveer y acudir con lo necesario al logro de un fin. ‖ **2.** Propicio, benévolo.

provincia. (Del lat. *provincĭa*.) f. Cada una de las grandes divisiones de un territorio o Estado, sujeta por lo común a una autoridad administrativa. ‖ **2.** Cada una de las demarcaciones administrativas del territorio español, fijadas en 1833. ‖ **3.** Cada uno de los distritos en que dividen un territorio las órdenes religiosas y que contiene determinado número de casas o conventos. ‖ **4.** Antiguo juzgado de los alcaldes de corte, separado de la sala criminal, que servía para conocer de los pleitos y dependencias civiles. ‖ **5.** En la antigua Roma, territorio conquistado fuera de Italia, sujeto a las leyes romanas y administrado por un gobernador. ‖ **6.** V. **contaduría, padre de provincia.**

provincial. (Del lat. *provinciālis*.) adj. Perteneciente o relativo a una provincia. ‖ **2.** V. **administración, audiencia, capítulo, concilio, contingente, definidor, diputación, diputado, milicia, renta provincial.** ‖ **3.** m. Religioso que tiene el gobierno y superioridad sobre todas las casas y conventos de una provincia.

provinciala. f. Superiora religiosa que en ciertas órdenes gobierna las casas religiosas de una provincia.

provincialato. m. Dignidad, oficio o empleo de provincial o provinciala. ‖ **2.** Tiempo que dura esta dignidad.

provincialismo. m. Predilección que generalmente se da a los usos, producciones, etc., de la provincia en que se ha nacido. ‖ **2.** Voz o giro que únicamente tiene uso en una provincia o comarca de un país o nación.

provincianismo. m. Condición de provinciano. ‖ **2.** Estrechez de espíritu y apego excesivo a la mentalidad o costumbres particulares de una provincia o sociedad cualquiera, con exclusión de las demás.

provinciano, na. adj. Dícese del habitante de una provincia, en contraposición al de la capital. Ú. t. c. s. ‖ **2.** Afectado de provincianismo. ‖ **3.** Perteneciente o relativo a una provincia. ‖ **4.** ant. Perteneciente o relativo a cualquiera de las provincias vascongadas, Álava, Vizcaya y Guipúzcoa, y especialmente a esta última. Ú. t. c. s. ‖ **5.** fig. y fam. Poco elegante o refinado.

provisión. (Del lat. *provisĭo, -ōnis*.) f. Acción y efecto de proveer. ‖ **2.** Prevención de mantenimientos, caudales u otras cosas que se ponen en alguna parte para cuando hagan falta. ‖ **3.** Conjunto de cosas, especialmente alimentos, que se guardan o reservan para un fin. Ú. m. en pl. ‖ **4.** Despacho o mandamiento que en nombre del rey expedían algunos tribunales para que se ejecutase lo que por ellos se ordenaba. ‖ **5.** Providencia o disposición conducente para el logro de una cosa. ‖ **de fondos.** *Com.* Existencia en poder del pagador del valor de una letra, cheque, etc.

provisional. (De *provisión*.) adj. Dícese de lo que se hace, se halla o se tiene temporalmente. ‖ **2.** V. **libertad provisional.**

provisionalmente. adv. m. De manera provisional.

proviso (al). (Del lat. *proviso*.) loc. adv. **al instante.**

provisor. (Del lat. *provisor, -ōris*.) m. **proveedor.** ‖ **2.** Juez diocesano nombrado por el obispo, con quien constituye un mismo tribunal, y que tiene potestad ordinaria para ocuparse de causas eclesiásticas.

provisora. f. En los conventos de religiosas, la que cuida de la provisión de la casa.

provisorato. m. Empleo u oficio de provisor. ‖ **2.** Tribunal y oficinas del mismo.

provisoría. f. Empleo u oficio de provisor diocesano. ‖ **2.** En los conventos y otras comunidades, lugar destinado a guardar y distribuir las provisiones.

provisorio, ria. (Del lat. *provisum*, supino de *providēre*, proveer.) adj. **provisional.**

provisto, ta. p. p. irreg. de **proveer.**

provocación. (Del lat. *provocatĭo, -ōnis*.) f. Acción y efecto de provocar.

provocador, ra. (Del lat. *provocātor, -ōris*.) adj. Que provoca, incita, estimula o excita.

provocar. (Del lat. *provocāre*.) tr. Incitar, inducir a uno a que ejecute una cosa. ‖ **2.** Irritar o estimular a uno con palabras u obras para que se enoje. ‖ **3.** p. us. Facilitar, ayudar. ‖ **4.** Mover o incitar. PROVOCAR *a risa, a lástima.* ‖ **5.** Hacer que una cosa produzca otra como reacción o respuesta a ella. *La caída de la bolsa* PROVOCÓ *cierto nerviosismo.* ‖ **6.** fam. Vomitar lo contenido en el estómago. ‖ **7.** fam. *Col.* y *Venez.* Incitar el apetito, apetecer, gustar.

provocativo, va. (Del lat. *provocativus*.) adj. Que provoca, excita o estimula.

proxeneta. (Del lat. *proxenēta*, y este del gr. προξενητής.) com. Persona que, con móviles de lucro, interviene para favorecer relaciones sexuales ilícitas.

proxenético, ca. adj. Perteneciente o relativo al proxeneta.

proxenetismo. m. Acto u oficio de proxeneta.

proximal. adj. *Anat.* Dícese de la parte de un miembro o un órgano más próxima a la línea media del organismo en cuestión.

próximamente. adv. t. Pronto, en un futuro próximo, dentro de poco tiempo. ‖ **2.** adv. l., t. y m. Con proximidad. ‖ **3.** adv. cant. **aproximadamente,** con corta diferencia.

proximidad. (Del lat. *proximĭtas, -ātis*.) f. Calidad de próximo. ‖ **2.** Lugar próximo. Ú. m. en pl.

próximo, ma. (Del lat. *proxĭmus*.) adj. Cercano, que dista poco en el espacio o en el tiempo. ‖ **2.** Siguiente, inmediatamente posterior. Ú. t. c. s. ‖ **3.** V. **materia próxima del sacramento.** ‖ **4.** *Teol.* V. **ocasión próxima.** ‖ **de próximo.** loc. adv. p. us. **próximamente.**

proyección. (Del lat. *proiectĭo, -ōnis*.) f. Acción y efecto de proyectar. ‖ **2.** Imagen que por medio de un foco luminoso se fija temporalmente sobre una superficie plana. ‖ **3.** En el psicoanálisis, atribución a otro de los defectos o intenciones que alguien no quiere reconocer en sí mismo. ‖ **4.** *Geom.* Figura que resulta en una superficie al proyectar en ella todos los puntos de un sólido u otra figura. ‖ **cónica.** *Geom.* La que resulta de dirigir todas las líneas proyectantes a un punto de concurso. ‖ **ortogonal.** *Geom.* La que resulta de trazar todas las líneas proyectantes perpendiculares a un plano.

proyeccionista. com. Persona que profesionalmente maneja un proyector de cine, de iluminación o un aparato análogo.

proyectante. p. a. de **proyectar.** Que proyecta. ‖ **2.** adj. *Geom.* Dícese de la línea recta que sirve para proyectar un punto en una superficie.

proyectar. (Del lat. *proiectāre*, intens. de *proiicĕre*, arrojar.) tr. Lanzar, dirigir hacia adelante o a distancia. ‖ **2.** Idear, trazar o proponer el plan y los medios para la ejecución de una cosa. ‖ **3.** Hacer un proyecto de arquitectura o ingeniería. ‖ **4.** Hacer visible sobre un cuerpo o una superficie la figura o la sombra de otro. Ú. t. c. prnl. ‖ **5.** Reflejar sobre una pantalla la imagen óptica amplificada de diapositivas, películas u objetos opacos. ‖ **6.** *Geom.* Trazar líneas rectas desde todos los puntos de un sólido u otra figura, según determinadas reglas, hasta que encuentren una superficie por lo común plana.

proyectil. (Del lat. *proiectum*, supino de *proiicĕre*, lanzar.) m. Cualquier cuerpo arrojadizo, especialmente los lanzados con armas de fuego como bala, bomba, etcétera.

proyectista. com. Persona que se dedica a hacer proyectos y a facilitarlos. ‖ **2.** Persona que dibuja planos de diversa naturaleza, proyectos artísticos, industriales, etcétera.

proyectivo, va. adj. Referente al proyecto o a la proyección. ‖ **2.** *Mat.* Dícese de las propiedades que conservan las figuras cuando se las proyecta sobre un plano. ‖ **3.** V. **geometría proyectiva.**

proyecto, ta. (Del lat. *proiectus.*) adj. *Geom.* Representado en perspectiva. ‖ **2.** V. **ortografía proyecta.** ‖ **3.** m. Planta y disposición que se forma para la realización de un tratado, o para la ejecución de una cosa de importancia. ‖ **4.** Designio o pensamiento de ejecutar algo. ‖ **5.** Conjunto de escritos, cálculos y dibujos que se hacen para dar idea de cómo ha de ser y lo que ha de costar una obra de arquitectura o de ingeniería. ‖ **6.** Primer esquema o plan de cualquier trabajo que se hace a veces como prueba antes de darle la forma definitiva. ‖ **de ley.** Ley elaborada por el gobierno y sometida al parlamento para su aprobación.

proyector. m. Aparato que sirve para proyectar imágenes ópticas. ‖ **2.** Aparato óptico con el que se obtiene un haz luminoso de gran intensidad. ‖ **3.** *Cinem.* Foco eléctrico. Ú. m. en pl.

proyectura. (Del lat. *proiectūra.*) f. *Arq.* Saliente del paramento de una pared, vuelo.

prudencia. (Del lat. *prudentia.*) f. *Rel.* Una de las cuatro virtudes cardinales, que consiste en discernir y distinguir lo que es bueno o malo, para seguirlo o huir de ello. ‖ **2.** Templanza, cautela, moderación. ‖ **3.** Sensatez, buen juicio.

prudencial. adj. Perteneciente o relativo a la prudencia. ‖ **2.** Que no es exagerado ni excesivo. ‖ **3.** V. **cálculo prudencial.**

prudencialmente. adv. m. Según las reglas y preceptos de la prudencia.

prudente. (Del lat. *prudens, -entis.*) adj. Que tiene prudencia y actúa con moderación y cautela.

prudentemente. adv. m. Con prudencia, juicio y circunspección.

prueba. f. Acción y efecto de probar. ‖ **2.** Razón, argumento, instrumento u otro medio con que se pretende mostrar y hacer patente la verdad o falsedad de algo. ‖ **3.** Indicio, señal o muestra que se da de una cosa. ‖ **4.** Ensayo o experimento que se hace de algo, para saber cómo resultará en su forma definitiva. ‖ **5.** Análisis médico. ‖ **6.** Cantidad pequeña de un alimento destinada a examinar su calidad. ‖ **7.** Examen que se hace para demostrar o comprobar los conocimientos o aptitudes de alguien. ‖ **8.** En algunos deportes, **competición.** ‖ **9.** *Arit.* Operación que se ejecuta para averiguar la exactitud de otra ya hecha. ‖ **10.** *Der.* Justificación de la verdad de los hechos controvertidos en un juicio, hecha por los medios que autoriza y reconoce por eficaces la ley. ‖ **11.** *Impr.* Muestra de la composición tipográfica, que se saca en papel ordinario para corregir y apuntar en ella las erratas que tiene, antes de la impresión definitiva. Ú. m. en pl. ‖ **12.** Por ext., se llaman así las muestras del grabado y de la fotografía, y también las reproducciones en papel de una imagen fotográfica. ‖ **13.** pl. *Der.* Probanzas, y con especialidad las que se hacen de la limpieza o nobleza del linaje de uno. ‖ **antes de la letra.** *Grab.* **prueba** tirada por vía de ensayo, cuando aún no se le ha puesto la inscripción que dice lo que el grabado representa. ‖ **de indicios, o indiciaria.** *Der.* La que se obtiene de los indicios más o menos vehementes relacionados con un hecho, generalmente criminal, que se pretende esclarecer. ‖ **negativa.** *Fotogr.* Imagen que se obtiene de la cámara oscura como primera parte de la operación fotográfica, donde los claros y los oscuros salen invertidos. ‖ **positiva.** *Fotogr.* Última parte de la operación fotográfica, que consiste en invertir los claros y los oscuros de la **prueba** negativa, obteniendo así sobre papel, cristal o metal las imágenes con sus verdaderas luces y sombras. ‖ **semiplena.** *Der.* **prueba** imperfecta o media **prueba,** como la que resulta de la declaración de un

solo testigo, siendo este de toda excepción. ‖ **tasada.** *Der.* Sistema de enjuiciamiento antiguo, y en parte aún subsistente, en que la ley, sin dejar la apreciación al criterio del juzgador, mide la fuerza y suficiencia de las **pruebas.** ‖ **a prueba.** loc. adv. que denota estar una cosa hecha a toda ley, con perfección. ‖ **2.** Entre vendedores significa que permiten al comprador probar o experimentar aquello que se le vende, antes de efectuar la compra. ‖ **3.** loc. adj. Entre empleados, significa que durante un tiempo tienen que demostrar su valía para poder confirmar su puesto de trabajo mediante un contrato. ‖ **a prueba de agua, de bomba,** etc. locs. advs. Aplícanse a lo que por su perfecta construcción, firmeza y solidez es capaz de resistir al agua, a las bombas, etc. ‖ **a prueba, y estése.** expr. *Der.* Antigua fórmula de la providencia para recibir a **prueba** una causa y mantener la prisión preventiva del reo. ‖ **de prueba.** loc. adv. con que se explica la consistencia o firmeza de una cosa en lo físico o en lo moral. ‖ **2.** Adecuado para probar el límite de la paciencia de uno. ‖ **en prueba de.** loc. adv. Como muestra o señal de lo que se expresa. ‖ **poner a prueba.** fr. Someter a alguien o algo a determinadas situaciones para averiguar o comprobar sus cualidades, comportamientos, etc. ‖ **recibir a prueba.** fr. *Der.* Abrir el período del juicio en que los interesados han de proponer y practicar sus justificaciones o probanzas.

pruina. (Del lat. *pruina.*) f. Tenue recubrimiento céreo que presentan las hojas, tallos o frutos de algunos vegetales. ‖ **2.** ant. Helada o escarcha.

pruinoso, sa. (Del lat. *pruinōsus.*) adj. Cubierto de pruina.

pruna. (Del lat. *pruna,* pl. de *prunum,* ciruela.) f. En algunas partes, **ciruela.**

prunela. (Del lat. *pruna,* brasa.) adj. *Quím.* V. **sal prunela.** ‖ **2.** f. *Argent.* Tela de lana gruesa y tupida, empleada en la confección de prendas que requieren gran resistencia o solidez.

pruno. (Del lat. *prunus.*) m. En algunas partes, **ciruelo,** árbol.

pruriginoso. (Del lat. *pruriginōsus.*) adj. *Pat.* De la naturaleza del prurigo o que lo produce.

prurigo. (Del lat. *prurīgo,* picor, comezón.) m. *Pat.* Nombre genérico de ciertas afecciones cutáneas, caracterizadas por pápulas cubiertas frecuentemente de costras negruzcas debidas a excoriaciones producidas por rascarse.

prurito. (Del lat. *prurītus.*) m. *Pat.* Comezón, picazón. ‖ **2.** fig. Deseo persistente y excesivo de hacer una cosa de la mejor manera posible.

Prusia. n. p. V. **azul de Prusia.**

prusiano, na. adj. Natural de Prusia. Ú. t. c. s. ‖ **2.** Perteneciente o relativo a este antiguo Estado de la Alemania del Norte.

prusiato. m. Sal compuesta de ácido prúsico combinado con una base.

prúsico, ca. (De azul de *Prusia.*) adj. V. **ácido prúsico.**

pseudo-. (Del gr. ψεῦδο-.) elem. compos. **seudo-.**

pseudología. (De *pseudo-* y *-logía.*) f. *Med.* Trastorno mental que consiste en creer sucesos fantásticos como realmente sucedidos.

psi. (Del gr. ψῖ.) f. Vigésima tercera letra del alfabeto griego, que equivale a *ps.*

psicagogia. (Del gr. ψυχαγωγία, de ψυχή, alma, y ἄγω, conducir.) f. Arte de conducir y educar el alma.

psicastenia. (Del gr. ψυχή, alma, y ἀσθένεια, debilidad.) f. *Med.* Variedad de la neurastenia en la que predominan las manifestaciones de depresión psíquica.

psicasténico. adj. Perteneciente o relativo a la psicastenia. ‖ **2.** Que la padece. Ú. t. c. s.

psico-. (Del gr. ψυχο-.) elem. compos. que significa «alma» o «actividad mental»: psicoanálisis, psicotecnia.

psicoanálisis. (De *psico-* y *análisis.*) amb. *Psiquiat.* Método creado por Freud para investigar y curar las enfermedades mentales mediante el análisis de los conflictos sexuales inconscientes originados en la niñez. Ú. m. c. m. ‖ **2.** Doctrina que sirve de base a este tratamiento, en la que se concede importancia decisiva a la permanencia en lo subconsciente de los impulsos instintivos reprimidos por la conciencia, y en los cuales se ha pretendido ver una explicación de los sueños. Ú. m. c. m.

psicoanalista. adj. Dícese de la persona que se dedica al psicoanálisis. Ú. t. c. s. com.

psicoanalítico, ca. adj. Perteneciente o relativo al psicoanálisis. ‖ **2.** Dícese de la persona que se dedica al psicoanálisis o lo estudia. Ú. t. c. s.

psicoanalizar. tr. Alicar el psicoanálisis a una persona. Ú. t. c. prnl.

psicodélico, ca. (De *psico-* y el gr. δηλοῦν, mostrar, manifestar.) adj. Perteneciente o relativo a la manifestación de elementos psíquicos que en condiciones normales están ocultos, o a la estimulación intensa de potencias psíquicas. *Estado* PSICODÉLICO. ‖ **2.** Causante de esta manifestación o estimulación. Dícese principalmente de drogas como la marihuana y otros alucinógenos. ‖ **3.** fig. y fam. Raro, extravagante, fuera de lo normal.

psicodrama. (De *psico-* y *drama.*) m. Técnica psicoanalítica empleada en la psicoterapia de grupo que se efectúa mediante la representación por los pacientes de situaciones dramáticas relacionadas con sus conflictos patológicos.

psicofármaco. m. Medicamento que actúa sobre la actividad mental.

psicofísica. (De *psico-* y *física.*) f. Ciencia que trata de las manifestaciones físicas o fisiológicas que acompañan a los fenómenos psicológicos.

psicofísico, ca. adj. Perteneciente o relativo a la psicofísica.

psicogénico, ca. (De *psicógeno.*) adj. Engendrado u originado en la psique.

psicógeno, na. (De *psico-* y *-geno.*) adj. *Med.* **psicogénico.**

psicokinesia. f. **psicoquinesia.**

psicología. (De *psico-* y *-logia.*) f. Parte de la filosofía, que trata del alma, sus facultades y operaciones. ‖ **2.** Por ext., todo lo que atañe al espíritu. ‖ **3.** *Psicol.* Ciencia de la vida mental. ‖ **4.** Manera de sentir de una persona o de un pueblo. ‖ **5.** Hablando de pueblos o naciones, la síntesis de sus caracteres espirituales y morales. ‖ **6.** Por ext., todo lo que se refiere a la conducta de los animales.

psicológico, ca. adj. Perteneciente o relativo a la psique. ‖ **2.** Perteneciente o relativo a la psicología.

psicólogo, ga. m. y f. Especialista en psicología. ‖ **2.** Por ext., persona dotada de especial penetración para el conocimiento del carácter y la intimidad de las personas.

psicómetra. com. Especialista en psicometría.

psicometría. (De *psico-* y *-metría.*) f. Medida de los fenómenos psíquicos. ‖ **2.** En parapsicología, supuesto conocimiento de una persona o un acontecimiento que se obtiene mediante un médium a través del contacto con un objeto relacionado con ellas.

psicópata. (De *psico-* y el gr. πάθος, dolencia.) com. *Psiquiat.* Persona que padece psicopatía, especialmente anomalía psíquica.

psicopatía. (De *psico-* y *-patía.*) f. *Psiquiat.* Enfermedad mental. ‖ **2.** *Psiquiat.* Anomalía psíquica por obra de la cual, a pesar de la integridad de las funciones perceptivas y mentales, se halla patológicamente alterada la conducta social del individuo que la padece.

psicopático, ca. adj. Perteneciente o relativo a la psicopatía. ‖ **2.** Que padece alguna psicopatía. Ú. t. c. s.

psicopatología. (De *psico-* y *patología.*) f. *Med.* Estudio de las causas y naturaleza de las enfermedades mentales.

psicopedagogía. (De *psico-* y *pedagogía.*) f. *Psicol.* Rama de la psicología que se ocupa de los fenómenos de orden psicológico para llegar a una formulación más adecuada de los métodos didácticos y pedagógicos.

psicopedagógico, ca. adj. Perteneciente o relativo a la psicopedagogía.

psicoquinesia. (De *psico-* y el gr. κίνησις, movimiento.) f. Supuesta acción del psiquismo en la modificación de un sistema físico en evolución, sin causa mecánica observable. ‖ **2.** En parapsicología, coincidencia que se comprueba estadísticamente entre un fenómeno subjetivo perteneciente a una serie psíquica y otro objetivo perteneciente a otra serie física, coincidencia que puede atribuirse a una acción directa del psiquismo sobre la materia.

psicosis. (De *psico-*.) f. *Psiquiat.* Nombre general que se aplica a todas las enfermedades mentales. ‖ **maniaco-depresiva.** *Psiquiat.* Forma de perturbación mental caracterizada por las alternativas de excitación y depresión del ánimo y en general de todas las actividades orgánicas.

psicosomático, ca. (De *psico-* y el gr. σῶμα, cuerpo.) adj. *Psicol.* Dícese de lo que afecta a la psique así como de lo que implica o da lugar a una acción de la psique sobre el cuerpo o al contrario.

psicotecnia. (De *psico-* y *-tecnia.*) f. *Med.* Rama de la psicología, que con fines de orientación y selección tiene por objeto explorar y clasificar las aptitudes de los individuos mediante pruebas adecuadas.

psicotécnico, ca. adj. Perteneciente o relativo a la psicotecnia.

psicoterapeuta. (De *psico-* y *terapeuta.*) com. *Med.* Especialista en psicoterapia.

psicoterapéutico, ca. (De *psico-* y *terapéutico.*) adj. *Med.* Perteneciente o relativo a la psicoterapia.

psicoterapia. (De *psico-* y *terapia.*) f. *Psicol.* Tratamiento de las enfermedades, especialmente las nerviosas, por medio de la sugestión o persuasión o por otros procedimientos psíquicos.

psicoterápico, ca. adj. *Med.* Perteneciente o relativo a la psicoterapia.

psicrómetro. (Del gr. ψυχρός, frío, y *-metro.*) m. *Fís.* Higrómetro que se compone de dos termómetros ordinarios, en uno de los cuales tiene la bola humedecida con agua, y por la comparación de las temperaturas indicadas en ellos se calcula el grado de humedad del aire.

psique. (Del gr. ψυχή.) f. Alma humana.

psiquiatra. com. *Med.* Especialista en psiquiatría, alienista.

psiquiatría. (De *psico-* y el gr. ἰατρεία, curación.) f. Ciencia que trata de las enfermedades mentales.

psiquiátrico, ca. adj. Perteneciente o relativo a la psiquiatría. ‖ **2.** m. Hospital o clínica donde se trata a los enfermos mentales.

psíquico, ca. (Del lat. *psychicus*, y este del gr. ψυχικός.) adj. Perteneciente o relativo al alma.

psiquis. (Del gr. ψυχή.) f. **psique.** ‖ **2. psiquismo.**

psiquismo. m. Conjunto de los caracteres y funciones de orden psíquico.

psitácida. (Del gr. ψιττακός, papagayo e *-ido.*) adj. *Zool.* Dícese de aves prensoras, casi todas originarias de países tropicales, con plumas de colores vivos y pico corto, alto y muy encorvado; como el papagayo y la cotorra. Ú. t. c. s. f. ‖ **2.** f. pl. *Zool.* Familia de estas aves.

psitaciforme. (Del gr. ψιττακός, papagayo, y *-forme.*) adj. *Zool.* Dícese de aves prensoras, de pico ganchudo, vuelo rápido y colores vistosos, algunas de las cuales son capaces de imitar la voz humana; como el loro, el periquito y la cacatúa. Pueden alcanzar edades avanzadas. Ú. t. c. s. ‖ **2.** *Zool.* Orden de estas aves.

psitacismo. (Del gr. ψιττακός, papagayo.) m. Método de

enseñanza basado exclusivamente en el ejercicio de la memoria.

psitacosis. (Del gr. ψιττακός, papagayo.) f. *Pat.* Enfermedad infecciosa que padecen los loros y papagayos, de los que puede transmitirse al hombre.

psoriasis. (Del gr. ψώρα, sarna.) f. *Pat.* Dermatosis generalmente crónica.

pteridofito, ta. (Del gr. πτέριξ, -ιδος, helecho, y φυτόν, planta.) adj. *Bot.* Dícese de plantas criptógamas de generación alternante bien manifiesta, como los helechos. ‖ **2.** f. pl. *Bot.* Familia de estas plantas.

ptero- o **±ptero, ra.** (Del gr. πτερο- o ±πτερος.) elem. compos. que significa «ala»: PTEROdáctilo, hemíPTERO.

pterodáctilo. (De *ptero-*, y el gr. δάκτυλος, dedo.) m. Reptil fósil, probablemente volador gracias a unas membranas semejantes a las del murciélago, y del cual se han hallado restos petrificados principalmente en el terreno jurásico.

ptosis. (Del gr. πτῶσις, caída.) f. *Med.* Caída o prolapso de un órgano o parte de él.

¡pu! interj. de repugnancia, **¡puf!**

púa. (De or. inc.) f. Cuerpo delgado y rígido que acaba en punta aguda. ‖ **2.** Vástago de un árbol, que se introduce en otro para injertarlo. ‖ **3.** Diente de un peine. ‖ **4.** Cada uno de los ganchitos o dientes de alambre de la carda. ‖ **5.** Chapa triangular u ovalada de carey, marfil o materiales plásticos, que se emplea para tocar ciertos instrumentos músicos de cuerda, como la guitarra, el laúd, etc. ‖ **6.** Cada uno de los pinchos o espinas del erizo, puerco espín, etc. ‖ **7.** Hierro del trompo. ‖ **8.** fig. Causa no material de sentimiento y pesadumbre. ‖ **9.** fig. y fam. Persona sutil y astuta. Se usa generalmente en sentido peyorativo. *Joaquín es buena* PÚA. ‖ **saber alguien cuántas púas tiene un peine.** fr. fig. y fam. Ser bastante astuto y cuidadoso en los negocios que maneja, y no dejarse engañar de otro. ‖ **sacar la púa al trompo.** fr. fig. y fam. Averiguar a fuerza de diligencias el origen o la causa de una cosa. ‖

puado. m. Conjunto de las púas de un peine o de otra cosa que las tenga.

puar. tr. Hacer púas en un peine u otro objeto que deba tenerlas.

púber. (Del lat. *puber*.) adj. Que ha llegado a la pubertad. Ú. t. c. s.

púbero, ra. adj. **púber.** Ú. t. c. s.

pubertad. (Del lat. *pubertas*, -*ātis*.) f. Primera fase de la adolescencia en la cual se producen las modificaciones propias del paso de la infancia a la edad adulta.

pubes. (Del lat. *pubes*.) m. *Anat.* **pubis.**

pubescencia. (Del lat. *pubescens*, -*entis*, pubescente.) f. **pubertad.** ‖ **2.** *Bot.* Calidad de pubescente o velloso.

pubescente. (Del lat. *pubescens*, -*entis*.) p. a. de **pubescer.** ‖ **2.** adj. Dícese del que ha llegado a la pubertad. ‖ **3.** Que tiene vello, velloso.

pubescer. (Del lat. *pubescĕre*, cubrirse de vello.) intr. Llegar a la pubertad.

pubiano, na. adj. Perteneciente o relativo al pubis.

pubis. (Del lat. *pubes* y *pubis*.) m. Parte inferior del vientre, que en la especie humana se cubre de vello a la pubertad. ‖ **2.** *Anat.* Hueso que en los mamíferos adultos se une al ilion y al isquion para formar el innominado.

pública. f. En algunas universidades, acto público, compuesto de una lección de hora y defensa de una conclusión, que se tenía antes del ejercicio secreto para recibir el grado mayor.

publicable. adj. Que se puede publicar.

publicación. (Del lat. *publicatĭo*, -*ōnis*.) f. Acción y efecto de publicar. ‖ **2.** Escrito impreso, como libros, revistas, periódicos, etc., que ha sido publicado.

publicador, ra. (Del lat. *publicātor*, -*ōris*.) adj. Que publica. Ú. t. c. s.

públicamente. adv. m. De un modo público.

publicano. (Del lat. *publicānus*.) m. Entre los romanos, arrendador de los impuestos o rentas públicas y de las minas del Estado.

publicar. (Del lat. *publicāre*.) tr. Hacer notoria o patente, por televisión, radio, periódicos o por otros medios, una cosa que se quiere hacer llegar a noticia de todos. ‖ **2.** Hacer patente y manifiesta al público una cosa. PUBLICAR *la sentencia.* ‖ **3.** Revelar o decir lo que estaba secreto u oculto y se debía callar. ‖ **4.** Correr las amonestaciones para el matrimonio y las órdenes sagradas. ‖ **5.** Difundir por medio de la imprenta o de otro procedimiento cualquiera un escrito, estampa, etc.

publicata. (Del lat. *publicāta*, publicada.) f. Despacho que da para que se publique, a uno que se ha de ordenar. ‖ **2.** Certificación de haberse publicado tal despacho.

publicidad. f. Calidad o estado de público. *La* PUBLICIDAD *de este caso avergonzó a su autor.* ‖ **2.** Conjunto de medios que se emplean para divulgar o extender la noticia de las cosas o de los hechos. ‖ **3.** Divulgación de noticias o anuncios de carácter comercial para atraer a posibles compradores, espectadores, usuarios, etc. ‖ **en publicidad.** loc. adv. **públicamente.**

publicista. com. Autor que escribe del derecho público, o persona muy versada en esta ciencia. ‖ **2.** Persona que escribe para el público, generalmente de varias materias. ‖ **3.** *Amér.* Persona que ejerce la publicidad, publicitario.

publicitario, ria. adj. Perteneciente o relativo a la publicidad utilizada con fines comerciales. ‖ **2.** m. *Amér.* Persona que ejerce la publicidad, publicista.

público, ca. (Del lat. *publĭcus*.) adj. Notorio, patente, manifiesto, visto o sabido por todos. ‖ **2.** Vulgar, común y notado de todos. *Ladrón* PÚBLICO. ‖ **3.** Aplícase a la potestad, jurisdicción y autoridad para hacer una cosa, como contrapuesto a privado. ‖ **4.** Perteneciente a todo el pueblo. *Vía* PÚBLICA. ‖ **5.** V. **administración, calle, casa, causa, deuda, fe, hacienda, higiene, instrucción, mujer, obra, opinión, penitencia, venta, vindicta pública.** ‖ **6.** V. **consistorio, crédito, derecho, hombre, juego, orden público.** ‖ **7.** V. **ayudante de obras públicas.** ‖ **8.** V. **efectos públicos.** ‖ **9.** m. Común del pueblo o ciudad. ‖ **10.** Conjunto de las personas que participan de unas mismas aficiones o que con preferencia concurren a determinado lugar. *Cada escritor, cada teatro tiene su* PÚBLICO. ‖ **11.** Conjunto de las personas reunidas en determinado lugar para asistir a un espectáculo o con otro fin semejante. ‖ **dar al público.** fr. **publicar** por medio de la imprenta u otro procedimiento un escrito. ‖ **de público.** loc. adv. Notoriamente, públicamente. ‖ **en público.** loc. adv. Públicamente, a la vista de todos. ‖ **sacar al público** una cosa. fr. fig. Publicarla.

publirreportaje. m. Reportaje publicitario, generalmente de larga duración.

pucallpeño, ña. adj. Natural de Pucallpa. Ú. t. c. s. ‖ **2.** Perteneciente o relativo a esta ciudad del Perú.

pucara o **pucará.** (De or. quechua.) m. Fortaleza con gruesos muros de pirca, que en las regiones quechuas y diaguitas construían los indios en alturas estratégicas.

pucela. (Del lat. *pullicella*, d. de *pullus*.) f. ant. Doncella, mujer que no ha conocido varón.

pucelana. f. **puzolana.**

pucia. (De or. inc.) f. Vaso farmacéutico, en forma de olla prolongada por la parte superior, que se tapaba con otro igual, pero más pequeño, y servía para elaborar algunas infusiones y cocimientos que habían de hacerse en vaso cerrado.

pucha. f. Eufemismo por **puta.** ‖ **2.** interj. de sorpresa, disgusto, etc.

puchada. f. Cataplasma que se hace con harina desleída a modo de puches. ‖ **2.** Especie de gachas de salvado o de harina de centeno o habas, que suele darse a los cerdos para que engorden.

puchera. (Del lat. [*olla*] *pultaría*.) f. fam. **olla**, cocido español.

pucherazo. m. Golpe dado con un puchero. ‖ **2.** Fraude electoral que consiste en alterar el resultado del escrutinio de votos. ‖ **dar pucherazo.** fr. fig. y fam. Computar votos no emitidos en una elección.

puchero. (Del lat. *pultarĭus*.) m. Vasija de barro y de otros materiales, con asiento pequeño, panza abultada, cuello ancho, una sola asa junto a la boca. Por ext., se llaman así otras vasijas. ‖ **2.** Especie de cocido, como el cocido español. ‖ **3.** fig. y fam. Alimento diario y regular. *Véngase usted a comer el* PUCHERO *conmigo.* ‖ **4.** fig. y fam. Gesto o movimiento que precede al llanto verdadero o fingido. Ú. m. en pl. y con el verbo *hacer.* ‖ **de enfermo.** Cocido que se hace en el **puchero**, sin ingredientes que puedan ser nocivos a los estómagos delicados. ‖ **2.** Cosa consabida, insustancial y fuera de razón. Ú. t. en la fr. *Oler a* PUCHERO *de enfermo.* ‖ **empinar el puchero.** fr. fig. y fam. Tener con qué vivir decentemente, aunque sin opulencia. ‖ **salírsele** a uno **el puchero.** fr. fig. y fam. Fallarle su plan, idea o empresa. ‖ **volcar el puchero.** fr. fig. y fam. **dar pucherazo.**

pucheruelo. m. d. de **puchero.**

puches. (Del lat. *pŭltes*, pl. de *puls, pultis*.) amb. pl. **gachas**, cocido de harina con agua, sal y otros ingredientes.

puchinela. m. *And.* Personaje burlesco de las farsas italianas, pulchinela, polichinela.

pucho. (Del quechua *puchu*, sobrante.) m. *Amér. Merid.* Resto, residuo, pequeña cantidad sobrante de alguna cosa. ‖ **2.** *Amér. Merid.* Colilla del cigarro. ‖ **a puchos.** loc. adv. *Amér. Merid.* En pequeñas cantidades, poco a poco. ‖ **no valer un pucho.** loc. *Argent., Col., Chile, Perú y Urug.* No valer nada. ‖ **sobre el pucho.** loc. adv. *Argent., Bol., Perú y Urug.* Inmediatamente, en seguida.

puchuela. (d. de *pucho.*) f. *Ecuad.* Insignificancia, cosa de ínfimo valor, mínima cantidad de dinero.

pudelación. f. Acción y efecto de pudelar.

pudelar. (Del ing. *puddle*, enlodar.) tr. Hacer dulce el hierro colado, quemando parte de su carbono en hornos de reverbero.

pudendo, da. (Del lat. *pudendus*.) adj. Torpe, feo, que debe causar vergüenza. ‖ **2.** V. **partes pudendas.** ‖ **3.** m. ant. **miembro viril.**

pudibundez. f. Afectación o exageración del pudor[1].

pudibundo, da. (Del lat. *pudibundus*.) adj. De mucho pudor[1].

pudicia. (De *pudicicia.*) f. Virtud que consiste en guardar y observar honestidad en acciones y palabras.

pudicicia. (Del lat. *pudicitĭa*.) f. **pudicia.**

púdico, ca. (Del lat. *pudĭcus*.) adj. Honesto, casto, pudoroso. ‖ **2.** V. **mimosa púdica.**

pudiente. (Del lat. *potens, -entis*.) adj. Poderoso, rico, hacendado. Ú. t. c. s.

pudín. (Del ing. *pudding*.) m. Dulce que se prepara con bizcocho o pan deshecho en leche y con azúcar y frutas secas. ‖ **2.** Por ext., plato semejante, no dulce.

pudinga. f. *Geol.* Conjunto conglomerado de almendrilla.

pudio. (Del lat. *putĭdus*, hediondo.) adj. V. **pino pudio.**

pudir. (Del lat. *putēre*.) intr. ant. Oler mal, heder, apestar.

pudor[1]**.** (Del lat. *pudor, -ōris*.) m. Honestidad, modestia, recato.

pudor[2]**.** (Del lat. *putor, -ōris*.) m. ant. Mal olor, hedor.

pudoroso, sa. (Del lat. *pudorōsus*.) adj. Lleno de pudor[1].

pudredumbre. f. ant. **podredumbre.**

pudrición. f. Acción y efecto de pudrir o pudrirse. ‖

roja. Enfermedad del tronco de los árboles que convierte el centro en polvo.

pudridero. m. Sitio o lugar en que se pone una cosa para que se pudra o corrompa. ‖ **2.** Cámara destinada a los cadáveres antes de colocarlos en el panteón.

pudridor. m. Pila donde, en las fábricas de papel, se ponía en remojo el trapo desguinzado.

pudrigorio. (De *pudrir.*) m. fam. **podrigorio.**

pudrimiento. m. Putrefacción, corrupción.

pudrir. (Del lat. *putrēre*.) tr. Hacer que una materia orgánica se altere y descomponga. Ú. t. c. prnl. ‖ **2.** fig. Consumir, molestar, causar impaciencia o fastidio. Ú. t. c. prnl. ‖ **3.** intr. Haber muerto, estar sepultado.

pudú. (Del arauc. *pudu*.) m. *Argent.* y *Chile.* Ciervo de porte pequeño, pelaje color pardo, cuernos chicos, sencillos y rectos, que habita los bosques de los Andes australes.

puebla. f. ant. Población, pueblo, lugar. ‖ **2.** V. **carta puebla.** ‖ **3.** Siembra que hace el hortelano de cada género de verduras o legumbres.

pueble. (De *poblar.*) m. *Min.* Conjunto de operarios que concurren al laboreo de una mina.

pueblerino, na. adj. Perteneciente o relativo a un pueblo pequeño o aldea. Ú. t. c. s. ‖ **2.** Dícese de la persona de poca cultura o de modales poco refinados. Ú. t. c. s.

pueblero, ra. adj. *Argent.* y *Urug.* Para el campesino, natural o habitante de una ciudad o pueblo. Ú. t. c. s. ‖ **2.** *Argent.* y *Urug.* Perteneciente o relativo a una ciudad o pueblo, ciudadano, urbano.

pueblo. (Del lat. *popŭlus*.) m. Ciudad o villa. ‖ **2.** Población de menor categoría. ‖ **3.** Conjunto de personas de un lugar, región o país. ‖ **4.** Gente común y humilde de una población. ‖ **5.** País con gobierno independiente.

puelche. (Del arauc. *puel*, oriente, y *che*, persona.) m. *Chile.* Indígena que vive en la parte oriental de la cordillera de los Andes. ‖ **2.** *Chile.* Viento que sopla de la cordillera de los Andes hacia poniente.

puente. (Del lat. *pons, pontis*.) amb., pero el f. es ant. o regional. Construcción de piedra, ladrillo, madera, hierro, hormigón, etc., que se construye y forma sobre los ríos, fosos y otros sitios, para poder pasarlos. ‖ **2.** Suelo que se hace poniendo tablas sobre barcas, odres u otros cuerpos flotantes, para pasar un río. ‖ **3.** m. Tablilla colocada perpendicularmente en la tapa de los instrumentos de arco, para mantener levantadas las cuerdas. ‖ **4.** Pieza de los instrumentos de cuerda que en la parte inferior de la tapa sujeta las cuerdas, cordal[1]. ‖ **5.** Cada uno de los dos palos o barras horizontales que en las galeras o carros aseguran por la parte superior las estacas verticales de uno y otro lado. ‖ **6.** Conjunto de los dos maderos horizontales en que se sujeta el peón de la noria. ‖ **7.** Pieza metálica, generalmente de oro, que usan los dentistas para sujetar los dientes naturales o artificiales. ‖ **8.** Día o días que entre dos festivos o sumándose a uno festivo se aprovechan para vacación. ‖ **9.** Conexión con la que se establece la continuidad de un circuito eléctrico interrumpido. ‖ **10.** Ejercicio gimnástico consistente en arquear el cuerpo hacia atrás de modo que descanse sobre manos y pies. ‖ **11.** Pieza central de la montura de las gafas que une los dos cristales. ‖ **12.** Curva o arco de la parte interior de la planta del pie. ‖ **13.** *Arq.* Cualquiera de los maderos que se colocan horizontalmente entre otros dos, verticales o inclinados, o entre un madero y una pared. ‖ **14.** *Mar.* Cada una de las cubiertas que llevan batería en los buques de guerra. ‖ **15.** *Mar.* Plataforma estrecha y con baranda que, colocada a cierta altura sobre la cubierta, va de banda a banda, y desde la cual puede el oficial de guardia comunicar sus órdenes a los diferentes puntos del buque. ‖ **aéreo.** Comunicación frecuente y continua que, por medio de aviones, se establece entre dos lugares para facilitar el desplazamiento de personas y mercancías del uno al otro. ‖ **2.** Conjunto de instalaciones que, en un aeropuerto están al servicio de dicha comunicación. ‖ **cerril.** El que es estrecho y sirve para pasar el ganado suelto. ‖ **colgante.** El sostenido por cables o por cadenas de hierro. ‖ **de barcas.** El que está tendido sobre flotadores, los cuales consisten en barcas, pontones, etc. ‖ **de los asnos.** fig. y fam. Aquella dificultad que se encuentra en una ciencia u otra cosa, y quita el ánimo para pasar adelante. Llámase así regularmente al *quis vel qui* en la gramática latina. ‖ **de Varolio.** *Anat.* Órgano situado en la parte inferior del encéfalo, y que sirve de conexión entre el cerebro, el cerebelo y la médula oblonga. ‖ **levadizo.** El que en los antiguos castillos se ponía sobre el foso y podía levantarse por medio de poleas y cuerdas o cadenas para impedir la entrada a la fortaleza. ‖ **transbordador.** El que soporta un carro, del cual va colgada la barquilla transbordadora. Generalmente se construye sobre una ría o un canal y tiene el tablero a bastante altura para no dificultar la navegación. ‖ **calar el puente.** fr. Bajar o echar el levadizo para que se pueda pasar por él. ‖ **hacer la puente de plata** a uno. fr. fig. Facilitar y allanarle las cosas en que halla dificultad, para empeñarle en un asunto o hacerle desistir de él. ‖ **hacer puente.** loc. Aprovechar para vacación algún día intermedio entre dos fiestas o inmediato a una. ‖ **por la puente, que está seco.** expr. fig. y fam. con que se aconseja la elección del partido más seguro, o que no se usen atajos en que puede haber riesgo.

puentear. tr. Colocar un puente en un circuito eléctrico.

puentecilla. (d. de *puente*.) f. Puente o cordal de la parte inferior de la tapa de los instrumentos de cuerda que sujeta las cuerdas.

puentezuela. f. d. de **puente.**

puerca. (Del lat. *porca*.) f. Hembra del puerco. ‖ **2. cochinilla**[1], crustáceo. ‖ **3. escrófula.** ‖ **4.** Pieza de pernio o gozne en que está el anillo. ‖ **5.** Lomo entre surco y surco de la tierra arada. ‖ **6.** fig. y fam. Mujer desaliñada, sucia, que no tiene limpieza. Ú. t. c. adj. ‖ **7.** fig. y fam. Mujer grosera, sin cortesía ni crianza. Ú. t. c. adj. ‖ **8.** fig. y fam. Mujer ruin, interesada, venal. Ú. t. c. adj. ‖ **9.** adj. fig. y fam. V. **manos puercas.** ‖ **montés,** o **salvaje. jabalina**[1].

puercamente. adv. m. Con suciedad, sin limpieza. ‖ **2.** fig. y fam. Con grosería, sin crianza, con descortesía.

puerco. (Del lat. *porcus*.) m. Cerdo, animal. ‖ **2.** fig. y fam. Hombre desaliñado, sucio, que no tiene limpieza. Ú. t. c. adj. ‖ **3.** fig. y fam. Hombre grosero, sin cortesía ni crianza. Ú. t. c. adj. ‖ **4.** fig. y fam. Hombre ruin, interesado, venal. Ú. t. c. adj. ‖ **5.** *Mont.* **jabalí.** ‖ **de mar. marsopa.** ‖ **de simiente. verraco.** ‖ **espín,** o **espino.** Mamífero roedor que habita en el norte de África, de unos 25 centímetros de alto y 60 de largo, cuerpo rechoncho, cabeza pequeña y hocico agudo, cuello cubierto de crines fuertes, blancas o grises, y lomo y costados con púas córneas de unos 20 centímetros de longitud y medio de grueso, blancas y negras en zonas alternas. Es animal nocturno, tímido y desconfiado, vive de raíces y frutos, y cuando le persiguen, gruñe como el cerdo. ‖ **2.** *Fort.* Madero grueso guarnecido de púas de hierro, y sustentado por una recia columna, el cual se suele poner en las brechas, bocas de los puentes y gola de los fuertes. ‖ **jabalí. jabalí.** ‖ **marino. delfín**[1], cetáceo. ‖ **montés,** o **salvaje. jabalí.**

puericia. (Del lat. *pueritĭa*.) f. Edad del hombre, que media entre la infancia y la adolescencia; esto es, desde los siete años hasta los catorce.

puericultor, ra. m. y f. Especialista en puericultura.

puericultura. (Del lat. *puer,* niño, y *cultūra,* cultivo.) f. Ciencia que se ocupa del sano desarrollo del niño.

pueril. (Del lat. *puerīlis*.) adj. Perteneciente o relativo al niño

o a la puericia. ‖ **2.** Propio de un niño o que parece de un niño. ‖ **3.** fig. Fútil, trivial, infundado. ‖ **4.** *Astrol.* V. **cuadrante pueril.**

puerilidad. (Del lat. *puerilĭtas, -ātis*.) f. Calidad de pueril. ‖ **2.** Hecho o dicho propio de niño, o que parece de niño. ‖ **3.** fig. Cosa de poca entidad o despreciable.

puerilmente. adv. m. De modo pueril.

puérpera. (Del lat. *puerpĕra*.) f. Mujer recién parida.

puerperal. adj. Relativo al puerperio. ‖ **2.** V. **fiebre puerperal.**

puerperio. (Del lat. *puerperĭum*.) m. Tiempo que inmediatamente sigue al parto. ‖ **2.** Estado delicado de salud de la mujer en este tiempo.

puerquezuelo, la. m. y f. d. de **puerco.**

puerro. (Del lat. *porrum*.) m. Planta herbácea anual, de la familia de las liliáceas, con cebolla alargada y sencilla, tallo de seis a ocho decímetros, hojas planas, largas, estrechas y enteras, y flores en umbela, con pétalos de color blanco rojizo. El bulbo de su raíz es comestible. ‖ **2.** V. **ajo puerro.** ‖ **silvestre.** Planta de la misma familia que la anterior y semejante a ella, pero de hojas semicilíndricas, flores encarnadas y estambres violados. Es común en los terrenos incultos de nuestro país.

puerta. (Del lat. *porta*.) f. Vano de forma regular abierto en pared, cerca, verja, etc., desde el suelo hasta una altura conveniente, para poder entrar y salir por él. ‖ **2.** Armazón de madera, hierro u otra materia, que, engoznada o puesta en el quicio y asegurada por el otro lado con llave, cerrojo u otro instrumento, sirve para impedir la entrada y salida, para cerrar y abrir un armario o un mueble. ‖ **3.** Cualquier agujero o abertura que sirve para entrar y salir por él, como en las cuevas, vehículos, etc. ‖ **4.** En el fútbol y otros deportes. **portería.** ‖ **5.** Tributo de entrada que se pagaba en las ciudades y otros lugares. Ú. m. en pl. ‖ **6.** ant. Depresión o garganta que da paso en una cordillera. ‖ **7.** Entrada a una población, que antiguamente era una abertura en la muralla a modo es lugar de acceso normal a dicha población. ‖ **8.** fig. Camino, principio o entrada para entablar una pretensión u otra cosa. ‖ **abierta.** Régimen de franquicia o igualdad aduanera impuesto a ciertos pueblos atrasados para conciliar intereses de otras potencias. ‖ **accesoria.** La que sirve en el mismo edificio que tiene otra u otras principales. ‖ **blindada.** La reforzada por diversos sistemas de seguridad que se coloca en la entrada de las casas. ‖ **cancel.** *Argent.* y *Perú.* **cancel,** verja que separa el zaguán del vestíbulo o del patio. ‖ **cochera.** Aquella por donde pueden entrar y salir carruajes. ‖ **de servicio.** En una casa o edificio de viviendas, la destinada al tránsito de los sirvientes o proveedores. ‖ **escusada, excusada,** o **falsa.** La que no está en la fachada principal de la casa, y sale a un paraje excusado. ‖ **franca.** Entrada o salida libre que se concede a todos. ‖ **2.** Exención que tienen algunos de pagar derechos de lo que introducen para su consumo. ‖ **giratoria.** La compuesta de dos o cuatro hojas montadas sobre un eje común que giran entre dos costados cilíndricos. ‖ **reglar.** Aquella por donde se entra a la clausura de las religiosas. ‖ **secreta. puerta falsa.** ‖ **2.** La muy oculta o construida de tal modo, que solo la pueden ver o usar los que sepan dónde está y cómo se abre y se cierra. ‖ **trasera.** fig. La que en la fachada opuesta a la principal. ‖ **2.** fig. y fest. **ano.** ‖ **vidriera.** La que tiene vidrios o cristales en lugar de tableros, para dar luz a las habitaciones. ‖ **Sublime Puerta.** Nombre del Estado y gobierno turcos en tiempo de los sultanes. ‖ **abrir la puerta,** o **puertas.** fr. fig. Dar motivo, ocasión o facilidad para una cosa. ‖ **a esotra,** o **la otra, puerta.** expr. fig. y fam. con que se reprende la terquedad y porfía con que uno se mantiene en un dictamen, sin ceder a las razones. ‖ **2.** fig. y fam. Ú. t. para explicar que uno no ha oído lo que se le dice. ‖ **a las puertas de la muerte.** loc. adv. fig. En cercano peligro de morir. ‖ **a otra puerta.** expr. fig. y fam. **a esotra puerta.** ‖ **a otra puerta, que esta no se abre.** expr. fig. con que se despide a uno, negándose a conceder o a hacer lo que pide. ‖ **a puerta cerrada.** loc. adv. fig. **en secreto.** ‖ **2.** Der. Dícese de los juicios y vistas que por motivos de honestidad, orden público y otros análogos solo se permite la presencia de las partes, sus representantes y defensas. ‖ **a puertas.** loc. adv. fig. **por puertas.** ‖ **a puertas cerradas.** loc. adv. fig. Hablando de testamentos, se dice de los que mandan la herencia a uno sin reservar o exceptuar nada. ‖ **cerrar** uno **la puerta.** fr. fig. Hacer imposible o dificultar mucho una cosa. ‖ **cerrársele** a uno **todas las puertas.** fr. fig. Faltarle todo recurso. ‖ **coger entre puertas** a uno. fr. fig. y fam. Sorprenderle para obligarle a hacer una cosa. ‖ **coger** uno **la puerta.** fr. **tomar la puerta.** ‖ **dar** a uno **con la puerta en la cara, en las narices, en los hocicos, o en los ojos.** fr. fig. y fam. Desairarle, negarle bruscamente lo que pide o desea. ‖ **de puerta a puerta.** loc. adv. Aplícase al transporte de objetos y mercancías que se recogen en el domicilio del remitente para entregarlos directamente en el del destinatario. ‖ **de puerta en puerta.** loc. adv. fig. Mendigando. ‖ **de puertas adentro.** loc. adv. En la intimidad, en privado. ‖ **detrás de la puerta.** expr. fig. y fam. con que se pondera la facilidad de encontrar o hallar una cosa. ‖ **echar las puertas abajo.** fr. fig. y fam. Llamar muy fuerte. ‖ **en puerta.** loc. adv. que denota el primer naipe que aparece al volver la baraja. ‖ **en puertas.** loc. adv. A punto de ocurrir. ‖ **enseñarle** a uno **la puerta de la calle.** fr. fig. y fam. Echarle o despedirle de casa. ‖ **entrarse** uno **por las puertas** de otro. fr. Entrarse sin ser buscado ni llamado, regularmente para pedirle algo, o valerse de su protección y amparo, o para acompañarle o consolarle en una aflicción o desgracia. ‖ **entrársele** a uno **por las puertas** una persona o cosa. fr. Venírsele a su casa u ocurrirle cuando menos lo esperaba. ‖ **estar,** o **llamar, a la puerta,** o **a las puertas,** una cosa. fr. fig. Estar muy próxima a suceder. ‖ **fuera de puertas.** loc. adv. **extramuros.** ‖ **llamar a las puertas** de uno. fr. fig. Implorar su favor. ‖ **poner** a uno **en la puerta de la calle.** fr. fig. **ponerle de patitas en la calle.** ‖ **poner puertas al campo.** fr. fig. y fam. con que se da a entender la imposibilidad de poner límites a lo que no los admite. ‖ **por la puerta grande.** loc. adv. fig. Triunfalmente. ‖ **por puertas.** loc. adv. fig. En extrema pobreza. Ú. m. con los verbos *dejar* y *quedarse.* ‖ **salir** uno **por la puerta de los carros,** o **los perros.** fr. fig. y fam. Huir precipitadamente por temor de un castigo. ‖ **2.** fig. y fam. Ser despedido con malas razones. ‖ **tomar** uno **la puerta.** fr. Irse de una casa o de otro lugar.

puertaventana. f. contraventana.

puertezuela. f. d. de puerta.

puertezuelo. m. d. de puerto.

puerto. (Del lat. *portus.*) m. Lugar natural o construido en la costa o en las orillas de un río, defendido de los vientos y dispuesto para detenerse las embarcaciones y para realizar las operaciones de carga y descarga de mercancías, embarque y desembarco de pasajeros, etc. ‖ **2.** Localidad en la que existe dicho lugar. ‖ **3.** V. **capitán, capitanía, establecimiento de puerto.** ‖ **4.** Depresión, garganta o boquete que da paso entre montañas. ‖ **5.** Por ext., montaña o cordillera que tiene una o varias de estas gargantas. ‖ **6.** En algunas partes, presa o estacada de céspedes, leña y cascajo, que atraviesa el río para hacer subir el agua. ‖ **7.** fig. Asilo, amparo o refugio. ‖ **8.** Germ. Posada o venta. ‖ **9.** pl. En el Concejo de la Mesta, pastos de verano. ‖ **de arrebatacapas.** fig. y fam. Cualquier sitio por donde corren vientos impetuosos. Dícese así por alusión al paraje de este nombre en la montaña de Guadalupe. ‖ **2.** fig. y fam. Lugar o casa donde, por la confusión y el desorden

y la calidad de las personas, hay riesgo de fraudes o rapiñas. ‖ **de arribada.** Mar. **puerto** en que tocan las embarcaciones antes de rendir viaje. ‖ **franco.** Zona portuaria habilitada para recibir depósitos francos. ‖ **libre. puerto franco.** ‖ **2.** En tiempo de guerra, el que no declaró bloqueado ningún beligerante. ‖ **seco.** Lugar de las fronteras, en donde está establecida una aduana. ‖ **agarrar** un barco **el puerto.** fr. fig. Mar. **tomar puerto.** ‖ **arribar a puerto de claridad, de salvación,** o **de salvamento.** fr. fig. **salir a salvo.** ‖ **2.** fig. Llegar con felicidad a conseguir una cosa difícil. ‖ **de puertos allende.** loc. Dícese del territorio situado más allá de una sierra. ‖ **de puertos aquende.** loc. Dícese del territorio que se halla más acá de una cordillera. ‖ **naufragar** uno **en el puerto.** fr. fig. Ver arruinados o trastornados sus proyectos cuando más seguros los creía. ‖ **salir a puerto de claridad.** fr. fig. **arribar a puerto de claridad.** ‖ **tomar puerto.** fr. Llegar a él un buque tras haber experimentado dificultades o trabajo para conseguirlo. ‖ **2.** Refugiarse en parte segura huyendo de una persecución o desgracia.

puertomontino, na. adj. Natural de Puerto Montt. Ú. t. c. s. ‖ **2.** Perteneciente o relativo a esta ciudad de Chile.

puertorriqueñismo. m. Locución, giro o modo de hablar propio y peculiar de los puertorriqueños.

puertorriqueño, ña. adj. Natural de Puerto Rico. Ú. t. c. s. ‖ **2.** Perteneciente o relativo a la isla de este nombre.

pues. (Del lat. *post.*) conj. causal que denota causa, motivo o razón. *Sufre la pena,* PUES *cometiste la culpa.* ‖ **2.** Toma carácter de condicional en giros como este: PUES *el mal es ya irremediable, llévalo con paciencia.* ‖ **3.** Es también continuativa. *Repito,* PUES, *que hace lo que debe.* ‖ **4.** Empléase igualmente como ilativa. *¿No quieres oír mis consejos?,* PUES *tú lo llorarás algún día.* ‖ **5.** Con interrogación se emplea también sola para preguntar lo que se duda, equivaliendo a **¿cómo?** o **¿por qué?** *Esta noche iré a la tertulia.* -¿PUES? ‖ **6.** Empléase a principio de cláusula, ya solamente para apoyarla, ya para encarecer o esforzar lo que en ella se dice. PUES *como iba diciendo;* ¡PUES *no faltaba más!* ‖ **7.** Toma carácter de adverbio de afirmación, equivaliendo a **sí,** empleada en este sentido como respuesta. *¿Conque habló mal de mí?* -PUES. ‖ **8.** Tiene además otras varias aplicaciones que enseña el uso y que difícilmente podrían explicarse, porque a veces su significación depende solo del tono con que es pronunciada. ‖ **9.** adv. t. ant. **después.** ‖ **¡pues!** interj. fam. con que se denota la certeza de juicio anteriormente formado, o de cosa que se esperaba o presumía. ¡PUES, *lo que yo había dicho!;* ¡PUES, *se salió con la suya!* ‖ **pues que.** loc. conjunt. condicional y causal. **pues,** conj. causal y condicional. ‖ **¿y pues?** expr. fam. **pues, ¿cómo?, ¿por qué?**

puesta. (Del lat. *posta, posĭta,* t. f. de *postus, posĭtus.*) f. Acción y efecto de poner o ponerse. ‖ **2.** Acción de ponerse un astro. ‖ **3.** En algunos juegos de naipes, cantidad que pone la persona que pierde, que se dispute en la mano o manos siguientes. ‖ **4.** En el juego de la banca y otros de naipes, cantidad que apunta cada uno de los jugadores. ‖ **5.** Tajada de carne o pescado, posta. ‖ **6.** Oferta de un precio superior al que otros ofrecen en una subasta o almoneda, puja[2], licitación. ‖ **7.** postura, conjunto de huevos. ‖ **8.** Acción de poner huevos. ‖ **9.** Argent. En carreras de caballos, empate. ‖ **a punto.** Operación consistente en regular un mecanismo, dispositivo, etc., a fin de que funcione correctamente. ‖ **de largo.** Fiesta en que una jovencita viste las galas de mujer y se presenta en sociedad. ‖ **en escena.** Montaje y realización escénica de un texto teatral o de un guión cinematográfico. ‖ **en marcha.** Mecanismo del automóvil que se utiliza para su arranque. ‖ **primera puesta.** Mil. Conjunto de prendas del vestuario militar que se dan al quinto al ingresar en el cuartel. ‖ **a puesta,** o **a puestas, del Sol.** loc. adv. Al ponerse el Sol.

puestero, ra. m. y f. Persona que tiene o atiende un puesto de venta. ‖ **2.** m. *Murc.* Cazador con reclamo. ‖ **3.** *Argent., Chile, Par.* y *Urug.* Hombre que vive en una de las partes en que se divide una estancia y que está encargado de cuidar los animales que en esa parte se crían. ‖ **4.** f. *Chile, Par.* y *Urug.* Mujer del **puestero.**

puesto, ta. (Del lat. *postus, posĭtus.*) p. p. irreg. de **poner.** ‖ **2.** Con la prep. *en,* resuelto, empeñado, determinado. PUESTO EN *librar a la señora.* ‖ **3.** adj. Bien vestido, ataviado o arreglado. ‖ **4.** m. Sitio o espacio que ocupa una persona o cosa. ‖ **5.** Lugar o sitio señalado o determinado para la ejecución de una cosa. ‖ **6.** Tenderete generalmente desmontable, que se pone en la calle para vender cosas. ‖ **7.** Tienda de un mercado. ‖ **8.** Empleo, dignidad, oficio o ministerio. ‖ **9.** Sitio que se dispone con ramas o cantos para ocultarse el cazador y tirar desde él a la caza. ‖ **10.** Lugar destinado a acaballadero, sitio en que los caballos o asnos cubren a las yeguas. ‖ **11.** ant. Silla, cama o paraje donde pare la mujer. ‖ **12.** fig. Estado o disposición en que se halla una cosa, física o moralmente. ‖ **13.** *Argent., Chile* y *Urug.* Lugar en que está establecido el puestero. ‖ **14.** *Mil.* Campo u otro lugar ocupado por tropa o individuos de ella o de la policía en actos del servicio. ‖ **15.** Destacamento permanente de guardia civil o de carabineros cuyo jefe inmediato tiene grado inferior al de oficial. ‖ **de control.** Lugar donde una o varias personas, en misión de vigilancia, inspeccionan las gentes y vehículos que pasan. ‖ **puesto que.** loc. conjunct. advers. aunque. *Y así con la víbora no merece ser culpada por la ponzoña que tiene,* PUESTO QUE (esto es, AUNQUE) *con ella mata,* etc. ‖ **2.** loc. conjunct. causal. **pues.** *Hágaseme la cura,* PUESTO QUE *no hay otro remedio.* ‖ **3.** loc. conjunct. continuativa. PUESTO QUE *temes ser mal recibido, no vayas.*

¡puf! interj. con que se denota molestia o repugnancia causada por malos olores o cosas nauseabundas.

pufo. (Del fr. *pouf.*) m. fam. Estafa, engaño, petardo. ‖ **dar el pufo.** loc. fam. **pegar un petardo.**

puga. f. p. us. **púa.**

púgil. (Del lat. *pugil, -ĭlis.*) m. Gladiador que contendía o combatía a puñetazos. ‖ **2.** Luchador que por oficio contiende a puñetazos.

pugilar. (Del lat. *pugillar,* tablilla para escribir.) m. Volumen manual en que tenían los hebreos las lecciones de la Santa Escritura que se leían con más frecuencia en sus sinagogas.

pugilato. (Del lat. *pugillus,* puño.) m. Contienda o pelea a puñetazos entre dos o más hombres. ‖ **2.** fig. Disputa en que se extrema la porfía.

pugilismo. m. Técnica y organización de los combates entre púgiles.

pugilista. m. Luchador profesional y más especialmente, boxeador.

pugilístico, ca. adj. Perteneciente o relativo al boxeo.

pugna. (Del lat. *pugna.*) f. Batalla, pelea. ‖ **2.** Oposición, rivalidad entre personas, naciones, bandos o parcialidades.

pugnacidad. (Del lat. *pugnacĭtas, -ātis.*) f. Calidad de pugnaz.

pugnante. (Del lat. *pugnans, -antis.*) p. a. de **pugnar.** Que pugna. ‖ **2.** adj. Contrario, opuesto, enemigo.

pugnar. (Del lat. *pugnāre.*) intr. Batallar, contender o pelear. ‖ **2.** fig. Solicitar con ahínco, procurar con eficacia. ‖ **3.** fig. Porfiar con tesón, instar por el logro de una cosa.

pugnaz. (Del lat. *pugnax, -ācis.*) adj. Belicoso, guerrero.

puja[1]. f. Acción de pujar[1]. ‖ **sacar de la puja** a alguien. fr. fig. y fam. Excederle en fuerza o maña. *Pedro es listo, pero*

Juan le SACA DE LA PUJA. ‖ **2.** fig. y fam. Sacarle de un apuro.

puja[2]. f. Acción y efecto de pujar[2]. ‖ **2.** Cantidad que un licitador ofrece.

pujador, ra. (De *pujar*[2].) m. y f. Persona que hace puja en lo que se subasta.

pujame. m. *Mar.* **pujamen.**

pujamen. m. *Mar.* Orilla inferior de una vela.

pujamiento. (De *pujar*[1].) m. ant. Abundancia de humores, y más comúnmente de sangre.

pujante. (p. a. de *pujar*[1].) adj. Que tiene pujanza.

pujantemente. adv. m. Con pujanza.

pujanza. (De *pujar*[1].) f. Fuerza grande o robustez para impulsar o ejecutar una acción.

pujar[1]. (Del lat. *pulsāre,* empujar.) tr. Hacer fuerza para pasar adelante o proseguir una acción, procurando vencer el obstáculo con que se encuentra. ‖ **2.** intr. Tener dificultad en explicarse, no acabar de romper a hablar para decir una cosa. ‖ **3.** Vacilar y detenerse en la ejecución de una cosa. ‖ **4.** fam. Hacer gestos o ademanes para prorrumpir en llanto, o quedar haciéndolos después de haber llorado.

pujar[2]. (Del lat. *podĭum,* poyo.) tr. Aumentar los licitadores el precio puesto a una cosa que se subasta. ‖ **2.** ant. Exceder o aventajar. Usáb. t. c. intr. ‖ **3.** intr. ant. Subir, ascender.

pujavante. (De *pujar*[1] y *avante.*) m. Instrumento que usan los herradores para cortar el casco a los animales de carga.

pujés. m. ant. Señal que se hace con la mano denotando desprecio, higa.

pujo. (De *pujar*[1].) m. Gana continua o frecuente de defecar o de orinar, con gran dificultad de lograrlo y acompañada de dolores. ‖ **2.** fig. Gana violenta de prorrumpir en un afecto exterior; como risa o llanto. ‖ **3.** fig. Deseo eficaz o ansia de lograr un propósito. ‖ **4.** fig. y fam. Intento, conato, propósito, tendencia. ‖ **de sangre.** pujo en deposiciones sanguinolentas o de moco y sangre. ‖ **a pujos.** loc. adv. fig. y fam. Poco a poco, con dificultad.

pulcritud. (Del lat. *pulchritūdo.*) f. Cualidad de pulcro.

pulcro, cra. (Del lat. *pulcher, pulchra.*) adj. Aseado, esmerado, bello, bien parecido. ‖ **2.** Delicado, esmerado en la conducta y el habla.

pulchinela. (De *Paolo Cinelli,* comediante napolitano del siglo XVI.) m. Personaje burlesco de las farsas y pantomimas italianas.

pulga. (Del lat. **pulĭca,* de *pulex, -ĭcis.*) f. Insecto del orden de los dípteros, sin alas, como de dos milímetros de longitud, color negro rojizo, cabeza pequeña, antenas cortas y patas fuertes, largas y a proporción altas por sus grandes saltos. Hay muchas especies. ‖ **2.** Peón muy pequeño con que juegan los muchachos. ‖ **acuática,** o **de agua.** Pequeño crustáceo del orden de los cladóceros, de un milímetro de largo o poco más, que pulula en las aguas estancadas y nada como a saltos. ‖ **de mar.** Pequeño crustáceo del orden de los anfípodos, que en la bajamar queda en las playas debajo de las algas y hace a grandes saltos cuando se acerca alguien. ‖ **echar** a uno **la pulga detrás de la oreja.** fr. fig. y fam. Decirle una cosa que le inquiete y desazone. ‖ **hacer de una pulga un camello,** o **un elefante.** fr. fig. y fam. con que se moteja a los que ponderan los defectos ajenos. ‖ **no aguantar,** o **no sufrir, pulgas.** fr. fig. y fam. No tolerar ofensas o vejámenes. ‖ **sacudirse las pulgas.** fr. fig. y fam. Rechazar las ofensas o vejámenes. ‖ **tener** uno **malas pulgas.** fr. fig. y fam. Ser malsufrido o resentirse con facilidad, tener mal humor. ‖ **tener pulgas.** fr. fig. y fam. Ser de genio desmasiado vivo e inquieto.

pulgada. (De *pulgar.*) f. Medida que es la duodécima parte del pie y equivale a algo más de 23 milímetros. ‖ **2.** Medida inglesa equivalente a 25,4 milímetros.

pulgar. (Del lat. *pollicāris,* de *dedo gordo.*) m. Dedo primero y más grueso de los de la mano. Ú. t. c. adj. *Dedo* PULGAR.

‖ **2.** Parte del sarmiento que con dos o tres yemas se deja en las vides al podarlas, para que por ellas broten los vástagos. ‖ **menear** uno **los pulgares.** fr. fig. En el juego de los naipes, brujulear las cartas. ‖ **2.** fig. y fam. Darse prisa en ejecutar una cosa que se hace con los dedos. ‖ **por sus pulgares.** loc. adv. fig. y fam. con que se expresa que uno ha hecho una cosa por su mano y sin ayuda de otro.

pulgarada. f. Golpe que se da apretando el dedo pulgar. ‖ **2.** Cantidad que puede tomarse con dos dedos. ‖ **3. pulgada,** medida.

pulgón. (De *pulga.*) m. Insecto hemíptero, de uno a dos milímetros de largo, color negro, bronceado o verdoso, sin alas las hembras y con cuatro los machos; cuerpo ovoide y con dos tubillos en la extremidad del abdomen, por donde segrega un líquido azucarado. Las hembras y sus larvas viven parásitas, apiñadas en gran número sobre las hojas y las partes tiernas de ciertas plantas, a las cuales causan grave daño. Hay muchas especies.

pulgoso, sa. (Del lat. *pulicōsus.*) adj. Que tiene pulgas.

pulguera[1]. (Del lat. *pulicaría.*) adj. V. **hierba pulguera.** ‖ **2.** f. Lugar donde hay muchas pulgas. ‖ **3. zaragatona,** planta.

pulguera[2]. f. **empulguera.**

pulguero, ra. adj. **pulgoso,** que tiene pulgas. *Persona* PULGUERA; *perro* PULGUERO. ‖ **2.** m. **pulguera**[1], lugar donde hay muchas pulgas. ‖ **3.** En algunos países americanos, calabozo, cárcel preventiva.

pulguillas. (De *pulga.*) m. fig. y fam. Hombre bullicioso que se resiente de todo.

pulicán. (Del ant. fr. *polican,* hoy *pélican.*) m. Gatillo de sacar dientes.

pulidamente. adv. m. Curiosamente, con adorno y delicadeza.

pulidero. m. Pulidor de trapo o cuero para devanar.

pulidez. f. Calidad de pulido.

pulideza. f. ant. Calidad de pulido.

pulido, da. (Del lat. *polītus.*) p. p. de **pulir.** ‖ **2.** adj. Agraciado y de buen parecer. ‖ **3.** m. Acción y efecto de pulir.

pulidor, ra. (Del lat. *polītor, -ōris.*) adj. Que pule, compone y adorna una cosa. Ú. t. c. s. ‖ **2.** Instrumento con que se pule una cosa. ‖ **3.** Pedacito de trapo o de cuero suave que cuando se devana se tiene entre los dedos para que no se lastimen por el continuo rozamiento de la hebra, o para pulir y alisar el hilo.

pulimentar. (De *pulimento.*) tr. Alisar, dar tersura y lustre a una cosa.

pulimento. m. Acción y efecto de pulir. ‖ **2.** V. **barniz, encarnación de pulimento.**

pulir. (Del lat. *polīre.*) tr. Alisar o dar tersura y lustre a una cosa. ‖ **2.** Componer, alisar o perfeccionar una cosa, dándole la última mano para su mayor primor y adorno. ‖ **3.** Adornar, aderezar, componer. Ú. m. c. prnl. ‖ **4.** Revisar, corregir algo perfeccionándolo. ‖ **5.** fig. Derrochar, dilapidar. ‖ **6.** fig. Educar a alguien para que sea más refinado y elegante. Ú. t. c. prnl. ‖ **7.** fam. *Germ.* Vender o empeñar. ‖ **8.** *Germ.* Hurtar o robar.

pulmón. (Del lat. *pulmo, -ōnis,* y este del gr. πνεύμων.) m. Órgano de la respiración del hombre y de los vertebrados que viven o pueden vivir fuera del agua: es de estructura esponjosa, blando, flexible, que se comprime y se dilata, y ocupa una parte de la cavidad torácica. Generalmente son dos; algunos reptiles tienen uno solo. ‖ **2.** *Zool.* Órgano respiratorio de los moluscos terrestres, que consiste en una cavidad cuyas paredes están provistas de numerosos vasos sanguíneos y que comunica con el exterior mediante un orificio por el cual penetra el aire atmosférico. ‖ **3.** V. **caña del pulmón.** ‖ **4.** ant. *Veter.* Tumor carnoso que se forma sobre los huesos y coyunturas de las caballerías. ‖ **de acero.** Cámara metálica destinada a provocar los movimien-

tos respiratorios del enfermo tendido en su interior, mediante alternativas de presión del aire reguladas automáticamente. ‖ **marino. medusa.**

pulmonado. adj. *Zool.* Dícese de los moluscos gasterópodos que respiran por medio de un pulmón; como la babosa. Ú. t. c. s. m. ‖ **2.** m. pl. *Zool.* Orden de estos animales.

pulmonar. adj. Perteneciente a los pulmones. ‖ **2.** V. **pleura pulmonar.**

pulmonaria. f. Planta herbácea anual, de la familia de las borragináceas, con tallos erguidos y vellosos, de dos a cuatro decímetros de altura; hojas ovales, sentadas, ásperas, de color verde con manchas blancas; flores rojas en racimos terminales, y fruto seco. múltiple, con cuatro carpelos lisos, libres entre sí. Es común en España, y el cocimiento de las hojas se emplea en medicina como pectoral. ‖ **2.** Liquen coriáceo que vive sobre los troncos de diversos árboles, y cuya superficie se asemeja por su aspecto a la de un pulmón cortado.

pulmonía. f. *Pat.* Inflamación del pulmón o de una parte de él producida por el neumococo.

pulmoníaco, ca o **pulmoniaco, ca.** adj. Perteneciente o relativo a la pulmonía. ‖ **2.** Que padece pulmonía. Ú. t. c. s.

pulpa. (Del lat. *pulpa.*) f. Parte mollar de la carne que no tiene huesos ni ternilla. ‖ **2.** Parte mollar de la fruta. ‖ **3.** Médula o tuétano de las plantas leñosas. ‖ **4.** En la industria conservera, la fruta fresca, una vez deshuesada y triturada. ‖ **5.** En la industria azucarera, residuo de la remolacha después de extraer el jugo azucarado, y que sirve para piensos. ‖ **dentaria.** *Anat.* Tejido rico en células, con numerosos nervios y vasos sanguíneos, contenido en el interior de los dientes de los vertebrados.

pulpejo. m. Parte carnosa y mollar de un miembro pequeño del cuerpo humano, y más comúnmente, parte de la palma de la mano, de que sale el dedo pulgar. ‖ **2.** Sitio blando y flexible que tienen los cascos de las caballerías en la parte inferior y posterior.

pulpería. (De *pulpo.*) f. *Amér.* Tienda donde se venden diferentes géneros para el abasto.

pulpero[1]. (De *pulpería.*) m. El que tiene o atiende una pulpería.

pulpero[2]. (De *pulpa.*) m. Artefacto para obtener pulpas.

pulpero[3]**, ra.** adj. Relativo al pulpo o a su pesca.

pulpeta. f. Tajada que se saca de la pulpa de la carne.

pulpetón. m. aum. de **pulpeta.**

púlpito. (Del lat. *pulpĭtum.*) m. Plataforma pequeña y elevada con antepecho y tornavoz, que hay en algunas iglesias para predicar desde ella, cantar la epístola y el evangelio y hacer otros ejercicios religiosos. ‖ **2.** V. **paño de púlpito.** ‖ **3.** fig. En las órdenes religiosas, empleo de predicador. *Se ha quedado sin* PÚLPITO.

pulpo. (Del lat. *polỹpus,* y este del gr. πολύπους.) m. Molusco cefalópodo dibranquial, octópodo, que vive de ordinario en el fondo del mar, y a veces nada a flor de agua; es muy voraz, se alimenta de moluscos y crustáceos y su carne es comestible. Los individuos de la especie común en los mares de España, apenas tienen un metro de extremo a extremo de los tentáculos; pero los hay de otras especies que alcanzan hasta 10 y 12. ‖ **2.** V. **huevo de pulpo.** ‖ **poner** a uno **como un pulpo.** fr. fig. y fam. Castigarle dándole tantos golpes o azotes que quede muy maltratado.

pulposo, sa. adj. Que tiene pulpa.

pulque. (De or. mejicano.) m. *Méj.* Bebida alcohólica, blanca y espesa, del altiplano de Méjico, que se obtiene haciendo fermentar el aguamiel o jugo extraído del maguey con el acocote. ‖ **curado.** *Méj.* El que ha sido mezclado con el jugo de alguna fruta.

pulquería. f. Tienda donde se vende pulque.

pulquérrimo, ma. (Del lat. *pulcherrĭmus.*) adj. sup. de **pulcro.** Muy pulcro.

pulsación. (Del lat. *pulsatĭo, -ōnis.*) f. Acción de pulsar. ‖ **2.** Cada uno de los golpes o toques que se dan en el teclado de una máquina de escribir. ‖ **3.** Cada uno de los latidos que produce la sangre en las arterias. ‖ **4.** fig. Movimiento periódico de un fluido. ‖ **5.** *Fís.* Variación periódica de la amplitud de una oscilación al combinarse con otra de frecuencia ligeramente diferente, batimiento.

pulsada. f. Pulsación de una arteria.

pulsador, ra. (Del lat. *pulsător, -ōris.*) adj. Que pulsa. Ú. t. c. s. ‖ **2.** m. Llamador o botón de un timbre eléctrico.

pulsamiento. m. ant. Acción de pulsar. ‖ **2.** Latido de una arteria.

pulsar. (Del lat. *pulsăre*, empujar, impeler.) tr. Presionar un pulsador. ‖ **2.** Tocar, palpar, percibir algo con la mano o con la yema de los dedos. ‖ **3.** Dar un toque o golpe a teclas o cuerdas de instrumentos, mandos de alguna máquina, etc. ‖ **4.** Reconocer el estado del pulso o latido de las arterias. ‖ **5.** fig. Tantear un asunto para descubrir el medio de tratarlo. ‖ **6.** intr. Latir la arteria, el corazón u otra cosa que tiene movimiento sensible.

púlsar. (Del ing. *pulse*, y *-ar*, como en *quásar*.) m. *Astron.* Estrella de neutrones, caracterizada por la emisión, a intervalos regulares y cortos, de energía radiante muy intensa.

pulsátil. adj. Dícese de lo que pulsa o golpea.

pulsatila. (De *pulsatilla*, nombre científico de esta planta, formado del lat. *pulsăre*, pulsar.) f. Planta perenne de la familia de las ranunculáceas, de raíz leñosa, hojas radicales y pecioladas, cortadas en tres segmentos divididos en lacinias alesnadas; bohordo rollizo y velloso, de 15 a 20 centímetros de altura, que sostiene una flor solitaria, erguida primero y después encorvada hacia tierra, sin corola, con cáliz acampanado de color violáceo brillante; involucro dentado, en forma de embudo, y frutillos secos, indehiscentes y monospermos, provistos de cola larga y pelosa.

pulsativo, va. adj. Dícese de lo que pulsa o golpea.

pulseada. f. *Argent., Par., Perú.* y *Urug.* Acción y efecto de pulsear.

pulsear. intr. Probar dos personas, asida mutuamente la mano derecha y puestos los codos en lugar firme, quién de ellas tiene más fuerza en el pulso y logra abatir el brazo del contrario.

pulsera. f. Venda con que se sujetaba en el pulso de un enfermo algún medicamento confortante. ‖ **2.** Guedeja que cae sobre la sien. ‖ **3.** Cerco de metal o de otra materia que se lleva en la muñeca para adorno o para otros fines. ‖ **4.** Joya de metal fino, con piedras o sin ellas, sarta de perlas, corales, etc., que se pone en la muñeca. ‖ **5.** V. **reloj de pulsera.** ‖ **de pedida.** La que suele regalar el novio a la novia el día de la petición de mano.

pulsímetro. (Del lat. *pulsus*, pulso, y *-metro.*) m. Instrumento de medir el número y la frecuencia de los movimientos del pulso; esfigmómetro.

pulsista. adj. desus. Decíase del médico que sobresalía en el conocimiento del pulso. Ú. t. c. s.

pulso. (Del lat. *pulsus.*) m. Latido intermitente de las arterias, que se percibe en varias partes del cuerpo y especialmente en la muñeca. ‖ **2.** Parte de la muñeca donde se siente el latido de la arteria. ‖ **3.** Seguridad o firmeza en la mano para ejecutar una acción que requiere precisión. ‖ **4. sien.** ‖ **5.** fig. Tiento o cuidado en un negocio. ‖ **alternante.** *Fisiol.* Se dice del **pulso** arrítmico en que se suceden regularmente pulsaciones débiles y fuertes. ‖ **ancho.** *Fisiol.* Variedad de **pulso** debida a una expansión arterial en anchura, mayor que la normal. ‖ **arrítmico.** *Fisiol.* Se dice del irregular en el ritmo o desigual en la intensidad de las pulsaciones. ‖ **filiforme.** *Fisiol.* Se dice del **pulso** muy tenue y débil que apenas siente el observador. ‖ **formicante.** desus.

Fisiol. **pulso** bajo, débil y frecuente. ‖ **lleno.** *Fisiol.* El que produce al tacto sensación de plenitud en la arteria examinada. ‖ **saltón.** *Fisiol.* El que produce una sensación de choque violento. *Fisiol.* El quieto, sosegado y firme. ‖ **serrátil,** o **serrino.** desus. *Fisiol.* El frecuente y desigual. ‖ **a pulso.** loc. adv. Haciendo fuerza con la muñeca y la mano y sin apoyar el brazo en parte alguna, para levantar o sostener una cosa. ‖ **de pulso.** loc. adj. fig. Dícese de la persona que obra juiciosa y prudentemente. ‖ **echar un pulso.** fr. pulsear. ‖ **quedarse** uno sin **pulso,** o sin **pulsos.** fr. fig. Experimentar gran turbación a consecuencia de una noticia o suceso, o en una situación dada. ‖ **sacar a pulso.** fr. fig. y fam. Consumir sopa a sopa una jícara de chocolate o cosa parecida. ‖ **2.** fig. y fam. Llevar a término un negocio, venciendo dificultades a fuerza de perseverancia. ‖ **tomar a pulso** una cosa. fr. Examinar o probar su peso, levantándola o suspendiéndola con la mano. ‖ **tomar el pulso.** fr. pulsar, reconocer el **pulso.** ‖ **2.** fig. Tantear un asunto.

pultáceo, a. (Del lat. *puls, pultis,* puches.) adj. Que es de consistencia blanda. ‖ **2.** *Med.* Que tiene apariencia de podrido o gangrenado, o que de hecho lo está.

pululación. f. Acción y efecto de pulular.

pulular. (Del lat. *pullulăre.*) intr. Empezar a brotar y echar renuevos o vástagos un vegetal. ‖ **2.** Originarse, provenir o nacer una cosa de otra. ‖ **3.** Abundar, multiplicarse rápidamente en un lugar los insectos y sabandijas. ‖ **4.** fig. Abundar y bullir en un lugar personas, animales o cosas.

pulverizable. adj. Que se puede pulverizar.

pulverización. f. Acción y efecto de pulverizar o pulverizarse.

pulverizador. m. Aparato para pulverizar un líquido.

pulverizar. (Del lat. *pulverizăre.*) tr. Reducir a polvo una cosa. Ú. t. c. prnl. ‖ **2.** Esparcir un líquido en partículas muy tenues, a manera de polvo. Ú. t. c. prnl. ‖ **3.** fig. Deshacer por completo una cosa incorpórea. PULVERIZAR *una argumentación.*

pulverulento, ta. (Del lat. *pulverulentus.*) adj. **polvoriento.**

pulla[1]**.** (Del port. *pulha.*) f. Palabra o dicho obsceno. ‖ **2.** Dicho con que indirectamente se humilla a una persona. ‖ **3.** Expresión aguda y picante dicha con prontitud.

pulla[2]**.** f. **planga,** ave.

pullés, sa. adj. Natural de la Pulla. Ú. t. c. s. ‖ **2.** Perteneciente a este país de Italia.

pullista. com. Persona amiga de decir pullas[1].

pum. Voz que se usa para expresar ruido, explosión o golpe. ‖ **ni pum.** loc. Nada, en absoluto.

puma. (De or. quechua.) m. Mamífero carnicero de América, parecido al tigre, pero de pelo suave y leonado.

pumarada. f. Manzanar, pomarada.

¡pumba! Voz que remeda la caída ruidosa.

pumente. m. *Germ.* Faldellín o refajo de mujer.

pumita. (Del lat. *pumex.*) f. **piedra pómez.**

puna[1]**.** f. ant. **pugna.**

puna[2]**.** (De or. quechua.) f. Tierra alta, próxima a la cordillera de los Andes. ‖ **2.** *Amér. Merid.* Extensión grande de terreno raso o llano. ‖ **3.** *Amér. Merid.* Angustia que se sufre en ciertos lugares elevados, soroche.

punar. tr. ant. **pugnar.**

punción. (Del lat. *punctĭo, -ōnis.*) f. ant. **punzada,** dolor agudo y pasajero. ‖ **2.** *Cir.* Operación que consiste en abrir los tejidos con instrumento punzante y cortante a la vez.

puncionar. tr. *Cir.* Hacer punciones.

puncha. f. Púa, espina, punta delgada y aguda.

punchar. (Del lat. **punctiăre,* de *punctus.*) tr. Picar, punzar.

pundonor. m. Estado en que la gente cree que consiste la honra, el honor o el crédito de alguien.

pundonorosamente. adv. m. Con pundonor.

pundonoroso, sa. adj. Que incluye en sí pundonor o lo causa. ‖ **2.** Que lo tiene. Ú. t. c. s.

puneño, ña. adj. Natural de Puno. Ú. t. c. s. ‖ **2.** Perteneciente a esta ciudad del Perú.

pungentivo, va. adj. ant. Que punge o puede pungir.

pungimiento. m. Acción y efecto de pungir.

pungir. (Del lat. *pungĕre*.) tr. Herir con un objeto puntiagudo, punzar. ‖ **2.** fig. Herir las pasiones el ánimo o el corazón.

pungitivo, va. adj. Que punge o puede pungir.

punible. adj. Que merece castigo.

punicáceo, a. (De *Punica*, nombre de un género de plantas.) adj. Bot. Dícese de arbolitos angiospermos, oriundos de Oriente, que tienen hojas pequeñas, flores vistosas con cáliz coriáceo y rojo y numerosos estambres, y fruto con pericarpio coriáceo que contiene muchas semillas alojadas en celdas; como el granado. Ú. t. c. s. f. ‖ **2.** f. pl. Bot. Familia de estas plantas.

punición. (Del lat. *punitĭo, -ōnis*.) f. Acción y efecto de punir.

púnico, ca. (Del lat. *Punĭcus*.) adj. Natural de Cartago. Ú. t. c. s. ‖ **2.** Perteneciente o relativo a Cartago. ‖ **3.** V. **fe púnica.**

punidor, ra. adj. ant. Castigador de un culpado. Usáb. t. c. s.

punir. (Del lat. *punīre*.) tr. Castigar a un culpado.

punitivo, va. (Del lat. *punitum*, supino de *punīre*, castigar.) adj. Perteneciente o relativo al castigo. *Justicia* PUNITIVA.

punta. (Del lat. *puncta*, t. f. de *-tus*, p. p. de *pungĕre*, picar, punzar.) f. Extremo agudo de una arma u otro instrumento con que se puede herir. ‖ **2.** Extremo de una cosa. *La* PUNTA *del pie; la* PUNTA *del banco*. ‖ **3.** Colilla de un cigarro. ‖ **4.** Pequeña porción de ganado que se separa del hato. ‖ **5.** Cantidad considerable e indeterminada de personas, animales o cosas. ‖ **6.** Cada una de las protuberancias que tienen las astas del ciervo. ‖ **7.** Asta del toro. ‖ **8.** Clavo pequeño. ‖ **9.** Lengua de tierra, generalmente baja y de poca extensión, que penetra en el mar. ‖ **10.** Extremo de cualquier madero, opuesto al raigal. ‖ **11.** Sabor que va tirando a agrio en una cosa; como el del vino cuando se comienza a avinagrar. ‖ **12.** Parada que hace el perro de caza cada vez que se detiene la pieza, cuando esta va apeonando. ‖ **13.** V. **hora punta.** ‖ **14.** V. **buril, hierba, sierra de punta.** ‖ **15.** V. **perro de puntas.** ‖ **16.** V. **toro de puntas.** ‖ **17.** fig. Tratándose de cualidades morales o intelectuales, algo, un poco. Ú. m. en pl. y con el verbo *tener* y un pronombre posesivo. TENER una PUNTA *de loco;* TENER SU PUNTA *de rufianes;* TENER SUS PUNTAS *de poeta*. ‖ **18.** Cuba. Hoja de tabaco, de exquisito aroma y superior calidad, pero pequeña. ‖ **19.** Arq. Madero que corresponde a la extremidad del árbol, y queda después de cortados los que han de servir para vigas, pies derechos, etc. ‖ **20.** Blas. Tercio inferior de la superficie del campo del escudo. ‖ **21.** Blas. Parte media de este tercio. ‖ **22.** Blas. Pieza honorable inversa a la pila, o sea figura triangular que tiene la base en la parte inferior y el vértice opuesto a la base en la superior del escudo. ‖ **23.** Blas. V. **entado en punta.** ‖ **24.** Impr. Instrumento cónico a modo de punzón, para sacar de la composición letras o palabras. ‖ **25.** pl. Encaje que forma ondas o **puntas** en una de sus orillas. ‖ **26.** Primeros afluentes en un río, arroyo u otro caudal de agua. ‖ **27.** Primeras vertientes o lugares en donde tiene origen un río, arroyo u otro caudal de agua. ‖ **con cabeza.** Juego de niños que consiste en tratar de acertar uno si el par de alfileres que otro tiene en la mano cerrada, está cabeza con cabeza o cabeza con **punta.** ‖ **de diamante.** Diamante pequeño que, engastado en una pieza de acero, sirve para cortar el vidrio y labrar en cosas muy duras. ‖ **2.** Pirámide de poca altura que como adorno se suele labrar en piedras u otras materias. ‖ **de París.** alfiler de París. ‖ **seca. aguja** para grabar al agua fuerte. ‖ **acabar en punta** una cosa. loc. fam. Acabar mal o no llegar a un resultado definitivo. ‖ **agudo como punta de colchón.** loc. fig. y fam. Rudo y de poco entendimiento. ‖ **andar en puntas.** fr. fig. y fam. Andar en diferencias. ‖ **a punta de lanza.** loc. adv. fig. Con todo rigor. Ú. ordinariamente con el verbo *llevar*. ‖ **a torna punta.** loc. adv. fig. y fam. Mutua o recíprocamente. ‖ **bogar de punta.** loc. Bogar en cada bancada un solo remo, alternando la banda en cada una de aquellas. ‖ **de punta.** loc. adv. **de puntillas.** ‖ **de punta a cabo.** loc. adv. **de cabo a cabo.** ‖ **de punta en blanco.** loc. adv. Con todas las piezas de la armadura antigua. Ú. m. con el verbo *armar*. ‖ **2.** fig. y fam. Vestido de uniforme, de etiqueta o con el mayor esmero. Ú. por lo común con los verbos *estar, ir, ponerse,* etc. ‖ **3.** Hablando de armas de fuego, modo de disparar con puntería directa, cuando por la corta distancia a que está el blanco no se requiere el uso del alza. ‖ **4.** fig. Abiertamente, de manera directa, sin rodeos. ‖ **en punta.** loc. Posición del barco amarrado a un muelle y perpendicular a él. ‖ **estar de punta** uno **con** otro. fr. fig. y fam. Estar encontrado o reñido con él. ‖ **estar** uno **hasta la punta de los pelos.** fr. fig. y fam. **estar hasta los pelos.** ‖ **hacer punta** uno. fr. fig. Dirigirse, encaminarse el primero a una parte. ‖ **2.** fig. Oponerse abiertamente a otro, pretendiendo adelantársele en lo que solicita o intenta. ‖ **3.** fig. Sobresalir, detacar entre muchos por los méritos personales, por otras circunstancias. ‖ **por la otra punta.** fr. fig. y fam. con que se niega rotundamente algún aserto. ‖ **puntas y collar de.** expr. fig. y fam. con que se da a entender que una persona tiene asomos de un vicio o maldad. ‖ **sacar punta a** una cosa. fr. fam. Atribuirle malicia o significado que no tiene. ‖ **2.** Aprovecharla para fin distinto del que le corresponde. ‖ **ser de punta** una persona o cosa. fr. fig. Ser sobresaliente en su línea. ‖ **tener** uno una cosa **en la punta de la lengua.** fr. fig. Estar a punto de decirla. ‖ **2.** fig. Estar a punto de acordarse de una cosa y no dar en ella. ‖ **tocar** a uno **en la punta del cabello.** fr. fig. **tocarle en un cabello.** ‖ **una punta de.** Amér. loc. fam. que pondera la abundancia de algo.

puntuación. f. Acción de poner puntos sobre las letras.

puntada. f. Cada uno de los agujeros hechos con aguja, lezna u otro instrumento semejante, en la tela, cuero u otra materia que se va cosiendo. ‖ **2.** Acción y efecto de pasar la aguja o instrumento análogo a través de un tejido, cuero, etc., por cada uno de estos agujeros. ‖ **3.** Espacio que media entre cada uno de estos agujeros próximos entre sí. ‖ **4.** Porción de hilo que ocupa este espacio. ‖ **5.** Pinchazo producido por asta de toro. ‖ **6.** fig. Razón o palabra que se dice como al descuido para recordar un asunto o motivar que se hable de él. ‖ **7.** fig. Dolor penetrante, punzada. ‖ **no dar** uno **puntada en** una cosa. fr. fig. y fam. No trabajar, estar sin hacer nada. ‖ **2.** fig. y fam. No tener ninguna instrucción ni conocimiento de una cosa; hablar desatinadamente en una materia. ‖ **tirar una puntada** a alguien. fr. fig. y fam. Tirar un **puntazo,** indirecta con que se zahiere a una persona.

puntador. m. **apuntador.**

puntal. m. Madero hincado en firme, para sostener la pared que está desplomada o el edificio o parte de él que amenaza ruina. ‖ **2.** Prominencia de un terreno, que forma como punta. ‖ **3.** Trozo más fino de la caña de pescar cuando se compone de varios. ‖ **4.** fig. Apoyo, fundamento. ‖ **5.** fig. Amér. Tentempié, refrigerio. ‖ **6.** Venez. Merienda ligera. ‖ **7.** Mar. Altura de la nave desde su plan hasta la cubierta principal o superior.

puntano, na. adj. Perteneciente o relativo a la provincia argentina de San Luis o a su capital, la ciudad de San

Luis de la Punta de los Venados. ‖ **2.** Natural de esta provincia o ciudad. Ú. t. c. s.

puntapié. m. Golpe que se da con la punta del pie. ‖ **a puntapiés.** loc. adv. fig. Desconsideradamente, muy mal o con violencia. ‖ **mandar** a uno **a puntapiés.** fr. fig. y fam. Tener gran ascendiente sobre él; alcanzar fácilmente de él todo lo que se quiere.

puntar. (De *punto*.) tr. Apuntar las faltas de los eclesiásticos en el coro. ‖ **2.** Poner, en la escritura de las lenguas hebrea y árabe, los puntos o signos con que se representan las vocales. ‖ **3.** Poner sobre las letras los puntos del canto del órgano.

puntarenense. adj. Perteneciente o relativo a la ciudad de Punta de Arenas, en Costa Rica, o a la del mismo nombre, en Chile. ‖ **2.** Natural de una de estas ciudades. Ú. t. c. s.

puntazo. m. Herida hecha con la punta de un arma o de otro instrumento punzante. ‖ **2.** Herida penetrante menor que una cornada, causada por una res vacuna al cornear. ‖ **3.** fig. Pulla, indirecta con que se zahiere a una persona. ‖ **4.** *And.* Barreno poco profundo.

punteado, da. p. p. de **puntear.** ‖ **2.** adj. V. **grabado punteado.** ‖ **3.** m. y f. Acción y efecto de puntear.

puntear. tr. Marcar, señalar puntos en una superficie. ‖ **2.** Dibujar, pintar o grabar con puntos. ‖ **3.** Trazar la trayectoria de un móvil a partir de algunos de sus puntos. ‖ **4.** Coser o dar puntadas. ‖ **5.** Hacer sonar la guitarra u otro instrumento de cuerda, tocando las cuerdas por separado. ‖ **6.** Compulsar una cuenta partida por partida o una lista nombre por nombre, señalando o cotejando con puntos u otras marcas gráficas. ‖ **7.** *Argent., Chile* y *Urug.* Remover la capa superior de la tierra con la punta de la pala. ‖ **8.** *Taurom.* Embestir una res vacuna con derrotes cortos y repetidos. ‖ **9.** intr. *Argent., Col., Perú* y *Urug.* Marchar a la cabeza de un grupo de personas o animales. ‖ **10.** *Mar.* Ir orzando cuanto se puede, para aprovechar el viento escaso. Ú. t. c. tr. PUNTEAR *el viento.*

puntel. (De *puntero.*) m. Cañón de hierro, con que en las fábricas de vidrio se saca del horno la masa.

punteo. m. Acción y efecto de puntear.

puntera. f. Parte del calcetín, de la media, del zapato, etc., que cubre la punta del pie. ‖ **2.** Remiendo o pieza que se pone en esa parte del zapato, calcetín o media para arreglarla o renovarla. ‖ **3.** Sobrepuesto o contrafuerte de piel que se coloca en la punta de la pala del calzado. ‖ **4.** fam. Golpe con la punta del pie.

puntería. (De *puntero.*) f. Acción de apuntar un arma arrojadiza o de fuego. *Hacer la* PUNTERÍA. ‖ **2.** Dirección del arma apuntada. *Rectificar la* PUNTERÍA. ‖ **3.** Destreza del tirador para dar en el blanco. *Tener* PUNTERÍA; *tener buena* o *mala* PUNTERÍA. ‖ **afinar la puntería.** fr. Apuntar con esmero y detenimiento el arma contra el blanco. ‖ **2.** fig. Ajustar uno cuidadosamente su designio lo que se dice o hace. ‖ **dirigir,** o **poner, la puntería.** fr. Apuntar con un arma arrojadiza o de fuego. ‖ **2.** fig. y fam. **echar líneas.**

puntero, ra. (Del lat. *punctarius.*) adj. Aplícase a la persona que hace bien la puntería con una arma. ‖ **2.** V. **hierba puntera.** Ú. t. c. s. ‖ **3.** V. **viento puntero.** ‖ **4.** Dícese de lo más avanzado o destacado dentro de su mismo género o especie. ‖ **5.** m. Vara o palo largo y fino con que se señala una cosa para llamar la atención sobre ella. ‖ **6.** Cañita que está unida a la tapa de las crismeras por la parte de adentro, y sirve para ungir a los que se confirman y olean. ‖ **7.** Instrumento de acero, a manera de punzón de marcador, que tiene boca cuadrangular y con el cual se abren en las herraduras, a golpes de martillo, los agujeros para los clavos. ‖ **8.** Cincel de boca puntiaguda y cabeza plana, con el cual labran los canteros a golpes de martillo las piedras muy duras. ‖ **9.** Persona que descuella en cualquier actividad. ‖ **10.** En algunos deportes, la persona o

el equipo que aventaja a los otros. ‖ **11.** *Argent., Perú* y *Urug.* Persona o animal que va delante de los demás componentes de un grupo. ‖ **12.** *Argent., Chile, Perú* y *Urug.* En algunos deportes, el que juega en primera fila, delantero. ‖ **13.** *Argent.* En el futbol, delantero que se desempeña en los laterales. ‖ **14.** *Argent.* El que se halla en el primer puesto durante las competencias de velocidad.

punterol. (De *puntero,* varita para señalar una cosa.) m. *Germ.* Almarada de hacer alpargatas.

punterola. (De *puntero.*) f. *Min.* Barrita de hierro como de dos centímetros de grueso y 20 de longitud, que lleva hacia su mitad un ojo en el que se enasta el mango que sirve para mantenerla fija mientras se le dan golpes con el martillo.

puntiagudo, da. adj. Que tiene aguda la punta.

puntido. m. *Rioja.* Descansillo o meseta de las escaleras.

puntilla. (d. de *punta.*) f. Encaje generalmente estrecho que forma ondas o picos en una de sus orillas y que se pone como adorno en el borde de pañuelos, toallas, vestidos, etc. ‖ **2.** Instrumento, a manera de cuchillito, sin mango, con punta redonda para trazar, en lugar de lápiz. ‖ **3.** Especie de puñal corto, y especialmente el que sirve para rematar las reses. ‖ **dar la puntilla.** fr. Rematar las reses con la **puntilla** o cachetero. ‖ **2.** fig. y fam. Rematar, causar finalmente la ruina de una persona o cosa. ‖ **de puntillas.** loc. adv. con que se explica el modo de andar, pisando con las puntas de los pies y levantando los talones. ‖ **ponerse** uno **de puntillas.** fr. fig. y fam. Persistir tercamente en un dictamen, aunque lo contradigan.

puntillaje. m. *Blas.* Pieza o figura sembrada de puntos, para indicar el metal oro, cuando no se emplean colores.

puntillazo. m. fam. Golpe que se da con la punta del pie.

puntillero. m. Cachetero, persona que remata al toro.

puntillismo. m. Escuela pictórica del siglo XIX, derivada del impresionismo y que se caracteriza por los toques de color cortos y desunidos.

puntillista. com. Que practica el puntillismo.

puntillo. (d. de *punta.*) m. Amor propio o pundonor muy exagerado y basado en cosas sin importancia. ‖ **2.** *Mús.* Signo que consiste en un punto que se pone a la derecha de una nota y aumenta en la mitad su duración y valor.

puntillón. m. fam. Golpe que se da con la punta del pie.

puntilloso, sa. adj. Dícese de la persona que tiene mucho puntillo.

puntisecar. tr. Secar las puntas de un vegetal. Ú. m. c. prnl.

puntiseco, ca. adj. Dícese de los vegetales secos por las puntas.

puntizón. m. *Impr.* Cada uno de los agujeros que quedan en el pliego de prensa, abiertos por las puntas que lo sujetan al tímpano. ‖ **2.** pl. Rayas horizontales y transparentes en el papel de tina.

punto. (Del lat. *punctum.*) m. Señal de dimensiones pequeñas, ordinariamente circular, que, por contraste de color o de relieve, es perceptible en una superficie. ‖ **2.** Cada una de las partes en que se divide el pico de la pluma de escribir, por efecto de la abertura o aberturas hechas a lo largo de él. ‖ **3.** Granito de metal que tienen junto a la boca los fusiles y otras armas de fuego, para que haga oficio de mira. ‖ **4.** En las armas de fuego, pieza que une estriba la patilla de la llave cuando está para disparar, piñón[1]. ‖ **5.** Cada una de las puntadas que en las obras de costura se van dando para hacer una labor sobre la tela. PUNTO *de cadeneta,* PUNTO *de cruz,* PUNTO *por encima.* ‖ **6.** Cada una de las lazadillas o nuditos de que se forma el tejido de las medias, elásticas, etc. ‖ **7.** Tejido de **punto.** ‖ **8.** Rotura pequeña que se hace en las medias por soltarse alguna de estas lazadillas. ‖ **9.** Cada una de las diversas maneras de trabar y enlazar entre sí los hilos que forman ciertos tejidos. PUNTO *de aguja,* PUNTO *de malla,* PUNTO *de encaje,* PUNTO *de tafetán.* ‖ **10.** Medida longitudinal, duodécima parte de la línea. ‖ **11.** Cada una de las partes de dos tercios de centímetro de longitud en que se divide el cartabón de los zapateros. ‖ **12.** Medida tipográfica, duodécima parte del cícero y equivalente a unos 37 cienmilímetros. ‖ **13.** Cada uno de los agujeros que tienen a trechos ciertas piezas; como la correa de un cinturón o el timón de un arado, para sujetarlas y ajustarlas, según convenga, con hebillas, clavijas, etc. ‖ **14.** Sitio, lugar. ‖ **15.** Lugar público determinado donde se sitúan los coches para alquilarlos. ‖ **16.** Valor que según el número que le corresponde, tiene cada una de las cartas de la baraja o de las caras del dado. ‖ **17.** Valor convencional que se atribuye a las cartas de la baraja en ciertos juegos. ‖ **18.** As de cada palo, en ciertos juegos de naipes. ‖ **19.** Unidad de tanteo, en algunos juegos y en otros ejercicios; como exámenes, oposiciones, etc. ‖ **20.** El que apunta contra el banquero en algunos juegos de azar. ‖ **21.** Cosa muy corta, parte mínima de una cosa. ‖ **22.** La menor cosa, la parte más pequeña o la circunstancia más menuda de una cosa. ‖ **23.** Instante, momento, porción pequeñísima de tiempo. ‖ **24.** Ocasión oportuna, momento favorable. *Llegó a* PUNTO *de lograr lo que deseaba.* ‖ **25.** Vacación, suspensión de los negocios o estudios por algún tiempo. ‖ **26.** Cada uno de los errores que se cometen al dar de memoria una lección. ‖ **27.** Cada una de las cuestiones que salen para que elija el que ha de leer en la oposición. ‖ **28.** Cada uno de los asuntos o materias diferentes de que se trata en un sermón, discurso, conferencia, etc. ‖ **29.** Parte o cuestión de una ciencia. PUNTO *filosófico, teológico.* ‖ **30.** Lo sustancial o principal en un asunto. ‖ **31.** Fin o intento de cualquier acción. ‖ **32.** Estado actual de cualquier asunto o negocio. *El pleito está a* PUNTO *de recibirse a prueba.* ‖ **33.** Estado perfecto que llega a tomar un alimento al cocinarlo, condimentarlo o prepararlo. ‖ **34.** Hablando de las cualidades morales buenas o malas, extremo o grado a que estas pueden llegar. ‖ **35. pundonor.** ‖ **36.** V. **coche, hombre, mujer de punto.** ‖ **37.** *Arq.* V. **arco de medio punto, arco de punto hurtado, arco de todo punto.** ‖ **38.** *Cir.* Puntada que da el cirujano pasando la aguja por los labios de la herida para que se unan y pueda curarse. ‖ **39.** *Fís.* Grado de temperatura necesario para que se produzcan determinados fenómenos físicos. PUNTO *de congelación,* PUNTO *de fusión,* etc. ‖ **40.** *Geom.* Límite mínimo de la extensión, que se considera sin longitud, latitud ni profundidad. ‖ **41.** *Gram.* V. **línea de puntos.** ‖ **42.** *Impr.* V. **letra de dos puntos.** ‖ **43.** *Mar.* Lugar señalado en la carta de marear, que indica dónde se cree que se halla la nave, por la distancia y rumbo o por las observaciones astronómicas. ‖ **44.** *Med.* Punzada de dolor al lado del corazón. ‖ **45.** *Mús.* En los instrumentos músicos, tono determinado de consonancia para que estén acordes. ‖ **46.** *Ortogr.* Nota ortográfica que se pone sobre la *i* y la *j.* ‖ **47.** *Ortogr.* Signo ortográfico (.) con que se indica el fin del sentido gramatical y lógico de un período o de una sola oración. Se pone también después de toda abreviatura; v. gr.: *Excmo. Sr.* ‖ **accidental.** *Persp.* Aquel en que parecen concurrir todas las rectas paralelas a determinada dirección, que no son perpendiculares al plano óptico. ‖ **aparte.** *Ortogr.* **punto y aparte.** ‖ **cardinal.** Cada uno de los cuatro que dividen el horizonte en otras tantas partes iguales, y están determinados, respectivamente, por la posición del polo septentrional (Norte), por la del Sol a la hora de mediodía (Sur), por la salida y puesta de este astro en los equinoccios (Este y Oeste). ‖ **céntrico.** Centro del círculo, esfera, polígono, etc. ‖ **2.** fig. Fin a que se dirigen las acciones del que intenta una cosa. ‖ **3.** fig. Lugar

muy concurrido y de fácil acceso en una población. ‖ **crítico.** *Fís.* En cada cuerpo, el estado determinado por su temperatura y presión críticas. ‖ **2.** fig. Momento exacto en que ocurre o es preciso hacer cierta cosa. ‖ **crudo.** fig. y fam. Momento preciso en que sucede una cosa. Ú. comúnmente con la partícula *a* o el artículo *el.* ‖ **de apoyo.** *Mec.* Lugar fijo sobre el cual estriba una palanca u otra máquina, para que la potencia pueda vencer la resistencia. ‖ **2.** fig. Aquello sobre lo que se basa o sustenta algo. ‖ **débil.** fig. Aspecto o parte más vulnerable de alguien o de algo. ‖ **de caramelo.** Grado de concentración que se da al almíbar por medio de la cocción y en virtud del cual, al enfriarse, se endurece, convirtiéndose en caramelo. Ú t. en sent. fig. ‖ **de costado.** *Pat.* Dolor con punzadas al lado del corazón. ‖ **de distancia.** *Persp.* Cada uno de los dos **puntos** que distan de la vista, situados en la misma horizontal, tanto como aquella del plano óptico. ‖ **de escuadría.** *Mar.* El que se coloca en la carta de marear, deduciéndolo del rumbo que se ha seguido y de la latitud observada. ‖ **de estima.** *Mar.* El que se coloca en la carta de marear, deduciéndolo del rumbo seguido y de la distancia andada en un tiempo determinado. ‖ **de fábrica.** *Arq.* Trozo de muro que se rehace por el pie, dejando lo demás intacto. ‖ **de fantasía.** *Mar.* **punto de estima.** ‖ **de honra.** **pundonor.** ‖ **de la vista.** *Persp.* Aquel en que el rayo principal corta la tabla o plano óptico, y al cual parecen concurrir todas las líneas perpendiculares al mismo plano. ‖ **de longitud.** *Mar.* El que se coloca en la carta de marear, como resultado de observaciones de longitud. ‖ **de nieve.** Aquel en el cual la clara de huevo batida adquiere espesor y consistencia. ‖ **de observación.** *Mar.* El que se coloca en las cartas de marear, como resultado de observaciones astronómicas. ‖ **de partida.** fig. Lo que se toma como antecedente y fundamento para tratar o deducir una cosa. ‖ **de referencia.** Dato, informe, documento, etc., para iniciar o completar el conocimiento exacto de algo. ‖ **de tafetán.** El que imita el tejido de esta clase de tela. ‖ **de vista.** *Persp.* **punto de la vista.** ‖ **2.** fig. Cada uno de los modos de considerar un asunto u otra cosa. ‖ **equinoccial.** *Astron.* y *Geogr.* Cada uno de los dos, el de primavera y el de otoño, en que la Eclíptica corta el Ecuador. ‖ **equipolado.** *Blas.* Cada uno de los cuatro cuadrillos que se interpolan con otros cinco de diferente esmalte, estando dispuestos los nueve en forma de tablero de ajedrez. ‖ **fijo.** *Mar.* **punto de longitud.** ‖ **2.** *Fís.* Cada una de las temperaturas que se producen invariablemente en ciertos fenómenos físicos, por ejemplo cuando un líquido puro se congela o cuando hierve, con tal de que la presión sea siempre la misma. ‖ **filipino.** Pícaro, persona poco escrupulosa, desvergonzada, etc. Suele emplearse con cierta benevolencia. ‖ **final.** *Ortogr.* El que acaba un escrito o una división importante del texto. ‖ **2.** fig. Hecho o palabras con que se da por terminado un asunto, discusión, etc. ‖ **flaco. punto débil.** ‖ **interrogante.** *Ortogr.* **interrogación,** signo. ‖ **muerto.** *Mec.* En las máquinas de vapor, motores de explosión, etc., posición del émbolo en que, por haber llegado al término de su carrera o por no haberla iniciado todavía, no actúa sobre el cigüeñal u otro órgano semejante. ‖ **2.** *Mec.* Posición de los engranajes de la caja de cambio en que el movimiento del árbol del motor no se transmite al mecanismo que actúa sobre las ruedas. ‖ **3.** fig. Estado de un asunto o negociación que por cualquier motivo no puede de momento llevarse adelante. ‖ **musical. nota** en la escritura musical. ‖ **neurálgico.** *Med.* Aquel en que el nervio se hace superficial, o en donde nacen sus ramas cutáneas. ‖ **2.** fig. Parte de un asunto especialmente delicada, importante y difícil de tratar. ‖ **por encima.** Cada una de las puntadas que atraviesan alternativamente por encima y por debajo la línea de unión de las orillas de dos telas. ‖ **2.**

Costura hecha con este género de puntadas. ‖ **principal.** *Persp.* **punto de la vista.** ‖ **radiante.** *Astron.* Lugar de la esfera celeste de donde parecen irradiar, como de su centro, las estrellas fugaces cuando aparecen en gran cantidad. ‖ **redondo.** *Ortogr.* **punto final.** ‖ **2.** loc. fam. para poner fin a discusiones, conversaciones, etc. ‖ **seguido.** *Ortogr.* **punto y seguido.** ‖ **torcido.** Entre bordadores, labor cuyo dibujo es solo una línea, la cual se ha de cubrir con la seda. ‖ **triple.** *Fís.* Aquel en que, dadas condiciones especiales de temperatura y presión, pueden subsistir en equilibrio los tres estados de agregación molecular de una sustancia. ‖ **visual.** El término de la distancia necesaria para ver los objetos con toda claridad, que suele ser de 24 centímetros aproximadamente; si es mucho mayor, constituye la presbicia, y si es menor, la miopía. ‖ **y aparte.** *Ortogr.* El que se pone cuando termina párrafo y el texto continúa en otro renglón más entrado o más saliente que los demás de la plana. ‖ **y coma.** *Ortogr.* Signo ortográfico (;) con que se indica pausa mayor que en la coma, y menor que con los dos **puntos.** Empléase generalmente antes de cláusula de sentido adversativo. ‖ **y seguido.** *Ortogr.* El que se pone cuando termina el renglón y el texto continúa inmediatamente después del **punto** en el mismo renglón. ‖ **medio punto.** *Arq.* Arco o bóveda cuya curva está formada por un semicírculo exacto, esto es, por un arco de 180 grados. ‖ **2.** *Gram.* Nombre que se solía dar a la coma. ‖ **puntos suspensivos.** *Ortogr.* Signo ortográfico (...) con que se denota quedar incompleto el sentido de una oración o cláusula de sentido cabal, para indicar temor o duda, o lo inesperado y extraño de lo que ha de expresarse después. Se usa, por último, cuando se copia algún texto o autoridad que no hace al caso insertar íntegros, indicando así la omisión. ‖ **dos puntos.** *Ortogr.* Signo ortográfico (:) con que se indica haber terminado completamente el sentido gramatical, pero no el sentido lógico. Se pone también antes de toda cita de palabras ajenas intercaladas en el texto. ‖ **a buen punto.** loc. adv. **a punto,** a tiempo. ‖ **al punto.** loc. adv. En seguida, sin la menor dilación. ‖ **andar en puntos.** fr. **andar en puntas.** ‖ **a punto.** loc. adv. Con la prevención y disposición necesarias para que una cosa pueda servir al fin a que se destina. ‖ **2.** V. **puesta a punto.** ‖ **3.** A tiempo, oportunamente. ‖ **a punto de.** loc. que, seguida de un infinitivo, expresa la proximidad de la acción indicada por este. ‖ **a punto fijo.** loc. adv. Cabalmente o con certidumbre. ‖ **a punto largo.** loc. adv. fig. y fam. Sin esmero, groseramente. ‖ **aquí finca el punto.** expr. En esto consiste la dificultad. ‖ **a o hasta tal punto que.** loc. consec. que señala los resultados que se derivan de una acción o situación. ‖ **bajar de punto.** fr. fig. Declinar o decaer del estado anterior. ‖ **2.** *Mús.* **bajar el punto.** ‖ **bajar el punto.** fr. *Mús.* Descender de un signo a otro. También se dice cuando se baja la cuerda o se transporta un tono en uno o más **puntos** bajos. ‖ **bajar el punto** a una cosa. fr. fig. Moderarla. ‖ **calzar** uno **muchos,** o **pocos, puntos.** fr. fig. Ser persona aventajada en alguna materia, o al contrario. ‖ **calzar** uno tantos **puntos.** fr. Tener su pie la dimensión que indica el número de estos. ‖ **con puntos y comas.** loc. fig. Con mucha minuciosidad, sin olvidar detalle alguno. ‖ **dar en el punto.** fr. fig. Dar en la dificultad. ‖ **dar punto.** fr. Cesar en cualquier estudio, trabajo u ocupación. ‖ **darse uno un punto en la boca.** fr. fig. y fam. **coserse la boca.** ‖ **de punto.** loc. adj. Dícese de telas o prendas tejidas. *Géneros* DE PUNTO. ‖ **de punto en blanco.** loc. adv. **de punta en blanco,** modo de disparar un arma, cuando no se precisa del alza. ‖ **de todo punto.** loc. adv. Enteramente, sin que falte cosa alguna. ‖ **echar el punto.** fr. *Mar.* Situar o colocar en la carta de marear el paraje en que se considera estar la nave. ‖ **en buen,** o **mal punto.** loc. adv. fig. **en buena,** o **mala, hora.** ‖ **en punto.** loc. adv. Sin sobra ni falta. *Son las seis*

EN PUNTO. ‖ **en punto de caramelo.** loc. adv. fig. y fam. Perfectamente dispuesta y preparada una cosa para algún fin. ‖ **estar a,** o **en, punto.** fr. Estar próxima a suceder una cosa. ESTAR A PUNTO *de perder la vida;* ESTUVO EN PUNTO *de ser rico.* ‖ **estar en punto de solfa** una cosa. fr. fig. y fam. **estar en solfa.** ‖ **estar** una cosa **en su punto.** fr. fig. **poner en su punto** una cosa, grado de perfección. ‖ **hacer punto.** fr. **dar punto.** ‖ **2.** Tejer a mano labores de **punto.** ‖ **hacer punto** de una cosa. fr. Tomarla por caso de honra, y no desistir de ella hasta conseguirla. ‖ **hasta cierto punto.** loc. adv. En alguna manera, no del todo. ‖ **levantar de punto.** fr. Realzar, elevar. ‖ **meter en puntos.** fr. *Esc.* Desbastar una pieza de madera, piedra u otra materia conveniente, hasta tocar en aquellos sitios adonde ha de llegar el contorno de la figura que se intenta esculpir. ‖ **mirar en puntos.** fr. Reparar en minucias. ‖ **no perder punto.** fr. fig. Proceder con la mayor atención y diligencia en un negocio. ‖ **no poder pasar un punto por otro punto.** fr. fig. Tener uno someterse a la necesidad. ‖ **perder puntos,** o **perder muchos puntos.** loc. Desmerecer, disminuir en prestigio o estimación. ‖ **poner en punto de solfa** una cosa. fr. fig. y fam. **ponerla en solfa.** ‖ **poner en su punto** una cosa. fr. fig. y fam. Ponerla en aquel grado de perfección que le corresponde. ‖ **2.** fig. y fam. Apreciarla debida y justamente. ‖ **ponerle los puntos** a una cosa. fr. fig. y fam. Proponerse intervenir en lo referente a ella. ‖ **poner los puntos.** fr. fig. Dirigir la mira, intención o conato a un fin que se desea. ‖ **poner los puntos muy altos.** fr. fig. Pretender una cosa sin considerar la proporción que para ella se tiene. ‖ **poner los puntos sobre las íes.** fr. fig. y fam. Acabar o perfeccionar una cosa con gran minuciosidad. ‖ **2.** Determinar y precisar algunos extremos que no estaban suficientemente especificados. ‖ **por punto general.** loc. adv. Por regla general. ‖ **por puntos.** loc. adv. **por instantes,** de un momento a otro. ‖ **2.** Perder o ganar en juegos o deportes, por leve diferencia. ‖ **punto en boca.** expr. fig. Ú. para prevenir a uno que calle, o encargarle que guarde secreto. ‖ **punto menos.** loc. con que se denota que una cosa es casi igual a otra con la cual se compara. ‖ **punto por punto.** loc. adv. fig. con que se expresa el modo de referir una cosa muy por menor y sin omitir circunstancia. ‖ **sacar de puntos.** fr. Reproducir con precisión matemática un modelo escultural ejecutado en barro o yeso, trasladándolo a un bloque de piedra o mármol por medio de compases de proporción. ‖ **sin faltar punto ni coma.** loc. adv. fig. y fam. **sin faltar una coma.** ‖ **subir de punto** una cosa. fr. Crecer o aumentarse.

puntoso¹, sa. adj. Que tiene muchas puntas.
puntoso², sa. adj. Que tiene punto de honra, o que procura conservar la buena opinión y fama. ‖ **2.** Demasiado sensible al punto de honor o de estimación, puntilloso, puntoso.
puntuable. adj. Que es o puede ser calificado con puntos o unidades de tanteo en juegos, deportes, exámenes, etcétera.
puntuación. f. Acción y efecto de puntuar. ‖ **2.** Conjunto de los signos que sirven para puntuar.
puntual. (Del lat. *punctum,* punto.) adj. Pronto, diligente, exacto en hacer las cosas a su tiempo y sin dilatarlas. ‖ **2.** Indubitable, cierto. ‖ **3.** Conforme, conveniente, adecuado. ‖ **4.** Perteneciente o relativo al punto. ‖ **5.** adv. A tiempo, a la hora prevista. *Tú siempre llegas* PUNTUAL, *y yo tarde.*
puntualidad. f. Cuidado y diligencia en hacer las cosas a su debido tiempo. ‖ **2.** Certidumbre y conveniencia precisa de las cosas, para el fin a que se destinan.
puntualizar. tr. Grabar profundamente y con exactitud las especies en la memoria. ‖ **2.** Referir un suceso o describir una cosa con todas sus circunstancias. ‖ **3.** Dar la

última mano a una cosa; perfeccionarla. ‖ **4.** *Der.* Concretar los derechos y deberes de los contratantes con anterioridad a la celebración del contrato.

puntualmente. adv. m. Con puntualidad.

puntuar. (Del lat. *punctum*, punto.) tr. Poner en la escritura los signos ortográficos necesarios para distinguir el valor prosódico de las palabras y el sentido de las oraciones y de cada uno de sus miembros. ‖ **2.** Ganar u obtener **puntos,** unidad de tanteo en algunos juegos. Ú. t. c. intr. ‖ **3.** Calificar con puntos un ejercicio o prueba. ‖ **4.** intr. Entrar en el cómputo de los puntos una prueba o competición.

puntuoso, sa. (Del lat. *punctum,* punto.) adj. Demasiado sensible al punto de honor o de estimación, puntilloso, puntoso².

puntura. (Del lat. *punctūra.*) f. Herida con instrumento o cosa que punza. ‖ **2.** *Impr.* Cada una de las dos puntas de hierro afirmadas en los dos costados del tímpano de una prensa de imprimir, o fijas en la superficie del cilindro de las máquinas sencillas, en las cuales se clava y sujeta el pliego que ha de tirarse. ‖ **3.** *Veter.* Sangría que se hace en la cara plantar del casco de las caballerías, en el punto de unión de la palma y de la tapa. ‖ **ajustar las punturas.** fr. *Impr.* Colocar las **punturas** de modo que el blanco coincida con la retiración.

punzada. f. Herida ocasionada por la punta de un objeto. ‖ **2.** fig. Dolor agudo, repentino y pasajero, pero que suele repetirse de tiempo en tiempo. ‖ **3.** fig. Sentimiento interior causado por una cosa que aflige al ánimo.

punzador, ra. adj. Que punza. Ú. t. c. s.

punzadura. f. Punzada, herida.

punzante. p. a. de **punzar.** Que punza. ‖ **2.** V. **herida punzante.**

punzar. (Del lat. **punctiāre,* de *punctus.*) tr. Herir con un objeto puntiagudo. ‖ **2.** fig. Pinchar, zaherir. ‖ **3.** intr. fig. Avivarse un dolor de cuando en cuando. ‖ **4.** fig. Hacerse sentir interiormente una cosa que aflige al ánimo moral.

punzó. (Del fr. *ponceau,* amapola silvestre y su color.) m. Color rojo muy vivo.

punzón. m. Instrumento de hierro o de otro material que remata en punta. Sirve para abrir ojetes y para otros usos. ‖ **2. buril.** ‖ **3.** Instrumento de acero durísimo, de forma cilíndrica o prismática, que en la boca tiene de realce una figura, la cual, hincada por presión o percusión, queda impresa en el troquel de monedas, medallas, botones u otras piezas semejantes. ‖ **4.** Pitón¹, cuerno que empieza a salir a los animales. ‖ **5.** Llave de honor que llevaban en la cartera derecha de la casaca ciertos empleados de palacio, y de la cual solo se descubría el anillo. ‖ **6.** *Impr.* Pequeña lámina de acero en cuya superficie está grabado en relieve el ojo de una letra o signo, y que se utiliza para la obtención de una matriz que sirve para fundir una letra, signo o viñeta.

punzonería. f. Colección de todos los punzones necesarios para una fundición de letras.

puñada. f. Golpe con la mano cerrada. ‖ **venir** algunos, o uno **con** otro, **a las puñadas.** fr. ant. **venir a las manos.**

puñado. m. Porción de cualquier cosa que se puede contener en el puño. ‖ **2.** fig. Poca cantidad de una cosa de la que debe o suele haber bastante. ‖ **de** PUÑADO **de gente.** ‖ **de moscas.** fig. y fam. Conjunto de cosas que fácilmente se separan o desaparecen. ‖ **a puñados.** loc. adv. fig. Larga o abundantemente, cuando debe ser con escasez y cortedad; o al contrario, escasa y cortamente, cuando debe ser con abundancia y largueza. ‖ **¡gran puñado! ¡qué puñado! ¡buen** o **gran,** o **valiente, puñado son tres moscas!** exprs. figs. y fams. con que se pondera la escasez numérica de las personas o cosas.

puñal¹. (Del lat. **pugnāle.*) adj. ant. Que cabe o puede te-

nerse en el puño. ‖ **2.** m. Arma de acero, de dos a tres decímetros de largo, que solo hiere con la punta.

puñal². (Del lat. *pugna,* pelea.) adj. p. us. Perteneciente o relativo a la pugna o pelea. ‖ **2.** V. **pendón puñal.**

puñalada. f. Golpe que se da clavando un puñal u otra arma semejante. ‖ **2.** Herida que resulta de este golpe. ‖ **3.** fig. Pesadumbre grande dada de repente. ‖ **de misericordia. golpe de gracia.** ‖ **trapera.** Herida, lesión o desgarrón grande, hechos con puñal, cuchillo, o algo semejante. ‖ **2.** fig. Traición, jugarreta, mala pasada. ‖ **coser a puñaladas** a uno. fr. fig. y fam. Darle muchas **puñaladas.** ‖ **ser puñalada de pícaro** una cosa. fr. fig. y fam. Ser de las que deben hacerse con precipitación y urgencia. Ú. m. en sentido interrogativo o con negación. ¿ES PUÑALADA DE PÍCARO?; NO ES PUÑALADA DE PÍCARO.

puñalejo. m. d. de **puñal¹,** arma.

puñalero. m. El que hace o vende puñales.

¡puñales! interj. que se usa para expresar los más variados movimientos del ánimo.

puñar. (Del lat. *pugnare.*) tr. ant. Atacar con las armas un lugar. ‖ **2.** intr. ant. Luchar, pelear, combatir. ‖ **3.** fig. ant. Procurar con ahínco algo importante o dificultoso. Usáb. m. seguido de las preps. *de, en* o *por* y un infinitivo. PUÑAR DE *ganar el amor de Dios.*

puñera. (De *puño.*) f. **almorzada.** ‖ **2.** Medida que suele haber en los molinos para cobrar la maquila, y cuya capacidad es la tercera parte del celemín.

puñetazo. (De *puñete.*) m. Golpe que se da con el puño de la mano.

puñete. (De *puño.*) m. Golpe con la mano cerrada. ‖ **2.** Pulsera de las mujeres en las muñecas.

puñimiento. (De *puñir².*) m. Dolor punzante.

puñir¹. (Del lat. *punire.*) tr. ant. **punir,** castigar a un culpado.

puñir². (Del lat. *pungĕre.*) tr. ant. **pungir,** punzar hiriendo de punta. ‖ **2.** ant. Producir un dolor punzante.

puño. (Del lat. *pugnus.*) m. Mano cerrada. ‖ **2.** Lo que cabe en la mano cerrada. ‖ **3.** Parte de la manga de la camisa y de otras prendas de vestir, que rodea la muñeca. ‖ **4.** Adorno de encaje o tela fina, que se pone en la bocamanga. ‖ **5.** Mango de algunas armas blancas. ‖ **6.** Parte por donde ordinariamente se coge el bastón, el paraguas o la sombrilla, y que suele estar guarnecida de una pieza de materia diferente. ‖ **7.** Esta misma pieza. ‖ **8.** V. **arma, fanega de puño.** ‖ **9.** ant. Golpe con la mano cerrada. Ú. hoy en América. ‖ **10.** fig. y fam. Cortedad o estrechez en lo que se debe haberla. *Un* PUÑO *de casa.* ‖ **11.** fig. y fam. V. **hombre de puños.** ‖ **12.** *Esgr.* V. **estocada de puño.** ‖ **13.** *Mar.* Cualquiera de los vértices de los ángulos de las velas. ‖ **14.** pl. fig. y fam. Fuerza, valor. *Es hombre de* PUÑOS. ‖ **apretar los puños.** loc. adv. fig. y fam. Poner mucho empeño para ejecutar una cosa o para concluirla. ‖ **a puño cerrado.** loc. adv. Tratándose de golpes, con el **puño.** ‖ **a puños.** loc. adv. fig. y fam. **por puños,** o **por sus puños.** ‖ **como un puño** o **como puños.** loc. adv. fig. y fam. con que se pondera que una cosa es muy grande entre las que regularmente son pequeñas; o al contrario, que es muy pequeña entre las que debían ser grandes. *Castañas* COMO PUÑOS; *aposento* COMO UN PUÑO. En el primer sentido, se dice de las cosas inmateriales. *Mentira* COMO UN PUÑO. ‖ **creer a puño cerrado.** fr. fig. y fam. Creer firmemente. ‖ **de propio puño.** loc. adv. De mano propia. ‖ **de puño y letra,** o **de su puño y letra.** loc. de propio puño, autógrafo. ‖ **en un puño.** loc. fig. Con los verbos *meter, poner, tener* y otros, confundir, intimidar u oprimir a alguien. ‖ **jugarla de puño** a uno. fr. fig. y fam. **pegársela de puño.** ‖ **medir a puños.** fr. Medir una cosa poniendo un **puño** sobre otro, o uno después de otro sucesivamente. ‖ **partir al puño.** fr. *Mar.* Orzar, inclinar un buque la proa hacia la parte de donde viene el viento. ‖ **pegarla de puño** a uno. fr. fig. y fam. Engañarle enteramente en cosa substancial. ‖ **por puños,** o **sus puños.** loc. adv. fig. y fam. Con su propio trabajo o mérito personal. ‖ **puño en rostro.** loc. que se emplea como apodo del avaro o tacaño. ‖ **ser** uno **como un puño.** fr. fig. y fam. Ser miserable. ‖ **2.** fig. y fam. Ser pequeño de cuerpo.

pupa. (De *buba*.) f. Erupción en los labios. ‖ **2.** Postilla que queda cuando se seca un grano. ‖ **3.** Lesión cutánea bien circunscrita, que puede ser de muy variado origen. ‖ **4.** En el lenguaje infantil, cualquier daño o dolor corporal. ‖ **5.** *Zool.* **crisálida.** ‖ **hacer pupa** a uno. fr. fig. y fam. Darle que sentir, causarle daño.

pupar. intr. *Zool.* Transformarse en pupa las larvas de los insectos.

pupila. (Del lat. *pupilla*.) f. Prostituta. ‖ **2.** Perspicacia, sagacidad. *Ese hombre tiene mucha* PUPILA. ‖ **3.** *Anat.* Abertura circular o en forma de rendija de color negro, que el iris del ojo tiene en su parte media y que da paso a la luz.

pupilaje. m. Estado o condición del pupilo o de la pupila. ‖ **2.** Estado de aquel que está sujeto a la voluntad de otro porque le da de comer. ‖ **3.** Casa donde se reciben huéspedes mediante precio convenido. ‖ **4.** Este precio.

pupilar. adj. Perteneciente o relativo al pupilo o a la menor edad. ‖ *Der.* V. **sustitución pupilar.** ‖ **3.** *Anat.* Perteneciente o relativo a la pupila del ojo.

pupilero, ra. m. y f. Persona que recibe pupilos en su casa.

pupilo, la. (Del lat. *pupillus*, d. de *pupus*, niño.) m. y f. Huérfano o huérfana menor de edad, respecto de su tutor. ‖ **2.** Persona que se hospeda en casa particular por precio ajustado. ‖ **3.** V. **casa de pupilos.** ‖ **medio pupilo.** El que solamente come al mediodía en una casa de huéspedes. ‖ **2.** Alumno o alumna que permanece en el colegio hasta la noche, incluida en la comida del mediodía. ‖ **a pupilo.** loc. adv. Alojado y mantenido por precio.

pupitre. (Del fr. *pupitre*.) m. Mueble de madera, con tapa en forma de plano inclinado, para escribir sobre él.

pupo. (Del quechua *pupu*.) m. fam. *Argent., Bol.* y *Chile.* **ombligo,** cicatriz.

puposo, sa. adj. Que tiene pupas.

pupusa. (Del nahua *pupushaua*, hinchado.) f. *El Salv.* Tortilla de maíz o arroz, rellena de chicharrones, queso u otros alimentos.

pupusería. f. *El Salv.* Lugar donde se venden pupusas.

puquio. m. *Amér. Merid.* Manantial de agua.

puramente. adv. m. Con pureza y sin mezcla de otra cosa. ‖ **2.** Meramente, estrictamente. ‖ **3.** *Der.* Sin condición, excepción, restricción ni plazo.

purana. (Del sánscr. *purâna*, antiguo, arcaico.) m. Cada uno de los 18 poemas sánscritos que contienen la teogonía y cosmogonía de la India antigua.

purasangre. m. Caballo de una raza que es producto del cruce de la árabe con las del Norte de Europa. Ú. t. c. adj.

puré. (Del fr. *purée*.) m. Pasta que se hace de legumbres u otras cosas comestibles, cocidas y trituradas. ‖ **2.** Sopa formada por esta pasta desleída en caldo.

purear. intr. fam. Fumar cigarro puro.

purera. f. Estuche para cigarros puros.

pureza. f. Calidad de puro. ‖ **2.** fig. Virginidad, doncellez.

purga. (De *purgar*.) f. Medicina que se toma para defecar. ‖ **2.** fig. Residuos que en algunas operaciones industriales o en los artefactos se acumulan y se han de eliminar o expeler. ‖ **3.** fig. Expulsión o eliminación de funcionarios, empleados, miembros de una organización, etc., que se decreta por motivos políticos, y que puede ir seguida de sanciones más graves. ‖ **la purga de Benito,** o **de Fernando que desde la botica estaba obrando.** fr. fam. con que se alude a una causa a la cual se atribuyen efectos anticipados o desmedidos.

purgable. (Del lat. *purgabĭlis*.) adj. Que se puede o debe purgar.

purgación. (Del lat. *purgatĭo, -ōnis*.) f. Acción y efecto de purgar o purgarse. ‖ **2.** Sangre que de forma natural evacuan las mujeres todos los meses, y después de haber parido. ‖ **3.** Flujo mucoso de una membrana, principalmente de la uretra. Ú. m. en pl. ‖ **4.** *Der.* Refutación de notas o indicios inculpatorios contra una persona. ‖ **canónica.** *Der.* Prueba que por los cánones establecían para el caso en que alguien fuese acusado de un delito que no se podía plenamente probar, reducida a que se purgase la nota o infamia del acusado por su juramento y el de los compurgadores. ‖ **vulgar.** *Der.* Prueba judicial de la inocencia o culpa del reo mediante ordalías o juicio de Dios.

purgador, ra. (Del lat. *purgātor, -ōris*.) adj. Que purga. Ú. t. c. s. ‖ **2.** m. Dispositivo que permite evacuar fluidos o residuos de un recipiente.

purgamiento. (Del lat. *purgamentum*.) m. Acción y efecto de purgar o purgarse.

purgante. (Del lat. *purgans, -antis*.) p. a. de **purgar.** Que purga. ‖ **2.** adj. Dícese comúnmente de la medicina que se aplica o sirve para este efecto. Ú. t. c. s. m. ‖ **3.** V. **iglesia, limonada purgante.**

purgar. (Del lat. *purgāre*.) tr. Limpiar, purificar una cosa, quitándole todo aquello que no le conviene. ‖ **2.** Sufrir con una pena o castigo lo que uno merece por su culpa o delito. ‖ **3.** Padecer el alma las penas del purgatorio ‖ **4.** Dar al enfermo la medicina conveniente para exonerar el vientre. Ú. t. c. prnl. ‖ **5.** Evacuar un humor, ya sea naturalmente o mediante la medicina que se ha aplicado a este fin. Ú. t. c. intr. y c. prnl. *La llaga* HA PURGADO *bien.* ‖ **6.** fig. Purificar, acrisolar. ‖ **7.** fig. Corregir, moderar las pasiones. ‖ **8.** *Der.* Desvanecer los indicios, sospecha o nota que hay contra una persona. ‖ **9.** Depurar a uno mediante un expediente para rehabilitarle en el ejercicio de un cargo. ‖ **10.** prnl. fig. Liberarse de cualquier cosa no material que causa perjuicio o gravamen.

purgativo, va. (Del lat. *purgatīvus*.) adj. Que purga o tiene virtud de purgar.

purgatorio, ria. (Del lat. *purgatorĭus*, que purifica.) adj. **purgativo.** ‖ **2.** m. Según la Iglesia católica, lugar donde las almas de los que mueren en gracia, sin haber hecho en esta vida penitencia entera por sus culpas, satisfacen la deuda con las penas que padecen, para ir después a gozar de la gloria eterna. ‖ **3.** V. **ánima del purgatorio.** ‖ **4.** fig. Cualquier lugar donde se pasa la vida con trabajo y penalidad. ‖ **5.** fig. Esta misma penalidad.

puridad. (Del lat. *purĭtas, -ātis*.) f. Calidad de puro. ‖ **2.** Lo que se tiene reservado u oculto. ‖ **3.** Reserva, sigilo. ‖ **en puridad.** loc. adv. Sin rebozo, claramente y sin rodeos. ‖ **2. en secreto.**

purificación. (Del lat. *purificatĭo, -ōnis*.) f. Acción y efecto de purificar o purificarse. ‖ **2.** Cada uno de los lavatorios con que en la misa se purifica el cáliz después de consumido el sanguis. ‖ **3.** n. p. f. Fiesta que el día 2 de febrero celebra la Iglesia en memoria de la Virgen María fue con su Hijo a presentarle en el templo un cuarenta días de su parto.

purificadero, ra. adj. Dícese de lo que purifica.

purificador, ra. adj. Que purifica. Ú. t. c. s. ‖ **2.** m. Paño de lino, con el cual se enjuga y purifica el cáliz. ‖ **3.** Lienzo de que se sirve el sacerdote en el altar para limpiarse los dedos.

purificar. (Del lat. *purificāre*.) tr. Quitar de una cosa lo que le es extraño, dejándola en el ser y perfección que debe tener según su calidad. Ú. t. c. prnl. ‖ **2.** Limpiar de toda imperfección una cosa no material. Ú. t. c. prnl. ‖ **3.** Acri-

solar Dios las almas por medio de las aflicciones y trabajos. Ú. t. c. prnl. ‖ **4.** Rehabilitar para el servicio del
Estado a los impurificados por causas políticas. ‖ **5.** En la
ley antigua, ejecutar las ceremonias prescritas por ella
para dejar libres de ciertas impurezas a personas o cosas.
Ú. t. c. prnl. ‖ **6.** prnl. *Der.* Cumplirse o suprimirse la condición de que un derecho dependía o que lo modificaba.

purificatorio, ria. (Del lat. *purificatorῐus.*) adj. Que sirve
para purificar una cosa.

purín. m. *And.* La parte líquida que rezuma del estiércol.
Ú. m. en pl.

Purísima. n. p. f. Nombre antonomástico de la Virgen
María en el misterio de su inmaculada Concepción.

purismo. m. Calidad de purista.

purista. adj. Que escribe o habla con pureza. Ú. t. c. s.
‖ **2.** Dícese de quien al hablar o escribir, evita consciente
y afectadamente los extranjerismos y neologismos que juzga innecesarios, o defiende esta actitud.

puritanismo. m. Secta y doctrina de los puritanos. ‖ **2.**
Por ext., nombre que se da a la exagerada escrupulosidad
en el proceder. ‖ **3.** Calidad de puritano.

puritano, na. (Del ing. *puritan.*) adj. Dícese del individuo
de un grupo reformista, inicialmente religioso, formado en
Inglaterra en el siglo XVI, que propugnaba purificar la
iglesia anglicana oficial de las adherencias recibidas del catolicismo. Ú. t. c. s. ‖ **2.** Perteneciente o relativo a estos
sectarios. ‖ **3.** fig. Dícese de la persona que real o afectadamente profesa con rigor las virtudes públicas o privadas
y hace alarde de ello; rígido, austero. Ú. t. c. s.

puro, ra. (Del lat. *purus.*) adj. Libre y exento de toda mezcla de otra cosa. ‖ **2.** Que procede con desinterés en el
desempeño de un empleo o en la administración de justicia. ‖ **3.** Que no incluye ninguna condición, excepción o
restricción ni plazo. ‖ **4.** Casto, ajeno a la sensualidad. ‖
5. V. **asta pura.** ‖ **6.** V. **cigarro puro.** Ú. m. c. s. ‖ **7.** V.
matemáticas puras. ‖ **8.** fig. Libre y exento de imperfecciones morales. *Este libro contiene una moral* PURA. ‖ **9.** fig.
Mero, solo, no acompañado de otra cosa. ‖ **10.** fig. Tratándose del lenguaje o del estilo, correcto, exacto, ajustado a las leyes gramaticales y al mejor uso, exento de voces
y construcciones extrañas o viciosas. Dícese también de
las personas. *Escritor* PURO. ‖ **a puro.** loc. adv. **a fuerza de.**
‖ **de puro.** loc. adv. Sumamente, excesivamente, a fuerza de.

púrpura. (Del lat. *purpῠra.*) f. Molusco gasterópodo marino, cuya concha, que es retorcida y áspera, tiene la boca
o abertura ancha o con una escotadura en la base. Segrega
en cortísima cantidad una tinta amarillenta, la cual al contacto del aire toma color verde, que luego se cambia en
rojo más o menos oscuro, en rojo violáceo o en violado.
‖ **2.** Tinte muy costoso que los antiguos preparaban con
la tinta de varias especies de este molusco o de otros parecidos. ‖ **3.** Tela, comúnmente de lana, teñida con este
tinte, que formaba parte de las vestiduras propias de sumos sacerdotes, cónsules, reyes, emperadores, etc. ‖ **4.** fig.
Prenda de vestir, de este color o roja, que forma parte del
traje característico de emperadores, reyes, cardenales, etc.
‖ **5.** fig. Color rojo subido que tira a violado. ‖ **6.** fig.
Dignidad imperial, real, consular, cardenalicia, etc. ‖ **7.**
fig. poét. Sangre humana. ‖ **8.** *Blas.* Color heráldico, que
en pintura se representa por el violado y en dibujo ordinario por medio de líneas diagonales que, partiendo del
cantón siniestro del jefe, bajan hasta el opuesto de la punta. ‖ **9.** *Pat.* Estado morboso, caracterizado por hemorragias, petequias o equimosis. ‖ **de Casio.** Oro en polvo finísimo, de color rojo pardusco, que se hace precipitar de
las disoluciones de sus sales por medio de ciertas sustancias reductoras.

purpurado. m. Cardenal de la Iglesia Romana.

purpurar. (Del lat. *purpurāre.*) tr. Teñir de púrpura. ‖ **2.**
Vestir de púrpura.

purpúrea. (Del lat. *purpῠrĕa*, t. f. de -*rĕus*, purpúreo, por el color
de las flores.) f. **lampazo,** planta.

purpurear. intr. Mostrar una cosa el color de púrpura
que en sí tiene. ‖ **2.** Tirar a purpúreo.

purpúreo, a. (Del lat. *purpῠrĕus.*) adj. De color de púrpura.
‖ **2.** Perteneciente o relativo a la púrpura.

purpurina. (Del lat. *purpῠrina*, t. f. de -*nus*, purpurino.) f. Sustancia colorante roja, extraída de la raíz de la rubia. ‖ **2.**
Polvo finísimo de bronce o de metal blanco, que se aplica
a las pinturas antes de que se sequen, para darles aspecto
dorado o plateado.

purpurino, na. (Del lat. *purpῠrῐnus.*) adj. De color de púrpura. ‖ **2.** Perteneciente o relativo a la púrpura.

purrela. f. Vino último e inferior de los que se llaman
aguapié. ‖ **2. purriela.**

purriela. (De or. inc.) f. fam. Cualquier cosa despreciable,
de mala calidad, de poco valor.

purrir. intr. *Burg.* y *Vallad.* **apurrir.**

purulencia. f. *Med.* Calidad de purulento.

purulento, ta. (Del lat. *purulentus.*) adj. *Med.* Que tiene pus.

pus. (Del lat. *pus.*) m. *Med.* Humor que secretan accidentalmente los tejidos inflamados y cuya índole y consistencia
varían según la naturaleza de estos tejidos y las lesiones
que los afectan. Su color ordinario es amarillento o verdoso.

pusilánime. (Del lat. *pusillanῐmis.*) adj. Falto de ánimo y
valor para tolerar las desgracias o para intentar cosas
grandes. Ú. t. c. s.

pusilanimidad. (Del lat. *pusillanimῐtas, -ātis.*) f. Cualidad de
pusilánime.

pusilánimo, ma. adj. ant. **pusilánime.**

pusinesco, ca. (Del fr. *poussinesque,* de Poussin.) adj. Dícese
del tamaño que en la pintura representa a las personas en
un tercio del suyo natural.

pústula. (Del lat. *pustῠla.*) f. *Med.* Vejiguilla inflamatoria
de la piel, que está llena de pus. PÚSTULA *variolosa.*

pustuloso, sa. (Del lat. *pustulōsus.*) adj. *Med.* Perteneciente o relativo a la pústula.

puta. (De or. inc.) f. Prostituta, ramera, mujer pública.

putada. f. vulg. **cabronada,** acción malintencionada que
perjudica a alguien.

putaísmo. m. Vida, ejercicio de prostituta. ‖ **2.** Reunión
de estas mujeres. ‖ **3.** Casa de prostitución.

putanismo. m. **putaísmo.**

putaña. f. ant. Prostituta, ramera, puta.

putañear. intr. fam. Tener relaciones sexuales con prostitutas.

putañero. (De *putañear.*) adj. fam. **putero.**

putativo, va. (Del lat. *putatῑvus.*) adj. Reputado o tenido
por padre, hermano, etc., no siéndolo.

puteada. f. *Amér.* Acción y efecto de putear, injuriar.

putear. intr. fam. **putañear.** ‖ **2.** fam. Dedicarse una mujer a la prostitución. ‖ **3.** *Amér.* Injuriar, dirigir palabras
soeces a alguien. ‖ **4.** tr. vulg. Fastidiar, perjudicar a alguien.

putería. f. **putaísmo.** ‖ **2.** fig. y fam. Arrumaco, roncería,
soflama que usan algunas mujeres.

putero. adj. fam. Dícese del hombre que mantiene relaciones sexuales con prostitutas.

putesco, ca. adj. fam. Perteneciente o relativo a las
prostitutas.

puto, ta. adj. Dícese como calificación denigratoria *(Me
quedé en la* PUTA *calle)*, aunque por antífrasis puede resultar encarecedor *(Ha vuelto a ganar. ¡Qué* PUTA *suerte
tiene!).* ‖ **2. necio,** tonto. ‖ **3.** m. El que tiene concúbito
con persona de su sexo. ‖ **a puto el postre.** expr. fam. con

que se denota el esfuerzo que se hace para no ser el último o postrero en una cosa. ‖ ¡oxte, puto! expr. fam. ¡oxte!

putrefacción. (Del lat. *putrefactĭo, -ōnis.*) f. Acción y efecto de pudrir o pudrirse.

putrefactivo, va. (De *putrefacto.*) adj. Que puede causar putrefacción.

putrefacto, ta. (Del lat. *putrefactus,* p. p. de *putrefacĕre,* pudrir.) adj. Podrido, corrompido.

putrescencia. (Del lat. *putrescĕre,* corromperse.) f. Estado en que se encuentra un cuerpo en vías de putrefacción.

putrescente. adj. Dícese de lo que está en putrefacción.

putrescible. adj. Que se pudre o puede pudrirse fácilmente.

putridez. f. Calidad de pútrido.

pútrido, da. (Del lat. *putrĭdus.*) adj. Podrido, corrompido. ‖ **2.** Acompañado de putrefacción.

putrílago. m. *Med.* Materia pultácea producida por la necrosis de los tejidos gangrenados.

putuela. f. d. de **puta.**

putumayense. adj. Natural del Putumayo. Ú. t. c. s. ‖ **2.** Perteneciente a este distrito de Colombia y al río Putumayo.

pututo o **pututu.** (De or. aimara.) m. *Bol.* y *Perú.* Instrumento indígena hecho de cuerno de buey, que los campesinos de los cerros tocan para convocar una reunión.

puya¹. (Del lat. **pugĭa,* de *pugĭo, -ōnis,* puñal.) f. Punta acerada que en una extremidad tienen las varas o garrochas de los picadores y vaqueros, con la cual estimulan o castigan a las reses. ‖ **2.** Garrocha o vara con **puya¹.** ‖ **3.** ant. **púa.**

puya². (Del arauc. *puuya.*) f. *Chile.* Planta de la familia de las bromeliáceas, de que existen varias especies; su altura varía de dos a cinco metros; hojas tendidas, verdes y blancas en la cara inferior; flores amarillas y en alguna especie azules, con largos pétalos que se arrollan en espiral al secarse.

puyar¹. (Del lat. *podĭare.*) tr. ant. **pujar².** Usáb. t. c. intr.

puyar². (De *puya¹.*) tr. *Col., C. Rica, Guat., Hond., Nicar., Méj.* y *Pan.* Herir con la puya. ‖ **2.** *Col., Chile* y *Pan.* Incitar con ahínco.

puyazo. m. Herida que se hace con **puya¹.** Ú. t. en sent. fig.

puyo. adj. *NO. de la Argent.* Dícese del poncho o capote basto, de lana, más corto que el ordinario. Ú. t. c. s.

puzol. (De *Puzol,* pueblo de Italia.) m. **puzolana.**

puzolana. (Del it. *pozzolana.*) f. Roca volcánica muy desmenuzada, de la misma composición que el basalto, la cual se encuentra en Puzol, población próxima a Nápoles, y en sus cercanías, y sirve para hacer, mezclada con cal, mortero hidráulico.

puzzle. (Del ing. *puzzle.*) m. **rompecabezas,** juego.

Q

q. f. Vigésima letra del abecedario español, y decimosexta de sus consonantes. Su nombre es **cu,** y representa el mismo sonido oclusivo, velar, sordo de la *c* ante *a, o, u,* o de la *k* ante cualquier vocal. En español se usa solamente ante la *e* o la *i,* mediante interposición gráfica de una *u,* que no suena, v. gr.: *quema, quite.*

quark. (Del ing. *quark.*) m. *Fís.* Tipo teórico de partículas elementales con las que se forman otras partículas, como son el protón y el neutrón. No hay prueba experimental de su existencia aislada.

quásar. (Del ing. QUASI-*stell*AR *radio source.*) m. *Astron.* Cuerpo celeste de apariencia estelar en las fotografías y de color azulado, cuyo espectro se caracteriza por líneas de emisión anchas y muy desplazadas hacia el rojo, lo que indica que se aleja a velocidad muy considerable.

quáter. adj. Numeral latino que significa «cuatro veces» y que, añadido a cualquier número entero, indica que tal número se ha repetido por cuarta vez.

que. (Del lat. *quid.*) pron. relat. que con esta sola forma conviene a los géneros masculino, femenino y neutro y a los números singular y plural. Con el artículo forma el relativo compuesto: *el* QUE, *la* QUE, *los* QUE, *las* QUE, *lo* QUE, que a diferencia de la sola forma QUE, posee variación de género y número y puede construirse en concordancia con el antecedente. ‖ **2.** A veces equivale a otros pronombres precedidos de preposición. *El día* QUE (EN EL CUAL) *llegaste a Madrid; S. M. el Rey,* QUE (A QUIEN) *Dios guarde.* ‖ **3.** pron. interrog. Agrupado o no con un nombre sustantivo, inquiere o pondera la naturaleza, cantidad, intensidad, etc., de algo. Se emplea con acento prosódico y ortográfico. ¿QUÉ *castillos son aquellos?;* ¿QUÉ *buscan?; no sé* QUÉ *decir.* ‖ **4.** pron. excl. Agrupado con un nombre sustantivo o seguido de la preposición *de* y un nombre sustantivo, encarece la naturaleza, cantidad, calidad, intensidad, etc., de algo. Ú. con acento prosódico y ortográfico. ¡QUÉ *tiempo de placeres y de burlas!;* ¡QUÉ *de pobres hay en este lugar!* ‖ **5.** adv. prnl. excl. Agrupado con adjetivos, adverbios y locuciones adverbiales, encarece la calidad o intensidad y equivale a *cuán.* Lleva acento prosódico y ortográfico. ¡QUÉ *glorioso que está el heno!;* ¡QUÉ *mal lo hiciste!* ‖ **6.** En oraciones interrogativas exclamativas de naturaleza afirmativa o negativa equivalentes a oraciones declarativas de naturaleza negativa o afirmativa respectivamente, desempeña diferentes funciones gramaticales, agrupado con diversas clases de palabras. Se emplea también con acento prosódico y ortográfico. ¿QUÉ *viene hoy en el periódico? Mucha información viene hoy en él.* ¿QUÉ *no se esperará de aquí adelante? Todo se esperará.* ¡QUÉ *vale el tener! Nada vale.* ¡QUÉ *ha de ser una broma! No es una broma.* ‖ **7.** conj. copulat. cuyo oficio es introducir una oración subordinada sustantiva con función de sujeto o complemento directo. *Quiero* QUE *estudies; recuerda* QUE *eres mortal; dijo* QUE *lo haría.* ‖ **8.** Sirve también para enlazar con el verbo otras partes de la oración. *Antes* QUE *llegue; luego* QUE *amanezca; al punto* QUE *lo vi; por mucho* QUE *corriese; por necio* QUE *sea; por muy obcecado* QUE *esté; ¡ojalá* QUE *todo salga como tú dices!* ‖ **9.** Forma parte de varias locuciones conjuntivas o adverbiales. *A menos* QUE; *con tal* QUE. ‖ **10.** Empléase como conjunción comparativa. *Más quiero perder la vida* QUE *perder la honra.* En frases de esta naturaleza omítese con frecuencia el verbo correspondiente al segundo miembro de la comparación. *Más quiero perder la vida* QUE *la honra. Pedro es mejor* QUE *tú.* ‖ **11.** Se omite el verbo en locuciones familiares como estas: *Uno* QUE *otro; otro* QUE *tal.* ‖ **12.** Ú. en vez de la copulativa **y,** pero denotando en cierto modo sentido adversativo. *Justicia pido,* QUE *no gracia; suya es la culpa,* QUE *no mía.* ‖ **13.** Se usa igualmente como conjunción causal y equivale a **porque** o **pues.** *Con la hacienda perdió la honra,* QUE *a tal desgracia le arrastraron sus vicios; lo hará, sin duda,* QUE *ha prometido hacerlo.* ‖ **14.** También hace oficio de conjunción disyuntiva y equivale a **o, ya** u otra semejante. QUE *quiera,* QUE *no quiera.* ‖ **15.** Toma asimismo carácter de conjunción ilativa, enunciando la consecuencia de lo que anteriormente se ha dicho. *Tal estaba,* QUE *no le conocí; vamos tan despacio,* QUE *no llegaremos a tiempo; tanto rogó,* QUE *al fin tuve que perdonarle; hablaba de modo* QUE *nadie le entendía.* ‖ **16.** Suele usarse también como conjunción final con el significado de **para que.** *Dio voces al huésped de casa,* QUE *le ensillase el cuartago.* ‖ **17.** Precede a oraciones no enlazadas con otras. ¡QUE *sea yo tan desdichado!;* QUE *vengas pronto;* QUE *me place.* ‖ **18.** Precede también a oraciones incidentales de sentido independiente. ¿*Sabríese decir, buen amigo,* QUE *buena ventura se de Dios, dónde son por aquí los palacios de la sin par princesa doña Dulcinea del Toboso?* ‖ **19.** Después de expresiones de aseveración o juramento sin verbo alguno expreso, como *a fe, vive Dios, voto a tal, por vida de mi padre,* etc., precede asimismo al verbo con que empieza a manifestarse aquello que se asevera o jura. *A fe, Sancho,* QUE *no estás tú más cuerdo que yo. ¡Vive Dios, señor Caballero de la Triste Figura,* QUE *no puedo sufrir ni llevar con paciencia algunas cosas que vuestra merced dice!* ‖ **20.** Con el adverbio *no* pospuesto, forma una locución equivalente a **sin que,** en expresiones como la siguiente: *No salgo una sola vez a la calle,* QUE NO *tropiece con algún importuno.* ‖ **21.** Viene a significar **de manera que,** en giros como estos: *Corre* QUE *vuela. Está* QUE *trina. Hablan* QUE *da gusto.* ‖ **22.** Empléase con sentido frecuentativo de encarecimiento y equivale a **y más.** *Dale* QUE *dale; firme* QUE *firme.* ‖ **23.** Empléase después de los adverbios **sí** y **no** para dar fuerza a lo que se dice. SÍ, QUE *lo haré;* NO, QUE *no lo haré.* ‖ **24.** Empléase a veces con conjunción causal o copulativa antes de otro **que** equivalente a **cuál** o **qué cosa.** QUE ¡QUÉ *escudero hay tan pobre en el mundo a quien le falte un rocín? Digo* QUE ¡QUÉ *le iba a vuestra merced en volver tanto por aquella reina Magimasa, o como se llama!* ‖ **25.** Precedida y seguida de la tercera persona de indicativo de un mismo verbo, denota el progreso o eficacia de la acción de este verbo. *Corre* QUE *corre; porfía* QUE *porfía.* ‖ **el que más y el que menos.** loc. que, en las frases de que forma parte, equivale a cada cual o a todos sin excepción. ‖ **¡pues qué!** expr. que se emplea sin vínculo gramatical con otra ninguna, precediendo a frase interrogativa en la forma, y sustancialmente negativa. ¡PUES QUÉ!, *¿ha de hacer siempre su gusto, y yo nunca he de hacer el mío?* ‖ **¡pues y qué!** expr. que se usa para denotar que no tiene inconveniente o que no es legítimo el cargo que se hace. ‖ **¡qué!** interj. de sentido negativo y ponderativo. ‖ **¿qué tal?** loc. adv. interrog. cómo. ¿QUÉ TAL *lo has hecho?* ¿QUÉ TAL *resultó el estreno?* ‖ **2.** Fórmula de saludo, abreviación de ¿QUÉ TAL *estás?* o ¿QUÉ TAL *está usted?,* etc., con que el hablante expresa su interés por la salud, estado de ánimo, etc. del interlocutor. ‖ **sin qué ni para, o por, qué.** loc. adv. Sin motivo, causa ni razón alguna. ‖ **¿y qué?** expr. con que se denota que lo dicho o hecho por otro no interesa o no importa.

qué. m. **tener buen qué** o **tener su qué.** fr. fig. y fam. Tener hacienda o bienes. ‖ **2.** Tener alguna cualidad estimable.

quebracho. (De *quebrar* y *hacha²*.) m. En la región del Chaco (Bolivia, Paraguay y extremo norte de Argentina), árbol de madera muy dura, una de cuyas variedades posee una corteza rica en tanino. ‖ **2.** Nombre que en diversas zonas de América, se da a varias especies botánicas.

quebrada. f. Paso estrecho entre montañas. ‖ **2.** Hendidura de una montaña. ‖ **3.** *Amér.* Arroyo o riachuelo que corre por una quiebra.

quebradero. m. desus. **quebrador,** que quiebra una cosa. ‖ **de cabeza.** fig. y fam. Lo que perturba e inquieta el ánimo. ‖ **2.** fig. y fam. Preocupación sentimental.

quebradillo. m. Tacón de madera del calzado a la ponlevi. ‖ **2.** Movimiento especial que se hace con el cuerpo como quebrándolo, y suele usarse en la danza.

quebradizo, za. adj. Fácil de quebrarse. ‖ **2.** fig. Delicado en la salud y disposición corporal. ‖ **3.** fig. Dícese de la voz ágil para hacer quiebros en el canto. ‖ **4.** fig. Dícese de la persona frágil, de poca enteresa moral. ‖ **5.** fig. Caduco, perecedero.

quebrado, da. adj. Que ha hecho bancarrota o quiebra. Ú. t. c. s. ‖ **2.** Que padece quebradura o hernia. Ú. t. c. s. ‖ **3.** Quebrantado, debilitado. QUEBRADO *de color.* ‖ **4.** Dícese del terreno, camino, etc., desigual, tortuoso, con altos y bajos. ‖ **5.** V. **azúcar, color, día, papel, pie, quebrado.** ‖ **6.** V. **línea, plata, quebrada.** ‖ **7.** V. **verso quebrado.** Ú. t. c. s. ‖ **8.** V. **azúcar de quebrados.** ‖ **9.** *Arit.* V. **número quebrado.** Ú. t. c. s. ‖ **10.** m. *Cuba.* Hoja de tabaco de superior calidad, pero agujereada. ‖ **11.** pl. Trechos rayados y trechos sin rayas que hay en una de las diferentes clases de papel pautado en que aprenden a escribir los niños. *Escribir de,* estar *en papel de* QUEBRADOS. ‖ **compuesto.** *Arit.* **quebrado de quebrado.** ‖ **decimal.** *Arit.* **fracción decimal.** ‖ **de quebrado.** *Arit.* Número compuesto de una o más de las partes iguales en que se considera dividido un **quebrado.** ‖ **impropio.** *Arit.* **fracción impropia.** ‖ **propio.** *Arit.* **fracción propia.**

quebrador, ra. adj. Que quiebra una cosa. Ú. t. c. s. ‖ **2.** Que quebranta una ley o estatuto. Ú. t. c. s.

quebradura. (Del lat. *crepatūra.*) f. Hendedura, rotura o abertura. ‖ **2.** Hernia, principalmente en el escroto.

quebraja. f. Grieta, rendija, raja.

quebrajar. (De *quebrar.*) tr. Hender parcialmente, resquebrajar. Ú. t. c. intr. y c. prnl.

quebrajoso, sa. adj. Fácil de quebrajarse. ‖ **2.** Lleno de quebrajas.

quebramiento. m. Acción y efecto de quebrar o quebrarse.

quebrantable. adj. Que se puede quebrantar.

quebrantado, da. p. p. de **quebrantar.** ‖ **2.** adj. **roto,** dolorido. *Tiene las espaldas* QUEBRANTADAS. ‖ **3.** *Arq.* V. **mesilla quebrantada.**

quebrantador, ra. adj. Que quebranta. Ú. t. c. s. ‖ **2.** f. Máquina para quebrantar.

quebrantadura. f. Acción y efecto de quebrantar o quebrantarse.

quebrantahuesos. m. Buitre. Es la mayor especie europea. ‖ **2.** **pigargo.** ‖ **3.** Juego de muchachos, que consiste en cogerse dos de ellos por la cintura, uno de pie y otro cabeza abajo, y tendiéndose sobre las espaldas de otros dos que se colocan a gatas, se voltean mutuamente, quedando a cada volteo el uno en pie y el otro boca abajo. ‖ **4.** fig. y fam. Sujeto pesado, molesto e importuno, que cansa y fastidia con sus impertinencias.

quebrantamiento. m. Acción y efecto de quebrantar o quebrantarse. ‖ **de garantías.** *Der.* Omisión o violación de garantías sustanciales en el procedimiento.

quebrantaolas. m. *Mar.* Navío inservible que se echa a pique en un puerto para quebrantar la marejada delante de una obra hidráulica. ‖ **2.** *Mar.* Boya pequeña asida a otra grande cuando el orinque de esta no es bastante largo para llegar a la superficie del agua.

quebrantapiedras. f. Planta herbácea anual, de la familia de las cariofiláceas, con tallos tumbados y cubiertos de pelos cenicientos, hojas pequeñas, enteras y oblongas, flores verdosas en grupillos apretados, y fruto seco.

quebrantar. (Del lat. **crepantāre* de *crepans, -antis.*) tr. Romper, separar con violencia. ‖ **2.** Cascar o hender una cosa; ponerla en estado de que se rompa más fácilmente. Ú. t. c. prnl. ‖ **3.** Machacar o reducir una cosa sólida a fragmentos relativamente pequeños, pero sin triturarla. ‖ **4.** Violar o profanar algún lugar sagrado, seguro o coto. ‖ **5.** fig. Traspasar, violar una ley, palabra u obligación. ‖ **6.** fig. Forzar, romper, venciendo una dificultad, impedimento o estorbo que embaraza para la libertad. QUEBRANTAR *la prisión.* ‖ **7.** fig. Disminuir las fuerzas o el brío; suavizar o templar el exceso de una cosa. ‖ **8.** fig. p. us. Molestar, fatigar, causar pesadumbre o desabrimiento. ‖ **9.** fig. p. us. Causar lástima o compasión; mover a piedad. ‖ **10.** fig. Persuadir, inducir o mover con ardid o porfía, ablandar. ‖ **11.** *Der.* Anular, revocar un testamento. ‖ **12.** prnl. Experimentar las personas algún malestar a causa de golpe, caída, trabajo continuo o ejercicio violento, o por efecto de la edad, enfermedades o disgustos. ‖ **13.** *Mar.* Perder la quilla de un buque su figura, arqueándose.

quebranto. m. Acción y efecto de quebrantar o quebrantarse. ‖ **2.** fig. Descaecimiento, desaliento, falta de fuerza. ‖ **3.** fig. Lástima, conmiseración, piedad. ‖ **4.** fig. Gran pérdida o daño. ‖ **5.** fig. Aflicción, dolor o pena grande. ‖ **de moneda.** Indemnización o gratificación concedida a los habilitados, cajeros o pagadores de las oficinas.

quebrar. (Del lat. *crepāre,* estallar, romper con estrépito.) tr. Romper, separar con violencia. ‖ **2.** Traspasar, violar una ley u obligación. ‖ **3.** Doblar o torcer. QUEBRAR *el cuerpo.* Ú. t. c. prnl. ‖ **4.** fig. Interrumpir o estorbar la continuación de una cosa no material. ‖ **5.** fig. Templar, suavizar o moderar la fuerza y el rigor de una cosa. ‖ **6.** fig. Ajar, afear, deslustrar la tez o color natural del rostro. Ú. t. c. prnl. ‖ **7.** fig. Vencer una dificultad material u opresión. ‖ **8.** intr. fig. Romper, disminuir o entibiarse la amistad de alguien. ‖ **9.** fig. Ceder, flaquear. ‖ **10.** fig. Interrumpirse alguna cosa o dejar de tener aplicación. ‖ **11.** *Com.* Arruinarse una empresa o negocio. ‖ **12.** prnl. Relajarse, formársele hernia a uno. ‖ **13.** Hablando de cordilleras, cuestas o cosas semejantes, interrumpirse su continuidad. ‖ **antes quebrar que doblar.** fr. fig. No rendirse uno al interés ni a malos consejos para cumplir su deber. ‖ **quebrar** una cosa **por** uno. fr. Frustrarse; descomponerse por fallar uno a ejecutar lo que le tocaba. ‖ **quebrar por lo más delgado.** fr. fig. **quebrar la soga por lo más delgado.**

quebraza. f. ant. Grieta o hendedura ligera de la piel. ‖ **2.** pl. Defecto grave en la hoja de la espada, que consiste en unas hendeduras muy sutiles, que solo se descubren doblándola con fuerza.

quebrazar. (Del lat. *crepitāre*, de crepitāre.) tr. ant. Producirse grietas o quebrazas. Usáb. m. c. prnl.

quebrazón. m. *Col.* y *Chile.* Destrozo grande de objetos de loza o vidrio.

queche. (Del ing. *ketsh*, a través del fr. *chaiche marine*.) m. Embarcación usada en los mares del norte de Europa, de un solo palo y de igual figura por la popa que por la proa. Su porte varía de 100 a 300 toneladas.

quechemarín. (Del fr. *chaiche marine*.) m. Embarcación chica de dos palos, con velas al tercio, algunos foques en un botalón a proa, y gavias volantes en tiempos bonancibles.

quechol. m. *Méj.* Flamenco, ave.

quechua. (Probablemente del nombre de una tribu peruana.) adj. Dícese del indígena que al tiempo de la colonización del Perú habitaba la región del Cuzco; por ext., dícese de otros indígenas pertenecientes al imperio incaico. Ú. t. c. s. ‖ **2.** Dícese de los actuales descendientes de estos. Ú. t. c. s. ‖ **3.** Perteneciente o relativo a estos indios y a su lengua. ‖ **4.** m. Lengua hablada por los primitivos **quechuas,** extendida por los incas a todo el territorio de su imperio, y por los misioneros católicos a otras regiones.

quechuismo. m. Palabra o giro de la lengua quechua, empleado en otra lengua.

queda. (Del lat. *quieta*, t. f. de -*tus*, p. p. de *quiēre*, descansar.) f. Hora de la noche, señalada en algunos pueblos para que todos se recojan, lo cual se avisa con la campana. ‖ **2.** Campana destinada a este fin. ‖ **3.** Toque que se da con ella. ‖ **4.** V. **toque de queda.** ‖ **5.** ant. *Mil.* Retreta, toque militar de retirada y de aviso a la tropa para que se recoja de noche al cuartel.

quedada. f. Acción de quedarse en un sitio o lugar. ‖ **2.** Acción y efecto de quedarse el viento. ‖ **3.** Golpe flojo que se da a la pelota para que no vaya lejos.

quedamente. adv. m. En voz baja o queda.

quedamiento. m. ant. Acción y efecto de quedar, permanecer en el mismo estado o aplacarse lo alterado.

quedar. (Del lat. *quietāre*, sosegar, descansar.) intr. Estar, detenerse forzosa o voluntariamente en un lugar, con propósito de permanecer en él o de pasar a otro. QUEDÓ en el teatro. Ú. t. c. prnl. SE QUEDARÁ en Toledo. ‖ **2.** Subsistir, permanecer o restar parte de una cosa. Me QUEDAN tres pesetas; quitando seis de diez, QUEDAN cuatro; de los manuscritos solo QUEDAN cenizas. ‖ **3.** Precedido de la preposición *por*, resultar las personas con algún concepto merecido por sus actos, o con algún cargo, obligación o derecho que antes no tenían. QUEDAR POR valiente; QUEDAR POR testamentario. ‖ **4.** Precediendo a la misma preposición *por*, rematarse a favor de uno las rentas u otra cosa que se vende a pregón para su postura y pujas. La contrata QUEDÓ POR Juan. ‖ **5.** Permanecer, subsistir una persona o cosa en su estado, o pasar a otro más o menos estable. La carta QUEDÓ sin contestar; QUEDÓ herido. En esta acepción suele usarse a veces seguido de la preposición *por*. QUEDÓ POR contestar. ‖ **6.** Cesar, terminar, acabar. QUEDÓ aquí la conversación; QUEDAMOS conformes. ‖ **7.** Ponerse de acuerdo, convenir en algo. Ú. seguido de la prep. *en*. QUEDAMOS en comprar la finca. ‖ **8.** Concertar una cita. QUEDAMOS a las diez. ‖ **9.** Estar situado. Ese pueblo QUEDA lejos de aquí. ‖ **10.** prnl. Junto con la preposición *con*, retener en su poder una cosa, sea propia o ajena o adquirirla. Yo me QUEDARÉ con los libros. ‖ **11.** Dicho del viento, disminuir su fuerza. ‖ **12.** Dicho del mar, disminuir el oleaje. ‖ **13.** En los juegos infantiles, tocarle a uno el papel menos agradable. ‖ **14.** En el billar, dejar la bola fácil. ‖ **15.** *Argent.* y *Urug.* **morirse.** ‖ **¿en qué quedamos?** expr. fam. con que se invita a poner término a una indecisión o aclarar una incongruencia. ‖ **no quedar a deber nada** a uno. fr. fig. Corresponderle en obras o palabras. ‖ **no quedar por corta ni mal echada.** fr. fig. y fam. Poner o emplear todos los medios oportunos para conseguir una cosa. Está tomada del juego de los bolos, en que se pierde echando mal la bola o **quedando** corta. ‖ **quedar** uno **atrás.** fr. fig. No lograr el progreso alcanzado por otros; encontrarse en situación inferior a la que se ha tenido. ‖ **2.** fig. No comprender por completo una cosa. ‖ **3.** fig. Aflojar, desmayar en un empeño. ‖ **quedar** uno **bien,** o **mal.** fr. Portarse en una acción, o salir de un negocio, bien, o mal. ‖ **quedar** alguien **limpio.** fr. fig. y fam. **quedar** enteramente sin dinero. Ú. m. en el juego. ‖ **quedar** uno **por** otro. fr. Fiarle o abonarle, o salir por él. ‖ **quedar** una cosa por uno. fr. No verificarse, por dejar uno de practicar lo que debía o le tocaba. Ú. m. con negación. *Por mí,* NO QUEDA. ‖ **quedarse** uno **a oscuras.** fr. fig. Perder lo que poseía, o no lograr lo que pretendía. ‖ **2.** No comprender lo que ha visto u oído. ‖ **quedarse** uno **atrás.** fr. fig. **quedar atrás.** ‖ **2.** fig. y fam. Asombrarse. ‖ **quedarse con** uno. fr. fig. y fam. Engañarle o abusar diestramente de su credulidad. ‖ **quedarse** uno **corto.** expr. fig. y fam. No exagerar en lo que se dice. ‖ **2.** No llegar en sus hechos o dichos hasta donde se proponía. ‖ **quedar** o **quedarse** uno **fresco.** fr. fig. y fam. No lograr aquello de que tenía esperanza y en que se había consentido. ‖ **quedarse** uno **frío** o **helado.** fr. fig. Salirle una cosa al contrario de lo que deseaba o pretendía. ‖ **2.** fig. Sorprenderse de ver u oír cosa que no esperaba. ‖ **quedarse** uno **in albis.** fr. fig. y fam. **quedarse en blanco.** ‖ **quedarse** uno **lucido.** fr. fig. y fam. **quedarse fresco.** ‖ **quedarse** uno **muerto.** fr. fig. Sorprenderse de una noticia repentina que causa pesar o sentimiento. ‖ **quedarse** uno **riendo.** fr. fig. y fam. Hacer alarde de impunidad el que ha ejecutado una acción digna de castigo. Ú. m. con la forma del futuro por vía de amenaza. ‖ **quedarse** uno **tan ancho** o **tan fresco.** fr. fig. y fam. Mostrarse despreocupado y tranquilo después de haber dicho o hecho alguna cosa inconveniente o que puede tener consecuencias desagradables. ‖ **quedarse** uno **tieso.** fr. fig. y fam. **quedarse muerto.** ‖ **2.** fig. Sentir mucho frío. ‖ **quedarse** uno **yerto.** fr. fig. Asustarse en grado sumo. ‖ **quedar todos iguales.** fr. No conseguir una cosa ninguno de los que la pretenden.

quedito. adv. m. Muy quedo.

quedo, da. (Del lat. *quiētus*.) adj. **quieto.** ‖ **2.** adv. m. Con voz baja o que apenas se oye. ‖ **3.** Con tiento. ‖ **de quedo.** loc. adv. Poco a poco, despacio. ‖ **¡quedo!** interj. que sirve para contener a uno. ‖ **quedo a quedo.** loc. adv. **de quedo.** ‖ **quedo que quedo.** expr. que se aplica a la persona que está muy reacia en ejecutar una cosa.

quehacer. m. Ocupación, negocio, tarea que ha de hacerse. Ú. m. en pl.

queimada. f. Bebida caliente, originaria de Galicia, que se prepara quemando aguardiente de orujo con limón y azúcar.

queja. f. Expresión de dolor, pena o sentimiento. ‖ **2.** Resentimiento, desazón. ‖ **3.** Acción de quejarse. ‖ **4.** *Der.* Acusación ante juez o tribunal competente, ejecutando en forma solemne y como parte en el proceso la acción penal contra los responsables de un delito. ‖ **5.** *Der.* Reclamación que los herederos forzosos hacen ante el juez pidiendo la invalidación de un testamento por inoficioso. ‖ **6.** *Der.* V. **recurso de queja.** ‖ **formar queja.** fr. Tomar ocasión de quejarse sin motivo para ello.

quejada. (Del lat. *capsa,* caja.) f. ant. Mandíbula, quijada.

quejar. (Del lat. **quassiare,* de quassare, golpear violentamente, quebrantar.) tr. **aquejar.** ‖ **2.** prnl. Expresar con la voz el dolor o pena que se siente. ‖ **3.** Manifestar uno el resentimiento que tiene de otro. ‖ **4.** Manifestar disconformidad con algo o alguien. ‖ **5.** Presentar querella, querellarse.

quejica. adj. fam. **quejicoso,** que se queja con frecuencia o exageradamente.

quejicoso, sa. adj. Que se queja demasiado, y la mayoría de las veces sin causa.

quejido. m. Voz lastimosa, motivada por un dolor o pena que aflige y atormenta.

quejigal o **quejigar.** m. Terreno poblado de quejigos.

quejigo. (De *cajigo.*) m. Árbol de la familia de las fagáceas, de unos 20 metros de altura, con tronco grueso y copa recogida, hojas grandes, duras, algo coriáceas, dentadas, lampiñas y verdes por la haz, garzas y algo vellosas por el envés; flores muy pequeñas, y por fruto bellotas parecidas a las del roble. ‖ **2.** Roble que todavía no ha alcanzado su desarrollo regular.

quejigueta. (De *quejigo.*) f. Arbusto de la familia de las fagáceas, de poca altura, con hojas duras, casi persistentes, oblongas, dentadas en su tercio superior, lampiñas por la haz y algo pelosas por el envés, y flores femeninas sobre pedúnculos cortos. Se cría en España.

quejilloso, sa. adj. Que se queja demasiado.

quejo¹. (De *quejar.*) m. ant. **queja.**

quejo². (Del lat. *capsus.*) m. Mandíbula, quijada.

quejosamente. adv. m. Con queja. ‖ **2.** En tono de queja.

quejoso, sa. adj. Dícese del que tiene queja de otro. Ú. t. c. s.

quejumbrar. intr. Quejarse con frecuencia y con poco motivo.

quejumbre. f. Queja frecuente y por lo común sin gran motivo.

quejumbroso, sa. adj. Que se queja con poco motivo o por hábito. ‖ **2.** Dícese de la voz, tono, palabras, etc., empleadas para quejarse.

quejura. (De *queja.*) f. ant. Prisa o aceleración congojosa.

quelenquelén. (Del arauc. *clenclen.*) m. *Chile.* Planta medicinal de la familia de las poligaláceas, de la que hay varias especies, caracterizadas por tener sus flores pequeñas, rosadas y en racimos.

quelonio. (Del gr. χελώνη, tortuga.) adj. *Zool.* Dícese de los reptiles que tienen cuatro extremidades cortas, mandíbulas córneas, sin dientes, y el cuerpo protegido por un caparazón duro que cubre la espalda y el pecho. Ú. t. c. s. ‖ **2.** m. pl. *Zool.* Orden de estos reptiles.

queltehue. (De or. araucano.) m. Ave zancuda de Chile parecida al frailecillo, que habita en los campos húmedos y que domesticada se tiene en los jardines porque destruye los insectos nocivos.

quema. f. Acción y efecto de quemar o quemarse. ‖ **2.** Incendio, fuego, ustión. ‖ **huir de la quema** uno. fr. fig. Apartarse, alejarse de un peligro. ‖ **2.** fig. Esquivar compromisos graves previsora y sagazmente.

quemada. f. Parte de monte quemado.

quemadero, ra. adj. Que ha de ser quemado. ‖ **2.** m. Lugar destinado antiguamente para quemar a los sentenciados o condenados a la pena de fuego. ‖ **3.** Lugar destinado a la quema de animales muertos, basuras, desechos, etc.

quemado, da. p. p. de **quemar.** ‖ **2.** adj. V. **cobre, ocre, topacio quemado.** ‖ **3.** m. Rodal de monte consumido del todo o en parte por el fuego. ‖ **4.** fam. Cosa quemada o que se quema. *Huele a* QUEMADO.

quemador, ra. (Del lat. *cremátor, -óris.*) adj. Que quema. Ú. t. c. s. ‖ **2. incendiario,** que incendia maliciosamente. Ú. t. c. s. ‖ **3.** m. Aparato destinado a facilitar la combustión del carbón o de los carburantes líquidos o gaseosos en el hogar de las calderas o de otras instalaciones térmicas.

quemadura. f. Descomposición de un tejido orgánico, producida por el contacto del fuego o de una sustancia cáustica o corrosiva. ‖ **2.** Señal, llaga, ampolla o impresión que hace el fuego o una cosa muy caliente o cáustica aplicada a otra. ‖ **3.** *Bot.* Enfermedad de las plantas que consiste en el decaimiento de las hojas y partes tiernas con desprendimiento de la corteza, ocasionada por cambios grandes y repentinos de temperatura. ‖ **4. tizón,** hongo.

quemajoso, sa. adj. Que pica o escuece como quemadura.

quemamiento. m. p. us. Acción y efecto de quemar o quemarse.

quemante. p. a. de **quemar.** Que quema. ‖ **2.** m. *Germ.* **ojo,** órgano de la vista.

quemar. (Del lat. *cremáre.*) tr. Abrasar o consumir con fuego. ‖ **2.** Calentar mucho. ‖ **3.** Destruir por la acción de una corriente eléctrica o de una tensión de calor excesivo. ‖ **4.** Secar una planta el excesivo calor o frío. ‖ **5.** Causar una sensación de ardor algo caliente, picante o urticante. ‖ **6.** Hacer señal, llaga o ampolla una cosa cáustica o muy caliente. ‖ **7.** Hablando de los vinos, destilarlos en alambiques. ‖ **8.** fig. Malbaratar, destruir o vender una cosa a menos de su justo precio. ‖ **9.** fig. y fam. Impacientar o desazonar a uno. Ú. t. c. prnl. ‖ **10.** intr. Estar demasiado caliente una cosa. ‖ **11.** prnl. Padecer o sentir mucho calor. ‖ **12.** fig. Padecer la fuerza de una pasión o afecto. ‖ **13.** fig. y fam. Estar muy cerca de acertar o de hallar una cosa. No se usa, por lo común, sino en las segundas y terceras personas del presente de indicativo. ‖ **14.** fig. Dejar de ser útil, quedarse sin recursos o posibilidades en una actividad cualquiera. ‖ **quien se quemare, que sople.** expr. fig. y fam. con que se advierte que si uno juzgare que le comprende un cargo que otro hace en general, procure sincerarse de él.

quemarropa (a). loc. adv. Tratándose de un disparo de arma de fuego, desde muy cerca.

quemazón. (Del lat. *crematĭo, -ónis.*) f. Acción y efecto de quemar o quemarse. ‖ **2.** Calor excesivo. ‖ **3.** fig. y fam. Desazón moral por un deseo no logrado. ‖ **4.** fig. y fam. Dicho, razón o palabra picante con que se zahiere o provoca a uno para sonrojarle. ‖ **5.** fig. y fam. Sentimiento que causan semejantes palabras o acciones. ‖ **6.** fest. Realización, liquidación de géneros a bajo precio. ‖ **7.** *Min.* Espuma de metal ligera, hoyosa y chamuscada, que une a una de las señales de la veta.

quemazoso, sa. adj. ant. Que produce una sensación de quemadura.

quemí. m. Especie de conejo que existió en Cuba y ya extinguido.

quena. (De or. quechua.) f. Flauta o caramillo que usan los indios de algunas comarcas de América para acompañar sus cantos y especialmente el yaraví.

quenopodiáceo, a. (De *Chenopodium,* nombre de un género de plantas.) adj. *Bot.* Dícese de plantas angiospermas dicotiledóneas, herbáceas, rara vez leñosas, de hojas esparcidas, flores pentámeras con los estambres opuestos a los sépalos y periantio casi siempre incoloro, y fruto en aquenio; como la espinaca, la remolacha y la barrilla. Ú. t. c. s. f. ‖ **2.** f. pl. *Bot.* Familia de estas plantas.

quepis. (Del fr. *képi.*) m. Gorra cilíndrica o ligeramente cónica, con visera horizontal, que como prenda de uniforme usan los militares en algunos países.

quequier. (De *que* y *querer.*) pron. ant. Uno indeterminado, cualquiera.

quera. (Del lat. *caries.*) m. *Ál., Ar., Nav.* y *Sor.* Insecto que roe la madera, carcoma. ‖ **2.** Polvo de la madera roída por él. ‖ **3.** fig. Hombre pesado y molesto.

querandí. adj. Dícese del indígena americano, que habitaba en la margen derecha del río Paraná, desde el río Carcarañá, en la provincia de Santa Fe, al Norte, y los ríos Salado y Saladillo, en la provincia de Buenos Aires, al Sur. Ú. t. c. s. ‖ **2.** Perteneciente o relativo a los indios **querandíes** o a su lengua. ‖ **3.** m. Lengua de estos indios.

queratina. (Del gr. κεϱατίνη, córnea o de cuerno.) f. *Bioquím.* y *Zool.* Sustancia albuminoidea, muy rica en azufre, que constituye la parte fundamental de las capas más externas de la epidermis de los vertebrados y de los órganos derivados de esta membrana, como plumas, pelos, cuernos, uñas, pezuñas, etc., los cuales deben a dicha sustancia su resistencia y su dureza.

queratitis. (Del gr. κέϱας, κέϱατος, cuerno, e *-itis.*) f. *Pat.* Inflamación de la córnea transparente.

querella. (Del lat. *querella.*) f. Expresión de un dolor físico o de un sentimiento doloroso. ‖ **2.** Discordia, pendencia. ‖ **3.** *Der.* Acusación ante juez o tribunal competente, con que se ejecutan en forma solemne y como parte en el proceso la acción penal contra los responsables de un delito. ‖ **4.** *Der.* Reclamación que los herederos forzosos hacen ante el juez, pidiendo la invalidación de un testamento por inoficioso.

querellador, ra. adj. Que se querella. Ú. t. c. s.

querellarse. (Del lat. *querellāre.*) prnl. Expresar con la voz el dolor o pena que se siente. ‖ **2.** Manifestar uno el resentimiento que tiene de otro. ‖ **3.** *Der.* Presentar querella contra uno. Usáb. t. c. intr.

querellosamente. adv. m. Con queja o sentimiento.

querelloso, sa. (Del lat. *querellōsus.*) adj. Que se querella. Ú. t. c. s. ‖ **2.** Que se queja de una cosa. Ú. t. c. s. ‖ **3.** Que se queja de cualquier cosa. Ú. t. c. s. ‖ **4.** Quejoso, quejica, quejicoso. Ú. t. c. s.

querencia. f. Acción de amar o querer bien. ‖ **2.** Inclinación o tendencia del hombre y de ciertos animales a volver al sitio en que se han criado o tienen costumbre de acudir. ‖ **3.** Ese mismo sitio. ‖ **4.** Tendencia natural o de un ser animado hacia alguna cosa. ‖ **5.** *Taurom.* Tendencia o inclinación del toro a preferir un determinado lugar de la plaza donde fijarse.

querencioso, sa. adj. Dícese del animal que tiene mucha querencia. ‖ **2.** Aplícase también al sitio a que se la tienen los animales.

querendón, na. m. y f. **querido,** persona que tiene relaciones amorosas ilícitas. ‖ **2.** adj. *Amér.* Muy cariñoso.

querer¹. (Del infinit. *querer².*) m. Cariño, amor.

querer². (Del lat. *quaerĕre,* tratar de obtener.) tr. Desear o apetecer. ‖ **2.** Amar, tener cariño, voluntad o inclinación a una persona o cosa. ‖ **3.** Tener voluntad o determinación de ejecutar una cosa. ‖ **4.** Resolver, determinar. ‖ **5.** Pretender, intentar o procurar. ‖ **6.** Ser conveniente una cosa a otra; pedirla, requerirla. ‖ **7.** Conformarse o avenirse uno al intento o deseo de otro. ‖ **8.** En el juego, aceptar el envite. ‖ **9.** Dar uno ocasión, con lo que hace o dice, para que se ejecute algo contra él; provocar. *Este* QUIERE *que le rompamos la cabeza.* ‖ **10.** impers. Estar próxima a ser o verificarse una cosa. QUIERE *llover.* ‖ **como así me lo quiero.** expr. fam. que significa haber sucedido una cosa a medida del deseo, y como si la hubiera dispuesto el que la logra. ‖ **como quiera que.** loc. conjunt. De cualquier modo, o de este o el otro modo, que. *Ignoro si tuvo o no motivo para irritarse; pero* COMO QUIERA QUE *sea, lo hecho no merece disculpa.* ‖ **2.** Supuesto que, dado que. COMO QUIERA QUE *nadie sepa cuándo ha de morir, gran locura es dejar la enmienda para mañana.* ‖ **3.** ant. **aunque.** COMO QUIERA QUE *murió en esta batalla, fue suya la victoria, porque los enemigos, antes de que él muriese, ya estaban derrotados.* ‖ **cuando quiera.** loc. adv. En cualquier tiempo. ‖ **cuanto quiera que.** loc. adv. **como quiera que.** ‖ **donde quiera.** loc.

adv. **dondequiera.** ‖ **do quiera.** loc. adv. **doquiera.** ‖ **no así como,** o **no como, quiera.** loc. adj. con que se denota ser más que regular o común aquello de que se habla. *Es un literato,* NO ASÍ COMO QUIERA, *sino de los más sobresalientes de España; la mentira es un vicio,* NO COMO QUIERA, *sino muy odioso y despreciable.* ‖ **no querer parir.** fr. fig. **no parir.** ‖ **¿qué más quieres?** expr. con que se da a entender que lo que uno ha logrado es todo lo que podía desear, según su proporción y sus méritos. ‖ **que quiera, que no quiera.** expr. adv. Sin atender a la voluntad o aprobación de uno, convenga o no convenga con ello. ‖ **¿qué quiere decir eso?** expr. con que se avisa o amenaza para que uno corrija o modere lo que ha dicho. ‖ **¿qué quiere ser esto?** expr. con que se explica la admiración o extrañeza que ocasiona una cosa. ‖ **¡qué quieres!,** o **¡qué quieres que le haga,** o **que le hagamos!** exprs. de conformidad o de excusa. ‖ **2. ¡qué hemos de hacer!** ‖ **querer bien** una persona a otra. fr. Amar un hombre a una mujer, o viceversa. ‖ **querer decir.** fr. Significar, indicar, dar a entender una cosa. *Eso* QUIERE DECIR *que ya no somos amigos; el concepto es oscuro, pero comprendo lo que* QUIERE DECIR. ‖ **querer es poder.** fr. proverb. para denotar que con voluntad firme se consigue casi todo lo posible. ‖ **¡que sí quieres!** loc. fam. que se emplea para rechazar una pretensión o para ponderar la dificultad o imposibilidad de hacer o lograr una cosa. ‖ **sin querer.** loc. adv. Sin intención ni premeditación, inadvertidamente.

queresa. f. **cresa,** larva de dípteros o montón de huevecillos.

queretano, na. adj. Natural del Estado mejicano de Querétaro. Ú. t. c. s. ‖ **2.** Perteneciente o relativo a dicho Estado.

querido, da. p. p. de **querer.** ‖ **2.** m. y f. Hombre, respecto de la mujer, o mujer, respecto del hombre, con quien tiene relaciones amorosas ilícitas.

querindango, ga. m. y f. despect. **querido.**

quermes. (Del ár. *qirmiz,* grana, cochinilla.) m. Insecto hemíptero parecido a la cochinilla, que vive en la coscoja y cuya hembra forma las agallitas que dan el color de grana. ‖ **2.** *Farm.* Mezcla, de color rojizo, de óxido y sulfuro de antimonio, que se emplea como medicamento en las enfermedades de los órganos respiratorios. ‖ **mineral.** Sulfuro de antimonio algo oxigenado, de color rojo.

quermés. f. **kermés.**

querocha. f. Conjunto de huevos que pone la reina de las abejas.

querochar. intr. Poner las abejas y otros insectos la querocha.

querosén. m. *Amér.* **queroseno.**

queroseno. (Del gr. κηϱός, cera, y *-eno.*) m. Una de las fracciones del petróleo natural, obtenida por refinación y destilación, que se destina al alumbrado y se usa como combustible en los propulsores de chorro.

querosín. m. *Ecuad., Nicar.* y *Pan.* **queroseno.**

quersoneso. (Del gr. Ξεϱσόνησος, a su vez del lat. *Chersonesus.*) m. **península.** Ú. solo ante n. p. *El* QUERSONESO *Címbrico.*

querub. (Del hebr. *kerûb,* próximo.) m. poét. **querube.**

querube. (De *querub.*) m. poét. **querubín.**

querúbico, ca. adj. Perteneciente o parecido al querubín. Ú. m. en poesía.

querubín. (Del hebr. *kerûbim,* los próximos, pl. de *kerûb,* querub.) m. *Teol.* Cada uno de los espíritus celestes caracterizados por la plenitud de ciencia con que ven y contemplan la belleza divina. Forman el segundo coro. ‖ **2.** fig. **serafín¹,** persona de singular belleza.

querusco, ca. (Del lat. *cheruscus.*) adj. Dícese del individuo de cierto pueblo antiguo de Germania. Ú. t. c. s. ‖ **2.** Perteneciente a este pueblo.

querva. f. Ricino, cherva.
quesada¹. (Del lat. *capsa*, caja.) f. ant. Quijada.
quesada². f. **quesadilla.**
quesadilla. f. Cierto género de pastel, compuesto de queso y masa. ‖ **2.** Cierta especie de dulce, hecho a modo de pastelillo, relleno de almíbar, conserva u otro manjar.
quesear. intr. Hacer quesos.
quesera. f. Mujer que hace o vende queso. ‖ **2.** Lugar o sitio donde se fabrican los quesos. ‖ **3.** Mesa o tabla a propósito para hacerlos. ‖ **4.** Vasija de barro, que se destina para guardar o conservar los quesos. ‖ **5.** Plato con cubierta, ordinariamente de cristal, en que se sirve el queso a la mesa.
quesería. f. Tiempo a propósito para hacer queso. ‖ **2.** Lugar donde se fabrican quesos. ‖ **3.** Tienda en que se vende queso.
quesero, ra. (Del lat. *casearĭus*.) adj. Perteneciente o relativo al queso. ‖ **2.** Dícese de la persona a la que le gusta mucho el queso. Ú. t. c. s. ‖ **3.** m. El que hace o vende queso.
quesillo. m. V. **pan y quesillo.**
quesito. m. d. de **queso.** ‖ **2.** Cada una de las partes o unidades envueltas y empaquetadas, en que aparece dividido un queso cremoso.
quesiqués. m. Cosa que se pregunta difícil de averiguar o de explicar.
queso. (Del lat. *casĕus*.) m. Producto obtenido por maduración de la cuajada de la leche con características propias para cada uno de los tipos según su origen o método de fabricación. ‖ **2.** V. **ácaro del queso.** ‖ **3.** V. **sombrero de medio queso.** ‖ **4.** fig. y fam. pie de persona. ‖ **de bola.** El de tipo holandés, que tiene forma esférica y corteza roja. ‖ **de cerdo.** Alimento que se compone principalmente de carne de cabeza de cerdo o jabalí, picada y prensada en figura de **queso.** ‖ **de hierba.** El que se hace cuajando la leche con la flor del cardo o con hierba a propósito. ‖ **en porciones. quesito.** ‖ **helado.** Helado compacto hecho en molde. ‖ **medio queso.** Tablero grueso, por lo común de nogal u otra madera dura, y de forma semicircular, que sirve a los sastres para planchar los cuellos y solapas de algunas prendas de vestir y para sentar las costuras curvas. ‖ **dársela** a uno **con queso.** fr. fig. y fam. Engañarle, burlarse de él. ‖ **de dos de queso.** expr. fam. desus. que se aplica a lo que es de poco valor o provecho.
quetro. (Del arauc. *quetho*, cosa desmochada.) m. *Chile.* Pato muy grande, caracterizado por tener las alas sin plumas, de modo que no vuela; los pies, con cuatro dedos, palmeados, y el cuerpo vestido de una pluma larga, fina y rizada como lana y de color ceniciento.
quetzal. (Del mejic. *quetzalli*, hermosa pluma.) m. Ave trepadora, propia de la América tropical, de unos 25 centímetros desde lo alto de la cabeza hasta la rabadilla, 54 de envergadura y 60 en las cobijas de la cola; plumaje suave, de color verde tornasolado y muy brillante en las partes superiores del cuerpo y rojo en el pecho y abdomen; cabeza gruesa, con un moño sedoso y verde, mucho más desarrollado en el macho que en la hembra, y pies y pico amarillentos. ‖ **2.** Moneda guatemalteca, que en una de sus caras lleva grabada la imagen de esa ave.
queule. (Del arauc. *queul,* una fruta.) m. *Chile.* Mirobálano, árbol. ‖ **2.** Fruto de este árbol.
quevedesco, ca. adj. Propio o característico de Quevedo. ‖ **2.** Que tiene semejanza o relación con las obras de este escritor.
quevedos. (Porque con esta clase de anteojos está retratado *Quevedo.*) m. pl. Lentes de forma circular con armadura a propósito para que se sujete en la nariz.
qui. (Del lat. *qui.*) pron. relat. ant. Que, quien.

quia. (De *qué ha* [*de ser*].) Voz fam. con que se denota incredulidad o negación.
quiaca. (De or. araucano.) f. Árbol americano de tres a seis metros de alto, ramas largas y flexibles, hojas sencillas, oblongas, lanceoladas y aserradas; flores pequeñas, blancas y dispuestas en corimbo terminal compuesto.
quianti. (Del it. *Chianti,* n. p.) m. Vino común que se elabora en Toscana.
quiasma. (Del gr. χίασμα, -ατος, disposición cruzada, como la de la letra χ.) m. *Biol.* Entrecruzamiento de estructuras orgánicas, v. gr. entre fibras nerviosas (**quiasma** óptico), y entre cromosomas de una misma pareja.
quiasmo. (Del gr. χιασμός, disposición cruzada, como la de la letra χ.) m. *Ret.* Figura de dicción que consiste en presentar en órdenes inversos los miembros de dos secuencias, por ejemplo: *Cuando quiero llorar no lloro, y a veces lloro sin querer.*
quibdoano, na. adj. Natural de Quibdó. Ú. t. c. s. ‖ **2.** Perteneciente a esta ciudad de Colombia.
quibey. (De or. caribe.) m. Planta de las Antillas, herbácea, anual, de la familia de las lobeliáceas, con tallos tiernos y ramosos de cuatro a seis decímetros de altura; hojas estrechas, agudas y espinosas; flores blancas en embudo, con los labios dentados, y fruto seco con dos celdillas para la simiente.
quicial. (De *quicio.*) m. Madero que asegura y afirma las puertas y ventanas por medio de pernios y bisagras, para que girando se abran y cierren. ‖ **2.** Quicio de puertas y ventanas.
quicialera. f. quicial.
quicio. m. Parte de las puertas o ventanas en que entra el espigón del quicial, y en que se mueve y gira. ‖ **fuera de quicio.** loc. adv. fig. Fuera del orden o estado regular. ‖ **sacar de quicio** una cosa. fr. fig. Violentarla o sacarla de su natural curso o estado. ‖ **sacar de quicio** a uno. fr. fig. Exasperarle, hacerle perder el tino. ‖ **salir de su quicio,** o **de sus quicios,** una cosa. fr. fig. Exceder el orden o curso natural y arreglado.
quico. m. Grano de maíz tostado.
quiché. adj. Dícese del individuo perteneciente a un numeroso grupo étnico indígena, de origen maya, que puebla varios departamentos del occidente de la República de Guatemala. Ú. t. c. s. ‖ **2.** Dícese del idioma hablado por este grupo étnico. Ú. t. c. s. m. ‖ **3.** Perteneciente o relativo a dicho grupo étnico y a su cultura.
quiche. m. *Col.* y *Venez.* Bromeliácea epifita de hojas acanaladas y espigas flores con brácteas rojas.
quichua. adj. quechua.
quid. (Del lat. *quid,* qué cosa.) m. Esencia, punto más importante o porqué de una cosa. Ú. precedido del artículo *el.*
quídam. (Del lat. *quidam,* uno, alguno.) m. fam. Sujeto a quien se designa indeterminadamente. ‖ **2.** fam. Sujeto despreciable y de poco valer, cuyo nombre se ignora o se quiere omitir.
quid divínum. expr. lat. con que se designa la inspiración propia del genio.
quid pro quo. expr. lat. que ha pasado a nuestro idioma, y con la cual se da a entender que una cosa se sustituye con otra equivalente. ‖ **2.** m. Error que consiste en tomar una persona o cosa por otra.
quiebra. f. Rotura o abertura de una cosa por alguna parte. ‖ **2.** Hendedura o abertura de la tierra en los montes, o la que causa el exceso de lluvias en los valles. ‖ **3.** Pérdida o menoscabo de una cosa. ‖ **4.** *Com.* Acción y efecto de quebrar un comerciante. ‖ **5.** *Der.* Juicio universal para liquidar y calificar la situación del comerciante quebrado. ‖ **culpable.** *Com.* La que se ocasiona por imprudencia, desorden o lujo del comerciante. ‖ **fortuita.** *Com.* La que es resultado de la adversidad en los negocios. ‖

fraudulenta. *Com.* La que se produce con engaño, falsedad, propósito de insolvencia o alzamiento de bienes.

quiebracajete. m. *Guat.* Enredadera silvestre que crece en las cercas de los solares y da en el otoño flores de diversos colores. ‖ **2.** *Guat.* Flor de esta planta.

quiebrahacha. m. **quebracho.**

quiebro. m. Ademán que se hace con el cuerpo, como doblándolo por la cintura. ‖ **2.** fig. y fam. Gorgorito hecho con la voz. ‖ **3.** *Mús.* Nota o grupo de notas de adorno que acompañan a una principal. ‖ **4.** *Taurom.* Lance o suerte con que el torero hurta el cuerpo, con rápido movimiento de la cintura, al embestirle el toro.

quien. (Del lat. *quĕm*, acus. de *qui*.) pron. relat. que no varía de género, pero sí de número. Equivale al pronombre **que**, o a **el que, la que,** etc., y a veces a **el cual** y sus variantes. Se refiere a personas y cosas, pero más generalmente a las primeras. *Mi padre, a* QUIEN *respeto; el buen gobierno, por* QUIEN *florecen los Estados.* En singular puede referirse a un antecedente en plural. *Las personas de* QUIEN *he recibido favores.* No puede construirse con el artículo. ‖ **2.** pron. relat. con antecedente implícito. Equivale a «la persona que», «aquel que». QUIEN *mal anda mal acaba.* Cuando depende de un verbo con negación equivale a «nadie que». *No hay* QUIEN *pueda con él.* En los dos casos se usa más el singular. ‖ **3.** pron. interrog. y excl. **quién, quiénes,** con acento prosódico y ortográfico. ¿QUIÉN *mató al comendador?; dime con* QUIÉN *andas y te diré* QUIÉN *eres;* ¡QUIÉN *supiera escribir!* ‖ **4.** pron. indef., también con acento prosódico y ortográfico, usado en la fórmula **quién(es) ... quién(es)** equivale a **uno(s) ... otro(s).** QUIÉN *aconseja la retirada,* QUIÉN *morir peleando.* ‖ **no ser uno quién.** loc. No tener capacidad o habilidad para hacer una cosa.

quienquier. pron. indet. p. us. Apóc. de **quienquiera.**

quienquiera. pron. indet. Persona indeterminada, alguno, sea el que fuere. Ú. antepuesto o pospuesto al verbo, y no se puede construir con el nombre.

quier. (Apóc. de *quiere,* de *querer.*) conj. distrib. ant. **ya,** conj. distrib.

quiescencia. (Del lat. *quiescentĭa.*) f. Calidad de quiescente.

quiescente. (Del lat. *quiescens, -entis.*) adj. Que está quieto pudiendo tener movimiento propio.

quietación. (Del lat. *quietatĭo, -ōnis.*) f. Acción y efecto de quietar o quietarse.

quietador, ra. (Del lat. *quietātor, -ōris.*) adj. Que quieta. Ú. t. c. s.

quietamente. adv. m. Pacíficamente, con quietud y sosiego.

quietar. (Del lat. *quietāre.*) tr. Sosegar, apaciguar, aquietar. Ú. t. c. prnl.

quiete. (Del lat. *quies, quiētis,* descanso.) f. Hora o tiempo que en algunas comunidades se da para recreación después de comer.

quietismo. m. Inacción, quietud, inercia. ‖ **2.** *Teol.* Doctrina de algunos místicos heterodoxos que hacen consistir la suma perfección del alma humana en el anonadamiento de la voluntad para unirse con Dios, en la contemplación pasiva y en la indiferencia de cuanto pueda sucederle en tal estado.

quietista. adj. Partidario del quietismo. Apl. a pers., ú. t. c. s. ‖ **2.** Perteneciente a él.

quieto, ta. (Del lat. *quiētus.*) adj. Que no tiene o no hace movimiento. ‖ **2.** fig. Pacífico, sosegado, sin turbación o alteración. ‖ **3.** fig. No dado a los vicios, especialmente el de la lujuria.

quietud. (Del lat. *quietūdo.*) f. Carencia de movimientos. ‖ **2.** fig. Sosiego, reposo, descanso.

quif. m. **hachís,** un estupefaciente o narcótico.

quijada. (Del lat. vulg. **capseum.*) f. Cada una de las dos mandíbulas de los vertebrados que tienen dientes.

quijal. (De *quijar.*) m. Cada una de las dos mandíbulas. ‖ **2.** Muela de la boca.

quijar. (Del lat. *capsarĭus;* de *capsa,* caja.) m. **quijal.**

quijarudo, da. adj. Que tiene grandes y abultadas las quijadas.

quijera. (Del lat. *capsarĭa;* de *capsa,* caja.) f. Hierro que guarnece el tablero o cureña de la ballesta. ‖ **2.** Cada una de las dos correas de la cabezada del caballo, que van de la frontalera a la muserola. ‖ **3.** *Carp.* Cada una de las dos ramas de la horquilla que se forma en el extremo de un madero al hacer una caja para que entre la garganta de otro.

quijero. (Del lat. *capsarĭus;* de *capsa,* caja.) m. Lado en declive de la acequia o brazal.

quijo. (Del aimara *kisu kala.*) m. *Amér.* Cuarzo que en los filones sirve regularmente de matriz al mineral de oro o plata.

quijones. m. Planta herbácea anual de la familia de las umbelíferas, con tallo erguido, delgado, de dos a tres decímetros de altura; hojas partidas en segmentos lineales, flores blancas y fruto seco, de semilla piramidal con un pico muy largo.

quijongo. m. *C. Rica* y *Nicar.* Instrumento músico de cuerda que usan los indios.

quijotada. f. Acción propia de un quijote[2].

quijote[1]. (Del lat. *coxa,* cadera, a través del cat. *cuixot*.) m. Pieza del arnés destinada a cubrir el muslo. ‖ **2.** En el cuarto trasero de las caballerías, la parte comprendida entre el cuadril y el corvejón. Ú. m. en pl.

quijote[2]. (Por alusión a *don Quijote* de la Mancha.) m. Hombre que antepone sus ideales a su conveniencia y obra desinteresada y comprometidamente en defensa de causas que considera justas, sin conseguirlo. ‖ **2.** Hombre alto, flaco y grave, cuyo aspecto y carácter hacen recordar al héroe cervantino.

quijotería. (De *quijote*[2].) f. Modo de proceder de un quijote[2].

quijotesa. f. Mujer que posee las cualidades morales de un quijote[2].

quijotescamente. adv. m. Con quijotismo.

quijotesco, ca. adj. Que obra con quijotería. ‖ **2.** Que se ejecuta con quijotería. ‖ **3.** Propio o característico de don Quijote de la Mancha o de cualquier **quijote**[2], hombre.

quijotil. adj. Perteneciente o relativo al quijote[2].

quijotismo. (De *quijote*[2].) m. Exageración en los sentimientos caballerosos. ‖ **2.** Engreimiento, orgullo.

quila. (Del arauc. *cula,* caña.) f. *Amér. Merid.* Especie de bambú, más fuerte y de usos más variados que el malayo.

quilatador. m. El que quilata el oro, la plata o las piedras preciosas.

quilatar. (De *quilate.*) tr. **aquilatar.**

quilate. (Del gr. κεράτιον, peso de cuatro granos, a través del ár. *qīrāṭ.*) m. Unidad de peso para las perlas y piedras preciosas, que equivale a un ciento cuarentavo de onza, o sea 205 miligramos. ‖ **2.** Cada una de las veinticuatroavas partes en peso de oro puro que contiene cualquier aleación de este metal, y que a su vez se divide en cuatro granos. ‖ **3.** Moneda castellana antigua, con el valor de medio dinero. ‖ **4.** Pesa de un **quilate.** ‖ **5.** V. **dineral de quilates.** ‖ **6.** fig. Grado de perfección en cualquier cosa no material. Ú. comúnmente en pl. ‖ **por quilates.** loc. adv. fig. y fam. Menudamente, con pequeñísimas cantidades o porciones.

quilatera. f. Instrumento con agujeros de diversos tamaños, que sirve para apreciar los quilates de las perlas.

quili-. prefijo **kili-.**

quiliárea. f. **kiliárea.**

quilífero, ra. (De *quilo*[1] y el lat. *ferre*, llevar.) adj. *Anat.* Dícese de cada uno de los vasos linfáticos de los intestinos, que absorben el quilo durante la quilificación y lo conducen al canal torácico.

quilificación. f. *Fisiol.* Acción y efecto de quilificar o quilificarse.

quilificar. (De *quilo*[1] y el sufijo *-ficar*, tomado del lat. *facĕre*, hacer.) tr. *Fisiol.* Convertir en quilo[1] el alimento. Ú. m. c. prnl.

quilma. (Del ár. *qilba*, odre.) f. En algunas partes, costal de tela gruesa.

quilmay. (De or. araucano.) m. *Chile.* Planta trepadora, de la familia de las apocináceas, que se distingue por sus flores, comúnmente blancas, y sus hojas grandes, aovadas, de un verde subido y lustrosas por encima, como la camelia; su tallo está cubierto de un vello blanquecino y su raíz es medicinal.

quilo[1]. (Del gr. χυλός, jugo, a través del lat. *chylon*.) m. *Fisiol.* Linfa de aspecto lechoso por la gran cantidad de grasa que acarrea, y que circula por los vasos quilíferos durante la digestión. ‖ **sudar** uno **el quilo.** fr. fig. y fam. Trabajar con gran fatiga y desvelo.

quilo[2]. m. **kilo.**

quilo[3]. (Del arauc. *quelu*, colorado.) m. *Chile.* Arbusto de la familia de las poligonáceas, lampiño, de ramos flexuosos y trepadores, hojas oblongas algo asacteadas, flores axilares o aglomeradas en racimo, y fruto azucarado, comestible, del cual se hace una chicha. ‖ **2.** *Chile.* Fruto de este arbusto.

quilo-. elem. compos. **kilo-.**

quilográmetro. m. **kilográmetro.**

quilogramo. m. **kilogramo.**

quilolitro. m. **kilolitro.**

quilombo. (De or. africano.) m. *Venez.* Choza, cabaña campestre. ‖ **2.** *Chile* y *R. de la Plata.* Mancebía, lupanar, casa de mujeres públicas. ‖ **3.** fig. y vulg. *Argent.* Lío, barullo, gresca, desorden.

quilométrico, ca. adj. **kilométrico.**

quilómetro. m. **kilómetro.**

quiloso, sa. adj. Que tiene quilo[1] o participa de él.

quilquil. (Del arauc. *culcul*, mata.) m. *Chile.* Helecho arbóreo de la familia de las polipodiáceas; su tronco tiene a veces un metro de alto y sus ramas casi otro tanto.

quiltro. m. *Chile.* Perrucho.

quilla. (Del fr. *quille*.) f. Pieza de madera o hierro, que va de popa a proa por la parte inferior del barco y en que se asienta toda su armazón. ‖ **2.** *Zool.* Parte saliente y afilada del esternón de las aves, más desarrollada en las de vuelo vigoroso y sostenido. ‖ **3.** *Zool.* Cada una de las partes salientes y afiladas que tiene la cola de algunos peces, como el marrajo. ‖ **dar de quilla,** o **la quilla.** fr. *Mar.* Inclinar o escorar un barco halando desde otro o desde tierra, de aparejos dados a la cabeza de sus palos, para descubrir bien todo el costado hasta la **quilla** y poderlo limpiar o componer. ‖ **de balance.** *Mar.* Cada una de las piezas longitudinales y salientes de la carena paralelas a la quilla, que sirven para amortiguar los balances.

quillango. m. *Argent.* Manta formada de pieles cosidas que usaban ciertas parcialidades indias. ‖ **2.** *Argent.* Por ext., cierto tipo de cobertor hecho de pieles, principalmente de guanaco.

quillay. (Del arauc. *cúllay*, cierto árbol.) m. *Argent.* y *Chile.* Árbol de la familia de las rosáceas, de gran tamaño, madera útil y cuya corteza interior se usa como jabón para lavar telas y la cabeza de las personas. Su tronco es alto, derecho y cubierto de corteza gruesa y cenicienta; muy frondoso, con hojas menudas, coriáceas, elípticas, obtusas, algo dentadas, lampiñas y cortamente pecioladas; sus

flores tienen pétalos blanquecinos y cáliz tomentoso por fuera, y su fruto es un folículo tomentoso.

quillotra. (De *quillotro*.) f. fam. Amiga, amante.

quillotrador, ra. adj. fam. Que quillotra.

quillotranza. (De *quillotrar*.) f. fam. Trance, conflicto, amargura.

quillotrar. (De *quillotro*.) tr. fam. Excitar, estimular, avivar. ‖ **2.** fam. Cortejar, enamorar a una persona. Ú. t. c. prnl. ‖ **3.** fam. Gustar mucho, cautivar. ‖ **4.** fam. Meditar, pensar, estudiar, discurrir. ‖ **5.** fam. Componer, engalanar. Ú. t. c. prnl. ‖ **6.** prnl. fam. Quejarse, lamentarse.

quillotro. (De *aquello otro*.) m. Voz rústica con que se daba a entender aquello que no se sabia o no se acertaba a expresar de otro modo. ‖ **2.** fam. Excitación, incentivo, estímulo. ‖ **3.** fam. Indicio, síntoma, señal. ‖ **4.** fam. Amorío, enamoramiento. ‖ **5.** fam. Devaneo. ‖ **6.** fam. Requiebro, galantería. ‖ **7.** fam. Adorno, gala. ‖ **8.** fam. Amigo, favorito.

quima. (Del gr. κῶμα, -ατος, brote de planta, a través del lat. *cyma, -ătis*.) f. *Ast.* y *Cantabria.* Rama de un árbol.

quimba. f. *Col., Ecuad.* y *Venez.* Especie de calzado rústico.

quimbámbaras. f. pl. *Ant.* **quimbambas.**

quimbambas. f. pl. **en las quimbambas.** loc. adv. En sitio lejano o impreciso.

quimbombó. m. *Cuba.* **quingombó,** planta.

quimera. (Del gr. χίμαιρα, animal fabuloso, a través del lat. *chimaera*.) f. Monstruo imaginario que, según la fábula, vomitaba llamas y tenía cabeza de león, vientre de cabra y cola de dragón. ‖ **2.** fig. Lo que se propone a la imaginación como posible o verdadero, no siéndolo. ‖ **3.** fig. Pendencia, riña o contienda.

quimerear. tr. p. us. Promover quimeras o riñas.

quimérico, ca. adj. Fabuloso, fingido o imaginado sin fundamento.

quimerino, na. adj. De pura quimera, irreal.

quimerista. adj. Amigo de ficciones y de cosas quiméricas. Ú. t. c. s. ‖ **2.** Aplícase a la persona que mueve riñas o pendencias. Ú. t. c. s.

quimerizar. intr. Fingir quimeras imaginarias.

quimia. (Del gr. χυμεία, mezcla de muchos jugos.) f. ant. Ciencia química y alquimia.

química. (Del gr. χυμική, t. f. de -κός, químico.) f. Ciencia experimental que estudia las transformaciones de unas sustancias en otras, sin que se alteren los elementos que las integran ‖ **biológica.** La de los seres vivos. ‖ **inorgánica.** La de los cuerpos simples y de los compuestos que no contienen carbono en sus moléculas. ‖ **mineral. química inorgánica.** ‖ **orgánica.** La de los compuestos que contienen carbono en sus moléculas.

químicamente. adv. Según las reglas de la química.

químico, ca. (Del gr. χυμικός.) adj. Perteneciente a la química. ‖ **2.** V. **ingeniero químico.** ‖ **3.** Por contraposición a físico, concerniente a la composición de los cuerpos. ‖ **4.** m. y f. Persona que profesa la química o tiene en ella especiales conocimientos.

quimificación. f. *Fisiol.* Acción y efecto de quimificar o quimificarse.

quimificar. (De *quimo* y el sufijo *-ficar*, a semejanza de *clarificar*.) tr. *Fisiol.* Convertir en quimo el alimento. Ú. m. c. prnl.

quimioterapia. f. Método curativo o profiláctico de las enfermedades, en especial de las infecciosas, por medio de productos químicos.

quimista. m. ant. El que profesaba la alquimia.

quimo. (Del gr. χυμός, jugo, a través del lat. *chymus*.) m. *Fisiol.* Pasta homogénea y agria, variable según los casos, en que los alimentos se transforman en el estómago por la digestión.

quimón. (Del japonés *quimono.*) m. Tela de algodón, que tiene unos seis metros y medio de largo por pieza, y cada una hace un corte de bata; es tela muy fina, estampada y pintada, y las mejores se fabrican en el Japón.

quimono. m. Túnica japonesa o hecha a su semejanza, que usan las mujeres, y que se caracteriza por sus mangas anchas y largas. Es abierta por delante y se cruza ciñéndose a la cintura mediante un cinturón.

quimosina. (De *quimo.*) f. *Quím.* Fermento que existe en la mucosa del estómago de los mamíferos lactantes, cuajo.

quin. (Del quechua *kiñu,* agujero.) m. *Col.* **quiñazo,** golpe con la punta del trompo. ‖ **2.** *Col.* Agujero que esta punta hace.

quina[1]. (Del lat. *quina,* neutro de *quini,* cada cinco.) f. En el juego de la lotería, acierto de cinco números. ‖ **2.** pl. Armas de Portugal, que son cinco escudos azules puestos en cruz, y en cada escudo cinco dineros en aspa. ‖ **3.** En algunos juegos de dados, dos cincos cuando salen en una tirada.

quina[2]. (De *quinaquina.*) f. Corteza del quino, de aspecto variable según la especie de árbol de que procede, muy usada en medicina por sus propiedades febrífugas. ‖ **2.** Líquido confeccionado con la corteza de dicho árbol y otras sustancias, que se toma como medicina, tónico o mera bebida de aperitivo. ‖ **de la tierra.** *Cuba.* **aguedita,** árbol. ‖ **de Loja. quina** gris. ‖ **tragar quina.** fr. fig. y fam. Soportar o sobrellevar algo a disgusto.

quina[3]. (Del ár. *qinna.*) f. ant. **gálbano.**

quinado, da. adj. Dícese del vino u otro líquido que se prepara con quina.

quinal. (Del lat. *quini,* de cinco en cinco, a través del b. lat. *quinale.*) m. *Mar.* Cabo grueso que, cuando hace mal tiempo, se encapilla en la cabeza de los palos para ayudar a los obenques.

quinao. (Del lat. *quin autem,* mas en contra.) m. Enmienda concluyente que al error de su contrario hace el que argumenta.

quinaquina. (Del quechua *quinaquina,* corteza.) f. Corteza del quino.

quinario, ria. (Del lat. *quinarǐus.*) adj. Compuesto de cinco elementos, unidades o guarismos. Ú. t. c. s. m. ‖ **2.** m. Moneda romana de plata, que valía cinco ases o medio denario. ‖ **3.** Espacio de cinco días que se dedican a la devoción y culto de Dios o de sus santos.

quincalla. (Del fr. *quincaille.*) f. Conjunto de objetos de metal, generalmente de escaso valor; como tijeras, dedales, imitaciones de joyas, etc.

quincallería. f. Fábrica de quincalla. ‖ **2.** Tienda o lugar donde se vende. ‖ **3.** Comercio de quincalla. ‖ **4.** Conjunto de quincalla.

quincallero, ra. m. y f. Persona que fabrica o vende quincalla.

quince. (Del lat. *quindĕcim.*) adj. Diez y cinco. ‖ **2.** Decimoquinto, ordinal. *Número* QUINCE; *año* QUINCE. Apl. a los días del mes, ú. t. c. s. *El* QUINCE *de enero.* ‖ **3.** m. Conjunto de signos o cifras con que se representa el número **quince.** ‖ **4.** Juego de naipes, cuyo fin es hacer **quince** puntos con las cartas que se reparten una a una, y si no se hacen, gana el que tiene más puntos sin pasar de **quince.** ‖ **5.** En el juego de pelota a largo, cada uno de los dos primeros lances y tantos que se ganan. ‖ **la quince.** loc. V. **correo a las quince.** ‖ **dar** uno **quince y falta** a otro. fr. fig. y fam. ‖ **dar** uno **quince y raya** a otro. fr. fig. y fam. Excederle mucho en cualquier habilidad o mérito. Se dice con alusión al juego de la pelota.

quinceañero, ra. adj. Que tiene quince años o alrededor de esa edad. Ú. t. c. s.

quinceavo, va. (De *quince* y *-avo.*) adj. *Arit.* Dícese de

cada una de las quince partes iguales en que se divide un todo. Ú. t. c. s.

quincena. f. Espacio de quince días. ‖ **2.** Paga que se recibe cada quince días. ‖ **3.** Acertijo que se ha de adivinar, haciendo, según ciertas reglas, a quien lo propone, quince preguntas a lo más. ‖ **4.** Detención gubernativa durante quince días. ‖ **5.** *Mús.* Intervalo que comprende las quince notas sucesivas de dos octavas. ‖ **6.** *Mús.* Registro de trompetería en el órgano, que corresponde a este intervalo.

quincenal. adj. Que sucede o se repite cada quincena. ‖ **2.** Que dura una quincena.

quincenario, ria. adj. Que sucede cada quincena. ‖ **2.** m. y f. Persona que sufre en la cárcel una o más quincenas.

quinceno, na. adj. Decimoquinto, ordinal. ‖ **2.** m. y f. Muleto o muleta de quince meses.

quincineta. f. **avefría,** ave fría.

quincuagena. (Del lat. *quinquagēna,* neutro de *-ni,* cincuenta.) f. Conjunto de cincuenta cosas de una misma especie.

quincuagenario, ria. (Del lat. *quinquagenarǐus.*) adj. Que consta de cincuenta unidades. ‖ **2.** Que tiene cincuenta años cumplidos. Ú. t. c. s.

quincuagésima. (Del lat. *quinquagesǐma,* t. f. de *-mus.* quincuagésimo, por ser el quincuagésimo día antes de la Pascua de Resurrección.) f. Nombre con que se designaba a la dominica que precede a la primera de cuaresma.

quincuagésimo, ma. (Del lat. *quinquagesǐmus.*) adj. Que sigue inmediatamente en orden al o a lo cuadragésimo nono. ‖ **2.** Dícese de cada una de las cincuenta partes iguales en que se divide un todo. Ú. t. c. s.

quincunce. (Del lat. *quincunx, -cis.*) m. Disposición semejante a la figura de un cinco de dados, con cuatro puntos que forman rectángulo o cuadrado y otro punto en el centro.

quincuncial. (Del lat. *quincunciālis.*) adj. Dispuesto en forma de quincunce.

quincha. (De or. quechua.) f. *Amér. Merid.* Tejido o trama de junco con que se afianza un techo o pared de paja, totora, cañas, etc. ‖ **2.** *NO. Argent., Chile y Perú.* Pared hecha de cañas, varillas u otra materia semejante, que suele recubrirse de barro y se emplea en cercas, chozas, corrales, etc.

quinchamalí. (De or. araucano.) m. *Chile.* Planta medicinal, de la familia de las santaláceas, de la que hay varias especies, anuales, lampiñas, con hojas lineares y flores amarillas, terminales, dispuestas en espigas cortas y apretadas.

quinchar. tr. *Amér. Merid.* Cubrir o cercar con quinchas.

quinchihue. m. *Amér. Merid.* Planta anual, de color verde claro, pelada, olorosa, con hojas opuestas, cabezuelas numerosas, pequeñas, cilíndricas, dispuestas en corimbos terminales, y flores amarillas. Es también medicinal.

quincho. m. *Argent.* Construcción usada para resguardo en comidas al aire libre que consiste comúnmente en un techo de paja sostenido por columnas de madera.

quinchoncho. m. Arbusto de la familia de las papilionáceas, procedente de la India y cultivado en América, con hojas compuestas de tres hojuelas, estípulas lanceoladas, flores purpúreas y vaina linear con dos o tres semillas comestibles.

quindécimo, ma. (Del lat. *quindecǐmus,* decimoquinto.) adj. Dícese de cada una de las quince partes en que se divide un todo, quinzavo.

quindenial. adj. Que sucede o se repite cada quindenio. ‖ **2.** Que dura un quindenio.

quindenio. (Del lat. *quindecennǐum.*) m. Espacio de quince años. ‖ **2.** Cantidad que se pagaba a Roma de las rentas eclesiásticas, agregadas por el pontífice a comunidades o manos muertas.

quindiano, na. adj. Natural del departamento del Quindío. ‖ **2.** Perteneciente o relativo a este departamento de Colombia.

quinesiología. (Del gr. χίνησις, movimiento, y *-logía*.) f. Conjunto de los procedimientos terapéuticos encaminados a restablecer la normalidad de los movimientos del cuerpo humano, y conocimiento científico de aquellos.

quinesiológico, ca. adj. Perteneciente o relativo a la quinesiología.

quinesiólogo, ga. m. y f. Persona experta en quinesiología.

quinesioterapia o **quinesiterapia.** (Del gr. χίνησις, y *terapia*.) f. *Med.* Método terapéutico por medio de movimientos activos o pasivos de todo el cuerpo o de alguna de sus partes.

quinesioterápico, ca o **quinesiterápico, ca.** adj. *Med.* Perteneciente o relativo a la quinesioterapia.

quinete. (Del fr. *quinette*.) m. Estameña ordinaria que venía de Amiens y de Le Mans.

quingentésimo, ma. (Del lat. *quingentesĭmus*.) adj. Que sigue inmediatamente en orden al o a lo cuadringentésimo nonagésimo nono. ‖ **2.** Dícese de cada una de las 500 partes iguales en que se divide un todo. Ú. t. c. s.

quingombó. m. Planta herbácea originaria de África y cultivada en América, de la familia de las malváceas, de tallo recto y velludo, hojas grandes y flores amarillas, parecidas a las del algodonero, y fruto alargado, casi cilíndrico y lleno de semillas que al madurar toman un color oscuro. El fruto tierno se emplea en algunos guisos, dando una especie de gelatina que los espesa, y también en medicina. La planta, que es filamentosa, se emplea como textil.

quingos. (De or. quechua.) m. *Amér.* Líneas o direcciones que forman alternativamente ángulos entrantes y salientes, zigzag.

quiniela. f. Juego de pelota entre cinco jugadores. ‖ **2.** Apuesta mutua en la que los apostantes pronostican los resultados de los partidos de fútbol, carreras de caballos y otras competiciones. ‖ **3.** Boleto en que se escribe la apuesta. ‖ **4.** *Argent., Par., Sto. Dom. y Urug.* Juego que consiste en apostar a la última o a las últimas cifras de los premios mayores de la lotería. ‖ **5.** pl. Conjunto de estas apuestas.

quinielero, ra. m. y f. *Argent., Par., Sto. Dom. y Urug.* Capitalista u organizador de quinielas. ‖ **2.** *Argent., Par., Sto. Dom. y Urug.* Persona que recibe o realiza apuestas de quiniela.

quinielista. com. Jugador de quinielas.

quinielístico, ca. adj. Perteneciente o relativo a la quiniela.

quinientista. adj. Perteneciente o relativo al siglo XVI.

quinientos, tas. (Del lat. *quingenti*.) adj. Cinco veces ciento. ‖ **2.** Que sigue al cuadringentésimo nonagésimo nono. *Número* QUINIENTOS; *año* QUINIENTOS. ‖ **3.** Dícese de cada una de las 500 partes en que se divide un todo. ‖ **4.** m. Signo o conjunto de signos o cifras con que se representa el número **quinientos.** ‖ **esos son otros quinientos.** expr. fig. y fam. con que se explica que uno hace o dice otro despropósito sobre el que ya ha hecho o dicho.

quinina. f. Alcaloide vegetal que se extrae de la quina y es en sumo grado el principio activo febrífugo de este medicamento. Es sustancia blanca, amorfa, sin olor, muy amarga y poco soluble, por lo cual rara vez se emplea pura en medicina, pero mucho sus sales.

quinismo. (De *quina*.) m. *Med.* Conjunto de fenómenos generales que produce en el organismo el uso o abuso de la quinina.

quino. (De or. quechua.) m. Árbol americano del que hay varias especies, pertenecientes a la familia de las rubiáceas, con hojas opuestas, ovales, más o menos grandes y apuntadas, enteras, lisas en la haz y algo vellosas en el envés, y fruto seco, capsular, con muchas semillas elipsoidales. Su corteza es la quina. ‖ **2.** Concreción de diversos zumos vegetales muy usada como astringente. ‖ **3.** Quina². corteza del **quino.**

quínola. f. En cierto juego de naipes, lance principal, que consiste en reunir cuatro cartas de un palo, ganando, cuando hay más de un jugador que tenga **quínola,** aquella que suma más puntos, atendiendo al valor de las cartas. ‖ **2.** fam. Rareza, extravagancia. ‖ **3.** pl. Juego de naipes cuyo lance principal es la **quínola.** ‖ **estar de quínolas.** fr. fig. y fam. Juntarse especies o colores distintos. ‖ **2.** fig. y fam. Estar vestido de diversos colores.

quinolear. tr. Disponer la baraja para el juego de las quínolas.

quinolillas. (d. de *quínolas*.) f. pl. **quínolas.**

quinoto. (Del it. *chinotto*.) m. *Argent.* Arbusto de la familia de las rutáceas, con flores perfumadas y frutos pequeños, de color anaranjado, muy usados para la preparación de dulces y licores. ‖ **2.** *Argent.* Fruto de este arbusto.

quinqué. (Del fr. *Quinquet*, nombre del primer fabricante de esta clase de lámparas.) m. Lámpara de mesa alimentada con petróleo y provista de un tubo de cristal que resguarda la llama.

quinquefolio. (Del lat. *quinquefolĭum*.) m. **cincoenrama,** hierba.

quinquelingüe. adj. Que habla cinco lenguas. ‖ **2.** Escrito en cinco idiomas.

quinquenal. (Del lat. *quinquennālis*.) adj. Que sucede o se repite cada quinquenio. ‖ **2.** Que dura un quinquenio.

quinquenervia. (Del lat. *quinque*, cinco, y *nervus*, nervio.) f. Llantén menor, lanceóla.

quinquenio. (Del lat. *quinquennĭum*.) m. Tiempo de cinco años. ‖ **2.** Incremento económico de un sueldo o salario al cumplirse cada cinco años de antigüedad en un puesto de trabajo.

quinqui. com. Persona que pertenece a cierto grupo social marginado de la sociedad por su forma de vida.

quinquies. adj. Vocablo latino que significa «cinco veces» y que, en una serie ordenada, puede añadirse al nombre de un número entero tras el que se ha introducido un número quáter.

quinquillería. f. **quincallería.**

quinquillero. m. **quincallero.** ‖ **2.** **quinqui.**

quinquina. f. **quina².**

quinta. (Del lat. *quinta*, t. f. de *-tus*, quinto.) f. Casa de recreo en el campo, cuyos colonos solían pagar por renta la quinta parte de los frutos. ‖ **2.** Acción y efecto de quintar. ‖ **3.** En el juego de los cientos, cinco cartas de un palo, seguidas en orden. ‖ **4.** Reemplazo anual para el servicio militar. ‖ **5.** Por ext., conjunto de personas que nacieron en el mismo año. ‖ **6.** Marcha o velocidad de mayor recorrido en el motor de algunos vehículos. ‖ **7.** *Mús.* Intervalo que consta de tres tonos y un semitono mayor. ‖ **8.** pl. Operaciones o actos administrativos del reclutamiento. ‖ **quinta remisa.** *Mús.* Nota que sigue inmediatamente a la cuarta. ‖ **entrar en quintas.** fr. En el servicio militar, llegar a la edad en que se sortea.

quintacolumnista. com. Persona afiliada a la quinta columna de un país.

quintada. f. Broma, generalmente vejatoria, que dan en los cuarteles los soldados veteranos a los de nuevo reemplazo. ‖ **2.** **novatada.**

quintador, ra. adj. Que quinta. Ú. t. c. s.

quintaesencia. f. **quinta esencia,** lo más puro, más fino y acendrado de alguna cosa. ‖ **2.** Última esencia o extracto de alguna cosa.

quintaesenciar. tr. Refinar, apurar, alambicar.

quintal. (Del ár. *qintâr*.) m. Peso de cien libras equivalente en Castilla a 46 kilogramos aproximadamente. ‖ **2.** Pesa de cien libras. ‖ **métrico.** Peso de cien kilogramos.

quintalada. (De *quintal*.) f. Cantidad que del importe de los fletes, después de sacar el daño de averías, resultaba del dos y medio por ciento del producto líquido, para repartirla a la gente de mar que más había trabajado y servido en el viaje.

quintaleño, ña. adj. Capaz de un quintal o que lo contiene.

quintalero, ra. adj. Que tiene el peso de un quintal.

quintana. (Del lat. *quintâna*.) f. Casa de recreo en el campo, cuyos colonos solían pagar por renta la quinta parte de los frutos. ‖ **2.** Una de las puertas, vías o plazas de los campamentos romanos, donde se vendían víveres. ‖ **3.** ant. Plaza.

quintanarroense. adj. Natural del Estado mejicano de Quintana Roo. Ú. t. c. s. ‖ **2.** Perteneciente o relativo a dicho Estado.

quintante. (De *quinto*.) m. Instrumento astronómico para las observaciones marítimas, que consiste en un sector de círculo, graduado, de 72 grados, o sea la quinta parte del total, provisto de dos reflectores y un anteojo.

quintañón, na. (De *quintal*, por alusión a las cien libras de que se compone.) adj. fam. **centenario,** que tiene cien años. Ú. t. c. s.

quintar. (De *quinto*.) tr. Sacar por suerte uno de cada cinco. ‖ **2.** Sortear el destino de los mozos que han de hacer el servicio militar. ‖ **3.** Pagar al rey el derecho llamado quinto. ‖ **4.** Dar la quinta y última vuelta de arado a las tierras para sembrarlas. ‖ **5.** intr. Llegar al número de cinco. Se usa regularmente hablando de la Luna cuando llega al quinto día. ‖ **6.** Pujar la quinta parte en los remates de arrendamiento y compras.

quintería. (De *quintero*.) f. Casa de campo o cortijo para labor.

quinterna. f. Quinterno de la antigua lotería primitiva.

quinterno. (De *quinto*.) m. Cuaderno de cinco pliegos. ‖ **2.** Suerte o acierto de cinco números en el juego de la antigua lotería primitiva o en el de la de cartones.

quintero. m. El que tiene arrendada una quinta, o labra y cultiva las heredades que pertenecen a la misma. ‖ **2.** Jornalero que ara y cultiva la tierra.

quinteto. (Del it. *quintetto*.) m. Conjunto de cinco personas, animales o cosas. ‖ **2.** *Métr.* Combinación de cinco versos de arte mayor aconsonantados y ordenados como los de la quintilla. ‖ **3.** *Mús.* Composición a cinco voces o instrumentos. ‖ **4.** *Mús.* Conjunto de estas voces o instrumentos o de los cantantes o instrumentistas.

quintil. (Del lat. *quintilis*.) m. Quinto mes del año en el primitivo calendario romano.

quintilla. (De *quinto*.) f. *Métr.* Combinación de cinco versos octosílabos, con dos diferentes consonancias, y ordenados generalmente de modo que no vayan juntos los tres a que corresponde una de ellas, ni los dos últimos sean pareados. ‖ **2.** *Métr.* Combinación de cinco versos de cualquier medida con distintas consonancias. ‖ **andar, o ponerse,** uno **en quintillas con** otro. fr. fig. y fam. Oponérsele, porfiando y contendiendo con él.

quintillizo, za. (De *quinto* e *-izo*.) adj. Dícese de cada uno de los hijos nacidos de un parto quíntuple.

quintillo. (d. de *quinto*.) m. Juego del hombre, con algunas modificaciones cuando se juega entre cinco.

quintín[1]. m. Tela de hilo muy fina y rala que se fabricaba en Quintín, ciudad de Bretaña.

Quintín[2] (San). n. p. **armarse, o haber, la de San Quintín.** fr. fig. Haber riña o pelea entre dos o más personas.

quinto, ta. (Del lat. *quintus*.) adj. Que sigue inmediatamente en orden al o a lo cuarto. ‖ **2.** Dícese de cada una de las cinco partes iguales en que se divide un todo. Ú. t. c. s. ‖ **3.** V. **quinta columna, quinta esencia.** ‖ **4.** m. Mozo desde que sortea hasta que se incorpora al servicio militar. ‖ **5.** Derecho de 20 por 100. ‖ **6.** Cierta especie de derecho que se pagaba al rey, de las presas, tesoros y otras cosas semejantes, que siempre era la **quinta** parte de lo hallado, descubierto o aprehendido. ‖ **7.** Parte de dehesa o tierra, aunque no sea la **quinta.** ‖ **8.** Medida de líquidos que contiene la **quinta** parte de un litro. ‖ **9.** *Der.* **quinta** parte de la herencia, que, aun teniendo hijos, podía el testador legar libremente, según la legislación anterior al código civil. ‖ **10.** *Mar.* Cada una de las cinco partes en que dividían los marineros la hora para sus cómputos.

quintral. (Del arauc. *cauthal*.) m. *Chile.* Muérdago de flores rojas, de cuyo fruto se extrae liga, y sirve para teñir. ‖ **2.** *Chile.* Cierta enfermedad que sufren las sandías y porotos.

quíntuple. adj. **quíntuplo.**

quintuplicación. f. Acción y efecto de quintuplicar o quintuplicarse.

quintuplicar. (Del lat. *quintuplicâre*.) tr. Hacer cinco veces mayor una cantidad. Ú. t. c. prnl.

quíntuplo, pla. (Del lat. *quintûplus*.) adj. Que contiene un número cinco veces exactamente. Ú. t. c. s.

quinua. (De or. quechua.) f. *NO. Argent., Bol.* y *Perú.* Planta anual, de la familia de las quenopodiáceas, de hojas triangulares y racimos paniculares compuestos.

quinzal. m. Madero en rollo, de 15 pies de largo del marco de Valladolid.

quinzavo, va. (De *quince* y *-avo*.) adj. **quinceavo.** Ú. t. c. s.

quiñar. (Del quechua *k'iñay*, hender.) tr. *Col., Chile, Ecuad., Pan.* y *Perú.* Dar golpes con la púa del trompo. ‖ **2.** *Perú.* Desportillar, descantillar, astillar.

quiñazo. (Del quechua *k'iña*, hendidura.) m. *Col., Chile, Ecuad.* y *Perú.* **cachada,** golpe dado con la púa del trompo. ‖ **2.** Agujero que hace la púa del trompo. ‖ **3.** Golpe de mala suerte. ‖ **4.** Encontrón, empujón.

quiñón. (Del lat. *quinîo, -ônis*.) m. Parte que uno tiene con otros en una cosa productiva. Se usa regularmente hablando de las tierras que se reparten para sembrar. ‖ **2.** Porción de tierra de cultivo, de dimensión variable según los usos locales. ‖ **3.** Medida agraria usada en Filipinas, igual a 10 balitas y a 360.000 pies cuadrados. Su equivalencia métrica, 2 hectáreas, 79 áreas y 50 centiáreas.

quiñonero. m. Dueño de un quiñón.

Quío[1]. n. p. V. **trementina de Quío.**

quío[2], a. (Del gr. Κῖος, a través del lat. *Chius*.) adj. Natural de Quío. Ú. t. c. s. ‖ **2.** Perteneciente o relativo a esta isla de Grecia.

quiosco. (Del ár. *kušk*.) m. Templete o pabellón de estilo oriental y generalmente abierto por todos lados, que se construye en azoteas, jardines, etc., para descansar, tomar el fresco, recrear la vista y otros usos. ‖ **2.** Construcción pequeña que se instala en la calle o lugares públicos para vender en ella periódicos, flores, etc. ‖ **de necesidad.** Retrete público.

quiosquero, ra. m. y f. Persona que trabaja en un quiosco, especialmente de periódicos.

quipu. (Del quechua *quipu*, nudo.) m. Cada uno de los ramales de cuerdas anudados, con diversos nudos y varios colores, con que los indios del Perú suplían la falta de escritura y daban razón, así de las historias y noticias, como de las cuentas en que es necesario usar guarismos. Ú. m. en pl.

quique. (Del arauc. *quiqui*.) m. *Amér. Merid.* Especie de comadreja.

quiquiriquí. m. Voz imitativa del canto del gallo. ‖ **2.** fig. y fam. Persona que quiere sobresalir y gallear.

quir-. V. **quiro-.**

quiragra. (Del gr. χειράγρα, a través del lat. *chiragra*.) f. Gota de las manos.

quirate. (Del ár. *qírât*.) m. *Numism.* Moneda de plata usada por los almorávides españoles.

quirguiz. (Del turco *Kirgiz*.) adj. Aplícase a los individuos de un pueblo de raza tártara que vive entre el Ural y el Irtich. ‖ **2.** m. Lengua hablada por los habitantes de este pueblo.

quiridio. (Del gr. χειρίδιον.) m. *Zool.* Extremidad tipo mano, modelo seguido en el esqueleto de los vertebrados tetrápodos.

quirie. m. **kirie.**

quirigalla. f. Cabra, molusco.

quirinal. (Del lat. *quirinālis*.) adj. Perteneciente a Quirino o Rómulo, o a uno de los siete montes de la antigua Roma. ‖ **2.** Por contraposición a Vaticano, el Estado italiano. ‖ **3.** V. **flamen quirinal.**

quiritario, ria. (De *quirite*.) adj. Perteneciente o relativo a los quirites.

quirite. (Del lat. *quirìtes*.) m. Ciudadano de la antigua Roma.

quiro-. (Del gr. χειρο-.) elem. compos. que significa «mano»: QUIROmancia, QUIRÓptero; ante vocal, toma la forma **quir-:** QUIRagra, QUIRúrgico.

quirófano. (Del gr. χείρ, mano, y φαίνω, mostrar.) m. *Cir.* Local convenientemente acondicionado para hacer operaciones quirúrgicas de manera que puedan presenciarse al través de una separación de cristal. Por ext., se da hoy este nombre a cualquier sala donde se efectúan estas operaciones.

quirografario, ria. adj. Relativo al quirógrafo, o en esta forma acreditado. *Crédito* QUIROGRAFARIO.

quirógrafo, fa. (Del gr. χείρ, mano, y *-grafo*.) adj. Relativo al documento concerniente a la obligación contractual que no está autorizado por notario ni lleva otro signo oficial o público. Ú. m. c. s.

quiromancia o **quiromancía.** (Del gr. χειρομαντεία.) f. Supuesta adivinación de lo concerniente a una persona por las rayas de sus manos.

quiromántico, ca. adj. Perteneciente o relativo a la quiromancia. ‖ **2.** m. y f. Persona que la profesa.

quiróptero. (Del gr. χείρ, mano, y *-ptero*.) adj. *Zool.* Dícese de mamíferos, crepusculares o nocturnos, casi todos insectívoros, que vuelan con alas formadas por una extensa y delgada membrana o repliegue cutáneo que, partiendo de los lados del cuerpo, se extiende sobre cuatro de los dedos de las extremidades anteriores, que son larguísimos, y llega a englobar los miembros posteriores y la cola, cuando esta existe; como el murciélago. Ú. t. c. s. ‖ **2.** m. pl. *Zool.* Orden de estos animales.

quiroteca. (Del gr. χειροθήκη, a través del lat. *chirothéca*.) f. Guante, prenda para cubrir la mano.

quirquincho. (Del quechua *qquirquinchu*, armadillo.) m. *Amér. Merid.* Mamífero, especie de armadillo, de cuyo carapacho se sirven los indios para hacer charangos.

quirúrgico, ca. (Del gr. χειρουργικός, a través del lat. *chirurgìcus*.) adj. Perteneciente o relativo a la cirugía.

quirurgo. (Del gr. χειρουργός, a través del lat. *chirurgus*.) m. **cirujano.**

quisa. f. *Bol.* Plátano maduro, pelado y tostado.

quisca. (Del quechua *quichca*, espina.) f. *Chile.* **quisco.** ‖ **2.** Cada una de las espinas de este árbol.

quisco. m. *Chile.* Especie de cacto espinoso que crece en forma de cirio cubierto de espinas, que alcanzan más de 30 centímetros de largo.

quisicosa. f. fam. Enigma u objeto de pregunta muy dudosa y difícil de averiguar.

quisque. (Del lat. *quisque*, cada uno.) V. **cada quisque.**

quisqui. V. **quisque.**

quisquilla. (Del lat. *quisquilía*, menudencias.) f. Reparo o dificultad menuda, pequeñez. ‖ **2.** Camarón, crustáceo.

quisquillosidad. f. Cualidad de quisquilloso.

quisquilloso, sa. adj. Que se para en quisquillas o pequeñeces. Ú. t. c. s. ‖ **2.** Demasiado delicado en el trato común. Ú. t. c. s. ‖ **3.** Fácil de agraviarse u ofenderse con pequeña causa o pretexto. Ú. t. c. s.

quistarse. (De *quisto*.) prnl. Hacerse querer, o llevarse bien con los demás.

quiste. (Del gr. κύστις, vejiga.) m. *Pat.* Vejiga membranosa que se desarrolla anormalmente en diferentes regiones del cuerpo y que contiene humores o materias alteradas. ‖ **2.** *Biol.* Membrana resistente e impermeable que envuelve a un animal o vegetal de pequeño tamaño, a veces microscópico, manteniéndolo completamente aislado del medio. ‖ **3.** *Biol.* Cuerpo formado por una membrana resistente e impermeable y el pequeño animal o vegetal encerrado en ella.

quistión. f. p. us. **cuestión.**

quisto, ta. (Del lat. *quaesìtus*.) p. p. irreg. ant. de **querer.** Ú. comúnmente con los advs. *bien* o *mal.*

quita. f. *Der.* Remisión o liberación que de la deuda o parte de ella hace el acreedor al deudor. ‖ **quita y espera.** loc. *Der.* Petición que un deudor hace judicialmente a todos sus acreedores, bien para que estos aminoren los créditos o aplacen el cobro, o bien para una y otra de ambas concesiones.

quitación. f. Renta, sueldo o salario. ‖ **2.** ant. V. **carta de quitación.** ‖ **3.** *Der.* **quita.**

quitador, ra. adj. Que quita. Ú. t. c. s. ‖ **2.** V. **perro quitador.** Ú. t. c. s.

quitaesmalte. m. Sustancia líquida, compuesta de acetona, usada para quitar el esmalte de las uñas.

quitaguas. m. **paraguas.**

quitaipón. (De la frase *quita y pon*.) m. **quitapón.**

quitamanchas. com. Persona que tiene por oficio quitar las manchas de las ropas. ‖ **2.** m. Producto natural o preparado que sirve para quitar manchas.

quitamente. adv. m. ant. Totalmente, enteramente.

quitameriendas. f. Planta de la familia de las liliáceas, muy parecida al cólquico, del que se distingue por no estar soldadas entre sí las largas uñas de sus sépalos y pétalos.

quitamiedos. m. Listón o cuerda que, a modo de pasamanos, se coloca en lugares elevados donde hay peligro de caer y que especialmente sirve para evitar el vértigo.

quitamiento. m. **quita.**

quitamotas. com. fig. y fam. Persona aduladora que anda quitando las motas de la ropa a otra persona.

quitanieves. f. Máquina para limpiar de nieve los caminos.

quitanza. f. Finiquito, liberación o carta de pago que se da al deudor cuando paga.

quitapelillos. com. fig. y fam. **quitamotas.**

quitapenas. m. fam. Licor.

quitapesares. (De *quitar* y *pesar*[1].) m. fam. Consuelo o alivio en la pena.

quitapón. (De *quitaipón*.) m. Adorno, generalmente de lana de colores y con borlas, que suele ponerse en la testera de las cabezadas del ganado mular y de carga. ‖ **de quitapón.** loc. adj. fam. **de quita y pon.**

quitar. (Del lat. jurídico medieval *quitàre*.) tr. Tomar una cosa separándola y apartándola de otras, o del lugar o sitio en que estaba. ‖ **2.** Desempeñar lo que estaba en prenda o garantía. QUITAR *un censo.* ‖ **3.** Tomar o coger algo ajeno, hurtar. ‖ **4.** Impedir o estorbar. *Ella me* QUITÓ *el ir a paseo.* ‖ **5.** Prohibir o vedar. QUITAR *el andar a deshora.* ‖ **6.** Derogar, abrogar una ley, sentencia, etc., o librar a uno de una pena, cargo o tributo. ‖ **7.** Suprimir un empleo u oficio. ‖ **8.** Obstar, impedir. *No* QUITA *lo cortés a lo valiente.* ‖ **9.** Despojar o privar de una cosa. QUITAR *la vida.* ‖ **10.** Libertar o desembarazar a uno de una obligación. ‖ **11.** *Esgr.* Defenderse de un tajo o apartar la espada del contrario en otro cualquier género de ida. ‖ **12.** prnl. Dejar una cosa o apartarse totalmente de ella. ‖ **13.** Irse, separarse de un lugar. ‖ **al quitar.** loc. adv. con que se significa la poca permanencia y duración de una cosa. ‖ **2.** *Der.* V. *censo al quitar.* ‖ **de quita y pon.** loc. que se aplica a ciertas piezas o partes de un objeto que están dispuestas para poderlas **quitar** y poner. ‖ **quita,** o **quite, allá.** expr. fam. que se emplea para rechazar a una persona o reprobar por falso, desatinado o ilícito lo que dice o propone. ‖ **quitarse de encima** a alguno o alguna cosa. fr. fig. Librarse de algún enemigo o de alguna importunidad o molestia. ‖ **quita y pon.** loc. fam. Juego de dos cosas destinadas al mismo uso, generalmente prendas de vestir, cuando no se dispone de más repuesto. ‖ **quite de ahí.** expr. fam. **quita,** o **quite, allá.** ‖ **sin quitar ni poner.** loc. adv. Al pie de la letra; sin exageración ni omisión. ‖ **vender al quitar.** fr. *Der.* Enajenar una cosa con pacto de rescate o retroventa.

quitasol. m. Especie de paraguas o sombrilla usado para resguardarse del sol.

quitasolillo. m. *Cuba.* Planta umbelífera rastrera de la que hay varias especies. ‖ **2.** *Cuba.* Hongo comestible llamado también quitasol de brujas.

quitasueño. m. fam. Lo que causa preocupación o desvelo.

quite. m. Acción de quitar o estorbar. ‖ **2.** *Esgr.* Movimiento defensivo con que se detiene o evita el ofensivo. ‖ **3.** *Taurom.* Suerte que ejecuta un torero, generalmente con el capote, para librar a otro del peligro en que se halla por la acometida del toro. ‖ **estar al quite,** o **a los quites.** fr. Estar preparado para acudir en defensa de alguno. ‖ **en al quite.** fr. fig. Acudir prontamente en defensa o auxilio de alguno, sobre todo en cosas de carácter moral. ‖ **no**

tener quite una cosa. fr. fig. No tener remedio, o forma de evitarse, o ser muy difícil impugnarla o resolverla.

quiteño, ña. adj. Natural de Quito. Ú. t. c. s. ‖ **2.** Perteneciente o relativo a esta ciudad de la república del Ecuador.

quitina. (Del gr. χιτών, túnica.) f. *Bioquím.* Hidrato de carbono nitrogenado, de color blanco, insoluble en el agua y en los líquidos orgánicos. Se encuentra en el dermatoesqueleto de los artrópodos, al cual da su dureza especial, en la piel de los nematelmintos y en las membranas celulares de muchos hongos y bacterias.

quitinoso, sa. adj. Que tiene quitina.

quito, ta. (Del lat. jurídico medieval *quitus.*) p. p. irreg. ant. de **quitar.** ‖ **2.** adj. Libre, exento. ‖ **3.** m. ant. **quita.** ‖ **4.** V. *carta de quito.*

quitón. (Del gr. χιτών, túnica.) m. *Zool.* Molusco del grupo de los anfineuros, con concha de ocho piezas alineadas e imbricadas de delante atrás, por lo que estos animales pueden arrollarse en bola.

quitrín. m. Carruaje abierto, de dos ruedas, con una sola fila de asientos y cubierta de fuelle, que se usó en varios países de América.

quivi. m. Arbusto trepador originario de China, de hojas alternas y redondeadas y flores blancas o amarillas, con cinco pétalos. El fruto, de piel ligeramente vellosa y pulpa de color verde, es comestible, y muy apreciado. ‖ **2.** Fruto de esta planta.

quizá. (Del lat. *qui sapit,* quién sabe.) adv. de duda con que se denota la posibilidad de que ocurra o sea cierto lo que se expresa. QUIZÁ *llueva mañana;* QUIZÁ *sea verdad lo que dice;* QUIZÁ *trataron de engañarme.* ‖ **quizá y sin quizá.** loc. que se emplea para dar por segura o por cierta una cosa.

quizabes. (Del lat. *qui sapit,* quién sabe.) adv. de duda ant. **quizá.**

quizás. adv. de duda. **quizá.**

quórum. (Del lat. *quorum,* genit. pl. de *qui.*) m. Número de individuos necesario para que un cuerpo deliberante tome ciertos acuerdos. ‖ **2.** Proporción de votos favorables para que haya acuerdo.

R

r. f. Vigésima primera letra del abecedario español, y decimoséptima de sus consonantes. Su nombre generalmente es **erre**; pero se llama **ere** cuando se quiere hacer notar que representa un sonido simple. Representa dos sonidos con valor fonológico diferencial, uno simple, de una sola vibración apicoalveolar sonora, y otro múltiple, o con dos o más vibraciones; como *caro* y *carro* respectivamente. Para representar el simple empléase una sola *r*; como en *cara, piedra, amor*. El múltiple se representa también con *r* sencilla a principio de vocablo y siempre que va después de *b* con que no forme sílaba, o de *l, n* o *s*, v. gr.: *rama, subrepticio, malrotar, enredo, israelita*; y se representa con *r* duplicada en cualquier otro caso, v. gr.: *parroquia, tierra*. La **erre** transcrita con dos *rr* es doble por su figura, pero representa un fonema único, y como la **ll**, debe estar indivisa en la escritura.

raba. (En fr. *rabes* y *raves*; en al. *rogen*, huevos de los peces.) f. Cebo de pesca hecho de huevas de bacalao. ‖ **2.** *Cantabria* y *P. Vasco.* Calamar frito.

rabada. (De *rabo.*) f. Cuarto trasero de las reses después de matarlas.

rabadán. (Del ár. *rabb aḍ-ḍa'n*, el dueño de los carneros.) m. Mayoral que cuida y gobierna todos los hatos de ganado de una cabaña, y manda a los zagales y pastores. ‖ **2.** Pastor que gobierna uno o más hatos de ganado, a las órdenes del mayoral de una cabaña.

rabadilla. (d. de *rabada*.) f. Punta o extremidad del espinazo, formada por la última pieza del hueso sacro y por todas las del cóccix. ‖ **2.** En las aves, extremidad movible en donde están las plumas de la cola. ‖ **3.** Parte de la carne de vacuno correspondiente a la región de las ancas entre la tapa y el lomo.

rabal. (Del ár. *rabaḍ.*) m. **arrabal**, barrio exterior o extremo de una ciudad.

rabalero, ra. adj. Habitante del barrio del Rabal de Zaragoza. Ú. t. c. s. ‖ **2. arrabalero.** Ú. t. c. s.

rabanal. m. Terreno plantado de rábanos.

rabanero[1], ra. (De *rábano*.) adj. fig. y fam. Dícese de los ademanes y modo de hablar ordinarios o desvergonzados. ‖ **2.** m. y f. Persona que vende rábanos. ‖ **3.** f. **verdulera**, mujer descarada y ordinaria. ‖ **4.** Vasija para colocar rábanos.

rabanero[2], ra. adj. desus. Se dijo de un vestido corto, usado especialmente por mujeres.

rabanillo. m. Planta herbácea anual, de la familia de las crucíferas, de cuatro a seis decímetros de altura, con hojas radicales, ásperas y partidas en lóbulos desigualmente dentados; flores blancas o amarillas con venas casi negras; fruto seco en vainilla, con muchas simientes menudas, y raíz fusiforme de color blanco rojizo. Es hierba nociva y muy común en los sembrados. ‖ **2.** fig. Sabor del vino repuntado. ‖ **3.** fig. y fam. Desdén y despego del genio o natural, especialmente en el trato. ‖ **4.** fig. y fam. Deseo vehemente e inquieto de hacer una cosa.

rabaniza. f. Simiente del rábano. ‖ **2.** Planta herbácea anual, de la familia de las crucíferas, con tallo ramoso de tres a cuatro decímetros de altura; hojas lanugiosas, radicales y partidas en lóbulos agudos, pequeños los laterales y muy grande el central; flores blancas, y fruto seco en vainilla ensiforme, con muchas semillas menudas. Es común en los terrenos incultos de España.

rábano. (Del gr. ῥάφανος, a través del lat. *raphānus*.) m. Planta herbácea anual, de la familia de las crucíferas, con tallo ramoso y velludo de seis a ocho decímetros de altura; hojas ásperas, grandes, partidas en lóbulos dentados las radicales y casi enteras las superiores; flores blancas, amarillas o purpurinas, en racimos terminales; fruto seco en vainilla estriada, con muchas semillas menudas, y raíz carnosa, casi redonda, o fusiforme, blanca, roja, amarillenta o negra, según las variedades, de sabor picante, y que suele comerse como entremés. Es planta originaria de la China y muy cultivada en las huertas. ‖ **2.** Raíz de esta planta. ‖ **3. rabanillo**, sabor del vino repuntado. ‖ **silvestre. rabanillo**, hierba nociva. ‖ **importar** o **no importar** algo **un rábano.** fr. fig. y fam. Importar poco o nada. ‖ **tomar** uno el **rábano por las hojas**, fr. fig. y fam. Equivocarse de medio a medio en la interpretación o ejecución de alguna cosa. ‖ **¡un rábano!** exclam. fig. y fam. con que alguien rehúsa una cosa.

rabárbaro. (Del lat. *rheubarbarum*.) m. **ruibarbo.**

rabasaire. (Del cat. *rabassa*.) adj. Se dice del que cultiva en Cataluña la tierra según el contrato de rabassa morta. ‖ **2.** Por ext., aparcero, colono o arrendatario de un predio rústico ajeno en Cataluña. Ú. t. c. s.

rabassa morta. (Del lat. *rapicia*, de *rapum*, raíz.) f. En el derecho foral catalán, contrato parecido al del censo, en que el dueño del terreno lo cede, mediante renta, para plantación principalmente de viñas al cultivador que disfruta del predio durante la vida de las primeras plantas.

rabazuz. (Del ár. *rubb as-sūs*, arrope del *sūs* o regaliz.) m. Extracto del jugo de la raíz del orozuz.

rabear. intr. Menear un animal el rabo hacia una parte y otra. ‖ **2.** *Mar.* Mover con exceso un buque su popa a uno y otro lado.

rabel[1]. (Del ár. *rabāb*, especie de viola.) m. Instrumento musical pastoril, pequeño, de hechura como la del laúd y compuesto de tres cuerdas solas, que se tocan con arco y tienen un sonido muy agudo. ‖ **2.** Instrumento musical que consiste en una caña y un bordón, entre los cuales se coloca una vejiga llena de aire. Se hace sonar la cuerda o bordón con un arco de cerdas, y sirve para juguete de los niños.

rabel[2]. (De *rabo.*) m. fig. y fest. Asentaderas o posaderas, especialmente en los muchachos.

rabelero. m. Tañedor de rabel[1].

rabeo. m. Acción y efecto de rabear.

rabera. f. Parte posterior de cualquier cosa. ‖ **2.** Zoquete de madera que se pone en los carros de labranza, con que se une y traba la tablazón de su asiento. ‖ **3.** Tablero de la ballesta, de la nuez abajo. ‖ **4.** Lo que queda sin apurar después de aventado y cribado el trigo y otras semillas.

‖ **5.** Espiga de una herramienta en la que se inserta el mango.

raberón. m. Extremo superior del tronco de un árbol, que al hacer la labra se separa del resto por no tener las medidas del marco correspondiente.

rabí. (Del hebr. *rabbí,* mi señor, mi maestro.) m. Título con que los judíos honran a los sabios de su ley, el cual confieren con varias ceremonias. ‖ **2. rabino.**

rabia. (Del lat. *rabies.*) f. *Pat.* Enfermedad que se produce en algunos animales y se transmite por mordedura a otros o al hombre, al inocularse el virus por la saliva o baba del animal rabioso. Se llama también hidrofobia, por el horror al agua y a los objetos brillantes, que constituye uno de los síntomas más característicos de la enfermedad. ‖ **2.** Roya que padecen los garbanzos y que suelen contraer cuando, después de una lluvia o rociada, calienta fuertemente el sol. ‖ **3.** fig. Ira, enojo, enfado grande. ‖ **con rabia.** loc. adv. Mucho, con exceso. Se dice especialmente de cualidades negativas. *Es feo* CON RABIA. ‖ **de rabia mató la perra.** expr. fig. y fam. alusiva al que no puede satisfacerse del que le agravió y se venga en el primero que encuentra. ‖ **tener rabia** a una persona. fr. fig. y fam. Tenerle odio o mala voluntad. ‖ **tomar rabia.** fr. Padecer ira, cólera. ‖ **2.** fig. Encolerizarse, irritarse, airarse contra alguien.

rabiacana. (De *rabicano.*) f. **arísaro,** planta.

rabiar. intr. Padecer o tener el mal de rabia. ‖ **2.** fig. Construido con la preposición *por,* desear una cosa con vehemencia. ‖ **3.** fig. Impacientarse o enojarse con muestras de cólera y enfado. ‖ **4.** fig. Exceder en mucho a lo usual y ordinario. *Pica que* RABIA; RABIABA *de tonto.* ‖ **a rabiar.** loc. adv. Mucho; con exceso. ‖ **estar a rabiar con** uno. fr. fig. y fam. Estar muy enojado con él. ‖ **rabiar de dolor.** fr. fig. y fam. Dar gritos o quejidos por un vehemente dolor. ‖ **rabiar de verse juntos.** fr. fig. y fam. ponderativa. Haber oposición o desavenencia entre cosas o personas.

rabiatar. tr. Atar por el rabo.

rabiazorras. m. fam. **solano**[1], viento del Este.

rabicán. adj. apóc. de **rabicano.**

rabicano, na. (De *rabo* y *cano.*) adj. **colicano,** que tiene cerdas blancas en el rabo.

rábico, ca. adj. Perteneciente o relativo a la enfermedad de la rabia.

rabicorto, ta. adj. Dícese del animal que tiene corto el rabo. ‖ **2.** fig. Aplícase a la persona que vistiendo faldas o ropas talares, las usa más cortas de lo regular.

rábida. (Del ár. *rábita,* ermita, convento de monjes guerreros.) f. En Marruecos, convento, ermita. ‖ **2.** Fortaleza militar y religiosa musulmana edificada en la frontera con los reinos cristianos.

rábido, da. (Del lat. *rabídus.*) adj. Violento, airado.

rabieta. f. d. de **rabia.** ‖ **2.** fig. y fam. Impaciencia, enfado o enojo grande, especialmente cuando se toma por leve motivo y dura poco.

rabihorcado. m. Ave palmípeda, propia de los países tropicales, de tres metros de envergadura y uno aproximadamente de largo; cola ahorquillada, plumaje negro, algo pardo en la cabeza y cuello y blanquecino en el pecho; pico largo, fuerte y encorvado en la punta; buche grande y saliente, cuerpo pequeño, tarsos cortos y vestidos de plumas, y dedos gruesos, con uñas fuertes y encorvadas. Anida en las costas y se alimenta de peces, que coge volando a flor de agua.

rabil. m. *Ast.* Cigüeña o manubrio. ‖ **2.** *Ast.* Molino que se mueve a brazo y sirve para quitar el cascabillo a la escanda.

rabilar. tr. *Ast.* Quitar el cascabillo a la escanda por medio del rabil. ‖ **2.** *Ast.* Accionar el rabil o manubrio.

rabilargo, ga. adj. Aplícase al animal que tiene largo

el rabo. ‖ **2.** fig. Dícese de la persona que lleva las vestiduras tan largas, que le arrastran y parece que van barriendo el suelo. ‖ **3.** m. Pájaro de unos cuatro decímetros de largo y cinco de envergadura, con plumaje negro brillante en la cabeza, azul claro en las alas y la cola, y leonado en el resto del cuerpo. Abunda en los encinares de España, y sus costumbres son muy parecidas a las de la urraca.

rabillo. m. d. de **rabo.** ‖ **2.** Pezón o pedúnculo que sostiene la hoja o el fruto. ‖ **3.** Prolongación de una cosa en forma de rabo. ‖ **4. cizaña,** planta. ‖ **5.** Mancha negra que se advierte en las puntas de los granos de los cereales cuando empiezan a estar atacados por el tizón. ‖ **6.** Trabilla del chaleco y del pantalón. ‖ **de conejo.** Planta anual de la familia de las gramíneas, cuya caña tiene unos 15 centímetros de alto y dos hojas con vaina vellosa y blanquecina; las flores forman una espiga aovada oblonga, muy vellosa, blanca o rojiza. ‖ **del ojo.** fig. **ángulo del ojo.** ‖ **mirar con el rabillo del ojo,** o **del rabillo de ojo.** fr. fam. **mirar con el rabo del ojo,** o **de rabo de ojo.**

rabínico, ca. adj. Perteneciente o relativo a los rabinos o a su lengua o doctrina.

rabinismo. m. Doctrina que siguen o enseñan los rabinos.

rabinista. com. Persona que sigue las doctrinas de los rabinos.

rabino. (De *rabí.*) m. Maestro hebreo que interpreta la Sagrada Escritura.

rabión. (Del lat. *rapídus.*) m. Corriente del río en los lugares donde por la estrechez o inclinación del cauce es muy violenta e impetuosa.

rabiosamente. adv. m. Con ira, enojo, cólera o rabia. ‖ **2.** fig. Violenta, intensa o vehementemente. *Es* RABIOSAMENTE *guapa.*

rabioso, sa. (Del lat. *rabiõsus.*) adj. Que padece rabia. Ú. t. c. s. ‖ **2.** fig. Colérico, enojado, airado. ‖ **3.** V. **filo rabioso.** ‖ **4.** fig. Vehemente, excesivo, violento.

rabisalsera. adj. fam. Aplícase a la mujer que tiene mucho despejo, viveza y desenvoltura excesiva.

rábita. f. **rábida.**

rabiza. f. Punta de la caña de pescar, en la que se pone el sedal. ‖ **2.** *Germ.* Ramera muy despreciable. ‖ **3.** *Mar.* Cabo corto y delgado unido por un extremo a un objeto cualquiera, para facilitar su manejo o sujetarlo al sitio que convenga. *Motón de* RABIZA; *boya de* RABIZA.

rabo. (Del lat. *rapum,* nabo.) m. Cola[1], extremidad de la columna vertebral de algunos animales, especialmente la de los cuadrúpedos. RABO *de zorra.* ‖ **2.** Rabillo, pezón o pedúnculo de hojas y frutos. ‖ **3.** V. **estrella de rabo.** ‖ **4.** fig. y fam. Cualquier cosa que cuelga a semejanza de la cola de un animal. ‖ **5.** fig. y fam. Trapo u otra cosa que por burla se prende por detrás del vestido de otro. ‖ **6.** fig. Lo que queda después de aventado o cribado el trigo u otras semillas. ‖ **7.** vulg. Miembro viril. ‖ **de junco.** Palmípeda americana del tamaño de un mirlo, con plumaje verde de reflejos dorados en el lomo y vientre, amarillo intenso en las alas y la cola, azulado en el moño de la cabeza, y verde en las dos coberteras de aquella, que son muy largas y estrechas. ‖ **del ojo.** fig. **ángulo del ojo.** ‖ **de zorra. carricera.** ‖ **rabos de gallo.** Cirros, nube blanca y ligera. ‖ **asir,** o **coger, por el rabo.** fr. fig. y fam. Alcanzar con dificultad al que con alguna ventaja va o logrando su intento. ‖ **2.** fig. y fam. Extiéndese a las cosas inmateriales para insinuar la poca esperanza de su logro. ‖ **aún le ha de sudar el rabo.** expr. fig. y fam. con que se suele ponderar la dificultad o trabajo que ha de costar a uno lograr o concluir una cosa. ‖ **cortar,** o **faltar, el rabo por desollar.** fr. fig. y fam. Quedar mucho que hacer en una cosa, y aun lo más duro y difícil. ‖ **ir uno al rabo de** otro. fr. fig. y fam. Seguir o acompañar a otro continuamente con adulación y servilismo. ‖ **ir** uno **rabo entre piernas.** fr. fig. y fam. Quedar vencido y abochornado, o corrido. ‖ **menear** o **mover** alguien **el rabo.** fr. fig. y fam. Hacer zalamerías a otro, o dar muestras de alegría o contento. ‖ **mirar** a uno **con el rabo del ojo,** o **de rabo de ojo.** fr. fig. y fam. Mostrarse cauteloso o severo con él en el trato, o quererle mal. ‖ **2.** Mirar de lado, disimulando. ‖ **quedar el rabo por desollar.** fr. fig. y fam. estar, o faltar, **el rabo por desollar.** ‖ **rabo a viento.** loc. adv. Dando el viento en la cola de la pieza. Ú. entre cazadores. ‖ **salir** uno **rabo entre piernas.** fr. fig. y fam. **ir rabo entre piernas.** ‖ **volver de rabo.** fr. fig. y fam. Torcerse o mudarse enteramente una cosa al contrario de lo que se esperaba.

rabón, na. adj. Dícese del animal que tiene el rabo más corto que lo ordinario en su especie, o que no lo tiene.

rabona. f. ant. Entre jugadores, juego de poca entidad. ‖ **2.** *Amér.* Mujer que suele acompañar a los soldados en las marchas y en campaña. ‖ **hacer rabona.** fr. fam. Dejar de asistir al lugar de obligación y especialmente a clase.

rabopelado. m. **zarigüeya.**

raboseada. f. Acción y efecto de rabosear.

raboseado, da. p. p. de **rabosear.** ‖ **2.** adj. Dícese del papel ensuciado por el exceso de tinta, o defectuoso a causa de manchas durante la tirada.

raboseadura. f. Acción y efecto de rabosear.

rabosear. tr. Deslucir o rozar levemente una cosa.

raboso, sa. adj. Que tiene rabos o partes deshilachadas en la extremidad.

rabotada. (De *rabote,* aum. de *rabo.*) f. fam. Expresión destemplada o injuriosa con ademanes groseros.

rabotazo. m. **rabotada.**

rabotear. tr. **desrabotar.**

raboteo. m. Acción de rabotear. ‖ **2.** Época del año, que suele ser en el menguante de la luna de marzo, en que los pastores cortan el rabo de las ovejas y carneros, seis dedos más abajo de su nacimiento. ‖ **3.** Tiempo en que se rabotea.

rabudo, da. adj. Que tiene grande el rabo.

rábula. (Del lat. *rabŭla.*) m. Abogado indocto, charlatán y vocinglero.

racamenta. f. **racamento.**

racamento. (Como el ant. fr. *raquement,* del anglosajón *raca.*) m. *Mar.* Guarnimiento, especie de anillo que sujeta las vergas a sus palos o masteleros respectivos, para que puedan correr fácilmente a lo largo de ellos.

racanear. intr. fam. Actuar como un rácano, tacaño.

rácano, na. adj. fam. Artero, taimado. Ú. t. c. s. ‖ **2.** fam. Tacaño, avaro. Ú. t. c. s. ‖ **3.** fam. Poco trabajador, vago. Ú. t. c. s.

racel. m. *Mar.* Cada una de las partes de los extremos de popa y de proa en las cuales se estrecha el pantoque.

racial. adj. Perteneciente o relativo a la raza.

racima. (De *racimo.*) f. Conjunto de cencerrones.

racimado, da. adj. Formando racimo.

racimal. adj. Perteneciente o relativo al racimo. ‖ **2.** V. **trigo racimal.** Ú. t. c. s.

racimar. (Del lat. *racemāri.*) tr. Rebuscar los redrojos de la viña y los racimos caídos en la vendimia. ‖ **2.** prnl. Formar racimo.

racimo. (Del lat. *racēmus.*) m. Porción de uvas o granos que produce la vid presos a unos piececzuelos, y estos a un tallo que pende del sarmiento. Por ext., se usa hablando de otras frutas. RACIMO *de ciruelas, de guindas.* ‖ **2.** fig. Conjunto de cosas menudas dispuestas con alguna semejanza de racimo. ‖ **3.** *Bot.* Conjunto de flores o frutos sostenidos por un eje común, y con cabillos casi iguales, más largos que las mismas flores; como en la vid.

racimoso, sa. (Del lat. *racemōsus.*) adj. Que echa o tiene racimos. ‖ **2.** Que tiene muchos racimos.

racimudo, da. adj. Que tiene racimos grandes.

raciocinación. (Del lat. *ratiocinatĭo, -ōnis.*) f. Acto de la mente por el cual infiere un concepto de otros ya conocidos.

raciocinar. (Del lat. *ratiocināri.*) intr. Usar la razón para conocer y juzgar.

raciocinio. (Del lat. *ratiocinĭum.*) m. Facultad de raciocinar. ‖ **2.** Acción y efecto de raciocinar. ‖ **3.** Argumento o discurso.

ración. (Del lat. *ratĭo, -ōnis,* medida, proporción.) f. Parte o porción que se da para alimento en cada comida, así a personas como a animales. ‖ **2.** Asignación diaria que en especie o dinero se da a cada soldado, marinero, criado, etc., para su alimento. ‖ **3.** Porción de un determinado alimento que se sirve en bares, tabernas, restaurantes, etc. ‖ **4.** Prebenda en alguna iglesia catedral o colegial, y que tiene su renta en la mesa del cabildo. ‖ **5. copa,** medida de líquidos. ‖ **6.** Medida arbitraria que adoptan como unidad los vendedores callejeros de garbanzos tostados, altramuces y frutillas secas, y a la cual fijan un precio determinado. *¿A cómo va la* RACIÓN *de azufaifas?; écheme usted dos* RACIONES *de cacahuetes.* ‖ **7.** V. **maestre de raciones.** ‖ **de hambre.** fig. y fam. Empleo o renta que no es suficiente para la manutención. ‖ **media ración.** En las iglesias catedrales y colegiales, prebenda que tiene la mitad de una **ración,** y es inferior a ella. ‖ **a media ración.** loc. adv. fig. Con escasa comida o con reducidos medios de subsistencia. ‖ **a ración.** loc. adv. tasadamente.

racionabilidad. (Del lat. *rationabĭlitas, -ātis.*) f. Facultad intelectiva que juzga de las cosas con razón, discerniendo lo bueno de lo malo y lo verdadero de lo falso.

racionable. (Del lat. *rationabĭlis.*) adj. ant. **racional.**

racional. (Del lat. *rationālis.*) adj. Perteneciente o relativo a la razón. ‖ **2.** Conforme a ella. ‖ **3.** Dotado de razón. Ú. t. c. s. ‖ **4.** V. **cantidad, horizonte, maestre, maestro racional.** ‖ **5.** *Mat.* Aplícase a las expresiones algebraicas que no contienen cantidades irracionales. ‖ **6.** m. Ornamento sagrado que llevaba puesto en el pecho el sumo sacerdote de la ley antigua, y que era un paño como de una tercia en cuadro, tejido de oro, púrpura y lino finísimo, con cuatro sortijas o anillos en los cuatro ángulos. En medio tenía cuatro órdenes de piedras preciosas, cada una de a tres, y en ellas grabados los nombres de las doce tribus de Israel. ‖ **7.** Contador mayor de la casa real de Aragón.

racionalidad. (Del lat. *rationālitas, -ātis.*) f. Calidad de racional.

racionalismo. m. Doctrina filosófica cuya base es la omnipotencia e independencia de la razón humana. ‖ **2.** Sistema filosófico, que funda sobre la sola razón las creencias religiosas.

racionalista. adj. Que profesa la doctrina del racionalismo. Ú. t. c. s.

racionalización. f. Acción y efecto de racionalizar.

racionalizar. tr. Reducir a normas o conceptos racionales. ‖ **2.** Organizar la producción o el trabajo de manera que aumente los rendimientos o reduzca los costos con el mínimo esfuerzo.

racionalmente. adv. Conforme, arreglado a razón.

racionamiento. m. Acción y efecto de racionar o racionarse.

racionar. tr. Someter algo en caso de escasez a una distribución ordenada. ‖ **2.** *Mil.* Distribuir raciones o proveer de ellas a las tropas. Ú. t. c. prnl.

racionero. m. Prebendado que tenía ración en una iglesia catedral o colegial. ‖ **2.** El que distribuye las raciones en una comunidad. ‖ **medio racionero.** Prebendado inmediatamente inferior al **racionero.**

racionista. com. Persona que goza de sueldo o ración para mantenerse de ella. ‖ **2.** En el teatro, **parte de por medio,** actor de ínfima clase.

racismo. m. Exacerbación del sentido racial de un grupo étnico, especialmente cuando convive con otro u otros. ‖ **2.** Doctrina antropológica o política basada en este sentimiento y que en ocasiones ha motivado la persecución de un grupo étnico considerado como inferior.

racista. adj. Perteneciente o relativo al racismo. ‖ **2.** com. Partidario del racismo.

racor. (Del fr. *raccord*.) m. Pieza metálica con dos roscas internas en sentido inverso, que sirve para unir tubos y otros perfiles cilíndricos. ‖ **2.** Por ext., pieza de otra materia que se enchufa sin rosca para unir dos tubos.

racha[1]. f. *Mar.* Ráfaga de aire. ‖ **2.** Período breve de fortuna o desgracia en cualquier actividad.

racha[2]. (Del lat. **radia*, de *radius*.) f. **raja**[1]. ‖ **2.** *Min.* Astilla grande de madera.

rachar. (Del lat. *radiare*.) tr. *Ast.*, *León* y *Sal.* Hender, rajar.

racheado, da. p. p. de **rachear.** ‖ **2.** adj. Dícese del viento que sopla a rachas.

rachear. intr. Soplar el viento a rachas.

rad. (apóc. de *radiación*.) m. Unidad de dosis absorbida de radiación ionizante. Equivale a la energía de cien ergios por gramo de materia irradiada.

rada. (Del ant. ing. *rade*.) f. Bahía, ensenada, donde las naves pueden estar ancladas al abrigo de algunos vientos.

radal. (Del arauc. *raral*, nogal silvestre.) m. *Chile.* Árbol de la familia de las proteáceas, que alcanza hasta 16 metros de altura, con hojas aovadas, muy lustrosas, como barnizadas; con flores blancas, cubiertas de un vello rojizo; madera muy linda para muebles, y corteza que tiene uso medicinal para las afecciones del pecho.

radar. (Del ing. *radio, detecting and ranging*, detección, y situación por radio.) m. *Electr.* Sistema que permite descubrir la presencia y posición de un cuerpo que no se ve, mediante la emisión de ondas eléctricas que, al reflejarse en dicho objeto, vuelven al punto de observación. ‖ **2.** *Electr.* Aparato para aplicar este sistema.

radarista. com. Especialista encargado del funcionamiento, conservación y reparación de los aparatos de radar.

radi-. V. **radio-.**

radiación. (Del lat. *radiatio, -ōnis*.) f. *Fís.* Acción y efecto de irradiar. ‖ **2.** Energía ondulatoria o partículas materiales que se propagan a través del espacio. ‖ **3.** Forma de propagarse la energía o las partículas. ‖ *ionizante. Fís.* Flujo de partículas o fotones con suficiente energía para producir ionizaciones al atravesar una sustancia.

radiactividad. f. *Fís.* Calidad de radiactivo. Se mide por el número de desintegraciones que se producen cada segundo. Su unidad es el curio, que equivale a treinta y siete mil millones de desintegraciones por segundo.

radiactivo, va. adj. *Fís.* Dícese del cuerpo cuyos átomos se desintegran espontáneamente. ‖ **2.** Perteneciente o relativo a la radiactividad.

radiado, da. p. p. de **radiar.** ‖ **2.** adj. V. **corona radiada.** ‖ **3.** Dícese de las cosas dispuestas de manera análoga a los radios de una circunferencia, es decir, con arranque en el centro. ‖ **4.** *Bot.* Dícese de lo que tiene sus diversas partes situadas alrededor de un punto o de un eje; como la panoja de la avena. ‖ **5.** *Bot.* Dícese, en las plantas compuestas, de la inflorescencia por flósculos en el centro y por semiflósculos en la circunferencia. ‖ **6.** *Zool.* Dícese del animal invertebrado cuyas partes interiores y exteriores están dispuestas, a manera de radios, alrededor de un punto o de un eje central; como la estrella de mar, la medusa, el pólipo, etc. Ú. t. c. s.

radiador. m. Aparato metálico con gran desarrollo superficial, por cuyo interior circula un fluido caliente que transmite calor al medio circundante. ‖ **2.** Serie de tubos por los cuales circula el agua destinada a refrigerar los cilindros de algunos motores de explosión.

radial. adj. V. **corona radial.** ‖ **2.** *Astron.* Aplícase a la dirección del rayo visual. *Movimiento* RADIAL; *velocidad* RADIAL. ‖ **3.** *Geom.* y *Zool.* Perteneciente o relativo al radio[1].

radián. (Del ing. *radian*, y este del lat. *radius*.) m. *Geom.* Ángulo en el que los arcos trazados desde el vértice tiene igual longitud que los respectivos radios. Sirve como unidad de ángulo plano.

radiante. (Del lat. *radĭans, -antis*, p. a. de *radiāre*, centellear.) adj. Brillante, resplandeciente. ‖ **2.** fig. Que siente y manifiesta gozo o alegría grandes. ‖ **3.** m. *Astron.* V. **punto radiante.** ‖ **4.** *Fís.* Que radia.

radiar. (Del lat. *radiāre*.) tr. *Radio.* Difundir por medio de la telefonía sin hilos noticias, discursos, música, etc. ‖ **2.** *Fís.* Producir la radiación de ondas (sonoras, electromagnéticas, etc.) o de partículas. ‖ **3.** *Med.* Tratar una lesión con los rayos X.

radiata. (Del lat. *radiāta*, t. f. de *-tus*, radiado.) adj. V. **corona radiata.**

radicación. f. Acción y efecto de radicar o radicarse. ‖ **2.** fig. Hecho de estar arraigados un uso, práctica, costumbre, etc.

radical. (Del lat. *radix, -icis*, raíz.) adj. Perteneciente o relativo a la raíz. ‖ **2.** fig. Fundamental, de raíz. ‖ **3.** Partidario de reformas extremas, especialmente en sentido democrático. Ú. t. c. s. ‖ **4.** Extremoso, tajante, intransigente. ‖ **5.** *Bot.* Dícese de cualquier parte de una planta que nace inmediatamente de la raíz. *Hoja, tallo* RADICAL. ‖ **6.** *Gram.* Concerniente a las raíces de las palabras. ‖ **7.** *Gram.* Dícese de cada uno de los fonemas que constituyen el **radical** de una palabra. ‖ **8.** *Mat.* Aplícase al signo ($\sqrt{\ }$) con que se indica la operación de extraer raíces. Ú. t. c. s. m. ‖ **9.** *Med.* V. **húmedo radical.** ‖ **10.** m. *Gram.* Conjunto de fonemas que comparten vocablos de una misma familia; así, *ama-*, en *amado, amable, amante,* etc. ‖ **11.** *Gram.* **raíz.** ‖ **12.** *Quím.* Grupo de átomos que, en general, no puede ser aislado porque no constituye un sistema saturado, y que en las reacciones químicas funciona como un solo átomo. ‖ **13.** *Quím.* Agrupamiento atómico que interviene como una unidad en un compuesto químico y pasa inalterado de unas combinaciones a otras. ‖ *alcohólico.* El que, procedente de un hidrocarburo, puede combinarse con un hidroxilo para formar un alcohol.

radicalismo. m. Calidad de radical. ‖ **2.** Conjunto de ideas y doctrinas de los que, en ciertos momentos de la vida social, pretenden reformar total o parcialmente el orden político, científico, moral y aun religioso. ‖ **3.** Por ext., el modo extremado de tratar los asuntos.

radicalizar. tr. Hacer que alguien adopte una actitud radical. Ú. t. c. prnl. ‖ **2.** Hacer más radical una postura o tesis.

radicalmente. adv. m. De raíz; fundamentalmente y con solidez. ‖ **2.** Con radicalismo, con vehemencia radical.

radicando. m. *Mat.* Número que se extrae una raíz.

radicar. (Del lat. *radicāre*.) intr. Echar raíces, arraigar. Ú. t. c. prnl. ‖ **2.** Estar o encontrarse ciertas cosas en determinado lugar. *La dehesa* RADICA *en términos de Cáceres; la escritura* RADICA *en la notaría de Sánchez.* ‖ **3.** fig. **consistir,** estar fundada una cosa en otra. *El problema* RADICA *en su falta de generosidad.*

radicícola. (Del lat. *radix, -icis,* raíz, y *colĕre,* habitar.) adj. *Bot.* y *Zool.* Dícese del animal o el vegetal que vive parásito sobre las raíces de una planta.

radicoso, sa. (Del lat. *radicōsus.*) adj. Que participa en algo de la naturaleza de las raíces.

radícula. (Del lat. *radicŭli*, raicita.) f. *Bot.* **rejo**, parte del embrión destinada a ser la raíz de la planta.

radicular. adj. *Anat.* Perteneciente o relativo a las raíces.

radiestesia. (De *radio-* y el gr. αἴσθησις, sensibilidad.) f. Sensibilidad especial para captar ciertas radiaciones, utilizada por los zahoríes para descubrir manantiales subterráneos, venas metalíferas, etc.

radiestesista. com. Persona que practica la radiestesia.

radio[1]. (Del lat. *radĭus*.) m. *Geom.* Línea recta tirada desde el centro del círculo a la circunferencia. ‖ **2.** Rayo de la rueda. ‖ **3.** *Anat.* Hueso contiguo al cúbito, y un poco más corto y más bajo que este, con el cual forma el antebrazo. ‖ **4.** *Zool.* Cada una de las piezas largas, delgadas y puntiagudas, a modo de varillas más o menos duras y rígidas y aproximadamente paralelas entre sí, que sostienen la parte membranosa de las aletas de los peces. ‖ **de acción.** Máximo alcance o eficacia de un agente o instrumento. ‖ **2.** Distancia máxima que un vehículo marítimo, aéreo o terrestre puede cubrir regresando al lugar de partida sin repostarse. ‖ **de la plaza.** *Fort.* La mayor distancia a que se extiende la eficacia defensiva de una fortaleza, según la potencia de su artillería, la situación, etc. ‖ **de los signos.** *Gnom.* Figura compuesta de varias rectas divergentes que hacen con otra central los ángulos de la declinación del Sol a su entrada en los diversos signos del Zodiaco, y sirve para marcar en los relojes de sol las curvas llamadas de los signos. ‖ **de población.** Espacio que media desde los muros o última casa del casco de la población hasta una distancia de 1.600 metros, medidos por la vía más corta, agregados en puertos de mar los muelles y salinas en toda su extensión. ‖ **macuto.** fam. Emisora inexistente de donde parten los rumores y los bulos. ‖ **vector.** *Geom.* Línea recta tirada en una curva desde su foco, o desde uno de sus focos, a cualquier punto de la curva misma. ‖ **2.** *Geom.* En las coordenadas polares, distancia de un punto cualquiera al polo[1].

radio[2]. (De *radium*, nombre dado a este cuerpo por sus descubridores.) m. *Quím.* Metal descubierto en Francia por los químicos consortes Curie. Es conocido principalmente por sus sales, que, por desintegración espontánea y muy lenta de sus núcleos atómicos, emiten elementos de dichos núcleos. Núm. atómico 88. Símb.: *Ra.*

radio[3]. f. Término general que se aplica al uso de las ondas radiofónicas. ‖ **2.** apóc. de **radiodifusión.** ‖ **3.** m. apóc. de **radiotelegrama.** ‖ **4.** apóc. de **radiotelegrafista.** ‖ **5.** amb. fam. apóc. de **radiorreceptor.** ‖ **pirata.** Emisora de radiodifusión que funciona sin licencia legal.

radio-. elem. compos. que significa «radiación» o «radiactividad»: RADIO*terapia.* Ante vocal toma la forma **radi-:** RADI*activo*; si esta vocal es *i*, la forma **rad:** RAD*isótopo.*

radío, a. (Del lat. *erratīvus*.) adj. ant. Errante, que anda de una parte a otra sin tener asiento fijo.

radioaficionado, da. m. y f. Persona autorizada para emitir y recibir mensajes radiados privados, usando bandas de frecuencia jurídicamente establecidas.

radioastronomía. f. Parte de la astronomía que estudia la radiación emitida por los cuerpos celestes en el dominio de las radiofrecuencias.

radiocasete. m. Aparato electrónico que consta de una radio y un casete.

radiocomunicación. f. Telecomunicación realizada por medio de las ondas radioeléctricas.

radiodifundir. tr. Radiar noticias, discursos, música, etc.

radiodifusión. f. Emisión radiotelefónica destinada al público. ‖ **2.** Conjunto de los procedimientos o instalaciones destinados a esta emisión. ‖ **3.** Empresa dedicada a hacer estas emisiones.

radiodifusor, ra. adj. Que radiodifunde.

radiodifusora. f. *Argent.* **radiodifusión**, empresa.

radioelectricidad. f. Producción, propagación y recepción de las ondas hertzianas. ‖ **2.** Ciencia que estudia esta materia.

radioeléctrico, ca. adj. Perteneciente o relativo a la radioelectricidad.

radioescucha. com. Persona que oye las emisiones radiotelefónicas y radiotelegráficas.

radiofaro. m. Aparato productor de ondas hertzianas que sirve para orientar a los aviones mediante la emisión de determinadas señales.

radiofonía. f. **radiotelefonía.**

radiofónico, ca. adj. Perteneciente o relativo a la radiofonía. ‖ **2.** Que se difunde por radiofonía.

radiofonista. com. **radiotelefonista.**

radiofrecuencia. f. Cualquiera de las frecuencias de las ondas electromagnéticas empleadas en la radiocomunicación.

radiografía. f. Procedimiento para hacer fotografías por medio de los rayos X. ‖ **2.** Fotografía obtenida por este procedimiento.

radiografiar. tr. Transmitir por medio de la telegrafía o telefonía sin hilos noticias, discursos, música, etc. ‖ **2.** Hacer fotografías por medio de los rayos X.

radiográfico, ca. adj. Perteneciente o relativo a la radiografía.

radiograma. m. **radiotelegrama.**

radiogramola. f. Mueble cerrado en forma de armario, que contiene un aparato receptor de radio y un gramófono eléctrico sin bocina exterior que le sirve de caja acústica.

radiola. f. *Col.* y *Perú.* **radiogramola.**

radiolario. (Del lat. *radiŏlus*.) adj. *Zool.* Dícese de protozoos marinos de la clase de los rizópodos, con una membrana que divide el protoplasma en dos zonas concéntricas, de las cuales la exterior emite seudópodos finos, largos y unidos entre sí que forman redes. Pueden vivir aislados, pero a veces están reunidos en colonias, y en su mayoría tienen un esqueleto formado por finísimas agujas o varillas silíceas, sueltas o articuladas entre sí. Ú. t. c. s. m. ‖ **2.** m. pl. *Zool.* Orden de estos animales.

radiología. f. Parte de la ciencia médica que estudia las radiaciones, especialmente los rayos X, en sus aplicaciones al diagnóstico y tratamiento de enfermedades.

radiológico, ca. adj. Perteneciente o relativo a la radiología.

radiólogo, ga. m. y f. Persona que profesa la radiología; especialista en radiología.

radiómetro. (De *radio*[1] y *-metro*.) m. *Astron.* **ballestilla**, instrumento náutico para tomar la altura de los astros. ‖ **2.** *Fís.* Aparato que se creyó demostrativo de la acción mecánica de la luz.

radionovela. f. p. us. *Argent.* **serial**, obra que se difunde por radiofonía en emisiones sucesivas.

radiorreceptor. m. Aparato empleado en radiotelegrafía o radiotelefonía para recoger y transformar en señales o sonidos las ondas producidas por el radiotransmisor.

radioscopia. (De *radio-* y *-scopia.*) f. Examen del interior del cuerpo humano y, en general, de los cuerpos opacos por medio de la imagen que proyectan en una pantalla al ser atravesados por los rayos X.

radioscópico, ca. adj. Perteneciente o relativo a la radioscopia.

radioso, sa. (Del lat. *radiōsus*.) adj. Que despide rayos de luz.

radiosonda. f. *Meteorol.* Aparato eléctrico, transportado por un globo y conectado a una pequeña emisora, que retransmite a la superficie terrestre los valores de temperatura, presión y humedad.

radioteatro. m. *Argent.* serial, radionovela.

radiotecnia. f. Técnica relativa a la telecomunicación por radio así como a la construcción, manejo y reparación de aparatos emisores o receptores.

radiotécnico, ca. adj. Perteneciente o relativo a la radiotecnia. ‖ **2.** m. y f. Persona versada o especializada en radiotecnia.

radiotelefonía. f. Sistema de comunicación telefónica por medio de ondas hertzianas.

radiotelefónico, ca. adj. Perteneciente o relativo a la radiotelefonía.

radiotelefonista. com. Persona que trabaja en el servicio de instalaciones de radiotelefonía.

radioteléfono. m. Teléfono sin hilos, en el que la comunicación se establece por ondas electromagnéticas.

radiotelegrafía. f. Sistema de comunicación telegráfica por medio de ondas hertzianas.

radiotelegrafiar. tr. Transmitir por medio de la telegrafía.

radiotelegráfico, ca. adj. Perteneciente o relativo a la radiotelegrafía.

radiotelegrafista. com. Persona que se encarga de la instalación, conservación y servicio de aparatos de radiocomunicación.

radiotelegrama. m. Radiograma cuyo origen o destino es una estación móvil, transmitido, en todo o parte de su recorrido, por las vías de radiocomunicación.

radiotelescopio. m. Instrumento que sirve para detectar las señales emitidas por los objetos celestes en el dominio de las radiofrecuencias.

radioterapeuta. com. *Med.* Persona especializada en radioterapia.

radioterapéutico, ca. adj. *Med.* Perteneciente o relativo a la radioterapia.

radioterapia. f. Tratamiento de las enfermedades por toda clase de rayos, especialmente por los rayos X. ‖ **2.** Empleo terapéutico del radio y de las sustancias radiactivas.

radioterápico, ca. adj. *Med.* radioterapéutico.

radiotransmisor. (De *radio*³ y *transmisor*.) m. Aparato empleado en radiotelegrafía y radiotelefonía para producir y enviar las ondas portadoras de señales o de sonidos.

radioyente. com. Persona que oye lo que se transmite por la radiotelefonía.

radisótopo. m. *Fís.* Nucleido que, por ser inestable, emite radiaciones.

radiumterapia. f. *Med.* radioterapia.

radón. (De la primera sílaba de *radio*², y la term. -*on*.) m. *Quím.* Gas noble radiactivo que se origina en la desintegración del radio. Núm. atómico 86. Símb.: *Rn*.

raedera. f. Instrumento para raer. ‖ **2.** Tabla semicircular, de 10 a 12 centímetros de diámetro, con que el peón de albañil rae el yeso amasado que se pega en los lados del cuezo. ‖ **3.** Azada pequeña de pala semicircular, muy usada en las minas para recoger el mineral y los escombros, llenar espuertas, etc. ‖ **4.** Pequeña reja que ciertos arados de vertedera llevan delante de la reja principal y la cuchilla. ‖ **5.** Herramienta empleada en la explotación de resinas; consiste en una lámina de hierro, encorvada en gancho y provista de un largo mango, con la que se rae y recoge, al final de la campaña, la miera solidificada que recubre la entalladura.

raedizo, za. adj. Que se rae fácilmente.

raedor, ra. adj. Que rae. Ú. t. c. s. ‖ **2.** m. rasero. ‖ **3.** ant. El que tenía por oficio medir el trigo, cebada y otros granos, pasando el rasero por las medidas.

raedura. f. Acción y efecto de raer. ‖ **2.** Parte menuda que se rae de una cosa. Ú. m. en pl.

raer. (Del lat. *radĕre*.) tr. Raspar una superficie quitando pelos, sustancias adheridas, pintura, etc., con instrumento áspero o cortante. ‖ **2.** Igualar con el rasero las medidas de áridos. ‖ **3.** fig. Extirpar enteramente una cosa; como vicio o mala costumbre.

rafa. f. Grieta en el casco de las caballerías. ‖ **2.** Cortadura hecha en el quijero de la acequia o brazal a fin de sacar agua para el riego. ‖ **3.** Macho que se injiere en una pared para reforzarla o reparar una grieta. ‖ **4.** *Min.* Plano inclinado que se labra en la roca para apoyar un arco de la fortificación.

ráfaga. (De or. inc.) f. Golpe de viento fuerte, repentino y de corta duración. ‖ **2.** Cualquier nubecilla de poco cuerpo o densidad, especialmente cuando hay o va a haber mutación de tiempo. ‖ **3.** Golpe de luz vivo e instantáneo. ‖ **4.** *Mil.* Conjunto de proyectiles que en sucesión rapidísima lanza un arma automática, cambiando convenientemente la puntería para cubrir por completo el blanco del tiro. RÁFAGA *de ametralladora*.

rafal. (Del ár. *rahl*, o *rahal*, casa de campo.) m. *Ar.* Granja, casa o predio en el campo.

rafalla. f. *Ar.* rafal.

rafania. (Del lat. *raphănus*, rábano.) f. *Pat.* Enfermedad que consiste en contracciones musculares muy violentas y dolorosas, ocasionada por la semilla del rábano silvestre cuando se come por haberse mezclado con el trigo. Es frecuente en Suecia y Alemania.

rafe¹. (Del ár. *raff*, alero, cornisa.) m. En algunas partes, alero del tejado. ‖ **2.** *Ar.*, *Murc.* y *Nav.* Borde, límite externo o superior de algunas cosas.

rafe². (Del gr. ῥαφή, costura.) amb. *Bot.* Cordoncillo saliente que forma el funículo en algunas semillas. ‖ **2.** m. *Anat.* Línea prominente en la porción media de una formación anatómica, que parece producida por la reunión o sutura de dos mitades simétricas. RAFE *perineal, escrotal, anococcigeo*, etc.

rafear. tr. Hacer, asegurar con rafas un edificio.

rafez. adj. ant. Vil, bajo, despreciable, de poco valor. ‖ **rafez.** loc. adv. ant. Con poco esfuerzo, con facilidad.

rafezar. intr. ant. Perder el valor las cosas. ‖ **2.** Descender de categoría o estimación las personas, rahezar. Usáb. t. c. prnl.

rafezmente. adv. m. ant. de rafez.

rafia. (Voz de Madagascar.) f. Género de palmeras de África y América que dan una fibra muy resistente y flexible. ‖ **2.** Esta fibra.

ragadía. (Del lat. *rhagadĭa*, grietas en las manos, y este del gr. ῥαγάς, -άδος, hendedura.) f. desus. Resquebradura, grieta.

raglán. (De lord *Raglan*, almirante de la armada inglesa en Crimea.) m. Especie de gabán de hombre, que se usaba a mediados del siglo XIX. Era holgado y tenía una esclavina corta. ‖ **2.** V. **manga raglán.**

ragú. (Del fr. *ragoût*.) m. Guiso de carne con patatas y verduras.

ragua. (Del ár. *ragwa*, espuma, burbuja.) f. Remate superior de la caña de azúcar.

raguseo, a. adj. Natural de Ragusa. Ú. t. c. s. ‖ **2.** Perteneciente o relativo a esta ciudad de Yugoslavia, hoy llamada Dubrovnik.

rahalí. adj. **rehalí.**

rahez. (Del ár. *rajís*, de bajo precio.) adj. Vil, bajo, despreciable. ‖ **2.** ant. Barato, que vale poco. ‖ **3.** ant. De poco trabajo, fácil.

rahezar. intr. ant. Perder estimación o valor las cosas. Usáb. t. c. prnl. ‖ **2.** ant. Bajarse, humillarse, abatirse. Usáb. t. c. prnl.

rahezmente. adv. m. ant. de rafez.

raíble. adj. Que se puede raer.

raicilla. f. d. de **raíz.** ‖ **2.** *Bot.* Cada una de las fibras o filamentos que nacen del cuerpo principal de la raíz de una planta. ‖ **3.** *Bot.* Órgano del embrión de la planta, del que se forma la raíz.

raicita. (d. de *raíz*.) f. *Bot.* **raicilla,** órgano del embrión de la planta, del que se forma la raíz.

raído, da. p. p. de **raer.** ‖ **2.** adj. Se dice del vestido o de cualquier tela muy gastados por el uso, aunque no rotos. ‖ **3.** fig. Desvergonzado, libertino y que no atiende a su decoro ni a otros respetos.

raigal. (Del lat. *radix, -ícis,* raíz.) adj. Perteneciente a la raíz. ‖ **2.** m. Entre madereros, extremo del madero que corresponde a la raíz del árbol.

raigambre. f. Conjunto de raíces de los vegetales, unidas y trabadas entre sí. ‖ **2.** fig. Conjunto de antecedentes, intereses, hábitos o afectos que hacen firme y estable una cosa o que ligan a alguien a un sitio.

raigar. (Del lat. *radicāre.*) intr. ant. Echar raíces la planta, arraigar. Usáb. t. c. prnl.

raigón. m. aum. de **raíz.** ‖ **2.** Raíz de las muelas y los dientes. ‖ **3.** *Murc.* Esparto, atocha. ‖ **del Canadá.** Árbol hermoso, de la familia de las papilionáceas, con hojas dos veces pinadas, flores dioicas y en racimo, cáliz tubuloso, cinco pétalos iguales u oblongos, diez estambres, y legumbre gruesa, oblonga y pulposa interiormente. Se cría en el Canadá y se cultiva en los paseos de Europa.

raijo. m. *Murc.* Brote, renuevo.

rail o **raíl.** (Del ingl. *rail.*) m. Carril de las vías férreas.

raimiento. m. Acción y efecto de raer. ‖ **2.** Descaro, desvergüenza.

rain. (Del lat. *farrāgo, -ĭnis,* herrén.) m. *Ál., Ar.* y *Logr.* Cortinal o herrenal.

raíz. (Del lat. *radix, -ícis.*) f. *Bot.* Órgano de las plantas que crece en dirección inversa a la del tallo, carece de hojas, e introducido en tierra o en otros cuerpos, absorbe de estos o de aquella las materias necesarias para el crecimiento y desarrollo del vegetal y le sirve de sostén. ‖ **2.** Bien inmueble, finca, tierra, edificio, etc. Ú. m. generalmente en pl. ‖ **3.** fig. Parte de cualquier cosa, de la cual, quedando oculta, procede lo que está manifiesto. ‖ **4.** fig. Parte inferior o pie de cualquier cosa. ‖ **5.** Causa u origen de algo. ‖ **6.** V. **bienes raíces.** ‖ **7.** *Álg.* Cada uno de los valores que puede tener la incógnita de una ecuación. ‖ **8.** *Álg.* y *Arit.* Cantidad que se ha de multiplicar por sí misma una o más veces para obtener un número determinado. ‖ **9.** *Gram.* Radical mínimo e irreductible que comparten las palabras de una misma familia; así *am-,* en *amado, amable, amigo, amor,* etc. ‖ **10.** *Zool.* Parte de los dientes de los vertebrados que está engastada en los alveolos. ‖ **cuadrada.** *Álg.* y *Arit.* Cantidad que se ha de multiplicar por sí misma una vez para obtener un número determinado. ‖ **cúbica.** *Álg.* y *Arit.* Cantidad que se ha de multiplicar por sí misma dos veces para obtener un número determinado. ‖ **del moro. helenio.** ‖ **irracional.** *Mat.* Aplícase a las **raíces** o cantidades radicales que no pueden expresarse exactamente con números enteros ni fraccionarios. ‖ **rodia. raíz** muy olorosa, parecida a la del costo². ‖ **sorda.** *Arit.* **raíz irracional.** ‖ **a raíz de.** loc. adv. fig. Con proximidad, inmediatamente después. A RAÍZ *de las carnes;* A RAÍZ *de la conquista de Granada.* ‖ **2.** Por la **raíz** o junto a ella. ‖ **3.** A causa de. ‖ **de raíz.** loc. adv. fig. Desde los principios y del todo, quitando los inconvenientes que puedan resultar de una cosa y la causa de donde provienen. Ú. especialmente con verbos como *cortar, arrancar,* etc. ‖ **2.** Enteramente, o desde el principio hasta el fin de una cosa. ‖ **echar raíces.** fr. fig. Fijarse, establecerse en un lugar. ‖ **2.** fig. Afirmarse o arraigarse una pasión u otra cosa. ‖ **tener raíces.** fr. fig. Ofrecer resistencia una cosa al apartarla de donde está o

al cambiar su estado, o alguna persona para desprenderse de ella.

raja¹. (De *rajar¹.*) f. Una de las partes de un leño que resultan de abrirlo al hilo con hacha, cuña u otro instrumento. ‖ **2.** Hendedura, abertura o quiebra de una cosa. ‖ **3.** Pedazo que se corta a lo largo o a lo ancho de un fruto o de algunos otros comestibles; como melón, sandía, queso, etc. ‖ **4.** V. **madera de raja.** ‖ **hacer rajas** una cosa. fr. fig. Dividirla, repartiéndola entre varios interesados o para diversos usos. ‖ **hacerse uno rajas.** fr. fig. y fam. **hacerse pedazos.** ‖ **sacar uno raja.** fr. fig. y fam. **sacar astilla.**

raja². (Del b. lat. *rascia.*) f. Especie de paño grueso y de baja estofa, que se usó antiguamente. ‖ **de Florencia.** Especie de **raja** muy fina y cara que venía de Italia.

rajá. (Del fr. *rajah* y *radjah,* y este del sánscr. *raja,* rey.) m. Soberano indico. ‖ **vivir como un rajá.** fr. fig. y fam. Vivir con lujo u opulencia.

rajable. adj. Que se puede rajar¹ fácilmente.

rajabroqueles. (De *rajar¹* y *broquel.*) m. p. us. fig. y fam. Valentón que se jactaba de pendenciero y guapo.

rajadillo. (De *rajar¹.*) m. Confitura que se hace de almendras rajadas y bañadas en azúcar.

rajadizo, za. (De *rajar¹.*) adj. Fácil de rajarse.

rajador. (De *rajar¹.*) m. El que raja madera o leña.

rajadura. f. Acción y efecto de rajar o rajarse.

rajar¹. (Del lat. *radiare.*) tr. Dividir en rajas. ‖ **2.** Hender, partir, abrir. Ú. t. c. prnl. ‖ **3.** prnl. fig. y fam. Volverse atrás, acobardarse o desistir de algo a última hora.

rajar². (Del lat. **radulāre,* rallar; de *radŭla,* rallo.) intr. fig. y fam. Decir o contar muchas mentiras, especialmente jactándose de valiente y hazañoso. ‖ **2.** fig. y fam. Hablar mucho. ‖ **3.** *Amér.* Hablar mal de uno, desacreditarlo.

rajatabla (a). loc. adv. fig. y fam. **a raja tabla,** cueste lo que cueste, a todo trance, sin contemplaciones.

rajeta. f. Paño semejante a la raja², pero de menos cuerpo y con mezcla de varios colores.

rajuela. (De *rajar¹.*) f. d. de **raja.** ‖ **2.** Piedra delgada y sin labrar que se emplea en obras de poca importancia y esmero.

ralbar. (Del lat. *relevāre,* levantar.) tr. *León.* Dar la primera reja de arado a las tierras.

ralea. (De etim. disc.) f. Especie, género, calidad. ‖ **2.** despect. Aplicado a personas, raza, casta o linaje. ‖ **3.** *Cetr.* Ave a que es más inclinado el halcón, el gavilán o el azor. *La* RALEA *del halcón son las palomas; la del azor, las perdices; la del gavilán, los pájaros pequeños.*

ralear. intr. Hacerse rala una cosa perdiendo la densidad, opacidad o solidez que tenía. Ú. t. c. tr. ‖ **2.** No granar enteramente los racimos de las vides. ‖ **3.** En algunas partes, manifestar, descubrir uno con su porte su mala inclinación y ralea.

ralentí. (Del fr. *ralenti.*) m. Número de revoluciones por minuto a que debe funcionar un motor de explosión cuando no está acelerado. Ú. m. en la loc. **al ralentí.** ‖ **2.** *Cinem.* Cámara lenta.

ralentización. f. Acción y efecto de ralentizar.

ralentizar. tr. lentificar.

raleón, na. (De *ralea* de cetrería.) adj. Dícese del ave de cetrería muy diestra en determinada ralea.

raleza. f. Calidad de ralo.

ralo, la. (Del lat. *rarus.*) adj. Dícese de las cosas cuyos componentes, partes o elementos están separados más de lo regular en su clase. ‖ **2.** ant. Raro, no común.

rallado, da. p. p. de **rallar.** ‖ **2.** adj. *Ast.* y *Sal.* Descarado.

rallador, ra. adj. adj. ant. **hablador.** Usáb. t. c. s. ‖ **2.** m. Utensilio de cocina, compuesto principalmente de una chapa de metal, curva y llena de agujerillos de borde saliente, que sirve para desmenuzar el pan, el queso, etc., restregándolos con él.

ralladura. f. Surco que deja el rallo en la parte por donde ha pasado, y, por ext., cualquier surco menudo. ‖ **2.** Lo que queda rallado. ‖ **3.** ant. **raedura.**

rallante. adj. Dícese de la persona fastidiosa, molesta o cargante.

rallar. (De *rallo.*) tr. Desmenuzar una cosa restregándola con el rallador. ‖ **2.** fig. y fam. Molestar, fastidiar con importunidad y pesadez. ‖ **3.** *Ast.* Raer, rebañar los restos de comida que quedan en una olla o caldera. ‖ **4.** intr. *Sal.* Hablar descaradamente.

rallo. (Del lat. *rallum; de radĕre,* raer.) m. Utensilio de rallar. ‖ **2.** Por ext., cualquier otra chapa con iguales agujeros, que sirve para otros usos. ‖ **3.** Especie de botijo con boca ancha de agujeros pequeños. ‖ **4.** fig. y fam. V. **cara de rallo.**

rallón. (De *rallo.*) m. Arma que termina en un hierro transversal afilado, la cual se disparaba con la ballesta y servía especialmente en la caza mayor.

rama¹. (De *ramo.*) f. Cada una de las partes que nacen del tronco o tallo principal de la planta y en las cuales brotan por lo común las hojas, las flores y los frutos. ‖ **2.** fig. Serie de personas que traen su origen en el mismo tronco. ‖ **3.** fig. Parte secundaria de una cosa, que nace o se deriva de otra cosa principal. ‖ **4.** fig. **ramo,** cada una de las partes en que se considera dividida una ciencia, arte, industria, etc. ‖ **andarse,** o **irse,** uno **por las ramas.** fr. fig. y fam. Detenerse en lo menos sustancial de un asunto, dejando lo más importante. ‖ **saltar** uno **a las ramas.** fig. y fam. Buscar excusas frívolas para disculparse de un hecho o descuido. ‖ **de rama en rama.** loc. adv. fig. Sin fijarse en objeto determinado; variando continuamente. ‖ **plantar de rama.** fr. *Agr.* Plantar un árbol con una **rama** cortada y desgajada de otra.

rama². (Del al. *rahmen,* marco.) f. *Impr.* Cerco de hierro cuadrangular con que se ciñe el molde que se ha de imprimir, apretándolo con varias cuñas o tornillos que hay para este fin.

rama³ (en). (Del fr. *rame,* ant. fr. *rasme.*) loc. adv. con que se designa el estado de ciertas materias antes de recibir su última aplicación o manufactura. ‖ **2.** Aplícase también a los ejemplares de una obra impresa que aún no se han encuadernado. ‖ **3.** V. **cupones en rama.**

ramada. f. **ramaje.** ‖ **2. enramada,** cobertizo de ramas. Ú. m. en América.

ramadán. (Del ár. *ramaḍān,* mes del ayuno.) m. Noveno mes del año lunar de los mahometanos, quienes durante sus treinta días observan riguroso ayuno.

ramaje. m. Conjunto de ramas o ramos.

ramal. m. Cada uno de los cabos de que se componen las cuerdas, sogas, pleitas y trenzas. ‖ **2.** Ronzal asido al cabezón de una bestia. ‖ **3.** Cada uno de los diversos tiros que concurren en la misma meseta de una escalera. ‖ **4.** Parte que arranca de la línea principal de un camino, acequia, mina, cordillera, etc. ‖ **5.** fig. Parte o división que resulta o nace de una cosa con relación y dependencia de ella, como rama suya. ‖ **a ramal y media manta.** loc. adv. fig. Con pobreza y escasez.

ramalazo. m. Golpe que se da con el ramal. ‖ **2.** Señal que deja el golpe dado con el ramal. ‖ **3.** fig. Huella o señal que sale al rostro u otra parte del cuerpo por un golpe o por enfermedad, como la erisipela. ‖ **4.** fig. Dolor que aguda y repentinamente acomete a lo largo de una parte del cuerpo. ‖ **5.** fig. Adversidad que sobrecoge y sorprende a uno, dimanada, por lo común, de una culpa de la que no se sospechaba, o por causa de otro. ‖ **6.** fig. Ramo de locura. ‖ **tener ramalazo.** fr. fig. y fam. Ser afeminado.

ramalear. intr. Seguir bien la bestia al que la lleva del ramal.

ramalera. (De *ramal,* ronzal.) f. Cada uno de los cordeles de cáñamo que sirven de riendas a la bestia de varas en carros y galeras. Ú. m. en pl.

ramalillo. m. d. de **ramal.** ‖ **2.** Rienda de la caballería. Ú. m. en pl.

ramasco. m. Rama pequeña.

ramazón. f. Conjunto de ramas separadas de los árboles.

rambla. (Del ár. *ramla,* arenal.) f. Lecho natural de las aguas pluviales cuando caen copiosamente. ‖ **2.** Suelo por donde las aguas pluviales corren cuando son muy copiosas. ‖ **3.** En Barcelona y otras ciudades, calle ancha y con árboles, generalmente como arteria central. ‖ **4.** Artefacto compuesto de postes de madera fijos verticalmente en el suelo y unidos por dos series de travesaños, con puntas o ganchos de hierro, en que se colocan los paños para enramblarlos.

ramblar. m. Lugar adonde confluyen varias ramblas.

ramblazo. m. Sitio por donde corren las aguas de los turbiones y avenidas.

ramblizo. m. **ramblazo.**

rameado, da. adj. Dícese del dibujo o pintura que representa ramos, especialmente en tejidos, papeles, etc.

rameal. adj. *Bot.* **rámeo.**

rámeo, a. (Del lat. *ramĕus.*) adj. *Bot.* Perteneciente o relativo a la rama. *Hojas* RÁMEAS.

ramera. (De *ramo.*) f. Mujer que por oficio tiene relación carnal con hombres. ‖ **2.** Aplícase también a la mujer lasciva.

ramería. f. Casa de mujeres públicas. ‖ **2.** Actividad, comercio de las rameras.

ramero. adj. V. **halcón ramero.**

ramial. m. Sitio poblado de ramio.

ramificación. f. Acción y efecto de ramificarse. ‖ **2.** fig. Conjunto de consecuencias necesarias de algún hecho o acontecimiento. ‖ **3.** *Anat.* División y extensión de las venas, arterias, nervios, que, como ramas, nacen de un mismo principio o tronco.

ramificar. (Del lat. *ramus,* rama, y *facĕre,* hacer.) intr. Echar ramas un árbol, arbusto, etc. ‖ **2.** prnl. Dividirse en ramas una cosa. ‖ **3.** Propagarse, extenderse las consecuencias de un hecho o suceso.

rámila. f. *Ast.* y *Cantabria.* **garduña.**

ramilla. f. Rama de tercer orden o que sale inmediatamente del ramo. ‖ **2.** fig. Cualquier cosa ligera de que uno se vale para su intento.

ramillete. m. Ramo pequeño de flores o hierbas olorosas formado artificialmente. ‖ **2.** fig. **colineta.** ‖ **3.** fig. Adorno compuesto de figuras y piezas de mármol o metales labrados en varias formas, que se ponen sobre las mesas en donde se sirven comidas suntuosas, y en las cuales se colocan diestramente dulces, frutas, etc. ‖ **4.** fig. Colección de especies exquisitas y útiles en una materia. ‖ **5.** *Bot.* Conjunto de flores que forman una cima o copa contraída como las de la minutisa y la ambrosía. ‖ **de Constantinopla. minutisa.**

ramilletero, ra. m. y f. Persona que hace o vende ramilletes. ‖ **2.** m. **florero,** vaso para flores. ‖ **3.** Maceta o tiesto con flores.

ramillo. m. *Ar.* Antigua moneda de vellón.

ramina. f. Hilaza del ramio.

ramio. (Del malayo *rami.*) m. Planta de la familia de las urticáceas, con tallos herbáceos y ramosos que crecen hasta tres metros de altura; hojas alternas, casi aovadas, dentadas, puntiagudas, de pecíolo muy grande, color verde oscuro por la haz y lanuginosas por el envés; flores verdes de grupos axilares, y fruto elipsoidal algo carnoso. Es propia de las Indias Orientales, y se utiliza como textil en Europa.

ramiro. m. p. us. **carnero¹,** animal.

ramito. m. d. de *ramo.* ‖ **2.** *Bot.* Cada una de las subdivisiones de los ramos de una planta.

ramiza. f. Conjunto de ramas cortadas. ‖ **2.** Lo que se hace de ramas.

ramnáceo, a. (De *rhamnus,* nombre de un género de plantas.) adj. *Bot.* Dícese de árboles y arbustos dicotiledóneos, a veces espinosos, de hojas sencillas, alternas u opuestas, con estípulas caducas o aguijones persistentes; flores pequeñas, solitarias o en racimo y fruto de drupa; como el cambrón, la aladierna y el azufaifo. Ú. t. c. s. f. ‖ **2.** f. pl. *Bot.* Familia de estas plantas.

rámneo, a. (Del lat. *rhamnus,* y este del gr. ῥάμνος, espino cerval.) adj. *Bot.* **ramnáceo.**

ramo. (Del lat. *ramus.*) m. Rama de segundo orden o que sale de la rama madre. ‖ **2.** Rama cortada del árbol. ‖ **3.** El de pino u olivo que se ponía para anunciar el lugar donde se vendía vino. ‖ **4.** Conjunto o manojo de flores, ramas o hierbas o de unas y otras cosas, ya sea natural, ya artificial. ‖ **5.** V. **día, domingo de Ramos.** ‖ **6.** Ristra de ajos o cebollas. ‖ **7.** Entre pasamaneros, conjunto de hilos de seda con que se hacen las labores o figuras de las cintas. ‖ **8.** fig. Cada una de las partes en que se considera dividida una ciencia, arte, industria, etc. RAMO *del saber, de la administración pública, de mercería.* ‖ **9.** fig. Enfermedad incipiente o poco determinada. RAMO *de perlesía, de locura.* ‖ **de viento. alcabala del viento.** ‖ **vender al ramo.** fr. fig. y fam. Vender el vino al por menor los cosecheros.

ramojo. m. Conjunto de ramas cortadas de los árboles, especialmente cuando son pequeñas y delgadas.

ramón. (aum. de *ramo.*) m. Ramojo que cortan los pastores para apacentar los ganados en tiempo de muchas nieves o de rigurosa sequía. ‖ **2.** Ramaje que resulta de la poda de los olivos y otros árboles.

ramonear. intr. Cortar las puntas de las ramas de los árboles. ‖ **2.** Pacer los animales las hojas y las puntas de los ramos de los árboles, ya sean cortadas antes o en pies tiernos de poca altura.

ramoneo. m. Acción de ramonear. ‖ **2.** Temporada en que se ramonea.

ramoso, sa. (Del lat. *ramôsus.*) adj. Que tiene muchos ramos o ramas.

rampa¹. (Del medio alto al. *krampf.*) f. Calambre de los músculos.

rampa². (Del germ. *rampa.*) f. Plano inclinado dispuesto para subir y bajar por él. ‖ **2.** Por ext., terreno en pendiente.

rampante. (Del fr. *rampant,* y este del germ. *rampa,* garra.) adj. Aplícase al león u otro animal que está en el campo del escudo de armas con la mano abierta y las garras tendidas en ademán de agarrar o asir. ‖ **2.** Ganchudo, como las uñas del león **rampante.** ‖ **3.** fig. Trepador, ambicioso sin escrúpulos. ‖ **4.** fig. Ascendente, creciente. ‖ **5.** *Arq.* Dícese de la construcción en declive como el arco y la bóveda que tienen sus impostas oblicuas o a distinto nivel. Ú. t. c. s. m.

rampar. (De *rampante.*) intr. Adoptar la postura del león rampante. ‖ **2.** Trepar, alzarse, encaramarse. ‖ **3.** Reptar, deslizarse como los reptiles.

rampete. m. *Murc.* Hierba silvestre que se emplea en las ensaladas.

rampiñete. (Del prov. *rampinet,* y este del germ. *rampa.*) m. Aguja de hierro, grande, con la punta en figura de tirabuzón, que usaban los artilleros para reconocer y limpiar el fogón de las piezas.

ramplón, na. (De etim. disc.) adj. Aplícase al calzado tosco y de suela muy gruesa y ancha. ‖ **2.** fig. Vulgar, chabacano. ‖ **3.** m. Especie de taconcillo que se forma en la cara inferior de las herraduras a la punta de los callos, para suplir en las caballerías algunos defectos de los cas-

cos o huellos. ‖ **4.** Piececita de hierro en forma piramidal, que se pone en la lumbre y en los callos de las herraduras para que, penetrando en el hielo, puedan las caballerías caminar por él sin resbalarse. ‖ **a ramplón.** loc. adv. Con herraduras de **ramplón** o con **ramplones.**

ramplonería. f. Cualidad de ramplón, tosco o chabacano. ‖ **2.** Dicho o hecho ramplón.

rampojo. m. **raspajo.**

rampollo. (Del dialect. *rampollo,* del germ. *rampa,* garra.) m. Rama que se corta del árbol para plantarla.

ramuja. f. *Murc.* **ramujo.**

ramujo. (Del lat. *ramûculum.*) m. Ramas que se cortan del olivo.

ramulla. f. *Ar., Nav.* y *Logr.* **ramujo.**

rana. (Del lat. *rana.*) f. Batracio del orden de los anuros, de unos 8 a 15 centímetros de largo, con el dorso de color verdoso manchado de oscuro, verde, pardo, etc., y el abdomen blanco, boca con dientes y pupila redonda o en forma de rendija vertical. Conócense diversas especies, algunas muy comunes en España, y todas ellas, que son muy ágiles y buenas nadadoras, viven cuando adultas en las inmediaciones de aguas corrientes o estancadas y se alimentan de animalillos acuáticos o terrestres. ‖ **2.** V. **apio de ranas.** ‖ **3.** fig. y fam. V. **unto de rana.** ‖ **4.** V. **hombre rana.** ‖ **5.** Juego que consiste en introducir desde cierta distancia una chapa o moneda por la boca abierta de una **rana** de metal colocada sobre una mesilla, o por otras ranuras convenientemente dispuestas. ‖ **6.** pl. **ránulas,** tumor blando bajo la lengua. ‖ **de zarzal.** Batracio semejante a un sapillo, con el cuerpo lleno de verrugas; su parte inferior tiene muchas pintas; los pies delanteros tienen cuatro dedos y los traseros cinco, algo separados, en forma de mano. ‖ **marina, o pescadora. pejesapo.** ‖ **cuando las ranas críen pelo.** expr. fig. y fam. que se usa para dar a entender el tiempo remoto en que se ejecutará una cosa, o que se duda de la posibilidad de que suceda. ‖ **no ser rana** uno. fr. fig. y fam. Ser hábil y apto en una materia, o sobresaliente en otro concepto cualquiera. ‖ **salir rana** una persona o cosa. fr. fig. y fam. Defraudar; frustrarse la confianza que se había depositado en esa persona o cosa.

ranacuajo. (d. de *rana.*) m. **renacuajo.**

ranal. m. *Murc.* Terreno húmedo en que se crían muchas ranas.

rancagüino, na. adj. Natural de Rancagua, capital de la provincia chilena de O'Higgins. Ú. t. c. s. ‖ **2.** Perteneciente o relativo a esta ciudad.

rancajada. (De *rancar.*) f. Desarraigo; acción de arrancar de cuajo las plantas, sembrados o cosas semejantes.

rancajado, da. adj. Herido de un rancajo.

rancajo. (De *rancar.*) m. Punta o astilla de cualquier cosa, que se clava en la carne.

rancar. (Del lat. *eruncâre,* arrancar.) tr. ant. **arrancar.**

ranciar. (Del lat. *rancidâre.*) tr. Poner rancio. Ú. m. c. prnl.

rancidez. f. Cualidad de rancio.

ranciedad. f. Cualidad de rancio de las cosas antiguas y del vino. ‖ **2.** fig. Cualidad de rancio de las cosas antiguas y de las personas apegadas a ellas. ‖ **3.** fig. Cosa anticuada.

rancio, cia. (Del lat. *rancîdus.*) adj. Dícese del vino y los comestibles grasientos que con el tiempo adquieren sabor y olor más fuertes, mejorándose o echándose a perder. ‖ **2.** fig. Dícese de las cosas antiguas y de las personas apegadas a ellas. RANCIA *estirpe; filósofo* RANCIO. ‖ **3.** m. Cualidad de **rancio.** ‖ **4.** Tocino **rancio.** ‖ **5.** Suciedad grasienta de los paños mientras se trabajan o cuando no se han trabajado bien.

rancioso, sa. adj. **rancio.**

rancor. (Del lat. *rancor, -ôris.*) m. ant. Odio, rencor.

rancura. f. ant. Odio, rencor. ‖ **2.** ant. Querella, demanda judicial.

rancuroso, sa. adj. ant. Que tiene rencor, rencoroso. ‖ **2.** ant. Quejoso, ofendido. Usáb. t. c. s.

rancheadero. m. Lugar o sitio donde se ranchea.

ranchear. intr. Formar ranchos en una parte o acomodarse en ellos. Ú. t. c. prnl.

ranchera. f. Canción y danza populares de diversos países de Hispanoamérica.

ranchería. f. Conjunto de ranchos o chozas que forman como un lugar.

ranchero, ra. m. y f. Persona que guisa el rancho y cuida de él. ‖ **2.** Persona que gobierna un rancho. ‖ **3.** adj. Perteneciente o relativo al rancho.

rancho. (Del ant. alto al. *hring,* círculo, asamblea.) m. Comida que se hace para muchos en común, y que generalmente se reduce a un solo guisado; como la que se da a los soldados y a los presos. ‖ **2.** Junta de personas que toman a un tiempo esta comida. ‖ **3.** Lugar fuera de poblado, donde se albergan diversas familias o personas. RANCHO *de gitanos, de pastores.* ‖ **4.** fig. y fam. Unión familiar de algunas personas separadas de otras y que juntan a hablar o tratar alguna materia o negocio particular. ‖ **5.** Choza o casa pobre con techumbre de ramas o paja, fuera de poblado. ‖ **6.** *And.* Finca de labor de menos extensión que el cortijo y por lo común con vivienda. ‖ **7.** *Amér.* Granja donde se crían caballos y otros cuadrúpedos. ‖ **8.** *Mar.* Lugar determinado en las embarcaciones, donde se aloja a los individuos de la dotación. RANCHO *del armero.* ‖ **9.** *Mar.* Cada una de las divisiones que se hacen de la marinería para el buen orden y disciplina en los buques de guerra; y así se alterna en las faenas y servicios por **ranchos.** ‖ **10.** *Mar.* Provisión de comida que embarca el comandante o los individuos que forman **rancho** o están arranchados. ‖ **de Santa Bárbara.** División debajo de la cámara principal de la nave, donde estaba la caña del timón. ‖ **alborotar el rancho.** fr. fig. y fam. **alborotar el cortijo.** ‖ **asentar el rancho.** fr. fig. y fam. Pararse o detenerse en un lugar para comer o descansar. ‖ **2.** fig. y fam. Quedarse de asiento en una parte. ‖ **hacer rancho.** fr. fam. **hacer lugar.** ‖ **hacer rancho aparte.** fr. fig. y fam. con que se designa el hecho de alejarse o separarse uno de las demás personas en cosas o en cosas que pudieron ser comunes a todos.

randa. (De etim. disc.) f. Guarnición de encaje con que se adornan los vestidos, la ropa blanca y otras cosas. ‖ **2.** Encaje de bolillos. ‖ **3.** m. fam. Ratero, granuja.

randado, da. adj. Adornado con randas.

randera. f. La que por oficio hace randas.

ranero. m. Terreno húmedo en que se crían muchas ranas.

rangífero. (Del b. lat. *rangifer.*) m. **reno.**

ranglán o **ranglan.** m. **raglán,** gabán que se usaba a mediados del siglo XIX.

rango. (Como el fr. *rang,* del germ. *hring, ring,* círculo.) m. Clase o categoría de una persona con respecto a su situación profesional o social. ‖ **2.** En estadística, amplitud de la variación de un fenómeno entre un límite menor y un mayor claramente especificados. ‖ **3.** *Amér.* Situación social elevada. ‖ **4.** *C. Rica, Chile, Ecuad., P. Rico y El Salv.* Rumbo, esplendidez.

rangoso, sa. adj. *Chile.* Rumboso, generoso.

rangua. (Del lat. *ranúla,* ranita.) f. Pieza en que se apoya un eje vertical.

ranilla. (d. de *rana.*) f. Parte del casco de las caballerías más blanda y flexible que el resto, de forma piramidal, situada entre los dos pulpejos o talones. ‖ **2.** *Veter.* Enfermedad del ganado vacuno, que consiste en cuajársele en los in-

testinos, particularmente en el recto, cierta porción de sangre que no puede expeler.

ranina. (De *rana.*) adj. *Anat.* V. **arteria, vena ranina.**

rano. m. En algunas partes, macho de la rana.

ranquel. (Del mapuche *ranquelche,* gente del cañaveral, de *ranquel,* carrizo de las pampas, y *che,* gente.) adj. Dícese del indígena americano, perteneciente a las parcialidades que habitaron en los siglos XVIII y XIX, en las llanuras del noroeste de la Pampa, el sudeste de San Luis y el sur de Córdoba, República Argentina. Ú. t. c. s. ‖ **2.** Perteneciente o relativo a los indios **ranqueles** o a su idioma. ‖ **3.** m. Lengua de estos indios, que es un dialecto del araucano o mapuche.

ranquelino, na. adj. Perteneciente o relativo a los indios ranqueles. Ú. t. c. s.

ránula. (Del lat. *ranŭla,* ranita.) f. *Pat.* Tumor blando, lleno de un líquido glutinoso, que suele formarse debajo de la lengua. ‖ **2.** *Veter.* Tumor carbuncoso que se forma debajo de la lengua al ganado caballar y vacuno.

ranunculáceo, a. adj. *Bot.* Dícese de plantas angiospermas dicotiledóneas, arbustos o hierbas, con hojas por lo común alternas, simples, sin estípulas, de pecíolos abrazadores y márgenes casi siempre cortadas de varios modos; flores de colores brillantes, solitarias o agrupadas en racimo o en panoja, y fruto seco y a veces carnoso, con semillas de albumen córneo; como el acónito y la peonía. Ú. t. c. s. f. ‖ **2.** f. pl. *Bot.* Familia de estas plantas.

ranúnculo. (Del lat. *ranuncŭlus.*) m. Planta herbácea anual, de la familia de las ranunculáceas, con tallo hueco, ramoso, de dos a seis decímetros de altura; hojas partidas en tres lóbulos, muy hendidos en las inferiores, y enteros, casi lineales, en las superiores; flores amarillas y fruto seco. Es común en los terrenos húmedos de España y tiene jugo acre muy venenoso. Hay diversas especies.

ranura. (Del fr. *rainure.*) f. Canal estrecha y larga que se abre en un madero, piedra u otro material, para hacer un ensamble, guiar una pieza movible, etc. ‖ **2.** **hendedura** pequeña abierta en un cuerpo sólido.

ranzal. (Del ár. *rassān* o *raṣṣān,* variedad de tela.) m. Cierta tela antigua de hilo.

ranzón. (Del fr. *ranton.*) m. Dinero para rescate.

raña[1]. (De *raño.*) f. Instrumento para pescar pulpos en fondos de roca, formado por una cruz de madera o hierro erizada de garfios, que se echa al agua con una piedra.

raña[2]. (Por *herraña,* del lat. *farrāgo, -ĭnis.*) f. Terreno de monte bajo.

raño. (Del lat. *aranĕus.*) m. Pez marino teleósteo del suborden de los acantopterigios, de unos tres decímetros de largo, de color amarillo en la cabeza y el lomo, y rojo amarillento en el vientre; aletas en general amarillas, y encarnadas las que están junto a las agallas. El opérculo de estas es de borde menudamente aserrado y remata en la parte superior con dos fuertes aguijones. ‖ **2.** Garfio de hierro con mango largo de madera, que sirve para arrancar de las peñas las ostras, lapas, etc.

rapa. (Del cat. *rapa.*) f. Flor del olivo.

rapabarbas. m. fam. **barbero,** el que tiene por oficio afeitar.

rapacejo. m. Alma de hilo, cáñamo o algodón, sobre la cual se tuerce estambre, seda o metal para formar los cordoncillos de los flecos. ‖ **2.** Fleco liso.

rapacería[1]. f. Condición del que es dado al robo o al hurto. ‖ **2.** **robo**[1], acción y efecto de robar.

rapacería[2]. f. **rapazada.**

rapacidad. (Del lat. *rapacĭtas, -ātis.*) f. Condición del que es dado al robo o al hurto.

rapador, ra. adj. Que rapa. Ú. t. c. s. ‖ **2.** m. fam. **barbero,** el que tiene por oficio afeitar.

rapadura. f. Acción y efecto de rapar o raparse las barbas o el pelo.

rapagón. (De *rapar*.) m. Mozo joven a quien todavía no ha salido la barba, y parece que está como rapado.

rapamiento. m. Acción y efecto de rapar.

rapante. p. a. de **rapar**. Que rapa o hurta. ‖ **2.** adj. *Blas.* Dícese del animal que en el blasón está en actitud de coger con la garra, rampante.

rapapiés. m. **buscapiés.**

rapapolvo. m. fam. Reprensión áspera.

rapar. (Del germ. *rapon*.) tr. Rasurar o afeitar las barbas. Ú. t. c. prnl. ‖ **2.** Cortar el pelo al rape. ‖ **3.** fig. y fam. Hurtar o quitar con violencia alguna cosa.

rapavelas. (De *rapar*, hurtar, y *vela*.) m. despect. Sacristán, monaguillo u otro dependiente de una iglesia.

rapaz. (Del lat. *rapax, -ācis*.) adj. Inclinado o dado al robo, hurto o rapiña. ‖ **2.** V. **ave rapaz.** Ú. t. c. s. ‖ **3.** f. pl. *Zool.* Nombre que se aplica comúnmente a las especies representantes de los órdenes de las **rapaces** diurnas y de las **rapaces** nocturnas. ‖ **4.** m. Muchacho de corta edad. ‖ **diurna. falconiforme.** ‖ **nocturna. estrigiforme.**

rapaza. f. Muchacha de corta edad.

rapazada. f. Acción propia de rapaces y rapazas.

rapé. (Del fr. *rapé*, rallado.) adj. V. **tabaco rapé.** Ú. t. c. s.

rape[1]. (De *rapar*.) m. fam. Rasura o corte de la barba hecho de prisa y sin cuidado. Ú. m. en la fr.: *Dar un* RAPE. ‖ **al rape.** loc. adv. Hablando del pelo, cortado a raíz. ‖ **2.** A la orilla o casi a raíz.

rape[2]. (Del cat. *rap*.) m. **pejesapo.**

rápidamente. adv. m. Con ímpetu, celeridad y presteza. ‖ **2.** De modo fugaz, en, o por un instante.

rapidez. (De *rápido*.) f. Velocidad impetuosa o movimiento acelerado ‖ **2.** Cualidad de rápido.

rápido, da. (Del lat. *rapĭdus*.) adj. Que se mueve, se hace o sucede a gran velocidad, muy deprisa. ‖ **2.** Que se hace a la ligera, sin profundizar. *Eché un vistazo* RÁPIDO *a la novela.* ‖ **3.** m. **rabión**, río o torrente que cae con violencia.

rapiego, ga. (Del lat. *rapēre*, arrebatar.) adj. V. **ave rapiega.**

rapina. (Del lat. *rapīna*.) f. ant. **rapiña.**

rapiña. (De *rapina*.) f. Robo, expoliación o saqueo que se ejecuta arrebatando con violencia. ‖ **2.** V. **ave de rapiña.**

rapiñador, ra. (Del lat. *rapinātor*.) adj. Que rapiña. Ú. t. c. s.

rapiñar. tr. fam. Hurtar o quitar una cosa como arrebatándola.

rapista. m. fam. El que rapa. ‖ **2.** fam. **barbero**, el que tiene por oficio afeitar.

rápita. f. En Marruecos, convento o ermita, rábida.

rapo. (Del lat. *rapum*, y este del gr. ῥάπυς.) m. Raíz del nabo.

rapónchigo. (Del lat. *rapum*, nabo.) m. Planta perenne de la familia de las campanuláceas, con tallos estriados de cuatro a seis decímetros de altura; hojas radicales oblongas, y lineales las del tallo; flores azules en panojas terminales, de corola en forma de campana, hendida en cinco puntas por el borde; fruto capsular y raíz blanca, fusiforme, carnosa y comestible. Es común en los terrenos montuosos.

rapóntico. m. **ruipóntico.**

raposa. (De *raposo*.) f. **zorra**[1], animal. ‖ **2.** V. **uva de raposa.** ‖ **3.** fig. y fam. Persona astuta.

raposear. intr. Emplear ardides o trampas.

raposeo. m. Acción y efecto de raposear.

raposera. f. Cueva de zorros o raposos.

raposería. f. Astucia del zorro y mañas suyas. ‖ **2.** Ardides y mañas semejantes del hombre.

raposo, ra. adj. V. **perro raposero.** ‖ **2.** **raposino.**

raposía. f. **raposería.**

raposino, na. adj. Perteneciente o relativo al raposo,

animal. ‖ **2.** Perteneciente o relativo al raposo, hombre astuto.

raposo. (De *rabo*.) m. **zorro**, animal. ‖ **2.** fig. y fam. Hombre taimado y astuto. ‖ **ferrero.** Zorro propio de los países glaciales, cuyo pelaje, muy espeso, suave y largo, y de color de hierro, o sea, gris azulado, se estima mucho para forros y adornos de peletería.

raposuno, na. adj. **raposino.**

rapsoda. (Del gr. ῥαψωδός; de ῥάπτω, coser, y ᾠδή, canto.) m. El que en la Grecia antigua iba de pueblo en pueblo cantando trozos de los poemas homéricos u otras poesías. ‖ **2.** Por ext., poeta. ‖ **3.** com. Recitador de versos.

rapsodia. (Del lat. *rhapsodĭa*, y este del gr. ῥαψῳδία.) f. Trozo de un poema, y especialmente de alguno de los de Homero. ‖ **2.** Obra compuesta de retazos ajenos, centón. ‖ **3.** Pieza musical formada con fragmentos de otras obras o con trozos de aires populares.

rapsódico, ca. adj. Perteneciente o relativo a la rapsodia o al rapsoda.

rapta. (Del lat. *rapta*, arrebatada.) adj. p. us. Dícese de la mujer raptada.

raptado, da. p. p. de **raptar**. ‖ **2.** adj. Dícese de la persona retenida en contra de su voluntad, por lo general, con el fin de obtener un rescate. ‖ **3.** Aplícase a la mujer a quien lleva un hombre por fuerza o con ruegos engañosos.

raptar. (Del lat. *raptāre*.) tr. Secuestrar, retener a una persona en contra de su voluntad, por lo general, con el fin de conseguir un rescate. ‖ **2.** Sacar a una mujer, violentamente o con engaño, de la casa y potestad de sus padres y parientes.

rapto. (Del lat. *raptus*.) m. Impulso, acción de arrebatar. ‖ **2.** Delito que consiste en llevarse su domicilio, con miras deshonestas, a una mujer por fuerza o por medio de ruegos y promesas engañosos; o tratándose de niña menor de doce años. ‖ **3.** Por ext., secuestro de personas, con el fin de conseguir un rescate. ‖ **4.** Estado del alma dominada por un sentimiento de admiración y unión mística con Dios. ‖ **5.** p. us. **robo**[1]. ‖ **6.** *Der.* Impedimento dirimente o causa de nulidad del matrimonio celebrado entre el raptor y la robada que permanece en poder de aquel y no confirma su voluntad después de libertada. ‖ **7.** *Pat.* Accidente que priva de sentido.

raptor, ra. (Del lat. *raptor, -ōris*.) adj. ant. Que roba. Usáb. t. c. s. ‖ **2.** Que comete con una mujer el delito de rapto. Ú. t. c. s. ‖ **3.** m. y f. Persona que secuestra a otra, por lo general, con el fin de obtener un rescate.

rapuzar. (De *rapar*.) tr. *León.* Segar alta la mies. ‖ **2.** Desmochar una planta, arrancando algunas hojas o frutos.

raque. (Del al. *Wrack*, barco naufragado, restos de un naufragio.) m. Acto de recoger los objetos perdidos en las costas por algún naufragio o echazón. *Andar, ir al* RAQUE.

raquear. intr. Andar al raque; buscar restos de naufragios.

raquero, ra. adj. Dícese del buque o de la embarcación pequeña que va pirateando o robando por las costas. ‖ **2.** m. El que se ocupa en andar al raque. ‖ **3.** Ratero que hurta en puertos y costas.

raqueta. (Del it. *racheta*, contracc. de *retichetta*.) f. Bastidor de madera de figuras diversas, con mango, que sujeta una red o pergamino, o ambas cosas, y que se emplea como pala en el juego del volante, de la pelota y otros semejantes, como el tenis. ‖ **2.** Este mismo juego. ‖ **3.** Juego de pelota en que se emplea la pala. ‖ **4.** **jaramago**, planta. ‖ **5.** Utensilio de madera en forma de rasqueta, que se usa en las mesas de juego para mover el dinero de las apuestas. ‖ **6.** Objeto similar a una **raqueta**, que se pone en los pies para andar por la nieve.

raquetero, ra. m. y f. Persona que hace o vende raquetas.

raquetista. com. Pelotari que juega con raqueta.

raquialgia. (De *raquis* y *-algia*.) f. *Pat.* Dolor a lo largo del raquis.

raquianestesia. f. *Med.* Anestesia producida por la inyección de un anestésico en el conducto raquídeo.

raquídeo, a. adj. Perteneciente al raquis. ‖ **2.** *Anat.* V. **bulbo, conducto raquídeo.**

raquis. (Del gr. ῥάχις.) m. *Bot.* Raspa o eje de una espiga. ‖ **2.** *Anat.* Espinazo de los vertebrados.

raquítico, ca. adj. Que padece raquitis. Ú. t. c. s. ‖ **2.** fig. Aplicado a personas, muy delgado y débil. *Ha adelgazado tanto que está* RAQUÍTICO. ‖ **3.** fig. Aplicado a cosas, muy pequeño o escaso. *Nos pusieron unas raciones* RAQUÍTICAS.

raquitis. (Del gr. ῥαχῖτις, relativo al espinazo.) f. *Pat.* **raquitismo.**

raquitismo. m. *Pat.* Enfermedad crónica que, por lo común, solo padecen los niños. Se debe a la alimentación e higiene inadecuados; y consiste en trastornos del metabolismo del calcio, que se manifiestan por encorvadura de los huesos y debilidad del estado general.

raquítomo. (Del gr. ῥάχις, y τέμνω, cortar.) m. *Cir.* Instrumento para abrir el conducto vertebral sin interesar la médula.

rara. (Voz onomatopéyica.) f. *Amér. Merid.* Ave del tamaño de la codorniz, con el pico grueso y dentado; color gris oscuro por el lomo, blanquecino por el vientre y negro en las puntas de las alas. Se alimenta de plantas tiernas, por lo cual es dañosa en las huertas y sembrados.

rara avis in terris. Hemistiquio de un verso de Juvenal, que en estilo familiar suele aplicarse a persona o cosa conceptuada como singular excepción de una regla cualquiera. Dícese más comúnmente **rara avis.**

raramente. adv. m. De tarde en tarde, con escasa frecuencia. ‖ **2.** De un modo extraño.

rarear. tr. Espaciar, hacer menos frecuente. Ú. t. c. intr.

rarefacción. (Del lat. *rarefactum*, supino de *rarefacěre*, enrarecer.) f. Acción y efecto de rarefacer o rarefacerse.

rarefacer. (Del lat. *rarefacěre*.) tr. Hacer menos denso un cuerpo gaseoso, enrarecer. Ú. t. c. prnl.

rarefacto, ta. (Del lat. *rarefactus*.) p. p. irreg. de **rarefacer.**

rareza. f. Cualidad de raro. ‖ **2.** Cosa rara. ‖ **3.** Acción característica de la persona rara o extravagante.

raridad. (Del lat. *rarǐtas, -ātis*.) f. Cualidad de raro.

rarificar. tr. Hacer menos denso un cuerpo gaseoso, enrarecer. Ú. t. c. prnl.

rarificativo, va. adj. Que tiene virtud de rarificar.

raro, ra. (Del lat. *rarus*.) adj. Extraordinario, poco común o frecuente. ‖ **2.** Escaso en su clase o especie. ‖ **3.** Insigne, sobresaliente o excelente en su línea. ‖ **4.** Extravagante de genio o de comportamiento y propenso a singularizarse. ‖ **5.** Que tiene poca densidad y consistencia. Dícese principalmente de los gases enrarecidos. ‖ **6.** V. **tierra rara.** ‖ **de raro en raro.** loc. adv. Raramente, de tarde en tarde.

ras. (De *rasar*.) m. Igualdad en la superficie o la altura de las cosas. ‖ **a ras.** loc. adv. Casi tocando, casi al nivel de una cosa. ‖ **ras con ras, o ras en ras.** loc. adv. A un mismo nivel o a una misma línea. ‖ **2.** Dícese también cuando un cuerpo pasa tocando ligeramente a otro. ‖ **3.** En el instante preciso, al tiempo justo.

rasa. (Del lat. *rasa*, t. f. de *-sus*, raso.) f. Abertura o raleza que se hace al menor esfuerzo en las telas endebles y mal tejidas, sin que se rompan la trama ni la urdimbre. ‖ **2.** raso, llano, plano, sin estorbos. ‖ **3.** raso, tela de seda lustrosa.

rasadura. f. Acción y efecto de rasar.

rasamente. adv. m. Clara y abiertamente.

rasante. p. a. de **rasar.** Que rasa. ‖ **2.** adj. *Art.* V. **tiro**

rasante. ‖ **3.** V. **vuelo rasante.** ‖ **4.** f. Línea de una calle o camino considerada en su inclinación o paralelismo respecto del plano horizontal.

rasar. (De *raso*.) tr. Igualar con el rasero las medidas de trigo, cebada y otras cosas. ‖ **2.** Pasar rozando ligeramente un cuerpo con otro. *La bala* RASÓ *la pared.* ‖ **3.** p. us. **arrasar,** destruir, echar por tierra.

rasarse. prnl. Ponerse rasa o limpia una cosa, como el cielo sin nubes.

rasca. f. fam. Frío intenso. Ú. con el verbo *hacer. Menuda* RASCA *hace esta mañana.*

rascacielos. m. Edificio de gran altura y muchos pisos.

rascacio. m. Escorpina.

rascadera. f. Instrumento de rascar metales, pieles, etc. ‖ **2.** fam. Chapa dentada para limpiar el pelo de las caballerías, almohaza.

rascador. m. Cualquiera de los varios instrumentos que sirven para rascar, así la superficie de un metal, como la piel, etc. ‖ **2.** Especie de aguja larga guarnecida de piedras, que las mujeres se ponían en la cabeza. ‖ **3.** Instrumento de hierro que se usa para desgranar el maíz y otros frutos análogos.

rascadura. f. Acción y efecto de rascar o rascarse.

rascalino. m. **cuscuta.**

rascamiento. m. Acción y efecto de rascar.

rascamoño. m. Aguja larga que las mujeres se ponían en la cabeza.

rascar. (Del lat. **rasicāre*, raer, de *rasus*.) tr. Refregar o frotar fuertemente la piel con una cosa aguda o áspera, y por lo regular con las uñas. Ú. t. c. prnl. ‖ **2.** **arañar,** herir ligeramente con las uñas. ‖ **3.** Limpiar con rascador o rasqueta alguna cosa. ‖ **4.** Producir sonido estridente al tocar con el arco un instrumento de cuerda. ‖ **llevar, o tener,** uno **qué rascar.** fr. fig. y fam. **llevar, o tener, qué lamer.**

rascatripas. com. Persona que con poca habilidad toca el violín u otro instrumento de arco.

rascazón. f. Comezón o picazón que incita a rascarse.

rascle. (De *rascar*, arañar.) m. Arte usado para la pesca del coral.

rasco. (De *rascar*.) m. ant. Acción y efecto de rascar.

rascón, na. adj. Áspero o raspante al paladar. ‖ **2.** m. **rey de codornices,** pequeña ave zancuda que guía a las codornices.

rascuñar. tr. Herir ligeramente con las uñas o con un instrumento cortante.

rascuño. m. Herida ligera hecha con las uñas o con un instrumento cortante.

rasel. m. *Mar.* Delgado de la nave.

rasera. f. **rasero.** ‖ **2.** Paleta de metal, por lo común con varios agujeros, que se emplea en la cocina para volver los fritos y para otros fines.

rasero. (Del lat. *rasorĭum*.) m. Palo cilíndrico que sirve para rasar las medidas de los áridos; a veces tiene forma de rasqueta. ‖ **por el mismo, o por un, rasero.** loc. adv. fig. Con rigurosa igualdad, sin la menor diferencia. Ú. comúnmente con los verbos *medir* y *llevar*.

rasete. m. Raso de inferior calidad.

rasgado, da. (De *rasgar*[1].) adj. Dícese del balcón o ventana grande que se abre mucho y tiene mucha luz. ‖ **2.** V. **boca rasgada.** ‖ **3.** V. **ojos rasgados.** ‖ **4.** m. **rasgón.**

rasgador, ra. adj. Que rasga.

rasgadura. f. Acción y efecto de rasgar[1]. ‖ **2.** Rotura o rasgón de una tela.

rasgar[1]**.** (Del lat. *resecāre*, hacer pedazos.) tr. Romper o hacer pedazos, a viva fuerza y sin el auxilio de ningún instrumento, cosas de poca consistencia; como tejidos, pieles, papel, etc. Ú. t. c. prnl.

rasgar[2]**.** (Del lat. **rasicāre*, rascar.) tr. Tocar la guitarra rozando a la vez varias cuerdas.

rasgo. (De *rasgar*[1].) m. Línea o trazo, especialmente los de adorno, que se hacen al escribir las letras. ‖ **2.** fig. Expresión feliz; afecto o pensamiento expresado con viveza, propiedad y hermosura. ‖ **3.** fig. Acción noble y digna de alabanza. RASGO *heroico, de humildad.* ‖ **4.** Facción del rostro. Ú. m. en pl. ‖ **5.** Peculiaridad, propiedad o nota distintiva. ‖ **pertinente.** *Ling.* El que sirve para distinguir un fonema de otro u otros de la misma lengua. Llámase también **rasgo** distintivo o diferencial. ‖ **a grandes rasgos.** loc. adv. De un modo general, sin entrar en pormenores.

rasgón. (De *rasgar*[1].) m. Rotura de un vestido o tela.

rasgueado, da. p. p. de **rasguear.** ‖ **2.** m. Acción y efecto de rasguear.

rasgueador, ra. adj. Dícese del que rasguea con gusto y delicadeza al escribir. Ú. t. c. s.

rasguear. (De *rasgar*[2].) tr. Tocar la guitarra u otro instrumento rozando varias cuerdas a la vez con las puntas de los dedos. ‖ **2.** intr. Hacer rasgos al escribir.

rasgueo. m. Acción y efecto de rasguear.

rasguñadura. f. **rasguño,** pequeña herida o corte.

rasguñar. (De *rasgar*[1].) tr. Arañar o rascar con las uñas o con algún instrumento cortante una cosa, especialmente el cuero. ‖ **2.** *Pint.* Dibujar en apuntamiento o tanteo.

rasguño. m. Pequeña herida o corte hecho con las uñas o con roce violento. ‖ **2.** *Pint.* Dibujo en apuntamiento o tanteo.

rasí. (De las iniciales de *Rabbi Shelomo Ishaki,* 1040-1105, cuyos comentarios se imprimieron en este tipo de letra.) m. Alifato hebreo de tipos semicursivos, utilizado frecuentemente para escribir textos sefardíes aljamiados.

rasilla. (De *raso*.) f. Tela de lana, delgada y parecida a la lamparilla. ‖ **2.** Ladrillo hueco y más delgado que el corriente, que se emplea para forjar bovedillas y otras obras de fábrica.

rasión. (Del lat. *rasus*.) f. Acción y efecto de raer.

rasmia. (Quizá del ár. *rasmiyya,* vigor y rapidez en la marcha.) f. *Ar.* Empuje y tesón para acometer y continuar una empresa.

rasmillar. (De *rezmila,* garduña.) tr. *Chile.* Arañar ligeramente.

raso, sa. (Del lat. *rasus,* p. p. de *radĕre,* raer.) adj. Plano, liso, libre de estorbos. Ú. t. c. s. ‖ **2.** Aplícase al asiento o silla que no tiene respaldar. ‖ **3.** Dícese del que no tiene un título u otro adherente que le distinga. *Soldado* RASO. ‖ **4.** Dícese también de la atmósfera cuando está libre y desembarazada de nubes y nieblas. ‖ **5.** Que pasa o se mueve a poca altura del suelo. ‖ **6.** Completamente lleno, sin exceder los bordes. *Una cucharada* RASA. ‖ **7.** V. **campo, cielo, escudo raso.** ‖ **8.** V. **bala, tabla rasa.** ‖ **9.** ant. Rasgado o raído. ‖ **10.** m. Tela de seda lustrosa, de más cuerpo que el tafetán y menos que el terciopelo. ‖ **11.** Cierta especie de **raso** antiguo. ‖ **a la rasa.** loc. adv. En el campo o a cielo descubierto. ‖ **al raso.** loc. adv. **a la intemperie,** sin albergue ni resguardo.

rasoliso. m. Cierta clase de tela de raso.

raspa. (De *raspar*.) f. Filamento del cascabillo del grano del trigo y de otras gramíneas. ‖ **2.** Raspilla desprendida del cañón de la pluma de ave de escribir. ‖ **3.** Cuerpo extraño que se agarra a los puntos de la pluma de escribir. ‖ **4.** En los pescados, cualquier espina, especialmente la esquena. ‖ **5.** En algunas partes, grumo o gajo de uvas. ‖ **6.** En algunos frutos, zurrón, cáscara. ‖ **7.** **zuro**[1]. ‖ **8.** fig. y fam. Persona irritable, antipática o falta de amabilidad. *¡Qué* RASPA *eres!* ‖ **9.** *Amér.* Reproche, reprimenda. ‖ **10.** *Bot.* Eje o pedúnculo común de las flores y frutos de una espiga o un racimo. ‖ **ir uno a la raspa.** fr. fam. Ir a pillar o hurtar. ‖ **tender** uno **la raspa.** fr. fig. y fam. Echarse a dormir o descansar.

raspadillo. m. *Germ.* En juegos de naipes, **raspa** de los fulleros.

raspado, da. p. p. de **raspar.** ‖ **2.** adj. V. **hilas raspadas.** ‖ **3.** m. Acción y efecto de raspar. ‖ **4.** *Cir.* **legrado.**

raspador. m. Instrumento que sirve para raspar, y más especialmente el que se compone de un mango y una cuchillita en figura de hierro de lanza, y se emplea para raspar lo escrito.

raspadura. f. Acción y efecto de raspar. ‖ **2.** Lo que raspando se quita de la superficie.

raspahilar. (De *raspa* y *ahilar*.) intr. fam. Moverse rápida y atropelladamente. Ú. solo en gerundio y con verbos de movimiento, como *ir, venir, salir, llegar.*

raspajo. (d. de *raspa,* gajo de uvas.) m. Escobajo de uvas.

raspamiento. m. Acción y efecto de raspar.

ráspano. m. *Cantabria.* **arándano.**

raspante. p. a. de **raspar.** Que raspa. Aplícase comúnmente al vino que pica al paladar.

raspar. (Del germ. *raspon.*) tr. Raer ligeramente una cosa quitándole alguna parte superficial. ‖ **2.** Picar el vino u otro licor al paladar. ‖ **3.** Hurtar, quitar una cosa. ‖ **4.** Pasar rozando. ‖ **5.** Producir, por lo general, un tejido áspero, una sensación desagradable en la piel. *Estas camisas* RASPAN.

raspear. intr. Correr con aspereza y dificultad la pluma, y despedir chispillas de tinta por tener un pelo o raspa. ‖ **2.** tr. Reprender, reconvenir.

raspilla. f. Planta herbácea de la familia de las borragináceas, con tallos casi tendidos, angulares, con espinitas revueltas hacia abajo, hojas ásperas, estrechas por la base y aovadas por la parte opuesta, y flores azules, llamadas nomeolvides.

raspinegro, gra. adj. *And.* Dícese del trigo de raspas o aristas negras, arisnegro.

raspón. m. **rasponazo.** ‖ **2.** *Col.* Sombrero de paja que usan los campesinos.

rasponazo. m. Lesión o erosión superficial causada por un roce violento.

rasponera. f. *Cantabria.* **arándano.**

rasposo, sa. adj. Que tiene abundantes raspas ‖ **2.** fig. Áspero al tacto o al paladar. ‖ **3.** fig. De trato desapacible. ‖ **4.** *Argent.* y *Urug.* Dícese de la prenda de vestir miserable, raída, en mal estado, y del que la lleva. *Un traje* RASPOSO. *Ir todo* RASPOSO. ‖ **5.** *Argent.* y *Urug.* Roñoso, mezquino, tacaño, cicatero. Ú. t. c. s.

raspudo. adj. Dícese del trigo que tiene raspas o aristas.

rasqueta. f. Planchuela de hierro, de cantos afilados y con mango de madera, que se usa para raer y limpiar los palos, cubiertas y costados de las embarcaciones. ‖ **2.** *Amér. Merid.* y *Ant.* Chapa dentada para el pelo de las caballerías, almohaza.

rasquetear. tr. *Amér. Merid.* Limpiar el pelo de las caballerías con rasqueta.

rastacuero. (Del fr. *rastaquouère*.) m. Vividor, advenedizo. ‖ **2.** com. *Amér.* Persona inculta, adinerada y jactanciosa.

rastel. (Del lat. *rastellus,* d. de *raster,* rastrillo.) m. **barandilla.**

rastillador, ra. m. adj. **rastrillador.** Ú. t. c. s.

rastillar. tr. **rastrillar.**

rastillo. (Del lat. *rastellus.*) m. **rastrillo.**

rastra[1]. (De *rastro*.) f. **rastro** de recoger hierba, paja, broza, etc. ‖ **2.** **rastro,** vestigio, señal o indicio que deja una cosa. ‖ **3.** **narria,** cajón de carro para llevar arrastrando cosas de gran peso. ‖ **4.** **grada**[2], para allanar la tierra después de arada. ‖ **5.** Tabla que, arrastrada por una caballería, sirve para recoger la parva de la era. ‖ **6.** Cualquier cosa que va colgando y arrastrando. ‖ **7.** Persona que con su presencia hace presumir que está cercana otra a quien suele seguir o acompañar ordinariamente. ‖ **8.** fig. Resulta de una acción que obliga a restitución del daño causado o a la pena del delito, o trae otros inconvenientes. ‖ **9.** Entre ganaderos, cría de una res, y especialmente la que mama aún y sigue a su madre. ‖ **10.** *Argent.* Pieza, generalmente de plata, con la que el gaucho sujetaba el tirador, formada por una chapa central labrada y monedas o botones unidos a esta por medio de cadenas. ‖ **11.** *Albañ.* Madero que se asienta a lo largo del muro, para trabazón o apoyo de techo. ‖ **12.** *Mar.* Seno de cabo que se arrastra por el fondo del mar para buscar y sacar cierta clase de objetos sumergidos. ‖ **a la rastra, a rastra, a rastras,** o **en rastra.** loc. adv. Arrastrando. ‖ **2.** fig. De mal grado, obligado o forzado.

rastra². (De *riestra*.) f. Sarta de cualquier fruta seca.

rastrallar. (De *restallar*.) tr. **restallar.**

rastrar. (De *rastro*.) tr. p. us. Llevar a rastras. ‖ **2.** p. us. Seguir el rastro de algo.

rastreado, da. p. p. de **rastrear.** ‖ **2.** m. Cierto baile español del siglo XVII.

rastreador, ra. adj. Que rastrea. Ú. t. c. s.

rastrear. tr. Seguir el rastro o buscar alguna cosa por él. ‖ **2.** Llevar arrastrando por el fondo del agua una rastra, un arte de pesca u otra cosa. ‖ **3.** Vender la carne en el rastro al por mayor. ‖ **4.** fig. Inquirir, indagar, averiguar una cosa, discurriendo por conjeturas o señales. ‖ **5.** intr. Hacer alguna labor con el rastro. ‖ **6.** Ir por el aire, pero casi tocando al suelo.

rastrel. m. **ristrel,** listón grueso de madera.

rastreo. m. Acción y efecto de rastrear.

rastrera. f. *Mar.* **arrastradera.**

rastreramente. adv. m. De un modo rastrero, baja y ruinmente.

rastrero, ra. adj. Que va arrastrando. ‖ **2.** V. **perro rastrero.** ‖ **3.** V. **sabina rastrera.** ‖ **4.** Aplícase a las cosas que van por el aire, pero casi tocando al suelo. ‖ **5.** fig. Bajo, vil y despreciable. ‖ **6.** *Bot.* Dícese del tallo de una planta que, tendido por el suelo, echa raicillas de trecho en trecho. ‖ **7.** m. El que trabaja en el rastro o lugar donde se matan las reses. ‖ **8.** El que lleva ganado para el rastro.

rastrilla. f. Rastro que tiene el mango en una de las caras estrechas del travesaño.

rastrillada. f. Todo lo que se recoge o se barre de una vez con el rastrillo o rastro. ‖ **2.** *Argent.* y *Urug.* Surco o huellas que en el suelo firme o sobre el pasto dejan los cascos de tropas de animales.

rastrillado. m. Acción y efecto de rastrillar.

rastrillador, ra. adj. Que rastrilla. Ú. t. c. s.

rastrillaje. m. Maniobra que se ejecuta con la rastra o rastrillo. ‖ **2.** *Argent.* Acción y efecto de rastrillar o batir.

rastrillar. tr. Limpiar el lino o cáñamo de la arista o estopa. ‖ **2.** Recoger con el rastro la parva en las eras o la hierba segada en los prados. ‖ **3.** Pasar la rastra por los sembrados. ‖ **4.** Limpiar de hierba con el rastrillo las calles de los parques y jardines. ‖ **5.** *Argent.* En operaciones militares o policiales, batir áreas urbanas o despobladas para reconocerlas o registrarlas.

rastrillo. m. Tabla con muchos dientes de alambre grueso, a manera de carta, sobre los que se pasa el lino o cáñamo para apartar la estopa y separar bien las fibras. ‖ **2.** Compuerta formada por una reja o verja fuerte y espesa, que se echa en las puertas de las plazas de armas para defender la entrada, y que, por estar afianzada en unas cuerdas fuertes o cadenas, se levanta cuando se quiere dejar libre el paso. ‖ **3.** Estacada, reja o puerta de hierro que defiende la entrada de una fortaleza o de un establecimiento penal. ‖ **4.** Pieza acerada y rayada que tenían las llaves de las armas de chispa, y en que hiere el pedernal para que salte el fuego a la cazoleta. ‖ **5. rastro** para recoger hierba. ‖ **6.** Herramienta para extender piedra. ‖ **7.** Guarda perpendicular a la tija de la llave y que solo pe-

netra hasta la mitad del paletón. ‖ **8.** Planchita encorvada que está dentro de la cerradura y que al girar la llave entra por el **rastrillo** del paletón.

rastro. (Del lat. *rastrum*.) m. Instrumento compuesto de un mango largo y delgado cruzado en uno de sus extremos por un travesaño armado de púas a manera de dientes, y que sirve para recoger hierba, paja, broza, etc. ‖ **2.** Herramienta a manera de azada, que en vez de pala tiene dientes fuertes y gruesos, y sirve para extender piedra partida y para usos análogos. ‖ **3.** Vestigio, señal o indicio de un acontecimiento. ‖ **4.** Mugrón de la vid. ‖ **5.** V. **alcalde del rastro.** ‖ **6.** Lugar que se destinaba en las poblaciones para vender en ciertos días de la semana la carne al por mayor. ‖ **7. matadero,** sitio donde se mata el ganado para el consumo. ‖ **8.** Señal, huella que queda de una cosa. ‖ **9.** En Madrid, mercado callejero donde suelen venderse todo tipo de objetos viejos o nuevos. ‖ **de la corte.** Territorio al cual alcanzaba la jurisdicción de los alcaldes de corte.

rastrojal. m. **rastrojera,** conjunto de tierras que han quedado de rastrojo. ‖ **2.** *Ecuad.* Hierbas y arbustos que crecen en un terreno agotado que se abandonó y que en poco tiempo se convierte en monte espeso, donde la flora es completamente distinta a la que existía antes.

rastrojar. tr. Arrancar el rastrojo.

rastrojear. intr. Pastar el ganado entre rastrojos, o andar rebuscando entre ellos.

rastrojera. f. Conjunto de tierras que han quedado de rastrojo. ‖ **2.** Temporada en que los ganados pastan los rastrojos, hasta que se alzan las tierras.

rastrojo. (De *restojo*.) m. Residuo de las cañas de la mies, que queda en la tierra después de segar. ‖ **2.** El campo después de segada la mies y antes de recibir nueva labor. ‖ **3.** pl. Residuos que quedan de una cosa. ‖ **sacar** a uno **de los rastrojos.** fr. fig. y fam. Sacarle de estado bajo o humilde.

rasura. (Del lat. *rasūra*.) f. Acción y efecto de rasurar. ‖ **2.** Acción y efecto de raer. ‖ **3.** pl. Tártaro¹ de la vasija donde fermenta el mosto.

rasuración. f. Acción y efecto de rasurar. ‖ **2.** Acción y efecto de raer.

rasurar. tr. **afeitar,** raer el pelo del cuerpo, especialmente el de la cara.

rata¹. (Del ant. alto al. *ratta*.) f. Mamífero roedor, de unos 36 centímetros desde el hocico a la extremidad de la cola, que tiene hasta 16; con cabeza pequeña, hocico puntiagudo, orejas tiesas, cuerpo grueso, patas cortas, cola delgada y pelaje gris oscuro. Es animal muy fecundo, destructor y voraz; se ceba con preferencia en las sustancias duras, y vive por lo común en los edificios y embarcaciones. ‖ **2.** Hembra del rato³. ‖ **3.** En las aldeas, cohete de vara pequeña y muy delgada. ‖ **4.** V. **piel de rata.** ‖ **5.** *Germ.* Bolsillo del vestido. ‖ **6.** m. fam. **ratero,** persona que hurta cosas de poco valor. ‖ **7.** com. fam. Persona tacaña. ‖ **almizclada. rata** acuática grande, de cola larga, patas traseras anchas, con cinco dedos y las delanteras con cuatro, provistos de uñas fuertes y gruesas. En la región perineal lleva un par de glándulas oleosas, que segregan un líquido claro, de fuerte olor a almizcle. Su piel tiene valor en peletería. ‖ **de agua.** Roedor del tamaño de la **rata** común, y como esta, con tres molares a cada lado de las mandíbulas, pero de cola corta y de costumbres acuáticas. Otra especie construye su vivienda bajo tierra y se la confunde con el topo, dándole este nombre. ‖ **de mar.** Pez teleósteo, acantopterigio, de cuerpo corto y no comprimido, con la cabeza aplastada, muy voluminosa, que tiene los ojos en la cara superior, dirigidos hacia arriba; la boca se abre verticalmente, y tiene la mandíbula inferior prominente, como la de un dogo. ‖ **de trompa.** Pequeño mamífero insectívoro africano, semejante a un ratón, con el hocico prolongado en una estrecha trompa y la cola larga y delgada. ‖ **hacer** o **hacerse la rata.** fr. fig. *Argent.* Hacer novillos, faltar a clase. ‖ **más pobre que las ratas,** o **que una rata.** expr. fig. y fam. Sumamente pobre.

rata[2]. (Del lat. *rata parte, rata ratione, pro rata.*) f. Parte proporcional. ‖ **2.** *Fís.* Variación por unidad de tiempo. ‖ **3.** *Col., Pan.* y *Perú.* **porcentaje.** ‖ **rata por cantidad.** loc. adv. Mediante prorrateo.

ratafía. (En fr. y en port. *ratafia.*) f. Rosoli en que entra zumo de ciertas frutas, principalmente de cerezas o de guindas.

ratania. (Del quechua *ratania,* mata rastrera.) f. Arbusto americano de la familia de las poligaláceas, de unos tres decímetros de altura, con tallos ramosos y rastreros, hojas elípticas, enteras, duras, bastante gruesas y lanuginosas; flores axilares de cáliz blanquecino y corola carmesí; fruto capsular, seco, casi esférico y velludo, y raíz gruesa, leñosa, de corteza encarnada e interior róseo, muy usada en medicina como astringente poderoso. ‖ **2.** Raíz de esta planta.

rata parte. loc. **prorrata.**

rataplán. m. Voz onomatopéyica con que se imita el sonido del tambor.

ratear[1]. (Del lat. *ratus,* proporcionado.) tr. Disminuir o rebajar a proporción o prorrata. ‖ **2.** Distribuir, repartir proporcionadamente.

ratear[2]. (De *rata*[1].) tr. Hurtar con destreza y sutileza cosas pequeñas. ‖ **2.** intr. Andar arrastrando con el cuerpo pegado a la tierra. ‖ **3.** Tacañear.

rateo. (De *ratear*[1].) m. Acción de ratear o distribuir proporcionalmente.

rateramente. adv. m. Con ratería, bajamente.

ratería. (De *ratero,* ladrón.) f. Hurto de cosas de poco valor. ‖ **2.** Acción de hurtarlas con maña y cautela. ‖ **3.** Vileza, bajeza o ruindad en los tratos o negocios.

ratero, ra. (De *rata*[1].) adj. Dícese del ladrón que hurta con maña y cautela cosas de poco valor. Ú. m. c. s. ‖ **2.** Que va arrastrando. ‖ **3.** Que va por el aire, pero a ras del suelo. ‖ **4.** Bajo, vil, despreciable. ‖ **5.** V. **ave ratera.** ‖ **6.** V. **águila ratera.**

raticida. m. Sustancia que se emplea para exterminar ratas y ratones.

ratificación. f. Acción y efecto de ratificar o ratificarse.

ratificar. (Del lat. *ratus,* confirmado, y *facĕre,* hacer.) tr. Aprobar o confirmar actos, palabras o escritos dándolos por valederos y ciertos. Ú. t. c. prnl.

ratificatorio, ria. adj. Que ratifica o denota ratificación.

ratigar. (Del lat. **reapticāre,* de *aptāre.*) tr. Atar y asegurar con una soga el rátigo después que se ha colocado con orden en el carro.

rátigo. m. Conjunto de cosas diversas que lleva el carro en que se acarrea vino; como botas, pellejos, pieles de carnero o cabra, y costales con harina o paja.

ratihabición. (Del lat. *ratihabitĭo, -ōnis.*) f. *Der.* Declaración de la voluntad de uno por la que se aprueba y confirma un acto que otro hizo por él.

ratimago. m. *And.* Artería, engaño, artimaña.

ratímetro. m. En radiología, aparato que mide la rata[2] o velocidad de dosis.

ratina. (De or. inc.) f. Tela de lana, entrefina, delgada y con granillo.

ratinado. m. En la industria textil, acabado especial que se da a ciertos tejidos.

ratinadora. f. En la industria textil, máquina utilizada para obtener cierto tipo de acabado en los tejidos de lana y algodón.

ratinar. tr. Someter un tejido a la operación de ratinado.

ratino, na. adj. *Cantabria.* Dícese de la res vacuna de pelo gris, semejante a la de la rata.

ratiño. (Del port. *ratinho,* ratón.) m. Nombre o apodo que por desprecio se daba en el siglo XVII al habitante del Bierzo. Usáb. t. c. adj.

rato[1]. (Del lat. *ratus,* confirmado.) adj. V. **matrimonio rato.**

rato[2]. (Del lat. *raptus,* p. p. de *rapĕre,* arrebatar.) m. Espacio de tiempo, especialmente cuando es corto. *Estuve escuchando un* RATO. *Voy a descansar un* RATO. *Un* RATO *de conversación. El* RATO *del estudio.* ‖ **2.** Anteponiéndole los adjetivos *buen* o *mal,* gusto o disgusto pasajeros. *Me has dado un mal* RATO. ‖ **buen rato.** fam. Mucha o gran cantidad de una cosa. ‖ **ratos perdidos.** Aquellos en que uno no se ve libre de ocupaciones obligatorias y puede dedicarse a otros quehaceres y tareas. Ú. m. en la loc. adv. *A* RATOS PERDIDOS. ‖ **a cada rato.** loc. adv. A cada momento, con gran frecuencia. ‖ **al poco rato,** o **al rato,** o **poco rato.** locs. advs. Poco después, al poco tiempo. ‖ **a ratos.** loc. adv. **de rato en rato.** ‖ **2. A veces.** ‖ **de rato en rato.** loc. adv. Con algunas intermisiones de tiempo. ‖ **para rato.** loc. adv. Por mucho tiempo, generalmente hablando de lo venidero, o a veces de aquello cuya realización no parece probable. *Si esperas que el asunto se resuelva, tienes* PARA RATO. *Eso va* PARA RATO. ‖ **pasar el rato.** fr. fam. Ocupar un espacio de tiempo generalmente con algún entretenimiento. ‖ **un rato** o **un rato largo.** locs. advs. pops. Mucho o muy. *Sabe* UN RATO O UN RATO LARGO *de Geografía. Eso es* UN RATO *difícil.*

rato[3]. (Del ant. alto al. *ratto.*) m. En algunas partes, ratón casero o campesino. ‖ **2.** Macho de la rata[1].

ratón. (De *rato*[3].) m. Mamífero roedor, de unos dos decímetros de largo desde el hocico hasta la extremidad de la cola, que tiene la mitad; de pelaje generalmente gris; muy fecundo y ágil y que vive en las casas, donde causa daño por lo que come, roe y destruye. Hay especies que habitan en el campo. ‖ **2.** V. **oreja de ratón.** ‖ **3.** *C. Rica.* Músculo bíceps. ‖ **4.** *Inform.* Mando separado del teclado de un ordenador que se maneja haciéndolo rodar sobre una superficie, y que sirve para escribir o hacer gráficos en la pantalla. ‖ **5.** *Mar.* Piedra puntiaguda y cortante que está en el fondo del mar y roza los cables. ‖ **almizclero.** Especie de **ratón** pequeño, arborícola, nocturno, que se alimenta sobre todo de avellanas. Pasa el invierno aletargado y huele ligeramente a almizcle. Vive en Europa, pero no en la península Ibérica. Se denomina también muscardino. ‖ **de biblioteca.** fig. Erudito que con asiduidad escudriña muchos libros. Tómase por lo común en sentido peyorativo.

ratona[1]. f. Hembra del ratón.

ratona[2]. f. *Argent.* Ave pequeña, cuyo plumaje tiene coloración pardusca, parecida a la de los ratones de campo. Tiene menos de 10 centímetros de longitud. Es muy vivaz e inquieta. Se alimenta de insectos y anida en huecos de paredes y cornisas.

ratonar. tr. Morder o roer los ratones una cosa; como queso, pan, etc. Festivamente también se suele decir de las personas. ‖ **2.** prnl. Ponerse enfermo el gato, de comer muchos ratones.

ratonera. f. Trampa en que se cogen o cazan los ratones. ‖ **2.** Agujero que hace el ratón en las paredes, arcas, nasas, etc., para entrar y salir por él. ‖ **3.** Madriguera de ratones. ‖ **4.** Trampa o engaño urdidos con el fin de coger a alguien. ‖ **de agua.** gato de agua. ‖ **caer uno en la ratonera.** fr. fig. y fam. **caer en el lazo.**

ratonero, ra. adj. Perteneciente o relativo a los ratones. ‖ **2.** fig. y fam. V. **música ratonera.** ‖ **3.** V. **águila ratonera.**

ratonesco, ca. adj. **ratonero.**

ratonil. adj. **ratonero.**

rauco, ca. (Del lat. *raucus.*) adj. poét. Ronco, afónico.

rauda[1]. (Del lat. *rapīda*, t. f. de *-dus*, raudo.) f. ant. **raudal**, caudal de agua.

rauda[2]. (Del ár. *rawḍa*, jardín, cementerio.) f. Cementerio árabe.

raudal. (De *raudo*.) m. Caudal de agua que corre violentamente. ‖ **2.** fig. Abundancia de cosas que rápidamente y como de golpe concurren o se derraman. ‖ **a raudales.** loc. adv. Abundantemente.

raudamente. adv. m. Con ímpetu, celeridad y presteza.

raudo, da. (Del lat. *rapīdus*.) adj. Rápido, violento, precipitado.

raulí. (Del arauc. *ruylín*.) m. *Chile.* Árbol de la familia de las fagáceas, que suele llegar a 50 metros de altura y tiene hojas caedizas, oblongas, doblemente aserradas, pálidas en su cara interna; fruto muy erizado, y cuya madera se emplea en toda clase de muebles y en arquitectura, para puertas, ventanas y pavimentos.

rauta. (Del ár. *rāhṭa*, hato, petate.) f. fam. Ruta, camino. Ú. solo con los verbos *coger* y *tomar*.

ravenala. f. Árbol de la familia de las musáceas, originario de Madagascar, notable por la belleza de su follaje y la vistosidad de sus flores.

ravenés, sa. adj. Natural de Ravena. Ú. t. c. s. ‖ **2.** Perteneciente a esta ciudad de Italia.

ravioles o raviolis. (Del it. *ravioli.*) m. pl. Pasta alimenticia, más delgada que la que se emplea para los macarrones. Se corta en trozos de forma rectangular (de aproximadamente cuatro centímetros por dos) que se doblan sobre sí mismos para rellenarlos de picadillo de carne o verdura, y se sirven, generalmente, después de hervidos, rebozados en salsas, mantequilla, etc.

raya[1]. (Del b. lat. *radia*, y este del lat. *radius*, rayo.) f. Línea o señal larga y estrecha que por combinación de un color con otro, por pliegue o por hendedura poco profunda, se hace o forma natural o artificialmente en un cuerpo cualquiera. ‖ **2.** Término, confín o límite de una nación, provincia, región o distrito; y también lindero de un predio si tiene mucha extensión. ‖ **3.** Término que se pone a una cosa, así en lo físico como en lo moral ‖ **4. cortafuego,** vereda ancha que se hace o deja para que no se propaguen los incendios. ‖ **5.** Cada uno de los puntos o tantos que se ganan en determinados juegos, y que comúnmente se apuntan con **rayas.** ‖ **6.** Señal que resulta en la cabeza de dividir los cabellos con el peine, echando una parte de ellos hacia un lado y otra hacia el lado opuesto. ‖ **7.** Cada una de las estrías en espiral que se hacen en el ánima de las armas de fuego para que el proyectil corra forzado por ellas y tenga mayor alcance. ‖ **8.** Distintivo de un vino de Jerez del tipo de los olorosos, pero más basto y de fermentación incompleta. ‖ **9.** Pliegue vertical que se marca al planchar los pantalones y otras prendas de vestir. ‖ **10.** En el lenguaje de la droga, dosis de cocaína. ‖ **11.** *Argent.* V. **juez de raya.** ‖ **12.** *Gram.* Guión algo más largo que se usa para separar oraciones incidentales o indicar el diálogo en los escritos. ‖ **de mulo.** Faja negra y estrecha que algunas caballerías tienen en el cuello y el lomo. ‖ **a raya.** loc. adv. Dentro de los justos límites. Ú. casi siempre con los verbos *poner* y *tener*. ‖ **echar raya.** fr. fig. **competir.** ‖ **hacer raya.** fr. fig. Aventajarse, esmerarse o sobresalir en una cosa. ‖ **pasar de la raya, o de raya.** fr. fig. Propasarse, tocar en los términos de la desatención o descortesía, o exceder en cualquier línea. ‖ **tres en raya.** Juego de muchachos, que se juega con unas piedrecillas o tantos colocados en un cuadro, dividido en otros cuatro, con las líneas tiradas de un lado a otro por el centro, y añadidas las diagonales de un ángulo a otro. El fin del juego consiste en colocar en cualquiera de las líneas los tres tantos propios, y el arte del juego, en impedir que esto se logre, interpolando los tantos contrarios.

raya[2]. (Del lat. *raia*.) f. Pez selacio del suborden de los ráyidos, muy abundante en los mares españoles, cuyo cuerpo tiene la forma de un disco romboidal y puede alcanzar un metro de longitud; aletas dorsales pequeñas y situadas en la cola, que es larga y delgada y tiene una fila longitudinal de espinas; aleta caudal rudimentaria. ‖ **2.** *Zool.* Cualquiera de los selacios pertenecientes al suborden de los ráyidos. ‖ **común. raya**[2], pez selacio.

rayada. f. Dolor penetrante.

rayadillo. m. Tela de algodón rayada.

rayado, da. p. p. de **rayar.** ‖ **2.** adj. V. **cañón, papel rayado.** ‖ **3.** V. **carabina rayada.** ‖ **4.** m. Conjunto de rayas o listas de una tela, papel, etc. ‖ **5.** Acción y efecto de rayar. ‖ **6. rayadillo.**

rayador. m. *Amér. Merid.* Ave que tiene el pico muy aplanado y delgado y la mandíbula superior mucho más corta que la inferior. Debe su nombre a que cuando vuela sobre el mar parece que va rayando el agua que roza con su cuerpo.

rayano, na. adj. Que confina o linda con una cosa. ‖ **2.** Que está en la raya que divide dos territorios. ‖ **3.** fig. Cercano, con semejanza que se aproxima a igualdad.

rayar. (Del lat. *radiāre*.) tr. Hacer o tirar rayas. ‖ **2.** Tachar lo manuscrito o impreso, con una o varias rayas. ‖ **3.** **subrayar.** ‖ **4.** Estropear o deteriorar una superficie lisa o pulida con rayas o incisiones. ‖ **5.** intr. Confirmar una cosa con otra. ‖ **6.** Con las voces *alba, día, luz, sol,* amanecer, alborear. ‖ **7.** fig. Sobresalir o distinguirse entre otros en prendas o acciones. ‖ **rayar en.** Asemejarse una cosa a otra, acercarse o igualarla. RAYAR *en lo ridículo.*

rayente. adj. *Gran.* Dícese de la persona fastidiosa o cargante.

rayero. m. rur. *Argent.* **juez de raya.**

ráyido. (De *raya*[2].) adj. *Zool.* Dícese de peces selacios que tienen el cuerpo deprimido, de forma discoidal o romboidal, con las aberturas branquiales en la cara inferior del cuerpo y con la cola larga y delgada; como la raya y el torpedo. Ú. t. c. s. ‖ **2.** m. pl. *Zool.* Suborden de estos animales.

rayo. (Del lat. *radĭus*.) m. Cada una de las líneas, generalmente rectas, que parten del punto en que se produce una determinada forma de energía y señalan la dirección en que esta se propaga. ‖ **2.** Línea de luz que procede de un cuerpo luminoso, y especialmente las que vienen del Sol. ‖ **3.** Chispa eléctrica de gran intensidad producida por descarga entre dos nubes o entre una nube y la tierra. ‖ **4.** V. **corona de rayos.** ‖ **5.** Cada una de las piezas que a modo de radios del círculo unen el cubo a las pinas de una rueda. ‖ **6.** V. **piedra de rayo.** ‖ **7.** fig. Cualquier cosa que tiene gran fuerza o eficacia en su acción. ‖ **8.** fig. Persona muy viva y pronta de ingenio. ‖ **9.** fig. Persona pronta y ligera en sus acciones. ‖ **10.** fig. Dolor penetrante y momentáneo. ‖ **11.** fig. Desgracia, infortunio o castigo imprevisto y repentino. ‖ **de calor.** *Fís.* Dirección rectilínea en que se propaga el calor. ‖ **de especies.** *Ópt.* **rayo de luz.** ‖ **de la incidencia.** *Ópt.* **rayo incidente.** ‖ **de leche.** Hilo o caño de leche que arroja el pezón del pecho de las mujeres que crían. ‖ **de luz.** *Ópt.* Línea de luz transmitida por el medio diáfano. ‖ **2.** fig. Imagen o idea que se ofrece repentinamente a la inteligencia, con que se aclara y explica una duda o ignorancia. ‖ **directo.** *Ópt.* El que proviene directamente del objeto luminoso. ‖ **incidente.** *Ópt.* Parte del **rayo** de luz desde el objeto hasta el punto en que se quiebra o refleja. ‖ **láser. láser,** haz de luz. ‖ **óptico.** *Ópt.* Aquel por medio del cual se ve el objeto. ‖ **principal.** *Persp.* Línea recta tirada desde la vista perpendicularmente a la tabla. ‖ **reflejo.** *Ópt.* El que, por haberse encontrado con un cuerpo reflectante, retrocede. ‖ **refracto.** *Ópt.* El que a través de un cuerpo se quiebra y pasa adelante. ‖ **textorio.** fig.

Lanzadera de tejedor. ‖ **verde**. Destello vivo e instantáneo que a veces se observa al trasponer el Sol el horizonte del mar. ‖ **visual**. *Ópt*. Línea recta que va desde la vista al objeto, o que de este viene a la vista. ‖ **rayos gamma**, o **rayos γ**. Ondas electromagnéticas extraordinariamente penetrantes, producidas en las transiciones nucleares o en la aniquilación de partículas. ‖ **rayos X**. Ondas electromagnéticas extraordinariamente penetrantes que atraviesan ciertos cuerpos, producidas por la emisión de los electrones internos del átomo; originan impresiones fotográficas y se utilizan en medicina como medio de investigación y de tratamiento. ‖ **echar rayos** o **estar** uno **que echa rayos**. fr. fig. Manifestar gran ira o enojo con acciones o palabras. ‖ **oler** o **saber a rayos** una cosa. fr. Oler o saber muy mal. ‖ **¡mal rayo te, os, le,** etc. **parta!** expr. fig. y fam. con que se amenaza a alguien.

rayón. (Del ing. *rayon*, voz formada arbitrariamente.) m. Filamento textil obtenido artificialmente y cuyas propiedades son parecidas a las de la seda. ‖ **2**. Tela fabricada con este filamento.

rayoso, sa. adj. Que tiene rayas.

rayuela. f. d. de **raya**[1]. ‖ **2**. Juego en el que, tirando monedas o tejos a una raya hecha en el suelo y a cierta distancia, gana el que la toca o más se acerca a ella. ‖ **3**. Juego de muchachos que consiste en sacar de varias divisiones trazadas en el suelo un tejo al que se da con un pie, llevando el otro en el aire y cuidando de no pisar las rayas y de que el tejo no se detenga en ellas.

rayuelo. m. **agachadiza**.

raza. (Del lat. *radĭa*, de *radĭus*.) f. Casta o calidad del origen o linaje. ‖ **2**. *Biol*. Cada uno de los grupos en que se subdividen algunas especies botánicas y zoológicas y cuyos caracteres diferenciales se perpetúan por herencia. ‖ **3**. Grieta, hendedura. ‖ **4**. Rayo de luz que penetra por una abertura. ‖ **5**. Grieta que se forma a veces en la parte superior del casco de las caballerías. ‖ **6**. Lista, en el paño u otra tela, en que el tejido está más claro que en el resto. ‖ **7**. Calidad de algunas cosas, en relación a ciertas características que las definen. ‖ **razas humanas**. Grupos de seres humanos que por el color de su piel y otros caracteres se distinguen en **raza** blanca, amarilla, cobriza y negra. ‖ **de raza**. loc. adj. Aplícase al animal que pertenece a una **raza** seleccionada.

razado, da. adj. Aplícase al paño u otro tejido que tiene razas.

rázago. (De *raza*.) m. **arpillera**.

razar. (Tal vez de un der. del lat. *radĕre*.) tr. ant. Raer o borrar.

razia. f. Incursión, correría, en un país enemigo o sin más objeto que el botín. ‖ **2**. Batida, redada.

razón. (Del lat. *ratĭo, -ōnis*.) f. Facultad de discurrir. ‖ **2**. Acto de discurrir el entendimiento. ‖ **3**. Palabras o frases con que se expresa el discurso. ‖ **4**. Argumento o demostración que se aduce en apoyo de alguna cosa. ‖ **5**. Motivo o causa. ‖ **6**. Orden y método en una cosa. ‖ **7**. Justicia, rectitud en las operaciones, o derecho para ejecutarlas. ‖ **8**. Equidad en las compras y ventas. *Ponerse la* RAZÓN. ‖ **9**. Cuenta, relación, cómputo. *Cuenta y* RAZÓN; *a* RAZÓN *de tanto*. ‖ **10**. V. **ente, uso de razón**. ‖ **11**. fig. V. **luz de la razón**. ‖ **12**. ant. *Der*. V. **cerramiento de razones**. ‖ **13**. fam. Recado, mensaje, aviso. ‖ **14**. *Mat*. Cociente de dos números, en general, de dos cantidades comparables entre sí. ‖ **15**. *Mat*. En una progresión geométrica, cociente de dividir cada término por el que le precede. ‖ **aritmética**. *Mat*. Aquella en que se trata de averiguar el exceso de un término sobre el otro. ‖ **armónica**. *Mat*. La **razón** doble que vale − 1. Ejemplo: (8, 12, 9, 6) = − 1. ‖ **de cartapacio**. fig. y fam. La que se da estudiada y de memoria sin venir al caso. ‖ **de Estado**. Política y regla con que se dirigen y gobiernan las cosas pertenecientes al interés y utilidad de la república. ‖ **2**. Consideración de interés superior que se invoca en un Estado para hacer algo contrario a la ley o al derecho. ‖ **3**. fig. Miramiento, consideración que nos mueve a portarnos de cierto modo en la sociedad civil, por lo que podrán juzgar o pensar los que lo sepan. ‖ **de pie de banco**. fig. y fam. La que es conocidamente disparatada o inaplicable al caso. ‖ **doble de cuatro números**. *Mat*. Cociente de las **razones** simples formadas por cada una de los dos primeros y los otros dos. Así: (8, 6, 4, 3) = (8, 4, 3) / (6, 4, 3) = 6/5. ‖ **geométrica**. *Mat*. Aquella en que se comparan dos términos para saber cuántas veces el uno contiene al otro. ‖ **natural**. Potencia discursiva del hombre, desnuda de todo matiz científico que la ilustre. ‖ **por cociente**. *Mat*. **razón geométrica**. ‖ **por diferencia**. *Mat*. **razón aritmética**. ‖ **simple de tres números**. *Mat*. Cociente de las diferencias entre el primero y cada uno de los otros dos. Así: (6, 4, 3) = (6−4) / (6−3) = 2/3. ‖ **social**. *Com*. Nombre y firma por los cuales es conocida una compañía mercantil de forma colectiva, comanditaria o anónima. ‖ **alcanzar de razones** a uno. fr. fam. Concluirle en la disputa; dejarle sin que tenga qué responder o replicar. ‖ **a razón de**. loc. prepos. que indica la correspondencia de la cantidad que se expresa a cada una de las partes de que se trata. A RAZÓN DE *tres por cabeza*. Ú. en las imposiciones de censos y dinero a intereses. A RAZÓN DE *diez por ciento*. ‖ **asistir la razón** a uno. fr. Tenerla de su parte. ‖ **atender**, o **no atender** uno **a razones**. fr. Quedar uno convencido o no por los argumentos que se le presentan. ‖ **atravesar razones**. fr. **trabarse de palabras**. ‖ **cargarse uno de razón**. fr. fig. Tener mucha paciencia para proceder después con más fundamento. ‖ **dar la razón** a uno. fr. Concederle lo que dice; confesarle que obra racionalmente. ‖ **dar razón**. fr. Noticiar, informar de un asunto. ‖ **dar** uno **razón de sí**, o de su **persona**. fr. Corresponder a lo que se le ha encargado o confiado, ejecutándolo exactamente. ‖ **en razón a** o **de**. loc. prepos. Por lo que pertenece o toca a alguna cosa. ‖ **entrar** uno **en razón**. fr. Darse cuenta de lo que es razonable. ‖ **envolver** a uno **en razones**. fr. fig. Confundirle de modo que no sepa responder sobre alguna materia. ‖ **estar a razón**, o **a razones**. fr. Raciocinar, discurrir o platicar sobre un punto. ‖ **fuera de razón**. loc. adv. Sin justificación. ‖ **hacer** uno **la razón**. fr. Corresponder a un brindis con otro brindis. ‖ **la razón no quiere fuerza**. fr. proverb. con que se advierte que en todo debe obrar más la justicia que la violencia. ‖ **2**. Ú. t. para exhortar a uno para que se dé por convencido de lo que le dicen. ‖ **llenarse uno de razón**. fr. **cargarse de razón**. ‖ **meter** a uno **en razón**. fr. Obligarle a obrar razonablemente. ‖ **perder** uno **la razón**. fr. Volverse loco. ‖ **2**. Hacer o decir algo por lo que perjudica su causa o su derecho. ‖ **poner en razón**. fr. Apaciguar a los que contienden o altercan. ‖ **2**. Corregir a uno con el castigo o la aspereza. ‖ **ponerse** uno **a razones** con otro. fr. Altercar de él u oponérsele en lo que dice. ‖ **ponerse en razón**, o **en la razón**. fr. En los ajustes y conciertos, venir a términos equitativos. ‖ **privarse** uno **de razón**. fr. Tener embargado el uso y ejercicio de ella por una pasión violenta o por otro motivo. Se usa con especialidad en relación con el que se embriaga. ‖ **reducirse** uno **a la razón**. fr. **darse a buenas**. ‖ **ser justo**, razonable. *¿No es* RAZÓN *que llore su desamparo?* ‖ **tener razón**. fr. Estar en lo cierto. ‖ **tomar razón**, o **la razón**. fr. Asentar una partida en cuenta o hacer constar en un registro lo que en él debe copiarse, inscribirse o anotarse.

razonable. (Del lat. *rationabĭlis*.) adj. Arreglado, justo, conforme a **razón**. ‖ **2**. ant. **racional**. ‖ **3**. fig. Mediano, regular, bastante en calidad o en cantidad.

razonablemente. adv. m. Conforme a la **razón**. ‖ **2**. Más que medianamente.

razonadamente. adv. m. Por medio de razones. ‖ **2.** ant. Conforme a la razón.

razonado, da. p. p. de **razonar.** ‖ **2.** adj. Fundado en razones, documentos o pruebas. *Análisis* RAZONADO; *cuenta* RAZONADA.

razonador, ra. (Del lat. *rationátor, -óris.*) adj. Que explica y razona. Ú. t. c. s. ‖ **2.** m. ant. El que aboga.

razonal. adj. ant. **racional.**

razonamiento. m. Acción y efecto de razonar. ‖ **2.** Serie de conceptos encaminados a demostrar una cosa o a persuadir o mover a oyentes o lectores.

razonar. intr. Discurrir, ordenando ideas en la mente para llegar a una conclusión. *Antes de decidirte,* RAZONA *un poco.* ‖ **2.** Hablar dando razones para probar una cosa. *No* RAZONÓ *nada de lo expuesto.* ‖ **3.** tr. Tratándose de dictámenes, cuentas, etc., exponer, aducir las razones o documentos en que se apoyan. ‖ **4.** ant. Nombrar, apellidar. ‖ **5.** ant. **tomar razón.** ‖ **6.** ant. Computar o regular. ‖ **7.** ant. Alegar, decir en derecho, abogar.

razzia. (Del ár. argelino *gäziya,* como *gazwa,* incursión rápida, golpe de mano; la erre inicial procede de que la pronunciación de la g ár. casi coincide con la de dicha letra en fr.) f. **razia.**

re-. (Del lat. *re-.*) pref. que significa repetición: RE*construir;* movimiento hacia atrás: RE*fluir;* intensificación: RE*cargar;* oposición o resistencia: RE*chazar,* RE*pugnar;* negación o inversión del significado simple: RE*probar.* Con adjetivos o adverbios, puede reforzarse el valor de intensificación añadiendo a **re-** las sílabas **-te** o **-quete:** RETE*bueno,* RE-QUETE*bién.*

re. (V. *fa.*) m. *Mús.* Segunda nota de la escala música.

rea. (Del lat. *rea.*) f. p. us. Mujer acusada de un delito.

reabrir. tr. Volver a abrir lo que estaba cerrado. Ú. t. c. prnl. *Se* REABRIÓ *su herida.*

reabsorber. tr. Volver a absorber. ‖ **2.** prnl. *Med.* Desaparecer un exudado, espontánea o terapéuticamente, del lugar en que se había producido.

reabsorción. f. Acción y efecto de reabsorber.

reacción. f. Acción que resiste o se opone a otra acción, obrando en sentido contrario a ella. ‖ **2.** Forma en que alguien o algo se comporta ante un determinado estímulo. *Mi* REACCIÓN *a su respuesta no se hizo esperar.* ‖ **3.** Tendencia tradicionalista en lo político opuesta a las innovaciones. Se usa también hablando del conjunto de sus valedores y partidarios. ‖ **4.** *Fisiol.* Período de calor y frecuencia de pulso que en algunas enfermedades sucede al de frío. ‖ **5.** *Fisiol.* Acción orgánica que propende a contrarrestar la influencia de un agente morbífico. ‖ **6.** *Mec.* Fuerza que un cuerpo sujeto a la acción de otro ejerce sobre él en dirección opuesta. ‖ **7.** *Quím.* Transformación de especies químicas que da origen a otras nuevas. ‖ **en cadena.** *Fís.* y *Quím.* La que da origen a productos que por sí mismos ocasionan una **reacción** igual a la primera y así sucesivamente. ‖ **2.** fig. Sucesión de acontecimientos, provocado, cada uno de ellos, por el anterior. ‖ **en cascada.** *Biol.* Secuencia de **reacciones** en la que cada producto recién formado cataliza la transformación subsiguiente de otro. ‖ **neutra.** *Quím.* Carácter de saturación que se revela por no alterar el color del papel de tornasol.

reaccionar. intr. Actuar un ser por reacción de la actuación de otro, o por efecto de un estímulo. *Un estímulo hace* REACCIONAR *a los seres. Los seres* REACCIONAN *favorablemente o en contra de un estímulo.* ‖ **2.** Empezar a recobrar uno la actividad fisiológica que parecía perdida. *El herido no* REACCIONABA. *Algunos indicios denotaban que* REACCIONABA. ‖ **3.** Mejorar uno en su salud. *El enfermo* REACCIONA *por sí y por los remedios.* ‖ **4.** Recobrar algo la actividad que había perdido. *La bolsa* REACCIONÓ *gracias a las nuevas medidas económicas.* ‖ **5.** En las guerras o luchas, defenderse o rechazar un ataque o agresión. *Los*

defensores REACCIONARON *enérgicamente. El agredido* REACCIONÓ *en el acto.* ‖ **6.** Oponerse a algo que se cree inadmisible. *El mundo* REACCIONARÁ *ante tal injusticia o error. La opinión* REACCIONÓ *contra tal abuso.* ‖ **7.** *Mec.* Producir un cuerpo fuerza igual y contraria a la que sobre él actúa. *El suelo que sostiene un piso* REACCIONA *contra la presión de este.* ‖ **8.** *Quím.* Actuar una sustancia en combinación con otra produciendo otra nueva. *Por la acción de una sustancia* REACCIONAN *otras.*

reaccionario, ria. (De *reacción.*) adj. Que propende a restablecer lo abolido. Ú. t. c. s. ‖ **2.** Opuesto a las innovaciones. ‖ **3.** Perteneciente o relativo a la reacción política.

reacio, cia. (Del lat. *reactum,* supino de *reagére,* reaccionar.) adj. Contrario a algo, o que muestra resistencia a hacer algo. *Juan es* REACIO *a las fiestas.*

reactante. adj. Dícese de cada una de las sustancias que participan en una reacción química produciendo otra u otras diferentes de las primitivas. Ú. t. c. s.

reactivación. f. Acción y efecto de reactivar.

reactivar. tr. Volver a activar.

reactivo, va. adj. Dícese de lo que produce reacción. Ú. m. c. s. m. ‖ **2.** m. *Quím.* Sustancia empleada para descubrir la presencia de otra.

reactor. m. *Fís.* Instalación destinada a la producción y regulación de escisiones nucleares mediante los neutrones liberados en las mismas. ‖ **2.** Motor de reacción. ‖ **3.** Avión que usa motor de reacción. ‖ **4.** *Quím.* Instalación preparada para que en su interior se produzcan reacciones químicas o nucleares. ‖ **nuclear.** Instalación en la que puede iniciarse, mantenerse y controlarse una reacción nuclear de fisión o de fusión en cadena.

reacuñación. f. Acción y efecto de reacuñar.

reacuñar. tr. Resellar la moneda.

readmisión. f. Admisión por segunda o más veces. ‖ **2.** *Electr.* Entrada de impulsos eléctricos ya amplificados en un circuito amplificador, con el fin de obtener una nueva amplificación.

readmitir. tr. Volver a admitir.

reafirmar. tr. Afirmar de nuevo. Ú. t. c. prnl.

reagravación. f. Acción y efecto de reagravar o reagravarse.

reagravar. tr. Volver a agravar o agravar más. Ú. t. c. prnl.

reagrupación. f. Acción y efecto de reagrupar.

reagrupamiento. m. Acción y efecto de reagrupar.

reagrupar. tr. Agrupar de nuevo o de modo diferente lo que ya estuvo agrupado.

reagudo, da. adj. Extremadamente agudo.

reajustar. tr. Volver a ajustar, ajustar de nuevo. ‖ **2.** Hablando de precios, salarios, impuestos, puestos de trabajo, etc., aumentarlos o disminuirlos por motivos coyunturales, económicos o políticos.

reajuste. m. Acción y efecto de reajustar.

real[1]. (Del lat. *res, rei.*) adj. Que tiene existencia verdadera y efectiva. Ú. t. c. s. ‖ **2. cantidad, derecho, foco, imagen real.** ‖ **3.** *Der.* V. **derechos reales.**

real[2]. (Del lat. *regális.*) adj. Perteneciente o relativo al rey o a la realeza. ‖ **2.** Decíase del navío de tres puentes y más de ciento veinte cañones. ‖ **3.** Decíase de la galera que llevaba el estandarte real. ‖ **4. realista[2].** Apl. a pers., ú. t. c. s. ‖ **5.** V. **águila, ánade, aparejo, brazo, cabaña, camino, capellán, capilla, carga, casa, cédula, cemento, cimiento, codo, consólida, corona, coronilla, chillón, endecha, escalera, estandarte, estatuto, estoque, facultad, garza, granada, grillo, jazmín, laurel, león, malva, manjar, marco, marcha, muelle, octava, ordenamiento, palma, paloma, pato, patrimonio, patronato, pavo, perdiz, peso, pino, pinzón, pito, poder, privilegio, romance, secansa, tercera,**

vale, zorzal real. ‖ **6.** V. **alférez del pendón real.** ‖ **7.** V. **real cañada.** ‖ **8.** V. **real hacienda.** ‖ **9.** V. **carabineros, fiestas, tablas, tercias reales.** ‖ **10.** V. **Consejo Real de España y Ultramar.** ‖ **11.** fig. Regio, grandioso, suntuoso. ‖ **12.** fig. y fam. Muy bueno. ‖ **13.** fig. y fam. Aplicado a personas, de muy buena presencia. *Es un* REAL *mozo.* ‖ **14.** *Albañ.* V. **tapia real.** ‖ **15.** V. **degradación, oficial real.** ‖ **16.** *Mil.* V. **cuartel real.** ‖ **17.** m. Moneda de plata, del valor de treinta y cuatro maravedís, equivalente a veinticinco céntimos de peseta. ‖ **18.** Moneda de otros metales equivalente a veinticinco céntimos de peseta. ‖ **19.** En diversos países de América, moneda fraccionaria de distinto valor. ‖ **20.** fig. V. **cuchillada de cien reales.** ‖ **de a cincuenta.** Moneda antigua de plata, del peso y valor de cincuenta **reales** de plata doble. ‖ **de a cuatro.** Moneda de plata, del valor de la mitad del **real** de a ocho. ‖ **de a dos.** Moneda de plata, del valor de la mitad del **real** de a cuatro. ‖ **de agua.** Medida antigua de aforo, correspondiente al líquido que corría por un caño cuya boca era del diámetro de un **real** de plata. En Madrid se fijó el gasto en tres pulgadas cúbicas por segundo, o en cien cubas al día, que se considera en el canal del Lozoya equivalente a treinta y dos hectolitros. ‖ **de a ocho.** Moneda antigua de plata, que valía ocho **reales** de plata vieja. ‖ **2. maría,** moneda. ‖ **de ardite.** Moneda antigua de Cataluña, que valía dos sueldos. ‖ **de minas.** *Méj.* Pueblo en cuyo distrito hay minas especialmente de plata. ‖ **de plata.** Moneda efectiva de plata, que tuvo diferentes valores, según los tiempos, aunque el más corriente fue el de dos **reales** de vellón, o sea, sesenta y ocho maravedís. ‖ **de plata doble, o de plata vieja.** Moneda de cambio, del valor de dieciséis cuartos. Treinta y dos **reales** de esta moneda componían el doblón de cambio, que era de sesenta y ocho **reales** y ocho maravedís de vellón. ‖ **de vellón. real,** moneda de plata. ‖ **fontanero. real de agua.** ‖ **fuerte.** Moneda que los españoles labraron en Méjico y corrió en América con valor de dos **reales** y medio de vellón. ‖ **valenciano.** Moneda que corría en Valencia en el siglo XVIII, con el valor de doce cuartos y tres maravedís de vellón de Castilla. ‖ **con mi real y mi pala.** loc. adv. fig. y fam. Con mi caudal y persona. ‖ **no valer algo, o alguien un real o ni un real.** fr. fig. y fam. Valer muy poco o no valer nada. ‖ **por cuatro reales.** loc. adv. Por muy poco dinero. ‖ **¡real, real, real por el rey don...!** y el nombre del rey aclamado. Grito que daban los heraldos y reyes de armas en el momento de la proclamación de un monarca en Castilla. ‖ **un real sobre otro.** loc. adv. fig. y fam. Al contado y completamente.

real³. (Del ár. *raḥal,* campamento, majada, con influencia de *real².*) m. Campamento de un ejército, y especialmente el lugar donde está la tienda del rey o general. Ú. t. en pl. y en sent. fig. ‖ **2.** V. **asentador, asentamiento de real.** ‖ **3.** Campo donde se celebra una feria. ‖ **4.** *Murc.* Huerto cercado, jardín. ‖ **alzar el real, o los reales.** fr. Ponerse en movimiento el ejército, dejando el campo que ocupaba. ‖ **asentar los reales.** fr. Acampar un ejército. ‖ **2.** fig. Fijarse o domiciliarse en un lugar. ‖ **como a real de enemigo.** loc. adv. Ú. ordinariamente con el verbo *tirar,* y significa encarnizarse contra uno, hacerle todo el daño posible. ‖ **levantar el real.** fr. **alzar el real.** ‖ **sentar** uno **el real o los reales.** fr. fig. **asentar** uno **el real o los reales.**

reala. f. rehala, rebaño de ovejas de distintos dueños.

realce. m. Adorno o labor que sobresale en la superficie de una cosa. ‖ **2.** fig. Lustre, estimación, grandeza sobresaliente. ‖ **3.** *Pint.* Parte del objeto iluminado, donde más activa y directamente tocan los rayos luminosos. ‖ **bordar de realce.** fr. Hacer un bordado que sobresalga en la superficie de la tela. ‖ **2.** fig. Exagerar y desfigurar los hechos, inventando circunstancias y deteniéndose sobre ellas.

realdad. f. p. us. Dignidad o soberanía real.

realegrarse. prnl. Sentir alegría extraordinaria.

realejo. m. d. de **real³.** ‖ **2.** Sitio donde está acampado un ejército. ‖ **3.** Órgano pequeño manual.

realengo, ga. (De *real².*) adj. Aplícase a los pueblos que no eran de señorío ni de las órdenes. ‖ **2.** Dícese de los terrenos pertenecientes al Estado. ‖ **3.** *Gran.* Que campa por sus respetos, que no hace caso de nadie. ‖ **4.** *Col., P. Rico y Venez.* Vago, desocupado, callejero, holgazán. ‖ **5.** *Méj., P. Rico.* y *Sto. Dom.* Que no tiene dueño. Dícese especialmente de los animales. ‖ **6.** m. ant. **patrimonio real.** ‖ **7.** V. **bienes de realengo.**

realera. (De *real².*) f. Celda de la abeja maestra.

realete. m. d. de **real².** ‖ **2.** Moneda de plata. ‖ **3.** Moneda valenciana de vellón de dieciocho dinerillos.

realeza¹. (De *real¹.*) f. ant. **realidad,** existencia real.

realeza². (De *real².*) f. Dignidad o soberanía real. ‖ **2.** Magnificencia, grandiosidad propia de un rey. ‖ **3.** Conjunto de familias reales.

realidad. f. Existencia real y efectiva de una cosa. ‖ **2.** Verdad, lo que ocurre verdaderamente. ‖ **3.** Lo que es efectivo o tiene valor práctico, en contraposición con lo fantástico o ilusorio. ‖ **en realidad.** loc. adv. Efectivamente, sin duda alguna. ‖ **en realidad de verdad.** loc. adv. **verdaderamente.**

realillo. (De *real².*) m. **real de vellón.**

realismo¹. (De *real¹.*) m. Forma de presentar las cosas tal como son, sin suavizarlas ni exagerarlas. ‖ **2.** *Fil.* Tendencia a afirmar la existencia objetiva de los universales. En este sentido equivale a idealismo y se opone a nominalismo. Estas doctrinas, de gran uso en la Edad Media, se han renovado en el pensamiento contemporáneo. ‖ **3.** Sistema estético que asigna como fin a las obras artísticas o literarias la imitación fiel de la naturaleza. ‖ **mágico.** Movimiento literario hispanoamericano surgido a mediados del siglo XX, caracterizado por la introducción de elementos fantásticos inmersos en una narrativa realista.

realismo². (De *real².*) m. Doctrina u opinión favorable a la monarquía. En España se dijo con aplicación a la pura o absoluta. ‖ **2.** Partido que profesa esta doctrina.

realista¹. (De *real¹.*) adj. Partidario del realismo¹. Ú. t. c. s. ‖ **2.** Perteneciente al realismo o a los **realistas.** *Sistema, escuela* REALISTA. ‖ **3.** Que actúa con sentido práctico o trata de ajustarse a la realidad.

realista². (De *real².*) adj. Partidario del realismo². Ú. t. c. s. ‖ **2.** Perteneciente al realismo o a los **realistas.** *Partido, ejército* REALISTA.

realito. m. **realillo.** ‖ **columnario.** Moneda de plata que valía un real y cuartillo de vellón.

realizable. adj. Que se puede realizar.

realización. f. Acción y efecto de realizar o realizarse.

realizador, ra. m. y f. Persona que realiza o lleva a ejecución una obra. ‖ **2.** En el cine y la televisión, el autor de una película o un programa, o sea, el director de su ejecución.

realizar. (De *real¹.*) tr. Efectuar, llevar a cabo algo o ejecutar una acción. Ú. t. c. prnl. ‖ **2.** Dirigir la ejecución de una película o de un programa televisivo. ‖ **3.** *Com.* Vender, convertir en dinero mercaderías o cualesquiera otros bienes. Se usa más comúnmente hablando de la venta a bajo precio para reducirlos pronto a dinero. ‖ **4.** prnl. Sentirse satisfecho por haber logrado cumplir aquello a lo que se aspiraba.

realme. (Del ant. fr. *realme,* y este de *reame,* del lat. *regĭmen, -ĭnis,* infl. por los den. de *regalis.*) m. ant. Reino.

realmente. adv. m. Efectivamente, en realidad de verdad.

realquilado, da. p. p. de **realquilar.** ‖ **2.** adj. Dícese de la persona que vive en régimen de alquiler en un lugar alquilado por otra persona. Ú. t. c. s.

realquilar. tr. Alquilar un piso, local o habitación el arrendatario de ellos a otra persona. ‖ **2.** Alquilar un piso o un local a una persona que no es el dueño, sino que es, a su vez, arrendatario.

realzar. tr. Levantar o elevar una cosa más de lo que estaba. Ú. t. c. prnl. ‖ **2.** Labrar de realce. ‖ **3.** fig. Ilustrar o engrandecer. Ú. t. c. prnl. ‖ **4.** *Pint.* Tocar de luz una cosa.

reamar. (Del lat. *redamāre*.) tr. Amar mucho. ‖ **2.** ant. Corresponder al amor.

reame. (Del ant. fr. *reame*, y este del lat. *regīmen, -ĭnis*.) m. ant. **realme.**

reanimación. f. Acción y efecto de reanimar. ‖ **2.** *Terap.* Conjunto de medidas terapéuticas que se aplican para recuperar o mantener las constantes vitales del organismo.

reanimar. (Del lat. *redanimāre*.) tr. Confortar, dar vigor, restablecer las fuerzas. Ú. t. c. prnl. ‖ **2.** Hacer que recobre el conocimiento alguien que lo ha perdido. Ú. t. c. prnl. ‖ **3.** fig. Infundir ánimo y valor al que está abatido. Ú. t. c. prnl.

reanudación. f. Acción y efecto de reanudar.

reanudar. tr. fig. Renovar o continuar el trato, estudio, trabajo, conferencia, etc. Ú. t. c. prnl.

reaparecer. intr. Volver a aparecer o a mostrarse.

reaparición. f. Acción y efecto de reaparecer.

reapretar. tr. Volver a apretar. ‖ **2.** Apretar mucho.

rearar. tr. Volver a arar.

reargüir. (Del lat. *redarguĕre*.) tr. Argüir de nuevo sobre el mismo asunto. ‖ **2. redargüir.**

rearmar. (Del lat. *redarmāre, rearmāre*.) tr. Equipar nuevamente con armamento militar o reforzar el que ya existía. Ú. t. c. prnl.

rearme. m. Acción y efecto de rearmar o rearmarse.

reaseguro. m. Contrato por el cual un asegurador toma a su cargo, en totalidad o parcialmente, un riesgo ya cubierto por otro asegurador, sin alterar lo convenido entre este y el asegurado.

reasumir. tr. Asumir de nuevo lo que antes se había tenido, ejercido o adoptado, especialmente con referencia a cargos, funciones o responsabilidades.

reasunción. f. Acción y efecto de reasumir.

reasunto, ta. p. p. irreg. de **reasumir.**

reata. (De *reatar*.) f. Cuerda, tira o faja que sirve para sujetar algunas cosas. ‖ **2.** Cuerda o correa que ata y une dos o más caballerías para que vayan en hilera una detrás de otra. ‖ **3.** Hilera de caballerías que van atadas. ‖ **4.** Mula tercera que se añade al carro o coche de camino para tirar delante. ‖ **5.** *Mar.* Conjunto de vueltas espirales y contiguas que se dan a un palo o a un cable, con otro cabo de grueso proporcionado al intento. ‖ **de reata.** loc. adv. En hilera, formando **reata.** ‖ **2.** fig. y fam. De conformidad ciega con la voluntad o dictamen de otro. ‖ **3.** fig. y fam. Sucesivamente, uno detrás de otro.

reatadura. f. Acción y efecto de reatar.

reatar. (Del lat. *reaptāre*, atar.) tr. Volver a atar. ‖ **2.** Atar apretadamente. ‖ **3.** Atar dos o más caballerías para que vayan las unas detrás de las otras.

reatino, na. (Del lat. *reatīnus*.) adj. Natural de Rieti. Ú. t. c. s. ‖ **2.** Perteneciente a esta ciudad de Italia.

reato. (Del lat. *reātus*.) m. Obligación que queda a la pena correspondiente al pecado, aun después de perdonado.

reaventar. tr. Volver a aventar o a echar al viento una cosa.

reavivación. f. Acción y efecto de reavivar.

reavivar. tr. Volver a avivar, o avivar intensamente. Ú. t. c. prnl.

rebaba. f. Porción de materia sobrante que sobresale

irregularmente en los bordes o en la superficie de un objeto cualquiera; como la argamasa que forma resalto en los ladrillos al sentarlos en obra.

rebaja. f. Acción y efecto de rebajar. ‖ **2.** Disminución, reducción o descuento. Ú. especialmente hablando de precios. ‖ **3.** pl. Venta de existencias a precios más bajos, durante un tiempo determinado. ‖ **4.** Período de tiempo en que tiene lugar esta venta.

rebajado, da. p. p. de **rebajar.** ‖ **2.** m. Soldado **rebajado** del servicio activo.

rebajador, ra. adj. *Fotogr.* Aplícase al baño que se usa para rebajar las imágenes muy oscuras. Ú. t. c. s.

rebajamiento. m. Acción y efecto de rebajar o rebajarse.

rebajar. tr. Hacer más bajo el nivel o superficie horizontal de un terreno u otro objeto. ‖ **2.** Hacer nueva baja de una cantidad en las apuestas. ‖ **3.** Disminuir el precio de una cosa. ‖ **4.** fig. Humillar, abatir. Ú. t. c. prnl. ‖ **5.** *Arq.* Disminuir la altura de un arco o bóveda a menos de lo que corresponde al semicírculo. ‖ **6.** *Fotogr.* Reducir la intensidad de una imagen fotográfica mediante sustancias químicas. ‖ **7.** *Pint.* Declinar el claro hacia lo oscuro. ‖ **8.** prnl. En algunos hospitales, darse por enfermo uno de los asistentes. ‖ **9.** Quedar dispensado del servicio un militar.

rebaje. m. **rebajo.**

rebajo. m. Parte del canto de un madero u otra cosa, donde se ha disminuido el espesor por medio de un corte a modo de espera[1] o de ranura.

rebalaj. m. ant. **rebalaje.**

rebalaje. (De *resbalar*.) m. Remolino que forman las aguas al chocar con un obstáculo cualquiera. ‖ **2.** Reflujo del agua del mar en las playas. ‖ **3.** Zona de la playa donde ocurre el reflujo. ‖ **4.** Escalón que el reflujo forma en la arena y cerca de la orilla.

rebalgar. (Del lat. *valgus*, patizambo.) intr. *Ast.* Abrir mucho las piernas al dar los pasos.

rebalsa. f. Porción de agua, que, detenida en su curso, forma balsa. ‖ **2.** Porción de humor detenido en una parte del cuerpo.

rebalsar. tr. Detener y recoger el agua u otro líquido, de suerte que haga balsa. Ú. m. c. intr. y c. prnl.

rebalse. m. Acción y efecto de rebalsar o rebalsarse. ‖ **2.** Estancamiento de aguas que, como las del cauce de un molino, son corrientes de ordinario.

rebanada. f. Porción delgada, ancha y larga que se saca de una cosa, y especialmente del pan, cortando de un extremo al otro.

rebanar. (Del lat. *rapināre*, quitar.) tr. Hacer rebanadas una cosa o de alguna cosa. ‖ **2.** Cortar o dividir una cosa de una parte a otra.

rebanco. m. *Arq.* Segundo banco o zócalo que se pone sobre el primero.

rebanear. tr. fam. **rebanar.**

rebañadera. f. Instrumento de hierro, compuesto de un arco, del cual penden por una parte varios garabatos, y al que se ata una soga o cuerda, con que se saca fácilmente lo que se cayó en un pozo.

rebañador, ra. adj. Que rebaña. Ú. t. c. s.

rebañadura. f. fam. Acción y efecto de rebañar. ‖ **2.** pl. Residuos de alguna cosa, por lo común comestible, que se recogen arrebañando o rebañando.

rebañar. (Del lat. *rapineāre*, de *rapināre*, quitar.) tr. Juntar y recoger alguna cosa sin dejar nada. ‖ **2.** Recoger de un plato o vasija, para comerlos, los residuos de alguna cosa hasta apurarla.

rebañego, ga. adj. Perteneciente al rebaño de ganado.

rebaño. (De or. inc.) m. Hato grande de ganado, especialmente el lanar. ‖ **2.** fig. Congregación de los fieles respecto de sus pastores espirituales. ‖ **3.** fig. Conjunto de personas que se mueven gregariamente o se dejan dirigir en sus opiniones, gustos, etc.

rebasadero. m. *Mar.* Lugar o paraje por donde un buque puede rebasar o montar un peligro o estorbo cualquiera.

rebasar. tr. Pasar o exceder de cierto límite. ‖ **2.** En una marcha, progresión, etc., dejar atrás, adelantar. ‖ **3.** *Mar.* Pasar, navegando, más allá de un buque, cabo, escollo u otro cualquier estorbo o peligro.

rebatadamente. adv. m. ant. Con violencia y precipitación.

rebatador, ra. adj. ant. Que arrebata. Úsáb. t. c. s.

rebatar. tr. ant. **arrebatar.**

rebate[1]. (Del m. or. que *rebato*.) m. Combate, pendencia.

rebate[2]. m. *And.* **sardinel,** escalón de entrada de la casa o de una habitación.

rebatible. adj. Que se puede rebatir o refutar.

rebatimiento. m. Acción y efecto de rebatir.

rebatiña. f. Acción de coger deprisa una cosa entre muchos que quieren cogerla a la vez, arrebatiña. ‖ **andar a la rebatiña.** fr. fam. Concurrir a porfía a coger una cosa, arrebatándosela de las manos unos a otros.

rebatir. tr. Rechazar o contrarrestar la fuerza o violencia de uno. ‖ **2.** Volver a batir. ‖ **3.** Batir mucho. ‖ **4.** Redoblar, reforzar. ‖ **5.** Rebajar de una suma una cantidad que no debió comprenderse en ella. ‖ **6.** Refutar, impugnar con argumentos o razones lo que otros dicen. ‖ **7.** fig. Resistir, rechazar, hablando de tentaciones, sugestiones y propuestas. ‖ **8.** *Esgr.* Desviar la espada o sable del contrario, haciéndole bajar la punta, para evitar la herida.

rebato. (Del ár. *ribāṭ,* ataque repentino.) m. Convocación de los vecinos de uno o más pueblos, hecha por medio de campana, tambor, almenara u otra señal, con el fin de defenderse cuando sobreviene un peligro. ‖ **2.** fig. Alarma o conmoción ocasionada por algún acontecimiento repentino y temeroso. ‖ **3.** *Mil.* Acometimiento repentino que se hace al enemigo. ‖ **de rebato.** loc. adv. fig. y fam. De improviso, repentinamente. ‖ **tocar a rebato.** fr. desus. que expresaba el peligro de una incursión repentina del enemigo sobre el pueblo, al cual se avisaba tocando aprisa las campanas para que se pusiese en defensa. ‖ **2.** fig. Dar la señal de alarma ante cualquier peligro.

rebatosamente. adv. m. ant. Arrebatada o desconsideradamente.

rebatoso, sa. adj. ant. Arrebatado, precipitado.

rebautizar. (Del lat. *rebaptizāre.*) tr. Reiterar el acto y ceremonia del sacramento del bautismo.

rebeca. (Del n. p. *Rebeca,* título de un filme de A. Hitchcock, basado en una novela de D. du Maurier, cuya actriz principal usaba prendas de este tipo.) f. Chaquetilla femenina de punto, sin cuello, abrochada por delante, y cuyo primer botón está, por lo general, a la altura de la garganta.

rebeco. m. **gamuza,** animal.

rebelarse. (Del lat. *rebellāre.*) prnl. Sublevarse, levantarse, faltando a la obediencia debida. Ú. t. c. tr. ‖ **2.** fig. Oponer resistencia.

rebelde. (Del lat. *rebellis.*) adj. Que se rebela o subleva, faltando a la obediencia debida. Ú. t. c. s. ‖ **2.** Que opone resistencia. ‖ **3.** Dícese de las enfermedades resistentes a los remedios. ‖ **4.** *Der.* Dícese del que por no comparecer en el juicio, después de llamado en forma, o por tener incumplida alguna orden o intimación del juez, es declarado por este en rebeldía. Ú. t. c. s.

rebeldía. f. Calidad de rebelde. ‖ **2.** Acción propia del rebelde. ‖ **3.** *Der.* Estado procesal del que, siendo parte en un juicio, no acude al llamamiento que formalmente le hace el juez o deja incumplidas las intimaciones de este. ‖ **en rebeldía.** loc. adv. *Der.* En situación jurídica de rebelde.

rebelión. (Del lat. *rebellĭo, -ōnis.*) f. Acción y efecto de re-

belarse. Úsáb. t. c. m. ‖ **2.** *Der.* Delito contra el orden público, penado por la ley ordinaria y por la militar, consistente en el levantamiento público y en cierta hostilidad contra los poderes del Estado, con el fin de derrocarlos.

rebelón, na. (De *rebelarse.*) adj. Aplícase al caballo o yegua que rehúsa volver a uno o a ambos lados, sacudiendo la cabeza y huyendo así del tiento de la rienda.

rebencazo. m. Golpe dado con el rebenque.

rebenque. (Del fr. *raban,* cabo que afirma la vela a la verga.) m. Látigo de cuero o cáñamo embreado, con el cual se castigaba a los galeotes. ‖ **2.** *Amér. Merid.* Látigo recio de jinete. ‖ **3.** *Mar.* Cuerda o cabo cortos.

rebina. f. Acción y efecto de rebinar.

rebinar. tr. Binar por segunda vez, dar a la tierra la tercera vuelta de arado. ‖ **2.** *Agr.* Cavar por tercera vez las viñas. ‖ **3.** intr. fig. *And.* Reflexionar, volver a meditar sobre una cosa.

rebisabuelo, la. m. y f. **tatarabuelo,** tercer abuelo.

rebisco, ca. adj. *Vallad.* Dícese de la oveja que tiene un cerco negro alrededor de los ojos, negro el hocico y a veces alguna pinta negra en las caras.

rebisnieto, ta. m. y f. **tataranieto,** tercer nieto.

rebitar. tr. Remachar un clavo.

rebite. (Del ár. *rabiṭ,* atadura, sujeción.) m. Acción y efecto de rebitar. ‖ **2.** Entre caldereros, remache.

reblandecer. tr. Ablandar una cosa o ponerla tierna. Ú. t. c. prnl.

reblandecimiento. m. Acción y efecto de reblandecer o reblandecerse. ‖ **2.** *Pat.* Lesión de los tejidos orgánicos, caracterizada por la disminución de su consistencia natural.

reblar[1]. (Del lat. **revirāre.*) intr. Retroceder.

reblar[2]. (Del lat. *roborāre.*) tr. Roblar o remachar clavos, etc.

reblar[3]. (De *reble*[2].) tr. *Albañ.* **enripiar,** llenar con reble[2] o ripio un hueco.

reble[1]. m. *Germ.* Cada porción del trasero o asentaderas, nalga.

reble[2]. (Del lat. *replum,* de *replēre,* rellenar.) m. *Ar.* Cascajo o fragmentos de ladrillos y de otros materiales que sirven para llenar huecos.

rebobinar. tr. En un circuito eléctrico, sustituir el hilo de una bobina por otro. ‖ **2.** Hacer que un hilo o cinta se desenrolle de un carrete para enrollarse en otro.

rebobinado, da. p. p. de **rebobinar.** ‖ **2.** m. Acción y efecto de rebobinar.

rebocillo. m. **rebociño.**

rebociño. m. Mantilla o toca corta usada por las mujeres para rebozarse. ‖ **2.** Toca de lienzo blanco, comúnmente muy sutil, ceñida a la cabeza y al rostro de las mujeres, que unas veces caía sobre el cuello y los hombros y otras sobre el cuello y el pecho.

rebojo. (Del lat. *repudĭum,* desecho.) m. Residuo de algunas cosas, en especial de pan. ‖ **2.** Pan con huevo, usado en Zamora y otras partes.

rebol. (Por *redol* de *redolar.*) m. *Sal.* Ruedo o refuerzo de la falda.

rebolondo, da. (De *bolo* y *redondo.*) adj. *Alm.* y *Gran.* Esférico.

rebollar. m. Sitio poblado de rebollos, árboles.

rebolledo. m. **rebollar.**

rebollidura. (De *re-* y *bollo*[1], plegado de tela.) f. *Art.* Bulto en el alma de un cañón mal fundido.

rebollo. (Del lat. **repullus,* renuevo.) m. Árbol de la familia de las fagáceas, de unos 25 metros de altura, con tronco grueso, copa ancha, corteza cenicienta, hojas caedizas, algo rígidas, oblongas o trasovadas, sinuosas, verdes y lampiñas en la haz, pálidas en el envés y con pelos en los nervios; flores en amento, y bellotas solitarias y sentadas, o dos o tres sobre un pedúnculo corto. Vive en España. ‖ **2.** Brote de las raíces del melojo. ‖ **3.** *Ast.* Tronco de árbol. ‖ **4.** *Ar.* **alcanforada,** planta. ‖ **5.** *Sal.* Barda de roble.

rebollón. m. En Valencia, pieza de madera de hilo, de doce a veinte palmos de longitud y con una escuadría de nueve a diez dedos de tabla por seis a siete de canto.

rebolludo, da. adj. Robusto, grueso y, por lo general, de baja estatura. ‖ **2.** V. **diamante rebolludo.**

rebombar. intr. Sonar ruidosa o estrepitosamente.

reboñar. (Del lat. *repugnāre.*) intr. *Cantabria.* Pararse la rueda del molino por rebalsar el agua en el cauce de salida.

reboño. m. *Cantabria.* Suciedad o fango depositado en el cauce del molino.

reborda. adj. V. **pega reborda.**

reborde. m. Faja estrecha y saliente a lo largo del borde de alguna cosa.

rebordeador. m. Aparato para formar el reborde que han de tener algunas cosas.

rebordear. tr. Hacer o formar un reborde.

rebosadero. m. Sitio u orificio por donde rebosa un líquido.

rebosadura. f. Acción y efecto de rebosar.

rebosamiento. m. Acción y efecto de rebosar.

rebosar. (Del lat. *reversāre.*) intr. Derramarse un líquido por encima de los bordes de un recipiente en que no cabe. Se usa también refiriéndose al mismo recipiente donde no cabe todo el líquido. Ú. t. c. prnl. ‖ **2.** fig. Abundar con demasía una cosa. *Le* REBOSAN *los bienes;* REBOSA *en dinero.* Ú. t. c. tr. ‖ **3.** fig. Estar exageradamente lleno un lugar. *El cine* REBOSABA *de gente dispuesta a ver la película.* ‖ **4.** fig. Estar invadido por un sentimiento o estado de ánimo, de tal intensidad que se manifiesta palpablemente. Ú. t. c. tr. ‖ **5.** desus. Vomitar lo que se tiene en el estómago.

rebotación. f. fam. Acción y efecto de rebotar o conturbar el ánimo a alguien.

rebotadera. f. Peine de hierro con que se levanta el pelo del paño que se ha de tundir.

rebotado, da. p. p. de **rebotar.** ‖ **2.** adj. Dícese del sacerdote o religioso que ha abandonado sus hábitos. Ú. t. c. s. ‖ **3.** Dícese del que llega a alguna actividad o profesión después de haber fracasado en otras. Ú. t. c. s.

rebotador, ra. adj. Que rebota. Ú. t. c. s.

rebotadura. f. Acción de rebotar.

rebotar. intr. Botar repetidamente un cuerpo elástico, ya sobre el terreno, ya chocando con otros cuerpos. ‖ **2.** Botar la pelota en la pared después de haber botado en el suelo. ‖ **3.** Retroceder o cambiar de dirección un cuerpo en movimiento por haber chocado con un obstáculo. ‖ **4.** tr. Redoblar o volver la punta de una cosa aguda. REBO-TAR *un clavo.* ‖ **5.** Levantar con la rebotadera el pelo del paño que se va a tundir. ‖ **6.** Resistir un cuerpo a otro forzándole a retroceder, rechazar. ‖ **7.** Alterar el color y calidad de una cosa. Ú. m. c. prnl. ‖ **8.** fam. Conturbar, poner fuera de sí a una persona, diciéndole injurias, dándole malas nuevas o causándole cualquier susto. Ú. m. c. prnl. ‖ **9.** ant. fig. Embotar, entorpecer, hacer menos efectiva una cosa.

rebote. m. Acción y efecto de rebotar un cuerpo elástico. ‖ **2.** Cada uno de los botes que después del primero da el cuerpo que rebota. ‖ **de rebote.** loc. adv. fig. De rechazo, de resultas.

rebotica. f. Pieza que está detrás de la principal de la botica, y le sirve de desahogo. ‖ **2.** En algunas partes, trastienda, pieza que está detrás de la tienda.

rebotiga. f. **rebotica,** en algunas partes, trastienda, habitación detrás de la tienda.

rebotín. (De re- y *brotar.*) m. Segunda hoja que echa la morera cuando la primera ha sido cogida.

rebozar. tr. Cubrir casi todo el rostro con la capa o manto. Ú. t. c. prnl. ‖ **2.** Disimular o esconder un propósito, una idea, un sentimiento, etc. ‖ **3.** Bañar un alimento en huevo batido, harina, miel, etc. ‖ **4.** Manchar o cubrir a algo o alguien de cualquier sustancia.

rebozo. m. Modo de llevar la capa o manto cuando con él se cubre casi todo el rostro. ‖ **2. rebociño,** mantilla de las mujeres. ‖ **3.** fig. Simulación, pretexto. ‖ **de rebozo.** loc. adv. fig. De oculto, secretamente. ‖ **sin rebozo.** loc. adv. fig. Franca, sinceramente.

rebramar. intr. Volver a bramar. ‖ **2.** Bramar fuertemente. ‖ **3.** *Mont.* Responder a un bramido con otro.

rebramo. m. Bramido con que el ciervo u otro animal del mismo género responde al de otro de su especie o al reclamo.

rebrillo. m. **brillo,** lustre, resplandor.

rebrincar. intr. Brincar con reiteración y alborozo.

rebrotar. intr. Volver a brotar las plantas. ‖ **2.** Volver a vivir o ser lo que había perecido o se había amortiguado.

rebrote. m. Nuevo brote.

rebudiar. (De *remudiar.*) intr. *Mont.* Roncar el jabalí cuando siente gente o le da el viento de ella.

rebudio. m. Ronquido del jabalí.

rebufar. intr. Volver a bufar. ‖ **2.** Bufar con fuerza.

rebufe. m. Acción de rebufar.

rebufo. m. Expansión del aire alrededor de la boca del arma de fuego al salir el tiro.

rebujado, da. p. p. de **rebujar.** ‖ **2.** adj. Enmarañado, enredado; en desorden.

rebujal. (De *rebujo²*.) m. Número de cabezas que en un rebaño exceden de cincuenta o de un múltiplo de cincuenta. ‖ **2.** Terreno de inferior calidad, que no llega a media fanega.

rebujar. (De *rebujar.*) tr. Envolver o cubrir algunas cosas.

rebujina. f. **rebujiña.**

rebujiña. (De *rebujo²*.) f. fam. Alboroto, bullicio de gente del vulgo.

rebujo¹. (De *rebujar.*) m. Embozo usado por las mujeres para no ser conocidas. ‖ **2.** Envoltorio que con desaliño y sin orden se hace de papel, trapos u otras cosas.

rebujo². (De *rebojo.*) m. En algunas partes, porción de diezmos, que por no poderse repartir en especie, se distribuía en dinero entre los partícipes. ‖ **2.** Residuo, desecho o rehús de algunas cosas, rebojo.

rebultado, da. (De re- y *bulto.*) adj. **abultado,** de mucho bulto.

rebullicio. m. Bullicio grande.

rebullir. (De lat. *rebullīre.*) intr. Empezar a moverse lo que estaba quieto. Ú. t. c. prnl.

rebumbar. intr. Zumbar la bala de cañón.

rebumbio. m. fam. Ruido retumbante.

reburujar. tr. fam. Cubrir o revolver una cosa haciéndola un burujón.

reburujón. m. Envoltorio mal hecho.

rebús. m. **rehús.**

rebusca. f. Acción y efecto de rebuscar. ‖ **2.** Fruto que queda en los campos después de alzada la cosecha, y particularmente el de las viñas. ‖ **3.** fig. Desecho, lo de peor calidad.

rebuscado, da. p. p. de **rebuscar.** ‖ **2.** adj. Dícese del lenguaje o de la expresión que muestra rebuscamiento.

rebuscador, ra. adj. Que rebusca. Ú. t. c. s.

rebuscamiento. m. Acción y efecto de rebuscar. ‖ **2.** Hablando del lenguaje y estilo, exceso de atildamiento que degenera en afectación. También se aplica a las maneras y porte de las personas.

rebuscar. tr. Escudriñar o buscar con cuidado. ‖ **2.** Recoger el fruto que queda en los campos después de alzadas las cosechas, particularmente el de las viñas. ‖ **rebuscársela.** fr. fam. *Argent., Chile y Par.* Ingeniarse para enfrentar y sortear dificultades cotidianas.

rebusco. m. Acción y efecto de rebuscar.

rebusque. m. *Argent. y Par.* Acción y efecto de **rebuscársela.** ‖ **2.** *Argent. y Par.* Solución ocasional e ingeniosa con que se sortean las dificultades cotidianas.

rebutir. tr. Embutir, rellenar.

rebuznador, ra. adj. Que rebuzna. Ú. t. c. s.

rebuznar. (Del lat. *re-* y *bucināre,* tocar la trompeta o bocina.) intr. Dar rebuznos.

rebuzno. m. Voz del asno.

recabar. (De *cabo¹*.) tr. Alcanzar, conseguir con instancias o súplicas lo que se desea. ‖ **2.** Pedir, reclamar algo alegando o suponiendo un derecho. ‖ **3.** ant. Recoger, recaudar, guardar.

recabdación. f. ant. **recaudación.**

recabdador. m. ant. **recaudador.**

recabdamiento. m. ant. **recaudamiento.**

recabdar. (Del lat. **recapitāre,* recoger.) tr. ant. **recabar,** recoger, recaudar, guardar. ‖ **2.** ant. Prender a uno.

recabdo. m. ant. **recaudo.** ‖ **2.** ant. Reserva, cautela. ‖ **3.** ant. Cuidado, razón, cuenta. ‖ **facer recabdo.** fr. ant. Cuidar, tener cuidado.

recabita. adj. Israelita descendiente de Recab. Ú. t. c. s. ‖ **2.** Perteneciente a los individuos de esta familia, que por mandato de Jonadab, hijo de Recab, se abstenían de beber vino.

recadar. (Del lat. **recapitāre,* recoger.) tr. ant. **recabdar,** recaudar. ‖ **2.** *Burg. y Pal.* Recoger recados.

recadero, ra. m. y f. Persona que tiene por oficio llevar recados de un punto a otro.

recadista. com. Persona que lleva recados.

recado. (De *recadar,* y este del lat. **recapitāre,* recoger.) m. Mensaje o respuesta de palabra que da o se envía a otro. ‖ **2.** Encargo, encomienda. *Tengo que hacer varios* RECADOS *antes de las cinco.* ‖ **3.** Memoria o recuerdo de la estimación o cariño que se tiene a una persona. ‖ **4.** desus. Regalo, presente; por lo cual en la carta que le acompaña se ponía: *Con* RECADO. ‖ **5.** Provisión que para el surtido de las casas se lleva diariamente del mercado o de las tiendas. ‖ **6.** Conjunto de objetos necesarios para hacer ciertas cosas. RECADO *de escribir.* ‖ **7.** Documento que justifica las partidas de una cuenta. ‖ **8.** Precaución, seguridad. ‖ **9.** *Urug.* Apero. ‖ **10.** *Nicar.* Picadillo con que se rellenan las empanadas. RECAYÓ. ‖ **11.** *Impr.* Conjunto de tipos, signos, etc., que se aprovechan de un pliego para otro. ‖ **mal recado.** Mala acción, travesura, descuido. ‖ **a buen,** o **a mucho, recado,** o **a recado.** locs. advs. **a buen recaudo.** ‖ **coger** o **tomar un recado.** fr. fig. y fam. Tomar nota, mentalmente o por escrito, de un mensaje para otra persona. ‖ **dar recado para** una cosa. fr. Suministrar lo necesario para ejecutarla. ‖ **llevar recado** uno. fr. fig. y fam. Ir bien reprendido o castigado. ‖ **sacar los recados.** fr. Sacar del juzgado eclesiástico el despacho para las amonestaciones o proclamas de los que intentan casarse.

recaer. intr. Volver a caer. ‖ **2.** Caer nuevamente enfermo de la misma dolencia el que estaba convaleciendo o había recobrado ya la salud. ‖ **3.** Reincidir en los vicios, errores, etc. ‖ **4.** Venir a caer o a parar en uno o sobre uno beneficios o gravámenes. RECAYÓ *en él el mayorazgo;* RECAYÓ *sobre él la responsabilidad.*

recaída. f. Acción y efecto de recaer.

recalada. f. *Mar.* Acción de recalar un buque.

recalar. tr. Penetrar poco a poco un líquido por los poros de un cuerpo seco, dejándolo húmedo o mojado. Ú. t. c. prnl. ‖ **2.** intr. fig. Aparecer por algún sitio una persona. ‖ **3.** *Mar.* Llegar el buque, después de una navegación, a

la vista de un punto de la costa, como fin de viaje o para, después de reconocido, continuar su navegación. ‖ **4.** *Mar.* Llegar el viento o la mar al punto en que se halla un buque o a otro lugar determinado.

recalcada. f. *Mar.* Acción de recalcar un buque.

recalcadamente. adv. m. Muy apretadamente. ‖ **2.** De forma que se destaque algo que uno dice dándole una fuerte expresión, o repitiéndolo varias veces.

recalcadura. f. Acción de recalcar.

recalcar. (Del lat. *recalcāre.*) tr. Ajustar, apretar mucho una cosa con otra o sobre otra. ‖ **2.** Llenar mucho de una cosa un receptáculo, apretándola para que quepa más cantidad de ella. ‖ **3.** fig. Tratándose de palabras, decirlas con lentitud y exagerada fuerza de expresión para que no pueda quedar duda alguna acerca de lo que con ellas quiere darse a entender, o para atraer la atención hacia ellas. ‖ **4.** intr. *Mar.* Aumentar el buque su inclinación o escora sobre la máxima de un balance, a consecuencia de una nueva racha de viento, o de la salida de las olas hacia sotavento. ‖ **5.** prnl. fig. y fam. Repetir una cosa muchas veces, poniendo un énfasis especial en la forma de decir las palabras. ‖ **6.** fig. y fam. Ensancharse o extenderse uno en el asiento.

recalce. m. Acción y efecto de recalzar. ‖ **2. recalzo.**

recalcitrante. (Del lat. *recalcĭtrans, -antis.*) adj. Terco, reacio, reincidente, obstinado, aferrado a una opinión o conducta.

recalcitrar. (Del lat. *recalcĭtrāre.*) intr. Retroceder, volver atrás los pies. ‖ **2.** fig. Resistir con tenacidad a quien se debe obedecer.

recalentamiento. m. Acción y efecto de recalentar o recalentarse.

recalentar. tr. Volver a calentar. ‖ **2.** Calentar demasiado. ‖ **3.** Hablando de los animales, hacerlos poner calientes o en celo; hablando de las personas, excitar o avivar la pasión del amor. Ú. t. c. prnl. ‖ **4.** prnl. Tratándose de ciertos frutos, como el trigo, las aceitunas, etc., echarse a perder por el excesivo calor. ‖ **5.** Alterarse las maderas por la descomposición de la savia. ‖ **6.** Tomar una cosa más calor del que conviene para su uso.

recalentón. m. Calentamiento rápido y fuerte.

recalmón. m. *Mar.* Súbita y considerable disminución en la fuerza del viento, y en ciertos casos, de la marejada.

recalvastro, tra. (Del lat. *recalvaster, -tri.*) adj. despect. Calvo desde la frente a la coronilla.

recalzar. (Del lat. **recalceāre.*) tr. *Agr.* Arrimar tierra alrededor de las plantas o árboles. ‖ **2.** *Arq.* Hacer un recalzo. ‖ **3.** *Pint.* Pintar un dibujo.

recalzo. m. Pina de refuerzo sobre la pina de la rueda. ‖ **2.** *Arq.* Reparo que se hace en los cimientos de un edificio ya construido.

recalzón. m. Pina de refuerzo que, sobrepuesta a la ordinaria de la rueda del carro, suple a la llanta de hierro.

recamado, da. p. p. de **recamar.** ‖ **2.** m. Bordado de realce.

recamador, ra. m. y f. Bordador de realce.

recamar. (Del verbo ár. *raqama,* bordar.) tr. Bordar una cosa de realce.

recámara. f. Cuarto después de la cámara, o habitación principal, destinado para guardar los vestidos o alhajas. ‖ **2.** Repuesto de alhajas o muebles de las casas ricas. ‖ **3.** Muebles o alhajas que se destinan al servicio doméstico de un personaje, especialmente yendo de camino. ‖ **4.** Sitio en el interior de una mina, destinado a contener los explosivos. ‖ **5.** Hornillo de la mina de guerra. ‖ **6.** En las armas de fuego, lugar del ánima del cañón al extremo opuesto a la boca, en el cual se coloca el cartucho. ‖ **7.** fig. y fam. Cautela, reserva, segunda intención. *Pedro tiene mucha* RECÁMARA. ‖ **8.** *Col., Méj. y Pan.* Dormitorio.

recambiar. tr. Hacer segundo cambio o trueque. ‖ **2.** Sustituir una pieza por otra de su misma clase. ‖ **3.** *Com.* Girar letra de resaca.

recambio. m. Acción y efecto de recambiar. ‖ **2.** Pieza destinada a sustituir en caso necesario a otra igual de una máquina, aparato o instrumento. ‖ **3.** ant. Cambio de algunas cosas. ‖ **4.** ant. Ganancia o interés exagerados. ‖ **de recambio.** loc. adj. Dícese de la pieza que va a sustituir a otra estropeada. ‖ **volver el recambio.** fr. fig. Pagar en la misma moneda.

recamo. m. Bordado de realce. ‖ **2.** Especie de alamar hecho de galón cerrado con una bolita al extremo.

recancamusa. f. fam. Maña o artificio para encubrir un engaño, cancamusa.

recancanilla. f. fam. Modo de andar los muchachos como cojeando. ‖ **2.** fig. y fam. Fuerza de expresión que se da a las palabras para que las note y comprenda bien el que las escucha. Ú. m. en pl.

recantación. (Del lat. *recantātum*, supino de *recantāre*, desdecirse, retractarse.) f. **palinodia**, retractación pública.

recantón. (De *re-* y *cantón*.) m. Poste de piedra para resguardar de los carruajes las esquinas de los edificios.

recapacitar. (De *re-* y el lat. *capacĭtas*, capacidad, inteligencia.) tr. Reflexionar cuidadosa y detenidamente sobre algo, en especial sobre los propios actos.

recapitulación. (Del lat. *recapitulatĭo, -ōnis*.) f. Acción y efecto de recapitular.

recapitular. (Del lat. *recapitulāre*.) tr. Recordar sumaria y ordenadamente lo que por escrito o de palabra se ha manifestado con extensión.

recarga. f. Acción y efecto de recargar.

recargamiento. m. Acumulación excesiva de elementos en literatura y en las artes plásticas.

recargar. tr. Volver a cargar. ‖ **2.** Aumentar la carga o el trabajo. ‖ **3.** Hacer nuevo cargo o reconvención. ‖ **4.** fig. Agravar una cuota de impuesto u otra prestación que se adeuda. ‖ **5.** fig. Adornar con exceso a una persona o cosa. ‖ **6.** *Der.* Antiguamente, detener al reo en la prisión o agravar su condena por diferente juez o nueva causa. ‖ **7.** intr. *Taurom.* Cargar reiteradamente en la misma suerte, especialmente en la de varas. ‖ **8.** prnl. *Méj.* Apoyarse. ‖ **9.** *Pat.* Tener recargo.

recargo. m. Nueva cuota o aumento de carga. ‖ **2.** Nuevo cargo que se hace a uno. ‖ **3.** Cantidad o tanto por ciento que se recarga, por lo general a causa del retraso en un pago. ‖ **4.** *Der.* Antiguamente, acción de recargar al reo. ‖ **5.** *Pat.* Aumento de fiebre. ‖ **6.** *Taurom.* Acción de recargar.

recata. f. Acción de recatar[2].

recatadamente. adv. m. Con recato.

recatado, da. p. p. de recatar[1]. ‖ **2.** adj. Circunspecto, cauto. ‖ **3.** Honesto, modesto. Aplícase particularmente a las mujeres.

recatamiento. m. ant. Reserva, recato, cautela.

recatar[1]. (Del lat. *recaptāre*, y este del lat. *re*, iterat., y *captāre*, coger.) tr. Encubrir u ocultar lo que no se quiere que se vea o se sepa. Ú. t. c. prnl. ‖ **2.** prnl. Mostrar recelo en tomar una resolución.

recatar[2]. tr. Catar por segunda vez.

recatear. (De *recatar*[1].) tr. Discutir el comprador y el vendedor el precio de una cosa. ‖ **2.** Revender o vender al por menor lo que se ha comprado al por mayor. ‖ **3.** fig. Rehusar o cumplir con defecto la ejecución de una cosa.

recatería. f. **regatonería**.

recato. (De *recatar*[1].) m. Cautela, reserva. ‖ **2.** Honestidad, modestia.

recatón[1]. m. **regatón**, cuento o virola de bastones y lanzas.

recatón[2], **na.** adj. Que vende al por menor. ‖ **2.** Que regatea el precio mucho.

recatonazo. m. Golpe dado con el recatón de la lanza o del bastón.

recatonear. (De *recatón*[2].) tr. Vender al por menor.

recatonería. f. Venta al por menor.

recatonía. (De *recatón*[2].) f. ant. Venta al por menor.

recauchado. m. Acción y efecto de recauchar.

recauchar. tr. **recauchutar.**

recauchutado, da. p. p. de **recauchutar.** ‖ **2.** m. Acción y efecto de recauchutar.

recauchutar. tr. Volver a cubrir de caucho una llanta o cubierta desgastada.

recaudación. f. Acción de recaudar. ‖ **2.** Cantidad recaudada. ‖ **3.** Tesorería u oficina destinada para la entrega de caudales públicos.

recaudador, ra. m. y f. Encargado de la cobranza de caudales, y especialmente de los públicos.

recaudamiento. m. Acción de recaudar. ‖ **2.** Cargo o empleo de recaudador. ‖ **3.** Territorio a que se extiende el cargo de un recaudador.

recaudanza. f. ant. Acción de recaudar. ‖ **2.** Cantidad recaudada.

recaudar. (Del lat. *recaptāre*, recoger.) tr. Cobrar o percibir caudales o efectos. ‖ **2.** Asegurar, poner o tener en custodia, guardar. ‖ **3.** ant. Alcanzar, conseguir con instancias o súplicas lo que se desea.

recaudatorio, ria. adj. Perteneciente o relativo a la recaudación.

recaudo. m. Acción de recaudar. ‖ **2.** Precaución, cuidado. ‖ **3.** ant. Documento que justifica las partidas de una cuenta. ‖ **4.** *Der.* Caución, fianza, seguridad. ‖ **a buen recaudo,** o **a recaudo.** loc. adv. Bien custodiado, con seguridad. Ú. m. con los verbos *estar, poner,* etc.

recavar. tr. Volver a cavar.

recazo. (De *re-* y *cazo,* cazoleta.) m. Cazoleta o taza de la espada. ‖ **2.** Parte del cuchillo opuesta al filo.

recazón. m. **recalzón.**

recebar. tr. Echar recebo.

recebo. m. Arena o piedra muy menuda que se extiende sobre el firme de una carretera para igualarlo y consolidarlo. ‖ **2.** Cantidad de líquido que se echa en los toneles que han sufrido alguna merma.

recechar. tr. *Mont.* Acechar a la caza.

rececho. m. Acción y efecto de recechar. ‖ **2. acecho.**

recejar. intr. Retroceder, recular.

recejo. (Del lat. *recessus,* retroceso.) m. *Burg.* Retroceso, especialmente hablando de las aguas.

recel. (Del lat. *re* y *celāre,* ocultar, cubrir.) m. ant. Cobertor o cubierta de tela delgada y listada.

recela. adj. Dícese del caballo recelador. Ú. t. c. s.

recelador. adj. V. **caballo recelador.** Ú. t. c. s.

recelamiento. m. Acción y efecto de recelar.

recelar. (De *re-* y *celar*[1].) tr. Temer, desconfiar y sospechar. Ú. t. c. prnl. ‖ **2.** Poner el caballo frente a la yegua para incitarla o disponerla a que admita el burro garañón.

recelo. m. Acción y efecto de recelar.

receloso, sa. adj. Que tiene recelo.

recencellada. f. *Sal.* Escarcha.

recencio. (De *cierzo*.) m. *Sal.* El cierzo y algunos efectos, como el frío y la escarcha.

recensión. (Del lat. *recensĭo, -ōnis*.) f. Noticia o reseña de una obra literaria o científica.

recensor, ra. m. y f. Persona que hace una recensión.

recentadura. f. Porción de levadura que se deja reservada para fermentar otra masa.

recental. (Del lat. *recens, -entis,* reciente.) adj. V. **cordero recental.** Ú. t. c. s. ‖ **2.** V. **ternero recental.** Ú. t. c. s.

recentar. (De *reciente*.) tr. Poner en la masa la porción de levadura que se dejó reservada para fermentar. ‖ **2.** Renovar. Ú. t. c. prnl.

recentín. adj. Dícese del animal de leche, que aún no ha pastado.

recentísimo, ma. adj. sup. de **reciente.**

receñir. tr. Volver a ceñir.

recepción. (Del lat. *receptío, -ônis.*) f. Acción y efecto de recibir. ‖ **2.** Admisión en un empleo, oficio u sociedad. ‖ **3.** Fiesta palatina en que desfilaban por delante de las personas reales los representantes de cuerpos o clases y también los dignatarios que acudían para rendirles acatamiento. ‖ **4.** Ceremonia o fiesta que se celebra para recibir a un personaje importante. ‖ **5.** Reunión con carácter de fiesta que se celebra en algunas casas particulares. ‖ **6.** Acto solemne en el que desfilan ante el jefe del Estado u otra autoridad los representantes de cuerpos o clases. ‖ **7.** En hoteles, congresos, etc., dependencia u oficina donde se inscriben los nuevos huéspedes, los congresistas que llegan, etc. ‖ **8.** Acción de captar las ondas radioeléctricas por un receptor. ‖ **9.** *Der.* Hablando de testigos, examen que se hace judicialmente de ellos para averiguar la verdad.

recepcionista. com. Persona encargada de atender al público en una oficina de recepción.

recepta. (Del lat. *recepta,* t. f. de *-tus,* recibido.) f. Libro en que se llevaba la razón de las multas impuestas por el Consejo de Indias. ‖ **2.** ant. Receta médica.

receptación. f. *Der.* Acción y efecto de receptar.

receptáculo. (Del lat. *receptacŭlum.*) m. Cavidad en que se contiene o puede contener cualquier sustancia. ‖ **2.** fig. desus. Acogida, asilo, refugio. ‖ **3.** *Bot.* Extremo ensanchado o engrosado del pedúnculo, casi siempre carnoso, donde se asientan los verticilos de la flor o las flores de una inflorescencia.

receptador, ra. (Del lat. *receptátor.*) m. y f. *Der.* Persona que oculta o encubre delincuentes o cosas que son materia de delito.

receptar. (Del lat. *receptáre.*) tr. *Der.* Ocultar o encubrir delincuentes o cosas que son materia de delito. ‖ **2.** Recibir, acoger. Ú. t. c. prnl.

receptividad. f. Capacidad de recibir. ‖ **2.** Capacidad de un sujeto para recibir estímulos exteriores. ‖ **3.** *Pat.* Predisposición del organismo a contraer ciertas enfermedades de carácter infeccioso.

receptivo, va. (Del lat. *receptum,* supino de *recipĕre,* recibir.) adj. Que recibe o es capaz de recibir.

recepto. (Del lat. *receptus.*) m. Retiro, asilo, lugar de seguridad.

receptor, ra. (Del lat. *receptor, -óris.*) adj. Que recepta o recibe. Ú. t. c. s. ‖ **2.** Dícese del motor que recibe la energía de un generador instalado a distancia. Ú. t. c. s. ‖ **3.** Dícese del aparato que sirve para recibir las señales eléctricas, telegráficas o telefónicas. Ú. m. c. s. ‖ **4.** m. *Der.* Escribano comisionado por un tribunal para hacer cobranzas, recibir pruebas y otras actos judiciales. ‖ **5.** Aparato que recoge las ondas del radiotransmisor, radiorreceptor. ‖ **6.** m. y f. Persona que recibe el mensaje en un acto de comunicación. ‖ **general.** El que recibía o recaudaba las multas impuestas por los tribunales superiores.

receptoría. adj. V. **carta receptoria.**

receptoría. f. **recetoría.** ‖ **2.** Oficina del receptor. ‖ **3.** *Der.* Despacho o comisión que lleva el receptor. ‖ **4.** *Der.* Comisión que se da a las justicias ordinarias para practicar ciertas diligencias judiciales, que por lo común se encargan a receptores.

recercador, ra. adj. Que recerca. Ú. t. c. s. ‖ **2.** m. **cercador,** herramienta para cincelar.

recercar. tr. Volver a cercar. ‖ **2.** Poner cerca[1].

recesar. intr. *Bol., Cuba, Méj., Nicar.* y *Perú.* Cesar temporalmente en sus actividades una corporación. ‖ **2.** tr. *Perú.* Clausurar una cámara legislativa, una universidad, etc.

recesión. (Del lat. *recessío, -ōnis.*) f. Acción y efecto de retirarse o retroceder. ‖ **2.** *Econ.* Depresión de las actividades industriales y comerciales, generalmente pasajera, que tiene sus síntomas en el decrecimiento de la producción, del trabajo, los salarios, los beneficios, etc.

recésit. (Del lat. *recessit,* 3.ª pers. de sing. del pret. de *recedĕre,* retirarse, alejarse.) m. Permiso a los prebendados para no asistir a coro, recre, recle.

recesivo, va. adj. *Biol.* Dícese de los caracteres hereditarios que no se manifiestan en el fenotipo del individuo que los posee, pero que pueden aparecer en la descendencia de este. ‖ **2.** *Econ.* Que tiende a la recesión o la provoca.

receso. (Del lat. *recessus.*) m. Separación, apartamiento, desvío. ‖ **2.** *Amér.* Vacación, suspensión temporal de actividades en los cuerpos colegiados, asambleas, etc. ‖ **3.** *Amér.* Tiempo que dura esta suspensión de actividades. ‖ **del Sol.** *Astron.* Movimiento aparente con que el Sol se aparta del Ecuador.

receta. (De *recepta*.) f. Prescripción facultativa. ‖ **2.** Nota escrita de esta prescripción. ‖ **3.** Entre contadores, relación de partidas que se pasa de una contaduría a otra para que por ella se pueda tomar la cuenta al asentista o arrendador. ‖ **4.** fig. Nota que comprende aquello de que debe componerse una cosa, y el modo de hacerla. RECETA *de cocina.* ‖ **5.** fig. Procedimiento adecuado para hacer o conseguir algo. *Nadie tiene la* RECETA *para ser feliz.* ‖ **6.** fig. y fam. Memoria de cosas que se piden.

recetador, ra. m. y f. Persona que receta.

recetar. tr. Prescribir un medicamento, con expresión de sus dosis, preparación y uso. ‖ **2.** fig. y fam. Pedir alguna cosa de palabra y por escrito. RECETAR *largo.*

recetario. m. Asiento o apuntamiento de todo lo que el médico ordena que se suministre al enfermo, así de alimentos como de medicinas. ‖ **2.** Libro o cuaderno en blanco, que en los hospitales sirve para poner estos asientos. ‖ **3.** Conjunto de recetas no pagadas, presentadas regularmente en un alambre por los boticarios. ‖ **4.** Conjunto de recetas, notas en las que se indica el modo de hacer una cosa. ‖ **5.** Libro de las medicinas usuales y de su composición.

recetor. (Del lat. *receptor, -óris.*) m. **receptor.** ‖ **2.** Tesorero que recibe caudales públicos.

recetoría. f. Tesorería donde entran los caudales que por los recetores se perciben. ‖ **2.** Tesorería adonde acuden los prebendados de algunas iglesias a cobrar sus emolumentos.

recial. m. Corriente recia, fuerte e impetuosa de los ríos.

reciamente. adv. Fuertemente, con vigor y violencia.

reciario. (Del lat. *retiarĭus,* de *rete,* red.) m. Gladiador cuya arma principal era una red que lanzaba sobre su adversario a fin de envolverle e impedirle el uso de los miembros y los medios de defensa.

recibí. m. Fórmula que, situada delante de la firma en ciertos documentos, expresa que se ha recibido lo que en ellos se indica.

recibidero, ra. adj. Dícese de lo que tiene condiciones para ser recibido o tomado.

recibidor, ra. adj. Que recibe. Ú. t. c. s. ‖ **2.** m. En algunas partes, antesala. ‖ **3.** Pieza que da entrada a los cuartos habitados por una familia. ‖ **4.** En la orden de San Juan, ministro diputado para recaudar los fondos que pertenecen a ella.

recibimiento. m. **recepción,** acción y efecto de recibir. ‖ **2.** Acogida buena o mala que se hace al que viene de fuera. ‖ **3.** En algunas partes, antesala. ‖ **4.** En otras, sala principal. ‖ **5.** Pieza que da entrada a cada uno de los cuartos habitados por una familia. ‖ **6.** Visita general en que una persona recibe a todas las de su amistad y estimación con algún motivo; como enhorabuena, pésame, etc. ‖ **7.** En algunas partes, altar que se hace en las calles para las procesiones del Santísimo Sacramento, donde ha de haber estación.

recibir. (Del lat. *recipĕre.*) tr. Tomar uno lo que le dan o le envían. ‖ **2.** Hacerse cargo uno de lo que le dan o le envían. ‖ **3.** Sustentar, sostener un cuerpo a otro. ‖ **4.** Padecer uno el daño que otro le hace o casualmente le sucede. ‖ **5.** Admitir dentro de sí una cosa a otra; como el mar, los ríos, etc. ‖ **6.** Admitir, aceptar, aprobar una cosa. *Fue mal* RECIBIDA *esta opinión.* ‖ **7.** Admitir a uno en su compañía o comunidad. ‖ **8.** Admitir visitas una persona, ya en día previamente determinado, ya en cualquier otro cuando le estima conveniente. ‖ **9.** Salir a encontrarse con uno para agasajarle cuando viene de fuera. ‖ **10.** Esperar o hacer frente al que acomete, con ánimo y resolución de resistirle o rechazarle. ‖ **11.** Asegurar con yeso u otro material un cuerpo que se introduce en la fábrica; como madero, ventana, etc. ‖ **12.** *Taurom.* Cuadrarse el diestro en la suerte de matar, para citar al toro, conservando esta postura, sin mover los pies al dar la estocada, y resistir la embestida, de la cual procura librarse con el quiebro del cuerpo y el movimiento de la muleta. ‖ **13.** prnl. Tomar uno la investidura o el título conveniente para ejercer alguna facultad o profesión.

recibo. m. Acción y efecto de recibir. ‖ **2.** En algunas partes, antesala. ‖ **3.** En otras partes, sala principal. ‖ **4.** Pieza que da entrada a cada uno de los cuartos habitados. ‖ **5.** Visita general en que una persona recibe a todas las de su amistad. ‖ **6.** V. **pieza de recibo.** ‖ **7.** Escrito o resguardo firmado en que se declara haber recibido dinero u otra cosa. ‖ **estar de recibo.** fr. Estar una persona, y especialmente una señora, adornada y dispuesta para recibir visitas. ‖ **2. ser de recibo.** ser de recibo. fr. Tener una cosa todas las cualidades necesarias para administrarse según la costumbre, ley o contrato.

reciclado, da. p. p. de **reciclar.** ‖ **2.** m. Acción y efecto de reciclar, reciclamiento.

reciclaje. m. **reciclamiento.**

reciclamiento. m. Acción y efecto de reciclar.

reciclar. tr. *Tecnol.* Someter repetidamente una materia a un mismo ciclo, para ampliar o incrementar los efectos de este. ‖ **2.** Hacer que un alumno pase de un ciclo de estudios a otro para el cual parece más apto. ‖ **3.** Dar formación complementaria a profesionales o técnicos para que amplíen y pongan al día sus conocimientos.

recidiva. (Del lat. *recidīva,* t. f. de *-vus,* que renace o se renueva.) f. *Pat.* Repetición de una enfermedad algún tiempo después de terminada la convalecencia.

recidivar. intr. Padecer una recidiva.

reciedumbre. f. Fuerza, fortaleza y vigor.

recién. (apóc. de *reciente.*) adv. t. **recientemente.** Ú. siempre antepuesto a los participios pasivos. En América se usa también antepuesto al verbo en forma conjugada. RECIÉN *lo vi entrar en el cine.* ‖ **2.** Ante verbos conjugados y adverbios, equivale a *hasta... no; apenas; solo en.* Úsase en algunas partes de América. RECIÉN *cuando estuve dentro me di cuenta. Vicenta tiene* RECIÉN *una semana en casa. Lo vi* RECIÉN *llegó.*

reciente. (Del lat. *recens, -entis.*) adj. Nuevo, fresco o acabado de hacer. ‖ **2.** Que ha sucedido hace poco. ‖ **3.** m. *And.* Levadura, nombre genérico de ciertos hongos.

recientemente. adv. t. Poco tiempo antes.

recinchar. tr. Fajar una cosa con otra ciñéndola.

recincho. m. *Murc.* Ceñidor de esparto.

recinto¹. (Del lat. *re* y *cinctus,* cercado, rodeado.) m. Espacio comprendido dentro de ciertos límites.

recinto². m. *Mancha.* **recentadura** o **levadura.**

recio¹, cia. adj. Fuerte, robusto, vigoroso. *Era un hombre* RECIO *en extremo.* ‖ **2.** Grueso, gordo. *Esta casa tiene unas paredes muy* RECIAS. ‖ **3.** Áspero, duro de genio. ‖ **4.** Duro, difícil de soportar. ‖ **5.** Hablando de tierras, grueso, sustancioso, de mucha miga. ‖ **6.** Hablando del tiempo, riguroso, rígido. ‖ **7.** Intenso, violento. *Soplaba un viento* RECIO *y frío.* ‖ **8.** adv. m. **de recio.** ‖ **9.** Con rapidez, ímpetu o precipitación. ‖ **de recio.** loc. adv. **reciamente.**

recio², cia. adj. Natural de Recia. Ú. t. c. s. ‖ **2.** Perteneciente a este país de la Europa antigua.

récipe. (imper. del lat. *recipĕre,* recibir: recibe, toma.) m. Palabra que solía ponerse en abreviatura a la cabeza de la receta. ‖ **2.** fam. Receta médica. ‖ **3.** fig. y fam. Desazón, disgusto o mala noticia que se da a uno.

recipiendario, ria. (Del lat. *recipiendus,* que debe ser recibido.) m. y f. Persona que es recibida solemnemente en una corporación para formar parte de ella.

recipiente. (Del lat. *recipiens, -entis,* p. a. de *recipĕre,* recibir.) adj. Que recibe. ‖ **2.** m. Utensilio hecho de diversas materias, destinado a guardar o conservar algo. ‖ **3.** Cavidad en que puede contenerse algo. ‖ **4.** Vaso donde se reúne el líquido que destila un alambique. ‖ **5.** Campana de vidrio o cristal que, colocada sobre la platina de la máquina neumática, cierra el espacio en que se hace el vacío.

reciprocación. (Del lat. *reciprocatĭo, -ōnis.*) f. **reciprocidad.** ‖ **2.** Manera de ejercerse la acción del verbo recíproco.

recíprocamente. adv. m. Mutuamente, con igual correspondencia.

reciprocar. (Del lat. *reciprocāre.*) tr. Hacer que dos cosas se correspondan. ‖ **2.** Responder a una acción con otra semejante. Ú. m. en América. ‖ **3.** prnl. Corresponderse una cosa con otra.

reciprocidad. (Del lat. *reciprocĭtas, -ātis.*) f. Correspondencia mutua de una persona o cosa con otra.

recíproco, ca. (Del lat. *reciprŏcus.*) adj. Igual en la correspondencia de uno a otro. ‖ **2.** *Gram.* V. **verbo recíproco.** Ú. t. c. s. ‖ **a la recíproca.** loc. fam. V. **estar a la recíproca.** ‖ **estar a la recíproca.** fr. fig. y fam. Estar dispuesto a corresponder del mismo modo a un determinado comportamiento ajeno.

recisión. (Del lat. *recisĭo, -ōnis.*) f. desus. *Der.* **rescisión.**

recitación. (Del lat. *recitatĭo, -ōnis.*) f. Acción de recitar.

recitáculo. m. Escena, lugar donde antiguamente se recitaba, especialmente en el templo.

recitado. m. **recitación.** ‖ **2.** Fragmento o composición que se recita. ‖ **3.** *Mús.* Composición musical que se usa en las poesías narrativas y en los diálogos, y es un medio entre la declamación y el canto.

recitador, ra. (Del lat. *recitātor, -ōris.*) adj. Que recita. Ú. t. c. s.

recital. m. *Mús.* Concierto compuesto de varias obras ejecutadas por un solo artista en un mismo instrumento. ‖ **2.** Por ext., lectura o recitación de composiciones de un poeta.

recitante, ta. m. y f. Comediante o farsante.

recitar. (Del lat. *recitāre.*) tr. Referir, contar o decir en voz alta un discurso u oración. ‖ **2.** Decir o pronunciar de memoria y en voz alta versos, discursos, etc.

recitativo, va. adj. *Mús.* V. **estilo recitativo.**

reciura. f. Calidad de recio. ‖ **2.** Rigor del tiempo o de la estación.

recizalla. f. Segunda cizalla.

reclamación. (Del lat. *reclamatĭo, -ōnis.*) f. Acción y efecto de reclamar. ‖ **2.** Oposición o contradicción que se hace a una cosa como injusta, o mostrando no consentir en ella.

reclamante. p. a. de **reclamar.** Que reclama. Ú. t. c. s.

reclamar[1]. (Del lat. *reclamāre*, de *re* y *clamāre*, gritar, llamar.) intr. Clamar contra una cosa; oponerse a ella de palabra o por escrito. RECLAMAR *contra un fallo, contra un acuerdo*. ‖ **2.** poét. **resonar.** ‖ **3.** tr. Clamar o llamar con repetición o mucha instancia. ‖ **4.** Pedir o exigir con derecho o con instancia una cosa. RECLAMAR *el precio de un trabajo;* RECLAMAR *atención*. ‖ **5.** Llamar a las aves con el reclamo. ‖ **6.** *Der.* Llamar una autoridad a un prófugo, o pedir el juez competente el reo o la causa en que otro entiende indebidamente. ‖ **7.** prnl. Llamarse unas a otras ciertas aves de una misma especie. Ú. t. c. tr.

reclamar[2]. intr. *Mar.* Izar una vela o halar un aparejo hasta que las relingas de aquella o los guarnes de éste queden muy tesos. Ú. solo en la loc. adv. *a* RECLAMAR.

reclame. (De *re-* y el fr. *clan* o *clamp*.) m. *Mar.* Cajera con sus roldanas, que está en los cuellos de los masteleros, por donde pasan las ostagas de las gavias. ‖ **2.** f. *Amér.* Publicidad de carácter general. En *Argent.* y *Urug.* ú. c. m.

reclamo. m. Ave amaestrada que se lleva a la caza para que con su canto atraiga otras de su especie. ‖ **2.** Voz con que un ave llama a otra de su especie. ‖ **3.** Instrumento para llamar a las aves en la caza imitando su voz. ‖ **4.** Sonido de este instrumento. ‖ **5.** Voz o grito con que se llama a uno. ‖ **6.** Señal hecha en los impresos o manuscritos para atraer la atención del lector. ‖ **7.** Propaganda de una mercancía, espectáculo, doctrina, etc. ‖ **8.** fig. Cualquier cosa que atrae o convida. ‖ **9.** *Der.* Reclamación contra lo que es injusto. ‖ **10.** *Impr.* Palabra o sílaba que solía ponerse en lo impreso, al fin de cada plana, y era la misma con que había de empezar la plana siguiente. ‖ **acudir** uno **al reclamo.** fr. fig. y fam. Ir adonde ha oído que hay algo conveniente a su propósito.

recle. (De *recre*.) m. Tiempo en que se permite a los prebendados no asistir a coro, para su descanso y recreación.

reclinación. (Del lat. *reclinatĭo, -ōnis*.) f. Acción y efecto de reclinar o reclinarse.

reclinar. (Del lat. *reclināre*.) tr. Inclinar una cosa apoyándola en otra, especialmente el cuerpo o parte de él. Ú. t. c. prnl.

reclinatorio. (Del lat. *reclinatorĭum*.) m. Cualquier cosa acomodada y dispuesta para reclinarse. ‖ **2.** Mueble acomodado para arrodillarse y orar.

recluir. (Del lat. *reclūdĕre*.) tr. Encerrar o poner en reclusión. Ú. t. c. prnl.

reclusión. (Del lat. *reclusĭo, -ōnis*.) f. Encierro o prisión voluntaria o forzada. ‖ **2.** Sitio en que uno está recluido.

recluso, sa. (Del lat. *reclūsus*.) p. p. irreg. de **recluir.** ‖ **2.** adj. Dícese de la persona encarcelada. Ú. m. c. s.

reclusorio. m. Sitio en que uno está recluido.

recluta. f. Acción y efecto de reclutar. ‖ **2.** V. **bandera de recluta.** ‖ **3.** m. El que libre y voluntariamente se alista como soldado. ‖ **4.** Por ext., mozo alistado por sorteo para el servicio militar. ‖ **5.** Por ext., soldado novato. ‖ **disponible.** Mozo que, declarado útil para el servicio militar, no es llamado inmediatamente a las filas.

reclutador. m. El que recluta o alista reclutas.

reclutamiento. m. Acción y efecto de reclutar. ‖ **2.** Conjunto de los reclutas de un año.

reclutar. (Del fr. *recruter*, de *recroître;* del lat. *recrescĕre*, aumentar.) tr. Alistar reclutas. ‖ **2.** Por ext., reunir gente con un propósito determinado.

recobración. f. ant. **recobro.**

recobramiento. m. ant. **recobro.**

recobrar. (Del lat. *recuperāre*.) tr. Volver a tomar o adquirir lo que antes se tenía o poseía. RECOBRAR *las alhajas, la salud, el honor.* ‖ **2.** prnl. Recuperarse del daño recibido. ‖ **3.** Desquitarse, reintegrarse de lo perdido. ‖ **4.** Volver en sí de la enajenación del ánimo o de los sentidos, o de un accidente o enfermedad.

recobro. m. Acción y efecto de recobrar o recobrarse.

recocer. (Del lat. *recoquĕre*.) tr. Volver a cocer. ‖ **2.** Cocer mucho una cosa. Ú. t. c. prnl. ‖ **3.** Caldear los metales para que adquieran de nuevo la ductilidad o el temple que suelen perder al trabajarlos. ‖ **4.** prnl. fig. Atormentarse, consumirse interiormente por la vehemencia de una pasión.

recocida. f. Acción y efecto de recocer o recocerse.

recocido, da. p. p. de **recocer.** ‖ **2.** adj. fig. Muy experimentado y práctico en cualquier materia. ‖ **3.** m. Acción y efecto de recocer o recocerse.

recocina. f. Cuarto contiguo a la cocina, para desahogo de ella.

recocta. (Del lat. *recocta*, recocida.) f. ant. Cuajada que se hace de los residuos de la leche después de hecho el queso.

recochinearse. prnl. fam. Actuar con recochineo.

recochineo. m. fam. Burla o ironía molestas que acompañan a algo que se hace o dice.

recocho, cha. (Del lat. *recoctus*, p. p. de *recoquĕre*, recocer.) adj. Muy cocido. Ú. t. c. s.

recodadero. m. Mueble o sitio acomodado para recodarse.

recodar[1]. intr. Recostarse o descansar sobre el codo. Ú. m. c. prnl.

recodar[2]. intr. Formar recodo un río, un camino, etc.

recodín recodán. m. **recotín recotán.**

recodir. (Del lat. *recutĕre*.) intr. ant. **recudir.** ‖ **2.** ant. Volver a acudir a un lugar.

recodo. m. Ángulo o revuelta que forman las calles, caminos, ríos y otras cosas, torciendo notablemente la dirección que traían. ‖ **2.** Lance del juego de billar, en que la bola herida toca sucesivamente en dos bandas contiguas.

recogeabuelos. m. Abrazadera, generalmente de concha, que las mujeres se ponen en la base del peinado para sujetar los tolanos o abuelos.

recogedero. m. Parte en que se recogen o allegan algunas cosas. ‖ **2.** Instrumento con que se recogen.

recogedor, ra. adj. Que recoge o da acogida a uno. ‖ **2.** m. Instrumento de labranza, que consiste en una tabla inclinada, la cual, arrastrada por una caballería, sirve para recoger la parva de la era. ‖ **3. cogedor,** utensilio para recoger a mano las basuras.

recogemigas. m. Juego compuesto de cepillo y pala para recoger las migas que quedan sobre el mantel.

recogepelotas. com. Persona encargada de recoger en los campos de tenis las pelotas que, en algunas jugadas, quedan caídas en la pista durante un partido.

recoger. (Del lat. *recollĭgĕre*.) tr. Volver a coger; tomar por segunda vez una cosa. ‖ **2.** Coger algo que se ha caído. ‖ **3.** Juntar o congregar personas o cosas separadas o dispersas. ‖ **4.** Hacer la recolección de los frutos; coger la cosecha. ‖ **5.** Recibir o sufrir alguien las consecuencias o resultados, buenos o malos, de algo que ha hecho. ‖ **6.** Encoger, estrechar o ceñir, con el fin de reducir la longitud o el volumen de algo. Ú. t. c. prnl. ‖ **7.** Guardar, atar o poner en lugar seguro una cosa. RECOGE *esta plata.* ‖ **8.** Ir juntando y guardando poco a poco, especialmente el dinero. ‖ **9.** Disponer con buen orden y aseo los objetos de una casa, una habitación, una oficina, etc. ‖ **10.** Volver a plegar o estirar una cosa que se había estirado, desenvuelto, etc. ‖ **11.** Reunir ordenadamente libros, papeles, naipes, herramientas, etc., cuando han dejado de usarse. ‖ **12.** Retirar el servicio de correos la correspondencia depositada en los buzones para su envío. ‖ **13.** Dar asilo, acoger a uno. ‖ **14.** Admitir lo que otro envía o entrega, hacerse cargo de ello. ‖ **15.** Ir a buscar a una persona o cosa donde se sabe que se encuentran para llevarlas consigo. ‖ **16.** Tomar en cuenta lo que otro ha dicho, para aceptarlo, rebatirlo o transmitirlo. ‖ **17.** Encerrar a uno por loco o insensato. ‖ **18.** Suspender el uso o curso de una cosa para enmendarla o para que no tenga efecto. ‖ **19.** prnl. Retirarse a algún sitio, apartándose del trato con la gente. ‖ **20.** Ceñirse, moderarse, reformarse en los gastos. ‖ **21.** Retirarse a casa, especialmente a dormir o descansar. *Juan* SE RECOGE *temprano.* ‖ **22.** Remangarse las prendas que cuelgan cerca del suelo para que no se manchen o para facilitar los movimientos. ‖ **23.** Ceñirse o peinarse la cabellera de modo que se reduzca su longitud o su volumen. ‖ **24.** fig. Apartarse o abstraerse el espíritu de todo lo terreno que le pueda impedir la meditación o contemplación.

recogida. f. Acción y efecto de recoger o juntar personas o cosas dispersas. ‖ **2.** Suspensión del uso o curso de una cosa. ‖ **3.** Acción de ser retirada por el servicio de correos la correspondencia depositada en los buzones. ‖ **4.** ant. **acogida.** ‖ **5.** ant. Acción y efecto de recogerse o retirarse las personas.

recogidamente. adv. m. Con recogimiento.

recogido, da. p. p. de **recoger.** ‖ **2.** adj. Que tiene recogimiento y vive retirado del trato y comunicación de las gentes. ‖ **3.** Dícese de la mujer que vive retirada en determinada casa, con clausura voluntaria o forzosa. Ú. t. c. s. ‖ **4.** Aplícase al animal que es corto de tronco. ‖ **5.** Que está poco extendido y no ocupa mucho espacio. ‖ **6.** Aplícase a edificios o habitaciones que, aunque reducidos, resultan agradables por la disposición y disposición de las cosas que contienen. *Es una sala muy* RECOGIDA. ‖ **7.** m. Parte de una cosa como tela, papel o pelo, que se recoge o junta. *La falda tenía un* RECOGIDO *en un lado.*

recogimiento. m. Acción y efecto de recoger o recogerse. ‖ **2.** Casa de recogidas.

recolado. m. Una de las cinco clases de paño que se fabricaban en Segovia.

recolar. (Del lat. *recolāre.*) tr. Volver a colar un líquido.

recolección. (Del lat. *recollectum,* supino de *recolligĕre,* reunir, recoger.) f. Acción y efecto de recolectar. ‖ **2.** Recopilación, resumen o compendio. ‖ **3.** Cosecha de los frutos. ‖ **4.** Época en que tiene lugar dicha cosecha. ‖ **5.** Cobranza, recaudación de frutos o dineros. ‖ **6.** En algunas religiones, observancia más estrecha de la regla que la que comúnmente se guarda. ‖ **7.** Convento o casa en que se guarda y observa más estrechez que la común de la regla. ‖ **8.** fig. Casa particular en que se observa recogimiento. ‖ **9.** Teol. Recogimiento y atención a Dios y a las cosas divinas, con abstracción de lo que pueda distraer.

recolectar. (Del lat. *recollectum,* supino de *recolligĕre,* recoger.) tr. Juntar personas o cosas dispersas. ‖ **2.** Recoger la cosecha.

recolector, ra. (De *re-* y *colector.*) adj. Que recolecta. Ú. t. c. s. ‖ **2.** m. **recaudador.**

recolegir. (Del lat. *recolligĕre.*) tr. Juntar las cosas dispersas.

recoleto, ta. (Del lat. *recollectus,* recogido.) adj. Aplícase al religioso que guarda recolección. Ú. t. c. s. ‖ **2.** Dícese del convento o casa en que esta práctica se observa. ‖ **3.** fig. Dícese del que vive con retiro y abstracción, o viste modestamente. Ú. t. c. s. ‖ **4.** fig. Dícese del lugar solitario o poco transitado.

recombinación. f. Biol. Aparición en la descendencia de combinaciones de genes que no estaban presentes en los parentales.

recomendable. adj. Digno de recomendación, aprecio o estimación.

recomendablemente. adv. m. De modo recomendable.

recomendación. f. Acción y efecto de recomendar o recomendarse. ‖ **2.** Encargo o súplica que se hace a otro,

poniendo a su cuidado y diligencia una cosa. ‖ **3.** Alabanza o elogio de un sujeto para introducirle con otro. ‖ **4.** Autoridad, representación o calidad por la que se hace más apreciable y digna de respeto una cosa. ‖ **del alma.** Súplica que hace la Iglesia con determinadas preces por el que está en la agonía.

recomendado, da. p. p. de **recomendar.** ‖ **2.** m. y f. Persona en cuyo favor se ha hecho una recomendación.

recomendante. p. a. de **recomendar.** Que recomienda. Ú. t. c. s.

recomendar. tr. Encargar, pedir o dar orden a uno para que tome a su cuidado una persona o negocio. ‖ **2.** Hablar o empeñarse por uno, elogiándolo. ‖ **3.** Aconsejar a alguien cierta cosa para bien suyo. ‖ **4.** Hacer recomendable a uno. Ú. t. c. prnl.

recomendatorio, ria. adj. Que recomienda o sirve para recomendar. *Una carta* RECOMENDATORIA.

recomenzar. tr. Volver a comenzar.

recomerse. prnl. **concomerse.**

recompensa. f. Acción y efecto de recompensar. ‖ **2.** Lo que sirve para recompensar.

recompensable. adj. Que se puede recompensar. ‖ **2.** Digno de recompensa.

recompensación. f. **recompensa.**

recompensar. tr. Compensar el daño hecho. ‖ **2.** Retribuir o remunerar un servicio. ‖ **3.** Premiar un beneficio, favor, virtud o mérito.

recomponer. (Del lat. *recomponĕre.*) tr. **reparar,** componer de nuevo.

recompuesto, ta. (Del lat. *recompositus.*) p. p. irreg. de **recomponer.**

reconcentración. f. **reconcentramiento.**

reconcentramiento. m. Acción y efecto de reconcentrar o reconcentrarse.

reconcentrar. tr. Introducir, internar una cosa en otra. Ú. m. c. prnl. ‖ **2.** Reunir en un punto, como centro, las personas o cosas que estaban esparcidas. Ú. t. c. prnl. ‖ **3.** Disminuir el volumen que ocupa una cosa, haciéndola más densa. ‖ **4.** fig. Disimular, ocultar o callar profundamente un sentimiento o afecto. ‖ **5.** prnl. fig. Abstraerse, ensimismarse.

reconciliación. (Del lat. *reconciliatĭo, -ōnis.*) f. Acción y efecto de reconciliar o reconciliarse.

reconciliador, ra. (Del lat. *reconciliātor, -ōris.*) adj. Que reconcilia. Ú. t. c. s.

reconciliar. (Del lat. *reconciliāre.*) tr. Volver a las amistades, o atraer y acordar los ánimos desunidos. Ú. t. c. prnl. ‖ **2.** Restituir al gremio de la Iglesia a alguien que se había separado de sus doctrinas. Ú. t. c. prnl. ‖ **3.** Oír una breve o ligera confesión. ‖ **4.** Bendecir un lugar sagrado, por haber sido violado. ‖ **5.** prnl. Confesarse de algunas culpas ligeras u olvidadas en otra confesión que se acaba de hacer.

reconcomerse. prnl. Impacientarse por la picazón o molestia análoga. ‖ **2.** Impacientarse por una molestia moral.

reconcomio. m. fam. Prurito o deseo persistente. ‖ **2.** Impaciencia o agitación por una picazón o molestia análoga. ‖ **3.** Impaciencia o agitación por una molestia o ansiedad moral.

recondenar. tr. Condenar de nuevo o hacerlo con más eficacia. Ú. m. c. prnl.

reconditez. f. Calidad de recóndito. ‖ **2.** fam. Cosa recóndita.

recóndito, ta. (Del lat. *reconditus,* p. p. de *recondĕre,* ocultar, esconder.) adj. Muy escondido, reservado y oculto.

reconducción. f. Der. Acción y efecto de reconducir.

reconducir. (Del lat. *reconducĕre.*) tr. Dirigir de nuevo una cosa hacia donde estaba. ‖ **2.** *Der.* Prorrogar tácita o expresamente un arrendamiento.

reconfortante. p. a. de **reconfortar.** Que reconforta. Ú. t. c. s. m.

reconfortar. tr. Confortar de nuevo o con energía y eficacia.

reconocedor, ra. adj. Que reconoce, revisa o examina. Ú. t. c. s.

reconocer. (Del lat. *recognoscĕre*.) tr. Examinar con cuidado a una persona o cosa para enterarse de su identidad, naturaleza y circunstancias. ‖ **2.** Registrar, para enterarse bien del contenido, un baúl, lío, etc., como se hace en las aduanas y administraciones de otros impuestos. ‖ **3.** En las relaciones internacionales, aceptar un nuevo estado de cosas. ‖ **4.** Examinar de cerca un campamento, fortificación o posición militar del enemigo. ‖ **5.** Confesar con cierta publicidad la dependencia, subordinación o vasallaje en que se está respecto de otro, o la legitimidad de la jurisdicción que ejerce. ‖ **6.** Admitir y manifestar una persona que es cierto lo que otro dice o que está de acuerdo con ello. ‖ **7.** Mostrarse alguien agradecido a otro por haber recibido un beneficio suyo. ‖ **8.** Considerar, advertir o contemplar. ‖ **9.** Dar uno por suya, confesar que es legítima, una obligación en que suena su nombre; como firma, conocimiento, pagaré, etc. ‖ **10.** Distinguir de las demás personas a una, por sus rasgos propios (voz, fisonomía, movimientos, etc.). ‖ **11.** Construido con la preposición *por*, conceder a uno, con la conveniente solemnidad, la cualidad y relación de parentesco que tiene con el que ejecuta este reconocimiento, y los derechos que son consiguientes. RECONOCER POR *hijo*, POR *hermano*. ‖ **12.** Construido con la preposición *por*, acatar como legítima la autoridad o superioridad de uno o cualquier otra de sus cualidades. ‖ **13.** Examinar a una persona para averiguar el estado de su salud o para diagnosticar una presunta enfermedad. ‖ **14.** prnl. Dejarse comprender por ciertas señales una cosa. ‖ **15.** Confesarse culpable de un error, falta, etc. ‖ **16.** Tenerse uno a sí mismo por lo que es en realidad, hablando de mérito, talento, fuerzas, recursos, etc. ‖ **17.** *Biol.* Interaccionar específicamente dos moléculas o agrupaciones moleculares, dando origen a funciones biológicas determinadas, como la acción hormonal, la transmisión nerviosa, la inmunidad, etc.

reconocible. adj. Que puede ser reconocido.

reconocidamente. adv. m. Con reconocimiento o gratitud.

reconocido, da. p. p. de **reconocer.** ‖ **2.** adj. Dícese del que reconoce el favor o beneficio que otro le ha hecho.

reconocimiento. m. Acción y efecto de reconocer o reconocerse. ‖ **2. gratitud.**

reconquista. f. Acción y efecto de reconquistar. ‖ **2.** Por antonom., la recuperación del territorio español invadido por los musulmanes y cuya culminación fue la toma de Granada en 1492. En esta acepción, suele escribirse con mayúscula.

reconquistador, ra. adj. Que reconquista.

reconquistar. tr. Volver a conquistar una plaza, provincia o reino. ‖ **2.** fig. Recuperar la opinión, el afecto, la hacienda, etc.

reconsiderar. tr. Volver a considerar.

reconstitución. f. Acción y efecto de reconstituir o reconstituirse.

reconstituir. tr. Volver a constituir, rehacer. Ú. t. c. prnl. ‖ **2.** *Med.* Dar o devolver a la sangre y al organismo sus condiciones normales. Ú. t. c. prnl.

reconstituyente. p. a. de **reconstituir.** Que reconstituye. ‖ **2.** *Farm.* Dícese especialmente del remedio que tiene virtud de reconstituir. Ú. t. c. s. m.

reconstrucción. f. Acción y efecto de reconstruir.

reconstructivo, va. adj. Perteneciente o relativo a la reconstrucción.

reconstruir. (Del lat. *reconstruĕre*.) tr. Volver a construir. ‖ **2.** fig. Unir, allegar, evocar recuerdos o ideas para completar el conocimiento de un hecho o el concepto de una cosa.

recontamiento. m. Acción de recontar o referir.

recontar. tr. Contar o volver a contar el número de cosas. ‖ **2.** Dar a conocer o referir un hecho.

recontento, ta. adj. Muy contento. ‖ **2.** m. Contento grande.

reconvalecer. (Del lat. *reconvalescĕre*.) intr. Volver a convalecer.

reconvención. f. Acción de reconvenir. ‖ **2.** Cargo o argumento con que se reconviene. ‖ **3.** *Der.* Demanda que al contestar entabla el demandado contra el que promovió el juicio.

reconvenir. tr. Censurar, reprender a alguien por lo que ha hecho o dicho. ‖ **2.** *Der.* Ejercitar el demandado, cuando contesta, acción contra el promovedor del juicio.

reconversión. f. Acción y efecto de volver a convertir o transformar. ‖ **2.** Proceso técnico de modernización de industrias. Ú. t. en sent. fig.

reconvertir. tr. Hacer que vuelva a su situación anterior lo que ha sufrido un cambio. ‖ **2.** Proceder a la reconversión industrial. ‖ **3. reestructurar,** modificar la estructura de algo.

recopilación. f. Compendio, resumen o reducción breve de una obra o un discurso. ‖ **2.** Colección de escritos diversos. RECOPILACIÓN *de las leyes.* ‖ **3.** Colección y ordenamiento oficial de las leyes de España publicada por mandato del rey don Felipe II en 1567, a la cual sirvió de base una compilación de muchas pragmáticas que ya corrían de molde en 1523. ‖ **Novísima Recopilación.** Libro en que aparecen reunidas ordenadamente, después de revisadas, corregidas y enumeradas, cuantas disposiciones de carácter legal no habían caído en desuso y estaban incluidas en la **Recopilación,** o corrían en pliegos sueltos. Fue mandada promulgar y ejecutar como ley del reino a 15 de julio de 1805. ‖ **Nueva Recopilación.** Edición novena de la **Recopilación,** hecha en el año de 1775.

recopilado, da. p. p. de **recopilar.** ‖ **2.** adj. Dícese de lo relativo a las leyes de la Nueva y Novísima Recopilación. *La Ley* RECOPILADA.

recopilador, ra. m. y f. Persona que recopila.

recopilar. tr. Juntar en compendio, recoger o unir diversas cosas. Se usa especialmente hablando de escritos literarios.

recoquín. (De *coco*[2].) m. fam. Hombre muy pequeño y gordo.

¡recórcholis! interj. **¡córcholis!**

récord. (Del ing. *record*.) m. **marca,** el mejor resultado en competiciones deportivas. ‖ **2.** Por ext., resultado máximo o mínimo en otras actividades. Construyese frecuentemente en aposición. *Tiempo* RÉCORD.

recordable. (Del lat. *recordabĭlis*.) adj. Que se puede recordar. ‖ **2.** Digno de recordación.

recordación. (Del lat. *recordatĭo, -ōnis*.) f. Acción de recordar. ‖ **2.** Memoria que se hace de una cosa pasada. ‖ **3.** Memoria o aviso que uno hace a otro de una cosa pasada o de que ya se habló.

recordador, ra. adj. Que recuerda.

recordamiento. m. ant. Acción de recordar.

recordanza. (De *recordar*.) f. ant. **recordación.**

recordar. (Del lat. *recordāri*.) tr. Traer a la memoria una cosa. Ú. t. c. intr. ‖ **2.** Excitar y mover a uno a que tenga presente una cosa de que se hizo cargo o que tomó a su cuidado. Ú. t. c. intr. y c. prnl. ‖ **3.** Semejar una cosa a otra. ‖ **4.** intr. Despertar el que está dormido. Ú. t. c. prnl. Ú. en Argentina y Méjico.

recordativo, va. (Del lat. *recordatívus.*) adj. Dícese de lo que hace o puede hacer recordar. ‖ **2.** m. Aviso para hacer recordar.

recordatorio, ria. adj. Dícese de lo que sirve para recordar. ‖ **2.** m. Aviso, advertencia, comunicación u otro medio para hacer recordar alguna cosa. ‖ **3.** Tarjeta o impreso breve en que con fines religiosos se recuerda la fecha de la primera comunión, votos, fallecimiento, etc., de una persona.

recorrer. (Del lat. *recurrĕre.*) tr. Con nombre que exprese espacio o lugar, atravesarlo en toda su extensión o longitud. *El viajero* HA RECORRIDO *toda España.* ‖ **2.** Efectuar un trayecto. *El tren* HA RECORRIDO *doce kilómetros.* ‖ **3.** Registrar, mirar con cuidado, andando de una parte a otra, para averiguar lo que se desea saber o hallar. ‖ **4.** Repasar o leer ligeramente un escrito. ‖ **5.** Reparar lo que estaba deteriorado. ‖ **6.** *Impr.* Justificar la composición pasando letras de una línea a otra, a consecuencia de enmiendas o de variación en la medida de la página. ‖ **7.** intr. ant. Recurrir, acudir o acogerse.

recorrido. m. Acción y efecto de recorrer. ‖ **2.** Espacio que ha recorrido, recorre o ha de recorrer una persona o cosa. ‖ **3.** Ruta, itinerario prefijado. ‖ **4.** Acción de reparar lo que está deteriorado. ‖ **dar un recorrido** a alguien. fr. verbal. Hacer objeto a alguien de una represión o corrección por alguna falta.

recortable. adj. Que se puede recortar. ‖ **2.** m. Hoja u hojas de papel o cartulina con figuras, que se recortan para entretenimiento, juego o enseñanza, y que a veces sirven para reproducir un modelo.

recortado, da. p. p. de **recortar.** ‖ **2.** adj. Dícese de aquello cuyo borde presenta muchos entrantes y salientes. ‖ **3.** *Bot.* Dícese de las hojas y otras partes de las plantas cuyos bordes tienen muchas y muy señaladas desigualdades. ‖ **4.** m. Figura recortada de papel.

recortadura. f. Acción y efecto de recortar. ‖ **2.** pl. Porciones sobrantes de lo que se corta.

recortar. tr. Cortar lo que sobra de una cosa. ‖ **2.** Cortar con arte el papel u otra cosa en varias figuras. ‖ **3.** fig. Disminuir o hacer más pequeña una material o inmaterial. ‖ **4.** *Pint.* Señalar los perfiles de una figura. ‖ **5.** prnl. Dibujarse el perfil de una cosa sobre otra. *Las montañas* SE RECORTAN *en el firmamento.*

recorte. m. Acción y efecto de recortar. ‖ **2.** *Taurom.* Regate para evitar la cogida del toro. ‖ **3.** pl. Porciones excedentes que por medio de un instrumento cortante se separan de cualquier materia que se trabaja hasta reducirla a la forma que conviene.

recorvar. (Del lat. *recurvāre.*) tr. Poner corvo. Ú. t. c. prnl.

recorvo, va. (Del lat. *recurvus.*) adj. Corvo, curvo.

recoser. tr. Volver a coser. ‖ **2.** Componer, zurcir o remendar la ropa, y especialmente la blanca.

recosido, da. p. p. de **recoser.** ‖ **2.** m. Acción y efecto de recoser.

recostadero. m. Sitio o cosa que sirve para recostarse.

recostar. (De *re-* y *costa,* costado.) tr. Reclinar la parte superior del cuerpo el que está de pie o sentado. Ú. t. c. prnl. ‖ **2.** Inclinar una cosa sobre otra. Ú. t. c. prnl. ‖ **3.** prnl. Acostarse durante un breve período de tiempo.

recotín recotán. m. Juego de niños en que uno de ellos, arrodillado, esconde la cabeza entre las piernas de otro mientras los demás lo golpean en la espalda con la mano o con el codo, al tiempo que dicen cantando **recotín recotán.**

recova. (Del m. or. que *recua.*) f. Compra de huevos, gallinas y otras cosas semejantes, que se hace por los lugares para revenderlas. ‖ **2.** Lugar público en que se venden las ga-

llinas y demás aves domésticas. ‖ **3.** *And.* Cubierta de piedra o fábrica que se pone para defender del temporal algunas cosas. ‖ **4.** *Mont.* Cuadrilla de perros de caza.

recovar. tr. Comprar para revender huevos, gallinas y algunas otras cosas.

recoveco. m. Vuelta y revuelta de un callejón, pasillo, arroyo, etc. ‖ **2.** Sitio escondido, rincón. ‖ **3.** fig. Simulado artificio o rodeo de que uno se vale para conseguir un fin.

recovero, ra. m. y f. Persona que anda en la recova.

recre. (De *recreo.*) m. Permiso a los prebendados para dejar de asistir al coro, recle, recésit.

recreable. adj. Que produce o causa placer o recreo.

recreación. (Del lat. *recreatĭo, -ōnis.*) f. Acción y efecto de recrear o recrearse. ‖ **2.** Diversión para alivio del trabajo.

recrear. (Del lat. *recreāre.*) tr. Crear o producir de nuevo alguna cosa. ‖ **2.** Divertir, alegrar o deleitar. Ú. t. c. prnl.

recreativo, va. adj. Que recrea o es capaz de causar recreación.

recrecer. (Del lat. *recrescĕre.*) tr. Aumentar, acrecentar una cosa. Ú. t. c. intr. ‖ **2.** intr. Ocurrir u ofrecerse una cosa de nuevo. ‖ **3.** prnl. Reanimarse, cobrar bríos.

recrecimiento. m. Acción y efecto de recrecer o recrecerse.

recredencial. adj. V. **cartas recredenciales.**

recreído, da. *Cetr.* Aplícabase al ave de caza que perdiendo su docilidad se vuelve a su natural indómito.

recrementicio, cia. adj. *Fisiol.* Perteneciente o relativo al recremento.

recremento. (Del lat. *recrementum.*) m. ant. Residuo que queda de un todo. ‖ **2.** *Fisiol.* Humor que después de segregado vuelve a ser absorbido por el organismo para ciertos fines de la vida.

recreo. m. Acción de recrearse o divertirse. ‖ **2.** En los colegios, suspensión de la clase para descansar o jugar. ‖ **3.** Sitio o lugar apto o dispuesto para diversión. ‖ **4.** V. **tren de recreo.**

recría. f. Acción y efecto de recriar.

recriador. m. El que recría.

recriar. tr. Fomentar, a fuerza de pasto y pienso, el desarrollo de potros u otros animales criados en región distinta. ‖ **2.** fig. Dar a un ser nuevos elementos de vida y fuerza para su completo desarrollo. ‖ **3.** fig. Aplicado a la especie humana, redimirla por la pasión y muerte de Jesucristo.

recriminación. f. Acción y efecto de recriminar o recriminarse.

recriminador, ra. m. y f. Persona que recrimina.

recriminar. (De *re-* y *criminar.*) tr. Responder a cargos o acusaciones con otros u otras. ‖ **2.** Reprender, censurar a una persona su comportamiento, echarle en cara su conducta. ‖ **3.** prnl. Acriminarse dos o más personas; hacerse cargos las unas a las otras.

recriminatorio, ria. adj. Que recrimina, que regaña o hace cargos a alguien.

recrucetado, da. adj. *Blas.* V. **cruz recrucetada.**

recrudecer. (Del lat. *recrudescĕre.*) intr. Tomar nuevo incremento un mal físico o moral, o un afecto o cosa perjudicial o desagradable, después de haber empezado a remitir o ceder. Ú. t. c. prnl.

recrudecimiento. m. Acción y efecto de recrudecer o recrudecerse.

recrudescencia. f. **recrudecimiento.**

recrujir. intr. Crujir mucho o repetidamente.

recruzar. tr. Cruzar de nuevo o cruzar dos veces.

rectal. adj. Perteneciente o relativo al intestino recto.

rectamente. adv. m. Con rectitud.

rectangular. adj. Que tiene forma de rectángulo. ‖ **2.** *Geom.* Perteneciente o relativo al ángulo recto. *Coordenadas* RECTANGULARES. ‖ **3.** *Geom.* Que tiene uno o más ángulos rectos. *Tetraedro* RECTANGULAR. ‖ **4.** *Geom.* Que contiene uno o más rectángulos. *Pirámide* RECTANGULAR. ‖ **5.** *Geom.* Perteneciente o relativo al rectángulo. *Cara* RECTANGULAR *de un poliedro.*

rectángulo, la. (Del lat. *rectangŭlus.*) adj. *Geom.* Que tiene ángulos rectos. Aplícase principalmente al triángulo y al paralelepípedo. ‖ **2.** m. *Geom.* Paralelogramo que tiene los cuatro ángulos rectos y los lados contiguos desiguales.

rectar. tr. p. us. Hacer recto, rectificar.

rectificable. adj. Que se puede rectificar.

rectificación. (Del lat. *rectificatĭo, -ōnis.*) f. Acción y efecto de rectificar.

rectificador, ra. adj. Que rectifica. ‖ **2.** m. *Electr.* Aparato que transforma una corriente alterna en corriente continua. ‖ **3.** *Mec.* Operario mecánico que maneja una **rectificadora.** ‖ **4.** f. *Mec.* Máquina que se usa para rectificar piezas metálicas.

rectificar. (Del lat. *rectificāre; de rectus,* recto, y *facĕre,* hacer.) tr. Reducir una cosa a la exactitud que debe tener. ‖ **2.** Procurar uno reducir a la conveniente exactitud y certeza los dichos o hechos que se le atribuyen. ‖ **3.** Contradecir a otro en lo que ha dicho, por considerarlo erróneo. ‖ **4.** Modificar la propia opinión que se ha expuesto antes. ‖ **5.** Corregir las imperfecciones, errores o defectos de una cosa ya hecha. ‖ **6.** *Geom.* Tratándose de una línea curva, hallar una recta cuya longitud sea igual a la de aquella. ‖ **7.** *Mec.* Mecanizar una pieza con el fin de que tenga sus medidas exactas. ‖ **8.** *Quím.* Purificar los líquidos. ‖ **9.** prnl. Enmendar uno sus actos o su proceder.

rectificativo, va. adj. Dícese de lo que rectifica o puede rectificar. Ú. t. c. s. m.

rectilíneo, a. (Del lat. *rectilinĕus.*) adj. *Geom.* Que se compone de líneas rectas. ‖ **2.** fig. Se aplica al carácter de algunas personas exageradamente rectas.

rectitud. (Del lat. *rectitūdo.*) f. Derechura o distancia más breve entre dos puntos o términos. ‖ **2.** Calidad de recto, que no tiene curvas ni ángulos. ‖ **3.** fig. Calidad de recto o justo. ‖ **4.** fig. Recta razón o conocimiento práctico de lo que debemos hacer o decir. ‖ **5.** fig. Exactitud o justificación en las operaciones.

recto, ta. (Del lat. *rectus.*) adj. Que no se inclina a un lado ni a otro, ni hace curvas o ángulos. ‖ **2.** V. **ángulo, caso, cilindro, compás, cono, feudo, seno recto.** ‖ **3.** V. **ascensión, esfera, línea recta.** ‖ **4.** Aplicado al movimiento y a cosas que se mueven, que va sin desviarse al punto donde se dirige. ‖ **5.** fig. Justo, severo y firme en sus resoluciones. ‖ **6.** fig. Dícese del sentido primitivo o literal de las palabras, a diferencia del traslaticio o figurado. ‖ **7.** fig. Dícese del folio o plana de un libro o cuaderno que, abierto, cae a la derecha del que lee. El opuesto se llama **verso** o **vuelto.** ‖ **8.** *Geom.* V. **línea recta.** Ú. t. c. s. ‖ **9.** *Zool.* Dícese de la última porción del intestino de los gusanos, artrópodos, moluscos, procordados y vertebrados, que termina en el ano. En los mamíferos forma parte del intestino grueso y está situada a continuación del colon. Ú. t. c. s. m.

rector, ra. (Del lat. *rector, -ōris.*) adj. Que rige o gobierna. Ú. t. c. s. ‖ **2.** m. y f. Persona a cuyo cargo está el gobierno y mando de una comunidad, hospital o colegio. ‖ **3.** m. Párroco o cura propio. ‖ **4.** Superior de una universidad o centro de estudios superiores. Ú. t. c. s. m.

rectorado. m. Oficio, cargo y oficina del rector. ‖ **2.** Tiempo que se ejerce.

rectoral. adj. Perteneciente o relativo al rector. *Sala* RECTORAL. ‖ **2.** V. **huerto rectoral.** ‖ **3.** f. Habitación del párroco en algunos lugares.

rectorar. intr. Regir o gobernar.

rectoría. f. Empleo, oficio o jurisdicción del rector. ‖ **2.** Oficina del rector. ‖ **3.** Casa donde vive el rector o párroco.

rectoscopia. f. *Med.* Examen visual del intestino recto por vía rectal.

rectoscopio. m. *Med.* Instrumento para practicar la rectoscopia.

recua. (Del ár. *rakūba,* caravana.) f. Conjunto de animales de carga, que sirve para trajinar. ‖ **2.** fig. y fam. Multitud de cosas que van o siguen unas detrás de otras.

recuadrar. tr. *Pint.* Cuadrar o cuadricular.

recuadro. m. Compartimiento o división en forma de cuadro o cuadrilongo, en un muro u otra superficie. ‖ **2.** En los periódicos, espacio encerrado por líneas para hacer resaltar una noticia.

recuaje. m. Tributo pagado por razón del tránsito de las recuas. ‖ **2.** ant. Recua de animales de carga.

recuarta. f. Una de las cuerdas de la vihuela, y es la segunda que se pone en el cuarto lugar, cuando se doblan las cuerdas.

recubrimiento. m. Acción y efecto de recubrir.

recubrir. tr. Volver a cubrir. ‖ **2.** Recorrer los tejados cubriendo las tejas que faltan, retejar.

recudida. f. ant. Acción y efecto de recudir. ‖ **de recudida.** loc. adv. p. us. **de rebote.**

recudidero. m. ant. Sitio adonde se acude o concurre.

recudimento. m. **recudimiento.**

recudimiento. m. Despacho y poder que se da al fiel o arrendador para cobrar las rentas que están a su cargo.

recudir. (Del lat. *recutĕre.*) tr. Pagar o asistir a uno con una cosa que le toca y debe percibir. ‖ **2.** Acudir o concurrir a una parte. ‖ **3.** ant. Acudir o recurrir a uno. ‖ **4.** ant. Responder o replicar. ‖ **5.** intr. Resaltar, resurtir o volver una cosa al lugar de donde salió primero. ‖ **6.** p. us. Concurrir, venir a juntarse en un mismo lugar algunas cosas; como las calles, caminos, arroyos, etc.

recuelo. m. Lejía muy fuerte y según sale del cernadero, que emplean las lavanderas para colar la ropa más sucia. ‖ **2.** Café cocido por segunda vez.

recuento. m. Acción y efecto de volver a contar una cosa. ‖ **2.** En algunas partes, asiento de las cosas que pertenecen a uno, inventario. ‖ **3.** Comprobación del número de personas, cosas, etc., que forman un conjunto.

recuentro. m. **reencuentro.**

recuerdo. m. Memoria que se hace o aviso que se da de una cosa pasada o de que ya se habló. ‖ **2.** fig. Cosa que se regala en testimonio de buen afecto. ‖ **3.** pl. Saludo afectuoso a un ausente por escrito o por medio de otra persona, memorias.

recuero. m. Arriero o persona a cuyo cargo está la recua.

recuesta. f. Requerimiento, intimación. ‖ **2.** ant. Busca y diligencia que se hace para llevar y recoger una cosa. ‖ **3.** ant. Duelo, desafío, o por ext., cartel de una afrenta. ‖ **a toda recuesta.** loc. adv. **a todo trance.**

recuestador, ra. adj. ant. Que recuesta o desafía. Usáb. t. c. s.

recuestar. (Del lat. *re,* iterat., y *quaesitāre,* rogar.) tr. Demandar o pedir. ‖ **2.** ant. Retar, desafiar. ‖ **3.** ant. fig. Acariciar, atraer con halago o dulzura o amante.

recuesto. (De *re-* y *cuesta*[1].) m. Sitio o lugar que está en declive.

recula. f. *Cineg.* **retranca.**

reculada. f. Acción de recular.

recular. intr. Cejar o retroceder. ‖ **2.** fig. y fam. Ceder uno de su dictamen u opinión.

reculo, la. adj. Aplícase al pollo o gallina que no tiene cola.

reculones (a). loc. adv. fam. Reculando.

recuñar. tr. *Cant.* y *Min.* Arrancar piedra o mineral por medio de cuñas que a golpe de mazo se introducen en las grietas naturales de la mina o cantera, o en las hendiduras que en ellas se abren artificialmente.

recuperable. adj. Que puede o debe recuperarse.

recuperación. (Del lat. *recuperatĭo, -ōnis.*) f. Acción y efecto de recuperar o recuperarse. ‖ **2.** Examen que se realiza para aprobar la materia no aprobada en otro precedente.

recuperador, ra. (Del lat. *recuperātor, -ōris.*) adj. Que recupera. Ú. t. c. s.

recuperar. (Del lat. *recuperāre.*) tr. Volver a tomar o adquirir lo que antes se tenía. ‖ **2.** Volver a poner en servicio lo que ya estaba inservible. ‖ **3.** Trabajar un determinado tiempo para compensar lo que no se había hecho por algún motivo. ‖ **4.** Aprobar una materia o parte de ella después de no haberla aprobado en una convocatoria anterior. ‖ **5.** prnl. Volver en sí. ‖ **6.** Volver alguien o algo a un estado de normalidad después de haber pasado por una situación difícil.

recuperativo, va. (Del lat. *recuperatīvus.*) adj. Dícese del que recupera o tiene virtud de recuperar.

recura. f. Cuchillo para recurar, con hoja de dos cortes en forma de sierra.

recurar. (Del lat. *recurāre*, limpiar con cuidado.) tr. Formar y aclarar las púas de los peines con la recura.

recurrencia. f. *Mat.* Propiedad de aquellas secuencias en las que cualquier término se puede calcular conociendo los precedentes.

recurrente. (Del lat. *recurrens, -entis.*) p. a. de **recurrir.** Que recurre. ‖ **2.** adj. Dícese de lo que vuelve a ocurrir o a aparecer, especialmente después de un intervalo. ‖ **3.** V. **fiebre recurrente.** ‖ **4.** *Anat.* Dícese de aquellos vasos o nervios que en algún lugar de su trayecto vuelven hacia el origen. ‖ **5.** *Mat.* Dícese del proceso que se repite. ‖ **6.** com. Persona que entabla o tiene entablado un recurso.

recurrible. adj. *Der.* Dícese del acto de la administración contra el cual cabe entablar recurso.

recurrido, da. p. p. de **recurrir.** ‖ **2.** adj. *Der.* Dícese, especialmente en casación, de la parte que sostiene o a quien favorece la sentencia de que se recurre. Ú. t. c. s.

recurrir. (Del lat. *recurrĕre.*) intr. Acudir a un juez o autoridad con una demanda o petición. ‖ **2.** Acogerse en caso de necesidad al favor de uno, o emplear medios no comunes para el logro de un objeto. ‖ **3.** Volver una cosa al lugar de donde salió. ‖ **4.** *Der.* Entablar recurso contra una resolución. ‖ **5.** *Med.* Reaparecer una enfermedad o sus síntomas después de intermisiones.

recurso. (Del lat. *recursus.*) m. Acción y efecto de recurrir. ‖ **2.** Medio de cualquier clase que, en caso de necesidad, sirve para conseguir lo que se pretende. ‖ **3.** Vuelta o retorno de una cosa al lugar de donde salió. ‖ **4.** Memorial, solicitud, petición por escrito. ‖ **5.** *Der.* Acción que concede la ley al interesado en un juicio o en otro procedimiento para reclamar contra las resoluciones, ora ante la autoridad de las dictó, ora ante alguna otra. ‖ **6.** pl. Bienes, medios de subsistencia. ‖ **7.** Conjunto de elementos disponibles para resolver una necesidad o llevar a cabo una empresa. RECURSOS *naturales, hidráulicos, forestales, económicos, humanos*, etc. ‖ **8.** fig. Expedientes, arbitrios para salir airoso de una empresa. ‖ **contencioso administrativo.** *Der.* El que se interpone contra las resoluciones de la administración activa que reúnen determinadas condiciones establecidas en las leyes. ‖ **de aclaración.** *Der.* El que se interpone para obtener del sentenciador que explique el pronunciamiento que se nota de oscuro o deficiente. ‖ **de alzada.** *Der.* **alzada.** ‖ **de amparo.** *Der.* El estatuido por algunas Constituciones modernas, europeas y americanas, para ser tramitado ante un alto tribunal de justicia, cuando los derechos asegurados por la Ley fundamental no fueren respetados por otros tribunales o autoridades. ‖ **2.** *Der.* **recurso** contra resoluciones sindicales por causa de

lesión económica o afiliado sindical. Entiende de este **recurso** un tribunal del mismo nombre. ‖ **de apelación.** *Der.* El que se entabla a fin de que una resolución sea revocada, total o parcialmente, por tribunal o autoridad superior al que la dictó. ‖ **de casación.** *Der.* El que se interpone ante el Tribunal Supremo contra fallos definitivos o laudos, en los cuales se suponen infringidas leyes o doctrina legal, o quebrantada alguna garantía esencial del procedimiento. ‖ **de fuerza.** *Der.* El que se interpone ante tribunal secular reclamando la protección real contra agravios que se reputan inferidos por un tribunal eclesiástico. ‖ **de injusticia notoria.** *Der.* El que, según el antiguo procedimiento, se interponía contra sentencias de los tribunales superiores ante el Supremo de Justicia. ‖ **de mil y quinientas.** *Der.* El que se interponía para la revisión de ciertos procesos graves, con depósito de mil quinientas doblas, ante una sala del Consejo Supremo así denominada. ‖ **de nulidad.** *Der.* El que con carácter extraordinario se interponía contra sentencias de los tribunales superiores ante el Supremo de Justicia con objeto de obtener aquella declaración. ‖ **de queja.** *Der.* El que interponen los tribunales contra la invasión de atribuciones por autoridades administrativas, y en general, el que los interesados promueven ante un tribunal o autoridad superior contra la resistencia de un inferior a admitir una apelación u otro recurso. ‖ **de reforma, o de reposición.** *Der.* El que se interpone para pedir a los jueces que reformen sus resoluciones, cuando estas no son sentencias. ‖ **de responsabilidad.** *Der.* El que se interpone para exigir a los jueces y tribunales la civil o criminal en que hayan incurrido por actos u omisiones no subsanables mediante otros **recursos** ordinarios. ‖ **de revisión.** *Der.* El que se interpone para obtener la revocación de sentencia firme en casos extraordinarios determinados por las leyes. ‖ **de segunda suplicación.** *Der.* **recurso de mil y quinientas.** ‖ **de súplica.** *Der.* El que se interpone contra las resoluciones incidentales de los tribunales superiores, pidiendo ante ellos mismos su modificación o revocación.

recusable. (Del lat. *recusabĭlis.*) adj. Que se puede recusar.

recusación. (Del lat. *recusatĭo, -ōnis.*) f. Acción y efecto de recusar.

recusante. (Del lat. *recūsans, -antis.*) p. a. de **recusar.** Que recusa. Ú. t. c. s.

recusar. (Del lat. *recusāre.*) tr. No querer admitir o aceptar una cosa. ‖ **2.** *Der.* Poner tacha legítima al juez, al oficial, al perito que con carácter público interviene en un procedimiento o juicio, para que no actúe en él.

rechazador, ra. adj. Que rechaza. Ú. t. c. s.

rechazamiento. m. Acción y efecto de rechazar.

rechazar. (Del ant. fr. *rechacier*, der. de *chacier*, del m. or. que el esp. *cazar*.) tr. Resistir un cuerpo a otro, forzándole a retroceder en su curso o movimiento. ‖ **2.** fig. Resistir al enemigo, obligándole a ceder. ‖ **3.** fig. Contradecir lo que otro expresa o no admitir lo que propone u ofrece. ‖ **4.** fig. Denegar algo que se pide. ‖ **5.** fig. Mostrar oposición o desprecio a una persona, grupo, comunidad, etc.

rechazo. (De *rechazar.*) m. Acción y efecto de rechazar. ‖ **2.** Vuelta o retroceso que hace un cuerpo por encontrarse con alguna resistencia. ‖ **3.** *Biol.* Fenómeno inmunológico por el que un organismo puede reconocer como extraño a un órgano o tejido procedente de otro individuo, aunque sea de la misma especie. ‖ **de rechazo.** loc. adv. fig. De una manera incidental, ocasional o consiguiente.

rechifla. f. Acción de rechiflar.

rechiflar. tr. Silbar con insistencia. ‖ **2.** prnl. Burlarse con extremo; mofarse de uno, o ridiculizarlo.

rechinador, ra. adj. Que rechina.

rechinamiento. m. Acción y efecto de rechinar.

rechinar. (De *re-* y *china*[1].) intr. Hacer o causar una cosa un sonido, comúnmente desapacible, por rozar con otra.

Ú. m. en la fr. RECHINAR *los dientes*. ‖ **2.** fig. Entrar mal o con disgusto en una cosa que se propone o dice, o hacerla con repugnancia.

rechinido. m. Acción y efecto de rechinar.

rechino. m. Acción y efecto de rechinar.

rechistar. intr. **chistar.**

rechizar. (Por **rachizar*, del lat. *radiāre*.) tr. *Sal.* Calentar el sol con demasiada fuerza.

rechoncho, cha. adj. fam. Se dice de la persona o animal gruesos y de poca altura.

rechupete (de). loc. fam. Muy exquisito y agradable.

red. (Del lat. *rete*.) f. Aparejo hecho con hilos, cuerdas o alambres trabados en forma de mallas, y convenientemente dispuesto para pescar, cazar, cercar, sujetar, etc. ‖ **2.** Labor o tejido de mallas. ‖ **3.** Redecilla para el pelo. ‖ **4.** Verja o reja. ‖ **5.** Lugar donde se vende pan u otras cosas que se dan por entre verjas. ‖ **6.** fig. Ardid o engaño de que uno se vale para atraer a otro. ‖ **7.** fig. Conjunto de calles afluentes a un mismo punto. ‖ **8.** fig. Conjunto sistemático de caños o de hilos conductores o de vías de comunicación o de agencias y servicios para determinado fin. RED *del abastecimiento de aguas;* RED *telegráfica* o *telefónica;* RED *ferroviaria* o *de carreteras;* RED *de cabotaje.* ‖ **9.** fig. Conjunto y trabazón de cosas que obran en favor o en contra de un fin o de un intento. ‖ **10.** fig. **cadena**, conjunto de establecimientos, instalaciones, o construcciones distribuidos por varios lugares y pertenecientes a una sola empresa o sometidos a una sola dirección. ‖ **11.** fig. Conjunto de personas relacionadas para un fin común, por lo general de carácter secreto, ilegal o delictivo. RED *de contrabandistas;* RED *de espionaje.* ‖ **barredera.** La que al cobrarse roza y barre el fondo del mar capturando todos los peces que encuentra. ‖ **de araña. telaraña.** ‖ **de jorrar,** o **de jorro. red barredera.** ‖ **del aire.** La que se arma en alto, colgándola de un árbol a otro, de modo que las aves al pasar queden presas en ella. ‖ **de pájaros.** fig. y fam. Cualquier tela muy rala y mal tejida. ‖ **de payo.** *Germ.* Capote de sayal. ‖ **gallundera.** ant. **red** de pescar cazones y otros escualos. ‖ **sabogal.** La de pescar sabogas. ‖ **a red barredera.** loc. adv. fig. Llevándolo todo por delante. ‖ **caer uno en la red.** fr. fig. y fam. **caer en el lazo.** ‖ **echar,** o **tender, la red,** o **las redes.** fr. Echarlas al agua para pescar. ‖ **2.** fig. y fam. Hacer los preparativos y disponer los medios para obtener alguna cosa.

redacción. (Del lat. *redactĭo, -ōnis.*) f. Acción y efecto de redactar. ‖ **2.** Lugar u oficina donde se redacta. ‖ **3.** Conjunto de redactores de una publicación periódica. ‖ **4.** Escrito redactado como ejercicio, especialmente en una escuela.

redactar. (Del lat. *redactum,* supino de *redigĕre,* compilar, poner en orden.) tr. Poner por escrito cosas sucedidas, acordadas o pensadas con anterioridad.

redactor, ra. adj. Que redacta. Ú. t. c. s. ‖ **2.** Que forma parte de una redacción u oficina donde se redacta. Ú. t. c. s.

redada. (De *redar.*) f. Lance de red. ‖ **2.** fig. y fam. Conjunto de personas o cosas que se toman o cogen de una vez. *Cogieron una* REDADA *de ladrones.* ‖ **3.** fig. Operación policial consistente en apresar de una vez a un conjunto de personas. *La policía hizo una* REDADA *para limpiar el barrio de maleantes.*

redaño. (De *red.*) m. *Anat.* **mesenterio.** ‖ **2.** pl. fig. Fuerzas, bríos, valor.

redar. tr. Echar la red de pescar.

redargución. (Del lat. *redargutĭo, -ōnis.*) f. Acción de redargüir. ‖ **2.** Argumento convertido contra el que lo hace.

redargüir. (Del lat. *redarguĕre.*) tr. Convertir el argumento contra el que lo hace. ‖ **2.** *Der.* Contradecir, impugnar una cosa por algún vicio que contiene. Ú. comúnmente respecto de los instrumentos presentados en juicio y cuya autenticidad o verdad no se reconoce.

redaya. f. Red para pescar en los ríos.

redecilla. f. d. de **red.** ‖ **2.** Tejido de mallas de que se hacen las redes. ‖ **3.** Prenda de malla, en figura de bolsa, y con cordones o cintas, usada por hombres y mujeres para recoger el pelo o adornar la cabeza. ‖ **4.** Malla muy fina, casi imperceptible, que utilizan las mujeres para mantener el peinado. ‖ **5.** *Zool.* Segunda de las cuatro cavidades en que se divide el estómago de los rumiantes.

redecir. tr. Repetir porfiadamente uno o más vocablos.

rededor. (De *derredor.*) m. Contorno o redor. ‖ **al,** o **en, rededor.** loc. adv. **alrededor.**

redejón. m. Redecilla de mayor tamaño que la ordinaria. ‖ **2.** *Ál.* Aro con red y pértiga o rabo largo para cazar codornices cuando están paradas.

redel. m. *Mar.* Cada una de las cuadernas que se colocan en los puntos en que comienzan los delgados del buque.

redención. (Del lat. *redemptĭo, -ōnis.*) f. Acción y efecto de redimir o redimirse. ‖ **2.** Por antonom., la que Jesucristo hizo del género humano por medio de su pasión y muerte. ‖ **3.** fig. Remedio, recurso, refugio.

redendija. (De *rehendija.*) f. **rendija,** hendedura.

redentor, ra. (Del lat. *redemptor, -ōris.*) adj. Que redime. Ú. t. c. s. ‖ **2.** m. Por antonom., **Jesucristo.** ‖ **3.** En las órdenes religiosas de la Merced y la Trinidad, religioso nombrado para hacer el rescate de los cautivos cristianos que estaban en poder de los sarracenos.

redentorista. adj. Dícese del individuo de la congregación fundada por San Alfonso María de Ligorio. Ú. t. c. s. ‖ **2.** Perteneciente o relativo a dicha congregación.

redeña. f. Manga de red sujeta en un aro de hierro, que sirve para sacar los peces; salabardo.

redero, ra. adj. Perteneciente a las redes. ‖ **2.** V. **halcón redero.** ‖ **3.** m. y f. Persona que hace redes. ‖ **4.** Persona que arma las redes. ‖ **5.** Persona que caza con redes.

redescontar. tr. *Com.* Descontar un efecto que ya ha sufrido un descuento previo.

redescuento. m. *Com.* Nuevo descuento de valores o efectos mercantiles adquiridos por operación análoga.

redhibición. (Del lat. *redhibitĭo, -ōnis.*) f. Acción y efecto de redhibir.

redhibir. (Del lat. *redhibēre.*) tr. Deshacer el comprador la venta, según derecho, por no haberle manifestado el vendedor el defecto o gravamen de la cosa vendida.

redhibitorio, ria. (Del lat. *redhibitorĭus.*) adj. Perteneciente o relativo a la redhibición; que da derecho a ella.

redición. (Del lat. *redicĕre,* volver a decir.) f. Repetición de lo que se ha dicho.

redicho, cha. p. p. de **redecir.** ‖ **2.** adj. fam. Aplícase a la persona que habla pronunciando las palabras con una perfección afectada.

¡rediez! interj. eufemística por **¡rediós!**

rediezmar. tr. Cobrar el rediezmo.

rediezmo. m. Segundo diezmo o porción que legítimamente se extraía del acervo. ‖ **2.** Novena parte de los frutos ya diezmados, o cualquier otra porción que se exigía de ellos después de haber pagado el diezmo debido y justo.

redil. (De *red.*) m. Aprisco cercado con un vallado de estacas y redes, o de trozos de barrera armados con lisiones.

redilar. tr. Reunir detenidamente el ganado menor en una tierra de labor para que así la abonen, amajadar.

redilear. tr. Redilar repetidamente.

redileo. m. Acción y efecto de redilar o redilear.

redimible. adj. Que se puede redimir.

redimidor, ra. (De *redimir.*) adj. ant. Que redime, redentor. Usáb. t. c. s.

redimir. (Del lat. *redimĕre.*) tr. Rescatar o sacar de esclavitud al cautivo mediante precio. Ú. t. c. prnl. ‖ **2.** Comprar de nuevo una cosa que se había vendido, poseído o tenido por alguna razón o título. ‖ **3.** Dejar libre una cosa hipotecada, empeñada o sujeta a otro gravamen. Se usa indistintamente hablando del que cancela su derecho o del que consigue la liberación. Ú. t. c. prnl. ‖ **4.** Librar de una obligación, o extinguirla. Ú. t. c. prnl. ‖ **5.** fig. Poner término a algún vejamen, dolor, penuria u otra adversidad o molestia. Ú. t. c. prnl.

redingote. (Del fr. *redingote*, y este del ing. *riding-coat*, traje para montar.) m. Capote de poco vuelo y con mangas ajustadas.

¡rediós! interj. que denota enfado, cólera, sorpresa, etc.

redistribución. f. Acción y efecto de redistribuir.

redistribuir. tr. Distribuir algo de nuevo. ‖ **2.** Distribuir algo de forma diferente a como estaba.

rédito. (Del lat. *redĭtus*.) m. Renta, utilidad o beneficio renovable que rinde un capital.

redituable. adj. Que rinde, periódica o renovadamente, utilidad o beneficio.

reditual. adj. Que da utilidad o renta con regularidad.

redituar. (Del lat. *redĭtus*, rédito.) tr. Rendir, producir utilidad, periódica o renovadamente.

redivivo, va. (Del lat. *redivīvus*.) adj. Aparecido, resucitado.

redoblado, da. p. p. de redoblar. ‖ **2.** adj. Dícese del hombre fornido y no muy alto. ‖ **3.** Dícese también de la cosa o pieza que es más gruesa o resistente que de ordinario. ‖ **4.** Mil. V. **paso redoblado.**

redobladura. f. Acción y efecto de redoblar o redoblarse.

redoblamiento. m. Acción y efecto de redoblar o redoblarse.

redoblante. m. Tambor de caja prolongada, sin bordones en la cara inferior, usado en las orquestas y bandas militares. ‖ **2.** Músico que toca este instrumento.

redoblar. tr. Aumentar una cosa otro tanto o el doble de lo que antes era. Ú. t. c. prnl. ‖ **2.** Volver a la punta del clavo o cosa semejante en dirección opuesta a la de su entrada. ‖ **3.** Repetir, reiterar, volver a hacer una cosa. ‖ **4.** intr. Tocar redobles en el tambor.

redoble. m. Acción y efecto de redoblar. ‖ **2.** Toque vivo y sostenido que se produce hiriendo rápidamente el tambor con los palillos.

redoblegar. (Del lat. *reduplicāre*.) tr. Doblegar o redoblar.

redoblón. adj. Aplícase al clavo, perno o cosa semejante que puede y ha de redoblarse. Ú. m. c. s. ‖ **2.** m. Cobija, teja de cubierta.

redol. (De *redolar*.) m. Ar. **redola.**

redola. f. Círculo, redor, contorno.

redolada. f. Comarca de varios pueblos o lugares que tienen alguna unidad natural o de intereses.

redolar. (Del lat. **rotulāre*, de *rotŭla*, rueda.) intr. Dar vueltas.

redolente. adj. Que tiene redolor.

redoliente. (Del lat. *redolens, -entis.*) adj. ant. Que duele mucho.

redolino. m. Ar. Bolita de cera o madera con un horado en el cual se introduce la cédula con el nombre de la persona que ha de entrar en un sorteo. ‖ **2.** Ar. Turno que hay que guardar para moler la aceituna.

redolo. m. Ast. Círculo de personas o cosas.

redolón. m. Ar. Caída en que se rueda por el suelo.

redolor. m. Dolorcillo tenue y sordo que se siente o queda después de un padecimiento.

redoma. (Del ár. *ruḍúma*, botella de cristal, frasco.) f. Vasija de vidrio ancha en su fondo que va estrechándose hacia la boca. ‖ **2.** V. **azúcar de redoma.**

redomado, da. adj. Muy cauteloso y astuto. ‖ **2.** Que tiene en alto grado la cualidad negativa que se le atribuye. *Pillo* REDOMADO, *embustero* REDOMADO.

redomazo. m. Golpe dado con una redoma, señaladamente para manchar o ensuciar con su contenido.

redomón, na. adj. Amér. Merid. Aplícase a la caballería no domada por completo.

redonda. (Del lat. *rotunda*, t. f. de *-dus*, redondo.) f. Espacio grande que comprende varios lugares, zonas o pueblos; redolada, comarca. *Es el labrador más rico de la* REDONDA. ‖ **2.** Dehesa o coto de pasto. ‖ **3.** Impr. **letra redonda.** ‖ **4.** Mar. Vela cuadrilátera que se larga en el trinquete de las goletas y en el único palo de las balandras. ‖ **5.** Mús. Nota cuya duración llena un compasillo, semibreve. ‖ **a la redonda.** En torno, alrededor.

redondamente. adv. m. En circunferencia, alrededor. ‖ **2.** Claramente, categóricamente.

redondeado, da. p. p. de redondear. ‖ **2.** adj. De forma que tira a redondo.

redondear. tr. Poner redonda una cosa. Ú. t. c. prnl. ‖ **2.** fig. Sanear un caudal, un negocio o una finca, liberándolos de gravámenes, deudas, riesgos u otras menguas o desventajas. ‖ **3.** fig. Terminar o completar algo de modo satisfactorio. *Si todo sale bien, esta tarde* REDONDEAREMOS *el negocio.* ‖ **4.** Hablando de cantidades, prescindir de pequeñas diferencias en más o en menos, para tener en cuenta solamente unidades de orden superior. ‖ **5.** prnl. fig. Adquirir uno bienes o rentas que le proporcionen el bienestar deseado. ‖ **6.** fig. Descargarse de toda deuda o cuidado, acomodándose a lo que se tiene propio.

redondel. m. fam. Circunferencia y superficie contenida dentro de ella. ‖ **2.** Especie de capa sin capilla y redonda por la parte inferior. ‖ **3.** Terreno circular destinado a la lidia de toros y limitado por la valla o barrera.

redondeo. m. Acción y efecto de redondear.

redondez. f. Calidad de redondo. ‖ **2.** Circuito de una figura curva. ‖ **3.** Superficie de un cuerpo redondo. ‖ **de la Tierra.** Toda su extensión o superficie.

redondilla. f. Combinación métrica de cuatro octosílabos en que conciertan los versos primero y cuarto, tercero y segundo. ‖ desus. Combinación métrica de octosílabos u otros versos de arte menor, con varia estructura. ‖ **3.** Impr. **letra redonda.**

redondillo. adj. V. **trigo redondillo.**

redondo, da. (Del lat. *rotundus*.) adj. De figura circular o semejante a ella. ‖ **2.** De figura esférica o semejante a ella. ‖ **3.** Dícese del terreno adehesado y que no es común. ‖ **4.** V. **aristoloquia, cabeza, mesa, seda redonda.** ‖ **5.** V. **aparejo, bulto, coto, negocio, número, sombrero, término, viaje redondo.** ‖ **6.** V. **buril chaple redondo.** ‖ **7.** V. **letra redonda.** Ú. t. c. s. ‖ **8.** fig. Aplícase a la persona de calidad originaria igual por sus cuatro costados. *Hidalgo* REDONDO. ‖ **9.** fig. Claro, sin rodeo, completo. ‖ **10.** fig. Perfecto, completo, bien logrado. ‖ **11.** Carp. V. **cantón redondo.** ‖ **12.** Ortogr. V. **punto redondo.** ‖ **13.** m. Cosa de figura circular o esférica. ‖ **14.** Perfil de sección circular. ‖ **15.** Pieza de carne de res, que se corta de forma casi cilíndrica, de la parte inmediata a la contratapa. ‖ **16.** fig. y fam. Moneda corriente. ‖ **de redondo.** loc. adj. que se usa hablando de los vestidos de los niños cuando los ponen a andar. ‖ Aplicábase también a los vestidos de corte de las señoras cuando no tenían cola y se usaban sin manto. ‖ **2.** Con letra **redonda.** ‖ **en redondo.** loc. adv. En circuito, en circunferencia o alrededor. ‖ **2.** Claramente, categóricamente.

redondón. m. fam. Círculo o figura orbicular muy grande.

redopelo. (De *redropelo*.) m. Pasada a contrapelo que se hace con la mano al paño u otra tela. ‖ **2.** fig. y fam. Riña entre muchachos con palabras u obras. ‖ **al, o a, redopelo.** loc. adv. **a contrapelo.** ‖ **2.** fig. y fam. Contra el curso o modo natural de una cosa cualquiera, violentamente.

traer al **redopelo** a uno. fr. fig. y fam. Ajarlo atropellándolo y tratándolo con desprecio o vilipendio.

redor. (Del vulgar *redol*, de *redolar*, del lat. *rotuláre*, rodar.) m. Rededor, alrededor. ‖ **2.** Ruedo de un vestido talar. ‖ **3.** Esterilla redonda. ‖ **en redor.** loc. adv. **alrededor.**

redorar. tr. Volver a dorar.

redova. f. Danza polaca, menos viva que la mazurca. ‖ **2.** Música de esta danza.

redrar[1]. (Del lat. *retro*, atrás.) tr. ant. Arredrar, apartar, separar.

redrar[2]. (Del lat. *reiteráre*, volver.) tr. ant. *Der.* Indemnizar el vendedor al comprador por un perjuicio de la cosa comprada.

redro. (Del lat. *retro*.) adv. l. fam. Atrás o detrás. ‖ **2.** m. Anillo que se forma cada año, excepto el primero, en las astas del ganado lanar y del cabrío.

redrojar. tr. Echar redrojos las plantas.

redrojo. (De *redro*, atrás.) m. Cada uno de los racimos pequeños que van dejando atrás los vendimiadores. ‖ **2.** Fruto o flor tardía, o que echan por segunda vez las plantas y que por ser fuera de tiempo no suele llegar a sazón. ‖ **3.** fig. y fam. Muchacho que medra poco.

redropelo. m. Pasada a redopelo del paño o del pelo. ‖ **al, o a, redropelo.** loc. adv. **al redopelo** del paño o del pelo. ‖ **2.** Contra el curso natural de la cosa.

redrosaca. f. ant. Estafa, socaliña.

redroviento. m. *Mont.* Viento que la caza recibe del sitio del cazador.

redruejo. m. **redrojo.**

reducción. (Del lat. *reductío*, *-ónis*.) f. Acción y efecto de reducir o reducirse. ‖ **2.** Pueblo de indígenas convertidos al cristianismo. ‖ **3.** *Esgr.* V. **movimiento de reducción.** ‖ **4.** *Mar.* V. **cuadrante de reducción.** ‖ **eidética.** En fenomenología, operación mediante la cual se retienen solo las notas esenciales de una vivencia o de su objeto. ‖ **fenomenológica.** *Fil.* Operación que consiste en eliminar de una vivencia y de su objeto toda toma de posición acerca de su realidad, así como de la existencia del sujeto.

reducible. adj. Que se puede reducir.

reducido, da. p. p. de **reducir.** ‖ **2.** adj. Estrecho, pequeño, limitado.

reducidor, ra. m. y f. *Argent., Col., Chile* y *Perú.* **perista,** persona que comercia con objetos robados.

reducimiento. m. Acción y efecto de reducir o reducirse.

reducir. (Del lat. *reducére*.) tr. Volver una cosa al lugar donde antes estaba o al estado que tenía. ‖ **2.** Disminuir o aminorar, estrechar o ceñir. ‖ **3.** Mudar una cosa en otra equivalente. ‖ **4.** Cambiar moneda. ‖ **5.** Resumir en pocas razones un discurso, narración, etc. ‖ **6.** Dividir un cuerpo en partes menudas. ‖ **7.** Hacer que un cuerpo pase del estado sólido al líquido o al de vapor, o al contrario. ‖ **8.** Comprender, incluir o arreglar bajo cierto número o cantidad. Ú. t. c. prnl. ‖ **9.** Sujetar a la obediencia a los que se habían separado de ella. ‖ **10.** Persuadir o atraer a uno con razones y argumentos. ‖ **11.** En culinaria, hervir un líquido para que se concentre. ‖ **12.** *Cir.* Restablecer en su situación natural los huesos dislocados o rotos, o bien las partes que forman los tumores herniosos. ‖ **13.** *Dial.* Convertir en perfecta la figura imperfecta de un silogismo. ‖ **14.** *Mat.* Expresar el valor de una cantidad en unidades de especie distinta de la dada. REDUCIR *pesetas a reales, litros a hectolitros, quebrados a un común denominador.* ‖ **15.** *Pint.* Hacer una figura o dibujo más pequeño, guardando la misma proporción en las medidas que tiene otro mayor. ‖ **16.** *Quím.* Descomponer un cuerpo en sus principios o elementos. ‖ **17.** *Quím.* Separar parcial o totalmente de un compuesto oxidado el oxígeno que contiene. ‖ **18.** intr. En un vehículo, cambiar de una marcha de lar-

go recorrido a otra más corta. *Al entrar en la curva tienes que* REDUCIR. ‖ **19.** prnl. Moderarse, arreglarse o ceñirse en el modo de vida o porte. ‖ **20.** Resolverse por motivos poderosos a ejecutar una cosa. ME HE REDUCIDO *a estar en casa.* ‖ **21.** No tener algo mayor importancia que la que se expresa. *El asunto* SE REDUCE *a unas cuantas formalidades.*

reductible. adj. Que se puede reducir.

reducto. (Del lat. *reductus*, apartado, retirado.) m. *Fort.* Obra de campaña, cerrada, que ordinariamente consta de parapeto y una o más banquetas.

reductor, ra. adj. *Quím.* Que reduce o sirve para reducir. Ú. t. c. s.

redundancia. (Del lat. *redundantía*.) f. Sobra o demasiada abundancia de cualquier cosa o en cualquier línea. ‖ **2.** Repetición o uso excesivo de una palabra o concepto. ‖ **3.** *Comunic.* Cierta repetición de la información contenida en un mensaje, que permite, a pesar de la pérdida de una parte de este, reconstruir el contenido del mismo.

redundantemente. adv. m. Con redundancia.

redundar. (Del lat. *redundáre*.) intr. Rebosar, salirse una cosa de sus límites o bordes por demasiada abundancia. Se usa regularmente hablando de los líquidos. ‖ **2.** Resultar, ceder o venir a parar una cosa en beneficio o daño de alguno.

reduplicación. (Del lat. *reduplicatío*, *-ónis*.) f. Acción y efecto de reduplicar. ‖ **2.** *Ret.* Figura que consiste en repetir consecutivamente un mismo vocablo en una cláusula o miembro del período.

reduplicar. (Del lat. *reduplicáre*.) tr. Aumentar una cosa al doble de lo que antes era. ‖ **2.** Repetir, volver a hacer una cosa.

reduvio. (De *reduvius*, nombre de un género de insectos.) m. Insecto hemíptero, del suborden de los heterópteros, de cuerpo esbelto, patas largas y pico encorvado.

reedición. f. Acción y efecto de reeditar. ‖ **2.** Nueva edición de un libro o publicación.

reedificación. f. Acción y efecto de reedificar.

reedificador, ra. adj. Que reedifica o hace reedificar. Ú. t. c. s.

reedificar. tr. Volver a edificar o construir de nuevo lo arruinado o lo que se derriba con tal intento.

reeditar. tr. Volver a editar.

reeducación. f. Acción y efecto de reeducar. ‖ **2.** Conjunto de técnicas o ejercicios empleados para recuperar las funciones normales de un sujeto, que se han visto afectadas por cualquier proceso.

reeducar. tr. *Med.* Volver a enseñar, mediante movimientos y maniobras reglados, el uso de los miembros u otros órganos, perdido o dañado por ciertas enfermedades.

reelección. f. Acción y efecto de reelegir.

reelecto, ta. p. p. irreg. de **reelegir.**

reelegible. adj. Que puede ser reelegido.

reelegir. tr. Volver a elegir.

reeligir. tr. ant. **reelegir.**

reembarcar. tr. Volver a embarcar. Ú. t. c. prnl.

reembarque. m. Acción y efecto de reembarcar.

reembolsable. adj. Que puede o debe reembolsarse.

reembolsar. tr. Volver una cantidad a poder del que la había desembolsado. Ú. t. c. prnl.

reembolso. m. Acción y efecto de reembolsar o reembolsarse. ‖ **2.** Cantidad que en nombre del remitente reclaman del consignatario la administración de Correos, las compañías de ferrocarriles o agencias de transportes, a cambio de la remesa que le entregan.

reemplazable. adj. Que puede ser reemplazado.

reemplazante. p. a. de **reemplazar.** Que reemplaza o sucede en un empleo o cargo. Ú. t. c. s.

reemplazar. tr. Sustituir una cosa por otra, poner en lugar de una cosa otra que haga sus veces. ‖ **2.** Suceder a uno en el empleo, cargo o comisión que tenía o hacer accidentalmente sus veces.

reemplazo. m. Acción y efecto de reemplazar. ‖ **2.** Sustitución que se hace de una persona o cosa por otra. ‖ **3.** Renovación parcial del contingente del ejército activo en los plazos establecidos por la ley. ‖ **4.** Hombre que entraba a servir en lugar de otro en la milicia. ‖ **de reemplazo.** loc. adj. *Mil.* Dícese de la situación en que queda el jefe u oficial que no tiene plaza efectiva en los cuerpos de su arma, pero sí opción a ella y a las vacantes que ocurran.

reencarnación. f. Acción y efecto de reencarnar o reencarnarse.

reencarnar. intr. Volver a encarnar. Ú. t. c. prnl.

reencauchadora. f. *Col.* y *Perú.* Instalación industrial para reencauchar llantas o cubiertas de automóviles, camiones, etc.

reencauchar. tr. *Col.* y *Perú.* Recauchar, recauchutar.

reencauche. m. *Col.* y *Perú.* Acción y efecto de reencauchar, recauchutado.

reencontrar. tr. Volver a encontrar. Ú. t. c. prnl. ‖ **2.** prnl. fig. Recobrar una persona cualidades, facultades, hábitos, etc., que había perdido.

reencuadernación. f. Acción y efecto de reencuadernar.

reencuadernar. tr. Volver a encuadernar un libro.

reencuentro. m. Acción y efecto de reencontrar o reencontrarse. ‖ **2.** Encuentro de dos cosas que chocan una con otra. ‖ **3.** Choque de tropas enemigas en corto número, que mutuamente se buscan y se encuentran. ‖ **4.** *Quím.* V. **vaso de reencuentro.**

reenganchamiento. m. *Mil.* Acción y efecto de reenganchar o reengancharse.

reenganchar. tr. *Mil.* Volver a enganchar o atraer a uno a que siente plaza de soldado ofreciéndole dinero. Ú. t. c. prnl. y en sent. fig.

reenganche. m. *Mil.* Acción y efecto de reenganchar o reengancharse. Ú. t. en sent. fig. ‖ **2.** *Mil.* Dinero que se da al que se reengancha.

reengendrador, ra. adj. Que reengendra. Ú. t. c. s.

reengendrar. tr. Volver a engendrar. ‖ **2.** fig. Dar nuevo ser espiritual o de gracia.

reensayar. tr. Volver a ensayar.

reensaye. m. Acción y efecto de reensayar un metal.

reensayo. m. Segundo o ulterior ensayo de una comedia, máquina, etc.

reenviar. tr. Enviar alguna cosa que se ha recibido.

reenvidar. tr. Envidar sobre lo envidado.

reenvío. m. Acción y efecto de reenviar.

reenvite. m. Envite que se hace sobre otro.

reestrenar. tr. Volver a estrenar; se usa esencialmente hablando de películas u obras teatrales, cuando vuelven a proyectarse o representarse pasado algún tiempo de su estreno.

reestreno. m. Acción y efecto de reestrenar.

reestructuración. f. Acción y efecto de reestructurar.

reestructurar. tr. Modificar la estructura de una obra, disposición, empresa, proyecto, organización, etc.

reexaminación. f. Nuevo examen.

reexaminar. tr. Volver a examinar.

reexpedición. f. Acción y efecto de reexpedir.

reexpedir. tr. Expedir alguna cosa que se ha recibido.

reexportar. tr. *Com.* Exportar lo que se había importado.

refacción. f. (De *refección.*) f. Alimento moderado que se toma para reparar las fuerzas. ‖ **2.** Restitución que se hacía al estado eclesiástico de aquella porción con que había contribuido a los derechos reales de que estaba exento. ‖

3. Gratificación que se daba a los militares en compensación del mayor precio de los víveres, a causa de la contribución de consumos, de la cual estaban exentos. ‖ **4.** fam. Lo que en cualquier venta se da al comprador sobre la medida exacta, por vía de añadidura. ‖ **5.** Compostura o reparación de lo estropeado. ‖ **6.** *Cuba.* Gasto que ocasiona al propietario el sostenimiento de un ingenio o de otra finca.

refaccionar. tr. *Amér.* Restaurar o reparar. Ú. especialmente hablando de edificios.

refaccionario, ria. adj. Perteneciente o relativo a la refacción. ‖ **2.** *Der.* Dícese de los créditos que proceden de dinero invertido en fabricar o reparar una cosa, con provecho, no solamente para el sujeto a quien pertenece, sino también para otros acreedores o interesados en ella.

refacer. tr. ant. Indemnizar, resarcir, subsanar, reintegrar, reedificar.

refajo. m. Falda corta y vuelada, por lo general de bayeta o paño, que usan las mujeres de los pueblos encima de las enaguas. En las ciudades era falda interior que usaba la mujer para abrigo. ‖ **2.** Zagalejo interior de bayeta u otra tela tupida, que usan las mujeres para abrigo.

refalsado, da. adj. Falso, engañoso.

refección. f. (Del lat. *refectĭo, -ōnis.*) f. Alimento moderado para reparar fuerzas. ‖ **2.** Compostura, reparación de lo estropeado.

refeccionar. tr. ant. Alimentar para reponer fuerzas.

refeccionario, ria. adj. *Der.* **refaccionario,** dicho de los créditos que proceden de dinero invertido.

refectolero, ra. adj. Que tiene el cuidado del refectorio. Ú. t. c. s.

refectorio. m. (Del b. lat. *refectorĭum,* y este del lat. *refectus,* refección, alimento.) m. Habitación destinada en las comunidades y en algunos colegios para juntarse a comer.

refecho, cha. (Del lat. *refectus.*) p. p. irreg. de **refacer.**

referencia. f. (Del lat. *referens, -entis,* referente.) f. Narración o relación de una cosa. ‖ **2.** Relación, dependencia o semejanza de una cosa respecto de otra. ‖ **3.** Indicación en un escrito del lugar del mismo o de otro al que se remite al lector. ‖ **4.** Informe que acerca de la probidad, solvencia u otras cualidades de tercero da una persona a otra. Se usa comúnmente en el ejercicio comercial. Ú. m. en pl.

referendario. m. (Del lat. *referendarĭus.*) m. El que refrenda o firma después de un superior un documento, refrendario. ‖ **2.** ant. El que refiere o relata algunas cosas.

referendo. m. **referéndum.**

referéndum. m. (Del lat. *referendum,* ger. de *referre.*) m. Procedimiento jurídico por el que se someten al voto popular leyes o actos administrativos cuya ratificación por el pueblo se propone. Su pl. es **referendos.** ‖ **2.** Despacho en que un agente diplomático pide a su gobierno nuevas instrucciones sobre algún punto importante.

referente. (Del lat. *referens, -entis.*) p. a. de **referir.** Que refiere o que expresa relación a otra cosa. ‖ **2.** m. *Ling.* Aquello a lo que se refiere el signo.

referible. adj. Que se puede referir.

referimiento. m. ant. Narración o relación que se hace de una cosa. ‖ **2.** Relación o referencia entre dos o más cosas.

referir. (Del lat. *referre.*) tr. Dar a conocer, de palabra o por escrito, un hecho verdadero o ficticio. ‖ **2.** Dirigir, encaminar u ordenar una cosa a cierto y determinado fin u objeto. Ú. t. c. prnl. ‖ **3.** Poner en relación personas o cosas. Ú. t. c. prnl. ‖ **4.** ant. **aferir.** ‖ **5.** ant. Aplicar, a veces sin conocimiento seguro, hechos o cualidades a una persona o cosa. ‖ **6.** prnl. Remitirse, atenerse a lo dicho o hecho. ‖ **7.** **aludir.**

refertar. (De *refierta.*) intr. ant. Reñir, altercar, contender.

refertero, ra. adj. Quimerista, amigo de reyertas o rencillas.

refez. adj. ant. **rahez,** de poco valor. ‖ **de refez.** loc. adv. ant. **fácilmente.**

refezar. intr. ant. **rahezar,** perder valor.

refierta. (Del lat. *referta,* de *referre.*) f. ant. Riña, altercado, reyerta.

refigurar. (Del lat. *refigurāre.*) tr. Representarse uno de nuevo en la imaginación la imagen de lo que antes había visto.

refilón (de). loc. adv. Oblicuamente, de soslayo, al sesgo. ‖ **2.** fig. De paso, de pasada.

refinación. f. Acción y efecto de refinar.

refinadera. f. Piedra larga y cilíndrica más delgada que la que se llama mano, y que servía para labrar a brazo el chocolate después de hecha la mezcla.

refinado, da. p. p. de **refinar.** ‖ **2.** adj. fig. Sobresaliente, primoroso en una condición buena. ‖ **3.** fig. Extremado en la maldad. ‖ **4.** V. **azúcar refinado.** ‖ **5.** m. Acción y efecto de refinar.

refinador, ra. adj. Que refina. ‖ **2.** m. y f. Persona que refina, especialmente metales o licores.

refinadura. f. Acción de refinar.

refinamiento. m. Esmero, cuidado. ‖ **2.** Dureza o crueldad refinada.

refinar. tr. Hacer más fina o más pura una cosa, separando las heces y materias heterogéneas o groseras. ‖ **2.** fig. Perfeccionar una cosa adecuándola a un fin determinado. ‖ **3.** prnl. Hacerse más fino en el hablar, comportamiento social y gustos.

refinería. f. Fábrica o instalación industrial donde se refina un producto.

refino, na. adj. Muy fino y depurado. ‖ **2.** V. **azúcar refino,** o **refina.** ‖ **3.** m. Acción y efecto de refinar. ‖ **4.** p. us. Lonja donde se vende cacao, azúcar, chocolate y otras cosas.

refirmar. (Del lat. *refirmāre.*) tr. **estribar,** apoyar una cosa sobre otra. ‖ **2.** Confirmar, ratificar. ‖ **3.** ant. Asegurar, afianzar. Usáb. t. c. prnl.

refitolear. tr. Curiosear y entremeterse en cosas de poca importancia. Ú. t. c. intr.

refitolería. f. Palabra o acción afectada, mimosa o algo cursi.

refitolero, ra. adj. Que tiene cuidado del refectorio. Ú. t. c. s. ‖ **2.** fig. y fam. Entremetido. Ú. t. c. s. ‖ **3.** Dícese de la persona afectada o redicha. Ú. t. c. s. ‖ **4.** Dícese de la persona muy compuesta o acicalada.

refitor. (Del lat. *refector, -ōris.*) m. ant. **refectorio.** ‖ **2.** En algunos obispados, cierta porción de diezmos que percibía en diferentes pueblos el cabildo de la catedral.

refitorio. m. ant. **refectorio.**

reflectar. (Del lat. *reflectĕre,* volver hacia atrás.) intr. Fís. Reflejar, oponiendo una superficie lisa, la luz, el calor, el sonido o algún cuerpo elástico.

reflector, ra. adj. Dícese del cuerpo que refleja. Ú. t. c. s. ‖ **2.** m. Aparato que lanza la luz de un foco en determinada dirección. ‖ **3.** *Ópt.* Aparato de superficie bruñida para reflejar los rayos luminosos. ‖ **4.** *Astron.* **telescopio.**

refleja. (De *reflejo.*) f. p. us. **reflexión,** acción de reflejar o reflexionar.

reflejar. (De *reflejo.*) intr. Fís. Hacer retroceder o cambiar de dirección la luz, el calor, el sonido o algún cuerpo elástico, oponiéndoles una superficie lisa. Ú. t. c. prnl. ‖ **2.** tr. Formarse en una superficie lisa y brillante, como el agua, un espejo, etc., la imagen de algo. Ú. t. c. prnl. *El espejo* REFLEJA *la habitación; el pueblo se* REFLEJA *en el río.* ‖ **3.** fig. Dejarse ver una cosa en otra. Ú. t. c. prnl. *La literatura española* REFLEJA *el espíritu cristiano. Se* REFLEJA *el*

alma en el semblante. ‖ **4.** desus. **reflexionar.** ‖ **5.** Manifestar o hacer patente una cosa. ‖ **6.** prnl. Sentirse un dolor en una parte del cuerpo distinta del punto en que se origina.

reflejo, ja. (Del lat. *reflexus.*) adj. Que ha sido reflejado. ‖ **2.** fig. Aplícase al conocimiento o consideración que se forma de una cosa para reconocerla mejor. ‖ **3.** *Fisiol.* Dícese del movimiento, secreción, sentimiento, etc., que se produce involuntariamente como respuesta a un estímulo. ‖ **4.** *Gram.* V. **pasiva refleja.** ‖ **5.** *Gram.* V. **verbo reflejo.** ‖ **6.** *Ópt.* V. **rayo reflejo.** ‖ **7.** *Pint.* V. **luz refleja.** ‖ **8.** m. Luz reflejada. ‖ **9.** Imagen de una persona o cosa reflejada en una superficie. ‖ **10.** Aquello que reproduce, muestra o pone de manifiesto otra cosa. *Las palabras son el* REFLEJO *de su pensamiento.* ‖ **11.** pl. fig. Capacidad que tiene alguien para reaccionar rápida y eficazmente ante algo. ‖ **condicionado.** *Fisiol.* El que llega a producir un estímulo no específico actuando por sí solo, después de haber actuado durante cierto número de veces al mismo tiempo que un estímulo específico.

reflexible. adj. Que puede reflejarse.

reflexión. (Del lat. *reflexǐo, -ōnis.*) f. Fís. Acción y efecto de reflejar o reflejarse. ‖ **2.** fig. Acción y efecto de reflexionar. ‖ **3.** V. **círculo, cuadrante de reflexión.** ‖ **4.** fig. Advertencia, o consejo con que uno intenta persuadir o convencer a otro. ‖ **5.** *Fís.* V. **ángulo de reflexión.** ‖ **6.** *Gram.* Manera de ejercerse la acción del verbo reflexivo.

reflexionar. intr. Considerar nueva o detenidamente una cosa. Ú. t. c. tr.

reflexivamente. adv. m. Con reflexión.

reflexivo, va. (Del lat. *reflexum,* supino de *reflectĕre,* volver hacia atrás.) adj. Que refleja o reflecta. ‖ **2.** Acostumbrado a hablar y a obrar con reflexión. ‖ **3.** *Gram.* V. **verbo reflexivo.** Ú. t. c. s.

reflorecer. (Del lat. *reflorescĕre.*) intr. Volver a florecer los campos o a echar flores las plantas. ‖ **2.** fig. Recobrar una cosa inmaterial el lustre y estimación que tuvo.

reflorecimiento. m. Acción y efecto de reflorecer.

reflotar. tr. Volver a poner a flote la nave sumergida o encallada.

refluir. (Del lat. *reflǔĕre.*) intr. Volver hacia atrás o hacer retroceso un líquido. ‖ **2.** fig. **redundar,** resultar o venir a parar una cosa en beneficio o daño de alguno.

reflujo. m. Movimiento de descenso de la marea.

refocilación. (Del lat. *refocilatǐo, -ōnis.*) f. Acción y efecto de refocilar o refocilarse.

refocilar. (Del lat. *refocillāre.*) tr. Recrear, alegrar. Se usa propiamente hablando de las cosas que calientan y dan vigor. Ú. t. c. prnl. ‖ **2.** prnl. Regodearse, recrearse en algo grosero.

refocilo. m. **refocilación.**

reforestación. f. Acción y efecto de reforestar.

reforestar. tr. Repoblar un terreno con plantas forestales.

reforma. f. Acción y efecto de reformar o reformarse. ‖ **2.** Lo que se propone, proyecta o ejecuta como innovación o mejora en alguna cosa. ‖ **3. religión reformada.** ‖ **4.** Movimiento religioso que, iniciado en el siglo XVI, motivó la formación de las iglesias protestantes. En esta acepción, suele escribirse con mayúscula. ‖ **5.** *Der.* V. **recurso de reforma.**

reformable. (Del lat. *reformabǐlis.*) adj. Que se puede reformar. ‖ **2.** Digno de reforma.

reformación. (Del lat. *reformatǐo, -ōnis.*) f. Acción y efecto de reformar o reformarse.

reformado, da. p. p. de **reformar.** ‖ **2.** adj. Decíase del militar que no estaba en actual ejercicio de su empleo. ‖ **3.** Partidario de la religión **reformada.** Ú. t. c. s. ‖ **4.** Aplicase al religioso de una orden **reformada.** Ú. t. c. s. ∥ **5.** V. **calendario reformado.** ∥ **6.** V. **religión reformada.**

reformador, ra. (Del lat. *reformátor, -óris.*) adj. Que reforma o pone en debida forma una cosa. Ú. t. c. s.

reformar. (Del lat. *reformáre.*) tr. Volver a formar, rehacer. ∥ **2.** Modificar algo, por lo general, con la intención de mejorarlo. ∥ **3.** Reducir o restituir una orden religiosa u otro instituto a su primitiva observancia o disciplina. ∥ **4.** Enmendar, corregir la conducta de una persona, haciendo que abandone comportamientos o hábitos que se consideran censurables. Ú. t. c. prnl. ∥ **5.** prnl. Contenerse, moderarse o reportarse uno en lo que dice o ejecuta.

reformativo, va. adj. Que reforma.

reformatorio, ria. adj. Que reforma o arregla. ∥ **2.** m. Establecimiento en donde, por medios educativos severos, se trata de corregir la conducta delictiva de los menores que ingresan allí.

reformismo. m. Cada una de las tendencias o doctrinas que procuran el cambio y las mejoras graduables de una situación política, social, religiosa, etc.

reformista. adj. Partidario de reformas o ejecutor de ellas. Ú. t. c. s.

reforzado, da. p. p. de **reforzar.** ∥ **2.** adj. Que tiene refuerzo. Aplícase especialmente a piezas de artillería y maquinaria. ∥ **3.** Dícese de cierta especie de listón o cinta que se cose sobre una prenda de vestir. Ú. m. c. s. ∥ **4.** Decíase de cierta especie de cinta o listón de un dedo de ancho aproximadamente. Usáb. m. c. s.

reforzador, ra. adj. Que refuerza. ∥ **2.** m. *Fotogr.* Baño que sirve para reforzar o hacer más clara una imagen débil.

reforzar. tr. Engrosar o añadir nuevas fuerzas o fomento a una cosa. ∥ **2.** Fortalecer o reparar lo que padece ruina o detrimento. ∥ **3.** Animar, alentar, dar espíritu. Ú. t. c. prnl. ∥ **4.** *Fotogr.* Dar un baño especial a los clichés para aumentar el contraste de las imágenes.

refracción. (Del lat. *refractio, -ónis.*) f. *Dióptr.* Acción y efecto de refractar o refractarse. ∥ **2.** *Dióptr.* V. **índice de refracción.** ∥ **3.** *Gnom.* V. **cuadrado de las refracciones.** ∥ **4.** *Ópt.* V. **ángulo de refracción.** ∥ **doble refracción.** *Dióptr.* Propiedad que tienen ciertos cristales de duplicar las imágenes de los objetos.

refractar. tr. *Dióptr.* Hacer que cambie de dirección el rayo de luz que pasa oblicuamente de un medio a otro de diferente densidad. Ú. t. c. prnl.

refractario, ria. (Del lat. *refractarius,* obstinado, pertinaz.) adj. Aplícase a la persona que rehúsa cumplir una promesa u obligación. ∥ **2.** Opuesto, rebelde a aceptar una idea, opinión o costumbre. ∥ **3.** *Fís.* y *Quím.* Dícese del material que resiste la acción del fuego sin cambiar de estado ni descomponerse.

refractivo, va. adj. Que causa refracción.

refracto, ta. (Del lat. *refractus.*) adj. Que ha sido refractado. ∥ **2.** *Ópt.* V. **rayo refracto.**

refractómetro. m. *Fís.* Aparato empleado para determinar el índice de refracción.

refractor. m. *Astron.* anteojo, instrumento óptico tubular de dos lentes.

refrán. (Del fr. *refrain.*) m. Dicho agudo y sentencioso de uso común. ∥ **tener muchos refranes,** o **tener refranes para todo.** frs. figs. y fams. Hallar salidas o pretextos para cualquier cosa.

refranero. m. Colección de refranes.

refranesco, ca. adj. Dícese de las frases o conceptos que se expresan a manera de refrán.

refrangibilidad. f. Calidad de refrangible.

refrangible. adj. Que puede refractarse.

refranista. com. Persona que con frecuencia cita refranes.

refregadura. (Del lat. *refricatúrus, -a, -um.*) f. Acción de refregar o refregarse. ∥ **2.** Señal que queda de haber o haberse refregado una cosa.

refregamiento. m. Acción de refregar o refregarse.

refregar. (Del lat. *refricáre.*) tr. Frotar una cosa con otra. Ú. t. c. prnl. ∥ **2.** fig. y fam. Dar en cara a uno con una cosa que le ofende, insistiendo en ella.

refregón. m. fam. Acción de refregar o refregarse. ∥ **2.** *Mar.* Ráfaga de aire.

refreír. (Del lat. *refrigére.*) tr. Volver a freír. ∥ **2.** Freír mucho o muy bien una cosa. ∥ **3.** Freír demasiado una cosa.

refrenable. adj. Que se puede refrenar.

refrenada. f. Acción y efecto de refrenar o refrenarse.

refrenamiento. m. Acción y efecto de refrenar o refrenarse.

refrenar. (Del lat. *refrenáre.*) tr. Sujetar y reducir al caballo con el freno. ∥ **2.** fig. Contener o reprimir la fuerza o la violencia de algo. Ú. t. c. prnl.

refrendación. f. Acción y efecto de refrendar.

refrendar. tr. Autorizar un despacho u otro documento por medio de la firma de persona hábil para ello. ∥ **2.** Revisar un pasaporte y anotar su presentación. ∥ **3.** Corroborar una cosa afirmándola. ∥ **4.** ant. Marcar las medidas, pesos y pesas. ∥ **5.** fig. y fam. Volver a ejecutar o repetir la acción que se había hecho; como volver a comer o a beber de la misma cosa.

refrendario. m. El que con autoridad pública refrenda o firma, después del superior, un despacho.

refrendata. f. Firma del refrendario.

refrendo. (Del lat. *referendum.*) m. Acción y efecto de refrendar. ∥ **2.** Testimonio que acredita haber sido refrendada una cosa. ∥ **3.** Firma puesta en los decretos al pie de la del jefe del Estado por los ministros, que así completan la validez de aquellos.

refrescador, ra. adj. Que refresca.

refrescadura. f. Acción y efecto de refrescar o refrescarse.

refrescamiento. m. Acción y efecto de refrescar.

refrescar. tr. Atemperar, moderar o disminuir el calor de una cosa. Ú. t. c. prnl. ∥ **2.** fig. Renovar, reproducir una acción. REFRESCAR *la lid.* ∥ **3.** fig. Renovar un sentimiento, dolor o costumbre antiguos. ∥ **4.** intr. fig. Tomar fuerzas, vigor o aliento. ∥ **5.** Templarse o moderarse el calor del aire. Ú. con nombre que signifique tiempo. La REFRESCADO *la tarde.* ∥ **6.** Tomar el fresco. Ú. t. c. prnl. ∥ **7.** Tomar una bebida para reducir el calor. Ú. t. c. prnl. ∥ **8.** *Mar.* Hablando del viento, aumentar su fuerza.

refresco. (De *refrescar.*) m. Alimento moderado o reparo que se toma para fortalecerse y continuar en el trabajo. ∥ **2.** Bebida fría de tiempo. ∥ **3.** Agasajo de bebidas, dulces, etc., que se da en las visitas u otras concurrencias. ∥ **de refresco.** loc. adv. **de nuevo.** ∥ **2.** Dícese de lo que se añade o sobreviene para un fin. ∥ **2.** Dícese del animal que se previene como supletorio en grandes cabalgadas o trabajos fuertes.

refriamiento. m. ant. Acción y efecto de refriar o refriarse.

refriante. p. a. de **refriar.** Que refría. ∥ **2.** m. **refrigerante.**

refriar. tr. ant. Poner más fría una cosa. ∥ **2.** prnl. Enfriarse o acatarrarse.

refriega. (De *refregar.*) f. Batalla de poca importancia o riña violenta.

refrigeración. (Del lat. *refrigeratio, -ónis.*) f. Acción y efecto de refrigerar o refrigerarse. ∥ **2.** fig. **refrigerio,** corto alimento que se toma para reparar las fuerzas. ∥ **3.** ant. Privación o falta de calor.

refrigerador, ra. adj. Dícese de los aparatos e instalaciones para refrigerar. Ú. t. c. s. ∥ **2.** m. y f. Nevera, electrodoméstico con refrigeración eléctrica o química para guardar alimentos.

refrigerante. p. a. de **refrigerar.** Que refrigera. Ú. t. c. s. ‖ **2.** m. **corbato.** ‖ **3.** *Quím.* Recipiente con agua para rebajar la temperatura de un fluido.

refrigerar. (Del lat. *refrigerāre.*) tr. Hacer más fría una habitación u otra cosa. ‖ **2.** Enfriar en cámaras especiales, hasta una temperatura próxima a cero grados, alimentos, productos, etc., para su conservación. ‖ **3.** fig. Reparar las fuerzas con un refrigerio. Ú. t. c. prnl.

refrigerativo, va. (Del lat. *refrigeratīvus.*) adj. Que es capaz de refrigerar.

refrigeratorio. (Del lat. *refrigeratorĭus.*) m. ant. *Quím.* Recipiente con agua para bajar la temperatura de un fluido.

refrigerio. (Del lat. *refrigerĭum.*) m. Beneficio o alivio que se siente con lo fresco. ‖ **2.** fig. Alivio o consuelo en cualquier apuro, incomodidad o pena. ‖ **3.** fig. Corto alimento que se toma para reparar las fuerzas.

refringencia. f. Calidad de refringente.

refringir. (Del lat. *refringĕre,* de *re-* y *frangĕre,* quebrar.) tr. *Dióptr.* **refractar.** Ú. t. c. prnl.

refrito, ta. p. p. irreg. de **refreír.** ‖ **2.** m. Aceite frito con ajo, cebolla, pimentón y otros ingredientes que se añaden en caliente a algunos guisos. ‖ **3.** fig. Cosa rehecha o recompuesta. Se usa comúnmente hablando de la refundición de una obra dramática o de otro escrito.

refucilo. (Del lat. **focĭle,* de fuego.) m. Relámpago.

refuerzo. m. Mayor grueso que, en totalidad o en cierta parte, se da a una cosa para hacerla más resistente, como a los cañones de las armas de fuego, cilindros de máquinas, etc. ‖ **2.** Reparo que se pone para fortalecer y afirmar una cosa que puede flaquear o amenazar ruina. ‖ **3.** Socorro o ayuda que se presta en ocasión o necesidad. ‖ **4.** *Mil.* Tropas que se suman a otras para aumentar su fuerza. Ú. t. en pl.

refugiado, da. p. p. de **refugiar.** ‖ **2.** m. y f. Persona que a consecuencia de guerras, revoluciones o persecuciones políticas, se ve obligada a buscar refugio fuera de su país.

refugiar. tr. Acoger o amparar a uno, sirviéndole de resguardo y asilo. Ú. m. c. prnl.

refugio. (Del lat. *refugĭum.*) m. Asilo, acogida o amparo. ‖ **2.** Lugar adecuado para refugiarse. ‖ **3.** Hermandad dedicada al servicio y socorro de los pobres. ‖ **4.** Edificio situado en determinados lugares de las montañas para acoger a viajeros y excursionistas. ‖ **5.** Zona situada dentro de la calzada, reservada para los peatones y convenientemente protegida del tránsito rodado. ‖ **atómico.** Espacio habitable, protegido contra los efectos inmediatos de las explosiones nucleares, y contra los efectos posteriores de la radiación producida.

refulgencia. f. Resplandor que emite el cuerpo resplandeciente.

refulgente. (Del lat. *refulgens, -entis,* p. a. de *refulgēre,* resplandecer.) adj. Que emite resplandor.

refulgir. (Del lat. *refulgēre*) intr. Resplandecer, emitir fulgor.

refundición. f. Acción y efecto de refundir o refundirse. ‖ **2.** Obra refundida.

refundidor, ra. m. y f. Persona que refunde.

refundir. (Del lat. *refundĕre.*) tr. Volver a fundir o liquidar los metales. ‖ **2.** fig. Comprender o incluir. Ú. t. c. prnl. ‖ **3.** fig. Dar nueva forma y disposición a una obra de ingenio, como comedia, discurso, etc., con el fin de mejorarla o modernizarla. ‖ **4.** *Amér. Central* y *Méj.* Perder, extraviar. ‖ **5.** intr. fig. **redundar,** resultar o venir a parar una cosa en beneficio o daño de él.

refunfuñador, ra. adj. Que refunfuña. Ú. t. c. s.

refunfuñadura. f. Acción y efecto de refunfuñar.

refunfuñar. (Voz onomatopéyica.) intr. Emitir voces confusas o palabras mal articuladas o entre dientes, en señal de enojo o desagrado.

refunfuño. m. Acción y efecto de refunfuñar.

refunfuñón, na. adj. Que refunfuña mucho.

refutable. (Del lat. *refutabĭlis.*) adj. Que puede refutarse o es fácil de refutar.

refutación. (Del lat. *refutatĭo, -ōnis.*) f. Acción y efecto de refutar. ‖ **2.** Argumento o prueba cuyo objeto es destruir las razones del contrario. ‖ **3.** ant. **renuncia.** ‖ **4.** *Lóg.* Silogismo que tiene como conclusión la proposición que niega otra conclusión. ‖ **5.** *Ret.* Parte del discurso comprendida en la confirmación y cuyo objeto es rebatir los argumentos aducidos o que pueden aducirse en contra de lo que se defiende o se quiere probar.

refutar. (Del lat. *refutāre.*) tr. Contradecir, rebatir, impugnar con argumentos o razones lo que otros dicen. ‖ **2.** ant. Rechazar, rehusar.

refutatorio, ria. (Del lat. *refutatorĭus.*) adj. Que sirve para refutar.

regabina. f. *And.* Arado que se emplea especialmente entre líneas, como en el cultivo de algodón, maíz, etc.

regabinar. tr. *And.* Labrar entre líneas con regabina.

regable. adj. Dícese del terreno que se puede regar.

regacear. tr. Recoger las faldas hacia el regazo, arregazar.

regadera. f. Recipiente portátil a propósito para regar, compuesto por un depósito del que sale un tubo terminado en una boca con orificios por donde se esparce el agua. ‖ **2.** Acequia, reguera. ‖ **3.** pl. Ciertas tablillas por donde viene el agua a los ejes de las grúas para que no se enciendan. ‖ **estar** algo **como una regadera.** fr. fig. y fam. Estar algo loco, ser de carácter extravagante.

regadero. m. Acequia, reguera.

regadío, a. adj. Aplícase al terreno que se puede regar. Ú. t. c. s. m. ‖ **2.** *Ar.* V. **campo regadío.** ‖ **3.** m. Terreno dedicado a cultivos que se fertilizan con riego.

regadizo, za. adj. Que se puede regar.

regador[1]**.** m. Punzón de hierro, con punta curva, usado para señalar, rayando, la longitud y el número de las púas de los peines.

regador[2]**, ra.** (Del lat. *rigātor, -ōris.*) adj. Que riega. Ú. t. c. s. ‖ **2.** m. *And.* y *Murc.* El que riega. ‖ **3.** *Chile.* Unidad de medida para aforar las aguas de riego, y donde se varía según las asociaciones de regantes.

regadura. f. Riego que se hace por una vez.

regaifa. (Del ár. *ragā'if,* tortas, pl. de *ragīfa.*) f. Torta, hornazo. ‖ **2.** Piedra circular y con una canal en su contorno, por donde, en los molinos de aceite, corre el líquido que sale de los capachos llenos de aceituna molida y sometidos a presión.

regajal. m. Lugar de regajos.

regajo. (De *regar.*) m. Charco que se forma de un arroyuelo. ‖ **3.** Mismo arroyuelo.

regala. (En cat. *regala;* véase *galón*[1]*,* listón de madera.) f. *Mar.* Tablón que cubre todas las cabezas de las ligazones en su extremo superior, y forma el borde de las embarcaciones.

regalada. f. Caballeriza real donde estaban los caballos de regalo. ‖ **2.** Conjunto de caballos que la componían.

regaladamente. adv. m. Con regalo y delicadeza.

regalado, da. p. p. de **regalar.** ‖ **2.** adj. Suave o delicado. ‖ **3.** Placentero, deleitoso. ‖ **4.** Extremadamente barato.

regalador, ra. adj. Que regala o es amigo de regalar. Ú. t. c. s. ‖ **2.** m. Palo de unos cuatro decímetros de largo y grueso como la muñeca, cubierto con una soguilla de esparto arrollada a él, que usan los boteros para alisar y acabar de limpiar las corambres por la parte de afuera.

regalamiento. m. Acción de regalar[1] o regalarse.

regalar[1]. (En it. *regalare;* en fr. *régaler*.) tr. Dar a uno, sin recibir nada a cambio, una cosa en muestra de afecto o consideración o por otro motivo. ‖ **2.** Halagar, acariciar o hacer expresiones de afecto y benevolencia. ‖ **3.** Recrear o deleitar. Ú. t. c. prnl. ‖ **4.** prnl. Tratarse bien, procurando tener las comodidades posibles.

regalar[2]. (Del lat. *regelāre,* deshelar.) tr. Liquidar con el calor una cosa sólida, congelada o pastosa; derretir. Ú. t. c. prnl.

regalaría. f. p. us. Regalo, obsequio.

regalero. m. Empleado que en los sitios reales tenía el cuidado de llevar las frutas o flores al rey y demás personas a quienes acostumbraba darlas.

regalía. (Del lat. *regālis,* regio.) f. Preeminencia, prerrogativa o excepción particular y privativa que en virtud de suprema potestad ejerce un soberano en su reino o Estado; como el batir moneda, etc. ‖ **2.** Privilegio que la Santa Sede concede a los reyes o soberanos en algún punto relativo a la disciplina de la Iglesia. Ú. m. en pl. *Las* RE-GALÍAS *de la corona.* ‖ **3.** V. **derecho, tabaco de regalía.** ‖ **4.** fig. Privilegio o excepción privativa o particular que uno tiene en cualquier línea. ‖ **5.** fig. Gajes o provechos que además de su sueldo perciben los empleados de algunas oficinas. ‖ **6.** *Amér. Central, Ant.* y *Col.* regalo, obsequio. ‖ **7.** *Econ.* Participación en los ingresos o cantidad fija que se paga al propietario de un derecho a cambio del permiso para ejercerlo. ‖ **de aposento.** Especie de tributo que pagaban los dueños de casas en la corte por la exención del alojamiento que antes daban a la servidumbre de la casa real y a las tropas.

regalicia. f. regaliz.

regalillo. m. d. de regalo. ‖ **2.** Manguito de las señoras para llevar abrigadas las manos.

regalismo. m. Escuela o sistema de los regalistas.

regalista. adj. Dícese del defensor de las regalías de la corona en las relaciones del Estado con la Iglesia. Apl. a pers., ú. t. c. s.

regaliz. (Del lat. *liquiritia,* y este de *glycyrrhīza;* gr. γλυκύρριζα, de γλυκύς, dulce, y ῥίζα, raíz.) m. Orozuz, planta. ‖ **2.** Rizomas de esta planta. ‖ **3.** Trozo seco de rizoma de esta planta. ‖ **4.** Pasta hecha con el jugo del rizoma de esta planta, que se toma como golosina en pastillas o barritas.

regaliza. f. regaliz.

regalo. (De regalar[1].) m. Dádiva que se hace voluntariamente o por costumbre. ‖ **2.** Gusto o complacencia que se recibe. ‖ **3.** Comida o bebida delicada y exquisita. ‖ **4.** Conveniencia, comodidad o descanso que se procura en orden a la persona. ‖ **5.** V. **caballo de regalo.**

regalón, na. (De regalar[1].) adj. fam. Que se cría o se trata con mucho regalo.

regante. p. a. de **regar.** Que riega. ‖ **2.** m. El que tiene derecho de regar con agua comprada o repartida para ello. ‖ **3.** Empleado u obrero encargado del riego de los campos.

regañada. (De *regaño,* reprensión.) f. *And.* Torta de pan muy delgada y recocida.

regañadientes (a). loc. adv. Con disgusto o repugnancia de hacer una cosa.

regañado, da. p. p. de **regañar.** ‖ **2.** adj. V. **boca, ciruela regañada.** ‖ **3.** V. **ojo, pan regañado.**

regañamiento. m. Acción y efecto de regañar.

regañar. (En port. *regañir*.) intr. Formar el perro cierto sonido en demostración de saña, sin ladrar y mostrando los dientes. ‖ **2.** Abrirse el hollejo o corteza de algunas frutas cuando maduran; como la castaña, la ciruela, etc. ‖ **3.** Dar muestras de enfado con palabras y gestos. ‖ **4.** fam. Contender o disputar altercando de palabra o de obra, reñir con otro. ‖ **5.** tr. fam. Reprender, reconvenir.

regañera. f. regañina.

regañina. f. Reprimenda, regaño, rapapolvo.

regañir. intr. Gañir reiteradamente.

regaño. m. Gesto o descomposición del rostro acompañado, por lo común, de palabras ásperas, con que se muestra enfado o disgusto. ‖ **2.** fig. Parte del pan que está tostada del horno y sin corteza, por la abertura que ha hecho al cocerse. ‖ **3.** fam. regañina.

regañón, na. adj. fam. Dícese de la persona proclive a regañar sin motivo suficiente. Ú. t. c. s. ‖ **2.** fam. Dícese del viento noroeste. Ú. t. c. s.

regar. (Del lat. *rigāre*.) tr. Esparcir agua sobre una superficie; como la de la tierra, para beneficiarla, o la de una calle, sala, etc., para limpiarla o refrescarla. ‖ **2.** Atravesar un río o canal, una comarca o territorio. ‖ **3.** Humedecer las abejas los vasos en que está el pollo[1]. ‖ **4.** fig. Esparcir, desparramar alguna cosa.

regata[1]. (De *regar*.) f. Reguera pequeña o surco por donde se conduce el agua a las eras en las huertas y jardines.

regata[2]. (Como el it. *regatta*.) f. *Mar.* Competición deportiva en la que un grupo de embarcaciones de la misma clase, a vela, motor o remo, deben recorrer un itinerario preestablecido en el menor tiempo posible.

regate. (De *recatar*[1].) m. Movimiento pronto y rápido que se hace hurtando el cuerpo a una parte u otra. ‖ **2.** En el fútbol y otros deportes, finta que hace el jugador para no dejarse arrebatar el balón. ‖ **3.** fig. y fam. Escape o evasión hábilmente buscados en una dificultad.

regatear[1]. (De *recatear*.) tr. Debatir el comprador y el vendedor el precio de una cosa puesta en venta. ‖ **2.** Revender, vender al por menor los comestibles que se han comprado al por mayor. ‖ **3.** fig. y fam. Escamotear o rehusar la ejecución de una cosa. *No* ME REGATEÓ *esfuerzos para acabar el trabajo a tiempo.* ‖ **4.** intr. Hacer regates.

regatear[2]. (De *regata*[2].) intr. *Mar.* Disputar regatas las embarcaciones.

regateo. m. Discusión del comprador y del vendedor sobre el precio de una cosa. ‖ **2.** Reventa o venta al por menor de comestibles que se han comprado al por mayor. ‖ **3.** fig. Reparos o excusas que se ponen para la ejecución de una cosa.

regatería. f. Venta al por menor de los géneros que se han comprado al por mayor.

regatero, ra. (Del lat. **recaptāre,* recoger.) adj. regatón[2]. Ú. t. c. s.

regato. (De *regar*.) m. arroyuelo. ‖ **2.** Remanso poco profundo. ‖ **3.** acequia, cauce para regar.

regatón[1]. m. Casquillo, cuento o virola que se pone en el extremo inferior de las lanzas, bastones, etc., para mayor firmeza. ‖ **2.** Hierro de figura de ancla o de gancho y punta, que tienen los bicheros en uno de sus extremos.

regatón[2]**, na.** (Del lat. **recaptāre,* recoger.) adj. Que vende al por menor los comestibles comprados al por mayor. Ú. t. c. s. ‖ **2.** Que regatea mucho. Ú. t. c. s.

regatonear. (De *regatón*[2].) tr. Comprar al por mayor para revender al por menor.

regatonería. (De *regatón*[2].) f. regatería. ‖ **2.** Oficio y ocupación del regatón[2].

regatonía. f. ant. regatería.

regazar. (Del lat. **recaptāre,* recoger.) tr. Recoger las faldas hacia el regazo, arregazar.

regazo. m. Enfaldo de la saya, que hace seno desde la cintura hasta la rodilla. ‖ **2.** Parte del cuerpo donde se forma ese enfaldo. ‖ **3.** fig. Cosa que recibe en sí a otra, dándole amparo, gozo o consuelo.

regencia. (Del b. lat. *regentia,* y este del lat. *regens, -entis,* regente.) f. Acción de regir o gobernar. ‖ **2.** Cargo de regente. ‖ **3.** Gobierno de un Estado durante la menor edad, ausencia o incapacidad de su legítimo príncipe. ‖ **4.** Tiempo que dura tal gobierno. ‖ **5.** Nombre que se da a ciertos Estados musulmanes que fueron vasallos de Turquía. REGENCIA de *Túnez, de Trípoli.*

regeneración. (Del lat. *regeneratĭo, -ōnis.*) f. Acción y efecto de regenerar o regenerarse. ‖ **2.** *Biol.* Mecanismo de recuperación de los organismos vivos, por reconstrucción de las partes perdidas o dañadas.

regeneracionismo. m. Movimiento ideológico que tuvo lugar en España a fines del siglo XIX, motivado principalmente por la pérdida de las colonias, en 1898. Defendía la urgente renovación de la vida política española para solucionar los problemas del país.

regenerador, ra. adj. Que regenera. Ú. t. c. s.

regenerar. (Del lat. *regenerāre.*) tr. Dar nuevo ser a una cosa que degeneró, restablecerla o mejorarla. Ú. t. c. prnl. ‖ **2.** Hacer que una persona abandone una conducta o unos hábitos reprobables para llevar una vida moral y físicamente ordenada. Ú. t. c. prnl. ‖ **3.** *Tecnol.* Someter las materias desechadas a determinados tratamientos para su reutilización.

regenerativo, va. adj. Que regenera.

regenta. f. Mujer del regente. ‖ **2.** Profesora en algunos establecimientos de educación.

regentar. tr. Desempeñar temporalmente ciertos cargos o empleos. ‖ **2.** Ejercer un cargo ostentando superioridad. ‖ **3.** Ejercer un empleo o cargo de honor.

regente. (Del lat. *regens, -entis.*) p. a. de **regir.** Que rige o gobierna. ‖ **2.** com. Persona que gobierna un Estado en la menor edad de un príncipe o por otro motivo. ‖ **3.** m. Magistrado que presidía una audiencia territorial. ‖ **4.** En las órdenes religiosas, el que gobierna y rige los estudios. ‖ **5.** En algunas antiguas escuelas y universidades, catedrático trienal. ‖ **6.** Sujeto que estaba habilitado, mediante examen, para regentar ciertas cátedras. ‖ **7.** En las imprentas, boticas, etc., el que sin ser el dueño dirige inmediatamente las operaciones.

regentear. tr. Regentar un cargo ostentando superioridad.

regiamente. adv. m. Con grandeza real. ‖ **2.** fig. Con ostentación, lujo o suntuosidad.

regicida. (Del lat. *rex, regis,* rey, y *-cida.*) adj. Dícese de la persona que mata a un rey o reina o del que atenta contra la vida del soberano, aunque no consume el hecho. Ú. t. c. s.

regicidio. m. Muerte violenta dada al monarca o a su consorte, o al príncipe heredero o al regente.

regidor, ra. adj. Que rige o gobierna. ‖ **2.** m. y f. Concejal que no ejerce ningún otro cargo municipal. ‖ **3.** Persona que en el teatro cuida del orden y realización de los movimientos y efectos escénicos dispuestos por la dirección, mediante indicaciones a los actores, tramoyistas, encargados de la iluminación y del sonido, y servidores de escena en general. ‖ **4.** f. Mujer del **regidor.**

regiduría o **regiduría.** f. Oficio de regidor.

régimen. (Del lat. *regĭmen.*) m. Conjunto de normas que gobiernan o rigen una cosa o una actividad. ‖ **2.** Sistema político por el que se rige una nación. ‖ **3.** Modo regular o habitual de producirse una cosa. *El* RÉGIMEN *de lluvias no ha cambiado en los últimos años.* ‖ **4.** Conjunto de normas referentes al tipo, cantidad, etc., de los alimentos, que debe observar una persona, generalmente por motivos de salud. ‖ **5.** *Gram.* Dependencia que entre sí tienen las palabras en la oración. Determínase por el oficio de unos vocablos respecto de otros, estén relacionados o no por medio de las preposiciones; v. gr.: *respeto a mis padres; amo la virtud; saldré a pasear; quiero comer.* ‖ **6.** *Gram.* Preposición que pide cada verbo, o caso que pide cada preposición; por ejemplo: el **régimen** del verbo *aspirar* es la preposición *a,* y el de esta preposición, el caso de dativo, el de acusativo o el de ablativo. ‖ **7.** *Tecnol.* Estado de

una máquina o dispositivo cuando funciona de un modo regular y permanente. ‖ **económico.** Situación de la economía de una nación en relación con los intercambios con el exterior. ‖ **hidrográfico.** Variación experimentada por el caudal de una corriente fluvial en función de los cambios climáticos estacionales.

regimentar. tr. Reducir a regimientos varias compañías o partidas sueltas.

regimiento. (Del lat. *regimentum.*) m. Acción y efecto de regir o regirse. ‖ **2.** Cuerpo de regidores en el concejo o ayuntamiento de una población. ‖ **3.** Oficio o empleo de regidor. ‖ **4.** Libro en que se daban a los pilotos las reglas y preceptos de su facultad. ‖ **5.** ant. Modo de regirse uno en algunas acciones. ‖ **6.** fam. Multitud, conjunto numeroso de personas. ‖ **7.** *Mil.* Unidad homogénea de cualquier arma o cuerpo militar. Se compone de varios grupos o batallones, y su jefe es normalmente un coronel.

regio, gia. (Del lat. *regĭus.*) adj. real², perteneciente o relativo al rey o a la realeza. ‖ **2.** fig. Suntuoso, grande, magnífico. ‖ **3.** *Med.* V. **morbo regio.** ‖ **4.** *Quím.* V. **agua regia.**

regiomontano, na. adj. Natural de Monterrey, capital del Estado mejicano de Nuevo León. Ú. t. c. s. ‖ **2.** Perteneciente o relativo a dicha ciudad. ‖ **3.** Natural de Koenigsberg. ‖ **4.** Perteneciente o relativo a esta ciudad de la antigua Prusia Oriental.

región. (Del lat. *regĭo, -ōnis.*) f. Porción de territorio determinada por caracteres étnicos o circunstancias especiales de clima, producción, topografía, administración, gobierno, etc. ‖ **2.** Cada una de las grandes divisiones territoriales de una nación, definida por características geográficas e histórico-sociales, y que puede dividirse a su vez en provincias, departamentos, etc. ‖ **3.** Espacio que, según la filosofía antigua, ocupaba cada uno de los cuatro elementos. ‖ **4.** fig. Todo espacio que se imagina ser de mucha capacidad. ‖ **5.** *Zool.* Cada una de las partes en que se considera dividido al exterior el cuerpo de los animales, con el fin de determinar el sitio, extensión y relaciones de los diferentes órganos. REGIÓN *frontal, mamaria, epigástrica.* ‖ **aérea.** Cada una de las partes en que se divide un territorio nacional, a efectos de mando de las fuerzas aéreas y de dirección de los aeropuertos en el mismo. ‖ **militar.** Cada una de las partes en que se divide un territorio nacional, a efectos de mando de las fuerzas terrestres en el mismo.

regional. (Del lat. *regionālis.*) adj. Perteneciente o relativo a una región.

regionalismo. m. Tendencia o doctrina política según las cuales en el gobierno de un Estado debe atenderse especialmente al modo de ser y a las aspiraciones de cada región. ‖ **2.** Amor o apego a determinada región de un Estado y a las cosas pertenecientes a ella. ‖ **3.** Vocablo o giro privativo de una región determinada.

regionalista. adj. Partidario del regionalismo. Ú. t. c. s. ‖ **2.** Perteneciente al regionalismo o a los **regionalistas.**

regionario, ria. adj. Dícese del oficial eclesiástico que, especialmente en Roma, tenía a su cargo la administración de algunos negocios en determinado distrito. Ú. t. c. s. ‖ **2.** V. **obispo regionario.**

regir. (Del lat. *regĕre.*) tr. Dirigir, gobernar o mandar. ‖ **2.** Guiar, llevar o conducir una cosa. ‖ **3.** *Gram.* Tener una palabra bajo su dependencia otra palabra de la oración. ‖ **4.** *Gram.* Pedir una palabra tal o cual preposición, caso de la declinación o modo verbal. ‖ **5.** *Gram.* Pedir o representar una preposición este o el otro caso. ‖ **6.** intr. Estar vigente. ‖ **7.** Funcionar bien un artefacto u organismo; se usa igualmente hablando de las facultades mentales. ‖ **8.** Traer bien gobernado el vientre, descargarlo. Ú. t. c. prnl. ‖ **9.** *Mar.* Obedecer la nave al timón, volviendo la proa en dirección contraria a la que tiene la pala de este.

registrado, da. p. p. de **registrar.** ‖ **2.** V. **marca registrada.**

registrador, ra. adj. Que registra. ‖ **2.** V. **barómetro registrador.** ‖ **3.** V. **caja registradora.** ‖ **4.** Dícese del aparato que deja anotadas automáticamente las indicaciones variables de su función propia; por ejemplo, presión, temperatura, peso, velocidad, etc. ‖ **5.** m. y f. Persona que tiene a su cargo algún registro público. Se usa más comúnmente hablando del de la propiedad. ‖ **6.** Persona que tenía a su cargo, con autoridad pública, el notar y poner en el registro todos los privilegios, cédulas, cartas o despachos librados por el rey, consejos y demás tribunales del reino, como también los dados por los jueces o ministros. ‖ **7.** Persona que está a la entrada o puerta de un lugar para reconocer los géneros y mercaderías que entran o salen.

registrar. (De *registro.*) tr. Mirar, examinar una cosa con cuidado y diligencia. ‖ **2.** Examinar algo o a alguien, minuciosamente, para encontrar algo que puede estar oculto. ‖ **3.** Manifestar o declarar mercaderías, géneros o bienes para que sean examinados o anotados. ‖ **4.** Transcribir o extractar en los libros de un registro público las resoluciones de la autoridad o los actos jurídicos de los particulares. ‖ **5.** Poner una señal o registro entre las hojas de un libro, para algún fin. ‖ **6.** Anotar, señalar. ‖ **7.** Inscribir en una oficina determinada documentos públicos, instancias, etc. ‖ **8.** Inscribir con fines jurídicos o comerciales la firma de determinadas personas, o una marca comercial. ‖ **9.** Contabilizar, enumerar los casos reiterados de alguna cosa o suceso. REGISTRARON *cuidadosamente todas sus entradas y salidas.* ‖ **10.** Inscribir mecánicamente un disco, cilindro, cinta, etc., las diferentes fases de un fenómeno. ‖ **11. grabar** la imagen o sonido. ‖ **12.** Marcar un aparato automáticamente ciertos datos propios de su función, como cantidades o magnitudes. *El termómetro* REGISTRÓ *una mínima de dos grados.* ‖ **13.** fig. Tener un edificio vistas sobre un predio vecino. ‖ **14.** prnl. Presentarse en algún lugar, oficina, etc., matricularse. ‖ **15.** Producirse, suceder ciertas cosas que pueden medirse o cuantificarse. **¡a mí que me registren!** fr. fig. y fam. con la que uno se declara inocente o libre de una determinada responsabilidad.

registro. (Del lat. *regestum,* sing. de *regesta, -orum.*) m. Acción y efecto de registrar. ‖ **2.** Lugar desde donde se puede registrar o ver algo. ‖ **3.** Pieza que en el reloj u otra máquina sirve para disponer o modificar su movimiento. ‖ **4.** Abertura con su tapa o cubierta, para examinar, conservar o reparar lo que está subterráneo o empotrado en un muro, pavimento, etc. ‖ **5.** Padrón y matrícula. ‖ **6.** Protocolo del notario o registrador. ‖ **7.** Lugar y oficina en donde se registra. ‖ **8.** Departamento especial en las diversas dependencias de la administración pública donde se entrega, anota y registra la documentación referente a dicha dependencia. ‖ **9.** Asiento que queda de lo que se registra. ‖ **10.** Cédula o albalá en que consta haberse registrado una cosa. ‖ **11.** Libro, a manera de índice, donde se apuntan noticias o datos. ‖ **12.** Cordón, cinta u otra señal que se pone entre las hojas de los misales, breviarios y otros libros, para manejarlos mejor y consultarlos con facilidad en los lugares convenientes. ‖ **13.** Trampilla con puerta para deshollinar la chimenea. ‖ **14.** Pieza movible del órgano, próxima a los teclados, por medio de la cual se modifica el timbre o la intensidad de los sonidos. ‖ **15.** Cada género de voces del órgano, como son: flautado mayor, menor, clarines, etc. ‖ **16.** Cada una de las tres grandes partes en que puede dividirse la escala musical. *La escala musical consta de tres* REGISTROS: *grave, medio y agudo.* ‖ **17.** Parte de la escala musical que se corresponde con la

voz humana. ‖ **18.** En el clave, piano, etc., mecanismo que sirve para esforzar o apagar los sonidos. ‖ **19.** En el comercio de Indias, buque suelto que llevaba mercaderías registradas en el puerto de donde salía, para el adeudo de sus derechos. ‖ **20.** *Germ.* Lugar donde se guisan y se dan de comer viandas ordinarias, bodegón. ‖ **21.** *Impr.* Correspondencia igual de las planas de un pliego impreso con las del dorso. ‖ **22.** *Mar.* V. **toma de los registros.** ‖ **23.** *Quím.* Agujero del hornillo, que en las operaciones químicas sirve para dar fuego e introducir el aire. ‖ **civil. registro** en que se hacen constar por autoridades competentes los nacimientos, matrimonios, defunciones y demás hechos relativos al estado civil de las personas. ‖ **de actos de última voluntad.** El que existe en el Ministerio de Justicia para hacer constar los otorgamientos *mortis causa.* ‖ **de aprovechamientos de aguas.** El que se lleva en la Dirección General de Obras Públicas para inscribir los títulos y derechos de los usuarios de aguas derivadas de corrientes públicas. ‖ **de la propiedad. registro** en que se inscriben por el registrador todos los bienes raíces de un partido judicial, con expresión de sus dueños, y se hacen constar los cambios y limitaciones de derecho que experimentan dichos bienes. ‖ **de la propiedad industrial.** El que sirve para registrar patentes de invención o de introducción, marcas de fábrica, nombres comerciales y recompensas industriales, y para obtener el amparo legal de los derechos concernientes a todo ello. ‖ **de la propiedad intelectual.** El que tiene por objeto inscribir y amparar los derechos de autores, traductores o editores de obras científicas, literarias o artísticas. ‖ **de pliegos.** Nota que se ponía al final del libro indicando las signaturas que para el encuadernador se marcan al principio de cada pliego. ‖ **mercantil.** El que, con carácter público, sirve para la inscripción de actos y contratos del comercio, preceptuada legalmente en determinados casos. ‖ **echar uno todos los registros.** fr. fig. Hacer todo lo que puede y sabe en una materia o asunto. ‖ **salir uno por** tal o cual **registro.** fr. fig. Cambiar inesperadamente de modos o de razones en una controversia, o de conducta en la prosecución de un negocio. ‖ **tocar uno muchos,** o **todos los, registros.** fr. fig. y fam. Emplear muchos o todos los medios posibles para conseguir un fin.

regitivo, va. adj. p. us. Que rige o gobierna.

regla. (Del lat. *regula.*) f. Instrumento de madera, metal u otra materia rígida, por lo común de poco grueso y de figura rectangular, que sirve principalmente para trazar líneas rectas, o para medir la distancia entre dos puntos. ‖ **2.** Aquello que ha de cumplirse por estar así convenido por una colectividad. ‖ **3.** Conjunto de preceptos fundamentales que debe observar una orden religiosa. ‖ **4.** Estatuto, constitución o modo de ejecutar una cosa. ‖ **5.** Precepto, principio o máxima en las ciencias o artes. ‖ **6.** Razón que debe servir de medida y a que se han de ajustar las acciones para que resulten rectas. ‖ **7.** Moderación, templanza, medida, tasa. ‖ **8.** Pauta de la escritura. ‖ **9.** Orden y concierto invariable que guardan las cosas naturales. ‖ **10.** Menstruación de la mujer. ‖ **11.** *Arq.* V. **arco a regla.** ‖ **12.** *Mat.* Método de hacer una operación. ‖ **13.** *Ling.* Formulación teórica generalizada de un procedimiento lingüístico. REGLA *de formación del plural.* ‖ **14.** *Lóg.* Conjunto de operaciones que deben llevarse a cabo para realizar una inferencia o deducción correcta. ‖ **de aligación.** *Arit.* La que enseña a calcular el promedio de varios números, atendiendo a la proporción en que cada uno entra a formar un todo. Aplícase principalmente para averiguar el precio que corresponde a una mezcla de varias especies cuyos precios respectivos se conocen. ‖ **de compañía.** *Arit.* La que enseña a dividir una cantidad en partes proporcionales a otras cantidades conocidas. Aplícase principalmente a la distribución de ganancias o pérdidas entre los socios de una compañía comercial con arreglo a los capitales aportados por cada uno. ‖ **de falsa posición.** *Arit.* La que enseña a resolver un problema por tanteos. ‖ **de oro, de proporción, o de tres.** *Arit.* La que enseña a determinar una cantidad desconocida, por medio de una proporción de la cual se conocen dos términos entre sí homogéneos, y otro tercero de la misma especie que el cuarto que se busca. ‖ **de tres compuesta.** *Arit.* Aquella en que los dos términos conocidos y entre sí homogéneos, resultan de la combinación de varios elementos. ‖ **lesbia. regla** flexible de madera o materia adecuada, que sirve para medir superficies cóncavas o convexas; cercha. ‖ **magnética.** Instrumento, por lo común de latón u otra materia firme que no sea hierro, con dos pínulas, a que se ajusta una cajita con su brújula dentro y el círculo dividido en 360 grados. Sirve para varias operaciones de geometría práctica, y principalmente para orientar los planos levantados con la plancheta. ‖ **a regla.** loc. adv. Hablando de obras artificiales, justificado o comprobado con la **regla.** ‖ 2. fig. Con arreglo, con sujeción a la razón. ‖ **echar la regla.** fr. Examinar con ella si están rectas las líneas. ‖ **en regla.** loc. adv. fig. **como es debido.** ‖ **las cuatro reglas.** loc. Las cuatro operaciones de sumar, restar, multiplicar y dividir. ‖ **no hay regla sin excepción.** fr. proverb. para dar a entender que no hay dicho o principio tan generalmente cierto, que no falle o deje de verificarse en algunos casos particulares. ‖ **por regla general.** loc. adv. Casi siempre, normalmente. ‖ *Por* REGLA GENERAL, *venimos a esta hora.* ‖ **¿por qué regla de tres?** expr. enfática para indagar o negar la razón o causa de alguna cosa. ‖ **salir de regla.** fr. fig. Excederse, propasarse, traspasar los límites de lo regular o justo.

regladamente. adv. m. Con medida, con regla.

reglado, da. p. p. de **reglar.** ‖ 2. adj. Templado, o parco en comer o beber. ‖ 3. Sujeto a precepto, ordenación o regla. Dícese comúnmente del ejercicio de autoridad pública cuando las disposiciones vigentes no lo han dejado al discrecional arbitrio de esta. ‖ 4. *Geom.* V. **superficie reglada.**

reglaje. m. Operación de reglar el papel. ‖ 2. Conjunto de trazos o cuadrículas impresos en un papel. ‖ 3. *Mec.* Reajuste que se hace de las piezas de un mecanismo para mantenerlo en perfecto funcionamiento.

reglamentación. f. Acción y efecto de reglamentar. ‖ 2. Conjunto de reglas.

reglamentar. tr. Sujetar a reglamento un instituto o una materia determinada.

reglamentariamente. adv. m. Por virtud de los reglamentos o de conformidad con ellos.

reglamentario, ria. adj. Perteneciente o relativo al reglamento o preceptuado y exigido por alguna disposición obligatoria.

reglamentista. adj. Dícese de la persona celosa de cumplir y hacer cumplir con rigor los reglamentos.

reglamento. m. Colección ordenada de reglas o preceptos, que por autoridad competente se da para la ejecución de una ley o para el régimen de una corporación, una dependencia o un servicio.

reglar[1]. (Del lat. *regulāris.*) adj. Perteneciente o relativo a una regla o instituto religioso. ‖ 2. V. **canónigo, puerta reglar.**

reglar[2]. (Del lat. *regulāre.*) tr. Tirar o hacer líneas o rayas derechas, valiéndose de una regla o por cualquier otro medio. ‖ 2. Sujetar a reglas una cosa. ‖ 3. Medir o componer las acciones conforme a regla. ‖ 4. prnl. Medirse, templarse, reducirse o reformarse.

regleta. f. Soporte aislante sobre el cual se disponen uno o más componentes de un circuito eléctrico. ‖ 2. *Impr.* Planchuela de metal, que sirve para regletear.

regletear. tr. *Impr.* Espaciar la composición poniendo regletas entre los renglones.

reglón. m. aum. de **regla.** ‖ 2. Regla grande que usan los albañiles y soladores para dejar planos los suelos y las paredes.

regnícola. (Del lat. *regnícola;* de *regnum,* reino, y *colēre,* habitar.) adj. Natural de un reino. Ú. t. c. s. ‖ 2. m. Escritor de las cosas especiales de su patria, como leyes, usos, etc.

regocijadamente. adv. m. Alegremente, con regocijo.

regocijado, da. p. p. de **regocijar.** ‖ 2. adj. Que causa o incluye regocijo o alegría.

regocijador, ra. adj. Que regocija. Ú. t. c. s.

regocijar. tr. Alegrar, festejar, causar gusto o placer. Ú. t. c. prnl.

regocijo. (De re- y *gozo.*) m. Alegría expansiva, júbilo. ‖ 2. Acto con que se manifiesta la alegría.

regodearse. (De re- y el lat. *gaudēre,* alegrarse, estar contento.) prnl. fam. Deleitarse o complacerse en lo que gusta o se goza, deteniéndose en ello. ‖ 2. fam. Hablar o estar de chacota. ‖ 3. fam. Complacerse maliciosamente con un percance, apuro, etc., que le ocurre a otro.

regodeo. m. Acción y efecto de regodearse. ‖ 2. fam. Diversión, fiesta.

regojo. (De *rebojo.*) m. Pedazo o porción de pan que queda de sobra en la mesa después de haber comido. ‖ 2. fig. Muchacho pequeño de cuerpo.

regolaje. m. Buen humor, buen temple en las personas.

regoldano, na. adj. Perteneciente o relativo al regoldo. ‖ 2. V. **castaña regoldana.** ‖ 3. V. **castaño regoldano.**

regoldar. (Del lat. **regurgitāre.*) intr. Eructar los gases del estómago.

regoldo. (De re- y el lat. *burdus,* bastardo.) m. Castaño borde o silvestre.

regolfar. (De *golfo,* por la quietud del agua.) intr. Retroceder el agua contra su corriente, haciendo un remanso. Ú. t. c. prnl. ‖ 2. Cambiar la dirección del viento por la oposición de alguna pared o de otro obstáculo. Ú. t. c. prnl.

regolfo. m. Vuelta o retroceso del agua o del viento contra su curso. ‖ 2. Seno o cala en el mar, comprendida entre dos cabos o puntas de tierra.

regomello. m. *Murc.* **regomeyo.**

regomeyo. m. *And.* y *Murc.* Malestar físico que no llega a ser verdadero dolor. ‖ 2. *And.* y *Murc.* Disgusto que no se revela al exterior; reconcomio.

regona. f. Reguera grande.

regordete, ta. adj. fam. Dícese de la persona o de la parte de su cuerpo, pequeña y gruesa.

regordido, da. adj. p. us. Gordo, grueso, abultado.

regorgilla. f. *Venez.* Especie de chanfaina.

regorjarse. (De re- y *gorja.*) prnl. ant. Gozarse, deleitarse, regodearse.

regostarse. (Del lat. *regustāre.*) prnl. Aficionarse a una cosa, tomarle gusto, enviciarse en ella, arregostarse.

regosto. m. Apetito o deseo de repetir lo que con delectación se empezó a gustar o gozar, regusto.

regraciar. tr. Mostrar uno su agradecimiento de palabra, o con otra expresión.

regradecer. tr. ant. Sentir o mostrar gratitud, agradecer.

regradecimiento. (De *regradecer.*) m. ant. Acción y efecto de regradecer.

regresar. (De *regreso.*) intr. Volver al lugar de donde se partió. Ú. en América c. prnl. ‖ 2. *Der.* Volver a entrar, con sujeción a las leyes canónicas, en posesión del beneficio que se había cedido o permutado. ‖ 3. tr. *Amér.* Devolver o restituir algo a su poseedor. REGRESAR *un libro.*

regresión. (Del lat. *regressĭo, -ōnis.*) f. Retrocesión o acción de volver hacia atrás. ‖ 2. *Gram.* **derivación regresiva.** ‖ 3. *Psicol.* Retroceso a estados psicológicos o formas de conducta propios de etapas anteriores, a causa de tensiones o conflictos no resueltos.

regresivo, va. (De *regreso*.) adj. Dícese de lo que hace volver hacia atrás. *Movimiento, impulso* REGRESIVO; *marcha* REGRESIVA. ‖ **2.** V. **derivación regresiva.**

regreso. (Del lat. *regressus*.) m. Acción de regresar.

regruñir. intr. Gruñir mucho.

reguarda. f. ant. Último cuerpo de tropa, retaguardia. ‖ **2.** ant. Mirada cuidadosa.

reguardadamente. adv. m. ant. Con cautela y precaución.

reguardar. tr. ant. Mirar con cuidado o vigilancia. ‖ **2.** prnl. p. us. Guardarse, precaverse con todo cuidado y esmero.

reguardo. m. ant. Mirada cuidadosa. ‖ **2.** ant. Miramiento o respeto.

regüeldo. m. Acción y efecto de regoldar. ‖ **2.** fig. Cardencha imperfecta que sale en el tallo de la principal.

reguera. (De *reguero*.) f. Canal que se hace en la tierra a fin de conducir el agua para el riego.

reguero. (De *regar*.) m. Corriente, a modo de chorro o de arroyo pequeño, que se hace de una cosa líquida. ‖ **2.** Línea o señal continuada que queda de una cosa que se va vertiendo. ‖ **3. reguera.** ‖ **ser** una cosa **un reguero de pólvora.** fr. fig. Propagarse rápidamente alguna cosa.

reguilar. (De *rehilar*.) intr. Moverse una persona o cosa como temblando, rehilar, rilar.

reguilete. m. Flechilla, banderilla, volante, rehilete.

regulable. adj. Que puede ser regulado.

regulación. f. Acción y efecto de regular.

regulado, da. p. p. de **regular.** ‖ **2.** adj. Regular[1] o conforme a regla.

regulador, ra. adj. Que regula. ‖ **2.** m. Mecanismo que sirve para ordenar o normalizar el movimiento o los efectos de una máquina o de alguno de los órganos o piezas de ella. ‖ **3.** *Mús.* Signo en figura de ángulo agudo que, colocado horizontalmente, sirve para indicar, según la dirección de su abertura, que la intensidad del sonido se ha de aumentar o disminuir gradualmente.

regular[1]. (Del lat. *regulāris*.) adj. Ajustado y conforme a regla. ‖ **2.** Uniforme, sin cambios grandes o bruscos. ‖ **3.** Ajustado, medido, arreglado en las acciones y modo de vivir. ‖ **4.** De tamaño o condición media o inferior a ella. ‖ **5.** Aplícase a las personas que viven bajo una regla o instituto religioso, y a lo que pertenece a su estado. Ú. t. c. s. ‖ **6.** V. **clero, tren regular.** ‖ **7.** V. **regular observancia.** ‖ **8.** En cristalografía, **cúbico.** ‖ **9.** *Com.* V. **compañía, sociedad regular colectiva.** ‖ **10.** *Der.* V. **mayorazgo regular.** ‖ **11.** *Geom.* Dícese del polígono cuyos lados y ángulos son iguales entre sí, y del poliedro cuyas caras y ángulos sólidos son también iguales. ‖ **12.** *Geom.* V. **hexaedro, icosaedro, pirámide, tetraedro regular.** ‖ **13.** *Gram.* Aplícase a la palabra derivada, o formada de otro vocablo, según la regla de formación seguida generalmente por las de su clase. *Participio* REGULAR. ‖ **14.** *Gram.* V. **sintaxis, verbo regular.** ‖ **15.** *Mil.* V. **paso regular.** ‖ **16.** pl. Originariamente, soldados marroquíes encuadrados en cuerpos militares del antiguo protectorado de Marruecos; posteriormente, unidades de infantería situadas en Ceuta y Melilla. ‖ **17.** adv. m. Medianamente, no demasiado bien. *En las pruebas me fue* REGULAR. ‖ **por lo regular.** loc. adv. Común o regularmente.

regular[2]. (Del lat. *regulāre*.) tr. Medir, ajustar o computar una cosa por comparación o deducción. ‖ **2.** Ajustar, reglar o poner en orden una cosa. REGULAR *el tráfico.* ‖ **3.** Ajustar el funcionamiento de un sistema a determinados fines. ‖ **4.** Determinar las reglas o normas a que debe ajustarse una persona o cosa. ‖ **5.** *Econ.* **reajustar,** aumentar

o disminuir coyunturalmente. REGULAR *las tarifas, los gastos, la plantilla de empleados.*

regularidad. f. Calidad de regular[1]. ‖ **2.** Exacta observancia de la regla o instituto religioso.

regularización. f. Acción y efecto de regularizar.

regularizador, ra. adj. Que regulariza. Ú. t. c. s.

regularizar. (De *regular*[2].) tr. **regular**[2], ajustar o poner en orden una cosa. Ú. t. c. prnl.

regularmente. adv. m. Comúnmente, ordinariamente, naturalmente o conforme reglas. ‖ **2.** En condiciones medias o inferiores a la media.

regulativo, va. adj. Que regula, dirige o concierta. Ú. t. c. s.

régulo. (Del lat. *regŭlus*, d. de *rex, regis*, rey.) m. Dominante o señor de un Estado pequeño. ‖ **2.** Basilisco, animal fabuloso. ‖ **3. reyezuelo,** pájaro. ‖ **4.** *Quím.* Parte más pura de los minerales después de separadas sus impuras. ‖ **5.** n. p. m. *Astron.* Estrella de primera magnitud en el signo de Leo, que otros llaman el Corazón del León, por estar colocada hacia el medio de la constelación.

regurgitación. f. Acción y efecto de regurgitar.

regurgitar. (Del lat. *regurgitāre. de *gurgitāre*.) intr. *Fisiol.* Expeler por la boca, sin esfuerzo o sacudida de vómito, sustancias sólidas o líquidas contenidas en el esófago o en el estómago. ‖ **2.** Salir un líquido, humor, etc., del recipiente o del vaso, por la mucha abundancia.

regusto. m. Gusto o sabor que queda de la comida o bebida. ‖ **2.** Gusto o afición que queda a otras cosas físicas o morales. ‖ **3.** Sensación o evocación imprecisas, placenteras o dolorosas, que despiertan la vivencia de cosas pretéritas. ‖ **4.** Impresión de analogía, semejanza, etc., que evocan algunas cosas. *Este texto tiene un* REGUSTO *romántico.*

rehabilitación. f. Acción y efecto de rehabilitar o rehabilitarse. ‖ **2.** *Der.* Acción de reponer a una persona en la posesión de lo que le había sido desposeído. ‖ **3.** *Der.* Reintegración legal del crédito, honra y capacidad para el ejercicio de los cargos, derechos, dignidades, etc., de que alguien fue privado. ‖ **4.** *Terap.* Conjunto de métodos que tiene por finalidad la readquisición de una actividad o función perdida o disminuida por traumatismo o enfermedad.

rehabilitar. tr. Habilitar de nuevo o restituir una persona o cosa a su antiguo estado. Ú. t. c. prnl.

rehacer. (Del lat. *refacĕre*.) tr. Volver a hacer lo que se había deshecho, o hecho mal. ‖ **2.** Reformar, refundir. ‖ **3.** Reponer, reparar, restablecer lo disminuido o deteriorado. Ú. t. c. prnl. ‖ **4.** prnl. Reforzarse, fortalecerse o tomar nuevo brío. ‖ **5.** fig. Serenarse, dominar una emoción, mostrar tranquilidad.

rehacimiento. m. Acción y efecto de rehacer o rehacerse.

rehala. (Del ár. *raḥál*, lugar donde se hace un alto en el camino.) f. Rebaño de ganado lanar formado por el de diversos dueños y conducido por un solo mayoral. ‖ **2.** Jauría o agrupación de perros de caza mayor. Su número oscila entre catorce y veinticuatro. ‖ **a rehala.** loc. adv. Admitiendo ganado ajeno en el rebaño propio.

rehalero. m. Mayoral de la rehala.

rehalí. (Del ár. *raḥlī*, campesino.) adj. que se aplicaba a ciertos labradores de las tribus árabes de Marruecos.

rehartar. tr. Hartar mucho. Ú. t. c. prnl.

reharto, ta. (Del lat. *refertus*, relleno.) p. p. irreg. de **rehartar.**

rehecho, cha. (Del lat. *refectus*.) p. p. irreg. de **rehacer.** ‖ **2.** adj. De estatura mediana y grueso, fuerte y robusto.

rehelear. (De *re-* y *hiel*.) intr. Tener o dar una cosa sabor amargo como el de la hiel, ahelear.

reheleo. m. Efecto de rehelear.

rehén. (Del ár. *rahn*, prenda.) m. Persona retenida por alguien como garantía para obligar a un tercero a cumplir determinadas condiciones. Ú. m. en pl. ‖ **2.** Cualquier otra cosa, como plaza, castillo, etc., que se ponía por fianza o seguro. Ú. m. en pl.

rehenchido, da. p. p. de **rehenchir.** ‖ **2.** m. Lo que sirve para rehenchir.

rehenchimiento. m. Acción y efecto de rehenchir o rehenchirse.

rehenchir. tr. Volver a henchir una cosa reponiendo lo que se había menguado. Ú. t. c. prnl. ‖ **2.** Rellenar de cerda, pluma o lana o cosa semejante algún mueble o parte de él.

rehendija. f. **rendija.**

reherimiento. m. Acción y efecto de reherir.

reherir. (Del lat. *referire*, herir a su vez.) tr. Rebatir, rechazar.

reherrar. tr. Volver a herrar con la misma herradura, aunque con clavos nuevos.

rehervir. (Del lat. *refervēre*.) intr. Volver a hervir. Ú. t. c. tr. ‖ **2.** fig. Encenderse, enardecerse o cegarse a causa de una pasión. ‖ **3.** prnl. Hablando de las conservas, fermentarse, pasando del punto que deben tener, y agriándose.

rehiladillo. m. Cinta estrecha de hilo o seda.

rehilado, da. p. p. de **rehilar.** ‖ **2.** adj. **rehilante.**

rehilamiento. m. *Fon.* Vibración que se produce en el punto de articulación de algunas consonantes y que suma su sonoridad a la originada por la vibración de las cuerdas vocales. Hay **rehilamiento**, p. ej., en la pronunciación castellana de *s* y *z* en *mismo, esbelto, juzgar, Luzbel,* o en la rioplatense de *ayer, mayo.*

rehilandera. (De *rehilar*.) f. **molinete,** juguete que consta de una vara en cuya punta hay una estrella de papel que gira con el viento.

rehilante. adj. *Fon.* Dícese de las consonantes articuladas con rehilamiento.

rehilar. (Del lat. *refilāre*, de *filum*, hilo.) tr. Hilar demasiado o torcer mucho lo que se hila. ‖ **2.** intr. Moverse una persona o cosa como temblando. ‖ **3.** Producir ruido o zumbido ciertas armas arrojadizas, como la flecha, cuando van con mucha rapidez. ‖ **4.** *Fon.* Pronunciar con rehilamiento ciertas consonantes sonoras. Ú. t. c. tr.

rehilero. m. **rehilete.**

rehilete. (De *rehilar*, zumbar.) m. Flechilla con púa en un extremo y papel o plumas en el otro, que se lanza por diversión para clavarla en un blanco. ‖ **2.** Banderilla de toros. ‖ **3.** Juguete que consta de un zoquetillo de madera o corcho con plumas que se lanza al aire con raqueta. ‖ **4.** fig. Dicho malicioso, pulla.

rehílo. (De *rehilar*, temblar.) m. Temblor de una cosa que se mueve ligeramente.

rehinchimiento. m. ant. Acción y efecto de rehinchir.

rehinchir. tr. ant. **rehenchir.**

rehogar. (Del lat. *re,* iterat., y *focus,* fuego.) tr. Sofreír un alimento a fuego lento y sin agua, para que lo penetren la manteca o aceite y otras cosas con que se condimenta.

rehollar. tr. Volver a hollar o pisar, pisotear.

rehoya. f. **rehoyo.**

rehoyar. intr. Renovar el hoyo hecho antes para plantar árboles.

rehoyo. m. Barranco u hoyo profundo.

rehuida. f. Acción de rehuir.

rehuir. (Del lat. *refugĕre*.) tr. Retirar, apartar una cosa como con temor, sospecha o recelo de un riesgo. Ú. t. c. intr. y c. prnl. ‖ **2.** Repugnar o llevar mal una cosa. ‖ **3.** Rehusar o excusar el admitir algo. ‖ **4.** Evitar el trato o la compañía de alguien. ‖ **5.** intr. Entre cazadores, volver a huir o correr la presa por sus mismas huellas.

rehumedecer. tr. Humedecer bien. Ú. t. c. prnl.

rehundido, da. p. p. de **rehundir.** ‖ **2.** m. Fondo que queda en el neto del pedestal después de la faja o moldura, vaciado.

rehundir. (Del lat. *refundĕre*.) tr. Hundir o sumergir a lo más hondo. ‖ **2.** Hacer más honda una cavidad o agujero. ‖ **3.** Volver a fundir o liquidar los metales. ‖ **4.** Gastar sin provecho ni medida.

rehurtarse. prnl. *Mont.* Echar la caza mayor o menor, acosada por el hombre o por el perro, por diferente rumbo del que se desea.

rehús. (De *rehusar*.) m. Desecho, desperdicio.

rehusar. (Del lat. **refusāre*, de *refūsus*, rechazado.) tr. Excusar, no querer o no aceptar una cosa.

reíble. adj. ant. **risible,** que causa risa o es digno de risa.

reidero, ra. adj. fam. Que produce ocasión frecuente de risa y algazara.

reidor, ra. adj. Que ríe con frecuencia. Ú. t. c. s.

reiforme. adj. *Zool.* Dícese de aves americanas de gran tamaño semejantes al avestruz, como el ñandú. ‖ **2.** f. pl. *Zool.* Orden de estas aves.

reilar. (De *rehilar*.) intr. **rehilar,** moverse una cosa como temblando, rilar.

reimplantación. f. Acción y efecto de reimplantar. ‖ **2.** *Cir.* Intervención que tiene por objeto volver a colocar un órgano que había sido seccionado, en su lugar correspondiente.

reimplantar. tr. Volver a implantar.

reimplante. m. **reimplantación.**

reimportación. f. Acción y efecto de reimportar.

reimportar. tr. Importar en un país lo que se había exportado de él.

reimpresión. f. Acción y efecto de reimprimir. ‖ **2.** Conjunto de ejemplares reimpresos de una vez.

reimpreso, sa. p. p. irreg. de **reimprimir.**

reimprimir. tr. Volver a imprimir, o repetir la impresión de una obra o escrito.

reina. (Del lat. *regina*.) f. Esposa del rey. ‖ **2.** La que ejerce la potestad real por derecho propio. ‖ **3.** Pieza del juego de ajedrez, la más importante después del rey. Puede caminar como cualquiera de las demás piezas, exceptuando el caballo. ‖ **4.** V. **aceituna, copero mayor, chapín, silla, zapatilla de la reina.** ‖ **5.** abeja **reina.** ‖ **6.** fig. Mujer, animal o cosa del género femenino, que por su excelencia sobresale entre las demás de su clase o especie. ‖ **de los prados.** Hierba perenne de la familia de las rosáceas, con tallos de seis a ocho decímetros de altura, hojas alternas, divididas en segmentos aovados desiguales, blancos y tomentosos por el envés, y el terminal, mayor, dividido en tres lóbulos, y flores blancas o rosadas en umbela. Se cultiva como planta de adorno y su raíz es tónica y febrífuga. ‖ **luisa.** luisa. ‖ **mora. infernáculo.** ‖ **2.** *Argent.* Ave de la familia de los fringílidos, de plumaje azul brillante, de melodioso canto, fácilmente domesticable.

reinado. m. Espacio de tiempo en que gobierna un rey o reina. ‖ **2.** Por ext., aquel en que predomina o está en auge alguna cosa. ‖ **3.** Cierto juego de naipes usado antiguamente. ‖ **4.** ant. Soberanía y dignidad real.

reinador, ra. (Del lat. *regnator, -oris.*) m. y f. Persona que reina.

reinal. m. Cuerdecita muy fuerte de cáñamo compuesta de dos ramales retorcidos.

reinamiento. m. ant. **reinado,** tiempo durante el cual gobierna el rey o la reina.

reinar[1]. (Del lat. *regnāre.*) intr. Regir un rey o príncipe un Estado. ‖ **2.** Ejercer en una monarquía la jefatura del Estado. ‖ **3.** Dominar o tener predominio una persona o cosa sobre otra. ‖ **4.** fig. Prevalecer o persistir continuándose o extendiéndose una cosa. REINAR *una costumbre, una enfermedad, un viento.*

reinar². intr. fam. *And*. **rebinar**, reflexionar, volver a meditar sobre una cosa.

reinar³. (De *rehilar*.) tr. *Ar*. Bailar el peón o trompo.

reinazgo. m. ant. Espacio de tiempo en que predomina una cosa.

reincidencia. f. Reiteración de una misma culpa o defecto. ‖ **2**. *Der*. Circunstancia agravante de la responsabilidad criminal, que consiste en haber sido el reo condenado antes por el delito análogo al que se le imputa.

reincidir. intr. Volver a caer o incurrir en un error, falta o delito.

reincorporación. f. Acción y efecto de reincorporar o reincorporarse.

reincorporar. (Del lat. *reincorporāre*.) tr. Volver a incorporar, agregar o unir a un cuerpo político o moral lo que se había separado de él. Ú. t. c. prnl. ‖ **2**. Volver a incorporar a una persona a un servicio o empleo. Ú. t. c. prnl.

reinero, ra. adj. **regiomontano**.

reineta. (Del fr. *reinette*, y *rainette*, de *raine*, rana.) f. **manzana reineta**.

reingresar. intr. Volver a ingresar. Ú. t. c. tr.

reingreso. m. Acción y efecto de reingresar.

reino. (Del lat. *regnum*.) m. Territorio o Estado con sus habitantes sujetos a un rey. ‖ **2**. Cualquiera de las provincias de un Estado que antiguamente tuvieron su rey propio y privativo. REINO *de Aragón, de Sevilla*. ‖ **3**. Diputados o procuradores que con poderes del **reino** lo representaban o hablaban en su nombre. ‖ **4**. V. **brazo, diputado, estado, justicia mayor, llave, procurador, título del reino**. ‖ **5**. V. **diputación general, notario mayor de los Reinos**. ‖ **6**. fig. **campo**, ámbito real o imaginario propio de una actividad. ‖ **7**. *Hist. Nat*. Cada una de las grandes subdivisiones en que se consideran distribuidos los seres naturales por razón de sus caracteres comunes. REINO *animal*, REINO *mineral*, REINO *vegetal*. ‖ **Reino de Dios**. Nuevo estado social de justicia, paz y felicidad espiritual, anunciado por los profetas de Israel, predicado por Cristo en el Evangelio y cuya realización, incompleta y temporal en la iglesia militante, se consuma y perpetúa en la iglesia triunfante. ‖ **de los cielos**. **cielo**, mansión de los bienaventurados. ‖ **2**. **Reino de Dios**.

reinstalación. f. Acción y efecto de reinstalar.

reinstalar. tr. Volver a instalar. Ú. t. c. prnl.

reintegrable. adj. Que puede ser reintegrado.

reintegración. (Del lat. *redintegratĭo, -ōnis*.) f. Acción y efecto de reintegrar o reintegrarse. ‖ **de la línea**. *Der*. Tránsito que hacen los mayorazgos cuando vuelve la sucesión a aquella línea que por cualquier motivo quedó privada o excluida.

reintegrar. (Del lat. *redintegrāre*.) tr. Restituir o satisfacer íntegramente una cosa. ‖ **2**. Reconstituir la mermada integridad de una cosa. ‖ **3**. Poner la póliza o estampilla en los documentos en que legalmente es obligatorio. ‖ **4**. prnl. Recobrarse enteramente de lo que se había perdido, o dejado de poseer. ‖ **5**. Volver a ejercer una actividad, incorporarse de nuevo a una colectividad o situación social o económica. REINTEGRARSE *a sus funciones*, REINTEGRARSE *al partido*, REINTEGRARSE *a la civilización*.

reintegro. m. Acción y efecto de reintegrar. ‖ **2**. Pago de un dinero o especie que se debe. ‖ **3**. Póliza o timbre de un documento. ‖ **4**. En la lotería, premio igual a la cantidad jugada.

reinversión. f. *Econ*. Empleo de los beneficios de una actividad productiva en el aumento del capital de la misma.

reír. (Del lat. *ridēre*.) intr. Manifestar regocijo mediante determinados movimientos del rostro, acompañados frecuentemente por sacudidas del cuerpo y emisión de peculiares sonidos inarticulados. Ú. t. c. prnl. ‖ **2**. fig. Hacer

burla o zumba. Ú. t. c. tr. y c. prnl. ‖ **3**. fig. Se usa hablando de cosas de aspecto deleitable y capaces de infundir gozo o alegría; como el alba, el agua de una fuente, un prado ameno, etc. Ú. t. c. prnl. ‖ **4**. tr. Celebrar con risa alguna cosa. ‖ **5**. prnl. fig. y fam. Empezar a romperse o abrirse la tela del vestido, camisa u otras cosas, por muy usadas o por la calidad de la misma tela. ‖ **reírse** uno **de** una persona o cosa. fr. fig. y fam. Despreciarla; no hacer caso de ella.

reis. (Del port. *reis*, pl. de *real*, real².) m. pl. Moneda fraccionaria portuguesa, cuyo múltiplo, el *mil-reis*, se convirtió en la unidad monetaria. Modernamente, el *mil-reis* fue sustituido por el actual escudo.

reiteración. (Del lat. *reiteratĭo, -ōnis*.) f. Acción y efecto de reiterar o reiterarse. ‖ **2**. *Der*. Circunstancia que puede ser agravante, derivada de anteriores condenas del reo, por delitos de índole diversa del que se juzga. En esto se diferencia de la reincidencia.

reiteradamente. adv. m. Con reiteración, repetidamente.

reiterado, da. p. p. de **reiterar**. ‖ **2**. adj. Dícese de lo que se hace o sucede repetidamente.

reiterar. (Del lat. *reiterāre*.) tr. Volver a decir o hacer una cosa. Ú. t. c. prnl.

reiterativo, va. adj. Que tiene la propiedad de reiterarse. ‖ **2**. Que denota reiteración. ‖ **3**. *Gram*. V. **verbo reiterativo**.

reitre. (Del al. *reiter*, jinete.) m. Antiguo soldado de la caballería alemana.

reivindicable. adj. Que puede ser reivindicado.

reivindicación. f. Acción y efecto de reivindicar.

reivindicar. (Del lat. *res, rei*, cosa, interés, hacienda, y *vindicāre*, reclamar.) tr. *Der*. Reclamar o recuperar uno lo que por razón de dominio, cuasi dominio u otro motivo le pertenece. ‖ **2**. Reclamar algo como propio. ‖ **3**. Reclamar para sí la autoría de una acción.

reivindicativo, va. adj. Que reivindica.

reivindicatorio, ria. adj. *Der*. Que sirve para reivindicar, o atañe a la reivindicación.

reja¹. (Del lat. *regŭla*.) f. Instrumento de hierro, que es parte del arado y sirve para romper y revolver la tierra. ‖ **2**. fig. Labor o vuelta que se da a la tierra con el arado. ‖ **rejas vueltas**. expr. que se dice, en algunas partes, cuando entre dos pueblos confinantes hay comunidad de pasto o de labor, en sus términos respectivos.

reja². (Del it. *reggia*, del lat. *porta regĭa*.) f. Conjunto de barrotes metálicos o de madera, de varias formas y figuras, y convenientemente enlazados, que se ponen en las ventanas y otras aberturas de los muros para seguridad o adorno. También se usan en el interior de los templos y otras construcciones para formar el recinto aislado del resto del edificio.

rejacar. (De *reja*¹.) tr. **arrejacar**.

rejada. (De *reja*¹.) f. **aguijada** del arado.

rejado. (De *reja*².) m. Verja, enrejado.

rejal. (De *reja*².) m. Pila de ladrillos colocados de canto y cruzados unos sobre otros.

rejalgar. (Del ár. *rahŷ al-gār*, polvo de la cueva, arsénico, probable errata de copista por *rahŷ al-faʾr*, polvo de ratón.) m. Mineral de color rojo, lustre resinoso y fractura concoidea, que se raya con la uña, tiene en una combinación muy venenosa de arsénico y azufre. ‖ **2**. V. **rosa de rejalgar**.

rejera. f. *Mar*. Calabrote, cable, boya o ancla con que se procura mantener fijo o en posición conveniente un buque.

rejería. f. Arte de construir rejas² o verjas. ‖ **2**. Conjunto de obras de rejero.

rejero. (De *reja*².) m. El que tiene por oficio labrar o fabricar rejas².

rejileto, ta. (De *rehilete*.) adj. *Sal.* Tieso, garboso.

rejilla. (De *reja²*.) f. Celosía fija o movible, red de alambre, tela metálica, lámina o tabla calada, etc., que suele ponerse por recato o para seguridad en las ventanillas de los confesonarios, en el ventanillo de la puerta exterior de las casas y en otras aberturas semejantes. ‖ **2.** Por ext., ventanilla de confesonario, ventanillo de puerta de casa o cualquiera otra abertura pequeña cerrada con **rejilla.** ‖ **3.** Tejido claro hecho con tiritas de los tallos duros flexibles, elásticos y resistentes de ciertas plantas; como el bejuco, etc. Sirve para respaldos y asientos de sillas y para algunos otros usos. ‖ **4. rejuela,** braserillo. ‖ **5.** Armazón de barras de hierro, que sostiene el combustible en el hogar de las hornillas, hornos, máquinas de vapor, etc. ‖ **6.** Tejido en forma de red que se coloca sobre los asientos en el ferrocarril para depositar cosas menudas y de poco peso durante el viaje. ‖ **7.** *Albañ.* Emparrillado de barras metálicas que se suele disponer en los registros de aireación de las alcantarillas. ‖ **8.** *Radio.* Pantalla a modo de parrilla de alambre que se coloca entre el cátodo y el ánodo para regular el flujo electrónico.

rejin. m. d. de **reja.** ‖ **delantero.** Raedera que ciertos arados de vertedera llevan delante de la reja principal y la cuchilla.

rejiñol. (Del lat. *lusciniŏla*, ruiseñor.) m. Pito de barro en forma de pájaro que contiene agua y por cuyo pico se sopla, imitando el gorjeo de los pájaros.

rejitar. (Del lat. *reiectăre*.) tr. *Cetr.* Vomitar las aves que tienen en el estómago.

rejo. (De *reja¹*.) m. Punta o aguijón de hierro, y por ext., punta o aguijón de otra especie; como el de la abeja. ‖ **2.** Clavo o hierro redondo con que se juega al herrón. ‖ **3.** Hierro que se pone en el cerco de las puertas. ‖ **4.** fig. Robustez o fortaleza. ‖ **5.** En el embrión de la planta, órgano de que se forma la raíz. ‖ **6.** Tira de cuero. ‖ **7.** Soga, cuerda. ‖ **8.** *Amér. Central, Col., Cuba, Pan.* y *Venez.* Azote, látigo. ‖ **9.** *Cuba* y *Venez.* Soga o pedazo de cuero que sirve para atar el becerro a la vaca, para maniatar reses. ‖ **10.** *Ecuad.* Ordeño, acción de ordeñar. ‖ **11.** *Ecuad.* Conjunto de vacas de ordeño.

rejón. (De *reja¹*.) m. Barra de hierro cortante que remata en punta. ‖ **2.** Especie de puñal. ‖ **3.** Púa del trompo. ‖ **4.** *Taurom.* Asta de madera, de metro y medio de largo aproximadamente, con una cuchilla o acero en la punta, que sirve para rejonear.

rejonazo. m. Golpe y herida de rejón.

rejoncillo. m. Rejón para los toros.

rejoneador, ra. m. y f. Persona que rejonea.

rejonear. tr. En el toreo de a caballo, herir con el rejón al toro, quebrándolo en él por la muesca que tiene cerca de la punta.

rejoneo. m. Acción de rejonear.

rejuela. (De *reja²*.) f. d. de **reja².** ‖ **2.** Braserito en forma de arquilla y con rejilla en la tapa, para calentarse los pies.

rejuntar. tr. **juntar.** Ú. t. c. prnl. ‖ **2.** *Albañ.* Repasar y tapar las juntas de un paramento. ‖ **3.** prnl. **amancebarse.**

rejús. m. *And.* Desecho, rehús.

rejuvenecer. (Del lat. *re* y *iuvenescĕre*.) tr. Remozar, dar a uno fortaleza y vigor, como se suele tener en la juventud. Ú. t. c. intr. y c. prnl. ‖ **2.** fig. Renovar, dar modernidad o actualidad a lo desusado, olvidado o postergado.

rejuvenecimiento. m. Acción y efecto de rejuvenecer o rejuvenecerse.

relabra. f. Acción y efecto de relabrar.

relabrar. tr. Volver a labrar una piedra o madera.

relación. (Del lat. *relatĭo, -ōnis*.) f. Referencia que se hace de un hecho. ‖ **2.** Finalidad de este. ‖ **3.** Conexión, correspondencia de una cosa con otra. ‖ **4.** Conexión, correspondencia, trato, comunicación de una persona con

otra. Ú. m. en pl. RELACIONES *de parentesco, de amistad, amorosas, comerciales.* ‖ **5.** Lista de nombres o elementos de cualquier clase. ‖ **6.** Informe que generalmente se hace por escrito, y se presenta ante una autoridad. ‖ **7.** En el poema dramático, trozo largo que dice un personaje, ya para contar o narrar una cosa, ya con cualquier otro fin. ‖ **8.** *Argent.* Copla que se dicen los integrantes de las parejas en diversos bailes tradicionales. ‖ **9.** *Der.* Informe que un auxiliar hace de lo sustancial de un proceso o de alguna incidencia en él, ante un tribunal o juez. ‖ **10.** *Gram.* Conexión o enlace entre dos términos de una misma oración; v. gr.: en la frase *amor de madre* hay una **relación** gramatical cuyos dos términos son las voces *amor* y *madre*. ‖ **11.** *Mat.* Resultado de comparar dos cantidades expresadas en números. ‖ **12.** pl. Las amorosas con propósito matrimonial. ‖ **de ciego. romance de ciego.** ‖ **2.** fig. y fam. La frívola e impertinente. ‖ **3.** fig. y fam. Lo que se recita le lee con monotonía y sin darle el sentido que corresponde. ‖ **jurada.** Razón o cuenta que con juramento en ella expreso se da a quien tiene autoridad para exigirla. ‖ **relaciones públicas.** (Traducción de la expresión anglosajona *public relations*.) Actividad profesional cuyo fin es, mediante gestiones personales o con el empleo de las técnicas de difusión y comunicación, informar sobre personas, empresas, instituciones, etc., tratando de prestigiarlas y de captar voluntades a su favor. ‖ **2.** com. **relacionista.** ‖ **decir, o hacer relación** a una cosa. fr. Tener con ella conexión aquello de que se trata. ‖ **2.** *Der.* En los pleitos y causas, dar cuenta al Tribunal relatando lo esencial de todo el proceso.

relacional. adj. Perteneciente o relativo a la relación o correspondencia entre cosas.

relacionar. tr. Hacer relación de un hecho. ‖ **2.** Poner en relación personas o cosas. Ú. t. c. prnl.

relacionero. m. El que hace o vende coplas o relaciones.

relacionista. com. Persona que cultiva o trabaja en relaciones públicas. ‖ **2.** Experto en dichas relaciones.

relajación. (Del lat. *relaxatĭo, -ōnis*.) f. Acción y efecto de relajar o relajarse. ‖ **2.** Inmoralidad en las costumbres. ‖ **3. hernia.** ‖ **4.** *Fís.* Nombre genérico que sirve para designar aquellos fenómenos en los que es necesario un tiempo perceptible para que un sistema reaccione ante cambios bruscos de las condiciones físicas a que está sometido. ‖ **5.** *Metal.* Pérdida de tensiones que sufre un material que ha estado sometido a una deformación constante.

relajadamente. adv. m. Con relajación.

relajado, da. p. p. de **relajar.** ‖ **2.** adj. *Pan.* Propenso a tomar las cosas por su lado burlesco y chistoso. ‖ **3.** *Fon.* Aplícase a los sonidos que se realizan en determinadas posiciones con una tensión muscular mucho menor de lo que es habitual.

relajador, ra. (Del lat. *relaxător, -ōris*.) adj. Que relaja. Ú. t. c. s.

relajamiento. m. Acción y efecto de relajar o relajarse.

relajante. p. a. de **relajar.** Que relaja. ‖ **2.** adj. *Chile.* Dícese de los alimentos y bebidas en extremo azucaradas. Ú. t. c. s. ‖ **3.** *Med.* Dícese especialmente del medicamento que tiene la virtud de relajar. Ú. t. c. s. m.

relajar. (Del lat. *relaxăre*.) tr. Aflojar, laxar o ablandar. Ú. t. c. prnl. ‖ **2.** fig. Esparcir o distraer el ánimo con algún descanso. ‖ **3.** fig. Hacer menos severa o rigurosa la observancia de las leyes, reglas, estatutos, etc. Ú. t. c. prnl. ‖ **4.** *Der.* Relevar de un voto, juramento u obligación. ‖ **5.** *Der.* Entregar el juez eclesiástico al secular un reo digno de pena capital. ‖ **6.** *Der.* Aliviar o disminuir a uno la pena o castigo. ‖ **7.** prnl. Laxarse o dilatarse una parte del cuerpo del animal, por debilidad o por una fuerza o violencia que se hizo. ‖ **8.** Formársele a uno hernia. ‖ **9.** fig.

Viciarse, caer en malas costumbres. ‖ **10.** Conseguir un estado de reposo físico y moral, dejando los músculos en completo abandono y la mente libre de toda preocupación.

relajo. m. Desorden, falta de seriedad, barullo. ‖ **2.** Holganza, laxitud en el cumplimiento de las normas. ‖ **3.** Degradación de las costumbres. ‖ **4.** *Argent., Cuba, Méj., P. Rico* y *Urug.* Broma pesada.

relamer. (Del lat. *relambĕre.*) tr. Volver a lamer. ‖ **2.** prnl. Lamerse los labios una o muchas veces. ‖ **3.** fig. Afeitarse o componerse demasiadamente el rostro. ‖ **4.** fig. Gloriarse o jactarse de lo que se ha ejecutado, mostrando el gusto de haberlo hecho. ‖ **5.** fig. Encontrar mucho gusto o satisfacción en algo.

relamido, da. p. p. de **relamer.** ‖ **2.** adj. Dícese del que tiene el rostro muy rasurado o compuesto con afeites. ‖ **3.** Afectado, demasiado pulcro. ‖ **4.** *C. Rica, El Salv., Guat., Hond., Méj., Nicar.* y *Pan.* Descarado, jactancioso, desfachatado.

relámpago. (Del lat. **relampadăre.*) m. Resplandor vivísimo e instantáneo producido en las nubes por una descarga eléctrica. ‖ **2.** fig. Cualquier fuego o resplandor repentino. ‖ **3.** fig. Cualquier cosa que pasa ligeramente o es pronta en sus operaciones. ‖ **4.** fig. Dicho vivo, pronto, agudo e ingenioso. ‖ **5.** Parte que del brial se veía en las mujeres que llevaban la basquiña enteramente abierta por delante. ‖ **6.** Ú. en aposición para denotar la rapidez, carácter repentino o brevedad de alguna cosa. *Guerra* RELÁMPAGO, *ministerio* RELÁMPAGO, *cierre* RELÁMPAGO. ‖ **7.** *Germ.* Duración del día. ‖ **8.** *Germ.* Golpe que se da. ‖ **9.** *Veter.* Especie de nube que se forma a los caballos en los ojos.

relampaguear. intr. impers. Haber relámpagos. ‖ **2.** intr. fig. Arrojar luz o brillar mucho con algunas intermisiones. Se usa frecuentemente hablando de los ojos muy vivos o iracundos.

relampagueo. m. Acción de relampaguear.

relampar. (Del lat. **relampadăre,* brillar, de *lampăda* o *lampas, -ădis,* lámpara.) intr. ant. Brillar, relampaguear.

relance. m. Segundo lance, redada o suerte. ‖ **2.** Suceso casual y dudoso. ‖ **3.** En los juegos de envite, suerte o azar que sigue o sucede a otros. ‖ **4.** Acción de relanzar, volver a echar en el cántaro una cédula electoral. ‖ **de relance.** loc. adv. Casualmente, cuando no se esperaba.

relanzar. tr. Repeler, rechazar. ‖ **2.** Volver a echar en el cántaro la cédula, en las elecciones que se hacen por insaculación.

relapso, sa. (Del lat. *relapsus,* p. p. de *relābi,* volver a caer.) adj. Que reincide en un pecado del que ya había hecho penitencia, o en una herejía de la que había abjurado. Ú. t. c. s.

relatador, ra. adj. Que relata. Ú. t. c. s.

relatar. tr. Referir o dar a conocer un hecho. ‖ **2.** Hacer relación de un proceso o pleito. ‖ **3.** intr. Refunfuñar o protestar, gruñendo por algo.

relata réfero. expr. lat. que significa «yo refiero lo que he oído»; y se usa para eludir la responsabilidad de alguna idea que se apunta como propia.

relativamente. adv. m. Con relación a una persona o cosa. ‖ **2.** Aproximadamente.

relatividad. f. Calidad de relativo. ‖ **2.** *Fís.* Teoría que se propone averiguar cómo se transforman las leyes físicas cuando se cambia de sistema de referencia. La formulada por Einstein con el nombre de **relatividad** especial, se basa en los dos postulados siguientes: 1) La luz se propaga con independencia del movimiento del cuerpo que la emite. 2) No hay ni puede haber fenómeno que permita averiguar si un cuerpo está en reposo o se mueve con movimiento rectilíneo y uniforme. Einstein generalizó su teoría con el propósito de enunciar las leyes físicas de modo que

fuesen válidas cualquiera que sea el sistema de referencia que se adopte.

relativismo. m. *Fil.* Doctrina según la cual el conocimiento humano solo tiene por objeto relaciones, sin llegar nunca al de lo absoluto. ‖ **2.** *Fil.* Doctrina según la cual la realidad carece de sustrato permanente y consiste en la relación de los fenómenos.

relativista. adj. Perteneciente o relativo a la relatividad o al relativismo. ‖ **2.** Seguidor o partidario de estas doctrinas. Ú. t. c. s.

relativizar. tr. Introducir en la consideración de un asunto aspectos que atenúan su importancia.

relativo, va. (Del lat. *relatīvus.*) adj. Que hace relación a una persona o cosa. ‖ **2.** Que no es absoluto. ‖ **3.** No mucho, en poca cantidad o intensidad. *Daba a aquel asunto una* RELATIVA *importancia.* ‖ **4.** V. **mayoría relativa.** ‖ **5.** *Gram.* V. **pronombre relativo.** Ú. t. c. s. ‖ **6.** *Gram.* V. **adjetivo superlativo relativo.**

relato. (Del lat. *relātus.*) m. Conocimiento que se da, generalmente detallado, de un hecho. ‖ **2.** Narración, cuento.

relator, ra. (Del lat. *relātor, -ōris.*) adj. Que relata o refiere una cosa. Ú. t. c. s. ‖ **2.** m. Letrado cuyo oficio es hacer relación de los autos o expedientes en los tribunales superiores. ‖ **3.** ant. **refrendario.** ‖ **4.** m. y f. Persona que en un congreso o asamblea hace relación de los asuntos tratados, así como de las deliberaciones y acuerdos correspondientes.

relatoría. f. Empleo u oficina de relator.

relavar. (Del lat. *relavāre.*) tr. Volver a lavar o purificar más una cosa.

relave. m. Acción de relavar. ‖ **2.** *Min.* Segundo lave. ‖ **3.** pl. *Min.* Partículas de mineral que el agua del lave arrastra y mezcla con el barro estéril, y que para ser aprovechadas necesitan un nuevo lave.

relazar. (De *re-* y *lazo.*) tr. Enlazar o atar con varios lazos o vueltas.

relax. (De or. ing.) m. Relajamiento físico o psíquico producido por ejercicios adecuados o por comodidad, bienestar o cualquier otra causa.

relé. (Del fr. *relais,* relevo.) m. *Electr.* Aparato destinado a producir en un circuito una modificación dada, cuando se cumplen determinadas condiciones en el mismo circuito o en otro distinto.

releer. (Del lat. *relegĕre.*) tr. Leer de nuevo o volver a leer una cosa.

relegación. (Del lat. *relegatĭo, -ōnis.*) f. Acción y efecto de relegar. ‖ **2.** *Der.* Pena temporal o perpetua que había de cumplirse en el lugar designado por el gobierno. Hoy no existe esta pena.

relegar. (Del lat. *relegāre.*) tr. Entre los antiguos romanos, desterrar a un ciudadano sin privarle de los derechos de tal. ‖ **2.** Desterrar de un lugar. ‖ **3.** fig. Apartar, posponer. RELEGAR *al olvido una cosa.*

relej. (De *relejar.*) m. **releje.**

relejar. (Del lat. *relaxāre.*) tr. Relajar, aflojar o atenuar algunas cosas físicas o morales. ‖ **2.** Dejar un residuo de algunas sustancias como el sarro en la boca o en los labios. ‖ **3.** *Arq.* Tomar talud un muro. ‖ **4.** *Art.* Dejar un resalte en el interior del cañón. ‖ **5.** *Der.* Relajar una pena.

releje. (De *relejar.*) m. Rodada o carrilada. ‖ **2.** Sarro que se cría en los labios o en la boca. ‖ **3.** Faja estrecha y brillante que dejan los afiladores a lo largo del corte de las navajas. ‖ **4.** *Arq.* Lo que la parte superior de un paramento en talud dista de la vertical que pasa por su pie. ‖ **5.** *Art.* Resalte que por la parte interior suelen tener algunas piezas de artillería en la recámara, estrechándola para que la parte donde está la pólvora sea más estrecha que lo restante del cañón.

relengo, ga. (De *realengo*.) adj. *Ast.* Dícese del terreno compuesto de barro y guijo.

relente. (Del fr. *relent*, de *reler*, del lat. *regelâre*, helar.) m. Humedad que en noches serenas se nota en la atmósfera. ‖ **2.** fig. y fam. Sorna, frescura.

relentecer. (Del lat. *relentescêre*, ablandarse.) intr. Ablandarse algunas cosas. Ú. t. c. prnl.

relevación. (Del lat. *relevatîo, -ônis*.) f. Acción y efecto de relevar. ‖ **2.** Alivio o liberación de la carga que se debe llevar o de la obligación que se debe cumplir. ‖ **3.** *Der.* Exención de una obligación o un requisito. RELEVACIÓN *de fianza, de prueba.*

relevancia. f. Calidad o condición de relevante, importancia, significación.

relevante. (Del lat. *relêvans, -antis*, p. a. de *relevâre*, levantar, alzar.) adj. Sobresaliente, excelente. ‖ **2.** Importante, significativo. ‖ **3.** *Ling.* Dícese del rasgo que tiene valor diferencial en la estructura del sistema lingüístico.

relevar. (Del lat. *relevâre*.) tr. Hacer de relieve una cosa. ‖ **2.** Exonerar de un peso o gravamen, y también de un empleo o cargo. Ú. t. c. prnl. ‖ **3.** Remediar o socorrer. ‖ **4.** Absolver, perdonar o excusar. ‖ **5.** fig. Exaltar o engrandecer una cosa. ‖ **6.** *Mil.* Mudar una centinela o cuerpo de tropa que da una guardia o guarnece un puesto. ‖ **7.** Por ext., reemplazar, sustituir a una persona con otra en cualquier empleo o comisión. ‖ **8.** *Pint.* Pintar una cosa de manera que parece que sale fuera o tiene bulto. ‖ **9.** intr. *Esc.* Resaltar una figura fuera del plano.

relevista. adj. *Dep.* Dícese del deportista que participa en pruebas de relevos. Ú. t. c. s.

relevo. m. Acción y efecto de reemplazar a una persona con otra en cualquier empleo, cargo, actividad, etc. ‖ **2.** *Dep.* Acción de reemplazar un corredor a otro de su mismo equipo en el momento de recibir de él el testigo. ‖ **3.** *Mil.* Acción de relevar o cambiar la guardia. ‖ **4.** *Mil.* Soldado o cuerpo que releva. ‖ **5.** pl. *Dep.* **carrera de relevos.**

relicario. m. Lugar donde están guardadas las reliquias. ‖ **2.** Caja o estuche comúnmente precioso para custodiar reliquias.

relicto. (Del lat. *relictus*, p. p. de *relinquêre*, dejar.) adj. *Der.* V. **caudal relicto.** ‖ **2.** *Der.* V. **bienes relictos.**

relievar. tr. *Col.* y *Perú.* relevar, hacer de relieve algo. ‖ **2.** *Col.* y *Perú.* relevar, exaltar, engrandecer.

relieve. m. Labor o figura que resalta sobre el plano. ‖ **2.** V. **bollo de relieve.** ‖ **3.** Conjunto de formas complejas que accidentan la superficie del globo terráqueo. Ú. t. c. pl. ‖ **4.** fig. Importancia o renombre de una persona o cosa. ‖ **5.** *Pint.* Realce o bulto que aparentan algunas cosas pintadas. ‖ **6.** pl. Residuos de lo que se come. ‖ **alto relieve.** *Esc.* Aquel en que las figuras salen del plano más de la mitad de su bulto. ‖ **bajo relieve.** *Esc.* Aquel en que las figuras resaltan poco del plano. ‖ **medio relieve.** *Esc.* Aquel en que las figuras salen del plano a la mitad de su grueso. ‖ **todo relieve.** *Esc.* **alto relieve.** ‖ **poner de relieve** una cosa. fr. fig. Subrayarla, destacarla.

religa. f. Porción de metal que se añade en una liga para alterar sus proporciones.

religación. (Del lat. *religatîo, -ônis*.) f. Acción y efecto de religar.

religar. (Del lat. *religâre*.) tr. Volver a atar. ‖ **2.** Ceñir más estrechamente. ‖ **3.** Volver a ligar un metal con otro.

religión. (Del lat. *religîo, -ônis*.) f. Conjunto de creencias o dogmas acerca de la divinidad, de sentimientos de veneración y temor hacia ella, de normas morales para la conducta individual y social y de prácticas rituales, principalmente la oración y el sacrificio para darle culto. ‖ **2.** Virtud que nos mueve a dar a Dios el culto debido. ‖ **3.** Profesión y observancia de la doctrina religiosa. ‖ **4.** Obligación de conciencia, cumplimiento en un deber. *La* RE-

LIGIÓN *del juramento*. ‖ **5.** Orden, instituto religioso. ‖ **católica.** La revelada por Jesucristo y conservada por la Santa Iglesia Romana. ‖ **natural.** La descubierta por la sola razón y que funda las relaciones del hombre con la divinidad en la misma naturaleza de las cosas. ‖ **reformada.** Orden o instituto religioso en que se ha restablecido su primitiva disciplina. ‖ **2.** protestantismo. ‖ **entrar en religión** una persona. fr. Tomar el hábito en una orden religiosa.

religionario, a. m. y f. Seguidor del protestantismo.

religiosamente. adv. m. Con religión. ‖ **2.** Con puntualidad y exactitud.

religiosidad. (Del lat. *religiosîtas, -âtis*.) f. Calidad de religioso. ‖ **2.** Práctica y esmero en cumplir las obligaciones religiosas. ‖ **3.** Puntualidad, exactitud en hacer, observar o cumplir una cosa.

religioso, sa. (Del lat. *religiôsus*.) adj. Perteneciente o relativo a la religión o a los que la profesan. ‖ **2.** Que tiene religión, y particularmente que la profesa con celo. ‖ **3.** Que ha profesado en una orden **religiosa** regular. Ú. t. c. s. ‖ **4.** Fiel y exacto en el cumplimiento del deber. ‖ **5.** Moderado, parco. ‖ **6.** V. **arquitectura religiosa.** ‖ **7.** V. **lugar religioso.**

relimar. tr. Volver a limar.

relimpiar. tr. Volver a limpiar. Ú. t. c. prnl. ‖ **2.** Limpiar mucho. Ú. t. c. prnl.

relimpio, pia. adj. fam. Muy limpio.

relinchador, ra. adj. Que relincha con frecuencia.

relinchar. (Del lat. *rehinnitulâre, de *hinnitûlus*, *hinnîtus*, relincho.) intr. Emitir con fuerza su voz el caballo.

relinchido. m. relincho.

relincho. m. Voz del caballo. ‖ **2.** fig. Grito de fiesta o de alegría en algunos lugares.

relindo, da. adj. Muy lindo y hermoso.

relinga. (Del neerl. *ra*, verga, y *lijk*, relinga.) f. Cada una de las cuerdas o sogas en que van colocados los plomos y corchos con que se calan y sostienen las redes en el agua. ‖ **2.** *Mar.* Cabo con que se refuerzan las orillas de las velas.

relingar. tr. *Mar.* Coser o pegar la relinga. ‖ **2.** *Mar.* Izar una vela hasta poner tirantes sus relingas de caída. ‖ **3.** intr. Moverse la relinga con el viento, o empezar a flamear los primeros paños de la vela.

reliquia. (Del lat. *reliquîae*.) f. Residuo que queda de un todo. Ú. m. en pl. ‖ **2.** Parte del cuerpo de un santo, o lo que por haberle tocado es digno de veneración. ‖ **3.** fig. Vestigio de cosas pasadas. ‖ **4.** fig. Persona muy vieja o cosa antigua. *Ese coche es una* RELIQUIA. ‖ **5.** fig. Objeto o prenda con valor sentimental, generalmente por haber pertenecido a una persona querida. ‖ **6.** fig. Dolor o achaque habitual que resulta de una enfermedad o accidente. ‖ **insigne.** Porción principal del cuerpo de un santo.

reliquiario. m. p. us. relicario.

relocho, cha. adj. *Burg.* Aturdido, atolondrado.

reloj. m. Máquina dotada de movimiento uniforme, que sirve para medir el tiempo o dividir el día en horas, minutos y segundos. Un peso o un muelle produce, por lo común, el movimiento, que se regula con un péndulo o un volante, y se transmite a las manecillas por medio de varias ruedas dentadas. Según sus dimensiones, colocación o uso, así el **reloj** se denomina de torre, de pared, de sobremesa, de bolsillo, de muñeca, etc. ‖ **2.** pl. **pico de cigüeña.** ‖ **de agua.** Artificio para medir el tiempo por medio del agua que va cayendo de un vaso a otro. ‖ **de arena.** Artificio que se compone de dos ampolletas unidas por el cuello, y sirve para medir el tiempo por medio de la arena que va cayendo de una a otra. ‖ **de campana.** El que da las horas con campana. ‖ **de cuco.** El que tiene un cuclillo mecánico que sale por una abertura y da las horas con su canto. ‖ **de Flora.** *Bot.* Tabla de las diversas horas del día en que abren sus flores ciertas plantas. ‖ **de longitudes. reloj marino.** ‖ **de música.** Aquel que al dar la hora hace sonar una música. ‖ **de péndola.** Aquel cuyo movimiento se arregla por las oscilaciones de un péndulo. ‖ **de pulsera.** El que se lleva en la muñeca formando parte de una pulsera. ‖ **de repetición.** El que suena o puede sonar la hora repetidamente. ‖ **desconcertado.** fig. Persona desordenada en sus acciones o palabras. ‖ **de sol.** Artificio ideado para señalar las diversas horas del día por medio de la variable iluminación de un cuerpo expuesto al sol, o por medio de la sombra que un gnomon o estilo arroja sobre una superficie, o con auxilio de un simple rayo de luz, ya directo, ya reflejado o refracto, proyectado sobre aquella superficie. ‖ **despertador. despertador, reloj** que suena con ruido fuerte a la hora que se desea. ‖ **magistral.** Aquel cuya marcha sirve de norma a la de otros. ‖ **marino.** Cronómetro que, arreglado a la hora de un determinado meridiano, sirve en la navegación de altura para calcular las diferencias de longitud. ‖ **solar. reloj de sol.** ‖ **contra reloj.** loc. Modalidad de carrera ciclista en que los corredores toman la salida de uno en uno, con un intervalo de tiempo determinado que ha de ser igual para todos. ‖ **2.** Hacer una cosa o resolver un asunto en un plazo de tiempo perentorio o demasiado corto. ‖ **estar** uno **como un reloj.** fr. fig. Estar bien dispuesto, sano y ágil. ‖ **ser** uno **un reloj,** o **como un reloj.** fr. fig. y fam. Ser muy puntual. ‖ **2.** Evacuar generalmente a una hora determinada. ‖ **soltar el reloj.** fr. Levantarle el tope del muelle para que esté dando campanadas hasta que se acabe la cuerda.

relojería. f. Arte de hacer relojes. ‖ **2.** Taller donde se hacen o componen relojes. ‖ **3.** Tienda donde se venden.

relojero, ra. m. y f. Persona que hace, compone o vende relojes. ‖ **2.** f. Mueblecillo o bolsa para poner o guardar el reloj de bolsillo. ‖ **3.** Mujer del **relojero.**

relso, sa. adj. p. us. **terso.**

relucir. (Del lat. *relucĕre.*) intr. Despedir o reflejar luz una cosa. ‖ **2.** Lucir mucho o resplandecer una cosa. ‖ **3.** fig. Resplandecer uno en una cualidad excelente o por hechos loables. ‖ **sacar,** o **salir, a relucir.** fr. fig. y fam. Mentar o alegar inesperadamente una cosa o una razón.

reluctancia. f. *Electr.* Resistencia que ofrece un circuito al flujo magnético.

reluctante. (Del lat. *reluctans, -antis.*) adj. Reacio, opuesto.

reluchar. (Del lat. *reluctāri.*) intr. fig. Luchar mutua y porfiadamente.

reluga. (Del lat. *relocare,* poner, colocar.) f. *Cantabria.* Besana.

relumbrar. (Del lat. *reluminare.*) intr. Dar una cosa viva luz o alumbrar con exceso.

relumbre. m. Brillo, destello, luz muy viva.

relumbro. m. **relumbrón.**

relumbrón. m. Rayo de luz vivo y pasajero. ‖ **2.** Lo deslumbrante de escaso valor. ‖ **de relumbrón.** loc. adv. Más aparente que verdadero, o de mejor apariencia que calidad.

relumbroso, sa. adj. Que relumbra.

relva. f. Acción y efecto de relvar.

relvar. (Del lat. *relevāre.*) tr. Levantar el barbecho.

rellanar. (Del lat. *replanāre.*) tr. Volver a allanar una cosa. ‖ **2.** prnl. **arrellanarse.**

rellano. m. Porción horizontal en que termina cada tramo de escalera. ‖ **2.** Llano que interrumpe la pendiente de un terreno.

rellenar. tr. Volver a llenar una cosa. Ú. t. c. prnl. ‖ **2.** Llenar enteramente. Ú. t. c. prnl. ‖ **3.** Llenar de carne picada u otros ingredientes un ave u otro alimento. Ú. t. c. prnl. ‖ **4.** Introducir rellenos. ‖ **5.** Cubrir con los datos necesarios espacios en blanco en formularios, documentos, etc. ‖ **6.** fig. y fam. Dar de comer hasta la saciedad. Ú. m. c. prnl.

relleno, na. adj. Muy lleno. ‖ **2.** m. Cualquier material con que se llena algo. ‖ **3.** Picadillo sazonado de carne, hierbas u otros ingredientes, con que se llenan tripas, aves, hortalizas, etc. ‖ **4.** Acción y efecto de rellenar o rellenarse. ‖ **5.** Conjunto de cosas con que se acaba de llenar algo en que los objetos contenidos han dejado huecos, para asegurar aquellos, adornarlos o complementarlos. ‖ **6.** fig. Acción de llenado que se efectúa en los espacios vacíos de las minas, generalmente con tierra o gravas. ‖ **7.** fig. Parte superflua que alarga una oración o un escrito. ‖ **de relleno.** loc. adj. fig. y fam. Palabras que no son necesarias en los escritos o en las oraciones y solo se intercalan para alargarlos.

remachado, da. p. p. de **remachar.** ‖ **2.** adj. Sujeto con roblones **remachados.** ‖ **3.** V. **narices remachadas.** ‖ **4.** m. Acción y efecto de remachar.

remachador, ra. adj. Que remacha. ‖ **2.** m. y f. Persona que tiene por oficio perforar las planchas metálicas y unirlas con remaches o roblones. ‖ **3.** f. Máquina que sirve para remachar.

remachar. tr. Machacar la punta o la cabeza del clavo ya clavado, para mayor firmeza. ‖ **2.** Percutir el extremo del roblón colocado en el correspondiente taladro hasta formarle cabeza que lo sujete y afirme. ‖ **3.** Sujetar con remaches. ‖ **4.** fig. Recalcar, afianzar, robustecer lo dicho o hecho.

remache. m. Acción y efecto de remachar. ‖ **2. roblón,** clavo cuya punta, después de pasado, se remacha formando otra cabeza. ‖ **3.** Lance del juego de billar en que la bola herida por el taco va a chocar contra otra pegada a la banda, para hacer carambola con la tercera.

remador, ra. m. y f. Persona que rema.

remadura. f. Acción y efecto de remar.

remallar. tr. Componer, reforzar las mallas viejas o rotas.

remamiento. m. Acción y efecto de remar.

remanal. (De *remanar*.) m. *Sal.* Lugar de varios manantiales.

remanar. (Del lat. *remanāre,* volver a manar.) intr. Manar de nuevo.

remandar. (Del lat. *remandāre.*) tr. Mandar una cosa muchas veces.

remanecer. (De *re-* y el b. lat. *manescĕre,* amanecer.) intr. Aparecer de nuevo e inopinadamente.

remanente. (Del lat. *remănens, -entis,* p. a. de *remanēre,* quedar.) m. Lo que queda de una cosa.

remanga. (De *red* y *manga*.) f. Arte para la pesca del camarón. Se compone de una bolsa de red con plomos en un tercio del borde y dos varas de un metro de largo que sirven para que el pescador, cogiendo una en cada mano, al caminar metido en el agua, por la orilla, arrastre la red para que entren en ella los camarones.

remangado, da. p. p. de **remangar.** ‖ **2.** adj. Levantado o vuelto hacia arriba.

remangar. tr. Levantar, recoger hacia arriba las mangas o la ropa. Ú. t. c. prnl. ‖ **2.** prnl. fig. y fam. Tomar enérgicamente una resolución.

remango. m. Acción y efecto de remangar o remangarse. ‖ **2.** Parte de ropa plegada que se recoge en la cintura al remangarse. ‖ **3.** fig. y fam. Disposición para desenvolverse con habilidad y prontitud en algún trabajo.

remanguillé (a la). loc. adv. fam. Estropeado, en mal estado. ‖ **2.** En completo desorden, patas arriba. ‖ **3.** Sin poner ningún cuidado.

remanir. (Del lat. *remanēre.*) intr. ant. Retraerse, permanecer retirado.

remanoso, sa. adj. *Sal.* Dícese del lugar de varios manantiales.

remansarse. prnl. Detenerse o suspenderse el curso o la corriente de un líquido.

remanso. (Del lat. *remansum,* supino de *remanēre,* detenerse.) m. Detención o suspensión de la corriente del agua u otro líquido. ‖ **2.** Lugar en que esta corriente se detiene. ‖ **3.** fig. Flema, pachorra, lentitud.

remar. intr. Trabajar con el remo para impeler la embarcación en el agua. ‖ **2.** fig. Trabajar con continua fatiga y gran afán en una cosa.

remarcar. tr. Volver a marcar.

remasa. f. Cada una de las recogidas de la miera segregada por los pinos durante la campaña de resinación.

rematadamente. adv. m. Totalmente, en conclusión o absolutamente.

rematado, da. p. p. de *rematar.* ‖ **2.** adj. Dícese de la persona que se halla en tan mal estado, que es imposible, o punto menos, su remedio. *Loco* REMATADO. ‖ **3.** Condenado por fallo ejecutorio a alguna pena.

rematador, ra. adj. Que remata. ‖ **2.** m. Subastador.

rematamiento. m. Acción y efecto de rematar.

rematante. com. Persona a quien se adjudica la cosa subastada.

rematar. tr. Dar fin o remate a una cosa. ‖ **2.** Poner fin a la vida de la persona o del animal que está en trance de muerte. ‖ **3.** Dejar la pieza el cazador enteramente muerta del tiro. ‖ **4.** Entre sastres y costureras, afianzar la última puntada, dando otra sobre ella para asegurarla, o haciendo un nudo especial a la hebra. ‖ **5.** Hacer remate en la venta o arrendamiento de una cosa. ‖ **6.** Vender lo último que queda de una mercancía a precio más bajo. Ú. t. c. intr. ‖ **7.** Agotar lo que queda de una cosa. ‖ **8.** En el fútbol y otros deportes, dar término a una serie de jugadas lanzando el balón hacia la meta contraria. ‖ **9.** *Argent., Bol., Chile* y *Urug.* Comprar o vender en subasta pública. En Argentina solo significa *vender.* ‖ **10.** intr. Terminar o fenecer. ‖ **11.** prnl. Perderse, acabarse o destruirse una cosa.

remate. (De *rematar.*) m. Fin o cabo, extremidad o conclusión de una cosa. ‖ **2.** Acción de rematar. ‖ **3.** Lo que en las fábricas de arquitectura se sobrepone para coronarlas o adornar su parte superior. ‖ **4.** Postura o proposición que obtiene la preferencia y se hace eficaz logrando la adjudicación en subastas o almonedas para compraventas, arriendos, obras o servicios. ‖ **5.** Adjudicación que se hace de los bienes que se venden en subasta o almoneda al comprador de mejor puja y condición. ‖ **6.** En el fútbol y otros deportes, acción y efecto de rematar. ‖ **7.** *Argent., Bol., Chile, Méj., Par.* y *Urug.* Subasta pública. ‖ **8.** *Der.* V. **citación de remate.** ‖ **9.** *Taurom.* Momento final de la embestida del toro. ‖ **a remate.** loc. adv. ant. **de remate.** ‖ **citar de remate.** fr. *Der.* Citar al ejecutado para que alegue las excepciones legalmente admisibles bajo apercibimiento de sentenciar, abriendo la vía de apremio hasta el remate de bienes para el pago. ‖ **de remate.** loc. adv. Absolutamente, sin remedio. ‖ **por remate.** loc. adv. Por fin, por último.

rembolsar. tr. **reembolsar.**

rembolso. m. **reembolso.**

remecedor, ra. m. y f. Persona que varea y menea los olivos para que suelten la aceituna. ‖ **2.** m. Palo largo en uno de cuyos extremos lleva un grueso tarugo o una tabla y sirve para mover el vino de las tinajas.

remecer. (Del lat. *remiscēre.*) tr. Mover reiteradamente una cosa de un lado a otro. Ú. t. c. prnl.

remedable. adj. Que se puede remedar.

remedador, ra. adj. Que remeda. Ú. t. c. s.

remedamiento. m. ant. **remedo.**

remedar. (Del lat. *re -imitāri.*) tr. Imitar o contrahacer una cosa; hacerla semejante a otra. ‖ **2.** Seguir uno las mismas huellas y ejemplos de otro, o llevar el mismo método, orden o disciplina que él. ‖ **3.** Hacer uno las mismas accio-

nes, visajes y ademanes que otro hace. Se toma por especie de burla.

remediable. (Del lat. *remediabĭlis.*) adj. Que se puede remediar.

remediador, ra. (Del lat. *remediātor, -ōris.*) adj. Que remedia o ataja un daño. Ú. m. c. s.

remediar. (Del lat. *remediāre.*) tr. Poner remedio al daño. Ú. t. c. prnl. ‖ **2.** Corregir o enmendar una cosa. Ú. t. c. prnl. ‖ **3.** Socorrer una necesidad o urgencia. Ú. t. c. prnl. ‖ **4.** Librar, apartar o separar de un riesgo. ‖ **5.** Evitar que suceda algo de que pueda derivarse algún daño o molestia. *No haberlo podido* REMEDIAR.

remediavagos. m. Libro o manual que resume una materia en poco espacio, para facilitar su estudio. ‖ **2.** Cualquier procedimiento destinado a hacer una cosa con el mínimo esfuerzo.

remedición. f. Acción y efecto de remedir.

remedio. (Del lat. *remedĭum.*) m. Medio que se toma para reparar un daño o inconveniente. ‖ **2.** Enmienda o corrección. ‖ **3.** Recurso, auxilio o refugio. ‖ **4.** Lo que sirve para producir un cambio favorable en las enfermedades. ‖ **5.** En las monedas, diferencia consentida entre su ley y la ley oficial de ellas. ‖ **6.** *Der.* Recurso contra una resolución judicial. *El* REMEDIO *de la apelación.* ‖ **casero.** El que se aplica tradicionalmente a los enfermos, como cataplasmas, tisanas, etc., sin necesidad de llamar al médico. ‖ **heroico.** El de acción muy enérgica, que solo se aplica en casos extremos. ‖ **2.** fig. Medida extraordinaria tomada en circunstancias graves. ‖ **no haber más remedio.** fr. **no tener más remedio.** ‖ **no haber para un remedio.** fr. fig. y fam. **no tener para un remedio.** ‖ **no haber remedio,** o **no tener más remedio.** fr. Haber precisión o necesidad de hacer o de sufrir una cosa. ‖ **no quedar,** o **no encontrar,** una cosa **para un remedio.** fr. fig. y fam. Ser imposible o muy difícil encontrarla. ‖ **no tener para un remedio.** fr. fig. y fam. Carecer absolutamente de todo. ‖ **no tener remedio.** fr. **no haber remedio.** ‖ **2.** Tratándose de personas, ser incorregibles. ‖ **poner remedio** a una cosa. fr. Arreglarla o evitar su continuación. ‖ **¡qué remedio!** expr. exclam. que expresa resignación para aceptar una cosa que no ofrece alternativa. ‖ **ser el remedio peor que la enfermedad.** fr. fig. Ser lo propuesto más perjudicial para evitar un daño que el daño mismo. ‖ **sin remedio.** loc. adv. Inevitable o necesariamente.

remedión. m. desus. Obra del repertorio con la que se sustituía la anunciada en el cartel, cuando no podía representarse.

remedir. (Del lat. *remetīri.*) tr. Volver a medir.

remedo. m. Imitación de una cosa, especialmente cuando no es perfecta la semejanza.

remejer. tr. Revolver, mezclar.

remellado, da. adj. Que tiene mella. Dícese principalmente de los labios, y de los ojos que los tienen en los párpados. ‖ **2.** Dícese de la persona que tiene uno de estos defectos. Ú. t. c. s. ‖ **3.** m. Operación de remellar una piel.

remellar. tr. Raer el pelo de las tenerías.

remellón, na. adj. fam. Que tiene muchas mellas. Apl. a pers., ú. t. c. s.

remembración. (Del lat. *rememoratĭo, -ōnis.*) f. ant. Acción y efecto de remembrar.

remembranza. f. Recuerdo, memoria de una cosa pasada.

remembrar. (Del lat. *rememorāre.*) tr. Rememorar, recordar.

rememoración. (Del lat. *rememoratĭo, -ōnis.*) f. Acción y efecto de rememorar.

rememorar. (Del lat. *rememorāre.*) tr. Recordar, traer a la memoria.

rememorativo, va. adj. Que recuerda o es capaz de hacer recordar una cosa.

remendado, da. p. p. de **remendar.** | **2.** adj. fig. Que tiene manchas como recortadas. Dícese de ciertos animales y de su piel, y se aplica también a otras cosas. | **3.** m. Acción y efecto de remendar.

remendar. (Del lat. *re-* y *emendāre*, enmendar, corregir.) tr. Reforzar con remiendo lo que está viejo o roto, especialmente la ropa. | **2.** Reforzar con puntadas la parte gastada de una tela, o tapar con ellas un agujero en el tejido. | **3.** Corregir o enmendar. | **4.** Aplicar, apropiar o acomodar una cosa a otra para suplir lo que le falta.

remendón, na. adj. Que tiene por oficio remendar. Dícese especialmente de los sastres y zapateros de viejo. Ú. t. c. s.

remeneo. m. Movimientos rápidos y continuos.

remense. adj. Natural de Reims. Ú. t. c. s. | **2.** Perteneciente a esta ciudad de Francia.

remera. adj. *Zool.* Dícese de cada una de las plumas grandes con que terminan las alas de las aves. Ú. t. c. s.

remero, ra. m. y f. Persona que rema o que trabaja al remo.

remesa. (Del lat. *remissa*, remitida.) f. Remisión que se hace de una cosa de una parte a otra. | **2.** La cosa enviada en cada vez. | **3.** ant. Lugar donde se encierran los coches.

remesar¹. tr. Mesar repetidas veces la barba o el cabello. Ú. t. c. prnl.

remesar². tr. *Com.* Hacer remesas de dinero o géneros.

remesón¹. m. Acción de arrancar el cabello o la barba. | **2.** Porción de pelo arrancado.

remesón². (Del lat. *remissĭo, -ōnis*, disminución, aflojamiento.) m. *Equit.* Carrera corta que el jinete hace dar al caballo, obligándole a pararse cuando va con más violencia. Se hace regularmente por gallardía. | **2.** *Esgr.* Treta que se forma corriendo la espada del contrario desde los últimos tercios hasta el recazo, para echarle fuera del ángulo recto y poder herirle libremente.

remeter. tr. Volver a meter. | **2.** Meter más adentro. | **3.** Empujar algo, especialmente los bordes de una cosa, para meterlo en un lugar. *Hay que* REMETER *las sábanas.* | **4.** Hablando de los niños, ponerles un metedor limpio sin quitarles los pañales.

remezón. (De *remecer*.) m. *Amér.* Terremoto ligero o sacudimiento breve de la tierra.

remiche. (Del lat. *remigĭum*, hilera de remos, a través del cat. *remig*.) m. Espacio que había en las galeras entre banco y banco, y que ocupaban los forzados. | **2.** Galeote destinado especialmente al remo del costado de la nave.

remiel. f. Segunda miel que se saca de la caña dulce.

remiendo. m. Pedazo de paño u otra tela, que se cose a lo que está viejo o roto. | **2.** Obra de corta entidad que se hace en reparación de un descalabro parcial. | **3.** En la piel de los animales, mancha de distinto color que el fondo. | **4.** fig. Composición, enmienda o añadidura que se introduce en una cosa. | **5.** fig. y fam. Arreglo o reparación, generalmente provisional, que se hace en caso de urgencia. | **6.** fig. y fam. Insignia de cualquiera de las órdenes militares, que se cose al lado izquierdo de la capa o casaca, manto capitular, etc. | **7.** *Impr.* Obra de corta entidad o extensión. | **a remiendos.** loc. adv. fig. y fam. con que se explica que una obra se hace a pedazos y con intermisión de tiempo. | **echar un remiendo a la vida.** fr. fig. y fam. Tomar un refrigerio. | **ser** una cosa **remiendo del mismo, o de otro, paño.** fr. fig. y fam. Ser de la misma materia, origen o asunto que otra, o al contrario.

rémige. (Del lat. *remex, -ĭgis*, remero.) f. *Zool.* **remera,** pluma de las alas de las aves. Ú. t. c. s.

remilgadamente. adv. m. Con remilgo.

remilgado, da. p. p. de **remilgarse.** | **2.** adj. Que afecta excesiva pulidez, compostura, delicadeza y gracia en porte, gestos y acciones.

remilgarse. prnl. Repulirse y hacer ademanes y gestos afectados con el rostro. Se usa comúnmente hablando de las mujeres.

remilgo. (De *re-* y el b. lat. *mellīcus*, y este del lat. *mellītus*, meloso.) m. Pulidez o delicadeza exagerada o afectada, mostrada con gestos expresivos. Ú. m. en pl.

rémington. m. (De *Remington*, nombre de su inventor.) m. Fusil que se carga por la recámara.

reminiscencia. (Del lat. *reminiscentĭa*.) f. Acción de representarse u ofrecerse a la memoria el recuerdo de una cosa que pasó. | **2.** Recuerdo vago e impreciso. | **3.** *Fil.* Facultad del alma con que traemos a la memoria aquellas imágenes de que estamos trascordados o que no tenemos presentes. | **4.** En literatura y música, lo que es idéntico o muy semejante a lo compuesto anteriormente por otro autor.

remirado, da. p. p. de **remirar** o **remirarse.** | **2.** adj. Dícese de la persona escrupulosamente sobre sus acciones. | **3. melindroso.**

remirar. tr. Volver a mirar o reconocer con reflexión y cuidado lo que ya se había visto. | **2.** prnl. Esmerarse o poner mucho cuidado en lo que se hace o resuelve. | **3.** Mirar o considerar una cosa complaciéndose o recreándose en ella.

remisamente. adv. m. Flojamente, con remisión y tardanza.

remisible. (Del lat. *remisibĭlis*.) adj. Que se puede remitir o perdonar.

remisión. (Del lat. *remissĭo, -ōnis*.) f. Acción y efecto de remitir o remitirse. | **2.** Indicación, en un escrito, del lugar del mismo o de otro escrito a que se remite al lector.

remisivamente. adv. m. Con remisión a una persona, lugar o tiempo,

remisivo, va. (Del lat. *remissĭvus*.) adj. Dícese de lo que remite o sirve para remitir.

remiso, sa. (Del lat. *remissus*, p. p. de *remittĕre*, aflojar.) adj. Flojo, dejado o detenido en la resolución o determinación de una cosa. | **2.** Aplícase a las calidades físicas que tienen escasa actividad. | **3.** *Esgr.* V. **movimiento remiso.** | **4.** *Mús.* V. **quinta remisa.**

remisoria. (Del lat. *remissum*, supino de *remittĕre*, remitir, enviar.) f. *Der.* Despacho con que el juez remite la causa o al preso a otro tribunal. Ú. m. en pl.

remisorio, ria. (Del lat. *remissum*, supino de *remittĕre*, soltar, desatar.) adj. Que tiene virtud o facultad de remitir o perdonar. | **2.** V. **letra remisoria.**

remite. m. Nota que se pone en los sobres, paquetes, etc., enviados por correo, en la que constan el nombre y dirección de la persona que los envía.

remitente. (Del lat. *remittens, -entis*.) p. a. de **remitir.** Que remite. Ú. t. c. s. | **2.** adj. V. **fiebre remitente.** | **3.** com. Persona cuyo nombre consta en el remite de un sobre o paquete.

remitido, da. p. p. de **remitir.** | **2.** m. Artículo o noticia cuya publicación interesa a un particular o que a petición de éste se inserta en un periódico mediante pago. Suele llevar al final una R.

remitir. (Del lat. *remittĕre*.) tr. Enviar una cosa a determinada persona de otro lugar. | **2.** Perdonar, alzar la pena, eximir o liberar de una obligación. | **3.** Dejar, diferir o suspender. | **4.** Ceder o perder una cosa parte de su intensidad. Ú. t. c. intr. y c. prnl. | **5.** Dejar al juicio o dictamen de otro la resolución de una cosa. Ú. m. c. prnl. | **6.** Indicar en un escrito otro lugar del mismo o de distinto escrito donde consta lo que atañe al punto tratado. | **7.** prnl. Atenerse a lo dicho o hecho, o a lo que ha de decirse o hacerse, por uno mismo o por otra persona, de palabra o por escrito.

remo. (Del lat. *remus.*) m. Instrumento de madera, en forma de pala larga y estrecha, que sirve para mover las embarcaciones haciendo fuerza en el agua. ‖ **2.** Brazo o pierna, en el hombre y en los cuadrúpedos. Ú. m. en pl. ‖ **3.** En las aves, cada una de las alas. Ú. m. en pl. ‖ **4.** Pena de remar en las galeras. *Condenado al* REMO. ‖ **5.** Deporte que consiste en recorrer una determinada distancia sobre el agua en una embarcación impulsada por medio de re- mos. ‖ **6.** fig. Trabajo grande y continuado en cualquier línea. ‖ **al remo.** loc. adv. Remando, o por medio de remo. ‖ **2.** fig. y fam. Sufriendo penalidades y trabajos. ‖ **a remo.** loc. adv. **al remo.** ‖ **a remo y sin sueldo.** loc. adv. fig. y fam. Trabajando mucho y sin utilidad. ‖ **a remo y vela.** loc. adv. fig. y fam. Con presteza, con toda diligencia. ‖ **meter el remo.** fr. fig. y fam. **meter la pata.**

remoción. (Del lat. *remotĭo, -ōnis.*) f. Acción y efecto de re- mover o removerse. ‖ **2.** *Der.* Privación de cargo o empleo.

remocho. m. *Sal.* Brote, retoño.

remojadero. m. Lugar donde se echa alguna cosa en remojo, como el bacalao.

remojar. tr. Empapar en agua o poner en remojo una cosa. Ú. t. c. prnl. ‖ **2.** fig. Convidar a beber a los amigos para celebrar el estreno de un traje, un objeto comprado o algún suceso feliz para el que convida. ‖ **3.** fig. V. **re- mojar la palabra.**

remojo. m. Acción de remojar o empapar en agua una cosa. ‖ **2.** Operación de mantener en agua, durante un cierto espacio de tiempo, algunos alimentos como legum- bres, antes de consumirlos o cocinarlos. ‖ **3.** *Col.* Acción y efecto de **remojar,** convidar con motivo de algún estreno o festejo. ‖ **echar en remojo** un negocio. fr. fig. y fam. Di- ferir el tratar de él hasta que esté en mejor disposición.

remojón. m. mojadura. Ú. t. en sent. fig. ‖ **2.** *And.* Pe- dazo de pan rociado con aceite y vinagre que se toma como alimento.

remolacha. (Del lat. *armoracĭa,* rábano silvestre.) f. Planta herbácea anual, de la familia de las quenopodiáceas, con tallo derecho, grueso, ramoso, de uno a dos metros de al- tura; hojas grandes, enteras, ovales, con nervio central ro- jizo; flores pequeñas y verdosas en espiga terminal; fruto seco con una semilla lenticular, y raíz grande, carnosa, fu- siforme, generalmente encarnada, que es comestible y de la cual se extrae azúcar. ‖ **2.** Esta raíz. ‖ **azucarera.** Cual- quiera de las variedades de **remolacha** empleadas en la in- dustria azucarera. ‖ **forrajera.** La que no recibe el cultivo necesario para acrecentar la proporción del azúcar, y se utiliza como alimento del ganado.

remolachero, ra. adj. Perteneciente o relativo al cul- tivo de la remolacha y a su industrialización y venta. ‖ **2.** m. y f. Persona que se dedica al cultivo, industrialización y venta de remolacha.

remolar. (Del lat. *remūlus,* d. de *rumus,* remo.) m. Maestro o carpintero que hace remos. ‖ **2.** Taller en que se hacen remos.

remolcador, ra. adj. Que sirve para remolcar. Apl. a embarcaciones, ú. t. c. s. m.

remolcar. (Del lat. *remulcāre,* y este del gr. ῥυμουλκέω; de ῥῦμα, cuerda, y ὁλκός, tracción.) tr. *Mar.* Llevar una embarcación u otra cosa sobre el agua, tirando de ella por medio de un cabo o cuerda. ‖ **2.** Por semejanza, llevar por tierra un vehículo a otro. ‖ **3.** fig. Traer una persona a otra u otras, contra la inclinación de estas, al intento o la obra que quiere acometer o consumar.

remolda. f. *Ar.* Acción y efecto de remoldar. ‖ **2.** Tiem- po a propósito para la monda de los árboles.

remoldar. (De *remondar.*) tr. *Ar.* Podar o mondar los ár- boles.

remoler. tr. Moler mucho una cosa. ‖ **2.** *Guat.* y *Perú.* molestar. ‖ **3.** intr. fig. *Chile.* Parrandear, jaranear, diver- tirse.

remolido, da. p. p. de **remoler.** ‖ **2.** adj. Muy molido. ‖ **3.** m. *Min.* Mineral menudo que, mezclado con ganga, ha de someterse al lavado para su purificación.

remolienda. f. *Chile.* Juerga, jarana.

remolimiento. m. Acción y efecto de remoler.

remolinar. intr. Hacer o formar remolinos una cosa. Ú. t. c. prnl. ‖ **2.** prnl. Juntarse en grupos desordenadamente muchas personas. Ú. t. c. intr.

remolinear. tr. Mover una cosa alrededor en forma de remolino. ‖ **2.** intr. Remolinarse las personas. Ú. t. c. prnl.

remolino. m. Movimiento giratorio y rápido del aire, del agua, del polvo, del humo, etc. ‖ **2.** Retorcimiento del pelo en redondo, que se forma en una parte del cuerpo del hombre o del animal. ‖ **3.** fig. Amontonamiento de gente, o confusión de unos con otros, por efecto de un desorden. ‖ **4.** fig. Disturbio, inquietud o alteración. ‖ **5.** fig. Persona inquieta.

remolón¹. (De *muela.*) m. Colmillo de la mandíbula su- perior del jabalí. ‖ **2.** Cualquiera de las puntas con que termina la corona de las muelas de las caballerías.

remolón², na. (De *remorar.*) adj. Que intenta evitar el tra- bajo o la realización de alguna otra cosa. Ú. t. c. s.

remolonear. (De *remolón².*) intr. Rehusar moverse, dete- nerse al hacer o admitir una cosa, por flojedad y pereza. Ú. t. c. prnl.

remolque. m. Acción y efecto de remolcar. ‖ **2.** Cabo o cuerda que se da a una embarcación para remolcarla. ‖ **3.** Cosa que se lleva remolcada por mar o por tierra. ‖ **4.** Vehículo remolcado por otro. ‖ **a remolque.** loc. adv. Re- molcando. ‖ **2.** fig. Aplícase a la acción poco espontánea, y más bien producida por excitación o impulso de otra per- sona. ‖ **dar remolque.** fr. *Mar.* **remolcar.**

remoller. m. ant. **remollero.**

remollero. m. ant. Carpintero que hace remos.

remondar. (Del lat. *remundāre.*) tr. Limpiar o quitar por segunda vez lo inútil o perjudicial de una cosa. Se usa re- gularmente hablando de los árboles y las vides.

remonta. f. Compostura del calzado cuando se le pone de nuevo el pie o las suelas. ‖ **2.** Rehenchido de las sillas de las caballerías. ‖ **3.** Parche de paño o de cuero que se pone al pantalón de montar para evitar su desgaste en el roce con la silla. ‖ **4.** *Col.* y *Venez.* Animal que un jinete lleva de repuesto para cambiarlo por el que monta. ‖ **5.** *Mil.* Compra, cría y cuidado de los caballos para proveer al ejército. ‖ **6.** *Mil.* Conjunto de los caballos o mulas des- tinados a cada cuerpo. ‖ **7.** *Mil.* Establecimiento destina- do a la compra, cría y cuidado del ganado para los insti- tutos militares.

remontado, da. p. p. de **remontar.** ‖ **2.** adj. V. **arco remontado.** ‖ **3.** m. Acción y efecto de remontar el calzado.

remontamiento. m. Acción de remontar.

remontar. tr. Ahuyentar, espantar. Se usa propiamente hablando de la caza que, acosada y perseguida, se retira a lo oculto y montuoso. ‖ **2.** Proveer de nuevos caballos a la tropa o a la caballeriza de algún personaje. ‖ **3.** Rehen- chir o recomponer una silla de montar. ‖ **4.** Echar nuevos pies o suelas al calzado. ‖ **5.** Subir una pendiente, sobre- pasarla. ‖ **6.** Navegar aguas arriba en una corriente. ‖ **7.** fig. Superar algún obstáculo o dificultad. ‖ **8.** fig. Elevar, encumbrar, sublimar. Ú. t. c. prnl. ‖ **9.** Elevar en el aire una cometa. ‖ **10.** prnl. Subir en general, ir hacia arriba. Ú. t. en sent. fig. ‖ **11.** Refugiarse en los montes los escla- vos de América o los indígenas. ‖ **12.** Subir o volar muy alto las aves. ‖ **13.** Enojarse, irritarse. ‖ **14.** prnl. Retroce- der hasta una época pasada. *Este historiador* SE HA RE- MONTADO *hasta la época prehistórica.* ‖ **15.** fig. Pertenecer a una época muy lejana. *Esta iglesia* SE REMONTA *al siglo XII.* ∥ **16.** fig. Ascender una cantidad, especialmente de dinero, a la cifra que se indica. ∥ **17.** Alterarse la calidad del vino por oxidación a causa de llevar mucho tiempo embotellado.

remonte. m. Acción y efecto de remontar o remontarse. ∥ **2.** Variedad del juego de pelota en que se usa la cesta de **remonte.** ∥ **3.** *Dep.* Aparato utilizado para remontar una pista de esquí, como el telesilla. ∥ **4.** V. **cesta de remonte.**

remontista[1]. (De *remonta*, establecimiento.) m. Militar empleado en un establecimiento de remonta.

remontista[2]. (De *remonte*.) com. Pelotari que juega de remonte.

remoque. (De *arrumaco*.) m. fam. Palabra picante. ∥ **2. remoquete,** dicho agudo y satírico.

remoquete. (De *remoque*.) m. Moquete o puñada. ∥ **2.** fig. Dicho agudo y satírico. ∥ **3.** Apodo que se da a uno. ∥ **4.** fam. Cortejo o galanteo. ∥ **dar remoquete.** fr. fig. y fam. **dar en los ojos;** hacer deliberadamente una persona en presencia de otra algo que la enfade o disguste.

rémora. (Del lat. *remŏra*.) f. Pez teleósteo marino, del suborden de los acantopterigios, de unos cuarenta centímetros de largo y de siete a nueve en su mayor diámetro; fusiforme, de color ceniciento, con una aleta dorsal y otra ventral que nacen en la mitad del cuerpo y se prolongan hasta la cola, y encima de la cabeza un disco oval, formado por una serie de láminas cartilaginosas movibles, con el cual hace el vacío para adherirse fuertemente a los objetos flotantes. Los antiguos le atribuían la propiedad de detener las naves. ∥ **2.** fig. Cualquier cosa que detiene, embarga o suspende.

remorar. (Del lat. *remorāri*.) tr. ant. **retardar.**

remordedor, ra. adj. Que remuerde o inquieta interiormente.

remorder. (Del lat. *remordēre*.) tr. Morder reiteradamente. ∥ **2.** Exponer por segunda vez a la acción del ácido partes determinadas de la lámina que se graba al agua fuerte. ∥ **3.** fig. Inquietar, alterar o desasosegar interiormente una cosa, especialmente los escrúpulos por un comportamiento que se considera malo o perjudicial para otro. ∥ **4.** prnl. fig. Manifestar con una acción exterior el sentimiento reprimido que interiormente se padece.

remordimiento. m. Inquietud, pesar interno que queda después de ejecutada una mala acción.

remosquearse. prnl. fam. Mostrarse receloso a causa de lo que se oye o advierte. ∥ **2.** *Impr.* Borrarse o mancharse el pliego recién tirado, por correrse la tinta y perder las letras una vez por las letras su limpieza.

remostar. intr. Echar mosto en el vino añejo. Ú. t. c. tr. ∥ **2.** prnl. Mostear los racimos de uva antes de llegar al lagar. Se usa también hablando de otras frutas que se maltratan y pudren en contacto de unas con otras. ∥ **3.** Estar dulce el vino, o saber a mosto.

remostecerse. prnl. **remostarse.**

remosto. m. Acción y efecto de remostar o remostarse.

remotamente. adv. l. y t. En un tiempo o lugar remotos. ∥ **2.** fig. De una manera imprecisa o confusa. *Me acuerdo* REMOTAMENTE. ∥ **ni remotamente.** loc. adv. Sin verosimilitud ni probabilidad de que exista o sea cierta una cosa; sin proximidad ni proporción cercana de que se verifique.

remoto, ta. (Del lat. *remōtus*, p. p. de *removēre*, retirar, apartar.) adj. Distante o apartado. ∥ **2.** V. **especie, noticia, ocasión remota.** ∥ **3.** V. **materia remota del sacramento.** ∥ **4.** fig. Que no es verosímil, o está muy distante de suceder. *Peligro* REMOTO. ∥ **estar remoto** uno. fr. fig. Estar casi olvidado de una cosa que supo o aprendió.

remover. (Del lat. *removēre*.) tr. Pasar o mudar una cosa de un lugar a otro. Ú. t. c. prnl. ∥ **2.** Mover una cosa, agi-

tándola o dándole vueltas, generalmente para que sus distintos elementos se mezclen. ∥ **3.** Quitar, apartar u obviar un inconveniente. ∥ **4.** Conmover, alterar o revolver alguna cosa o asunto que estaba olvidado, detenido, etc. Ú. t. c. prnl. ∥ **5.** Deponer o apartar a uno de su empleo o destino. ∥ **6.** fig. Investigar un asunto para sacar a la luz cosas que estaban ocultas.

removimiento. m. Acción y efecto de remover o removerse.

remozamiento. m. Acción y efecto de remozar o remozarse.

remozar. tr. Dar o comunicar un aspecto más lozano, nuevo o moderno a alguien o algo. Ú. m. c. prnl.

remplazar. tr. **reemplazar.**

remplazo. m. **reemplazo.**

rempujar. tr. fam. Hacer fuerza contra alguna cosa para moverla. ∥ **2.** Echar a uno a empellones.

rempujo. m. fam. Fuerza o resistencia que se hace con cualquier cosa. ∥ **2.** *Mar.* Disco plano, estriado en dos direcciones, y que aplican los veleros a la palma de la mano para empujar la aguja cuando cosen las velas.

rempujón. m. fam. Impulso violento con que se mueve a una persona o una cosa.

remuda. f. **remudamiento.** ∥ **2. muda,** juego de ropa para cambiarse.

remudamiento. m. Acción y efecto de remudar o remudarse.

remudar. (Del lat. *remutāre*.) tr. Reemplazar a una persona o cosa con otra. Ú. t. c. prnl. ∥ **2. cambiar.** ∥ **3. mudar** la ropa o el vestido. ∥ **4.** trasplantar, mudar un vegetal del sitio donde está plantado a otro.

remudiar. (De **remudiar*, del lat. **remugitāre*, de *mugīre*.) intr. *Sal.* Mugir la vaca para llamar a la cría, y viceversa.

remugar. (Del lat. *rumigāre*.) tr. **rumiar.**

remullir. (Del lat. *remollīre*.) tr. Mullir mucho.

remuneración. (Del lat. *remuneratĭo, -ōnis*.) f. Acción y efecto de remunerar. ∥ **2.** Lo que se da o sirve para remunerar. ∥ **3. retribución.**

remunerador, ra. (Del lat. *remunerātor, -ōris*.) adj. Que remunera. Ú. t. c. s.

remunerar. (Del lat. *remunerāre*.) tr. Recompensar, premiar, galardonar. ∥ **2. retribuir,** pagar un servicio. ∥ **3.** Producir ganancia una actividad.

remunerativo, va. adj. Que remunera o produce recompensa o provecho.

remuneratorio, ria. adj. Dícese de lo que se hace o da en premio de un beneficio u obsequio recibidos. ∥ **2.** V. **privilegio remuneratorio.**

remusgar. (Del lat. **remussicāre*, de *mussāre*, murmurar.) intr. Barruntar o sospechar.

remusgo. m. Barrunto o vislumbre que se tiene por algún indicio. ∥ **2.** Vientecillo tenue, frío y penetrante.

ren. (Del lat. *ren, renis*.) amb. ant. **riñón.**

renacentista. adj. Relativo o perteneciente al Renacimiento. ∥ **2.** Se dice del que cultiva los estudios o arte propios del Renacimiento. ∥ **3.** V. **estilo renacentista.**

renacer. (Del lat. *renasci*.) intr. Volver a nacer. Ú. t. en sent. fig. ∥ **2.** fig. Adquirir por el bautismo la vida de la gracia.

renacimiento. m. Acción de renacer. ∥ **2.** Época que comienza a mediados del siglo XV, en que se despertó en Occidente vivo entusiasmo por el estudio de la antigüedad clásica griega y latina.

renacuajo. (De *ranacuajo*.) m. Larva de la rana, que se diferencia del animal adulto principalmente por tener cola, carecer de patas y respirar por branquias. ∥ **2.** Larva de cualquier batracio. ∥ **3.** fig. Calificativo cariñoso con que se suele motejar a los niños pequeños y traviesos.

renadío. (Del lat. *renātus*, de *renasci*, renacer.) m. Sembrado que retoña después de cortado en hierba.

renal. (Del lat. *renālis*.) adj. Perteneciente o relativo a los riñones. ‖ **2.** V. **cólico renal.**

renano, na. (Del lat. *rhenānus*.) adj. Dícese de los los territorios situados en las orillas del Rin, río de la Europa Central. ‖ **2.** Perteneciente o relativo a estos territorios.

rencallo. (De *renco*.) adj. *Zam.* **ciclán**, que tiene un solo testículo.

rencilla. (Del lat. **ringella*, de *ringĕre*, reñir.) f. Cuestión o riña que da lugar a un estado de hostilidad entre dos o más personas. Ú. m. en pl.

rencilloso, sa. adj. Inclinado a rencillas o cuestiones.

rencionar. (Del lat. *ringĕre*, reñir, a través del ant. *rencer*.) tr. ant. Causar rencillas, pendencias o riñas.

renco, ca. (Del lat. **renĭcus*.) adj. **rengo**, cojo. Ú. t. c. s. ‖ **2. ciclán**, que tiene un solo testículo.

rencontrar. tr. **reencontrar.**

rencor. (De *rancor*.) m. Resentimiento arraigado y tenaz.

rencorosamente. adv. m. Con rencor.

rencoroso, sa. adj. Que tiene o guarda rencor. Ú. t. c. s.

rencoso. (De *renco*.) adj. **ciclán**, que tiene un solo testículo.

rencuentro. m. **reencuentro.**

renculillo. m. *Cuba.* Tema, obstinación caprichosa. ‖ **2.** *Cuba.* Incomodidad, rabieta, enojo.

rencura. (De *rancura*.) f. ant. Odio, rencor.

rencurarse. prnl. ant. Querellarse de un daño o agravio.

rencuroso, sa. adj. ant. Que se querella de un daño o agravio.

renda. (Del lat. **rendĭta*, de *reddĭta*, infl. por *vendita*.) f. **bina**, segunda reja a los sembrados o segunda cava a la viña. ‖ **2.** p. us. **renta.**

rendaje. m. Conjunto de riendas y demás correas de que se compone la brida de las cabalgaduras.

rendajo. (De **rendar*, del lat. *re -imitāri*.) m. **arrendajo.**

rendar. tr. **binar**, dar segunda reja a la tierra o cava a las viñas.

render. (Del lat. *reddĕre*, infl. por *prendĕre* y *vendĕre*.) tr. ant. Rendir, entregar.

rendibú. (Del fr. *rendez-vous*.) m. Acatamiento, agasajo, que se hace a una persona, por lo general con la intención de adularla.

rendición. (Del lat. *redditĭo*, *-ōnis*.) f. Acción y efecto de rendir o rendirse. ‖ **2.** Producto o utilidad que rinde o da una cosa. ‖ **3.** Cantidad de moneda acuñada durante un período determinado, y que no ha obtenido aún del gobierno la autorización necesaria para su circulación. ‖ **4.** ant. Precio en que se redime o rescata.

rendidamente. adv. m. Con sumisión y rendimiento.

rendido, da. p. p. de **rendir.** ‖ **2.** adj. Sumiso, obsequioso, galante.

rendidor, ra. adj. Que rinde, que produce buen rendimiento.

rendija. (De *re-* y *hendija*.) f. Hendedura, raja o abertura larga y estrecha que se produce en cualquier cuerpo sólido, como pared, tabla, etc., y lo atraviesa de parte a parte. ‖ **2.** Espacio, generalmente estrecho, entre dos tableros o planchas metálicas que se articulan el uno con el otro, como una caja con su tapadera, la hoja de la ventana o de la puerta con el marco; hendidura por donde puede entrar la luz y el aire exteriores.

rendimiento. m. Cansancio, desfallecimiento de las fuerzas. ‖ **2.** Sumisión, subordinación, humildad. ‖ **3.** Obsequiosa expresión de la sujeción a la voluntad de otro en orden a servirle o complacerle. ‖ **4.** Producto o utilidad que rinde o da una persona o cosa. ‖ **5.** Proporción entre el producto o el resultado obtenido y los medios utilizados.

rendir. (Del lat. *reddĕre*, infl. por *prendĕre* y *vendĕre*.) tr. Vencer, sujetar, obligar a las tropas, plazas o embarcaciones enemigas, etc., a que se entreguen. ‖ **2.** Sujetar, someter una cosa al dominio de uno. Ú. t. c. prnl. ‖ **3.** Dar a uno lo que le toca, o restituirle aquello de que se le había desposeído. ‖ **4.** Dar fruto o utilidad una persona o cosa. ‖ **5.** Cansar, fatigar, vencer. Ú. t. c. prnl. SE RINDIÓ *de tanto trabajar*. ‖ **6.** Vomitar o devolver la comida. ‖ **7.** Junto con algunos nombres, toma la significación del que se le añade. RENDIR *gracias*, agradecer; RENDIR *obsequios*, obsequiar. ‖ **8.** Dar, entregar. RINDIÓ *el alma a Dios*. ‖ **9.** *Mar.* Tratándose de una bordada, un crucero, un viaje, etc., terminarlo, llegar a su fin. ‖ **10.** *Mil.* Entregar, hacer pasar una cosa al cuidado o vigilancia de otro. RENDIR *la guardia*. ‖ **11.** *Mil.* Hacer con ciertas cosas actos de sumisión y respeto. RENDIR *el arma, la bandera*. ‖ **12.** prnl. fig. Tener que admitir alguna cosa. SE RINDIÓ *ante tantas evidencias*. ‖ **13.** *Mar.* Romperse o henderse un palo, mastelero o verga.

rendón (de). (Del fr. *randon*, del m. or. que *randa*.) loc. adv. ant. **de rondón**, intrépidamente y sin reparo.

rene. (Del lat. *ren, renis*.) f. **riñón.**

renegado, da. p. p. de **renegar.** ‖ **2.** adj. Que ha abandonado voluntariamente su religión o sus creencias. ‖ **3.** Particularmente, que renuncia a la ley de Jesucristo. Ú. t. c. s. ‖ **4.** fig. y fam. Dícese de la persona áspera de condición y maldiciente. Ú. t. c. s. ‖ **5.** m. **tresillo**, juego de naipes.

renegador, ra. adj. Que reniega, blasfema o jura frecuentemente. Ú. t. c. s.

renegar. tr. Negar con instancia una cosa. ‖ **2.** Detestar, abominar. ‖ **3.** intr. Pasarse de una religión o culto a otro. Regularmente se dice del que, apostatando de la fe de Jesucristo, abraza la secta mahometana. ‖ **4. blasfemar**, decir blasfemias. ‖ **5.** fig. y fam. Decir injurias o baldones contra uno. ‖ **6.** fig. y fam. **refunfuñar.**

renegón, na. adj. fam. Que reniega con frecuencia. Ú. t. c. s.

renegrear. intr. Negrear intensamente.

renegrido, da. adj. Dícese del color oscuro, especialmente de la piel. ‖ **2.** Ennegrecido por el humo o por la suciedad.

reneta. f. Instrumento de doble boca, empleado en carpintería para guiar la sierra cuando empieza su marcha.

renga. (Del lat. **renĭca*, de *ren, renis*, riñón.) f. *Sal.* Parte del lomo sobre la que se pone la carga a las caballerías. ‖ **2.** Corvadura de la columna vertebral, joroba, jiba.

rengadero. m. *Sal.* Cadera del cuerpo humano.

rengar. (Del lat. **renicāre*, de *ren, renis*, riñón.) tr. Descaderar, derrengar.

rengífero. m. **rangífero.**

renglada. (Del lat. *renicŭlus*, riñón.) f. ant. **riñonada.**

rengle. (Del germ. *hring*, círculo, clase.) m. **ringlera.**

renglera. f. **ringlera.**

renglón. (De *reglón*, aum. de *regla*.) m. Serie de palabras o caracteres escritos o impresos en una línea recta. ‖ **2.** Cada una de las líneas horizontales que tienen algunos papeles y que sirven para escribir sin torcerse. ‖ **3.** fig. Parte de renta, utilidad o beneficio que uno tiene, o del gasto que hace. *Los cupones son el* RENGLÓN *principal de su haber; en mi casa es muy costoso el* RENGLÓN *del aceite.* ‖ **4.** pl. fig. y fam. Cualquier escrito o impreso. *Bien sé que no merecen ningún aplauso estos* RENGLONES. ‖ **a renglón seguido.** fr. fig. y fam. A continuación, inmediatamente. ‖ **dejar entre renglones** una cosa. fr. fig. Olvidarse o no acordarse de ella cuando se la debía tener presente. ‖ **leer entre renglones.** fr. fig. Penetrar la intención de un escrito, suponiendo, por lo que dice, lo que intencionadamente calla. ‖ **que-**

darse entre renglones una cosa. fr. fig. dejarla entre renglones.

renglonadura. f. Conjunto de líneas señaladas en el papel para escribir sobre ellas los renglones.

rengo¹, ga. (Del lat. *renicus*, de ren, renis, riñón.) adj. Cojo por lesión de las caderas. Ú. t. c. s. ‖ **hacer la de rengo.** fr. fig. y fam. Fingir enfermedad o lesión para excusarse del trabajo.

Rengo². (Nombre de un guerrero indio de *La Araucana*, de Ercilla.) dar a uno **con la de Rengo.** fr. fig. Matarlo de un golpe. ‖ **2.** fig. Causar grave daño o contrariedad. ‖ **3.** fig. Engañar adulando.

renguear. (De *rengo¹*.) intr. **renquear**, andar como rengo.

renguera. f. *Amér.* **renquera.**

reniego. m. Blasfemia contra Dios, la Virgen o los santos. ‖ **2.** fig. y fam. Maldición o dicho injurioso contra otro.

reniforme. adj. De forma parecida a la de un riñón.

renil. adj. V. **oveja renil.**

renio. (Del lat. *Rhenus*, el Rin.) m. *Quím.* Metal blanco, brillante, muy denso y difícilmente fusible. Sus compuestos son parecidos a los del manganeso. Núm. atómico 75. Símb.: *Re.*

renitencia¹. (Del lat. *renitens, -entis*, p. a. de *reniteré*, brillar mucho.) f. Estado de la piel, cuando se halla tersa, tirante y lustrosa.

renitencia². (Del lat. *renitens, -entis*, renitente.) f. Resistencia que se pone a hacer algo o consentirlo.

renitente. (Del lat. *renitens, -entis*, p. a. de *reniti*, resistir, oponerse.) adj. Que se resiste a hacer o admitir alguna cosa.

reno. (Del lat. *rheno*, y este del art. nórdico *hreinn*.) m. Especie de ciervo de los países septentrionales, con astas muy ramosas lo mismo el macho que la hembra, y pelaje espeso, rojo pardusco en verano y rubio blanquecino en invierno. Se domestica con facilidad, sirve como animal de tiro entre los trineos, y se aprovechan su carne, su piel y sus huesos.

renombrado, da. p. p. de **renombrar.** ‖ **2.** adj. Célebre, famoso.

renombrar. tr. ant. Nombrar, llamar, dar nombre. Usáb. t. c. prnl. ‖ **2.** ant. Apellidar o dar apellido o sobrenombre. Usáb. t. c. prnl.

renombre. (Del lat. *renomen, -ínis*.) m. Apellido o sobrenombre propio. ‖ **2.** Epíteto de gloria, o fama que adquiere uno por sus hechos gloriosos o por haber dado muestras señaladas de ciencia y talento. ‖ **3.** Fama y celebridad.

renovable. adj. Que puede renovarse.

renovación. (Del lat. *renovatio, -ónis*.) f. Acción y efecto de renovar o renovarse.

renovador, ra. (Del lat. *renovátor, -óris*.) adj. Que renueva. Ú. t. c. s.

renoval. m. Terreno poblado de renuevos.

renovamiento. m. ant. **renovación.**

renovar. (Del lat. *renováre*.) tr. Hacer como de nuevo una cosa, o volverla a su primer estado. Ú. t. c. prnl. ‖ **2.** Restablecer o reanudar una relación u otra cosa que se había interrumpido. Ú. t. c. prnl. ‖ **3.** Remudar, poner de nuevo o reemplazar una cosa. ‖ **4.** Sustituir una cosa vieja, o que ya ha servido, por otra nueva de la misma clase. RENOVAR *la cera, la plata.* ‖ **5.** Dar nueva energía a algo, transformarlo. *Este autor* RENOVÓ *el teatro de la época.* ‖ **6.** Reiterar o publicar de nuevo. ‖ **7.** Consumir el sacerdote las formas antiguas y consagrar otras de nuevo. ‖ **8.** ant. **novar.**

renovero, ra. (De *renuevo*, logro, usura.) m. y f. Usurero, logrero.

renquear. intr. Andar como renco, meneándose a un lado y a otro. ‖ **2.** fig. y fam. No acabar de decidirse el que ejecuta un acto o toma una resolución. ‖ **3.** Tener dificultad en alguna empresa, negocio, quehacer, etc.

renqueo. m. Acción y efecto de renquear.

renquera. f. *Amér.* Cojera especial del renco.

renta. (Del lat. *reddita*, infl. por *vendita.*) f. Utilidad o beneficio que rinde anualmente una cosa, o lo que de ella se cobra. ‖ **2.** Lo que se paga en dinero o en frutos un arrendatario. ‖ **3.** Ingreso, caudal, cualquier aumento de la riqueza de un sujeto. ‖ **4.** Deuda del Estado o títulos que la representan. ‖ **5.** V. **hacimiento de rentas.** ‖ **bruta. renta** total antes de realizar ninguna deducción. ‖ **de sacas.** Impuesto que pagaba el que transportaba géneros a otro país o de un lugar a otro. ‖ **estancada.** La que procede de un artículo cuya venta exclusiva se reserva el gobierno, como el tabaco. ‖ **general.** Cualquiera de las que se cobraban directamente por la Hacienda en todo el país, como las de la sal, tabaco, aduanas, etc. ‖ **nacional.** Conjunto de los ingresos derivados de la participación en el proceso productivo durante un año, y referido a una entidad nacional. ‖ **neta. renta** que queda después de aplicar las deducciones fiscales. ‖ **per cápita. renta** nacional dividida por el número de habitantes de un país. ‖ **provincial.** Cualquiera de las procedentes de los tributos regulares que pagaba una provincia a la Hacienda, como alcabala, cientos, etc. ‖ **rentada.** La que no es eventual, sino fija y segura. ‖ **vitalicia.** *Der.* Contrato aleatorio en el que una parte cede a otra una suma o capital con la obligación de pagar una pensión al cedente o a tercera persona durante la vida del beneficiario. ‖ **a la renta.** loc. adv. En arrendamiento. ‖ **a renta, o en renta.** loc. adv. A la renta. ‖ **hacer rentas, o las rentas.** fr. Arrendarlas publicándolas, pregonándolas. ‖ **mejorar las rentas.** fr. Pujarlas. ‖ **meterse uno en la renta del excusado.** fr. fig. y fam. Meterse en lo que no le incumbe o importa.

rentabilidad. f. Calidad de rentable. ‖ **2.** Capacidad de rentar.

rentable. adj. Que produce renta suficiente o remuneradora.

rentado, da. p. p. de **rentar.** ‖ **2.** adj. Que tiene renta para mantenerse. ‖ **3.** V. **renta rentada.**

rentar. tr. Producir o rendir beneficio o utilidad anualmente una cosa. Ú. t. c. intr.

rentero, ra. adj. Que paga algún tributo. ‖ **2.** m. y f. Colono que tiene en arrendamiento una posesión o finca rural. ‖ **3.** m. El que hace postura a la renta o la arrienda.

rentilla. f. Juego de naipes semejante al de la treinta y una. ‖ **2.** Juego con seis dados, cada uno de los cuales lleva en una sola de sus caras el número 1, 2, 3, 4, 5 ó 6.

rentista. com. Persona que tiene conocimiento o práctica en materias de hacienda pública. ‖ **2.** Persona que percibe renta procedente de una propiedad de cualquier tipo. ‖ **3.** Persona que percibe renta procedente de papel del Estado. ‖ **4.** Persona que principalmente vive de sus rentas.

rentístico, ca. adj. Perteneciente o relativo a las rentas públicas. *Sistema* RENTÍSTICO; *reformas* RENTÍSTICAS.

rento. (Del lat. *redditus*.) m. Renta o pago con que contribuye anualmente el labrador o el colono.

rentoso, sa. adj. Que produce o da renta.

rentoy. m. Juego de naipes entre dos, cuatro, seis u ocho personas, a cada una de las cuales se dan tres cartas; se vuelve otra para muestra del triunfo y el dos o malilla del palo correspondiente gana a todas las demás, cuyo orden es: rey, caballo, sota, siete, seis, cinco, cuatro y tres. Se roba y hacen bazas como en el tresillo, se envida y se permiten señas entre los compañeros. ‖ **2.** Muestra del triunfo en el juego del **rentoy.** ‖ **3.** fig. y fam. Jactancia o desplante y también pulla o indirecta. Ú. m. con los verbos *tirar* y *echar.*

renuencia. (Del lat. *renuens, -entis*, renuente.) f. Repugnancia que se muestra a hacer una cosa.

renuente. (Del lat. *renuens, -entis*, p. a. de *renuére*, hacer con la cabeza un signo negativo.) adj. Indócil, remiso. ‖ **2.** Dificultoso, trabajoso.

renuevo. m. Vástago que echan el árbol o la planta después de podados o cortados. ‖ **2.** Acción y efecto de renovar o renovarse. ‖ **3.** ant. Logro o usura.

renuncia. f. Acción de renunciar. ‖ **2.** Instrumento o documento que contiene la **renuncia.** ‖ **3.** Dimisión o dejación voluntaria de una cosa que se posee, o del derecho a ella.

renunciable. adj. Que se puede renunciar. ‖ **2.** Aplícase al oficio que se adquiere con facultad de transferirlo a otro por renuncia.

renunciación. (Del lat. *renuntiatīo, -ōnis.*) f. **renunciamiento.** ‖ **simple.** *Der.* La que se hace sin reservar frutos ni títulos.

renunciamiento. m. Acción y efecto de renunciar.

renunciante. p. a. de **renunciar.** Que renuncia. Ú. t. c. s.

renunciar. (Del lat. *renuntiāre.*) tr. Hacer dejación voluntaria, dimisión o apartamiento de una cosa que se tiene, o del derecho y acción que se puede tener. ‖ **2.** No querer admitir o aceptar una cosa. ‖ **3.** Despreciar o abandonar. ‖ **4.** Faltar a las leyes de algunos juegos de naipes, por no servir al palo que se juega teniendo carta de él. ‖ **renunciarse** uno **a sí mismo.** fr. Privarse, en servicio de Dios o para bien del prójimo, de hacer su propia voluntad.

renunciatario, ria. m. y f. Aquel a cuyo favor se ha hecho una renuncia.

renuncio. m. Falta que se comete renunciando en algunos juegos de naipes. ‖ **2.** fig. y fam. Mentira o contradicción en que se coge a uno.

renvalsar. tr. *Carp.* Hacer el renvalso.

renvalso. m. *Carp.* Rebajo que se hace en el canto de las hojas de puertas y ventanas para que encajen en el marco unas con otras.

reñidamente. adv. m. Con riña o porfía.

reñidero. m. Sitio destinado a la riña de algunos animales, y principalmente a la de los gallos.

reñido, da. p. p. de **reñir.** ‖ **2.** adj. Que está enemistado con otro o se niega a mantener trato con él. ‖ **3.** En oposiciones, elecciones, concursos, etc., aquellos en que existe mucha rivalidad entre los competidores. ‖ **estar reñido.** fr. Ser incompatible u opuesto. *La cortesía no* ESTÁ REÑIDA *con la justicia.*

reñidor, ra. adj. Que riñe frecuentemente.

reñidura. f. fam. **regañina.**

reñir. (Del lat. *ringĕre,* regañar.) intr. Contender o disputar altercando de obra o de palabra. ‖ **2.** Contender con armas. ‖ **3.** Desavenirse, enemistarse. ‖ **4.** tr. Reprender o corregir a uno con algún rigor o amenaza. ‖ **5.** Tratándose de desafíos, batallas, etc., ejecutarlos, llevarlos a efecto. ‖ **reñir de bueno a bueno.** fr. Pelear dos honradamente, sin ardides o tretas reprobables.

reo¹. (Del lat. *rhēdo,* probablemente de origen celta.) m. Trucha marina. Es especie muy parecida, pero distinta a la trucha común o de río.

reo². (Del cat. *reu* y este del gót. *reds,* vez, turno.) m. Vez, turno. ‖ **a reo** y **al reo.** loc. adv. **de seguida.**

reo³. (Del lat. *reus.*) com. Persona que por haber cometido una culpa merece castigo. ‖ **2.** *Der.* El demandado en juicio civil o criminal, a distinción del actor. ‖ **de Estado.** El que ha cometido un delito contra la seguridad del Estado.

reo⁴, a. adj. Acusado, culpado.

reobrar. intr. Obrar o actuar favorable o desfavorablemente frente a una acción o estímulo anteriores.

reoctava. f. **octavilla,** impuesto de medio cuartillo por cada azumbre que por consumos se cobraba antiguamente en las ventas al por menor.

reoctavar. tr. Sacar la reoctava.

reóforo. (Del gr. ῥέος, corriente, y φορός, el que lleva.) m. *Fís.* Cada uno de los dos conductores que establecen la comunicación entre un aparato eléctrico y un origen de electricidad.

reojo (mirar de). fr. Mirar disimuladamente dirigiendo la vista por encima del hombro, o hacia un lado y sin volver la cabeza. ‖ **2.** fig. Mirar con prevención hostil o enfado.

reómetro. (Del gr. ῥέος, corriente, y *-metro.*) m. *Fís.* Instrumento que sirve para medir las corrientes eléctricas. ‖ **2.** *Hidrául.* Aparato con que se determina la velocidad de una corriente de agua.

reorganización. f. Acción y efecto de reorganizar.

reorganizador, ra. adj. Perteneciente o relativo a la reorganización. ‖ **2.** m. y f. Persona que reorganiza.

reorganizar. tr. Volver a organizar una cosa. Ú. t. c. prnl. ‖ **2.** Organizar una cosa de manera distinta y de forma que resulte más eficaz.

reóstato. (Del gr. ῥέος, corriente, y στατός, estable, firme, resistente.) m. *Fís.* Instrumento que sirve para hacer variar la resistencia en un circuito eléctrico. También puede servir para medir la resistencia eléctrica de los conductores.

repacer. (Del lat. *repascĕre.*) tr. Pacer el ganado la hierba hasta apurarla.

repagar. tr. Pagar cara una cosa.

repajo. (De *repagŭlum,* cerco o seto en que se encierra el ganado.) m. Sitio cerrado con arbustos o matas.

repajolero, ra. adj. fam. **pajolero.**

repanchigarse. (De re- y *pancho.*) prnl. **repantigarse.**

repanocha (ser la). fr. fig. y fam. Ser algo o alguien extraordinario por bueno, malo, absurdo o fuera de lo normal.

repantigarse. (De re- y el lat. *pantex, -īcis,* panza.) prnl. Arrellanarse en el asiento, y extenderse para mayor comodidad.

repápalo. (De *papar.*) m. *And.* Panecillo redondo o torta de harina que se usa para el desayuno.

repapilarse. (De re- y *papar.*) prnl. Rellenarse de comida, saboreándose y relamiéndose con ella.

repapo (de). loc. adv. *Ar.* Con sosiego y comodidad.

reparable. (Del lat. *reparabĭlis.*) adj. Que se puede reparar o remediar. ‖ **2.** Digno de reparo o atención.

reparación. (Del lat. *reparatĭo, -ōnis.*) f. Acción y efecto de reparar cosas materiales mal hechas o estropeadas. ‖ **2.** Desagravio, satisfacción completa de una ofensa, daño o injuria. ‖ **3.** Acto literario y ejercicio que hacían en las escuelas los estudiantes, diciendo la lección, y en algunas partes, arguyendo unos a otros.

reparada. f. Movimiento extraordinario que hace el caballo, apartando de pronto el cuerpo, porque se espanta o por resabio y malicia.

reparado, da. (Del lat. *reparātus.*) p. p. de **reparar.** ‖ **2.** adj. Reforzado, proveído. ‖ **3.** Bizco o que tiene otro defecto en los ojos.

reparador, ra. (Del lat. *reparātor, -ōris.*) adj. Que repara o mejora una cosa. Ú. t. c. s. ‖ **2.** Que propende a notar defectos frecuentemente y con nimiedad. Ú. t. c. s. ‖ **3.** Que restablece las fuerzas y da aliento o vigor. ‖ **4.** V. **alimento reparador.** ‖ **5.** Que desagravia o satisface por alguna culpa. ‖ **6.** Dícese de la caballería que tiene el vicio de hacer reparadas.

reparamiento. m. Acción y efecto de reparar.

reparar. (Del lat. *reparāre.*) tr. Arreglar una cosa que está rota o estropeada. ‖ **2.** Enmendar, corregir o remediar. ‖ **3.** Desagraviar, satisfacer al ofendido. ‖ **4.** Suspenderse o detenerse por razón de algún inconveniente o tropiezo. Ú. t. c. prnl. ‖ **5.** Oponer una defensa contra el golpe, para librarse de él. ‖ **6.** Remediar o precaver un daño o perjuicio. ‖ **7.** Restablecer las fuerzas; dar aliento o vigor. ‖ **8.**

Dar la última mano a su obra el vaciador para quitarle los defectos que saca del molde. ‖ **9.** intr. Mirar con cuidado; notar, advertir una cosa. ‖ **10.** Atender, considerar o reflexionar. ‖ **11.** Pararse, detenerse o hacer alto en una parte. ‖ **12.** prnl. Contenerse o reportarse.

reparativo, va. adj. Que repara o tiene la virtud de reparar.

reparo. m. Restauración o remedio. ‖ **2.** Obra que se hace para componer una fábrica o edificio deteriorado. ‖ **3.** Advertencia, nota, observación sobre una cosa, especialmente para señalar en ella una falta o defecto. ‖ **4.** Duda, dificultad o inconveniente. ‖ **5.** Confortante que se pone al enfermo en la boca del estómago para darle vigor. ‖ **6.** Cualquier cosa que se pone por defensa o resguardo. ‖ **7.** Mancha o señal en el ojo o en el párpado. ‖ **8.** *Esgr.* Parada o quite.

reparón, na. adj. fam. Que propende exageradamente a poner reparos o defectos a las cosas.

repartible. adj. Que se puede o se debe repartir.

repartición. f. Acción y efecto de repartir. ‖ **2.** *Amér.* Cada una de las dependencias que, en una organización administrativa, está destinada a despachar determinadas clases de asuntos.

repartidamente. adv. m. Por partes, en diversas porciones.

repartidero, ra. adj. Que se ha de repartir.

repartidor, ra. adj. Que reparte o distribuye. Ú. t. c. s. ‖ **2.** m. En un sistema de riegos, sitio en que se reparten las aguas. ‖ **3.** En las centrales telefónicas, armazón provisto de gran número de terminales, donde se disponen ordenadamente los distintos circuitos telefónicos conectados a una central. ‖ **4.** m. y f. *Der.* Persona diputada para repartir los negocios en los tribunales.

repartija. m. fam. *Argent.* y *Chile.* Reparto desordenado, a la rebatiña. Ú. m. con sentido peyorativo.

repartimiento. m. Acción y efecto de repartir. ‖ **2.** Documento o registro en que consta lo que a cada uno se ha repartido. ‖ **3.** Contribución o carga con que se grava a cada uno de los que voluntariamente, por obligación, o por necesidad, la aceptan o consienten. ‖ **4.** Sistema seguido en la repoblación, después de su reconquista cristiana en la Edad Media, en Andalucía y en Aragón, Mallorca y Levante. Consistía en una distribución de casas y heredades de las poblaciones reconquistadas entre los que habían tomado parte en su conquista. ‖ **5.** *Der.* Oficio y oficina del repartidor de los tribunales. ‖ **de indios.** Sistema seguido en la colonización de las Indias desde principios del siglo XVI, con la finalidad de dotar de mano de obra a las explotaciones agrícolas y mineras. Se repartía un número determinado de indios entre los colonizadores españoles, y la asignación se hacía en encomienda, o sea, en una relación de encomendación o patrocinio, por la cual los indios quedaban debiéndole obediencia al encomendero. ‖ **vecinal.** Derrama entre los vecinos para completar los ingresos del municipio.

repartir. tr. Distribuir una cosa dividiéndola en partes. ‖ **2.** Distribuir por lugares distintos o entre personas diferentes. Ú. t. c. prnl. ‖ **3.** Clasificar, ordenar. ‖ **4.** Entregar a personas distintas las cosas que han encargado o que deben recibir. ‖ **5.** Señalar o atribuir partes a un todo. ‖ **6.** Extender o distribuir uniformemente una materia sobre una superficie. ‖ **7.** Dar una contribución o gravamen por partes. ‖ **8.** Dar a cada cosa su oportuna colocación o el destino conveniente. ‖ **9.** Adjudicar los papeles de una obra dramática a los actores que han de representarla.

reparto. m. Acción y efecto de repartir. ‖ **2.** Relación de los personajes de una obra dramática, cinematográfica o televisiva, y de los actores que los encarnan.

repasadera. m. Garlopa con hierro a propósito para sacar perfiles en la madera.

repasador. m. *Argent., Par.* y *Urug.* Paño de cocina, lienzo para secar la vajilla.

repasadora. f. Mujer que se ocupa en repasar o carmenar la lana.

repasar. tr. Volver a pasar por un mismo sitio o lugar. Ú. t. c. intr. ‖ **2.** Esponjar y limpiar la lana para cardarla después de teñida. ‖ **3.** Volver a mirar, examinar o registrar una cosa. ‖ **4.** Volver a explicar la lección. ‖ **5.** Recorrer lo que se ha estudiado o recapacitar las ideas que se tienen en la memoria. ‖ **6.** Reconocer muy por encima un escrito, pasando por él la vista ligeramente o de corrida. ‖ **7.** Recoser, remendar la ropa que lo necesita. ‖ **8.** Examinar una obra ya terminada, para corregir sus imperfecciones. ‖ **9.** *Min.* Mezclar el mineral de plata con azogue y magistral, y pisarlo todo hombres o caballerías, hasta conseguir la amalgamación. ‖ **10.** prnl. Rezumarse un recipiente.

repasata. f. fam. **regañina.**

repaso. m. Acción y efecto de repasar. ‖ **2.** Estudio ligero que se hace de lo que se tiene visto o estudiado, para mayor comprensión y firmeza en la memoria. ‖ **3.** Reconocimiento de una cosa después de hecha, para ver si le falta o sobra algo. ‖ **4.** fam. **regañina.** ‖ **dar un repaso** a alguien. fr. fig. y fam. Demostrarle gran superioridad en conocimientos, habilidad, etc.

repastar[1]. tr. Añadir harina, agua u otro líquido a una pasta para amasarla de nuevo. ‖ **2.** Añadir agua al mortero que se ha repasado para volver a amasarlo.

repastar[2]. intr. Volver el ganado a pastar. ‖ **2.** tr. Volver a dar pasto al ganado.

repasto. m. Pasto añadido al ordinario o regular.

repatear. tr. fam. Fastidiar, desagradar mucho una cosa. Ú. t. c. intr.

repatriación. f. Acción y efecto de repatriar o repatriarse.

repatriado, da. p. p. de **repatriar.** Ú. t. c. s.

repatriar. (Del lat. *repatriāre*.) tr. Devolver algo o a alguien a su patria. Ú. t. c. prnl.

repechar. intr. Subir por un repecho.

repecho. (De *re-*, en sentido de oposición, y *pecho*.) m. Cuesta bastante pendiente y no larga. ‖ **a repecho.** loc. adv. Cuesta arriba, con subida.

repeinado, da. p. p. de **repeinar.** ‖ **2.** adj. fig. Dícese de la persona aliñada con afectación y exceso, especialmente en lo que toca a su rostro y cabeza.

repeinar. tr. Volver a peinar o peinar por segunda vez. ‖ **2.** Peinar muy cuidadosamente.

repelada. adj. V. **ensalada repelada.**

repeladura. f. Segunda peladura. ‖ **2.** *Impr.* Falta de limpieza en grabados o impresos.

repelar. tr. Tirar del pelo o arrancarlo. ‖ **2.** Hacer dar al caballo una carrera corta. ‖ **3.** Cortar las puntas a la hierba. ‖ **4.** fig. Cercenar, quitar, disminuir. ‖ **5.** fig. Pelar completamente una cosa. ‖ **6.** *Méj.* Rezongar, refunfuñar.

repelencia. f. Acción y efecto de repeler. ‖ **2.** Condición de repelente.

repelente. (Del lat. *repellens, -entis*.) p. a. de **repeler.** Que arroja, lanza o echa de sí algo con impulso o violencia. ‖ **2.** adj. fig. Repulsivo, repugnante. ‖ **3.** fig. y fam. Impertinente, redicho, sabelotodo. ‖ **4.** m. Sustancia empleada para alejar a ciertos animales.

repeler. (Del lat. *repellĕre*.) tr. Arrojar, lanzar o echar de sí una cosa con impulso o violencia. ‖ **2.** Rechazar, contradecir una idea, proposición o aserto. ‖ **3.** Causar repugnancia o aversión. *Hay cosas que* REPELEN. Ú. t. c. prnl. ‖ **4.** Rechazar, no admitir una cosa a otra en su masa o composición. *Esta tela* REPELE *el agua*.

repelo. m. Lo que no va al pelo. ‖ **2.** Parte pequeña de cualquier cosa que se levanta contra lo natural. REPELO *de la pluma, de las uñas.* ‖ **3.** Conjunto de fibras torcidas que una madera. ‖ **4.** fig. y fam. Riña o encuentro ligero. ‖ **5.** fig. y fam. Repugnancia, desabrimiento que se muestra al ejecutar una cosa. ‖ **6.** p. us. *Méj.* Ropa usada. ‖ **a repelo.** loc. adv. En contra de la dirección normal del pelo.

repelón¹. m. Tirón que se da del pelo. ‖ **2.** En las medias, hebra que, saliendo, encoge los puntos que están inmediatos. ‖ **3.** fig. Porción o parte pequeña que se toma o saca de una cosa, como arrancándola o arrebatándola. ‖ **4.** fig. Carrera pronta e impetuosa que da el caballo. ‖ **5.** *And.* **repeluzno.** ‖ **6.** fig. y fam. *And.* y *Méj.* Filípica, represión agria. ‖ **7.** pl. *Mín.* Llamas que salen por las hendiduras que accidentalmente se abren en la camisa de los hornos. ‖ **a repelones.** loc. adv. fig. y fam. con que se explica que una cosa se va tomando por partes con dificultad o resistencia. ‖ **batir de repelón.** fr. *Equit.* Herir al caballo con las espuelas, corriendo un poco el talón de abajo hacia arriba. ‖ **de repelón.** loc. adv. fig. y fam. Sin detenerse o ligeramente. ‖ **más viejo que el repelón.** expr. fig. y fam. **más viejo que la sarna.**

repelón², na. adj. *Méj.* Rezongón, respondón. Ú. t. c. s.

repeloso, sa. adj. Aplícase a la madera que al labrarla levanta pelos o repelo. ‖ **2.** fig. y fam. Quisquilloso, rencilloso.

repeluco. m. *And.* **repeluzno.**

repelús. m. Temor indefinido o repugnancia que inspira algo.

repeluzno. m. Escalofrío leve y pasajero. ‖ **2. repelús.**

repellar. tr. Arrojar pelladas de yeso o cal a la pared que se está fabricando o reparando.

repello. m. Acción y efecto de repellar.

repensar. tr. reflexionar.

repente. (Del lat. *repens, -entis,* súbito, repentino.) m. Movimiento súbito o no previsto de personas o animales. ‖ **2.** Impulso brusco e inesperado que mueve a hacer o decir cosas del mismo tipo. *Le dio un* REPENTE *y se marchó.* ‖ **3.** adv. m. **de repente.** ‖ **de repente.** loc. adv. Prontamente, sin preparación, sin discurrir o pensar. ‖ **hablar de repente.** fr. **hablar de memoria.**

repentimiento. m. ant. **arrepentimiento.**

repentinamente. adv. m. **de repente.**

repentino, na. (Del lat. *repentinus.*) adj. Pronto, impensado, no previsto.

repentirse. (Del lat. *re-* intens., y *poenitēre.*) prnl. ant. **arrepentirse.**

repentista. com. Que improvisa un discurso, poesía, etc. ‖ **2.** Persona que repentiza en el canto o en la música.

repentización. f. Acción y efecto de repentizar. ‖ **2.** *Mús.* Ejecución de una canción o pieza instrumental a la primera lectura.

repentizar. tr. Ejecutar a la primera lectura un instrumentista o un cantante piezas de música. Ú. t. c. intr. ‖ **2.** Hacer sin preparación un discurso, una poesía. Ú. t. c. intr.

repeor. adj. y adv. m. fam. Mucho peor.

repercudida. f. Acción y efecto de repercudir.

repercudir. (Del lat. *repercutĕre.*) intr. **repercutir.** Ú. t. c. prnl.

repercusión. (Del lat. *repercussĭo, -ōnis.*) f. Acción y efecto de repercutir. ‖ **2.** Circunstancia de tener mucha resonancia una cosa.

repercusivo, va. (Del lat. *repercussum,* supino de *repercutĕre,* repercutir.) adj. *Med.* Dícese del medicamento que tiene virtud y eficacia de repercutir. Ú. t. c. s. m.

repercutir. (Del lat. *repercutĕre; de re-* y *percutĕre,* herir, chocar.) intr. Retroceder o mudar de dirección un cuerpo al chocar con otro. ‖ **2. reverberar.** ‖ **3.** Producir eco el so-

nido. ‖ **4.** fig. Trascender, causar efecto una cosa en otra ulterior. ‖ **5.** tr. *Med.* Rechazar, repeler, hacer que un humor retroceda o refluya hacia atrás.

reperpero. m. *P. Rico.* y *Sto. Dom.* Confusión, desorden, trifulca.

repertorio. (Del lat. *repertorĭum.*) m. Libro abreviado, índice o registro en que sucintamente se hace mención de cosas notables y otras informaciones, remitiéndose a lo que se expresa más latamente en otros escritos. ‖ **2.** Conjunto de obras dramáticas o musicales ya ejecutadas por cada actor, orquesta o cantante principal, o con que un empresario cuenta para hacer que se ejecuten en su teatro. ‖ **3.** Colección o recopilación de obras o de noticias de una misma clase. ‖ **de aduanas.** Indicador oficial, clasificado y alfabético, para la aplicación de impuesto o renta.

repesar. (Del lat. *repensāre.*) tr. Volver a pesar una cosa, por lo común para asegurarse de la exactitud del primer peso.

repesca. f. Acción y efecto de repescar.

repescar. tr. ant. Admitir nuevamente al que ha sido eliminado en un examen, en una competición, etc.

repeso¹. m. Acción y efecto de repesar. ‖ **2.** Lugar que se tiene destinado para repesar. ‖ **3.** Encargado de repesar. ‖ **de repeso.** loc. adv. Con todo el peso de una mole o cuerpo. ‖ **2.** fig. Con toda la fuerza y eficacia de la autoridad y valimiento o de la persuasión.

repeso². p. p. irreg. ant. **repiso.**

repetición. (Del lat. *repetitĭo, -ōnis.*) f. Acción y efecto de repetir o repetirse. ‖ **2.** Discurso o disertación sobre una determinada materia, que componían los catedráticos en las universidades literarias. ‖ **3.** Acto literario que solía efectuarse en algunas universidades antes del ejercicio secreto necesario para recibir el grado mayor. ‖ **4.** Lección de hora en dicho acto. ‖ **5.** Mecanismo que sirve en el reloj para que dé la hora siempre que se toca un muelle. ‖ **6.** **reloj de repetición.** ‖ **7.** *Esc.* y *Pint.* Obra de escultura y pintura, o parte de ella, repetida por el mismo autor. ‖ **8.** *Der.* Acción del que ha sido despojado, obligado o condenado, contra tercera persona que haya de reintegrarle o responderle. ‖ **9.** *Ret.* Figura que consiste en repetir a propósito palabras o conceptos. ‖ **de repetición.** loc. adj. Dícese del aparato o mecanismo que, una vez puesto en marcha, repite su acción automáticamente. ‖ **2.** V. **fusil de repetición.**

repetidamente. adv. m. Con repetición, varias veces.

repetidor, ra. (Del lat. *repetitor, -ōris.*) adj. Que repite. Dícese especialmente del alumno que repite un curso o una asignatura. Ú. m. c. s. ‖ **3. círculo repetidor.** ‖ **4.** V. **bandera repetidora.** ‖ **5.** m. y f. Persona que repasa a otro la lección que leyó o explicó el maestro, o el que toma primero a otro la lección que le fue señalada. ‖ **6.** m. Aparato electrónico que recibe una señal electromagnética y la vuelve a transmitir amplificada. Se emplea en comunicaciones, televisión, etc.

repetir. (Del lat. *repetĕre.*) tr. Volver a hacer lo que se había hecho, o decir lo que se había dicho. ‖ **2.** En una comida, volver a servirse de un mismo guiso. Ú. t. c. intr. ‖ **3.** ant. Pedir muchas veces o con instancia. ‖ **4.** *Der.* Reclamar contra tercero, a consecuencia de evicción, pago o quebranto que padeció el reclamante. ‖ **5.** intr. Hablando de comidas o bebidas, venir a la boca el sabor de lo que se ha comido o bebido. ‖ **6.** Efectuar la repetición en las universidades. ‖ **7.** prnl. Volver a suceder una cosa regularmente. *Los atascos* SE REPITEN *en esa zona todos los días.* ‖ **8.** *Esc.* y *Pint.* Insistir un artista en sus obras, en las mismas actitudes, perspectivas, grupos, etc.

repicar. tr. Picar mucho una cosa hasta reducirla a partes muy menudas. ‖ **2.** Tañer o sonar repetidamente y con cierto compás las campanas en señal de fiesta o regocijo.

Se usa además hablando de otros instrumentos. Ú. t. c. intr. ‖ **3.** Volver a picar o punzar. ‖ **4.** En el juego de los cientos, contar un jugador noventa puntos antes que cuente uno el contrario. ‖ **5.** prnl. Picarse, preciarse, presumir de una cosa. ‖ **en salvo está el que repica.** fr. proverb. con que se nota la facilidad del que reprende a otro el modo de portarse en las acciones peligrosas, estando él en seguro o fuera del lance. ‖ **repicar gordo.** fr. Celebrar con rumbo o solemnidad una fecha o acontecimiento.

repicoteado, da. p. p. de **repicotear.** ‖ **2.** adj. Adornado o dotado de picos, ondas o dientes.

repicotear. tr. Adornar un objeto con picos, ondas o dientes.

repinaldo. m. Variedad de manzana de gran tamaño, forma alargada, mucho olor y sabor exquisito.

repinarse. (De *re-* y *pino*[2].) prnl. Remontarse, elevarse.

repintar. tr. Pintar una cosa nuevamente. ‖ **2.** *Pint.* Pintar sobre lo ya pintado para restaurar cuadros que están maltratados, o para perfeccionar más las pinturas ya concluidas. ‖ **3.** prnl. **pintarrajearse,** maquillarse mucho o muy mal. ‖ **4.** *Impr.* Señalarse la letra de una página en otra por estar reciente la impresión.

repinte. m. Acción y efecto de repintar.

repipi. adj. Afectado y pedante, dicho especialmente del niño. Ú. t. c. s.

repipiez. f. Calidad de repipi. ‖ **2.** Dicho o hecho propio del repipi.

repique. m. Acción y efecto de repicar o repicarse. ‖ **2.** fig. Riña, altercado o cuestión ligera que tiene uno con otro.

repiquete. m. Repique vivo y rápido de campanas, parecido al redoble del tambor. ‖ **2.** Lance, riña o reencuentro. ‖ **3.** *Mar.* Bordada corta.

repiquetear. tr. Repicar con mucha viveza las campanas u otro instrumento sonoro. Ú. t. c. intr. ‖ **2.** Hacer ruido golpeando repetidamente sobre algo. ‖ **3.** prnl. fig. y fam. Reñir dos o más personas diciéndose mutuamente palabras picantes y de enojo.

repiqueteo. m. Acción y efecto de repiquetear o repiquetearse.

repisa. f. Miembro arquitectónico, a modo de ménsula, que tiene más longitud que vuelo y sirve para sostener un objeto de utilidad o adorno, o de piso a un balcón. ‖ **2.** Estante, placa de madera, cristal u otro material, de cualquier forma, colocada horizontalmente contra la pared para servir de soporte a cualquier cosa. ‖ **3.** Parte superior de la caja de las chimeneas, francesas o análogas, donde se colocan cacharros y otros útiles.

repisar. tr. Volver a pisar. ‖ **2.** Apretar con pisón, especialmente la tierra. ‖ **3.** fig. Encomendar ahincadamente una cosa a la memoria. ‖ **4.** intr. Hacer asiento una obra.

repiso[1]. m. Vino de inferior calidad que se hace de la uva repisada.

repiso[2]**, sa.** (Del lat. *repoensus,* p. p. irreg. de *repoenítere.*) p. p. irreg. p. us. de **repentirse.**

repitiente. p. a. de **repetir.** Que repite y sustenta en escuelas o universidades la repetición. Ú. t. c. s.

repizcar. tr. **pizcar,** pellizcar repetidamente. Ú. t. c. prnl.

repizco. m. **pizco**[1], pellizco.

replaceta. f. *Ar.* **plazuela.**

replana. f. *Perú.* Jerga de delincuentes.

replantación. f. Acción y efecto de replantar.

replantar. (Del lat. *replantāre.*) tr. Volver a plantar en el suelo o sitio que ha estado plantado. ‖ **2.** Trasplantar un vegetal desde el sitio en que está a otro.

replanteamiento. m. Acción y efecto de replantear un problema o asunto.

replantear. tr. Trazar en el terreno o sobre el plano de

cimientos la planta de una obra ya estudiada y proyectada. ‖ **2.** Volver a plantear un problema o asunto.

replanteo. m. Acción y efecto de replantear.

repleción. (Del lat. *repletĭo, -ōnis.*) f. Acción y efecto de repletar o repletarse.

replegar. (Del lat. *replicāre;* de *re-* y *plicāre,* plegar.) tr. Plegar o doblar muchas veces. ‖ **2.** prnl. *Mil.* Retirarse en buen orden las tropas avanzadas. Ú. t. c. tr.

repletar. tr. Rellenar, colmar. ‖ **2.** prnl. Ahitarse, hartarse.

repleto, ta. (Del lat. *replētus,* p. p. de *replēre,* llenar de nuevo.) adj. Muy lleno, o tan lleno que ya no puede contener nada más. ‖ **2.** Especialmente, aplícase a la persona muy llena de humores o de comida.

réplica. f. Acción de replicar. ‖ **2.** Expresión, argumento o discurso con que se replica. ‖ **3.** Copia de una obra artística que reproduce con igualdad la original. ‖ **4.** *Der.* Segundo escrito del actor en el juicio de mayor cuantía para impugnar la contestación y la reconvención, si la hubo, y fijar los puntos litigiosos.

replicación. (Del lat. *replicatĭo, -ōnis.*) f. ant. Acción de replicar. ‖ **2.** ant. Repetición, reiteración.

replicador, ra. adj. **replicón.** Ú. t. c. s.

replicar. (Del lat. *replicāre.*) intr. Instar o argüir contra la respuesta o argumento. ‖ **2.** Responder oponiéndose a lo que se dice o manda. Ú. t. c. tr. ‖ **3.** tr. ant. Repetir lo que se ha dicho. ‖ **4.** *Der.* Presentar el actor en juicio ordinario el escrito de réplica.

replicato. m. Réplica con que uno se opone a lo que otro dice o manda. ‖ **2.** *Der.* Réplica del actor a la respuesta del reo.

replicón, na. adj. fam. Que replica frecuentemente. Ú. t. c. s.

repliegue. m. Pliegue doble o irregular. ‖ **2.** *Mil.* Acción y efecto de replegarse las tropas.

repo. (Del arauc. *repu.*) m. Arbusto americano de la familia de las verbenáceas, especie de arrayán de gran tamaño, pues llega a alcanzar seis metros de altura; con las hojas opuestas o alternas y aovadas, que llevan una espina larga en su axila; flores solitarias moradas y drupas azules. De su madera, que es muy dura, se hacía el palito con que, rozando con otro, sacaban fuego los indios. ‖ **2.** *Chile.* Palito hecho de **repo** con que, rozando con otro, sacaban fuego los indios.

repoblación. f. Acción y efecto de repoblar o repoblarse. ‖ **2.** Conjunto de árboles o especies vegetales en terrenos repoblados. ‖ **forestal.** Acción y efecto de reforestar.

repoblador, ra. adj. Que repuebla.

repoblar. tr. Volver a poblar. Ú. t. c. prnl. ‖ **2.** Poblar los lugares de los que se ha expulsado a los pobladores anteriores, o que han sido abandonados. ‖ **3.** Volver a plantar árboles y otras especies vegetales en un lugar.

repodar. tr. Recortar los troncos o ramas que al podar no quedaron bien cortados.

repodrir. tr. **repudrir.** Ú. t. c. prnl.

repollar. (Del lat. *repullāre,* arrojar hojas.) intr. Formar repollo. Se usa hablando de ciertas plantas y de sus hojas. Ú. t. c. prnl.

repollo. m. Especie de col que tiene hojas firmes, comprimidas y abrazadas tan estrechamente, que forman entre todas, antes de echar el tallo, a manera de una cabeza. ‖ **2.** Grumo o cabeza más o menos redonda que forman algunas plantas, como la lombarda y cierta especie de lechugas, apiñándose o apretándose sus hojas unas sobre otras.

repolludo, da. adj. Dícese de la planta que forma repollo. ‖ **2.** De figura de repollo. ‖ **3.** fig. Dícese de la persona gruesa y bajita.

reponer. (Del lat. *reponĕre*.) tr. Volver a poner, constituir, colocar a una persona o cosa en el empleo, lugar o estado que antes tenía. ‖ **2.** Reemplazar lo que falta o lo que se había sacado de alguna parte. ‖ **3.** Responder, replicar. Ú. solo en pret. indef. y en pret. imperfecto de subjuntivo. ‖ **4.** Volver a poner en escena una obra dramática, cinematográfica o musical ya estrenada en una temporada anterior. ‖ **5.** *Der.* Retrotraer la causa o pleito a un estado determinado o reformar un auto o providencia el juez que lo dictó. ‖ **6.** prnl. Recobrar la salud o la hacienda. ‖ **7.** Serenarse, tranquilizarse.

reportación. f. Sosiego, serenidad, moderación.

reportaje. m. Trabajo periodístico, cinematográfico, etc., de carácter informativo, referente a un personaje, suceso o cualquier otro tema. ‖ **gráfico.** Conjunto de fotografías sobre un suceso que aparece en un periódico o revista.

reportamiento. m. Acción y efecto de reportar o reportarse.

reportar. (Del lat. *reportāre*.) tr. Refrenar, reprimir o moderar una pasión de ánimo o al que la tiene. Ú. t. c. prnl. ‖ **2.** Alcanzar, conseguir, lograr, obtener. ‖ **3.** Producir una cosa algún beneficio o ventaja; o por el contrario, dificultades o disgustos. ‖ **4.** Traer o llevar. ‖ **5.** Pasar una prueba litográfica a la piedra para multiplicar las tiradas de un mismo dibujo. ‖ **6.** Retribuir, proporcionar, recompensar. ‖ **7.** Informar, noticiar.

reporte. m. Noticia, informe. ‖ **2. chisme,** noticia para malquistar. ‖ **3.** Prueba de litografía que sirve para estampar de nuevo un dibujo en otras piedras y multiplicar las tiradas.

reportear. tr. *Amér.* Entrevistar un periodista a una persona importante para hacer un reportaje. ‖ **2.** *Amér.* Tomar fotografías para realizar un reportaje gráfico.

reporteril. adj. Perteneciente al reportero o a su oficio.

reporterismo. m. Oficio de reportero.

reportero, ra. adj. Dícese del periodista que se dedica a los reportes o noticias. Ú. t. c. s.

reportista. com. Litógrafo muy experto en reportar pruebas.

reportorio. m. ant. repertorio. ‖ **2.** Calendario, almanaque.

reposadamente. adv. m. Con reposo.

reposadero. m. *Metal.* Pileta colocada en la parte exterior de los hornos para recibir el metal fundido que sale por la piquera.

reposado, da. p. p. de **reposar.** ‖ **2.** adj. Sosegado, quieto, tranquilo.

reposapiés. m. **escabel.** ‖ **2.** Especie de estribo situado a ambos lados de las motocicletas para apoyar los pies.

reposar. (Del lat. *repausāre*; de *re* y *pausāre*, detenerse, descansar.) intr. Descansar, dar intermisión a la fatiga o al trabajo. Ú. c. tr. en la fr. **reposar la comida.** ‖ **2.** Descansar, durmiendo un breve sueño. Ú. t. c. prnl. ‖ **3.** Permanecer en quietud y paz y sin alteración una persona o cosa. Ú. t. c. prnl. ‖ **4.** Estar enterrado, yacer. Ú. t. c. prnl. ‖ **5.** prnl. Tratándose de líquidos, **posarse.** Ú. t. c. intr.

reposera. f. *Argent.* y *Par.* **tumbona,** silla de tijera.

reposición. (Del lat. *repositĭo, -ōnis*.) f. Acción y efecto de reponer o reponerse. ‖ **2.** V. **recurso de reposición.**

repositorio. (Del lat. *repositorĭum*, armario, alacena.) m. Lugar donde se guarda una cosa.

reposo. m. Acción y efecto de reposar o reposarse. ‖ **2.** *Fís.* Inmovilidad de un cuerpo respecto de un sistema de referencia. ‖ **estar** uno **de reposo.** fr. ant. **estar de asiento.**

repostada. f. *And.* y *Amér.* Respuesta desabrida o grosera.

repostar. tr. Reponer provisiones, pertrechos, combus-

tibles, etc. Ú. t. c. prnl. *El acorazado fondeó para* REPOSTARSE.

reposte. m. *Ar.* Despensa en que se guardan los comestibles.

repostería. f. Arte y oficio del repostero. ‖ **2.** Productos de este arte. ‖ **3.** Establecimiento donde se hacen y venden dulces, pastas, fiambres, embutidos y algunas bebidas. ‖ **4.** En algunas partes, despensilla en que se guardan provisiones de esta clase. ‖ **5.** Lugar donde se guarda la plata y lo demás perteneciente al servicio de mesa. ‖ **6.** Empleo de repostero mayor en la casa de los antiguos reyes de Castilla. ‖ **7.** Gente que se emplea en este ministerio.

repostero, ra. (Del lat. *repositorĭus*, que sirve para reponer y guardar.) m. y f. Persona que tiene por oficio hacer pastas, dulces y algunas bebidas. ‖ **2.** m. El que tenía a su cargo, en los palacios de los antiguos reyes y señores, el orden y custodia de los objetos pertenecientes a un ramo de servicio, como el de cama, de estrado, etc. ‖ **3.** Paño cuadrado o rectangular, con emblemas heráldicos. ‖ **4.** Marinero que está al servicio personal de un jefe u oficial de marina. ‖ **mayor.** Antiguamente, en la casa real de Castilla, jefe a cuyo cargo estaba el mando y gobierno de todo lo perteneciente al ramo de repostería y de los empleados en ella, y era persona de las principales familias de la monarquía.

repoyar. (Del lat. *repudiāre*.) tr. Rechazar, repudiar.

repoyo. (Del lat. *repudĭum*, lo que se desecha.) m. ant. Acción de repoyar. ‖ **2.** Desecho y en especial las sobras o restos de la comida. ‖ **vivir a repoyo** de alguno. fr. *Cuen.* Vivir a sus expensas.

repregunta. f. *Der.* Segunda pregunta que hace al testigo el litigante contrario al que lo presenta, para contrastar o apurar su veracidad, o bien para completar la indagación.

repreguntar. tr. *Der.* Proponer o hacer repreguntas al testigo.

reprehender. (Del lat. *reprehendĕre*.) tr. **reprender.**

reprehensible. (Del lat. *reprehensibĭlis*.) adj. **reprensible.**

reprehensión. (Del lat. *reprehensĭo, -ōnis*.) f. **reprensión.**

reprendedor, ra. adj. **reprensor.**

reprender. (Del lat. *reprehendĕre*; de *re-* y *prehendĕre*, coger.) t·. Corregir, amonestar a uno vituperando o desaprobando lo que ha dicho o hecho.

reprendimiento. m. ant. Acción de reprender.

reprensible. (De *reprehensible*.) adj. Digno de represión.

reprensión. (Del lat. *reprensĭo, -ōnis*.) f. Acción de reprender. ‖ **2.** Expresión o razonamiento con que se reprende. ‖ **3.** *Der.* Pena que se aplica amonestando al reo, y se considera grave o leve según se aplique en audiencia pública o ante el tribunal solo.

reprensor, ra. (Del lat. *reprehensor, -ōris*.) adj. Que reprende. Ú. t. c. s.

reprensorio, ria. adj. ant. Decíase de lo que reprende.

represa. (Del lat. *repressus*, contenido, de *reprimĕre*, contener.) f. Acción de represar o recobrar. ‖ **2.** Obra generalmente de cemento armado, para contener o regular el curso de las aguas. ‖ **3.** Lugar donde las aguas están detenidas o almacenadas, natural o artificialmente. ‖ **4.** Retención de los bienes de una nación con la cual se está en guerra. ‖ **5.** fig. Detención de algunas cosas no materiales, como de los afectos y pasiones del ánimo. ‖ **moler de represa.** fig. y fam. Emplear con mayor brío que de ordinario una actividad algún tiempo reprimida.

represalia. (Del b. lat. *represaliae*, y este del lat. *reprehensus*, p. p. de *reprehendĕre*, volver a coger.) f. Derecho que se arrogan los enemigos para causarse recíprocamente igual o mayor daño del que han recibido. Ú. m. en pl. ‖ **2.** Retención de los bienes de una nación con la cual se está en guerra, o de sus individuos. Ú. m. en pl. ‖ **3.** Medida o trato de rigor que, sin llegar a ruptura violenta de relaciones, adopta un Estado contra otro para responder a los actos o determinaciones adversos de este. Ú. m. en pl. ‖ **4.** Por ext., el mal que un particular causa a otro, en venganza o satisfacción de un agravio.

represar. tr. Detener o estancar el agua corriente. Ú. t. c. prnl. ‖ **2.** Recobrar de los enemigos la embarcación que habían apresado. ‖ **3.** fig. Detener, contener, reprimir. Ú. t. c. prnl.

representable. adj. Que se puede representar o hacer visible.

representación. (Del lat. *representatĭo, -ōnis.*) f. Acción y efecto de representar o representarse. ‖ **2.** Nombre antiguo de la obra dramática. ‖ **3.** Autoridad, dignidad, categoría de la persona. *Juan es hombre de* REPRESENTACIÓN *en Madrid.* ‖ **4.** Figura, imagen o idea que sustituye a la realidad. ‖ **5.** Súplica o proposición apoyada en razones o documentos, que se dirige a un príncipe o superior. ‖ **6.** Conjunto de personas que representan a una entidad, colectividad o corporación. ‖ **7.** Cosa que representa otra. ‖ **8.** *Der.* Derecho de una persona a ocupar, para la sucesión en una herencia o mayorazgo, el lugar de otra persona difunta. ‖ **mayoritaria.** Procedimiento electoral por el que se eligen representantes a quienes obtienen mayoría de votos. ‖ **proporcional.** Procedimiento electoral que establece una proporción entre el número de votos obtenidos por cada partido o tendencia y el número de sus representantes elegidos.

representador, ra. (Del lat. *repraesentātor, -ōris.*) adj. Que representa. ‖ **2.** m. y f. Comediante, actor de teatro.

representanta. f. Comedianta, actriz.

representante. p. a. de **representar.** Que representa. ‖ **2.** com. Persona que representa a un ausente, cuerpo o comunidad. ‖ **3.** Persona que promueve y concierta la venta de los productos de una casa comercial, debidamente autorizada por esta. ‖ **4.** Persona que gestiona los contratos y asuntos profesionales a actores, artistas de todas clases, compañías teatrales, etc. ‖ **5.** Actor de teatro y actriz.

representar. (Del lat. *repraesentāre.*) tr. Hacer presente una cosa con palabras o figuras que la imaginación retiene. Ú. t. c. prnl. ‖ **2.** Informar, declarar o referir. ‖ **3.** Manifestar uno el afecto de que está poseído. ‖ **4.** Recitar o ejecutar en público una obra dramática. ‖ **5.** Interpretar un papel en una obra dramática. ‖ **6.** Sustituir a uno o hacer sus veces, desempeñar su función o la de una entidad, empresa, etc. ‖ **7.** Ser imagen o símbolo de una cosa, o imitarla perfectamente. ‖ **8.** Aparentar una persona determinada edad. ‖ **9.** Importar mucho o poco una persona o cosa. *La amistad* REPRESENTA *mucho para mí.* ‖ **10.** ant. **presentar.**

representatividad. f. Calidad de representativo.

representativo, va. adj. Que sirve para representar otra cosa. ‖ **2.** V. **gobierno representativo.** ‖ **3. característico,** que tiene condición ejemplar o de modelo.

represión. (Del lat. *repressĭo, -ōnis.*) f. Acción y efecto de represar o represarse. ‖ **2.** Acción y efecto de reprimir o reprimirse. ‖ **3.** Acto, o conjunto de actos, ordinariamente desde el poder, para contener, detener o castigar con violencia actuaciones políticas o sociales. ‖ **4.** En el psicoanálisis, proceso por el cual un impulso o una idea inaceptable se relega al inconsciente.

represivo, va. (Del lat. *repressum,* supino de *reprimĕre,* reprimir.) adj. Que reprime. ‖ **2.** Que reprime el ejercicio de las libertades. ‖ **3.** Que reprime con energía o violencia las alteraciones de orden público, manifestaciones, protestas, etc.

represor, ra. (Del lat. *repressor, -ōris.*) adj. Que reprime. Ú. t. c. s.

reprimenda. (Del lat. *reprimenda,* cosa que debe reprimirse.) f. Represión vehemente y prolija.

reprimir. (Del lat. *reprimĕre;* de *re-* y *premĕre,* oprimir.) tr. Contener, refrenar, templar o moderar. Ú. t. c. prnl. ‖ **2.** Contener, detener o castigar, por lo general desde el poder y con el uso de la violencia, actuaciones políticas o sociales.

reprobable. (Del lat. *reprobabĭlis.*) adj. Digno de reprobación o que puede reprobarse.

reprobación. (Del lat. *reprobatĭo, -ōnis.*) f. Acción y efecto de reprobar.

reprobadamente. adv. m. Con reprobación.

reprobado, da. (Del lat. *reprobātus.*) p. p. de **reprobar.** ‖ **2.** adj. Condenado a las penas eternas. Ú. t. c. s. ‖ **3.** m. Calificación de suspenso.

reprobador, ra. (Del lat. *reprobātor, -ōris.*) adj. Que reprueba. Ú. t. c. s.

reprobar. (Del lat. *reprobāre.*) tr. No aprobar, dar por malo.

reprobatorio, ria. adj. Dícese de lo que reprueba o sirve para reprobar.

réprobo, ba. (Del lat. *reprōbus.*) adj. Condenado a las penas eternas. Ú. t. c. s. ‖ **2.** Dícese de la persona condenada por su heterodoxia religiosa. ‖ **3.** Por ext., se aplica a las personas apartadas de la convivencia por razones distintas de las religiosas. ‖ **4. malvado.**

reprocesado. m. *Quím.* Tratamiento químico a que se somete el combustible nuclear, después de ser utilizado en los reactores, mediante el cual se recuperan uranio y plutonio para utilizarlos nuevamente.

reprochable. adj. Que puede reprocharse o es digno de reproche.

reprochador, ra. adj. Dícese del que reprocha. ‖ **2.** Que tiene por costumbre reprochar. Ú. t. c. s.

reprochar. (En port. *reprochar;* en fr. *reprocher.*) tr. Reconvenir, echar en cara. Ú. t. c. prnl.

reproche. m. Acción de reprochar. ‖ **2.** Expresión con que se reprocha.

reproducción. f. Acción y efecto de reproducir o reproducirse. ‖ **2.** Cosa que reproduce o copia un original. ‖ **3.** Copia de un texto, una obra u objeto de arte conseguida por medios mecánicos.

reproducibilidad. f. Capacidad de reproducirse o ser reproducido.

reproducir. tr. Volver a producir o producir de nuevo. Ú. t. c. prnl. ‖ **2.** Volver a hacer presente lo que antes se dijo y alegó. ‖ **3.** Sacar copia, en uno o en muchos ejemplares, de una obra de arte, objeto arqueológico, texto, etc., por procedimientos calcográficos, electrolíticos, fotolitográficos o mecánicos y también mediante el vaciado. ‖ **4.** Ser copia de un original. ‖ **5.** prnl. Procrear una especie.

reproductivo, va. adj. Que produce beneficio o provecho. *La vaca holandesa es más* REPRODUCTIVA *que un molino de viento.*

reproductor, ra. adj. Que reproduce. Ú. t. c. s. ‖ **2.** m. y f. Animal destinado a mejorar su raza.

reprografía. f. Reproducción de los documentos por diversos medios: fotografía, microfilme, etc.

reprográfico, ca. adj. Perteneciente o relativo a la reprografía. *Material* REPROGRÁFICO, *técnica* REPROGRÁFICA.

reprógrafo, fa. m. y f. Persona que tiene por oficio la reprografía.

repromisión. (Del lat. *repromissĭo, -ōnis.*) f. Promesa repetida.

repropiarse. prnl. Resistirse la caballería a obedecer al que la rige.

repropio, pia. adj. Dícese de la caballería que se repropia.

reprueba. f. Nueva prueba sobre la que ya se ha dado.

reps. (De *or.* fr.) m. Tela de seda o de lana, fuerte y bien tejida, que se usa en obras de tapicería.

reptar[1]. (Del lat. *reptāre*, imputar.) tr. ant. Desafiar, retar a otro.

reptar[2]. (Del lat. *reptāre*.) intr. Andar arrastrándose como algunos reptiles.

reptil o **réptil.** (Del lat. *reptĭlis*.) adj. *Zool.* Dícese de los animales vertebrados, ovíparos u ovovivíparos, de temperatura variable y respiración pulmonar que, por carecer de pies o por tenerlos muy cortos, caminan rozando la tierra con el vientre; como la culebra, el lagarto y el galápago. Ú. t. c. s. ‖ 2. m. pl. *Zool.* Clase de estos animales.

república. (Del lat. *respublĭca.*) f. Cuerpo político de una nación. ‖ 2. Forma de gobierno representativa en que el poder reside en el pueblo, personificado este por un jefe supremo llamado presidente. ‖ 3. Nación o Estado que posee esta forma de gobierno. ‖ 4. Conjunto de habitantes de un término municipal. ‖ 5. El ayuntamiento de este término municipal. ‖ 6. Causa pública, el común o su utilidad. ‖ 7. V. **cargo de la, oficio de república.** ‖ 8. fig. irón. Lugar donde reina el desorden por exceso de libertades. ‖ **de las letras,** o **literaria.** Conjunto de los hombres sabios y eruditos.

republicanismo. m. Condición de republicano. ‖ 2. Sistema político que proclama la forma republicana para el gobierno de un Estado. ‖ 3. Amor o afección a esta forma de gobierno.

republicano, na. adj. Perteneciente o relativo a la república, forma de gobierno. ‖ 2. Aplícase al ciudadano de una república. Ú. t. c. s. ‖ 3. Partidario de este género de gobierno. Ú. t. c. s. ‖ 4. m. Buen patricio.

repúblico. (De *república.*) m. Hombre de representación que es capaz de los oficios públicos. ‖ 2. Persona versada en la dirección de los Estados o en materia política. ‖ 3. Buen patricio.

repuchar. (Del lat. *repudiāre.*) tr. **repudiar.** ‖ 2. prnl. Cohibirse, acobardarse, amilanarse.

repudiable. adj. Dícese de lo que puede ser repudiado. Ú. t. c. s. ‖ 2. Recusable, que no se acepta.

repudiación. (Del lat. *repudiatĭo, -ōnis.*) f. Acción y efecto de repudiar a la mujer propia.

repudiar. (Del lat. *repudiāre.*) tr. Rechazar algo, no aceptarlo. REPUDIAR *la ley,* REPUDIAR *la paz,* REPUDIAR *un consejo.* ‖ 2. Rechazar a la mujer propia.

repudio. (Del lat. *repudĭum.*) m. Acción y efecto de repudiar. ‖ 2. Renuncia. REPUDIO *del mundo,* REPUDIO *de los hábitos.* ‖ 3. V. **carta, libelo de repudio.**

repudrir. tr. Pudrir mucho. Ú. t. c. prnl. ‖ 2. prnl. fig. y fam. Consumirse mucho interiormente, de callar o disimular un sentimiento o pesar. Ú. t. c. tr.

repuesto, ta. (Del lat. *reposĭtus.*) p. p. irreg. de **reponer.** ‖ 2. adj. Apartado, retirado, escondido. ‖ 3. m. Provisión de comestibles u otras cosas para cuando sean necesarias. ‖ 4. **recambio,** pieza o parte de un mecanismo que se tiene dispuesta para sustituir a otra. ‖ 5. Aparador o mesa en que está preparado todo lo necesario para el servicio de la comida o cena. ‖ 6. Pieza o cuarto donde se pone el aparador. ‖ 7. En juegos de naipes, cantidad que pone el que pierde para disputarse en la mano siguiente. ‖ **de repuesto.** loc. adj. **de prevención.**

repugnancia. (Del lat. *repugnantĭa.*) f. Oposición o contradicción entre dos cosas. ‖ 2. Tedio, aversión a las cosas o personas. ‖ 3. **asco,** alteración del estómago que incita al vómito. ‖ 4. Aversión que se siente o resistencia que se opone a consentir o hacer una cosa. ‖ 5. *Fil.* Incompatibilidad entre dos atributos o cualidades de una misma cosa.

repugnante. (Del lat. *repugnans, -antis.*) p. a. de **repugnar.** Que repugna. ‖ 2. adj. Que causa repugnancia o aversión. ‖ 3. *Lóg.* V. **términos repugnantes.**

repugnantemente. adv. m. Con repugnancia.

repugnar. (Del lat. *repugnāre.*) tr. desus. Ser opuesta una cosa a otra. Ú. t. c. prnl. ‖ 2. desus. Contradecir o negar una cosa. ‖ 3. Rehusar, hacer de mala gana una cosa o admitirla con dificultad. ‖ 4. *Fil.* Implicar o no poderse unir y concertar dos cosas o cualidades. ‖ 5. intr. Causar aversión o asco. *La mentira me* REPUGNA. *Ese olor me* RE-PUGNA.

repujado, da. p. p. de **repujar.** ‖ 2. m. Acción y efecto de repujar. ‖ 3. Obra repujada.

repujador, ra. m. y f. Persona que tiene por oficio repujar.

repujar. (Del lat. *repulsāre.*) tr. Labrar a martillo chapas metálicas, de modo que en una de sus caras resulten figuras de relieve, o hacerlas resaltar en cuero u otra materia adecuada.

repulgado, da. p. p. de **repulgar.** ‖ 2. adj. fig. y fam. Falto de naturalidad, afectado.

repulgar. tr. Hacer repulgos.

repulgo. m. Pliegue que con remate se hace a la ropa en los bordes. ‖ 2. Punto pequeño y espeso con que se cosen a mano algunas dobladillos. ‖ 3. Borde labrado que se hace a las empanadas o pasteles alrededor de la masa. ‖ 4. Cicatriz fruncida y saliente de las heridas de las personas y de los cortes de los árboles. ‖ 5. fig. y fam. Recelo e inquietud de conciencia que siente el hombre sobre la bondad o necesidad de algún acto suyo. ‖ **repulgos de empanada.** fig. y fam. Cosas de muy poca importancia o escrúpulos vanos y ridículos.

repulido, da. adj. Acicalado, peripuesto.

repulir. (Del lat. *repolīre.*) tr. Volver a pulir una cosa. ‖ 2. Acicalar, componer con demasiada afectación. Ú. t. c. prnl.

repulsa. (Del lat. *repulsa.*) f. Acción y efecto de repulsar. ‖ 2. Condena enérgica de algo.

repulsar. (Del lat. *repulsāre.*) tr. Desechar, repeler o despreciar una cosa. ‖ 2. Negar lo que se pide o pretende.

repulsión. (Del lat. *repulsĭo, -ōnis.*) f. Acción y efecto de repeler. ‖ 2. Acción y efecto de repulsar. ‖ 3. Repugnancia, aversión.

repulsivo, va. adj. Que tiene acción o virtud de repulsar. ‖ 2. Que causa repulsión.

repulso, sa. (Del lat. *repulsus,* p. p. de *repellĕre,* rechazar.) p. irreg. ant. de **repeler.**

repullo. m. Flechilla, banderilla. ‖ 2. Movimiento violento del cuerpo, especie de salto que se da por sorpresa o susto. ‖ 3. fig. Demostración exterior y violenta de la sorpresa que causa una cosa inesperada.

repunta. f. Punta o cabo de tierra, más saliente que otros inmediatos. ‖ 2. fig. Indicio o primera manifestación de alguna cosa. ‖ 3. fig. y fam. Riña o contienda.

repuntar. intr. *Mar.* Empezar la marea para creciente o para menguante. ‖ 2. *Amér.* Volver a subir las aguas de un río. ‖ 3. *Amér.* Empezar a manifestarse alguna cosa, como enfermedad, cambio del tiempo, etc. ‖ 4. *Amér. Merid.* Aparecer alguien de improviso. ‖ 5. rur. *Argent.* Reunir los animales que están dispersos en un campo. ‖ 6. *Argent.* Recuperar algo o alguien una posición favorable. ‖ 7. prnl. Empezar a volverse el vino; tener punta de vinagre. ‖ 8. fig. y fam. Desazonarse, indisponerse levemente una persona con otra.

repunte. m. *Mar.* Acción y efecto de repuntar la marea.

repurgar. (Del lat. *repurgāre.*) tr. Volver a limpiar o purificar una cosa.

reputación. (Del lat. *reputatĭo, -ōnis.*) f. Opinión que las gentes tienen de una persona. ‖ 2. Opinión que las gentes tienen de uno como sobresaliente en una ciencia, arte o profesión.

reputado, da. p. p. de **reputar.** ‖ **2.** adj. Reconocido públicamente como experto en una profesión.

reputar. (Del lat. *reputāre*.) tr. Juzgar o hacer concepto del estado o calidad de una persona o cosa. Ú. t. c. prnl. ‖ **2.** Apreciar o estimar el mérito.

requebrador, ra. adj. Que requiebra. Ú. t. c. s.

requebrajo. m. Dicho con que se requiebra.

requebrar. (Del lat. *recrepāre*.) tr. Volver a quebrar en piezas más menudas lo que estaba ya quebrado. ‖ **2.** fig. Lisonjear a una mujer alabando sus atractivos. ‖ **3.** fig. Adular, lisonjear.

requemado, da. p. p. de **requemar.** ‖ **2.** adj. Que tiene color oscuro denegrido por haber estado al fuego o a la intemperie. ‖ **3.** m. Género de tejido delgado, muy negro, con cordoncillo y sin lustre, de que se hacían mantos.

requemamiento. m. **resquemo.**

requemar. (Del lat. *recremāre.*) tr. Volver a quemar. Ú. t. c. prnl. ‖ **2.** Tostar con exceso. Ú. t. c. prnl. ‖ **3.** Privar de jugo a las plantas, haciéndoles perder su verdor. Ú. t. c. prnl. ‖ **4.** Causar la ingestión de algo picor o ardor en la boca o en la garganta. ‖ **5.** fig. Hablando de la sangre o de los humores del cuerpo humano, encenderlos excesivamente. Ú. t. c. prnl. ‖ **6.** prnl. fig. Dolerse interiormente y sin darlo a conocer.

requemazón. f. **resquemo.**

requemo. m. fig. *And.* Resentimiento afectivo y callado.

requenense. adj. Natural de Requena. Ú. t. c. s. ‖ **2.** Perteneciente o relativo a este pueblo de la provincia de Valencia.

requeridor, ra. adj. Que requiere. Ú. t. c. s.

requerimiento. m. Acción y efecto de requerir. ‖ **2.** *Der.* Acto judicial por el que se intima que se haga o se deje de ejecutar una cosa. ‖ **3.** *Der.* Aviso, manifestación, o pregunta que se hace, generalmente bajo fe notarial, a alguna persona exigiendo o interesando de ella que exprese y declare su actitud o su respuesta.

requerir. (Del lat. *requirĕre.*) tr. Intimar, avisar o hacer saber una cosa con autoridad pública. ‖ **2.** Reconocer o examinar el estado en que se halla una cosa. ‖ **3.** Necesitar. ‖ **4.** Solicitar, pretender, explicar uno su deseo o pasión amorosa. ‖ **5.** Inducir, persuadir.

requesón. m. Masa blanca y mantecosa que se hace cuajando la leche en moldes de mimbres por entre los cuales se escurre el suero sobrante. ‖ **2.** Cuajada que se saca de los residuos de la leche después de hecho el queso.

requesonero, ra. m. y f. Persona que hace o vende requesón.

requete-. V. **re-.**

requeté. m. Cuerpo de voluntarios que, distribuidos en tercios, lucharon en las guerras civiles españolas en defensa de la tradición religiosa y monárquica. ‖ **2.** Individuo afiliado a este cuerpo, aun en tiempo de paz.

requetebién. adv. m. fam. Muy bien.

requiebro. m. Acción y efecto de requebrar. ‖ **2.** Dicho o expresión con que se requiebra. ‖ **3.** Persona que tiene relaciones amorosas con otra. ‖ **4.** *Min.* Mineral vuelto a quebrantar para reducirlo a trozos de tamaño aproximadamente igual.

réquiem. (Acus. de sing. del lat. *requies*, descanso.) V. **misa de réquiem.** ‖ **2.** m. Composición musical que se canta con el texto litúrgico de la misa de difuntos, o parte de él.

requiéscat in pace. expr. lat. que literalmente dice «descanse en paz», y se aplica en la liturgia como despedida de los difuntos, en las inscripciones tumularias, esquelas mortuorias, etc. ‖ **2.** fam. Dícese también de las cosas que se dan por fenecidas para no volver a tratar de ellas.

requilorio. m. (De *requerir.*) m. fam. Formalidad nimia e in-

necesario rodeo en que suele perderse el tiempo antes de hacer o decir lo que es obvio, fácil y sencillo. Ú. m. en pl. ‖ **2.** Adorno o complemento excesivo o innecesario. Ú. m. en pl.

requintador, ra. m. y f. Persona que requinta en los remates de los arrendamientos.

requintar. tr. Pujar la quinta parte en los arrendamientos después de rematados y quintados. ‖ **2.** Sobrepujar, exceder, aventajar mucho. ‖ **3.** *Argent.* Doblar o levantar el ala del sombrero hacia arriba. ‖ **4.** *Col.* Cargar una caballería. ‖ **5.** *Amér. Central, Col., Méj.* y *R. de la Plata.* Poner tirante una cuerda. ‖ **6.** *Mús.* Subir o bajar cinco puntos una cuerda o tono.

requinto. m. Segundo quinto que se saca de una cantidad de la que se había extraído ya la quinta parte. ‖ **2.** Puja de quinta parte que se hace en los arrendamientos después de haberse rematado y quintado. ‖ **3.** Servicio extraordinario que se impuso a los indios del Perú y en algunas otras provincias americanas, en el reinado de Felipe II, y era una quinta parte de la suma de sus contribuciones ordinarias. ‖ **4.** Clarinete pequeño y de tono agudo que se usa en las bandas de música. ‖ **5.** Músico que toca este instrumento. ‖ **6.** Guitarrillo que se toca pasando el dedo índice o el mayor sucesivamente y con ligereza de arriba abajo, y viceversa, rozando las cuerdas.

requirente. (Del lat. *requīrens, -entis.*) p. a. irreg. de **requerir.** ‖ **2.** *Der.* Que requiere en juicio. Ú. t. c. s.

requisa. (Del fr. *réquisition.*) f. Revista o inspección de las personas o de las dependencias de un establecimiento. ‖ **2.** Recuento y embargo que se hace de cosas necesarias en tiempo de guerra. ‖ **3.** *Der.* Expropiación por la autoridad competente de ciertos bienes de propiedad particular, aptos para los servicios de interés público.

requisar. tr. Hacer requisición de caballos, vehículos, alimentos y otras cosas para el servicio militar. ‖ **2.** *Der.* Expropiar la autoridad competente ciertos bienes como tierras, alimentos, etc., considerados aptos para las necesidades de interés público.

requisición. (Del fr. *réquisition.*) f. Recuento y embargo de caballos, bagajes, alimentos, etc., que para el servicio militar suele hacerse en tiempo de guerra. ‖ **2.** ant. *Der.* Acto judicial por el que se intima que se haga algo.

requisito, ta. (Del lat. *requisitus.*) p. p. irreg. de **requerir.** ‖ **2.** m. Circunstancia o condición necesaria para una cosa.

requisitorio, ria. adj. *Der.* Aplícase al despacho en que un juez requiere a otro para que ejecute un mandamiento del requirente. Ú. m. c. s. f. y a veces c. m.

requive. (Del ár. *rakīb.*) m. **arrequive.**

res. (Del ár. *ra's*, cabeza, cabeza de ganado.) f. Cualquier animal cuadrúpedo de ciertas especies domésticas, como del ganado vacuno, lanar, etc., o de los salvajes, como venados, jabalíes, etc. ‖ **de vientre.** Hembra paridera en los rebaños, vacadas, etc.

res-. (De la unión de los prefijos *re-* y *es-*.) pref. que puede significar atenuación del significado de la base: RES*quebrar,* RES*quemar;* intensificación: RES*guardar.*

resaber. tr. Saber muy bien una cosa.

resabiado, da. p. p. de **resabiar.** ‖ **2.** adj. Que tiene un vicio o mala costumbre difícil de quitar. Aplícase especialmente a los caballos y a las reses de lidia. ‖ **3.** Dícese de la persona que, por su experiencia vital, ha perdido su ingenuidad volviéndose agresiva o desconfiada.

resabiar. tr. Hacer tomar un vicio o mala costumbre. Ú. t. c. prnl. ‖ **2.** prnl. Disgustarse o desazonarse. ‖ **3.** Saborear la comida o la bebida. ‖ **4.** fig. Deleitarse en las cosas que agradan.

resabido, da. p. p. de **resaber.** ‖ **2.** adj. Que se precia de entendido.

resabio. (De un der. del lat. *resapĕre,* tener sabor, saber a.) m.

Sabor desagradable que deja una cosa. ‖ **2.** Vicio o mala costumbre que se toma o adquiere. ‖ **3.** ant. fig. Desagrado moral o disgusto.

resabioso, sa. adj. *Cuba, Méj.* y *Perú.* **resabiado.**

resaca. (De *resacar.*) f. Movimiento en retroceso de las olas después que han llegado a la orilla. ‖ **2.** Limo o residuos que el mar o los ríos después de la crecida dejan en la orilla. ‖ **3.** fig. Persona de baja condición o moralmente despreciable. ‖ **4.** Malestar que padece al despertar quien ha bebido en exceso. ‖ **5.** *Com.* Letra de cambio que el tenedor de otra que ha sido protestada gira a cargo del librador o de uno de los endosantes, para reembolsarse de su importe y de los gastos de protesto y recambio.

resacar. tr. ant. **sacar.** ‖ **2.** *Mar.* Halar de un cabo para facilitar su laboreo y que no estorbe la maniobra.

resalado, da. adj. fig. y fam. Que tiene mucha sal, gracia y donaire.

resalga. f. Caldo que resulta en la pila donde se hace la salazón de pescados, y que sirve también para salar.

resalir. intr. *Arq.* En los edificios y otras cosas, sobresalir en parte un cuerpo de otro.

resaltar. intr. Botar repetidamente un cuerpo elástico. ‖ **2.** Desprenderse una cosa de donde estaba fija. ‖ **3.** Sobresalir en parte un cuerpo de otro en los edificios u otras cosas. ‖ **4.** fig. Distinguirse, sobresalir o destacarse mucho una cosa de otra.

resalte. m. Parte que sobresale.

resalto. m. Acción y efecto de resaltar. ‖ **2. resalte,** parte que sobresale de la superficie de una cosa. ‖ **3.** *Mont.* Modo de cazar al jabalí, disparándole al tiempo que sale acosado de su guarida y se para a reconocer de quién huye.

resaludar. (Del lat. *resalutāre.*) tr. Corresponder a la salutación, cortesía o atención de una persona.

resalutación. (Del lat. *resalutatĭo, -ōnis.*) f. Acción de resaludar.

resalvo. m. Vástago que al rozar un monte se deja en cada mata como el mejor para formar un árbol.

resallar. tr. Volver a sallar.

resallo. m. Acción y efecto de resallar.

resanar. (Del lat. *resanāre.*) tr. Cubrir con oro las partes de un dorado que han quedado defectuosas. ‖ **2.** Reparar los desperfectos que en su superficie presenta una pared, un mueble, etc. ‖ **3.** Eliminar la parte dañada de una tabla, una fruta, etc.

resarcible. adj. Que se puede o se debe resarcir.

resarcimiento. m. Acción y efecto de resarcir o resarcirse.

resarcir. (Del lat. *resarcīre.*) tr. Indemnizar, reparar, compensar un daño, perjuicio o agravio. Ú. t. c. prnl.

resayo. m. *Sal.* Terreno muy pendiente, pero corto.

resbaladero, ra. adj. Dícese de lo que resbala o se escurre fácilmente. ‖ **2.** Dícese del lugar en que se puede resbalar. ‖ **3.** m. Lugar resbaladizo. ‖ **4.** fig. Cosa que expone a un desliz moral.

resbaladizo, za. adj. Dícese de lo que se resbala o escurre fácilmente. ‖ **2.** Aplícase al lugar en que hay exposición de resbalar. ‖ **3.** fig. Dícese de lo que expone a incurrir en algún desliz.

resbalador, ra. adj. Que resbala.

resbaladura. f. Señal o huella que queda de haber resbalado.

resbalamiento. m. Acción y efecto de resbalar o resbalarse.

resbalar. (De *re-* y *esbarar.*) intr. Escurrirse, deslizarse. Ú. t. c. prnl. ‖ **2.** fig. Incurrir en un desliz. Ú. t. c. prnl. ‖ **resbalarle** a uno algo. fr. verbal. Dejar indiferente, no afectar lo que se oye o lo que sucede.

resbalera. f. Lugar resbaladizo.

resbalón. m. Acción y efecto de resbalar o resbalarse. ‖ **2.** Pestillo que tienen algunas cerraduras y que queda encajado en el cerradero por la presión de un resorte. ‖ **3.** fig. y fam. Indiscreción, metedura de pata. ‖ **4.** V. **picaporte de resbalón.**

resbaloso, sa. adj. **resbaladizo.**

rescacio. m. Pez marino teleósteo, del suborden de los acantopterigios, con los huesos infraorbitarios muy desarrollados y la cabeza con espinas agudas, por lo cual, estando de ordinario escondido en la arena, constituye un peligro para los pescadores, que pueden pisarlo y herirse con las espinas.

rescaldar. tr. Escaldar de nuevo.

rescaldo. m. ant. **rescoldo,** brasa.

rescaño. m. Resto o parte de alguna cosa.

rescatado, da. p. p. de **rescatar.** ‖ **2.** m. Juego que recibe diversos nombres, y en el que participan dos bandos de chicos elegidos por sus capitanes. Los de un bando tratan de atrapar a los del contrario. Los atrapados pueden ser **rescatados** por los de su propio bando.

rescatador, ra. adj. Que rescata. Ú. t. c. s.

rescatar. (Del lat. *recaptāre,* recoger.) tr. Recobrar por precio o por fuerza lo que el enemigo ha cogido, y por ext., cualquier cosa que pasó a ajena mano. ‖ **2.** Cambiar o trocar oro u otros objetos preciosos por mercaderías ordinarias. ‖ **3.** fig. Liberar del peligro, daño, trabajo, molestia, opresión, etc. Ú. t. c. prnl. ‖ **4.** fig. Recobrar el tiempo o la ocasión perdidos. ‖ **5.** fig. Recuperar para su uso algún objeto que se tenía olvidado, estropeado o perdido.

rescate. m. Acción y efecto de rescatar. ‖ **2.** Dinero con que se rescata, o que se pide por ello. ‖ **3. rescatado,** juego.

rescaza. (De *rascacio.*) f. **escorpina,** pez.

rescindible. adj. Que se puede rescindir.

rescindir. (Del lat. *rescindĕre;* de *re* y *scindĕre,* rasgar.) tr. Dejar sin efecto un contrato, obligación, etc.

rescisión. (Del lat. *rescissĭo, -ōnis.*) f. Acción y efecto de rescindir.

rescisorio, ria. (Del lat. *rescissorĭus.*) adj. Dícese de lo que rescinde, sirve para rescindir o dimana de la rescisión.

rescoldar. tr. Atizar la lumbre removiendo el rescoldo.

rescoldera. f. **pirosis.**

rescoldo. (De *rescaldo.*) m. Brasa menuda resguardada por la ceniza. ‖ **2.** fig. Escozor, recelo o escrúpulo. ‖ **3.** fig. Residuo que queda de un sentimiento, pasión o afecto.

rescontrar. (De *res-* y *contra.*) tr. Compensar en las cuentas una partida con otra. ‖ **2.** ant. **encontrar,** hallar una persona o cosa que se busca.

rescribir. (Del lat. *rescribĕre.*) tr. ant. Contestar, responder por escrito a una carta u otra comunicación.

rescripto, ta. (Del lat. *rescriptus.*) p. p. irreg. **rescrito.** ‖ **2.** m. Decisión del Papa, de un emperador o de cualquier soberano para resolver una consulta o responder a una petición. ‖ **pontificio.** *Der.* Respuesta del Papa escrita a continuación de preces con que se le pide alguna gracia, privilegio o dispensa.

rescriptorio, ria. adj. Perteneciente a los rescriptos.

rescrito, ta. p. p. irreg. de **rescribir.** ‖ **2.** m. ant. **rescripto.**

rescuentro. m. Acción y efecto de rescontrar. ‖ **2.** Papeleta provisional manuscrita que se expedía a los jugadores de la lotería primitiva y que después se canjeaba por un pagaré impreso. ‖ **3.** ant. Encuentro de dos o más personas.

resecación. f. Acción y efecto de resecar o resecarse.

resecar¹. (Del lat. *resecāre,* cortar.) tr. *Cir.* Efectuar la resección de un órgano.

resecar². (Del lat. *resiccāre.*) tr. Secar mucho. Ú. t. c. prnl.

resección. (Del lat. *resectĭo, -ōnis,* acción de cortar.) f. *Cir.* Operación que consiste en separar el todo o parte de uno o más órganos.

reseco, ca. (De *resecar*[2].) adj. Demasiado seco. ‖ **2.** Flaco, enjuto, de pocas carnes. ‖ **3.** m. Parte seca del árbol o arbusto. ‖ **4.** Entre colmeneros, parte de cera que queda sin melar. ‖ **5.** Sensación de sequedad en la boca. ‖ **6.** Sensación molesta en la boca.

reseda. (Del lat. *resĕda.*) f. Planta herbácea anual, de la familia de las resedáceas, con tallos ramosos de uno a dos decímetros de altura, hojas alternas, enteras o partidas en tres gajos, y flores amarillentas. Es originaria de Egipto, y por su olor agradable se cultiva en los jardines. ‖ **2.** Flor de esta planta. ‖ **3. gualda,** hierba.

resedáceo, a. (De *reseda.*) adj. *Bot.* Dícese de plantas dicotiledóneas herbáceas, angiospermas, de hojas alternas, enteras o más o menos hendidas, con estípulas glandulosas, flores en espigas, fruto capsular y semillas sin albumen; como la reseda y la gualda. Ú. t. c. s. ‖ **2.** f. pl. *Bot.* Familia de estas plantas.

resegar. (Del lat. *resecāre,* cortar.) tr. Volver a segar lo que dejaron los segadores de heno. ‖ **2.** Recortar los tocones a ras del suelo.

reseguir. tr. Quitar a los filos de las espadas las ondas, resaltos o torceduras, dejándolos en línea seguida.

resellar. tr. Volver a sellar la moneda u otra cosa. ‖ **2.** prnl. fig. Pasarse de uno a otro partido.

resello. m. Acción y efecto de resellar o resellarse. ‖ **2.** Segundo sello que se echa a la moneda o a otra cosa.

resemblar. tr. ant. Asemejarse, parecerse una cosa a otra. Usáb. t. c. prnl.

resembrar. (Del lat. *resemināre.*) tr. Volver a sembrar un terreno o parte de él por haberse malogrado la primera siembra.

resentido, da. p. p. de resentirse. ‖ **2.** adj. Dícese de la persona que muestra o tiene algún resentimiento. Ú. t. c. s. ‖ **3.** Por ext., que se siente maltratado por la sociedad o por la vida en general. Ú. t. c. s.

resentimiento. m. Acción y efecto de resentirse.

resentirse. prnl. Empezar a flaquear o perder fuerza. ‖ **2.** fig. Tener sentimiento, pesar o enojo por una cosa. ‖ **3.** Sentir dolor o molestia en alguna parte del cuerpo, a causa de alguna enfermedad o dolencia pasada.

reseña. f. Revista que se hace de la tropa. ‖ **2.** Nota que se toma de los rasgos distintivos de una persona, animal o cosa para su identificación. ‖ **3.** p. us. Señal que anuncia o da a entender una cosa. ‖ **4.** Narración sucinta. ‖ **5.** Noticia y examen de una obra literaria o científica.

reseñador, ra. m. y f. Persona que reseña una obra literaria o científica. ‖ **2.** Quien reseña los rasgos distintivos de una persona, animal o cosa.

reseñar. (Del lat. *resignāre,* tomar nota, escribir, apuntar.) tr. Hacer una reseña.

resequido, da. adj. Dícese de una cosa que, siendo húmeda por su naturaleza, se ha vuelto seca por accidente.

resero, ra. m. y f. Persona que cuida de las reses. ‖ **2.** Persona que las compra para expenderlas. ‖ **3.** m. *Argent.* y *Urug.* Arreador de reses, especialmente de ganado vacuno, destinadas al consumo de la población y aprovechamiento industrial.

reserva. f. Guarda o custodia que se hace de una cosa, o prevención de ella para que sirva a su tiempo. ‖ **2.** Reservación o excepción de una ley común. ‖ **3.** Prevención o cautela para no descubrir algo que se sabe o piensa. ‖ **4.** Discreción, circunspección, comedimiento. ‖ **5.** Acción de destinar un lugar o una cosa, de un modo exclusivo, para un uso o una persona determinados. ‖ **6.** Actitud de recelo, desconfianza o desacuerdo ante algo o alguien. ‖ **7.** Acción de reservar al Santísimo Sacramento. ‖ **8.** Parte del ejército o armada de una nación, que terminó su servicio activo, pero que puede ser movilizada. ‖ **9.** V. **escala, sección de reserva.** ‖ **10.** Cuerpo de tropas de tierra o mar, que no toma parte en una campaña o en una batalla hasta que se considera necesario o conveniente su auxilio. ‖ **11.** Vino o licor que posee una crianza mínima de tres años en envase de roble o en botella. ‖ **12.** *Der.* Declaración que hace el juez de que la resolución que dicta no perjudicará algún derecho, el cual deja a salvo para que se ejercite en otro juicio o de diverso modo. ‖ **13.** *Der.* Obligación impuesta por la ley al viudo que se vuelve a casar o tiene un hijo natural reconocido, y también al ascendiente por título sucesorio, en circunstancias determinadas, de reservar ciertos bienes para transmitirlos, en su tiempo y caso, a ciertas personas. ‖ **14.** com. *Dep.* Jugador que no figura en la alineación titular de su equipo, y que aguarda para actuar a que el entrenador sustituya a otro jugador. ‖ **15.** f. pl. **recursos,** elementos disponibles para resolver una necesidad o llevar a cabo una empresa. ‖ **de indios.** En ciertos países, territorio que se reconoce o concede para su sostenimiento a una comunidad indígena. ‖ **mental.** Intención restrictiva del juramento, promesa o declaración, al tiempo de formularlos. Ú. t. en pl. ‖ **nacional. parque nacional.** ‖ **a reserva de.** loc. prepos. Con el propósito, con la intención de. ‖ **de reserva.** loc. adj. Dícese de lo que se tiene dispuesto para suplir alguna falta. ‖ **2.** *Biol.* Dícese de la sustancia que se almacena en determinadas células de las plantas o de los animales y es utilizada por el organismo para su nutrición, en caso necesario, transformándose entonces en productos asimilables, como la grasa, el almidón y el glucógeno. ‖ **sin reserva.** loc. adv. Abierta o sinceramente, con franqueza, sin disfraz.

reservable. adj. Que se puede reservar. ‖ **2.** *Der.* V. **bienes reservables.**

reservación. f. Acción y efecto de reservar. ‖ **2.** *Amér.* Reserva de habitaciones, de localidades para un espectáculo, etc.

reservadamente. adv. m. Con reserva o bajo sigilo.

reservado, da. p. p. de reservar. ‖ **2.** adj. Cauteloso, reacio en manifestar su interior. ‖ **3.** Comedido, discreto, circunspecto. ‖ **4.** Que se reserva o debe reservarse. ‖ **5.** V. **caso, pronóstico reservado.** ‖ **6.** V. **vía reservada.** ‖ **7.** V. **valor reservado en sí mismo.** ‖ **8.** m. En algunas partes, sacramento de la Eucaristía que se guarda en el sagrario. *En esta iglesia no hay* RESERVADO. ‖ **9.** Compartimiento de un coche de ferrocarril, estancia en un edificio o parte de un parque o jardín que se destina solo a personas o a usos determinados.

reservar. (Del lat. *reservāre.*) tr. Guardar algo para lo futuro. ‖ **2.** Dilatar para otro tiempo lo que se podía o se debía ejecutar o comunicar al presente. Ú. t. c. prnl. ‖ **3.** Destinar un lugar o una cosa, de un modo exclusivo, para uso o persona determinados. ‖ **4.** Exceptuar, dispensar de una ley común. ‖ **5.** Separar o apartar una algo de lo que se distribuye, reteniéndolo para sí o para entregarlo a otro. Ú. t. c. prnl. ‖ **6.** Retener o no comunicar una cosa o el ejercicio o conocimiento de ella. ‖ **7.** Encubrir, ocultar, callar una cosa. ‖ **8.** Conservar discrecionalmente, en algunos juegos de naipes, ciertas cartas que no hay obligación de servir. ‖ **9.** Encubrir el Santísimo Sacramento, que estaba manifiesto. ‖ **10.** ant. Jubilar a uno. Se usaba hablando de los criados de la casa real y de personas principales. ‖ **11.** prnl. Conservarse o irse deteniendo para mejor ocasión. ‖ **12.** Cautelarse, precaverse, guardarse, desconfiar de uno.

reservativo, va. adj. Perteneciente a la reserva. ‖ **2.** V. **censo reservativo.** ‖ **3.** *Der.* V. **bienes reservativos.**

reservista. adj. Dícese del militar perteneciente a la reserva, o que no está en servicio activo. Ú. t. c. s.

reservón, na. adj. fam. Que guarda excesiva reserva, bien por cautela o con malicia. ‖ **2.** *Taurom.* Dícese del toro que no muestra codicia en acudir a las suertes.

reservorio. (Del fr. *réservoire,* ing. *reservoir.*) m. *Bot.* y *Zool.* Depósito de sustancias nutritivas o de desecho destinadas a ser utilizadas o eliminadas por la célula o el organismo. ‖ **2.** *Amér.* Depósito, estanque.

resfriada, da. p. p. de **resfriar.** ‖ **2.** m. Destemple general del cuerpo, ocasionado por interrumpirse la transpiración. ‖ **3.** Enfriamiento, catarro. ‖ **4.** Riego que se da a la tierra cuando está seca y dura, para poderla arar. ‖ **cocer** uno **el resfriado,** o **cocerse el resfriado.** fr. Curarse el **resfriado.**

resfriador, ra. adj. Que resfría.

resfriadura. f. Resfriado del hombre o del animal.

resfriamiento. m. Acción y efecto de resfriar o resfriarse.

resfriante. p. a. de **resfriar.** Que resfría. ‖ **2.** m. Depósito de agua fría para refrigerar el serpentín del alambique.

resfriar. (De *re-* y *esfriar.*) tr. **enfriar.** ‖ **2.** ant. Refrescar, templar el calor. ‖ **3.** fig. Entibiar, templar el ardor o fervor. Ú. t. c. prnl. ‖ **4.** intr. Empezar a hacer frío. ‖ **5.** prnl. Contraer resfriado. ‖ **6.** fig. Entibiarse, disminuirse el amor o la amistad.

resfrío. (De *resfriar.*) m. Acción y efecto de resfriarse uno. ‖ **2.** Acción y efecto de resfriar, resfrescar. ‖ **3.** catarro.

resguardar. tr. Defender o proteger. ‖ **2.** prnl. Cautelarse, precaverse o prevenirse contra un daño.

resguardo. m. Guardia, seguridad que se pone en una cosa. ‖ **2.** Seguridad por escrito que se hace en las deudas o contratos. ‖ **3.** Documento acreditativo de haber realizado determinada gestión, pago o entrega. ‖ **4.** Guarda o custodia de un sitio, un litoral o una frontera para que no se introduzca contrabando o matute. ‖ **5.** Cuerpo de empleados destinados a este servicio. ‖ **6.** *Mar.* Distancia prudencial que por precaución toma el buque al pasar cerca de un punto peligroso.

residencia. (Del lat. *residens, -entis,* residente.) f. Acción y efecto de residir. ‖ **2.** Lugar en que se reside. ‖ **3.** Casa o edificio en que se vive, en especial el lujoso. ‖ **4.** Casa de jesuitas donde residen de una manera regular y permanente algunos individuos formando comunidad, y que no es colegio ni casa profesa. ‖ **5.** Casa donde viven en comunidad individuos u otras órdenes religiosas. ‖ **6.** Casa donde, sujetándose a determinada reglamentación, residen y conviven personas afines por la ocupación, el sexo, el estado, la edad, etc. RESIDENCIA *de estudiantes, de viudas, de ancianos.* ‖ **7.** Conjunto de viviendas familiares independientes para personas de una misma profesión, o afines por otro concepto. RESIDENCIA *de profesores.* ‖ **8.** Establecimiento público donde se alojan viajeros o huéspedes estables, ora en régimen de pensión o pupilaje, ora mediante el pago de una cantidad por la ocupación temporal de habitaciones o apartamentos amueblados. ‖ **9.** Espacio de tiempo que debe residir el eclesiástico en el lugar de su beneficio. ‖ **10.** Cargo de ministro residente. ‖ **11.** Acción y efecto de residenciar. ‖ **12.** Proceso o autos formados al que ha sido residenciado. ‖ **13.** Edificio donde una autoridad o corporación tiene su domicilio o donde ejerce sus funciones. ‖ **secundaria.** Vivienda destinada a ser ocupada temporalmente por alguien que tiene su domicilio en otro lugar.

residencial. adj. Aplícase al empleo o beneficio que pide residencia personal. ‖ **2.** Dícese de la parte de una ciudad destinada principalmente a viviendas, donde por lo general residen las clases más acomodadas, a diferencia de los barrios populares, industriales y comerciales, etc.

residenciar. tr. Tomar cuenta un juez a otro, o a otra persona que ha ejercido cargo público, de la conducta que en su desempeño ha observado. ‖ **2.** Por ext., pedir cuenta o hacer cargo en otras materias.

residente. (Del lat. *residens, -entis.*) p. a. de **residir.** Que reside. ‖ **2.** adj. Dícese de ciertos funcionarios o empleados que viven en el lugar donde tienen el cargo o empleo. *Médico* RESIDENTE. Ú. t. c. s. ‖ **3.** V. **ministro residente.** Ú. t. c. s.

residentemente. adv. m. Con ordinaria residencia o asistencia.

residir. (Del lat. *residēre.*) intr. Estar establecido en un lugar. ‖ **2.** Asistir uno personalmente en determinado lugar por razón de su empleo, dignidad o beneficio, ejerciéndolo. ‖ **3.** fig. Estar en una persona cualquier cosa inmaterial, como derechos, facultades, etc. ‖ **4.** fig. Estar o radicar en un punto o en una cosa el quid de aquello de que se trata.

residual. adj. Perteneciente o relativo al residuo.

residuo. (Del lat. *residŭum.*) m. Parte o porción que queda de un todo. ‖ **2.** Lo que resulta de la descomposición o destrucción de una cosa. ‖ **3.** Material que queda como inservible después de haber realizado un trabajo u operación. Ú. m. en pl. ‖ **4.** *Álg.* y *Arit.* Resultado de la operación de restar. ‖ **del poder.** Conjunto de materias y atribuciones sobre ellas que las constituciones federales o autonomistas no atribuyen expresamente ni al poder central ni a los regionales.

resiembra. f. Acción y efecto de resembrar. ‖ **2.** Siembra que se hace en un terreno sin dejarlo descansar.

resigna. f. Renuncia de un beneficio eclesiástico.

resignación. f. Entrega voluntaria que uno hace de sí poniéndose en las manos y voluntad de otro. ‖ **2.** Renuncia de un beneficio eclesiástico. ‖ **3.** Conformidad, tolerancia y paciencia en las adversidades.

resignadamente. adv. m. Con resignación.

resignar. (Del lat. *resignāre,* entregar, devolver.) tr. Renunciar un beneficio eclesiástico o hacer dimisión de él a favor de un sujeto determinado. ‖ **2.** Entregar una autoridad el mando a otra en determinadas circunstancias. ‖ **3.** prnl. Someterse, entregarse a la voluntad de otro. ‖ **4.** Conformarse con las adversidades.

resignatario. m. Sujeto en cuyo favor se hace la resigna.

resina. (Del lat. *resīna.*) f. Sustancia sólida o de consistencia pastosa, insoluble en el agua, soluble en el alcohol y en los aceites esenciales, y capaz de arder en contacto con el aire. Obtiénese naturalmente como producto que fluye de varias plantas, y artificialmente por destilación de las trementinas.

resinación. f. Acción y efecto de resinar.

resinar. tr. Sacar resina a ciertos árboles haciendo incisiones en el tronco.

resinero, ra. adj. Perteneciente o relativo a la resina. *Industria* RESINERA. ‖ **2.** m. El que tiene por oficio resinar.

resinífero, ra. (Del lat. *resīna,* resina, y *ferre,* llevar.) adj. **resinoso,** que tiene mucha resina.

resinificar. tr. Transformar en resina. Ú. t. c. prnl.

resinoso, sa. (Del lat. *resinōsus.*) adj. Que tiene mucha resina. ‖ **2.** Que participa de alguna de las cualidades de la resina. *Gusto, olor* RESINOSO. ‖ **3.** *Fís.* V. **electricidad resinosa.**

resisa. f. Antiguo impuesto de consumos que se cobraba en las ventas al por menor.

resisar. tr. Achicar más las medidas ya sisadas del vino, vinagre y aceite, rebajando de ellas lo correspondiente a la resisa.

resistencia. (Del lat. *resistentĭa.*) f. Acción y efecto de resistir o resistirse. ‖ **2.** Capacidad para resistir. ‖ **3.** Conjunto de las personas que, clandestinamente de ordinario, se oponen con violencia a los invasores de un territorio o a una dictadura. ‖ **4.** *Mec.* Causa que se opone a la acción de una fuerza. ‖ **5.** *Mec.* Fuerza que se opone al movimiento de una máquina y ha de ser vencida por la potencia. ‖ **6.** *Electr.* Dificultad que opone un conductor al paso de la corriente. ‖ **7.** *Electr.* Elemento que se intercala en un circuito para dificultar el paso de la corriente o para hacer que esta se transforme en calor. ‖ **pasiva.** *Mec.* Cualquiera de las que en una máquina dificultan su movimiento y disminuyen su efecto útil, como el rozamiento, los choques, etc. ‖ **2.** fig. Renuencia en hacer alguna cosa.

resistero. m. Tiempo después del mediodía en que aprieta más el calor. ‖ **2.** Calor causado por la reverberación del sol. ‖ **3.** Lugar en que especialmente se nota este calor.

resistible. adj. Que puede ser resistido.

resistidero. m. Tiempo después del mediodía en que aprieta más el calor.

resistidor, ra. adj. Que resiste.

resistir. (Del lat. *resistĕre.*) intr. Oponerse un cuerpo o una fuerza a la acción o violencia de otra. Ú. t. c. tr. y c. prnl. ‖ **2.** Pervivir una persona o durar una cosa. *Este coche todavía* RESISTE. ‖ **3.** Repugnar, contrariar, rechazar, contradecir. ‖ **4.** tr. Tolerar, aguantar o sufrir. ‖ **5.** Combatir las pasiones, deseos, etc. Ú. t. c. prnl. ‖ **6.** prnl. Oponerse con fuerza alguien a lo que se expresa. SE RESISTIÓ *a ser detenido.* ‖ **7.** fig. Oponer algo dificultades para su comprensión, manejo, conocimiento, realización, etc. *Este problema* SE me RESISTE.

resistivo, va. adj. Que resiste o tiene virtud para resistir.

resistor. (Del ing. *resistor,* de *resist,* resistir.) m. Cualquier elemento que interviene únicamente por su resistencia en un circuito eléctrico.

resma. (Del ár. *rizma,* paquete.) f. Conjunto de veinte manos de papel. ‖ **sucia.** La de papel de hilo, que tiene sus dos costeras correspondientes.

resmilla. f. Paquete de veinte cuadernillos de papel de cartas.

resobado, da. p. p. de **resobar.** ‖ **2.** adj. Dícese de los temas o asuntos de conversación o literarios muy trillados.

resobar. tr. Sobar mucho. Ú. t. en sent. fig.

resobrar. intr. Sobrar mucho.

resobrino, na. m. y f. Hijo de sobrino carnal.

resol. m. Reverberación del sol. ‖ **2.** Luz y calor provocados en un sitio por la reverberación del sol.

resolano, na. adj. Dícese del sitio donde se toma el sol sin que moleste el viento. Ú. t. c. s. f.

resolgar. (De *resollar,* infl. por *holgar,* respirar.) intr. p. us. **resollar.**

resoli o **resolí.** m. *Cuen.* Aguardiente con canela, azúcar y otros ingredientes olorosos.

resoluble. (Del lat. *resolubĭlis.*) adj. Que se puede resolver.

resolución. (Del lat. *resolutĭo, -ōnis.*) f. Acción y efecto de resolver o resolverse. ‖ **2.** Ánimo, valor o arresto. ‖ **3.** Actividad, prontitud, viveza. ‖ **4.** Cosa que se decide. ‖ **5.** Decreto, providencia, auto o fallo de autoridad gubernativa o judicial. ‖ **6.** *Mús.* Paso de un acorde disonante a otro consonante, y también este último acorde con relación al anterior. ‖ **7.** *Pat.* Terminación de una enfermedad, especialmente de un proceso inflamatorio. ‖ **en resolución.** loc. adv. que expresa el fin de un razonamiento.

resolutamente. adv. m. ant. **resolutivamente.**

resolutivamente. adv. m. Con resolución y decisión.

resolutivo, va. (Del lat. *resolūtum,* supino de *resolvĕre,* resolver.) adj. Aplícase al orden o método en que se procede analíticamente o por resolución. ‖ **2.** *Med.* Que tiene virtud de resolver. Ú. t. c. s. m.

resoluto, ta. (Del lat. *resolūtus.*) p. p. irreg. de **resolver.** ‖

2. adj. Dícese del que obra con decisión y firmeza. ‖ **3.** Dícese del que tiene desenvoltura, facilidad y destreza. ‖ **4.** Compendioso, abreviado, sucinto.

resolutoriamente. adv. m. Con resolución.

resolutorio, ria. (Del lat. *resolutorĭus.*) adj. Que tiene, motiva o denota resolución. ‖ **2.** V. **cláusula, condición resolutoria.**

resolvente. (Del lat. *resolvens, -entis.*) p. a. de **resolver.** Que resuelve. Ú. t. c. s.

resolver. (Del lat. *resolvĕre;* de *re-,* y *solvĕre,* soltar, desatar.) tr. Tomar determinación fija y decisiva. ‖ **2.** Resumir, epilogar, recapitular. ‖ **3.** Desatar una dificultad o dar solución a una duda. ‖ **4.** Hallar la solución de un problema. ‖ **5.** Deshacer, destruir. ‖ **6.** Deshacer un agente natural alguna cosa cuyas partes separa destruyendo su unión. Ú. t. c. prnl. ‖ **7.** Analizar, dividir física o mentalmente un compuesto en sus partes o elementos, para reconocerlos cada uno de por sí. ‖ **8.** *Fís.* y *Med.* Hacer que se disipe, desvanezca, exhale o evapore una cosa; dividir, atenuar. Ú. t. c. prnl. ‖ **9.** *Mús.* Llevar a efecto una resolución o paso de un acorde a otro. ‖ **10.** prnl. Decidirse a decir o hacer una cosa. ‖ **11.** Reducirse, venir a parar una cosa en de menor importancia en relación con lo que se creía o temía. ‖ **12.** *Med.* Terminar las enfermedades, y con especialidad las inflamaciones, ya espontáneamente, ya en virtud de los medios médicos, quedando los órganos en el estado normal y sin formación de pus.

resolviente. p. a. ant. de **resolver.** Que resuelve.

resollar. (Del lat. *re-* y *sufflare,* soplar.) intr. Absorber y expeler el aire por sus órganos respiratorios el hombre y el animal. ‖ **2.** Salir o aliviarse del trabajo o de la opresión. ‖ **3.** Proferir palabras. ‖ **4.** Respirar fuertemente y con algún ruido. ‖ **5.** fig. y fam. Dar noticia de sí después de algún tiempo la persona ausente, o hablar la que ha permanecido callada.

resonación. f. Acción y efecto de resonar.

resonador, ra. adj. Que resuena. ‖ **2.** m. *Fís.* Cuerpo sonoro dispuesto para entrar en vibración cuando recibe ondas acústicas de determinada frecuencia y amplitud. Se usa principalmente para aislar los sonidos secundarios que acompañan al fundamental. ‖ **3.** En la fonación humana, cada una de las cavidades que se producen en el canal vocal, por la disposición que adoptan los órganos en el momento de la articulación. El **resonador** predominante determina el timbre particular de cada sonido.

resonancia. (Del lat. *resonantĭa.*) f. Prolongación del sonido, que se va disminuyendo por grados. ‖ **2.** Sonido producido por repercusión de otro. ‖ **3.** Cada uno de los sonidos elementales que acompañan al principal en una nota música y comunican timbre particular a cada voz o instrumento. ‖ **4.** fig. Gran divulgación o propagación que adquiere un hecho o las cualidades de una persona en alas de la fama. ‖ **5.** *Fís.* Fenómeno de ampliación de las oscilaciones que se presentan en un oscilador armónico, cuando la frecuencia de las excitaciones exteriores es muy propia la frecuencia próxima del oscilador. ‖ **magnética.** *Fís.* Absorción de energía por los átomos de una sustancia cuando son sometidos a campos magnéticos de frecuencias específicas.

resonante. (Del lat. *resŏnans, -antis.*) p. a. de **resonar.** Que resuena. ‖ **2.** adj. Que ha alcanzado mucha resonancia.

resonar. (Del lat. *resonāre.*) intr. Hacer sonido por repercusión. Ú. en poesía c. tr. ‖ **2.** Sonar mucho. Ú. en poesía c. tr.

resoplar. intr. Dar resoplidos.

resoplido. m. Resuello fuerte.

resoplo. m. **resoplido.**

resorber. (Del lat. *resorbēre.*) tr. Recibir o recoger dentro de sí una persona o cosa un líquido que ha salido de ella misma.

resorción. f. Acción y efecto de resorber.

resorte. (Del fr. *ressort*.) m. **muelle,** pieza, generalmente de metal, que puede recobrar su posición si se la separa de ella. ‖ **2.** Fuerza elástica de una cosa. ‖ **3.** fig. Medio material o inmaterial de que uno se vale para lograr un fin.

respahilar. intr. **raspahilar.**

respaldar¹. m. Parte del asiento en que descansa la espalda. ‖ **2.** Derrame de jugos producido en los troncos de los árboles por golpes violentos.

respaldar². tr. Sentar, notar o apuntar algo en el respaldo de un escrito. ‖ **2.** fig. Proteger, apoyar, garantizar. ‖ **3.** prnl. Inclinarse de espaldas o arrimarse al respaldo de la silla o banco. ‖ **4.** *Veter.* Despaldarar una caballería.

respaldo. m. Parte de un asiento en que descansa la espalda. ‖ **2.** Espaldera o pared para resguardar las plantas. ‖ **3.** Vuelta del papel o escritos, en que se anota alguna cosa. ‖ **4.** Lo que allí se escribe. ‖ **5.** fig. Apoyo, protección, garantía. *Vive desahogadamente gracias al* RESPALDO *de su familia.*

respaldón. m. aum. de **respaldo.** ‖ **2.** *Nav.* Muralla de cantería que sirve para contener el empuje de las aguas de los ríos.

respe. m. *Zool.* Lengua de la culebra o víbora. ‖ **2.** Aguijón de la abeja o avispa.

respectar. (Del lat. *respectāre*, mirar, considerar.) tr. **respetar,** tener respeto. ‖ **2.** Tocar, pertenecer, atañer. ‖ **por lo que respecta a,** loc. prepos. En lo que toca o atañe a.

respectivamente. adv. m. Con relación, proporción o consideración a una cosa. ‖ **2.** Según la relación o conveniencia necesaria a cada caso.

respective. (Del lat. *respective*.) adv. m. **respectivamente.**

respectivo, va. adj. Que atañe o se aplica a persona o cosa determinada. ‖ **2.** Dicho de los miembros de una serie, que tienen correspondencia, por unidades o grupos, con los miembros de otra serie. *Cada profesor estaba en su aula* RESPECTIVA. *Los alumnos iban acompañados de sus* RESPECTIVOS *profesores.*

respecto. (Del lat. *respectus*.) m. Razón, relación o proporción de una cosa a otra. ‖ **al respecto.** loc. adv. A proporción, a correspondencia, respectivamente. ‖ **2.** En relación con aquello de que se trata. ‖ **con respecto,** o **respecto a, o de.** loc. adv. respectivamente.

résped. m. **respe.** ‖ **2.** fig. Intención malévola en las palabras.

réspede. m. **respe.**

respeluzar. tr. Descomponer el pelo, despeluzar. Ú. t. c. prnl.

respetabilidad. f. Calidad de respetable.

respetable¹. adj. Digno de respeto. ‖ **2.** Ú. a veces con carácter ponderativo. *Hallarse a* RESPETABLE *distancia.*

respetable² (el). (De la expr. *respetable público*, vocat. con que se dirige alguien al público.) m. Modo de designar al público del teatro u otros espectáculos, por lo general con cierto matiz familiar o humorístico.

respetador, ra. adj. Que respeta.

respetar. (De *respectar*.) tr. Tener respeto, veneración, acatamiento. ‖ **2.** Tener miramiento, consideración.

respetivo, va. adj. **respetuoso.**

respeto. (Del lat. *respectus*, atención.) m. Veneración, acatamiento que se hace a uno. ‖ **2.** Miramiento, consideración, deferencia. ‖ **3.** Cualquier cosa que se tiene de prevención o repuesto. *Coche de* RESPETO. ‖ **4.** fig. **miedo,** recelo, aprensión ante algo o alguien. ‖ **5.** ant. **respecto.** ‖ **6.** *Germ.* Espada, arma. ‖ **7.** *Germ.* Persona que tiene relaciones amorosas con otra. ‖ **8.** pl. Manifestaciones de acatamiento que se hacen por cortesía. ‖ **humano.** Miramiento excesivo hacia la opinión de los hombres, ante-

puesto a los dictados de la moral estricta. Ú. m. en pl. ‖ **campar** uno **por** su **respeto,** o **por** sus **respetos.** fr. fig. y fam. Obrar uno a su antojo, sin miramientos a la obediencia o a la consideración debida a otro. ‖ **estar de respeto.** fr. Estar una persona vestida o con habitación adornada para un acto de ceremonia o de ostentación.

respetosamente. adv. m. desus. **respetuosamente.**

respetoso, sa. adj. desus. **respetuoso.**

respetuosamente. adv. m. Con respeto y veneración.

respetuosidad. f. Calidad de respetuoso.

respetuoso, sa. adj. Que causa o mueve a veneración y respeto. ‖ **2.** Que observa veneración, cortesía y respeto.

réspice. (Del lat. *respĭce*, imper. de *respicĕre*, mirar.) m. fam. Respuesta seca y desabrida. ‖ **2.** fam. Reprensión corta, pero fuerte.

respigador, ra. adj. Que respiga. Ú. t. c. s.

respigar. tr. Coger las espigas que los segadores han dejado.

respigo. m. *Cantabria.* Semilla de la berza.

respigón. m. Padrastro de los dedos. ‖ **2.** *Pat.* Enfermedad de los pechos de la mujer que está criando. ‖ **3.** *Veter.* Llaga que se hace a las caballerías en los pulpejos, con dolor y algo de materia.

respingar. (Del lat. *repedīnare*, de *repedāre*, recular.) intr. Sacudirse la bestia y gruñir porque la lastima o molesta una cosa o le hace cosquillas. ‖ **2.** fam. Elevarse el borde de la falda o de la chaqueta por estar mal hecha o mal colocada la prenda. ‖ **3.** fig. y fam. Resistir, repugnar, hacer gruñendo lo que se manda.

respingo. m. Acción de respingar. ‖ **2.** Sacudida violenta del cuerpo, causada por un sobresalto, sorpresa, etc. ‖ **3.** fig. y fam. Expresión y movimiento de despego y enfado con que uno muestra vivamente la repugnancia que tiene en ejecutar lo que se le manda. ‖ **4.** *And., Chile y Méj.* Frunce, arruga.

respingona. adj. fam. V. **nariz respingona.**

respirable. (Del lat. *respirabĭlis*.) adj. Que se puede respirar sin daño de la salud. *Aire* RESPIRABLE.

respiración. (Del lat. *respirātio, -ōnis*.) f. Acción y efecto de respirar. ‖ **2.** Aire que se respira. ‖ **3.** Entrada y salida libre del aire en un aposento u otro lugar cerrado. ‖ **artificial.** Conjunto de maniobras que se practican en el cuerpo de una persona exánime por algún accidente, para restablecer la **respiración.** ‖ **sin respiración.** loc. adv. Con los verbos **dejar,** o **quedarse,** muy asombrado, impresionado o asustado. ‖ **2.** loc. adj. Con el verbo **llegar,** muy cansado.

respiradero. m. Abertura por donde entra y sale el aire. ‖ **2.** Lumbrera, tronera. ‖ **3.** Abertura de las cañerías para dar salida al aire. ‖ **4.** fig. Rato de descanso en el trabajo. ‖ **5.** fam. Órgano o conducto de la respiración.

respirador, ra. adj. Que respira. ‖ **2.** *Zool.* Aplícase a los músculos que sirven para la respiración. ‖ **3.** m. *Terap.* Aparato utilizado en la práctica de la respiración asistida.

respirar. (Del lat. *respirāre*.) intr. Absorber el aire los seres vivos, por pulmones, branquias, tráquea, etc., tomando parte de las sustancias que lo componen, y expelerlo modificado. Ú. t. c. tr. ‖ **2.** Exhalar, despedir de sí un olor. ‖ **3.** fig. Animarse, cobrar aliento. ‖ **4.** fig. Tener salida o comunicación con el aire externo o libre un fluido que está encerrado. ‖ **5.** fig. Descansar, aliviarse del trabajo, salir de la opresión o del calor excesivo, o de un agobio, dificultad, etc. ‖ **6.** fig. Gozar de un ambiente más fresco, cuando en un lugar o tiempo hace mucho calor. ‖ **7.** fig. y fam. Pronunciar palabras, hablar. Ú. m. con neg. *Antonio no* RESPIRÓ. ‖ **8.** fig. Tener de manera ostensible la persona de quien se habla, la cualidad o el estado de ánimo a que se alude. RESPIRAR *simpatía, temor, bondad, satisfacción,* etc. Por ext., se aplica a las cosas. *La noche* RES-

PIRA *amor.* ‖ **9.** fig. Dar alguna noticia de sí, por escrito, hablando, etc. ‖ **no dejar respirar a** alguien. fr. fig. y fam. No dejar a alguien tranquilo, importunarlo continuamente. ‖ **no poder respirar, o ni respirar.** fr. fig. y fam. Tener mucho trabajo. ‖ **2.** fig. y fam. Estar muy cansado. ‖ **sin respirar.** loc. adv. fig. con que se da a entender que una cosa se ha hecho sin descanso ni intermisión de tiempo. ‖ **2.** fig. y fam. Con verbos como **mirar** y **escuchar,** con mucha atención.

respiratorio, ria. adj. Que sirve para la respiración o la facilita. *Órgano, aparato* RESPIRATORIO. ‖ **2.** V. **alimento respiratorio.**

respiro. m. Acción y efecto de respirar. ‖ **2.** fig. Rato de descanso en el trabajo, para volver a él con nuevo aliento. ‖ **3.** fig. Alivio, descanso en medio de una fatiga, pena o dolor. ‖ **4.** fig. Prórroga que obtiene el deudor al expirar el plazo convenido para pagar.

resplandecencia. f. ant. **resplandecimiento.**

resplandecer. (Del lat. *resplendescĕre.*) intr. Despedir rayos de luz una cosa. ‖ **2.** fig. Sobresalir, aventajarse a otra cosa. ‖ **3.** fig. Reflejar gran alegría o satisfacción el rostro de alguien.

resplandecimiento. m. Luz o resplandor que despide un cuerpo. ‖ **2.** fig. Lucimiento, lustre, gloria, nobleza.

resplandina. f. fam. **regañina.**

resplandor. (De *resplender.*) m. Luz muy clara que arroja o despide el Sol u otro cuerpo luminoso. ‖ **2.** desus. Composición de albayalde y otras cosas con que se acicalaban las mujeres. ‖ **3.** fig. Brillo de algunas cosas. ‖ **4.** fig. Lucimiento, lustre, gloria, nobleza.

resplendente. adj. desus. Esplendente, que resplandece.

resplendor. (Del lat. **resplendor, -ōris,* de *resplendēre.*) m. ant. **resplandor.**

respondedor, ra. adj. Que responde. Ú. t. c. s.

respondencia. f. ant. **correspondencia,** relación.

responder. (Del lat. *respondēre.*) tr. Contestar, satisfacer a lo que se pregunta o propone. ‖ **2.** Contestar uno al que le llama al que toca a la puerta. ‖ **3.** Contestar al billete o carta que se ha recibido. ‖ **4.** Corresponder con su voz los animales o aves a la de los otros de su especie o al reclamo artificial que la imita. ‖ **5.** Satisfacer al argumento, duda, dificultad o demanda. ‖ **6.** Cantar o recitar en correspondencia en lo que otro canta o recita. ‖ **7.** Replicar a los requerimientos o afirmaciones de otro. En esta acepción conserva su perfecto fuerte originario, que coincide con el del verbo *reponer. No podré ir a esa fiesta,* REPUSO *la invitada.* ‖ **8.** intr. **corresponder,** repetir el eco. ‖ **9. corresponder,** mostrarse agradecido. ‖ **10.** fig. Rendir o fructificar. *Este campo no* RESPONDE. ‖ **11.** fig. Dicho de las cosas inanimadas, surtir el efecto que se desea o pretende. ‖ **12.** Corresponder con una acción a la realizada por otro. *A la intimación que les hicimos,* RESPONDIERON *a tiros.* ‖ **13. corresponder,** guardar proporción o igualdad una cosa con otra. ‖ **14.** Replicar, ser respondón. ‖ **15.** Mirar, caer, estar situado en un lugar, edificio, etc., hacia una parte determinada. ‖ **16.** Estar uno obligado u obligarse a la pena y resarcimiento correspondientes al daño causado o a la culpa cometida. RESPONDO *del buen comportamiento de mi recomendada.* ‖ **responder** alguien o algo **al nombre de.** fr. Llamarse de ese modo. ‖ **responder por** uno. fr. Abonarle, salir fiador por él.

respondidamente. adv. m. ant. Con proporción, simetría o correspondencia.

respondón, na. adj. fam. Que tiene el vicio de replicar irrespetuosamente. Ú. t. c. s.

responsabilidad. f. Calidad de responsable. ‖ **2.** Deuda, obligación de reparar y satisfacer, por sí o por otro, a

consecuencia de delito, de una culpa o de otra causa legal. ‖ **3.** Cargo u obligación moral que resulta para uno del posible yerro en cosa o asunto determinado. ‖ **4.** *Der.* V. **recurso de responsabilidad.** ‖ **5.** *Der.* Capacidad existente en todo sujeto activo de derecho para reconocer y aceptar las consecuencias de un hecho realizado libremente. ‖ **de responsabilidad.** loc. adj. Dícese de la persona de posibles y digna de crédito.

responsabilizar. tr. Hacer a una persona responsable de alguna cosa, atribuirle responsabilidad en ella. ‖ **2.** prnl. Asumir la responsabilidad de alguna cosa.

responsable. (Del lat. *responsum,* supino de *respondēre,* responder.) adj. Obligado a responder de alguna cosa o por alguna persona. ‖ **2.** Dícese de la persona que pone cuidado y atención en lo que hace o decide. ‖ **3.** Culpable de una cosa. ‖ **4.** V. **editor responsable.** ‖ **5.** com. Persona que tiene a su cargo la dirección y vigilancia del trabajo en fábricas, establecimientos, oficinas, inmuebles, etc. ‖ **civilmente.** *Der.* El que, sin estar sometido a responsabilidad penal, es parte en una causa a los efectos de restituir, reparar o indemnizar de un modo directo o subsidiario por las consecuencias de un delito.

responsablemente. adv. m. Con sentido o conciencia de la propia responsabilidad.

responsar. intr. Decir o rezar responsos.

responsear. intr. fam. Decir o rezar responsos.

responseo. m. fam. Acción y efecto de responsear.

responsión. (Del lat. *responsĭo, -ōnis.*) f. Tanto con que contribuyen al tesoro de la orden de San Juan los comendadores y demás individuos que disfrutan rentas. ‖ **2.** ant. **respuesta.** ‖ **3.** ant. **responsabilidad.** ‖ **4.** ant. Correspondencia o proporción de una cosa con otra. ‖ **5.** *Arq.* Pilastra dispuesta de manera que guarde correspondencia con una columna.

responsivo, va. adj. Perteneciente o relativo a la respuesta.

responso. (Del lat. *responsum.*) m. Responsorio que, separado del rezo, se dice por los difuntos. ‖ **2.** fam. **regañina.**

responsorio. (Del lat. *responsorium.*) m. Ciertas preces y versículos que se dicen en el rezo después de las lecciones en los maitines y después de las capítulas de otras horas.

respuesta. (De *respuesto.*) f. Satisfacción a una pregunta, duda o dificultad. ‖ **2.** Contestación al que nos llama o toca a la puerta. ‖ **3.** Réplica, refutación o contradicción de lo que otro dice. ‖ **4.** Contestación a una carta o billete. ‖ **5.** Acción con que uno corresponde a la de otro. ‖ **6.** Efecto que se pretende conseguir con una acción. *A pesar de la propaganda, no hubo una* RESPUESTA *positiva de los lectores.* ‖ **7.** *Der.* V. **derecho de respuesta.** ‖ **comenzar por respuesta.** fr. ant. *Der.* Contestar las demandas en los pleitos.

respuesto, ta. p. p. irreg. ant. de **responder.**

resquebradura. f. **resquebrajadura.**

resquebrajadizo, za. adj. Que se resquebraja fácilmente.

resquebrajadura. f. Hendedura, grieta.

resquebrajamiento. m. Acción y efecto de resquebrajar o resquebrajarse.

resquebrajar. tr. Hender ligera y a veces superficialmente algunos cuerpos duros, en especial la madera, la loza, el yeso, etc. Ú. m. c. prnl.

resquebrajo. m. **resquebrajadura.**

resquebrajoso, sa. adj. Que se resquebraja o puede resquebrajarse fácilmente.

resquebrar. tr. Empezar a quebrarse, henderse o saltarse una cosa. Ú. t. c. prnl.

resquemar. tr. Causar algunos alimentos o bebidas, en la lengua y paladar, un calor picante y mordaz. Ú. t. c.

intr. ‖ **2.** Quemar o tostar con exceso. Ú. t. c. prnl. ‖ **3.** fig. Escocer, producir en el ánimo una impresión molesta.

resquemazón. f. Acción y efecto de resquemar o resquemarse.

resquemo. m. Acción y efecto de resquemar o resquemarse. ‖ **2.** Calor mordicante que producen en la lengua y paladar algunas comidas o bebidas. ‖ **3.** Sabor y olor desagradables que adquieren los alimentos resquemándose al fuego.

resquemor. m. Sentimiento causado en el ánimo por algo penoso. ‖ **2.** *Ast., Cantabria* y *Rioja.* Sensación de calor fuerte o picor en la lengua y el paladar.

resquicio. (Del ant. *rescrieço.*) m. Abertura que hay entre el quicio y la puerta. ‖ **2.** Por ext., cualquier otra hendedura pequeña. ‖ **3.** fig. Coyuntura u ocasión que se proporciona para un fin.

resquiezo. (Del lat. **re-ex-crepitáre,* de *crepitáre.*) m. ant. **resquicio.**

resquilar. (De *esquilo,* ardilla, y este del lat. *sciurus.*) intr. *Burg.* y *Cantabria* **esquilar³,** gatear a un árbol.

resquitar. tr. ant. Desquitar, descontar, rebajar, disminuir.

resta¹. f. *Álg.* y *Arit.* Operación de restar, que es una de las cuatro reglas fundamentales de la aritmética y del álgebra. ‖ **2.** *Álg.* y *Arit.* Residuo, resultado de la operación de restar.

resta². (Del lat. *restis,* cuerda.) f. ant. **ristra.**

restablecer. tr. Volver a establecer una cosa o ponerla en el estado que antes tenía. ‖ **2.** prnl. Recuperarse, repararse de una dolencia, enfermedad u otro daño o menoscabo.

restablecimiento. m. Acción y efecto de restablecer o restablecerse.

restado, da. p. p. de **restar.** ‖ **2.** adj. Arrestado, audaz, arrojado.

restallar. intr. Chasquear, estallar una cosa; como la honda o el látigo cuando se manejan o sacuden en el aire con violencia. Ú. t. c. tr. ‖ **2.** Crujir, hacer fuerte ruido.

restallido. m. Ruido que produce una cosa al restallar.

restante. (Del lat. *restans, -antis.*) p. a. de **restar.** Que resta. ‖ **2.** m. **resta,** residuo, resultado de la operación de restar.

restañadero. (De *restañar².*) m. **estuario.**

restañadura. f. Acción y efecto de restañar¹.

restañar¹. tr. Volver a estañar; cubrir o bañar con estaño por segunda vez.

restañar². (Del lat. *restagnáre.*) tr. Estancar, parar o detener el curso de un líquido o humor. Se usa especialmente hablando del derrame de la sangre. Ú. t. c. intr. y c. prnl.

restañar³. intr. **restallar.**

restañasangre. (De *restañar²* y *sangre.*) f. **cornalina.**

restaño¹. (De *restañar¹.*) m. Especie de tela antigua de plata u oro parecida al glasé.

restaño². m. Acción y efecto de restañar². ‖ **2.** Remanso o estancamiento de las aguas.

restar. (Del lat. *restáre.*) tr. Sacar el residuo de una cosa, separando una parte del todo. ‖ **2.** Disminuir, rebajar, cercenar. *Su mal comportamiento* LE HA RESTADO *mucha autoridad.* ‖ **3.** En el juego de pelota, devolver el saque de los contrarios o restar. ‖ **4.** ant. Dejar a uno detenido o preso. ‖ **5.** Arriesgar. ‖ **6.** *Álg.* y *Arit.* Hallar la diferencia entre dos cantidades. ‖ **7.** intr. Quedar. *En todo lo que* RESTA *de año.*

restauración. (Del lat. *restauratio, -ónis.*) f. Acción y efecto de restaurar. ‖ **2.** Restablecimiento en un país del régimen político que existía y que había sido restaurado por otro. ‖ **3.** Reposición en el trono de un rey destronado o del representante de una dinastía derrocada. ‖ **4.** Periodo histórico que comienza con esta reposición.

restaurador, ra. (Del lat. *restaurátor, -óris.*) adj. Que res-

taura. Ú. t. c. s. ‖ **2.** m. y f. Persona que tiene por oficio restaurar pinturas, estatuas, porcelanas y otros objetos artísticos o valiosos. ‖ **3.** Persona que tiene o dirige un restaurante. Ú. t. c. adj.

restaurante. p. a. de **restaurar.** Que restaura. Ú. t. c. s. ‖ **2.** m. Establecimiento público donde se sirven comidas y bebidas, mediante precio, para ser consumidas en el mismo local.

restaurar. (Del lat. *restauráre.*) tr. Recuperar o recobrar. ‖ **2.** Reparar, renovar o volver a poner una cosa en aquel estado o estimación que antes tenía. ‖ **3.** Reparar una pintura, escultura, edificio, etc., del deterioro que ha sufrido.

restaurativo, va. adj. Dícese del que restaura o tiene virtud de restaurar. Ú. t. c. s. m.

restauro. m. desus. Acción y efecto de restaurar.

restear. (De *resto.*) tr. *Venez.* Poner el jugador en la apuesta todo el dinero que le queda sobre la mesa. Ú. t. c. prnl. y en sent. fig.

restinga. (De or. inc.) f. Punta o lengua de arena o piedra debajo del agua y a poca profundidad.

restingar. m. Lugar en que hay restingas.

restitución. (Del lat. *restitutío, -ónis.*) f. Acción y efecto de restituir. ‖ **in íntegrum.** *Der.* Reintegración de un menor o de otra persona privilegiada en todas sus acciones y derechos.

restituible. adj. Que se puede restituir.

restituidor, ra. adj. Que restituye. Ú. t. c. s.

restituir. (Del lat. *restituére.*) tr. Volver una cosa a quien la tenía antes. ‖ **2.** Restablecer o poner una cosa en el estado que antes tenía. ‖ **3.** prnl. Volver uno al lugar de donde había salido.

restitutorio, ria. (Del lat. *restitutoríus.*) adj. Que restituye, o se da o se recibe por vía de restitución. ‖ **2.** *Der.* Dícese de lo que incluye o dispone la restitución.

resto. m. Parte que queda de un todo. ‖ **2.** Cantidad que en los juegos de envite se considera para jugar y envidar. ‖ **3.** Jugador que devuelve la pelota al saque. ‖ **4.** Sitio desde donde se resta, en el juego de pelota. ‖ **5.** Acción de restar, en el juego de pelota. ‖ **6.** *Álg.* y *Arit.* Resultado de la operación de restar. ‖ **7.** pl. Residuos, sobras de comida. ‖ **8. restos mortales.** ‖ **abierto.** En algunos juegos, el que es ilimitado. ‖ **restos mortales.** El cuerpo humano después de muerto, o parte de él. ‖ **a resto abierto.** loc. adv. fig. y fam. Ilimitadamente, sin restricción. ‖ **echar,** o **envidar, el resto.** fr. Parar y hacer envite en el juego, de todo el caudal que uno tiene en la mesa. ‖ **2.** fig. y fam. Hacer todo el esfuerzo posible. ‖ **hacer tanto de resto.** fr. Señalar el jugador la cantidad que puede ganar o perder. HAGO *veinte pesetas* DE RESTO.

restojo. (Del lat. *re-stipúla,* caña de cereal.) m. **rastrojo.**

restorán. (Del fr. *restaurant.*) m. **restaurante.**

restra. (Del lat. *restúla,* d. de *restis,* cuerda.) f. ant. **ristra.**

restregadura. f. Acción de restregar o restregarse. ‖ **2.** Señal que queda de restregar.

restregamiento. m. Acción de restregar o restregarse.

restregar. tr. Estregar o frotar mucho y con ahínco una cosa con otra.

restregón. m. Acción de restregar. ‖ **2.** Señal que queda de restregar.

restribar. intr. Estribar o apoyarse con fuerza.

restricción. (Del lat. *restrictío, -ónis.*) f. Acción y efecto de restringir, limitar o reducir. ‖ **2.** Limitación o reducción impuesta en el suministro de productos de consumo, generalmente por escasez de estos. Ú. m. en pl. ‖ **mental.** Intención mental en la que se limita, desvirtúa evasivamente o niega el sentido expreso de lo que se dice, sin llegar a mentir.

restrictivamente. adv. m. De manera restrictiva, con restricción.

restrictivo, va. (Del lat. *restrictum*, supino de *restringĕre*, restringir.) adj. Dícese de lo que tiene virtud o fuerza para restringir y apretar. ‖ **2.** Dícese de lo que restringe, limita o acorta.

restricto, ta. (Del lat. *restrictus*.) adj. Limitado, ceñido o preciso.

restringa. f. Punta o lengua de tierra o piedra que entra en el mar bajo el agua a poca profundidad, restinga.

restringente. (Del lat. *restringens, -entis*.) p. a. de **restringir.** Que restringe. Ú. t. c. s. m.

restringible. adj. Que se puede restringir.

restringir. (Del lat. *restringĕre*.) tr. Ceñir, circunscribir, reducir a menores límites. ‖ **2.** Apretar, constreñir, restriñir.

restriñidor, ra. adj. Que restriñe.

restriñimiento. m. Acción y efecto de restriñir.

restriñir. (Del lat. *restringĕre*) tr. **constreñir,** apretar.

restrojo. (Del lat. *re-stipŭla*.) m. **rastrojo.**

resucitación. (Del lat. *resuscitatĭo, -ōnis*.) f. *Med.* Acción de volver a la vida, con maniobras y medios adecuados, a los seres vivos en estado de muerte aparente.

resucitado, da. p. p. de **resucitar.** ‖ **2.** adj. V. **pájaro, piojo resucitado.**

resucitador, ra. (Del lat. *resuscitātor, -ōris*.) adj. Que hace resucitar. Ú. t. c. s.

resucitar. (Del lat. *resuscitāre*; de *re* y *suscitāre*, despertar.) tr. Volver la vida a un muerto. ‖ **2.** fig. y fam. Restablecer, renovar, dar nuevo ser a una cosa. ‖ **3.** intr. Volver uno a la vida.

resudación. (Del lat. *resudatĭo, -ōnis*.) f. Acción de resudar. ‖ **2.** Sudor ligero.

resudar. (Del lat. *resudāre*.) intr. Sudar ligeramente. ‖ **2.** Entre madereros, quedar los árboles tendidos para que pierdan la humedad superflua, antes de proceder a su labra. ‖ **3.** prnl. Salir al exterior un líquido por los poros e intersticios de un cuerpo, rezumar. Ú. t. c. intr.

resudor. m. Sudor ligero y tenue.

resueltamente. adv. m. De manera resuelta, con resolución.

resuelto, ta. (Del lat. **resolŭtus*, por *resolūtus*.) p. p. irreg. de **resolver.** ‖ **2.** adj. Demasiado determinado, audaz, arrojado y libre. ‖ **3.** Pronto, diligente, expedito.

resuello. m. Aliento o respiración, especialmente la violenta. ‖ **2.** *Germ.* Moneda. ‖ **3.** Bienes de cualquier clase. ‖ **cortar el resuello** a uno. fr. fig. y fam. **meterle el resuello en el cuerpo.** ‖ **meterle** a uno **el resuello en el cuerpo.** fr. fig. y fam. Hacerle callar, intimidándole.

resulta. f. Efecto, resultado. ‖ **2.** Lo que últimamente se resuelve en una deliberación o conferencia. ‖ **3.** Vacante que queda de un empleo, por ascenso, traslado o jubilación del que lo tenía. ‖ **4.** pl. Atenciones que, habiendo tenido crédito en un presupuesto, no pudieron pagarse durante su vigencia y pasan en concepto especial a otro presupuesto. ‖ **de resultas.** loc. adv. Por consecuencia, por efecto.

resultado, da. p. p. de **resultar.** ‖ **2.** m. Efecto y consecuencia de un hecho, operación o deliberación.

resultancia. f. **resultado.**

resultando. (ger. de *resultar*.) m. *Der.* Cada uno de los fundamentos de hecho enumerados en sentencias o autos judiciales, o en resoluciones gubernativas.

resultante. p. a. de **resultar.** Que resulta. ‖ **2.** adj. *Mec.* Dícese de una fuerza que equivale a un conjunto de otras varias. Ú. t. c. s. f.

resultar. (Del lat. *resultāre*.) intr. **redundar,** ceder o venir a parar una cosa en provecho o daño de una persona o de algún fin. ‖ **2.** Nacer, originarse o venir una cosa de otra. ‖ **3.** Aparecer, manifestarse o comprobarse una cosa. *Su figura, aunque desgarbada,* RESULTA *noble. La casa* RESULTA *pequeña.* ‖ **4.** Llegar a ser. ‖ **5.** Tener buen o mal re-

sultado. *Los esfuerzos* RESULTARON *vanos.* ‖ **6.** Resaltar o resurtir. ‖ **7.** Producir agrado o satisfacción.

resultón, na. adj. fam. Que gusta por su aspecto agradable.

resumbruno. (De *roso*[1], *en* y *bruno*[2].) adj. *Cetr.* Dícese del plumaje del halcón entre rubio y negro.

resumen. m. Acción y efecto de resumir o resumirse. ‖ **2.** Exposición resumida en un asunto o materia. ‖ **en resumen.** loc. adv. Resumiendo, recapitulando.

resumidamente. adv. m. Resumiendo. ‖ **2.** Brevemente, en pocas palabras.

resumidero. m. *Amér.* Sumidero, alcantarilla.

resumir. (Del lat. *resumĕre*, volver a tomar, comenzar de nuevo.) tr. Reducir a términos breves y precisos, o considerar tan solo y repetir abreviadamente, lo esencial de un asunto o materia. Ú. t. c. prnl. ‖ **2.** Repetir el actuante el silogismo del contrario. ‖ **3.** prnl. Convertirse, comprenderse, resolverse una cosa en otra.

resunta. (Del lat. *resumptus, -a*, resumido.) f. desus. **resumen.** Ú. en Colombia.

resurgimiento. m. Acción y efecto de resurgir.

resurgir. (Del lat. *resurgĕre*.) intr. Surgir de nuevo, volver a aparecer. ‖ **2.** Volver a la vida. ‖ **3.** Recobrar nuevas fuerzas físicas o morales.

resurrección. (Del lat. *resurrectĭo, -ōnis*.) f. Acción de resucitar. ‖ **2.** n. p. f. Por excelencia, la de Jesucristo. ‖ **3.** Pascua de **Resurrección** de Cristo. ‖ **de la carne.** *Teol.* La de todos los muertos, en el día del juicio final.

resurtido, da. p. p. de **resurtir.** ‖ **2.** f. Rechazo o rebote de una cosa.

resurtir. (Como el fr. *ressortir*, del lat. **sŭrtus*, por *surrectus*, de *surgĕre*.) intr. Retroceder un cuerpo de resultas del choque con otro.

resurtivo, va. adj. Que resurte.

retablero. m. Artífice que construye retablos.

retablo. (Del b. lat. *retaulus*, y este del lat. *retro*, detrás, y *tabŭla*, tabla.) m. Conjunto o colección de figuras pintadas o de talla, que representan en serie una historia o suceso. ‖ **2.** Obra de arquitectura, hecha de piedra, madera u otra materia, que compone la decoración de un altar. ‖ **3.** Pequeño escenario en que se representaba una acción valiéndose de figurillas o títeres. ‖ **4.** fig. y fam. V. **angelón de retablo.** ‖ **de dolores,** o **de duelos.** fig. Persona en quien se acumulan muchos trabajos y miserias.

retacar. (De *retaco*.) tr. Herir dos veces la bola con el taco en el juego de trucos y billar. ‖ **2.** Hacer más compacta una cosa, o apretar el contenido de algo para que quepa más cantidad.

retacear. tr. **retazar,** dividir en pedazos. ‖ **2.** Recortar. ‖ **3.** Hacer de retazos alguna cosa. RETACEAR *un traje.* ‖ **4.** fig. *Argent., Par., Perú* y *Urug.* Escatimar lo que se da a otro, material o moralmente.

retaceo. m. Acción y efecto de retacear.

retacería. f. Conjunto de retazos de diversos géneros de tejido.

retaco, ca. adj. Dícese de la persona de baja estatura y, en general, rechoncha. Ú. m. c. s. ‖ **2.** m. Escopeta corta muy reforzada en la recámara. ‖ **3.** En el juego de trucos y billar, taco más corto que los regulares, algo más grueso y más ancho de boca.

retacón, na. *Amér.* adj. aum. de **retaco,** persona de baja estatura.

retador, ra. adj. Que reta o desafía. Ú. t. c. s. m.

retaguarda. f. desus. **retaguardia.**

retaguardia. (De *retroguardia*.) f. Hablando de una fuerza desplegada o en columna, la porción o cada una de las porciones más alejadas del enemigo o, simplemente, la que se mantiene o avanza en último lugar. ‖ **2.** Hablando de una zona ocupada por una fuerza militar, la parte más alejada del enemigo. ‖ **3.** En tiempo de guerra, la zona no ocupada por los ejércitos. ‖ **a retaguardia.** loc. adv. Fuera de la zona de los ejércitos o, formando parte de ellos, en su **retaguardia.** ‖ **2.** Rezagado, postergado. ‖ **a retaguardia de.** loc. prepos. Detrás de. ‖ **en retaguardia.** loc. adv. **a retaguardia.** ‖ **picar la retaguardia.** fr. *Mil.* Perseguir de cerca al enemigo que se retira.

retahíla. (De *recta* e *hila.*) f. Serie de muchas cosas que están, suceden o se mencionan por su orden.

retajadura. f. Efecto y señal de retajar las vacas.

retajar. tr. Cortar en redondo una cosa. ‖ **2.** Volver a cortar la pluma de ave para escribir. ‖ **3.** Cortar circularmente una porción del prepucio, circuncidar. ‖ **4.** *Sal.* Sajar junto al pezón las ubres de las vacas para que estas no dejen mamar a los terneros.

retajo. m. Acción de retajar. ‖ **2.** Cosa retajada.

retal. (Del cat. *retall,* de *retallar,* recortar.) m. Pedazo sobrante de una tela, piel, chapa metálica, etc. ‖ **2.** Cualquier pedazo o desperdicio de telas o de piel, especialmente de la que sirve para hacer la cola que usan los pintores. ‖ **3.** V. **cola de retal.** ‖ **4.** Conjunto de pedazos sobrantes o desperdicios de tela, piel, metal, etc.

retallar¹. tr. Volver a pasar el buril por las rayas de una lámina ya gastada. ‖ **2.** *Arq.* Dejar o hacer retallos en un muro.

retallar². intr. p. us. **retallecer.**

retallecer. intr. Volver a echar tallos las plantas.

retallo¹. (De *retallar¹.*) m. *Arq.* Resalto que queda en el paramento de un muro por la diferencia de espesor de dos de sus partes sobrepuestas.

retallo². (De *retallar².*) m. **pimpollo,** nuevo tallo.

retama. (Del ár. *ratama.*) f. Mata de la familia de las papilionáceas, de dos a cuatro metros de altura, con muchas verdascas o ramas delgadas, largas, flexibles, de color verde ceniciento y algo angulosas; hojas muy escasas, pequeñas, lanceoladas; flores amarillas en racimos laterales y fruto de vaina globosa con una sola semilla negruzca. Es común en España y apreciada para combustible de los hornos de pan. ‖ **blanca.** La que se distingue de la común en tener blancas las flores. ‖ **común. retama.** ‖ **de escobas.** Mata de la familia de las papilionáceas, de doce a catorce decímetros de altura, con ramas espesas, asurcadas, verdes y lampiñas; hojas pequeñas, partidas en tres gajos; flores grandes, amarillas, solitarias o apareadas, y fruto de vaina ancha, muy aplastada y con varias semillas. Es abundante en España y se emplea en hacer escobas y como combustible ligero. ‖ **de olor. gayomba.** ‖ **de tintes,** o **de tintoreros.** Mata de la familia de las papilionáceas, con tallo de seis a ocho decímetros de altura; ramas herbáceas, estriadas y angulosas; hojas lanceoladas u ovales, vellosas en su margen y sentadas; flores grandes, amarillas y en racimos, y fruto de vaina aplastada y con varias semillas. La raíz contiene una sustancia amarilla empleada en tintorería. Es común en el centro y en el litoral mediterráneo de España. ‖ **macho. gayomba.** ‖ **negra. retama de escobas.** ‖ **mascar retama.** fr. fig. y fam. Estar amargado, colérico y descontento.

retamal. m. Sitio poblado de retamas.

retamar. m. Sitio poblado de retamas.

retamero, ra. adj. Perteneciente a la retama. *Azadón* RETAMERO; *tierra* RETAMERA.

retamilla. f. d. de **retama.** ‖ **2.** *Méj.* Agracejo o limoncillo, arbusto berberidáceo. ‖ **3.** Agracejo de Cuba, árbol anacardiáceo.

retamo. m. ant. **retama.** Ú. en Salamanca, Argentina, Colombia y Chile.

retamón. m. **piorno,** planta.

retar. (Del lat. *reputāre.*) tr. desus. Acusar de alevosía y ante el rey un noble a otro, quedando obligado el primero a mantener la denuncia en buena lid. ‖ **2.** Desafiar a duelo o pelea, o a competir en cualquier terreno. ‖ **3.** fam. Reprender, tachar, echar en cara.

retardación. (Del lat. *retardatĭo, -ōnis.*) f. Acción y efecto de retardar o retardarse.

retardado, da. p. p. de **retardar.** ‖ **2.** adj. *Mec.* V. **movimiento retardado** y **uniformemente retardado.**

retardador, ra. adj. Que retarda.

retardar. (Del lat. *retardāre.*) tr. Diferir, detener, entorpecer, dilatar. Ú. t. c. prnl.

retardativo, va. adj. Que sirve para retardar.

retardatorio, ria. adj. Dícese de lo que tiende a producir retraso o retardo en la ejecución de alguna cosa o proyecto.

retardatriz. adj. f. *Mec.* Dícese de la persona o cosa que retarda. ‖ **2.** V. **fuerza retardatriz.**

retardo. m. Demora, tardanza, detención.

retartalillas. f. pl. Retahíla de palabras, charlatanería.

retasa. f. Acción y efecto de retasar.

retasación. f. Acción y efecto de retasar.

retasar. (Del lat. *retaxāre.*) tr. Tasar por segunda vez. ‖ **2.** Rebajar el justiprecio de las cosas puestas en subasta y no rematadas.

retazar. tr. Hacer piezas o pedazos de una cosa. ‖ **2.** Dividir el rebaño en hatajos. ‖ **3.** *Sal.* Cortar leña menuda.

retazo. m. Retal o pedazo de una tela. ‖ **2.** Por ext., pedazo de cualquier cosa. ‖ **3.** fig. Trozo o fragmento de un razonamiento o discurso.

rete-. V. **re-.**

retejado, da. p. p. de **retejar.** ‖ **2.** m. Acción y efecto de recorrer un tejado.

retejador. m. El que reteja.

retejar. (De *re-* y *tejar¹.*) tr. Recorrer los tejados, poniendo las tejas que les faltan. ‖ **2.** fig. y fam. Proveer de vestido o calzado al que lo necesita.

retejer. tr. Tejer unida y apretadamente.

retejo. m. Acción y efecto de retejar.

retel. (Del cat. y arag. *retel,* del lat. **retellum,* de *rete.*) m. *Ál.* Arte de pesca que consiste en un aro con una red en forma de bolsa. Se usa para la pesca de cangrejos de agua dulce.

retemblar. intr. Temblar con movimiento repetido.

retén. (De *retener.*) m. Repuesto o prevención que se tiene de una cosa. ‖ **2.** *Mil.* Tropa que en más o menos número se pone sobre las armas, cuando las circunstancias lo requieren, para reforzar, especialmente de noche, uno o más puestos militares. ‖ **3.** *Col.* Puesto fijo o móvil que sirve para controlar o vigilar cualquier actividad.

retención. (Del lat. *retentĭo, -ōnis.*) f. Acción y efecto de retener. ‖ **2.** Parte o totalidad retenida de un sueldo, salario u otro haber. ‖ **3.** Detención o marcha muy lenta de los vehículos provocada por su aglomeración o por obstáculos que impiden o dificultan su circulación normal. ‖ **4.** *Fisiol.* Detención o depósito que se hace en el cuerpo humano, de un humor que debiera expelerse.

retenedor, ra. adj. Que retiene.

retenencia. f. ant. Provisión de bastimentos y otras cosas necesarias para la conservación y defensa de una fortaleza.

retener. (Del lat. *retinēre.*) tr. Impedir que algo salga, se mueva, se elimine o desaparezca; conservar, guardar en sí. ‖ **2.** Conservar en la memoria una cosa. ‖ **3.** Conservar el empleo que se tenía cuando se pasa a otro. ‖ **4.** Interrumpir o dificultar el curso normal de algo. ‖ **5.** Suspender el uso de un rescripto que procede de la autoridad eclesiástica. ‖ **6.** Suspender en parte o en parte el pago del sueldo, salario u otro haber que uno ha devengado, hasta que satisfaga lo que debe, por disposición judicial, gubernativa o administrativa. ‖ **7.** Descontar de un pago o de un cobro una cantidad como impuesto fiscal. ‖ **8.** Imponer prisión preventiva, arrestar. ‖ **9.** fig. Reprimir o contener un sentimiento, deseo, pasión, etc. Ú. t. c. prnl. ‖ **10.** *Der.* Asumir un tribunal superior la jurisdicción para ejercitarla por sí, con exclusión del inferior.

retenida. (De *retener.*) f. Cuerda, aparejo, y a veces palo, que sirve para contener o guiar un cuerpo en su caída. ‖ **2.** *Mar.* V. **palanquín de retenida.**

retenidamente. adv. m. Con retención.

retenimiento. m. Acción y efecto de retener.

retentar. (Del lat. *retentāre*, reproducir.) tr. Volver a amenazar la enfermedad, dolor o accidente que se padeció ya, o resentirse de él. ‖ **2.** *Taurom.* Practicar la retienta.

retentiva. (De *retentivo*.) f. Memoria, facultad de acordarse.

retentivo, va. (Del lat. *retentum*, supino de *retinēre*, retener.) adj. Dícese de lo que tiene virtud de retener. Ú. t. c. s.

reteñir[1]. (Del lat. *retingĕre*.) tr. Volver a teñir del mismo o de otro color alguna cosa.

reteñir[2]. (Del lat. *retinnīre*.) intr. Dar sonido vibrante al metal o el cristal, retiñir.

retesamiento. m. Acción y efecto de retesar.

retesar. (De *re* y *tesar*.) tr. Atiesar o endurecer una cosa. ‖ **2.** Poner tirante una cosa.

reteso. m. Acción y efecto de retesar. ‖ **2. teso** pequeño, ligera elevación del terreno. ‖ **3.** *Rioja.* Plenitud de la teta llena de leche.

retestinar. tr. *And., Murc.* y *Tol.* Penetrar la suciedad en alguna cosa.

reticencia. (Del lat. *reticentĭa*, de *retīcens*, reticente.) f. Efecto de no decir sino en parte, o de dar a entender claramente, y de ordinario con malicia, que se oculta o se calla algo que debiera o pudiera decirse. ‖ **2.** Reserva, desconfianza. ‖ **3.** *Ret.* Figura que consiste en dejar incompleta una frase o no acabar de aclarar una especie, dando, sin embargo, a entender el sentido de lo que no se dice, y a veces más de lo que se calla.

reticente. (Del lat. *retīcens, -entis*, p. a. de *reticēre*, callar.) adj. Que usa reticencias. ‖ **2.** Que envuelve o incluye reticencia. ‖ **3.** Reservado, desconfiado.

rético, ca. (Del lat. *rhaetĭcus*.) adj. Perteneciente a la Retia, región de la Europa antigua. ‖ **2.** m. Lengua de origen latino hablada en lo que fue la antigua Retia y que comprende el grisón y los dialectos afines tirolés, friulano y triestino.

retícula. f. Conjunto de hilos o líneas que se ponen en un instrumento óptico para precisar la visual. ‖ **2.** *Grab.* Red de puntos que, en cierta clase de fotograbado, reproduce las sombras y los claros de la imagen mediante la mayor o menor densidad de dichos puntos. ‖ **3.** *Topogr.* Placa de cristal dividida en pequeños cuadrados, generalmente de 1 mm de lado, que se usa para determinar el área de una figura.

reticular. adj. De figura de redecilla o red. *Aparejo*, *membrana* RETICULAR.

retículo. (Del lat. *reticŭlum.*) m. Tejido en forma de red. Se toma generalmente por la estructura filamentosa de las plantas. ‖ **2.** Conjunto de dos o más hilos o líneas cruzadas que se ponen en el foco de ciertos instrumentos ópticos y sirve para precisar la visual o efectuar medidas muy delicadas. ‖ **3.** *Zool.* Segunda de las cuatro cavidades del estómago de los rumiantes.

retienta. f. *Taurom.* Repetición de la tienta en las reses vacunas.

retín. m. Sonido vibrante del metal o del cristal.

retina. (Del b. lat. *retina*, y este del lat. *rete*, red.) f. *Anat.* Membrana interior del ojo de los vertebrados y de otros animales constituida por varias capas de células de forma y función muy variadas, y de la cual parten las fibras componentes del nervio óptico. En ella se reciben las impresiones luminosas y se representan las imágenes de los objetos.

retinar. tr. Manipular con la lana en las fábricas de paños.

retinglar. (Del lat. *retinniculāre, de *retinnīre*.) intr. *Vallad.* Producir estampido. *Esta escopeta* RETINGLA *mucho.*

retingle. (De *retinglar*.) m. *Vallad.* Estampido o choque vibrante.

retiniano, na. adj. Perteneciente o relativo a la retina. ‖ **2.** V. **persistencia retiniana.**

retinte[1]. m. Segundo tinte que se da a una cosa.

retinte[2]. m. **retintín.**

retintín. (De *retiñir*, modificado por onomatopeya.) m. Sonido que deja en los oídos la campana u otro cuerpo sonoro. ‖ **2.** fig. y fam. Tonillo y modo de hablar, por lo común para zaherir a uno.

retinto, ta. (Del lat. *retinctus*.) p. p. irreg. de **reteñir.** ‖ **2.** adj. Dícese de algunos animales de color castaño muy oscuro.

retiñir. (Del lat. *retinnīre*, resonar.) intr. Dar sonido vibrante el metal o el cristal.

retir. (Del lat. *reterĕre*, deshacer.) tr. ant. Deshacer, derretir.

retiración. f. Acción y efecto de retirar[2]. ‖ **2.** *Impr.* Forma o molde para imprimir por la segunda cara el papel que ya está impreso por la primera.

retirada. f. Acción y efecto de retirarse. ‖ **2.** Terreno o sitio que sirve de acogida segura. ‖ **3. retreta,** toque militar. ‖ **4.** Paso de la antigua danza española, que se hacía avanzando y retirando con rapidez el pie derecho. ‖ **5.** Terreno que se va descubriendo y quedando en seco cuando cambia el cauce natural de un río. ‖ **6.** *Mil.* Acción de retroceder en orden, apartándose del enemigo.

retiradamente. adv. m. Escondidamente, de secreto, ocultamente.

retirado, da. p. p. de **retirar**[1]. ‖ **2.** adj. Distante, apartado de un lugar. ‖ **3.** Dícese del militar que deja oficialmente el servicio, conservando algunos derechos. Ú. t. c. s. ‖ **4.** Por ext., dícese también de funcionarios, obreros, etc., que alcanzan la situación de retiro. ‖ **5.** Dícese de la persona que vive alejada del trato con los demás, y de la vida que lleva. ‖ **6.** *Fort.* V. **flanco retirado.**

retiramiento. (De *retirar*[1].) m. Acción de retirarse. ‖ **2.** Lugar apartado. ‖ **3.** Recogimiento.

retirar[1]. tr. Apartar o separar una persona o cosa de otra o de un sitio. Ú. t. c. prnl. ‖ **2.** Apartar de la vista una cosa, reservándola u ocultándola. ‖ **3.** Obligar a uno a que se aparte, o rechazarle. ‖ **4.** fig. Desdecirse, declarar alguien que no mantiene lo dicho. RETIRO *mis palabras.* ‖ **5.** fig. Negar, dejar de dar alguna cosa. *Le* RETIRÓ *el saludo.* ‖ **6.** intr. Tirar, parecerse, asemejarse una cosa a otra. ‖ **7.** prnl. Apartarse o separarse del trato, comunicación o amistad. ‖ **8.** Irse a dormir. ‖ **9.** Irse a casa. ‖ **10.** Abandonar un ejército el campo de batalla. ‖ **11.** Abandonar un trabajo, una competición, una empresa. ‖ **12.** Resguardarse, ponerse a salvo. SE RETIRARON *a las montañas.* ‖ **13.** Hablando de militares, funcionarios, etc., pasar a la situación de retirado.

retirar[2]. (De *re-* y *tirar*, imprimir.) tr. *Impr.* Estampar por el revés el pliego que ya lo está por la cara.

retiro. m. Acción y efecto de retirarse. ‖ **2.** Lugar apartado y distante del concurso y bullicio de la gente. ‖ **3.** Recogimiento, apartamiento y abstracción. ‖ **4.** Ejercicio piadoso que consiste en practicar ciertas devociones retirándose por uno o más días, en todo o en parte, de las ocupaciones ordinarias. ‖ **5.** Situación del militar, funcionario, obrero, etc., retirado. ‖ **6.** Sueldo, haber o pensión que perciben los retirados.

reto. m. desus. Acusación de alevoso que un noble hacía a otro delante del rey, obligándose a mantenerla en el campo. ‖ **2.** Provocación o citación al duelo o desafío. ‖ **3.** Acción de amenazar. ‖ **4.** Dicho o hecho con que se amenaza. *Echar* RETOS. ‖ **5. regañina.** ‖ **6.** Objetivo o empeño difícil de llevar a cabo, y que constituye por ello un estímulo y un desafío para quien lo afronta.

retobado, da. *Argent.* y *Chile.* p. p. de retobar o retobarse. ‖ **2.** adj. *Amér. Central, Ecuad.* y *Méj.* Respondón, rezongón. ‖ **3.** *Amér. Central, Cuba* y *Ecuad.* Indómito, obstinado. ‖ **4.** *Argent., Méj.* y *Urug.* Enojado, airado, enconado.

retobar. (Metát. de *rebotar*.) tr. *Argent.* y *Urug.* Forrar o cubrir con cuero ciertos objetos, como las boleadoras, el cabo del rebenque, etc. ‖ **2.** *Chile.* Envolver o forrar los fardos con cuero o con arpillera, encerado, etc. ‖ **3.** *Méj.* Rezongar, responder. ‖ **4.** prnl. *Argent.* y *Urug.* Ponerse displicente y en actitud de reserva excesiva. ‖ **5.** *Argent.* Rebelarse, enojarse.

retobo. m. *Col.* y *Hond.* Desecho, cosa inútil. ‖ **2.** *Argent., Chile* y *Urug.* Acción y efecto de retobar. ‖ **3.** *Chile.* Arpillera, tela basta o encerado con que se retoba.

retocado, da. p. p. de retocar. ‖ **2.** m. Acción y efecto de retocar.

retocador, ra. m. y f. Persona que retoca, especialmente la que se dedica a retocar fotografías.

retocar. tr. Volver a tocar. ‖ **2.** Tocar repetidamente. ‖ **3.** Dar a un dibujo, cuadro o fotografía ciertos toques de pluma o de pincel para quitarle imperfecciones. ‖ **4.** Restaurar las pinturas deterioradas. ‖ **5.** Perfeccionar el maquillaje de una persona. Ú. m. c. prnl. ‖ **6.** fig. Recorrer y dar la última mano a cualquier cosa.

retomar. tr. Volver a tomar, reanudar algo que se había interrumpido.

retoñar. intr. Volver a echar vástagos la planta. ‖ **2.** fig. Reproducirse, volver de nuevo lo que había dejado de ser o estaba amortiguado.

retoñecer. intr. **retoñar.**

retoño. m. Vástago o tallo que echa de nuevo la planta. ‖ **2.** fig. y fam. Hablando de personas, hijo, y especialmente el de corta edad.

retoque. m. Pulsación repetida y frecuente. ‖ **2.** Nueva mano que se da a cualquier obra para quitar sus faltas o componer ligeros desperfectos. Se usa principalmente hablando de las pinturas. ‖ **3.** Amago o principio ligero de un accidente o de ciertas enfermedades. RETOQUE *de perlesía.*

rétor. (Del lat. *rhetor*, y este del gr. ῥήτωρ.) m. ant. El que escribe o enseña retórica.

retor¹. (Del fr. *retors*, retorcido.) m. Tela de algodón fuerte y ordinaria en que la trama y urdimbre están muy torcidas.

retor², ra. m. y f. ant. **rector.**

retorcedura. f. Acción y efecto de retorcer.

retorcer. (Del lat. *retorquēre*.) tr. Torcer mucho una cosa, dándole vueltas alrededor. Ú. t. c. prnl. ‖ **2.** fig. Redargüir o dirigir un argumento o raciocinio contra el mismo que lo hace. ‖ **3.** fig. Interpretar siniestramente una cosa, dándole un sentido diferente del que tiene. ‖ **4.** prnl. Hacer movimientos, contorsiones, etc., por un dolor muy agudo, risa violenta, etc.

retorcido, da. p. p. de retorcer. ‖ **2.** adj. fam. Dícese de la persona de intención sinuosa. ‖ **3.** Dícese del lenguaje o modo de hablar confuso o de difícil comprensión. ‖ **4.** m. desus. Especie de dulce que se hace de diferentes frutas.

retorcijar. (De retortijar, influ. por *retorcer*.) tr. ant. **retortijar.**

retorcijo. m. Acción y efecto de retorcer o retorcerse.

retorcijón. m. Retorcimiento o retorsión grandes, especialmente de alguna parte del cuerpo.

retorcimiento. m. Acción y efecto de retorcer o retorcerse.

retórica. (Del lat. *rhetorĭca*, y este del gr. ῥητορική.) f. Arte de bien decir, de embellecer la expresión de los conceptos, de dar al lenguaje escrito o hablado eficacia bastante para deleitar, persuadir o conmover. ‖ **2.** despect. Uso impropio o intempestivo de este arte. ‖ **3.** pl. fam. Sofisterías o razones que no son del caso. *No me venga usted a mí con* RETÓRICAS.

retoricadamente. adv. m. Usando de retóricas o de una retórica impropia.

retóricamente. adv. m. Según las reglas de la retórica.

retoricar. intr. Hablar según las leyes y usos de la retórica. ‖ **2.** Emplear retóricas o una retórica impropia. Ú. t. c. tr.

retórico, ca. (Del lat. *rhetorĭcus*, y este del gr. ῥητορικός.) adj. Perteneciente a la retórica. ‖ **2.** Versado en retórica. Ú. t. c. s.

retornamiento. m. Acción y efecto de retornar.

retornar. tr. Devolver, restituir. ‖ **2.** Volver a torcer una cosa. ‖ **3.** Hacer que una cosa retroceda o vuelva atrás. ‖ **4.** intr. Volver al lugar o a la situación en que se estuvo. Ú. t. c. prnl. ‖ **retornar** uno **en** sí. fr. ant. **volver en** sí.

retornelo. (Del it. *ritornello*.) m. *Mús.* Repetición de la primera parte del aria, que también se usa en algunos villancicos y otras canciones.

retorno. m. Acción y efecto de retornar. ‖ **2.** Paga, satisfacción o recompensa del beneficio recibido. ‖ **3.** Cambio o trueque. ‖ **4.** Carruaje, caballería o acémila que vuelve hacia el pueblo de donde salió. ‖ **5.** *Mar.* Motón colocado accidentalmente en determinado lugar para variar la dirección en que trabaja un cabo de labor.

retoro. m. *Extr.* **tuero,** leño grueso.

retorromano, na. adj. Perteneciente a la antigua Retia. ‖ **2.** m. Lengua rética.

retorsión. (Del lat. *retorsus*, por *retortus*, por infl. de *retorsi*.) f. Acción y efecto de retorcer. ‖ **2.** fig. Acción de devolver o inferir a uno el mismo daño o agravio que de él se ha recibido. ‖ **del argumento.** Acción de aplicar a otro, cambiando los nombres de las personas, el mismo razonamiento empleado antes contra él.

retorsivo, va. adj. Dícese de lo que incluye una retorsión.

retorta. (Del lat. *retorta*, retorcida.) f. Vasija con cuello largo encorvado, a propósito para diversas operaciones químicas. ‖ **2.** Tela de hilo entrefina y de gran resistencia, con la trama y urdimbre muy retorcidas.

retortero. (Del lat. *retortum*, supino de *retorquēre*, retorcer, envolver.) m. Vuelta alrededor. Ú. por lo común en la loc. adv. *al* RETORTERO. ‖ **2.** *And.* Cerco, mancha que rodea una cosa. ‖ **al retortero. alrededor.** ‖ **andar al retortero.** fr. fam. Andar sin sosiego de acá para allá. ‖ **traer** a uno **al retortero.** fr. fam. Traerle a vueltas de un lado a otro. ‖ **2.** fig. y fam. No dejarle parar, dándole continuas y perentorias ocupaciones. ‖ **3.** fig. y fam. Tenerle engañado con falsas promesas y fingidos halagos.

retortijar. (Del lat. *tortiliāre*, de *tortilis*, torcido.) tr. Ensortijar o retorcer mucho.

retortijón. m. Ensortijamiento de una cosa. ‖ **2.** Retorcimiento o retorsión grandes, especialmente de alguna parte del cuerpo. ‖ **de tripas.** Dolor breve y agudo que se siente en ellas.

retostado, da. p. p. de retostar. ‖ **2.** adj. De color oscuro, como de cosa muy tostada.

retostar. tr. Volver a tostar una cosa. ‖ **2.** Tostarla mucho.

retozador, ra. adj. Que retoza frecuentemente.

retozadura. f. Acción y efecto de retozar.

retozar. (Del lat. *retunsāre*, por *retundĕre*, dar metidos o golpes.) intr. Saltar y brincar alegremente. ‖ **2.** Travesear unos con otros, personas o animales. ‖ **3.** Travesear con desenvoltura personas de distinto sexo. Ú. t. c. tr. ‖ **4.** fig. Moverse, excitarse impetuosamente en lo interior algunas pasiones.

retozo. m. Acción y efecto de retozar. ‖ **de la risa.** fig. Movimiento o ímpetu de la risa, que se reprime.

retozón, na. adj. Inclinado a retozar o que retoza con frecuencia.

retracción. (Del lat. *retractĭo, -ōnis.*) f. Acción y efecto de retraer. ‖ **2.** *Med.* Reducción persistente de volumen en ciertos tejidos orgánicos.

retractable. adj. Dícese de lo que se puede o debe retractar.

retractación. (Del lat. *retractatĭo, -ōnis.*) f. Acción de retractarse de lo que antes se había dicho o prometido.

retractar. (Del lat. *retractāre.*) tr. Revocar expresamente lo que se ha dicho; desdecirse de ello. Ú. t. c. prnl. ‖ **2.** *Der.* Ejercitar el derecho de retracto.

retráctil. (Del lat. *retractum,* supino de *retrahĕre,* traer o llevar hacia atrás.) adj. Dícese de la pieza o parte de un todo que puede avanzar o adelantarse, y después, por sí misma, retraerse o esconderse. ‖ **2.** *Zool.* Dícese de las partes del cuerpo animal que pueden retraerse, quedando ocultas; como las uñas de los félidos.

retractilidad. f. Calidad de retráctil.

retracto. (Del lat. *retractus.*) m. *Der.* Derecho que compete a ciertas personas para quedarse, por el tanto de su precio, con la cosa vendida a otro. ‖ **convencional.** *Der.* El pactado en la compraventa a favor del vendedor para recuperar la cosa vendida. ‖ **arrendaticio.** El concedido en ciertos casos al arrendatario del predio vendido para favorecer su acceso a la propiedad. ‖ **de aledaños** o **de colindantes.** *Der.* El que concede la ley, en casos que determina, a los propietarios colindantes de la finca vendida, para evitar el excesivo fraccionamiento de los cultivos. ‖ **de comuneros.** *Der.* El que concede la ley a los condueños para favorecer la consolidación de la propiedad. ‖ **de sangre,** o **gentilicio.** *Der.* El concedido por las leyes en razón de parentesco, para recuperar fincas de abolengo.

retraducir. tr. Traducir de nuevo, o volver a traducir al idioma primitivo, una obra sirviéndose de una traducción.

retraer. (Del lat. *retrahĕre.*) tr. Volver a traer. ‖ **2.** Reproducir una cosa en imagen o en retrato. ‖ **3.** Apartar o disuadir de un intento. Ú. t. c. prnl. ‖ **4.** ant. Referir, contar. ‖ **5.** desus. Echar en cara, reprochar. ‖ **6.** *Der.* Ejercitar el derecho de retracto. ‖ **7.** *Der.* Acogerse, refugiarse, guarecerse. ‖ **8.** Retirarse, retroceder. ‖ **9.** Hacer vida retirada. ‖ **10.** Apartarse deliberada y temporalmente un partido o colectividad de sus funciones políticas.

retraher. (Del lat. *retrahĕre.*) m. ant. Refrán o expresión proverbial.

retraído, da. p. p. de retraer. ‖ **2.** adj. Decíase de la persona refugiada en lugar sagrado o de asilo. Ú. t. c. s. ‖ **3.** Que gusta de la soledad. ‖ **4.** fig. Poco comunicativo, corto, tímido.

retraimiento. m. Acción y efecto de retraerse. ‖ **2.** Habitación interior y retirada. ‖ **3.** Sitio de acogida, refugio y guarida para seguridad. ‖ **4.** Cortedad, condición personal de reserva y de poca comunicación.

retranca. (De *retro-* y *anca.*) f. Correa ancha, a manera de ataharre, que forma parte del atalaje y coopera a frenar el vehículo, y aun a hacerlo retroceder. ‖ **2.** *Cineg.* En la batida, línea de puestos situada a espaldas de los que baten. ‖ **3.** *And.* Palo largo atado por los extremos a la caja del carro, que sirve de freno al oprimir el cubo; galga⁴. ‖ **4.** *Col.* y *Cuba.* Freno de distintas formas de un carruaje. ‖ **5.** fig. Intención disimulada, oculta.

retrancar. tr. Frenar una caballería, con auxilio de su atalaje, el carruaje a que está enganchada; hacerlo retroceder.

retranquear. tr. *Arq.* Mirar con un solo ojo para ver si las cosas están enfiladas o si una superficie tiene alabeo, bornear. ‖ **2.** *Arq.* Remeter el muro de fachada en la planta o plantas superiores de un edificio.

retranqueo. m. *Arq.* Acción y efecto de retranquear.

retranquero. (De *retranca,* galga⁴.) m. *Cuba.* El que frena con la retranca. ‖ **2.** El guardafrenos del tren.

retransmisión. f. Acción y efecto de retransmitir.

retransmitir. tr. Volver a transmitir. ‖ **2.** Transmitir desde una emisora de radiodifusión lo que se ha transmitido a ella desde otro lugar.

retrasado, da. p. p. de **retrasar.** ‖ **2.** adj. Dícese de la persona, planta o animal que no ha llegado al desarrollo normal de su edad. ‖ **3.** Dícese del que no tiene el desarrollo mental corriente. Ú. t. c. s.

retrasar. (De *re-* y *tras*¹.) tr. Atrasar, diferir o suspender la ejecución de una cosa. RETRASAR *la paga, el viaje.* Ú. t. c. prnl. ‖ **2.** **atrasar,** dar marcha atrás al reloj. ‖ **3.** intr. Ir atrás o a menos en alguna cosa. RETRASAR *en la hacienda, en los estudios.* ‖ **4.** prnl. Llegar tarde a alguna parte.

retraso. m. Acción y efecto de retrasar o retrasarse.

retratable. adj. desus. **retractable.**

retratación. f. **retractación.**

retratador, ra. m. y f. Persona que hace retratos.

retratar. (Del lat. *retractāre,* de *retrahĕre,* retraer.) tr. Copiar, dibujar o fotografiar la figura de alguna persona o cosa. ‖ **2.** Hacer la descripción de la figura o del carácter de una persona. Ú. t. c. prnl. ‖ **3.** Imitar, asemejarse. ‖ **4.** Describir con exacta fidelidad una cosa. ‖ **5. retractar.** Ú. t. c. prnl.

retratería. f. *Guat.* y *Urug.* Taller del fotógrafo.

retratista. com. Persona que hace retratos.

retrato. (Del lat. *retractus.*) m. Pintura o efigie que representa alguna persona o cosa. ‖ **2.** Descripción de la figura o carácter, esto es, de las cualidades físicas y morales de una persona. ‖ **3.** fig. Lo que se asemeja mucho a una persona o cosa. ‖ **4.** *Der.* **retracto.** ‖ **ser** uno **el vivo retrato de** otro. fr. fig. Parecérsele mucho.

retrayente. p. a. de retraer. Que retrae. Ú. t. c. s.

retrechar. (Del lat. *retractāre.*) intr. Retroceder, recular el caballo.

retrechería. f. fam. Artificio disimulado y mañoso para eludir la confesión de la verdad o el cumplimiento de lo debido.

retrechero, ra. adj. fam. Que con artificios disimulados y mañosos trata de eludir la confesión de la verdad o el cumplimiento de lo debido. ‖ **2.** fam. Que tiene mucho atractivo. *Mujer* RETRECHERA; *ojos* RETRECHEROS.

retrepado, da. p. p. de **retreparse.** ‖ **2.** adj. Dícese de lo que está inclinado o echado hacia atrás.

retreparse. prnl. Echar hacia atrás la parte superior del cuerpo. ‖ **2.** Recostarse en la silla de tal modo que esta se incline también hacia atrás.

retreta. (Del fr. *retraite.*) f. Toque militar que se usa para marchar en retirada, y para avisar a la tropa que se recoja por la noche en el cuartel. ‖ **2.** Fiesta nocturna en la cual recorren las calles tropas de diferentes armas, con faroles, hachas de viento, músicas y a veces carrozas con atributos varios.

retrete. (Del prov. o cat. *retret.*) m. desus. Cuarto pequeño en la casa o habitación, destinado para retirarse. ‖ **2.** Aposento dotado de las instalaciones necesarias para orinar y evacuar el vientre. Estas instalaciones. ‖ **4.** V. **dueña de retrete.**

retribución. (Del lat. *retributĭo, -ōnis.*) f. Recompensa o pago de una cosa.

retribuir. (Del lat. *retribuĕre.*) tr. Recompensar o pagar un servicio, favor, etc. ‖ **2.** *Amér.* Corresponder al favor o al obsequio que uno recibe.

retributivo, va. adj. Dícese de lo que tiene virtud o facultad de retribuir.

retril. (Del lat. *lectorile*.) m. desus. Mueble para sostener un libro en plano inclinado, atril.

retrillar. tr. Volver a trillar lo ya trillado.

retro. (Del lat. *retro*, hacia atrás.) V. **pacto de retro.**

retro-. (Del lat. *retro-*.) elem. compos. que significa «hacia atrás»: RETROactivo, RETROtraer.

retroacción. f. Acción hacia atrás. ‖ **2.** *Biol.* y *Fís.* Acción que el resultado de un proceso material ejerce sobre el sistema de que procede, de tal manera que la actividad de este queda regulada en cuanto a la producción de aquel resultado.

retroactividad. f. Calidad de retroactivo.

retroactivo, va. (Del lat. *retroactum*, supino de *retroagĕre*, hacer retroceder.) adj. Que obra o tiene fuerza sobre lo pasado.

retrocar. tr. desus. Recambiar, volver a trocar.

retrocarga (de). loc. adj. Se dice de las armas de fuego que se cargan por la parte inferior de su mecanismo, y no como antes, por la boca del cañón.

retroceder. (Del lat. *retrocedĕre*.) intr. Volver hacia atrás. ‖ **2.** Detenerse ante un peligro u obstáculo.

retrocesión. f. Acción y efecto de retroceder. ‖ **2.** *Der.* Acción y efecto de ceder a uno el derecho o cosa que él había cedido antes.

retrocedido. (Del lat. *retrocessus*.) m. Acción y efecto de retroceder. ‖ **2.** Lance del juego de billar que consiste en picar la bola en su parte baja para que alcance al tacto el punto de partida después de chocar con otra bola. ‖ **3.** *Geom.* V. **arista de retroceso.** ‖ **4.** *Med.* Recrudescencia de una enfermedad que había empezado a declinar.

retrocuenta. f. Acción de contar de número mayor a menor.

retrogradación. (Del lat. *retrogradatĭo*, *-ōnis*.) f. *Astron.* Acción de retrogradar un planeta.

retrogradar. (Del lat. *retrogradāre*.) intr. Ir hacia atrás, retroceder. ‖ **2.** *Astron.* Retroceder aparentemente los planetas en su órbita, vistos desde la Tierra.

retrógrado, da. (Del lat. *retrogrādus*.) adj. Que retrograda. ‖ **2.** fig. despect. Partidario de instituciones políticas o sociales propias de tiempos pasados. Ú. t. c. s. ‖ **3.** *Astron.* V. **movimiento retrógrado.**

retroguardia. f. ant. Cuerpo militar que va el último, retaguardia.

retronar. (Del lat. *retonāre*.) intr. Hacer un gran ruido o estruendo retumbante.

retrónica. f. Vulgarismo por retórica. Se usa casi siempre en sentido jocoso.

retropié. m. *Anat.* Parte posterior del pie, formada por el astrágalo y el calcáneo.

retropilastra. f. *Arq.* Pilastra que se pone detrás de una columna.

retropropulsión. f. Sistema de propulsión de un móvil en que la fuerza que causa el movimiento se produce por reacción a la expulsión hacia atrás de un chorro, generalmente de gas, lanzado por el propio móvil.

retropulsión. f. *Pat.* Variedad de metástasis que consiste en la desaparición de un exantema, inflamación o tumor agudo, que se reproduce en un órgano distante.

retrospección. f. Mirada o examen retrospectivo.

retrospectivo, va. (Del lat. *retrospicĕre*, mirar hacia atrás.) adj. Que se refiere a tiempo pasado.

retrotracción. f. *Der.* Acción y efecto de retrotraer.

retrotraer. tr. Fingir que una cosa sucedió en un tiempo anterior a aquel en que realmente ocurrió, ficción que se admite en ciertos casos para efectos legales. Ú. t. c. prnl. ‖ **2.** Retroceder a un tiempo pasado para tomarlo como referencia o punto de partida de un relato. RETROTRAJO *su*

relato a los primeros años de su estancia allí. Ú. t. c. prnl. SE RETROTRAJO *a los tiempos de su infancia.*

retrovendendo. (Del lat. *retro vendendus*, que se ha de volver a vender.) *Der.* V. **contrato de retrovendendo.**

retrovender. tr. *Der.* Volver el comprador una cosa al mismo de quien la compró, devolviéndole este el precio.

retrovendición. f. *Der.* Acción de retrovender.

retroventa. f. *Der.* Acción de retrovender.

retroversión. (Del lat. *retroversus*.) f. *Med.* Desviación hacia atrás de algún órgano del cuerpo.

retrovisor. m. Pequeño espejo colocado en la parte anterior de los vehículos automóviles, de manera que el conductor pueda ver lo que viene o está detrás de él.

retrucar. intr. En los juegos de billar y de trucos, volver la bola impelida de la banda, y herir a la otra que le causó el movimiento. ‖ **2.** En el juego del truque, envidar en contra sobre el primer envite hecho. ‖ **3.** fam. *Ast.*, *Pal.*, *Vallad.*, *Argent.*, *Perú* y *Urug.* Replicar con acierto y energía.

retruco. m. **retruque.**

retruécano. m. Inversión de los términos de una proposición o cláusula en otra subsiguiente para que el sentido de esta última forme contraste o antítesis con el de la anterior. ‖ **2.** También suele tomarse por otros juegos de palabras. ‖ **3.** *Ret.* Figura que consiste en aquella inversión de términos.

retruque. m. En el juego de trucos y billar, golpe que la bola herida, dando en la banda, vuelve a dar en la bola que hirió. ‖ **2.** Segundo envite en contra del primero, en el juego del truque.

retuelle. (Del lat. *rete*, red.) m. *Cantabria.* Especie de red para pescar.

retuerto, ta. (Del lat. *retortus*.) p. p. irreg. de **retorcer.**

rétulo. m. ant. Anuncio o cartel. ‖ **2.** Título o letrero que indica el contenido de un escrito o el carácter o fin de algo.

retumbante. p. a. de **retumbar.** Que retumba. ‖ **2.** adj. fig. Ostentoso, pomposo.

retumbar. intr. Resonar mucho o hacer gran ruido o estruendo una cosa.

retumbo. m. Acción y efecto de retumbar.

retundir. (Del lat. *retundĕre*.) tr. Igualar con herramientas apropiadas el paramento de una obra de fábrica después de concluida. ‖ **2.** *Med.* Repeler, repercutir.

reucliniano, na. adj. Dícese del que sigue la pronunciación griega de Reuchlin, fundada principalmente en el uso de los griegos modernos. Ú. t. c. s.

reuma o **reúma.** (Del lat. *rheuma*, y este del gr. ῥεῦμα, flujo.) amb. *Pat.* reumatismo. Ú. m. c. m. ‖ **2.** *Pat.* Fluxión de humores de cualquier órgano.

reumático, ca. (Del lat. *rheumaticus*, y este del gr. ῥευματικός.) adj. *Med.* Que padece reuma. Ú. t. c. s. ‖ **2.** *Med.* Perteneciente a este mal.

reumátide. (Del lat. *rheuma*, *-ātis*, reuma.) f. *Pat.* Dermatosis originada o sostenida por el reumatismo.

reumatismo. (Del lat. *rheumatismus*, y este del gr. ῥευματισμός; de ῥευματίζω, tener reuma.) m. *Med.* Enfermedad que se manifiesta generalmente por inflamaciones dolorosas en las partes musculares y fibrosas del cuerpo.

reumatología. (Del gr. ῥεῦμα, *-ατος*, flujo, y *-logía*.) f. Parte de la medicina referente a las afecciones reumáticas.

reumatológico, ca. adj. Perteneciente a la reumatología.

reumatólogo, ga. m. y f. Especialista en reumatología.

reunión. f. Acción y efecto de reunir o reunirse. ‖ **2.** Conjunto de personas reunidas.

reunir. tr. Volver a unir. Ú. t. c. prnl. ‖ **2.** Juntar, congregar, amontonar. Ú. t. c. prnl. ‖ **3.** Juntar determinadas cosas para coleccionarlas o con algún otro fin.

reuntar. tr. Volver a untar.

reusense. adj. Natural de Reus. Ú. t. c. s. ‖ **2.** Perteneciente o relativo a esta ciudad de Tarragona.

revacunación. f. Acción y efecto de revacunar o revacunarse.

revacunar. tr. Vacunar al que ya está vacunado. Ú. t. c. prnl.

reválida. f. Acción y efecto de revalidarse. ‖ **2.** Examen que se hacía al acabar ciertos estudios, como el bachillerato.

revalidación. f. Acción y efecto de revalidar.

revalidar. tr. Ratificar, confirmar o dar nuevo valor y firmeza a una cosa. ‖ **2.** prnl. Recibirse o ser aprobado en una facultad ante tribunal superior.

revalorización. f. Acción y efecto de revalorizar.

revalorizador, ra. adj. Que revaloriza.

revalorizar. tr. Devolver a una cosa el valor o estimación que había perdido. ‖ **2.** Aumentar el valor de una cosa. Ú. t. c. prnl.

revaluación. f. Acción y efecto de revaluar.

revaluar. tr. Volver a evaluar. ‖ **2.** Elevar el valor de una moneda o de otra cosa; se opone a devaluar.

revancha. (Del fr. *revanche*.) f. Desquite.

revanchismo. m. Actitud de quien mantiene un espíritu de revancha o venganza.

revanchista. adj. Perteneciente o relativo al revanchismo. ‖ **2.** com. Partidario del revanchismo.

revecero, ra. adj. Que alterna o se remuda. Tiene uso en algunas partes respecto de los arados y ganados de labor. ‖ **2.** m. y f. Mozo o moza que cuida del ganado de revezo.

reveedor. (Del lat. *revidère*.) m. **revisor.**

revejecer. intr. Avejentarse, ponerse viejo antes de tiempo. Ú. t. c. prnl.

revejido, da. adj. Envejecido antes de tiempo.

revejudo, da. adj. *And.* Envejecido antes de tiempo.

revelable. adj. Que puede revelarse.

revelación. (Del lat. *revelatìo, -ònis.*) f. Acción y efecto de revelar. ‖ **2.** Manifestación de una verdad secreta u oculta. ‖ **3.** Por antonom., la manifestación divina.

revelado. m. Conjunto de operaciones necesarias para revelar una imagen fotográfica.

revelador, ra. (Del lat. *revelàtor, -òris.*) adj. Que revela. Ú. t. c. s. ‖ **2.** m. Líquido que contiene en disolución una o varias sustancias reductoras, el cual aísla finísimas partículas de plata negra en los puntos de la placa o película fotográfica impresionados por la luz.

revelamiento. m. Acción y efecto de revelar.

revelandero, ra. m. y f. Persona que falsamente pretende haber tenido revelaciones por favor especial de Dios.

revelar. (Del lat. *revelàre*.) tr. Descubrir o manifestar lo ignorado o secreto. Ú. t. c. prnl. ‖ **2.** Proporcionar indicios o certidumbre de algo. ‖ **3.** Manifestar Dios a los hombres lo futuro u oculto. ‖ **4.** *Fotogr.* Hacer visible la imagen impresa en la placa o película fotográfica.

reveler. (Del lat. *revellère*, arrancar, separar por fuerza.) tr. *Med.* Separar lo que causa, mantiene o agrava una enfermedad en cualquier órgano importante del cuerpo, llamándola hacia otro órgano menos importante.

revellín. (Del it. *rivellino*.) m. *Gran.* Saliente que sirve de vasar en la campana de la chimenea. ‖ **2.** *Fort.* Obra exterior que cubre la cortina de una frente y la defiende.

revenar. intr. Echar brotes los árboles por la parte en que han sido descabezados, o por el extremo descabezado del patrón de los injertos.

revencer. (Del lat. *revincère*.) tr. ant. Vencer plenamente.

revendedera. f. La que revende.

revendedor, ra. adj. Que revende. Ú. t. c. s.

revender. (Del lat. *revendère*.) tr. Volver a vender lo que se ha comprado con ese intento o al poco tiempo de haberlo comprado.

revendón, na. m. y f. desus. Que revende. Ú. en Andalucía y Puerto Rico.

revenido, da. p. p. de **revenir.** ‖ **2.** m. Operación que consiste en recocer el acero a temperatura inferior a la del temple para mejorar este.

revenimiento. m. Acción y efecto de revenir o revenirse. ‖ **2.** *Min.* Hundimiento parcial del terreno de una mina.

revenir. (Del lat. *revenìre*.) intr. Retornar o volver una cosa a su estado propio. ‖ **2.** prnl. Encogerse, consumirse una cosa poco a poco. ‖ **3.** Hablando de conservas y licores, acedarse o avinagrarse. ‖ **4.** Escupir una cosa hacia afuera la humedad que tiene. REVENIRSE *la pared, la pintura, la sal.* ‖ **5.** Ponerse una masa, pasta o fritura, blanda y correosa con la humedad o el calor. REVENIRSE *el pan.* ‖ **6.** fig. Ceder en lo que se afirmaba con tesón o porfía. ‖ **7.** *Cast.* Agostarse las mieses por excesivo calor.

reveno. (De *revenar*.) m. Brote que echan los árboles cuando revenan.

reventa. f. Acción y efecto de revender.

reventadero. (De *reventar*, fatigar.) m. Sitio escabroso o terreno muy pendiente, difícil de escalar. ‖ **2.** fig. Trabajo grande y penoso.

reventado, da. p. p. de **reventar.** ‖ **2.** adj. fam. *Argent.* Dícese de la persona de carácter sinuoso, malintencionada e intratable.

reventador. m. Persona que asiste a espectáculos o reuniones públicas de diversa naturaleza, dispuesta premeditadamente, por diferentes motivos, a mostrar de modo ruidoso su desagrado o a provocar el fracaso de dichas reuniones.

reventar. (Del lat. *re- y ventus*, viento.) intr. Abrirse una cosa por no poder soportar la presión interior. Ú. t. c. prnl. ‖ **2.** Deshacerse en espuma las olas del mar por la fuerza del viento o por el choque contra los peñascos o playas. ‖ **3.** Brotar, nacer o salir con ímpetu. ‖ **4.** fig. Tener ansia o deseo vehemente de una cosa. ‖ **5.** fig. y fam. Estallar una pasión violentamente. ‖ **6.** fig. y fam. Sentir y manifestar un afecto del ánimo, especialmente de ira. *Estoy que* REVIENTO. ‖ **7.** fam. Morir violentamente. ‖ **8.** tr. Deshacer o desbaratar una cosa aplastándola con violencia. ‖ **9.** Dicho del caballo, hacerle enfermar o morir por exceso en la carrera. Ú. t. c. prnl. ‖ **10.** fig. Fatigar mucho a uno con exceso de trabajo. Ú. t. c. prnl. ‖ **11.** fig. y fam. Molestar, cansar, enfadar. ‖ **12.** fig. y fam. Causar gran daño a una persona. ‖ **13.** fig. y fam. Hacer fracasar un espectáculo o reunión pública mostrando alguien su desagrado ruidosamente.

reventazón. f. Acción y efecto de reventar por impulso interior. ‖ **2.** Acción y efecto de deshacerse en espuma una ola. ‖ **3.** desus. *NO. Argent.* Estribo, contrafuerte de una sierra. ‖ **4.** desus. *NO. Argent.* **reventón,** afloramiento.

reventón. adj. Aplícase a ciertas cosas que revientan o parece que van a reventar. *Clavel* REVENTÓN. ‖ **2.** V. **ojos reventones.** ‖ **3.** m. Acción y efecto de reventar o reventarse. ‖ **4.** fig. Cuesta muy pendiente y dificultosa de subir. ‖ **5.** fig. Aprieto grave o dificultad grande en que uno se halla. ‖ **6.** fig. Trabajo o fatiga que se da o se toma en un caso urgente y preciso. *Al caballo le di un* REVENTÓN *para llegar más pronto.* ‖ **7.** *Min. NO. Argent. y Chile.* Afloramiento a la superficie del terreno de un filón o capa mineral. ‖ **8.** *NO. Argent.* **reventazón,** contrafuerte de una sierra. ‖ **9.** *Bol.* Gradería natural de peñascos en las laderas de los cerros.

rever. (Del lat. *revidère*.) tr. Volver a ver. ‖ **2.** Examinar, registrar con cuidado una cosa. ‖ **3.** *Der.* Ver por segunda vez un tribunal superior el pleito visto y sentenciado en otra sala del mismo. ‖ **4.** prnl. Mirarse en una persona o cosa, complaciéndose en ella.

reverberación. (Del lat. *reverberatio, -ōnis.*) f. Acción y efecto de reverberar. ‖ **2.** *Acúst.* Prolongación del sonido en un espacio más o menos cerrado, cuando cesa la fuente sonora. ‖ **3.** *Quím.* Calcinación hecha en el horno de reverbero.

reverberar. (Del lat. *reverberāre.*) intr. Reflejarse la luz en una superficie bruñida, o el sonido en una superficie que no lo absorba.

reverbero. m. Acción y efecto de reverberar. ‖ **2.** Cuerpo de superficie bruñida en que la luz reverbera. ‖ **3.** Farol que hace reverberar la luz. ‖ **4.** V. **horno de reverbero.** ‖ **5.** *Amér.* Cocinilla, infiernillo.

reverdecer. intr. Cobrar nuevo verdor los campos o plantíos que estaban mustios o secos. Ú. t. c. tr. ‖ **2.** fig. Renovarse o tomar nuevo vigor. Ú. t. c. tr.

reverencia. (Del lat. *reverentĭa.*) f. Respeto o veneración que tiene una persona a otra. ‖ **2.** Inclinación del cuerpo en señal de respeto o veneración. ‖ **3.** Tratamiento que se da a los religiosos condecorados.

reverenciable. adj. Digno de reverencia y respeto.

reverenciador, ra. adj. Que reverencia o respeta.

reverencial. adj. Que incluye reverencia o respeto.

reverenciar. tr. Respetar o venerar.

reverencioso, sa. adj. Se dice del que hace muchas inclinaciones o reverencias.

reverendas. f. pl. Cartas dimisorias en las cuales un obispo o prelado da la facultad a su súbdito para recibir órdenes de otro. ‖ **2.** Calidad, prendas o títulos del sujeto, que le hacen digno de estimación y reverencia. *Ser hombre de muchas* REVERENDAS.

reverendísimo, ma. adj. sup. de **reverendo,** que se aplica como tratamiento a los cardenales, arzobispos y otras personas constituidas en alta dignidad eclesiástica.

reverendo, da. (Del lat. *reverendus.*) adj. Digno de reverencia. ‖ **2.** Aplicábase antiguamente como tratamiento a las personas de dignidad, así seculares como eclesiásticas, pero hoy solo se aplica a las dignidades eclesiásticas y a los prelados y graduados de las religiones. Ú. t. c. s. ‖ **3.** fam. Demasiado circunspecto.

reverente. (Del lat. *revĕrens, -entis.*) adj. Que muestra reverencia o respeto.

reversar. (Del lat. *reversāre,* intens. de *revertĕre,* volver, tornar.) tr. ant. Vomitar lo que se tiene en el estómago, revesar. ‖ **2.** intr. ant. Repetir o venir a la boca el sabor de la comida.

reversibilidad. f. Calidad de reversible.

reversible. (Del lat. *reversus,* p. p. de *reverti,* volver.) adj. Que puede volver a un estado o condición anterior. ‖ **2.** Dícese de la prenda de vestir que puede usarse por el derecho o por el revés según convenga. ‖ **3.** *Biol.* Dícese de la alteración de una función o de un órgano cuando puede volverse a su estado normal. ‖ **4.** *Der.* Dícese de la cosa o derecho que puede o debe volver a su antiguo dueño o a su causahabiente. ‖ **5.** *Fís.* Dícese del proceso ideal que cambia de sentido al alterarse en muy pequeña proporción las causas que lo originan. ‖ **6.** *Mec.* Dícese de un mecanismo cuando el movimiento de una de sus partes causa el movimiento de otro, y a su vez, moviendo esta última, es posible producir el movimiento de la primera.

reversión. (Del lat. *reversio, -ōnis.*) f. Restitución de una cosa al estado que tenía. ‖ **2.** *Der.* Acción y efecto de revertir.

reverso, sa. (Del lat. *reversus,* vuelto.) adj. V. **gola reversa.** ‖ **2.** V. **pez reverso.** ‖ **3.** m. Parte opuesta al frente de una cosa, revés. ‖ **4.** En las monedas y medallas, haz opuesta al anverso. ‖ **5.** m. y f. *Col.* Marcha atrás en los vehículos

automóviles; dispositivo para hacer que marchen hacia atrás. ‖ **el reverso de la medalla.** fig. Persona que por su genio, cualidades, inclinaciones o costumbres es la antítesis de otra con quien se compara.

reverter. (Del lat. *revertĕre.*) intr. Rebosar o salir una cosa de sus términos o límites.

revertir. (Del lat. *reverti,* volverse.) intr. Volver una cosa al estado o condición que tuvo antes. ‖ **2.** Venir a parar una cosa en otra. ‖ **3.** *Der.* Volver una cosa a la propiedad que tuvo antes, o pasar a un nuevo dueño.

revés. (Del lat. *reversus,* vuelto.) m. Espalda o parte opuesta de una cosa. ‖ **2.** Golpe que se da a otro con la mano vuelta. ‖ **3.** Golpe que con la mano vuelta da el jugador de pelota para volverla. ‖ **4.** *Dep.* En tenis y otros juegos similares, golpe dado a la pelota, cuando esta viene por el lado contrario a la mano que empuña la raqueta. ‖ **5.** *Esgr.* Golpe que se da con la espada diagonalmente, partiendo de izquierda a derecha. ‖ **6.** fig. Infortunio, desgracia o contratiempo. ‖ **7.** fig. Vuelta o mudanza en el trato o en el genio. ‖ **8.** *Cuba.* Cierto gusano que ataca a la planta del tabaco. ‖ **alto.** El que se da al restar la pelota, cuando ha botado hasta la altura o por encima de la cabeza del jugador. ‖ **el revés de la medalla.** fig. **el reverso de la medalla.** ‖ **al revés.** loc. adv. Al contrario, o invertido el orden regular. ‖ **2.** A la espalda o a la vuelta. ‖ **al revés me las calcé.** expr. fig. y fam. con que se denota haberse entendido o hecho al contrario una cosa. ‖ **de revés.** loc. adv. **al revés.** ‖ **2.** De izquierda a derecha.

revesa. (Del lat. *reversa,* t. f. de *-sus,* reverso.) f. *Germ.* Arte o astucia con que engaña a otro que se fía de él. ‖ **2.** *Mar.* Corriente derivada de otra principal y de distinta dirección a la de esta o a la de la marea que, en muchos casos, la produce.

revesado, da. p. p. de **revesar.** ‖ **2.** adj. Difícil, intrincado, oscuro o que con dificultad se puede entender. ‖ **3.** fig. Travieso, indomable, pertinaz.

revesar. (Del lat. *reversāre.*) tr. Vomitar lo que se tiene en el estómago.

revesino. m. Juego de naipes que se juega entre cuatro; el que da se queda con doce cartas, da once a cada uno de los otros tres jugadores y se dejan tres en la baceta. Gana el que hace todas las bazas, y es la jugada maestra y la que lleva el nombre de **revesino,** o en su defecto gana el que hace menos bazas. ‖ **cortar el revesino.** fr. Quitar una baza a que intenta hacerlas todas; y es la última o penúltima, se dice **cortarle en tiempo.** ‖ **2.** fig. Impedir a uno el designio que llevaba.

revestido, da. p. p. de **revestir.** ‖ **2.** m. **revestimiento.**

revestimiento. m. Acción y efecto de revestir. ‖ **2.** Capa o cubierta con que se resguarda o adorna una superficie.

revestir. (Del lat. *revestīre.*) tr. Vestir una ropa sobre otra. Se usa regularmente hablando del sacerdote cuando sale a decir misa, por ponerse sobre el vestido los ornamentos. Ú. m. c. prnl. ‖ **2.** Cubrir con un revestimiento. ‖ **3.** fig. Exornar la expresión o escrito con galas retóricas o conceptos complementarios. ‖ **4.** Disfrazar la realidad de una cosa añadiéndole adornos. ‖ **5.** Afectar o simular, especialmente en el rostro, una pasión que no se siente. ‖ **6.** fig. Presentar una cosa determinado aspecto, cualidad o carácter. REVESTIR *importancia, gravedad.* ‖ **7.** prnl. fig. Imbuirse o dejarse llevar con fuerza de una idea. ‖ **8.** fig. Engreírse o envanecerse con el empleo o dignidad. ‖ **9.** Poner a contribución, en trance difícil, aquella energía del ánimo que viene al caso. REVESTIRSE *de paciencia, de resignación.*

reveza. f. *Mar.* Corriente desviada de otra principal.

revezar. tr. Reemplazar, relevar, sustituir a otro, tomar su vez. Ú. t. c. prnl.

revezo. m. Acción de revezar. ‖ **2.** Cosa que reveza. ‖ **3.** Par de mulas, caballos o bueyes con que se releva el par que trabaja. ‖ **4.** *Córd.* Tercera parte de la obrada.

revidada. f. Acción de revidar.

revidar. tr. **reenvidar.**

reviejo, ja. adj. Muy viejo. ‖ **2.** m. Rama reseca e inútil de un árbol.

revientacaballo. m. *Cuba.* **quibey,** planta.

reviernes. m. Cada uno de los siete viernes siguientes a la Pascua de Resurrección.

revinar. tr. desus. Añadir vino viejo al nuevo.

revindicar. tr. Defender al que se halla injuriado.

revirado, da. p. p. de revirar. ‖ **2.** adj. Aplícase a las fibras de los árboles que están retorcidas y describen espirales alrededor del eje o corazón del tronco.

revirar. tr. **torcer,** desviar una cosa de su posición o dirección habitual. ‖ **2.** Replicar, sublevar, volver rápidamente contra algo o alguien. Ú. t. c. prnl. ‖ **3.** *Col. y Méj.* En ciertos juegos, doblar la apuesta del contrario. ‖ **4.** intr. *Mar.* Volver a virar.

revisable. adj. Que se puede revisar.

revisada. f. *Amér.* Revisión, acción de revisar.

revisar. tr. Ver con atención y cuidado. ‖ **2.** Someter una cosa a nuevo examen para corregirla, enmendarla o repararla.

revisión. (Del lat. *revisĭo, -ōnis.*) f. Acción de revisar. ‖ **2.** *Der.* V. **recurso de revisión.** ‖ **3.** *Mil.* Comprobación en cada año de los siguientes al respectivo reemplazo, de las excepciones y exenciones variables del servicio militar.

revisionismo. m. Tendencia a someter a revisión metódica, doctrinas, interpretaciones o prácticas establecidas con la pretensión de actualizarlas.

revisionista. adj. Perteneciente o relativo al revisionismo. Ú. t. c. s. ‖ **2.** Dícese del partidario o seguidor de esta tendencia. Ú. t. c. s.

revisita. f. Nuevo reconocimiento o registro que se hace de una cosa.

revisor, ra. adj. Que revisa o examina con cuidado una cosa. ‖ **2.** m. El que tiene por oficio revisar o reconocer. ‖ **3.** En los ferrocarriles y otros medios de transporte, agente encargado de revisar y marcar los billetes de los viajeros.

revisoría. f. Oficio de revisor.

revista. f. Segunda vista, o examen hecho con cuidado y diligencia. ‖ **2.** Inspección que un jefe hace de las personas o cosas sometidas a su autoridad o a su cuidado. ‖ **3.** Examen que se hace y publica de producciones literarias, representaciones teatrales, funciones, etc. ‖ **4.** Formación de las tropas para que un general o jefe las inspeccione y conozca el estado de su instrucción, etc. ‖ **5.** Publicación periódica por cuadernos, con escritos sobre varias materias, o sobre una sola especialmente. ‖ **6.** Espectáculo teatral de carácter frívolo, en el que alternan números dialogados y musicales. A veces se denomina **revista** musical. ‖ **7.** Espectáculo teatral consistente en una serie de cuadernos sueltos, por lo común tomados de la actualidad. ‖ **8.** *Der.* Antiguamente, segunda vista en los pleitos, en otra sala del mismo tribunal. ‖ **9.** *Der.* Nuevo juicio criminal ante segundo jurado cuando el tribunal de derecho aprecia error evidente o deficiencia grave no subsanada en el veredicto del primero. ‖ **de comisario.** *Mil.* Inspección que a principios de mes hace el comisario de guerra para comprobar el número de individuos de cada clase que componen un cuerpo militar y abonarles su paga. ‖ **de inspección.** *Mil.* La que de tiempo en tiempo pasa el inspector o director general, o en su nombre, otro oficial de graduación, a cada uno de los cuerpos militares, examinando su estado de instrucción y disciplina, el modo con que ha sido gobernado por los inmediatos jefes, la inversión y es-

tado de caudales y todo cuanto pertenece a la mecánica del cuerpo. ‖ **del corazón.** Publicación periódica ilustrada, de contenido ligero y relativo a acontecimientos de la vida de personas populares y famosas. ‖ **pasar revista.** fr. Ejercer un jefe las funciones de inspección que le corresponden sobre las personas o cosas sujetas a su autoridad o a su cuidado. ‖ **2.** Pasar una autoridad o personaje ante las tropas que le rinden honores. ‖ **3.** Examinar con cuidado una serie de cosas. ‖ **suplicar en revista.** fr. *Der.* Recurrir ante los tribunales superiores contra la sentencia de ellos mismos en una causa o pleito.

revistar. (Del lat. *revisitāre.*) tr. Ejercer un jefe las funciones de inspección. ‖ **2.** Pasar una autoridad ante las tropas que le rinden honores.

revistera. f. Mueble en donde se colocan las revistas.

revistero, ra. m. y f. Persona encargada de escribir revistas en un periódico. ‖ **2.** Persona que actúa en el espectáculo teatral llamado revista. ‖ **3.** m. **revistera.**

revisto, ta. p. p. irreg. de **rever.**

revitalización. f. Acción y efecto de revitalizar.

revitalizar. tr. Dar más fuerza y vitalidad a una cosa.

revividero. m. Estancia o sitio donde se aviva la simiente de los gusanos de seda.

revivificación. f. Acción y efecto de revivificar.

revivificar. tr. Vivificar, reavivar.

revivir. (Del lat. *revivĕre.*) intr. Volver a la vida, resucitar. ‖ **2.** Volver en sí de una parecía muerto. ‖ **3.** fig. Renovarse o reproducirse una cosa. REVIVIÓ *la discordia.* ‖ **4.** fr. fig. Evocar, recordar. REVIVIÓ *los días de su infancia.*

reviviscencia. f. Acción y efecto de revivir.

revocabilidad. f. Calidad de revocable.

revocable. (Del lat. *revocabĭlis.*) adj. Que se puede o se debe revocar.

revocablemente. adv. m. De manera revocable.

revocación. (Del lat. *revocatĭo, -ōnis.*) f. Acción y efecto de revocar. ‖ **2.** *Der.* Anulación, sustitución o enmienda de orden o fallo por autoridad distinta de la que había resuelto. ‖ **3.** *Der.* Acto jurídico que deja sin efecto otro anterior por la voluntad del otorgante.

revocador, ra. (Del lat. *revocātor, -ōris.*) adj. Que revoca. ‖ **2.** m. Obrero que se ejercita en revocar las casas y paredes.

revocadura. (De *revocar.*) f. Revoque de las fachadas y paredes de las casas. ‖ **2.** *Pint.* Porción del lienzo que cubre el grueso del bastidor.

revocar. (Del lat. *revocāre.*) tr. Dejar sin efecto una concesión, un mandato o una resolución. ‖ **2.** desus. Volver a llamar. ‖ **3.** Apartar, retraer, disuadir a uno de un designio. ‖ **4.** Hacer retroceder ciertas cosas. *El viento* REVOCA *el humo.* Ú. t. c. intr. ‖ **5.** Enlucir o pintar de nuevo por la parte que está al exterior las paredes de un edificio; por ext., enlucir cualquier paramento.

revocatorio, ria. adj. Dícese de lo que revoca o invalida.

revoco. m. Acción y efecto de revocar o retroceder. ‖ **2.** Revoque de las fachadas y paredes de las casas. ‖ **3.** Cubierta de retama que suele ponerse en las seras del carbón.

revolar. (Del lat. *revolāre.*) intr. Dar segundo vuelo el ave. Ú. t. c. prnl. ‖ **2.** Volar haciendo giros. ‖ **3.** *Germ.* Escapar el ladrón que huye, arrojándose de un tejado o ventana.

revolcadero. m. Sitio donde habitualmente se revuelcan los animales.

revolcado, da. p. p. de **revolcar.** ‖ **2.** m. *Guat.* Guiso compuesto de pan tostado, chile, tomate y otros condimentos.

revolcar. tr. Derribar a uno y maltratarlo, pisotearlo, revolverlo. Se usa especialmente hablando del toro cuando derriba al lidiador. ‖ **2.** fig. y fam. Vencer y deslucir al adversario en altercado o controversia. ‖ **3.** fam. Reprobar, suspender en un examen. ‖ **4.** prnl. Echarse sobre una cosa, restregándose y refregándose en ella. ‖ **5.** fig. Obstinarse en algo.

revolcón. m. fam. Acción y efecto de revolcar, dar vueltas a uno. ‖ **2.** fig. y fam. Acción y efecto de revolcar, vencer al adversario. Ú. m. en la fr. **dar** a uno **un revolcón.**

revolear. intr. Volar, haciendo tornos o giros. ‖ **2.** ant. **revolotear.** ‖ **3.** tr. _Argent._ y _Urug._ Hacer girar a rodeabrazo una correa, lazo, etc., o ejecutar molinetes con cualquier objeto.

revoleo. m. _And._ Turbación y movimiento de algunas cosas. ‖ **2.** Revuelo o agitación entre las personas.

revolero, ra. adj. Que revuela o revolea. _Capa_ REVOLERA. ‖ **2.** f. _Taurom._ Larga en cuyo remate el torero hace girar el capote por encima de su cabeza. ‖ **3.** fig. Modo de sortear una dificultad.

revolico. m. _Cuba._ Revuelo, revoleo.

revolotear. intr. Volar haciendo tornos o giros en poco espacio. ‖ **2.** Venir una cosa por el aire dando vueltas. ‖ **3.** tr. Arrojar una cosa a lo alto con ímpetu, de suerte que parece que da vueltas.

revoloteo. m. Acción y efecto de revolotear.

revoltijo. m. Conjunto o compuesto de muchas cosas, sin orden ni método. ‖ **2.** Trenza o conjunto de tripas de carnero u otra res. ‖ **3.** Confusión o enredo. ‖ **4.** _Cuba._ Guiso a manera de pisto.

revoltillo. m. **revoltijo.**

revoltón. adj. V. **gusano revoltón.** Ú. t. c. s. ‖ **2.** m. Bóveda pequeña entre viga y viga del techo, bovedilla. ‖ **3.** _Arq._ Sitio en que una moldura cambia de dirección, como en los rincones.

revoltoso, sa. (De _revuelta,_ alboroto.) adj. Sedicioso, alborotador, rebelde. Ú. t. c. s. ‖ **2.** Travieso, enredador. ‖ **3.** Que tiene muchas vueltas y revueltas; intrincado.

revolución. (Del lat. _revolutīo, -ōnis._) f. Acción y efecto de revolver o revolverse. ‖ **2.** Cambio violento en las instituciones políticas, económicas o sociales de una nación. ‖ **3.** Por ext., inquietud, alboroto, sedición. ‖ **4.** Conmoción y alteración de los humores. ‖ **5.** fig. Cambio rápido y profundo en cualquier cosa. _El cine español ha sufrido una gran_ REVOLUCIÓN. ‖ **6.** _Astron._ Movimiento de un astro en todo el curso de su órbita. ‖ **7.** _Geom._ V. **elipsoide, hiperboloide, paraboloide, superficie de revolución.** ‖ **8.** _Mec._ Giro o vuelta que da una pieza sobre su eje.

revolucionar. tr. Provocar un estado de revolución. ‖ **2.** _Mec._ Imprimir más o menos revoluciones en un tiempo determinado a un cuerpo que gira o al mecanismo que produce el movimiento.

revolucionario, ria. adj. Perteneciente o relativo a la revolución o cambio violento y profundo. ‖ **2.** Partidario de la revolución. Ú. m. c. s. ‖ **3.** Alborotador, turbulento. Ú. t. c. s.

revolvedero. m. Lugar en que suelen revolcarse los animales, revolcadero.

revolvedor, ra. adj. Que revuelve o inquieta. Ú. t. c. s. ‖ **2.** m. _Cuba._ En los ingenios de azúcar, recipiente en que se revuelve el guarapo para reducirlo a pasta.

revolver. (Del lat. _revolvĕre._) tr. Menear una cosa de un lado a otro; moverla alrededor o de arriba abajo. ‖ **2.** Envolver una cosa en otra. Ú. t. c. prnl. ‖ **3.** Volver la cara al enemigo para embestirle. Ú. t. c. prnl. ‖ **4.** Mirar o registrar moviendo y separando algunas cosas que estaban ordenadas. ‖ **5.** Inquietar, enredar; mover sediciones, causar disturbios. ‖ **6.** Discurrir, imaginar o cavilar en varias cosas o circunstancias, reflexionándolas. ‖ **7.** Volver el jinete al caballo en poco terreno y con rapidez. Ú. t. c. intr. y c. prnl. ‖ **8.** Volver a andar lo andado. Ú. t. c. intr. y c. prnl. ‖ **9.** Meter en pendencia, pleito, etc. ‖ **10.** Dar una cosa vuelta entera hasta llegar al punto de donde salió. Ú.

t. c. prnl. ‖ **11.** Alterar el buen orden y disposición de las cosas. ‖ **12.** prnl. Moverse de un lado a otro. Ú. por lo común con negación para ponderar lo estrecho del paraje o lugar en que se halla una cosa. ‖ **13.** Hacer mudanza el tiempo, ponerse borrascoso. ‖ **14.** Enfrentarse a alguien o algo. SE REVOLVIÓ _contra mí._ ‖ **15.** _Astron._ Hacer su carrera un astro, retornando a un punto de su órbita. ‖ **revolver** a uno **con** otro. fr. Ponerle mal con él; malquistarlos entre sí.

revólver. (Del ing. _revolver._) m. Arma de fuego, de corto alcance, que se puede usar con una sola mano, y provista de un tambor en el que se colocan las balas. ‖ **2.** _Mec._ Dispositivo que soporta varias piezas y que, por un simple giro, permite colocar la pieza elegida en la posición adecuada para su utilización.

revolvimiento. m. Acción y efecto de revolver o revolverse.

revoque. m. Acción y efecto de revocar las casas o paredes. ‖ **2.** Capa o mezcla de cal y arena u otro material análogo con que se revoca.

revotarse. prnl. Votar lo contrario de lo que se había votado antes.

revuelco. m. Acción y efecto de revolcar o revolcarse.

revuelo. m. Segundo vuelo que dan las aves. ‖ **2.** Vuelta y revuelta del vuelo. ‖ **3.** fig. Turbación y movimiento confuso de algunas cosas, o agitación entre personas. ‖ **4.** _Amér._ Salto que da el gallo en la pelea asestando el espolón al adversario y sin usar el pico. ‖ **de revuelo.** loc. adv. fig. Pronta y ligeramente, como de paso.

revuelta¹. f. Segunda vuelta o repetición de la vuelta.

revuelta². (Del lat. _revolūta,_ t. f. de _-tus,_ revuelto.) f. Alboroto, alteración, sedición. ‖ **2.** Riña, pendencia, disensión. ‖ **3.** Punto en que una cosa empieza a torcer su dirección o a tomar otra. ‖ **4.** Este mismo cambio de dirección. ‖ **5.** Vuelta o mudanza de un estado a otro, o de un parecer a otro.

revueltamente. adv. m. Con trastorno, sin orden ni concierto.

revuelto, ta. (Del lat. *_revolūtus,_ por _revolūtus._) p. p. irreg. de **revolver.** ‖ **2.** adj. Dicho de un líquido, turbio por haberse levantado el sedimento del fondo. ‖ **3.** Dicho del estómago, alterado. ‖ **4.** Aplícase al caballo que se vuelve con presteza y docilidad en poco terreno. Ú. m. con el verbo _estar._ ‖ **5.** Enredador, travieso. ‖ **6.** Intrincado, revesado, difícil de entender. V. **huevos revueltos.** ‖ **8.** V. **mesa revuelta.** ‖ **9.** m. Plato consistente en una mezcla de huevos y algún otro ingrediente, que se baten sin darle forma alguna. REVUELTO _de espárragos;_ REVUELTO _de gambas._

revuelvepiedras. m. Ave marina zancuda, algo mayor que el mirlo, con plumaje blanco en la cabeza, el vientre y la terminación de la cola, y negro rojizo en el resto del cuerpo; pico negruzco, recto, cónico y tan fuerte que con él revuelve piedras hasta un kilogramo de peso; tarsos encarnados y membranas rudimentarias entre los dedos. Vive en las costas, se alimenta de moluscos que busca entre las piedras y su carne es comestible.

revulsión. (Del lat. _revulsĭo, -ōnis._) f. _Med._ Medio curativo de algunas enfermedades internas, que consiste en producir congestiones o inflamaciones en la superficie de la piel o las mucosas, mediante diversos agentes físicos, químicos o un orgánicos.

revulsivo, va. (Del lat. _revulsum,_ supino de _revellĕre,_ reveler.) adj. _Farm._ Dícese del medicamento o agente que produce la revulsión. Ú. t. c. s. m. ‖ **2.** _Farm._ Dícese de los vomitivos y purgantes. Ú. t. c. s. m.

revulsorio, ria. adj. _Farm._ Dícese del medicamento que produce la revulsión. Ú. t. c. s. m.

rey. (Del lat. _rex, regis._) m. Monarca o príncipe soberano de un reino. ‖ **2.** V. **cana, capa, codo, corona, moro, palabra de rey.** ‖ **3.** V. **día de Reyes.** ‖ **4.** V. **roscón de Reyes.** ‖ **5.** V. **adelantado, alférez, armígero, caballerizo, cámara, capellán mayor, casa, cena, copero mayor, coquinario, estuche, gallito, gente, guarda mayor, hombre, mes del rey.** ‖ **6.** Pieza principal del juego de ajedrez, la cual camina en todas direcciones, pero solo de una casa a otra contigua, excepto en el enroque. ‖ **7.** Carta duodécima de cada palo de la baraja, que tiene pintada la figura de un rey. ‖ **8.** Paso de la antigua danza española. ‖ **9.** El que en un juego, o por fiestas, manda a los demás. ‖ **10.** Abeja maesa o reina. ‖ **11.** fam. El que guarda los puercos. ‖ **12.** fig. Hombre, animal o cosa del género masculino, que por su excelencia sobresale entre los demás de su clase o especie. ‖ **13.** Germ. **gallo,** ave. ‖ **de armas.** Caballero que en las cortes de la Edad Media tenía el cargo de transmitir mensajes de importancia, ordenar las grandes ceremonias y llevar los registros de la nobleza de la nación. ‖ **2.** Sujeto que tiene cargo y oficio de conocer y ordenar los blasones de las familias nobles. ‖ **de banda,** o **de bando.** Perdiz que sirve de guía a las demás cuando van formando bando. ‖ **de codornices.** Ave zancuda, del tamaño de una codorniz, con pico cónico comprimido lateralmente, alas puntiagudas, tarsos largos y gruesos, plumaje pardo negruzco con manchas cenicientas en el lomo, agrisado en la garganta y el abdomen, rojizo en las alas y la cola, y blanco amarillento en el borde de las plumas remeras. Vive y anida en los terrenos húmedos, y por acompañar a las codornices en sus migraciones, supone el vulgo que les sirve de guía. Su carne es muy gustosa. ‖ **de gallos.** Regocijo de carnestolendas en que un muchacho hacía de **rey** de otros. ‖ **2.** Muchacho que hacía de **rey** en este regocijo. ‖ **de los trigos. trigo salmerón.** ‖ **de Romanos.** Título dado en el imperio de Alemania a los emperadores nuevamente elegidos, antes de su coronación en Roma, y a los príncipes designados por los electores del imperio para heredar la dignidad imperial. ‖ **2.** fig. El que ha de suceder a otro en algún oficio o cargo. ‖ **Reyes Magos.** Los que, guiados por una estrella, fueron de Oriente a adorar al Niño Jesús. ‖ **Tres Reyes.** Astron. **Cinturón de Orión.** ‖ **alzar rey,** o por **rey,** a uno. fr. Aclamarlo por tal. ‖ **¡aquí del rey!** expr. **¡favor al rey!** ‖ **con el rey en el cuerpo.** loc. adv. fig. que comúnmente se aplica al ministro o empleado que hace alarde del nombre del **rey** y se excede en el uso de su autoridad. ‖ **donde está el rey, allá la corte.** fr. fig. y fam. que explica que en materia de obsequios o cumplimientos solo se debe atender a la persona principal. ‖ **echar reyes.** fr. Distribuir cartas de la baraja entre cuatro o más sujetos, de los cuales han de ser compañeros en el juego aquellos dos a quienes toquen los primeros **reyes** que salgan. ‖ **el rey Perico, el rey que rabió,** o **el rey que rabió por gachas,** o **por sopas.** Personaje proverbial, símbolo de antigüedad muy remota. Empléase generalmente en las frases: *en tiempo del REY PERICO; acordarse DEL REY QUE RABIÓ,* o DEL REY QUE RABIÓ POR GACHAS. ‖ **hacer el rey consulta.** fr. ant. Dar audiencia el **rey** y oír consultas. ‖ **hacerle** a uno **saltar por el rey de Francia.** fr. fig. Apremiarle mucho, hacerle que se ajetree; por alusión al ejercicio de los perros amaestrados, que SALTABAN POR EL REY DE FRANCIA y *no por mala tabernera.* ‖ **la,** o **lo, del rey.** loc. fam. La calle. ‖ **ni rey ni roque.** loc. fig. y fam. con que se excluye a cualquier género de personas en la materia que se trata. ‖ **no conocer** uno **al rey por la moneda.** fr. fig. y fam. Ser muy pobre; carecer de dinero. ‖ **no temer rey ni roque.** fr. fig. y fam. No temer nada ni a nadie. ‖ **pedir rey.** fr. En el juego del mediador, designar, el que sale primera, un **rey** del palo que no es triunfo, para que se le entregue por una carta falsa que devuelve; o señalar por compañero a otro de los jugadores, que lo ha de ser que tiene tal **rey.** Este le ayuda con

las bazas que hace como compañero, y si pierden la polla, la reponen en la misma conformidad. ‖ **salir,** o **salirse,** uno con una cosa **como el rey con sus alcabalas.** fr. Salir adelante con su intento, porfiando hasta lograrlo. ‖ **servir al rey.** fr. desus. Ser soldado. ‖ **venderse** uno **al rey.** fr. desus. Sentar plaza de soldado por la paga que marcaba la ley.

reyar. intr. *P. Rico.* Salir en grupos a solicitar aguinaldo. Ú. t. c. tr.

reyerta. (Del lat. **referta,* de *referre.*) f. Contienda, altercación o cuestión.

reyertar. intr. ant. Contender, altercar.

reyezuelo. m. d. de **rey.** ‖ **2.** Pájaro común en Europa, de nueve a diez centímetros de longitud, con las alas cortas y redondeadas y plumaje vistoso por la variedad de sus colores.

reyunar. tr. *Argent.* Cortar la mitad de la oreja derecha al caballo reyuno, patriar.

reyuno, na. adj. *Argent.* Aplicábase al caballo que pertenecía al Estado y con señal llevaba cortada la mitad de la oreja derecha. ‖ **2.** desus. *Chile.* Aplicábase a la moneda que tenía el sello del rey de España.

rezadera. adj. f. ant. Que reza mucho.

rezado, da. p. p. **rezar.** ‖ **2.** m. **rezo,** oficio eclesiástico.

rezador, ra. (Del lat. *recitātor, -ōris.*) adj. Que reza mucho. Ú. t. c. s. ‖ **2.** f. **santateresa.** ‖ **3.** *Urug.* Mujer que tiene por oficio rezar en los velorios.

rezaga. f. Cuerpo militar que va el último, retaguardia.

rezagar. tr. Dejar atrás una cosa. ‖ **2.** Atrasar, suspender por algún tiempo la ejecución de una cosa. ‖ **3.** Separar las reses endebles que no pueden seguir al rebaño. ‖ **4.** prnl. Quedarse atrás.

rezago. m. Atraso o residuo que queda de una cosa. ‖ **2.** *Ar., Córd.* y *Chile.* Reses débiles que se apartan del rebaño para procurar mejorarlas. ‖ **3.** *Sal.* Ganado que se queda a la zaga en el rebaño.

rezandero, ra. adj. Que reza mucho. Ú. t. c. s. ‖ **2.** f. En algunos lugares de España, el insecto **santateresa.**

rezar. (Del lat. *recitāre,* recitar.) tr. Orar vocalmente pronunciando oraciones de contenido religioso. ‖ **2.** Dirigir oral o mentalmente súplicas o alabanzas a Dios, la Virgen o los santos. ‖ **3.** fam. y decir con atención el oficio divino o las horas canónicas. ‖ **4.** Recitar la misa, una oración, etc., en contraposición a cantarla. ‖ **5.** fam. Decir o decirse en un escrito una cosa. *El calendario* REZA *agua; el libro lo* REZA. ‖ **6.** intr. fig. y fam. Gruñir, refunfuñar. ‖ **bien reza, pero mal ofrece.** expr. fig. que se aplica al que promete mucho y no cumple nada, o dice algo que disgusta a otro. ‖ **como rezas, medres.** expr. fam. con que se zahiere al que está hablando entre sí y se discurre que habla mal. ‖ **rezar** una cosa **con** uno. fr. fam. Tocarle o pertenecerle; ser de su obligación o conocimiento. *Eso no* REZA CONMIGO.

rezmila. f. *Ast.* y *Cantabria.* Garduña, rámila.

rezno. (Del lat. *ricinus.*) m. **garrapata.** ‖ **2.** Larva del estro o moscardón, la cual se desarrolla en las paredes del estómago de los rumiantes o solípedos que tragan los huevos de ese díptero. ‖ **3.** **ricino,** planta.

rezo. m. Acción de rezar. ‖ **2.** Cosa que se reza. ‖ **3.** Oficio eclesiástico que se reza diariamente. ‖ **4.** Conjunto de los oficios particulares de cada festividad.

rezón. (De *rizón.*) m. Ancla pequeña, de cuatro uñas y sin cepo, que sirve para embarcaciones menores.

rezongador, ra. adj. Que rezonga. Ú. t. c. s.

rezongar. (De la onomat. *zong, zung,* zumbar.) intr. Gruñir, refunfuñar o dar a entender con murmullo la repugnancia con que se ejecuta alguna cosa que se manda, ejecutándola de mala gana.

rezonglar. intr. **rezongar.**

rezonglón, na. adj. fam. Que rezonga. Ú. t. c. s.

rezongo. m. Refunfuño.

rezongón, na. adj. fam. Que rezonga con frecuencia. Ú. t. c. s.

rezonguero, ra. adj. Perteneciente o relativo al rezongo. || **2.** Que rezonga.

rezumadero. m. Sitio o lugar por donde se rezuma una cosa. || **2.** Lo rezumado. || **3.** Sitio donde se junta lo rezumado.

rezumar. tr. Dicho de un cuerpo, dejar pasar a través de sus poros o intersticios gotitas de algún líquido. *La pared* REZUMA *humedad.* Ú. t. c. prnl. *El cántaro* SE REZUMA. || **2.** intr. Dicho de un líquido, salir al exterior en gotas a través de los poros o intersticios de un cuerpo. *El sudor le* REZUMABA *por la frente.* Ú. t. c. prnl. *El agua* SE REZUMA *por la cañería.* || **3.** prnl. fig. y fam. Traslucirse y susurrarse una cosa.

rezura. f. p. us. **reciura.**

rezurcir. tr. Volver a zurcir.

rho. (Del gr. ῥῶ.) f. Decimoséptima letra del alfabeto griego, que corresponde a la que en el nuestro se llama **erre.**

ria. Voz que usan los carreteros para guiar las caballerías hacia la izquierda.

ría. (De *río*.) f. Penetración que forma el mar en la costa, debida a la sumersión de la parte litoral de una cuenca fluvial de laderas más o menos abruptas. || **2.** Ensenada amplia en la que vierten al mar aguas profundas. || **3.** *Dep.* Balsa de agua que, tras una valla, se pone como obstáculo en ciertas competiciones deportivas.

riacho. m. Río pequeño y de poco caudal.

riachuelo. m. Río pequeño y de poco caudal.

riada. f. Avenida, inundación, crecida.

rial. m. Unidad monetaria de Irán.

riatillo. (De *regato*.) m. p. us. Regato, regajo.

riba. (Del lat. *ripa*.) f. Porción de tierra con alguna elevación y declive, ribazo. || **2.** ant. Margen y orilla del mar o río. || **3.** Tierra cercana a los ríos. Ú. solo en composición. RIBAgorza, RIBAdavia. || **4.** *Nav.* Muro del cajero de una acequia.

ribacera. f. *Ar.* Margen en talud que hay en los canales.

ribadense. adj. Natural de Ribadeo. Ú. t. c. s. || **2.** Perteneciente o relativo a este pueblo de Galicia.

ribadoquín. (Del fr. *ribaudequin*.) m. Antigua pieza de artillería, de bronce, algo menor que la cerbatana, de dos a tres quintales de peso y de 20 a 30 calibres de longitud, que tiraba proyectiles de hierro emplomado de una a tres libras.

ribagorzano, na. adj. Natural del condado de Ribagorza. Ú. t. c. s. || **2.** Perteneciente o relativo a este condado de Aragón.

ribaldería. f. Acción, costumbre o proceder del ribaldo.

ribaldo, da. (Del ant. fr. *ribaud, ribald*.) adj. Pícaro, bellaco. Ú. t. c. s. || **2.** Rufián de mujeres públicas. Ú. t. c. s. || **3.** m. Soldado de ciertos cuerpos antiguos de infantería en Francia y otros países de Europa.

ribazo. m. Porción de tierra con elevación y declive. || **2.** Talud entre dos fincas que están a distinto nivel. || **3.** Caballón que divide dos fincas o cultivos. || **4.** Caballón que permite dirigir los riegos, y andar sin pisar la tierra de labor.

ribazón. (De *arribar*.) f. Gran afluencia de peces hacia la costa, arribazón.

ribeiro. m. Vino que se cosecha en la comarca gallega del Ribeiro.

ribera. (Del lat. *riparia*, de *ripa*.) f. Margen y orilla del mar o río. || **2.** Por ext., tierra cercana a los ríos, aunque no esté a su margen. || **3.** V. **ave, carpintero, codo, maestro de ribera.** || **4.** **ribero.** || **5.** Huerto cercado que linda con un río. || **6.** *Vallad.* Casa de campo con viñas y árboles frutales próxima a las orillas de los ríos o cercana a la capital.

|| **volar** uno **la ribera.** fr. *Cetr.* Andar de **ribera** en **ribera**

buscando y levantando las aves. || **2.** fig. y fam. Ser dado a la vida vaga y aventurera.

riberano, na. adj. *Sal., Chile, Ecuad.* y *Hond.* **ribereño.** Ú. t. c. s.

ribereño, ña. adj. Perteneciente a la ribera o propio de ella. || **2.** Dícese del dueño o morador de un predio contiguo al río. Ú. t. c. s.

riberiego, ga. adj. Aplícase al ganado que no es trashumante. || **2.** Dícese de los dueños de este género de ganado. Ú. t. c. s. || **3.** **ribereño.**

ribero. (Del lat. *riparius*, de *ripa*.) m. Vallado de estacas, cascajo y céspedes que se hace a la orilla de las presas para que no se salga y derrame el agua.

ribete. (Del fr. *rivet*, y este del lat. *ripa*.) m. Cinta o cosa análoga con que se guarnece y refuerza la orilla del vestido, calzado, etc. || **2.** Añadidura, aumento, acrecentamiento. || **3.** Entre jugadores, interés que pacta el que presta a otro una cantidad de dinero en la casa de juego para que continúe en él, y se debe pagar fuera de la suerte principal. || **4.** fig. Adorno que en la conversación se añade a algún caso, refiriéndolo con alguna circunstancia de reflexión o de gracia. || **5.** pl. fig. Asomo, indicio. *Tiene sus* RIBETES *de poeta.*

ribeteado, da. p. p. de **ribetear.** || **2.** adj. fig. Dícese de los ojos cuando los párpados están irritados. || **3.** m. Acción y efecto de ribetear.

ribeteador, ra. adj. Que ribetea. Ú. t. c. s. || **2.** f. La que tiene por oficio ribetear el calzado.

ribetear. tr. Echar ribetes.

ribonucleico, ca. adj. *Bioquím.* V. **ácido ribonucleico.**

ribonucleótido. m. *Bioquím.* Nucleótido cuyo azúcar constituyente es la ribosa.

ribosa. f. *Quím.* Aldopentosa presente en algunos tipos de ácidos nucleicos; por ello reciben la denominación de ribonucleicos.

ribosoma. m. *Biol.* Orgánulo en el que tiene lugar la etapa de traducción en la expresión génica.

ribosómico, ca. adj. *Biol.* Perteneciente o relativo a los ribosomas.

rica. f. *Rioja.* Alholva, planta papilionácea. || **2.** Semilla de esta planta.

ricacho, cha. m. y f. fam. Persona acaudalada, aunque de humilde condición o vulgar en su trato y porte.

ricachón, na. m. y f. despect. de **rico**, o ricacho.

ricadueña. f. desus. Hija o mujer de grande o de ricohombre.

ricafembra. f. ant. **ricahembra.**

ricahembra. f. Hija o mujer de grande o de ricohombre.

ricahombría. f. Título que se daba antiguamente a la primera nobleza de España.

ricamente. adv. m. Opulentamente, con abundancia. || **2.** Primorosamente, preciosamente. || **3.** Muy a gusto; con toda comodidad.

ricia. f. Campo que se siembra aprovechando las espigas que quedaron sin recoger. || **2.** Rastrojo del alcacer. || **3.** **destrozo.**

ricial. (De *ricio*.) adj. Aplícase a la tierra en que, después de cortado el trigo en verde, vuelve a nacer o retoñar. || **2.** Dícese de la tierra sembrada de verde para que no la coma el ganado.

ricino. (Del lat. *ricinus*.) m. Planta originaria de África, de la familia de las euforbiáceas, arborescente en los climas cálidos y anual en los templados, con tallo ramoso de color verde rojizo, hojas muy grandes, pecioladas, partidas en lóbulos lanceolados y aserrados por el margen; flores monoicas en racimos axilares o terminales, y fruto capsular, esférico, espinoso, con tres divisiones y otras tantas semillas, de las cuales se extrae un aceite purgante.

ricio. (Del lat. *recidīvus*, renaciente.) m. *Ar.* Campo que se siembra aprovechando las espigas que quedaron sin segar, bien golpeándolas o bien dando una labor de arado.

rico, ca. (Del germ. *rikja*.) adj. Adinerado, hacendado o acaudalado. Ú. t. c. s. ‖ **2.** Abundante, opulento y pingüe. ‖ **3.** Gustoso, sabroso, agradable. ‖ **4.** Muy bueno en su línea. ‖ **5.** Aplícase a las personas como expresión de cariño. ‖ **6.** desus. Noble o de alto linaje, o de conocida y estimable bondad. Ú. t. c. s. ‖ **7.** V. **plomo rico.** ‖ **rico o pinjado.** expr. fam. que pondera la firme resolución con que uno emprende un negocio dificultoso y arriesgado, en el cual se juega el todo por el todo.

ricohombre. m. El que antiguamente pertenecía a la primera nobleza de España.

ricohome. m. ant. **ricohombre.**

ricota. (Del it. *ricotta*.) f. *Argent.* **requesón.**

ricote. adj. fam. aum. de **rico.** Ú. t. c. s.

rictus. (Del lat. *rictus*, boca entreabierta.) m. *Pat.* Contracción de los labios que deja al descubierto los dientes y da a la boca el aspecto de la risa. ‖ **2.** fig. Aspecto fijo o transitorio del rostro al que se atribuye la manifestación de un determinado estado de ánimo.

ricura. f. fam. Calidad de rico al paladar. ‖ **2.** Calidad de rico, excelente, bueno.

ridículamente. adv. m. De manera ridícula.

ridiculez. (De *ridículo²*.) f. Dicho o hecho extravagante e irregular. ‖ **2.** Excesiva delicadeza de genio o natural. ‖ **3.** Cosa pequeña o de poco aprecio.

ridiculizar. (De *ridículo².*) tr. Burlarse de una persona o cosa por las extravagancias o defectos que tiene o se le atribuyen.

ridículo¹. (Del lat. *reticŭlus*, bolsa de red.) m. Bolsa manual que, pendiente de unos cordones, han usado las señoras para llevar el pañuelo y otras menudencias.

ridículo², la. (Del lat. *ridicŭlus*.) adj. Que por su rareza o extravagancia mueve o puede mover a risa. ‖ **2.** Escaso, corto, de poca estimación. ‖ **3.** Extraño, irregular y de poco aprecio y consideración. ‖ **4.** De genio irregular; excesivamente delicado o reparón. ‖ **5.** m. Situación **ridícula** en que cae una persona. ‖ **en ridículo.** loc. adv. Expuesto a la burla o al menosprecio de las gentes, sea o no con razón justificada. Ú. m. con los verbos *estar, poner* y *quedar.*

ridiculoso, sa. (Del lat. *ridiculōsus*.) adj. ant. **ridículo².**

riego. m. Acción y efecto de regar. ‖ **2.** Agua disponible para regar. ‖ **sanguíneo.** Cantidad de sangre que nutre los órganos o la superficie del cuerpo.

riel. (Del cat. *riell*, y este del lat. *regella*.) m. Barra pequeña de metal en bruto. ‖ **2.** Carril de una vía férrea.

rielar. (Del lat. **refilāre*, de *fīlum*.) intr. poét. Brillar con luz trémula. ‖ **2.** Vibrar, temblar.

rielera. f. Molde de hierro donde se echan los metales y otros cuerpos para reducirlos a rieles o barras.

rienda. (Del lat. **retĭna*, de *retinēre*.) f. Cada una de las dos correas, cintas o cuerdas que, unidas por uno de sus extremos a las camas del freno, lleva asidas por el otro el que gobierna la caballería. Ú. m. en pl. ‖ **2.** V. **mano rienda, de rienda,** o **de la rienda.** ‖ **3.** fig. Sujeción, moderación en acciones o palabras. ‖ **4.** pl. fig. Gobierno, dirección de una cosa. *Apoderarse de las* RIENDAS *del Estado.* ‖ **falsa rienda.** *Equit.* Conjunto de dos correas unidas por el extremo que lleva el jinete en la mano, y fijas por el otro en el bocado o en el filete, para poder contener al caballo en el caso de que fallen las **riendas,** y para alternar con estas cuando calienten el caballo. Ú. m. en pl. ‖ **aflojar las riendas.** fr. fig. Aliviar, disminuir el trabajo, cuidado y fatiga en la ejecución de una cosa, o ceder en la vigilancia y cuidado de lo que está a cargo de uno. ‖ **2.** fig. Hacer más suave la sujeción. ‖ **a media rienda.** loc. adv. con que se

explica el movimiento violento que lleva el caballo, que consiste en no darle toda la **rienda,** metiéndole las piernas. ‖ **a rienda suelta.** loc. adv. fig. Con violencia o celeridad. ‖ **2.** fig. Sin sujeción y con toda libertad. ‖ **a toda rienda.** loc. adv. Al galope. ‖ **correr a rienda suelta.** fr. Soltar el jinete las **riendas** al caballo, picándole al mismo tiempo para que corra cuanto pueda. ‖ **2.** fig. Entregarse sin reserva a una pasión o al ejercicio de una cosa. ‖ **dar rienda suelta.** fr. fig. Dar libre curso. ‖ **ganar las riendas.** fr. Apoderarse de las **riendas** de una caballería para detener al que va en ella. ‖ **soltar la rienda.** fr. fig. Entregarse con libertad y desenfreno a los vicios, pasiones o afectos. ‖ **tener las riendas.** fr. Tirar de ellas para detener el paso de una caballería. ‖ **tirar la rienda,** o **las riendas.** fr. fig. Sujetar, contener, reducir. ‖ **volver riendas,** o **las riendas.** fr. **volver grupas.**

riepto. (De *reptar¹*.) m. ant. **reto.**

riera. (De *ribera*.) f. *Ar.* **rambla,** lecho natural de las aguas pluviales.

riesgo. (Del ant. *resgar*, cortar, del lat. *resecāre*.) m. Contingencia o proximidad de un daño. ‖ **2.** Cada una de las contingencias que pueden ser objeto de un contrato de seguro. ‖ **a riesgo y ventura.** loc. adv. Dícese de las empresas que se acometen o contratos que se celebran sometidos a influjo de suerte o evento, sin poder reclamar por la acción de estos. ‖ **correr riesgo.** fr. Estar una cosa expuesta a perderse o a no verificarse.

riesgoso, sa. adj. *Amér.* Aventurado, peligroso, que entraña contingencia o proximidad de un daño.

riestra. (Del lat. *restŭla,* d. de *restis,* rastra.) f. En algunas partes, ristra, sarta.

rieto. (De *riepto*.) m. ant. **reto.**

rifa. (De la onomat. *rif.*) f. Juego que consiste en sortear una cosa entre varias personas. ‖ **2.** Contienda, pendencia, enemistad.

rifador, ra. m. y f. Persona que rifa o sortea alguna cosa. ‖ **2.** Persona que riñe o se enemista.

rifadura. f. *Mar.* Acción y efecto de rifar, romperse una vela.

rifar. (De la onomat. *rif.*) tr. Efectuar el juego de la rifa. ‖ **2.** intr. Reñir, contender, enemistarse con uno. ‖ **3.** prnl. *Mar.* Romperse, abrirse, descoserse o hacerse pedazos una vela.

rifarrafa. (De or. onomatopéyico.) f. ant. Vendedora, vivandera.

rifeño, ña. adj. Natural del Rif. Ú. t. c. s. ‖ **2.** Perteneciente o relativo a esta comarca de Marruecos.

rifirrafe. (De or. onomatopéyico.) m. fam. Contienda o bulla ligera y sin trascendencia.

rifle. (De ing. *rifle*.) m. Fusil rayado de procedencia norteamericana.

riflero. m. desus. *Argent.* y *Chile.* Soldado provisto de rifle.

rigente. (Del lat. *rigens -entis,* p. a. de *rigēre,* estar duro, inflexible.) adj. poét. Rígido, tieso.

rígidamente. adv. m. Con rigidez.

rigidez. f. Calidad de rígido.

rígido, da. (Del lat. *rigĭdus*.) adj. Que no se puede doblar o torcer. ‖ **2.** fig. Riguroso, severo.

rigodón. (Del fr. *rigaudon* y *rigodon*.) m. Cierta especie de contradanza.

rigor. (Del lat. *rigor, -ōris*.) m. Excesiva y escrupulosa severidad. ‖ **2.** Aspereza, dureza o acrimonia en el genio o en el trato. ‖ **3.** Último término a que pueden llegar las cosas. ‖ **4.** Intensidad, vehemencia. *El* RIGOR *del verano.* ‖ **5.** Propiedad y precisión. ‖ **6.** *Germ.* Fiscal del ministerio público. ‖ **7.** *Pat.* Tiesura o rigidez preternatural de los músculos, tendones y demás tejidos fibrosos, que los hace inflexibles e impide los movimientos del cuerpo. ‖ **8.** *Pat.*

Frío intenso y extraordinario que entra de improviso en el principio de algunas enfermedades, como en las calenturas intermitentes. ‖ **mortis.** expr. lat. que se aplica al estado de rigidez e inflexibilidad que adquiere un cadáver pocas horas después de la muerte. ‖ **en rigor.** loc. adv. En realidad, estrictamente. ‖ **ser de rigor** una cosa. fr. Ser indispensable por requerirlo así la costumbre, la moda o la etiqueta. ‖ **ser alguien el rigor de las desdichas.** fr. fig. y fam. Padecer muchos y diferentes males o desgracias.

rigorismo. m. Exceso de severidad, principalmente en materias morales o disciplinarias. ‖ **2.** Sistema o doctrina en que domina la moral rigorista.

rigorista. adj. Extremadamente severo, sobre todo en materias morales o disciplinarias. Ú. t. c. s.

rigorosamente. adv. m. **rigurosamente.**

rigoroso, sa. (Del lat. *rigorósus.*) adj. **riguroso.**

rigüe. m. *Hond.* Tortilla de elote.

riguridad. f. desus. **rigor.** Ú. en Aragón y Salamanca.

rigurosamente. adv. m. Con rigor.

rigurosidad. f. Calidad de riguroso.

riguroso, sa. (De *rigoroso.*) adj. Áspero y acre. ‖ **2.** Muy severo, cruel. ‖ **3.** Estrecho, austero, rígido. ‖ **4.** Dicho del temporal o de una desgracia u otro mal, extremado, duro de soportar. ‖ **5.** fig. Exacto, preciso, minucioso. ‖ **6.** *Der.* V. **agnación rigurosa.**

rija[1]. f. *Pat.* Fístula que se hace debajo del lagrimal, por la cual fluye pus, moco o lágrimas.

rija[2]. (Del lat. *rixa.*) f. Pendencia, inquietud, alboroto.

rijador, ra. (Del lat. *rixátor, -óris.*) adj. **rijoso.**

rijo. (De *rija*[2]: véase *rijoso.*) m. Conato o propensión a lo sensual.

rijosidad. f. Calidad de rijoso.

rijoso, sa. (Del lat. *rixósus.*) adj. Pronto, dispuesto para reñir o contender. ‖ **2.** Inquieto y alborotado a vista de la hembra. *Caballo* RIJOSO. ‖ **3.** Lujurioso, sensual.

rilar. (De *rehilar.*) intr. Temblar, tiritar. ‖ **2.** prnl. Temblar, vibrar.

rima[1]. (De *rimo.*) f. Consonancia o consonante. ‖ **2.** Asonancia o asonante. ‖ **3.** Composición en verso, del género lírico. Por lo común no se usa más que en plural; v. gr.: RIMAS *de Garcilaso, de Lope, de Góngora.* ‖ **4.** V. **octava rima.** ‖ **5.** Conjunto de los consonantes de una lengua, y así se dice *Diccionario de la* RIMA; o el de los consonantes o asonantes empleados en una composición o en todas las de un poeta, y en este sentido se califica la **rima** de fácil, rica, pobre, vulgar, etc. ‖ **imperfecta.** o **media rima.** **rima,** asonancia o asonante. ‖ **leonina.** La de un verso leonino. ‖ **perfecta. rima.** ‖ **sexta rima. sextina,** cierta combinación métrica. ‖ **tercia rima.** Forma de composición poética en que cada estrofa es un terceto.

rima[2]. (De or. inc.) f. Montón de cosas.

rima[3]. (Del lat. *rima.*) f. **hendidura.**

rimador, ra. adj. Que se distingue en sus composiciones poéticas más por la rima que por otras cualidades. Ú. t. c. s.

rimar. (De *rima*[1].) intr. Componer en verso. ‖ **2.** Ser una palabra asonante, o más especialmente, consonante de otra. ‖ **3.** tr. Hacer el poeta una palabra asonante o consonante de otra.

rimbombancia. f. Calidad de rimbombante.

rimbombante. p. a. de **rimbombar.** Que rimbomba. ‖ **2.** adj. fig. Ostentoso, llamativo.

rimbombar. (Del it. *rimbombare.*) intr. Retumbar, resonar, sonar mucho o hacer eco.

rimbombe. m. **rimbombo.**

rimbombo. m. Retumbo o repercusión de un sonido.

rímel. (De la marca comercial *rimmel.*) m. Cosmético para ennegrecer y endurecer las pestañas.

rimero. (De *rima*[2].) m. Montón de cosas puestas unas sobre otras.

rimo. (Del lat. *rhythmus,* y este del gr. ῥυθμός, movimiento concertado.) m. ant. **rima**[1].

rimú. (De or. araucano.) m. Planta americana de la familia de las oxalidáceas, con flores amarillas, y que brota con las primeras lluvias de abril.

rinanto. (Del gr. ῥίς, ῥινός, nariz.) m. **gallocresta,** planta.

rincón. (Del ár. *rukn,* esquina, ángulo.) m. Ángulo entrante que se forma en el encuentro de dos paredes o de dos superficies. ‖ **2.** Escondrijo o lugar retirado. ‖ **3.** Espacio pequeño. *Cada aldeano posee un* RINCÓN *de tierra.* ‖ **4.** fig. y fam. Domicilio o habitación particular de cada uno. ‖ **5.** fig. Residuo de alguna cosa que queda en un lugar apartado de la vista. *Quedan todavía algunos* RINCONES *de correspondencia por repartir.* ‖ **6.** rur. *Argent.* y *Col.* **rinconada,** porción de terreno de una hacienda.

rinconada. f. Ángulo entrante que se forma en la unión de dos casas, calles o caminos, o entre dos montes. ‖ **2.** *Argent.* y *Col.* Porción de terreno, con límites naturales o artificiales, destinada a ciertos usos de la hacienda.

rinconera. f. Mesita, armario o estante pequeños, comúnmente de figura triangular, que se colocan en un rincón o ángulo de una sala o habitación. ‖ **2.** *Arq.* Parte de muro comprendida entre una esquina o un rincón de la fachada y el hueco más próximo.

rinconero, ra. adj. V. **colmena rinconera.**

rinde. m. *Argent.* En economía, **rendimiento.**

ringar. (Del lat. *renicāre,* de *ren, renis,* riñón.) tr. Descaderar o herir gravemente los lomos de una persona o de un animal. ‖ **2.** Torcer o inclinar algo a un lado más que a otro. Ú. m. c. prnl.

ringla. (Del germ. *hring,* círculo.) f. fam. Fila.

ringle. (Del germ. *hring,* círculo.) m. fam. Fila.

ringlera. f. Fila o línea de cosas puestas en orden unas tras otras.

ringlero. m. Cada una de las líneas del papel pautado en que aprenden a escribir los niños.

ringorrango. m. fam. Rasgo de pluma exagerado e inútil. Ú. m. en pl. ‖ **2.** fig. y fam. Cualquier adorno superfluo y extravagante. Ú. m. en pl.

rinitis. (Del gr. ῥίς, ῥινός, nariz.) f. *Pat.* Inflamación de la mucosa de las fosas nasales.

rino-. (Del gr. ῥινο-.) elem. compos. que significa «nariz»: RINO*logía,* RINO*scopia.*

rinoceronte. (Del lat. *rhinocéron,* y este del gr. ῥινόκερως; de ῥίς, ῥινός, nariz, y κέρας, cuerno.) m. Mamífero del orden de los perisodáctilos, propio de la zona tórrida de Asia y África, que llega a tener tres metros de largo y uno y medio de altura hasta la cruz, con cuerpo muy grueso, patas cortas y terminadas en pies anchos y provistos de tres pesuños; la cabeza estrecha, el hocico puntiagudo, con el labio superior movedizo, capaz de alargarse, y uno o dos cuernos cortos y encorvados en la línea media de la nariz; la piel negruzca, recia, dura y sin flexibilidad sino en los dobleces; las orejas puntiagudas, rectas y cubiertas de pelo, y la cola corta y terminada en una borla de cerdas tiesas y muy duras. Se alimenta de vegetales, prefiere los lugares cenagosos y es fiero cuando le irritan.

rinofaringe. (Del gr. ῥίς, ῥινός, nariz, y *faringe.*) f. Porción de la faringe contigua a las fosas nasales.

rinología. (Del gr. ῥίς, ῥινός, nariz, y *-logía.*) f. Tratado de la nariz y de sus funciones y enfermedades.

rinólogo, ga. m. y f. Especialista en rinología.

rinoplastia. (Del gr. ῥίς, ῥινός, nariz, y πλάσσω, formar.) f. *Cir.* Operación quirúrgica para restaurar la nariz.

rinoscopia. (Del gr. ῥίς, ῥινός, nariz, y *-scopia.*) f. *Med.* Exploración de las cavidades nasales.

rinrán. m. *Murc.* y *Val.* Especie de pisto compuesto de pimientos, tomates, patatas y bacalao o atún.

riña. f. Pendencia, cuestión o quimera. ‖ **tumultuaria.** *Der.* Aquella en que se acometen varias personas confusa y mutuamente de modo que no cabe distinguir los actos de cada una.

riñón. (Del lat. *ren, renis.*) m. *Anat.* Cada una de las glándulas secretorias de la orina, que generalmente existen en número de dos. En los mamíferos son voluminosas, de color rojo oscuro y están situadas a uno y otro lado de la columna vertebral, al nivel de las vértebras lumbares. ‖ **2.** fig. Interior o centro de un terreno, sitio, asunto, etc. ‖ **3.** *Min.* Trozo redondeado de mineral, contenido en otro de distinta naturaleza. ‖ **4.** pl. Parte del cuerpo que corresponde a la pelvis. *Recibió un golpe en los* RIÑONES. ‖ **artificial.** Aparato para la depuración extrarrenal de la sangre en la insuficiencia renal aguda o crónica. ‖ **riñones de conejo.** fam. Guiso de judías blancas, secas. ‖ **costar** una cosa **un riñón.** fr. fig. y fam. **costar un ojo de la cara.** ‖ **pegarse al riñón.** fr. fam. con que se denota que una comida engorda por ser muy sustanciosa y alimenticia. ‖ **tener** uno **cubierto,** o **bien cubierto, el riñón.** fr. fig. y fam. Estar rico. ‖ **tener riñones.** fr. fig. y fam. Ser esforzado.

riñonada. f. Tejido adiposo que envuelve los riñones. ‖ **2.** Lugar del cuerpo en que están los riñones. ‖ **3.** Guisado de riñones.

riñoso, sa. adj. ant. Inclinado a riñas.

río. (Del lat. *rius, rivus,* arroyo.) m. Corriente de agua continua y más o menos caudalosa que va a desembocar en otra, en un lago o en el mar. ‖ **2.** V. **albahaquilla, brazo, cangrejo, gallina, tabla de río.** ‖ **3.** fig. Gran abundancia de una cosa líquida, y por ext., de cualquier otra. *Gastar un* RÍO *de oro.* ‖ **4.** fig. Afluencia de personas. ‖ **apear el río.** fr. ant. Vadearlo a pie. ‖ **a río revuelto.** loc. adv. fig. En la confusión, turbación y desorden. ‖ **bañarse en el río Jordán.** fr. fig. Remozarse, rejuvenecerse. ‖ **de perdidos al río.** fr. fig. y fam. usada para expresar que una vez empezada una acción hay que aceptar todas las consecuencias y procurar llevarla a término. ‖ **pescar en río revuelto.** fr. fig. Aprovecharse uno de alguna confusión o desorden en beneficio propio.

riobambeño, ña. adj. Natural de Riobamba. Ú. t. c. s. ‖ **2.** Perteneciente o relativo a esta ciudad de la República del Ecuador.

riohachero, ra. adj. Natural de Riohacha. Ú. t. c. s. ‖ **2.** Perteneciente o relativo a esta ciudad de Colombia.

rioja. m. Vino de fina calidad, que se cría y elabora en la comarca española de este nombre.

riojano, na. adj. Natural de La Rioja. Ú. t. c. s. ‖ **2.** Perteneciente o relativo a esta región. ‖ **3.** Perteneciente o relativo a la provincia argentina o a la ciudad de La Rioja. ‖ **4.** Natural de esta provincia o de su capital. Ú. t. c. s. ‖ **5.** m. Castellano hablado en la región de La Rioja española.

riolada. (De *redolada.*) f. fam. Afluencia de muchas cosas o personas.

rionegrino, na. adj. Natural de la provincia argentina de Río Negro. Ú. t. c. s. ‖ **2.** Perteneciente o relativo a esta provincia.

rioplatense. adj. Natural del Río de la Plata. Ú. t. c. s. ‖ **2.** Perteneciente o relativo a los países de la cuenca del Río de la Plata.

riosellano, na. adj. Natural de Ribadesella. Ú. t. c. s. ‖ **2.** Perteneciente o relativo a este pueblo de Asturias.

riostra. (Del prov. *riosta,* de *riostar,* y este del lat. *re-* y *obstare.*) f. *Arq.* Pieza que, puesta oblicuamente, asegura la invariabilidad de forma de una armazón.

riostrar. tr. *Arq.* Poner riostras.

ripia. (Del lat. *replēre,* rellenar.) f. Tabla delgada, desigual y sin pulir. ‖ **2.** Costero tosco del madero aserrado. ‖ **3.** ant. ripio.

ripiar. tr. enripiar.

ripio. (Del lat. *replēre,* rellenar.) m. Residuo que queda de una cosa. ‖ **2.** Cascajo o fragmentos de ladrillos, piedras y otros materiales de obra de albañilería desechados o quebrados. Se utiliza para rellenar huecos de paredes o pisos. ‖ **3.** Guijarro. ‖ **4.** Palabra o frase inútil o superflua que se emplea viciosamente con el solo objeto de completar el verso, o de darle la consonancia o asonancia requerida. ‖ **5.** Conjunto de palabras inútiles o con que se expresan cosas vanas o insustanciales en cualquier clase de discursos o escritos, o en la conversación familiar. ‖ **6.** *Argent., Chile* y *Perú.* Casquijo que se usa para pavimentar. ‖ **dar ripio a la mano.** fr. fig. y fam. Dar con facilidad y abundancia una cosa. ‖ **meter ripio.** fr. fig. Introducir en escritos o discursos, o en composiciones artísticas, temas o cosas inútiles o insustanciales. ‖ **no desechar ripio.** fr. fig. y fam. No perder ni malograr ocasión. ‖ **no perder ripio.** fr. Estar muy atento a lo que se oye, sin perder palabra. ‖ **2.** no desechar ripio.

ripioso, sa. adj. Que abunda en ripios.

riqueza. f. Abundancia de bienes y cosas preciosas. ‖ **2.** Abundancia de cualidades o atributos excelentes. ‖ **3.** Abundancia relativa de cualquier cosa. RIQUEZA *alcohólica, de minerales, de vocabulario,* etc. ‖ **imponible. líquido imponible.**

risa. (De *riso.*) f. Movimiento de la boca y otras partes del rostro, que demuestra alegría. ‖ **2.** Voz o sonido que acompaña a la risa. ‖ **3.** Lo que mueve a reír. ‖ **4.** V. **flujo de risa.** ‖ **5.** fig. V. **boca, cara de risa.** ‖ **6.** fig. V. **retozo de la risa.** ‖ **falsa.** La que uno hace fingiendo agrado. ‖ **sardesca, sardonia,** o **sardónica.** *Pat.* Convulsión y contracción de los músculos de la cara, que da por resultado un gesto como cuando uno se ríe. ‖ **2.** fig. risa afectada y que no nace de alegría interior. ‖ **la risa del conejo.** fam. La que suelen causar algunos accidentes, o el movimiento exterior de la boca y otras partes del rostro, parecido al de la **risa,** que sobreviene a algunos al tiempo de morir, como sucede al conejo. ‖ **2.** fig. y fam. La del que se ríe sin ganas. ‖ **caerse de risa** uno. fr. fig. y fam. Reír descompasadamente. ‖ **comerse la risa** uno. fr. fig. y fam. Reprimirla, contenerla por algún respeto. ‖ **descalzarse, descoyuntarse, despedazarse, desperezarse,** o **desternillarse de risa** uno. fr. fig. y fam. Reír con vehemencia y con movimientos descompasados. ‖ **estar para reventar de risa,** o **muerto de risa** uno. fr. fig. Violentarse o hacerse fuerza para no reírse el que está muy tentado de la **risa.** ‖ **finarse de risa** uno. fr. ant. fig. **morirse de risa.** ‖ **mearse de risa** uno. fr. Reírse mucho y con muchas ganas. ‖ **mondarse de risa.** fr. fig. y fam. **mearse de risa.** ‖ **morirse de risa.** loc. fig. y fam. **mearse de risa.** ‖ **2.** Permanecer inactiva una persona, o estar abandonada, olvidada y sin resolver una cosa. Ú. m. con el p. p.; *muerto* DE RISA. ‖ **muerto de risa.** fig. **morirse de risa.** ‖ **partirse de risa.** fr. fig. y fam. **mearse de risa.** ‖ **retozar la risa,** o **retozar la risa en el cuerpo** a uno. fr. fig. y fam. Querer reír o estar movido a la **risa,** procurando reprimirla. ‖ **reventar de risa** uno. fr. fig. y fam. **morirse de risa.** ‖ **tentado a,** o **de la risa.** loc. fam. Propenso a reír inmoderadamente. ‖ **2.** fig. y fam. Enamoradizo y lascivo. ‖ **tomar a risa** una cosa. fr. fig. No darle crédito o importancia. ‖ **troncharse de risa** uno. fr. fig. y fam. Reírse violentamente, a carcajadas, etc.

risada. f. Risa sonora.

risaraldense. adj. Natural del departamento del Risaralda. Ú. t. c. s. ‖ **2.** Perteneciente o relativo a este departamento de Colombia.

risaraldeño, ña. adj. **risaraldense.** Ú. t. c. s.

risca. (De *riscar*.) f. *Cantabria.* Grieta, hendidura. ‖ **2.** *And.* Risco, peñasco.

riscal. m. Sitio de muchos riscos.

riscar. (Del lat. *resecāre*.) tr. Cortar, hender, agrietar. ‖ **2.** Arriesgar, aventurar.

risco. (De *riscar*.) m. Hendidura, corte. ‖ **2.** Peñasco alto y escarpado, difícil y peligroso para andar por él. ‖ **3.** Fruta de sartén, hecha con pedacitos de masa rebozados en miel, que se pegan y forman figuras a manera de riscos. ‖ **4.** Riesgo. ‖ **5.** *And.* Rescaño de pan.

riscoso, sa. adj. Que tiene muchos riscos. ‖ **2.** Perteneciente a ellos.

risibilidad. f. Facultad de reír, privativa del racional.

risible. (Del lat. *risibĭlis*.) adj. Capaz de reírse. ‖ **2.** Que causa risa o es digno de ella.

risiblemente. adv. m. De modo digno de risa.

risica, lla, ta. fs. ds. de **risa.** ‖ **2.** Risa fingida o falsa.

risión. f. fam. Burla o irrisión que se hace a uno. ‖ **2.** Persona o cosa objetos de esta burla.

riso. (Del lat. *risus*.) m. poét. Risa apacible. De uso corriente en Aragón y Murcia.

risotada. f. Carcajada, risa estrepitosa y descompuesta.

risotear. intr. Dar risotadas.

risoteo. m. Acción y efecto de risotear.

ríspido, da. (De re- e *híspido*.) adj. Áspero, violento, intratable.

rispión. m. *Cantabria.* **rastrojo.**

rispo, pa. adj. Áspero, violento, intratable.

riste. m. ant. **ristre.**

ristolero, ra. adj. *Ar.* y *Sal.* Alegre, jovial, risueño.

ristra. (Del lat. *restŭla*, d. de *restis*, cuerda.) f. Trenza hecha de los tallos de ajos o cebollas. ‖ **2.** fig. y fam. Conjunto de ciertas cosas colocadas unas tras otras.

ristre. (De *enristrar*.) m. Hierro injerido en la parte derecha del peto de la armadura antigua, donde encajaba el cabo de la manija de la lanza para afianzarlo en él.

ristrel. (De *listel*.) m. *Arq.* Listón grueso de madera.

ristrón. (De *rastra*, cría de una res que sigue a su madre.) m. Corderillo huérfano que sigue a todas partes al pastor que le cuida.

risueño, ña. (Del lat. *risus*, risa.) adj. Que muestra risa en el semblante. ‖ **2.** Que con facilidad se ríe. ‖ **3.** fig. De aspecto deleitable, o capaz, por alguna circunstancia, de infundir gozo o alegría. *Fuente* RISUEÑA; *prado* RISUEÑO. ‖ **4.** fig. Próspero, favorable.

rita. Voz del pastor al ganado menor, rita.

ritamente. (De *rito*[3].) adv. m. ant. Justa, legalmente.

rite. Voz repetida de los pastores para mover el ganado menor, para acelerar la marcha, atraerlo o alejarlo.

ritmar. tr. Sujetar a ritmo.

rítmico, ca. (Del lat. *rhythmĭcus*, y este del gr. ῥυθμικός.) adj. Perteneciente al ritmo o al metro. ‖ **2.** V. **acento rítmico.** ‖ **3.** V. **música rítmica.**

ritmo. (Del lat. *rhythmus*, y este del gr. ῥυθμός, de ῥέω, fluir.) m. Grata y armoniosa combinación y sucesión de voces y cláusulas y de pausas y cortes en el lenguaje poético y prosaico. ‖ **2.** Metro o verso. *Mudar de* RITMO. ‖ **3.** fig. Orden acompasado en la sucesión o acaecimiento de las cosas. ‖ **4.** *Mús.* Proporción guardada entre el tiempo de un movimiento y el de otro diferente.

rito[1]. (Del lat. *ritus*.) m. Costumbre o ceremonia. ‖ **2.** Conjunto de reglas establecidas para el culto y ceremonias religiosas. ‖ **abisinio.** El seguido por los católicos romanos de África Central bajo la autoridad de un vicario apostólico residente en Abisinia. ‖ **doble.** El más solemne con que la Iglesia celebra el oficio divino de una feria, vigilia o santo. ‖ **semidoble.** El que es menos solemne que el doble y más que el simple. ‖ **simple.** El menos solemne de los tres.

rito[2]. (De or. araucano.) m. *Chile.* Manta gruesa de hilo burdo.

rito[3], **ta.** (De *irrito*.) adj. ant. Válido, justo, legal.

ritón. (Del gr. ῥυτόν.) m. *Arqueol.* Vaso, a menudo en forma de cuerno o de cabeza de animal, usado en la antigüedad para beber.

ritornelo. (Del it. *ritornello*.) m. *Mús.* Trozo musical antes o después de un trozo cantado. ‖ **2.** Repetición, estribillo.

ritual. (Del lat. *rituālis*.) adj. Perteneciente o relativo al rito[1]. ‖ **2.** V. **libro ritual.** Ú. t. c. s. ‖ **3.** m. Conjunto de ritos de una religión o de una iglesia. ‖ **ser de ritual** una cosa. fr. fig. Estar impuesta por la costumbre.

ritualidad. f. Observancia de las formalidades prescritas para hacer una cosa.

ritualismo. m. Secta protestante inglesa que concede gran importancia a los ritos y tiende a acercarse al catolicismo. ‖ **2.** fig. En los actos jurídicos, y en general en los oficiales, exagerado predominio de las formalidades y trámites reglamentarios.

ritualista. com. Partidario del ritualismo.

rival. (Del lat. *rivālis*, de *rivus*, río.) adj. Dícese de quien compite con otro, pugnando por obtener una misma cosa o por superarle. Ú. m. c. s.

rivalidad. (Del lat. *rivalĭtas*, -ātis.) f. Calidad de rival. ‖ **2.** Enemistad producida por emulación o competencia muy vivas.

rivalizar. intr. **competir.**

rivera. (Del lat. *rivus*, riachuelo.) f. Arroyo, pequeño caudal de agua continua que corre por la tierra. ‖ **2.** Cauce por donde corre.

riza[1]. (Del lat. *recidīvus*.) f. Rastrojo del alcacer. ‖ **2.** Destrozo o estrago que se hace en una cosa. ‖ **hacer riza.** fr. fig. Causar gran destrozo y mortandad en una acción de guerra.

riza[2]. (Del lat. **rodicěa*, raeduras.) f. Residuo que, por estar duro, dejan en los pesebres las caballerías.

rizado, da. p. p. de **rizar.** ‖ **2.** adj. V. **paloma rizada.** ‖ **3.** m. Acción y efecto de rizar o rizarse. ‖ **4.** **rizoso.**

rizador, ra. adj. Que riza. Ú. t. c. s. ‖ **2.** m. Tenacillas para rizar el pelo.

rizal. adj. **ricial.**

rizar. (De *rizo*[1].) tr. Formar en el pelo artificialmente anillos o sortijas, bucles, tirabuzones, etc. ‖ **2.** Mover el viento la mar, formando olas pequeñas. Ú. t. c. prnl. ‖ **3.** Hacer en las telas, papel o cosa semejante dobleces menudos que forman diversas figuras. ‖ **4.** prnl. Ensortijarse el pelo naturalmente.

rizo[1]. (Del lat. *ericĭus*, erizo.) adj. Ensortijado o hecho **rizos** naturalmente. ‖ **2.** Aplícase a un terciopelo no cortado en el telar, áspero al tacto, y que forma una especie de cordoncillo. Lo hay liso y labrado. Ú. t. c. s. ‖ **3.** m. Mechón de pelo que artificial o naturalmente tiene forma de sortija, bucle o tirabuzón. ‖ **hacer el rizo.** fr. **rizar el rizo,** hacer dar al avión una vuelta completa. ‖ **rizar el rizo.** fr. Hacer dar al avión en el aire una como vuelta de campana. ‖ **2.** Apurar victoriosamente las máximas dificultades de una empresa o de una actividad cualquiera. ‖ **3.** fig. Complicar algo más de lo necesario.

rizo[2]. (Del fr. *ris*.) m. *Mar.* Cada uno de los pedazos de cabo blanco o cajeta, de dos pernadas, que pasando por los ollaos abiertos en línea horizontal en las velas de los buques, sirven como de envergues para la parte de aquellas que se deja orientada, y de tomadores para la que se recoge o aferra, siempre que por cualquier motivo conviene disminuir su superficie. ‖ **tomar rizos.** fr. *Mar.* Aferrar a la verga una parte de las velas, disminuyendo su superficie para que tomen menos viento.

rizo-. (Del gr. ῥιζο-.) elem. compos. que significa «raíz»: RIZófago, RIZópodo.

rizófago, ga. (Del gr. ῥίζα, raíz, y -fago.) adj. Zool. Dícese de los animales que se alimentan de raíces. Ú. t. c. s.

rizófito, ta o **rizófito, ta.** adj. Bot. Dícese del vegetal provisto de raíces. Ú. t. c. s. ‖ **2.** f. pl. Bot. Orden de estas plantas.

rizoforáceo, a. (De rizóforo.) adj. Bot. Dícese de árboles o arbustos angiospermos dicotiledóneos que viven en las costas de las regiones intertropicales, con muchas raíces, en parte visibles, hojas sencillas, opuestas y con estípulas; flores actinomorfas, hermafroditas o unisexuales, de cáliz persistente, y fruto indehiscente con una sola semilla sin albumen; como el mangle. Ú. t. c. s. f. ‖ **2.** f. pl. Bot. Familia de estas plantas.

rizóforo, a. (Del gr. ῥίζα, raíz, y φέρω, llevar.) adj. Bot. **rizoforáceo.**

rizoide. (Del gr. ῥίζα, raíz, y -oide.) adj. Bot. Dícese de los pelos o filamentos que hacen las veces de raíces en ciertas plantas que, como los musgos, carecen de estos órganos, absorbiendo del suelo el agua con las sales minerales que lleva en disolución. Ú. t. c. s.

rizoma. (Del gr. ῥίζωμα, raíz.) m. Bot. Tallo horizontal y subterráneo; como el del lirio común.

rizón. (Del lat. *ericīo, -ōnis, de ericīus, erizo.) m. Cantabria. Ancla de tres uñas.

rizópodo. (Del gr. ῥίζα, raíz, y πούς, ποδός, pie.) adj. Zool. Dícese del protozoo cuyo cuerpo es capaz de emitir seudópodos que le sirven para moverse y para apoderarse de las partículas orgánicas de que se alimenta. Ú. m. c. s. ‖ **2.** m. pl. Zool. Clase de estos animales.

rizoso, sa. (De rizo[1].) adj. Dícese del pelo que tiende a rizarse naturalmente.

ro. Voz que se usa repetida para arrullar a los niños.

roa. f. Mar. **roda[2].**

roanés, sa. adj. Natural de Ruán. Ú. t. c. s. ‖ **2.** Perteneciente o relativo a esta ciudad de Francia.

roano, na. (Del lat. *ravidānus, de ravidus.) adj. Aplícase al caballo o yegua cuyo pelo está mezclado de blanco, gris y bayo.

rob. (Del m. or. que arrope.) m. Farm. Arrope o cualquier zumo de frutos maduros, mezclado con alguna miel o azúcar cocido, hasta que tome la consistencia de jarabe o miel líquida.

robada. (De robo[2].) f. Medida usada en Navarra para la superficie de las tierras, equivalente a 8 áreas y 98 centiáreas.

robadera. f. **traílla,** cogedor grande que, arrastrado por dos caballos, sirve para igualar los terrenos.

robadizo. m. Tierra que el agua roba fácilmente. ‖ **2.** Arroyada que resulta donde ha sido robada la tierra por el agua.

robado, da. p. p. de **robar.** ‖ **2.** adj. V. **partido robado.** ‖ **3.** fig. y fam. V. **hospital robado.** ‖ **4.** fig. y fam. V. **casa robada.**

robador, ra. adj. Que roba. Ú. t. c. s. ‖ **2.** V. **tenderete robador.**

robaliza. f. Hembra del róbalo, mayor y de color más claro que el macho.

róbalo o **robalo.** (Metátesis de *lobarro, de lobo.) m. Pez teleósteo marino, del suborden de los acantopterigios, de siete a ocho decímetros de largo, cuerpo oblongo, cabeza apuntada, boca grande, dientes pequeños y agudos, dorso azul negruzco, vientre blanco, dos aletas en el lomo y cola recta. Vive en los mares de España y su carne es muy apreciada.

robamiento. m. ant. Acción y efecto de robar o arrobar el ánimo.

robar. (Del ant. a. al. roubôn.) tr. Quitar o tomar para sí con violencia o con fuerza lo ajeno. ‖ **2.** Tomar para sí lo ajeno, o hurtar de cualquier modo que sea. ‖ **3. raptar,** sacar

a una mujer con violencia o con engaño de la casa y potestad de sus padres o parientes. ‖ **4.** Llevarse los ríos y corrientes parte de la tierra contigua o de aquella por donde pasan. ‖ **5.** Redondear una punta o achaflanar una esquina. ‖ **6.** Entre colmeneros, sacar del peón partido todas las abejas, ponerlas en otro desocupado, y quitar de aquel todos los panales, poniendo el peón en el potro, y dándole golpecitos hasta que pasen al vacío las abejas. ‖ **7.** Tomar del monte naipes en ciertos juegos de cartas, y fichas en el del dominó. ‖ **8.** fig. Atraer con eficacia y violentamente el afecto o ánimo. ROBAR el corazón, el alma. ‖ **9.** prnl. amer. Huirse, escaparse.

robda[1]. (Del ár. rutba, impuesto.) f. ant. Impuesto que se pagaba por el paso de ganados.

robda[2]. (Del ár. rubt.) f. ant. Grupo de jinetes que vigilaban fuera del castillo o del real para avisar al ejército de la inminencia del peligro; guardia nocturna.

robeco. m. Ast. **robezo.**

robellón. (Del lat. rubellīo, -ōnis, rojizo.) m. Mízcalo o agárico comestible.

robería. f. ant. **robo[1].**

robezo. (Quizá del lat. rupes, roca.) m. **gamuza,** especie de antílope.

robín. (Del lat. rubīgo, -ĭnis.) m. Orín o herrumbre de los metales.

robinia. (Del botánico francés Juan Robin, que la trajo a Europa.) f. **acacia falsa.**

robinsón. (Por alusión a Robinsón Crusoe, protagonista de una novela de Daniel Defoe, 1659?-1731.) m. fig. Hombre que en la soledad y sin ayuda ajena llega a bastarse a sí mismo.

robinsoniano, na. adj. Perteneciente o relativo al héroe novelesco Robinson Crusoe, o propio de él. ‖ **2.** Perteneciente o relativo a un robinsón, o propio de él.

robinsonismo. m. Modo de vida propio de Robinsón Crusoe, o de un robinsón.

robiñano. m. p. us. Nombre que se da a una persona cuyo nombre se ignora.

robla. (De roblar, robrar.) f. **robra,** agasajo del comprador o vendedor a los que intervienen en una venta. ‖ **2.** Comida con que se obsequia al terminar un trabajo.

robladero, ra. adj. Hecho de modo que pueda roblarse.

robladura. f. Redobladura de la punta de un clavo, perno o cosa semejante.

roblar. (Del lat. roborāre, fortificar, dar firmeza.) tr. Hacer la robla. ‖ **2.** Doblar o remachar una pieza de hierro para que esté más firme; como el clavo, etc. Ú. t. c. prnl.

roble. (De robre.) m. Árbol de la familia de las fagáceas, que tiene por lo común de 15 a 20 metros de altura y llega a veces hasta 40, con tronco grueso y grandes ramas tortuosas; hojas perennes, casi sentadas, trasovadas, lampiñas y de margen lobulado; flores de color verde amarillento en amentos axilares, y por fruto bellotas pedunculadas, amargas. Su madera es dura, compacta, de color pardo amarillento y muy apreciada para construcciones. Se cría en España. ‖ **2.** Madera de este árbol. ‖ **3.** fig. Persona o cosa fuerte, recia y de gran resistencia. ‖ **albar.** Especie que se distingue de la común por tener las hojas pecioladas y las bellotas sin rabillo. Se cría en España. ‖ **borne. melojo.** ‖ **carrasqueño. quejigo.** ‖ **negral, negro,** o **villano. melojo.**

robleda. f. Sitio poblado de robles.

robledal. m. Robledo de gran extensión.

robledo. (De robredo.) m. Sitio poblado de robles.

roblizo, za. adj. Fuerte, recio y duro.

roblón. m. Clavo o clavija de hierro o de otro metal dulce, con cabeza en un extremo, y que después de pasada por los taladros de las piezas que ha de asegurar, se remacha hasta formar otra cabeza en el extremo opuesto. ‖ **2.** Clavo especial destinado a roblarse. ‖ **3.** Lomo que en el tejado forman las tejas por su parte convexa. ‖ **4.** *Burg.* Tejo que se tira en algunos juegos. ‖ **5.** *Col.* Teja que se pone con la parte cóncava hacia abajo.

roblonado, da. p. p. de **roblonar.** Ú. t. c. adj. ‖ **2.** m. Acción y efecto de roblonar.

roblonar. tr. Sujetar con roblones remachados.

robo[1]. m. Acción y efecto de robar. ‖ **2.** Cosa robada. ‖ **3.** En algunos juegos de naipes y en el dominó, número de cartas o de fichas que se toman del monte o baceta. ‖ **4.** *Der.* Delito que se comete apoderándose con ánimo de lucro de cosa mueble, ajena, empleándose violencia o intimidación sobre las personas, o fuerza en las cosas. ‖ **ir al robo.** fr. En algunos juegos de naipes, robar, tomar del monte. ‖ **meter a robo.** fr. ant. **meter a saco.**

robo[2]. (Del ár. *rub',* cuarto, cuarta parte: véase *arroba.*) m. Medida de trigo, cebada y otros áridos, usada en Navarra y equivalente a 28 litros y 13 centilitros.

roboración. f. Acción y efecto de roborar.

roborante. (Del lat. *robŏrans, -antis.*) p. a. de **roborar.** Que robora. Aplícase especialmente a los medicamentos que tienen virtud de confortar.

roborar. (Del lat. *roborāre.*) tr. Dar fuerza y firmeza a una cosa. ‖ **2.** ant. Otorgar, confirmar, rubricar una cosa. ‖ **3.** fig. Reforzar con razones o argumentos.

roborativo, va. adj. Que sirve para roborar.

robot. (Del ing. *robot,* y este del checo *robota,* trabajo, prestación personal.) m. Ingenio electrónico que puede ejecutar automáticamente operaciones o movimientos muy varios. ‖ **2.** Autómata.

robótica. f. Técnica que aplica la informática al diseño y empleo de aparatos que, en sustitución de personas, realizan operaciones o trabajos, por lo general en instalaciones industriales.

robra. f. Agasajo del comprador o del vendedor a los que intervienen en una venta. ‖ **2.** ant. Escritura o papel autorizado para la seguridad de las compras y ventas o de cualquier otra cosa.

robramiento. m. ant. Acción de robrar.

robrar. (Del lat. *roborāre.*) tr. ant. Hacer la robra o escritura.

robre. (Del lat. *robur, -ŏris.*) m. **roble.**

robredal. (De *robredo.*) m. **robledal.**

robredo. (Del lat. *roborētum.*) m. **robledo.**

robustamente. adv. m. Con robustez.

robustecedor, ra. adj. Que robustece.

robustecer. tr. Dar robustez. Ú. t. c. prnl.

robustecimiento. m. Acción y efecto de robustecer.

robustez. f. Calidad de robusto.

robusteza. f. Calidad de robusto.

robusticidad. f. desus. Robusteza.

robustidad. f. ant. Calidad de robusto.

robusto, ta. (Del lat. *robustus.*) adj. Fuerte, vigoroso, firme. ‖ **2.** Que tiene fuertes miembros y firme salud.

roca. (De or. inc.) f. Piedra, o vena de ella, muy dura y sólida. ‖ **2.** Peñasco que se levanta en la tierra o en el mar. ‖ **3.** V. **cristal de roca.** ‖ **4.** fig. Cosa muy dura, firme y constante. ‖ **5.** *Geol.* Sustancia mineral que por su extensión forma parte importante de la masa terrestre.

rocada. f. Copo de materia textil que se pone de cada vez en la rueca.

rocadero. (De *rueca.*) m. **capirote,** capirote cónico de papel que se ponía a algunos delincuentes. ‖ **2.** Armazón en figura de piña, formada de tres o más varillas curvas, que en la parte superior de la rueca sirve para recoger el copo que se ha de hilar. ‖ **3.** Envoltura que se pone en esta parte para asegurar el copo.

rocador. (De *rueca.*) m. Rocadero de la rueca. ‖ **2.** *Sal.* Mantilla semicircular que usan las charras. Se hace de terciopelo o veludillo y se adorna con abalorios. ‖ **3.** *Áv.*

Sombrero de copa cónica y alas anchas con reborde que usan los campesinos.

rocalla. f. Conjunto de piedrecillas desprendidas de las rocas por la acción del tiempo o del agua, o que han saltado al labrar las piedras. ‖ **2.** Abalorio grueso. ‖ **3.** Decoración disimétrica inspirada en el arte chino, que imita contornos de piedras y de conchas. Caracteriza una modalidad del estilo cortesano en el reinado de Luis XV en la arquitectura, la cerámica y el moblaje.

rocalloso, sa. adj. Abundante en rocalla.

rocambola. (Del fr. *rocambole.*) f. Planta de la familia de las liliáceas, que se cultiva en las huertas y se usa para condimento en sustitución del ajo.

rocambolesco, ca. (Por alusión a *Rocambole,* personaje creado por Ponson du Terrail.) adj. Dícese de la serie de hechos o circunstancias extraordinarias, exageradas o inverosímiles.

rocambor. m. *Amér. Merid.* Juego de naipes muy parecido al tresillo.

roce. m. Acción y efecto de rozar o rozarse. ‖ **2.** fig. Trato o comunicación frecuente con algunas personas.

rocera. (De *roza.*) adj. V. **leña rocera.**

rocería. (De *rozar.*) m. *Col.* Roza, desmonte, derribo.

rocero, ra. adj. *Ar.* y *Nav.* Dícese de la persona ordinaria o aficionada a tratar con gente inferior o baja.

rociada. f. Acción y efecto de rociar. ‖ **2.** Rocío de la tierra y de las plantas. ‖ **3.** Hierba con el rocío, que se da por medicina a las bestias caballares. ‖ **4.** fig. Conjunto de cosas que se esparcen al arrojarlas. *Una* ROCIADA *de perdigones.* ‖ **5.** fig. Murmuración en que se comprende y zahiere maliciosamente a muchos. ‖ **6.** fig. Reprensión áspera con que se reconviene a uno.

rociadera. f. Regadera.

rociado, da. p. p. de **rociar.** ‖ **2.** adj. Mojado por el rocío, o que participa de él.

rociador. m. Brocha o escobón para rociar la ropa. ‖ **2.** **pulverizador.**

rociadura. f. Acción y efecto de rociar.

rociamiento. m. Acción y efecto de rociar.

rociar. (Del lat. **roscidāre,* de *roscidus,* rocío.) intr. impers. Caer sobre la tierra el rocío o la lluvia menuda. ‖ **2.** tr. Esparcir en menudas gotas el agua u otro líquido. ‖ **3.** fig. Arrojar algunas cosas de modo que caigan diseminadas. ‖ **4.** fig. Gratificar al jugador a quien prestó dinero en la casa de juego.

rociero, ra. m. y f. Persona que acude a la romería de la Virgen del Rocío, en Huelva.

rocín. (De or. inc.) m. Caballo de mala traza, basto y de poca alzada. ‖ **2.** Caballo de trabajo, a distinción del de regalo. *Un* ROCÍN *de campo.* ‖ **3.** fig. y fam. Hombre tosco, ignorante y mal educado. ‖ **aunque se aventuren rocín y manzanas.** expr. fig. y fam. con que se da a entender la resolución en que se está de hacer una cosa aunque sea con riesgo y pérdida. ‖ **ir, o venir, de rocín a ruin.** fr. fig. y fam. Decaer o ir de mal en peor. ‖ **rocín y manzanas.** expr. fig. y fam. **aunque se aventuren rocín y manzanas.**

rocinal. adj. Perteneciente al rocín.

rocinante. (Por alusión al caballo de don Quijote.) m. fig. Rocín matalón.

rociniego, ga. adj. Perteneciente o relativo al rocín.

rocino. m. **rocín.**

rocío. m. Vapor que con la frialdad de la noche se condensa en la atmósfera en muy menudas gotas, las cuales aparecen luego sobre la superficie de la tierra o sobre las plantas. ‖ **2.** Las mismas gotas perceptibles a la vista. ‖ **3.** Lluvia corta y pasajera. ‖ **4.** fig. Gotas menudas esparcidas sobre una cosa para humedecerla.

rocíón. m. Salpicadura copiosa y violenta de agua del mar, producida por el choque de las olas contra un obstáculo cualquiera. ‖ **2.** Rocío de la tierra y de las plantas. ‖ **3.** fig. Filípica, reprimenda.

rococó. (Del fr. *rococo*, forma jocosa de *rocaille*.) adj. Dícese del estilo barroco que predominó en Francia en tiempo de Luis XV. Ú. t. c. s.

rocoso, sa. adj. Dícese del lugar lleno de rocas.

rocoto. (De or. quechua.) m. *Amér. Merid.* Planta y fruto de una especie de ají grande, de la familia de las solanáceas.

rocha. (De *rochar*[1].) f. Acción y efecto de rochar la tierra. ‖ **2.** Tierra rochada.

rochar[1]. (Del lat. **ruptiāre*, de *ruptus, rumpĕre*.) tr. Rozar la tierra limpiándola de matas.

rochar[2]. tr. *Chile.* Sorprender a alguien en algo ilícito.

rochela. f. *Col.* y *Venez.* Bullicio, algazara.

rochelés, sa. adj. Natural de La Rochela. Ú. t. c. s. ‖ **2.** Perteneciente o relativo a esta ciudad de Francia.

rocho. (Del m. or. que *ruc.*) m. Ave fabulosa a la cual se atribuye desmesurado tamaño y extraordinaria fuerza.

roda[1]. f. Tributo u obsequio al terminar algunos trabajos.

roda[2]. (Del gall. o del port. *roda*, y este del lat. *rota*, rueda.) f. *Mar.* Pieza gruesa y curva, de madera o hierro, que forma la proa de la nave.

rodaballo. (De or. inc.) m. Pez teleósteo, anacanto, de unos ocho decímetros de largo, con cuerpo aplanado, asimétrico, blanquecino y liso por debajo, pardo azulado con escamas tuberculosas muy duras por encima, cabeza pequeña, los ojos en el lado izquierdo, aleta dorsal tan larga como todo el cuerpo, y cola casi redonda. Es el más ancho de los peces planos y llega a alcanzar un metro de anchura. ‖ **2.** fig. y fam. Hombre taimado y astuto.

rodachina. f. *Col.* girándula.

rodada. f. Señal que deja impresa la rueda de un vehículo en el suelo por donde pasa.

rodadero, ra. adj. Que rueda con facilidad. ‖ **2.** Que está en disposición o figura para rodar. ‖ **3.** m. Terreno pedregoso y con fuerte declive en el que se producen fácilmente desprendimientos de tierras y guijarros.

rodadizo, za. adj. Que rueda con facilidad.

rodado[1]**, da.** adj. Dícese del caballo o yegua que tiene manchas, ordinariamente redondas, más oscuras que el color general de su pelo. ‖ **2.** V. **privilegio rodado.** ‖ **3.** V. **leña rodada.** ‖ **4.** m. *León.* Especie de refajo que usan las mujeres. ‖ **5.** *Argent.* y *Chile.* Cualquier vehículo de ruedas.

rodado[2]**, da.** p. p. de **rodar.** ‖ **2.** adj. V. **artillería, piedra rodada.** ‖ **3.** V. **canto rodado.** ‖ **4.** Aplícase al período, cláusula o frase que se distingue por su fluidez o facilidad. ‖ **5.** Dícese del tránsito de vehículos de rueda, y del transporte o transbordo que se realizan valiéndose de ellos. ‖ **6.** *Min.* Dícese de los pedazos de mineral desprendidos de la veta y esparcidos naturalmente por el suelo. Ú. t. c. s.

rodador, ra. (Del lat. *rotātor, -ōris.*) adj. Que rueda o cae rodando. ‖ **2.** m. Mosquito de algunos países de América que cuando se llena de sangre rueda y cae como la sanguijuela. ‖ **3.** **llaneador,** corredor en terreno llano. ‖ **4.** **rueda,** paz.

rodadura. f. Acción y efecto de rodar.

rodaja. f. Pieza circular y plana, de madera, metal u otra materia. ‖ **2.** Tajada circular o rueda de algunos alimentos. RODAJA *de patata.* ‖ **3.** Estrella de la espuela. ‖ **4.** fam. Carnosidad saliente o rosca del cuello, pezón o pierna.

rodaje. m. Conjunto de ruedas. *El* RODAJE *de un reloj.* ‖ **2.** Impuesto o arbitrio sobre los carruajes. ‖ **3.** Acción de impresionar una película cinematográfica. ‖ **4.** Situación en que se halla un vehículo automóvil mientras no ha rodado la distancia inicial prescrita por el constructor; hasta entonces debe usarse con especiales cuidados, entre ellos

limitación de velocidad, a fin de que los juegos adquieran el huelgo necesario para la marcha normal.

rodajear. tr. *El Salv., Guat.* y *Nicar.* Partir o cortar algo en rodajas.

rodal. m. Lugar, sitio o espacio pequeño que por alguna circunstancia particular se distingue de lo que le rodea. ‖ **2.** Parte de una cosa con distinto color del general. ‖ **3.** Conjunto de plantas que pueblan un terreno diferenciándolo de los colindantes. ‖ **4.** Rodada. ‖ **5.** **ruedo,** esterilla. ‖ **6.** *Ast., Cantabria* y *León.* Conjunto del eje de un carro con sus dos ruedas.

rodalán. m. Planta americana de la familia de las oenoteráceas, con tallos rastreros, flores grandes y blancas que se abren al ponerse el Sol, y cápsulas oblongas, aovadas.

rodamiento. m. *Mec.* Cojinete formado por dos cilindros concéntricos, entre los que se intercala una corona de bolas o rodillos que pueden girar libremente.

rodancha. f. *Ar., Murc.* y *Sor.* Roncha, rodaja.

rodancho. m. *Germ.* **broquel,** escudo pequeño.

rodano, na. adj. ant. **rodio**[2].

rodapelo. m. Redopelo, redropelo.

rodapié. m. Paramento de madera, tela u otra materia con que se cubren alrededor los pies de las camas, mesas y otros muebles. ‖ **2. friso,** zócalo de una pared. ‖ **3.** Tabla, celosía o enrejado que se pone en la parte inferior de la barandilla de los balcones para que no se vean los pies de las personas asomadas a ellos.

rodaplancha. f. Abertura que divide el paletón hasta la tija, y permite a la llave rodar en la plancha que forma la guarda de la cerradura.

rodar. (Del lat. *rotāre.*) intr. Dar vueltas un cuerpo alrededor de su eje, ya sea sin mudar de lugar, como la piedra de un molino, o ya mudando, como la bola que corre por el suelo. ‖ **2.** Moverse una cosa por medio de ruedas. RODAR *un coche.* ‖ **3.** Caer dando vueltas o caer resbalando por una pendiente. ‖ **4.** fig. No tener una cosa colocación fija, por desprecio o descuido. ‖ **5.** fig. Ir de un lado por otro sin fijarse o establecerse en sitio determinado. ‖ **6.** fig. Abundar o correr el dinero. *En aquella casa* RUEDA *el dinero.* ‖ **7.** fig. Andar inútilmente en pretensiones. ‖ **8.** fig. Suceder unas cosas a otras. ‖ **9.** tr. Hacer que **rueden** ciertas cosas. RODAR *un aro,* RODAR *un tonel.* ‖ **10.** Hacer que un automóvil marche sin rebasar las velocidades prescritas por el constructor para el rodaje. ‖ **11.** Filmar o impresionar una película cinematográfica. ‖ **12.** Pasar o proyectar la película a mano por medio de un proyector. ‖ **rodar** uno **por** otro. fr. fig. y fam. Estar pronto y dispuesto para servirle y hacer cuanto mandare o pidiere, por difícil que sea.

Rodas. n. p. V. **olivastro de Rodas.**

rodea. f. Paño de cocina, rodilla.

rodeabrazo (a). loc. adv. Dando una vuelta al brazo para arrojar o despedir una cosa con él.

rodeador, ra. adj. Que rodea.

rodear. intr. Andar alrededor. ‖ **2.** Ir por camino más largo que el ordinario o regular. ‖ **3.** fig. Usar circunloquios o rodeos en lo que se dice. ‖ **4.** *Sal.* Sestear el ganado vacuno. ‖ **5.** tr. Poner una o varias cosas alrededor de otra. Ú. t. c. prnl. ‖ **6.** Cercar una cosa cogiéndola en medio. ‖ **7.** Hacer dar vuelta a una cosa. *No pudo* RODEAR *la mula ni a un lado ni a otro.* ‖ **8.** *Argent., Col., Cuba, Chile, Nicar.* y *Perú.* Reunir el ganado mayor en un sitio determinado, arreándolo desde los distintos lugares en donde pace. ‖ **9.** prnl. Revolverse, removerse, rebullirse, volverse.

rodela. (Del prov. *rodella.*) f. Escudo redondo y delgado que, embrazado en el brazo izquierdo, cubría el pecho al que se servía de él peleando con espada.

rodelero. m. Soldado que usaba rodela. ‖ **2.** Soldado que, como paje de armas, llevaba la rodela de su superior.

‖ **3.** Mozo inquieto y que rondaba de noche con espada y rodela.

rodenal. m. Sitio poblado de pinos rodenos.

rodeno, na. (Del lat. *ravĭdus,* de *ravus,* grisáceo.) adj. Que tira a rojo. Dícese de tierras, rocas, etc. ‖ **2.** V. **pino rodeno.**

rodeo. m. Acción de rodear. ‖ **2.** Camino más largo o desvío del camino derecho. ‖ **3.** Vuelta o regate para librarse de quien persigue. ‖ **4.** Sitio donde se reúne el ganado mayor, bien para sestear o para pasar la noche, o bien para contar las reses o para venderlas. ‖ **5.** Reunión del ganado mayor para reconocerlo, para contar las cabezas, o para cualquier otro fin. ‖ **6.** En algunos países de América, deporte que consiste en montar a pelo potros salvajes o reses vacunas bravas y hacer otros ejercicios como arrojar el lazo, etc. ‖ **7.** fig. Manera indirecta o medio no habitual empleado para hacer alguna cosa, a fin de eludir las dificultades que presenta. ‖ **8.** fig. Manera de decir una cosa, valiéndose de términos o expresiones que no la dan a entender sino indirectamente. ‖ **9.** fig. Escape o efugio para disimular la verdad, para eludir la instancia que se hace sobre un asunto. ‖ **10.** *Sal.* Siesta del ganado vacuno en el campo. ‖ **11.** *Germ.* Conjunto o reunión de ladrones o de rufianes. ‖ **parar rodeo.** fr. *Argent.* y *Urug.* Reunir los animales para contarlos y separar los que pertenecen a distintos dueños o están destinados a la venta.

rodeón. m. aum. de **rodeo.** ‖ **2.** Vuelta en redondo.

rodera. f. Rodada de un vehículo en el suelo. ‖ **2.** Camino abierto por el paso de los carros a través de los campos. ‖ **3.** Rueda que encaja en el eje sin tener el cubo guarnecido con buje de hierro.

rodericense. (Del lat. *Rodericum,* hoy Ciudad Rodrigo.) adj. Natural de Ciudad Rodrigo. Ú. t. c. s. ‖ **2.** Perteneciente o relativo a esta ciudad, de la provincia de Salamanca.

rodero¹. m. El que cobraba el tributo de la roda¹.

rodero², ra. adj. Perteneciente a la rueda o que sirve para ella. ‖ **2.** V. **mazo rodero.** ‖ **3.** m. desus. Mozo que estaba encargado en las imprentas de mover la rueda de las máquinas.

roderón. m. *León, Cantabria* y *Sal.* Rodada honda del suelo.

rodete. m. Rosca que con las trenzas del pelo se hacen las mujeres para tenerlo recogido y para adorno de la cabeza. ‖ **2.** Rosca de lienzo, paño u otra materia que se pone en la cabeza para cargar y llevar sobre ella un peso. ‖ **3.** Chapa circular fija en lo interior de la cerradura, para que pueda girar únicamente la llave cuyas guardas se ajustan a ella. ‖ **4.** Rueda horizontal, debajo del pescante, donde gira el juego delantero del coche para tomar con facilidad las vueltas. ‖ **5.** Pieza giratoria cilíndrica achatada y de canto plano sobre el cual pasan las correas sin fin en diferentes maquinarias. ‖ **6.** *Blas.* Trenza o cordón que rodea la parte superior del yelmo y que sirve de cimera. ‖ **7.** *Mec.* Rueda hidráulica horizontal con paletas.

rodezno. (Del lat. **roticĭnus,* de *rota,* rueda.) m. Rueda hidráulica para paletas curvas y eje vertical. ‖ **2.** Rueda dentada que engrana con la que está unida a la muela de la tahona.

rodezuela. f. d. de **rueda.**

rodil. m. *Sal.* Prado situado entre tierras de labranza.

rodilla. (Del lat. *rotella,* d. de *rota,* rueda.) f. Conjunto de partes blandas y duras que forman la unión del muslo con la pierna, y, particularmente, región prominente de dicho conjunto. ‖ **2.** En los cuadrúpedos, unión del antebrazo con la caña. ‖ **3.** **rodete** para llevar pesos en la cabeza. ‖ **4.** Paño basto u ordinario, regularmente de lienzo, que sirve para limpiar, especialmente en la cocina. ‖ **a media rodilla.** loc. adv. Con solo una **rodilla** doblada y apoyada en el suelo. ‖ **de rodilla en rodilla.** loc. adv. fig. De varón

en varón. ‖ **de rodillas.** loc. adv. Con las **rodillas** dobladas y apoyadas en el suelo, y el cuerpo descansando sobre ellas, generalmente en señal de respeto o veneración, o por castigo o penitencia. Ú. m. con los verbos *estar, hincar* y *poner.* ‖ **2.** fig. En tono suplicante y con ahínco. ‖ **doblar** uno **la rodilla.** fr. Arrodillarse, apoyando una sola **rodilla** en tierra. ‖ **2.** fig. Sujetarse, humillarse a otro. ‖ **estar** uno **en** tal **rodilla con** otro. fr. Estar con él en tal grado de parentesco en línea recta. Así, cuando se dice que uno está en cuarta o quinta **rodilla** con otro, se entiende que es su cuarto o quinto nieto. ‖ **hincar** uno **la rodilla.** fr. doblar la **rodilla.** ‖ **hincar** uno **las rodillas,** o **hincarse de rodillas.** fr. **arrodillarse.**

rodillada. f. Golpe dado con la rodilla. ‖ **2.** Golpe que se recibe en la rodilla. ‖ **3.** Inclinación o postura de la rodilla en tierra.

rodillazo. m. Golpe dado con la rodilla.

rodillera. f. Cualquier cosa que se pone para comodidad, defensa o adorno de la rodilla. ‖ **2.** Pieza o remiendo que se echa a los pantalones, calzones, calzoncillos u otra ropa, en la parte que sirve para cubrir la rodilla. ‖ **3.** Convexidad que llega a formar el pantalón en la parte que cae sobre la rodilla. ‖ **4.** Herida que se hacen las caballerías al caer de rodillas. ‖ **5.** Cicatriz de esta herida. ‖ **6.** *Sal.* y *Sto. Dom.* Rosca de paño o lienzo para llevar pesos en la cabeza.

rodillero, ra. adj. Perteneciente a las rodillas. ‖ **2.** m. Banca para lavar en el río de rodillas.

rodillo. (Del lat. *rotella.*) m. Madero redondo y fuerte que se hace rodar por el suelo para llevar sobre él una cosa de mucho peso y arrastrarla con más facilidad. ‖ **2.** Cilindro muy pesado de piedra o de hierro, que se hace rodar para allanar y apretar la tierra o para consolidar el firme de las carreteras. ‖ **3.** Cilindro que se emplea para dar tinta en las imprentas, litografías, etc. ‖ **4.** Pieza de metal, cilíndrica y giratoria, que forma parte de diversos mecanismos. ‖ **5.** Cilindro de madera para estirar la masa. ‖ **6.** *Alm.* Especie de rastro sin dientes y con el mango largo. ‖ **7.** *Sal.* y *Zam.* Prado situado entre tierras de labranza. ‖ **de rodillo a rodillo.** loc. adv. Haciendo rodar con violencia una bola en el juego de bochas, para que, dando a otra bola o al bolín, le haga cambiar de lugar.

rodilludo, da. adj. Que tiene abultadas las rodillas.

rodio¹. (Del gr. ῥόδον, rosa, por el color de las sales del metal.) m. *Quím.* Metal que en pequeñísima cantidad se halla algunas veces combinado con el oro y el platino. Es de color blanco de plata, no le atacan los ácidos y es difícilmente fusible. Su cloruro es de color rojo intenso. Núm. atómico 45. Símb.: *Rh.*

rodio², dia. (Del lat. *Rhodĭus.*) adj. Natural de Rodas. Ú. t. c. s. ‖ **2.** Perteneciente o relativo a esta isla del Archipiélago. ‖ **3.** Aplícase al estilo de los escritores de Rodas, que no era ni tan conciso y limado como el ático, ni tan exuberante y difuso como el asiático. ‖ **4.** Aplícase a la más antigua ley marítima acerca de la echazón. ‖ **5.** V. **raíz rodia.**

rodiota. adj. Natural de Rodas. Ú. t. c. s.

rodo¹. (Del lat. *rutrum,* rodillo.) m. Rodillo para arrastrar cosas de mucho peso. ‖ **2.** Cilindro muy pesado para allanar el suelo.

rodo². (De *rodar.*) m. *León.* Manteo que usan las maragatas. ‖ **2.** *Sal.* Faldón de la camisa, que suele ser de tela más tosca que el resto de la prenda. ‖ **a rodo.** loc. adv. En abundancia, a porrillo.

rododafne. (Del lat. *rhododaphne,* y este del gr. ῥοδοδάφνη; de ῥόδον, rosa, y δάφνη, laurel.) f. Adelfa, arbusto. ‖ **2.** Flor de este arbusto.

rododendro. (Del lat. *rhododendron,* y este del gr. ῥοδόδενδρον; de ῥόδον, rosa, y δένδρον, árbol.) m. Arbolillo de la familia de las ericáceas, de dos a cinco metros de altura, con hojas persistentes, coriáceas, oblongas, agudas, verdes y lustrosas por el haz y pálidas por el envés; flores en corimbo, con cáliz corto y corola grande, acampanada, de cinco lóbulos desiguales, sonrosada o purpúrea, y fruto capsular. Es propio de las regiones montañosas del hemisferio boreal y sus muchas variedades se cultivan como plantas de adorno.

rodomiel. (Del lat. *rhodoméli*, y este del gr. ῥοδόμελι; de ῥόδον, rosa, y μέλι, miel.) m. Jarabe de miel y agua de rosas.

rodrejo, ja. (Del lat. *retrucŭlus*, tardío, de *retro*, atrás.) adj. *Murc.* Aplícase a la fruta que no llega a sazón. ‖ **2.** f. *Guad.* y *Rioja.* Especie de ciruela verdal, temprana, que no llega a tener madurez completa.

rodriga. (Del lat. *ridicŭla*, d. de *ridĭca*, sostén de planta.) f. Rodrigón para sostener plantas.

rodrigar. tr. Poner rodrigones a las plantas.

rodrigazón. f. Tiempo de poner rodrigones.

rodrigón. m. **tutor,** vara, palo o caña, que se clava al pie de una planta y sirve para sostener, sujetos con ligaduras, sus tallos y ramas. ‖ **2.** fig. y fam. Criado anciano que servía para acompañar señoras.

roedor, ra. adj. Que roe. ‖ **2.** fig. Que conmueve, punza o agita el ánimo. ‖ **3.** *Zool.* Dícese de mamíferos generalmente pequeños, unguiculados, con dos incisivos en cada mandíbula, largos, fuertes y encorvados hacia fuera, cuyo crecimiento es continuo y sirven para roer; como la ardilla, el ratón y el castor. Ú. t. c. s. ‖ **4.** m. pl. *Zool.* Orden de estos mamíferos.

roedura. f. Acción de roer. ‖ **2.** Porción que se corta royendo. ‖ **3.** Señal que queda en la parte roída.

roel. (Del fr. *roelle*, disco.) m. *Blas.* Pieza redonda en los escudos de armas.

roela. (Del fr. *roelle*.) f. Disco de oro o de plata en bruto.

roentgen. (Del apellido de Guillermo Conrado von *Roenthgen*, físico alemán descubridor de los rayos X, 1845-1923.) m. **roentgenio** en la nomenclatura internacional.

roentgenio. (De *roentgen*.) m. *Fís.* y *Med.* Unidad electrostática cegesimal de poder ionizante con relación al aire. Se emplea en las aplicaciones terapéuticas de los rayos X.

roer. (Del lat. *rodĕre*.) tr. Cortar, descantillar menuda y superficialmente con los dientes parte de una cosa dura. ‖ **2.** Comerse las abejas la materia o maestril después de haberlo cerrado. ‖ **3.** Quitar poco a poco con los dientes a un hueso la carne que se le quedó pegada. ‖ **4.** fig. Gastar o quitar superficialmente, poco a poco y por partes menudas. ‖ **5.** fig. Molestar, afligir o atormentar interiormente y con frecuencia.

roete. (Del lat. *rhoítes*, y este del gr. ῥοΐτης.) m. Vino medicinal hecho con zumo de granadas.

rogación. (Del lat. *rogatĭo, -ōnis*.) f. Acción de rogar. ‖ **2.** pl. Letanías en procesiones públicas, que se hacían en determinados días del año.

rogado, da. p. p. de **rogar.** ‖ **2.** adj. Aplícase a la persona que gusta que le rueguen mucho antes de acceder a lo que le piden.

rogador, ra. (Del lat. *rogātor, -ōris*.) adj. Que ruega. Ú. t. c. s.

rogar. (Del lat. *rogāre*.) tr. Pedir por gracia una cosa. ‖ **2.** Instar con súplicas.

rogaria. f. ant. Ruego, súplica. ‖ **2.** ant. Función religiosa del pueblo para pedir remedio en una necesidad.

rogativa. (De *rogativo*.) f. Oración pública hecha a Dios para conseguir el remedio de una grave necesidad. Ú. m. en pl.

rogativo, va. (Del lat. *rogātum*, supino de *rogāre*, rogar.) adj. Que incluye ruego.

rogatorio, ria. adj. Que implica ruego. ‖ **2.** *Der.* V. **comisión rogatoria.**

roge. (Del vasc. *herrogi*, pan del pueblo.) m. *Nav.* Roscón que se lleva a la iglesia como ofrenda el día de la Candelaria y el de San Blas.

rogo. (Del lat. *rogus*.) m. poét. Hoguera, pira.

roído, da. p. p. de **roer.** ‖ **2.** adj. fig. y fam. Corto, despreciable, dado con miseria.

rojal. adj. Que tira a rojo. Dícese de las tierras, plantas y semillas. ‖ **2.** m. Terreno cuyo color tira a rojo. ‖ **3.** f. *Albac.* **uva rojal.**

rojear. intr. Mostrar una cosa el color rojo que en sí tiene. ‖ **2.** Tirar a rojo.

rojete. m. Colorete, arrebol.

rojeto, ta. adj. ant. Que tira a rojo.

rojez. f. Calidad de rojo. ‖ **2.** Mancha roja en la piel.

rojiclé. m. ant. Color rosado claro de la aurora, rosicler.

rojizo, za. adj. Que tira a rojo.

rojo, ja. (Del lat. *russus*.) adj. Encarnado muy vivo. Ú. t. c. s. Es el primer color del espectro solar. ‖ **2. rubio,** de color parecido al oro. ‖ **3.** Dícese del pelo de un rubio muy vivo, casi colorado. ‖ **4.** V. **abeto, lápiz, libro, ocre, oligisto, sándalo rojo.** ‖ **5.** V. **agua, bala, caparrosa, consuelda, plata, pudrición roja.** ‖ **6.** En política, radical, revolucionario. Ú. m. c. s. ‖ **7.** *Quím.* V. **precipitado rojo.** ‖ **alambrado o vivo.** De color encendido de brasa. ‖ **al rojo.** loc. que se aplica al hierro u otra materia cuando por el efecto de una alta temperatura toma dicho color. ‖ **2.** fig. Muy exaltadas las pasiones. ‖ **al rojo blanco.** loc. Cuando por la elevada temperatura el color rojo de la materia incandescente se torna blanquecino. ‖ **al rojo cereza.** loc. Cuando el color **rojo** de la materia incandescente es oscuro semejante al de las cerezas. ‖ **al rojo vivo.** loc. fig. **al rojo,** muy exaltadas las pasiones.

rojura. f. Calidad de rojo.

rol. (Del cat. *rol*, y este del lat. *rotŭlus*, cilindro.) m. Rolde o rollo. ‖ **2.** Lista o nómina. ‖ **3.** *Mar.* Licencia que da el comandante de una provincia marítima al capitán o patrón de un buque, y en la cual consta la lista de la marinería que lleva.

rolar. (Del lat. *rotulāre*.) intr. *Cád.* Rodar, dar vueltas. ‖ **2.** *Mar.* Dar vueltas en círculo. ‖ **3.** *Mar.* Ir variando de dirección el viento.

roldana. (De un der. del lat. *rotŭla*, ruedecilla.) f. ant. Vasija para vino. ‖ **2.** Rodaja por donde corre la cuerda en un motón o garrucha.

roldar. (Del lat. *rotulāre*.) intr. Rondar, circular. Ú. t. c. tr.

rolde. m. Corro o rueda de personas. ‖ **2.** *Albac.* y *Ar.* Círculo, redondel.

roldón. m. *Ar.* **emborrachacabras,** mata.

roleo. m. *Arq.* Voluta de capitel.

rolo. m. *Col.* y *Venez.* Rodillo de imprenta. ‖ **pasar el rolo.** fr. fig. *P. Rico.* Desaprobar. PASARON EL ROLO *al proyecto de ley*.

rolla[1]. (Del lat. *rotŭla*, ruedecilla.) f. Trenza gruesa de espadaña, forrada con pellejo, que se pone en el yugo para que este se adapte bien a las collera de las caballerías.

rolla[2]. (De la onomat. *ro*.) f. Niñera, cinzaya. ‖ **2.** *Zam.* **tórtola.**

rollar[1]. (Del lat. *rotulāre*.) tr. **arrollar,** envolver o torcer una cosa de modo que resulte en forma de rollo.

rollar[2]. (Del dialect. *ruello*, y este del lat. *rotŭlus*, canto rodado.) m. *Nav.* Lugar de cantos rodados.

rolletal. (Del dialect. *ruello*, y este del lat. *rotŭlus*, canto rodado.) m. *Sal.* Lugar de cantos rodados.

rollizo, za. adj. Redondo en figura de rollo. ‖ **2.** Robusto y grueso. Dícese de personas y animales. ‖ **3.** m. Madero en rollo.

rollo. (Del lat. *rotŭlus*, cilindro.) m. Cualquier materia que toma forma cilíndrica por rodar o dar vueltas. ‖ **2.** Cilindro de madera, piedra, metal u otra materia dura, que sirve para labrar en ciertos oficios, como el de pastelero, el de chocolatero, etc. También se llama así el cono truncado que sirve para fines análogos. ‖ **3.** Madero redondo descortezado, pero sin labrar. ‖ **4.** Porción de tejido, papel, etc., que se tiene enrollada en forma cilíndrica. ROLLO *de estera, de tabaco.* ‖ **5.** Papiro u otro material laminado que, enrollado, constituía el libro en la antigüedad. ‖ **6.** Película fotográfica enrollada en forma cilíndrica. ‖ **7.** Columna de piedra, ordinariamente rematada por una cruz, que antiguamente era insignia de jurisdicción y que en muchos casos servía de picota. ‖ **8.** Canto rodado de figura casi cilíndrica. ‖ **9.** Pieza de autos; se dijo así porque antiguamente se escribía en tiras de pergamino, que se arrollaban; en la actualidad se designan con tal nombre exclusivamente las actuaciones escritas ante los tribunales superiores. ‖ **10.** Trenza de anea, forrada de pellejo, que se pone entre el yugo y las colleras de las caballerías. ‖ **11.** V. **madera, pescada en rollo.** ‖ **12.** fig. Discurso, exposición o lectura larga y fastidiosa. ‖ **13.** *Albac.* y *Murc.* Bollo o pan en forma de rosca. ‖ **enviar,** o **hacer ir,** a uno **al rollo.** fr. fig. y fam. desus. Despedirle por desprecio, o por no quererle atender en lo que dice o pide. ‖ **estar hecho un rollo de manteca.** fr. fig. y fam. Estar muy gordo un niño.

rollón. (De *rollo,* cilindro.) m. Afrecho con alguna corta porción de harina.

rollona. (aum. de *rolla²*.) f. fam. Niñera.

Roma. (Ciudad capital del mundo católico y residencia del Papa.) n. p. f. fig. Autoridad del Papa y de la curia romana. ‖ **a Roma por todo.** expr. fig. y fam. con que se da a entender que se acomete con ánimo y confianza cualquier empresa, por ardua que sea.

romadizarse. (Del lat. *rheumatizāre,* y este del gr. ῥευματίζω; de ῥεῦμα, -ατος, flujo.) prnl. Contraer romadizo.

romadizo. (De *romadizarse.*) m. Catarro de la membrana pituitaria.

romaico, ca. (Del gr. ῥωμαϊκός, romano.) adj. Aplícase a la lengua griega moderna. Ú. t. c. s. m.

román. (Del fr. *roman.*) m. ant. Idioma español.

romana. (Del lat. [*statera*] *romāna.*) f. Instrumento que sirve para pesar, compuesto de una palanca de brazos muy desiguales, con el fiel sobre el punto de apoyo. El cuerpo que se ha de pesar se coloca en el extremo del brazo menor, y se equilibra con un pilón o peso constante que se hace correr sobre el brazo mayor, donde se halla trazada la escala de los pesos. ‖ **2.** V. **fiel de romana.** ‖ **entrar la romana con** tanto. fr. Comenzar su cuenta con cierto número de libras, arrobas, kilogramos, etc., por debajo del cual no aprecia el peso. ‖ **entrar** uno **con todas, como la romana del diablo.** fr. fig. y fam. No sentir escrúpulos en ningún caso ni circunstancias; ser capaz de las cosas más execrables. ‖ **hacer romana.** fr. Equilibrar o contrapesar una cosa con otra. ‖ **2. romanear,** trasladar pesos. ‖ **venir a la romana** una cosa. fr. Ajustarse al peso que se pretendía comprobar en ella.

romanador. m. Encargado del matadero para comprobar el peso de las reses.

romanar. tr. Pesar con la romana.

romanato. m. *Arq.* Especie de alero volteado con moldura que cubre las buhardas de las armaduras quebrantadas.

romance. (Del lat. *romanīce,* en románico.) adj. Aplícase a cada una de las lenguas modernas derivadas del latín, como el español, el italiano, el francés, etc. Ú. t. c. s. m. ‖ **2.** m. Idioma español. ‖ **3.** Novela o libro de caballerías, en prosa o en verso. ‖ **4.** Combinación métrica de origen español que consiste en repetir al fin de todos los versos pares una misma asonancia y en no dar a los impares rima

de ninguna especie. ‖ **5.** Sin calificativo, **romance** de versos octosílabos. ‖ **6.** Composición poética escrita en **romance.** ‖ **7.** Relación amorosa pasajera. ‖ **8.** pl. fig. Bachillerías, excusas. *Venirle a uno con* ROMANCES. ‖ **corto.** El que se compone de versos de menos de ocho sílabas. ‖ **de ciego. romance** poético sobre un suceso o historia, que cantan o venden los ciegos por la calle. ‖ **de gesta.** Según antigua denominación, **romance** popular en que se referían hechos de personajes históricos, legendarios o tradicionales. ‖ **heroico, o real.** El que se compone de versos endecasílabos. ‖ **en buen romance.** loc. adv. fig. Claramente y de modo que todos lo entiendan. ‖ **hablar** uno **en romance.** fr. fig. Explicarse con claridad y sin rodeos.

romanceador, ra. adj. Que romancea. Ú. t. c. s.

romancear. tr. Traducir al romance. ‖ **2.** p. us. Explicar con otras voces la oración castellana para facilitar el ponerla en latín.

romancerista. com. Persona que escribe o publica romances.

romancero, ra. m. y f. Persona que canta romances. ‖ **2.** m. Colección de romances.

romancesco, ca. adj. Característico de la novela, de pura invención.

romancillo. m. **romance corto.**

romancista. adj. Dícese de la persona que escribía en lengua romance, por contraposición a la que escribía en latín. Ú. m. c. s. ‖ **2.** V. **cirujano romancista.** ‖ **3.** com. Autor o autora de romances.

romancístico, ca. adj. Perteneciente o relativo a los romances.

romanche. adj. Perteneciente o relativo a la Retia, rético.

romanear. tr. Pesar con la romana. ‖ **2.** Hablando de cornúpetas, levantar o sostener en vilo a una persona, animal o cosa. ‖ **3.** *Mar.* Trasladar pesos de un lugar a otro del buque, generalmente para perfeccionar la estiba. ‖ **4.** intr. Hacer una cosa más contrapeso al lado en que está colocada.

romaneo. m. Acción y efecto de romanear.

romanero. m. Oficial del matadero encargado de comprobar el peso de las reses.

romanesco, ca. adj. Perteneciente o relativo a los romanos, o a sus artes o costumbres. ‖ **2.** Característico de la novela, de pura invención.

romanía (de). (De *romanear.*) loc. adv. desus. De golpe. ‖ **andar de romanía.** fr. fam. **andar de capa caída.**

románico, ca. (Del lat. *romanīcus,* romano.) adj. *Arq.* Aplícase al estilo arquitectónico que dominó en Europa durante los siglos XI, XII y parte del XIII, caracterizado por el empleo de arcos de medio punto, bóvedas en cañón, columnas exentas y a veces resaltadas en los machones, y molduras robustas. Ú. t. c. s. m. ‖ **2.** *Filol.* Dícese de las lenguas derivadas del latín. ‖ **3.** Perteneciente o relativo a estas lenguas.

romanilla. f. Cancel corrido, a manera de celosía, que se usa en las casas de Venezuela, principalmente en el comedor.

romanillo, lla. adj. d. de **romano.** Ú. t. c. s. ‖ **2.** V. **letra romanilla.**

romanina. f. Juego en una peonza derriba ciertos bolos colocados en una mesa larga y estrecha.

romanismo. m. Conjunto de instituciones, cultura o tendencias políticas de Roma.

romanista. adj. Dícese del que profesa el derecho romano o tiene en él especiales conocimientos. Ú. m. c. s. ‖ **2.** Dícese de la persona versada en las lenguas romances y en sus correspondientes literaturas. Ú. t. c. s.

romanización. f. Acción y efecto de romanizar o romanizarse.

romanizar. tr. Difundir la civilización, leyes y costumbres romanas, o la lengua latina. ‖ **2.** intr. Adoptar la civilización romana o la lengua latina. Ú. t. c. prnl.

romano, na. (Del lat. *Romānus*.) adj. Natural de Roma. Ú. t. c. s. ‖ **2.** Perteneciente o relativo a esta ciudad de Italia o a cada uno de los Estados antiguos y modernos de que ha sido metrópoli. ‖ **3.** Natural o habitante de cualquiera de los países de que se componía el antiguo imperio **romano,** a distinción de los bárbaros que los invadieron. Ú. t. c. s. ‖ **4.** Aplícase a la religión católica y a lo perteneciente a ella. ‖ **5.** Aplícase también a la lengua latina. Ú. t. c. s. m. ‖ **6.** V. **clavo, gato, melocotón, número, paso romano.** ‖ **7.** V. **curia, lechuga, manzanilla, numeración, ortiga romana.** ‖ **8.** ant. V. **camisa romana.** ‖ **9.** *Cronol.* V. **indicción romana.** ‖ **rústico. latín rústico.** ‖ **a la romana.** loc. adv. Al uso de Roma.

romanticismo. m. Escuela literaria de la primera mitad del siglo XIX, extremadamente individualista y que prescindía de las reglas o preceptos tenidos por clásicos. ‖ **2.** Época de la cultura occidental en que prevaleció tal escuela literaria. ‖ **3.** Calidad de romántico, sentimental.

romántico, ca. (Del fr. *romantique*.) adj. Perteneciente al romanticismo o que participa de sus peculiaridades en cualquiera de sus manifestaciones culturales o sociales. Ú. t. c. s. ‖ **2.** Dícese del escritor que da a sus obras el carácter del romanticismo. Ú. t. c. s. ‖ **3.** Partidario del romanticismo. Ú. t. c. s. ‖ **4.** Sentimental, generoso y soñador.

romanza. (Del it. *romanza*.) f. Aria generalmente de carácter sencillo y tierno. ‖ **2.** Composición musical del mismo carácter y meramente instrumental.

romanzador, ra. adj. Que romancea, romanceador. Ú. t. c. s.

romanzar. tr. Traducir al romance, romancear.

romaza. (Del lat. *rumex, -ĭcis*.) f. Hierba perenne de la familia de las poligonáceas, con tallo nudoso, rojizo, de seis a ocho decímetros de altura; hojas alternas, envainadoras, oblongas, más agudas las superiores que las inferiores, y de nervios encarnados; flores sin pedúnculo, en verticilos apretados; fruto seco con una sola semilla dura y triangular, y raíz gruesa, de corteza parda e interior amarillento con vetas sanguíneas. Es común en España, las hojas se comen en potaje, y el cocimiento de la raíz se ha usado como tónico y laxante.

rombal. adj. De figura de rombo.

rómbico, ca. adj. Que tiene forma de rombo. ‖ **2.** Dícese del sistema cristalográfico según el cual cristalizan el topacio, el aragonito y otros minerales.

rombo. (Del lat. *rhombus*, y este del gr. ῥόμβος.) m. *Geom.* Paralelogramo que tiene los lados iguales y dos de sus ángulos mayores que los otros dos. ‖ **2. rodaballo,** pez.

romboédrico, ca. adj. Perteneciente o relativo al romboedro.

romboedro. (Del gr. ῥόμβος, rombo, y ἕδρα, cara.) m. *Geom.* Prisma oblicuo de bases y caras rombales.

romboidal. adj. *Geom.* De figura de romboide.

romboide. (Del gr. ῥομβοειδής; de ῥόμβος, rombo, y εἶδος, forma.) m. *Geom.* Paralelogramo cuyos lados contiguos son desiguales y dos de sus ángulos mayores que los otros dos.

romboideo, a. adj. **romboidal.**

romeo, a. (Del gr. Ῥωμαῖος, romano.) adj. Griego bizantino. Ú. t. c. s.

romeraje. (De *romero*, peregrino.) m. Romería o peregrinación.

romeral. m. Terreno poblado de romeros[1].

romería. (De *romero*, peregrino.) f. Viaje o peregrinación, especialmente la que se hace por devoción a un santuario. ‖ **2.** Fiesta popular que con meriendas, bailes, etc., se celebra en el campo inmediato a alguna ermita o santuario el día de la festividad religiosa del lugar. ‖ **3.** fig. Gran número de gentes que afluye a un sitio.

romeriego, ga. adj. Amigo de andar en romerías, no por devoción, sino por vaguear.

romerillo. m. *Amér.* Nombre de varias especies de plantas silvestres; la mayor parte de ellas se utilizan en medicina casera.

romero[1]**.** (Del lat. *ros maris*.) m. Arbusto de la familia de las labiadas, con tallos ramosos de un metro aproximadamente de altura; hojas opuestas, lineales, gruesas, coriáceas, sentadas, enteras, lampiñas, lustrosas, verdes por el haz y blanquecinas por el envés, de olor muy aromático y sabor acre; flores en racimos axilares de color azulado, y fruto seco con cuatro semillas menudas. Es común en España y se utiliza en medicina y perfumería.

romero[2]**, ra.** (De *Roma*, porque a esta ciudad, como cabeza de la Iglesia, fueron las primeras peregrinaciones.) adj. Aplícase al peregrino que va en romería con bordón y esclavina. Ú. m. c. s. ‖ **2.** m. Pez marino teleósteo, anacanto, de unos 16 centímetros de largo, con el lomo pardo oscuro, los costados y el vientre plateados, tres aletas dorsales y un filamento corto pendiente de la mandíbula inferior. ‖ **3.** Pez marino teleósteo, del suborden de los acantopterigios, de 10 a 25 centímetros de largo, cuerpo fusiforme, de color azul plateado, con siete fajas transversales más oscuras, una aleta dorsal larga y dos bandas cartilaginosas junto a la cola. ‖ **echar un romero.** fr. Echar suerte entre varias personas para ver a quién cae el voto o promesa de una romería.

romí. (Del ár. *rūmī*, perteneciente o relativo a los *Rūm*, que eran, en su origen, los bizantinos, y luego, por ext., los cristianos en general.) adj. desus. Cristiano, entre los mahometanos españoles, rumí. Usáb. t. c. s. ‖ **2.** V. **azafrán romí.**

romín. adj. **romí.**

romo, ma. (Del m. or. que el port. *rombo*.) adj. Obtuso y sin punta. ‖ **2.** De nariz pequeña y poco puntiaguda. ‖ **3.** V. **macho romo.** ‖ **4.** V. **sabina roma.**

rompecabezas. m. Arma ofensiva compuesta de dos bolas de hierro o plomo sujetas a los extremos de un mango corto y flexible. ‖ **2.** fig. Problema o acertijo de difícil solución. ‖ **3.** Juego que consiste en componer determinada figura combinando cierto número de pedacitos de madera o cartón, en cada uno de los cuales hay una parte de la figura.

rompecalderas. f. *Rioja.* **arce.**

rompecoches. m. Tela de lana basta muy tupida que la gente pobre usaba, sempiterna.

rompedera. f. Puntero o punzón grande enastado como un martillo y que a golpe de macho sirve para abrir agujeros en el hierro candente. ‖ **2.** Criba de piel, que se usa en las fábricas de pólvora para cernerla y granearla de primera vez.

rompedero, ra. adj. Fácil de romperse.

rompedor, ra. adj. Que rompe. Dícese especialmente del que rompe o gasta mucho los vestidos. Ú. t. c. s.

rompedura. f. Acción y efecto de romper o romperse.

rompegalas. com. fig. y fam. Persona desaliñada y mal vestida.

rompehielos. m. Buque de formas, resistencia y potencia adecuadas para abrir camino en los mares helados.

rompenecios. com. fig. desus. Persona que se aprovecha egoísta y desagradecidamente de los demás.

rompenueces. m. *Amér.* Instrumento para romper o cascar nueces.

rompeolas. m. Dique avanzado en el mar, para procurar abrigo a un puerto o rada. ‖ **2. rompiente,** grupo natural de rocas donde rompen las aguas.

rompepoyos. com. fig. desus. Persona holgazana y vagabunda.

romper. (Del lat. *rumpĕre*.) tr. Separar con más o menos violencia las partes de un todo, deshaciendo su unión. Ú. t. c. prnl. ‖ **2.** Quebrar o hacer pedazos una cosa. Ú. t. c. prnl. ‖ **3.** Gastar, destrozar. Ú. t. c. prnl. ‖ **4.** Desbaratar o deshacer un cuerpo de gente armada. ‖ **5.** Hacer una abertura en un cuerpo o causarla hiriéndolo. Ú. t. c. prnl. ‖ **6.** Arar por primera vez la tierra, roturar. ‖ **7.** fig. Traspasar el coto, límite o término que está puesto, o salirse de él. ‖ **8.** fig. Dividir o separar por breve tiempo la unión o continuidad de un cuerpo fluido, al atravesarlo. ROMPER el aire, las aguas. ‖ **9.** fig. Interrumpir la continuidad de algo no material. ROMPER la monotonía, el hilo del discurso, el silencio, la tregua, las negociaciones, el noviazgo, etc. ‖ **10.** fig. Hablando de un astro o de la luz, vencer con su claridad, descubriéndose a la vista, el impedimento que lo ocultaba; como la niebla, la nube, etc. ‖ **11.** fig. Abrir espacio suficiente para pasar por el sitio o paraje ocupado de gente u obstruido de otro modo. ‖ **12.** fig. Interrumpir al que está hablando, o cortar la conversación. ‖ **13.** fig. Quebrantar la observancia de la ley, precepto, contrato u otra obligación. ‖ **14.** And. Quitar o cortar todo el verde vicioso de las cepas de vid. ‖ **15.** intr. Deshacerse en espuma las olas. ‖ **16.** fig. Tener principio, empezar, comenzar. ROMPER el día; ROMPER a hablar; ROMPER la marcha. ‖ **17.** fig. Entre cazadores, partir la caza hacia un lado, saliéndose del ojeo o del camino que se esperaba había de llevar. ‖ **18.** fig. Resolverse a la ejecución de una cosa en que se hallaba dificultad. ‖ **19.** fig. Cesar de pronto, naturalmente o en virtud de un agente cualquiera, un impedimento físico. ‖ **20.** fig. Prorrumpir o brotar. ‖ **21.** fig. Abrirse las flores. ‖ **22.** prnl. fig. desus. Despejarse y adquirir soltura en el porte y las acciones. ‖ **de rompe y rasga.** loc. adj. fig. y fam. De ánimo resuelto y gran desenfado. ‖ **romper con** uno. fr. Manifestarle la queja o disgusto que de él se tiene, separándose de su trato y amistad. ‖ **romper por todo.** fr. Arrojarse a la ejecución de una cosa atropellando por todo género de respetos.

rompesacos. m. Planta de la familia de las gramíneas, que arroja muchas cañitas delgadas de unos 50 centímetros de largo; con nudos de color de púrpura oscuro; hojas vellosas, estrechas y blandas; flores en espiga con tres aristas en cada una, y granos bermejos, puntiagudos por ambas extremidades.

rompesquinas. m. fig. y fam. Valentón que está de plantón en las esquinas de las calles como a espera.

rompezaragüelles. m. Planta americana de la familia de las compuestas, como de medio metro de altura, de tallo ramificado, cilíndrico y velloso; hojas opuestas, dentadas y ásperas; flor blanca y semillas negras, con vilano en la cima. Es aromática y medicinal.

rompible. adj. Que se puede romper.

rompido, da. p. p. desus. de **romper.** ‖ **2.** adj. **roto.** ‖ **3.** m. Tierra que se rompe a fin de cultivarla.

rompiente. p. a. de **romper.** Que rompe. ‖ **2.** m. Bajo, escollo o costa donde, cortado el curso de la corriente de un río o el de las olas, rompe y se levanta el agua.

rompimiento. m. Acción y efecto de romper o romperse. ‖ **2.** Espacio abierto de un cuerpo sólido, o quiebra que se reconoce en él. ‖ **3.** Derecho que pagaba a la parroquia que no tenía sepultura de su propiedad, la hacía abrir para enterrar un cadáver. ‖ **4.** Telón recortado que en una decoración de teatro deja ver otro u otros en el fondo. ‖ **5.** fig. Desavenencia o riña entre algunas personas. ‖ **6.** Min. Comunicación entre dos excavaciones subterráneas. ‖ **7.** Pint. Porción del fondo de un cuadro, donde se pinta una abertura que deja ver un objeto lejano; como paisaje, gloria, etc.

rompope. m. C. Rica, Ecuad., Hond. y Méj. Bebida que se confecciona con aguardiente, leche, huevos, azúcar y canela.

ron. (Del ing. *rum*.) m. Licor alcohólico de olor y sabor fuertes, que se saca por destilación de una mezcla fermentada de melazas y zumo de caña de azúcar, al que se da color rojizo con caramelo.

ronca[1]. (De *roncar*.) f. Grito que da el gamo cuando está en celo, llamando a la hembra. ‖ **2.** Brama, tiempo en que está en celo el gamo. ‖ **3.** fam. Amenaza con jactancia de valor propio en competencia de otro. Ú. m. en pl. ‖ **4.** Trepe, reprimenda, bronca. ‖ **¡vítor la ronca!** expr. irón. con que se despreciaba la amenaza o jactancia del valor de uno.

ronca[2]. (Del lat. *runca*.) f. Arma semejante a la partesana.

roncador, ra. adj. Que ronca. Ú. t. c. s. ‖ **2.** m. Pez teleósteo marino, del suborden de los acantopterigios, de cuatro a cinco decímetros de largo, el cuerpo comprimido, el color negruzco, con veinte o más líneas amarillas, que corren desde las agallas hasta la cola; ambas mandíbulas armadas de dientes agudos; una sola aleta sobre el lomo y arpada la de la cola. Cuando se le saca del agua produce un sonido ronco especial. ‖ **3.** En las minas de Almadén, el que gobierna y vigila a cierto número de obreros. ‖ **4.** Murc. y Perú. Cohete grande.

roncadora. f. Argent., Bol., Ecuad. y Perú. Espuela de rodaja muy grande.

roncal. m. **ruiseñor.**

roncalés, sa. adj. Natural del Roncal. Ú. t. c. s. ‖ **2.** Perteneciente o relativo a este valle del Pirineo.

roncamente. adv. m. Tosca, áspera o groseramente.

roncar. (Del lat. *rhonchāre*, y este del gr. ῥόγχος, ronquido.) intr. Hacer ruido bronco con el resuello cuando se duerme. ‖ **2.** Llamar el gamo a la hembra, cuando está en celo, dando el grito que le es natural. ‖ **3.** fig. Hacer un ruido sordo o bronco ciertas cosas; como el mar, el viento, etc. ‖ **4.** fig. y fam. Echar roncas amenazando o como haciendo burla.

ronce. m. fam. Manifestación de cariño o halago a uno para conseguir un fin.

roncear. (De or. inc.) intr. Entretener, dilatar o retardar la ejecución de una cosa por hacerla de mala gana. ‖ **2.** fam. Halagar con acciones y palabras para lograr un fin. ‖ **3.** rur. p. us. Argent. **rondar,** dar vueltas. ‖ **4.** Mar. Tardar y perezosa la embarcación, especialmente cuando va con otras. ‖ **5.** fig. desus. Argent. y Chile. Voltear, ronzar, mover una cosa pesada ladeándola y luego otra con las manos o por medio de palancas.

roncería. f. Tardanza o lentitud en hacer o ser mandada, mostrando poca gana de ejecutarlo. ‖ **2.** fam. Expresión de halago o cariño con palabras o acciones, para conseguir un fin. ‖ **3.** Mar. Movimiento tardo y perezoso de la embarcación.

roncero, ra. (De or. inc.) adj. Tardo y perezoso en ejecutar lo que se manda. ‖ **2.** Regañón, mal acondicionado. ‖ **3.** Que usa roncerías para conseguir un intento. ‖ **4.** Mar. Aplícase a la embarcación tarda y perezosa en el movimiento.

ronco, ca. (Por *roco,* del lat. *raucus,* infl. por *roncar*.) adj. Que tiene o padece ronquera. ‖ **2.** Aplícase también a la voz o sonido áspero y bronco. ‖ **3.** fam. Cuba. Pez abundante en aquellos mares, de unos 25 centímetros de largo, de color azul en el lomo, y el resto con fajas longitudinales azules y amarillas.

roncón. m. Tubo de la gaita gallega unido al cuero y que, al mismo tiempo que suena la flauta, forma el bajo del instrumento.

roncha[1]. (De or. inc.) f. Bultillo que se eleva en figura de haba en el cuerpo del animal. ‖ **2. cardenal**[1]. ‖ **3.** fig. y fam. Daño recibido en materia de dinero cuando se lo sacan a uno con cautela o engaño. ‖ **levantar ronchas**. fr. fig. Mortificar, causar pesadumbre.

roncha². f. Tajada delgada de cualquier cosa, cortada en redondo.

ronchar¹. (De or. inc.) tr. Hacer ruido uno al comer un alimento quebradizo. ‖ **2**. intr. Crujir un alimento cuando se masca, por estar falto de sazón. RONCHAR *las patatas por estar mal cocidas*.

ronchar². (De or. inc.) intr. Hacer o causar ronchas¹. ‖ **2**. *Ál*. Rodar, dar vueltas. ‖ **3**. *Sal*. Resbalar, deslizarse.

ronchón. m. Bultillo que se forma en el cuerpo del animal.

ronda. (Del ár. *rubṭ*, pl. de *rábiṭa*.) f. Acción de rondar. ‖ **2**. Grupo de personas que andan rondando. ‖ **3**. Reunión nocturna de mozos para tocar y cantar por las calles. ‖ **4**. Espacio que hay entre la parte interior del muro y las casas de una plaza fuerte. ‖ **5**. V. **camino de ronda**. ‖ **6**. Cada uno de los paseos o calles cuyo conjunto circunda una ciudad o la parte antigua de ella. ‖ **7**. Conjunto de las tres cartas primeras que en el juego del sacanete se ofrecen a los que van a parar. ‖ **8**. En varios juegos de naipes, vuelta o suerte de todos los jugadores. ‖ **9**. V. **cabo, toro de ronda**. ‖ **10**. fam. Distribución de copas de vino o de cigarros a personas reunidas en corro. ‖ **11**. *Dep*. Vuelta, carrera ciclista en etapas. ‖ **12**. *Cineg*. Caza mayor practicada de noche, a pie o a caballo. ‖ **13**. *Mil*. Patrulla destinada a rondar las calles o a recorrer los puestos exteriores de una plaza. ‖ **14**. *Mil*. Vigilancia efectuada por la patrulla anterior. ‖ **15**. *Chile*. Juego del corro. ‖ **mayor**. *Mil*. La efectuada por un jefe en la plaza o en el campo. ‖ **ordinaria**. *Mil*. La mandada por un oficial o un sargento, en iguales condiciones. ‖ **volante**. *Mil*. **rondín**. ‖ **coger la ronda** a uno. fr. Sorprenderle en la acción o delito que quería ejecutar ocultamente. ‖ **hacer ronda**. fr. En el juego del sacanete, ganarla.

rondador. adj. Que ronda. Ú. t. c. s. ‖ **2**. m. *Ecuad*. Especie de zampoña, siringa.

rondalla. f. Cuento, patraña o conseja. ‖ **2**. Conjunto musical de instrumentos de cuerda. ‖ **3**. *Ar*. Ronda de mozos.

rondana. f. Rodaja de plomo o cuero engrasado, agujereada en el centro, que se utiliza para asiento de tuercas y cabezas de tornillos.

rondar. intr. Andar de noche visitando una población para impedir los desórdenes. Ú. t. c. tr. ‖ **2**. Andar de noche paseando las calles. Ú. t. c. tr. ‖ **3**. Pasear los mozos las calles donde viven las mozas a quienes galantean. Ú. t. c. tr. ‖ **4**. *Extr*. Montear de noche. ‖ **5**. *Mil*. Visitar los diferentes puestos de una plaza fuerte o campamento para cerciorarse de que el servicio se desempeña en ellos con la debida puntualidad. ‖ **6**. tr. fig. Andar alrededor de una cosa. *La mariposa* RONDA *la luz*. ‖ **7**. fig. y fam. Andar alrededor de uno, o siguiéndole continuamente, para conseguir de él una cosa. ‖ **8**. fig. y fam. Amagar, empezar a sentir una cosa, como el sueño, la enfermedad, etc.

rondel. (Del fr. *rondel*.) m. Composición poética corta en que se repite al final el primer verso o las primeras palabras.

rondeña. f. Música o tono especial y característico de Ronda, algo parecido al del fandango, con que se cantan coplas de cuatro versos octosílabos.

rondeño, ña. adj. Natural de Ronda. Ú. t. c. s. ‖ **2**. Perteneciente o relativo a esta ciudad, de la provincia de Málaga.

rondín. m. Ronda que hace regularmente un cabo de escuadra para celar la vigilancia de los centinelas. ‖ **2**. Sujeto destinado en los arsenales de marina para vigilar e impedir los robos. ‖ **3**. *Gran*. Guardia municipal. ‖ **4**. *Bol*.

y *Chile*. Individuo que vigila o ronda de noche, y en especial el capataz que ronda los potreros y sembrados.

rondís. m. Mesa o plano principal de una piedra preciosa.

rondiz. m. **rondís**.

rondó. (Del fr. *rondeau*.) m. *Mús*. Composición musical cuyo tema se repite o insinúa varias veces.

rondón (de). (Del ant. fr. *randon*.) loc. adv. Intrépidamente y sin reparo. ‖ **entrar de rondón** uno. fr. fig. y fam. Entrar de repente y con familiaridad, sin llamar a la puerta, dar aviso, tener licencia ni esperar a ser llamado.

ronfea. (Del lat. *rhomphaea*, y este del gr. ῥομφαία.) f. ant. Espada larga.

rongigata. f. desus. Juguete de niños de una varilla con una estrella de papel que gira; rehilandera, molinete.

ronqueador. m. Operario que ronquea el atún.

ronquear¹. intr. Estar ronco.

ronquear². tr. Echar roncas, amenazar jactanciosamente.

ronquear³. tr. Trocear o partir atunes u otros animales marinos.

ronquedad. f. Aspereza o bronquedad de la voz o del sonido.

ronquera. f. Afección de la laringe, que cambia el timbre de la voz haciéndola bronco y poco sonoro.

ronquez. f. p. us. **ronquera**.

ronquido. m. Ruido o sonido que se hace roncando. ‖ **2**. fig. Ruido o sonido bronco.

ronrón. m. *Guat*., *Hond*. y *Nicar*. Especie de escarabajo pelotero. ‖ **2**. *Guat*., *Hond*. y *Nicar*. Bramadera que en sus juegos hacen sonar los muchachos.

ronronear. (Voz onomatopéyica.) intr. Producir el gato una especie de ronquido, en demostración de contento.

ronroneo. m. Acción y efecto de ronronear.

ronza (a la). loc. adv. *Mar*. A sotavento. ‖ **2**. *Mar*. V. **torpedo a la ronza**.

ronzal¹. (Del ár. *rasan*, cabestro, muserola.) m. Cuerda que se ata al pescuezo o a la cabeza de las caballerías para sujetarlas o para conducirlas caminando.

ronzal². (De *ronzar*.) m. Cabo que sirve para cargar los puños de las velas mayores, palanquín.

ronzar. (De la onomat. *ronz*.) tr. Comer una cosa quebradiza partiéndola ruidosamente con los dientes. ‖ **2**. Mover una cosa pesada ladeándola con palancas. ‖ **3**. intr. Andar despacio y como a golpes uno o una embarcación, roncear.

ronzuella. f. *Cantabria*. Arrendajo, ave.

roña. (Del lat. *aerūgo*, *-ĭnis*, orín, roña.) f. Sarna del ganado lanar. ‖ **2**. Porquería y suciedad pegada fuertemente. ‖ **3**. Orín de los metales. ‖ **4**. Corteza del pino. ‖ **5**. fig. Daño moral que se comunica o puede comunicarse de unos en otros. ‖ **6**. fig. y fam. Mezquindad, roñería. ‖ **7**. Tirria, ojeriza. ‖ **8**. fig. y fam. Farsa, treta, maula. ‖ **9**. *Cuba*. Irritación, rabia. ‖ **10**. *Col*. Ficción de una enfermedad o impedimento para no hacer algo. ‖ **11**. com. fig. y fam. Persona roñosa, tacaña.

roñal. m. *Sal*. y *Zam*. Sitio en que se almacenan en el monte las cortezas de árboles para después transportarlas a las tenerías.

roñar. tr. *Ar*., *Logr*. y *Nav*. Tomarse de orín. Ú. t. c. prnl. ‖ **2**. *Ar*. y *Ast*. Gruñir, regañar, refunfuñar. ‖ **3**. *Ast*. Tacañear.

roñería. f. fam. Miseria, mezquindad, tacañería.

roñía. f. *Sal*. **roña** u ojeriza, tirria.

roñica. com. fam. Persona roñosa.

roñosería. f. Mezquindad, roñería.

roñoso, sa. (Del lat. *aerugĭnōsus*, *roñoso*.) adj. Que tiene o padece roña. ‖ **2**. Puerco, sucio o asqueroso. ‖ **3**. Oxidado o cubierto de orín. ‖ **4**. fig. y fam. Miserable, mezquino, tacaño.

ropa. (Del ant. a. al. *rouba*.) f. Todo género de tela que, con variedad de cortes y hechuras, sirve para el uso o adorno de las personas o las cosas. ‖ **2.** Cualquier prenda de tela que sirve para vestir. ‖ **3.** Vestidura de particular autoridad o distintiva de cargos o profesiones; como la que usan los ministros togados, etc. ‖ **blanca.** Conjunto de prendas de tela de hilo, algodón u otras materias, sin teñir, que se emplean en el uso doméstico y también las que usan las personas debajo del vestido exterior. ‖ **de cámara, o de levantar.** Vestidura holgada que se usaba para levantarse de la cama y estar dentro de casa. ‖ **hecha.** La que para vender se hace sin medidas de persona determinada. ‖ **interior.** La de uso personal que no es visible exteriormente. ‖ **vieja.** fig. Guisado de la carne que ha sobrado de la olla o que antes se aprovechó para obtener caldo o jugo. ‖ **acomodar de ropa limpia** a uno. fr. fig. e irón. desus. Ensuciarle o mancharle. ‖ **a quema ropa.** loc. adv. Tratándose del disparo de un arma de fuego, desde muy cerca. ‖ **2.** fig. De improviso, inopinadamente, sin preparación ni cuidado. ‖ **a toca ropa.** loc. adv. Muy de cerca. ‖ **a toda ropa.** loc. adv. Con los verbos *hacer, robar* y otros semejantes, apoderarse los corsarios de cuantas personas o bienes hallaban en sus correrías. ‖ **de buena ropa.** loc. adj. fig. p. us. Dícese de la persona de calidad o digna de particular atención o cuidado. ‖ **2.** fig. Aplícase también a algunas cosas de buena calidad; como el vino. ‖ **de poca ropa.** loc. adj. fig. p. us. Dícese de la persona pobre o mal vestida. ‖ **2.** fig. Aplícase también a la persona de escasa autoridad o poco digna de estimación. ‖ **guardar la ropa.** fr. fig. y fam. Obrar o hablar con cautela para preservarse de un peligro. ‖ **haber ropa tendida.** fr. fig. y fam. Estar presentes algunas personas ante las cuales no conviene hablar sin discreción. ‖ **hurtar ropa.** Juego de muchachos, en el que, dividiéndose en dos bandos o cuadrillas, tiran a quitarse la **ropa** los unos a los otros. ‖ **nadar y guardar la ropa.** fr. fig. y fam. Proceder con cautela al acometer una empresa, para obtener el mayor provecho con el menor riesgo. ‖ **no tener ropa para** una cosa. fr. fig. y fam. p. us. No tener condiciones para hacerla o para aspirar a ella. ‖ **no tocar** a uno **a la ropa.** fr. fig. y fam. No decir ni ejecutar algo que de algún modo pueda ser en su ofensa o perjuicio. ‖ **palparse la ropa.** fr. fig. Estar un enfermo en los últimos términos de la vida. ‖ **2.** fig. Hallarse uno confuso y sin saber qué hacerse, probando varios medios, sin determinarse a ninguno, para salir de una dificultad o empeño. ‖ **poner** a uno **como ropa de pascua.** fr. fig. y fam. desus. ponerle como chupa de dómine. ‖ **¡ropa a la mar!** expr. *Mar.* Sirve para avisar que la tormenta obliga a aliviar de carga la embarcación. ‖ **¡ropa fuera!** expr. *Mar.* Usáb. en las galeras para avisar a los galeotes que se preparasen al trabajo. ‖ **tentar** a uno **la ropa.** fr. fig. y fam. Indagar el estado en que se halla o provocarle a alguna cosa. ‖ **tentarse uno la ropa.** fr. fig. palparse la ropa. ‖ **2.** fr. fig. y fam. Considerar despacio previamente las consecuencias que podrá tener una determinación o un acto.

ropaje. m. Vestido u ornato exterior del cuerpo. ‖ **2.** Vestidura larga, vistosa y de autoridad. ‖ **3.** Conjunto de ropas. ‖ **4.** fig. Forma, modo de expresión, lenguaje.

ropálico, ca. (Del lat. *rhopalícus*, y este del gr. ῥοπαλικός, de ῥόπαλον, maza.) adj. V. **verso ropálico.**

ropavejería. f. Tienda de ropavejero.

ropavejero, ra. m. y f. Persona que vende, con tienda o sin ella, ropas y vestidos viejos, y baratijas usadas.

ropería. f. Oficio de ropero. ‖ **2.** Tienda donde se vende ropa hecha. ‖ **3.** Habitación donde se guarda y dispone la ropa de los individuos de una colectividad. ‖ **4.** Casa donde a los pastores trashumantes guardan el hato y preparan la ropa. ‖ **5.** Empleo de guardar la ropa y cuidar de ella. ‖ **de viejo. ropavejería.**

ropero, ra. m. y f. Persona que vende ropa hecha. ‖ **2.** Persona destinada a cuidar de la ropa de una comunidad. ‖ **3.** Zagal que hace los recados de la ropería de los pastores. ‖ **4.** Persona encargada de la quesería de una cabaña de ovejas. ‖ **5.** m. Armario o cuarto donde se guarda ropa. ‖ **6.** Asociación o instituto benéfico destinado a distribuir ropas entre los necesitados, u ornamentos a las iglesias pobres.

ropeta. f. **ropilla.**

ropilla. f. d. de **ropa.** ‖ **2.** Vestidura corta con mangas y brahones, de los cuales pendían regularmente otras mangas sueltas o perdidas, y se vestía ajustada al medio cuerpo sobre el jubón. ‖ **dar** a uno **una ropilla.** fr. fig. y fam. Reconvenirle amigablemente.

ropón. m. aum. de **ropa.** ‖ **2.** Ropa larga que regularmente se ponía suelta sobre los demás vestidos. ‖ **3.** Especie de acolchado que se hace cosiendo unas telas gordas sobre otras o poniéndolas dobladas. ‖ **4.** *Chile.* **amazona,** traje de mujer para montar a caballo.

roque[1]. (Del ár. *rujj*, torre del ajedrez.) m. Torre del ajedrez. ‖ **2.** ant. Carro de dos ruedas con lanza o varas.

roque[2]. adj. fam. **dormido.** Ú. más con los verbos *estar* y *quedarse.*

roqueda. f. Lugar abundante en rocas.

roquedal. m. Lugar abundante en rocas.

roquedo. m. Peñasco o roca.

roqueño, ña. adj. Aplícase al sitio o paraje lleno de rocas. ‖ **2.** Duro como roca.

roquero, ra. adj. Perteneciente a las rocas o edificado sobre ellas.

roqués. adj. V. **halcón roqués.**

roqueta. f. d. de **roque**[1]. ‖ **2.** *Fort.* **caballero,** a modo de atalaya, que se construía antiguamente dentro del recinto de una plaza fuerte.

roquete[1]. (Del cat. u occitano *roquet,* sobrepelliz.) m. Especie de sobrepelliz cerrada y con mangas.

roquete[2]. (Del fr. ant. *rochet.*) m. Hierro de la lanza de torneo, que terminaba con tres o cuatro puntas separadas, para que hiciesen presa en la armadura del contrario y poder así desarzonarlo. ‖ **2.** *Art.* Atacador para los cañones. ‖ **3.** *Blas.* Figura o pieza que está en forma de triángulo en el escudo.

rorante. (Del lat. *rorans, -antis.*) adj. p. us. Cubierto de rocío, o que destila gotas como de rocío.

rorar. (Del lat. *rorāre.*) tr. p. us. Cubrir de rocío.

rorcual. (Del noruego *roirkual,* ballena, a través del fr.) m. Especie de ballena con aleta dorsal, común en los mares de España. Alcanza una longitud hasta de 24 metros; tiene la piel de la garganta y del pecho surcada a lo largo formando pliegues.

rorro. (De *ro.*) m. fam. Niño pequeñito.

ros. (Del general *Ros* de Olano, que introdujo en el ejército esta prenda de uniforme.) m. Especie de chacó pequeño, de fieltro y más alto por delante que por detrás.

rosa. (Del lat. *rosa.*) f. Flor del rosal, notable por su belleza, la suavidad de su fragancia y su color, generalmente encarnado poco subido. Con el cultivo se consigue aumentar el número de sus pétalos y dar variedad a sus colores; suele llevar el mismo calificativo de la planta que la produce. ‖ **2.** Mancha redonda, encarnada o de color de **rosa,** que suele salir en el cuerpo. ‖ **3.** Lazo de cintas o cosa semejante, que se forma en hojas con la figura de **rosa.** ‖ **4.** Cualquier cosa fabricada o formada con alguna semejanza a esta figura. ‖ **5. diamante rosa.** ‖ **6. cometa crinito.** ‖ **7.** V. **acacia, laurel, salsa rosa.** ‖ **8.** V. **geranio, palo de rosa.** ‖ **9.** V. **mal, palo de la rosa.** ‖ **10.** Fruta de sartén hecha con masa de harina. ‖ **11.** *Albac.* Flor del azafrán. ‖ **12.** *Albac.* Época de la recolección del azafrán. *Le pagué un plazo por la siega y otro por la* ROSA. ‖ **13.** *Arq.* Rosetón de los techos. ‖ **14.** pl. Rosetas de maíz. ‖ **15.** adj. Dícese de lo que es de color encarnado poco subido, como el de la **rosa** ordinaria. ‖ **16.** m. Color rosa. ‖ **albardera. saltaojos.** ‖ **de Jericó.** Planta herbácea anual, de la familia de las crucíferas, con tallo delgado de uno a dos decímetros de altura y muy ramoso, hojas pecioladas, estrechas y blanquecinas, y flores pequeñas y blancas, en espigas terminales. Vive en los desiertos de Siria, y al secarse las ramas y hojas se contraen formando una pelota apretada, que se deshace y extiende cuando se pone en agua, y vuelve a cerrarse si se saca de ella. ‖ **del azafrán.** Flor del azafrán. ‖ **de los vientos.** Círculo que tiene marcados alrededor los 32 rumbos en que se divide la vuelta del horizonte. ‖ **de rejalgar. saltaojos.** ‖ **de té.** La de color amarillo o algo anaranjado cuyo olor se parece al del té. ‖ **francesa.** *Cuba.* **adelfa.** ‖ **maldita.** *Sal.* **saltaojos.** ‖ **montés. saltaojos.** ‖ **náutica. rosa de los vientos.** ‖ **como las propias rosas.** loc. adv. fig. y fam. Muy bien, perfectamente. ‖ **como rosas.** loc. adv. fig. **como las propias rosas.**

rosáceo, a. (Del lat. *rosacĕus.*) adj. De color parecido al de la rosa. ‖ **2.** *Bot.* Dícese de plantas angiospermas dicotiledóneas, hierbas, arbustos o árboles, lisos o espinosos, que se distinguen por sus hojas alternas, a menudo compuestas de un número impar de folíolos y con estípulas; flores hermafroditas con cáliz de cinco sépalos y corola regular, solitarias o en corimbo; fruto en drupa, en pomo, en aquenio, en folículo y aun en caja, con semillas casi siempre desprovistas de albumen; como el rosal, la fresa, el almendro y el peral. Ú. t. c. s. f. ‖ **3.** f. pl. *Bot.* Familia de estas plantas.

rosacruz. amb. Orden o fraternidad de carácter gnóstico, que se dice, fundada al parecer en el siglo XIII por Cristian Rosenkreuz, quizá figura mítica, que pretende unir ciertas concepciones religiosas orientales con otras derivadas del cristianismo. ‖ **2.** com. Persona perteneciente a esa orden.

rosada. (De *rosar.*) f. Rociada o escarcha.

rosadelfa. f. azalea. ‖ **2.** rododendro, arbolillo.

rosadillo. m. *Pal.* Armiño, animal.

rosado¹, da. (Del lat. *rosātus.*) adj. Aplícase al color de la rosa. ‖ **2.** Compuesto con rosas. *Aceite* ROSADO; *miel* ROSADA. ‖ **3.** V. **azúcar rosado,** o **rosada.** ‖ **4.** V. **agua rosada.** ‖ **5.** V. **vino rosado.** Ú. t. c. s. ‖ **6.** *Argent., Col.* y *Chile.* Dícese del caballo cuya capa presenta manchas rosadas y blancas, ya por transparencia de la piel, ya porque posee pelos de estos colores.

rosado², da. (De *rosar.*) adj. Dícese de la bebida helada que está a medio cuajar.

rosal. m. Arbusto tipo de la familia de las rosáceas, con tallos ramosos, generalmente llenos de aguijones; hojas alternas, ásperas, pecioladas, con estípulas, compuestas de un número impar de hojuelas elípticas, casi sentadas y aserradas por el margen; flores terminales, solitarias o en panoja, con cáliz aovado o redondo, corola de cinco pétalos redondos o acorazonados, y cóncavos, y muchos estambres y pistilos; por fruto una baya carnosa que el cáliz corona y con muchas semillas menudas, elipsoidales y vellosas. Se llama así principalmente el cultivado, con flores de muchos pétalos, denominándose de ordinario el natural **rosal** silvestre. ‖ **amarillo.** El de tallos delgados, con muchos aguijones cortos, hojas de color verde amarillento compuestas de siete hojuelas apuntadas, y muchas flores amarillas. ‖ **blanco.** El de tallos sarmentosos, con aguijones espesos y fuertes, hojas algo glaucas, compuestas de cinco o siete hojuelas casi redondas, dentadas en el margen y con nervios vellosos; flores de poco olor, blancas, y a veces rosadas en el centro. ‖ **castellano.** El de tallos fuertes, con aguijones desiguales, hojas compuestas de cinco o siete hojuelas elípticas, aovadas o lanceola-

das, coriáceas y algo dobladas por el margen, y flores grandes, extendidas y de color uniforme, o con varios matices de púrpura o rojo fuerte. ‖ **de Alejandría.** El de tallos largos y verdosos, con muchos y fuertes aguijones, hojas verdes, compuestas de siete hojuelas elípticas, finamente aserradas y pardas por el margen, y flores medianas, muy fragantes, de color pálido y pétalos apretados. ‖ **de cien hojas.** El de tallos fuertes, con dos clases de aguijones, hojas de color verde oscuro, compuestas de cinco hojuelas ovales, y flores de color encarnado pálido, muy dobles, orbiculares, olorosas, en grupos apretados y sostenidas por pedúnculos erizados de pelos rojizos. ‖ **de olor. rosal de Alejandría.** ‖ **de pitiminí.** El de tallos trepadores, que echa muchas rosas muy pequeñas. ‖ **perruno,** o **silvestre.** Escaramujo, arbusto espinoso.

rosaleda. f. Sitio en que hay muchos rosales.

rosalera. f. **rosaleda.**

rosar. (Del lat. *rosāre, rociar, de *ros, roris,* rocío.) intr. impers. *Ast., Cantabria, Gal.* y *Rioja.* Rociar, caer rocío.

rosariera. f. Cinamomo, árbol.

rosariero, ra. m. y f. Persona que hace o vende rosarios. ‖ **2.** f. Estuche del rosario.

rosarino, na. adj. *Argent.* Natural de la ciudad de Rosario. Ú. t. c. s. ‖ **2.** *Argent.* Perteneciente o relativo a esta ciudad de la República Argentina.

rosario. (Del lat. *rosarĭum,* de *rosa,* rosa.) m. Rezo de la Iglesia, en que se conmemoran los quince misterios principales de la vida de Jesucristo y de la Virgen, recitando después de cada uno un padrenuestro, diez avemarías y un gloriapatri. ‖ **2.** Sarta de cuentas, separadas de diez en diez por otras de distinto tamaño, anudada por sus dos extremos a una cruz, precedida por lo común de tres cuentas pequeñas. Suele adornarse con medallas u otros objetos de devoción y sirve para hacer ordenadamente el rezo del mismo nombre o una de sus partes. ‖ **3.** fig. Serie. ROSARIO *de desdichas.* ‖ **4.** Junta de personas que rezan o cantan el **rosario** a coros. ‖ **5.** Este mismo acto colectivo de devoción. ‖ **6.** V. **parte de rosario.** ‖ **7.** Máquina elevadora, compuesta de unos tacos forrados de cuero o de unos cubos, sujetos de trecho en trecho a una cuerda o cadena, los cuales entran sucesivamente muy ajustados en un cañón vertical que baja está sumergida en el depósito, y dan vuelta sobre una rueda como los arcaduces de la noria. ‖ **8.** fig. y fam. Espinazo de los animales vertebrados. ‖ **acabar como el rosario de la aurora.** fr. fig. y fam. Desbandarse descompuesta y tumultuariamente los individuos de una reunión, por falta de acuerdo.

rosarse. prnl. Sonrosarse.

rosbif. (Del ing. *roastbeef,* de *roast,* asada, y *beef,* carne de vaca.) m. Carne de vaca soasada.

rosca. f. Máquina que se compone de tornillo y tuerca. ‖ **2.** Cualquier cosa redonda y rolliza que, cerrándose, forma un círculo u óvalo, dejando en medio un espacio vacío. ‖ **3.** Pan o bollo de esta forma. ‖ **4.** Carnosidad que rebosa a las personas gruesas alrededor del cuello, las muñecas y las piernas. Se usa especialmente tratando de niños. ‖ **5.** Rollo circular que los colegiales llevan por distintivo en una de las hojas de la espalda. ‖ **6.** Cada una de las vueltas de una espiral, o el conjunto de ellas. ‖ **7.** Resalto helicoidal de un tornillo o tuerca. ‖ **8.** Faja de material que, sola o con otras concéntricas, forma un arco o bóveda. ‖ **9.** V. **buque en rosca.** ‖ **10.** *Can.* **rosquilla,** larva. ‖ **11.** *Chile.* Rodete para llevar pesos en la cabeza. ‖ **12.** *Chile.* Pelea, riña, bronca. ‖ **13.** *Bol.* y *Col.* **camarilla,** grupo político o social, que obra en beneficio propio. ‖ **de Arquímedes.** Aparato para elevar agua, que consiste en un tubo arrollado en hélice alrededor de un cilindro giratorio sobre su eje, oblicuo al horizonte, y cuya base se sumerge en el depósito. ‖ **hacer la rosca** a uno. fr. fig. y fam. **rondarle,**

halagarle para obtener algo. ‖ **hacer la rosca, o la rosca del galgo.** fr. fig. y fam. Echarse a dormir en cualquier parte, aunque sea con incomodidad. ‖ **hacerse rosca, o una rosca.** fr. fig. Enroscar el cuerpo. ‖ **pasarse de rosca.** fr. No agarrar en la tuerca el tornillo por haberse desgastado la **rosca** de este. ‖ **2.** fig. Excederse uno en lo que dice, hace o pretende; ir más allá de lo debido.

roscadero. m. *Ar.* Cesto grande de mimbre con dos o cuatro asas en el borde, que se usa para llevar frutas y verduras.

roscado, da. adj. En forma de rosca. ‖ **2.** m. Acción y efecto de roscar.

roscar. (Del lat. *roticāre*, de *rota*, rueda.) tr. Labrar las espiras de un tornillo.

rosco. m. Roscón o rosca de pan o de bollo.

roscón. m. aum. de **rosca.** ‖ **2.** Bollo en forma de rosca grande. ‖ **de Reyes.** Bollo en forma de rosca que se come en el día de Reyes.

rosear. intr. Mostrar color parecido al de la rosa.

rosedal. m. *Argent.* y *Urug.* **rosaleda.**

rosellonés, sa. adj. Natural del Rosellón. Ú. t. c. s. ‖ **2.** Perteneciente o relativo a esta comarca de Francia.

róseo, a. (Del lat. *rosĕus.*) adj. De color de rosa. ‖ **2.** V. **malva rósea.**

roséola. (Del lat. *rosĕus*, rosado.) f. *Med.* Erupción cutánea, caracterizada por la aparición de pequeñas manchas rosáceas.

rosero, ra. m. y f. Persona que trabaja en la recolección de rosas del azafrán. ‖ **2.** m. *Ecuad.* Postre típico del día del Corpus, que se compone de almíbar, especias y esencias con agua y trozos menudos de piña.

roseta. f. d. de **rosa.** ‖ **2.** Mancha rosada en las mejillas. ‖ **3.** Rallo de la regadera. ‖ **4.** Pieza de metal fija en el extremo de la barra de la romana, con la cual se impide que el pilón salga de la barra o brazo. ‖ **5.** Arete o zarcillo adornado con una piedra preciosa a la que rodean otras pequeñas. ‖ **6.** *Min.* Costra de cobre puro, del color de rosa, que se forma en las pilas de los hornos de afino echando agua fría sobre el metal fundido. ‖ **7.** pl. Granos de maíz que al tostarse se abren en forma de flor.

rosetón. m. aum. de **roseta.** ‖ **2.** *Arq.* Ventana circular calada, con adornos. ‖ **3.** *Arq.* Adorno circular que se coloca en los techos.

rosicler. (Del fr. *rose* y *clair*, rosa y claro.) m. Color rosado, claro y suave de la aurora. ‖ **2. plata roja.**

rosigar. (Del lat. *roxicāre*, de *rosus*, roído.) tr. *Albac.*, *Ar.* y *Murc.* Roer, cortar superficialmente con los dientes parte de una cosa dura. ‖ **2.** intr. *Ar.* y *Murc.* Murmurar entre dientes, refunfuñar.

rosigo. m. *Ar.* Ramuja que resulta de la poda.

rosigón. m. *Albac., Murc.* y *Ter.* Mendrugo de pan.

rosillo, lla. adj. d. de **roso.** ‖ **2.** Rojo claro. ‖ **3.** Dícese de la caballería cuyo pelo está mezclado de blanco, negro y castaño.

rosita. f. d. de **rosa.** ‖ **2.** pl. Rosetas de maíz. ‖ **de rositas.** loc. adv. fam. De balde, sin esfuerzo alguno.

rosjo. m. *Sal.* Hoja de la encina.

rosmarino[1]. (Del lat. *rosmarīnus.*) m. **romero[1]**, arbusto.

rosmarino[2], na. (De *roso* y *marino*.) adj. Rojo claro.

rosmaro. (Del germ. *hross*, caballo, y *meer*, mar.) m. **morsa**, especie de foca.

roso[1]. (Del lat. *rosus.*) adj. Raído, sin pelo. ‖ **a roso y velloso.** loc. adv. fig. Totalmente, sin excepción, sin consideración ninguna.

roso[2], sa. (Del lat. *russus.*) adj. Rojo, rusiente.

rosoli o **rosolí.** (Del fr. *rossolis.*) m. **resolí.**

rosón. (De *roso[2]*.) m. **rezno.**

rosqueado, da. adj. Dícese de lo que hace o forma roscas.

rosquear. intr. *Chile.* Armar roscas, pendencias, etc.

rosquete. m. Rosquilla de masa, algo mayor que las regulares.

rosquilla. f. Especie de masa dulce y delicada, formada en figura de rosca pequeña. ‖ **2.** Larva de insecto que se enrosca con facilidad y al menor peligro. Hay varias especies, todas dañinas para los vegetales, entre ellas el gusano revoltón. ‖ **lista.** La de masa dulce, bañada en azúcar. ‖ **tonta.** Variedad de **rosquilla** con poca azúcar y que tiene anís. ‖ **no saber a rosquillas** una cosa. fr. fig. y fam. Producir gusto o sentimiento. ‖ **saber a rosquillas** una cosa. fr. fig. y fam. Producir gusto o satisfacción.

rosquillero, ra. m. y f. Persona que se dedica a hacer rosquillas o a venderlas.

rosticería. (Del it. *rosticceria*.) f. *Méj.* y *Nicar.* Establecimiento donde se asan y venden pollos.

rostir. (Del germ. *raustjan*.) tr. Asar o tostar.

rostrado, da. (Del lat. *rostrātus*.) adj. Que remata en una punta semejante al pico del pájaro o al espolón de la nave. ‖ **2.** V. **corona rostrada.** ‖ **3.** *Arq.* V. **columna rostrada.**

rostral. (Del lat. *rostrālis*.) adj. Que remata en punta a modo de pico o de espolón. ‖ **2.** V. **corona rostral.** ‖ **3.** *Arq.* V. **columna rostral.**

rostrata. (Del lat. *rostrāta*, t. f. de *-tus*, rostrado.) adj. V. **corona rostrata.**

rostrillo. m. d. de **rostro.** ‖ **2.** Adorno que se ponían las mujeres alrededor de la cara, y hoy se suele poner a las imágenes de la Virgen y de algunas santas. ‖ **3.** Aljófar de 600 perlas en onza. ‖ **grueso.** Aljófar de 500 perlas en onza. ‖ **menudo.** Aljófar de 700 perlas en onza. ‖ **medio rostrillo.** Aljófar de 1.200 perlas en onza. ‖ **medio rostrillo grueso.** Aljófar de 850 perlas en onza. ‖ **medio rostrillo mejor.** Aljófar de 1.000 perlas en onza.

rostricorto, da. adj. **rostrituerto.**

rostrituerto, ta. adj. fig. y fam. Que en el semblante manifiesta enojo, enfado o desabrimiento.

rostrizo. (De *rostir*.) m. *Burg., Pal.* y *Rioja.* Tostón, cochinillo asado.

rostro. (Del lat. *rostrum*.) m. Pico del ave. ‖ **2.** Por ext., cosa en punta, parecida a él. ‖ **3.** Cara de las personas. ‖ **4.** ant. careta, máscara de la cara. ‖ **5.** desus. Frente de una moldura. ‖ **6.** ant. Hocico, boca. ‖ **7.** ant. V. **can rostro.** ‖ **8.** *Mar.* Espolón de la nave. ‖ **a rostro firme.** loc. adv. fig. Cara a cara, sin empacho y con resolución. ‖ **conocer de rostro** a uno. fr. Conocerlo personalmente. ‖ **dar en rostro** a uno **con** una cosa. fr. fig. Echarle en cara los beneficios que ha recibido o las faltas que ha cometido. ‖ **dar en rostro** una cosa. fr. fig. Causar enojo y pesadumbre, chocar. ‖ **echar** en rostro una cosa o alguna cosa. fr. fig. **echársela** en cara. ‖ **encapotar el rostro.** Ponerlo ceñudo. ‖ **hacer rostro.** fr. fig. Resistir al enemigo. ‖ **2.** fig. Oponerse al dictamen y opinión de uno. ‖ **3.** fig. Estar dispuesto a tolerar con constancia las adversidades y trabajos que amenazan. ‖ **4.** fig. Admitir o dar señales de aceptar una cosa. ‖ **robarse el rostro.** fr. fig. **demudarse**, cambiarse la expresión del rostro. ‖ **rostro a rostro.** loc. adv. **cara a cara.** ‖ **torcer** uno el rostro. fr. torcer la boca. ‖ **volver** uno el rostro. fr. fig. Demostrar cariño o atención cuando se inclina hacia un sujeto para mirarlo, y, al contrario, desprecio o desvío cuando la vista se aparta del sujeto. ‖ **2.** fig. **huir.**

rota[1]. (Del lat. *rupta*.) f. *Mar.* **derrota**, rumbo que lleva una embarcación. ‖ **2.** *Mil.* **derrota**, fuga de un ejército vencido. ‖ **3.** ant. Rotura o hundimiento. ‖ **de rota**, o **de rota batida.** loc. adv. Con total pérdida o destrucción. ‖ **2.** fig. y fam. De repente o sin reparo.

Rota[2]. (Del lat. *rota*, rueda, por alusión al turno en los procedimientos.) n. p. f. Tribunal de la corte romana, compuesto de diez ministros llamados auditores, en el cual se decide el grado de apelación en las causas eclesiásticas de todo el orbe católico. ‖ **2.** V. **auditor, decisión de la Rota.** ‖ **de la nunciatura apostólica.** Tribunal supremo eclesiástico de última apelación en España, compuesto de jueces españoles.

rota³. (Del malayo *rōtan*.) f. Nombre de diversas plantas vivaces, de la familia de las palmas, con tallos que alcanzan gran longitud, nudosos a trechos, delgados, sarmentosos y muy fuertes; hojas abrazadoras en los nudos, lisas y flexibles, zarcillos espinosos, flores de tres pétalos, y fruto abayado y rojo como la cereza. Vive en los bosques de la India y otros países de Oriente, y de su tallo se hacen bastones.

rotación. (Del lat. *rotatĭo, -ōnis*.) f. Acción y efecto de rodar. ‖ **2.** *Mec.* V. **movimiento de rotación.** ‖ **de cultivos.** Variedad de siembras alternativas o simultáneas, para evitar que el terreno se agote en la exclusiva alimentación de una sola especie vegetal.

rotacismo. m. *Fon.* Conversión de *s* en *r* en posición intervocálica.

rotal. adj. Perteneciente o relativo al Tribunal de la Rota.

rotamente. adv. m. Desbaratadamente, con desenvoltura.

rotar¹. (Del lat. *rotāre*.) intr. **rodar.**

rotar². (Del lat. *eructāre*.) intr. *Ar.* y *Ast.* Eructar, regoldar, regurgitar.

rotario, ria. (Del ing. *rotarian*, miembro de un *Rotary Club.*) m. Miembro de una de las muchas asociaciones que tuvieron principio en los Estados Unidos de América, están extendidas por diversas partes del mundo con fines de inteligencia internacional, filantrópicos y de ayuda mutua; y tienen como emblema una rueda dentada de características especiales. ‖ **2.** adj. Perteneciente o relativo a los **rotarios.**

rotativo, va. (De *rotar*¹.) adj. Dícese de la máquina de imprimir que con movimiento seguido y a gran velocidad imprime los ejemplares de un periódico. ‖ **2. rotatorio,** que tiene movimiento giratorio sobre su eje. ‖ **3.** f. La máquina de imprimir. ‖ **4.** m. Por ext., periódico impreso en estas máquinas. ‖ **5.** Alternancia en las noticias, supuestos, etc.

rotatorio, ria. adj. Que tiene movimiento circular. ‖ **2.** V. **bomba rotatoria.**

roten. (Del fr. *rotin*.) m. **rota**³, planta. ‖ **2.** Bastón hecho del tallo de la rota.

rotería. f. *Chile.* Conjunto de rotos, plebe.

roterodamense. (Del lat. *Roterodamensis*.) adj. Perteneciente o relativo a Rotterdam. ‖ **2.** Natural de esta ciudad de Holanda. Dícese por antonomasia del filósofo Erasmo, nacido en ella. Ú. t. c. s.

roto, ta. (Del lat. *ruptus*.) p. p. irreg. de **romper.** ‖ **2.** adj. Andrajoso y que lleva **rotos** los vestidos. Ú. t. c. s. ‖ **3.** Aplícase al sujeto licencioso, libre y desbaratado en las costumbres y modo de vida, y también a las mismas costumbres y vida de semejante sujeto. ‖ **4.** fig. V. **bolsa, capa rota.** ‖ **5.** m. Desgarrón en la ropa, en cualquier tejido, etc. ‖ **6.** *Chile.* Individuo de la clase ínfima del pueblo. ‖ **7.** *O.* y *N. Argent.* y *Perú.* fam. despect. **chileno.** ‖ **8.** *Méj.* Petimetre del pueblo. ‖ **ser peor lo roto que lo descosido.** fr. fig. y fam. Ser, entre dos daños, el uno mayor que el otro.

rotonda. (Del it. *rotonda*.) f. Templo, edificio o sala de planta circular. ‖ **2.** Departamento último de los tres que tenían algunas diligencias. ‖ **3.** Plaza circular.

rotor. m. *Fís.* Parte giratoria de una máquina electromagnética o de una turbina.

rotoso, sa. adj. *Argent., Chile, Ecuad., Perú* y *Urug.* Roto, desharrapado.

rótula. (Del lat. *rotŭla*, ruedecilla, por la forma.) f. *Anat.* Hueso en la parte anterior de la articulación de la tibia con el

fémur. ‖ **2.** *Farm.* **trocisco,** cada uno de los trocitos en que se divide una masa medicinal.

rotulación. f. Acción y efecto de rotular.

rotulado, da. p. p. de **rotular.** ‖ **2.** m. Acción y efecto de rotular.

rotulador, ra. adj. Que rotula o sirve para rotular. ‖ **2.** f. Máquina para rotular. ‖ **3.** m. Instrumento semejante a un bolígrafo o a una estilográfica, que escribe o dibuja con un trazo generalmente más grueso que el habitual, mediante una escobilla o pincel de fieltro.

rotular¹. tr. Poner un rótulo a alguna cosa o en alguna parte.

rotular². adj. Perteneciente o relativo a la rótula.

rotulata. f. Colección de rótulos. ‖ **2.** fam. **rótulo,** letrero.

rotuliano, na. adj. Perteneciente o relativo a la rótula.

rotulista. com. Persona que tiene por oficio trazar rótulos.

rótulo. (Del lat. *rotŭlus*.) m. Título de un escrito o de una parte suya. ‖ **2.** Letrero o inscripción con que se indica o da a conocer el contenido, objeto o destino de una cosa, o la dirección a que se envía. ‖ **3.** Letrero con que se da a conocer el contenido de otras cosas. ‖ **4.** Cartel que se fija en los cantones y otras partes públicas para dar noticia o aviso de una cosa. ‖ **5.** Despacho que libra la curia romana en vista de las informaciones hechas por el ordinario, acerca de las virtudes de un sujeto, para que se haga la misma información en nombre del Papa, antes de proceder a la beatificación. ‖ **6.** Lista de graduandos en la antigua universidad de Alcalá.

rotunda. (Del lat. *rotunda*, t. f. de *-dus*, rotundo.) f. Templo, edificio o sala de planta circular.

rotundamente. adv. m. De un modo claro y preciso, terminantemente.

rotundez. f. **rotundidad.**

rotundidad. (Del lat. *rotundĭtas, -ātis*.) f. Calidad de rotundo.

rotundidez. f. **rotundidad.**

rotundo, da. (Del lat. *rotundus*, de *rota*, rueda.) adj. **redondo.** ‖ **2.** fig. Aplicado al lenguaje, lleno y sonoro. ‖ **3.** fig. Completo, preciso y terminante. *Negativa* ROTUNDA.

rotuno, na. adj. *Chile.* Propio de un roto, individuo de la clase ínfima del pueblo.

rotura. (Del lat. *ruptūra*.) f. Acción y efecto de romper o romperse. ‖ **2.** Raja o quiebra de un cuerpo sólido. ‖ **3. contrarrotura.** ‖ **4.** ant. fig. Relajación, corrupción, desarreglo. ‖ **5.** *Cantabria.* Terreno roturado.

roturación. f. Acción y efecto de roturar. ‖ **2.** Terreno recién roturado.

roturador, ra. adj. Que rotura. ‖ **2.** f. Máquina que sirve para roturar las tierras.

roturar. tr. Arar o labrar por primera vez las tierras eriales o los montes descuajados, para ponerlos en cultivo.

roya. (Del lat. *rubĕa*, rubia.) f. Hongo de tamaño muy pequeño, del cual se conocen muchas especies, que vive parásito sobre diversos vegetales, ocasionando en ellos peligrosas enfermedades; sus esporas son de color variado en las diferentes especies y forman en conjunto manchas amarillas, negras, etc., en las hojas de las plantas atacadas por el parásito. ‖ **2.** Enfermedad de algunos árboles en los que el centro del tronco se convierte en un polvo rojo negruzco.

royal. f. *Nav.* Variedad de uva rojiza.

royega. f. *Pal.* Especie de oruga grande que ataca a los árboles frutales.

royo, ya. (Del lat. *rubĕus*.) adj. V. **pino royo.** ‖ **2.** *Ar.* **rubio,** rojo. ‖ **3.** *León.* Aplícase a las frutas no maduras o a los alimentos mal cocidos.

roza. f. Acción y efecto de rozar. ‖ **2.** Surco o canal abierto en una pared para empotrar tuberías, cables, etc. ‖ **3.** Tierra rozada y limpia de las matas que naturalmente cría, para sembrar en ella. ‖ **4.** *Ar.* Canal pequeño abierto en la tierra para dar curso a las aguas; a veces se reviste de fábrica. ‖ **5.** *Ast.* Terreno poblado de plantas propias de monte bajo, como árgoma, brezo, etc. ‖ **6.** Hierbas o matas que se obtienen de rozar un campo. ‖ **7.** *Mál.* Arroyo de corto caudal de agua en la ladera de un monte.

rozable. adj. Que está en disposición de ser rozado.

rozadera. f. Especie de guadaña para quitar matas y hierbas inútiles.

rozadero. m. Lugar o cosa en que se roza.

rozado, da. p. p. de *rozar.* ‖ **2.** m. *NE. Argent.* roza, terreno preparado para el cultivo por medio del desmonte y quema de la vegetación.

rozador, ra. m. y f. Persona que roza las tierras.

rozadura. f. Acción y efecto de frotar una cosa con otra. ‖ **2.** *Bot.* Enfermedad de los árboles que consiste en formarse una capa de madera de mala calidad y que se descompone fácilmente, a consecuencia de haberse desprendido del líber la corteza. ‖ **3.** *Cir.* Herida superficial de la piel, en que hay desprendimiento de la epidermis y de alguna porción de la dermis.

rozagante. (Del cat. *rossegant.*) adj. Aplícase a la vestidura vistosa y muy larga. ‖ **2.** fig. Vistoso, ufano.

rozamiento. m. Acción y efecto de rozar o rozarse. ‖ **2.** fig. Disensión o disgusto leve entre dos o más personas o entidades. ‖ **3.** *Mec.* Resistencia que se opone a la rotación o al resbalamiento de un cuerpo sobre otro.

rozar. (Del lat. vulg. **ruptiãre.*) tr. Limpiar las tierras de las matas y hierbas inútiles antes de labrarlas, bien para que retoñen las plantas o bien para otros fines. ‖ **2.** Cortar leña menuda o hierba para aprovecharse de ella. ‖ **3.** Cortar los animales con los dientes la hierba para comerla. ‖ **4.** Raer o quitar una parte de la superficie de una cosa; como de las paredes, del suelo, de la piel, etc. ‖ **5.** Entonar el cantante con inseguridad o con voz poco clara una nota determinada. *El tenor* ROZÓ *el do de pecho.* ‖ **6.** *Albañ.* Abrir algún hueco o canal en un paramento. ‖ **7.** intr. Pasar una cosa tocando u oprimiendo ligeramente la superficie de otra o acercándose mucho a ella. Ú. t. c. tr. ‖ **8.** prnl. Tropezarse o herirse un pie con otro. ‖ **9.** fig. Tratarse o tener entre sí dos o más personas familiaridad y confianza. ‖ **10.** fig. Embarazarse en las palabras, pronunciándolas mal o con dificultad. ‖ **11.** fig. Tener una cosa semejanza o conexión con otra.

rozavillón. m. *Germ.* El que come de mogollón, gorrón.

roznar¹. (De *ronzar.*) tr. Comer con ruido. ‖ **2.** Mover una cosa pesada ladeándola con palancas, ronzar.

roznar². intr. **rebuznar.**

roznido¹. m. Ruido que, al roznar, se hace con los dientes.

roznido². (De *roznar².*) m. **rebuzno.**

rozno. (De *roznar².*) m. Borrico.

rozo. m. Terreno que se ha rozado. ‖ **2.** Leña menuda que se hace en la roza. ‖ **3.** *Ast.* y *Cantabria.* Hierbas o matas que se obtienen de rozar un campo. ‖ **ser de buen rozo.** fr. fig. y fam. Tener buen apetito.

rozón. m. Especie de guadaña tosca, corta, gruesa y ancha, que sujeta a un mango largo, sirve para rozar árgoma, zarzas, etc.

-rragia. (Del gr. -ǫǫαγία.) elem. compos. que significa «flujo», «derramamiento»: *verbo*RRAGIA, *bleno*RRAGIA.

-rrea. (Del gr. -ǫǫοια, a través del lat. *-rrhoea.*) elem. compos. que significa «flujo», «acción de manar»: *verbo*RREA, *sebo*RREA.

-rro. suf. que suele tener valor diminutivo y despectivo. Toma las formas **-arro, -orro** y **-orrio:** *guij*ARRO, *vent*ORRO, *vill*ORRIO.

rúa. (Del lat. *ruga,* camino.) f. Calle de un pueblo. ‖ **2. camino carretero.** ‖ **3.** V. **coche de rúa.** ‖ **4.** En Galicia, fiesta o diversión nocturna de aldeanos. ‖ **hacer la rúa.** fr. **ruar.**

ruán¹, na. (Del lat. **ravidãnus,* de *ravĭdus.*) adj. ant. Dícese del caballo cuyo pelo está mezclado de blanco y bayo, ruano.

ruán². m. p. us. Tela de algodón estampada en colores que se fabrica en Ruán, ciudad de Francia.

ruán³. (De *rueda.*) adj. V. **pavo ruán.**

ruana. (De *ruán².*) f. Tejido de lana. ‖ **2.** Manta raída. ‖ **3.** *Col.* y *Venez.* Especie de capote de monte o poncho.

ruanés, sa. adj. Natural de Ruán, ciudad de Francia.

ruano¹, na. adj. Dícese del caballo ruán. ‖ **2.** *Argent.* Dícese del caballo que presenta crines y cola blancas, en particular del alazán. Ú. t. c. s.

ruano², na. adj. ant. Perteneciente o relativo a la calle. *Vendedor* RUANO. ‖ **2.** desus. Que pasea las calles. Decíase especialmente del caballo de regalo, más a propósito para lucirlo en calles y paseos que para las fatigas de la guerra o de los caminos.

ruano³, na. adj. Que está en rueda o la hace.

ruante. (Del fr. *rouant,* de *rouer,* rodar.) adj. *Blas.* V. **pavo ruante.**

ruar. intr. Andar por las calles y otros sitios públicos a pie, a caballo o en coche. Ú. t. c. tr. RUAR *calles.* ‖ **2.** Pasear la calle con el objeto de cortejar y hacer obsequio a las damas.

rubefacción. (Del lat. *rubefacĕre,* poner rojo.) f. *Med.* Rubicundez producida en la piel por la acción de un medicamento o por alteraciones de la circulación de la sangre, debidas a inflamación u otras enfermedades.

rubefaciente. (Del lat. *rubefacĭens, -entis,* p. a. de *rubefacĕre,* poner rojo.) adj. *Med.* Dícese de lo que produce rubefacción. Ú. t. c. s. m.

rúbeo, a. (Del lat. *rubĕus.*) adj. Que tira a rojo.

rubéola. f. *Pat.* Enfermedad infecciosa, contagiosa y epidémica caracterizada por una erupción semejante a la del sarampión y por infartos ganglionares.

rubescente. adj. Que tira a rojo.

rubeta. (Del lat. *rubēta.*) f. **rana de zarzal.**

rubí. (De *rubín.*) m. Mineral cristalizado, más duro que el acero, de color rojo y brillo intenso. Es una de las piedras preciosas de más estima; está compuesto de alúmina y magnesia, y es de color más o menos subido, por los óxidos metálicos que contiene. ‖ **balaje. balaje.** ‖ **2.** *Argent.* Cristal de roca sonrosado. ‖ **del Brasil. topacio del Brasil.** ‖ **espinela. espinela.** ‖ **oriental.** Corindón carmesí o rojo.

rubia¹. (Del lat. *rubĭa.*) f. Planta vivaz, de la familia de las rubiáceas, con tallo cuadrado, voluble, espinoso y de uno a dos metros de longitud; hojas lanceoladas, con espinas en el margen, en verticilos cuádruplos o séxtuplos; flores pequeñas, amarillentas, en racimos axilares o terminales; fruto carnoso, de color negro, con dos semillas, y raíces delgadas, largas y rojizas. Es originaria de Oriente y se cultiva en Europa por la utilidad de la raíz, que después de seca y pulverizada sirve para preparar una sustancia colorante roja muy usada en tintorería. ‖ **2.** Raíz de esta planta. ‖ **menor.** Azor, árbol.

rubia². (De *rubio.*) f. Pececillo teleósteo de agua dulce, del suborden de los fisóstomos, que apenas llega a la longitud de siete centímetros; de cuerpo alargado, tenue, casi cilíndrico, cubierto de menudas escamas, manchado de pardo y rojo, y con una pinta negra en el arranque de la cola. Es común en los ríos y arroyos de España, donde se pesca a flor de agua.

rubia³. (Del ár. *rub'iyya,* relativa a la cuarta parte.) f. Moneda árabe de oro, equivalente a la cuarta parte del ciani.

rubiáceo, a. (De *rubia¹.*) adj. *Bot.* Dícese de plantas angiospermas dicotiledóneas, árboles, arbustos o hierbas, que tienen hojas simples y enterísimas, opuestas o verticiladas y con estípulas; flor con el cáliz adherente al ovario, y por fruto una baya, caja o drupa con semillas de albumen córneo o carnoso; como la rubia¹, el quino y el café. Ú. t. c. s. f. ‖ **2.** f. pl. *Bot.* Familia de estas plantas.

rubial¹. m. Campo o tierra donde se cría la rubia¹, planta.

rubial². adj. Que tira al color rubio. Dícese de tierras y plantas. ‖ **2.** pl. fam. Dícese de la persona rubia y, por lo común, joven. Ú. m. c. s.

rubicán, na. (De *rubio* y *cano*.) adj. Aplícase al caballo o yegua que tiene el pelo mezclado de blanco y rojo. ‖ **2.** *Sor.* Aplícase a las ovejas de ese color.

rubicela. f. Espinela de color vinoso más bajo que el del rubí balaje.

rubicón (pasar el). (Alusión al conocido episodio de la vida de Julio César.) fr. fig. Dar un paso decisivo arrostrando un riesgo.

rubicundez. f. Calidad de rubicundo. ‖ **2.** *Med.* Color rojo o sanguíneo que se presenta como fenómeno morboso en la piel y en las membranas mucosas.

rubicundo, da. (Del lat. *rubicundus*.) adj. Rubio que tira a rojo. ‖ **2.** Aplícase a la persona de buen color y que parece gozar de completa salud. ‖ **3.** Dícese del pelo que tira a colorado.

rubidio. (Del lat. *rubĭdus*, rubio, porque en el análisis espectroscópico presenta dos rayas rojas.) m. *Quím.* Metal semejante al potasio, aunque más blanco y más pesado, contenido en pequeñísimas proporciones en las aguas, en las cenizas de las plantas y en ciertos minerales en que el espectroscopio ha revelado su presencia. Núm. atómico 37. Simb.: Rb.

rubiel. (Del lat. *rubellus*, de *rubĕus*.) m. *Ast.* Pajel común.

rubiera. f. *Venez.* Calaverada, travesura. ‖ **2.** *P. Rico.* Diversión, jira.

rubificar. (Del lat. *ruber*, rojo, y *facĕre*, hacer.) tr. Poner colorada una cosa o teñirla de color rojo.

rubilla. (Del lat. *rubella*, f. de *rubellus*.) f. **asperilla**, planta.

rubín¹. (Del lat. **rubĭnus*, de *rubĕus*, rojo.) m. **rubí**.

rubín². (De *robín*.) m. **robín**.

rubinejo. m. d. de **rubí**.

rubio, bia. (Del lat. *rubĕus*.) adj. De color parecido al del oro. Dícese especialmente del cabello de este color y de la persona que lo tiene. Apl. a pers., ú. t. c. s. ‖ **2.** V. **mata, salsa rubia.** ‖ **3.** m. Pez teleósteo, marino, del suborden de los acantopterigios, de unos tres decímetros de largo, cuerpo en forma de cuña adelgazada hacia la cola, cabeza casi cúbica, cubierta de láminas duras, con hocico saliente y partido; ojos grandes con dos espinas fuertes en la parte posterior; dorso de color rojo negruzco, vientre plateado, aletas pectorales azules, de color amarillo rojizo las demás, y delante de las primeras tres apéndices delgados y cilíndricos de tres a cuatro centímetros de largo. Abunda en los mares de España. ‖ **4.** pl. *Taurom.* Centro de la cruz en el lomo del toro. ‖ **5.** f. Coche automóvil con la carrocería total o parcialmente de madera en su color natural y que suele tener una puerta en la parte posterior, además de las laterales. ‖ **platino.** Color del cabello **rubio** muy claro.

rubión. adj. V. **trigo rubión.** Ú. t. c. s. ‖ **2.** m. *Mancha.* Alforfón, planta. ‖ **3.** *Mancha.* Semilla de esta planta.

rublo. (Del ruso *rubl*, un derivado de *rubitj*, cortar, por ser el antiguo *rublo* un pedazo cortado de una barra de plata.) m. Moneda de plata que es en Rusia la unidad monetaria.

rubo. (Del lat. *rubus*.) m. ant. **zarza**.

rubor. (Del lat. *rubor, -ōris*.) m. Color encarnado o rojo muy encendido. ‖ **2.** Color que la vergüenza saca al rostro, y que pone encendido. ‖ **3.** fig. Empacho y vergüenza.

ruborizado, da. p. p. de **ruborizar.** ‖ **2.** adj. Rojo de vergüenza, que siente rubor.

ruborizar. tr. Causar rubor o vergüenza. ‖ **2.** prnl. Teñirse de rubor una persona. ‖ **3.** fig. Sentir vergüenza.

ruborosamente. adv. m. fig. Con rubor.

ruboroso, sa. adj. Que tiene rubor.

rúbrica. (Del lat. *rubrīca*.) f. desus. Señal encarnada o roja. ‖ **2.** Rasgo o conjunto de rasgos de figura determinada, que como parte de la firma pone cada cual después de su nombre o título. A veces pónese la **rúbrica** sola; esto es, sin que vaya precedida del nombre o título de la persona que rubrica. ‖ **3.** Epígrafe o rótulo; se dijo porque en los libros antiguos solía escribirse con tinta roja. ‖ **4.** Cada una de las reglas que enseñan la ejecución y práctica de las ceremonias y ritos de la Iglesia en los oficios divinos y funciones sagradas. ‖ **5.** Conjunto de estas reglas. ‖ **fabril.** Almagre que usan los carpinteros para señalar y hacer las líneas en la madera que han de aserrar. ‖ **lemnia. bol arménico.** ‖ **sinópica. minio.** ‖ **2. bermellón.** ‖ **ser de rúbrica** una cosa. fr. En estilo eclesiástico, ser conforme a ella. ‖ **2.** fig. y fam. Ser conforme a cualquier costumbre o práctica establecida.

rubricado, da. p. p. de **rubricar.** ‖ **2.** adj. V. **minuta rubricada.**

rubricante. p. a. de **rubricar.** Que rubrica o firma. ‖ **2.** m. desus. Ministro más moderno, a quien tocaba rubricar los autos del Consejo.

rubricar. (Del lat. *rubricāre*.) tr. Poner uno su rúbrica, vaya o no precedida del nombre de la persona que la hace. ‖ **2.** Suscribir, firmar un despacho o papel y ponerle el sello o escudo de armas de aquel en cuyo nombre se escribe. ‖ **3.** ant. Pintar o poner de color rubio o encarnado una cosa. ‖ **4.** fig. Suscribir o dar testimonio de una cosa.

rubriquista. m. El que está versado en las rúbricas de la Iglesia.

rubro, bra. (Del lat. *rubrus*.) adj. Encarnado, rojo. ‖ **2.** m. *Amér.* Título, rótulo.

ruc. (Del ár. *rujj*, nombre de un enorme pájaro fabuloso.) m. **rocho**, ave fabulosa.

ruca¹. f. Planta silvestre de la familia de las crucíferas, erguida, ramosa, con flores violáceas y frutos en forma de silicuas cilíndricas; florece en primavera y se encuentra en el centro y este de España.

ruca². (De or. araucano.) f. *Argent.* y *Chile.* Choza de los indios, y por ext., cualquier cabaña o covacha que sirve de refugio.

rucar. (De la onomat. *ruc*.) tr. *Ast.* y *León.* Hacer diversos ruidos con la boca, ronzar. Ú. t. c. intr.

ruciadera. f. desus. Vasija pequeña destinada a contener aceite, vinagre u otro líquido para su empleo en la mesa.

rucio, cia. (Del lat. *roscĭdus*, de *ros*, rocío.) adj. De color pardo claro, blanquecino o canoso. Aplícase a las bestias. Ú. t. c. s. ‖ **2.** fam. Dícese de la persona entrecana. ‖ **3.** desus. De color parecido al oro.

ruco, ca. adj. *Amér. Central.* Viejo, inútil. Aplicado especialmente a las caballerías, matalón.

ruchar. (Del lat. **eruptiāre*, de *erumpĕre*, romper.) intr. *León.* Brotar las plantas.

ruche. (De *rucio*.) m. Burro, pollino. ‖ **a ruche.** loc. adv. Sin dinero, arruinado. Ú. comúnmente con los verbos *quedar* o *estar*.

ruchique. m. *Hond.* Mancerina de madera.

rucho¹. (De *rucio*.) m. Burro, pollino.

rucho². (De *ruchar*.) m. *León.* Brote o renuevo de una planta.

ruda. (Del lat. *ruta*.) f. Planta perenne, de la familia de las rutáceas, con tallos erguidos y ramosos de seis a ocho decímetros, hojas alternas, gruesas, compuestas de hojuelas partidas en lóbulos oblongos y de color garzo; flores pequeñas, de cuatro pétalos, amarillas, en corimbos terminales, y fruto capsular con muchas semillas negras, menudas, en forma de riñón. Es de olor fuerte y desagradable y se usa en medicina. ‖ **cabruna. galega.** ‖ **ser una**

persona o cosa **más conocida que la ruda**. fr. fig. y fam. Ser muy conocida.

rudamente. adv. m. Con rudeza.

rudez. f. ant. Calidad de rudo.

rudeza. f. Calidad de rudo.

rudimental. adj. Perteneciente al rudimento.

rudimentario, ria. adj. Perteneciente o relativo al rudimento o a los rudimentos.

rudimento. (Del lat. *rudimentum*.) m. Embrión o estado primordial e informe de un ser orgánico. ‖ **2**. Parte de un ser orgánico imperfectamente desarrollada. ‖ **3**. pl. Primeros estudios de cualquier ciencia o profesión.

rudo, da. (Del lat. *rudis*.) adj. Tosco, sin pulimento, naturalmente basto. ‖ **2**. Que no se ajusta a las reglas del arte. ‖ **3**. Dícese del que tiene gran dificultad para percibir o aprender lo que estudia. ‖ **4**. Descortés, áspero, grosero. ‖ **5**. Riguroso, violento, impetuoso. ‖ **6**. V. **espíritu rudo**.

rueca. (Del gót. *rŭkka*.) f. Instrumento que sirve para hilar, y se compone de una vara delgada con un rocadero hacia la extremidad superior. ‖ **2**. fig. Vuelta o torcimiento de una cosa.

rueda. (Del lat. *rota*.) f. Máquina elemental, en forma circular y de poco grueso respecto a su radio, que puede girar sobre un eje. ‖ **2**. Círculo o corro formado de algunas personas o cosas. ‖ **3. signo rodado**. ‖ **4**. Pez marino del orden de los plectognatos, de forma casi circular, que llega a tener metro y medio de diámetro; una aleta dorsal y otra anal, ambas iguales, puntiagudas y juntas con la caudal; boca pequeña y de mandíbulas unidas, piel lisa, fosforescente, verde negruzca por encima y plateada en los costados. ‖ **5**. Despliegue en abanico, que hace el pavo con las plumas de la cola. ‖ **6**. Tajada circular de ciertas frutas, carnes o pescados. ‖ **7**. Especie de tontillo de lana o cerdas, que se ponía en los pliegues de las casacas de los hombres para ahuecarlas y mantenerlas firmes. ‖ **8**. Turno, vez, orden sucesivo. ‖ **9**. Partida de billar que se juega entre tres, y en que cada uno de los jugadores va cada mano contra los otros dos. ‖ **10**. V. **árbol, buque, camino de ruedas**. ‖ **11**. *Ar*. Noria para sacar agua. ‖ **12**. *Germ*. Escudo pequeño de madera o corcho con borde metálico y cazoleta en medio, broquel. ‖ **13**. *Impr*. Círculo que se hace con los rimeros de los distintos pliegos de una obra impresa, a fin de ir sacándolos por su orden para formar cada tomo. ‖ **catalina. rueda de Santa Catalina**. ‖ **de la fortuna**. fig. Inconstancia y poca estabilidad de las cosas humanas en lo próspero y en lo adverso. ‖ **de molino**. Muela de molino. ‖ **de prensa**. Reunión de periodistas en torno a una figura pública para escuchar sus declaraciones y dirigirle preguntas. ‖ **de presos**. La que se hace con muchos presos poniendo entre ellos a aquel a quien se imputa un delito, para que generalmente le reconozca. ‖ **de Santa Catalina**. Por alusión a la que sirvió para el martirio de esta Santa, la de dientes agudos y oblicuos que hace mover el volante de cierta clase de relojes. ‖ **2**. La que los saludadores hacen estampar en alguna parte del cuerpo, y fingen muchas veces tener impresa en su paladar. ‖ **libre**. La que estando ordinariamente conectada con el mecanismo propulsor, se desconecta para que ruede libremente. ‖ **ande la rueda, y coz con ella**. Juego con que se divierten los muchachos, el cual ejecutan echando suertes para que uno se quede fuera; los demás, asidos de las manos, forman una **rueda** y, dando vueltas, van tirando coces al que ha quedado fuera. ‖ **clavar uno la rueda de la fortuna**. fr. fig. Fijar, hacer estable su prosperidad. ‖ **comulgar** uno **con ruedas de molino**. fr. fig. fam. **tragárselas con ruedas de molino**. Ú. t. esta frase empleando el verbo como transitivo, y acompañando con negación. ‖ **chupar rueda**. expr. fig. y fam. En ciclismo, colocarse un corredor inmediatamente detrás de otro para utilizarlo como pantalla frente a la resistencia del aire. ‖ **2**. Por analogía, copiar, aprovecharse del trabajo de otro. ‖ **deshacer la rueda**. fr. fig. Conocerse y humillarse. ‖ **escupir en rueda**. fr. fig. y fam. **escupir en corro**. ‖ **hacer la rueda** a uno. fr. fig. y fam. **rondar**, andar tras él para conseguir algo. ‖ **hacer la rueda**. fr. Describir el gallo o el palomo delante de la hembra un semicírculo con un ala casi arrastrando y la cabeza gacha. ‖ **traer en rueda**. fr. Tener a uno o a algunos ocupados con prisa alrededor de sí. ‖ **tragárselas** uno **como ruedas de molino**. fr. fig. y fam. Creer las cosas más inverosímiles o los mayores disparates.

ruedero. m. El que se dedica a hacer ruedas.

ruedo. m. Acción de rodar. ‖ **2**. Parte puesta o colocada alrededor de una cosa. ‖ **3**. Refuerzo o forro con que se guarnecen interiormente por la parte inferior los vestidos talares. ‖ **4**. Estera pequeña y redonda. ‖ **5**. Esterilla afelpada o de pleita lisa, aunque sea larga o cuadrada. ‖ **6**. Círculo o circunferencia de una cosa. ‖ **7**. Contorno, límite, término. ‖ **8**. Redondel de la plaza de toros. ‖ **9**. *And*. Tierras o heredades que están situadas en los alrededores de una ciudad. ‖ **a todo ruedo**. loc. adv. p. us. En todo lance, próspero o adverso.

ruego. m. Súplica, petición hecha a uno con el fin de alcanzar lo que se le pide.

ruejo. (Del lat. *rotŭlus*, rodillo.) m. *Ar*. **rueda de molino**. Piedra redonda. ‖ **3**. Rodillo de piedra.

ruello. (Del lat. *rotŭlus*.) m. *Ar*. Rodillo de piedra.

rueño. (De *rueda*.) m. *Ast*. y *Cantabria*. Rodete para llevar pesos sobre la cabeza.

ruezno. m. Corteza exterior del fruto del nogal.

rufa. f. desus. *Perú*. Especie de trailla o cogedor para allanar las tierras.

rufeta. f. *Sal*. Uva negra, de sabor dulce y hollejo fino.

rufezno. m. *Germ*. Pequeño rufián.

rufián. (Del fr. *rufian*.) m. El que hace el infame tráfico de mujeres públicas. ‖ **2**. fig. Hombre sin honor, perverso, despreciable.

rufiancete. m. d. de **rufián**.

rufianear. tr. e intr. Hacer cosas propias de rufián.

rufianería. f. Tráfico de mujeres públicas. ‖ **2**. Dichos o hechos propios de rufián.

rufianesca. f. Conjunto de rufianes. ‖ **2**. Costumbres de los rufianes.

rufianesco, ca. adj. Perteneciente o relativo a los rufianes o a la rufianería.

rufo[1]. m. *Germ*. El que hace tráfico de mujeres públicas.

rufo[2], **fa**. (Del lat. *rufus*.) adj. Rubio, rojo o bermejo. ‖ **2**. Que tiene el pelo ensortijado. ‖ **3**. *León*. Tieso, robusto. ‖ **4**. *Ar*. Rozagante, vistoso.

rufón. m. *Germ*. Eslabón con que se saca fuego.

ruga[1]. (Del lat. *ruga*.) f. **arruga**.

ruga[2]. m. **ruca**[1], planta.

rugar. (Del lat. *rugāre*.) tr. **arrugar**. Ú. t. c. prnl.

rugible. adj. Capaz de rugir o de imitar el rugido.

rugido, da. p. p. de **rugir**. ‖ **2**. m. Voz del león. ‖ **3**. fig. Grito o dicho del hombre colérico y furioso. ‖ **4**. fig. Estruendo, retumbo. ‖ **5**. fig. Ruido que hacen las tripas.

rugidor, ra. adj. Que ruge.

ruginoso, sa. (De *eruginoso*.) adj. Mohoso, o con herrumbre u orín.

rugir. (Del lat. *rugīre*.) intr. Bramar el león. ‖ **2**. fig. Bramar una persona enojada. ‖ **3**. fig. Crujir o rechinar, y hacer ruido fuerte. ‖ **4**. impers. fig. Sonar una cosa, o empezarse a decir y saberse lo que estaba oculto o ignorado.

rugosidad. (Del lat. *rugosĭtas, -ātis*.) f. Calidad de rugoso. ‖ **2**. **arruga**.

rugoso, sa. (Del lat. *rugōsus*.) adj. Que tiene arrugas, arrugado.

ruibarbo. (Del lat. *rheubarbărum*.) m. Planta herbácea, vivaz, de la familia de las poligonáceas, con hojas radicales, grandes, pecioladas, de borde dentado y sinuoso, ásperas por encima, nervadas y vellosas por debajo; flores amarillas o verdes, pequeñas, en espigas, sobre un escapo fistuloso y esquinado; de uno a dos metros de altura; fruto seco, de una sola semilla triangular, y rizoma pardo por fuera, rojizo con puntos blancos en lo interior, compacto y de sabor amargo. Vive en Asia Central y la raíz se usa mucho en medicina como purgante. ‖ **2.** Raíz de esta planta. ‖ **blanco. mechoacán.**

ruido. (Del lat. *rugītus*.) m. Sonido inarticulado y confuso más o menos fuerte. ‖ **2.** fig. Litigio, pendencia, pleito, alboroto o discordia. ‖ **3.** fig. Apariencia grande en las cosas que no tienen gran importancia. ‖ **4.** fig. Novedad o extrañeza que inmuta el ánimo. ‖ **5.** *Germ.* El que hace tráfico de mujeres públicas. ‖ **hechizo.** Sonido hecho a propósito y con fin particular. ‖ **hacer, o meter, ruido** una persona o cosa. fr. fig. Causar admiración, novedad o extrañeza. ‖ **mucho ruido y pocas nueces.** expr. fig. y fam. **ser más el ruido que las nueces.** ‖ **querer uno ruido.** fr. fig. Ser amigo de contiendas o disputas. ‖ **quitarse de ruidos** uno. fr. fig. y fam. Dejar de intervenir en asuntos o lances de que se originan disensiones o disgustos. ‖ **ser más el ruido que las nueces.** fr. fig. y fam. Tener poca sustancia o ser insignificante una cosa que aparece como grande o de cuidado.

ruidosamente. adv. m. De manera ruidosa.

ruidoso, sa. adj. Que causa mucho ruido. ‖ **2.** fig. Aplícase a la acción o lance notable y de que se habla mucho.

ruin. (De *ruina*.) adj. Vil, bajo y despreciable. ‖ **2.** Pequeño, desmedrado y humilde. ‖ **3.** Dícese de la persona baja, de malas costumbres y procedimientos. ‖ **4.** Aplícase también a las mismas costumbres o cosas malas. ‖ **5.** Mezquino y avariento. ‖ **6.** Dícese de los animales falsos y de malas mañas. ‖ **7.** m. Extremo de la cola de los gatos, que suele arrancárseles violentamente, suponiendo que así crecen. ‖ **8.** *Ál.* reyezuelo, pájaro. ‖ **el ruin, delante.** expr. fam. con que se nota al que se nombra antes de otro o toma el primer lugar. ‖ **rogar a ruines.** fr. con que se explica lo poco que se debe esperar de un hombre de baja condición.

ruina. (Del lat. *ruīna*, de *ruĕre*, caer.) f. Acción de caer o destruirse una cosa. ‖ **2.** fig. Pérdida grande de los bienes de fortuna. ‖ **3.** fig. Destrozo, perdición, decadencia y caimiento de una persona, familia, comunidad o Estado. ‖ **4.** fig. Causa de esta caída, decadencia o perdición, así en lo físico como en lo moral. ‖ **5.** pl. Restos de uno o más edificios arruinados. ‖ **batir en ruina.** fr. desus. *Mil.* Percutir la muralla de una fortaleza hasta derribar un trozo de ella, de modo que formando las **ruinas** declive, puedan penetrar tropas en su recinto para hacerla rendir.

ruinar. tr. Destruir, arruinar. Ú. t. c. prnl.

ruindad. f. Calidad de ruin. ‖ **2.** Acción ruin.

ruinera. f. *Áv., Cantabria* y *Murc.* Decaimiento producido en una persona por una enfermedad.

ruinmente. adv. m. Con ruindad.

ruinoso, sa. (Del lat. *ruinōsus*.) adj. Que se empieza a arruinar o amenaza ruina. ‖ **2.** Pequeño, desmedrado y que no puede aprovecharse. ‖ **3.** Que arruina y destruye. *La guerra es* RUINOSA *a las naciones beligerantes.*

ruiponce. m. rapónchigo, planta.

ruipóntico. (Del lat. *rheupontĭcum*.) m. Planta vivaz de la familia de las poligonáceas, con hojas radicales, grandes, obtusas, acorazonadas en la base, de largos peciolos, lampiñas por la haz y vellosas por el envés; flores blancas, en panojas sobre un bohordo de seis a ocho decímetros de alto; fruto seco, y raíz semejante y con propiedades análogas a la del ruibarbo. Procede de Asia Menor y se cultiva en toda Europa. ‖ **indígena, o vulgar.** Planta de la misma familia que la anterior y muy parecida a ella, con hojas

planas y obtusas y flores verdosas, unas hermafroditas y otras unisexuales por aborto.

ruiseñor. (Del lat. *luscinĭŏla*.) m. Ave del orden de las paseriformes, común en España, de unos 16 centímetros de largo, desde lo alto de la cabeza hasta la extremidad de la cola, y unos 28 de envergadura, con plumaje de color pardo rojizo, más oscuro en el lomo y la cabeza que en la cola y el pecho, y gris claro en el vientre; pico fino, pardusco, y tarsos delgados y largos. Es la más celebrada de las aves canoras, se alimenta de insectos y habita en las arboledas y lugares frescos y sombríos.

rujiada. (De *rujiar*.) f. *Ar.* Golpe de lluvia. ‖ **2.** *Ar.* **rociada,** acción y efecto de rociar. ‖ **3.** *Ar.* **rociada,** reprensión.

rujiar. (Del lat. *roscidāre*.) tr. *Ar., Murc.* y *Nav.* Rociar, regar.

rula. f. *Ar.* Juego semejante a la chueca. ‖ **2.** *Ar.* Palo de un metro o más de largo, aguzado por un extremo, y con el cual se juega a la **rula.** ‖ **3.** *Ast.* y *Mál.* Lonja de contratación del pescado. ‖ **4.** *Ast.* y *Mál.* Rueda o grupo de pescadores que forman una compañía para la venta o para la compra del pescado.

rular. (Del fr. *rouler*.) intr. **rodar.** Ú. t. c. tr.

rulé. (Del fr. *roule*.) m. fam. **trasero, culo.**

rulemán. (Del fr. *roulement*.) m. *Argent.* **rodamiento.**

rulero. m. *Argent., Perú* y *Urug.* **rulo[1]**, cilindro para rizar el cabello.

ruleta. (Del fr. *roulette*, y este de *roule*, del lat. *rotulāre*.) f. Juego de azar para el que se usa una rueda horizontal giratoria, dividida en 36 casillas radiales, numeradas y pintadas alternativamente de negro y rojo, y colocada en el centro de una mesa en cuyo tablero están pintados los mismos 36 números negros y rojos de la rueda. Haciendo girar esta y lanzando en sentido inverso una bolita, al cesar el movimiento gana el número de la casilla donde ha quedado la bola, y por consiguiente los que en la mesa han apostado al mismo. Se juega también a pares o nones, a color negro o rojo, etc.

ruletero, ra. m. y f. *And.* y *Amér.* Dueño o explotador de una ruleta.

rulo[1]. (De *rular*.) m. Bola gruesa u otra cosa redonda que rueda fácilmente. ‖ **2.** Piedra de figura de cono truncado, sujeta por un eje horizontal, que gira con movimientos de rotación y traslación en los molinos de aceite y en los de yeso. En algunos alfarjes se sustituye el **rulo** con volanderas. ‖ **3.** Rodillo para allanar el suelo. ‖ **4.** Rizo del cabello. ‖ **5.** Pequeño cilindro hueco y perforado al que se arrolla el cabello para rizarlo.

rulo[2]. (Del arauc. *rulu*.) m. *Chile.* Tierra de labor sin riego.

ruma. f. desus. *Argent., Chile, Ecuad.* y *Perú.* Montón, rimero.

rumano, na. adj. Natural de Rumania. Ú. t. c. s. ‖ **2.** Perteneciente o relativo a esta nación de Europa. ‖ **3.** m. Lengua **rumana.**

rumantela. f. *Cantabria.* Francachela, parranda.

rumazón. f. *Mar.* Conjunto de nubes, arrumazón.

rumba. f. *Ant.* Francachela, parranda. ‖ **2.** *Cuba.* Cierto baile popular y la música que lo acompaña.

rumbada. f. Corredor de proa de las galeras, arrumbada.

rumbantela. f. *Cuba.* Francachela, parranda.

rumbar[1]. (De *rumbo[2].*) intr. *Murc.* y *Sal.* Ser rumboso. ‖ **2.** *Murc.* Gruñir, dicho especialmente de los perros. ‖ **3.** *Col.* Zumbar, hacer un ruido resonante, bronco y seguido.

rumbar[2]. (De *rumbo[1].*) intr. *Chile.* Tomar el rumbo, rumbear[1]. ‖ **2.** tr. *Col.* y *Hond.* **echar,** tirar, arrojar.

rumbático, ca. adj. Rumboso, ostentoso, aparatoso.

rumbeador. adj. *Argent.* Dícese del baquiano que rumbea. Ú. t. c. s.

rumbear[1]. (De *rumbo[1].*) intr. *Amér.* Orientarse, tomar el rumbo; encaminarse, dirigirse hacia un lugar. ‖ **2.** *Nicar.* Hacer rumbos o remiendos.

rumbear[2]. intr. *Cuba.* Andar de rumba o parranda. ‖ **2.** Bailar la rumba.

rumbero, ra. adj. Aficionado a bailar la rumba; experto en este baile. ‖ **2.** Perteneciente o relativo a la rumba.

rumbo[1]. (Del lat. *rhombus,* rombo.) m. Dirección considerada o trazada en el plano del horizonte, y principalmente cualquiera de las comprendidas en la rosa náutica. ‖ **2.** Camino y senda que uno se propone seguir en lo que intenta o procura. ‖ **3.** *Blas.* Losange con un agujero redondo en el centro. ‖ **4.** *Mar.* Cualquier agujero que se hace o se produce en el casco de la nave. ‖ **5.** *Mar.* Pedazo de tabla que se echa en el costado o en la cubierta de la nave cuando se ve que aquella parte no es capaz de recibir estopa. ‖ **6.** *Nicar.* Remiendo. ‖ **abatir el rumbo.** fr. *Mar.* Hacer declinar su dirección hacia sotavento. ‖ **corregir el rumbo.** fr. *Mar.* Reducir a verdadero el que se ha hecho por la indicación de la aguja, sumándole o restándole la variación de esta en combinación con el abatimiento cuando lo hay. ‖ **hacer rumbo.** fr. *Mar.* Ponerse a navegar con dirección a punto determinado.

rumbo[2]. (De la onomat. *rumb.*) m. fig. y fam. Pompa, ostentación y aparato costoso. ‖ **2.** fig. y fam. Garbo, desinterés, desprendimiento. ‖ **3.** *Murc.* Gruñido del perro. ‖ **4.** *Guat.* Parranda, jolgorio. ‖ **5.** *Col.* **pájaro mosca.**

rumbón, na. (De *rumbo*[2].) adj. fam. Rumboso, desprendido.

rumbosamente. adv. m. fam. De manera rumbosa.

rumboso, sa. (De *rumbo*[2].) adj. fam. Pomposo y magnífico. ‖ **2.** fam. Desprendido, dadivoso.

rumeliota. adj. Natural de Rumelia, región de la península balcánica. Ú. t. c. s. ‖ **2.** Perteneciente o relativo a esta región de Europa.

rumí. (Del m. or. que *romí.*) m. Nombre dado por los moros a los cristianos.

rumia. f. Acción y efecto de rumiar.

rumiaco. m. *Sal.* y *Zam.* Verdín que se cría en las aguas estancadas.

rumiador, ra. adj. Que rumia. Ú. t. c. s.

rumiadura. f. Acción y efecto de rumiar.

rumiajo. (Del lat. **rumigacŭlum.*) m. Corazón de las peras o manzanas que queda después de haberlas comido. ‖ **2.** fig. Persona pequeña y ruin.

rumiante. p. a. de **rumiar.** Que rumia. ‖ **2.** adj. *Zool.* Dícese de mamíferos artiodáctilos patihendidos, que se alimentan de vegetales, carecen de dientes incisivos en la mandíbula superior, y tienen el estómago compuesto de cuatro cavidades. Ú. t. c. s. ‖ **3.** m. pl. *Zool.* Suborden de estos animales, que comprende los camellos, toros, ciervos, carneros, cabras, etc.

rumiar. (Del lat. *rumigāre.*) tr. Masticar por segunda vez, volviéndolo a la boca, el alimento que ya estuvo en el depósito que a este efecto tienen algunos animales. ‖ **2.** fig. y fam. Considerar despacio y pensar con reflexión y madurez una cosa. ‖ **3.** fig. y fam. Rezongar, refunfuñar.

rumión, na. adj. fam. Que rumia mucho.

rumo. (Del ant. al. *ruimo,* correa y cerco.) m. Primer aro de los cuatro con que se aprietan las cabezas de los toneles o cubas.

rumor. (Del lat. *rumor, -ōris.*) m. Voz que corre entre el público. ‖ **2.** Ruido confuso de voces. ‖ **3.** Ruido vago, sordo y continuado. ‖ **4.** *Argent.* V. **usina de rumores.**

rumorar. intr. *Amér.* Correr un rumor entre las gentes. Ú. t. c. tr.

rumorear. intr. Sonar vaga, sorda y continuadamente. ‖ **2.** prnl. Difundirse vagamente entre las gentes, dicho de noticias. Ú. t. c. tr.

rumoroso, sa. adj. Que causa rumor.

rumpiata. f. *Chile.* Arbusto de la familia de las sapindáceas, hasta de metro y medio de altura, con hojas alternas, dentadas; flores pequeñas, amarillentas y fruto capsular con tres lóbulos alados.

rumrum. (Voz onomatopéyica.) m. **runrún.**

runa[1]. (Del ant. nórd. *rún,* pl. *rúnar,* secreto, misterio, consejo secreto.) f. Cada uno de los caracteres que empleaban en la escritura los antiguos escandinavos.

runa[2]. (De or. quechua.) m. Hombre indio. Ú. a veces con valor despect. ‖ **2.** f. *Bol.* y *N. Argent.* Variedad pequeña de patata, cuya cocción es lenta.

runcho. m. *Col.* Especie de zarigüeya.

rundel. (d. del lat. *rotŭlus,* redondel.) m. *Sal.* Mantellina, más larga que la ordinaria y con una cenefa alrededor.

rundún. (De la onomat. *rund.*) m. *Argent.* **pájaro mosca.** ‖ **2.** *Argent.* Juguete parecido a la bramadera.

runfla. (Del it. *ronfia,* juego de naipes.) f. Cierto juego de naipes. ‖ **2.** Naipe que es triunfo en este juego, o conjunto de los de un mismo palo. ‖ **3.** fig. Serie de varias cosas de una misma especie. ‖ **4.** fig. Muchedumbre de personas o cosas.

runflada. f. fam. **runfla.**

runflante. p. a. de **runflar.** Que runfla. ‖ **2.** adj. *Cantabria.* Arrogante, orgulloso.

runflar. intr. *Cantabria.* **resoplar.**

rungo. (Onomat. de la voz del cerdo.) m. *Sal.* Cerdo de menos de un año.

rungue. m. *Chile.* Manojo de palos para revolver el grano que se tuesta en la callana. ‖ **2.** pl. *Chile.* Troncos y tronchos despojados de sus hojas.

rúnico, ca. adj. Perteneciente o relativo a las runas[1], o escrito en ellas. *Caracteres* RÚNICOS; *poesía* RÚNICA.

runo, na. adj. **rúnico.**

runrún. (Voz onomatopéyica.) m. Zumbido, ruido o sonido continuado y bronco. ‖ **2.** Ruido confuso de voces. ‖ **3.** fam. Voz que corre entre el público. ‖ **4.** *Argent., Chile* y *Perú.* Juguete que se hace girar y produce un zumbido. ‖ **5.** *Chile.* Ave de plumaje negro, con las remeras blancas; vive a orilla de los ríos y se alimenta de insectos.

runrunear. intr. **susurrar.** Ú. m. c. prnl. ‖ **2.** Hacer correr un runrún o murmullo.

runruneo. m. Acción de runrunear o runrunearse. ‖ **2.** **runrún,** ruido confuso e insistente de algo.

ruñar. (Del fr. *rogner.*) tr. Labrar por dentro la cavidad o muesca circular en que se encajan las tiestas de los toneles o cubas.

rupestre. (Del lat. *rupes,* roca.) adj. Dícese de algunas cosas pertenecientes o relativas a las rocas. *Planta* RUPESTRE. Aplícase especialmente a las pinturas y dibujos prehistóricos existentes en algunas rocas y cavernas.

rupia[1]. (Del sánscr. *rúpya* o *rúpaka,* moneda de plata.) f. Moneda de plata usada en la India y en el Pakistán.

rupia[2]. (Del gr. ῥύπος, suciedad.) f. *Pat.* Enfermedad de la piel, de curso lento, caracterizada por la aparición de ampollas grandes y aplastadas, las cuales contienen un líquido a veces oscuro, y producen costras que se desprenden con facilidad y vuelve a formarse inmediatamente.

rupicabra. f. **gamuza,** animal.

rupicapra. (Del lat. *rupicapra;* de *rupes,* roca, peñasco, y *capra,* cabra.) f. **gamuza,** animal.

rupícola. (Del lat. *rupes,* roca, y *colĕre,* habitar.) adj. Que se cría en las rocas.

ruptor. m. Dispositivo electromagnético o mecánico que cierra y abre sucesivamente un circuito eléctrico. ‖ **2.** Dispositivo que, al funcionar, produce la chispa en la bujía de un motor de explosión.

ruptura. (Del lat. *ruptūra.*) f. fig. Acción y efecto de romper o romperse. ‖ **2.** Rompimiento de relaciones entre las personas.

ruqueta. (Del lat. *erūca*.) f. **oruga**, planta. ‖ **2. jaramago**, planta.

rural. (Del lat. *rurālis*, de *rus, ruris*, campo.) adj. Perteneciente o relativo al campo y a las labores de él. ‖ **2.** fig. Inculto, tosco, apegado a cosas lugareñas.

ruralismo. m. Calidad de rural.

ruralmente. adv. m. De un modo rural.

rurrú. (Voz onomatopéyica.) m. desus. **runrún**.

rurrupata. f. *Chile*. Canto de adormecer al niño.

rus. (Del lat. *rhus*, y este del gr. ῥοῦς.) m. **zumaque**, arbusto. ‖ **¡voto a rus!** exclam. fam. desus. **¡voto al chápiro!**

rusalca. f. En la mitología eslava, ninfa acuática que atrae a los hombres para darles muerte.

rusco. (Del lat. *ruscum*.) m. **brusco**, planta esmilácea.

rusel. m. Tejido de lana asargada.

rusentar. tr. Poner rusiente.

Rusia. n. p. V. **piel de Rusia.** ‖ **2.** f. *Cuba*. Especie de lienzo grueso y tosco, que se emplea para hamacas.

rusiente. (Del lat. *russus*, rojo.) adj. Que se pone rojo o candente con el fuego.

rusificar. tr. Comunicar las costumbres rusas. ‖ **2.** prnl. Tomar esas costumbres.

ruso, sa. adj. Natural de Rusia. Ú. t. c. s. ‖ **2.** Perteneciente o relativo a esta nación de Europa. ‖ **3.** V. **filete ruso.** ‖ **4.** V. **carlota, ensalada, ensaladilla, montaña rusa.** ‖ **5.** m. Lengua **rusa.** ‖ **6.** Gabán de paño grueso.

rusticación. (Del lat. *rusticatĭo, -ōnis*.) f. Acción y efecto de rusticar.

rustical. adj. **rural.**

rústicamente. adv. m. De manera rústica. ‖ **2.** Con tosquedad y sin cultura.

rusticano, na. (Del lat. *rusticānus*.) adj. Dícese de las plantas no cultivadas. ‖ **2.** ant. **rural.**

rusticar. (Del lat. *rusticāre*.) intr. Salir al campo, habitar en él, sea por distracción o recreo, sea por recobrar o fortalecer la salud.

rusticidad. (Del lat. *rusticitas, -ātis*.) f. Calidad de rústico.

rústico, ca. (Del lat. *rustĭcus*, de *rus*, campo.) adj. Perteneciente o relativo al campo. ‖ **2.** V. **comino, latín, predio rústico.** ‖ **3.** fig. Tosco, grosero. ‖ **4.** m. Hombre del campo. ‖ **a la, o en, rústica.** loc. adv. Tratándose de encuadernaciones de libros, a la ligera y con cubierta de papel.

rustiquez. f. Calidad de rústico.

rustiqueza. f. Calidad de rústico.

rustir. (De *rostir*.) tr. *Ar., Ast.* y *León*. Asar, tostar. ‖ **2.** *Ar.*

y *Murc.* **roer.** ‖ **3.** *Murc.* **roznar**[1], comer con ruido. ‖ **4.** *Venez.* Aguantar, soportar con paciencia trabajos y penas.

rustrir. (De *rustir*.) tr. *Ast.* Tostar el pan, y majarlo cuando está tostado o duro. ‖ **2.** intr. *Sal.* Pastar el ganado. ‖ **3.** *Sal.* Comer uno con avidez.

rustro. (Del fr. *rustre*.) m. *Blas.* Losange con un agujero en el centro.

ruta. (Del lat. *rupta*, rota.) f. Rota o derrota de un viaje. ‖ **2.** Itinerario para él. ‖ **3.** fig. Camino o dirección que se toma para un propósito. ‖ **4. carretera.**

rutáceo, a. (Del lat. *ruta*, ruda.) adj. *Bot.* Dícese de plantas angiospermas dicotiledóneas, hierbas por lo común perennes, o arbustos o árboles, a veces siempre verdes, con hojas alternas u opuestas, simples o compuestas, flores pentámeras o tetrámeras y fruto dehiscente con semillas menudas y provistas de albumen, o en hesperidio; como la ruda y el naranjo. ‖ **2.** f. pl. *Bot.* Familia de estas plantas.

rutar[1]. (De la onomat. *rut*.) intr. *Ast., Burg., Cantabria* y *Pal.* Murmurar, rezongar. ‖ **2.** *Burg., Cantabria* y *Pal.* Susurrar, zumbar.

rutar[2]. intr. *Bad.* y *Pal.* Rodar, dar vueltas.

rutar[3]. (Del lat. *ructāre*.) intr. *Ast.* Eructar los gases del estómago.

rutel. m. *Sal.* Hato pequeño de ganado cabrío o lanar.

rutenio. (De *Ruthenia*, nombre de Rusia en lat. medieval.) m. *Quím.* Metal muy parecido al osmio y del que se distingue por tener óxidos de color rojo. Núm. atómico 44. Símb.: *Ru.*

ruteno, na. adj. Se llamó así al pueblo ucraniano. Ú. t. c. s. ‖ **2.** Perteneciente o relativo a este pueblo. ‖ **3.** Se llamaron **rutenas** las iglesias de liturgia ortodoxa que, en estas regiones, aceptaron la autoridad del Papa. ‖ **4.** m. Dialecto ucraniano de Galitzia y Bukovina.

rutilancia. f. Brillo rutilante.

rutilar. (Del lat. *rutilāre*.) intr. poét. Brillar como el oro, o resplandecer y despedir rayos de luz.

rutilo. m. *Mineral.* Óxido de titanio.

rútilo, la. (Del lat. *rutĭlus*.) adj. De color rubio subido, o de brillo como de oro; resplandeciente.

rutina. (Del fr. *routine*, de *route*, ruta.) f. Costumbre inveterada, hábito adquirido de hacer las cosas por mera práctica y sin razonarlas.

rutinario, ria. adj. Que se hace o practica por rutina. ‖ **2.** Dícese del que obra por mera rutina.

rutinero, ra. adj. Que ejerce un arte u oficio, o procede en cualquier asunto, por mera rutina. Ú. t. c. s.

s. f. Vigésima segunda letra del abecedario español, y decimoctava de sus consonantes. Su nombre es **ese.** Representa un sonido fricativo sordo, que entre muchas variedades de pronunciación tiene dos principales: la primera es apicoalveolar, y domina en la mayor parte de España; la segunda es predorsal con salida del aire por los dientes, y es la más usual en las regiones meridionales de España y en Hispanoamérica.

sabadellense. adj. Natural de Sabadell, ciudad de Cataluña. Ú. t. c. s. ‖ **2.** Perteneciente o relativo a esta ciudad y a su comarca.

sabadeño, ña. (De *sábado.*) adj. *Pal., Rioja* y *Vallad.* Aplícase al embutido hecho con la asadura y carne de inferior calidad del cerdo. Ú. m. c. s.

sabadiego. m. *Ast.* y *León.* **sabadeño.**

sábado. (Del lat. *sabbătum,* y este del hebr. *šabath,* descansar.) m. Sexto día de la semana. ‖ **2.** Día santo judío, en el que el Pentateuco prescribe la oración y prohíbe todo trabajo doméstico o que implique lucro o esfuerzo físico. ‖ **3.** V. **carne de sábado. ‖ de gloria. sábado** santo. ‖ **hacer sábado.** fr. Hacer en este día la limpieza de la casa, más esmerada y completa que el resto de la semana.

sabalar. m. Red para pescar sábalos.

sabalera. (De *sabalar,* por la forma.) f. Rejilla de hierro, o bóveda calada, donde se coloca el combustible en los hornos de reverbero. ‖ **2.** Arte de pesca, parecido a la jábega, para pescar sábalos.

sabalero. m. Pescador de sábalos.

sábalo. (De etim. disc.) m. Pez teleósteo marino de la misma familia que la sardina, de hasta siete decímetros de largo, con el cuerpo en forma de lanzadera y algo comprimido; de color verde azulado y flancos plateados, tiene una gran mancha negra en la espalda, y las aletas, pequeñas. Habita en el océano Atlántico y remonta los ríos en primavera para desovar.

sábana. (Del lat. *sabăna,* pl. n. de *sabănum.*) f. Cada una de las dos piezas de lienzo, algodón, u otro tejido, de tamaño suficiente para cubrir la cama y colocar el cuerpo entre ambas. ‖ **2.** Manto que usaban los hebreos y otros pueblos de Oriente. ‖ **3.** Sabanilla de altar. ‖ **4.** *Murc.* Sarria o red de esparto para transportar paja, hierba, hortalizas, etc. ‖ **santa.** Aquella en que envolvieron a Cristo para ponerlo en el sepulcro. ‖ **pegársele a uno las sábanas.** fr. fig. y fam. Levantarse una más tarde de lo que debe o acostumbra.

sabana. (De or. caribe.) f. Llanura, en especial si es muy dilatada, sin vegetación arbórea. ‖ **estar uno en la sabana.** fr. fig. y fam. *Venez.* Estar sobrado de recursos, ser feliz. ‖ **ponerse** uno **en la sabana.** fr. fig. y fam. *Venez.* Adquirir inesperadamente alguna ventura.

sabanazo. m. *Cuba.* Sabana o pradera de reducidas dimensiones.

sabandija. (De or. inc.) f. Cualquier reptil pequeño o insecto, especialmente de los perjudiciales y molestos; como la salamanquesa, el escarabajo, etc. ‖ **2.** fig. Persona despreciable.

sabandijuela. f. d. de **sabandija.**

sabanear. intr. *Amér.* Recorrer la sabana donde se ha establecido un hato, para buscar y reunir el ganado, o para vigilarlo.

sabanera. f. *Venez.* Culebra de vientre amarillo y lomo salpicado de negro, verde y pardo; vive en las sabanas y limpia el terreno de sabandijas.

sabanero, ra. adj. Habitante de una sabana. Ú. t. c. s. ‖ **2.** Perteneciente o relativo a la sabana. ‖ **3.** m. *Amér.* Hombre encargado de sabanear. ‖ **4.** Pájaro muy parecido al estornino, que vive en medio de las praderas en América del Norte y en las Antillas, y es apreciado por su carne.

sabanilla. f. d. de **sábana.** ‖ **2.** p. us. Cualquier pieza de lienzo pequeña; como pañuelo, toalla, etc. ‖ **3.** Cubierta exterior de lienzo con que se cubre el altar, sobre la cual se ponen los corporales. ‖ **4.** *Ar.* y *Vizc.* Pañuelo blanco que las mujeres llevan en la cabeza. ‖ **5.** *Ast.* Capa de grasa que cubre interiormente el vientre del cerdo. ‖ **6.** *Nav.* Pedazo de beatilla con que las mujeres adornaban el tocado. ‖ **7.** *Chile.* Tejido de lana muy fino que se usa en la cama, sobre la sábana, a manera de cobertor.

sábano. (Del lat. *sabănum.*) m. *León.* Sábana de estopa.

sabañón. (De or. inc.) m. Rubicundez, hinchazón o ulceración de la piel, principalmente de las manos, de los pies y de las orejas, con ardor y picazón, causada por frío excesivo. ‖ **2.** *Ast.* Segundo enjambre que sale de las colmenas al terminar el verano. ‖ **comer** uno **como un sabañón.** fr. fig. y fam. Comer mucho y con ansia.

sabara. f. *Venez.* Niebla muy diáfana.

sabatario, ria. (Del lat. *sabbatarĭus.*) adj. Díjose de los hebreos porque guardaban santa y religiosamente el sábado. Usáb. m. c. s. ‖ **2.** Aplícase a los judíos conversos de los primeros siglos, que continuaban guardando el sábado.

sabático, ca. (Del lat. *sabbatĭcus.*) adj. Perteneciente o relativo al sábado. *Descanso* SABÁTICO. ‖ **2.** Aplícase al séptimo año, en que los hebreos dejaban descansar sus tierras, viñas y olivares. ‖ **3.** Dícese del año de licencia con sueldo que algunas universidades conceden a su personal docente y administrativo, por lo general cada siete años.

sabatina. f. Oficio divino propio del sábado. ‖ **2.** Lección compuesta de todas las de la semana, que los estudiantes solían dar el sábado. ‖ **3.** Ejercicio literario que se usaba los sábados entre los estudiantes a fin de acostumbrarse a defender conclusiones. ‖ **4.** *Chile.* Zurra, felpa.

sabatino, na. (Del b. lat. *sabbatĭnus,* y este del lat. *sabbătum,* sábado.) adj. Perteneciente o relativo al sábado o ejecutado en él. *Bula* SABATINA.

sabatismo. m. Acción de sabatizar. ‖ **2.** Descanso tomado después de un trabajo asiduo.

sabatizar. intr. Guardar los judíos el sábado, cesando en el trabajo.

sabaya. (Del vasc. *sabaia,* desván.) f. *Ar.* **desván.**

sabedor, ra. adj. Instruido o conocedor de una cosa.

sabeísmo. m. Religión de los sabeos, que daban culto a los astros, principalmente al Sol y a la Luna.

sabejo. (Del lat. *segūsius.*) m. ant. Perro sabueso.

sabela. (De *Sabella*, nombre de un género de gusanos.) f. Gusano marino sedentario, de la clase de los anélidos, frecuente en las costas españolas, que vive dentro de un tubo quitinoso segregado por el propio animal y del que solo asoman las branquias, dispuestas en espiral.

sabelección. amb. *Cuba.* Planta silvestre de la familia de las crucíferas, especie de masturezo; tallo de unos seis decímetros de altura; flores en espiga, pequeñas, blanquecinas o amarillentas, de cuatro pétalos; crece en las sabanas y lugares húmedos.

sabelianismo. m. Doctrina de Sabelio, heresiarca africano del siglo III, fundada en la creencia de un solo Dios que se revela bajo tres nombres diferentes, y negando, por tanto, la distinción de las tres Personas y el misterio de la Santísima Trinidad.

sabeliano, na. adj. Dícese de los sectarios de Sabelio. Ú. t. c. s. ‖ **2.** Perteneciente o relativo a su doctrina.

sabélico, ca. (Del lat. *sabelícus.*) adj. Perteneciente o relativo a los sabinos o samnitas.

sabelotodo. com. fam. Que presume de sabio sin serlo.

sabencia. (Del lat. *sapientía.*) f. ant. **sabiduría.**

sabeo, a. (Del lat. *Sabaeus.*) adj. Natural de Saba. Ú. t. c. s. ‖ **2.** Perteneciente o relativo a esta región de la Arabia antigua.

saber[1]**.** (infinit. substantivado.) m. **sabiduría,** conocimiento profundo de alguna materia, ciencia, etc. ‖ **2.** Ciencia o facultad. ‖ **el saber no ocupa lugar.** fr. proverb. con que se da a entender que nunca estorba el **saber.** ‖ **no hay peor saber que no querer.** Dicho que se aplica al que se excusa de hacer lo que le piden, pretextando ignorancia.

saber[2]**.** (Del lat. *sapĕre.*) tr. Conocer una cosa, o tener noticia de ella. ‖ **2.** Ser docto en alguna cosa. Ú. t. c. prnl. ‖ **3.** Tener habilidad para una cosa, o estar instruido y diestro en un arte o facultad. ‖ **4.** intr. Estar informado de la existencia, paradero o estado de una persona o cosa. Ú. m. en frs. negativas. *Hace un mes que no* SÉ *de mi hermano.* ‖ **5.** Ser muy sagaz y advertido. SABE *más que Merlín, más que la zorra.* ‖ **6.** Tener sapidez una cosa. ‖ **7.** Tener una cosa semejanza o apariencia de otra. ‖ **8.** Tener una cosa proporción, aptitud o eficacia para lograr un fin. ‖ **9.** Sujetarse o acomodarse a una cosa. *Yo* SABRÉ *economizar.* ‖ **10.** Con ir, venir u otros verbos equivalentes, conocer el camino, **saber** por donde hay que ir. *No* SÉ *ir a su casa.* ‖ **11.** fig. Con los advs. **bien,** y especialmente, **mal,** o con advs. o expresiones adverbiales equivalentes, agradar o desagradar algo. *Me* SUPO *muy mal que no vinieras.* ‖ **a saber.** expr. **esto es.** Exclamativamente equivale a **vete a saber.** ¡A SABER *cuándo vendrá!* ‖ **el que la sabe, la tañe.** expr. fig. y fam. con que se advierte que sabe hablar quien hable sino en la materia que entiende. ‖ **no saber uno cuántas son cinco.** fr. fig. y fam. Ser muy simple; ignorar hasta lo que es muy conocido y vulgar. ‖ **no saber uno dónde tiene la mano derecha.** fr. fig. y fam. Estar tan ocupado que le falta tiempo aun para cuidar de sí mismo. ‖ **no saber uno dónde meterse.** fr. fig. con que se explica y pondera el gran temor o la vergüenza que le ocasiona una situación o acontecimiento. ‖ **no saber uno lo que se pesca.** fr. fig. y fam. Andar descaminado o hallarse ignorante en los negocios o asuntos que trata. ‖ **no saber uno lo que tiene.** fr. fig. y fam. Tener un gran caudal una persona. ‖ **no saber uno por dónde anda, o se anda.** fr. fig. y fam. No tener habilidad ni capacidad para desempeñar aquello de que está encargado. ‖ **2.** fig. y fam. No acertar a apreciar o resolver una cosa, por falta de datos o por ofuscación. ‖ **no sé cuántos.** fr. que además de su sentido recto se usa en vez de «fulano» para calificar persona indeterminada. *El actor* NO SÉ CUÁNTOS *llegó entonces.* ‖ **no sé qué.** expr. Algo que no se acierta a explicar. Ú. m. con el artículo *un* o el adjetivo *cierto.* ‖ **no sé qué te diga.** fr. fam. que se usa para indicar desconfianza o in-

certidumbre de lo que a uno le dicen. ‖ **saber a todo.** fr. fig. y fam. que se dice frecuentemente en alabanza del dinero. ‖ **saber uno cuántas son cinco.** fr. fig. y fam. Conocer o entender lo que le conviene o importa. ‖ **sabérselas todas.** fr. fam. Tener gran habilidad alguien para desenvolverse con éxito en las más diversas circunstancias. ‖ **sabérselo todo.** fr. fig. y fam. con que se moteja de presumido al que no admite las advertencias de otros. ‖ **vete a saber,** o **vaya usted a saber.** fr. con que se indica que una cosa es difícil de averiguar. VETE A SABER *quién lo habrá traído.* ‖ **¡y qué sé yo!** fr. complementaria para no proseguir una enumeración, etc.; y muchos más, y muchos más cosas.

sabiamente. adv. m. Cuerdamente, con acierto y sabiduría.

sabicú. m. *Cuba.* Árbol grande, de la familia de las papilionáceas, con flores blancas o amarillas, pequeñas y olorosas; legumbre aplanada, oblonga y lampiña, y madera dura, pesada y compacta, de color amarillo pardo o rojo vinoso.

sabidillo, lla. (d. de *sabido.*) adj. despect. Que presume de entendido y docto sin serlo o sin venir a cuento. Ú. t. c. s.

sabido, da. p. p. de **saber.** ‖ **2.** adj. Que sabe o entiende mucho. Ú. t. en sent. irónico. ‖ **3.** Dícese de lo que es habitual o de siempre. ‖ **4.** m. *Ar.* Sueldo o jornal fijo.

sabidor, ra. adj. desus. Que sabe, sabedor. Usáb. t. c. s. ‖ **2.** sabio. Usáb. t. c. s.

sabidoramente. adv. m. ant. **sabiamente.**

sabiduría. f. Conducta prudente en la vida o en los negocios. ‖ **2.** Conocimiento profundo en ciencias, letras o artes. ‖ **3.** Noticia, conocimiento. ‖ **eterna,** o **increada.** El Verbo divino.

sabiendas (a). (Del lat. *sapiendus,* de *sapĕre,* saber.) loc. adv. De un modo cierto, a ciencia segura. ‖ **2.** Con conocimiento y deliberación.

sabienza. (Del lat. *sapientía.*) f. ant. **sabiduría.**

sabihondez. f. fam. Cualidad de sabiondo, sabiondez.

sabihondo, da. (De *sabiondo,* infl. por *hondo.*) adj. fam. **sabiondo.** Ú. t. c. s.

sábila. f. *Ant.* zabila, áloe.

sabina. (Del lat. *sabína.*) f. Arbusto o árbol de poca altura, de la familia de las cupresáceas, siempre verde, con tronco grueso, corteza de color pardo rojizo, ramas extendidas, hojas casi cilíndricas, opuestas, escamosas y unidas entre sí de cuatro en cuatro; fruto redondo, pequeño, negro azulado, y madera encarnada y olorosa. ‖ **albar.** Árbol de la misma familia que el anterior, de unos 10 metros de altura, con hojas y fruto algo mayores, y más claro el color de la corteza del tronco. ‖ **rastrera.** Especie muy ramosa, de hojas pequeñitas adheridas a la rama, y fruto de color negro azulado. Despide un olor fuerte y desagradable. ‖ **roma.** *Guad.* Sabina albar.

sabinar. m. Terreno poblado de sabinas.

sabinilla. f. *Chile.* Arbusto de la familia de las rosáceas, con hojas compuestas de hojuelas lineales y fruto carnoso, pequeño, lustroso, comestible.

sabino[1]**, na.** (Del lat. *Sabínus.*) adj. Dícese del individuo de cierto pueblo de la Italia antigua que habitaba entre el Tíber y los Apeninos. Ú. t. c. s. ‖ **2.** Perteneciente o relativo a este pueblo. ‖ **3.** m. Dialecto que hablaba este pueblo.

sabino[2]**, na.** (De *sabina.*) adj. Rojo claro, rosillo.

sabio[1]**, bia.** (Del lat. *sapídus.*) adj. Dícese de la persona que posee la sabiduría. Ú. t. c. s. ‖ **2.** Aplícase a las cosas que instruyen o que contienen sabiduría. ‖ **3.** V. **lengua sabia.** ‖ **4.** De buen juicio, cuerdo. Ú. t. c. s. ‖ **5.** Aplícase a los animales que tienen muchas habilidades. *Perro* SABIO. ‖ **6.** m. Por antonom. se llama el **Sabio** a Salomón.

sabio[2]**.** (Del lat. *sabúlum,* arena.) m. *Extr.* Roca arenisca.

sabiondez. f. fam. Calidad de sabiondo.

sabiondo, da. (Del lat. *sapibundus*, de *sapius* por *sapiens*.) adj. fam. Que presume de sabio sin serlo. Ú. t. c. s.

sablazo. m. Golpe dado con sable. ‖ **2.** Herida hecha con él. ‖ **3.** fig. y fam. Acto de sacar dinero a uno pidiéndoselo, por lo general, con habilidad o insistencia y sin intención de devolverlo.

sable[1]. (Del al. *säbel*, a través del fr.) m. Arma blanca semejante a la espada, pero algo corva y por lo común de un solo corte. ‖ **2.** fig. y fam. Habilidad para sacar dinero a otro o vivir a su costa. ‖ **3.** *Cuba.* Pez con forma de anguila, de cuerpo largo y aplastado, y de color plateado brillante.

sable[2]. (Del fr. *sable*, y este del eslavo *sable*, marta negra o cebellina; en b. lat. *sabellum*.) m. *Blas.* Color heráldico que en pintura se expresa con el negro, y en el grabado, por medio de líneas verticales y horizontales que se entrecruzan. Ú. t. c. adj.

sable[3]. (Del lat. *sabŭlum*.) m. ant. **arena**, tierra. ‖ **2.** *Ast.* y *Cantabria.* Arenal formado por las aguas del mar o de un río en sus orillas.

sableador, ra. m. y f. fig. y fam. Persona hábil para sablear o sacar dinero a otra.

sablear. intr. fig. y fam. Sacar dinero a alguien dándole sablazos, esto es, con petición hábil o insistente y sin intención de devolverlo. Ú. t. c. tr.

sablera. f. *Ast.* Arenal.

sablista. (De *sable*[1].) adj. fig. y fam. Que tiene por hábito sablear. Ú. m. c. s.

sablón. (Del lat. *sabŭlo, -ōnis*.) m. Arena gruesa.

saboga. (Del ár. *şabūga*, sábalo.) f. **sábalo**, pez.

sabogal. adj. V. **red sabogal.** Ú. t. c. s. m.

sabonera. (Del lat. *saponaria*.) f. **sayón**[2], mata.

saboneta. (Del it. *savonetta*, de *Savona*.) f. Reloj de bolsillo, cuya esfera, cubierta con una tapa de oro, plata u otro metal, se descubre apretando un muelle.

sabor. (Del lat. *sapor, -ōris*.) m. Sensación que ciertos cuerpos producen en el órgano del gusto. ‖ **2.** fig. Impresión que una cosa produce en el ánimo. ‖ **3.** fig. Propiedad que tienen algunas cosas de parecerse a otras con que se las compara. *Un poema de* SABOR *clásico.* ‖ **4.** Cualquiera de las cuentas redondas y prolongadas que se ponen en el freno, junto al bocado, para refrescar la boca del caballo. Ú. m. en pl. ‖ **5.** ant. Deseo o voluntad de una cosa. ‖ **a sabor.** loc. adv. Al gusto o conforme a la voluntad y deseo. ‖ **a sabor** de su paladar. loc. adv. fig. y fam. **a medida de** su paladar. ‖ **dejar** algo **mal sabor de boca** a alguien. fr. fig. Dejar algo un mal recuerdo o producir un disgusto por haber sido triste, desagradable, etc.

saborea. f. *Ar.* Hisopillo, planta.

saboreador, ra. adj. Que saborea. ‖ **2.** Que da sabor.

saboreamiento. m. Acción y efecto de saborear o saborearse.

saborear. tr. Dar sabor y gusto a las cosas. ‖ **2.** Percibir detenidamente y con deleite el sabor de lo que se come o se bebe. Ú. t. c. prnl. ‖ **3.** fig. Apreciar detenidamente y con deleite una cosa grata. Ú. t. c. prnl. ‖ **4.** fig. Cebar, atraer con halagos, razones o interés. ‖ **5.** prnl. Comer o beber una cosa despacio, con ademán y expresión de particular deleite. ‖ **6.** fig. Deleitarse con detención y ahínco en las cosas que agradan.

saboreo. m. Acción de saborear.

saborete. m. d. de **sabor.**

saborgar. (Del lat. *saporicăre*, frec. de *saporăre*, dar sabor.) tr. ant. Llenar de sabor, dulzura y deleite.

saboroso, sa. (Del lat. *saporōsus*.) adj. ant. **sabroso.**

sabotaje. (Del fr. *sabotage*.) m. Daño o deterioro que en las instalaciones, productos, etc., se hace como procedimiento de lucha contra los patronos, contra el Estado o contra las fuerzas de ocupación en conflictos sociales o políticos. ‖ **2.** fig. Oposición u obstrucción disimulada contra proyectos, órdenes, decisiones, ideas, etc.

saboteador, ra. adj. Que sabotea. Ú. t. c. s.

sabotear. (Del fr. *saboter*, trabajar chapuceramente.) tr. Realizar actos de sabotaje.

saboyana. (De *saboyano*.) f. Ropa exterior que usaban las mujeres, a modo de basquiña abierta por delante. ‖ **2.** Pastel, especie de bizcocho empapado en almíbar y rociado con ron al que suele prenderse fuego cuando se presenta en la mesa.

saboyano, na. adj. Natural de Saboya. Ú. t. c. s. ‖ **2.** Perteneciente o relativo a esta región de Francia o Italia.

sabre. (De *sable*[3].) m. ant. **sable**[3], arena.

sabrido, da. adj. ant. **sabroso.**

sabrimiento. m. ant. **sabor.** ‖ **2.** ant. fig. Chiste, gracia.

sabrosamente. adv. v. Con sabor y gusto, de manera sabrosa.

sabroso, sa. (Del lat. **saporōsus*, de *sapor*.) adj. Sazonado y grato al sentido del gusto. ‖ **2.** fig. Delicioso, gustoso, deleitable al ánimo. ‖ **3.** fam. Ligeramente salado.

sabrosura. f. *And., Cuba, P. Rico* y *Sto. Dom.* Dulzura, fruición, deleite.

sabucal. m. Sitio poblado de sabucos.

sabuco. (Del lat. *sabūcus*.) m. Saúco, sabugo.

sabueso, sa. (Del b. lat. *segusius* [*canis*].) adj. V. **perro sabueso.** Ú. t. c. s. ‖ **2.** fig. Pesquisidor, persona que sabe indagar, que olfatea, descubre, sigue o averigua los hechos.

sabugal. m. Lugar de sabugos.

sabugo. (Del lat. *sabūcus*.) m. Saúco, sabuco.

sábulo. (Del lat. *sabŭlum*.) m. Arena gruesa y pesada.

sabuloso, sa. (Del lat. *sabulōsus*.) adj. Que tiene arena o está mezclado con ella.

saburra. (Del lat. *saburra*, lastre de un navío.) f. *Fisiol.* Secreción mucosa espesa que se acumula en las paredes del estómago. ‖ **2.** *Fisiol.* Capa blanquecina que cubre la lengua por efecto de dicha secreción.

saburral. adj. Perteneciente o relativo a la saburra.

saburrar. (Del lat. *saburrāre*.) tr. ant. Lastrar con piedra o arena las embarcaciones.

saburroso, sa. adj. Que indica la existencia de saburra gástrica. *Lengua* SABURROSA.

saca[1]. f. Acción y efecto de sacar. ‖ **2.** Exportación, transporte, extracción de frutos o de géneros de un país a otro. ‖ **3.** V. **alcalde, renta de sacas.** ‖ **4.** Acción de sacar los estanqueros de la tercena los efectos estancados y timbrados que después venden al público. ‖ **5.** Copia autorizada de un documento protocolizado. ‖ **6.** *Ar.* Retracto o tanteo. ‖ **estar de saca.** fr. Estar de venta una cosa. ‖ **2.** fig. y fam. Estar una mujer en aptitud de casarse.

saca[2]. (De *saco*.) f. Costal muy grande de tela fuerte, más largo que ancho. ‖ **2.** pl. *Ál.* y *Nav.* Juego parecido al de los cantillos, que se juega con dos tabas de carnero y una bolita de cristal.

sacabala. f. Especie de pinzas que usaban los cirujanos para sacar una bala de dentro de la herida.

sacabalas. m. Sacatrapos más resistente que los ordinarios, usado para sacar la bala del ánima de las escopetas y fusiles lisos cargados por la boca. ‖ **2.** *Art.* Instrumento de hierro, de forma varia, que, sujeto en el extremo de un asta, sirve para extraer los proyectiles ojivales del ánima de los cañones rayados que se cargan por la boca.

sacabancos. m. fam. Empleado que en los teatros retiraba los muebles en las mutaciones escénicas.

sacabera. f. *Ast.* Salamandra, batracio.

sacabocado. m. **sacabocados.**

sacabocados. m. Instrumento de hierro, calzado de

acero, con boca hueca y cortes afilados, que sirve para taladrar. Los hay en forma de punzón, de tenaza, etc. ‖ **2.** fig. Medio eficaz con que se consigue lo que se pretende o se pide.

sacabotas. m. Tabla con una mucsa en la cual se encaja el talón de la bota para descalzarse.

sacabrocas. m. Herramienta con una boca de orejetas, que usan los zapateros para desclavar las brocas.

sacabuche[1]. (De fr. *saquebute*.) m. Instrumento músico de metal, a modo de trompeta, que se alarga y acorta recogiéndose en sí mismo, para que haga la diferencia de voces que pide la música. ‖ **2.** Músico que toca este instrumento.

sacabuche[2]. m. fig. y fam. **renacuajo**, muchacho contrahecho o enclenque. ‖ **2.** *Mar.* Bomba de mano para extraer líquidos. ‖ **3.** fam. *And.* Ademán de sacar la navaja.

sacaclavos. m. Herramienta para sacar clavos.

sacacorchos. m. Instrumento consistente en una espiral metálica con un mango o una palanca que sirve para quitar los tapones de corcho a los frascos y botellas.

sacacuartos. m. fam. **sacadineros.**

sacada. f. Partido o territorio que se ha separado de una merindad, provincia o reino. ‖ **2.** En el tresillo, jugada en que el hombre ha hecho más bazas que ninguno de los contrarios. ‖ **3.** *Chile.* **saca**[1], sacamiento.

sacadera. f. *Ar.* Cuévano pequeño que se emplea en la vendimia. ‖ **2.** *Sal.* Especie de bieldo para recoger el carbón que queda entre la tierra en el sitio donde se ha carboneado. ‖ **3.** *Sal.* Oveja que se da de escusa al pastor y a la que este puede escoger y sacar de entre todas las del rebaño.

sacadilla. f. d. de **sacada.** ‖ **2.** Batida corta que coge poco terreno.

sacadinero. m. fam. **sacadineros.**

sacadineros. m. fam. Espectáculo, objeto, etc., de poco o de ningún valor, pero de buena vista y apariencia, que atrae a la gente. ‖ **2.** com. fam. Persona que tiene arte para sacar dinero a otra con cualquier engañifa.

sacadizo, za. adj. *Cantabria.* Aplícase a la res delantera de las carretas tiradas por tres bueyes. Ú. m. c. s. m.

sacador, ra. adj. Que saca. Ú. t. c. s. ‖ **2.** m. *Impr.* Tablero de la máquina en el cual se pone el papel que va saliendo impreso.

sacadura. f. Corte que hacen los sastres en sesgo para que siente bien una prenda. ‖ **2.** *Chile.* Saca[1], sacada, sacamiento.

sacafilásticas. f. *Mar.* Aguja de fogón hecha con alambre grueso doblado en la punta como un arponcillo, para sacar la clavellina del oído de los cañones.

sacaleches. m. Aparato que sirve para extraer la leche del pecho de una mujer.

sacaliña. f. Vara con un arponcillo en el extremo para sacar o quitar algo. ‖ **2.** fig. Ardid para sacar a uno lo que no está obligado a dar, socaliña.

sacamanchas. com. Persona que tiene por oficio sacar o quitar manchas, quitamanchas. ‖ **2.** m. Producto para sacarlas o quitarlas.

sacamantas. m. fig. y fam. Comisionado para apremiar y embargar a los contribuyentes morosos.

sacamantecas. com. fam. Criminal que despanzurra a sus víctimas.

sacamiento. m. Acción de sacar una cosa del lugar en que está. ‖ **2.** ant. Invención, falsedad, mentira.

sacamolero. m. ant. **sacamuelas.**

sacamuelas. com. Persona que tenía por oficio sacar muelas. ‖ **2.** fig. Persona que habla mucho e insustancialmente. ‖ **3.** Embaucador, embaidor. ‖ **4.** Vendedor ambulante que, a fuerza de palabrería, intenta convencer a las gentes para que compren mercancías de poco valor.

sacanabo. m. Vara de hierro, de dos metros y medio de largo, que tiene en un extremo un gancho y en el otro un ojo, y servía para sacar del mortero la bomba.

sacanete. (Del al. *landsknecht*, soldado de infantería.) m. Juego de envite y azar, en que se juntan y mezclan hasta seis barajas, y después de cortar, el banquero vuelve una carta, que será la suya, y la coloca a la izquierda; vuelve otra, que sirve para los puntos, y la pone a la derecha, y sigue volviendo nuevos naipes hasta que salga alguno igual a uno de los primeros, que es el que pierde.

sacapelotas. m. Instrumento para sacar balas, usado por los antiguos arcabuceros. ‖ **2.** com. fig. Persona despreciable.

sacapotras. m. fig. y fam. Mal cirujano.

sacapuntas. m. Instrumento para afilar los lápices.

sacar. (De or. inc.) tr. Poner una cosa fuera del lugar donde estaba encerrada o contenida. ‖ **2.** Quitar, apartar a una persona o cosa del sitio o condición en que se halla. SACAR *al niño de la escuela;* SACAR *de un apuro.* ‖ **3.** Aprender, averiguar, resolver una cosa por medio del estudio. SACAR *la cuenta.* ‖ **4.** Conocer, descubrir, hallar por señales o indicios. SACAR *por el rastro.* ‖ **5.** Hacer con fuerza o con maña que uno diga o dé una cosa. ‖ **6.** Extraer de una cosa alguno de los principios o partes que la componen o constituyen. SACAR *aceite de almendras.* ‖ **7.** Elegir por sorteo o por pluralidad de votos. SACAR *alcalde.* ‖ **8.** Ganar por suerte una cosa. SACAR *un premio de la lotería.* ‖ **9.** Conseguir, lograr, obtener una cosa. ‖ **10.** Con palabras como **entradas, billetes,** etc., comprarlos. ‖ **11.** Aventajar a una persona, animal o cosa a otro u otra en lo que se expresa. ‖ **12.** Volver a lavar la ropa después de pasarla por la colada para aclararla, antes de tenderla y enjugarla. ‖ **13.** Alargar, adelantar una cosa. *Antonio* SACA *el pecho cuando anda.* ‖ **14.** Hablando de prendas de vestir, cambiarles las costuras para ensancharlas o alargarlas. ‖ **15.** Exceptuar, excluir. ‖ **16.** Copiar o trasladar lo que está escrito. ‖ **17.** Hacer una fotografía o retrato. ‖ **18.** Mostrar, manifestar una cosa. ‖ **19.** Quitar cosas que afean o perjudican; como manchas, enfermedades, etc. ‖ **20.** Citar, nombrar, traer al discurso o a la conversación. *Los pedantes* SACAN *todo cuanto saben, aunque no venga al caso.* ‖ **21.** Ganar al juego. SACAR *la polla, la puesta.* ‖ **22.** Producir, criar, inventar, imitar una cosa. SACAR *una máquina, una moda, una copia, un bordado, pollos.* ‖ **23.** Desenvainar un arma. ‖ **24.** Con la preposición *de* y los pronombres personales, hacer perder el conocimiento y el juicio. *Esa pasión te* SACA DE *ti.* ‖ **25.** Con la misma preposición y un sustantivo o adjetivo, librar a uno de lo que estos significan. SACAR DE *cuidados,* DE *pobre.* ‖ **26.** Hablando de la pelota o del balón, dar a estos el impulso inicial, sea al comienzo del partido o en los lances en que así lo exigen las reglas del juego. ‖ **27.** En el juego de pelota, arrojarla desde el rebote que da en el saque hacia los contrarios que la han de volver. ‖ **28.** Tratándose de citas, notas, autoridades, etc., de un libro o texto, apuntarlas o escribirlas aparte. ‖ **29.** Tratándose de apodos, motes, faltas, etc., aplicarlos, atribuirlos. ‖ **sacar a bailar.** fr. Decir el bastonero a uno que salga a bailar, o pedir el hombre a la mujer que baile con él. ‖ **2.** fig. y fam. Nombrar a uno de quien no se habla, o citar un hecho que no se tenía presente. Se usa de ordinario culpando o motejando al que lo hace con poca razón. *¿Qué necesidad había de* SACAR A BAILAR *a los que ya han muerto?* ‖ **sacar a danzar.** fr. fig. y fam. **sacar a bailar,** traer a la conversación una persona o cosa que no hacen al caso. ‖ **2.** fig. y fam. Obligar a uno a que salga, traer en un negocio o contienda. ‖ **sacar adelante.** fr. Dicho de persona, protegerla en su crianza, educación o empresas; dicho de asuntos o negocios, llevarlos a feliz término. ‖ **sacar a volar** a alguien. fr. fig. Presentarle en público, quitarle la cortedad, darle conocimiento de gentes. ‖ **sacar claro.** fr. Lanzar la pelota desde el saque de modo que pueda restarse fácilmente. ‖ **sacar en claro.** fr. Deducir claramente, en sustancia, en conclusión. ‖ **sacar en limpio.** fr. fig. **sacar en claro.** ‖ **sacar largo.** fr. Lanzar la pelota a mucha distancia desde el saque. ‖ **sacar** alguien **mentiroso,** o **verdadero,** a otro. fr. Probar con la propia conducta, o por diferente medio, que es falso, o cierto, lo que otro había dicho de él.

sacárido. (Del gr. σάχχαρον, a través del lat. *sacchărum,* e *-ido.*) m. *Bioquím.* **hidrato de carbono.**

sacarífero, ra. adj. Que produce o contiene azúcar.

sacarificación. f. Acción y efecto de sacarificar.

sacarificar. (Del lat. *sacchărum,* azúcar, y *facĕre,* hacer.) tr. Convertir por hidratación las sustancias sacarígenas en azúcar.

sacarígeno, na. adj. Dícese de la sustancia capaz de convertirse en azúcar mediante la hidratación; como las féculas y la celulosa.

sacarimetría. (De *sacarímetro.*) f. Procedimiento para determinar la proporción de azúcar contenido en un líquido.

sacarímetro. (Del gr. σάχχαρον, azúcar, y *-metro.*) m. Instrumento con que se determina la proporción de azúcar contenido en un líquido.

sacarina. (Del lat. *sacchărum,* azúcar.) f. Sustancia blanca y pulverulenta que puede endulzar tanto como 234 veces su peso de azúcar. Se obtiene por transformación de ciertos productos extraídos de la brea mineral.

sacarino, na. (Del lat. *sacchărum,* azúcar.) adj. Que tiene azúcar. ‖ **2.** Que se asemeja al azúcar. ‖ **3.** V. **alumbre sacarino.**

sacaroideo, a. (Del gr. σάχχαρον, azúcar, y εἶδος, forma.) adj. Semejante en la estructura al azúcar de pilón. *Mármol* SACAROIDEO.

sacarosa. (Del lat. *sacchărum,* azúcar.) f. *Quím.* **azúcar.**

sacasebo. m. *Cuba.* Planta herbácea, silvestre, de la familia de las gramíneas, que sirve de pasto al ganado.

sacasillas. (De *sacar* y *silla.*) m. fam. Empleado del teatro que retira los muebles al final de la escena.

sacatapón. m. **sacacorchos.**

sacatinta. m. *Amér. Central.* Arbusto de cerca de un metro de alto, de cuyas hojas se extrae un tinte azul violeta.

sacatrapos. m. Espiral de hierro que se atornilla en el extremo de la baqueta y sirve para sacar los tacos, u otros cuerpos blandos, del ánima de las armas de fuego. ‖ **2.** *Art.* Pieza de hierro con dos ramas, en forma de espiral, que, firme en el extremo de un asta, sirve para extraer los tacos, saquetes de pólvora y algunas clases de proyectiles del ánima de los cañones que se cargan por la boca. ‖ **3.** fig. *Ar.* Persona que sonsaca a otra las intenciones que tiene ocultas.

sacayán. m. *Filip.* Especie de baroto.

sacciforme. (Del lat. *saccus, saco,* y *-forme.*) adj. Que tiene forma de saco.

sacerdocio. (Del lat. *sacerdotĭum.*) m. Dignidad y estado de sacerdote. ‖ **2.** Ejercicio y ministerio propio del sacerdote. ‖ **3.** fig. Consagración activa y celosa al desempeño de una profesión o ministerio elevado y noble.

sacerdotal. (Del lat. *sacerdotālis.*) adj. Perteneciente o relativo al sacerdote. ‖ **2.** V. **orden sacerdotal.** ‖ **3.** V. **paramentos sacerdotales.**

sacerdote. (Del lat. *sacerdos, -ōtis, de sacer,* sagrado.) m. Hombre dedicado y consagrado a hacer, celebrar y ofrecer sacrificios. ‖ **2.** En la Iglesia católica, hombre consagrado a Dios, ungido y ordenado para celebrar y ofrecer el sacrificio de la misa. ‖ **augustal.** Cada uno de los 21 creados por Tiberio, y que luego fueron 25, para hacer sacrificios a Augusto, contado entre los dioses. ‖ **simple sacerdote.** El que no tiene dignidad o jurisdicción eclesiástica ni cargo

pastoral. ‖ **sumo sacerdote.** Entre los hebreos, príncipe de los **sacerdotes.**

sacerdotisa. (Del lat. *sacerdotissa.*) f. Mujer dedicada a ofrecer sacrificios a ciertas deidades gentílicas y cuidar de sus templos.

sácere. m. **arce**[1].

saciable. (Del lat. *satiabĭlis.*) adj. Que se puede saciar.

saciar. (Del lat. *satiăre, de satis,* bastante.) tr. Hartar y satisfacer de bebida o de comida. Ú. t. c. prnl. ‖ **2.** fig. Hartar y satisfacer en las cosas del ánimo. Ú. t. c. prnl.

saciedad. (Del lat. *satiĕtas, -ātis.*) f. Hartura producida por satisfacer con exceso el deseo de una cosa. ‖ **hasta la saciedad.** fr. fig. Hasta no poder más, plenamente.

saciña. (De *saz.*) f. Especie de sauce, saucegatillo, sauzgatillo, sargatillo.

sacio, cia. (Del lat. *satĭus.*) adj. p. us. Saciado, harto.

saco. (Del lat. *saccus.*) m. Receptáculo de tela, cuero, papel, etc., por lo común de forma rectangular o cilíndrica, abierto por uno de los lados. ‖ **2.** Lo contenido en él. ‖ **3.** V. **hombre del saco.** ‖ **4.** Vestidura tosca y áspera de paño burdo o sayal. ‖ **5.** Vestido corto que usaban los antiguos romanos en tiempo de guerra, excepto los varones consulares. ‖ **6.** Especie de gabán grande, y en general vestidura holgada, que no se ajusta al cuerpo. ‖ **7.** Medida inglesa para áridos, algo mayor que un hectolitro. ‖ **8.** fig. Cualquier cosa que sí incluye otras muchas, en la realidad o en la apariencia. Se usa generalmente en sentido peyorativo. SACO *de mentiras,* SACO *de malicias.* ‖ **9.** Acción de entrar a saco, saqueo. ‖ **10.** En el juego de pelota, **saque.** ‖ **11.** *Can.* o *Amér.* Chaqueta, americana. ‖ **12.** *Biol.* Órgano o parte del cuerpo, en forma de bolsa o receptáculo, que funciona como reservorio, v. gr.: SACO *lagrimal,* SACO *amniótico,* SACO *vasculoso.* ‖ **13.** *Mar.* Bahía, ensenada, y en general, entrada del mar en la tierra, especialmente cuando su boca es muy estrecha con relación al fondo. ‖ **de dormir.** El que forrado o almohadillado se usa para dormir dentro de él. ‖ **de noche.** p. us. El que solía llevarse en la mano en los viajes, a manera de maleta. ‖ **terrero.** El que se llena de tierra y se emplea en defensa contra los proyectiles. ‖ **vitelino.** *Embriol.* Bolsa llena de vitelo, del que se alimentan ciertos embriones animales durante las primeras etapas de su desarrollo. ‖ **entrar,** o **meter, a saco.** fr. **saquear.** ‖ **no echar en saco roto** una cosa. fr. fig. y fam. No olvidarla, tenerla en cuenta para sacar de ella algún provecho en ocasión oportuna. ‖ **no le fiara su saco de habas.** expr. fig. y fam. con que se pondera el gran desconfianza que se tiene de una persona. ‖ **no ser,** o **no parecer, saco de paja.** fr. fig. y fam. Merecer el aprecio de otro por sus cualidades materiales o morales. ‖ **poner a saco.** fr. **meter a saco.** ‖ **ponerse el saco.** fr. fig. *Méj.* Darse por aludido ante una indirecta. ‖ **siete,** o **tres, al saco, y el saco en tierra.** expr. fig. y fam. con que se nota la maña de los que concurren a ejecutar algo y no lo consiguen.

sacoleva. m. *Col.* **sacolevita.**

sacolevita. m. *Col.* Chaqué.

sacomano. (Del it. *saccomanno,* y este del germ. *sakmann,* ladrón.) m. **saqueo.** ‖ **2.** ant. Salteador de caminos. ‖ **3.** ant. Soldado dedicado a forrajear. ‖ **entrar,** o **meter, a sacomano.** fr. **entrar,** o **meter, a saco.**

sácope. (Del tagalo *sacop,* lo que está debajo.) m. *Filip.* Súbdito, tributario.

sacra. (Del lat. *sacra, t. f. de sacer,* sacro.) f. Cada una de las tres hojas, impresas o manuscritas, que con sus correspondientes tablas, cuadros o marcos con cristales, se solían poner en el altar para que el sacerdote pudiera leer cómodamente algunas oraciones u otras partes de la misa sin recurrir al misal.

sacralización. f. Acción y efecto de sacralizar.

sacralizar. (Del fr. *sacraliser*.) t. Atribuir carácter sagrado a lo que no lo tenía.

sacramentación. f. Acción y efecto de sacramentar o administrar el viático.

sacramentado, da. p. p. de **sacramentar.** ‖ **2.** adj. Dícese de Jesucristo en la Eucaristía. ‖ **3.** Dícese de la persona que ha recibido el sacramento de la extremaunción.

sacramental. adj. Perteneciente o relativo a los sacramentos. ‖ **2.** Dícese de los remedios que tiene la Iglesia para sanar el alma y limpiarla de los pecados veniales, y de las penas debidas por estos y por los mortales; como son el agua bendita, indulgencias y jubileos. Ú. t. c. m. pl. ‖ **3.** V. **absolución, auto, sigilo, testamento sacramental.** ‖ **4.** V. **especies sacramentales.** ‖ **5.** fig. Acostumbrado, consagrado por la ley o la costumbre. *Palabras* SACRAMENTALES. ‖ **6.** m. Individuo de una especie de cofradía. ‖ **7.** f. Cofradía dedicada a dar culto al Sacramento del altar. ‖ **8.** En Madrid, cofradía que tiene por principal fin procurar enterramiento en terrenos de su propiedad a los cofrades. ‖ **9.** En Madrid, el cementerio utilizado por una cofradía **sacramental.**

sacramentalmente. adv. m. Con realidad de sacramento. ‖ **2.** En confesión sacramental.

sacramentar. tr. Convertir el pan en el cuerpo de Jesucristo, en el sacramento de la Eucaristía. Ú. t. c. prnl. ‖ **2.** Administrar a un enfermo el viático y la extremaunción, y a veces también el sacramento de la penitencia. ‖ **3.** fig. Ocultar, disimular, esconder.

sacramentario, ria. adj. Dícese de la secta de los protestantes y los individuos de esta secta, que al nacer la Reforma negaron la presencia real de Jesucristo en el sacramento de la Eucaristía. Apl. a pers., ú. m. c. s.

sacramente. adv. m. Con respeto a lo divino, sagradamente.

sacramentino, na. adj. Perteneciente o relativo a la orden religiosa de la adoración perpetua del Santísimo Sacramento. Ú. t. c. s.

sacramento. (Del lat. *sacramentum*.) m. Signo sensible de un efecto interior y espiritual que Dios obra en nuestras almas. Son siete. ‖ **2.** V. **materia del sacramento.** ‖ **3.** Cristo sacramentado en la hostia. Para mayor veneración dícese **Santísimo Sacramento.** ‖ **4.** Misterio, cosa arcana. ‖ **5.** desus. Afirmación o negación de algo poniendo por testigo a Dios en sí o en sus criaturas. ‖ **del altar.** El eucarístico. ‖ **con todos los sacramentos.** fr. fig. Aplícase a las cosas que se cumplen con todos sus requisitos. ‖ **hacer uno sacramento.** fr. p. us. **hacer misterio.** ‖ **incapaz de sacramentos.** fig. y fam. Dícese de la persona muy ruda o necia. ‖ **recibir los sacramentos.** fr. Recibir el enfermo los de penitencia, eucaristía y extremaunción. ‖ **últimos sacramentos.** Los de la penitencia, eucaristía y extremaunción que se administran a un enfermo en peligro de muerte.

sacratísimo, ma. (Del lat. *sacratissĭmus*.) adj. sup. de **sagrado.**

sacre. (De or. inc.) m. **halcón sacre.** ‖ **2.** Pieza de artillería, que era el cuarto de culebrina y tiraba balas de cuatro a seis libras. ‖ **3.** fig. El que roba o hurta.

sacrificadero. m. Lugar o sitio donde se hacían los sacrificios.

sacrificador, ra. (Del lat. *sacrificător, -ōris*.) adj. Que sacrifica. Ú. t. c. s.

sacrificar. (Del lat. *sacrificāre*.) tr. Hacer sacrificios, ofrecer o dar una cosa en reconocimiento de la divinidad. ‖ **2.** Matar, degollar las reses para el consumo. ‖ **3.** fig. Poner a una persona o cosa en algún riesgo o trabajo, abandonarla a muerte, destrucción o daño, en provecho de un fin o interés que se estima de mayor importancia. ‖ **4.** Renunciar a una cosa para conseguir otra. ‖ **5.** prnl. Dedi-

carse, ofrecerse particularmente a Dios. ‖ **6.** fig. Sujetarse con resignación a una cosa violenta o repugnante.

sacrificio. (Del lat. *sacrificĭum*.) m. Ofrenda a una deidad en señal de homenaje o expiación. ‖ **2.** Acto del sacerdote al ofrecer en la misa el cuerpo de Cristo bajo las especies de pan y vino en honor de su Eterno Padre. ‖ **3.** fig. Peligro o trabajo graves a que se somete una persona. ‖ **4.** fig. Acción a que uno se sujeta con gran repugnancia por consideraciones que a ello le mueven. ‖ **5.** fig. Acto de abnegación inspirado por la vehemencia del cariño. ‖ **6.** fig. y fam. Operación quirúrgica muy cruenta y peligrosa. ‖ **del altar.** El de la misa.

sacrílegamente. adv. m. Irreligiosamente, violando cosa sagrada.

sacrilegio. (Del lat. *sacrilegĭum*.) m. Lesión o profanación de cosa, persona o lugar sagrados.

sacrílego, ga. (Del lat. *sacrilĕgus*.) adj. Que comete o contiene sacrilegio. Apl. a pers., ú. t. c. s. ‖ **2.** Perteneciente o relativo al sacrilegio. *Acción* SACRÍLEGA. ‖ **3.** Que sirve para cometer sacrilegio.

sacris. m. vulg. apóc. de **sacristán.**

sacrismoche. m. fam. El que anda vestido de negro, como los sacristanes, y además desharrapado y sin aseo.

sacrismocho. m. fam. **sacrismoche.**

sacrista. (Del b. lat. *sacrista*, y este del lat. *sacra*, objetos sagrados.) m. Dignidad eclesiástica encargada de la sacristía.

sacristán. (Del b. lat. *sacristānus*, sacrista.) m. El que en las iglesias tiene a su cargo ayudar al sacerdote en el servicio del altar y cuidar de los ornamentos y de la limpieza y aseo de la iglesia y sacristía. ‖ **2.** Dignidad eclesiástica a cuyo cargo estaba la custodia y guarda de los vasos, vestiduras y libros sagrados, y la vigilancia de todos los dependientes de la sacristía. Hoy se conserva en algunas catedrales, y en las órdenes militares. ‖ **3.** **tontillo,** faldellín con aros para ahuecar las faldas. ‖ **de amén.** fig. y fam. Sujeto que ciegamente sigue siempre el dictamen de otro. ‖ **mayor.** El principal entre los **sacristanes,** que manda a todos los dependientes de la sacristía. ‖ **ser alguien bravo,** o **gran, sacristán.** fr. fig. y fam. Ser muy sagaz y astuto para el aprovechamiento propio o el engaño ajeno.

sacristana. f. Mujer del sacristán. ‖ **2.** Religiosa destinada en un convento a cuidar de las cosas de la sacristía y dar lo necesario para el servicio de la iglesia.

sacristanejo. m. d. de **sacristán.**

sacristanesco, ca. adj. despect. Perteneciente o relativo al sacristán.

sacristanía. f. Empleo de sacristán. ‖ **2.** Dignidad de sacristán que hay en algunas iglesias. ‖ **3.** ant. Sacristía, dependencia de una iglesia.

sacristía. (Del b. lat. *sacristia*, y este del lat. *sacra*, objetos sagrados.) f. Lugar, en las iglesias, donde se revisten los sacerdotes y están guardados los ornamentos y otras cosas pertenecientes al culto. ‖ **2.** Empleo de sacristán, dignidad encargada de la **sacristía.**

sacro, cra. (Del lat. *sacer, sacra*.) adj. **sagrado.** ‖ **2.** V. **Sacra Faz.** ‖ **3.** V. **fuego sacro.** ‖ **4.** V. **historia, vía sacra.** ‖ **5.** *Anat.* Referente a la región en que está situado el hueso **sacro,** desde el lomo hasta el cóccix. *Nervios* SACROS; *vértebras* SACRAS. ‖ **6.** *Anat.* V. **hueso sacro.** Ú. t. c. s. ‖ **7.** *Anat.* V. **plexo sacro.**

sacrosantamente. adv. m. De manera sacrosanta.

sacrosanto, ta. (Del lat. *sacrosanctus*.) adj. Que reúne las cualidades de sagrado y santo.

sacuara. f. *Perú.* Especie de caña delgadita, güin.

sacudida. f. Acción y efecto de sacudir o sacudirse.

sacudidamente. adv. m. Con sacudida.

sacudido, da. p. p. de **sacudir.** ‖ **2.** adj. fig. Áspero, indócil e intratable. ‖ **3.** fig. Desenfadado, resuelto.

sacudidor, ra. adj. Que sacude. Ú. t. c. s. ‖ **2.** m. Instrumento con que se sacude o limpia.

sacudidura. f. Acción de sacudir una cosa, especialmente para quitarle el polvo.

sacudimiento. m. Acción y efecto de sacudir o sacudirse.

sacudión. m. Sacudida rápida y brusca.

sacudir. (Del lat. *succutĕre*.) tr. Mover violentamente una cosa a una y otra parte. Ú. t. c. prnl. ‖ **2.** Golpear una cosa o agitarla en el aire con violencia para quitarle el polvo, enjugarla, etc. ‖ **3.** Golpear, dar golpes. SACUDIR *a uno*. Ú. t. c. prnl. ‖ **4.** Arrojar, tirar o despedir una cosa o apartarla violentamente de sí. Ú. t. c. prnl. ‖ **5.** prnl. Apartar de sí con aspereza de palabras a una persona, o rechazar una acción, proposición o dicho, con libertad, viveza o despego.

sacudón. m. *Amér.* Sacudida rápida y brusca.

sachadura. f. Acción de sachar.

sachaguasca. f. *Argent.* Planta enredadera bignoniácea.

sachapera. f. *Bol.* Árbol espinoso, característico del Chaco, de frutos dulces.

sachar. (Del lat. *sarculăre*.) tr. Escardar la tierra sembrada, para quitar las malas hierbas, a fin de que prosperen más las plantas útiles.

sacho. (Del lat. *sarcŭlum*.) m. Instrumento de hierro pequeño y manejable, en figura de azadón, que sirve para sachar. ‖ **2.** *Chile.* Instrumento formado por una armazón de madera con una piedra que sirve de lastre. Se usa en lugar de ancla en las embarcaciones menores.

sádico, ca. adj. Perteneciente o relativo al sadismo. Apl. a pers., ú. t. c. s.

sadismo. (De *Sade*, n. p. de un novelista francés.) m. Perversión sexual del que provoca su propia excitación cometiendo actos de crueldad en otra persona. ‖ **2.** fig. Crueldad refinada, con placer de quien la ejecuta.

saduceísmo. m. Doctrina de los saduceos.

saduceo, a. (Del lat. *sadducaeus*, y este del hebr. *şaddûq*, justo.) adj. Dícese del individuo de cierta secta de judíos que negaba la inmortalidad del alma y la resurrección del cuerpo. Ú. t. c. s. ‖ **2.** Perteneciente o relativo a estos sectarios.

saeta. (Del lat. *sagitta*.) f. Arma arrojadiza que consiste en una asta delgada y ligera, como de seis decímetros de largo, con punta afilada de hierro u otra materia en uno de sus extremos, a veces, en el opuesto algunas plumas cortas para impedirle que cabecee al ir disparada por el arco. ‖ **2.** Manecilla del reloj. ‖ **3.** Brújula, flechilla que se vuelve hacia el polo magnético. ‖ **4.** Punta del sarmiento, que queda en la cepa cuando se poda. ‖ **5.** Copla breve y sentenciosa que para excitar a la devoción o la penitencia se canta en las iglesias o en las calles durante ciertas solemnidades religiosas. ‖ **6.** Jaculatoria o copla que una persona canta en las procesiones. ‖ **echar saetas** uno. fr. fig. y fam. Mostrar con palabras, gestos o acciones que está picado o resentido. ‖ **no salió esa saeta de esa aljaba.** fr. fig. para dar a entender que la razón que uno dijo la tomó de otro.

saetada. f. **saetazo.**

saetar. tr. **saetear.**

saetazo. m. Acción de tirar o herir con la saeta. ‖ **2.** Herida hecha con ella.

saetear. tr. Herir con saetas, asaetear.

saetera. f. Aspillera para disparar saetas. Ú. t. en sent. fig. ‖ **2.** fig. Ventanilla estrecha de las que se suelen abrir en las escaleras y otras partes.

saetero, ra. (Del lat. *sagittarĭus*.) adj. Perteneciente a las saetas. *Arco* SAETERO; *aljaba* SAETERA. ‖ **2.** V. **panal saetero.** ‖ **3.** m. El que pelea con arco y saetas.

saetí. m. saetín[2].

saetía. (Del ár. *šaṭṭiyya* o *šayṭiyya*, y este del lat. *sagĭtta*, saeta.) f. Embarcación latina de tres palos y una sola cubierta, menor que el jabeque y mayor que la galeota, que servía para corso y para mercancía. ‖ **2.** Abertura o ventana para disparar saetas. ‖ **3.** *Cuba.* Planta de la familia de las gramíneas, que sirve de pasto al ganado.

saetilla. f. d. de **saeta.** ‖ **2.** Manecilla del reloj. ‖ **3.** Brújula, flechilla que se vuelve hacia el polo magnético. ‖ **4.** Copla que se canta en algunas procesiones. ‖ **5.** Sagitaria, planta.

saetín[1]. m. d. de saeta. ‖ **2.** Clavito delgado y sin cabeza que se usa en varios oficios. ‖ **3.** En los molinos, canal angosta por donde se precipita el agua desde la presa a la rueda hidráulica, para hacerla andar.

saetín[2]. (Del fr. *satin*, y este del lat. *seta*, seda, crin.) m. desus. **raso,** tejido de seda.

saetón. m. aum. de **saeta.** ‖ **2.** Lance de ballesta, con casquillo puntiagudo y un travesaño en el asta, para que al usarlo en la caza de conejos, el animal herido con él no pudiese entrar en la madriguera.

safari. m. Excursión de caza mayor, que se realiza en algunas regiones de África. ‖ **2.** Por ext., se aplica a excursiones similares efectuadas en otros territorios. ‖ **3.** Lugar en que se realizan esas excursiones.

safena. (Del fr. *saphène*, y este del gr. σαφηνής.) adj. *Anat.* V. **vena safena.**

sáfico, ca. (Del lat. *sapphĭcus*, y este del gr. Σαπφικός, de Σαπφώ, Safo, poetisa griega.) adj. V. **verso sáfico.** Ú. t. c. s. ‖ **2.** Dícese de la estrofa compuesta de tres versos **sáficos** y uno adónico. ‖ **3.** Aplícase también a la composición que consta de estrofas de esta clase.

safio. m. *Cuba.* Pez parecido al congrio.

safir. m. ant. **zafiro.**

saga[1]. (Del lat. *saga*.) f. Mujer que se finge adivina y hace encantos o maleficios.

saga[2]. (Del al. *sage*, leyenda.) f. Cada una de las leyendas poéticas contenidas en su mayor parte en las dos colecciones de primitivas tradiciones heroicas y mitológicas de la antigua Escandinavia. ‖ **2.** Relato novelesco que abarca las vicisitudes de dos o más generaciones de una familia.

sagacidad. (Del lat. *sagacĭtas, -ātis*.) f. Calidad de sagaz.

sagallino. (Del lat. *saga*, pl. n. de *sagum*, y de *linum*.) m. *Cantabria.* Especie de sábana basta, cuadrada, con una cuerda en cada punta y que se usa para transportar la hierba.

sagapeno. (Del lat. *sagapēnum*.) m. Gomorresina algo transparente, leonada por fuera y blanquecina por dentro, de sabor acre y olor fuerte que se parece al del puerro. Es producto de una planta de Persia, de la familia de las umbelíferas, y se usaba en medicina como antiespasmódico.

sagardúa. (Del vasco *sagardua*.) f. *Vizc.* y *Guip.* **sidra.**

sagarmín. (Del vasc. *sagar*, manzana, y *min*, agrio.) f. *Ál.* Manzana silvestre.

sagatí. m. Especie de estameña, que tiene la urdimbre blanca y la trama de color, y se está tejida como sarga.

sagaz. (Del lat. *sagax, -ācis*.) adj. Avisado, astuto y prudente, que prevé y previene las cosas. ‖ **2.** Aplícase al perro que saca por el rastro la caza. Extiéndese a otros animales que barruntan o presienten las cosas.

sagazmente. adv. m. Astutamente, con observación o sagacidad.

sage. (Del fr. *sage*.) adj. ant. Sabio, prudente.

sagita. (Del lat. *sagitta*.) f. *Geom.* Porción de recta comprendida entre el punto medio de un arco de círculo y el de su cuerda.

sagital. (Del lat. *sagitta*.) adj. De figura de saeta.

sagitaria. (Del lat. *sagittarĭa*, de flecha o saeta.) f. Planta herbácea anual, de la familia de las alismatáceas, de cuatro o seis decímetros de altura, con tallo derecho y triangular, hojas en figura de saeta, muy pecioladas las inferiores; flores terminales, blancas, en verticilos triples; fruto seco, capsular, y raíz fibrosa, con los extremos en forma de bulbo carnoso. Vive en los terrenos encharcados de varios puntos de España.

sagitario. (Del lat. *sagittarĭus.*) m. **saetero,** que pelea con arco y saetas. ‖ **2.** n. p. m. *Astron.* Noveno signo o parte del Zodiaco, de 30 grados de amplitud, que el Sol recorre aparentemente en el último tercio del otoño. ‖ **3.** *Astron.* Constelación zodiacal que en otro tiempo debió de coincidir con el signo de este nombre, pero que actualmente, por resultado del movimiento retrógrado de los puntos equinocciales, se halla delante del mismo signo y un poco hacia el Oriente. ‖ **4.** adj. Referido a personas, las nacidas bajo este signo del Zodiaco. Ú. t. c. s.

sago. (Del lat. *sagum.*) m. ant. **sayo.**

ságoma. (Del it. *sagoma,* y este del gr. σαχόμα, medida.) f. *Arq.* Patrón para trazar líneas y fijar la medida al trabajar las piezas de diversos artes y oficios, escantillón.

sagradamente. adv. m. Con respeto a lo divino, venerablemente.

sagrado, da. (Del lat. *sacrātus.*) adj. Que según rito está dedicado a Dios y al culto divino. ‖ **2.** Que por alguna relación con lo divino es venerable. ‖ **3.** Perteneciente o relativo a la divinidad o a su culto. ‖ **4.** fig. Que por su destino o uso es digno de veneración y respeto. ‖ **5.** Entre los antiguos, decíase de todo aquello que con gran dificultad se podía alcanzar por medios humanos. ‖ **6.** A veces, como en latín, detestable, execrando. ‖ **7.** V. **fuego, libro sagrado.** ‖ **8.** V. **cáscara, hierba, historia sagrada.** ‖ **9.** V. **letras sagradas.** ‖ **10.** m. Lugar que, por privilegio, podía servir de refugio a los delincuentes. ‖ **11.** Cualquier recurso o sitio que asegura de un peligro. ‖ **acogerse** uno **a sagrado.** fr. fig. Huir de una dificultad que no puede satisfacer, interponiendo una voz o autoridad respetable. ‖ **2.** *Germ.* Refugiarse en lugar sagrado, huyendo de la justicia.

sagrar. (Del lat. *sacrāre.*) tr. ant. **consagrar.**

sagrario. (Del lat. *sacrarĭum.*) m. Parte interior del templo, en que se reservan o guardan las cosas sagradas, como las reliquias. ‖ **2.** Lugar donde se guarda y deposita a Cristo sacramentado. ‖ **3.** En algunas iglesias catedrales, capilla que sirve de parroquia.

sagrativamente. adv. m. ant. Con misterio.

sagrativo, va. (Del lat. *sacrātus,* sagrado.) adj. ant. Misterioso.

sagú. (Del malayo *sāgŭ.*) m. Planta tropical de la familia de las cicadáceas, que alcanza una altura de cinco metros; tiene hojas grandes, fruto ovoide brillante y la médula del tronco es abundante en fécula. El palmito es comestible. ‖ **2.** *Amér. Central, Col.* y *Cuba.* Planta herbácea de la familia de las marantáceas, con hojas lanceoladas de unos 30 centímetros de largo; flor blanca, y raíz o tubérculos muy apreciados, porque se obtiene de ellos una fécula muy nutritiva. ‖ **3.** Fécula amilácea que se obtiene de la médula de la cicadácea del mismo nombre; es granulosa, ligeramente rosada, y al cocer aumenta considerablemente de volumen. Se usa como alimento de muy fácil digestión. También se da el nombre de **sagú** a otras féculas obtenidas de los tubérculos farináceos de diversas plantas; como el **sagú** de América y la patata.

saguaipé. (De or. guaraní.) m. *Argent., Par.* y *Urug.* Duela del hígado.

ságula. (Del lat. *sagŭlum,* d. de *sagum,* sayo.) f. Pequeño sayo.

saguntino, na. (Del lat. *Saguntīnus.*) adj. Natural de Sagunto. Ú. t. c. s. ‖ **2.** Perteneciente o relativo a esta ciudad.

sah. (Del persa *šāh.*) m. Rey de Persia o del Irán.

saharaui. (Del ár. *ṣaḥrāwī,* del *Ṣaḥrā'.*) adj. Perteneciente o relativo al desierto del Sahara. ‖ **2.** Relativo al antiguo territorio español del Sahara. ‖ **3.** com. **sahariano.**

sahariana. f. Especie de chaqueta propia de climas cálidos, cerrada por delante, hecha de tejido delgado y color claro. Tiene los bolsillos de parche y suele ajustarse con un cinturón.

sahariano, na. adj. Perteneciente o relativo al desierto del Sahara. ‖ **2.** Referente o relativo al territorio de África occidental que fue provincia española. ‖ **3.** Natural de éste territorio. Ú. t. c. s.

sahárico, ca. adj. **sahariano.**

sahína. f. **zahína,** planta.

sahinar. m. Tierra sembrada de sahína.

sahornarse. (De *so²* y *ahornar.*) prnl. Escocerse o excoriarse una parte del cuerpo, comúnmente por rozarse con otra.

sahorno. m. Efecto de sahornarse.

sahumado, da. p. p. de **sahumar.** ‖ **2.** adj. fig. Dícese de cualquier cosa que siendo buena por sí, resulta más estimable por la adición de otra que la mejora. *Pagaré un real sobre otro, y aun* SAHUMADOS. ‖ **3.** fam. Ahumado, achispado.

sahumador. (De *sahumar.*) m. Vaso para quemar perfumes. ‖ **2.** Camilla redonda con enrejado para enjugar ropa.

sahumadura. (De *sahumar.*) f. **sahumerio.**

sahumar. (Del lat. *suffumāre.*) tr. Dar humo aromático a una cosa a fin de purificarla o para que huela bien. Ú. t. c. prnl.

sahumerio. m. Acción y efecto de sahumar o sahumarse. ‖ **2.** Humo que produce una materia aromática que se echa en el fuego para sahumar. ‖ **3.** Esta misma materia.

sahúmo. (De *sahumar.*) m. **sahumerio.**

saín. (Del prov. *saín,* y este del lat. *sagīna.*) m. Grosura de un animal. ‖ **2.** Aceite extraído de la gordura de algunos peces y cetáceos. ‖ **3.** Grasa que con el uso suele mostrarse en los paños, sombreros y otras cosas.

sainar¹. (Del lat. *sagināre,* engordar.) tr. Engordar a los animales.

sainar². (Del lat. *sanguināre,* sangrar.) intr. Arrojar sangre, sangrar.

sainete. m. d. de **saín.** ‖ **2.** Pedacito de gordura, de tuétano o sesos que los halconeros o cazadores de volatería daban al halcón o a otro pájaro de cetrería cuando lo cobraban. ‖ **3.** Salsa que se pone a ciertos manjares para hacerlos más apetitosos. ‖ **4.** Pieza dramática jocosa en un acto, de carácter popular, que se representaba como intermedio de una función o al final. ‖ **5.** Obra teatral frecuentemente cómica, aunque puede tener carácter serio, de ambiente y personajes populares, en uno o más actos, que se representa como función independiente. ‖ **6.** fig. Bocadito delicado y gustoso al paladar. ‖ **7.** fig. Sabor suave y delicado de un manjar. ‖ **8.** fig. Lo que aviva y realza el mérito de una cosa, de suyo agradable. ‖ **9.** fig. Adorno especial en los vestidos u otras cosas. ‖ **10.** fig. y fam. *Argent.* Situación o acontecimiento grotesco o ridículo y a veces tragicómico.

sainetear. intr. Representar sainetes. ‖ **2.** desus. Dar gusto, agradar con algún sabor delicado.

sainetero. m. Escritor de sainetes.

sainetesco, ca. adj. Perteneciente al sainete o propio de él, cómico.

sainetista. m. Escritor de sainetes.

saíno. (De *saín.*) m. Mamífero paquidermo cuyo aspecto general es el de un jabato de seis meses; sin cola, con cerdas largas y fuertes, colmillos pequeños y una glándula en lo alto del lomo, de forma de ombligo, por donde segrega un humor fétido. Vive en los bosques de la América Meridional y su carne es apreciada.

saja¹. (De *sajar*.) f. Cortadura hecha en la carne.

saja². (De or. tagalo.) f. Pecíolo del abacá, del cual se extrae el filamento textil.

sajado, da. p. p. de **sajar.** ‖ **2.** adj. *Cir.* V. **ventosa sajada.**

sajador. m. El que tenía por oficio sajar o sangrar. ‖ **2.** *Albac.* Especie de cejadero o correa que va desde la retranca de la caballería a las varas del carro y que sirve para que al recular la bestia lleve el carro hacia atrás. ‖ **3.** *Cir.* Instrumento para escarificar.

sajadura. f. *Cir.* Cortadura hecha en la carne.

sajar. (De or. inc.) tr. *Cir.* Cortar en la carne.

sajelar. (Del ár. *sáhhal.*) tr. Limpiar de chinas u otros cuerpos extraños el barro que preparan los alfareros para sus labores.

sajía. f. Cortadura hecha en la carne.

sajón, na. (Del lat. *Saxónes,* los sajones.) adj. Dícese del individuo de un pueblo de raza germánica que habitaba antiguamente en la desembocadura del Elba y parte del cual se estableció en Inglaterra en el siglo v. Ú. t. c. s. ‖ **2.** Perteneciente o relativo a este pueblo. ‖ **3.** Natural de Sajonia. Ú. t. c. s. ‖ **4.** Perteneciente o relativo a este Estado alemán.

Sajonia. n. p. V. **azul de Sajonia.**

sajumaya. f. *Cuba.* Enfermedad que ataca a los cerdos y que los ahoga.

sajuriana. f. *Perú.* Baile antiguo que se baila entre dos, zapateando y escobillando el suelo.

sake. m. Nombre japonés de una bebida alcohólica obtenida por fermentación del arroz.

sal. (Del lat. *sal.*) f. Substancia ordinariamente blanca, cristalina, de sabor propio bien señalado, muy soluble en agua, crepitante en el fuego y que se emplea para sazonar los alimentos y conservar las carnes muertas. Es el cloruro sódico; abunda en las aguas del mar y se halla también en masas sólidas en el seno de la tierra, o disuelta en lagunas y manantiales. ‖ **2.** V. **agua sal.** ‖ **3.** V. **espíritu de sal.** ‖ **4.** V. **espuma, flor de la sal.** ‖ **5.** fig. Agudeza, donaire, chiste en el habla. ‖ **6.** Garbo, gracia, gentileza en los ademanes. ‖ **7.** *Quím.* Cuerpo resultante de la substitución de los átomos de hidrógeno de un ácido por radicales básicos. ‖ **8.** *Pint.* V. **morel de sal.** ‖ **9.** *C. Rica, El Salv., Guat., Hond., Méj., Nicar., Pan.* y *Sto. Dom.* Mala suerte, desgracia, infortunio. ‖ **10.** pl. Sustancia salina que generalmente contiene amoniaco y que da a respirar a alguien que se ha desmayado para reanimarle. ‖ **11.** Sustancia perfumada que se disuelve en el agua para el baño. ‖ **amoniaca,** o **amoniaco. sal** que se prepara con algunos de los productos volátiles de la destilación seca de las sustancias orgánicas nitrogenadas, y que se compone de ácido clorhídrico y amoniaco. ‖ **ática. aticismo.** ‖ **común. sal** usada en la cocina. ‖ **de acederas.** *Quím.* oxalato potásico. ‖ **de cocina. sal.** ‖ **de compás. sal gema.** ‖ **de la Higuera.** Sulfato de magnesia natural, que hace amargas y purgantes las aguas de Fuente la Higuera y de otros puntos. ‖ **de nitro.** Nitrato de potasio. ‖ **de perla.** Acetato de cal. ‖ **de plomo,** o **de saturno.** *Quím.* **azúcar de plomo.** ‖ **gema.** La común que se halla en las minas o procede de ellas. ‖ **infernal.** Nitrato de plata. ‖ **marina.** La común que se obtiene de las aguas del mar. ‖ **pedrés,** o **piedra. sal gema.** ‖ **prunela.** *Quím.* Mezcla de nitrato de potasa con un poco de sulfato, la cual se obtiene echando una cantidad pequeñísima de azufre en polvo en el nitro fundido. ‖ **tártaro. cristal tártaro.** ‖ **con su sal y pimienta.** loc. adv. fig. y fam. Con malignidad, con intención de zaherir y mortificar. ‖ **2.** fig. y fam. A mucha costa, con trabajo, con dificultad. ‖ **3.** Con cierto donaire y gracia picante. ‖ **deshacerse** una cosa **como la sal en el agua.** fr. fig. y fam. **hacerse sal y agua.** ‖ **echar** alguien **la sal** a una cosa. fr. fig. y fam. Guardarla o reser-

varla cuando estaba a punto de darla, enseñarla o decirla. ‖ **estar** alguien **hecho de sal.** fr. fig. Estar gracioso, alegre, de buen humor. ‖ **hacerse sal y agua.** fr. fig. y fam. Hablando de los bienes y riquezas, disiparse y consumirse en breve tiempo. ‖ **2.** Reducirse a nada, desvanecerse, disiparse. ‖ **no alcanzar,** o **no llegar,** a uno **la sal al agua.** fr. fig. y fam. Estar falto de recursos, no tener bastante para su preciso mantenimiento. ‖ **poner sal** a alguien en **la mollera.** fr. fig. y fam. Hacer que tenga juicio, escarmentándole. ‖ **sal quiere el huevo.** expr. fig. y fam. con que se da a entender que un negocio está muy cerca de venir a su perfección. ‖ **2.** Aplícase al que va muy ufano y desea que le alaben sus prendas o gracias. ‖ **sembrar de sal.** fr. Esparcir **sal** en el solar o solares de edificios arrasados por castigo. ‖ **volverse sal y agua.** fr. fig. y fam. **hacerse sal y agua.**

sala. (Del ant. al. al. *sal,* casa, morada.) f. Pieza principal de la casa, donde se reciben las visitas de cumplimiento. ‖ **2.** Aposento principal de grandes dimensiones. ‖ **3.** Mobiliario de este aposento. ‖ **4.** Pieza donde se constituye un tribunal de justicia para celebrar audiencia y despachar los asuntos a él sometidos. ‖ **5.** Conjunto de magistrados o jueces que, dentro del tribunal colegiado de que forman parte, tiene atribuida jurisdicción privativa sobre determinadas materias. ‖ **6.** V. **ujier de sala.** ‖ **7.** ant. Convite, fiesta, sarao y diversión. ‖ **8.** *Der.* V. **oficial de la sala.** ‖ **de apelación.** Junta que se formaba de dos alcaldes de corte, nombrados por meses, para decidir y ejecutoriar los pleitos que no excedían de 10.000 maravedís y habían sido sentenciados por el juzgado de alguno de los otros alcaldes o de los tenientes de villa. ‖ **de batalla.** fig. En las oficinas de Correos, el local donde se hace el apartado. ‖ **de fiestas.** Local recreativo donde se sirven bebidas, dotado de una pista de baile y en el que, normalmente, se exhibe un espectáculo frívolo. ‖ **de gobierno.** La que se forma en los tribunales colegiados para entender en asuntos disciplinarios o gubernativos que la ley le atribuye. ‖ **de Indias.** La que en algunos tribunales superiores entendía de asuntos de las posesiones de Ultramar. ‖ **de justicia.** La que entiende en los pleitos y causas. ‖ **del crimen.** Junta que estaba formada por los alcaldes del crimen en las chancillerías y audiencias, para conocer de las causas criminales. ‖ **de mil y quinientas.** La del Consejo que estaba especialmente destinada para ver los pleitos graves en que, después de la vista y revista de la chancillería en el juicio de propiedad, se suplicaba ante el rey por vía de agravio, previo el depósito de 1.500 doblas. ‖ **de millones.** En el Consejo de Hacienda, la que se componía de algunos ministros de él y de diputados de algunas ciudades de voto en Cortes, que se sorteaban al tiempo de la prorrogación del servicio de millones. Entendía en todo lo tocante al dicho servicio. ‖ **de vacaciones.** La que se constituye por turno entre los magistrados para entender durante el período de la vacación judicial en algunos asuntos a que la ley atribuye carácter de urgentes. ‖ **guardar sala.** fr. En los tribunales de justicia, observar el orden ceremonioso y debido en el acto. ‖ **hacer sala.** fr. Juntarse el número de magistrados suficiente, según ley, para constituir tribunal. ‖ **2.** ant. Dar espléndidas comidas o banquetes, convidando gente.

salab. (De or. tagalo.) m. *Filip.* Arbusto de la familia de las sapindáceas, y cuyas hojas son de color rojo vivo.

salabardear. intr. Sacar la pesca de las redes con el salabardo.

salabardo. (De or. inc.) m. Saco o manga de red, colocado en un aro de hierro con tres o cuatro cordeles que se atan a un cabo delgado. Se emplea para sacar la pesca de las redes grandes.

salabre. m. Arte de pesca menor, individual, consistente en un bolso de red sujeto a una armadura con mango, cuando la pesca es de escaso peso, o provisto de cordeles para lanzarlo y luego volcarlo, si se trata de pesca de más peso.

salacenco, ca. adj. Natural del valle de Salazar, en Navarra. Ú. t. c. s. ‖ **2.** Perteneciente o relativo a este valle.

salacidad. (Del lat. *salacĭtas, -ātis.*) f. Inclinación vehemente a la lascivia.

salacot. (Del tagalo *salakót.*) m. Sombrero usado en Filipinas y otros países cálidos, en forma de medio elipsoide o de casquete esférico, a veces ceñido a la cabeza con un aro distante de los bordes para dejar circular el aire, y hecho de un tejido de tiras de caña, o de otras materias.

saladamente. adv. m. fig. y fam. Chistosamente, con agudeza y gracejo.

saladar. m. Lagunazo en que se cuaja la sal en las marismas. ‖ **2.** Terreno esterilizado por abundar en él las sales. ‖ **3. salobral,** terreno salobreño.

saladero. m. Casa o lugar destinado para salar carnes o pescados. ‖ **2.** En Madrid se daba este nombre a la cárcel de hombres que había antes de construirse la celular, por estar instalada en un antiguo **saladero** de carnes de cerdo.

saladilla. f. Planta salsolácea, parecida a la barrilla, que crece en terrenos salobreños.

saladillo, lla. adj. d. de **salado.** ‖ **2.** V. **tocino saladillo.** Ú. t. c. s.

salado, da. p. p. de **salar.** ‖ **2.** adj. Dícese del terreno estéril por demasiado salitroso. ‖ **3.** Aplícase a los alimentos que tienen más sal de la necesaria. ‖ **4.** fig. Gracioso, agudo o chistoso. ‖ **5.** *C. Rica, Cuba, Ecuad., Guat., Nicar., Perú y P. Rico.* Desgraciado, infortunado, que tiene mala suerte. ‖ **6.** fig. y fam. *Argent., Chile y Urug.* Caro, costoso. ‖ **7.** m. Operación de salar. ‖ **8. caramillo,** planta. ‖ **negro. zagua.**

salador, ra. adj. Que sala. Ú. t. c. s. ‖ **2.** m. **saladero.**

saladura. f. Acción y efecto de salar.

salagón. m. *Ar. y Rioja.* Piedra arcillosa, caliza o hidráulica.

Salamanca. n. p. V. **topacio de Salamanca.** ‖ **2.** f. *Chile y Urug.* Cueva natural que hay en algunos cerros. ‖ **3.** *Argent.* Salamandra de cabeza chata que se encuentra en las cuevas y que los indios consideran como espíritu del mal. ‖ **4.** *Filip.* **juego de manos.**

salamandra. (Del lat. *salamandra,* y este del gr. σαλαμάνδρα.) f. Anfibio urodelo de unos 20 centímetros de largo, la mitad aproximadamente para la cola, y piel lisa, de color negro, con manchas amarillas. ‖ **2.** Ser fantástico, espíritu elemental del fuego, según los cabalistas. ‖ **3. alumbre de pluma.** ‖ **4.** Especie de calorífero de combustión lenta. ‖ **acuática. tritón.**

salamandria. (De *salamandra.*) f. **salamanquesa.**

salamandrino, na. adj. Relativo a la salamandra o semejante a ella.

salamanqueja. f. *Col., Ecuad. y Perú.* **salamanquesa.**

salamanquero, ra. m. y f. *Filip.* **prestidigitador.**

salamanqués, sa. adj. **salmantino.** Apl. a pers., ú. t. c. s.

salamanquesa. (De *salamandra.*) f. Saurio de la familia de los gecónidos, de unos ocho centímetros de largo, con cuerpo ceniciento. Vive en las grietas de los edificios y debajo de las piedras, se alimenta de insectos y se la tiene equivocadamente por venenosa. ‖ **de agua. salamandra acuática.**

salamanquina. f. *Chile.* **lagartija.**

salamanquino, na. adj. **salmantino.** Apl. a pers., ú. t. c. s.

salamántiga. f. *Extr. y Sal.* **salamandra acuática.**

salame. m. *Amér.* **salami.** ‖ **2.** *Argent. y Par.* Tonto, persona de escaso entendimiento.

salami. (Del it. *salami.*) m. Embutido hecho con carne vacuna y carne y grasa de cerdo, picadas y mezcladas en determinadas proporciones, que, curado y prensado dentro de una tripa o de un tubo de material sintético, se come crudo.

salamín. m. *Argent., Par. y Urug.* Salame delgado. ‖ **2.** fig. y fam. *Argent.* Tonto, persona de escaso entendimiento.

salamunda. (De *sanamunda.*) f. Planta de la familia de las timeleáceas, cuyos frutos y tallos se emplean como purgante para el ganado.

salangana. f. Pájaro, especie de golondrina que abunda en Filipinas y otros países del Extremo Oriente y cuyos nidos contienen ciertas sustancias gelatinosas que son comestibles.

salar. tr. Echar en sal, curar con sal carnes, pescados y otras sustancias para su conservación. ‖ **2.** Sazonar con sal, echar la sal conveniente a un alimento. ‖ **3.** Echar más sal de la necesaria. ‖ **4.** *Cuba, Hond. y Perú.* Manchar, deshonrar. Ú. t. c. prnl. ‖ **5.** *C. Rica, Guat., Nicar., Perú y P. Rico.* Desgraciar, echar a perder. Ú. t. c. prnl. ‖ **6.** *C. Rica.* Dar o causar mala suerte. Ú. t. c. prnl.

salariado. m. Organización del pago del trabajo del obrero por medio del salario exclusivamente.

salarial. adj. Perteneciente o relativo al salario.

salariar. tr. Señalar salario a alguien, asalariar.

salario. (Del lat. *salarĭum,* de *sal,* sal.) m. **estipendio,** paga o remuneración. ‖ **2.** En especial, cantidad de dinero con que se retribuye a los trabajadores manuales. ‖ **mínimo.** Retribución mínima, generalmente estipulada por la ley, que debe pagarse a todo trabajador.

salaz. (Del lat. *salax, -ācis.*) adj. Muy inclinado a la lujuria.

salazón. f. Acción y efecto de salar carnes o pescados. ‖ **2.** Acopio de carnes o pescados salados. ‖ **3.** Industria y tráfico que se hace con estas conservas.

salazonero, ra. adj. Relativo o referente a la salazón.

salbanda. (Del al. *salband,* orilla.) f. *Mín.* Capa, ordinariamente arcillosa, que separa el filón de la roca estéril.

salce. (Del lat. *salix, -ĭcis.*) m. **sauce.**

salceda. (Del lat. *salicēta,* pl. de *salicētum.*) f. Sitio poblado de salces.

salcedo. (Del lat. *salicētum,* sauceda.) m. **salceda.**

salcinar. m. *Ál.* y *Ar.* **salceda.**

salciña. f. *Burg.* Especie de sauce, sargatillo, sauzgatillo.

salcochado, da. p. p. de **salcochar.** ‖ **2.** adj. Cocido con agua y sal.

salcochar. (De *sal* y *cocho,* p. p. de *cocer.*) tr. Cocer carnes, pescados, legumbres u otros alimentos, sólo con agua y sal.

salcocho. m. *Amér.* Preparación de un alimento cociéndolo en agua y sal para después condimentarlo.

salchicha. (Del it. *salciccia.*) f. Embutido, en tripa delgada, de carne de cerdo magra y gorda, bien picada, que se sazona con sal, pimienta y otras especias. ‖ **2.** Por ext., embutido semejante a este, con otros ingredientes. ‖ **3.** fig. *Fort.* Fajina muy larga que se usa para abrazar y cruzar las demás. ‖ **4.** fig. *Mil.* Cilindro de tela muy largo y delgado, relleno de pólvora, que se empleaba para dar fuego a las minas. ‖ **5.** *Mil.* Globo dirigible usado por el ejército francés durante la guerra de 1914 a 1918.

salchichería. f. Tienda donde se venden embutidos.

salchichero, ra. m. y f. Persona que hace o vende embutidos.

salchichón. m. aum. de **salchicha.** ‖ **2.** Embutido de jamón, tocino y pimienta en grano, prensado y curado, el cual se come en crudo. ‖ **3.** En ebanistería, prisma compuesto de otros muy menudos y en ordenación geométrica, hechos de maderas de colores, hueso y plata, encolados juntos. ‖ **4.** *Fort.* Fajina grande formada con ramas gruesas. ‖ **de mina. salchicha,** cilindro de tela relleno de pólvora.

salchucho. m. *Ál., Nav.* y *Rioja.* Estropicio, trastorno.

saldar. (Del it. *saldare.*) tr. Liquidar enteramente una cuenta satisfaciendo el alcance o recibiendo el sobrante que resulta de ella. ‖ **2.** Vender a bajo precio una mercancía para despacharla pronto. ‖ **3.** fig. Acabar, terminar, liquidar un asunto, cuestión, deuda, etc.

salderita. f. *Ál.* Lagartija, lagartezna, ligaterna.

saldista. com. Persona que compra y vende géneros procedentes de saldos y de quiebras mercantiles. ‖ **2.** Persona que salda una mercancía.

saldo. (Del it. *saldo,* y este del lat. *solĭdus,* sólido.) m. Pago o finiquito de deuda u obligación. ‖ **2.** Cantidad que de una cuenta resulta a favor o en contra de alguien. ‖ **3.** Resto de mercancías que el fabricante o el comerciante venden a bajo precio para despacharlas pronto.

saldorija. (Del lat. *saturēia.*) f. *Murc.* Mata olorosa de la familia de las labiadas, con hojas trasovadas, cuneiformes, obtusas, coriáceas, y flores blanquecinas en espiga.

saldubense. adj. Natural de Sálduba. Ú. t. c. s. ‖ **2.** Perteneciente o relativo a esta ciudad de la España antigua.

salea. f. Acción y efecto de salearse.

salearse. prnl. Pasear por el mar en una embarcación pequeña.

saledizo, za. adj. Saliente, que sobresale. ‖ **2.** m. *Arq.* Parte que sobresale de la pared maestra, salidizo.

salega. f. Piedra en que se da sal a los ganados en el campo.

salegar[1]. m. Sitio en que se da sal a los ganados en el campo.

salegar[2]. (Del lat. *salicāre,* echar sal.) intr. Tomar el ganado la sal que se le da.

salema. f. Acción y efecto de salirse.

salentino, na. (Del lat. *Salentīnus.*) adj. Dícese del individuo de un pueblo de Italia antigua, en la Mesapia. Ú. t. c. s. ‖ **2.** Perteneciente o relativo a este pueblo.

salep. (Del ár. vulg. *saḥlab.*) m. Fécula que se saca de los tubérculos del satirión y de otras orquídeas.

salera. f. Piedra o recipiente de madera en que se echa la sal para que allí coma el ganado. ‖ **2.** Sal. Especiero que se usa en las cocinas para tener la sal y las especias.

salernitano, na. (Del lat. *Salernitānus.*) adj. Natural de Salerno. Ú. t. c. s. ‖ **2.** Perteneciente o relativo a esta ciudad de Italia.

salero. m. Recipiente en que se sirve la sal en la mesa. ‖ **2.** Sitio o almacén donde se guarda la sal. ‖ **3.** Sitio en que se da sal a los ganados en el campo. ‖ **4.** Base sobre que se arman los saquetes de metralla. ‖ **5.** fig. y fam. Gracia, donaire. *Tener mucho* SALERO. ‖ **6.** fig. y fam. Persona salerosa. ‖ **7.** *Art.* Zoquete de madera de forma adecuada a la figura del ánima del cañón, y sobre el cual se colocan y aseguran las granadas esféricas.

salerón. m. *And.* Probeta destinada a medir la densidad del vino.

saleroso, sa. adj. fig. y fam. Que tiene salero o gracia. Ú. t. c. s.

salesa. adj. Dícese de la religiosa que pertenece a la orden de la Visitación de Nuestra Señora, fundada en el siglo XVII, en Francia, por San Francisco de Sales y Santa Juana Francisca Fremiot de Chantal. Ú. t. c. s.

salesiano, na. adj. Dícese del religioso que pertenece a la Sociedad de San Francisco de Sales, congregación fundada por San Juan Bosco. Ú. t. c. s. ‖ **2.** Perteneciente o relativo a dicha congregación.

saleta. f. d. de **sala.** ‖ **2. sala de apelación.** ‖ **3.** Habitación

anterior a la antecámara del rey o de las personas reales. ‖ **4.** V. **ujier de saleta.**

salga. (De *salgar*[1].) f. Tributo que en la antigüedad pesaba en Aragón sobre el consumo de la sal, y de que no estaban exentos los nobles y privilegiados, aunque alguna vez lo pretendieron.

salgada. (De *salgar*[2].) f. **orzaga,** planta.

salgadera. f. **orzaga,** planta.

salgadura. (De *salgar*[1].) f. ant. Acción y efecto de salar.

salgar[1]. (Del lat. *salicāre,* echar sal.) tr. Dar sal a los ganados. ‖ **2.** ant. **salar.**

salgar[2]. (Del lat. *salicāre,* de *salix, -ĭcis,* sauce.) m. *Ast.* Sauce, salce, saz.

salgareño. (De *salguera.*) adj. V. **pino salgareño.**

salgue. m. *Ál.* Forraje para el ganado.

salguera. (Del lat. *salicarĭa,* de *salix, -ĭcis,* sauce.) f. Sauce.

salguero[1]. (Del lat. *salicarĭus,* de *salix, -ĭcis,* sauce.) m. Sauce.

salguero[2]. (De *salgar*[2].) m. ant. Sitio en que se da sal a los ganados en el campo, salegar[1].

salicáceo, a. (De *Salix,* nombre de un género de plantas.) adj. *Bot.* Dícese de árboles y arbustos angiospermos dicotiledóneos que tienen hojas sencillas, alternas y con estípulas, flores dioicas en espigas, con perianto nulo o muy reducido, y fruto en cápsula con muchas semillas sin albumen; como el sauce, el álamo y el chopo. Ú. t. c. s. f. ‖ **2.** f. pl. *Bot.* Familia de estas plantas.

salicaria. (Del lat. *salix, -ĭcis,* sauce.) f. Planta herbácea anual, de la familia de las litráceas, que crece a orillas de los ríos y arroyos, con tallo ramoso y prismático de seis a ocho decímetros de altura; hojas enteras, opuestas, parecidas a las del sauce; flores purpúreas, en espigas interrumpidas, y fruto seco, capsular, de dos celdas con muchas semillas.

salicilato. m. *Quím.* Sal formada por el ácido salicílico y una base.

salicílico. (Del lat. *salix, -ĭcis,* sauce, y del gr. ὕλη, materia.) adj. *Quím.* V. **ácido salicílico.**

salicina. (Del lat. *salix, -ĭcis,* sauce.) f. Glucósido cristalizable, de color blanco, de sabor muy amargo, soluble en el agua y en el alcohol e insoluble en el éter. Se extrae principalmente por digestión en agua hirviendo, de la corteza del sauce o de las sumidades floridas de la reina de los prados, y se emplea en medicina como tónico.

salicíneo, a. (Del lat. *salix, -ĭcis,* sauce.) adj. *Bot.* **salicáceo.**

sálico, ca. (De *salio*[2].) adj. Perteneciente o relativo a los salios o francos. ‖ **2.** V. **ley sálica.**

salicor. (Del cat. *salicorn.*) m. Planta fruticosa, vivaz, de la familia de las quenopodiáceas, con tallos ramosos, rollizos, nudosos, de color verde oscuro y de cuatro a seis decímetros de largo; sin hojas, y flores pequeñas, verdes y en espigas terminales. Vive en los saladares y por incineración da barrilla.

salida. f. Acción y efecto de salir o salirse. ‖ **2.** Parte por donde sale fuera de un sitio o lugar. ‖ **3.** Campo contiguo a las puertas de los pueblos, adonde sus habitantes salen a recrearse. ‖ **4.** Parte que sobresale en alguna cosa. ‖ **5.** Despacho o venta de los géneros. ‖ **6.** Partida de data o de descargo en una cuenta. ‖ **7.** Acto de comenzar una carrera o competición de velocidad. ‖ **8.** Lugar donde los participantes se sitúan para comenzar una competición de velocidad. ‖ **9.** V. **parrilla de salida.** ‖ **10.** Acción de salir un astro, cuerpo luminoso. ‖ **11.** fig. Escapatoria, pretexto, recurso. ‖ **12.** fig. Medio o razón con que se vence un argumento, dificultad o peligro. ‖ **13.** fig. Fin o término de un negocio o dependencia. ‖ **14.** fig. Dicho agudo, ocurrencia. Ú. m. con el verbo *tener* y un calificativo. *Tener buenas* SALIDAS. ‖ **15.** fig. y fam. V. **callejón sin salida.** ‖ **16.** *Mar.* Partida de un buque. ‖ **17.** *Mar.* Velocidad con que navega un buque, en especial la remanente que le queda al parar la máquina. ‖ **18.** *Mil.* Acometida repentina de tropas de una plaza sitiada contra los sitiadores. ‖ **19.** *Taurom.* Dirección que toma el toro cuando el torero remata un lance o pase. ‖ **20.** pl. Posibilidades favorables de futuro que, en el terreno laboral o profesional, ofrecen algunos estudios. ‖ **de baño.** Capa o ropón para ponerse sobre el traje de baño. ‖ **de pavana.** fig. y fam. **entrada de pavana.** ‖ **de pie de banco.** fig. y fam. Despropósito, incongruencia, disparate. ‖ **de teatro.** Abrigo ligero que usan las señoras para cubrirse el vestido que llevan al teatro. ‖ **de tono.** fig. y fam. Dicho destemplado o inconveniente. ‖ **dar la salida.** fr. Hacer una señal convenida que indique a los participantes el comienzo de la competición de velocidad.

salidero, ra. adj. Amigo de salir, andariego. ‖ **2.** m. Salida, espacio para salir.

salidizo. m. *Arq.* Parte del edificio, que sobresale fuera de la pared maestra en la fábrica.

salido, da. p. p. de **salir.** ‖ **2.** adj. Aplícase a lo que sobresale en un cuerpo más de lo regular. ‖ **3.** Dícese de las hembras de algunos animales cuando están en celo. ‖ **4.** fig. y vulg. Por ext., dícese a veces de los animales machos y de las personas cuando experimentan con urgencia el apetito sexual.

saliente. p. a. de **salir.** Que sale. ‖ **2.** adj. *Geom.* V. **ángulo saliente.** ‖ **3.** m. Oriente, levante. ‖ **4.** Parte que sobresale en una cosa.

salífero, ra. (Del lat. *sal*, sal, y *ferre*, llevar.) adj. **salino.**

salificable. adj. *Quím.* Dícese de cualquier cuerpo capaz de combinarse con un ácido o con una base para formar una sal.

salificación. f. *Quím.* Acción y efecto de salificar.

salificar. tr. *Quím.* Convertir en sal una sustancia.

salimiento. m. Salida, partida de un lugar.

salín. (Del prov. y cat. *salín*, y este del lat. *salīnum*.) m. Almacén de sal.

salina. (Del lat. *salīnae*.) f. Mina de sal. ‖ **2.** Establecimiento donde se beneficia la sal de las aguas del mar o de ciertos manantiales, cuando se ha evaporado el agua.

salinero, ra. (Del lat. *salinarĭus*, de *salīnus*.) adj. Perteneciente o relativo a la salina. *Compañía* SALINERA. ‖ **2.** Dícese del toro que tiene el pelo jaspeado de colorado y blanco. ‖ **3.** m. y f. Persona que fabrica, extrae o transporta sal y la que trafica con ella.

salinidad. f. Calidad de salino. ‖ **2.** En oceanografía, cantidad proporcional de sales que contiene el agua del mar.

salino, na. adj. Que naturalmente contiene sal. ‖ **2.** Que participa de los caracteres de la sal. ‖ **3.** Manchado de pintas blancas; aplícase a la res vacuna.

salio¹, lia. (Del lat. *salĭus*.) adj. Perteneciente o relativo a los sacerdotes de Marte. ‖ **2.** m. Sacerdote de Marte en la Roma antigua.

salio², lia. (Del río *Sala*, hoy *Yssel*.) adj. Dícese del individuo de uno de los antiguos pueblos francos que habitaban la Germania inferior. Ú. m. c. s. y en pl.

salipez. (De *sal* y *pez*.) m. *And.* Roca granítica de color blanco, profusamente moteada de negro.

salipirina. f. *Farm.* Salicilato de antipirina usado para combatir las neuralgias y como antipiréptico.

salir. (Del lat. *salīre*, saltar, brotar.) intr. Pasar de dentro a fuera. Ú. t. c. prnl. ‖ **2.** Partir de un lugar a otro. *Tal día* SALIERON *los reyes de Madrid para Barcelona.* ‖ **3.** Desembarazarse o librarse de algún lugar estrecho, peligroso o molesto. ‖ **4.** Libertarse, desembarazarse de algo que ocupa o molesta. SALIÓ *de la duda;* SALIR *de apuros.* ‖ **5.** Aparecer, manifestarse, descubrirse. *Va a* SALIR *el Sol. El gobernador* SALIÓ *en televisión. La revista* SALE *los jueves.* ‖ **6.** Nacer, brotar. *Empieza a* SALIR *el trigo.* ‖ **7.** Tratándose

de manchas, quitarse, borrarse, desaparecer. ‖ **8.** Sobresalir, estar una cosa más alta o más afuera que otra. ‖ **9.** Descubrir alguien su índole, idoneidad o aprovechamiento. SALIÓ *muy travieso, muy juicioso, buen matemático.* ‖ **10.** Nacer, proceder, traer su origen una cosa de otra. ‖ **11.** Ser alguien, en ciertos juegos, el primero que juega. ‖ **12.** Deshacerse de una cosa vendiéndola o despachándola. *Ya* HE SALIDO *de todo mi grano.* ‖ **13.** Darse al público. ‖ **14.** Decir o hacer una cosa inesperada o intempestiva. *¿Ahora* SALE *usted con eso?* ‖ **15.** Ocurrir, sobrevenir u ofrecerse de nuevo una cosa. SALIR *un empleo.* ‖ **16.** Importar, costar una cosa que se compra. *Me* SALE *a veinte pesetas el metro de paño.* ‖ **17.** Tratándose de cuentas, resultar, de la oportuna operación aritmética, que están bien hechas o ajustadas. ‖ **18.** Con la preposición *a*, corresponder a cada uno en pago o ganancia una cantidad. ‖ **19.** Con la misma preposición, trasladarse dentro del lugar donde se está al sitio adecuado para realizar una actividad. SALIR A *bailar,* A *escena,* A *pronunciar un discurso.* ‖ **20.** Con la preposición *con* y algunos nombres verbales, mostrar o iniciar inesperadamente lo que los nombres significan. SALIR CON *la pretensión, la demanda, la amenaza.* Ú. t. c. prnl. ‖ **21.** Frecuentar, por motivos amorosos o amistosos, el trato de otra persona, fuera de sus domicilios. ‖ **22.** Con la preposición *de*, representar, figurar o hacer un papel en una función de teatro o en una película. *Ella* SALIÓ DE *Doña Inés.* ‖ **23.** Con la preposición *de* y algunos nombres, como *juicio, sentido, tino* y otros semejantes, perder el uso de lo que los nombres significan. También se usa con el adverbio *fuera* antes de la preposición *de.* SALIÓ FUERA DE *tino.* ‖ **24.** Venir a ser, quedar. SALIR *vencedor; La sospecha* SALIÓ *falsa.* ‖ **25.** Tener buen o mal éxito. SALIR *bien en los exámenes; la comedia* SALIÓ *bien.* ‖ **26.** Hablando de las estaciones y otras partes del tiempo, fenecer, finalizar. *Hoy* SALE *el verano.* ‖ **27.** Parecerse, asemejarse. Se emplea más comúnmente hablando de los hijos respecto de sus padres, de los discípulos respecto de sus maestros. *Este niño* HA SALIDO *a su padre; Juan de Juanes* SALIÓ *a Rafael en su primera escuela.* ‖ **28.** Apartarse, separarse de una cosa o faltar a ella en lo regular o debido. SALIÓ *de la regla, de tono.* Ú. t. c. prnl. ‖ **29.** Cesar en un oficio o cargo. *Pronto* SALDRÉ *de tutor.* ‖ **30.** Ser elegido o sacado por suerte o votación. *En la lotería* SALIERON *tales números; Antón* HA SALIDO *alcalde.* ‖ **31.** Ir a parar, tener salida a punto determinado. *Esta calle* SALE *a la plaza.* ‖ **32.** *Col.* Armonizar una cosa con otra. *La corbata no le* SALE *con el vestido.* ‖ **33.** *Col.* Ajustarse algo a un modelo establecido. *Esa canta no* SALIÓ. ‖ **34.** *Mar.* Adelantarse una embarcación a otra; aventajarla en andar cuando navegan juntas. ‖ **35.** prnl. Derramarse por una rendija o rotura el contenido de una vasija o receptáculo. ‖ **36.** Rebosar un líquido al hervir. SE HA SALIDO *la leche.* ‖ **37.** Tener una vasija o depósito alguna rendija o rotura por la cual se derrama el contenido. *Este cántaro* SE SALE. ‖ **38.** En algunos juegos, hacer los tantos o las jugadas necesarias para ganar. ‖ **39.** ant. Dicho de pleitos y causas, iniciar la intervención en ellos como fiscal o como parte. ‖ **a lo que salga.** expr. fig. y fam. Sin saber o sin importar lo que resulte. Ú. con verbos como *andar, estar, etc.* ‖ **2.** fig. y fam. Con descuido. ‖ **no salir de** una cosa. fr. Callarla. ‖ **2.** Ser sugerida por otro. ‖ **salga lo que saliere.** expr. fam. con que se denota la resolución de hacer una cosa sin preocuparse del resultado. ‖ **salir uno adelante,** o **avante.** fr. fig. Llegar a feliz término en un propósito o empresa; vencer una gran dificultad o peligro. ‖ **salir a volar.** fr. fig. Darse al público una persona o cosa. ‖ **salir en público.** fr. salir por las calles con más pompa y aparato de lo ordinario. Se usaba con especialidad hablando del Viático y de los reyes. ‖ **salirle caro,** o **salirle cara,** una cosa a uno. fr. fig. Resultarle daño de su ejecución o intento. ‖ **salirle a uno una cosa en blanco.** fr. fig. Quedar burlado, no conseguir lo que se pretende. ‖ **salir uno pitando.** fr. fig. y fam. **salir** o echar a correr impetuosa y desconcertadamente. ‖ **2.** fig. y fam. Manifestar de pronto cólera o gran acaloramiento o vehemencia en plática o debate. ‖ **salir por uno.** fr. Fiarle, abonarle, defenderle. ‖ **salirse allá una cosa.** fr. fig. y fam. **irse allá.** ‖ **salirse con la suya.** fr. fig. Hacer su voluntad contra el parecer de otros.

salisipan. m. Embarcación peculiar del sur del archipiélago filipino, que solo se diferencia de la panca en que lleva realzadas con nipa las bordas, a mayor altura, y en este realce unos palos delgados y paralelos donde se fijan las rodelas que sirven de reparo a los bogadores contra las flechas y zumbilines. Es barco de piratas y navega a fuerza de remo con extraordinaria velocidad.

salitrado, da. adj. Compuesto o mezclado con salitre.

salitral. adj. Que tiene salitre. ‖ **2.** m. Sitio o paraje donde se cría y halla el salitre.

salitre. (Del prov. y cat. *salnitre,* y este del lat. *sal nitrum.*) m. **nitro,** nitrato potásico. ‖ **2.** Cualquier substancia salina, especialmente la que aflora en tierras y paredes. ‖ **3.** *Chile.* **nitrato de Chile.**

salitrera. f. Sitio donde hay salitre. ‖ **2.** *Chile.* **salitrería,** casa o lugar donde se prepara salitre.

salitrería. f. Casa o lugar donde se fabrica salitre.

salitrero, ra. adj. Perteneciente o relativo al salitre. ‖ **2.** *Chile.* Perteneciente o relativo al nitrato de Chile. ‖ **3.** m. y f. Persona que trabaja en salitre o que lo vende.

salitroso, sa. adj. Que tiene salitre.

saliva. (Del lat. *saliva.*) f. Líquido de reacción alcalina, que viscoso, segregado por glándulas cuyos conductos excretores se abren en la cavidad bucal de muchos animales, y que sirve para reblandecer los alimentos, facilitar la deglución e iniciar la digestión de algunos. ‖ **gastar saliva en balde.** fr. fig. y fam. Hablar inútilmente. ‖ **tragar saliva.** fr. fig. y fam. Soportar en silencio, sin protesta, una determinación, palabra o acción que ofende o disgusta. ‖ **2.** Turbarse, no acertar a hablar.

salivación. (Del lat. *salivatio, -ōnis.*) f. Acción de salivar. ‖ **2.** Secreción excesiva continua de la saliva, tialismo.

salivadera. f. *And.* y *Amér. Merid.* Pequeño recipiente para echar la saliva, escupidera.

salivajo. m. Porción de saliva que se escupe de una vez.

salival. adj. Perteneciente a la saliva.

salivar. (Del lat. *salivāre.*) intr. Arrojar saliva.

salivazo. m. Porción de saliva que se escupe de una vez.

salivera. (Del lat. *salivaría,* pl. de *-rĭum.*) f. Cuenta unida al freno del caballo, para que se refresque la boca. Ú. m. en pl.

salivoso, sa. (Del lat. *salivōsus.*) adj. Que expele mucha saliva.

salma. (Del lat. *sagma,* albarda.) f. Tonelada, medida de capacidad de los buques. ‖ **2.** ant. Jalma o enjalma de la bestia de carga. ‖ en la Rioja y Soria.

salmanticense. (Del lat. *Salmanticensis.*) adj. Perteneciente o relativo a Salamanca. **Concilio** SALMANTICENSE. Ú. t. c. s.

salmantino, na. (Del lat. *Salmantīca,* Salamanca.) adj. Natural de Salamanca. Ú. t. c. s. ‖ **2.** Perteneciente o relativo a esta ciudad o a su provincia. ‖ **3.** Natural de alguna de las ciudades, distritos, etc., que en América tienen el nombre de Salamanca. Ú. t. c. s. ‖ **4.** Perteneciente o relativo a ellas.

salmar. tr. *Rioja* y *Sor.* Poner la salma, ensalmar, enjalmar.

salmear. intr. Rezar o cantar los salmos.

salmer. (Del lat. *sagmarĭus,* mulo de carga.) m. *Arq.* Piedra del machón o muro, cortada en plano inclinado, de donde arranca un arco adintelado o escarzano. ‖ **mover de salmer.** fr. *Arq.* Sentar sobre un **salmer** la primera dovela de un arco o la primera hilada de una bóveda.

salmera. (De *salma,* jalma.) adj.) adj. V. **aguja salmera.**

salmerón. adj. V. **trigo salmerón.** Ú. t. c. s.

salmista. (Del lat. *psalmista.*) m. El que compone salmos. ‖ **2.** Por antonom., el real profeta David. ‖ **3.** El que tiene por oficio cantar los salmos y las horas canónicas en las iglesias catedrales y colegiatas.

salmo. (Del lat. *psalmus,* y este del gr. ψαλμός, de ψάλλω, tocar las cuerdas de un instrumento músico.) m. Composición o cántico que contiene alabanzas a Dios. ‖ **2.** pl. Por antonom., los de David. ‖ **gradual.** Cualquiera de los 15 que el Salterio comprende desde el 119 hasta el 133. ‖ **salmos penitenciales.** Los que en la Vulgata tienen los números 6, 31, 37, 50, 101, 129 y 142, y se emplean juntos en la liturgia. ‖ **cantarle a uno el salmo.** fr. fig. y fam. **leerle la cartilla.** ‖ **saber** uno **su salmo.** fr. fig. Saber lo que le conviene.

salmodia. (Del lat. *psalmōdĭa,* y este del gr. ψαλμῳδία.) f. Canto usado en la Iglesia para los salmos. ‖ **2.** fig. y fam. Canto monótono, sin gracia ni expresión.

salmodiar. intr. Cantar salmodias. ‖ **2.** tr. Cantar algo con cadencia monótona.

salmón. (Del lat. *salmo, -ōnis.*) m. Pez teleósteo de hasta metro y medio de longitud, de cuerpo rollizo, cabeza apuntada y una aleta adiposa dorsal junto a la cola. El adulto tiene azulado el lomo y plateado el vientre, con reflejos irisados en los costados. Los machos presentan, además, manchas rojas o anaranjadas. Su carne es rojiza y sabrosa; vive en el mar y emigra a los ríos para la freza. Existen varias especies, una de las cuales es propia del Atlántico, y las restantes del Pacífico. ‖ **2.** Color rojizo como el de la carne de este pez. Ú. t. c. adj. ‖ **zancado.** El que después del desove baja flaco y sin fuerzas al mar.

salmonado, da. adj. **asalmonado.**

salmonera. f. Red destinada a la pesca del salmón, usada en los ríos del Cantábrico. ‖ **2.** Rampa que se construye en las cascadas de los ríos para facilitar la subida de los salmones.

salmonete. (Del fr. *surmulet.*) m. Pez teleósteo marino, acantopterigio, de unos 25 centímetros de largo, color rojo en el lomo y blanco sonrosado en el vientre; cabeza grande, con un par de barbillas en la mandíbula inferior; cuerpo oblongo, algo comprimido lateralmente, y cola muy ahorquillada. Es comestible apreciado y abunda en el Mediterráneo.

salmónido. (De *salmón.*) adj. *Zool.* Dícese de los peces teleósteos fisóstomos, que tienen el cuerpo cubierto de escamas muy adherentes, excepto en la cabeza, y una aleta adiposa entre la dorsal y la caudal; hay especies dulciacuícolas y marinas, que efectúan importantes migraciones en época de freza, como el salmón y la trucha. Ú. t. c. s. m. ‖ **2.** m. pl. *Zool.* Familia de estos animales.

salmorejo. (De *salmuera.*) m. Salsa compuesta de agua, vinagre, aceite, sal y pimienta. ‖ **2.** *And.* Especie de gazpacho que se hace con pan, huevo, tomate, pimiento, ajo, sal y agua; todo ello muy desmenuzado y batido para que resulte como puré. ‖ **3.** fig. Reprimenda, escarmiento. ‖ **más cuesta el salmorejo que el conejo.** fr. fig. y fam. **vale más la salsa que los perdigones.**

salmuera. (Del lat. *sal mūria.*) f. Agua cargada de sal. ‖ **2.** Agua que sueltan las cosas saladas.

salmuerarse. prnl. Enfermar los ganados de comer mucha sal.

salobral. adj. Dícese de algunas cosas, como el agua, que son salobres. ‖ **2.** Terreno salobreño.

salobre. adj. Que tiene sabor de alguna sal. ‖ **2.** V. **agua salobre.**

salobreño¹, ña. adj. Aplícase a la tierra que es salobre o contiene en abundancia alguna sal.

salobreño², ña. adj. Natural de Salobreña. Ú. t. c. s. ‖ **2.** Perteneciente o relativo a esta villa de la provincia de Granada.

salobridad. f. Calidad de salobre.

salol. m. *Farm.* Polvo blanco, cristalino, untuoso al tacto, de olor aromático, insípido, insoluble en el agua y algo soluble en el alcohol. Es una combinación de los ácidos salicílico y fénico, y se usa en medicina como antipirético y antiséptico.

saloma. (Del lat. *celeusma*, canto de marineros.) f. Son cadencioso con que acompañan los marineros y otros operarios su faena, para hacer simultáneo el esfuerzo de todos.

salomar. intr. Acompañar una faena con la saloma.

salomón. (Por alusión al rey de Israel y de Judá, hijo de David.) m. fig. Hombre de gran sabiduría. ‖ **2.** V. **sello de Salomón.**

salomónico, ca. adj. Perteneciente o relativo a Salomón. ‖ **2.** *Arq.* V. **columna salomónica.**

salón¹. m. aum. de **sala.** ‖ **2.** Aposento de grandes dimensiones para visitas y fiestas en las casas. ‖ **3.** Mobiliario de este aposento. ‖ **4.** Habitación principal de una vivienda que se destina a recibir visitas, y, muchas veces, sirve de cuarto de estar y de comedor. ‖ **5.** Pieza de grandes dimensiones donde celebra sus juntas una corporación. SALÓN *de actos,* SALÓN *de sesiones.* ‖ **6.** En algunas ciudades, parque o paseo público. ‖ **7.** Instalación donde se exponen con fines comerciales los productos de una determinada industria, como automóviles o embarcaciones. ‖ **de belleza.** Establecimiento donde se presta a los clientes servicios diversos de peluquería, depilación, manicura, cosmética, etc.

salón². (De *sal.*) m. p. us. Carne o pescado salado para que se conserve. ‖ **2.** *Sal.* Cebo de salvado con sal que se da a los cerdos.

saloncillo. m. d. de **salón¹.** ‖ **2.** En los establecimientos públicos, sala reservada para algún uso especial. *El* SALONCILLO *de un teatro, de un café.*

salpa. (Del lat. *salpa.*) f. Pez marino teleósteo, del suborden de los acantopterigios, muy semejante a la boga marina, de unos 25 centímetros de largo, cabeza apuntada, cuerpo comprimido, grandes escamas, y color verdoso por el lomo, plateado en los costados y vientre, y con once rayas doradas en cada lado, desde las agallas hasta la cola. ‖ **2.** Animal procordado, de la clase de los tunicados, de cuerpo transparente y en forma de tonel, con seis u ocho cintas musculares transversales, visibles a través de la túnica, cuyas contracciones rítmicas sirven para la locomoción del animal.

salpicadero. m. En el pescante de algunos carruajes, tablero colocado en la parte anterior para preservar de salpicaduras de lodo al conductor. ‖ **2.** En los vehículos automóviles, tablero situado delante del asiento del conductor, y en el que se hallan algunos mandos y aparatos indicadores.

salpicadura. f. Acción y efecto de salpicar.

salpicar. (De *sal* y *picar.*) tr. Saltar un líquido esparcido en gotas menudas por choque o movimiento brusco. Ú. t. c. intr. ‖ **2.** Mojar o manchar con un líquido que **salpica.** Ú. t. c. prnl. ‖ **3.** Esparcir varias cosas, como rociando con ellas una superficie u otra cosa. SALPICAR *de chistes la conversación; un valle* SALPICADO *de caseríos.* ‖ **4.** fig. Pasar de unas cosas a otras sin continuación ni orden, dejándose algunas en medio, como se suele hacer en la lectura de un papel o libro.

salpicón. (De *salpicar.*) m. Guiso de carne, pescado o marisco desmenuzado, con pimienta, sal, aceite, vinagre y cebolla. ‖ **2.** Fiambre de trozos de pescado o marisco con-

dimentados con cebolla, sal y otros ingredientes. ‖ **3.** fig. y fam. Cualquier otra cosa hecha pedazos menudos. ‖ **4.** Acción y efecto de salpicar. ‖ **5.** *Ast.* Pasta de nueces. ‖ *Ecuad.* Bebida fría hecha de jugo de frutas. ‖ **de frutas.** *Col.* Mezcla de trozos de diferentes frutas, en su propio jugo o en otro líquido, que se usa como bebida o refresco.

salpimentar. tr. Adobar una cosa con sal y pimienta, para que se conserve y tenga mejor sabor. ‖ **2.** fig. Amenizar, sazonar, hacer sabrosa una cosa con palabras o hechos.

salpimienta. f. Mezcla de sal y pimienta.

salpique. m. Acción y efecto de salpicar.

salpresamiento. m. Acción y efecto de salpresar.

salpresar. (Del lat. *sal,* sal, y *pressáre,* prensar, apretar.) tr. Aderezar con sal una cosa, prensándola para que se conserve.

salpreso, sa. p. p. irreg. de **salpresar.**

salpuga. f. *And.* Especie de hormiga venenosa.

salpullido. m. **sarpullido.**

salpullir. tr. **sarpullir.**

salsa. (Del lat. *salsa,* salada.) f. Composición o mezcla de varias substancias comestibles desleídas, que se hace para aderezar o condimentar la comida. ‖ **2.** fig. Cualquier cosa que mueve o excita el gusto. ‖ **bearnesa.** La que se hace al baño María, mezclando mantequilla, huevos, vino blanco, perejil, etc., y que se utiliza para acompañar carnes o pescados. ‖ **blanca.** La que se hace con harina y manteca que no se han dorado al fuego. ‖ **de San Bernardo.** fig. y fam. Hambre o apetito que hace no reparar en que la comida esté bien o mal sazonada. ‖ **mahonesa,** o **mayonesa. mayonesa.** ‖ **mayordoma.** La que se hace batiendo manteca de vaca con perejil y otros condimentos. ‖ **rosa.** La que se hace con mayonesa y tomate frito. ‖ **rubia.** La que se hace rehogando harina en manteca o aceite hasta que toma color. ‖ **tártara.** La que se hace con yemas de huevo, aceite, vinagre o limón y diversos condimentos. ‖ **verde.** La hecha a base de perejil, usada especialmente para acompañar pescados. ‖ **dar la salsa.** fr. fig. y fam. *Argent.* Dar una paliza, maltratar. ‖ **en su propia salsa.** fr. fig. y fam. para indicar que una persona o cosa se manifiesta rodeada de todas aquellas circunstancias que más realzan lo típico y característico que hay en la misma. ‖ **vale más la salsa que los perdigones.** fr. fig. que se usa para indicar que en alguna cosa tiene lo accesorio más valor que lo principal.

salsamentar. (De *salsamento.*) tr. ant. Sazonar o guisar una cosa.

salsamentaría. f. *Col.* Tienda donde se venden al público, embutidos, carnes curadas, etc.

salsamento. (Del lat. *salsamentum.*) m. ant. Condimento, guiso o salsa.

salsear. intr. fam. *Murc.* y *Nav.* Entremeterse, meterse en todo.

salsedumbre. (Del lat. *salsitúdo, -inis.*) f. Calidad de salado.

salsera. f. Vasija en que se sirve salsa. ‖ **2.** Taza pequeña para mezclar colores.

salsereta. f. Taza pequeña para mezclar colores.

salserilla. f. d. de **salsera.** ‖ **2.** Taza pequeña y de poco fondo en que se mezclan algunos ingredientes o se ponen algunos licores o colores que se necesita tener a la mano.

salsero, ra. adj. V. **tomillo salsero.** ‖ **2.** *Murc.* y *Nav.* Entremetido, que se mete donde no le llaman. ‖ **3.** m. *Gal.* Salpicadura.

salserón. m. Medida para grano y maquila, que usan los molineros de tierra de Burgos; equivale a un octavo de celemín.

salseruela. f. d. de **salsera.** ‖ **2.** Taza pequeña para mezclar colores.

salsifí. (Del fr. *sercifí, salsifis,* y este del it. *salsefica,* del lat. **sal-*

sifica.) m. Planta herbácea bienal, de la familia de las compuestas, de unos seis decímetros de altura, con tallo hueco y lampiño; hojas rectas, planas, estrechas, alternas y envainadoras; flores terminales de corola purpúrea, y raíz fusiforme, blanca, tierna y comestible. ‖ **de España, o negro. escorzonera.**

salso, sa. (Del lat. *salsus.*) adj. ant. Que está salado.

salsoláceo, a. (Del lat. *salsus,* salado.) adj. *Bot.* **quenopodiáceo.**

saltabanco. m. Charlatán que, puesto sobre un banco o mesa, junta al pueblo y relata las virtudes de algunas hierbas, confecciones y quintaesencias que trae y vende como remedios singulares. ‖ **2.** Jugador de manos, titiritero. ‖ **3.** fig. y fam. Hombre bullidor y de poca sustancia.

saltabancos. m. **saltabanco.**

saltabardales. com. fig. y fam. Persona joven, traviesa y alocada.

saltabarrancos. com. fig. y fam. Persona que con poco reparo anda, corre y salta por todas partes.

saltable. adj. Que se puede saltar.

saltacaballo. m. *Arq.* Parte de una dovela, que monta sobre la hilada horizontal inmediata.

saltación. (Del lat. *saltatio, -ōnis.*) f. Arte de saltar. ‖ **2.** Baile o danza.

saltacharquillos. com. fig. y fam. Persona joven que va pisando de puntillas y medio saltando con afectación.

saltadero. m. Sitio a propósito para saltar. ‖ **2.** Surtidor de agua.

saltadizo, za. adj. Propenso a saltar o quebrarse por excesiva tirantez.

saltado, da. p. p. de **saltar.** ‖ **2.** adj. **saltón.** Aplicase a los ojos.

saltador, ra. (Del lat. *saltātor, -ōris.*) adj. Que salta. ‖ **2.** m. y f. Persona que tiene oficio o ejercicio en que necesita saltar, y por lo común, la que lo hace para divertir al público. ‖ **3.** m. Cuerda para saltar, especialmente para jugar a la comba.

saltadura. f. *Cant.* Defecto que resulta en la superficie de una piedra por haber saltado una lasca al tiempo de labrarla.

saltaembanco. m. **saltabanco.**

saltaembancos. m. **saltabanco.**

saltaembarca. f. Especie de ropilla que se ponía por la cabeza.

saltagatos. m. *Col.* **saltamontes,** insecto.

saltambarca. f. **saltaembarca.**

saltamontes. m. Insecto ortóptero de la familia de los acrídidos, de cabeza gruesa, ojos prominentes, antenas finas, alas membranosas, patas anteriores cortas y muy robustas y largas las posteriores, con las cuales da grandes saltos. Conócense numerosas especies, todas herbívoras y muchas de ellas comunes en España.

saltana. (De *saltar.*) f. *NO. Argent.* Piedra, madera, etc., que se pone a trechos en la corriente de un río para pasar.

saltanejoso, sa. adj. *Cuba.* Dícese del terreno que tiene ligeras ondulaciones.

saltaojos. m. **peonía,** planta de la familia de las ranunculáceas.

saltapajas. m. *Pal.* y *Rioja.* **saltamontes,** insecto.

saltaparedes. com. fig. y fam. Persona joven, traviesa y alocada, saltabardales.

saltaperico. m. *Cuba.* Hierba silvestre, acantácea, de flores azules.

saltaprados. m. *Ast.* **saltamontes,** insecto.

saltar. (Del lat. *saltāre,* intens. de *salīre.*) intr. Levantarse del suelo con impulso y ligereza, ya para dejarse caer en el mismo sitio, ya para pasar a otro. ‖ **2.** Arrojarse para caer de pie. ‖ **3.** Arrojarse al agua desde un trampolín. ‖ **4.** Lanzarse con paracaídas desde un avión,

helicóptero, etc. ‖ **5.** Moverse una cosa de una parte a otra, levantándose con violencia; como la pelota del suelo, la chispa de la lumbre, etc. ‖ **6.** Salir un líquido hacia arriba con ímpetu, como el agua en el surtidor. ‖ **7.** Romperse o quebrantarse violentamente una cosa por excesiva tirantez, por la influencia atmosférica o por otras causas. ‖ **8.** Desprenderse una cosa de donde estaba unida o fija. ‖ **9.** fig. Hacerse reparable o sobresalir mucho una cosa. ‖ **10.** fig. Ofrecerse repentinamente una idea a la imaginación o a la memoria. ‖ **11.** fig. Picarse o resentirse, dándolo a entender exteriormente. ‖ **12.** fig. Irrumpir inesperadamente en la conversación. ‖ **13.** Ascender a un puesto más alto que el inmediatamente superior sin haber ocupado este. ‖ **14.** fig. Dejar alguien contra su voluntad el puesto o cargo que desempeñaba. ‖ **15.** fig. Hacerse notar una cosa por su extremada limpieza. ‖ **16.** *Dep.* Salir los jugadores de fútbol o de otros deportes al terreno de juego. ‖ **17.** tr. Salvar de un salto un espacio o distancia. SALTAR *una zanja.* ‖ **18.** Cubrir el macho a la hembra, dicho de varias especies de animales. ‖ **19.** Pasar de una cosa a otra, dejándose las que debían suceder por orden o por opción. Se usa en lo físico y en lo moral. ‖ **20.** En los juegos de damas, ajedrez y tablas, levantar una pieza o figura y pasarla de una casa a otra por encima de las figuras que están sentadas. ‖ **21.** En el juego del monte, apuntar a una de las cuatro cartas que hay en la mesa, colocando el tanto en el ángulo interior superior de la carta. ‖ **22.** fig. Omitir voluntariamente o por inadvertencia parte de un escrito, leyéndolo o copiándolo. Ú. t. c. prnl. ME HE SALTADO *un renglón, un párrafo, una página.* ‖ **23.** *Mar.* Arriar un poco un cabo para disminuir su tensión y trabajo. ‖ **24.** prnl. Infringir una ley, un precepto, etc. ‖ **salta tú y dámela tú.** Juego de muchachos, que lo ejecutan formando dos partidos: uno de los jugadores esconde entre los de su partido una prenda, y otro del bando contrario viene a acertar quién la tiene.

saltarel. m. **saltarelo.**

saltarelo. (Del it. *saltarella,* y este del lat. *saltāre,* saltar.) m. Especie de baile de la escuela antigua española.

saltarén. (Del lat. *saltāre,* danzar, bailar.) m. Cierto son o aire de guitarra, que se tocaba para bailar. ‖ **2. saltamontes.**

saltarilla. f. Nombre de diversas especies de hemípteros homópteros de pequeño tamaño que viven sobre las plantas y pueden dar grandes saltos.

saltarín, na. adj. Que danza o baila. Ú. t. c. s. ‖ **2.** fig. Dícese del mozo inquieto y de poco juicio. Ú. t. c. s.

saltarregla. f. Instrumento formado de dos reglas movibles alrededor de un eje, que trazan ángulos de diferentes aberturas.

saltarrostro. m. *Extr.* Salamanquesa, salamanqueja.

saltaterandate. m. Especie de bordado cuyas puntadas son muy largas, y se aseguran atravesando otras muy menudas y delicadas.

saltatrás. (De *saltar* y *atrás.*) com. Descendiente de mestizos que ofrece por atavismo caracteres propios de una sola raza originaria, tornatrás.

saltatriz. (Del lat. *saltatrix, -icis.*) f. Mujer que tenía por profesión saltar y bailar.

saltatumbas. m. fig. y despect. fam. Clérigo que se mantiene principalmente de lo que gana asistiendo a los entierros.

salteador. m. El que saltea y roba en los despoblados o caminos.

salteadora. f. Mujer que vive con salteadores, o toma parte en sus delitos.

salteamiento. m. Acción y efecto de saltear.

saltear. (De *salto.*) tr. Salir a los caminos y robar a los pasajeros. ‖ **2.** Acometer. ‖ **3.** Hacer una cosa discontinuamente sin seguir el orden natural, o saltando y dejando sin hacer parte de ella. ‖ **4.** Tomar una cosa anticipándose a otro. ‖ **5.** fig. Sorprender el ánimo con una impresión fuerte y viva. ‖ **6.** fig. Sobrevenir de pronto. ‖ **7.** Sofreír un manjar a fuego vivo en manteca o aceite hirviendo.

salteño, ña. adj. Natural de Salta. Ú. t. c. s. ‖ **2.** Perteneciente a esta ciudad y provincia de la República Argentina. ‖ **3.** Natural de Salto. Ú. t. c. s. ‖ **4.** Perteneciente a esta ciudad o departamento del Uruguay.

salteo. (De *saltear*.) m. Acción y efecto de saltear.

salterio[1]. (Del lat. *psaltērium*, y este del gr. ψαλτήριον.) m. Libro canónico del Antiguo Testamento, que contiene las alabanzas de Dios, de su santa ley y del varón justo, particularmente de Jesucristo, que es el primer argumento de este libro. Consta de 150 salmos, de los cuales el mayor número fue compuesto por David. ‖ **2.** Libro de coro que contiene solo los salmos. ‖ **3.** Parte del breviario que contiene las horas canónicas de toda la semana, menos las lecciones y oraciones. ‖ **4. rosario,** rezo. El nombre obedece al número de 150 oraciones, igual que son 150 los salmos del **salterio,** libro canónico. ‖ **5.** Instrumento músico que consiste en una caja prismática de madera, más estrecha por la parte superior, donde está abierta, y sobre la cual se extienden muchas hileras de cuerdas metálicas que se tocan con un macillo, con un plectro, con uñas de marfil o con las de las manos.

salterio[2]. m. *Germ.* El que roba asaltando en los caminos, salteador.

saltero, ra. (Del lat. *saltuarĭus,* de *saltus,* monte, bosque.) adj. Dícese del que está hecho para andar por los montes o se ha criado en ellos.

saltigallo. m. *Sal.* y *Zam.* **saltamontes,** insecto.

saltígrado, da. adj. Dícese del animal que anda a saltos.

saltillense. adj. Natural de Saltillo, capital del Estado mejicano de Coahuila. Ú. t. c. s. ‖ **2.** Perteneciente o relativo a dicha capital.

saltimbanco. (Del it. *saltimbanco.*) m. fam. **saltabanco.**

saltimbanqui. (Del it. *saltimbanqui.*) m. fam. **saltabanco.**

salto. (Del lat. *saltus.*) m. Acción y efecto de saltar. ‖ **2.** Juego de muchachos, en el cual uno designado por suerte se pone encorvado para que los otros salten por encima de él. ‖ **3.** Lugar alto y proporcionado para saltar, o que no se puede pasar sino saltando. ‖ **4.** Despeñadero muy profundo. ‖ **5.** Caída de un caudal importante de agua, especialmente en una instalación industrial. ‖ **6.** Espacio comprendido entre el punto de donde se salta y aquel a que se llega. ‖ **7.** Palpitación violenta del corazón. ‖ **8.** desus. Acción y efecto de asaltar. ‖ **9.** ant. Tacón de la bota o del zapato. *Zapato de* SALTO. ‖ **10.** ant. Pillaje, robo, botín. ‖ **11.** fig. Tránsito de una cosa a otra, sin tocar los medios o alguno de ellos. ‖ **12.** fig. Omisión voluntaria, o por inadvertencia, de una parte de un escrito, leyéndolo o copiándolo. ‖ **13.** fig. Ascenso a puesto más alto que el inmediato superior, dejando este sin ocupar. ‖ **14.** *Aer.* Acción de lanzarse en paracaídas desde un avión, helicóptero, etc. ‖ **15.** *Dep.* Prueba atlética que consiste en saltar una altura o longitud. ‖ **16.** *Dep.* En natación, acción de saltar desde un trampolín. ‖ **17.** *Mar.* Pequeña porción de cabo que se arría o salta. ‖ **atrás. tornatrás.** ‖ **2.** Retroceso en sentido moral o físico. ‖ **con pértiga.** *Dep.* Prueba que consiste en saltar determinada altura con ayuda de una pértiga. ‖ **de agua.** Caída del agua de un río, arroyo o canal donde hay un desnivel repentino. También se comprenden en esta denominación el conjunto de construcciones y artefactos destinados a aprovechar el **salto.** ‖ **de altura.** *Dep.* Prueba que consiste en saltar por encima de un listón colocado a una altura determinada. ‖ **de caballo.** Pasatiempo que consiste en distribuir las sílabas de una frase en un cuadro de escaques, de manera que para

construir el conjunto se haya de saltar de unos en otros a la manera del caballo del ajedrez. ‖ **de cama.** Bata de mujer que se pone al levantarse de la cama. ‖ **de campana.** Vuelta que da en el aire el torero al ser volteado por el toro. ‖ **de carnero.** *Equit.* El que da el caballo encorvándose, para tirar al jinete. ‖ **de la garrocha.** El que da el torero apoyado en la garrocha de frente y por encima del toro. ‖ **de lobo.** fig. Zanja abierta para servir de límite a un cercado e impedir el paso sin quitar la vista. ‖ **de longitud.** *Dep.* Prueba que consiste en salvar la mayor distancia posible a partir de un punto marcado. ‖ **de mal año.** fig. y fam. Efecto de pasar de necesidad y miseria a mejor fortuna. ‖ **de mata.** fig. Huida o escape por temor del castigo. ‖ **de trucha.** fig. Suerte de los volteadores, que, tendiéndose a la larga en el suelo y afirmándose sobre las manos y sosteniendo el cuerpo en ellas, dan vuelta entera en el aire. ‖ **2.** fig. **salto** que da, cuando quiere avanzar, la persona que tiene trabados los pies. ‖ **mortal.** fig. **salto** que dan los volatineros lanzándose de cabeza y tomando vuelta en el aire para caer de pie. ‖ **y encaje.** *Danza.* Mudanza en que el pie derecho se retira y pone detrás del izquierdo al tiempo de dar el **salto** y terminar la mudanza, encajando la pierna derecha detrás de la izquierda. ‖ **triple salto.** *Dep.* **salto** de longitud en el cual el atleta apoya los pies alternativamente dos veces antes de caer con los dos pies juntos. ‖ **a salto de mata.** loc. adv. fig. Huyendo y recatándose. ‖ **2.** fig. Aprovechando las ocasiones que depara la casualidad. ‖ **a saltos.** loc. adv. Dando saltos, o saltando de una cosa en otra, dejándose u omitiendo las que están en medio. ‖ **cazar al salto.** fr. Cazar recorriendo el terreno para disparar sobre las piezas que al paso saltan. ‖ **dar salto en vago.** fr. fig. Quedar uno burlado en su intento. ‖ **dar alguien saltos de alegría, o de contento.** fr. fig. y fam. Manifestar con extremos su alegría. ‖ **de salto.** loc. adv. ant. De repente, de improviso, de sobresalto. ‖ **en un salto.** loc. adv. fig. Con prontitud, rápidamente. ‖ **por salto.** loc. adv. fam. Fuera del orden regular, omitiendo algo que debiera preceder o intermediar.

saltón, na. adj. Que anda a saltos, o salta mucho. ‖ **2.** Dícese de algunas cosas, como los ojos, los dientes, etc., que sobresalen más de lo regular, y parece que se salen de su sitio. ‖ **3.** V. **pulso saltón.** ‖ **4.** *Col.* y *Chile.* Sancochado, medio crudo. ‖ m. **5.** Saltamontes, especialmente cuando tiene las alas rudimentarias. ‖ **6.** Cresa que aparece en el tocino y el jamón. ‖ **7.** *Ast.* **aguja paladar,** pez.

saltuario. (Del lat. *saltus,* salto.) adj. *Der.* V. **mayorazgo saltuario.**

salubérrimo, ma. (Del lat. *saluberrĭmus.*) adj. sup. de **salubre.**

salubre. (Del lat. *salūbris.*) adj. Bueno para la salud, saludable.

salubridad. (Del lat. *salubrĭtas, -ātis.*) f. Cualidad de salubre.

salud. (Del lat. *salus, -ūtis.*) f. Estado en que el ser orgánico ejerce normalmente todas sus funciones. ‖ **2.** Condiciones físicas en que se encuentra un organismo en un momento determinado. ‖ **3.** Libertad o bien público o particular de cada uno. ‖ **4.** Estado de gracia espiritual. ‖ **5.** Consecución de la gloria eterna, salvación. ‖ **6.** V. **año de nuestra salud.** ‖ **7.** fig. y fam. V. **cuartel de la salud.** ‖ **8.** *Germ.* Inmunidad que se acoge a lo sagrado. ‖ **9.** pl. ús. Actos y expresiones corteses. ‖ **a su salud.** loc. adv. ant. **a su salud.** loc. adv. fig. Por Brindar a su **salud.** ‖ **curarse** uno **en salud.** fr. fig. Precaverse de un daño ante la más leve amenaza. ‖ **2.** fig. Dar satisfacción de una cosa antes que le hagan cargo de ella. ‖ **en sana salud.** loc. adv. En estado de perfecta **salud.** ‖ **gastar salud.** fr. Gozarla buena. ‖ **para poca salud, más vale morirse.** fr. fig. y fam. Ú. para indicar que una cosa reporta tan escasa ventaja que no merece el esfuerzo de conservarla. ‖ **¡salud!** interj. fam. con que se saluda a uno o se le desea un bien. ‖ **vender,** o **verter,** uno **salud.** fr. fig. y fam. Ser o parecer muy robusto o saludable.

saluda. m. **besalamano.**

saludable. adj. Que sirve para conservar o restablecer la salud corporal. ‖ **2.** De buena salud, de aspecto sano. ‖ **3.** fig. Provechoso para un fin, particularmente para el bien del alma.

saludablemente. adv. m. De manera saludable.

saludación. f. p. us. **salutación.**

saludador, ra. (Del lat. *salutător, -ōris.*) adj. Que saluda. Ú. t. c. s. ‖ **2.** V. **dedo saludador.** ‖ **3.** m. Embaucador que se dedica a curar o precaver la rabia u otros males, con el aliento, la saliva y ciertas deprecaciones y fórmulas.

saludar. (Del lat. *salutāre.*) tr. Dirigir a otro, al encontrarlo o despedirse de él, palabras corteses, interesándose por su salud o deseándosela, diciendo *adiós, hola,* etc. ‖ **2.** Mostrar a otro benevolencia o respeto mediante señales formularias. ‖ **3.** desus. Proclamar a uno por rey, emperador, etc. ‖ **4.** Usar ciertas preces y fórmulas echando el aliento o aplicando la saliva para curar o precaver la rabia u otros males, dando a entender el que lo hace que tiene gracia y virtud para ello. ‖ **5.** Enviar saludes. ‖ **6.** fig. Adquirir las primeras nociones de una materia. Ú. m. en fr. negativas. ‖ **7.** *Mar.* Arriar los buques un poco y por breve tiempo sus banderas en señal de bienvenida o buen viaje. ‖ **8.** *Mil.* Dar señales de obsequio o festejo con descargas de artillería o fusilería, movimientos del arma o toques de los instrumentos militares.

saludes. (De *salud.*) f. pl. *Col., Ecuad., El Salv., Guat., Hond., Méj.* y *Nicar.* Saludos, fórmula de salutación. *Les traigo las* SALUDES *de los amigos.*

saludo. m. Acción y efecto de saludar. ‖ **2.** Palabra, gesto o fórmula para saludar. ‖ **3.** pl. Saludes, expresiones corteses. ‖ **a la voz.** *Mar.* Honor que se tributa a bordo y que consiste en determinado número de vítores o hurras, a los que contesta la tripulación, convenientemente distribuida sobre las vergas o las bordas.

salumbre. f. Especie de espuma rojiza que produce la sal.

salutación. (Del lat. *salutatĭo, -ōnis.*) f. Acción y efecto de saludar. ‖ **2.** Parte del sermón en la cual se saluda a la Virgen. ‖ **angélica.** La que hizo el arcángel San Gabriel a la Virgen cuando le anunció la concepción de Jesús, y forma la primera parte de la oración del Avemaría. ‖ **2.** Esta misma oración.

salute. (Del lat. *salus, -ūtis,* salutación.) m. Moneda de oro que se acuñó en Francia en tiempo de Carlos VI, con la salutación angélica en la leyenda. ‖ **2.** ant. **escudo,** antigua moneda de oro de la cual entraban 68 en un marco.

salutíferamente. adv. m. **saludablemente.**

salutífero, ra. (Del lat. *salutĭfer, -ĕri.*) adj. **saludable.**

salva. f. Prueba que hacía de la comida y bebida la persona encargada de servirla a los reyes y grandes señores, para asegurar que no había en ellas ponzoña. ‖ **2.** Saludo, bienvenida. ‖ **3.** Saludo hecho con armas de fuego. ‖ **4.** Serie de cañonazos consecutivos y sin bala disparados en señal de honores o saludos. ‖ **5.** Disparo simultáneo de varias piezas idénticas de artillería. ‖ **6.** Prueba temeraria que hacía alguien de su inocencia exponiéndose a un grave peligro, confiado en que Dios la salvaría milagrosamente. ‖ **7.** Juramento, promesa solemne, palabra de seguro. ‖ **8. salvilla.** ‖ **9.** ant. V. **señor de salva.** ‖ **de aplausos.** Aplausos nutridos que prorrumpe una concurrencia. ‖ **entera.** *Mar.* La de ceremonial, pero con bala, como mayor honor. ‖ **fría.** *Mar.* La que hace un buque, cuando los cañones están aún fríos. ‖ **hacer la salva.** fr. fig. Pedir la venia para hablar o para representar una cosa.

salvabarros. m. Pieza de un vehículo destinada a impedir que salpique el barro, guardabarros.

salvable. adj. Que se puede salvar.

salvación. (Del lat. *salvatĭo, -ōnis.*) f. Acción y efecto de salvar o salvarse. ‖ **2.** Consecución de la gloria y bienaventuranza eternas. ‖ **3.** ant. Saludo.

salvachia. f. *Mar.* Especie de estrobo, largo y flexible, formado de filásticas y con ligaduras de trecho en trecho.

salvadera. (De *salvado.*) f. Vaso, por lo común cerrado y con agujeros en la parte superior, en que se tenía la arenilla para enjugar lo escrito recientemente. ‖ **2.** *Cuba.* **jabillo,** árbol.

salvado, da. p. p. de **salvar.** ‖ **2.** m. Cáscara del grano de los cereales desmenuzada por la molienda. ‖ **3.** V. **libro de lo salvado.**

salvador, ra. (Del lat. *salvātor, -ōris.*) adj. Que salva. Ú. t. c. s. ‖ **2.** m. Por antonom., **Jesucristo,** a quien también se nombra **Salvador del mundo,** por haber redimido al hombre del pecado y de la muerte eterna.

salvadoreñismo. m. Locución, giro o modo de hablar propio y peculiar de los salvadoreños.

salvadoreño, ña. adj. Natural de El Salvador. Ú. t. c. s. ‖ **2.** Perteneciente a esta nación de la América Central.

salvaguarda. m. **salvaguardia.**

salvaguardar. tr. Defender, amparar, proteger.

salvaguardia. m. Guarda que se pone para la custodia de una cosa, como para los propios de las ciudades, villas, lugares y dehesas comunes y particulares, y para los equipajes en los ejércitos, etc. ‖ **2.** Señal que en tiempo de guerra se pone, por orden de los comandantes militares, a la entrada de los pueblos o a las puertas de las casas, para que sus soldados no les hagan daño. ‖ **3.** f. Papel o señal que se da a uno para que no sea ofendido o detenido en lo que va a ejecutar. ‖ **4.** Custodia, amparo, garantía.

salvajada. f. Dicho o hecho propio de un salvaje.

salvaje. (Del cat. y occitano *salvatge.*) adj. Aplícase a las plantas silvestres y sin cultivo. ‖ **2.** Dícese del animal que no es doméstico. ‖ **3.** Aplícase al terreno montuoso, áspero, inculto. ‖ **4.** Dícese de los pueblos que no se han incorporado al desarrollo general de la civilización y mantienen formas primitivas de vida. ‖ **5.** Dícese de los individuos de estos pueblos. Ú. t. c. s. ‖ **6.** V. **animal, puerco, seda, vid salvaje.** ‖ **7.** fig. Sumamente necio, terco, zafio o rudo. Ú. t. c. s.

salvajería. f. Dicho o hecho propio de un salvaje.

salvajez. f. p. us. Cualidad de salvaje.

salvajina. f. Conjunto de fieras montesas. ‖ **2.** Carne de esos animales. ‖ **3.** Pieles de los mismos. ‖ **4.** Animal montaraz; como el jabalí, el venado, etc.

salvajino, na. adj. Aplicase a las plantas silvestres. ‖ **2.** Dícese del animal que no es doméstico. ‖ **3.** Dícese del natural de países sin cultura. Ú. t. c. s. ‖ **4.** Perteneciente o relativo a los salvajes o semejante a ellos. ‖ **5.** Aplicase a la carne de los animales monteses.

salvajismo. m. Modo de ser o de obrar propio de los salvajes. ‖ **2.** Cualidad de salvaje.

salvajuelo, la. adj. d. de **salvaje.**

salvamano (a). loc. adv. Sin peligro, a mansalva.

salvamanteles. m. Pieza de cristal, loza, madera, etc., que se pone en la mesa debajo de las fuentes, botellas, vasos, etc., para proteger el mantel.

salvamente. adv. m. Con seguridad y sin riesgo.

salvamento. m. Acción y efecto de salvar o salvarse. ‖ **2.** Lugar en que alguien se asegura de un peligro.

salvamiento. m. Acción y efecto de salvar o salvarse.

salvante. p. a. de **salvar.** Que salva. ‖ **2.** p. us. En construcciones absolutas con un substantivo, fuera de, con excepción de, excepto.

salvar. (Del lat. *salvāre.*) tr. Librar de un riesgo o peligro;

poner en seguro. Ú. t. c. prnl. ‖ **2.** Dar Dios la gloria y bienaventuranza eterna. ‖ **3.** Evitar un inconveniente, impedimento, dificultad o riesgo. ‖ **4.** Exceptuar, dejar aparte, excluir una cosa de lo que se dice o se hace de otra u otras. ‖ **5.** Vencer un obstáculo, pasando por cima o a través de él. *La avenida* SALVÓ *el pretil del puente.* SALVAR *de un salto un foso;* SALVAR *los montes.* ‖ **6.** Recorrer la distancia que media entre dos lugares. ‖ **7.** Rebasar una altura elevándose por cima de ella. *La torre* SALVA *las copas de los árboles que la rodean.* ‖ **8.** Poner al fin de la escritura o documento una nota para que valga lo enmendado o añadido entre renglones o para que no valga lo borrado. ‖ **9.** Exculpar, probar jurídicamente la inocencia o libertad de una persona o cosa. ‖ **10.** intr. Hacer la salva a la comida o bebida de los reyes y grandes señores. ‖ **11.** ant. Hacer la salva con artillería. ‖ **12.** prnl. Alcanzar la gloria eterna, ir al cielo. ‖ **sálvese el que pueda.** fr. con que se incita a huir a la desbandada cuando es difícil hacer frente a un ataque.

salvaterrano, na. adj. Natural de Salvatierra. Ú. t. c. s. ‖ **2.** Perteneciente o relativo a alguna de las poblaciones de este nombre.

salvático, ca. adj. ant. Perteneciente o relativo a la selva, selvático.

salvatiqueza. f. p. us. Cualidad de salvático.

salvavidas. m. Flotador de forma anular que permite sostenerse en la superficie del agua. ‖ **2.** V. **chaleco salvavidas.** ‖ **3.** Aparato colocado ante las ruedas delanteras de los tranvías, para evitar desgracias en casos de atropello. ‖ **4.** *Pal.* Par de palos inclinados hacia adelante que se colocan en la parte delantera del carro, debajo del cabezal delantero, para evitar que cuando el ganado abocine dé con el hocico en el suelo.

salve. (Del lat. *salve*, te saludo, imper. de *salvēre*, tener salud.) interj. poét. que se emplea para saludar. ‖ **2.** f. Una de las oraciones con que se saluda y ruega a la Virgen Santa María. ‖ **3.** Composición musical para el canto de esta oración. ‖ **4.** Este canto.

salvedad. (De *salvo*.) f. Razonamiento o advertencia que se emplea como excusa, descargo, limitación o cortapisa de lo que se va a decir o hacer. ‖ **2.** Nota por la cual se salva una enmienda en un documento. ‖ **3.** ant. Garantía, seguridad. ‖ **4.** ant. **salvoconducto.**

salvia. (Del lat. *salvĭa*.) f. Mata labiada, de la que hay varias especies. Alcanza hasta seis u ocho decímetros de alto; tiene hojas estrechas de borde ondulado, cuyo cocimiento se usa como sudorífico y astringente; flores azuladas en espiga, y fruto seco. Es común en los terrenos áridos de España. ‖ **2.** *Argent.* Planta de la familia de las verbenáceas; es olorosa y sus hojas se usan para hacer una infusión estomacal.

salvilora. f. *Argent.* Cierto arbusto de la familia de las loganiáceas.

salvilla. (Del lat. *servilĭa*, pl. n. de *servilis*, servil.) f. Bandeja con una o varias encajaduras donde se aseguran las copas, tazas o jícaras que se sirven en ella.

salvo¹, va. (Del lat. *salvus*.) p. p. irreg. desus. de **salvar.** ‖ **2.** adj. Ileso, librado de un peligro. ‖ **3.** Exceptuado, omitido. ‖ **4.** V. **fiador de salvo.** ‖ **a salvo.** loc. adv. Sin detrimento o menoscabo, fuera de peligro. ‖ **a su salvo.** loc. adv. A su satisfacción, sin peligro, con facilidad y sin estorbo. ‖ **dejar a salvo.** fr. Exceptuar, sacar aparte. ‖ **en salvo.** loc. adv. En libertad, en seguridad, fuera de peligro. ‖ **salir a salvo.** fr. Concluirse, terminarse felizmente una cosa difícil.

salvo². prep. Fuera de, con excepción de, excepto.

salvoconducto. m. Documento expedido por una autoridad para que el que lo lleva pueda transitar sin riesgo por donde aquella es reconocida. ‖ **2.** fig. Libertad para hacer algo sin temor de castigo.

salvohonor. fam. Culo o asentaderas de las personas.

salzmimbre. m. *Ar.* Sauce de vástagos aprovechables en cestería.

sallador, ra. m. y f. *Ast.* y *Cantabria.* Persona que salla.

salladura. f. Acción de sallar.

sallar. (Del lat. *sarcellāre*, de *sarcellum*.) tr. Cavar con azada o azadilla. ‖ **2.** Tender sobre polines las grandes piezas de madera para conservarlas en los almacenes.

sallete. m. Instrumento para sallar.

sama. m. Rubiel, pajel.

sámago. m. Albura o parte más blanda de las maderas, que no es conveniente para la construcción.

samán. m. Árbol americano de la familia de las mimosáceas, muy corpulento y robusto, parecido al cenízaro.

samanta. f. *Nav.* Haz de leña.

sámara. (Del lat. *samăra*, simiente del olmo.) f. *Bot.* Fruto seco, indehiscente, con pocas semillas y pericarpio extendido a manera de ala; como el del olmo y el fresno.

samarilla. f. Matita rastrera de la familia de las labiadas; especie de serpol que se cría en las lastras de Sierra Nevada; tiene hojas estrechas y flores rosadas en cabezuela.

samario¹. (De *Samarsky*, científico ruso.) m. *Quím.* Metal del grupo de las tierras raras. Núm. atómico 62. Símb.: *Sa.*

samario², ria. adj. Natural de Santa Marta. Ú. t. c. s. ‖ **2.** Perteneciente o relativo a esta ciudad de Colombia.

samarita. (Del lat. *Samarita*.) adj. Natural de Samaria. Ú. t. c. s.

samaritano, na. (Del lat. *Samaritānus*.) adj. Natural de Samaria. Ú. t. c. s. ‖ **2.** Perteneciente o relativo a esta ciudad del Asia antigua. ‖ **3.** Sectario del cisma de Samaria, por el cual las diez tribus de Israel rechazaron ciertas prácticas y doctrinas de los judíos. Ú. t. c. s.

samarugo. m. ant. Pececillo nuevo, jaramugo. ‖ **2.** *Ar.* Renacuajo de la rana. ‖ **3.** *Ar.* fig. Persona torpe, zote.

samaruguera. f. Red para pescar samarugos.

samba. f. Danza popular brasileña, de influencia africana, cantada, de compás binario. ‖ **2.** Música con que se acompaña esta danza.

sambenitar. tr. Poner a uno el sambenito de los penitentes reconciliados. ‖ **2.** fig. Infamar, desacreditar.

sambenito. m. Capotillo o escapulario que se ponía a los penitentes reconciliados por el tribunal de la Inquisición. ‖ **2.** Letrero que se ponía en las iglesias con el nombre y castigo de los penitenciados, y las señales de su castigo. ‖ **3.** fig. Descrédito que queda de una acción. ‖ **4.** fig. Difamación.

samblaje. m. Unión o junta, especialmente de piezas de madera; ensamblaje.

sambo. (Del quichua *sambu*.) m. *Ecuad.* Cierta especie de calabaza.

sambrano. m. *Hond.* Planta leguminosa, de dos metros de altura, con flores amarillas, agrupadas en forma de cono.

sambuca. (Del lat. *sambūca*, y este del gr. σαμβύκη.) f. Antiguo instrumento músico de cuerda, semejante al arpa. ‖ **2.** Máquina antigua de guerra, formada por una armazón de maderos y en ellos una plataforma levadiza, que subía y bajaba con cuerdas, para caer como puente sobre los muros de una ciudad y facilitar el asalto.

sambumbia. f. *Cuba.* Bebida que se hace con miel de caña, agua y ají. ‖ **2.** fig. *Col.* Cosa desmoronada o deshecha en pequeñísimas partes.

sambumbiería. f. *Cuba.* Lugar donde se hace sambumbia y tienda donde se vende.

samio, mia. (Del lat. *Samĭus.*) adj. Natural de Samos. Ú. t. c. s. ‖ **2.** Perteneciente o relativo a esta isla del Archipiélago.

samnita. (Del lat. *Samnites.*) adj. Natural de Samnio, país de la Italia antigua. Ú. t. c. s.

samnite. adj. **samnita.** Ú. t. c. s.

samnítico, ca. (Del lat. *samniticus.*) adj. Perteneciente o relativo a los samnitas.

samosateno, na. adj. Natural de Samosata. Ú. t. c. s. ‖ 2. Perteneciente o relativo a esta ciudad del Asia antigua.

samosatense. adj. **samosateno.** Ú. t. c. s.

samotana. f. *C. Rica, Hond.* y *Nicar.* Zambra, bulla, algazara.

samotracio, cia. (Del lat. *Samothracius.*) adj. Natural de Samotracia. Ú. t. c. s. ‖ 2. Perteneciente o relativo a esta isla del mar Egeo.

samovar. (Del ruso *samovar'.*) m. Recipiente de origen ruso, provisto de un tubo interior donde se ponen carbones. Se usa para calentar el agua del té.

samoyedo, da. adj. Aplícase a un pueblo del norte de Rusia que habita las costas del mar Blanco y el norte de Siberia. Ú. t. c. s. ‖ 2. Perteneciente o relativo a este pueblo.

sampa. f. *Argent.* Arbusto ramoso, copudo, de hojas redondeadas, de color verde claro. Se cría en lugares salitrosos.

sampaguita. (d. esp. del ár. *zanbaq,* lirio, jazmín.) f. Mata fruticosa del mismo género que el jazmín, con tallos sarmentosos de tres a cuatro metros de largo, hojas estrechas, pecioladas, y flores olorosas, blancas, en embudo, con el borde partido en cinco o siete lacinias. Es originaria de la Arabia, y se cultiva en los países tropicales.

sampán. m. Embarcación ligera propia de China, para la navegación en aguas costeras y fluviales, provista de una vela y un toldo y propulsada a remo. Se emplea para el transporte de mercancías y se utiliza como habitación flotante.

sampedrada. f. *Ar.* y *Rioja.* Fiesta que se celebra en el campo el día de San Pedro Apóstol.

sampedrano, na. adj. Natural de Villa de San Pedro. Ú. t. c. s. ‖ 2. Perteneciente o relativo a este pueblo del Paraguay.

sampsuco. (Del lat. *sampsuchum,* y este del gr. σάμψουχον.) m. **mejorana,** hierba.

samuga. (Del lat. *sambuca.*) f. **jamuga.**

samugo. m. *Albac.* y *Ar.* Persona terca y poco locuaz.

samuhú. m. *Argent.* Palo borracho rosado.

samuray. (Voz japonesa.) m. En el antiguo sistema feudal japonés, individuo perteneciente a una clase inferior de la nobleza, constituida por los militares que estaban al servicio de los daimios. Plural, **samuráis.**

samurgar. (Del lat. **submergulāre,* de *mergŭlus,* somormujo.) tr. ant. Zambullir, sumergir.

samuro. m. *Col.* y *Venez.* **aura,** ave.

samurrar. (Del lat. **semiurāre,* de *semiurĕre,* medio quemar.) tr. *Burg.* Chamuscar, somarrar.

san. adj. Apóc. de **santo.** Ú. solamente antes de los nombres propios de santos, salvo los de Tomás, o Tomé, Toribio y Domingo. El plural solo tiene uso en las expresiones familiares. *¡Por vida de* SANES! y *¡Voto a* SANES! ‖ **san se acabó.** expr. fam. **sanseacabó.**

sanable. (Del lat. *sanabĭlis.*) adj. Que puede ser sanado o adquirir salud.

sanabrés, sa. adj. Natural de Sanabria. Ú. t. c. s. ‖ 2. Perteneciente o relativo a esta región de Zamora.

sanador, ra. (Del lat. *sanātor, -ōris.*) adj. Que sana. Ú. t. c. s.

sanalotodo. m. Cierto emplasto de color negro. ‖ 2. fig. Medio que se intenta aplicar generalmente a todo lo que ocurre o con que se juzga que se puede componer cualquier especie de daño.

sanamente. adv. m. Con salud. ‖ 2. fig. Sinceramente, sin malicia.

sanamunda. (Del lat. *sanāre,* sanar, y *mundāre,* limpiar.) f. **salamunda,** planta.

sananería. (De *sanano.*) f. *P. Rico.* Abobamiento.

sananica. f. *León.* Mariquita, insecto.

sanano, na. adj. *Cuba* y *P. Rico.* Tonto, corto de entendimiento.

sanantona. (De *San Antón.*) f. *Sal.* **lavandera,** ave.

sanapudio. m. *Cantabria.* **arraclán¹,** árbol.

sanar. (Del lat. *sanāre.*) tr. Restituir a uno la salud que había perdido. ‖ 2. intr. Recobrar el enfermo la salud.

sanativo, va. (Del lat. *sanatīvus.*) adj. Que sana o tiene virtud de sanar.

sanatorio. m. Establecimiento convenientemente dispuesto para la estancia de enfermos que necesitan someterse a tratamientos médicos, quirúrgicos o climatológicos.

sanavirón, na. adj. Dícese del indio americano, perteneciente a las parcialidades que, en la época de la conquista española, habitaban al nordeste de los comechingones, en el sur de Santiago del Estero y en el norte de la hoy provincia de Córdoba, República Argentina. Ú. t. c. s. ‖ 2. Perteneciente o relativo a los indios **sanavirones** o a su lengua. ‖ 3. m. Lengua de estos indios.

sancarlino, na. adj. Natural de San Carlos. Ú. t. c. s. ‖ 2. Perteneciente o relativo a esta ciudad de Chile.

sanción. (Del lat. *sanctĭo, -ōnis.*) f. Estatuto o ley. ‖ 2. Acto solemne por el que el jefe del Estado confirma una ley o estatuto. ‖ 3. Pena que la ley establece para el que la infringe. ‖ 4. Mal dimanado de una culpa o yerro y que es como su castigo o pena. ‖ 5. Autorización o aprobación que se da a cualquier acto, uso o costumbre.

sancionable. adj. Que merece sanción.

sancionador, ra. adj. Que sanciona. Ú. t. c. s.

sancionar. tr. Dar fuerza de ley a una disposición. ‖ 2. Autorizar o aprobar cualquier acto, uso o costumbre. ‖ 3. Aplicar una sanción o castigo.

sancirole. (De *San Ciruelo.*) m. **sansirolé.**

sanco. (Del quechua *sancu.*) m. *Chile.* Gachas que se hacen de harina tostada de maíz o de trigo, con agua, grasa y sal y algún condimento. ‖ 2. *NO. Argent.* Comida a base de harina o maíz tierno que usualmente se cocina junto a un sofrito de cebolla y ajo. ‖ 3. fig. *Chile.* Barro muy espeso.

sancochar. tr. Cocer la comida, dejándola medio cruda y sin sazonar.

sancocho. m. Alimento a medio cocer. ‖ 2. *Amér.* Olla compuesta de carne, yuca, plátano y otros ingredientes, y que se toma en el almuerzo.

sancta. (Del lat. *sancta.*) m. Parte anterior del tabernáculo erigido por orden de Dios en el desierto, y del templo de Jerusalén, separada por un velo de la interior o sancta-sanctórum. ‖ **non sancta.** Junto con voces como *gente, casa, palabra,* etc., mala, depravada, pervertida.

sanctasanctórum. (Del lat. *sancta sanctorum,* parte o lugar más santo de los santos.) m. Parte interior y más sagrada del tabernáculo erigido en el desierto, y del templo de Jerusalén, separada del sancta por un velo. ‖ 2. fig. Lo que para una persona es de singularísimo aprecio. ‖ 3. fig. Lo muy reservado y misterioso.

sanctórum. (Del lat. *sanctorum,* de los santos.) m. Cuota con que, como limosna para sostenimiento del culto parroquial, contribuía cada individuo de la familia en Filipinas, natural o mestizo, desde que cumplía dieciséis años.

sanctus. (Del lat. *sanctus.*) m. Parte de la misa, en que dice el sacerdote tres veces esta palabra después del prefacio y antes del canon. *Tocan a* SANCTUS.

sanchecia. (Del nombre del botánico español José *Sánchez.*) f.

sanchete   1840

Cierta planta herbácea del Perú, de la familia de las escrofulariáceas.

sanchete. (De *Sancho²*.) m. Moneda de plata del valor de un dinero, que mandó acuñar el rey don Sancho el Sabio de Navarra.

sanchina. f. *Sal.* **garrapata,** ácaro.

sancho¹. (De *sanch.* voz para llamar al cerdo.) m. *Ar.* y *Mancha.* Puerco, cerdo.

Sancho². n. p. m. usado en la fr. **encontrar, o topar, Sancho con su rocín,** con que se denota que uno halla otro semejante a él o de su ingenio.

sanchopancesco, ca. adj. Propio de Sancho Panza. ‖ **2.** Falto de idealidad, acomodaticio y socarrón.

sandalia. (Del lat. *sandalǐum*, y este del gr. σανδάλιον.) f. Calzado compuesto de una suela que se asegura con correas o cintas. ‖ **2.** Por ext., zapato ligero y muy abierto, usado en tiempo de calor.

sandalino, na. adj. Perteneciente al sándalo.

sándalo. (Del gr. σάνταλον.) m. Planta herbácea, olorosa, vivaz, de la familia de las labiadas, con tallo ramoso de cuatro a seis decímetros de altura; hojas pecioladas, elípticas, y lampiñas, con dentecillos en el borde, y flores rosáceas. Es originaria de Persia y se cultiva en los jardines. ‖ **2.** Árbol de la familia de las santaláceas, muy semejante en su aspecto al nogal, con hojas elípticas, opuestas, enteras, gruesas, lisas y muy verdes; flores pequeñas en ramos axilares, fruto parecido a la cereza, y madera amarillenta de excelente olor. Vive en las costas de la India y de varias islas de Oceanía. ‖ **3.** Leño oloroso de este árbol. ‖ **rojo.** Árbol de Asia tropical, de la familia de las papilionáceas, que crece hasta 10 ó 12 metros de altura, con tronco recto, copa amplia, hojas compuestas de hojuelas ovales, flores blancas en ramos axilares, fruto en vainas aplastadas y redondas, y madera tintórea, pesada, dura, de color rojo muy encendido, la cual se pulveriza fácilmente.

sandáraca. (Del lat. *sandarǎca*, y este del gr. σανδαράχη.) f. Resina amarillenta que se saca del enebro, de la tuya articulada y de otras coníferas. Empléase para barnices y úsase en polvo con el nombre de grasilla. ‖ **2.** **rejalgar,** mineral.

sandez. f. Calidad de sandio. ‖ **2.** Despropósito, simpleza, necedad.

sandía. (Del ár. *sindiyya*, propia o perteneciente al Sind de Pakistán.) f. Planta herbácea anual, de la familia de las cucurbitáceas, con tallo velloso, flexible, rastrero, de tres a cuatro metros de largo, hojas partidas en segmentos redondeados y de color verde oscuro; flores amarillas, fruto casi esférico, tan grande, que a veces pesa 20 kilogramos, de corteza verde uniforme o jaspeada y pulpa encarnada, granujienta, aguanosa y dulce, entre la que se encuentran, formando líneas concéntricas, muchas pepitas negras y aplastadas. Es planta muy cultivada en España. ‖ **2.** Fruto de esta planta.

sandial. m. Terreno sembrado de sandías.

sandialahuén. m. *Chile.* Planta de la familia de las verbenáceas, de tallo tendido, hojas pinatífidas y flores rosadas, en espiga. Se usa como aperitivo y diurético.

sandiar. m. Terreno sembrado de sandías.

sandiego. m. *Cuba.* Planta amarantácea de jardín, con flores moradas y blancas.

sandio, dia. (De or. inc.) adj. Necio o simple. Ú. t. c. s.

sanducero, ra. adj. Natural de Paisandú. Ú. t. c. s. ‖ **2.** Perteneciente o relativo a esta ciudad de la república del Uruguay.

sandunga. (De or. inc.) f. fam. Gracia, donaire, salero. ‖ **2.** *Col., Chile* y *P. Rico.* Jarana, jolgorio, parranda.

sandunguero, ra. adj. fam. Que tiene sandunga.

sándwich. (Del ing. *sandwich*.) m. Emparedado hecho con dos rebanadas de pan de molde entre las que se coloca jamón, queso, embutido, vegetales u otros alimentos.

saneado, da. p. p. de **sanear.** ‖ **2.** adj. Aplícase a los bienes, la renta o el haber que están libres de cargas o descuentos.

saneamiento. m. Acción y efecto de sanear. ‖ **2.** Conjunto de técnicas, servicios, dispositivos y piezas destinados a favorecer las condiciones higiénicas en un edificio, comunidad, etc.

sanear. (De *sano*.) tr. Afianzar o asegurar el reparo o satisfacción del daño que puede sobrevenir. ‖ **2.** Reparar o remediar una cosa. ‖ **3.** Dar condiciones de salubridad a un terreno, edificio, etc., o preservarlo de la humedad y vías de agua. ‖ **4.** *Der.* Indemnizar al comprador por la evicción o por el vicio oculto de la cosa vendida.

sanedrín. (Del rabínico *sanhedrín*, y este del gr. συνέδριον; de σύν, con, y ἕδρα, asiento.) m. Consejo supremo de los judíos, en el que se trataban y decidían los asuntos de estado y de religión. ‖ **2.** Sitio donde se reunía este Consejo. ‖ **3.** fig. Junta o reunión para tratar de algo que se quiere dejar oculto.

sanes. m. pl. V. **san.**

sanfrancia. f. fam. Pendencia, trifulca.

sangacho. (Del dialect. *sangue*, sangre.) m. Parte más oscura de la carne del atún, que forma una franja en el cuerpo del animal.

sangley. (Del chino *šang-lúi*, a través del tagalo *sanglay*.) adj. Decíase del chino que pasaba a comerciar en Filipinas. Ú. t. c. s. ‖ **2.** Por ext., chino residente en Filipinas. Ú. t. c. s.

sango. m. *Ecuad.* y *Perú.* Sanco, especie de gachas. Ú. m. c. d.

sangonera. (Del lat. *sanguinaria*.) f. *Ar.* y *Val.* **sanguijuela,** anélido.

sangradera. f. Lanceta de sangrar. ‖ **2.** Vasija que sirve para recoger la sangre cuando sangran a uno. ‖ **3.** fig. Caz o acequia de riego que se deriva de otra corriente de agua. ‖ **4.** fig. Compuerta por donde se da salida al agua sobrante de un caz. ‖ **5.** *And.* y *Amér. Central* y *Merid.* Sangría del brazo.

sangrado, da. p. p. de **sangrar.** ‖ **2.** m. *Impr.* Acción y efecto de sangrar.

sangrador. m. El que tenía por oficio sangrar. ‖ **2.** fig. Abertura que se hace para dar salida a los líquidos contenidos en un depósito; como en las calderas de jabón y en las presas de los ríos. ‖ **del común.** El que ejercía su oficio cerca de la servidumbre subalterna de la casa real.

sangradura. f. Parte hundida del brazo opuesta al codo. ‖ **2.** Corte o punción de la vena para sacar sangre. ‖ **3.** fig. Salida que se da a las aguas de un río o canal o de un terreno encharcado.

sangrante. p. a. de **sangrar.** Que sangra. Ú. m. en sent. fig.

sangrar. (Del lat. *sanguināre*.) tr. Abrir o punzar una vena y dejar salir determinada cantidad de sangre. ‖ **2.** fig. Dar salida a un líquido en todo o en parte, abriendo conducto por donde corra. ‖ **3.** fig. **resinar.** ‖ **4.** fig. y fam. Hurtar, sisar, tomando disimuladamente parte de un todo. SANGRAR *un costal de trigo.* ‖ **5.** *Impr.* Empezar un renglón más adentro que los otros de la plana, como se hace con el primero de cada párrafo. ‖ **6.** intr. Arrojar sangre. ‖ **7.** prnl. Hacerse dar una sangría. ‖ **estar sangrando** una cosa. fr. fig. Acabar de suceder una cosa. ‖ **2.** Estar clara y patente.

sangraza. f. Sangre corrompida.

sangre. (Del lat. *sanguis, -ĭnis.*) f. Humor que circula por ciertos vasos del cuerpo de los animales vertebrados, de color rojo vivo en las arterias y oscuro en las venas; se compone de una parte líquida o plasma y de corpúsculos en suspensión: hematíes, leucocitos y plaquetas; en algunas especies animales faltan estas. Por ext., se llama **sangre** al líquido análogo que en muchos invertebrados es de color blanquecino y no contiene hematíes. ‖ **2.** V. **disciplinante, ferrocarril, fuerza, limpieza, molino, naranja, tiro de sangre.** ‖ **3.** V. **príncipe de la sangre.** ‖ **4.** fig. Linaje o parentesco. ‖ **5.** fig. V. **bautismo, impureza de sangre.** ‖ **6.** ant. V. **justicia de sangre.** ‖ **7.** *Ar.* V. **balsa de sangre.** ‖ **8.** *Cetr.* V. **pluma en sangre.** ‖ **9.** V. **transfusión de sangre.** ‖ **10.** *Der.* V. **retracto de sangre.** ‖ **11.** *Med.* V. **hervor de la sangre.** ‖ **12.** *Mil.* V. **hospital de la primera sangre,** o **de sangre.** ‖ **13.** *Zool.* V. **gusano de sangre roja.** ‖ **azul.** fig. **sangre** o linaje noble. ‖ **de atole.** *Méj.* **sangre de horchata.** Ú. m. con el verbo *tener.* ‖ **de drago.** Resina encarnada que mediante incisiones se saca del tronco del drago y se usa en medicina como astringente. Otros árboles tropicales de Asia y América dan también resinas rojas a que se aplica este mismo nombre. ‖ **de espaldas.** Flujo de **sangre,** procedente de las venas hemorroidales dilatadas. ‖ **de Francia.** *Sev.* **crisantemo.** ‖ **de horchata.** fig. Dícese del calmoso que no se altera por nada. ‖ **en el ojo.** fig. Honra y valor para cumplir las obligaciones. Ú. m. con el verbo *tener.* ‖ **2.** Resentimiento, deseo de venganza. ‖ **fría.** fig. Serenidad, tranquilidad del ánimo, que no se conmueve o afecta fácilmente. ‖ **ligera.** *Amér. Central* y *Merid.* Dícese de la persona simpática. ‖ **negra. sangre venosa.** ‖ **pesada.** *Amér. Central* y *Merid.* Dícese de la persona antipática, chinchosa. ‖ **roja. sangre arterial.** ‖ **y leche.** Mármol encarnado con grandes manchas blancas. ‖ **alegrar la sangre.** fr. Hacer un obsequio al que ha tenido que curarse con una sangría. ‖ **a primera sangre.** fr. A la primera herida. ‖ U. para designar los desafíos en que el combate ha de cesar en cuanto uno de los contendientes está herido. ‖ **arrebatársele** a uno **la sangre.** fr. **subírsele la sangre a la cabeza.** ‖ **a sangre caliente.** loc. adv. Arrebatada e inmediatamente, dicho de las decisiones y actos movidos por la cólera o la venganza. ‖ **a sangre fría.** loc. adv. Con premeditación y cálculo, una vez pasado el arrebato de la cólera. ‖ **2.** fig. Con serenidad, deliberadamente. ‖ **a sangre y fuego.** loc. adv. Con todo rigor, sin dar cuartel, sin perdonar vidas ni haciendas, talándolo y destruyéndolo todo. ‖ **2.** fig. Con violencia, sin ceder en nada, atropellándolo todo. ‖ **bajársele** a uno **la sangre a los talones,** o **a los zancajos.** fr. fig. y fam. Ocasionársele mucho susto o miedo de alguna cosa. ‖ **beber** uno **la sangre** a otro. fr. fig. con que se denota el gran odio que una persona tiene a otra y el deseo de vengarse de ella. ‖ **brotar sangre.** fr. fig. Ser de gran intensidad o vehemencia una pasión del ánimo; como el dolor o la ira. ‖ **buena sangre.** loc. fig. y fam. Condición benigna y noble de la persona. ‖ **bullirle** a uno **la sangre.** fr. fig. y fam. Tener el vigor y lozanía de la juventud. ‖ **2.** fig. Acalorarse, apasionarse. ‖ **correr sangre.** fr. Llegar en una riña hasta haber heridas. ‖ **chorrear sangre** alguna cosa. fr. fig. y fam. Ser manifiestamente injusta o de mucha gravedad. ‖ **chupar la sangre.** fr. fig. y fam. Ir uno quitando o mermando la hacienda ajena en provecho propio. ‖ **dar** uno **la sangre de** sus venas. fr. fig. Sacrificar uno cuanto le es dado por un empeño o un afecto. ‖ **de sangre caliente.** loc. adj. Dícese de los animales cuya temperatura no depende de la del ambiente y es, por lo general, superior a la de este. ‖ **de sangre fría.** loc. adj. Dícese de los animales cuya temperatura es la del ambiente. ‖ **encenderle** a uno **la sangre.** fr. fig. y fam. **pudrirle la sangre.** ‖ **escribir con sangre.** fr. fig. Escribir con mucha saña o acrimonia. ‖ **escupir sangre.** fr. fig. Blasonar de muy noble y emparentado, y jactarse de ser caballero. ‖ **escupir sangre en bacín de oro.** fr. fig. Tener poco contento con mucha riqueza. ‖ **estar chorreando sangre** una cosa. fr. fig. y fam. Acabar de suceder o estar muy reciente. ‖ **freírle** a uno **la sangre.** fr. fig. y fam. **pudrirle la sangre.** ‖ **haber**

mucha sangre. fr. Haber sido muy reñida una contienda o batalla. ‖ **hacer sangre.** fr. fig. Causar una herida leve de donde sale **sangre.** Ú. t. c. prnl. ‖ **2.** fig. **sacar sangre.** ‖ **hervirle** a uno **la sangre.** fr. fig. y fam. **bullirle la sangre.** ‖ **2.** fig. Exaltársele un afecto o pasión. ‖ **igualar la sangre.** fr. Sangrar del lado opuesto al ya sangrado, conforme cree necesario cierta gente inculta, para que no quede menos **sangre** en una parte que en otra del cuerpo. ‖ **2.** fig. y fam. Dar segundo golpe a quien se le ha dado antes otro. ‖ **írsele** a uno **la sangre a los talones,** o **a los zancajos.** fr. fig. y fam. **bajársele la sangre a los talones,** o **a los zancajos.** ‖ **lavar con sangre.** fr. fig. Derramar la del enemigo en satisfacción de un agravio. ‖ **llevar** una cosa **en la sangre.** fr. fig. Ser innata o hereditaria. ‖ **mala sangre.** loc. fig. y fam. Carácter avieso o vengativo de una persona. ‖ **no llegará la sangre al río.** fr. fig. y fam. con que se da a entender en son de burla que una disputa o quimera no tendrá consecuencias graves. ‖ **no tener sangre en las venas.** fr. fig. y fam. **tener sangre de horchata.** ‖ **pudrirle,** o **quemarle,** a uno **la sangre.** fr. fig. y fam. Causarle disgusto o enfado hasta impacientarle o exasperarle. Ú. t. el verbo c. prnl. ‖ **quedarse sin sangre.** fr. fig. **bajársele la sangre a los talones.** ‖ **querer** uno **beber la sangre** a otro. fr. fig. **beber la sangre** a otro. ‖ **sacar sangre.** fr. fig. Lastimar, dar que sentir. ‖ **subírsele** a uno **la sangre a la cabeza.** fr. fig. Perder la serenidad, irritarse, montar en cólera. ‖ **sudar sangre.** fr. y fam. Realizar un gran esfuerzo necesario para lograr algo. ‖ **2.** fig. **tener una sangre caliente.** fr. fig. Arrojarse precipitadamente y sin consideración a los peligros o empeños arduos. ‖ **tener** uno **sangre de chinches.** fr. fig. y fam. **tener de chinches la sangre.** ‖ **tomar la sangre.** fr. *Cir.* Contener la que fluye de una herida. ‖ **verter sangre.** fr. fig. y fam. Estar muy colorado o encendido el rostro de una persona. ‖ **2.** fig. y fam. **estar chorreando sangre.** ‖ **vomitar sangre.** fr. fig. **escupir sangre.**

sangredo. m. *Cantabria.* **arraclán**[1], árbol. ‖ **2.** *Ast.* **aladierna,** arbusto.

sangregorda. adj. Dícese de la persona cachazuda, que tiene mucha pachorra. Ú. t. c. s.

sangrentar. tr. desus. Manchar de sangre.

sangría. f. Acción y efecto de sangrar. ‖ **2.** Parte de la articulación del brazo opuesta al codo. ‖ **3.** fig. Salida que se da a las aguas de un río o canal. ‖ **4.** fig. Corte o brecha somera que se hace en un árbol para que fluya la resina. ‖ **5.** fig. Regalo que se suele hacer por amistad a la persona que se sangraba. ‖ **6.** fig. Extracción o hurto de una cosa, que se hace por pequeñas partes, especialmente en el caudal. ‖ **7.** fig. Bebida refrescante que se compone de agua y vino con azúcar y limón u otros aditamentos. ‖ **8.** *Impr.* Acción y efecto de sangrar, empezar un renglón más adentro que los otros. ‖ **9.** *Metal.* En los hornos de fundición, chorro de metal al que se da salida. ‖ **suelta.** Aquella en que no se restaña la **sangre.** ‖ **2.** fig. Gasto continuo sin compensación. ‖ **lo mismo son sangrías que ventosas.** expr. fig. y fam. con que se reprueba como inútil e inadecuado el medio que uno propone por equivalente a otra ya tomado o que va a tomarse.

sangricio. m. *Cantabria.* **aladierna,** arbusto.

sangrientamente. adv. m. De modo sangriento.

sangriento, ta. (Del lat. *sanguiléntus.*) dj. Que echa sangre. ‖ **2.** Teñido en sangre o mezclado con sangre. ‖ **3.** Que se goza en derramar sangre. *El* SANGRIENTO *Nerón; león* SANGRIENTO. ‖ **4.** Que causa efusión de sangre. *Batalla* SANGRIENTA. ‖ **5.** fig. Que ofende gravemente. *Injuria* SANGRIENTA. ‖ **6.** poét. De color de sangre.

sangriza. f. Menstruo de la hembra.

sanguaraña. f. *Perú.* Cierto baile popular. ‖ **2.** *Ecuad.* y *Perú.* Circunloquio, rodeo de palabras. Ú. m. en pl.

sanguaza. f. Sangre corrompida. ‖ **2.** fig. Líquido del color de la sangre acuosa, que sale de algunas legumbres o frutas.

sangüeño. (Del lat. *sanguíněus*.) m. **cornejo**, arbusto.

sangüesa. f. **frambuesa**.

sangüeso. m. **frambueso**.

sanguífero, ra. (Del lat. *sanguis*, sangre, y *ferre*, llevar.) adj. Que contiene y lleva en sí sangre.

sanguificación. f. *Fisiol.* Función fisiológica que consiste en la oxidación de la hemoglobina, en cuya virtud la sangre venosa se convierte en arterial.

sanguificar. (Del lat. *sanguis*, sangre, y *facěre*, hacer.) tr. Hacer que se críe sangre.

sanguijolero, ra. m. y f. Persona que se dedica a coger, vender o aplicar sanguijuelas.

sanguijuela. (De *sanguja*.) f. Anélido acuático de hasta 12 centímetros de largo y uno de grueso, cuerpo anillado y una ventosa en cada extremo, con la boca en el centro de la anterior. Vive en las aguas dulces y se alimenta de la sangre que chupa a los animales a que se agarra. Hay varias especies, alguna de las cuales se ha utilizado en medicina para sangrar a los enfermos. ‖ **2.** fig. y fam. Persona que va poco a poco sacando a uno el dinero, alhajas y otras cosas.

sanguijuelero, ra. m. y f. Persona que se dedica a coger sanguijuelas, que las vendia o las aplica.

sanguina. (Del lat. *sanguis*, sangre.) f. Lápiz rojo oscuro fabricado con hematites en forma de barritas. ‖ **2.** Dibujo hecho con este lápiz.

sanguinaria. (Del lat. *sanguinarīa*.) f. Piedra semejante al ágata, de color de sangre, a la cual se atribuía la virtud de contener los flujos. ‖ **mayor. centinodia.** ‖ **menor. nevadilla,** planta.

sanguinariamente. adv. m. De un modo sanguinario.

sanguinario, ria. (Del lat. *sanguinarīus*.) adj. Feroz, vengativo, iracundo, que se goza en derramar sangre.

sanguíneo, a. (Del lat. *sanguíněus*.) adj. De sangre. ‖ **2.** Que contiene sangre o abunda en ella. ‖ **3.** Dícese de la complexión en que predomina este humor. ‖ **4.** De color de sangre. ‖ **5.** Perteneciente a la sangre. ‖ **6.** V. **emisión sanguínea.**

sanguino, na. adj. **sanguíneo.** ‖ **2.** Dícese de una variedad de naranja cuya pulpa es de color rojizo. Ú. t. c. s. f. ‖ **3.** desus. Que se goza en derramar sangre. ‖ **4.** V. **diaspro sanguino.** ‖ **5.** *León.* Que se distingue por su extremado afecto a las personas de su sangre y linaje. ‖ **6.** m. **aladierna,** arbusto. ‖ **7.** **cornejo,** arbusto.

sanguinolencia. (Del lat. *sanguinolentīa*.) f. Cualidad de sanguinolento.

sanguinolento, ta. (Del lat. *sanguinolentus*.) adj. Que echa sangre. ‖ **2.** Mezclado con sangre.

sanguinoso, sa. (Del lat. *sanguinōsus*.) adj. Que participa de la naturaleza o accidentes de la sangre. ‖ **2.** Que se goza en derramar sangre.

sanguiñuelo. m. **cornejo,** arbusto.

sanguis. (Del lat. *sanguis*, sangre.) m. La sangre de Cristo bajo los accidentes del vino.

sanguisorba. (Del lat. *sanguis*, sangre, y *sorběre*, absorber, que contiene o ataja la sangre.) f. **pimpinela,** planta.

sanguisuela. f. **sanguijuela.**

sanguja. (Del lat. *sanguísūga*; de *sanguis*, sangre, y *sugěre*, chupar.) f. **sanguijuela.**

sanícula. (d. del lat. [*herba*] *sana*, hierba sana.) f. Planta herbácea anual, de la familia de las umbelíferas, con tallo sencillo y lampiño de cuatro a seis decímetros de altura; hojas verdes, brillantes, pecioladas, anchas, casi redondas, algo tiesas y divididas en tres o cinco gajos dentados por los bordes; flores pequeñas, blancas o rojizas, de cinco pétalos, en umbelas irregulares, y fruto seco, globoso y cu-

bierto de aguijones ganchudos. Es común en los sitios frescos y se ha usado en medicina como vulneraria.

sanidad. (Del lat. *sanītas, -ātis*.) f. Cualidad de sano. ‖ **2.** Cualidad de saludable. ‖ **3.** V. **patente, visita de sanidad.** ‖ **4.** Conjunto de servicios gubernativos ordenados para preservar la salud del común de los habitantes de la nación, de una provincia o de un municipio. ‖ **civil.** Conjunto de servicios para preservar la salud de los habitantes de una nación, provincia, etc. ‖ **exterior.** La gubernativa que tiene establecidos sus servicios y los presta en las costas y fronteras nacionales. ‖ **interior.** La gubernativa que ejerce su ministerio propio dentro del Estado o país. ‖ **marítima.** Aquella parte de la exterior que radica en los puertos y atañe a la navegación. ‖ **militar.** Cuerpo de profesores médicos, farmacéuticos y veterinarios y de tropas especiales, que prestan sus servicios profesionales en los ejércitos de aire, mar y tierra. ‖ **en sanidad.** loc. adv. **en sana salud.**

sanidina. (Del gr. σανίς, σανίδος, tablita.) f. Variedad de ortosa cuyos cristales, de aspecto vítreo y resquebrajado formando tablitas, se hallan en algunas rocas volcánicas.

sanie. f. *Med.* **sanies.**

sanies. (Del lat. *sanĭes*.) f. *Med.* Líquido seroso sin pus de ciertas úlceras malignas, icor.

sanioso, sa. (Del lat. *saniōsus*.) adj. *Med.* Perteneciente a la sanies.

sanitario, ria. (Del lat. *sanītas, -ātis*, sanidad.) adj. Perteneciente o relativo a la sanidad. *Medidas* SANITARIAS. ‖ **2.** Perteneciente o relativo a las instalaciones higiénicas de una casa, edificio, etc. ‖ **3.** *Mar.* Perteneciente o relativo a las instalaciones de agua de mar empleada para limpieza y usos higiénicos. ‖ **4.** m. y f. Individuo del cuerpo de Sanidad Militar. ‖ **5.** Persona que trabaja en la Sanidad civil. ‖ **6.** m. *Col.* Escusado, retrete, letrina. ‖ **7.** pl. Aparatos de higiene instalados en cuartos de baño, como la bañera, el lavabo, etc. Ú. t. c. adj. *Aparatos* SANITARIOS.

sanjacado. m. Territorio del imperio turco, gobernado por un sanjaco.

sanjacato. m. **sanjacado.**

sanjaco. (Del turco *sanỹaq*.) m. Gobernador de un territorio del imperio turco.

sanjar. (Del ant. fr. *jansier*, rajar, y este del grecolat. *charassāre*.) tr. *Sal.* Hacer cortaduras en la carne, sajar.

sanjuán. m. *Bad.* Madero en rollo, de castaño, de cuatro varas y media de longitud y un diámetro de cinco pulgadas.

sanjuanada. f. Fiesta o diversión que se celebra en las huertas o en el campo el día de San Juan Bautista o los días próximos a este, con desayuno, almuerzo, comidas y música. ‖ **2.** Días próximos al de San Juan, o 24 de junio.

sanjuaneño, ña. adj. **sanjuanero,** aplicado a algunas frutas.

sanjuanero, ra. adj. Aplícase a algunas frutas que maduran por San Juan y al árbol que las produce. ‖ **2.** Natural de San Juan en la isla de Cuba. Ú. t. c. s. ‖ **3.** Perteneciente o relativo a una de las ciudades cubanas de este nombre. ‖ **4.** V. **escarabajo sanjuanero.**

sanjuanino, na. adj. Natural de la provincia o de la ciudad argentina de San Juan. Ú. t. c. s. ‖ **2.** Perteneciente o relativo a esta provincia o ciudad.

sanjuanista. adj. Aplícase al individuo de la orden militar de San Juan de Jerusalén. Ú. t. c. s.

sanjuanito. m. *Ecuad.* Baile popular de la Sierra y música con que se acompaña.

sanlucareño, ña. adj. **sanluqueño.** Ú. t. c. s.

sanluiseño, ña. adj. Natural de la provincia o de la ciudad argentina de San Luis. Ú. t. c. s. ‖ **2.** Perteneciente o relativo a esta provincia o ciudad.

sanluisero, ra. adj. **sanluiseño.**

sanluqueño, ña. adj. Natural de Sanlúcar. Ú. t. c. s.

2. Perteneciente o relativo a alguna de las poblaciones de este nombre.

sanmartín. m. Época próxima a las fiestas de San Martín, 11 de noviembre, en que suele hacerse la matanza del cerdo. **2.** Esta matanza. | **llegar, o venirle,** a uno **su sanmartín.** fr. fig. y fam. con que se da a entender que al que vive en placeres le llegará un día en que tenga que sufrir y padecer.

sanmartiniano, na. adj. Perteneciente o relativo a la personalidad o a la obra del general argentino José de San Martín.

sanmiguelada. f. Últimos días de septiembre próximos a la fiesta de San Miguel, en que tradicionalmente terminan ciertos contratos de arrendamiento.

sanmigueleño, ña. adj. Aplícase a algunas frutas que maduran por San Miguel y al árbol que las produce.

sano, na. (Del lat. *sanus.*) adj. Que goza de perfecta salud. Ú. t. c. s. | **2.** Seguro, sin riesgo. | **3.** Que es bueno para la salud. *Alimentación* SANA; *país, aire* SANO. | **4.** fig. Sin daño o corrupción, tratándose de vegetales o de cosas pertenecientes a ellos. *Árbol, melocotón* SANO; *madera* SANA. | **5.** fig. Libre de error o vicio, recto, saludable moral o psicológicamente. *Principios* SANOS; *doctrina, crítica* SANA. | **6.** fig. Sincero, de buena intención. | **7.** fig. y fam. Entero, no roto ni estropeado. *No queda un plato* SANO. | **cortar por lo sano.** fr. fig. y fam. Emplear el procedimiento más expeditivo sin consideración alguna, para remediar males o conflictos, o zanjar inconvenientes o dificultades. | **sano y salvo.** loc. Sin lesión, enfermedad ni peligro.

sanroqueño, ña. adj. Aplícase a algunas frutas que maduran hacia la fiesta de San Roque, a mediados de agosto, y al árbol que las produce.

sansa. (Del lat. *sampsa.*) f. *Ar.* Hojuela u orujo de aceituna.

sanscritista. com. Persona versada en la lengua y literatura sánscritas.

sánscrito, ta. (Del sánscr. *sámskṛta,* perfecto.) adj. Aplícase a la antigua lengua de los brahmanes (que sigue siendo la sagrada del Indostán) y a lo referente a ella. *Lengua* SÁNSCRITA; *libros, poemas* SÁNSCRITOS. Ú. t. c. s. m.

sanseacabó. expr. fam. con que se da por terminado un asunto.

sansimoniano, na. adj. Partidario del sansimonismo. Apl. a pers., ú. t. c. s. | **2.** Perteneciente o relativo a esta doctrina.

sansimonismo. m. Doctrina socialista de Saint-Simon, conforme a la cual debe ser cada uno clasificado según su capacidad y remunerado según sus obras.

sansirolé. (De or. inc.) com. fam. Bobalicón, papanatas.

sanso. m. *Vizc.* Grito de expansión o de alegría, que se oye especialmente en las diversiones públicas al aire libre.

sansón. (Por alusión a *Sansón,* juez de Israel, dotado de fuerzas maravillosas.) m. fig. Hombre muy forzudo. | **aquí morirá Sansón con todos los filisteos,** o **Sansón y cuantos con él son.** fr. proverb. que se usa para indicar que ha llegado el momento en que es preciso arrostrar el mayor peligro, sin reparar en las consecuencias.

sant. adj. ant. **san.**

santabárbara. f. *Mar.* Pañol o paraje destinado en las embarcaciones para custodiar la pólvora. | **2.** *Mar.* Cámara por donde se comunica o baja a este pañol. | **quemar, o volar, la santabárbara.** fr. fig. Tomar una determinación extrema, para la cual no se repara en el estrago que pueda causar el medio empleado.

santacruceño, ña. adj. Natural de Santa Cruz de Tenerife. Ú. t. c. s. | **2.** Perteneciente o relativo a esta ciudad de Canarias. | **3.** Natural de la provincia argentina de Santa Cruz. Ú. t. c. s. | **4.** Perteneciente o relativo a esta provincia.

santacrucero, ra. adj. Natural de Santa Cruz de Te-

nerife. Ú. t. c. s. | **2.** Perteneciente o relativo a esta ciudad de Canarias.

santafecino, na. adj. **santafesino.**

santafereño, ña. adj. Natural de Santa Fe de Bogotá. Ú. t. c. s. | **2.** Perteneciente o relativo a esta ciudad de Colombia.

santafesino, na. adj. Natural de la provincia o de la ciudad argentina de Santa Fe. Ú. t. c. s. | **2.** Perteneciente o relativo a esta provincia o ciudad.

santaláceo, a. (Del gr. σάνταλον, sándalo.) adj. *Bot.* Dícese de plantas angiospermas dicotiledóneas, árboles, matas o hierbas, que tienen hojas verdes, gruesas, sin estípulas, y por lo común alternas; flores pequeñas, sin péti: los y con el cáliz colorido, y fruto drupáceo con una sem lla de albumen carnoso; como el guardalobo y el sánd lo de la India. Ú. t. c. s. f. | **2.** f. pl. *Bot.* Familia de estas plantas.

santamente. adv. m. Con santidad. | **2. sencillamente.**

santandereano, na. adj. Natural de Santander. Ú. t. c. s. | **2.** Perteneciente o relativo a este departamento de Colombia.

santanderiense. adj. **santanderino.**

santanderino, na. adj. Natural de Santander, ciudad de España. Ú. t. c. s. | **2.** Perteneciente o relativo a esta ciudad o a su provincia.

santanita. (d. de *Santa Ana.*) f. Mariquita, insecto coleóptero.

santateresa. f. Insecto de tamaño mediano, de tórax largo y antenas delgadas; sus patas anteriores, que mantiene recogidas ante la cabeza en actitud orante, están provistas de fuertes espinas para sujetar las presas de que se alimenta. Es voraz, y común en España.

santelmo. n. p. m. **fuego de Santelmo.** | **2.** fig. p. us. Salvador, favorecedor en algún apuro.

santería. f. Calidad de santero, santurronería, beatería. | **2.** *Amér.* Tienda en que se venden imágenes de santos y otros objetos religiosos. | **3.** *Cuba.* Brujería.

santero, ra. (De *santo.*) adj. Dícese del que tributa a las imágenes un culto supersticioso. | **2.** m. y f. Persona que cuida de un santuario. | **3.** V. **tablilla de santero.** | **4.** Persona que pide limosna, llevando de casa en casa la imagen de un santo. | **5.** Persona que pinta, esculpe o vende santos. | **6.** vulg. *Cuba.* Auxiliar del ladrón, encargado de vigilar para que este no sea sorprendido. | **7.** f. Mujer del santero.

santiago. n. p. m. Grito con que los españoles invocaban a su patrón **Santiago** al romper la batalla. | **2.** m. p. us. Acometimiento en la batalla. | **3.** Lienzo de mediana calidad que se fabricaba en **Santiago** de Galicia. | **4.** V. **año santo, camino, cardenal, cruz, pertiguero mayor, voto de Santiago.** | **dar un Santiago.** fr. desus. Acometer a los enemigos, al grito de guerra **¡Santiago!** | **2.** fig. Asaltar por broma los jóvenes una tienda, y por ext., timar.

santiaguense. adj. Natural de la provincia de Santiago, de la República Dominicana. Ú. t. c. s. | **2.** Perteneciente o relativo a esta provincia, o a su capital, Santiago de los Caballeros.

santiagueño, ña. adj. En algunas partes aplícase a las frutas que maduran por Santiago y al árbol que las produce. | **2.** Natural de la provincia o de la ciudad argentina de Santiago del Estero. Ú. t. c. s. | **3.** Perteneciente o relativo a esta provincia o ciudad. | **4.** Natural de Santiago de la Espada. | **5.** Perteneciente o relativo a este pueblo de la provincia de Jaén. | **6.** Natural de Santiago de Panamá. Ú. t. c. s. | **7.** Perteneciente o relativo a esta ciudad o a su provincia.

santiaguero, ra. adj. Natural de Santiago de Cuba. Ú. t. c. s. | **2.** Perteneciente o relativo a esta ciudad.

santiagués, sa. adj. Natural de Santiago de Compostela. Ú. t. c. s. ‖ **2.** Perteneciente o relativo a esta ciudad de Galicia.

santiaguino, na. adj. Natural de Santiago de Chile. Ú. t. c. s. ‖ **2.** Perteneciente o relativo a esta ciudad.

santiaguista. adj. Dícese del individuo de la orden militar de Santiago. Ú. t. c. s.

santiamén (en un). (De las palabras latinas *Spiritus Sancti, Amen,* con que suelen terminar algunas oraciones de la Iglesia.) fr. fig. y fam. En un instante.

santidad. (Del lat. *sanctítas, -átis.*) f. Calidad de santo. ‖ **2.** Tratamiento honorífico que se da al Papa.

santificable. adj. Que merece o puede santificarse.

santificación. (Del lat. *sanctificatío, -ónis.*) f. Acción y efecto de santificar o santificarse.

santificador, ra. (Del lat. *sanctificátor, -óris.*) adj. Que santifica. Ú. t. c. s.

santificar. (Del lat. *sanctificáre.*) tr. Hacer a uno santo por medio de la gracia. ‖ **2.** Dedicar a Dios una cosa. ‖ **3.** Hacer venerable una cosa por la presencia o contacto de lo que es santo. ‖ **4.** Reconocer al que es santo, honrándolo y sirviéndolo como a tal. ‖ **5.** fig. y fam. Abonar, justificar, disculpar a uno. Ú. t. c. prnl.

santificativo, va. adj. Que tiene virtud o facultad de santificar.

santiguada. f. p. us. Acción y efecto de santiguar o santiguarse. ‖ **para,** o **por, mi santiguada.** expr. Por mi fe, o por la cruz.

santiguadera. f. Acción de santiguar, hacer supersticiosamente cruces sobre alguien. ‖ **2.** Mujer que santigua o hace estas cruces.

santiguador, ra. (Del lat. *sanctificátor, -óris.*) m. y f. Persona que supersticiosamente santigua a otra diciendo ciertas oraciones.

santiguamiento. m. Acción y efecto de santiguar o santiguarse.

santiguar. (Del lat. *sanctificáre.*) tr. Hacer la señal de la cruz desde la frente al pecho y desde el hombro izquierdo al derecho, invocando a la Santísima Trinidad. Ú. m. c. prnl. ‖ **2.** Hacer supersticiosamente cruces sobre alguien, diciendo ciertas oraciones. ‖ **3.** fig. y fam. Castigar o maltratar a uno de obra. ‖ **4.** prnl. fig. y fam. **hacerse cruces,** admirándose o extrañándose de algo.

santiguo. m. Acción de santiguar o santiguarse haciendo la señal de la cruz invocando a la Santísima Trinidad. ‖ **2.** Acción de hacer supersticiosamente cruces sobre alguien. ‖ **3.** *León.* **santiamén.**

santimonia. (Del lat. *santimonía.*) f. p. us. **santidad,** calidad de santo. ‖ **2.** Planta herbácea de la familia de las compuestas, semejante a la matricaria, pero de flores más dobles y vistosas. Procede de Oriente y se cultiva en los jardines.

santiscario. (De or. inc.) m. **invención.** Ú. solo en la expr. fam. **de mi santiscario,** que significa sacado de mi cabeza.

santísimo, ma. adj. sup. de **santo.** ‖ **2.** Aplícase al Papa como tratamiento honorífico. ‖ **el Santísimo.** Cristo en la Eucaristía. ‖ **descubrir,** o **manifestar, el Santísimo.** fr. Exponerlo a la pública adoración de los fieles.

santo, ta. (Del lat. *sanctus.*) adj. Perfecto y libre de toda culpa. Con toda propiedad solo se dice de Dios, que lo es esencialmente; por gracia, privilegio y participación se dice de los ángeles y de los hombres. ‖ **2.** Dícese de la persona a quien la Iglesia declara tal, y manda que se le dé culto universalmente. Ú. t. c. s. ‖ **4.** Dícese de lo que está especialmente dedicado o consagrado a Dios. ‖ **5.** Aplícase a lo que es venerable por algún motivo de religión. ‖ **6.** V. **año, campo, cardo, palo santo.** ‖ **7.** Dícese de los seis días de la Semana **Santa** que siguen al Domingo de Ramos. ‖ **8.** Conforme a la ley de Dios. ‖ **9.**

Sagrado, inviolable. ‖ **10.** Aplícase a algunas cosas que traen al hombre especial provecho, y con particularidad a las que tienen singular virtud para la curación de algunas enfermedades. *Hierba* SANTA; *medicina* SANTA. ‖ **11.** Aplícase a la Iglesia católica por nota característica suya. ‖ **12.** V. **semana, Tierra Santa.** ‖ **13.** V. **casa, espina, sábana santa.** ‖ **14.** V. **santa Faz, Santa Hermandad, Santa Sede.** ‖ **15.** V. **Santo Oficio, Santo Padre, Santo Sepulcro, Santo Sudario.** ‖ **16.** V. **santa palabra.** ‖ **17.** V. **el santo óleo.** ‖ **18.** V. **santo varón.** ‖ **19.** Con ciertos nombres encarece el significado de estos: *hizo su* SANTA *voluntad, su* SANTO *gusto* o *capricho, se echó en el* SANTO *suelo, esperó todo el* SANTO *día.* Ú. t. en superlativo: *la* SANTÍSIMA *voluntad.* ‖ **20.** *Teol.* V. **Espíritu Santo.** ‖ **21.** m. Imagen de un santo. ‖ **22.** fam. Viñeta, grabado, estampa, dibujo que ilustran una publicación. *Vamos a mirar si este libro tiene* SANTOS. ‖ **23.** Respecto de una persona, festividad del **santo** cuyo nombre lleva. ‖ **24.** *Mil.* Nombre de **santo** que, con la seña, comunicaba diariamente el jefe superior de toda plaza a los jefes de puesto, y que servía para reconocer las rondas y las fuerzas enemigas, o para darse a conocer a las rondas mayores. ‖ **25.** V. **hueso de santo.** ‖ **26.** V. **comunión de los santos.** ‖ **de pajares.** fig. y fam. Persona de cuya santidad no se puede fiar. ‖ **mocarro,** o **macarro.** Juego en que van manchando a uno la cara los demás con la condición de quedar en lugar de este el que se ría. ‖ **alzarse** uno **con el santo y la limosna,** o **y la cera.** fr. fig. y fam. Apropiárselo todo, lo suyo y lo ajeno. ‖ **a santo de qué.** loc. adv. Con qué motivo, a fin de qué, con qué pretexto. ‖ **a santo tapado.** loc. adv. *Extr.* Con cautela, ocultamente. ‖ **cargar** uno **con el santo y la limosna.** fr. fig. y fam. **alzarse con el santo y la limosna.** ‖ **comerse** uno **los santos.** fr. fig. y fam. Extremar la devoción en las prácticas religiosas. ‖ **con mil santos,** expr. fam. de enojo o impaciencia. Ú. frecuentemente con los imperativos de los verbos *andar, callar, dejar, quedar, ir* y otros. ‖ **dar** uno **con el santo en tierra.** fr. fig. y fam. Dejar caer lo que lleva. ‖ **desnudar a un santo para vestir a otro.** fr. fig. y fam. Quitar a una persona alguna cosa para dársela a otra a quien no hace más falta; o quitar un objeto de una parte para ponerlo en otra donde no es más preciso. ‖ **el santo de cara** o **de espaldas.** loc. s. fig. y fam. Buena o mala suerte. *Tener* EL SANTO DE CARA. *Ponerse o volverse* EL SANTO DE ESPALDAS. ‖ **encomendarse** uno **a buen santo.** fr. fig. con que se da a entender que se busca una buena ayuda para salir de un gran peligro, o para conseguir una cosa muy difícil. ‖ **írsele** a uno **el santo al cielo.** fr. fig. y fam. Olvidársele lo que iba a decir o lo que tenía que hacer. ‖ **jugar** con uno **al santo mocarro,** o **macarro.** fr. fig. y fam. Burlarse de él, engañarlo, maltratarlo. ‖ **llegar y besar el santo.** fr. fig. llegar y besar. ‖ **no ser** una persona **santo de la devoción de** otra. fr. fig. y fam. Desagradarle, no inspirarle confianza, no tenerla por buena. ‖ **por todos los santos,** o **por todos los santos del cielo.** expr. fam. con que se ruega encarecidamente alguna cosa. ‖ **quedarse para vestir santos.** fr. Quedarse soltera. ‖ **quitar de un santo para poner en otro.** fr. fig. y fam. **desnudar a un santo para vestir a otro.** ‖ **santo y bueno.** expr. con que se aprueba una proposición o asunto.

santol. m. *Filip.* Cierto árbol frutal de la familia de las meliáceas.

santolio. m. vulg. **Santo Óleo.**

santón¹. (De *santo.*) m. El que profesa vida austera y penitente fuera de la religión cristiana. ‖ **2.** fig. y fam. Hombre hipócrita que aparenta santidad. ‖ **3.** fig. y fam. Persona, entrada en años por lo común, muy autorizada o muy influyente en una colectividad determinada.

santón², na. (Del lat. *Santónes, -um.*) adj. Dícese del individuo de un antiguo pueblo de raza céltica, del cual tomó nombre la Santonia, hoy Saintonge, comarca de la Galia occidental, donde habitaba. Ú. m. c. s. y en pl.

santónico, ca. (Del lat. *santonicus.*) adj. Perteneciente o relativo a los santones[2], o a la Santonia. ‖ **2.** m. Planta perenne de la familia de las compuestas, con tallo erguido y ramoso de tres a seis decímetros de altura; hojas alternas, lineares y blanquecinas, hendidas las inferiores y enteras las superiores; flores en cabezuelas pequeñas, ovoides, casi sentadas y en panojas, y por frutos aquenios terminados por un disco. Es de sabor amargo y de olor fuerte y aromático; se cría en la Santoña y otras comarcas del oeste de Francia y en muchas de España, y sus cabezuelas se usan en medicina como tónicas y principalmente como vermífugas. ‖ **3.** Cabezuela de esta planta. ‖ **4.** Cabezuela procedente de diversas especies de plantas de Oriente y de África, del mismo género que la de Francia y España, pero de virtud medicinal más enérgica por ser más ricas en santonina.

santonina. f. Sustancia neutra, cristalizable, incolora, amarga y acre que se extrae del santónico y se emplea en medicina como vermífugo.

santoñés, sa. adj. Natural de Santoña. Ú. t. c. s. ‖ **2.** Perteneciente o relativo a esta villa de la provincia de Santander.

santoral. (Del lat. *sanctórum,* genit. pl. de *sanctus.*) m. Libro que contiene vidas o hechos de santos. ‖ **2.** Libro de coro que contiene los introitos y antífonas de los oficios de los santos, puestos en canto llano. ‖ **3.** Lista de los santos cuya festividad se conmemora en cada uno de los días del año.

santuario. (Del lat. *sanctuaríum.*) m. Templo en que se venera la imagen o reliquia de un santo de especial devoción. ‖ **2.** Parte anterior del tabernáculo, separada por un velo del sanctasanctórum. ‖ **3.** fig. *Col.* Tesoro de dinero o de objetos preciosos que se guarda en un lugar.

santucho, cha. (despect. de *santo.*) adj. fam. **santurrón.** Ú. t. c. s.

santulón, na. adj. desus. **santurrón.** Ú. en América.

santurrón, na. (despect. de *santo.*) adj. Exagerado en los actos de devoción. Ú. t. c. s. ‖ **2.** Gazmoño, hipócrita que aparenta ser devoto.

santurronería. f. Calidad de santurrón.

saña. (De or. inc.) f. Furor, enojo ciego. ‖ **2.** Intención rencorosa y cruel. ‖ **a sañas,** loc. adv. ant. Con **saña.**

sañosamente. adv. m. Con saña.

sañoso, sa. adj. Que tiene saña.

sañudamente. adv. m. Con saña.

sañudo, da. adj. Propenso a la saña, o que tiene saña.

sao. (De or. antillano.) m. **labiérnago,** arbusto. ‖ **2.** *Cuba.* Sabana pequeña con algunos matorrales o grupos de árboles.

sapa. (Del tagalo *sapa,* buyo.) f. Residuo que queda de la masticación del buyo.

sapada. f. *León* y *Sal.* Caída de bruces. ‖ **2.** *Cantabria.* Postema en la planta del pie.

sapallo. m. *Amér. Merid.* **zapallo.**

sapan. (Del malayo *sápang.*) m. *Filip.* **sibucao,** arbolito.

sapenco. m. Caracol terrestre con rayas pardas transversales; alcanza una pulgada de longitud y es muy común en la Europa meridional.

sapidez. f. Calidad de sápido.

sápido, da. (Del lat. *sapidus.*) adj. Aplícase a la sustancia que tiene algún sabor.

sapiencia. (Del lat. *sapientia.*) f. **sabiduría.** ‖ **2.** n. p. Libro de la Sabiduría, que escribió Salomón.

sapiencial. (Del lat. *sapientiális.*) adj. Perteneciente o relativo a la sabiduría. ‖ **2.** V. **libro sapiencial.**

sapillo. m. d. de **sapo.** ‖ **2.** Tumor blando bajo la lengua. ‖ **3.** *Cuba* y *Venez.* Especie de afta que padecen en la boca

algunos niños de pecho. ‖ **4.** *And.* **salicor,** planta. ‖ **pintojo.** Anfibio anuro, de aspecto intermedio entre rana y sapo, con el dorso manchado, la lengua discoidal y la pupila en forma de corazón.

sapina. (Del lat. *sapo,* jabón.) f. **salicor,** planta.

sapindáceo, a. (Del lat. mod. *sapindus,* jaboncillo.) adj. *Bot.* Aplícase a plantas angiospermas dicotiledóneas, exóticas, arbóreas o sarmentosas de hojas casi siempre alternas, agrupadas de tres en tres y pecioladas; flores en espiga con pedúnculos que suelen transformarse en zarcillos, y fruto capsular; como el farolillo y el jaboncillo. Ú. t. c. s. ‖ **2.** f. pl. *Bot.* Familia de estas plantas.

sapino. (Del lat. *sapínus.*) m. Abeto, árbol.

sapo. (De or. inc.) m. Anfibio anuro de cuerpo rechoncho y robusto, ojos saltones, extremidades cortas y piel de aspecto verrugoso; existen varias especies. ‖ **2.** fam. Cualquier bicho cuyo nombre se ignora. ‖ **3.** fig. y fam. V. **ojos de sapo.** ‖ **4.** fig. Persona con torpeza física. ‖ **5.** *Zam.* Hilo gordo que en un tejido desdice de los otros. ‖ **6.** *Argent., Bol., Chile, Par., Perú* y *Urug.* Juego de la rana. ‖ **7.** *Chile.* Chiripa en el juego de billar. ‖ **8.** *Cuba.* Pez pequeño, de cabeza grande y boca muy hendida, que vive en la desembocadura de los ríos. ‖ **corredor.** El de pequeño tamaño y que presenta una línea amarilla a lo largo del dorso. ‖ **de espuelas.** El de grandes ojos, pupilas verticales y un saliente, a modo de espolón, en las patas traseras. ‖ **marino. pejesapo.** ‖ **partero.** El de pequeño tamaño y que porta sobre el dorso y las ancas los huevos puestos por la hembra hasta su eclosión. ‖ **echar** alguien **sapos y culebras.** fr. fig. y fam. Decir desatinos. ‖ **2.** fig. y fam. Proferir con ira denuestos, blasfemias, juramentos. ‖ **pisar el sapo.** fr. fig. y fam. con que se nota al que se levanta tarde de la cama. Ú. en frases como: *Cuidado, no* PISES EL SAPO*, o que vas a* PISAR EL SAPO. ‖ **2.** fig. y fam. Aplícase al que no se atreve a ejecutar una acción por miedo infundado de que le resulte algún mal. ‖ **sapos y culebras.** expr. fr. fig. y fam. Cosas despreciables, revueltas, enmarañadas. ‖ **ser sapo de otro pozo.** fr. fam. *Argent.* Pertenecer a una clase, medio social o esfera de actividad diferentes.

saponáceo, a. (Del lat. *sapo, -ónis,* jabón.) adj. p. us. De naturaleza o de aspecto de jabón.

saponaria. (Del lat. *saponaria,* jabonosa.) f. **jabonera,** planta herbácea.

saponificable. adj. Que se puede saponificar.

saponificación. f. Acción y efecto de saponificar o saponificarse.

saponificar. (Del lat. *sapo, -ónis,* jabón, y *facère,* hacer.) tr. Convertir en jabón un cuerpo graso, por la combinación de los ácidos que contiene, con un álcali u otros óxidos metálicos. Ú. t. c. prnl.

saponita. (Del lat. *sapo, -ónis,* jabón, e *-ita,* sufijo usado en la nomenclatura de la mineralogía.) f. Hidrosilicato de magnesio y aluminio; sustancia amorfa, muy blanda, blanca grisácea, untuosa al tacto. Se usa en la fabricación de porcelana.

saporífero, ra. (Del lat. *sapor, -óris,* sabor, y *ferre,* llevar.) adj. p. us. Que causa o da sabor.

sapotáceo, a. (De *Achras Sapota,* nombre de una especie de plantas.) adj. *Bot.* Dícese de arbustos y árboles angiospermos dicotiledóneos, con hojas alternas, enteras y coriáceas, flores axilares, solitarias y más frecuentemente en umbela, y por frutos drupas o bayas casi siempre indehiscentes con semillas de albumen carnoso u oleoso o sin albumen; como el zapote y el ácana. Ú. t. c. s. f. ‖ **2.** f. pl. *Bot.* Familia de estas plantas.

sapote. m. **zapote.**

saprofito, ta. (Del gr. σαπρός, podrido, y φυτόν, planta.) adj. *Biol.* Dícese de las plantas y los microorganismos que viven a expensas de materias orgánicas muertas o en descomposición.

saprozoico, ca. adj. *Biol.* Dícese de los animales que se alimentan de sustancias orgánicas muertas o en descomposición, y de este tipo de alimentación.

saque. m. Acción de sacar. ‖ **2.** El que se realiza para iniciar o reanudar el juego de pelota y otros deportes. ‖ **3.** Raya o sitio desde el cual se saca la pelota. ‖ **4.** El que saca la pelota. *Buen* SAQUE *lleva este partido.* ‖ **de esquina.** En el fútbol, el que se hace desde una esquina del campo por un jugador del bando atacante por haber salido el balón del campo de juego cruzando una de las líneas de meta, tras haber sido tocado en último lugar por un jugador del bando defensor. ‖ **tener buen saque.** fr. fig. y fam. Comer o beber mucho de cada vez.

saqueador, ra. adj. Que saquea. Ú. t. c. s.

saqueamiento. m. Acción y efecto de saquear.

saquear. (De *saco*.) tr. Apoderarse violentamente los soldados de lo que hallan en un lugar. ‖ **2.** Entrar en una plaza o lugar robando cuanto se halla. ‖ **3.** fig. Apoderarse de todo o la mayor parte de aquello que hay o se guarda en algún sitio.

saqueo. m. Acción y efecto de saquear.

saquera. (De *saco*.) adj. V. **aguja saquera.**

saquería. f. Fabricación de sacos. ‖ **2.** Conjunto de ellos.

saquerío. m. Conjunto de sacos.

saquero, ra. m. y f. Persona que hace sacos o los vende.

saquete. m. d. de **saco.** ‖ **2.** *Art.* Envoltura en que se empaqueta la carga del cañón. ‖ **de metralla.** desus. *Art.* Platillo de hierro o madera con un arbolete vertical en su centro, alrededor del cual se agrupaban tongas de proyectiles pequeños que se forraban con una funda de lona y se aseguraban con un tejido o red de cordel.

saquilada. f. Cantidad que se lleva en un saco, cuando no va lleno.

sarabaíta. (Del lat. *sarabaíta*.) adj. Decíase del monje relajado que, por no sujetarse a la vida regular de los anacoretas y cenobitas, moraba en las ciudades con dos o tres compañeros, sin regla ni superior. Ú. t. c. s.

saraguate. m. *Amér. Central.* Especie de mono.

saragüete. m. fam. Sarao casero.

sarama. f. *Vizc.* Suciedad que se recoge al barrer, basura.

sarampión. (Del lat. *sirimpio*, -*ónis*, erupción de la piel.) m. *Pat.* Enfermedad febril, contagiosa y muchas veces epidémica, que se manifiesta por multitud de manchas pequeñas y rojas, semejantes a picaduras de pulga, y que va precedida y acompañada de lagrimeo, estornudo, tos y otros síntomas catarrales.

sarán. m. *Vizc.* Cesto ordinario hecho de madera de castaño.

sarandí. m. *Argent.* Arbusto de la familia de las euforbiáceas, de ramas largas y flexibles, que se cría en las costas y riberas, en terrenos bañados por las aguas.

sarao. (Del port. *sarão*, y este del lat. *serănum, de *serum*, la tarde.) m. Reunión nocturna de personas de distinción para divertirse con baile o música.

sarape. m. *Méj.* Especie de frazada de lana o colcha de algodón generalmente de colores vivos, con abertura o sin ella en el centro para la cabeza, que se lleva para abrigarse.

sarapia. f. Árbol leguminoso de América Meridional, con tronco liso, blanquecino, de más de un metro de diámetro y unos 20 de altura; hojas alternas, coriáceas, de pecíolo marginado; flores con ocho estambres, y legumbre tomentosa con una sola semilla de figura de almendra. ‖ **2.** Fruto de este árbol.

sarapico. m. **zarapito,** ave.

sarasa. m. fam. Hombre afeminado, marica.

saraviado, da. adj. *Col.* y *Venez.* Dícese de las aves con pintas o manchas.

sarazo, za. adj. *And.* y *Amér.* Aplícase al fruto que empieza a madurar, especialmente el maíz. ‖ **2.** *Col., Cuba, Méj.* y *Venez.* Aplícase al maíz que empieza a madurar. ‖ **3.** *P. Rico.* Aplícase al agua del coco maduro, y por ext., dícese de todo este.

sarcasmo. (Del lat. *sarcasmus*, y este del gr. σαρκασμός.) m. Burla sangrienta, ironía mordaz y cruel con que se ofende o maltrata a personas o cosas. ‖ **2.** *Ret.* Figura que consiste en emplear esta especie de ironía o burla.

sarcásticamente. adv. m. Con sarcasmo.

sarcástico, ca. (Del gr. σαρκαστικός.) adj. Que denota o implica sarcasmo o es concerniente a él.

sarcia. (Del gall. *sarcia*, y este del lat. *sarcĭna*, carga.) f. Carga, fardaje.

sarco-. (Del gr. σαρκο-.) elem. compos. que significa «carne»: SARCÓfago, SARCO carpio.

sarcocarpio. (De *sarco-*, y el gr. καρπός, fruto.) m. *Bot.* Mesocarpio carnoso; como el de la ciruela.

sarcocele. (Del lat. *sarcocĕle*, y este del gr. σαρκοκήλη; de σάρξ, σαρκός, carne, y κήλη, tumor.) m. *Pat.* Tumor duro y crónico del testículo, ocasionado por causas que alteran más o menos la textura de este órgano.

sarcocola. (Del lat. *sarcocolla*, y este del gr. σαρκοκόλλα.) f. Goma casi transparente que fluye por la corteza de un arbusto de Arabia parecido al espino negro.

sarcófago. (Del lat. *sarcophăgus*, y este del gr. σαρκοφάγος, que consume las carnes; de σάρξ, σαρκός, carne, y φαγεῖν, comer.) m. Sepulcro, obra de piedra en que se da sepultura a un cadáver.

sarcolema. (De *sarco-* y el gr. λέμμα, corteza.) m. *Anat.* Membrana muy fina que envuelve por completo a cada una de las fibras musculares.

sarcoma. (Del lat. *sarcŏma*, y este del gr. σάρκωμα, aumento de carne.) m. *Pat.* Tumor maligno constituido por tejido conjuntivo embrionario, que crece rápidamente y se reproduce con facilidad; es bastante frecuente en las edades infantil y juvenil.

sarcótico, ca. (Del gr. σαρκωτικός.) adj. desus. *Cir.* Aplicábase a los remedios que tienen virtud de cerrar las llagas favoreciendo la formación de nueva carne. Usáb. t. c. s. m.

sarda¹. (Del lat. *sarda*.) f. **caballa,** pez. ‖ **2.** *Sal.* Pececillo de río.

sarda². (Del lat. *exsarritāre, de *sarrire*, romper la maleza.) f. Matorral.

sardana. (De or. inc.) f. Danza en corro, tradicional de Cataluña. ‖ **2.** Música de esta danza.

sardanés, sa. adj. Natural de Cerdaña. Ú. t. c. s. ‖ **2.** Perteneciente o relativo a esta comarca de Cataluña.

sarde. (De or. vasco.) m. *Nav.* Horca de aventar en la era o alzar heno.

sardesco, ca. (De *sardo*.) adj. Aplícase al caballo o asno pequeño. Ú. t. c. s. ‖ **2.** ant. **sardo.** Apl. a pers., usáb. t. c. s. ‖ **3.** fig. y fam. Dícese de la persona áspera e intratable. ‖ **4.** fig. *Pat.* V. **risa sardesca.**

sardiano, na. (Del lat. *Sardiānus*.) adj. Natural de Sardes, capital de Lidia. Ú. t. c. s. ‖ **2.** Perteneciente o relativo a esta ciudad del Asia antigua.

sardicense. (Del lat. *Sardicensis*.) adj. Natural de Sárdica. Ú. t. c. s. ‖ **2.** Perteneciente o relativo a esta ciudad de Tracia.

sardina. (Del lat. *sardīna*.) f. Pez teleósteo marino fisóstomo, de 12 a 15 centímetros de largo, parecido al arenque, pero de carne más delicada, cabeza relativamente menor, la aleta dorsal muy delantera y el cuerpo más fusiforme y de color negro azulado por encima, dorado en la cabeza y plateado en los costados y vientre. ‖ **2.** *Germ.* V. **apa-**

leador de sardinas. ‖ **3.** V. **geranio de sardina.** ‖ **4.** V. **entierro de la sardina.** ‖ **arenque. arenque.** ‖ **echar otra sardina.** fr. fig. y fam. Entrar uno de fuera, especialmente si ocasiona alguna incomodidad el admitirle. ‖ **como sardina** o **como sardinas en banasta** o **en lata; como sardinas.** locs. advs. Con muchas apreturas o estrecheces, por la gran cantidad de gente reunida en un lugar. ‖ **la última sardina de la banasta.** expr. fig. y fam. con que se explica haber llegado a lo último de las cosas.

sardinal. m. Red que se mantiene entre dos aguas en posición vertical para que se enmallen las sardinas.

sardinel. (Del cat. *sardinell*, sardina, por semejanza con las sardinas prensadas.) m. *Arq.* Obra hecha de ladrillos sentados de canto y de modo que coincida en toda su extensión la cara de uno con la del otro. *Cornisa, escalón, hecho* A SARDINEL. ‖ **2.** *Arq.* V. **citarilla sardinel.** ‖ **3.** *And.* Escalón de entrada de una casa o habitación. ‖ **4.** *Col.* y *Perú.* Escalón que forma el borde exterior de la acera.

sardinero, ra. adj. Perteneciente o relativo a las sardinas. ‖ **2.** m. y f. Persona que vende sardinas o trata en ellas.

sardineta. f. d. de **sardina.** ‖ **2.** Porción que se corta al queso en todo lo que sobresale del molde donde se hace. ‖ **3.** Adorno formado por dos galones apareados y terminados en punta. Se usa principalmente en ciertos uniformes militares. ‖ **4.** Papirotazo que por juego da un muchacho a otro en la mano, con los dedos mojados en saliva.

sardio. (Del lat. *sardĭus* [*lapis*].) m. **sardónice.**

sardo, da. (Del lat. *Sardus*, de Cerdeña.) adj. Natural de Cerdeña. Ú. t. c. s. ‖ **2.** Perteneciente o relativo a esta isla de Italia. ‖ **3.** Dícese del ganado vacuno cuya capa tiene mezcla de negro, blanco y colorado. ‖ **4.** Por ext., dícese de lo que tiene manchas o pecas de diverso color. ‖ **5.** m. **sardónice.** ‖ **6.** Lengua hablada en la isla de Cerdeña, y que pertenece al grupo de las neolatinas.

sardón. (De *sarda²*.) m. *León* y *Zam.* Mata achaparrada de encina. ‖ **2.** *Ast.* Monte bajo, terreno lleno de maleza.

sardonal. (De *sardón.*) m. *León* y *Zam.* Sitio poblado de sardones.

sardonia. (Del lat. *sardonĭa*, cosa de Cerdeña.) adj. fig. *Pat.* V. **risa sardonia.** ‖ **2.** f. Especie de ranúnculo de hojas lampiñas, pecioladas las inferiores, con lóbulos obtusos las superiores, y flores cuyos pétalos apenas son más largos que el cáliz. Su jugo aplicado en los músculos de la cara produce una contracción que imita la risa.

sardónica. (Del lat. *sardonўcha*.) f. **sardónice.**

sardónice. (Del lat. *sardŏnix*, *-ўchis*, y este del gr. σαρδόνυξ.) f. Ágata de color amarillento con zonas más o menos oscuras.

sardónico, ca. (Del gr. σαρδονικός.) adj. fig. *Pat.* V. **risa sardónica.** ‖ **2.** Perteneciente o relativo a la sardonia.

sardonio. (Del lat. *sardonĭus*, y este del gr. σαρδόνιος.) m. **sardónice.**

sardónique. f. **sardónice.**

sarga¹. (Del lat. *serĭca*, de seda.) f. Tela cuyo tejido forma unas líneas diagonales. ‖ **2.** *Pint.* Tela pintada para adornar o decorar las paredes de las habitaciones.

sarga². (Del lat. *salĭca, de *salix*, *-ĭcis*, sauce.) f. Arbusto de la familia de las salicáceas, de tres a cinco metros de altura, con tronco delgado, ramas mimbreñas, hojas estrechas, lanceoladas, de margen aserrada y lampiñas; flores verdosas en amentos cilíndricos, y fruto capsular ovoide. Es común en España a orillas de los ríos.

sargadilla. (De *salgada.*) f. Planta perenne de la familia de las quenopodiáceas, de seis a ocho decímetros de altura, con tallo rollizo y ramoso, hojas amontonadas, glaucas, planas por encima, carnosas, agudas y terminadas por un pelo blanquecino y cardoso; flores de tres en tres y en las axilas de las hojas; cáliz con cinco lacinias, cinco estambres, pericarpio muy delgado y semilla lenticular con un pico corto. Se cría en España y en el mediodía de Francia.

sargado, da. adj. Parecido a la sarga¹, asargado.

sargal. m. Terreno poblado de sargas².

sargantana. (De or. inc.) f. *Ar.* y *Nav.* Lagartija, lagartezna.

sargantesa. (Del lat. *lacartus, por *lacertus*, sustituido el supuesto artículo *la* por el artículo *sa*.) f. *Ar.* y *Sor.* Lagartija, lagartezna.

sargatillo. (De *saz* y *gatillo*.) m. Especie de sauce de dos a cinco metros de altura, con hojas lanceoladas, estrechas, enteras, ligeramente aserradas en el ápice y lampiñas.

sargazo. (De *[la]s algas*.) m. Alga marina, en la que el talo está diferenciado en una parte que tiene aspecto de raíz y otra que se asemeja a un tallo; de esta última arrancan órganos laminares, parecidos por su forma y disposición a hojas de plantas fanerógamas, con un nervio central saliente y vesículas axilares, aeríferas, a modo de flotadores que sirven para sostener la planta dentro o en la superficie del agua.

sargenta. f. Religiosa lega de la orden de Santiago, sergenta. ‖ **2.** Alabarda que llevaba el sargento. ‖ **3.** Mujer del sargento. ‖ **4.** Mujer corpulenta, hombruna y de dura condición.

sargente. (Del fr. *sergent*, y este del lat. *servĭens*, *-entis*, p. a. de *servīre*, servir.) m. ant. **sargento.**

sargentear. tr. Gobernar gente militar haciendo el oficio de sargento. ‖ **2.** fig. Guiar, conducir o capitanear gentes. ‖ **3.** fig. y fam. Mandar o disponer con altanería.

sargentería. f. Ejercicio de las funciones de sargento.

sargentía. f. Empleo de sargento. ‖ **mayor.** Empleo de sargento mayor. ‖ **2.** Oficina en que el sargento mayor despacha los negocios de su cargo.

sargento. (De *sargente*.) m. Individuo de la clase de tropa, que tiene empleo superior al del cabo, y, que bajo la inmediata dependencia de los oficiales, cuida del orden, administración y disciplina de una compañía o parte de ella. ‖ **2.** Oficial subalterno que en las antiguas compañías de infantería seguía en orden al alférez y tenía el cargo de instruir o alojar a los soldados, velar por la disciplina y llevar la contabilidad. ‖ **3.** Alcalde de corte inmediato en antigüedad a los cinco que tenían su juzgado de provincia, de quienes era suplente. ‖ **general de batalla.** En la milicia antigua, oficial inmediato subalterno del maestre de campo general. ‖ **mayor.** Oficial que solía haber en los regimientos, encargado de su instrucción y disciplina: era jefe superior a los capitanes, ejercía las funciones de fiscal e intervenía en todos los ramos económicos y en la distribución de caudales. ‖ **mayor de brigada.** El más antiguo de los **sargentos** mayores de los cuerpos que la componían, a cuyo cargo estaba tomar y distribuir las órdenes. ‖ **mayor de la plaza.** Oficial jefe de la encargado del pormenor del servicio, para señalar el que corresponde a cada cuerpo, vigilar la exactitud en él y distribuir las órdenes del gobernador. ‖ **mayor de provincia.** Jefe militar que en Indias mandaba después del gobernador y teniente de rey. ‖ **primero.** Suboficial de categoría comprendida entre la de **sargento** y brigada.

sargentona. f. fam. despect. Mujer corpulenta, hombruna y de dura condición. ‖ **2.** fig. Mujer autoritaria.

sargo. (Del lat. *sargus*.) m. Pez teleósteo marino, del suborden de los acantopterigios, de unos 20 centímetros de largo, con el cuerpo comprimido lateralmente y el dorso y el vientre muy encorvado junto a la cola; cabeza de hocico puntiagudo, labios dobles, dientes robustos y cortantes, aletas pectorales redondas y cola ahorquillada. Es de color plateado, cruzado con fajas transversales negras.

sarguero¹. m. Pintor de sargas¹ para adornar las paredes.

sarguero², ra. adj. Perteneciente o relativo a la sarga².

sargueta. f. d. de **sarga¹**.

sarí. m. Vestido típico de las mujeres indias.

sariá. (De or. guaraní.) f. *Argent.* **chuña**, ave.

sariama. (De or. guaraní.) f. *Argent.* Ave zancuda, de cuello largo, de color rojo sucio; tiene un copete pequeño. Destruye las sabandijas.

sarilla. (Del ár. *šaṭriyya*, y este del lat. *saturēia*; véase *ajedrea*.) f. **mejorana**, hierba.

sarillo¹. m. **sarrillo¹**.

sarillo². (Del lat. *sericūla*.) m. *Can.* y *Gal.* Aparato para devanar madejas, devanadera.

sármata. (Del lat. *Sarmāta*.) adj. Natural de Sarmacia, región de la Europa antigua. Ú. t. c. s. ‖ **2.** Perteneciente o relativo a Sarmacia.

sarmático, ca. (Del lat. *Sarmatĭcus*.) adj. Perteneciente o relativo a Sarmacia.

sarmentador, ra. m. y f. Persona que sarmienta.

sarmentar. intr. Coger los sarmientos podados.

sarmentazo. m. aum. de **sarmiento**. ‖ **2.** Golpe dado con un sarmiento.

sarmentera. f. Lugar donde se guardan los sarmientos. ‖ **2.** Acción de sarmentar. ‖ **3.** *Germ.* Toca de red o gorguera.

sarmenticio, cia. (Del lat. *sarmentĭcius*.) adj. Aplicábase despectivamente a los cristianos de los primeros siglos, porque se dejaban quemar a fuego lento con sarmiento.

sarmentillo. m. d. de **sarmiento**.

sarmentoso, sa. (Del lat. *sarmentōsus*.) adj. Que tiene semejanza con los sarmientos.

sarmiento. (Del lat. *sarmentum*.) m. Vástago de la vid, largo, delgado, flexible y nudoso, de donde brotan las hojas, las tijeretas y los racimos. ‖ **cabezudo**. El que para plantar se corta de la cepa con parte de madera vieja.

sarna. (Del lat. tardío *sarna*.) f. Afección cutánea contagiosa provocada por un ácaro o arador, que excava túneles bajo la piel, produciendo enrojecimiento, tumefacción y un intenso prurito. ‖ **2.** V. **arador de la sarna**. ‖ **perruna.** *Pat.* Variedad de **sarna** cuyas vesículas no supuran y cuyo prurito es muy vivo. ‖ **más viejo que la sarna.** expr. fig. y fam. Muy viejo o antiguo. ‖ **no faltar** a uno **sino sarna que rascar.** fr. fig. y fam. Gozar de la salud y conveniencias que necesita. Ú. especialmente para notar o redargüir al que inmotivadamente se queja de que le falte algo o lo echa de menos. ‖ **sarna con gusto no pica.** fr. proverb. que da a entender que las molestias ocasionadas por cosas voluntarias no incomodan. Suele redargüirse añadiendo: **pero mortifica,** significando que siempre produce alguna inquietud.

sarnazo. m. fam. aum. de **sarna**.

sarnoso, sa. adj. Que tiene sarna. Ú. t. c. s.

sarpullido. (De or. gallego-portugués.) m. Erupción leve y pasajera en el cutis, formada por muchos granitos o ronchas. ‖ **2.** Señales que dejan las picaduras de las pulgas.

sarpullir. tr. Levantar sarpullido. Ú. t. c. prnl.

sarracear. (Del port. *saraivar*.) intr. impers. ant. Soplar el cierzo, cercear.

sarracénico, ca. adj. Perteneciente o relativo a los sarracenos.

sarraceno, na. (Del ár. *šarqiyyin*, pl. de *šarqī*, oriental.) adj. Natural de la Arabia Feliz, u oriundo de ella. Ú. t. c. s. ‖ **2.** Que profesa la religión de Mahoma, mahometano. Ú. t. c. s. ‖ **3.** V. **hierba sarracena**. ‖ **4.** V. **trigo sarraceno**.

sarracín, na. adj. **sarraceno**. Ú. t. c. s.

sarracina. (De *sarracino* por alusión a la gritería y el desorden con que los sarracenos solían pelear.) f. Pelea entre muchos, especialmente cuando es confusa o tumultuaria. ‖ **2.** Por ext., riña o pendencia en que hay heridos o muertes.

sarracino, na. adj. **sarraceno**, Ú. t. c. s.

sarrajón. (Del lat. *serralīa*.) m. *Ar.* Planta silvestre de la familia de las gramíneas.

sarrapia. f. **sarapia**, árbol.

sarria. (Del gót. *sahrja*, al. *sahar*, cesta.) f. Género de red basta en que recogen la paja para transportarla. ‖ **2.** *Ar.* y *Murc.* Espuerta grande.

sarrieta. f. d. de **sarria**. ‖ **2.** Espuerta honda y alargada en que se echa de comer a los animales de carga.

sarrillo¹. m. desus. Estertor del moribundo.

sarrillo². m. **aro²**, planta.

sarrio. (De or. inc.) m. *Ar.* **rebeco**, animal.

sarro. (Del lat. *saburra*, lastre.) m. Sedimento que se adhiere al fondo y paredes de una vasija donde hay un líquido que precipita parte de las sustancias que lleva en suspensión o disueltas. ‖ **2.** Sustancia amarillenta, más o menos oscura y de naturaleza calcárea, que se adhiere al esmalte de los dientes. ‖ **3.** Saburra de la lengua. ‖ **4.** Roya de los vegetales.

sarroso, sa. adj. Que tiene sarro.

sarruján. m. *Cantabria*. Criado del pastor, zagal.

sarta. (Del lat. *sarta*, pl. n. de *sartum*, atado.) f. Serie de cosas metidas por orden en un hilo, cuerda, etc. ‖ **2.** fig. Porción de gentes o de otras cosas que van o se consideran en fila unas tras otras. ‖ **3.** fig. Serie de sucesos o cosas no materiales, iguales o análogas. SARTA *de desdichas, de disparates.*

sartal. m. Sarta de cosas metidas en un hilo o cuerda.

sartalejo. m. d. de **sartal**.

sartén. (Del lat. *sartāgo, -īnis*.) f. Recipiente de cocina, generalmente de metal, de forma circular, poco hondo y con mango largo, que sirve para guisar. En muchos lugares de América y España es m. ‖ **2.** Lo que se fríe de una vez en la **sartén**. ‖ **3.** V. **fruta de sartén**. ‖ **saltar de la sartén y dar en las brasas.** fr. fig. y fam. Dar en un grave mal o estrago por huir de otro más leve perjuicio. ‖ **tener una la sartén por el mango.** fr. fig. y fam. Ser dueño de la situación, poder decidir o mandar.

sartenada. f. Lo que de una vez se fríe en la sartén, o lo que cabe en ella.

sartenazo. m. Golpe que se da con la sartén. ‖ **2.** fig. y fam. Golpe recio dado con cualquier cosa aunque no sea sartén.

sarteneja. (De or. inc.) d. de **sartén**. ‖ **2.** *And., Ecuad.* y *Méj.* Grieta que se forma con la sequía en algunos terrenos. ‖ **3.** Hoyo o depresión que dejan las aguas al evaporarse en las marismas y vegas bajas. ‖ **4.** *And., Ecuad.* y *Méj.* En los terrenos tolosanos, huellas que deja el ganado.

sartenejal. m. *Ecuad.* Parte de la sabana en que abundan las sartenejas y donde la vegetación es escasa.

sartenero. m. El que hace sartenes o las vende.

sartorial. (Del lat. *sartor*, sastre.) adj. Perteneciente o relativo al sastre y a sus actividades.

sartorio. (Del lat. *sartor*, sastre.) adj. *Anat.* V. **músculo sartorio**. Ú. t. c. s.

sarza. (De or. inc.) f. ant. **zarza**.

sarzo. (De *sarza*.) m. ant. **zarzo**. Ú. en Salamanca.

sasafrás. (De *saxafrax*.) m. Árbol americano de la familia de las lauráceas, de unos 10 metros de altura, con tronco recio de corteza gorda y rojiza, y copa redondeada; hojas gruesas, partidas en tres lóbulos, verdes por encima y lanuginosas por el envés; flores dioicas, pequeñas, amarillas y en racimos colgantes; fruto en baya rojiza con una sola semilla, y raíces, madera y corteza de olor fuerte aromático. La infusión de las partes leñosas de esta planta se ha usado en medicina contra los males nefríticos y hoy se emplea como sudorífica.

sasánida. adj. Dícese de una dinastía que estuvo al frente de los destinos de Persia durante los últimos siglos preislámicos (226-641). Ú. t. c. s. ‖ **2.** Perteneciente o relativo a dicha dinastía.

saso. (Del lat. *saxum*, piedra.) m. *Ar., Nav.* y *Rioja.* Terreno pedregoso y seco.

sastra. f. Mujer del sastre. ‖ **2.** La que tiene oficio de sastre.

sastre. (Del prov. o cat. *sartre, sastre*, y este del lat. *sartor*.) m. El que tiene por oficio cortar y coser vestidos, principalmente de hombre. ‖ **2.** V. **jabón, jaboncillo de sastre.** ‖ **3.** fig. y fam. V. **cajón de sastre.** ‖ **4.** *Anat.* V. **músculo del sastre.** ‖ **buen sastre.** fig. y fam. Persona que tiene mucha inteligencia en la materia de que se trata. ‖ **corto sastre.** fig. y fam. Persona que tiene corta inteligencia en la materia de que se trata. ‖ **el sastre del campillo, o del cantillo, que cosía de balde y ponía el hilo.** expr. fig. y fam. que se aplica al que, además de trabajar sin utilidad, sufre algún costo. ‖ **entre sastres no se pagan hechuras.** fr. proverb. que explica la buena correspondencia que suelen usar entre sí las personas de un mismo empleo, profesión u oficio. ‖ **no es mal sastre el que conoce el paño.** fr. proverb. que se dice de la persona inteligente en asunto de su competencia. ‖ **2.** Aplícase también al que reconoce sus propias faltas. ‖ **será lo que tase un sastre.** fr. fig. y fam. que se emplea para denotar que aquello que uno dice o pide se hará o no se hará, o es muy incierto.

sastrería. f. Oficio de sastre. ‖ **2.** Tienda y taller de sastre.

sastresa. f. *Ar.* **sastra.**

Satán. (Del hebraísmo lat. *satan*, adversario, enemigo.) n. p. m. El demonio, Satanás.

Satanás. (Del lat. *Satănas*.) n. p. m. El demonio, el diablo. ‖ **darse uno a Satanás.** fr. fig. **darse al diablo.**

satandera. f. *Ál.* Comadreja, mustela.

satánico, ca. adj. Perteneciente a Satanás; propio y característico de él. ‖ **2.** fig. Extremadamente perverso. Dícese especialmente de ciertos defectos o cualidades. *Orgullo* SATÁNICO; *ira, soberbia* SATÁNICA.

satanismo. m. fig. Perversidad, maldad satánica.

satélite. (Del lat. *satelles, -ĭtis*.) m. *Astron.* Cuerpo celeste opaco que solo brilla por la luz refleja del Sol y gira alrededor de un planeta primario. ‖ **2.** fam. Oficial menor de justicia. ‖ **3.** fig. Persona o cosa que depende de otra y experimenta todas sus vicisitudes, o la sigue y acompaña de continuo como dependiente de ella. ‖ **4.** *Mec.* Rueda dentada de un engranaje que gira libremente sobre un eje para transmitir el movimiento de otra rueda dentada. ‖ **5.** Ú. en aposición para designar despectivamente a un estado dominado política y económicamente por otro estado vecino más poderoso. ‖ **6.** Ú. en aposición para designar a una población situada fuera del recinto de una ciudad importante, pero vinculada a esta de algún modo. ‖ **artificial.** Vehículo tripulado o no, que se coloca en órbita alrededor de la Tierra o de otro astro, y que lleva aparatos apropiados para recoger información y retransmitirla.

satén. (Del fr. *satin*, y este del lat. *seta*, seda.) m. Tejido parecido al raso.

satín. m. Madera americana semejante al nogal.

satinado, da. p. p. de **satinar.** ‖ **2.** m. Acción y efecto de satinar.

satinador, ra. adj. Que satina. ‖ **2.** f. *Impr.* Calandria utilizada para satinar papel.

satinar. (Del fr. *satiner*, de *satin*, satén.) tr. Dar al papel o a la tela tersura y lustre por medio de la presión.

sátira. (Del lat. *satyra*.) f. Composición poética u otro escrito cuyo objeto es censurar acremente o poner en ridículo a personas o cosas. ‖ **2.** Discurso o dicho agudo, picante y mordaz, dirigido a este mismo fin.

satiriasis. (Del lat. *satyriăsis*, y este del gr. σατυρίασις.) f. *Pat.*

Estado de exaltación morbosa de las funciones genitales, propio del sexo masculino.

satíricamente. adv. m. De modo satírico.

satírico¹, ca. (Del lat. *satyrĭcus*.) adj. Perteneciente a la sátira. ‖ **2.** Dícese del escritor que cultiva la sátira. Ú. t. c. s.

satírico², ca. adj. Perteneciente o relativo al sátiro.

satirio. (De *sátiro*, por su agilidad.) m. Mamífero roedor, de unos 20 centímetros de largo, sin contar la cola, que tiene cerca de un decímetro; de forma semejante a la rata, de pelaje pardo muy obscuro y con visos rojizos. Habita a orillas de los arroyos, es muy ágil, nada muy bien y caza en el agua y fuera de ella.

satirión. (Del lat. *satirĭon*, y este del gr. σατύριον.) m. Planta herbácea, vivaz, de la familia de las orquidáceas, con tallo de tres a cuatro decímetros de altura; dos o tres hojas radicales, anchas, ovales y obtusas, y otras tantas sobre el tallo, más pequeñas y envainadoras; flores de figura extraña, blancas, olorosas y en espiga laxa, y raíces con dos tubérculos parejos y aovados, de que puede sacarse salep. Es común en España.

satirizante. p. a. de **satirizar.** Que satiriza.

satirizar. intr. Escribir sátiras. ‖ **2.** tr. Zaherir y motejar.

sátiro, ra. (Del lat. *satyrus*, y este del gr. σάτυρον.) adj. p. us. Mordaz, propenso a zaherir y motejar. Ú. t. c. s. ‖ **2.** m. En la mitología grecorromana, divinidad campestre y lasciva, con figura de hombre barbado, patas y orejas cabrunas y cola de caballo o de chivo. ‖ **3.** fig. Hombre lascivo.

satis. (Del lat. *satis*, bastante.) m. fam. Vacación, especialmente de estudiantes.

satisdación. (Del lat. *satisdatĭo, -ōnis*.) f. *Der.* Obligación que alguien se impone para responder de un pago o del cumplimiento de algo que otro debe hacer, fianza.

satisfacción. (Del lat. *satisfactĭo, -ōnis*.) f. Acción y efecto de satisfacer o satisfacerse. ‖ **2.** Una de las tres partes del sacramento de la penitencia, que consiste en pagar con obras de penitencia la pena debida por las culpas cometidas. ‖ **3.** Razón, acción o modo con que se sosiega y responde enteramente a una queja, sentimiento o razón contraria. ‖ **4.** Presunción, vanagloria. *Tener mucha* SATISFACCIÓN *de sí mismo.* ‖ **5.** Confianza o seguridad del ánimo. ‖ **6.** Cumplimiento del deseo o del gusto. ‖ **a satisfacción.** loc. adv. A gusto de uno, cumplidamente. ‖ **tomar** uno **satisfacción.** fr. Satisfacerse, volver por el propio honor.

satisfacer. (Del lat. *satisfacĕre*.) tr. Pagar enteramente lo que se debe. ‖ **2.** Hacer una obra que merezca el perdón de la pena debida. ‖ **3.** Aquietar y sosegar las pasiones del ánimo. ‖ **4.** Saciar un apetito, pasión, etc. ‖ **5.** Dar solución a una duda o a una dificultad. ‖ **6.** Cumplir, llenar ciertos requisitos o exigencias. ‖ **7.** Deshacer un agravio u ofensa. ‖ **8.** Premiar enteramente y con equidad los méritos que se tienen hechos. ‖ **9.** *Mat.* Ser alguna cantidad, magnitud, etc., la que hace que se cumplan las condiciones expresadas en un problema, y ser, por tanto, su solución. ‖ **10.** prnl. Vengarse de un agravio. ‖ **11.** Volver por su propio honor el que estaba ofendido, vengándose u obligando al ofensor a que deshaga el agravio. ‖ **12.** Aquietarse y convencerse una con una eficaz razón de una queja que se había formado.

satisfactoriamente. adv. m. De modo satisfactorio.

satisfactorio, ria. (Del lat. *satisfactorĭus*.) adj. Que puede satisfacer o pagar una cosa debida. ‖ **2.** Que puede satisfacer una duda o una queja, o deshacer un agravio. ‖ **3.** Grato, próspero.

satisfecho, cha. (Del lat. *satisfactus*.) p. p. irreg. de **satisfacer.** ‖ **2.** adj. Presumido. ‖ **3.** Complacido, contento.

sativo, va. (Del lat. *sativus*.) adj. Que se cultiva, a distinción de lo agreste o silvestre.

sato. (Del lat. *satus*, de *serère*, sembrar.) m. p. us. Tierra sembrada, sembrado. ‖ **2.** adj. *Cuba* y *P. Rico.* Dícese de una clase de perro pequeño, de cualquier color y pelo corto, vagabundo y ladrador.

sátrapa. (Del lat. *satrăpa*; este del gr. σατράπης, y este del ant. persa *sahrabh*, oficial del *sâh* o emperador.) m. Gobernador de una provincia de la antigua Persia. ‖ **2.** fig. y fam. Hombre ladino, que sabe gobernarse con astucia e inteligencia, o que gobierna despóticamente. Ú. t. c. adj.

satrapía. (Del lat. *satrapĭa*.) f. Dignidad de sátrapa. ‖ **2.** Territorio gobernado por un sátrapa.

saturable. adj. Que puede saturarse.

saturación. (Del lat. *saturatĭo, -ōnis.*) f. Acción y efecto de saturar o saturarse.

saturado, da. p. p. de **saturar.** ‖ **2.** adj. *Quím.* Dícese de los compuestos químicos orgánicos cuyos enlaces covalentes, por lo general entre átomos de carbono, son de tipo sencillo.

saturar. (Del lat. *saturāre.*) tr. Hartar y satisfacer de comida o de bebida, saciar. ‖ **2.** Llenar algo completamente, colmar. Ú. t. c. prnl. y en sent. fig. ‖ **3.** *Quím.* Combinar dos o más cuerpos en las proporciones atómicas máximas en que pueden unirse. ‖ **4.** *Fís.* Impregnar de otro cuerpo un fluido hasta el punto de no poder este, en condiciones normales, admitir mayor cantidad de aquel cuerpo. Ú. t. c. prnl.

saturnal. (Del lat. *saturnālis.*) adj. Perteneciente o relativo a Saturno. ‖ **2.** f. Fiesta en honor del dios Saturno. Ú. m. en pl. ‖ **3.** fig. Orgía desenfrenada.

saturnino, na. (De *Saturno.*) adj. Dícese de la persona triste y taciturna. ‖ **2.** *Quím.* Perteneciente o relativo al plomo. ‖ **3.** *Med.* Aplícase a las enfermedades producidas por intoxicación con una sal de plomo.

saturnio, nia. (Del lat. *saturnĭus.*) adj. p. us. **saturnal.**

saturnismo. m. *Med.* Enfermedad crónica producida por la intoxicación ocasionada por las sales de plomo.

saturno. (Del lat. *Saturnus.*) n. p. m. *Astron.* Planeta poco menor que Júpiter, con resplandor intenso y amarillento, distante del Sol nueve veces más que la Tierra, acompañado de diez satélites y rodeado por un anillo de varias zonas. ‖ **2.** *Astron.* V. **anillo de Saturno.** ‖ **3.** *Quím.* m. **plomo.** ‖ **4.** *Quím.* V. **árbol, azúcar, extracto, sal de saturno.**

sauale. (De *or. tagalo.*) m. *Filip.* Tejido hecho con tiras de caña. Sirve para hacer toldos.

sauce. (De *salce.*) m. Árbol de la familia de las salicáceas, que crece hasta 20 metros de altura, con tronco grueso, derecho, de muchas ramas y ramillas péndulas; copa irregular, estrecha y clara; hojas angostas, lanceoladas, de margen poco aserrado, verdes por la haz y blancas y algo pelosas por el envés; flores sin cáliz ni corola, en amentos verdosos, y fruto capsular. Es común en las orillas de los ríos. ‖ **blanco. sauce.** ‖ **cabruno.** Árbol de la familia de las salicáceas, que principalmente se diferencia del **sauce** blanco por tener las hojas mayores, ovaladas, con ondas en el margen y lanuginosas por el envés. En España abundó en las provincias del Norte. ‖ **de Babilonia,** o **llorón.** Árbol de la familia de las salicáceas, de seis a siete metros de altura, con tronco grueso, copa amplia, ramas y ramillas muy largas, flexibles y péndulas, y hojas lampiñas, muy estrechas y lanceoladas. Es originario del Asia Menor y se cultiva en Europa como planta de adorno.

sauceda. f. **salceda.**

saucedal. (De *sauce.*) m. **salceda.**

saucegatillo. m. ant. **sauzgatillo,** arbusto.

saucera. (De *sauce.*) f. **salceda.**

saucillo. (d. de *sauce.*) m. **centinodia,** planta.

saúco. (Del lat. *sabūcus.*) m. Arbusto o arbolillo de la familia de las caprifoliáceas, con tronco de dos a cinco me-

tros de altura, lleno de ramas, de corteza parda y rugosa y medula blanca abundante; hojas compuestas de cinco a siete hojuelas ovales, de punta aguda, aserradas por el margen, de color verde oscuro, de olor desagradable y sabor acre; flores blancas y fruto en bayas negruzcas. Es común en España, y el cocimiento de las flores se usa en medicina como diaforético y resolutivo. ‖ **2.** Segunda tapa de que se componen los cascos de los pies de los caballos. ‖ **falso.** *Chile.* Árbol de unos cinco metros de altura; hojas largamente pecioladas, compuestas de cinco hojuelas lanceoladas, aserradas; umbelas compuestas de tres a cinco flores.

saudade. (Del port. *saudade.*) f. Soledad, nostalgia, añoranza.

saudoso, sa. (Del port. *saudoso.*) adj. Soledoso, nostálgico, añorante.

sauna. f. Baño de calor, a muy alta temperatura, que produce una rápida y abundante sudoración, y que se toma con fines higiénicos y terapéuticos. ‖ **2.** Local en que se pueden tomar esos baños.

sauquillo. (d. de *saúco.*) m. **Mundillo,** arbusto.

saurio. (Del lat. *saurus*, y este del gr. σαῦρος, lagarto.) adj. *Zool.* Dícese de los reptiles que generalmente tienen cuatro extremidades cortas, mandíbulas con dientes, y cuerpo largo con cola también larga y piel escamosa o cubierta de tubérculos; como el lagarto. Ú. t. c. s. ‖ **2.** m. pl. *Zool.* Orden de estos reptiles.

sausería. (Del fr. *saucerie.*) f. Oficina de palacio, a cuyos dependientes tocaba servir y repartir la comida.

sausier. (Del fr. *saucier*, salsero; de *sauce*, salsa, y este del lat. *salsus.*) m. Jefe de la sausería de palacio, encargado de la plata y demás servicios de la mesa.

sautor. (Del fr. *sautoir.*) m. *Blas.* Pieza honorable de un tercio del escudo de la banda y de la barra cruzadas, sotuer.

sauz. m. **sauce.**

sauzal. (De *sauce.*) m. Sitio poblado de sauces.

sauzgatillo. (De *sauzgatillo.*) m. Arbusto de la familia de las verbenáceas, que crece en los sotos frescos y a orillas de los ríos hasta tres o cuatro metros de altura, con ramas abundantes, mimbreñas, cuadrangulares y de corteza blanquecina; hojas digitadas con peciolo muy largo y cinco o siete hojuelas lanceoladas; flores pequeñas y azules en racimos terminales, y fruto redondo, pequeño y negro.

savia. (Del lat. *sapĕa*, de *sapĕre*, vino cocido y jugo.) f. *Bot.* Líquido que circula por los vasos de las plantas pteridofitas y fanerógamas y del cual toman las células las sustancias que necesitan para su nutrición. ‖ **2.** fig. Energía, elemento vivificador.

saxafrax. f. Saxífraga, planta herbácea.

saxátil. (Del lat. *saxatĭlis*, de *saxum*, peña.) adj. *Bot.* y *Zool.* Dícese de las plantas y animales que viven entre las peñas o están adheridos a ellas.

sáxeo, a. (Del lat. *saxĕus.*) adj. De piedra. Ú. en lenguaje científico y en poesía.

saxífraga. (Del lat. *saxifrăga.*) f. Planta herbácea, vivaz, de la familia de las saxifragáceas, que crece hasta tres o cuatro decímetros de altura, con tallo ramoso, velludo y algo rojizo; hojas radicales, casi redondas y festoneadas, las superiores de tres gajos estrechos; flores en corimbo, grandes, de pétalos blancos con nervios verdosos; fruto capsular con muchas semillas menudas, y raíz bulbosa llena de granillos, uno de los cuales puede reproducir la planta. Es común en España en los sitios frescos y su infusión se ha empleado en medicina contra los cálculos de los riñones. ‖ **2. sasafrás,** árbol.

saxifragáceo, a. (De *saxífraga.*) adj. *Bot.* Dícese de hierbas, arbustos o árboles angiospermos dicotiledóneos, a veces con tallos fistulosos, de hojas alternas u opuestas, enteras o lobuladas, generalmente sin estípulas; flores hermafroditas, de cinco a diez pétalos, o tetrámeras, casi siempre regulares, dispuestas en racimos, panojas o cimas; fruto capsular o en baya; como la saxífraga, el grosellero y la hortensia. Ú. t. c. s. f. ‖ **2.** f. pl. *Bot.* Familia de estas plantas.

saxifragia. f. saxífraga.

saxo. m. saxofón.

saxofón. m. saxófono.

saxófono. (De *Sax*, nombre del inventor, y el gr. φωνή, sonido.) m. Instrumento músico de viento, de metal, con boquilla de madera y con caña: tiene varias llaves; es de invención moderna, y muy usado, principalmente en las bandas militares y orquestas de yaz.

saxoso, sa. (Del lat. *saxōsus*, de *saxum*, piedra.) adj. ant. Decíase del terreno pedregoso.

saya. (Del lat. vulg. **sagĭa*.) f. **falda**, prenda femenina. ‖ **2.** Regalo en dinero que en equivalencia de vestido solían dar las reinas a sus servidoras cuando estas se casaban. ‖ **3.** Vestidura talar antigua, especie de túnica, que usaban los hombres.

sayagués, sa. adj. Natural de Sayago. Ú. t. c. s. ‖ **2.** Perteneciente o relativo a este territorio de la provincia de Zamora. ‖ **3.** fig. desus. Tosco, grosero, aplicado a persona. ‖ **4.** *Germ.* V. **bonito sayagués.** ‖ **5.** m. Lengua arrusticada de carácter literario, de base leonesa, que intentaba remedar el habla de la comarca de Sayago. Fue utilizada en la literatura dramática española del Siglo de Oro para caracterizar a personajes villanescos.

sayal. (De *sayo*.) m. Tela muy basta labrada de lana burda. ‖ **2.** Prenda de vestir hecha con este tejido.

sayalería. f. Oficio de sayalero.

sayalero, ra. m. y f. Persona que teje sayales.

sayalesco, ca. adj. De sayal o perteneciente a él.

sayalete. m. d. de **sayal.** ‖ **2.** Sayal delgado, que se usaba para túnicas interiores.

sayama. f. *Ecuad.* Especie de culebra.

sayete. m. d. de **sayo.**

sayo. (Del lat. *sagum*.) m. Prenda de vestir holgada y sin botones que cubría el cuerpo hasta la rodilla. ‖ **2.** fam. Cualquier vestido. ‖ **baquero.** desus. Vestido exterior que cubre todo el cuerpo y se ataca por una abertura que tiene atrás en lo que sirve de jubón. Se usó mucho para los niños. ‖ **bobo.** Vestido estrecho, entero, abotonado, que usaban comúnmente los graciosos en los entremeses. ‖ **cortar a uno un sayo.** fr. fig. y fam. Murmurar de él en su ausencia, censurarlo. ‖ **decir uno, o para, su sayo** una cosa. fr. fig. y fam. Recapacitarla, decirla como hablando consigo a solas.

sayón¹. (Del gót. latinizado *sagio*.) m. En la Edad Media, ministro de justicia, que tenía por principal oficio hacer las citaciones y ejecutar los embargos. ‖ **2.** Verdugo que ejecutaba las penas a que eran condenados los reos. ‖ **3.** Cofrade que va en las procesiones de Semana Santa vestido con una túnica larga. ‖ **4.** fig. y fam. Hombre de aspecto feroz.

sayón². m. Mata ramosa de la familia de las quenopodiáceas, de color ceniciento por las escamitas que la cubren; hojas lanceoladas; flores en espiga, brácteas fructíferas soldadas, simulando una cápsula.

sayuela. f. d. de **saya.** ‖ **2.** Camisa de estameña que usan en algunas órdenes religiosas. ‖ **3.** Funda de bayeta, generalmente de color verde, con la que se cubre la jaula del perdigón cuando se saca al campo. ‖ **4.** adj. Dícese de cierta variedad de higuera.

sayuelo. m. d. de **sayo.** ‖ **2.** *León.* Manga rajada que llevaban en su vestimenta las maragatas.

sayugo. (Del lat. *sabūcus*.) m. *Sal.* Saúco, arbusto.

sayuguina. f. *Sal.* Flor del saúco.

saz. (Del lat. *salix, salĭcis*.) m. **sauce**, árbol.

sazón. (Del lat. *satĭo, -ōnis*, acción de sembrar, sementera.) f. Punto o madurez de las cosas, o estado de perfección en su línea. ‖ **2.** Ocasión, tiempo oportuno o coyuntura. ‖ **3.** Gusto y sabor que se percibe en los alimentos. ‖ **a la sazón.** loc. adv. En aquel tiempo u ocasión. ‖ **en sazón.** loc. adv. Oportunamente, a tiempo, a ocasión.

sazonadamente. adv. m. Con sazón.

sazonado, da. p. p. de **sazonar.** ‖ **2.** adj. fig. Dícese del dicho o frase, o del estilo, sustancioso y expresivo.

sazonador, ra. adj. Que sazona.

sazonar. tr. Dar sazón a la comida. ‖ **2.** Poner las cosas en la sazón, punto y madurez que deben tener. Ú. t. c. prnl.

-sco, ca. suf. de adjetivos y sustantivos. En los adjetivos suele denotar relación o pertenencia, y a veces tiene matiz despectivo. Aparece en las formas -asco, -esco, -isco, -izco, -usco, -uzco: bergamASCO, burlESCO, morISCO, blanquIZCO, pardUSCO, negrUZCO. En los sustantivos, a veces tiene valor aumentativo: borrASCA, peñASCO, o bien colectivo: rufianESCA.

-scopia. (Del gr. σκοπιά, acción de ver.) elem. compos. que significa «examen, vista, exploración»: rinoSCOPIA, radioSCOPIA.

-scopio. (De la raíz gr. σκοπ-, ver.) elem. compos. que significa «instrumento para ver o examinar»: teleSCOPIO, oftalmoSCOPIO.

se¹. (Del lat. *se*, acus. del pron. *sui*.) Forma reflexiva del pronombre personal de tercera persona. Ú. en dativo y acusativo en ambos géneros y números y no admite preposición. Puede usarse proclítico o enclítico: SE *cae*; *cáse*SE. Sirve además para formar oraciones impersonales y de pasiva.

se². (Del ant. *ge*, y este del lat. *illi*.) Dativo masculino o femenino de singular o plural del pronombre personal de tercera persona en combinación con el acusativo *lo, la*, etc.: *Díoselo*, SE *las dio*.

sebáceo, a. adj. Que participa de la naturaleza del sebo o se parece a él.

sebastiano. m. sebestén.

sebe. (Del lat. *saepes*.) f. Cercado de estacas altas entretejidas con ramas largas. ‖ **2.** *Vizc.* Matas de monte bajo. ‖ **3.** *Ast.* seto vivo.

sebestén. (Del ár. *sabastān*, azufaifo.) m. Arbolito de la familia de las borragináceas, de dos a tres metros de altura, con tronco recto, copa irregular, hojas persistentes, pecioladas, alternas, vellosas por el envés, elípticas y enteras; flores blancas, terminales, y fruto amarillento, de forma y tamaño como la ciruela, pulpa dulce y viscosa y nódulo pequeño. Macerando el fruto se obtiene un mucílago que se ha empleado en medicina como emoliente y pectoral. Es originario del Asia Menor. ‖ **2.** Fruto de este arbolito.

sebiya. f. *Cuba.* Ave zancuda, de plumaje rosado, patas negras y pico ensanchado en forma de espátula.

sebo. (Del lat. *sebum*.) m. Grasa sólida y dura que se saca de los animales herbívoros, y que, derretida, sirve para hacer velas, jabones y para otros usos. ‖ **2.** Cualquier género de gordura. ‖ **mostrar el sebo.** fr. fig. desus. Burla entre marineros: cuando una embarcación se libraba de otra que la perseguía, sacándole gran ventaja, daban a la banda, con mofa y afrenta, señalando en el ensebado y espalmado que va debajo del agua.

seboro. m. *Bol.* Cangrejo de agua dulce.

seborrea. (Del lat. *sēbum*, sebo, y *-rea*, del gr. ῥέω, fluir.) f. Aumento patológico de la secreción de las glándulas sebáceas de la piel.

seborreico, ca. adj. Perteneciente o relativo a la seborrea. ‖ **2.** Que padece seborrea.

seboso, sa. (Del lat. *sebōsus*.) adj. Que tiene sebo, especialmente si es mucho. ‖ **2.** Untado de sebo o de otra cosa mantecosa o grasa. ‖ **3.** fig. Decíase de los portugueses, por lo muy derretidos que eran en sus enamoramientos.

sebucán. m. *Col., Cuba* y *Venez.* **cibucán.**

seca. (Del lat. *sicca,* t. f. de *-cus,* seco.) f. Tiempo seco de larga duración, sequía. ‖ **2.** Período en que se secan las pústulas de ciertas erupciones cutáneas. ‖ **3.** Infarto de una glándula. ‖ **4.** Banco de arena no cubierto por el agua, o islita árida de la costa. ‖ **5.** *And.* Especie de torta delgada y extendida.

secácul. (Del ár. *šaqāqul,* chirivía.) m. Planta de Oriente parecida a la chirivía, que tiene una raíz muy aromática.

secadal. m. Terreno muy seco. ‖ **2.** Tierra de labor que no tiene riego. ‖ **3. secano,** banco de arena fuera de las aguas, o islita árida próxima a la costa. ‖ **4.** Cosa muy seca. ‖ **5.** En los tejares, era en que, antes del cocido, se orea la obra modelada.

secadero, ra. (Del lat. *siccatorĭum.*) adj. Apto para conservarse seco; aplícase especialmente a las frutas y al tabaco. ‖ **2.** m. Lugar dispuesto para secar natural o artificialmente ciertos frutos u otros productos.

secadillo. (De *secado,* p. p. de *secar.*) m. Dulce que se hacía de almendras mondadas y machacadas, un poco de corteza de limón, azúcar y clara de huevo.

secadío, a. adj. Que puede secarse o agotarse.

secado. m. Acción y efecto de secar o secarse.

secador, ra. adj. Que seca. ‖ **2.** m. y f. Nombre de diversos aparatos y máquinas destinados a secar las manos, el cabello, la ropa, etc. ‖ **3.** m. *Chile, Perú* y *Urug.* Enjugador de ropa. ‖ **4.** *El Salv.* y *Nicar.* Paño de cocina para secar los platos y la vajilla.

secafirmas. m. Utensilio de escritorio provisto de papel secante, para secar lo escrito.

secamente. adv. m. Con pocas palabras o sin pulimiento ni adorno ni composición. ‖ **2.** Ásperamente, sin atención ni urbanidad.

secamiento. m. Acción y efecto de secar o secarse.

secano. (Del lat. *siccānus.*) m. Tierra de labor que no tiene riego, y solo participa del agua llovediza. ‖ **2.** Banco de arena que no está cubierto por el agua, o islita árida próxima a la costa. ‖ **3.** fig. Cualquier cosa que está muy seca. ‖ **4.** fig. y fam. V. **abogado de secano.**

secansa. (Del fr. *séquence,* y este del lat. *sequentĭa,* secuencia.) f. Juego de naipes parecido al de la treinta y una, del cual se diferencia en que hay envite cuando los jugadores tienen alí o **secansa.** ‖ **2.** Reunión, en este juego, de dos cartas de valor correlativo. ‖ **3.** Reunión, en el juego de los cientos, de tres cartas del mismo palo y de valor correlativo. ‖ **corrida.** Reunión, en el juego de la **secansa,** de tres cartas de valor correlativo. ‖ **real. secansa** corrida compuesta de rey, caballo y sota.

secante¹. (Del lat. *siccans, -antis.*) p. a. de **secar.** Que seca. Ú. t. c. s. ‖ **2.** adj. V. **aceite secante.** Ú. t. c. s. ‖ **3.** Fastidioso, molesto. Ú. t. c. s. ‖ **4. papel secante.** Ú. m. c. s.

secante². (Del lat. *secans, -antis.*) adj. Geom. Aplícase a las líneas o superficies que cortan a otras líneas o superficies. Ú. t. c. s. f. ‖ **de un ángulo.** *Trig.* La del arco que sirve de medida al ángulo. ‖ **de un arco.** *Trig.* Parte de la recta **secante** que pasa por el centro del círculo y por un extremo del arco, comprendida entre dicho centro y el punto donde encuentra la tangente tirada por el otro extremo del mismo arco. ‖ **primera de un ángulo.** *Trig.* **secante de un ángulo.** ‖ **primera de un arco.** *Trig.* **secante de un arco.** ‖ **segunda de un ángulo.** *Trig.* La segunda del arco que sirve de medida al ángulo. ‖ **segunda de un arco.** *Trig.* **cosecante.**

secapelos. m. **secador,** aparato para secar el pelo.

secar. (Del lat. *siccāre.*) tr. Extraer la humedad, o hacer que se exhale de un cuerpo mojado, mediante el aire o el calor que se le aplica. ‖ **2.** Quitar alguien con un trapo, toalla, etc., el líquido o las gotas que hay en una superficie. Ú. t. c. prnl. ‖ **3.** Cerrar, cicatrizar una herida, llaga, úlcera, etc. Ú. t. c. prnl. ‖ **4.** Gastar o ir consumiendo el humor o jugo en los cuerpos. Ú. t. c. prnl. ‖ **5.** fig. Fastidiar, aburrir. Ú. t. c. prnl. ‖ **6.** prnl. Enjugarse la humedad de una cosa evaporándose. ‖ **7.** Quedarse sin agua un río, una fuente, etc. ‖ **8.** Perder una planta su verdor, vigor o lozanía. ‖ **9.** Enflaquecer y extenuarse una persona o un animal. ‖ **10.** fig. Tener mucha sed. ‖ **11.** fig. Dicho del corazón o del ánimo, embotarse, disminuir en afectividad.

secarral. m. Terreno muy seco, sequeral.

secarral. f. Sequedal, terreno muy seco.

secarrón, na. adj. aum. de **seco.** Aplícase generalmente al carácter muy seco y a las personas que lo tienen.

secatón, na. adj. p. us. Sin gracia, soso.

secatura. (Del it. *seccatura.*) f. Insulsez, fastidio.

sección. (Del lat. *sectĭo, -ōnis.*) f. Separación que se hace en un cuerpo sólido con instrumento o cosa cortante. ‖ **2.** Cada una de las partes en que se divide o considera dividido un todo continuo o un conjunto de cosas. ‖ **3.** Cada uno de los grupos en que se divide o considera dividido un conjunto de personas. ‖ **4.** Dibujo del perfil o figura que resultaría si se cortara un terreno, edificio, máquina, etc., por un plano, comúnmente vertical, con objeto de dar a conocer su estructura o su disposición interior. ‖ **5.** *Argent.* Cada una de las partes o piezas independientes que integraban una función teatral. ‖ **6.** *Argent.* **función,** cada una de las presentaciones diarias de un programa teatral o cinematográfico. SECCIÓN *vermú.* ‖ **7.** *Geom.* Figura que resulta de la intersección de una superficie o un sólido con otra superficie. ‖ **8.** *Mil.* Pequeña unidad homogénea, que forma parte de una compañía o de un escuadrón. Es mandada normalmente por un teniente o un alférez. ‖ **cónica.** *Geom.* Cualquiera de las curvas que resultan de cortar la superficie de un cono circular por un plano; comprende los puntos, círculos, elipses, hipérbolas o parábolas. ‖ **de reserva.** *Mil.* Cuadro jerárquico de los generales que han dejado de prestar servicio activo.

seccionar. tr. Dividir en secciones, fraccionar.

sece. (Del lat. *sedĕcim.*) adj. ant. **dieciséis.**

secén. (De *seceno.*) adj. *Ar.* Dícese del madero en rollo, de 16 medias varas de longitud y un diámetro de 11 a 14 dedos. Ú. m. c. s.

seceno, na. (De *sece.*) adj. ant. **dieciseiseno.**

secesión. (Del lat. *secessĭo, -ōnis,* separación, apartamiento.) f. Acto de separarse de una nación parte de su pueblo y territorio. ‖ **2.** Apartamiento, retraimiento de los negocios públicos.

secesionismo. m. Tendencia u opinión favorable a la secesión política.

secesionista. adj. Partidario de la secesión. Apl. a pers., ú. t. c. s. ‖ **2.** Perteneciente o relativo a ella.

seceso. (Del lat. *secessus.*) m. desus. Deposición de vientre.

secluso, sa. (Del lat. *seclūsus,* p. p. de *seclūdĕre,* apartar.) adj. ant. Apartado y separado.

seco, ca. (Del lat. *siccus.*) adj. Que carece de jugo o humedad. ‖ **2.** Falto de agua. Dícese de los manantiales, arroyos, ríos, lagos, etc. ‖ **3.** Aplícase a los guisos en que se prolonga la cocción hasta que quedan sin caldo. *Arroz* SECO. ‖ **4.** Falto de verdor, vigor o lozanía. Dícese particularmente de las plantas. ‖ **5.** Tratándose de las plantas, muerto, sin vida. *Árbol* SECO; *rama* SECA. ‖ **6.** Aplícase a las frutas, especialmente a las de cáscara dura, como avellanas, nueces, etc., y también a aquellas a las cuales se quita la humedad excesiva para que se conserven; como higos, pasas, etc. ‖ **7.** V. **dique, dulce, pan, puerto, taco,**

terno seco. ▌ **8.** V. **ama, brea, caries, gelatina, ley, limonada, pica, piedra, plata, punta seca.** ▌ **9.** Flaco o de muy
pocas carnes. ▌ **10.** Dícese también del tiempo en que no
llueve. ▌ **11.** Aplícase al país o clima caracterizado por la
escasez de lluvia o de humedad. ▌ **12.** fig. Aplícase a lo
que está solo, sin alguna cosa accesoria que le dé mayor
valor o estimación. ▌ **13.** fig. Poco abundante, o falto de
aquellas cosas necesarias para la vida y trato humano.
Este lugar es SECO. ▌ **14.** fig. Áspero, poco cariñoso, desabrido en el modo o trato. ▌ **15.** fig. Riguroso, estricto,
sin contemplaciones ni rodeos. *Justicia, verdad* SECA. ▌ **16.**
fig. En sentido místico, poco fervoroso en la virtud y falto
de devoción en los ejercicios del espíritu. ▌ **17.** fig. Aplí-
cado al entendimiento o al ingenio y a sus producciones,
árido, estéril, falto de amenidad. ▌ **18.** fig. Dícese del
aguardiente puro. ▌ **19.** fig. Aplícase a ciertas bebidas alcohólicas preparadas para que tengan un sabor poco dul-
ce. ▌ **20.** fig. V. **vino seco.** ▌ **21.** fig. Tratándose de ciertos
sonidos, ronco, áspero. *Tos, voz* SECA. ▌ **22.** fig. Dícese del
golpe fuerte, rápido y que no resuena. ▌ **23.** *Bot.* V. **herbario seco.** ▌ **24.** *Cir.* V. **ventosa seca.** ▌ **25.** *Mar.* V. **a palo
seco.** ▌ **26.** *Mar.* V. **verga seca.** ▌ **27.** *Mús.* Dícese del sonido brevísimo y cortado. ▌ **28.** *Quim.* V. **vía seca.** ▌ **29.**
Veter. V. **esparaván seca.** ▌ **30.** *m. Chile.* Golpe, coscorrón.
▌ **31.** *Chile.* Golpe con el rejón del trompo en el cuerpo
de otro trompo. ▌ **a secas.** loc. adv. Solamente, sin otra
cosa alguna. ▌ **dejar** a uno, o **quedar** uno, **seco.** fr. fig. y
fam. Dejarle, o quedar, muerto en el acto. ▌ **en seco.** loc.
adv. Fuera del agua o de un lugar húmedo. *La nave varó*
EN SECO. ▌ **2.** V. **limpieza en seco.** ▌ **3.** fig. Sin causa ni
motivo. ▌ **4.** fig. Sin medios o sin lo necesario para realizar
algo. *Quedarse* EN SECO. ▌ **5.** fig. De repente. *Paró* EN SECO.
▌ **6.** *Albañ.* Sin argamasa.

secón. m. *Sal.* Panal de cera sin miel.

secor. m. ant. Cualidad de seco.

secoya. f. **secuoya.**

secreción. (Del lat. *secretĭo, -ōnis.*) f. Apartamiento, separación. ▌ **2.** Acción y efecto de secretar. ▌ **interna.** *Med.*
Conjunto de hormonas elaboradas en las glándulas endocrinas.

secrestación. f. ant. Acción y efecto de secrestar.

secrestador. m. ant. El que secresta.

secrestar. tr. ant. **secuestrar.** ▌ **2.** ant. Apartar o separar
una cosa de otras o de la comunicación de ellas.

secresto. m. ant. Acción y efecto de secrestar.

secreta. (Del lat. *secrēta,* pl. de *-tum,* secreto.) f. Examen que,
presenciado solo por los doctores de la facultad, se hacía
en algunas universidades para tomar el grado de licenciado. ▌ **2.** Sumaria o pesquisa secreta que se hace a los re-
sidenciados. ▌ **3.** Cada una de las oraciones que se dicen
en algunas misas después del ofertorio y antes del prefacio. ▌ **4.** desus. Retrete, excusado.

secretamente. adv. m. De manera secreta.

secretar. (Del lat. *secrētum,* supino de *secernĕre,* segregar.) tr.
Fisiol. Salir de las glándulas materias elaboradas por ellas
y que el organismo utiliza en el ejercicio de alguna función.

secretaria. f. Mujer del secretario. ▌ **2.** La que hace oficio de secretario.

secretaría. f. Destino o cargo de secretario. ▌ **2.** Oficina
donde trabaja. ▌ **3.** Sección de un organismo, institución,
empresa, etc., ocupada de las tareas administrativas. ▌ **4.**
V. **oficial de secretaría.** ▌ **5.** *Amér.* Ministerio.

secretariado. m. **secretaría,** destino o cargo de secretario. ▌ **2.** Carrera o profesión de secretario o secretaria.
▌ **3. secretaría,** oficina donde despacha el secretario. ▌ **4.**
Cuerpo o conjunto de secretarios.

secretarial. adj. Perteneciente o relativo a la profesión
o cargo de secretario.

secretario, ria. (Del lat. *secretarĭus.*) adj. desus. Dícese de
la persona a quien se comunica algún secreto para que lo
calle. ▌ **2.** m. Sujeto encargado de escribir la correspondencia, extender las actas, dar fe de los acuerdos y custodiar los documentos de una oficina, asamblea o corporación. ▌ **3.** El que redacta la correspondencia de la persona a quien sirve para este fin. ▌ **4.** Máximo dirigente de
algunas instituciones y partidos políticos. ▌ **5.** Escribiente
o amanuense. ▌ **6.** El que por oficio público da fe de escritos y actos. ▌ **7.** *Amér.* Ministro. ▌ **del Despacho,** o **del
Despacho universal.** secretario o ministro con quien el rey
despachaba las consultas pertenecientes al ramo de que estaba encargado. ▌ **particular.** El que está encargado de los
asuntos y correspondencia no oficiales de una persona
constituida en autoridad. ▌ **primer secretario de Estado y
del Despacho.** Ministro de Estado.

secretear. intr. fam. Hablar en secreto una persona con
otra.

secreteo. m. fam. Acción de secretear.

secreter. (Del fr. *secrétaire.*) m. Mueble con tablero para
escribir y con cajones para guardar papeles.

secretista. adj. p. us. Que trata o escribe acerca de los
secretos de la naturaleza. Ú. t. c. s. ▌ **2.** p. us. Dícese de
la persona que habla mucho en secreto.

secreto¹. (Del lat. *secrētum.*) m. Lo que cuidadosamente se
tiene reservado y oculto. ▌ **2.** Reserva, sigilo. ▌ **3.** Despacho de las causas de fe, en las cuales entendía secretamente
el tribunal de la Inquisición. ▌ **4.** Secretaría en que se des-
pachaban y custodiaban estas causas. ▌ **5.** Conocimiento
que exclusivamente alguno posee de la virtud o propiedades de una cosa o de un procedimiento útil en medicina
o en otra ciencia, arte u oficio. ▌ **6.** misterio, cosa que no
se puede comprender. ▌ **7. misterio,** asunto muy reservado.
▌ **8.** Escondrijo que suelen tener algunos muebles para
guardar papeles, dinero u otras cosas. ▌ **9.** En algunas cerraduras, mecanismo oculto, cuyo manejo es preciso conocer de antemano para poder abrirlas. ▌ **10.** ant. **secreta,**
examen de algunas universidades para tomar el grado de
licenciado. ▌ **11.** *Mús.* Tabla armónica del órgano, del piano y de otros instrumentos semejantes. ▌ **12.** adv. m. ant.
De manera secreta. ▌ **de Anchuelo,** o **a voces,** o **con chirimías.** fig. y fam. Misterio que se hace de lo que ya es público, o **secreto** que se confía a muchos. ▌ **de Estado.** El
que no puede revelar un funcionario público sin incurrir
en delito. ▌ **2.** Por ext., cualquier grave asunto político o
diplomático no divulgado todavía. ▌ **de naturaleza.** Aquel
efecto natural que por ser poco sabido excita curiosidad y
aun admiración. ▌ **profesional.** Deber que tienen los miembros de ciertas profesiones, como médicos, abogados, notarios, etc., de no descubrir a tercero los hechos que han
conocido en el ejercicio de su profesión. ▌ **de secreto.** loc.
adv. **en secreto.** ▌ **2.** Sin solemnidad ni ceremonia pública.
▌ **echar un secreto en la calle.** fr. fig. y fam. Publicarlo.
▌ **en secreto.** loc. adv. Secretamente.

secreto², ta. (Del lat. *secrētus,* p. p. de *secernĕre,* segregar.) adj.
Oculto, ignorado, escondido y separado de la vista o del
conocimiento de los demás. ▌ **2.** Callado, silencioso, reservado. ▌ **3.** V. **consistorio, voto secreto.** ▌ **4.** V. **dama,
policía, puerta secreta.**

secretor, ra. adj. *Fisiol.* **secretorio.**

secretorio, ria. adj. Que secreta. Aplícase a los órganos del cuerpo que tienen la facultad de secretar.

secta. (Del lat. *secta.*) f. Conjunto de seguidores de una parcialidad religiosa o ideológica. ▌ **2.** Doctrina religiosa o
ideológica que se diferencia e independiza de otra. ▌ **3.**
Conjunto de creyentes en una doctrina particular o de fieles a una religión que consideran falsa.

sectador, ra. (Del lat. *sectātor, -ōris.*) adj. p. us. **sectario.**
Ú. t. c. s.

sectario, ria. (Del lat. *sectarĭus*.) adj. Que profesa y sigue una secta. Ú. t. c. s. ‖ **2.** Secuaz, fanático e intransigente, de un partido o de una idea.

sectarismo. m. Celo propio de sectario.

sector. (Del lat. *sector, -ōris*.) m. *Geom.* Porción de círculo comprendida entre un arco y los dos radios que pasan por sus extremidades. ‖ **2.** Escaños del hemiciclo parlamentario donde se sientan individuos de un mismo partido o ideología. *Su discurso fue aplaudido por los distintos* SECTORES *de la Cámara.* ‖ **3.** fig. Parte de una clase o de una colectividad que presenta caracteres peculiares. *Los obreros del* SECTOR *metalúrgico.* ‖ **esférico.** *Geom.* Porción de esfera comprendida entre un casquete y la superficie cónica formada por los radios que terminan en su borde.

sectorial. adj. Perteneciente o relativo a un sector o sección de una colectividad con caracteres peculiares. ‖ **2.** *Geom.* Que se refiere o pertenece al sector.

secua. f. *Cuba.* Planta cucurbitácea de flores grandes en racimo.

sécuano, na. (Del lat. *sequānus*.) adj. Dícese del individuo que habitaba al Oeste de las fuentes del Sena en la época de César. Ú. t. c. s. ‖ **2.** Perteneciente o relativo a esta región. Ú. t. c. s. *Vino* SÉCUANO.

secuaz. (Del lat. *sequax, -ācis*.) adj. Que sigue el partido, doctrina u opinión de otro. Tómase con frecuencia en sentido peyorativo. Ú. t. c. s.

secuela. (Del lat. *sequēla*.) f. Consecuencia o resulta de una cosa. ‖ **2.** Trastorno o lesión que queda tras la curación de una enfermedad o un traumatismo, y que es consecuencia de los mismos. ‖ **3.** ant. Gente que en obsequio, respeto o aplauso de uno le acompaña y sigue; séquito. ‖ **4.** ant. **secta.**

secuencia. (Del lat. *sequentĭa*, continuación; de *sequi*, seguir.) f. Prosa o verso que se dice en ciertas misas después del gradual. ‖ **2.** Continuidad, sucesión ordenada. ‖ **3.** Serie o sucesión de cosas que guardan entre sí cierta relación. ‖ **4.** En cinematografía, sucesión no interrumpida de planos o escenas que en una película se refieren a una misma parte o aspecto del argumento. ‖ **5.** *Biol.* Ordenación específica de cada una de las unidades que constituyen un biopolímero. ‖ **6.** *Mús.* Progresión o marcha armónica. ‖ **7.** *Mat.* Conjunto de cantidades u operaciones ordenadas de tal modo que cada una determina la siguiente.

secuencial. adj. Perteneciente o relativo a la secuencia.

secuenciar. (De *secuencia*.) tr. Establecer una serie o sucesión de cosas que guardan entre sí cierta relación.

secuestración. (Del lat. *sequestratĭo, -ōnis*.) f. Acción y efecto de secuestrar.

secuestrador, ra. (Del lat. *sequestrātor, -ōris*.) adj. Que secuestra. Ú. m. c. s.

secuestrar. (Del lat. *sequestrāre*.) tr. Depositar judicial o gubernativamente una alhaja en poder de un tercero hasta que se decida a quién pertenece. ‖ **2.** Embargar judicialmente. ‖ **3.** Retener indebidamente a una persona para exigir dinero por su rescate, o para otros fines. ‖ **4.** Tomar por las armas el mando de un vehículo (avión, barco, etc.) reteniendo a la tripulación y pasaje, a fin de exigir como rescate una suma de dinero o la concesión de ciertas reivindicaciones.

secuestrario, ria. (Del lat. *sequestrarĭus*.) adj. Perteneciente o relativo al secuestro.

secuestro. (Del lat. *sequestrum*.) m. Acción y efecto de secuestrar. ‖ **2.** Bienes secuestrados. ‖ **3.** desus. Juez árbitro o mediador. ‖ **4.** *Cir.* Porción de hueso mortificada que subsiste en el cuerpo separada de la parte viva. ‖ **5.** *Der.* Depósito judicial por embargo de bienes, o como medida de aseguramiento en cuanto a los litigiosos.

sécula (para). (Del lat. *saecŭla*, siglos.), o **para in sécula,** o

sécula sin fin, o **sécula seculórum.** frs. advs. Para siempre jamás.

secular. (Del lat. *seculāris*.) adj. **seglar.** ‖ **2.** Que sucede o se repite cada siglo. ‖ **3.** Que dura un siglo, o desde hace siglos. ‖ **4.** Dícese del clero o sacerdote que vive en el siglo, a distinción del que vive en clausura. Apl. a pers., ú. t. c. s. ‖ **5.** V. **brazo secular.**

secularización. f. Acción y efecto de secularizar o secularizarse.

secularizado, da. p. p. de **secularizar.** ‖ **2.** adj. V. **bienes secularizados.**

secularizar. tr. Hacer secular lo que era eclesiástico. Ú. t. c. prnl. ‖ **2.** Autorizar a un religioso o a una religiosa para que pueda vivir fuera de clausura.

secundar. (Del lat. *secundāre*.) tr. Apoyar, cooperar con alguien ayudándole en la realización de sus propósitos.

secundariamente. adv. m. En segundo lugar.

secundario, ria. (Del lat. *secundarĭus*.) adj. Segundo en orden y no principal, accesorio. ‖ **2.** *Astron.* V. **planeta secundario.** ‖ **3.** Aplícase a la segunda enseñanza. ‖ **4.** *Electr.* Respecto de una bobina de inducción u otro aparato semejante, dícese de la corriente inducida y del circuito por donde fluye. ‖ **5.** *Geol.* Dícese de los terrenos triásico, jurásico y cretáceo. Ú. t. c. s. ‖ **6.** *Geol.* Perteneciente a ellos. ‖ **7.** *Geol.* **mesozoico.** ‖ **8.** *Pint.* V. **luz secundaria.**

secundinas. (Del lat. *secundinae, -arum*.) f. pl. *Obst.* Placenta y membranas que envuelven el feto.

secundípara. (Del lat. *secundus* y *parĕre*.) adj. Aplícase a la mujer que pare por segunda vez.

secuoya. (Del ing. *sequoia*.) f. Género de árboles pertenecientes a las coníferas de la familia de las taxodiáceas, con dos especies de América del Norte, bastante difundidas en nuestros parques y arboretos; ambas son célebres por sus grandes dimensiones y majestuoso porte: una de ellas es la velintonia; la otra, con hojas parecidas a las del tejo, es mucho más abundante en las montañas de la costa occidental de los Estados Unidos, donde la llaman *árbol mamut.*

secura. f. p. us. Calidad de seco.

secutar. (Del lat. *secūtus*.) tr. ant. Poner por obra, ejecutar.

secutor, ra. (Del lat. *secūtus*.) adj. ant. **ejecutor.**

secutoria. f. ant. **ejecutoria.**

sed. (Del lat. *sitis*.) f. Gana y necesidad de beber. ‖ **2.** Necesidad de agua o de humedad que tienen ciertas cosas. ‖ **3.** fig. Apetito o deseo ardiente de una cosa. ‖ **apagar la sed.** fr. fig. Aplacarla bebiendo. ‖ **hacer sed.** fr. Tomar incentivos que la causen, o esperar algún tiempo hasta tenerla. ‖ **matar la sed.** fr. fig. **apagar la sed.** ‖ **una sed de agua.** fr. fig. y fam. Cosa menguada o escasísima. Ú. principalmente en la frase: *No dar a uno* UNA SED DE AGUA.

seda. (Del lat. *saeta*, cerda.) f. *Zool.* Líquido viscoso segregado por ciertas glándulas de algunos artrópodos, como las orugas y las arañas, que sale del cuerpo por orificios muy pequeños y se solidifica en contacto con el aire formando hilos finísimos y flexibles. ‖ **2.** Hilo formado con varias de estas hebras producidas por el gusano de la **seda** y a propósito para coser o tejer diferentes telas, todas finas, suaves y lustrosas. ‖ **3.** Cualquier obra o tela hecha de seda. ‖ **4.** Cerdas de algunos animales, especialmente del jabalí. ‖ **5.** V. **árbol, mariposa, mata de la seda.** ‖ **6.** V. **gusano, papel de seda.** ‖ **7.** *Córd.* Enfermedad de algunos árboles frutales, especialmente del manzano, que consiste en una especie de tela de araña que sofoca la flor. ‖ **ahogada.** La que se hila después de ahogado el gusano. ‖ **artificial.** Designación vulgar del rayón. ‖ **La** de inferior calidad, que se hila de las primeras capas del capullo después de quitada la borra. ‖ **cocida.** La que cocida en una agua alcalina, ha perdido la goma o barniz que naturalmente tiene. ‖ **conchal.** La de clase superior, que se hila de los capullos escogidos. ‖ **cruda.** La que conserva la goma que naturalmente tiene. ‖ **de candongo, o de candongos. seda** más delgada que la conchal, que se emplea principalmente en tejidos. ‖ **de capullos, o de todo capullo.** La basta y gruesa que se saca de los capullos de inferior calidad. ‖ **floja. seda** lasa, sin torcer. ‖ **joyante.** La que es muy fina y de mucho lustre. ‖ **medio conchal. seda** de calidad inferior a la de candongo y cuyo peso específico es la mitad del de la conchal. ‖ **ocal.** La de inferior calidad, pero fuerte, que se saca del capullo ocal. ‖ **porrina.** *Murc.* **seda** azache. ‖ **redonda. seda** ocal. ‖ **salvaje.** Tejido de **seda** que tiene algunos hilos más gruesos que el resto. ‖ **verde.** La que se hila estando vivo el gusano dentro del capullo. ‖ **como una seda.** fr. fig. y fam. Muy suave al tacto. ‖ **2.** fig. y fam. Dícese de la persona dócil y de suave condición. ‖ **3.** fig. y fam. Dícese cuando se consigue algo sin tropiezo ni dificultad. ‖ **de media seda.** loc. adj. De **seda** mezclada con otra materia textil. ‖ **de toda seda.** loc. adj. De **seda** sin mezcla de otra fibra.

sedación. f. Acción y efecto de sedar.

sedadera. f. Instrumento para asedar el cáñamo.

sedal. m. Trozo corto de hilo fino y muy resistente que se ata por un extremo al anzuelo y por el otro a la cuerda que pende de la caña de pescar. ‖ **2.** *Cir.* y *Veter.* Cinta o cordón que se mete por una parte de la piel y se saca por otra a fin de provocar una supuración en el lugar donde se introduce, o de dar salida a las materias allí contenidas.

sedancia. f. Cualidad de sedante.

sedante. p. a. de **sedar.** Que seda. Ú. t. c. s. ‖ **2.** adj. Dícese del fármaco que disminuye la excitación nerviosa o produce sueño. Ú. t. c. s. m.

sedar. (Del lat. *sedāre*.) tr. Apaciguar, sosegar, calmar.

sedativo, va. (Del lat. *sedātum*, supino de *sedāre*, calmar, apaciguar.) adj. *Farm.* Que tiene virtud de calmar o sosegar los dolores o la excitación nerviosa.

sede. (Del lat. *sedes*, silla, asiento.) f. Asiento o trono de un prelado que ejerce jurisdicción. ‖ **2.** Capital de una diócesis. ‖ **3.** Territorio de la jurisdicción de un prelado. ‖ **4.** Jurisdicción y potestad del Sumo Pontífice, vicario de Cristo. ‖ **5.** Lugar donde tiene su domicilio una entidad económica, literaria, deportiva, etc. ‖ **apostólica.** La fundada por alguno de los doce apóstoles o de sus inmediatos discípulos y, por antonom., la de Roma. ‖ **plena.** Actual ocupación de la dignidad episcopal o pontificia por persona que, como prelado de ella, la administra y rige. ‖ **vacante.** La que no está ocupada, por muerte o cesación del Sumo Pontífice o del prelado de una iglesia. ‖ **Santa Sede.** Jurisdicción y potestad del Papa.

sedear. (De *seda*, cerda.) tr. Limpiar alhajas con la sedera.

sedentario, ria. (Del lat. *sedentarius*, de *sedēre*, estar sentado.) adj. Aplícase al oficio o vida de poca agitación o movimiento. ‖ **2.** Dícese del pueblo o tribu que se dedica a la agricultura, asentado en algún lugar, por oposición al nómada. ‖ **3.** *Zool.* Dícese de animales que, como los pólipos coloniales, carecen de órganos de locomoción durante toda su vida y permanecen siempre en el mismo lugar en que han nacido, y de los que, como los anélidos del tipo de la sabela, pierden en el estado adulto los órganos locomotores que tenían en la fase larval y se fijan en un sitio determinado, en el que pasan el resto de su vida.

sedente. (Del lat. *sedens, -entis*.) adj. Que está sentado.

sedeña. (De *sedeño*.) f. Estopilla segunda que se saca del lino al rastrillarlo. ‖ **2.** Hilaza o tela que se hace de dicha estopilla. ‖ **3.** *Ast.* y *Cantabria.* Sedal de pescar.

sedeño, ña. adj. De seda o semejante a ella. ‖ **2.** Que tiene sedas o cerdas.

sedera. (De *seda*, cerda.) f. Escobilla o brocha de cerdas.

sedería. f. Mercancía de seda. ‖ **2.** Conjunto de ellas. ‖

3. Su tráfico. ‖ **4.** Tienda donde se venden géneros de seda.

sedero, ra. adj. Perteneciente o relativo a la seda. *Industria* SEDERA. ‖ **2.** m. y f. Persona que labra la seda o trata en ella.

sedicente. (Calco del fr. *soi-disant*.) adj. Se aplica irónicamente a la persona que se da a sí misma tal o cual nombre, sin convenirle el título o condición que se atribuye. *Los* SEDICENTES *filósofos*.

sedición. (Del lat. *seditio, -ōnis*.) f. Alzamiento colectivo y violento contra la autoridad, el orden público o la disciplina militar sin llegar a la gravedad de la rebelión. ‖ **2.** fig. Sublevación de las pasiones.

sediciosamente. adv. m. De manera sediciosa.

sedicioso, sa. (Del lat. *seditiōsus*.) adj. Dícese de la persona que promueve una sedición o toma parte en ella. Ú. t. c. s. ‖ **2.** Dícese de los actos o palabras de esta persona.

sediente. adj. ant. Que tiene sed.

sedientes. (Del lat. *sedens, -entis*, p. a. de *sedēre*, estar sentado, quieto.) adj. pl. V. **bienes sedientes.**

sediento, ta. adj. Que tiene sed. Apl. a pers., ú. t. c. s. ‖ **2.** fig. Aplícase a los campos, tierras o plantas que necesitan de humedad o riego. ‖ **3.** fig. Que con ansia desea una cosa.

sedimentación. f. Acción y efecto de sedimentar o sedimentarse.

sedimentar. tr. Depositar sedimento un líquido. Ú. t. c. prnl. ‖ **2.** prnl. Formar sedimento las materias suspendidas en un líquido.

sedimentario, ria. adj. Perteneciente o relativo al sedimento.

sedimento. (Del lat. *sedimentum*.) m. Materia que, habiendo estado suspensa en un líquido, se posa en el fondo por su mayor gravedad.

sedoso, sa. adj. Parecido a la seda o suave como ella.

seducción. (Del lat. *seductio, -ōnis*.) f. Acción y efecto de seducir.

seducir. (Del lat. *seducěre*.) tr. Engañar con arte y maña; persuadir suavemente al mal. ‖ **2.** Embargar o cautivar el ánimo.

seductivo, va. adj. Dícese de lo que seduce.

seductor, ra. (Del lat. *seductor, -ōris*.) adj. Que seduce. Ú. t. c. s.

seer. (Del lat. *sedēre*.) Verbo sustantivo, auxiliar e intr. ant. **ser**[2]. ‖ **2.** intr. ant. Estar sentado.

sefardí. (Del hebr. *sefardí*, de *Sefarad*, España.) adj. Dícese del judío oriundo de España, o del que, sin proceder de España, acepta las prácticas especiales religiosas que en el rezo mantienen los judíos españoles. Ú. t. c. s. ‖ **2.** Perteneciente o relativo a ellos. ‖ **3.** m. Dialecto judeo-español.

sefardita. adj. **sefardí.** Ú. t. c. s.

sega. (De *seguir*.) m. fam. En algunos juegos, el segundo en orden de los que juegan.

segable. (Del lat. *secabĭlis*.) adj. Que está en sazón para ser segado.

segada. (De *segar*.) f. Acción y efecto de segar.

segadera. f. Hoz para segar. ‖ **2.** desus. Mujer que siega.

segadero, ra. (De *segar*.) adj. Que está en sazón para ser segado.

segador. (Del lat. *secātor, -ōris*.) m. El que siega. ‖ **2.** Arácnido pequeño, de patas muy largas, con el cuerpo redondeado y el vientre aovado, comprimido y rugoso.

segadora. (De *segador*.) adj. Dícese de la máquina que sirve para segar. Ú. t. c. s. f. ‖ **2.** Mujer que siega.

segallo. (De or. inc.) m. *Ar.* Cabrito antes de llegar a primal.

segar. (Del lat. *secāre*, cortar.) tr. Cortar mieses o hierba con la hoz, la guadaña o cualquier máquina a propósito. ‖ **2.**

Cortar de cualquier manera, y especialmente lo que sobresale o está más alto. SEGAR *la cabeza, el cuello.* ‖ **3.** fig. Cortar, interrumpir algo de forma violenta y brusca.

segazón. (Del lat. *secatĭo, -ōnis.*) f. Acción y efecto de segar. ‖ **2.** Tiempo en que se siega.

seglar. (Del lat. *saecŭlāris.*) adj. Perteneciente a la vida, estado o costumbre del siglo o mundo. ‖ **2.** Que no tiene órdenes clericales. Ú. t. c. s. ‖ **3.** V. **brazo seglar.**

seglarmente. adv. m. De modo seglar.

segmentación. f. Acción y efecto de segmentar. ‖ **2.** *Biol.* División reiterada de la célula huevo de animales y plantas, en virtud de la cual se constituye un cuerpo pluricelular, que es la primera fase del embrión.

segmentado, da. p. p. de **segmentar.** ‖ **2.** adj. *Zool.* Dícese del animal cuyo cuerpo consta de partes o segmentos dispuestos en serie lineal; como la lombriz solitaria y el cangrejo.

segmentar. tr. Cortar o partir en segmentos.

segmento. (Del lat. *segmentum.*) m. Porción o parte cortada o separada de una cosa, de un elemento geométrico o de un todo. ‖ **2.** *Geom.* Parte de una recta comprendida entre dos puntos. ‖ **3.** *Ling.* Signo o conjunto de signos que pueden aislarse en la cadena oral mediante una operación de análisis. ‖ **4.** *Mec.* Cada uno de los aros elásticos de metal que encajan en ranuras circulares del émbolo y que, por tener un diámetro algo mayor que este, se ajustan a las paredes del cilindro. ‖ **5.** *Zool.* Cada una de las partes dispuestas en serie lineal de que está formado el cuerpo de algunos animales, como los insectos y las lombrices de tierra, o ciertos órganos de otros, v. gr. las vértebras en la columna vertebral. ‖ **esférico.** *Geom.* Parte de la esfera cortada por un plano que no pasa por el centro.

segobricense. adj. Natural de Segorbe. Ú. t. c. s. ‖ **2.** Perteneciente o relativo a esta ciudad.

segobrigense. (Del lat. *Segobrigensis.*) adj. Natural de la antigua Segóbriga, hoy Segorbe. Ú. t. c. s. ‖ **2.** Perteneciente o relativo a esta ciudad.

segorbino, na. adj. Natural de Segorbe. Ú. t. c. s. ‖ **2.** Perteneciente o relativo a esta ciudad de Castellón.

segote. (De *segar.*) m. *Ast.* Guadaña pequeña para segar.

segoviano, na. adj. Natural de Segovia. Ú. t. c. s. ‖ **2.** Perteneciente o relativo a esta ciudad o a su provincia.

segoviense. adj. **segoviano.** Apl. a pers., ú. t. c. s.

segregación. (Del lat. *segregatĭo, -ōnis.*) f. Acción y efecto de segregar.

segregacionismo. m. Doctrina del segregacionista y su práctica.

segregacionista. adj. Perteneciente o relativo a la segregación racial. ‖ **2.** com. Partidario de esta segregación.

segregar. (Del lat. *segregāre.*) tr. Separar o apartar una cosa de otra u otras. ‖ **2.** Secretar, excretar, expeler.

segregativo, va. (Del lat. *segregatīvus.*) adj. Que segrega o tiene virtud de segregar.

segrí. (De or. inc.) m. Tela de seda, fuerte y labrada, que se usó para vestidos de señora.

segudar. (Del lat. **secutāre,* de *secūtus,* el que sigue.) tr. ant. Echar, arrojar. ‖ **2.** ant. Seguir al que huye, perseguir.

segueta. (De or. inc.) f. Sierra de marquetería.

seguetear. intr. Trabajar con la segueta.

seguida. f. Acción y efecto de seguir. ‖ **2.** Cierto baile antiguo. ‖ **a seguida,** loc. adv. **en seguida.** ‖ **de seguida.** loc. adv. Consecutiva o continuamente, sin interrupción. ‖ **2.** Inmediatamente. ‖ **en seguida.** loc. adv. Inmediatamente después en el tiempo o en el espacio.

seguidamente. adv. m. en seguida. ‖ **2. en seguida.**

seguidero. m. Regla o pauta para escribir, seguidor.

seguidilla. (d. de *seguida.*) f. Composición métrica que puede constar de cuatro o de siete versos, de los cuales son, en ambos casos, heptasílabos y libres el primero y el tercero, y de cinco sílabas y asonantes los otros dos. Cuando consta de siete, el quinto y el séptimo tienen esta misma medida y forman también asonancia entre sí, y el sexto es, como el primero y el tercero, heptasílabo y libre. ‖ **2.** *Argent.* Sucesión de hechos u objetos que se perciben como semejantes y próximos en el tiempo. ‖ **3.** pl. Aire popular español. ‖ **4.** Baile correspondiente a este aire. ‖ **5.** fig. y fam. Cámaras o flujo de vientre. ‖ **chamberga.** seguidilla con estribillo irregular de seis versos, de los cuales asonantan entre sí el primero y el segundo, el tercero y el cuarto, el quinto y el sexto, y los impares constan, por lo regular, de tres sílabas. ‖ **gitana.** Copla andaluza, plañidera y sombría, que se compone por lo general de cuatro versos, los dos primeros y el último de seis sílabas y el tercero de once, dividido en hemistiquios de cinco y de seis. Las hay también de solo tres versos, el primero y el último de seis sílabas y de once el segundo. ‖ **seguidillas boleras.** Música con que se acompaña las bailadas a lo bolero. ‖ **manchegas.** Música o tono especial, originario de la Mancha, con que se cantan las coplas llamadas **seguidillas.** ‖ **2.** Baile propio de esta tonada.

seguido, da. p. p. de **seguir.** ‖ **2.** adj. Continuo, sucesivo, sin intermisión de lugar o tiempo. ‖ **3.** Que está en línea recta. ‖ **4.** adv. m. **de seguida.** ‖ **5.** m. p. us. Cada uno de los puntos que van menguando en el remate del pie de las calcetas, medias, etc., para cerrarlo.

seguidor, ra. adj. Que sigue a una persona o cosa. Ú. t. c. s. ‖ **2.** m. Regla o pauta para escribir.

seguimiento. m. Acción y efecto de seguir o seguirse.

seguir. (Del lat. **sequĕre,* de *sequi,* con la terminación de *ire.*) tr. Ir después o detrás de uno. Ú. t. c. intr. ‖ **2.** Dirigir la vista hacia un objeto que se mueve y mantener la visión de él. ‖ **3.** Ir en busca de una persona o cosa; dirigirse, caminar hacia ella. ‖ **4.** Proseguir o continuar en lo empezado. ‖ **5.** Ir en compañía de uno. *Vine con él y le* SEGUÍ *siempre.* ‖ **6.** Profesar o ejercer una ciencia, arte o estado. ‖ **7.** Observar atentamente el curso de un negocio o los movimientos de una persona o cosa. ‖ **8.** Tratar o manejar un negocio o pleito, haciendo las diligencias conducentes para su logro. ‖ **9.** Conformarse, convenir, ser del dictamen o parcialidad de una persona. ‖ **10.** Perseguir, acosar o molestar a uno; ir en busca o alcance. SEGUIR *una fiera.* ‖ **11.** Imitar o hacer una cosa por el ejemplo que otro ha dado de ella. ‖ **12.** Dirigir una cosa por camino o método adecuado, sin apartarse del intento. ‖ **13.** prnl. Inferirse o ser consecuencia una cosa de otra. ‖ **14.** Suceder una cosa a otra por orden, turno o número, o ser continuación de ella. ‖ **15.** fig. Originarse o causarse una cosa de otra.

según. (Del lat. *secundum.*) prep. Conforme o con arreglo a. SEGÚN *la ley;* SEGÚN *arte;* SEGÚN *eso.* ‖ **2.** Toma carácter de adverbio, denotando relaciones de conformidad, correspondencia o modo, y equivaliendo más comúnmente a: con arreglo o en conformidad a lo que, o a como: SEGÚN *veamos;* SEGÚN *se encuentre mañana el enfermo.* Con proporción o correspondencia a: *se te pagará* SEGÚN *lo que trabajes.* De la misma suerte o manera que: *todo queda* SEGÚN *estaba.* Por el modo en que: *la cabeza sin toca, ni con otra cosa adornada que con sus mismos cabellos, que eran sortijas de oro,* SEGÚN *eran rubios y enrizados.* ‖ **3.** Precediendo inmediatamente a nombres o pronombres personales, significa con arreglo o conformemente a lo que opinan o dicen estos nombres o personas: SEGÚN *él;* SEGÚN *ellos;* SEGÚN *Aristóteles;* SEGÚN *San Pablo.* ‖ **4.** Hállase construido con la conjunción *que.* SEGÚN QUE *lo prueba la experiencia.* ‖ **5.** Con carácter adverbial y en frases elípticas indica eventualidad o contingencia. *Iré o me quedaré,* SEGÚN. ‖ **según y como.** loc. conjunt. De igual suerte o manera que. *Se lo diré* SEGÚN Y COMO *tú me lo dices;*

todo te lo devuelvo SEGÚN Y COMO *lo recibí.* ‖ **2. según,** que indica contingencia. *¿Vendrás mañana?* -SEGÚN Y COMO. ‖ **según y conforme.** loc. conjunt. **según y como.**

segunda. (Del lat. *secunda,* t. f. de -*dus,* segundo.) f. En las cerraduras y llaves, vuelta doble que suele hacerse en ellas. ‖ **2. segunda intención.** *Hablar con* SEGUNDA. Ú. t. en pl. ‖ **3.** En algunos instrumentos de cuerda la que está después de la prima. ‖ **4.** Marcha del motor de un vehículo que tiene mayor velocidad que la primera y menor potencia que la tercera.

segundamente. adv. m. ant. En segundo lugar.

segundar. tr. Repetir uno un acto que acaba de hacer. ‖ **2.** intr. Ser segundo o seguirse al primero.

segundariamente. adv. m. **secundariamente.**

segundario, ria. adj. **secundario.**

segundero, ra. adj. Dícese del segundo fruto que dan ciertas plantas dentro del año. ‖ **2.** V. **corcho segundero.** ‖ **3.** m. Manecilla que señala los segundos en el reloj.

segundilla. (d. de *segunda.*) f. desus. Agua que se enfría en los residuos de nieve que quedan después de haber enfriado otra agua. ‖ **2.** Campana pequeña con que en ciertos conventos se llama o avisa a la comunidad para algunos actos de su obligación. ‖ **3.** *Col.* Corta porción de alimento, refrigerio.

segundillo. m. d. de **segundo.** ‖ **2.** Segunda porción de pan, menor que la primera y principal, que suele darse en las comidas a los religiosos de ciertas comunidades. ‖ **3.** Segundo principio que suele dárseles.

segundo, da. (Del lat. *secundus.*) adj. Que sigue inmediatamente en orden al o a lo primero. ‖ **2.** p. us. **favorable.** ‖ **3.** V. **causa, tía segunda.** ‖ **4.** V. **segunda academia, segunda enseñanza, segunda mesa.** ‖ **5.** V. **segundo miembro.** ‖ **6.** V. **minuto, primo, sobrino, tío segundo.** ‖ **7.** V. **potro de segundo bocado.** ‖ **8.** fam. V. **segunda intención.** ‖ **9.** *Álg.* y *Arit.* V. **segunda potencia.** ‖ **10.** *Der.* V. **recurso de segunda suplicación.** ‖ **11.** *Mil.* V. **segundo cabo, segundo teniente.** ‖ **12.** *Trig.* V. **seno segundo.** ‖ **13.** *Trig.* V. **secante, tangente segunda de un ángulo.** ‖ **14.** *Trig.* V. **secante de un arco.** ‖ **15.** m. Persona que en una institución sigue en jerarquía al jefe o principal. ‖ **16.** Cada una de las sesenta partes en que se divide el minuto de tiempo. ‖ **17.** *Geom.* Cada una de las sesenta partes en que se divide el minuto de circunferencia. ‖ **batir segundos.** fr. Dicho del reloj o del péndulo, sonar o producir el ruido acompasado indicador de su marcha. ‖ **sin segundo.** expr. fig. **sin par.**

segundogénito, ta. (De *segundo* y el lat. *genitus,* engendrado.) adj. Dícese del hijo o hija nacidos después del primogénito o primogénita. Ú. t. c. s.

segundogenitura. f. Dignidad, prerrogativa o derecho del segundogénito. ‖ **2.** *Der.* V. **mayorazgo de segundogenitura.**

segundón. m. Hijo segundo de la casa. ‖ **2.** Por ext., cualquier hijo no primogénito. ‖ **3.** fig. y fam. Hombre que ocupa un puesto o cargo inferior al más importante o de mayor categoría.

seguntino, na. (Del lat. *Seguntinus.*) adj. Natural de Sigüenza. Ú. t. c. s. ‖ **2.** Perteneciente a esta ciudad de la provincia de Guadalajara.

segur. (Del lat. *secūris.*) f. Hacha grande para cortar. ‖ **2.** Hacha que formaba parte de cada una de las fasces de los lictores romanos. ‖ **3. hoz**[1] para cortar.

Segura[1]. (El apellido *Segura* puesto en juego con su homónimo el adj. *segura.*) **a Segura llevan, o le llevan, preso.** fr. proverb. con que se da a entender que toda precaución es poca cuando se puede correr algún peligro, por inverosímil o remoto que parezca.

segura[2]. f. ant. **segur.**

segurador. (De *segurar.*) m. Persona que sale fiadora de otro.

seguramente. adv. m. De modo seguro. Ú. t. c. adv. afirm. *¿Vendrás mañana?* -SEGURAMENTE. ‖ **2.** Probablemente, acaso.

seguramiento. (De *segurar.*) m. ant. **seguridad.**

seguranza. (De *segurar.*) f. ant. **seguridad.** Ú. en Asturias y Salamanca.

segurar. (De *seguro.*) tr. ant. **asegurar.**

segureja. f. Hacha pequeña con astil largo y flexible.

seguridad. (Del lat. *securĭtas, -ātis.*) f. Cualidad de seguro. ‖ **2.** Fianza u obligación de indemnidad a favor de uno, regularmente en materia de intereses. ‖ **de seguridad.** loc. adj. que se aplica a un ramo de la administración pública cuyo fin es el de velar por la **seguridad** de los ciudadanos. *Dirección general, agente* DE SEGURIDAD. ‖ **2.** Se aplica también a ciertos mecanismos que aseguran algún buen funcionamiento, precaviendo que este falle, se frustre o se violente. *Muelle, cerradura* DE SEGURIDAD. ‖ **3.** V. **lámpara, mecha de seguridad.**

seguro, ra. (Del lat. *secūrus.*) adj. Libre y exento de todo peligro, daño o riesgo. ‖ **2.** Cierto, indubitable y en cierta manera infalible. ‖ **3.** Firme, constante y que no está en peligro de faltar o caerse. ‖ **4.** Desprevenido, ajeno de sospecha. ‖ **5.** m. Seguridad, certeza, confianza. ‖ **6.** Lugar o sitio libre de todo peligro. ‖ **7.** Contrato por el cual una persona, natural o jurídica, se obliga a resarcir pérdidas o daños que ocurran en las cosas que corren un riesgo en mar o tierra. ‖ **8.** Salvoconducto, licencia o permiso que se concede para ejecutar lo que sin él no se pudiera. ‖ **9.** Muelle destinado en algunas armas de fuego a evitar que se disparen en el juego de la llave. ‖ **10.** Cualquier mecanismo que impide el funcionamiento indeseado de un aparato, utensilio o máquina, o que aumenta la firmeza de un cierre. ‖ **11.** V. **carta de seguro.** ‖ **12.** adv. m. **seguramente.** ‖ **de vida.** seguro sobre la vida. ‖ **sobre la vida.** Contrato por el cual el asegurador se obliga, mediante una cuota estipulada, a entregar al contratante o al beneficiario un capital o renta al verificarse el acontecimiento previsto o durante el término señalado. ‖ **subsidiario.** El que cubre el riesgo de que otro asegurador falte al pago de la indemnización por, por virtud de contrato hecho con anterioridad, le sea exigible. ‖ **a buen seguro, al seguro, o de seguro.** locs. advs. Ciertamente, en verdad. ‖ **en seguro.** loc. adv. **en salvo.** ‖ **2. a salvo.** ‖ **irse uno del seguro.** fr. fig. y fam. Entregarse a algún arrebato, olvidando los dictados de la prudencia. ‖ **sobre seguro.** loc. adv. Sin aventurarse a ningún riesgo.

segurón. m. aum. de **segur.**

seico (De *seis.*) m. *Ál.* Conjunto apilado de seis haces de mies.

seis. (Del lat. *sex.*) adj. Cinco y uno. ‖ **2.** Sexto, ordinal. *Número* SEIS; *año* SEIS. Apl. a los días del mes, ú. t. c. s. *El* SEIS *de abril.* ‖ **3.** m. Signo o conjunto de signos con que se representa el número **seis.** ‖ **4.** Naipe que tiene **seis** señales. *El* SEIS *de espadas.* ‖ **5.** Cada uno de los **seis** regidores que ciertos lugares o villas diputaban para el gobierno político y económico o para un negocio particular. ‖ **6.** *P. Rico.* Baile popular, especie de zapateado.

seisavar. (De *seisavo.*) tr. Dar a una cosa figura de hexágono regular.

seisavo, va. (De *seis* y -*avo.*) adj. Cada una de las seis partes en que se divide un todo. Ú. t. c. s. m. ‖ **2.** Dícese del polígono de seis ángulos y seis lados. Ú. m. c. s.

seiscientos, tas. (Del lat. *sexcentos.*) adj. Seis veces ciento. ‖ **2.** Sexcentésimo, ordinal. *Número* SEISCIENTOS; *año* SEISCIENTOS. ‖ **3.** m. Conjunto de signos con que se representa el número **seiscientos.**

seise. (Singular hecho del pl. *seises,* de seis.) m. Cada uno de los niños de coro, seis por lo común, que, vestidos lujosamente con traje antiguo de seda azul y blanca, bailan y cantan tocando las castañuelas en la catedral de Sevilla, y en algunas otras, en determinadas festividades del año.

seisén. (De *seis*.) m. **sesén.**

seiseno, na. (De *seis*.) adj. Sexto, ordinal.

seisillo. (d. de *seis*.) m. *Mús.* Conjunto de seis notas iguales que se deben cantar o tocar en el tiempo correspondiente a cuatro de ellas.

seísmo. (Del gr. σεισμός, sacudida.) m. Terremoto, sismo.

seje. m. Árbol de América Meridional, de la familia de las palmas, muy semejante al coco, pero menos grueso, más bajo, de copa ancha, gran número de flores, y fruto puntiagudo, del cual se saca un aceite espeso como manteca macerándolo, quebrantado, en agua fría.

sel. (De or. prerromano.) m. *Ast., Cantabria* y *Vizc.* Pradería en que suele sestear el ganado vacuno.

selacio, cia. (Del gr. σελάχιον.) adj. *Zool.* Dícese de peces marinos cartilaginosos que tienen cuerpo fusiforme o deprimido, cola heterocerca, piel muy áspera, boca casi semicircular en la cabeza, con numerosos dientes triangulares y de bordes cortantes o aserrados y mandíbula inferior móvil y varias hendiduras branquiales; como la tintorera y la raya. Ú. t. c. s. ‖ 2. m. pl. *Zool.* Orden de estos peces.

selección. (Del lat. *selectĭo, -ōnis.*) f. Acción y efecto de elegir a una o varias personas o cosas entre otras, separándolas de ellas y prefiriéndolas. ‖ 2. Elección de los animales destinados a la reproducción, para conseguir mejoras en la raza. ‖ 3. *Dep.* Equipo que se forma con atletas o jugadores de distintos clubes para disputar un encuentro o participar en una competición, principalmente de carácter internacional. ‖ **natural.** Sistema establecido por el naturalista inglés Darwin, que pretende explicar por la acción continuada del tiempo y del medio, la desaparición más o menos completa de determinadas especies animales o vegetales, y su sustitución por otras de condiciones superiores.

seleccionador, ra. adj. Que selecciona. ‖ 2. m. y f. Persona que se encarga de elegir los jugadores o atletas que han de intervenir en un partido o en una competición.

seleccionar. tr. Elegir, escoger por medio de una selección.

seleccionismo. m. *Biol.* Doctrina evolucionista introducida por Charles Darwin y que se basa en la hipótesis de la selección natural.

selectas. (Del lat. *selectae*.) f. pl. **florilegio.**

selectividad. f. Cualidad de selectivo. ‖ 2. Función de seleccionar o elegir. ‖ 3. Conjunto de pruebas que se hacen en España para poder acceder a la Universidad.

selectivo, va. adj. Que implica selección. ‖ 2. Dícese del aparato radiorreceptor que permite escoger una onda de longitud determinada sin que perturben la recepción otras ondas muy próximas.

selecto, ta. (Del lat. *selectus,* p. p. de *seligĕre*, escoger, elegir.) adj. Que es o se reputa como mejor entre las cosas de su especie.

selector, ra. adj. Que selecciona o escoge. ‖ 2. m. Dispositivo que en ciertos aparatos o máquinas sirve para elegir la función deseada.

selénico, ca. adj. Perteneciente o relativo a la Luna.

selenio. (Del gr. σελήνιον, resplandor de la Luna.) m. *Quím.* Metaloide de color pardo rojizo y brillo metálico, que químicamente se asemeja al azufre y, por sus propiedades fotoeléctricas, tiene empleo en cinematografía y televisión. Núm. atómico 34. Símb.: *Se*.

selenita. (Del gr. σεληνίτης, perteneciente a la Luna.) com. Supuesto habitante de la Luna. ‖ 2. f. Yeso cristalizado en láminas brillantes, espejuelo.

selenitoso, sa. (De *selenita*, espejuelo, yeso.) adj. Que contiene yeso. *Agua* SELENITOSA.

seleniuro. m. *Quím.* Cuerpo resultante de la combinación del selenio con un radical simple o compuesto.

selenografía. (De *selenógrafo.*) f. Parte de la astronomía, que trata de la descripción de la Luna.

selenógrafo, fa. (Del gr. Σελήνη, la Luna, y *-grafo.*) m. y f. Especialista en selenografía.

selenosis. (Del gr. Σελήνη, la Luna.) f. *Med.* **mentira,** manchita blanca en las uñas.

Seltz. n. p. V. **agua de Seltz.**

selva. (Del lat. *silva.*) f. Terreno extenso, inculto y muy poblado de árboles. ‖ 2. V. **clarín de la selva.** ‖ 3. fig. Abundancia desordenada de alguna cosa; confusión, cuestión intrincada.

selvaje. (Del prov. *selvatge,* y este del lat. *silvatĭcus.*) adj. ant. **salvaje.**

selvajino, na. (De *selvaje.*) adj. ant. Dícese de la planta silvestre. ‖ 2. ant. Dícese del animal no doméstico.

selvático, ca. (Del lat. *silvatĭcus.*) adj. Perteneciente o relativo a las selvas, o que se cría en ellas. ‖ 2. fig. Tosco, rústico, falto de cultura.

selvatiquez. f. Cualidad de selvático.

selvicultura. f. **silvicultura.**

selvoso, sa. (De *silvoso.*) adj. Propio de la selva. ‖ 2. Aplícase al país o territorio en que hay muchas selvas.

sellado, da. p. p. de **sellar.** ‖ 2. adj. V. **papel sellado.**

sellador, ra. adj. Que sella o pone el sello. Ú. t. c. s.

selladura. f. Acción y efecto de sellar.

sellar. (Del lat. *sigillāre.*) tr. Imprimir el sello. ‖ 2. fig. Estampar, imprimir o dejar señalada una cosa en otra o comunicarle determinado carácter. ‖ 3. fig. Concluir, poner fin a una cosa. ‖ 4. fig. Cerrar, tapar, cubrir.

sellenco. adj. ant. **cellenco.**

sello. (Del lat. *sigillum.*) m. Utensilio que sirve para estampar las armas, divisas o cifras en él grabadas, y se emplea para autorizar documentos, cerrar pliegos y otros usos análogos. ‖ 2. Lo que queda estampado, impreso y señalado con el mismo **sello.** ‖ 3. Disco de metal o de cera que, estampado con un **sello,** se unía, pendiente de hilos, cintas o correas, a ciertos documentos de importancia. ‖ 4. Trozo pequeño de papel, con timbre oficial de figuras o signos grabados, que se pega a ciertos documentos para darles valor y eficacia. ‖ 5. Timbre oficial que se usa en el franqueo de cartas, paquetes postales, etc. ‖ 6. Casa u oficina donde se estampa y pone el **sello** a algunos escritos para autorizarlos. ‖ 7. fig. **sigilo.** ‖ 8. V. **canciller del sello de la puridad.** ‖ 9. ant. V. **tabla de los sellos.** ‖ 10. Anillo ancho que en su parte superior lleva grabadas las iniciales de una persona, el escudo de su apellido, etc. ‖ 11. fig. Carácter peculiar o especial de una persona o cosa, que la hace diferente de las demás. ‖ 12. *Col., Chile* y *Perú.* Cruz o reverso de las monedas. ‖ 13. *Farm.* Conjunto de dos obleas redondas entre las cuales se encierra una dosis de medicamento, para poderlo tragar sin percibir su sabor. ‖ **de alcance.** El postal suplementario utilizado para la correspondencia depositada en buzón especial después de la hora normal de recogida. ‖ **del estómago.** desus. fig. Cualquier pequeña porción de comida, sólida y vigorosa, que afirma y corrobora la demás comida tomada sobre ella. ‖ **de Salomón.** Estrella de seis puntas formada por dos triángulos equiláteros cruzados y a la cual atribuían ciertas virtudes los cabalistas. ‖ 2. Planta herbácea de la familia de las liliáceas, de cuatro a seis decímetros de altura, con tallo esquinado, sencillo y algo doblado en la punta; hojas alternas, sentadas, ovales y enteras; flores blancas y axilares; fruto en baya redonda y azulada, y rizoma horizontal, blanco, tierno, nudoso, macizo, del grueso de un dedo y en cuya parte superior hay huellas profundas, circulares o elípticas, correspondientes a los tallos anuales desaparecidos, de las cuales debe su nombre a la planta. Se cría esta en los montes de España y el rizoma se ha empleado en medicina como vulnerario y astringente. ‖ **de Santa María. sello de Salomón,** planta liliácea. ‖ **hermético.** Cerramiento de una vasija hecho con la misma materia de que ella es. ‖ **móvil. timbre móvil.** ‖ **postal.** El de papel que se adhiere a las cartas para franquearlas o certificarlas. ‖ **volante.** El que se ponía en las cartas de modo que pudiese leerlas la persona por cuya mano se dirigían a otra. ‖ **echar,** o **poner, el sello** a una cosa. fr. fig. Rematarla, llevarla a la última perfección.

semafórico, ca. adj. Perteneciente al semáforo.

semáforo. (Del gr. σῆμα, señal, y φορός, que lleva.) m. Telégrafo óptico de las costas, para comunicarse con los buques por medio de señales. ‖ **2.** Aparato eléctrico de señales luminosas para regular la circulación. ‖ **3.** Designa también otros sistemas de señales ópticas. SEMÁFORO *de banderas.*

semana. (Del lat. *septimāna.*) f. Período de siete días consecutivos que empieza el lunes y acaba el domingo. ‖ **2.** Período de siete días consecutivos contados entre uno cualquiera de ellos y el siguiente del mismo nombre. ‖ **3.** Período septenario de tiempo, sea de días, meses, años o siglos. *Las* SEMANAS *de Daniel.* ‖ **4.** V. **fin, mayordomo de semana.** ‖ **5.** fig. Salario ganado en una **semana.** ‖ **6.** fig. Una de las muchas variedades del juego del infernáculo. ‖ **corrida.** *Chile.* Para los efectos del pago de salarios a los obreros, **semana** completa, aunque haya días feriados intermedios. ‖ **grande, mayor,** o **santa.** La última de la cuaresma, desde el Domingo de Ramos hasta la de Resurrección. ‖ **2.** Libro en que está el rezo propio del tiempo de la **Semana Santa,** y los oficios que se celebran en ella. ‖ **inglesa.** Régimen semanal de trabajo que terminaba a mediodía del sábado. ‖ **mala semana.** fam. Mes o menstruo en las mujeres. ‖ **cada semana tiene su disanto.** fr. proverb. con que se consuela a los que tienen trabajos, representándoles que con el tiempo suelen interrumpirse o minorarse. ‖ **entre semana.** loc. adv. En cualquier día de ella, menos el primero y el último. ‖ **la semana que no tenga viernes.** expr. fig. y fam. con que se despide a uno, negándole lo que pretende, o se significa la imposibilidad de que una cosa se realice.

semanal. adj. Que sucede o se repite cada semana. ‖ **2.** Que dura una semana o la parte que le corresponde.

semanalmente. adv. t. Por semanas, en todas las semanas o en cada una de ellas.

semanario, ria. adj. Que sucede o se repite cada semana. ‖ **2.** m. Periódico que se publica semanalmente. ‖ **3.** Juego de siete navajas de afeitar. ‖ **4.** Conjunto o juego de siete cosas iguales o que entre sí guardan relación.

semanería. f. Cargo u oficio de semanero. ‖ **2.** En los tribunales, inspección semanal que se hacía de los despachos, para ver si iban arreglados a lo que se había resuelto.

semanero, ra. adj. Aplícase a la persona que ejerce un empleo o encargo por semanas. Ú. t. c. s.

semanilla. f. Libro que contiene el rezo y los oficios de Semana Santa.

semanista. (De *semana.*) com. Asistente a congresos, reuniones, juntas, etc., que duran una semana.

semantema. m. *Ling.* En algunas escuelas lingüísticas, unidad léxica provista de significación.

semántica. f. Estudio del significado de los signos lingüísticos y de sus combinaciones, desde un punto de vista sincrónico o diacrónico. ‖ **2.** En la teoría lingüística generativa, componente de la gramática que interpreta la significación de los enunciados generados por la sintaxis y el léxico. ‖ **generativa.** Teoría lingüística que se aparta de la gramática generativa, al establecer que toda oración

realizada procede, por transformaciones, de una estructura semántica y no sintáctica.

semántico, ca. (Del gr. σημαντικός, significativo.) adj. Referente a la significación de las palabras. ‖ **2.** V. **campo semántico.**

semantista. com. Lingüista especializado en semántica.

semasiología. (Del gr. σημασία, significación, y *-logia.*) f. **semántica,** estudio del significado. ‖ **2.** Estudio semántico que parte del signo y de sus relaciones, para llegar a la determinación del concepto.

semasiológico, ca. adj. Referente a la semasiología.

semblante. (Del lat. *similans, -antis,* p. a. de *similáre,* semejar, a través del cat. *semblant.*) adj. ant. Parecido, semejante. ‖ **2.** m. Representación de algún estado de ánimo en el rostro. ‖ **3.** Cara o rostro humano. ‖ **4.** fig. Apariencia, representación, aspecto de las cosas. ‖ **beber el semblante** a uno. fr. fig. **beberle las palabras.** ‖ **componer** o **serenar el semblante.** ‖ **2.** Serenar la expresión del rostro. ‖ **mudar de semblante.** fr. Demudarse o alterarse una persona, dándolo a entender en el rostro. ‖ **2.** fig. Alterarse o variarse las circunstancias de las cosas, de modo que se espere diferente suceso del que se suponía. MUDÓ DE SEMBLANTE *el pleito.*

semblantear. tr. *Argent., Chile, El Salv., Guat., Méj., Nicar., Par.* y *Urug.* Mirar a uno cara a cara para penetrar sus sentimientos o intenciones. Ú. t. c. intr.

semblanza. (De *semblar.*) f. ant. Semejanza o parecido entre varias personas o cosas. ‖ **2.** Bosquejo biográfico.

semblar. (Del lat. *similáre,* a través del cat. *semblar.*) intr. ant. Semejar o ser semejante.

semble[1]. (Del lat. *simíle.*) adv. m. ant. De un modo semejante.

semble[2]. (Del lat. *simul.*) adv. m. ant. Juntamente, en uno.

sembra (en). loc. adv. ant. Juntamente, ensemble, ensembla.

sembrada. (Del lat. *semináta.*) f. Tierra sembrada.

sembradera. f. Máquina para sembrar.

sembradío, a. adj. Dícese del terreno destinado o a propósito para sembrar.

sembrado, da. p. p. de **sembrar.** ‖ **2.** adj. fig. y fam. V. **perejil mal sembrado.** ‖ **3.** m. Tierra sembrada, hayan o no germinado y crecido las semillas. ‖ **estar sembrado.** loc. fig. Estar ingenioso, ocurrente.

sembrador, ra. (Del lat. *seminátor, -óris.*) adj. Que siembra. Ú. t. c. s.

sembradora. f. Máquina para sembrar.

sembradura. f. Acción y efecto de sembrar. ‖ **2.** V. **fanega, tierra de sembradura.** ‖ **3.** ant. Tierra sembrada.

sembrar. (Del lat. *semináre.*) tr. Arrojar y esparcir las semillas en la tierra preparada para este fin. ‖ **2.** fig. Desparramar, esparcir. SEMBRAR *dinero;* SEMBRAR *de palmas y olivas el camino.* ‖ **3.** fig. Dar motivo, causa o principio a una cosa. ‖ **4.** fig. Colocar sin orden una cosa para adornarla o adorno de otra. ‖ **5.** fig. Esparcir, publicar una noticia para que se divulgue. ‖ **6.** fig. Hacer algunas cosas de que se ha de seguir fruto.

semeja. (Del lat. *simília,* pl. de *simíle,* semejanza.) f. desus. Semejanza o parecido. ‖ **2.** Señal, muestra, indicio. Ú. m. en pl.

semejable. adj. Capaz de asemejarse a una cosa. ‖ **2.** p. us. Decíase del que se semejaba o se parecía a otro.

semejablemente. adv. m. ant. **semejantemente.** ‖ **2.** ant. Así, de la misma manera.

semejado, da. p. p. de **semejar.** ‖ **2.** adj. Que semeja o se parece a una persona o cosa.

semejante. adj. Que semeja o se parece a una persona o cosa. Ú. t. c. s. ‖ **2.** Úsase con sentido de comparación o ponderación. *No es lícito valerse de* SEMEJANTES *medios.* ‖ **3.** Empleado con carácter de demostrativo, equivale a

tal. *No he visto a* SEMEJANTE *hombre.* ‖ **4.** *Geom.* Dícese de dos figuras distintas solo por el tamaño y cuyas partes guardan todas respectivamente la misma proporción. ‖ **5.** m. Semejanza, imitación. ‖ **6.** Cualquier persona respecto a otra, prójimo. ‖ **7.** ant. Símil retórico. ‖ **por semejante.** loc. adv. ant. Semejantemente, igualmente.

semejantemente. adv. m. Con semejanza.

semejanza. f. Cualidad de semejante. ‖ **2.** Símil retórico.

semejar. (De *semeja*.) intr. Parecerse una persona o cosa a otra. Ú. t. c. prnl.

semema. m. *Ling.* En algunas escuelas lingüísticas, significado que corresponde a cada morfema en una lengua determinada.

semen. (Del lat. *semen*.) m. Conjunto de espermatozoides y sustancias fluidas que se producen en el aparato genital masculino de los animales y de la especie humana. ‖ **2.** *Bot.* Semilla de los vegetales.

semencera. (Del lat. **sementĭa*, de *sementis*.) f. **sementera.**

semencontra. (Del lat. *semen contra vermes*, simiente contra las lombrices.) m. *Farm.* Cabezuela de ciertas plantas ricas en santonina.

semental. (Del lat. *sementis*, simiente.) adj. Perteneciente o relativo a la siembra o sementera. ‖ **2.** Aplícase al animal macho que se destina a padrear. Ú. t. c. s.

sementar. (De *simiente*.) tr. Sembrar en la tierra.

sementera. (De *simiente*.) f. Acción y efecto de sembrar. ‖ **2.** Tierra sembrada. ‖ **3.** Cosa sembrada. ‖ **4.** Tiempo a propósito para sembrar. ‖ **5.** V. **juez de sementeras.** ‖ **6.** fig. Origen o principio del que nacen o se propagan algunas cosas.

sementero. (De *simiente*.) m. Saco o costal en que se llevan los granos para sembrar. ‖ **2.** **sementera.**

sementino, na. (Del lat. *sementĭnus*.) adj. Perteneciente a la simiente.

semestral. (Del lat. *semestrālis*.) adj. Que sucede o se repite cada semestre. ‖ **2.** Que dura un semestre o a él corresponde.

semestralmente. adv. t. Por semestres.

semestre. (Del lat. *semestris*.) adj. desus. **semestral.** ‖ **2.** m. Espacio de seis meses. ‖ **3.** Renta, sueldo, pensión, etc., que se cobra o que se paga al fin de cada **semestre.** ‖ **4.** Conjunto de los números de un periódico o revista publicados durante un **semestre.** *Primer* SEMESTRE *de la Gaceta de este año.*

semi- (Del lat. *semi-*.) elem. compos. que significa «medio»: SEMIhombre, SEMIrrecta, SEMIdifunto.

semibreve. (De *semi-* y *breve*.) f. desus. *Mús.* **redonda.**

semicabrón. (De *semi-* y *cabrón*.) m. **semicapro.**

semicadencia. (De *semi-* y *cadencia*.) f. *Mús.* Paso sencillo de la nota tónica a la dominante.

semicapro. (Del lat. *semicăper, -pri*.) m. Monstruo fabuloso, medio cabra o cabrón y medio hombre.

semicilíndrico, ca. adj. Perteneciente o relativo al semicilindro. ‖ **2.** De figura de semicilindro o semejante a ella.

semicilindro. m. *Geom.* Cada una de las dos mitades del cilindro separadas por un plano que pasa por el eje.

semicircular. (Del lat. *semicirculāris*.) adj. Perteneciente o relativo al semicírculo. ‖ **2.** De figura de semicírculo o semejante a ella.

semicírculo. (Del lat. *semicircŭlus*.) m. *Geom.* Cada una de las dos mitades del círculo separadas por un diámetro.

semicircunferencia. f. *Geom.* Cada una de las dos mitades de la circunferencia.

semiconductor, ra. adj. *Electr.* Dícese de las sustancias aislantes como el germanio y el silicio, que se transforman en conductores por la adición de determinadas im-

purezas. Tienen papel fundamental en la fabricación de los transistores y sus derivados. Ú. t. c. s.

semiconserva. f. En la industria conserva, alimentos de origen vegetal o animal envasados en recipientes cerrados, sin previa esterilización, que se conservan por tiempo limitado, merced a la adición de sal común, vinagre, aceite, almíbar, así como por el ahumado, la deshidratación, etc.

semiconsonante. adj. *Gram.* Aplícase en general a las vocales *i, u,* en principio de diptongo o triptongo, como en *piedra, hielo, huerto, apreciáis,* y más propiamente cuando en dicha posición se pronuncian con sonido de duración momentánea, improlongable, abertura articulatoria creciente y timbre más próximo a consonante que a vocal. Ú. t. c. s. f.

semicopado, da. adj. *Mús.* **sincopado.**

semicorchea. (De *semi-* y *corchea*.) f. *Mús.* Nota musical cuyo valor es la mitad de una corchea.

semicromático, ca. (De *semi-* y *cromático*.) adj. *Mús.* Dícese del género de música que participa del diatónico y del cromático.

semicultismo. m. Palabra influida por el latín, o por la lengua culta, que no ha realizado por completo su evolución fonética normal. *Siglo, tilde.*

semiculto, ta. adj. Perteneciente o relativo al semicultismo. ‖ **2.** Dícese de la persona que solo tiene una mediana cultura general. Ú. m. c. s. y frecuentemente con valor peyorativo.

semicupio. m. Bañera para tomar baños de asiento.

semidea. (Del lat. *semidĕa*.) f. poét. **semidiosa.**

semideo. (Del lat. *semidĕus*.) m. poét. **semidiós.**

semidiámetro. (Del lat. *semidiamĕtrus*.) m. *Geom.* Cada una de las dos mitades de un diámetro separadas por el centro. ‖ **de un astro.** *Astron.* El ángulo formado por dos visuales dirigidas una a su centro y otra a su limbo.

semidifunto, ta. (De *semi-* y *difunto*.) adj. Medio difunto o casi difunto.

semidiós. (De *semi-* y *dios*.) m. Héroe o varón esclarecido por sus hazañas, a quien los gentiles colocaban entre sus deidades.

semidiosa. (De *semi-* y *diosa*.) f. Heroína que los gentiles hacían descender de alguno de sus dioses.

semidítono. (De *semi-* y *dítono*.) m. *Mús.* Intervalo de un tono y un semitono mayor.

semidoble. (De *semi-* y *doble*.) adj. V. **fiesta, rito semidoble.**

semidormido, da. (De *semi-* y *dormido*.) adj. Medio dormido o casi dormido.

semidragón. (De *semi-* y *dragón*.) m. Monstruo que, según la fábula, tenía de hombre la mitad superior del cuerpo y de dragón la otra mitad.

semieje. (De *semi-* y *eje*.) m. *Geom.* Cada una de las dos mitades de un eje separadas por el centro.

semiesfera. (De *semi-* y *esfera*.) f. **hemisferio.**

semiesférico, ca. adj. Perteneciente o relativo a la semiesfera. ‖ **2.** De forma de hemisferio.

semifinal. (De *semi-* y *final*.) f. Cada una de las dos penúltimas competiciones del campeonato o concurso, que se gana por eliminación del contrario y no por puntos. Ú. m. en pl.

semifinalista. adj. Que contiende en la semifinal de una competición o concurso. Ú. t. c. s.

semiflósculo. (De *semi-* y *flósculo*.) m. *Bot.* Cada una de las flores que están situadas en la periferia de una cabezuela y cuya corola se prolonga en forma de lámina o lengüeta.

semiforme. (Del lat. *semiformis*.) adj. A medio formar, no del todo formado.

semifusa. (De *semi-* y *fusa*.) f. *Mús.* Nota musical cuyo valor es la mitad de una fusa.

semigola. (De *semi-* y *gola*.) f. *Fort.* Línea recta que pasa del ángulo de un flanco del baluarte a la capital, y es parte del polígono interior.

semihilo. (De *semi-* e *hilo*.) m. Tela de hilo mezclada con otra fibra textil.

semihombre. (De *semi-* y *hombre*.) m. Pigmeo, hombre de un codo de altura que se suponía existió en un pueblo fabuloso.

semilunar. adj. Que tiene figura de media luna.

semilunio. (Del lat. *semilunĭum*.) m. *Astron.* Mitad de una lunación.

semilla. (De or. inc.) f. *Bot.* Parte del fruto de las fanerógamas; contiene el embrión de una futura planta, protegido por una testa, derivada de los tegumentos del primordio seminal. ‖ **2.** Llámanse así comúnmente los granos que en diversas formas producen las plantas y que al caer o ser sembrados producen nuevas plantas de la misma especie. ‖ **3.** Por ext., se aplica este nombre a los fragmentos de vegetal provistos de yemas, como tubérculos, bulbos, etc. ‖ **4.** fig. Cosa que es causa u origen de que proceden otras. ‖ **5.** pl. Granos que se siembran, exceptuados el trigo y la cebada.

semillero. (De *semilla*.) m. Sitio donde se siembran y crían los vegetales que después han de trasplantarse. ‖ **2.** Sitio donde se guardan y conservan para estudio colecciones de diversas semillas. ‖ **3.** fig. Origen y principio de que nacen o se propagan algunas cosas. SEMILLERO *de vicios, de pleitos.*

seminal. (Del lat. *seminālis*.) adj. Perteneciente o relativo al semen de los animales masculinos. ‖ **2.** Perteneciente o relativo a la semilla. ‖ **3.** *Anat.* V. **vesícula seminal.**

seminario, ria. (Del lat. *seminarĭus*.) adj. desus. Perteneciente al semen. ‖ **2.** Perteneciente a la semilla. ‖ **3.** m. Semillero de vegetales. ‖ **4. seminario conciliar.** ‖ **5.** desus. Casa o lugar destinado para educación de niños y jóvenes. ‖ **6.** Clase en que se reúne el profesor con los discípulos para realizar trabajos de investigación. ‖ **7.** Organismo docente en que, mediante el trabajo en común de maestros y discípulos, se adiestran estos en la investigación o en la práctica de alguna disciplina. ‖ **8.** desus. fig. Origen y principio de que se originan y propagan algunas cosas. ‖ **conciliar.** Casa destinada para la educación de los jóvenes que se dedican al estado eclesiástico.

seminarista. m. Alumno de un seminario conciliar.

seminífero, ra. (Del lat. *semen, -ĭnis*, semen, y *fero*, llevar.) adj. *Anat.* Que produce o contiene semen. *Glándula* SEMINÍFERA.

semínima. (Haplología de *semi-* y *mínima*.) f. desus. *Mús.* **negra.** ‖ **2.** pl. p. us. fig. Menudencias, minucias.

seminternado. m. Media pensión, medio internado: régimen educativo en que los escolares pasan el día y hacen alguna de sus comidas en un centro de enseñanza, pero no duermen en él. ‖ **2.** Establecimiento docente con régimen de **seminternado.**

semiología. (Del gr. σημεῖον, signo, y -*logía*.) f. Estudio de los signos en la vida social. ‖ **2.** *Med.* **semiótica,** estudio de los signos de las enfermedades.

semiológico, ca. adj. Perteneciente o relativo a la semiología, y al punto de vista adoptado por esta.

semiotecnia. (Del gr. σημεῖον, signo, nota, y -*tecnia*.) f. Conocimiento de los signos gráficos que sirven para la notación musical.

semiótica. (Del gr. σημειωτική.) f. Parte de la medicina, que trata de los signos de las enfermedades desde el punto de vista del diagnóstico y del pronóstico. ‖ **2. semiología,** estudio de los signos en la vida social. ‖ **3.** Teoría general de los signos.

semiótico, ca. adj. Perteneciente o relativo a la semiótica, y al punto de vista adoptado por esta.

semipedal. (Del lat. *semipedālis*.) adj. De medio pie de largo.

semipelagianismo. m. Secta de los semipelagianos. ‖ **2.** Conjunto de estos sectarios.

semipelagiano, na. (De *semi-* y *pelagiano*.) adj. Dícese del hereje que, siguiendo las opiniones sustentadas en el siglo v por Fausto y Casiano, quería conciliar las ideas de los pelagianos con la doctrina ortodoxa sobre la gracia y el pecado original. Ú. t. c. s. ‖ **2.** Perteneciente a la doctrina o secta de estos herejes.

semiperíodo o **semiperiodo.** m. *Electr.* Mitad del período correspondiente a un sistema de corrientes bifásicas.

semipermeable. adj. Parcialmente permeable. ‖ **2.** *Fís.* y *Quím.* Dícese de la superficie de separación entre dos fases líquidas o gaseosas que deja pasar a su través las moléculas de algunos de los componentes de estas fases, pero no de los otros.

semiplano. m. *Geom.* Cada una de las dos porciones de plano limitadas por una cualquiera de sus rectas.

semiplena. (Del lat. *semiplēna*, t. f. de *-nus*, imperfecto, sin concluir.) adj. *Der.* V. **prueba semiplena.**

semiplenamente. adv. m. *Der.* Con probanza semiplena.

semirrecta. f. *Geom.* Cada una de las dos porciones en que queda dividida una recta por cualquiera de sus puntos.

semirrecto, ta. (De *semi-* y *recto*.) adj. *Geom.* V. **ángulo semirrecto.**

semirrefinado, da. adj. V. **azúcar semirrefinado.**

semis. (Del lat. *semis*.) m. Moneda romana del valor de medio as.

semisótano. m. Conjunto de locales situados en parte bajo el nivel de la calle.

semisuma. f. Resultado de dividir por dos una suma.

semita[1]. adj. Según la tradición bíblica, descendiente de Sem; dícese de los árabes, hebreos y otros pueblos. Ú. m. c. s. ‖ **2.** Perteneciente o relativo a estos pueblos.

semita[2]. f. *NO. Argent.* **cemita,** pan.

semítico, ca. adj. Perteneciente o relativo a los semitas.

semitismo. m. Conjunto de las doctrinas morales, instituciones y costumbres de los pueblos semitas. ‖ **2.** Giro o modo de hablar propio de las lenguas semíticas. ‖ **3.** Vocablo o giro de estas lenguas empleado en otras.

semitista. com. Persona que estudia la lengua, literatura, instituciones, etc., de los pueblos semitas.

semitono. (De *semi-* y *tono*.) m. *Mús.* Cada una de las dos partes desiguales en que se divide el intervalo de un tono. ‖ **cromático.** *Mús.* **semitono menor.** ‖ **diatónico.** *Mús.* **semitono mayor.** ‖ **enarmónico.** *Mús.* Intervalo de una coma, que media entre dos **semitonos** menores comprendidos dentro de un mismo tono. ‖ **mayor.** *Mús.* El que comprende tres comas. ‖ **menor.** *Mús.* El que comprende dos comas.

semitransparente. adj. Casi transparente.

semitrino. (De *semi-* y *trino*.) m. *Mús.* Trino de corta duración, que comienza por una nota superior.

semivida. f. *Fís.* Tiempo en que tardan en quedar reducidos a la mitad los átomos de un nucleido radiactivo.

semivivo, va. (De *semi-* y *vivo*.) adj. Medio vivo o que no tiene vida perfecta o cabal.

semivocal. (Del lat. *semivocālis*.) adj. *Fon.* Aplícase a la vocal *i* o *u* al final de un diptongo: *aire, aceite, causa, feudo.* Ú. t. c. s. f. ‖ **2.** *Fon.* Dícese de la consonante que puede pronunciarse sin que se perciba directamente el sonido de una vocal; como la *f.* Ú. t. c. s. f.

sémola. (Del it. *semola*, y este del lat. *simĭla*, la flor de la harina.) f. Trigo candeal desnudo de su corteza. ‖ **2.** Trigo quebrantado a modo del farro y que se guisa como él. ‖ **3.**

Pasta de harina de flor reducida a granos muy menudos y que se usa para sopa.

semoviente. (Del lat. *se movens, -entis,* que se mueve a sí mismo o por sí.) adj. V. **bienes semovientes.** Ú. t. c. s. en sing. y pl.

sempervirente. (Del lat. *sémper,* siempre, y *virens, -tis,* verdeante.) adj. Dícese de la vegetación cuyo follaje se conserva verde todo el año.

sempiterna. (Del lat. *sempiterna,* t. f. de *-nus, sempiterno.*) f. Tela de lana, basta y muy tupida, que se usaba para vestidos. ‖ **2. perpetua,** planta.

sempiternamente. adv. m. Perpetua, eternamente.

sempiterno, na. (Del lat. *sempiternus.*) adj. Que durará siempre; dícese de lo que, habiendo tenido principio, no tendrá fin.

sen¹. (De *sena¹.*) m. Arbusto oriental, de la familia de las papilionáceas, parecido a la casia, y cuyas hojas se usan en infusión como purgantes.

sen². m. Moneda japonesa de cobre, que vale la centésima parte de un yen.

sen³. (Del germ. *sin.*) m. ant. Sentido, juicio, discreción.

sen⁴. (Del lat. *sine.*) prep. ant. **sin.**

sena¹. (Del ár. *sanâ,* planta purgante de Arabia y Egipto.) f. **sen¹,** arbusto.

sena². (Del lat. *sena.* term. neutra de *seni,* seis.) f. Conjunto de seis puntos señalados en una de las caras del dado. ‖ **2.** pl. En el juego de las tablas reales y otros, suerte que consiste en salir apareados los dos lados de los seis puntos.

senada. f. Porción de cosas que caben en el seno, o en el hueco de la saya o del delantal.

senado¹. (Del lat. *senátus.*) m. Asamblea de patricios que formaba el Consejo supremo de la antigua Roma. Aplicóse también por analogía a ciertas asambleas políticas de otros Estados. ‖ **2.** Cuerpo legislativo formado por personas cualificadas, elegidas o designadas por razón de su cargo, posición, título, etc. ‖ **3.** Edificio o lugar donde los senadores celebran sus sesiones. ‖ **4.** fig. Cualquier junta o concurrencia de personas graves y respetables. ‖ **5.** p. us. fig. Público, auditorio, principalmente el que acude a una representación dramática.

senado², da. (De *sen³.*) adj. ant. Sensato, cuerdo, juicioso.

senadoconsulto. (Del lat. *senatusconsultum.*) m. Decreto o determinación del antiguo senado romano. Se ha dicho también de los decretos senatoriales del imperio francés.

senador, ra. (Del lat. *senátor, -óris.*) m. y f. Persona que es miembro del senado.

senaduría. f. Dignidad de senador.

senara. (Del lat. *seminaria,* de *semen, -inis,* semilla.) f. Porción de tierra que dan los amos a sus capataces o a ciertos criados para que la labren por su cuenta, como plus o aditamento de su salario. ‖ **2.** Producto de esta labor. ‖ **3.** Tierra sembrada. ‖ **4.** Tierra concejil.

senario, ria. (Del lat. *senarius.*) adj. Compuesto de seis elementos, unidades o guarismos. ‖ **2.** V. **verso senario.** Ú. t. c. s.

senatorial. adj. Perteneciente o relativo al senado o al senador.

senatorio, ria. (Del lat. *senatorius.*) adj. **senatorial.**

sencido, da. (De or. inc.) adj. *And., Ar., Rioja* y *Sor.* Cencido, intacto, dicho comúnmente de los prados no segados o de los rastrojos no pacidos.

sencillamente. adv. m. Con sencillez, sin doblez ni engaño.

sencillez. f. Cualidad de sencillo.

sencillo, lla. (Del lat. **singellus,* por *singulus.*) adj. Que no tiene artificio ni composición. ‖ **2.** Dícese de lo que tiene menos cuerpo que otras cosas de su especie. *Tafetán* SENCILLO. ‖ **3.** Que carece de ostentación y adornos. ‖ **4.** Dícese del estilo que carece de exornación y artificio, y expresa ingenua y naturalmente los conceptos. ‖ **5.** V. **cruz,**

letra sencilla. ‖ **6.** Dícese de la moneda pequeña, respecto de otra del mismo nombre, de más valor. *Real de plata* SENCILLO. ‖ **7.** Que no ofrece dificultad. ‖ **8.** V. **doblón, peso sencillo. ‖ 9.** *Quím.* V. **enlace sencillo. ‖ 10.** Hablando de personas, natural, espontáneo, que obra con llaneza. ‖ **11.** fig. Incauto, fácil de engañar. ‖ **12.** fig. Ingenuo en el trato, sin doblez ni engaño, y que dice lo que siente. ‖ **13.** m. Disco fonográfico de corta duración con una o dos grabaciones en cada cara. Ú. t. c. adj. ‖ **14.** *Amér.* Calderilla, dinero suelto.

senda. (Del lat. *semita.*) f. Camino más estrecho que la vereda, abierto principalmente por el tránsito de peatones y del ganado menor. ‖ **2.** fig. Procedimiento o medio para hacer o lograr algo.

sendera. f. ant. **senda,** camino o vereda.

senderar. tr. **senderear.**

senderear. tr. Guiar o encaminar por el sendero. ‖ **2.** Abrir senda. ‖ **3.** intr. fig. Echar por caminos extraordinarios en el modo de obrar o discurrir.

sendero. (Del lat. **semitarius,* de *semita,* senda.) m. **senda,** camino o vereda. ‖ **2.** Procedimiento o medio para hacer o lograr algo. ‖ **cada sendero tiene su atolladero.** fr. proverb. que indica que en toda obra hay que vencer dificultades.

senderuela. (Del lat. *serotinus,* tardío, infl. por *senda.*) f. *Rioja.* Hongo con el sombrerete pardo oscuro, plano y liso; pie de cinco a siete centímetros; brota en las sendas y veredas.

senderuelo. m. d. de **sendero.**

sendos, das. (Del lat. *singŭlos,* acus. de *-li.*) adj. pl. Uno o una para cada cual de dos o más personas o cosas.

sene. (Del lat. *senex.*) m. ant. Hombre viejo.

séneca. (Por alusión al filósofo estoico natural de Córdoba.) m. fig. Hombre de mucha sabiduría.

senectud. (Del lat. *senectus, -ūtis.*) f. Edad senil, período de la vida que comúnmente empieza a los sesenta años.

senegalés, sa. adj. Natural del Senegal. Ú. t. c. s. ‖ **2.** Perteneciente o relativo a este Estado africano.

senequismo. m. Norma de vida ajustada a los dictados de la moral y la filosofía de Séneca.

senequista. adj. Relativo al senequismo. ‖ **2.** Partidario de las doctrinas de Séneca. Ú. t. c. s.

senescal. (Del germ. *siniskalk,* criado antiguo.) m. En algunos países, mayordomo mayor de la casa real. ‖ **2.** Jefe o cabeza principal de la nobleza, que la gobernaba, especialmente en la guerra.

senescalado. m. Territorio sujeto a la jurisdicción de un senescal. ‖ **2.** Dignidad, cargo o empleo de senescal.

senescalía. f. Dignidad de senescal.

senescencia. (De *senescente.*) f. Calidad de senescente.

senescente. (Del lat. *senescens, -entis.*) adj. Que empieza a envejecer.

senil. (Del lat. *senilis.*) adj. Perteneciente o relativo a la persona de avanzada edad en la que se advierte su decadencia física. ‖ **2.** V. **atrofia, muerte senil. ‖ 3.** *Astrol.* V. **cuadrante senil.**

senilidad. (De *senil.*) f. Condición de senil. ‖ **2.** Edad senil. ‖ **3.** Degeneración progresiva de las facultades físicas y psíquicas debida a una alteración de los tejidos.

sénior. (Del lat. *senior,* anciano.) m. ant. **señor. ‖ 2.** ant. **senador.**

seniora. (De *senior.*) f. ant. **señora.**

seno. (Del lat. *sinus.*) m. Concavidad o hueco. ‖ **2.** Concavidad que forma una cosa encorvada. ‖ **3.** Pecho, mama de la mujer. ‖ **4.** Espacio o hueco que queda entre el vestido y el pecho. *Sacó del* SENO *una bolsa.* ‖ **5.** Matriz de la mujer y de las hembras de los mamíferos. ‖ **6.** Parte de mar que se recoge entre dos puntas o cabos de tierra. ‖ **7.** fig. **regazo,** lo que recibe en sí algo o a alguien, dándole amparo, protección, consuelo, etc. ‖ **8.** fig. Parte interna de alguna cosa. *El* SENO *del mar; el* SENO *de una sociedad.*

‖ **9.** *Anat.* Cavidad existente en el espesor de un hueso o formada por la reunión de varios huesos. *El* SENO *frontal; el* SENO *maxilar.* ‖ **10.** *Arq.* Espacio comprendido entre los trasdoses de arcos o bóvedas contiguas. ‖ **11.** *Cir.* Pequeña cavidad que se forma en la llaga o postema. ‖ **12.** *Geogr.* Golfo, porción de mar que se interna en la tierra. ‖ **13.** *Mar.* Curvatura que hace cualquier vela o cuerda que no esté tirante. ‖ **14.** *Trig.* **seno de un ángulo.** ‖ **15.** *Trig.* **seno de un arco.** ‖ **de Abraham.** Lugar en que estaban detenidas las almas de los fieles que habían pasado de esta vida en la fe y con esperanza del Redentor. ‖ **de un ángulo.** *Trig.* El del arco que sirve de medida al ángulo. ‖ **de un arco.** *Trig.* Parte de la perpendicular tirada al radio que pasa por un extremo del arco, desde el otro extremo del mismo arco, comprendida entre este punto y dicho radio. ‖ **primero de un ángulo.** *Trig.* **seno de un ángulo.** ‖ **primero de un arco.** *Trig.* **seno de un arco.** ‖ **recto.** *Trig.* **seno de un** ángulo y **seno de un arco.** ‖ **segundo.** *Trig.* **coseno.** ‖ **verso.** *Trig.* Parte del radio comprendida entre el pie del **seno** de un arco y el arco mismo.

senojil. (De *los henojiles*.) m. ant. **henojil.**

sensación. (Del lat. *sensatĭo, -ōnis*.) f. Impresión que las cosas producen en el alma por medio de los sentidos. ‖ **2.** Emoción producida en el ánimo por un suceso o noticia de importancia.

sensacional. adj. Aplícase a personas, cosas, sucesos, etc., que llaman poderosamente la atención.

sensacionalismo. (De *sensacional*.) m. Tendencia a producir sensación, emoción o impresión, con noticias, sucesos, etc.

sensacionalista. adj. Referente o relativo al sensacionalismo. Ú. t. c. s.

sensatamente. adv. m. Con sensatez.

sensatez. f. Cualidad de sensato.

sensato, ta. (Del lat. *sensātus*.) adj. Prudente, cuerdo, de buen juicio.

senserina. (De *salsero*.) f. **Sal. tomillo.**

sensibilidad. (Del lat. *sensibilĭtas, -ātis*.) f. Facultad de sentir, propia de los seres animados. ‖ **2.** Propensión natural del hombre a dejarse llevar de los afectos de compasión, humanidad y ternura. ‖ **3.** Calidad de las cosas sensibles. ‖ **4.** Grado o medida de la eficacia de ciertos aparatos científicos, ópticos, etc. ‖ **5.** Capacidad de respuesta a muy pequeñas excitaciones, estímulos o causas.

sensibilización. f. Acción y efecto de sensibilizar. ‖ **2.** *Biol.* Mecanismo por el que la respuesta inmune provocada por un antígeno aparece con mayor intensidad tras una administración inicial.

sensibilizado, da. p. p. de **sensibilizar.** ‖ **2.** adj. Dícese de lo que ha sido sometido a sensibilización y reacciona positivamente.

sensibilizador, ra. adj. Que hace sensible o aumenta la sensibilidad. ‖ **2.** Que hace sensibles ciertas materias a la acción de la luz. ‖ **3.** m. Producto químico con el que se obtienen emulsiones sensibles a la luz. ‖ **4.** *Fotogr.* Obrero especializado que realiza las operaciones de laboratorio necesarias para preparar las placas.

sensibilizar. (Del lat. *sensibĭlis*, sensible.) tr. Hacer sensible; representar de forma sensible. ‖ **2.** Dotar de sensibilidad o despertar sentimientos morales, estéticos, etc. ‖ **3.** Hacer sensibles a la acción de la luz ciertas materias usadas en fotografía.

sensible. (Del lat. *sensibĭlis*.) adj. Que siente, física y moralmente. ‖ **2.** Que puede ser conocido por medio de los sentidos. ‖ **3.** Perceptible, manifiesto, patente al entendimiento. ‖ **4.** Que causa o mueve sentimientos de pena o de dolor. ‖ **5.** Dícese de la persona que se deja llevar fácilmente del sentimiento. ‖ **6.** Dícese de las cosas que ceden fácilmente a la acción de ciertos agentes naturales.

Placa SENSIBLE. ‖ **7.** *Geogr.* V. **horizonte sensible.** ‖ **8.** *Mús.* Aplícase a la séptima nota de la escala diatónica. Ú. t. c. s. f.

sensiblemente. adv. m. De forma que se percibe por los sentidos o por el entendimiento. ‖ **2.** Con dolor, pesar o pena.

sensiblería. f. Sentimentalismo exagerado, trivial o fingido.

sensiblero, ra. adj. Dícese de la persona o cosa que muestra sensiblería. Ú. t. c. s.

sensitiva. (De *sensitivo*.) f. Planta de la familia de las mimosáceas, con tallo de seis a siete decímetros de altura y lleno de aguijones ganchosos; hojas pecioladas, compuestas de 18 pares de hojuelas lineales y agudas; flores pequeñas de color rojo oscuro, y fruto en vainillas con varias simientes. Es originaria de la América Central y presenta el fenómeno de que si se la toca o sacude, los folíolos se aproximan y aplican unos a otros, al propio tiempo que el pecíolo principal se dobla y queda la hoja pendiente cual si estuviera marchita, hasta que después de algún tiempo vuelve todo al estado normal.

sensitivo, va. (Del lat. *sensus*, sentido.) adj. Perteneciente o relativo a las sensaciones producidas en los sentidos y especialmente en la piel. *Tacto, dolor* SENSITIVO. ‖ **2.** Capaz de sensibilidad. Ú. t. c. s. ‖ **3.** Que tiene la virtud de excitar la sensibilidad.

sensor. (Palabra formada para indicar el agente del verbo latino *sentĭo*, sentir.) m. Cualquier dispositivo que detecta una determinada acción externa, temperatura, presión, etc., y la transmite adecuadamente.

sensorial. (De *sensorio*.) adj. Perteneciente o relativo a la sensibilidad, facultad de sentir. *Órganos* SENSORIALES.

sensorio, ria. (Del lat. *sensorĭus*.) adj. **sensorial.** ‖ **2.** m. Centro común de todas las sensaciones. Llámase también **sensorio común.**

sensual. (Del lat. *sensuālis*.) adj. Perteneciente a las sensaciones de los sentidos. ‖ **2.** Aplícase a los gustos o deleites de los sentidos, a las cosas que los incitan o satisfacen y a las personas aficionadas a ellos. ‖ **3.** Perteneciente o relativo al deseo sexual.

sensualidad. (Del lat. *sensuālĭtas, -ātis*.) f. Cualidad de sensual. ‖ **2.** Propensión excesiva a los placeres de los sentidos.

sensualismo. (De *sensual*.) m. Propensión excesiva a los placeres de los sentidos. ‖ **2.** *Fil.* Doctrina que pone exclusivamente en los sentidos el origen de las ideas.

sensualista. adj. Que profesa la doctrina del sensualismo. Apl. a pers., ú. t. c. s.

sensualmente. adv. m. Con sensualidad.

sentada. f. Tiempo que sin interrupción está sentada una persona. ‖ **2.** Acción de permanecer sentado en el suelo un grupo de personas por un largo período de tiempo, con objeto de manifestar una protesta o apoyar una petición. ‖ **de una sentada.** loc. adv. De una vez, sin levantarse.

sentadero. m. Cualquier piedra, madero, tabla, tronco de árbol, etc., que puede servir para sentarse.

sentadillas (a). loc. adv. **a asentadillas.**

sentado, da. p. p. de **sentar.** ‖ **2.** adj. Juicioso, sesudo, quieto. ‖ **3.** V. **pan sentado.** ‖ **4.** *Biol.* **sésil.** ‖ **5.** *Med.* V. **pulso sentado.**

sentamiento. (De *sentar*.) m. *Arq.* Asiento que hace una obra por la presión de unos materiales sobre otros.

sentar. (Del lat. **sedentāre*, de *sedens, -entis*.) tr. Poner o colocar a alguien en una silla, banco, etc., de manera que quede apoyado y descansando sobre las nalgas. Ú. t. c. prnl. ‖ **2.** fig. Dar por supuesta o por cierta alguna cosa. ‖ **3.** *Argent., Chile, Ecuad.* y *Perú.* Sofrenar bruscamente al caballo, haciendo que levante las manos y se apoye sobre los cuartos traseros. ‖ **4.** intr. fig. y fam. Tratándose de la comida o la bebida, ser bien recibidas o digeridas por el estómago. Ú. t. con negación y con los adverbios *bien* y *mal*. ‖ **5.** fig. y fam. Tratándose de cosas o acciones capaces de influir en la salud del cuerpo, hacer provecho. Ú. t. con negación y comúnmente con los adverbios *bien* y *mal*. *Le* SENTARÁ BIEN *una sangría; le* HA SENTADO MAL *el paseo*. ‖ **6.** fig. Cuadrar, convenir una cosa a otra o a una persona, parecer bien con ella. Ú. generalmente con los adverbios *bien* y *mal*. *Esta levita no* SIENTA; *el hablar modesto le* SIENTA BIEN. ‖ **7.** fig. y fam. Agradar a uno una cosa. Ú. t. con negación y comúnmente con los adverbios *bien* y *mal*. ‖ **8.** prnl. Establecerse o asentarse en un lugar. ‖ **9.** fig. y fam. Hacer a uno huella en la carne una cosa macerándosela. SE *le* HA SENTADO *una costura, el contrafuerte de una bota*. ‖ **estar** uno **bien sentado.** fr. fig. Estar asegurado en el empleo o conveniencia que disfruta. ‖ **2.** fig. Ocupar en ciertos juegos de naipes un lugar ventajoso respecto del que ocupa otro jugador.

sentencia. (Del lat. *sententĭa*.) f. Dictamen o parecer que uno tiene o sigue. ‖ **2.** Dicho grave y sucinto que encierra doctrina o moralidad. ‖ **3.** Declaración del juicio y resolución del juez. ‖ **4.** Decisión de cualquier controversia o disputa extrajudicial, que da la persona a quien se ha hecho árbitro de ella para que la juzgue o componga. ‖ **5.** *Inform.* Secuencia de expresiones que especifica una o varias operaciones. ‖ **6.** *Ling.* Oración gramatical. ‖ **definitiva.** *Der.* Aquella en que el juzgador, concluido el juicio, resuelve finalmente sobre el asunto principal, declarando, condenando o absolviendo. ‖ **2.** *Der.* La que termina el asunto o impide la continuación del juicio, aunque contra ella sea admisible recurso extraordinario. ‖ **firme.** *Der.* La que por estar confirmada, por no ser apelable o por haberla consentido las partes, causa ejecutoria. ‖ **pasada en autoridad de cosa,** o **en cosa, juzgada.** *Der.* **sentencia firme.** ‖ **fulminar,** o **pronunciar, la sentencia.** fr. *Der.* Dictarla, publicarla.

sentenciador, ra. adj. Que sentencia o tiene competencia para sentenciar. Ú. t. c. s.

sentenciar. tr. Dar o pronunciar sentencia. ‖ **2.** Condenar por sentencia en materia penal. ‖ **3.** fig. Expresar el parecer, juicio o dictamen que decide a favor de una de las partes contendientes lo que se disputa o controvierte. ‖ **4.** fig. y fam. Destinar o aplicar una cosa para un fin.

sentención. m. aum. de **sentencia.** ‖ **2.** fam. Sentencia rigurosa o excesiva.

sentenciosamente. adv. m. De modo sentencioso.

sentencioso, sa. (Del lat. *sententiōsus*.) adj. Aplícase al dicho, oración o escrito que encierra moralidad o doctrina expresada con gravedad o agudeza. ‖ **2.** Dícese del tono de la persona que habla con cierta afectada gravedad, como si cuanto dice fuera una sentencia.

sentenzuela. f. d. de **sentencia.**

sentible. adj. desus. **sensible.**

senticar. (Del lat. *sentix, -ĭcis*, zarza.) m. Sitio poblado de espinos, espinar.

sentidamente. (De *sentido*, que explica un sentimiento.) adv. m. Con sentimiento.

sentido, da. (De *sentir*.) adj. Que incluye o explica un sentimiento. ‖ **2.** Dícese de la persona que se resiente y ofende con facilidad. ‖ **3.** m. Cada una de las aptitudes que tiene el alma, de percibir, por medio de determinados órganos corporales, las impresiones de los objetos externos. ‖ **4.** Entendimiento o razón, en cuanto discierne las cosas. ‖ **5.** Modo particular de entender una cosa, o juicio que se hace de ella. ‖ **6.** Inteligencia o conocimiento con que se ejecutan algunas cosas. *Leer con* SENTIDO. ‖ **7.** Razón de ser, finalidad. *Su conducta carecía de* SENTIDO. ‖ **8.** Significación cabal de una proposición o cláusula. *Esta*

proposición no tiene SENTIDO. ‖ **9.** Significado, o cada una de las distintas acepciones de las palabras. *Este vocablo tiene varios* SENTIDOS. ‖ **10.** Cada una de las varias interpretaciones que puede admitir un escrito, cláusula o proposición. *La Sagrada Escritura tiene varios* SENTIDOS. ‖ **11.** *Geom.* Modo de apreciar una dirección desde un determinado punto a otro, por oposición a la misma dirección apreciada desde este segundo punto al primero. ‖ **acomodaticio.** Inteligencia espiritual y mística que se da a algunas palabras de la Escritura, aplicándolas a personas y cosas distintas de las que se dijeron en su riguroso y literal significado. ‖ **común.** Facultad interior en la cual se reciben e imprimen las especies e imágenes de los objetos que envían los **sentidos** exteriores. ‖ **2.** Facultad, que la generalidad de las personas tiene, de juzgar razonablemente de las cosas. ‖ **interior.** Facultad interior en la cual se reciben e imprimen todas las especies que envían los **sentidos** interiores. ‖ **abundar** uno **en un sentido.** fr. Mostrarse firme en la opinión propia, o adicto a la ajena. ‖ **aguzar el sentido.** fr. fig. y fam. **aguzar las orejas,** poner mucha atención. ‖ **con todos mis, tus, sus cinco sentidos.** loc. fig. y fam. Con toda atención, advertencia y cuidado. ‖ **2.** fig. y fam. Con suma eficacia. ‖ **costar** una cosa **un sentido.** fr. fig. y fam. Costar excesivamente cara. ‖ **de sentido común.** fr. Conforme al buen juicio natural de las personas. ‖ **llevar,** o **pedir, un sentido por** una cosa. frs. figs. y fams. Llevar o pedir por ella un precio excesivo. ‖ **perder** uno **el sentido.** fr. Privarse, desmayarse. ‖ **poner,** o **tener puestos,** sus **cinco sentidos en** una persona o cosa. fr. fig. y fam. Dedicarle extraordinaria atención. ‖ **2.** fig. y fam. Profesarle entrañable afecto o singular estimación. ‖ **valer** una cosa **un sentido.** fr. fig. y fam. Ser de gran valor o precio.

sentidor, ra. adj. ant. Que siente o tiene facultad de sentir. Usáb. t. c. s.

sentimental. (De *sentimiento*.) adj. Que expresa o excita sentimientos tiernos. ‖ **2.** Propenso a ellos. ‖ **3.** Que afecta sensibilidad de un modo ridículo o exagerado. Ú. t. c. s.

sentimentalismo. m. Cualidad de sentimental.

sentimentalmente. adv. m. De manera sentimental.

sentimiento. m. Acción y efecto de sentir o sentirse. ‖ **2.** Impresión y movimiento que causan en el alma las cosas espirituales. ‖ **3.** Estado del ánimo afligido por un suceso triste o doloroso.

sentina. (Del lat. *sentīna*.) f. *Mar.* Cavidad inferior de la nave, que está sobre la quilla y en la que se reúnen las aguas que, de diferentes procedencias, se filtran por los costados y cubierta del buque, de donde son expulsadas después por las bombas. ‖ **2.** fig. Lugar lleno de inmundicias y mal olor. ‖ **3.** fig. Lugar donde abundan o de donde se propagan los vicios.

sentir¹. (Forma sustantiva de *sentir²*.) m. Sentimiento del ánimo. ‖ **2.** Parecer o juicio de alguien, opinión, dictamen.

sentir². (Del lat. *sentīre*.) tr. Experimentar sensaciones producidas por causas externas o internas. ‖ **2.** Oír o percibir con el sentido del oído. SENTIR *pasos*. ‖ **3.** Experimentar una impresión, placer o dolor corporal. SENTIR *fresco, sed*. ‖ **4.** Experimentar una impresión, placer o dolor espiritual. SENTIR *alegría, miedo*. ‖ **5.** Lamentar, tener por dolorosa y mala una cosa. SENTIR *la muerte de un amigo*. ‖ **6.** Juzgar, opinar, formar parecer o dictamen. *Digo lo que* SIENTO. ‖ **7.** Acomodar en la recitación las acciones exteriores a las expresiones o palabras, o darles el sentido que les corresponde. SENTIR *bien el verso*. ‖ **8.** Presentir, barruntar lo que ha de sobrevenir. Se usa especialmente hablando de los animales que presienten la mudanza del tiempo y la anuncian con algunas acciones. ‖ **9.** prnl. Formar queja una persona de alguna cosa. ‖ **10.** Padecer un dolor o principio de un daño en parte determinada del cuerpo.

SENTIRSE *de la mano, de la cabeza.* ‖ **11.** Seguido de algunos adjetivos, hallarse o estar como este expresa. SENTIRSE *enfermo.* ‖ **12.** Seguido de ciertos adjetivos, considerarse, reconocerse. SENTIRSE *muy obligado.* ‖ **13.** Empezar a abrirse o rajarse una cosa; como pared, vidrio, campana, etc. ‖ **14.** Empezar a corromperse o pudrirse una cosa. Ú. m. en p. p. y con el verbo *estar.* ‖ **que sentir.** fr. que denota o augura consecuencias lamentables de alguna cosa. Ú. m. precedida de los verbos *dar* y *tener.* ‖ **sin sentir.** loc. adv. Inadvertidamente, sin darse cuenta de ello.

seña. (Del lat. *signa,* pl. de *signum.*) f. Nota o indicio para dar a entender una cosa o venir en conocimiento de ella. ‖ **2.** Lo que denota o está determinado entre dos o más personas para entenderse. ‖ **3.** Signo o medio que se emplea para luego acordarse de algo. ‖ **4.** Vestigio que queda de una cosa y la recuerda. ‖ **5.** ant. Estandarte o bandera militar. ‖ **6.** *Mil.* Nombre de población que, con el santo, comunicaba diariamente el jefe superior de cada plaza a los jefes de puesto, y que servía para reconocer las rondas y las fuerzas amigas, o para darse a conocer a las rondas mayores. ‖ **7.** pl. Indicación del lugar y el domicilio de una persona. ‖ **señas personales.** Rasgos característicos de una persona que permitan distinguirla de las demás. ‖ **dar señas.** fr. Manifestar las circunstancias individuales de una cosa; describirla de forma que se pueda distinguir de otra. ‖ **hablar** uno **por señas.** fr. Explicarse, darse a entender por medio de ademanes. ‖ **hacer señas.** fr. Indicar uno con gestos o ademanes lo que piensa o quiere. ‖ **por señas,** o **por más señas.** loc. adv. fam. Ú. para traer al conocimiento una cosa, recordando alguna circunstancia o indicios de ella. ‖ **señas mortales.** fr. fig. Muestras muy significativas, indicios vehementes de alguna cosa. Ú. m. con el verbo *ser.*

señal. (Del lat. *signális,* de *signum,* seña.) f. Marca o nota que se pone o hay en las cosas para darlas a conocer y distinguirlas de otras. ‖ **2.** Hito o mojón que se pone para marcar un término. ‖ **3.** Signo o medio que se emplea para luego acordarse de algo. ‖ **4.** Distintivo, marca. Se usa en sentido peyorativo o favorable. ‖ **5. signo,** cosa que por su naturaleza o convencionalmente evoca en el entendimiento la idea de otra. ‖ **6.** Indicio o muestra inmaterial de una cosa. ‖ **7.** Vestigio o impresión que queda de una cosa, por donde se viene en conocimiento de ella. ‖ **8.** Cicatriz que queda en el cuerpo por resultas de una herida u otro daño. ‖ **9.** Imagen o representación de una cosa. ‖ **10.** Prodigio o cosa extraordinaria y fuera del orden natural. ‖ **11.** Cantidad o parte de precio que se adelanta en algunos contratos, y autoriza, salvo pacto en contrario, para rescindirlos, perdiendo la **señal** el que la dio, o devolviéndola duplicada quien la había recibido. ‖ **12.** Aviso que se comunica o se da, de cualquier modo que sea, para concurrir a un lugar determinado o para ejecutar otra cosa. ‖ **13.** V. **judío de señal.** ‖ **14.** V. **código, disco de señales.** ‖ **15.** V. **ganadero de mayor señal.** ‖ **16.** Sonido característico que da el teléfono al descolgarlo. ‖ **17.** ant. Insignia, estandarte, bandera. ‖ **18.** ant. **señal** que se hace a modo de bendición. ‖ **19.** ant. Sello o escudo de armas, y blasones de que se compone. ‖ **20.** *Med.* Accidente, mutación o indicio que induce a hacer juicio del estado de la enfermedad o del final de ella. ‖ **21.** *Fís.* Alteración que se introduce o que aparece en el valor de una magnitud cualquiera y que sirve para transmitir información. ‖ **analógica.** *Fís.* La formada por una cantidad de una magnitud cuyo valor numérico no se mide o aprecia, sino se conoce. ‖ **de borrica frontina.** fig. y fam. ant. Acción con que uno da a conocer la segunda intención que lleva. ‖ **de la cruz.** Cruz formada con los dedos de la mano o con el movimiento de esta, representando aquella en que murió nuestro Redentor. ‖ **de tronca.** La que se hace al ganado, cortando a las reses una o ambas orejas. ‖ **en señal.** loc. adv. En prueba, prenda o muestra de una cosa. ‖ **ni señal.** expr. con que se da a entender que una cosa ha cesado, o se acabó del todo, o no se halla.

señalada. f. *Argent.* Acción de señalar el ganado. ‖ **2.** *Argent.* Época en que se señala el ganado. ‖ **3.** *Argent.* Fiesta que se celebra con tal motivo.

señaladamente. adv. m. Con especialidad o singularidad. ‖ **2.** Con expresión determinada.

señalado, da. p. p. de **señalar.** ‖ **2.** adj. Insigne, famoso.

señalamiento. m. Acción de señalar o determinar lugar, hora, etc., para un fin. ‖ **2.** *Der.* Designación de día para un juicio oral o una vista, y también el asunto que se ha de tratar en el día designado.

señalar. (De *señal.*) tr. Poner o estampar señal en una cosa para darla a conocer o distinguirla de otra, o para acordarse después de algo. ‖ **2.** Rubricar, firmar. ‖ **3.** Llamar la atención hacia una persona o cosa, designándola con la mano o de otro modo. ‖ **4.** Nombrar o determinar persona, día, hora, lugar o cosa para algún fin. ‖ **5.** Fijar la cantidad que debe pagarse o atender a determinados servicios u obligaciones, o la que por cualquier motivo corresponde percibir a una persona o entidad. ‖ **6.** Hacer una herida o señal en el cuerpo, particularmente en el rostro, que le cause imperfección o defecto. ‖ **7.** Hacer el amago y señal de una cosa sin ejecutarla; como las estocadas en la esgrima. ‖ **8.** Hacer señal para dar noticia de una cosa. *El castillo de San Antón* SEÑALÓ *dos naves.* ‖ **9.** En algunos juegos de naipes, tantear los puntos que cada uno va ganando. ‖ **10.** prnl. Distinguirse o singularizarse, especialmente en materias de reputación, crédito y honra.

señaleja. f. d. de **señal.**

señalero. (De *señal,* estandarte, bandera.) m. *Argent.* Técnico responsable de una cabina de señalización ferroviaria. ‖ **2.** ant. **alférez del rey.**

señaleza. f. ant. **señal.**

señalización. f. Acción y efecto de señalizar.

señalizar. (De *señal.*) tr. Colocar en las carreteras y otras vías de comunicación, las señales que indican bifurcaciones, cruces, pasos a nivel y otras para que sirvan de guía a los usuarios.

señar. (Del lat. *signāre.*) intr. ant. *Ar.* Hacer señas.

señera. (De *señero²*.) f. ant. Insignia, estandarte.

señeramente. (De *señero²*.) adv. m. ant. Singular o particularmente.

señero¹, ra. (De *seña.*) adj. Aplícase al territorio o pueblo que tenía facultad de levantar pendón en las proclamaciones de los reyes.

señero², ra. (Del lat. **singulārius,* por *singulāris.*) adj. Solo, solitario, separado de toda compañía. ‖ **2.** Único, sin par.

señolear. intr. Cazar con señuelo y ponerlo al uso de rapiña.

señor, ra. (Del lat. *senior, -ōris.*) adj. Dueño de una cosa; que tiene dominio y propiedad en ella. Ú. m. c. s. ‖ **2.** fam. Noble, decoroso y propio de **señor,** especialmente hablando de modales, trajes y colores. ‖ **3.** fam. Antepuesto a algunos nombres, sirve para encarecer el significado de los mismos. *Se produjo una* SEÑORA *herida; me dio un* SEÑOR *disgusto.* ‖ **4.** m. Por antonom., Dios. ‖ **5. Jesús** en el sacramento eucarístico. ‖ **6.** V. **casa, día, ministro del Señor.** ‖ **7.** Poseedor de estados y lugares con dominio y jurisdicción, o con solo prestaciones territoriales. ‖ **8.** Varón respetable que ya no es joven. ‖ **9.** Título nobiliario. ‖ **10.** Tratamiento que se da a una persona real para dirigirse a ella de palabra o por escrito. ‖ **11.** Amo con respecto a los criados. ‖ **12.** Término de cortesía que se aplica a cualquier hombre, aunque sea de igual o inferior condición. ‖ **13.** Título que se antepone al apellido de un varón: SEÑOR *González;* o al cargo que desempeña: SEÑORES *diputados;*

en España y otros países de lengua española, se antepone al *don* que precede al nombre, SEÑOR *don Pedro,* SEÑOR *don Pedro González;* en gran parte de América, al nombre seguido de apellido, SEÑOR *Pedro González;* y en uso popular, al nombre solo, SEÑOR *Pedro.* ‖ **14.** fam. **suegro.** ‖ **15.** desus. Título que se anteponía al nombre de los santos. SEÑOR *san Pedro; el* SEÑOR *Santiago.* Ú. en Asturias. ‖ **16.** desus. Héroe o protagonista de una historia. ‖ **de horca y cuchillo. señor** que tenía jurisdicción para castigar hasta con pena capit. ‖ **2.** fig. y fam. Persona que manda como dueño y con mucha autoridad. ‖ **del argamandijo. dueño del argamandijo.** ‖ **de los ejércitos.** Dios. ‖ **de salva.** ant. Personaje de mucha distinción o de elevada jerarquía. ‖ **de sí. dueño de sí mismo.** ‖ **mayor.** Hombre respetable, de edad avanzada. ‖ **a más señores.** Der. loc. que se usa para indicar que un asunto pasa a consulta de más personas de las que venían conociendo de él. ‖ **descansar,** o **dormir, en el Señor.** fr. Morir con la muerte de los justos. ‖ **gloriarse** uno **en el Señor.** fr. Decir o hacer una cosa buena, reconociendo a Dios por autor de ella y dándole alabanzas. ‖ **gran señor.** Precedido del artículo *el,* emperador de los turcos. ‖ **pues señor.** expr. fam. con que se comienza un cuento o un relato. ‖ **quedar** uno **señor del campo.** fr. Mil. Haber ganado la batalla, manteniéndose en la campaña o terreno en donde se dio o estaba el enemigo. ‖ **2.** fig. Haber vencido en cualquier disputa o contienda.

señora. (De *señor.*) f. Mujer del señor. ‖ **2.** La que por sí posee un señorío. ‖ **3.** Ama, con respecto a los criados. ‖ **4.** Término de cortesía que se aplica a una mujer, aunque sea de igual o inferior condición, y especialmente a la casada o viuda. ‖ **5.** Mujer respetable, principalmente casada o viuda, que ya no es joven. ‖ **6.** Título que se antepone al apellido de una mujer casada o viuda: SEÑORA *Pérez,* SEÑORA *Pérez de López,* SEÑORA *de López;* o al cargo que una mujer desempeña: SEÑORA *presidenta;* en España y otros países de lengua española, el *doña* seguido del nombre: SEÑORA *doña Luisa,* SEÑORA *doña Luisa Pérez;* en gran parte de América, el nombre seguido de apellido: SEÑORA *Luisa Pérez;* y en uso popular, al nombre solo: SEÑORA *Luisa.* ‖ **7.** Mujer o esposa. ‖ **8.** fam. **suegra.** ‖ **de compañía.** La que tiene por oficio acompañar a paseo, a visitas, espectáculos, etc., a **señoras** y hasta hace poco tiempo a señoritas que no acostumbraban salir solas de sus casas. ‖ **de honor.** Título que se daba a las que tenían en palacio empleo inferior a las damas. ‖ **mayor.** Mujer respetable y de avanzada edad. ‖ **nuestra Señora.** La Virgen María. ‖ **2.** V. **patrocinio de Nuestra Señora.** ‖ **y mayora.** Ar. La madre, principalmente si es viuda y cabeza de casa, cuando instituye heredero de ella en capítulos matrimoniales, reservándose el dominio.

señorada. f. Acción propia de señor.

señoraje. m. **señoreaje.**

señoreador, ra. adj. Que señorea. Ú. t. c. s.

señoreaje. (De *señor.*) m. Derecho que pertenecía al príncipe o soberano en las casas de moneda, por razón de la fábrica de ella.

señorear. (De *señor.*) tr. Dominar o mandar en una cosa como dueño de ella. ‖ **2.** Mandar uno imperiosamente y disponer de las cosas como si fuera dueño de ellas. ‖ **3.** Apoderarse de una cosa; sujetarla a su dominio y mando. Ú. t. c. prnl. ‖ **4.** fig. Estar una cosa en situación superior o en mayor altura del lugar que ocupa otra, como dominándola. ‖ **5.** fig. Sujetar uno las pasiones a la razón, y mandar sobre las acciones propias. ‖ **6.** fam. Dar a uno repetidas veces e importunamente el tratamiento de señor. ‖ **7.** prnl. Adoptar gravedad y mesura en el porte, vestido o trato.

señoría. (De *señor.*) f. Tratamiento que se da a las personas a quienes compete por su dignidad. ‖ **2.** Persona a

quien se da este tratamiento. ‖ **3.** Dominio sobre una cosa. ‖ **4.** Soberanía de ciertos Estados particulares que se gobernaban como repúblicas. La SEÑORÍA *de Venecia, de Génova.* ‖ **5.** Senado que gobernaba ciertos Estados independientes.

señorial. (De *señorío.*) adj. Perteneciente o relativo al señorío. ‖ **2. dominical,** dicho del feudo pagado a un señor. ‖ **3.** Majestuoso, noble.

señoril. adj. Perteneciente o relativo al señor.

señorilmente. adv. m. De modo señoril.

señorío. (De *señor.*) m. Dominio o mando sobre una cosa. ‖ **2.** Territorio perteneciente al señor. ‖ **3.** Dignidad de señor. ‖ **4.** V. **lugar de señorío.** ‖ **5.** fig. Gravedad y mesura en el porte o en las acciones. ‖ **6.** fig. Dominio y libertad en obrar, sujetando las pasiones a la razón. ‖ **7.** fig. Conjunto de señores o personas de distinción. ‖ **mayor.** Ar. Derecho de propiedad sujeto a cortapisas determinadas, según varias instituciones familiares del fuero de Aragón.

señorita. (d. de *señora.*) f. Hija de un señor o de persona de representación. ‖ **2.** Término de cortesía que se aplica a la mujer soltera. ‖ **3.** fam. Ama, con respecto a los criados. ‖ **4.** Tratamiento de cortesía que se da a maestras de escuela, profesoras, o también a otras muchas mujeres que desempeñan algún servicio, como secretarias, empleadas de la administración o del comercio, etc.

señoritingo, ga. m. y f. despect. de **señorito.**

señoritismo. (De *señorito.*) m. Actitud social de inferior señorío, tendente a la ociosidad y a la presunción.

señorito. (d. de *señora.*) m. Hijo de un señor o de persona de representación. ‖ **2.** fam. Amo, con respecto a los criados. ‖ **3.** fam. Joven acomodado y ocioso.

señorón, na. adj. Muy señor o muy señora, por serlo en realidad, por conducirse como tal, o finalmente, por afectar señorío y grandeza. Ú. t. c. s.

señuelo. (De *seña.*) m. Figura de ave en que se ponen algunos trozos de carne para atraer al halcón remontado. ‖ **2.** Por ext., cualquier cosa que sirve para atraer otras aves. ‖ **3.** Ave destinada a atraer a otras. ‖ **4.** fig. Cualquier cosa que sirve para atraer, persuadir o inducir, con alguna falacia. ‖ **5.** Argent. y Bol. Grupo de cabestros o mansos para conducir el ganado. ‖ **caer al señuelo.** fr. Cetr. **caer a la presa.** ‖ **caer** uno **en el señuelo.** fr. fig. y fam. **caer en el lazo.**

seo. (Del cat. y arag. *seu,* y este del lat. *sedes.*) f. Ar. **iglesia catedral.**

seó. m. fam. Apóc. de **seor.**

seor. m. Síncopa de **señor.**

seora. f. Síncopa de **señora.**

sépalo. (Del lat. *separ, -āris,* separado, apartado.) m. Bot. Hoja transformada, generalmente recia y de color verdoso, que forma parte del cáliz o verticilo externo de las flores heteroclamídeas.

sepancuantos. (De las palabras *sepan cuantos* con que generalmente principiaban los edictos, amonestaciones, cartas reales, etc.) m. fam. Castigo, zurra.

separable. (Del lat. *separabĭlis.*) adj. Capaz de separarse o de ser separado.

separación. (Del lat. *separatĭo, -ōnis.*) f. Acción y efecto de separar o separarse. ‖ **2.** Der. Interrupción de la vida conyugal por conformidad de las partes o fallo judicial, sin quedarse extinguido el vínculo matrimonial.

separadamente. adv. m. Con separación.

separador, ra. (Del lat. *separātor, -ōris.*) adj. Que separa. Ú. t. c. s.

separar. (Del lat. *separāre.*) tr. Establecer distancia, o aumentarla, entre algo o alguien y una persona, animal, lugar o cosa que se toman como punto de referencia. Ú. t. c. prnl. ‖ **2.** Formar grupos homogéneos de cosas que estaban mezcladas con otras. ‖ **3.** Considerar aisladamente cosas que estaban juntas o fundidas. ‖ **4.** Privar de un empleo, cargo o condición al que le servía u ostentaba. ‖ **5.** Forzar a dos o más personas o animales que riñen, para que dejen de hacerlo. ‖ **6.** prnl. Tomar caminos distintos, personas, animales o vehículos que iban juntos o por el mismo camino. ‖ **7.** Interrumpir los cónyuges la vida en común, por fallo judicial o por decisión coincidente, sin que se extinga el vínculo matrimonial. ‖ **8.** Renunciar a la asociación que se mantenía con otra u otras personas y que se basaba en una actividad, creencia o doctrina común. ‖ **9.** Hablando de una comunidad política, hacerse autónoma respecto de otra a la cual pertenecía. ‖ **10.** Retirarse uno de algún ejercicio u ocupación.

separata. f. Impresión por separado de un artículo o capítulo publicado en una revista o libro.

separatismo. m. Doctrina política que propugna la separación de algún territorio para alcanzar su independencia o anexionarse a otro país. ‖ **2.** Partido separatista.

separatista. adj. Partidario o defensor del separatismo. Apl. a pers., ú. t. c. s. ‖ **2.** Perteneciente o relativo al separatismo.

separativo, va. (Del lat. *separatīvus*.) adj. Dícese de lo que separa o tiene virtud de separar.

sepe. m. *Bol.* **comején,** insecto.

sepedón. (Del gr. σηπεδών.) m. **eslizón,** reptil.

sepelio. (Del lat. *sepelīre,* enterrar.) m. Acción de inhumar la Iglesia a los fieles. *Partida de SEPELIO.*

sepelir. (Del lat. *sepelīre.*) tr. ant. **sepultar.**

sepia. (Del lat. *sepĭa,* y este del gr. σηπία.) f. **jibia,** molusco. ‖ **2.** Materia colorante que se saca de la jibia y se emplea en pintura.

sepsis. (Del gr. σήψις, putrefacción.) f. **septicemia.**

septembrino, na. adj. Perteneciente o relativo al mes de septiembre. ‖ **2.** Dícese especialmente de ciertos movimientos revolucionarios acaecidos en ese mes. Ú. t. c. s.

septena. (Del lat. *septēna,* neutro de *-ni.*) f. Conjunto de siete cosas por orden.

septenario, ria. (Del lat. *septenarĭus.*) adj. Aplícase al número compuesto de siete unidades, o que se escribe con siete guarismos. ‖ **2.** Aplícase, en general, a todo lo que consta de siete elementos. ‖ **3.** m. Tiempo de siete días. ‖ **4.** Tiempo de siete días que se dedican a la devoción y culto de Dios y de los santos.

septenio. (Del lat. *septennĭum.*) m. Tiempo de siete años.

septeno, na. (Del lat. *septēnus.*) adj. Séptimo en orden. ‖ **2.** Dícese de cada una de las siete partes de un todo.

septentrión. (Del lat. *septentrĭo, -ōnis;* de *septem,* siete, y *trio, -ōnis,* buey de labor.) n. p. m. **Osa Mayor.** ‖ **2.** **Norte,** punto cardinal del horizonte. ‖ **3.** m. **polo ártico.** ‖ **4.** **norte,** lugar de la Tierra del lado del polo ártico. ‖ **5.** Viento del norte.

septentrional. (Del lat. *septentrĭonālis.*) adj. Perteneciente o relativo al Septentrión. ‖ **2.** Que cae al Norte.

septeto. (Del lat. *septem,* siete.) m. *Mús.* Composición para siete instrumentos o siete voces. ‖ **2.** *Mús.* Conjunto de estos siete instrumentos o voces.

septicemia. (Del gr. σηπτικός, que corrompe, y αἷμα, sangre.) f. *Pat.* Género de enfermedades infecciosas, graves, producidas por el paso a la sangre y su multiplicación en ella de diversos gérmenes patógenos procedentes de las supuraciones con síntomas de extensa intoxicación.

septicémico, ca. adj. Perteneciente o relativo a la septicemia.

séptico, ca. (Del gr. σηπτικός.) adj. *Med.* Que produce putrefacción o es causado por ella. ‖ **2.** *Med.* Que contiene gérmenes patógenos.

septiembre. (Del lat. *september, -bris.*) m. Noveno mes del año: tiene treinta días. ‖ **por septiembre, calabazas.** expr. fig. y fam. con que se da a entender que, por falta de oportunidad, no conseguirá uno lo que pretende.

septillo. (Del lat. *septem,* siete.) m. *Mús.* Conjunto de siete notas iguales que se deben cantar o tocar en el tiempo correspondiente a seis de ellas.

séptima. (Del lat. *septĭma,* t. f. de *-mus,* séptimo.) f. Reunión, en el juego de los cientos, de siete cartas de valor correlativo. ‖ **2.** *Mús.* Intervalo de una nota a la **séptima** ascendente o descendente en la escala. ‖ **aumentada.** *Mús.* Intervalo que consta de cinco tonos y dos semitonos. ‖ **diminuta.** *Mús.* Intervalo que consta de tres tonos y tres semitonos. ‖ **mayor.** La que comienza por el as, en el juego de los cientos. ‖ **2.** *Mús.* Intervalo que consta de cinco tonos y un semitono. ‖ **menor.** La que comienza por el rey, en el juego de los cientos. ‖ **2.** *Mús.* Intervalo que consta de cuatro tonos y dos semitonos mayores.

séptimo, ma. (Del lat. *septĭmus.*) adj. Que sigue inmediatamente en orden al o a lo sexto. ‖ **2.** Dícese de cada una de las siete partes iguales en que se divide un todo. Ú. t. c. s.

septingentésimo, ma. (Del lat. *septingentesĭmus.*) adj. Que sigue inmediatamente en orden al o a lo sexcentésimo nonagésimo nono. ‖ **2.** Dícese de cada una de las 700 partes iguales en que se divide un todo. Ú. t. c. s.

septisílabo, ba. (Del lat. *septem,* siete, y *sílaba.*) adj. De siete sílabas.

septo. (Del lat. *septum,* p. p. de *saepio,* cercar, cerrar.) m. *Zool.* Tabique que divide de un modo completo o incompleto una cavidad o partes del cuerpo en un animal.

septuagenario, ria. (Del lat. *septuagenarĭus.*) adj. Que ha cumplido la edad de setenta años y no llega a ochenta. Ú. t. c. s.

septuagésima. (Del lat. *septuagesĭma dies,* día septuagésimo antes del domingo de Pascua.) f. Dominica que celebraba la Iglesia tres semanas antes de la primera de cuaresma.

septuagésimo, ma. (Del lat. *septuagesĭmus.*) adj. Que sigue inmediatamente en orden al o a lo sexagésimo nono. ‖ **2.** Dícese de cada una de las 70 partes iguales en que se divide un todo. Ú. t. c. s.

septuplicación. f. Acción y efecto de septuplicar o septuplicarse.

septuplicar. (Del lat. *septem,* siete, y *plicāre,* doblar.) tr. Hacer séptupla una cosa; multiplicar por siete una cantidad. Ú. t. c. prnl.

séptuplo, pla. (Del lat. *septŭplus.*) adj. Aplícase a la cantidad que incluye en sí siete veces a otra. Ú. t. c. s. m.

sepulcral. (Del lat. *sepulcrālis.*) adj. Perteneciente o relativo al sepulcro. *Inscripción SEPULCRAL.*

sepulcro. (Del lat. *sepulcrum.*) m. Obra por lo común de piedra, que se construye levantada del suelo, para dar en ella sepultura al cadáver de una o más personas. ‖ **2.** Urna o andas cerradas, con una imagen de Jesucristo difunto. ‖ **3.** Hueco del ara donde se depositan las reliquias y que después se cubre y sella. ‖ **Santo Sepulcro.** Aquel en que estuvo sepultado Jesucristo. ‖ **bajar al sepulcro.** fr. Morirse. ‖ **ser uno un sepulcro.** fr. Guardar con fidelidad un secreto.

sepultador, ra. adj. Que sepulta. Ú. t. c. s.

sepultar. (Del lat. *sepultāre,* intens. de *sepelīre.*) tr. Poner en la sepultura a un difunto; enterrar su cuerpo. ‖ **2.** fig. Sumir, esconder, ocultar alguna cosa como enterrándola. Ú. t. c. prnl. ‖ **3.** fig. Sumergir, abismar, dicho del ánimo. *Quedó SEPULTADO en sus tristes pensamientos.* Ú. t. c. prnl.

sepulto, ta. (Del lat. *sepultus.*) p. p. irreg. de **sepelir** y de **sepultar.**

sepultura. (Del lat. *sepultūra.*) f. Acción y efecto de sepultar. ‖ **2.** Hoyo que se hace en tierra para enterrar un cadáver. ‖ **3.** Lugar en que está enterrado un cadáver. ‖ **4.** Sitio que en la iglesia tenía señalada una familia para colocar la ofrenda por sus difuntos. ‖ **dar sepultura.** fr. Enterrar un cadáver.

sepulturero. m. El que tiene por oficio abrir las sepulturas y sepultar a los muertos.

sequedad. (De *seco*.) f. Cualidad de seco. ‖ **2.** fig. Dicho, expresión o ademán áspero y duro. Ú. m. en pl.

sequedal. m. Terreno muy seco.

sequeral. (De *sequero*.) m. Terreno muy seco.

sequero. (De *seco*.) m. Tierra sin riego. ‖ **2.** Cosa muy seca. ‖ **3.** Paraje destinado a secar una cosa. ‖ **de sequero.** loc. adv. ant. **en seco.**

sequeroso, sa. (De *sequero*.) adj. Falto del jugo o humedad que debía tener.

sequete. m. Pedazo de pan, bollo o rosca que está seco y duro. ‖ **2.** Golpe seco que se da a una cosa para ponerla en movimiento o para contener el que trae. ‖ **3.** fig. y fam. Aspereza en el trato o en el modo de responder.

sequía. f. Tiempo seco de larga duración. ‖ **2.** ant. Sequedad o sed de la boca. Ú. en Andalucía, Murcia y Colombia.

sequillo. (De *seco*.) m. Pedazo pequeño de masa azucarada, en forma de bollo, rosquilla, etc.

sequío. (De *seco*.) m. Tierra sin riego. ‖ **2.** Cosa muy seca.

séquito. (Del lat. *sequi*, seguir.) m. Agregación de gente que en obsequio, autoridad o aplauso de uno le acompaña y sigue. ‖ **2.** Aplauso y benevolencia común en aprobación de las acciones o prendas de uno, de su doctrina u opinión.

sequizo, za. adj. Que propende a secarse.

ser[1]. (Forma sustantiva de *ser*[2].) m. Esencia o naturaleza. ‖ **2.** Cualquier cosa creada, especialmente las dotadas de vida. De aquí SERES *orgánicos*; SERES *vivos*. ‖ **3.** El ser humano. Se emplea frecuentemente acompañado de adjetivos calificativos como en: *es un* SER *admirable*; SERES *desgraciados*, etc. ‖ **4.** Valor, precio, estimación de las cosas. *En esa palabra está todo el* SER *de la proposición.* ‖ **5.** Modo de existir. ‖ **Ser supremo.** Dios. ‖ **en ser, o en su ser.** loc. adv. Sin haberse gastado, consumido o deshecho.

ser[2]. (De *seer*.) Verbo sustantivo que afirma del sujeto lo que significa el atributo. ‖ **2.** Verbo auxiliar que sirve para la conjugación de todos los verbos en la voz pasiva. ‖ **3.** intr. Haber o existir. ‖ **4.** Se utiliza para indicar tiempo. SON *las tres.* ‖ **5.** Con la prep. *para,* ser capaz o servir. ‖ **6.** Estar en lugar o situación. ‖ **7.** Suceder o acontecer. *¿Cómo* FUE *ese caso?* ‖ **8.** Valer, costar. *¿A cómo* ES *la merluza?* ‖ **9.** Con la prep. *de,* indica relación de posesión. *Este jardín* ES *del rey,* ‖ **10.** Corresponder, tocar. *Este proceder no* ES *de hombre de bien; no* ES *mío el sentenciar estas discordias.* ‖ **11.** Formar parte de una corporación o comunidad. ES *del Consejo;* ES *de la Academia.* ‖ **12.** Tener principio, origen o naturaleza, hablando de los lugares o países. *Antonio* ES *de Madrid.* ‖ **13.** Sirve para afirmar o negar en lo que se dice o pretende. *Esto* ES. ‖ **14.** Junto con sustantivos, adjetivos o participios, tener los empleos, cargos, profesiones, propiedades, condiciones, etc., que aquellas palabras significan. ‖ **como dos y dos son cuatro.** loc. con que se asegura ha de cumplirse lo que se dice. ‖ **¡cómo es eso!** expr. fam. que se emplea para reprender a uno, motejándole de atrevido. ‖ **¡cómo ha de ser!** exclam. con que se manifiesta resignación o conformidad. ‖ **érase que se era.** expr. fam. con que tradicionalmente se suele dar principio a los cuentos. ‖ **es a saber, o esto es.** exprs. usadas para dar a entender que se va a explicar mejor o de otro modo lo que ya se ha expresado. ‖ **lo que fuere, sonará.** expr. fam. con que se da a entender que a su tiempo se hará patente una cosa, o se conocerán sus consecuencias. ‖ **2.** También denota que se arrostran las consecuencias de una decisión, por peligrosas que sean. ‖ **más eres tú.** fr. fam. que se usa para disculpar el yerro o vicio propio, imputándolo en mayor grado a quien lo critica. ‖ **no ser para menos.** expr. **ser** algo digno de la vehemencia con que se admira, se celebra o se siente. ‖ **o somos, o no somos.** expr. fam. que se emplea, generalmente en estilo festivo, para dar a entender que por **ser** quien somos podemos o debemos hacer una cosa o portarnos de tal o cual manera. ‖ **sea lo que fuere, o sea lo que sea.** exprs. con que se prescinde de lo que se considera accesorio, pasando a tratar del asunto principal. ‖ **sea o no sea.** expr. con que, prescindiendo de la existencia de una cosa, se pasa a tratar del asunto principal. ‖ **ser algo qué** una cosa. fr. fam. **ser** de algún valor, o valer algo. ‖ **ser uno con** otro. fr. Opinar del mismo modo que él. ‖ **ser uno** de otro. fr. fig. Seguir su partido u opinión. ‖ **2.** fig. Mantener su amistad. ‖ **ser de lo que no hay.** fr. fam. Dicho de una persona o cosa, no tener igual en su clase. Se usa por lo general con sentido peyorativo. ‖ **ser de ver, o para ver,** una cosa. fr. Llamar la atención por alguna circunstancia, y especialmente por lo extraña o singular. ‖ **ser uno muy de** otro. fr. fig. **ser de** otro. ‖ **ser muy otro.** fr. fam. Mostrar gran mudanza o diferencia alguna persona o cosa. ‖ **ser dos personas para en uno.** fr. **ser** muy conformes y parecidas en la condición y costumbres, para lo que se entenderán o convendrán fácilmente. Ú. m. hablando de los casamientos. ‖ **ser uno para menos.** fr. fam. No **ser** capaz de lo que otro **es.** ‖ **ser uno para poco.** fr. Tener poco valor, talento o fuerza. ‖ **ser uno quien es.** fr. Corresponder con sus acciones a su sangre, carácter o cargo. ‖ **si yo fuera que** fulano o **si yo fuera** fulano. expr. que se usa para dar a entender lo que, en concepto de lo que dice, debía hacer el sujeto de quien se habla en la materia que se trata. ‖ **soy contigo, con usted,** etc. expr. que se usa para prevenir a uno que espere un poco para hablarle. ‖ **soy mío.** expr. con que uno indica la libertad o independencia que tiene respecto de otro para obrar. ‖ **un es, no es, o un sí es, no es.** exprs. con que se significa cortedad, pequeñez o poquedad.

sera. (Del ár. andaluz *šaira,* espuerta.) f. Espuerta grande, regularmente sin asas.

serado. m. Conjunto de seras.

seráficamente. (De *seráfico,* pobre, humilde.) adv. m. De modo seráfico.

seráfico, ca. adj. Perteneciente o parecido al serafín. ‖ **2.** Suele darse este epíteto a San Francisco de Asís y a la orden religiosa que fundó. ‖ **3.** fig. y fam. Pobre, humilde. ‖ **hacer la seráfica.** fr. fig. y fam. Afectar virtud y modestia.

serafín[1]. (Del lat. *seraphim,* y este del hebr. *seraffm,* nobles príncipes, ángeles alados.) m. *Teol.* Cada uno de los espíritus bienaventurados que forman el primer coro. ‖ **2.** fig. Persona de singular hermosura.

serafín[2]. (Del ár. *ašrafi,* perteneciente al sultán de Egipto al-Malik al-*Ašraf*.) m. Moneda de oro, equivalente al cequí, mandada acuñar en el siglo XV por el sultán de Egipto el Asraf.

serafina. f. Tela de lana de un tejido muy semejante a la bayeta, aunque más tupido y abatanado, adornado con variedad de flores y otros dibujos.

seraje. m. Conjunto de seras, especialmente de carbón.

seranear. intr. *Extr.* y *Sal.* Estar de serano.

serano. (Del lat. **serānum,* de *serum,* la tarde.) m. *Sal.* Tertulia nocturna que se tiene en los pueblos.

serapino. (Del lat. *sagapēnum,* con influencia de *Serāpis,* nombre de un dios alejandrino patrono de la medicina.) m. **sagapeno.**

serasquier. (Del turco-persa, *sar-'askar,* cabeza del ejército.) m. Antiguamente, general de ejército entre los turcos.

serba. (Del lat. *sŏrba,* pl. de *sŏrbum,* serba.) f. Fruto del serbal. Es de figura de pera pequeña, de color encarnado que participa de amarillo, y comestible después de madurar entre paja o colgado.

serbal. (De *serba*.) m. Árbol de la familia de las rosáceas, de seis a ocho metros de altura, con tronco recto y liso, ramas gruesas y copa abierta; hojas compuestas de hojuelas elípticas, dentadas y lampiñas; flores blancas, pequeñas, en corimbos axilares, y cuyo fruto es la serba. Es común en los montes de España.

serbio, bia. adj. Natural u oriundo de Serbia. Ú. t. c. s. ‖ **2.** Perteneciente o relativo a esta región balcánica. ‖ **3.** m. Idioma **serbio.**

serbo. (De *suerbo,* del lat. *sorbus.*) m. Sorbo, árbol; serbal.

serbocroata. adj. Perteneciente a Serbia y Croacia, común a serbios y croatas. ‖ **2.** m. Lengua eslava meridional que se habla en Serbia, Croacia y otras regiones de la actual Yugoslavia.

serena[1]. (De *sereno.*) f. Composición poética o musical de los trovadores, que solía cantarse de noche. ‖ **2.** fam. Humedad de la atmósfera en la noche. ‖ **a la serena.** loc. adv. fam. **al sereno.**

serena[2]. f. ant. Sirena, ninfa marina.

serenar. (Del lat. *serenāre.*) tr. Aclarar, sosegar, tranquilizar una cosa; como el tiempo, el mar. Ú. t. c. intr. y c. prnl. ‖ **2.** Enfriar agua al sereno. Ú. t. c. prnl. ‖ **3.** Sentar o aclarar los licores que están turbios o mezclados de algunas partículas. Ú. m. c. prnl. ‖ **4.** fig. Apaciguar o sosegar disturbios o tumultos. ‖ **5.** fig. Templar, moderar o cesar del todo en el enojo o señas de ira u otra pasión, especialmente en el ceño del semblante. Ú. t. c. prnl. ‖ **6.** intr. *Col.* Lloviznar. ‖ **7.** prnl. *Col.* y *Venez.* Exponerse al sereno.

serenata. (Del it. *serenata.*) f. Música en la calle o al aire libre y durante la noche, para festejar a una persona. ‖ **2.** Composición poética o musical destinada a esos objetos.

serenense. adj. Natural de La Serena, capital de la provincia chilena de Coquimbo. Ú. t. c. s. ‖ **2.** Perteneciente o relativo a esta ciudad.

serenero. (De *sereno*[1].) m. Toca que usan las mujeres en algunas regiones como defensa contra la humedad de la noche. ‖ **2.** *Argent.* Pañuelo que, atado generalmente debajo de la barba, usaba el gaucho bajo el sombrero para cubrirse la nuca y parte de la cara.

serení. m. Uno de los botes más pequeños que llevaban los antiguos bajeles de guerra.

serenidad. (Del lat. *serenĭtas, -ātis.*) f. Cualidad de sereno[2]. ‖ **2.** Título de honor de algunos príncipes.

serenísimo, ma. adj. sup. de **sereno**[2], apacible, sosegado. ‖ **2.** Aplicábase en España como tratamiento a los príncipes hijos de reyes. También se ha dado este título a algunas repúblicas.

sereno[1]. (Del lat. *serēnum,* de *serum,* la tarde, la noche.) m. Humedad del aire durante la noche está impregnada de la atmósfera. ‖ **2.** Cada uno de los dependientes encargados de rondar de noche por las calles para velar por la seguridad del vecindario, de la propiedad, etc. ‖ **3.** *Ecuad.* Serenata, música nocturna y al aire libre para festejar a alguna persona. ‖ **al sereno.** loc. adv. A la intemperie de la noche.

sereno[2], **na.** (Del lat. *serēnus.*) adj. Claro, despejado de nubes o nieblas. ‖ **2.** fig. Apacible, sosegado, sin turbación física o moral. ‖ **3.** V. **gota serena.**

serete. m. Sera pequeña.

sergenta. (Del fr. *sergent,* y este del lat *serviens, -entis,* sirviente.) f. Religiosa lega de la orden de Santiago.

seriación. f. Acción y efecto de seriar.

serial. adj. Perteneciente o relativo a una serie. ‖ **2.** m. Obra radiofónica o televisiva que se difunde en emisiones sucesivas.

seriamente. adv. m. Con seriedad.

seriar. tr. Poner en serie, formar series.

sericícola. (Del lat. *serĭcum,* seda, y *colĕre,* cultivar.) adj. Perteneciente o relativo a la sericicultura.

sericicultor, ra. m. y f. Persona que se dedica a la sericicultura.

sericicultura. (Del lat. *serĭcum,* seda, y *cultūra,* cultivo.) f. Industria que tiene por objeto la producción de la seda.

sérico, ca. (Del lat. *serĭcus.*) adj. De seda.

sericultor, ra. m. y f. **sericicultor.**

sericultura. f. **sericicultura.**

serie. (Del lat. *serĭes.*) f. Conjunto de cosas relacionadas entre sí y que se suceden unas a otras. ‖ **2. serial,** obra. ‖ **3.** En filatelia conjunto de sellos u otros valores postales que forman parte de una misma emisión. ‖ **4.** En la lotería, cada una de las emisiones de los números correspondientes a un mismo sorteo. ‖ **5.** *Ling.* Conjunto de fonemas de una lengua caracterizados por un mismo modo de articulación. ‖ **6.** *Mat.* **sucesión.** ‖ convergente. *Mat.* **serie** en que la suma de sus términos se aproxima cada vez más a una determinada cantidad. Así, $1/2 + 1/4 + 1/8 + 1/16...,$ se acerca progresivamente a valer 1, sin llegar nunca a él. ‖ **en serie.** loc. que se aplica a la fabricación de muchos objetos iguales entre sí, según un mismo patrón, y no con la individualidad que requiere el hacerlos uno a uno. ‖ **fuera de serie.** loc. adj. que se aplica a los objetos cuya construcción esmerada los distingue de los fabricados en **serie.** ‖ **2.** fig. Dícese de lo que se considera sobresaliente en su línea. Ú. t. c. s.

seriedad. (Del lat. *serĭĕtas, -ātis.*) f. Cualidad de serio.

serifio, fia. (Del lat. *Seriphĭus.*) adj. Natural de Serifo. Ú. t. c. s. ‖ **2.** Perteneciente o relativo a esta isla del mar Egeo.

serija. f. d. de **sera.**

serijo. m. Sera pequeña que sirve para poner o llevar pasas, higos u otras cosas menudas. ‖ **2.** Posón, posadero.

serillo. (De *serilla,* d. de *sera.*) m. Sera pequeña. ‖ **2.** *And.* Sera rectangular en que se echa el pienso a la yunta en el campo.

seringa. (Del port. *seringa.*) f. *Amér.* **goma elástica.**

serio, ria. (Del lat. *serĭus.*) adj. Grave, sentado y compuesto en las acciones y en el modo de proceder. Aplícase también a las acciones. ‖ **2.** Severo en el semblante, en el modo de mirar o hablar. ‖ **3.** Real, verdadero y sincero, sin engaño o burla, doblez o disimulo. ‖ **4.** Grave, importante, de consideración. *Negocio* SERIO; *enfermedad* SERIA. ‖ **5.** Contrapuesto a jocoso o bufo. *Ópera* SERIA. ‖ **6.** V. **baile serio.** ‖ **en serio.** loc. adv. Sin engaño, sin burla.

sermocinal. (Del lat. *sermocināre,* platicar, conversar.) adj. ant. Perteneciente a la oración o modo de decir en público.

sermón. (Del lat. *sermo, -ōnis.*) m. Discurso cristiano u oración evangélica que predica el sacerdote a los fieles para la enseñanza de la buena doctrina. ‖ **2.** p. us. Habla, lenguaje, idioma. ‖ **3.** ant. Discurso o conversación. ‖ **4.** fig. Amonestación o represión insistente y larga. ‖ **de tabla.** Uno de los que figuran como obligación o carga de la magistralía.

sermonar. (Del lat. *sermonāre,* hablar, platicar.) intr. desus. Predicar, echar sermones.

sermonario, ria. adj. Perteneciente al sermón o que tiene semejanza con él. ‖ **2.** m. Colección de sermones.

sermoneador, ra. adj. Que sermonea o acostumbra reprender.

sermonear. (De *sermón.*) intr. Predicar, echar sermones. ‖ **2.** tr. Amonestar o reprender.

sermoneo. m. fam. Acción de sermonear.

serna. (De or. inc.) f. Porción de tierra de sembradura.

serodiagnóstico. m. Diagnóstico por medio de reacciones provocadas en el suero sanguíneo o por el suero sanguíneo de los enfermos.

seroja. (De *serojo.*) f. Hojarasca seca que cae de los árboles. ‖ **2.** Residuo o desperdicio de la leña. ‖ **3.** Cada una de las virutas que se le sacan al tronco de los pinos sometidos a resinación, al refrescar la herida que va formando la entalladura, por medio de las picas practicadas con la azuela o escoda.

serojo. (Del lat. *serucŭlus*, d. de *serus*, tardío.) m. **seroja.**

serología. (Del lat. *serum*, suero, y *-logía*.) f. Tratado de los sueros.

serón. m. Especie de sera más larga que ancha, que sirve regularmente para carga de una caballería. ‖ **caminero.** El que sirve para llevar carga por los caminos.

serondo, da. (Del lat. *serotīnus*, tardío.) adj. Aplícase a los frutos tardíos, seruendo.

seronero, ra. adj. V. **camino seronero.** ‖ **2.** m. y f. Persona que hace o vende serones.

serosidad. (De *seroso*.) f. Líquido que ciertas membranas segregan en el estado normal, y que en el morboso forma las hidropesías. ‖ **2.** Humor que se acumula en las ampollas de la epidermis formadas por quemaduras, cáusticos, ventosas, etc.

seroso, sa. (Del lat. *serum*, suero.) adj. Perteneciente o relativo al suero o a la serosidad, o semejante a estos líquidos. ‖ **2.** Que produce serosidad. ‖ **3.** V. **membrana serosa.** Ú. t. c. s. f.

seroterapia. (Del lat *serum*, suero, y *terapia*.) f. Tratamiento de las enfermedades por los sueros medicinales.

serótino, na. (Del lat. *serotīnus*.) adj. Aplícase a los productos, y especialmente a los frutos tardíos.

serpa. (Como el fr. *serpe*, del lat. *sarpĕre*, podar la viña.) f. Sarmiento bajo, largo y estéril de la vid, jerpa, serpia.

serpear. (Del lat. *serpĕre*.) intr. Andar o moverse como la sierpe.

serpentaria. (Del lat. *serpentaria*.) f. **dragontea**, planta. ‖ **virginiana.** Aristoloquia que venía de América y cuya raíz se empleaba en medicina como tónica y aromática.

serpenteado, da. p. p. de **serpentear.** ‖ **2.** adj. Que tiene ondulaciones semejantes a las que forma la serpiente al moverse.

serpentear. intr. Andar, moverse o extenderse, formando vueltas y tornos como la serpiente.

serpenteo. m. Acción y efecto de serpentear.

serpentígero, ra. (Del lat. *serpentĭger, -ĕri.*) adj. poét. Que lleva o tiene serpientes.

serpentín. (d. de *serpiente*.) m. Instrumento de hierro en que se ponía la mecha o cuerda encendida para hacer fuego con el mosquete. ‖ **2.** Pieza de acero en las llaves de las armas de fuego y chispa, con la cual se forma el movimiento y muelle de la llave. ‖ **3.** Tubo largo en línea espiral o quebrada que sirve para facilitar el enfriamiento de la destilación en los alambiques u otros aparatos. ‖ **4.** **serpentina**, roca parecida al mármol. ‖ **5.** Pieza antigua de artillería, que tenía 15 pies de longitud y lanzaba balas de 24 libras.

serpentina. (Del lat. *serpentīna*, t. f. de *serpentīnus*.) f. **serpentín**, instrumento de hierro ‖ **2. serpentín**, pieza de acero. ‖ **3.** Venablo antiguo cuyo hierro forma ondas como la serpiente cuando se arrastra. ‖ **4.** Piedra de color verdoso, con manchas o venas más o menos oscuras, casi tan dura como el mármol, tenaz, que admite hermoso pulimento y tiene mucha aplicación en las artes decorativas. Es un silicato de magnesia teñido por óxidos de hierro. ‖ **5.** Tira de papel arrollada que en días de carnaval u otras fiestas y diversiones se arrojan unas personas a otras, teniéndola sujeta por un extremo.

serpentinamente. adv. m. A modo de serpiente.

serpentino, na. (Del lat. *serpentīnus*.) adj. Perteneciente o relativo a la serpiente. ‖ **2.** V. **aceite, mármol serpentino.** ‖ **3.** fig. V. **lengua serpentina.** ‖ **4.** poét. Que serpentea.

serpentón. m. aum. de **serpiente.** ‖ **2.** Instrumento músico de viento, de tonos graves, que consiste en un tubo de madera delgada forrado de cuero, encorvado en forma de S, más ancho por el pabellón que por la embocadura

y con agujeros para los dedos o tapados con llaves. ‖ **3.** Instrumento músico de viento, usado por las bandas militares, compuesto de un tubo de madera encorvado en forma de U, con agujeros y llaves, y de un pabellón de metal que figura una cabeza de serpiente.

serpezuela. f. d. de **sierpe.**

serpia. (De *serpa*.) f. *And.* Sarmiento bajo, largo y estéril, de la vid.

serpiente. (Del lat. *serpens, -entis;* de *serpĕre*, arrastrarse.) f. **culebra,** reptil de gran tamaño. ‖ **2.** fig. El demonio. ‖ **de anteojos.** Reptil venenoso del orden de los ofidios, de más de un metro de longitud, cabeza que se endereza verticalmente, y sobre el disco que pueden formar las costillas detrás de la cabeza aparece un dibujo en forma de anteojos. ‖ **de cascabel. crótalo,** reptil. ‖ **de cristal. culebra de cristal.** ‖ **pitón.** Género de culebras, las de mayor tamaño conocidas, propias de Asia y de África. Tienen la cabeza cubierta, en gran parte, de escamas pequeñas, y dobles fajas transversas debajo de la cola.

serpiginoso, sa. adj. Perteneciente o relativo al serpigo.

serpigo. (Del b. lat. *serpigo*, y este del lat. *serpĕre*, andar arrastrando, extenderse.) m. Llaga que por un extremo cicatriza y por el otro se extiende.

serpol. (Del cat. *serpoll*, y este del lat. *serpyllum*.) m. Especie de tomillo de tallos rastreros y hojas planas y obtusas.

serpollar. intr. Echar serpollos un árbol, retoñar.

serpollo. (Del lat. *sarpĕre*, podar.) m. Cada una de las ramas nuevas que brotan al pie de un árbol o en la parte por donde ha sido podado. ‖ **2.** Renuevo, retoño de una planta.

serradizo, za. (De *serrado*.) adj. A propósito para ser serrado. ‖ **2. madera serradiza.**

serrado, da. p. p. de **serrar.** ‖ **2.** adj. Que tiene dentecillos semejantes a los de la sierra.

serrador, ra. adj. Que sierra. ‖ **2.** m. El que tiene por oficio serrar troncos de árboles. ‖ **3.** f. Máquina para serrar.

serraduras. f. pl. Partículas de madera que se desprenden al serrar.

serragatino, na. adj. Natural de la Sierra de Gata. Ú. t. c. s. ‖ **2.** Perteneciente o relativo a esta región de Salamanca.

serrallo. (Del it. *serraglio*.) m. Harén. ‖ **2.** fig. Cualquier sitio donde se cometen graves desórdenes obscenos.

serrana. (De *serrano*.) f. Composición poética parecida a la serranilla. ‖ **2.** Canción andaluza, variedad del cante hondo.

serranía. (De *serrano*.) f. Espacio de terreno cruzado por montañas y sierras.

serraniego, ga. adj. **serrano.**

serranil. (De *serrano*.) m. Especie de puñal o cuchillo.

serranilla. (d. de *serrana*.) f. Composición lírica de asunto villanesco o rústico, y las más de las veces erótico, escrita por lo general en metros cortos.

serrano, na. adj. Que habita en una sierra, o nacido en ella. Ú. t. c. s. ‖ **2.** Perteneciente a las sierras o serranías, o a sus moradores. ‖ **3.** V. **tordo serrano.** ‖ **4.** fig. y fam. V. **partida serrana.**

serrar. (Del lat. *serrāre*.) tr. Cortar o dividir con la sierra. ‖ **2.** intr. *Murc.* Ajear la perdiz.

serrasuelo. m. *P. Rico.* Árbol mirtáceo, de corteza agrietada y por fruto bayas globosas.

serrátil. (Del lat. *serra*, sierra.) adj. *Med.* V. **pulso serrátil.** ‖ **2.** *Zool.* V. **juntura serrátil.**

serratilla. f. d. de **sierra**, cordillera.

serrato. (Del lat. *serrātus*.) adj. *Zool.* V. **músculo serrato.** Ú. t. c. s.

serrería. f. Taller mecánico para serrar madera.

serreta. f. d. de **sierra.** ‖ **2.** Mediacaña de hierro, de forma semicircular y con dentecillos o puntas, que se pone sujeta al cabezón sobre la nariz de las caballerías. ‖ **3.** V. **cabezón de serreta.** ‖ **4.** Galón de oro o plata dentado por uno de sus bordes.

serretazo. m. Tirón que se da a la serreta para castigar al caballo. ‖ **2.** fig. Sofrenada, represión violenta.

serrezuela. f. d. de **sierra.**

serrijón. m. Sierra o cordillera de montes de poca extensión.

serrín. (Del lat. *serrāgo, -ĭnis.*) m. Conjunto de partículas que se desprenden de la madera cuando se sierra.

serrino, na. adj. Perteneciente a la sierra de serrar o parecido a ella. ‖ **2.** *Med.* V. **pulso serrino.**

serrón. m. aum. de **sierra,** herramienta. ‖ **2.** ant. Sierra corta con solo una manija. Ú. en León. ‖ **3.** Sierra larga con un mango o manija en cada extremo.

serrucho. (despect. de *sierra,* herramienta.) m. Sierra de hoja ancha y regularmente con solo una manija. ‖ **2.** *Cuba.* Pez de cuerpo prolongado y con rostro en forma de sierra muy cortante.

seruendo, da. (Del lat. *serotīnus,* tardío.) adj. *León.* Aplícase a los frutos tardíos, serondo.

servador. (Del lat. *servātor, -ōris.*) adj. Guardador o defensor. Úsase únicamente en poesía como epíteto de Júpiter.

servar. (Del lat. *servāre.*) tr. ant. Observar, guardar.

servato. (De *herbato,* mozár. *yarbatūl.*) m. Planta herbácea de la familia de las umbelíferas, con tallo erguido, de seis a ocho decímetros de altura, estriado y ramoso en lo alto; hojas grandes, pecioladas y partidas en lacinias rígidas y puntiagudas; flores pequeñas y amarillas, y fruto seco y elipsoidal. Es común en España y los frutos se han usado en medicina como carminativos.

serventesio. (Del prov. *serventes.*) m. Género de composición de la poética provenzal, de asunto generalmente moral o político y a veces de tendencia satírica. ‖ **2.** Cuarteto en que riman el primer verso con el tercero y el segundo con el cuarto.

serventía. (De *servir.*) f. *Ast., Can., Cuba* y *Méj.* Camino que pasa por terrenos de propiedad particular, y que utilizan los habitantes de otras fincas para comunicarse con los públicos.

servible. adj. Que puede servir.

serviciador. m. El que cobraba el servicio y montazgo.

servicial. (De *servicio.*) adj. Que sirve con cuidado, diligencia y obsequio. ‖ **2.** Pronto a complacer y servir a otros. ‖ **3.** m. Lavativa, ayuda, clister. ‖ **4.** ant. Sirviente. Ú. en Bolivia.

servicialmente. adv. m. Con diligencia y cuidado en el servir.

serviciar. tr. Pagar, cobrar o percibir el servicio y montazgo.

servicio. (Del lat. *servitĭum.*) m. Acción y efecto de servir. ‖ **2.** Estado de criado o sirviente. ‖ **3. servicio doméstico.** ‖ **4.** V. **estación de servicio.** ‖ **5.** Rendimiento y culto que se debe a Dios en el ejercicio de lo que pertenece a su gloria. ‖ **6.** Mérito que se hace sirviendo al Estado o a otra entidad o persona. ‖ **7. servicio militar.** ‖ **8.** Obsequio que se hace en beneficio del igual o amigo. ‖ **9.** Porción de dinero ofrecida voluntariamente al rey o a la república para las urgencias del Estado o bien público. ‖ **10.** Utilidad o provecho que resulta a uno de lo que otro ejecuta en atención suya. ‖ **11.** Recipiente que sirve para excrementos mayores. ‖ **12. enema².** ‖ **13.** Cubierto que se pone a cada comensal. ‖ **14.** Conjunto de alimentos que se ponen en la mesa. ‖ **15.** Conjunto de vajilla y otras cosas, para servir la comida, el café, el té, etc. ‖ **16.** Hablando de beneficios o prebendas eclesiásticas, residencia y asistencia personal. ‖ **17.** Contribución que pagaban anualmente los ganados.

‖ **18.** Organización y personal destinados a cuidar intereses o satisfacer necesidades del público o de alguna entidad oficial o privada. SERVICIO *de correos, de incendios, de reparaciones.* ‖ **19.** Función o prestación desempeñadas por estas organizaciones y su personal. ‖ **20. retrete,** excusado. Ú. t. en pl. ‖ **21.** *Dep.* **saque,** acción de sacar. ‖ **22.** *Econ.* Prestación humana que satisface alguna necesidad del hombre que no consiste en la producción de bienes materiales. ‖ **activo.** El que corresponde a un empleo y se está prestando de hecho, actual y positivamente. ‖ **de inteligencia.** Organización secreta en un Estado para dirigir y organizar el espionaje. ‖ **de lanzas. lanza,** servicio de dinero que pagaban al rey los grandes y títulos. ‖ **discrecional.** El que una empresa, autorizada para prestar un determinado **servicio público,** realiza en función de sus propios intereses y de los de sus usuarios. ‖ **doméstico.** Sirviente o sirvientes de una casa y prestación que realizan. ‖ **militar.** El que se presta siendo soldado. ‖ **posventa.** Organización y personal destinados por una firma comercial al mantenimiento de aparatos, coches, etc., después de haberlos vendido. ‖ **sanitario.** *Col.* sanitario, retrete, letrina. ‖ **secreto.** Cuerpo de agentes que, a las órdenes de un gobierno y procurando pasar inadvertidos, se dedican a recoger datos e informes reservados, tanto en el propio país como en el extranjero. ‖ **servicios sanitarios.** Organización municipal, provincial, nacional, etc., destinada a vigilar y proteger la salud pública. ‖ **de servicio.** loc. adv. que con los verbos *entrar, estar, tocar, salir* y otros semejantes, se refiere al desempeño activo de un cargo o función durante un turno de trabajo. ‖ **estar** una persona o cosa **al servicio de uno.** fr. de cortesía con que se le ofrece alguna cosa, o se pone a su disposición la misma persona que habla. ‖ **hacer el servicio.** fr. Ejercer en la milicia el empleo que cada uno tiene. ‖ **hacer un flaco servicio** a uno. fr. fam. Hacerle mala obra o causarle un perjuicio. ‖ **prestar servicios.** fr. Hacerlos.

servidero, ra. adj. desus. Apto o a propósito para servir o ser utilizado. ‖ **2.** desus. Que pide o requiere asistencia personal para ejecutarse o cumplirse por sí o por otro. *Beneficio* SERVIDERO.

servidor, ra. (Del lat. *servītor, -ōris.*) m. y f. Persona que sirve como criado. ‖ **2.** Persona adscrita al manejo de un arma, de una maquinaria o de otro artefacto. ‖ **3.** Nombre que por cortesía y obsequio se da a sí misma una persona respecto de otra. ‖ **4.** Fórmula de cortesía que suele usarse como despedida en las cartas. *Su atento, su seguro* SERVIDOR. ‖ **5.** m. El que corteja y festeja a una dama. ‖ **6.** Orinal.

servidumbre. (Del lat. *servitūdo, -ĭnis.*) f. Trabajo o ejercicio propio del siervo. ‖ **2.** Estado o condición de siervo. ‖ **3.** Conjunto de criados que sirven a un tiempo o en una casa. ‖ **4.** Sujeción grave u obligación inexcusable de hacer una cosa. ‖ **5.** ant. Retrete, escusado. ‖ **6.** fig. Sujeción causada por las pasiones o afectos que coarta la libertad. ‖ **7.** *Der.* Derecho en predio ajeno que limita el dominio en este y que está constituido en favor de las necesidades de otra finca perteneciente a distinto propietario, o de quien no es dueño de la gravada. ‖ **aparente.** *Der.* La que muestra su existencia por un signo externo. ‖ **continua.** *Der.* La que para ejercitarse siempre no requiere acto del hombre. ‖ **de abrevadero.** La que grava un predio adonde los ganados de otro van a beber. ‖ **de acueducto.** La que grava un predio por donde pasa una conducción de aguas. ‖ **de luces.** Aquella que limita la construcción o altura de un edificio para dejar libre paso de la luz a otra finca inmediata, sin permitir la vista desde esta. ‖ **de paso.** *Der.* La que da derecho a entrar en una finca no lindante con camino público. ‖ **de vistas.** La que da al predio dominante el derecho de tener ventanas u otros huecos en su casa, desde donde pueda mirar al predio sirviente, con la consiguiente obligación de este de no impedirlo con nuevas construcciones o plantaciones. ‖ **discontinua.** *Der.* La que se usa con intervalos y requiere actos del hombre. ‖ **forzosa.** *Der.* Aquella al otorgamiento de la cual puede ser legítimamente compelido el dueño del predio sirviente. ‖ **legal.** *Der.* La que por ministerio de la ley grava los inmuebles, sin expreso otorgamiento de título para constituirla. ‖ **negativa.** *Der.* La que prohíbe ejercitar derechos al dueño del predio sirviente. ‖ **positiva.** *Der.* La que impone al dueño del predio sirviente ejecutar actos o permitir los del dueño del predio dominante. ‖ **pública.** *Der.* La que está constituida para el uso general o de indeterminada colectividad de personas.

servil. (Del lat. *servīlis.*) adj. Perteneciente o relativo a los siervos y criados. ‖ **2.** Bajo, humilde y de poca estimación. Dícese también de las cosas del ánimo. ‖ **3.** Rastrero, que obra con servilismo. ‖ **4.** Apodo con que los profesaban ideas liberales designaban, en el primer tercio del siglo XIX, a los que preferían la monarquía absoluta. Ú. m. c. s. ‖ **5. V. oficio servil.**

servilismo. (De *servil.*) m. Ciega y baja adhesión a la autoridad de uno. ‖ **2.** Orden de ideas de los denominados serviles.

servilmente. adv. m. A manera de siervo. ‖ **2.** Indecorosa y vilmente; con bajeza o desdoro. ‖ **3.** A la letra, sin quitar ni poner nada.

servilón, na. adj. aum. de **servil.** ‖ **2.** m. Apodo que se daba a los partidarios de la monarquía absoluta a principios del siglo XIX.

servilla. (Del lat. *servilia* [*calceamenta*], calzado de esclavas.) f. desus. Zapato ligero y de suela muy delgada. ‖ **2. salvilla.**

servilleta. (Del fr. *serviette,* con infl. de *servilla.*) f. Pieza de tela o papel que usa cada comensal para limpiarse los labios y las manos. ‖ **doblar la servilleta.** fr. fig. y fam. Acabar uno la vida. ‖ **estar** uno **de servilleta en ojal,** o **prendida.** fr. fam. Comer convidado en casa ajena.

servilletero. m. Aro en que se pone arrollada la servilleta. ‖ **2.** Utensilio para poner las servilletas de papel.

servio, via. adj. **serbio.**

serviola. (Del cat. *cerviola,* d. del cat. ant. *cérvia,* cierva, por alusión a los cuernos de este animal.) f. *Mar.* Pescante muy robusto instalado en las proximidades de la amura y hacia la parte exterior del costado del buque. En su cabeza tiene un juego de varias roldanas por las que laborea el aparejo de gata. ‖ **2.** *Mar.* Vigía que se establece de noche cerca de este pescante.

servir. (Del lat. *servīre.*) intr. Estar al servicio de otro. Ú. t. c. tr. ‖ **2.** Estar empleado en la ejecución de una cosa por mandato de otro, aun cuando lo que ejecute sea pena o castigo. ‖ **3.** Estar sujeto a otro por cualquier motivo, aunque sea voluntariamente, haciendo lo que él quiere o dispone. ‖ **4.** Ser un instrumento, máquina o cosa semejante, a propósito para determinado fin. ‖ **5.** Ejercer un empleo o cargo propio o en lugar de otro. Ú. t. c. tr. ‖ **6.** Hacer las veces de otro en un oficio u ocupación. ‖ **7.** Aprovechar, valer, ser de utilidad. ‖ **8.** Ser soldado en activo. ‖ **9.** Asistir con naipe del mismo palo a quien ha jugado primero. ‖ **10.** Sacar o restar la pelota de modo que se pueda jugar fácilmente. ‖ **11.** Asistir a la mesa trayendo o repartiendo los alimentos o las bebidas. ‖ **12.** entre panaderos y alfareros, calentar el horno. ‖ **13.** tr. Dar culto o adoración a Dios y a los santos, o emplearse en los ministerios de su gloria y veneración. ‖ **14.** Obsequiar a uno o hacer una cosa en su favor, beneficio o utilidad. ‖ **15.** Cortejar o festejar a una dama. ‖ **16.** Ofrecer o dar voluntariamente al gobierno una porción de dinero para las urgencias del Estado o del público. ‖ **17.** Hacer plato o llenar el vaso o la copa al que va a comer o beber. Ú. t.

c. prnl. ‖ **18.** prnl. Querer o tener a bien hacer alguna cosa. ‖ **19.** Valerse de una cosa para el uso propio de ella. Ú. con la prep. *de.* ‖ **ir** uno **servido.** fr. irón. Salir desfavorecido o chasqueado. ‖ **no servir** uno **para descalzar** a otro. fr. fig. y fam. Ser muy inferior a él en alguna cualidad, mérito o circunstancia. ‖ **para servirte, servir a usted,** etc. expr. de cortesía con que se ofrece uno a la disposición u obsequio de otro. ‖ **ser** uno **servido.** fr. Querer o gustar de una cosa conformándose con la súplica o pretensión que se hace.

servita. (Del lat. *Servi.*) adj. Dícese del que profesa la orden tercera fundada en Italia por San Felipe Benicio en el siglo XIII. Ú. t. c. s.

servitud. (Del lat. *servĭtus, -ūtis.*) f. ant. Trabajo propio de un siervo. ‖ **2.** desus. Estado o condición del siervo.

servo. m. Abrev. de **servomecanismo.** ‖ **2.** Abrev. de **servomotor.**

servo-. (Del lat. *servus,* siervo.) *Mec.* elem. compos. que significa «mecanismo o sistema auxiliar»: SERVO*freno.*

servofreno. (De *servo-* y *freno.*) m. *Mec.* Freno cuya acción es amplificada por un dispositivo eléctrico o mecánico.

servomecanismo. m. Sistema electromecánico que se regula por sí mismo al detectar el error o la diferencia entre su propia actuación real y la deseada.

servomotor. (De *servo-* y *motor.*) m. Sistema electromecánico que amplifica la potencia reguladora.

ses. (Del lat. *sessus,* asiento.) m. *Ar.* y *Murc.* Extremo final del intestino.

sesada. f. Fritada de sesos. ‖ **2.** Sesos de un animal.

sesámeo, a. adj. *Bot.* Dícese de las plantas parecidas al sésamo.

sésamo. (Del lat. *sesămum,* y este del gr. σήσαμον.) m. Planta pedalácea, de la especie del ajonjolí y alegría. ‖ **2.** Pasta de nueces, almendras o piñones con ajonjolí.

sesamoideo, a. adj. Parecido en la forma a la semilla del sésamo. Aplícase especialmente a unos huesos pequeños, cortos y redondeados, de constitución fibrosa, que se desarrollan en el espesor de los tendones y en determinadas articulaciones.

sescuncia. (Del lat. *sescuncia.*) f. Moneda de cobre de los antiguos romanos, con onza y media de peso y que valía la octava parte del as.

sesear. intr. Pronunciar la *z,* o la *c* ante *e, i,* como *s,* ya sea con articulación predorsoalveolar o predorsodental, como en Andalucía, Canarias y América, ya con articulación apicoalveolar, como en la dicción popular de Cataluña y Valencia.

sesén. (Del lat. *sex,* seis.) m. Moneda de Aragón, que equivalía a seis maravedís burgaleses.

sesena. f. **sesén.**

sesenta. (Del lat. *sexaginta.*) adj. Seis veces diez. ‖ **2.** Sexagésimo, ordinal. *Número* SESENTA; *año* SESENTA. ‖ **3.** m. Conjunto de signos con que se representa el número **sesenta.**

sesentavo, va. (De *sesenta* y *-avo.*) adj. Dícese de cada una de las 60 partes iguales en que se divide un todo. Ú. t. c. s.

sesentén. adj. Aplícase en Cataluña y Huesca a la pieza de madera de hilo de 60 palmos de longitud, con escuadría de 3 palmos de tabla por 2 de canto. Ú. t. c. s.

sesentón, na. (De *sesenta.*) adj. fam. Que ha cumplido la edad de sesenta años y no llega a la setenta. Ú. t. c. s.

seseo. m. Acción y efecto de sesear.

sesera. f. Parte de la cabeza del animal, en que están los sesos. ‖ **2.** El seso[1] del cráneo. ‖ **3.** fig. y fam. Juicio, inteligencia.

sesga. (De *sesgar.*) f. **nesga.**

sesgadamente¹. (De *sesgado,* p. p. de *sesgar.*) adv. m. Oblicuamente.

sesgadamente². (De *sesgado,* sosegado.) adv. m. Con quietud o sosiego.

sesgado, da. (Del inus. *sesgar,* ant. *sesegar,* del lat. *sessicâre,* asentar.) adj. Quieto, pacífico, sosegado.

sesgadura. f. Acción y efecto de sesgar.

sesgamente¹. (De *sesgo*¹.) adv. m. Oblicuamente.

sesgamente². (De *sesgo*².) adv. m. Con quietud o sosiego.

sesgar. (De or. inc.) tr. Cortar o partir en sesgo. ‖ 2. Torcer a un lado o atravesar una cosa hacia un lado.

sesgo¹, **ga.** (De *sesgar.*) adj. Torcido, cortado o situado oblicuamente. ‖ 2. fig. Grave, serio o torcido en el semblante. ‖ 3. m. Oblicuidad o torcimiento de una cosa hacia un lado, o en el corte, o en la situación, o en el movimiento. ‖ 4. fig. Corte o medio término que se toma en los negocios dudosos. ‖ 5. Por ext., curso o rumbo que toma un negocio. ‖ **al sesgo.** loc. adv. Oblicuamente o al través.

sesgo², **ga.** adj. p. us. Quieto, pacífico, sosegado.

sesi. m. *Cuba* y *P. Rico.* Pez muy parecido al pargo, de unos 30 centímetros de largo, tiene las aletas pectorales negras y la cola amarilla.

sésil. (Del lat. *sessîlis,* apto para sentarse.) adj. *Biol.* Aplícase a los órganos u organismos que carecen de pedúnculo.

sesión. (Del lat. *sessio, -ônis.*) f. p. us. Acción y efecto de sentarse. ‖ 2. Cada una de las juntas de un concilio, congreso u otra corporación. ‖ 3. Cada una de las funciones de teatro o cinematógrafo que se celebran a distintas horas, en un mismo día. ‖ 4. fig. Conferencia o consulta entre varios para determinar una cosa. ‖ **continua.** Aquella en que se proyecta repetidamente el mismo programa de cine, de tal modo que el espectador puede presenciarlo de principio a fin, o completar la parte que no ha visto aguardando a la proyección siguiente, sin tener que abandonar la sala ni pagar otra vez por ella. ‖ **abrir la sesión.** fr. Comenzarla. ‖ **levantar la sesión.** fr. Concluirla.

sesionar. intr. Celebrar sesión. ‖ 2. Asistir a una sesión participando en sus debates.

sesma. f. Sexta parte, sexma.

sesmero. m. Encargado de un sesmo, sexmero.

sesmo, ma. adj. ant. Sexmo, sexto, ordinal. Usáb. t. c. s. m. ‖ 2. m. Grupo de pueblos asociados. ‖ 3. Pieza de madera de hilo.

seso¹. (Del lat. *sensus,* sentido.) m. Cerebro, parte del encéfalo que está situado delante y encima del cerebelo. ‖ 2. Masa de tejido nervioso contenida en la cavidad del cráneo. Ú. m. en pl. ‖ 3. ant. Cada facultad sensitiva del alma. ‖ 4. ant. Significación de las palabras y conjuntos de ellas. ‖ 5. ant. Dictamen, opinión. ‖ 6. fig. Prudencia, madurez. ‖ 7. fig. y fam. V. **tapa de los sesos.** ‖ **beberse el seso.** fr. fig. desus. Perder la cabeza por el estudio, los negocios, etc. ‖ **calentarse** uno **los sesos.** fr. fig. y fam. **devanarse** uno **los sesos.** ‖ **cambiar** uno **el seso.** fr. fig. **perder el seso.** ‖ **dar sesos de mosquito,** o **de asno,** a uno. fr. fig. y fam. **tenerle sorbidos los sesos.** ‖ **devanarse** uno **los sesos.** fr. fig. Fatigarse meditando mucho en una cosa. ‖ 2. *Guat.* y *P. Rico.* Devanear, decir disparates. ‖ **perder** uno **el seso.** fr. fig. Perder el juicio, o privarse. ‖ **tener** uno **los sesos en los calcañales.** fr. fig. y fam. Tener poco juicio. ‖ **tener sorbido el seso,** o **sorbidos los sesos** a uno. fr. fig. y fam. Ejercer sobre él influjo incontrastable.

seso². (Del lat. *sessus,* asentamiento.) m. Piedra, ladrillo o hierro con que se calza la olla para que asiente bien.

sesqui-. (Del lat. *sesqui-.*) elem. compos. que denota una unidad y media: SESQUI*hora,* hora y media. Unida a un ordinal, significa la unidad más la fracción enunciada por el ordinal. Así, SESQUI*tercio* equivale a *uno y un tercio;* SES-QUI*quinto,* a *uno y un quinto;* SESQUI*décimo,* a *uno y un décimo.*

sesquiáltero, ra. (Del lat. *sesquialter.*) adj. Aplícase a las cosas que contienen la unidad y una mitad de ella, y también a las cantidades que están en razón de tres a dos.

sesquicentenario, ria. adj. Perteneciente o relativo a lo que tiene una centena y media. ‖ 2. m. Día o año en que se cumple siglo y medio del nacimiento o muerte de una persona ilustre o de un suceso famoso.

sesquimodio. (Del lat. *sesquimodîus.*) m. Medida de modio y medio de capacidad.

sesquióxido. (De *sesqui-* y *óxido.*) m. *Quím.* Óxido que contiene la mitad más de oxígeno que el protóxido.

sesquipedal. (Del lat. *sesquipedális.*) adj. De pie y medio de largo.

sesquiplano. m. Biplano con un par de alas mucho menor que las otras dos.

sestar. (Del lat. *sessitâre,* asentar, de *sessum.*) tr. ant. Asentar, poner, atinar.

sesteadero. m. Lugar donde sestea el ganado.

sestear. intr. Pasar la siesta durmiendo o descansando. ‖ 2. Recogerse el ganado durante el día en un lugar sombrío para descansar y librarse de los rigores del sol.

sesteo. m. Acción y efecto de sestear. ‖ 2. Sesteadero, lugar en que se sestea.

sestercio. (Del lat. *sestertîus.*) m. Moneda de plata de los romanos, que valía dos ases y medio.

sestero. m. **sesteadero.**

sestil. (De *siesta.*) m. **sesteadero.**

sesudamente. adv. m. De manera sesuda.

sesudez. f. Cualidad de sesudo, sensatez.

sesudo, da. adj. Que tiene seso⁴, prudencia.

seta¹. (Del lat. *seta.*) f. **seda,** cerda.

seta². (De or. inc.) f. Cualquier especie de hongos de forma de sombrero o casquete sostenido por un pedicelo. Las hay comestibles de sabor agradable y las hay venenosas. ‖ 2. fig. **moco** del pabilo.

seta³. f. ant. Hilo de seda.

setabense. adj. Natural de la antigua Setabis, hoy Játiva. Ú. t. c. s. ‖ 2. Perteneciente o relativo a esta comarca. ‖ 3. jativés.

setabitano, na. (Del lat. *Saetabitânus.*) adj. jativés. Apl. a pers., ú. t. c. s.

setal. m. Sitio o porción de terreno donde abundan las setas.

sete. (De or. inc.) m. desus. Oficina o pieza de las casas de moneda, donde estaba el cepo para acuñar a martillo.

setecientos, tas. adj. Siete veces ciento. ‖ 2. Septingentésimo, ordinal. *Número* SETECIENTOS*; año* SETECIENTOS. ‖ 3. m. Conjunto de signos con que se representa el número **setecientos.**

setena. f. **septena.** ‖ 2. pl. Pena con que antiguamente se obligaba a que se pagase el séptuplo de una cantidad determinada. ‖ **pagar** uno **con las setenas** una cosa. fr. fig. Sufrir un castigo superior a la culpa cometida.

setenado, da. p. p. de **setenar.** ‖ 2. adj. Castigado con pena superior a la culpa. ‖ 3. m. Período de siete años.

setenar. tr. Sacar por suerte uno de cada siete.

setenario. m. **septenario.**

seteno, na. adj. desus. Séptimo, posterior al sexto. ‖ 2. Dícese de cada una de las siete partes de un todo.

setenta. (Del lat. *septuaginta.*) adj. Setenta veces diez. ‖ 2. Septuagésimo, ordinal. *Número* SETENTA*; año* SETENTA. ‖ 3. m. Conjunto de signos con que se representa el número **setenta.**

setentavo, va. (De *setenta* y *-avo.*) adj. Dícese de cada una de las setenta partes en que se divide un todo. Ú. t. c. s. m.

setentón, na. adj. fam. Que ha cumplido la edad de setenta y no llega a la de ochenta.

setero. (De *seta²*.) adj. V. **cardo setero.**

setico. f. *Perú.* Cierto árbol artocarpáceo.

setiembre. (Del lat. *september*.) m. **septiembre.**

sétimo, ma. adj. **séptimo.** Ú. t. c. s.

seto. (Del lat. *saeptum*.) m. Cercado hecho de palos o varas entretejidas. ‖ **vivo.** Cercado de matas o arbustos vivos.

setuní. m. **aceituní,** tela.

setura. (Del lat. *saeptum,* seto.) f. ant. Cerramiento de una heredad.

seudo-. (De *pseudo-*.) elem. compos. que significa «falso»: SEUD**ópodo,** SEUD**oprofeta.**

seudohermafrodita. adj. Dícese del individuo que tiene la apariencia, más o menos completa, del sexo contrario, conservando la gónada de su sexo verdadero. Ú. t. c. s. ‖ **femenino.** El que tiene tejido ovárico y apariencia de varón. ‖ **masculino.** El que tiene tejido testicular y apariencia de mujer.

seudohermafroditismo. m. Cualidad de seudohermafrodita.

seudónimo, ma. (Del gr. ψευδώνυμος.) adj. Dícese del autor que oculta con un nombre falso el suyo verdadero. ‖ **2.** Aplícase también a la obra de este autor. ‖ **3.** m. Nombre empleado por un autor en vez del suyo verdadero.

seudópodo. (De *seudo-,* y el gr. πούς, ποδός, pie.) m. *Biol.* Cualquiera de las prolongaciones protoplasmáticas transitorias que son emitidas por ciertas células libres, como los leucocitos, y muchos seres unicelulares, como las amebas, y sirven para la ejecución de movimientos y para la prensión de partículas orgánicas, bacterias, etc.

severamente. adv. m. Con severidad.

severidad. (Del lat. *severĭtas, -ātis*.) f. Cualidad de severo.

severo, ra. (Del lat. *sevērus*.) adj. Riguroso, áspero, duro en el trato o castigo. ‖ **2.** Exacto y rígido en la observancia de una ley, precepto o regla. ‖ **3.** Grave, serio, mesurado.

sevicia. (Del lat. *saevitĭa*.) f. Crueldad excesiva. ‖ **2.** Trato cruel.

seviche. m. *Ecuad., Pan.,* y *Perú.* **cebiche.**

sevillanas. (De *sevillano*.) f. pl. Aire musical propio de Sevilla y tierras comarcanas, bailable y con el cual se cantan seguidillas. ‖ **2.** Danza que se baila con esta música.

sevillano, na. adj. Natural de Sevilla. Ú. t. c. s. ‖ **2.** Perteneciente o relativo a esta ciudad o a su provincia.

séviro. (Del lat. *sevir, -īri*.) m. Jefe de cada una de las seis decurias de los caballeros romanos. ‖ **2.** Cada uno de los seis individuos que en la edad romana componían ciertos cuerpos colegiados. ‖ **augustal.** Individuo de cualquiera de los colegios sacerdotales, compuestos de seis libertos, que en las provincias del imperio romano cuidaban del culto a Augusto divinizado.

sexagenario, ria. (Del lat. *sexagenarĭus*.) adj. Que ha cumplido la edad de sesenta años y no llega a setenta. Aunque pase de los setenta se usa también a los efectos legales de excepción, excusa o beneficio. Ú. t. c. s.

sexagésima. (Del lat. *sexagesĭma dies,* día sexagésimo antes del domingo de Pascua.) f. Dominica segunda de las tres que se contaban antes de la primera de cuaresma.

sexagesimal. (De *sexagésimo*.) adj. Aplícase al sistema de contar o de subdividir de 60 en 60.

sexagésimo, ma. (Del lat. *sexagesĭmus*.) adj. Que sigue inmediatamente en orden al o a la quincuagésimo nono. ‖ **2.** Dícese de cada una de las 60 partes iguales en que se divide un todo. Ú. t. c. s.

sexagonal. adj. **hexagonal.**

sexángulo, la. (Del lat. *sexangŭlus*.) adj. *Geom.* **hexágono.** Ú. t. c. s. m.

sexcentésimo, ma. (Del lat. *sexcentesĭmus*.) adj. Que si-

gue inmediatamente en orden al o a lo quingentésimo nonagésimo nono. ‖ **2.** Dícese de cada una de las 600 partes iguales en que se divide un todo. Ú. t. c. s.

sexenio. (Del lat. *sexennĭum*.) m. Tiempo de seis años.

sexismo. m. Atención preponderante al sexo en cualquier aspecto de la vida. ‖ **2.** Discriminación de personas de un sexo por considerarlo inferior al otro.

sexista. adj. Perteneciente o relativo al sexismo. ‖ **2.** Dícese de la persona partidaria del sexismo. Ú. t. c. s.

sexma. (De *sexmo*.) f. Sexta parte de cualquier cosa. Tomábase regularmente por la de la vara. ‖ **2.** Asociación de cierto número de pueblos con administración comunal de algunos bienes. ‖ **3.** Madero de 12 dedos de ancho y 8 de grueso, sin largo determinado. ‖ **4.** Moneda romana que valía la sexta parte de la onza.

sexmero. m. Encargado de los negocios y derechos de un sexmo.

sexmo, ma. (Del lat. *sex,* seis.) adj. ant. **sexto.** Usáb. t. c. s. m. ‖ **2.** m. División territorial que comprende cierto número de pueblos asociados para la administración de bienes comunes. ‖ **3.** *Jaén.* Pieza de madera de hilo, de seis varas de longitud y con una escuadría de ocho pulgadas de tabla por cinco de canto.

sexo. (Del lat. *sexus*.) m. *Biol.* Condición orgánica que distingue al macho de la hembra en los seres humanos, en los animales y en las plantas. ‖ **2.** Conjunto de seres pertenecientes a un mismo **sexo.** SEXO *masculino, femenino.* ‖ **3.** Órganos sexuales. ‖ **débil.** Las mujeres. ‖ **feo,** o **fuerte.** Los hombres. ‖ **bello sexo. sexo débil.**

sexología. (De *sexo* y *-logía*.) f. Estudio del sexo y de las cuestiones con él relacionadas.

sexólogo, ga. m. y f. Especialista en sexología.

sexta. (Del lat. *sexta*.) f. Tercera de las cuatro partes iguales en que dividían los romanos el día artificial, y comprendía desde el final de la sexta hora temporal, a mediodía, hasta el fin de la novena, a media tarde. ‖ **2.** En el rezo eclesiástico, una de las horas menores, que se dice después de la tercia. ‖ **3.** Reunión, en el juego de los cientos, de seis cartas de valor correlativo. ‖ **4. sexta rima.** ‖ **5.** *Mús.* Intervalo de una nota a la sexta ascendente o descendente en la escala. ‖ **aumentada.** *Mús.* Intervalo que consta de cuatro tonos y dos semitonos. ‖ **diminuta.** *Mús.* Intervalo que consta de dos tonos y tres semitonos. ‖ **mayor.** La que comienza por el as, en el juego de los cientos. ‖ **2.** *Mús.* **hexacordo mayor.** ‖ **menor.** La sexta por el rey, en el juego de los cientos. ‖ **2.** *Mús.* **hexacordo menor.**

sextaferia. (De *sexta feria,* el viernes.) f. *Ast.* y *Cantabria.* Prestación vecinal para la reparación de caminos u otras obras de utilidad pública, a que los vecinos tenían obligación de concurrir los viernes en ciertas épocas del año. Está en uso en algunas aldeas.

sextaferiar. tr. Trabajar en la sextaferia.

sextantario, ria. (Del lat. *sextantarĭus*.) adj. Que tiene el peso de un sextante. Dícese del as (moneda de la Roma antigua) que solo pesaba dos onzas, o sea la sexta parte que el primitivo.

sextante. (Del lat. *sextans, -antis*.) m. Moneda de cobre de los antiguos romanos, que pesaba dos onzas y valía la sexta parte del as. ‖ **2.** Instrumento parecido al quintante y destinado a los mismos usos, cuyo sector es de 60 grados, o sea la sexta parte del círculo.

sextario. (Del lat. *sextarĭus*.) m. Medida antigua de capacidad para líquidos y para áridos, sexta parte del congio y decimosexta del modio.

sextavado, da. p. p. de **sextavar.** ‖ **2.** adj. Dícese de la figura hexagonal.

sextavar. tr. Dar figura sextavada a una cosa.

sexteto. (Del lat. *sextum,* sexto.) m. *Métr.* Composición poética de seis versos de arte mayor. ‖ **2.** *Mús.* Composición para seis instrumentos o seis voces. ‖ **3.** *Mús.* Conjunto de estos seis instrumentos o voces.

sextil[1]. (Del lat. *sextīlis*.) m. ant. Agosto, octavo mes.

sextil[2]. (De *sexto*.) adj. *Astrol.* V. **aspecto sextil.**

sextilla. (d. de *sexta*.) f. Combinación métrica de seis versos de arte menor aconsonantados alternadamente o de otra manera.

sextillo. (d. de *sexto*.) m. *Mús.* Conjunto de seis notas iguales que se ejecutan en el tiempo de cuatro, seisillo.

sextina. (d. de *sexta*.) f. Composición poética que consta de seis estrofas de seis versos endecasílabos cada una, y de otra que solo se compone de tres. En todas, menos en esta, acaban los versos con las mismas palabras, bien que no ordenadas de igual manera, por haber de concluir con la voz final del último verso de una estrofa el primero de la siguiente. En cada uno de los tres con que se da remate a esta composición entran dos de los seis vocablos repetidos de las estrofas anteriores. ‖ **2.** Cada una de las estrofas de seis versos endecasílabos que entran en esta composición. ‖ **3.** Combinación métrica de seis versos endecasílabos en la cual aconsonantan el primero con el tercero y el segundo con el cuarto, y son pareados los dos últimos. También se da este nombre a otras combinaciones métricas de seis versos.

sexto, ta. (Del lat. *sextus*.) adj. Que sigue en orden al o a lo quinto. ‖ **2.** Dícese de cada una de las seis partes iguales en que se divide un todo. Ú. t. c. s. ‖ **3.** m. Libro en que están juntas algunas constituciones y decretos canónicos. ‖ **4.** fam. **sexto** mandamiento de la ley de Dios.

séxtula. (Del lat. *sextŭla*.) f. Moneda de cobre de los antiguos romanos, que valía la sexta parte de una onza. Setenta y dos **séxtulas** valían un as.

sextuplicación. f. Acción y efecto de sextuplicar o sextuplicarse.

sextuplicar. (Del lat. *sextus*, sexto, y *plicāre*, doblar.) tr. Hacer séxtupla una cosa; multiplicar por seis una cantidad. Ú. t. c. prnl.

séxtuplo, pla. (Del lat. *sextŭplus*.) adj. Que incluye en sí seis veces una cantidad. Ú. t. c. s.

sexuado, da. (De *sexo*.) adj. *Biol.* Dícese de la planta o del animal que tiene órganos sexuales bien desarrollados y aptos para funcionar.

sexual. (Del lat. *sexuālis*.) adj. Perteneciente o relativo al sexo.

sexualidad. (De *sexual*.) f. Conjunto de condiciones anatómicas y fisiológicas que caracterizan a cada sexo. ‖ **2.** Apetito sexual, propensión al placer carnal.

sí[1]. (Del lat. *sibi*, dat. de *sui*.) Forma reflexiva del pronombre personal de tercera persona. Se emplea en los casos oblicuos de la declinación en ambos géneros y números, y lleva constantemente preposición. Cuando esta es *con*, se dice **consigo.** ‖ **2.** V. **señor de sí.** ‖ **de por sí.** loc. adv. Separadamente cada cosa; sola o aparte de las demás. ‖ **de sí.** loc. adv. de **suyo.** ‖ **para sí.** loc. adv. Mentalmente o sin dirigir a otro la palabra. También se aplica este modismo a los pronombres *mí* y *ti*. *Dije* PARA MÍ; *tú dirías* PARA TI; *dijo* PARA SÍ. ‖ **por sí y ante sí.** loc. adv. Por propia deliberación y sin consultar a nadie ni contar con nadie. ‖ **sobre sí.** loc. adv. Con atención, cautela o cuidado. ‖ **2.** Con entereza y altivez.

sí[2]. (Del lat. *sīc*.) adv. afirm. que se emplea más comúnmente respondiendo a preguntas. ‖ **2.** Ú. para denotar especial aseveración en lo que se dice o se cree, o para ponderar una idea. *Esto sí que es portarse; aquel sí que es buen letrado.* ‖ **3.** Se emplea con énfasis para avivar la afirmación expresada por el verbo con que se junta. *Iré, sí, aunque pierda la vida.* ‖ **4.** Ú. como sustantivo por consentimiento o permiso. *Ya tengo el sí de mi padre.* ‖ **dar** uno **el sí.** fr.

Conceder una cosa, convenir en ella. Ú. m. hablando del matrimonio. ‖ **no decir,** o **no responder,** uno **un sí ni un no.** fr. Callar enteramente, o no satisfacer o excusar el cargo que se le hace. ‖ **no haber entre** dos o más personas, o **no tener** estas, **un sí ni un no.** fr. Haber conformidad de voluntades y pareceres entre los que viven juntos o se tratan, y vivir en paz y concordia. ‖ **porque sí.** loc. fam. Sin causa justificada, por simple voluntad o capricho. ‖ **por sí** o **por no.** loc. adv. Por si ocurre o no, o por si puede o no lograrse, una cosa contingente. Dícese como causa o motivo de la resolución que se piensa tomar. *Aunque ya no creo que venga,* POR SÍ O POR NO, *bueno será esperarle; no alcanzarás lo que pretendes, pero,* POR SÍ O POR NO *no habla hoy al ministro.* ‖ **pues sí que.** expr. irón. que se usa para reconvenir o redargüir a uno como asintiendo a lo que uno propone, pero haciéndole ver lo contrario. *Diego no sabe de eso.* ¡PUES SÍ QUE *no lo ha manejado continuamente!* ‖ **sin faltar un sí ni un no.** fr. fig. con que se explica que se hizo puntual y entera relación de una cosa. ‖ **si por sí, no por no.** expr. con que se advierte el modo verídico de decir las cosas. ‖ **sí tal.** expr. con que se esfuerza la afirmación.

si[1]. (Del lat. *si*.) conj. con que se denota condición o suposición en virtud de la cual un concepto depende de otro u otros. SI *llegas el lunes, llegarás a tiempo; estudia,* SI *quieres ser docto.* ‖ **2.** A veces denota aseveración terminante. SI *ayer te lo aseguraste aquí mismo una y otra vez delante de todos nosotros, ¿cómo lo niegas hoy?* ‖ **3.** Introduce oraciones interrogativas indirectas, a veces con matiz de duda. *Ignoro* SI *es soltero o casado; hay que ver* SI *hacemos algo en su favor; pregúntale* SI *querría entrar en una casa de comercio.* ‖ **4.** En ciertas expresiones indica ponderación o encarecimiento. *Es atrevido,* SI *los hay; tú sabes* SI *le quiero.* ‖ **5.** A principio de frase tiene a veces por objeto dar énfasis o energía a las expresiones de duda o aseveración. *¿*SI *será verdad lo del testamento?; ¡*SI *dije que esto no podía parar en bien!* ‖ **6.** Introduce oraciones desiderativas. ¡SI *Dios quisiera tocarle en el corazón!* ‖ **7.** Toma carácter de conjunción distributiva, cuando se emplea repetida para contraponer, con elipsis de verbo o no, una cláusula a otra. SI *hay ley,* SI *razón,* SI *justicia en el mundo, no sucederá lo que temes; iré,* SI *por la mañana o por la tarde, no puedo asegurarlo; malo,* SI *uno habla,* SI *no habla, peor.* ‖ **8.** Precedida del adverbio *como* o de la conjunción *que*, se emplea en conceptos comparativos. *Andaba Rocinante* COMO SI *fuera asno de gitano con azogue en los oídos; se quedó más contento* QUE SI *le hubieran dado un millón.* ‖ **9.** Empléase también como conjunción adversativa, equivaliendo a **aunque.** SI *me mataran no lo haría; no, no lo haré* SI *me matan.* ‖ **10.** desus. Equivalía a la conjunción adversativa **sino.** *No habla solamente de Dios,* SI *también de las criaturas.* ‖ **11.** Forma a veces con el adverbio de negación *no* expresiones elípticas que equivalen a: de otra suerte o en caso diverso. *Pórtate como hombre de bien;* SI NO, *deja de frecuentar mi casa.*

si[2]. (Formado con las dos letras iniciales del cuarto verso de la estrofa con que empieza el himno de San Juan Bautista: *Sancte Ioannes.* V. *fa.*) m. *Mús.* Séptima voz de la escala música.

sialismo. m. *Med.* Salivación exagerada y continua.

siamés, sa. adj. Natural u oriundo de Siam, antiguo nombre de Tailandia. Ú. t. c. s. ‖ **2.** Perteneciente o relativo a esta nación de Asia. ‖ **3.** Aplícase a cada uno de los hermanos gemelos que nacen unidos por alguna parte de sus cuerpos. Ú. m. c. s. y en pl. ‖ **4.** m. Idioma **siamés.**

sian. adj. ant. **siamés.**

sibarita. (Del lat. *Sybarīta*, y este del gr. συβαρίτης, de Σύβαρις, ciudad célebre por la riqueza y el lujo de sus habitantes.) adj. Natural de Síbaris. Ú. t. c. s. ‖ **2.** Perteneciente o relativo a esta ciudad de la Italia antigua. ‖ **3.** fig. Dícese de la persona que se trata con mucho regalo y refinamiento. Ú. t. c. s.

sibarítico, ca. (Del lat. *sibaritĭcus*.) adj. Perteneciente o relativo a la ciudad de Sibaris. ‖ **2.** fig. Aficionado al regalo o al placer.

sibaritismo. m. Género de vida regalada y sensual, como la de los antiguos sibaritas.

siberiano, na. adj. Natural de la Siberia. Ú. t. c. s. ‖ **2.** Perteneciente o relativo a esta región de Asia.

sibil. (De or. inc.) m. Pequeña despensa en las cuevas, para conservar frescas las carnes y demás provisiones. ‖ **2.** Concavidad subterránea.

sibila. (Del lat. *sibylla*, y este del gr. σίβυλλα.) f. Mujer sabia a quien los antiguos atribuyeron espíritu profético.

sibilante. (Del lat. *sibĭlans, -antis*, p. a. de *sibilāre*, silbar.) adj. *Fon.* Dícese del sonido que se pronuncia como una especie de silbido. ‖ **2.** *Fon.* Dícese de la letra que representa este sonido, como la *s*. Ú. t. c. s. f.

sibilino, na. (Del lat. *sibyllīnus*.) adj. Perteneciente o relativo a la sibila. ‖ **2.** fig. Misterioso, oscuro con apariencia de importante.

sibilítico, ca. adj. **sibilino.**

siboney. m. Nombre del pueblo que se considera el más antiguo de los que habitaron en Cuba. ‖ **2.** Miembro de esta colectividad.

sibucao. m. Arbolito de Filipinas, de la familia de las papilionáceas, de tres a cuatro metros de altura, con tronco delgado y lleno de aguijones, hojas compuestas en un número par de hojuelas enteras y estrechas, flores amarillas en racimos axilares, y fruto en legumbre leñosa y ensiforme con tres o cuatro semillas, separadas por tabiques esponjosos. La madera, tan dura que sirve para hacer clavos, es medicinal y objeto de gran comercio como tintórea, por el hermoso color encarnado que produce. ‖ **2.** Esta misma madera.

sic. (Lit., *así, de esta manera*.) adv. lat. que se usa en impresos y manuscritos españoles, por lo general entre paréntesis, para dar a entender que una palabra o frase empleada en ellos, y que pudiera parecer inexacta, es textual.

sicalipsis. (Del gr. σῦκον, higo y ἄλειψις, acción de untar, frotar.) f. Malicia sexual, picardía erótica.

sicalíptico, ca. adj. Perteneciente o relativo a la sicalipsis.

sicambro, bra. (Del lat. *Sicambri, -ōrum*.) adj. Dícese del individuo de un pueblo que habitó antiguamente en la Germania septentrional, cerca del Rin, y después pasó a la Galia Bélgica, donde se unió con los francos. Ú. t. c. s. ‖ **2.** Perteneciente o relativo a este pueblo.

sicamor. (Del lat. *sicomōrus*.) m. **ciclamor,** árbol.

sicano, na. (Del lat. *Sicānus*.) adj. Aplícase al individuo de un pueblo que se dice haber pasado en tiempos heroicos de España a Italia, y se estableció en el país de que el nombre de este pueblo se llamó Sicania. ‖ **2.** Natural de Sicania, hoy Sicilia. Ú. t. c. s. ‖ **3.** Perteneciente o relativo a esta isla de la Italia antigua.

sicario. (Del lat. *sicarĭus*.) m. Asesino asalariado.

sicigia. (Del gr. συζυγία, unión.) f. *Astron.* Conjunción u oposición de la Luna con el Sol.

siciliano, na. adj. Natural de Sicilia. Ú. t. c. s. ‖ **2.** Perteneciente o relativo a esta isla de Italia. ‖ **3.** m. Dialecto italiano hablado en Sicilia.

sicionio, nia. (Del lat. *Sicyonĭus*.) adj. Natural de Sición. Ú. t. c. s. ‖ **2.** Perteneciente o relativo a esta ciudad del Peloponeso.

siclo. (Del lat. *siclus*, y este del hebr. *šeqel*.) m. Unidad de peso usada entre babilonios, fenicios y judíos. ‖ **2.** Moneda de plata usada en Israel.

sicoanálisis. amb. **psicoanálisis.**

sicofanta. (Del gr. συκοφάντης, a través del lat. *sicophanta*.) m. Impostor, calumniador.

sicofante. m. **sicofanta.**

sicofísica. f. **psicofísica.**

sicología. f. **psicología.**

sicológico, ca. adj. **psicológico.**

sicólogo, ga. m. y f. **psicólogo.**

sicomoro o **sicómoro.** (Del lat. *sicomŏrus*, y este del gr. σῦκον, higo, y μόρος, moral.) m. Planta de la familia de las moráceas, que es una higuera propia de Egipto, con hojas algo parecidas a las del moral, fruto pequeño, de color blanco amarillento, y madera incorruptible, que usaban los antiguos egipcios para las cajas donde encerraban las momias. ‖ **2. plátano falso.**

sícono. (Del lat. *sicomus*, y este del gr. σῦκον, higo.) m. Infrutescencia de la higuera y especies afines.

sicópata. com. adj. **psicópata.**

sicopatía. f. **psicopatía.**

sicosis[1]. f. **psicosis.**

sicosis[2]. (Del gr. σῦκον, higo.) f. *Med.* Enfermedad inflamatoria de la piel que afecta a los folículos pilosos, especialmente de la barba y da lugar a la formación de pápulas, pústulas o tubérculos.

sicote. (De or. inc.) m. *Vizc., Cuba* y *P. Rico.* Cochambre del cuerpo humano, especialmente de los pies, mezclada con el sudor.

sicoterapia. f. **psicoterapia.**

sicrómetro. m. **psicrómetro.**

sicu. m. *Argent.* **siringa,** instrumento musical compuesto por una doble hilera de tubos de longitud decreciente.

sículo, la. (Del lat. *Sicŭlus*.) adj. Natural de Sicilia. Ú. t. c. s. ‖ **2.** Perteneciente o relativo a esta isla.

sicuri. m. *NO. Argent.* Tañedor de sicu. ‖ **2.** *NO. Argent.* **sicu.**

sida. (De las siglas de *síndrome de inmunodeficiencia adquirida*, traducción del ing. *acquired immunodeficiency syndrome*.) m. *Med.* Enfermedad viral consistente en la ausencia de respuesta inmunitaria.

sidafobia. (De *sida* y *fobia*.) f. *Psiquiat.* Temor morboso al sida.

sidecar. (Del ing. *side*, lado, y *car*, coche.) m. Asiento adicional, apoyado en una rueda, que se adosa al costado de una motocicleta.

sideral. (Del lat. *siderālis*.) adj. Perteneciente o relativo a las estrellas o a los astros.

sidéreo, a. (Del lat. *siderĕus*.) adj. Perteneciente o relativo a las estrellas, a los astros o a los astros en general. ‖ **2.** *Astron.* V. **año, día, péndulo, tiempo sidéreo.**

siderita. (Del lat. *siderītis*, y este del gr. σιδηρῖτις, de σίδηρος, hierro.) f. **siderosa,** mineral. ‖ **2.** Planta herbácea de la familia de las labiadas, con tallos medio echados, muy velludos y de cuatro a seis decímetros de longitud; hojas oblongas, trasovadas, dentadas y pelosas; flores amarillas con el labio superior blanco, en verticilos separados, y fruto seco con semillas menudas. Hay varias especies, todas consideradas por los antiguos como remedio para cicatrizar las heridas hechas con instrumentos de hierro.

siderosa. (Del gr. σίδηρος, hierro.) f. Mineral de color pardo amarillento, brillo acerado, quebradizo y algo más duro que el mármol. Es carbonato de óxido de hierro y excelente mena para la siderurgia.

siderosis. f. *Med.* Neumoconiosis producida por el polvo de los minerales de hierro.

siderurgia. (Del gr. σιδηρουργία; de σίδηρος, hierro, y ἔργον, obra.) f. Arte de extraer hierro y de trabajarlo.

siderúrgico, ca. adj. Perteneciente o relativo a la siderurgia.

sidonio, nia. (Del lat. *Sidonĭus*.) adj. Natural de Sidón. Ú. t. c. s. ‖ **2.** Perteneciente o relativo a esta ciudad de Fenicia. ‖ **3.** Natural de Fenicia. Ú. t. c. s. ‖ **4.** Perteneciente o relativo a Fenicia.

sidra. (Del lat. *sicĕra,* y este del hebr. *šēkār,* bebida embriagadora.) f. Bebida alcohólica, de color ambarino, que se obtiene por la fermentación del zumo de las manzanas exprimidas.

sidrería. f. Despacho en que se vende sidra.

sidrero, ra. adj. Perteneciente o relativo a la sidra. ‖ **2.** m. y f. Persona que trabaja en la fabricación de la sidra o que la vende.

sidrificación. f. Fabricación de la sidra.

siega. f. Acción y efecto de segar. ‖ **2.** Tiempo en que se siega. ‖ **3.** Mieses segadas.

siembra. f. Acción y efecto de sembrar. ‖ **2.** Tiempo en que se siembra. ‖ **3.** Tierra sembrada.

siemens. (Del apellido del ingeniero alemán Guillermo *Siemens,* 1823-1883.) m. *Fís.* **siemensio,** en la nomenclatura internacional.

siemensio. (De *siemens.*) m. *Fís.* Unidad de conductancia en el sistema basado en el metro, el kilogramo, el segundo y el amperio.

siempre. (Del lat. *semper.*) adv. t. En todo o en cualquier tiempo. ‖ **2.** En todo caso o cuando menos. *Quizá no logre mi objeto, pero* SIEMPRE *me quedará la satisfacción de haber hecho lo que debía;* SIEMPRE *tendrá cinco mil duros de renta.* ‖ **para siempre.** loc. adv. Por todo tiempo o por tiempo indefinido. *Me voy* PARA SIEMPRE. ‖ **por siempre.** loc. adv. Perpetuamente o por tiempo sin fin. POR SIEMPRE *sea alabado y bendito.* ‖ **siempre jamás.** loc. adv. **siempre,** con sentido esforzado. ‖ **siempre que.** loc. conjunt. condic. **con tal que.** *Mañana comeré en tu casa,* SIEMPRE QUE *tú comas hoy en la mía.* ‖ **2.** loc. adv. **cada vez que.** ‖ **siempre y cuando que.** loc. conjunt. condic. **con tal que.**

siempretieso. m. Tentetieso, dominguillo.

siempreviva. f. perpetua amarilla. ‖ **amarilla. siempreviva.** ‖ **mayor.** Planta perenne de la familia de las crasuláceas, con hojas planas, gruesas, jugosas, pestañosas, lanceoladas en los tallos y aovadas las radicales, flores con escamas carnosas, cáliz de cinco a nueve sépalos, y corola de igual número de pétalos, que no se marchitan. Vive en las peñas y en los tejados y se emplea en medicina doméstica. ‖ **menor. uva de gato.**

sien. (De or. inc.) f. Cada una de las dos partes laterales de la cabeza comprendidas entre la frente, la oreja y la mejilla.

siena. m. Color castaño más o menos oscuro. Ú. t. c. adj. ‖ **2.** V. **tierra de Siena.**

sienita. (De *Siene,* ciudad del antiguo Egipto donde había canteras de esta roca.) f. Roca compuesta de feldespato, anfíbol y algo de cuarzo, de color generalmente rojo, y que se descompone con más dificultad que el granito.

sierpe. (Del lat. *serpens.*) f. Culebra de gran tamaño. ‖ **2.** fig. Persona muy fea o muy feroz o que está muy colérica. ‖ **3.** fig. Cualquier cosa que se mueve con rodeos a manera de **sierpe.** ‖ **4.** *Ast.* **cometa,** armazón ligera de papel o tela para que se eleve en el aire. ‖ **5.** *Bot.* Vástago que brota de las raíces leñosas. ‖ **6.** *Fort.* V. **lengua de sierpe.**

sierra. (Del lat. *serra.*) f. Herramienta que consiste en una hoja de acero con dientes agudos y triscados en el borde, sujeta a un mango, un bastidor u otra armazón adecuada, y que sirve para dividir madera u otros cuerpos duros. ‖ **2.** Lugar donde se sierra. ‖ **3.** V. **madera de sierra.** ‖ **4.** Herramienta que consiste en una hoja de acero fuerte, larga y estrecha, con borde liso, sujeta a un bastidor, y que sirve para dividir piedras duras con el auxilio de arena y agua. ‖ **5.** Cordillera de poca extensión. ‖ **6.** Cordillera de montes o peñascos cortados. ‖ **7.** V. **caballero de la sierra,** o de **sierra.** ‖ **8.** pez sierra. ‖ **9.** *Cantabria.* Loma o colina. ‖ **abrazadera.** La de grandes dimensiones, con la hoja montada en el medio bastidor, y que sirve para dividir

grandes maderos sobre caballetes. ‖ **de mano.** La que puede manejar un hombre solo. ‖ **de punta.** La de hoja estrecha y puntiaguda, que sirve para hacer calados y otras labores delicadas. ‖ **de trasdós.** Serrucho de hoja rectangular y muy delgada, reforzada en el lomo con una pieza de hierro o latón, que sirve para hacer hendeduras muy finas. ‖ **de sierra a extremo.** loc. adv. Dícese de los ganados trashumantes que pasan desde las **sierras** de Castilla a las dehesas de Extremadura.

sierro. m. *Sal.* Teso de sierra, risco.

siervo, va. (Del lat. *servus.*) m. y f. Esclavo de un señor. ‖ **2.** Nombre que una persona se da a sí misma respecto de otra para mostrarle obsequio y rendimiento. ‖ **3.** Persona profesa en orden o comunidad religiosa de las que por humildad se denominan así. ‖ **de Dios.** Persona que sirve a Dios y guarda sus preceptos. ‖ **2.** fam. Persona muy cuitada, pobre hombre. ‖ **de la gleba.** *Der.* Esclavo afecto a una heredad y que no se desligaba de ella al cambiar de dueño. ‖ **de la pena.** El que para siempre era condenado en juicio a servir en las minas u otras obras públicas. ‖ **de los siervos de Dios.** Nombre que por humildad se da a sí mismo el Papa.

sieso. (Del lat. *sessus,* asiento.) m. El ano con la porción inferior del intestino recto.

siesta. (Del lat. *sexta* [*hora*].) f. Tiempo después del mediodía, en que aprieta más el calor. ‖ **2.** Tiempo destinado para dormir o descansar después de comer. ‖ **3.** Sueño que se toma después de comer. ‖ **4.** Música que en las iglesias se canta o toca por la tarde. ‖ **del carnero.** La que duerme antes de la comida del mediodía. ‖ **dormir, o echar,** uno **la siesta.** fr. Echarse a dormir después de comer.

siete. (Del lat. *septem.*) adj. Seis y uno. ‖ **2.** Séptimo, ordinal. *Número* SIETE; *año* SIETE. Apl. a los días del mes, ú. t. c. s. El SIETE *de julio.* ‖ **3.** V. **siete pies de tierra.** ‖ **4.** V. **de siete suelas.** ‖ **5.** m. Signo o conjunto de signos con que se representa el número **siete.** ‖ **6.** Naipe que tiene siete señales. *El* SIETE *de copas.* ‖ **7.** Instrumento de carpintería para sujetar en el banco los materiales. ‖ **8.** fam. Rasgón en forma de ángulo que se hace en los trajes o en los lienzos. ‖ **9.** vulg. *Argent., Col.* y *Nicar.* **ano.** ‖ **y media.** Juego de naipes en que cada carta tiene el valor que representan sus puntos, excepto las figuras, que valen media. Se da una carta a cada jugador, el cual puede pedir otras. Gana el que primero hace **siete** puntos y medio o el que más se acerque por bajo de este número. ‖ **tres sietes.** Juego de naipes cuyo objeto es llegar a 21 puntos. ‖ **más que siete.** loc. adv. fig. y fam. Muchísimo, excesivamente, en demasía. *Hablar, comer* MÁS QUE SIETE.

sietecallero, ra. *Vizc.* Que vive en una de las famosas siete calles de Bilbao o guarda relación con ella.

sietecolores. m. *Burg.* y *Pal.* Jilguero, colorín, pintacilgo. ‖ **2.** *Chile, Ecuad.* y *Perú.* Pajarillo con las patas y el pico negros, plumaje manchado de rojo, amarillo, azul, verde y blanco, y la cola y alas negruzcas; tiene en medio de la cabeza un moño de color rojo vivo. Habita en las orillas de las lagunas y construye su nido en las hojas secas de totora.

sietecueros. m. *Col., Chile, Ecuad.* y *Hond.* Tumor que se forma en el talón del pie, especialmente a los que andan descalzos. ‖ **2.** *C. Rica, Cuba, Nicar.* y *Perú.* Panadizo de los dedos. ‖ **3.** *Col.* Árbol de la familia de las melastomatáceas, de unos seis metros de altura, de hermosas flores de cambiantes colores rojo y violáceo. Su nombre se debe a que la corteza tiene numerosas capas de escamas que se desprenden fácilmente.

sieteenrama. m. **tormentila.**

sietelevar. m. En el juego de la banca, tercera suerte, en que se va a ganar siete tantos.

sietemesino, na. adj. Aplícase a la criatura que nace

a los siete meses de engendrada. Ú. t. c. s. ‖ **2.** fam. Jovencito que presume de persona mayor. Ú. t. c. s.

sietenrama. m. **sieteenrama.**

sieteñal. adj. Que tiene siete años o es de siete años.

sietesangrías. f. *Ál.* **centaura menor,** planta.

sievert. m. *Fís.* Unidad de dosis de radiación.

sifilicomio. m. Hospital para sifilíticos.

sifílide. f. *Med.* Dermatosis originada o sostenida por la sífilis.

sífilis. (De *Siphylo,* personaje del poema «De Morbo Gallico», de Jerónimo Fracastoro.) f. *Pat.* Enfermedad infecciosa, endémica, crónica, específica, causada por el treponema *pallidum,* adquirida por contagio o transmitida por alguno de los progenitores a su descendencia.

sifilítico, ca. adj. Perteneciente o relativo a la sífilis. ‖ **2.** Que la padece. Ú. t. c. s.

sifilografía. (De *sífilis,* y *-grafía.*) f. Parte de la medicina, que trata de las enfermedades sifilíticas.

sifilográfico, ca. adj. *Med.* Perteneciente o relativo a la sifilografía.

sifilógrafo, fa. m. y f. Especialista en sifilografía.

sifiloma. m. Goma sifilítica, tumor de este origen.

sifón. (Del lat. *sipho, -ōnis,* y este del gr. σίφων.) m. Tubo encorvado que sirve para sacar líquidos del vaso que los contiene, haciéndolos pasar por un punto superior a su nivel. ‖ **2.** Botella, generalmente de cristal, cerrada herméticamente con una tapa por la que pasa un **sifón,** cuyo tubo tiene una llave para abrir o cerrar el paso del agua cargada de ácido carbónico que aquella contiene. ‖ **3.** Agua carbónica contenida en esta botella. ‖ **4.** Tubo doblemente acodado en que el agua detenida dentro de él impide la salida de los gases de las cañerías al exterior. ‖ **5.** fam. Práctica genealógica por la que se enlaza al solicitante de la sucesión o rehabilitación de un título nobiliario, con el último poseedor, ascendiendo por la línea paterna o materna de este hasta una generación anterior al primer titular, para descender luego por línea colateral o de simple afinidad. ‖ **6.** *Arq.* Canal cerrado o tubo que sirve para hacer pasar el agua por un punto inferior a sus dos extremos. ‖ **7.** *Zool.* Cada uno de los dos largos tubos que tienen ciertos moluscos lamelibranquios, especialmente los que viven medio enterrados en la arena o en el fango, y que pueden estar libres o soldados a la manera de los cañones de una escopeta; el agua entra en la cavidad branquial del animal por uno de estos tubos y sale por el otro. ‖ **8.** *Zool.* Por ext., el tubo que comunica la cavidad del manto de los moluscos con el exterior, así como otros tipos de conductos con ese aspecto en diversos animales.

sifonero. m. p. us. *Argent.* **sodero,** persona que vende y reparte soda.

sifosis. (Del gr. σίφων, tubo acodado.) f. Corvadura de la columna vertebral.

sifué. (Del fr. *surfaix,* de *sur* y *faix,* y este del lat. *fascis,* haz, fajo.) m. **sobrecincha.**

sigilación. f. Acción y efecto de sigilar.

sigilar. (Del lat. *sigillāre.*) tr. Sellar, imprimir con sello. ‖ **2.** Callar u ocultar una cosa.

sigilo. (Del lat. *sigillum.*) m. **sello,** utensilio para estampar en el papel los signos grabados que tiene. ‖ **2.** Lo que queda estampado por él. ‖ **3.** Secreto que se guarda de una cosa o noticia. ‖ **4.** fig. Silencio cauteloso. ‖ **profesional, secreto profesional.** ‖ **sacramental.** Secreto inviolable que debe guardar el confesor, de lo que oye en la confesión sacramental.

sigilografía. f. Estudio de los sellos empleados para autorizar documentos, cerrar pliegos, etc.

sigilosamente. adv. m. Con sigilo.

sigiloso, sa. adj. Que guarda sigilo.

sigla. (Del lat. *sigla,* cifras, abreviaturas.) f. Letra inicial que se emplea como abreviatura de una palabra. *S. D. M.* son las **siglas** de *Su Divina Majestad.* ‖ **2.** Rótulo o denominación que se forma con varias **siglas.** *INRI.* ‖ **3.** Cualquier signo que sirve para ahorrar letras o espacio en la escritura.

siglo. (Del lat. *saecŭlum.*) m. Espacio de cien años. ‖ **2.** Seguido de la preposición *de* y un nombre de persona o cosa, tiempo en que floreció una persona o en que existió, sucedió o se inventó o descubrió una cosa muy notable. *El* SIGLO DE *Augusto; el* SIGLO DEL *vapor.* ‖ **3.** Mucho o muy largo tiempo, indeterminadamente. *Hace un* SIGLO *que no te veo.* ‖ **4.** Comercio y trato de los hombres en cuanto toca y mira a la vida civil y política, en oposición a la vida religiosa. *Ricardo deja el* SIGLO. ‖ **de cobre. edad de cobre.** ‖ **de hierro. edad de hierro.** ‖ **de oro. edad de oro.** ‖ **2.** fig. Tiempos floridos y felices en que había paz y quietud. ‖ **de plata. edad de plata.** ‖ **dorado. siglo de oro.** ‖ **siglos medios.** Tiempo que transcurrió desde la caída del imperio romano hasta la toma de Constantinopla por los turcos. ‖ **en, o por, los siglos de los siglos.** loc. adv. eternamente. ‖ **por el siglo de mi padre, o de mi madre,** etc. exclam. con que uno asevera o promete una cosa, invocando la memoria de una persona ya difunta a quien profesa cariño o veneración.

sigma. (Del gr. σίγμα.) f. Decimoctava letra del alfabeto griego, que corresponde a la que en el nuestro se llama *ese.*

sigmoideo, a. adj. Aplícase a lo que por su forma se parece a la sigma.

signáculo. (Del lat. *signacŭlum.*) m. Sello o señal en lo escrito.

signar. (Del lat. *signāre.*) tr. Hacer, poner o imprimir el signo. ‖ **2.** Poner uno su firma. ‖ **3.** Hacer la señal de la cruz sobre una persona o cosa. Ú. t. c. prnl. ‖ **4.** Hacer con los dedos índice y pulgar de la mano derecha cruzados, o solo con el pulgar, tres cruces, la primera en la frente, la segunda en la boca y la tercera en el pecho, pidiendo a Dios que nos libre de nuestros enemigos. Ú. t. c. prnl. ‖ **5.** ant. Señalar, designar.

signatario, ria. (De *signar,* firmar.) adj. Dícese del que firma. Ú. t. c. s.

signatura. (Del lat. *signatūra.*) f. Marca o nota puesta en las cosas para distinguirlas de otras. ‖ **2.** Especialmente la señal de números y letras que se pone a un libro o a un documento para indicar su colocación dentro de una biblioteca o un archivo. ‖ **3.** Tribunal de la corte romana compuesto de varios prelados, en el cual se determinan diversos negocios de gracia o de justicia, según el tribunal de **signatura** a que corresponden. ‖ **4.** *Impr.* Señal que con las letras del alfabeto o con números se ponía antes al pie de las primeras planas de los pliegos o cuadernos, y hoy solo al pie de la primera de cada uno de estos, para gobierno del encuadernador.

signífero, ra. (Del lat. *signĭfer, -ĕri.*) adj. poét. Que lleva o incluye una señal o insignia.

significación. (Del lat. *significatĭo, -ōnis.*) f. Acción y efecto de significar. ‖ **2.** Sentido de una palabra o frase. ‖ **3.** Objeto que se significa. ‖ **4.** Importancia en cualquier orden.

significado, da. p. p. de **significar.** ‖ **2.** adj. Conocido, importante, reputado. ‖ **3.** m. Significación o sentido de las palabras y frases. ‖ **4.** *Ling.* Concepto que, como tal, o asociado con determinadas connotaciones, se asocia al significante para constituir un signo lingüístico. En aquella asociación, pueden dominar los factores emotivos, hasta hacerse casi exclusivos como en el caso de la interjección. ‖ **5.** *Ling.* Complejo significativo que se asocia con las diversas combinaciones de significantes lingüísticos. ‖ **6.** Lo que se significa de algún modo.

significador, ra. adj. Que significa. Ú. t. c. s.

significamiento. (De *significar*.) m. ant. **significación.**

significante. (Del lat. *significans, -antis*.) p. a. de **significar.** Que significa. ‖ **2.** m. *Ling.* Fonema o secuencia de fonemas o letras que, asociados con un significado, constituyen un signo lingüístico.

significar. (Del lat. *significāre*.) tr. Ser una cosa, por naturaleza, imitación o convenio, representación, indicio o signo de otra cosa distinta. ‖ **2.** Ser una palabra o frase expresión o signo de una idea o de un pensamiento, o de una cosa material. ‖ **3.** Hacer saber, declarar o manifestar una cosa. ‖ **4.** intr. Representar, valer, tener importancia. ‖ **5.** prnl. Hacerse notar o distinguirse por alguna cualidad o circunstancia.

significativamente. adv. m. De un modo significativo.

significativo, va. (Del lat. *significatīvus*.) adj. Que da a entender o conocer con propiedad una cosa. ‖ **2.** Que tiene importancia por representar o significar algún valor.

signo. (Del lat. *signum*.) m. Objeto, fenómeno o acción material que, natural o convencionalmente, representa o sustituye a otro objeto, fenómeno o acción. ‖ **2.** Indicio, señal de algo. *Su rubor me pareció* SIGNO *de su culpa.* ‖ **3.** Cualquiera de los caracteres que se emplean en la escritura y en la imprenta. ‖ **4.** Señal que se hace por modo de bendición; como las que se hacen en la misa. ‖ **5.** Figura que los notarios agregan a su firma en los documentos públicos, hecha de diversos rasgos entrelazados y rematada a veces por una cruz. ‖ **6.** Hado, sino. ‖ **7.** *Astron.* Cada una de las doce partes iguales en que se considera dividido el Zodiaco. ‖ **8.** *Geom.* V. **radio de los signos.** ‖ **9.** *Mat.* Señal o figura que se usa en los cálculos para indicar, ya la naturaleza de las cantidades, ya las operaciones que se han de ejecutar con ellas. ‖ **10.** *Mús.* Cualquiera de los caracteres con que se escribe la música. ‖ **11.** *Mús.* En particular, el que indica el tono natural de un sonido. ‖ **lingüístico.** Unidad mínima de la oración, constituida por un significante y un significado. ‖ **natural.** El que nos hace venir en conocimiento de una cosa por la analogía o dependencia natural que tiene con ella. *El humo es* SIGNO *del fuego.* ‖ **negativo.** *Mat.* **menos, signo de la resta.** ‖ **por costumbre.** Aquel que por el uso ya introducido significa cosa diversa de sí; como el ramo delante de la taberna. ‖ **positivo.** *Mat.* **más, signo de la suma.** ‖ **rodado.** Figura circular dibujada o pintada al lado del privilegio rodado y que solía llevar en el centro una cruz y las armas reales, alrededor el nombre del rey y a veces también los de los confirmantes. ‖ **de signo servicio.** loc. V. **vasallo de signo servicio.**

sigua. f. *Cuba.* Árbol silvestre de la familia de las lauráceas, con hojas brillantes y coriáceas y fruto ovalado dispuesto en una cúpula de color rojo.

siguapa. f. *C. Rica y Cuba.* Ave de rapiña nocturna, pequeña, de plumaje pardo oscuro con pintas amarillas y moño negro.

siguemepollo. m. Cinta que como adorno llevaban las mujeres, dejándola pendiente a la espalda.

siguiente. (Del lat. *sequens, -entis*.) p. a. de **seguir.** Que sigue. ‖ **2.** adj. Ulterior, posterior.

sijú. m. Ave rapaz nocturna de las Antillas, de unos 16 centímetros de largo, con lomo blanco manchado de puntos rojos, cabeza y vientre blancos con manchas pardas, cuello, pecho y muslos rojos con rayas oscuras, y ojos de color amarillo rojizo.

sil. (Del lat. *sil*.) m. ocre, mineral.

sílaba. (Del lat. *syllăba* y del gr. συλλαβή.) f. Sonido o sonidos articulados que constituyen un solo núcleo fónico entre dos depresiones sucesivas de la emisión de voz. ‖ **2.** *Mús.* Cada uno de los dos o tres nombres de notas que se añaden a las siete primeras letras del alfabeto para designar los diferentes modos musicales. ‖ **abierta. sílaba libre.**

‖ **aguda.** *Pros.* La acentuada o en que carga la pronunciación. ‖ **breve.** *Pros.* La de menor duración en las lenguas que como el latín y el griego se sirven regularmente de dos medidas de cantidad silábica. ‖ **cerrada. sílaba trabada.** ‖ **larga.** *Pros.* La de mayor duración en las lenguas que como el latín y el griego se sirven regularmente de dos medidas de cantidad silábica. ‖ **libre.** La que termina en vocal, como la de *paso.* ‖ **postónica.** *Pros.* La átona que en el vocablo viene detrás de la tónica. ‖ **protónica.** *Pros.* La átona que en el vocablo precede a la tónica. ‖ **tónica.** *Pros.* La que tiene el acento prosódico. ‖ **trabada.** La que termina en consonante, como la de *pastor.*

silabación. f. *Ling.* División en sílabas, tanto en la pronunciación como en la escritura.

silabar. intr. **silabear.**

silabario. m. Librito o cartel con sílabas sueltas y palabras divididas en sílabas, que sirve para enseñar a leer.

silabear. intr. Ir pronunciando separadamente cada sílaba. Ú. t. c. tr.

silabeo. m. Acción y efecto de silabear.

silábico, ca. adj. Perteneciente o relativo a la sílaba.

silabizar. (Del lat. *syllabizāre*.) intr. ant. **silabear.**

sílabo. (Del lat. *syllăbus*.) m. Índice, lista, catálogo.

silanga. f. *Filip.* Brazo de mar largo y estrecho que separa dos islas.

silba. f. Acción de silbar, en señal de desaprobación.

silbador, ra. adj. Que silba. Ú. t. c. s.

silbante. p. a. de **silbar.** Que silba. ‖ **2.** adj. Dícese del sonido que se pronuncia con una especie de silbido.

silbar. (Del lat. *sibilāre*.) intr. Dar o producir silbos o silbidos. Ú. t. c. tr. ‖ **2.** Agitar el aire una cosa produciendo un sonido como de silbo. ‖ **3.** fig. Manifestar desagrado y desaprobación el público, con silbidos u otras demostraciones ruidosas. Ú. t. c. tr. SILBAR *a un actor, a un orador, una comedia, un discurso.*

silbatina. f. *Argent., Chile, Ecuad., Perú y Urug.* Silba, rechifla prolongada.

silbato. (De *silbo*.) m. Instrumento pequeño y hueco que se hace de diferentes modos y de diversas materias, y que soplando en él con fuerza suena como el silbo. ‖ **2.** Rotura pequeña por donde respira el aire o se rezuma un líquido.

silbido. m. Acción y efecto de silbar. ‖ **de oídos.** Sonido o ruido, a manera de silbo, que se percibe en los oídos por diversas causas.

silbo. (Del lat. *sibĭlus*.) m. Sonido agudo que hace el aire. ‖ **2.** Sonido agudo que resulta de hacer pasar con fuerza el aire por la boca con los labios fruncidos o con los dedos colocados en ella convenientemente. ‖ **3.** Sonido de igual clase que se hace soplando con fuerza en un cuerpo hueco, como silbato, llave, etc. ‖ **4.** Voz aguda y penetrante de algunos animales, como la de la serpiente. ‖ **5.** Silbato.

silbón. (De *silbar*.) m. Ave palmípeda semejante a la cerceta, que vive en las costas y lanza un sonido fuerte. Se domestica con facilidad.

silboso, sa. (De *silbar*.) adj. Que silba o forma el ruido de silbido.

silenciador. m. Dispositivo que se acopla al tubo de salida de gases en algunos motores de explosión, o al cañón de algunas armas de fuego, para amortiguar el ruido.

silenciar. tr. Callar, omitir, pasar en silencio. ‖ **2.** Hacer callar, reducir al silencio.

silenciario, ria. (Del lat. *silentiarĭus*.) adj. Que guarda y observa continuo silencio. ‖ **2.** m. Persona destinada para cuidar del silencio o la quietud de la casa o del templo.

silenciero, ra. adj. Que cuida de que se observe silencio. Ú. t. c. s.

silencio. (Del lat. *silentĭum*.) m. Abstención de hablar. ‖ **2.** fig. Falta de ruido. *El* SILENCIO *de los bosques, del claustro, de la noche.* ‖ **3.** fig. Falta u omisión de algo por escrito.

El SILENCIO *de los historiadores contemporáneos; el* SILEN-
CIO *de la ley; escribiese cuanto antes, porque tan largo* SI-
LENCIO *me tiene con cuidado.* ‖ **4.** *Der.* Desestimación tácita de una petición o recurso por el mero vencimiento del
plazo que la administración pública tiene para resolver. ‖
5. *Mús.* Pausa musical. ‖ **perpetuo silencio.** *Der.* Fórmula
con que se prohíbe al actor que vuelva a deducir la acción
o a instar sobre ella. ‖ **en silencio.** loc. adv. fig. Sin protestar, sin quejarse. *Sufrir* EN SILENCIO. ‖ **entregar** uno una
cosa **al silencio.** fr. fig. Olvidarla, callarla, no hacer más
mención de ella. ‖ **imponer** uno **silencio.** fr. Tratándose de
personas, hacerlas callar. ‖ **2.** fig. Tratándose de pasiones,
reprimirlas. ‖ **pasar** uno **en silencio** una cosa. fr. Omitirla,
callarla, no hacer mención de ella cuando se habla o escribe.

silenciosamente. adv. m. Con silencio. ‖ **2.** Secreta o
disimuladamente.

silencioso, sa. (Del lat. *silentiôsus.*) adj. Dícese del que calla o tiene hábito de callar. ‖ **2.** Aplicase al lugar o tiempo
en que hay o se guarda silencio. ‖ **3.** Que no hace ruido.

silente. adj. Silencioso, tranquilo, sosegado.

silepsis. (Del lat. *syllepsis,* y este del gr. σύλληψις, comprensión.)
f. *Gram.* Figura de construcción que consiste en quebrantar las leyes de la concordancia en el género o el número
de las palabras. *Vuestra Beatitud* (femenino) *es justo* (masculino); *la mayor parte* (singular) *murieron* (plural). ‖ **2.**
Ret. Tropo que consiste en usar a la vez una misma palabra en sentido recto y figurado; v. gr.: *Poner a uno más*
SUAVE *que un guante.*

silería. f. Lugar donde están los silos.

silero. m. **silo.**

silesiano, na. adj. Natural de Silesia. Ú. t. c. s. ‖ **2.**
Perteneciente o relativo a esta región.

silesio, sia. adj. Natural de Silesia. Ú. t. c. s. ‖ **2.** Perteneciente a esta región de Polonia.

sílex. m. Variedad de cuarzo, pedernal.

sílfide. (De *silfo.*) f. Ninfa, ser fantástico o espíritu elemental del aire, según los cabalistas.

silfo. (Del lat. *sylfi. -ôrum,* silfo, genio, entre los galos.) m. Ser
fantástico, espíritu elemental del aire, según los cabalistas.

silga. (De *silgar.*) f. Maroma, principalmente de las naves,
sirga.

silgar. (De or. inc.) tr. *Mar.* Llevar a la silga una embarcación. ‖ **2.** intr. *Mar.* Remar con un remo en la popa
para avanzar, singar.

silguero. (Del lat. *silŷbum,* de σίλυβον, cardo.) m. Jilguero,
sietecolores, pintacilgo.

silicato. (Del lat. *silex. -ĭcis.*) m. *Quím.* Sal compuesta de
ácido silícico y una base.

sílice. (Del lat. *silex, -ĭcis.*) f. *Quím.* Combinación del silicio
con el oxígeno. Si es anhidra, forma el cuarzo, y si es hidratada, el ópalo.

silíceo, a. (Del lat. *silicĕus.*) adj. De sílice o semejante a
ella.

silícico, ca. adj. *Quím.* Perteneciente o relativo a la sílice. ‖ **2.** *Quím.* V. **ácido silícico.**

silicio. m. *Quím.* Metaloide que se extrae de la sílice,
amarillento, infusible, insoluble en el agua y más pesado
que ella. Forma la cuarta parte de la corteza terrestre.
Núm. atómico 14. Símb.: *Si.*

silicona. (Del ing. *silicone.*) f. *Quím.* Polímero de gran inercia química, formado por silíceo y oxígeno, con variadas
aplicaciones

silicosis. f. *Pat.* Neumoconiosis producida por el polvo
de sílice.

silicótico, ca. adj. Perteneciente o relativo a la silicosis. ‖ **2.** Que la padece. Ú. t. c. s.

silicua. (Del lat. *silĭqua.*) f. Peso antiguo, que era de cuatro
granos. ‖ **2.** *Bot.* Fruto simple, seco, abridero, bivalvo, cu-

yas semillas se hallan alternativamente adheridas a las dos
suturas; como el de la mostaza y el alhelí.

silícula. (Del lat. *silicŭla.*) f. *Bot.* Silicua casi tan larga como
ancha; como el fruto de la coclearia.

silingo, ga. (Del lat. *Silingi.*) adj. Dícese del individuo de
un pueblo de raza germánica que antiguamente habitó entre el Elba y el Óder, al norte de Bohemia, y en el siglo v
se unió con otros para invadir el mediodía de Europa. Ú.
m. c. s. y en pl. ‖ **2.** Perteneciente o relativo a este pueblo.

silo. (De or. inc.) m. Lugar subterráneo y seco en donde se
guarda el trigo u otros granos, semillas o forrajes. Modernamente se construyen depósitos semejantes sobre el
terreno. ‖ **2.** fig. Cualquier lugar subterráneo, profundo y
oscuro. ‖ **3.** Por ext., depósito subterráneo de misiles.

silogismo. (Del lat. *syllogismus,* y este del gr. συλλογισμός.) m.
Lóg. Argumento que consta de tres proposiciones, la última de las cuales se deduce necesariamente de las otras
dos. ‖ **2.** *Lóg.* V. **figura de silogismo.** ‖ **cornuto.** *Lóg.* **argumento cornuto.**

silogístico, ca. (Del lat. *syllogistĭcus,* y este del gr.
συλλογιστικός.) adj. *Lóg.* Perteneciente al silogismo. ‖ **2.** V.
forma silogística.

silogizar. (Del lat. *syllogizāre,* y este del gr. συλλογίζω.) intr.
Disputar, argüir con silogismos o hacerlos.

silonia. f. *Al.* nueza, planta.

silueta. (Del fr. *silhouette.*) f. Dibujo sacado siguiendo los
contornos de la sombra de un objeto. ‖ **2.** Forma que presenta a la vista la masa de un objeto más oscuro que el
fondo sobre el cual se proyecta. ‖ **3. perfil,** contorno de
una figura.

siluetar. tr. **siluetear.**

siluetear. tr. Dibujar, recorrer, etc., algo siguiendo su
silueta. Ú. t. c. prnl.

siluriano, na. adj. *Geol.* **silúrico.**

silúrico, ca. (Del lat. *Silūres,* nombre de un pueblo celta que
habitó el país de Gales, en la Gran Bretaña.) adj. *Geol.* Dícese de
cierto terreno sedimentario, que se considera como uno de
los más antiguos. Ú. t. c. s. ‖ **2.** *Geol.* Perteneciente a este
terreno.

siluro. (Del lat. *silūrus,* y este del gr. σίλουρος.) m. Pez teleósteo
fluvial, fisóstomo, parecido a la anguila, con la boca muy
grande y rodeada de seis u ocho apéndices como barbillas,
de color verde oscuro, de unos cinco metros de largo y
muy voraz. ‖ **2.** fig. *Mar.* Torpedo automóvil.

silva. (Del lat. *silva,* selva.) f. Colección de varias materias o
temas, escritos sin método ni orden. ‖ **2.** Combinación
métrica en que ordinariamente alternan con los versos endecasílabos los heptasílabos, y en que pueden emplearse
algunos libres o sueltos de cualquiera de estas dos medidas, y aconsonantarse los demás sin sujeción a un orden
prefijado. ‖ **3.** Composición poética escrita en **silva.** ‖ **4.**
desus. **selva.** ‖ **5.** *Sal.* **zarza.** ‖ **6.** ant. **serba.** Ú. en León.

silvano. (Del lat. *silvānus.*) m. *Mit.* Semidiós de las selvas. ‖
2. adj. Selvático, propio de las selvas o que pertenece a
ellas.

silvático, ca. adj. **selvático.**

silvestre. (Del lat. *silvestris.*) adj. Criado naturalmente y sin
cultivo en selvas o campos. ‖ **2.** Inculto, agreste y rústico.
‖ **3.** V. aceituno, arveja, asno, ave, cerezo, gallo, grosellero,
lechuga, miel, mosqueta, mostaza, níspero, olivo, paloma,
pimienta, pimiento, puerro, rábano, rosal, vid silvestre. ‖
4. V. **albahaca silvestre mayor.** ‖ **5.** V. **albahaca silvestre
menor.**

silvícola. adj. Que habita en la selva.

silvicultor, ra. (Del lat. *silva,* selva, y *cultor, -ōris,* cultivador.)
m. y f. Persona que profesa la silvicultura o tiene en ella
especiales conocimientos.

silvicultura. (Del lat. *silva,* selva, y *cultūra,* cultivo.) f. Cultivo de los bosques o montes. ‖ **2.** Ciencia que trata de este cultivo.

silvoso, sa. (Del lat. *silvōsus.*) adj. **selvoso.**

silla. (Del lat. *sella.*) f. Asiento con respaldo, por lo general con cuatro patas, y en que solo cabe una persona. ‖ **2. silla de niño.** ‖ **3.** Aparejo para montar a caballo, formado por una armazón de madera, cubierta generalmente de cuero y rellena de crin o pelote. ‖ **4.** sede, asiento o trono de un prelado con jurisdicción. ‖ **5.** Dignidad de Papa y otras eclesiásticas. ‖ **6.** V. **obispo de la primera silla.** ‖ **7.** fig. V. **hombre de ambas, o de todas, sillas.** ‖ **8.** fig. y fam. **ano.** ‖ **bastarda.** La usada en tiempos antiguos, y que se distinguía principalmente porque en ella se llevaban las piernas menos estiradas que cabalgando a la brida y más que cabalgando a la jineta. ‖ **curul. silla** de marfil, en donde se sentaban los ediles romanos. ‖ **2.** fig. La que ocupa la persona que ejerce una elevada magistratura o dignidad. ‖ **de caderas.** ant. **silla** con respaldo y brazos para recostarse. ‖ **de la reina.** Asiento que forman entre dos con las cuatro manos, asiendo cada uno su muñeca y la del otro. ‖ **de manos.** Vehículo para una persona, a manera de caja de coche, y el cual, sostenido en dos varas largas, es llevado por hombres. ‖ **2.** *Col., C. Rica y Chile.* **silla de la reina.** ‖ **de montar. silla,** aparejo para montar a caballo. ‖ **de niño. silla** baja sobre ruedas, que, empujada por una persona, permite transportar a un niño acostado o sentado. ‖ **de posta.** Carruaje en que se corría la posta. Las había de dos y de cuatro ruedas. ‖ **de ruedas.** La que, con ruedas laterales grandes permite que se desplace una persona imposibilitada. ‖ **de tijera.** La que tiene el asiento por lo general de tela y las patas cruzadas en aspa de manera que puede plegarse. ‖ **eléctrica. silla** dispuesta para electrocutar a los reos de muerte. ‖ **gestatoria. silla** portátil que usa el Papa en ciertos actos de gran ceremonia. ‖ **jineta.** La que solo se distingue de la común en que los borrenes son más altos y menos distantes, las aciones más cortas y mayores los estribos. Sirve para montar a la jineta. ‖ **poltrona.** La más baja de brazos que la común, y de más amplitud y comodidad. ‖ **turca.** *Anat.* Escotadura en forma de **silla** que ofrece el hueso esfenoides. ‖ **volante.** Carruaje de dos ruedas y de dos asientos, puesto sobre dos varas, de que regularmente tira un caballo, sobre cuyo sillín entra el correón. ‖ **dar silla** uno a otro. fr. fig. Hacer que se siente en su presencia. ‖ **de silla a silla.** loc. adv. con que se explica el modo de hablar de dos o más personas en conferencia privada. ‖ **no ser un para silla ni para albarda.** fr. fig. y fam. No ser a propósito para cosa alguna, o ser enteramente inhábil. ‖ **pegársele a** uno **la silla.** fr. fig. y fam. Estarse mucho tiempo en una parte; detenerse mucho en una visita.

sillada. f. Rellano en la ladera de un monte.

sillar. (De *silla.*) m. Cada una de las piedras labradas, por lo común en figura de paralelepípedo rectángulo, que forman parte de una construcción de sillería. ‖ **2.** Parte del lomo de la caballería, donde sienta la silla, el albardón, etc. ‖ **de hoja.** *Cant.* El que no ocupa todo el grueso del muro. ‖ **lleno.** *Cant.* El que tiene igual grueso en el paramento que en el tizón.

sillarejo. (d. de *sillar.*) m. Cada piedra labrada de una construcción. Especialmente el que no atraviesa todo el grueso del muro y no tiene sino un paramento o dos cuando más.

sillera. f. desus. Sitio para guardar las sillas de manos.

sillería¹. f. Conjunto de sillas iguales o de sillas, sillones y canapés de una misma clase, con que se amuebla una habitación. ‖ **2.** Conjunto de asientos unidos unos a otros; como los del coro de las iglesias, los de las salas capitulares, etc. ‖ **3.** Taller donde se fabrican sillas. ‖ **4.** Tienda donde se venden. ‖ **5.** Oficio de sillero.

sillería². f. Fábrica hecha de sillares asentados unos sobre otros y en hileras. ‖ **2.** Conjunto de estos sillares.

sillero, ra. m. y f. Persona que se dedica a hacer sillas o a venderlas. ‖ **2.** Persona que cuida de las sillas en las iglesias.

silleta. f. d. de **silla.** ‖ **2.** Recipiente para excretar en la cama los enfermos. ‖ **3.** Piedra sobre la cual se labra o muele el chocolate. ‖ **4.** *Albac.* y *Ar.* **silla de la reina.** ‖ **5.** *Amér.* Silla de sentarse. ‖ **6.** pl. *Ar.* Armazón a modo de silla para montar en las caballerías a mujeriegas.

silletazo. (De *silleta* y *-azo.*) m. Golpe dado con una silla.

sillete. m. *Rioja.* Banquillo de anea o paja con cuatro patas unidas por travesaños.

silletero. m. Cada uno de los portadores de la silla de manos. ‖ **2.** desus. Que hace o vende sillas. Ú. en León y América.

silletín. m. d. de **silleta** o **sillete.** ‖ **2.** *León y Zam.* Escabel, banqueta pequeña para apoyar los pies el que está sentado.

sillico. (d. de *silla.*) m. p. us. Bacín o recipiente para excrementos.

sillín. (d. de *silla.*) m. Jamuga cómoda y lujosa, hecha de madera fina labrada. ‖ **2.** Silla de montar más ligera y sencilla que la común y algo menos que el galápago. ‖ **3.** Especie de silla muy pequeña que lleva la caballería de varas. ‖ **4.** Asiento que tiene la bicicleta y otros vehículos análogos para montar en ellos.

sillón. m. aum. de **silla.** ‖ **2.** Silla de brazos, mayor y más cómoda que la ordinaria. ‖ **3.** Silla de montar construida de modo que una mujer pueda ir sentada en ella como en una silla común.

sima. (De or. inc.) f. Cavidad grande y muy profunda en la tierra. ‖ **2. escocia².**

simado, da. (De *sima.*) adj. *And.* Aplícase a las tierras hondas.

simarruba. f. **simaruba.**

simarrubáceo. f. *Bot.* **simarubáceo.**

simaruba. f. *Argent., Col., C. Rica, Ecuad. y Venez.* Árbol corpulento de la familia de las simarubáceas, cuya corteza se emplea en infusión como febrífugo.

simarubáceo, a. (De *simaruba,* nombre de un género de plantas.) adj. *Bot.* Dícese de árboles o arbustos, angiospermos dicotiledóneos, casi de todos países cálidos, y que suelen contener principios amargos en su corteza; con hojas comúnmente esparcidas, flores regulares unisexuales, rara vez hermafroditas, fruto generalmente en drupa y semillas sin albumen; como la cuasia. Ú. t. c. s. f. ‖ **2.** f. pl. *Bot.* Familia de estas plantas.

simbionte. adj. *Biol.* Dícese de los individuos asociados en simbiosis. Ú. t. c. s. m.

simbiosis. (Del gr. συν, con, y βίωσις, medios de subsistencia.) f. *Biol.* Asociación de individuos animales o vegetales de diferentes especies, en la que ambos asociados o simbiontes sacan provecho de la vida en común.

simbiótico, ca. (De *simbiosis.*) adj. *Biol.* Perteneciente o relativo a la simbiosis.

simbol. m. *Argent.* Gramínea de tallos largos y flexibles que se usan para hacer cestos.

simbolar. m. *N. Argent.* Sitio donde crece el simbol.

simbólicamente. adv. m. De manera simbólica. ‖ **2.** Por medio de símbolos.

simbólico, ca. (Del lat. *symbolĭcus,* y este del gr. συμβολικός.) adj. Perteneciente o relativo al símbolo o expresado por medio de él.

simbolismo. m. Sistema de símbolos con que se representan creencias, conceptos o sucesos. ‖ **2.** Escuela poética, y, en general, artística, aparecida en Francia a fines del siglo XIX, que elude nombrar directamente los objetos y prefiere sugerirlos o evocarlos.

simbolista. com. Persona que gusta de usar símbolos. ‖ 2. Poeta y, por ext., artista afiliado al simbolismo, escuela poética del siglo XIX.

simbolizable. adj. Que es propio para expresarse con un símbolo.

simbolización. f. Acción y efecto de simbolizar.

simbolizar. tr. Servir una cosa como símbolo de otra, representarla y explicarla por alguna relación o semejanza que entre ellas hay. ‖ 2. intr. desus. Parecerse, asemejarse una cosa a otra.

símbolo. (Del lat. *symbŏlum*, y este del gr. σύμβολον.) m. Representación sensorial perceptible de una realidad, en virtud de rasgos que se asocian con esta por una convención socialmente aceptada. ‖ 2. Figura retórica o forma artística, especialmente frecuentes a partir de la Escuela Simbolista, a fines del siglo XIX, y más usadas aún en las escuelas poéticas y artísticas posteriores (sobre todo en el Superrealismo), y que consiste en utilizar la asociación o asociaciones subliminales de las palabras o signos para producir emociones conscientes. ‖ 3. ant. Palabras que en el orden del día da en la milicia un superior para que sirvan de reconocimiento de los que llegan, santo y seña. ‖ 4. *Quím.* Letra o letras convenidas con que se designa un elemento químico. ‖ 5. *Numism.* Emblemas o figuras accesorias que se añaden al tipo en las monedas y medallas. ‖ **algébrico.** Letra o figura que representa un número variable o bien cualquiera de los entes para los cuales se ha definido la igualdad y la suma. ‖ **de la fe,** o **de los Apóstoles.** Credo, oración de la Iglesia.

simbología. (De *símbolo* y *-logía*.) f. Estudio de los símbolos. ‖ 2. Conjunto o sistema de símbolos.

simetría. (Del gr. συμμετρία, a través del lat. *symmetría*.) f. Proporción adecuada de las partes de un todo entre sí y con el todo mismo. ‖ 2. Regularidad en la disposición de las partes o puntos de un cuerpo o figura, de modo que posea un centro, un eje o un plano de **simetría**. ‖ 3. *Biol.* La que se puede distinguir, de manera ideal, en el cuerpo de una planta o de un animal respecto a un centro, un eje o un plano, de acuerdo con los cuales se disponen ordenadamente órganos o partes equivalentes. ‖ 4. *Geom.* V. **eje de simetría.**

simétricamente. adv. m. Con simetría.

simétrico, ca. (Del gr. συμμετρικός.) adj. Perteneciente a la simetría. ‖ 2. Que la tiene.

simia. (Del lat. *simĭa.*) f. Hembra del simio.

símico, ca. adj. Perteneciente o relativo al simio.

simiente. (Del lat. *semĕntis.*) f. **semilla.** ‖ 2. **semen.** ‖ 3. V. **carnero, puerco de simiente.** ‖ **de papagayos. alazor.** ‖ **guardar** a una persona o cosa **para simiente de rábanos.** fr. fig. y fam. con que se zahiere a quien la guarda para ocasión que no ha de llegar. ‖ **no haber de quedar** uno **para simiente de rábanos.** fr. fig. y fam. Haber de morir.

simienza. (Del lat. *semĕntis*, semilla.) f. ant. Acción y efecto de sembrar.

simiesco, ca. adj. Que se asemeja al simio.

símil. (Del lat. *simĭlis.*) adj. p. us. Semejante, parecido a otro. ‖ 2. m. Comparación, semejanza entre dos cosas. ‖ 3. *Ret.* Figura que consiste en comparar expresamente una cosa con otra, para dar idea viva y eficaz de una de ellas.

similar. (De *símil.*) adj. Que tiene semejanza o analogía con una cosa.

similicadencia. (Del lat. *simĭlis*, semejante, y de *cadencia.*) f. *Ret.* Figura que consiste en emplear al fin de dos o más cláusulas, o miembros del período, nombres en el mismo caso de la declinación, verbos en igual modo o tiempo y persona, o palabras de sonido semejante.

similitud. (Del lat. *similitūdo.*) f. Semejanza, parecido.

similitudinario, ria. (Del lat. *similitudo, -ĭnis.*) adj. Dícese de lo que tiene similitud con otra cosa. ‖ 2. V. **bigamia similitudinaria.**

similor. (De *símil* y *oro.*) m. Aleación que se hace fundiendo cinc con tres, cuatro o más partes de cobre, y que tiene el color y el brillo del oro. ‖ **de similor.** loc. adj. Falso, fingido, que aparenta mejor calidad que la que tiene.

simio. (Del lat. *simĭus.*) m. **mono²**, animal cuadrumano. ‖ 2. pl. *Zool.* Suborden de estos animales.

simón. (De *Simón*, nombre de un alquilador de coches en Madrid.) adj. V. **coche simón.** Ú. t. c. s. ‖ 2. V. **cochero simón.** Ú. t. c. s.

simonía. (De *Simón Mago.*) f. Compra o venta deliberada de cosas espirituales, como los sacramentos y sacramentales, o temporales inseparablemente anejas a las espirituales, como las prebendas y beneficios eclesiásticos. ‖ 2. Propósito de efectuar dicha compraventa.

simoníacamente. adv. m. Con simonía.

simoníaco, ca. (Del b. lat. *simoniacus.*) adj. Perteneciente a la simonía. ‖ 2. Que la comete. Ú. t. c. s.

simoniaco, ca o **simoníaco, ca.** (Del b. lat. *simoniacus.*) adj. Perteneciente a la simonía. ‖ 2. Que la comete.

simoníatico, ca. adj. **simoníaco.** Ú. t. c. s.

simpa. (De *cimba².*) f. *Argent.* y *Perú.* Trenza hecha con cualquier material, y especialmente con el cabello.

simpatía. (Del lat. *sympathīa*, y este del gr. συμπάθεια, comunidad de sentimientos.) f. Inclinación afectiva entre personas, generalmente espontánea y mutua. ‖ 2. Por ext., análoga inclinación hacia animales o cosas, y la que se supone en algunos animales. ‖ 3. Modo de ser y carácter de una persona que la hacen atractiva o agradable a las demás. ‖ 4. Relación de actividad fisiológica y patológica de algunos órganos que no tienen entre sí conexión directa.

simpáticamente. adv. m. Con simpatía.

simpático, ca. adj. Que inspira simpatía. ‖ 2. V. **tinta simpática.** ‖ 3. *Mús.* Dícese de la cuerda que resuena por sí sola cuando se hace sonar otra. ‖ **gran simpático.** *Anat.* Conjunto de nervios que rigen el funcionamiento visceral y que forman con el nervio neumogástrico o vago el sistema nervioso de la vida vegetativa o independiente de la voluntad.

simpaticón, na. adj. Dícese de la persona que provoca fácilmente una simpatía superficial.

simpatizador, ra. adj. Que simpatiza.

simpatizante. p. a. de **simpatizar.** Que simpatiza. Ú. t. c. s.

simpatizar. (De *simpatía.*) intr. Sentir simpatía.

simpecado. (De *sin pecado concebida*, fórmula religiosa referente a la Inmaculada Concepción de la Virgen María.) m. Insignia que en las procesiones sevillanas abre marcha en la sección de cofradías de la Virgen, y que ostenta el lema *sine labe concepta.*

simpétalo, la. (Del pref. gr. σύν, con, junto a, y *pétalo.*) adj. *Bot.* Dícese de la flor cuya corola está formada por pétalos soldados en un tubo corolino único, como la de la petunia y otras muchas.

simple. (Del lat. *simple*, adv. de *simplus*.) adj. Sin composición. ‖ 2. Hablando de las cosas que pueden ser dobles o estar duplicadas, aplícase a las sencillas. SIMPLE *muralla.* ‖ 3. V. **avería, bendición, cerato, fiesta, garrucha, interés, polea, rito, voto simple.** ‖ 4. V. **simple promesa, sacerdote.** ‖ 5. Sencillo, sin complicaciones ni dificultades. ‖ 6. Dícese del traslado o copia de una escritura, que se saca sin firmar ni autorizar. ‖ 7. fig. Desabrido, falto de sazón o de sabor. ‖ 8. fig. Manso, apacible e incauto. Ú. t. c. s. ‖ 9. fig. Mentecato, abobado. Ú. t. c. s. ‖ 10. *Arit.* V. **número simple.** ‖ 11. *Der.* V. **renunciación simple.** ‖ 12. *Gram.* Aplícase a la palabra que no se compone de otras de la lengua a que ella pertenece. ‖ 13. *Gram.* V. **cláusula, tiempo simple.** ‖ 14. *Mec.* V. **movimiento simple.** ‖ 15. *Quím.* V. **cuer-**

po simple. ‖ **16.** m. *Farm.* Material cualquiera de procedencia orgánica o inorgánica, que sirve por sí solo a la medicina, o que entra en la composición de un medicamento.

simplemente. adv. m. Con simpleza o sencillez. ‖ **2.** Absolutamente, sin condición alguna. ‖ **3.** Solamente.

simpleza. (De *simple*.) f. Bobería, necedad. ‖ **2.** desus. Rusticidad, tosquedad, desaliño. ‖ **3.** ant. Cualidad de ser simple, sin composición.

simplicidad. (Del lat. *simplicĭtas, -ātis*.) f. Sencillez, candor. ‖ **2.** Cualidad de ser simple, sin composición.

simplicísimo, ma. (Del lat. *simplicissĭmus*.) adj. sup. de **simple.**

simplicista. adj. Dícese del que simplifica o tiende a simplificar. Apl. a pers., ú. t. c. s.

simplificable. adj. Susceptible de simplificación.

simplificación. f. Acción y efecto de simplificar.

simplificador, ra. adj. Que simplifica.

simplificar. (Del lat. *simplex*, simple, sencillo, y *facĕre*, hacer.) tr. Hacer más sencilla, más fácil o menos complicada una cosa. ‖ **2.** *Mat.* Reducir una expresión, cantidad o ecuación a su forma más breve y sencilla.

simplísimo, ma. adj. sup. de **simple,** especialmente en el sentido de manso, apacible y mentecato.

simplismo. m. Cualidad de simplista.

simplista. adj. Que simplifica o tiende a simplificar. Apl. a pers., ú. t. c. s. ‖ **2.** com. *Farm.* Persona que escribe o trata de los simples.

simplón, na. adj. fam. aum. de **simple,** mentecato. ‖ **2.** Sencillo, ingenuo. Ú. t. c. s.

simposio. (Del gr. συμπόσιον, festín.) m. Conferencia o reunión en que se examina y discute determinado tema.

simulación. (Del lat. *simulatĭo, -ōnis*.) f. Acción de simular. ‖ **2.** *Der.* Alteración aparente de la causa, la índole o el objeto verdadero de un acto o contrato.

simulacro. (Del lat. *simulacrum*.) m. Imagen hecha a semejanza de una cosa o persona, especialmente sagrada. ‖ **2.** Idea que forma la fantasía. ‖ **3.** Ficción, imitación, falsificación. SIMULACRO *de reconciliación.* SIMULACRO *de vida doméstica.* SIMULACRO *de juicio.* ‖ **4.** desus. Modelo, dechado. Ú. en Venezuela. ‖ **5.** *Mil.* Acción de guerra, fingida.

simuladamente. adv. m. Con simulación.

simulador, ra. (Del lat. *simulātor, -ōris*.) adj. Que simula. Ú. t. c. s.

simular. (Del lat. *simulāre*.) tr. Representar una cosa, fingiendo o imitando lo que no es.

simultáneamente. adv. m. Con simultaneidad.

simultanear. (De *simultáneo*.) tr. Realizar en el mismo espacio de tiempo dos operaciones o propósitos.

simultaneidad. f. Cualidad de simultáneo.

simultáneo, a. (Del lat. *simul*, juntamente, a una.) adj. Dícese de lo que se hace u ocurre al mismo tiempo que otra cosa. *Posesión* SIMULTÁNEA.

simún. (Del fr. *simoun*.) m. Viento abrasador que suele soplar en los desiertos de África y de Arabia.

sin. (Del lat. *sine*.) prep. separat. y negat. que denota carencia o falta de alguna cosa. ‖ **2.** Fuera de o además de. *Llevó tanto en dinero,* SIN *las alhajas.* ‖ **3.** Cuando se junta con el infinitivo del verbo, vale lo mismo que **no** con su participio o gerundio. *Me fui* SIN *comer;* esto es, *no habiendo comido.*

sin-. (Del gr. συν-.) pref. que significa «unión»: SINcronía, SINestesia.

sinabafa. (Del port. *sinabafo*.) f. Tela parecida a la holanda, que se usó antiguamente.

sinagoga. (Del lat. *synagōga*, y este del gr. συναγωγή, de συνάγω, reunir, congregar.) f. Congregación o junta religiosa de los judíos. ‖ **2.** Casa en que se juntan los judíos a orar y a oír

la doctrina de Moisés. ‖ **3.** fig. En sentido peyorativo, reunión para fines que se consideran ilícitos.

sinalagmático, ca. (Del gr. συναλλαγματικός, perteneciente al contrato.) adj. *Der.* Dícese del contrato bilateral.

sinalefa. (Del lat. *sinaloepha*, y este del gr. συναλοιφή, de συναλείφω, confundir, mezclar.) f. *Fon.* y *Métr.* Trabazón o enlace de sílabas por el cual se forma una sola de la última de un vocablo y de la primera del siguiente, cuando aquel acaba en vocal y este empieza con vocal, precedida o no de *h* muda. A veces la **sinalefa** enlaza sílabas de tres palabras. *Partió* A *Europa.*

sinalefar. intr. Unir vocales por medio de sinalefa. Ú. t. c. tr.

sinaloense. adj. Natural del Estado mejicano de Sinaloa. Ú. t. c. s. ‖ **2.** Perteneciente o relativo a dicho Estado.

sinamay. (De or. tagalo.) m. Tela muy fina que se fabrica en Filipinas con las fibras más delicadas del abacá y de la pita.

sinamayera. f. La que vende sinamay y otras telas en Filipinas.

sinapismo. (Del lat. *sinapismus*, y este del gr. σιναπισμός, de σίναπι, mostaza.) m. *Med.* Tópico hecho con polvo de mostaza. ‖ **2.** fig. y fam. Persona o cosa muy molesta o exaspera.

sinapsis. (Del gr. σύναψις, unión, enlace.) f. Relación funcional de contacto entre las terminaciones de las células nerviosas.

sináptico, ca. adj. Perteneciente o relativo a la sinapsis.

sinarca. com. Gobernante o miembro de una sinarquía.

sinario. m. desus. Sino[1], pronóstico.

sinarquía. (Del gr. σύν, con, y ἀρχή, autoridad, poder.) f. Gobierno constituido por varios príncipes, cada uno de los cuales administra una parte del Estado. ‖ **2.** Por ext., influencia, generalmente decisiva, de un grupo de empresas comerciales o de personas poderosas en los asuntos políticos y económicos de un país.

sinárquico, ca. adj. Perteneciente o relativo a la sinarquía.

sinartrosis. (Del gr. συνάρθρωσις, de συναρθρόω, articular.) f. *Anat.* Articulación no movible, como la de los huesos del cráneo.

sincategoremático, ca. (Del lat. mediev. *syncategorematĭcus*.) adj. *Ling.* y *Lóg.* Dícese de palabras que solo ejercen en la frase oficios determinativos, modificadores o de relación, a diferencia de las categoremáticas.

sincerador, ra. adj. Que sincera. Ú. t. c. s.

sinceramente. adv. m. Con sinceridad.

sincerar. (Del lat. *sincerāre*, purificar.) tr. Justificar la inculpabilidad o culpabilidad de uno en el dicho o hecho que se le atribuye. Ú. m. c. prnl.

sinceridad. (Del lat. *sincerĭtas, -ātis*.) f. Sencillez, veracidad, modo de expresarse libre de fingimiento.

sincero, ra. (Del lat. *sincērus*.) adj. Que actúa con sinceridad. ‖ **2.** ant. Puro, sin mezcla de materia extraña.

sinclinal. (Del gr. συγκλίνειν, inclinar conjuntamente.) adj. *Geol.* Dícese del plegamiento de las capas del terreno en forma de V. Ú. m. c. s. m.

síncopa. (Del lat. *syncŏpa*, y este del gr. συγκοπή, de συγκόπτω, cortar, reducir.) f. *Gram.* Figura de dicción que consiste en la supresión de uno o más sonidos dentro de un vocablo, como en *navidad* por *natividad.* ‖ **2.** *Mús.* Enlace de dos sonidos iguales, de los cuales el primero se halla en el tiempo o parte débil del compás, y el segundo en el fuerte.

sincopadamente. adv. m. Con síncopa.

sincopado, da. p. p. de **sincopar.** ‖ **2.** adj. *Mús.* Dícese de la nota que se halla entre dos o más notas de menos valor, pero que juntas valen tanto como ella. Toda sucesión de notas **sincopadas** toma un movimiento contrario al orden natural; es decir, que va a contratiempo. ‖ **3.** Dícese del ritmo o canto que tiene notas **sincopadas**.

sincopal. adj. *Med.* V. **fiebre sincopal**.

sincopar. tr. *Gram.* y *Mús.* Hacer síncopa. ‖ **2.** fig. Abreviar, acortar.

síncope. (Del lat. *sincŏpe*, y este del gr. συγκοπή.) m. *Gram.* **síncopa**. ‖ **2.** *Pat.* Pérdida repentina del conocimiento y de la sensibilidad, debida a la suspensión súbita y momentánea de la acción del corazón.

sincopizar. tr. *Med.* Causar síncope. Ú. t. c. prnl.

sincrético, ca. adj. Perteneciente o relativo al sincretismo.

sincretismo. (Del gr. συγκρητισμός, coalición de dos adversarios contra un tercero.) m. Sistema filosófico que trata de conciliar doctrinas diferentes. ‖ **2.** *Ling.* Concentración de dos o más funciones gramaticales en una sola forma.

sincronía. (Del gr. σύν, con, y χρόνος, tiempo.) f. Sincronismo, coincidencia de hechos o fenómenos en el tiempo. ‖ **2.** *Ling.* Método de análisis lingüístico que considera la lengua en su aspecto estático, en un momento dado de su existencia histórica.

sincrónico, ca. (Del gr. σύγχρονος; de σύν, con, y χρόνος, tiempo.) adj. *Fís.* Dícese del proceso o del efecto que se desarrolla en perfecta correspondencia temporal con otro proceso u otra causa. ‖ **2.** *Ling.* Dícese de las leyes y relaciones internas propias de una lengua o dialecto en un momento o período dados; asimismo se dice del estudio de la estructura o funcionamiento de una lengua o dialecto sin atender a su evolución.

sincronismo. (Del gr. συγχρονισμός.) m. Correspondencia en el tiempo entre las diferentes partes de los procesos.

sincronización. f. Acción y efecto de sincronizar.

sincronizar. tr. Hacer que coincidan en el tiempo dos o más movimientos o fenómenos.

sindáctilo. (Del gr. σύν, junto, y δάκτυλος, dedo.) adj. *Zool.* Dícese de los pájaros que tienen el dedo externo unido al medio hasta la penúltima falange y el pico largo y ligero; como el abejaruco. Ú. t. c. s. ‖ **2.** m. pl. *Zool.* Suborden de estos animales.

sindéresis. (Del gr. συντήρεσις.) f. Discreción, capacidad natural para juzgar rectamente.

síndica. f. *Seg.* Mujer que en las fiestas de Santa Águeda ostenta un cargo representativo y auxilia a la alcaldesa.

sindicable. adj. Que puede sindicarse.

sindicación. f. Acción y efecto de sindicar o sindicarse.

sindicado, da. p. p. de **sindicar**. ‖ **2.** adj. Que pertenece a un sindicato. Ú. t. c. s. ‖ **3.** *Col., Ecuad.* y *Venez.* Dícese de la persona acusada de infracción de las leyes penales. Ú. t. c. s. ‖ **4.** m. Junta de síndicos.

sindicador, ra. adj. Que sindica. Ú. t. c. s.

sindical. adj. Perteneciente o relativo al síndico. ‖ **2.** Perteneciente o relativo al sindicato.

sindicalismo. m. Sistema de organización obrera por medio del sindicato.

sindicalista. adj. Perteneciente o relativo al sindicalismo. ‖ **2.** com. Partidario del sindicalismo.

sindicar. (De *síndico*.) tr. Acusar o delatar. ‖ **2.** Poner una nota, tacha o sospecha. ‖ **3.** Sujetar una cantidad de dinero o cierta clase de valores o mercancías a compromisos especiales para negociarlos o venderlos. ‖ **4.** Ligar varias personas de una misma profesión, o de intereses comunes, para formar un sindicato. ‖ **5.** prnl. Entrar a formar parte de un sindicato.

sindicato. m. Junta de síndicos. ‖ **2.** Asociación formada para la defensa de intereses económicos o políticos comunes a todos los asociados. Se emplea especialmente hablando de las asociaciones obreras organizadas bajo estrecha obediencia y compromisos rigurosos. ‖ **amarillo.**

Organización sindical cuyo objetivo es minar la acción reivindicativa de los **sindicatos** obreros.

sindicatura. f. Oficio o cargo de síndico. ‖ **2.** Oficina del síndico.

síndico. (Del lat. *sindīcus*, y este del gr. σύνδικος; de σύν, con, y δίκη, justicia.) m. Sujeto que en un concurso de acreedores o en una quiebra es el encargado de liquidar el activo y el pasivo del deudor. ‖ **2.** El que tiene el dinero de las limosnas que se dan a los religiosos mendicantes. ‖ **3. procurador síndico.** ‖ **4.** Persona elegida por una comunidad o corporación para cuidar de sus intereses.

síndrome. (Del gr. συνδρομή, concurso.) m. Conjunto de síntomas característicos de una enfermedad. ‖ **2.** Por ext., conjunto de fenómenos que caracterizan una situación determinada. ‖ **de abstinencia.** Conjunto de alteraciones que se presentan en un sujeto habitualmente adicto a las drogas, cuando deja bruscamente de tomarlas. ‖ **de inmunodeficiencia adquirida. sida.**

sinécdoque. (Del lat. *sinecdŏche*, y este del gr. συνεκδοχή; de συνεκδέχομαι, recibir juntamente.) f. *Ret.* Tropo que consiste en extender, restringir o alterar de algún modo la significación de las palabras, para designar un todo con el nombre de una de sus partes, o viceversa; un género con el de una especie, o al contrario; una cosa con el de la materia de que está formada, etc.

sinecura. (Del lat. *sine cura*, sin cuidado.) f. Empleo o cargo retribuido que ocasiona poco o ningún trabajo.

sine die. expr. lat. que significa sin plazo fijo, sin fecha. Se utiliza generalmente con referencia a un aplazamiento.

sinedrio. (Del gr. συνέδριον.) m. Consejo supremo de los antiguos judíos, sanedrín. ‖ **2.** Sitio donde se reunía.

sine qua non. (Lit., *sin la cual no*.) expr. lat. V. **condición sine qua non**.

sinéresis. (Del lat. *sinaerĕsis*, y este del gr. συναίρεω, tomar con.) f. *Gram.* Reducción a una sola sílaba, en una misma palabra, de vocales que normalmente se pronuncian en sílabas distintas, como *aho-ra* por *a-ho-ra*. La **sinéresis** en el verso es considerada una licencia poética por la preceptiva tradicional.

sinergia. (Del gr. συνεργία, cooperación.) f. Acción de dos o más causas cuyo efecto es superior a la suma de los efectos individuales. ‖ **2.** *Fisiol.* Concurso activo y concertado de varios órganos para realizar una función.

sinérgico, ca. adj. Perteneciente o relativo a la sinergia.

sinestesia. (Del gr. σύν, junto, y αἴσθησις, sensación.) f. *Fisiol.* Sensación secundaria o asociada que se produce en una parte del cuerpo a consecuencia de un estímulo aplicado en otra parte del mismo. ‖ **2.** *Psicol.* Imagen o sensación subjetiva, propia de un sentido, determinada por otra sensación que afecta a un sentido diferente. ‖ **3.** *Ret.* Tropo que consiste en unir dos imágenes o sensaciones procedentes de diferentes dominios sensoriales. *Soledad sonora; verde chillón.*

sinfín. m. Infinidad, sinnúmero.

sinfisandrios. (Del gr. σύμφυσις, unión, y ἀνήρ, ἀνδρός, masculino.) adj. pl. *Bot.* Dícese de los estambres de una flor cuando están soldados entre sí por sus filamentos y por sus anteras.

sínfisis. (Del gr. σύμφυσις, unión.) f. *Anat.* Conjunto de partes orgánicas que aseguran la unión de dos superficies óseas. ‖ **2.** *Pat.* Pegadura de dos órganos o tejidos a consecuencia de una inflamación.

sínfito. (Del lat. *simphўtum*, y este del gr. σύμφυτον.) m. **consuelda**, hierba.

sinfonía. (Del lat. *simphonīa*, y este del gr. συμφωνία, de σύμφωνος, que une su voz acorde, unánime.) f. Conjunto de voces, de instrumentos, o de ambas cosas, que suenan acordes a la vez. ‖ **2.** Composición instrumental para orquesta.

▌**3.** Pieza de música instrumental, que precede, por lo común, a las óperas y otras obras teatrales. ▌**4.** Nombre que se aplicaba indistintamente a ciertos instrumentos músicos. ▌**5.** fig. Colorido acorde, armonía de los colores. ▌**6.** *Cantabria.* **acordeón.**

sinfónico, ca. adj. Perteneciente o relativo a la sinfonía.

sinfonista. com. Persona que compone sinfonías. ▌**2.** Persona que toma parte en su ejecución.

singa. f. *Mar.* Acción y efecto de singar.

singalés, sa. adj. **cingalés.** ▌**2.** m. Lengua hablada en la isla de Ceilán.

singar. intr. *Mar.* Remar con un remo armado en la popa de una embarcación manejado de tal modo que produzca un movimiento de avance.

singenésicos. (Del gr. σύν, junto, y γένεσις, generación.) adj. pl. *Bot.* Dícese de los estambres de una flor cuando están soldados entre sí por sus anteras.

singladura. (De *singlar*.) f. *Mar.* Distancia recorrida por una nave en veinticuatro horas, que ordinariamente empiezan a contarse desde las doce del día. ▌**2.** *Mar.* En las navegaciones, intervalo de veinticuatro horas que empiezan ordinariamente a contarse al ser mediodía. ▌**3.** fig. Rumbo, dirección.

singlar. (Del fr. *cingler*.) intr. *Mar.* Navegar, andar la nave con rumbo determinado.

single. (Del ing. *single*.) adj. *Mar.* Dícese del cabo que se emplea sencillo, como la braza, el amantillo, etc., cuando uno de sus extremos está atado al penol de la verga.

singlón. (Del ing. *singlon*.) m. *Mar.* Cada una de las piezas que se amadrinan a las varengas para formar las cuadernas, genol.

singular. (Del lat. *singulāris*.) adj. Solo, sin otro de su especie. ▌**2.** fig. Extraordinario, raro o excelente. ▌**3.** *Ar.* Particular, individuo, vecino. Ú. t. c. s. ▌**4.** *Der.* V. **testigo singular.** ▌**5.** *Gram.* V. **número singular.** Ú. t. c. s. ▌**en singular.** loc. adv. **en particular.**

singularidad. (Del lat. *singularĭtas, -ātis*.) f. Cualidad de singular. ▌**2.** Particularidad, distinción o separación de lo común.

singularizar. (De *singular*.) tr. Distinguir o particularizar una cosa entre otras. ▌**2.** *Gram.* Dar número singular a palabras que ordinariamente no lo tienen. ▌**3.** prnl. Distinguirse, particularizarse o apartarse del común.

singularmente. adv. Separadamente, particularmente. ▌**2.** Especialmente, de manera notable o más destacada que otra cosa.

singulto. (Del lat. *singultus*.) m. **sollozo.** ▌**2.** *Fisiol.* **hipo.**

sinhueso. f. fam. Lengua, en cuanto es órgano de la palabra.

sínico, ca. adj. **chino**[2]. Aplícase a cosas.

siniestra. (Del lat. *sinistra*.) f. La mano izquierda.

siniestrado, da. adj. Dícese de la persona o cosa que ha padecido un **siniestro**, avería grave. Apl. a pers., ú. t. c. s.

siniestralidad. (De *siniestro*.) f. Frecuencia o índice de siniestros.

siniestramente. adv. m. De manera siniestra.

siniestro, tra. (Del lat. *sinister, -tri*.) adj. Aplícase a la parte o sitio que está a la mano izquierda. ▌**2.** V. **mano siniestra.** ▌**3.** fig. Avieso y malintencionado. ▌**4.** fig. Infeliz, funesto o aciago. ▌**5.** m. Propensión o inclinación a lo malo; resabio, vicio o dañada costumbre que tiene el hombre o la bestia. Ú. m. en pl. ▌**6.** Avería grave, destrucción fortuita o pérdida importante que sufren las personas o la propiedad, especialmente por muerte, incendio, naufragio, choque o suceso análogo. Corrientemente se da este nombre a los daños de cualquier importancia que pueden ser indemnizados por una compañía aseguradora.

sinistro, tra. adj. ant. Que está a la mano izquierda.

sinistrórsum. (Voz latina.) adv. l. **a izquierdas.** Dícese de las formas y movimientos helicoidales.

sinjusticia. f. ant. **injusticia.** Ú. como vulgar en Andalucía, Aragón y Puerto Rico.

sinnúmero. m. Número incalculable de personas o cosas. *Hubo un* SINNÚMERO *de desgracias.*

sino[1]. (Del lat. *signum*.) m. desus. **pero**[3], defecto. ▌**2.** Hado. ▌**3.** ant. Cosa que evoca en el entendimiento la idea de otra. ▌**pasar el sino.** fr. fig. y fam. *And.* Pasar grandes trabajos o disgustos.

sino[2]. (De *si*[1] y *no*.) conj. advers. con que se contrapone a un concepto negativo otro afirmativo. *No lo hizo Juan,* SINO *Pedro.* En esta acepción suele juntarse con modos adverbiales de sentido adversativo, como *al contrario, antes bien*, etc. *No quiero que venga,* SINO, AL CONTRARIO O ANTES BIEN, *que no vuelva por aquí.* ▌**2.** Denota a veces idea de excepción. *Nadie lo sabe* SINO *Antonio.* ▌**3.** Con la negación que le preceda, suele equivaler a **solamente** o **tan sólo.** NO *te pido* SINO *que me oigas con paciencia.* ▌**4.** Precedido del modo adverbial *no sólo*, denota adición de otro u otros miembros a la cláusula. NO SÓLO por *entendido*, SINO *por afable, modesto y virtuoso, merece ser muy estimado.* En casos como este, suele acompañarse del adverbio *también*. NO SÓLO *por entendido*, SINO TAMBIÉN *por afable, etc.*

sinoble. (Del lat. *sinōpis, -ĭdis*, y este del gr. σινωπίς, tierra de Sínope.) adj. *Blas.* **sinople.** Ú. t. c. s.

sinocal. (De *sinoco*.) adj. *Pat.* V. **fiebre sinocal.** Ú. t. c. s.

sínoco, ca. (Del lat. *sinŏchus*, y este del gr. σύνοχος, continuo; de συνέχω, tener, retener con.) adj. V. **fiebre sínoca.** Ú. t. c. s.

sinodal. (Del lat. *sinodālis*.) adj. Perteneciente al sínodo. Aplícase regularmente a las decisiones de los sínodos, y entonces se usa como sustantivo femenino por elipsis de *constitución.* ▌**2.** V. **examinador sinodal.** Ú. t. c. s. ▌**3.** V. **testigo sinodal.**

sinodático. m. Tributo que en señal de obediencia pagaban anualmente al obispo todos los eclesiásticos seculares cuando iban al sínodo.

sinódico, ca. (Del lat. *sinodĭcus*, y este del gr. συνοδικός.) adj. Perteneciente o relativo al sínodo. ▌**2.** *Astron.* V. **mes lunar sinódico.**

sínodo. (Del lat. *sinŏdus*, y este del gr. σύνοδος; de σύν, con, y ὁδός, camino.) m. Concilio de los obispos. ▌**2.** Junta de eclesiásticos que nombra el ordinario para examinar a los ordenandos y confesores. ▌**3.** Junta de ministros protestantes encargados de decidir sobre asuntos eclesiásticos. ▌**4.** *Astron.* Conjunción de dos planetas en el mismo grado de la Eclíptica o en el mismo círculo de posición. ▌**diocesano.** Junta del clero de una diócesis, convocada y presidida por el obispo para tratar de asuntos eclesiásticos. ▌**santo sínodo.** Asamblea de la iglesia rusa.

sinología. f. Estudio de la lengua, la literatura y las instituciones de China.

sinólogo, ga. (Del gr. Σίνα, la China, y *-logo*.) m. y f. Persona que profesa la sinología.

sinonimia. (Del lat. *synonymĭa*, y este del gr. συνωνυμία.) f. Circunstancia de ser sinónimos dos o más vocablos. ▌**2.** *Ret.* Figura que consiste en usar intencionadamente voces sinónimas o de significación semejante, para amplificar o reforzar la expresión de un concepto.

sinonímico, ca. adj. Perteneciente o relativo a la sinonimia o a los sinónimos.

sinónimo, ma. (Del lat. *synonўmus*, y este del gr. συνώνυμος; de σύν, con, y ὄνομα, nombre.) adj. Dícese de los vocablos y expresiones que tienen una misma o muy parecida significación. Ú. t. c. s. m.

sinopense. adj. Natural de Sinope, ciudad de la Turquía asiática. Ú. t. c. s. ‖ **2. sinópico.**

sinópico, ca. (Del lat. *sinopĭcus.*) adj. Perteneciente o relativo a Sinope. ‖ **2.** V. **rúbrica sinópica.**

sinople. (Del fr. *sinople.*) adj. *Blas.* Color heráldico que en pintura se representa por el verde y en el grabado por líneas oblicuas y paralelas a una que va desde el cantón diestro del jefe al siniestro de la punta. Ú. t. c. s. m.

sinopsis. (Del lat. *synopsis*, y este del gr. σύνοψις; de σύν, con, y ὄψις, vista.) f. Disposición gráfica que muestra o representa cosas relacionadas entre sí, facilitando su visión conjunta; esquema. ‖ **2.** Exposición general de una materia o asunto, presentados en sus líneas esenciales. ‖ **3.** Sumario o resumen.

sinóptico, ca. (Del lat. *synoptĭcus*, y este del gr. συνοπτικός.) adj. Que tiene forma o caracteres de sinopsis. *Cuadro* SINÓPTICO, *tabla* SINÓPTICA. ‖ **2.** m. Cada uno de los Evangelios **sinópticos.**

sinovia. (Del b. lat. *synovia.*) f. *Anat.* Humor viscoso que lubrica las articulaciones de los huesos.

sinovial. adj. *Anat.* Dícese de las glándulas que secretan la sinovia y de lo concerniente a ella. ‖ **2.** *Anat.* V. **cápsula sinovial.**

sinovitis. f. *Pat.* Inflamación de la membrana sinovial de las grandes articulaciones.

sinrazón. f. Acción hecha contra justicia y fuera de lo razonable o debido. ‖ **a sinrazón.** loc. adv. ant. **injustamente.**

sinsabor. m. Desabrimiento del paladar. ‖ **2.** Insipidez de lo que se come. ‖ **3.** fig. Pesar, desazón moral, pesadumbre.

sinsépalo, la. (De *sin-* y *sépalo.*) adj. *Bot.* Dícese de la flor cuyo cáliz está formado por sépalos soldados entre sí, como ocurre, por ejemplo, en la flor del tomate.

sinsonte. m. *Méj.* **cenzontle.**

sínsoras. f. pl. *P. Rico.* Lugar lejano.

sinsorgo, ga. (Del vasc. *zenzurgue.*) adj. *Ál., Murc. y Vizc.* Dícese de la persona insustancial y de poca formalidad. Ú. t. c. s.

sinsubstancia. com. fam. **sinsustancia.**

sinsustancia. com. fam. Persona insustancial o frívola.

sintáctico, ca. (Del gr. συντακτικός.) adj. *Gram.* Perteneciente o relativo a la sintaxis.

sintagma. m. *Ling.* Grupo de elementos lingüísticos que, en una oración, funciona como una unidad. En la oración *El viento derribó un árbol*, se distinguen los **sintagmas** *el viento*, *derrib-ó*, *un árbol* y *derribó un árbol*. Para algunos lingüistas, la oración misma es un **sintagma.** Este se denomina **nominal, adjetival** o **verbal,** cuando su núcleo respectivo es un nombre, un adjetivo o un verbo; y **preposicional,** cuando es un **sintagma** nominal inserto en la oración mediante una preposición: *Clávalo en la pared.*

sintagmático, ca. adj. *Ling.* Perteneciente o relativo al sintagma. ‖ **2.** Dícese de las relaciones que se establecen entre dos o más unidades que aparecen en la oración. Así, en la secuencia *El caballo relincha*, son **sintagmáticas** las relaciones existentes entre el sintagma nominal *El caballo* y el sintagma verbal *relincha*. Y lo son también las que existen entre el artículo *el* y el sustantivo *caballo*; y entre el lexema verbal *relinch-* y la desinencia *-a*.

sintaxis. (Del lat. *sintaxis*, y este del gr. σύνταξις, de συντάσσω, coordinar.) f. *Gram.* Parte de la gramática, que enseña a coordinar y unir las palabras para formar las oraciones y expresar conceptos. ‖ **2.** *Inform.* Conjunto de reglas necesarias para construir expresiones o sentencias correctas para la operación de un computador.

sinterización. f. Acción y efecto de sinterizar.

sinterizar. (Del al. *Sinter*, escoria, ceniza.) tr. *Metal.* Producir piezas de gran resistencia y dureza calentando, sin llegar

a la temperatura de fusión, conglomerados de polvo, generalmente metálicos, a los que se ha modelado por presión.

síntesis. (Del lat. *synthĕsis*, y este del gr. σύνθεσις.) f. Composición de un todo por la reunión de sus partes. ‖ **2.** Suma y compendio de una materia o cosa. ‖ **3.** *Quím.* Proceso químico que permite obtener sustancias, que por lo general se dan también en la naturaleza, partiendo de sus componentes.

sintéticamente. adv. m. De manera sintética.

sintético, ca. (Del gr. συνθετικός.) adj. Perteneciente o relativo a la síntesis. ‖ **2.** Que procede componiendo, o que pasa de las partes al todo. ‖ **3.** Dícese de productos obtenidos por procedimientos industriales, generalmente una síntesis química, que reproducen la composición y propiedades de algunos cuerpos naturales. *Petróleo* SINTÉTICO.

sintetizable. adj. Que se puede sintetizar.

sintetizador, ra. adj. Que sintetiza. Ú. t. c. s. ‖ **2.** m. Instrumento musical electrónico capaz de producir sonidos de cualquier frecuencia e intensidad y combinarlos con armónicos, proporcionando así sonidos de cualquier instrumento conocido, o efectos sonoros que no corresponden a ningún instrumento convencional.

sintetizar. (Del gr. συνθετίζομαι.) tr. Hacer síntesis.

sintoísmo. (Del japonés *shinto*, camino de dioses.) m. Religión primitiva y popular de los japoneses.

síntoma. (Del lat. *symptōma*, y este del gr. σύμπτωμα.) m. *Med.* Fenómeno revelador de una enfermedad. ‖ **2.** fig. Señal, indicio de una cosa que está sucediendo o va a suceder.

sintomático, ca. (Del gr. συμπτωματικός.) adj. Perteneciente o relativo al síntoma. ‖ **2.** V. **fiebre sintomática.**

sintonía. (Del gr. σύν, con, y τόνος, tono.) f. Cualidad de sintónico. ‖ **2.** Señal sonora, consistente muchas veces en una melodía, con la que se marca el comienzo de un programa de radio o televisión, y sirve para identificarlo entre los demás.

sintónico, ca. adj. Sintonizado.

sintonismo. m. Cualidad de sintónico.

sintonización. f. Acción y efecto de sintonizar.

sintonizador. m. *Electr.* Sistema que permite aumentar o disminuir la longitud de onda propia del aparato receptor, adaptándola a la longitud de las ondas que se trata de recibir.

sintonizar. tr. Ajustar la frecuencia de resonancia de un circuito a una frecuencia determinada; por ejemplo, al seleccionar una emisora en un receptor de radio. ‖ **2.** intr. fig. Coincidir en pensamiento o en sentimientos dos o más personas.

sinuosidad. f. Cualidad de sinuoso. ‖ **2.** Concavidad o hueco. ‖ **3.** Concavidad que forma una cosa encorvada.

sinuoso, sa. (Del lat. *sinuōsus.*) adj. Que tiene senos, ondulaciones o recodos. ‖ **2.** fig. Dícese del carácter de las acciones que tratan de ocultar el propósito o fin a que se dirigen.

sinusal. adj. *Anat.* Perteneciente o relativo a un seno. ‖ **2.** *Anat.* Dícese de un nódulo específico del tejido del corazón.

sinusitis. (Del lat. *sinus.*) f. *Pat.* Inflamación de los senos del cráneo.

sinusoidal. adj. *Mat.* Que se refiere a la sinusoide.

sinusoide. (Del lat. *sinus*, seno, en su acepción matemática, y *-oide.*) f. *Mat.* Curva que representa gráficamente la función trigonométrica seno.

sinventura. adj. **desventurado.**

sinvergonzón, na. adj. fam. aum. de **sinvergüenza.** Ú. t. c. s. Úsase a veces en sentido benévolo.

sinvergonzonada. f. **sinvergüencería.**

sinvergonzonería. f. Desfachatez, falta de vergüenza.

sinvergüencería. f. fam. Desfachatez, falta de vergüenza.

sinvergüenza. adj. Pícaro, bribón. Ú. t. c. s. ‖ **2.** Dícese de las personas que cometen actos ilegales en provecho propio, o que incurren en inmoralidades. Ú. t. c. s.

sionismo. m. Aspiración de los judíos a recobrar Palestina como patria. ‖ **2.** Movimiento internacional de los judíos para lograr esta aspiración.

sionista. adj. Perteneciente o relativo al sionismo. ‖ **2.** Partidario del sionismo. Ú. t. c. s.

sipedón. m. **eslizón,** reptil.

sipia. (Del lat. *sepĭa.*) f. *Murc.* **jibia,** calamar.

siquiatra. com. **psiquiatra.**

siquiatría. f. **psiquiatría.**

síquico, ca. adj. **psíquico.**

siquier. (Del lat. *si quier*[e].) conj. **siquiera.**

siquiera. (De *si,* conj., y *quiera,* 3.ª pers. del sing. del pres. de subj. del verbo *querer*.) conj. advers. que equivale a **bien que** o **aunque.** *Hazme este favor,* SIQUIERA *sea el último* ‖ **2.** Ú. como conjunción distributiva, equivaliendo a **o, ya** u otra semejante. SIQUIERA *venga,* SIQUIERA *no venga.* ‖ **3.** adv. c. y m. que más ordinariamente y en cierto modo equivale a **por lo menos** en conceptos afirmativos, y a **tan solo** en conceptos negativos, y con el cual se expresa o denota en uno y otro caso idea de limitación o restricción. *Déme usted media paga* SIQUIERA; *no tengo una peseta* SIQUIERA.

siquitraque. m. *And., Cuba, Méj.* y *P. Rico.* **triquitraque.**

siracusano, na. (Del lat. *Syracusānus.*) adj. Natural de Siracusa. Ú. t. c. s. ‖ **2.** Perteneciente o relativo a esta ciudad de Sicilia.

sirena. (Del lat. *sirēna,* de *siren, -ēnis,* y este del gr. σειρήν.) f. Cualquiera de las ninfas marinas con busto de mujer y cuerpo de ave, que extraviaban a los navegantes atrayéndolos con la dulzura de su canto. Algunos artistas las representan impropiamente con torso de mujer y parte inferior de pez. ‖ **2.** Pito que se oye a mucha distancia y que se emplea en los buques, automóviles, fábricas, etc., para avisar. ‖ **3.** *Fís.* Instrumento que sirve para contar el número de vibraciones de un cuerpo sonoro en tiempo determinado.

sirenio. (Del lat. *sirenĭus,* de *siren,* sirena.) adj. *Zool.* Dícese de mamíferos marinos que tienen el cuerpo pisciforme y terminado en una aleta caudal horizontal, con extremidades torácicas en forma de aletas y sin extremidades abdominales, las aberturas nasales en el extremo del hocico y mamas pectorales; como el manatí. Ú. t. c. s. m. ‖ **2.** m. pl. *Zool.* Orden de estos animales.

sirga. (De or. inc.) f. *Mar.* Maroma que sirve para tirar las redes, para llevar las embarcaciones desde tierra, principalmente en la navegación fluvial, y para otros usos. ‖ **2.** V. **camino de sirga.** ‖ **a la sirga.** loc. adv. *Mar.* Dícese de la embarcación que navega tirada de una cuerda o **sirga** desde la orilla.

sirgar. tr. Llevar a la sirga una embarcación.

sirgo[1]. (Del lat. *serĭcum,* seda, obra de seda.) m. Seda torcida. ‖ **2.** Tela hecha o labrada de seda.

sirgo[2], **ga.** adj. *Ast.* y *León.* Aplícase a las reses que tienen el pelo con manchas blancas y negras.

sirguero. (De *silguero.*) m. Jilguero.

siriaco, ca o **siríaco, ca.** (Del lat. *Syrĭăcus.*) adj. **sirio.** Aplíc. a pers., ú. t. c. s. ‖ **2.** Dícese especialmente de la lengua hablada por los antiguos **siriacos.** Ú. t. c. s.

siriano, na. adj. ant. **sirio.**

sirimiri. m. *Ál., Nav.* y *Vizc.* Llovizna, calabobos.

siringa. f. poét. Especie de zampoña, compuesta de varios tubos de caña que forman escala musical y van sujetos unos al lado de otros. ‖ **2.** *Bol.* y *Perú.* Árbol de la familia de las euforbiáceas, de unos 40 metros de altura.

Del tronco, mediante incisiones, se extrae un jugo lechoso, que produce la goma elástica.

siringe. (Del gr. σύριγξ, -γγος, siringa.) f. *Zool.* Aparato de fonación que tienen las aves en el lugar en que la tráquea se bifurca para formar los bronquios; está muy desarrollada en las aves cantoras.

sirio, ria. (Del lat. *Syrĭus.*) adj. Natural de Siria. Ú. t. c. s. ‖ **2.** Perteneciente o relativo a esta región. ‖ **3.** V. **granate sirio.**

sirio. (De origen onomatopéyico.) m. *Argent.* Nombre vulgar de diversos patos, **yaguasa.** ‖ **2.** *Argent.* Nombre vulgar de diversas aves, como el benteveo, la tijereta, la monjita, etc.

sirle. (De or. prerromano.) m. Excremento del ganado lanar y cabrío.

sirmiense. (Del lat. *Sirmiensis.*) adj. Natural de Sirmio. Ú. t. c. s. ‖ **2.** Perteneciente o relativo a esta antigua ciudad, metrópoli de la Panonia.

siro, ra. (Del lat. *Syrus.*) adj. **sirio.** Apl. a pers., ú. t. c. s.

siroco. (Del ár. *šarūq.*) m. Viento sudeste.

sirria. (De or. prerromano.) f. **sirle.**

sirte. (Del gr. σύρτις, de σύρω, barrer, arrastrar en pos de sí.) f. Bajo de arena.

sirventés. (Del prov. *sirventes.*) m. **serventesio.**

sirvienta. (De *sirviente.*) f. Mujer dedicada al servicio doméstico.

sirviente. (Del lat. *servĭens, -entis,* p. a. de *servĭre,* servir.) p. a. de **servir.** Que sirve. Ú. t. c. s. ‖ **2.** adj. *Der.* V. **predio sirviente.** ‖ **3.** m. Servidor o criado de otro. ‖ **4. servidor,** persona adscrita al manejo de un arma de fuego, maquinaria, etc.

-sis. (Del gr. -σις.) suf. usado principalmente en medicina para significar «estado irregular» o «enfermedad». Puede ir precedido de *a* o de *e,* como en *psori*ASIS, *pitiri*ASIS, *diur*ESIS, aunque con más frecuencia va precedido de *o:* *esten*OSIS, *psitac*OSIS, *mic*OSIS, *silic*OSIS.

sisa[1]. (Del ant. fr. *assise,* impuesto.) f. Parte que se defrauda o se hurta, especialmente en la compra diaria de comestibles y otras cosas. ‖ **2.** Corte curvo hecho en el cuerpo de una prenda de vestir que corresponde a la parte de la axila. ‖ **3.** Impuesto que se cobraba sobre géneros comestibles, menguando las medidas. ‖ **4.** Mordente de ocre o bermellón cocido con aceite de linaza, que usan los doradores para fijar los panes de oro.

sisa[2]. f. *Ar.* **sisón**[1], ave.

sisador, ra. adj. Que sisa. Ú. t. c. s.

sisal. m. Fibra flexible y resistente obtenida de la pita y otras especies de agave, del sureste de Méjico y partes de América Central.

sisallo. m. **caramillo,** planta.

sisar. (De *sisa*[1].) tr. Cometer la defraudación o el hurto llamado sisa[1]. ‖ **2.** Hacer sisas en las prendas de vestir. ‖ **3.** Acortar o rebajar las medidas de los comestibles en proporción al impuesto de la sisa. ‖ **4.** Preparar con la sisa lo que se ha de dorar.

sisardo. m. *Ar.* Gamuza de los Pirineos.

sisca. (Del célt. *sesca.*) f. *And., Ar.* y *Murc.* Cisca, carrizo.

sisear. (De or. onomatopéyico.) intr. Emitir repetidamente el sonido inarticulado de *s* y *ch,* por lo común para manifestar desaprobación o desagrado. Ú. t. c. tr. SISEAR *una escena, a un orador.*

sisella. f. *Ar.* **paloma torcaz.**

siseo. m. Acción y efecto de sisear. Ú. m. en pl.

sisero. m. Empleado en la cobranza de la sisa.

sisimbrio. (Del lat. *sisymbrĭum,* y este del gr. σισύμβριον.) m. **jaramago,** planta.

sísmico, ca. (Del gr. σεισμός, agitación.) adj. Perteneciente o relativo al terremoto.

sismo. (De *seísmo.*) m. Terremoto o sacudida de la tierra producida por causas internas, seísmo.

sismógrafo. (Del gr. σεισμός, agitación, y *-grafo*.) m. Instrumento que señala durante un sismo la dirección y amplitud de las oscilaciones y sacudimientos de la tierra.

sismología. (Del gr. σεισμός, agitación, y *-logía*.) f. Parte de la geología, que trata de los terremotos.

sismológico, ca. adj. Perteneciente o relativo a la sismología.

sismómetro. (Del gr. σεισμός, agitación, y *-metro*.) m. Instrumento que sirve para medir durante el terremoto la fuerza de las oscilaciones y sacudimientos.

sisón[1]. (De or. inc.) m. Ave zancuda, de unos 45 centímetros de largo, cabeza pequeña, pico y patas amarillos, plumaje leonado con rayas negras en la espalda y cabeza, y blanco en el vientre y en los bordes de las alas y la cola. Es común en España, se alimenta de insectos, tiene el vuelo tardo, anda con mucha ligereza y su carne es comestible.

sisón[2]**, na.** adj. fam. Que frecuentemente sisa. Ú. t. c. s.

sistema. (Del lat. *systēma*, y este del gr. σύστεμα.) m. Conjunto de reglas o principios sobre una materia racionalmente enlazados entre sí. ‖ **2.** Conjunto de cosas que ordenadamente relacionadas entre sí contribuyen a determinado objeto. ‖ **3.** *Biol.* Conjunto de órganos que intervienen en alguna de las principales funciones vegetativas. SISTEMA *nervioso.* ‖ **4.** *Ling.* La lengua en su totalidad, así como cada uno de sus sectores (fonológico, gramatical y léxico) considerados como conjuntos organizados y relacionados entre sí. ‖ **acusatorio.** *Der.* Ordenamiento procesal que veda al juzgador exceder la acusación en la condena, o le exige hacerlo oír previamente a las partes. ‖ **astático.** El formado por dos agujas imantadas que se colocan con los polos invertidos y los ejes paralelos para que aquel resulte insensible a la acción directriz de la Tierra. ‖ **cegesimal.** El que tiene por unidades fundamentales el centímetro, el gramo y el segundo. ‖ **cristalográfico.** *Fís.* y *Mineral.* Grupo de formas cristalinas, que queda definido por sus ejes cristalográficos y elementos de simetría que presentan. ‖ **de numeración.** El que permite representar y denominar cualquier número con un conjunto limitado de signos y nombres. ‖ **experto.** *Inform.* Programa de computador que permite a este dar respuestas semejantes a las que daría un experto en la materia. ‖ **inquisitivo.** *Der.* El que, a diferencia del acusatorio, permite al juzgador exceder la acusación y aun condenar sin ella. ‖ **métrico decimal.** El de pesas y medidas que tiene por base el metro y en el cual las unidades de una misma naturaleza son 10, 100, 1.000, 10.000 veces mayores o menores que la unidad principal de cada clase. Dícese comúnmente **sistema métrico.** ‖ **nervioso.** *Anat.* Conjunto de órganos, de los que unos reciben excitaciones del exterior, otros las transforman en impulsos nerviosos, y otros conducen estos a los lugares del cuerpo en que han de ejercer su acción. ‖ **operativo.** *Inform.* Programa o conjunto de programas que efectúan la gestión de los procesos básicos de un **sistema** informático, y permite la normal ejecución de las de las operaciones. ‖ **periódico.** *Quím.* Cuadro en el que están ordenados los elementos químicos según su número atómico y dispuestos de tal modo que resulten agrupados los que poseen propiedades químicas análogas. ‖ **planetario.** Conjunto del Sol y sus planetas, satélites y cometas. ‖ **solar. sistema planetario.** ‖ **por sistema.** loc. adv. Procurando obstinadamente hacer siempre cierta cosa, o hacerla de cierta manera sin razón o justificación. *Me contradice* POR SISTEMA.

sistemáticamente. adv. m. De modo sistemático. ‖ **2. por sistema.**

sistemático, ca. (Del lat. *systematĭcus*, y este del gr. συστηματικός.) adj. Que sigue o se ajusta a un sistema. ‖ **2.** Dícese de la persona que procede por principios, y con rigidez en su forma de vida o en sus escritos, opiniones,

etcétera. ‖ **3.** f. *Biol.* Ciencia que estudia la clasificación de las especies con arreglo a su historia evolutiva o filogenia.

sistematización. f. Acción y efecto de sistematizar.

sistematizar. (Del lat. *systēma, -ătis*, sistema.) tr. Organizar según un sistema.

sistémico, ca. adj. Perteneciente o relativo a la totalidad de un sistema; general, por oposición a local. ‖ **2.** *Med.* Perteneciente o relativo a la circulación general de la sangre. ‖ **3.** *Med.* Perteneciente o relativo al organismo en su conjunto.

sístilo. (Del lat. *systˇlos*, y este del gr. σύστυλος, de σύν, y στύλος, columna.) adj. *Arq.* Dícese del edificio o monumento cuyos intercolumnios tienen cuatro módulos de claro.

sístole. (Del lat. *systŏle*, y este del gr. συστολή, de συστέλλω, contraer, reducir.) f. Licencia poética que consiste en usar como breve una sílaba larga. ‖ **2.** *Fisiol.* Movimiento de contracción del corazón y de las arterias para empujar la sangre que contienen.

sistólico, ca. adj. *Fisiol.* Perteneciente o relativo a la sístole del corazón y de las arterias.

sistro. (Del lat. *sistrum*, y este del gr. σεῖστρον.) m. Antiguo instrumento músico de metal en forma de aro o de herradura y atravesado por varillas, que se hacía sonar agitándolo con la mano.

sitácida. adj. *Zool.* psitácida.

sitacismo. m. psitacismo.

sitacosis. f. *Med.* psitacosis.

sitiado, da. p. p. de **sitiar.** Ú. t. c. s.

sitiador, ra. adj. Que sitia una plaza o fortaleza. Ú. t. c. s.

sitial. (De *sitio*[1].) m. Asiento de ceremonia, especialmente el que usan en actos solemnes ciertas personas constituidas en dignidad. ‖ **2.** desus. Taburete, especialmente el que se solía poner en el estrado de las señoras.

sitiar. (Del ant. sajón *sittian*, asentarse.) tr. Cercar una plaza o fortaleza para combatirla y apoderarse de ella. ‖ **2.** *fig.* Cercar a uno tomándole o cerrándole todas las salidas para cogerle o rendir su voluntad.

sitibundo, da. (Del b. lat. *sitibundus*, y este del lat. *sitire*, estar sediento.) adj. poét. Que tiene sed, sediento.

sitiero, ra. m. y f. *Cuba.* Persona que posee o lleva en arriendo un sitio o casería.

sitio[1]. (De or. inc.) m. Espacio que es ocupado o puede serlo por algo. ‖ **2.** Lugar o terreno conveniente para algo. ‖ **3.** Casa campestre o hacienda de recreo de un personaje. ‖ **4.** *Cuba.* Estancia pequeña dedicada al cultivo y a la cría de animales domésticos. ‖ **real.** Palacio, casa de recreo o de salud con dependencias y aledaños que eran propiedad de los reyes y les servían de residencia eventual. ‖ **dejar a** uno **en el sitio.** fr. fig. Dejarle muerto en el acto. ‖ **poner** a alguien **en su sitio.** fr. fig. y fam. Hacerle ver cuál es su posición, importancia, etc., para que no se permita ciertas libertades. ‖ **quedarse** uno **en el sitio.** fr. fig. Morir en el mismo punto y hora en que le hieren o en que le ocurre cualquier otro accidente repentino.

sitio[2]. m. Acción y efecto de sitiar. ‖ **2.** V. **artillería, estado de sitio.** ‖ **levantar el sitio.** fr. Desistir del de una plaza o fortaleza sitiadas. Ú. t. en sent. fig. ‖ **poner sitio.** fr. Sitiar, asediar.

sitios. adj. pl. V. **bienes sitios.**

sito, ta. (Del lat. *situs*, p. p. de *sinēre*, dejar.) adj. Situado o fundado. ‖ **2.** V. **bienes sitos.**

situación. (De *situar*.) f. Acción y efecto de situar o situarse. ‖ **2.** Disposición de una cosa respecto del lugar que ocupa. ‖ **3.** Salario o renta sobre algunos bienes productivos. ‖ **4.** Estado o constitución de las cosas y personas. ‖ **5.** Conjunto de las realidades cósmicas, sociales e históricas en cuyo seno ha de ejecutar un hombre los actos de su existencia personal. ‖ **6.** Grupo o partido gobernante. Exige siempre el art. *la. Ser de la* SITUACIÓN. ‖ **activa.** La del funcionario que está prestando de hecho, real y positivamente, algún servicio al Estado. ‖ **dramática.** En las obras de teatro, cada una de las que muestran cómo un personaje afronta determinado conflicto, o bien lo que revela alguna relación especialmente significativa entre personajes. ‖ **pasiva.** La de la persona que se encuentra cesante, jubilada, excedente, de reemplazo, de cuartel, en la reserva, retirada del servicio, etc.

situado, da. p. p. de **situar.** ‖ **2.** m. Salario, sueldo o renta señalados sobre algunos bienes productivos.

situar. (Del lat. *situs,* sitio, posición.) tr. Poner a una persona o cosa en determinado sitio o situación. Ú. t. c. prnl. ‖ **2.** Asignar o determinar fondos para algún pago o inversión. ‖ **3.** prnl. Lograr una posición social, económica o política privilegiada.

siu. m. Pájaro americano muy semejante al jilguero.

siútico, ca. adj. fam. *Chile.* Dícese de la persona que presume de fina y elegante, o que procura imitar en sus costumbres modales a las clases más elevadas de la sociedad.

so¹. (Contracc. de *seó.*) m. fam. Se usa solamente seguido de adjetivos despectivos con los cuales se increpa a alguna persona y sirve para reforzar la significación de aquellos.

so². (Del lat. *suus.*) pron. poses. ant. **su.**

so³. (Del lat. *sub.*) prep. Bajo, debajo de. Hoy tiene uso con los sustantivos *capa, color, pena,* etc., SO *capa de;* SO *color de;* SO *pena de.*

so⁴. Voz que se emplea para hacer que se paren o detengan las caballerías.

so-. V. **sub-.**

soalzar. (De so³ y *alzar.*) tr. p. us. Alzar ligeramente.

soasar. (De so³ y *asar.*) tr. Medio asar o asar ligeramente.

soba. f. Acción y efecto de sobar. ‖ **2.** fig. Aporreamiento o zurra.

sobacal. adj. Perteneciente o relativo al sobaco.

sobaco. (De or. inc.) m. Concavidad que forma el arranque del brazo con el cuerpo. ‖ **2.** Ángulo de una parte de la planta con el tronco. ‖ **3.** Cada espacio que deja en un cuadrado el círculo inscrito en él. ‖ **4.** Pez plectognato semejante al pez ballesta.

sobacuno. adj. Dícese del mal olor procedente de los sobacos. Ú. t. c. s.

sobadero, ra. adj. Que se puede sobar. ‖ **2.** m. Sitio destinado a sobar las pieles en las fábricas de curtidos.

sobado, da. p. p. de **sobar.** ‖ **2.** Aplícase al bollo o torta a cuya masa se ha agregado aceite o manteca. Ú. t. c. s. ‖ **3.** fig. Manido, muy usado. ‖ **4.** m. Acción y efecto de sobar. ‖ **5.** *C. Rica.* Especie de melcocha que se hace batiendo la miel de inferior calidad.

sobadura. f. Acción y efecto de sobar.

sobajadura. f. Acción y efecto de sobajar.

sobajamiento. m. Acción y efecto de sobajar.

sobajanero. (De *sobajar.*) m. *And.* Mozo que sirve en los cortijos para ir por el recado al pueblo.

sobajar. (De *sobar.*) tr. Manosear una cosa con fuerza, ajándola.

sobajear. tr. Sobar, manosear.

sobajeo. m. Acción y efecto de sobajear.

sobanda. (De so³ y *banda.*) f. Superficie curva del tonel, que está más distante respecto de la que la labra o la mira.

sobandero. m. *Col.* Algebrista, curandero que concierta los huesos dislocados.

sobaquera. f. Abertura que se deja en algunos vestidos, en la unión de la manga y cuerpo a la parte del sobaco. ‖ Pieza con que se refuerza el vestido, interior o exteriormente, por la parte que corresponde al sobaco. ‖

Pieza de tela impermeable con que se resguarda del sudor la parte del vestido correspondiente al sobaco. ‖ **coger** uno **las sobaqueras.** fr. fig. y fam. **coger** a uno **el pan bajo el sobaco.**

sobaquillo. m. d. de **sobaco.** ‖ **de sobaquillo.** loc. adv. *Taurom.* Modo de poner banderillas dejando pasar la cabeza del toro y clavándolas el diestro hacia atrás al mismo tiempo que emprende la huida. ‖ **2.** Modo de lanzar piedras por debajo del brazo izquierdo apartado del cuerpo.

sobaquina. f. Sudor de los sobacos, que tiene un olor característico y desagradable.

sobar. (De or. inc.) tr. Manejar y oprimir una cosa repetidamente a fin de que se ablande o suavice. ‖ **2.** fig. Castigar, dando algunos golpes. ‖ **3.** fig. Manosear a una persona. ‖ **4.** fig. y fam. Molestar, fastidiar con trato impertinente. ‖ **5.** *Argent.* Dar masaje, friccionar. Ú. t. c. prnl. ‖ **6.** rur. *Argent.* Fatigar al caballo, exigirle un gran esfuerzo. ‖ **sobar el lomo.** fr. fig. y fam. *Argent.* **dar coba,** adular, halagar a otro para obtener de él alguna ventaja.

sobarba. (De so³ y *barba.*) f. Correa que asegura la posición del bocado del caballo, muserola. ‖ **2.** Abultamiento bajo la barba.

sobarbada. (De *sobarba.*) f. Tirón de las riendas de la caballería. ‖ **2.** fig. Represión que se da a uno con palabras ásperas.

sobarbo. (Del lat. *sub arbŏre,* debajo del árbol.) m. Álabe de una rueda hidráulica.

sobarcar. (Del lat. *sub,* so³ y *brachĭum,* brazo.) tr. Poner o llevar debajo del sobaco una cosa que hace bulto. ‖ **2.** Levantar o subir hacia los sobacos los vestidos.

sobejanía. (De *sobejano.*) f. ant. Sobra, demasía, exceso.

sobejano, na. (De *sobejo.*) adj. ant. Sobrado, excesivo, extremado.

sobejo, ja. (Del lat. *super,* sobre.) adj. ant. **sobejano.** ‖ **2.** m. pl. **sobras** de la mesa.

sobeo. (Del lat. *subiugĭum.*) m. Correa fuerte con que se ata al yugo la lanza del carro o el timón del arado.

soberado. m. desus. Desván, sobrado. Ú. en Andalucía y América.

soberanamente. adv. m. Con soberanía. ‖ **2.** Extremadamente, altamente.

soberanear. intr. Mandar o dominar a modo de soberano.

soberanía. f. Cualidad de soberano. ‖ **2.** Autoridad suprema del poder público. ‖ **3.** Alteza o excelencia no superada en cualquier orden inmaterial. ‖ **4.** ant. Orgullo, soberbia o altivez. ‖ **nacional.** La que reside en el pueblo y se ejerce por medio de sus órganos constitucionales representativos.

soberanidad. f. ant. **soberanía.**

soberano, na. (Del b. lat. **sŭperānus.*) adj. Que ejerce o posee la autoridad suprema e independiente. Apl. a pers., ú. t. c. s. ‖ **2.** Elevado, excelente y no superado. ‖ **3.** ant. Altivo, soberbio o presumido.

soberbia. (Del lat. *superbĭa.*) f. Altivez y apetito desordenado de ser preferido a otros. ‖ **2.** Satisfacción y envanecimiento por la contemplación de las propias prendas con menosprecio de los demás. ‖ **3.** Exceso en la magnificencia, suntuosidad o pompa, especialmente hablando de los edificios. ‖ **4.** Cólera e ira expresadas con acciones descompuestas o palabras altivas e injuriosas. ‖ **5.** ant. Palabra o acción injuriosa.

soberbiamente. adv. m. Con soberbia.

soberbiar. (De *soberbia.*) intr. ant. Ponerse soberbio.

soberbio, bia. (Del lat. *superbus,* infl. por *soberbia.*) adj. Que tiene soberbia o se deja llevar de ella. ‖ **2.** Altivo, arrogante y elevado. ‖ **3.** fig. Alto, fuerte o excesivo en las cosas inanimadas. ‖ **4.** fig. Grandioso, magnífico. ‖ **5.** Fogoso, orgulloso y violento. Aplícase ordinariamente a los caballos.

soberbiosamente. adv. m. Con gran soberbia.

soberbioso, sa. (De *soberbia*.) adj. De gran soberbia.

sobermejo, ja. adj. Bermejo oscuro.

sobina. (De or. inc.) f. Clavo de madera.

sobo. m. **soba.**

sobón, na. adj. fam. Que por su excesiva familiaridad, caricias y halagos se hace fastidioso. Ú. t. c. s. ‖ **2.** Muy aficionado a sobar o palpar. ‖ **3.** fam. Dícese de la persona taimada y que elude el trabajo. Ú. t. c. s.

sobordo. m. Revisión de la carga de un buque para confrontar las mercancías con la documentación. ‖ **2.** Libro o documento en que el capitán del barco anota todos los efectos o mercancías que constituyen el cargamento. ‖ **3.** Remuneración adicional que, en tiempo de guerra, se paga a cada uno de los tripulantes y equivale a un tanto por ciento del valor de los fletes.

sobornable. adj. Que puede ser sobornado.

sobornación f. Acción y efecto de sobornar.

sobornado, da. (Del lat. *supernātus*, de *supernus*.) adj. V. **pan sobornado.**

sobornador, ra. (Del lat. *subornātor*.) adj. Que soborna. Ú. t. c. s.

sobornal. (De *soborno*[2].) m. Peso que se añade a uno de los tercios de la carga de una caballería, con el fin de equilibrarlos. ‖ **2.** pl. *Chile.* Bultos sueltos que se cargan en vagones especiales de ferrocarril.

sobornar. (Del lat. *subornāre*.) tr. Corromper a alguien con dádivas para conseguir de él una cosa.

soborno[1]. (De *sobornar*.) m. Acción y efecto de sobornar. ‖ **2.** Dádiva con que se soborna. ‖ **3.** fig. Cualquier cosa que mueve, impele o excita el ánimo para inclinarlo a complacer a otro.

soborno[2]. (Del lat. *supernus*, superior.) m. *Bol.* y *Chile.* Lo que se añade a una carga regular.

sobra. (De *sobrar*.) f. Demasía y exceso en cualquier cosa sobre su justo ser, peso o valor. ‖ **2.** Demasía, injuria, agravio. ‖ **3.** pl. Lo que queda de la comida al levantar la mesa. ‖ **4.** Por ext., lo que sobra o queda de otras cosas. ‖ **5.** Desperdicios o desechos. ‖ **6.** Parte del haber del soldado que se le entrega en mano semanal o diariamente. ‖ **de sobra.** loc. adv. Abundantemente, con exceso o con más de lo necesario. ‖ **2.** Por demás, sin necesidad. ‖ **3.** fig. Bastante, suficiente.

sobradamente. adv. c. **de sobra.**

sobradar. tr. Poner sobrado a los edificios.

sobradero. m. *Ál., Ar.* y *Logr.* Desaguadero o canal por donde se facilita la salida del agua sobrante de una acequia.

sobradillo. (d. de *sobrado*.) m. Tejadillo sobre un balcón o ventana.

sobrado, da. p. p. de **sobrar.** ‖ **2.** adj. Demasiado, que sobra. ‖ **3.** Atrevido, audaz y licencioso. ‖ **4.** Rico y abundante de bienes. ‖ **5.** m. **desván.** ‖ **6.** ant. Cada uno de los altos o pisos de una casa. ‖ **7.** *And.* y *Chile.* Sobras o restos de la comida. Ú. m. en pl. ‖ **8.** adv. c. **sobradamente.**

sobraja. f. ant. **sobra,** demasía o exceso sobre valor, peso, condición, etc.

sobramiento. (De *sobrar*.) m. ant. **sobraja.**

sobrancero. (De *sobrar*, estar de más.) adj. Aplícase al que está sin trabajar y sin oficio determinado. Ú. t. c. s. ‖ **2.** *Murc., Cuba* y *Venez.* Que sobra o excede en tamaño, cantidad o peso. ‖ **3.** *Murc.* Mozo de labor que está para suplir.

sobrante. p. a. de **sobrar.** Que sobra. Ú. t. c. s. ‖ **2.** adj. Excesivo, demasiado, sobrado.

sobrar. (Del lat. *superāre*.) tr. desus. Superar, exceder, sobrepujar. ‖ **2.** intr. Haber más de lo que se necesita. ‖ **3.**

estar de más. Ú. frecuentemente hablando de los sujetos que se introducen donde no los llaman o no tienen qué hacer. ‖ **4.** Quedar, restar. ‖ **ni sobró, ni faltó, ni hubo bastante, o harto.** expr. fam. con que se denota venir cabal y justa una cosa para lo que se necesita.

sobrasada. (De etim. disc.) f. Embuchado grueso de carne de cerdo muy picada y sazonada con sal y pimiento molido, que se hace especialmente en Mallorca.

sobrasar. (De *so*[3] y *brasa*.) tr. Poner brasas al pie de la olla o cosa semejante, para que cueza antes o mejor.

sobrazano, na. m. (De *sobrar*.) adj. ant. Grande, excesivo.

sobrazar. (De *so*[3], debajo, y *brazo*.) tr. ant. Poner, doblar o recoger una cosa debajo del brazo.

sobre[1]. (Del lat. *super*.) prep. Encima de. ‖ **2. acerca de.** ‖ **3.** Además de. ‖ **4.** U. para indicar aproximación a una cantidad o un número. *Tengo* SOBRE *mil pesetas; vendré* SOBRE *las once.* ‖ **5.** Cerca de otra cosa, con más altura que ella y dominándola. ‖ **6.** Con dominio y superioridad. ‖ **7.** En prenda de una cosa. SOBRE *esta alhaja préstame veinte duros.* ‖ **8.** En el comercio se usa para denotar la persona contra quien se gira una cantidad, o la plaza donde ha de hacerse efectiva. ‖ **9.** A o hacia. ‖ **10.** Úsase precediendo al nombre de la finca o fundo que tiene afecta una carga o gravamen. *Un censo* SOBRE *tal casa.* ‖ **11.** Después de. SOBRE *comida,* SOBRE *siesta,* SOBRE *tarde.* ‖ **12.** Precedida y seguida de un mismo sustantivo, denota idea de reiteración o acumulación. *Crueldades* SOBRE *crueldades; robos* SOBRE *robos.* ‖ **13.** m. *Sal.* y *Zam.* Juego del escondite.

sobre[2]. m. Cubierta, por lo común de papel, en que se incluye la carta, comunicación, tarjeta, etc., que ha de enviarse de una parte a otra. ‖ **2.** Lo que se escribe en dicha cubierta. ‖ **monedero.** Estuche de cartón que servía para remitir monedas por correo.

sobre-. (Del lat. *super-*.) elem. compos. cuyo significado propio es el de superposición o adición: SOBRE*arco,* SO-BRE*calza,* SOBRE*haz.* Puede indicar también intensificación del significado del nombre al que se antepone: SOBRE*alimentación,* SOBRE*humano.* A veces denota repetición: SO-BRE*arar,* SOBRE*cenar;* o bien, acción repentina: SOBRE*coger,* SOBRE*saltar.*

sobreabundancia. f. Acción y efecto de sobreabundar.

sobreabundantemente. adv. m. Con sobreabundancia.

sobreabundar. intr. Abundar mucho.

sobreaguar. intr. Andar o estar sobre la superficie del agua. Ú. t. c. prnl.

sobreagudo, da. adj. *Mús.* Dícese de los sonidos más agudos del sistema musical, y en particular de los de un instrumento. Ú. t. c. s.

sobrealiento. m. Respiración difícil y fatigosa.

sobrealimentación. f. Acción y efecto de sobrealimentar.

sobrealimentar. tr. Dar a un individuo más alimento del que ordinariamente necesita para su manutención. Ú. t. c. prnl.

sobrealzar. tr. Alzar demasiado una cosa o aumentar su elevación.

sobreañadir. tr. Añadir con exceso o con repetición.

sobreañal. adj. Aplícase a algunos animales de poco más de un año.

sobrearar. tr. Repetir en una tierra la labor del arado.

sobrearco. m. *Arq.* Arco construido sobre un dintel o umbral para aliviar el peso que cargaría sobre aquellos.

sobreasada. (De etim. disc.) f. **sobrasada.**

sobreasar. tr. Volver a poner a la lumbre lo que está asado o cocido, para que se tueste.

sobrebarato, ta. adj. Muy barato.

sobrebarrer. tr. Barrer ligeramente.

sobrebeber. intr. Beber de nuevo o con exceso.

sobrebota. f. *Amér. Central.* Polaina de cuero curtido.

sobrecalentamiento. m. Calentamiento excesivo de un aparato, motor o dispositivo, que puede producir su deterioro o avería.

sobrecalza. f. Especie de polaina.

sobrecama. f. **colcha.**

sobrecaña. f. *Veter.* Tumor óseo que sobresale en la caña de las extremidades anteriores de las caballerías.

sobrecarga. f. Exceso de carga. ‖ **2.** Soga o lazo que se echa encima de la carga para asegurarla. ‖ **3.** Impresión tipográfica hecha oficialmente sobre un sello para alterar su valor, conmemorar un suceso, etc. ‖ **4.** fig. Molestia, pena o pasión del ánimo.

sobrecargar. tr. Cargar con exceso. ‖ **2.** Coser por segunda vez una costura redoblando un borde sobre el otro para que quede bien rematada.

sobrecargo. m. El que en los buques mercantes lleva a su cuidado y bajo su responsabilidad el cargamento. ‖ **2.** Tripulante de avión que tiene a su cargo supervisar diversas funciones auxiliares.

sobrecaro, ra. adj. Muy caro.

sobrecarta. f. Cubierta en que se incluye una carta. ‖ **2.** *Der.* Segunda provisión o despacho que daban los tribunales acerca de una misma cosa, cuando por algún motivo no había tenido cumplimiento la primera.

sobrecartar. tr. *Der.* Dar sobrecarta.

sobrecebadera. f. desus. *Mar.* Verga que se cruzaba sobre el botalón de foque, y la vela que se envergaba en ella.

sobrecédula. f. Segunda cédula real o despacho del rey para la observancia de lo ya prescrito.

sobreceja. f. Parte de la frente inmediata a las cejas.

sobrecejo. (Del lat. *supercilium*.) m. Señal de enfado arrugando la frente, ceño. ‖ **2.** desus. Dintel de la puerta. ‖ **3.** desus. Borde o canto de una pieza que sobresale de otra a la que está unida.

sobrecelestial. adj. Relativo o perteneciente al más alto cielo.

sobrecenar. intr. Cenar por segunda vez. Ú. t. c. tr.

sobreceño. m. Ceño muy sañudo.

sobrecerco. m. Cerco o guarnición con que se refuerza otro.

sobrecerrado, da. adj. Muy bien cerrado.

sobrecielo. m. fig. Dosel, toldo.

sobrecincha. f. Faja o correa que, pasada por debajo de la barriga de la cabalgadura y por encima del aparejo, sujeta la manta, la mantilla o el caparazón.

sobrecincho. m. **sobrecincha.**

sobreclaustra. f. **sobreclaustro.**

sobreclaustro. m. Pieza o vivienda que hay encima del claustro.

sobrecogedor, ra. adj. Que sobrecoge. ‖ **2.** m. ant. **recaudador.**

sobrecoger. tr. Coger de repente y desprevenido. ‖ **2.** prnl. Sorprenderse, intimidarse.

sobrecogimiento. m. Acción de sobrecoger, y más comúnmente efecto de sobrecogerse.

sobrecomida. f. Postre de una comida.

sobrecopa. f. Tapadera de la copa.

sobrecrecer. (Del lat. *supercrescĕre*.) intr. Exceder en crecimiento o crecer excesivamente.

sobrecruz. m. Cada uno de los cuatro brazos o rayos que la rueda de la azuda lleva en los lados de las cruces.

sobrecubierta. f. Segunda cubierta que se pone a una cosa para resguardarla mejor.

sobrecuello. m. Segundo cuello sobrepuesto al de una prenda de vestir. ‖ **2. alzacuello** de los eclesiásticos.

sobrecurar. tr. Curar a medias, descuidadamente.

sobredezmero. m. Interventor o acompañante del dezmero.

sobredicho, cha. adj. Dicho arriba o antes.

sobrediente. m. Diente que nace encima de otro.

sobredorar. tr. Dorar los metales, y especialmente la plata. ‖ **2.** fig. Disculpar y abonar con razones aparentes y sofísticas una acción reprensible o una palabra mal dicha.

sobredosis. f. Dosis excesiva de una droga o sustancia alucinógena que puede llegar a producir la muerte.

sobreedificar. tr. Construir sobre otra edificación u otra fábrica.

sobreempeine. m. Parte inferior de la polaina, que cae sobre el empeine del pie.

sobreentender. tr. **sobrentender.**

sobreentendido, da. adj. **sobrentendido.**

sobreesdrújulo, la. adj. **sobresdrújulo.** Ú. t. c. s.

sobreexceder. tr. **sobrexceder.**

sobreexcitación. f. Acción y efecto de sobreexcitar o sobreexcitarse.

sobreexcitar. tr. Aumentar o exagerar las propiedades vitales de todo el organismo o de una de sus partes. Ú. t. c. prnl.

sobrefalda. f. Falda corta que se coloca como adorno sobre otra.

sobrefaz. f. Superficie o cara exterior de las cosas. ‖ **2.** *Fort.* Distancia que hay entre el ángulo exterior del baluarte y el flanco prolongado.

sobreflor. f. Flor anómala que nace del centro de otra.

sobrefrenada. f. **sofrenada.**

sobrefusión. f. *Fís.* Permanencia de un cuerpo en estado líquido a temperatura inferior a la de su fusión.

sobreganar. tr. Ganar con ventaja o con exceso.

sobregirar nible.

sobregiro. m. Giro o libranza que excede de los créditos o fondos disponibles.

sobreguarda. m. Jefe inmediato de los guardas. ‖ **2.** Segundo guarda que suele ponerse para más seguridad.

sobrehaz. f. **sobrefaz.** ‖ **2.** Lo que se pone encima de una cosa para taparla. ‖ **3.** fig. Apariencia somera.

sobreherido, da. adj. Herido leve o superficialmente.

sobrehilado. p. p. de **sobrehilar.** ‖ **2.** m. Puntadas en la orilla de una tela para que no se deshilache.

sobrehilar. tr. Dar puntadas sobre el borde de una tela cortada, para que no se deshilache.

sobrehílo. m. **sobrehilado.**

sobrehora (a). loc. adv. desus. Fuera de tiempo, a deshora, intempestivamente.

sobrehueso. m. Tumor duro que está sobre un hueso. ‖ **2.** fig. Cosa que molesta o sirve de embarazo o carga. ‖ **3.** fig. Trabajo, molestia.

sobrehumano, na. adj. Que excede a lo humano.

sobrehúsa. (Del lat. *superfūsa*, derramada por encima.) f. *And.* Guiso de pescado en salsa, con cebolla, ajo, pimentón y otras especias. ‖ **2.** fig. *And.* Apodo, sobrenombre, mote.

sobreimpresión. f. *Impr.* Acción y efecto de sobreimprimir.

sobreimprimir. tr. *Impr.* Imprimir algo sobre un texto o sobre una imagen gráfica.

sobreintendencia. f. **superintendencia.**

sobrejalma. f. Manta que se pone sobre la jalma.

sobrejuanete. m. *Mar.* Cada una de las vergas que se cruzan sobre los juanetes, y las velas que se largan en ellas.

sobrejuez. m. ant. Juez superior o de apelación.

sobrelecho. m. *Arq.* Superficie inferior de la piedra, que descansa sobre el lecho superior de la que está debajo.

sobreltado. m. *Blas.* Escudo pequeño que carga a otro mayor, escusón.

sobrellavar. tr. Poner sobrellave a una puerta, especialmente por virtud de mandamiento judicial.

sobrellave. f. Segunda llave en la puerta, además de las ordinarias cerradas. ‖ **2.** m. Oficio del que tiene esta segunda llave.

sobrellenar. tr. Llenar en abundancia.

sobrelleno, na. adj. Superabundante, rebosante.

sobrellevar. tr. Llevar uno encima o a cuestas una carga o peso para aliviar a otro. ‖ **2.** fig. Ayudar a sufrir los trabajos o molestias de la vida. ‖ **3.** fig. Resignarse a ellos el mismo paciente. ‖ **4.** fig. Disimular y suplir los defectos o descuidos de otro. ‖ **5.** desus. Dispensar o eximir de una obligación.

sobremanera. adv. m. En extremo, muchísimo, sobre manera.

sobremano. f. *Veter.* Tumor óseo que en las caballerías se desarrolla sobre la corona de los cascos delanteros. ‖ **a sobremano.** loc. adv. A pulso, sin ningún apoyo.

sobremesa. f. Tapete que se pone sobre la mesa por adorno, limpieza o comodidad. ‖ **2.** desus. Postre de una comida. ‖ **3.** El tiempo que se está a la mesa después de haber comido. ‖ **4.** adv. m. **de sobremesa.** Inmediatamente después de comer. ‖ **de sobremesa.** loc. adj. Dícese de ciertos objetos a propósito para colocarlos sobre una mesa u otro mueble parecido. ‖ **2.** loc. adv. Inmediatamente después de comer, y sin levantarse de la mesa.

sobremesana. f. *Mar.* Gavia del palo mesana.

sobremodo. adv. m. En extremo, sobremanera, sobre modo.

sobremuñonera. f. *Art.* Banda semicilíndrica de hierro que, firme en el canto superior de las gualderas de la cureña y abrazando el muñón de la pieza montada, impide que esta se descabalgue en los disparos.

sobrenadar. (Del lat. *supernatāre*.) intr. Mantenerse encima del agua o de otro líquido sin hundirse.

sobrenatural. (Del lat. *supernaturālis*.) adj. Que excede los términos de la naturaleza.

sobrenaturalmente. adv. m. De modo sobrenatural.

sobrenjalma. f. Manta que se pone sobre la jalma, sobrejalma.

sobrenoche. f. p. us. Altas horas de la noche.

sobrenombre. m. Nombre que se añade a veces al apellido para distinguir a dos personas que tienen el mismo. ‖ **2.** Nombre calificativo con que se distingue especialmente a una persona.

sobrentender. tr. Entender una cosa que no está expresa, pero que no puede menos de suponerse según lo que antecede o la materia que se trata. Ú. t. c. prnl.

sobrentendido, da. adj. Que se sobreentiende. ‖ **2.** m. Lo que no está expresado, especialmente lo que se da por supuesto en una declaración, conversación, etc.

sobreño, ña. adj. *Sal.* Dícese del animal de poco más de un año, sobreañal.

sobrepaga. f. Aumento de paga, ventaja en ella.

sobrepaño. m. Lienzo o paño que se pone encima de otro paño.

sobreparto. m. Tiempo que inmediatamente sigue al parto. ‖ **2.** Estado delicado de salud que suele ser consiguiente al parto.

sobrepasar. tr. Rebasar un límite, exceder de él. ‖ **2.** Superar, aventajar.

sobrepeine. adv. m. fam. **sobre peine.**

sobrepelo. m. *Argent.* **sudadera**, manta para las caballerías. ‖ **de sobrepelo.** loc. adv. fig. desus. Someramente, por encima.

sobrepelliz. (Del b. lat. *superpellicĭum*, y este del lat. *super*, sobre, y *pellicĭum*, vestimenta de piel.) f. Vestidura blanca de lienzo fino, con mangas perdidas o muy anchas, que llevan sobre la sotana los eclesiásticos, y aun los legos que sirven en las funciones de iglesia, y que llega desde el hombro hasta la cintura poco más o menos.

sobrepié. m. *Veter.* Tumor óseo que en las caballerías se desarrolla sobre la corona de los cascos traseros.

sobrepintarse. prnl. Repintarse las mujeres la cara.

sobreplán. f. *Mar.* Cada una de las ligazones que, de trecho en trecho, se colocan sobre el forro interior del buque, y que empernadas a la sobrequilla y a las cuadernas, sirven para refuerzo de estas.

sobreponer. (Del lat. *superponĕre*.) tr. Añadir una cosa o ponerla encima de otra. ‖ **2.** prnl. fig. Dominar los impulsos del ánimo, hacerse superior a las adversidades o a los obstáculos que ofrece un negocio. ‖ **3.** fig. Obtener o afectar superioridad una persona respecto de otra.

sobreprecio. m. Recargo en el precio ordinario.

sobreprimado, da. adj. *Sal.* Dícese de la res lanar que ha cumplido dos años.

sobreproducción. f. **superproducción.**

sobrepuerta. f. Pieza de madera a modo de sobradillo, que se coloca sobre las puertas interiores de los aposentos, y de la cual penden las cortinas. ‖ **2.** Cenefa o cortinilla que se pone sobre las puertas. ‖ **3.** Pintura, tela, talla, etc., más larga que alta, que se pone por adorno sobre las puertas.

sobrepuesto, ta. (Del lat. *superposĭtus*.) p. p. irreg. de **sobreponer.** ‖ **2.** adj. V. **bordado de sobrepuesto.** ‖ **3.** m. Ornamento de materia distinta de aquella a que se sobrepone, aplicación. ‖ **4.** Panal que forman las abejas de llena la colmena, encima de la obra que hacen primero; es muy blanco y de miel más delicada. ‖ **5.** Vasija de barro o cesto de mimbres que se pone boca abajo y ajusta sobre los vasos de las colmenas, para que allí trabajen las abejas el panal antedicho.

sobrepujamiento. m. Acción y efecto de sobrepujar.

sobrepujanza. f. Pujanza excesiva.

sobrepujar. (De *sobre* y *pujar*[2].) tr. Exceder una cosa o persona a otra en cualquier línea.

sobrequilla. f. *Mar.* Madero formado de piezas, colocado de popa a proa por encima de la trabazón de las varengas, y fuertemente empernado a la quilla, que sirve para consolidar la unión de esta con las costillas. En los buques de hierro la **sobrequilla** es del mismo metal, cualquiera que sea su estructura.

sobrero[1]. (Del port. *sobreiro*.) m. *Sal.* Alcornoque, árbol.

sobrero[2], **ra.** (De *sobrar*.) adj. Que sobra. ‖ **2.** Aplícase al toro que se tiene de más por si se inutiliza alguno de los destinados a una corrida. Ú. t. c. s.

sobrero[3], **ra.** (De *sobre*, cubierta de una carta.) m. y f. Persona que tiene por oficio hacer sobres.

sobrerrealismo. m. **superrealismo.**

sobrerrienda. f. *Chile.* **falsa rienda.**

sobrerronda. f. Segunda ronda que se pone para asegurar la vigilancia de los puestos, contrarronda.

sobrerropa. f. **sobretodo.**

sobresabido, da. adj. *Ál.* y *Vizc.* Previsto, sabido de antemano.

sobresalienta. f. Sustituta, y en especial la comedianta que sustituye a otra.

sobresaliente. p. a. de **sobresalir.** Que sobresale. Ú. t. c. s. ‖ **2.** m. En los exámenes, calificación máxima, superior a la de notable. ‖ **3.** com. fig. Persona destinada a suplir la falta o ausencia de otra; como entre comediantes y toreros.

sobresalir. intr. Exceder una persona o cosa a otras en figura, tamaño, etc. ‖ **2.** Aventajarse unos a otros; distinguirse entre ellos.

sobresaltar. tr. Saltar, venir y acometer de repente. ‖ **2.** Asustar, acongojar, alterar a uno repentinamente. Ú. t. c. prnl. ‖ **3.** intr. Venirse una cosa a los ojos. Se usa especialmente hablando de las pinturas cuando las figuras parece que salen del lienzo.

sobresalto. (De *sobresaltar*.) m. Sensación que proviene de un acontecimiento repentino e imprevisto. ‖ **2.** Temor o susto repentino. ‖ **de sobresalto.** loc. adv. De improviso o impensadamente.

sobresanar. intr. Reducirse y cerrarse una herida solo por la superficie, quedando dañada la parte interior y oculta. ‖ **2.** fig. Afectar una acción o disimular un defecto con una cosa superficial.

sobresano. adv. m. Con curación falsa o superficial. ‖ **2.** fig. Afectada, fingida, disimuladamente. ‖ **3.** m. *Mar.* Pedazo de madera que se embute en la mortaja que queda en cualquier tablón del casco del buque, cuando se le extrae alguna parte dañada.

sobrescribir. (Del lat. *superscribĕre*.) tr. Escribir o poner un letrero sobre una cosa. ‖ **2.** Poner el sobrescrito en la cubierta de las cartas.

sobrescripto, ta. p. p. irreg. **sobrescrito.**

sobrescrito, ta. (Del lat. *superscriptus*.) p. p. irreg. de **sobrescribir.** ‖ **2.** m. Lo que se escribía en el sobre o en la parte exterior de un pliego cerrado, para darle dirección. ‖ **3.** Por ext., el mismo sobre con la dirección.

sobresdrújulo, la. (De *sobreesdrújulo*.) adj. *Gram.* Dícese de las voces que por efecto de la composición o por llevar dos o más enclíticas, tienen dos acentos, de los cuales el primero y principal va siempre en sílaba anterior a la antepenúltima; v. gr.: *devuélvemelo*. Ú. t. c. s.

sobreseer. (Del lat. *supersedēre*, cesar, desistir.) intr. Desistir de la pretensión o empeño que se tenía. ‖ **2.** Cesar en el cumplimiento de una obligación. ‖ **3.** *Der.* Cesar en una instrucción sumarial; y por ext., dejar sin curso ulterior un procedimiento. Ú. t. c. tr.

sobreseimiento. m. Acción y efecto de sobreseer. ‖ **libre.** *Der.* El que por ser evidente la inexistencia de delito o la irresponsabilidad del inculpado, pone término al proceso con efectos análogos a los de la sentencia absolutoria. ‖ **provisional.** *Der.* El que por deficiencia de pruebas paraliza la causa.

sobresello. m. Segundo sello que se pone para dar mayor firmeza o más autoridad.

sobresembrar. tr. Sembrar sobre lo ya sembrado.

sobreseñal. f. Distintivo o divisa que en lo antiguo tomaban arbitrariamente los caballeros armados.

sobresolar¹. (De *sobre* y *solar⁴*.) tr. Coser o pegar una suela nueva en los zapatos, sobre las otras que están ya gastadas o rotas.

sobresolar². (De *sobre* y *solar³*.) tr. Echar un segundo suelo sobre lo solado.

sobrestadía. f. *Com.* Cada uno de los días que pasan después de las estadías, o segundo plazo que se prefija algunas veces para cargar o descargar un buque. ‖ **2.** *Com.* Cantidad que por tal demora se paga.

sobrestante. (Del lat. *superstans, -antis*.) adj. ant. Que está muy cerca o encima. ‖ **2.** m. **capataz,** persona que dirige a cierto número de obreros en determinadas obras, bajo la dirección de un técnico. ‖ **de coches.** Empleado que cuidaba de los coches destinados a las personas reales.

sobrestantía. f. Empleo de sobrestante. ‖ **2.** Oficina del sobrestante.

sobrestimar. tr. Estimar una cosa por encima de su valor.

sobresueldo. m. Retribución o consignación que se añade al sueldo fijo.

sobresuelo. m. Segundo suelo que se pone sobre otro.

sobretarde. f. Lo último de la tarde, antes de anochecer.

sobretendón. m. *Veter.* Tumor que suele formarse a

las caballerías en los tendones flexores de las piernas y que dificulta los movimientos de estas.

sobretercero. m. Sujeto nombrado, a más del tercero, que llevaba la cuenta de los diezmos y tenía una llave de la tercia o cilla.

sobretiro. m. **separata,** tirada aparte.

sobretodo. m. Prenda de vestir ancha, larga, y con mangas, que se lleva sobre el traje ordinario. Es, en general, más ligera que el gabán.

sobreveedor. m. Superior de los veedores.

sobrevela. f. ant. *Mil.* Segunda vela o centinela.

sobrevenida. f. Venida repentina e imprevista.

sobrevenir. (Del lat. *supervenīre*.) intr. Acaecer o suceder una cosa además o después de otra. ‖ **2.** Venir improvisamente. ‖ **3.** Venir a la sazón, al tiempo de, etc.

sobreverterse. prnl. Verterse en abundancia.

sobrevesta. f. **sobreveste.**

sobreveste. (De *sobrevestir*.) f. Prenda de vestir, especie de túnica, que se usaba sobre la armadura o el traje.

sobrevestir. (Del lat. *supervestīre*.) tr. Poner un vestido sobre el que se lleva. Ú. t. c. prnl.

sobrevidriera. f. Alambrera con que se resguarda una vidriera. ‖ **2.** Segunda vidriera que se pone para mayor abrigo.

sobrevienta. (De *sobreviento*.) f. p. us. Golpe de viento impetuoso. ‖ **2.** p. us. fig. Furia, ímpetu. ‖ **3.** fig. Sobresalto, sorpresa. ‖ **a sobrevienta.** loc. adv. p. us. De repente, improvisa, impensadamente.

sobreviento. (Del lat. *superventus*, venida inesperada.) m. **sobrevienta,** golpe de viento impetuoso. ‖ **2.** ant. *Mar.* Parte de donde viene el viento, barlovento. ‖ **estar,** o **ponerse, a sobreviento.** fr. p. us. *Mar.* Tener el barlovento respecto de otra nave.

sobrevista. f. Plancha de metal, a modo de visera, fija por delante al borde del morrión. ‖ **2.** p. us. **sobreveste,** prenda que se usaba sobre la armadura o el traje.

sobreviviente. p. a. de **sobrevivir.** Que sobrevive. Ú. t. c. s.

sobrevivir. (Del lat. *supervivĕre*.) intr. Vivir uno después de la muerte de otro o después de un determinado suceso.

sobrevolar. tr. Volar sobre un lugar, ciudad, territorio, etc.

sobrexceder. (De *sobreexceder*.) tr. Exceder, sobrepujar, aventajar a otro.

sobrexcitación. f. **sobreexcitación.**

sobrexcitar. tr. **sobreexcitar.** Ú. t. c. prnl.

sobriamente. adv. m. Con sobriedad.

sobriedad. (Del lat. *sobrietas, -ātis*.) f. Cualidad de sobrio.

sobrinazgo. m. Parentesco de sobrino. ‖ **2.** p. us. Nepotismo.

sobrino, na. (Del lat. *sobrīnus*.) m. y f. Respecto de una persona, hijo o hija de su hermano o hermana, o de su primo o prima. Los primeros se llaman **carnales,** y los otros, **segundos, terceros,** etc., según el grado de parentesco del primo o de la prima.

sobrio, bria. (Del lat. *sobrius*.) adj. Templado, moderado. ‖ **2.** Que carece de adornos superfluos. ‖ **3.** Dícese del que no está borracho.

soca¹. (Del lat. *soccus*.) f. *Amér.* Último retoño de la caña de azúcar. ‖ **2.** *Bol.* Brote de la cosecha del arroz.

soca² (hacerse el). fr. fam. Hacerse el tonto.

socaire. (De or. inc.) m. *Mar.* Abrigo o defensa que ofrece una cosa en su lado opuesto a aquel de donde sopla el viento. ‖ **estar,** o **ponerse, al socaire.** fr. *Mar.* Hacerse remolón el marinero en el coy, sin salir a la guardia. ‖ **2.** fig. y fam. Esquivar y rehuir el trabajo. ‖ **tomar socaire.** fr. *Mar.* Sujetar un cabo que trabaja o del que se está tirando, dándole una vuelta sobre un barraganete u otro madero para que no se escurra.

socairero. (De *socaire*.) adj. Entre marineros, remolón que procura eludir el cumplimiento de sus obligaciones.

socaliña. (De *sacaliña*.) f. Ardid o artificio con que se saca a uno lo que no está obligado a dar.

socaliñar. tr. Sacar a uno con socaliña alguna cosa.

socaliñero, ra. adj. Que usa de socaliñas. Ú. t. c. s.

socalzar. (De *so*³ y *calzar*.) tr. Reforzar por la parte inferior un edificio o muro que amenaza ruina.

socapa. (De *so*³ y *capa*.) f. Pretexto fingido o aparente que se toma para disfrazar la verdadera intención con que se hace una cosa. ‖ **a socapa, o de socapa.** loc. adv. **a so capa, o de so capa.**

socapar. tr. *Bol., Ecuad.* y *Méj.* Encubrir faltas ajenas.

socapiscol. (De *so*³ y *capiscol*.) m. **sochantre.**

socarra. f. Acción y efecto de socarrar o socarrarse. ‖ 2. **socarronería.** ‖ 3. ant. **socarrón.**

socarrar. (De or. prerromano.) tr. Quemar o tostar ligera y superficialmente una cosa. Ú. t. c. prnl.

socarrén. m. Parte del alero del tejado, que sobresale de la pared.

socarrena. (De *socarrén*.) f. Hueco, concavidad. ‖ 2. *Arq.* Hueco entre cada dos maderas de un suelo o un tejado.

socarrina. f. fam. Acción y efecto de socarrar.

socarro. (Del lat. medieval *iocarius*.) m. ant. **socarrón.**

socarrón, na. (De *socarro*.) adj. El que obra socarronería. Ú. t. c. s.

socarronamente. adv. m. Con socarronería.

socarronería. (De *socarrón*.) f. Astucia o disimulo acompañados de burla encubierta.

socava. f. Acción y efecto de socavar. ‖ 2. **alcorque**².

socavación. f. Acción y efecto de socavar.

socavar. (De *so*³ y *cavar*.) tr. Excavar por debajo alguna cosa, dejándola en falso.

socavón. (De *socavar*.) m. Cueva que se excava en la ladera de un cerro o monte y a veces se prolonga formando galería subterránea. ‖ 2. Hundimiento del suelo por haberse producido una oquedad subterránea.

socaz. (De *so*³, debajo, y *caz*.) m. Trozo de cauce que hay debajo del molino o batán hasta la madre del río.

sociabilidad. f. Cualidad de sociable.

sociable. (Del lat. *sociabilis*.) adj. Naturalmente inclinado al trato y relación con las personas o que gusta de ello.

social. (Del lat. *sociális*.) Perteneciente o relativo a la sociedad o a las contiendas entre unas y otras clases. ‖ 2. Perteneciente o relativo a una compañía o sociedad, o a los socios o compañeros, aliados o confederados. ‖ 3. V. **clase social.** ‖ 4. V. **razón, prestación, razón social.**

socialismo. m. Sistema de organización social y económico basado en la propiedad y administración colectiva o estatal de los medios de producción y en la regulación por el Estado de las actividades económicas y sociales, y la distribución de los bienes. ‖ 2. Movimiento político que intenta establecer, con diversos matices, este sistema.

socialista. adj. Que profesa la doctrina del socialismo. Ú. t. c. s. ‖ 2. Perteneciente o relativo al socialismo.

socialización. f. Acción y efecto de socializar.

socializador, ra. adj. Que socializa.

socializar. tr. Transferir al Estado, u otro órgano colectivo, las propiedades, industrias, etc., particulares. ‖ 2. Promover las condiciones sociales que, independientemente de las relaciones con el Estado, favorezcan en los seres humanos el desarrollo integral de su persona.

sociedad. (Del lat. *sociētas, -ātis*.) f. Reunión mayor o menor de personas, familias, pueblos o naciones. ‖ 2. Agrupación natural o pactada de personas, que constituyen unidad distinta de cada uno de sus individuos, con el fin de cumplir, mediante la mutua cooperación, todos o alguno de los fines de la vida. Se aplica también a los animales. *Las abejas viven en* SOCIEDAD. ‖ 3. *Com.* La de co-

merciantes, hombres de negocios o accionistas de alguna compañía. ‖ **comanditaria, o en comandita.** *Com.* Aquella en que hay dos clases de socios: unos con derechos y obligaciones como en la **sociedad** colectiva, y otros, llamados comanditarios, que tienen limitados a cierta cuantía su interés y su responsabilidad en los negocios comunes. ‖ 2. Práctica laboral que asocia varios trabajadores manuales de una empresa, dirigidos por uno que elige el empresario o ellos entre sí, para una obra o trabajo determinado, distribuyendo entre ellos lo que cobran en la forma que convengan. ‖ **comanditaria por acciones.** *Com.* Aquella en que el capital de los socios no colectivos está dividido y representado por acciones. ‖ **conyugal.** La constituida por el marido y la mujer durante el matrimonio, por ministerio de la ley, salvo pacto en contrario. ‖ **cooperativa.** La que se constituye entre productores, vendedores o consumidores, para la utilidad común de los socios. ‖ **de consumo.** Forma de **sociedad** en la que se estimula la adquisición y consumo desmedido de bienes, cuando no existe todavía la necesidad de sustituir otros en uso. ‖ **de cuenta en participación. sociedad accidental.** ‖ **de responsabilidad limitada.** La formada por reducido número de socios con derechos en proporción a las aportaciones de capital y en que solo se responde de las deudas por la cuantía del capital social. ‖ **regular colectiva.** *Com.* La que se ordena bajo pactos comunes a los socios, con el nombre de todos o algunos de ellos, y participando todos proporcionalmente de los mismos derechos y obligaciones, con responsabilidad indefinida. ‖ **buena sociedad.** Conjunto de personas generalmente adineradas que se distinguen por preocupaciones, costumbres y comportamientos que juzgan elegantes y refinados. ‖ **presentar en sociedad.** Celebrar una fiesta, normalmente un baile, para incorporar simbólicamente a reuniones de la buena **sociedad** a una muchacha o grupo de muchachas que antes no participaban en ellas a causa de su poca edad. Ú. t. c. prnl.

societario, ria. adj. Perteneciente o relativo a las asociaciones, especialmente a las obreras.

socinianismo. (De *sociniano*.) m. Herejía de Socino, que negaba la Trinidad, y particularmente la divinidad de Jesucristo.

sociniano, na. adj. Partidario del socinianismo. Apl. a pers., ú. t. c. s. ‖ 2. Perteneciente o relativo a esta herejía.

socio, cia. (Del lat. *socis*.) m. y f. Persona asociada con otra u otras para algún fin. ‖ 2. Individuo de una sociedad, o agrupación de individuos. ‖ **capitalista.** El que aporta capital a una empresa o compañía, poniéndolo a ganancias o pérdidas. ‖ **industrial.** El que no aporta capital a la compañía o empresa, sino servicios o pericia personales, para tener alguna participación en las ganancias.

socio-. elem. compos. que significa «social» o «sociedad»: SOCIO*cultural*, SOCIO*lingüística*.

sociocultural. adj. Perteneciente o relativo al estado cultural de una sociedad o grupo social.

sociolingüística. f. Disciplina que estudia las relaciones entre la lengua y la sociedad.

sociolingüístico, ca. adj. Relativo a la sociolingüística.

sociología. (Del lat. *socius*, socio, y *-logía*.) f. Ciencia que trata de las condiciones de existencia y desenvolvimiento de las sociedades humanas. ‖ **vegetal.** *Ecol.* Estudio de las comunidades vegetales en sí mismas o como parte del ecosistema.

sociológico, ca. adj. Perteneciente o relativo a la sociología.

sociólogo, ga. m. y f. Persona que profesa la sociología o tiene en ella especiales conocimientos.

sociometría. f. Estudio de las formas o tipos de interrelación existentes en un grupo de personas, mediante métodos estadísticos.

sociométrico, ca. adj. Referente a la sociometría.

socola[1]. (De *so*[3] y *cola*.) f. *Rioja*. Banda que se pone bajo la cola a la caballería y sujeta la montura, ataharre.

socola[2]. f. *Nicar.* Acción y efecto de socolar.

socolar. tr. *Col., Ecuad., Hond.* y *Nicar.* Desmontar, rozar un terreno.

socolor. (De *so*[3] y *color*.) m. Pretexto y apariencia para disimular y encubrir el motivo o el fin de una acción. ‖ **2.** adv. m. **so color.**

socollada. (De *so*[3] y *cuello*.) f. *Mar.* Estirón o sacudida que dan las velas cuando hay poco viento, y las jarcias cuando están flojas. ‖ **2.** *Mar.* Caída brusca de la proa de un buque, cuando ha sido violentamente levantada por la marejada.

socollar. (De *so*[3] y *cuello*.) m. Paño que se pone bajo el collarín de los animales.

soconusco. (De la región mejicana del mismo nombre.) n. p. m. V. **polvos de Soconusco.** ‖ **2.** fig. y fam. Chocolate hecho.

socoro. m. Sitio que está debajo del coro.

socorredor, ra. adj. Que socorre. Ú. t. c. s.

socorrer. (Del lat. *succurrĕre*.) tr. Ayudar, favorecer en un peligro o necesidad. ‖ **2.** Dar a uno a cuenta parte de lo que se le debe, o de lo que ha de devengar. ‖ **3.** prnl. ant. Acogerse, refugiarse.

socorrido, da. p. p. de **socorrer.** ‖ **2.** adj. Dícese del que con facilidad socorre la necesidad de otro. ‖ **3.** Aplícase a aquello en que se halla con facilidad lo que es menester. *La plaza de Madrid es muy* SOCORRIDA. ‖ **4.** Dícese de los recursos que fácilmente y con frecuencia sirven para resolver una dificultad.

socorrismo. m. Organización y adiestramiento para prestar socorro en caso de accidente.

socorrista. com. Persona especialmente adiestrada para prestar socorro en caso de accidente.

socorro. m. Acción y efecto de socorrer. ‖ **2.** V. **agua, casa de socorro.** ‖ **3.** Dinero, alimento u otra cosa con que se socorre. ‖ **4.** Tropa que acude en auxilio de otra. ‖ **5.** Provisión de municiones de boca o de guerra que se lleva a un cuerpo de tropa o a una plaza que la necesita. ‖ **6.** *Germ.* Acción de hurtar. ‖ **7.** *Germ.* Cosa hurtada. ‖ **8.** *Germ.* Lo que la mujer de la mancebía envía al rufián.

socrático, ca. (Del lat. *socratĭcus*.) adj. Que sigue la doctrina de Sócrates. Ú. t. c. s. ‖ **2.** Perteneciente o relativo a ella.

socrocio. (De or. inc.) m. Emplasto en que entra el azafrán.

socucho. (De or. inc.) m. *Amér.* Rincón, chiribitil, tabuco.

sochantre. (De *so*[3] y *chantre*.) m. Director del coro en los oficios divinos.

soda. (Del it. *soda*.) f. **sosa.** ‖ **2.** Bebida de agua gaseosa que contiene ácido carbónico.

sodero. m. *Argent.* Persona que vende y reparte soda, bebida de agua gaseosa.

sódico, ca. adj. *Quím.* Perteneciente o relativo al sodio. ‖ **2.** *Quím.* V. **cloruro sódico.**

sodio. (De *soda*.) m. *Quím.* Metal de color y brillo argentinos, que se empaña rápidamente en contacto con el aire, blando como la cera, muy ligero y que descompone el agua a la temperatura ordinaria. Núm. atómico 11. Símb.: *Na*. ‖ **2.** *Quím.* V. **cloruro de sodio.**

sodomía. (De *Sodoma*, antigua ciudad de Palestina, donde se practicaba todo género de vicios deshonestos.) f. Concúbito entre varones o contra el orden natural.

sodomita. (Del lat. *Sodomīta*.) adj. Natural de Sodoma. Ú. t. c. s. ‖ **2.** Perteneciente o relativo a esta antigua ciudad de Palestina. ‖ **3.** Que comete sodomía. Ú. t. c. s.

sodomítico, ca. (Del lat. *sodomitĭcus*.) adj. Perteneciente a la sodomía.

soez. (De or. inc.) adj. Bajo, grosero, indigno, vil.

soeza. f. ant. Suciedad, infamia.

sofá. (Del fr. *sofa*.) m. Asiento cómodo para dos o más personas, que tiene respaldo y brazos. ‖ **cama. sofá** que se puede convertir en cama.

sofaldar. (De *so*[3] y *falda*.) tr. Alzar las faldas. ‖ **2.** fig. Levantar cualquier cosa para descubrir otra.

sofaldo. m. Acción y efecto de sofaldar.

sofí[1]. (Del ár. *safawi*, descendiente del jeque *Safí* [*ad-din Isħāq*], muerto en 1334.) m. Título de majestad que se dio a los reyes de la dinastía que gobernó en Persia desde 1502 a 1736.

sofí[2]. adj. Seguidor del sofismo de los mahometanos, sufí.

sofiano, na. adj. Dícese del súbdito del sofí; persa. Ú. t. c. s.

sofión. (It. *soffione*, de *soffiare*, y este del lat. *sufflāre*.) m. Bufido, demostración de enfado. ‖ **2. trabuco,** especie de escopeta de boca ancha. ‖ **3.** Cierto artificio de fuego que empleaban los artilleros para dar sahumerio, hacer señales de noche y otros usos.

sofisma. (Del lat. *sophisma*, y este del gr. σόφισμα.) m. Razón o argumento aparente con que se quiere defender o persuadir lo que es falso.

sofismo. m. Doctrina mística de los mahometanos, principalmente en Persia, sufismo.

sofista. (Del lat. *sophista*, y este del gr. σοφιστής.) adj. Que se vale de sofismas. Ú. t. c. s. ‖ **2.** m. En la Grecia antigua, se llamaba así a todo el que se dedicaba a la filosofía. Desde los tiempos de Sócrates el vocablo tuvo significación despectiva.

sofistería. (De *sofista*.) f. Uso de raciocinios sofísticos. ‖ **2.** Estos mismos raciocinios.

sofisticación. f. Acción y efecto de sofisticar.

sofisticado, da. p. p. de **sofisticar.** ‖ **2.** adj. Falto de naturalidad, afectadamente refinado. ‖ **3.** fig. Elegante, refinado. ‖ **4.** fig. Complicado. Dícese de aparatos, técnicas o mecanismos.

sofísticamente. adv. m. De manera sofística.

sofisticar. (De *sofístico*.) tr. Adulterar, falsear una cosa.

sofístico, ca. (Del lat. *sophistĭcus*, y este del gr. σοφιστικός.) adj. Aparente, fingido con sutileza.

sofistiquez. f. p. us. Cualidad de sofístico.

sofito. (Del lat. *suffĭcius*, por *suffixus*, a través del it. *soffitto*.) m. *Arq.* Plano inferior del saliente de una cornisa o de otro cuerpo voladizo.

soflama. (De *so*[3] y *flama*.) f. Llama tenue o reverberación del fuego. ‖ **2.** Bochorno o ardor que suele subir al rostro por accidente, o por enojo, vergüenza, etc. ‖ **3.** fig. Expresión artificiosa con que uno intenta engañar o chasquear. ‖ **4.** fig. despect. Discurso, alocución, perorata. ‖ **5.** fig. Roncería, arrumaco.

soflamar. (De *soflama*.) tr. Fingir, usar palabras afectadas para chasquear o engañar a uno. ‖ **2.** fig. Dar a uno motivo para que se avergüence o abochorne. ‖ **3.** prnl. Tostarse, requemarse con la llama lo que se asa o cuece.

soflamera, ra. adj. fig. Que usa soflamas. Ú. t. c. s.

sofocación. (Del lat. *suffocatĭo, -ōnis*.) f. Acción y efecto de sofocar o sofocarse.

sofocador, ra. adj. Que sofoca.

sofocar. (Del lat. *suffocāre*.) tr. Ahogar, impedir la respiración. ‖ **2.** Apagar, oprimir, dominar, extinguir. ‖ **3.** fig. Acosar, importunar demasiado a uno. ‖ **4.** fig. Avergonzar, abochornar, poner colorado a uno con insultos o de otra manera. Ú. t. c. prnl.

sofocleo, a. (Del lat. *sophoclēus*.) adj. Propio y característico de Sófocles como poeta trágico, o que tiene semejanza con alguna de las dotes o calidades por que se distinguen sus obras.

sofoco. m. Efecto de sofocar o sofocarse. ‖ **2.** Sensación de calor muchas veces acompañada de sudor y enrojecimiento de la piel, que suelen sufrir las mujeres en la época de la menopausia. ‖ **3.** fig. Grave disgusto que se da o se recibe.

sofocón. (aum. de *sofoco.*) m. fam. Desazón, disgusto que sofoca o aturde.

sofoquina. f. fam. Sofoco, por lo común intenso.

sófora. (Del ár. *sufairā'.* amarillita.) f. Árbol de la familia de las papilionáceas, con tronco recto y grueso, copa ancha, ramas retorcidas, hojas compuestas de 11 a 13 hojuelas aovadas, flores pequeñas, amarillas, en panojas colgantes, y fruto en vainas nudosas con varias semillas pequeñas, lustrosas y negras. Es originaria de Oriente y se cultiva en los jardines y paseos de Europa.

sofreír. (Del lat. *subfrigĕre.*) tr. Freír un poco o ligeramente una cosa.

sofrenada. f. Acción y efecto de sofrenar.

sofrenar. (Del lat. *suffrenāre.*) tr. Reprimir el jinete a la caballería tirando violentamente de las riendas. ‖ **2.** fig. Reprender con aspereza a uno. ‖ **3.** fig. Refrenar una pasión del ánimo.

sofridero, ra. adj. ant. Que puede sofrir.

sofrir. tr. ant. **sufrir.**

sofrito, ta. p. p. irreg. de **sofreír.** ‖ **2.** m. Condimento que se añade a un guiso, compuesto por diversos ingredientes fritos en aceite, especialmente cebolla o ajo, entre otros.

soga. (Del lat. tardío *soca.*) f. Cuerda gruesa de esparto. ‖ **2. cuerda,** medida de 8 varas y media. ‖ **3.** Medida de tierra cuya extensión varía según las provincias. ‖ **4.** *Argent.* Tira de cuero para atar a las caballerías. ‖ **5.** *Arq.* Parte de un sillar o ladrillo que queda descubierta en el paramento de la fábrica. ‖ **6.** m. fig. y fam. Hombre socarrón, por la paciencia que tiene en sufrir, a trueque de hacer su negocio. ‖ **a soga.** loc. adv. *Arq.* Dícese del modo de construir cuando la dimensión más larga del ladrillo o piedra va colocada en la misma dirección del largo del paramento. ‖ **atar a soga.** *Argent.* y *Urug.* Atar a un animal con una soga larga, sujeta a una estaca clavada en el suelo, para que pueda pastar sin escaparse. ‖ **con la soga a la garganta** o **al cuello.** fr. fig. Amenazado de un riesgo grave. ‖ **2.** En apretura o apuro. ‖ **dar soga.** fr. Largar o soltar cuerda poco a poco. ‖ **dar soga** a uno. fr. fig. y fam. **darle cuerda.** ‖ **2.** fig. y fam. Darle chasco o burlarse de él. ‖ **echar la soga tras el caldero.** fr. fig. y fam. Dejar perder lo accesorio, perdido lo principal. ‖ **hacer soga.** fr. fig. y fam. Irse quedando atrás algunos, respecto de otros que van en su compañía. ‖ **2.** fig. y fam. Introducir uno en la conversación más cosas de las que convienen para la inteligencia de lo que se trata. ‖ **la soga tras el caldero.** fr. fig. y fam. con que se denota la habitual compañía de dos o más personas. ‖ **llevar** uno **la soga arrastrando.** fr. fig. Haber cometido delito grave por el cual vive siempre expuesto al castigo. ‖ **no hay soga, o no se ha de, mentar la soga en casa del ahorcado.** fr. proverb. con que se aconseja no introducir en la conversación frases ni palabras capaces de suscitar en la memoria de cosa que sonroje o moleste a alguno de los circunstantes. ‖ **quebrar la soga por** uno. fr. fig. y fam. Faltar en lo que había prometido o se esperaba de él. ‖ **quebrar la soga por lo más delgado.** fr. fig. **siempre quiebra la soga por lo más delgado.** fr. fig. y fam. **traer** uno **la soga arrastrando.** fr. fig. **llevar la soga arrastrando.**

sogalinda. f. *Vizc.* Lagartija.

sogdiano, na. (Del lat. *Sogdiānus.*) adj. Natural de la Sogdiana. Ú. t. c. s. ‖ **2.** Perteneciente o relativo a este país del Asia antigua.

soguear. tr. *Ar.* Medir con soga. ‖ **2.** *Agr.* Pasar una cuerda tirante por encima de las espigas, a fin de que se desprenda el rocío que las baña.

soguería. f. Oficio y trato de soguero. ‖ **2.** Sitio donde se hacen o se venden sogas. ‖ **3.** Conjunto de sogas.

soguero. m. El que hace sogas o las vende. ‖ **2.** Mozo de cuerda o de cordel.

soguilla. (d. de *soga.*) f. Trenza delgada hecha de pelo o de esparto. ‖ **2.** m. Mozo que se dedicaba a transportar objetos de poco peso en los mercados, estaciones, etc.

soguillo. m. *Murc.* **soguilla,** trenza delgada hecha con el pelo.

según. (Del japonés *Sōgun.*) m. Título o nombre de los personajes que gobernaban el Japón, en representación del Emperador.

soja. (Del japonés *shoyu.*) f. Planta leguminosa procedente de Asia. ‖ **2.** Fruto de esta planta, comestible y muy nutritivo.

sojuzgador, ra. adj. Que sojuzga. Ú. t. c. s.

sojuzgar. (De *so*[3] y *juzgar.*) tr. Sujetar, dominar, mandar con violencia.

sol¹. (Del lat. *sol, solis.*) n. p. m. Estrella luminosa, centro de nuestro sistema planetario. En esta acepción se escribe con mayúscula y lleva antepuesto generalmente el artículo *el. El solsticio es la época en que* EL SOL *se halla en uno de los trópicos.* ‖ **2.** V. **carrera del Sol.** ‖ **3.** V. **pájaro, piedra del sol.** ‖ **4.** V. **reloj de sol.** ‖ **5.** m. fig. Luz, calor o influjo de este astro. *Sentarse al* SOL*; tomar el* SOL*; entrar el* SOL *en una habitación; sufrir* SOLES *y nieves.* ‖ **6.** fig. Tiempo que el Sol emplea en dar aparentemente una vuelta alrededor de la Tierra. ‖ **7.** Cierto género de encajes de labor antigua. ‖ **8.** Antigua unidad monetaria del Perú; actualmente se usa el **nuevo sol.** ‖ **9.** ant. V. **mesa del Sol.** ‖ **10.** *Arq.* Oro, metal. ‖ **11.** *Astron.* V. **acceso, nadir, receso del Sol.** ‖ **con uñas.** fig. y fam. Este astro cuando se interponen algunas nubes ligeras que no le dejan despedir su luz con toda claridad y fuerza. ‖ **de justicia.** fr. fig. con que se designa a Cristo. ‖ **2.** fig. **solazo.** ‖ **de las Indias.** girasol, planta. ‖ **figurado.** *Blas.* El que se representa con cara humana. ‖ **medio.** *Astron.* **sol** ficticio que, para arreglar el tiempo medio, se supone recorrer el Ecuador con movimiento uniforme. ‖ **al sol naciente.** expr. fig. y fam. **al sol que nace.** ‖ **al sol puesto.** loc. adv. Al crepúsculo de la tarde. ‖ **2.** fig. y fam. Tarde, a deshora. ‖ **al sol que nace.** expr. fig. y fam. con que se explica el anhelo y adulación con que sigue uno al que empieza a ser dueño o espera que lo será pronto. ‖ **arrimarse al sol que más calienta.** fr. fig. Servir y adular al más poderoso. ‖ **aún hay sol en las bardas.** expr. fig. y fam. con que se da a entender no estar perdida la esperanza de conseguir una cosa. ‖ **campear de sol a sombra.** fr. Trabajar en el campo desde la mañana hasta la noche. ‖ **coger el sol.** fr. **tomar el sol.** ‖ **dejarse caer el sol.** fr. fig. y fam. **dejarse caer el calor.** ‖ **de sol a sol.** loc. adv. Desde que nace el Sol hasta que se pone. ‖ **fijar el Sol.** fr. ant. *Mar.* **tomar el Sol,** tomar la altura meridiana de este. ‖ **jugar el Sol antes que salga.** fr. fam. Jugar el jornal del día siguiente. ‖ **meter** a uno **donde no vea el sol.** fr. y fam. Encarcelarlo. ‖ **morir** uno **sin sol, sin luz y sin moscas.** fr. fig. y fam. Morir abandonado de todos. ‖ **no dejar a sol ni a sombra** a uno. fr. fig. y fam. Perseguirlo con importunidad a todas horas y en todo sitio. ‖ **partir el sol.** fr. En los desafíos antiguos y públicos, colocar a los combatientes, o señalarles el campo, de modo que la luz del Sol les sirviese igualmente, sin que pudiese ninguno tener ventaja en ella. ‖ **pesar el Sol.** fr. ant. *Mar.* Tomar la altura meridiana de este. ‖ **ser un sol.** loc. fig. y fam. con que se ponderan afectuosamente las cualidades de una persona y, a veces, de un animal o cosa. ‖ **sentarse el sol.** fr. fig. y fam. Tostarse la tez por efecto de la luz del Sol. ‖ **tomar el sol.** fr. Ponerse en parte adecuada para gozar de él. ‖ **2.**

Mar. Tomar la altura meridiana del **Sol,** para deducir de ella la latitud del lugar en que se observa.

sol[2]. (V. *fa.*) m. *Mús.* Quinta voz de la escala músical.

sol[3]. (Contracc. de *sólo.*) adv. m. ant. **solamente.**

sol[4]. (Del lat. *solutum,* disuelto.) m. Dispersión coloidal de un sólido en un líquido.

solacear. (De *solaz.*) tr. p. us. **solazar.**

solacio. (Del lat. *solacĭum.*) m. desus. Consuelo, esparcimiento, solaz.

solada. f. suelo, poso de un líquido.

solado, da. p. p. de **solar.** ‖ **2.** m. Acción de solar. ‖ **3.** Revestimiento de un piso con ladrillo, losas u otro material análogo.

solador. m. El que tiene por oficio solar pisos.

soladura. f. Acción y efecto de solar pisos. ‖ **2.** Material que sirve para solar.

solamente. adv. m. De un solo modo, en una sola cosa, o sin otra cosa. ‖ **solamente que.** loc. adv. Con solo que, con la única condición de que.

solana. (Del lat. *solāna,* t. f. de *solānus.*) f. Sitio o lugar donde el sol da de lleno. ‖ **2.** Corredor o pieza destinada en la casa para tomar el sol.

solanáceo, a. (Del lat. *solānum,* hierba mora.) adj. *Bot.* Aplícase a hierbas, matas y arbustos angiospermos dicotiledóneos que tienen hojas simples y alternas, flores de corola acampanada, y baya o caja con muchas semillas provistas de albumen carnoso; como la hierba mora, la tomatera, la patata, la berenjena, el pimiento y el tabaco. Ú. t. c. s. f. ‖ **2.** f. pl. *Bot.* Familia de estas plantas.

solanar. (De *solana.*) m. *Ar.* **solana.**

solanera. (De *solana.*) f. Efecto que produce en una persona el tomar mucho sol. ‖ **2.** Lugar expuesto sin resguardo a los rayos solares cuando son más molestos y peligrosos. ‖ **3. solana,** parte de la casa destinada a tomar el sol. ‖ **4.** Exceso de sol en un sitio.

solanina. (De *solano*[2].) f. Glucósido muy venenoso contenido en algunas plantas de la familia de las solanáceas.

solano[1]. (Del lat. *solānus.*) m. Viento que sopla de donde nace el Sol. ‖ **2.** *Burg.* y *P. Vasco.* Viento cálido y sofocante, cualquiera que sea su rumbo.

solano[2]. (Del lat. *solānum.*) m. Hierba mora, planta solanácea.

solapa. (De *solapo.*) f. Parte del vestido, correspondiente al pecho, y que suele ir doblada hacia fuera sobre la misma prenda de vestir. ‖ **2.** Prolongación lateral de la cubierta o camisa de un libro, que se dobla hacia adentro y en la que se imprimen algunas advertencias o anuncios. ‖ **3.** fig. Ficción o colorido que se usa para disimular una cosa. ‖ **4.** *Veter.* Cavidad que hay en algunas llagas que presentan un orificio pequeño. ‖ **de solapa.** loc. adv. Ocultamente, a escondidas.

solapadamente. adv. m. fig. Con cautela o ficción; encubriendo o disimulando una cosa.

solapado, da. p. p. de **solapar.** ‖ **2.** adj. fig. Dícese de la persona que por costumbre oculta maliciosa y cautelosamente sus pensamientos.

solapamiento. m. *Veter.* Cavidad de algunas llagas que presentan un orificio pequeño.

solapar. tr. Poner solapas a los vestidos. ‖ **2. traslapar,** cubrir el todo o en parte una cosa a otra. ‖ **3.** fig. Ocultar maliciosa y cautelosamente la verdad o la intención. ‖ **4.** intr. Caer cierta parte del cuerpo de un vestido doblada sobre otra para adorno o mayor abrigo. *Este chaleco so-* LAPA *bien.*

solape. (De *so*[3] y el lat. *lapis,* losa.) m. **solapa.**

solapear. tr. *Col.* Sacudir a uno asiéndole de la solapa.

solapo[1]. m. **solapa.** ‖ **2.** Parte de una cosa que queda cubierta por otra, como las tejas del tejado. ‖ **a solapo.** loc. adv. fig. y fam. Ocultamente, a escondidas.

solapo[2]. (De *so*[3] y *lapo.*) m. **sopapo.**

solar[1]. (De *suelo.*) adj. V. **casa solar.** Ú. t. c. s. m. ‖ **2.** m. Casa, descendencia, linaje noble. *Su padre venía del* SOLAR *de Vegas.* ‖ **3.** V. **hidalgo de solar conocido.** ‖ **4.** Porción de terreno donde se ha edificado o que se destina a edificar en él. ‖ **5.** Suelo de la era[2]. ‖ **6.** *Cuba.* **casa de vecindad.**

solar[2]. (Del lat. *solāris.*) adj. Perteneciente al Sol. *Rayos* SO- LARES. ‖ **2.** V. **microscopio, reloj solar.** ‖ **3.** *Astron.* V. **día, eclipse, sistema solar.** ‖ **4.** *Astron.* V. **mes solar astronómico.** ‖ **5.** *Astron.* V. **tiempo solar verdadero.** ‖ **6.** *Cronol.* V. **ciclo solar.**

solar[3]. (De *suelo.*) tr. Revestir el suelo con ladrillos, losas u otro material.

solar[4]. tr. Echar suelas al calzado.

solariego, ga. adj. Perteneciente al solar de antigüedad y nobleza. Ú. t. c. s. ‖ **2.** En la Edad Media, decíase del hombre o colono que vivía en tierra del rey, de la Iglesia o de un hidalgo, sometido al poder personal de su señor. Ú. m. c. s. ‖ **3.** Aplícase a los fundos que pertenecen con pleno derecho a sus dueños. ‖ **4.** Antiguo y noble. ‖ **5.** V. **casa solariega.**

solárium. (Del lat. *solarium.*) m. En piscinas, gimnasios, balnearios, etc., terraza o lugar reservado para tomar el sol.

solaz. (Del occitano ant. *solatz.*) m. Consuelo, placer, esparcimiento, alivio de los trabajos. ‖ **a solaz.** loc. adv. Con gusto y placer.

solazar. (Del lat. **solaciāre,* de *solacĭum.*) tr. Dar solaz. Ú. m. c. prnl.

solazo. (aum. de *sol.*) m. fam. Sol fuerte y ardiente que calienta y se deja sentir mucho.

solazoso, sa. adj. Que causa solaz.

soldada. (De *sueldo.*) f. Sueldo, salario o estipendio. ‖ **2.** Haber del soldado.

soldadero, ra. adj. ant. Que gana soldada.

soldadesca. f. Ejercicio y profesión de soldado. ‖ **2.** Conjunto de soldados. ‖ **3.** Tropa indisciplinada.

soldadesco, ca. adj. Perteneciente a los soldados. ‖ **a la soldadesca.** loc. adv. Al uso de los soldados.

soldado. (Del lat. **solidātus,* de *solĭdus,* sueldo.) m. El que sirve en la milicia. ‖ **2.** Militar sin graduación. ‖ **3.** fig. El que es esforzado o diestro en la milicia. ‖ **4.** fig. Mantenedor, servidor, partidario. ‖ **blanquillo.** fam. **soldado** de infantería de línea que usaba uniforme blanco. ‖ **cumplido.** El que ha servido todo el tiempo a que estaba obligado, y permanece en el regimiento hasta obtener la licencia. ‖ **de cuota.** El que solo debía estar en filas una parte del tiempo señalado por la ley, por haber pagado la cuota militar correspondiente a la rebaja que se le concedía. ‖ **de haber.** El que no es de cuota. ‖ **de Pavía.** fam. Tajada de bacalao frito rebozado con huevo y harina. ‖ **desmontado.** El de caballería, cuando no tiene caballo. ‖ **distinguido.** El que siendo noble y careciendo de asistencias para subsistir como cadete, gozaba de ciertas distinciones en su cuerpo, como son el uso de la espada, exención de la mecánica del cuartel, etc. ‖ **veterano,** o **viejo.** Militar que ha servido muchos años, a distinción del nuevo y bisoño. ‖ **voluntario.** El que libremente se alista para el servicio.

soldador. m. El que tiene por oficio soldar. ‖ **2.** Instrumento con que se suelda.

soldadote. aum. despect. de **soldado.** Se usa principalmente hablando del militar de alta graduación que se distingue por la brusquedad de sus modales.

soldadura. f. Acción y efecto de soldar. ‖ **2.** Material que sirve y está preparado para soldar. ‖ **3.** fig. Enmienda o corrección de una cosa. *Este desacierto no tiene* SOLDA- DURA. ‖ **autógena.** La que se hace con el mismo metal de las piezas que se han de soldar.

soldán. m. **sultán.** Llamábase así más comúnmente a los soberanos musulmanes de Persia y Egipto.

soldar. (Del lat. *solidáre*, consolidar, afirmar.) tr. Pegar y unir sólidamente dos cosas, o dos partes de una misma cosa, de ordinario con alguna sustancia igual o semejante a ellas. Ú. t. c. prnl. ‖ **2.** fig. Componer, enmendar y disculpar un desacierto con acciones o palabras.

soldeo. m. Acción de soldar.

soleá. f. *And.* Forma pop. de **soledad,** tonada, copla y danza andaluzas. El pl. es **soleares.**

soleamiento. m. Acción de solear o solearse.

solear. (De *sol¹*.) tr. Tener expuesta al sol una cosa por algún tiempo. Ú. t. c. prnl.

solecismo. (Del gr. σολοικισμός, a través del lat. *soloecismus.*) m. Falta de sintaxis; error cometido contra la exactitud o pureza de un idioma.

soledad. (Del lat. *solítas, -átis.*) f. Carencia voluntaria o involuntaria de compañía. ‖ **2.** Lugar desierto, o tierra no habitada. ‖ **3.** Pesar y melancolía que se sienten por la ausencia, muerte o pérdida de alguna persona o cosa. ‖ **4.** Tonada andaluza de carácter melancólico, en compás de tres por ocho. ‖ **5.** Copla que se canta con esta música. ‖ **6.** Danza que se baila con ella.

soledoso, sa. (De *soledad.*) adj. Que vive en soledad. ‖ **2.** Que siente nostalgia.

soledumbre. (Del lat. *solitudo, -ínis.*) f. desus. Lugar solitario y estéril, desierto.

solejar¹. intr. ant. **tomar el sol.**

solejar². (De *sol.*) m. **solana.**

solejo. (Del lat. *silícula.*) m. *Sal.* Vaina de legumbre.

solemne. (Del lat. *solemnis.*) adj. desus. Que se hace de año a año. ‖ **2.** Celebrado o hecho públicamente con pompa o ceremonias extraordinarias. *Exequias, procesión, junta, audiencia* SOLEMNE. ‖ **3.** V. **misa, voto solemne.** ‖ **4.** Formal, grave, firme, válido, acompañado de circunstancias importantes o de todos los requisitos necesarios. *Compromiso, declaración, promesa, prueba, juramento, voto* SOLEMNE. ‖ **5.** Crítico, interesante, de mucha entidad. *Ocasión, plática* SOLEMNE. ‖ **6.** Grave, majestuoso, imponente. ‖ **7.** Encarece en sentido peyorativo la significación de algunos nombres. SOLEMNE *disparate.*

solemnemente. adv. m. De manera solemne.

solemnidad. (Del lat. *solemnítas, -átis.*) f. Cualidad de solemne. ‖ **2.** Acto o ceremonia solemne. ‖ **3.** Festividad eclesiástica. ‖ **4.** Cada una de las formalidades de un acto solemne. ‖ **5.** V. **pobre de solemnidad.** ‖ **6.** *Der.* Conjunto de requisitos legales para la validez de los otorgamientos testamentarios y de otros instrumentos que la ley denomina públicos y solemnes.

solemnizador, ra. adj. Que solemniza. Ú. t. c. s.

solemnizar. (Del lat. *solemnizáre.*) tr. Festejar o celebrar de manera solemne un suceso. ‖ **2.** Engrandecer, aplaudir, autorizar o encarecer una cosa.

solén. adj. ant. **solemne.**

solenoide. (Del lat. *solen,* canal, canuto, y del gr. εἶδος, forma.) m. *Fís.* Bobina arrollada de manera que la corriente eléctrica produzca un campo magnético uniforme.

sóleo. (Del lat. *soléa,* suela, de *solum,* la planta del pie.) m. *Anat.* Músculo de la pantorrilla unido a sus gemelos por su parte inferior para formar el tendón de Aquiles.

soleo. (De *suelo.*) m. *And.* Recolección de la aceituna caída del árbol naturalmente o derribada por el aire.

soler¹. (Del cat. *soler.*) m. *Mar.* Entablado que tienen las embarcaciones en lo bajo del plan.

soler². (Del lat. *solére.*) intr. defect. Con referencia a seres vivos, tener costumbre. ‖ **2.** Con referencia a hechos o cosas, ser frecuente.

solera. (Del lat. *solária,* de *solum,* suelo.) f. Madero asentado de plano sobre fábrica para que en él descansen o se en-

samblen otros horizontales, inclinados o verticales. ‖ **2.** Madero de sierra, de dimensiones varias según las regiones. ‖ **3.** Piedra plana puesta en el suelo para sostener pies derechos u otras cosas semejantes. ‖ **4.** Muela del molino que está fija debajo de la volandera. ‖ **5.** Suelo del horno. ‖ **6.** Superficie del fondo en canales y acequias. ‖ **7.** V. **solera de solera.** ‖ **8.** Madre o lía del vino. ‖ **9.** fig. Carácter tradicional de las casas, usos, costumbres, etc.

solercia. (Del lat. *solertía.*) f. Industria, habilidad o astucia para hacer o tratar una cosa.

solería¹. f. Material que sirve para solar. ‖ **2.** **solado,** revestimiento del piso.

solería². f. Conjunto de cueros para hacer suelas.

solero. m. *And.* **solera,** madre del vino. ‖ **2.** *And.* **solera,** piedra del molino.

solerte. (Del lat. *solers, -ertis.*) adj. Sagaz, astuto.

soleta. (De *suela.*) f. Pieza de tela con que se remienda la planta del pie de la media o calcetín cuando se rompe. ‖ **2.** fam. Mujer descarada. ‖ **apretar,** o **picar, de soleta,** o **tomar soleta.** frs. fam. Andar aprisa o correr; huir.

soletar. tr. desus. Echar soletas a las medias.

soletear. tr. desus. Echar soletas a las medias.

soletero, ra. m. y f. Persona que por oficio echaba soletas.

solevación. (Del lat. *sublevatío, -ónis.*) f. Acción y efecto de solevar o solevarse.

solevamiento. m. Acción y efecto de solevar o solevarse.

solevantado, da. p. p. de **solevantar.** ‖ **2.** adj. **soliviantado.**

solevantamiento. m. Acción y efecto de solevantar o solevantarse.

solevantar. (De *so³* y *levantar.*) tr. Levantar una cosa empujando de abajo arriba. Ú. t. c. prnl. ‖ **2.** fig. **soliviantar.** Ú. t. c. prnl.

solevanto. m. ant. Acción y efecto de solevantar o solevantarse.

solevar. (Del lat. *subleváre.*) tr. **sublevar.** Ú. t. c. prnl. ‖ **2.** Levantar una cosa empujando de abajo arriba.

solfa. (De *sol²* y *fa.*) f. Arte que enseña a leer y entonar las diversas voces de la música. ‖ **2.** Conjunto o sistema de signos con que se escribe la música. ‖ **3.** fig. Melodía y armonía y las dos combinadas. ‖ **4.** fig. y fam. Zurra de golpes. ‖ **estar** una cosa **en solfa.** fr. fig. y fam. Estar hecha con arte, regla y acierto. ‖ **2.** fig. y fam. Estar escrita o explicada de una manera inteligible. ‖ **poner** una cosa **en solfa.** fr. fig. y fam. Hacerla con arte, regla y acierto. ‖ **2.** fig. y fam. Presentarla bajo un aspecto ridículo. ‖ **tocar la solfa** a uno. fr. fig. y fam. Zurrarle, golpearle.

solfatara. (It. *solfatara.*) f. Abertura, en los terrenos volcánicos, por donde salen, a diversos intervalos, vapores sulfurosos.

solfeador, ra. adj. Que solfea. Ú. t. c. s.

solfear. (De *solfa.*) tr. Cantar marcando el compás y pronunciando los nombres de las notas. ‖ **2.** fig. y fam. Castigar a uno dándole golpes, zurrarle. ‖ **3.** fig. y fam. Reprender de palabra o censurar algo con insistencia.

solfeo. m. Acción y efecto de solfear. ‖ **2.** fig. y fam. Zurra o castigo de golpes.

solferino, na. (Del nombre de la batalla de *Solferino.*) adj. De color morado rojizo.

solfista. (De *solfa.*) com. Persona que practica el solfeo.

solicitación. (Del lat. *sollicitatío, -ónis.*) f. Acción de solicitar.

solicitado, da. p. p. de **solicitar.** ‖ **2.** f. **remitido.**

solicitador, ra. (Del lat. *sollicitátor, -óris.*) adj. Que solicita. Ú. t. c. s. ‖ **2.** m. **agente,** persona que obra con poder de otro. ‖ **fiscal.** ant. **agente fiscal.**

solícitamente. adv. m. De manera solícita.

solicitante. p. a. de **solicitar.** Que solicita. Ú. t. c. s.

solicitar. (Del lat. *sollicitāre.*) tr. Pretender, pedir o buscar una cosa con diligencia y cuidado. ‖ **2.** Hacer diligencias o gestionar los negocios propios o ajenos. ‖ **3.** Requerir y procurar con instancia tener amores con una persona. ‖ **4.** Pedir una cosa de manera respetuosa, o rellenando una solicitud o instancia. ‖ **5.** *Der.* Requerir el confesor de amores a la penitente. ‖ **6.** *Fís.* Atraer una o más fuerzas a un cuerpo, cada cual en su sentido. ‖ **7.** intr. ant. Instar, urgir.

solícito, ta. (Del lat. *sollicĭtus.*) adj. Diligente, cuidadoso.

solicitud. (Del lat. *sollicitūdo.*) f. Diligencia o instancia cuidadosa. ‖ **2.** Memorial en que se solicita algo.

sólidamente. adv. m. Con solidez. ‖ **2.** fig. Con razones verdaderas y firmes.

solidar. (Del lat. *solidāre.*) tr. **consolidar.** Ú. t. c. prnl. ‖ **2.** fig. Establecer, fundar o afirmar una cosa con razones verdaderas y fundamentales.

solidariamente. adv. m. De modo solidario. ‖ **2.** *Der.* in sólidum.

solidaridad. (De *solidario.*) f. Adhesión circunstancial a la causa o a la empresa de otros. ‖ **2.** *Der.* Modo de derecho u obligación in sólidum.

solidario, ria. (De *sólido.*) adj. Adherido o asociado a la causa, empresa u opinión de otro. ‖ **2.** *Der.* Aplícase a las obligaciones contraídas in sólidum y a las personas que las contraen.

solidarizar. tr. Hacer a una persona o cosa solidaria con otra. Ú. t. c. prnl.

solideo. (Del lat. *soli Deo*, a solo Dios, aludiendo a que los sacerdotes se lo quitan únicamente ante el sagrario, en presencia de S. D. M.) m. Casquete de seda u otra tela ligera, que usan los eclesiásticos para cubrirse la corona.

solidez. f. Cualidad de sólido. ‖ **2.** *Geom.* Volumen de un cuerpo.

solidificación. f. Acción y efecto de solidificar o solidificarse.

solidificar. (Del lat. *solĭdus*, sólido, y *facĕre*, hacer.) tr. Hacer sólido un fluido. Ú. t. c. prnl.

sólido, da. (Del lat. *solĭdus.*) adj. Firme, macizo, denso y fuerte. ‖ **2.** Aplícase al cuerpo cuyas moléculas tienen entre sí mayor cohesión que las de los líquidos. Ú. t. c. s. m. ‖ **3.** fig. Asentado, establecido con razones fundamentales y verdaderas. ‖ **4.** *Arit.* V. **número sólido.** ‖ **5.** *Geom.* V. **ángulo sólido.** ‖ **6.** *Fís.* y *Quím.* V. **solución sólida.** ‖ **7.** m. Moneda de oro de los antiguos romanos, que comúnmente valía 25 denarios de oro. ‖ **8.** *Geom.* **cuerpo,** objeto material de tres dimensiones. ‖ **9.** *Geom.* V. **línea de los sólidos.**

soliloquiar. (De *soliloquio.*) intr. fam. Hablar a solas.

soliloquio. (Del lat. *soliloquĭum.*) m. Reflexión en voz alta y a solas. ‖ **2.** Lo que habla de este modo un personaje de obra dramática o de otra semejante.

solimán. (Del ár. *sulaimāni*, propio de Salomón, corrupción y etimología popular del lat. *sublimātum.*) m. **sublimado corrosivo.** ‖ **2.** desus. Cosmético hecho a base de preparados de mercurio.

solimitano, na. adj. Aféresis de **jerosolimitano.** Apl. a pers., ú. t. c. s.

solio. (Del lat. *solĭum.*) m. Trono, silla real con dosel. ‖ **2.** desus. Sesión solemne que las antiguas cortes celebraban con asistencia del rey, para que este confirmase lo en ellas acordado.

solípedo. (Del lat. *solĭpes, -ĕdis.*) adj. *Zool.* Dícese del cuadrúpedo provisto de un solo dedo, cuya uña, engrosada, constituye una funda protectora muy fuerte denominada casco, como el caballo, el asno o la cebra. Ú. t. c. s.

solipsismo. (Del lat. *solus ipse*, uno mismo solo.) m. *Fil.* Forma radical de subjetivismo según la cual solo existe o solo puede ser conocido el propio yo.

solista. com. *Mús.* Persona que ejecuta un solo de una pieza vocal o instrumental.

solitaria. (Del lat. *solitarĭa*, t. f. de *-rĭus*, solitario.) f. Silla de posta capaz para una sola persona. ‖ **2. tenia,** gusano intestinal.

solitariamente. adv. m. En soledad.

solitario, ria. (Del lat. *solitarĭus.*) adj. Desamparado, desierto. ‖ **2.** Solo, sin compañía. ‖ **3.** Retirado, que ama la soledad o vive en ella. Ú. t. c. s. ‖ **4.** V. **pájaro solitario.** Ú. t. c. s. ‖ **5.** *Bot.* V. **flores solitarias.** ‖ **6.** m. Diamante grueso que se engasta solo en una joya. ‖ **7.** Juego que ejecuta una sola persona, especialmente de naipes. ‖ **8.** Ermitaño, crustáceo.

sólito, ta. (Del lat. *solĭtus*, p. p. de *solēre*, soler, acostumbrar.) adj. Acostumbrado; que se suele hacer ordinariamente.

solitud. f. ant. Carencia de compañía. ‖ **2.** ant. Lugar desierto.

soliviadura. f. Acción y efecto de soliviar o soliviarse.

soliviantado, da. p. p. de **soliviantar.** ‖ **2.** adj. Inquieto, perturbado, solícito.

soliviantar. (De *soliviar.*) tr. Mover el ánimo de una persona para inducirla a adoptar alguna actitud rebelde u hostil. Ú. t. c. prnl. ‖ **2.** fig. Inquietar o alterar a alguien.

soliviar. (Del lat. **subleviāre*, de *levis.*) tr. Ayudar a levantar una cosa por debajo. ‖ **2.** prnl. Alzarse un poco el que está sentado, echado o cargado sobre una cosa, sin acabarse de levantar del todo.

solivio. m. Acción y efecto de soliviar o soliviarse.

solivión. m. aum. de **solivio.** ‖ **2.** Tirón grande para sacar una cosa oprimida por otra que tiene encima.

solivo. m. *Guip.* y *Nav.* Madero de sierra o viga que se usa como poste o sostén.

solmenar. (Del lat. *sub*, so[3] y *mināre*, llevar.) tr. *Ast.* Agitar, asiéndolo por el tallo o tronco, un vegetal que está en pie. ‖ **2.** fig. *Ast.* Agitar de un modo semejante cualquier otra cosa.

solo, la. (Del lat. *solus.*) adj. Único en su especie. ‖ **2.** Que está en otra cosa que se mira separado de ella. ‖ **3.** Dicho de personas, sin compañía. ‖ **4.** Que no tiene quien le ampare, socorra o consuele en sus necesidades o aflicciones. ‖ **5.** m. Paso de danza que se ejecuta sin pareja. ‖ **6.** Juego de naipes parecido en su marcha al tresillo, y en el cual gana el que hace por lo menos 36 tantos, contando por cinco la malilla de cada palo, por seis el siete, por cuatro el as, por tres el rey y por dos las demás cartas, excepto los doses, ochos y nueves, que se han quitado previamente de la baraja. ‖ **7.** En el juego del hombre y otros de naipes, lance en que se hacen todas las bazas necesarias para ganar, sin ayuda de robo ni de compañero. ‖ **8.** Juego del solitario. ‖ **9.** *Mús.* Composición o parte de ella que canta o toca una persona sola. ‖ **a solas.** loc. adv. Sin ayuda ni compañía de otro. ‖ **a mis, a sus, a tus, solas.** loc. adv. En soledad o retiro; fuera del trato social. ‖ **a solas.** ‖ **dar un solo a uno.** fr. fig. y fam. Molestarlo un importuno, contándole prolijamente cuitas o aventuras que interesan poco o nada a quien las oye. ‖ **de solo a solo.** loc. adv. V. Sin intervención de tercera persona; de una a otra, entre dos solamente.

sólo o **solo.** adv. m. Únicamente, solamente.

solombra. (Del lat. *sub umbra.*) f. ant. **sombra.**

solombría. f. *Sal.* umbría.

solomillo. (d. de *solomo.*) m. En los animales de matadero, capa muscular que se extiende por entre las costillas y el lomo.

solomo. (De *so[3]* y *lomo.*) m. **solomillo.** ‖ **2.** Por ext., lomo de puerco adobado.

solsonense. adj. Natural de Solsona. Ú. t. c. s. ‖ **2.** Perteneciente o relativo a esta ciudad de Cataluña.

solsticial. (Del lat. *solstitiālis.*) adj. Perteneciente o relativo al solsticio. *Círculo* SOLSTICIAL.

solsticio. (Del lat. *solstitĭum.*) m. *Astron.* Época en que el Sol se halla en uno de los dos trópicos, lo cual sucede del 21 al 22 de junio para el de Cáncer, y del 21 al 22 de diciembre para el de Capricornio. ‖ **hiemal.** *Astron.* El de invierno, que hace en el hemisferio boreal el día menor y la noche mayor del año, y en el hemisferio austral todo lo contrario. ‖ **vernal.** *Astron.* El de verano, que hace en el hemisferio boreal el día mayor y la noche menor del año, y en el hemisferio austral todo lo contrario.

soltadizo, za. adj. Que se suelta con arte y maña, o con disimulo o secreto, para algún fin.

soltador, ra. adj. Que suelta o echa de sí una cosa que tenía asida. Ú. t. c. s.

soltaní. (Del ár. *sultāni*, perteneciente o relativo al sultán.) m. Moneda de oro fino usada en el imperio turco, con valor distinto según los tiempos y provincias.

soltar. (De *suelto.*) tr. Desatar o desceñir. ‖ **2.** Dejar ir o dar libertad al que estaba detenido o preso. Ú. t. c. prnl. ‖ **3.** Desasir lo que estaba sujeto. SOLTAR *la espada, la cuerda.* Ú. t. c. prnl. SOLTARSE *los puntos de una media.* ‖ **4.** Dar salida a lo que estaba detenido o confinado. Ú. t. c. prnl. SOLTAR *el agua;* SOLTARSE *la sangre.* ‖ **5.** Con relación al vientre, hacerle evacuar con frecuencia. Ú. t. c. prnl. ‖ **6.** Romper en una señal de afecto interior; como risa, llanto, etc. ‖ **7.** Explicar, descifrar, dar solución. Hoy solo se usa en las frases SOLTAR *la dificultad, el argumento.* ‖ **8.** fam. Decir con violencia o franqueza algo que se sentía contenido o que debía callarse. SOLTAR *un juramento, una desvergüenza.* ‖ **9.** ant. Perdonar o remitir a uno el todo o parte de lo que debe. ‖ **10.** ant. Relevar a uno de cumplir una cosa. ‖ **11.** ant. Anular, quitar. ‖ **12.** prnl. fig. Adquirir agilidad o desenvoltura en la ejecución o negociación de las cosas. ‖ **13.** fig. Abandonar el encogimiento y la modestia, dándose a la desenvoltura. ‖ **14.** fig. Empezar a hacer algunas cosas; como hablar, andar, escribir, etc.

soltería. f. Estado de soltero.

soltero, ra. (Del lat. *solitarĭus.*) adj. Que no está casado. Ú. t. c. s. ‖ **2.** p. us. Suelto o libre.

solterón, na. adj. Dícese de la persona entrada en años que no se ha casado. Ú. t. c. s.

soltura. f. Acción y efecto de soltar. ‖ **2.** Agilidad, prontitud, expedición, gracia y facilidad en lo material o en lo inmaterial. ‖ **3.** ant. Solución que se da a una duda o dificultad. ‖ **4.** ant. Perdón, remisión. ‖ **5.** fig. Disolución, libertad o desgarro. ‖ **6.** fig. Facilidad y lucidez de dicción. ‖ **7.** *Der.* Libertad acordada por el juez para un preso.

solubilidad. f. Cualidad de soluble.

soluble. (Del lat. *solubĭlis.*) adj. Que se puede disolver o desleír. ‖ **2.** Que se puede resolver. *Problema* SOLUBLE.

solución. (Del lat. *solutĭo, -ōnis.*) f. Acción y efecto de disolver. ‖ **2.** Acción y efecto de resolver una duda o dificultad. ‖ **3.** Satisfacción que se da a una duda, o razón con que se disuelve o desata la dificultad de un argumento. ‖ **4.** En el drama y poema épico, desenlace de la trama o asunto. ‖ **5.** Paga, satisfacción. ‖ **6.** Desenlace o término de un proceso, negocio, etc. ‖ **7.** *Mat.* Cada una de las cantidades que satisfacen las condiciones de un problema o de una ecuación. ‖ **de continuidad.** Interrupción o falta de continuidad. p. us. **solución de continuidad.** ‖ **sólida.** *Fís.* y *Quím.* Fase, generalmente cristalina, de composición química variable.

solucionar. tr. Resolver un asunto, hallar solución o término a un negocio.

solutivo, va. (Del lat. *solūtum*, supino de *solvĕre*, soltar, des-

atar.) adj. *Med.* Dícese del medicamento que tiene virtud para soltar o laxar. Ú. t. c. s. m.

solvencia. (Del lat. *solvens, -entis*, solvente.) f. Acción y efecto de solver o resolver. ‖ **2.** Carencia de deudas. ‖ **3.** Capacidad de satisfacerlas. ‖ **4.** Cualidad de solvente.

solventar. (De *solvente.*) tr. Arreglar cuentas, pagando la deuda a que se refieren. ‖ **2.** Dar solución a un asunto difícil.

solvente. (Del lat. *solvens, -entis.*) p. a. de **solver.** Que desata o resuelve. ‖ **2.** adj. Desempeñado de deudas. ‖ **3.** Capaz de satisfacerlas. ‖ **4.** Que merece crédito. ‖ **5.** Capaz de cumplir obligación, cargo, etc., y más en especial, capaz de cumplirlos cuidadosa y celosamente. ‖ **6.** *Quím.* Dícese de la sustancia que puede disolver, es decir, que produce una mezcla homogénea con otra. Ú. t. c. s.

solver. (Del lat. *solvĕre.*) tr. desus. Resolver una duda o hallar la solución de un problema.

solla. (Del gall. *solla*, y este del lat. *solĕa.*) f. Pez muy parecido a la platija y del mismo género que ésta.

sollado. (Del gall. o port. *sollado*, y este del lat. **soleātum*, de *solum.*) m. *Mar.* Uno de los pisos o cubiertas inferiores del buque, en la cual se suelen instalar alojamientos y pañoles.

sollador. (De *sollar.*) m. ant. El que sopla como fuelle.

sollamar. tr. Socarrar una cosa con la llama. Ú. t. c. prnl.

sollar. (Del lat. *sufflāre.*) tr. ant. Despedir aire con violencia por la boca. ‖ **2.** ant. Arrojar aire por medio de fuelles u otros artificios.

sollastre. (De *sollar.*) m. Pinche de cocina. ‖ **2.** fig. Pícaro redomado.

sollastría. f. Acción o ministerio del sollastre.

sollisparse. prnl. *And.* Recelarse, escamarse.

sollo. (De or. inc.) m. **esturión,** pez.

sollozar. (Del lat. *singultiāre*, de *singultus*, sollozo.) intr. Producir por un movimiento convulsivo varias inspiraciones bruscas, entrecortadas, seguidas de una espiración: es fenómeno nervioso que suele acompañar al llanto.

sollozo. (Del lat. vulg. *suggluttĭum.*) m. Acción y efecto de sollozar.

soma[1]. (Del lat. *summa.*) f. Harina gruesa. ‖ **2.** *Ál.* y *Rioja.* Pan hecho de **soma.**

soma[2]. (Del gr. σῶμα, cuerpo.) m. *Biol.* La totalidad de la materia corporal de un organismo vivo.

somanta. (De *so*[3] *y manta.*) f. fam. Tunda, zurra.

somarrar. (De **semiurāre*, de *semiurĕre*, medio quemar.) tr. *Ar.* y *Rioja.* Socarrar, chamuscar. Ú. t. c. prnl.

somarro. (De *somarrar.*) m. *And., Cuen., Sal., Seg.* y *Zam.* Trozo de carne fresca sazonada con sal y asada en las brasas.

somatén. (Del cat. *sometent.*) m. Cuerpo de gente armada, que no pertenece al ejército, que se reúne a toque de campana para perseguir a los criminales o defenderse del enemigo. Es instituto propio de Cataluña. ‖ **2.** En Cataluña, rebato hecho al vecindario en un peligro. ‖ **3.** fig. y fam. Bulla, alarma, alboroto. ‖ **¡somatén!** Grito de guerra de las antiguas milicias de Cataluña.

somatenista. m. Individuo que forma parte de un somatén.

somático, ca. (Del gr. σωματικός, corporal.) adj. Dícese de lo que es material o corpóreo en un ser animado. ‖ **2.** *Fisiol.* Aplícase al síntoma cuya naturaleza es eminentemente corpórea o material, para diferenciarlo del síntoma psíquico.

somatología. (Del gr. σῶμα, cuerpo, y -*logia.*) f. Tratado de las partes sólidas del cuerpo humano.

sombra. (De *sombrar.*) f. Oscuridad, falta de luz, más o menos completa. Ú. m. en pl. *Las* SOMBRAS *de la noche.* ‖ **2.** Proyección oscura que un cuerpo lanza en el espacio en dirección opuesta a aquella por donde viene la luz. ‖ **3.**

Imagen oscura que sobre una superficie cualquiera proyecta un cuerpo opaco, interceptando los rayos directos de la luz. *La* SOMBRA *de un árbol, de un edificio, de una persona.* ‖ **4.** Lugar, zona o región a la que, por una u otra causa, no llegan las imágenes, sonidos o señales transmitidos por un aparato o estación emisora. ‖ **5.** Espectro o aparición vaga y fantástica de la imagen de una persona ausente o difunta. ‖ **6.** fig. **oscuridad, ignorancia.** ‖ **7.** fig. Asilo, favor, defensa. ‖ **8.** fig. Apariencia o semejanza de una cosa. ‖ **9.** fig. Mácula, defecto. ‖ **10.** fam. Suerte, fortuna. ‖ **11.** fig. y fam. Persona que sigue a otra por todas partes. ‖ **12.** fig. y fam. Clandestinidad, desconocimiento público. ‖ **13. sombra de ojos.** ‖ **14.** Hond. Falsilla. ‖ **15.** Pint. Color oscuro, contrapuesto al claro, en que los pintores y dibujantes representan la falta de luz, dando entonación a sus obras y bulto aparente a los objetos. ‖ **de hueso.** Pint. Color pardo oscuro que se prepara con huesos quemados y molidos. ‖ **de ojos.** Producto cosmético de diversos colores que se aplica sobre los párpados. ‖ **de Venecia.** Pint. Color pardo negruzco que se prepara con el lignito terroso. ‖ **de viejo.** Pint. Color muy oscuro y ordinario que se prepara con la arcilla negruzca. ‖ **sombras chinescas.** Espectáculo que consiste en unas figurillas que se mueven detrás de una cortina de papel o lienzo blanco iluminadas por la parte opuesta a los espectadores. ‖ **2.** Baile que se hace poniendo en el escenario una cortina de lienzo o de papel, detrás de la cual, a cierta distancia, se colocan algunas luces en el suelo, y los que bailan se ponen entre las luces y la cortina. ‖ **invisibles. sombras chinescas,** baile que se ejecuta entre una cortina y unas luces. ‖ **a la sombra.** fr. fig. y fam. En la cárcel. Ú. especialmente con los verbos *poner* y *estar.* ‖ **a sombra de tejado,** o **de tejados.** loc. adv. fig. y fam. Encubierta u ocultamente, a escondidas. Ordinariamente se usa con el verbo *andar.* ‖ **hacer sombra.** fr. Impedir la luz. ‖ **2.** fig. Impedir uno a otro prosperar, sobresalir o lucir, por tener más mérito, más habilidad o más fervor que él. ‖ **3.** fig. Favorecer y amparar uno a otro para que sea atendido y respetado. ‖ **mirarse uno a la sombra.** fr. fig. y fam. Preciarse de galán; ser presumido. ‖ **ni por sombra.** loc. adv. fig. De ningún modo. ‖ **2.** fig. Sin noticia alguna. ‖ **no ser una persona o cosa su sombra,** o **ni sombra de lo que era.** fr. fig. Haber degenerado o decaído por extremo; haber cambiado mucho y desventajosamente. ‖ **no tener uno sombra,** o **ni sombra,** de una cosa. fr. fig. Carecer absolutamente de ella. *Juan* NO TIENE SOMBRA, O NI SOMBRA, DE *valor, miedo, cariño, vergüenza.* ‖ **peleado con su sombra.** fr. fig. Urug. **sin sombra,** o **como sin sombra.** ‖ **sin sombra,** o **como sin sombra.** fr. Triste y desasosegado por la falta de algo habitual que se desea o apetece con ansia. Ú. generalmente con los verbos *andar, estar, quedarse.* ‖ **tener una buena sombra.** fr. fig. y fam. Ser agradable y simpático. Suele decirse también de las cosas. ‖ **2.** fig. y fam. Tener chiste. ‖ **3.** fig. y fam. Ser de buen agüero su presencia o compañía. ‖ **4.** fig. y fam. Tener buena suerte. ‖ **tener uno mala sombra.** fr. fig. y fam. Ejercer mala influencia sobre los que le rodean. ‖ **2.** fig. y fam. Ser desagradable y antipático. Suele decirse también de las cosas. ‖ **3.** fig. y fam. Tener mala suerte. ‖ **4.** fig. Ser un patoso; presumir de chistoso y agudo.

sombraje. m. **sombrajo,** reparo para hacer sombra.

sombrajo. (Del lat. *sub,* so[3] *y umbraticum, de umbra,* sombra.) m. Reparo o resguardo de ramas, mimbres, esteras, etc., para hacer sombra. ‖ **2.** fam. Sombra que hace uno poniéndose delante de la luz y moviéndose de modo que estorbe al que la necesita. Ú. m. en pl.

sombrar. (Del lat. **subumbrāre.*) tr. Hacer sombra una cosa a otra.

sombreado. m. Acción y efecto de sombrear una pintura.

sombreador, ra. (De *sombrear.*) adj. Que sombrea.

sombrear. tr. Dar o producir sombra. ‖ **2.** Pint. Poner sombra en una pintura o dibujo.

sombrerada. f. Lo que cabe en un sombrero. ‖ **2.** fam. desus. Golpe que se da con el sombrero. ‖ **3.** Saludo que se hace con este.

sombrerazo. m. aum. de **sombrero.** ‖ **2.** Golpe dado con el sombrero. ‖ **3.** fam. Saludo extremoso que se hace quitándose el sombrero.

sombrerera. f. Mujer del sombrerero. ‖ **2.** La que hace sombreros y la que los vende. ‖ **3.** Caja para guardar el sombrero. ‖ **4.** Bot. Planta de la familia de las compuestas. Úsase en medicina.

sombrerería. (De *sombrerero.*) f. Oficio de hacer sombreros. ‖ **2.** Fábrica donde se hacen. ‖ **3.** Tienda donde se venden.

sombrerero. m. El que hace sombreros y el que los vende.

sombrerete. m. d. de **sombrero.** ‖ **2.** Bot. Sombrerillo de los hongos.

sombrerillo. m. d. de **sombrero.** ‖ **2.** Cestillo o capachillo que los presos colgaban de la reja del calabozo para recoger las limosnas de los transeúntes. ‖ **3. ombligo de Venus,** planta herbácea. ‖ **4.** Bot. Parte abombada de las setas, a modo de sombrilla sostenida por el pedicelo; en su cara inferior hay numerosas láminas que, partiendo de la periferia, se reúnen en el centro, y en las cuales se forman las esporas.

sombrero. (De *sombra.*) m. Prenda de vestir, que sirve para cubrir la cabeza, y consta de copa y ala. ‖ **2.** Prenda de adorno usada por las mujeres para cubrirse la cabeza. ‖ **3.** Techo que cubre el púlpito, para recoger la voz del predicador y evitar resonancias. ‖ **4.** Capa formada por hollejos y escobajos en la superficie del mosto en fermentación. ‖ **5.** fig. Privilegio que tenían los grandes de España de cubrirse ante el rey. ‖ **6.** Bot. Sombrerillo de los hongos. ‖ **7.** Mar. Pieza circular de madera, que forma la parte superior del cabrestante. ‖ **a la chamberga. sombrero chambergo.** ‖ **apuntado.** El de ala grande, recogida por ambos lados y sujeta con una puntada por encima de la copa, usado solamente como prenda de uniforme. ‖ **calañés. sombrero de ala vuelta hacia arriba y copa comúnmente baja en forma de cono truncado. Úsanlo los labriegos y gente de pueblo en varias provincias. ‖ **castoreño.** El fabricado con el pelo de castor u otra materia parecida, como el fieltro. ‖ **2. sombrero calañés.** ‖ **cordobés.** El de fieltro, de ala ancha y plana, con copa baja cilíndrica. ‖ **chambergo.** El de copa más o menos acampanada y de ala ancha levantada por un lado y sujeta con presilla, el cual solía adornarse con plumas y cintillos y también con una cinta que, rodeando la base de la copa, caía por detrás. ‖ **de Calañas. sombrero calañés.** ‖ **de canal.** El que tiene levantadas y abarquilladas las dos mitades laterales de su ala en forma de teja. Úsanlo los eclesiásticos. ‖ **de candil. sombrero de tres candiles.** ‖ **de canoa. sombrero de canal.** ‖ **de catite.** El calañés, con copa alta. ‖ **de copa,** o **de copa alta.** El de ala estrecha y copa alta, casi cilíndrica y plana por encima, generalmente forrado de felpa o de seda negra. ‖ **de jipijapa.** El de ala ancha tejido con paja muy fina, que se fabrica en Jipijapa y en otras varias poblaciones ecuatorianas. ‖ **de medio queso.** El que está armado en forma semiesférica y tiene levantadas las dos mitades de su ala por encima de la copa, donde se sujetan con una presilla. ‖ **de muelles. clac,** sombrero de copa plegable. ‖ **de pelo.** Chile. **sombrero de copa.** ‖ **de teja. sombrero de canal.** ‖ **de tres candiles. sombrero de tres picos,** el de ala levantada y abarquillada. ‖ **de tres picos.** El que está armado en forma de triángulo. ‖ **2.** El que teniendo levantada y abarquillada el ala por terceras partes, forma en su base un triángulo con tres picos a modo de los que sirven de mecheros en las candilejas. ‖ **encandilado.** El de tres picos que tiene muy levantado el del delante. ‖ **flexible.** El de fieltro sin apresto. ‖ **gacho.** El de copa baja y ala ancha y tendida hacia abajo. ‖ **hongo.** El de copa baja, rígida y forma semiesférica. ‖ **jarano.** El de fieltro, usado en América, muy duro, de color blanco, falda ancha y tendida horizontalmente, y bajo de copa, la cual suele llevar un cordón que la rodea por la base y cuyos dos extremos caen por detrás y rematan con borlas. ‖ **jíbaro.** El del campo, hecho de hoja de palma y bastante ordinario, que se usa en las islas de Cuba y Puerto Rico. ‖ **redondo. sombrero de copa alta.** ‖ **tricornio. sombrero de tres picos.** ‖ **quitarse** uno **el sombrero.** fr. Apartarlo de la cabeza, descubriéndola en señal de cortesía y respeto. ‖ **2.** loc. con que se expresa la admiración por algo o alguien. ‖ **sacarse el sombrero.** *Argent., Bol., Ecuad.* y *Perú.* **quitarse** uno **el sombrero** para expresar admiración, al natural y sin pulimento. *Hombre, paño* DE SOMONTE. ‖ **tomar el sombrero.** fr. fig. Irse de una parte, o hacer además de ello.

sombría. (De *sombrío*.) f. Terreno sombrío.

sombrilla. (d. de *sombra*.) f. **quitasol.**

sombrillazo. m. Golpe dado con una sombrilla.

sombrío, a. adj. Dícese del lugar de poca luz en que frecuentemente hay sombra. ‖ **2.** Dícese de la parte donde se ponen las sombras en la pintura, o de la misma figura sombreada. ‖ **3.** fig. Tétrico, melancólico.

sombroso, sa. adj. Que hace mucha sombra. ‖ **2.** Dícese del lugar de poca luz en que frecuentemente hay sombra.

somera. (Del lat. *sagmarius*.) f. Cada una de las dos piezas fuertes de madera en que se apoya todo el juego de la máquina antigua de imprimir.

someramente. adv. m. De un modo somero.

somero, ra. (Del lat. *summarius*, de *summum*, somo.) adj. Casi encima o muy inmediato a la superficie. ‖ **2.** fig. Ligero, superficial, hecho con poca meditación y profundidad.

someter. (Del lat. *submittĕre*.) tr. Sujetar, humillar a una persona, tropa o facción. Ú. t. c. prnl. ‖ **2.** Conquistar, subyugar, pacificar un pueblo, provincia, etc. Ú. t. c. prnl. ‖ **3.** Subordinar el juicio, decisión o afecto propios a los de otra persona. ‖ **4.** Proponer a la consideración de uno razones, reflexiones u otras ideas. ‖ **5.** Encomendar a una o más personas la resolución de un negocio o litigio. ‖ **6.** Hacer que una persona o cosa reciba o soporte cierta acción. Ú. t. c. prnl.

somético, ca. adj. ant. **sodomítico.** Usáb. t. c. s.

sometimiento. m. Acción y efecto de someter o someterse.

somier. (Del fr. *someier*.) m. Soporte de tela metálica, láminas de madera, etc., sobre el que se coloca el colchón.

somnambulismo. m. **sonambulismo.**

somnámbulo, la. (Del lat. *somnus*, sueño, y *ambulāre*, andar.) adj. **sonámbulo.**

somnífero, ra. (Del lat. *somnĭfer, -ēri.*) adj. Que da o causa sueño. Dícese especialmente de medicamentos. Ú. t. c. s. m.

somnílocuo, cua. (Del lat. *somnus*, sueño, y *loqui*, hablar.) adj. Que habla durante el sueño. Ú. t. c. s.

somnolencia. (Del lat. *somnolentĭa*.) f. Pesadez y torpeza de los sentidos motivadas por el sueño. ‖ **2.** Gana de dormir. ‖ **3.** fig. Pereza, falta de actividad.

somnoliento. (Del lat. *somnolentus*.) adj. Que tiene o produce sueño.

somo. (Del lat. *summum*.) m. ant. Cima o lo más alto de una cosa. ‖ **en somo.** loc. adv. ant. Encima, en lo más alto.

somontano, na. (De *somonte*.) adj. Dícese del terreno o región situados al pie de una montaña. Ú. t. c. s. ‖ **2.** Na-

tural de la región del alto Aragón situada en las vertientes de los Pirineos. Ú. t. c. s. ‖ **3.** Dícese de esta región y de lo perteneciente o relativo a ella.

somonte. (De *so*[3] y *monte*.) m. Terreno situado en la falda de una montaña. ‖ **de somonte.** loc. adj. Basto, burdo, áspero, al natural y sin pulimento. *Hombre, paño* DE SOMONTE. ‖ **2.** Dícese del mosto que aún no se ha convertido en vino.

somorgujador. (De *somorgujar*.) m. El que tiene oficio de buzo.

somorgujar. (Del lat. *submergucuāre*, de *mergŭlus*, somormujo.) tr. Sumergir, chapuzar. Ú. t. c. prnl. ‖ **2.** intr. Bucear bajo el agua.

somorgujo. (De *somorgujar*.) m. Ave palmípeda, con pico recto y agudo, alas cortas, patas vestidas, plumas del lomo, cabeza y cuello negras, pecho y abdomen blancos, costados castaños, y un pincel de plumas detrás de cada ojo. Vuela poco y puede mantener por mucho tiempo sumergida la cabeza bajo el agua. ‖ **a lo somorgujo,** o **a somorgujo.** loc. adv. Por debajo del agua. ‖ **2.** fig. y fam. Ocultamente, con cautela.

somorgujón. m. **somorgujo,** ave.

somormujar. tr. **somorgujar.**

somormujo. m. **somorgujo.**

sompesar. (De *son-*, debajo, y *pesar*.) tr. **sopesar.**

sompopo. m. *Hond.* y *Nicar.* Especie de hormiga amarilla. ‖ **2.** *Hond.* Guiso de carne rehogada en manteca.

somurgiar. (Del lat. *submergucuāre*, de *mergŭlus*, somormujo.) tr. ant. Zambullir, sumergir.

son. (Del lat. *sonus.*) m. Sonido que afecta agradablemente al oído, con especialidad el que se hace con arte. ‖ **2.** fig. Noticia, fama, divulgación de una cosa. ‖ **3.** fig. **pretexto.** ‖ **4.** fig. Tenor, modo o manera. *A este* SON; *por este* SON. ‖ **¿a qué son?** expr. fig. y fam. ¿Con qué motivo? ¿A QUÉ SON *se ha de hacer esto*? ‖ **a son de un instrumento.** loc. adv. Con acompañamiento de tal instrumento. ‖ **¿a son de qué?** expr. fig. y fam. **¿a qué son?** ‖ **bailar** uno **a cualquier son.** fr. fig. y fam. Mudar fácilmente de afecto o pasión. ‖ **bailar** uno **al son que le tocan.** fr. fig. y fam. Acomodar la conducta propia a los tiempos y circunstancias. ‖ **bailar sin son.** fr. fig. y fam. Estar uno tan acelerado y metido en una cosa, que no necesita de ningún estímulo exterior. ‖ **2.** Hacer alguna cosa a destiempo o sin cordura. ‖ **en son de.** loc. adv. fig. De tal modo o a manera de. ‖ **2.** A título con ánimo de. ‖ **no venir** uno **con la castañeta.** fr. fig. y fam. que con se nota la desproporción o inconsecuencia de las acciones. ‖ **quedarse** uno **al son de buenas noches.** fr. fig. y fam. Quedar burlado en un intento o ver frustrada una pretensión. ‖ **sin son.** loc. adv. fig. y fam. Sin razón, sin fundamento.

son-. V. **sub-.**

sonable. (Del lat. *sonabĭlis.*) adj. Sonoro o ruidoso. ‖ **2.** Sonado, famoso.

sonada. (De *sonar*.) f. **sonata.** ‖ **2.** desus. **son.**

sonadera. f. Acción de sonarse las narices.

sonadero. m. desus. Lienzo o pañuelo para sonarse las narices.

sonado, da. p. p. de **sonar.** ‖ **2.** adj. Que tiene en público fama, famoso. ‖ **3.** Divulgado con mucho ruido y admiración. ‖ **4.** Dícese del boxeador que ha perdido facultades mentales como consecuencia de los golpes recibidos en los combates. ‖ **5.** fam. Por ext., **chiflado.** ‖ **hacer una cosa que sea sonada.** fr. fam. Promover un escándalo, dar que hablar.

sonador, ra. adj. Que suena o hace ruido. Ú. t. c. s. ‖ **2.** m. desus. Pañuelo para sonarse las narices.

sonaja. (Del lat. *sonacŭlum*, de *sonāre*.) f. Par o pares de chapas de metal que, atravesados por un alambre, se colocan en algunos juguetes e instrumentos rústicos para hacerlas sonar agitándolas. ‖ **2.** Reglita transversal de la ballestilla. ‖ **3.** pl. Instrumento rústico que consiste en un aro de madera delgada con varias **sonajas** colocadas en otras tantas aberturas. ‖ **4.** *And.* sonajero. ‖ **5.** *Ar.* **espantalobos**, arbusto.

sonajear. tr. Hacer sonar las sonajas de un pandero, o producir un sonido semejante con otra cosa.

sonajero. m. Juguete con sonajas o cascabeles, que sirve para entretener a los bebés.

sonajuela. f. d. de **sonaja.**

sonambulismo. m. Estado de sonámbulo.

sonámbulo, la. adj. Dícese de la persona que mientras está dormida tiene cierta aptitud para ejecutar algunas funciones correspondientes a la vida de relación exterior, como las de levantarse, andar y hablar. Ú. t. c. s.

sonante. (Del lat. *sonans, -antis.*) p. a. de **sonar.** Que suena. ‖ **2.** adj. **sonoro.** ‖ **3.** **sonántico.** ‖ **4.** V. **moneda sonante.** ‖ **5.** f. *Germ.* Nuez del nogal.

sonántico, ca. (De *sonante.*) adj. Dícese de las consonantes líquidas y nasales con resonancia vocálica o vocal reducida, que pueden ser silábicas y desarrollar plenamente su vocal. Ú. t. c. s. f.

sonar¹. (Del lat. *sonāre.*) intr. Hacer o causar ruido una cosa. ‖ **2.** Tener una letra valor fónico. ‖ **3.** Mencionarse, citarse. *Su nombre no* SUENA *en aquella escritura.* ‖ **4.** Tener una cosa visos o apariencias de algo. *La proposición* SONABA *a interés y la aceptaron.* ‖ **5.** fam. Ofrecerse vagamente al recuerdo alguna cosa como ya oída anteriormente. *No me* SUENA *ese apellido.* ‖ **6.** vulg. *Argent.* y *Urug.* Morir o padecer una enfermedad mortal. *Fulano* SONÓ. ‖ **7.** fam. *Argent., Chile* y *Par.* Fracasar, perder, tener mal fin algo o alguien. *El negocio* SONÓ. ‖ **8.** *Chile.* Sufrir las consecuencias de algún hecho o cambio. *Los inquilinos estaban bien, pero* SONARON *cuando se dictó la nueva ley de alquileres.* ‖ **9.** tr. Tocar o tañer una cosa para que **suene** con arte y armonía. ‖ **10.** Limpiar de mocos las narices, haciéndolos salir con una espiración violenta. Ú. m. c. prnl. ‖ **11.** impers. Susurrarse, esparcirse rumores de una cosa. *Se* SUENA *que ya han llegado.* ‖ **como suena.** loc. adv. Literalmente, con arreglo al sentido estricto de las palabras. ‖ **hacer sonar.** loc. fam. *Chile.* Castigar fuertemente. *Hizo* SONAR *al niño.* ‖ **2.** *Chile.* Ganar en una pelea, dejando al adversario fuera de combate. ‖ **lo que me suena, me suena.** expr. fig. y fam. con que uno explica que se atiene a la significación obvia y natural de las palabras, y no a interpretaciones sutiles. ‖ **ni suena, ni truena.** expr. fig. y fam. para indicar que nadie habla ni se acuerda de determinada persona. ‖ **sonar bien, o mal,** una expresión. fr. fig. Producir buena, o mala, impresión en el ánimo de quien la oye.

sonar². m. Aparato que sirve para detectar la presencia y situación de los submarinos, minas y otros objetos sumergidos, mediante vibraciones inaudibles de alta frecuencia que son reflejadas por los mencionados objetos.

sonata. (Del it. *sonata,* y este del lat. *sonāre,* resonar.) f. *Mús.* Composición de música instrumental de trozos de vario carácter y movimiento.

sonatina. (Del it. *sonatina.*) f. *Mús.* Sonata corta y, por lo común, de fácil ejecución.

soncle. (Del nahua *tzontli,* cuatrocientos.) m. *Méj.* Medida de leña equivalente a 400 leños.

sonda. (De or. inc.) f. Acción y efecto de sondar. ‖ **2.** Cuerda con un peso de plomo, que sirve para medir la profundidad de las aguas y explorar el fondo. ‖ **3.** Barrena que sirve para abrir en los terrenos taladros de gran profundidad. ‖ **4.** *Cir.* **algalia².** ‖ **5.** *Cir.* **tienta,** instrumento para explorar cavidades. ‖ **6.** *Mar.* Sitio o paraje del mar cuya profundidad es comúnmente sabida. ‖ **acanalada.** *Cir.* Vástago de metal, acanalado por una de sus caras, y que

se usa para introducir sin riesgo el bisturí a través de un órgano. ‖ **ir uno con la sonda en la mano.** fr. fig. Considerar muy despacio lo que hace, y proceder con examen y madurez.

sondable. adj. Que se puede sondar.

sondaleza. f. Maroma que se cruza de una orilla a otra de un río, dividida con señales para determinar los lugares en que se han verificado los diferentes sondeos y trazar luego por puntos la figura del corte transversal del álveo del río. ‖ **2.** *Mar.* Cuerda larga y delgada, con la cual y el escandallo se sonda y se reconocen las brazas de agua que hay desde la superficie hasta el fondo.

sondar. (Del lat. *subundāre.*) tr. Echar el escandallo al agua para averiguar la profundidad y la calidad del fondo. ‖ **2.** Averiguar la naturaleza del subsuelo con una sonda. ‖ **3.** fig. Inquirir y rastrear con cautela y disimulo la intención, habilidad o discreción de uno, o las circunstancias y estado de una cosa. ‖ **4.** *Cir.* Introducir en el cuerpo por algunos conductos, naturales o accidentales, instrumentos de formas especiales y de diversas materias, para combatir estrecheces, destruir obstáculos que se oponen al libre ejercicio de la función de un órgano, o para conducir al interior substancias líquidas o gaseosas, y otras veces para extraerlas.

sondear. (De *sonda.*) tr. **sondar.** ‖ **2.** fig. Hacer las primeras averiguaciones sobre alguien o algo.

sondeo. (De *sondear.*) m. Acción y efecto de sondear.

sonecillo. m. d. de **son.** ‖ **2.** Son que se percibe poco. ‖ **3.** Son alegre, vivo y ligero.

sonetear. intr. Componer sonetos.

sonetico. m. d. de **son.** ‖ **2.** d. de **soneto.** ‖ **3.** Sonecillo que suele hacerse con los dedos sobre la mesa o cosa semejante.

sonetillo. m. d. de **soneto.** ‖ **2.** Soneto de versos de ocho o menos sílabas.

sonetista. com. Autor de sonetos.

sonetizar. intr. Escribir sonetos.

soneto. (Del it. *sonetto,* y este del lat. *sonus,* sonido.) m. Composición poética que consta de catorce versos endecasílabos distribuidos en dos cuartetos y dos tercetos. En cada uno de los cuartetos riman, por regla general, el primer verso con el cuarto y el segundo con el tercero, y en ambos deben ser unas mismas las consonancias. En los tercetos pueden ir estas ordenadas de distintas maneras. ‖ **caudato.** soneto con estrambote.

soniche. m. *Germ.* **silencio,** abstención de hablar.

sonido. (Del lat. *sonĭtus,* por analogía prosódica con *ruido, chirrido, rugido,* etc.) m. Sensación producida en el órgano del oído por el movimiento vibratorio de los cuerpos, transmitido por un medio elástico, como el aire. ‖ **2.** Valor y pronunciación de las letras. ‖ **3.** Hablando de las palabras, significación y valor literal que tienen en sí. *Estar al* SONIDO *de las palabras.* ‖ **4.** *Fís.* Efecto de la propagación de las ondas producidas por cambios de densidad y presión en los medios materiales, y en especial el que es audible. ‖ **5.** fig. Noticia, fama.

sonio. m. *Acúst.* Unidad de sonoridad equivalente a 40 fonios.

sonique. m. *Sal.* El que da al fuelle de una fragua.

soniquete. m. despect. de **son.** ‖ **2.** Son que se percibe poco. ‖ **3.** **sonsonete.**

sonlocado, da. adj. Medio loco.

sonochada. (De *sonochar.*) f. Principio de la noche. ‖ **2.** Acción y efecto de sonochar.

sonochar. (De *so³* y *noche.*) intr. Velar en las primeras horas de la noche.

sonómetro. (Del lat. *sonus,* sonido, y *-metro.*) m. **monocordio.** ‖ **2.** *Acúst.* Instrumento destinado a medir y comparar los sonidos e intervalos musicales.

sonoramente. adv. m. De un modo sonoro.

sonorense. adj. Natural del Estado mejicano de Sonora. Ú. t. c. s. ‖ **2.** Perteneciente o relativo a dicho Estado.

sonoridad. (Del lat. *sonorĭtas, -ātis*.) f. Cualidad de sonoro. ‖ **2.** *Fís.* Cualidad de la sensación auditiva que permite calificar los sonidos de fuertes y débiles. Se expresa en sonios.

sonorización. f. Acción y efecto de sonorizar.

sonorizador, ra. adj. Que sonoriza. Ú. t. c. s. ‖ **2.** m. y f. Persona que ambienta o dispone los sonidos y efectos sonoros en una emisión radiofónica o televisiva. ‖ **3.** m. Equipo técnico utilizado para sonorizar ese espacio.

sonorizar. tr. Incorporar sonidos, ruidos, etc., a la banda de imágenes previamente dispuesta. ‖ **2.** Instalar equipos sonoros en lugar cerrado o abierto necesarios para obtener una buena audición. ‖ **3.** Ambientar una escena, un programa, etc., mediante los sonidos adecuados. ‖ **4.** *Fon.* Convertir una consonante sorda en sonora. Ú. t. c. intr. y prnl.

sonoro, ra. (Del lat. *sonōrus*.) adj. Que suena o puede sonar. ‖ **2.** Que suena bien, o que suena mucho y agradablemente. *Voz, palabra* SONORA; *instrumento, verso, periodo* SONORO. ‖ **3.** Que despide bien, o hace que se oiga bien, el sonido. *Bóveda* SONORA; *teatro* SONORO. ‖ **4.** *Fon.* Dícese del sonido que se articula con vibración de las cuerdas vocales. ‖ **5.** V. **bandurria, onda sonora.**

sonoroso, sa. adj. sonoro.

sonreír. (Del lat. *subridĕre*.) intr. Reírse un poco o levemente, y sin ruido. Ú. t. c. prnl. ‖ **2.** fig. Ofrecer las cosas un aspecto alegre o gozoso. ‖ **3.** fig. Mostrarse favorable o halagüeño para uno algún asunto, suceso, esperanza, etc.

sonriente. p. a. de **sonreír.** Que sonríe. Ú. t. c. s.

sonrisa. (De *sonrisar*.) f. Acción y efecto de sonreír o sonreírse.

sonrisar. (De *son-*, por *sub*, bajo, y *risa*.) intr. ant. **sonreír.**

sonriso. (De *sonrisar*.) m. **sonrisa.**

sonrisueño, ña. adj. Que se sonríe. Ú. t. c. s.

sonrodarse. (Del lat. *sub*, debajo, y *rota*, rueda.) prnl. Atascarse las ruedas de un carruaje.

sonrojar. (De *son-*, y *rojo*.) tr. Hacer salir los colores al rostro diciendo o haciendo algo que cause empacho o vergüenza. Ú. t. c. prnl.

sonrojear. (De *sonrojo*.) tr. **sonrojar.** Ú. t. c. prnl.

sonrojo. m. Acción y efecto de sonrojar o sonrojarse. ‖ **2.** Improperio o voz ofensiva que obliga a sonrojarse.

sonrosar. (De *son-*, y *rosa*.) tr. Dar, poner o causar color como de rosa. Ú. t. c. prnl.

sonrosear. tr. **sonrosar.** ‖ **2.** prnl. **sonrojar.**

sonroseo. (De *sonrosear*.) m. Color rosado que sale al rostro.

sonrugirse. (De *son-*, por *sub*, debajo, y *rugĭre*.) prnl. ant. Susurrarse, traslucirse.

sonsaca. f. Acción y efecto de sonsacar.

sonsacador, ra. adj. Que sonsaca. Ú. t. c. s.

sonsacamiento. (De *sonsacar*.) m. **sonsaca.**

sonsacar. (De *son-*, y *sacar*.) tr. Sacar arteramente algo por debajo del sitio en que está. ‖ **2.** Solicitar secreta y cautelosamente a uno para que deje el servicio u ocupación que tiene en alguna parte y pase a otra a ejercer el mismo o diferente empleo. ‖ **3.** Procurar con maña que uno diga o descubra lo que sabe y reserva.

sonsañar. tr. ant. **sosañar.** Ú. en Asturias.

sonsaque. m. Acción y efecto de sonsacar.

sonsera. f. *Argent.* **zoncera.**

sonso, sa. adj. **zonzo.**

sonsonete. m. Sonido que resulta de los golpes pequeños y repetidos que se dan en una parte, imitando un son de música. ‖ **2.** fig. Ruido generalmente poco intenso, pero continuado, por lo común desapacible. ‖ **3.** fig. To-

nillo o modo especial en la risa o palabras, que denota desprecio o ironía.

sonto, ta. adj. *Guat., Hond.* y *Nicar.* Desorejado, mocho. ‖ **2.** Desparejado, sin pareja. *Espuela* SONTA.

soñación (ni por). loc. adv. fig. y fam. **ni por sueños.**

soñador, ra. (Del lat. *somniātor, -ōris*.) adj. Que sueña mucho. ‖ **2.** Que cuenta patrañas y ensueños o les da crédito fácilmente. Ú. t. c. s. ‖ **3.** fig. Que discurre fantásticamente, sin tener en cuenta la realidad.

soñar. (Del lat. *somniāre*.) tr. Representar en la fantasía imágenes o sucesos mientras se duerme. Ú. t. c. intr. ‖ **2.** fig. Discurrir fantásticamente o dar por cierto y seguro lo que no lo es. Ú. t. c. intr. ‖ **3.** intr. fig. Anhelar persistentemente una cosa. SOÑAR *con grandezas*. ‖ **ni soñarlo.** fr. fig. y fam. con que explicamos estar lejos de un asunto, y que ni aun por sueño se haya ofrecido al pensamiento. ‖ **2.** Ú. en tono exclamativo para rehusar o rechazar algo. ‖ **soñar** a uno. fr. fig. Temblarle, acordarse de su venganza o castigo. Ú. principalmente como amenaza. *Yo os haré que* ME SOÑÉIS; ME *va a* SOÑAR. ‖ **soñar despierto.** fr. fig. **soñar,** discurrir fantásticamente y dar por cierto lo que no es.

soñarrera. f. fam. **somnolencia.**

soñera. (De *sueño*.) f. Propensión al sueño.

soñolencia. (Del lat. *somnolentĭa*.) f. **somnolencia.**

soñolentamente. adv. m. Con soñolencia.

soñoliento, ta. (Del lat. *somnolentus*.) adj. Acometido por el sueño o muy inclinado a él. ‖ **2.** Que está dormitando. ‖ **3.** Que causa sueño. ‖ **4.** fig. Tardo o perezoso.

sopa. (Del germ. *suppa*.) f. Pedazo de pan empapado en cualquier líquido. ‖ **2.** Plato compuesto de rebanadas de pan, fécula, arroz, fideos u otras pastas, y el caldo de la olla u otro análogo en que se han cocido. ‖ **3.** Plato compuesto de un líquido alimenticio y rebanadas de pan. SOPA *de leche, de almendras*. ‖ **4.** Pasta, fécula o verduras que se mezclan con el caldo en el plato de este mismo nombre. ‖ **5.** Comida que dan a los pobres en los conventos, por ser la mayor parte de ella pan y caldo. ‖ **6.** pl. Rebanadas de pan que se cortan para echarlas en el caldo. ‖ **boba.** Comida que se da a los pobres en los conventos. ‖ **2.** fig. Vida holgazana y a expensas de otro. *Comer la* SOPA BOBA; *andar a la* SOPA BOBA. ‖ **borracha.** La que se hace de pedazos de pan, o bizcochos, majados en vino con azúcar y canela. Hácese también de otras cosas. ‖ **de arroyo.** fig. y fam. Piedra suelta o guijarro. ‖ **de hierbas. sopa juliana.** ‖ **de vino.** En algunas partes, flor del almizcle. ‖ **dorada.** La que se hacía antiguamente tostando el pan en rebanadas, a las cuales se les echaba el caldo más sustancioso de la olla y una porción de azúcar y granos de granada. ‖ **juliana.** La que se hace cociendo en caldo verduras, como berza, apio, puerros, nabos, zanahorias, etc., cortadas en tiritas y conservadas secas. ‖ **sopas de ajo.** Las que se hacen de rebanadas de pan cocidas en agua, y aceite frito con ajos, sal y, a veces, pimienta o pimentón. ‖ **de gato.** Las que se hacen de rebanadas de pan cocidas en agua, aceite crudo y sal. ‖ **andar a la sopa.** fr. Mendigar la comida de casa en casa o de convento en convento. ‖ **caerse la sopa en la miel.** fr. fig. y fam. Haber sucedido una cosa a pedir de boca. ‖ **calar la sopa.** fr. Menguar con caldo el pan cortado o desmenuzado. ‖ **como una sopa.** loc. adv. fig. y fam. **hecho una sopa.** ‖ **dar sopas con honda** a alguien o algo. fr. fig. y fam. Mostrar una superioridad abrumadora una persona o cosa sobre otra. ‖ **hacer** a uno **las sopas con su pan.** expr. fig. y fam. Agasajar a uno a su propia costa. ‖ **hasta en la sopa.** expr. fig. y fam. En todas partes. ‖ **hecho una sopa.** loc. adj. fig. y fam. Muy mojado.

sopaipa. f. Masa que, bien batida, frita y enmelada, forma una especie de hojuela gruesa.

sopaipilla. f. *Argent. (NO.* y *Cuyo)* y *Chile.* **sopaipa.**

sopalancar. (De *so³* y *palanca.*) tr. Meter la palanca debajo de una cosa para levantarla o moverla.

sopalanda. f. **hopalanda.**

sopanda. (Del fr. *soupente,* de *souspendre,* suspender.) f. Madero horizontal, apoyado por ambos extremos en jabalcones para fortificar otro que está encima de él. ‖ **2.** Cada una de las correas anchas y gruesas empleadas para suspender la caja de los coches antiguos.

sopapear. tr. fam. Dar sopapos. ‖ **2.** fig. y fam. **sopetear²,** maltratar o ultrajar a uno.

sopapina. f. fam. Zurra o tunda de sopapos.

sopapo. (De *so³* y *papo.*) m. Golpe que se da con la mano en la papada. ‖ **2.** Golpe que se da con la mano en la cara.

sopar. tr. Hacer sopa. ‖ **2.** Poner a uno hecho una sopa. Ú. t. c. prnl.

sopear¹. tr. **sopar.**

sopear². (Del lat. *suppedāre,* poner bajo los pies.) tr. Pisar, hollar, poner los pies sobre una cosa. ‖ **2.** fig. Supeditar, dominar o maltratar a uno.

sopeña. (De *so³* y *peña.*) f. Espacio o concavidad que forma una peña por su pie o parte inferior.

sopera. f. Vasija honda en que se sirve la sopa en la mesa.

sopero, ra. (De *sopa.*) adj. V. **plato sopero.** Ú. t. c. s. ‖ **2.** Dícese de la cuchara que se usa para comer la sopa. ‖ **3.** Dícese de la persona aficionada a la sopa.

sopesar. (De *so³* y *pesar.*) tr. Levantar una cosa como para tantear el peso que tiene o para reconocerlo. ‖ **2.** Equilibrar o compartir el peso de una carga en los serones o angarillas de la acémila aparejada. ‖ **3.** fig. Examinar con atención el pro y el contra de un asunto.

sopetear¹. tr. Mojar repetidas veces o frecuentemente el pan en el caldo de un guisado.

sopetear². tr. fig. Maltratar o ultrajar a uno.

sopeteo. m. Acción y efecto de sopetear.

sopetón¹. (De *sopa.*) m. Pan tostado que se moja en aceite.

sopetón². (Del lat. *subītus,* súbito.) m. Golpe fuerte y repentino dado con la mano. ‖ **de sopetón.** loc. adv. Pronta e impensadamente, de improviso.

sopicaldo. m. Caldo con muy pocas sopas.

sopié. (De *so³* y *pie.*) m. **somonte.**

sopista. com. Persona que anda a la sopa. ‖ **2.** m. Estudiante que seguía su carrera literaria sin otros recursos que los de la caridad.

sopitipando. m. fam. Accidente, desmayo.

sopladero. m. Abertura por donde sale con fuerza el aire de las cavidades subterráneas.

soplado, da. p. p. de **soplar.** ‖ **2.** adj. fig. y fam. Demasiado pulido, compuesto y limpio. ‖ **3.** fig. y fam. Estirado, engreído, entonado. ‖ **4.** m. Acción y efecto de soplar la pasta de vidrio. ‖ **5.** *Min.* Grieta muy profunda o cavidad grande del terreno.

soplador, ra. adj. Que sopla. ‖ **2.** fig. Dícese del que excita, mueve, altera o enciende una cosa. ‖ **3.** m. **aventador,** soplillo, abanico. ‖ **4. sopladero.** ‖ **5.** Obrero que tiene como trabajo soplar en la pasta de vidrio para obtener las formas previstas. ‖ **6.** *Ecuad.* Apuntador en el teatro.

sopladura. f. Acción y efecto de soplar.

soplamocos. m. fig. y fam. Golpe que se da a uno en la cara, especialmente tocándole en las narices.

soplar. (Del lat. *sufflāre.*) intr. Despedir aire con violencia por la boca, alargando los labios un poco abiertos por su parte media. Ú. t. c. tr. ‖ **2.** Hacer que los fuelles u otros artificios adecuados arrojen el aire que han recibido. ‖ **3.** Correr el viento, haciéndose sentir. ‖ **4.** tr. Apartar con el soplo una cosa. ‖ **5.** Inflamar una cosa con aire. Ú. t. c. prnl. ‖ **6.** Insuflar aire en la pasta de vidrio a fin de ob-

tener las formas previstas. ‖ **7.** Hurtar o quitar una cosa a escondidas. ‖ **8.** fam. Hablando de bofetadas, cachetes y otros golpes semejantes, darlos. ‖ **9.** fig. Inspirar o sugerir ideas. SOPLA *la musa.* ‖ **10.** fig. En el juego de damas y otros, quitar al contrario la pieza con que debió comer y no comió. ‖ **11.** fig. Sugerir a uno una cosa que debe decir y no acierta o ignora. ‖ **12.** fig. Acusar o delatar. ‖ **13.** prnl. fig. y fam. Beber o comer mucho. ‖ **14.** fig. y fam. Hincharse, engreírse, entonarse. ‖ **¡sopla!** interj. fam. con que se denota admiración o ponderación. ‖ **sopla, vivo te lo doy.** desus. Juego entre varias personas que, tomando en la mano un palito o cosa semejante, encendido la punta y **soplándolo,** dicen: SOPLA, VIVO TE LO DOY, *y si muerto me lo das, prenda pagarás;* y lo van pasando de unas a otras, y pierde aquella en cuyo poder se apaga.

soplavivo. (Del juego *sopla, vivo te lo doy.*) m. fig. desus. Composición en que se iban encadenando los versos, y al final se repetían las palabras que constituían el encadenamiento.

soplete. (d. de *soplo.*) m. Instrumento constituido principalmente por un tubo de varias formas y dimensiones, destinado a recibir por uno de sus extremos la corriente gaseosa que al salir por el otro se aplica a una llama para dirigirla sobre objetos que se han de fundir o examinar a muy elevada temperatura. ‖ **2.** Canuto de boj por donde se hincha de aire la gaita gallega.

soplido. m. Acción y efecto de soplar.

soplillo. m. d. de **soplo.** ‖ **2.** Ruedo pequeño comúnmente de esparto, con mango o sin él, que se usa para avivar el fuego. ‖ **3.** Cualquier cosa sumamente delicada o muy leve. ‖ **4.** Especie de tela de seda muy ligera. ‖ **5.** V. **manto, moneda de soplillo.** ‖ **6.** Bizcocho de pasta muy esponjosa y delicada. ‖ **7.** *Cuba.* Una especie de hormiga. ‖ **8.** *Chile.* Trigo aún no maduro que se come tostado.

soplo. m. Acción y efecto de soplar. ‖ **2.** fig. Instante o brevísimo tiempo. ‖ **3.** fig. y fam. Aviso que se da en secreto y con cautela. ‖ **4.** fig. y fam. Denuncia de una falta de otro, delación. ‖ **5.** fig. y fam. **soplón.** ‖ **6.** *Med.* Ruido peculiar que se aprecia en la auscultación de distintos órganos y que puede ser normal o patológico.

soplón, na. (De *soplar,* sugerir.) adj. fam. Dícese de la persona que acusa en secreto y cautelosamente. Ú. t. c. s.

soplonear. tr. Soplar, acusar, delatar.

soplonería. f. Hábito propio del soplón.

sopón. m. aum. de **sopa.** ‖ **2.** fam. **sopista.**

soponcio¹. (De or. inc.) m. Desmayo, congoja.

soponcio². m. fam. Sopa mal hecha.

sopor. (Del lat. *sopor, -ōris.*) m. *Med.* Modorra morbosa persistente. ‖ **2.** fig. Adormecimiento, somnolencia.

soporífero, ra. (Del lat. *soporifer, -ěri,* de *sopor,* sopor, y *ferre,* llevar.) adj. Que mueve o inclina al sueño; propio para causarlo. Ú. t. c. s.

soporoso, sa. adj. p. us. Que inclina al sopor. ‖ **2.** Que tiene o padece sopor. ‖ **3.** *Med.* Caracterizado por el sopor. *Fiebre* SOPOROSA, *estado* SOPOROSO.

soportable. adj. Que puede soportar o sufrir.

soportador, ra. adj. Que soporta. Ú. t. c. s.

soportal. (De *so³* y *portal.*) m. Espacio cubierto que en algunas casas precede a la entrada principal. ‖ **2.** Pórtico, a manera de claustro, que tienen algunos edificios o manzanas de casas en sus fachadas y delante de las puertas y tiendas que hay en ellas. Ú. m. en pl.

soportar. (Del lat. *supportāre.*) tr. Sostener o llevar sobre sí una carga o peso. ‖ **2.** fig. Sufrir, tolerar.

soporte. (De *soportar.*) m. Apoyo o sostén. ‖ **2.** *Blas.* Cada una de las figuras que sostienen el escudo o la divisa. ‖ **3.** *Quím.* Sustancia inerte que, en un proceso o preparado sirve para fijar alguno de sus productos o reactivos.

sopórtico. m. desus. Cobertizo, pórtico, soportal.

soprano. (Del it. *soprano*.) m. *Mús.* La voz más aguda de las voces humanas, tiple. ‖ **2.** Hombre castrado. ‖ **3.** com. Persona que tiene voz de **soprano.**

sopuntar. (De *so*³ y *punto*.) tr. Poner uno o varios puntos debajo de una letra, palabra o frase, para distinguirla de otra, para indicar que sobra o contiene error, o con cualquier otro fin.

soquete. (Del fr. *socquette*.) m. *Argent., Chile, Par.* y *Urug.* Escarpín, calcetín corto.

sor¹. (Del cat. ant. *sor*.) f. **hermana.** Ú. por lo común precediendo al nombre de las religiosas. SOR *María*; SOR *Juana.*

sor². m. seor.

sora. (De or. aimara.) f. ant. Maíz germinado para hacer chicha, jora.

sorba. (Del lat. *sorba*, pl. de *sorbum*.) f. ant. **serba.**

sorbedor, ra. adj. Que sorbe. Ú. t. c. s.

sorber. (Del lat. *sorbēre*.) tr. Beber aspirando. ‖ **2.** Atraer hacia dentro la mucosidad nasal. ‖ **3.** fig. Atraer hacia dentro de sí algunas cosas aunque no sean líquidas. ‖ **4.** fig. Recibir o esconder una cosa hueca o esponjosa a otra, dentro de sí o en su concavidad. ‖ **5.** fig. Absorber, tragar. *El mar* SORBE *las naves.* ‖ **6.** fig. Apoderarse el ánimo con avidez de algún deseo.

sorbete. (Del ár. *šurba*, bebida azucarada.) m. Refresco de zumo de frutas con azúcar, o de agua, leche o yemas de huevo azucaradas y aromatizadas con esencias u otras sustancias agradables, al que se da cierto grado de congelación pastosa. ‖ **quedarse** o **estar hecho un sorbete.** loc. fam. Estar aterido, tener mucho frío.

sorbetón. m. fam. aum. de **sorbo¹.**

sorbible. adj. Que se puede sorber.

sorbición. f. desus. Acción y efecto de sorber.

sorbo¹. m. Acción y efecto de sorber un líquido. ‖ **2.** Porción que se sorbe de una vez. ‖ **3.** fig. Cantidad pequeña de una bebida. ‖ **a sorbos.** loc. adv. Poco a poco, con ligeros intervalos.

sorbo². (Del lat. *sorbus*.) m. ant. Árbol que da sorbas.

sorce. (Del lat. *sorex, -ĭcis*.) m. ant. Ratón pequeño.

sorche. m. fam. Soldado bisoño.

sorda¹. (Del lat. *surda*, t. f. de *-dus*, sordo.) f. Becada, agachadiza.

sorda². (Del ant. veneciano *sorda*.) f. *Mar.* Guindaleza sujeta en la roda de un barco y con la cual se facilita la maniobra al botarlo al agua.

sordamente. adv. m. Con sordidez. ‖ **2.** Secretamente y sin ruido.

sordecer. (Del lat. *surdescēre*.) tr. ant. **ensordecer**, poner sordo. Usáb. t. c. intr.

sordedad. (Del lat. *surdĭtas, -ātis*.) f. desus. Condición de sordo, sordera.

sordera. f. Privación o disminución de la facultad de oír.

sordez. (Del lat. *surditĭes*.) f. p. us. sordera. ‖ **2.** *Fon.* Cualidad de sordo.

sórdidamente. adv. m. Con sordidez.

sordidez. f. Cualidad de sórdido.

sórdido, da. (Del lat. *sordĭdus*.) adj. Que tiene manchas o suciedad. ‖ **2.** fig. Impuro, indecente o escandaloso. ‖ **3.** fig. Mezquino, avariento. ‖ **4.** *Cir.* Dícese de la úlcera que produce supuración icorosa.

sordilla. f. *And.* Pájaro parecido a la alondra, algo más pequeño.

sordina. f. Pieza pequeña que se ajusta por la parte superior del puente a los instrumentos de arco y cuerda para disminuir la intensidad y variar el timbre del sonido. ‖ **2.** Pieza que para el mismo fin se pone en otros instrumentos. ‖ **3.** Registro en los órganos y pianos, con que se produce el mismo efecto. ‖ **4.** Muelle que sirve en los relojes de repetición para impedir que suene la campana o el timbre. ‖ **a la sordina.** loc. adv. fig. Silenciosamente, sin estrépito y con disimulo.

sordino. m. Instrumento músico de cuerda, parecido al violín, que tiene dos tablas y a veces una sola, sin concavidad, por lo que sus voces son menos sonoras.

sordo, da. (Del lat. *surdus*.) adj. Que no oye, o no oye bien. Ú. t. c. s. ‖ **2.** Callado, silencioso y sin ruido. ‖ **3.** Que suena poco o sin timbre claro. *Ruido* SORDO; *campana* SORDA. ‖ **4.** V. **dolor, tabique sordo.** ‖ **5.** V. **gallina, lima, linterna, mareta, maza sorda.** ‖ **6.** fig. V. **pólvora sorda.** ‖ **7.** fig. Insensible a las súplicas o al dolor ajeno, o indócil a las persuasiones, consejos o avisos. ‖ **8.** *Arit.* V. **número sordo.** ‖ **9.** *Arit.* V. **raíz sorda.** ‖ **10.** *Fon.* Dícese del sonido que se articula sin vibración de las cuerdas vocales. ‖ **11.** *Mar.* Aplícase a la mar o marejada que se experimenta en dirección diversa de la del viento reinante. ‖ **a la sorda, a lo sordo,** o **a sordas.** locs. advs. figs. Sin ruido, sin estrépito, sin sentir. ‖ **no decirlo a los sordos.** fr. fig. y fam. Decir una noticia a quien la oye con gusto y se aprovecha de ella. ‖ **nos han de oír,** o **nos oirán, los sordos.** fr. fig. y fam. que se usa para expresar el propósito que uno tiene de explicar su razón o su enojo en términos enérgicos.

sordomudez. f. Cualidad de sordomudo.

sordomudo, da. adj. Privado por sordera nativa de la facultad de hablar. Ú. t. c. s.

sordón. (De *sordo*.) m. Bajón antiguo semejante al fagot, con lengüeta doble de caña y doble tubo.

sorgo. (Del it. *sorgo*.) m. **zahína,** planta.

sorguicultor, ra. (De *sorgo*.) m. y f. *Col.* Persona que cultiva sorgo o negocia con él.

sorianense. adj. Natural de Soriano. Ú. t. c. s. ‖ **2.** Perteneciente o relativo a esta ciudad y departamento del Uruguay.

soriano, na. adj. Natural de Soria. Ú. t. c. s. ‖ **2.** Perteneciente o relativo a esta ciudad y a la provincia de este nombre.

sorites. (Del lat. *sorītes*, y este del gr. σωρίτης, de σωρός, amontonar.) m. *Lóg.* Raciocinio compuesto de muchas proposiciones encadenadas, de modo que el predicado de la antecedente pasa a ser sujeto de la siguiente, hasta que en la conclusión se une el sujeto de la primera con el predicado de la última.

sormigrar. (Del lat. **submergulăre*, de *mergŭlus*, somormujo.) tr. ant. Meterse bajo el agua, somorgujar.

sorna. (De or. inc.) f. Espacio o lentitud con que se hace una cosa. ‖ **2.** Disimulo y bellaquería con que se hace o se dice una cosa con alguna tardanza voluntaria. ‖ **3.** Ironía, o tono burlón con que se dice algo. ‖ **4.** *Germ.* **noche,** tiempo sin luz solar.

sornar. (Del lat. *sŭrnia*, mochuelo.) intr. *Germ.* Entregarse al sueño. ‖ **2.** Pernoctar.

soro¹. (Del b. lat. *saurus*.) adj. *Ar.* Rubio, rojizo. ‖ **2.** V. **halcón soro.**

soro². (Del gr. σωρός, montón.) m. *Bot.* Conjunto de esporangios que se presentan formando unas manchitas en el reverso de las hojas de los helechos.

soroche. (Voz quechua.) m. *Amér. Merid.* Mal de montaña. ‖ **2.** *Bol.* y *Chile.* **galena.**

sóror. (Del lat. *soror*.) f. **sor¹.**

sororal. adj. Perteneciente o relativo a la hermana.

sorprendente. p. a. de **sorprender.** Que sorprende o admira. ‖ **2.** adj. Peregrino, raro, desusado, extraordinario.

sorprender. (De *sor-,* y *prender*.) tr. Coger desprevenido. ‖ **2.** Conmover, suspender o maravillar con algo imprevisto, raro o incomprensible. Ú. t. c. prnl. ‖ **3.** Descubrir lo que otro ocultaba o disimulaba.

sorpresa. f. Acción y efecto de sorprender o sorprenderse. ‖ **2.** Cosa que da motivo para que alguien se sorprenda. *En el armario había una* SORPRESA. ‖ **coger** a uno **de,** o **por, sorpresa** alguna cosa. fr. Sorprenderle.

sorpresivo, va. adj. *Amér.* Que sorprende; que se produce por sorpresa, inesperado.

sorra¹. (Del lat. *saburra*.) f. Arena gruesa que se echa por lastre en las embarcaciones.

sorra². (De cat. *sorra*.) f. Cada uno de los costados del vientre del atún.

sorrabar. (De *so*³ y *rabo*.) tr. Besar a un animal debajo del rabo. Era castigo infamante que se imponía antiguamente a los ladrones de perros. ‖ **2.** fig. Rogar con sumisión, adular.

sorrapear. (De *so*³ y *rapar*.) tr. *Cantabria.* Raspar y limpiar con la azada u otro instrumento análogo la superficie de un sendero o campo en que no se quiere que crezca la hierba.

sorregar. (De *so*³ y *regar*.) tr. Regar o humedecer accidentalmente un bancal de que el agua que pasa del inmediato que se está regando, o la de la reguera.

sorriego. m. Acción y efecto de sorregar. ‖ **2.** Agua que sorriega.

sorrostrada. (De *so*³ y *rostro*.) f. Insolencia, descaro, claridad. ‖ **dar sorrostrada.** fr. Decir oprobios, echar en cara cosas que den pesadumbre.

sorteable. adj. Que se puede o se debe sortear. *Mozo* SORTEABLE.

sorteador, ra. adj. Que sortea. Ú. t. c. s.

sorteamiento. m. sorteo.

sortear. (Del lat. *sors, sortis*, suerte.) tr. Someter a personas o cosas al resultado de los medios fortuitos o casuales que se emplean para fiar a la suerte una resolución. ‖ **2.** Lidiar a pie y hacer suertes a los toros. ‖ **3.** fig. Evitar con maña o eludir un compromiso, conflicto, riesgo o dificultad.

sorteo. m. Acción de sortear.

sortería. (De *sortero*.) f. ant. Sortilegio, agüero.

sortero, ra. (Del lat. *sors, sortis*, suerte, oráculo.) m. y f. Agorero, adivino. ‖ **2.** Cada una de las personas entre las cuales se reparte por sorteo alguna cosa.

sortiaria. (Del lat. *sors, sortis*, sortilegio.) f. Adivinación supersticiosa por cartas, cédulas o naipes.

sortija. (Del lat. *sorticŭla*, de *sors, sortis*, suerte.) f. Anillo, especialmente el que se lleva por adorno en los dedos de la mano. ‖ **2.** anilla. ‖ **3.** Rizo del cabello, en figura de anillo, ya sea natural, ya artificial. ‖ **4.** Juego de muchachos que consiste en adivinar a quién ha dado uno de ellos una sortija que lleva entre las manos y que hace ademán de dejar a cada uno de los que juegan. ‖ **5.** *And.* Cada uno de los aros que en los carros refuerzan los cubos de las ruedas. ‖ **correr sortija.** fr. Ejecutar el ejercicio de destreza que consiste en ensartar en la punta de una lanza o de una vara, y corriendo a caballo, una sortija pendiente de una cinta o cierta altura.

sortijero. m. Platillo o cajita en que se depositan o guardan las sortijas.

sortijilla. f. d. de **sortija.** ‖ **2.** Rizo del cabello.

sortijón. m. aum. de **sortija.**

sortijuela. f. d. de **sortija.**

sortilegio. (De *sortílego*.) m. Adivinación que se hace por suertes supersticiosas.

sortílego, ga. (Del lat. *sortilĕgus*; de *sors, sortis*, suerte, y *legĕre*, leer.) adj. Que adivina o pronostica una cosa por medio de suertes supersticiosas. Ú. t. c. s.

sos-. V. **sub-.**

sosa. (Del cat. *sosa*.) f. Barrilla, planta. ‖ **2.** Cenizas de esta planta. ‖ **3.** *Quím.* Óxido de sodio, base salificable, muy cáustica.

sosacador, ra. adj. ant. **sonsacador.** Usáb. t. c. s.

sosacamiento. m. ant. **sonsacamiento.**

sosacar. tr. ant. **sonsacar.**

sosaina. com. fam. Persona sosa. Ú. t. c. adj.

sosal. m. Terreno donde abunda la sosa.

sosamente. adv. m. Con sosería.

sosañar. (Del lat. *subsannāre*.) tr. ant. Mofar, burlar. ‖ **2.** Denostar, reprender.

sosaño. (De *sosañar*.) m. ant. Mofa o burla.

sosar. m. Terreno en que abunda la sosa o barrilla.

sosedad. f. Sosería, insulsez.

sosegadamente. adv. m. Con sosiego.

sosegado, da. p. p. de **sosegar.** ‖ **2.** adj. Quieto, pacífico naturalmente o por su genio.

sosegador, ra. adj. Que sosiega. Ú. t. c. s.

sosegar. (Del ant. *sesegar*, del lat. *sessicāre*, de *sessum*, sentado.) tr. Aplacar, pacificar, aquietar. Ú. t. c. prnl. ‖ **2.** fig. Aquietar las alteraciones del ánimo, mitigar las turbaciones y movimientos o el ímpetu de la cólera e ira. Ú. t. c. prnl. ‖ **3.** ant. Pactar o asegurar una cosa. ‖ **4.** intr. Descansar, reposar, aquietarse o cesar la turbación o el movimiento. Ú. t. c. prnl. ‖ **5.** Dormir o reposar.

sosegate. (Del imperat. rioplatense de *sosegar* en uso prnl.) m. *Argent.* y *Urug.* Reprimenda, de palabra o de obra, con que se corrige a una persona para que no continúe en lo que estaba haciendo o no lo repita. Ú. m. en la fr. **dar** o **pegar un** o **el sosegate.**

soseído, da. adj. *Gran.* Abstraído, ensimismado.

sosera. f. **sosería.**

sosería. (De *soso*, sin gracia.) f. Insulsez, falta de gracia y de viveza. ‖ **2.** Dicho o hecho insulso y sin gracia.

sosero, ra. adj. Que produce sosa. *Planta* SOSERA.

sosia. (De *Sosia*, personaje de la comedia *Anfitrión*, de Plauto.) m. Persona que tiene parecido con otra hasta el punto de poder ser confundida con ella.

sosiega. (De *sosegar*.) f. Sosiego, descanso después de una faena. ‖ **2.** Trago de vino o de aguardiente que se toma durante la **sosiega,** o después de comer, o antes de acostarse.

sosiego. (De *sosegar*.) m. Quietud, tranquilidad, serenidad.

soslayar. tr. Poner una cosa ladeada, de través u oblicua para pasar una estrechura. ‖ **2.** Pasar por alto o de largo, dejando de lado alguna dificultad.

soslayo, ya. adj. Soslayado, oblicuo. ‖ **al soslayo.** loc. adv. **oblicuamente.** ‖ **de soslayo.** loc. adv. **al soslayo.** ‖ **2.** De costado y perfilando bien el cuerpo para pasar por alguna estrechura. ‖ **3.** De largo, de pasada o por cima, para esquivar una dificultad.

soso, sa. (Del lat. *insulsus*.) adj. Que no tiene sal, o tiene poca. ‖ **2.** V. **agua sosa.** ‖ **3.** fig. Dícese de la persona, acción o palabra que carece de gracia y viveza. Ú. t. c. s.

sospecha. f. Acción y efecto de sospechar. ‖ **sospechas vehementes.** *Der.* indicios vehementes.

sospechable. adj. **sospechoso,** que da motivos para sospechar.

sospechar. (Del lat. *suspectāre*.) tr. Aprehender o imaginar una cosa por conjeturas fundadas en apariencias o visos de verdad. ‖ **2.** intr. Desconfiar, dudar, recelar de una persona. Úsose t. c. tr.

sospechosamente. adv. m. De un modo sospechoso.

sospechoso, sa. adj. Que da fundamento o motivo para sospechar o hacer mal juicio de las acciones, conducta, rasgos, caracteres, etc. ‖ **2.** Decíase de la persona que sospecha. ‖ **3.** m. Individuo cuya conducta o antecedentes inspiran sospecha o desconfianza.

sospesar. (De *sos-* y *pesar*.) tr. **sopesar.**

sosquín. m. Golpe dado de soslayo. ‖ **de,** o **en, sosquín.** loc. adv. **de través.**

sostén. m. Acción de sostener. ‖ **2.** Persona o cosa que sostiene. ‖ **3.** fig. Apoyo moral, protección. ‖ **4.** Prenda de vestir interior que usan las mujeres para ceñir el pecho. ‖ **5.** *Mar.* Resistencia que ofrece el buque al esfuerzo que hace el viento sobre sus velas para escorarlo.

sostenedor, ra. adj. Que sostiene. Ú. t. c. s.

sostener. (Del lat. *sustinēre*.) tr. Sustentar, mantener firme una cosa. Ú. t. c. prnl. ‖ **2.** Sustentar o defender una proposición. ‖ **3.** fig. Sufrir, tolerar. SOSTENER *los trabajos.* ‖ **4.** fig. Prestar apoyo, dar aliento o auxilio. ‖ **5.** Dar a uno lo necesario para su manutención. ‖ **6.** Mantener, proseguir. SOSTENER *conversaciones.* ‖ **7.** prnl. Mantenerse un cuerpo en un medio o en un lugar, sin caer o haciéndolo muy lentamente.

sostenido, da. p. p. de **sostener.** ‖ **2.** adj. V. **galope sostenido.** ‖ **3.** *Mús.* Dícese de la nota cuya entonación excede en un semitono mayor a la que corresponde a su sonido natural. *Do* SOSTENIDO. ‖ **4.** *Mús.* Precedido del adjetivo *doble*, dícese de la nota cuya entonación es dos semitonos más alta que la que corresponde a su sonido natural. *Fa* DOBLE SOSTENIDO. ‖ **5.** m. Movimiento de la danza española, que se hace levantando el cuerpo sobre las puntas de los pies, y que es rápido o pausado, según lo pide el compás. ‖ **6.** *Mús.* Signo que representa la alteración del sonido natural de la nota o notas a que se refiere. ‖ **doble sostenido.** *Mús.* Signo formado por una cruz en aspa o por dos **sostenidos** juntos, que representa esta doble alteración del sonido natural de la nota o notas a que se refiere.

sostenimiento. m. Acción y efecto de sostener o sostenerse. ‖ **2.** Mantenimiento o sustento.

sostituir. tr. ant. **sustituir.**

sota. (Del lat. *subtus*, debajo.) f. Carta décima de cada palo de la baraja española, que tiene estampada la figura de un paje o infante. ‖ **2.** Mujer insolente y desvergonzada. ‖ **3.** m. *Chile.* Sobrestante o manigero. ‖ **4.** *Murc.* Cortador en las fábricas de calzado. ‖ **5.** ant. Debajo, bajo de. ‖ **sota, caballo y rey.** fr. fig. y fam. con que se designan los tres platos en que se considera dividido el cocido o la olla, y también la comida ordinaria compuesta de sopa, cocido y principio.

sota-. (Del lat. *subtus*, debajo.) elem. compos. que significa «debajo de»: SOTA*barba*, SOTA*coro*; en algunos oficios, denota el subalterno inmediato o sustituto: SOTA*ministro*, SOTA*montero*. Puede tomar la forma **soto-:** SOTO*bosque*, SOTO*ministro*.

sotabanco. (De *sota*, debajo de y, *banco*, por hilada.) m. Piso habitable colocado por encima de la cornisa general de la casa. ‖ **2.** *Arq.* Hilada que se coloca encima de la cornisa para levantar los arranques de un arco o bóveda y dejar visible toda la vuelta del intradós. ‖ **3.** *Arq.* **predela.**

sotabarba. f. Barba que se deja crecer por debajo de la barbilla. Es usada especialmente por los marineros. ‖ **2.** **papada,** abultamiento carnoso que se forma debajo de la barbilla.

sotabasa. (De *sota*, debajo de, y *basa*.) f. ant. *Arq.* Plinto, zócalo, etc., en que estriba la basa. Ú. en León.

sotacola. (De *sota*, debajo de, y *cola*.) f. **ataharre.**

sotacoro. (De *sota*, debajo de, y *coro*.) m. Lugar bajo el coro, socoro.

sotacura. (De *sota*, preposición, y *cura*.) m. *Amér.* **coadjutor,** eclesiástico que ayuda al cura párroco.

sotalugo. m. Segundo arco con que se aprietan los extremos o tiestas de los toneles o barriles.

sotaministro. m. **sotoministro.**

sotamontero. m. El que hace las veces del montero mayor.

sotana. (Del lat. **subtāna*, de *subtus*, debajo.) f. Vestidura talar, abrochada a veces de arriba abajo, que usan los eclesiásticos y los legos que sirven en las funciones de iglesia. Usáronla también los estudiantes de las universidades. ‖ **2.** fam. Zurra, tunda, somanta.

sotanear. tr. fam. Dar una sotana, zurra o reprensión áspera.

sotaní. (Del it. *sottanino*, de *sottana*, sotana.) m. Especie de zagalejo corto y sin pliegues.

sotanilla. f. d. de **sotana.** ‖ **2.** Traje que en algunas ciudades usaban los colegiales; era de bayeta negra, ajustado al cuerpo, y de la cintura abajo como un tonelete que bajaba poco más de la rodilla.

sótano. (Del lat. **subtŭlus*, de *subtus*, debajo.) m. Pieza subterránea, a veces abovedada, entre los cimientos de un edificio.

sotar. (Del lat. *saltāre*.) intr. ant. Bailar las personas. Ú. en Burgos.

sotaventarse. (De *sotavento*.) prnl. *Mar.* Irse o caer el buque a sotavento.

sotaventearse. prnl. **sotaventarse.**

sotavento. (Del lat. *subtus*, debajo, y *ventus*, viento.) m. *Mar.* Costado de la nave opuesto al barlovento. ‖ **2.** *Mar.* Parte que cae hacia aquel lado.

sotayuda. m. Sirviente palatino de menor categoría que el ayuda.

sote. m. *Col.* Insecto muy pequeño parecido a la pulga, nigua.

sotechado. (De *so³* y *techado*.) m. Cobertizo, techado.

soteño, ña. adj. Que se cría en sotos. ‖ **2.** Natural de Soto. Ú. t. c. s. ‖ **3.** Perteneciente o relativo a alguna de las poblaciones de este nombre.

sotera. f. *Ar.* Azada que se emplea ordinariamente para entrecavar.

soteriología. (Del gr. σωτηρία, y *-logía*.) f. Doctrina referente a la salvación en el sentido de la religión cristiana.

soteriológico, ca. adj. Perteneciente o relativo a la soteriología.

soterramiento. m. Acción y efecto de soterrar.

soterráneo, a. adj. ant. **subterráneo.** Usáb. t. c. s. m.

soterrano, na. adj. ant. **subterráneo.** Ú. t. c. s. m.

soterraño, ña. adj. **subterráneo.** Ú. t. c. s. m.

soterrar. (De *so³*, y el lat. *terra*, tierra.) tr. Enterrar, poner una cosa debajo de tierra. ‖ **2.** fig. Esconder o guardar una cosa de modo que no aparezca.

sotil. (Del lat. *subtīlis*.) adj. ant. **sutil.**

sotileza. f. ant. **sutileza.** ‖ **2.** *Cantabria.* Parte más fina del aparejo de pescar donde va el anzuelo, y por extensión, todo cordel muy fino.

sotilidad. (Del lat. *subtīlĭtas*, *-ātis*.) f. ant. **sutilidad.**

sotilizar. tr. ant. **sutilizar.**

sotillo. m. d. de **soto.**

soto. (Del lat. *saltus*, bosque, selva.) m. Sitio que en ribera o vegas está poblado de árboles y arbustos. ‖ **2.** Sitio poblado de árboles y arbustos. ‖ **3.** Sitio poblado de malezas, matas y árboles. ‖ **batir el soto.** fr. **batir el monte.**

soto-. (Del lat. *subtus*, debajo.) V. **sota-.**

sotobosque. m. Vegetación formada por matas y arbustos que crece bajo los árboles de un bosque.

sotol. m. *Méj.* Planta liliácea de la que se obtiene una bebida alcohólica que recibe el mismo nombre.

sotole. m. *Méj.* Palma gruesa y basta que se emplea para fabricar chozas.

sotoministro. (De *soto-* y *ministro*.) m. Coadjutor superior de los que en la Compañía de Jesús tienen a su cuidado la cocina, despensa y demás oficinas dependientes de ella, el cual está a las inmediatas órdenes del padre ministro.

sotreta. adj. rur. despect. *Argent.*, *Bol.* y *Urug.* Dícese de la persona o animal lleno de defectos. Ú. m. c. s. ‖ **2.** Dícese de la persona desmañada, holgazana, etc. Ú. t. c. s.

sotrozo. m. *Art.* Pernete o pasador de hierro, que atraviesa el pezón del eje para que no se salga la rueda de la cureña. ‖ **2.** *Mar.* Pedazo de hierro hecho firme en las jarcias y en el cual se sujetan las jaretas.

sotuer. (Del ant. fr. *sautier*.) m. *Blas.* Pieza honorable que ocupa el tercio del escudo, y su forma es como si se compusiera de la banda y de la barra cruzadas.

soturno, na. adj. **saturnino.**

sotuto. m. *Bol.* Sote, nigua.

soviet. (Del ruso *sovét.*) m. Órgano de gobierno local que ejerce la dictadura comunista en Rusia. ‖ **2.** Agrupación de obreros y soldados durante la revolución rusa. ‖ **3.** Conjunto de la organización del Estado o de su poder supremo en aquel país. Ú. m. en pl. ‖ **4.** fig. y fam. Servicio o colectividad en que no se obedece a la autoridad jerárquica.

soviético, ca. adj. Perteneciente o relativo al soviet. ‖ **2.** Perteneciente o relativo a la Unión de Repúblicas Socialistas Soviéticas. ‖ **3.** Natural de este país. Ú. t. c. s.

sovietización. f. Acción y efecto de sovietizar.

sovietizar. tr. Implantar el régimen soviético en un país.

sovoz (a). (De *so*³ y *voz.*) loc. adv. En voz baja y suave.

soya. f. **soja.**

sozcomendador. (De *sos-* y *comendador.*) m. ant. **subcomendador.**

sozprior. (De *sos-* y *prior.*) m. ant. **suprior.**

stábat. m. Himno dedicado a los dolores de la Virgen al pie de la cruz, que empieza con esa palabra. ‖ **2.** Composición musical para este himno. ‖ **máter. stábat.**

-stático, ca. (Del gr. στατικός, estabilizador, que detiene.) elem. compos. que significa «relacionado con el equilibrio» de lo significado por el primer elemento: *electro*STÁTICO, *hidro*STÁTICO, o bien, «que detiene»: *hemo*STÁTICO, *bacterio*STÁTICO.

statu quo. (Lit., *en el estado en que.*) loc. lat. que se usa como sustantivo masculino, especialmente en la diplomacia, para designar el estado de cosas en un determinado momento.

-strajo. V. **-ajo.**

su, sus. (Apóc. de *suyo, suya, suyos, suyas.*) Forma del pronombre posesivo de tercera persona en género masculino y femenino y en ambos números singular y plural que se utiliza antepuesto al nombre.

su-. V. **sub-.**

suabo, ba. adj. Natural de Suabia, región alemana del suroeste. Ú. t. c. s. ‖ **2.** Perteneciente o relativo a esta región.

suadir. (Del lat. *suadĕre.*) tr. desus. Aconsejar, persuadir.

suarda. (Del lat. *sordes.*) f. Grasa o suciedad que sale en la tela y que tenía en su fabricación, juarda.

suarismo. m. Sistema escolástico contenido en las obras del jesuita español Francisco Suárez. Se usa más especialmente hablando de su teoría del concurso simultáneo, inventada para conciliar la libertad humana con la infalible eficacia de la gracia divina.

suarista. com. Partidario del suarismo. ‖ **2.** adj. Perteneciente o relativo al suarismo.

suasible. (Del lat. *suasibĭlis.*) adj. ant. Que se puede aconsejar o persuadir.

suasorio, ria. (Del lat. *suasorĭus.*) adj. Perteneciente a la persuasión, o propio para persuadir.

suato, ta. adj. *Méj.* **tonto,** mentecato.

suave. (Del lat. *suāvis.*) adj. Liso y blando al tacto, en contraposición a tosco y áspero. ‖ **2.** Blando, dulce, grato a los sentidos. ‖ **3.** V. **espíritu, manjar suave.** ‖ **4.** fig. Tranquilo, quieto, manso. ‖ **5.** fig. Lento, moderado. ‖ **6.** fig. Dócil, manejable o apacible. Aplícase, por lo común, al genio o natural.

suavemente. adv. m. De manera suave.

suavidad. (Del lat. *suavĭtas, -ātis.*) f. Cualidad de suave.

suavizador, ra. adj. Que suaviza. ‖ **2.** m. Pedazo de cuero, o utensilio de otra clase, para suavizar el filo de las navajas de afeitar.

suavizante. p. a. de **suavizar.** Que suaviza. Ú. t. c. s. m., especialmente en cosmética y productos de limpieza.

suavizar. (De *suave.*) tr. Hacer suave. Ú. t. c. prnl.

sub-. (Del lat. *sub-.*) pref. que puede aparecer en las formas: **so-, son-, sos-, su-** o **sus-.** Su significado propio es «bajo» o «debajo de»: SUBsuelo, SObarba. En acepciones traslaticias puede indicar inferioridad, acción secundaria, atenuación o disminución: SUBdelegado, SUBarrendar, SOasar, SONreír.

suba. f. *Argent.* y *Urug.* Alza, subida de precios.

subacetato. m. *Quím.* Acetato básico de plomo.

subafluente. m. Río o arroyo que desagua en un afluente.

subalcaide. m. Sustituto o teniente de alcaide.

subalternar. (De *subalterno.*) tr. Sujetar o poner debajo, supeditar.

subalterno, na. (Del lat. *subalternus.*) adj. Inferior, o que está debajo de una persona o cosa. ‖ **2.** m. y f. Empleado de categoría inferior. ‖ **3.** En los centros oficiales, empleado de categoría inferior afecto a servicios que no requieren aptitudes técnicas. ‖ **4.** m. Torero que forma parte de la cuadrilla de un matador. ‖ **5.** *Mil.* Oficial cuyo empleo es inferior al de capitán.

subálveo, a. adj. Que está debajo del álveo de un río o arroyo. Ú. t. c. s. m. ‖ **2.** V. **aguas subálveas.**

subarrendador, ra. m. y f. Persona que da en subarriendo alguna cosa.

subarrendamiento. m. **subarriendo.**

subarrendar. tr. Dar o tomar en arriendo una cosa, no del dueño de ella ni de su administrador, sino de otro arrendatario de la misma.

subarrendatario, ria. m. y f. Persona que toma en subarriendo alguna cosa.

subarriendo. m. Acción y efecto de subarrendar. ‖ **2.** Contrato por el cual se subarrienda una cosa. ‖ **3.** Precio en que se subarrienda.

subasta. (Del lat. *sub hasta,* bajo la lanza, porque la venta del botín cogido en la guerra se anunciaba con una lanza.) f. Venta pública de bienes o alhajas que se hace al mejor postor, y regularmente por mandato y con intervención de un juez u otra autoridad. ‖ **2.** Adjudicación que en la misma forma se hace de una contrata, generalmente de servicio público; como la ejecución de una obra, el suministro de provisiones, etc. ‖ **sacar a pública subasta** una cosa. fr. Ofrecerla a quien haga proposiciones más ventajosas en las condiciones prefijadas.

subastación. (Del lat. *subhastatĭo, -ōnis.*) f. p. us. **subasta.**

subastador, ra. m. y f. Persona que subasta.

subastar. (Del lat. *subhastāre,* de *sub hasta,* subasta.) tr. Vender efectos o contratar servicios, arriendos, etc., en pública subasta.

subcelular. adj. *Biol.* Que posee una estructura más elemental que la de la célula.

subcierna. (De *sub-* y *cerner.*) f. *León* y *Zam.* Moyuelo que se emplea para alimento del ganado.

subcinericio. (Del lat. *subcinericĭus.*) adj. V. **pan subcinericio.**

subclase. f. *Bot.* y *Zool.* Cada uno de los grupos taxonómicos en que se dividen las clases de plantas y animales.

subclavero. m. Teniente de clavero, o segundo clavero, en algunas órdenes militares.

subclavio, via. (De *sub-* y el lat. *clavis.*) adj. *Zool.* Dícese de lo que en el cuerpo del animal está debajo de la clavícula. ‖ **2.** *Anat.* V. **vena subclavia.**

subcolector. m. El que hace las veces de colector y sirve en sus órdenes.

subcomendador. m. Teniente comendador en las órdenes militares.

subcomisión. f. Grupo de individuos de una comisión que tiene cometido determinado.

subconciencia. f. **subconsciencia.**

subconsciencia. f. Estado inferior de la conciencia psicológica en el que, por la poca intensidad o duración de las percepciones, no se da cuenta de estas el sujeto.

subconsciente. adj. Que se refiere a la subconsciencia, o que no llega a ser consciente. Ú. t. c. s. m.

subconservador. m. Juez delegado por el conservador.

subcostal. adj. Que está debajo de las costillas.

subcutáneo, a. (Del lat. *subcutanĕus.*) adj. *Zool.* Que está inmediatamente debajo de la piel. ‖ **2.** *Anat.* V. **vena yugular subcutánea.**

subdelegable. adj. Que se puede subdelegar.

subdelegación. f. Acción y efecto de subdelegar. ‖ **2.** Distrito, oficina y empleo del subdelegado.

subdelegado, da. p. p. de **subdelegar.** ‖ **2.** adj. Dícese de la persona que sirve inmediatamente a las órdenes del delegado o le sustituye en sus funciones. Ú. m. c. s.

subdelegante. p. a. de **subdelegar.** Que subdelega.

subdelegar. (Del lat. *subdelegāre*: de *sub*, bajo, y *delegāre*, delegar.) tr. *Der.* Trasladar o dar el delegado su jurisdicción o potestad a otro.

subdelirio. m. *Psiquiat.* Delirio tranquilo, caracterizado por palabras incoherentes, pronunciadas a media voz, compatible con una conciencia normal cuando el enfermo es interrogado.

subdesarrollado, da. adj. Que sufre subdesarrollo.

subdesarrollo. (De *sub-* y *desarrollo.*) m. Atraso, situación de un país o región que no alcanza determinados niveles económicos, sociales, culturales, etc.

subdiaconado. m. Orden de subdiácono o de epístola.

subdiaconal. adj. Perteneciente al subdiácono.

subdiaconato. (Del lat. *subdiaconātus.*) m. **subdiaconado.**

subdiácono. (Del lat. *subdiacōnus.*) m. desus. Clérigo ordenado de epístola.

subdirección. f. Cargo de subdirector. ‖ **2.** Oficina del subdirector.

subdirector, ra. m. y f. Persona que sirve inmediatamente a las órdenes del director o le sustituye en sus funciones.

subdistinción. (Del lat. *subdistinctĭo, -ōnis.*) f. Acción y efecto de subdistinguir.

subdistinguir. (Del lat. *subdistinguere.*) tr. Distinguir en lo ya distinguido, o hacer una distinción en otra.

súbdito, ta. (Del lat. *subdĭtus*, p. p. de *subdĕre*, someter.) adj. Sujeto a la autoridad de un superior con obligación de obedecerle. Ú. t. c. s. ‖ **2.** m. y f. Natural o ciudadano de un país en cuanto sujeto a las autoridades políticas de este.

subdividir. (Del lat. *subdivĭdĕre.*) tr. Dividir una parte señalada por una división anterior. Ú. t. c. prnl.

subdivisión. (Del lat. *subdivisĭo, -ōnis.*) f. Acción y efecto de subdividir o subdividirse.

subdominante. f. *Mús.* Cuarta nota de la escala diatónica.

subducción. (Del lat. *subductĭo, ōnis.*) f. *Geol.* Deslizamiento del borde de una placa de la corteza terrestre por debajo del borde de otra.

subduplo, pla. (Del lat. *subduplus.*) adj. *Mat.* Aplícase al número o cantidad que es mitad exacta de otro u otra.

subejecutor. m. El que con la delegación o dirección de otro ejecuta una cosa.

subentender. tr. **sobrentender.** Ú. t. c. prnl.

subeo. (Del lat. *subjugĭus.*) m. Correa de atar el timón o la lanza al yugo, sobeo.

suberificación. f. Acción y efecto de suberificarse.

suberificarse. prnl. Convertirse en corcho la parte externa de la corteza de los árboles.

suberina. (Del lat. *suber, -ĕris,* corcho.) f. *Quím.* Sustancia orgánica, procedente de la transformación de la celulosa, que forma la membrana de las células componentes del corcho. Se caracteriza por su impermeabilidad y elasticidad.

suberoso, sa. (Del lat. *suber, -ĕris,* corcho.) adj. Parecido al corcho.

subespecie. f. Cada uno de los grupos en que se subdivide una especie.

subestimar. tr. Estimar a alguna persona o cosa por debajo de su valor.

subfebril. adj. *Med.* Dícese del que tiene una temperatura anormal, comprendida entre 37,5 y 38 grados centígrados.

subfiador. m. Fiador subsidiario.

subfilo. m. *Biol.* Cada una de las series evolutivas derivadas de un filo.

subforo. m. *Der.* Contrato por el cual el forero cede el dominio útil de la finca a otro, que se subroga en sus obligaciones para con el señor del dominio directo.

subgénero. m. Cada uno de los grupos particulares en que se divide un género.

subgobernador. m. Empleado inferior al gobernador y que le sustituye en sus funciones.

subida f. Acción y efecto de subir o subirse. ‖ **2.** Sitio o lugar en declive, que va subiendo. ‖ **3.** Lugar por donde se sube.

subidamente. adv. m. ant. Altamente, elevada o sublimemente.

subidero, ra. adj. Aplícase a algunos instrumentos que sirven para subir en alto. ‖ **2.** m. Lugar por donde se sube.

subido, da. p. p. de **subir.** ‖ **2.** adj. Dícese de lo último, más fino y acendrado en su especie. ‖ **3.** Dícese del color o del olor que impresiona fuertemente la vista o el olfato. ‖ **4.** Muy elevado, que excede al término ordinario. *Precio* SUBIDO.

subidor. (De *subir.*) m. El que por oficio lleva una cosa de un lugar bajo a otro alto.

subiente. p. a. de **subir.** Que sube. ‖ **2.** m. Cada uno de los follajes que suben adornando un vaciado de pilastras o cosa semejante.

subigüela. f. *Sal.* **alondra.**

subilla. (Del lat. *subella,* de *subula.*) f. **lezna.**

subimiento. (De *subir.*) m. Acción y efecto de subir o subirse.

subíndice. m. *Mat.* Letra o número que se añade a un símbolo para distinguirlo de otros semejantes. Se coloca a la derecha de aquel y algo más bajo.

subinspección. f. Cargo de subinspector. ‖ **2.** Oficina del subinspector.

subinspector. m. Jefe inmediato después del inspector.

subintendencia. f. Cargo de subintendente. ‖ **2.** Oficina o despacho del subintendente.

subintendente. m. El que sirve inmediatamente a las órdenes del intendente o le sustituye en sus funciones.

subintración. f. *Cir.* y *Med.* Acción y efecto de subintrar.

subintrante. p. a. de **subintrar.** *Cir.* y *Med.* Que subintra. ‖ **2.** adj. *Med.* V. **fiebre subintrante.**

subintrar. (Del lat. *subintrāre.*) intr. Entrar uno después o en lugar de otro. ‖ **2.** *Cir.* Colocarse un hueso o fragmento de él debajo de otro, como sucede en algunas fracturas del cráneo. ‖ **3.** *Med.* Comenzar una ascensión febril antes de terminar la anterior.

subir. (Del lat. *subīre,* llegar, avanzar, arribar.) intr. Pasar de un sitio o lugar a otro superior o más alto. Ú. t. c. prnl. ‖ **2.** Entrar en un vehículo. Ú. t. c. prnl. ‖ **3.** Cabalgar, montar. Ú. t. c. prnl. ‖ **4.** Crecer en altura ciertas cosas. HA SUBIDO *el río; va* SUBIENDO *la pared.* ‖ **5.** Ponerse el gusano en las ramas o matas para hilar el capullo. ‖ **6.** Importar una cuenta. *La deuda* SUBE *a cien pesetas.* ‖ **7.** fig. Ascender en dignidad o empleo, o crecer en caudal o hacienda. ‖ **8.** fig. Agravarse o difundirse ciertas enfermedades. SUBIR *la fiebre, la epidemia.* ‖ **9.** fig. Aumentar en cantidad o intensidad el grado o el efecto de algo. ‖ **10.** *Mús.* Elevar la voz o el sonido de un instrumento desde un tono grave a otro más agudo. Ú. t. c. tr. ‖ **11.** tr. Recorrer yendo hacia arriba, remontar. SUBIR *la escalera, una cuesta,* etc. ‖ **12.** Trasladar a una persona o cosa a lugar más alto que el que ocupaba. SUBIR *a un niño en brazos;* SUBIR *las pesas de un reloj.* Ú. t. c. prnl. ‖ **13.** Hacer más alta una cosa o irla aumentando hacia arriba. SUBIR *una torre, una pared.* ‖ **14.** Enderezar o poner derecha una cosa que estaba inclinada hacia abajo. SUBE *esa cabeza, esos brazos.* ‖ **15.** fig. Dar a las cosas más precio o mayor estimación de la que tenían. *El cosechero* HA SUBIDO *el vino.* Ú. t. c. intr. *El pan* HA SUBIDO. ‖ **subirse a predicar.** fr. fig. y fam. Dicho del vino, **subirse a la cabeza.**

súbitamente. adv. m. De manera súbita.

subitáneamente. adv. m. De un modo subitáneo.

subitáneo, a. (Del lat. *subitaneus.*) adj. Que sucede súbitamente.

súbito, ta. (Del lat. *subĭtus.*) adj. Improvisto, repentino. ‖ **2.** Precipitado, impetuoso o violento en las obras o palabras. ‖ **3.** adv. m. De repente, súbitamente. ‖ **de súbito.** loc. adv. De repente, súbitamente.

subjectar. (Del lat. *subiectāre.*) tr. ant. **sujetar.**

subjefe. m. El que hace las veces de jefe y sirve a sus órdenes.

subjetividad. f. Cualidad de subjetivo.

subjetivismo. m. Predominio de lo subjetivo.

subjetivista. adj. Perteneciente o relativo al subjetivismo.

subjetivo, va. (Del lat. *subiectīvus.*) adj. Perteneciente o relativo al sujeto, considerado en oposición al mundo externo. ‖ **2.** Relativo a nuestro modo de pensar o de sentir, y no al objeto en sí mismo.

subjeto. (Del lat. *subiectus.*) m. ant. **sujeto.**

sub júdice. *Der.* loc. lat. con que se denota que una cuestión está pendiente de una resolución. ‖ **2.** fig. Dícese de toda cuestión opinable, sujeta a discusión. En esta palabra la *j* latina debe pronunciarse como *i* latina o *ye.*

subjugar. (Del lat. *subiugāre.*) tr. ant. Dominar, sojuzgar.

subjuntivo, va. (Del lat. *subiunctivus.*) adj. *Gram.* V. **modo subjuntivo.** Ú. t. c. s.

subjuzgar. tr. ant. Dominar, sojuzgar. Usáb. t. c. prnl.

sublevación. (Del lat. *sublevatĭo, -ōnis.*) f. Acción y efecto de sublevar o sublevarse.

sublevamiento. m. **sublevación.**

sublevar. (Del lat. *sublevāre.*) tr. Alzar en sedición o motín. SUBLEVAR *a los soldados, al pueblo.* Ú. t. c. prnl. ‖ **2.** fig. Excitar indignación, promover sentimiento de protesta.

sublimable. adj. Que puede ser sublimado.

sublimación. f. Acción y efecto de sublimar.

sublimado, da. p. p. de **sublimar.** ‖ **2.** adj. V. **argento vivo sublimado.** ‖ **3.** m. *Quím.* Sustancia obtenida por sublimación. ‖ **4.** *Quím.* **sublimado corrosivo.** ‖ **corrosivo.** *Quím.* Sustancia blanca, cristalina, volátil y venenosa, soluble en agua caliente y usada en medicina sobre todo como desinfectante enérgico. Es combinación de dos equivalentes de cloro con uno de mercurio y se obtiene por la unión directa de sus dos elementos.

sublimar. (Del lat. *sublimāre.*) tr. Engrandecer, exaltar, ensalzar o poner en altura. ‖ **2.** *Fís.* Pasar directamente, esto es, sin derretirse, del estado sólido al estado de vapor. Ú. t. c. prnl. El hielo y la nieve se **subliman** cuando sopla viento muy seco, aunque la temperatura sea muy inferior a 0° C.

sublimatorio, ria. adj. *Fís.* Perteneciente o relativo a la sublimación.

sublime. (Del lat. *sublīmis.*) adj. Excelso, eminente, de elevación extraordinaria. Se emplea más en sentido figurado aplicado a cosas morales o intelectuales, y dícese especialmente de las concepciones mentales o de las producciones literarias y artísticas o de lo que en ellas tiene por caracteres distintivos grandeza y sencillez admirables. Aplícase también a las personas. *Orador, escritor, pintor* SUBLIME.

sublimemente. adv. m. De manera sublime.

sublimidad. (Del lat. *sublimĭtas, -ātis.*) f. Cualidad de sublime.

subliminal. (De *sub-* y el lat. *limen, -ĭnis,* umbral.) adj. Dícese de la idea, emoción o sensación que, por demasiado débiles, o por otras causas, no llegan a ser percibidas por la conciencia.

sublingual. (Del lat. *sublingua,* parte inferior de la lengua.) adj. *Anat.* Perteneciente o relativo a la región inferior de la lengua.

sublunar. (Del lat. *sublunāris.*) adj. Que está debajo de la Luna. Se suele aplicar al globo que habitamos. *Este mundo* SUBLUNAR.

submarinismo. m. Conjunto de las actividades que se realizan bajo la superficie del mar, con fines científicos, deportivos, militares, etc.

submarinista. adj. Que practica el submarinismo. Ú. t. c. s. ‖ **2.** Perteneciente o relativo al submarinismo. ‖ **3.** m. Individuo de la Armada especializado en el servicio de submarinos.

submarino, na. (De *sub-* y *marino.*) adj. Que está o se efectúa bajo la superficie del mar. ‖ **2.** V. **cable submarino.** ‖ **3.** V. **mina submarina.** ‖ **4.** Perteneciente o relativo a lo que está o se efectúa debajo de la superficie del mar. *Topografía* SUBMARINA. ‖ **5.** m. **buque submarino.**

submaxilar. (De *sub-* y el lat. *maxilla,* mandíbula inferior.) adj. *Anat.* Dícese de lo que está debajo de la mandíbula inferior.

subministración. f. **suministración.**

subministrador, ra. adj. **suministrador.** Ú. t. c. s.

subministrar. tr. **suministrar.**

submúltiplo, pla. (Del lat. *submultĭplus.*) adj. *Mat.* Aplícase al número o cantidad que otro u otra contiene exactamente dos o más veces. Ú. t. c. s.

subnitrato. m. *Quím.* Nitrato básico.

subnormal. adj. Inferior a lo normal. ‖ **2.** Dícese de la persona afecta de una deficiencia mental de carácter patológico. Ú. t. c. s.

subnota. f. *Impr.* Nota puesta a otra nota de un escrito o impreso.

suboficial. m. Categoría militar comprendida entre las de oficial y sargento, creada para atender al servicio administrativo de cada compañía o unidad equivalente, y asumir, de ordinario, el mando militar de una sección.

suborden. m. *Bot.* y *Zool.* Cada uno de los grupos taxonómicos en que se dividen los órdenes de plantas y animales.

subordinación. (Del lat. *subordinatĭo, -ōnis.*) f. Sujeción a la orden, mando o dominio de uno. ‖ **2.** *Gram.* Relación de dependencia entre dos elementos de categoría gramatical diferente, como el sustantivo y el adjetivo, la preposición y su régimen, etc. ‖ **3.** *Gram.* Relación entre dos oraciones, una de las cuales es dependiente de la otra.

subordinadamente. adv. m. Con subordinación.

subordinado, da. p. p. de **subordinar.** ‖ **2.** adj. Dícese de la persona sujeta a otra o dependiente de ella. Ú. m. c. s. ‖ **3.** *Gram.* Se dice de todo elemento gramatical regido o gobernado por otro, como el adjetivo por el sustantivo, el nombre por la preposición, etc. Ú. t. c. s. ‖ **4.** f. *Gram.* Oración que depende de otra. Ú. t. c. adj.

subordinante. p. a. de **subordinar.** Que subordina. ‖ **2.**

adj. *Gram.* Se dice de todo elemento que rige o gobierna otro de diferente categoría, como el sustantivo al adjetivo, la preposición al nombre, el verbo al adverbio, etc. Ú. t. c. s. ‖ **3.** f. *Gram.* Oración de la que otra depende.

subordinar. (De *sub-* y el lat. *ordināre*, ordenar.) tr. Sujetar personas o cosas a la dependencia de otras. Ú. t. c. prnl. ‖ **2.** Clasificar algunas cosas como inferiores en orden respecto de otras. ‖ **3.** *Gram.* Regir un elemento gramatical a otro de categoría diferente, como la preposición al nombre, el sustantivo al adjetivo, etc. Ú. t. c. prnl. ‖ **4.** prnl. *Gram.* Estar una oración en dependencia de otra. Ú. t. c. tr.

subprefecto. (Del lat. *subpraefectus*.) m. Jefe o magistrado inmediatamente inferior al prefecto.

subprefectura. (Del lat. *subpraefectūra*.) f. Cargo de subprefecto. ‖ **2.** Oficina del subprefecto.

subproducto. m. En cualquier operación, el producto que en ella se obtiene además del principal. Suele ser de menor valor que éste.

subranquial. adj. *Zool.* Situado debajo de las branquias. *Aleta* SUBRANQUIAL. ‖ **2.** *Zool.* V. **malacopterigio subranquial.**

subrayable. adj. Que puede o merece ser subrayado.

subrayado, da. p. p. de **subrayar.** ‖ **2.** adj. Dícese de la letra, palabra o frase que en lo impreso va de carácter cursivo o de otro distinto del empleado generalmente en la impresión. ‖ **3.** m. Acción y efecto de subrayar.

subrayar. tr. Señalar por debajo con una raya alguna letra, palabra o frase escrita, para llamar la atención sobre ella o con cualquier otro fin. ‖ **2.** fig. **recalcar,** pronunciar con énfasis y fuerza las palabras.

subreino. m. *Zool.* Cada uno de los dos grupos taxonómicos en que se divide el reino animal.

subrepción. (Del lat. *subreptĭo, -ōnis*.) f. Acción oculta y a escondidas. ‖ **2.** *Der.* Ocultación de un hecho para obtener lo que de otro modo no se conseguiría.

subrepticiamente. adv. m. De manera subrepticia.

subrepticio, cia. (Del lat. *subreptitĭus*.) adj. Que se pretende u obtiene con subrepción. ‖ **2.** Que se hace o toma ocultamente y a escondidas.

subrigadier. m. Oficial que desempeña las funciones de sargento segundo en el cuerpo de guardias de la persona del rey. ‖ **2.** *Mar.* En las antiguas compañías de guardias marinas, el que ejercía las funciones de cabo subordinado al brigadier; y hoy, en escuelas navales, el aspirante dignidato subordinado y auxiliar del brigadier.

subrogación. (Del lat. *subrogatĭo, -ōnis*.) f. Acción y efecto de subrogar o subrogarse.

subrogar. (Del lat. *subrogāre*.) tr. *Der.* Sustituir o poner una persona o cosa en lugar de otra. Ú. t. c. prnl.

subsanable. adj. Que puede subsanarse.

subsanación. f. Acción y efecto de subsanar.

subsanar. tr. Disculpar o excusar un desacierto o delito. ‖ **2.** Reparar o remediar un defecto, o resarcir un daño.

subscapular. (De *sub-* y el lat. *scapŭlae*, los hombros.) adj. *Anat.* V. **músculo subscapular.** Ú. t. c. s.

subscribir. (Del lat. *subscribĕre*.) tr. **suscribir.** Ú. t. c. prnl.

subscripción. (Del lat. *subscriptĭo, -ōnis*.) f. **suscripción.**

subscripto, ta. (Del lat. *subscriptus*.) p. p. irreg. **suscrito.**

subscriptor, ra. (Del lat. *subscriptor, -ōris*.) m. y f. **suscriptor.**

subscrito, ta. p. p. irreg. de **subscribir.**

subscritor, ra. m. y f. **suscriptor.**

subsecretaría. f. Empleo de subsecretario. ‖ **2.** Oficina del subsecretario.

subsecretario, ria. m. y f. Persona que hace las veces del secretario. ‖ **2.** Secretario general de un ministro o de una antigua secretaría del Despacho.

subsecuente. (Del lat. *subsĕquens, -entis*.) adj. **subsiguiente.**

subseguir. intr. Seguir una cosa inmediatamente a otra. Ú. t. c. prnl.

subseyente. (Del lat. *subsĭdens, -entis*, que está después.) adj. ant. Que está después.

subsidencia. (Del lat. *subsidentia*.) f. *Geol.* Hundimiento paulatino del suelo, originado por las cavidades subterráneas producidas por las extracciones mineras.

subsidiar. (De *subsidio*.) tr. Conceder subsidio a alguna persona o entidad.

subsidiariamente. adv. m. Por vía de subsidio. ‖ **2.** *Der.* De un modo subsidiario.

subsidiaridad. (De *subsidiario*.) f. **subsidiariedad.**

subsidiariedad. (De *subsidiario*.) f. *Sociol.* Tendencia favorable a la participación subsidiaria del Estado en apoyo de las actividades privadas o comunitarias.

subsidiario, ria. (Del lat. *subsidiarĭus*.) adj. Que se da o se manda en socorro o subsidio de uno. ‖ **2.** Aplícase a la acción o responsabilidad que suple o robustece a otra principal.

subsidio. (Del lat. *subsidĭum*.) m. Socorro, ayuda o auxilio extraordinario de carácter económico. ‖ **2.** desus. Cierto auxilio concedido por la Sede apostólica a los reyes de España sobre las rentas eclesiásticas de sus reinos. ‖ **3.** Contribución impuesta al comercio y a la industria.

subsiguiente. p. a. de **subseguir.** Que subsigue. ‖ **2.** adj. Que sigue inmediatamente a aquello que se expresa o sobreentiende.

subsistencia. (Del lat. *subsistentĭa*.) f. Vida, acción de vivir un ser humano. ‖ **2.** Permanencia, estabilidad y conservación de las cosas. ‖ **3.** Conjunto de medios necesarios para el sustento de la vida humana. Ú. m. en pl. ‖ **4.** *Fil.* Complemento último de la sustancia, o acto por el cual una sustancia se hace incomunicable a otra.

subsistir. (Del lat. *subsistĕre*.) intr. Permanecer, durar una cosa o conservarse. ‖ **2.** Mantener la vida, seguir viviendo. ‖ **3.** *Fil.* Existir una sustancia con todas las condiciones propias de su ser y de su naturaleza.

subsolador. m. Apero para subsolar.

subsolano. (Del lat. *subsolānus*.) m. Viento que viene del este[1].

subsolar. (De *subsuelo*.) tr. Remover el suelo por debajo de la capa arable, o roturar a bastante profundidad, sin voltear la tierra.

substancia. (Del lat. *substantĭa*.) f. **sustancia.**

substanciación. f. **sustanciación.**

substancial. (Del lat. *substantiālis*.) adj. **sustancial.**

substancialmente. adv. m. **sustancialmente.**

substanciar. tr. **sustanciar.**

substancioso, sa. adj. **sustancioso.**

substantivación. f. **sustantivación.**

substantivamente. adv. m. **sustantivamente.**

substantivar. tr. *Gram.* **sustantivar.** Ú. t. c. prnl.

substantividad. f. **sustantividad.**

substantivo, va. adj. **sustantivo.** Ú. t. c. s.

substitución. (Del lat. *substitutĭo, -ōnis*.) f. **sustitución.**

substituible. adj. **sustituible.**

substituidor, ra. adj. **sustituidor.** Ú. t. c. s.

substituir. (Del lat. *substituĕre*.) tr. **sustituir.**

substitutivo, va. adj. **sustitutivo.**

substituto, ta. (Del lat. *substitūtus*.) p. p. irreg. de **substituir.** ‖ **2.** m. y f. **sustituto.**

substracción. f. **sustracción.**

substractivo, va. adj. **sustractivo.**

substraendo. m. *Arit.* **sustraendo.**

substraer. (Del lat. *substrahĕre*, con *-s-* epentética, sacada acaso del verbo *extraer*.) tr. **sustraer.**

substrato. (Del lat. *substrātum*, de *substerno*.) m. **sustrato.**

subsuelo. m. Terreno que está debajo de la capa labrantía o laborable o en general debajo de una capa de tierra. ‖ **2.** Parte profunda del terreno a la cual no llegan los aprovechamientos superficiales de los predios y en donde las leyes consideran estatuido el dominio público, facultando a la autoridad gubernativa para otorgar concesiones mineras.

subsumir. (De *sub-* y el lat. *sumĕre,* tomar.) tr. Incluir algo como componente en una síntesis o clasificación más abarcadora. ‖ **2.** Considerar algo como parte de un conjunto más amplio o como caso particular sometido a un principio o norma general.

subte. m. *Argent.* **subterráneo,** tren de circulación urbana.

subtender. (Del lat. *subtendĕre.*) tr. *Geom.* Unir una línea recta los extremos de un arco de curva o de una línea quebrada.

subtenencia. f. Empleo de subteniente.

subteniente. m. **segundo teniente.**

subtensa. (Del lat. *subtensa,* extendida.) f. *Geom.* Cuerda de un arco.

subtenso, sa. (Del lat. *subtensus.*) p. p. irreg. de **subtender.**

subterfugio. (Del lat. *subterfugĭum.*) m. Efugio, escapatoria, excusa artificiosa.

subterráneamente. adv. m. Por debajo de tierra.

subterráneo, a. (Del lat. *subterranĕus.*) adj. Que está debajo de tierra. ‖ **2.** m. Cualquier lugar o espacio que está debajo de tierra. ‖ **3.** *Argent.* Ferrocarril **subterráneo.** ‖ **4.** *Argent.* Por ext., conjunto de instalaciones que posibilitan su funcionamiento.

subtilizar. (Del lat. *subtīlis,* sutil.) tr. ant. **sutilizar.**

subtipo. m. *Bot.* y *Zool.* Cada uno de los grupos taxonómicos en que se dividen los tipos de plantas y de animales.

subtitular. tr. Escribir subtítulos. ‖ **2.** Incorporar subtítulos a un filme.

subtítulo. m. Título secundario que se pone a veces después del título principal. ‖ **2.** Letrero que, al proyectarse un filme, aparece en la parte inferior de la imagen, normalmente con la versión del texto hablado de la película.

subtraer. (Del lat. *subtrahĕre.*) tr. ant. **sustraer.** Usáb. t. c. prnl.

suburbano, na. (Del lat. *suburbānus.*) adj. Aplícase al edificio, terreno o campo próximo a la ciudad. Ú. t. c. s. ‖ **2.** Perteneciente o relativo a un suburbio. ‖ **3.** m. Habitante de un suburbio. ‖ **4.** **ferrocarril suburbano.**

suburbicario, ria. (Del lat. *suburbicarĭus.*) adj. Perteneciente a las diócesis que componen la provincia eclesiástica de Roma.

suburbio. (Del lat. *suburbĭum.*) m. Barrio o arrabal cerca de la ciudad o dentro de su jurisdicción.

suburense. adj. Natural de la antigua Subur, hoy Sitges. Ú. t. c. s. ‖ **2.** Perteneciente o relativo a esta población.

subvención. (Del lat. *subventĭo, -ōnis.*) f. Acción y efecto de subvenir. ‖ **2.** Cantidad con que se subviene.

subvencionar. tr. Favorecer con una subvención.

subvenio. (De *subvenir.*) m. ant. Acción y efecto de subvenir.

subvenir. (Del lat. *subvenīre.*) intr. Venir en auxilio de alguno o acudir a las necesidades de alguna cosa.

subversión. (Del lat. *subversĭo, -ōnis.*) f. Acción y efecto de subvertir o subvertirse.

subversivo, va. (Del lat. *subversum,* supino; de *subvertĕre,* subvertir.) adj. Capaz de subvertir, o que tiende a ello. Aplícase especialmente a lo que tiende a subvertir el orden público.

subversor, ra. (Del lat. *subversor, -ōris.*) adj. Que subvierte. Ú. t. c. s.

subvertir. (Del lat. *subvertĕre.*) tr. Trastornar, revolver, destruir. Ú. más en sent. moral.

subyacente. (Del lat. *subiacens, -entis.*) adj. Que subyace.

subyacer. (Del lat. *subiacere.*) intr. Yacer o estar debajo de algo. ‖ **2.** fig. Estar algo oculto tras otra cosa. *Lo que* SUBYACE *tras su comportamiento es un gran miedo a lo desconocido.*

subyugable. adj. Que se puede subyugar.

subyugación. (Del lat. *subiugatĭo, -ōnis.*) f. Acción y efecto de subyugar o subyugarse.

subyugador, ra. (Del lat. *subiugātor, -ōris.*) adj. Que subyuga. Ú. t. c. s.

subyugar. (Del lat. *subiugāre.*) tr. Avasallar, sojuzgar, dominar poderosa o violentamente. Ú. t. c. prnl.

succino. (Del lat. *succĭnum.*) m. **ámbar.**

succión. (Del lat. *suctum,* supino de *sugĕre,* chupar.) f. Acción de chupar.

succionar. tr. Chupar, extraer algún jugo o cosa análoga con los labios. ‖ **2.** Absorber.

sucedáneo, a. (Del lat. *succedanĕus,* sucesor, substituto.) adj. Dícese de la sustancia que, por tener propiedades parecidas a las de otra, puede reemplazarla. Ú. m. c. s. m.

suceder. (Del lat. *succedĕre.*) intr. Entrar una persona o cosa en lugar de otra o seguirse a ella. ‖ **2.** Entrar como heredero o legatario en la posesión de los bienes de un difunto. ‖ **3.** Descender, proceder, provenir. ‖ **4.** impers. Efectuarse un hecho, acontecer, ocurrir.

sucedido, da. p. p. de **suceder.** ‖ **2.** m. fam. Cosa que sucede, suceso.

sucedumbre. (De *sucio.*) f. ant. **suciedad.**

sucentor. (Del lat. *succentor, -ōris.*) m. ant. **sochantre.**

sucesible. adj. Dícese de aquello que es susceptible de sucesión.

sucesión. (Del lat. *successĭo, -ōnis.*) f. Acción y efecto de suceder. ‖ **2.** Entrada o continuación de una persona o cosa en lugar de otra. ‖ **3.** Prosecución, continuación ordenada de personas, cosas, sucesos, etc. ‖ **4.** Entrada como heredero o legatario en la posesión de los bienes de un difunto. ‖ **5.** Descendencia o procedencia de un progenitor. ‖ **6.** Conjunto de bienes, derechos y obligaciones transmisibles a un heredero o legatario. ‖ **7.** Prole, descendencia directa. ‖ **8.** *Mat.* Conjunto ordenado de términos, que cumplen una ley determinada. ‖ **convergente.** *Mat.* Aquella que tiene límite. ‖ **forzosa.** *Der.* La que está ordenada preceptivamente, de modo que el causante no pueda variarla ni estorbarla. ‖ **intestada.** *Der.* La que se verifica por ministerio de la ley y no por testamento. ‖ **testada.** *Der.* La que se defiere y regula por la voluntad del causante, declarada con las solemnidades que exige la ley. ‖ **universal.** *Der.* La que transmite al heredero la totalidad o una parte alícuota de la personalidad civil y del haber íntegro del causante, haciéndole continuador o partícipe de cuantos bienes, derechos y obligaciones tenía este al morir. ‖ **deferirse la sucesión.** fr. *Der.* Efectuarse el derecho de la transmisión sucesoria.

sucesivamente. adv. m. Sucediendo o siguiéndose una persona o cosa a otra.

sucesivo, va. (Del lat. *successivus.*) adj. Dícese de lo que sucede o se sigue a otra cosa. ‖ **en lo sucesivo.** loc. adv. En el tiempo que ha de seguir al momento en que se está.

suceso. (Del lat. *successus.*) m. Cosa que sucede, especialmente cuando es de alguna importancia. ‖ **2.** Transcurso o discurso del tiempo. ‖ **3.** Éxito, resultado, término de un negocio. ‖ **4.** Hecho delictivo o accidente desgraciado.

sucesor, ra. (Del lat. *successor, -ōris.*) adj. Que sucede a uno o sobreviene en su lugar, como continuador de él. Ú. t. c. s.

sucesorio, ria. adj. Perteneciente o relativo a la sucesión. ‖ **2.** V. **pacto sucesorio.**

suciamente. adv. m. Con suciedad.

suciedad. f. Cualidad de sucio. ‖ **2.** Inmundicia, porquería. ‖ **3.** fig. Dicho o hecho sucio.

sucinda. f. *Sal.* **alondra.**

sucintamente. adv. m. De modo sucinto o compendioso.

sucintarse. (De *sucinto.*) prnl. Ceñirse, ser sucinto.

sucinto, ta. (Del lat. *succinctus,* p. p. de *succingĕre,* ceñir.) adj. p. us. Recogido o ceñido por abajo. ‖ **2.** Breve, compendioso.

sucio, cia. (Del lat. *sucĭdus,* jugoso, mugriento.) adj. Que tiene manchas o impurezas. ‖ **2.** V. **billa, patente, resma sucia.** ‖ **3.** V. **manos sucias.** ‖ **4.** Que se ensucia fácilmente. ‖ **5.** Que produce suciedad. *Ese perro es muy* SUCIO. ‖ **6.** fig. Manchado con pecados o con imperfecciones. ‖ **7.** fig. Deshonesto u obsceno en acciones o palabras. ‖ **8.** fig. Dícese del color confuso y turbio. ‖ **9.** fig. Con daño, infección, imperfección o impureza. *Lazareto* SUCIO; *viento* SUCIO; *labor* SUCIA. ‖ **10.** adv. m. fig. Hablando de algunos juegos, sin la debida observancia de sus reglas y leyes propias.

suco[1]. (Del lat. *succus.*) m. ant. **jugo.** Ú. en Aragón y Murcia.

suco[2]. m. *Bol.* y *Venez.* Terreno fangoso.

sucoso, sa. (Del lat. *succōsus.*) adj. **jugoso.**

sucotrino. (De *Socotora,* isla de África.) adj. V. **áloe sucotrino.**

sucre. (De Antonio José de *Sucre,* general venezolano.) m. Unidad monetaria de Ecuador.

sucrense. adj. Natural de Sucre. Ú. t. c. s. ‖ **2.** Perteneciente o relativo a las ciudades, municipios, departamentos o estados que en Bolivia, Colombia o Venezuela llevan este nombre.

sucreño, ña. adj. Natural de algunos de los municipios o departamentos que en Hispanoamérica llevan el nombre de Sucre. Ú. t. c. s. ‖ **2.** Perteneciente o relativo a dichos territorios.

sucu. m. *Vizc.* Gachas de harina de maíz con leche.

súcubo. (Del lat. **succŭbus,* según *incŭbus.*) adj. Dícese del espíritu, diablo o demonio que, según la superstición vulgar, tiene comercio carnal con un varón, bajo la apariencia de mujer.

sucucho. m. Rincón, ángulo entrante que forman dos paredes. ‖ **2.** *Amér.* **socucho.** ‖ **3.** *Mar.* Rincón estrecho que queda en las partes más cerradas de los ligazones de un buque.

súcula. (Del lat. *sucŭla.*) f. **torno,** cilindro al que se arrolla una cuerda a cuyo extremo va la resistencia.

suculentamente. adv. m. De modo suculento.

suculento, ta. (Del lat. *succulentus.*) adj. Jugoso, sustancioso, muy nutritivo.

sucumbir. (Del lat. *succumbĕre.*) intr. Ceder, rendirse, someterse. ‖ **2.** Morir, perecer. ‖ **3.** *Der.* Perder el pleito.

sucursal. (Del lat. *succursus,* socorro, auxilio.) adj. Dícese del establecimiento que, situado en distinto lugar que la central de la cual depende, desempeña las mismas funciones que esta. Ú. t. c. s. f.

sucusumucu (a lo). loc. adv. *Col., Cuba* y *P. Rico.* **a la chiticallando.**

suche. adj. *Venez.* Agrio, duro, sin madurar. ‖ **2.** m. *Ecuad.* y *Perú.* **súchil,** árbol. ‖ **3.** p. us. *Argent.* Granillo o barro del rostro. ‖ **4.** despect. *Chile* y *Nicar.* Empleado de última categoría, subalterno.

súchel. m. *Cuba.* **súchil.**

súchil. (Del nahua *xochitl,* flor.) m. *Méj.* Árbol pequeño de la familia de las apocináceas, de ramas tortuosas, hojas lanceoladas y lustrosas con largos pecíolos lechosos y flores de cinco pétalos blancos con listas encarnadas; la madera sirve para construcciones.

sud. (Del ing. medio *sŭth, south.*) m. **sur.** Es forma usada en composición, SUDoeste, SUDamericano.

sud-. (Del ing. medio *sŭth.*) elem. compos. que significa «sur»: SUDoeste, SUDamericano.

sudación. (Del lat. *sudatĭo, -ōnis.*) f. Exudación. ‖ **2.** Exhalación de sudor, especialmente la abundante provocada con fines terapéuticos.

sudadera. f. **sudadero.** ‖ **2.** fam. Sudor copioso.

sudadero. m. Lienzo con que se limpia el sudor. ‖ **2.** Manta pequeña que se pone a las cabalgaduras debajo de la silla o aparejo. ‖ **3.** Lugar en el baño, destinado para sudar. ‖ **4.** Lugar por donde se rezuma el agua a gotas. ‖ **5.** *And., Ar.* y *Extr.* **bache[2].**

sudafricano, na. adj. Natural del África del Sur. Ú. t. c. s. ‖ **2.** Perteneciente o relativo a esta parte de África. ‖ **3.** Natural de la República de Sudáfrica. Ú. t. c. s. ‖ **4.** Perteneciente o relativo a esta república.

sudamericano, na. adj. **suramericano.**

sudamina. (Del lat. *sudāre,* sudar.) f. *Pat.* Erupción de innumerables vejigas blancas que se manifiesta después de una copiosa transpiración.

sudanés, sa. adj. Natural del Sudán. Ú. t. c. s. ‖ **2.** Perteneciente o relativo a esta región de África.

sudante. p. a. de **sudar.** Que suda. Ú. t. c. s.

sudar. (Del lat. *sudāre.*) intr. Exhalar el sudor. Ú. t. c. tr. ‖ **2.** fig. Destilar los árboles, plantas y frutos algunas gotas de su jugo. SUDAR *las castañas, el café, después de tostados.* Ú. t. c. tr. ‖ **3.** fig. Destilar agua a través de sus poros algunas cosas impregnadas de humedad. SUDA *la pared, un botijo.* ‖ **4.** fig. y fam. Trabajar con fatiga o desvelo, física o moralmente. ‖ **5.** tr. Empapar en sudor. ‖ **6.** fig. y fam. Dar una cosa, especialmente con repugnancia. *Me ha hecho* SUDAR *cien pesetas.*

sudario. (Del lat. *sudarĭum.*) m. Lienzo que se pone sobre el rostro de los difuntos o en que se envuelve el cadáver. ‖ **2.** desus. **sudadero,** lienzo con que se limpia el sudor. ‖ **Santo Sudario.** Sábana o lienzo con que José de Arimatea cubrió el cuerpo de Cristo cuando lo bajó de la cruz.

sudatorio, ria. (Del lat. *sudatorĭus.*) adj. **sudorífico.**

sudestada. (De *sudeste.*) f. *Argent.* Viento fuerte que desde el sudeste impulsa el Río de la Plata sobre la costa. Suele acompañar un temporal de lluvias.

sudeste. m. Punto del horizonte entre el Sur y el Este, a igual distancia de ambos. ‖ **2.** Viento que sopla de esta parte.

sudista. adj. Dícese del partidario de los Estados del Sur en la guerra de secesión de los Estados Unidos de América. Ú. t. c. s.

sudoeste. m. Punto del horizonte entre el Sur y el Oeste, a igual distancia de ambos. ‖ **2.** Viento que sopla de esta parte.

sudor. (Del lat. *sudor, -ōris.*) m. Líquido claro y transparente que segregan las glándulas sudoríparas de la piel de los mamíferos y cuya composición química es parecida a la de la orina. ‖ **2.** fig. Jugo que sudan las plantas. ‖ **3.** fig. Gotas que salen y se destilan de las peñas u otras cosas que contienen humedad. ‖ **4.** fig. Trabajo y fatiga. ‖ **5.** pl. desus. Remedio y curación que se hace en los enfermos, especialmente en los que padecen el mal venéreo, aplicándoles medicinas que los obligan a sudar copiosa o frecuentemente. ‖ **diaforético.** *Fisiol.* **sudor** disolutivo, continuo y copioso que acompaña a ciertas calenturas. ‖ **un sudor se le iba y otro se le venía.** fr. que se aplica para encarecer la confusión o apuro en que uno se halla.

sudoral. adj. Perteneciente o relativo al sudor.

sudoriento, ta. adj. Sudado, humedecido con el sudor.

sudorífero, ra. (Del lat. *sudorĭfer, -ĕri;* de *sudor,* sudor, y *ferre,* llevar, producir.) adj. **sudorífico.** Ú. t. c. s. m.

sudorífico, ca. (Del lat. *sudor, -ōris,* sudor, y *facĕre,* hacer.)

adj. Aplícase al medicamento que hace sudar. Ú. t. c. s. m.

sudorípara. (Del lat. *sudor, -ōris,* y *parĕre,* parir, producir.) adj. *Fisiol.* Dícese de la glándula que segrega el sudor.

sudoroso, sa. adj. Que está sudando mucho. ‖ **2.** Muy propenso a sudar.

sudoso, sa. adj. Que tiene sudor.

sudsudeste. m. Punto del horizonte que media entre el Sur y el Sudeste. ‖ **2.** Viento que sopla de esta parte.

sudsudoeste. m. Punto del horizonte que media entre el Sur y el Sudoeste. ‖ **2.** Viento que sopla de esta parte.

sudueste. m. **sudoeste.**

suecano, na. adj. Natural de Sueca. Ú. t. c. s. ‖ **2.** Perteneciente o relativo a este pueblo de la provincia de Valencia.

sueco¹, ca. (Del lat. *suecus.*) adj. Natural u oriundo de Suecia. Ú. t. c. s. ‖ **2.** Perteneciente o relativo a esta nación de Europa. ‖ **3.** m. Idioma **sueco,** uno de los dialectos del nórdico.

sueco², ca. (Del lat. *soccus,* tronco, tocón.) m. y f. **hacerse uno el sueco.** fr. fig. y fam. Desentenderse de una cosa; fingir que no se entiende.

suegra. (Del lat. *socra.*) f. Madre del marido respecto de la mujer, o de la mujer respecto del marido. ‖ **2.** Parte en la rosca del pan, que corresponde a los extremos del rollo de masa y suele ser lo más delgado y cocido. ‖ **3.** *Can.* Rodete para llevar peso sobre la cabeza. ‖ **lo que ve la suegra.** fr. fig. y fam. que se dice de la limpieza y arreglo de la casa, cuando se ejecuta por cima y ligeramente, atendiendo solo a remediar lo que está más a la vista.

suegro. (Del lat. *socrus,* suegro.) m. Padre del marido respecto de la mujer; o de la mujer respecto del marido.

suela. (Del lat. *solĕa.*) f. Parte del calzado que toca al suelo, hecha regularmente de cuero fuerte y adobado. ‖ **2.** Cuero vacuno curtido. ‖ **3.** Pedazo de cuero que se pega a la punta del taco con que se juega al billar. ‖ **4. lenguado,** pez. ‖ **5.** Zócalo, cuerpo inferior de un edificio u obra. ‖ **6.** fig. Madero que se pone debajo de un tabique para levantarlo. ‖ **7.** pl. En algunas órdenes religiosas, **sandalias.** ‖ **correjel. suela** que se fabrica en Inglaterra, y por extensión, la que se fabrica en otras partes, que imita el curtido que se le da en aquel reino. ‖ **bañado de suela.** loc. adj. fig. Dícese del calzado cuya **suela** es más ancha de lo que pide la planta del pie. ‖ **de tres, de cuatro, o de siete, suelas.** loc. adj. fig. y fam. Fuerte, sólido; notable en su línea. *Pícaro* DE SIETE SUELAS. ‖ **media suela.** Pieza de cuero con que se remienda el calzado y que cubre la planta desde el enfranque a la punta. ‖ **no llegarle a uno a la suela del zapato.** fr. fig. y fam. Ser muy inferior a él en alguna prenda o habilidad.

suelda. f. **consuelda,** hierba. ‖ **2.** desus. Acción y efecto de soldar.

sueldacostilla. f. Planta de la familia de las liliáceas, con bohordo central de dos a tres decímetros, hojas radicales erguidas, estrechas y casi tan largas como aquel; flores en corimbo laxo, blancas con una línea verde en el dorso de cada pétalo; fruto capsular casi esférico, negro y brillante, y raíz de varios bulbos con una cubierta escamosa. Es común en España.

sueldo. (Del lat. *sŏlĭdus.*) m. Moneda antigua, de distinto valor según los tiempos y países, igual a la vigésima parte de la libra respectiva. ‖ **2. sólido,** antigua moneda romana. ‖ **3.** Remuneración asignada a un individuo por el desempeño de un cargo o servicio profesional. ‖ **a libra. sueldo por libra.** ‖ **bueno, o burgalés.** Moneda antigua de Castilla, que valía 12 dineros de 4 meajas. ‖ **de oro.** Moneda bizantina que equivalía a un sexto de onza. ‖ **menor. ochosén.** ‖ **por libra.** Derecho sobre un capital determinado, en proporción de 1 a 20. ‖ **regulador.** El mayor de los que ha percibido un funcionario y que sirve de base para regular

los haberes pasivos de aquel o de su familia. ‖ **a sueldo.** loc. adv. Mediante retribución fija.

suelo. (Del lat. *solum.*) m. Superficie de la tierra. ‖ **2.** Terreno en que viven o pueden vivir las plantas. ‖ **3.** fig. Superficie inferior de algunas cosas; como la del pan, de las vasijas, etc. ‖ **4.** Asiento o poso que deja en el fondo una materia líquida. ‖ **5.** Sitio o solar de un edificio. ‖ **6.** Superficie artificial que se hace para que el piso esté sólido y llano. ‖ **7.** Piso de un cuarto o vivienda. ‖ **8.** Piso, hablando de los diferentes órdenes de cuartos o viviendas en que se divide la altura de una casa. ‖ **9.** Superficie terrestre de una nación o división de ella, territorio. ‖ **10.** Casco de las caballerías. ‖ **11.** ant. Ano u orificio. ‖ **12.** fig. Tierra o mundo. ‖ **13.** fig. Término, fin. ‖ **14.** *Der.* Terreno destinado a siembra o producciones herbáceas, en oposición al arbolado o vuelo del mismo. ‖ **15.** pl. Grano que, recogida la parva, queda en la era y se junta con una escoba para poderlo aprovechar. ‖ **16.** Paja o grano que queda de un año a otro en los pajares o en los graneros. ‖ **natal. patria.** ‖ **santo suelo.** El **suelo,** sin nada que atenúe el contacto con él. ‖ **arrastrarse** uno **por el suelo.** fr. fig. y fam. Abatirse, humillarse, proceder con bajeza. ‖ **besar el suelo.** fr. fig. y fam. Caerse al **suelo** de bruces. ‖ **dar** uno **consigo en el suelo.** fr. Caerse en tierra. ‖ **dar en el suelo** con una cosa. fr. fig. Perderla o malpararla. ‖ **echarse** uno **por los suelos.** fr. fig. Humillarse o rendirse con exceso. ‖ **faltarle a** uno **el suelo.** fr. fig. Tropezar o caer. ‖ **hacer los suelos.** fr. *And.* Rozar el matorral o rastrojo que hay alrededor de los árboles para si ocurrir un incendio, evitar que se propague. ‖ **llevar de suelo y propiedad.** fr. fig. Haberse continuado y continuarse una cosa en los de una comunidad o familia, y ser ya como propiedad inseparable de ella. ‖ **medir** uno **el suelo.** fr. fig. Tender el cuerpo en él para descansar. ‖ **2.** Caerse a la larga. ‖ **no dejar caer en el suelo, o no llegar al suelo** una cosa. fr. fig. Reparar en ella, notarla inmediatamente. ‖ **no salir** uno **del suelo, o no vérsele en el suelo.** frs. figs. y fams. Ser muy pequeño de estatura. ‖ **por el suelo, o los suelos.** loc. adv. fig. que denota el desprecio con que se trata una cosa o el estado abatido en que se halla. ‖ **sin suelo.** loc. adv. fig. Con gran exceso o sin término, con descaro. ‖ **tener suelo** una vasija. fr. fig. y fam. con que uno da a entender que no pide todo lo que parece según la cavidad del vaso en que ha de llevarlo. ‖ **venir, o venirse, al suelo** una cosa. fr. **venir, o venirse, a tierra.**

suelta. f. Acción y efecto de soltar. ‖ **2.** Traba o maniota con que se atan las manos de las caballerías, para soltar a estas en el campo. ‖ **3.** Cierto número de bueyes que se llevan desuncidos en una carretería para suplir o remudar a los que van tirando. ‖ **4.** Sitio o paraje a propósito para soltar o desuncir los bueyes de las carreterías para darles pasto. ‖ **5.** ant. Remisión o perdón de una deuda. ‖ **dar suelta** a una cosa. fr. fig. Permitirle que por breve tiempo se espacie, divierta o salga de su retiro.

sueltamente. adv. m. Con soltura. ‖ **2.** Espontánea, voluntariamente.

suelto, ta. (Del lat. **solūtus,* por *solūtus.*) p. p. irreg. de **soltar.** ‖ **2.** adj. Ligero, veloz. ‖ **3.** Poco compacto, disgregado. ‖ **4.** Expedito, ágil o hábil en la ejecución de una cosa. ‖ **5.** Libre, atrevido y poco sujeto. ‖ **6.** Aplícase al que padece diarrea. ‖ **7.** Tratándose del lenguaje, estilo, etc., fácil, corriente. ‖ **8.** Separado y que no hace juego ni forma con otras cosas la unión debida. *Muebles* SUELTOS; *especies* SUELTAS. ‖ **9.** Aplícase al conjunto de monedas fraccionarias, y a cada pieza de esta clase. *Dinero* SUELTO; *una peseta* SUELTA. Ú. t. c. s. m. *No tengo* SUELTO. ‖ **10.** Dícese de lo que holgado, ancho. *Vestido* SUELTO. ‖ **11.** Que no está envasado o empaquetado. ‖ **12.** V. **hoja, pica suelta.** ‖ **13.** V. **verso suelto.** ‖ **14.** Aplícase al período o cláusula que se distingue por su fluidez. ‖ **15.** ant. Que no está casado, soltero, célibe. ‖ **16.** fig. y fam. V. **cabo suelto.** ‖ **17.** *Arq.* V. **columna suelta.** ‖ **18.** m. Cualquiera de los escritos insertos en un periódico que no tienen la extensión ni la importancia de los artículos ni son meras gacetillas.

sueno. (Del lat. *sonus.*) m. ant. **sonido.**

sueño. (Del lat. *somnus.*) m. Acto de dormir. ‖ **2.** Acto de representarse en la fantasía de uno, mientras duerme, sucesos o imágenes. ‖ **3.** Estos mismos sucesos o imágenes que se representan. ‖ **4.** Gana de dormir. *Tengo* SUEÑO; *me estoy cayendo de* SUEÑO. ‖ **5.** Cierto baile licencioso del siglo XVIII. ‖ **6.** fig. Cosa que carece de realidad o fundamento; en especial proyecto, deseo, esperanza, sin probabilidad de realizarse. ‖ **de las plantas.** Posición que adoptan las hojas, folíolos, pétalos, etc., en relación con las alternativas de día y noche, o con luz y calor muy intensos. ‖ **dorado.** fig. Anhelo, ilusión halagüeña, desiderátum. Ú. t. en pl. ‖ **eterno.** La muerte. ‖ **pesado.** fig. El que es muy profundo, dificultoso de desechar, o melancólico y triste. ‖ **caerse de sueño** uno. fr. fig. y fam. Estar acometido del **sueño,** sin poderlo resistir. ‖ **coger** uno **el sueño.** fr. Quedarse dormido. ‖ **conciliar** uno **el sueño.** fr. Conseguir dormirse. ‖ **decir** uno **el sueño y la soltura.** fr. fig. y fam. Referir con libertad y sin reserva todo lo que se ofrece, aun en las cosas inmodestas. ‖ **descabezar** uno **el sueño, o un sueño.** fr. fig. y fam. Quedarse dormido un breve rato sin acostarse en la cama. ‖ **dormir** uno **a sueño suelto.** fr. fig. Dormir tranquilamente. ‖ **echar un sueño.** fr. fam. Dormir breve rato. ‖ **el sueño de la liebre.** expr. fig. y fam. que se aplica a los que fingen o disimulan una cosa. ‖ **en sueños.** loc. adv. Estando durmiendo. ‖ **entre sueños.** loc. adv. Dormitando. ‖ **2. en sueños.** ‖ **espantar el sueño.** fr. fig. y fam. Estorbarlo, impedir o no dejar dormir. ‖ **guardar el sueño** a uno. fr. Cuidar de que no le despierten. ‖ **ni en sueños, o ni por sueños.** loc. adv. fig. y fam. con que se pondera que una cosa ha estado tan lejos de suceder o ejecutarse, que ni aun se ha ofrecido soñando. ‖ **no dormir sueño** uno. fr. Desvelarse, no poder coger el **sueño.** ‖ **quebrantar** uno **el sueño.** fr. fig. **descabezar el sueño.** ‖ **quitar el sueño** una cosa a uno. fr. fig. y fam. Preocuparle mucho. ‖ **tornarse, o volverse, el sueño al revés, o el sueño del perro.** fr. fig. y fam. Haberse descompuesto el logro de una pretensión o utilidad, el cual se tenía ya por seguro.

suero. (Del lat. **sorum,* por *serum.*) m. Parte de la sangre o de la linfa, que permanece líquida después de haberse producido el coágulo de estos humores, cuando han salido del organismo. ‖ **de la leche.** Parte líquida que se separa al coagularse la leche. ‖ **medicinal.** Disolución en agua de sales, u otras sustancias que se inyectan con fin curativo. ‖ **2. sueros** de animales preparados convenientemente para inmunizar contra ciertas enfermedades, o el que procede de una persona curada de una enfermedad infecciosa, que se inyecta a otra para inmunizarla o curarla de la misma enfermedad.

sueroso, sa. adj. **seroso.**

sueroterapia. (De *suero* y *terapia.*) f. Tratamiento de las enfermedades por los sueros medicinales.

suerte. (Del lat. *sors, sortis.*) f. Encadenamiento de los sucesos, considerado como fortuito o casual. *Así lo ha querido la* SUERTE. ‖ **2.** Circunstancia de ser, por mera casualidad, favorable o adverso a personas o cosas lo que ocurre o sucede. *Juan tiene mala* SUERTE; *libro de buena* SUERTE. ‖ **3. suerte** favorable. *Dios te dé* SUERTE; *Juan es hombre de* SUERTE. ‖ **4.** Casualidad a que se fía la resolución de una cosa. *Elegir caudillo por* SUERTE; *decídalo la* SUERTE. ‖ **5.** Se usa especialmente hablando del sorteo que se hace para elegir los mozos destinados a cubrir el cupo del servicio militar. ‖ **6.** Aquello que ocurre o puede ocu-

rrir para bien o para mal de personas o cosas. *Ignoro cuál será mi* SUERTE; *fiar a hombres incapaces la* SUERTE *del Estado.* ‖ **7.** Estado, condición. *Mejorar la* SUERTE *del pueblo; hombre de baja* SUERTE. ‖ **8.** Cualquiera de ciertos medios casuales empleados antiguamente para adivinar lo por venir. Son las más célebres las llamadas SUERTES *de Homero,* u *homéricas; de Virgilio,* o *virgilianas,* o *de los santos,* las cuales consistían en abrir al acaso las obras de estos poetas o la Sagrada Escritura e interpretar las primeras palabras que se ofrecían a la vista. ‖ **9.** Género o especie de una cosa. *Feria de toda* SUERTE *de ganados.* ‖ **10.** Manera o modo de hacer una cosa. ‖ **11.** Como contrapuesto al azar en los dados y otros juegos, puntos con que se gana o acierta. ‖ **12.** Cada uno de los lances de la lidia taurina. ‖ **13.** Cada uno de los actos de la lidia ejecutados por el diestro. Se usa especialmente hablando de cada uno de los tercios en que se divide la lidia. SUERTE *de varas.* ‖ **14.** Parte de tierra de labor, separada de otra u otras por sus lindes. ‖ **15.** Con los números ordinales *primera, segunda, tercera,* etc., calidad respectiva de los géneros o de otra cosa. ‖ **16.** ant. En el comercio, capital, hacienda, caudal. ‖ **17.** *Argent.* En el juego de la taba, parte cóncava de ésta, carne. ‖ **18.** *Perú.* Billete de lotería. ‖ **19.** *Impr.* Conjunto de tipos fundidos en una misma matriz. ‖ **caerle** a uno **en suerte** una cosa. fr. Corresponderle por sorteo. ‖ **2.** fig. Sucederle algo por designio providencial. ‖ **caerle** a uno **la suerte.** fr. **tocarle la suerte.** ‖ **cargar la suerte.** fr. *Taurom.* Desviar al toro, facilitándole la salida, para que no atropelle al diestro. ‖ **correr bien, o mal, la suerte** a uno. fr. Ser dichoso, o desgraciado. ‖ **de suerte que.** loc. conjunt. que indica consecuencia y resultado. ‖ **echar suertes, o a suerte.** fr. Valerse de medios fortuitos o casuales para resolver o decidir una cosa. ‖ **2.** Repartir alguna cosa por sorteo entre varios. ‖ **entrar en suerte** uno. fr. Además de aplicarse a las cosas, dícese de aquellas personas entre las que se ha de sortear algo. ‖ **la suerte de la fea, la guapa la desea.** fr. proverb. **la dicha de la fea,** etc. ‖ **repetir la suerte.** fr. fam. Volver a hacer algo, insistir en ello. ‖ **suerte y verdad.** expr. que se usa en el juego, para pedir a los circunstantes que resuelvan la duda en un lance dificultoso, en que están discordes los jugadores. Ú., por ext., en otras materias. ‖ **tocarle** a uno **en suerte** una cosa. fr. Tenerla o tocarle en un sorteo. ‖ **tocarle** a uno **la suerte.** fr. Tener o sacar en un sorteo cédula, bola o número favorable o adverso.

suertero, ra. adj. *Amér.* Afortunado, dichoso. ‖ **2.** m. y f. *Perú.* Vendedor de billetes de lotería.

sueste. m. **sudeste.** ‖ **2.** *Mar.* Sombrero impermeable cuya ala, estrecha y levantada por delante, es muy ancha y caída por detrás.

suéter. m. jersey. Ú. m. en América.

suévico, ca. (Del lat. *suevicus.*) adj. Perteneciente o relativo a los suevos.

suevo, va. (Del lat. *Suevus.*) adj. Aplícase al individuo perteneciente a una liga de varias tribus germánicas que en el siglo III se hallaba establecida entre el Rin, el Danubio y el Elba, y en el siglo V invadió las Galias y parte de España. Ú. m. c. s. y en pl. ‖ **2.** Perteneciente o relativo a los **suevos.**

sufete. (Del lat. *suffes, -ētis.*) m. Cada uno de los dos magistrados supremos de Cartago y de otras repúblicas fenicias.

sufí. (Del ár. *ṣūfī,* el que va vestido de *ṣūf,* lana, por el hábito que llevaban.) adj. Sectario o partidario del sufismo. Ú. t. c. s.

suficiencia. (Del lat. *sufficientia.*) f. Capacidad, aptitud. ‖ **2.** fig. V. **aire de suficiencia.** ‖ **3.** fig. despect. Presunción, engreimiento, pedantería. ‖ **a suficiencia.** loc. adv. **bastantemente.**

suficiente. (Del lat. *sufficiens, -entis.*) adj. Bastante para lo que se necesita. ‖ **2.** Apto o idóneo. ‖ **3.** fig. Pedante, engreído que habla con afectación.

suficientemente. adv. m. De un modo suficiente.

sufijación. f. *Gram.* Procedimiento de formación de palabras con ayuda de sufijos.

sufijo, ja. (Del lat. *suffixus*, p. p. de *suffigĕre*, fijar.) adj. *Gram.* Aplícase al afijo que va pospuesto. Dícese particularmente de los pronombres que se juntan al verbo y forman con él una sola palabra; v. gr.: *morirSE; díMELO.* Ú. m. c. s. m.

sufismo. (De *sufí*.) m. Doctrina mística que profesan ciertos mahometanos, principalmente en Persia.

sufista. adj. Dícese del que profesa el sufismo. Ú. t. c. s.

suflación. (Del lat. *sufflatĭo, -ōnis*.) f. ant. Acción o efecto de suflar.

suflar. (Del lat. *sufflāre*.) intr. ant. **soplar.**

sufocación. f. **sofocación.**

sufocador, ra. adj. **sofocador.** Ú. t. c. s.

sufocar. tr. **sofocar.** Ú. t. c. prnl.

sufra. (De or. inc.) f. Correón que sostiene las varas, apoyado en el sillín de la caballería de tiro. ‖ **2.** *Córd.* y *Pal.* **prestación personal.**

sufragáneo, a. (De *sufragar*.) adj. Que depende de la jurisdicción y autoridad de alguno. ‖ **2.** V. **obispo sufragáneo.** Ú. t. c. s. ‖ **3.** Perteneciente a la jurisdicción del obispo **sufragáneo.**

sufragano, na. adj. ant. **sufragáneo.** Usáb. t. c. s. m.

sufragar. (Del lat. *suffragāre*.) tr. Ayudar o favorecer. ‖ **2.** Costear, satisfacer. ‖ **3.** intr. *Amér.* Votar a un candidato o una propuesta, dictamen, etc.

sufragio. (Del lat. *suffragĭum*.) m. Ayuda, favor o socorro. ‖ **2.** Obra buena que se aplica por las almas del purgatorio. ‖ **3. voto,** parecer o manifestación de la voluntad de uno. ‖ **4.** Sistema electoral para la provisión de cargos. ‖ **5.** Voto de quien tiene capacidad de elegir. ‖ **6.** pl. **consuetas.** Ú. t. en sing. ‖ **restringido.** Aquel en que se reserva el derecho de voto para los ciudadanos que reúnen ciertas condiciones. ‖ **universal.** Aquel en que tienen derecho a participar todos los ciudadanos, salvo determinadas excepciones.

sufragismo. m. Movimiento de los sufragistas.

sufragista. adj. Dícese de la persona que, en Inglaterra a principios de siglo, se manifiesta a favor de la concesión del sufragio femenino. ‖ **2.** com. Persona partidaria del sufragio femenino.

sufrible. adj. Que se puede sufrir o tolerar.

sufridera. (De *sufrir*.) f. Pieza de hierro, con un agujero o cavidad en medio, que los herreros ponen debajo de la que quieren penetrar con el punzón, para que este no se melle contra la bigornia.

sufridero, ra. adj. Que se puede sufrir.

sufrido, da. p. p. de **sufrir.** ‖ **2.** adj. Que sufre con resignación. ‖ **3.** Dícese del marido consentidor. Ú. t. c. s. ‖ **4.** Aplícase al color que disimula lo sucio.

sufridor, ra. adj. Que sufre. Ú. t. c. s.

sufrimiento. m. Paciencia, conformidad, tolerancia con que se sufre una cosa. ‖ **2.** Padecimiento, dolor, pena.

sufrir. (Del lat. *sufferre*.) tr. Sentir físicamente un daño, dolor, enfermedad o castigo. ‖ **2.** Sentir un daño moral. ‖ **3.** Recibir con resignación un daño moral o físico. Ú. t. c. prnl. ‖ **4.** Sostener, resistir. ‖ **5.** Aguantar, tolerar, soportar. ‖ **6.** Permitir, consentir. ‖ **7.** Satisfacer por medio de la pena. ‖ **8.** Oprimir fuertemente con alguna herramienta adecuada la parte de una pieza de madera o de hierro opuesta a aquella en que se golpea para encajar otra, fijar un clavo o formar un roblón. ‖ **9.** Someterse a una prueba o examen. ‖ **10.** intr. ant. Contenerse, reprimirse.

sufumigación. (Del lat. *suffumigatĭo, -ōnis*.) f. *Med.* Sahumerio que se hace para recibir el humo.

sufusión. (Del lat. *suffusĭo, -ōnis*.) f. *Pat.* Cierta enfermedad

que padecen los ojos, especie de cataratas. ‖ **2.** *Pat.* Imbibición en los tejidos orgánicos de líquidos extravasados, y especialmente de sangre.

sugerencia. f. Insinuación, inspiración, idea que se sugiere.

sugeridor, ra. adj. Que sugiere.

sugerir. (Del lat. *suggerĕre*.) tr. Hacer entrar en el ánimo de alguno una idea, insinuándosela, inspirándosela o haciéndole caer en ella. SUGERIR *una buena idea;* SUGERIR *un mal pensamiento.*

sugestión. (Del lat. *suggestĭo, -ōnis*.) f. Acción de sugerir. ‖ **2.** Idea o imagen sugerida. Se usa generalmente en sentido peyorativo. *Las* SUGESTIONES *del demonio.* ‖ **3.** Acción y efecto de sugestionar.

sugestionable. adj. Fácil de ser sugestionado.

sugestionador, ra. adj. Que sugestiona.

sugestionar. tr. Inspirar una persona a otra hipnotizada palabras o actos involuntarios. ‖ **2.** Dominar la voluntad de una persona, llevándola a obrar en determinado sentido. ‖ **3.** Fascinar a alguien, provocar su admiración o entusiasmo. ‖ **4.** prnl. Experimentar sugestión.

sugestivo, va. (Del lat. *suggestus*, acción de sugerir.) adj. Que sugiere. ‖ **2.** fig. Que suscita emoción o resulta atrayente.

sugesto. (Del lat. *suggestus*.) m. ant. Púlpito o cátedra destinada especialmente para predicar.

suicida. (Formado a semejanza de *homicida*, del lat. *sui*, de sí mismo, y *caedĕre*, matar.) com. Persona que se suicida. Ú. t. c. adj. ‖ **2.** adj. Perteneciente o relativo al suicidio. ‖ **3.** fig. Dícese del acto o la conducta que daña o destruye al propio agente.

suicidarse. prnl. Quitarse voluntariamente la vida.

suicidio. (Voz formada a semejanza de *homicidio*, del lat. *sui*, de sí mismo, y *caedĕre*, matar.) m. Acción y efecto de suicidarse. ‖ **2.** fig. Acción o conducta que perjudica o puede perjudicar a la persona que lo realiza.

suido. (Del lat. *sus, suis*, cerdo, y el gr. εἶδος, forma.) adj. *Zool.* Dícese de mamíferos artiodáctilos, paquidermos, con jeta bien desarrollada y caninos largos y fuertes, que sobresalen de la boca; como el jabalí. Ú. t. c. s. m. ‖ **2.** m. pl. *Zool.* Familia de estos animales.

sui géneris. expr. lat. que significa *de su género* o *especie*, y que se usa en español para denotar que la cosa a que se aplica es de un género o especie muy singular y excepcional.

suindá. m. *Argent., Par.* y *Urug.* Cierta ave, especie de lechuza, de color pardo claro.

suirirí. (De origen onomatopéyico.) m. *Argent.* **sirirí.**

suita. f. *Hond.* Planta gramínea que se utiliza como forraje y para cubrir la techumbre de las casas.

suiza. f. Antigua diversión militar, recuerdo de las costumbres caballerescas de la Edad Media, o imitación de simulacros y ejercicios bélicos. ‖ **2.** Soldadesca festiva de a pie, armada y vestida a semejanza de los antiguos tercios de infantería, que organizaban las justicias de los pueblos para que alardease militarmente en ciertos regocijos públicos. ‖ **3.** fig. Contienda, riña, alboroto entre dos bandos. ‖ **4.** fig. Disputa en juntas, grados y certámenes.

suízaro, ra. (Como *esguízaro*, del al. *schweizer*.) adj. ant. **suizo.** Usáb. t. c. s.

suizo, za. adj. Natural de Suiza. Ú. t. c. s. ‖ **2.** Perteneciente o relativo a esta nación de Europa. ‖ **3.** m. El que formaba parte de la suiza, soldadesca de a pie. ‖ **4.** ant. Soldado de infantería. ‖ **5.** Persona muy adicta, que secunda ciegamente las iniciativas de otro. ‖ **6.** Bollo especial de harina, huevo y azúcar.

suizón. (De *suizo*.) m. Chuzo, pica, arcabuz, etc., con que se armaba cada uno de los suizos, soldadesca de a pie o soldados de infantería.

sujeción. (Del lat. *subiectĭo, -ōnis*.) f. Acción de sujetar o sujetarse. ‖ **2.** Unión con que una cosa está sujeta de modo que no puede separarse, dividirse o inclinarse. ‖ **3.** *Ret.* Figura que consiste en hacer el orador o el escritor preguntas a que él mismo responde. ‖ **4.** *Ret.* Anticipación o prolepsis, especialmente cuando se hace en forma de pregunta y respuesta.

sujetador, ra. adj. Que sujeta. Ú. t. c. s. ‖ **2.** m. Sostén, prenda interior femenina. ‖ **3.** Pieza del biquini que sujeta el pecho.

sujetapapeles. m. Pinza para sujetar papeles. ‖ **2.** Instrumento de otra forma destinado al mismo objeto.

sujetar. (Del lat. *subiectāre*, intens. de *subiicĕre*, poner debajo.) tr. Someter al dominio, señorío o disposición de alguno. Ú. t. c. prnl. ‖ **2.** Afirmar o contener una cosa con la fuerza. ‖ **3.** Poner en alguna cosa un objeto para que no se caiga, mueva, desordene, etc. SUJETAR *la ropa con pinzas.*

sujeto, ta. (Del lat. *subiectus*.) p. p. irreg. de **sujetar.** ‖ **2.** adj. Expuesto o propenso a una cosa. ‖ **3.** m. Asunto o materia sobre que se habla o escribe. ‖ **4.** Persona innominada. Ú. frecuentemente esta voz cuando no se quiere declarar la persona de quien se habla, o cuando se ignora su nombre. ‖ **5.** *Fil.* El espíritu humano considerado en oposición al mundo externo, en cualquiera de las relaciones de sensibilidad o de conocimiento, y también en oposición a sí mismo como término de conciencia. ‖ **6.** *Gram.* Función oracional desempeñada por un sustantivo, un pronombre o un sintagma nominal en concordancia obligada de persona y de número con el verbo. Pueden desempeñarla también cualquier sintagma o proposición sustantivados, con concordancia verbal obligada de número en tercera persona. ‖ **7.** *Gram.* Elemento o conjunto de elementos lingüísticos que, en una oración desempeñan la función de **sujeto.** ‖ **8.** *Lóg.* Ser del cual se predica o anuncia alguna cosa. ‖ **agente.** *Gram.* **sujeto** de un verbo en voz activa. ‖ **paciente.** *Gram.* **sujeto** de un verbo en voz pasiva.

sula. f. *Cantabria.* Pescado de bahía, pequeño, de color plateado.

sulcar. (Del lat. *sulcāre*.) tr. ant. **surcar.**

sulco. (Del lat. *sulcus*.) m. ant. **surco.** Ú. en León y en algunas regiones de América.

sulfamida. f. Cualquiera de las sustancias químicas derivadas de la sulfonamida, que por su poderosa acción bacteriostática son empleadas en el tratamiento de diversas enfermedades infecciosas.

sulfatación. f. Acción y efecto de sulfatar.

sulfatado, da. p. p. de **sulfatar.** ‖ **2.** m. Acción y efecto de sulfatar.

sulfatador, ra. adj. Que sulfata. Ú. t. c. s. ‖ **2.** m. y f. Máquina para sulfatar.

sulfatar. tr. Impregnar o bañar con un sulfato alguna cosa. Ú. t. c. prnl.

sulfatillo. m. *Amér. Central.* Planta de la familia de las melastomatáceas, de tallos débiles, hojas acorazonadas y flores pequeñas en panoja, de color morado. Es amarga y se usa su cocimiento como febrífugo.

sulfato. (Del lat. *sulphur*, azufre.) m. *Quím.* Cuerpo resultante de la combinación del ácido sulfúrico con un radical mineral u orgánico.

sulfhídrico, ca. (Del lat. *sulphur*, azufre, y del gr. ὕδωρ, agua.) adj. *Quím.* Perteneciente o relativo a las combinaciones del azufre con el hidrógeno. ‖ **2.** *Quím.* V. **ácido sulfhídrico.**

sulfito. (Del lat. *sulphur*, azufre.) m. *Quím.* Cuerpo resultante de la combinación del ácido sulfuroso con un radical mineral u orgánico.

sulfonal. (Del lat. *sulphur*, azufre.) m. Sustancia blanca, insípida, inodora y muy poco soluble en el agua, que resulta de la acción del ácido sulfhídrico primero, y del oxígeno

después, sobre ciertos productos de origen orgánico. Se emplea como medicamento hipnótico.

sulfonamida. f. Sustancia química en cuya composición entran el azufre, el oxígeno y el nitrógeno, que forman el núcleo de la molécula de las sulfamidas. Ú. también como sinónimo de sulfamida.

sulfonete. (Del lat. *sulphur*, azufre.) m. ant. Pajuela para alumbrar.

sulfurar. (Del lat. *sulphur*, azufre.) tr. Combinar un cuerpo con el azufre. ‖ **2.** fig. Irritar, encolerizar. Ú. m. c. prnl.

sulfúreo, a. (Del lat. *sulphurĕus*.) adj. Perteneciente o relativo al azufre. ‖ **2.** Que tiene azufre.

sulfúrico, ca. adj. **sulfúreo.** ‖ **2.** *Quím.* V. **ácido sulfúrico.** ‖ **3.** fig. *Ecuad.* irascible.

sulfuro. (Del lat. *sulphur*, azufre.) m. *Quím.* Cuerpo que resulta de la combinación del azufre con un metal o alguno de ciertos metaloides.

sulfuroso, sa. (Del lat. *sulphurōsus*.) adj. **sulfúreo.** ‖ **2.** *Quím.* Que participa de las propiedades del azufre. ‖ **3.** *Quím.* V. **ácido sulfuroso.**

sulpiciano, na. adj. Dícese del individuo que pertenece a la congregación de clérigos regulares de San Sulpicio. Ú. t. c. s. ‖ **2.** Perteneciente o relativo a dicha congregación.

sultán. (Del ár. *sulṭān*, soberano.) m. Emperador de los turcos. ‖ **2.** Príncipe o gobernador mahometano.

sultana. f. Mujer del sultán, o la que sin serlo goza de igual consideración. ‖ **2.** Embarcación principal que usaban los turcos en la guerra.

sultanato. m. Dignidad de sultán. ‖ **2.** Tiempo que dura el gobierno de un sultán.

sultanía. f. Territorio sujeto a un sultán.

sultánico, ca. adj. Perteneciente al sultán o a la potestad del mismo.

sulla. f. **zulla**[1].

suma. (Del lat. *summa*.) f. Agregado de muchas cosas, y más comúnmente de dinero. ‖ **2.** Acción y efecto de sumar. ‖ **3.** Lo más sustancial e importante de una cosa. ‖ **4.** Recopilación de todas las partes de una ciencia o facultad. ‖ **5.** *Álg.* y *Arit.* La resultante de añadir a una cantidad otra u otras homogéneas. ‖ **6.** Operación de sumar. ‖ **en suma.** loc. adv. **en resumen.** ‖ **suma y sigue.** fr. que indica que, sumadas las cantidades que se anotaron en una plana, continúa la **suma** en la plana siguiente. ‖ **2.** fr. fig. y fam. con que se denota la repetición o continuación de una cosa.

sumaca. (Del hol. *smak*.) f. Embarcación pequeña y planuda de dos palos, el de proa aparejado de polacra, y el de popa de goleta, con solo cangreja, empleada en la América española y en el Brasil para el cabotaje.

sumador, ra. adj. Que suma. Ú. t. c. s.

sumamente. adv. m. En sumo grado.

sumando. (Del lat. *summandus*.) m. *Álg.* y *Arit.* Cada una de las cantidades parciales que han de acumularse o añadirse unas a otras para formar la suma o cantidad total que se busca.

sumar. (Del lat. *summāre*, de *summa*, suma.) tr. Recopilar, compendiar, abreviar una materia que estaba extensa y difusa. ‖ **2.** *Álg.* y *Arit.* Reunir en una sola varias cantidades homogéneas. ‖ **3.** *Álg.* y *Arit.* Componer varias cantidades una total. ‖ **4.** prnl. fig. Agregarse uno a un grupo o adherirse a una doctrina u opinión.

sumaria. f. *Der.* Proceso escrito. ‖ **2.** *Der.* En el procedimiento criminal militar, sumario de actuaciones para preparar un juicio.

sumarial. adj. *Der.* Perteneciente o relativo al sumario o a la sumaria. *Diligencias* SUMARIALES.

sumariamente. adv. m. De un modo sumario. ‖ **2.** De plano o por trámites abreviados.

sumariar. tr. *Der.* Someter a uno a sumaria.

sumario, ria. (Del lat. *summarĭus.*) adj. Reducido a compendio; breve, sucinto. *Discurso* SUMARIO; *exposición* SUMARIA. ‖ **2.** *Der.* V. **juicio sumario.** ‖ **3.** *Der.* V. **vía sumaria.** ‖ **4.** m. Resumen, compendio o suma. ‖ **5.** *Der.* Conjunto de actuaciones encaminadas a preparar el juicio criminal, haciendo constar la perpetración de los delitos con las circunstancias que puedan influir en su calificación, determinar la culpabilidad y prevenir el castigo de los delincuentes.

sumarísimo, ma. (sup. de *sumario*.) adj. *Der.* Dícese de cierta clase de juicios, así civiles como criminales, a que por la urgencia o sencillez del caso litigioso, o por la gravedad o flagrancia del hecho criminal, señala la ley una tramitación brevísima.

sumergible. adj. Que se puede sumergir. ‖ **2.** m. Nave **sumergible.**

sumergimiento. m. Acción y efecto de sumergir o sumergirse.

sumergir. (Del lat. *submergĕre.*) tr. Meter una cosa debajo del agua o de otro líquido. Ú. t. c. prnl. ‖ **2.** fig. Abismar, hundir. Ú. t. c. prnl. ‖ **3.** prnl. fig. Abstraerse, concentrar la atención en algo.

sumerio, ria. adj. Natural de Sumeria. Ú. t. c. s. ‖ **2.** m. Lengua **sumeria.**

sumersión. (Del lat. *submersĭo, -ōnis.*) f. Acción y efecto de sumergir o sumergirse.

sumidad. (Del lat. *summĭtas, -ātis.*) f. Ápice o extremo más alto de una cosa.

sumidero. m. Conducto o canal por donde se sumen las aguas.

sumiller. (Del fr. *sommelier.*) m. Jefe o superior en varias oficinas y ministerios de palacio. ‖ **2.** En los grandes hoteles, restaurantes, etc., persona encargada del servicio de licores. ‖ **de corps.** Uno de los jefes de palacio, que tenía a su cargo el cuidado de la real cámara. ‖ **de cortina.** Eclesiástico destinado en palacio para asistir a los reyes cuando iban a la capilla, correr la cortina del camón o tribuna y bendecir la mesa real en ausencia del capellán y del procapellán mayor de palacio, Patriarca de las Indias, etc.

sumillería. f. Oficina del sumiller. ‖ **2.** Ejercicio y cargo de sumiller.

suministrable. adj. Que puede o debe suministrarse.

suministración. (Del lat. *subministratĭo, -ōnis.*) f. Acción y efecto de suministrar.

suministrador, ra. (Del lat. *subministrātor.*) adj. Que suministra. Ú. t. c. s.

suministrar. (Del lat. *subministrāre.*) tr. Proveer a uno de algo que necesita.

suministro. m. Acción y efecto de suministrar. ‖ **2.** Provisión de víveres o utensilios para las tropas, penados, presos, etc. Ú. m. en pl. ‖ **3.** Cosas o efectos suministrados.

sumir. (Del lat. *sumĕre.*) tr. Hundir o meter debajo de la tierra o del agua. Ú. t. c. prnl. ‖ **2.** Consumir el sacerdote en la misa. ‖ **3.** fig. **sumergir,** hundir, hacer caer a alguien en cierto estado. Ú. t. c. prnl. ‖ **4.** prnl. Hundirse o formar una concavidad anormal alguna parte del cuerpo, como la boca, por falta de la dentadura, o el pecho, etc.

sumisamente. adv. m. Con sumisión.

sumisión. (Del lat. *submissĭo, -ōnis.*) f. Sometimiento de unas personas a otras. ‖ **2.** Sometimiento del juicio de uno al de otro. ‖ **3.** Acatamiento, subordinación manifiesta con palabras o acciones. ‖ **4.** *Der.* Acto por el cual uno se somete a otra jurisdicción, renunciando o perdiendo su domicilio y fuero.

sumiso, sa. (Del lat. *submissus,* p. p. de *submittĕre,* someter.) adj. Obediente, subordinado. ‖ **2.** Rendido, subyugado. ‖ **3.** fig. V. **voz sumisa.**

sumista. adj. Referente a la suma o compendio. ‖ **2.** com. Persona práctica y diestra en contar o hacer sumas.

‖ **3.** m. Autor que escribe sumas de alguna o algunas facultades. ‖ **4.** El que solo ha aprendido por sumas la teología moral.

súmmum. (Voz latina.) m. El colmo, lo sumo.

sumo, ma. (Del lat. *summus.*) adj. Supremo, altísimo o que no tiene superior. ‖ **2.** V. **el pastor sumo.** ‖ **3.** V. **sumo sacerdote.** ‖ **4.** fig. Muy grande, enorme. SUMA *necedad.* ‖ **a lo sumo.** loc. adv. A lo más, al mayor grado, número, cantidad, etc., a que puede llegar una persona o cosa. ‖ **2.** Cuando más, si acaso. ‖ **de sumo.** loc. adv. Entera y cabalmente.

sumonte (de). loc. adj. **de somonte.**

sumoscapo. (Del lat. *summus,* elevado, superior, y *scăpus,* tallo.) m. *Arq.* Parte superior del fuste de las columnas.

súmulas. (Del lat. *summŭla,* d. de *summa,* suma.) f. pl. Compendio o sumario que contiene los principios elementales de la lógica.

sumulista. m. El que enseña súmulas. ‖ **2.** El que las estudia.

sumulístico, ca. adj. Perteneciente o relativo a las súmulas.

sunción. (Del lat. *sumptĭo, -ōnis.*) f. Acción de sumir o consumir el sacerdote.

sunco, ca. adj. *Chile.* **manco.** Ú. t. c. s.

suncho. (Del lat. *cingŭlum.*) m. Abrazadera, zuncho. ‖ **2.** *Bol.* Planta herbácea de la familia de las compuestas, parecida a la margarita, con flores amarillas. ‖ **3.** *Argent.* **chilca,** arbolillo.

suntuario, ria. (Del lat. *sumptuarĭus.*) adj. Relativo o perteneciente al lujo. ‖ **2.** V. **ley suntuaria.**

suntuosamente. adv. m. Con suntuosidad.

suntuosidad. (Del lat. *sumptuosĭtas, -ātis.*) f. Cualidad de suntuoso.

suntuoso, sa. (Del lat. *sumptuōsus.*) adj. Magnífico, grande y costoso. ‖ **2.** Dícese de la persona magnífica en su gasto y porte.

supedáneo. (Del lat. *suppedanĕum.*) m. Especie de peana, estribo o apoyo, como el que suelen tener algunos crucifijos.

supeditación. (Del lat. *suppeditatĭo, -ōnis.*) f. Acción y efecto de supeditar o supeditarse.

supeditar. (Del lat. *suppeditāre.*) tr. Sujetar, oprimir con rigor o violencia. ‖ **2.** fig. Dominar, sojuzgar, avasallar. ‖ **3.** Subordinar una cosa a otra. ‖ **4.** Condicionar una cosa al cumplimiento de otra.

super-. (Del lat. *super-.*) elem. compos. cuyo significado propio es «encima de»: SUPERestructura; puede significar también «preeminencia»: SUPERintendente, SUPERhombre, SUPERdotado; «grado sumo»: SUPERfino, SUPERelegante; «exceso»: SUPERproducción.

superable. (Del lat. *superabĭlis.*) adj. Que se puede superar o vencer.

superabundancia. (De *super-* y *abundancia.*) f. Abundancia muy grande. ‖ **de superabundancia.** loc. adv. **superabundantemente.**

superabundante. p. a. de **superabundar.** Que superabunda. ‖ **2.** adj. Que abunda con exceso.

superabundantemente. adv. m. Con superabundancia.

superabundar. (Del lat. *superabundāre.*) intr. Abundar con extremo o rebosar.

superación. f. Acción y efecto de superar.

superádito, ta. (Del lat. *superaddĭtus;* de *super,* sobre, y *addĭtus,* añadido.) adj. Añadido a una cosa.

superador, ra. adj. Que supera.

superano. m. ant. *Mús.* **soprano.**

superante. (Del lat. *supĕrans, -antis.*) p. a. de **superar.** Que supera. ‖ **2.** adj. *Arit.* V. **número superante.**

superar. (Del lat. *superāre.*) tr. Ser superior a otra persona.

‖ **2.** Vencer obstáculos o dificultades. ‖ **3.** prnl. Hacer alguien alguna cosa mejor que en otras ocasiones.

superávit. (Del lat. *superavit*, de *superāre*, exceder, sobrar.) m. En el comercio, exceso del haber o caudal sobre el debe u obligaciones de la caja; y en la administración pública, exceso de los ingresos sobre los gastos. No varía en el plural. ‖ **2.** Por ext., abundancia o exceso de algo que se considera necesario.

superbamente. adv. m. ant. Con lujo, con exceso.

superbia. (Del lat. *superbĭa*.) f. ant. **soberbia.**

superbo, ba. (Del lat. *superbus*.) adj. desus. **soberbio.**

superciliar. (Del lat. *supercilĭum*, sobreceja.) adj. *Anat.* Dícese del reborde en forma de arco que tiene el hueso frontal en la parte correspondiente a la sobreceja.

superconductor, ra. adj. *Electr.* Dícese de los materiales metálicos que a muy bajas temperaturas pierden su resistencia eléctrica, transformándose en conductores eléctricos perfectos. Ú. t. c. s. m.

superchería. (Del it. *superchieria*.) f. Engaño, dolo, fraude. ‖ **2.** desus. Injuria o violencia hecha con abuso manifiesto o alevoso de fuerza.

superchero, ra. adj. Que actúa con supercherías. Ú. t. c. s.

superdominante. (De *super-* y *dominante*.) f. *Mús.* Sexta nota de la escala diatónica.

superdotado, da. adj. Aplícase a la persona que posee cualidades que exceden de lo normal. Especialmente se usa refiriéndose a las condiciones intelectuales.

supereminencia. (Del lat. *supereminentĭa*.) f. Elevación, alteza, exaltación o eminente grado en que una persona o cosa se halla constituida respecto de otras.

supereminente. (Del lat. *supereminĕns, -entis*.) adj. Muy elevado.

superentender. (Del lat. *superintendĕre*.) tr. Inspeccionar, vigilar, gobernar.

supererogación. (Del lat. *supererogatĭo, -ōnis*.) f. Acción ejecutada sobre o además de los términos de la obligación.

supererogatorio, ria. adj. Relativo a la supererogación.

superestrato. m. *Ling.* Lengua que se extiende por el territorio de otra lengua, y cuyos hablantes la abandonan para adoptar esta última, legando, sin embargo, algunos rasgos a la lengua adoptada. ‖ **2.** Acción por la cual una lengua que se ha difundido por el territorio de otra, comunica a esta algunos de sus rasgos, si bien desaparece, al adoptar sus hablantes la lengua que se habla en aquel territorio. ‖ **3.** Cada uno de los rasgos que una lengua invasora lega a otra sobre cuyo territorio se ha extendido, cuando la abandonan sus hablantes para adoptar la que se hablaba en aquel territorio.

superestructura. f. Parte de una construcción que está por encima del nivel del suelo.

superferolítico, ca. adj. fam. Excesivamente delicado, fino, primoroso.

superfetación. (Del lat. *superfetāre*; de *super*, sobre, y *fetus*, feto.) f. *Obst.* Concepción de un segundo feto durante el embarazo.

superficial. (Del lat. *superficiālis*.) adj. Perteneciente o relativo a la superficie. ‖ **2.** Que está o se queda en ella. ‖ **3.** V. **destre superficial.** ‖ **4.** fig. Aparente, sin solidez ni sustancia. ‖ **5.** fig. Frívolo, sin fundamento.

superficialidad. f. Cualidad de superficial.

superficialmente. adv. m. fig. De un modo superficial.

superficiario, ria. (Del lat. *superficiarĭus*.) adj. *Der.* Aplícase al que tiene el uso de la superficie, o percibe los frutos del fundo ajeno, pagando cierta pensión anual al señor de él.

superficie. (Del lat. *superficĭes*.) f. Límite o término de un cuerpo, que lo separa y distingue de lo que no es él. ‖ **2.** Extensión de tierra. ‖ **3.** Aspecto externo de una cosa. ‖ **4.** *Geom.* Extensión en que solo se consideran dos dimensiones, que son longitud y latitud. ‖ **5.** *Mín.* V. **canon de superficie.** ‖ **alabeada.** *Geom.* La reglada que no es desarrollable, como la del conoide. ‖ **cilíndrica.** *Geom.* La **superficie** generada por una recta que se mueve paralelamente a sí misma y recorre una curva dada. ‖ **cónica.** *Geom.* La generada por una recta que pasa por un punto fijo, llamado vértice, y recorre una curva dada. ‖ **curva.** *Geom.* La que no es plana ni compuesta de **superficies** planas. ‖ **de onda.** En un movimiento ondulatorio, la **superficie** formada por los puntos que, en un momento dado, se hallan a igual distancia de sus respectivas posiciones de equilibrio. ‖ **de revolución.** La engendrada por el movimiento de una curva que gira alrededor de una recta llamada su eje. ‖ **desarrollable.** *Geom.* La reglada que sin dislocación de sus partes se puede extender sobre un plano, como la cilíndrica y la cónica. ‖ **esférica.** *Geom.* La de la esfera. ‖ **plana.** *Geom.* La que puede contener una línea recta en cualquier posición. ‖ **reglada.** *Geom.* Aquella sobre la cual se puede aplicar una regla en una o en más direcciones.

superfino, na. (De *super-* y *fino*.) adj. Muy fino.

superfluamente. adv. m. Con superfluidad.

superfluencia. f. Abundancia grande.

superfluidad. (Del lat. *superfluĭtas, -ātis*.) f. Cualidad de superfluo. ‖ **2.** Cosa superflua.

superfluo, flua. (Del lat. *superflŭus*.) adj. No necesario, que está de más. ‖ **2.** V. **culto superfluo.**

superfosfato. (De *super-* y *fosfato*.) m. Fosfato ácido de cal que se emplea como abono.

superheterodino. (De *super-* y *heterodino*.) m. *Electr.* Receptor en que las oscilaciones de la onda transmitida se combinan con las de un oscilador local para obtener una oscilación de frecuencia intermedia, que es la que se utiliza para recibir la señal.

superhombre. (De *super-* y *hombre*.) m. Tipo de hombre muy superior a los demás.

superhumeral. (Del lat. *superhumerāle*.) m. **efod.** ‖ **2.** Banda que usa al sacerdote para tener la custodia, la patena o las reliquias.

superintendencia. f. Suprema administración en un ramo. ‖ **2.** Empleo, cargo y jurisdicción del superintendente. ‖ **3.** Oficina del superintendente.

superintendente. (De *super-* e *intendente*.) com. Persona a cuyo cargo está la dirección y cuidado de una cosa, con superioridad a las demás que sirven en ella.

superior¹. (Del lat. *superĭor, -ōris*.) adj. Dícese de lo que está más alto y en lugar preeminente respecto de otra cosa. ‖ **2.** Dícese del que tiene otros a su cargo. Ú. t. c. s. m. ‖ **3.** V. **enseñanza, labio, parte superior.** ‖ **4.** fig. Dícese de lo más excelente y digno, respecto de otras cosas de menos aprecio y bondad. ‖ **5.** fig. Que excede a otras cosas en virtud, vigor o prendas, y así se particulariza entre ellas. ‖ **6.** fig. Excelente, muy bueno. ‖ **7.** *Astron.* V. **meridiano, planeta superior.** ‖ **8.** *Biol.* Dícese de los seres vivos de organización más compleja y que se suponen más evolucionados que otros, como los mamíferos. ‖ **9.** *Geogr.* Aplícase a algunos lugares o países que están en la parte alta de la cuenca de los ríos, a diferencia de los que están situados en la parte baja de la misma. *Alemania* SUPERIOR.

superior². **ra.** m. y f. Persona que manda, gobierna o dirige una congregación o comunidad, principalmente religiosa.

superiorato. m. Empleo o dignidad de superior o superiora, especialmente en las comunidades. ‖ **2.** Tiempo que dura.

superioridad. (De *superior*.) f. Preeminencia, excelencia o ventaja en una persona o cosa respecto de otra. ‖ **2.** Persona o conjunto de personas de superior autoridad. ‖ **3.** V. **abuso de superioridad.**

superiormente. adv. m. De modo superior.

superlación. (Del lat. *superlātus.*) f. Cualidad de superlativo.

superlativamente. adv. m. **en grado superlativo.**

superlativo, va. (Del lat. *superlatīvus.*) adj. Muy grande y excelente en su línea. ‖ **2.** *Gram.* V. **adjetivo superlativo absoluto, adjetivo superlativo relativo.** ‖ **3.** *Gram.* V. **adverbio superlativo.**

supermercado. m. Establecimiento comercial de venta al por menor en el que se expenden todo género de artículos alimenticios, bebidas, productos de limpieza, etc., y en el que el cliente se sirve a sí mismo y paga a la salida.

superno, na. (Del lat. *supernus.*) adj. Supremo o más alto.

supernumerario, ria. (Del lat. *supernumerarĭus.*) adj. Que excede o está fuera del número señalado o establecido. ‖ **2.** Dícese de los militares, funcionarios, etc., en situación análoga a la de la excedencia. ‖ **3.** m. y f. Empleado que trabaja en una oficina pública sin figurar en la plantilla.

súpero, ra. (Del lat. *supĕrus.*) adj. *Bot.* Dícese del tipo de ovario de las fanerógamas que se desarrolla por encima del cáliz, como el tomate y otras solanáceas.

superponer. (Del lat. *superponĕre.*) tr. Añadir una cosa o ponerla encima de otra, sobreponer.

superponible. adj. Que se puede superponer. Ú. t. c. s. ‖ **2.** Que es igual o equivalente.

superposición. f. Acción y efecto de superponer o superponerse.

superproducción. f. Exceso de producción. ‖ **2.** Obra cinematográfica o teatral que se presenta como excepcional y de gran costo. ‖ **3.** *Econ.* Proceso económico en el que se obtienen cantidades superiores a las necesarias, de un determinado producto.

superpuesto, ta. p. p. irreg. de **superponer.**

superrealismo. (Del fr. *surréalisme.*) m. Movimiento literario y artístico, cuyo primer manifiesto fue realizado por André Breton en 1924, que intenta sobrepasar lo real impulsando con automatismo psíquico lo imaginario y lo irracional.

superrealista. adj. Relativo al superrealismo. ‖ **2.** com. Persona que es partidaria de este movimiento o que lo practica.

supersónico, ca. adj. *Fís.* Dícese de la velocidad superior a la del sonido, y de lo que se mueve de este modo. *Avión* SUPERSÓNICO. ‖ **2.** m. Avión que se mueve a velocidad **supersónica.**

superstición. (Del lat. *superstitĭo, -ōnis.*) f. Creencia extraña a la fe religiosa y contraria a la razón. ‖ **2.** Fe desmedida o valoración excesiva respecto de una cosa. SUPERSTICIÓN *de la ciencia.*

supersticiosamente. adv. m. Con superstición.

supersticioso, sa. (Del lat. *superstitiōsus.*) adj. Perteneciente o relativo a la superstición. ‖ **2.** Dícese de la persona que cree en ella. Ú. t. c. s. ‖ **3.** V. **culto supersticioso.**

supérstite. (Del lat. *superstes, -stĭtis.*) adj. *Der.* Que sobrevive.

supersubstancial. (Del lat. *supersubstantiālis,* que sustenta.) adj. V. **pan supersubstancial.**

supervacáneo, a. (Del lat. *supervacanĕus.*) adj. p. us. Innecesario, superfluo.

supervaloración. f. Acción y efecto de supervalorar.

supervalorar. tr. Otorgar a cosas o personas mayor valor del que realmente tienen.

supervención. (Del lat. *superventum,* supino de *supervenīre,* sobrevenir.) f. *Der.* Acción y efecto de sobrevenir nuevo derecho.

superveniencia. f. Acción y efecto de supervenir.

supervenir. (Del lat. *supervenīre.*) intr. Suceder, acaecer, sobrevenir.

supervisar. tr. Ejercer la inspección superior en trabajos realizados por otros.

supervisión. f. Acción y efecto de supervisar.

supervisor, ra. adj. Que supervisa. Ú. t. c. s.

supervivencia. (Del lat. *supervívens, -entis,* que sobrevive.) f. Acción y efecto de sobrevivir. ‖ **2.** Gracia concedida a uno para gozar una renta o pensión después de haber fallecido el que la obtenía. ‖ **3.** V. **mesada de supervivencia.**

superviviente. (Del lat. *supervívens, -entis.*) adj. Que sobrevive.

superyó. (De *super-* y *yo.*) m. *Psicol.* En la doctrina psicoanalítica freudiana, parte más o menos inconsciente del yo, formada por lo que este último considera su ideal. Recibe también, en consecuencia, el nombre de «ideal del yo».

supinación. (Del lat. *supinatĭo, -ōnis.*) f. Posición de una persona tendida sobre el dorso, o de la mano con la palma hacia arriba. ‖ **2.** Movimiento del antebrazo que hace girar la mano de dentro a fuera, presentando la palma.

supino, na. (Del lat. *supīnus.*) adj. Que está tendido sobre el dorso. ‖ **2.** Referente a la supinación. ‖ **3.** V. **decúbito supino.** ‖ **4.** V. **ignorancia supina.** ‖ **5.** Aplicado a ciertos estados de ánimo, acciones o cualidades morales, necio, estólido ‖ **6.** m. En algunas lenguas indoeuropeas, una de las formas nominales del verbo.

supitaño, ña. adj. desus. Repentino, súbito, subitáneo.

súpito, ta. (Del lat. *subĭtus.*) adj. Repentino, súbito.

suplantable. adj. Que puede ser suplantado.

suplantación. (Del lat. *supplantatĭo, -ōnis.*) f. Acción y efecto de suplantar.

suplantador, ra. (Del lat. *supplantātor, -ōris.*) adj. Que suplanta. Ú. t. c. s.

suplantar. (Del lat. *supplantāre.*) tr. Falsificar un escrito con palabras o cláusulas que alteren el sentido que antes tenía. ‖ **2.** Ocupar con malas artes el lugar de otro, defraudándole el derecho, empleo o favor que disfrutaba.

suplección. (Del lat. *suppletĭo, -ōnis.*) f. p. us. **suplemento,** acción y efecto de suplir.

suplefaltas. com. fam. Persona que suple faltas de otra, sin título ni grado.

suplemental. adj. **suplementario.**

suplementario, ria. (De *suplemento.*) adj. Que sirve para suplir una cosa o completarla. ‖ **2.** *Geom.* V. **ángulo, arco suplementario.**

suplementero. adj. *Chile.* Vendedor ambulante de periódicos. Ú. t. c. s.

suplemento. (Del lat. *supplementum.*) m. Acción y efecto de suplir. ‖ **2.** Cosa o accidente que se añade a otra cosa para hacerla íntegra o perfecta. ‖ **3.** Hoja o cuaderno que publica un periódico o revista y cuyo texto es independiente del número ordinario. ‖ **4.** *Geom.* Ángulo que falta a otro para componer dos rectos. ‖ **5.** *Geom.* Arco de este ángulo, o sea el que falta a otro para completar una semicircunferencia. ‖ **6.** p. us. *Gram.* Modo de suplir con el verbo auxiliar *ser* la falta de una parte de otro verbo. *Oración de* SUPLEMENTO, *o por* SUPLEMENTO.

suplencia. f. Acción y efecto de suplir una persona a otra. ‖ **2.** También el tiempo que dura esta acción.

suplente. p. a. de **suplir.** Que suple. Ú. t. c. s.

supletorio, ria. (Del lat. *suppletorĭum.*) adj. Dícese de lo que suple una falta. ‖ **2. suplementario,** que sirve para completar algo que falta. Ú. t. c. s. m. ‖ **3.** Dícese del aparato telefónico conectado a uno principal. Ú. t. c. s. ‖ **4.** *Der.* V. **juramento supletorio.**

súplica. f. Acción y efecto de suplicar. ‖ **3.** *Der.* Cláusula final de un escrito dirigido a la autoridad administrativa o judicial en solicitud de una resolución. ‖ **4.** *Der.* V. **recurso de súplica.** ‖ **a súplica.** loc. adv. Mediante ruego o instancia.

suplicación. (Del lat. *supplicatĭo, -ōnis,* de *supplicāre;* de *sub,* bajo, y *plicāre,* plegar.) f. Acción y efecto de suplicar. ‖ **2.** Barquillo estrecho que se hacía en forma de canuto. ‖ **3.** Hoja muy delgada hecha de masa de harina con azúcar y otros ingredientes, que cocida en un molde servía para hacer barquillos. ‖ **4.** V. **cañutillo, palillo de suplicaciones.** ‖ **5.** *Der.* Apelación de la sentencia de vista en los tribunales superiores, que se interponía ante ellos mismos. ‖ **6.** *Der.* V. **recurso de segunda suplicación.** ‖ **a suplicación.** loc. adv. **a súplica.**

suplicacionero, ra. m. y f. Persona que vendía suplicaciones, barquillos.

suplicante. (Del lat. *supplĭcans, -antis.*) p. a. de **suplicar.** Que suplica. Ú. t. c. s.

suplicar. (Del lat. *supplicāre.*) tr. Rogar, pedir con humildad y sumisión una cosa. ‖ **2.** *Der.* Recurrir contra el auto o sentencia de vista del tribunal superior ante el mismo.

suplicatoria. (De *suplicar.*) f. *Der.* Carta u oficio que pasa un tribunal o juez a otro superior.

suplicatorio, ria. adj. Que contiene súplica. ‖ **2.** m. *Der.* Oficio que pasa un tribunal o juez a otro superior, suplicatoria. ‖ **3.** *Der.* Instancia que un juez o tribunal eleva a un cuerpo legislativo, pidiendo permiso para proceder en justicia contra algún miembro de ese cuerpo.

suplicio. (Del lat. *supplicĭum,* súplica, ofrenda, tormento.) m. Lesión corporal, o muerte, infligida como castigo. ‖ **2.** fig. Lugar donde el reo padece este castigo. ‖ **3.** fig. Grave tormento o dolor físico o moral. ‖ **último suplicio. pena capital.**

suplido, da. p. p. de **suplir.** ‖ **2.** m. Anticipo que se hace por cuenta y cargo de otra persona, con ocasión de mandato o trabajos profesionales. Ú. m. en pl.

suplidor, ra. adj. Que suple, suplente. Ú. t. c. s.

suplir. (Del lat. *supplēre.*) tr. Cumplir o integrar lo que falta en una cosa, o remediar la carencia de ella. ‖ **2.** Ponerse en lugar de uno para hacer sus veces. ‖ **3.** Reemplazar, sustituir una cosa por otra. ‖ **4.** Disimular uno un defecto de otro. ‖ **5.** *Gram.* Dar por supuesto y explícito lo que solo se contiene implícitamente en la oración o frase.

suponedor, ra. adj. Que supone una cosa que no es. Ú. t. c. s.

suponer. (Del lat. *suppōnĕre.*) tr. Dar por sentada y existente una cosa. ‖ **2.** Fingir, dar existencia ideal a lo que realmente no la tiene. ‖ **3.** Traer consigo, importar. *La nueva adquisición que ha hecho* SUPONE *desmedidos gastos de conservación.* ‖ **4.** Conjeturar, calcular algo a través de los indicios que se poseen. ‖ **5.** intr. Tener representación o autoridad en una república o comunidad.

suportación. f. Acción y efecto de suportar.

suportar. (Del lat. *supportāre.*) tr. **soportar.**

suposición. (Del lat. *supposĭtĭo, -ōnis.*) f. Acción y efecto de suponer. ‖ **2.** Lo que se supone o da por sentado. ‖ **3.** Autoridad, distinción, lustre y talento. ‖ **4.** Impostura o falsedad. ‖ **5.** *Lóg.* Acepción de un término en lugar de otro.

supositicio, cia. (Del lat. *supposititĭus.*) adj. Fingido, supuesto, inventado.

supositivo, va. (Del lat. *suppositīvus.*) adj. Que implica o denota suposición.

supósito. (Del lat. *supposĭtus.*) m. ant. **supuesto.**

supositorio. (Del lat. *suppositorĭum.*) m. *Farm.* Preparación farmacéutica en pasta, de forma cónica u ovoide, que se introduce en el recto, en la vagina o la uretra y que, al fundirse con el calor del cuerpo, deja en libertad los medicamentos cuyo efecto se busca.

supra. (Del lat. *supra,* encima.) Elemento compositivo que

significa «arriba», o «encima de algo». ‖ **2.** V. **ut supra.** ‖ **3.** V. **fecha ut supra.**

supraclavicular. adj. Dícese de la región situada encima de las clavículas. m.

suprarrealismo. m. **superrealismo.**

suprarrenal. adj. *Anat.* Situado encima de los riñones. ‖ **2.** *Med.* V. **cápsula, glándula suprarrenal.**

supraspina. (Del lat. *supra,* sobre, y *spina,* espinazo.) f. *Anat.* Fosa alta de la escápula.

suprema. (Del lat. *suprēma,* t. f. de *-mus,* supremo.) f. desus. Consejo supremo de la Inquisición.

supremacía. f. Grado supremo en cualquier línea. ‖ **2.** Preeminencia, superioridad jerárquica.

supremamente. adv. m. De una manera suprema. ‖ **2.** Últimamente, hasta el fin.

supremidad. (Del lat. *suprēmĭtas, -ātis.*) f. ant. **supremacia.**

supremo, ma. (Del lat. *suprēmus.*) adj. Sumo, altísimo. ‖ **2.** V. **Ser supremo.** ‖ **3.** Que no tiene superior en su línea. ‖ **4.** V. **Tribunal Supremo.** Ú. t. c. s. ‖ **5.** Refiriéndose al tiempo, último. *Llegar la hora* SUPREMA.

supresión. (Del lat. *suppressĭo, -ōnis.*) f. Acción y efecto de suprimir.

supreso, sa. (Del lat. *suppressus.*) p. p. irreg. p. us. de **suprimir.**

supresor, ra. adj. Que suprime.

suprimir. (Del lat. *supprimĕre.*) tr. Hacer cesar, hacer desaparecer. SUPRIMIR *un empleo, un impuesto, una pensión.* ‖ **2.** Omitir, callar, pasar por alto. SUPRIMIR *versos en una comedia;* SUPRIMIR *pormenores en la narración de un suceso.*

suprior. (De *sub,* debajo, y *prior.*) m. El que en algunas comunidades religiosas hace las veces del prior. ‖ **2.** Segundo prelado destinado en algunas órdenes religiosas para hacer las veces del prior.

supriora. (De *sub,* debajo, y *priora.*) f. Religiosa que en algunas comunidades hace las veces de la priora.

supriorato. m. Empleo de suprior o supriora.

supuesto, ta. (Del lat. *suppositus.*) p. p. irreg. de **suponer.** ‖ **2.** m. Objeto y materia que no se expresa en la proposición; pero es aquello de que depende, o en que consiste o se funda, la verdad de ella. ‖ **3.** Suposición, hipótesis. ‖ **4.** *Fil.* Todo ser que es principio de sus acciones. ‖ **5.** *Der.* Presupuesto en que se explican las operaciones de una partición. ‖ **por supuesto.** loc. adv. **ciertamente.** ‖ **supuesto que.** loc. conjunt., causal y continuativa. **puesto que.**

supuración. (Del lat. *suppuratĭo, -ōnis.*) f. Acción y efecto de supurar.

supurar. (Del lat. *suppurāre.*) intr. Formar o echar pus. ‖ **2.** tr. fig. desus. Disipar o consumir. Usáb. t. c. prnl.

supurativo, va. adj. Que tiene virtud de hacer supurar. Ú. t. c. s. m.

supuratorio, ria. (Del lat. *suppuratorĭus.*) adj. Que supura.

suputación. (Del lat. *supputatĭo, -ōnis.*) f. Cómputo o cálculo.

suputar. (Del lat. *supputāre.*) tr. Computar, calcular, contar por números.

suquinay. m. *Guat.* Cierto arbusto tropical de flores muy aromáticas.

sur. (De *sud.*) n. p. m. Punto cardinal del horizonte, diametralmente opuesto al Norte y que cae enfrente del observador a cuya derecha está el Occidente. ‖ **2.** m. Lugar de la Tierra o de la esfera celeste que cae del lado del polo antártico, respecto del otro con el cual se compara. ‖ **3.** Viento que sopla de la parte austral del horizonte. ‖ **4.** V. **cono sur.**

surá. (De *Surate,* villa del Indostán.) m. Tejido de seda fino y flexible.

sura[1]**.** (Del ár. *sūra.*) m. Cualquiera de las lecciones o capítulos en que se divide el Alcorán.

sura². (Del lat. *sura*.) f. ant. Parte carnosa de la pierna bajo la corva, pantorrilla. ‖ **2.** ant. Hueso delgado y largo tras la tibia, peroné.

surada. f. Golpe de viento sur.

sural. (Del lat. *sura*, pantorrilla.) adj. *Anat.* Perteneciente o relativo a la pantorrilla. *Músculo* SURAL; *arteria* SURAL.

suramericano, na. adj. Natural de Suramérica o América del Sur. Ú. t. c. s. ‖ **2.** Perteneciente o relativo a esta parte de América.

súrbana. f. *Cuba.* Planta herbácea de la familia de las gramíneas, con flores violáceas. Sirve para alimento del ganado.

surcador, ra. adj. Que surca. Ú. t. c. s.

surcaño. (De *surco*.) adj. *Rioja.* Que tiene contiguo el surco o heredad. ‖ **2.** *Rioja.* Linde de heredades.

surcar. (De *sulcar*.) tr. Hacer surcos en la tierra al ararla. ‖ **2.** Hacer en alguna cosa rayas parecidas a los surcos que se hacen en la tierra. ‖ **3.** fig. Ir o caminar por un fluido rompiéndolo o cortándolo. SURCA *la nave el mar, y el ave, el viento.*

surcir. (Del lat. *sarcire*.) tr. ant. zurcir.

surco. (De *sulco*.) m. Hendedura que se hace en la tierra con el arado. ‖ **2.** Señal o hendedura prolongada que deja una cosa que pasa sobre otra. ‖ **3.** Arruga en el rostro o en otra parte del cuerpo. ‖ **a surco.** loc. adj. Dícese de dos labores o hazas que están contiguas o solo **surco** por medio. ‖ **echarse** uno **en el surco.** fr. fig. y fam. Abandonar una empresa o trabajo por pereza o desaliento.

surcoreano, na. adj. Natural de Corea del Sur. Ú. t. c. s. ‖ **2.** Perteneciente o relativo a este país de Asia.

surculado, da. (De *súrculo*.) adj. *Bot.* Aplícase a las plantas que no echan más de un tallo.

súrculo. (Del lat. *surcŭlus*.) m. *Bot.* Vástago de que no han brotado otros.

surculoso, sa. (Del lat. *surculōsus*.) adj. *Bot.* Que tiene súrculos.

surdir. (Del lat. *surgĕre*.) intr. Adrizarse la embarcación después de haberse ido a la banda por algún golpe de mar que le hizo beber agua por la borda.

sureño, ña. adj. Perteneciente o relativo al sur. ‖ **2.** Que está situado en la parte sur de un país.

sureste. m. sudeste.

surgidero. (De *surgir*.) m. Lugar donde dan fondo las naves.

surgidor, ra. adj. Que surge. Ú. t. c. s.

surgir. (Del lat. *surgĕre*.) intr. Brotar el agua hacia arriba, surtir. ‖ **2.** Dar fondo la nave. ‖ **3.** fig. Alzarse, manifestarse, brotar, aparecer.

suri. m. *Argent.* y *Bol.* Avestruz de América, ñandú.

suripanta. f. desus. Mujer que actuaba de corista o de comparsa en el teatro. ‖ **2.** despect. Mujer ruin, moralmente despreciable.

suroeste. m. sudoeste.

surquero, ra. adj. Que surca. adj. asurcano.

surrealismo. m. superrealismo.

surrealista. adj. superrealista.

sursudoeste. m. Viento medio entre el Sur y el Sudoeste. ‖ **2.** Región situada hacia el sitio de donde sopla este viento.

sursuncorda. (fr. lat., *sursum corda*, que significa *arriba los corazones*.) m. fig. y fam. Supuesto personaje anónimo de mucha importancia. *No lo haré aunque me lo mande* SURSUNCORDA.

surtida. (De *surtir*, salir, aparecer.) f. Salida oculta que hacen los sitiados contra los sitiadores. ‖ **2.** *Fort.* Paso o puerta pequeña que se hace en las fortificaciones por debajo del terraplén al foso, para comunicarse con la plaza sin riesgo del fuego de los enemigos. ‖ **3.** fig. Puerta falsa o parte por donde se sale secretamente. ‖ **4.** *Mar.* Rampa o plano

inclinado hacia el mar en algunos muelles, para que puedan varar o carenarse las embarcaciones menores. ‖ **5.** *Mar.* varadero.

surtidero. m. Canal por donde desaguan los estanques. ‖ **2.** surtidor, chorro de agua.

surtido, da. p. p. de surtir. ‖ **2.** adj. Aplícase al artículo de comercio que se ofrece como mezcla de diversas clases. *Galletas* SURTIDAS. Ú. t. c. s. *Un* SURTIDO *de horquillas.* ‖ **3.** m. Acción y efecto de surtir o surtirse. ‖ **4.** Lo que se previene o sirve para surtir. *Ha llegado un* SURTIDO *de paños.* ‖ **5.** V. **libro de surtido.** ‖ **de surtido.** loc. adj. p. us. De uso o gasto común.

surtidor, ra. adj. Que surte o provee. Ú. t. c. s. ‖ **2.** m. Chorro de agua que brota o sale, especialmente hacia arriba. ‖ **3.** Bomba que extrae de un depósito subterráneo de gasolina, la necesaria para repostar a los vehículos automóviles.

surtimiento. m. surtido, acción y efecto de surtir o surtirse.

surtir. (De *surto*.) tr. Proveer a uno de alguna cosa. Ú. t. c. prnl. ‖ **2.** intr. Brotar, saltar, o simplemente salir el agua, y más en particular hacia arriba. ‖ **3.** ant. Saltar, rebotar. Ú. en León. *El barro me* SURTIÓ *a la cara.*

surto, ta. (Del lat. **surtus*, por *surrectus*, del verbo *surgĕre*.) p. p. irreg. de surgir, dar fondo la nave. ‖ **2.** adj. fig. Tranquilo, en reposo, en silencio.

súrtuba. f. *C. Rica.* Helecho gigante, cuya medula, que es blanca, se come asada.

surubí. m. suruví.

surumpe. m. *Perú.* Inflamación de los ojos que sobreviene a los que atraviesan los Andes nevados, causada por la reverberación del sol en la nieve.

surupí. (De or. guaraní.) m. *Bol.* surumpe.

suruví. (Del guaraní *suruvi, surubí*.) m. *Argent., Bol., Par.* y *Urug.* Pez de río, enorme bagre sin escamas, de piel blanca cenicienta algo plateada y con pintas negras. Su carne amarilla es compacta y sabrosa.

sus-. V. **sub-.**

sus. (De *suso*.) Voz que se emplea para infundir ánimo repentinamente, excitando a ejecutar con vigor o celeridad alguna cosa. ‖ **de gaita.** fig. y fam. Cualquier cosa aérea o sin sustancia.

susano, na. (De *suso*.) adj. ant. Que está a la parte superior o de arriba. ‖ **2.** *Nav.* Próximo, cercano.

suscepción. (Del lat. *susceptĭo, -ōnis.*) f. Acción de recibir uno algo en sí mismo.

susceptibilidad. f. Cualidad de susceptible.

susceptible. (Del lat. *susceptibilis.*) adj. Capaz de recibir modificación o impresión. ‖ **2.** Quisquilloso, picajoso.

susceptivo, va. (Del lat. *susceptīvus.*) adj. susceptible.

suscitación. (Del lat. *suscitatĭo, -ōnis.*) f. Acción y efecto de suscitar.

suscitar. (Del lat. *suscitāre.*) tr. Levantar, promover.

suscribir. tr. Firmar al pie o al final de un escrito. ‖ **2.** fig. Convenir con el dictamen de uno, acceder a él. ‖ **3.** prnl. Obligarse uno a contribuir como otros al pago de una cantidad para cualquier obra o empresa. ‖ **4.** Abonarse para recibir alguna publicación periódica o algunos libros que se hayan de publicar en serie o por fascículos. Ú. t. c. tr.

suscripción. f. Acción y efecto de suscribir o suscribirse.

suscripto, ta. p. p. irreg. **suscrito.**

suscriptor, ra. m. y f. Persona que suscribe o se suscribe.

suscrito, ta. (Del lat. *subscriptus.*) p. p. irreg. de **suscribir.**

suscritor, ra. m. y f. **suscriptor.**

susero, ra. (De *suso*.) adj. ant. Que está a la parte superior o de arriba.

susidio. (De *subsidio*.) m. fig. Inquietud, zozobra.

suso. (Del lat. *sursum, sussum*.) adv. l. p. us. Arriba. ‖ **de suso.** loc. adv. ant. **de arriba.**

susoayá. m. *Argent.* Planta de raíz fusiforme, con tallo recto de metro y medio de alto; hojas alternas, largas, agudas; flores de cinco pétalos amarillos soldados por su base, la cual tiene una coloración morada.

susodicho, cha. (De *suso*, arriba, y *dicho*.) adj. Dicho arriba, mencionado con anterioridad. Ú. t. c. s.

suspección. (Del lat. *suspectĭo, -ōnis*.) f. ant. **sospecha**, acción y efecto de sospechar.

suspecto, ta. (Del lat. *suspectus*.) adj. ant. **sospechoso**, que provoca o motiva sospecha.

suspendedor, ra. adj. Que suspende. Ú. t. c. s.

suspender. (Del lat. *suspendĕre*.) tr. Levantar, colgar o detener una cosa en alto o en el aire. ‖ **2.** Detener o diferir por algún tiempo una acción u obra. Ú. t. c. prnl. ‖ **3.** fig. Causar admiración, embelesar. ‖ **4.** fig. Privar temporalmente a uno del sueldo o empleo que tiene. ‖ **5.** fig. Negar la aprobación a un examinando hasta nuevo examen. ‖ **6.** Asegurarse el caballo sobre las piernas con los brazos al aire.

suspendimiento. m. ant. Acción y efecto de suspender.

suspense. (De or. ing.) m. En el cine y otros espectáculos, situación emocional, generalmente angustiosa, producida por una escena dramática de desenlace diferido o indeciso.

suspensión. (Del lat. *suspensĭo, -ōnis*.) f. Acción y efecto de suspender o suspenderse. ‖ **2.** Censura eclesiástica o corrección gubernativa que en todo o en parte priva del uso del oficio, beneficio o empleo o de sus goces y emolumentos. ‖ **3.** En los carruajes, cada una de las ballestas y correas destinadas a suspender la caja del coche, a fin de dar a esta un movimiento más suave que con el apoyo inmediato en la ballesta. ‖ **4.** En los automóviles y vagones del ferrocarril, conjunto de las piezas y mecanismos destinados a hacer elástico el apoyo de la carrocería sobre los ejes de las ruedas. ‖ **5. suspense.** ‖ **6.** *Mús.* Prolongación de una nota que forma parte de un acorde, sobre el siguiente, produciendo disonancia. ‖ **7.** *Quím.* **suspensión coloidal.** ‖ **8.** *Ret.* Figura que consiste en diferir, para avivar el interés del oyente o lector, la declaración del concepto a que va encaminado y en la que ha de tener remate lo dicho anteriormente. ‖ **9.** *Teol.* Rapto, éxtasis, unión mística con Dios. ‖ **coloidal.** *Quím.* Compuesto que resulta de disolver cualquier coloide en un fluido. ‖ **de armas.** *Mil.* Cesación temporal de hostilidades. ‖ **de garantías.** Situación anormal en que, por motivos de orden público, quedan temporalmente sin vigencia algunas de las garantías constitucionales. ‖ **de pagos.** *Com.* Situación en que se coloca ante el juez el comerciante cuyo activo no es inferior al pasivo, pero que no puede temporalmente atender al pago puntual de sus obligaciones. ‖ **en suspensión.** loc. adj. o adv. que indica el estado de partículas o cuerpos que se mantienen durante tiempo más o menos largo en el seno de un fluido.

suspensivo, va. (De *suspenso*.) adj. Que tiene virtud o fuerza de suspender. ‖ **2.** *Der.* V. **condición suspensiva.** ‖ **3.** *Der.* V. **efecto suspensivo.** ‖ **4.** *Ortogr.* V. **puntos suspensivos.**

suspenso, sa. (Del lat. *suspensus*.) p. p. irreg. de **suspender.** ‖ **2.** adj. Admirado, perplejo. ‖ **3.** m. Nota de haber sido suspendido en un examen. ‖ **4.** *Amér.* Por influencia del ing. *suspense*, expectación impaciente o ansiosa por el desarrollo de una acción o suceso; úsase especialmente con referencia a películas cinematográficas, obras teatrales o relatos. ‖ **en suspenso.** loc. adv. Diferida la resolución o su cumplimiento.

suspensorio, ria. (Del lat. *suspensum*, supino de *suspendĕre*,

suspender.) adj. Que sirve para suspender en alto o en el aire. ‖ **2.** m. Vendaje para sostener el escroto, u otro miembro.

suspicacia. f. Cualidad de suspicaz. ‖ **2.** Especie o idea sugerida por la sospecha o desconfianza.

suspicaz. (Del lat. *suspĭcax, -ācis*.) adj. Propenso a concebir sospechas o a tener desconfianza.

suspicazmente. adv. m. De modo suspicaz.

suspición. (Del lat. *suspĭcĭo, -ōnis*.) f. ant. **sospecha**, acción y efecto de sospechar.

suspirado, da. p. p. de **suspirar.** ‖ **2.** adj. fig. Deseado con ansia.

suspirar. (Del lat. *suspirāre*.) intr. Dar suspiros. ‖ **suspirar** uno **por** una cosa. fr. fig. Desearla con ansia. ‖ **suspirar** uno **por** una persona. fr. fig. Amarla en extremo.

suspiro. (Del lat. *suspirĭum*.) m. Aspiración fuerte y prolongada seguida de una espiración, acompañada a veces de un gemido y que suele denotar pena, ansia o deseo. ‖ **2.** Golosina que se hace de harina, azúcar y huevo. ‖ **3.** Pito pequeño de vidrio, de silbido agudo y penetrante. ‖ **4.** fig. y fam. Espacio de tiempo brevísimo. ‖ **5.** *And.* y *Chile.* **trinitaria.** ‖ **6.** *Argent.* y *Chile.* Nombre que se da a distintas especies de enredaderas, de la familia de las convolvuláceas, con hojas alternas, flores de diversos colores que tienen el tubo de la corola casi cilíndrico y el limbo extendido en forma pentagonal. ‖ **7.** *Mús.* Pausa breve. ‖ **8.** *Mús.* Signo que la representa. ‖ **último suspiro.** fig. y fam. El del hombre al morir, y en general, fin y remate de cualquier cosa.

suspirón, na. adj. Que suspira mucho.

suspiroso, sa. (Del lat. *suspiriōsus*.) adj. Que suspira con dificultad.

sustancia. f. Cualquier cosa con que otra se aumenta y nutre y sin la cual se acaba. ‖ **2.** Jugo que se extrae de ciertas materias alimenticias, o caldo que con ellas se hace. ‖ **3.** Ser, esencia, naturaleza de las cosas. ‖ **4.** fig. Aquello que en cualquier cosa constituye lo más importante o esencial. ‖ **5.** Hacienda, caudal, bienes. ‖ **6.** Valor y estimación que tienen las cosas. *Negocio de* SUSTANCIA. ‖ **7.** Elementos nutritivos de los alimentos. ‖ **8.** fig. y fam. Juicio, madurez. *Hombre sin* SUSTANCIA. ‖ **9.** *Fil.* Entidad a la que por su naturaleza compete existir en sí y no en otra por inherencia. ‖ **blanca.** *Anat.* La formada principalmente por la reunión de fibras nerviosas, que constituye la parte periférica de la médula espinal y la central del encéfalo. ‖ **gris.** *Anat.* La formada principalmente por la reunión de cuerpos de células nerviosas, que constituye la porción central de la médula espinal y la superficial del encéfalo. ‖ **convertirlo** uno **todo en sustancia.** fr. fig. y fam. Interpretarlo a su favor. ‖ **2.** fig. y fam. Sacar partido así de lo favorable como de lo adverso. ‖ **en sustancia.** loc. adv. **en compendio.** ‖ **2.** *Farm.* Dícese del simple que se da como medicamento en su ser natural y con todas sus partes, a diferencia de los que se suministran en infusión, extracto, etcétera.

sustanciación. f. Acción y efecto de sustanciar.

sustancial. adj. Perteneciente o relativo a la sustancia. ‖ **2. sustancioso.** ‖ **3.** Dícese de lo esencial y más importante de una cosa.

sustancialmente. adv. m. **en sustancia.**

sustanciar. tr. Compendiar, extractar. ‖ **2.** *Der.* Conducir un asunto o juicio por la vía procesal adecuada hasta ponerlo en estado de sentencia.

sustancioso, sa. adj. Que tiene valor o estimación. ‖ **2.** Que tiene virtud nutritiva.

sustantivación. f. *Gram.* Acción y efecto de sustantivar.

sustantivamente. adv. m. A manera de sustantivo, con carácter de sustantivo.

sustantivar. tr. *Gram.* Dar valor y significación de nombre sustantivo a otra parte de la oración y aun a locuciones enteras.

sustantividad. f. Existencia real, independencia, individualidad.

sustantivo, va. adj. Que tiene existencia real, independiente, individual. ‖ **2.** Importante, fundamental, esencial. ‖ **3.** *Gram.* V. **nombre sustantivo.** Ú. t. c. s. ‖ **4.** *Gram.* V. **verbo sustantivo.**

sustenido, da. adj. *Mús.* **sostenido.** Ú. t. c. s. m.

sustentable. adj. Que se puede sustentar o defender con razones.

sustentación. (Del lat. *sustentatĭo, -ōnis.*) f. Acción y efecto de sustentar. ‖ **2. sustentáculo.** ‖ **3.** *Ret.* Suspensión, figura de dicción.

sustentáculo. (Del lat. *sustentacŭlum.*) m. Apoyo o sostén de una cosa.

sustentador, ra. adj. Que sustenta. Ú. t. c. s.

sustentamiento. m. Acción y efecto de sustentar o sustentarse. ‖ **2.** ant. **sustentoso.**

sustentante. p. a. de **sustentar.** Que sustenta. ‖ **2.** m. Cada una de las partes que sustentan o en que se apoya un edificio. ‖ **3.** El que defiende conclusiones en acto público de una facultad. ‖ **4.** *Mar.* Cualquiera de las barras de hierro clavadas por un extremo en el costado del buque, que tienen un zuncho de bisagra en el otro, y que sirven para colocar las vergas de respeto, de gavia y de velacho. ‖ **5.** *Mar.* Cada una de las dos horquillas de hierro colocadas en las batayolas de los brazales para asegurar la verga de cebadera por encima del bauprés.

sustentar. (Del lat. *sustentāre*, intens. de *sustinēre.*) tr. Proveer a uno del alimento necesario. Ú. t. c. prnl. ‖ **2.** Conservar una cosa en su ser o estado. ‖ **3.** Sostener una cosa para que no se caiga o se tuerza. Ú. t. c. prnl. ‖ **4.** Defender o sostener determinada opinión.

sustento. m. Mantenimiento, alimento. ‖ **2.** Lo que sirve para dar vigor y permanencia a una cosa. ‖ **3.** Sostén o apoyo.

sustitución. f. Acción y efecto de sustituir. ‖ **2.** *Der.* Nombramiento de heredero o legatario que se hace en reemplazo de otro nombramiento de la misma índole. ‖ **ejemplar.** *Der.* Designación de sucesor en los bienes del que, por causa de demencia, está incapacitado para testar. ‖ **fideicomisaria.** Designación de otro u otros herederos o legatarios, a quienes la herencia o la manda se hayan de transferir gradualmente, después de la adquisición y el goce por los antepuestos en la serie de llamamientos. ‖ **pupilar.** *Der.* Nombramiento de sucesor en los bienes del pupilo que por no haber llegado a la edad de la pubertad no puede hacer testamento. ‖ **vulgar.** *Der.* Nombramiento de segundo, tercero y aun ulteriores herederos o legatarios, en lugar del primero instituido, para el caso en que este falte o no efectúe la sucesión.

sustituible. adj. Que se puede o debe sustituir.

sustituidor, ra. adj. Que sustituye. Ú. t. c. s.

sustituir. tr. Poner a una persona o cosa en lugar de otra.

sustitutivo, va. adj. Dícese de lo que puede reemplazar a otra cosa en el uso. Ú. t. c. s.

sustituto, ta. p. p. irreg. de **sustituir.** ‖ **2.** m. y f. Persona que hace las veces de otra. Ú. t. c. adj. ‖ **3.** *Der.* Heredero o legatario designado para cuando falta la sucesión del nombrado con prioridad a él, o para suplir con causa legítima el nombramiento.

susto. (De **sustar*, y este del lat. *suscitāre.*) m. Impresión repentina causada en el ánimo por sorpresa, miedo, espanto o pavor. ‖ **2.** fig. Preocupación vehemente por alguna adversidad o daño que se teme. ‖ **dar un susto al miedo.** fr. fig. y fam. con que se encarece lo feo o repugnante.

sustracción. f. Acción y efecto de sustraer o sustraerse. ‖ **2.** *Álg.* y *Arit.* Operación de restar, resta.

sustractivo, va. adj. *Mat.* Dícese de los términos de un polinomio que van precedidos del signo menos.

sustraendo. m. *Álg.* y *Arit.* Cantidad que ha de restarse de otra.

sustraer. tr. Apartar, separar, extraer. ‖ **2.** Hurtar, robar fraudulentamente. ‖ **3.** *Álg.* y *Arit.* Restar, hallar la diferencia entre dos cantidades. ‖ **4.** prnl. Separarse de lo que es de obligación, de lo que se tenía proyectado o de alguna otra cosa.

sustrato. m. *Biol.* Lugar que sirve de asiento a una planta o animal fijo. ‖ **2.** *Fil.* **sustancia,** ser de las cosas y existir una cosa en sí y no en otra. ‖ **3.** *Fotogr.* Baño aplicado al soporte para permitir la adherencia entre la capa sensible a la luz y el vidrio o las materias plásticas. ‖ **4.** *Geol.* Terreno situado debajo del que se considera. *El* SUSTRATO *de un manto.* ‖ **5.** *Ling.* Lengua que, hablada en un territorio sobre el cual se ha implantado otra lengua, se ha extinguido, pero ha legado algunos rasgos a esta última. ‖ **6.** *Ling.* Acción por la cual una lengua que se ha extinguido al implantarse en su territorio otra lengua, ha legado, sin embargo, a esta algunos de sus rasgos. ‖ **7.** *Ling.* Cada uno de los rasgos que una lengua, extinguida porque otra lengua ha invadido su territorio, ha legado a esta última. ‖ **8.** *Quím.* Sustancia sobre la que se ejerce la acción de un fermento.

susurración. (Del lat. *susurratĭo, -ōnis.*) f. Murmuración secreta.

susurrador, ra. (Del lat. *susurrātor.*) adj. Que susurra. Ú. t. c. s.

susurrar. (Del lat. *susurrāre.*) intr. Hablar quedo, produciendo un murmullo o ruido sordo. Ú. t. c. tr. ‖ **2.** Empezarse a decir o divulgar una cosa secreta o que no se sabía. Ú. m. c. prnl. ‖ **3.** fig. Producir un ruido suave y remiso el aire, el arroyo, etc. Ú. t. c. tr.

susurrido. m. Ruido suave que hacen algunas cosas naturales, susurro.

susurro. (Del lat. *susurrus.*) m. Ruido suave y remiso que resulta de hablar quedo. ‖ **2.** fig. Ruido suave y remiso que naturalmente hacen algunas cosas.

susurrón, na. (Del lat. *susurro, -ōnis.*) adj. fam. Que acostumbra murmurar secretamente o a escondidas. Ú. t. c. s.

sutás. (Del fr. *soutache.*) m. Cordoncillo con una hendidura en medio que le da apariencia de dos cordones unidos. Se usa para adorno.

sute. adj. *Col.* y *Venez.* Enteco, canijo. ‖ **2.** m. *Col.* Lechón, gorrino. ‖ **3.** *Hond.* Especie de aguacate.

sutil. (Del lat. *subtīlis.*) adj. Delgado, delicado, tenue. ‖ **2.** fig. Agudo, perspicaz, ingenioso. ‖ **3.** *Mar.* V. **escuadra, galera sutil.**

sutileza. f. Cualidad de sutil. ‖ **2.** fig. Dicho o concepto excesivamente agudo y falto de verdad, profundidad o exactitud. ‖ **3.** fig. Instinto de los animales. ‖ **4.** *Teol.* Uno de los cuatro dotes del cuerpo glorioso, que consiste en poder penetrar por otro cuerpo. ‖ **de manos.** fig. Habilidad para hacer algunas cosas con expedición y primor. ‖ **2.** fig. Ligereza y habilidad del ladrón ratero.

sutilidad. (Del lat. *subtilĭtas, -ātis.*) f. **sutileza.**

sutilizador, ra. adj. Que sutiliza. Ú. t. c. s.

sutilizar. (De *sutil.*) tr. Adelgazar, atenuar. ‖ **2.** fig. Limar, pulir y perfeccionar cosas no materiales. ‖ **3.** fig. Discurrir ingeniosamente o con profundidad.

sutilmente. adv. m. De manera sutil.

sutorio, ria. (Del lat. *sutorĭus.*) adj. Aplícase al arte de hacer zapatos, o a lo perteneciente a él.

sutura. (Del lat. *sutūra*; de *sutum*, supino de *suĕre*, coser.) f. *Bot.* Cordoncillo que forma la juntura de las ventallas de un fruto. ‖ **2.** *Cir.* Costura con que se reúnen los labios de una herida. ‖ **3.** *Zool.* Línea sinuosa, a modo de sierra, que forma la unión de ciertos huesos del cráneo.

suturar. tr. Coser una herida.

suversión. f. ant. **subversión.**

suversivo, va. adj. ant. **subversivo.**

suvertir. tr. ant. **subvertir.**

suyo, ya. (Del lat. *suus*, infl. por *cuius*.) Pronombre posesivo de tercera persona en género masculino y femenino y ambos números singular y plural. Ú. t. c. s. ‖ **la suya.** Intención o voluntad determinada del sujeto de quien se habla. *Salirse con* LA SUYA; *llevar* LA SUYA *adelante.* ‖ **2.** loc. fam. con que se indica que ha llegado la ocasión favorable a la persona de que se trata. Ú. m. con el verbo *ser. Ahora* ES, O SERÁ LA SUYA. ‖ **los suyos.** Personas propias y unidas a otra por parentesco, amistad, servidumbre, etc. ‖ **de las suyas.** loc. Modos de expresarse u obrar que responden al carácter de una persona. Se usa con frecuencia en sentido peyorativo. *Hacer* DE LAS SUYAS. *Salir con una* DE LAS SUYAS. ‖ **de suyo.** loc. adv. Naturalmente, propiamente o sin sugestión ni ayuda ajena. ‖ **lo suyo.** loc. fam. con que se pondera la dificultad, mérito o importancia de algo. Ú. m. con el verbo *tener. Traducir a Horacio* TIENE LO SUYO. ‖ **lo suyo y lo ajeno.** loc. fig. y fam. Lo que toca y lo que no toca, lo que pertenece y lo que no pertenece, a una persona. *Cuenta* LO SUYO Y LO AJENO; *hasta* LO SUYO Y LO AJENO. ‖ **hacer** uno **de las suyas.** fr. fam. Obrar, proceder según su genio y costumbre. Se usa generalmente en sentido peyorativo. ‖ **salir,** o **salirse,** uno **con la suya.** fr. fig. Lograr su intento a pesar de contradicciones y dificultades.

suzón. (Del lat. *senecio, -ónis.*) m. **zuzón,** planta.

swástica. f. **esvástica.**

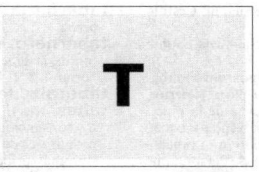

t. f. Vigésima tercera letra del abecedario español, y decimonona de sus consonantes. Su nombre es **te,** y representa un sonido de articulación dental, oclusiva y sorda. ‖ **2.** V. **hierro de doble T.**

ta. Voz que se usa repetida para significar los golpes que se dan en la puerta para llamar. ‖ **2. tate.**

taba. (De or. inc.) f. Astrágalo, hueso del pie. ‖ **2.** Lado de la **taba** opuesto a la chuca. ‖ **3.** Juego en que se tira al aire una **taba** de carnero, u otro objeto similar, y se gana o se pierde según la posición en que caiga aquella. ‖ **menear** uno **las tabas.** fr. fig. y fam. Andar deprisa. ‖ **2.** fig. y fam. Afanarse, llevar ajetreo. ‖ **tomar** uno **la taba.** fr. fig. y fam. Empezar a hablar con prisa después que otro lo deja.

tabacal. m. Sitio sembrado de tabaco.

tabacalero, ra. adj. Perteneciente o relativo al cultivo, fabricación o venta del tabaco. ‖ **2.** Dícese de la persona que cultiva el tabaco. Ú. t. c. s. ‖ **3. tabaquero.** Ú. t. c. s.

tabaco. (De etim. disc.) m. Planta de la familia de las solanáceas, originaria de América, de raíz fibrosa, tallo de cinco a doce decímetros de altura, velloso y con médula blanca; hojas alternas, grandes, lanceoladas y glutinosas; flores en racimo, con el cáliz tubular y la corola de color rojo purpúreo o amarillo pálido, y fruto en cápsula cónica con muchas semillas menudas. Toda la planta tiene olor fuerte y es narcótica. ‖ **2.** Hoja de esta planta, curada y preparada para sus diversos usos. ‖ **3.** Polvo a que se reducen las hojas secas de esta planta para tomarlo por las narices. ‖ **4.** Cigarro puro. *Fumarse un* TABACO. ‖ **5.** Enfermedad de algunos árboles, que consiste en descomponerse la parte interior del tronco, convirtiéndose en un polvo de color rojo pardusco o negro. ‖ **6.** Color marrón semejante al de las hojas de **tabaco.** ‖ **capero.** El apropiado para capas de cigarros. ‖ **colorado.** Cigarro puro que por la calidad e incompleta madurez de la hoja con que está elaborado, es de color claro y de menos fortaleza que el maduro. ‖ **cucarachero.** El de polvo, que se elabora con hojas de dicha planta, pero sin compostura y cortadas algún tiempo después de madurar. ‖ **2. tabaco** en polvo, teñido con almagre, que se usó en otro tiempo. ‖ **de barro.** El de polvo, aromatizado con barro oloroso. ‖ **de cucaracha. tabaco cucarachero.** ‖ **de hoja.** Hoja o conjunto de hojas escogidas de esta planta, que por lo común sirven para capa de los puros. ‖ **de humo.** desus. El que se fuma. ‖ **del diablo.** *Chile.* **tupa.** ‖ **de montaña. árnica,** planta. ‖ **de palillos.** El de polvo, que se fabrica de los tallos y venas de la planta, aromatizándolo con vinagrillo y otras aguas de olor. ‖ **de polvo. tabaco** para tomarlo por las narices. ‖ **de regalía.** El de superior calidad. ‖ **de vena.** Picadura que se fabrica con los cigarrillos de papel, utilizando, con cierta preparación, las venas y tallos de la planta. ‖ **de vinagrillo. tabaco vinagrillo.** ‖ **groso.** El de polvo en forma de granos de mostaza, amasando el polvo de las hojas con aguas de olor. ‖ **holandés, u holandilla.** El flojo y de poco aroma que se cría y elabora en Holanda. ‖ **maduro.** Cigarro puro que por la calidad y perfecta madurez de la hoja con que está elaborado es de color oscuro y muy fuerte. ‖ **moruno.** El que se cría en Europa y África y que se distingue por su fortaleza y lo poco grato del aroma. ‖ **negro.** El que, aderezado con miel, se elabora en forma de mecha retorcida y flexible para picarlo y fumarlo en papel o pipa. ‖ **rapé.** El de polvo, más grueso y más oscuro que el ordinario y elaborado con hoja cortada algún tiempo después de madurar. ‖ **rubio.** El que resulta de la mezcla de las variedades de color amarillo y cobrizo de Virginia y Oriente. ‖ **turco.** El picado en hebras, muy suave y aromático. ‖ **verdín.** El de polvo, que se elabora con las hojas de esta planta, pero sin compostura y cortadas antes de madurar. ‖ **vinagrillo.** El de polvo, aderezado con cierta especie de vinagre flojo y aromático. ‖ **acabársele** a uno **el tabaco.** fr. fig. y fam. p. us. *Argent.* Quedarse sin recursos. ‖ **tomar tabaco.** fr. Sorberlo en polvo por las narices.

tabacón. m. *P. Rico.* Árbol de la familia de las solanáceas, de tronco grueso, del que se obtiene una madera resistente que sirve para la construcción.

tabacoso, sa. adj. fam. Que toma mucho polvo de tabaco. ‖ **2.** Manchado o mal oliente por el tabaco. ‖ **3.** Aplícase al árbol atacado del **tabaco,** enfermedad.

tabahía. f. ant. **tabaque¹.**

tabaiba. f. *Can.* Árbol cuya madera, muy ligera y poco porosa, se usa para tapones de cubas y barriles.

tabaibal. m. *Can.* Terreno poblado de tabaibas.

tabal. (Del ár. *ṭabal,* timpano.) m. ant. **atabal,** tamboril. ‖ **2.** Barril en que se conservan las sardinas arenques, y en algunas partes del litoral, el boquerón descabezado o anchoa.

tabalada. (De *tabal.*) f. desus. fam. Golpe que se da con la mano. ‖ **2.** fam. El que se da en las nalgas al caerse.

tabalario. (De *tabal.*) m. fam. **tafanario,** parte posterior del cuerpo humano, asentaderas.

tabalear. (De *tabal.*) tr. Menear o mecer una cosa a una parte y otra. Ú. t. c. prnl. ‖ **2.** intr. **tamborilear,** dar golpes ligeros.

tabaleo. m. Acción y efecto de tabalear o tabalearse.

tabanazo. m. fam. **bofetada,** golpe con la mano abierta. ‖ **2.** *Murc.* Golpe dado con la mano o con cualquier objeto.

tabanco. m. Puesto, tienda o cajón que se pone en las calles o en los mercados para la venta de comestibles. ‖ **2.** *Amér. Central.* Desván, sobrado. ‖ **3.** *Các.* **tajo** de una cuadrilla de obreros.

tabanera. f. Sitio donde hay muchos tábanos.

tábano. (Del lat. *tabānus.*) m. Insecto díptero, del suborden de los braquíceros, de dos a tres centímetros de longitud y de color pardo, que molesta con sus picaduras principalmente a las caballerías. ‖ **2.** fig. y fam. Persona molesta o pesada.

tabanque. m. Rueda de madera que mueven con el pie los alfareros, para hacer girar el torno. ‖ **2. tabaque¹.** ‖ **levantar el tabanque.** fr. fig. y fam. Suspender alguna reunión. ‖ **2.** Abandonar un sitio.

tabaola. f. **batahola.**

tabaque[1]. (Del ár. *tabaq*, cestillo plano como plato.) m. Cestillo o canastillo de mimbre.

tabaque[2]. m. Clavo poco mayor que la tachuela común y menor que el clavo de media chilla.

tabaquera. f. Recipiente para llevar o guardar el tabaco. ‖ **2.** Caja o pomo con agujeros en su parte superior, para sorber el tabaco en polvo. ‖ **3.** Cazoleta de la pipa.

tabaquería. f. Puesto o tienda donde se vende tabaco.

tabaquero, ra. adj. Perteneciente o relativo al tabaco. ‖ **2.** m. y f. Obrero que tuerce el tabaco. ‖ **3.** Persona que lo vende o comercia con él.

tabaquismo. m. Intoxicación crónica producida por el abuso del tabaco.

tabaquista. com. Persona que entiende la calidad del tabaco. ‖ **2.** Persona que consume mucho tabaco.

tabardete. m. desus. **tabardillo**, tifus. ‖ **2.** fam. Fiebre alta producida por una insolación.

tabardillo. (En b. lat. *tabardilli*; en port. *tabardilho*.) m. desus. *Pat.* **tifus**. ‖ **2.** fam. **insolación**. ‖ **3.** fig. y fam. Persona alocada, bulliciosa y molesta. ‖ **pintado**. desus. **tifus exantemático**.

tabardo. m. Prenda de abrigo ancha y larga, de paño tosco, con las mangas bobas, que se usa en el campo. ‖ **2.** Cualquier prenda de abrigo basta. ‖ **3.** Ropón blasonado que usaban antiguamente los heraldos y reyes de armas, y que usan todavía los empleados de ciertas corporaciones; como los maceros de las Cortes y los de algunos ayuntamientos. ‖ **4.** Especie de gabán sin mangas, de paño o de piel. ‖ **5.** Chaquetón militar, que formaba parte del uniforme de invierno del soldado.

tabarra. (De *tabarro*.) f. Molestia causada por algo pesado e insistente. Ú. especialmente en la fr. *dar la* TABARRA.

tabarrera. (De *tabarro*.) f. fam. **tabarra**. ‖ **2.** *Murc.* Moscón, avispón.

tabarrería. f. *And.* Nido que hacen en el suelo o en los vallados de tierra los tabarros formando muchos agujeros.

tabarro o **tábarro**. (De etim. disc.) m. **tábano**. ‖ **2.** *And.* Especie de avispa algo mayor que la corriente, y cuya picadura causa intenso dolor.

tabasco. n. p. V. **pimienta de Tabasco**. ‖ **2.** m. Ají de fruto rojo, pequeño y muy picante. ‖ **3.** Salsa roja muy picante que sirve de condimento.

tabasqueño, ña. adj. Natural de Tabasco. Ú. t. c. s. ‖ **2.** Perteneciente a este Estado mejicano.

tabea. f. *Burg.* y *Pal.* Chorizo hecho con la asadura del cerdo.

tabefe. (Del port. y este del ár. *ṭabīj*, cocido.) m. *And.* y *Can.* **requesón**.

tabelión. (Del lat. *tabeliō, -ōnis*.) m. ant. El que por oficio público da fe de escrituras y de actos que pasan ante él, escribano.

tabelladura. f. Acción y efecto de tabellar.

tabellar. (Del lat. *tabella*, tablita.) tr. Doblar y tablear las piezas de paño y demás tejidos de lana, de modo que queden sueltos los orillos para poder registrarlos con facilidad. ‖ **2.** Marcar las telas o ponerles los sellos de fábrica. ‖ **3.** Plegar el papel destinado a la confección de abanicos.

taberna. (Del lat. *taberna*.) f. Establecimiento público, de carácter popular, donde se sirven y expenden bebidas y, a veces, se sirven comidas. ‖ **2.** fig. y fam. V. **difunto de taberna**.

tabernáculo. (Del lat. *tabernacŭlum*, tienda de campaña.) m. Lugar donde los hebreos tenían colocada el arca del Testamento. ‖ **2.** Sagrario donde se guarda el Santísimo Sacramento. ‖ **3.** Tienda en que habitaban los antiguos hebreos. ‖ **4.** V. **fiesta de los Tabernáculos**.

tabernario, ria. (Del lat. *tabernarĭus*.) adj. Propio de la taberna o de las personas que la frecuentan. ‖ **2.** fig. Bajo, grosero, vil.

tabernería. f. Oficio o trato de tabernero. ‖ **2.** ant. **taberna**.

tabernero, ra. (Del lat. *tabernarĭus*.) adj. Tabernario, propio de la taberna. ‖ **2.** m. y f. Persona que tiene una taberna. ‖ **3.** f. Mujer del **tabernero**.

tabernizado, da. adj. Propio de taberna.

tabes. (Del lat. *tabes*.) f. *Pat.* Extenuación, enflaquecimiento, consunción. ‖ **dorsal**. *Pat.* Enfermedad de los cordones posteriores de la médula espinal, de origen sifilítico, cuyos síntomas principales son la ataxia, la abolición de los reflejos y diversos trastornos de la sensibilidad.

tabí. (Del m. or. que *atavío*.) m. Tela antigua de seda, con labores ondeadas y que forman aguas.

tabica. (Del ár. *tabiqa*, adaptada, ajustada.) f. *Arq.* Tablilla con que se cubre un hueco; como el de una socarrena o el del frente de un escalón de madera.

tabicar. tr. Cerrar con tabique una cosa; como puerta, ventana, etc. ‖ **2.** fig. Cerrar u obstruir lo que debería estar abierto o tener curso. Ú. t. c. prnl. TABICARSE *las narices*.

tabicón. (aum. de *tabique*.) m. Tabique que no pasa de un pie de grueso. ‖ **2.** *Tol.* **adobe**[1]. ‖ **3.** *And.* y *Bad.* Tabla gruesa, tablón.

tábido, da. (Del lat. *tabĭdus*.) adj. *Pat.* Extenuado por consunción. ‖ **2.** desus. Podrido o corrompido.

tabífico, ca. (Del lat. *tabifĭcus*.) adj. p. us. Que produce la consunción.

tabilla. (Del lat. *tabella*, tabla.) f. *Ar.* y *Murc.* Vaina de las leguminosas.

tabina. f. *Áv.*, *Sal.* y *Vallad.* Vaina de las leguminosas.

tabinete. (Como el fr. *tabinet*, del m. or. que *tabí*.) m. Tela parecida al raso, con trama de algodón y urdimbre de seda, que se usaba para el calzado de las señoras.

tabique. (Del ár. *tašbik*, separación de una estancia, pared de ladrillo.) m. Pared delgada que sirve para separar las piezas de una casa. ‖ **2.** Por ext., división plana y delgada que separa dos huecos. *El* TABIQUE *de las fosas nasales*. ‖ **de carga**. El que está hecho con ladrillos sentados de plano y sirve para cargar en él las vigas de una crujía. ‖ **de panderete**. El que está hecho con ladrillos puestos de canto. ‖ **sordo**. El que se compone de dos panderetes separados y paralelos.

tabiquería. f. Conjunto o serie de tabiques.

tabiquero. m. p. us. El operario que se dedica a hacer tabiques.

tabla. (Del lat. *tabŭla*.) f. Pieza de madera plana, de poco grueso y cuyas dos caras son paralelas entre sí. ‖ **2.** Pieza plana y de poco espesor de alguna otra materia rígida. ‖ **3.** Cara más ancha de un madero. ‖ **4.** Dimensión mayor de una escuadría. ‖ **5. diamante tabla**. ‖ **6.** Parte que se deja sin plegar en un vestido. ‖ **7.** Doble pliegue ancho y plano que se hace por adorno en una tela y que deja en el exterior un trozo liso contra trozo liso entre doblez y doblez. ‖ **8.** Este trozo liso. ‖ **9.** desus. **mesa**, mueble. ‖ **10.** desus. Establecimiento público de banca que hubo antiguamente en algunas ciudades de España. ‖ **11.** Tablilla en que se comunica algo. ‖ **12.** Índice de materias en los libros. ‖ **13.** Lista o catálogo de cosas puestas por orden sucesivo o relacionadas entre sí. ‖ **14.** Cuadro o catálogo de números de especie determinada, dispuestos en forma adecuada para facilitar los cálculos. TABLA *de multiplicar, de logaritmos, astronómica*. ‖ **15.** Parte algo plana de ciertos miembros del cuerpo. TABLA *del pecho, del muslo*. ‖ **16.** Faja de tierra, y especialmente la labrantía comprendida entre dos filas de árboles. ‖ **17.** Cuadro o plantel de tierra en que se siembran verduras. ‖ **18.** Pedazo cuadrilongo de tierra dispuesto para plantar legumbres, vides o árboles. ‖ **19. tabla de agua** o **de río**. ‖ **20.** Aduana en los puertos secos. ‖ **21.** Mostrador de la carnicería, tablón. ‖ **22.** Puesto público de carne u otros alimentos. ‖ **23.** Superficie ovalada y con un hueco central, provista de una tapa. Se coloca sobre la taza del retrete para sentarse sobre ella. ‖ **24.** ant. Mapa de la Tierra o de una parte de ella. ‖ **25.** *Persp.* Superficie del cuadro donde deben representarse los objetos y que se considera siempre como vertical. ‖ **26.** *Pint.* Pintura hecha en **tabla.** ‖ **27.** V. **sermón de tabla.** ‖ **28.** pl. **tablas reales.** ‖ **29.** Estado, en el juego de damas o en el de ajedrez, en el cual ninguno de los jugadores puede ganar la partida. ‖ **30.** fig. Por ext., empate entre competidores. *Hacer* TABLAS *un asunto; quedar* TABLAS. ‖ **31. tablas de la ley.** ‖ **32.** fig. El escenario del teatro. ‖ **33.** fig. Soltura en cualquier actuación ante el público. ‖ **34.** *Taurom.* Barrera o valla que circunda el ruedo. ‖ **35.** *Taurom.* Tercio del ruedo inmediato a la barrera. ‖ **36.** Conjunto de tres tablillas como las de San Lázaro, con cuyo ruido despertaban a los frailes de algunas órdenes religiosas para que se juntasen a rezar maitines. ‖ **alcaceña.** Pieza de madera de sierra, de 9 pies de longitud, 24 dedos de ancho y 3 de canto. ‖ **barcal.** Pieza de madera de sierra, de una a tres pulgadas de canto, que sirve para la construcción de embarcaciones pequeñas. ‖ **bocal.** *Mar.* La que está debajo de la regala de ciertas embarcaciones menores. ‖ **de agua. tabla de río.** ‖ **de armonía.** *Mús.* Tabla delgada de madera ligera, que cubre la caja de los instrumentos de cuerda y sirve para aumentar su resonancia. ‖ **de canal.** *Mar.* Hilada más baja de tablones puesta en el forro de la bodega, y que dista de la sobrequilla el ancho que tiene la canal del agua. ‖ **de capellada.** *P. Rico.* La que se pone a los lados del piso de un andamio, para protección del trabajador. ‖ **de coto.** Pieza de madera de sierra que tiene un coto de ancho. ‖ **de chilla. chilla**², **tabla** de ínfima calidad. ‖ **de escantillones.** *Mar.* Pedazo de **tabla** en que están marcados los escantillones que han de llevar o formar las piezas. ‖ **de gordillo.** *Tol.* Pieza de madera de sierra, de 6 pies de longitud y con una escuadría de 4 pulgadas de **tabla** por una y cuarta de canto. ‖ **de gordo.** *Seg.* Pieza de madera de sierra, de 7 a 9 pies de longitud y con una escuadría de 16 dedos de **tabla** por 2 de canto. ‖ **de Grecia.** *Pint.* **icono.** ‖ **de guindola.** *Mar.* Cualquiera de las tres dispuestas para formar la guindola de la arboladura. ‖ **de jarcia.** *Mar.* Conjunto de obenques de cada banda de un palo o mastelero, cuando están colocados y tesos en su lugar y con la flechadura hecha. ‖ **de juego.** Casa o garito donde se juntan algunos a jugar. ‖ **de la vaca.** Corrillo o cuadrilla que mete mucho ruido y bulla en el juego o en la conversación. ‖ **de lavar.** La de madera que en una de sus caras lleva talladas unas ranuras y sirve para restregar sobre ella la ropa al enjabonarla. ‖ **del Consejo.** Conjunto de los ministros que componían los tribunales antiguos. ‖ **de los sellos.** ant. Oficina del canciller. ‖ **de manteles.** desus. Mantel de la mesa de comer. ‖ **de río.** Parte en que, por haber poca pendiente, el río corre más extendido y plano, de modo que casi no se nota su corriente. ‖ **de salvación.** fig. Por comparación con la del náufrago, último recurso para salir de un apuro. ‖ **numularia.** Establecimiento público que hubo antiguamente en algunas ciudades de España, en el cual se recibía dinero en depósito mediante cierto premio. ‖ **pitagórica.** *Arit.* **tabla** de multiplicación de los números dígitos dispuesta en forma de cuadro. ‖ **portadilla.** Pieza de madera de sierra, de 9 pies de longitud, con una escuadría de 20 dedos de ancho por 3 de canto. ‖ **rasa.** La que, aparejada para la pintura, nada tiene aún trazado ni pintado. ‖ **2.** fig. Entendimiento sin cultivo ni estudios. ‖ **tablas de la ley.** Piedras en que se escribió el Decálogo que, según la Biblia, dio Dios a Moisés en el Sinaí. ‖ **reales.** Juego antiguo parecido al de las damas, donde se combina la habilidad con el azar, ya que son los dados los que deciden el movimiento de las piezas. ‖ **a la tabla del mundo.** loc. adv. fig. Al público. ‖ **a raja tabla,** o **a rajatabla.** loc. adv. fig.

y fam. Cueste lo que cueste, a toda costa, a todo trance, sin remisión. ‖ **escapar** uno **en una tabla.** fr. fig. Salir de un riesgo venturosamente y como por milagro. ‖ **facer tabla.** fr. ant. Dar mesa o convite. ‖ **hacer tabla rasa** de algo. fr. Prescindir o desentenderse de ello, por lo común arbitrariamente. ‖ **no saber** uno **por dónde van tablas.** fr. fig. Ignorar aquello de que se trata. ‖ **pisar bien las tablas.** fr. fig. Estar y moverse el actor en la escena con naturalidad y desembarazo. ‖ **por tabla.** loc. adv. Por choque y reflexión de la bola de billar en una tabla o banda. ‖ **2.** fig. **por carambola.** ‖ **salvarse** uno **en una tabla.** fr. fig. **escapar en una tabla.** ‖ **ser de tabla** una cosa. fr. fig. y fam. **ser de cajón.**

tablachero. m. *Murc.* El que cuida del tablacho de las tandas de riego.

tablachina. (De or. inc.) f. desus. **broquel,** escudo de madera.

tablacho. (De *tabla.*) m. Compuerta para detener el agua. ‖ **echar,** o **hacer, el tablacho.** fr. fig. y fam. Interrumpir y detener con alguna razón al que está hablando.

tablada. (Del lat. *tabulāta*, t. f. de -*tus*, de *tabûla*, tabla.) f. *Pal.* Cada uno de los espacios en que se divide una huerta para su riego. ‖ **2.** *And.* y *Argent.* Lugar próximo al matadero de abasto de una población, donde se reúne el ganado.

tablado. (Del lat. *tabulātum*.) m. Suelo plano formado de tablas unidas o juntas por el canto. ‖ **2.** Suelo de tablas formado en alto sobre una armazón. ‖ **3.** Pavimento del escenario de un teatro. ‖ **4.** Armazón de tablas que cubre la escalera del carro. ‖ **5.** Conjunto de tablas de la cama sobre el que se tiende el colchón. ‖ **6. patíbulo.** ‖ **7.** Armazón o castillete muy levantado del suelo y contra el cual los caballeros lanzaban bohordos o lanzas, hasta derribarlo o desbaratarlo; fue ejercicio usual en las fiestas medievales. ‖ **8.** V. **lanzador de tablado.** ‖ **9.** *Germ.* Rostro humano. ‖ **sacar al tablado** una cosa. fr. fig. Publicarla, hacerla patente.

tablaje. m. Conjunto de tablas. ‖ **2. garito,** casa de juego.

tablajería. f. Vicio o costumbre de jugar en los tablajes. ‖ **2.** Ganancia que se saca de un garito. ‖ **3. carnicería,** lugar donde se vende carne.

tablajero. (De *tablaje.*) m. desus. Carpintero que hace o arma tablados para las corridas u otros espectáculos, o persona que cobra el precio de los asientos. ‖ **2.** Persona a cuyo cargo estaba cobrar los derechos reales. ‖ **3. tahúr,** que frecuenta las casas de juego. ‖ **4.** El que vende carne. ‖ **5.** *Ar.* despect. Practicante del hospital.

tablao. (Vulgarismo por *tablado.*) m. Tablado, escenario dedicado al cante y baile flamencos. ‖ **2.** Local dedicado a espectáculos de baile y cante flamencos.

tablar¹. m. Conjunto de tablas de huerta o jardín. ‖ **2. tabla de río.** ‖ **3. adral.**

tablar². tr. *Agr.* **tablear** un terreno.

tablazo. m. Golpe dado con una tabla. ‖ **2.** Pedazo de mar o de río, extendido y de poco fondo. ‖ **3.** *Sal.* Terreno elevado y llano, meseta.

tablazón. f. Agregado de tablas. ‖ **2.** *Mar.* Conjunto o compuesto de tablas con que se hacen las cubiertas de las embarcaciones y se cubre su costado y demás obras que llevan forro.

tableado, da. p. p. de **tablear.** ‖ **2.** m. Conjunto de tablas que se hacen en una tela.

tablear. tr. Dividir un madero en tablas. ‖ **2.** Dividir en tablas el terreno de una huerta o de un jardín. ‖ **3.** Igualar la tierra con la atabladera, después de arada o cavada. ‖ **4.** Reducir las barras cuadradas de hierro a figura de llanta, pletina o fleje. ‖ **5.** Hacer tablas en la tela.

tableo. m. Acción y efecto de tablear.

tablera. (De *tabla.*) f. desus. La que pedía limosna repicando las tablillas de San Lázaro.

tablería. f. *Carp.* Conjunto de tablas. ‖ **2.** Comercio que se dedica a la venta de tablas.

tablero. adj. Dícese del madero a propósito para hacer tablas serrándolo. ‖ **2.** V. **clavo tablero.** ‖ **3.** m. Tabla o conjunto de tablas unidas por el canto, con una superficie plana y alisada, y barrotes atravesados por la cara opuesta o en los bordes, para evitar el alabeo. ‖ **4.** Tabla de una materia rígida. ‖ **5.** Superficie horizontal de la mesa. ‖ **6.** Palo o cureña de la ballesta. ‖ **7.** **tabla** dibujada y coloreada a propósito para jugar al ajedrez y a otros varios juegos. ‖ **8.** desus. Mostrador de una tienda. ‖ **9.** Casa de juego de los tahúres. ‖ **10.** Mesa grande de trabajo, como la del delineante o el sastre. ‖ **11.** **tablar** de huerta. ‖ **12.** Suelo bien cimentado de una represa en un canal. ‖ **13.** **encerado** de las escuelas. ‖ **14.** Especie de petrel, muy parecido a la gaviota, común en los mares de las altas latitudes antárticas y que se distingue por el aspecto de su pluma pintada a manera de ajedrezado blanco y negro. ‖ **15.** ant. **patíbulo.** ‖ **16.** Plancha preparada para fijar y exponer en ella al público cualquier cosa como anuncios, llaves, etc. ‖ **17.** Superficie en que se agrupan los indicadores o controles de un sistema. ‖ **18.** Cuadro esquemático o tabla en que se registran datos. ‖ **19.** Salpicadero del automóvil. ‖ **20.** fig. Ámbito o lugar donde se desarrolla algo. ‖ **21.** *Cuba.* Caja de madera de poca altura en que los vendedores ambulantes llevan dulces y otros artículos. ‖ **22.** *Arq.* Plano resaltado, liso, o con molduras, para ornato de algunas partes del edificio. ‖ **23.** *Arq.* Parte plana que corona el capitel, ábaco. ‖ **24.** *Carp.* Tablazón que se coloca en los cuadros formados por los largueros y peinazos de una hoja de puerta o ventana. ‖ **25.** *Impr.* Plancha de madera sobre la cual el marcador coloca el pliego en blanco, que queda cogido por unas lengüetas. ‖ **26.** *Ing.* Estructura que sostiene la calzada de un puente. ‖ **27.** *Mar.* **mamparo.** ‖ **28.** *Pint.* Parte cuadrada, resaltada y pintada de un retablo. ‖ **29.** *Taurom.* **tablas.** Ú. m en pl. ‖ **contador.** Ábaco de bolas para enseñar a contar. ‖ **equipolado.** *Blas.* El ajedrezado que solo tiene nueve escaques. ‖ **poner,** o **traer, al tablero** una cosa. fr. fig. Aventurarla.

tablestaca. f. Pilote de madera o tablón que se hinca en el suelo y que sirve para entibar excavaciones.

tablestacado. m. Conjunto de tablestacas que forman una pared hermética, destinada a la protección de muelles fluviales o marítimos.

tableta. f. Madera de sierra, más bien pequeña, que se usa especialmente para entarimar. ‖ **2.** Pastilla de chocolate plana y rectangular. ‖ **3.** **pastilla** medicinal de forma variable. ‖ **4.** *N. Argent.* Golosina de forma cuadrada o rectangular que se compone de dos hojas de masa unidas entre sí por dulce y se recubre con un baño de azúcar. ‖ **5.** pl. **tablillas de San Lázaro.** ‖ **estar en tabletas** una cosa. fr. fig. Estar en duda su logro. ‖ **quedarse** uno **tocando tabletas.** fr. fig. y fam. Perder lo que poseía, o no conseguir lo que muy probablemente esperaba.

tableteado. m. Efecto de tabletear.

tabletear. intr. Hacer chocar tabletas o tablas para producir ruido. ‖ **2.** Sonar algún ruido a manera de tableteo; como los truenos.

tableteo. m. Acción y efecto de tabletear.

tablilla. f. d. de **tabla.** ‖ **2.** Tabla pequeña en que se fijan anuncios. ‖ **3.** Hoja en que se registran los datos e instrucciones de cada jornada de trabajo en determinadas profesiones. ‖ **4.** Pequeña plaza barnizada o encerada en que antiguamente se escribía con un punzón. ‖ **5.** Insignia, imagen de santo, oración o súplica que escribían los que pedían limosna. ‖ **6.** Llave basculante para el mando de los registros de un órgano. ‖ **7.** Tabla pequeña en la cual se expone al público una lista de personas, un edicto o un anuncio de otra clase. ‖ **8.** Cada uno de los trozos de ba-

randa de la mesa de trucos o de billar comprendidos entre dos troneras. ‖ **de santero.** Insignia con que se piden las limosnas para los santuarios o ermitas. ‖ **tablillas de San Lázaro.** Tres **tablillas** que, a modo de carraca, usaban los leprosos para avisar de su presencia y pedir limosna. ‖ **perianas.** Tablas de logaritmos, inventadas por Juan Néper. ‖ **por tablilla.** loc. adv. **por tabla.**

tablizo. m. *Rioja.* Listón de tabla para cielos rasos, teguillo.

tabloide. (Del ing. *tabloid*.) m. *Amér.* Periódico de dimensiones menores que las ordinarias, con fotograbados informativos.

tablón. m. aum. de **tabla.** ‖ **2.** Tabla gruesa. ‖ **3.** fig. y fam. Embriaguez, borrachera. ‖ **4.** *Germ.* Mesa de comer. ‖ **de anuncios.** Tabla o tablero en que se fijan avisos, noticias, etc. ‖ **de aparadura.** *Mar.* El primero del fondo del buque que va encajado en el alefriz.

tablonaje. m. Conjunto de tablones.

tabloncillo. m. d. de **tablón.** ‖ **2.** Madera de sierra de diferentes dimensiones, según la región. ‖ **3.** p. us. Asiento de la fila más alta de las gradas y tendidos de las plazas de toros. ‖ **4.** Tabla del retrete.

tabloza. (Del it. *tavolozza*, paleta, y este de *tavola*, del lat. *tabŭla*.) f. desus. Paleta de pintor.

tabo. m. Vasija filipina hecha con la cáscara interior y durísima del coco.

tabolango. m. *Chile.* Insecto díptero, con cuerpo grueso y alargado, de color pardo oscuro, reluciente; despide un olor fétido; habita debajo de las piedras.

tabón[1]. m. *Burg.* y *Pal.* Trozo arrancado de tierra compacta, terrón.

tabón[2]. (De or. tagalo.) m. *Filip.* Ave marítima zancuda, con plumaje enteramente negro; la hembra entierra los huevos en la arena para que el calor del sol los incube.

tabonuco. m. *P. Rico.* Árbol corpulento, de la familia de las burseráceas, de cuyo tronco fluye una resina de olor alcanforado, que se usa como incienso en las iglesias.

tabor. (Del turco *ṭābūr*, batallón, escuadrón.) m. En el antiguo Protectorado Español en Marruecos, unidad de tropa regular indígena perteneciente al ejército español y compuesta por varias mías o compañías.

tabora. f. *Cantabria.* Charco cenagoso, pantano.

tabú. (Del polinesio *tabú*, lo prohibido.) m. Prohibición de comer o tocar algún objeto, impuesta a sus adeptos por algunas religiones de la Polinesia. ‖ **2.** Por ext., la condición de las personas, instituciones y cosas a las que no es lícito censurar o mencionar.

tabuco. (De or. inc.) m. Aposento pequeño o habitación estrecha.

tabulación. f. Acción y efecto de tabular. ‖ **2.** En las máquinas de escribir, conjunto de los topes del tabulador.

tabulador, ra. adj. Que tabula. ‖ **2.** Mecanismo de la máquina de escribir que permite hacer cuadros y listas con facilidad conservando los espacios pertinentes. ‖ **3.** f. *Inform.* Máquina automática capaz de leer una serie de tarjetas perforadas, contarlas, realizar, si es preciso, una serie de operaciones elementales, e imprimir directamente lecturas y resultados.

tabular[1]. (Del lat. *tabŭlāris*.) adj. Que tiene forma de tabla.

tabular[2]. (Del lat. *tabŭlāre*.) tr. Expresar valores, magnitudes u otros datos, por medio de tablas. ‖ **2.** Accionar el tabulador de una máquina de escribir. ‖ **3.** *Inform.* Introducir fichas perforadas en la tabuladora. ‖ **4.** *Inform.* En una tabuladora, imprimir los totales parciales de los diferentes grupos de tarjetas, así como sus indicadores respectivos.

taburete. (Del fr. *tabouret*.) m. Asiento sin brazos ni respaldo, para una persona. ‖ **2.** Silla con el respaldo muy estrecho, guarnecida de vaqueta, terciopelo, etc. ‖ **3.** Escabel para apoyar los pies o para otro uso. ‖ **4.** pl. Media luna que había en el patio de los teatros, cerca del escenario, con asiento y respaldo de tabla.

tac. (De or. onomatopéyico.) m. Ruido que producen ciertos movimientos acompasados, como el latido del corazón, etc. Ú. m. repetido.

taca¹. (Del gót. *taikka,* señal.) f. *Ar.* y *Ast.* **mancha¹,** señal que una cosa hace en otra, ensuciándola. ‖ **2. mancha¹,** parte de alguna cosa con distinto color del general.

taca². (Del ár. *ṭáqa,* ventana, agujero en la pared.) f. Alacena pequeña. ‖ **2.** Armario pequeño.

taca³. (Del fr. *taque,* lámina de hierro colado.) f. *Min.* Cada una de las placas que forman parte del crisol de una forja.

taca⁴. f. *Chile.* Marisco comestible, de concha casi redonda, estriada, blanca con manchas violadas y amarillas.

tacaco. m. *C. Rica.* Planta trepadora, de la familia de las cucurbitáceas, que produce un fruto semejante al chayote, el cual se come cocido como verdura.

tacada. f. Golpe dado con la boca o la maza del taco a la bola de billar o de trucos. ‖ **2.** Serie de carambolas hecha sin perder golpe. ‖ **3.** *Mar.* Conjunto de los tacos o pedazos de madera que se colocan entre un punto firme y otro que ha de moverse o levantarse.

tacamaca. (De *tacamahaca.*) f. Árbol americano de la familia de las gutíferas, con tronco sumamente grueso, hojas alternas, compuestas de cinco hojuelas elípticas y lustrosas, flores blancas en panojas axilares, y fruto seco. Da una resina sólida, amarillenta y de olor fragante, y de la corteza hacen canoas los indios. ‖ **2.** Resina de este árbol.

‖ **angélica.** La resina, que es opaca, tiene sabor amargo, olor muy persistente, color que tira a rojizo por dentro y a gris por fuera, y fluye de plantas pertenecientes a distintas especies de gutíferas. ‖ **común.** La que es transparente, insípida, de olor débil, color claro con puntos oscuros, y fluye de una especie de álamo.

tacamacha. f. **tacamaca.**

tacamahaca. (De etim. disc.) f. **tacamaca,** árbol.

tacana. f. Mineral comúnmente negruzco, abundante en plata.

tacañamente. adv. m. Con tacañería.

tacañear. intr. Obrar con tacañería.

tacañería. f. Calidad de tacaño. ‖ **2.** Acción propia del tacaño.

tacaño, ña. (Del it. *taccagno.*) adj. desus. Astuto, pícaro, bellaco, y que engaña con sus ardides y embustes. Usáb. t. c. s. ‖ **2.** Miserable, ruin, mezquino. Ú. t. c. s.

tacar. (De *taca¹.*) tr. ant. Señalar haciendo hoyo, mancha u otro daño.

tacatá. m. Andador metálico con asiento de lona y ruedecillas en las patas, para que los niños aprendan a andar sin caerse.

tacataca. m. **tacatá,** andador.

tacazo. m. Golpe dado con el taco.

tácet. (Del lat. *tacet.*) m. *Mús.* Prolongado silencio que ha de guardar un ejecutante durante un fragmento musical o hasta el fin del mismo.

taceta. (d. de *taza.*) f. Calderillo de cobre que sirve en los molinos de aceite para trasegarlo.

tacita. f. d. de **taza.** ‖ **de plata.** loc. adj. fig. Dícese de lo que está muy limpio y acicalado.

tácitamente. adv. m. Secretamente, con silencio y sin ruido. ‖ **2.** Sin expresión o declaración formal.

tácito, ta. (Del lat. *tacĭtus,* p. p. de *tacēre,* callar.) adj. Callado, silencioso, ‖ **2.** Que no se entiende, percibe, oye o dice formalmente, sino que se supone e infiere. ‖ **3.** *Der.* V. **condición tácita.**

taciturnidad. (Del lat. *taciturnĭtas, -átis.*) f. Calidad de taciturno.

taciturno, na. (Del lat. *taciturnus.*) adj. Callado, silencio-

so, que le molesta hablar. ‖ **2.** fig. Triste, melancólico o apesadumbrado.

taclobo. m. Molusco lamelibranquio de gran tamaño, que abunda en Filipinas y en otras islas del océano Pacífico y cuya concha tiene hermoso aspecto.

tacneño, ña. adj Natural de Tacna. Ú. t. c. s. ‖ **2.** Perteneciente a esta ciudad del Perú.

taco. (De or. inc.) m. Pedazo de madera, metal u otra materia, corto y grueso, que se encaja en algún hueco. ‖ **2.** Cualquier pedazo de madera corto y grueso. ‖ **3.** Cilindro de trapo, papel, estopa o cosa parecida, que se coloca entre la pólvora y el proyectil en algunas armas de fuego, para que el tiro salga con fuerza. ‖ **4.** Cilindro de trapo, estopa, arena u otra materia a propósito, con que se aprieta la carga del barreno. ‖ **5.** Baqueta para atacar las armas de fuego. ‖ **6.** Vara de madera dura, pulimentada, como de metro y medio de largo, más gruesa por un extremo que por el otro y con la cual se impelen las bolas del billar y de los trucos. ‖ **7.** Canuto de madera con que juegan los muchachos lanzando por medio de aire comprimido **tacos** de papel o de otra materia. ‖ **8.** Lanza que se usaba en el juego del estafermo y en el de la sortija. ‖ **9.** Conjunto de las hojas de papel superpuestas que forman el calendario de pared. ‖ **10.** Cualquier otro conjunto de hojas de papel sujetas en un solo bloque. ‖ **11.** fig. y fam. Cada uno de los pedazos de queso, jamón, etc., de cierto grosor que se cortan como aperitivo o merienda. ‖ **12.** fig. y fam. Bocado o comida muy ligera que se toma fuera de las horas de comer. ‖ **13.** fig. y fam. Trozo de madera o de plástico, de forma más o menos alargada, que se empotra en la pared para introducir en él clavos o tornillos con el fin de sostener alguna cosa. ‖ **14.** fig. y fam. Cada una de las piezas cónicas o puntiagudas que tienen en la suela algunos zapatos deportivos para dar firmeza al paso. ‖ **15.** fig. y fam. Trago de vino. ‖ **16.** fig. y fam. **montón,** conjunto desordenado de cosas. ‖ **17.** fig. y fam. Embrollo, lío. ‖ **18.** fig. y fam. Voto, juramento, palabrota; se emplea más principalmente tras los verbos *echar* y *soltar.* ‖ **19.** fig. y fam. V. **aire de taco.** ‖ **20.** *Gran.* Especie de churro, cohombro. ‖ **21.** *Amér. Merid.* y *P. Rico.* **tacón.** ‖ **22.** *Germ.* Eructo o regüeldo. ‖ **23.** *Impr.* **botador,** trozo de madera para apretar las cuñas de la forma. ‖ **24.** *Mar.* Pieza de madera que afianza y reúne dos o más elementos del casco. ‖ **25.** pl. fam. Años de edad. *Tiene veinte* TACOS. ‖ **de clavellina.** *Art.* El cilíndrico que está formado por varios haces de filástica atados. ‖ **de suela.** El de billar que tiene una rodajita de suela en la punta. ‖ **limpio, o seco.** fig. El de billar que no tiene suela en la punta. ‖ **darse uno taco.** fr. fig. y fam. Darse importancia. SE DA *mucho* TACO *con su motocicleta nueva.* ‖ **hacerse uno un taco.** fr. fig. y fam. Confundirse, quedar enredado en dificultades.

tacómetro. (Del gr. τάχος, rapidez, y -*metro.*) m. Aparato que mide el número de revoluciones de un eje.

tacón. (De *taco.*) m. Pieza semicircular, más o menos alta, que va exteriormente unida a la suela del zapato o bota, en aquella parte que corresponde al calcañar. ‖ **2.** *Impr.* Cuadro formado por unas barras, a las cuales se ajusta el pliego al colocarlo en la prensa para ser impreso. ‖ **3.** *Mar.* **talón,** corte oblicuo en la quilla.

taconazo. m. aum. de **tacón.** ‖ **2.** Golpe dado con el tacón.

taconear. intr. Pisar con fuerza o brío, produciendo ruido ‖ **2.** Golpear a la caballería con los tacones. ‖ **3.** En ciertos bailes, mover rítmicamente los pies haciendo ruido con los tacones en el suelo. Ú. t. c. tr. ‖ **4.** Dar golpes con algo en el suelo haciendo ruido. Ú. t. c. tr.

taconeo. m. Acción y efecto de taconear.

tacotal. (Del mejic. *tlacotl.*) m. *C. Rica* y *Nícar.* Matorral espeso. ‖ **2.** *Hond.* Ciénaga, lodazal.

tactación. f. *Med.* **tacto,** exploración de una superficie orgánica con las yemas de los dedos.

táctica. (Del gr. ταϰτιϰή, t. f. de -ϰός, táctico.) f. Arte que enseña a poner en orden las cosas. ‖ **2.** Método o sistema para ejecutar o conseguir algo. ‖ **3.** Habilidad o tacto para aplicar este sistema. ‖ **4.** *Mil.* Conjunto de reglas a que se ajustan en su ejecución las operaciones militares. ‖ **5.** fig. Sistema especial que se emplea disimulada y hábilmente para conseguir un fin. ‖ **naval.** Arte que enseña la posición, defensa o ataque de dos o más naves que forman cuerpo de armada.

táctico, ca. (Del gr. ταϰτιϰός, de τάσσω, poner en orden.) adj. Perteneciente o relativo a la táctica. ‖ **2.** Experto en táctica. Ú. t. c. s.

táctil. (Del lat. *tactīlis.*) adj. Referente al tacto. ‖ **2.** Que posee cualidades perceptibles por el tacto, o que sugieren tal percepción.

tacto. (Del lat. *tactus.*) m. *Zool.* Uno de los sentidos, mediante el cual aprecian los animales las sensaciones de contacto, de presión y de calor y frío. Los órganos de este sentido están situados en la piel, y a veces se hallan localizados en apéndices especiales, como tentáculos, palpos, etc. ‖ **2.** Acción de tocar o palpar. ‖ **3.** Manera de impresionar un objeto el sentido táctil. ‖ **4.** *Med.* Exploración de una superficie orgánica, cutánea o mucosa, con las yemas de los dedos y sin oprimir con fuerza la parte explorada. ‖ **5.** fig. Habilidad para hablar u obrar con acierto en asuntos delicados, o para tratar con personas sensibles o de las que se pretende conseguir algo. ‖ **de codos.** *Mil.* expr. con que se denota la unión que debe haber entre uno y otro soldado para que estén en formación correcta. ‖ **2.** fig. Connivencia que establecen varias personas para favorecer algo o favorecerse, a veces en detrimento de otros.

tacuacín. (Del mejic. *tlacuatzin.*) m. *Amér. Central* y *Méj.* Especie de zorra americana, zarigüeya.

tacuaco, ca. adj. *Chile.* Rechoncho, grueso y de poca altura. Ú. t. c. s. ‖ **2.** Se dice del animal que tiene las patas cortas. Ú. t. c. s.

tacuache. m. *Cuba* y *Méj.* Mamífero insectívoro nocturno.

tacuara. f. *Argent., Bol., Chile* y *Urug.* Planta gramínea, especie de bambú de cañas largas muy resistentes.

tacuaral. m. *Argent.* y *Chile.* Terreno poblado de tacuaras.

tacurú. (De or. guaraní.) m. *Argent.* y *Par.* Especie de hormiga pequeña. ‖ **2.** *Argent.* y *Par.* Cada uno de los montículos cónicos o semiesféricos de tierra arcillosa, de cerca de un metro de altura, que se encuentran en gran abundancia en los terrenos anegadizos del Chaco, y que en su origen fueron hormigueros.

tacha¹. (Del fr. *tache.*) f. Falta, nota o defecto que se halla en una cosa y la hace imperfecta. ‖ **2.** Especie de clavo pequeño, mayor que la tachuela común. ‖ **3.** *Der.* Motivo legal para desestimar en un pleito la declaración de un testigo. ‖ **¡miren qué tacha!** expr. fam. con que se ponderan la especial bondad o calidad de una cosa. ‖ **¡qué tacha, beber con borracha!** expr. que se aplica a los grandes bebedores, porque bebiendo por la bota, pueden saciar su apetito sin que se note lo que beben.

tacha². f. *Venez.* **tacho.** ‖ **2.** *And., Can.* y *Amér.* En la fabricación de azúcar, aparato donde se evapora en vacío el jarabe hasta obtener una masa cristalizada.

tachable. adj. Que merece tacha. ‖ **2.** Que puede ser tachado o borrado.

tachador, ra. adj. Dícese del que pone tacha¹. Ú. t. c. s.

tachadura. f. Acción de tachar lo escrito. ‖ **2.** tachón¹, para borrar lo escrito.

tachar. tr. Borrar lo escrito haciendo unos trazos encima.

‖ **2.** Alegar contra un testigo algún motivo legal para que no sea creído en el pleito. ‖ **3.** Atribuir a algo o a alguien cierta falta. *Lo* TACHAN *de reaccionario;* TACHAN *sus vicios.*

tachero. m. *Amér.* Operario que maneja los tachos en la fabricación del azúcar. ‖ **2.** *Amér.* El que hace o arregla tachos u otras vasijas de metal.

tachigual. m. *Méj.* Cierto tejido de algodón.

tachirense. adj. Natural del Estado venezolano de Táchira. Ú. t. c. s. ‖ **2.** Perteneciente o relativo a dicho Estado.

tacho. m. *And.* y *Urug.* Cubo para fregar los suelos. ‖ **2.** *And.* Vasija para lavar la ropa. ‖ **3.** *Argent.* y *Chile.* Vasija de metal, de fondo redondeado, con asas, parecida a la paila. Por ext., cualquier recipiente de latón, hojalata, plástico, etc. ‖ **4.** *Amér.* Paila grande en que se acaba de cocer el melado y se le da el punto de azúcar. ‖ **5.** *Bol., Chile, Pan.* y *Perú.* Recipiente para calentar agua y otros usos culinarios. ‖ **6.** *Argent., Ecuad.* y *Perú.* Cubo de la basura. ‖ **irse al tacho.** fr. fig. y fam. *Argent.* Derrumbarse, fracasar una persona o negocio. ‖ **2.** *Argent.* Morirse.

tachón¹. (De *tachar.*) m. Señal, generalmente compuesta por rayas, que se hace sobre lo escrito para borrarlo. ‖ **2.** desus. Galón, cinta, etc., de adorno, sobrepuesto en ropa o tela.

tachón². (aum. de *tacha,* clavo.) m. Tachuela grande, de cabeza dorada o plateada, con que suelen adornarse cofres, sillerías y otros objetos.

tachonado, da. p. p. de **tachonar.** ‖ **2.** m. *Germ.* **cinto,** faja que se ciñe a la cintura.

tachonar. tr. Adornar una cosa claveteándola con tachones. ‖ **2.** Estar cubierta una superficie casi por completo. Ú. t. en sent. fig.

tachonería. f. Obra o labor de tachones.

tachoso, sa. adj. Que tiene tacha o defecto.

tachuela¹. (De *tacha,* clavo.) f. Clavo corto y de cabeza grande. ‖ **2.** fig. y fam. *Chile* y *Nicar.* Persona de estatura muy baja.

tachuela². (De *tacho.*) f. *Col.* Especie de escudilla de metal que se usa para poner a calentar algunas cosas. ‖ **2.** *Col.* y *Venez.* Taza de metal, a veces de plata y con adornos, que se tiene en el tinajero para beber agua.

tael. (Del malayo *tail.*) m. Moneda china que se usaba en Filipinas. ‖ **2.** Medida de peso común que se usa en Filipinas, decimosexta parte del cate, equivalente a 39 gramos y 537 miligramos aproximadamente. ‖ **3.** Medida de peso de metales preciosos que se usa en Filipinas, igual a 10 maces o 37 gramos y 68 centigramos aproximadamente.

tafanario. (De *antifonario,* trasero.) m. fam. Nalgas.

tafetán. (Del persa *täftè,* literalmente *torcido,* variedad de tejido de seda.) m. Tela delgada de seda, muy tupida. ‖ **2.** pl. fig. Las banderas. ‖ **3.** p. us. fig. Galas de mujer. ‖ **de heridas,** o **inglés.** p. us. El que, cubierto por una cara con cola de pescado, se emplea como aglutinante para cubrir y juntar los bordes de la herida.

tafia. f. **aguardiente de caña.**

tafilete. (De *Tāfilālt,* región al sudeste de Marruecos.) m. Cuero bruñido y lustroso, mucho más delgado que el cordobán.

tafiletear. tr. Adornar o componer con tafilete. Ú. se hablando regularmente del calzado.

tafiletería. f. **marroquinería.**

tafo. m. *Ál., León, Rioja* y *Zam.* Olor fuerte desagradable. ‖ **2. olfato,** sentido de percibir los olores.

tafón. (De or. inc.) m. Molusco marino gasterópodo, de concha estriada transversalmente, espira corta y boca casi redonda, que se prolonga con una fosa o canal estrecha, honda y algo encorvada.

tafulla. f. ant. **tahúlla.**

tafur. m. ant. **tahúr.**

tafurea. (Del ár. *ṭaifūriyya,* la nave que es como una bandeja o *ataifor.*) f. Embarcación muy planuda que se usó para el transporte de caballos.

tafurería. (De *tafur.*) f. ant. **tahurería.**

tagalo, la. adj. Dícese del individuo de una raza indígena de Filipinas, de origen malayo, que habita en el centro de la isla de Luzón y en algunas otras islas inmediatas. Ú. t. c. s. ‖ **2.** Perteneciente o relativo a los **tagalos.** ‖ **3.** m. Lengua que hablan los **tagalos.**

tagarino, na. (Del ár. *ṭāgrī* o *ṭagarī,* fronterizo.) adj. Dícese de los moriscos antiguos que vivían y se criaban entre los cristianos, y que por hablar bien una y otra lengua, apenas se podían distinguir ni conocer. Ú. t. c. s.

tagarnina. (Del art. berb. *ta* y el ár. *karnin,* del gr. ἄκαϱνα, cardo lechal.) f. **cardillo,** planta. ‖ **2.** fam. y fest. Cigarro puro muy malo.

tagarote. (Quizá del ár. *ṭāhurtī,* procedente de la ciudad africana de *Tāhërt.*) m. **bahari**[1], ave. ‖ **2.** fig. Escribiente de notario o escribano. ‖ **3.** fam. Hidalgo pobre que se arrima y pega donde pueda comer sin costarle nada. ‖ **4.** fam. Hombre alto y desgarbado.

tagarotear. (De *tagarote,* escribiente.) intr. Formar los caracteres y letras con garbo, aire y velocidad.

tagasaste. m. *Can.* Arbusto leguminoso, de madera muy dura.

tagua. f. *Chile.* Ave, especie de fúlica, que vive en las lagunas y pajonales. ‖ **2.** Semilla de una palma americana, sin tronco, cuyo endospermo, muy duro, es el marfil vegetal.

taguán. m. *Filip.* **guiguí,** especie de ardilla.

taha. (Del ár. *ṭā'a,* obediencia, jurisdicción.) f. Comarca, distrito.

tahalí. (Del ár. *tahlīl,* estuche, colgado de una banda, en que se guardaban oraciones como amuletos.) m. Tira de cuero, ante, lienzo u otra materia, que cruza desde el hombro derecho por el lado izquierdo hasta la cintura, donde se juntan los dos cabos y se pone la espada. ‖ **2.** Pieza de cuero que, pendiente del cinturón, sostiene el machete o el cuchillo bayoneta. ‖ **3.** Caja de cuero pequeña en que los soldados solían llevar reliquias y oraciones. ‖ **de Orión.** *Astron.* **cinturón de Orión.**

taharal. m. **tarayal.**

tahelí. m. desus. **tahalí.**

taheño, ña. (Quizá del ár. *taḥannu',* teñirse con alheña.) adj. Dícese del pelo rojo. ‖ **2.** Dícese del que tiene el pelo o la barba rojos.

tahitiano, na. adj. Perteneciente o relativo a Tahití.

tahona. (Del ár. *ṭāḥūna,* molino de cereales.) f. Molino de harina cuya rueda se mueve con caballería. ‖ **2.** **panadería,** casa. ‖ **3.** V. **asiento de tahona.**

tahonero, ra. m. y f. Persona que tiene tahona. ‖ **2.** f. Mujer del tahonero.

tahúlla. f. *Alm., Gran.* y *Murc.* Medida agraria usada principalmente para las tierras de regadío; tiene 40 varas de lado o 1.600 varas cuadradas, o sea 11 áreas y 18 centiáreas.

tahúr. (De or. inc.) adj. **jugador,** aficionado al juego o hábil en él. Ú. m. c. s. ‖ **2.** m. Jugador fullero.

tahurería. (De *tahúr.*) f. Garito o casa de juego. ‖ **2.** Vicio de los tahúres. ‖ **3.** Modo de jugar con trampas y engaños.

tahuresco, ca. adj. Propio de tahúres.

taibeque. (Del m. or. que *tabique.*) m. ant. **tabique.**

taifa. (Del ár. *ṭā'ifa,* grupo, bandería, facción.) f. Cada uno de los reinos en que se dividió la España árabe al disolverse el califato cordobés. *Reyes de* TAIFA. ‖ **2.** fig. Bando, facción. ‖ **3.** p. us. fig. y fam. Reunión de personas de mala vida o poco juicio. *¡Qué* TAIFA! *¡Vaya una* TAIFA!

taiga. f. *Geogr.* Selva propia del norte de Rusia y Siberia, de subsuelo helado y formada en su mayor parte de coníferas. Está limitada al sur por la estepa y al norte por la tundra.

tailandés, sa. adj. Natural de Tailandia. Ú. t. c. s. ‖ **2.** Perteneciente o relativo a este Estado de Asia.

taima. (Del gall. y port. *teima,* y este del lat. *thema.*) f. Picardía, malicia, astucia. ‖ **2.** *Chile.* Murria, emperramiento.

taimado, da. adj. Bellaco, astuto, disimulado y pronto en advertirlo todo. Ú. t. c. s. ‖ **2.** *Chile.* Amorrado, temoso.

taimarse. (De *taima.*) prnl. *Chile.* Hacerse taimado. ‖ **2.** *Chile.* Amorrarse, obstinarse.

taimería. (De *taima.*) f. Picardía, malicia, astucia.

taina. (Del lat. *tigna,* pl. de *tignum,* madero.) f. *Guad.* y *Sor.* Cobertizo para el ganado. ‖ **2.** *Áv., Pal., Sal., Seg.* y *Vallad.* Coz que dan las bestias. ‖ **3.** Daño producido por la coz. ‖ **4.** Patada que da una persona moviendo el pie hacia atrás. ‖ **5.** **meta,** señal que marca el término de una carrera.

taíno, na. (De or. arahuaco.) adj. Dícese de los pueblos indígenas pertenecientes al gran grupo lingüístico arahuaco, que estaban establecidos en La Española y también en Cuba y Puerto Rico cuando se produjo el descubrimiento de América. Ú. t. c. s. ‖ **2.** Perteneciente o relativo a los **taínos.** ‖ **3.** m. Lengua de estos indígenas.

taire. m. *Cuen., Guad.* y *Sor.* Bofetón, cachete.

taita. (Del lat. *tata,* padre.) m. Nombre infantil con que se designa al padre. ‖ **2.** El que tenía el gobierno de la mancebía. ‖ **3.** *Ant.* Tratamiento que suele darse a los negros ancianos. ‖ **4.** *C. Rica, Ecuad.* y *Venez.* Tratamiento que se da al padre o jefe de la familia. ‖ **5.** rur. *Argent., C. Rica, Chile* y *Ecuad.* Voz infantil y familiar con que se alude al padre y a las personas que merecen respeto. TAITA *cura.* ‖ **6.** *Argent.* En la jerga orillera, **matón,** hombre de avería. ‖ **¡ajó, taita!** expr. fam. **¡ajó!**

taja. (De *tajar.*) f. Armazón de palos que se pone sobre el baste para llevar sujetas las cargas. ‖ **2.** p. us. Cortadura, repartición. ‖ **3.** p. us. **tarja.** ‖ **4.** ant. **talla**[1], antiguo tributo real o señorial. ‖ **5.** *León.* **tabla de lavar.**

tajá. f. *Ant.* Especie de pájaro carpintero.

tajada. (De *tajar.*) f. Porción cortada de una cosa, especialmente de carne cocinada. ‖ **2.** fam. Ronquera o tos ocasionada por un resfriado. ‖ **3.** fam. Embriaguez, borrachera. ‖ **hacer tajadas** a uno. fr. fig. y fam. Acribillarle de heridas con arma blanca. Ú. frecuentemente como amenaza. ‖ **sacar** una **tajada.** fr. fig. y fam. Conseguir con maña alguna ventaja, y en especial parte de lo que se distribuye entre varios.

tajadera. (De *tajar.*) f. Cuchilla, a modo de media luna, con que se taja una cosa; como el queso, el turrón, etc. ‖ **2.** Tajito o trozo de madera sobre el cual se coloca la carne que se ha de cortar. ‖ **3.** **cortafrío.** ‖ **4.** pl. *Ar.* Compuerta que se pone para detener la corriente de agua.

tajadero. (De *tajar.*) m. Tajo en que se parte la carne. ‖ **2.** ant. Plato que sirve para trinchar.

tajadilla. f. d. de **tajada.** ‖ **2.** Plato de bodegón, compuesto de tajadas de livianos guisadas. ‖ **3.** *And.* Porción pequeña de limón o naranja que se vende para los bebedores de aguardiente.

tajado, da. p. p. de **tajar.** ‖ **2.** adj. Dícese de la costa, roca o peña cortada verticalmente y que forma como una pared. ‖ **3.** *Blas.* V. **escudo tajado.**

tajador, ra. adj. Que taja. Ú. t. c. s. ‖ **2.** m. **tajo** de que se parte la carne. ‖ **3.** Cuchilla, semejante a un raspador, que se utiliza para cortar materias laminadas blandas, tales como el cuero, cartón, chapa de plomo, etc. ‖ **4.** *Áv.* Plato de madera con tajadera que se emplea en las matanzas, para picar la carne. ‖ **5.** *Ast.* **sacapuntas.**

tajadura. f. Acción y efecto de tajar.

tajamar. m. *Mar.* Tablón recortado en forma curva y

ensamblado en la parte exterior de la roda, que sirve para hender el agua cuando el buque marcha. ‖ **2.** *Arq.* Parte de fábrica que se adiciona a las pilas de los puentes, aguas arriba y aguas abajo, en figura curva o angular, de manera que pueda cortar el agua de la corriente y repartirla con igualdad por ambos lados de aquellas. ‖ **3.** *Germ.* Cuchillo de campo. ‖ **4.** *Chile, Ecuad.* y *Perú.* Malecón, dique. ‖ **5.** *Argent.* y *Ecuad.* Represa o dique pequeño. ‖ **6.** *Argent.* y *Perú.* Zanjón abierto para amenguar los efectos de las crecidas.

tajamiento. (De *tajar*.) m. **tajadura.**

tajante. p. a. de **tajar.** Que taja. ‖ **2.** m. En algunas partes, carnicero, cortador. ‖ **3.** adj. fig. Concluyente, terminante, contundente.

tajaplumas. (De *tajar* y *pluma*.) m. p. us. **cortaplumas.**

tajar. (Del lat. *taliāre*, cortar.) tr. Dividir una cosa en dos o más partes con instrumento cortante. ‖ **2.** p. us. Cortar la pluma de ave para escribir.

tajaraste. (Voz autóctona.) m. Baile popular canario.

tajea. (Del ár. *tarḥiyya*.) f. **atarjea.** ‖ **2. alcantarilla,** obra de fábrica, pequeña, para dar paso al agua por debajo de un camino.

tajero. m. Persona que taja una cosa.

tajo. (De *tajar*.) m. Corte hecho con instrumento adecuado. ‖ **2.** Sitio hasta donde llega en su faena la cuadrilla de operarios que trabaja avanzando sobre el terreno; como la de segadores, taladores, empedradores, mineros, etc. ‖ **3. tarea,** trabajo que debe hacerse en tiempo limitado. ‖ **4.** Escarpa alta y cortada casi a plomo. ‖ **5.** Filo o corte. ‖ **6.** Pedazo de madera grueso, por lo regular afirmado sobre tres pies, el cual sirve para partir y picar la carne sobre él. ‖ **7. tajuelo,** banquillo. ‖ **8.** Trozo de madera grueso y pesado sobre el cual se cortaba la cabeza a los condenados. ‖ **9.** ant. Corte o hechura de un vestido. ‖ **10.** *Zam.* **banca,** tabla para lavar. ‖ **11.** *Esgr.* Corte que se da con la espada u otra arma blanca, llevando el brazo de derecha a izquierda. ‖ **12.** *Esgr.* V. **treta del tajo rompido.** ‖ **diagonal.** *Esgr.* El que se tira en la línea diagonal que atraviesa el cuadrado que se considera en el rostro.

tajón. (aum. de *tajo*.) m. Tajo para partir la carne. ‖ **2.** Madero de menor longitud de que por el marco le corresponde. ‖ **3.** *And.* Vena de piedra de que se hace la cal. ‖ **4.** *Germ.* Casa de comidas.

tajú. m. *Filip.* Cocimiento de té, jengibre y azúcar que sirve de desayuno a los indígenas.

tajuela. f. **tajuelo,** banquillo. ‖ **2.** *Zam.* **banca,** tabla para lavar.

tajuelo. m. d. de **tajo.** ‖ **2.** Banquillo rústico de madera. ‖ **3.** *Mec.* **tejuelo,** pieza donde se apoya el gorrón de un eje.

tajugo. (Del lat. *taxŭcus*, de *taxo*, *-ōnis*.) m. *Ar.* **tejón[1].**

tal. (Del lat. *talis*.) adj. Aplícase a las cosas indefinidamente, para determinar en ellas lo que por su correlativo se denota. *Su fin será* TAL *cual ha sido su principio.* ‖ **2.** Igual, semejante, o de la misma forma o figura. TAL *cosa jamás se ha visto.* ‖ **3.** Tanto o tan grande. Ú. para exagerar y engrandecer la bondad y perfección de una cosa, o al contrario. TAL *falta no la puede cometer un varón* TAL. ‖ **4.** Ú. t. para determinar y contraer lo que no está especificado o distinguido, y suele repetirse para dar más viveza a la expresión. *Haced* TALES *y* TALES *cosas, y acertaréis.* ‖ **5.** Ú. a veces como pronombre demostrativo. TAL *origen tuvo su ruina* (este que se acaba de explicar); *no conozco a* TAL *hombre* (a ese de que antes se ha hablado); *no haré yo* TAL (eso o cosa **tal**). Empleado como neutro, equivale más determinadamente a **cosa** o **cosa tal,** y toma con mayor distinción carácter de sustantivo en frases como esta: *Para destruir un pueblo, no hay* TAL *como dividirlo y corromperlo.* Puede construirse con el artículo determinado masculino o femenino. *El* TAL, o *la* TAL, *se acercó a mí* (este hombre, o esta mujer de que se ha hecho mención; *el* TAL *drama; la* TAL *comedia* (ese, o esa, de que se trata). ‖ **6.** También se emplea como pronombre indeterminado. TAL (alguno) *habrá que lo sienta así y no lo diga,* o TALES *habrá que lo sientan así.* ‖ **7.** Aplicado a un nombre propio, da a entender que aquel sujeto es poco conocido del que habla o de los que escuchan. *Estaba allí un* TAL *Cárdenas.* ‖ **8.** adv. m. Así, de esta manera, de suerte. TAL *estaba él con la lectura de estos libros; tal me habló, que no supe qué responderle.* ‖ **9.** Empléase en sentido comparativo, correspondiéndose con *cual, como* o *así como,* y en este caso equivale a **de igual modo** o **asimismo.** *Cual, como* o *así como el Sol da luz a la Tierra,* TAL *la verdad ilumina el entendimiento.* ‖ **10.** Precedido de los adverbios *sí* o *no* en la réplica, refuerza la significación de los mismos. ‖ **con tal de** (seguido de infinitivo), **con tal de que** o **con tal que** (seguido de oración con verbo en forma personal). loc. conjunt. condic. En el caso de o de que, con la precisa condición de o de que. *Haré cuanto pueda,* CON TAL DE *no molestarte. Procuraré complacerte,* CON TAL QUE *no me pidas cosas imposibles.* ‖ **tal cual.** expr. que da a entender que por defectuosa que una cosa sea, se estima por alguna bondad que se considera en ella. *Esta casa es estrecha y oscura; pero* TAL CUAL *es, la prefiero a la otra por el sitio en que está.* ‖ **2.** Ú. t. para denotar que son en corto número las personas o cosas de que se habla. *Nadie acude a esa posada sino* TAL CUAL *arriero; solo había en la plaza* TAL CUAL *carga de pan.* ‖ **3.** Pasadero, mediano, regular. ‖ **4.** loc. adv. Así, así; medianamente. ‖ **tal para cual.** expr. fam. con que se denota igualdad o semejanza moral entre dos personas. Se usa generalmente en sentido peyorativo. ‖ **tal por cual.** loc. despect. De poco más o menos. ‖ **una tal.** loc. despect. Una ramera. ‖ **y tal.** expr. que añade un término poco preciso, pero semejante a lo ya dicho. *Vendían frutas, verduras* Y TAL.

tala[1]. (De *talar[2]*.) f. Acción y efecto de talar[2]. ‖ **2.** *Fort.* Defensa formada con árboles cortados por el pie y colocados a modo de barrera. ‖ **3.** *Chile.* Acción de pacer los ganados la hierba que no se alcanza a cortar con las hoces.

tala[2]. f. Juego de muchachos, que consiste en dar con un palo en otro pequeño y puntiagudo por ambos extremos colocado en el suelo; el golpe lo hace saltar, y en el aire se le da un segundo golpe con que se le despide a mayor distancia. ‖ **2.** Palo pequeño que se emplea en este juego.

tala[3]. m. *Argent., Bol., Par.* y *Urug.* Árbol de la familia de las ulmáceas, de madera blanca y fuerte. La raíz sirve para teñir, y las hojas, en infusión, tienen propiedades medicinales.

talabarte. (Del occit. ant. *talabart*.) m. Pretina o cinturón, ordinariamente de cuero, que lleva pendientes los tiros de que cuelga la espada o el sable.

talabartería. f. Tienda o taller de talabartero.

talabartero, ra. (De *talabarte*.) m. y f. Guarnicionero que hace talabartes y otros correajes.

talabricense. (Del lat. *Talabriga,* hoy Talavera.) adj. Natural de Talavera de la Reina. Ú. t. c. s. ‖ **2.** Perteneciente a esta ciudad, de la provincia de Toledo.

talacho. m. *Méj.* Especie de azada.

talador, ra. adj. Que tala. Ú. t. c. s.

taladrado, da. p. p. de **taladrar.** ‖ **2.** m. Acción y efecto de taladrar.

taladrador, ra. adj. Que taladra. Ú. t. c. s. ‖ **2.** f. Máquina provista de barrena o taladro para perforar.

taladrar. tr. Horadar una cosa con taladro u otro instrumento semejante. ‖ **2.** fig. Herir los oídos fuerte y desagradablemente algún sonido agudo. ‖ **3.** p. us. fig. Penetrar, percibir o alcanzar con el discurso una materia oscura o dudosa.

taladrilla. f. Barrenillo que ataca al olivo.

taladro. (Del celtolat. *tarătrum*.) m. Instrumento agudo o cortante con que se agujerea la madera u otra cosa. ‖ **2. taladrado,** acción y efecto de taladrar.

talaje. (De *talar²*.) m. *Chile*. Acción de pacer los ganados la hierba en los campos o potreros y precio que por esto se paga.

talamera. f. p. us. Árbol en que se coloca el señuelo para atraer las palomas.

talamete. (d. de *tálamo*.) m. *Mar*. Entablado o cubierta que alcanza solo a la parte de proa en las embarcaciones menores.

talamiflora. (De *tálamo* y *flor*.) adj. *Bot*. Dícese de la planta en cuyas flores es bien manifiesta la inserción de los estambres en el receptáculo. Ú. t. c. s.

talamite. (Del gr. θαλαμίτης.) m. Remero de la fila inferior, en las naves antiguas de dos o más órdenes de remos.

tálamo. (Del lat. *thalămus*, y este del gr. θάλαμος.) m. Lugar preeminente donde los novios celebraban sus bodas y recibían los parabienes. ‖ **2.** Cama de los desposados y lecho conyugal. ‖ **3.** *Bot*. Extremo ensanchado del pedúnculo donde se asientan las flores. ‖ **óptico.** *Anat*. Conjunto de núcleos voluminosos, de tejido nervioso, situados a ambos lados de la línea media, en los hemisferios cerebrales, por encima del hipotálamo; se enlazan con casi todas las regiones del encéfalo e intervienen en la regulación de la sensibilidad y de la actividad de los sentidos.

talán. (De or. onomatopéyico.) m. Sonido de la campana. Ú. m. repetido.

talanquera. (Del ant. *taranquera*, der. de *tranca*.) f. Valla, pared o cualquier lugar que sirven de defensa o reparo. ‖ **2.** fig. Seguridad y defensa. ‖ **hablar de,** o **desde, la talanquera.** fr. fig. y fam. que da a entender la facilidad con que algunos, estando en seguro, juzgan y murmuran de los que se hallan en algún conflicto o peligro. ‖ **mirar,** o **ver, de,** o **desde, la talanquera** una cosa. fr. fig. y fam. Contemplarla u observarla sin correr el peligro a que se exponen los que intervienen en ella.

talante. (De *talente*.) m. Modo o manera de ejecutar una cosa. ‖ **2.** Semblante o disposición personal, o estado o calidad de las cosas. ‖ **3.** Voluntad, deseo, gusto.

talantoso, sa. (De *talante*, semblante.) adj. desus. Que tiene buen talante o aspecto.

talar¹. (Del lat. *talăris*.) adj. Dícese del traje o vestidura que llega hasta los talones. ‖ **2.** Dícese de las alas que fingieron los poetas que tenía el dios Mercurio en los talones. Ú. t. c. s. m. y más en pl.

talar². (Del germ. *talon, talan*, arrancar.) tr. Cortar por el pie masas de árboles. ‖ **2.** Arrasar campos, edificios, poblaciones, etc. ‖ **3.** *And*. y *Extr*. Tratándose de olivos o encinas, **podar.** ‖ **4.** *Germ*. Quitar o arrancar.

talar³. (De *tala³*.) m. *Argent*. Terreno poblado de talas.

talasemia. (Del gr. θάλασσα, mar, y αἷμα, sangre.) f. *Pat*. Cualquiera de las anemias hemolíticas hereditarias, que se presentan de modo preferente en individuos de países mediterráneos y se deben a un trastorno cuantitativo en la producción de hemoglobina.

talasocracia. (Del gr. θάλασσα, mar, y κράτος, poder, fuerza.) f. Dominio sobre los mares y sistema político cuya potencia reside en este.

talasoterapia. (Del gr. θάλασσα, mar, y *terapia*.) f. *Med*. Uso terapéutico de los baños o del aire de mar.

talaverano, na. adj. Natural de Talavera. Ú. t. c. s. ‖ **2.** Perteneciente a cualquiera de las poblaciones de este nombre.

talaya. f. *León*. Roble joven.

talayote¹. (Del mallorquín *talayot*.) m. Monumento megalítico de las Baleares, semejante a una torre de poca altura.

talayote². m. *Méj*. Fruto de algunas plantas de la familia de las asclepiadáceas.

talco. (Del ár. {alq, amianto, yeso.) m. Mineral infusible, de textura hojosa, muy suave al tacto, lustroso, tan blando que se raya con la uña, y de color generalmente verdoso. Es un silicato de magnesia. Se usaba en láminas, sustituyendo al vidrio en ventanillas, faroles, etc. Se aplica también a los polvos extraídos de este mineral y que se utilizan en higiene y cosmética. ‖ **2.** Lámina metálica muy delgada y de uno u otro color, que se emplea en bordados y otros adornos.

talcoso, sa. adj. Compuesto de talco o abundante en él. *Roca* TALCOSA.

talcualillo, lla. (De *tal cual*.) adj. fam. Que sale poco de la medianía. ‖ **2.** fam. Que va experimentando alguna mejoría. Dícese de los enfermos.

talchocote. (Del mejic. *tlalzocotl*.) m. *Hond*. Cierto árbol elevado, que produce fruto parecido a la aceituna, del cual se usa como remedio contra la disentería.

tálea. (Del lat. *talĕa*, rama, palo.) f. Estacada o empalizada que los romanos usaban en sus campamentos.

taled. (Del hebr. *fal-lit*, vestido, manto.) m. Pieza de lana con que se cubren la cabeza y el cuello los judíos en sus ceremonias religiosas.

talega. (Del ár. *ta'liqa*, saco o bolsa colgada.) f. Saco o bolsa ancha y corta, de lienzo basto u otra tela, que sirve para llevar o guardar las cosas. ‖ **2.** Lo que cabe en ella. ‖ **3.** V. **aceite de talega.** ‖ **4.** Bolsa de lienzo o tafetán que usaban las mujeres para preservar el peinado. ‖ **5.** Culero o bolsa de lienzo que se ponía a los niños. ‖ **6.** Cantidad de mil pesos duros en plata. ‖ **7.** fam. Caudal monetario, dinero. Ú. m. en pl. ‖ **8.** ant. Provisión de víveres. ‖ **9.** p. us. fig. y fam. Pecados que tiene uno que confesar. ‖ **10.** *Ar*. Saco de tela gruesa, de cabida de cuatro fanegas. ‖ **11.** *Bad*. Costal de media fanega de trigo para moler. ‖ **12.** *León*. Cesto de mimbres que se usa en las vendimias. ‖ **13.** ant. *Mil*. **ración,** cantidad de alimento de cada comida.

talegada. f. Lo que cabe en una talega, saco o bolsa. ‖ **2.** Caída de lleno de una persona en el suelo.

talegazo. m. Golpe que se da con un talego. ‖ **2.** co‖ - **talada.**

talego. (De *talega*.) m. Saco largo y estrecho, de lienzo basto o de lona, que sirve para guardar o llevar una cosa. ‖ **2.** vulg. **cárcel.** ‖ **3.** vulg. Billete de mil pesetas. ‖ **4.** fig. y fam. Persona poco esbelta y muy ancha de cintura. ‖ **5.** *Germ*. **calza²,** prenda que cubría las piernas. ‖ **tener talego.** fr. fig. y fam. Tener dinero. ‖ **volcar el talego.** fr. fig. y fam. Desahogarse contando algo.

taleguilla. f. d. de **talega.** ‖ **2.** Calzón que forma parte del traje usado en la lidia por los toreros. ‖ **de la sal.** fig. y fam. Dinero que se consume en el gasto diario.

talente. (Del fr. *talent*, y este del lat. *talentum*.) m. ant. Voluntad, deseo, gusto, talante.

talento. (Del lat. *talentum*, y este del gr. τάλαντον, plato de la balanza, peso.) m. Moneda imaginaria de los griegos y de los romanos. ‖ **2.** fig. Inteligencia, capacidad intelectual. ‖ **3.** fig. Aptitud, capacidad para el desempeño o ejercicio de una ocupación.

talentoso, sa. adj. Que tiene talento, ingenio, capacidad y entendimiento.

talentudo, da. adj. **talentoso.**

tálero. (Del m. or. que *táller*.) m. Moneda antigua alemana de plata.

talero. (De *tala³*.) m. *Argent*., *Chile* y *Urug*. Rebenque corto y grueso, con cabo de tala³ u otra madera dura y lonja corta.

talgo. (Sigla de la expresión *tren articulado ligero Goicoechea Oriol*.) m. Tipo de tren articulado de muy poco peso, fabricado en diversos modelos.

talicón. m. *Mar.* Pieza con que se aumenta la altura de la cuaderna en las embarcaciones pequeñas.

talidad. f. Condición de ser tal, con las determinaciones que caracterizan a una persona o cosa.

talín. (Onomat. del canto de este pájaro.) m. *Cantabria.* Pájaro, especie de canario silvestre.

talio. (Del gr. θαλλός, rama verde.) m. *Quím.* Metal poco común, parecido al plomo, y cuyas sales dan color verde a la llama del alcohol en que están disueltas. Núm. atómico 81. Símb.: *Tl.*

talión. (De lat. *talĭo, -ōnis.*) m. Pena que consiste en hacer sufrir al delincuente un daño igual al que causó. ‖ **2.** ant. Compensación del efecto de una cosa con el efecto opuesto de otra.

talionar. tr. Castigar a uno con la pena del talión.

talismán. (Del fr. *talisman.*) m. Objeto al cual se atribuyen virtudes portentosas.

talma. (De *Talma,* célebre trágico francés.) f. Especie de esclavina usada por las señoras para abrigo, y por los hombres en vez de capa.

talmente. adv. m. De tal manera, así, en tal forma.

talmúdico, ca. adj. Perteneciente al Talmud, libro que contiene la tradición, doctrinas, ceremonias y preceptos de la religión judía.

talmudista. m. El que profesa la doctrina del Talmud, sigue sus dogmas o se ocupa en entenderlos o explicarlos.

talo¹. (Del gr. θάλλος, retoño, rama joven.) m. *Bot.* Cuerpo de las talofitas, equivalente al conjunto de raíz, tallo y hojas de otras plantas.

talo². (Del vasco.) m. *Ál., Cantabria, Nav.* y *Vizc.* Torta aplastada que se hace con masa de harina de maíz sin fermentar, y se cuece sobre las ascuas.

talofita. (Del gr. θάλλος, retoño, rama joven, y φυτόν, planta.) adj. *Bot.* Dícese de la planta cuyo cuerpo vegetativo es el talo, que puede estar constituido por una sola célula o por un conjunto de células dispuestas en forma de filamento, de lámina, etc. Ú. t. c. s. f. ‖ **2.** f. pl. *Bot.* Tipo de estas plantas, que comprende las algas y los hongos.

talón¹. (Del lat. *talo, -ōnis.*) m. Parte posterior del pie humano. ‖ **2.** Parte del calzado, que cubre el calcañar. *El* TALÓN *del zapato.* ‖ **3.** Pulpejo del casco de una caballería. ‖ **4.** Parte por la que se agarra el arco del violín y de otros instrumentos semejantes. Se aplica también a la parte posterior o extremo de otros objetos, como la caña de pescar o el cuchillo del carpintero. ‖ **5.** Borde de hierro reforzado de la cubierta del neumático, que encaja en la llanta de hierro de la rueda. ‖ **6.** Libranza, documento o resguardo que se expide separándolo de la matriz de un libro. ‖ **7.** *Albañ.* Reborde de una teja. ‖ **8.** *Arq.* Moldura sinuosa cuyo perfil se compone de dos arcos de círculo contrapuestos y unidos entre sí, y que terminan a escuadra con las rectas que limitan dicha moldura. ‖ **9.** *Com.* Documento o resguardo expedido en la misma forma. ‖ **10.** *Mar.* Corte oblicuo en la extremidad posterior de la quilla, que se ajusta a otro hecho en el chaflán anterior de la madre del timón. ‖ **11.** *Mar.* Ángulo de inclinación de un buque. ‖ **de Aquiles.** fig. Punto vulnerable o débil de algo o de alguien. ‖ **apretar** uno **los talones.** fr. fig. y fam. Echar a correr por algún caso imprevisto o con mucha diligencia. ‖ **a talón.** loc. adv. fig. y fam. ‖ **levantar** uno **los talones.** fr. fig. y fam. **apretar los talones.** ‖ **pisarle** a uno **los talones.** fr. fig. y fam. Seguirle de cerca. ‖ **2.** fig. Emularle con buena fortuna.

talón². (De *talar².*) m. *Germ.* Albergue, mesón.

talón³. (Del fr. *étalon.*) m. Patrón monetario.

talonada. f. Golpe dado a la cabalgadura con los talones.

talonario, ria. (De *talón¹,* libranza.) adj. Perteneciente o relativo a los talones o **talonarios.** ‖ **2.** V. **libro talonario.**

Ú. t. c. s. ‖ **3.** m. Bloque de libranzas, recibos, cédulas, billetes u otros documentos de los cuales, cuando se cortan, queda una parte encuadernada para comprobar.

talonazo. m. Golpe dado con el talón.

talonear. (De *talón¹.*) intr. fam. Andar a pie con mucha prisa y diligencia. ‖ **2.** vulg. *Méj.* Practicar la prostitución callejera; por ext., trabajar. ‖ **3.** tr. *And., Argent., Chile* y *Méj.* Incitar al jinete a la caballería, picándola con los talones.

talonera. f. *Chile.* Pieza de cuero que se pone en el talón de la bota para asegurar la espuela.

talonero. (De *talón².*) m. *Germ.* Ventero o mesonero.

talpa. (Del lat. *talpa,* topo.) f. *Cir.* **talparia.**

talparia. (De *talpa.*) f. *Cir.* Absceso que se forma en el interior de los tegumentos de la cabeza.

talque¹. (Tal vez m. or. que *talco.*) m. Tierra talcosa muy refractaria usada para hacer crisoles.

talque². (Del lat. *tale quid.*) pron. indet. desus. Alguno, uno indeterminado.

talqueza. f. *C. Rica.* Hierba empleada para cubrir las chozas.

talquino, na. adj. Natural de Talca. Ú. t. c. s. ‖ **2.** Perteneciente o relativo a esta ciudad y provincia chilenas.

talquita. f. Roca pizarrosa compuesta principalmente de talco.

taltuza. f. *C. Rica, Guat.* y *Nicar.* Mamífero roedor, especie de rata, de 16 a 18 centímetros de largo.

talud. (Del fr. *talus.*) m. Inclinación del paramento de un muro o de un terreno. ‖ **continental.** *Geomorf.* Vertiente rápida submarina que desciende desde el borde de la plataforma continental hasta profundidades de 2.000 metros o más.

taludín. m. *Guat.* Reptil, especie de caimán.

talvez. adv. de duda. *Amér.* **tal vez,** acaso, quizá.

talvina. (Del ár. *talbîna,* manjar de leche, harina y miel.) f. Gachas que se hacen con leche de almendras.

talla¹. (De *tallar,* cortar.) f. Obra de escultura, especialmente en madera. ‖ **2.** Tributo señorial o real que con diversas aplicaciones y motivos se percibía en la corona de Aragón. ‖ **3.** Cantidad o premio que se ofrece por el rescate de un cautivo o la prisión de un delincuente. ‖ **4.** Cantidad de moneda que ha de ser producida por cierta unidad de peso del metal que se acuñe. ‖ **5.** En el juego de la banca y en el del monte y otros, **mano,** lance entero. ‖ **6.** Estatura o altura de las personas. ‖ **7.** Instrumento para medir la estatura de las personas. ‖ **8.** Medida convencional usada en la fabricación y venta de prendas de vestir. ‖ **9.** fig. Altura moral o intelectual. ‖ **10.** *Ar.* Tara o tarja, para ajustar cuentas. ‖ **11.** *Cir.* Operación cruenta para extraer los cálculos de la vejiga. ‖ **dulce. grabado en dulce.** ‖ **plana.** *Esc.* Relieve bajo. ‖ **media talla.** *Esc.* **medio relieve.** ‖ **plana.** *Esc.* Relieve bajo. ‖ **a media talla.** loc. adv. fig. desus. Con poca atención y miramiento. ‖ **dar** uno **la talla.** fr. fig. Ser apto para algo.

talla². (En port. *talha.*) f. *And.* **alcarraza.** ‖ **2.** *Can.* Cántaro grande de barro.

talla³. (Del it. *taglia,* polea.) f. *Mar.* Polea o aparejo que sirve para ayudar en ciertas faenas.

tallado, da. p. p. de **tallar.** ‖ **2.** adj. Con los adverbios *bien* o *mal,* de buen o mal talle. ‖ **3.** m. Acción y efecto de **tallar²,** hacer obras de talla. ‖ **4.** Acción y efecto de **tallar²,** labrar piedras preciosas. ‖ **5.** Acción y efecto de **tallar²,** grabar en hueco. ‖ **6.** *Germ.* Basquiña o sayo.

tallado, da. adj. *Blas.* Aplícase a los ramos, flores y palmas que tienen el tallo o tronco de diferente esmalte.

tallador, ra. (De *tallar².*) m. y f. Persona que talla. ‖ **2.** m. El que talla a los quintos.

talladura. (Del lat. *taliatūra.*) f. **entalladura.**

tallar[1]. (De *tallo*.) adj. Que puede ser talado o cortado. *Monte*, *leña* TALLAR. Ú. t. c. s. m.

tallar[2]. (Del lat. *taleāre*, cortar ramas, de *talēa*, rama.) tr. Llevar la baraja en el juego de la banca y otros. ‖ **2.** Cargar de tallas o impuestos. ‖ **3.** Dar forma o trabajar un material. ‖ **4. curtir**, endurecer. ‖ **5.** Elaborar muy cuidadosamente una obra, material o no. ‖ **6.** desus. Tasar, apreciar, valuar. ‖ **7.** Medir la estatura de una persona. ‖ **8.** ant. Cortar o tajar. ‖ **9.** intr. fam. Intervenir en una conversación, y por ext., en cualquier asunto. ‖ **10.** fam. Actuar o trabajar en algo. Ú. t. c. prnl. ‖ **11.** fam. Destacar, dibujarse. Ú. t. c. tr. y prnl. ‖ **12.** *Chile*. Hablar de amores un hombre y una mujer.

tallarín. (Del it. *tagliarini*.) m. Pasta alimenticia hecha con harina de trigo amasada, que tiene forma de tiras muy estrechas. Ú. m. en pl.

tallarola. (Del fr. *taillerole*.) f. Cuchilla muy fina con que en el telar de sedas se corta la urdimbre de la tela del terciopelo para sacar el vello.

talle. (Del fr. *taille*.) m. Disposición o proporción del cuerpo humano. ‖ **2.** Cintura del cuerpo humano. ‖ **3.** Forma que se da al vestido, cortándolo y proporcionándolo al cuerpo. ‖ **4.** Parte del vestido que corresponde a la cintura. ‖ **5.** Medida tomada para un vestido o traje, comprendida desde el cuello a la cintura, tanto por delante como por detrás. ‖ **6.** Tallo de las plantas o tronco de los árboles. ‖ **7.** fig. Traza, disposición o apariencia. ‖ **largo de talle**. loc. adj. fig. y fam. Hablando de cantidades, que excede del término que expresa. *Tenía cincuenta años* LARGOS DE TALLE.

tallecer. intr. **entallecer**. ‖ **2.** Echar tallo las semillas, bulbos o tubérculos de las plantas. Ú. t. c. prnl.

táller. (Del al. *taler*.) m. p. us. **tálero**.

taller[1]. (Del fr. *atelier*.) m. Lugar en que se trabaja una obra de manos. ‖ **2.** fig. Escuela o seminario de ciencias o de artes. ‖ **3.** *B. Art*. Conjunto de colaboradores de un maestro.

taller[2]. (Del fr. *tailloir*.) m. Vinagreras para el servicio de la mesa.

tallista. com. Persona que hace tallados artísticos.

tallo. (Del lat. *thallus*, y este del gr. θαλλός.) m. Órgano de las plantas que se prolonga en sentido contrario al de la raíz y sirve de sustentáculo a las hojas, flores y frutos. ‖ **2.** Renuevo de las plantas. ‖ **3.** Germen que ha brotado de una semilla, bulbo o tubérculo. ‖ **4.** Trozo confitado de calabaza, melón, etc. ‖ **5.** *And.* y *Murc.* Churro, tejeringo. ‖ **6.** *Col*. Bretón o col. ‖ **7.** *Chile*. **cardo santo**.

tallón. m. **talla**[1], cantidad que se ofrecía por el rescate de un cautivo o la prisión de un delincuente.

talludo, da. adj. De tallo grande o con muchos tallos. ‖ **2.** fig. Crecido y alto. Dícese del muchacho que se ha hecho alto en poco tiempo. ‖ **3.** fig. Aplícase al que, por estar acostumbrado o viciado en una cosa mucho tiempo, tiene dificultad en dejarla. ‖ **4.** fig. Dícese de una persona cuando va pasando de la juventud.

tamagás. m. *Amér. Central*. Víbora muy venenosa.

tamajagua. m. *Ecuad.* **damajagua**.

tamal. (Del mejic. *tamalli*.) m. *Amér.* Especie de empanada de masa de harina de maíz, envuelta en hojas de plátano o de la mazorca del maíz, y cocida al vapor o en el horno. Las hay de diversas clases, según el manjar que se pone en su interior y los ingredientes que se le agregan. ‖ **2.** fig. *Amér.* Lío, embrollo, pastel, intriga.

tamalero, ra. m. y f. *Amér.* Persona que hace o vende tamales.

tamanaco, ca. adj. Dícese del individuo de una tribu que habitaba en las orillas del Orinoco, cerca de la Misión Encaramada. Ú. t. c. s. ‖ **2.** Perteneciente o relativo a esta tribu. ‖ **3.** m. Lengua **tamanaca**.

tamanduá. (De or. guaraní.) m. **oso hormiguero**.

tamango. m. *Argent., Chile, Par.* y *Urug.* Calzado rústico de cuero. Se sacaba preferentemente de las garras del animal, rasgando el cuero por delante, y se usaba con el pelo para el lado de adentro. ‖ **2.** *Argent., Chile., Par.* y *Urug.* Calzado viejo y deformado. ‖ **3.** *Argent., Chile, Par.* y *Urug.* Cualquier calzado.

tamangudo, da. adj. *Urug.* Dícese del que usa tamangos demasiado grandes.

tamañamente. adv. m. Tan grandemente como otra cosa con que se compara.

tamañito, ta. adj. d. de **tamaño**. ‖ **2.** fig. Achicado, confuso. Ú. principalmente con los verbos *dejar* y *quedar*.

tamaño, ña. (Del lat. *tam*, tan, y *magnus*, grande.) adj. comp. Tan grande o tan pequeño. ‖ **2.** adj. sup. Muy grande o muy pequeño. ‖ **3.** m. Mayor o menor volumen de dimensión de una cosa.

támara[1]. (Del ár. *tamra*, dátil.) f. Palmera de Canarias. ‖ **2.** Terreno poblado de palmas. ‖ **3.** pl. Dátiles en racimo.

támara[2]. (Del lat. *termen, -ĭnis, por termes, -ĭtis*, ramo.) f. Rama de árbol. ‖ **2.** Leña muy delgada, despojos de la gruesa, o astillas que resultan de labrar la madera. ‖ **3.** *Guad.* Carga de ramaje de roble, encina o pino, que pesa de ocho a diez arrobas.

tamaral. (De *támara*[2].) m. *Zam.* Soto muy poblado de fresnos.

tamarao. (De or. malayo.) m. *Filip.* Especie de búfalo, más pequeño que el carabao, pero más bravo.

tamaricáceo, a. (Del lat. *tamarice*, del gr. ταμαρίκη.) adj. *Bot.* Dícese de los árboles o arbustos angiospermos dicotiledóneos, abundantes en los países mediterráneos y en Asia Central, con hojas aciculares o escamosas, flores en racimo o en espiga, tetrámeras o pentámeras; fruto en cápsula, con semillas que llevan pelos como órganos de diseminación; como el taray. Ú. t. c. s. f. ‖ **2.** f. pl. *Bot.* Familia de estas plantas.

tamarigal. m. *Ar.* **tarayal**.

tamarilla. f. **jaguarzo**.

tamarindo. (Del ár. *tamr hindī*, dátil índico.) m. Árbol de la familia de las papilionáceas, con tronco grueso, elevado y de corteza parda, copa extensa, hojas compuestas de hojuelas elípticas, gruesas y pecioladas; flores amarillentas en espiga, y fruto en vainillas pulposas de una sola semilla. Originario de Asia, se cultiva en los países cálidos, por su fruto de sabor agradable, que se usa en medicina como laxante. ‖ **2.** Fruto de este árbol.

tamariscíneo, a. (Del lat. *tamariscus*, taray.) adj. *Bot.* Dícese de los árboles o arbustos semejantes al tamariz.

tamarisco. (Del lat. *tamariscus*.) m. **taray**.

tamaritano, na. adj. Natural de Tamarite de Litera, villa de la provincia de Huesca. Ú. t. c. s. ‖ **2.** Perteneciente a esta villa.

tamariz. (Del lat. *tamarice*.) m. **taray**.

tamarrizquito, ta. adj. p. us. fam. Muy pequeño.

tamarrusquito, ta. adj. fam. **tamarrizquito**.

tamarugal. m. *Chile*. Terreno poblado de tamarugos.

tamarugo. m. *Chile*. Árbol de la familia de las papilionáceas, especie de algarrobo que crece en la pampa.

tamaulipeco, ca. adj. Natural del Estado mejicano de Tamaulipas. Ú. t. c. s. ‖ **2.** Perteneciente o relativo a dicho Estado.

tamba. f. *Ecuad.* Paño que usan los indios para cubrirse de la cintura abajo.

tambalear. (De or. onomatopéyico.) intr. Menearse una cosa a uno y otro lado, como por falta de fuerza o de equilibrio. Ú. m. c. prnl. ‖ **2.** prnl. fig. Estar a punto de perder todo vigor moral o físico o todo poder.

tambaleo. m. Acción de tambalear o tambalearse.

tambalisa. f. *Cuba.* Planta leguminosa, de hojas tomentosas y flores amarillas.

tambanillo. (De *timpanillo,* d. de *tímpano,* frontón.) m. *Arq.* Frontón sobrepuesto a una puerta o ventana.

támbara. (Del lat. **termen, -ĭnis,* por *termes, -ĭtis,* ramo.) f. *Burg.* y *Sal.* Rodrigón o tutor que se pone a una planta. ‖ **2.** *Burg., Rioja* y *Sal.* Támara, leña menuda.

tambarilla. f. *Logr.* Mata ericácea, con flores purpúreas en racimo.

tambarillo. (Como *tambanillo,* de *timpanillo.*) m. Arquilla o caja con tapa redonda y combada.

tambarimba. f. *Sal.* Altercado, pendencia.

tambarria. f. *Col., Ecuad., Hond.* y *Nicar.* Holgorio, parranda.

tambero, ra. adj. *Argent.* Dícese del ganado manso, especialmente de las vacas lecheras. Ú. t. c. s. f. ‖ **2.** *Amér. Merid.* Perteneciente al tambo. ‖ **3.** m. y f. *Amér. Merid.* Persona que tiene un tambo o está encargada de él.

tambesco. m. *Burg.* y *Sant.* columpio.

también. (De *tan* y *bien.*) adv. m. Se usa para afirmar la igualdad, semejanza, conformidad o relación de una cosa con otra ya nombrada. ‖ **2.** Tanto o así.

tambo. (Del quechua *tampu.*) m. desus. *Col., Chile, Ecuad.* y *Perú.* Venta, posada, parador. ‖ **2.** *Argent.* Establecimiento ganadero destinado al ordeño de vacas y a la venta, generalmente por mayor, de su leche. ‖ **3.** *Argent.* Corral donde se ordeña. ‖ **4.** *Perú.* Tienda rural pequeña.

tambobón. m. *Filip.* Panera de piedra para guardar el arroz.

tambocha. f. *Col.* Hormiga de cabeza roja, muy venenosa.

tambor. (Del persa *tabŭr,* a través del ár. *tanbŭr.*) m. Instrumento musical de percusión, de madera o metal, de forma cilíndrica, hueco, cubierto por sus dos bases con piel estirada, y el cual se toca con dos palillos. ‖ **2.** El que toca el **tambor.** ‖ **3.** Nombre de distintos objetos que por su forma y proporciones recuerdan un **tambor.** ‖ **4.** fam. Recipiente de forma generalmente cilíndrica, que se emplea como envase de diversos productos. ‖ **5.** Tamiz por donde pasan el azúcar los reposteros. ‖ **6.** Cilindro de hierro, hueco y cerrado, que sirve para tostar café, cacao, etc. ‖ **7.** Aro de madera sobre el cual se tiende una tela para bordarla. ‖ **8.** Cilindro giratorio donde van las cápsulas de un revólver. ‖ **9.** En las oficinas, cilindro hueco utilizado para repartir la tinta en ciertos tipos de copiadoras automáticas. ‖ **10.** Mecanismo que sirve para enrollar un cable y cuya rotación permite tirar del mismo. ‖ **11.** Dispositivo de forma cilíndrica y tamaño variable según su empleo, utilizado en aplicaciones muy diversas en la industria textil. ‖ **12.** *Pal.* Cubierta de madera que se pone sobre la piedra del molino. ‖ **13.** *Cuba.* Pez plectognato que tiene las mandíbulas cubiertas de placas de esmalte, y que puede inflar el cuerpo introduciendo aire en una dilatación del esófago. Se conocen varias especies. ‖ **14.** *Argent.* Bombona, recipiente de metal, cilíndrico y de poca altura, en el que se guardan gasas y algodones, por lo común esterilizados. ‖ **15.** *Anat.* Tímpano del oído. ‖ **16.** *Arq.* Apostenillo que se hace de tabiques dentro de otro aposento. ‖ **17.** *Arq.* Muro cilíndrico que sirve de base a una cúpula. ‖ **18.** *Arq.* Cuerpo central del capitel y más abultado, o de mayor diámetro, que el fuste de la columna. ‖ **19.** *Arq.* Cada una de las piezas del fuste de una columna cuando no es monolítica. ‖ **20.** *Fort.* Pequeña defensa circular que se pone delante de las puertas. ‖ **21.** *Mar.* Cilindro de madera en que se arrollan los guardines del timón. ‖ **22.** Cada uno de los cajones o cubiertas de las ruedas en los vapores. ‖ **23.** *Mec.* Rueda de canto liso, ordinariamente de más espesor que la polea. ‖ **24.** *Mec.* Disco de acero acoplado a la cara interior de las ruedas, provisto de un reborde sobre el que actúan las zapatas del freno. ‖ **magnético.** *Inform.* Cilindro metálico, cuya superficie lateral está cubierta por una capa sensible que le permite almacenar información en forma de polarizaciones magnéticas. ‖ **mayor.** Maestro y jefe de una banda de **tambores.** ‖ **2.** En los tercios y en los antiguos regimientos, el encargado de la instrucción y distribución de los **tambores.** ‖ **mayor general.** Antiguo personaje ilustrado, que, además de unificar e inspeccionar las bandas de **tambores,** era empleado en los ejércitos como enlace entre las propias unidades o como mensajero ante las fuerzas enemigas. ‖ **a tambor,** o **con tambor, batiente.** loc. adv. Tocando el **tambor.** ‖ **2.** Con aire triunfal.

tambora. f. p. us. Bombo o tambor grande. ‖ **2.** fam. tambor, instrumento musical.

tamborear. intr. **tamborilear,** hacer ruido.

tamboreo. m. Acción y efecto de tamborear.

tamborete. m. d. de **tambor.** ‖ **2.** *Mar.* Trozo de madera que sirve para sujetar a un palo otro sobrepuesto.

tamboril. (De *tamborín.*) m. Tambor pequeño que, colgado del brazo izquierdo, se toca con un solo palillo o baqueta, y, acompañado por lo común al pito, se usa en las danzas populares. ‖ **como tamboril en boda.** fr. fam. Dícese de lo que seguramente no ha de faltar. ‖ **tamboril por gaita.** fr. fam. con que se indica que lo mismo le da a uno una cosa que otra.

tamborilada. (De *tamboril.*) f. fig. y fam. Golpe que se da con fuerza cayendo en el suelo, especialmente el que se da con las asentaderas. ‖ **2.** fig. y fam. Golpe dado con la mano en la cabeza o en las espaldas.

tamborilazo. m. fig. y fam. **tamborilada.**

tamborilear. intr. Tocar el tamboril. ‖ **2.** Hacer son con los dedos imitando el ruido del tambor. ‖ **3.** tr. Celebrar mucho a uno, publicando y ponderando sus prendas y habilidad o capacidad. ‖ **4.** *Impr.* Igualar las letras del molde con el tamborilete.

tamborileo. m. Acción y efecto de tamborilear.

tamborilero, ra. m. y f. Persona que tiene por oficio tocar el tamboril o el tambor.

tamborilete. m. d. de **tamboril.** ‖ **2.** *Impr.* Tablita cuadrada con la cual se dan sobre el molde golpecitos suaves para que todas las letras queden a la misma altura.

tamborín. (d. de *tambor.*) m. p. us. **tamboril.**

tamborino. (d. de *tambor.*) m. p. us. **tamboril.** ‖ **2.** p. us. **tamborilero.**

tamboritear. intr. **tamborilear.**

tamboritero. m. **tamborilero.**

tamborito. (De *tambor.*) m. *Pan.* Baile popular.

tamborón. m. Bombo o tambor grande.

tambre. m. *Col.* Presa, azud.

tambucho. m. Caja situada encima de las ventanas dentro de la cual se enrollan las persianas. ‖ **2.** *Mar.* Escotilla protegida que da acceso a las habitaciones de la tripulación.

tameme. m. desus. *Méj.* y *Perú.* Cargador indio que acompañaba a los viajeros.

tamil. (Del gentilicio nativo, a través del ing. *tamil.*) adj. Dícese del individuo de uno de los pueblos no arios de la rama dravidiana, que habita en el sudeste de la India y parte de Sri Lanka, antiguo Ceilán. Ú. t. c. s. ‖ **2.** Perteneciente o relativo a este pueblo. ‖ **3.** Dícese del tipo de letra usado para escribir su lengua. ‖ **4.** m. Idioma hablado por los **tamiles,** el principal de la familia de las lenguas dravidianas o dravídicas.

taminea. adj. **taminia.**

taminia. (Del lat. *taminĭa.*) adj. V. **uva taminia.**

tamiz. (Del fr. *tamis.*) m. Cedazo muy tupido. ‖ **pasar una cosa por el tamiz.** fr. fig. y fam. Examinarla o seleccionarla concienzudamente.

tamización. f. Acción y efecto de tamizar. ‖ **2.** Separación mecánica, mediante tamices, de sustancias pulverizadas de diferentes tamaños.

tamizar. tr. Pasar una cosa por tamiz. ‖ **2.** Por ext., depurar, elegir con cuidado y minuciosidad.

tamo. (De or. inc.) m. Pelusa que se desprende del lino, algodón o lana. ‖ **2.** Polvo o paja muy menuda de varias semillas trilladas; como trigo, lino, etc. ‖ **3.** Pelusilla que se cría debajo de las camas y otros muebles por falta de aseo.

tamojal. m. Sitio poblado de tamojos.

tamojo. m. Metát. de **matojo,** planta salsolácea.

tampiqueño, ña. adj. Natural de Tampico, puerto del Estado mejicano de Tamaulipas. Ú. t. c. s. ‖ **2.** Perteneciente o relativo a dicha ciudad.

tampoco. (De *tan* y *poco.*) adv. neg. con que se niega una cosa después de haberse negado otra.

tampón. (Del fr. *tampon.*) m. Almohadilla empapada en tinta que se emplea para entintar sellos, estampillas, etc. ‖ **2.** Rollo de celulosa que se introduce en la vagina de la mujer para que absorba el flujo menstrual.

tamtan. (De or. onomatopéyico.) m. Tambor africano de gran tamaño, que se toca con las manos. ‖ **2.** En África, redoble con que se anuncian determinados actos. ‖ **3.** Gongo, batintín.

tamuja. f. **borrajo,** hojarasca del pino.

tamujal. m. Sitio poblado de tamujos.

tamujo. (De *tamojo.*) m. Mata de la familia de las euforbiáceas, de 12 a 13 decímetros de altura, con ramas mimbreñas, espinosas, puntiagudas y muy abundantes; hojas en hacecillos, lampiñas y aovadas; flores verdosas, y fruto capsular, globoso, de color pardo rojizo cuando maduro. Es común en las márgenes de los arroyos y en los sitios sombríos, y con las ramas se hacen escobas para barrer las calles.

tamul. adj. **tamil.**

tan[1]. (De la onomat. *tan.*) m. Sonido o eco que resulta del tambor u otro instrumento semejante, tocado a golpes. Ú. m. repetido.

tan[2]. (Como el fr. *tan.*) m. Corteza de encina.

tan[3]. (apóc. de *tanto.*) adv. c. Modifica, encareciéndola en proporción relativa, la significación del adjetivo, el adverbio y el participio. ‖ **2.** Correspondiéndose con *como* o *cuan* en comparación expresa, denota idea de equivalencia o igualdad. TAN *duro como el hierro; el castigo fue* TAN *grande como grande fue la culpa.* ‖ **3.** En las consecutivas es correlativo de *que.* ‖ **de tan.** expr. que se refiere a algo que es exagerado, y que da como resultado lo que se expresa. DE TAN *bueno es tonto.* ‖ **tan siquiera.** loc. conjunt. **siquiera,** por lo menos. ‖ **tan y mientras.** loc. conjunt. vulg. Mientras, mientras tanto.

tanaceto. (En port. *tanacêto* y *tanásia;* en b. lat. *tanacetum;* en fr. *tanaisie;* tal vez del gr. ἀθανασία, inmortalidad.) m. **hierba lombriguera.**

tanador. (De *tan[2].*) m. ant. **curtidor.**

tanagra. f. Estatuilla de barro cocido como las halladas en la ciudad griega de Tanagra.

tanate. (Del mejic. *tanatli.*) m. *Hond.* y *Méj.* Mochila, zurrón de cuero o de palma. ‖ **2.** *Amér. Central.* Lío, fardo, envoltorio. ‖ **cargar uno con los tanates.** fr. fig. y fam. *Amér. Central.* Mudarse, marcharse.

tanatorio. (Del gr. θάνατος, muerte.) m. Edificio destinado a velatorios y servicios relacionados con ellos.

tanda. (De or. inc.) f. Alternativa o turno. ‖ **2. tarea,** cada uno de los trabajos que han de hacerse. ‖ **3.** Capa con que se cubre o baña una cosa. ‖ **4.** Cada uno de los grupos en que se dividen las personas o las bestias empleadas en una operación o trabajo. ‖ **5.** Cada uno de los grupos de personas o de bestias que turnan en algún trabajo. ‖ **6.** Partida de juego, especialmente de billar. ‖ **7.** Número indeterminado de ciertas cosas de un mismo género. TANDA *de azotes, de rigodones.* ‖ **8.** *Ar.* Período de arrendamiento de finca urbana, que dura seis meses, desde Navidad al 24 de junio. ‖ **9.** *Áv.* Avío que se da a los jornaleros para su comida. ‖ **10.** *Amér.* Sección de una representación teatral. ‖ **11.** *Min.* Cada uno de los períodos de días en que alternativamente se trabaja o descansa en las minas.

tandear. intr. Distribuir una cosa por tandas.

tándem. (Del lat. *tandem,* a lo largo de, dicho del tiempo y festivamente del espacio.) m. Bicicleta para dos personas, que se sientan una tras otra, provista de pedales para ambos. ‖ **2.** Tiro, generalmente en coche de dos ruedas, de una caballería entre las limoneras y delante otra con los tirantes enganchados a las puntas de ellas. ‖ **3.** fig. Unión de dos personas que tienen una actividad común, o que colaboran en algo. ‖ **4.** fig. Conjunto de dos elementos que se complementan. ‖ **5.** *Electr.* Conjunto formado por dos o más condensadores variables montados por un mismo eje. ‖ **en tándem.** loc adv. Modo de montar ciertos aparatos para que funcionen simultánea o sucesivamente.

tandeo. m. Distribución del agua de riego alternativamente o por tandas.

tanela. f. *C. Rica.* Pasta de hojaldre adobada con miel.

tanga[1]. f. Juego en que se tira con chapas o tejos a una pieza con monedas que se pone levantada en tierra, chito. ‖ **2.** La pieza sobre la que se ponen las monedas.

tanga[2]. m. Bañador de dimensiones muy reducidas.

tangado, da. adj. fam. **engañado.** ‖ **2.** f. fam. **engaño.**

tangán. m. *Ecuad.* Tablero cuadrado suspendido del techo, que se sube y se baja con una cuerda. Sirve para colocar en él comestibles.

tángana. f. **tanga.** ‖ **2.** Alboroto, escándalo. ‖ **3.** En el fútbol, follón, jaleo, pelea. ‖ **4.** Engaño, fraude. ‖ **5.** *P. Rico.* Bronca, discusión violenta sobre un asunto.

tanganillas (en). (De *tanganillo.*) loc. adv. Con poca seguridad o firmeza; en peligro de caerse.

tanganillo. m. d. de **tángano.** ‖ **2.** Palo, piedra o cosa semejante que se pone para sostener y apoyar otra cosa provisionalmente. ‖ **3.** *Pal., Seg.* y *Vallad.* Longaniza pequeña. ‖ **4.** *Ál.* Juego de la rayuela. ‖ **5. tarangallo.**

tángano. (De *tango[1].*) m. **tanga.**

tangar. tr. fam. Engañar, estafar.

tangencia. f. Calidad de tangente.

tangencial. adj. Perteneciente o relativo a la tangente, recta que toca en un punto a una línea o superficie curvas. ‖ **2.** Dicho de línea o superficie, que es tangente a otra. ‖ **3.** fig. Dícese de una idea, cuestión, problema, etc., que solo parcial y no significativamente se refiere a una cosa.

tangente. (Del lat. *tangens, -entis.*) p. a. de **tangir.** Que toca. ‖ **2.** adj. *Geom.* Aplícase a las líneas y superficies que se tocan o tienen puntos comunes sin cortarse. ‖ **3.** f. *Geom.* Recta que toca a una curva o a una superficie. ‖ **de un ángulo.** *Trig.* La del arco que le sirve de medida. ‖ **de un arco,** o **primera de un arco.** *Trig.* Parte de la recta tangente al extremo de un arco, comprendida entre este punto y la prolongación del radio que pasa por el otro extremo. ‖ **segunda de un ángulo,** o **de un arco.** *Trig.* **cotangente.** ‖ **escapar, escaparse, irse,** o **salir, uno por la tangente.** fr. y fam. Valerse de un subterfugio o evasiva para salir hábilmente de un apuro.

tangerino, na. adj. Natural de Tánger. Ú. t. c. s. ‖ **2.** Perteneciente a esta ciudad de África. ‖ **3.** V. **naranja tangerina.** Ú. t. c. s.

tangible. (Del lat. *tangibĭlis.*) adj. Que se puede tocar. ‖ **2.** fig. Que se puede percibir de manera precisa. *Resultados* TANGIBLES.

tangidera. (De *tangir.*) f. *Mar.* Cabo grueso que se da a la reguera para tesarla por la otra banda de donde sale dicha reguera, y que esta quede derecha por la popa.

tangir. (Del lat. *tangĕre*.) tr. ant. **tañer,** hacer sonar según arte un instrumento músico. ‖ **2.** Avisar con campana u otro instrumento. ‖ **3.** Ejercitar el sentido del tacto. ‖ **4.** Corresponder o pertenecer. ‖ **5.** Ser uno pariente de otro.

tango[1]. (De *tanga*.) m. **chito**[1], juego.

tango[2]. (Posible voz onomatopéyica.) m. Fiesta y baile de negros o de gente del pueblo en algunos países de América. ‖ **2.** Baile argentino, difundido internacionalmente, de pareja enlazada, forma musical binaria y compás de dos por cuatro. ‖ **3.** Música de este baile y letra con que se canta. ‖ **4.** *Hond.* Instrumento musical que usan los indígenas, formado por un cilindro de un tronco hueco cubierto en uno de sus extremos con un cuero, sobre el que se golpea.

tangón. (Del fr. *tangon*.) m. *Mar.* Cualquiera de los dos botalones que se colocan en el costado de proa, uno por cada banda, para amurar en ellos las rastreras, y, en especial, amarrar las embarcaciones menores que para el servicio están en el agua.

tanguillo. m. Cierto tipo de cante y baile flamenco propio de la provincia de Cádiz. ‖ **2.** *And.* Peonza que se hace bailar con un látigo.

tanguista. f. Mujer contratada para que baile con los clientes de un local de esparcimiento. ‖ **2.** com. Cantante o bailarín en ciertas salas de fiestas.

tánico, ca. (De *tan*[2].) adj. Que contiene tanino. ‖ **2.** Perteneciente o relativo a los taninos.

tanilla. f. *Ar.* Cada uno de los palos que se ponen en las colleras para sujetarlas al yugo.

tanino. (Del fr. *tanin*.) m. *Quím.* Sustancia astringente contenida en la nuez de agallas, en las cortezas de la encina, olmo, sauce y otros árboles, y en la raspa y hollejo de la uva y otros frutos. Puro y seco, es inalterable al aire; se disuelve en el agua y sirve para curtir las pieles y para otros usos.

tanka. f. *Lit.* Poema japonés corto, compuesto de cinco versos; pentasílabos primero y tercero, y heptasílabos los restantes.

-tano, na. V. **-ano**[1].

tanobia. f. *Ast.* Tablón que se coloca, a modo de rellano, al terminar la escalera del hórreo, para facilitar la entrada y salida.

tanor, ra. (Del tagalo *tanor*, guarda, pastor.) adj. Decíase de los filipinos indígenas que prestaban el servicio de tanoría. Ú. t. c. s.

tanoría. (De *tanor*.) f. Servicio doméstico que los indígenas de Filipinas tuvieron obligación de prestar gratuitamente a los españoles.

tanque[1]. m. **propóleos,** sustancia cérea con que las abejas recubren las celdas del panal.

tanque[2]. (Del ing. *tank*.) m. Automóvil de guerra blindado y articulado, que, moviéndose sobre una llanta flexible o cadena sin fin, puede andar por terrenos escabrosos. ‖ **2.** Depósito montado sobre ruedas para su transporte. ‖ **3.** Recipiente de gran tamaño, normalmente cerrado, destinado a contener líquidos o gases. ‖ **4.** Estanque, depósito de agua. ‖ **5.** fig. Persona o cosa gruesa, corpulenta o resistente. ‖ **6.** *Ast., Cantabria, Guip., Rioja* y *Vizc.* Vasija pequeña, por lo general cilíndrica, con un asa para sacar un líquido contenido en otra vasija mayor. Se usa también en lugar de vaso para beber. ‖ **7.** *Sal.* Sapo grande. ‖ **8.** *Mar.* **aljibe,** barco para transportar agua potable. ‖ **9.** *Mar.* **aljibe,** recipiente metálico con que se conserva esta agua a bordo.

tanqueta. f. Vehículo semejante al tanque, pero dotado de mayor velocidad y mejor movilidad.

tantalio. (De *Tántalo,* personaje mitológico.) m. *Quím.* Metal poco común, difícil de separar de sus combinaciones, de color gris, tan pesado como la plata, inflamable e inatacable por los ácidos diluidos, excepto el fluorhídrico. Núm. atómico 73. Símb.: *Ta*.

tántalo. m. Ave zancuda de plumaje blanco con las remeras negras, la cabeza y el cuello desnudos, pico encorvado; habita en el trópico americano, de donde emigra a las zonas templadas.

tantán. (De or. onomatopéyico.) m. Campana de a bordo.

tantarán. m. **tantarantán.**

tantarantán. (De or. onomatopéyico.) m. Sonido del tambor o atabal, cuando se repiten los golpes. ‖ **2.** fig. y fam. Golpe que hace oscilar o tambalearse dado a una persona o cosa.

tanteador, ra. m. y f. Persona que tantea, y más frecuentemente, la que tantea en el juego. ‖ **2.** m. *Dep.* **marcador,** tablero.

tantear. (De *tanto*.) tr. Medir o parangonar una cosa con otra para ver si viene bien o ajustada. ‖ **2.** Señalar o apuntar los tantos en el juego para saber quién gana. Ú. t. c. intr. ‖ **3.** fig. Intentar averiguar con cuidado las cualidades o intenciones de una persona o el interés de una cosa o acción. ‖ **4.** Calcular aproximadamente o al tanteo. ‖ **5.** *Der.* Dar por una cosa el mismo precio en que ha sido rematada en favor de otro, por la preferencia que concede el derecho en algunos casos, como en el de condominio. ‖ **6.** *Pint.* Comenzar un dibujo, trazar sus primeras líneas; apuntar. ‖ **7.** *Taurom.* Hacer suertes al toro antes de empezar la faena para conocer su estado, intenciones o bravura. ‖ **8.** intr. Titubear, andar a tientas. ‖ **9.** prnl. *Der.* Allanarse o convenirse a pagar aquella misma cantidad en que una renta o alhaja está arrendada o se ha rematado en venta o puja. ‖ **10.** *Der.* Conseguir las villas o lugares exención del señorío a que estaban sujetos, dando otro tanto precio como aquel en que fueron enajenados.

tanteo. m. Acción y efecto de tantear o tantearse. ‖ **2.** Número determinado de tantos que se ganan en el juego. ‖ **3.** *Dep.* Número de tantos que obtienen dos equipos o dos jugadores que compiten en una prueba. ‖ **al,** o **por, tanteo.** loc. adv. que se aplica al modo de calcular a ojo, a bulto, sin peso ni medida.

tántico, ca. adj. desus. **poco,** escaso en cantidad o calidad. ‖ **2.** m. **poco,** cantidad escasa. ‖ **3.** adv. c. **poco,** con escasez.

tanto, ta. (Del lat. *tantus*.) adj. Aplícase a la cantidad, número o porción de una cosa indeterminada o indefinida. Ú. como correlativo de **cuanto** y **que.** ‖ **2.** Tan grande o muy grande. ‖ **3.** Ú. como pronombre demostrativo, y en este caso equivale a **eso,** pero incluyendo idea de calificación o ponderación. *No lo decía yo por* TANTO; *a* TANTO *arrastra la codicia.* ‖ **4.** m. Cantidad cierta o número determinado de una cosa. ‖ **5.** Copia o ejemplar que se da de un escrito trasladado de su original. ‖ **6.** Ficha, moneda, pedrezuela u otro objeto a propósito, con que se señalan los puntos que se ganan en ciertos juegos. ‖ **7.** Unidad de cuenta en muchos juegos. ‖ **8.** p. us. Persona de regular estatura, que puesta al pie de un árbol, edificio, etc., sirve para calcular la medida de este. ‖ **9.** *Com.* Cantidad proporcional respecto de otra, según lo previamente estipulado o con sujeción al precio corriente. ‖ **10.** pl. Número que se ignora o no se quiere expresar, ya se emplee solo, ya para denotar lo que una cantidad excede a un número redondo expreso. *A* TANTOS *de julio; mil y* TANTOS. ‖ **11.** adv. m. De tal modo o en tal grado. ‖ **12.** adv. c. Hasta tal punto; tal cantidad. *No debes trabajar* TANTO; *no creía que costase* TANTO *un libro tan pequeño.* ‖ **13.** Empleado con verbos expresivos de tiempo, denota larga duración relativa. *En ir allá no puede tardarse* TANTO. ‖ **14.** En sentido comparativo se corresponde con **cuanto** o **como,** y denota idea de equivalencia o igualdad. TANTO *vales* CUANTO *tienes;* TANTO *sabes tú* COMO *yo.* ‖ **15.** p. us. Pospuesto a un numeral sirve para formar múltiplos: *dos* TANTO, en lugar de *dos veces* TANTO; ora con valor sustantivo, como *le dio seis* TANTO *más de lo que había recibido;* ora como adjetivo; *cal mezclada con tres* TANTA *arena.* ‖ **algún tanto.** expr. Algo o un poco. ‖ **al tanto.** loc. adv. Por el mismo precio, coste o trabajo; y se usa cuando se explica la voluntad de uno de tomar o lograr una cosa al precio que a otro le ha costado. ‖ **al tanto de** una cosa. fr. Al corriente, enterado de ella. Ú. con los verbos *estar, poner, quedar,* etc. ‖ **apuntarse** uno **un tanto.** fr. fig. y fam. Lograr o tener un acierto o un mérito en el asunto que se trata. ‖ **con tanto que.** loc. conjunt. p. us. **con tal que.** *El santo Job, por divina permisión, fue entregado en poder de Satanás para que le hiciese todo el mal que quisiese,* CON TANTO QUE *no le tocase en la vida.* ‖ **en su tanto.** loc. adv. Guardada debida proporción, proporcionalmente. ‖ **en tanto,** o **entre tanto.** locs. advs. Mientras, ínterin o durante algún tiempo intermedio. ‖ **las tantas.** expr. fam. con que se designa indeterminadamente cualquier hora muy avanzada del día o de la noche. ‖ **ni tanto ni tan poco.** expr. con que se censura la exageración por exceso o por defecto. ‖ **otro tanto.** loc. que se usa en forma comparativa para encarecer una cosa. *Más grave que* OTRO TANTO. ‖ **2.** Lo mismo, cosa igual. *Quisiera yo poder hacer* OTRO TANTO. ‖ **por el tanto.** loc. adv. **al tanto.** Ú. en lo material de las compras, ventas u otras semejantes enajenaciones. ‖ **por lo tanto.** loc. adv. y conjunt. Por consiguiente, por lo que antes se ha dicho, por el motivo o las razones de que acaba de hablarse. ‖ **por tanto.** loc. adv. y conjunt. Por lo que, en atención a lo cual. ‖ **por tantos y cuantos.** expr. fam. con que se asegura y pondera una cosa. ‖ **¡tanto bueno!** o **¡tanto bueno por aquí!** Expresiones de bienvenida. ‖ **tanto cuanto.** loc. adv. **algún tanto.** ‖ **tanto de culpa.** fr. *Der.* Testimonio que se libra de una parte de un pleito o expediente, cuando resultan pruebas o indicios de responsabilidad criminal, para que acerca de ella se instruya proceso. ‖ **tanto de ello.** loc. adv. Mucho, abundante y sin limitación o tasa de una cosa que hay o se da. ‖ **tanto es lo de más como lo de menos.** expr. con que se da a entender que debe uno contenerse en prudente término medio. ‖ **tanto más cuanto.** loc. Trato o regateo entre comprador y vendedor. ‖ **tanto más que.** loc. adv. y conjunt. Con tanto **mayor** motivo que. ‖ **tanto menos que.** loc. adv. y conjunt. Con tanto **menor** motivo que. ‖ **tanto por ciento.** Cantidad de rendimiento útil que dan cien unidades de alguna cosa en su estado normal. ‖ **tanto por tanto.** loc. adv. comp. Por el mismo precio o coste. ‖ **tanto que.** loc. adv. **luego que.** ‖ **tantos a tantos.** expr. con que se demuestra la igualdad de número dentro de una especie. ‖ **tantos otros.** fr. Otros muchos. ‖ **un tanto,** o **un tanto cuanto.** expr. **algún tanto.** ‖ **¡y tanto!** expr. elíptica con que se manifiesta ponderativamente el asentimiento propio a lo que otro ha dicho. —*Vas a pasar un mal rato.* —*¡Y* TANTO!

tántum ergo. m. Estrofa quinta del himno *Pange lingua,* que empieza con esas palabras y suele cantarse al reservar solemnemente el Santísimo Sacramento.

tanza. f. Sedal de la caña de pescar.

tañar. tr. **calar**[2], conocer las cualidades o intenciones de las personas.

tañedor, ra. m. y f. Persona que tañe un instrumento musical.

tañer. (Del lat. *tangĕre.*) tr. Tocar un instrumento musical de percusión o de cuerda, y, en especial, las campanas. ‖ **2.** ant. Ejercer el sentido del tacto. ‖ **3.** ant. fig. Tratar superficialmente sobre alguna materia. ‖ **4.** intr. **tamborilear** con los dedos. ‖ **5.** desus. Corresponder, tocar, pertenecer. ‖ **tañer de occisa.** fr. *Mont.* Avisar con la bocina que está muerta la res que se perseguía.

tañido, da. p. p. de **tañer.** ‖ **2.** m. Acción y efecto de tañer.

tañimiento. m. Acción y efecto de tañer. ‖ **2.** ant. Sentido del tacto.

taño. (De etim. disc.) m. **casca,** corteza de árbol que se usa para curtir.

tao[1]. (De *tau,* nombre de la letra griega T, por semejanza en la forma.) m. Insignia que usaban en el pecho y capa los comendadores de la orden de San Antonio Abad, y la que llevan en el pecho los familiares y dependientes de la orden de San Juan.

tao[2]. (De or. filipino.) adj. Dícese del plebeyo o persona ordinaria, sencilla, analfabeta, de las Islas Filipinas. Ú. t. c. s.

taoísmo. m. Doctrina teológica de la antigua religión de los chinos.

taoísta. adj. Perteneciente o relativo al taoísmo. ‖ **2.** com. Persona que profesa el taoísmo.

tapa[1]. (Probablemente del gót. **tappa.*) f. Pieza que cierra por la parte superior las cajas, cofres, vasos o cosas semejantes, comúnmente unida a ellas con goznes, cintas, clavos u otro medio adecuado. ‖ **2.** Cubierta córnea que rodea el casco de las caballerías. ‖ **3.** Cada una de las diversas capas de suela que se compone el tacón de una bota o zapato. ‖ **4.** Cada una de las dos cubiertas de un libro encuadernado. ‖ **5.** Compuerta de una presa. ‖ **6.** En la ternera del matadero, carne que corresponde al medio de la pierna trasera. ‖ **7.** Vuelta que cubre el cuello de una a otra solapa en las chaquetas, abrigos, etc. ‖ **8.** Pequeña porción de algunos alimentos que se sirve como acompañamiento de una bebida en bares, tabernas, etc. ‖ **9.** *Filip.* Tasajo, cecina. ‖ **10.** pl. Conjunto de mantas y colcha de la cama. ‖ **tapa de los sesos.** fig. y fam. Parte superior del casco de la cabeza, que los cubre y encierra. ‖ **levantar** a uno **la tapa de los sesos.** fr. Romperle el cráneo. Ú. t. el verbo c. prnl. ‖ **2.** Darle un tiro en el cráneo. Ú. t. c. prnl. ‖ **meter en tapas.** fr. Colocar dentro de ellas el libro ya cosido y preparado para encuadernar. ‖ **saltar** a uno **la tapa de los sesos.** fr. **levantar** a uno **la tapa de los sesos.** Ú. t. el verbo c. prnl.

tapa[2]. (De or. nahua.) f. *Hond.* **estramonio,** planta.

tapabalazo. (De *tapar* y *balazo.*) m. *Mar.* Cilindro de madera envuelto en estopa, que se usaba en los barcos de guerra para cerrar los agujeros abiertos por las balas. ‖ **2.** *Col., Hond.* y *Venez.* Bragueta, portañuela.

tapaboca. (De *tapar* y *boca.*) m. Golpe que se da en la boca con la mano abierta. ‖ **2.** Prenda para cubrir el cuello y a veces también la boca, bufanda. ‖ **3.** fig. y fam. Razón, dicho o acción con que se hace callar a uno, especialmente cuando se le convence de que es falso lo que dice.

tapabocas. m. **tapaboca** o bufanda. ‖ **2.** Taco cilíndrico de madera, con que se cierra y preserva el ánima de las piezas de artillería.

tapacamino. m. *Argent.* Ave, especie de chotacabras.

tapacete. m. Toldo o cubierta corrediza con que se tapa la carroza o saliente de la escala de las cámaras de un buque.

tapacosturas. m. Cinta de algodón, empleada en la confección de vestidos, para disimular las costuras y, al mismo tiempo, como adorno.

tapacubos. m. *Mec.* Tapa metálica que se adapta exteriormente al cubo de la rueda para cubrir el buje de la misma.

tapaculo. (De *tapar* y *culo,* por alusión a lo astringente del fruto.) m. **escaramujo,** fruto. ‖ **2.** *Chile.* Pájaro pequeño, de color terroso, con una gran mancha blanca en el pecho; anida en cuevas abandonadas por algunos roedores. ‖ **3.** *Cád.* y *Cuba.* Pez de cuerpo casi plano parecido al lenguado.

tapachiche. m. *C. Rica.* Insecto, especie de langosta grande, de alas rojas.

tapadera. (De *tapar.*) f. Pieza que se ajusta a la boca de alguna cavidad para cubrirla, como en los pucheros, tinajas, pozos, etc. ‖ **2.** fig. Persona o cosa que sirve para encubrir o disimular algo.

tapadero. m. Instrumento con que se tapa un agujero o la boca ancha de una cosa.

tapadillo. m. desus. Acción de taparse la cara las mujeres con el manto o el pañuelo para no ser conocidas. ‖ **2.** Uno de los registros de flautas que hay en el órgano. ‖ **de tapadillo.** loc. adv. fig. A escondidas, con disimulo.

tapado, da. p. p. de **tapar.** ‖ **2.** adj. Decíase de la mujer que se tapaba con el manto o pañuelo para no ser conocida. Usáb. t. c. s. f. ‖ **3.** *Amér.* Dícese del personaje o candidato político cuyo nombre se mantiene en secreto hasta el momento propicio. Ú. t. c. s. ‖ **4.** *N. Argent.* y *Chile.* Dícese del caballo o la yegua sin mancha ni señal alguna en su capa. Ú. t. c. s. ‖ **5.** *Argent.* Dícese del animal o persona cuya valía se mantiene oculta. Ú. t. c. s. ‖ **6.** m. *Col.* y *Hond.* Comida que preparan los indígenas con plátanos y carne, y que asan en un hoyo hecho en tierra. ‖ **7.** *Argent., Chile, Perú* y *Urug.* Abrigo o capa de señora o de niño. ‖ **8.** *Argent., Bol.* y *Perú.* Tesoro enterrado. ‖ **9.** f. *Col.* Acción y efecto de tapar. ‖ **a la tapada, o a las tapadas.** locs. advs. *Col.* **de tapadillo.**

tapador, ra. adj. Que tapa. Ú. t. c. s. ‖ **2.** Dícese de la máquina de tapar botellas. Ú. t. c. s. f. ‖ **3.** m. **tapadera,** pieza. ‖ **4.** *Germ.* Sayo o saya. ‖ **5.** *Germ.* **padre de mancebía.**

tapadura. f. Acción y efecto de tapar o taparse.

tapafunda. (De *tapar* y *funda.*) f. Cubierta de cuero que cierra la boca de las pistoleras.

tapajuntas. m. *Carp.* Listón moldeado que se pone para tapar la unión o juntura del cerco de una puerta o ventana con la pared. Se pone también guarneciendo los vivos o ángulos de una pared para que el yeso no se desconche.

tápalo. m. *Méj.* Chal o mantón.

tapamiento. m. **tapadura.**

tapanca. f. *Ecuad.* Gualdrapa del caballo.

tapanco. (De *tapar.*) m. *Filip.* Toldo abovedado hecho con tiras de caña de bambú.

tapaojos. m. *Col.* y *Venez.* Frontal de la cabezada o jáquima, dispuesto para cubrir los ojos del ganado mular o caballar, en caso necesario.

tapapiés. (De *tapar* y *pie.*) m. desus. Brial de las mujeres.

tapar. (De *tapa.*) tr. Cubrir o cerrar lo que está descubierto o abierto. ‖ **2.** Cubrir con algo una abertura, una hendidura o una herida. ‖ **3.** Cubrir con algo, de modo que impida ver o ser visto. Ú. t. c. prnl. y en sent. fig. ‖ **4.** Cerrar con tapadera, tapón, tapa o cobertura un recipiente. ‖ **5.** Cubrir con algo para proteger de los golpes, del polvo, del frío, de la luz, etc. Ú. t. c. prnl.

tápara. (Del lat. *cappāris.*) f. **caparra³,** alcaparra. ‖ **2.** *Ar.* **alcaparrón,** fruto de la alcaparra.

tapara. f. Fruto del taparo. ‖ **2.** *Venez.* Vasija que se hace con este fruto, y sirve para llevar líquidos. ‖ **vaciarse uno como una tapara.** fr. fig. y fam. *Venez.* Decir todo lo que quiere.

taparo. m. Árbol de los países cálidos de América, muy semejante a la güira, pero de hojas más anchas, flores oscuras y fruto alargado y terminado en punta.

taparote. m. *Alm.* y *Murc.* **alcaparrón,** fruto.

taparrabo o taparrabos. (De *tapar* y *rabo.*) m. Pedazo de tela u otra cosa sucinta con que se cubren los salvajes las partes pudendas. ‖ **2. tanga².**

taparuja (de). loc. adv. **embozadamente.**

tapate. m. *C. Rica.* **estramonio,** planta.

tapatío, a. adj. Natural de Guadalajara, capital del Estado mejicano de Jalisco. Ú. t. c. s. ‖ **2.** Natural de este Estado. ‖ **3.** Perteneciente o relativo a esta ciudad o a este Estado.

tapayagua. f. *Hond.* Lluvia menuda, llovizna.

tape. m. *Argent.* y *Urug.* Indio guaraní que vivió en el pasado en territorios del actual Estado brasileño de Río Grande del Sur. ‖ **2.** *Argent.* y *Urug.* Persona aindiada y de piel oscura. ‖ **3.** adj. Perteneciente o relativo a los indios **tapes.**

tápena. (De *tápana.*) f. *Murc.* **caparra²,** alcaparra, tápara.

tapera. (Del guaraní *tapera.*) f. *Amér. Merid.* Ruinas de un pueblo. ‖ **2.** *Amér. Merid.* Habitación ruinosa y abandonada.

taperujarse. prnl. fam. Arrebujarse o taparse de cualquier modo con la ropa.

taperujo. m. p. us. fam. Tapón o tapador mal hecho o mal puesto. ‖ **2.** p. us. fam. Modo desaliñado y sin arte de taparse o embozarse.

tapesco. (Del mejic. *tlapechtli.*) m. *Amér. Central* y *Méj.* Especie de zarzo que sirve de cama, y otras veces, colocado en alto, de vasar.

tapetado, da. (De *tapido.*) adj. p. us. Dícese del color oscuro o negro.

tapete. (Del lat. *tapēte.*) m. Cubierta de hule, paño u otro tejido, para ornato o resguardo que se suele poner en las mesas y otros muebles. ‖ **2.** Alfombra pequeña. ‖ **verde.** fig. y fam. Mesa de juego de azar. ‖ **estar sobre el tapete** una cosa. fr. fig. Estar discutiéndose o examinándose, o sometida a resolución.

tapia. (De or. inc.) f. Cada uno de los trozos de pared que de una sola vez se hacen con tierra amasada y apisonada en una horma. ‖ **2.** Esta misma tierra amasada y apisonada. ‖ **3.** Pared formada de **tapias.** ‖ **4.** Muro de cerca. ‖ **5.** *Albañ.* Medida superficial que en Madrid era de 49 ó 50 pies cuadrados. ‖ **real.** *Albañ.* Pared que se forma mezclando la tierra con alguna parte de cal. ‖ **más sordo que una tapia.** fr. fig. y fam. Muy sordo.

tapiado, da. p. p. de **tapiar.** ‖ **2.** m. Acción y efecto de tapiar.

tapiador. m. Oficial que hace tapias.

tapial. m. Molde de dos tableros paralelos en que se forman las tapias. ‖ **2.** Trozo de pared que se hace con tierra amasada y pared formada de esta manera. ‖ **3.** *Seg.* **adral** del carro. ‖ **tener el tapial.** fr. fig. y fam. con que se avisa a uno que se detenga o pare en la ejecución de una cosa, o que tenga paciencia cuando da prisa para que se ejecute.

tapiar. tr. Rodear con tapias. ‖ **2.** fig. Cerrar un hueco haciendo en él un muro o tabique. TAPIAR *la puerta, la ventana.*

tapicería. f. Juego de tapices. ‖ **2.** Lugar donde se guardan y recogen los tapices. ‖ **3.** Arte de tapicero. ‖ **4.** Obra de tapicero. ‖ **5.** Tienda de tapicero. ‖ **6.** Tela para cortinajes y forros de muebles y, en general, todos los tejidos que se usan en decoración.

tapicero, ra. m. y f. Persona que teje tapices o los adereza y compone. ‖ **2.** Persona que tiene por oficio poner alfombras, tapices o cortinajes, guarnecer almohadones, sofás, etc. ‖ **mayor.** Jefe que cuidaba de la tapicería en palacio.

tapido, da. adj. Espeso o apretado. ‖ **2.** p. us. **obstruido.**

tapiería. f. Conjunto o agregado de tapias que forman una casa o una cerca.

tapín¹. (De *tapa.*) m. Tapa metálica que cierra la boquilla del chifle o torreón de pólvora con que se ceban los cañones. ‖ **2.** *Mar.* Taquito de madera con que se cubre la cabeza de los pernos o clavos que sujetan a los baos las tablas de las cubiertas, después de bien embutidos en ellas.

tapín². (De *tepe.*) m. *Ast., Cantabria* y *León.* Pedazo de tierra trabada con hierba y raíces que se corta con la azada, tepe, césped.

tapina. f. **tapadera** de corcho.

tapioca. (Del guaraní *tipiog*.) f. Fécula blanca y granulada que se extrae de la raíz de la mandioca, y se usa para sopa. ‖ **2**. Esta misma sopa.

tapir. (Del tupí *tapira*.) m. Mamífero de Asia y América del Sur, del orden de los perisodáctilos, del tamaño de un jabalí, con cuatro dedos en las patas anteriores y tres en las posteriores, la nariz prolongada en forma de pequeña trompa. Su carne es comestible.

tapirujarse. prnl. fam. **taperujarse**.

tapirujo. m. fam. **taperujo**.

tapis. m. *Filip*. Faja ancha, de color oscuro, por lo común negro, que usan las mujeres filipinas, ciñéndosela encima de la saya desde la cintura hasta más abajo de la rodilla.

tapisca. (Del azteca *tla*, cosa, y *pixcani*, coger el maíz.) f. *Amér. Central* y *Méj*. Recolección del maíz.

tapiscar. tr. *C. Rica, Hond*. y *Nicar*. Cosechar el maíz, desgranando la mazorca.

tapiz. (Del fr. *tapis*.) m. Paño grande, tejido con lana o seda, y algunas veces con oro y plata, en que se copian cuadros y sirve de paramento. ‖ **2. alfombra**[1]. Ú. en sent. fig. ‖ **3**. V. **figura de tapiz**. ‖ **arrancado de un tapiz**. fig. Dícese de la persona que tiene aspecto extraño.

tapizado, da. p. p. de **tapizar**. ‖ **2**. m. Acción y efecto de tapizar. ‖ **3**. Material empleado para tapizar.

tapizar. (De *tapiz*.) tr. Cubrir con tapices. ‖ **2**. Forrar con telas las paredes, sillas, sillones, etc. ‖ **3**. fig. Cubrir o revestir una superficie con alguna cosa como cubriéndola con un tapiz. Ú. t. c. prnl.

tapón. (Del germ. *tappo*.) m. Pieza con que se tapan las vasijas, introduciéndola en el orificio por donde sale el líquido. ‖ **2**. Acumulación de cerumen en el oído, que puede dificultar la audición y producir otros trastornos. ‖ **3**. Cualquier persona o cosa que produce obstrucción del paso. ‖ **4**. Embotellamiento de vehículos. ‖ **5**. *Cir*. Masa de hilas o de algodón en rama con que se obstruye una herida o una cavidad natural del cuerpo. ‖ **6**. Pieza colocada en una toma de corriente eléctrica, normalmente a rosca o a bayoneta, que contiene en su interior un fusible; extrayéndola o aflojándola se interrumpe el paso de corriente por el circuito. ‖ **7**. fig. y fam. Persona rechoncha; puede usarse con complementos como TAPÓN *de cuba, de alberca*, etc. ‖ **8**. En radiotecnia, circuito resonante constituido por un condensador y una bobina en parelo. Se emplea para eliminar o absorber las señales de una frecuencia determinada. ‖ **9**. *Dep*. En baloncesto, acción que impide un enceste del equipo contrario.

taponador, ra. m. y f. Persona que se encarga de taponar botellas en algunas industrias. ‖ **2**. f. Máquina de taponar botellas.

taponamiento. m. *Cir*. Acción y efecto de taponar.

taponar. tr. Cerrar con tapón un orificio cualquiera. ‖ **2**. Obstruir o atascar un conducto o paso. Ú. en sent. fig.

taponazo. m. Golpe dado con el tapón de una botella de cerveza o de otro licor espumoso, al destaparla. ‖ **2**. Estruendo que este acto produce.

taponería. f. Conjunto de tapones. ‖ **2**. Establecimiento donde se fabrican o venden tapones. ‖ **3**. Industria taponera.

taponero, ra. adj. Perteneciente o relativo a la taponería. *Industria* TAPONERA. ‖ **2**. m. y f. Persona que fabrica o vende tapones.

tapsia. (Del lat. *thapsía*, y este del gr. ταψία.) f. Planta herbácea vivaz, de la familia de las umbelíferas, como de un metro de altura, con tallo corto, grueso y ligeramente estriado; hojas pecioladas, enteras las inferiores, partidas en lacinias las medias y con solo el pecíolo las superiores; flores ama-

rillas y fruto seco, oval y circuido de una aleta membranosa. De la raíz se saca un jugo de consistencia de miel con el cual se prepara un esparadrapo, en lienzo o papel, muy usado como revulsivo.

tapujarse. (De *tapujo*.) prnl. fam. Taparse el rostro con el embozo. Ú. t. c. tr.

tapujo. m. Embozo con que una persona se tapa para no ser conocida. ‖ **2**. fig. y fam. Reserva o disimulo con que se disfraza u oscurece la verdad. ‖ **3**. fig. y fam. Enredo, asunto turbio.

tapuya. adj. Dícese del individuo de unas tribus indígenas americanas que en la época del descubrimiento ocupaban casi todo el Brasil. Ú. t. c. s. ‖ **2**. Perteneciente a estas tribus.

taque. (De or. onomatopéyico.) m. p. us. Ruido o golpe que da una puerta al cerrarse con llave. ‖ **2**. p. us. Ruido del golpe con que se llama a una puerta.

taqué. (Del fr. *taquet*.) m. *Mec*. Cada uno de los vástagos que transmiten la acción del árbol de levas a las válvulas de admisión y de escape del motor.

taquera. f. Estante donde se colocan los tacos de billar.

taquicardia. (Del gr. ταχύς, veloz, y καρδία, corazón.) f. *Fisiol*. Frecuencia excesiva del ritmo de las contracciones cardíacas.

taquichuela. f. *Par*. Juego de los cantillos.

taquigrafía. (De *taquígrafo*.) f. Arte de escribir tan deprisa como se habla, por medio de ciertos signos y abreviaturas.

taquigrafiar. tr. Escribir taquigráficamente.

taquigráficamente. adv. m. Por medio de la taquigrafía.

taquigráfico, ca. adj. Perteneciente o relativo a la taquigrafía.

taquígrafo, fa. (Del gr. ταχύς, pronto, rápido, y *-grafo*.) m. y f. Persona que sabe o profesa la taquigrafía. ‖ **2**. m. Aparato registrador de velocidad.

taquilla. (d. de *taca*[2].) f. Mueble vertical con casillas o cajones que se utiliza en las oficinas para tener clasificados documentos. ‖ **2**. Casillero para los billetes de teatro, ferrocarril, etc. ‖ **3**. Por ext., despacho de billetes. ‖ **4**. Armario individual para guardar la ropa y otros efectos personales, en los cuarteles, gimnasios, piscinas, etc. ‖ **5**. Recaudación obtenida en cada función de un espectáculo.

taquillaje. m. Conjunto de entradas o billetes que se venden en una taquilla. ‖ **2**. Recaudación obtenida con dicha venta.

taquillero, ra. adj. Dícese de la persona que actúa en espectáculos, o del espectáculo mismo, que suele proporcionar buenas recaudaciones a la empresa. ‖ **2**. m. y f. Persona encargada de un despacho de billetes o taquilla.

taquillón. m. Mueble de madera y de escasa capacidad que suele colocarse en el recibidor, normalmente con uso decorativo.

taquimeca. f. com. **taquimecanógrafa**.

taquimecanografía. f. Arte del taquimecanógrafo.

taquimecanógrafo, fa. m. y f. Persona versada en taquigrafía y mecanografía.

taquimetría. f. Parte de la topografía, que enseña a levantar planos con rapidez por medio del taquímetro.

taquimétrico, ca. adj. Perteneciente o relativo a la taquimetría o al taquímetro.

taquímetro. (Del gr. ταχύς, pronto, rápido, y *-metro*.) m. Instrumento semejante al teodolito, que sirve para medir a un tiempo distancias y ángulos horizontales y verticales. ‖ **2**. Aparato que indica la velocidad, generalmente en revoluciones por minuto, de la máquina en que va instalado.

taquín. (d. de *taco*.) m. Taba o astrágalo. ‖ **2**. Juego de la taba. ‖ *Germ*. El que hace trampas en el juego, fullero.

taquinero. (De *taquín*.) m. *Ar*. Jugador de taba.

tara[1]. (Del ár. *tarḥa*, lo que se quita, el peso de los embalajes.) f. Peso del continente de una mercancía o género, vehículo, caja, vasija, etc., que se rebaja en la pesada total con el contenido. ‖ **2.** Peso sin calibrar que se coloca en un platillo de la balanza para calibrar la misma, o para realizar determinadas pesadas. ‖ **3.** Defecto físico o psíquico, por lo común importante y de carácter hereditario. ‖ **4.** Defecto o mancha que disminuye el valor de algo o de alguien.

tara[2]. f. Caña o palo con cortes que se hacen en ellos para ajustar cuentas.

tara[3]. f. *Venez.* Especie de langosta de tierra, mayor que la común. ‖ **2.** *Col.* Especie de culebra o víbora venenosa. ‖ **3.** *Perú.* Arbusto con hojas pinadas, flores amarillas y legumbres oblongas y esponjosas. Se usa como tintórea.

tarabilla. (De etim. disc.) f. Cítola de molino. ‖ **2.** Zoquetillo de madera que sirve para cerrar puertas y ventanas. ‖ **3.** Listón de madera que por torsión mantiene tirante la cuerda del bastidor de una sierra. ‖ **4.** Telera del arado. ‖ **5.** fig. y fam. Persona que habla mucho, deprisa y sin orden ni concierto. ‖ **6.** fig. y fam. Tropel de palabras dichas de este modo. ‖ **7.** *Sal.* Matraca o carraca pequeña. ‖ **8.** desus. *NO. Argent.* **bramadera**, juguete que zumba al hacerle girar. ‖ **soltar** uno **la tarabilla.** fr. fig. y fam. Hablar mucho y deprisa.

tarabita. (De etim. disc.) f. Palito al extremo de la cincha, por donde pasa la correa o cordel para apretarla y ajustarla. ‖ **2. tarabilla**, listón de madera. ‖ **3.** Cítola del molino. ‖ **4.** *Amér. Merid.* Maroma por la cual corre la cesta u oroya del andarivel. ‖ **5.** *Ecuad.* y *Perú.* Andarivel para pasar ríos y hondonadas que no tienen puente.

taracea. (Del ár. *tarsī'*, incrustación.) f. Embutido hecho con pedazos menudos de chapa de madera en sus colores naturales, o de madera teñida, concha, nácar y otras materias. ‖ **2.** Entarimado hecho con maderas finas de diversos colores formando dibujo. ‖ **3.** fig. Obra realizada con elementos tomados de diversos sitios.

taraceador, ra. m. y f. Persona que tiene por oficio hacer taraceas.

taracear. tr. Adornar con taracea.

taracol. m. *Ant.* Crustáceo parecido al cangrejo.

tarado, da. p. p. de **tarar.** ‖ **2.** adj. Que padece tara física o psíquica. ‖ **3.** fig. Tonto, bobo, alocado. Ú. t. c. s.

tarafada. (De *tarafe*.) f. *Germ.* Flor o trampa en los dados.

tarafana. (De *tarifa*.) f. *Germ.* Aduana de frontera.

tarafe. m. *Germ.* Dado[1] de jugar.

taragallo, lla. adj. *Cuba.* **grandullón.** ‖ **2.** m. p. us. **tarangallo.**

taragontía. f. **dragontea.**

taragoza. f. *Germ.* Ciudad, villa o lugar.

taragozajida. f. *Germ.* Ciudad, población importante.

taraje. (Del ár. *tarfā'*, tamarindo; en español, primitivamente, *tarache*.) m. **taray**, arbusto.

tarama. f. *And.* y *Extr.* **Támara**[2], leña menuda.

taramba. f. *Hond.* Instrumento musical que consiste en un arco de madera con su cuerda de alambre, la cual se golpea con un palito.

tarambana. com. fam. Persona alocada, de poco juicio. Ú. t. c. adj. ‖ **2.** *Ál.* Tarabilla de una puerta. ‖ **3.** *Ál.* Trozo de tabla que se pone al ganado en una pata para que no se aleje.

taramela. f. *Can.* Tarabilla para cerrar puertas y ventanas.

tarando. (Del lat. *tarandus*, y este del gr. τάρανδος.) m. **reno**, mamífero.

tarangallo. (Del célt. *tarinca*, espeto.) m. Palo como de medio metro de largo, que en tiempo de la cría de la caza se pone pendiente del collar a los perros de los ganados que pastan en los cotos, para que no puedan bajar la cabeza hasta el suelo.

tarángana. f. Especie de morcilla muy ordinaria.

taranta. (Del it. *taranta*.) f. *And.* y *Murc.* Canto popular propio de los mineros. Ú. m. en pl. ‖ **2. vena**, humor. ‖ **3.** *Hond.* Desvanecimiento, aturdimiento. ‖ **4.** *C. Rica* y *Ecuad.* Repente, locura, vena. ‖ **5.** com. *Can.* Persona liviana, frívola, de poco seso. Ú. t. c. adj.

tarantela. (Del it. *tarantella*.) f. Baile napolitano de movimiento muy vivo, en compás de seis por ocho, que se ha tenido como remedio para curar a los picados por la tarántula. ‖ **2.** Aire musical con que se ejecuta este baile. ‖ **darle** a uno **la tarantela.** fr. fig. y fam. Decidirse a hacer algo de repente e inoportunamente.

tarantín. m. *Amér. Central, Cuba* y *Sto. Dom.* Cachivache, trasto. ‖ **2.** *Venez.* Tienda muy pobre, tenducha.

tarántula. (Del lat. *tarantŭla*, de *Tarentum*, la ciudad de Tarento.) f. Araña muy común en el mediodía de Europa, principalmente en los alrededores de Tarento, en Italia, y cuyo cuerpo, de unos tres centímetros de largo, es negro por encima, rojizo por debajo, velloso en el tórax, casi redondo en el abdomen, y con patas fuertes. Vive entre las piedras o en agujeros profundos que hace en el suelo; es venenosa, pero su picadura, a la cual se atribúan en otro tiempo raros efectos nerviosos, solo produce una inflamación. ‖ **picado de la tarántula.** fig. Dícese del que adolece de alguna afección física o moral. ‖ **2.** fig. y fam. Que padece mal venéreo.

tarantulado, da. (De *tarántula*.) adj. Picado de la tarántula. ‖ **2.** Inquieto, bullicioso. ‖ **3.** Aturdido o espantado.

tarapaqueño, ña. adj. Natural de Tarapacá. Ú. t. c. s. ‖ **2.** Perteneciente o relativo a esta provincia de Chile.

tarar. tr. Señalar la **tara**[1], peso. ‖ **2.** Colocar la **tara**[1] en uno de los platillos de la balanza.

tarara. (De or. onomatopéyico.) f. **tararí.** ‖ **2.** fam. Loco, de poco juicio. ‖ **3.** *Rioja.* Aventador para limpiar el grano.

tarará. m. **tararí.**

tararaco. m. *Ant.* Planta bulbosa de la familia de las amarilidáceas, narcótica y venenosa, que se cultiva en los jardines y tiene flores de color rojo brillante.

tararear. (De *tarara*.) tr. Cantar entre dientes y sin articular palabras.

tarareo. m. Acción y efecto de tararear.

tararí. m. Toque de trompeta. ‖ **2.** interj. fam. Expresión burlona o con que se quiere mostrar la total disconformidad con algo que ha propuesto otro. ‖ **estar tararí.** fr. fam. Estar bebido.

tararira[1]. (De *tarara*.) f. fam. Chanza, alegría con bulla y voces. ‖ **2.** com. fam. Persona bulliciosa y de poca formalidad. ‖ **3.** interj. fam. **tararí.**

tararira[2]. (Voz de origen tupí o guaraní.) f. *Argent.* y *Urug.* Cierto pez de río, redondeado, negruzco y de carne estimada.

tarasa. (Voz quechua.) f. Planta americana de la familia de las malváceas.

tarasca[1]. (De or. inc.) f. Figura de sierpe monstruosa, con una boca muy grande, que en algunas partes se saca durante la procesión del Corpus. ‖ **2.** fig. Persona o cosa temible por causar grandes daños y gastos o por su voracidad. ‖ **3.** fig. y fam. Mujer temible o denigrada por su agresividad, fealdad, deseaso o excesiva desvergüenza. ‖ **4.** *C. Rica* y *Chile.* Boca grande.

tarasca[2]. (Del lat. *troia*, cerda.) f. p. us. Hembra del cerdo, cerda.

tarascada. (De *tarascar*.) f. Golpe, mordedura o herida. ‖ **2.** fig. y fam. Exabrupto o brusquedad con que una persona contesta a otra. ‖ **3.** *Taurom.* Derrote violento.

tarascar. (De *tarazar*.) tr. Morder o herir con los dientes. Se usa más frecuentemente hablando de los perros.

tarasco, ca. adj. Natural de Michoacán. Ú. t. c. s. ‖ **2.** Perteneciente o relativo a dicho Estado mejicano. ‖ **3.** m. Lengua hablada en dicho Estado.

tarascón, na. m. y f. aum. de **tarasca.** ‖ **2.** *Argent., Bol., Chile, Ecuad.* y *Perú.* Tarascada, mordedura.

tarasí. (Quizá del ár. *ṭirāzī*, bordador.) m. **sastre.**

taratántara. (Del lat. *taratantāra*.) m. desus. **tararí,** toque de la trompeta.

taray. (Del m. or. que *taraje*.) m. Arbusto de la familia de las tamaricáceas, que crece hasta tres metros de altura, con ramas mimbreñas de corteza rojiza, hojas glaucas, menudas, abrazadoras en la base, elípticas y con punta aguda; flores pequeñas, globosas, en espigas laterales, con cáliz encarnado y pétalos blancos; fruto seco, capsular, de tres divisiones, y semillas negras. Es común en las orillas de los ríos. ‖ **2.** Fruto de este arbusto.

tarayal. m. Sitio poblado de tarayes.

taraza. (De *tarazar*.) m. **broma[1]**, molusco. ‖ **2. polilla,** mariposilla cuyas orugas roen telas o sustancias celulósicas.

tarazana. f. **atarazana.**

tarazanal. m. **atarazana.**

tarazar. (Del lat. *tractiāre*, destrozar.) tr. Despedazar, destrozar a mordiscos. ‖ **2. atarazar.** ‖ **3.** p. us. fig. Molestar, inquietar, mortificar o afligir. ‖ **4.** *Ast.* Comer con ansia o groseramente. ‖ **5.** *Ast.* y *León.* Cortar, principalmente las plantas. ‖ **6.** *Burg., Cantabria,* y *Seg.* **magullar.** Ú. t. c. prnl.

tarazón. (De *tarazar*.) m. Trozo que se parte o corta de una cosa, y comúnmente, de carne o pescado.

tarbea. (Del ár. *tarbīʿ*, cuadra, espacio cuadrado.) f. p. us. Sala grande.

tarco. m. *NO. Argent.* **jacarandá.**

tardador, ra. adj. desus. Que tarda o se tarda. Ú. t. c. s.

tardanaos. (De *tardar* y *nao*.) m. **rémora,** pez.

tardano, na. adj. ant. **tardío.**

tardanza. (De *tardar*.) f. Acción y efecto de tardar.

tardar. (Del lat. *tardāre*.) intr. Emplear tiempo en hacer una cosa. ‖ **2.** Emplear demasiado tiempo en hacer una cosa. Ú. t. c. prnl. ‖ **a más tardar.** loc. adv. que se usa para señalar el plazo máximo en que ha de suceder una cosa. A MÁS TARDAR, *iré la semana que viene.*

tarde. (Del lat. *tarde*.) f. Tiempo que hay desde mediodía hasta anochecer. ‖ **2.** Últimas horas del día. ‖ **3.** adv. t. A hora avanzada del día o de la noche. *Levantarse* TARDE; *cenar* TARDE. ‖ **4.** Fuera de tiempo, después de haber pasado el oportuno, convenio o acostumbrado para algún fin, o en tiempo futuro relativamente lejano. ‖ **buenas tardes.** expr. que se emplea como salutación familiar durante la **tarde.** ‖ **de tarde en tarde.** loc. adv. De cuando en cuando, transcurriendo largo tiempo de una a otra vez. ‖ **para luego es tarde.** expr. con que se exhorta y da prisa a uno para que ejecute prontamente y sin dilación lo que debe hacer o de que se ha encargado. ‖ **tarde, mal y nunca.** expr. con que se pondera lo mal y fuera de tiempo que se hace lo que fuera casi mejor que no se ejecutara ya. ‖ **tarde piache.** expr. fam. V. **piache.**

tardear. intr. Detenerse más de la cuenta en hacer algo por mera complacencia, entretenimiento o recreo del espíritu. ‖ **2.** *Taurom.* Vacilar el toro antes de embestir francamente.

tardecer. intr. impers. **atardecer.**

tardecica, ta. (d. de *tarde*.) f. p. us. Caída de la tarde, cerca del anochecer.

tardíamente. adv. t. **tarde,** después del tiempo oportuno, en que se necesitaba o esperaba.

tardígrado, da. (Del lat. *tardigrădus*.) adj. *Zool.* Aplícase a los animales que se distinguen por la lentitud de sus movimientos. ‖ **2.** m. pl. *Zool.* Clase de estos mamíferos.

tardinero, ra. adj. p. us. **tardo,** lento.

tardío, a. adj. Que tarda en venir a sazón y madurez algún tiempo más del regular. Dícese comúnmente de las frutas y frutos. ‖ **2.** Que sucede, en una vida o una época, después del tiempo en que se necesitaba o esperaba. ‖ **3.** Que se encuentra en la última fase de su existencia. Aplícase a las lenguas muertas. *Latin* TARDÍO. ‖ **4.** Pausado, detenido y que camina u obra lentamente. ‖ **5.** m. Sembrado o plantío de fruto **tardío.** Ú. m. en pl. *La lluvia ha favorecido los* TARDÍOS. ‖ **6.** *Sal.* y *Sant.* Otoñada, otoño.

tardo, da. (Del lat. *tardus*.) adj. Lento, perezoso en obrar. ‖ **2.** Que sucede después de lo que convenía o se esperaba. ‖ **3.** Torpe, no expedito en la comprensión o explicación. ‖ **4.** *Astron.* Dícese de un planeta cuando su movimiento diurno verdadero es menor que el medio. ‖ **5.** *Taurom.* Dícese del toro que retrasa su acometida.

tardón, na. adj. fam. Que suele retrasarse o hace las cosas con mucha flema. Ú. t. c. s. ‖ **2.** fam. Que comprende tarde las cosas. Ú. t. c. s.

tarea. (Del ár. *ṭarīḥa*, encargo de alguna obra en cierto tiempo.) f. Cualquier obra o trabajo. ‖ **2.** Trabajo que debe hacerse en tiempo limitado. ‖ **3.** fig. Afán, penalidad o cuidado causado por un trabajo continuo. ‖ **4.** *And.* Conjunto de 15 fanegas de aceitunas recolectadas. ‖ **de chocolate.** Cantidad de chocolate determinada por la que suele elaborar un oficial en un día. Generalmente es de 48 libras. ‖ **a tarea.** loc. adv. Dícese del sistema de remuneración por rendimiento o trabajo efectuado.

tareco. (Del ár. *tarīk*, cosa abandonada.) m. *Can., Cuba, Ecuad., Urug.* y *Venez.* Trasto, trebejo, tereque.

tareche. m. *Bol.* Ave de rapiña, especie de aura.

tareero. m. *Sev.* Obrero ajustado por tareas, generalmente con su familia, para la recolección de aceituna.

tarentino, na. (Del lat. *Tarentinus*.) adj. Natural de Tarento. Ú. t. c. s. ‖ **2.** Perteneciente a esta ciudad de Italia.

tárgum. (Del caldeo *targūm*, interpretación.) m. Libro de los judíos, que contiene las glosas y paráfrasis caldeas de la Escritura.

tarida. (Del ár. *ṭarīda*, barco de transporte.) f. Embarcación usada desde el siglo XII en el Mediterráneo, especialmente para el transporte de caballerías y pertrechos militares.

tarifa. (Del ár. *taʿrīfa*, definición, determinación.) f. Tabla de precios, derechos o impuestos. ‖ **2.** Precio unitario fijado por las autoridades para los servicios públicos realizados a su cargo. ‖ **3.** Montante que se paga por ese mismo servicio.

tarifación. f. Acción y efecto de señalar tarifas.

tarifar. tr. Señalar o aplicar una tarifa. ‖ **2.** intr. fam. Reñir con uno, enemistarse.

tarifeño, ña. adj. Natural de Tarifa. Ú. t. c. s. ‖ **2.** Perteneciente a esta ciudad, de la provincia de Cádiz.

tarijeño, ña. adj. Natural de Tarija. Ú. t. c. s. ‖ **2.** Perteneciente o relativo a esta ciudad de Bolivia o al departamento así llamado.

tarima. (Del ár. *ṭarīma*, estrado de madera.) f. Zona del pavimento o entablado, superior en altura al resto. ‖ **2.** Suelo similar al parqué, pero de placas mayores y más gruesas.

tarimón. m. aum. de **tarima.** ‖ **2.** *Mancha* y *Murc.* Banco largo de madera con respaldo.

tarín[1]. (Del cat. *tari*.) m. Realillo de plata de ocho cuartos y medio.

tarín[2]. m. *Nav.* Cierta ave del orden de las paseriformes.

tarina. (Del fr. *terrine*.) f. desus. Fuente de mediano tamaño en que se servía la comida a la mesa.

tarín barín. loc. adv. p. us. fam. Escasamente. ‖ **2.** Sobre poco más o menos.

tarja. (Del fr. *targe*.) f. Escudo grande que cubría todo el cuerpo, y más especialmente la pieza de la armadura que se aplicaba sobre el hombro izquierdo como defensa de la lanza contraria. ‖ **2.** Moneda de vellón, con cinco partes de cobre y una de plata, que mandó acuñar Felipe II, equivalente a un cuartillo de real de plata. ‖ **3.** En algunas partes, pieza de cobre de dos cuartos. ‖ **4.** Tablita o chapa que sirve de contraseña. ‖ **5. muesca,** señal en forma de hendidura. ‖ **6.** Caña o palo sencillo en que por medio de muescas se va marcando el importe de las ventas. ‖ **7.** desus. Adorno oblongo con inscripción que se sobrepone a un miembro arquitectónico, tarjeta. ‖ **8.** *Murc.* y *Amér.* Tarjeta de visita. ‖ **9.** *Cuba.* Entre agrimensores, medida de diez unidades. ‖ **beber** uno **sobre tarja.** fr. fig. y fam. Beber vino al fiado.

tarjador, ra. m. y f. Persona que tarja.

tarjar. tr. Señalar o rayar en la tarja lo que se va sacando fiado, o lo que se cuenta.

tarjero, ra. (De *tarja.*) m. y f. Persona que tarja.

tarjeta. (Del fr. ant. *targette,* escudo pequeño.) f. d. de **tarja,** escudo. ‖ **2.** Adorno plano y oblongo que se figura sobrepuesto a un miembro arquitectónico, y que lleva por lo común inscripciones, empresas o emblemas. ‖ **3.** Membrete de los mapas y cartas. ‖ **4.** Pedazo pequeño de cartulina que lleva algo impreso o escrito. ‖ **5.** *Dep.* Pedazo de plástico que utiliza el árbitro de los partidos de fútbol y otros deportes, como señal de amonestación. ‖ **de identidad.** La que sirve para acreditar la personalidad del titular y va provista de su retrato y firma. ‖ **de visita.** La que lleva el nombre, título o cargo de una o más personas. ‖ **perforada.** La que, mediante perforaciones que representan datos, puede ser leída por un ordenador. ‖ **postal.** La que se emplea como carta, con ilustración por un lado y espacio para texto, dirección y sello por el otro.

tarjetearse. prnl. Mantener correspondencia con alguien, por medio de tarjetas.

tarjeteo. m. fam. Uso frecuente de tarjetas para cumplimentarse recíprocamente las personas.

tarjetero, ra. adj. Aficionado a hacer uso de tarjetas. ‖ **2.** m. Cartera, recipiente o mueble donde se guardan o exponen tarjetas de visita, fotografías, correspondencia, etc.

tarjón. m. desus. aum. de **tarja,** golpe.

tarlatana. (Del fr. *tarlatane.*) f. Tejido ralo de algodón, semejante a la muselina, pero de mayor consistencia que esta y más fino que el linón.

tarma. (Del lat. *termes, -ítis.*) f. *Ast., Cantabria, Extr., León* y *Sal.* **támara²,** leña menuda.

taropé. (De or. guaraní.) m. Planta acuática de la familia de las ninfeáceas, especie de nenúfar de hojas grandes.

tarot. (Del fr. *tarot,* y este del it. *tarocco.*) m. Baraja formada por setenta y ocho naipes que llevan estampadas diversas figuras, y que se utiliza en cartomancia. ‖ **2.** Juego que se practica con esta baraja.

tarquia. f. *Germ.* **tarja,** antigua moneda de vellón.

tarquín. (De or. inc., probablemente árabe.) m. Légamo que las aguas estancadas depositan en el fondo, o los avenidas de un río en los campos que inundan.

tarquina. (De or. inc.) adj. *Mar.* V. **vela tarquina.** Ú. t. c. s.

tarquinada. (Por alusión a la violencia ejercida en Lucrecia por Sexto *Tarquino,* hijo de Tarquino el Soberbio.) f. p. us. fig. y fam. Violencia sexual cometida contra una mujer.

tarra. com. vulg. Persona vieja.

tarraconense. (Del lat. *Tarraconensis.*) adj. Natural de la antigua Tárraco, hoy Tarragona. Ú. t. c. s. ‖ **2.** Perteneciente a esta ciudad o a su provincia. ‖ **3.** Perteneciente a la antigua provincia del mismo nombre, de la que dicha ciudad fue la capital. *España* TARRACONENSE. ‖ **4.** Natural de Tarragona. Ú. t. c. s. ‖ **5.** Perteneciente a esta ciudad.

tárraga. f. desus. **zarabanda,** baile.

tarrago. m. Planta labiada, especie de salvia.

tarragona. m. Vino procedente de la provincia española de Tarragona.

tarraja. (De or. inc.) f. **terraja.** ‖ **2.** Orificio circular de la caja armónica de la guitarra. ‖ **3.** *Venez.* Tarja para llevar cuentas que se hace con una tira de cuero.

tarralí. f. *Col.* Planta trepadora silvestre.

tarrañuela. (De *tarreña.*) f. *Burg., Cantabria, Pal.* y *Vizc.* Tarreña, castañuela.

tarrascar. tr. *Germ.* Arrancar, violentar.

tarrasense. adj. Natural de Tarrasa. Ú. t. c. s. ‖ **2.** Perteneciente a esta ciudad de Cataluña.

tarraya. (Del ár. *ṭarrāḥa,* red.) f. *And., Bad., Nicar., P. Rico* y *Venez.* Atarraya, esparavel.

tarraza. (De *tierra.*) f. desus. Vasija de barro.

tarreña. (De *terreño.*) f. Cada una de las dos tejuelas que, metidas entre los dedos y batiendo una con otra, hacen un ruido como el de las castañuelas.

tarrico. m. **caramillo,** planta.

tarrina. f. Envase pequeño para algunos alimentos que deben conservarse en frío.

tarriza. (De *terrizo, terriza.*) f. *Ar.* y *Sor.* Barreño, lebrillo.

tarro. (De or. inc.) m. Recipiente de vidrio o porcelana, generalmente cilíndrico y más alto que ancho. ‖ **2.** *Zool.* La parte más delgada de las patas de las aves, une los dedos con la tibia y ordinariamente no tiene plumas. ‖ **3.** *Zool.* **corvejón¹.** ‖ **4.** *Zool.* La última de las cinco piezas de que están compuestas las patas de los insectos, a contar desde su inserción en el tórax, que está articulada con la tibia; consta de uno a cinco artejos y termina en un par de uñas.

tarta. (Del fr. *tarte.*) f. **tortera².** ‖ **2.** Pastel grande, de forma generalmente redonda, relleno de frutas, crema, etc.; también se hace de bizcocho, pasta de almendra y otras clases de masa homogénea.

tártago. (Del lat. *tartârus.*) m. Planta herbácea anual de la familia de las euforbiáceas, que crece hasta un metro de altura, con tallo corto, sencillo y garzo; hojas lanceoladas, opuestas, en cruz, enteras y obtusas; flores unisexuales sin corola, y fruto seco, capsular, redondeado, con semillas arrugadas, del tamaño de cáñamos; tiene virtud purgante y emética muy fuerte, y es común en España. ‖ **2.** fig. Disgusto que sobreviene por algún grave suceso, como la pérdida del caudal o de la salud. ‖ **3.** fig. y fam. Chasco pesado. ‖ **de Venezuela.** ricino.

tartaja. adj. fam. **tartamudo.** Ú. t. c. s.

tartajear. (Voz onomatopéyica.) intr. **tartamudear.**

tartajeo. m. Acción y efecto de tartajear.

tartajoso, sa. adj. **tartamudo.** Ú. t. c. s.

tartalear. (De or. onomatopéyico.) intr. fam. Moverse sin orden o con movimientos trémulos o temblorosos. Ú. t. c. s. prnl. ‖ **2.** fam. Turbarse uno de modo que no acierta a hablar. ‖ **3.** p. us. **tartamudear.**

tartaleta. f. Pastelillo de hojaldre en forma de cazoleta, que se rellena de diversos ingredientes después de haber sido cocido al horno.

tartamudear. (De *tartamudo*.) intr. Hablar o leer con pronunciación entrecortada y repitiendo las sílabas.

tartamudeo. m. Acción y efecto de tartamudear.

tartamudez. f. Calidad de tartamudo.

tartamudo, da. (De la onomat. *tart* y *mudo*.) adj. Que tartamudea. Ú. t. c. s.

tartán[1]. (Del ing. *tartan*, a través del fr. *tartan*.) m. Tela de lana con cuadros o listas cruzadas de diferentes colores.

tartán[2]. m. Material formado por una mezcla de goma y asfalto, muy resistente y deslizante, que se emplea como superficie de pistas de atletismo.

tartana. (Del prov. *tartano*, cernícalo.) f. Embarcación menor, de vela latina y con un solo palo en su centro, perpendicular a la quilla. Es de mucho uso para la pesca y el tráfico de cabotaje. ǁ **2.** Carruaje con cubierta abovedada y asientos laterales, por lo común de dos ruedas y con limonera. ǁ **3.** Cosa vieja e inútil. Ú. especialmente tratándose de automóviles. ǁ **4.** *Mar.* Red de pesca para rastreo a vela.

tartanero. m. Conductor del carruaje llamado tartana.

tártano. m. *Ál.* y *Vizc.* Panal de miel.

tartáreo, a. (Del lat. *tartarēus*.) adj. poét. Perteneciente al tártaro o infierno.

tartarí. adj. ant. **tártaro**[3]. Usáb. t. c. s. ǁ **2.** m. Cierta tela lujosa usada antiguamente.

tartárico, ca. adj. *Quím.* **tártrico.** ǁ **2.** V. **ácido tartárico.**

tartarizar. tr. *Farm.* Preparar una confección con tártaro[1].

tártaro[1]. (Del b. lat. *tartărum*.) m. Tartrato ácido de potasio impuro que forma costra cristalina en el fondo y paredes de la vasija donde fermenta el mosto, y es blanquecino o rojizo, según que proceda de vino blanco o tinto. ǁ **2.** Sarro de los dientes. ǁ **3.** V. **cristal, sal tártaro.** ǁ **4.** *Quím.* V. **crémor tártaro.** ǁ **5.** *Col., Guat.* y *Venez.* **tártago de Venezuela.** ǁ **emético.** Tartrato de antimonio y de potasio, de poderosa acción emética o purgante según la dosis.

tártaro[2]. (Del lat. *Tartărus*, y este del gr. Τάρταρος.) m. poét. El infierno.

tártaro[3], **ra.** (Del turco *tatār*, nombre de pueblo.) adj. Natural de Tartaria. Ú. t. c. s. ǁ **2.** Perteneciente a esta región de Asia. ǁ **3.** V. **bistec tártaro.** ǁ **4.** V. **salsa tártara.** ǁ **5.** m. Lengua hablada en esta región.

tartera. (De *tarta*.) f. Recipiente cerrado herméticamente, que sirve para llevar los guisos fuera de casa o conservarlos en el frigorífico. ǁ **2. tortera**[2].

tartesio, sia. (Del lat. *Tartessĭus*.) adj. Dícese de un pueblo hispánico prerromano que habitaba la Tartéside, región situada en el occidente de la actual Andalucía y que tuvo por capital a Tartesos. Los romanos los llamaron después Turdetania. ǁ **2.** Dícese de los individuos que componían este pueblo. Ú. t. c. s. ǁ **3.** Perteneciente o relativo a los **tartesios,** a la Tartéside o a Tartesos.

tartrato. m. *Quím.* Sal formada por la combinación del ácido tartárico con una base.

tártrico, ca. adj. *Quím.* Perteneciente o relativo al tártaro[1] del mosto. ǁ **2.** V. **ácido tártrico.**

tartufo. (Por alusión a *Tartufe*, protagonista de una comedia de Molière.) m. Hombre hipócrita y falso.

taruga. f. Mamífero rumiante americano parecido al ciervo, de pelaje rojo oscuro y orejas blandas y caídas, que vive salvaje en los Andes sin formar manadas.

tarugo. m. Trozo de madera o pan, generalmente grueso y corto, zoquete. ǁ **2. clavija,** pedazo de madera. ǁ **3.** fig. y fam. Hombre de mala traza pequeño y gordo. ǁ **4.** fig. y fam. Persona de rudo entendimiento, zoquete.

tarumá. (De or. guaraní.) m. *Argent.* Árbol de la familia de las verbenáceas que produce un fruto morado oleoso.

tarumba (volverle a uno). fr. fam. Atolondrarlo, confundirlo. Ú. t. el verbo como prnl. VOLVERSE *uno* TARUMBA.

tarusa. f. *León, Pal.* y *Zam.* Juego del chito[1].

tárzano. m. *Ast.* Poste fijo colocado verticalmente en el hogar cerca de la pared y provisto de varios agujeros, en los que se introduce una clavija para colgar la olla sobre la lumbre.

tas. (Del fr. *tas*.) m. Yunque pequeño y cuadrado que, encajado por medio de una espiga en el banco, usan los plateros, hojalateros y plomeros.

tasa. (De *tasar*.) f. Acción y efecto de tasar. ǁ **2.** Tributo que se exige con motivo del uso ocasional de ciertos servicios generales. ǁ **3.** Relación entre dos magnitudes. TASA *de inflación, de desempleo, de natalidad.*

tasación. (Del lat. *taxatĭo, -ōnis*.) f. Acción y efecto de tasar o graduar. ǁ **2.** *Econ.* Valoración del activo o parte del mismo de una empresa.

tasadamente. adv. m. Con tasa o medida. ǁ **2.** fig. Limitada y escasamente.

tasador, ra. adj. Que tasa. Ú. t. c. s. ǁ **2.** m. Persona habilitada para tasar o graduar el precio de un bien.

tasajo. (De or. inc.) m. Pedazo de carne seco y salado o acecinado para que se conserve. ǁ **2.** Por ext., tajada de cualquier carne, pescado e incluso fruta.

tasar. (Del lat. *taxāre*.) tr. Fijar oficialmente el precio máximo o mínimo para una mercancía. ǁ **2.** Graduar el precio o valor de una cosa o un trabajo. ǁ **3.** fig. Restringir el uso de una cosa por prudencia o tacañería. TASAR *la comida al enfermo.*

tasca. (De *tascar*; en port. *tasca.*) f. Garito o casa de juego de mala fama. ǁ **2. taberna.** ǁ **3.** *Perú.* Olas revueltas y corrientes encontradas que hacen difícil el desembarque en las costas.

tascador. (De *tascar,* espadar el cáñamo.) m. Espadilla para macerar el cáñamo.

tascar. (De or. inc.) tr. Quebrantar con la espadilla o agramadera el lino o el cáñamo. ǁ **2.** fig. Quebrantar con ruido la hierba o el verde las bestias cuando pacen. ǁ **3.** *Ecuad.* Quebrantar con los dientes algún alimento duro, como una galleta.

tasco. (De *tascar.*) m. **agramiza,** caña quebrantada.

tasconio. (Del lat. *tasconĭum*.) m. **talque**[1].

tasi. m. *Argent.* Enredadera silvestre, de la familia de las asclepiadáceas, con tallo lechoso y fruto grande, ovalado y pulposo; es comestible después de guisado o en dulce.

tasio, sia. (Del lat. *Thasĭus*.) adj. Natural de Taso. Ú. t. c. s. ǁ **2.** Perteneciente a esta isla del mar Egeo.

tasquear. intr. Frecuentar tascas o tabernas.

tasquera. (De *tasca.*) f. fam. Pendencia, riña o contienda. ǁ **2.** *Germ.* **taberna.**

tasquero. m. desus. *Perú.* Indio que ayudaba a desembarcar en las costas en que hay tascas.

tasquil. (De *tascar.*) m. Fragmento que salta de la piedra al labrarla.

tastana. (De *tascar,* por contaminación de *tastaz,* polvo hecho de los crisoles viejos.) f. Costra producida por la sequía en las tierras de cultivo. ǁ **2.** Membrana que separa los gajos de ciertas frutas; como la nuez, la naranja, la granada, etc.

tastar. (De or. inc.) tr. ant. **tocar.** ǁ **2.** ant. Gustar con el paladar las cosas.

tástara. (De *tascar,* por contaminación de *tastaz.*) f. *Ar.* Salvado gordo.

tastaz. (Del lat. *testacĕum,* der. de *testa,* ladrillo, teja.) m. Polvo hecho de los crisoles viejos, que sirve para limpiar las piezas de azófar.

tasto. (De *tastar*.) m. Sabor desagradable de los comestibles pasados.

tasugo. (Del lat. *taxūcus*, por *taxo, -ōnis*.) m. **tejón¹.**

tata. (Del lat. *tata*.) f. fam. Niñera y, por ext., muchacha de servicio. ‖ **2.** Cariñosamente, en algunas regiones, hermana. ‖ **3.** m. *Murc.* y *Amér.* Padre, papá. Es voz de cariño, y en algunas partes de América se usa también como tratamiento de respeto.

tatabro. m. *Col.* Especie de jabalí pequeño, pecarí, báquira, saíno.

tatagua. f. *Cuba.* Mariposa nocturna de gran tamaño y color oscuro.

tataibá. m. *Par.* Moral silvestre de fruto amarillo y áspero.

tatami. (De or. japonés.) m. Tapiz acolchado sobre el que se ejecutan algunos deportes como yudo y karate.

tatarabuelo, la. (De *tatara* y *abuelo*, por imitación de *tataranieto*.) m. y f. Tercer abuelo.

tataradeudo, da. (De *tatara* y *deudo*, por imitación de *tataranieto*.) m. y f. Pariente muy antiguo; antepasado.

tataranieto, ta. (De *tras* y el ant. *trasnieto*.) m. y f. Tercer nieto, el cual tiene el cuarto grado de consanguinidad en la línea recta descendente.

tataré. (De or. guaraní.) m. *Argent.* y *Par.* Árbol grande, de la familia de las mimosáceas, cuya madera es amarilla y se utiliza en ebanistería y en la construcción de barcos. De su corteza se extrae una materia tintórea.

tatarear. (De la onomat. *tar*, repetida.) tr. **tararear.**

tatarrete. m. despect. de **tarro**, vasija. ‖ **2.** *Gran.* Tarro pequeño.

tatas (andar a). fr. Empezar a andar el niño. ‖ **2. andar a gatas.**

tate. (Voz de creación expresiva.) Voz que equivale a ¡cuidado! o poco a poco. Ú. t. repetida. ‖ **2.** Denota además haberse venido en conocimiento de algo que antes no se ocurría o no se había podido comprender. Ú. t. repetida.

tatetí. m. *Argent.* y *Urug.* Juego del tres en raya.

tato¹. (Del lat. *tata*, padre.) m. fam. Voz de cariño con que se designa a un hermano pequeño, o al niño en general.

tato², ta. adj. Tartamudo que vuelve la *c* y *s* en *t*.

tatú. (De or. guaraní.) m. *Argent., Bol., Par.* y *Urug.* Voz genérica que designa diversas especies de armadillo.

tatuaje. (Del fr. *tatouage*.) m. Acción y efecto de tatuar o tatuarse. ‖ **2.** Cerco o señal que queda alrededor de una herida por arma de fuego disparada desde muy cerca.

tatuar. (Del ing. *to tattoo*, y este de una voz polinesia.) tr. Grabar dibujos en la piel humana, introduciendo materias colorantes bajo la epidermis, por las punzadas o picaduras previamente dispuestas. Ú. t. c. prnl. ‖ **2.** fig. Marcar, dejar huella en alguien o algo.

tatusia. f. *Par.* Especie de armadillo.

tau. (Del gr. *ταῦ*.) m. Última letra del alfabeto hebreo. ‖ **tao¹**, insignia. ‖ **3.** f. Decimonona letra del alfabeto griego, que corresponde a la que en el nuestro se llama *te*.

tauca. (Del quechua *tauqa*, montón.) f. *Bol.* y *Ecuad.* Montón, gran cantidad de cosas agrupadas.

taucar. (De *tauca*.) tr. *Bol.* y *Ecuad.* Colocar unas cosas sobre otras, apilar.

taujel. (De or. inc.) m. Listón de madera, reglón.

taujía. (De or. inc.) m. var. de *ataujía*.) f. **ataujía.**

taula. (Del cat. *taula*, mesa.) f. Monumento megalítico abundante en Mallorca, constituido por una piedra hincada verticalmente en el suelo, que soporta otra plana horizontal, con la que forma como una T.

taumaturgia. f. Facultad de realizar prodigios.

taumatúrgico, ca. adj. Perteneciente o relativo a la taumaturgia.

taumaturgo, ga. (Del gr. θαυματουργός.) m. y f. **mago¹,** persona que hace milagros y cosas maravillosas.

taurino, na. (Del lat. *taurīnus*.) adj. Perteneciente o relativo al toro, o a las corridas de toros. ‖ **2.** Aficionado a los toros. Ú. t. c. s.

taurios. (Del lat. *taurĭī, -ōrum*.) adj. pl. Dícese de unos juegos que se celebraban en la antigüedad y en que luchaban los hombres con los toros.

tauro. (Del lat. *taurus*.) n. p. m. *Astron.* Segundo signo o parte del Zodiaco, de 30 grados de amplitud, que el Sol recorre aparentemente al mediar la primavera. ‖ **2.** *Astron.* Constelación zodiacal que en otro tiempo debió de coincidir con el signo de este nombre; pero que actualmente, por resultado del movimiento retrógrado de los puntos equinocciales, se halla delante del mismo signo o un poco hacia el Oriente. ‖ **3.** adj. Referido a personas, las nacidas bajo este signo del Zodiaco. Ú. t. c. s.

taurófilo, la. adj. Que tiene afición a las corridas de toros.

taurófobo, ba. adj. Que desaprueba y se muestra disconforme con la celebración de corridas de toros.

taurómaco, ca. adj. Perteneciente o relativo a la tauromaquia. ‖ **2.** Dícese de la persona entendida en tauromaquia. Ú. t. c. s.

tauromaquia. (Del gr. ταῦρος, toro, y μάχομαι, luchar.) f. Arte de lidiar toros. ‖ **2.** Obra o libro que trata de este arte.

tauromáquico, ca. adj. Perteneciente o relativo a la tauromaquia.

tauteo. m. *And.* Gañido peculiar del zorro.

tautología. (Del gr. ταυτολογία.) f. *Ret.* Repetición de un mismo pensamiento expresado de distintas maneras. Suele tomarse en mal sentido por repetición inútil y viciosa.

tautológico, ca. adj. Perteneciente o relativo a la tautología.

taxáceo, a. (De *Taxus*, nombre de un género de plantas.) adj. *Bot.* Dícese de la planta arbórea gimnosperma, conífera, con hojas aciculares, aplastadas y persistentes, flores dioicas y desnudas, semillas rodeadas por arilos generalmente carnosos y coloreados; como el tejo². Ú. t. c. s. ‖ **2.** f. pl. *Bot.* Familia de estas plantas.

taxativamente. adv. m. De un modo taxativo.

taxativo, va. (Del lat. *taxātum*, supino de *taxāre*, tasar, limitar.) adj. *Der.* Que limita, circunscribe y reduce un caso a determinadas circunstancias. ‖ **2.** Que no admite discusión.

taxi. (abrev. de *taxímetro*.) m. Automóvil de alquiler con conductor, provisto de taxímetro. ‖ **2.** vulg. Prostituta que mantiene a un proxeneta.

taxidermia. (Del gr. τάξις, colocación, arreglo, y δέρμα, piel.) f. Arte de disecar los animales para conservarlos con apariencia de vivos.

taxidermista. com. Disecador, persona que se dedica a practicar la taxidermia.

taxímetro. (Del gr. τάξις, tasa, y *-metro*.) m. Aparato de que van provistos algunos coches de alquiler, el cual marca automáticamente la distancia recorrida y la cantidad devengada. ‖ **2.** p. us. **taxi,** automóvil. ‖ **3.** *Mar.* Instrumento semejante, en forma y aplicación, al círculo azimutal.

taxista. com. Persona que conduce un taxi. ‖ **2.** m. vulg. Proxeneta mantenido por una prostituta.

taxodiáceo, a. (Del lat. moderno *Taxodium*, nombre científico de un género de plantas.) adj. *Bot.* Dícese de las plantas gimnospermas de la clase de las coníferas. Comprende árboles de hojas esparcidas, con los estróbilos lignificados. ‖ **2.** f. pl. *Bot.* Familia de estas plantas.

taxón. (Palabra creada sobre *taxonomía*.) m. *Biol.* Nivel o rango de las subdivisiones que se aplican en la sistemática biológica, desde la especie, que se toma como unidad, hasta el tronco o tipo de organización. ‖ **2.** *Biol.* Cada uno de los grupos o subdivisiones de la clasificación de los seres vivientes, que se ordena sistemáticamente según su jerarquía propia.

taxonomía. (Del gr. τάξις, ordenación, y νόμος, ley o norma.) f. Ciencia que trata de los principios, métodos y fines de la clasificación. Se aplica en particular, dentro de la biología, para la ordenación jerarquizada y sistemática, con sus nombres, de los grupos de animales y de vegetales. ‖ **2.** Por ext., clasificación.

taxonómico, ca. adj. Perteneciente o relativo a la taxonomía.

taxonomista. com. **taxónomo.**

taxónomo, ma. (Del gr. τάξις, ordenación y -νόμος, que mide o regula.) m. y f. Persona especialmente versada en el conocimiento de la taxonomía y en sus usos y procedimientos.

taxqueño, ña. adj. Natural de Taxco, población del Estado mejicano de Guerrero. Ú. t. c. s. ‖ **2.** Perteneciente o relativo a dicha población.

tayuyá. (De or. guaraní.) m. *Argent., Par.* y *Urug.* Planta rastrera de la familia de las cucurbitáceas.

taza. (Del ár. *ţassa*, escudilla.) f. Vasija pequeña, por lo común de loza o de metal y con asa, que se usa generalmente para tomar líquidos. ‖ **2.** Lo que cabe en ella. *Una* TAZA *de caldo.* ‖ **3.** Receptáculo redondo y cóncavo donde vacían el agua las fuentes. ‖ **4.** Receptáculo del retrete. ‖ **5.** Pieza de metal, redonda y cóncava, que forma parte de la guarnición de algunas espadas. ‖ **6.** V. **amigo de taza de vino.**

tazaña. f. desus. **tarasca,** figura de sierpe.

tazar. (De *retazar,* por derivación regresiva.) tr. desus. Estropear o destrozar haciendo cortes o mordiendo. ‖ **2.** Estropear la ropa con el uso, principalmente a causa del roce, por los dobleces y bajos. Ú. m. c. prnl.

taz a taz. (De *tazar.*) loc. adv. p. us. Sin añadir precio alguno, al permutar o trocar una cosa por otra.

tazmía. (De or. inc.) f. Porción de granos que cada cosechero llevaba al acervo decimal. ‖ **2.** Distribución de los diezmos entre los partícipes en ellos. ‖ **3.** Relación o cuaderno en que se anotaban los granos recogidos en la tercia. ‖ **4.** Pliego en que se hacía la distribución a los partícipes. ‖ **5.** Cálculo aproximado de una cosecha en pie. Se usa principalmente hablando de la caña de azúcar.

tazón. m. aum. de **taza,** vasija pequeña para tomar líquidos. ‖ **2.** Recipiente comúnmente mayor que una taza, de contorno aproximadamente semiesférico, a veces con un pie diferenciado y generalmente sin asa. ‖ **3.** Receptáculo donde cae el agua de las fuentes. ‖ **4.** *And.* **jofaina.**

te¹. f. Nombre de la letra *t.*

te². (Del lat. *te.*) Dativo o acusativo del pronombre personal de segunda persona en género masculino o femenino y número singular. No admite preposición y cuando se pospone al verbo es enclítico. TE *persiguen; persíguen*TE.

té. (Del chino *tscha,* pronunciado en ciertas provincias *te.*) m. Arbusto del Extremo Oriente, de la familia de las teáceas, que crece hasta cuatro metros de altura, con las hojas perennes, alternas, elípticas, puntiagudas, dentadas y coriáceas, de seis a ocho centímetros de largo y tres de ancho; flores blancas, pedunculadas y axilares, y fruto capsular, globoso, con tres semillas negruzcas. ‖ **2.** Hoja de este arbusto, seca, arrollada y tostada ligeramente. ‖ **3.** Infusión, en agua hirviendo, de las hojas de este arbusto, que se usa mucho como bebida estimulante, estomacal y alimenticia. ‖ **4.** Reunión de personas que se celebra por la tarde y durante la cual se sirve un refrigerio del que forma parte el té. ‖ **borde, de España,** o **de Europa. pazote.** o **de Jersey. ceanoto.** ‖ **de los jesuitas,** o **del Paraguay. mate²,** planta e infusión de sus hojas. ‖ **de Méjico. epazote.** ‖ **negro.** El que se ha tostado después de secar al sol las hojas con su pecíolo y se ha aromatizado con ciertas hierbas. ‖ **perla.** El

verde preparado con las hojas más frescas y delicadas, que se arrollan en bolitas. ‖ **verde.** El que se ha tostado cuando las hojas están frescas, después de quitadas el pecíolo y teñidas después con una mezcla de yeso y añil. ‖ **dar** a uno **el té.** fr. fig. y fam. Darle la lata, la tabarra.

tea. (Del lat. *taeda.*) f. Astilla o raja de madera muy impregnada en resina, y que, encendida, alumbra como un hacha. ‖ fig. y fam. **borrachera,** causada por el alcohol. ‖ **3.** *Mar.* Nombre que toma accidentalmente el cable, cuando se leva con la lancha, maniobra que se llama **levar por la tea.** ‖ **teas maritales,** o **nupciales.** Las que antiguamente llevaban los desposados delante de sus esposas. ‖ **2.** fig. Las bodas.

teáceo, a. (De *Thea,* nombre de un género de plantas.) adj. *Bot.* Dícese de árboles y arbustos angiospermos dicotiledóneos, siempre verdes, con hojas enteras, esparcidas y sin estípulas; flores axilares, hermafroditas o unisexuales, y fruto capsular o indehiscente, rara vez en baja, con semillas sin albumen; como la camelia y el té. Ú. t. c. s. f. ‖ **2.** f. pl. *Bot.* Familia de estas plantas.

teame. (Del lat. *theamédes.*) f. Piedra a la cual algunos de los antiguos atribuían propiedad contraria a la del imán; esto es, la de apartar y desviar el hierro.

teamide. (Del lat. *theamédes.*) f. desus. **teame.**

teatina. f. *Chile.* Planta gramínea, especie de avena, cuya paja se usa para tejer sombreros.

teatino, na. (Del obispo de *Teate* Juan Pedro Caraffa, fundador de esta orden, y después sumo pontífice con el nombre de Paulo IV.) adj. Dícese de los clérigos regulares de San Cayetano. Ú. t. c. s. ‖ **2.** Perteneciente a esta orden religiosa. ‖ **3.** desus. Por confusión se aplicó a los padres de la Compañía de Jesús. Usáb. t. c. s.

teatral. (Del lat. *theatrális.*) adj. Perteneciente o relativo al teatro. ‖ **2.** fig. Efectista, exagerado y deseoso de llamar la atención. *Aparato, actitud, tono* TEATRAL.

teatralidad. f. Calidad de teatral.

teatralizar. tr. Dar forma teatral o representable a un tema o asunto. ‖ **2.** Dar carácter espectacular o efectista a una actitud o expresión.

teatralmente. adv. m. De modo teatral.

teatrero, ra. adj. fam. Muy aficionado al teatro. Ú. t. c. s. ‖ **2. teatral,** deseoso de llamar la atención. Ú. t. c. s. ‖ **3.** m. y f. fam. **histrión,** persona afectada, que gesticula con exageración.

teátrico, ca. (Del lat. *theatrícus.*) adj. p. us. **teatral.**

teatro. (Del lat. *theātrum,* y este del gr. θέατρον, de θεάομαι, mirar.) m. Edificio o sitio destinado a la representación de obras dramáticas o a otros espectáculos públicos propios de la escena. ‖ **2.** Sitio o lugar en que se realiza una acción ante espectadores o participantes. ‖ **3.** Escenario o escena. ‖ **4.** p. us. Práctica en el arte de representar comedias. *Ese actor tiene mucho* TEATRO. ‖ **5.** Conjunto de todas las producciones dramáticas de un pueblo, de una época o de un autor. *El* TEATRO *griego; el* TEATRO *del siglo* XVII; *el* TEA-TRO *de Calderón.* ‖ **6.** Arte de componer obras dramáticas, o de representarlas. *Este escritor y ese actor conocen mucho* TEATRO. ‖ **7.** fig. Literatura dramática. *Lope de Rueda fue uno de los fundadores del* TEATRO *en España.* ‖ **8.** fig. Lugar en que ocurren acontecimientos notables y dignos de atención. *Italia fue el* TEATRO *de aquella guerra.* ‖ **9.** Lugar donde una cosa está expuesta a la estimación o censura de las gentes. *El* TEATRO *del mundo.* ‖ **de bolsillo.** El que se representa en salas de pequeño aforo. ‖ **épico.** El que, por contraposición al que pretende la identificación del espectador con las emociones de la obra, intenta que ésta cause en aquél reflexiones distanciadoras y críticas por medio de una técnica apoyada más en lo narrativo que en lo dramático. ‖ **echar, hacer** o **tener teatro.** fr. fig. y fam. Actuar de manera afectada o exagerada.

tebaico, ca. (Del lat. *Thebaïcus.*) adj. Perteneciente a Tebas, ciudad del Egipto antiguo. ‖ **2.** V. **extracto tebaico.**

tebano, na. (Del lat. *Thebānus.*) adj. Natural de Tebas. Ú. t. c. s. ‖ **2.** Perteneciente a esta ciudad de la Grecia antigua.

tebenque. m. *Cuba.* Planta anual, de la familia de las compuestas, de flores amarillas aromáticas. Crece en las playas.

tebeo¹, a. (Del lat. *Thebaeus.*) adj. desus. **tebano.**

tebeo². (De *TBO,* nombre de una revista española fundada en 1917.) m. Revista infantil de historietas cuyo asunto se desarrolla en series de dibujos. ‖ **2.** Sección de un periódico en la cual se publican historietas gráficas de esta clase. ‖ **estar más visto que el tebeo.** fr. fam. Estar demasiado vista una persona o cosa.

-teca. (Del gr. θήκη, caja.) elem. compos. que significa «lugar en que se guarda algo»: *disco*TECA, *film*oTECA.

teca¹. (Del tagalo *tícla.*) f. Árbol de la familia de las verbenáceas, que se cría en las Indias Orientales, corpulento, de hojas opuestas, grandes, casi redondas, enteras y ásperas por encima; flores blanquecinas en panojas terminales, y drupas globosas y corchosas, que contienen una nuez dorísima con cuatro semillas. Su madera es tan dura, elástica e incorruptible, que se la emplea preferentemente para ciertas construcciones navales.

teca². (Del gr. θήκη, caja.) f. Cajita donde se guarda una reliquia. ‖ **2.** *Bot.* Célula en cuyo interior se forman las esporas de algunos hongos.

tecali. m. *Méj.* Alabastro oriental de colores muy vivos que se halla en Tecali, población del Estado de Puebla.

tecla. (De or. inc.) f. Cada una de las piezas que, por la presión de los dedos, hacen sonar ciertos instrumentos musicales. ‖ **2.** Pieza que se pulsa para poner en acción un mecanismo. ‖ **3.** Pieza móvil que contiene una letra o un signo en las máquinas de escribir y otros aparatos. ‖ **4.** fig. Materia o cosa delicada que debe tratarse con cuidado. ‖ **dar uno en la tecla.** fr. fig. y fam. Acertar en el modo de ejecutar una cosa. ‖ **2.** Tomar una costumbre o manía. ‖ **tocar** uno **muchas teclas.** fr. fig. y fam. Recurrir a los medios o personas necesarios para solucionar un asunto difícil. ‖ **tocar** uno **una tecla.** fr. fig. y fam. Mover de intento y cuidadosamente un asunto o situación.

teclado. m. Conjunto de teclas del piano y otros instrumentos musicales. ‖ **2.** Por ext., el de diversos aparatos o máquinas, que se manejan mediante botones de mando o teclas.

tecle. (Del ing. *tackle.*) m. *Mar.* Especie de aparejo con un solo motón. ‖ **2.** *Mar.* Piso desde donde se maniobran e inspeccionan las máquinas y calderas.

tecleado, da. p. p. de **teclear.** ‖ **2.** m. Acción de teclear con los dedos.

teclear. intr. Mover las teclas. ‖ **2.** fig. y fam. Tamborilear con los dedos. ‖ **3.** tr. fig. y fam. Intentar o probar diversos caminos y medios para la consecución de algún fin.

tecleo. m. Acción y efecto de teclear.

tecnecio. (Del gr. τεχνητός, artificial.) m. *Quím.* Metal del grupo del manganeso. Ha sido obtenido artificialmente y a ello se debe su nombre. Núm. atómico 43. Símb.: *Tc.*

-tecnia. (Del gr. τέχνη, e *-ia.*) elem. compos. que significa «técnica»: *mnemo*TECNIA, *piro*TECNIA.

técnica. (De *técnico.*) f. Conjunto de procedimientos y recursos de que se sirve una ciencia o un arte. ‖ **2.** Pericia o habilidad para usar de esos procedimientos y recursos. ‖ **3.** fig. Habilidad para ejecutar cualquier cosa, o para conseguir algo.

técnicamente. adv. m. De manera técnica.

tecnicidad. f. Calidad o carácter técnico de una cosa.

tecnicismo. m. Calidad de técnico. ‖ **2.** Conjunto de

voces técnicas empleadas en el lenguaje de un arte, ciencia, oficio, etc. ‖ **3.** Cada una de estas voces.

técnico, ca. (Del lat. *technĭcus,* y este del gr. τεχνικός, de τέχνη, arte.) adj. Perteneciente o relativo a las aplicaciones de las ciencias y las artes. ‖ **2.** Aplícase en particular a las palabras o expresiones empleadas exclusivamente, y con sentido distinto del vulgar, en el lenguaje propio de un arte, ciencia, oficio, etc. ‖ **3.** m. y f. Persona que posee los conocimientos especiales de una ciencia o arte.

tecnicolor. m. Nombre comercial de un procedimiento que permite reproducir en la pantalla cinematográfica los colores de los objetos.

tecnificar. tr. Introducir procedimientos técnicos modernos en las ramas de producción que no los empleaban. ‖ **2.** Hacer algo más eficiente desde el punto de vista tecnológico. Ú. t. c. intr.

tecnocracia. (Del gr. τέχνη, técnica, y *-cracia.*) f. *Polit.* Ejercicio del poder por los tecnócratas.

tecnócrata. com. Partidario de la tecnocracia. Ú. t. c. adj. ‖ **2.** Técnico o persona especializada en alguna materia de economía, administración, etc., que ejerce su cargo público con tendencia a hallar soluciones eficaces por encima de otras consideraciones ideológicas o políticas.

tecnografía. f. Descripción de las artes industriales y de sus procedimientos.

tecnología. (Del gr. τεχνολογία, de τεχνολόγος; de τέχνη, arte, y λόγος, tratado.) f. Conjunto de los conocimientos propios de un oficio mecánico o arte industrial. ‖ **2.** Tratado de los términos técnicos. ‖ **3.** Lenguaje propio de una ciencia o arte. ‖ **4.** Conjunto de los instrumentos y procedimientos industriales de un determinado sector o producto.

tecnológico, ca. (Del gr. τεχνολογικός.) adj. Perteneciente o relativo a la tecnología.

tecnólogo, ga. m y f. Persona que se dedica a la tecnología.

tecol. m. *Méj.* Gusano que se cría en el maguey.

tecolote. m. *Guat., Hond.* y *Méj.* **búho,** ave.

tecomate. m. *Amér. Central.* Especie de calabaza de cuello estrecho y corteza dura de la cual se hacen vasijas. ‖ **2.** *Amér. Central.* Esa clase de vasijas. ‖ **3.** *Méj.* Vasija de barro, a manera de taza honda.

tectónico, ca. (Del gr. τεκτονικός, perteneciente a la construcción o estructura.) adj. Perteneciente o relativo a los edificios u otras obras de arquitectura. ‖ **2.** *Geol.* Perteneciente o relativo a la estructura de la corteza terrestre. ‖ **3.** f. Parte de la geología, que trata de dicha estructura.

techado, da. p. p. de **techar.** ‖ **2.** m. **techo,** de un edificio.

techador. m. El que se dedica a techar.

techar. (De *techo.*) tr. Cubrir un edificio formando el techo.

techo. (Del lat. *tectum.*) m. Parte superior de un edificio, que lo cubre y cierra, o de cualquiera de las estancias que lo componen. ‖ **2.** Cara inferior del mismo, superficie que cierra en lo alto una habitación o espacio cubierto. ‖ **3.** fig. Casa, habitación o domicilio. ‖ **4.** fig. Altura o límite máximo a que puede llegar y del que no puede pasar un asunto, negociación, evolución, etc. ‖ **5.** *Aer.* Altura máxima alcanzable por una aeronave, en determinadas condiciones de vuelo. ‖ **6.** *Mín.* Terreno situado encima de una capa o vena de material. ‖ **de nubes.** *Meteor.* Altitud de la base de la capa inferior de las nubes, cuando el cielo está cubierto.

techumbre. f. Techo de un edificio. ‖ **2.** Conjunto de la estructura y elementos de cierre de los techos.

teda. (Del lat. *taeda.*) f. p. us. **tea** de arder.

tedero. (De *teda.*) m. Pieza de hierro sobre la cual se ponen las teas para alumbrar. ‖ **2.** *Sor.* Vendedor de teas.

tedéum. (De *Te Deum,* primeras palabras de este cántico.) m.

Cántico que usa la Iglesia para dar gracias a Dios por algún beneficio.

tediar. (Del lat. *taediāre*.) tr. desus. Producir tedio.

tedio. (Del lat. *taedium*) m. desus. Gran pesar. ‖ **2.** Fuerte rechazo o desagrado que se siente por algo. ‖ **3.** Aburrimiento extremo o estado de ánimo del que soporta algo o a alguien que no le interesa.

tedioso, sa. (Del lat. *taediōsus.*) adj. Que produce tedio.

tefe. m. *Col.* y *Ecuad.* Tira o jirón de piel o de tela.

teflón. (De una marca registrada.) m. Material aislante muy resistente al calor y a la corrosión, usado para articulaciones y revestimientos y especialmente conocido por su aplicación en la fabricación de ollas y sartenes.

tegeo, a. (Del lat. *Tageaeus.*) adj. Natural de Tegea. Ú. t. c. s. ‖ **2.** Perteneciente a esta ciudad de Arcadia.

tegua. m. *Col.* Curandero. ‖ **2.** adj. Dícese del profesional o del artesano inhábiles. Ú. t. c. s.

tegual. (De etim. disc.) m. Impuesto que se pagaba por cada carga de pescado en el antiguo reino de Granada.

tegue. m. *Venez.* Planta tuberosa, de jugo lechoso.

teguillo. (Del lat. *tigillum.*) m. Pieza de madera de sierra, especie de listón, que sirve para la construcción de cielos rasos.

tegumentario, ria. adj. *Bot.* y *Zool.* Perteneciente o relativo al tegumento.

tegumento. (Del lat. *tegumentum.*) m. *Bot.* Tejido que cubre algunas partes de las plantas, especialmente los óvulos y las semillas. ‖ **2.** *Zool.* Membrana que cubre el cuerpo del animal o alguno de sus órganos internos.

tehuano, na. adj. Natural del distrito de Tehuantepec, del Estado mejicano de Oaxaca. Ú. t. c. s. ‖ **2.** Perteneciente o relativo a dicho distrito.

tehuelche. adj. Dícese del individuo perteneciente a una de las parcialidades indígenas que habitaron principalmente en la Patagonia, entre los ríos Negro y Colorado. Ú. t. c. s. ‖ **2.** Perteneciente o relativo a estos indios. ‖ **3.** m. Lengua que hablaban los **tehuelches.**

teína. f. *Quim.* Principio activo del té, análogo a la cafeína contenida en el café.

teinada. (Del lat. *tignáta*, de *tignum*, madero.) f. p. us. **tinada,** cobertizo de ganado.

teísmo. (Del gr. Θεός, Dios.) m. Creencia en un Dios personal y providente, creador y conservador del mundo.

teísta. adj. Que profesa el teísmo. Apl. a pers., ú. t. c. s.

teitral. m. ant. Testera o adorno de la cabeza del caballo.

teja[1]. (Del lat. *tegūla*.) f. Pieza de barro cocido hecha en forma acanalada, para cubrir por fuera los techos y recibir y dejar escurrir el agua lluvia. Hoy se hace también de forma plana. ‖ **2.** Pasta de harina, azúcar y otros ingredientes, cocida al horno, y de forma semejante a la de una **teja.** A veces se rellena con algún dulce. ‖ **3.** Cada una de las partes iguales de una barra de acero, que preparadas convenientemente, envuelven el alma de la espada. ‖ **4.** Parte alícuota de la fila de agua, que en Aragón, Logroño y Navarra es la cuarta, y en Valencia la vigésima. ‖ **5. sombrero de canal.** ‖ **6.** V. **peineta de teja.** ‖ **7.** *Impr.* Plancha curvada de plomo, grabada en negativo y relieve por su parte convexa, que por la cóncava se adapta a un cilindro de las máquinas rotativas. ‖ **8.** *Mar.* Concavidad semicircular que se hace en un palo para ajustar o empalmar otro cilíndrico. ‖ **9.** *Mil.* Segmento metálico destinado a sostener los proyectiles, las cargas de proyección o los disparos completos, antes de que sean introducidos en el ánima del cañón. ‖ **árabe.** La que tiene forma de una canal cónica. ‖ **de canal.** La que se coloca con la concavidad hacia arriba. ‖ **de cubierta. cobija,** teja hacia abajo. ‖ **plana.** La que tiene forma de cuadrilátero en el cual hay marcadas dos o más canales cilíndricas. ‖ **a teja vana.** loc. adv. Sin otro techo que el tejado. ‖ **2.** fig. A la ligera, sin reparo. ‖ **a toca teja.** loc. adv. fam. En dinero contante, sin dilación en la paga, con dinero en mano. ‖ **de tejas abajo.** loc. adv. fig. y fam. Por un orden regular, no contando con las causas sobrenaturales. ‖ **2.** fig. y fam. En el mundo o la tierra. ‖ **de tejas arriba.** loc. adv. fig. y fam. Según orden sobrenatural, contando con la voluntad de Dios. ‖ **2.** fig. y fam. En el cielo. ‖ **tirar teja.** ant. *Ecuad.* **tirar prosa,** darse aires de excesiva importancia.

teja[2]. (Del lat. *tilia*.) f. tilo, árbol.

tejadillo. m. d. de **teja.** ‖ **2.** Parte que en los coches de viga cubría los estribos, para defender del agua al que iba sentado en ellos. ‖ **3.** Tapa o cubierta de la caja de un carruaje. ‖ **4.** Manera de coger los naipes, mediante la cual, con la misma mano que los tiene, puede el fullero sacar del monte disimuladamente los que necesita para ganar el juego. ‖ **5.** *Albañ.* Tejado de una sola vertiente adosado a un edificio.

tejado. m. Parte superior del edificio, cubierta comúnmente por tejas. ‖ **2.** *Min.* Afloramiento, generalmente ferruginoso, que forma la parte alta de las vetas o filones metalíferos.

tejamaní. m. *Ant.* **tejamanil.**

tejamanil. m. *Méj.* Tabla delgada y cortada en listones que se colocan como tejas en los techos de las casas.

tejano, na. adj. Perteneciente o relativo al Estado de Tejas, en los Estados Unidos de América. ‖ **2.** Natural de ese Estado. Ú. t. c. s. ‖ **3.** m. pl. **pantalón tejano.**

tejar[1]. m. Sitio donde se fabrican tejas[1], ladrillos y adobes.

tejar[2]. tr. Cubrir de tejas[1] las casas y demás edificios o fábricas.

tejaroz. (De *teja[1].*) m. Alero[1] del tejado. ‖ **2.** Tejadillo construido sobre una puerta o ventana.

tejavana. f. Edificio techado a teja[1] vana, cobertizo, tinglado. ‖ **a tejavana.** loc. adv. a teja[1] vana.

tejedera. f. p. us. **tejedora,** que tiene por oficio tejer. ‖ **2. escribano del agua.**

tejedor, ra. adj. Que teje. ‖ **2.** *Chile.* fig. y fam. Intrigante, enredador. Ú. t. c. s. ‖ **3.** m. y f. Persona que tiene por oficio tejer. ‖ **4.** V. **nudo de tejedor.** ‖ **5.** m. Insecto hemíptero de cuerpo prolongado, con los dos pies delanteros cortos y los cuatro posteriores muy largos y delgados. Corre con mucha agilidad por la superficie del agua y se alimenta de otros insectos que coge con los pies delanteros. ‖ **6.** f. Máquina de hacer punto.

tejedura. f. Acción y efecto de tejer. ‖ **2.** Disposición de los hilos de una tela.

tejeduría. f. Arte de tejer. ‖ **2.** Taller o lugar en que están los telares y trabajan los tejedores.

tejemaneje. (De *tejer* y *manejar*.) m. fam. Acción de desarrollar mucha actividad o movimiento al realizar algo. ‖ **2.** fam. Enredos poco claros para conseguir algo.

tejer. (Del lat. *texêre*.) tr. Formar en el telar la tela con la trama y la urdimbre. ‖ **2.** Entrelazar hilos, cordones, espartos, etc., para formar telas, trencillas, esteras u otras cosas semejantes. ‖ **3. hacer punto,** o con máquina tejedora. ‖ **4.** Formar ciertos animales articulados sus telas y capullos superponiendo unos hilos a otros. ‖ **5.** fig. Componer, ordenar y colocar con método y disposición una cosa. ‖ **6.** fig. Discurrir, idear un plan. ‖ **7.** fig. Cruzar y descruzar brazos y pies con un orden en la danza o cruzarse los bailarines. ‖ **8.** *Chile.* fig. Intrigar, enredar. ‖ **tejer y destejer.** fr. fig. Mudar de resolución en lo emprendido, haciendo y deshaciendo una misma cosa.

tejería. (De *tejero.*) f. **tejar[1].**

tejeringo. (De *te[2],* y *jeringar,* por alusión al instrumento, especie de *jeringa,* por donde se echa la masa en la sartén.) m. *And.* y *Bad.* **churro[1],** cohombro.

tejero, ra. m. y f. Persona que fabrica tejas[1] y ladrillos. ‖ **2.** f. **tejar**[1].

tejido, da. p. p. de **tejer.** ‖ **2.** adj. V. **pintura tejida.** ‖ **3.** m. Textura de una tela. *El color de esta tela es bueno, pero el* TEJIDO *es flojo.* ‖ **4.** Cualquier material hecho tejiendo. ‖ **5.** fig. Cosa formada al entrelazar varios elementos. ‖ **6.** *Bot.* y *Zool.* Cada uno de los diversos agregados de células de la misma naturaleza, diferenciadas de un modo determinado, ordenadas regularmente y que desempeñan en conjunto una determinada función. En la mayoría de los **tejidos** hay sustancias intercelulares. ‖ **adiposo.** *Anat.* El formado exclusivamente por células que contienen en su protoplasma una voluminosa gota de grasa o bien muchas gotitas de grasa dispersas en el mismo. ‖ **cartilaginoso.** *Anat.* El que constituye los cartílagos, que consta de células generalmente redondeadas u ovales y separadas unas de otras por una materia sólida, compacta y elástica, cruzada a veces por numerosas fibras. ‖ **celular.** *Anat.* Estructura formada por células y fibras. Dícese generalmente del **tejido** conjuntivo subcutáneo. ‖ **conjuntivo.** *Anat.* El formado por células de diversos aspectos, en su mayoría laminares y de figura estrellada, a veces anastomosadas entre sí, y por materia homogénea, semilíquida, recorrida por numerosos haceícillos de finísimas fibras colágenas. ‖ **epitelial.** *Anat.* epitelio. ‖ **fibroso.** *Anat.* Una de las variedades del conjuntivo, principal elemento de los ligamentos, tendones y aponeurosis. ‖ **laminoso.** *Anat.* **tejido conjuntivo.** ‖ **linfático.** *Anat.* El formado por un estroma, en parte celular y en parte fibroso, y numerosas células, la mayoría de las cuales son linfocitos. Constituye la porción principal de algunos órganos, como los ganglios linfáticos. ‖ **muscular.** *Anat.* El que está constituido por un conjunto de fibras musculares, que forma la mayor parte de los músculos. ‖ **nervioso.** *Anat.* El que forma los órganos del sistema nervioso, que está constituido por los cuerpos de las células nerviosas y sus prolongaciones y por células de la neuroglia. ‖ **óseo.** *Anat.* El que constituye los huesos, que consta de células provistas de numerosas, finas y largas prolongaciones y separadas unas de otras por una materia orgánica que está íntimamente mezclada con sales de calcio, a las que deben los huesos su gran dureza. ‖ **unitivo.** *Anat.* **tejido conjuntivo.**

tejillo. m. Especie de trencilla que usaban las mujeres como ceñidor.

tejimiento. m. ant. Tejido, cosa hecha tejiendo.

tejo[1]. m. Pedazo pequeño de teja[1] o cosa semejante que se utiliza en diversos juegos. ‖ **2.** Cualquier juego en que se emplea el **tejo**[1]. ‖ **3.** Plancha metálica gruesa y de figura circular. ‖ **4.** Pedazo de oro en pasta. ‖ **5.** cospel. ‖ **6.** vulg. duro, moneda de cinco pesetas. ‖ **7.** *Mar.* Plancha sobre la cual gira la lanceta del cabestrante. ‖ **8.** *Mec.* **tejuelo,** pieza donde se apoya el gorrón de un eje vertical. ‖ **a lo que da el tejo.** *Col.* fr. fig. y fam. con que se indica la máxima capacidad en el uso de alguna cosa. ‖ **tirar los tejos.** fr. fig. y fam. **poner los puntos.** ‖ **2.** fr. fig. y fam. Insinuarle a una persona el interés que se tiene puesto en ella, o manifestarle indirectamente lo que de ella se espera.

tejo[2]. (Del lat. *taxus*.) m. Árbol de la familia de las taxáceas, siempre verde, con tronco grueso y poco elevado, ramas casi horizontales y copa ancha, hojas lineales, planas, aguzadas, de color verde oscuro; flores poco visibles, y cuyo fruto consiste en una semilla elipsoidal, envuelta en un arilo de color escarlata.

tejocote. m. *Méj.* Planta rosácea que da un fruto parecido a la ciruela, de color amarillo.

tejoleta. f. Pedazo de teja[1] o de barro cocido. ‖ **2.** tarreña, castañuela.

tejón[1]. (Del lat. *taxo, -ōnis*.) m. Mamífero carnicero, de unos ocho decímetros de largo desde la punta del hocico hasta el nacimiento de la cola, que mide dos; con piel dura y pelo largo, espeso y de tres colores: blanco, negro y pajizo tostado. Habita en madrigueras profundas y se alimenta de animales pequeños y de frutos. Es común en España.

tejón[2]. m. aum. de **tejo**[1]. ‖ **2.** tejo[1], pedazo de oro en pasta.

tejonera. f. Madriguera donde se crían los tejones.

tejuela. f. d. de **teja**[1]. ‖ **2.** Tejoleta, pedazo de teja[1] o de barro cocido. ‖ **3.** Pieza de madera que forma cada uno de los dos fustes de la silla de montar.

tejuelo. m. d. de **tejo**[1]. ‖ **2.** Cuadrito de piel o papel que se pega al lomo de un libro para poner el rótulo. ‖ **3.** Por ext., el rótulo mismo. ‖ **4.** ant. Juego de la chita o del chito, en que se tira con un tejo[1]. ‖ **5.** *Mec.* Pieza donde se apoya el gorrón de un árbol. ‖ **6.** *Veter.* Hueso corto y muy resistente, de forma semilunar, que sirve de base al casco de las caballerías.

tela[1]. (Del lat. *tela*.) f. Obra hecha de muchos hilos, que, entrecruzados alternativa y regularmente en toda su longitud, forman como una hoja o lámina. Se usa especialmente hablando de la obra tejida en el telar. ‖ **2.** Obra semejante a esa, pero formada por series alineadas de puntos o lazaditas hechas con un mismo hilo, especialmente la **tela** de punto elástico tejida a máquina. ‖ **3.** Lo que se pone de una vez en el telar. ‖ **4.** Membrana, tejido de forma laminar de consistencia blanda. TELA *del cerebro, del corazón.* ‖ **5.** Sabogal empleado en el Ebro para pescar sabogas, sollos y otros peces. ‖ **6.** Nata que crían algunos líquidos. ‖ **7.** túnica, en algunas frutas, después de la cáscara o corteza que las cubre. ‖ **8.** Tejido que forman la araña común y otros animales de su clase. ‖ **9.** Nubecilla que se empieza a formar sobre la niña del ojo. ‖ **10.** V. papel tela. ‖ **11.** fig. Enredo, maraña o embuste. ‖ **12.** fig. Asunto o materia. *Ya tienen* TELA *para un buen rato.* ‖ **13.** fig. y fam. Dinero, caudal. ‖ **14.** Pint. lienzo, pintura. ‖ **15.** *Taurom.* Capote o muleta. ‖ **16.** adv. c. fam. Muy mucho. ‖ **de araña. telaraña.** ‖ **de cebolla. binza,** película exterior de este bulbo. ‖ **2.** fig. despect. **tela** de poca consistencia. ‖ **de punto.** La elástica formada por series alineadas de puntos o lazaditas de un mismo hilo. ‖ **metálica.** Tejido hecho con alambre. ‖ **pasada.** Aquella en cuyas flores o labores pasa la seda al envés de ella. ‖ **echar tela.** fr. Hacer o mandar hacer las labores necesarias hasta tejerla. ‖ **haber tela,** o **tela marinera.** fr. fig. y fam. que expresa abundancia o magnitud. ‖ **haber tela de que cortar.** fr. fig. y fam. Haber materia abundante para tratar a propósito de cierto asunto. ‖ **hay tela cortada,** o **larga tela.** expr. fig. y fam. con que se indica que el negocio o materia de que se trata ofrece dilaciones y dificultades. ‖ **2.** fig. y fam. Ú. t. para censurar la prolija locuacidad de una persona. ‖ **3.** fig. y fam. Tener preparado mucho trabajo para realizar o mucho trabajo empezado. ‖ **llegarle** a uno **a las telas del corazón.** fr. fig. Herir mucho la sensibilidad de alguien. ‖ **querer** uno a otro **más que a las telas de su corazón.** fr. fig. y fam. Quererle entrañablemente. ‖ **sin tela ni contienda de juicio.** loc. adv. *Der.* **sin estrépito ni figura de juicio.** ‖ **sobrar tela de que cortar.** fr. fig. y fam. **haber tela de que cortar.** ‖ **ver** uno una cosa **por tela de cedazo.** fr. fig. y fam. Verla o entenderla confusamente, o juzgarla no como es en sí, sino como si se presenta su pasión o preocupación.

tela[2]. (Del lat. *tela*, pl. de *telum*, dardo.) f. Valla que se solía construir en la liza para evitar que los dos caballos se topasen. ‖ **2.** p. us. Sitio cerrado dispuesto para lides públicas y otros espectáculos y fiestas. ‖ **3.** desus. Examen, disputa o controversia para dilucidar algo. *Llevar una cosa a* TELA *de averiguación;* TELA *de justicia.* ‖ **4.** *Mont.* Plaza o recinto formado con lienzos, para encerrar la caza y matarla con seguridad. ‖ **en tela de juicio.** loc. adv. En duda acerca de la certeza o el éxito de una cosa. Ú. principalmente con los verbos *estar*, *poner* y *quedar*. ‖ **2.** Sujeto a maduro examen. ‖ **mantener tela** o **la tela.** fr. p. us. Ser el principal sostenedor de una lid, justa o espectáculo. ‖ **2.** fig. Tomar la mano en la conversación satisfaciendo a lo que otros preguntan.

telamón. (Del lat. *telamōnes*, y este del gr. τελαμών.) m. *Arq.* Estatua humana que sostiene sobre su cabeza o sus hombros los arquitrabes, atlante.

telar. (De *tela.*) m. Máquina para tejer. ‖ **2.** Fábrica de tejidos. Ú. m. en pl. ‖ **3.** Parte superior del escenario, de donde bajan o a donde suben los telones, bambalinas y otros elementos móviles del decorado. ‖ **4.** Aparato en que los encuadernadores colocan los pliegos para coserlos. ‖ **5.** *Arq.* Parte del espesor del vano de una puerta o ventana, más próxima al paramento exterior de la pared y que está con él a la escuadra. ‖ **6.** En automovilismo, disco de chapa embutida que sujeta la llanta al cubo, en las ruedas desprovistas de radios.

telaraña. f. Tela que forma la araña segregando un hilo muy tenue. ‖ **2.** fig. Cosa sutil, de poca entidad, sustancia o subsistencia. ‖ **3.** fig. Nubosidad real o sensación de tenerla delante de los ojos, por defecto de la vista. ‖ **eso se cura con una telaraña.** expr. fig. y fam. con que se da a entender la facilidad del remedio o de la compostura de una cosa. ‖ **mirar** uno **las telarañas.** fr. fig. y fam. **mirar** uno **las musarañas.** ‖ **tener** uno **telarañas en los ojos.** fr. fig. y fam. No percibir bien la realidad; tener el ánimo ofuscado o mal prevenido para juzgar un asunto.

telarañoso, sa. adj. Cubierto de telarañas.

tele. f. fam. **televisión.**

tele-. (Del gr. τηλε-.) elem. compos. que significa «a distancia»: TELE*fono*, TELE*visión.*

telecabina. f. Teleférico de cable único para la tracción y la suspensión, dotado de cabina.

telecinematógrafo. m. **monitor**[1], aparato receptor.

teleclinómetro. m. Instrumento que se introduce en los pozos de sondeo para medir su inclinación.

teleclub. m. Lugar de reunión para ver programas de televisión.

telecomunicación. (De *tele-* y *comunicación.*) f. Sistema de comunicación telegráfica, telefónica o radiotelegráfica y demás análogos.

telecontrol. m. Mando de un aparato, máquina o sistema, ejercido a distancia.

telediario. (De *tele-* y *diario.*) m. Información de los acontecimientos más sobresalientes del día, transmitida por televisión.

teledifusión. f. Transmisión de imágenes de televisión mediante ondas electromagnéticas.

teledirigido, da. adj. Dícese del aparato o vehículo guiado o conducido por medio de un mando a distancia.

telefacsímil. m. **telefax.**

telefax. (De *telefacsímil.*) m. Sistema telefónico que permite reproducir a distancia escritos, gráficos o impresos. ‖ **2.** Documento recibido por telefax.

teleférico. (Del fr. *téléphérique.*) m. Sistema de transporte en que los vehículos van suspendidos de un cable de tracción. Se emplea principalmente para salvar grandes diferencias de altitud. ‖ **2. ferrocarril funicular.**

telefilme. m. **filme** de televisión.

telefio. (Del lat. *telephion*, y este del gr. τηλέφιον.) m. Planta herbácea de la familia de las crasuláceas, con tallos rollizos, tendidos y de cuatro a cinco decímetros de longitud; hojas opuestas, ovaladas, carnosas y desigualmente dentadas; flores en corimbo, blancas o purpúreas, y fruto seco de tres aristas y con muchas semillas negras y menudas. Vive en terrenos umbríos y sus hojas suelen usarse como cicatrizantes y para ablandar los callos.

telefonazo. m. Llamada telefónica.

telefonear. intr. Llamar a alguien por teléfono. ‖ **2.** tr. Transmitir mensajes por teléfono.

telefonema. m. Despacho telefónico.

telefonía. f. Arte de construir, instalar y manejar los teléfonos. ‖ **2.** Servicio público de comunicaciones telefónicas.

telefónicamente. adv. m. Por medio del teléfono.

telefónico, ca. adj. Perteneciente o relativo al teléfono o a la telefonía.

telefonillo. m. Dispositivo para comunicación oral dentro de un edificio.

telefonista. com. Persona que se ocupa en el servicio de los aparatos telefónicos.

teléfono. (De *tele-* y *-fono.*) m. Conjunto de aparatos e hilos conductores con los cuales se transmite a distancia la palabra y toda clase de sonidos por la acción de la electricidad. ‖ **2.** Cualquiera de los aparatos para hablar según ese sistema. ‖ **3.** Número que se asigna a cada uno de esos aparatos.

telefonómetro. m. Contador que controla las llamadas telefónicas y su duración.

telefoto. f. Abrev. de **telefotografía.**

telefotografía. (De *tele-* y *fotografía.*) f. Arte de tomar fotografías de objetos lejanos. ‖ **2.** Fotografía así tomada. ‖ **3.** Arte de tomar y transmitir fotografías a distancia mediante sistemas electromagnéticos. ‖ **4.** Fotografía transmitida a distancia mediante sistemas electromagnéticos.

telega. f. Carro de cuatro ruedas usado en Rusia para transportar mercancías.

telegrafía. (De *tele-* y *-grafía.*) f. Arte de construir, instalar y manejar los telégrafos. ‖ **2.** Servicio público de comunicaciones telegráficas.

telegrafiar. tr. Manejar el telégrafo. ‖ **2.** Dictar comunicaciones para su expedición telegráfica, o escribirlas y entregarlas, o hacerlas entregar con el propio objeto. ‖ **3.** Comunicar por telégrafo. Ú. t. c. prnl.

telegráficamente. adv. m. Por medio del telégrafo.

telegráfico, ca. adj. Perteneciente o relativo al telégrafo o a la telegrafía. ‖ **2.** V. **abecedario, giro telegráfico.** ‖ **3.** V. **línea telegráfica.** ‖ **4.** fig. Dícese del estilo sumamente conciso.

telegrafista. com. Persona que se ocupa en la instalación o en el servicio de los aparatos telegráficos.

telégrafo. (De *tele-* y *-grafo.*) m. Conjunto de aparatos que sirven para transmitir despachos con rapidez y a distancia. ‖ **2.** pl. Administración de la que depende este sistema de comunicación. ‖ **marino.** Aparato mediante combinaciones de banderas u otras señales, hechas con arreglo a una clave, que se usa para comunicarse en el mar. ‖ **óptico.** El que funciona por medio de señales que se ven desde lejos y se repiten de estación en estación. ‖ **sin hilos.** El eléctrico en que las señales se transmiten por medio de las ondas hertzianas, sin necesidad de conductores entre una estación y otra. ‖ **hacer telégrafos.** fr. p. us. fig. y fam. Hablar por señas, especialmente entre los enamorados.

telegrama. (De *tele-* y *-grama.*) m. Despacho telegráfico. ‖ **2.** Papel normalizado en que se recibe escrito el mensaje telegráfico. ‖ **urgente.** El que se transmite y entrega al destinatario con preferencia al **telegrama** ordinario.

teleguiado, da. adj. **teledirigido.**

teleimpresor. m. **teletipo.**

teleindicador. m. Instrumento utilizado para indicar a distancia cantidades eléctricas tales como potencias, tensiones, intensidades.

telekinesia. f. **telequinesia.**

telele. m. fam. Patatús, soponcio.

telemetría. (De *tele-* y *-metría.*) f. Medida de distancias mediante el telémetro. ‖ **2.** Sistema de medida de magnitudes físicas que permite transmitir esta a un observador lejano.

telemétrico, ca. adj. Perteneciente o relativo al telémetro.

telémetro. (De *tele-* y *-metro*.) m. *Fotogr.* y *Topogr.* Sistema óptico que permite apreciar desde el punto de mira la distancia a que se halla un objeto lejano.

telendo, da. adj. Vivo, airoso, gallardo.

telenovela. f. Novela filmada y grabada para ser retransmitida por capítulos a través de la televisión.

teleobjetivo. (De *tele-* y *objetivo*.) m. Objetivo fotográfico de mucha distancia focal, que permite fotografiar objetos muy lejanos.

teleología. (Del gr. τέλος, -εος, fin, y *-logía*.) f. *Fil.* Doctrina de las causas finales.

teleológico, ca. adj. *Fil.* Perteneciente a la teleología.

teleósteo. (Del gr. τέλειος, completo, y ὀστέον, hueso.) adj. *Zool.* Dícese del pez que tiene el esqueleto completamente osificado. Ú. t. c. s. ‖ **2.** m. pl. *Zool.* Orden de estos animales, que comprende la mayoría de los peces vivientes, tanto marinos como de agua dulce. En este grupo están incluidos los antiguos órdenes de los acantopterigios y malacopterigios.

telepate. m. *Hond.* Arácnido ácaro muy molesto.

telepatía. (De *tele-* y *-patía*.) f. Coincidencia de pensamientos o sensaciones entre personas generalmente distantes entre sí, sin el concurso de los sentidos, y que induce a pensar en la existencia de una comunicación de índole desconocida. ‖ **2.** Transmisión de contenidos psíquicos entre personas, sin intervención de agentes físicos conocidos.

telepático, ca. adj. Perteneciente a la telepatía.

telequinesia. (De *tele-* y del gr. κίνησις, movimiento.) f. En parapsicología, desplazamiento de objetos sin causa física observable, por lo general en presencia de un médium.

telera. (Del lat. **telaría*, de *telum*, espada.) f. Travesaño de hierro o de madera que sujeta el dental a la cama del arado o al timón mismo, y sirve para graduar la inclinación de la reja y la profundidad de la labor. ‖ **2.** Redil formado por palos y estacas. ‖ **3.** Cada uno de los dos maderos paralelos que, unidos por husillos y tuercas, forman las prensas de carpinteros, encuadernadores y otros artesanos. ‖ **4.** Travesaño de madera con que se enlaza cada lado del pértigo con las tijeras o largueros de la escalera del carro. ‖ **5.** Cada una de las secciones móviles del vallado con que se forma el redil. ‖ **6.** Montón en forma piramidal que las minas de la provincia de Huelva se hacía con los minerales de pirita de cobre para calcinarlos. ‖ **7.** Mecanismo auxiliar empleado en las hilaturas para transportar automáticamente, en una cinta sin fin, las fibras entre dos puntos de trabajo. ‖ **8.** *And.* Pan bazo grande y de forma ovalada que suelen comer los trabajadores. ‖ **9.** *Cuba.* Galleta delgada y cuadrilonga. ‖ **10.** *Art.* Cada una de las tablas que en las cureñas unen y afirman las gualderas. ‖ **11.** *Mar.* Palo con una fila de agujeros, que sirve para mantener separados los cabos de una araña.

telerín. (De *telero*.) m. *Vallad.* Adral del carro.

telero. (Del lat. **telaríus*, de *telum*, espada.) m. *Ar.* Palo o estaca de las barandas de los carros y galeras.

telerón. (De *telero*.) m. *Art.* Pieza fuerte de madera o acero con que se unen y aseguran entre sí las gualderas por la parte anterior del montaje.

telerruta. f. Servicio oficial que informa a los usuarios del estado de las carreteras.

telescópico, ca. adj. Relativo o perteneciente al telescopio. ‖ **2.** Que no se puede ver sino con el telescopio. *Planetas* TELESCÓPICOS. ‖ **3.** Hecho con auxilio del telescopio. *Observaciones* TELESCÓPICAS. ‖ **4.** Dícese de ciertos instrumentos construidos de forma semejante a la del telescopio de mano, es decir, formados por piezas longitu-dinalmente sucesivas que pueden recogerse encajando cada una en la anterior, con lo cual se reduce su largura para facilitar su transporte. ‖ **5.** Por ext., dícese de órganos o de otros objetos que presentan una estructura semejante.

telescopio. (De *tele-* y *-scopio*.) m. *Ópt.* Instrumento que permite ver agrandada una imagen de un objeto lejano. El objetivo puede ser o un sistema de refracción, en cuyo caso el **telescopio** recibe el nombre de anteojo, o un espejo cóncavo. ‖ **de mano. telescopio** portátil, cuyas piezas se encajan unas en otras con el fin de facilitar su transporte.

telesilla. (De *tele-* y *silla*.) m. Asiento suspendido de un cable de tracción, para el transporte de personas a la cumbre de una montaña o a un lugar elevado.

telespectador, ra. m. y f. Persona que ve la televisión.

telesquí. m. Aparato que permite a los esquiadores subir hasta las pistas sobre sus esquís mediante un sistema de arrastre.

teleta. (d. de *tela*.) f. Hoja de papel secante. ‖ **2.** Red de cerdas o tela metálica que se pone en las pilas de los molinos de papel para que salga el agua y no el material.

teleteatro. m. Teatro que se transmite por televisión.

teletexto. (Del ing. *teletext*.) m. Sistema de transmisión de textos escritos mediante onda hertziana como la señal de televisión, o por cable telefónico.

teletipo. (Del fr. *Télétipe*, marca registrada.) amb. Aparato telegráfico que permite transmitir directamente un texto, por medio de un teclado mecanográfico, así como su inscripción en la estación receptora en letras de imprenta. ‖ **2.** m. Mensaje transmitido por este sistema telegráfico.

teletón. m. desus. Tela de seda parecida al tafetán, con cordoncillo menudo.

televidencia. f. *Col.* Acto de ver imágenes por televisión. ‖ **2.** *Col.* Conjunto de televidentes.

televidente. com. **telespectador.**

televisado, da. p. p. de **televisar.** ‖ **2.** adj. Dícese de lo transmitido por televisión.

televisar. tr. Transmitir imágenes por televisión.

televisión. (De *tele-* y *visión*.) f. Transmisión de la imagen a distancia, valiéndose de las ondas hertzianas. ‖ **2.** **televisor.** ‖ **3.** Empresa dedicada a transmitir por medio de **televisión.**

televisivo, va. adj. Perteneciente o relativo a la televisión. ‖ **2.** Que tiene buenas condiciones para ser televisado.

televisor. (De *tele-* y *visor*.) m. Aparato receptor de televisión.

televisual. adj. Perteneciente o relativo a la televisión.

télex. (Del ing. *telex*, y este de *teleprinter exchange*.) m. Sistema telegráfico internacional por el que se comunican sus usuarios, que cuentan con un transmisor semejante a una máquina de escribir, y un receptor que imprime el mensaje recibido. ‖ **2.** Mensaje transmitido por este sistema.

telilla. f. d. de **tela.** ‖ **2.** Tejido de lana más delgado que el camelote. ‖ **3.** Tela o nata que crían algunos líquidos. ‖ **4.** Escoria de la copelación.

telina. (Del gr. τελίνη.) f. Molusco lamelibranquio marino, abundante en las costas españolas, del tamaño de una almeja y con concha de colores brillantes.

telón. (aum. de *tela*[1].) m. Lienzo grande que se pone en el escenario de un teatro de modo que pueda bajarse y subirse. ‖ **corto.** El que se coloca inmediatamente detrás de la embocadura, mientras se representan delante breves escenas episódicas y permite mudar, a su espalda, la decoración. ‖ **de acero.** fig. Frontera política e ideológica que separaba los países del bloque soviético de los occidentales. ‖ **de boca.** El que cierra la embocadura del escenario, y está echado antes de que empiece la función teatral y durante los entreactos o intermedios. ‖ **de foro.** El que cierra la escena formando el frente de la decoración. ‖ **griego.** En el teatro, doble cortina que se abre y se cierra lateralmente, mediante rieles situados en el peine. ‖ **metálico.** El que, hecho de metal, se destina en los teatros a aislar el escenario de la sala para evitar o limitar los siniestros. ‖ **bajar el telón.** fr. fig. Interrumpir o dejar de desarrollar alguna actividad.

telonero, ra. adj. Dícese del artista que, en un espectáculo musical o de variedades, actúa, como menos importante, antes de la atracción principal. Ú. t. c. s. ‖ **2.** Por ext., dícese del primero de los oradores que intervienen en un acto público. Ú. t. c. s. ‖ **3.** m. y f. Persona que hace telones o los maneja en un espectáculo.

telonio. (Del lat. *telonĭum*, y este del gr. τελώνιον.) m. desus. Oficina pública donde se pagaban los tributos.

telson. (Del gr. τέλσον, extremo.) m. *Zool.* Último segmento del cuerpo de los crustáceos, que suele ser laminar y está situado a continuación del pleon; junto con dos apéndices del último segmento del pleon, que también son laminares, funciona como aleta nadadora.

telúrico, ca. (Del lat. *Tellus, Tellūris,* la Tierra.) adj. Perteneciente o relativo a la Tierra como planeta. ‖ **2.** Perteneciente o relativo al telurismo.

telurio. (Del lat. *Tellus, Tellūris,* la Tierra.) m. *Quím.* Cuerpo simple clasificado como metaloide, análogo al selenio, quebradizo y fácilmente fusible. Es muy escaso. Núm. atómico 52. Símb.: *Te.*

telurismo. m. Influencia del suelo de una comarca sobre sus habitantes.

tellina. (Del gr. τελλίνη.) f. **telina.**

telliz. (Del lat. *trilix, -ĭcis,* tejido de tres hilos.) m. **caparazón,** cubierta de las caballerías.

telliza. f. Colcha, sobrecama.

tema. (Del lat. *thema,* y este del gr. θέμα.) m. Proposición o texto que se toma por asunto o materia de un discurso. ‖ **2.** Este mismo asunto o materia. ‖ **3.** *Gram.* Cualquiera de las formas que, en ciertas lenguas, presenta un radical para recibir los morfemas de flexión. Así *cab-, cup-* y *quep-* son los **temas** correspondientes al verbo *caber.* ‖ **4.** *Mús.* Pequeño trozo de una composición, con arreglo al cual se desarrolla el resto de ella. ‖ **5.** *Mús.* Principal elemento de una fuga. ‖ **6.** f. Actitud arbitraria y no razonada en que alguien se obstina contra algo o alguien. ‖ **7.** Idea fija que suelen tener los dementes. ‖ **celeste.** *Astrol.* **figura celeste.** ‖ **a tema.** loc. adv. A porfía, a competencia. ‖ **ese es el tema de mi sermón.** expr. fig. y fam. que suele emplear el que oye alguna cosa o advertencia sobre la cual él ha insistido antes. ‖ **tomar tema.** fr. Obstinarse en una cosa, u oponerse caprichosamente a una persona.

temario. m. Conjunto de temas que se proponen para su estudio a una conferencia, congreso, etc.

temascal. (Del nahua *tema,* baño, y *calli,* casa.) m. *Guat., Méj.* y *Nicar.* Pieza o habitación cerrada, en la que los indios toman baños de vapor.

temática. (De *temático.*) f. Conjunto de los temas parciales contenidos en un asunto general.

temático, ca. (Del gr. θεματικός.) adj. Perteneciente o relativo al tema. Ú. especialmente en gramática. ‖ **2.** Que se arregla, ejecuta o dispone según el tema o asunto de cualquier materia. ‖ **3.** desus. **temoso.** ‖ **4.** *Gram.* Dícese de cualquier elemento que, para la flexión, modifica la raíz de un vocablo. ‖ **5.** En filatelia, lo referente o relativo a una serie, a una emisión o a una colección de sellos, en los que se utiliza únicamente un tema o motivo, v. gr.: fauna, deportes, etc.

tembladal. (De *temblar.*) m. **tremedal.**

tembladera. (De *temblar.*) f. Acción y efecto de temblar. ‖ **2.** Vasija ancha de figura redonda, hecha de una capa

muy delgada de plata, oro o vidrio, con asas a los lados y un pequeño asiento. ‖ **3. tembleque,** joya. ‖ **4. torpedo,** pez. ‖ **5.** Planta anual de la familia de las gramíneas, con cañas cilíndricas de unos cuatro decímetros de altura, dos o tres hojas lampiñas y estrechas, y panoja terminal compuesta de ramitos capilares y flexuosos, de los cuales cuelgan unas espigas aovadas matizadas de verde y blanco. ‖ **6. tremedal.** ‖ **7.** *Argent.* Espasmos que sobrevienen al yeguarizo a consecuencia de un enfriamiento, cansancio excesivo o por haber comido alguna hierba dañina.

tembladeral. m. *Argent.* **tremedal.**

tembladerilla. f. *Chile.* Planta de la familia de las papilionáceas, que produce temblor en los animales que la comen. ‖ **2.** *Chile.* Planta herbácea de la familia de las umbelíferas, con tallos rastreros, hojas sencillas, lobuladas, y umbelas sencillas, involucradas.

tembladero, ra. (De *temblar.*) adj. Que retiembla. ‖ **2.** m. **tremedal.**

temblador, ra. adj. Que tiembla. Ú. t. c. s. ‖ **2.** m. y f. *Col.* y *Venez.* **torpedo,** pez selacio.

temblante. p. a. de **temblar.** Que tiembla. ‖ **2.** m. Especie de ajorca o manilla que usaban las mujeres.

temblar. (Del lat. *tremulāre.*) intr. Agitarse con sacudidas de poca amplitud, rápidas y frecuentes. ‖ **2.** fig. Tener mucho miedo, o recelar con demasiado temor de una persona o cosa. Ú. a veces como tr. *Lo* TEMBLÓ *el universo entero.* ‖ **3.** V. **temblar las carnes.** ‖ **temblando.** Con los verbos *estar, quedar, dejar* u otros semejantes, dícese de la cosa que está próxima a arruinarse, acabarse o concluirse. *Empinó la bota y la dejó* TEMBLANDO.

tembleque. adj. **tembloroso,** Ú. t. c. s. m. ‖ **2.** m. fam. Temblor del cuerpo. ‖ **3.** Joya que, montada sobre una hélice de alambre, tiembla con facilidad.

temblequear. (De *tembleque.*) intr. fam. Temblar con frecuencia o continuación. ‖ **2.** p. us. fam. Afectar temblor.

temblequera. f. fam. **temblor,** acción y efecto de temblar.

temblequeteo. m. fam. Temblor leve y continuo.

tembletear. intr. p. us. fam. **temblequear.**

tembliquear. intr. fam. **temblequear.**

temblón, na. adj. fam. Que tiembla mucho. ‖ **2.** V. **álamo temblón.** Ú. t. c. s. ‖ **hacer** uno **la temblona.** fr. fam. Fingirse tembloroso el pordiosero para mover a lástima.

temblor. (De *temblar.*) m. Acción y efecto de temblar. ‖ **2.** Terremoto de escasa intensidad. Ú. m. en América. ‖ **de tierra. terremoto.**

tembloroso, sa. (De *temblor.*) adj. Que tiembla.

tembloso, sa. (De *temblar.*) adj. p. us. **tembloroso.**

temedero, ra. adj. desus. **temible.**

temedor, ra. adj. p. us. Que teme. Ú. t. c. s.

temer. (Del lat. *timēre.*) tr. Tener a una persona o cosa por objeto de temor. ‖ **2.** Recelar un daño, en virtud de fundamento antecedente. TEMO *que vendrán mayores males.* ‖ **3.** Sospechar, creer. TEMO *que sea más antiguo de lo que parece.* Ú. t. c. prnl. ‖ **4.** intr. Sentir temor. TEMO *por mis hijos.* ‖ **no temer ni deber** uno. fr. fam. Obrar temerariamente, sin consultar con la prudencia ni mirar respetos.

temerariamente. adv. m. De modo temerario.

temerario, ria. (Del lat. *temerarius.*) adj. Excesivamente imprudente arrostrando peligros. ‖ **2.** Dícese de las acciones del que obra de este modo. ‖ **3.** Que se dice, hace o piensa sin fundamento, razón o motivo. *Juicio* TEMERARIO. ‖ **4.** *Der.* V. **imprudencia temeraria.**

temeridad. (Del lat. *temerĭtas, -ātis.*) f. Calidad de temerario. ‖ **2.** Acción temeraria. ‖ **3.** Juicio temerario.

temerón, na. (De *temer.*) adj. fam. **baladrón.** Ú. t. c. s. ‖ **2.** desus. Cobarde, pusilánime.

temerosamente. (De *temeroso.*) adv. m. Con temor.

temeroso, sa. adj. p. us. Que causa temor. ‖ 2. Medroso, irresoluto. ‖ 3. Que recela un daño.

temible. adj. Digno o capaz de ser temido.

temor. (Del lat. *timor, -ōris.*) m. Pasión del ánimo, que hace huir o rehusar las cosas que se consideran dañosas, arriesgadas o peligrosas. ‖ 2. Presunción o sospecha. ‖ 3. Recelo de un daño futuro. ‖ 4. *Germ.* Cárcel de presos. ‖ **de Dios.** Miedo reverencial y respetuoso que se debe tener a Dios. Es uno de los dones del Espíritu Santo.

temorizar. (De *temor.*) tr. ant. **atemorizar.**

temoso, sa. (De *tema.*) adj. Tenaz y porfiado en sostener un propósito, una idea.

tempanador. (De *tempanar.*) m. Instrumento que sirve para abrir las colmenas, quitando de ellas los témpanos o tapas; es de hierro, de tres o cuatro decímetros de largo, con una boca de escoplo roma en un extremo, y en el otro una especie de uña.

tempanar. tr. Echar témpanos a las colmenas, cubas, etc.

tempanil. m. *Ar.* Pernil delantero del cerdo.

tempanilla. adj. *Huesca.* Dícese de la pieza de madera de sierra de 10, 12 ó 15 palmos de longitud y con varia escuadría. Ú. m. c. s.

tempanillo. m. *Sal.* Madera que está junto a la médula del árbol.

témpano. (Del lat. *tympănum.* y este del gr. τύμπανον.) m. **timbal,** instrumento músico. ‖ 2. **atabal,** especie de tambor. ‖ 3. Piel extendida del pandero, tambor, etc. ‖ 4. Pedazo de cualquier cosa dura, extendida o plana; como un pedazo de hielo o de tierra unida. ‖ 5. *Ar.* y *Rioja.* Hoja de tocino, quitados los perniles. ‖ 6. Tapa de cuba o tonel. ‖ 7. Corcho redondo que sirve de tapa y cierre a una colmena. ‖ 8. *Arq.* Tímpano de un frontón.

tempate. m. *C. Rica* y *Hond.* **piñón¹,** arbusto euforbiáceo.

témpera. f. **pintura al temple.**

temperación. (Del lat. *temperatĭo, -ōnis.*) f. Acción y efecto de temperar o temperarse.

temperadamente. adv. m. **templadamente.**

temperado, da. p. p. de **temperar.** ‖ 2. adj. ant. **templado.** Ú. en América. ‖ 3. *Mús.* Se aplica a la escala musical ajustada a los doce sonidos.

temperamental. adj. Perteneciente o relativo al temperamento, constitución particular de cada individuo. ‖ 2. Dícese de la persona de genio vivo, y que cambia con mucha frecuencia de humor o de estado de ánimo.

temperamento. (Del lat. *temperamentum.*) m. **temperie.** ‖ 2. Arbitrio para terminar las contiendas o para obviar dificultades. ‖ 3. *Fisiol.* Constitución particular de cada individuo, que resulta del predominio fisiológico de un sistema orgánico. ‖ 4. Carácter, manera de ser o de reaccionar de las personas. ‖ 5. Manera de ser de las personas tenaces e impulsivas en sus reacciones. ‖ 6. Vocación, aptitud particular para un oficio o arte. ‖ 7. *Mús.* Ligera modificación que se hace en los sonidos rigurosamente exactos de ciertos instrumentos al templarlos, para que se puedan acomodar a la práctica del arte.

temperancia. (Del lat. *temperantĭa.*) f. Moderación, templanza.

temperante. (Del lat. *tempĕrans, -antis.*) p. a. de **temperar.** Que tempera. Ú. t. c. s. ‖ 2. adj. *Amér. Merid.* Que no bebe vino ni otros licores, abstemio.

temperar. (Del lat. *temperāre.*) tr. **atemperar.** Ú. t. c. prnl. ‖ 2. *Med.* Templar o calmar el exceso de acción o de excitación orgánicas por medio de calmantes y antiespasmódicos. ‖ 3. intr. *Col., C. Rica, Nicar., Pan., P. Rico* y *Venez.* Mudar temporalmente de clima una persona por razones de placer o de salud.

temperatísimo, ma. (Del lat. *temperatissĭmus.*) adj. sup. Muy templado, moderado.

temperatura. (Del lat. *temperatūra.*) f. Grado o nivel térmico de los cuerpos o del ambiente. ‖ 2. vulg. Estado de calor del cuerpo humano o de los animales. ‖ 3. V. **escala, grado de temperatura.** ‖ **absoluta.** *Fís.* La medida en grados kelvin, según la escala que parte del cero absoluto. ‖ **ambiente.** La de la atmósfera que rodea a un cuerpo; normalmente esta expresión se refiere a la **temperatura** ordinaria. ‖ **crítica.** La **temperatura** máxima a que pueden coexistir las fases líquida y gaseosa de un fluido. ‖ **tener temperatura.** fr. Tener fiebre.

temperie. (Del lat. *temperĭes.*) f. Estado de la atmósfera, según los diversos grados de calor o frío, sequedad o humedad.

tempero. (De *temperar.*) m. Sazón y buena disposición en que se halla la tierra para las sementeras y labores.

tempestad. (Del lat. *tempestas, -ātis.*) f. Perturbación atmosférica que se manifiesta por variaciones de la presión ambiente y por fuertes vientos, acompañada a menudo de truenos, lluvia, nieve, etc. ‖ 2. Perturbación de las aguas del mar, causada por el ímpetu y violencia de los vientos. ‖ 3. V. **ojo de la tempestad.** ‖ 4. ant. Tiempo determinado o temporada. ‖ 5. fig. Conjunto de palabras ásperas o injuriosas. ‖ 6. fig. Agitación de los ánimos. ‖ **levantar tempestades.** fr. fig. Producir disturbios, desórdenes, movimientos de indignación, etc.

tempestar. intr. ant. Descargar la tempestad.

tempestear. intr. p. us. Descargar la tempestad. ‖ 2. p. us. fig. y fam. Echar pestes, manifestar enojo grande.

tempestivamente. adv. m. De modo tempestivo.

tempestividad. (Del lat. *tempestivĭtas, -ātis.*) f. Calidad de tempestivo.

tempestivo, va. (Del lat. *tempestīvus.*) adj. p. us. **oportuno.**

tempestoso, sa. adj. ant. **tempestuoso.**

tempestuosamente. adv. m. Con tempestad.

tempestuoso, sa. adj. ant. Que causa o constituye una tempestad. ‖ 2. Expuesto o propenso a tempestades.

tempisque. (De or. mejicano.) m. *C. Rica, Hond.* y *Nicar.* Árbol de la familia de las sapotáceas, de frutos ovoides, glutinosos, comestibles.

templa¹. (De *templar.*) f. Mezcla de agua caliente y malta triturada, que se utiliza en el proceso de fabricación de la cerveza. ‖ 2. *Pint.* Agua con cola fuerte o con yema de huevo batida, que se emplea para desleír los colores de la pintura al temple y darles fijeza.

templa². (Del lat. *tempŏra.*) f. **sien.** Ú. m. en pl.

templa³. f. *Can., Cuba* y *P. Rico.* Porción de meladura contenida en un tacho.

templación. (Del lat. *temperatĭo, -ōnis.*) f. ant. Moderación, templanza. ‖ 2. ant. **Temple,** disposición del ánimo.

templadamente. adv. m. Con templanza.

templadera. (De *templar.*) f. *Nav.* Compuerta que se pone en las acequias para dejar pasar solo la cantidad de agua que se quiere.

templadero. m. **carquesa.**

templado, da. p. p. de **templar.** ‖ 2. adj. Resistente y sin transparencia ni brillo, dicho de algunos materiales como el cristal. Ú. t. en sent. fig. aplicado a los nervios. ‖ 3. Moderado, contenido y parco en la comida o bebida o en algún otro apetito o pasión. ‖ 4. Que se está ni frío ni caliente, sino en un término medio. ‖ 5. Tratándose del estilo oratorio o literario, **medio.** ‖ 6. fam. Valiente con serenidad. ‖ 7. fam. Listo, competente. ‖ 8. *Geogr.* V. **zona templada.** ‖ **estar bien,** o **mal, templado.** fr. fig. y fam. Estar de buen o mal humor.

templador, ra. (Del lat. *temperātor, -ōris.*) adj. Que templa.

Ú. t. c. s. ‖ **2.** m. Llave o martillo con que se templan algunos instrumentos de cuerda, como el arpa, piano, salterio, etc., o con que se regula la tensión de alambres, cables, etc. ‖ **3.** *Col.* El que maneja los fondos en los trapiches y hace la panela.

templadura. (Del lat. *temperatūra.*) f. Acción y efecto de templar o templarse.

templamiento. (De *templar.*) m. desus. Moderación, templanza.

templanza. (Del lat. *temperantĭa.*) f. *Rel.* Una de las cuatro virtudes cardinales, que consiste en moderar los apetitos y el uso excesivo de los sentidos, sujetándolos a la razón. ‖ **2.** Moderación, sobriedad y continencia. ‖ **3.** Benignidad del aire o clima de un país. ‖ **4.** ant. **temple**[1], punto de dureza o elasticidad que se da a un cuerpo, temple[1]. ‖ **5.** *Pint.* Armonía y buena disposición de los colores.

templar. (Del lat. *temperāre.*) tr. Moderar, entibiar o suavizar la fuerza de una cosa. Ú. t. en sent. fig. tratándose del genio o enojo de una persona. ‖ **2.** Quitar el frío de una cosa, calentarla ligeramente; se usa especialmente hablando de los líquidos. ‖ **3.** Enfriar bruscamente en agua, aceite, etc., un material calentado por encima de determinada temperatura, con el fin de mejorar ciertas propiedades suyas. ‖ **4.** Poner en tensión o presión moderada una cosa; como una cuerda, una fuerza, el freno de un carruaje, etc. ‖ **5.** fig. Mezclar una cosa con otra para suavizar o corregir su actividad. ‖ **6.** *Cetr.* Preparar el halcón para la caza, poniéndolo a dieta veinticuatro horas, sin agua y con algunos excitantes por todo cebo. ‖ **7.** *Mar.* Adaptar las velas a la fuerza del viento. ‖ **8.** *Mar.* Dar igual grado de tensión a varios cables o hacer que empiece a trabajar uno de ellos. ‖ **9.** *Mús.* Disponer un instrumento de manera que pueda producir con exactitud los sonidos que le son propios. ‖ **10.** *Pint.* Proporcionar la pintura y disponerla de modo que no desdigan los colores. ‖ **11.** *Taurom.* Ajustar el movimiento de la capa o la muleta a la embestida del toro, para moderarla o alegrarla. ‖ **12.** intr. Perder el frío una cosa, empezar a calentarse; se usa especialmente hablando de la temperatura. *El tiempo* HA TEMPLADO *mucho.* ‖ **13.** prnl. fig. Contenerse, moderarse y evitar el exceso en una materia; como en la comida, etc. ‖ **14.** Emborracharse un poco. ‖ **15.** *Amér. Merid.* Enamorarse.

templario. (De *templo,* a causa de haber tenido la orden su primer asiento junto al templo de Salomón.) m. Individuo de una orden de caballería que tuvo principio por los años de 1118 y cuyo instituto era proteger a los peregrinos que iban a visitar los Santos Lugares de Jerusalén. ‖ **2.** adj. Perteneciente o relativo a la orden del Temple[2].

temple[1]. (De *templar.*) m. **temperie.** ‖ **2. temperatura,** grado mayor o menor de calor. ‖ **3.** Punto de dureza o elasticidad que se da a un metal, al cristal, etc., templados. ‖ **4.** Acción y efecto de templar el metal, el cristal u otras materias. ‖ **5.** fig. Disposición apacible o alterada del cuerpo o del humor de una persona. ‖ **6.** fig. Fortaleza enérgica y valentía serena para afrontar las dificultades y los riesgos. ‖ **7.** fig. Medio término o partido que se toma entre dos cosas diferentes. ‖ **8.** *Mar.* Igualdad en la tensión de varios cables, o con el grado de tensión de uno de ellos. ‖ **9.** *Mús.* Acción y efecto de templar instrumentos. ‖ **10.** *Pint.* Procedimiento pictórico en que los colores se diluyen en líquidos glutinosos o calientes. ‖ **11.** *Pint.* Colores preparados de este modo. ‖ **12.** *Taurom.* Acción y efecto de templar. ‖ **al temple.** loc. adv. *Pint.* V. **pintura al temple.**

Temple[2]. (Del fr. *temple,* templo.) n. p. m. Religión u orden de los templarios; hoy se llaman así algunas iglesias que fueron suyas.

templén. m. Pieza del telar, que sirve para regular el ancho de la tela que se va tejiendo.

templete. m. d. de **templo.** ‖ **2.** Armazón pequeña, en figura de templo, que sirve para cobijar una imagen, o forma parte de un mueble o alhaja. ‖ **3.** Pabellón o quiosco, cubierto por una cúpula sostenida por columnas.

templista. com. *Pint.* Persona que pinta al temple.

templo. (Del lat. *templum.*) m. Edificio o lugar destinado pública y exclusivamente a un culto. ‖ **2.** fig. Lugar real o imaginario en que se rinde o se supone rendirse culto al saber, la justicia, etc. ‖ **próstilo.** *Arq.* El de segunda especie entre los antiguos, el cual, además de las dos columnas conjuntas, tenía otras dos enfrente de las pilastras angulares.

tempo. (Del it. *tempo.*) m. Ritmo, compás. Ú. especialmente en música y poesía. ‖ **2.** fig. Ritmo de una acción. Ú. especialmente hablando de la acción novelesca o teatral.

témpora. (Del lat. *tempŏra,* pl. de *tempus,* estación.) f. Tiempo de ayuno en el comienzo de cada una de las cuatro estaciones del año. Ú. m. en pl.

temporada. (Del lat. *tempus, -ŏris,* tiempo.) f. Espacio de varios días, meses o años que se consideran aparte formando un conjunto. TEMPORADA *de verano, de nieves; la mejor* TEMPORADA *de mi vida.* ‖ **2.** Tiempo durante el cual se realiza habitualmente alguna cosa. TEMPORADA *del balneario, de ferias.* ‖ **de temporada.** loc. adj. Que ha sido o se usa solo en cierta época. *Fruta* DE TEMPORADA; *un vestido* DE TEMPORADA.

temporal[1]. (Del lat. *temporālis.*) adj. Perteneciente al tiempo. ‖ **2.** Que dura por algún tiempo. ‖ **3.** Secular, profano. *Poder* TEMPORAL. ‖ **4.** Que pasa con el tiempo; que no es eterno. ‖ **5.** V. **hora temporal.** ‖ **6.** m. p. us. Buena o mala calidad o constitución del tiempo. ‖ **7. tempestad,** perturbación atmosférica. ‖ **8. tempestad,** perturbación de las aguas del mar. ‖ **9.** Tiempo de lluvia persistente. ‖ **10.** *And.* Trabajador rústico que solo trabaja por ciertos tiempos del año. ‖ **capear el temporal.** fr. fig. y fam. Evitar mañosamente compromisos, trabajos o situaciones difíciles.

temporal[2]. (Del lat. *temporālis,* de *tempŏra,* sienes.) adj. *Anat.* Perteneciente o relativo a las sienes. *Músculos* TEMPORALES. ‖ **2.** *Anat.* V. **hueso temporal.**

temporalidad. (Del lat. *temporalĭtas, -ātis.*) f. Calidad de temporal[1], perteneciente al tiempo, o relativo a lo secular y profano. ‖ **2.** Frutos y cualquier cosa profana de los eclesiásticos perciben de sus beneficios o prebendas. Ú. m. en pl. ‖ **3.** *Fil.* Tiempo vivido por la conciencia como un presente, que permite enlazar con el pasado y el futuro. ‖ **echar las temporalidades.** fr. **ocupar las temporalidades.** ‖ **2.** fig. y fam. Decir a uno expresiones ásperas y de mucho enojo. ‖ **ocupar las temporalidades.** fr. Privar a un eclesiástico de los bienes temporales que poseía.

temporalizar. tr. p. us. Convertir lo eterno o espiritual en temporal, o tratarlo como temporal.

temporalmente. adv. t. Por algún tiempo. ‖ **2.** adv. m. En el orden de lo temporal y terreno.

temporáneo, a. (Del lat. *temporanĕus.*) adj. p. us. **temporal**[1], que dura algún tiempo.

temporario, ria. (Del lat. *temporarĭus.*) adj. p. us. **temporal**[1], que dura algún tiempo.

temporejar. intr. p. us. *Mar.* Aguantarse a la capa en un temporal[1]. ‖ **2.** p. us. *Mar.* Mantenerse con poca marcha sin alejarse de un punto o lugar determinado.

temporera. f. *Córd.* Cante popular en las gañanías.

temporero, ra. (Del lat. *temporarĭus.*) adj. Dícese de la persona que ejerce un trabajo temporalmente. Ú. t. c. s.

temporil. m. *And.* Trabajador rústico que solo trabaja por ciertos tiempos del año.

temporizador. m. Sistema de control de tiempo que se utiliza para abrir o cerrar un circuito en uno o más momentos determinados, y que conectado a un dispositivo lo pone en acción; v. gr. para disparar una cámara fotográfica o activar una carga explosiva.

temporizar. (Del lat. *tempus, -ŏris,* tiempo.) intr. p. us. **contemporizar.** ‖ **2.** p. us. Ocuparse en alguna cosa por mero pasatiempo.

tempranal. adj. Aplícase a la tierra y plantío de fruto temprano. Ú. t. c. s. m.

tempranamente. adv. t. temprano, antes de tiempo.

tempranear. intr. Madrugar. Ú. m. en América. ‖ **2.** *Murc.* Madurar pronto los frutos.

tempranero, ra. adj. **temprano,** anticipado. ‖ **2. madrugador.** Ú. t. c. s.

tempranilla. (d. de *temprana.*) adj. V. **uva tempranilla.** Ú. t. c. s.

tempranito. adv. t. fam. Muy temprano.

temprano, na. (Del lat. **temporănus,* por *temporanĕus.*) adj. Adelantado, anticipado o que es antes del tiempo regular u ordinario. ‖ **2.** m. Sembrado o plantío de fruto **temprano.** *Ya es tiempo de recoger los* TEMPRANOS. ‖ **3.** adv. t. En las primeras horas del día o de la noche y, por ext., al principio de un período determinado de tiempo. *Levantarse* TEMPRANO; *almorzar* TEMPRANO. ‖ **4.** En tiempo anterior al oportuno, convenido o acostumbrado para algún fin, o muy pronto.

temu. (De or. arauc.) m. *Chile.* Árbol de la familia de las mirtáceas, con la madera muy dura; las semillas, semejantes al café y muy amargas.

temucano, na. adj. Natural de Temuco. Ú. t. c. s. ‖ **2.** Perteneciente o relativo a esta ciudad de la provincia chilena de Cautín.

temulento, ta. (Del lat. *temulentus.*) adj. p. us. Borracho, embriagado.

ten. (2.ª pers. de sing. del imper. de *tener.*) **ten con ten.** expr. fam. usada p. us. c. s. m. que expresa el tacto o la moderación en la manera de tratar o ajustar o de llevar algún asunto. *Miguel gasta cierto* TEN CON TEN *en sus cosas.*

tena. (Del lat. *tigna,* pl. n. de *tignum,* madero.) f. **tinada,** cobertizo del ganado. ‖ **2.** Conjunto de útiles de un determinado arte de pesca.

tenace. adj. poét. **tenaz.**

tenacear¹. (De *tenaz.*) tr. **atenacear.**

tenacear². (De *tenaz.*) intr. Insistir o porfiar con pertinacia y terquedad en una cosa.

tenacero, ra. m. y f. Persona que hace o vende tenazas. ‖ **2.** Persona que las maneja.

tenacidad. (Del lat. *tenacĭtas, -ātis.*) f. Calidad de tenaz.

tenacillas. f. pl. d. de **tenaza.** ‖ **2. despabiladeras.** ‖ **3.** Instrumento a propósito para tener cogido el cigarrillo al tiempo de fumarlo. ‖ **4.** Tenaza pequeña de muelle, que sirve para coger terrones de azúcar, dulces y otras cosas. ‖ **5.** Instrumento, a manera de tenaza pequeña, que sirve para rizar el pelo. ‖ **6.** Pinzas depilatorias.

tenáculo. (Del lat. *tenacŭlum,* de *tenēre,* tener.) m. *Cir.* Instrumento en forma de aguja, encorvado por uno de sus extremos, y fijo o articulado por el otro a un mango. Se emplea para coger y sostener las arterias que deben ligarse.

tenada. (Del lat. **tignāta,* de *tignum,* madero.) f. **tinada,** cobertizo. ‖ **2.** *Ast.* y León. **henil.**

tenallón. (Del fr. *tenaillon,* de *tenaille,* tenaza.) m. *Fort.* Especie de falsabraga.

tenamaste. (Del azteca *tenamaxtli.*) m. *Amér. Central* y *Méj.* Cada una de las tres piedras que forman el fogón y sobre las que se coloca la olla para cocinar.

tenante. (Del fr. *tenant,* que sostiene.) m. *Blas.* Cada una de las figuras de ángeles u hombres que sostienen el escudo.

tenaz. (Del lat. *tenax, -ācis.*) adj. Que se pega, ase o prende a una cosa, y es dificultoso de separar. ‖ **2.** Que opone

mucha resistencia a romperse o deformarse. ‖ **3.** fig. Firme, porfiado y pertinaz en un propósito.

tenaza. (Del lat. *tenāces,* pl. de *tenax.*) f. Instrumento de metal, compuesto de dos brazos trabados por un clavillo o eje que permite abrirlos y volverlos a cerrar; se usa para sujetar fuertemente una cosa, o arrancarla o cortarla. Ú. m. en pl. ‖ **2.** Instrumento de metal, compuesto de dos brazos trabados enlazados en uno de sus extremos por un muelle semicircular y que por el otro tienen forma propia para coger la leña o el carbón de las chimeneas u otras cosas. Ú. m. en pl. ‖ **3.** *Zool.* Pinza de las patas de algunos artrópodos. ‖ **4.** Extremo libre de la viga de los antiguos molinos de aceite. ‖ **5.** fig. Par de cartas con las cuales se hacen precisamente dos bazas en algunos juegos de naipes, esperando quien las tiene que venga el juego a la mano. ‖ **6.** *Cant.* Herramienta para clavar sillares, en la que el propio peso del sillar tiende a cerrar los brazos de aquella, apretándolos contra la piedra. ‖ **7.** *Fort.* Obra exterior con uno o dos ángulos retirados, sin flancos, situada delante de la cortina. ‖ **hacer uno la tenaza.** fr. Ganar por medio de la tenaza en algunos juegos de naipes. ‖ **hacer tenaza.** fr. fig. Asir mordiendo, atravesando o cruzando las presas. ‖ **no poderse coger ni con tenazas.** fr. Estar muy sucia una cosa o persona. ‖ **ser menester tenazas.** fr. fig. y fam. Ser muy difícil conseguir o sacar de una persona alguna cosa.

tenazada. f. p. us. Acción de agarrar con la tenaza. ‖ **2.** p. us. Ruido que produce la tenaza al manejarla. ‖ **3.** p. us. fig. Acción de morder fuertemente.

tenazazo. m. Golpe dado con una tenaza.

tenazón (a, o de). loc. adv. Al golpe, sin fijar la puntería. ‖ **2.** fig. Aplícase a lo que de pronto ocurre o se acierta. ‖ **parar de tenazón** el caballo. fr. *Equit.* Pararlo de golpe en la carrera, sin haberle avisado antes.

tenazuelas. f. pl. d. de **tenaza.** ‖ **2. pinzas,** tenacillas depilatorias.

tenca. (Del lat. *tinca.*) f. Pez teleósteo de agua dulce, fisóstomo, de unos tres decímetros de largo; cuerpo fusiforme, verdoso por encima y blanquecino por debajo; cabeza pequeña, barbillas cortas, aletas débiles y cola poco ahorquillada. Prefiere las aguas estancadas, y su carne es blanca y sabrosa, pero está llena de espinas y suele tener sabor de cieno. ‖ **2.** *Argent.* y *Chile.* Ave del orden de las paseriformes, especie de alondra.

tención. f. desus. Acción de tener.

tendajo. (despect. de *tienda.*) m. **tendejón,** tienda.

tendal. (De *tender.*) m. **toldo,** cubierta de tela para hacer sombra. ‖ **2.** Trozo largo y ancho de lienzo, que se pone debajo de los olivos para que caigan en él las aceitunas cuando se recogen. ‖ **3.** En algunas partes, **tendedero.** ‖ **4.** Conjunto de cosas tendidas para que se sequen. ‖ **5. secadero** de frutos. ‖ **6.** ant. Lugar cubierto en donde se equilaba el ganado. Ú. en Argentina. ‖ **7.** *Extr.* Cada uno de los dos maderos laterales del lecho de la carreta. ‖ **8.** *Argent., Chile* y *Urug.* Gran cantidad de cuerpos o cosas que por causa violenta han quedado tendidos. ‖ **9.** *Ecuad.* Armazón o barbacoa usada en las haciendas para asolear las almendras de cacao.

tendalada. f. *Amér.* **tendal,** conjunto de personas o cosas que por causa violenta han quedado tendidas desordenadamente en el suelo.

tendalera. f. fam. Descompostura y desorden de las cosas que se dejan tendidas por el suelo.

tendalero. (De *tender.*) m. **tendedero,** lugar.

tendedero. m. Sitio o lugar donde se tiende una cosa. ‖ **2.** Dispositivo de alambres, cuerdas, etc., donde se tiende la ropa.

tendedor, ra. m. y f. Persona que tiende. ‖ **2.** m. **tendedero.**

tendedura. f. Acción y efecto de tender o tenderse.
tendejón. m. Tienda pequeña. ‖ **2.** Barraca mal construida; cobertizo.
tendel. m. *Albañ.* Cuerda que se tiende horizontalmente entre dos renglones verticales, para sentar con igualdad las hiladas de ladrillo o piedra. ‖ **2.** *Albañ.* Capa de mortero o de yeso que se extiende sobre cada hilada de ladrillos al construir un muro, para sentar la siguiente.
tendencia. (De *tender,* propender.) f. Propensión o inclinación en los hombres y en las cosas hacia determinados fines. ‖ **2.** Fuerza por la cual un cuerpo se inclina hacia otro o hacia alguna cosa. ‖ **3.** Idea religiosa, económica, política, artística, etc., que se orienta en determinada dirección.
tendenciosidad. f. Calidad de tendencioso.
tendencioso, sa. adj. Que presenta o manifiesta una cosa parcialmente, obedeciendo a ciertas tendencias, ideas, etc.
tendente. (Del lat. *tendens, -entis.*) adj. Que tiende a algún fin.
tender. (Del lat. *tendĕre.*) tr. Desdoblar, extender o desplegar lo que está cogido, doblado, arrugado o amontonado. ‖ **2.** Echar a alguien o algo por el suelo de un golpe. ‖ **3.** Echar por el suelo una cosa, esparciéndola. ‖ **4.** Extender al aire, al sol o al fuego la ropa mojada, para que se seque. ‖ **5.** Suspender, colocar o construir una cosa apoyándola en dos o más puntos. TENDER *una cama, la vía,* TENDER *un puente.* ‖ **6.** Alargar una cosa aproximándola hacia alguien o algo. ‖ **7.** Propender, referirse a algún fin una cosa. ‖ **8.** Tener alguien o algo una cualidad o característica no bien definida, pero sí aproximada a otra de la misma naturaleza. ‖ **9.** *Albañ.* Poner el tendido en paredes y techos. ‖ **10.** *Mat.* Aproximarse progresivamente una variable o función a un valor determinado, sin llegar nunca a alcanzarlo. ‖ **11.** prnl. Echarse, tumbarse a la larga. ‖ **12.** Encamarse las mieses y otras plantas. ‖ **13.** Presentar el jugador todas sus cartas, en la persuasión de ganar o de perder seguramente. ‖ **14.** Extenderse en la carrera el caballo, aproximando el vientre al suelo. ‖ **15.** fig. y fam. Descuidarse, desamparar o abandonar la solicitud de un asunto por negligencia.
ténder. (Del ing. *tender,* de *to tend,* estar de servicio.) m. Carruaje que se engancha a la locomotora y lleva el combustible y agua necesarios para alimentarla durante el viaje.
tenderete. (De *tender.*) m. Juego de naipes en que, repartiendo tres o más cartas a los que juegan, y poniendo en la mesa algunas otras descubiertas, procura cada uno por su orden emparejar en puntos o figuras sus cartas con las de la mesa; y acabada la mano, gana el que más cartas ha recogido. ‖ **2.** Puesto de venta al por menor, instalado al aire libre. ‖ **3.** fam. Conjunto de cosas que se dejan tendidas en desorden. ‖ **robador.** Aquel en que, además de la carta descubierta, se puede robar la baza del contrario que empareja con ella.
tendero, ra. m. y f. Dueño o dependiente de una tienda, especialmente de comestibles. ‖ **2.** Persona que hace tiendas de campaña o cuida de ellas.
tendidamente. (De *tender,* alargar.) adv. m. Extensa o difusamente.
tendido, da. p. p. de **tender.** ‖ **2.** adj. Aplícase al galope del caballo cuando este se tiende, o a la carrera violenta del hombre o de cualquier animal. ‖ **3.** *Taurom.* Dícese de la estocada que penetra más horizontalmente de lo adecuado en el cuerpo de la res. ‖ **4.** m. Acción y efecto de tender. ‖ **5.** Conjunto de cables, etc., que constituyen una conducción eléctrica. ‖ **6.** Gradería descubierta y próxima a la barrera en las plazas de toros. ‖ **7.** Porción de encaje que se hace sin levantarla del patrón. ‖ **8.** Conjunto de

ropa que cada lavandera tiende. ‖ **9.** Masa en panes, puesta en el tablero para que se venga y meterla en el horno. ‖ **10.** *Rioja.* Cielo despejado, raso. ‖ **11.** *Albañ.* Parte del tejado desde el caballete al alero. ‖ **12.** *Albañ.* Capa delgada de cal, yeso o mortero que se tiende en paredes o techos.
tendiente. adj. **tendente.**
tendinoso, sa. adj. *Anat.* Que tiene tendones o se compone de ellos. ‖ **2.** *Anat.* Perteneciente o relativo a los tendones.
tendón. (De *tender.*) m. *Anat.* Cualquiera de los órganos formados por tejido fibroso, en los que las fibras están dispuestas en haces paralelos entre sí. Son de color blanco y brillante, muy resistentes a la tracción y tienen la forma de cordones, a veces cilíndricos y con más frecuencia aplastados, que por lo común unen los músculos a los huesos. ‖ **2.** En el caballo y otros animales, parte de los **tendones** flexores del pie, que pasa por detrás de la caña, desde el pliegue de la rodilla, hasta el origen posterior del menudillo. ‖ **de Aquiles.** *Anat.* El grueso y fuerte, que en la parte posterior e inferior de la pierna une el talón con la pantorrilla. ‖ **2.** fig. **talón de Aquiles.**
tenebrario. (Del lat. *tenebrarĭus,* de *tenĕbrae,* tinieblas.) m. Candelabro triangular, con pie muy alto y con quince velas, que se enciende en los oficios de tinieblas de Semana Santa. ‖ **2.** *Astron.* **Híades.**
tenebregoso, sa. (Del lat. *tenebricōsus.*) adj. ant. Cubierto de tinieblas, tenebroso.
tenebregura. (Del lat. *tenebrīcus,* tenebroso.) f. ant. Calidad de tenebregoso.
tenebrismo. (Del lat. *tenĕbrae,* tinieblas.) m. Tendencia pictórica que opone con fuerte contraste, luz y sombra, haciendo que las partes iluminadas destaquen violentamente sobre las que no lo están.
tenebrista. adj. Perteneciente o relativo al tenebrismo. ‖ **2.** Dícese del pintor que practica el tenebrismo. Ú. t. c. s.
tenebrosamente. adv. m. Con tenebrosidad.
tenebrosidad. (Del lat. *tenebrosĭtas, -ātis.*) f. Calidad de tenebroso.
tenebroso, sa. (Del lat. *tenebrōsus.*) adj. Oscuro, cubierto de tinieblas. ‖ **2.** fig. Sombrío, tétrico, negro. ‖ **3.** Hecho ocultamente y con intenciones perversas.
tenebrura. (Del lat. *tenĕbrae,* tinieblas.) f. ant. Calidad de tenebroso.
tenedero. (De *tener,* asir.) m. *Mar.* Paraje del mar, donde puede prender y afirmarse el ancla.
tenedor, ra. m. y f. Persona que tiene o posee un algo, especialmente la que posee legítimamente alguna letra de cambio u otro valor endosable. ‖ **2.** m. Instrumento de mesa en forma de horca, con dos o más púas y que sirve para comer alimentos sólidos. ‖ **3.** Signo en figura de este utensilio que, en España, sirve para indicar la categoría de los restaurantes o comedores según el número de **tenedores** representados. *Restaurante de tres* TENEDORES. ‖ **4.** Sirviente que detiene en el juego de pelota la que va rodando por el suelo. ‖ **de bastimentos.** Persona encargada de los víveres para su pronta distribución. ‖ **de caminos.** ant. **salteador.** ‖ **de libros.** Persona encargada de llevar los libros de contabilidad. ‖ **comer de tenedor.** fr. Tomar comida sólida.
tenedorcillo. m. d. de **tenedor.** ‖ **2.** *Germ.* Liga de las medias o calcetines.
teneduría. f. Cargo y oficina del tenedor de libros. ‖ **de libros.** Arte de llevar los libros de contabilidad.
tenencia. f. Ocupación y posesión actual y corporal de una cosa. ‖ **2.** Cargo u oficio de teniente. ‖ **3.** Oficina en que lo ejerce. ‖ **4.** ant. Hacienda o haberes.
tener. (Del lat. *tenēre.*) tr. Asir o mantener asida una cosa.

2. Poseer y disfrutar. ‖ **3.** Mantener, sostener. Ú. t. c. prnl. ‖ **4.** Contener o comprender en sí. ‖ **5.** Poseer, dominar o sujetar. ‖ **6.** p. us. Detener, parar. Ú. t. c. prnl. ‖ **7.** Guardar, cumplir. TENER *la palabra, la promesa.* ‖ **8.** Hospedar o recibir en su casa. ‖ **9.** Poseer, estar adornado o abundante de una cosa. TENER *espíritu;* TENER *habilidad.* ‖ **10.** Estar en precisión de hacer una cosa u ocuparse en ella. TENER *consejo;* TENER *junta.* ‖ **11.** Juzgar, reputar, considerar. Suélese juntar con la preposición *por* seguida de adjetivo o sustantivo que contenga calificación. TENER *a uno* POR *rico.* Ú. t. c. prnl. TENERSE POR *sabio.* Asimismo se usa con la preposición *a* seguida de sustantivo. TENER A *gala,* A *honra,* A *consejo;* TENER *a* ‖ **12.** Construido con la preposición *en* y los adjetivos *poco, mucho* y otros semejantes, estimar, apreciar. Ú. t. c. prnl. ‖ **13.** Construido con algunos nombres de tiempo, emplear, pasar algún espacio de él en un lugar o sitio, o de cierta manera. TENER *las carnestolendas en Barcelona;* TENER *un día aburrido.* ‖ **14.** Construido con algunos nombres, hacer o padecer lo que el nombre significa. TENER *cuidado, vergüenza, miedo, hambre, calor, nervios,* etc. ‖ **15.** Profesar o sentir cierta actitud afectiva hacia alguien o algo. ‖ **16.** Con los nombres que significan tiempo, expresa la duración o edad de las cosas o personas de que se habla. TENER *años;* TENER *días.* ‖ **17.** Como verbo auxiliar, haber. ‖ **18.** Construido con la conjunción *que* y el infinitivo de otro verbo, denota la necesidad, precisión o determinación de hacer lo que el verbo significa. TENDRÉ QUE *salir.* Ú. t. con la prep. *de* en la primera persona del presente de indicativo. ‖ **19.** ant. Guardar, cuidar, defender una cosa. ‖ **20.** intr. Ser rico y adinerado. ‖ **21.** prnl. Afirmarse o asegurarse uno para no caer. ‖ **22.** Hacer asiento un cuerpo sobre otro. ‖ **23.** Resistir o hacer oposición a uno en riña o pelea. ‖ **24.** Atenerse, adherirse, estar por uno o por una cosa. ‖ **esas tenemos.** expr. de sorpresa y enfado ante algo que ha dicho o hecho otra persona. ‖ **no tenerlas** uno **todas consigo.** fr. fig. y fam. Sentir recelo o temor. ‖ **no tener** uno **nada suyo.** fr. fig. Ser por extremo generoso o manirroto. ‖ **no tener** una persona o cosa **por donde cogerla.** fr. fig. y fam. Ser de muy mala calidad. ‖ **no tener** uno **por donde respirar.** fr. fig. y fam. No **tener** qué responder al cargo que se le hace. ‖ **2.** fig. y fam. No ver solución a una situación difícil o angustiosa. ‖ **no tener** uno **sobre qué, o donde, caerse muerto.** fr. fig. y fam. Hallarse en suma pobreza. ‖ **quien tuvo, retuvo.** fr. para indicar que siempre se conserva algo de lo que en otro tiempo se **tuvo:** belleza, gracia, gallardía, caudal. ‖ **tened y tengamos.** fr. fig. y fam. que se usa para persuadir a la mutua seguridad en lo que se trata. ‖ **tener** uno **algo, o mucho que perder.** fr. fig. y fam. **tener** uno **qué perder.** ‖ **tener** uno **a menos.** fr. Desdeñarse de hacer una cosa, o reputarla humillante o depresiva. ‖ **tener** uno **andado.** fr. Haber dado algunos pasos o haber adelantado algo en un asunto. ‖ **tener** uno **en buenas.** fr. fig. y fam. Reservar en el juego las cartas buenas para lograr la mano. ‖ **2.** fig. y fam. Prevenir cualquier riesgo. ‖ **tener** uno **en contra.** fr. Hallar en una materia impedimento, contradicción o dificultad. ‖ **tener en menos** a uno. fr. Menospreciarlo. ‖ **tenerlas tiesas** uno. fr. fig. y fam. **tenérselas tiesas.** ‖ **tener lo suyo** una cosa. fr. fig. y fam. Estar llena de gracia o interés, aunque a primera vista no se perciba. ‖ **tener** uno **para sí** una cosa. fr. Persuadirse o formar opinión particular en una materia. ‖ **tener** uno **una plaza por** otro. fr. *Mil.* Gobernarla y defenderla por su encargo y bajo su mando. ‖ **tener** uno **por dicha** una cosa. fr. **tenerla** por sobrentendida a causa de ser evidente. ‖ **tener** uno **presente.** fr. Conservar en la memoria y tomar en consideración alguna cosa para usarla cuando convenga, o a algún sujeto para atenderle en ocasión oportuna. ‖ **tener** uno **qué perder.** fr. Ser persona de estimación y crédito, y que expone mucho

si se arriesga. ‖ **tener que ver** una persona o cosa **con** otra. fr. Haber entre ellas alguna conexión, relación o semejanza que permita compararlas. Ú. por lo común con negación. ‖ **tener que ver** un hombre **con** una mujer. fr. **tener** cópula carnal. ‖ **tenerse fuerte** uno. fr. Resistir y contradecir fuertemente una cosa, oponiéndose a ella con valor y perseverancia. ‖ **tenérselas tiesas** uno, o **a,** o **con,** uno. fr. fig. y fam. Mantenerse firme contra otro en contienda, disputa o instancia. ‖ **tener** uno **sobre sí.** fr. Cargar con obligaciones o padecimientos. ‖ **tener, o tenerse,** uno **tieso.** fr. fig. y fam. Mantenerse constante en una resolución o dictamen.

tenería. (De *tan²*.) f. **curtiduría.**

tenesmo. (Del lat. *tenesmus,* y este del gr. τεινεσμός.) m. **pujo,** gana frecuente de evacuar o de orinar con dificultad y con dolores.

tengue. m. *Cuba.* Árbol leguminoso, parecido a la acacia.

tenguerengue. m. *Cuba.* Bohío de mal aspecto. ‖ **en tenguerengue.** loc. adv. fam. Sin estabilidad, en equilibrio inestable.

tenia. (Del lat. *taenia,* y este del gr. ταινία, cinta, listón.) f. Gusano platelminto del orden de los cestodos, de forma de cinta y de color blanco. Consta de innumerables anillos, cuya anchura aumenta gradualmente a partir del situado inmediatamente detrás del escólex, y puede alcanzar varios metros de longitud. En el estado adulto vive parásito en el intestino de otro animal, al cual se fija mediante ventosas, o ganchos y ventosas en algunas especies, que tienen en el escólex en su parte anterior. Su larva o cisticerco se halla enquistada por lo común en los músculos del cerdo o de la vaca, de donde pasa al hombre u otro mamífero cuando este ingiere la carne cruda de aquellos animales. ‖ **2.** *Arq.* Listel o filete.

tenida. (De *tener,* sobre el fr. *tenue.*) f. Sesión de una logia masónica. ‖ **2.** *Chile y Perú.* Traje.

tenienta. f. Mujer del teniente. ‖ **2.** Mujer con grado de teniente.

tenientazgo. m. Cargo de teniente.

teniente. p. a. de **tener.** Que tiene o posee una cosa. ‖ **2.** adj. Aplícase a la fruta no madura. ‖ **3.** Dícese de las legumbres mal cocidas, duras. ‖ **4.** fam. Algo sordo, o tardo en el sentido del oído. ‖ **5.** p. us. fig. Miserable y escaso. *Trifón es algo* TENIENTE. ‖ **6.** m. El que ejerce el cargo o ministerio de otro, y es sustituto suyo. TENIENTE *de alcalde,* TENIENTE *cura.* ‖ **7.** com. *Mil.* Oficial cuyo empleo es el inmediatamente inferior al de capitán. Ejerce normalmente el mando de sección. ‖ **coronel.** *Mil.* Jefe cuyo empleo es el inmediatamente inferior al de coronel. ‖ **de navío.** En la Marina de guerra, empleo equivalente a capitán del Ejército. ‖ **general.** *Mil.* Oficial general de categoría superior a la del general de división e inferior a la de capitán general. ‖ **primer teniente.** *Mil.* Anterior denominación del actual empleo de **teniente.** ‖ **segundo teniente.** *Mil.* Anterior denominación del actual empleo de **alférez.**

tenífugo, ga. (De *tenia* y el lat. *fugāre,* ahuyentar.) adj. *Farm.* Dícese del medicamento eficaz para la expulsión de la tenia. Ú. t. c. s. m.

tenique. (Del bérêber *inek,* hogar.) m. *Can.* Cada una de las tres piedras con que se hace un hogar rústico.

tenis. (Del ing. *lawn-tennis.*) m. Juego que consiste en lanzar con raqueta una pelota de una otra parte del campo, separadas por una red. Suele haber uno o dos jugadores en cada bando. ‖ **2.** Espacio convenientemente dispuesto para este juego. ‖ **3.** pl. Calzado de tipo deportivo. ‖ **de mesa. pimpón.**

tenista. com. Persona que juega al tenis.

teníu. m. *Chile.* Árbol de la familia de las saxifragáceas, cuya madera se usa en construcciones y cuya corteza es medicinal.

tenor[1]. (Del lat. *tenor, -ōris;* de *tenēre,* tener.) m. Constitución u orden firme y estable de una cosa. ‖ **2.** Contenido literal de un escrito u oración. ‖ **a, o al tenor de.** loc. adv. Al mismo tiempo que. ‖ **a este tenor.** loc. adv. Por el mismo estilo.

tenor[2]. (Del it. *tenore,* y este del lat. *tenor, -ōris.*) m. *Mús.* Voz media entre la de contralto y la de barítono. ‖ **2.** *Mús.* Persona que tiene esta voz. ‖ **3.** Por ext., instrumento cuyo ámbito corresponde a la tesitura de esta voz.

tenora. (De *tenor*[2].) f. Instrumento de viento, de lengüeta doble como el oboe, de mayor tamaño que este y con la campana o pabellón de metal. Forma parte de los instrumentos que componen la típica cobla de sardanas.

tenorino. (De or. it.) m. *Mús.* Tenor ligero, que canta con voz de falsete.

tenorio. (Por alusión al protagonista de *El burlador de Sevilla.*) m. Galanteador audaz y pendenciero.

tensar. tr. Poner tensa alguna cosa.

tensino, na. adj. Natural del valle de Tena. Ú. t. c. s. ‖ **2.** Perteneciente a esta región de la provincia de Huesca.

tensión[1]. (Del lat. *tensĭo, -ōnis.*) f. Estado de un cuerpo, estirado por la acción de fuerzas que lo atraen. ‖ **2.** Fuerza que impide separarse unas de otras a las partes de un mismo cuerpo cuando se halla en dicho estado. ‖ **3.** Intensidad de la fuerza con que los gases tienden a dilatarse. ‖ **4.** Voltaje con que se realiza una transmisión de energía eléctrica. Se distingue entre **alta** y **baja tensión** según sea por encima o por debajo de los mil voltios. ‖ **5. tensión vascular:** v. gr. TENSIÓN *arterial,* TENSIÓN *venosa.* ‖ **6.** Estado de oposición u hostilidad latente entre personas o grupos humanos como naciones, clases, razas, etc. ‖ **7.** Estado anímico de excitación, impaciencia, esfuerzo o exaltación producido por determinadas circunstancias o actividades. ‖ **8.** *Fís.* y *Med.* V. **caída de tensión.** ‖ **arterial.** Presión que ejerce la sangre sobre la pared de las arterias. Depende del volumen de la masa sanguínea, de la intensidad de la contracción cardiaca y de la resistencia que a la circulación oponen los vasos periféricos. ‖ **disruptiva.** *Fís.* Voltaje máximo capaz de producir descarga disruptiva. ‖ **muscular.** *Fon.* Grado de energía en la articulación de un sonido o grupo de sonidos. ‖ **superficial.** *Fís.* Acción de las fuerzas moleculares en virtud de la cual la capa exterior de los líquidos tiende a contener el volumen de estos dentro de la mínima superficie. ‖ **vascular.** La de la pared de los vasos sanguíneos, que resulta de la presión de la sangre circulante y del tono muscular y elástico de las paredes del vaso. ‖ **venosa.** Presión que ejerce la sangre sobre la pared de las venas.

tensión[2]. f. p. us. **tensón.**

tenso, sa. (Del lat. *tensus,* p. p. de *tendĕre,* tender.) adj. Dícese del cuerpo estirado por la acción de fuerzas que lo atraen. ‖ **2.** fig. En estado de tensión moral o espiritual.

tensón. (De *tensón.*) f. Composición poética de los provenzales, que consiste en una controversia entre dos o más poetas sobre un tema determinado, por lo común de amores.

tensor, ra. (Del lat. *tensor, -ōris.*) adj. Que tensa, origina tensión o está dispuesto para producirla. Ú. t. c. s. ‖ **2.** m. Mecanismo que se emplea para tensar algo. ‖ **3.** *Fís.* Todo sistema de magnitudes, coexistentes y de igual índole, tales que se puedan ordenar en filas y columnas como los elementos de una matriz, al cual son aplicables las reglas del cálculo matricial. ‖ **Mat.** Magnitud que se transforma linealmente al cambiar de sistema de coordenadas.

tensorial. adj. Perteneciente o relativo a los tensores.

tentabuey. m. *Ál.* **gatuña,** planta.

tentación. (Del lat. *temptatĭo, -ōnis.*) f. Instigación o estí-

mulo que induce o persuade a una cosa mala. ‖ **2.** Impulso repentino que excita a hacer una cosa, aunque no sea mala. ‖ **3.** fig. Sujeto, cosa o situación que induce o persuade. ‖ **caer** uno **en la tentación.** fr. fig. Dejarse vencer de ella; resolverse a ejecutar una cosa en que se teme algún mal, solo por el gusto de lograrla.

tentacular. adj. Referente al tentáculo.

tentáculo. (Del lat. *tentacŭlum,* de *tentāre,* tentar.) m. *Zool.* Cualquiera de los apéndices móviles y blandos que tienen muchos animales invertebrados y que pueden desempeñar diversas funciones, actuando principalmente como órganos táctiles o de prensión.

tentadero. (De *tentar.*) m. *Taurom.* Corral o sitio cerrado en que se hace la tienta.

tentado, da. p. p. de **tentar.** ‖ **2.** *Esgr.* V. **treta del tentado.**

tentador, ra. (Del lat. *temptātor, -ōris.*) adj. Que tienta. Ú. t. c. s. ‖ **2.** Que hace caer en la tentación. Ú. t. c. s. ‖ **3.** m. Por antonom., diablo, demonio infernal. ‖ **4.** *Taurom.* El encargado de picar las reses vacunas en la tienta.

tentadura. (De *tentar,* examinar.) f. Ensayo que se hace del mineral de plata tratándolo con el azogue. ‖ **2.** Muestra necesaria para dicho ensayo. ‖ **3.** Tiento, zurra, soba.

tentalear. tr. p. us. Tentar repetidas veces; reconocer a tientas una cosa. Ú. m. en Méjico.

tentar. (Del lat. *temptāre.*) tr. Ejercitar el sentido del tacto, palpando o tocando una cosa materialmente. Ú. t. c. prnl. ‖ **2.** Examinar y reconocer por medio del sentido del tacto lo que no se puede ver; como hace el ciego o el que se halla en un lugar oscuro. ‖ **3.** Instigar, inducir o estimular. ‖ **4.** Intentar o procurar. ‖ **5.** Examinar, probar o experimentar. ‖ **6.** Probar a uno; hacer examen de su constancia o fortaleza. ‖ **7.** *Cir.* Reconocer con la tienta la cavidad de una herida. ‖ **8.** *Taurom.* Practicar la tienta.

tentaruja. f. fam. Manoseo, sobajadura. ‖ **a la tentaruja.** loc. adv. A tientas, sin ver lo que se hace.

tentativa. (Del lat. *temptātus,* tentado.) f. Acción con que se intenta, experimenta, prueba o tantea una cosa. ‖ **2.** Examen previo que se hacía en algunas universidades para tantear la capacidad y suficiencia del graduando. ‖ **3.** *Der.* Principio de ejecución de un delito por actos externos que no llegan a ser los suficientes para que se realice el hecho, sin que haya mediado desistimiento voluntario del culpable.

tentativo, va. (Del lat. *temptātus,* tentado.) adj. Que sirve para tantear o probar una cosa.

tentemozo. (De *tente* y *mozo.*) m. Puntal o arrimo que se aplica a una cosa expuesta a caerse o que amenaza ruina. ‖ **2.** Palo que cuelga del pértigo del carro y, puesto de punta contra el suelo, impide que aquel caiga hacia adelante. ‖ **3. tentetieso,** muñeco. ‖ **4. quijera,** correa.

tentempié. (De *tente en pie.*) m. fam. **refrigerio,** piscolabis. ‖ **2. tentetieso,** muñeco.

tentenelaire. (De *tente en el aire.*) com. Hijo o hija de cuarterón y mulata o de mulato y cuarterona. ‖ **2.** desus. *Amér.* Descendiente de jíbaro y albarazada o de albarazado y jíbara. ‖ **3.** m. *Argent.* **colibrí.**

tentetieso. m. Muñeco de materia ligera, o hueco, que lleva un contrapeso en la base, y que, movido en cualquier dirección, vuelve siempre a quedar derecho.

tentón. m. fam. Acción de tentar brusca y rápidamente. ‖ **2.** adj. *Taurom.* Se dice del caballo que se utiliza en la tienta. Ú. t. c. s.

tenue. (Del lat. *tenŭis.*) adj. Delicado, delgado y débil. ‖ **2.** V. **letra tenue.** ‖ **3.** De poca sustancia, valor o importancia. ‖ **4.** Dicho del estilo, sencillo.

tenuidad. (De *tenue.*) f. Calidad de tenue. ‖ **2.** Cualquier cosa de poca entidad, valor o estimación.

tenuirrostro. (Del lat. *tenŭis, -e,* tenue, delgado, y *rostrum,* pico.) adj. *Zool.* Dícese del pájaro que tiene el pico alargado, tenue, generalmente recto y a veces arqueado, pero siempre sin dientes. ‖ **2.** m. pl. *Zool.* Suborden de estos animales, al que pertenecen la abubilla y los pájaros moscas.

tenuo, nua. adj. ant. **tenue.**

tenuta. (De *tener.*) f. *Der.* Posesión de los frutos, rentas y preeminencias de algún mayorazgo, que se gozaba hasta la decisión de la pertenencia de su propiedad, entre dos o más litigantes.

tenutario, ria. adj. *Der.* Perteneciente o relativo a la tenuta.

tenzón. (Del ant. fr. *tençon,* y este de *tencier, tancer,* disputar, del lat. **tentiāre.*) f. **tensón,** composición poética.

teña[1]. (Del lat. *tinĕa.*) f. *Ar.* **oruga,** larva.

teña[2]. (Del lat. *tigna,* pl. n. de *tignum,* madero.) f. *Rioja.* **tinada,** cobertizo.

teñible. adj. Que se puede teñir.

teñido, da. p. p. de **teñir.** ‖ **2.** m. Acción y efecto de teñir o teñirse.

teñidura. f. Acción y efecto de teñir o teñirse.

teñir. (Del lat. *tingĕre.*) tr. Dar cierto color a una cosa, encima del que tenía. Ú. t. c. prnl. ‖ **2.** fig. Dar a una cosa un carácter o apariencia que no es el suyo propio, o que la altera. ‖ **3.** *Pint.* Rebajar o apagar un color con otros más oscuros.

teobroma. (Del gr. θεός, dios, y βρῶμα, alimento.) m. Semilla del árbol del cacao.

teobromina. (De *teobroma.*) f. *Quím.* Principio activo del cacao.

teocali. (Del mejic. *teotl,* dios, y *calli,* casa.) m. Templo de los antiguos mejicanos.

teocinte. m. *C. Rica.* y *Guat.* Planta graminea, especie de maíz, que se aprovecha para forraje.

teocracia. (Del gr. θεοκρατία; de Θεός, Dios, y κράτος, dominio.) f. Gobierno ejercido directamente por Dios, como el de los hebreos antes que tuviesen reyes. ‖ **2.** Sociedad en que la autoridad política, considerada emanada de Dios, se ejerce por sus ministros.

teocrático, ca. adj. Perteneciente o relativo a la teocracia.

teodicea. (Del gr. Θεός, Dios, y δίκη, justicia.) f. Teología fundada en principios de la razón.

teodolito. (Del gr. *Mat.* Instrumento de precisión que se compone de un círculo horizontal y un semicírculo vertical, ambos graduados y provistos de anteojos, para medir ángulos en sus planos respectivos.

teodosiano, na. (Del lat. *theodosiānus.*) adj. Perteneciente a Teodosio el Grande, o a su nieto Teodosio II.

teogonía. (Del lat. *theogonía,* y este del gr. θεογονία.) f. Generación de los dioses del paganismo.

teogónico, ca. adj. Perteneciente o relativo a la teogonía.

teologal. (De *teólogo.*) adj. Perteneciente o relativo a la teología. ‖ **2.** V. **virtud teologal.**

teología. (Del lat. *theología,* y este del gr. θεολογία, de θεολόγος, teólogo.) f. Ciencia que trata de Dios y de sus atributos y perfecciones. ‖ **ascética.** Parte de la **teología** dogmática y moral, que se refiere al ejercicio de las virtudes. ‖ **dogmática.** La que trata de Dios y de sus atributos y perfecciones a la luz de los principios revelados. ‖ **escolástica.** La dogmática que, partiendo de las verdades reveladas, colige sus conclusiones usando los principios y métodos de la filosofía escolástica. ‖ **mística.** Parte de la **teología** dogmática y moral, que se refiere a la perfección de la vida cristiana en las relaciones más íntimas que tiene la humana inteligencia con Dios. ‖ **moral.** Ciencia que trata de las aplicaciones de los principios de la **teología** dogmática o natural al orden de las acciones humanas. ‖ **natural.** La que trata de Dios y de sus atributos y perfecciones a la luz de los principios de la razón, independientemente de las verdades reveladas. ‖ **pastoral.** La que trata de las obligaciones de la cura de almas. ‖ **positiva.** La dogmática que principalmente apoya y demuestra sus conclusiones con los principios, hechos y monumentos de la revelación cristiana. ‖ **no meterse** uno **en teologías.** fr. desus. fig. y fam. Discurrir o hablar llanamente, sin mezclarse en materias arduas que no ha estudiado.

teológicamente. adv. m. En términos o principios teológicos.

teológico, ca. (Del lat. *theologĭcus,* y este del gr. θεολογικός.) adj. Perteneciente o relativo a la teología. ‖ **2.** V. **lugares teológicos.** ‖ **3.** V. **culpa teológica.**

teologizar. intr. Discurrir sobre principios o razones teológicas.

teólogo, ga. (Del lat. *theológus,* y este del gr. θεολόγος.) adj. **teologal,** perteneciente o relativo a la teología. ‖ **2.** m. y f. Persona que profesa la teología o tiene en esta ciencia especiales conocimientos. ‖ **3.** Estudiante de teología.

teomanía. f. Manía que consiste en creerse Dios el que la padece.

teorema. (Del lat. *theorēma,* y este del gr. θεώρημα.) m. Proposición demostrable lógicamente partiendo de axiomas o de otros **teoremas** ya demostrados, mediante reglas de inferencia aceptadas.

teorético, ca. adj. **teórico.** ‖ **2.** *Fil.* Dícese de lo que se dirige al conocimiento, no a la acción ni a la práctica. ‖ **3.** f. Estudio del conocimiento.

teoría. (Del gr. θεωρία.) f. Conocimiento especulativo considerado con independencia de toda aplicación. ‖ **2.** Serie de las leyes que sirven para relacionar determinado orden de fenómenos. ‖ **3.** Hipótesis cuyas consecuencias se aplican a toda una ciencia o a parte muy importante de la misma. ‖ **4.** Procesión religiosa entre los antiguos griegos. ‖ **en teoría.** loc. adv. Sin haberlo comprobado en la práctica.

teórica. (Del lat. *theorĭca,* y este del gr. θεωρική.) f. p. us. **teoría,** conocimiento especulativo con independencia de toda aplicación. ‖ **2.** Parte de la instrucción militar en que se procura a los soldados conocimientos teóricos acerca de las ordenanzas, armamento, táctica, etc.

teóricamente. adv. m. De manera teórica.

teórico, ca. (Del lat. *theorĭcus,* y este del gr. θεωρικός.) adj. Perteneciente a la teoría. ‖ **2.** Que conoce las cosas o las considera tan solo especulativamente. ‖ **3.** Se aplica a la persona que cultiva la parte **teórica** de una ciencia o un arte. Ú. t. c. s.

teorizador, ra. adj. Que teoriza.

teorizante. adj. Que teoriza. Ú. t. c. s. m.

teorizar. tr. Tratar un asunto solo en teoría. Ú. m. c. intr.

teoso, sa. adj. p. us. Perteneciente o relativo a la tea. ‖ **2.** p. us. Dícese de la madera que por ser abundante en resina sirve para tea y se rompe limpiamente y sin astillas.

teosofía. (Del gr. θεοσοφία.) f. Doctrina de varias sectas que presumen estar iluminadas por la divinidad e íntimamente unidas con ella. ‖ **2.** ant. **teología.**

teosófico, ca. adj. Perteneciente o relativo a la teosofía.

teósofo, fa. (Del gr. θεόσοφος.) m. y f. Persona que profesa la teosofía.

teotihuacano, na. adj. Natural de San Juan de Teotihuacán, municipio del Estado de Méjico. Ú. t. c. s. ‖ **2.** Perteneciente o relativo a este municipio y lugar.

tepache. m. *Méj.* Bebida que se hace con pulque, agua, piña y clavo.

tepalcate. m. *Méj.* **tiesto**[1].

tépalo. m. *Bot.* Cada una de las piezas que componen los perigonios sencillos.

tepe. (De la onomat. *tep* del azadonazo.) m. Pedazo de tierra cubierto de césped y muy trabado con las raíces de esta hierba, que, cortada generalmente en forma prismática, sirve para hacer paredes y malecones.

tepeaqués, sa. adj. Natural de Tepeaca. Ú. t. c. s. ‖ **2.** Perteneciente a esta población de Méjico.

tepeizcuinte. (Del mejic. *tepetl*, monte, e *itzcuintli*, perro.) m. *C. Rica, Guat.* y *Méj.* **paca¹**, animal.

tepemechín. (Del mejic. *tepetl*, monte, y *michin*, pez.) m. *C. Rica, Guat.* y *Hond.* Pez de río, que se encuentra en la parte alta de las cuencas, donde hay cascadas; su carne es muy sabrosa.

tepezcuinte. m. *Amér. Central.* **tepeizcuinte.**

tepezcuintle. m. *Guat.* **tepeizcuinte.**

tepiqueño, ña. adj. Natural de Tepic, capital del Estado mejicano de Nayarit. Ú. t. c. s. ‖ **2.** Perteneciente o relativo a dicha capital.

tepozán. m. *Méj.* Planta escrofulariácea.

tepozteco, ca. adj. Natural de Tepoztlán, población del Estado mejicano de Morelos. Ú. t. c. s. ‖ **2.** Perteneciente o relativo a esta población.

tepú. m. *Chile.* Árbol pequeño de la familia de las mirtáceas. Se cría en lugares húmedos y forma a veces selvas enmarañadas difíciles de atravesar. Su madera se utiliza para leña.

tequiche. m. Comida que se usa en Venezuela, compuesta de harina de maíz tostado, leche de coco y mantequilla.

tequila. m. Bebida mejicana semejante a la ginebra que se destila de una especie de maguey.

tequio. (De or. mejicano.) m. desus. *Méj.* Tarea, trabajo personal, que se imponía como tributo a los indios. ‖ **2.** fig. *Amér. Central.* Molestia, perjuicio. ‖ **3.** *Amér.* Porción de mineral que forma el destajo de un barretero.

ter. adj. Vocablo latino que significa «tres veces», y que, en una serie ordenada, puede añadirse al nombre de un número entero tras el que se ha introducido un número bis.

tera-. (Del gr. τέρας, prodigio, monstruo.) elem. compos. que significa un billón (10^{12}) y sirve para formar nombres de múltiplos de ciertas unidades. TERAgramo. Su símbolo es *T*.

terapeuta. (Del gr. θεραπευτής.) adj. Dícese de cada uno de los individuos de una secta religiosa, al parecer de origen judaico, que en los primeros siglos de la Iglesia observaba algunas prácticas del cristianismo. Ú. t. c. s. ‖ **2.** com. Persona que profesa la terapéutica.

terapéutica, ca. (Del gr. θεραπευτική, t. f. de -κός, terapéutico.) f. Parte de la medicina, que enseña los preceptos y remedios para el tratamiento de las enfermedades. ‖ **2.** Ese mismo tratamiento. ‖ **ocupacional.** Tratamiento empleado en diversas enfermedades somáticas y psíquicas, que tiene como finalidad readaptar al paciente haciéndole realizar las acciones y movimientos de la vida diaria.

terapéutico, ca. (Del gr. θεραπευτικός.) adj. Perteneciente o relativo a la terapéutica.

terapia. f. *Med.* **terapéutica.**

teratología. (Del gr. τέρας, -ατος, prodigio, monstruo, y *-logía*.) f. Estudio de las anomalías y monstruosidades del organismo animal o vegetal.

teratológico, ca. adj. Perteneciente o relativo a la teratología. ‖ **2.** Monstruoso, deforme.

teratoma. m. *Pat.* Tumor de origen embrionario.

terbio. (De *Ytterby*, pueblo de Suecia, nombre del cual se han formado también el *itrio* y el *erbio*.) m. *Quím.* Metal muy raro que unido al itrio y al erbio se ha hallado en algunos minerales de Suecia. Núm. atómico 65. Símb.: *Tb*.

tercamente. adv. m. Con terquedad.

tercelete. adj. *Arq.* V. **arco tercelete.**

tercena¹. (De *atarazana*, depósito.) f. p. us. Almacén del Estado para vender al por mayor tabaco y otros efectos estancados.

tercena². (De *treceno*.) f. *Ar.* **treznal.**

tercenal. m. *Ar.* **treznal.**

tercenco, ca. (De *tercio*.) adj. *Ar.* Aplícase a la res de ganado menor que tiene tres años.

tercenista. com. Persona encargada de la tercena¹ o atarazana.

tercer. adj. apóc. de **tercero.** Ú. siempre antepuesto al sustantivo. ‖ **2.** V. **tercer mundo.**

tercera. (Del lat. *tertiaria*, t. f. de *-rius*, tercero.) f. Reunión, en el juego de los cientos, de tres cartas del mismo palo y de valor correlativo. ‖ **2.** Mujer que media en los amores ilícitos, alcahueta. ‖ **3.** Marcha del motor de un vehículo que tiene mayor velocidad y menor potencia que la primera y segunda, y mayor potencia y menor velocidad que la cuarta. ‖ **4.** En algunos instrumentos de cuerda, la que ocupa el tercer lugar a partir de la primera. ‖ **5.** *Mús.* Consonancia o intervalo de dos tonos o de un tono y un semitono. ‖ **mayor.** La que comienza por el as. en el juego de los cientos. ‖ **2.** *Mús.* **dítono.** ‖ **menor.** *Mús.* **semidítono.** ‖ **real.** En el juego de los cientos, la que comienza por el rey.

terceramente. adv. l. p. us. En tercer lugar.

tercerear. intr. p. us. Hacer oficio de tercero, o mediador. ‖ **2.** tr. *Ál.* y *Nav.* **terciar,** dar la tercera reja o labor a las tierras.

tercería. (De *tercero*.) Oficio o cargo del que media entre dos o más personas. ‖ **2. alcahuetería.** ‖ **3.** Oficio del encargado de recoger los diezmos. ‖ **4.** Depósito o tenencia interina de un castillo, fortaleza, etc. ‖ **5.** *Der.* Derecho que deduce un tercero entre dos o más litigantes, o por el suyo propio, o coadyuvando en pro de alguno de ellos. ‖ **6.** Juicio en el que se ejercita este derecho.

tercerilla. (d. de *tercera*.) f. **salvado,** cáscara del grano. ‖ **2.** *Métr.* Composición métrica de tres versos de arte menor, de los cuales riman o hacen consonancia.

tercerista. m. *Der.* Parte demandante en una tercería.

tercermundismo. m. Condición de tercermundista.

tercermundista. adj. Perteneciente o relativo al tercer mundo.

tercero, ra. (Del lat. *tertiarius*.) adj. Que sigue inmediatamente en orden al o a lo segundo. Ú. t. c. s. ‖ **2.** Que media entre dos o más personas. Ú. m. c. s. ‖ **3.** Dícese de cada una de las tres partes iguales en que se divide un todo. ‖ **4.** V. **tercera parte, tercera persona.** ‖ **5.** V. **tía tercera.** ‖ **6.** V. minuto, tío tercero. ‖ **7.** *Álg.* y *Arit.* V. **tercera potencia.** ‖ **8.** *Der.* V. **tercero poseedor.** ‖ **9.** m. **alcahuete,** hombre que media en los amores ilícitos. ‖ **10.** El que profesa la regla de la **tercera** orden de San Francisco, Santo Domingo o Nuestra Señora del Carmen. ‖ **11.** Encargado de recoger los diezmos y guardarlos hasta que se entregaban a los partícipes. ‖ **12.** Persona que no es ninguna de dos o más de quienes se trata o que intervienen en un negocio de cualquier género. ‖ **13.** *Geom.* **minuto tercero.** ‖ **en discordia.** El que media para zanjar una desavenencia.

tercerol. (Del cat. *tercerol*.) m. *Mar.* En algunas cosas, lo que ocupa el lugar tercero; como el remo de la tercera bancada, el rizo chico en los faluchos, etc.

tercerola. (Del it. *terzeruolo*.) f. Arma de fuego usada por la caballería, que es un tercio más corta que la carabina. ‖ **2.** Especie de barril de mediana cabida. ‖ **3.** Flauta más pequeña que la ordinaria y mayor que el flautín.

terceto. (Del it. *terzetto*, y este del lat. *tertïus*.) m. Combinación métrica de tres versos de arte mayor que, a veces, constituye estrofa autónoma dentro del poema. ‖ **2.** tercerilla, composición. ‖ **3.** *Mús.* Composición para tres voces o instrumentos. ‖ **4.** *Mús.* Conjunto de estas tres voces o instrumentos. ‖ **tercetos encadenados.** Serie de tercetos que constituyen un poema, cuyo primer endecasílabo rima con el tercero, mientras el segundo rimará con el primero y el tercero del **terceto** siguiente, y así sucesivamente. Normalmente, la composición acaba con un serventesio, resultante de añadir un verso que rima con el penúltimo del **terceto** final.

tercia. (Del lat. *tertĭa*.) f. Tercera parte de una vara. ‖ **2. tercio,** cada una de las tres partes iguales en que se divide un todo. ‖ **3.** Segunda de las cuatro partes iguales en que dividían los romanos el día artificial. ‖ **4.** Una de las horas menores del oficio divino, la inmediata después de prima. ‖ **5.** Casa en que se depositaban los diezmos. ‖ **6. tercera,** en el juego de los cientos. ‖ **7.** Pieza de madera de hilo, con escuadría de una **tercia** en la tabla y una cuarta en el canto. ‖ **8.** *Agr.* Tercera cava o segunda bina que se da a las viñas. ‖ **tercias reales.** Los dos novenos que de todos los diezmos eclesiásticos se deducían para el rey.

terciado, da. p. p. de **terciar.** ‖ **2.** adj. V. **azúcar terciado,** o **terciada.** ‖ **3.** V. **pan terciado.** ‖ **4.** Dícese del pan elaborado con dos tercios de harina de trigo y un tercio de harina de cebada o centeno. ‖ **5. mediano,** ni muy grande ni muy pequeño. ‖ **6.** *Taurom.* Dícese del toro de lidia que no alcanza el tamaño que debiera tener a su edad. ‖ **7.** m. Espada corta de hoja ancha. ‖ **8.** Cinta algo más ancha que el listón. ‖ **9.** Madero de sierra que resulta de dividir en tres partes iguales el ancho de una alfarjía.

terciador, ra. adj. Que tercia o media. Ú. t. c. s. ‖ **2.** m. *Rioja.* Mazo menor que la almádena, y usado para partir piedras medianas.

terciana. (Del lat. *tertiāna*.) f. *Med.* Calentura intermitente que repite cada tercer día. Ú. m. en pl. ‖ **de cabeza.** *Med.* Cefalea intermitente.

tercianario, ria. adj. Que padece tercianas. Ú. t. c. s. ‖ **2.** Aplícase a la misma calentura que repite cada tercer día, o a otra cosa que guarde igual período.

tercianela. (Del it. *terzanella*.) f. Gro de cordoncillo muy grueso.

terciar. (Del lat. *tertiāre*.) tr. Poner una cosa atravesada diagonalmente o al sesgo, o ladearla. TERCIAR *la banda, la capa.* ‖ **2.** Dividir una cosa en tres partes. ‖ **3.** Equilibrar la carga repartiéndola por igual a los dos lados de la acémila. ‖ **4.** *Agr.* Dar la tercera reja o labor a las tierras, después de barbechadas y binadas. ‖ **5.** *Agr.* Cortar las plantas o arbustos por una tercia sobre la tierra, para que retoñen con más fuerza. ‖ **6.** *Mil.* En la práctica antigua, tener el fusil cogido por la parte más estrecha de la culata y apoyado en el brazo tendido a lo largo del cuerpo. ‖ **7.** *Argent., Col., Méj. y Venez.* Cargar a la espalda una cosa. ‖ **8.** *Col., Cuba, Chile, Ecuad., Guat. y Méj.* Mezclar líquidos, especialmente con el vino y la leche, para adulterarlos. ‖ **9.** prnl. Presentarse casualmente algo o la oportunidad de hacer algo. Ú. en infinitivo y en las terceras personas de singular y plural. *Si* SE TERCIA, *le hablaré de nuestro asunto.* ‖ **10.** *Taurom.* Atravesarse el toro en la suerte. ‖ **11.** intr. Interponerse y mediar para componer algún ajuste, disputa o discordia. ‖ **12.** Hacer tercio; tomar parte igual en la acción de otros, especialmente en una conversación. ‖ **13.** Completar el número necesario de personas para alguna cosa. ‖ **14.** Llegar al número de tres. Ú. usa regularmente tratándose de la Luna cuando llega al tercer día.

terciario, ria. (Del lat. *tertiārĭus*.) adj. Tercero en orden o grado. ‖ **2.** *Arq.* Dícese de cierta especie de arco de piedra que se hace en las bóvedas formadas con cruceros. ‖ **3.** *Geol.* Aplícase a las épocas más antiguas de la era cenozoica. Suele subdividirse en paleógeno y neógeno. Ú. t. c. s.

‖ **4.** *Geol.* Perteneciente o relativo a a los terrenos de este período, donde se produce el movimiento orogénico alpino, acompañado de un clima progresivamente más frío hasta culminar en las glaciaciones cuaternarias. ‖ **5.** m. y f. Persona que profesa una de las órdenes terceras.

terciazón. (De *terciar,* rebinar.) f. Tercera reja o labor que se da a las tierras después de barbechadas y binadas.

tercio, cia. (Del lat. *tertĭus*.) adj. **tercero,** que sigue al segundo. ‖ **2.** V. **tercia parte, tercia rima.** ‖ **3.** m. Cada una de las tres partes iguales en que se divide un todo. ‖ **4.** Cada una de las dos mitades de la carga de una acémila, cuando va en fardos. ‖ **5. bulto,** fardo. ‖ **6.** Cada una de las tres partes que se consideran en la altura de una caballería: la primera, desde el casco a la rodilla; la segunda, hasta el encuentro, y la tercera, hasta la cruz. ‖ **7.** Cada uno de los tres períodos que se consideran en la carrera del caballo, y son: arrancar, correr y empezar a parar. ‖ **8.** Cada una de las tres partes en que se divide el rosario. ‖ **9.** Parte más ancha de la media, que cubre la pantorrilla. ‖ **10.** Fardo de tabaco en rama que pesa aproximadamente un quintal, y es la mitad de una carga. ‖ **11.** *And.* Cada uno de los versos de que consta una copla del cante flamenco. TERCIO *de entrada;* TERCIO *de remate.* ‖ **12.** *And.* Porción de tierra adehesada o de labrantío que se pasta o siembra un año y se deja descansar al siguiente. ‖ **13.** *Can.* Barrilillo para vino. ‖ **14.** *Col. y Venez.* **sujeto,** persona innominada. ‖ **15.** *Sto. Dom.* Yunta de bueyes que va entre la guía y el tronco. ‖ **16.** *Mar.* Cada uno de los antiguos batallones o cuerpos de tropas que guarnecían las galeras. ‖ **17.** *Mar.* Asociación de los marineros y de los propietarios de lanchas y redes de un puerto, agremiados para el ejercicio de la pesca. ‖ **18.** *Mil.* Regimiento de infantería española de los siglos XVI y XVII. ‖ **19.** *Mil.* Denominación que alguna vez se da a cuerpos o batallones de infantería en la milicia moderna. ‖ **20.** *Mil.* Cada una de las divisiones del instituto de la Guardia civil. ‖ **21.** *Taurom.* Cada una de las tres partes en que se considera dividida la lidia de toros. TERCIO *de varas, de banderillas, de muerte.* ‖ **22.** *Taurom.* Cada una de las tres partes concéntricas en que se considera dividido el ruedo. Por antonom., el comprendido entre las tablas y los medios. ‖ **23.** pl. Miembros fuertes y robustos del hombre. *Esteban tiene buenos* TERCIOS. ‖ **de fuerza.** tercio de la longitud de la espada más próximo a la empuñadura. ‖ **flaco. tercio** de la longitud de la espada más próximo a la punta. ‖ **naval.** *Mar.* Cada uno de los cuerpos formados por la marinería de un departamento, alistada o matriculada para el servicio de la marina de guerra. ‖ **ganar** uno **los tercios de la espada** a otro. fr. *Esgr.* Adelantar la propia espada mucho, impidiendo maniobrar a la contraria. ‖ **hacer** uno **buen,** o **mal, tercio** a otro. fr. Ayudarle, o estorbarle; hacer beneficio, o daño, en una pretensión o cosa semejante. ‖ **hacer tercio** uno. fr. Intervenir en alguna cosa para completar el número de los que toman parte en ella. ‖ **mejorado en tercio y quinto.** expr. fig. Muy favorecido, por ejemplo en un reparto.

terciodécuplo, pla. (De *tercio,* tercero, y *décuplo*.) adj. p. us. Que contiene un número trece veces exactamente. Ú. t. c. s. m.

terciopelado, da. adj. **aterciopelado.** ‖ **2.** m. Especie de tejido semejante al terciopelo, que tiene el fondo de raso o rizo.

terciopelero, ra. m. y f. Persona que trabaja los terciopelos.

terciopelo. (De *tercio,* tercero, y *pelo*.) m. Tela de seda velluda y tupida, formada por dos urdimbres y una trama, o la de aspecto muy semejante. ‖ **2.** *C. Rica y Venez.* **macagua terciopelo.** ‖ **3.** *Chile.* Planta perenne de la familia de las bignoniáceas, con hojuelas dentadas y fruto en cápsulas alargadas; se cultiva en los jardines.

terco, ca. (De or. inc.) adj. Pertinaz, obstinado e irreducible. **| 2.** fig. Dícese de lo que es bronco o más difícil de labrar que lo ordinario en su clase.

terebintáceo, a. (Del lat. *terebinthus*, terebinto.) adj. *Bot.* anacardiáceo.

terebintina. (Del lat. [*resina*] *terebinthĭna*, resina del terebinto.) f. ant. **trementina.**

terebinto. (Del lat. *terebinthus*, y este del gr. τερέβινθος.) m. Arbolillo de la familia de las anacardiáceas, de tres a seis metros de altura, con tronco ramoso y lampiño; hojas alternas, compuestas de hojuelas ovales, enteras y lustrosas; flores en racimos laterales y por frutos drupas pequeñas, primero rojas y después casi negras. Es común en España; su madera, dura y compacta, exuda por la corteza gotitas de trementina blanca muy olorosa, y suele criar agallas de tres a cuatro centímetros de largo.

terebrante. (Del lat. *terebrans, -antis*, p. a. de *terebrāre*, taladrar.) adj. *Med.* Dícese del dolor que produce sensación semejante a la que resultaría de taladrar la parte dolorida.

terebrátula. (Del lat. *terebrātus*, taladrado.) f. Animal braquiópodo, del cual se conocen numerosas especies vivientes y fósiles, cuyo cuerpo está protegido por una concha calcárea de valvas desiguales y articuladas mediante charnela.

terédine. f. teredo.

teredo. (Del grecolat. *terēdo, -ĭnis*, carcoma, gusano, polilla.) m. **broma¹**, molusco bivalvo que perfora la madera.

teredón. m. teredo.

terenciano, na. (Del lat. *terentiānus*.) adj. Propio y característico del poeta cómico latino Terencio, o que tiene semejanza con la calidad de sus obras.

tereniabín. (Del persa *taranÿabīn*, maná líquido de Persia.) m. Sustancia viscosa, blanquecina, dulce y con aspecto de miel, que fluye de las hojas de un arbusto propio de Persia y Arabia, y se emplea en medicina como purgante.

tereque. m. *Ecuad., Nicar., P. Rico* y *Venez.* Trasto, trebejo.

tereré. (De or. guaraní.) m. *R. de la Plata.* Infusión de yerba mate que comúnmente se sirve fría.

teresa. adj. Dícese de la monja carmelita descalza que profesa la reforma de Santa Teresa. Ú. t. c. s. f. **| 2.** f. santateresa.

teresiana. f. Especie de quepis usado como prenda de uniforme militar por algunos oficiales.

teresiano, na. adj. Perteneciente o relativo a Santa Teresa de Jesús. **| 2.** Afiliado a la devoción de esta santa. **| 3.** *Chile.* Aplícase a la hermana de votos simples, perteneciente a un instituto religioso afiliado a la tercera orden carmelita, y que tiene por patrona a Santa Teresa. **| 4.** Perteneciente o relativo a dicho instituto.

terete. (Del lat. *teres, -ētis*, rollizo.) adj. p. us. Rollizo, duro y de carne fuerte.

tergal. (Del nombre de una marca registrada.) m. Tejido de fibra sintética muy resistente.

tergiversable. adj. Que puede tergiversarse.

tergiversación. (Del lat. *tergiversatĭo, -ōnis*.) f. Acción y efecto de tergiversar.

tergiversador, ra. adj. Que tergiversa. Ú. t. c. s.

tergiversar. (Del lat. *tergiversāre*.) tr. Dar una interpretación forzada o errónea a palabras o acontecimientos. **| 2.** Trastrocar, trabucar.

teriaca. (Del lat. *theriăca*, y este del gr. θηριακή [de θηρίον, fiera], sobrentendiéndose ἀντίδοτος, remedio contra la mordedura de animales venenosos.) f. desus. **triaca.**

teriacal. (De *teriaca*.) adj. **triacal.**

teridofito, ta. adj. *Bot.* pteridofito.

terigüela. (Del lat. *teleirola*.) f. *Sal.* y *Zam.* Telera del arado. **| 2.** *Sal.* Aguijada para los bueyes al labrar.

teristro. (Del lat. *theristrum*, y este del gr. θέφριστρον.) m. Velo o manto delgado que usaban las mujeres de Palestina para el verano.

terliz. (Del lat. *trilix, -ĭcis*, de tres hilos.) m. Tela fuerte de lino o algodón, por lo común de rayas o cuadros, y tejida con tres lizos.

terma. f. En el teatro, pieza del decorado separada de la armadura principal y sujeta en su suelo, que sirve generalmente para representar elementos necesarios en la acción o para marcar los diversos términos de la escena.

termal. adj. Perteneciente o relativo a las termas o caldas. **| 2.** V. **agua termal.**

termas. (Del lat. *thermae*, y este del gr. θερμά.) f. pl. **caldas,** baños. **| 2.** Baños públicos de los antiguos romanos.

termes. (Del lat. *termes, -ĭtis*, carcoma.) m. Insecto del orden de los isópteros, que por su vida social, se ha llamado también, erróneamente, hormiga blanca. Roen madera, de la que se alimentan, por lo que pueden ser peligrosos para ciertas construcciones.

-termia (Del gr. θέφμη, calor, e *-ia*.) elem. compos. que significa «calor, temperatura»: disTERMIA, hipoTERMIA.

térmico, ca. (Del gr. θέφμη, calor.) adj. Perteneciente o relativo al calor o la temperatura. **| 2.** Que conserva a temperatura. **| 3.** V. **equilibrio térmico. | 4.** V. **fiebre térmica.**

terminable. adj. Que tiene término.

terminación. (Del lat. *terminatĭo, -ōnis*.) f. Acción y efecto de terminar o terminarse. **| 2.** Parte final de una obra o cosa. **| 3.** *Gram.* Letra o letras que se subsiguen al radical de los vocablos, especialmente la desinencia. **| 4.** *Med.* Estado de la naturaleza de un enfermo al entrar en convalecencia. **| 5.** *Métr.* Letra o letras que determinan la asonancia o consonancia de unos vocablos con otros.

terminacho. (despect. de *término*.) m. fam. Voz o palabra poco culta, mal formada o indecente. **| 2.** fam. Término bárbaro o mal usado.

terminador, ra. (Del lat. *terminātor, -ōris*.) adj. Que termina. Ú. t. c. s.

terminajo. (despect. de *término*.) m. fam. **terminacho.**

terminal. (Del lat. *terminālis*.) adj. Final, que pone término a una cosa. **| 2.** *Bot.* Dícese de lo que está en el extremo de cualquier parte de la planta. *Hojuela* TERMINAL; *flores* TERMINALES. **| 3.** m. *Electr.* Extremo de un conductor preparado para facilitar su conexión con un aparato. **| 4.** *Inform.* Máquina con teclado y pantalla mediante la cual se proporcionan datos a una computadora o se obtiene información de ella. Ú. t. c. f. **| 5.** f. Cada uno de los extremos de una línea de transporte público.

terminante. p. a. de **terminar.** Que termina. **| 2.** adj. Categórico, concluyente, que hace imposible cualquier insistencia o discusión sobre la cosa de que se trata. *Las prevenciones de esta ley son* TERMINANTES.

terminantemente. adv. m. De manera terminante o concluyente.

terminar. (Del lat. *termināre*.) tr. Poner término a una cosa, acabarla. **| 2. acabar,** rematar con esmero. **| 3.** intr. **cesar,** acabarse alguna cosa. Ú. t. c. prnl. **| 4.** Entrar una enfermedad en su último período. **| 5.** prnl. Ordenarse, dirigirse una cosa a otra como a su fin y objeto.

terminativo, va. (Del lat. *terminātum*, supino de *termināre*, terminar.) adj. Respectivo al término u objeto de una acción.

terminista. com. p. us. Persona que usa términos rebuscados. Ú. en Chile.

término. (Del lat. *termĭnus*.) m. Último punto hasta donde llega o se extiende una cosa. **| 2.** Último momento de la duración o existencia de una cosa. **| 3.** fig. Límite o extremo de una cosa inmaterial. **| 4. mojón,** señal permanente que fija los linderos de campos y heredades. ‖ **5.** Línea divisoria de los Estados, provincias, distritos, etc. ‖ **6. término municipal.** ‖ **7.** Paraje señalado para algún fin. ‖ **8.** Tiempo determinado. ‖ **9.** p. us. Hora, día o punto preciso de hacer algo. ‖ **10.** Objeto, fin. ‖ **11. palabra,** sonido o conjunto de sonidos articulados que expresan una idea. ‖ **12.** Estado o situación en que se halla una persona o cosa. ‖ **13.** Forma o modo de portarse o hablar. Ú. m. en pl. ‖ **14. talle,** traza, disposición, apariencia. ‖ **15.** *Arq.* Sostén o apoyo que termina por la parte superior en una cabeza humana, al modo que los antiguos figuraban al dios **Término.** ‖ **16.** *Gram.* Cada uno de los dos elementos necesarios en la relación gramatical. ‖ **17.** *Lóg.* Aquello dentro de lo cual se contiene enteramente una cosa, de modo que nada de ella se halle fuera. ‖ **18.** *Lóg.* Cada una de las palabras que sustancialmente integran una proposición o un silogismo. Los **términos** de una proposición son dos: sujeto y predicado; los de un silogismo son tres: mayor, menor y medio. ‖ **19.** *Mat.* El numerador o el denominador de un quebrado. ‖ **20.** *Mat.* En una expresión analítica, cada una de las partes ligadas entre sí por el signo de sumar o de restar. ‖ **21.** *Mús.* Punto, tono. ‖ **22.** *Pint.* Plano en que se representa algún objeto en un cuadro; y se llama primer **término** el más cercano, segundo el medio, y tercero el último. ‖ **23.** En teatro o cine, cada uno de los espacios o planos en que se considera dividida la escena en relación con el espectador. ‖ **24.** En una enumeración con los adjetivos *primer, segundo* y *último*, lugar que se atribuye a lo que se expresa. ‖ **25.** pl. Condiciones con que se plantea un asunto o cuestión, o que se establecen en un contrato. ‖ **26.** *Astrol.* Ciertos grados y límites en que se creía que los planetas tienen mayor fuerza en sus influjos. ‖ **algebraico.** Producto indicado de factores numéricos y literales. ‖ **de una audiencia.** *Der.* Intervalo entre dos sesiones consecutivas de un tribunal. ‖ **eclíptico.** *Astron.* Distancia de la Luna a uno de los dos nodos de su órbita. ‖ **extraordinario.** *Der.* El de prueba cuando esta haya de practicarse en país extranjero o en territorio nacional muy distante y separado por el mar. ‖ **fatal.** *Der.* El improrrogable, cuyo transcurso extingue o cancela la facultad o el derecho que durante él no se ejerció. ‖ **medio.** *Mat.* Cantidad igual o más próxima a la media aritmética de un conjunto de varias cantidades. ‖ **2.** Aquel arbitrio proporcionado que se toma o sigue para salir de alguna duda, o para componer una discordia. ‖ **municipal.** Porción de territorio sometido a la autoridad de un ayuntamiento. ‖ **negativo.** *Álg.* El que lleva el signo menos (-). ‖ **perentorio.** *Der.* **término fatal.** ‖ **positivo.** *Álg.* El que lleva el signo más (+), ya explícito, ya implícito, cuando es el primero de un polinomio. ‖ **probatorio.** *Der.* El que señala el juez, con arreglo a la ley, para proponer y hacer las probanzas. ‖ **redondo.** Territorio exento de la jurisdicción de todos los pueblos comarcanos. ‖ **2.** Conjunto de predios de un mismo dueño, que no incluyen en sus linderos ninguna heredad ajena. ‖ **ultramarino.** *Der.* El que se concedía para practicar prueba en Ultramar. ‖ **medio término. término medio,** recurso o arbitrio que se aplica en algunos casos. ‖ **términos hábiles.** Posibilidad de hacer o conseguir una cosa. ‖ **necesarios.** *Astron.* En los eclipses de Sol o Luna, aquellas distancias de los luminares al nodo más cercano, dentro de las cuales necesariamente ha de haber eclipse en alguna parte de la Tierra. ‖ **posibles.** *Astron.* En los eclipses, aquellas distancias al nodo, dentro de las cuales puede haber eclipse, y no fuera de ellas. ‖ **repugnantes.** *Lóg.* Los que dicen incompatibilidad entre sí, o no pueden estar en un sujeto a un mismo tiempo. ‖ **medios términos.** Rodeo o tergiversación con que uno huye de lo que cree nocivo o le desagrada. ‖ **correr el término.** fr. Ir transcurriendo el señalado para una cosa. ‖ **en buenos términos.**

loc. adv. con que se denota el uso de una perífrasis para evitar la crudeza de la expresión. *Eso,* EN BUENOS TÉRMINOS, *es llamarme ignorante.* ‖ **2.** En relación amigable una persona con otra. ‖ **en primer término.** loc. adv. En el lugar más cercano al observador. ‖ **2. en primer lugar.** ‖ **en propios términos.** loc. adv. Con puntual y genuina expresión para la inteligencia de una cosa. ‖ **en último término.** loc. adv. Sin otra solución. ‖ **llevar a término.** fr. **llevar a cabo.** ‖ **poner,** o **dar, término** a una cosa. fr. Hacer que cese, que acabe.

terminología. f. Conjunto de términos o vocablos propios de determinada profesión, ciencia o materia.

terminológico, ca. (De *terminología*.) adj. Perteneciente o relativo a un término o a una terminología y a su empleo.

terminólogo, ga. m. y f. Persona especialista en terminología.

terminote. m. aum. de **término.** ‖ **2.** fam. Palabra afectada, defectuosa, o demasiado culta.

termiónico, ca. adj. *Fís.* Perteneciente o relativo a la emisión de los electrones provocada por el calor.

termita¹. (Del gr. θέρμη, calor.) f. *Quím.* Mezcla de limaduras de aluminio y de óxido de otro metal que por inflamación reduce el óxido, obteniéndose el metal en estado puro y una temperatura muy elevada. La de óxido de hierro se emplea para soldar piezas de acero, como raíles.

termita². (Del lat. *termes, -ítis*, a través del fr.) f. **termes.**

térmite. (Del lat. *termes, -ítis*.) f. **termes.**

termitero, ra. m. y f. Nido de termes, que estos animales construyen en una viga o bien, como ocurre en la mayoría de las especies tropicales, en el suelo. Alcanzan a veces gran altura.

termo¹. (De *thermos,* nombre comercial registrado.) m. Vasija de dobles paredes, entre las que se ha hecho el vacío, y provista de cierre hermético. Sirve para que las sustancias introducidas en la vasija conserven su temperatura sin que se perciba la influencia del ambiente.

termo². m. fam. **termosifón.**

termo-. (Del gr. θερμο-.) elem. compos. que significa «calor»: TERMOdinámica, o bien, «temperatura»: TERMÓmetro.

-termo, ma. (Del gr. θερμός.) elem. compos. que significa «caliente»: hemaTERMO, o bien, «con temperatura»: isoTERMO.

termocauterio. (De *termo-* y el gr. καυτήριον, cauterio.) m. Cauterio hueco, de platino, que se mantiene candente por la circulación de un aire u otro medio semejante.

termodinámica. (De *termo-* y *dinámica.*) f. Parte de la física, en que se estudian las relaciones entre el calor y las restantes formas de energía.

termoelectricidad. (De *termo-* y *electricidad.*) f. Energía eléctrica producida por el calor. ‖ **2.** Parte de la física, que estudia esta energía.

termoeléctrico, ca. adj. Dícese del aparato en que se desarrolla electricidad por la acción del calor.

termoestable. (De *termo-* y *estable.*) adj. Que no se altera fácilmente por la acción del calor. ‖ **2.** Dícese del plástico que no pierde su forma por la acción del calor y de la presión.

termoiónico, ca. adj. *Fís.* **termiónico.**

termolábil. (De *termo-* y *lábil.*) adj. Que se altera fácilmente por la acción del calor.

termología. (De *termo-* y *-logía.*) f. Parte de la física, que trata de los fenómenos en que interviene el calor o la temperatura.

termometría. (De *termómetro.*) f. Parte de la termología que trata de la medición de la temperatura.

termométrico, ca. adj. Perteneciente o relativo al termómetro.

termómetro. (De *termo-* y *-metro*.) m. *Fís.* Instrumento que sirve para medir la temperatura. El más usual se compone de un tubo capilar cerrado, de vidrio, ensanchado en la parte inferior, a modo de pequeño depósito, que contiene un líquido, por lo común azogue o alcohol teñido, el cual, dilatándose o contrayéndose por el aumento o disminución de temperatura, señala en una escala los grados de temperatura. ‖ **clínico.** El de máxima y de precisión, que se usa para tomar la temperatura a los enfermos y cuya escala está dividida en décimas de grado. ‖ **de máxima.** El que deja registrada la temperatura máxima. ‖ **de mínima.** El que deja registrada la temperatura mínima. ‖ **diferencial.** Instrumento que sirve para medir diferencias pequeñas de temperatura, y consiste en un tubo capilar de cristal, doblado en ángulo recto por sus dos extremos, que terminan en bolas, lleno de aire y con un líquido interpuesto entre las dos ramas, el cual se mueve a uno u otro lado, según esté más o menos caliente el aire encerrado en cada una de las bolas.

termonuclear. (De *termo-* y *nuclear*.) adj. Dícese de cualquier proceso de fusión de núcleos ligeros a muy altas temperaturas (millones de grados centígrados), con liberación de energía.

termopar. m. *Fís.* Dispositivo para medir temperaturas, mediante las fuerzas electromotrices originadas por el calor en las soldaduras de dos metales distintos.

termoplástico. m. Plástico que se ablanda por la acción del calor y puede entonces moldearse mediante presión.

termoscopio. (De *termo-* y *-scopio*.) m. *Fís.* **termómetro diferencial.**

termosifón. (De *termo-* y el lat. *sipho, -ōnis*, y este del gr. σίφων.) m. Aparato anejo a una cocina y que sirve para calentar agua y distribuirla por medio de tuberías a los lavabos, baños y pilas de una casa. ‖ **2.** Aparato de calefacción por medio de agua caliente que va entubada a diversos locales de un edificio o mediante una maquinaria.

termostato o **termóstato.** (De *termo-* y el gr. στατός, estable.) m. Aparato que se conecta con una fuente de calor y que, mediante un artificio automático, impide que la temperatura suba o baje del grado conveniente.

termotecnia. (De *termo-* y *-tecnia*.) f. Técnica del calor.

terna. (Del distrib. lat. *terni*.) f. Conjunto de tres personas propuestas para que se designe de entre ellas la que haya de desempeñar un cargo o empleo. ‖ **2.** fig. **trío²**, grupo de personas. ‖ **3.** Pareja de tres puntos, en el juego de dados. ‖ **4.** Cada juego o conjunto de dados con que se juega. ‖ **5.** *Ar.* **paño,** ancho de una tela cosido por su orilla a otro igual.

ternada. f. *Chile* y *Perú.* Terno de chaqueta, chaleco y pantalón.

ternario, ria. (Del lat. *ternarĭus*.) adj. Compuesto de tres elementos, unidades o guarismos. ‖ **2.** *Mús.* V. **compás ternario.** ‖ **3.** m. Espacio de tres días dedicados a una devoción o ejercicio espiritual.

ternasco. (De *tierno*.) m. *Ar.* Cordero que aun no ha pastado. ‖ **2.** *Nav.* Cabrito, cría de la cabra.

terne. (Del gitano *terno*, joven.) adj. fam. Que se jacta de valiente o de guapo. ‖ **2.** fam. Perseverante, obstinado. ‖ **3.** fam. Fuerte, tieso, robusto de salud.

ternejal. adj. fam. **terne,** valentón. Ú. t. c. s.

ternejón, na. adj. fam. **ternerón.** Ú. t. c. s.

ternera. (De *tierna*.) f. Cría hembra de la vaca. ‖ **2.** Carne de **ternera** o de ternero.

ternero. (De *tierna*.) m. Cría macho de la vaca. ‖ **recental.** El de leche o que no ha pastado todavía.

ternerón, na. (De *tierno*.) adj. fam. Aplícase a la persona que se enternece con facilidad. Ú. t. c. s.

ternez. f. d. desus. **terneza.**

terneza. (De *tierno*.) f. Calidad de tierno. ‖ **2.** Dicho lisonjero, requiebro. Ú. m. en pl.

ternilla. (d. de *tierna*.) f. **cartílago.**

ternilloso, sa. adj. p. us. Compuesto de ternillas. ‖ **2.** p. us. Parecido a ellas.

terno. (Del lat. *ternus*.) m. Conjunto de tres cosas de una misma especie. ‖ **2.** Suerte de tres números, en el juego de la lotería primitiva. ‖ **3.** Pantalón, chaleco y chaqueta, u otra prenda semejante, hechos de una misma tela. ‖ **4.** Conjunto del oficiante y sus dos ministros, diácono y subdiácono, que celebran una misa mayor o asisten en esta forma a una función eclesiástica. ‖ **5.** Vestuario exterior del **terno** eclesiástico, el cual consta de casulla y capa pluvial para el oficiante y de dalmáticas para sus dos ministros. ‖ **6.** Voto, juramento o amenaza. *Echar* TERNOS. ‖ **7.** *Cuba* y *P. Rico.* Aderezo de joyas compuesto de pendientes, collar y alfiler. ‖ **8.** *Impr.* Conjunto de tres pliegos impresos metidos uno dentro de otro. ‖ **sastre.** *Ecuad.* y *Perú.* Vestido femenino, que consiste en falda y chaqueta. ‖ **seco.** El que se jugaba en una cédula de la lotería primitiva, sin opción a los ambos. ‖ **2.** fig. y fam. Fortuna muy feliz e inesperada.

ternura. f. Calidad de tierno. ‖ **2. requiebro,** dicho lisonjero.

tero. m. *Argent.* **teruteru,** ave.

terpeno. m. Nombre común a ciertos hidrocarburos que se encuentra en los aceites volátiles obtenidos de las plantas, principalmente de las coníferas y de los frutos cítricos.

terpina. f. *Quím.* Hidrato de trementina.

terpinol. m. Sustancia que resulta de la acción de un ácido sobre la terpina.

terquear. intr. Mostrarse terco.

terquedad. f. Calidad de terco. ‖ **2.** Porfía, disputa obstinada.

terquería. f. p. us. Calidad de terco.

terqueza. f. p. us. Calidad de terco.

terracota. (Del it. *terracotta*, y este del lat. *terra cocta*.) f. Arcilla modelada y endurecida al horno. ‖ **2.** Escultura de pequeño tamaño hecha de arcilla endurecida.

terrada. (De *tierra*.) f. Especie de betún compuesto de un cocimiento de almagre, ajos machacados, blanquimiento y cola.

terrado. (De *tierra*.) m. **terraza,** sitio abierto de una casa.

terraguero. m. *Sal.* y *Zam.* **terrero,** montón que se forma en las eras con las barreduras del solar¹ de la parva.

terraja. f. Tabla guarnecida con una chapa de metal recortada con arreglo al perfil de una moldura, y que sirve para hacer las de yeso, estuco o mortero, corriéndola cuando la pasta está blanda. ‖ **2.** Herramienta formada por una barra de acero con una caja rectangular en el medio, donde se ajustan las piezas que sirven para labrar las roscas de los tornillos. ‖ **de agujero cerrado.** La que tiene de una sola pieza la caja donde se labra la rosca. ‖ **de cojinetes.** La que tiene la caja donde se labra la rosca dividida en dos partes, cuya distancia se gradúa por medio de cojinetes.

terraje. m. **terrazgo,** renta que paga el aparcero.

terrajero, ra. m. **terrazguero.** ‖ **2.** m. y f. *Extr.* Persona encargada de cobrar el terrazgo del arrendamiento.

terral. (De *tierra*.) adj. V. **viento terral.** Ú. t. c. s.

terramicina. f. *Med.* Antibiótico producido por el *streptomycer rimosus.*

terraplén. (Del fr. *terre-plein*, y este del lat. *terra* y *planus*.) m. Macizo de tierra con que se rellena un hueco, o que se levanta para hacer una defensa, un camino u otra obra semejante. ‖ **2.** Por ext., cualquier desnivel con una cierta pendiente.

terraplenar. (De *terraplén*.) tr. Llenar de tierra un vacío o hueco. ‖ **2.** Acumular tierra para levantar un terraplén.

terrapleno. (De *terraplenar*.) m. desus. **terraplén.**

terráqueo, a. (Del lat. *terra*, tierra, y *aqua*, agua.) adj. Compuesto de tierra y agua. Aplícase únicamente al globo o esfera terrestre. ‖ **2.** V. **esfera terráquea.** ‖ **3.** V. **globo terráqueo.**

terrario. m. Instalación adecuada para mantener vivos y en las mejores condiciones a ciertos animales, como reptiles, anfibios, etc.

terrateniente. (Del lat. *terra*, tierra, y *tenens, -entis*, que tiene.) com. Persona que posee tierras, especialmente la que es dueña de grandes extensiones agrícolas.

terraza. (De *terrazo*.) f. Jarra vidriada, de dos asas. ‖ **2.** Era[2] estrecha junto a las paredes para plantas de adorno. ‖ **3.** Sitio abierto de una casa desde el cual se puede explayar la vista. ‖ **4.** Terreno situado delante de un café, bar, restaurante, etc., acotado para que los clientes puedan sentarse al aire libre. ‖ **5.** Cubierta plana y practicable de un edificio, provista de barandas o muros. ‖ **6.** Cada uno de los espacios de terreno llano, dispuestos en forma de escalones en la ladera de una montaña.

terrazgo. m. Pedazo de tierra para sembrar. ‖ **2.** Pensión o renta que paga al señor de una tierra el que la labra. ‖ **3.** desus. Territorio señorial cuyo disfrute ocasionaba estas prestaciones.

terrazguero. m. Labrador que paga terrazgo.

terrazo. (Del lat. *terracĕus*, de tierra.) m. Pavimento formado por chinas o trozos de mármol aglomerados con cemento y cuya superficie se pulimenta. ‖ **2.** ant. **jarro**, vasija de barro con un asa. ‖ **3.** *Pint.* Terreno representado en un paisaje.

terrazuela. f. ant. d. de **terraza**, jarra de barro vidriada.

terrazulejo. m. ant. d. de **terrazo**, vasija de barro con un asa.

terrear. intr. Descubrirse o dejarse ver la tierra en los sembrados.

terrecer. (Del lat. *terrescĕre*.) tr. desus. **aterrorizar.** Ú. t. c. prnl. ‖ **2.** intr. *Ast.* y *León.* Sentir terror.

terregoso, sa. adj. Aplícase al campo lleno de terrones.

terremoto. (Del lat. *terraemōtus*.) m. Concusión o sacudida del terreno, ocasionada por fuerzas que actúan en el interior del globo.

terrenal. (De *terreno*.) adj. Perteneciente a la tierra, en contraposición de lo que pertenece al cielo. ‖ **2.** V. **paraíso terrenal.**

terrenidad. f. Calidad de terreno.

terreno, na. (Del lat. *terrēnus*.) adj. Perteneciente o relativo a la tierra. ‖ **2.** **terrenal.** ‖ **3.** m. Sitio o espacio de tierra. ‖ **4.** fig. Campo o esfera de acción en que con mayor eficacia pueden mostrarse la índole o las cualidades de personas o cosas. ‖ **5.** fig. Orden de materias o de ideas de que se trata. ‖ **6.** *Dep.* Espacio generalmente acotado y debidamente acondicionado para la práctica de ciertos deportes. ‖ **7.** *Geol.* Conjunto de sustancias minerales que tienen origen común, o cuya formación corresponde a una misma época. ‖ **8.** *Taurom.* Porción de ruedo en que es más eficaz la acción ofensiva del toro que la defensiva del torero. ‖ **abonado.** fig. Cosa, circunstancia, etc., en que se dan condiciones óptimas para que se produzca algo determinado. ‖ **agarrado.** El que es duro y compacto. ‖ **del honor.** fig. Campo donde se efectúa un duelo o desafío. ‖ **de transición.** *Geol.* terreno sedimentario desde el han hallado fósiles primitivos. ‖ **franco.** *Min.* El que puede ser concedido libremente por el Estado para la industria minera. ‖ **allanar el terreno** a alguien. fr. fig. **preparar el terreno** a alguien. ‖ **descubrir** uno **terreno.** fr. fig. **descubrir tierra,** decir o hacer una cosa a otro para sonsacarle algo. ‖ **ganar** uno **terreno.** fr. fig. Adelantar en una cosa. ‖ **2.** fig. Irse introduciendo con arte, habilidad o gracia

para lograr un fin. ‖ **llevar** a uno **al terreno del honor.** fr. fig. Desafiarle a un duelo. ‖ **medir** uno **el terreno.** fr. fig. Tantear las dificultades de un negocio a fin de poner los medios para vencerlas. ‖ **minarle** a uno **el terreno.** fr. fig. Trabajar solapadamente para desbaratar a uno sus planes. ‖ **perder** uno **terreno.** fr. fig. Atrasar en un negocio. ‖ **preparar el terreno** a alguien. fr. fig. y fam. Conseguirle un ambiente favorable. ‖ **reconocer el terreno.** fr. fig. **reconocer el campo.** ‖ **saber** uno **el terreno que pisa.** fr. fig. Conocer bien el asunto que se trae entre manos o las personas con quienes se trata. ‖ **sobre el terreno.** fr. fig. Precisamente en el sitio donde se desenvuelve o ha de resolverse la cosa de que se trata. ‖ **2.** Improvisando, sin preparación.

terreño, ña. adj. **terroso**, de tierra. ‖ **2.** Dícese de lo que se produce en el país o comarca. ‖ **3.** *Ar.* y *Cantabria.* Terreno desnevado.

térreo, a. (Del lat. *terrĕus*.) adj. De tierra. ‖ **2.** Parecido a ella.

terrera. (Del lat. *terraría*, t. f. de *-rĭus*, terrero.) f. Trozo de tierra escarpada desprovista de vegetación. ‖ **2.** **alondra.**

terrería. (Del lat. *terrēre*, aterrar.) f. ant. Amenaza terrorífica.

terrero, ra. (Del lat. *terrarĭus*.) adj. **terreno**, perteneciente o relativo a la tierra. ‖ **2.** Aplícase al vuelo rastrero de ciertas aves. ‖ **3.** Dícese de la caballería que al caminar levanta poco los brazos. ‖ **4.** Aplícase a las cestas de mimbres o espuertas que se emplean para llevar tierra de un punto a otro. Ú. t. c. s. f. ‖ **5.** fig. Bajo y humilde. ‖ **6.** *Can.* y *P. Rico.* Dícese de la casa de un solo piso. ‖ **7.** m. **terraza,** sitio abierto. ‖ **8.** Montón de tierra. ‖ **9.** Depósito de tierras acumuladas por la acción de las aguas. ‖ **10.** Montón de broza o desechos sacados de una mina. ‖ **11.** Objeto o blanco que se trae para tirar a él. ‖ **12.** Especie de plaza pública. ‖ **13.** Montón que en la era se forma con las barreduras del solar[1] de la parva. ‖ **14.** *Can.* Lugar donde está la tierra suelta. ‖ **15.** *Murc.* Ribazo o margen elevada de un río. ‖ **16.** *Hond.* y *Nicar.* Terreno salitroso que el ganado lame para comerse la sal. ‖ **hacer terrero.** fr. fig. desus. Galantear o enamorar a una dama desde la calle o campo delante de su casa.

terrestre. (Del lat. *terrestris*.) adj. Perteneciente o relativo a la Tierra. ‖ **2.** **terrenal.** ‖ **3.** Perteneciente o relativo a la tierra en contraposición del cielo y del mar. ‖ **4.** V. **anteojo, ecuador, esfera, globo, hiedra, magnetismo, manto terrestre.**

terrezuela. f. d. de **tierra.** ‖ **2.** Tierra de poca sustancia o de poco valor.

terribilidad. (Del lat. *terribilĭtas, -ātis.*) f. desus. Calidad de terrible.

terribilísimo, ma. adj. sup. de **terrible.**

terrible. (Del lat. *terribĭlis*.) adj. Que causa terror. ‖ **2.** Difícil de tolerar. ‖ **3.** atroz, muy grande.

terriblemente. adv. m. Espantosa, violenta u horriblemente. ‖ **2.** fam. Extraordinaria o excesivamente.

terriblez. f. p. us. **terribleza,** calidad de terrible.

terribleza. (De *terrible*.) f. ant. Calidad de terrible. ‖ **2.** p. us. Cosa o acción terrible. Ú. m. en pl.

terrícola. (Del lat. *terricŏla.*) com. Habitante de la Tierra. ‖ **2.** adj. **terrestre.**

terrífico, ca. (Del lat. *terrĭfĭcus*.) adj. **terrorífico.**

terrígeno, na. (Del lat. *terrigĕnus*.) adj. Nacido o engendrado de la tierra. ‖ **2.** *Geol.* Dícese del material derivado por erosión de un área situada fuera de la cuenca de sedimentación, a la que llega en estado sólido mediante transporte. Ú. t. c. s.

terrina. (Del fr. *terrine*.) f. Vasija pequeña, de barro cocido o de otros materiales, con forma de cono invertido, destinada a conservar o expender algunos alimentos. ‖ **2.** En jardinería, tiesto de igual forma, usado para ciertos cultivos, especialmente semilleros.

terrino, na. adj. p. us. **terroso,** de tierra.

territorial. (Del lat. *territoriālis.*) adj. Perteneciente al territorio. ‖ **2.** V. **audiencia, mar territorial.**

territorialidad. (De *territorial.*) f. Consideración especial en que se toman las cosas en cuanto están dentro del territorio de un Estado. ‖ **2.** Ficción jurídica por la cual los buques y los domicilios de los agentes diplomáticos se consideran, dondequiera que estén, como si formasen parte del territorio de su propia nación.

territorialismo. m. *Zool.* Fenómeno por el cual ciertas especies dividen su hábitat en territorios.

territorio. (Del lat. *territorĭum.*) m. Porción de la superficie terrestre perteneciente a una nación, región, provincia, etc. ‖ **2. terreno,** esfera de acción. ‖ **3.** Circuito o término que comprende una jurisdicción, un cometido oficial u otra función análoga. ‖ **4.** Terreno o lugar concreto, v. gr. una cueva, un árbol, un hormiguero, donde vive un determinado animal, o un grupo de animales relacionados por vínculos de familia, y que es defendido frente a la invasión de otros congéneres. ‖ **nacional.** *Argent.* **territorio** que, a diferencia de las provincias, depende administrativa y jurídicamente de la Nación.

terrizo, za. adj. **terroso,** de tierra. ‖ **2.** Dícese del suelo de tierra, sin pavimentar. ‖ **3.** m. y f. Barreño, lebrillo. ‖ **4.** *And.* Era² sin pavimentar.

terrollo. m. *Rioja.* Especie de collera hecha de un rollo de paja de centeno forrado de tela fuerte.

terromontero. m. Collado, montecillo.

terrón. m. Masa pequeña y suelta de tierra compacta. ‖ **2.** Masa pequeña y suelta de otras sustancias. TERRÓN *de azúcar, de sal.* ‖ **3.** Residuo que deja en los capachos de los molinos de aceite la aceituna después de exprimida. ‖ **4.** pl. Hacienda rústica, como viñas, tierras labrantías, etc. ‖ **de tierra.** fig. y fam. **montón de tierra.** ‖ **a rapa terrón.** loc. adv. fam. Hablando de siega, a ras de tierra; a raíz. ‖ **2.** *And.* Referido al corte del pelo, **al rape.**

terronazo. m. Golpe dado con un terrón.

terror. (Del lat. *terror, -ōris.*) m. Miedo muy intenso. ‖ **2.** Denominación dada a los métodos expeditivos de justicia revolucionaria y contrarrevolucionaria. Por antonom., época, durante la Revolución francesa, en que estos eran frecuentes.

terrorífico, ca. adj. Que infunde terror.

terrorismo. m. Dominación por el terror. ‖ **2.** Sucesión de actos de violencia ejecutados para infundir terror.

terrorista. com. Persona partidaria del terrorismo. ‖ **2.** adj. Que practica actos de terrorismo. Ú. t. c. s. ‖ **3.** Perteneciente o relativo al terrorismo. ‖ **4.** Dícese del gobierno, partido, etc., que practica el terrorismo.

terrosidad. f. Calidad de terroso.

terroso, sa. (Del lat. *terrōsus.*) adj. Que participa de la naturaleza y propiedades de la tierra. ‖ **2.** Que tiene mezcla de tierra. ‖ **3.** m. *Germ.* **terrón,** pequeña masa de tierra compacta.

terruño. m. **terrón,** masa pequeña de tierra. ‖ **2.** Comarca o tierra, especialmente el país natal. ‖ **3.** fam. **terreno,** sitio o espacio de tierra.

terruñero, ra. adj. Perteneciente o relativo al terruño. ‖ **2.** Que sigue apegado a su tierra natal, participando de su idiosincrasia. ‖ **3.** m. Campesino que trabaja la tierra.

terruzo. m. ant. **terruño.**

tersar. tr. Poner tersa una cosa.

tersidad. f. p. us. Calidad de terso.

terso, sa. (Del lat. *tersus,* p. p. de *tergĕre,* limpiar.) adj. Limpio, claro, bruñido y resplandeciente. ‖ **2.** Liso, sin arrugas. ‖ **3.** fig. Tratándose de lenguaje, estilo, etc., puro, limado, fluido, fácil.

tersura. f. Calidad de terso.

tertil. (Del ár. *tartīl,* acción de pesar por libras.) m. Impuesto de ocho maravedís que se pagaba en el reino de Granada por cada libra de seda, desde la época de los árabes hasta el siglo XIX.

tertulia. (De or. inc.) f. Reunión de personas que se juntan habitualmente para conversar o recrearse. ‖ **2.** Corredor en la parte más alta de los antiguos teatros de España. ‖ **3.** Lugar en los cafés destinado a mesas de juegos de billar, cartas, dominó, etc. ‖ **4.** *Argent.* y *Cuba.* **luneta,** butaca de teatro. ‖ **estar de tertulia.** fr. fam. **conversar,** hablar.

tertuliano, na. adj. **contertulio.** Ú. t. c. s.

tertuliante. p. a. de **tertuliar.** Que tertulia. ‖ **2.** adj. **contertulio.**

tertuliar. intr. *Amér.* Estar de tertulia, conversar.

tertulio, lia. adj. **contertulio.**

teruelo. m. *Ar.* Bola hueca donde se incluye el nombre o número de cada uno de los que entran en suerte.

teruncio. (Del lat. *teruncĭus.*) m. Moneda romana que valía la cuarta parte de un as.

teruteru. (De or. onomatopéyico.) m. *Amér. Merid.* Ave zancuda, de la misma familia que los andarríos, de 30 a 40 centímetros de envergadura, con plumaje de color blanco con mezcla de negro y pardo. Anda en bandadas y alborota mucho con sus chillidos desapacibles al levantar el vuelo.

teruvela. (Del lat. *terebella,* trépano.) f. ant. **polilla.**

terzón, na. (De *tercio.*) adj. *Ar.* De tres años, dicho del novillo. Ú. t. c. s.

terzuela. (d. de *tercia.*) f. Distribución que reciben los capitulares en algunas iglesias por asistir al coro a la hora de tercia.

terzuelo. (d. de *tercio.*) m. Tercio o tercera parte de una cosa. ‖ **2.** *Cetr.* Halcón macho.

tesaliano, na. adj. **tesalio.**

tesálico, ca. (Del lat. *Thessalĭcus.*) adj. **tesalio.**

tesaliense. adj. Natural de Tesalia. Ú. t. c. s. ‖ **2.** Perteneciente a esta región de Grecia antigua.

tesalio, lia. (Del lat. *Thessalĭus.*) adj. Natural de Tesalia. Ú. t. c. s. ‖ **2.** Perteneciente a Tesalia.

tésalo, la. (Del lat. *Thessălus.*) adj. **tesalio.**

tesalonicense. (Del lat. *Thessalonicenses.*) adj. Natural de Tesalónica. Ú. t. c. s. ‖ **2.** Perteneciente a esta ciudad de Macedonia.

tesalónico, ca. (De *Tesalónica.*) adj. Natural de Tesalónica. Ú. t. c. s. ‖ **2.** Perteneciente a esta ciudad.

tesar¹. (Del lat. **tensāre,* de *tensus,* p. p. de *tendĕre.*) tr. *Mar.* Poner tirantes los cabos y cadenas, velas, toldos y cosas semejantes.

tesar². intr. Andar hacia atrás los bueyes uncidos.

tesaurero. (Del lat. *thesaurarĭus.*) m. ant. **tesorero.**

tesaurizar. (Del lat. *thesaurizāre.*) tr. p. us. **atesorar.**

tesauro. (Del lat. *thesaurus,* y este del gr. θησαυρός.) m. desus. **tesoro,** nombre dado a algunos diccionarios, catálogos, antologías, etc. ‖ **2.** ant. **tesoro.**

tesbita. adj. Natural de Tesba. Ú. t. c. s. ‖ **2.** Perteneciente a esta ciudad de Palestina.

tesela. (Del lat. *tessella.*) f. Cada una de las piezas con que se forma un mosaico.

teselado, da. (Del lat. *tessellātus.*) adj. Formado con teselas. Ú. t. c. s. m.

tésera. (Del lat. *tessĕra.*) f. Pieza cúbica o planchuela con inscripciones que los romanos usaban como contraseña, distinción honorífica o prenda de un pacto.

tesina. f. d. de **tesis.** ‖ **2.** Trabajo escrito, exigido para ciertos grados en general inferiores al doctor.

tesis. (Del lat. *thesis,* y este del gr. θέσις.) f. Conclusión, proposición que se mantiene con razonamientos. ‖ **2.** Opinión de alguien sobre algo. ‖ **3.** Disertación escrita que presenta a la universidad el aspirante al título de doctor en una facultad. ‖ **4.** *Mús.* Golpe en el movimiento de la mano con que se marca alternativamente el compás.

tesitura. (Del it. *tessitura*.) f. *Mús.* Altura propia de cada voz o de cada instrumento. ‖ **2.** fig. Actitud o disposición del ánimo.

tesla. (Del apellido de Nicolás Tesla, físico yugoslavo, 1856-1943.) m. *Fís.* Unidad de inducción magnética en el sistema basado en el metro, el kilogramo, el segundo y el amperio.

teso, sa. (Del lat. *tensus*, p. p. de *tendĕre*, estirar.) p. p. irreg. de **tesar.** ‖ **2.** adj. **tieso.** ‖ **3.** *Arq.* V. **lima tesa.** ‖ **4.** m. Colina baja que tiene alguna extensión llana en la cima. ‖ **5.** Pequeña salida en una superficie lisa. ‖ **6.** *Av.* Cada una de las divisiones del rodeo en las ferias. ‖ **7.** *Tol.* Sitio en que se efectúa la feria de ganados.

tesón. (Del lat. *tensĭo, -ōnis*.) m. Decisión y perseverancia que se ponen en la ejecución de algo. ‖ **2.** *Zam.* Manga corta para pescar. ‖ **3.** *Zam.* Cada una de las tablas planas que forman los fondos o bases de las cubas y toneles.

tesonería. (De *tesón*.) f. Terquedad, pertinacia.

tesonero, ra. adj. Dícese del que tiene tesón o constancia. Ú. m. en América Meridional.

tesonía. (De *tesón*.) f. ant. **tesonería.**

tesorería. f. Cargo u oficio de tesorero. ‖ **2.** Oficina o despacho del tesorero. ‖ **3.** Parte del activo de un comerciante disponible en metálico o fácilmente realizable.

tesorero, ra. (Del lat. *thesaurarĭus*.) m. y f. Persona encargada de custodiar y distribuir los caudales de una dependencia pública o particular. ‖ **2.** m. Canónigo o dignidad a cuyo cargo está la custodia de las reliquias y alhajas de una catedral o colegiata.

tesorizar. tr. desus. **atesorar.**

tesoro. (Del lat. *thesaurus*.) m. Cantidad de dinero, valores u objetos preciosos, reunida y guardada. ‖ **2.** Erario de la nación. ‖ **3.** Abundancia de caudal y dinero guardado y conservado. ‖ **4.** fig. Persona o cosa, o conjunto o suma de cosas, de mucho precio o muy dignas de estimación. *Tal persona o tal libro es un* TESORO; TESORO *de noticias, de virtudes*. ‖ **5.** fig. Nombre dado por sus autores a ciertos diccionarios, catálogos o antologías. ‖ **6.** *Der.* Conjunto escondido de monedas o cosas preciosas, de cuyo dueño no queda memoria. ‖ **de duende.** Riqueza imaginaria o que se disipa fácilmente.

tespíades. (Del lat. *Thespiădes*.) f. pl. Las musas, así llamadas porque moraron, según la fábula, en la ciudad de Tespias.

test. (Del ing. *test*.) m. Examen, prueba. ‖ **2.** *Psicol.* Prueba psicológica para estudiar alguna función.

testa. (Del lat. *testa*.) f. Cabeza del hombre y de los animales. ‖ **2.** En el hombre y algunos mamíferos, parte superior y posterior de ella. ‖ **3.** Frente, cara o parte anterior de algunas cosas materiales. ‖ **4.** p. us. fig. y fam. Entendimiento, capacidad y prudencia. ‖ **5.** *Bot.* Cubierta externa de la semilla, derivada del tegumento y de consistencia y dureza variables. ‖ **coronada.** Monarca o señor soberano de un Estado. ‖ **de ferro. testaferro.**

testáceo, a. (Del lat. *testacĕus*.) adj. Dícese de los animales que tienen concha. Ú. t. c. s. m.

testación. (Del lat. *testatĭo, -ōnis*.) f. ant. Acción y efecto de **testar¹**, embargar.

testada. (De *testa*.) f. **testarada**, golpe.

testado, da. p. p. de **testar**. ‖ **2.** adj. Dícese de la persona que ha muerto habiendo hecho testamento, y de la sucesión por esta regida.

testador, ra. (Del lat. *testātor, -ōris*.) m. y f. Persona que hace testamento.

testadura. f. Acción y efecto de **testar¹**, tachar.

testaférrea. m. **testaferro.**

testaferro. (Del it. *testa-ferro*, cabeza de hierro.) m. El que presta su nombre en un contrato, pretensión o negocio que en realidad es de otra persona.

testamentaría. (De *testamentario*.) f. Ejecución de lo dispuesto en el testamento. ‖ **2.** Bienes que constituyen una herencia, considerados desde que muere el testador hasta que quedan definitivamente en poder de los herederos. ‖ **3.** Junta de los testamentarios. ‖ **4.** Conjunto de documentos y papeles que atañen al debido cumplimiento de la voluntad del testador. ‖ **5.** Juicio, de los llamados universales, para inventariar, conservar, liquidar y partir la herencia del testador.

testamentario, ria. (Del lat. *testamentarĭus*.) adj. Perteneciente o relativo al testamento. ‖ **2.** V. **cédula testamentaria.** ‖ **3.** *Der.* V. **tutela testamentaria.** ‖ **4.** m. y f. Persona encargada por el testador de cumplir su última voluntad.

testamentifacción. f. *Der.* Facultad de disponer por acto de última voluntad o de recibir herencia o legado.

testamento. (Del lat. *testamentum*.) m. Declaración de su última voluntad hace una persona, disponiendo de bienes y de asuntos que le atañen para después de su muerte. ‖ **2.** Documento donde consta en forma legal la voluntad del testador. ‖ **3.** Obra en que un autor, en el último periodo de su actividad, deja expresados los puntos de vista fundamentales de su pensamiento o las principales características de su arte, en forma que él o la posteridad consideran definitiva. ‖ **4.** V. **cabeza de testamento.** ‖ **5.** V. **arca del testamento.** ‖ **6.** ant. *Der.* Embargo o aprehensión judicial de las cosas, a pedimento del acreedor. ‖ **7.** fig. y fam. Serie de resoluciones que por interés personal dicta una autoridad cuando va a cesar en sus funciones. ‖ **abierto.** El que se otorga de palabra o por minuta que ha de leerse ante notario y testigos o solo ante testigos, en el número y condiciones determinados por la ley civil, el cual se protocoliza como escritura pública. ‖ **adverado.** El que, según derecho foral, se otorga ante el párroco y dos testigos, y se certifica o confirma con formalidades establecidas por el fuero, y que se eleva después a escritura pública. ‖ **cerrado.** El que se otorga escribiendo o haciendo escribir el testador su voluntad bajo cubierta sellada que no puede abrirse sin romperla y cuyo sobrescrito autorizan el notario y los testigos en la forma prescrita por la ley civil. ‖ **de hermandad**, o **de mancomún.** El que, según derecho antiguo, se otorgaba en un mismo instrumento por dos personas, generalmente cónyuges, en beneficio recíproco o de tercero. Aún subsiste en algunas legislaciones forales. ‖ **escrito. testamento cerrado.** ‖ **marítimo.** El otorgado, con menores solemnidades que el ordinario, por la persona que se halla a bordo de una nave en viaje. ‖ **militar.** El otorgado, con menores solemnidades que el ordinario, por la persona que forma parte de un ejército en campaña. ‖ **nuncupativo. testamento abierto.** ‖ **ológrafo.** El que deja el testador escrito y firmado de su mano propia y que es adverado y protocolizado después. ‖ **por comisario.** El que, según derecho antiguo, otorgaba una persona especialmente apoderada para ello por el testador. Aún subsiste en algunas legislaciones forales. ‖ **sacramental.** El que se otorga con especiales formalidades de juramento religioso determinadas en el derecho regional de Cataluña. ‖ **Antiguo Testamento.** Libro que contiene los escritos de Moisés y todos los demás canónicos anteriores a la venida de Jesucristo. ‖ **Nuevo Testamento.** Libro que contiene los Evangelios y demás obras canónicas posteriores al nacimiento de Jesús. ‖ **Viejo Testamento. Antiguo Testamento.** ‖ **el testamento de la zorra.** fr. con que se moteja al que de disponer uno o hacer mandas de hacienda que no tiene. ‖ **lo que no pasa por testamento, pasa por codicilo.** fr. fig. y fam. con que se da a entender que lo que no puede hacerse por el camino regular, se suele hacer por otros medios. ‖ **ordenar**, u **otorgar**, uno su **testamento**. fr. Hacerlo. ‖ **quebrantar el testamento**. fr. *Der*. Inutilizar o invalidar el que se hizo según derecho, y permaneciendo en el mismo estado el testador; como cuando le nace un heredero, cuando hace otro **testamento** perfecto, o cuando adopta por hijo a alguno.

testar[1]. (De lat. *testāri*.) intr. Hacer testamento. ‖ **2**. tr. Tachar, borrar. ‖ **3**. ant. Declarar o afirmar como testigo. ‖ **4**. ant. Embargar judicialmente, o denunciar una cosa, pidiendo su embargo.

testar[2]. (De *testa*.) intr. **atestar**[3].

testarada. (De *testerada*.) f. Golpe dado con la testa. ‖ **2**. Terquedad, inflexibilidad y obstinación en una aprensión particular.

testarazo. m. **testarada**, golpe dado con la testa. ‖ **2**. Por ext., golpe, porrazo, encuentro violento.

testarrón, na. adj. fam. **testarudo**. Ú. t. c. s.

testarronería. f. fam. Calidad de testarrón.

testarudez. f. Calidad de testarudo. ‖ **2**. Acción propia del testarudo.

testarudo, da. (De *testa*.) adj. Porfiado, terco, temoso. Ú. t. c. s.

teste. (Del lat. *testis*.) m. **testículo**. ‖ **2**. ant. **testigo**, persona. ‖ **3**. *NO. Argent*. Verruga que sale en los dedos de las manos.

testera. (De *testa*.) f. Frente o principal fachada de una cosa. ‖ **2**. p. us. Asiento, en el coche de caballos, en que se va de frente, a distinción del vidrio, en que se va de espaldas. ‖ **3**. Adorno para la frente de las caballerías. ‖ **4**. Parte anterior y superior de la cabeza del animal. ‖ **5**. Cada una de las paredes del horno de fundición.

testerada. (De *testera*.) f. **testarada**, golpe.

testerazo. m. **testarazo**.

testerillo, lla. (De *testera*, frente.) m. y f. *Argent*. Caballar que presenta sobre la frente blanca una mancha de color igual al del resto del pelaje. ‖ **2**. f. *Argent*. Esta mancha.

testero. (De *testa*.) m. **testera**. ‖ **2**. Trashoguero de la chimenea. ‖ **3**. *Mín*. Macizo de mineral con dos caras descubiertas: una horizontal inferior y otra vertical. ‖ **4**. *Cuen*. Extremo del tronco del pino por donde ha sido cortado con el hacha.

testicular. adj. Perteneciente o relativo a los testículos.

testículo. (Del lat. *testicŭlus*.) m. *Anat*. Cada una de las dos gónadas masculinas, generadoras de la secreción interna específica del sexo y de los espermatozoos.

testificación. (Del lat. *testificātio, -ōnis*.) f. Acción y efecto de testificar.

testifical. adj. Referente a los testigos.

testificar. (Del lat. *testificāri*.) tr. Afirmar o probar de oficio una cosa, con referencia a testigos o documentos auténticos. ‖ **2**. Deponer como testigo en algún acto judicial. ‖ **3**. fig. Declarar, explicar y denotar con seguridad y verdad una cosa, en lo físico y en lo moral.

testificata. (Del lat. *testificāta*, testificada.) f. *Der. Ar*. Testimonio e instrumento legalizado de escribano, en que da fe de una cosa.

testificativo, va. (Del lat. *testificātus*, p. p. de *testificāri*, testificar.) adj. Que declara y explica con certeza y testimonio verdadero una cosa.

testigo. (De *testiguar*.) com. Persona que da testimonio de una cosa, o la atestigua. ‖ **2**. Persona que presencia o adquiere directo y verdadero conocimiento de una cosa. ‖ **3**. m. Cualquier cosa, aunque sea inanimada, por la cual se arguye o infiere la verdad de un hecho. ‖ **4**. En los tramos de una vía de comunicación en que circunstancialmente solo se permite circular en una dirección, bastón u otro objeto que transporta el conductor del último de los vehículos que marchan en un sentido, para que su entrega al primero de los que aguardan hacerlo en sentido contrario, señale el comienzo de este movimiento. ‖ **5**. Especie de hito de tierra que se deja a trechos en las excavaciones, para poder cubicar después con exactitud el volumen de tierra extraída. ‖ **6**. Extremo de una cuerda en que el cáñamo o esparto está sin torcer e indica que la cuerda está entera. ‖ **7**. Pieza de escayola o de otro material adecuado que se coloca sobre las grietas de un edificio para comprobar su evolución. ‖ **8**. **testículo**. ‖ **9**. *Biol*. Parte del material viviente destinado a una experimentación, el cual, mantenido en condiciones normales, sirve para determinar por comparación el resultado de las manipulaciones a que se somete la otra parte de dicho material. ‖ **10**. *Dep*. En las carreras de relevos, objeto que en el lugar marcado intercambian los corredores de un mismo equipo, para dar fe de que la sustitución ha sido correctamente ejecutada. ‖ **11**. *Encuad*. Trozo de papel que se deja sin cortar al pie de una hoja para que acuse el tamaño original de los pliegos. ‖ **12**. pl. Piedras que se aproximan o entierran a los lados de los mojones para señalar la dirección del límite del terreno amojonado. ‖ **13**. Trozo del mismo metal que anda buscando el zahorí, y que lleva en la mano mientras practica la radiestesia. ‖ **abonado**. *Der*. El que no tiene tacha legal. ‖ **2**. *Der*. El que no pudiendo ratificarse, por haber muerto o hallarse ausente, es abonado por la justificación que se hace de su veracidad y de no tener tachas legales. ‖ **de cargo**. El que depone en contra del procesado. ‖ **de conocimiento**. *Der*. El que, conocido a su vez por el notario, asegura a este sobre la identidad del otorgante. ‖ **de descargo**. El que depone en favor del procesado. ‖ **de oídas**. El que depone de un caso por haberlo oído a otros. ‖ **de vista**. El que se halló presente al caso sobre que atestigua o depone. ‖ **2**. Persona que se constituye en vigilante para observar lo que se hace o acontece. ‖ **instrumental**. *Der*. El que en documentos notariales afirma con el notario el hecho y contenido del otorgamiento. ‖ **mayor de toda excepción**. *Der*. El que no tiene tacha ni excepción legal. ‖ **ocular**. **testigo de vista**. ‖ **singular**. *Der*. El que es único en lo que atestigua. ‖ **sinodal**. Persona honesta, de suficiencia y probidad, nombrada en el sínodo para dar testimonio de la observancia de los estatutos sinodales. ‖ **examinar testigos**. fr. *Der*. Tomarles el juramento y las declaraciones, escribiéndolo y que deponen al tenor del interrogatorio y de las preguntas, si las hay. ‖ **hacer testigos**. fr. *Der*. Poner personas de autoridad para que confirmen la verdad de una cosa. ‖ **mucho aprieta este testigo**. expr. fig. y fam. que se usa cuando una prueba con hechos indubitables lo contrario de lo que otro decía.

testiguar. (Del lat. *testificāri*.) tr. ant. Declarar o afirmar como testigo, atestiguar.

testimonial. (Del lat. *testimoniālis*.) adj. Que hace fe y verdadero testimonio. ‖ **2**. f. pl. Instrumento auténtico que asegura y hace fe de lo contenido en él. ‖ **3**. Testimonio que dan los obispos de la buena vida, costumbres y libertad de un súbdito que pasa a otra diócesis.

testimoniar. (De *testimonio*.) tr. Atestiguar, o servir de testigo para alguna cosa.

testimoniero, ra. adj. Que levanta falsos testimonios. Ú. t. c. s. ‖ **2**. Hazañero, hipócrita. Ú. t. c. s.

testimonio. (Del lat. *testimonĭum*.) m. Atestación o aseveración de una cosa. ‖ **2**. Instrumento autorizado por escribano o notario, en que se da fe de un hecho, se traslada total o parcialmente un documento o se le resume por vía de relación. ‖ **3**. Prueba, justificación y comprobación de la certeza o verdad de una cosa. ‖ **4**. Impostura y falsa atribución de una culpa. ‖ **5**. ant. **testigo**. ‖ **falso testimonio**. **testimonio**, falsa atribución de una culpa. ‖ **2**. *Der*. Delito que comete el testigo o perito que declara faltando a la verdad en causa criminal o en actuaciones judiciales de índole civil.

testimoñero, ra. adj. **testimoniero.** Ú. t. c. s.

testón. (De *testa*, por tener las primeras de estas monedas grabada una cabeza.) m. Moneda de plata, usada antiguamente en Italia y Francia, con valor más o menos correspondiente al tostón que de ella procede.

testudíneo, a. (Del lat. *testudinĕus*.) adj. Propio de la tortuga, parecido a ella. *Paso* TESTUDÍNEO.

testudo. (Del lat. *testūdo*.) m. Máquina militar antigua con que se cubrían los soldados para arrimarse a las murallas y defenderse de las armas arrojadizas. ‖ **2.** Cubierta que formaban antiguamente los soldados alzando y uniendo los escudos sobre sus cabezas, para guarecerse de las armas arrojadizas del enemigo.

testuz. (De *testa*.) amb. En algunos animales, parte superior de la cara, frente. ‖ **2.** En otros animales, lugar correspondiente a la unión del espinazo con la cabeza, nuca.

testuzo. m. **testuz.**

tesura. (Del lat. *tensūra*.) f. Calidad de tieso.

teta. (Del germ. *titta*.) f. Cada uno de los órganos glandulosos y salientes que los mamíferos tienen en número par y sirven en las hembras para la secreción de la leche. ‖ **2.** Leche que segregan estos órganos. ‖ **3.** Pezón de la **teta.** ‖ **4.** fig. **mambla,** montecillo en forma de **teta** de mujer. ‖ **de maestra. maestril.** ‖ **de vaca.** Merengue grande y de forma cónica. ‖ **2.** Barbaja, planta compuesta. ‖ **3.** V. **uva teta de vaca.** ‖ **dar la teta.** fr. Dar de mamar. ‖ **dar la teta al asno.** fr. fig. y fam. con que se explica la desproporción o inutilidad de una acción que se ejecuta con quien no ha de agradecer o aprovechar. ‖ **de teta.** loc. adj. Dícese del niño o de la cría de un animal que está en el periodo de la lactancia. ‖ **mamar una teta.** fr. fig. y fam. Mostrar una persona, ya en edad mayor, demasiada afición o apego a su madre, con propiedades de **teta.** ‖ **quitar la teta.** fr. fam. Hacer que deje de mamar el niño o la cría de animal. ‖ **2.** fig. y fam. *Ecuad.* Hacer perder sus privilegios o granjerías a un funcionario.

tetada. f. Leche que mama el niño cada vez.

tetania. (De *tétanos.*) f. *Pat.* Enfermedad producida por insuficiencia de la secreción de las glándulas paratiroides, caracterizada por contracciones dolorosas de los músculos y por diversos trastornos del metabolismo, principalmente la disminución del calcio en la sangre.

tetánico, ca. (Del lat. *tetanĭcus*.) adj. Perteneciente o relativo al tétanos.

tétano. m. *Pat.* **tétanos.**

tétanos. (Del lat. *tetănus*, y este del gr. τέτανος.) m. *Pat.* Rigidez y tensión convulsiva de los músculos que en salud están sometidos al imperio de la voluntad. ‖ **2.** *Pat.* Enfermedad muy grave producida por un bacilo que penetra generalmente por las heridas y ataca el sistema nervioso. Sus síntomas principales son la contracción dolorosa y permanente de los músculos, y la fiebre.

tetar. (De *teta.*) tr. **atetar,** dar la teta. ‖ **2.** intr. *Ar.* **mamar,** tomar la leche de la teta.

tetera. f. Vasija de metal, loza, porcelana o barro, con tapadera y un pico provisto de colador interior o exterior, la cual se usa para hacer y servir el té. ‖ **2.** *And.* y *Amér.* Tetilla, mamadera.

tetero. (De *teta.*) m. *Col.* **biberón.**

teticiega. adj. *Ar.* Dícese de la res que tiene obstruidos los conductos de la leche de una teta.

teticoja. adj. *And.* Dícese de la cabra que solo tiene una ubre.

tetilla. f. d. de **teta.** ‖ **2.** Cada una de las tetas de los machos en los mamíferos, menos desarrolladas que las de las hembras. ‖ **3.** Especie de pezón de goma que se pone al biberón para que el niño haga la succión. ‖ **4.** Planta

de la familia de las compuestas; común en España, parecida al alazor, pero con flores azules. ‖ **5.** *Chile.* Hierba anual de la familia de las saxifragáceas, que tiene los peciolos de las hojas muy abultados, las cuales contienen mucha agua. ‖ **dar** a uno **en,** o **por, la tetilla.** fr. fig. y fam. Convencerle, o tocarle en lo que más siente.

tetina. (Del fr. *tetine.*) f. **tetilla,** especie de pezón que se pone en los biberones.

tetón. (aum. de *teta.*) m. Pedazo seco de la rama podada que queda unido al tronco. ‖ **2.** *Rioja.* **lechón,** cochinillo que aún mama.

tetona. (De *teta.*) adj. fam. Dícese de la hembra de tetas grandes.

tetra-. (Del gr. τετρα-.) elem. compos. que significa «cuatro»: TETRA*sílabo,* TETRÁ*podo.*

tetrabranquial. (De *tetra-,* y el pl. βράγχια, branquias.) adj. *Zool.* Dícese del cefalópodo cuyo aparato respiratorio está formado por cuatro branquias. ‖ m. pl. *Zool.* Grupo taxonómico constituido por los cefalópodos que tienen cuatro branquias; como el nautilo.

tetracordio. (Del lat. *tetrachordon,* y este del gr. τετράχορδον.) m. *Mús.* Serie de cuatro sonidos que forman un intervalo de cuarta.

tétrada. (Del gr. τετράς, -άδος, el número cuatro.) f. Conjunto de cuatro seres o cosas estrecha o especialmente vinculados entre sí.

tetradracma. m. Moneda antigua que valía cuatro dracmas.

tetraedro. (Del gr. τετράεδρον.) m. *Geom.* Sólido terminado por cuatro planos o caras. ‖ **regular.** *Geom.* Aquel cuyas caras son triángulos equiláteros.

tetragonal. adj. Perteneciente o relativo al tetrágono. ‖ **2.** Que tiene forma de tetrágono, cuadrangular. ‖ **3.** Dícese del sistema cristalográfico según el cual cristalizan sustancias como el rutilo y la casiterita.

tetrágono. (Del lat. *tetragŏnum,* y este del gr. τετράγωνον.) adj. *Geom.* Aplícase al polígono de cuatro ángulos y cuatro lados. Ú. t. c. s. ‖ **2.** m. Superficie de cuatro ángulos y cuatro lados, cuadrilátero.

tetragrama. (De *tetra-* y *-grama.*) m. *Mús.* Renglonadura formada por cuatro rectas paralelas y equidistantes, usada en la escritura del canto gregoriano.

tetragrámaton. (Del lat. *tetragrammăton,* y este del gr. τετραγράμματον.) m. Nombre o palabra compuesta de cuatro letras. ‖ **2.** Por excel., nombre de Dios, que en hebreo se compone de cuatro letras, como en muchos otros idiomas.

tetralogía. (Del gr. τετραλογία.) f. Conjunto de cuatro obras trágicas de un mismo autor, presentadas a concurso en los juegos solemnes de Grecia antigua. ‖ **2.** Conjunto de cuatro obras literarias o líricas que tienen entre sí enlace histórico o unidad de pensamiento. ‖ **3.** *Med.* Lesión cardiaca congénita, descrita por Fallopi, formada por ciertos defectos de la arteria pulmonar, de la aorta y de los ventrículos. Ocasiona la llamada enfermedad azul.

tetrámero, ra. (De *tetra-* y el gr. μέρος, parte.) adj. *Bot.* Dícese del verticilo que consta de cuatro piezas y de la flor que tiene corola y cáliz con este carácter. ‖ **2.** *Zool.* Dícese de los insectos coleópteros que tienen cuatro artejos en cada tarso; como el gorgojo. Ú. t. c. s. m. ‖ **3.** m. pl. *Zool.* Suborden de estos insectos.

tetrápodo, da. (De *tetra-* y el gr. πούς, ποδός, pie.) adj. *Zool.* Dícese de los animales vertebrados que poseen dos pares de extremidades pectátiles. Ú. t. c. s. m. ‖ **2.** m. pl. *Zool.* Grupos de estos animales, que comprende los anfibios, los reptiles, las aves y los mamíferos.

tetrarca. (Del lat. *tetrarcha,* y este del gr. τετράρχης.) m. Señor de la cuarta parte de un reino o provincia. ‖ **2.** Gobernador de una provincia o territorio.

tetrarquía. (Del lat. *tetrarchĭa,* y este del gr. τετραρχία.) f. Dignidad de tetrarca. ‖ **2.** Territorio de su jurisdicción. ‖ **3.** Tiempo de su gobierno.

tetrasílabo, ba. (Del lat. *tetrasíllăbus,* y este del gr. τετρασύλλαβος, de cuatro sílabas.) adj. De cuatro sílabas.

tetrástico, ca. (Del lat. *tetrastíchus,* y este del gr. τετράστιχος, de cuatro órdenes o series.) adj. Dícese de la cuarteta o combinación métrica de cuatro versos.

tetrástrofo, fa. (Del lat. *tetrastróphus,* y este del gr. τέτρα, cuatro, y στροφή, estrofa.) adj. Dícese de la composición que consta de cuatro estrofas. Por confusión se dice también de la estrofa tetrástica.

tetravalente. adj. *Quím.* Que funciona con cuatro valencias.

tétrico, ca. (Del lat. *tetrícus.*) adj. Triste, demasiadamente serio, grave y melancólico.

tetro, tra. (Del lat. *teter, tetra.*) adj. ant. Negro, manchado.

tetuán. adj. p. us. **tetuaní.**

tetuaní. adj. Natural de Tetuán. Ú. t. c. s. ‖ **2.** Perteneciente a esta ciudad de África.

tetuda. adj. Dícese de la hembra que tiene muy grandes las tetas. ‖ **2.** V. **aceituna tetuda.**

teucali. m. Templo de los antiguos mejicanos, teocali.

teucrio. (Del lat. *teucrion,* y este del gr. τεύκριον.) m. Arbusto de la familia de las labiadas, como de un metro de altura, con tallos leñosos, ramas extendidas, hojas persistentes, aovadas, enteras, verdes y lustrosas por la haz, amarillentas y vellosas por el envés; flores axilares, solitarias, azuladas con venas más obscuras, y por fruto cuatro aquenios pardos y algo rugosos en el fondo del cáliz.

teucro, cra. (Del lat. *Teucrus.*) adj. Natural de Troya. Ú. t. c. s. ‖ **2.** Perteneciente a esta ciudad.

teúrgia. (Del lat. *theurgía,* y este del gr. θεουργία.) f. Especie de magia de los antiguos gentiles mediante la cual pretendían tener comunicación con sus divinidades y operar prodigios.

teúrgico, ca. (Del lat.) adj. Relativo a la teúrgia.

teúrgo. m. Mago dedicado a la teúrgia.

teután, na. (Del pl. lat. *Teutŏnes.*) adj. Dícese del individuo de un pueblo de raza germánica que habitó antiguamente cerca de la desembocadura del Elba, en el territorio del moderno Holstein. Ú. m. c. s. y en pl. ‖ **2.** fam. **alemán.**

teutónico, ca. (Del lat. *Teutonicus.*) adj. Perteneciente o relativo a los teutones. ‖ **2.** Aplícase a una orden militar de Alemania y a los caballeros de la misma. ‖ **3.** m. Lengua de los teutones.

tex. m. En la industria textil, unidad que sirve para numerar directamente la masa de un hilo o mecha, y que corresponde a la masa de un kilómetro de la misma materia cuando pese un gramo. Ú. t. en pl. sin variación de forma.

textil. (Del lat. *textílis.*) adj. Dícese de la materia capaz de reducirse a hilos y ser tejida. Ú. t. c. s. ‖ **2.** Perteneciente o relativo a los tejidos.

texto. (Del lat. *textus.*) m. Conjunto de palabras que componen un documento escrito. ‖ **2.** Pasaje citado de una obra literaria. ‖ **3.** Por antonom., sentencia de la Sagrada Escritura. ‖ **4.** Todo lo que se dice en el cuerpo de la obra manuscrita o impresa, a diferencia de lo que en ella va por separado; como portadas, notas, índices, etc. ‖ **5.** Enunciado o conjunto de enunciados orales o escritos, que el lingüista somete a estudio. ‖ **6.** Grado de letra de imprenta, menos gruesa que la parangona y más que la atanasia. ‖ **7. libro de texto.** ‖ **Sagrado texto.** La Biblia.

textorio, ria. (Del lat. *textórius.*) adj. p. us. Perteneciente al arte de tejer. ‖ **2.** fig. V. **rayo textorio.**

textual. adj. Conforme con el texto o propio de él. ‖ **2.** Aplícase también al que autoriza sus pensamientos con la prueba con lo literal de los textos, o expone un texto con otro. ‖ **3.** fig. Exacto, preciso.

textualista. (De *textual.*) com. Persona que al leer atiende más al texto que a las glosas, comentarios, etc.

textura. (Del lat. *textúra.*) f. Disposición y orden de los hilos en una tela. ‖ **2.** Operación de tejer. ‖ **3.** fig. Estructura, disposición de las partes de un cuerpo, de una obra, etc. ‖ **4.** *Biol.* Disposición que tienen entre sí las partículas de un cuerpo.

texturizar. tr. Tratar los hilos de fibras sintéticas para darles buenas propiedades textiles.

teyo, ya. (Del lat. *Teŭus.*) adj. Natural de Teos. Ú. t. c. s. ‖ **2.** Perteneciente a esta ciudad de Jonia.

teyú. (De or. guaraní.) m. *Argent., Par.* y *Urug.* Especie de lagarto de unos 45 centímetros de longitud, verde por el dorso, con dos líneas amarillas a cada lado y una serie de manchas negras.

tez. (Probablemente del ant. *aptez,* del lat. *aptus,* sano, robusto.) f. **superficie.** Se usa más especialmente hablando de la del rostro humano.

tezado, da. (De *tez.*) adj. **atezado,** moreno.

tezcucano, na. adj. Natural de Tezcuco. Ú. t. c. s. ‖ **2.** Perteneciente a esta ciudad de Méjico.

theta. (Del gr. θῆτα.) f. Octava letra del alfabeto griego, que, en latín y otras lenguas, se representa con *th,* y en la nuestra modernamente se representa con *t,* v. gr.: *tálamo, teatro, Atenas.*

ti. (Del lat. *tibi,* dat. de *tu,* tú.) Forma del pronombre personal de segunda persona de singular, común a los casos genitivo, dativo, acusativo y ablativo. Se construye siempre con preposición, a excepción de que, si se dice **contigo, hoy por ti y mañana por mí.** expr. con que se manifiesta la reciprocidad que puede haber en servicios o favores.

tía. (Del lat. *thia,* y este del gr. θεία.) f. Respecto de una persona, hermana o prima de su padre o madre. La primera se llama carnal, y la otra, segunda, tercera, etc., según los grados que dista. ‖ **2. tía abuela.** ‖ **3.** En los lugares, tratamiento de respeto que se da a la mujer casada o entrada en edad. ‖ **4.** fam. Mujer rústica y grosera. ‖ **5.** fam. y vulg. Apelativo para designar a una compañera o amiga; se aplica también cuando no se sabe el nombre de la persona o no se quiere decir. ‖ **6.** Apelativo con que se designa a la mujer de quien se pondera algo bueno o malo. ¡*Qué* TÍA *más lista!* ‖ **7. ramera.** ‖ **8.** fam. V. **casa de tía.** ‖ **9.** fam. *Ar., Extr.* y parte de *Cast.* **madrastra,** y algunas veces **suegra.** ‖ **abuela.** Respecto de una persona, hermana de uno de sus abuelos. ‖ **buena.** vulg. Mujer que tiene un físico atractivo. ‖ **a tu tía, que te dé para libros.** expr. fig. y fam. con que se despide o rechaza a una persona, negándole lo que pide. ‖ **contárselo** uno **a su tía.** fr. fig. y fam. **contárselo a su abuela.** ‖ **no hay tu tía.** expr. fig. y fam. con que se da a entender a uno que no debe tener esperanza de conseguir lo que desea o de evitar lo que teme. ‖ **quedar,** o **quedarse,** una **para tía.** fr. fig. y fam. Quedarse sin casar una mujer.

tiaca. f. Árbol americano de la familia de las saxifragáceas, de tres a seis metros de altura, con hojas lanceoladas, aserradas y flores pequeñas, blancas, en corimbo. Las ramas flexibles sirven de zunchos para toneles.

tialina. (Del gr. πτύαλον, saliva.) f. *Fisiol.* Fermento que forma parte de la saliva y actúa sobre el almidón de los alimentos, transformándolo en azúcar.

tialismo. (Del gr. πτυαλισμός.) m. Secreción permanente y excesiva de saliva.

tiangue. m. *Méj.* **tianguis.**

tiánguez. m. *Méj.* **tianguis.**

tianguis. (Del mejic. *tianquiztli.*) m. *Méj.* Contratación pública de géneros. ‖ **2.** *Méj.* Lugar donde se realiza.

tiara. (Del lat. *tiăra;* este del gr. τιάρα, y este del persa *tara.*) f. Gorro alto, de tela o de cuero, a veces ricamente adornado, que usaban los persas y otras gentes de Asia antigua. ▌ **2.** Tocado alto, usado por el Santo Padre, con tres coronas que simbolizan su triple autoridad como Papa, Obispo y Rey, y que remata en una cruz sobre un globo. ▌ **3.** Dignidad del Sumo Pontífice.

tíbar. (Del ár. *tibr*, pepita o lingote de oro.) adj. desus. De oro puro. ▌ **2.** m. V. **oro de tíbar.**

tibe. m. *Col.* **corindón.** ▌ **2.** *Col.* y *Cuba.* Piedra, especie de esquisto, que se usa para afilar instrumentos.

tiberino, na. (Del lat. *Tiberīnus*.) adj. Perteneciente o relativo al río Tíber.

tiberio. (De or. inc., quizá alusivo a las orgías del emperador *Tiberio*.) m. fam. Ruido, confusión, alboroto.

tibetano, na. adj. Natural del Tíbet. Ú. t. c. s. ▌ **2.** Perteneciente o relativo a esta región de Asia. ▌ **3.** m. Lengua de los tibetanos.

tibia. (Del lat. *tibĭa*.) f. Flauta, instrumento musical. ▌ **2.** *Anat.* Hueso principal y anterior de la pierna, que se articula con el fémur, el peroné y el astrágalo. ▌ **3.** *Zool.* Una de las piezas, alargada en forma de varilla, de las patas de los insectos, que por uno de sus extremos se articula con el fémur y por el otro con el tarso.

tibial. adj. *Anat.* Perteneciente o relativo a la tibia.

tibiamente. adv. m. Con tibieza, flojedad o descuido.

tibiar. (Del lat. *tepidāre*.) tr. p. us. **entibiar,** hacer que un cuerpo tome una temperatura moderada. Ú. t. c. prnl.

tibiez. f. ant. **tibieza.**

tibieza. f. Calidad de tibio.

tibio, bia. (Del lat. *tepĭdus*.) adj. Templado, entre caliente y frío. ▌ **2.** fig. Indiferente, poco afectuoso. ▌ **ponerse uno tibio.** fr. fig. y fam. Darse un hartazgo. ▌ **2.** Mancharse, ensuciarse mucho. ▌ **poner tibio a alguien.** fr. fig. **poner verde a una persona.**

tibisí. m. *Cuba.* Especie de carrizo silvestre, de tallos de dos a tres metros, y flores en panojas terminales. Las hojas sirven de forraje al ganado vacuno y con los tallos se hacen jaulas, nasas, etc.

tibor. (De or. inc.) m. Vaso grande de barro, de China o del Japón, por lo regular en forma de tinaja, aunque los hay de varias hechuras, y decorado exteriormente. ▌ **2.** *Cuba.* **orinal.**

tiborna. (Del port. *tiborna.*) f. *Extr.* **tostón,** rebanada de pan tostada y empapada en aceite.

tiburón. (De or. inc.) m. Pez selacio marino, del suborden de los escuálidos, de cuerpo fusiforme y hendiduras branquiales laterales. La boca está situada en la parte inferior de la cabeza, arqueada en forma de media luna y provista de varias filas de dientes cortantes. Su tamaño varía entre 5 y 9 metros y se caracteriza por su voracidad. ▌ **2.** fig. Persona que adquiere de forma solapada un número suficientemente importante de acciones en un banco o sociedad mercantil para lograr cierto control sobre él.

tiburtino, na. (Del lat. *Tiburtīnus*.) adj. Natural de Tíbur. Ú. t. c. s. ▌ **2.** Perteneciente a esta ciudad de Italia antigua.

tic. (De la onomat. *tic.*) m. Movimiento convulsivo, que se repite con frecuencia, producido por la contracción involuntaria de uno o varios músculos.

ticero, ra. m. y f. *Col.* En las aulas, recipiente para la tiza.

ticinense. (Del lat. *Ticinensis.*) adj. Natural de Ticino, hoy Pavía. Ú. t. c. s. ▌ **2.** Perteneciente a esta ciudad de Italia antigua. ▌ **3.** Natural de Pavía. Ú. t. c. s. ▌ **4.** Perteneciente a esta ciudad.

-tico, ca. (Del gr. -τικός, a través del lat. *-tĭcus.*) V. **-ico.**

tico, ca. (Por la abundancia de diminutivos con *-ico* en Costa Rica.) adj. fam. **costarricense,** natural de Costa Rica. Ú. t. c. s.

ticónico, ca. adj. Perteneciente o relativo al sistema astronómico de Tycho Brahe. ▌ **2.** Partidario de dicho sistema. Ú. t. c. s.

tictac. (De or. onomatopéyico.) m. Ruido acompasado que produce el escape de un reloj.

tiemblo. (Del lat. *tremŭlus.*) m. **álamo temblón.** ▌ **2.** **temblor.**

tiempo. (Del lat. *tempus.*) m. Duración de las cosas sujetas a mudanza. ▌ **2.** Parte de esta duración. ▌ **3.** Época durante la cual vive alguna persona o sucede alguna cosa. *En* TIEMPO *de Trajano; en* TIEMPO *del descubrimiento de América.* ▌ **4.** Estación del año. ▌ **5.** Edad. ▌ **6.** Edad de las cosas desde que empezaron a existir. ▌ **7.** Oportunidad, ocasión o coyuntura de hacer algo. *A su* TIEMPO*; ahora no es* TIEMPO. ▌ **8.** Lugar, proporción o espacio libre de otros negocios. *No tengo* TIEMPO. ▌ **9.** Largo espacio de tiempo. TIEMPO *ha que no nos vemos.* ▌ **10.** Cada uno de los actos sucesivos en que se divide la ejecución de una cosa; como ciertos ejercicios militares, las composiciones musicales, etc. ▌ **11.** Estado atmosférico. *Hace buen* TIEMPO. ▌ **12.** V. **fruta del tiempo.** ▌ **13.** V. **unidad de tiempo.** ▌ **14.** V. **bomba de tiempo.** ▌ **15.** fam. V. **corrida de tiempo.** ▌ **16.** *Astron.* V. **ecuación de tiempo.** ▌ **17.** *Esgr.* Golpe que a pie firme ejecuta el tirador para llegar a tocar al adversario. ▌ **18.** *Gram.* Cada una de las varias divisiones de la conjugación correspondientes a la época relativa en que se ejecuta o sucede la acción del verbo. ▌ **19.** *Mar.* Temporal o tempestad duradera en el mar. *Correr un* TIEMPO*; aguantar un* TIEMPO. ▌ **20.** *Mec.* Fase de un motor. ▌ **21.** *Mús.* Cada una de las partes de igual duración en que se divide el compás. ▌ **absoluto.** *Gram.* El que expresa el momento de la acción, sin relación con los momentos de otras acciones del mismo contexto. Son: *presente, pretérito indefinido* y *futuro.* ▌ **compuesto.** *Gram.* El que se forma con el participio pasivo y un verbo auxiliar. ▌ **crudo.** fig. y fam. **punto crudo.** ▌ comúnmente con la preposición *a* o el artículo *el.* ▌ **de fortuna.** El de muchas nieves, aguas o tempestades. ▌ **de pasión.** En liturgia, el que comienza en las vísperas de la dominica de pasión y acababa con la nona del Sábado Santo. ▌ **de reverberación.** *Fís.* En un auditorio, es el **tiempo** que ha de transcurrir para que el sonido se reduzca en una proporción determinada. ▌ **futuro.** *Gram.* El que sirve para denotar la acción que no ha sucedido todavía. *Daré, habré dado, diere, haber de dar.* ▌ **geológico.** El transcurrido en las sucesivas eras geológicas y cuya duración se mide en millones de años. Ú. m. en pl. ▌ **inmemorial.** *Der.* tiempo antiguo no fijado por documentos fehacientes, ni por los testigos más ancianos. ▌ **medio.** *Astron.* El que se mide por el movimiento uniforme de un astro ficticio que recorre el Ecuador celeste en el mismo **tiempo** que el Sol verdadero la Eclíptica. ▌ **muerto.** *Cuba.* Periodo de inactividad en la industria azucarera. ▌ **2.** En algunos deportes, suspensión temporal del juego solicitada por un entrenador cuando su equipo está en posesión del balón, o el juego se halla detenido por cualquier causa. ▌ **pascual.** En liturgia, el que principia en las vísperas del Sábado Santo y acaba con la nona antes del domingo de la Santísima Trinidad. ▌ **perdido.** El que transcurre sin hacer nada provechoso o sin obtener ningún adelanto en la cosa de que se trata. ▌ **presente.** *Gram.* El que sirve para denotar la acción actual. *Doy, demos, da, dar.* ▌ **pretérito.** *Gram.* El que sirve para denotar la acción que ya ha sucedido. *Daba, diste, he dado, había dado, habría dado, daría, haber dado.* ▌ **relativo.** *Gram.* El que indica el momento de una acción, considerada desde el punto de vista de su relación con el momento del habla, y, al mismo tiempo, con el de otra acción expresada en el mismo contexto. ▌ **sidéreo.** *Astron.* El que se mide por el movimiento aparente de las estrellas y más especialmente del primer punto de Aries. ▌ **simple.** *Gram.* **tiempo** del verbo que se conjuga sin auxilio de otro verbo. *Doy, daba, dio, daré, daría, dar.* ▌ **solar verdadero,** o **tiempo verdadero.** *Astron.* El que se mide por el movimiento aparente del Sol. ▌ **medio tiempo.** El que se interpone y pasa entre un suceso y otro, o entre una estación y otra. ǁ **tiempos heroicos.** Aquellos en que se supone haber vivido los héroes del paganismo. ǁ **2.** fig. Aquellos en que se ha hecho un gran esfuerzo para sacar adelante una cosa. ǁ **abrir el tiempo.** fr. fig. Empezar a serenarse; disiparse los nublados; cesar los rigores de las lluvias, vientos y fríos de la estación. ǁ **acomodarse** uno **al tiempo.** fr. fig. Conformarse con lo que sucede o con lo que permiten la ocasión o las circunstancias. ǁ **acordarse del tiempo del rey que rabió, o del rey que rabió por gachas.** fr. fig. y fam. con que se da a entender que una persona o cosa es muy vieja o antigua. ǁ **agarrarse el tiempo.** fr. fig. y fam. Afianzarse este en su mal estado. ǁ **ajustar los tiempos.** fr. Investigar o fijar la cronología de los sucesos. ǁ **a largo tiempo.** loc. adv. Después de mucho tiempo; cuando haya pasado mucho tiempo. ǁ **al correr del tiempo.** fr. **andando el tiempo.** ǁ **al mejor tiempo.** loc. adv. a lo mejor. ǁ **al mismo tiempo.** loc adv. Simultáneamente. ǁ **alzar, o alzarse, el tiempo.** fr. fig. Serenarse, o dejar de llover. ǁ **a mal tiempo, buena cara.** fr. proverb. que aconseja recibir con relativa tranquilidad y entereza las contrariedades y reveses de la fortuna. ǁ **andando el tiempo.** loc. adv. En el transcurso del tiempo, más adelante. ǁ **andar** uno **con el tiempo.** fr. fig. Conformarse con él; lisonjear al que tiene mucho poder y seguir sus dictámenes. ǁ **asegurarse el tiempo.** fr. fig. **sentarse el tiempo.** ǁ **a tiempo.** loc. adv. En el momento oportuno, cuando todavía no es tarde. ǁ **a tiempos.** loc. adv. **a veces.** ǁ **2.** **de cuando en cuando.** ǁ **a un tiempo.** loc. adv. Simultáneamente, o con unión entre varios. ǁ **cada cosa a,** o **en su tiempo.** fr. proverb. que indica que la oportunidad avalora las cosas. ǁ **capear el tiempo.** fr. *Mar.* Estar a la capa, o no dar a la nave, cuando corre algún temporal, otro gobierno que el necesario para la defensa. ǁ **cargarse el tiempo.** fr. fig. Irse aglomerando y condensando las nubes. ǁ **con tiempo.** loc. adv. Anticipadamente, sin premura, con desahogo. ǁ **2.** Cuando es aún ocasión oportuna. *Dar socorro* CON TIEMPO. ǁ **correr el tiempo.** fr. fig. Irse pasando. ǁ **darse** uno **buen tiempo.** fr. fig. y fam. Alegrarse, divertirse, recrearse. ǁ **dar tiempo.** fr. No apremiar a uno, o no apresurar una cosa. ǁ **2.** Disponer de **tiempo** suficiente. *Lo haré si me* DA TIEMPO. ǁ **dar tiempo al tiempo.** fr. fam. Esperar la oportunidad o coyuntura para una cosa. ǁ **2.** fig. y fam. Adoptar condescendencia con uno, atendiendo a las circunstancias. ǁ **dejar al tiempo** una cosa. fr. Levantar mano de un negocio, a ver si el **tiempo** lo resuelve. ǁ **del tiempo.** loc. adj. Hablando de una bebida, no enfriada. ǁ **del tiempo de Maricastaña.** loc. fig. y fam. De tiempo muy antiguo. ǁ **descomponerse el tiempo.** fr. fig. Destemplarse o alterarse la serenidad de la atmósfera. ǁ **despejarse el tiempo.** fr. fig. **despejarse el cielo.** ǁ **de tiempo.** loc. adj. que se aplica a la criatura o al animal que han estado en el claustro materno el **tiempo** necesario para ser viable. ǁ **2.** Desde bastante **tiempo** atrás. *Sus rarezas ya vienen* DE TIEMPO. ǁ **de tiempo en tiempo.** loc. adv. Con discontinuidad, dejando pasar un espacio de **tiempo** entre una y otra de las cosas y acciones de que se trata. ǁ **de todo tiempo.** expr. de tiempo. ǁ **echar los tiempos.** fr. fig. y fam. echar las temporalidades, decir a uno expresiones ásperas. ǁ **engañar** uno **el tiempo.** fr. fig. **matar el tiempo.** ǁ **en los buenos tiempos** de uno. loc. adv. fam. Cuando era joven o estaba boyante. ǁ **en tiempo.** loc. adv. En ocasión oportuna. ǁ **en tiempo de Maricastaña,** o **del rey Perico.** loc. adv. fig. y fam. En **tiempo** muy antiguo. ǁ **en tiempos.** loc. adv. En época pasada. ǁ **entretener** uno **el tiempo.** fr. fig. **matar el tiempo.** ǁ **faltar tiempo** a uno **para** alguna cosa. fr. fig. Hacerla inmediatamente, sin pérdida de **tiempo.** *Le* FALTÓ TIEMPO PARA *contarme la noticia.* ǁ **fuera de tiempo.** loc. adv. **intempestivamente.** ǁ **ganar tiempo.** fr. fig. y fam. Darse prisa, no perder momento.

ǁ **2.** fig. y fam. Hacer de modo que el **tiempo** que transcurra aproveche al intento de acelerar o retardar algún suceso o la ejecución de una cosa. ǁ **gastar** uno **el tiempo.** fr. **perder el tiempo.** ǁ **gozar** uno **del tiempo.** fr. Usarlo bien o aprovecharse de él. ǁ **hacer tiempo** uno. fr. fig. Entretenerse esperando que llegue el momento oportuno para algo. ǁ **levantar el tiempo.** fr. fig. **alzar el tiempo.** ǁ **más vale llegar a tiempo que rondar un año.** fr. proverb. que denota que la oportunidad es la mejor condición para lograr la realización de cualquier fin. ǁ **matar un tiempo.** fr. fig. Ocuparse en algo, para que el **tiempo** se le haga más corto. ǁ **medir el tiempo.** fr. fig. Proporcionarlo a lo que se necesite. ǁ **no tener tiempo material.** loc. fam. No disponer del que estrictamente se necesita para algo. NO TUVE TIEMPO MATERIAL *para escribirte.* ǁ **no tener tiempo ni para rascarse.** fr. fam. Estar uno muy ocupado. ǁ **nunca «tiempo hay» hizo cosa buena.** fr. proverb. contra los que dilatan la realización de un negocio. ǁ **obedecer** uno **al tiempo.** fr. fig. Obrar como exigen las circunstancias. ǁ **pasar** uno **el tiempo.** fr. Estar ocioso o entretenido en cosas fútiles o de mera distracción. ǁ **perder** uno **el tiempo,** o **tiempo.** fr. No aprovecharse de él, o dejar de ejecutar en él lo que podía o debía. ǁ **2.** fig. Trabajar en vano. ǁ **por tiempo.** loc. adv. Por cierto **tiempo,** por algún tiempo. ǁ **sentarse el tiempo.** fr. fig. **abonanzar.** ǁ **ser** una cosa **del tiempo del rey que rabió.** fr. fig. y fam. **acordarse del tiempo del rey que rabió.** ǁ **sin tiempo.** loc. adv. **fuera de tiempo.** ǁ **tiempo tras tiempo viene.** fr. proverb. alusiva a la inestabilidad y mudanza de las cosas humanas. ǁ **tomar** uno **el tiempo como,** o **conforme, viene.** fr. **acomodarse al tiempo.** ǁ **tomarse tiempo** uno. fr. Dejar para más adelante lo que ha de hacer, a fin de asegurar el acierto. ǁ **un tiempo.** loc. adv. En otro tiempo. ǁ **y si no, al tiempo.** expr. elípt. para manifestar el convencimiento de que los sucesos futuros demostrarán la verdad de lo que se afirma, relata o anuncia.

tienda. (Del lat. **tenda,* de *tendĕre,* tender.) f. Armazón de palos hincados en tierra y cubierta con telas o pieles sujetas con cuerdas, que sirve de alojamiento o aposentamiento en el campo, especialmente en la guerra. ǁ **2.** Toldo que se pone en algunas embarcaciones para defenderse del sol o de la lluvia. ǁ **3.** Especie de toldo que se pone sobre los carros para defenderse del sol o de la lluvia. ǁ **4.** Casa, puesto o lugar donde se venden al público artículos de comercio al por menor. ǁ **5.** Por antonom., la de comestibles o la de mercería. ǁ **6.** *Cuba, Chile, Urug.* y *Venez.* Por antonom., aquella en que se venden tejidos. ǁ **de campaña. tienda de campo.** ǁ **de modas.** Aquella en que se venden las últimas novedades en ropa. ǁ **abatir tienda.** fr. *Mar.* Quitarla o bajarla. ǁ **abrir tienda.** fr. Poner **tienda** pública de algún trato, manufactura o mercadería. ǁ **alzar tienda.** fr. Quitarla, cerrarla. ǁ **batir tiendas.** fr. *Mil.* Desarmar y recoger las de campaña para levantar el campo. ǁ **hacer tienda.** fr. *Mar.* Ponerla. ǁ **levantar tienda.** fr. **alzar tienda.**

tienta. (De *tentar.*) f. Prueba que se hace con la garrocha para apreciar la bravura de los becerros. ǁ **2.** Sagacidad o industria con que se pretende averiguar una cosa. ǁ **3. tientaguja.** ǁ **4.** *Cir.* Instrumento más o menos largo, delgado y liso, metálico o de goma elástica, rígido o flexible, destinado para explorar cavidades y conductos naturales, o la profundidad y dirección de las heridas. ǁ **a tientas.** loc. adv. Valiéndose del tacto para reconocer las cosas en la oscuridad, o por falta de vista. ǁ **2.** fig. Con incertidumbre, dudosamente, sin tino. Ú. m. con el verbo *andar.*

tientaguja. (De *tienta* y *aguja.*) f. Barra de hierro terminada en punta dentada, que sirve para explorar la calidad del terreno en que se va a edificar.

tientaparedes. com. Persona que anda a tientas o a ciegas, moral o materialmente.

tiento. (De *tentar*.) m. Ejercicio del sentido del tacto. ‖ **2.** Palo que usan los ciegos para que les sirva como de guía. ‖ **3.** Cuerda o palo delgado que va desde el peón de la noria a la cabeza de la bestia y la obliga a seguir la pista. ‖ **4.** Balancín de los equilibristas. ‖ **5. pulso,** seguridad y firmeza de la mano para ejecutar alguna acción. ‖ **6.** fig. **tacto,** habilidad para hablar u obrar en un asunto o para tratar con alguien. ‖ **7.** fig. y fam. Golpe dado a uno. *Le dieron dos* TIENTOS. ‖ **8.** *Argent., Chile y Urug.* Tira delgada de cuero sin curtir que sirve para hacer lazos, trenzas, pasadores, etc. ‖ **9.** *Albañ.* Pellada de yeso con que se afirman las miras y los reglones. ‖ **10.** *Mont.* Palito delgado, como de un metro de alto, con una punta de hierro muy aguda que se hincaba en la tierra para afianzar y fijar las redes. ‖ **11.** *Mús.* Floreo o ensayo que hace el músico antes de dar principio a lo que se propone tañer, recorriendo las cuerdas por todas las consonancias, para ver si está bien templado el instrumento. ‖ **12.** *Mús.* Composición instrumental con series de exposiciones sobre diversos temas. Se cultivó entre los siglos XVI y XVIII. ‖ **13.** *Pint.* Varita o bastoncillo que el pintor toma en la mano izquierda, y que descansando en el lienzo por uno de sus extremos, el cual remata en un botoncillo de borra o una perilla redonda, le sirve para apoyar en él la mano derecha. ‖ **14.** *Zool.* Tentáculo de algunos animales que actúa como órgano táctil o de prensión. ‖ **a tiento.** loc. adv. **a tientas.** ‖ **cógelas a tiento y mátalas callando.** expr. fig. y fam. usada c. s. com. **mátalas callando.** ‖ **con tiento, que son para colgar.** fr. fam. con que se recomienda el esmero en la ejecución de una cosa. ‖ **dar** uno **un tiento** a una cosa. fr. fig. Reconocerla o examinarla con prevención y advertencia, física o moralmente. DAR UN TIENTO *a la espada;* DAR UN TIENTO *al ingenio.* ‖ **2.** fig. y fam. Con la palabra *bota, jarro* u otra cosa semejante, echar un trago del líquido que contiene. ‖ **de tiento en tiento.** loc. adv. De una en otra tentativa; intentando que una cosa, ya otra. ‖ **perder el tiento** a una cosa. fr. fam. Carecer o dejar de tener la destreza necesaria para atinar con ella. ‖ **por el tiento.** loc. adv. **a tientas.** ‖ **sacar de tiento** a uno. fr. fig. y fam. **sacarle de tino.** ‖ **tomar el tiento** a una cosa. fr. fig. y fam. Pulsarla, examinarla.

tientos. m. pl. Cante andaluz con letra de tres versos octosílabos. ‖ **2.** Baile que se ejecuta al compás de este cante.

tierno, na. (Del lat. *tener, -ěra*.) adj. Dícese de lo que se deforma fácilmente por la presión y es fácil de romper o partir. ‖ **2.** fig. Reciente, de poco tiempo. ‖ **3.** fig. Dícese de la edad de la niñez, para explicar su delicadeza y docilidad. ‖ **4.** fig. Propenso al llanto. ‖ **5.** fig. Afectuoso, cariñoso y amable. ‖ **6.** fig. Dícese de los ojos con una fluxión ligera continua. ‖ **7.** *Chile, Ecuad., Guat. y Nicar.* Dícese de los frutos verdes o en agraz, que no han llegado a sazón. ‖ **8.** m. y f. *Guat. y Nicar.* Niño o niña recién nacidos o de pocos meses. ‖ **9.** *Nicar.* Por ext., el niño o niña de menos edad entre los hijos de una familia. *Fulanito es el* TIERNO *de la casa.*

tierra. (Del lat. *terra*.) n. p. f. Planeta que habitamos. En esta acepción lleva antepuesto generalmente el artículo *la. La órbita de* LA TIERRA *está situada entre la de Venus y la de Marte.* ‖ **2.** f. Parte superficial de este mismo globo no ocupada por el mar. ‖ **3.** Materia inorgánica desmenuzable de que principalmente se compone el suelo natural. ‖ **4.** Suelo o piso. *Dio con el santo en* TIERRA; *cayó a* TIERRA. ‖ **5.** Terreno dedicado a cultivo o propio para ello. ‖ **6.** Nación, región o lugar en que se ha nacido. ‖ **7.** País, región. ‖ **8.** Territorio o distrito constituido por intereses presentes o históricos. TIERRA *de Segovia.* ‖ **9.** V. criadilla, fanega, leche, lengua, polvo, temblor, turma, verde, de tierra. ‖ **10.** V. hiel, hijo, mal, zarzaparrilla, de la tierra. ‖ **11.**

V. **redondez de la Tierra.** ‖ **12.** fig. Conjunto de los pobladores de un territorio. *Apaciguar, sujetar la* TIERRA *de Granada.* ‖ **13.** fig. V. **montón, palmo, pie, terrón, de tierra.** ‖ **14.** fig. V. **haz de la Tierra.** ‖ **15.** *Mancha.* V. **almud de tierra.** ‖ **16.** *Amér.* V. **pan de tierra.** ‖ **17.** *Persp.* V. **línea de la tierra.** ‖ **abertal.** La que con facilidad se abre y forma grietas. ‖ **2.** La que no está cerrada con tapia, vallado ni de otra manera. ‖ **blanca. tierra de Segovia.** ‖ **tierra campa.** ‖ **bolar.** Aquella de que se hace el bol. ‖ **campa.** La que carece de arbolado y por lo común solo sirve para la siembra de cereales. ‖ **de batán.** Greda muy limpia que se emplea en los batanes para desengrasar los paños. ‖ **de brezo.** Mantillo producido por los despojos del brezo y mezclado con arena. Es muy usado en jardinería. ‖ **de Holanda. ancorca.** ‖ **del pipiripao.** fam. Aquel lugar o casa donde hay opulencia y abundancia, y se piensa más en regalarse que en otra cosa. ‖ **de miga.** La que es muy arcillosa y se pega mucho a los dedos al amasarla. ‖ **de pan llevar.** La destinada a la siembra de cereales o adecuada para este cultivo. ‖ **de Promisión.** La que Dios prometió al pueblo de Israel. ‖ **2.** fig. La muy fértil y abundante. ‖ **de Segovia.** Carbonato de cal limpio de impurezas y porfirizado, que se usa en pintura. ‖ **de sembradura.** La que se destina para sembrar cereales y otras semillas. ‖ **de Siena.** Arcilla de color ocre pardo en cuya composición se encuentran óxidos de hierro y manganeso y que se usa como colorante de tono castaño una vez tostada. ‖ **de Venecia. ocre,** el usado para pintar. ‖ **firme.** *Geogr.* **continente.** ‖ **2.** Terreno sólido y capaz, por su consistencia y dureza, de admitir sobre si un edificio. ‖ **japónica: cato[1].** ‖ **llana.** *Der.* En Vizcaya, la sometida al derecho foral. ‖ **moriega.** *Ar.* La que perteneció a los moriscos. ‖ **negra. mantillo.** ‖ **prometida. Tierra de Promisión.** ‖ **rara. lantánido,** cualquiera de los óxidos de ciertos metales que ocupan lugares contiguos en la escala de números atómicos desde el cerio hasta el lutecio, y de los cuales solo se encuentran en la Naturaleza cantidades exiguas. ‖ **Santa.** Lugares de Palestina donde nació, vivió y murió Jesucristo. ‖ **vegetal.** La que está impregnada de gran cantidad de elementos orgánicos que la hacen apta para el cultivo. ‖ **verde. verdacho.** ‖ **tierras raras. lantánidos.** ‖ **¡ábrete tierra!** V. **¡trágame tierra!** ‖ **besar la tierra.** fr. fig. y fam. **caer de hocicos.** ‖ **besar** uno **la tierra que** otro **pisa.** fr. fig. Tener profundo respeto una persona a otra. ‖ **como tierra.** loc. adv. p. us. fig. y fam. Con abundancia. ‖ **dar en tierra con** una cosa. fr. Derribarla o arruinarla. ‖ **2.** fig. Deshacer las esperanzas que en esa cosa se fundan. ‖ **dar en tierra con** una persona. fr. Rendirla, derribarla. ‖ **2.** fig. Hacerla decaer de su favor, de su opinión o estado; destruirla. ‖ **de la tierra.** loc. adj. Dícese de los frutos que produce el país o la comarca. *Guisantes* DE LA TIERRA. ‖ **descubrir tierra** uno. fr. fig. Hacer entrada en país desconocido, para reconocerlo o tomar lengua. ‖ **2.** fig. Hacer o decir algo con el fin de sondear a otro o averiguar alguna cosa. ‖ **echar en tierra** una cosa. fr. *Mar.* Desembarcarla. ‖ **echar por tierra** una cosa. fr. Derribarla, arruinarla. ‖ **echarse** uno **a, en,** o **por, tierra.** fr. fig. Humillarse, rendirse. ‖ **2.** fig. Afectar modestia y humildad. ‖ **echarse la tierra en los ojos.** fr. fig. y fam. Hablar u obrar una persona de tal modo, que queriendo disculparse, se perjudique. ‖ **echar** una cosa **tierra** a una cosa. fr. fig. Ocultarla, hacer que se olvide y que no se hable más de ella. ‖ **en toda tierra de garbanzos.** fr. fam. que se emplea para expresar que una cosa es muy usada o conocida. ‖ **estar bien gobernada la tierra.** fr. Estar en buena sazón o tempero. ‖ **estar** uno **comiendo,** o **mascando, tierra.** fr. fig. Estar enterrado. ‖ **ganar tierra** uno. fr. fig. **ganar terreno.** ‖ **irse a tierra** una cosa. fr. **venir,** o **venirse, a tierra.** ‖ **la tierra de María Santísima.** fr. fam. con que se designa a Andalucía. ‖ **morder la tierra.** fr. fig. **morder el polvo.** ‖ **no probarle** a uno **la**

tierra. fr. desus. **probarle mal la tierra.** ‖ **partir la tierra.** fr. Lindar el término de un pueblo, ciudad o provincia con el de otra. ‖ **perder la tierra** uno. fr. ant. Salir desterrado de ella. ‖ **perder tierra** uno. fr. No poder sostenerse en ella y resbalar o caer el que va andando o corriendo. ‖ **2.** Levantarse del suelo o sostén una persona o cosa, movida por fuerza superior a su peso o resistencia. ‖ **poner por tierra.** fr. Derribar un edificio o cosa semejante. ‖ **poner** uno **tierra en,** o **por, medio.** fr. fig. Ausentarse. ‖ **por debajo de tierra.** loc. adv. fig. Con cautela o secreto. ‖ **probar mal la tierra** a uno. fr. desus. Hacerle daño en la salud la mudanza de un lugar a otro por el cambio de aires o de alimentos. ‖ **quedarse** uno **en tierra.** fr. fam. **quedarse a pie.** ‖ **sacar** uno **de debajo de la tierra** una cosa. fr. fig. y fam. con que se pondera la dificultad de lograrla o adquirirla, cuando no hay a quien pedírsela o donde buscarla. Tiene más uso tratándose de dinero. ‖ **saltar** uno **en tierra.** fr. **desembarcar.** ‖ **sembrar** uno **en mala tierra.** fr. fig. y fam. Hacer beneficios a quien corresponde mal a ellos. ‖ **ser buena tierra para sembrar nabos.** fr. irón. y fam. Ser inútil una persona. ‖ **sin sentirlo la tierra.** loc. adv. p. us. fig. y fam. Con mucho silencio y cautela. ‖ **tierra adentro.** loc. adv. con que se determina todo lugar que en los continentes y en las islas se aleja o está distante de las costas o riberas. ‖ **tierra a tierra.** loc. adv. p. us. Costeando o navegando siempre a la vista de **tierra,** siguiendo la dirección de la costa. ‖ **2.** fig. Con cautela y sin arrojo en los negocios. ‖ **tomar tierra.** fr. *Mar.* **aportar**[1], arribar la nave. ‖ **2.** Desembarcar, saltar a **tierra** las personas. ‖ **3.** Aterrizar, descender a **tierra** un aparato de aviación o sus ocupantes. ‖ **4.** fig. y fam. Adquirir conocimiento y práctica en el manejo de una cosa o tomar confianza y familiaridad en el trato de una persona. ‖ **¡trágame tierra!** fr. con que se denota una gran vergüenza, que mueve al que lo dice a desear verse oculto a las gentes. ‖ **tragárselo** a uno **la tierra.** fr. fig. y fam. Desaparecer de los lugares que frecuentaba. ‖ **venir,** o **venirse,** a **tierra** una cosa. fr. Caer, arruinarse, destruirse. Ú. t. hablando de personas. ‖ **ver tierras** uno. fr. fig. **ver mundo.**

tieso, sa. (Del lat. *tensus,* tendido, estirado.) adj. Duro, firme, rígido, y que con dificultad se dobla o rompe. ‖ **2.** Robusto de salud. ‖ **3.** Tenso, tirante. ‖ **4.** p. us. fig. Valiente, animoso y esforzado. ‖ **5.** fig. Afectadamente grave, estirado y circunspecto. ‖ **6.** fig. Terco, inflexible y tenaz en el propio dictamen. ‖ **7.** adv. m. Recia o fuertemente. *Pisar* TIESO; *dar* TIESO. ‖ **tenérselas tiesas.** fr. Hacer frente con entereza a un antagonista, discutiendo o peleándose con él. ‖ **tieso que tieso.** expr. fam. **erre que erre.**

tiesta. (Del lat. *testa.*) f. Canto de las tablas que sirven de fondos o tapas en los toneles. ‖ **2.** ant. Cabeza o testa. Ú. en Asturias.

tiesto[1]. (Del lat. *testum.*) m. Pedazo de cualquier vasija de barro. ‖ **2.** **maceta,** vaso de barro que sirve para criar plantas. ‖ **3.** ant. Casco de la cabeza, cráneo. ‖ **4.** *Chile.* Vasija de cualquier clase. ‖ **mear fuera del tiesto.** fr. fig. y fam. Salirse de la cuestión, decir algo que no viene al caso. ‖ **salirse** uno **del tiesto.** fr. fig. y fam. **sacar los pies de las alforjas del plato.**

tiesto[2]**, ta.** (Del lat. **tensĭtus,* por *tensus,* de *tendĕre,* tender.) adj. desus. Que con dificultad se dobla o rompe. ‖ **2.** Tenso, tirante. ‖ **3.** Terco, tenaz en una idea. ‖ **4.** adv. m. desus. Recia o fuertemente.

tiesura. (De *tieso.*) f. Dureza o rigidez de alguna cosa. ‖ **2.** fig. Gravedad excesiva o con afectación.

tifáceo, a. (Del lat. *tiphe,* y este del gr. τύφη, espadaña.) adj. *Bot.* Dícese de plantas angiospermas monocotiledóneas, acuáticas, perennes, de tallos cilíndricos, hojas alternas, lineares, reunidas en la base de cada tallo, flores en espiga, y por frutos drupas con semillas de albumen carnoso;

como la espadaña. Ú. t. c. s. ‖ **2.** f. pl. *Bot.* Familia de estas plantas.

tífico, ca. adj. Perteneciente o relativo al tifus. ‖ **2.** Que tiene tifus. Ú. t. c. s.

tiflología. (Del gr. τυφλός, ciego, y *-logía.*) f. Parte de la medicina que estudia la ceguera y los medios de curarla.

tiflológico, ca. adj. Perteneciente o relativo a la tiflología o a los tiflólogos.

tiflólogo, ga. m. y f. Especialista en tiflología.

tifo[1]. (Del gr. τύφος, humo, estupor.) m. *Pat.* **tifus.** ‖ **asiático.** *Pat.* cólera asiático. ‖ **de América.** *Pat.* fiebre amarilla. ‖ **de Oriente.** *Pat.* peste bubónica o levantina.

tifo[2]**, fa.** adj. fam. Harto, repleto.

tifoideo, a. (De *tifo*[1] y *-oideo.*) adj. *Pat.* Perteneciente o relativo al tifus, o parecido a este mal. ‖ **2.** Perteneciente a la fiebre **tifoidea.** ‖ **3.** f. *Pat.* **fiebre tifoidea.**

tifón. (Del lat. *tiphon,* y este del gr. τυφών, torbellino.) m. Huracán en el mar de la China. ‖ **2.** **manga,** tromba marina.

tifus. (Del gr. τύφος, estupor.) m. *Pat.* Género de enfermedades infecciosas, graves, con alta fiebre, delirio o postración, aparición de costras negras en la boca y a veces presencia de manchas punteadas en la piel. ‖ **2.** fig. y fam. En los espectáculos públicos, entradas y pases de favor y personas que los disfrutan. ‖ **abdominal.** *Pat.* **fiebre tifoidea.** ‖ **exantemático,** o **petequial.** *Pat.* Infección tífica, epidémica, transmitida generalmente por el piojo, caracterizada por las manchas punteadas en la piel. ‖ **icterodes.** *Pat.* fiebre amarilla.

tigra. (De *tigre.*) f. Tigre hembra. ‖ **2.** *Amér.* Jaguar hembra.

tigre. (Del lat. *tigris,* y este del gr. τίγρις.) m. Mamífero carnicero muy feroz y de gran tamaño, parecido al gato en la figura, de pelaje blanco en el vientre, amarillento y con rayas negras en el lomo y la cola, donde la tiene en forma de anillos. Habita principalmente en la India. Se ha usado t. c. s. f. ‖ **2.** fig. Persona cruel y sanguinaria. ‖ **3.** *Amér.* **jaguar.** ‖ **4.** *Ecuad.* Pájaro de mayor tamaño que una gallina; tiene pico largo y plumaje pardo con manchas negras, el cual le asemeja a la piel del **tigre.**

tigresa. f. **tigra;** tigre hembra.

tigrillo. (De *tigre.*) m. *Amér. Central, Col., Ecuad., Perú* y *Venez.* Mamífero carnicero de pequeño tamaño, de cola larga y pelaje adornado con manchas.

tigüilote. m. *Amér. Central.* Árbol cuya madera se usa en tintorería.

tija. (Del fr. *tige,* varilla, y este del lat. *tibĭa,* canilla.) f. Barrita o astil de la llave, que media entre el ojo y el paletón.

tijera. (De *tisera.*) f. Instrumento compuesto de dos hojas de acero, a manera de cuchillas de un solo filo, y por lo común con un ojo para meter los dedos al remate de cada mango, las cuales pueden girar alrededor de un eje que las traba, para cortar, al cerrarlas, lo que se pone entre ellas. Ú. m. en pl. ‖ **2.** fig. Nombre de ciertas cosas compuestas, como la **tijera,** de dos piezas cruzadas que giran alrededor de un eje. ‖ **3.** Cierta zanja o cortadura que se hace en las tierras húmedas, para desaguarlas. ‖ **4.** Esquilador de ganado lanar. ‖ **5.** Aspa que sirve para apoyar un madero que se ha de aserrar o labrar. ‖ **6.** Cada uno de los dos correones cruzados por debajo de la caja, en los coches antiguos. ‖ **7.** Pieza de madera de los marcos de Canarias, León y Pontevedra. ‖ **8.** V. **catre, escalera, silla, de tijera.** ‖ **9.** Lengua de la culebra. ‖ **10.** fig. Persona que murmura. ‖ **11.** *Arq.* Cada uno de los cuchillos que sostienen la cubierta de un edificio. ‖ **12.** *Seg.* Conjunto de ovejas que un operario puede trasquilar en un día. ‖ **13.** *Vol.* Pluma primera del ala del halcón. ‖ **14.** pl. Largueros que a uno y otro lado del pértigo quedan enlazados con las teleras para formar la escalera del carro. ‖ **15.** Armazón de vigas cruzadas oblicuamente unas con otras, que se atraviesa en el cauce de un río para detener las maderas que arrastra la corriente. ‖ **16.** *Germ.* Dedos índice y cordial de la misma mano. ‖ **buena tijera.** fig. y fam. Persona hábil en cortar. ‖ **2.** fig. y fam. Persona que come mucho. ‖ **3.** fig. y fam. Persona muy murmuradora. ‖ **cortado por la misma tijera.** loc. cortado por el mismo patrón. ‖ **cortar de tijera.** fr. **cortar de vestir.** ‖ **de media tijera.** loc. fig. y fam. de medio pelo. ‖ **echar la tijera.** fr. Empezar a cortar con este instrumento en paño o tela. ‖ **2.** fig. Atajar o cortar los inconvenientes que sobrevienen en un negocio. ‖ **hacer tijera** el caballo. fr. *Equit.* No llevar la boca en la postura regular, sino torcerla a un lado u otro. ‖ **meter la tijera.** fr. echar la tijera.

tijerada. (De *tijera*.) f. desus. Corte hecho de un golpe con las tijeras.

tijeral. (De *tijera*, cuchillo de una techumbre.) m. *Chile* y *Perú*. Tablas o chillas que sobre cabrios sostienen la cubierta de un edificio.

tijereta. f. d. de **tijera.** Ú. m. en pl. ‖ **2.** Cada uno de los zarcillos que por pares nacen a trechos de los sarmientos de las vides. ‖ **3. cortapicos.** ‖ **4.** Ave palmípeda de América Meridional, con el pico aplanado, cortante y desigual, cuello largo y cola ahorquillada. ‖ **decir tijeretas.** fr. p. us. fig. y fam. Porfiar necia y tercamente sobre cosas de poca importancia. ‖ **tijeretas han de ser.** expr. fig. y fam. con que se da a entender que uno porfía necia y tenazmente.

tijeretada. (De *tijereta*.) f. **tijeretazo,** corte hecho de un golpe con las tijeras.

tijeretazo. (De *tijereta*.) m. Corte hecho de un golpe con las tijeras.

tijeretear. (De *tijereta*.) tr. Dar varios cortes con las tijeras a una cosa, y por lo común sin arte ni tino. ‖ **2.** fig. y fam. Disponer uno, según su arbitrio y dictamen, en negocios ajenos. ‖ **3.** fig. *Amér.* Murmurar, criticar.

tijereteo. m. Acción y efecto de tijeretear. ‖ **2.** Ruido que hacen las tijeras movidas repetidamente.

tijerilla. f. d. de **tijera.** ‖ **2. tijereta,** zarcillo de la vid.

tijeruela. f. d. de **tijera.** ‖ **2. tijereta,** zarcillo de la vid.

tijuil. m. *Hond.* Pájaro conirrostro, de color negro.

tila. (De *tilo*.) f. **tilo.** ‖ **2.** Flor del tilo. ‖ **3.** Bebida antiespasmódica que se hace con flores de tilo en infusión de agua caliente.

tílburi. (Del ing. *Tilburi*, nombre del inventor de este carruaje.) m. Carruaje de dos ruedas grandes, ligero y sin cubierta, a propósito para dos personas y tirado por una sola caballería.

tildar. (Del lat. *titulāre*.) tr. Poner tilde a las letras que lo necesitan. ‖ **2.** Tachar lo escrito. ‖ **3.** fig. Señalar con alguna nota denigrativa a una persona.

tilde. (De *tildar*.) amb. Ú. m. c. f. Virgulilla o rasgo que se pone sobre algunas abreviaturas, el que lleva la *ñ*, y cualquier otro signo que sirva para distinguir una letra de otra o denotar su acentuación. ‖ **2.** p. us. fig. Tacha, nota denigrativa. ‖ **3.** f. Cosa mínima.

tildón. (aum. de *tilde*.) m. desus. **tachón,** tachadura sobre lo escrito.

tilia. (Del lat. *tilia*, tilo.) f. **tilo,** árbol.

tiliáceo, a. (Del lat. *tilia*, tilo.) adj. *Bot.* Dícese de plantas angiospermas dicotiledóneas, árboles, arbustos o hierbas con hojas alternas, sencillas y de nervios muy señalados, estípulas dentadas y caedizas, flores axilares de jugo mucilaginoso, y fruto capsular con muchas semillas de albumen carnoso; como el tilo y la patagua. Ú. t. c. s. f. ‖ **2.** f. pl. *Bot.* Familia de estas plantas.

tílico, ca. adj. *Méj.* Flaco, enclenque.

tiliche. (De or. onomatopéyico.) m. *Amér. Central* y *Méj.* Baratija, cachivache, bujería.

tilichero, ra. adj. *Méj.* Dícese de la persona muy afecta a guardar tiliches o cachivaches. ‖ **2.** m. *Amér. Central.* Vendedor de tiliches.

tilín. (De or. onomatopéyico.) m. Sonido de la campanilla. ‖ **en un tilín.** loc. adv. fig. y fam. *Col., Chile* y *Venez.* **en un tris.** ‖ **hacer tilín.** fr. fig. y fam. Caer en gracia, lograr aprobación, inspirar afecto. ‖ **tener tilín.** fr. fig. y fam. Tener gracia, atractivo.

tilingo, ga. adj. *Argent., Méj.* y *Urug.* Dícese de la persona insustancial, que dice tonterías y suele comportarse con afectación.

tilinte. (Del azteca *tilinqui*, estirado.) adj. *Nicar.* Tenso. Dícese especialmente de lo estirado en su grado máximo de tensión y a punto de romperse.

tilma. f. *Méj.* Manta de algodón que llevan los hombres del campo a modo de capa, anudada sobre un hombro.

tilo. (Del ant. fr. *til*, y este del lat. *tilia*.) m. Árbol de la familia de las tiliáceas, que llega a 20 metros de altura, con tronco recto y grueso, de corteza lisa algo cenicienta, ramas fuertes, copa amplia, madera blanca y blanda; hojas acorazonadas, puntiagudas y serradas por los bordes, flores de cinco pétalos, blanquecinas, olorosas y medicinales, y fruto redondo y velloso, del tamaño de un guisante. Es árbol de mucho adorno en los paseos, y su madera, de gran uso en escultura y carpintería. ‖ **2.** *Col.* Yema floral del maíz.

tilla. (Del lat. *tigilla*, pl. n. de *tigillum*.) f. Entablado que cubre una parte de las embarcaciones menores.

tillado. (De *tillar*.) m. Suelo de tablas.

tillar. (De *tilla*.) tr. Echar suelos de madera.

tillo. (Del lat. *tigillum*.) m. *Burg.* y *Cantabria.* Cada una de las tablas que forman el tillado.

timador, ra. m. y f. Persona que tima.

tímalo. (Del lat. *thymāllus*, y este del gr. τύμαλλος.) m. Pez teleósteo fisóstomo, de unos cuatro decímetros de largo, parecido al salmón, del que se distingue por ser más oscuro y tener la aleta dorsal muy larga, alta y de color violado.

timar. tr. Quitar o hurtar con engaño. ‖ **2.** Engañar a otro con promesas o esperanzas. ‖ **3.** prnl. fam. Entenderse con la mirada, hacerse guiños los enamorados.

timba. f. fam. Partida de juego de azar. ‖ **2.** Casa de juego, garito. ‖ **3.** *Filip.* Cubo para sacar agua del pozo. ‖ **4.** *Amér. Central* y *Méj.* Barriga, vientre.

timbal. (Del lat. *timpānum*, y este del gr. τύμπανον.) m. Especie de tambor de un solo parche, con caja metálica en forma de media esfera. Generalmente se tocan dos a la vez, templados en tono diferente. ‖ **2. tambor,** atabal. ‖ **3.** Masa de harina y manteca, por lo común en forma de cubilete, que se rellena de macarrones u otros manjares.

timbalero, ra. m. y f. Persona que toca los timbales.

timbiriche. m. *Méj.* Árbol de la familia de las rubiáceas. El fruto es comestible.

timbirimba. f. fam. Partida de juego de azar. ‖ **2.** Casa de juego, garito.

timbó. (De or. guaraní.) m. *Argent.* y *Par.* Árbol leguminoso muy corpulento cuya madera se utiliza para hacer canoas.

timboy. m. *Bol.* **timbó.**

timbrado, da. p. p. de **timbrar.** ‖ **2.** adj. Dícese de la voz que tiene un timbre agradable. Ú. m. con el adv. *bien.*

timbrador, ra. m. y f. Persona que timbra. ‖ **2.** m. Instrumento que sirve para timbrar.

timbrar. tr. Poner el timbre en el escudo de armas. ‖ **2.** Estampar un timbre, sello o membrete.

timbrazo. m. Toque fuerte de un timbre.

timbre. (Del fr. *timbre*.) m. Insignia que se coloca encima del escudo de armas. ‖ **2.** Sello, y especialmente el que se estampa en seco. ‖ **3.** Sello que en el papel donde se extienden algunos documentos públicos estampa el Estado, indicando la cantidad que debe pagarse al fisco en concepto de derechos. ‖ **4.** Sello que se ponía en las hojas de los periódicos, en señal de haber satisfecho el impuesto del franqueo de correos. ‖ **5.** Aparato de llamada o de aviso, compuesto de una campana y un macito que la hiere, movido por un resorte, la electricidad u otro agente. ‖ **6.** Modo propio y característico de sonar un instrumento músico o la voz de una persona. ‖ **7.** fig. Acción gloriosa o cualidad personal que ensalza y ennoblece. ‖ **8.** Renta del Tesoro constituida por el importe de los sellos, papel sellado y otras imposiciones, algunas cobradas en metálico, que gravan la emisión, uso o circulación de documentos. ‖ **9.** *Amér. Central* y *Méj.* **sello postal.** ‖ **móvil.** Sello, de tamaño parecido al de correos, que se aplica a ciertos documentos o artículos de comercio para satisfacer el impuesto del **timbre.**

timbreo, a. (Del lat. *Thymbraeus.*) adj. Natural de Timbra. Ú. t. c. s. ‖ **2.** Perteneciente a esta ciudad de la Tróade. ‖ **3.** n. p. m. poét. El dios Apolo.

timbrofilia. f. Afición del timbrófilo.

timbrófilo, la. (De *timbre* y *-filo.*) adj. Coleccionista de timbres impresos en papel sellado del Estado. Ú. t. c. s.

timbrología. (De *timbre* y *-logía.*) f. Conjunto de conocimientos concernientes a los timbres del papel sellado del Estado.

timbrólogo, ga. m. y f. Persona versada en timbrología.

timeleáceo, a. (Del lat. *thymelaea.*) adj. *Bot.* Dícese de plantas angiospermas dicotiledóneas, arbustos y hierbas que tienen hojas alternas u opuestas, sencillas, enteras y sin estípulas; flores axilares o terminales, sin corola, y por fruto bayas o cápsulas; como la adelfilla y el torvisco. Ú. t. c. s. f. ‖ **2.** f. pl. *Bot.* Familia de estas plantas.

timiama. (Del lat. *thymiáma.*) m. Confección olorosa, reservada al culto divino entre los judíos.

tímidamente. adv. m. Con timidez.

timidez. f. Calidad de tímido.

tímido, da. (Del lat. *timídus.*) adj. Temeroso, medroso, encogido y corto de ánimo.

timo[1]. m. **tímalo,** pez.

timo[2]. m. fam. Acción y efecto de timar. ‖ **2.** vulg. Dicho o frase que se repite a manera de muletilla. ‖ **dar un timo** a uno. fr. fam. Timarle.

timo[3]. (Del lat. *thymus.*) m. *Anat.* Glándula endocrina de los vertebrados, que participa en la función inmunitaria a través de los linfocitos T.

timocracia. (Del gr. τιμοκρατία.) f. Gobierno en que ejercen el poder los ciudadanos que tienen cierta renta.

timócrata. adj. Partidario de la timocracia. Ú. t. c. s.

timocrático, ca. adj. Perteneciente o relativo a la timocracia.

timol. (Del lat. *thymum,* tomillo, por estar contenido en la esencia de esta planta.) m. Cierta sustancia de carácter ácido, usada como desinfectante.

timón. (Del lat. *temo, -ōnis.*) m. Palo derecho que sale de la cama del arado y al que se fija el tiro. ‖ **2.** Lanza o pértiga del carro. ‖ **3.** Varilla del cohete, que le sirve de contrapeso y le da la dirección. ‖ **4.** fig. Dirección o gobierno de un negocio. ‖ **5.** *Mar.* Pieza de madera o de hierro, a modo de gran tablón, que, articulada verticalmente sobre goznes en el codaste de la nave, sirve para gobernarla. Por ext., se da igual nombre a piezas similares de submarinos, aeroplanos, etc. ‖ **6.** *Col.* Volante del automóvil. ‖ **7.** *Mar.* V. **aguaje, aguas, caña, macho, del timón.** ‖ **cerrar el timón a la banda.** fr. Hacer girar el **timón** hacia una banda todo lo posible.

timonear. intr. Gobernar el timón. ‖ **2.** tr. fig. Manejar un negocio, dirigir algo.

timonel. m. El que gobierna el timón de la nave.

timonera. (De *timón,* de la nave.) adj. Dícese de las plumas grandes que tienen las aves en la cola, y que en el vuelo

les sirven para dar dirección al cuerpo. Ú. t. c. s. f. ‖ **2.** f. *Mar.* Sitio donde se sentaba la bitácora y estaba el pinzote con que el timonel gobernaba la nave.

timonero, ra. adj. Perteneciente o relativo al timón. Aplícase en especial al arado común o de timón. ‖ **2.** V. **clavo timonero.** ‖ **3.** m. p. us. **timonel.**

timorato, ta. (Del lat. *timorátus.*) adj. Que tiene temor de Dios, y se gobierna por él en sus operaciones. ‖ **2.** Tímido, indeciso, encogido. ‖ **3.** fig. Dícese de la persona que se escandaliza con exageración de cosas que no le parecen conformes a la moral convencional.

timpa. (Del fr. *tympe.*) f. *Metal.* Barra de hierro colado que sostiene la pared delantera del crisol de un horno alto.

timpánico, ca. (Del lat. *tympanícus.*) adj. Perteneciente o relativo al tímpano del oído. ‖ **2.** *Med.* Dícese del sonido como de tambor que producen por la percusión ciertas cavidades del cuerpo cuando están llenas de gases.

timpanillo. (d. de *tímpano.*) m. *Impr.* Tímpano pequeño, cubierto de baldés o pergamino, que se encajaba detrás del principal.

timpanítico, ca. (Del lat. *tympanitícus.*) adj. Que padece timpanitis. Ú. t. c. s. ‖ **2.** Perteneciente a esta enfermedad.

timpanitis. (Del lat. *tympanítes,* y este del gr. τυμπανίτης.) f. *Fisiol.* Hinchazón de alguna cavidad del cuerpo producida por gases, y en especial, abultamiento del vientre, que por acumulación de gases en el conducto intestinal o en el peritoneo, se pone tenso como la piel de un tambor.

timpanización. f. *Fisiol.* Acción y efecto de timpanizarse.

timpanizarse. prnl. *Fisiol.* Abultarse el vientre y ponerse tenso, con timpanitis.

tímpano. (Del lat. *tympanum,* y este del gr. τύμπανον.) m. **tambor, atabal.** ‖ **2.** Instrumento músico compuesto de varias tiras desiguales de vidrio colocadas de mayor a menor sobre dos cuerdas o cintas, y que se toca con una especie de macillo de corcho o forrado de badana. ‖ **3.** Cada uno de los dos lados, fondo o tapa, sobre el que se puede asentar la pipa o cuba. ‖ **4.** Membrana extendida y tensa como la de un tambor, que limita exteriormente el oído medio de los vertebrados y que en los mamíferos y aves establece la separación entre esta parte del oído y el conducto auditivo externo. ‖ **5.** *Arq.* Espacio triangular que queda entre las dos cornisas inclinadas de un frontón y la horizontal de su base. ‖ **6.** *Impr.* Bastidor que tienen las prensas antiguas, sobre el cual descansa el papel que ha de imprimirse.

timple. m. *Can.* y *Murc.* **tiple,** instrumento de cuerda pequeño.

tina. (Del lat. *tina.*) f. Tinaja, vasija grande de barro. ‖ **2.** Vasija de madera, de forma de media cuba. ‖ **3.** Vasija grande, de forma de caldera, que sirve para el tinte de telas y para otros usos. ‖ **4.** Pila que sirve para bañarse todo o parte del cuerpo. ‖ **5.** V. **papel de tina.** ‖ **6.** *And.* Media bota para vino. ‖ **7.** *Sal.* Arcón grande en que se guarda la harina. ‖ **8.** *Chile.* Maceta para plantas de adorno.

tinaco. m. Tina pequeña de madera. ‖ **2.** Líquido fétido de la aceituna apilada, alpechín. ‖ **3.** *Amér. Central* y *Méj.* Depósito de metal, de gran capacidad que se usa para almacenar agua en las casas.

tinada. (Del lat. **tignáta,* de *tignum,* madero.) f. Montón o hacina de leña. ‖ **2.** Cobertizo para tener recogidos los ganados, y particularmente el destinado a los bueyes.

tinado. (Del lat. **tignátus,* de *tignum,* madero.) m. Cobertizo de ganado, tenada, tinada.

tinador. m. **tinado.**

tinaja. (Del lat. **tinacúla,* de *tina.*) f. Vasija grande de barro cocido, y a veces vidriado, mucho más ancha por el medio que por el fondo y por la boca, y que encajada en un pie o aro, o empotrada en el suelo, sirve ordinariamente para guardar agua, aceite u otros líquidos. ‖ **2.** Cantidad de líquido que cabe en una **tinaja**. *Esta viña producirá diez* TINAJAS *de vino*. ‖ **3.** Medida de capacidad para líquidos, que se usa en Filipinas, igual a 16 gantas o 48 litros y 4 centilitros.

tinajería. (De *tinajero*, sitio de las tinajas.) f. *And.* **tinajero**, sitio donde se ponen las tinajas.

tinajero, ra. m. y f. Persona que hace o vende tinajas. ‖ **2.** m. Sitio o lugar donde se ponen o empotran las tinajas. ‖ **3.** *Murc., Nicar., P. Rico* y *Venez.* Sitio donde se tienen las tinajas, cántaros, jarras y demás vasijas para el servicio del agua potable.

tinajón. m. aum. de **tinaja**. ‖ **2.** Vasija tosca de barro cocido parecida a la mitad inferior de una tinaja.

tinapá. m. *Filip.* Pescado seco ahumado.

tincar. (Del quechua *t'inkay*.) tr. *NO. Argent.* Golpear o golpearse con la uña del dedo medio haciéndolo resbalar con violencia sobre la yema del pulgar. ‖ **2.** *NO. Argent.* En el juego de las canicas, impulsarlas con la uña del dedo pulgar. ‖ **3.** *NO. Argent.* Golpear una bola con otra.

tincazo. (De *tincar*.) m. *NO. Argent.* y *Ecuad.* **capirotazo.**

tinción. (Del lat. *tinctio, -ōnis*.) f. Acción y efecto de teñir; teñido, teñidura.

tinco, ca. (De *tincar*.) adj. *NO. Argent.* Dícese del animal vacuno que roza y golpea una pata con otra al caminar.

tindalización. f. Acción y efecto de tindalizar.

tindalizar. (De John *Tyndall*.) tr. Esterilizar por el calor, en varios tiempos para que en uno y otro se desarrollen los esporos en formas adultas, las cuales son destruidas posteriormente con más facilidad.

tíndalo. m. Árbol leguminoso de Filipinas, que crece hasta 30 metros de altura, con copa ancha y tronco grueso, hojas compuestas de hojuelas aovadas y lampiñas, flores blancas en panojas, fruto en vainas cortas y sueltas con semillas grandes, de cubierta negra, tersa y coriácea, y madera de color rojo oscuro y compacta, apreciada para ebanistería.

tindío. m. *Perú.* Ave acuática semejante a la gaviota.

tínea. (Del lat. *tinĕa*.) f. ant. Polilla de la lana, tejidos, pieles, papel, etc. ‖ **2.** ant. Carcoma de la madera.

tinelar. adj. Perteneciente al tinelo.

tinelero, ra. m. y f. Persona a cuyo cargo está el cuidado y provisión del tinelo.

tinelo. (Del it. *tinello*.) m. Comedor de la servidumbre en las casas de los grandes. ‖ **dar tinelo.** fr. fig. Dar de comer a los sirvientes.

tinerfeño, ña. adj. Natural de Tenerife. Ú. t. c. s. ‖ **2.** Perteneciente a esta isla, una de las Canarias.

tineta. f. d. de **tina**.

tinge. (De or. inc.) m. Búho mayor y más fuerte que el común.

tingible. (Del lat. *tingĕre*, teñir.) adj. Que se puede teñir.

tingitano, na. (Del lat. *Tingitānus*.) adj. Natural de Tingis, hoy Tánger. Ú. t. c. s. ‖ **2.** Perteneciente a esta ciudad de África antigua. ‖ **3.** Natural de Tánger. Ú. t. c. s. ‖ **4.** Perteneciente a esta ciudad.

tingladillo. (d. de *tinglado*.) m. *Mar.* Disposición de las tablas de forro de algunas embarcaciones menores, cuando, en vez de juntarse por sus cantos, montan unas sobre otras, como las pizarras de los tejados.

tinglado. (Del ant. fr. *tingle*.) m. **cobertizo.** ‖ **2.** Tablado armado a la ligera. ‖ **3.** fig. Artificio, enredo, maquinación. ‖ **4.** *Cuba.* Tablado en ligero declive donde cae la miel que purgan los panes de azúcar.

tingle. (Del ant. fr. *tingle*.) f. Pieza que usan los vidrieros para abrir las tiras de plomo y ajustarlas al vidrio.

tinicla. (Del lat. *tunicŭla*, camisilla.) f. Especie de cota de armas, que usaban los oficiales superiores del ejército, más larga y ancha que la cota, y con mangas más estrechas que las del plaquín.

tiniebla. (Del lat. *tenĕbrae, -ārum*.) f. Falta de luz. Ú. m. en pl. ‖ **2.** pl. fig. Suma ignorancia y confusión, por falta de conocimientos. ‖ **3.** fig. Oscuridad, falta de luz en lo abstracto o en lo moral. ‖ **4.** Maitines de los tres últimos días de la Semana Santa. ‖ **5.** V. **ángel de tinieblas.** ‖ **6.** V. **príncipe de las tinieblas.**

tinillo. (d. de *tino²*.) m. Receptáculo hecho de fábrica, en donde se recoge el mosto que corre de la uva pisada en el lagar.

tino¹. (De or. inc.) m. Hábito o facilidad de acertar a tientas con las cosas que se buscan. ‖ **2.** Acierto y destreza para dar en el blanco u objeto a que se tira. ‖ **3.** fig. Juicio y cordura. ‖ **4.** fig. Moderación, prudencia en una acción. ‖ **a buen tino.** loc. adv. fam. A bulto, a ojo. ‖ **a tino.** loc. adv. p. us. **a tientas.** ‖ **sacar de tino** a uno. fr. p. us. fig. Atolondrarle con algún golpe o porrazo. ‖ **2.** fig. **sacarle de sus casillas**, exasperarle. ‖ **sin tino.** loc. adv. Sin tasa, sin medida. *Comer, engordar* SIN TINO.

tino². (Del lat. *tinum*.) m. Tina que sirve para el tinte. ‖ **2.** Depósito de piedra adonde cae el agua hirviendo va desde la caldera, en los lavaderos de lana. ‖ **3.** En algunas partes, recipiente o lugar en que se pisa o se prensa la uva y en que se prensa la aceituna, lagar.

tino³. m. **durillo**, arbusto.

tinola. f. *Filip.* Especie de sopa con gallina picada y calabaza o patata.

tinquear. tr. *NO. Argent.* **tincar.**

tinta. (Del lat. *tincta*, t. f. de *-tus*, tinto.) f. Color que se sobrepone a cualquier cosa, o con que se tiñe. ‖ **2.** Líquido coloreado que se emplea para escribir o dibujar, mediante un instrumento apropiado. ‖ **3.** p. us. Acción y efecto de teñir. ‖ **4.** V. **lápiz tinta.** ‖ **5.** Secreción líquida de los cefalópodos para enturbiar el agua como defensa. ‖ **6.** pl. Matices, degradaciones de color. *Las* TINTAS *de la aurora*. ‖ **7.** *Pint.* Mezcla de colores que se hace para pintar. ‖ **comunicativa.** La apropiada para que lo escrito con ella pueda ser reproducido en uno o más ejemplares, mediante estampación mecánica. ‖ **china.** La hecha con negro de humo, que se usa especialmente para dibujar. Suele ser resistente al agua. ‖ **de imprenta.** Composición grasa y generalmente negra que se emplea para imprimir. ‖ **simpática.** Composición líquida que tiene la propiedad de que no se conozca lo escrito con ella hasta que se le aplica el reactivo conveniente. ‖ **media tinta.** *Pint.* **tinta** general que se da primero para pintar al temple y al fresco, sobre la cual se va colocando el claro y el oscuro. ‖ **2.** *Pint.* Color templado que une y empasta los claros con los oscuros. ‖ **medias tintas.** fig. y fam. Hechos, dichos o juicios vagos y nada resueltos, que revelan precaución o recelo. ‖ **correr la tinta.** fr. Estar fluida; escribirse fácilmente con ella. ‖ **dar**, o **no dar, tinta.** fr. Dícese de la pluma que por estar bien, o mal, dispuesta, o por la calidad de la tinta, arroja, o no, la suficiente para escribir. ‖ **de buena tinta.** fr. p. us. Con eficacia, habilidad o viveza. ‖ **2.** De buen temple, de buen humor. ‖ **meter tintas.** fr. *Pint.* Poner o colocar las tintas en los lugares correspondientes. ‖ **recargar** uno **las tintas.** fr. Exagerar el alcance o significación de un dicho o hecho. ‖ **saber** uno **de buena tinta** una cosa. fr. fig. y fam. Estar informado de ella por conducto digno de crédito. ‖ **sudar tinta.** fr. fig. y fam. Realizar un trabajo con mucho esfuerzo.

tintar. (De *tinta*, tinte.) tr. Dar a una cosa color distinto del que tenía, teñir.

tinte. (De *tintar*.) m. Acción y efecto de teñir. ‖ **2.** Color con que se tiñe. ‖ **3.** Casa, tienda o lugar donde se limpian o tiñen telas, ropas y otras cosas. ‖ **4.** V. **palomilla, retama, de tintes.** ‖ **5.** fig. Artificio mañoso con que se da diverso color a las cosas no materiales o se las desfigura. ‖ **6.** fig. **tintura**, noción superficial de una ciencia.

tinterazo. m. Golpe dado con un tintero.

tinterillada. f. *Amér.* Embuste, trapisonda, acción propia de un tinterillo.

tinterillo. (d. de *tintero*.) m. fig. y fam. despect. Oficinista, cagatintas. ‖ **2.** *Amér.* Picapleitos, abogado de secano, rábula.

tintero. (Del lat. *tinctorĭum*.) m. Recipiente en que se pone la tinta de escribir. ‖ **2. neguilla,** en los dientes de las caballerías. ‖ **3.** *Impr.* Depósito que en las máquinas de imprimir recibe la tinta, impregnando de ella un cilindro giratorio que a su vez la transmite a los otros cilindros que han de realizar la impresión. ‖ **4.** *Mar.* Zoquete de madera con varios huecos o concavidades para conservar desleída la almagra que usan a bordo carpinteros y calafates. ‖ **dejar,** o **dejarse,** uno, o **quedársele** a uno, **en el tintero** una cosa. fr. fig. y fam. Olvidarla u omitirla.

tintilla. (d. de *tinta*.) f. Vino tinto, astringente y dulce que se hace en Rota, villa de la provincia de Cádiz. Llámase también **tintilla de Rota.** ‖ **2.** Variedad de vid, de sarmientos rojo parduzcos, y granos pequeños, redondos y negros.

tintillo. (d. de *tinto*.) adj. V. **vino tintillo.** Ú. t. c. s.

tintín. (De or. onomatopéyico.) m. Sonido de la esquila, campanilla o timbre, y el que hacen, al recibir un ligero choque, las copas u otras cosas parecidas.

tintinar. (Del lat. *tintinnāre*.) intr. Producir el sonido especial del tintín.

tintineante. p. a. de **tintinear.** Que tintinea.

tintinear. intr. **tintinar.**

tintineo. m. Acción y efecto de tintinear.

tintirintín. (De or. onomatopéyico.) m. Sonido agudo y penetrante del clarín y otros instrumentos.

tinto, ta. (Del lat. *tinctus*, p. p. de *tingĕre*, teñir.) p. p. irreg. de **teñir.** ‖ **2.** adj. V. **uva tinta.** Ú. t. c. s. ‖ **3.** V. **vino tinto.** Ú. t. c. s. ‖ **4.** Rojo oscuro. ‖ **5.** *Col.* Infusión de café. Ú. t. c. s.

tintor. (Del lat. *tinctor, -ōris*.) m. ant. El que tenía por oficio teñir.

tintóreo, a. (Del lat. *tinctorĭus*.) adj. *Bot.* Aplícase a las plantas de donde se extraen sustancias colorantes; como el alazor y la rubia.

tintorera. (De *tinturar*.) f. La que tiene por oficio teñir o dar tintes. ‖ **2.** Mujer del tintorero. ‖ **3.** Tiburón muy semejante al cazón, frecuente en las costas del sur de España y en las de Marruecos, que alcanza de tres a cuatro metros de longitud y que tiene dientes triangulares y cortantes, de los cuales los de la mandíbula superior son más anchos y su punta está dirigida hacia atrás. Su dorso y costados son de color azulado o gris pizarra.

tintorería. f. Oficio de tintorero. ‖ **2.** Establecimiento donde se tiñe o limpia la ropa.

tintorero. (De *tintor*.) m. El que tiene por oficio teñir o dar tintes. ‖ **2.** V. **retama de tintoreros.**

tintorro. m. fam. Vino tinto, por lo general de mala calidad.

tintura. (Del lat. *tinctūra*.) f. Acción y efecto de teñir. ‖ **2.** Substancia con que se tiñe. ‖ **3.** Afeite en el rostro, especialmente de las mujeres. ‖ **4.** Líquido en que se ha hecho disolver una sustancia que le comunica color. ‖ **5.** fig. Noción superficial y leve de una facultad o ciencia. ‖ **6.** *Farm.* Solución de cualquier sustancia medicinal simple o compuesta, en un líquido que disuelve de ella ciertos principios. TINTURA *acuosa, vinosa, alcohólica, etérea.*

tinturar. (De *tintura*.) tr. p. us. Dar a una cosa color distinto del que tenía, tintar, teñir. ‖ **2.** p. us. fig. Instruir o informar sumariamente de una cosa. Ú. t. c. prnl.

tiña. (Del lat. *tinĕa*, polilla.) f. Arañuelo o gusanillo que daña las colmenas. ‖ **2.** *Pat.* Cualquiera de las enfermedades producidas por diversos parásitos en la piel del cráneo, y de las cuales unas consisten en costras y ulceraciones, y

otras ocasionan solo la caída del cabello. ‖ **3.** fig. y fam. Miseria, escasez, mezquindad. ‖ **mucosa.** *Pat.* **eccema.**

tiñería. f. fam. **tiña,** mezquindad, ruindad.

tiñoso, sa. (Del lat. *tineōsus*.) adj. Que padece tiña. Ú. t. c. s. ‖ **2.** fig. y fam. Escaso, miserable y ruin. Ú. t. c. s. ‖ **3.** fam. *Ar.* y *Áv.* Dícese del que tiene buena suerte en el juego.

tiñuela. (d. de *tiña*.) f. Cuscuta parásita del lino. ‖ **2.** *Mar.* **broma**[1] que empieza a atacar el casco de una embarcación.

tío. (Del lat. *thius*.) m. Respecto de una persona, hermano o primo de su padre o madre. El primero se llama carnal, y el otro, segundo, tercero, etc., según los grados que dista. ‖ **2. tío abuelo.** ‖ **3.** En los lugares, tratamiento que se da al hombre casado o entrado ya en edad. Ú. ante el nombre propio o el apodo. ‖ **4.** fam. Persona de quien se pondera algo bueno o malo. *Aquel* TÍO *ganó una millonada. Juan es un* TÍO *saltando. ¡Qué* TÍO! ‖ **5.** fam. Persona cuyo nombre y condición se ignoran o no se quieren decir. *Nos recibió un* TÍO *con poca amabilidad.* ‖ **6.** fam. Hombre rústico y grosero. ‖ **7.** fam. *sic*. TÍO *tunante.* ‖ **8.** fam. **padrastro,** y algunas veces **suegro.** ‖ **9.** fam. y vulg. Apelativo equivalente a amigo, compañero. ‖ **10.** *Argent.* Tratamiento afectuoso que se da a los negros viejos. ‖ **bueno.** Hombre que tiene buen tipo o un físico atractivo. ‖ **abuelo.** Respecto de una persona, hermano de uno de sus abuelos. ‖ **no hay «tío pásame el río».** expr. fig. y fam. **no hay tu tía.** ‖ **tener** uno **tío,** o **un tío, en las Indias.** fr. fig. y fam. Contar con el favor o las dádivas de una persona rica o de valimiento.

tioneo. (Del lat. *Thyōneus*.) adj. Aplícase como sobrenombre al dios Baco.

tiorba. (De or. inc.) f. Instrumento músico semejante al laúd, pero algo mayor, con dos mangos y con ocho cuerdas más para los bajos. ‖ **2.** *Ar.* **chata,** bacín plano para enfermos.

tiovivo. m. Recreo de feria que consiste en varios asientos colocados en un círculo giratorio.

tipa. (De or. quechua.) f. Árbol leguminoso sudamericano, que crece hasta 20 metros de altura, con tronco grueso, copa amplia, hojas compuestas de hojuelas ovales y lisas, flores amarillas, y fruto con semillas negras. Da una variedad poco apreciada de sangre de drago, y la madera, dura y amarillenta, se emplea en carpintería y ebanistería. ‖ **2.** *Argent.* Cesto de varillas o de mimbre sin tapa.

tiparraco, ca. m. y f. **tipejo.**

tipejo. m. despect. **tipo,** persona ridícula y despreciable.

tipiadora. f. Máquina de escribir. ‖ **2. mecanógrafa.**

tipicidad. f. Calidad de típico. ‖ **2.** *Der.* Elemento constitutivo de delito, que consiste en la adecuación del hecho que se considera delictivo, a la figura o tipo descrito por la ley.

tipicismo. m. **tipismo.**

típico, ca. (Del lat. *typĭcus*, y este del gr. τυπικός.) adj. Característico o representativo de un tipo. ‖ **2.** Peculiar de un grupo, país, región, época, etc.

tipificación. f. Acción y efecto de tipificar.

tipificar. tr. Ajustar varias cosas semejantes a un tipo o norma común. ‖ **2.** Representar una persona o cosa el tipo de la especie o clase a que pertenece.

tipismo. m. Calidad o condición de típico. ‖ **2.** Conjunto de caracteres o rasgos típicos.

tiple. (De or. inc.) m. La más aguda de las voces humanas, propia especialmente de mujeres y niños. ‖ **2.** Guitarrita de voces muy agudas. ‖ **3.** Especie de oboe soprano, más pequeño que la tenora, empleado en la cobla de las sardanas. ‖ **4.** *Mar.* Vela de falucho con todos los rizos tomados. ‖ **5.** *Mar.* Palo de una sola pieza. ‖ **6.** com. Persona cuya voz es el **tiple.** ‖ **7.** Persona que toca el **tiple.**

tiplisonante. (De *tiple* y *sonante*.) adj. fam. Que tiene voz o tono de tiple.

tipo. (Del lat. *typus*, y este del gr. τύπος.) m. Modelo, ejemplar. ‖ **2.** Símbolo representativo de cosa figurada. ‖ **3.** Ejemplo característico de una especie, género, etc. ‖ **4.** Pieza de metal de la imprenta y de la máquina de escribir en que está de realce una letra u otro signo. ‖ **5.** Cada una de las clases de esta letra. ‖ **6.** Figura o talle de una persona. *Fulano tiene buen* TIPO. ‖ **7.** Clase, índole, naturaleza de las cosas. ‖ **8.** Persona extraña y singular. ‖ **9.** Individuo, hombre, frecuentemente con matiz despectivo. ‖ **10.** Personaje de una obra de ficción. ‖ **11.** *Ecuad.* **poleo,** planta. ‖ **12.** *Bot.* y *Zool.* Cada uno de los grandes grupos taxonómicos en que se dividen los reinos animal y vegetal, y que, a su vez, se subdividen en clases. ‖ **13.** *Numism.* Figura principal de una moneda o medalla. ‖ **jugarse el tipo.** loc. fig. y fam. Exponer la integridad corporal o la vida en un peligro. ‖ **mantener el tipo.** fr. fig. y fam. Comportarse de modo gallardo ante la adversidad o el peligro.

tipografía. (De *tipógrafo*.) f. **imprenta,** arte de imprimir. ‖ **2. imprenta,** lugar donde se imprime.

tipográfico, ca. adj. Perteneciente o relativo a la tipografía.

tipógrafo. (De τύπος, tipo, y -*grafo*.) m. Operario que sabe o profesa la tipografía.

tipoi. (De or. guaraní.) m. *NO. Argent.* y *Par.* Túnica larga, generalmente de lienzo o algodón, con escote cuadrado y mangas muy cortas.

tipología. (De *tipo* y -*logía*.) f. Estudio y clasificación de tipos que se practica en diversas ciencias. ‖ **2.** *Etnogr.* Ciencia que estudia los distintos tipos raciales en que se divide la especie humana. ‖ **3.** *Med.* Ciencia que estudia los varios tipos de la morfología del hombre en relación con sus funciones vegetativas y psíquicas. ‖ **lingüística.** Actividad, y resultado de tal actividad, consistente en comparar las lenguas para clasificarlas y establecer entre ellas relaciones, genealógicas o no, según las afinidades que se adviertan entre los rasgos de sus sistemas fonológico, morfológico y sintáctico.

tipometría. f. *Impr.* Medición de los puntos tipográficos.

tipómetro. (Del gr. τύπος, golpe, señal impresa por un golpe, y -*metro*.) m. *Impr.* Instrumento que sirve para medir los puntos tipográficos.

tipoy. m. *NE. Argent.* y *E. Bol.* **tipoi.**

típula. (Del lat. *tippŭla*.) f. Insecto díptero semejante al mosquito, pero algo mayor; no pica al hombre ni a los animales, se alimenta del jugo de las flores y su larva ataca las raíces de muchas plantas de huerta y de jardín.

tique¹. (Del arauc. *tuque*.) m. *Chile.* Árbol de la familia de las euforbiáceas, con hojas lampiñas, muy pálidas por debajo, cubiertas de escamitas de lustre metálico. El fruto es una drupa dura semejante a una aceituna pequeña.

tique². (Del ingl. *ticket*.) m. Vale², bono, cédula, recibo. ‖ **2.** *Amér. Central, Col., Perú, Sto. Dom.* y *Venez.* Billete, boleto.

tiquete. m. *Amér. Central* y *Col.* **tique².**

tiquín. m. *Filip.* Pértiga de caña de bambú, que se usa para dar impulso a las embarcaciones menores en los ríos, apoyando una de sus extremidades en el fondo del agua.

tiquis miquis. expr. fam. **tiquismiquis.**

tiquismiquis. (Del lat. macarrónico *tichi, michi*, alteración vulgar de *tibi, michi* [clásico, *mihi*], para ti, para mí.) m. pl. Escrúpulos o reparos vanos o de poquísima importancia. ‖ **2.** fam. Expresiones o dichos ridículamente corteses o afectados. ‖ **3.** com. Por ext., persona que hace o dice **tiquismiquis.**

tiquistiquis. m. *Filip.* Árbol de la familia de las sapindáceas, con hojas alternas compuestas de hojuelas lanceoladas, enteras y lampiñas; flores hermafroditas en panojas terminales, y por fruto cápsulas globosas. De su madera se hacen vasos que dan al agua sabor amargo y ciertas virtudes medicinales.

tiquizque. m. *C. Rica.* Planta de la familia de las aráceas, con hojas grandes, triangulares y aflechadas, y rizoma comestible.

tira. (De *tirar*.) f. Pedazo largo y angosto de tela, papel, cuero u otra cosa delgada. ‖ **2.** Derecho que se pagaba en las escribanías por tomar el pleito que iba en apelación al tribunal superior y se regulaba por las hojas, a tanto por cada una. Usáb. m. en pl. ‖ **3.** vulg. Con el artículo *la*, gran cantidad de una cosa. *Vino* LA TIRA *de gente.* ‖ **4.** *Mar.* Parte de un cabo que pasando por un motón se extiende horizontalmente de modo que se agarren de ella los marineros para halar.

tirabala. (De *tirar* y *bala*.) m. **taco,** juguete para disparar bolitas.

tirabeque. (Del cat. *tirabec*.) m. Guisante mollar. ‖ **2.** Horquilla con mango, a los extremos de la cual se sujetan dos gomas unidas por una badana, en la que se ponen piedrecillas o perdigones; tirador, tiragomas.

tirabotas. (De *tirar* y *bota*.) m. Gancho de hierro que sirve para calzarse las botas.

tirabraguero. (De *tirar* y *braguero*.) m. Correa tirante que mantiene siempre en su sitio la ligadura que los herniastas ponen a los que están quebrados.

tirabrasas. m. *Ál.* y *Albac.* Barra de hierro para remover las brasas en los hornos.

tirabuzón. (Del fr. *tire-bouchon*.) m. **sacacorchos.** ‖ **2.** fig. Rizo de cabello, largo y pendiente en espiral. ‖ **sacar** algo **con tirabuzón.** fr. fig. y fam. Sacarlo a la fuerza. Dícese especialmente de las palabras que se obliga a hablar a una persona callada.

tiracantos. m. fam. **echacantos,** hombre inepto para un oficio.

tiracol. m. p. us. **tiracuello.** ‖ **2.** desus. Correa del escudo con la que se colgaba del cuello. ‖ **3.** *Ál., Nav.* y *Rioja.* **baticola.**

tiracuello. (De *tirar* y *cuello*.) m. p. us. **tahalí,** tira de cuero para llevar la espada.

tirachinas. m. **tirachinos.**

tirachinos. m. *Sev.* Tirador de horquilla con gomas para tirar con pedrezuelas; tiragomas.

tirada. f. Acción de tirar. ‖ **2.** Distancia que hay de un lugar a otro, o de un tiempo a otro. ‖ **3.** Serie de cosas que se dicen o escriben de un tirón. TIRADA *de versos.* ‖ **4.** *Impr.* Acción y efecto de imprimir. ‖ **5.** *Impr.* Número de ejemplares de que consta una edición. ‖ **6.** *Impr.* Lo que se tira en un solo día de labor. ‖ **aparte.** *Impr.* Impresión por separado que se hace de algún artículo o capítulo publicado en una revista u obra, y aprovechando los moldes de estas, se edita en cierto número de ejemplares sueltos. ‖ **de,** o **en, una tirada.** loc. adv. fig. **de un tirón.**

tiradera. (De *tirar*.) f. Flecha muy larga, de bejuco y con punta de asta de ciervo, usada por los indios de América, que la disparaban por medio de correas. ‖ **2.** *Ar.* Clavo grande de hierro con una cadena que abundan mucho y se encuentran fácilmente para arrastrar maderos.

tiradero. m. Lugar o paraje donde el cazador se pone para tirar.

tiradillas. (d. de *tiradas*, estiradas.) f. pl. ant. **calzoncillos.**

tirado, da. p. p. de **tirar.** ‖ **2.** adj. Dícese de las cosas que se dan muy baratas o de aquellas que abundan mucho y se encuentran fácilmente. ‖ **3.** V. **letra tirada.** ‖ **4.** fam. Dícese de la persona despreciable o que ha perdido la vergüenza. ‖ **5.** *Mar.* Dícese del buque que tiene mucha eslora y poca altura de casco. ‖ **6.** m. Acción de reducir a hilo los metales, singularmente el oro. ‖ **7.** *Impr.* **tirada,** acción y efecto de imprimir.

tirador, ra. m. y f. Persona que tira. ‖ **2.** Persona que tira con cierta destreza y habilidad. TIRADOR *de escopeta, de barra.* ‖ **3.** Persona que estira. ‖ **4.** m. Instrumento con que se estira. ‖ **5.** Asidero del cual se tira para abrir o cerrar una puerta, un cajón, una gaveta, etc. ‖ **6.** Cordón, cinta, cadenilla o alambre del que se tira para hacer sonar la campanilla o el timbre. ‖ **7.** Regla de hierro que usan los picapedreros. ‖ **8.** Pluma metálica que sirve de tiralíneas. ‖ **9.** Horquilla con mango, a los extremos de la cual se sujetan dos gomas unidas por una badana, en la que se colocan piedrecillas o perdigones para dispararlos. ‖ **10.** rur. *Argent.* Cinturón de cuero curtido, propio de la vestimenta del gaucho, provisto de bolsillos y adornado con una rastra. ‖ **11.** *Argent.* y *Urug.* **tirante,** cada una de las dos tiras de piel o tela, comúnmente con elásticos, que sirven para suspender de los hombros el pantalón. Ú. m. en pl. ‖ **12.** *Impr.* **prensista.** ‖ **de oro.** Artífice que lo reduce a hilo.

tirafondo. (Del fr. *tire-fond*.) m. Tornillo para asegurar, especialmente en la madera, algunas piezas de hierro. ‖ **2.** *Cir.* Instrumento, especie de sacabala, que sirve para extraer del fondo de las heridas los cuerpos extraños, haciendo al efecto en ellos la presa necesaria.

tirafuera. m. *Al.* Manga provista de un palo largo, que se usa para pescar desde la orilla.

tiragomas. m. Horquilla con gomas para tirar pedrezuelas; tirador, tirachinas.

tiraje. m. *Impr.* **tirada.** ‖ **2.** *Amér.* Tiro de la chimenea.

tirajo. m. despect. de tira de papel, tela, etc.

tiralevitas. com. **pelotillero.**

tiralíneas. (De *tirar* y *línea*.) m. Instrumento de metal, a modo de pinzas, cuya separación se gradúa con un tornillo, y sirve para trazar líneas de tinta más o menos gruesas, según dicha separación.

tiramiento. m. desus. Acción y efecto de tirar, estirar o extender.

tiramira. (De *tira* y *mirar*.) f. desus. Cordillera larga y estrecha. ‖ **2.** Fila o serie continuada de muchas cosas o personas. ‖ **3.** **tirada,** distancia.

tiramollar. (De *tirar* y *amollar*.) intr. *Mar.* Tirar de un cabo que pasa por retorno, para aflojar lo que asegura o sujeta.

tirana. (De las palabras *¡Ay tirana, tirana!,* con que empieza esta canción.) f. Canción popular española, ya en desuso, de aire lento y ritmo sincopado en compás ternario. ‖ **2.** *Áv., Sal.* y *Zam.* Franja de paño picado con que se adorna la parte inferior del refajo o manteo. ‖ **3.** *Sal.* y *Zam.* Vid de más de tres yemas.

tiranía. (Del gr. τυραννία.) f. Gobierno ejercido por un tirano. ‖ **2.** fig. Abuso o imposición en grado extraordinario de cualquier poder, fuerza o superioridad. ‖ **3.** fig. Dominio excesivo que un afecto o pasión ejerce sobre la voluntad.

tiranicida. (Del lat. *tyrannicida*.) com. Persona que da muerte a un tirano. Ú. t. c. adj.

tiranicidio. (Del lat. *tyrannicidium*.) m. Muerte dada a un tirano.

tiránico, ca. (Del lat. *tyrannĭcus*, y este del gr. τυραννικός.) adj. Perteneciente o relativo a la tiranía. ‖ **2.** Que ejerce tiranía.

tiranización. f. Acción y efecto de tiranizar.

tiranizar. (Del lat. *tyrannizāre*.) tr. Gobernar un tirano algún Estado. ‖ **2.** fig. Dominar tiránicamente.

tirano, na. (Del lat. *tyrannus*, y este del gr. τύραννος.) adj. Aplícase a quien obtiene contra derecho el gobierno de un Estado, y principalmente al que lo rige sin justicia y a medida de su voluntad. Ú. t. c. s. ‖ **2.** fig. Dícese del que abusa de su poder, superioridad o fuerza en cualquier con-

cepto o materia, y también simplemente del que impone ese poder y superioridad en grado extraordinario. Ú. t. c. s. ‖ **3.** fig. Dícese de la pasión o afecto que domina el ánimo o arrastra el entendimiento.

tiranta. f. *And.* y *Col.* Tirante de armadura.

tirante. p. a. de **tirar.** Que tira. ‖ **2.** adj. **tenso.** ‖ **3.** fig. Dícese de las relaciones de amistad próximas a romperse o de las situaciones violentas y embarazosas. ‖ **4.** m. Madero de sierra, del marco de Cuenca, de siete dedos de tabla por cinco de canto y de longitud varia. ‖ **5.** Cuerda o correa que, asida a las guarniciones de las caballerías, sirve para tirar de un carruaje. ‖ **6.** Cada una de las dos cintas o tiras de piel o tela, comúnmente con elásticos, que sostienen de los hombros el pantalón u otras prendas de vestir. Ú. m. en pl. ‖ **7.** *Arq.* Pieza de madera o barra de hierro colocada horizontalmente en una armadura de tejado para impedir la separación de los pares, o entre dos muros para evitar un desplome. ‖ **8.** *Mec.* Pieza generalmente de hierro, o acero, destinada a soportar un esfuerzo de tensión, como la barra que traba los lados opuestos de una caldera de vapor, a fin de aumentar su resistencia. ‖ **9.** f. *Germ.* Calza² de hombre. Ú. m. en pl. ‖ **a tirantes largos.** loc. adv. Tirando del carruaje cuatro caballerías, guiadas por dos cocheros.

tirantez. f. Calidad de tirante. ‖ **2.** p. us. Distancia en línea recta entre los extremos de una cosa. ‖ **3.** *Arq.* Dirección de los planos de hilada de un arco o bóveda.

tirapié. (De *tirar* y *pie*.) m. Correa unida por sus extremos que los zapateros pasan por el pie y la rodilla para tener sujeto el zapato con su horma al coserlo.

tirar. (De or. inc.) tr. Despedir de la mano una cosa. TIRAR *el libro, el pañuelo.* ‖ **2.** Arrojar, lanzar en dirección determinada. *Juan* TIRABA *piedras a Diego.* ‖ **3.** Derribar a una persona; echar abajo, demoler y trastornar, poner lo de arriba, abajo. TIRAR *una casa, un árbol.* ‖ **4.** Desechar algo, deshacerse de ello. *Esta camisa está para* TIRARLA. ‖ **5.** Disparar la carga de un arma de fuego, o un artificio de pólvora. TIRAR *un cañonazo, un cohete.* Ú. t. c. intr. TIRAR *al alto, al blanco, a un venado.* ‖ **6.** Estirar o extender. ‖ **7.** p. us. Reducir a hilo un metal. ‖ **8.** Tratándose de líneas o rayas, trazarlas. ‖ **9.** Con voces expresivas de daño corporal, ejecutar la acción significada por estas voces. TIRAR *un pellizco, un mordisco, una coz,* etc. ‖ **10.** desus. Devengar, adquirir o ganar. TIRAR *sueldo, salario.* ‖ **11.** En juegos en los que se maneja un instrumento como pelota, dado, etc., hacer uso de él un jugador para realizar la jugada. Ú. t. c. intr. ‖ **12.** ant. Quitar, despojar. ‖ **13.** ant. Sacar, hacer salir a uno de algún sitio; apartarlo, desviarlo. Usáb. t. c. prnl. ‖ **14.** fig. Malgastar el caudal o malvender la hacienda. HA TIRADO *su patrimonio.* ‖ **15.** *Col., Cuba* y *Chile.* Conducir, transportar, acarrear. ‖ **16.** *Fotogr.* Disparar una cámara fotográfica para que la película quede impresionada. ‖ **17.** *Impr.* **imprimir.** TIRAR *un pliego, un grabado.* ‖ **18.** *Impr.* Por ext., publicar, editar, generalmente un periódico o publicación periódica, el número de ejemplares que se expresa. ‖ **19.** intr. Atraer por virtud natural. *El imán* TIRA *del hierro.* ‖ **20.** Hacer fuerza para traer hacia sí o para llevar tras sí. Se usa hablando de personas, caballerías, tractores, etc. ‖ **21.** Tratándose de ciertas armas, manejarlas o esgrimirlas según arte. TIRA *bien a la espada, pero mal a la pistola.* ‖ **22.** Seguido de la preposición *de* y un nombre de arma o instrumento, sacarlo o tomarlo en la mano para emplearlo. TIRÓ DE *navaja y se puso a cortar pan.* ‖ **23.** Producir el tiro o corriente de aire de un hogar, o de otra cosa que arde. *La chimenea* TIRA *mucho. Este cigarro no* TIRA. ‖ **24.** Apretar, ser demasiado estrecho o corto. TIRAR *la manga de la chaqueta.* ‖ **25.** fig. Atraer una persona o cosa la voluntad y el afecto de otra persona. *La patria* TIRA *siempre. A Juan le* TIRA *la* *milicia.* ‖ **26.** fig. Torcer, dirigirse a uno u otro lado. *En llegando allí,* TIRE *usted a la derecha.* ‖ **27.** fig. Durar o mantenerse trabajosamente una persona o cosa. *El enfermo va* TIRANDO; *la capa* TIRARÁ *este invierno.* ‖ **28.** fig. Tender, propender, inclinarse. ‖ **29.** fig. Imitar, asemejarse o parecerse una cosa a otra. Se usa especialmente hablando de los colores. ‖ **30.** fig. Poner los medios, disimuladamente por lo común, para lograr algo. *Ese* TIRA *a ser ministro.* ‖ **31.** prnl. Abalanzarse, precipitarse a decir o ejecutar alguna cosa. ‖ **32.** Arrojarse[1], dejarse caer. ‖ **33.** Echarse, tenderse en el suelo o encima de algo. TIRARSE *al suelo, en la cama.* ‖ **a tira más tira.** loc. adv. fam. **tirando** a porfía entre muchos. ‖ **a todo tirar.** loc. adv. fig. A lo más, a lo sumo. *El enfermo vivirá,* A TODO TIRAR, *un mes.* ‖ **ni tirarse ni pagarse,** o **no tirarse ni pagarse** con alguna persona o cosa. fr. fig. No querer trato o relación con ella. ‖ **tirar de,** o **por, largo.** fr. fam. Gastar sin tasa. ‖ **2.** fam. Calcular el valor, importancia o resultado de una cosa, procurando pecar más bien por exceso que por defecto. ‖ **tirarla de.** loc. fam. **echarla de.** TIRARLA DE *guapo,* DE *rico.* ‖ **tira y afloja.** loc. fig. y fam. que se emplea cuando en los negocios se procede con un ten con ten, o en el mando se alterna el rigor con la suavidad. Ú. t. c. s. m. ‖ **2. juego de tira y afloja.**

tiratacos. m. **taco,** canuto de madera.

tiratiros. m. *Ál.* y *Nav.* **colleja.**

tiratrillo. m. *Ar.* y *Sor.* Balancín de madera con un anillo en el centro para enganchar el trillo, y otros dos en los extremos para los tirantes del ganado que lo arrastra.

tirela. (De *tira,* pedazo de tela o papel angosto.) f. Tela listada.

tireta. (d. de *tira,* pedazo de tela o papel angosto.) f. *Ar.* Agujeta para atacar calzones, jubones y otras prendas.

tirilla. f. d. de **tira.** ‖ **2.** Tira de lienzo que se pone por cuello en las camisas para fijar en ella el cuello postizo. ‖ **3.** *Chile.* Vestido hecho de andrajos.

tirintio, tia. (Del lat. *Tirynthius.*) adj. Natural de Tirinto. Ú. t. c. s. ‖ **2.** Perteneciente a esta ciudad del Peloponeso.

tirio, ria. (Del lat. *Tyrĭus.*) adj. Natural de Tiro. Ú. t. c. s. ‖ **2.** Perteneciente a esta ciudad de Fenicia. ‖ **3.** V. **letra tiria.** ‖ **tirios y troyanos.** loc. fig. Partidarios de opiniones o intereses opuestos.

tiritaña. (Del fr. *tiretaine.*) f. Tela endeble de seda. ‖ **2.** fig. y fam. Cosa de poca sustancia o entidad.

tiritaño. m. *Sal.* Garlito formado por una esterilla atada a cuatro estacas para cerrar las presas de los molinos.

tiritar. (De la onomat. *tir* del temblor.) intr. Temblar al estremecerse de frío o por causa de fiebre, de miedo, etc. ‖ **tiritando.** Con los verbos *estar, quedar, dejar* u otro semejante. fr. fig. **temblando.**

tiritera. f. Temblor producido por el frío del ambiente o al iniciarse la fiebre.

tiritón. m. Cada uno de los estremecimientos que siente el que tirita. ‖ **dar** uno **tiritones.** fr. **tiritar.**

tiritona. (De *tiritón.*) f. fam. Temblor al iniciarse la fiebre. ‖ **hacer** uno **la tiritona.** fr. fam. Fingir temblor.

tiro[1]. (Del lat. *tīrus,* un pez.) m. *And.* **salamandra,** batracio. ‖ **2.** *And.* **gallipato,** batracio.

tiro[2]. (De *tirar.*) m. Acción y efecto de tirar. ‖ **2.** Señal o impresión que hace lo que se tira. ‖ **3.** desus. Pieza o cañón de artillería. ‖ **4.** Disparo de un arma de fuego. ‖ **5.** Estampido que se produce. ‖ **6.** Carga de un arma de fuego. ‖ **7.** Alcance de cualquier arma arrojadiza. ‖ **8.** Lugar donde se tira al blanco. TIRO *de pistola, de gallo.* ‖ **9.** Conjunto de caballerías que tiran de un carruaje. ‖ **10. tirante** de un carruaje. ‖ **11.** Cuerda puesta en garrucha o máquina, para subir una cosa. ‖ **12.** Corriente de aire que produce el fuego de un hogar, y que una vez calentada arrastra al exterior los gases y humos de la combustión. También, por ext., significa la corriente de aire producida

en una casa entre sus puertas y ventanas. ‖ **13.** Longitud de una pieza de cualquier tejido; como paño, estera, etc. ‖ **14.** Anchura del vestido, de hombro a hombro, por la parte del pecho. ‖ **15.** Holgura entre las perneras del calzón o pantalón. ‖ **16.** Tramo de escalera. ‖ **17.** fig. Seguido de la preposición *de* y el nombre del arma disparada, o del objeto arrojado; se usa como medida de distancia. *A un* TIRO DE *bala; dista un* TIRO DE *piedra.* ‖ **18.** p. us. fig. Daño grave, físico o moral. ‖ **19.** p. us. fig. Chasco o burla con que se engaña a uno. ‖ **20.** p. us. fig. Hurto. *A Antonio le hicieron un* TIRO *de mil pesetas.* ‖ **21.** p. us. fig. Indirecta o alusión desfavorable contra una persona, ataque. ‖ **22.** *Cantabria.* En el juego de bolos, sitio marcado para tirar a los bolos. ‖ **23.** *Art.* Dirección que se da al disparo de las armas de fuego. TIRO *oblicuo.* ‖ **24.** *Dep.* Conjunto de especialidades deportivas, incluidas en el programa de las olimpiadas, que consiste en acertar o derribar una serie de blancos fijos o móviles por medio de armas de fuego, arcos, flechas, etc. ‖ **25.** *Min.* Pozo abierto en el suelo de una galería. ‖ **26.** *Min.* Profundidad de un pozo. ‖ **27.** *Veter.* Vicio de algunos caballos de apoyar los dientes en el pesebre, en el ronzal o en otros puntos, con contracción manifiesta de los músculos del cuello, y acompañado de un ruido particular. ‖ **28.** pl. Correas pendientes de que cuelga la espada. ‖ **al blanco.** Deporte o ejercicio que consiste en disparar a un blanco con un arma. ‖ **2.** Lugar donde se practica. ‖ **al plato.** Deporte o ejercicio que consiste en disparar a un plato especial al vuelo con escopeta. ‖ **2.** Lugar donde se practica. ‖ **de gracia.** El que se da a quien ha sido fusilado, para asegurar su muerte. ‖ **de pichón.** Deporte o ejercicio que consiste en disparar con escopeta a un pichón al vuelo. ‖ **2.** Lugar en donde se practica. ‖ **directo.** *Art.* Lanzamiento de un proyectil contra un blanco visible para el tirador. ‖ **2.** En el fútbol y otros juegos, sanción por la cual se autoriza a un jugador del equipo contrario a disparar directamente el balón hacia la meta del equipo infractor. ‖ **entero.** Art. que consta de seis o más caballerías. ‖ **indirecto.** *Art.* El efectuado contra un blanco oculto a la vista del que dispara, quien apunta por referencia a algún objeto visible o a datos de situación topográfica. ‖ **2.** En el fútbol y otros deportes, sanción por la cual el jugador que ha de ejecutar la falta no puede disparar directamente hacia la meta del equipo infractor, sino que ha de pasar el balón a un compañero. ‖ **par.** Art. que consta de cuatro caballerías. ‖ **rasante.** *Art.* Aquel cuya trayectoria se aproxima cuanto es posible a la línea horizontal. ‖ **al tiro.** *Col., C. Rica, Chile, Ecuad.* y *Perú.* En el acto, inmediatamente. ‖ **a tiro.** loc. adv. Al alcance de un arma arrojadiza o de fuego. ‖ **2.** fig. Dícese de lo que se halla al alcance de los deseos o intentos de uno. ‖ **a tiro de ballesta.** loc. adv. fig. y fam. A bastante distancia, desde lejos. Dícese especialmente con aplicación a cosas que por su importancia o bulto pueden ser bien conocidas o apreciadas sin tocarlas de cerca o sin examinarlas o considerarlas detenidamente. ‖ **a tiro hecho.** loc. adv. Apuntando con grandes probabilidades de no errar el **tiro.** ‖ **2.** fig. Determinadamente, con propósito deliberado. ‖ **a tiros largos.** loc. adv. **a tirantes largos.** ‖ **dar** a uno **cuatro tiros.** fr. **pegarle cuatro tiros.** ‖ **de al tiro.** *Guat.* De una vez, enteramente, totalmente ‖ **de tiros largos.** loc. adv. **a tiros largos.** ‖ **2.** fig. y fam. Con vestido de gala. ‖ **3.** fig. y fam. Con lujo y esmero. ‖ **errar** uno **el tiro.** fr. fig. Engañarse en el dictamen o fracasar en el intento. ‖ **hacer tiro.** fr. Lanzar el jugador la barra de modo que caiga en el suelo de punta y sin dar vuelta. ‖ **2.** p. us. fig. Perjudicar, incomodar, hacer mal tercio a uno en algún negocio o solicitud. ‖ **ni a tiros.** loc. adv. fig. y fam. Ni aun con la mayor violencia, de ningún modo, en absoluto. ‖ **no van por ahí los tiros.** expr. fig. y fam. con que se da a entender lo descaminado de una presunción o conjetura. ‖ **pegar a uno cuatro tiros.** fr. **pasarle por las armas.** ‖ **salir el tiro por la culata.** fr. fig. y fam. Dar una cosa resultado contrario del que se pretendía o deseaba.

tirocinio. (Del lat. *tirocinĭum*.) m. desus. Aprendizaje, noviciado.

tiroideo, a. adj. *Anat.* Relativo o perteneciente al tiroides.

tiroides. (Del gr. θυροειδής.) adj. *Anat.* Dícese de una glándula endocrina de los animales vertebrados, situada por debajo y a los lados de la tráquea y de la parte posterior de la laringe; en el hombre está delante y a los lados de la tráquea y la parte inferior de la laringe. Ú. m. c. s.

tirolés, sa. adj. Natural del Tirol. Ú. t. c. s. ‖ **2.** Perteneciente o relativo a esta comarca de los Alpes o a la región austriaca de ese nombre. ‖ **3.** m. Dialecto hablado en el Tirol. ‖ **4.** Mercader de juguetes y quincalla.

tirón[1]. (Del lat. *tiro, -ōnis.*) m. desus. Aprendiz, novicio.

tirón[2]. m. Acción y efecto de tirar con violencia, de golpe. ‖ **2.** Acción y efecto de estirar o aumentar de tamaño en poco tiempo. ‖ **3.** Robo consistente en apoderarse el ladrón de un bolso, u otro objeto, tirando violentamente de él y dándose a la fuga. ‖ **al tirón.** loc. adv. Cobrando anticipados los intereses de un préstamo. ‖ **de un tirón.** loc. adv. De una vez, de un golpe. ‖ **ni a dos, o tres, tirones.** loc. adv. fig. y fam. con que se indica la dificultad de ejecutar o conseguir una cosa.

tirona. f. Red parecida a la llamada tela, aunque con malla más grande, que se usa en el Mediterráneo para pesca sedentaria, dejándola calada algún tiempo en el fondo.

tironear. tr. Dar tirones.

tironiano, na. adj. Perteneciente o relativo a Tirón, liberto de Cicerón. ‖ **2.** V. **notas tironianas.**

tiroriro. (De or. onomatopéyico.) m. fam. Sonido de los instrumentos músicos de boca. ‖ **2.** pl. fam. Estos mismos instrumentos.

tirotear. tr. Disparar repetidamente armas de fuego portátiles contra personas o cosas. Ú. t. c. prnl. ‖ **2.** prnl. fig. Andar en dimes y diretes.

tiroteo. m. Acción y efecto de tirotear o tirotearse.

tirreno, na. (Del lat. *Tyrrhēnus.*) adj. Aplicase al mar comprendido entre Italia, Sicilia, Córcega y Cerdeña. ‖ **2.** etrusco. Aplic. a pers., ú. t. c. s.

tirria. (De or. onomatopéyico.) f. fam. Manía, odio u ojeriza hacia algo o alguien. ‖ **2.** ant. Disgusto, enojo. ‖ **3.** ant. Porfía repetida.

tirso. (Del lat. *thyrsus*, y este del gr. θύρσος.) m. Vara enramada, cubierta de hojas de hiedra y parra, que suele llevar como cetro la figura de Baco, que usaban los gentiles en las fiestas dedicadas a este dios. ‖ **2.** ant. Tallo o cogollo. ‖ **3.** *Bot.* Panoja de forma aovada; como la de la vid y la lila.

tirte. (Síncopa de *tírate*, quítate.) expr. ant. con el sentido de apártate, retírate. ‖ **tirte afuera,** o **allá.** expr. ant. **quita allá.**

tirulato, ta. adj. fam. **turulato.**

tirulo. m. Rollo de hoja de tabaco, o porción de picadura de hebra, que forma el alma o tripa del cigarro puro.

tisana. (Del gr. πτισάνη, a través del lat. *ptisāna*.) f. Bebida medicinal que resulta del cocimiento ligero de una o varias hierbas y otros ingredientes en agua.

tisanuro. (Del gr. ὀσάνουρος.) adj. *Zool.* Dícese de insectos de pequeño tamaño, que carecen de alas y se desarrollan sin metamorfosis, con antenas largas, órganos bucales rudimentarios y abdomen provisto de apéndices que les sirven para saltar, o bien terminado en una pinza quitinosa o en dos o tres filamentos largos y delgados; como la lepisma. Ú. t. c. s. ‖ **2.** m. pl. *Zool.* Orden de estos animales.

tisera. (Del lat. [*ferramenta*] *tonsorĭa*.) f. ant. **tijera.** Ú. en Andalucía, Asturias, Cantabria y América. Ú. m. en pl.

tísica. f. ant. **tisis.**

tísico, ca. (Del lat. *phthisĭcus*, y este del gr. φθισικός.) adj. Que padece de tisis. Ú. t. c. s. ‖ **2.** Perteneciente a la tisis.

tisiología. (De *tisis* y -*logía*.) f. *Med.* Parte de la medicina relativa a la tisis.

tisiológico, ca. adj. *Med.* Perteneciente o relativo a la tisiología.

tisiólogo, ga. m. y f. *Med.* Especialista en tisiología.

tisis. (Del lat. *phthĭsis*, y este del gr. φθίσις, φθίσις.) f. *Pat.* Enfermedad en que hay consunción gradual y lenta, fiebre héctica y ulceración en algún órgano. ‖ **2.** *Pat.* Tuberculosis pulmonar.

tiste. (Del nahua *textli*, cosa molida.) m. *Amér. Central.* Bebida refrescante que se prepara con harina de maíz tostado, cacao, achiote y azúcar.

tisú. (Del fr. *tissu*.) m. Tela de seda entretejida con hilos de oro o plata que pasan desde la haz al envés.

tisular. adj. *Biol.* Perteneciente a los tejidos de los organismos.

tisuria. (Del gr. φθίσις, consunción, y οὖρον, orina.) f. *Fisiol.* Debilidad causada por la excesiva secreción de orina.

titán. (Del lat. *Titan*, y este del gr. Τιτάν.) n. p. m. *Mit.* Gigante que, según la mitología griega, quiso asaltar el cielo. ‖ **2.** m. fig. Persona de excepcional fuerza, que descuella en algún aspecto. ‖ **3.** fig. Grúa gigantesca para mover pesos grandes.

titánico, ca. adj. Perteneciente o relativo a los titanes. ‖ **2.** fig. Desmesurado, excesivo, como de titanes. *Orgullo* TITÁNICO; *empresa* TITÁNICA; *fuerzas* TITÁNICAS.

titanio. (Del lat. *Titan*.) m. *Quím.* Metal pulverulento de color gris, casi tan pesado como el hierro y fácil de combinar con el nitrógeno. Arde con centelleo y produce un ácido sólido con aspecto de tierra blanca. Núm. atómico, 22. Símb.: Ti.

titar. (De la onomat. *ti* repetida.) intr. *Sal.* Graznar el pavo para llamar a la manada.

titear. (De la onomat. *ti* repetida.) intr. Cantar la perdiz llamando a los pollos.

titeo. m. Acción de titear la perdiz. ‖ **2.** p. us. *Argent.* Befa, mofa. ‖ **tomar para el titeo.** fr. p. us. *Argent.* Tomar a alguien en broma.

títere. (De or. onomatopéyico.) m. Figurilla de pasta u otra materia, vestida y adornada, que se mueve con alguna cuerda o introduciendo una mano en su interior. ‖ **2.** fig. y fam. Sujeto de figura ridícula o pequeña, aniñado y muy presumido. ‖ **3.** fig. y fam. Sujeto informal, necio o petulante. ‖ **4.** fig. Idea fija que preocupa mucho. ‖ **5.** *Ecuad.* Persona que se deja manejar dócilmente por otra. ‖ **6.** *P. Rico.* Pilluelo, vagabundo. ‖ **7.** pl. fam. Diversión pública de volatines, sombras chinescas u otras cosas de igual clase. ‖ **echar uno los títeres a rodar.** fr. fig. y fam. Romper abiertamente con una o más personas. ‖ **hacer títere a uno alguna cosa.** fr. fig. y fam. Cautivarle el ánimo, atrayéndole y moviéndole agradablemente. ‖ **no dejar,** o **no quedar, títere con cabeza,** o **con cara.** fr. fig. y fam. Destrozar o deshacer totalmente una cosa.

titerero, ra. m. y f. **titiritero,** persona que maneja los títeres.

titeretada. f. fam. Acción propia de un títere; informalidad.

titerista. com. Titerero, titiritero.

tití. (De or. onomatopéyico.) m. Mamífero cuadrumano, tipo de la familia de los hapálidos, de 15 a 30 centímetros de largo, de color cenicento, cara blanca y pelada, con una mancha negruzca sobre la nariz y la boca, y mechones blancos alrededor de las orejas, rayas oscuras transversales en el lomo y de forma de anillos en la cola. Habita en

América Meridional, es tímido y fácil de domesticar, y se alimenta de pajarillos y de insectos.

titiaro. adj. V. **cambur titiaro.**

titilación. (Del lat. *titillatĭo, -ōnis.*) f. Acción y efecto de titilar.

titilador, ra. adj. Que titila.

titilar. (De or. inc.) intr. Agitarse con ligero temblor alguna parte del organismo animal. ‖ **2.** Centellear con ligero temblor un cuerpo luminoso.

titileo. m. Acción y efecto de titilar, o centellear.

titímalo. (Del lat. *tithymălus,* y este del gr. τιθύμαλος.) m. **lechetrezna,** planta.

titirimundi. m. **mundonuevo.**

titiritaina. (De or. onomatopéyico.) f. fam. Ruido confuso de flautas u otros instrumentos. ‖ **2.** Por ext., cualquier bulla alegre o festiva sin orden.

titiritar. (De *tiritar.*) intr. Temblar de frío o de miedo.

titiritero, ra. m. y f. Persona que maneja los títeres. ‖ **2. volatinero.**

tito[1]**.** (De la onomat. *ti.*) m. Almorta, muela, guija. ‖ **2.** Sillico, perico. ‖ **3.** *Sal., Vallad.* y *Zam.* Hueso o pepita de la fruta. ‖ **4.** *Burg.* y *Guad.* **yero.** ‖ **5.** *Ar.* **guisante.** ‖ **6.** *Murc.* Pollo de la gallina.

tito[2]**, ta.** m. d. fam. de **tío,** hermano o hermana del padre o madre de una persona. Ú. m. en Andalucía.

títolo. m. ant. **título.**

titubar. (Del lat. *titubāre.*) intr. **titubear.**

titubear. (De *titubar.*) intr. Oscilar, perdiendo la estabilidad y firmeza. ‖ **2.** Tropezar o vacilar en la elección o pronunciación de las palabras. ‖ **3.** fig. Sentir perplejidad en algún punto o materia.

titubeo. m. Acción y efecto de titubear.

titulación. f. En general, acción y efecto de titular[2]. TITULACIÓN *de los capítulos de un libro.* ‖ **2.** Conjunto de títulos de propiedad que afectan a una finca. ‖ **3.** Obtención de un título académico. ‖ **4.** *Quím.* Acción y efecto de titular[2] o valorar una disolución.

titulado, da. p. p. de **titular**[2]. ‖ **2.** m. y f. Persona que posee un título académico. ‖ **3.** m. **título,** persona que tiene una dignidad nobiliaria.

titular[1]**.** adj. Que tiene algún título, por el cual se denomina. ‖ **2.** Que da su propio nombre por título a otra cosa. ‖ **3.** Dícese del que ejerce cargo, oficio o profesión con cometido especial y propio. *Juez, médico, profesor universitario* TITULAR. Ú. t. c. s. ‖ **4.** *Impr.* V. **letra titular.** Ú. t. c. s. ‖ **5.** Cada uno de los títulos de una revista, libro, periódico, etc., compuesto en tipos de mayor tamaño. Ú. m. en pl.

titular[2]**.** (Del lat. *titulāre.*) tr. Poner título, nombre o inscripción a una cosa. ‖ **2.** intr. Obtener una persona título nobiliario. ‖ **3.** *Quím.* Valorar una disolución. ‖ **4.** prnl. Obtener una persona un título académico.

titularidad. f. Acción y efecto de titularse.

titularización. f. Acción y efecto de titularizar.

titularizar. tr. Dar a algo carácter de titular.

titulatura. f. Conjunto de títulos que posee una persona, casa o entidad.

titulillo. (d. de *título.*) m. *Impr.* Renglón que se pone en la parte superior de la página impresa, para indicar la materia de que se trata. ‖ **andar en titulillos.** fr. fig. y fam. Reparar en cosas de poca importancia, en materia de cortesía u otras semejantes.

título. (Del lat. *titŭlus.*) m. Palabra o frase con que se da a conocer el nombre o asunto de una obra o de cada una de las partes o divisiones de un escrito. ‖ **2.** Renombre o distintivo con que se conoce a una persona por sus cualidades o sus acciones. ‖ **3.** Causa, razón, motivo o pretexto. ‖ **4.** Documento jurídico en el que se otorga un derecho o se establece una obligación. ‖ **5.** Testimonio o instrumento dado para ejercer un empleo, dignidad o profesión. ‖ **6.** Dignidad nobiliaria, como la de conde, marqués o duque. ‖ **7.** Persona condecorada con esta dignidad nobiliaria. ‖ **8.** Cada una de las partes principales en que suelen dividirse las leyes, reglamentos, etc., o subdividirse los libros de que constan. ‖ **9.** Documento financiero que representa deuda pública o valor comercial. ‖ **10.** V. **obispo de título.** ‖ **11.** p. us. Rótulo con que se indica el contenido o destino de una cosa o la dirección de un envío. ‖ **al portador.** El que no es nominativo, sino pagadero a quien lo lleva o exhibe. ‖ **colorado.** *Der.* El que tiene apariencia de justicia o de buena fe, pero no es suficiente para transferir por sí solo la propiedad. ‖ **2.** En derecho canónico, el que tiene apariencias de válido, pero adolece de un vicio oculto que lo hace nulo. ‖ **del reino.** título, dignidad nobiliaria. ‖ **2. título,** persona decorada con esta dignidad. ‖ **lucrativo.** *Der.* El que proviene de un acto de liberalidad, como la donación o el legado, sin conmutación recíproca. ‖ **oneroso.** *Der.* El que supone recíprocas prestaciones entre los que adquieren y transmiten. ‖ **justo título.** *Der.* El que legalmente basta para la adquisición del derecho transmitido. ‖ **a título de.** loc. adv. Con pretexto, motivo o causa de.

titundia. f. *Cuba.* Baile popular antiguo, hoy desusado.

tiufado. m. Jefe de un cuerpo de mil hombres, en el ejército visigodo.

tiuque. m. *Argent.* y *Chile.* Ave de rapiña, de pico grande y plumaje oscuro.

tiza. (Del nahua *tizatl.*) f. Arcilla terrosa blanca que se usa para escribir en los encerados y, pulverizada, para limpiar metales. ‖ **2.** Asta de ciervo calcinada. ‖ **3.** Compuesto de yeso y greda que se usa en el juego de billar para frotar la suela de los tacos a fin de que no resbalen al dar en las bolas.

tizana. (De *tizo.*) f. *Guadal.* Zaragalla, cisco.

tizna. f. Materia tiznada y preparada para tiznar.

tiznado, da. p. p. de **tiznar.** ‖ **2.** adj. *Amér. Central.* Borracho, ebrio.

tiznadura. f. Acción y efecto de tiznar o tiznarse.

tiznajo. (De *tizne.*) m. fam. Mancha de tizne o de otra cosa semejante.

tiznar. (De *tizonar.*) tr. Manchar con tizne, hollín u otra materia semejante. Ú. t. c. prnl. ‖ **2.** Por ext., manchar a manera de tizne con sustancia de cualquier otro color. Ú. t. c. prnl. ‖ **3.** fig. Deslustrar, oscurecer o manchar la fama u opinión.

tizne. (De *tiznar.*) amb. Ú. m. c. m. Humo que se pega a las sartenes, peroles y otras vasijas que han estado a la lumbre. ‖ **2.** m. Tizón o palo a medio quemar.

tiznera. (De *tiznar.*) f. *Burg.* y *Sor.* Piedra del hogar adosada a la pared y sobre la cual se apoyan los leños.

tiznero, ra. adj. Que tizna.

tiznón. m. Mancha que se echa o pone en una cosa con tizne o tizón. ‖ **2.** Mancha con otras cosas semejantes, tinta, etc.

tizo. (der. regres. de *tizón.*) m. Pedazo de leña mal carbonizado que despide humo al arder.

tizón. (Del lat. *titĭo, -ōnis.*) m. Palo a medio quemar. ‖ **2.** fig. Mancha en la fama o estimación. ‖ **3.** *Arq.* Parte de un sillar o ladrillo, que entra en la fábrica. ‖ **4.** Hongo de pequeño tamaño que vive parásito en el trigo y otros cereales, cuyo micelio invade preferentemente los ovarios de estas plantas y forma esporangios en los que se producen millones de esporas de color negruzco. ‖ **a tizón.** loc. adv. *Arq.* Dícese del modo de construir cuando la dimensión más larga del ladrillo o piedra va colocada perpendicularmente al paramento.

tizona. (Por alusión a la célebre espada del Cid.) f. fig. Espada, arma.

tizonada. f. tizonazo.

tizonazo. m. Golpe dado con un tizón. ‖ **2.** fig. Tormento del fuego en el infierno. Ú. m. en pl.

tizoncillo. m. d. de **tizón.** ‖ **2.** Honguillo negruzco de los cereales.

tizonear. intr. Componer los tizones, atizar la lumbre.

tizonera. (De *tizón*.) f. Carbonera que se hace con los tizos para acabar de carbonizarlos. ‖ **2.** *Sal.* Velada que se celebra las noches de invierno en la cocina al amor de los tizones.

tlaco. (Del náhuatl *tlaco*, mitad.) m. desus. *Amér.* Octava parte del real columnario.

tlacote. m. *Méj.* Tumorcillo o divieso.

tlacuache. (Del náhuatl *tlacuatzin*.) m. *Méj.* zarigüeya, animal.

tlachique. (Del náhuatl *tlachiqui*, el que raspa.) m. *Méj.* aguamiel, pulque a medio fermentar.

tlascalteca o **tlaxcalteca.** adj. Natural de Tlascala o Tlaxcala. Ú. t. c. s. ‖ **2.** Perteneciente a esta ciudad de Méjico.

tlazol. (Del náhuatl *tla*, cosa, y *zolli*, viejo.) m. *Méj.* Punta de la caña de maíz o de azúcar que sirve de forraje. ‖ **2.** *Méj.* Por ext., basura.

to. Voz p. us. con que se llama al perro. Ú. m. repetida. ‖ **2. so**[4]. ‖ **3. tate.** ‖ **4.** *Áv., Sal.* y *Zam.* Voz que indica extrañeza.

toa. (De *toar*.) f. desus. Maroma o sirga. Ú. en América.

toalla. (Del germ. *thwahljo*.) f. Pieza de felpa, algodón u otros materiales, por lo general rectangular, para secarse el cuerpo. ‖ ant. Cubierta que se tendía en las camas sobre las almohadas. ‖ **tirar** o **arrojar la toalla.** fr. *Dep.* En boxeo, lanzarla a la vista del árbitro el cuidador que advierte la inferioridad física de su púgil y da por terminada la pelea. ‖ **2.** fig. y fam. Por ext., darse por vencido, desistir de un empeño.

toallero. m. Mueble o útil para colgar toallas.

toalleta. f. d. de **toalla.** ‖ **2.** p. us. servilleta, paño que se pone a cada uno al comer, para limpiar de comida los labios.

toar. (Del ant. fr. *toer*.) tr. *Mar.* Llevar a remolque una nave, atoar.

toba[1]. (Del lat. *tofus*.) f. Piedra caliza, muy porosa y ligera, formada por la cal que llevan en disolución las aguas de ciertos manantiales y que van depositándola en el suelo o sobre las plantas u otras cosas que hallan a su paso. ‖ **2. sarro,** de los dientes. ‖ **3. cardo borriquero.** ‖ **4.** fig. Capa o corteza que por distintas causas se cría en algunas cosas. ‖ **calcárea.** Roca sedimentaria formada por la precipitación del carbonato cálcico disuelto en el agua. ‖ **volcánica.** Roca ligera, de consistencia porosa, formada por la acumulación de cenizas u otros elementos volcánicos muy pequeños.

toba[2]. (Del guaraní *toba*, cara.) adj. Dícese del indígena perteneciente a diversas parcialidades que habitaban al sur del Pilcomayo, en Argentina. Ú. t. c. s. ‖ **2.** Perteneciente o relativo a estos indios. ‖ **3.** m. Lengua, con varios dialectos, de estos indios, perteneciente a la familia guaycurú.

tobaja. (Del germ. *thwahlja*.) f. ant. Lienzo para secarse la cara o las manos después de lavadas, toalla. Ú. en Andalucía.

toballa. (Del germ. *thwahlja*.) f. **toalla.**

toballeta. (d. de *toballa*.) f. **toalleta.**

tobar. m. Cantera de toba[1].

tobelleta. f. Toalla. ‖ **2.** Servilleta.

tobera. (Del vasc. *tobera*, tolva, barquín o fuelle de fragua, del m. or. lat. que *tolva*.) f. Abertura tubular, primitivamente de forma cónica, por donde se introduce el aire en un horno o una forja, fragua o crisol; también tienen **tobera** ciertos motores marinos, de aviación, etc.

tobiano, na. adj. *Argent.* Dícese del caballo overo cuyo pelaje presenta, por lo común en la parte superior del cuerpo, grandes manchas blancas.

tobillera. adj. fam. Se aplicaba a la jovencita que dejaba de vestir de niña, pero que todavía no se había puesto de largo. Ú. t. c. s. ‖ **2.** f. Venda generalmente elástica con la que se sujeta el tobillo.

tobillo. (Del lat. *tubellum*, d. de *tuber*, protuberancia.) m. Protuberancia de cada uno de los dos huesos de la pierna llamados tibia y peroné; la del primero sobresale en el lado interno y la del segundo en el lado externo de la garganta del pie. ‖ **hasta el tobillo.** loc. adv. fam. con que se pondera lo encharcado que está el suelo por donde se anda.

toboba. f. *C. Rica.* y *Nicar.* Nombre genérico de varias especies de víboras.

tobogán. (Del ing. *toboggan*.) m. Especie de trineo bajo formado por una armadura de acero montada sobre dos patines largos y cubierta por una tabla o plancha acolchada. ‖ **2.** Pista hecha en la nieve, por la que se deslizan a gran velocidad estos trineos especiales. ‖ **3.** Deslizadero artificial en declive por el que las personas, sentadas o tendidas, se dejan resbalar por diversión.

toboroche. m. *Bol.* **palo borracho.**

toboseño, ña. adj. Natural del Toboso. Ú. t. c. s. ‖ **2.** Perteneciente a este pueblo de La Mancha.

tobosesco, ca. adj. desus. **toboseño.**

tobosino, na. adj. desus. **toboseño.**

toboso, sa. adj. Formado de piedra toba.

toca. (De or. inc.) f. Prenda de tela con que se cubría la cabeza. ‖ **2.** Prenda de lienzo que, ceñida al rostro, usan las monjas para cubrir la cabeza, y la llevaban antes las viudas y algunas veces las mujeres casadas. ‖ **3.** Tela, especie de beatilla, de que ordinariamente se hacen las **tocas.** ‖ **4.** Sombrero con ala pequeña, o casquete, que usan las señoras. ‖ **5.** V. **paloma, tormento de toca.** ‖ **6.** V. **paga de tocas.** ‖ **tocas de beata y uñas de gata.** fr. con que se moteja a la mujer hipócrita.

tocable. adj. Que se puede tocar.

tocadiscos. m. Aparato que consta de un platillo giratorio, sobre el que se colocan los discos de gramófono, y de un fonocaptor conectado a un altavoz.

tocado[1], **da.** p. p. de **tocar**[2]. ‖ **2.** m. Prenda con que se cubre la cabeza. ‖ **3.** Peinado y adorno de la cabeza, en las mujeres. ‖ **4.** Juego de cintas de color, encajes y otros adornos, para tocarse una mujer.

tocado[2], **da.** p. p. de **tocar**[1]. ‖ **2.** adj. V. **pieza tocada.** ‖ **3.** fig. Medio loco, algo perturbado. ‖ **4.** Dícese de la fruta que ha empezado a dañarse. ‖ **5.** *Dep.* Afectado por alguna indisposición o lesión.

tocador[1]. (De *tocar*[2].) m. Paño que servía para cubrirse y adornarse la cabeza. ‖ **2.** Mueble, por lo común en forma de mesa, con espejo y otros utensilios, para el peinado y aseo de una persona. ‖ **3.** Aposento destinado a este fin. ‖ **4.** Caja o estuche para guardar alhajas, objetos de tocado[1] o de costura, etc.

tocador[2], **ra.** adj. Que toca[1]. Ú. t. c. s., especialmente aplicado al que tañe un instrumento músico. ‖ **2.** m. *And.* templador, llave para templar algunos instrumentos de cuerda.

tocadura[1]. f. Peinado y adorno de la cabeza en las mujeres, tocado[1].

tocadura[2]. (De *tocar*[1], herir.) f. *Ar.* Herida por rozamiento del aparejo de las bestias.

tocamiento. m. Acción y efecto de tocar. ‖ **2.** fig. Llamamiento o inspiración.

tocante. p. a. de **tocar**[1]. Que toca. ‖ **tocante a.** loc. adv. En orden a, referente a.

tocar[1]. (De la onomat. *toc*.) tr. Ejercitar el sentido del tacto. ‖ **2.** Llegar a una cosa con la mano, sin asirla. ‖ **3.** Hacer sonar según arte cualquier instrumento. ‖ **4.** Interpretar una pieza musical. ‖ **5.** Avisar haciendo seña o llamada, con campana u otro instrumento. TOCAR *a muerto;* TOCAR *llamada.* ‖ **6.** Tropezar ligeramente una cosa con otra. ‖ **7.** Golpear una cosa, para reconocer su calidad por el sonido. ‖ **8.** Acercar una cosa a otra, para que le comunique cierta virtud; como un hierro al imán, una medalla a una reliquia. ‖ **9.** Ensayar una pieza de oro o plata en la piedra de toque, para conocer la proporción de metal fino que contiene. ‖ **10.** Alterar el estado o condición de una cosa. Ú. m. con negación. *Esta poesía está bien,* NO hay que TOCARLA. ‖ **11.** fig. Saber o conocer una cosa por experiencia. TOCÓ *los resultados de su imprevisión.* ‖ **12.** fig. Estimular, persuadir, inspirar. *Le* TOCÓ *Dios en el corazón;* TOCADA *el alma de un alto pensamiento.* ‖ **13.** fig. Tratar o hablar leve o superficialmente de una materia sin hacer asunto principal de ella. ‖ **14.** fig. Haber llegado el momento oportuno de ejecutar algo. TOCAN *a pagar.* ‖ **15.** *Mar.* Tirar un poco hacia afuera de los guarnes de un aparejo y soltar en seguida para facilitar su laboreo. ‖ **16.** *Mar.* Empezar a flamear una vela que va en viento cuando comienza a perderlo. ‖ **17.** *Mar.* Dar suavemente con la quilla en el fondo. ‖ **18.** *Pint.* Dar toques o pinceladas sobre lo pintado, para su mayor efecto. ‖ **19.** intr. Pertenecer por algún derecho o título. ‖ **20.** Llegar o arribar, solo de paso, a algún lugar. ‖ **21.** Ser de la obligación o cargo de uno. ‖ **22.** Importar, ser de interés, conveniencia o provecho. ‖ **23.** Caber o pertenecer parte o porción de una cosa que se reparte entre varios, o les es común. ‖ **24.** Caer en suerte una cosa. ‖ **25.** Estar una cosa cerca de otra de modo que no quede entre ellas distancia alguna. ‖ **26.** Ser uno pariente de otro, o tener alianza con él. ‖ **27.** *Ál.* y *Ar.* Hallar el galgo el rastro de la caza. ‖ **a toca, no toca.** expr. adv. que indica la posición de la persona o cosa tan cercana a otra que casi la **toca.** ‖ **estar uno tocado de** una enfermedad. fr. Empezar a sentirla. ‖ **2.** *Dep.* Estar afectado por alguna indisposición o lesión. ‖ **tocar de cerca.** fr. fig. Tener una persona parentesco próximo con otra. ‖ **2.** fig. Tratándose de un asunto o negocio, tener conocimiento práctico de él. ‖ **tocarle a uno bailar con la más fea.** fr. fig. y fam. Corresponderle resolver un asunto muy difícil o desagradable. ‖ **tocárselas** uno. fr. fig. y fam. **tomar las de Villadiego,** huir.

tocar². (De *toca.*) tr. Peinar el cabello; componerlo con cintas, lazos y otros adornos. Ú. m. c. prnl. ‖ **2.** prnl. Cubrirse la cabeza con gorra, sombrero, mantilla, pañuelo, etc.

tocario. m. Idioma indogermánico del Turquestán chino.

tocasalva. (De *tocar*¹ y *salva,* prueba del alimento.) f. **salvilla.**

tocata. (Del it. *toccata.*) f. Pieza de música, destinada por lo común a instrumentos de teclado. ‖ **2.** fig. y fam. Zurra, paliza.

tocateja (a). loc. adv. **a toca teja.**

tocatorre. f. *Ál.* Marro, juego de muchachos.

tocayo, ya. m. y f. Respecto de una persona, otra que tiene su mismo nombre.

tocía. f. **atutía,** óxido de cinc.

tocinería. (De *tocinero.*) f. Tienda, puesto o lugar donde se vende tocino.

tocinero, ra. m. y f. Persona que vende tocino. ‖ **2.** Mujer del **tocinero.** ‖ **3.** Tablón ancho y algo cóncavo, con apoyos o pies, donde se sala el tocino en las casas.

tocino. (Del lat. *tuccētum,* con la term. de *cecina.*) m. Panículo adiposo, muy desarrollado, de ciertos mamíferos, especialmente del cerdo. ‖ **2.** Lardo del **tocino.** ‖ **3.** Témpano de la canal del cerdo. ‖ **4.** V. **hoja de tocino.** ‖ **5.** En el juego de la comba, saltos muy rápidos y seguidos. ‖ **6.** *Ar.* Cerdo, cochino, puerco. ‖ **7.** *Cuba.* Arbusto trepador de

la familia de las mimosáceas, con ramas cubiertas de multitud de espinas, folíolos muy finos, de color verde claro, y flores en cabezuela. ‖ **del cielo.** Dulce compuesto de yema de huevo y almíbar cocidos juntos hasta que están bien cuajados. ‖ **entreverado.** El que tiene algunas hebras de magro. ‖ **saladillo.** El fresco a media sal.

tocio, cia. adj. Tozo, enano. Dícese principalmente de una especie de roble. ‖ **2.** m. *Cantabria.* **melojo,** árbol.

toco. (Del quechua *tojo.*) m. *Perú.* Nicho u hornacina rectangular muy usado en la arquitectura incaica.

tocología. (Del gr. τόκος, parto, y *-logía.*) f. Parte de la medicina que trata de la gestación, del parto y del puerperio, obstetricia.

tocólogo, ga. m. y f. *Med.* Especialista en tocología.

tocomate. m. *Amér. Central* y *Méj.* **tecomate.**

tocón. (De *tueco.*) m. Parte del tronco de un árbol que queda unida a la raíz cuando lo cortan por el pie. ‖ **2.** Muñón o miembro cortado.

tocona. f. Tocón de diámetro grande.

toconal. m. Sitio donde hay muchos tocones. ‖ **2.** Olivar formado por renuevos de tocones.

tocopillano, na. adj. Natural de Tocopilla. Ú. t. c. s. ‖ **2.** Perteneciente o relativo a esta ciudad y región de Chile.

tocorno. m. *Ál.* Roble mal podado, cuya madera solo sirve para quemar.

tocororo. (onomat. del canto de este pájaro.) m. Ave trepadora, de unos dos decímetros de largo; de plumaje blando, sedoso y con reflejos metálicos, azul en la cabeza, verde en el dorso, ceniciento en el pecho, negro con manchas blancas en las alas, bronceado en la cola y rojo en el vientre. Vive solitario en los bosques de la isla de Cuba, se le caza fácilmente y su carne es comestible.

tocotín. m. *Méj.* Antigua danza popular y canto que la acompaña.

tocotoco. m. *Venez.* Pelícano, ave.

tocte. m. *Ecuad.* Árbol yuglandáceo que da una madera fina, semejante al nogal.

tocuyo. (De *El Tocuyo,* ciudad de Venezuela.) m. *Amér. Merid.* Tela burda de algodón.

toche. m. *Col.* y *Venez.* Pájaro conirrostro, de plumaje amarillo y negro azulado.

tochedad. f. Calidad de tocho. ‖ **2.** Dicho o hecho propio de persona tocha.

tochibí. (Del ár. *Tuŷībī,* el de la tribu de *Tuŷīb.*) adj. Dícese de los descendientes de Móndir ben Yahya el Tochibí, que a la caída del califato de Córdoba fundaron un reino de taifas en Zaragoza, durante la primera mitad del siglo XI. Ú. t. c. s.

tochimbo. m. Horno de fundición usado en América.

tocho, cha. adj. Tosco, inculto, tonto, necio. ‖ **2.** V. **hierro tocho, hierro medio tocho.** ‖ **3.** m. Lingote de hierro. ‖ **4.** *Ar.* y *Sal.* Palo redondo, garrote, tranca.

tochuelo, la. adj. d. de **tocho.** ‖ **2.** V. **hierro tochuelo.**

tochura. (De *tocho.*) f. *Ast., Burg.* y *Cantabria.* Dicho o hecho de persona tocha.

todabuena. (De *toda* y *buena.*) f. Planta herbácea anual, de la familia de las gutíferas, como de un metro de altura, con tallo ramoso, hojas sentadas, opuestas, ovales y glandulosas; flores amarillas en panoja terminal, y por fruto bayas negruzcas con una sola semilla. La infusión de las hojas y flores en aceite se ha usado en medicina como vulneraria.

todasana. (De *toda* y *sana.*) f. **todabuena,** planta.

todavía. (De *toda* y *vía.*) adv. t. Hasta un momento determinado desde tiempo anterior. *Está durmiendo* TODAVÍA. ‖ **2.** ant. Siempre, en todo tiempo. ‖ **3.** adv. m. Con todo eso, no obstante, sin embargo. *Es muy ingrato, pero* TODAVÍA *quiero yo hacerle bien.* ‖ **4.** Tiene sentido concesivo corrigiendo una frase anterior. *¿Para qué ahorras?* TODA-VÍA *si tuvieras hijos estaría justificado.* ‖ **5.** Denota encarecimiento o ponderación en frases como la siguiente: *Juan es* TODAVÍA *más aplicado que su hermano.* ‖ **por todavía.** loc. adv. ant. **por siempre.**

todía. (De *todo día.*) adv. t. ant. Siempre, en todo tiempo.

todito, ta. adj. d. de **todo.** ‖ **2.** fam. Encarece el significado de **todo.** *Se ha pasado* TODITA *la noche llorando.*

todo, da. (Del lat. *totus.*) adj. Dícese de lo que se toma o se comprende enteramente en la entidad o en el número. ‖ **2.** Ú. t. para ponderar el exceso de alguna calidad o circunstancia. *Hombre pobre* TODO *es trazas; este pez* TODO *es espinas.* ‖ **3.** Seguido de un sustantivo en singular y sin artículo, toma y da a este sustantivo valor de plural. TODO *fiel cristiano,* equivalente a TODOS *los fieles cristianos;* TODO *delito,* equivalente a TODOS *los delitos.* ‖ **4.** En plural equivale a veces a **cada.** *Tiene mil pesetas* TODOS *los meses;* es decir, *cada mes.* ‖ **5.** V. **seda de todo capullo.** ‖ **6.** *Arq.* V. **arco de todo punto.** ‖ **7.** *Esc.* V. **todo relieve.** ‖ **8.** m. Cosa íntegra. ‖ **9.** Condición que se pone en el juego del hombre y otros de naipes, en que se paga más al que hace **todas** las bazas. ‖ **10.** En las charadas, la voz que contiene en sí **todas** las sílabas que se han enunciado. ‖ **11.** adv. m. **enteramente.** ‖ **ante todo.** loc. adv. Primera o principalmente. ‖ **así y todo.** loc. conjunt. A pesar de eso, aun siendo así. ‖ **a todo.** loc. adv. Cuanto puede ser en su línea; con el máximo esfuerzo o rendimiento. A TODO *correr;* A TODA *máquina,* A TODO *color,* A TODO *riesgo.* ‖ **2.** Con los verbos *estar, quedar, salir,* etc., obligarse a la seguridad de alguna cosa, no obstante los inconvenientes o riesgos que puedan ofrecerse en contrario. ‖ **a todo esto, o a todas estas.** loc. adv. Mientras tanto, entre tanto. ‖ **con todo, con todo eso, o con todo esto.** locs. conjunts. No obstante, sin embargo. ‖ **del todo.** loc. adv. Entera, absolutamente, sin excepción ni limitación. ‖ **de todas todas.** loc. adv. Con seguridad, irremediablemente. ‖ **de todo en todo.** loc. adv. Entera o absolutamente, con todo y por todo. loc. adv. Entera o absolutamente, o con **todas** las circunstancias. ‖ **en un todo.** loc. adv. Absoluta y generalmente. ‖ **jugar** uno **el todo por el todo.** fr. fig. Aventurarlo **todo,** o arrostrar gran riesgo para alcanzar algún fin. ‖ **por todo, o por todas.** loc. adv. En suma, en total. *Son* POR TODAS *825 pesetas.* ‖ **ser** uno **el todo.** fr. fig. Ser la persona más influyente o capaz en un negocio, o de quien principalmente depende su buen éxito. ‖ **sobre todo.** loc. adv. Con especialidad, mayormente, principalmente. ‖ **todo en gordo.** loc. fam. irón. que se usa para ponderar lo escaso de una dádiva o la pequeñez de una cosa. ‖ **todo es uno.** expr. irón. con que se da a entender que una cosa es totalmente diversa o impertinente y fuera de propósito para el caso o fin a que se quiere aplicar. ‖ **todos son unos.** fr. fig. y fam. para indicar que **todos** están de acuerdo para algo malo. ‖ **todo uno.** loc. Dícese del carbón mineral que sin lavar ni clasificar se destina al consumo tal como sale de la mina. ‖ **y todo.** loc. adv. Hasta, también, aun, indicando gran encarecimiento. *Volcó el carro con mulas* Y TODO. ‖ **2.** desus. Además, también, indicando mera adición. *Si vas tú, iré yo* Y TODO.

todopoderoso, sa. adj. Que todo lo puede. ‖ **2.** n. p. m. Por antonom., **Dios.**

toesa. (Del fr. *toise.*) f. Antigua medida francesa de longitud, equivalente a un metro y 946 milímetros.

tofana. (Del it. *Toffana,* nombre de una mujer que pasaba por inventora de esta agua.) adj. V. **agua tofana.**

tofo. (Del lat. *tofus,* toba.) m. *Med.* y *Veter.* **nodo,** tumor producido por ácido úrico en los huesos o ligamentos. ‖ **2.** *Chile.* Arcilla blanca refractaria.

toga. (Del lat. *toga.*) f. Prenda principal exterior del traje nacional romano, que se ponía sobre la túnica. ‖ **2.** Traje principal exterior y de ceremonia, que usan los magistrados, letrados, catedráticos, etc., encima del ordinario. ‖ **palmada, o picta.** La enriquecida con primorosas labores y recamos de oro, que usaban el cónsul en el día del triunfo, y el cónsul y los pretores presidiendo los juegos del circo.

togado, da. (Del lat. *togatus.*) adj. Que viste toga. Dícese comúnmente de los magistrados superiores, y en la jurisdicción militar, de los jueces letrados. Ú. t. c. s. ‖ **2.** V. **comedia togada.**

toisón. (Del fr. *toison,* vellón.) m. Orden de caballería instituida por Felipe el Bueno, duque de Borgoña, de la que era jefe el rey de España. ‖ **2.** Insignia de este orden. ‖ **3.** Persona condecorada con esta insignia. ‖ **de oro. toisón.**

tojal. m. Terreno poblado de tojos.

tojino. (De un d. leonés en -*ino* de *tufo.*) m. *Mar.* Pedazo de madera que se clava en lo interior de la embarcación, para asegurar una cosa del movimiento de los balances. ‖ **2.** *Mar.* Cada uno de los trozos de madera prolongados que se ponen clavados en el costado del buque, desde el portalón a la lumbre del agua, y sirven de escala para subir y bajar. ‖ **3.** *Mar.* Taco de madera que se clava en los penoles de las vergas, para asegurar las empuñiduras cuando se toman rizos.

tojo¹. (De or. inc.) m. Planta perenne de la familia de las papilionáceas, variedad de aulaga, que crece hasta dos metros de altura, con muchas ramillas enmarañadas, hojas reducidas a puntas espinosas, flores amarillas, y por fruto vainillas aplastadas con cuatro o seis semillas. ‖ **2.** *Cantabria.* Tronco hueco en que anidan las abejas. ‖ **3.** *Bol.* **alondra.**

tojo². (Del lat. *tullus.*) m. *Burg.* y *Pal.* Lugar manso y profundo de un río; cadozo.

tojosita. f. *Cuba.* Ave, especie de paloma silvestre, de 15 a 20 centímetros de largo por 25 de envergadura, plumaje gríseo obscuro en las alas y más claro en el pecho, con un collar blanquecino.

tola¹. f. *Amér. Merid.* Nombre de diferentes especies de arbustos de la familia de las compuestas, que crecen en las laderas de la cordillera.

tola². (Del quichua *tola* o *tula.*) f. *Ecuad.* Tumba en forma de montículo, perteneciente a los antiguos aborígenes.

tolano¹. m. *Veter.* Enfermedad que padecen las bestias en las encías. Ú. m. en pl. ‖ **picarle a** uno **los tolanos.** fr. fig. y fam. Tener mucha gana de comer.

tolano². m. Cada uno de los pelillos del cogote.

tolda. (De *toldo.*) f. ant. *Mar.* **alcázar,** espacio en la cubierta de los buques desde el palo mayor hasta la popa o hasta la toldilla.

toldadura. (De *toldar.*) f. Colgadura de algún paño, que sirve para defenderse del calor o templar la luz.

toldar. (De *toldo.*) tr. Cubrir con toldo.

toldería. f. *Argent.* Campamento formado por toldos de indios.

toldero, ra. (De *toldo,* tienda en que se vendía la sal.) m. y f. *And.* Persona que vendía la sal al por menor.

toldilla. f. d. de **tolda.** ‖ **2.** *Mar.* Cubierta parcial que tienen algunos buques a la altura de la borda, desde el palo mesana al coronamiento de popa.

toldillo. m. d. de **toldo.** ‖ **2.** Silla de manos cubierta.

toldo. m. Pabellón o cubierta de tela que se tiende para hacer sombra. ‖ **2.** Pabellón semejante que se forma sobre el carro. ‖ **3.** fig. Engreimiento, pompa o vanidad. ‖ **4.** *And.* Tienda en que se vendía la sal al por menor. ‖ **5.** *Argent.* Tienda de indios, hecha de ramas y cueros.

tole. (Del lat. *tolle,* quita, imper. de *tollĕre,* por alusión a las palabras *tolle eum,* con que los judíos excitaban a Pilatos a que crucificara a Jesús.) m. fig. Confusión y gritería popular. Ú. por lo común repetida. ‖ **2.** fig. Rumor de desaprobación, que va cundiendo entre las gentes, contra una persona o cosa. Ú. por lo común repetida. ‖ **tomar** uno **el tole.** fr. fam. Partir aceleradamente.

toledano, na. (Del lat. *Toletānus.*) adj. Natural de Toledo. Ú. t. c. s. ‖ **2.** Perteneciente o relativo a esta ciudad o a su provincia. ‖ **3.** fig. V. **noche toledana.**

Toledo. n. p. V. **albaricoque de Toledo.**

tolemaico, ca. adj. Perteneciente a Tolomeo o a su sistema astronómico.

tolena. f. *Ast.* **tollina.**

tolerabilidad. f. Calidad o condición de tolerable.

tolerable. (Del lat. *tolerabĭlis.*) adj. Que se puede tolerar.

tolerablemente. adv. m. De manera tolerable.

toleración. (Del lat. *toleratĭo, -ōnis.*) f. ant. **tolerancia.**

tolerancia. (Del lat. *tolerantĭa.*) f. Acción y efecto de tolerar. ‖ **2.** Respeto o consideración hacia las opiniones o prácticas de los demás, aunque sean diferentes a las nuestras. ‖ **3.** Reconocimiento de inmunidad política para los que profesan religiones distintas de la admitida oficialmente. ‖ **4.** Diferencia consentida entre la ley o peso efectivo y el que tienen las monedas. ‖ **5.** Margen o diferencia que se consiente en la calidad o cantidad de las cosas o de las obras contratadas. ‖ **6.** Máxima diferencia que se tolera o admite entre el valor nominal y el valor real o efectivo en las características físicas y químicas de un material, pieza o producto. ‖ **de cultos.** Derecho reconocido por la ley para celebrar privadamente actos de culto que no son los de la religión del Estado.

tolerante. (Del lat. *tolērans, -antis.*) p. a. de **tolerar.** Que tolera, o propenso a la tolerancia.

tolerantismo. (De *tolerante.*) m. Opinión de los que creen que debe permitirse el libre ejercicio de todo culto religioso.

tolerar. (Del lat. *tolerāre.*) tr. Sufrir, llevar con paciencia. ‖ **2.** Permitir algo que no se tiene por lícito, sin aprobarlo expresamente. ‖ **3.** Resistir, soportar, especialmente alimentos, medicinas, etc.

toletazo. m. *Ecuad.* Golpe dado con tolete.

tolete. (Del fr. *tolet.*) m. *Mar.* Estaquilla fijada en el borde de la embarcación a la cual se ata el remo, escálamo, escalmo. ‖ **2.** *Amér. Central, Col., Cuba* y *Venez.* Garrote corto. ‖ **3.** *Ecuad.* Toletazo, golpe de **tolete.** ‖ **4.** adj. *Can.* y *Cuba.* Torpe, lerdo, tardo de entendimiento. Ú. t. c. s.

tolimense. adj. Natural de Tolima. Ú. t. c. s. ‖ **2.** Perteneciente a este departamento de Colombia.

tolmera. f. Sitio donde abundan los tolmos.

tolmo. (Del lat. *tumŭlus.*) m. Peñasco elevado, que tiene semejanza con un gran hito o mojón.

tolo. (Del lat. *torus,* hinchazón.) m. *Ast.* y *León.* **tolondro, chichón.**

tolobojo. m. *Guat.* **pájaro bobo.**

tolón. m. *And.* **tolano**[1]. Ú. m. en pl.

tolondro, dra. (De *torondo.*) adj. Aturdido, desatinado. Ú. t. c. s. ‖ **2.** m. Bulto o chichón que se levanta en alguna parte del cuerpo, especialmente en la cabeza, de resultas de un golpe. ‖ **a topa tolondro.** loc. adv. Sin reflexión, reparo o advertencia.

tolondrón, na. adj. Aturdido, desatinado, tonto. ‖ **2.** m. Bulto producido en la cabeza por un golpe, chichón, tolo. ‖ **a tolondrones.** loc. adv. Con tolondros o chichones. ‖ **2.** fig. Con interrupción o a retazos.

tolonés, sa. adj. Natural de Tolón. Ú. t. c. s. ‖ **2.** Perteneciente a esta ciudad de Francia.

tolosano, na. adj. Natural de Tolosa. Ú. t. c. s. ‖ **2.** Perteneciente a cualquiera de las poblaciones de este nombre.

tolteca. adj. Dícese del individuo de unas tribus que dominaron en Méjico antiguamente. Ú. t. c. s. ‖ **2.** Perteneciente a estas tribus. ‖ **3.** m. Idioma de las mismas.

Tolú. n. p. V. **bálsamo de Tolú.**

tolueno. m. *Quím.* Hidrocarburo líquido, análogo al benceno, empleado como solvente en la preparación de colorantes y medicamentos, y, principalmente, en la fabricación de trinitrotolueno.

tolva. (Del lat. *tubŭla,* tubo.) f. Caja en forma de tronco de pirámide o de cono invertido y abierta por abajo, dentro de la cual se echan granos u otros cuerpos para que caigan poco a poco entre las piezas del mecanismo destinado a triturarlos, molerlos, limpiarlos, clasificarlos o para facilitar su descarga. ‖ **2.** Parte superior en los cepillos o urnas en forma de tronco de pirámide invertido y con una abertura para dejar pasar las monedas, papeletas, bolas, etc.

tolvanera. (Del lat. *turbo, -inis,* remolino.) f. Remolino de polvo.

tolla[1]. (De *tollo*[2].) f. Terreno húmedo que se mueve al pisarlo, tremedal.

tolla[2]. f. *Nav.* **mielga**[2], pez.

tolla[3]. f. *Cuba.* Bebedero para los animales.

tollador. m. Lugar de tremedales o tollas[1].

tollecer. (De *toller.*) tr. ant. **tollir.**

toller. (Del lat. *tollĕre.*) tr. ant. **quitar.** Usáb. t. c. prnl.

tollimiento. m. ant. Acción y efecto de toller o tollerse.

tollina. (De *tollir.*) f. fam. Zurra, paliza.

tollir. (Del lat. *tollĕre.*) tr. ant. Dejar a uno impedido, tullir. Usáb. t. c. prnl.

tollo[1]. m. **pintarroja,** pez lija. ‖ **2. mielga**[2], pez. ‖ **3.** Carne que tiene el ciervo junto a los lomos.

tollo[2]. m. Hoyo en la tierra, o escondite de ramaje, donde se ocultan los cazadores en espera de la caza. ‖ **2. tolla**[1], tremedal. ‖ **3.** *León* y *Sal.* Lodo, fango. ‖ **4.** *Ar.* Charco formado por el agua de lluvia.

tollón. m. **coladero,** camino o paso estrecho.

toma[1]. f. Acción de tomar o recibir una cosa. ‖ **2.** Conquista, asalto u ocupación por armas de una plaza o ciudad. ‖ **3.** Porción de alguna cosa, que se coge o recibe de una vez. *Una* TOMA *de quina.* ‖ **4.** Cada una de las veces que se administra un medicamento por vía oral. *La segunda* TOMA *será a las ocho.* ‖ **5. data**[1], abertura u orificio en los canales o depósitos de agua. ‖ **6.** Abertura por donde se desvía de una corriente de agua o de un embalse parte de su caudal. ‖ **7.** Lugar por donde se deriva una corriente de fluido o electricidad. ‖ **8.** *Cinem.* Acción y efecto de fotografiar o filmar. ‖ **de los maestres,** o **de los registros.** *Mar.* Cantidades que, con calidad de reintegro de los derechos reales, se tomaban para compra de víveres a la vuelta de las flotas de América. ‖ **de tierra.** *Electr.* Conductor o dispositivo que une parte de la instalación o aparato eléctrico a tierra, como medida de seguridad.

toma[2]. m. Forma sustantivada de imperativo de **tomar.** Se usa en el refrán *más vale un* TOMA *que dos te daré,* con el valor de más vale aceptar lo que se ofrece que aguardar lo prometido.

tomacorriente. m. *Amér.* Toma[1] de corriente eléctrica. ‖ **2.** *Argent.* y *Perú.* **enchufe,** aparato para establecer una corriente eléctrica.

tomada. f. **toma**[1], ocupación de un lugar por las armas.

tomadero. m. Parte por donde se toma o ase una cosa. ‖ **2. toma**[1], abertura para dar salida al agua. ‖ **3.** Adorno abollonado que se usó como guarnición de ciertas prendas de vestir.

tomado, da. p. p. de **tomar.** ‖ **2.** adj. Dícese de la voz baja, sin sonoridad, por padecer afección de la garganta.

tomador, ra. adj. Que toma. Ú. t. c. s. ‖ **2.** Ratero que hurta de los bolsillos. ‖ **3.** *Amér.* Aficionado a la bebida. ‖ **4.** *Mont.* Dícese del perro que cobra o toma la caza. Ú. t. c. s. ‖ **5.** m. *Com.* Aquel a la orden de quien se gira una letra de cambio. ‖ **6.** *Mar.* Trenza de filástica, larga, con que se aferran las velas. ‖ **del dos.** Ladrón que roba valiéndose de los dedos.

tomadura. f. **toma**[1], acción y efecto de tomar. ‖ **2.** Porción de alguna cosa que se toma. ‖ **de pelo.** fig. y fam. Burla, chunga.

tomaína. (Del gr. πτῶμα, detrito, cadáver.) f. *Quím.* Nombre con que se designa una serie de sustancias originadas, principalmente en los cadáveres en putrefacción, por la degradación bacteriana de las materias albuminoideas.

tomajón, na. adj. fam. Que toma con frecuencia, facilidad o descaro. Ú. t. c. s.

tomamiento. (De *tomar*.) m. ant. Acción y efecto de tomar.

tomar. (De or. inc.) tr. Coger o asir con la mano una cosa. ‖ **2.** Coger, aunque no sea con la mano. TOMAR *tinta con la pluma;* TOMAR *agua de la fuente.* ‖ **3.** Recibir o aceptar de cualquier modo que sea. ‖ **4.** Recibir una cosa y hacerse cargo de ella. ‖ **5.** Ocupar o adquirir por expugnación, trato o asalto una fortaleza o ciudad. ‖ **6.** Comer o beber. TOMAR *un desayuno, el chocolate.* Ú. t. c. prnl. ‖ **7.** Servirse de un medio de transporte. ‖ **8.** Adoptar, emplear, poner por obra. TOMAR *precauciones.* ‖ **9.** Contraer, adquirir. TOMAR *un vicio.* ‖ **10.** Contratar o ajustar a una o varias personas para que presten su servicio. TOMAR *un criado.* ‖ **11.** alquilar, ocupar mediante pago. TOMAR *un coche, una casa, un palco.* ‖ **12.** Entender, juzgar e interpretar una cosa en determinado sentido. *Hay que* TOMAR *estas corazonadas como venidas del cielo;* TOMAR *a broma una cosa;* TOMAR *en serio a alguien o alguna cosa.* ‖ **13.** Seguido de la preposición *por,* suele indicar juicio equivocado. TOMARLE *a uno* POR *ladrón.* TOMAR *una cosa* POR *otra.* ‖ **14.** Ocupar un sitio cualquiera para cerrar el paso o interceptar la entrada o salida. ‖ **15.** Quitar o hurtar. ‖ **16. comprar,** adquirir algo mediante un pago. TOMARÉ *el prado, si me lo da barato.* ‖ **17.** Recibir unos el los usos, modos o cualidades de otro, imitarlos. TOMAR *los modales, el estilo o las cualidades de alguno.* ‖ **18.** Recibir en sí los efectos de algunas cosas, consintiéndolos o padeciéndolos. TOMAR *frío, calor, pesadumbre.* ‖ **19.** Fotografiar, filmar. ‖ **20.** Emprender una cosa, o encargarse de una dependencia o negocio. ‖ **21.** Sobrevenir a uno de nuevo algún efecto o accidente que invade y se apodera del ánimo. TOMARLE *a uno el sueño, la risa, la gana, un desmayo.* ‖ **22.** Elegir, entre varias cosas que se ofrecen al arbitrio, alguna de ellas. ‖ **23.** Cubrir el macho a la hembra. ‖ **24.** Hacer o ganar la baza en un juego de naipes. ‖ **25.** Suspender o parar la pelota que se ha sacado, sin volverla ni jugarla, por no estar los jugadores en su lugar o por otro motivo semejante. ‖ **26.** Construido con ciertos nombres verbales, significa lo mismo que los verbos de donde tales nombres se derivan. TOMAR *resolución,* resolver; TOMAR *aborrecimiento,* aborrecer. ‖ **27.** Recibir o adquirir lo que significan ciertos nombres que se le juntan. TOMAR *fuerza, espíritu, aliento, libertad.* ‖ **28.** Construido con un nombre de instrumento, ponerse a ejecutar la acción o labor para la cual sirve el instrumento. TOMAR *la pluma,* ponerse a escribir; TOMAR *la aguja,* ponerse a coser. ‖ **29.** Llevar a uno en su compañía. ‖ **30.** Unido a otro verbo por la conjunción *y,* **coger,** resolverse o determinarse a la acción significada por este. TOMÓ *y escapó.* ‖ **31.** ant. Hallar o coger a uno en culpa o delito. ‖ **32.** ant. Coger o lograr animales cazándolos. ‖ **33.** Empezar a seguir una dirección, entrar en una calle, camino o tramo, encaminarse por ellos. TOMAR *la derecha,* TOMAR *la carretera de Madrid,* TOMAR *una vuelta, una curva o un giro.* Ú. t. c. intr. *Al llegar a la esquina,* TOMÓ *por la derecha.* ‖ **34.** prnl. **emborracharse,** sufrir los efectos del alcohol. ‖ **35.** Oscurecerse, cargarse de vapores o nubes la atmósfera, especialmente por el horizonte. ‖ **36.** Cubrirse de moho u orín. Se usa propiamente hablando de los metales. ‖ **37.** ant. Construido con la preposición *a* y el infinitivo de otro verbo, ejecutar lo que este verbo significa. ‖ **¡toma!** interj. fam. con que se da a entender la poca novedad o importancia de alguna cosa. ‖ **2.** fam. Señalar como castigo, expiación, o desengaño, aquello de que se habla. *¿No te dije que corrías peligro? Pues* ¡TOMA! ‖ **tomar** uno **de más alto,** o **de más lejos,** una cosa. fr. fig. Acercarse más al origen o principio de ella. ‖ **tomarla con** uno. fr. Contradecirle y culparle en cuanto dice o hace. ‖ **2.** Tenerle manía. ‖ **tomar por avante.** fr. *Mar.* Virar la nave involuntariamente por la parte por donde viene el viento. ‖ **tomar** una cosa **por donde quema.** fr. fig. y fam. Atribuir sin razón intención ofensiva o picante a lo que otro hace o dice. ‖ **tomarse con** uno. fr. Reñir o tener contienda o cuestión con él. ‖ **tomar** uno **sobre sí** una cosa. fr. fig. Encargarse o responder de ella. ‖ **tómate esa.** expr. fig. y fam. que se usa cuando a uno se le da un golpe, o se hace con él otra cosa que sienta, para denotar que la merecía o el acierto del que la ejecuta. Suele añadirse: **y vuelve por otra.** ‖ **toma y daca.** expr. fam. que se usa cuando hay trueque simultáneo de cosas o servicios o cuando se hace un favor, esperando la reciprocidad inmediata. Ú. t. c. loc. sustantiva. ‖ **¡tome!** interj. ¡toma!

tomatada. f. Fritada o ensalada de tomate.

tomatal. m. Plantación de tomateras.

tomatazo. m. aum. de **tomate.** ‖ **2.** Golpe dado con un tomate.

tomate. (Del mejic. *tomatl.*) m. Fruto de la tomatera, que es una baya roja, de superficie lisa y brillante, en cuya pulpa hay numerosas semillas, algo aplastadas y amarillas. ‖ **2.** Planta que da este fruto, tomatera. ‖ **3.** Juego de naipes, parecido al julepe, en el cual el que da se queda con el triunfo, en lugar de una de las tres cartas que le han correspondido, y pierde si no hace dos bazas. ‖ **4.** fam. Roto o agujero hecho en una prenda de punto, como medias, calcetines, guantes, etc. ‖ **ponerse como un tomate.** fr. fig. y fam. Ruborizarse, azorarse.

tomatera. f. Planta herbácea anual originaria de América, de la familia de las solanáceas, con tallos de uno a dos metros de largo, vellosos, huecos, endebles y ramosos; hojas algo vellosas recortadas en segmentos desiguales dentados por los bordes, y flores amarillas en racimos sencillos. Se cultiva mucho en las huertas por su fruto, que es el tomate.

tomatero, ra. m. y f. Persona que vende tomates.

tomaticán. m. *Argent. (NO.* y *Cuyo)* y *Chile.* Guiso o salsa de tomate.

tomatillo. m. d. de **tomate.** ‖ **2.** *Zam.* Variedad de guinda de exquisito sabor. ‖ **3.** *Chile.* Arbusto solanáceo lampiño, con hojas oblongas coriáceas; flores violáceas en corimbo y fruto amarillo o rojo.

tomavistas. (De *tomar* y *vista*.) com. *Cinem.* Operador de fotografía. ‖ **2.** m. Cámara fotográfica que se utiliza sobre todo en cinematografía y televisión.

tomaza. (Del lat. *thymus,* tomillo.) f. *Rioja.* Planta semejante al tomillo, pero menos olorosa.

tómbola. (Tomado del it. *tómbola.*) f. Rifa pública de objetos diversos, cuyo producto se destina generalmente a fines benéficos. ‖ **2.** Local en que se efectúa esta rifa.

tómbolo. (Del it. *tombolo.*) m. Lengua de tierra que une una antigua isla o un islote con el continente.

tome. m. *Chile.* Especie de espadaña.

tomeguín. m. *Cuba.* Pájaro pequeño, de pico corto cónico; plumaje de color verdoso por encima, ceniciento por el pecho y las patas y con una gola amarilla.

tomento. (Del lat. *tomentum.*) m. Estopa basta, llena de pajas y aristas, que queda del lino o cáñamo, después de rastrillado. ‖ **2.** *Bot.* Capa de pelos que cubre la superficie de los órganos de algunas plantas.

tomentoso, sa. adj. Que tiene tomento.

-tomía. (Del gr. τομία.) elem. compos. que significa «corte, incisión»: *laring*oTOMÍA, *fito*TOMÍA.

tomillar. m. Sitio poblado de tomillo.

tomillo. (Del lat. *thymus*.) m. Planta perenne de la familia de las labiadas, muy olorosa, con tallos leñosos, derechos, blanquecinos, ramosos, de dos a tres decímetros de altura; hojas pequeñas, lanceoladas, con los bordes revueltos y algo pecioladas, y flores blancas o róseas en cabezuelas laxas axilares. Es muy común en España, y el cocimiento de sus flores suele usarse como tónico y estomacal. ‖ **blanco. santónico,** planta. ‖ **salsero.** Planta de la misma familia que el **tomillo** común, del cual se distingue principalmente por ser los tallos menos leñosos, las hojas más estrechas, pestañosas en la base, y las flores en espiga. Tiene olor muy agradable y se emplea como condimento, sobre todo en el adobo o aliño de las aceitunas.

tomín. (Del ár. *tumnī*, octava parte.) m. Tercera parte del adarme y octava del castellano, la cual se divide en 12 granos y equivale a 596 miligramos aprox. ‖ **2.** Moneda de plata que se usaba en algunas partes de América. ‖ **3.** Impuesto que pagaban los indios en el Perú con destino al sostenimiento de hospitales.

tomineja. f. **tominejo.**

tominejo. (d. de *tomín*, por su pequeñez.) m. **pájaro mosca.**

tomismo. m. Sistema escolástico contenido en las obras de Santo Tomás de Aquino y de sus discípulos. Se usa más especialmente refiriéndose a la teoría de la premoción física, inventada por el dominico español Báñez para conciliar la libertad humana con la infalible eficacia de la gracia divina.

tomista. adj. Que sigue la doctrina de Santo Tomás de Aquino. Ú. t. c. s.

tomiza. (Del lat. *thomix, -ícis*, y este del gr. θῶμιξ.) f. Cuerda o soguilla de esparto.

tomo. (Del lat. *omys*, este del gr. τόμος, sección.) m. Cada una de las partes con paginación propia y encuadernadas por lo común separadamente, en que suelen dividirse para su más fácil manejo las obras impresas o manuscritas de cierta extensión. ‖ **2.** p. us. Grueso, cuerpo o bulto de una cosa. ‖ **3.** fig. Importancia, valor y estima. ‖ **de tomo y lomo.** loc. adj. fig. y fam. De mucho bulto y peso. ‖ **2.** fig. y fam. De consideración o importancia.

-tomo, ma. (Del gr. -τομος.) elem. compos. que significa «que corta»: *micró*TOMO, *neuró*TOMO, o «que se corta o divide»: *á*TOMO, *tricó*TOMO.

tomografía. (Del gr. τόμος, corte, sección, y -*grafía*.) f. Técnica de registro gráfico de imágenes corporales, correspondiente a un plano predeterminado. De acuerdo con los mecanismos utilizados y los procedimientos técnicos seguidos, existen **tomografías** de rayos X, axial computadorizada, de ultrasonido, de emisión de positrones y de resonancia magnética.

tomón, na. (De *tomar*.) adj. fam. Que toma con frecuencia, facilidad o descaro, tomajón.

ton. m. apóc. de **tono**, que solo tiene uso en la frase familiar **sin ton ni son,** o **sin ton y sin son,** que significa: sin motivo, ocasión, o causa, o fuera de orden y medida. También suele decirse alguna vez: **¿a qué ton o a qué son viene eso?**

tona. (Del célt. *tunna*, costra, nata.) f. *Gal.* y *León.* Nata de la leche.

tonada. (De *tono*.) f. Composición métrica para cantarse. ‖ **2.** Música de esta canción. ‖ **3.** *Amér.* **dejo,** modo de acentuar las palabras al final.

tonadilla. f. d. de **tonada.** ‖ **2.** Tonada alegre y ligera. ‖

3. Canción o pieza corta y ligera, que se canta en algunos teatros.

tonadillero, ra. m. y f. Persona que compone tonadillas. ‖ **2.** Persona que las canta.

tonal. adj. *Mús.* Perteneciente o relativo al tono o a la tonalidad.

tonalidad. (De *tono*.) f. *Ling.* **entonación.** ‖ **2.** *Mús.* Sistema musical definido por el orden de los intervalos dentro de la escala de los sonidos. ‖ **3.** *Pint.* Sistema de colores y tonos.

tonante. (Del lat. *tonans, -antis.*) p. a. de **tonar.** Que truena. Ú. como epíteto del dios Júpiter.

tonar. (Del lat. *tonāre.*) intr. poét. Tronar o arrojar rayos.

tonario. (De *tono*.) m. **libro antifonario.**

tonca. adj. V. **haba tonca.**

tondero. m. *Perú.* Baile popular, propio de la costa. Lo bailan las parejas sueltas.

tondino. (Del it. *tondino*, d. de *tondo*, tondo.) m. *Arq.* **astrágalo.**

tondiz. (Del lat. *tundĕre.*) f. **tundizno,** borra que queda de la tundidura de los paños.

tondo. (Del it. *tondo*, aféresis de *rotondo*.) m. *Arq.* Adorno circular rehundido en un paramento.

tonel. (Del prov. o cat, *tonell*, y este del célt. *tŭnna.*) m. Cuba grande. ‖ **2.** Medida antigua para el arqueo de las embarcaciones, equivalente a cinco sextos de tonelada. ‖ **macho.** Tonelada, unidad de capacidad de los buques.

tonelada. (De *tonel*.) f. Unidad de peso o de capacidad que se usa para calcular el desplazamiento de los buques. ‖ **2.** Medida antigua para el arqueo de las embarcaciones, igual a ocho codos cúbicos de ribera. ‖ **3.** Peso de 20 quintales. ‖ **4.** Derecho que pagaban las embarcaciones para la fábrica de galeones. ‖ **5. tonelería,** conjunto de toneles. ‖ **de arqueo.** Medida de capacidad equivalente a 2,83 metros cúbicos. ‖ **de peso. tonelada,** de 20 quintales. ‖ **métrica de arqueo. metro cúbico.** ‖ **métrica de peso.** Peso de 1.000 kilogramos.

tonelaje. (De *tonel*.) m. Cabida de una embarcación, arqueo. ‖ **2.** Número de toneladas que mide un conjunto de buques mercantes. ‖ **3.** Derecho de un real de vellón por tonelada, que antiguamente pagaban las embarcaciones al empezar la carga, en los puertos de la Península Ibérica e islas adyacentes.

tonelería. f. Arte u oficio del tonelero. ‖ **2.** Taller del tonelero. ‖ **3.** Conjunto o provisión de toneles.

tonelero, ra. adj. Perteneciente o relativo al tonel. *Industria* TONELERA. ‖ **2.** m. y f. Persona que hace toneles.

tonelete. m. d. de **tonel.** ‖ **2.** Brial de los hombres de armas. ‖ **3.** Falda corta que solo cubría hasta las rodillas. ‖ **4.** Parte de las antiguas armaduras que tenía esta forma. ‖ **5.** Traje con falda corta que usaban los niños. ‖ **6.** En el teatro, traje corto de hombre, con falda acampanada.

tonga. (Del lat. *tunica.*) f. **tongada.** ‖ **2.** *Can.* y *Cuba.* Pila o porción de cosas apiladas en orden. *Sacos en* TONGA, *una* TONGA *de tablas.* ‖ **3.** *Ar.* y *Col.* Tanda, tarea.

tongada. (De *tonga.*) f. Capa con que se cubre o baña una cosa. ‖ **2.** Cosa extendida encima de otra. ‖ **3.** Pila de cosas unas sobre otras.

tongo. m. Trampa realizada en competiciones deportivas, en que uno de los contendientes se deja ganar por razones ajenas al juego.

tonicidad. (De *tónico.*) f. Grado de tensión de los órganos del cuerpo vivo.

tónico, ca. (Del lat. *tonícus.*) adj. Que entona, o vigoriza. Ú. t. c. s. m. ‖ **2.** *Farm.* Reconstituyente. ‖ **3.** *Mús.* Aplícase a la nota primera de una escala musical. Ú. m. c. s. f. ‖ **4.** *Ortogr.* V. **acento tónico.** ‖ **5.** *Pros.* Aplícase a la vocal o sílaba que recibe el impulso del acento prosódico, y que con más propiedad se llama vocal o sílaba acentuada. ‖ **6.** m. En cosmética, loción ligeramente astringente para limpiar y refrescar el cutis, o para vigorizar el cabello. ‖ **7.** f. **agua tónica.**

tonificación. f. Acción y efecto de tonificar.

tonificador, ra. adj. Que tonifica.

tonificar. tr. **entonar,** dar vigor o tensión al organismo.

tonillo. m. d. de **tono.** ‖ **2.** Tono monótono y desagradable con que algunos hablan, oran o leen. ‖ **3.** Acento particular de la palabra o de la frase propio de una región o de un lugar, dejo. ‖ **4.** Entonación enfática al hablar. ‖ **5.** Tono o entonación reticente o burlona con que se dice algo.

tonina. (Del lat. *thunnus,* atún.) f. **atún,** pez. ‖ **2. delfín¹,** cetáceo.

tono. (Del lat. *tonus,* y este del gr. τόνος, tensión.) m. Cualidad de los sonidos, dependiente de su frecuencia, que permite ordenarlos de graves a agudos. ‖ **2.** Inflexión de la voz y modo particular de decir una cosa, según la intención o el estado de ánimo del que habla. ‖ **3.** Carácter o modo particular de la expresión y del estilo de una obra literaria según el asunto que trata o el estado de ánimo que pretende reflejar. ‖ **4.** Texto y música de una canción, tonada. ‖ **5.** Energía, vigor, fuerza. ‖ **6.** Carácter, matiz intelectual, moral, político, etc., que se refleja en una reunión o asociación de individuos, de un escrito, etc. ‖ **7.** *Fisiol.* Aptitud y energía que el organismo animal, o alguna de sus partes, tiene para ejercer las funciones que le corresponden. ‖ **8.** *Mús.* **modo,** cierta disposición de los sonidos de la escala. ‖ **9.** *Mús.* Cada una de las escalas que para las composiciones músicas se forman, partiendo de una nota fundamental, que le da nombre. ‖ **10.** *Mús.* **diapasón normal.** ‖ **11.** *Mús.* Cada una de las piezas o trozos de tubo que en las trompas y otros instrumentos de bronce se mudan para hacer subir o bajar el **tono.** ‖ **12.** *Mús.* Intervalo o distancia que media entre una nota y su inmediata, excepto del *mi* al *fa* y del *si* al *do.* ‖ **13.** *Pint.* Grado de color y de claroscuro en cada parte o pormenor de una pintura, en relación con la armonía de su conjunto. ‖ **disonante.** *Mús.* **disonancia,** acorde no consonante. ‖ **maestro.** *Mús.* Cada uno de los cuatro **tonos** impares del canto llano. ‖ **mayor.** *Mús.* **modo mayor.** ‖ **2.** *Mús.* Intervalo entre dos notas consecutivas de la escala diatónica cuando guardan la proporción de 8 a 9. ‖ **menor.** *Mús.* **modo menor.** ‖ **2.** *Mús.* Intervalo entre dos notas consecutivas de la escala diatónica cuando guardan proporción de 9 a 10. ‖ **a este tono.** loc. adv. **a este tenor.** ‖ **bajar** uno **el tono.** fr. fig. Contenerse después de haber hablado con arrogancia. ‖ **darse tono** uno. fr. fam. Darse importancia. ‖ **de buen,** o **mal, tono.** loc. adj. Propio de gente distinguida o elegante, o al contrario. ‖ **decir** una cosa **en todos los tonos.** fr. fig. Decirla haciendo uso de todos los recursos, con repetición e insistencia. ‖ **estar,** o **poner, a tono.** fr. fig. Acomodar, adecuar una cosa a otra. Se usa también hablando de personas. ‖ **mudar** uno **de tono.** fr. fig. Moderarse en el modo de hablar, cuando está enardecido o enojado. ‖ **subir** uno, o **subirse, de tono.** fr. fig. Aumentar la arrogancia en el trato, o el fausto en el modo de vivir.

tonsila. (Del lat. *tonsillae.*) f. *Anat.* Órgano de nódulos linfáticos de distintas partes de la lengua y de la faringe, amígdala.

tonsilar. adj. *Anat.* Perteneciente o relativo a las tonsilas.

tonsura. (Del lat. *tonsūra;* de *tonsum,* supino de *tondĕre,* trasquilar.) f. Acción y efecto de tonsurar. ‖ **2.** Acción y efecto de conferir el grado preparatorio del estado clerical, con diferentes formas de corte de pelo. ‖ **3.** El grado mismo. ‖ **prima tonsura.** **tonsura,** grado preparatorio para recibir órdenes menores.

tonsurado. m. El que ha recibido el grado de prima tonsura. ‖ **2. sacerdote.**

tonsurando. m. El que está próximo a recibir la tonsura clerical.

tonsurar. (Del lat. *tonsurāre.*) tr. Cortar el pelo o la lana a personas o animales. ‖ **2.** Dar a uno el grado de prima tonsura.

tontada. f. Tontería, simpleza.

tontaina. com. fam. Persona tonta. Ú. t. c. adj.

tontamente. adv. m. Con tontería.

tontarrón, na. adj. aum. de **tonto.** Ú. t. c. s.

tontear. (De *tonto.*) intr. Hacer o decir tonterías. ‖ **2.** fig. y fam. Coquetear, flirtear.

tontedad. (De *tonto.*) f. Tontería, simpleza.

tontera. f. fam. Tontería, simpleza. ‖ **2.** m. Tonto, simple.

tontería. f. Calidad de tonto. ‖ **2.** Dicho o hecho tonto. ‖ **3.** fig. Dicho o hecho sin importancia, nadería.

tontiloco, ca. adj. Tonto alocado.

tontillo. (De *tonelete.*) m. Faldellín con aros de ballena o de otra materia que usaron las mujeres para ahuecar las faldas. ‖ **2.** Pieza tejida de cerda o de algodón engomado, que ponían los sastres en los pliegues de las casacas para ahuecarlas.

tontina. (De Lorenzo *Tonti,* banquero italiano del siglo XVII inventor de esta clase de operaciones.) f. *Com.* Operación de lucro, que consiste en poner un fondo entre varias personas para repartirlo en una época dada, con sus intereses, solamente entre los asociados que han sobrevivido y que siguen perteneciendo a la agrupación.

tontito. m. *Chile.* **chotacabras,** pájaro.

tontivano, na. (De *tonto* y *vano.*) adj. Tonto vanidoso.

tonto, ta. (De or. expresivo.) adj. Mentecato, falto o escaso de entendimiento o razón. Ú. t. c. s. ‖ **2.** Dícese del hecho o dicho propio de un **tonto.** ‖ **3.** V. **ave, rosquilla, tonta.** ‖ **4.** V. **pájaro tonto.** ‖ **5.** fig. V. **molde de tonto.** ‖ **6.** m. El que en ciertas representaciones hace el papel de **tonto.** El TONTO *del circo.* ‖ **7.** *Nav.* y *Sev.* Especie de mantón que usan las mujeres. ‖ **8.** *Col., C. Rica* y *Chile.* Juego de la mona. ‖ **de capirote.** fam. Persona muy necia e incapaz. ‖ **perdido.** fam. Persona sumamente **tonta.** ‖ **a lo tonto.** loc. adv. Como quien no quiere la cosa. ‖ **a tontas y a locas.** loc. adv. Desbaratadamente, sin orden ni concierto. ‖ **como tonto en vísperas.** loc. adv. fig. y fam. con que se moteja o apoda al que está suspenso fuera de propósito o sin tomar parte en la conversación. ‖ **hacerse uno el tonto.** fr. fam. Aparentar que no advierte las cosas de que no le conviene darse por enterado. ‖ **no hay tonto para su provecho.** fr. proverb. con que se advierte que por poca capacidad que uno tenga, en llegando a su propia utilidad, suele discurrir con acierto. ‖ **ponerse tonto,** o **tonta.** fr. fam. Mostrar petulancia, vanidad o terquedad.

tontón, na. adj. aum. de **tonto.**

tontorrón, na. adj. **tontarrón.**

tontucio, cia. adj. despect. de **tonto;** medio tonto. Ú. t. c. s.

tontuelo, la. adj. d. de **tonto.**

tontuna. f. Dicho o hecho tonto.

toña. f. Juego en que se hace saltar del suelo un palito de doble punta sacudiéndolo con un palo, tala², pita. ‖ **2.** *Ar.* Pan grande, a veces de centeno. ‖ **3.** *Alic.* y *Murc.* Torta amasada con aceite y miel.

toñil. (De *otoño.*) m. *Ast.* Especie de nido de paja o hierba seca, hecho en un henil para madurar en él las manzanas o peras poco sazonadas.

toñina. (Del lat. *thunnus,* atún.) f. *And.* **atún,** pescado.

top. (Del ing. *to stop,* parar, detener.) *Mar.* Voz de mando para ordenar que pare una maniobra.

topa. (De *tope*.) f. *Mar.* Motón de driza con que se izaban o subían las velas de las galeras.

topacio. (Del lat. *topazĭus*, y este del gr. τοπάζιον.) m. Piedra fina, amarilla, muy dura, compuesta generalmente de sílice, alúmina y flúor. ‖ **ahumado.** Cristal de roca pardo oscuro. ‖ **de Hinojosa.** Cristal de roca amarillo. ‖ **del Brasil.** topacio amarillo rojizo, rosado o morado. ‖ **de Salamanca.** topacio de Hinojosa. ‖ **oriental.** Corindón amarillo. ‖ **quemado,** o **tostado.** El del Brasil, de color bajo, que se ha hecho artificialmente morado por la acción del calor.

topada. (De *topar*.) f. Golpe que dan con la cabeza los toros, carneros, etc., topetazo, topetada.

topadizo, za. adj. encontradizo, que se encuentra con otra cosa o persona.

topador, ra. adj. Que topa. Dícese con propiedad de los carneros y otros animales cornudos. ‖ **2.** Que quiere o acepta el envite en el juego con facilidad y poca reflexión. Ú. t. c. s. ‖ **3.** f. *Argent.* Pala mecánica, acoplada frontalmente a un tractor de oruga, que se emplea en tareas de desmonte y nivelación de terrenos. ‖ **4.** *Argent.* Por ext., el tractor mismo.

topamiento. m. ant. Acción y efecto de topar. ‖ **2.** *NO. Argent.* Ceremonia del carnaval durante la cual varios hombres y mujeres que fingen encontrarse y hacerse recriminaciones se consagran públicamente como compadres.

topar. (De la onomat. *top*, del choque.) tr. Chocar una cosa con otra. ‖ **2.** Hallar casualmente. Ú. t. c. intr. y c. prnl. ‖ **3.** Encontrar lo que se andaba buscando. Ú. t. c. intr. ‖ **4.** *Amér.* Echar a pelear los gallos por vía de ensayo. ‖ **5.** *Mar.* Unir al tope dos maderos. ‖ **6. topetar,** dar golpe con la cabeza los toros, carneros, etc. Ú. t. c. prnl. ‖ **7. querer,** aceptar el envite en el juego. ‖ **8.** desus. Poner dinero o cosa de valor a una suerte del juego. Ú. en Chile y Perú. ‖ **9.** fig. Consistir o estribar una cosa en otra y causar embarazo. *La dificultad* TOPA *en esto.* ‖ **10.** fig. Tropezar o embarazarse en algo por algún obstáculo, dificultad o falta que se advierte. Ú. t. c. intr. y prnl. ‖ **11.** intr. fig. y fam. Salir bien una cosa. *Lo pediré por si* TOPA. ‖ **tope donde topare.** expr. fig. y fam. **dé donde diere.**

toparca. (Del lat. *toparcha.*) m. Señor de un pequeño Estado compuesto de uno o muy pocos lugares.

toparquía. (Del gr. τοπαρχία.) f. Señorío o jurisdicción del toparca.

toparra. (De *topar*.) f. *Sal.* Tropiezo que encuentra el arado en las tierras.

topatopa. f. *Chile* y *Perú.* Cierta planta de la familia de las escrofulariáceas.

tope¹. (De la onomat. *top*, del choque, como *topar*.) m. Parte por donde una cosa puede topar con otra. ‖ **2.** Pieza que en algunas armas e instrumentos sirve para impedir que con su acción o con su movimiento se pase de un punto determinado. ‖ **3.** Cada una de las piezas circulares y algo convexas que al extremo de una barra horizontal, terminada por un resorte, se ponen en las traviesas de los carruajes de ferrocarril, para mantenerlos en contacto y ligeramente oprimidos unos con otros cuando forman parte de un tren. ‖ **4.** Material duro, por lo general de suela, que se pone por dentro, como armadura, en la punta del calzado para que no se arrugue. ‖ **5.** Tropiezo, estorbo, impedimento. ‖ **6.** Encuentro o golpe de una cosa con otra, topetón. ‖ **7.** fig. Punto donde estriba o de que pende la dificultad de una cosa. ‖ **8.** fig. Reyerta, riña o contienda. ‖ **9.** *C. Rica.* Desfile de jinetes que suele celebrarse la víspera de comenzar las fiestas populares con corridas de toros. ‖ **10.** amb. *Col.* Variedad de ganado vacuno sin cuernos.

tope². (Del germ. *top*, cumbre, copete.) m. *Mar.* Extremo superior de cualquier palo de arboladura. ‖ **2.** *Mar.* Punta del último mastelero, donde se colocan las grímpolas y las perillas. ‖ **3.** *Mar.* Canto o extremo de un madero o tablón. ‖ **4.** *Mar.* Marinero que está de vigía en un sitio de la arboladura más alto que la cofa. ‖ **al tope,** o **a tope.** loc. adv. con que se denota la unión, juntura o incorporación de las cosas por sus extremidades, sin ponerse una sobre otra. ‖ **de tope a quilla.** loc. adv. desus. *Mar.* **de alto a bajo.** ‖ **de tope a tope.** loc. adv. *Mar.* **de cabo a cabo.** ‖ **estar** uno **de tope.** fr. *Mar.* Estar de vigía en lo alto de la arboladura. ‖ **estar hasta los topes.** fr. *Mar.* Hallarse un buque con excesiva carga. ‖ **2.** fig. y fam. Tener una persona o cosa hartura o exceso de algo. ‖ **hasta el tope.** loc. adv. fig. Enteramente o llenamente, o hasta donde se puede llegar.

topeadura. f. *Chile.* Diversión de los guasos que consiste en empujar un jinete a otro para desalojarlo de su puesto.

topear. tr. desus. Dar golpe con la cabeza los toros, carneros, etc., topar, topetar. ‖ **2.** *Chile.* Empujar un jinete a otro para desalojarlo de su puesto.

topera. f. Madriguera del topo.

topero. m. *Germ.* **topista.**

topetada. (De *topetar*.) f. **topetazo.**

topetar. tr. Dar con la cabeza en alguna cosa con golpe e impulso, especialmente los animales cornudos. Ú. t. c. intr. ‖ **2. topar,** chocar una cosa con otra.

topetazo. (De *topetar*.) m. Golpe que dan con la cabeza los animales cornudos. ‖ **2.** Encuentro o golpe de una cosa con otra. ‖ **3.** fig. y fam. Golpe que da uno con la cabeza en alguna cosa.

topetón. (De *topetar*.) m. **topetazo.**

topetudo, da. adj. Aplícase al animal que tiene costumbre de dar topetadas.

tópico, ca. (Del gr. τοπικός.) adj. Perteneciente a determinado lugar. ‖ **2.** Perteneciente o relativo a la expresión trivial o muy empleada. ‖ **3.** m. *Farm.* Medicamento externo. ‖ **4.** *Ret.* Expresión vulgar o trivial. ‖ **5.** *Ret.* **lugar común** que la retórica antigua convirtió en fórmulas o clichés fijos y admitidos en esquemas formales o conceptuales de que se sirvieron los escritores con frecuencia. Ú. t. en pl.

topil. m. desus. *Méj.* Alguacil, oficial menor de justicia.

topinada. f. fam. Acción propia del topo¹, persona que tropieza en cualquier cosa. ‖ **2.** Acción propia del topo¹ o persona de cortos alcances.

topinambur. m. *Argent.* y *Bol.* **aguaturma.**

topinaria. f. *Cir.* Absceso en el interior de los tegumentos de la cabeza, talparia.

topinera. f. Madriguera del topo¹. ‖ **bebe como una topinera.** fr. que se aplica al que bebe mucho, por alusión al agua del riego que absorben las **topineras.**

topino, na. adj. Dícese de la caballería que tiene cortas las cuartillas y pisa, por tanto, con la parte anterior del casco.

topiquero, ra. m. y f. Persona encargada de la aplicación de tópicos en los hospitales.

topista. m. *Germ.* Delincuente que para penetrar en una casa con el objeto de robar, hace saltar la cerradura o las bisagras mediante una palanqueta que introduce entre la puerta y su marco.

topo¹. (Del lat. *talpa.*) m. Mamífero insectívoro del tamaño del ratón, de cuerpo rechoncho, cola corta y pelaje negruzco suave y tupido; hocico afilado, ojos pequeños y casi ocultos por el pelo; brazos recios, manos anchas, cortas y robustas, cinco dedos armados de fuertes uñas que le sirven para socavar y apartar la tierra al abrir las galerías subterráneas donde vive. Se alimenta de gusanos y larvas de insectos. ‖ **2.** fig. y fam. Persona que tropieza en cualquier cosa, o por cortedad de vista o por desatiento natural. Ú. t. c. adj. ‖ **3.** fig. y fam. Persona de cortos alcances que en todo yerra o se equivoca. Ú. t. c. adj. ‖ **4.** fig. Persona que, infiltrada en una organización, actúa al servicio de otros.

topo[2]. (Quizá del cumanagoto *topo,* piedra redonda.) m. Medida itineraria de legua y media de extensión, usada entre los indios de América Meridional.

topo[3]. (Del quechua *túpu,* prendedor.) m. *NO. Argent., Chile* y *Perú.* Alfiler grande con que las indias se prenden el mantón.

topocho, cha. adj. V. **cambur topocho.** ‖ **2.** *Venez.* Se dice de la persona o animal gruesos y de poca altura, rechoncho.

topografía. (Del gr. τόπος, y -*grafía.*) f. Arte de describir y delinear detalladamente la superficie de un terreno. ‖ **2.** Conjunto de particularidades que presenta un terreno en su configuración superficial.

topográficamente. adv. m. De un modo topográfico.

topográfico, ca. adj. Perteneciente o relativo a la topografía. *Carta* TOPOGRÁFICA.

topógrafo, fa. (Del gr. τοπογράφος.) m. y f. Persona que profesa el arte de la topografía o en ella tiene especiales conocimientos.

topología. (Del gr. τόπος, lugar, y -*logía.*) f. Rama de las matemáticas que trata especialmente de la continuidad y de otros conceptos más generales originados de ella. Así estudia las propiedades de las figuras con independencia de su tamaño o forma (las diferentes formas de una figura dibujada en una superficie elástica estirada o comprimida son equivalentes en **topología**).

topológico, ca. adj. *Mat.* Perteneciente o relativo a la topología.

toponimia. (Del gr. τόπος, lugar, y ὄνομα, nombre.) f. Estudio del origen y significación de los nombres propios de lugar.

toponímico, ca. adj. Perteneciente o relativo a la toponimia o a los nombres de lugar en general.

topónimo. m. Nombre propio de lugar.

toque. m. Acción de tocar una cosa, tentándola, palpándola, o llegando inmediatamente a ella. ‖ **2.** Ensayo de cualquier objeto de oro o plata que se hace comparando el efecto producido por el ácido nítrico en dos rayas trazadas sobre una piedra dura, una con dicho objeto y otra con una barrita de prueba, cuya ley es conocida. ‖ **3. piedra de toque.** ‖ **4.** Tañido de las campanas o de ciertos instrumentos, con que se anuncia alguna cosa. TOQUE *de ánimas;* TOQUE *de diana.* ‖ **5.** Aplicación de un medicamento o disolución sobre heridas, úlceras, etc., tocándolas una o varias veces con algo empapado en dicha disolución. ‖ **6.** fig. Punto esencial en que consiste o estriba alguna cosa. ‖ **7.** fig. Prueba, examen o experiencia que se hace de algún sujeto, con alusión a la que se hace de los metales, para reconocer su talento y capacidad o el estado y disposición en que se halla en orden a lo que se intenta. ‖ **8.** fig. Tocamiento, llamamiento, indicación, advertencia que se hace a uno. Ú. más comúnmente **toque de atención.** ‖ **9.** fig. y fam. Golpe que se da a alguno. ‖ **10.** *Pint.* Pincelada ligera. Ú. t. en sent. fig. *Un* TOQUE *de erudición. Un* TOQUE *de distinción.* **Mil.** El que tocaba la banda de cornetas o tambores durante la carrera de baquetas. ‖ **de fajina.** *Mil.* **toque** que ordena la retirada de las tropas a sus alojamientos, el término de una facción, o llamada para actos determinados, como la comida. ‖ **del alba.** El de las campanas de los templos, al amanecer, con que se avisa a los fieles para que recen el avemaría. ‖ **de luz.** *Pint.* Esplendor o realce de claro. ‖ **de obscuro.** *Pint.* **apretón,** golpe de color obscuro. ‖ **de queda.** Medida gubernativa que, en circunstancias excepcionales, prohíbe el tránsito o permanencia en las calles de una ciudad durante determinadas horas, generalmente nocturnas. ‖ **dar un to-**

que a uno. fr. fig. y fam. Ponerle a prueba. ‖ **2.** fig. y fam. Sondearle respecto de algún asunto. ‖ **último toque.** Ligera corrección o aditamento que se hace en una obra o labor ya acabada para perfeccionarla. Ú. m. en pl.

toqueado. (De *toque.*) m. Son o golpeo acorde que se hace con manos, pies, palo u otra cosa.

toquería. f. Conjunto de tocas. ‖ **2.** Oficio del toquero.

toquero, ra. m. y f. Persona que teje o hace tocas o las vende.

toquetear. tr. Tocar[1] reiteradamente y sin tino ni orden.

toqui. m. *Chile.* Entre los antiguos araucanos, jefe del Estado en tiempo de guerra.

toquilo. m. *Nav.* pico[1] **carpintero,** picamaderos.

toquilla. (d. de *toca.*) f. Cierto adorno de gasa, cinta u otra cosa, que se ponía alrededor de la copa del sombrero. ‖ **2.** Pañuelo pequeño, comúnmente triangular, que se ponen algunas mujeres en la cabeza o al cuello. ‖ **3.** Pañuelo de punto generalmente de lana, que usan para abrigo las mujeres y los niños. ‖ **4.** *Bol., Ecuad.* y *Perú.* Especie de palmera sin tronco, cuyas hojas en forma de abanico salen del suelo sobre un peciolo largo. Suministra la paja con que se tejen los sombreros de Jipijapa.

tora[1]. (Del lat. *thora,* y este del hebr. *tôrah,* ley.) f. Tributo que pagaban los judíos por familias. ‖ **2.** Libro de la ley de los judíos.

tora[2]. (De *toro*[1].) adj. V. **hierba tora.** ‖ **2.** f. Armazón en figura de toro que, revestida de cohetes y otros artificios pirotécnicos, sirve para diversión en algunas fiestas populares. ‖ **3.** *Sal.* Agalla del roble.

torácico, ca. (Del gr. Θωρακικός.) adj. *Anat.* Perteneciente o relativo al tórax. ‖ **2.** *Anat.* V. **canal torácico.** ‖ **3.** *Anat.* V. **aorta torácica.**

toracoplastia. f. *Cir.* Resección de una o varias costillas para modificar las condiciones funcionales de la cavidad torácica.

torada. f. Manada de toros.

toral. adj. Principal o que tiene más fuerza y vigor en cualquier concepto. *Arco, fundamento,* TORAL. ‖ **2.** V. **cera toral.** ‖ **3.** *Arq.* V. **arco toral.** ‖ **4.** m. *Min.* Molde donde se da forma a las barras de cobre. ‖ **5.** *Min.* Barra formada en este molde.

tórax. (Del lat. *thôrax,* y este del gr. Θώραξ.) m. *Anat.* Pecho[1] del hombre y de los animales. ‖ **2.** *Anat.* Cavidad del pecho. ‖ **3.** *Zool.* Región media de las tres en que está dividido el cuerpo de los insectos, arácnidos y crustáceos.

torbellino. (Del lat. *turbo, -inis.*) m. Remolino de viento. ‖ **2.** fig. Abundancia de cosas que ocurren a un mismo tiempo. ‖ **3.** fig. y fam. Persona demasiado viva e inquieta y que hace o dice las cosas atropellada y desordenadamente.

torca. (De or. inc.) f. Depresión circular en un terreno y con bordes escarpados.

torcal. m. Terreno donde hay torcas.

torcaz. (Del lat. *torques,* collar.) adj. V. **paloma torcaz.**

torcazo, za. (Del lat. *torquaceus.*) adj. Dícese del palomo o paloma torcaz. Ú. t. c. s.

torce. (Del lat. *torques,* collar.) f. Cada una de las vueltas que da alrededor del cuello una cadena o collar. ‖ **2.** p. us. **collar.**

torcecuello. (De *torcer* y *cuello.*) m. Ave trepadora, de unos 16 centímetros de largo, de color pardo jaspeado de negro y rojo en el lomo, alas y cola, amarillento en el cuello y pecho, y blanquecino con rayas negras en el vientre. Si tiene algún peligro, eriza las plumas de la cabeza, tuerce el cuello hacia atrás y lo extiende después rápidamente. Es ave de paso en España y suele anidar en los huecos de los árboles. Se alimenta de insectos, principalmente de hormigas.

torcedero, ra. (De *torcer*.) adj. Torcido, desviado de lo recto. ‖ **2.** m. Instrumento con que se tuerce.

torcedor, ra. adj. Que tuerce. Ú. t. c. s. ‖ **2.** m. Huso con que se tuerce la hilaza, el cual tiene en el remate un garabato donde se prende la hebra, y debajo de él una rodaja de madera para que haga peso. ‖ **3.** fig. Cualquier cosa que ocasiona persistente disgusto, mortificación o sentimiento. ‖ **4.** *Ar.* **acial.**

torcedura. f. Acción y efecto de torcer o torcerse, encorvamiento, desvío. ‖ **2. aguapié,** vino hecho del orujo de la uva. ‖ **3.** *Cir.* Distensión de las partes blandas que rodean las articulaciones de los huesos. ‖ **4.** *Cir.* Desviación de un miembro u órgano de su dirección normal.

torcer. (Del lat. *torquēre.*) tr. Dar vueltas a una cosa sobre sí misma, de modo que tome forma helicoidal. Ú. t. c. prnl. ‖ **2.** Encorvar o doblar una cosa. Ú. t. c. prnl. ‖ **3.** Alterar la posición recta, perpendicular o paralela que una cosa tiene con respecto a otra. Ú. t. c. prnl. ‖ **4.** Desviar una cosa de su posición o dirección habitual. TORCER *los ojos.* ‖ **5.** Dicho del gesto, el semblante, o familiarmente del morro, el hocico, etc., dar al rostro expresión de desagrado, enojo u hostilidad. ‖ **6.** Mover bruscamente un miembro u otra cosa, contra el orden natural. TORCER *un brazo.* Ú. t. c. prnl. ‖ **7.** Desviar una persona o cosa la dirección que llevaba, para tomar otra. *El escritor* TUERCE *el curso de su razonamiento.* Ú. t. c. prnl. *El coche* SE TORCIÓ *hacia la cuneta.* Ú. t. c. intr. *El camino* TUERCE *a mano derecha.* ‖ **8.** Elaborar el cigarro puro, arrollando la tripa en la capa. ‖ **9.** fig. **tergiversar,** dar una interpretación forzosa o errónea. ‖ **10.** fig. Mudar, trocar la voluntad o el dictamen de alguno. Ú. t. c. prnl. ‖ **11.** fig. Hacer que los jueces u otras autoridades falten a la justicia. Ú. t. c. prnl. ‖ **12.** prnl. Avinagrarse y enturbiarse el vino. ‖ **13.** Cortarse la leche. ‖ **14.** fig. Dejarse un jugador ganar por su contrario, para estafar entre ambos a un tercero. ‖ **15.** Dificultarse y frustrarse un negocio. ‖ **16.** fig. Desviarse del camino recto de la virtud o de la razón. ‖ **andar, o estar, torcido con** uno. fr. fig. y fam. Estar enemistado con él, o no tratarle con la familiaridad y confianza que antes.

torcida. f. Mecha de algodón o trapo torcido, que se pone en las velones, candiles, velas, etc. ‖ **2.** *And.* Ración diaria de carne que se da en los molinos de aceite al oficial que muele la aceituna.

torcidamente. adv. m. De manera torcida.

torcidillo. m. d. de **torcido,** hebra gruesa de seda.

torcido, da. p. p. de **torcer.** ‖ **2.** adj. Que no es recto; que hace curvas o está oblicuo o inclinado. ‖ **3.** V. **punto torcido.** ‖ **4.** fig. Dícese de la persona que no obra con rectitud, y de su conducta. ‖ **5.** fig. y fam. V. **cabeza torcida.** ‖ **6.** m. Rollo hecho con pasta de ciruela u otras frutas en dulce. ‖ **7.** En algunas partes, aguapié, torcedura. ‖ **8.** Hebra gruesa y fuerte de seda **torcida,** que sirve para hacer media y para otros usos.

torcijón. m. Acción y efecto de torcer. ‖ **2.** Retorcimiento o dolor de tripas de las personas. ‖ **3.** Retorcimiento o dolor de tripas de los animales, torozón, torzón.

torcimiento. m. Acción y efecto de torcer. ‖ **2.** fig. Perífrasis con la que se da a entender una cosa que se pudiera explicar con mayor brevedad.

torción. f. Acción y efecto de torcer o torcerse.

torco. m. *Ál., Cantabria* y *Rioja.* Bache, charco grande.

torculado, da. (De *tórculo*.) adj. De forma de tornillo.

tórculo. (Del lat. *torcŭlum.*) m. Prensa, y en especial la que se usa para estampar grabados en cobre, acero, etc.

torcho. m. Lingote de hierro, tocho.

torchuelo. adj. **tochuelo.**

torda. f. Hembra del tordo.

tordancha. f. *Nav.* **estornino,** pájaro.

tordella. (Del lat. *turdēla.*) f. Especie de tordo más grande que el ordinario.

tórdiga. f. **túrdiga.**

tordillo, lla. adj. Dícese de la caballería de pelo mezclado de negro y blanco, tordo[1]. Ú. t. c. s.

tordo[1], da. (Del lat. *turdus.*) adj. Dícese del caballo o yegua, o del mulo o mula, que tiene el pelo mezclado de negro y blanco, como el plumaje del **tordo.** Ú. t. c. s. ‖ **2.** m. Pájaro de unos 24 centímetros de largo, cuerpo grueso, pico delgado y negro, lomo gris aceitunado, vientre blanco amarillento con manchas pardas redondas o triangulares y las cobijas de color amarillo rojizo. Es común en España y se alimenta de insectos y de frutos, principalmente de aceitunas. ‖ **3.** *Amér. Central, Argent.* y *Chile.* **estornino,** pájaro. ‖ **alirrojo. malvís.** ‖ **de agua.** Pájaro semejante al **tordo,** de lomo pardo, cabeza rojiza, cuello y pecho blancos y cola cenicienta. Vive a orillas de los ríos y arroyos y se sumerge en el agua para coger insectos y moluscos. ‖ **de campanario.** *Nav.* estornino. ‖ **de Castilla.** *Vizc.* estornino. ‖ **de mar. budión.** ‖ **loco. pájaro solitario.** ‖ **mayor. cagaaceite.** ‖ **serrano.** Pájaro semejante al estornino y de color negro uniforme.

tordo[2], da. (Del lat. *torpĭdus.*) adj. Torpe, tonto.

toreador. m. El que torea.

torear. intr. Lidiar los toros en la plaza. Ú. t. c. tr. ‖ **2.** Echar los toros a las vacas. ‖ **3.** *Argent.* Ladrar el perro repetidas veces en señal de alarma y enojar. ‖ **4.** tr. fig. Entretener las esperanzas de uno engañándole. ‖ **5.** fig. Hacer burla de alguien. ‖ **6.** fig. Fatigar, molestar a uno, llamando su atención a diversas partes u objetos. ‖ **7.** fig. Conducir hábilmente un asunto que se presenta difícil o embarazoso. ‖ **8.** *Argent.* Provocar, dirigir insistentemente a alguien palabras que pueden molestarle o irritarle. ‖ **9.** fig. *Chile.* Azuzar, provocar.

toreo. m. Acción de torear. ‖ **2.** Arte de torear, lidiar los toros.

torería. f. Gremio o conjunto de toreros. ‖ **2.** desus. Travesura, calaverada. Ú. en América.

torero, ra. adj. fam. Perteneciente o relativo al toreo. *Aire* TORERO; *sangre* TORERA. ‖ **2.** V. **capa torera.** ‖ **3.** m. y f. Persona que torea en las plazas. ‖ **4.** f. Chaquetilla ceñida al cuerpo, por lo general sin abotonar y que no pasa de la cintura. ‖ **saltar a la torera.** Saltar sobre una cosa apoyándose en ella con una o ambas manos y pasando por encima del cuerpo con los pies juntos sin rozarla. ‖ **saltarse** algo **a la torera.** fr. fig. y fam. Omitir audazmente y sin escrúpulos el cumplimiento de una obligación o compromiso.

torés. (De *tuero*.) m. *Arq.* Toro que asienta sobre el plinto de la basa de la columna.

toresano, na. adj. Natural de Toro. Ú. t. c. s. ‖ **2.** Perteneciente a esta ciudad de la provincia de Zamora.

torete. m. d. de **toro[1].** ‖ **2.** fig. y fam. p. us. Asunto grave de difícil solución ‖ **3.** fig. y fam. p. us. Asunto o novedad de que se trata más generalmente en las conversaciones.

torga. (De or. inc.) f. Horca que se pone al cuello de los perros y cerdos para que no salten las cercas. ‖ **2.** *León.* **torna,** presa de césped o de tierra para desviar el curso de una reguera.

torgado, da. adj. ant. Trabado, torpe.

torgo. m. *Extr.* y *Gal.* Tocón, cepa o raíz gruesa, o parte abultada de las ramas.

toril. m. Sitio donde se tienen encerrados los toros que han de lidiarse.

torillo[1]. m. d. de **toro[2].** ‖ **2.** Espiga que une dos pinas contiguas de una rueda. ‖ **3.** *Anat.* Rugosidad en el perineo y el escroto. ‖ **4.** *And.* Pájaro semejante a la codorniz, pero de menor tamaño.

torillo[2]. m. d. de **toro[1].** ‖ **2.** Pez acantopterigio de piel desnuda y cubierta de una mucosidad característica, con las aletas abdominales reducidas a dos radios colocados debajo de las torácicas. Vive en sitios pedregosos. ‖ **3.** fig. y fam. p. us. **torete,** asunto de conversación.

torio. (De *Tor,* dios de la mitología escandinava.) m. *Quím.* Metal radiactivo, de color plomizo, más pesado que el hierro, y soluble en el ácido clorhídrico. Núm. atómico 90. Símb.: *Th.*

-torio, ria. (Del lat. *-torĭus.*) suf. de adjetivos y sustantivos verbales. Toma la forma **-atorio** si el verbo base es de la primera conjugación; **-itorio,** si es de la tercera. Los adjetivos denotan relación con la acción del verbo base: *dedic*ATORIO, *defin*ITORIO; los sustantivos suelen significar lugar: *labor*ATORIO, *observ*ATORIO.

toriondez. f. Calidad de toriondo.

toriondo, da. adj. Dícese del ganado vacuno, especialmente de la vaca, cuando está en celo.

torito. m. d. de **toro.** ‖ **2.** *Chile.* **fíofío, fiofío.** ‖ **3.** *Argent.* y *Perú.* Coleóptero muy común de color negro; el macho tiene un cuerno encorvado en la frente. ‖ **4.** *Ecuad.* y *Nicar.* Cierta variedad de orquídea. ‖ **5.** *Cuba.* Especie de pez cofre que tiene dos espinas a manera de cuernos.

torloroto. (De or. inc.) m. Instrumento músico de viento, parecido al orlo.

tormagal. (De *tormo.*) m. **tolmera.**

tormellera. f. **tolmera.**

tormenta. (Del lat. *tormenta,* pl. de *-tum,* tormento.) f. Tempestad de la atmósfera. ‖ **2.** Tempestad del mar. ‖ **3.** fig. Adversidad, desgracia o infelicidad de una persona. ‖ **4.** fig. Manifestación violenta de un estado de ánimo excitado.

tormentador, ra. adj. ant. **atormentador.** Usáb. t. c. s.

tormentar. tr. ant. **atormentar.** ‖ **2.** intr. desus. Padecer tormenta.

tormentario, ria. (Del lat. *tormentum.*) adj. Perteneciente o relativo a la máquina de guerra destinada a expugnar o defender las fortificaciones. ‖ **2.** V. **arte tormentaria.** Ú. t. c. s.

tormentila. (De *tormento,* porque alivia el de quien padece dolor de muelas.) f. Planta herbácea anual, de la familia de las rosáceas, con tallos enhiestos en forma de horquilla y de dos a tres decímetros de altura; hojas verdes, compuestas de siete hojuelas ovales, dentadas en el margen y algo vellosas por el envés; flores amarillas, axilares y solitarias; fruto seco y rizoma rojizo que se emplea en medicina como astringente enérgico y contra el dolor de muelas. Es común en España.

tormentín. m. *Mar.* Mástil pequeño que iba colocado sobre el bauprés.

tormento. (Del lat. *tormentum.*) m. Acción y efecto de atormentar o atormentarse. ‖ **2.** Angustia o dolor físico. ‖ **3.** Dolor corporal que se causaba al reo para obligarle a confesar o declarar. ‖ **4.** Máquina de guerra para disparar balas u otros proyectiles. ‖ **5.** fig. Congoja o aflicción. ‖ **6.** fig. Persona o cosa que causa dolor físico o moral. *Su hijo es un* TORMENTO; *los zapatos de tacón son un* TORMENTO. ‖ **de cuerda. mancuerda.** ‖ **2. trato de cuerda.** ‖ **de garrucha.** El que consistía en colgar al reo de una cuerda que pasaba por una garrucha, para con su mismo peso se atormentase. ‖ **de toca.** El que consistía en hacer tragar agua a través de una gasa delgada. ‖ **confesar uno sin tormento.** fr. fig. Decir o manifestar fácilmente lo que sabe, sin necesidad de instancias. ‖ **dar tormento** a uno. fr. Someterle a cuestión de **tormento.**

tormentoso, sa. (Del lat. *tormentuōsus.*) adj. Que ocasiona tormenta. ‖ **2.** Dícese del tiempo en que hay o amenaza tormenta. ‖ **3.** *Mar.* Dícese del buque que por defecto de

construcción, de la estiba, etc., trabaja mucho con la mar y el viento.

tormera. f. **tolmera.**

tormo. (De or. inc.) m. Peñasco, tolmo. ‖ **2. terrón,** pequeña masa suelta de tierra compacta. ‖ **3.** Pequeña masa suelta de otras sustancias.

torna. f. Acción de tornar, devolver o regresar. ‖ **2.** Obstáculo, por lo general de tierra y césped, que se pone en una reguera para cambiar el curso del agua. ‖ **3.** *Ar.* Remanso de un río. ‖ **4.** *Pal.* Cada dos o cuatro surcos de terreno sembrado. ‖ **5.** *Sal.* y *Zam.* Cajón de madera que recibe el grano en la aceña. ‖ **6.** *And.* Granzones que dejan los bueyes y se echan a otros animales. ‖ **volver las tornas.** fr. fig. Corresponder una persona al proceder de otra. ‖ **2.** Cambiar en sentido opuesto la marcha de un asunto. Ú. m. c. prnl.

tornaboda. f. Día después de la boda. ‖ **2.** Celebridad de este día.

tornachile. (Del nahua *tonalli,* verano, y *chilli,* chile.) m. *Méj.* Especie de chile de color verde claro, de forma de trompo, que se cultiva en tierras de regadío.

tornada. f. Acción de tornar, regresar. ‖ **2.** Repetición de la ida a un paraje o lugar. ‖ **3.** Estrofa que a modo de despedida se ponía al fin de ciertas composiciones poéticas provenzales. ‖ **4.** *Veter.* Enfermedad producida en el carnero por el desarrollo de un cisticerco en su masa encefálica.

tornadera. (De *tornar.*) f. Horca de dos puntas que se usa para revolver la parva en las labores de la trilla.

tornadero. m. *Sal.* torna de una reguera.

tornadizo, za. adj. Que cambia o varía fácilmente. Dícese en especial del que abandona su creencia, partido u opinión. *Cristianos* TORNADIZOS. Ú. t. c. s. ‖ **2.** m. *Cád.* **alcornoque,** árbol.

tornado, da. p. p. de **tornar.** ‖ **2.** m. Viento impetuoso giratorio, huracán.

tornadura. f. Devolución a uno de algo que le pertenecía. ‖ **2.** Regreso al lugar de donde se partió. ‖ **3.** Repetición de la ida a un lugar. ‖ **4.** Medida agraria de dos metros y 70 centímetros, pértica.

tornagallos. m. *Ál.* **lechetrezna,** planta.

tornaguía. (De *tornar* y *guía.*) f. Recibo de la guía con que se expidió una mercancía, que sirve para acreditar que dicha mercancía ha llegado a su destino.

tornalecho. m. Dosel sobre la cama.

tornamiento. m. Acción y efecto de tornar o mudar de naturaleza o de estado una persona o cosa.

tornapeón (a). loc. adv. *Ar.* y *Nav.* Ayudándose mutuamente los labradores en los trabajos del campo.

tornapunta. (De *tornar* y *punta.*) f. Madero ensamblado en uno horizontal para servir de apoyo a otro vertical o inclinado. ‖ **2. puntal,** madero para sostener una construcción. ‖ **3.** *Mar.* Cualquiera de las barras de hierro que desde la cubierta se apoyan cerca de la regala por una y otra banda en los bergantines y goletas de mucho pozo, que llevan las mesas de guarnición encima de la portería.

tornar. (Del lat. *tornāre.*) tr. Devolver una cosa a quien la poseía. ‖ **2.** Volver a poner algo en su lugar habitual. ‖ **3.** Cambiar la naturaleza o el estado de una persona o cosa. Ú. t. c. prnl. ‖ **4.** *Cetr. Col.* Girar el brazo una fracción de círculo para lanzar al aire el ave posada en el puño. ‖ **5.** intr. Regresar al lugar de donde se partió. ‖ **6.** Seguido de la preposición *a* y otro verbo en infinitivo, volver a hacer lo que este expresa. ‖ **7.** Recobrar el conocimiento uno, volver en sí.

tornasol. (De or. inc.) m. **girasol,** planta. ‖ **2.** Cambiante, reflejo o viso que hace la luz en algunas telas o en otras cosas muy tersas. ‖ **3.** *Quím.* Materia colorante azul violácea de origen vegetal que sirve de reactivo para reconocer los ácidos, pues la tornan roja. ‖ **4.** *Quím.* V. **papel de tornasol.**

tornasolado, da. adj. Que tiene o hace visos y tornasoles.

tornasolar. tr. Hacer o causar tornasoles. Ú. t. c. prnl.

tornátil. adj. Hecho a torno o torneado. ‖ **2.** poét. Que gira con facilidad y presteza. ‖ **3.** fig. p. us. **tornadizo,** que varía de opinión fácilmente.

tornatrás. com. Descendiente de mestizos y con caracteres propios de una sola de las razas originarias. ‖ **2.** Con especialidad, hijo de albina y europeo o de europea y albino.

tornaviaje. m. Viaje de regreso. ‖ **2.** Lo que se trae al regresar de un viaje.

tornavirón. m. **torniscón,** golpe.

tornavoz. m. Sombrero del púlpito, concha del apuntador en los teatros, o cualquier otro aparato semejante dispuesto para que el sonido repercuta y se oiga mejor.

torneador, ra. m. y f. Persona que tornea. ‖ **2. tornero,** persona que tiene por oficio hacer obras en el torno.

torneadura. f. Viruta que se saca de lo que se tornea.

torneante. p. a. de **tornear.** Que tornea. Ú. t. c. s.

tornear. tr. Labrar y pulir un objeto en el torno. ‖ **2.** *Rioja.* Dar vuelta a la parva. ‖ **3.** *Cantabria.* En el juego de bolos, imprimir un movimiento de rotación a la bola que se arroja. ‖ **4.** intr. Combatir en el torneo[1]. ‖ **5.** fig. p. us. Cavilar sobre alguna cosa.

torneo. m. Combate a caballo que se celebraba entre dos bandos opuestos. ‖ **2.** Fiesta pública en que se imitaba el combate del mismo nombre. ‖ **3.** Por ext., cualquier tipo de competición. ‖ **4.** Danza que se ejecutaba a imitación del torneo, llevando varas en lugar de lanzas. ‖ **5.** *Dep.* Serie de encuentros deportivos o juegos en los que compiten entre sí varias personas o equipos que se eliminan unos a otros progresivamente.

tornería. f. Taller o tienda de tornero. ‖ **2.** Oficio de tornero.

tornero, ra. m. y f. Persona que tiene por oficio hacer obras en el torno. ‖ **2.** Persona que hace tornos. ‖ **3.** m. *And.* Demandadero de monjas. ‖ **4.** f. Monja destinada para servir en el torno.

tornés, sa. adj. Aplícase a la moneda francesa que se fabricó en la ciudad de Tours. *Sueldo* TORNÉS; *libra* TORNESA. ‖ **2.** m. Moneda antigua de plata, que equivalía a tres cuartillos de real.

tornija. f. *Bad.* y *Sal.* Cuña que se introduce en la punta del eje del carro para evitar que se salga la rueda.

tornillero. m. fam. desus. Soldado desertor.

tornillo. m. Pieza cilíndrica o cónica, por lo general metálica, con resalto en hélice y cabeza apropiada para roscarlo de acuerdo con sus distintos usos. ‖ **2.** fig. y fam. desus. Deserción de un soldado. ‖ **3.** *Amér. Central* y *Venez.* Arbusto de la familia de las esterculiáceas, con flores rojas y fruto capsular retorcido en forma de hélice. Se usa en medicina. ‖ **4.** Instrumento con que se mantienen sujetas las piezas que se están trabajando, por medio de dos topes, uno fijo y otro móvil. ‖ **apretarle** a uno **los tornillos.** fr. fig. y fam. Apremiarle, obligarle a obrar en determinado sentido. ‖ **faltarle** a uno **un tornillo, o tener flojos los tornillos.** fr. fig. y fam. Tener poca sensatez.

torniquete. (Del fr. *tourniquet*.) m. Palanca angular de hierro, que sirve para comunicar el movimiento del tirador a la campanilla. ‖ **2.** Especie de torno en forma de cruz de brazos iguales, que gira horizontalmente sobre un eje y se coloca en las entradas por donde han de pasar una a una las personas. ‖ **3.** Instrumento quirúrgico para evitar o contener la hemorragia en operaciones y heridas de las extremidades.

torniscón. m. fam. Golpe que de mano de otro recibe

uno en la cara o en la cabeza, y especialmente cuando se da de revés. ‖ **2.** fam. Pellizco retorcido.

torno. (Del lat. *tornus*, y este del gr. τόρνος, giro, vuelta.) m. Máquina simple que consiste en un cilindro dispuesto para girar alrededor de su eje por la acción de palancas, cigüeñas o ruedas, y que ordinariamente actúa sobre la resistencia por medio de una cuerda que se va arrollando al cilindro. ‖ **2.** Armazón giratoria compuesta de varios tableros verticales que concurren en un eje, y de un suelo y un techo circulares, la cual se ajusta al hueco de una pared y sirve para pasar objetos de una parte a otra, sin que se vean las personas que los dan o reciben. Tiene uso en los conventos de monjas, en las casas de expósitos y en los comedores. ‖ **3.** Máquina en que, por medio de una rueda, de una cigüeña, etc., se hace que alguna cosa dé vueltas sobre sí misma; como las que sirven para hilar, torcer seda, devanar, hacer obras de alfarería, etc. ‖ **4.** Máquina para labrar en redondo piezas de madera, metal, hueso, etc. ‖ **5.** Freno de algunos carruajes, que se maneja con un manubrio. ‖ **6.** Vuelta alrededor, movimiento circular o rodeo. ‖ **7.** Recodo que forma el cauce de un río y en el cual adquiere por lo común mucha fuerza la corriente. ‖ **8.** *Ar.* Aparato que se emplea para cerner harina. ‖ **9.** *Der.* Acción de pasar la adjudicación del remate, en los arrendamientos de rentas, al postor que ofrece mayores ventajas inmediatamente después de otro que lo tuvo primero y no dio dentro del término las fianzas estipuladas. ‖ **paralelo.** Aquel cuyo portaherramientas se mueve en sentido paralelo al eje de la pieza que se tornea. Sirve para roscar. ‖ **revólver.** *Méc.* Torno automático o semiautomático que dispone de un revólver para el cambio de herramientas. ‖ **a torno.** loc. adv. **en torno.** ‖ **2.** Dícese de lo que está torneado o labrado en el torno. ‖ **en torno a.** loc. prepos. **alrededor de.** ‖ **2. acerca de.** ‖ **en torno de.** loc. prepos. **alrededor de.**

toro[1]**.** (Del lat. *taurus*.) m. Bóvido, salvaje o doméstico, macho adulto del ganado vacuno o bovino, que presenta cabeza gruesa y provista de dos cuernos, piel dura, pelo corto y cola larga. ‖ **2.** fig. Hombre muy robusto y fuerte. ‖ **3.** n. p. m. *Astron.* **Tauro.** ‖ **4.** m. pl. Fiesta o corrida de toros. ‖ **corrido.** fig. y fam. Sujeto que es dificultoso de engañar, por su mucha experiencia. ‖ **de campanilla.** El que lleva colgando de la piel del pescuezo una túrdiga que de ternerillo y para adorno le cortan los vaqueros. ‖ **de fuego. tora**[2]**,** artificio de pólvora. ‖ **del aguardiente.** El que se lidia por el público en fiestas populares a primera hora de la mañana. ‖ **de muerte.** El destinado a ser matado en el redondel. ‖ **de puntas.** El que se lidia sin tener emboladas las astas. ‖ **de ronda. jubilo,** el que llevaba en las astas bolas de pez[2] encendidas. ‖ **furioso.** *Blas.* **toro** levantado en sus pies, cuando está en la forma y situación de león rampante. ‖ **mejicano. bisonte.** ‖ **ciertos son los toros.** fr. fig. y fam. con que se afirma la certeza de una cosa, por lo general desagradable, que se temía o se había anunciado. ‖ **coger al toro por las astas o por los cuernos.** fr. fig. Enfrentarse resueltamente con una dificultad. ‖ **echarle o soltarle** a uno **el toro.** fr. fig. y fam. Decirle sin contemplación una cosa desagradable. ‖ **haber toros y cañas.** fr. fig. y fam. Haber fuertes disputas sobre una cosa. ‖ **mirar o ver** uno **los toros desde el andamio, el balcón o la barrera, o desde la, o de la talanquera.** fr. fig. y fam. Presenciar alguna cosa o tratar de ella sin correr el peligro a que se exponen los que en ella intervienen. ‖ **otro toro.** expr. fig. que se emplea para indicar que se debe cambiar de asunto en una conversación.

toro[2]**.** (Del lat. *torus*, y este del gr. τόρος.) m. *Arq.* **bocel,** moldura de sección semicircular. ‖ **2.** *Geom.* Superficie de revolución engendrada por una circunferencia que gira alrededor de una recta de su plano, que no pasa por el centro.

toroboche. m. *Bol.* **palo borracho.**

torón. m. *Quím.* Elemento químico producido por desintegración del torio.

torondo. (Del lat. *turunda,* bola.) m. ant. **chichón.**

torondón. (De *torondo.*) m. ant. Chichón, tolondro.

toronja. (Del ár. *turunŷa,* cidra.) f. Cidra de forma globosa como la naranja.

toronjil. (Del ár. *turunŷân,* [con imela] *turunŷîn,* hierba abejera.) m. Planta herbácea anual, de la familia de las labiadas, con muchos tallos rectos de cuatro a seis decímetros de altura; hojas pecioladas, ovales, arrugadas, dentadas y olorosas; flores blancas en verticilos axilares, y fruto seco, capsular, con cuatro semillas menudas. Es común en España, y sus hojas y sumidades floridas se usan en medicina como remedio tónico y antiespasmódico.

toronjina. (Del m. or. que *toronjil.*) f. **toronjil.**

toronjo. m. Variedad de cidro que produce las toronjas.

toroso, sa. (Del lat. *torōsus.*) adj. p. us. Fuerte y robusto.

torozón. (De *torzón.*) m. fig. Inquietud, desazón, sofoco. ‖ **2.** *Veter.* Movimiento violento y desordenado que hacen las caballerías y otros animales cuando padecen enteritis con fuertes dolores. ‖ **3.** *Veter.* Enteritis de estos animales, con dolores cólicos.

torpe. (Del lat. *turpis.*) adj. Que se mueve con dificultad. ‖ **2.** Desmañado, falto de habilidad y destreza. ‖ **3.** Rudo, tardo en comprender. ‖ **4.** Deshonesto, impúdico, lascivo. ‖ **5.** Ignominioso, indecoroso, infame. ‖ **6.** Feo, tosco, falto de ornato. ‖ **7.** *Der.* V. **acomodo, persona, torpe.**

torpecer. (Del lat. *torpescĕre.*) tr. ant. **entorpecer.**

torpecimiento. m. ant. **entorpecimiento.**

torpedad. f. p. us. **torpeza,** calidad de torpe.

torpedeamiento. m. **torpedeo.**

torpedear. tr. Batir con torpedos. ‖ **2.** fig. Hacer fracasar un asunto o proyecto.

torpedeo. m. Acción y efecto de torpedear.

torpedero, ra. adj. Dícese del barco de guerra destinado a disparar torpedos. *Lancha* TORPEDERA. Ú. m. c. s. m.

torpedista. adj. Dícese de la persona especializada en el manejo o construcción de torpedos. Ú. t. c. s.

torpedo. (Del lat. *torpēdo.*) m. Selacio de cuerpo deprimido y discoidal, de hasta cuatro decímetros, de color blanquecino en el lado ventral y más oscuro en el dorso, en donde lleva, debajo de la piel, un par de órganos musculosos, que producen corrientes eléctricas bastante intensas. La cola es más carnosa y menos larga que en la raya; a los lados del cuerpo lleva dos pares de aletas. Es vivíparo; la especie más conocida lleva manchas redondas y negras en el dorso. ‖ **2.** Máquina de guerra provista de una carga explosiva que tiene por objeto echar a pique un buque que choca con ella o se coloca dentro de su radio de acción. ‖ **automóvil.** El de forma de cigarro que es lanzado por el buque que ataca, y lleva en su interior elementos para trasladar y gobernarse. ‖ **de botalón.** El que se afirma en una perchita colocada en la proa de un bote pequeño de vapor, que se abandona y dirige contra el blanco, al llegar a sus inmediaciones. ‖ **de corriente, o a la ronza.** El que se deja ir al garete aprovechando los movimientos de las aguas. ‖ **durmiente, o de fondo. mina submarina** ‖ **flotante.** El que al ser fondeado, automáticamente algunas veces, a la profundidad que se desea, queda en disposición de estallar, como el durmiente, por choque o por la electricidad, en el momento oportuno.

torpemente. adv. m. Con torpeza.

torpeza. f. Calidad de torpe. ‖ **2.** Acción o dicho torpe.

tórpido, da. (Del lat. *torpĭdus.*) adj. *Fisiol.* Que reacciona con dificultad o torpeza.

torpón, na. adj. aum. de **torpe,** desmañado y rudo.

torpor. (Del lat. *torpor.*) m. desus. *Fisiol.* **entumecimiento,** torpeza de movimiento de un miembro o de un cordón o fibra del cuerpo.

torques. (Del lat. *torques.*) f. Collar que como insignia o adorno usaban los antiguos.

torrado, da. p. p. de **torrar.** ‖ **2.** m. Garbanzo tostado.

torrancés, sa. adj. Natural de Puente Viesgo, población de la provincia de Santander. Ú. t. c. s.

torrar. (Del lat. *torrēre.*) tr. **tostar,** exponer algo al fuego hasta que tome color dorado.

torre. (Del lat. *turris.*) f. Edificio fuerte, más alto que ancho, y que sirve para defenderse desde él, o para defender una ciudad o plaza. ‖ **2.** Edificio más alto que ancho que en las iglesias sirve para colocar las campanas, y en las casas para esparcimiento de la vista y para adorno. ‖ **3.** Cualquier otro edificio de mucha más altura que superficie. ‖ **4.** Pieza grande del juego de ajedrez, en figura de torre, que camina en línea recta en todas direcciones, hacia adelante, hacia atrás, a derecha o a izquierda, sin más limitación que la de no saltar por encima de otra pieza, excepto en el enroque. ‖ **5.** En los buques de guerra, reducto acorazado que se alza sobre la cubierta y que alberga piezas de artillería. ‖ **6.** Armazón transportable de madera, en forma de prisma o tronco de pirámide altos, que se empleaba antiguamente para combatir y asaltar las murallas enemigas. ‖ **7.** *Ar., Cat., Murc.* y *Nav.* Casa de campo de recreo, o granja con huerta. ‖ **8.** *Cuba* y *P. Rico.* Chimenea del ingenio de azúcar. ‖ **9.** *Mar.* V. **buque de torres.** ‖ **albarrana.** Cualquiera de las **torres** que antiguamente se ponían a trechos en las murallas, a modo de baluartes muy fuertes. ‖ **2.** La que, levantada fuera de los muros de un lugar fortificado, servía no solo para defensa, sino también de atalaya. ‖ **de control.** Construcción existente en los aeropuertos, con altura suficiente para dominar las pistas y el área de aparcamiento de los aviones, en la que se encuentran todos los servicios de radionavegación y telecomunicaciones para regular el tránsito de aviones que entran y salen. ‖ **cubierta.** *Blas.* La que se r:-presenta con techo casi siempre puntiagudo. ‖ **de Babe.** fig. y fam. **babel.** ‖ **de farol.** desus. **faro.** ‖ **del homenaje.** La dominante y más fuerte, en la que el castellano o gobernador hacía juramento de guardar fidelidad y de defender la fortaleza con valor. ‖ **de marfil.** loc. fig. Aislamiento del escritor minoritario que atiende solo a la perfección de su obra, indiferente ante la realidad y los problemas del momento. ‖ **de viento.** loc. fig. **castillos en el aire.** ‖ **maestra.** *Ar.* **torre del homenaje.** ‖ **hacer torre.** fr. fig. Remontar su vuelo la perdiz y otras aves heridas mortalmente, hasta desplomarse sin vida.

torreado, da. p. p. de **torrear.** ‖ **2.** adj. *Blas.* Dicho del campo de un escudo, sembrado de torres.

torrear. tr. Guarnecer con torres una fortaleza o plaza fuerte.

torrecilla. f. d. de **torre.** ‖ **2.** *Nav.* **azud,** presa o partidor de donde toman el riego algunos pueblos y campos de la merindad de Tudela.

torrefacción. (Del lat. *torrefactum,* supino de *torrefacĕre,* tostar.) f. **tostadura,** Ú. especialmente para designar la del café.

torrefacto, ta. adj. Tostado al fuego. ‖ **2.** Hablando del café, que está tostado con algo de azúcar.

torreja. f. ant. **torrija.** Ú. en América y en algunas partes de España.

torrejón. m. Torre pequeña o mal formada.

torrencial. adj. Parecido al torrente.

torrente. (Tomado del lat. *torrens, -entis.*) m. Corriente o avenida impetuosa de aguas que sobreviene en tiempos de muchas lluvias o de rápidos deshielos. ‖ **2.** Curso de la sangre en el aparato circulatorio. ‖ **3.** fig. Abundancia o muchedumbre de personas que afluyen a un lugar o coinciden en una misma apreciación, o de cosas que concurren a un mismo tiempo. ‖ **de voz.** fig. Gran cantidad de voz fuerte y sonora.

torrentera. f. Cauce de un torrente.

torrentoso, sa. adj. *Amér.* Dícese de los ríos o arroyos de curso rápido e impetuoso.

torreón. m. aum. de **torre.** ‖ **2.** Torre grande, para defensa de una plaza o castillo.

torrero, ra. (De *torre*.) m. y f. Persona que cuida de una atalaya o un faro. ‖ **2.** *Ar., Murc.* y *Nav.* Labrador o colono de una torre o granja.

torreta. f. En los buques de guerra y en los tanques, torre acorazada.

torreznada. f. Fritada abundante de torreznos.

torreznero, ra. adj. fam. Holgazán y regalón. Ú. t. c. s. ‖ **2.** V. **estudiante torreznero.**

torrezno. (De *torrar*.) m. Pedazo de tocino frito o para freír.

tórrido, da. (Del lat. *torrĭdus*.) adj. Muy ardiente o quemado. ‖ **2.** *Geogr.* V. **zona tórrida.**

torrija. (De *torrar*.) f. Rebanada de pan empapada en vino o leche y rebozada con huevo, frita y endulzada.

torrontera. f. *And.* **torrontero.**

torrontero. (De *torrente*.) m. Montón de tierra que dejan las avenidas impetuosas de las aguas.

torrontés. adj. V. **uva torrontés.** ‖ **2.** Aplícase también al viduño que produce esta especie de uva.

torrotito. m. *Mar.* Bandera pequeña que los buques de guerra fondeados izan a proa los domingos y días de fiesta y también cuando están en puerto extranjero.

tórsalo. m. *Amér. Central.* Gusano parásito que se desarrolla bajo la piel del hombre y de algunos animales; produce hinchazón y dolores.

torsión. (Del lat. *torsĭo, -ōnis*.) f. Acción y efecto de torcer o torcerse una cosa en forma helicoidal. ‖ **2.** ant. Torozón de los animales cuando padecen enteritis.

torso. (Del it. *torso*.) m. Tronco del cuerpo humano. ‖ **2.** Estatua falta de cabeza, brazos y piernas.

torta. (De or. inc.) f. Masa de harina, con otros ingredientes, de figura redonda, que se cuece a fuego lento. ‖ **2.** *Argent., Chile* y *Urug.* **tarta,** pastel grande, de forma generalmente redonda, relleno de frutas, crema, etc. ‖ **3.** fig. Cualquier masa reducida a figura de **torta.** ‖ **4.** fig. fam. **palmada,** golpe dado con la palma de la mano. *Dar* TORTAS; *hacer* TORTAS. ‖ **5.** fig. y fam. Bofetada en la cara. ‖ **6.** fig. y fam. Golpe, caída, accidente. ‖ **7.** *Impr.* Paquete de caracteres de imprenta formado en las oficinas de la fundición. ‖ **8.** *Impr.* Plana mazorral que se guarda para distribuir. ‖ **de Reyes.** La que tradicionalmente se comía el día de Reyes. ‖ **frita.** *Argent.* **sopaipa.** ‖ **perruna. torta** de harina, manteca y azúcar con que en Andalucía suele tomarse el chocolate. ‖ **costar la torta un pan.** fr. fig. y fam. Ser difícil conseguir una cosa, cuando cuesta algo de mucho más valor que ella. ‖ **2.** fig. y fam. Exponerse uno por conseguir una cosa a un daño o riesgo que no había previsto. ‖ **ser una cosa tortas y pan pintado.** fr. fig. y fam. Ser un daño, trabajo, disgusto, gasto, desacierto, etc., mucho menor que otro con que se compara. ‖ **2.** No ofrecer dificultad una cosa.

tortada. f. Torta grande, de masa delicada, rellena de carne, huevos, dulce, etc. ‖ **2.** *Albañ.* Capa de mortero o yeso que se extiende sobre cada hilada de ladrillos, tendel.

tortazo. m. fig. y fam. Bofetada en la cara. ‖ **darse el,** o **un tortazo.** loc. fam. Sufrir un accidente aparatoso.

tortear. tr. *Guat.* Hacer tortillas.

tortedad. (Del lat. *tortus*, torcido, doblado.) f. Calidad de tuerto.

tortera¹. (Del lat. *tortum*, supino de *torquēre*, torcer.) f. Rodaja que se pone en la parte inferior del huso, y ayuda a torcer la hebra.

tortera². (De *torta*.) adj. Aplícase a la cazuela o cacerola casi plana que sirve para hacer tortadas. Ú. m. c. s.

tortero¹. m. Tortera¹, rodaja del huso. ‖ **2.** *Ál.* Cierta planta de la familia de las gramíneas, que tiene en la raíz varios bulbos en figura de disco.

tortero², ra. m. y f. Persona que hace tortas o las vende. ‖ **2.** m. Caja o cesta plana para guardar tortas.

torteruelo. m. Planta de la familia de las papilionáceas, del mismo género que la alfalfa.

torticeramente. (De *torticero*.) adv. m. p. us. Contra derecho, razón o justicia.

torticero, ra. (Del lat. *tortus*, torcido, tuerto.) adj. p. us. Injusto, o que no se arregla a las leyes o a la razón. ‖ **2.** V. **enriquecimiento torticero.**

torticolis o **torticolis.** (Del fr. *torticolis*.) m. *Med.* Espasmo doloroso, de origen inflamatorio o nervioso, de los músculos del cuello, que obliga a tener este torcido con la cabeza inmóvil. Ú. t. c. f.

tortilla. (d. de *torta*.) f. Fritada de huevo batido, en figura redonda o alargada, en la cual se incluye a veces algún otro ingrediente. ‖ **2.** *Amér. Central, Ant.* y *Méj.* Alimento en forma circular y aplanada, para acompañar la comida, que se hace con masa de maíz hervido en agua con cal, y se cuece en comal. Es fundamental en la alimentación de estos países. ‖ **3.** *NO.* y *Centro Argent.* y *Chile.* Panecillo en forma de disco, chato, por lo común salado, hecho con harina de trigo o maíz y cocido al rescoldo. ‖ **de harina.** *Méj.* Alimento de la misma forma, pero hecho con harina de trigo. ‖ **hacer tortilla** a una persona o cosa. fr. Aplastarla o quebrantarla en menudos pedazos. Ú. t. el verbo c. prnl. ‖ **volverse la tortilla.** fr. fig. y fam. Suceder una cosa al contrario de lo que se esperaba o era costumbre. ‖ **2.** fig. y fam. Trocarse la fortuna favorable que uno tenía, o mudarse a favor de otro.

tortillería. f. *Guat.* y *Méj.* Sitio, casa o lugar donde se hacen o se venden tortillas.

tortillero, ra. m. y f. *Guat.* y *Méj.* Persona que por oficio hace o vende tortillas, principalmente de maíz.

tortillo. (De *torta*.) m. *Blas.* **roel,** cada una de las piezas redondas como bollos, y de color, no de metal.

Tortis. (De Baptista de *Tortis*, impresor veneciano de fines del siglo xv.) n. p. V. **letra de Tortis.**

tortita. f. d. de *torta*. ‖ **2.** Juego del niño pequeño que consiste en dar palmadas. Se usa generalmente con el verbo *hacer*. ‖ **ser una cosa tortitas y pan pintado.** fr. fig. y fam. **ser tortas y pan pintado.**

tórtola. (Del lat. *turtur, -ŭris*.) f. Ave del orden de las palomas, de unos tres decímetros de longitud desde el pico hasta la terminación de la cola; plumaje ceniciento azulado en la cabeza y cuello, pardo con manchas rojizas en el lomo, gris vinoso en la garganta, pecho y vientre, y negro, cortado por rayas blancas, en el cuello; pico agudo, negruzco y pies rojizos. Es común en España, donde se presenta por la primavera, y pasa a África en otoño. ‖ **2.** Ave exótica y domesticada, del mismo orden que la anterior y parecida a ella, cuyo plumaje es de color ceniciento rojizo.

tortolito, ta. m. y f. d. de **tórtolo.** ‖ **2.** adj. Atortolado, sin experiencia.

tórtolo. (Del lat. *turtur*.) m. Macho de la tórtola. ‖ **2.** fig. y fam. Hombre amartelado. ‖ **3.** pl. Pareja de enamorados.

tortor. (Del lat. *tortus*, retorcido.) m. Palo corto o barra de hierro con que se aprieta, dándole vueltas, una cuerda atada por sus dos cabos. ‖ **2.** *Mar.* Vuelta que se da a la trinca que liga dos objetos.

tortosino, na. adj. Natural de Tortosa. Ú. t. c. s. ‖ **2.** Perteneciente a esta ciudad.

tortozón. (De or. inc.) adj. V. **uva tortozón.** Ú. t. c. s.

tortuga. f. Reptil marino del orden de los quelonios, que llega a tener hasta dos metros y medio de largo y uno de ancho, con las extremidades torácicas más desarrolladas que las abdominales, unas y otras en forma de paletas, que no pueden ocultarse, y coraza, cuyas láminas, más fuertes en el espaldar que en el peto, tienen manchas verdosas y rojizas. Se alimenta de vegetales marinos, y su carne, huevos y tendones son comestibles. ‖ **2.** Reptil terrestre del orden de los quelonios, de dos a tres decímetros de largo, con los dedos reunidos en forma de muñón, espaldar muy convexo, y láminas granujientas en el centro y manchadas de negro y amarillo en los bordes. Vive en Italia, Grecia y las islas Baleares, se alimenta de hierbas, insectos y caracoles, y su carne es sabrosa y delicada. ‖ **3.** testudo.

tortuosamente. adv. m. De manera tortuosa.

tortuosidad. (Del lat. *tortuosĭtas, -ātis.*) f. Calidad de tortuoso.

tortuoso, sa. (Del lat. *tortuōsus.*) adj. Que tiene vueltas y rodeos. ‖ **2.** fig. Solapado, cauteloso.

tortura. (Del lat. *tortūra.*) f. Desviación de lo recto, curvatura, oblicuidad, inclinación. ‖ **2.** Grave dolor físico o psicológico infligido a una persona, con métodos y utensilios diversos, con el fin de obtener de ella una confesión, o como medio de castigo. ‖ **3.** cuestión de tormento. ‖ **4.** fig. Dolor o aflicción grandes, o cosa que los produce.

torturador, ra. adj. Que tortura.

torturar. tr. Dar tortura, atormentar. Ú. t. c. prnl.

torunda. (Del lat. *turunda,* bola.) f. Clavo de hilas que se deja en la herida para facilitar la supuración. ‖ **2.** Pelota de algodón envuelta en gasa y por lo común esterilizada, con diversos usos en curas y operaciones quirúrgicas.

toruno. m. *Chile.* Toro que ha sido castrado después de tres o más años.

torva. (Del lat. *turba.*) f. Remolino de lluvia o nieve.

torvisca. f. **torvisco,** mata.

torviscal. m. Sitio en que abunda el torvisco.

torvisco. (Del lat. *turbiscus.*) m. Mata de la familia de las timeleáceas, como de un metro de altura, ramosa, con hojas persistentes, lineares, lampiñas y correosas; flores blanquecinas en racimillos terminales, y por fruto una baya redonda, verdosa primero y después roja. La corteza sirve para cauterios.

torvo, va. (Del lat. *torvus.*) adj. Fiero, espantoso, airado y terrible a la vista. Dícese especialmente de la mirada.

torzadillo. m. Especie de torzal, menos grueso que el común.

torzal. m. Cordoncillo delgado de seda, hecho de varias hebras torcidas, que se emplea para coser y bordar. ‖ **2.** fig. Unión de varias cosas que hacen como hebra, torcidas y dobladas unas con otras. ‖ **3.** rur. *Argent.* y *Nícar.* Lazo o tiento de cuero retorcido.

torzón. (Del lat. *tortĭo, -ōnis.*) m. *Veter.* Retortijón doloroso del vientre, torozón.

torzonado, da. adj. *Veter.* Que padece torzón.

torzuelo. m. *Cetr.* Halcón macho, terzuelo.

tos. (Del lat. *tussis.*) f. Movimiento convulsivo y sonoro del aparato respiratorio del hombre y de algunos animales. ‖ **convulsiva,** o **convulsa.** *Pat.* La que da por accesos violentos, intermitentes y sofocantes. ‖ **2. tos ferina.** ‖ **ferina.** *Pat.* Enfermedad infecciosa, caracterizada por un estado catarral del árbol respiratorio, con accesos de **tos** convulsiva muy intensos. ‖ **perruna.** *Pat.* **tos** bronca, de ruido característico, producida por espasmos de la laringe.

tosa. (Del lat. *tonsa,* pelada.) f. **trigo chamorro.**

tosca. (Del b. lat. *tuscus.*) f. Piedra caliza porosa que se forma de la cal de algunas aguas. ‖ **2. sarro** de los dientes.

toscamente. adv. m. De manera tosca.

toscano, na. (Del lat. *Tuscānus.*) adj. Natural de Toscana. Ú. t. c. s. ‖ **2.** Perteneciente a este país de Italia. ‖ **3.** *Arq.* V. **columna toscana.** ‖ **4.** V. **letra toscana.** ‖ **5.** *Arq.* V. **orden toscano.** ‖ **6.** m. Lengua italiana.

tosco, ca. (Del b. lat. *tuscus.*) adj. Grosero, basto, sin pulimento ni labor. ‖ **2.** fig. Inculto, sin doctrina ni enseñanza. Ú. t. c. s.

tose. f. ant. **tos.**

tosedor, ra. adj. Que padece tos crónica o es propenso a toser. Ú. t. c. s.

tosegoso, sa. adj. **tosigoso²,** que padece tos.

toser. (Del lat. *tussire.*) intr. Hacer fuerza y violencia con la respiración, para arrancar del pecho lo que le fatiga y molesta; tener y padecer la tos. ‖ **toser** una persona a otra. fr. fig. y fam. Competir con ella en algo y especialmente en valor. Por lo común ú. solo con neg. y en las terceras personas de singular de los presentes de indicativo y subjuntivo. *A mí nadie me* TOSE; *no hay quien le* TOSA.

toseta. f. *Nav.* **trigo chamorro.**

tosidura. f. Acción y efecto de toser.

tosigar¹. (De *tósigo.*) tr. Emponzoñar con tósigo.

tosigar². (De etim. disc.) tr. fig. Fatigar u oprimir a alguno, dándole mucha prisa para que haga una cosa. Ú. t. c. prnl.

tósigo. (Del lat. *toxĭcum,* y este del gr. τοξικόν φάρμακον, veneno para emponzoñar las flechas.) m. Veneno, ponzoña. ‖ **2.** Angustia o pena grande.

tosigoso¹, sa. (De *tósigo.*) adj. Envenenado, emponzoñado. Ú. t. c. s.

tosigoso², sa. (Del lat. *tussīcus,* que tose mucho.) adj. Que padece tos, fatiga y opresión de pecho. Apl. a pers., ú. t. c. s.

tosiguera. f. Tos pertinaz.

tosquedad. f. Calidad de tosco.

tostación. f. Acción y efecto de tostar.

tostada. (De *tostar.*) f. Rebanada de pan que, después de tostada, se unta por lo común con manteca, miel u otra cosa. ‖ **2.** fig. **lata, tabarra.** ‖ **dar,** o **pegar, a uno la** o **una, tostada.** fr. fig. y fam. Ejecutar una acción que redunde en perjuicio suyo, o darle un chasco, sacarle dinero con engaño, etc. ‖ **no ver la tostada.** fr. fig. y fam. Echar de menos en una cosa la gracia, la utilidad, la razón, etc., que en aquella eran de esperar. ‖ **olerse la tostada.** fr. fig. y fam. Adivinar o descubrir algo oculto, como artimañas, trampas, etc.

tostadero, ra. adj. Dícese del útil o máquina para tostar. Ú. t. c. s. ‖ **2.** m. Lugar o instalación en que se tuesta algo. ‖ **3.** fig. Lugar donde hace excesivo calor. *Este cuarto es un* TOSTADERO.

tostadillo. (d. de *tostado.*) m. Vino ligero que se cría en varias regiones del norte de España. ‖ **2.** V. **horno de tostadillo.**

tostado, da. p. p. de **tostar.** ‖ **2.** adj. Dícese del color subido y oscuro. ‖ **3.** V. **ocre, topacio tostado.** ‖ **4.** m. **tostadura.** ‖ **5.** *Ecuad.* Maíz tostado.

tostador, ra. adj. Que tuesta. Ú. t. c. s. ‖ **2.** m. Instrumento o vasija para tostar alguna cosa.

tostadura. f. Acción y efecto de tostar.

tostar. (Del lat. *tostāre.*) tr. Poner una cosa a la lumbre, para que lentamente se le introduzca el calor y se vaya desecando, sin quemarse, hasta que tome color. Ú. t. c. prnl. ‖ **2.** fig. Calentar demasiado. Ú. t. c. prnl. ‖ **3.** fig. Curtir, atezar el sol o el viento la piel del cuerpo. Ú. t. c. prnl. ‖ **4.** *Taurom.* Condenar a un toro por mansedumbre a banderillas de fuego. ‖ **5.** fig. *Ar.* y *Chile.* Zurrar, vapular.

tostón¹. (De *tostar.*) m. **torrado,** garbanzo tostado. ‖ **2.** Rebanada de pan tostado empapado en aceite nuevo. Se unta con ajo y se aereza con sal o azúcar y zumo de naranja. ‖ **3.** Trozo pequeño de pan frito, generalmente en forma de cubo, que se añade a las sopas, purés, etc. Ú. m. en pl. ‖ **4.** Cosa demasiado tostada. ‖ **5.** Cochinillo asado. ‖ **6.** Dardo hecho con una vara tostada por la punta para endurecerla. ‖ **7.** Tabarra, lata. ‖ **8.** Persona habladora y sin sustancia. ‖ **9.** *Cuba* y *P. Rico.* Planta de la familia de las nictagináceas, con tallo nudoso, hojas ovaladas y florecillas moradas.

tostón². (De *testón*, a través del port. *tostão*.) m. Moneda portuguesa de plata. ‖ **2.** En Méjico y en Nueva Granada se llamó así el **real de a cuatro;** también se llamaron así las monedas de 50 centavos, y por ext., se dice de lo que, en general, vale cincuenta. ‖ **3.** En Canarias, moneda que se usó con valor equivalente al de la **peseta columnaria.** ‖ **4.** Tejo para jugar al chito.

total. (Del lat. *totus*, todo.) adj. General, universal y que lo comprende todo en su especie. ‖ **2.** m. *Álg.* y *Arit.* Suma, cantidad equivalente a dos o más homogéneas. ‖ **3.** adv. m. En suma, en resumen, en conclusión. TOTAL, *que lo más prudente será quedarse en casa.*

totalidad. f. Calidad de total. ‖ **2.** Todo, cosa íntegra. ‖ **3.** Conjunto de todas las cosas o personas que forman una clase o especie. *La* TOTALIDAD *de los vecinos.* ‖ **4.** Período de discusión relativo a una ley o propuesta en que se examina lo esencial de su tendencia antes de pasar al articulado o detalles.

totalitario, ria. adj. Dícese de lo que incluye la totalidad de las partes o atributos de una cosa, sin merma ninguna. ‖ **2.** Perteneciente o relativo al totalitarismo.

totalitarismo. m. Régimen político que ejerce fuerte intervención en todos los órdenes de la vida nacional, concentrando la totalidad de los poderes estatales en manos de un grupo o partido que no permite la actuación de otros partidos.

totalitarista. adj. Partidario del totalitarismo. Ú. t. c. s.

totalizador, ra. adj. Que totaliza.

totalizar. tr. Determinar el total de diversas cantidades.

totalmente. adv. m. Enteramente, del todo.

totanero, ra. adj. Natural de Totana. Ú. t. c. s. ‖ **2.** Perteneciente a esta villa de la provincia de Murcia. ‖ **3.** V. **calabaza totanera.**

tótem. (Del inglés *totem*, y este de *dodaim*, lengua de unas tribus de América del Norte.) m. Objeto de la naturaleza, generalmente un animal, que en la mitología de algunas sociedades se toma como emblema protector de la tribu o del individuo, y a veces como ascendiente o progenitor. ‖ **2.** Emblema tallado o pintado, que representa el **tótem.**

totémico, ca. adj. Perteneciente o relativo al tótem.

totemismo. m. Sistema de creencias y organización de tribu basado en el tótem.

totí. (De or. caribe.) m. *Cuba.* Cierto pájaro de plumaje muy negro y pico encorvado; se alimenta de semillas e insectos.

totilimundi. m. **mundonuevo.**

totolate. m. *C. Rica.* y *Nicar.* Piojillo de las aves y especialmente de la gallina.

totoloque. m. En los cronistas de Indias, juego de los antiguos mejicanos, parecido al tejo.

totonaco, ca. adj. Dícese de una gran tribu de Méjico, que habita hacia la costa del golfo. ‖ **2.** Perteneciente o relativo a este pueblo. ‖ **3.** m. Lengua del mismo.

totopo. m. *Méj.* **totoposte.**

totoposte. (Del mejic. *totopoch*, bien tostado.) m. *Amér. Central* y *Méj.* Torta o rosquilla de harina de maíz, muy tostada.

totora. (Del quechua *tutura*.) f. *Amér. Merid.* Especie de anea o espadaña que se cría en terrenos pantanosos o húmedos. ‖ **2.** V. **caballito de totora.**

totoral. m. *Amér. Merid.* Paraje poblado de totoras.

totorero. m. *Chile.* Pájaro que vive en los pajonales de las vegas. Construye con hojas de totora un nido de forma cónica con la entrada a un lado.

totovía. (De la onomat. *totovi*.) f. **cotovía.**

totuma. f. *Amér.* Fruto del totumo o güira. ‖ **2.** *Amér.* Vasija hecha con ese fruto.

totumo. m. *Perú.* **güira,** árbol.

tótum revólútum. (expr. lat.) m. Conjunto de muchas cosas sin orden, revoltijo.

tova. f. En algunas partes, totovía.

tovido, da. p. p. irreg. ant. de **tener.**

toxicar. (De *tóxico*.) tr. Envenenar, emponzoñar, intoxicar.

toxicidad. f. Calidad de tóxico.

tóxico, ca. (Del lat. *toxicum*, tósigo.) adj. *Med.* Aplícase a las sustancias venenosas. Ú. t. c. s. m.

toxicogénesis. f. *Biol.* Proceso en virtud del cual algunas bacterias y otros organismos patógenos producen toxinas en el medio en que viven.

toxicología. (Del gr. τοξικόν, veneno, y -*logía*.) f. Parte de la medicina, que trata de los venenos.

toxicológico, ca. adj. Perteneciente o relativo a la toxicología.

toxicólogo, ga. m. y f. Especialista en toxicología.

toxicomanía. f. Hábito patológico de intoxicarse con sustancias que procuran sensaciones agradables o que suprimen el dolor.

toxicómano, na. adj. Dícese del que padece toxicomanía. Ú. t. c. s.

toxígeno, na. adj. Que produce toxinas.

toxiinfección. f. *Biol.* Proceso patológico caracterizado como infección e intoxicación simultáneas.

toxina. (Del gr. τοξικόν, veneno.) f. *Fisiol.* Sustancia, generalmente de naturaleza albuminoidea, elaborada por los seres vivos, en especial por los microbios, y que obra como veneno, aun en pequeñísimas proporciones.

toza. (De or. inc.) f. En algunas partes, pedazo de corteza del pino o de otros árboles. ‖ **2.** Pieza grande de madera labrada a esquina viva. ‖ **3.** *Ar.* Tocón de un árbol. ‖ **4.** *C. Real.* Yugo con que se uncen las mulas al arado.

tozal. (De *tozo*, cabeza.) m. *Ar.* **teso,** cima de un cerro.

tozalbo, ba. (De *tozo*, cabeza y *tozuelo*, y *albo*.) adj. *Ar.* Dícese de la res que tiene la frente blanca.

tozar. (De *tozo*, cabeza.) intr. *Ar.* **topetar,** dar un golpe con la cabeza. ‖ **2.** fig. *Ar.* Porfiar neciamente.

tozo¹. (Del lat. *tonsus*, pelado.) m. *Albac.* Cerviz gruesa, tozuelo.

tozo². m. **melojo,** árbol.

tozo³, **za.** adj. Enano o de baja estatura.

tozolada. f. Golpe que se da en el tozuelo. ‖ **2.** *Ar.* Costalada, caída de nuca.

tozolón. (De *tozuelo*.) m. **tozolada.**

tozudez. f. Calidad de tozudo.

tozudo, da. (De *tozo*, cabeza.) adj. Obstinado, testarudo.

tozuelo. (De *tozo*, cabeza.) m. Cerviz gruesa, carnosa y crasa de un animal.

traba. (De lat. *trabs*, *trabis*, madero.) f. Acción y efecto de trabar o triscar. ‖ **2.** Instrumento con que se junta, une y sujeta una cosa a otra. ‖ **3.** Ligadura con que se atan, por las cuartillas, las manos o los pies de una caballería. ‖ **4.** Cada una de las dos cuerdas que se ponen a las caballerías del pie a la mano de cada lado para acostumbrarlas al paso de andadura. ‖ **5.** Cada uno de los dos palos delanteros de la red de cazar palomas. ‖ **6.** Pedazo de paño que une las dos partes del escapulario de ciertos hábitos monásticos. ‖ **7.** Piedra o cuña con que se calzan las ruedas de un carro. ‖ **8.** Piedra delgada y plana colocada de canto en la pared de mampostería. ‖ **9.** fig. Cualquier cosa que impide o estorba la fácil ejecución de otra. ‖ **10.** *And.* Palo que asegura el frente del arca dentro de la cual se mueve la piedra de la tahona. ‖ **11.** *Chile.* Tabla o palo que se ata a los cuernos de una res vacuna para impedir que entre en sitios donde pueda hacer daño. ‖ **12.** *Der.* Embargo de bienes, incluso derechos, o impedimento para disponer de ellos o para algún acto. ‖ **13.** pl. *Ál.* **clemátide,** planta.

trabacuenta. (De *trabar* y *cuenta*.) f. Error o equivocación en una cuenta, que la enreda o dificulta. ‖ **2.** fig. Discusión, controversia o disputa.

trabadero. m. Parte entre los menudillos y la corona del casco de las caballerías, cuartilla.

trabado, da. p. p. de **trabar.** ‖ **2.** adj. Aplícase al caballo o yegua que tiene blancas las dos manos, por ser allí donde se le ponen trabas. ‖ **3.** Dícese también del caballo o yegua que tiene blancos la mano derecha y el pie izquierdo, o viceversa. ‖ **4.** V. **sílaba trabada.** ‖ **5.** fig. Robusto, nervudo.

trabador. m. *And.* y *Chile.* Instrumento para torcer alternativamente los dientes de la sierra, triscador.

trabadura. f. Acción y efecto de trabar.

trabajadamente. adv. m. Con trabajo.

trabajado, da. p. p. de **trabajar.** ‖ **2.** adj. Cansado, molido del trabajo, por haberse ocupado mucho tiempo o con afán en él. ‖ **3.** Lleno de trabajos. ‖ **4.** Elaborado con minuciosidad y gran cuidado.

trabajador, ra. adj. Que trabaja. ‖ **2.** Muy aplicado al trabajo. ‖ **3.** m. y f. Jornalero, obrero. ‖ **4.** m. *Chile.* **totorero,** pájaro.

trabajante. p. a. de **trabajar.** Que trabaja. Ú. t. c. s.

trabajar. (Del lat. **tripaliăre*, de *tripalĭum*.) intr. Ocuparse en cualquier ejercicio, obra o ministerio. ‖ **2.** Solicitar, procurar e intentar alguna cosa con eficacia, actividad y cuidado. ‖ **3.** Aplicarse uno con desvelo y cuidado a la ejecución de alguna cosa. ‖ **4.** fig. Ejercitar sus fuerzas naturales la tierra y las plantas para que estas se desarrollen. ‖ **5.** fig. Sufrir una cosa, o parte de ella, la acción de los esfuerzos a que se halla sometida. ‖ **6.** fig. Poner conato y fuerza para vencer alguna cosa. *La naturaleza* TRABAJA *en vencer la enfermedad.* ‖ **7.** tr. Formar, disponer o ejecutar una cosa, arreglándose a método y orden. ‖ **8.** Ejercitar y amaestrar el caballo. ‖ **9.** fig. Molestar, inquietar o perturbar. ‖ **10.** fig. Hacer sufrir trabajos a una persona. ‖ **11.** prnl. Ocuparse con empeño en alguna cosa; esforzarse por conseguirla.

trabajera. f. fam. Incumbencia, pejiguera, trabajo molesto.

trabajo. m. Acción y efecto de trabajar. ‖ **2.** Ocupación retribuida. ‖ **3. obra,** cosa producida por un agente. ‖ **4. obra,** cosa producida por el entendimiento. ‖ **5.** Operación de la máquina, pieza, herramienta o utensilio que se emplea para algún fin. ‖ **6.** Esfuerzo humano aplicado a la producción de riqueza. Se usa en contraposición de *capital.* ‖ **7.** fig. Dificultad, impedimento o perjuicio. ‖ **8.** fig. Penalidad, molestia, tormento o suceso infeliz. ‖ **9.** V. **grupo de trabajo.** ‖ **10.** *Mec.* Producto de la fuerza por el camino que recorre su punto de aplicación y por el coseno del ángulo que forma la una con el otro. ‖ **11.** pl. fig. Estrechez, miseria y pobreza o necesidad con que se pasa la vida. ‖ **de traba.** Que se hace oculta y solapadamente para conseguir algún fin. ‖ **trabajos forzados,** o **forzosos.** Aquellos en que se ocupa por obligación el presidiario como parte de la pena de su delito. ‖ **2.** Dícese de cualquier ocupación o **trabajo** ineludible que se hace a disgusto. ‖ **cercar a trabajo,** o **de trabajos,** a uno. fr. fig. Colmarle de desdichas. ‖ **tomarse** uno **el trabajo.** fr. Aplicarse

a la ejecución de alguna cosa que requiere cuidado o afán, especialmente por aliviar a otra. ‖ **trabajo le,** o **te, mando.** expr. con que se da a entender que es muy difícil aquello que se trata de ejecutar o alcanzar.

trabajosamente. adv. m. Con mucho trabajo, penalidad o dificultad.

trabajoso, sa. adj. Que da, cuesta o causa mucho trabajo. ‖ **2.** Que padece trabajo, penalidad o miseria; en especial, enfermizo, maganto. ‖ **3.** Que está falto de espontaneidad por ser fruto de mucho trabajo.

trabajuelo. m. d. de **trabajo.**

trabal. (Del lat. *trabālis*.) adj. V. **clavo trabal.**

trabalenguas. m. Palabra o locución difícil d : pronunciar, en especial cuando sirve de juego para ha er a uno equivocarse.

trabamiento. m. Acción y efecto de trabar. ‖ **?.** ant. *Der.* trabazón, embargo.

trabanca. f. Mesa formada por un tablero sobre dos caballetes, que usan los papelistas y otros operarios.

trabanco. (d. de *trabe*.) m. Trangallo que se pone al cuello de los perros para que no persigan la caza.

trabar. (De *traba*.) tr. Juntar o unir una cosa con otra, para mayor fuerza o resistencia. ‖ **2.** Prender, agarrar o asir. Ú. t. c. intr. ‖ **3.** Echar trabas. ‖ **4.** fig. Impedir el desarrollo de algo o el desenvolvimiento de alguien. ‖ **5.** Espesar o dar mayor consistencia a un líquido o a una masa. ‖ **6.** Triscar los dientes de una sierra. ‖ **7.** fig. Emprender o comenzar una batalla, contienda, disputa, conversación, etc. ‖ **8.** fig. Enlazar, concordar o conformar. ‖ **9.** *Der.* Embargar o retener bienes o derechos. ‖ **10.** prnl. desus. Pelear, contender. TRABARSE *con uno.* ‖ **11.** V. **trabarse de palabras.** ‖ **12.** *Amér.* Entorpecérsele a uno la lengua al hablar, tartamudear. ‖ **13.** V. **trabarse la lengua.**

trabazón. (De *trabar*.) f. Juntura o enlace de dos o más cosas que se unen entre sí. ‖ **2.** Espesor o consistencia que se da a un líquido o masa. ‖ **3.** fig. Conexión de una cosa con otra o dependencia que entre sí tienen.

trabe. (Del lat. *trabs, trabis*.) f. **viga,** madero largo y grueso para techar y sostener los edificios.

trábea. (Del lat. *trabĕa*.) f. Vestidura talar de gala que usaban los reyes, los senadores y ciertos sacerdotes de la Roma antigua.

trabilla. (d. de *traba*.) f. Tira de tela o de cuero que pasa por debajo del pie para sujetar los bordes inferiores del pantalón, del botín, de la polaina o de la calceta. ‖ **2. rabillo,** tira de tela colocada exteriormente al nivel del talle para reducir el vuelo de la prenda. ‖ **3.** Punto que queda suelto al hacer media. ‖ **4.** Tirita de tela que sujeta el cinturón del pantalón o de la falda.

trabina. f. *And.* Fruto de la sabina.

trabón. m. aum. de **traba.** ‖ **2.** Argolla fija de hierro, a la cual se atan por un pie los caballos para tenerlos sujetos. ‖ **3.** Tablón que sujeta la cabeza de la viga prensadora de los lagares de aceite.

trabuca. (de *trabuco*.) f. Buscapiés que estalla al apagarse.

trabucación. f. Acción y efecto de trabucar o trabucarse.

trabucador, ra. adj. Que trabuca. Ú. t. c. s.

trabucaire. (Del cat. *trabucaire*, el que lleva trabuco.) m. Antiguo faccioso catalán armado de trabuco. ‖ **2.** adj. Valentón, animoso, osado.

trabucante. p. a. de **trabucar.** Que trabuca. ‖ **2.** adj. V. **moneda trabucante.**

trabucar. (De *tra,* por *trans,* y *buque*.) tr. Trastornar, descomponer el buen orden o colocación que tiene alguna cosa, volviendo lo de arriba abajo o lo de un lado a otro. Ú. t. c. prnl. ‖ **2.** fig. Ofuscar, confundir o trastornar el entendimiento. Ú. t. c. prnl. ‖ **3.** fig. Trastrocar y confundir especies o noticias. ‖ **4.** fig. Pronunciar o escribir equivocadamente unas palabras, sílabas o letras por otras. Ú. t. c. prnl. ‖ **5.** prnl. *Mar. Can.* Hundirse.

trabucazo. m. Disparo del trabuco. ‖ **2.** Herida y daño producidos por el disparo del trabuco. ‖ **3.** fig. y fam. Pesadumbre o susto que, por inesperado, sobrecoge y aturde.

trabuco. (De *trabucar*.) m. Máquina de guerra que se usaba antes de la invención de la pólvora, para batir las murallas, torres, etc., disparando contra ellas piedras muy gruesas, catapulta. ‖ **2.** Arma de fuego más corta y de mayor calibre que la escopeta ordinaria. ‖ **3.** *And.* Canutillo de madera en cuyos extremos se ponen dos tacos, uno de los cuales se impulsa con un palito y por compresión del aire expulsa el otro taco, tiratacos. ‖ **4.** desus. Trastorno, revuelta. ‖ **naranjero.** El de boca acampanada y gran calibre.

trabuquete. (d. de *trabuco*.) m. Catapulta pequeña. ‖ **2.** Traíña pequeña.

traca[1]. (De la onomat. *trac*.) f. Artificio de pólvora que se hace con una serie de petardos colocados a lo largo de una cuerda y que estallan sucesivamente. ‖ **2.** Gran estampido final de los mismos.

traca[2]. (Del ing. *strake*.) f. desus. *Mar.* Hilada de tablas o de planchas metálicas en los forros del buque o sus cubiertas. ‖ **2.** *Mar.* Cada una de las tres hiladas de la cubierta inmediatas al trancanil.

trácala. f. *Méj.* y *P. Rico.* Trampa, ardid, engaño. Ú. t. c. adj.

tracalada. f. *Amér.* Matracalada, cáfila, multitud.

tracalero, ra. (De *trácala*.) adj. *Méj.* Tramposo, trapacero.

tracamundana. (Del lat. *transcommutāre*.) f. fam. Trueque de cosas, alboroto, confusión.

tracción. (Del lat. *tractĭo, -ōnis*.) f. Acción y efecto de tirar de alguna cosa para moverla o arrastrarla. ‖ **2.** Especialmente, acción y efecto de arrastrar carruajes sobre la vía. TRACCIÓN *animal, de vapor, eléctrica*.

trace. adj. tracio. Ú. t. c. s.

tracería. (De *trazo*.) f. Decoración arquitectónica formada por combinaciones de figuras geométricas.

traciano, na. adj. Natural de Tracia. Apl. a pers., ú. t. c. s.

tracias. (Del lat. *thrascĭas*, y este del gr. θρασκίας.) m. Viento que corre entre el euro y el bóreas, según la división de los antiguos.

tracio, cia. (Del lat. *Thracĭus*.) adj. Natural de Tracia. Ú. t. c. s. ‖ **2.** Perteneciente a esta región de Europa antigua.

tracista. adj. Dícese del que dispone o inventa el plan de una construcción, ideando su traza. Ú. t. c. s. ‖ **2.** fig. Dícese de la persona fecunda en tretas o engaños. Ú. t. c. s.

tracoma. (Del gr. τραχύς, áspero.) m. *Pat.* Conjuntivitis granulosa y contagiosa, que llega a causar la ceguera.

tracomatoso, sa. adj. Perteneciente o relativo al tracoma. ‖ **2.** Que padece esta enfermedad. Ú. t. c. s.

tractar. tr. ant. tratar.

tracto. (Del lat. *tractus*.) m. Espacio que media entre dos lugares. ‖ **2.** Lapso de tiempo. ‖ **3.** Conjunto de versículos que se cantan o rezan inmediatamente antes del evangelio en la misa de ciertos días. ‖ **4.** *Biol.* Haz de fibras nerviosas que tienen el mismo origen y la misma terminación y cumplen la misma función fisiológica. ‖ **5.** Formación anatómica que media entre dos lugares del organismo, y realiza una función de conducción: TRACTO *alimentario* o *digestivo*, TRACTO *linfático*, etc.

tractocarril. m. Convoy de locomoción mixta, que puede andar ora sobre carriles, ora sin ellos.

tractor. (der. del lat. *tractus*, de *trahĕre*, arrastrar.) m. Máquina que produce tracción. ‖ **2.** Vehículo automotor cuyas ruedas o cadenas se adhieren fuertemente al terreno, y se emplea para arrastrar arados, remolques, etc., o para tirar de ellos.

tractorar. tr. tractorear.

tractorear. tr. Labrar la tierra con tractor.

tractoreo. m. Acción y efecto de tractorear.

tractorista. com. Persona que conduce un tractor.

tradición. (Del lat. *traditĭo, -ōnis*.) f. Transmisión de noticias, composiciones literarias, doctrinas, ritos, costumbres, etc., hecha de generación en generación. ‖ **2.** Noticia de un hecho antiguo transmitida de este modo. ‖ **3.** Doctrina, costumbre, etc., conservada en un pueblo por transmisión de padres a hijos. ‖ **4.** *Der.* Entrega a uno de una cosa. TRADICIÓN *de una cosa vendida*. ‖ **5.** Elaboración literaria, en prosa o verso, de un suceso transmitido por **tradición** oral.

tradicional. adj. Perteneciente o relativo a la tradición, o que se transmite por medio de ella. ‖ **2.** V. **gramática tradicional.**

tradicionalismo. (De *tradicional*.) m. Doctrina filosófica que pone el origen de las ideas en la revelación y sucesivamente en la enseñanza que el hombre recibe de la sociedad. ‖ **2.** Sistema político que consiste en mantener o restablecer las instituciones antiguas en el régimen de la nación y en la organización social.

tradicionalista. (De *tradicional*.) adj. Que profesa la doctrina o es partidario del tradicionalismo. Ú. t. c. s. ‖ **2.** Perteneciente a esta doctrina o sistema.

tradicionalmente. adv. m. Por tradición.

tradicionista. com. Narrador, colector o colector de tradiciones.

traducción. (Del lat. *traductĭo, -ōnis*.) f. Acción y efecto de traducir. ‖ **2.** Obra del traductor. ‖ **3.** Interpretación que se da a un texto. ‖ **4.** *Biol.* Etapa de la expresión génica donde la información contenida en una molécula de ácido ribonucleico mensajero dirige el orden de incorporación de los aminoácidos y van formando la correspondiente proteína. ‖ **5.** *Ret.* Figura que consiste en emplear dentro de la cláusula un mismo adjetivo o nombre en distintos casos, géneros o números, o un mismo verbo en distintos modos, tiempos o personas. ‖ **directa.** La que se hace de un idioma extranjero al idioma del traductor. ‖ **inversa.** La que se hace del idioma del traductor a un idioma extranjero. ‖ **libre.** La que siguiendo el sentido del texto, se aparta del original en la elección de la expresión. ‖ **literal.** La que sigue palabra por palabra el texto original. ‖ **literaria. traducción libre.** ‖ **simultánea.** La que se hace oralmente al mismo tiempo que se está pronunciando un discurso, conferencia, etc.

traducibilidad. f. Calidad de traducible.

traducible. adj. Que se puede traducir.

traducir. (Del lat. *traducĕre*, hacer pasar de un lugar a otro.) tr. Expresar en una lengua lo que está escrito o se ha expresado antes en otra. ‖ **2.** Convertir, mudar, trocar. ‖ **3.** fig. Explicar, interpretar.

traductor, ra. (Del lat. *traductor, -ōris*.) adj. Que traduce una obra o escrito. Ú. t. c. s.

traedizo, za. adj. Que se trae o puede traer. *Esa no es agua de pie, sino* TRAEDIZA.

traedor, ra. (De *traer*[1].) adj. Que trae. Ú. t. c. s.

traedura. f. p. us. Acción y efecto de traer[1].

traer[1]. (Del lat. *trahĕre*.) tr. Conducir o trasladar una cosa al lugar en donde se habla o de que se habla. TRAER *una carta, una noticia*. ‖ **2.** Atraer o tirar hacia sí. ‖ **3.** Causar, ocasionar, acarrear. *La ociosidad* TRAE *estos vicios*. ‖ **4.** Tener a uno en el estado o situación que expresa el adjetivo que se junta con el verbo. TRAER *a uno azacanado, inquieto, convencido*. ‖ **5.** Llevar, tener puesta una cosa. TRAÍA *un vestido muy rico*. ‖ **6.** fig. Alegar o aplicar razones o autoridades, para comprobación de un discurso o materia. Solo se usa en frases como TRAER *a colación, a cuento*. ‖ **7.** Obligar, constreñir a uno a que haga alguna cosa. ‖ **8.** fig. Persuadir a uno a que siga el dictamen o partido que se le propone. Solo se usa en la frase TRAER *a razones*. ‖ **9.** fig. Tratar, andar haciendo una cosa, tenerla pendiente, estar empleado en su ejecución. TRAIGO *un pleito con Felipe;* TRAIGO *un negocio entre manos*. Ú. t. c. prnl., sobre todo refiriéndose a propósitos ocultos o maliciosos. ¿*Qué* SE TRAERÁ *Pepe con tantas visitas como me hace?* ‖ **10.** Aplicado a escritos, en especial a los publicados en periódicos, contener. ‖ **11.** p. us. Saber manejar o usar bien una cosa. TRAE *bien la espada*. ‖ **12.** prnl. p. us. Con relación a vestidos o atavíos, llevarlos con buen arte o con malo, generalmente con los adverbios *bien* o *mal. Joaquín* SE TRAE *BIEN*. ‖ **traer** a uno **a mal traer.** fr. Maltratarlo o molestarlo mucho en cualquier concepto. ‖ **traer** a uno **arrastrado,** o **arrastrando.** fr. fig. y fam. Fatigarle mucho. ‖ **traer** a uno **de acá para allá,** o **de aquí para allí.** fr. Tenerle en continuo movimiento, no dejarlo parar en ningún lugar. ‖ **2.** Inquietarlo, zarandearlo, marearlo. ‖ **traérselas.** loc. fam. que se aplica a aquello que tiene más intención, malicia o dificultades de lo que a primera vista parece. ‖ **traer y llevar.** fr. fam. chismear.

traer². (Del lat. *tradĕre*.) tr. ant. Entregar con traición.

traeres. (De *traer*¹, persuadir.) m. pl. Atavíos, objetos de adorno.

trafagador, ra. m. y f. Persona que anda en tráfagos y tratos.

trafagante. p. a. de **trafagar.** Que trafaga. Ú. t. c. s.

trafagar. (De or. inc.) intr. **traficar,** comerciar o negociar con dinero y mercaderías. ‖ **2.** Andar o errar por varios países, correr mundo. Ú. t. c. tr.

tráfago. (De *trafagar*.) m. **tráfico.** ‖ **2.** Conjunto de negocios, ocupaciones o faenas que ocasionan mucha fatiga o molestia.

trafagón, na. (De *trafagar*.) adj. fam. Dícese de la persona que negocia con mucha solicitud, diligencia y ansia. Ú. t. c. s.

trafalgar. m. Tela de algodón, especie de linón ordinario.

trafalmeja. adj. **trafalmejas.**

trafalmejas. (Del ár. *'aṭrāf an-nās,* lo más bajo de la gente.) adj. Se aplica a la persona bulliciosa y de poco seso. Ú. t. c. s.

trafallón, na. adj. Que hace las cosas mal o las embrolla.

traficación. f. p. us. Acción y efecto de traficar.

traficante. p. a. de **traficar.** Que trafica o comercia. Ú. t. c. s.

traficar. (En it. *trafficare,* y este del lat. **transfigicāre,* cambiar de sitio.) intr. Comerciar, negociar con el dinero y las mercancías. ‖ **2.** Andar o errar por varios países, correr mundo. ‖ **3.** Hacer negocios no lícitos.

tráfico. (Del it. *traffico*.) m. Acción de traficar. ‖ **2.** Circulación de vehículos por calles, caminos, etc. ‖ **3.** Por ext., movimiento o tránsito de personas, mercancías, etc., por cualquier otro medio de transporte.

trafulcar. tr. Confundir, trabucar.

tragaavemarías. com. fam. Persona devota que reza muchas oraciones.

tragable. adj. Que se puede tragar.

tragacanta. (Del lat. *tragacantha,* y este del gr. τραγάκανθα.) f. **tragacanto.**

tragacanto. (De *tragacanta*.) m. Arbusto de la familia de las papilionáceas, de unos dos metros de altura, con ramas abundantes, hojas compuestas de hojuelas elípticas, flores blancas en espigas axilares y fruto en vainillas. Crece en Persia y Asia Menor, y de su tronco y ramas fluye natu-

ralmente una goma blanquecina muy usada en farmacia y en la industria. ‖ **2.** Esta misma goma.

tragacete. m. Arma antigua arrojadiza a manera de dardo o de flecha.

tragaderas. f. pl. **faringe.** ‖ **2.** fig. y fam. Facilidad de creer cualquier cosa. Ú. principalmente en la fr. **tener** uno **buenas tragaderas.** ‖ **3.** fig. y fam. Poco escrúpulo, facilidad para admitir o tolerar cosas inconvenientes, sobre todo en materia de moralidad.

tragadero. (De *tragar*.) m. **faringe.** ‖ **2.** Boca o agujero que traga o sorbe una cosa; como agua, etc. ‖ **3.** pl. **tragaderas,** facilidad de creer cualquier cosa o tolerar cosas inconvenientes.

tragador, ra. adj. Que traga. Ú. t. c. s. ‖ **2.** Que come vorazmente. Ú. t. c. s. ‖ **de leguas.** fig. y fam. Persona que anda mucho y deprisa.

tragafees. m. ant. Traidor a la fe debida, o que la abandona en sus operaciones.

tragahombres. m. fam. Baladrón que se jacta de sus valentías.

trágala. (De las palabras «*Trágala,* tú, servilón», con que empezaba el estribillo.) m. Canción con que los liberales españoles zaherían a los partidarios del gobierno absoluto durante el primer tercio del siglo XIX. ‖ **2.** fig. Manifestaciones o hechos por los cuales se obliga a uno a soportar alguna cosa de la que es enemigo. Se usa principalmente en la fr. **cantarle** a uno **el trágala.**

tragaldabas. com. fam. Persona muy tragona.

tragaleguas. com. fam. Persona que anda mucho y deprisa.

tragaluz. m. Ventana abierta en un techo o en la parte superior de una pared, generalmente con derrame hacia adentro.

tragallón, na. adj. *Sal.* Tragón, comilón. Ú. t. c. s.

tragamallas. com. fam. Persona muy tragona.

tragantada. (De *tragante*.) f. El mayor trago que se puede tragar de una vez.

tragante. p. a. de **tragar.** Que traga. ‖ **2.** m. *And.* Cauce por donde entra en las presas del molino la mayor parte del río. ‖ **3.** *Metal.* Abertura en la parte superior de los hornos de cuba; en los de reverbero, conducto por donde pasa la llama desde la plaza a la chimenea.

tragantón, na. (aum. de *tragante*.) adj. fam. Que come o traga mucho. Ú. t. c. s.

tragantona. (De *tragantón*.) f. fam. Comilona, comilitona. ‖ **2.** fam. Acción de tragar haciendo fuerza, por susto, temor o pesadumbre. ‖ **3.** fig. y fam. Violencia que hace uno a su razón para creer o consentir una cosa extraña, difícil o inverosímil.

tragaperras. f. Aparato que funciona automáticamente, mediante la introducción de una moneda. Los hay que marcan el peso, que dan premios en dinero como en los juegos de azar, etc. Ú. t. c. adj. *Máquina* TRAGAPERRAS.

tragar. (De or. inc.) tr. Hacer que una cosa pase de la boca al aparato digestivo. ‖ **2.** fig. Comer vorazmente. ‖ **3.** fig. Abismar la tierra o las aguas lo que está en su superficie. Ú. t. c. prnl. ‖ **4.** fig. Dar fácilmente crédito a las cosas, aunque sean inverosímiles. Ú. t. c. prnl. ‖ **5.** fig. Soportar o tolerar algo repulsivo o vejatorio. Ú. t. c. prnl. ‖ **6.** Disimular, no darse por enterado de una cosa, especialmente si es desagradable. Ú. t. c. prnl. ‖ **7.** fig. Absorber, consumir, gastar. Ú. t. c. prnl. *El muro* SE TRAGÓ *más piedra de la que se creía*. ‖ **haberse** uno **tragado,** o **tenerse tragada,** alguna cosa. fr. fig. y fam. Estar persuadido, por ciertos indicios o antecedentes, o por mera impresión, de que ha de suceder algo. Se usa más hablando de lo infausto o desagradable. ‖ **no tragar** a una persona. fr. fig. y fam. Sentir antipatía hacia ella.

tragasantos. com. fam. despect. Persona beata que tiene gran devoción a las imágenes o los santos.

tragavenado. f. *Venez.* Serpiente de unos cuatro metros de largo, con la piel adornada de colores variados y más brillantes que los de la boa. No es venenosa, vive en tierra y en los árboles, y ataca, para alimentarse, al venado y a otros cuadrúpedos corpulentos.

tragavino. m. Embudo para trasvasar líquidos.

tragavirotes. m. fam. Hombre serio y erguido en demasía.

tragaz. (Del lat. *trahax, -ācis,* recogedor.) m. *Ál.* **grada de dientes.**

tragazón. (De *tragar,* comer.) f. fam. Glotonería, gula.

tragedia. (Del lat. *tragoedĭa,* y este del gr. τραγῳδία.) f. Obra dramática cuya acción presenta conflictos de apariencia fatal que mueven a compasión y espanto, con el fin de purificar estas pasiones en el espectador y llevarle a considerar el enigma del destino humano, y en la cual la pugna entre libertad y necesidad termina generalmente en un desenlace funesto. ‖ **2.** Subgénero dramático al cual pertenecen las obras cuyos protagonistas acometen inflexiblemente determinadas empresas, o se dejan llevar de pasiones que desembocan en un final funesto. ‖ **3.** Obra de cualquier género literario o artístico en la que predominan rasgos propios de la **tragedia.** ‖ **4.** Género trágico. ‖ **5.** fig. Suceso de la vida real capaz de suscitar emociones trágicas. ‖ **hacer una tragedia.** fr. fig. y fam. Dar tintes trágicos a un suceso que no los tiene. ‖ **parar en tragedia.** fr. fig. y fam. Tener algo un fin desgraciado.

tragédico, ca. (Del gr. τραγῳδικός.) adj. ant. **trágico,** perteneciente o relativo a la tragedia.

tragedioso, sa. adj. ant. Perteneciente o relativo a la tragedia.

trágicamente. adv. m. De manera trágica; desdichada y funestamente.

trágico, ca. (Del lat. *tragĭcus,* y este del gr. τραγικός.) adj. Perteneciente o relativo a la tragedia. ‖ **2.** Dícese del autor de tragedias. Ú. t. c. s. ‖ **3.** Aplícase al actor que representa papeles **trágicos.** ‖ **4.** fig. Infausto, hondamente conmovedor.

tragicomedia. (Del lat. *tragicomedia.*) f. Obra dramática con rasgos de comedia y de tragedia. ‖ **2.** Designación que a *La Celestina* dio su autor, Fernando de Rojas, en el siglo XV, la cual fundó un subgénero de obras enteramente dialogadas, aunque irrepresentables por su extensión, en las que intervienen personajes nobles y plebeyos, se mezclan pasiones elevadas y viles, y alternan el estilo más refinado con el puramente coloquial.

tragicómico, ca. (Contracc. de *trágico-cómico.*) adj. Perteneciente o relativo a la tragicomedia. ‖ **2.** Que participa de las cualidades de lo trágico y de lo cómico.

trago[1]. (De *tragar.*) m. Porción de agua u otro líquido, que se bebe o se puede beber de una vez. ‖ **2.** Vicio de tomar bebidas alcohólicas. ‖ **3.** fig. y fam. Adversidad, infortunio, contratiempo que con dificultad y sentimiento se sufre. ‖ **4.** *Col.* Copa de licor. ‖ **5.** *Col.* Por ext., licor, bebida alcohólica. ‖ **a tragos.** loc. adv. fig. y fam. Poco a poco, lenta y pausadamente.

trago[2]. (Del gr. τράγος.) m. Prominencia de la oreja, situada delante del conducto auditivo.

tragón, na. adj. fam. Que traga, o come mucho. Ú. t. c. s.

tragonear. (De *tragón.*) tr. fam. Tragar mucho y con frecuencia.

tragonería. f. fam. Vicio del tragón.

tragonía. (De *tragón.*) f. fam. Vicio del tragón.

tragontina. (De *dragontina,* y este del lat. *dracontium,* dragontea.) f. **aro[2],** planta.

traición. (Del lat. *traditĭo, -ōnis.*) f. Delito que se comete quebrantando la fidelidad o lealtad que se debe guardar o tener. ‖ **2.** *Der.* Delito cometido por civil o militar que atenta contra la seguridad de la patria. ‖ **alta traición.** La cometida contra la soberanía o contra el honor, la seguridad y la independencia del Estado. ‖ **a traición.** loc. adv. Alevosamente, faltando a la lealtad o confianza; con engaño o cautela.

traicionar. tr. Hacer traición a una persona o cosa.

traicionero, ra. (De *traición.*) adj. **traidor.** Ú. t. c. s.

traída. f. Acción y efecto de traer. TRAÍDA *de aguas.*

traído, da. p. p. de **traer.** ‖ **2.** adj. Usado, gastado, que se va haciendo viejo. Dícese principalmente de la ropa. ‖ **traído y llevado.** fr. Trasladado con frecuencia de un lugar a otro; frecuentemente usado, manoseado.

traidor, ra. (Del lat. *traditor, -ōris.*) adj. Que comete traición. Ú. t. c. s. ‖ **2.** Aplícase al animal taimado y falso. *Caballo* TRAIDOR. ‖ **3.** Que implica o denota traición o falsía. *Saludo* TRAIDOR; *ojos* TRAIDORES.

traidoramente. adv. m. A traición, con falsedad y alevosia.

tráiler. (Del ing. *trailer.*) m. Remolque de un camión. ‖ **2.** Avance de una película.

traílla. (Del lat. **tragella,* de *tragŭla.*) f. Cuerda o correa con que se lleva al perro atado a las cacerías, para soltarlo a su tiempo. ‖ **2.** Tralla. ‖ **3.** Instrumento agrícola para allanar un terreno. ‖ **4.** Cuerda con que algunas veces se echa el hurón a las madrigueras, para tirar de él. ‖ **5.** Un par de perros atraillados. ‖ **6.** Conjunto de estas **traíllas** unidas por una cuerda. ‖ **7.** V. **montero de traílla.**

traillar. tr. Allanar o igualar la tierra con la traílla.

traína. (Del lat. **tragināre,* de *trahĕre,* arrastrar.) f. Denominación de varias redes de fondo, especialmente la de pescar sardina.

trainera. adj. Dícese de la barca que pesca con traína. A veces es usada en competiciones deportivas. Ú. t. c. s. f.

traíña. (Del gall. *traíña,* y este del lat. **tragināre,* de *trahĕre,* arrastrar.) f. Red extensa que se cala rodeando un banco de sardinas para llevarlas así a las costa.

traite. (Del cat. *traite,* y este del lat. *tractus,* trabajado.) m. Acción de sacar el pelo al paño con la carda.

trajano, na. (Del lat. *trajanus.*) adj. Perteneciente o relativo al emperador Trajano. *Colonia, columna, vía* TRAJANA.

traje. (Del b. lat. *tragere,* y este del lat. *trahĕre,* traer.) m. Vestido peculiar de una clase de personas o de los naturales de un país. ‖ **2.** Vestido completo de una persona. ‖ **corto.** El que usan de ordinario chulos y toreros. ‖ **de ceremonia,** o **de etiqueta.** Uniforme propio del cargo o dignidad que se tiene. ‖ **2.** El que usan los hombres de clase distinguida cuando asisten a actos solemnes u otras reuniones que lo requieran. ‖ **de luces.** El **traje** de seda, bordado de oro o plata, con lentejuelas, que se ponen los toreros para torear. ‖ **de noche.** El femenino, de ceremonia, generalmente largo. ‖ **de serio. traje de ceremonia,** o **de etiqueta,** que se utiliza en algunos actos solemnes. ‖ **sastre.** Vestido femenino de dos piezas: falda y chaqueta.

trajeado, da. p. p. de **trajear.** Con los advs. *bien* o *mal,* se aplica a la persona que va vestida de ese modo.

trajear. tr. Proveer de traje a una persona. Ú. t. c. prnl.

trajelar. intr. *Caló.* Comer, tragar.

trajín. (De *trajinar.*) m. Acción de trajinar.

trajinante. p. a. de **trajinar.** Que trajina. ‖ **2.** m. El que trajina.

trajinar. (Del lat. **tragināre,* arrastrar.) tr. Acarrear o llevar géneros de un lugar a otro. ‖ **2.** intr. Andar y tornar de un sitio a otro con cualquier diligencia u ocupación.

trajinera. f. *Méj.* Embarcación usada en zonas lacustres del Valle de México para transportar flores o cargas en las chinampas.

trajinería. f. Ejercicio de trajinero.

trajinero. (De *trajín*.) m. **trajinante**.

trajino. (De *trajinar*.) m. **trajín**.

tralhuén. m. *Chile*. Arbusto espinoso de la familia de las ramnáceas; su madera se utiliza para hacer carbón.

tralla. (Del lat. *tragŭla*.) f. Cuerda más gruesa que el bramante. ‖ **2.** Trencilla de cordel o de seda que se pone al extremo del látigo para que restalle. ‖ **3.** Látigo provisto de este cordel. ‖ **4.** *Mál*. Utensilio de que se valen los pescadores para sacar a flote el copo.

trallazo. m. Golpe dado con la tralla. ‖ **2.** Chasquido de la tralla. ‖ **3.** fig. **latigazo**, reprensión áspera.

tralleta. f. d. de **tralla**.

trama. (Del lat. *trama*.) f. Conjunto de hilos que, cruzados y enlazados con los de la urdimbre, forman una tela. ‖ **2.** Especie de seda para tramar. ‖ **3.** fig. Artificio, dolo, confabulación con que se perjudica a uno. ‖ **4.** Disposición interna, contextura, ligazón entre las partes de un asunto u otra cosa, y en especial el enredo de una obra dramática o novelesca. ‖ **5.** fig. Florecimiento y flor de los árboles, especialmente del olivo.

tramador, ra. adj. Que trama los hilos de un tejido. Ú. t. c. s. ‖ **2.** fig. Que dispone con astucia una mala acción. Ú. t. c. s.

tramar. tr. Atravesar los hilos de la trama por entre los de la urdimbre, para tejer alguna tela. ‖ **2.** fig. Disponer o preparar con astucia o dolo un enredo, engaño o traición. ‖ **3.** Disponer con habilidad la ejecución de cualquier cosa complicada o difícil. ‖ **4.** intr. Florecer los árboles, especialmente el olivo.

tramilla. (De *trama*.) f. **bramante**, hilo o cordel muy delgado hecho de cáñamo.

tramitación. f. Acción y efecto de tramitar. ‖ **2.** Serie de trámites prescritos para un asunto, o de los seguidos en él.

tramitador, ra. m. y f. Persona que tramita un asunto.

tramitar. tr. Hacer pasar un negocio por los trámites debidos.

trámite. (Del lat. *trames, -ĭtis*, camino, medio.) m. Paso de una parte a otra, o de una cosa a otra. ‖ **2.** Cada uno de los estados y diligencias que hay que recorrer en un negocio hasta su conclusión.

tramitología. f. *Col*. Arte o ciencia de resolver, perfeccionar o facilitar los trámites.

tramitomanía. f. *Col*. Empleo exagerado de trámites.

tramo. (Del lat. *trames, -ĭtis*.) m. Trozo de terreno o de suelo contiguo a otro u otros y separado de ellos por una línea divisoria o por cualquier otra señal o distintivo. ‖ **2.** Parte de una escalera, comprendida entre dos mesetas o descansos. ‖ **3.** Cada uno de los trechos o partes en que está dividido un andamio, esclusa, canal, camino, etc. ‖ **4.** fig. Trozo de composición literaria en el cual domina la misma idea.

tramojo. (De or. inc.) m. Vencejo hecho con mies para atar los haces de la siega. ‖ **2.** Parte de la mies por donde el segador la coge y pone el **tramojo** a la gavilla. ‖ **3.** fam. Trabajo, apuro. Ú. m. en pl. ‖ **4.** fam. *Amér*. Especie de trangallo que se pone a un animal para que no haga daño en los cercados.

tramontana. (Del lat. *transmontāna*, t. f. de *-nus*, transmontano.) f. Norte o septentrión. ‖ **2.** Viento que sopla de esta parte. ‖ **3.** fig. Vanidad, soberbia, altivez o pompa. ‖ **perder** uno **la tramontana.** fr. fig. y fam. **perder la brújula.** ‖ **2.** fig. y fam. **perder los estribos**, desbarrar, obrar fuera de razón.

tramontano, na. (De *transmontano*.) adj. Dícese de lo que, respecto de alguna parte, está del otro lado de los montes.

tramontar. (De *transmontar*.) intr. Pasar del otro lado de los montes, respecto del país o territorio de que se habla. ‖ **2.** tr. Disponer que uno se escape o huya de un peligro que le amenaza. Ú. m. c. prnl.

tramoya[1]. (De *trama*.) f. Máquina para figurar en el teatro transformaciones o casos prodigiosos. ‖ **2.** Conjunto de estas máquinas. ‖ **3.** fig. Enredo dispuesto con ingenio, especialmente del olivo.

tramoya[2]. (Del lat. *trimodĭa*.) f. *Ál*. y *Pal*. Tolva del molino.

tramoyista. m. Inventor, constructor o director de tramoyas de teatro. ‖ **2.** Operario que las coloca o las hace funcionar. ‖ **3.** El que trabaja en las mutaciones escénicas. ‖ **4.** com. fig. Persona que utiliza ficciones o engaños. Ú. t. c. adj.

tramoyón, na. adj. fam. **tramoyista**, persona que utiliza ficciones o engaños.

trampa. (De la onomat. *tramp*, gemela de *trap*.) f. Artificio para cazar, compuesto ordinariamente una excavación y una tabla que la cubre y puede hundirse al ponerse encima el animal. ‖ **2.** Puerta en el suelo, para poner en comunicación cualquier parte de un edificio con otra inferior. ‖ **3.** Tablero horizontal, movible por medio de goznes, que suelen tener los mostradores de las tiendas, para entrar y salir con facilidad. ‖ **4.** Tira de tela con que se tapa la abertura de los calzones o pantalones por delante. ‖ **5.** Contravención disimulada a una ley, convenio o regla, o manera de eludirla, con miras al propio provecho. ‖ **6.** Infracción maliciosa de las reglas de un juego o de una competición. ‖ **7.** fig. Ardid para burlar o perjudicar a alguno. ‖ **8.** fig. Deuda cuyo pago se demora. ‖ **legal.** Acto ilícito que se cubre con apariencias de legalidad. ‖ **armar trampa** uno. fr. fig. y fam. **armar lazo.** ‖ **caer** uno **en la trampa.** fr. fig. y fam. **caer en el lazo.** ‖ **coger** a uno **en la trampa.** fr. fig. y fam. Sorprenderle en algún mal hecho. ‖ **llevarse la trampa** una cosa, o negocio. fr. fig. y fam. Echarse a perder o malograrse. ‖ **trampa adelante.** expr. fam. con que se expresa la actitud o situación de los que van saliendo de sus apuros contrayendo nuevos compromisos o deudas. ‖ **2.** Alusión al hábito de sortear con subterfugios y de mala manera las dificultades actuales, a sabiendas de que en lo venidero reaparecerán.

trampal. (De *trampa*.) m. Pantano, atolladero, tremedal.

trampantojo. (De *trampa ante ojo*.) m. fam. Trampa o ilusión con que se engaña a uno haciéndole ver lo que no es.

trampazo. m. Última de las vueltas que se daban en el tormento de cuerda.

trampeador, ra. adj. fam. Que trampea. Ú. t. c. s.

trampear. intr. fam. Petardear, pedir prestado o fiado con ardides y engaños. ‖ **2.** fam. Discurrir medios lícitos para hacer más llevadera la penuria o alguna adversidad. ‖ **3.** fam. Conllevar los achaques. *Voy* TRAMPEANDO. ‖ **4.** tr. fam. Engañar a una persona o eludir alguna dificultad con artificio y cautela.

trampería. f. Acción propia de tramposo.

trampero. m. El que pone trampas para cazar.

trampilla. (d. de *trampa*.) f. Ventanilla hecha en el suelo de una habitación para comunicar con la que está debajo. ‖ **2.** Portezuela con que se cierra la carbonera de un fogón de cocina. ‖ **3.** En general, portezuela que se levanta sobre goznes colocados en su parte superior. ‖ **4.** **portañuela.**

trampista. (De *trampa*.) adj. **tramposo**, embustero. Ú. t. c. s.

trampolín. (Del it. *trampolino*, y este del al. *trampeln*, patalear.) m. Plano inclinado y elástico que presta impulso al gimnasta para dar grandes saltos. ‖ **2.** *Dep*. Tabla elástica colocada sobre una plataforma y desde la que se lanza al agua el nadador. ‖ **3.** *Dep*. Estructura al final de un plano inclinado, desde la que se realiza el salto el esquiador. ‖ **4.** fig. Persona, cosa o suceso de que uno se aprovecha para mejorar su situación o posición.

tramposo, sa. adj. Embustero, petardista, mal pagador. Ú. t. c. s. ‖ **2.** Que hace trampas en el juego. Ú. t. c. s.

tranca. (De or. inc.) f. Palo grueso y fuerte. ‖ **2.** Palo grueso que se pone para mayor seguridad, a manera de puntal o atravesado detrás de una puerta o ventana cerrada. ‖ **3.** fam. Borrachera, embriaguez. ‖ **a trancas y barrancas.** fr. fig. y fam. Pasando sobre todos los obstáculos.

trancada. f. **tranco,** paso largo. ‖ **2.** *Ar.* Golpe que se da con la tranca. ‖ **en dos trancadas.** loc. adv. fig. y fam. **en dos trancos.**

trancahílo. m. Nudo o lazo sobrepuesto para que estorbe el paso del hilo o cuerda por alguna parte.

trancanil. (De or. inc.) m. *Mar.* Serie de maderos fuertes tendidos sobre la base y desde la proa a la popa, para ligar los baos a las cuadernas y al forro exterior.

trancar. tr. Cerrar una puerta con una tranca o un cerrojo. ‖ **2.** Dar trancos o pasos largos.

trancazo. m. Golpe que se da con una tranca. ‖ **2.** fig. y fam. **gripe.**

trance. (Del fr. *transe,* de *transir,* y este del lat. *transīre.*) m. Momento crítico y decisivo por el que pasa una persona. ‖ **2.** Acompañado de los adjetivos *último, postrero, mortal* u otras expresiones semejantes, el último estado o tiempo de la vida, próximo a la muerte. ‖ **3.** Estado en que un médium manifiesta fenómenos paranormales. ‖ **4.** Estado en que el alma se siente en unión mística con Dios. ‖ **5.** *Der.* Apremio judicial contra los bienes de un deudor, para hacer pago con ellos al acreedor. ‖ **de armas.** Combate, duelo, batalla. ‖ **a todo trance.** loc. adv. Resueltamente, sin reparar en riesgos.

trancelín. m. **trencellín.**

tranco. m. Paso largo o salto que se da abriendo mucho las piernas. ‖ **2.** Umbral de la puerta. ‖ **3.** Juego de la tala². ‖ **4.** Palo que sirve para este juego. ‖ **al tranco.** loc. adv. *Argent., Chile y Urug.* Hablando de caballerías, y por extensión de personas, **a paso largo.** ‖ **a trancos.** loc. adv. fig. y fam. De prisa y sin arte. ‖ **en dos trancos.** loc. adv. fig. y fam. con que se explica la celeridad con que se puede llegar a un lugar.

trancha. f. Hierro con canto boto, que clavado en un borriquete, sirve a los hojalateros para rebordear sobre él con el mazo los cantos de la hojalata.

tranchea. (Del fr. *tranchet.*) f. ant. **trinchera.**

tranchete. (Del fr. *tranchet.*) m. Cuchilla de zapatero.

trancho. (De or. inc.) m. Pez muy parecido al sábalo, con el lomo azulado, el vientre claro y el cuerpo grueso, que vive en el mar y pasa a desovar a las rías.

trangallo. m. **tarangallo.**

tranquear. intr. fam. **trancar,** dar trancos o pasos largos. ‖ **2.** Remover, empujando y apalancando con trancas o palos.

tranquera. f. Estacada o empalizada de trancas. ‖ **2.** *Amér.* Especie de puerta rústica en un alambrado, hecha generalmente con trancas.

tranquero. m. Piedra labrada con que se forman las jambas y dinteles de puertas y ventanas, con su esconce para que batan.

tranquil. (De or. inc.) m. *Arq.* Línea vertical. ‖ **2.** *Arq.* V. **arco por tranquil.**

tranquilamente. adv. m. De manera tranquila.

tranquilar. (Del lat. *tranquillāre.*) tr. Señalar con dos rayitas cada una de las partidas de cargo y data de un libro de comercio, hasta donde iguala la cuenta. ‖ **2.** p. us. **tranquilizar.**

tranquilidad. (Del lat. *tranquillĭtas, -ātis.*) f. Calidad de tranquilo.

tranquilizador, ra. adj. Que tranquiliza.

tranquilizante. p. a. de **tranquilizar.** ‖ **2.** adj. Dícese de los fármacos de efecto tranquilizador o sedante. Ú. t. c. s. m.

tranquilizar. tr. Poner tranquila, sosegar a una persona o cosa. Ú. t. c. prnl.

tranquilo, la. (Del lat. *tranquillus.*) adj. Quieto, sosegado, pacífico. ‖ **2.** Dícese de la persona que se toma las cosas con tiempo, sin nerviosismos ni agobios, y que no se preocupa por quedar bien o mal ante la opinión de los demás. ‖ **3.** V. **bálsamo tranquilo.**

tranquilla. f. d. de **tranca.** ‖ **2.** fig. Palabra o frase que se dice artificialmente para desorientar a uno y arrancarle por sorpresa un secreto o noticia, o hacer que se preste a lo que de él se desea. ‖ **3.** Pasador que se pone en una barra para que no pase más allá de lo que se quiere al introducirla en alguna parte. ‖ **armar tranquilla.** fr. Poner tropiezos y achaques para descomponer o invalidar algún negocio o convenio.

tranquillo. m. fig. Hábito especial que se logra a fuerza de repetición y con el que se consigue realizar más fácilmente un trabajo. *Encontrar, coger el* TRANQUILLO. ‖ **2.** *Albac., And. y Ar.* **tranco,** umbral de la puerta.

tranquillón. m. Mezcla de trigo con centeno en la siembra y en el pan.

trans-. (Del lat. *trans.*) pref. que significa «al otro lado», «a través de»: TRANSalpino, TRANSpirenaico. Puede alternar con la forma **tras-:** TRASlúcido o TRASlúcido, TRANScendental o TRAScendental; o adoptar exclusivamente esta forma: TRASladar, TRASpaso.

transacción. (Del lat. *transactĭo, -ōnis.*) f. Acción y efecto de transigir. ‖ **2.** Por ext., trato, convenio, negocio.

transaccional. adj. Perteneciente o relativo a la transacción.

transalpino, na. (Del lat. *transalpīnus.*) adj. Dícese de las regiones que desde Italia aparecen situadas al otro lado de los Alpes. ‖ **2.** Perteneciente o relativo a ellas.

transandino, na. adj. Dícese de las regiones situadas al otro lado de la cordillera de los Andes. ‖ **2.** Perteneciente o relativo a ellas. ‖ **3.** Dícese del tráfico y de los medios de locomoción que atraviesan los Andes.

transar. intr. *Amér.* Transigir, ceder, llegar a una transacción o acuerdo. Ú. t. c. prnl.

transatlántico, ca. adj. Dícese de las regiones situadas al otro lado del Atlántico. ‖ **2.** Perteneciente o relativo a ellas. ‖ **3.** Dícese del tráfico y medios de locomoción que atraviesan el Atlántico. ‖ **4.** m. Buque de grandes dimensiones destinado a hacer la travesía del Atlántico, o de otro gran mar.

transbisabuelo, la. m. y f. ant. **tatarabuelo.**

transbisnieto, ta. m. y f. ant. **tataranieto.**

transbordador, ra. adj. Que transborda. ‖ **2.** m. Embarcación que circula entre dos puntos, marchando alternativamente en ambos sentidos, y sirve para transportar viajeros y vehículos. ‖ **3.** Buque proyectado para transbordar vehículos. ‖ **4. puente transbordador.** ‖ **5. funicular.**

transbordar. tr. Trasladar efectos o personas de una embarcación a otra. Ú. t. c. prnl. ‖ **2.** Trasladar personas o efectos de unos vehículos a otros; se usa especialmente hablando del viaje por ferrocarril cuando el cambio se hace de un tren a otro. Ú. t. c. prnl.

transbordo. m. Acción y efecto de transbordar o transbordarse.

transcendencia. (Del lat. *transcendentĭa.*) f. **trascendencia.**

transcendental. adj. **trascendental.**

transcendentalismo. m. Cualidad de transcendental.

transcender. (Del lat. *transcendĕre.*) intr. **trascender.**

transcontinental. adj. Que atraviesa un continente.

transcribir. (Del lat. *transcribĕre.*) tr. **copiar,** escribir en una parte lo escrito en otra. ‖ **2. transliterar,** escribir con un sistema de caracteres lo que está escrito con otro. ‖ **3.** Representar elementos fonéticos, fonológicos, léxicos o morfológicos de una lengua o dialecto mediante un sistema de escritura. ‖ **4.** *Mús.* Arreglar para un instrumento la música escrita para otro u otros.

transcripción. (Del lat. *transcriptĭo, -ōnis.*) f. Acción y efecto de transcribir.

transcripto, ta. (Del lat. *transcriptus.*) p. p. irreg. **transcrito.**

transcriptor, ra. adj. Que transcribe. Ú. t. c. s.

transcrito, ta. p. p. irreg. de **transcribir.**

transculturación. f. Recepción por un pueblo o grupo social de formas de cultura procedentes de otro, que sustituyen de un modo más o menos completo a las propias.

transcurrir. (Del lat. *transcurrĕre.*) intr. Pasar, correr. Se usa generalmente hablando del tiempo.

transcurso. (Del lat. *transcursus.*) m. Paso o carrera del tiempo.

transducción. f. *Pat.* Transformación de una vivencia psíquica en otra psicosomática.

transductor. (De *trans-* y el lat. *ductor, -ōris,* que lleva.) m. Cualquier dispositivo que transforma el efecto de una causa física, como presión, temperatura, dilatación, humedad, etc., en otro tipo de señal, normalmente eléctrica. ‖ **2.** Entidad biológica, por lo general una proteína o un conjunto de proteínas, que lleva a cabo la trasformación de una acción hormonal en una actividad enzimática.

tránseat. (3.ª pers. de sing. del pres. de subj. del verbo *transire,* pasar: pase.) Voz latina que se usa para consentir una afirmación que no importa conceder o negar.

transeúnte. (Del lat. *transiens, -seuntis,* p. a. de *transire.*) adj. Que transita o pasa por un lugar. Ú. t. c. s. ‖ **2.** Que está de paso, que no reside sino transitoriamente en un sitio. Apl. a pers., ú. t. c. s. ‖ **3.** Que es de duración limitada, transitorio. ‖ **4.** *Fil.* Dícese de lo que se produce por el agente de tal suerte que el efecto pasa o se termina fuera de él mismo.

transexual. adj. Dícese de la persona que mediante tratamiento hormonal e intervención quirúrgica adquiere los caracteres sexuales del sexo opuesto. Ú. t. c. s.

transexualidad. f. Cualidad o condición de transexual.

transexualismo. m. **transexualidad.**

transferencia. (Del lat. *transferens, -entis,* p. a. de *transferre,* transferir.) f. Acción y efecto de transferir. ‖ **2.** Particularmente, operación por la que se hace transferir una cantidad de una cuenta bancaria a otra. ‖ **3.** *Psicol.* Vinculación afectiva, con frecuencia de carácter sexual, que se establece en los pacientes de curas psicoanalíticas con el médico que los trata, y que de ordinario perturba el proceso del tratamiento. ‖ **4.** *Med.* Evocación en toda relación interhumana, y con más intensidad en la psicoterapia, de los afectos y emociones de la infancia. ‖ **de crédito.** Aquella que, según la ley, y sin aumentar el gasto total del presupuesto, varía la dotación de los distintos servicios.

transferente. adj. *Biol.* Dícese del ácido ribonucleico que transfiere aminoácidos y posibilita la incorporación específica de ellos en la estructura de las proteínas.

transferible. adj. Que puede ser transferido o traspasado a otro.

transferidor, ra. adj. Que transfiere. Ú. t. c. s.

transferir. (Del lat. *transferre.*) tr. Pasar o llevar una cosa desde un lugar a otro. ‖ **2. diferir,** retardar o suspender la ejecución de una cosa. ‖ **3.** Extender o trasladar el significado de una voz a un sentido figurado. ‖ **4.** Ceder o renunciar en otro el derecho, dominio o atribución que se tiene sobre una cosa. ‖ **5.** Remitir fondos bancarios de una cuenta a otra. ‖ **6.** *Esgr.* Abrir el ángulo en la espada sujeta o inferior, y volver a cerrar, quedando superior. ‖ **7.** *Esgr.* Hacer con la espada otros movimientos diferentes del anterior, pero del mismo efecto.

transfigurable. (Del lat. *transfigurabĭlis.*) adj. Que se puede transfigurar.

transfiguración. (Del lat. *transfiguratĭo, -ōnis.*) f. Acción y efecto de transfigurar o transfigurarse. ‖ **2.** n. p. f. *Rel.* Estado glorioso en que Jesucristo se mostró entre Moisés y Elías en el monte Tabor, ante la presencia de sus discípulos Pedro, Juan y Santiago.

transfigurar. (Del lat. *transfigurāre.*) tr. Hacer cambiar de figura o aspecto a una persona o cosa. Ú. t. c. prnl.

transfijo, ja. (Del lat. *transfixus.*) adj. Atravesado o traspasado con un arma o cosa puntiaguda.

transfixión. (Del lat. *transfixĭo, -ōnis.*) f. Acción de herir pasando de parte a parte. Ú. frecuentemente hablando de los dolores de la Virgen.

transflor. m. *Pint.* Pintura que se da sobre plata, oro, estaño, etc.; lo más común es el verde sobre oro.

transflorar. (Del lat. *transflorāre,* traspasar.) intr. Transparentarse o dejarse ver una cosa a través de otra.

transflorar². (De *trans-* y *flor.*) tr. *Pint.* **transflorear.** ‖ **2.** *Pint.* Copiar un dibujo al trasluz.

transflorear. (De *trans-* y *florear.*) tr. *Pint.* Adornar con transflor.

transfocador. (Del ing. *transfocator.*) m. *Cinem.* Teleobjetivo especial a través del que el tomavistas fijo puede conseguir un avance o un retroceso rápido de la imagen.

transformable. adj. Que puede transformarse.

transformación. (Del lat. *transformatĭo, -ōnis.*) f. Acción y efecto de transformar o transformarse. ‖ **2.** *Biol.* Fenómeno por el que ciertas células adquieren material génico de otras. ‖ **3.** *Ling.* Operación que establece formalmente una relación sintáctica relevante entre dos frases de una lengua.

transformacional. adj. *Ling.* Perteneciente o relativo a la transformación de unos esquemas oracionales en otros. ‖ **2. gramática transformacional.**

transformador, ra. adj. Que transforma. Ú. t. c. s. ‖ **2.** m. Aparato eléctrico para convertir la corriente alterna de alta tensión y débil intensidad en otra de baja tensión y gran intensidad, o viceversa.

transformamiento. m. **transformación.**

transformar. (Del lat. *transformāre.*) tr. Hacer cambiar de forma a una persona o cosa. Ú. t. c. prnl. ‖ **2.** Transmutar una cosa en otra. Ú. t. c. prnl. ‖ **3.** fig. Hacer mudar de porte o de costumbres a una persona. Ú. t. c. prnl.

transformativo, va. adj. Que tiene virtud o fuerza para transformar. ‖ **2. V. gramática transformativa.**

transformismo. m. *Biol.* Doctrina según la cual los caracteres típicos de las especies animales y vegetales no son por naturaleza fijos e inmutables, sino que pueden variar por la acción de diversos factores intrínsecos y extrínsecos. ‖ **2.** Arte del transformista, actor o payaso.

transformista. adj. Perteneciente o relativo al transformismo. ‖ **2.** com. Partidario de esta doctrina. ‖ **3.** Actor o payaso que hace mutaciones rapidísimas en sus trajes y en los tipos que representa.

transfregar. (De *trans-* y *fregar.*) tr. p. us. Restregar una cosa con otra, manoseándola y revolviéndola.

transfretano, na. (Del lat. *transfretānus.*) adj. Que está al otro lado en un estrecho o brazo de mar.

transfretar. (Del lat. *transfretāre.*) tr. p. us. Pasar el mar. ‖ **2.** intr. p. us. Extenderse, dilatarse.

tránsfuga. (Del lat. *transfŭga.*) com. Persona que huye de una parte a otra. ‖ **2.** fig. Persona que pasa de un partido a otro.

tránsfugo. m. **tránsfuga.**

transfundición. f. Acción y efecto de transfundir o transfundirse.

transfundir. (Del lat. *transfundĕre*.) tr. Echar un líquido poco a poco de un recipiente a otro. ‖ **2.** fig. Comunicar una cosa entre diversos sujetos sucesivamente. Ú. t. c. prnl. ‖ **3.** *Terap.* Realizar una transfusión.

transfusible. adj. Que se puede transfundir.

transfusión. (Del lat. *transfusĭo, -ōnis*.) f. Acción y efecto de transfundir o transfundirse. ‖ **de sangre.** *Cir.* Operación por medio de la cual se hace pasar directa o indirectamente la sangre o plasma sanguíneo de las arterias o venas de un individuo a las arterias o venas de otro, indicada especialmente para reemplazar la sangre perdida por hemorragia.

transfusor, ra. (Del lat. *transfūsus*, p. p. de *transfundĕre*, transfundir.) adj. Que transfunde. *Aparato* TRANSFUSOR. Ú. t. c. s.

transgangético, ca. adj. Dícese de las regiones situadas al norte del río Ganges. ‖ **2.** Perteneciente o relativo a ellas.

transgredir. (Del lat. *transgrĕdi*.) tr. defect. Quebrantar, violar un precepto, ley o estatuto.

transgresión. (Del lat. *transgressĭo, -ōnis*.) f. Acción y efecto de transgredir.

transgresivo, va. adj. Que implica transgresión.

transgresor, ra. (Del lat. *transgressor, -ōris*.) adj. Que comete transgresión. Ú. t. c. s.

transiberiano, na. adj. Dícese del tráfico y de los medios de locomoción que atraviesan Siberia.

transición. (Del lat. *transitĭo, -ōnis*.) f. Acción y efecto de pasar de un modo de ser o estar a otro distinto. ‖ **2.** Paso más o menos rápido de una prueba, idea o materia a otra, en discursos o escritos. ‖ **3.** Cambio repentino de tono y expresión. ‖ **4.** V. **terreno de transición.**

transido, da. p. p. de *transir*. ‖ **2.** adj. fig. Fatigado, acongojado o consumido de alguna penalidad, angustia o necesidad. TRANSIDO *de hambre, de dolor*. ‖ **3.** fig. Miserable, escaso y ridículo en el modo de portarse y gastar.

transigencia. f. Condición de transigente. ‖ **2.** Lo que se hace o consiente transigiendo.

transigir. (Del lat. *transigĕre*.) intr. Consentir en parte con lo que no se cree justo, razonable o verdadero, a fin de acabar con una diferencia. Ú. a veces c. tr. ‖ **2.** tr. Ajustar algún punto dudoso o litigioso, conviniendo las partes voluntariamente en algún medio que componga y parta la diferencia de la disputa.

transilvano, na. adj. Natural de Transilvania. Ú. t. c. s. ‖ **2.** Perteneciente a esta región de Europa.

transir. (Del lat. *transīre*.) intr. ant. Pasar, acabar, morir. Usáb. m. c. prnl.

transistor. (Del ing. *transistor*, de *transfer* y *resistor*.) m. Artificio electrónico que sirve para rectificar y amplificar los impulsos eléctricos. Consiste en un semiconductor provisto de tres o más electrodos. Sustituye ventajosamente a las lámparas o tubos electrónicos por no requerir corriente de caldeo, por su tamaño pequeñísimo, por su robustez y por operar con voltajes pequeños y poder admitir corrientes relativamente intensas. ‖ **2.** Por ext., radiorreceptor provisto de **transistores.**

transitable. adj. Dícese del sitio o lugar por donde se puede transitar.

transitar. (De *tránsito*.) intr. Ir o pasar de un punto a otro por vías o parajes públicos. ‖ **2.** Viajar o caminar haciendo tránsitos.

transitividad. f. Cualidad de transitivo.

transitivo, va. (Del lat. *transitīvus*.) adj. p. us. Que pasa y se transfiere de uno en otro. ‖ **2.** *Gram.* V. **verbo transitivo.**

tránsito. m. Acción de transitar. ‖ **2.** Actividad de personas y vehículos que pasan por una calle, carretera, etc.

‖ **3. paso**, sitio por donde se pasa de un lugar a otro. ‖ **4.** En conventos, seminarios y otras casas de comunidad, pasillo o corredor. ‖ **5.** Lugar determinado para hacer alto y descanso en alguna jornada o marcha. ‖ **6.** Paso de un estado o empleo a otro. ‖ **7.** Muerte de las personas santas y justas, o que han dejado buena opinión con su virtuosa vida, y muy especialmente se usa hablando de la muerte de la Virgen María. ‖ **8.** n. p. m. Fiesta que en honor de la muerte de la Virgen celebra anualmente la Iglesia el día 15 de agosto. ‖ **de tránsito.** De un modo transitorio; dícese de la persona que no reside en el lugar, sino que está en él de paso, y de la mercancía que atraviesa un país situado entre el del origen y el del destino. ‖ **hacer tránsito.** fr. Parar o descansar en albergues o alojamientos situados de trecho en trecho entre los puntos extremos de un viaje. ‖ **por tránsitos.** loc. adv. Haciendo **tránsitos;** se usa hablando más comúnmente **por tránsitos** *de justicia*, refiriéndose a los detenidos conducidos por la fuerza pública de pueblo en pueblo.

transitoriamente. adv. m. De manera transitoria.

transitoriedad. f. Calidad de transitorio.

transitorio, ria. (Del lat. *transitorĭus*.) adj. Pasajero, temporal. ‖ **2.** Caduco, perecedero, fugaz.

translación. (Del lat. *translatĭo, -ōnis*.) f. **traslación.**

translaticiamente. (De *translaticio*.) adv. m. **traslaticiamente.**

translaticio, cia. (Del lat. *translatitĭus*.) adj. **traslaticio.**

translativo, va. (Del lat. *translatīvus*.) adj. **traslativo.**

translimitación. f. Acción y efecto de translimitar. ‖ **2.** Envío de tropas de una potencia al territorio de un Estado vecino en que contienden dos partidos, con objeto de ocupar y guarnecer las plazas ganadas por aquel en cuyo favor se hace esta especie de intervención.

translimitar. (De *trans-*, más *allá*, y *límite*.) tr. Traspasar los límites morales o materiales. ‖ **2.** Pasar inadvertidamente, o mediante autorización previa, la frontera de un Estado para una operación militar, sin ánimo de violar el territorio.

translinear. (De *trans-*, en sentido de mudanza, y *línea*.) intr. *Der.* Pasar un vínculo de una línea a otra.

transliteración. f. Acción y efecto de transliterar.

transliterar. (De *trans-* y el lat. *littĕra*, letra.) tr. Representar los signos de un sistema de escritura, mediante los signos de otro.

translucidez. f. Calidad de translúcido.

translúcido, da. (Del lat. *translucĭdus*.) adj. Dícese del cuerpo que deja pasar la luz, pero que no deja ver nítidamente los objetos.

transluciente. adj. **trasluciente.**

translucirse. (Del lat. *translucēre*.) prnl. **traslucirse.**

transmarino, na. (Del lat. *transmarīnus*.) adj. Dícese de las regiones situadas al otro lado del mar. ‖ **2.** Perteneciente o relativo a ellas.

transmediterráneo, a. adj. Dícese del comercio y de los medios de locomoción que atraviesan el Mediterráneo.

transmigración. (Del lat. *transmigratĭo, -ōnis*.) f. Acción y efecto de transmigrar.

transmigrar. (Del lat. *transmigrāre*.) intr. Pasar a otro país para vivir en él, especialmente una nación entera o parte considerable de ella. ‖ **2.** Pasar un alma de un cuerpo a otro, según opinan los que creen en la metempsicosis.

transmigratorio, ria. adj. Perteneciente o relativo a la transmigración.

transmisible. (Del lat. *transmissibĭlis*.) adj. Que se puede transmitir.

transmisión. (Del lat. *transmissĭo, -ōnis*.) f. Acción y efecto de transmitir. ‖ **de movimiento.** *Mec.* Conjunto de mecanismos que comunican el movimiento de un cuerpo a otro, alterando generalmente su velocidad, su sentido o su forma.

transmisor, ra. (Del lat. *transmissor, -ōris.*) adj. Que transmite o puede transmitir. Ú. t. c. s. ‖ **2.** m. Aparato telefónico por el cual las vibraciones sonoras se transmiten al hilo conductor, haciendo ondular las corrientes eléctricas. ‖ **3.** Aparato telegráfico o telefónico que sirve para producir las corrientes, o las ondas hertzianas, que han de actuar en el receptor.

transmitir. (Del lat. *transmittĕre.*) tr. Trasladar, transferir. ‖ **2.** Difundir una emisora de radio y televisión, noticias, programas de música, espectáculos, etc. Ú. t. c. intr. ‖ **3.** Hacer llegar a alguien mensajes o noticias. ‖ **4.** Comunicar a otras personas enfermedades o estados de ánimo. ‖ **5.** Conducir o ser el medio a través del cual se pasan las vibraciones o radiaciones. ‖ **6.** Comunicar el movimiento de una pieza a otra en una máquina. Ú. t. c. prnl. ‖ **7.** *Der.* Enajenar, ceder o dejar a otro un derecho u otra cosa.

transmontano, na. (Del lat. *transmontānus.*) adj. Que está o viene del otro lado de los montes.

transmontar. (Del lat. *trans-,* a la parte de allá, y *mons, montis,* el monte.) tr. e intr. **tramontar.** Ú. t. c. prnl.

transmonte. m. p. us. Acción de transmontar.

transmudación. f. **transmutación.**

transmudamiento. m. **transmutación.**

transmudar. (Del lat. *transmutāre.*) tr. **trasladar,** llevar a una persona o cosa a un lugar distinto del que tiene. Ú. t. c. prnl. ‖ **2.** Transmutar o convertir una cosa en otra. Ú. t. c. prnl. ‖ **3.** fig. Reducir o trocar los afectos o inclinaciones con razones o persuasiva.

transmundano, na. adj. Que está fuera del mundo.

transmutable. adj. Que se puede transmutar.

transmutación. (Del lat. *transmutatĭo, -ōnis.*) f. Acción y efecto de transmutar o transmutarse.

transmutar. (Del lat. *transmutāre.*) tr. Mudar o convertir una cosa en otra. Ú. t. c. prnl.

transmutativo, va. (Del lat. *transmutātum,* supino de *transmutāre,* transmutar.) adj. Que tiene virtud o fuerza para transmutar.

transmutatorio, ria. adj. Que tiene virtud o fuerza para transmutar.

transoceánico, ca. adj. Que está situado al otro lado de un océano. ‖ **2.** Que atraviesa un océano.

transpacífico, ca. adj. Perteneciente o relativo a las regiones situadas al otro lado del Pacífico. ‖ **2.** Aplícase a los grandes buques que hacen sus viajes a través del Pacífico.

transpadano, na. (Del lat. *Transpadānus;* de *trans-,* del otro lado, y *Padus,* el Po.) adj. Que habita o está de la otra parte del río Po. Apl. a pers., ú. t. c. s.

transparencia. f. Calidad de transparente. ‖ **2. diapositiva.** ‖ **3.** *Cinem.* Fondo proyectado cinematográficamente sobre una pantalla, usado para llevar al estudio las vistas del exterior.

transparentar. tr. Permitir un cuerpo que se vea o perciba alguna cosa a su través. ‖ **2.** intr. Ser transparente un cuerpo. Ú. t. c. prnl. ‖ **3.** prnl. fig. Dejarse descubrir o adivinar en lo patente o declarado otra cosa que no se manifiesta o declara. TRANSPARENTARSE *un propósito, el temor, la alegría.* Ú. t. c. tr. ‖ **4.** fig. y fam. Estar una prenda de ropa demasiado fina por el desgaste. ‖ **5.** fig. y fam. Estar una persona demasiado flaca.

transparente. (Del lat. *trans-,* a través, y *parens, -entis,* que aparece.) adj. Dícese del cuerpo a través del cual pueden verse los objetos distintamente. ‖ **2.** Dícese del cuerpo que deja pasar la luz, pero que no deja ver distintamente los objetos, translúcido. ‖ **3.** fig. Que se deja adivinar o vislumbrar sin declararse o manifestarse. ‖ **4.** fig. Claro, evidente, que se comprende sin duda ni ambigüedad. ‖ **5.**

Anat. V. **córnea transparente.** ‖ **6.** m. Tela o papel que, colocado a modo de cortina delante del hueco de ventanas o balcones, sirve para templar la luz, o ante una luz artificial, sirve para mitigarla o para hacer aparecer en él figuras o letreros. ‖ **7.** Ventana de cristales que ilumina y adorna el fondo de un altar.

transpirable. adj. Dícese de lo que puede transpirar o transpirarse.

transpiración. f. Acción y efecto de transpirar o transpirarse. ‖ **2.** *Bot.* Salida de vapor de agua, que se efectúa a través de las membranas de las células superficiales de las plantas, y especialmente por los estomas.

transpirar. (Del lat. *trans-,* a través, y *spirāre,* exhalar, brotar.) intr. Pasar los humores de la parte interior a la exterior del cuerpo a través del tegumento. Ú. t. c. prnl. ‖ **2.** fig. sudar, destilar una cosa agua a través de sus poros.

transpirenaico, ca. adj. Dícese de las regiones situadas al otro lado de los Pirineos. ‖ **2.** Perteneciente o relativo a ellas. ‖ **3.** Dícese del comercio y de los medios de locomoción que atraviesan los Pirineos.

transpolar. adj. Dícese de recorridos o trayectorias que pasan por un polo terrestre o sus proximidades.

transponedor, ra. adj. Que transpone. Ú. t. c. s.

transponer. (Del lat. *transponĕre.*) tr. Poner a una persona o cosa más allá, en lugar diferente del que ocupaba. Ú. t. c. prnl. ‖ **2.** Mudar de sitio las plantas, trasplantar. ‖ **3.** prnl. Ocultarse a la vista de uno alguna persona o cosa, doblando una esquina, un cerro u otra cosa semejante. Ú. t. c. tr. TRANSPUSO *la esquina.* ‖ **4.** Ocultarse de nuestro horizonte el Sol u otro astro. ‖ **5.** Quedarse uno algo dormido.

transportación. (Del lat. *transportatĭo, -ōnis.*) f. Acción y efecto de transportar o transportarse.

transportador, ra. adj. Que transporta. Ú. t. c. s. ‖ **2.** m. Círculo graduado de metal, talco o papel, que sirve para medir o trazar los ángulos de un dibujo geométrico.

transportamiento. m. **transporte,** acción y efecto de transportar o transportarse.

transportar. (Del lat. *transportāre.*) tr. Llevar cosas o personas de un lugar a otro. ‖ **2. portear[1].** llevar la parte a otra por el porte o precio convenido. ‖ **3.** *Mús.* Trasladar una composición de un tono a otro. ‖ **4.** prnl. fig. Enajenarse de la razón o del sentido, por pasión, éxtasis o accidente.

transporte. m. Acción y efecto de transportar. ‖ **2. buque de transporte.** ‖ **3.** fig. Acción y efecto de transportarse.

transportista. m. El que tiene por oficio hacer transportes.

transposición. (Del lat. *transposĭtum,* supino de *transponĕre,* transponer.) f. Acción y efecto de transponer o transponerse. ‖ **2.** *Ret.* Figura que consiste en alterar el orden normal de las voces en la oración.

transpositivo, va. (Del lat. *transposĭtīvus.*) adj. Capaz de transponerse. ‖ **2.** Perteneciente o relativo a la transposición.

transpuesta. (De *transpuesto.*) f. **traspuesta.**

transpuesto, ta. (Del lat. *transpositus.*) p. p. irreg. de **transponer.**

transterminar. (De *trans-,* de la otra parte, y *terminar.*) tr. Pasar de un término jurisdiccional a otro, o salir del que está señalado.

transtiberino, na. (Del lat. *Transtiberīnus.*) adj. Que, respecto de Roma y sus cercanías, habita o está al otro lado del Tíber. Apl. a pers., ú. t. c. s.

transubstanciación. (Del lat. eclesiástico *transubstantiatĭo, -ōnis.*) f. Conversión de las sustancias del pan y del vino en el cuerpo y sangre de Jesucristo.

transubstancial. adj. Que se transubstancia.

transubstanciar. (De *trans-*, en sentido de mudanza, y *substancia*.) tr. Convertir totalmente una sustancia en otra. Ú. t. c. prnl. Se usa especialmente hablando del cuerpo y sangre de Cristo en la Eucaristía.

transuránico. (De *trans-*, *uranio* e *-ico*.) adj. *Quím.* Dícese de cualquiera de los elementos o cuerpos simples, que ocupan en el sistema periódico un lugar superior al 92, que es el correspondiente al uranio. Todos ellos son inestables y han sido obtenidos artificialmente, con posterioridad a la escisión del núcleo del uranio.

transvasar. (De *trans-*, de una parte a otra, y *vaso*.) tr. Pasar un líquido de un recipiente a otro.

transvase. m. Acción y efecto de transvasar.

transverberación. (Del lat. *transverberatio, -ōnis*.) f. **transfixión.** *La fiesta de la* TRANSVERBERACIÓN *del corazón de Santa Teresa.*

transversal. adj. Que se halla o se extiende atravesado de un lado a otro. || 2. Que se aparta o desvía de la dirección principal o recta. || 3. Que se cruza en dirección perpendicular con la cosa de que se trata. || 4. **colateral**, dícese del pariente que no lo es por línea recta. Ú. t. c. s. || 5. V. **línea transversal.** || 6. *Esgr.* V. **compás transversal.**

transversalmente. adv. m. En línea o dirección transversal.

transverso, sa. (Del lat. *transversus*.) adj. Colocado o dirigido al través.

tranvía. (Del ing. *tramway*; de *tram*, riel plano, y *way*, vía.) m. Ferrocarril establecido en una calle o camino carretero. || 2. Vehículo que circula sobre raíles en el interior de una ciudad o sus cercanías y que se usa principalmente para transportar viajeros. || 3. V. **tren tranvía.** | **de sangre.** Aquel en que el tiro se hace con caballos o mulas.

tranviario, ria. adj. Perteneciente o relativo a los tranvías. || 2. m. y f. Persona empleada en el servicio de tranvías.

tranviero. m. tranviario.

tranza. f. *Ar.* trance, apremio judicial contra los bienes de un deudor.

tranzadera. f. Lazo que se forma trenzando una cuerda o cinta, trenzadera.

tranzado, da. p. p. de **tranzar.** || 2. adj. V. **arnés tranzado.** || 3. m. ant. **trenzado.**

tranzar. tr. Cortar, tronchar. || 2. **trenzar**, entretejer tres o más ramales cruzándolos alternativamente para formar un solo cuerpo alargado, trenzar. || 3. *Ar.* Rematar en venta o arrendamiento público.

tranzón. (De *tranzar*, cortar.) m. Cada una de las partes en que para su aprovechamiento o cultivo se divide un monte o un pago de tierras. || 2. Trozo de terreno que, separado del antiguo fundo, forma ya propiedad independiente.

trapa. (De la onomat. *trap*, gemela de *tramp*.) amb. Ruido de los pies, o vocería grande y alboroto de gente. Ú. comúnmente repetida. *Oyóse un* TRAPA, TRAPA. || 2. f. *Ál.* **grada de dientes.** || 3. *Mar.* Cabo provisional con que se ayuda a cargar y cerrar una vela cuando hay mucho viento. || 4. pl. *Mar.* Trincas o aparejos con que se asegura la lancha dentro del buque.

trapacear. intr. Emplear trapazas u otros engaños.

trapacería. f. **trapaza.**

trapacero, ra. (De *trapaza*.) adj. **trapacista.** Ú. t. c. s.

trapacete. (De or. inc.) m. Libro en que el comerciante o el banquero sienta las partidas que da a cambio o logro, o las de los géneros que vende.

trapacista. adj. Que emplea trapazas. Ú. t. c. s. || 2. fig. Que con astucias, falsedades y mentiras procura engañar a otro en cualquier asunto. Ú. t. c. s.

trapajo. m. despect. de **trapo.**

trapajoso, sa. adj. Roto, desaseado o hecho pedazos.

|| 2. Dícese de la lengua o de la persona que pronuncia de manera confusa las palabras, estropajoso.

trápala. (De la onomat. *trapl*, gemela de *trap*.) f. Ruido, movimiento y confusión de gente. || 2. Ruido acompasado del trote o galope de un caballo. || 3. fam. Embuste, engaño. || 4. m. fam. Flujo o prurito de hablar mucho y sin sustancia. || 5. com. fig. y fam. Persona que habla mucho y sin sustancia. Ú. t. c. adj. || 6. fig. y fam. Persona falsa y embustera. Ú. t. c. adj.

trapalear. intr. Meter ruido con los pies andando de un lado para otro. || 2. fam. Decir o hacer cosas propias de un trápala, persona que habla mucho, sin sustancia y persona embustera.

trapalón, na. m. y f. fam. aum. de **trápala.** || 2. Persona que habla mucho, sin sustancia y persona embustera. Ú. t. c. adj.

trapatiesta. f. fam. Riña, alboroto, desorden.

trapaza. (Del port. *trapa*, armadijo.) f. Artificio engañoso e ilícito con que se perjudica y defrauda a una persona en alguna compra, venta o cambio. || 2. Fraude, engaño. || 3. V. **pájaro trapaza.**

trapazar. intr. **trapacear.**

trape. (Del fr. *draper*, disponer con holgura y gracia los vestidos.) m. Entretela con que se armaban los pliegues de las casacas y las faldillas, para dejarlas extendidas y airosas.

trapear. intr. impers. fam. Caer trapos de nieve. || 2. tr. *Amér.* Fregar el suelo con trapo o estropajo.

trapecial. adj. *Geom.* Perteneciente o relativo al trapecio. || 2. *Geom.* De figura de trapecio.

trapecio. (Del lat. *trapezĭum*, y este del gr. τραπέζιον.) m. Palo horizontal suspendido de dos cuerdas por sus extremos y que sirve para ejercicios gimnásticos. || 2. *Geom.* Cuadrilátero irregular que tiene paralelos solamente dos de sus lados. || 3. *Anat.* Uno de los huesos del carpo, que en el hombre forma parte de la segunda fila. || 4. *Anat.* Cada uno de los dos músculos, propios de los animales vertebrados, que en los mamíferos están situados en la parte dorsal del cuello y anterior de la espalda y se extienden desde el occipucio hasta los respectivos omóplatos y las vértebras dorsales.

trapecista. com. Artista de circo que trabaja en los trapecios.

trapense. adj. Dícese del monje de la Trapa, instituto religioso perteneciente a la orden del Cister, reformado en el siglo XVII por el abate Rancé. Ú. t. c. s. || 2. Perteneciente o relativo a esta orden religiosa.

trapería. f. Conjunto de muchos trapos. || 2. Sitio donde se venden trapos y otros objetos usados. || 3. *And.* **pañería**, comercio de paños. || 4. ant. Calle o paraje donde estaban las pañerías.

trapero, ra. m. y f. Persona que tiene por oficio recoger trapos de desecho para traficar con ellos. || 2. El que compra y vende trapos y otros objetos usados. || 3. Persona que, por su cuenta, retira a domicilio basuras y desechos. || 4. *And.* **pañero.** || 5. V. **puñalada trapera.**

trapezoedro. m. *Geom.* Poliedro de veinticuatro caras que son trapecios.

trapezoidal. adj. *Geom.* Perteneciente o relativo al trapezoide. || 2. *Geom.* De figura de trapezoide.

trapezoide. (Del gr. τραπεζοειδής.) m. *Geom.* Cuadrilátero irregular que no tiene ningún lado paralelo a otro. || 2. *Anat.* Segundo hueso de la segunda fila del carpo.

trapiche. (Del lat. *trapētes*, piedra de molino de aceite.) m. Molino para extraer el jugo de algunos frutos de la tierra, como aceituna o caña de azúcar. || 2. *Chile.* Molino para pulverizar minerales.

trapichear. (De *trapiche*.) intr. fam. Ingeniarse, buscar trazas, no siempre lícitas, para el logro de algún objeto. || 2. Comerciar al menudeo.

trapicheo. m. fam. Acción y ejercicio de trapichear.

trapichero, ra. m. y f. Persona que trabaja en los trapiches.

trapiento, ta. (De *trapo*, pedazo de tela inútil.) adj. p. us. andrajoso.

trapillo. (d. de *trapo*, pedazo de tela inútil.) m. d. de **trapo.** ‖ **2.** fig. y fam. Galán o dama de baja suerte. ‖ **3.** fig. y fam. Caudal pequeño ahorrado y guardado. ‖ **de trapillo.** loc. adv. fig. y fam. Con vestido llano y casero.

trapío. m. desus. Conjunto de velas o trapos de una embarcación. ‖ **2.** fig. y fam. Aire garboso que suelen tener algunas mujeres. ‖ **3.** fig. y fam. Buena planta y gallardía del toro de lidia.

trapisonda. f. fam. Bulla o riña con voces o acciones. *Brava* TRAPISONDA *ha habido.* ‖ **2.** fam. Embrollo, enredo. ‖ **3.** fig. desus. Agitación del mar, formada por olas pequeñas que se cruzan en diversos sentidos y cuyo ruido se oye a bastante distancia.

trapisondear. intr. fam. Armar con frecuencia trapisondas o embrollos.

trapisondista. com. Persona que arma trapisondas o anda en ellas.

trapito. m. d. de **trapo.** ‖ **los trapitos de cristianar.** fig. y fam. La ropa más lucida que uno tiene.

trapo. (Del lat. *drappus.*) m. Pedazo de tela desechado por viejo, por roto o por inútil. ‖ **2.** Vela de una embarcación. ‖ **3.** Copo grande de nieve. ‖ **4.** ant. Paño o tela. ‖ **5.** fam. **capote de brega.** ‖ **6.** fam. Tela, roja por lo común, de la muleta del espada. ‖ **7.** pl. fam. Prendas de vestir, especialmente de la mujer. *Todo su caudal lo gasta en* TRAPOS. ‖ **los trapos de cristianar.** fig. y fam. **los trapitos de cristianar.** ‖ **a todo trapo.** loc. adv. *Mar.* **a toda vela.** ‖ **2.** fig. y fam. Con eficacia y actividad. ‖ **con un trapo atrás y otro adelante,** o **delante.** expr. fig. **con una mano atrás y otra delante** o **con una mano delante y otra atrás.** ‖ **poner** a uno **como un trapo.** fr. fig. y fam. Reprenderle agriamente; decirle palabras ofensivas o enojosas. ‖ **sacar los trapos sucios** o **todos los trapos, a la colada,** o **a relucir,** o **al sol.** fr. fig. y fam. Echar a uno en rostro sus faltas y hacerlas públicas, en especial cuando se riñe con él acaloradamente. ‖ **soltar** uno **el trapo.** fr. fig. y fam. Echarse a llorar. ‖ **2.** fig. y fam. Echarse a reír.

traque. (De la onomat. *trac.*) m. Estallido que da el cohete. ‖ **2.** Guía de pólvora fina que une las diferentes partes de un fuego artificial para que se enciendan prontamente. ‖ **3.** fig. y fam. Ventosidad con ruido. ‖ **a traque barraque.** expr. fam. A todo tiempo o con cualquier motivo.

tráquea. (Del lat. *trachīa,* y este del gr. τραχεῖα ἀρτηρία, traquearteria.) f. *Anat.* Parte de las vías respiratorias que va desde la laringe a los bronquios. ‖ **2.** *Bot.* Vaso conductor de la savia, cuya pared está reforzada por un filamento resistente y dispuesto en espiral. ‖ **3.** *Zool.* Cada uno de los conductos aéreos ramificados, cuyo conjunto forma el aparato respiratorio de los insectos y otros animales articulados.

traqueal. adj. Perteneciente o relativo a la tráquea. ‖ **2.** *Zool.* Dícese del animal que respira por medio de tráqueas. *Artrópodo* TRAQUEAL.

traquear. (De *traque.*) intr. p. us. **traquetear.**

traquearteria. (Del gr. τραχεῖα ἀρτηρία, áspera arteria.) f. desus. *Anat.* Tráquea del hombre y de los animales.

traqueo. m. Acción y efecto de traquear.

traqueotomía. (Del gr. τραχεῖα, tráquea, y τομή, incisión.) f. *Cir.* Abertura que se hace artificialmente en la tráquea para impedir en ciertos casos la sofocación de los enfermos.

traquetear. (De *traque.*) intr. Hacer ruido, estruendo o estrépito. ‖ **2.** tr. Mover o agitar una cosa de una parte a

otra. Se usa especialmente hablando de los líquidos. ‖ **3.** fig. y fam. Frecuentar, manejar mucho una cosa.

traqueteo. (De *traquetear.*) m. Ruido continuo del disparo de los cohetes, en los fuegos artificiales. ‖ **2.** Movimiento de una persona o cosa que se golpea al transportarla de un punto a otro.

traquido. (De *traquear.*) m. p. us. Estruendo causado por el tiro o disparo de un arma de fuego. ‖ **2. chasquido,** ruido seco súbito que se produce al romperse algunas cosas.

traquita. (Del gr. τραχύς, áspero al tacto.) f. Roca volcánica compuesta de feldespato vítreo y cristales de hornablenda o mica, muy ligera, dura y porosa, y estimadísima como piedra de construcción.

trarigüe. (Del arauc. *tharin,* atar.) m. p. us. *Chile.* Faja o cinturón de lana que usan los indios, hombres y mujeres.

trarilongo. (Del arauc. *tharin,* atar.) m. desus. *Chile.* Cinta con que los indios se ciñen la cabeza y el cabello.

traro. (Del arauc. *tharu.*) m. *Chile.* Ave de rapiña, de color blanquecino, salpicado de negro; los bordes de las alas y la punta de la cola son negros; lleva en la cabeza una especie de corona de plumas negras, y los pies son amarillos y escamosos.

tras[1]**.** (Del lat. *trans,* al otro lado de, más allá de.) prep. Después de, a continuación de, aplicado al espacio o al tiempo. TRAS *este tiempo vendrá otro mejor.* Tiene uso como prefijo en voces compuestas; v. gr.: TRAStienda, TRAScoro. ‖ **2.** fig. En busca o seguimiento de. *Se fue deslumbrado* TRAS *los honores.* ‖ **3.** Detrás de, en situación posterior. TRAS *una puerta.* ‖ **4.** Fuera de esto, además. TRAS *de venir tarde, regaña.* ‖ **5.** m. fam. **trasero,** asentaderas.

tras[2]**.** (De or. onomatopéyico.) Voz con que se imita un golpe con ruido. ‖ **tras, tras.** expr. fam. con que se significa el golpe repetido, especialmente el que se da llamando a una puerta.

tras-. - V. **trans-.**

trasabuelo, la. (De *tresabuelo.*) m. y f. ant. **tatarabuelo.**

trasalcoba. f. Pieza que está detrás de la alcoba.

trasalpino, na. adj. **transalpino.**

trasaltar. m. Sitio que en las iglesias está detrás del altar.

trasandino, na. adj. **transandino.**

trasandosco, ca. (De *tras*[1] y *andosco.*) adj. Aplícase a la res de ganado menor que tiene algo más de dos años. Ú. t. c. s.

trasanteanoche. adv. t. En la noche de trasanteayer.

trasanteayer. adv. t. En el día que precedió inmediatamente al de anteayer.

trasantier. adv. t. fam. **trasanteayer.**

trasañejo, ja. adj. Muy añejo. ‖ **2. tresañejo.**

trasatlántico, ca. adj. **transatlántico.** Ú. t. c. s.

trasbarrás. m. Ruido que produce una caída al caer.

trasbisabuelo, la. m. y f. ant. **transbisabuelo.**

trasbisnieto, ta. m. y f. ant. **transbisnieto.**

trasbocar. tr. *Amér.* **vomitar,** arrojar lo que se tiene en el estómago.

trasbordar. tr. **transbordar.**

trasbordo. m. **transbordo.**

trasca[1]**.** (Del lat. **transīca,* pasador.) f. Barzón del yugo, y correa para uncir y para otros usos. ‖ **2.** *Ar.* **pescuño,** cuña que sujeta las piezas del arado.

trasca[2]**.** (Del lat. *troia.*) f. Cerda que, después de haber criado, se engorda para la matanza.

trascabo. m. Traspié, zancadilla.

trascacho. m. Paraje resguardado del viento.

trascantón. m. **guardacantón,** poste de piedra para resguardar de los carruajes las esquinas o las paredes. ‖ **2.** Esportillero o mozo que se ponía en una esquina para servir a quien le llamaba. ‖ **dar trascantón** a uno. fr. fig. y fam. **darle cantonada.**

trascantonada. f. Serie de trascantones de piedra.

trascartarse. prnl. Quedarse, en un juego de naipes, una carta detrás de otra, cuando se creía o esperaba que viniese antes.

trascartón. (De *trascartarse.*) m. Lance del juego de naipes, en que se queda detrás la carta con que se hubiera ganado y se anticipa la que hace perder.

trascendencia. (De *transcendencia.*) f. Penetración, perspicacia. ‖ **2.** Resultado, consecuencia de índole grave o muy importante.

trascendental. (De *transcendente.*) adj. Que se comunica o extiende a otras cosas. ‖ **2.** fig. Que es de mucha importancia o gravedad, por sus probables consecuencias. ‖ **3.** *Fil.* Dícese de lo que traspasa los límites de la ciencia experimental.

trascender. (De *transcender.*) intr. Exhalar olor tan vivo y subido, que penetra y se extiende a gran distancia. ‖ **2.** Empezar a ser conocido o sabido algo que estaba oculto. ‖ **3.** Extender o comunicarse los efectos de unas cosas a otras, produciendo consecuencias. ‖ **4.** *Fil.* Aplicarse a todo una noción que no es género, como acontece con las de unidad y ser; y también, en el sistema kantiano, traspasar los límites de la experiencia posible. ‖ **5.** tr. p. us. Penetrar, comprender, averiguar alguna cosa que está oculta.

trascendido, da. p. p. de **trascender.** ‖ **2.** adj. Dícese del que trasciende, averigua con viveza y prontitud. ‖ **3.** m. *Argent.* Noticia que por vía no oficial adquiere carácter público.

trascocina. f. Pieza que está detrás de la cocina y para desahogo de ella.

trascoda. m. *Trozo* de cuerda de tripa que en los instrumentos de arco sujeta el cordal al botón.

trascol. m. ant. Falda de cola, que usaban las mujeres.

trascolar. (Del lat. *transcoláre.*) tr. Colar a través de alguna cosa. Ú. t. c. prnl. ‖ **2.** fig. Pasar desde un lado a otro de un monte u otro sitio.

trasconejarse. (De *tras¹* y *conejo.*) prnl. Quedarse la caza detrás de los perros que la siguen. ‖ **2.** Quedarse los hurones en las bocas o madrigueras, por tener impedida la salida con el conejo que han matado. ‖ **3.** fig. y fam. Perderse, extraviarse alguna cosa.

trascordarse. (De *tras¹*, por *trans-*, y el lat. *cor, cordis*, corazón.) prnl. Perder la noticia puntual de una cosa, por olvido o por confusión con otra.

trascoro. m. Sitio que en las iglesias está detrás del coro.

trascorral. m. Sitio cerrado y descubierto que suele haber en algunas casas después del corral.

trascorvo, va. adj. Dícese del caballo o yegua que tiene la rodilla más atrás de la línea de aplomo.

trascribir. tr. **transcribir.**

trascripción. f. **transcripción.**

trascripto, ta. (Del lat. *transcriptus.*) p. p. irreg. **trascrito.**

trascrito, ta. (De *trascripto.*) p. p. irreg. de **trascribir.**

trascuarto. m. Vivienda o habitación que está después o detrás de la principal.

trascuenta. f. Error o equivocación de una cuenta, trabacuenta.

trascurrir. intr. **transcurrir.**

trascurso. m. **transcurso.**

trasdobladura. f. Acción y efecto de trasdoblar.

trasdoblar. (De *tresdoblar.*) tr. Dar a una cosa tres dobleces. ‖ **2.** Triplicar una cosa.

trasdoblo. (De *trasdoblar.*) m. Número triple.

trasdós. (Del it. *estradosso*, y este del lat. *extra*, fuera, y *dorsum*, dorso.) m. *Arq.* Superficie exterior convexa de un arco o bóveda, contrapuesta al intradós. ‖ **2.** *Arq.* Pilastra que está inmediatamente detrás de una columna. ‖ **3.** V. **sierra de trasdós.**

trasdosar. tr. *Arq.* Trasdosear.

trasdosear. (De *trasdós.*) tr. *Arq.* Recubrir de material el trasdós.

trasechador, ra. adj. Que trasecha. Ú. t. c. s.

trasechar. (Del lat. *trans*, tras¹, y *sectári*, seguir.) tr. Poner asechanzas.

trasegador, ra. adj. Que trasiega. Ú. t. c. s.

trasegar. (Del lat. **transicáre*, de *transíre*, pasar.) tr. Trastornar, revolver. ‖ **2.** Mudar las cosas de un lugar a otro, y en especial un líquido de una vasija a otra. ‖ **3.** fig. Beber en cantidad vino o licores.

traseñalador, ra. adj. Que traseñala. Ú. t. c. s.

traseñalar. (De *tras¹*, por *trans-*, en sentido de cambio, y *señalar.*) tr. Poner a una cosa distinta señal o marca de la que tenía.

trasera. (De *trasero.*) f. Parte de atrás o posterior de un coche, una casa, una puerta, etc.

trasero, ra. (De *tras¹*, detrás de.) adj. Que está, se queda o viene detrás. ‖ **2.** Dícese del carro cargado que tiene más peso detrás que delante. ‖ **3.** V. **cuarto trasero.** ‖ **4.** V. **puerta trasera.** ‖ **5.** m. culo, asentaderas. ‖ **6.** pl. fam. p. us. Padres, abuelos y demás ascendientes.

trasferencia. f. **transferencia.**

trasferible. adj. **transferible.**

trasferidor, ra. adj. **transferidor.** Ú. t. c. s.

trasferir. tr. **transferir.**

trasfigurable. adj. **transfigurable.**

trasfiguración. f. **transfiguración.**

trasfigurar. tr. **transfigurar.** Ú. t. c. prnl.

trasfijo, ja. adj. **transfijo.**

trasfixión. f. **transfixión.**

trasflor. m. *Pint.* **transflor.**

trasflorar. tr. *Pint.* **transflorar²**.

trasflorear. tr. *Pint.* **transflorear.**

trasfojar. tr. **trashojar** y **foja¹.**) tr. ant. **trashojar.**

trasfollado, da. adj. *Veter.* Dícese del animal que padece de trasfollos.

trasfollo. (Del lat. *trans*, y *follis*, fuelle.) m. *Veter.* Alifafe que se forma en el pliegue o parte anterior del corvejón.

trasfondo. m. Lo que está o parece estar más allá del fondo visible de una cosa o detrás de la apariencia o intención de una acción humana.

trasformación. f. **transformación.**

trasformador, ra. adj. **transformador.** Ú. t. c. s.

trasformamiento. m. **transformamiento.**

trasformar. tr. **transformar.** Ú. t. c. prnl.

trasformativo, va. adj. **transformativo.**

trasfregar. tr. **transfregar.**

trasfretano, na. adj. **transfretano.**

trasfretar. tr. e intr. **transfretar.**

trasfuego. m. *Rioja.* Trashoguero, losa detrás del hogar.

trásfuga. com. **tránsfuga.**

trásfugo. m. **tránsfugo.**

trasfundición. f. **transfundición.**

trasfundir. tr. **transfundir.** Ú. t. c. prnl.

trasfusión. f. **transfusión.**

trasfusor, ra. adj. **transfusor.** Ú. t. c. s.

trasga. f. *León.* Pértigo de la carreta de bueyes.

trasgo. m. duende, espíritu enredador. ‖ **2.** fig. Niño vivo y enredador. ‖ **andar hecho trasgo.** fr. fig. Andar de noche. ‖ **dar trasgo** a uno. fr. Fingir acciones propias de un duende, para espantar a alguno.

trasgredir. tr. defect. **transgredir.**

trasgresión. f. **transgresión.**

trasgresor, ra. adj. **transgresor.** Ú. t. c. s.

trasguear. intr. ant. Fingir o imitar el ruido, juguetео y zumbas que se atribuyen a los trasgos.

trasguero, ra. m. y f. Persona que trasguea, o dada a trasguear.

trashoguero, ra. (De *tras*[1] y *foguero*.) adj. Dícese del perezoso que se queda en su casa y hogar, cuando los demás van al trabajo y salen al campo. ‖ **2.** m. Losa o plancha que está detrás del hogar o en la pared de la chimenea, para su resguardo. ‖ **3.** Leño grueso o tronco seco que en algunas partes se pone arrimado a la pared en el hogar, para conservar la lumbre.

trashojar. (De *trasfojar*.) tr. p. us. Pasar ligeramente las hojas de un libro. ‖ **2.** p. us. Pasarlas leyendo por encima algo del contenido.

trashumación. f. **trashumancia.**

trashumancia. f. Acción y efecto de trashumar.

trashumar. (Del lat. *trans*, de la otra parte, y *humus*, tierra.) intr. Pasar el ganado con sus conductores desde las dehesas de invierno a las de verano, y viceversa.

trasiego. m. Acción y efecto de trasegar.

trasijado, da. (De *tras*[1] e *ijada*.) adj. Que tiene las ijadas recogidas, a causa de no haber comido o bebido en mucho tiempo. ‖ **2.** fig. Dícese del que está muy flaco.

traslación. (De *translación*.) f. Acción y efecto de trasladar de lugar a una persona o cosa. ‖ **2.** p. us. Traslado de una persona del cargo que tenía a otro de la misma categoría. ‖ **3.** p. us. Traslado de un acto a otra fecha distinta. ‖ **4.** Traducción a una lengua distinta. ‖ **5.** *Gram.* Figura de construcción, que consiste en usar un tiempo del verbo fuera de su natural significación; como *amara*, por *había amado; mañana es*, por *mañana será, domingo*. ‖ **6.** *Astron.* y *Mec.* V. **movimiento de traslación.** ‖ **7.** *Ret.* **metáfora.** de luz. *Astrol.* Acción de transferir un planeta a otro su luz, y sobre todo cuando entre dos planetas se halla otro más veloz que ellos.

trasladable. adj. Que puede trasladarse.

trasladación. f. p. us. **traslación.**

trasladador, ra. adj. Que traslada o sirve para trasladar. Ú. t. c. s.

trasladar. (De *traslado*.) tr. Llevar o cambiar a una persona o cosa de un lugar a otro. Ú. t. c. prnl. ‖ **2.** Hacer pasar a una persona de un puesto o cargo a otro de la misma categoría. ‖ **3.** Hacer que una junta, una función, etc., se verifique o celebre en día o tiempo diferente de aquel en que debía verificarse. ‖ **4.** Pasar algo o traducirlo de una lengua a otra. ‖ **5.** Copiar o reproducir un escrito.

traslado. (Del lat. *translātus*, p. p. de *transferre*, transferir, trasladar.) m. Copia de un escrito. ‖ **2.** Acción y efecto de trasladar, hacer pasar a una persona de un puesto o cargo a otro. ‖ **3.** *Col.* **trasferencia de crédito.** ‖ **4.** *Der.* Comunicación que se da a alguna de las partes que litigan, de las pretensiones o alegatos de otra u otras.

traslapar. (Del lat. *trans*, más allá, y *lapis*, losa: véase *solapar*.) tr. Cubrir total o parcialmente una cosa con otra.

traslapo. (De *traslapar*.) m. Parte de una cosa cubierta por otra, solapo.

traslaticiamente. adv. m. Con sentido traslaticio.

traslaticio, cia. (De *translaticio*.) adj. Aplícase al sentido en que se usa un vocablo para que signifique o denote cosa distinta de la que con él se expresa cuando se emplea en su acepción primitiva o más propia y corriente.

traslativo, va. (De *translativo*.) adj. Que trasfiere. *Título* TRASLATIVO *de dominio.*

traslato, ta. (Del lat. *translātus*.) adj. p. us. **traslaticio.**

traslinear. intr. *Der.*

trasloar. (De *tras*[1], por *trans*-, más allá, y *loar*.) tr. p. us. Alabar o encarecer a una persona o cosa, exagerando y ponderando más de lo justo y debido.

traslúcido, da. adj. **translúcido.**

trasluciente. (De *traslucirse*.) adj. **traslúcido.**

traslucimiento. m. Acción y efecto de traslucirse.

traslucirse. (Del lat. *translucēre*.) prnl. Ser traslúcido un cuerpo. ‖ **2.** fig. Conjeturarse o inferirse una cosa, en virtud de algún antecedente o indicio. Ú. t. c. tr.

traslumbramiento. m. Acción y efecto de traslumbrar o traslumbrarse.

traslumbrar. tr. Deslumbrar a alguno una luz viva que repentinamente hiere su vista. Ú. t. c. prnl. ‖ **2.** prnl. Pasar o desaparecer repentinamente una cosa.

trasluz. (De *tras*[1], por *trans*-, a través de, y *luz*.) m. Luz que pasa a través de un cuerpo translúcido. ‖ **2.** Luz reflejada de soslayo por la superficie de un cuerpo. ‖ **al trasluz.** loc. adv. Puesto el objeto entre la luz y el ojo, para que se trasluzca.

trasmallo[1]. (Del arag. *trasmallo*, y este del lat. **trimacŭlum; de tris*, tres, y *macŭla*, malla.) m. Arte de pesca formado por tres redes, más tupida la central que las exteriores superpuestas.

trasmallo[2]. (De *tras*[1] y *mallo*.) m. Virola de hierro con que se refuerza el cotillo del mazo que se usa para jugar al mallo.

trasmano. (De *tras*[1], y *mano*.) com. Segundo en orden en ciertos juegos. ‖ **a trasmano.** loc. adv. Fuera del alcance o del manejo habitual y cómodo de la mano. *No lo pude coger cuando se caía porque me cogía* A TRASMANO. ‖ **2.** Fuera de los caminos frecuentados o desviado del trato corriente de las gentes.

trasmañana. adv. t. p. us. **pasado mañana.**

trasmañanar. (De *trasmañana*.) tr. p. us. Diferir una cosa de un día en otro.

trasmarino, na. adj. **transmarino.**

trasmatar. tr. fam. Suponer uno que ha de tener más larga vida que otro.

trasmediterráneo, a. adj. **transmediterráneo.**

trasmerano, na. adj. Natural de Trasmiera. Ú. t. c. s. ‖ **2.** Perteneciente a esta comarca de la provincia de Cantabria.

trasmigración. f. **transmigración.**

trasmigrar. intr. **transmigrar.**

trasminar. (De *tras*[1], por *trans*-, a través de, y *minar*.) tr. Abrir camino por debajo de tierra. ‖ **2.** Penetrar o pasar a través de alguna cosa un olor, un líquido, etc. Ú. t. c. prnl.

trasmisible. adj. **transmisible.**

trasmisión. f. **transmisión.**

trasmitir. tr. **transmitir.**

trasmochar. tr. Desmochar, cortar las ramas de un árbol.

trasmocho, cha. (De *tras*[1] y *mocho*.) adj. Dícese del árbol descabezado o cortado a cierta altura de su tronco para que produzca brotes. Ú. t. c. s. m. ‖ **2.** Dícese del monte cuyos árboles han sido descabezados.

trasmontana. (De *transmontana*.) f. **tramontana.**

trasmontano, na. adj. **transmontano.**

trasmontar. tr. e intr. **transmontar.** Ú. t. c. prnl.

trasmosto. (De *tras*[1] y *mosto*.) m. *Rioja.* Vino que se hace con el orujo de la uva.

trasmudación. f. **transmudación.**

trasmudamiento. m. **transmudamiento.**

trasmudar. tr. **transmudar.** Ú. t. c. prnl. ‖ **2.** *Ar.* Trasegar un líquido.

trasmutable. adj. **transmutable.**

trasmutación. f. **transmutación.**

trasmutar. tr. **transmutar.** Ú. t. c. prnl.

trasmutativo, va. adj. **transmutativo.**

trasmutatorio, ria. adj. **transmutatorio.**

trasnieto, ta. (De *tresnieto*.) m. y f. **tataranieto.**

trasnochada. (De *trasnochar*.) f. Noche que ha precedido al día siguiente. ‖ **2.** Vela o vigilancia por una noche. ‖ **3.** *Mil.* Sorpresa o embestida hecha de noche.

trasnochado, da. p. p. de **trasnochar.** ‖ **2.** adj. Aplicase a lo que, por haber pasado una noche por ello, se altera o echa a perder. ▌ **3.** fig. Dícese de la persona desmejorada y macilenta. ▌ **4.** fig. Falto de novedad y de oportunidad.

trasnochador, ra. adj. Que trasnocha. Ú. t. c. s.

trasnochar. (De *tras*[1], por *trans-*, a través de, y *noche*.) intr. Pasar uno la noche, o gran parte de ella, velando o sin dormir. ▌ **2.** Pasarla en un lugar distinto del propio domicilio. ▌ **3.** tr. Dejar pasar la noche sobre una cosa cualquiera.

trasnoche. m. fam. **trasnocho.**

trasnocho. m. fam. Acción de trasnochar o pasar la noche sin dormir.

trasnombrar. (Del lat. *transnomināre*.) tr. Trastrocar los nombres.

trasnominación. (Del lat. *transnomĭnatĭo, -ōnis.*) f. *Ret.* **metonimia.**

trasoír. (De *tras*[1], por *trans-*, en sentido de cambio, y *oír*.) tr. Oír con equivocación, o error lo que se dice.

trasojado, da. (De *tras*[1] y *ojo*.) adj. Caído, descaecido, macilento de ojos o con ojeras.

trasoñar. (De *tras*[1], por *trans-*, en sentido de cambio, y *soñar*.) tr. p. us. Concebir o comprender con error una cosa, como pasa en los sueños.

trasordinariamente. adv. m. ant. **extraordinariamente.**

trasordinario, ria. adj. desus. **extraordinario.**

trasovado, da. (De *tras*[1], por *trans-*, en sentido de cambio, y *aovado*.) adj. *Bot.* V. **hoja trasovada.**

traspadano, na. adj. **transpadano.** Apl. a pers., ú. t. c. s.

traspalar. tr. Mover o pasar con la pala una cosa de un lado a otro. Especialmente apalear los granos. ▌ **2.** fig. Mover, pasar o mudar una cosa de un lugar a otro. ▌ **3.** *And.* Cortar la grama de las viñas a golpe de azadón.

traspalear. tr. **traspalar.**

traspaleo. m. Acción y efecto de traspalear.

traspapelarse. (De *tras*[1] y *papel*.) prnl. Confundirse, desaparecer un papel entre otros; faltar del lugar o colocación que tenía. Ú. t. c. tr. ▌ **2.** Por ext., perderse o figurar en sitio equivocado cualquier otra cosa. Ú. t. c. tr.

trasparecer. intr. Dejarse ver una cosa al través de otra más o menos transparente.

trasparencia. f. **transparencia.**

trasparentarse. prnl. **transparentarse.**

trasparente. adj. **transparente.** Ú. t. c. s.

traspasable. adj. Que se puede traspasar.

traspasación. f. p. us. Acción de traspasar un derecho o dominio. Solía usarse en el lenguaje jurídico.

traspasador, ra. adj. Que traspasa o quebranta un precepto. Ú. t. c. s.

traspasamiento. (De *traspasar*.) m. Acción y efecto de traspasar.

traspasar. (De *tras*[1], por *trans-*, y *pasar*.) tr. Pasar o llevar una cosa de un sitio a otro. ▌ **2.** Pasar adelante, hacia otra parte o a otro lado. ▌ **3.** Pasar a la otra parte o a la otra cara. TRASPASAR *el arroyo.* TRASPASAR *la pared.* ▌ **4.** Pasar, atravesar de parte a parte con algún arma o instrumento. Ú. t. c. prnl. ▌ **5.** Ceder a favor de otro el derecho o dominio de una cosa. ▌ **6.** p. us. Volver a pasar por el mismo sitio. ▌ **7.** Transgredir o quebrantar un precepto. ▌ **8.** Exceder de lo debido, contravenir a lo razonable. ▌ **9.** fig. Hacerse sentir un dolor físico o moral con extraordinaria violencia.

traspaso. m. Traslado de una cosa de un lugar a otro. ▌ **2.** Paso adelante hacia otra parte u otro lado. ▌ **3.** Paso de una parte a otra de una cosa. ▌ **4.** Cesión a favor de otro del dominio de una cosa. ▌ **5.** Acción de pasar otra vez por el mismo lugar. ▌ **6.** Transgresión o quebranta-

miento de un precepto. ▌ **7.** Conjunto de géneros traspasados. ▌ **8.** Precio de la cesión de estos géneros o del local donde se ejerce un comercio o industria. ▌ **9.** p. us. Ardid, astucia. ▌ **10.** fig. Aflicción, angustia o pena que atormenta. ▌ **11.** fig. Sujeto que la causa. ▌ **ayunar al traspaso.** fr. ant. No comer desde el Jueves Santo al mediodía hasta el Sábado Santo al tocar a gloria.

traspatio. m. *Amér.* Segundo patio de las casas de vecindad que suele estar detrás del principal.

traspecho. m. Huesecillo que guarnece por abajo la caja de la ballesta.

traspeinar. tr. Volver a peinar ligeramente lo que ya está peinado, para perfeccionarlo o componerlo mejor.

traspellar. tr. **cerrar,** una puerta, ventana, libro, etc.

traspié. (De *tras*[1], por *trans-*, de la otra parte, y *pie*.) m. Resbalón o tropezón. ▌ **2.** Zancadilla con la pierna para derribar a uno. ▌ **dar** uno **traspiés.** fr. fig. y fam. Cometer errores o faltas.

traspilastra. f. *Arq.* Contrapilastra de un muro.

traspillado, da. p. p. de **traspillar.** ▌ **2.** adj. Pobretón, desharrapado. Ú. t. c. s.

traspillar. tr. **traspellar.** ▌ **2.** prnl. Desfallecer, extenuarse.

traspintar. (De *tras*[1], por *trans-*, en sentido de cambio, y *pinta*.) tr. Engañar a los puntos que lleva la baraja en ciertos juegos, dejándoles ver la pinta de un naipe y sacando otro. Ú. t. c. prnl. ▌ **2.** prnl. fig. y fam. Salir una cosa al contrario de como se esperaba o se tenía creído.

traspintarse. prnl. Clarearse por el revés del papel, tela, etc., lo escrito o dibujado por el derecho.

traspirable. adj. **transpirable.**

traspiración. f. **transpiración.**

traspirar. intr. **transpirar.** Ú. t. c. prnl.

traspirenaico, ca. adj. **transpirenaico.**

trasplantable. adj. Que puede trasplantarse.

trasplantación. f. **trasplante.**

trasplantador, ra. adj. Que trasplanta. Ú. t. c. s. ▌ **2.** m. Instrumento que se emplea para trasplantar. ▌ **3.** Vehículo especial que sirve para transportar y trasplantar un árbol. ▌ **4.** f. Máquina para trasplantar.

trasplantar. (De *tras*[1], por; *trans-*, de una parte a otra, y *plantar*.) tr. Trasladar plantas del sitio en que están arraigadas y plantarlas en otro. ▌ **2.** fig. Hacer salir de un lugar o país a personas arraigadas en él, para asentarlas en otro. Ú. t. c. prnl. ▌ **3.** fig. Trasladar de un lugar a otro una ciudad, institución, etc. ▌ **4.** fig. Insertar en un cuerpo humano o de animal un órgano sano o parte de él, procedentes de un individuo de la misma o distinta especie, para sustituir a un órgano enfermo o parte de él. ▌ **5.** fig. Introducir en un país o lugar ideas, costumbres, instituciones, técnicas, tipos de creación artística o literaria, etc., procedentes de otro. Ú. t. c. prnl.

trasplante. m. Acción y efecto de trasplantar o trasplantarse.

trasponedor, ra. adj. **transponedor.** Ú. t. c. s.

trasponer. tr. **transponer.** Ú. t. c. intr. y c. prnl.

traspontín. m. Traspuntín de los coches. ▌ **2.** fam. Trasero, asentaderas.

trasportación. f. **transportación.**

trasportador, ra. adj. **transportador.** Ú. t. c. s.

trasportamiento. m. **transportamiento.**

trasportar. tr. **transportar.** Ú. t. c. prnl.

trasporte. m. **transporte.** ▌ **2.** *P. Rico.* Instrumento músico de cinco cuerdas, mayor que la guitarra.

traspuntín. m. Traspuntín de los coches.

trasposición. f. **transposición.**

traspositivo, va. adj. **transpositivo.**

traspuesta. (Del lat. *transposĭta*, t. f. de *-tus*, transpuesto.) f. Acción y efecto de transponer o transponerse. ▌ **2.** Repliegue o elevación del terreno que impide ver lo que hay al lado de allá. ‖ **3.** Fuga u ocultación de una persona, para huir o librarse de algún peligro. ‖ **4.** Puerta, corral u otras dependencias que están detrás de lo principal de la casa.

traspuesto, ta. (Del lat. *transposĭtus*.) p. p. irreg. de **trasponer.**

traspunte. (De *tras*¹ y *apunte*.) com. Apuntador que avisa a cada actor cuando ha de salir a escena.

traspuntín. (Del it. *strapuntino*, colchoncillo embastado.) m. desus. Cada uno de los colchoncillos, por lo general en número de tres, que se ponían atravesados debajo de los colchones de la cama. ‖ **2.** Asiento suplementario y plegadizo que hay en algunos coches.

trasquero. m. El que hace o vende trascas del yugo.

trasquila. (De *trasquilar*.) f. Acción y efecto de trasquilar.

trasquilado, da. p. p. de **trasquilar.** ‖ **2.** m. fam. **tonsurado.** Ú. solo en la loc. adv. fig. y fam. **como trasquilado por la iglesia,** que significa lo mismo que **como Pedro por su casa.**

trasquilador. m. El que trasquila.

trasquiladura. f. Acción y efecto de trasquilar o trasquilarse.

trasquilar. (De *tras*¹ y *esquilar*.) tr. Cortar el pelo a trechos, sin orden ni arte. Ú. t. c. prnl. ‖ **2.** Cortar el pelo o la lana a algunos animales. ‖ **3.** fig. y fam. Menoscabar o disminuir una cosa, quitando o separando parte de ella. ‖ **trasquilar, y no desollar.** expr. fig. que aconseja no abusar de quien da provecho.

trasquilimocho, cha. (De *trasquilado* y *mocho*, cortado el pelo.) adj. fam. Trasquilado a raíz. ‖ **2.** m. desus. Menoscabo, pérdida.

trasquilón. (De *trasquilar*.) m. fam. **trasquiladura.** ‖ **2.** fig. y fam. Parte del caudal quitada a uno con industria o arte. ‖ **a trasquilones.** loc. adv. con que se significa el modo de cortar el pelo sin orden, feamente y sin arte. ‖ **2.** fig. y fam. Sin orden ni método, o sin proporción.

trasroscarse. prnl. **pasarse de rosca.**

trastabillar. (De *trastabillar*.) intr. Dar traspiés o tropezones. ‖ **2.** Tambalear, vacilar, titubear. ‖ **3.** Tartalear, tartamudear, trabarse la lengua.

trastabillón. m. *Amér.* Tropezón, traspié.

trastada. f. fam. Travesura. ‖ **2.** Jugada, acción mala o inesperada contra alguien.

trastajo. m. Trasto, mueble o utensilio inútil.

trastazo. (De *trasto*.) m. fam. Golpe, porrazo.

traste¹. (De *tastar*.) m. Cada uno de los resaltos de metal o hueso que se colocan a trechos en el mástil de la guitarra u otros instrumentos semejantes, para que oprimiendo entre ellos las cuerdas con los dedos, quede a estas la longitud libre correspondiente a los diversos sonidos. ‖ **2.** *And.* Vaso pequeño, de vidrio, con que prueban el vino los catadores. ‖ **3.** *And.* y *Amér.* **trasto.** Ú. m. en pl. ‖ **dar** uno **al traste con** una cosa. fr. Destruirla, echarla a perder, malbaratarla. ‖ **ir** uno **fuera de trastes.** fr. fig. y fam. Obrar sin concierto; decir lo que no es regular. ‖ **sin trastes.** loc. adv. fig. y fam. Sin orden, disposición o método.

traste². m. Trasero, asentaderas.

trasteado, da. p. p. de **trastear.** ‖ **2.** m. Conjunto de trastes¹ que hay en un instrumento musical.

trasteador, ra. adj. Que trastea² o hace ruido con algunos trastes. Ú. t. c. s.

trasteante. p. a. de **trastear**¹. Que trastea. ‖ **2.** adj. Diestro en trastear¹ y pisar las cuerdas de un instrumento.

trastear¹. tr. Poner o echar los trastes¹ a la guitarra u otro instrumento semejante. ‖ **2.** Pisar las cuerdas de los instrumentos de trastes¹.

trastear². intr. Revolver, menear o mudar trastos de una parte a otra. ‖ **2.** fig. Discurrir con viveza y travesura sobre algún asunto. ‖ **3.** tr. Dar el espada al toro pases de muleta. ‖ **4.** fig. y fam. Manejar con habilidad a una persona o un negocio. ‖ **5.** fig. y fam. Obrar y comportarse con poca formalidad.

trastejador, ra. adj. Que trasteja. Ú. t. c. s.

trastejadura. (De *trastejar*.) f. Acción y efecto de trastejar¹.

trastejar¹. (De *tras*¹ y *tejar*².) tr. Reponer o poner bien las tejas de un edificio. ‖ **por aquí trastejan.** expr. fig. y fam. con que se explica que alguno huye del riesgo que presume, pasando por algún paraje. Se usa comúnmente hablando de los deudores que huyen de la vista de sus acreedores, porque no los reconvengan.

trastejar². (De *traste*² o *trasto*.) tr. Recorrer o examinar cualquier cosa para arreglarla o componerla.

trastejo. m. Acción y efecto de trastejar¹ las tejas de un edificio. ‖ **2.** fig. Movimiento continuado y sin concierto ni orden.

trasteo. m. Acción de trastear² al toro. ‖ **2.** Acción de trastear² a una persona o un negocio.

trastería. f. Muchedumbre o montón de trastos viejos. ‖ **2.** fig. y fam. **trastada.**

trasterminar. tr. *Der.* **transterminar.**

trastero, ra. adj. Dícese de la pieza o desván destinado para guardar o poner los trastos que no son del uso diario. Ú. t. c. s.

trastesado, da. adj. Endurecido, tieso; dícese especialmente de las ubres de las hembras de los animales cuando tienen abundancia de leche.

trastesar. (Del lat. *trans-*, más allá, o *tensare*, atesar, endurecer, de *tensus*, tieso.) tr. Espaciar el ordeño de la oveja para retirarle la leche, con lo que la ubre se endurece.

trastesón. m. Abundancia de leche que tiene la ubre de una res.

trastiberino, na. adj. **transtiberino.** Apl. a pers., ú. t. c. s.

trastienda. f. Aposento, cuarto o pieza que está detrás de la tienda. ‖ **2.** fig. y fam. Cautela advertida y reflexiva en el modo de proceder o en el gobierno de las cosas.

trasto. (Del lat. *transtrum*, banco.) m. Cualquiera de los muebles o utensilios de una casa. ‖ **2.** Mueble inútil arrinconado. ‖ **3.** Cada uno de los bastidores que forman parte de las decoraciones de teatro. ‖ **4.** fig. y fam. Persona inútil o informal. ‖ **5.** pl. Armas de uso. ‖ **6.** Utensilios o herramientas de algún arte o ejercicio. *Los* TRASTOS *de pescar.* ‖ **tirarse los trastos a la cabeza.** fr. fig. y fam. Altercar violentamente dos o más personas.

trastocar. (De *trastrocar*.) tr. p. us. Trastornar, revolver. ‖ **2.** prnl. p. us. Trastornarse, perturbarse la razón.

trastornable. adj. Que fácilmente se trastorna.

trastornador, ra. adj. Que trastorna. Ú. t. c. s.

trastornadura. f. Acción y efecto de trastornar o trastornarse.

trastornamiento. m. Acción y efecto de trastornar o trastornarse.

trastornar. (De *tras*¹, por *trans-*, de una parte a otra, y *tornar*.) tr. Volver una cosa de abajo arriba o de un lado a otro. ‖ **2.** Invertir el orden regular de una cosa. ‖ **3.** fig. Inquietar. ‖ **4.** fig. Perturbar el sentido, la conciencia o la conducta de uno, acercándolos a la anormalidad. *La droga lo* TRASTORNÓ. Ú. t. c. prnl. *Se* TRASTORNÓ *tanto que parecía loco.* Ú. t. en sent. fig. ‖ **5.** fig. Inclinar o vencer con persuasiones el ánimo o dictamen de uno, haciéndole deponer el que antes tenía.

trastorno. m. Acción y efecto de trastornar o trastornarse. ‖ **2.** Alteración leve de la salud.

trastrabado, da. (De *tras*¹, por *trans-*, de través, y *trabado*.) adj. Dícese de la caballería que tiene blancos la mano izquierda y el pie derecho, o viceversa.

trastrabarse. (De *tras*[1], por *trans*-, de través, y *trabar*.) prnl. p. us. Trabarse la lengua.

trastrabillar. (De *tras*[1] y *traba*.) intr. **trastabillar.**

trastrás. (De *tras*[1].) m. fam. El penúltimo en algunos juegos de muchachos.

trastrigo. m. V. **pan de trastrigo.**

trastrocamiento. m. Acción y efecto de trastrocar o trastrocarse.

trastrocar. (De *tras*[1], por *trans*-, en sentido de cambio, y *trocar*.) tr. Mudar el ser o estado de una cosa, dándole otro diferente del que tenía. Ú. t. c. prnl.

trastrueco. m. Acción y efecto de trastrocar.

trastrueque. m. Acción y efecto de trastrocar.

trastuelo. m. d. de **trasto.**

trástulo. (Del it. *trastullo*.) m. Pasatiempo, juguete.

trastumbar. (De *tras*[1], por *trans*- en sentido de cambio, y *tumbar*.) tr. Dejar caer o echar a rodar una cosa.

trasudación. f. Acción y efecto de trasudar. ‖ **2.** *Med.* Acción y efecto de trasudar un líquido orgánico a través de las paredes del vaso en que se hallaba contenido. Dicho paso no tiene carácter osmótico.

trasudadamente. adv. m. Con trasudores y fatigas.

trasudado. m. *Med.* Líquido no inflamatorio contenido en una cavidad serosa.

trasudar. (De *tras*[1] y *sudar*.) tr. Exhalar de sí trasudor.

trasudor. (De *tras*[1] y *sudor*.) m. Sudor tenue y leve.

trasuntar. (De *trasunto*.) tr. Copiar un escrito. ‖ **2.** Compendiar o epilogar una cosa.

trasuntivamente. (Del lat. *transumptivus*, que toma de otra parte.) adv. m. p. us. En copia, traslado o trasunto. ‖ **2.** compendiosamente.

trasunto. (Del lat. *transumptus*, p. p. de *transumĕre*, tomar de otro.) m. Copia escrita de un original. ‖ **2.** Imitación exacta, imagen o representación de algo.

trasvasar. tr. **transvasar.**

trasvase. m. **transvase.**

trasvenarse. (De *tras*[1], por *trans*-, a través de, y *vena*, vaso de la sangre.) prnl. Salir sangre de las venas. ‖ **2.** fig. Derramarse una cosa desperdiciándose.

trasver. (De *tras*[1], por *trans*-, a través de, y *ver*.) tr. Ver a través de alguna cosa. ‖ **2.** Ver mal y equivocadamente alguna cosa.

trasverberación. f. **transverberación.**

trasversal. adj. **transversal.**

trasverso, sa. adj. **transverso.**

trasverter. (De *tras*[1] y *verter*.) intr. Rebosar un líquido por los bordes.

trasvinarse. (De *tras*[1], por *trans*-, a través de, y *vino*.) prnl. Rezumarse o verterse poco a poco el vino de las vasijas. Ú. t. alguna vez c. tr. ‖ **2.** fig. y fam. Conjeturarse, inferirse, traslucirse. ‖ **3.** fig. Traspasar, trascender.

trasvolar. (Del lat. *transvolāre*.) tr. Pasar volando de una parte a otra.

trata. (De *tratar*, comerciar.) f. Tráfico que consiste en vender seres humanos como esclavos. ‖ **de blancas.** Tráfico de mujeres, que consiste en atraerlas a los centros de prostitución para especular con ellas.

tratable. (Del lat. *tractabĭlis*.) adj. Que se puede o deja tratar fácilmente. ‖ **2.** Cortés, accesible y razonable.

tratadista. com. Autor que escribe tratados sobre una materia determinada.

tratado. (Del lat. *tractātus*.) m. Ajuste o conclusión de un negocio o materia, después de haberse conferido y hablado sobre ella. ‖ **2.** Documento que consta. ‖ **3.** Escrito o discurso de una materia determinada.

tratador, ra. (Del lat. *tractātor, -ōris*.) adj. Que trata un negocio o materia. Ú. t. c. s.

tratamiento. m. **trato,** acción y efecto de tratar o tratarse. ‖ **2.** Título de cortesía que se da o con que se habla a una persona; como *merced, señoría, excelencia,* etc. ‖ **3.** Vocativo de uso habitual en el coloquio, y referente a categoría social, edad, sexo, cualidades físicas o morales del interlocutor, con diversos matices de respeto o afecto: *¡Señor!, ¡Caballero!, ¡Señora!, ¡Niño!, ¡Chico!, ¡Hombre!, ¡Mujer!* ‖ **4.** Sistema de curación. TRATAMIENTO *hidroterápico;* TRATAMIENTO *herbícida.* ‖ **5.** Modo de trabajar ciertas materias para su transformación. ‖ **6.** ant. Tratado, ajuste o convenio. ‖ **7.** *Cinem.* y *TV.* Fase del proceso del guión cinematográfico consistente en desarrollar la sinopsis argumental antes de redactar el guión definitivo. ‖ **impersonal.** Aquel que se da al sujeto en tercera persona, eludiendo el de *merced, señoría,* etc. ‖ **apear** uno el **tratamiento.** fr. fig. No admitirlo o no tenerlo, o no dársele al que se habla o escribe. ‖ **dar tratamiento a** uno. fr. Hablarle o escribirle con el **tratamiento** que le corresponde. ‖ **tragarse** uno el **tratamiento.** fr. fig. y fam. Dejárselo dar quien lo tiene, cuando la cortesía aconseja no admitirlo.

tratante. p. a. de **tratar.** Que trata. ‖ **2.** m. El que se dedica a comprar géneros para revenderlos.

tratanza. (De *tratar*.) f. ant. Trato o tratamiento.

tratar. (Del lat. *tractāre*.) tr. Manejar una cosa y usarla materialmente. ‖ **2.** Manejar, gestionar o disponer algún negocio. ‖ **3.** Comunicar, relacionarse con un individuo. Con la preposición *con,* ú. t. c. intr. y c. prnl. ‖ **4.** Tener relaciones amorosas. Ú. m. c. intr. con la preposición *con.* ‖ **5.** Proceder bien, o mal, con una persona, de obra o de palabra. ‖ **6.** Cuidar bien, o mal, a uno, especialmente en orden a la comida, vestido, etc. Ú. t. c. prnl. ‖ **7.** Conferir, discurrir o disputar de palabra o por escrito sobre un asunto. Ú. t. c. intr. con las preposiciones *de* o *sobre* o con la locución adverbial *acerca de.* ‖ **8.** Con la preposición *de* y un título de cortesía, dar este título a una persona. *Le* TRATÓ DE *señoría.* ‖ **9.** Con la preposición *de* y un adjetivo despectivo o injurioso, motejar con él a una persona. *Le* TRATÓ DE *loco.* ‖ **10.** *Quím.* Con las preposiciones *con* o *por,* someter una sustancia a la acción de otra. ‖ **11.** intr. Con la preposición *de,* procurar el logro de algún fin. *Yo* TRATO DE *vivir bien.* ‖ **12.** Con la preposición *en,* comerciar géneros. TRATAR EN *ganado.*

tratativa. f. *Argent.* y *Perú.* Etapa preliminar de una negociación en la que comúnmente se discuten problemas laborales, políticos, económicos, etc. Ú. m. én pl.

trato. m. Acción y efecto de tratar o tratarse. ‖ **2.** tratado, ajuste o convenio, especialmente el hecho entre distintos estados o gobiernos. ‖ **3.** Tratamiento de cortesía. ‖ **4.** Ocupación u oficio de tratante. ‖ **5.** V. **casa, gente de trato.** ‖ **6.** fam. Contrato, especialmente el relativo a ganados, y más aún el celebrado en feria o mercado. ‖ **carnal.** Relación sexual. ‖ **de cuerda.** Tormento que se daba atando las manos por detrás al reo o al acusado, y colgándole por ellas de una cuerda, que pasaba por una garrucha, con la cual le levantaban en alto, y después se dejaban caer de golpe, sin que llegase al suelo. ‖ **2.** fig. Mal porte con uno. ‖ **de gentes.** Experiencia y habilidad en la vida social. ‖ **de nación más favorecida.** En los tratados de comercio, el que asegura a una potencia el goce de las mayores ventajas que el otro Estado conceda a un tercer país. ‖ **doble.** Fraude o simulación con que obra uno para engañar a otro, afectando amistad y fidelidad. ‖ **hecho.** Fórmula fam. con que se da por definitivo un convenio o acuerdo. ‖ **dar trato.** fr. desus. Entre estudiantes, dar matraca.

trauma. (Del gr. τϱαῦμα, herida.) m. *Cir.* **traumatismo.** ‖ **psíquico.** Choque o sentimiento emocional que deja una impresión duradera en la subconsciencia.

traumático, ca. (Del lat. *traumatĭcus,* y este del gr. τϱαυματικός.) adj. *Cir.* Perteneciente o relativo al traumatismo.

traumatismo. (Del gr. τραυματισμός, acción de herir.) m. *Cir.* Lesión de los tejidos por agentes mecánicos, generalmente externos.

traumatizar. tr. Causar trauma. Ú. t. c. prnl.

traumatología. (Del gr. τραῦμα, -ατος, herida, y *-logía*.) f. Parte de la medicina referente a los traumatismos y sus efectos.

traumatológico, ca. adj. *Med.* Perteneciente o relativo a la traumatología.

traumatólogo, ga. m. y f. *Med.* Especialista en traumatología.

travelín. (Del ing. *traveling*, viajero.) m. *Cinem.* Desplazamiento de la cámara montada sobre ruedas para acercarla al objeto, alejarla de él o seguirlo en sus movimientos. ‖ **2.** *Cinem.* Plataforma móvil sobre la cual va montada dicha cámara.

traversa. (Del lat. *transversa*, oblicua.) f. Madero que atraviesa de un lado a otro de los carros y sirve para dar firmeza al brancal. ‖ **2.** *Mar.* Cabo que sujeta la cabeza de un mástil al pie de otro, estay.

través. (Del lat. *transversus*.) m. Inclinación o torcimiento de una cosa hacia algún lado. ‖ **2.** fig. Desgracia, suceso infausto. ‖ **3.** *Arq.* Pieza de madera que se afirma el pendolón de una armadura. ‖ **4.** *Fort.* Obra exterior para estorbar el paso en parajes angostos. ‖ **5.** *Fort.* Parapeto para ponerse al abrigo de los fuegos enfilados, de flanco, de revés o de rebote. ‖ **6.** *Mar.* Dirección perpendicular a la de la quilla. ‖ **de dedo. dedo,** medida de longitud. ‖ **a través.** loc. adv. **de través.** ‖ **al través.** loc. adv. **a través de.** ‖ **2. de través.** ‖ **a través de.** loc. adv. que denota que algo pasa de un lado a otro. A TRAVÉS DE *la celosía;* A TRAVÉS DE *una gasa.* ‖ **2.** Por entre. A TRAVÉS DE *la multitud.* ‖ **3.** fig. **por intermedio de.** ‖ **dar al través.** fr. *Mar.* Tropezar la nave por los costados en una roca, o costa de tierra, en que se deshace o vara. ‖ **2.** fig. Tropezar, errar, cayendo en algún peligro. ‖ **dar uno al través con** una cosa. fr. fig. **dar al traste** con ella. ‖ **de través.** loc. adv. En dirección transversal. ‖ **echar al través** una nave. fr. *Mar.* Vararla para hacerla pedazos, cuando se la ha desechado por inútil. ‖ **ir al través** una nave. fr. *Mar.* Decíase de la que por inútil debía ser desechada o desbaratada en el puerto para donde hacía el viaje. ‖ **ir de través** una nave. fr. *Mar.* Ir arrollada por la corriente o por el viento. ‖ **mirar uno de través.** fr. Torcer la vista, mirar bizco.

travesaña. f. *Albac.* Travesaño de madera que une los varales del carro. ‖ **2.** *Guadal.* Travesía, callejuela.

travesaño. (De *travesar.*) m. Pieza de madera o hierro que atraviesa de una parte a otra. ‖ **2.** Almohada larga que ocupa toda la cabecera de la cama. ‖ **3.** En el fútbol y otros deportes, larguero horizontal de la portería.

travesar. (Del lat. *transversāre.*) tr. p. us. **atravesar.** Ú. t. c. prnl.

travesear. (De *travieso.*) intr. Andar inquieto o revoltoso de una parte a otra. ‖ **2.** fig. Discurrir con variedad, ingenio y viveza. ‖ **3.** fig. p. us. Vivir desenvueltamente y con deshonestidad o viciosas costumbres.

travesero, ra. (Del lat. *traversarĭus.*) adj. Dícese de lo que se pone de través. ‖ **2.** V. **flauta travesera.** ‖ **3.** m. **travesaño, almohada.**

travesía. (De *través.*) f. Camino transversal entre otros dos. ‖ **2.** Callejuela que atraviesa entre calles principales. ‖ **3.** Parte de una carretera comprendida dentro del casco de una población. ‖ **4.** Distancia entre dos puntos de tierra o de mar. ‖ **5.** Viaje por mar o por aire. ‖ **6.** p. us. Modo de estar una cosa al través. ‖ **7.** Cantidad que hay de pérdida o ganancia entre los que juegan. ‖ **8.** *Argent.* Región vasta, desierta y sin agua. ‖ **9.** *Fort.* Conjunto de traveses de una obra de fortificación, así para la defensa como para el ataque. ‖ **10.** *Mar.* Viento cuya dirección es perpendicular a la de una costa. ‖ **11.** *Mar.* Paga o viático que se da al marinero mercante por la navegación desde un puerto a otro.

travesío, a. (De *través.*) adj. Aplícase al ganado que sin ir a puntos distantes sale de los términos del pueblo donde mora. ‖ **2.** Aplícase a los vientos que dan por alguno de los lados, y no de frente. ‖ **3.** m. Sitio o terreno por donde se atraviesa.

travestido, da. (Del it. *travestito.*) adj. Disfrazado o encubierto con un traje que hace que se desconozca al sujeto que lo usa.

travestir. tr. Vestir a una persona con la ropa del sexo contrario. Ú. m. c. prnl.

travesura. (De *travieso.*) f. Acción y efecto de travesear. ‖ **2.** fig. Viveza y sutileza de ingenio para conocer las cosas y discurrir en ellas. ‖ **3.** fig. desus. Acción culpable o digna de represión y castigo. ‖ **4.** Acción maligna e ingeniosa y de poca importancia, generalmente hecha por niños.

traviesa. (Del lat. *transversa,* t. f. de *-sus,* travieso.) f. Travesía o distancia entre dos puntos de tierra o de mar. ‖ **2.** Lo que se juega además de la puesta. ‖ **3.** Apuesta que el que no juega hace a favor de un jugador. ‖ **4.** Cada uno de los maderos que se atraviesan en una vía férrea para asentar sobre ellos los rieles. ‖ **5.** Cada una de las piezas que unen los largueros del bastidor sobre los que se montan o asientan los vagones de los ferrocarriles. ‖ **6.** *Ar.* Parada de tablas o piedras y tierra para desviar o contener el agua de riego. ‖ **7.** *Arq.* Cualquiera de los cuchillos de armadura que sirven para sostener un tejado. ‖ **8.** *Arq.* Pared maestra que no está en fachada ni en medianería. ‖ **9.** *Cineg.* Postura del cazador que se sitúa en el centro de la mancha que se bate. ‖ **10.** *Min.* Galería transversal al filón.

travieso, sa. (Del lat. *transversus.*) adj. Atravesado o puesto al través o de lado. ‖ **2.** V. **mesa traviesa.** ‖ **3.** V. **a campo traviesa,** o **travieso.** ‖ **4.** fig. Sutil, sagaz. ‖ **5.** fig. Inquieto y revoltoso. ‖ **6.** fig. Aplícase a las cosas insensibles, bulliciosas e inquietas. ‖ **7.** fig. p. us. Que vive distraído en vicios, especialmente en el de la sensualidad. ‖ **8.** m. ant. Travesía o distancia entre dos puntos o lugares de tierra o de mar. ‖ **9.** ant. V. **línea de travieso.** loc. adv. **de través.** ‖ **2.** *Der.* Por línea transversal.

travo. m. *Germ.* Esgrimidor o maestro de esgrima.

trayecto. (Del fr. *trajet.*) m. Espacio que se recorre o puede recorrerse de un punto a otro. ‖ **2.** Acción de recorrerlo.

trayectoria. (Del fr. *trajectoire.*) f. Línea descrita en el espacio por un punto que se mueve, y más comúnmente, curva que sigue el proyectil lanzado por un arma de fuego. ‖ **2.** *Geom.* y *Mec.* Curva descrita en el plano o en el espacio por un punto móvil de acuerdo con una ley determinada. ‖ **3.** *Meteor.* Derrota o curso que sigue el cuerpo de un huracán o tormenta giratoria.

traza. (De *trazar.*) f. Diseño que se hace para la fabricación de un edificio u otra obra. ‖ **2.** fig. Plan para realizar un fin. ‖ **3.** fig. Invención, arbitrio, recurso. ‖ **4.** fig. Modo, apariencia o figura de una persona o cosa. Ú. m. en pl. ‖ **5.** Huella, vestigio. ‖ **6.** *Electr.* Trayectoria descrita por el punto luminoso en las pantallas de rayos catódicos. ‖ **7.** V. **gente de traza.** ‖ **8.** *Geom.* Intersección de una línea o de una superficie con cualquiera de los planos de proyección. ‖ **darse uno trazas.** fr. fig. y fam. **darse maña.** ‖ **echar trazas.** fr. fig. **echar líneas.** ‖ **llevar** o **traer traza,** o **trazas de.** fr. fig. **llevar camino,** estar en vías de lograrse una cosa.

trazable. adj. Que puede trazarse.

trazado, da. p. p. de **trazar.** ‖ **2.** adj. Con los adverbios *bien* o *mal* antepuestos, dícese de la persona de buena o mala disposición o compostura de cuerpo. ‖ **3.** m. Acción y efecto de trazar. ‖ **4.** Traza o diseño para hacer un edificio u otra obra. ‖ **5.** Recorrido o dirección de un camino, canal, etc., sobre el terreno.

trazador, ra. adj. Que traza o idea una obra. Ú. t. c. s.

trazar. (Del lat. **tractiāre*, de *tractus*.) tr. Hacer trazos. ‖ **2.** Delinear o diseñar la traza que se ha de seguir en un edificio u otra obra. ‖ **3.** fig. Discurrir y disponer los medios oportunos para el logro de una cosa. ‖ **4.** fig. Describir, dibujar, exponer por medio del lenguaje los rasgos característicos de una persona o asunto.

trazo. (De *trazar*.) m. Delineación con que se forma el diseño o planta de cualquier cosa. ‖ **2.** Línea, raya. ‖ **3.** Cada una de las partes en que se considera dividida la letra de mano, según el modo de formarla. ‖ **4.** *Pint.* Pliegue del ropaje. ‖ **magistral.** El grueso que forma la parte principal de una letra. ‖ **dibujar al trazo.** fr. Señalar con una línea los contornos de una figura.

trazumar. (De *tra.* por *trans-*, a través, y *zumo*.) tr. **rezumar**, dejar pasar un cuerpo a través de sus poros un líquido. Ú. m. c. prnl. ‖ **2.** intr. Atravesar un líquido los poros de un cuerpo. Ú. t. c. prnl.

treballa. f. Salsa blanca que se hacía antiguamente, de almendras, ajos, pan, huevos, especias, agraz, azúcar y canela, todo mezclado. Servía para condimentar ansarones.

trébede. (Del lat. *tripes*. *-ēdis*, que tiene tres pies.) f. Habitación o parte de ella que, a modo de hipocausto, se calienta con paja. Es común en varias comarcas de Castilla la Vieja donde escasea la leña. ‖ **2.** pl. Aro o triángulo de hierro con tres pies, que sirve para poner al fuego sartenes, peroles, etc.

trebejar. intr. Travesear, enredar, juguetear, retozar. ‖ **2.** p. us. **jugar.**

trebejo. (De or. inc.) m. Utensilio, instrumento. Ú. m. en pl. ‖ **2.** Juguete. ‖ **3.** Cada una de las piezas del juego de ajedrez. ‖ **4.** ant. Diversión, entretenimiento. ‖ **5.** ant. Burla o chanza.

trebejuelo. m. d. de **trebejo.**

trebelánica. adj. *Der.* **trebeliánica.** Ú. t. c. s.

trebeliánica. (Del b. lat. *trebellianica*, y este del lat. *trebelliānus*, perteneciente a *Trebelio*, cónsul romano.) adj. *Der.* V. **cuarta trebeliánica.** Ú. t. c. s.

trebentina. (Del lat. *terebinthīna*, de terebinto.) f. ant. Resina que fluye del pino y de algunos árboles, trementina.

trebo. m. *Chile.* Arbusto espinoso de la familia de las ramnáceas, que se utiliza para formar setos.

trébol. (Del cat. *trébol*, y este del gr. τρίφυλλον.) m. Planta herbácea anual, de la familia de las papilionáceas, de unos dos decímetros de altura, con tallos vellosos, que arraigan de trecho en trecho; hojas casi redondas, pecioladas de tres en tres; flores blancas o moradas en cabezuelas apretadas, y fruto en vainillas con semillas menudas. Es espontánea en España y se cultiva como planta forrajera muy estimada. ‖ **2.** Uno de los palos de la baraja francesa. Ú. m. en pl. ‖ **carretón, de carretilla o de carrete.** Denominación con que se designan diversas especies de mielgas o alfalfas silvestres que tienen sus legumbres enroscadas en forma de carrete. ‖ **hediondo.** Especie de higueruela. ‖ **oloroso. meliloto**[1].

trebolar. m. Terreno poblado de trébol.

trece. (Del lat. *tredĕcim*.) adj. Diez y tres. TRECE *libros*. ‖ **2. decimotercio.** *León* TRECE; *número* TRECE; *año* TRECE. Apl. a los días del mes, ú. t. c. s. *El* TRECE *de noviembre*. ‖ **3.** m. Conjunto de signos con que se representa el número **trece.** ‖ **4.** Cada uno de los **trece** regidores que había antiguamente en algunas ciudades. ‖ **5.** Cada uno de los caballeros elegidos por sus hermanos en capítulo general, para gobierno y administración de la orden de Santiago. ‖ **estarse, mantenerse,** o **seguir,** en sus **trece.** fr. fig. Persistir con pertinacia en una cosa que ha aprendido o

empezado a ejecutar. ‖ **2.** fig. Mantener a todo trance su opinión.

treceavo, va. (De *trece* y *-avo*.) adj. Dícese de cada una de las trece partes iguales en que se divide un todo. Ú. t. c. s. m.

trecemesino, na. adj. De trece meses.

trecén. (De *treceno*.) m. Decimotercia parte del valor de las cosas vendidas que se pagaba al señor jurisdiccional.

trecenario. (De *treceno*.) m. Número de trece días, continuados o interrumpidos, dedicados a un mismo objeto.

trecenato. (De *treceno*.) m. **trecenazgo.**

trecenazgo. (De *treceno*.) m. Cuerpo supremo integrado por los trece caballeros que tienen a su cargo el gobierno y la administración de la orden militar de caballería de Santiago.

treceno, na. (De *trece*.) adj. **tredécimo.**

trecésimo, ma. (Del lat. *tricesĭmus*.) adj. **trigésimo.**

trecientos, tas. (Del lat. *trecenti. -ōrum*.) adj. **trescientos.** Ú. t. c. s.

trecha. (De lat. *tracta*, t. f. de *-tus*.) f. **treta.**

trecheador. m. *Min.* El que trechea.

trechear. tr. *Min.* Transportar de trecho en trecho una carga a mano o en espuerta.

trechel. adj. V. **trigo trechel.** Ú. t. c. s.

trecheo. m. *Min.* Acción de trechear.

trecho. (Del lat. *tractus*.) m. Espacio, distancia de lugar o tiempo. ‖ **a trechos.** loc. adv. Con intermisión de lugar o tiempo. ‖ **de trecho a,** o **en, trecho.** loc. adv. De distancia a distancia, de lugar a lugar, de tiempo en tiempo.

trechor. m. *Blas.* Orla estrecha.

tredécimo, ma. (Del lat. *tredecĭmus*.) adj. desus. **decimotercio.** Usáb. t. c. s.

tredentudo, da. (De *tres* y *dentudo*.) adj. ant. **tridente,** que tiene tres dientes.

trefe. (De etim. disc.) adj. desus. Endeble, fácilmente deformable, enclenque. ‖ **2.** Falso, falto de ley. ‖ **3.** ant. **tísico.**

trefedad. f. ant. tisis.

trefilado. m. Acción y efecto de trefilar.

trefilar. tr. Reducir un metal a alambre o hilo pasándolo por una hilera.

trefilería. f. Acción y efecto de trefilar. ‖ **2.** Fábrica o taller donde se trefila.

tregua. (Del gót. *triggwa*, acuerdo.) f. Suspensión de armas, cesación de hostilidades, por determinado tiempo, entre los enemigos que tienen rota o pendiente la guerra. ‖ **2.** fig. Intermisión, descanso. ‖ **dar treguas.** fr. fig. Suspenderse o templarse mucho por algún tiempo el dolor u otra cosa que mortifica; como la terciana u otro accidente. ‖ **2.** fig. Dar tiempo, no ser urgente una cosa.

treguar. tr. ant. Dar tregua.

treilla. f. **tralla.**

treinta. (Del lat. *triginta*.) adj. Tres veces diez. ‖ **2.** Trigésimo, ordinal. *Número* TREINTA; *año* TREINTA. Apl. a los días del mes, ú. t. c. s. *El* TREINTA *de enero*. ‖ **3.** m. Conjunto de signos con que se representa el número **treinta.** ‖ **4.** Juego de naipes cuyo objetivo consiste en acercarse a **treinta** puntos, o no más. ‖ **treinta y cuarenta.** Cierto juego de azar. ‖ **treinta y una.** Juego de naipes o de billar, que consiste en hacer **treinta** y un tantos o puntos, y no más. Ú. c. f. sing. *Jugar a* la TREINTA Y UNA.

treintaidosavo, va. adj. Dícese de cada una de las 32 partes iguales en que se divide un todo. ‖ **en treintaidosavo.** expr. Dícese del libro, folleto, etc., cuyo tamaño iguala a la **treintaidosava** parte de un pliego de papel de marca ordinaria.

treintaidoseno, na. (De *treinta* y *dos*.) adj. Trigésimo segundo. ‖ **2.** Dícese del paño cuya urdimbre consta de treinta y dos centenares de hilos. ‖ **3.** m.

treintanario. (De *treintenario*.) m. Número de treinta

días, continuados o interrumpidos, dedicados a un mismo objeto, ordinariamente religioso.

treintañal. adj. Dícese de lo que es de treinta años o los tiene.

treintavo, va. (De *treinta* y *-avo*.) adj. Cada una de las treinta partes iguales en que se divide un todo.

treintena. f. Conjunto de treinta unidades. ‖ **2.** Cada una de las treintavas partes de un todo.

treintenario. (De *treinteno*.) m. ant. **treintanario.**

treinteno, na. (De *treinta*.) adj. **trigésimo.**

treja. f. Cierta tirada en el juego de trucos.

tremadal. m. **tremedal.**

tremar. (De *tremer*.) intr. ant. **temblar.**

trematodo. (Del gr. τρηματώδης, con aberturas o ventosas.) adj. *Zool.* Dícese de gusanos platelmintos que tienen cuerpo no segmentado, tubo digestivo ramificado y sin ano, dos o más ventosas y a veces también ganchos que les sirven para fijarse al cuerpo de su huésped; como la duela. Ú. t. c. s. ‖ **2.** m. pl. *Zool.* Orden de estos animales.

tremble. (Del fr. *tremblé*.) m. *Impr.* Filete ondulado que se usa en tipografía.

tremebundo, da. (Del lat. *tremebundus*.) adj. Espantable, horrendo, que hace temblar.

tremedal. (Del lat. *tremĕre*, temblar.) m. Terreno pantanoso, abundante en turba, cubierto de césped, y que por su escasa consistencia retiembla cuando se anda sobre él.

tremendismo. m. Corriente estética desarrollada en España durante el siglo XX entre escritores y artistas plásticos, que en sus obras exageran la expresión de los aspectos más crudos de la vida.

tremendista. adj. Dícese del que practica el tremendismo. ‖ **2.** Dícese de la obra en que se manifiesta la estética **tremendista.** ‖ **3.** Dícese del aficionado a contar noticias extremas y alarmantes. Ú. t. c. s.

tremendo, da. (Del lat. *tremendus*, p. f. de *tremĕre*, temer, tener miedo.) adj. Terrible, digno de ser temido. ‖ **2.** Digno de respeto y reverencia. ‖ **3.** fig. y fam. Muy grande y excesivo en su línea. ‖ **por la tremenda.** loc. adv. que denota el modo desconsiderado y violento de tratar o resolver algún negocio o asunto. Ú. m. con el verbo *echar.* ‖ **tomarse las cosas a la tremenda.** fr. fig. y fam. Darles demasiada importancia.

trementina. (De *trebentina*.) f. Jugo casi líquido, pegajoso, odorífero y de sabor picante, que fluye de los pinos, abetos, alerces y terebintos. Se emplea principalmente como disolvente en la industria de pinturas y barnices. ‖ **de Quío.** Resina del lentisco de Quío, que se emplea como perfume y en la preparación de barnices.

tremer. (Del lat. *tremĕre*.) intr. **temblar.**

tremés. (Del lat. *trimensis*.) adj. **tremesino.** ‖ **2.** V. **trigo tremés.**

tremesino, na. (De *tremés*.) adj. De tres meses. ‖ **2.** V. **trigo tremesino.**

tremielga. (De or. inc.) f. **torpedo**, pez.

tremís. (Del lat. *tremissis*.) m. Moneda antigua de Castilla, que valía el tercio de un sueldo o de un castellano. ‖ **2.** Moneda romana que valía la tercera parte de un sólido de oro.

tremó. (Del fr. *trumeau*.) m. Adorno a manera de marco, que se pone a los espejos que están fijos en la pared.

tremol. m. **tremó.**

trémol. (Del lat. *trĕmulus*, temblón.) m. *Ar.* **álamo temblón.**

tremolar. (Del lat. vulg. *tremulāre*.) tr. Enarbolar los pendones, banderas o estandartes, batiéndolos o moviéndolos en el aire. Por ext., se usa hablando de otras cosas, y en sent. fig., de cosas inmateriales de que se hace ostentación. Ú. t. c. intr.

tremolín. (De *tremolar*.) m. *Ar.* **álamo temblón.**

tremolina. f. Movimiento ruidoso del aire. ‖ **2.** fig. y

fam. Bulla, confusión de voces y personas que gritan y enredan, o riñen.

trémolo. (Del it. *tremolo*, trémulo.) m. *Mús.* Sucesión rápida de muchas notas iguales, de la misma duración.

tremor. (Del lat. *tremor, -ōris*.) m. **temblor.** ‖ **2.** Comienzo del temblor.

tremoso, sa. adj. **tembloroso.**

trémulamente. adv. m. Con temblor o con movimiento que se parece a él.

tremulante. adj. **trémulo.**

tremulento, ta. adj. **trémulo.**

trémulo, la. (Del lat. *tremŭlus*.) adj. Que tiembla. ‖ **2.** Aplícase a cosas que tienen un movimiento o agitación semejante al temblor; como la luz de una vela, etc.

tremuloso, sa. adj. desus. **trémulo.**

tren. (Del fr. *train*.) m. Medio de transporte que circula sobre raíles, compuesto por una serie de vagones y una locomotora que los arrastra. ‖ **2.** Conjunto de instrumentos, máquinas y útiles que se emplean para realizar una misma operación o servicio. TREN *de dragado, de artillería, de laminar*, etc. ‖ **3.** Ostentación, pompa o lujo con que se vive. Ú. m. en la expr. **tren de vida.** ‖ **4.** p. us. Aparato y prevención de las cosas necesarias para un viaje o expedición. ‖ **ascendente.** El que en los ferrocarriles españoles va desde las costas al interior, o sea en dirección a Madrid. ‖ **botijo.** fam. El de recreo, que en el verano traslada por precios muy económicos a viajeros con destino a algunas poblaciones de la costa. ‖ **carreta.** fam. El que marcha a poca velocidad y se detiene en todas las estaciones. Se usa generalmente refiriéndose a los **trenes** mixtos. ‖ **correo.** El que normalmente lleva la correspondencia pública. ‖ **de aterrizaje.** *Aer.* Conjunto de estructuras apoyadas en la armazón del fuselaje o de las alas del avión, que tiene por objeto facilitar el aterrizaje y despegue. ‖ **de escala.** desus. El que para en todas las estaciones, para tomar y dejar viajeros, encargos, etc. ‖ **de ondas.** *Fís.* Conjunto de ondas que se suceden unas a otras por estar originadas por perturbaciones intermitentes. ‖ **de recreo.** El que se expide con motivo de una festividad, feria o espectáculo público, generalmente con rebaja en el precio. ‖ **descendente.** El que desde Madrid o del interior va hacia la costa. ‖ **directo.** desus. **tren expreso.** ‖ **2.** Aquel en que sin transbordar se puede hacer un viaje, para el que ordinariamente se utilizan dos o más **trenes** de diferentes líneas. ‖ **discrecional.** El que puede o no salir, según lo disponga la administración ferroviaria competente. ‖ **especial.** El que no está en el cuadro del servicio ordinario y se dispone a petición de persona interesada y a su costa. ‖ **expreso.** El de viajeros que se detiene solamente en las estaciones principales del trayecto, y circula a gran velocidad. ‖ **mixto.** El que conduce viajeros y mercancías. ‖ **ómnibus.** El que lleva vagones de todas clases y para en todas las estaciones. ‖ **ordinario.** El que tiene determinada su marcha en el cuadro del servicio de la línea. ‖ **rápido.** El que lleva mayor velocidad que el expreso. ‖ **regular.** El que ha de salir en los días que prescribe el cuadro del servicio. ‖ **sanitario.** El que lleva socorros al lugar de una catástrofe o transporta heridos. ‖ **tranvía.** El de viajeros que realiza un trayecto corto y para en todas las estaciones. ‖ **a todo tren.** loc. adv. Sin reparar en gastos, con fausto y opulencia. ‖ **2.** Con la máxima velocidad. ‖ **estar como un tren.** fr. fig. y fam. que se califica a una persona muy atractiva. ‖ **para parar un tren.** loc. adv. fig. y fam. Ser muy fuerte o abundante una cosa. ‖ **perder el último tren.** fr. fig. y fam. Perder la última oportunidad o esperanza.

trena. (Del lat. *trina*, t. f. de *-nus*, triple.) f. Banda, cinturón mente trenzada, que usaban los soldados como cinturón o tahalí. ‖ **2.** Plata quemada. ‖ **3.** fam. Cárcel de presos.

| **4.** *Ar.* Bollo o pan en forma de trenza. ‖ **meter** a uno **en trena.** fr. fig. y fam. *Ar.* **meterle en cintura.**

trenado, da. adj. Dispuesto en forma de redecilla, enrejado o trenza.

trenca. (De or. inc.) f. Cada uno de los palos atravesados en el vaso de la colmena, para sostener los panales. ‖ **2.** Cada una de las raíces principales de una cepa. ‖ **3.** Abrigo corto, con capucha y con piezas alargadas a modo de botones, que se abrocha pasando cada una de ellas por sus respectivas presillas. ‖ **meterse hasta las trencas.** fr. fig. y fam. Entrarse en un lodazal y atascarse en él o enlodarse. ‖ **2.** fig. y fam. Intrincarse en un negocio o materia, de suerte que sea difícil desembarazarse o salir bien.

trencellín. m. **trencillo,** cintillo.

trencilla. f. Galoncillo trenzado de seda, algodón o lana, que sirve para adornos de pasamanería, bordados y otras muchas cosas.

trencillar. tr. Guarnecer con trencilla.

trencillo. m. p. us. **trencilla.** ‖ **2.** p. us. Cintillo de plata u oro, guarnecido de pedrería, que para gala o adorno se solía poner en los sombreros.

treno[1]. (Del lat. *threnus,* y este del gr. θρῆνος.) m. Canto fúnebre o lamentación por alguna calamidad o desgracia. ‖ **2.** Por antonom., cada una de las lamentaciones del profeta Jeremías.

treno[2]. m. *Germ.* El que está preso en la trena.

trenque. (Del cat. *trencar,* romper.) m. *Murc.* y *Ter.* Dique construido para cortar o desviar la corriente de un río.

trente. (Del lat. *tridens, -entis.*) amb. *Cantabria.* Especie de bieldo con tres dientes de hierro.

trenteno, na. adj. ant. **treinteno.** ‖ **2.** m. ant. **treintena.**

trenza. f. Conjunto de tres o más ramales que se entretejen, cruzándolos alternativamente. ‖ **2.** Peinado que se hace entretejiendo el cabello largo. ‖ **en trenza.** loc. adv. desus. Con las **trenzas** sueltas, dicho de las mujeres.

trenzadera. f. Lazo que se forma trenzando una cuerda o cinta. ‖ **2.** *Ar.* y *Nav.* Cinta de hilo.

trenzado, da. p. p. de **trenzar.** ‖ **2.** m. **trenza.** ‖ **3.** *Danza.* Salto ligero en el cual los pies baten rápidamente uno contra otro, cruzándose. ‖ **4.** *Equit.* Paso que hace el caballo piafando. ‖ **al trenzado.** loc. adv. Con desaliño, sin cuidado. ‖ **echar** uno **al trenzado** una cosa. fr. fig. **echarse** uno **a las espaldas** una cosa.

trenzar. (Del lat. **trinitiare* de *trini,* de tres.) tr. Hacer trenzas. ‖ **2.** intr. *Danza* y *Equit.* Hacer trenzados.

treo. (Del cat. *treu.*) m. *Mar.* Vela cuadrada o redonda con que las embarcaciones latinas navegan en popa con vientos fuertes.

trepa[1]. f. Acción y efecto de trepar[1]. ‖ **2.** fam. Media voltereta que se da agachándose, apoyando la coronilla en el suelo y haciendo pasar el cuerpo sobre ella hasta quedar tendido boca arriba. ‖ **3.** com. fam. y vulg. **arribista.**

trepa[2]. f. Acción y efecto de trepar[2]. ‖ **2.** Adorno o guarnición que se cose a la orilla de un vestido, y que va dando la vuelta por ella. ‖ **3.** Aguas u ondulaciones que presenta la superficie de algunas maderas labradas. ‖ **4.** fam. Astucia, malicia, engaño, fraude. ‖ **5.** fam. Castigo que se da a uno con azotes, patadas, etc.

trepadera. f. *Cuba.* Juego de cuerdas que forman dos estribos y un cinto, de que se valen los guajiros para subir a las palmeras a cortar el fruto o las pencas.

trepado[1]**, da.** p. p. de **trepar.** ‖ **2.** m. **trepa**[2], adorno. ‖ **3.** Línea de puntos taladrados a máquina que se hace en el papel para separar fácilmente los documentos de sus matrices, o los sellos de correos.

trepado[2]**, da.** p. p. de **treparse.** ‖ **2.** adj. Echado hacia atrás, retrepado. ‖ **3.** Aplícase al animal rehecho y fornido.

trepador, ra. adj. Que trepa[1]. ‖ **2.** fig. Que trepa sin

escrúpulos en la escala social. Ú. t. c. s. ‖ **3.** *Bot.* Dícese de las plantas que trepan[1] o suben agarrándose a los árboles u otros objetos. ‖ **4.** Aplícase a las aves que tienen el pico débil o recto, y el dedo externo unido al de en medio, o versátil, o dirigido hacia atrás para trepar con facilidad; como el cuclillo y el pico carpintero. Ú. t. c. s. ‖ **5.** m. Sitio o lugar por donde se trepa o se puede trepar[1]. ‖ **6.** Cada uno de los garfios con dientes interiores que se sujetan con correas, uno a cada pie, y que sirven para subir a los postes del telégrafo y otros análogos. Ú. m. en pl. ‖ **7.** f. pl. *Zool.* En clasificaciones en desuso, orden de las aves **trepadoras.**

trepajuncos. m. **arandillo,** pájaro.

trepanación. f. Acción y efecto de trepanar.

trepanar. tr. *Cir.* Horadar el cráneo u otro hueso con fin curativo o diagnóstico.

trépano. (Del b. lat. *trepānum,* y este del gr. τρύπανον.) m. *Cir.* Instrumento que se usa para trepanar.

trepante. adj. Que utiliza trepas[2] o engaños. Ú. t. c. s.

trepar[1]. (De la onomat. *trep.*) intr. Subir a un lugar alto o poco accesible valiéndose y ayudándose de los pies y las manos. Ú. t. c. tr. ‖ **2.** Crecer y subir las plantas agarrándose a los árboles u otros objetos, comúnmente por medio de zarcillos, raicillas u otros órganos. ‖ **3.** fig. y fam. Elevarse en la escala social ambiciosamente y sin escrúpulos.

trepar[2]. (Del gr. τρυπᾶν, taladrar.) tr. Taladrar, horadar, agujerear. ‖ **2.** Guarnecer con trepa[2] el bordado.

treparriscos. m. Ave trepadora de unos 15 centímetros de longitud desde la punta del pico hasta la extremidad de la cola y aproximadamente el doble de envergadura; cabeza pequeña, pico fino, largo y arqueado por la punta; plumaje ceniciento, algo azulado en el lomo, negro en la cara y garganta, encarnado en los bordes de las alas y con manchas blancas en las cuatro remeras principales. Se alimenta de insectos y arañas, que caza trepando por las rocas, y suele hallarse en las sierras más altas de España.

treparse. prnl. p. us. Echar hacia atrás la parte superior del cuerpo, retreparse.

trepatroncos. m. **herrerillo,** pájaro.

trepe. m. fam. Represión, reprimenda. Ú. principalmente en la frase **echar un trepe.**

trepidación. (Del lat. *trepidatĭo, -ōnis.*) f. Acción de trepidar. ‖ **2.** *Astron.* Balance aparente y casi insensible que los astrónomos antiguos atribuían al firmamento, de septentrión a mediodía, o al contrario. ‖ **3.** *Esgr.* V. **compás de trepidación.**

trepidante. (Del lat. *trepĭdans, -antis.*) p. a. de **trepidar.** Que trepida. ‖ **2.** adj. *Esgr.* V. **compás trepidante.**

trepidar. (Del lat. *trepidāre.*) intr. Temblar fuertemente. ‖ **2.** *Amér.* Vacilar, dudar.

trépido, da. (Del lat. *trepĭdus.*) adj. p. us. **trémulo.**

trepolina. f. *And.* Voltereta que se da apoyando la cabeza en el suelo.

treponema. f. *Microbiol.* Bacteria espiroquetal, casi siempre parásito, a veces patógeno para el hombre, como el **treponema** pálido y el **treponema** recurrente, agentes, respectivamente, de la sífilis y de la fiebre recurrente.

tres. (Del lat. *tres.*) adj. Dos y uno. ‖ **2.** Tercero, que sigue en orden al o a lo segundo. *Número* TRES; *año* TRES. Apl. a los días del mes, ú. t. c. s. *El* TRES *de julio.* ‖ **3.** V. **tres en raya.** ‖ **4.** V. **tres sietes.** ‖ **5.** *Arit.* V. **regla de tres.** ‖ **6.** *Mús.* V. **compás de tres por cuatro.** ‖ **7.** m. Signo o conjunto de signos con que se representa el número **tres.** ‖ **8.** Carta o naipe que tiene **tres** señales. *El* TRES *de oros; la baraja tiene cuatro* TRESES. ‖ **9.** Regidor de una ciudad o villa en que había este número de ellos. ‖ **10.** Conjunto de **tres** voces o de **tres** instrumentos. ‖ **como tres y dos son cinco.** expr. fig. y fam. con que se pondera la evidencia de alguna verdad. ‖ **ni a la de tres.** expr. fig. y fam. De ningún modo. ‖ **y tres más.** loc. adv. fam. que se usa para dar mayor fuerza a una afirmación.

tresabuelo, la. m. y f. ant. **tatarabuelo.**

tresalbo, ba. adj. Aplícase al caballo o yegua que tiene tres pies blancos.

tresañal. adj. De tres años.

tresañejo, ja. adj. Dícese de lo que es de tres años.

tresbolillo (a, o al). loc. adv. Dícese de la colocación de plantas puestas en filas paralelas, de modo que las de cada fila correspondan al medio de los huecos de la fila inmediata, de suerte que formen triángulos equiláteros.

trescientos, tas. (Del lat. *trecēnti.*) adj. Tres veces ciento. ‖ **2. tricentésimo.** *Número* TRESCIENTOS. ‖ **3.** m. Conjunto de signos con que se representa el número **trescientos.**

tresdoblar. tr. Multiplicar por tres. ‖ **2.** Hacer tres veces una cosa. ‖ **3.** Dar a una cosa tres dobleces, uno sobre otro.

tresdoble. adj. **triple.** Ú. t. c. s.

tresillista. com. Jugador de tresillo.

tresillo. m. Juego de naipes carteado que se juega entre tres personas, cada una de las cuales recibe nueve cartas, y gana en cada lance la que hace mayor número de bazas. Los lances principales son tres: entrada, vuelta y solo. ‖ **2.** Conjunto de un sofá y dos butacas que hacen juego. ‖ **3.** Sortija con tres piedras que hacen juego. ‖ **4.** *Mús.* Conjunto de tres notas iguales que se deben cantar o tocar en el tiempo correspondiente a dos de ellas.

tresmesino, na. adj. De tres meses.

tresna. f. ant. **rastro,** vestigio, señal o indicio de un acontecimiento.

tresnal. m. Conjunto de haces de mies apilados en forma de pirámide para que despidan el agua antes de llevarlos a la era.

tresnar. (De or. inc.) tr. ant. **arrastrar,** llevar a una persona o cosa por el suelo tirando de ella.

tresnieto, ta. m. y f. ant. **tataranieto.**

tresquilar. tr. ant. **trasquilar.** Ú. c. vulg.

tresquilón. m. ant. **trasquilón.** Ú. c. vulg.

trestanto. adv. m. p. us. Tres veces tanto. ‖ **2.** m. p. us. Cantidad triplicada.

trestiga. (Del b. lat. *tristĕga,* letrina, y este del lat. *tristĕga,* desván.) f. ant. Cloaca de las poblaciones.

treta. (Del fr. *traite.*) f. Artificio sutil e ingenioso para conseguir algún intento. ‖ **2.** Engaño que traza y ejecuta el diestro para herir o desarmar a su contrario, o para defenderse. ‖ **de la manotada.** *Esgr.* Aquella en que el diestro, valiéndose de la mano izquierda, separa violenta y rápidamente de la línea recta la espada de su contrario, quedando en disposición de herirle a mansalva. ‖ **del arrebatar.** *Esgr.* Aquella con que el diestro procura descomponer la posición de la espada de su contrario por medio de un tajo o revés. ‖ **del llamar.** *Esgr.* La que emplea el diestro amagando con distinto golpe de aquel con que piensa herir, y descubriéndose para incitar a su contrario. ‖ **del tajo rompido.** *Esgr.* La que usa el diestro tirando grandes tajos y reveses fuera del medio de proporción, para aturdir y acobardar a su contrario. ‖ **del tentado.** *Esgr.* La que consiste en tocar el diestro con la flaqueza de su espada el tercio medio de la del contrario, para que este acuda a herir, confiado en la posición dominante de su acero. ‖ **dar en la treta de.** fr. fig. y fam. Tomar la maña o la costumbre de hacer o decir algo, por lo general molesto.

tretero, ra. adj. desus. Astuto, taimado.

treudo. (Del lat. *tribūtum.*) m. *Ar.* Censo enfitéutico cuyo canon paga el dominio útil al directo, unas veces en dinero y otras en frutos. ‖ **2.** Canon o pensión de este censo.

trezavo, va. adj. **treceavo.** Ú. t. c. s. m.

trezna. f. Rastro, huella que deja a su paso la caza mayor.

treznal. (De *treceno.*) m. *Ar.* **tresnal.**

treznar. tr. ant. *Ar.* Formar hacinas de trece haces.

tri-. (Del lat. *tri-.*) elem. compos. que significa tres: TRI*sílabo,* TRI*motor.*

tría. f. Acción y efecto de triar o triarse. ‖ **2.** *Albac.* y *Ar.* Rodada de un camino. ‖ **dar una tría.** fr. Trasladar una colmena débil o poco poblada al sitio de otra fuerte, y esta al de aquella, mientras se hallan fuera las abejas, para que cambien de vaso y quede reforzado el débil y aligerado el fuerte.

triaca. (Del lat. *theriăca.*) f. Confección farmacéutica usada de antiguo y compuesta de muchos ingredientes y principalmente de opio. Se ha empleado para las mordeduras de animales venenosos. ‖ **2.** fig. Remedio de un mal, prevenido con prudencia o sacado del mismo daño.

triacal. adj. De triaca, o que tiene alguna de sus propiedades.

triache. (Del fr. *triage,* de *trier,* triar.) m. Café de calidad inferior, compuesto del residuo o desperdicio de los granos requemados, partidos, quebrantados, etc.

tríada. (Del lat. *trias, -adis,* y este del gr. τριάς, -άδος, trío, número tres.) f. Conjunto de tres seres o cosas estrecha o especialmente vinculados entre sí.

tríade. f. **tríada.**

triádico, ca. (Del gr. τριαδικός.) adj. Perteneciente o relativo a la tríada.

trial. (Del ing. *trial.*) m. *Dep.* Prueba motociclista de habilidad realizada sobre terrenos accidentados, montañosos y con obstáculos preparados para dificultar más el recorrido.

trianero, ra. adj. Perteneciente o relativo al barrio de Triana, en Sevilla. Ú. t. c. s. ‖ **2.** Dícese del vecino de este barrio. Ú. t. c. s.

triangulación. f. *Arq.* y *Geod.* Operación de triangular. ‖ **2.** *Arq.* y *Geod.* Conjunto de datos obtenidos mediante esa operación.

triangulado, da. p. p. de **triangular.** ‖ **2.** adj. Dispuesto, trazado u ordenado en figura triangular.

triangular¹. (Del lat. *triangulāris.*) adj. De figura de triángulo o semejante a él.

triangular². tr. *Arq.* Disponer las piezas de una armazón, de modo que formen triángulo. ‖ **2.** *Geod.* Ligar por medio de triángulos ciertos puntos determinados de una comarca para levantar el plano de la misma.

triangularmente. adv. m. En figura triangular.

triángulo, la. (Del lat. *triangŭlus.*) adj. De figura de **triángulo.** ‖ **2.** m. *Geom.* Figura formada por tres rectas que se cortan mutuamente formando tres ángulos. ‖ **3.** *Mús.* Instrumento que consiste en una varilla metálica doblada en forma triangular y suspendida de un cordón, la cual se hace sonar golpeándola con otra varilla también de metal. ‖ **acutángulo.** *Geom.* El que tiene los tres ángulos agudos. ‖ **ambligonio.** *Geom.* **triángulo obtusángulo.** ‖ **amoroso.** Relación amorosa de marido, mujer y el amante de uno de ellos. ‖ **cuadrantal.** *Trigon.* El esférico que tiene por lados uno o más cuadrantes. ‖ **escaleno.** *Geom.* El que tiene los tres lados desiguales. ‖ **esférico.** *Geom.* El trazado en la superficie de la esfera, y especialmente el que se compone de tres arcos de círculo máximo. ‖ **esférico birrectángulo.** *Geom.* El que tiene dos ángulos rectos. ‖ **esférico rectángulo.** *Geom.* El que tiene un ángulo recto. ‖ **esférico trirrectángulo.** *Geom.* El que tiene los tres ángulos rectos. ‖ **isósceles.** *Geom.* El que tiene iguales solamente dos lados. ‖ **oblicuángulo.** *Geom.* El que no tiene ángulo recto alguno. ‖ **obtusángulo.** *Geom.* El que tiene obtuso uno de sus ángulos. ‖ **orcheliano.** *Ling.* Artificio empleado por Orchell para explicar la correlación de las vocales, y que consiste en un **triángulo** en cuyos vértices se colocan las vocales *a, i, u,* consideradas como fundamentales, y las demás se intercalan a lo largo de los lados como intermedias entre aquellas. ‖ **ortogonio.** *Geom.* **triángulo rectángulo.** ‖ **oxigonio.** *Geom.* **triángulo acutángulo.** ‖ **plano.** *Geom.* El que tiene sus tres lados en un mismo plano. ‖ **rectángulo.** *Geom.* El que tiene recto uno de sus ángulos.

triaquera. f. Caja o bote para guardar triaca u otra droga medicinal.

triaquero, ra. m. y f. desus. Persona que vende triaca y otros ungüentos o drogas.

triar. (De or. inc.) tr. Escoger, separar, entresacar. ‖ **2.** intr. Entrar y salir con frecuencia las abejas de una colmena que está muy poblada y fuerte. ‖ **3.** prnl. Clarearse una tela por usada o mal tejida. ‖ **4.** *Ar.* Cortarse la leche.

triario. (Del lat. *triarii*.) m. Cada uno de los soldados veteranos que en la milicia romana formaban parte de un cuerpo de reserva.

triásico, ca. (Del gr. τριάς, conjunto de tres.) adj. *Geol.* Dícese del terreno sedimentario que, inferior al liásico, es el más antiguo de los secundarios, y debe el nombre a que en Alemania, donde primeramente fue estudiado, se compone de tres órdenes de rocas, areniscas rojas, calizas y margas abigarradas, en que abundan los criaderos de sal gema. Ú. t. c. s. ‖ **2.** *Geol.* Perteneciente a este terreno.

tribal. adj. **tribual.**

tribo-. (Del gr. τρίβω, frotar.) elem. compos. que significa «frote» o «rozamiento»: TRIBO*logía,* TRIBó*metro.*

triboelectricidad. (De *tribo-* y *electricidad.*) f. Electricidad que aparece por frotamiento entre dos cuerpos.

tribología. (De *tribo-* y *-logía.*) f. Técnica que estudia el rozamiento entre los cuerpos sólidos, con el fin de producir mejor deslizamiento y menor desgaste de ellos.

triboluminiscencia. (De *tribo-* y *luminiscencia.*) f. Luminiscencia que aparece por frotamiento.

tribómetro. (De *tribo-* y *-metro.*) m. Instrumento que sirve para medir el coeficiente de fricción por deslizamiento de los cuerpos.

tribraquio. (Del lat. *tribrăchys,* y este del gr. τρίβραχυς.) m. Pie de la poesía griega y latina, compuesto de tres sílabas breves.

tribu. (Del lat. *tribus*.) f. Cada una de las agrupaciones en que algunos pueblos antiguos estaban divididos; como las doce del pueblo hebreo y las tres primitivas de los romanos. Se ha usado a veces como masculino. ‖ **2.** Conjunto de familias nómadas, por lo común del mismo origen, que obedecen a un jefe. ‖ **3.** *Biol.* Cada uno de los grupos taxonómicos en que muchas familias se dividen y los cuales se subdividen en géneros.

tribual. adj. Perteneciente o relativo a la tribu.

tribuir. (Del lat. *tribuĕre.*) tr. p. us. **atribuir.**

tribulación. (Del lat. *tribulatĭo, -ōnis.*) f. Congoja, pena, tormento o aflicción moral. ‖ **2.** Persecución o adversidad que padece el hombre.

tribulanza. f. ant. Acción y efecto de tribular.

tribular. (Del lat. *tribulāre.*) tr. ant. Causar pena o aflicción, atribular. Usáb. t. c. prnl.

tríbulo[1]**.** (Del lat. *tribŭlus,* abrojo.) m. Nombre genérico de varias plantas espinosas. ‖ **2. abrojo,** planta. ‖ **3.** Remate que solían poner en el azote los disciplinantes.

tríbulo[2]**.** (Del lat. *tribŭlor,* tengo pena.) m. ant. **pésame.**

tribuna. (Del b. lat. *tribuna.*) f. Plataforma elevada y con antepecho, desde donde los oradores de la antigüedad dirigían la palabra al pueblo. ‖ **2.** Especie de púlpito desde el cual se lee o perora en las asambleas públicas o privadas; y por ext., cualquier otro lugar desde el cual se dirige el orador a su auditorio. ‖ **3.** Galería destinada a los espectadores en estas mismas asambleas. ‖ **4.** Ventana o balcón que hay en algunas iglesias, y desde donde se puede asistir a los oficios divinos. ‖ **5.** Localidad preferente en un campo de deporte. ‖ **6.** Plataforma elevada para presenciar un espectáculo público, como desfile, procesión, etc. ‖ **7.** fig. Oratoria, principalmente política, de un país, de una época, etc. ‖ **8.** fig. Conjunto de oradores políticos de un país, de una época, etc.

tribunado. (Del lat. *tribunatus.*) m. Dignidad de tribuno en la Roma Antigua. ‖ **2.** Tiempo que duraba. ‖ **3.** Uno de los cuerpos que formaban el poder legislativo en la constitución consular francesa anterior al imperio napoleónico.

tribunal. (Del lat. *tribūnal.*) m. Lugar destinado a los jueces para administrar justicia y dictar sentencias. ‖ **2.** Ministro o ministros que ejercen la justicia y pronuncian la sentencia. ‖ **3.** V. **día de tribunales.** ‖ **4.** Conjunto de jueces ante el cual se efectúan exámenes, oposiciones y otros certámenes o actos análogos. ‖ **ad quem.** *Der.* En los recursos o apelaciones, aquel ante quien se acude contra el fallo de otro inferior. ‖ **a quo.** *Der.* Aquel de cuyo fallo se recurre. ‖ **colegiado.** El que se forma con tres o más individuos por contraposición al **tribunal** unipersonal. ‖ **de Cuentas.** Oficina central de contabilidad que tiene a su cargo examinar y censurar las cuentas de todas las dependencias del Estado. ‖ **de Dios.** Juicio que Dios hace de los hombres después de la muerte. ‖ **de honor.** *Der.* El autorizado dentro de ciertos cuerpos o colectividades para juzgar la conducta deshonrosa, aunque no delictiva, de alguno de sus miembros. ‖ **de la conciencia.** Recto juicio íntimo de los deberes y de los actos propios. ‖ **de la penitencia.** Sacramento de la penitencia, y lugar en que se administra. ‖ **supremo.** *Der.* El más alto de la justicia ordinaria. ‖ **tutelar de menores.** *Der.* El que resuelve acerca de la delincuencia de los menores de edad y protege a la infancia desamparada.

tribunato. m. ant. **tribunado.**

tribunicio, cia. (Del lat. *tribunitĭus.*) adj. Perteneciente o relativo al tribuno. *Potestad* TRIBUNICIA; *Elocuencia* TRIBUNICIA.

tribúnico, ca. adj. Perteneciente a la dignidad de tribuno.

tribuno. (Del lat. *tribūnus.*) m. Cada uno de los magistrados que elegía el pueblo romano reunido en tribus, y tenían facultad de poner el veto a las resoluciones del Senado y de proponer plebiscitos. ‖ **2.** fig. Orador político que mueve a la multitud con elocuencia fogosa y apasionada. ‖ **de la plebe.** tribuno romano. ‖ **militar.** Jefe de un cuerpo de tropas de los antiguos romanos.

tributable. adj. Que puede dar tributo.

tributación. f. Acción de tributar. ‖ **2.** Lo que se tributa. ‖ **3.** Régimen o sistema tributario. ‖ **4.** *Ar.* **enfiteusis.**

tributante. p. a. de **tributar.** Que tributa. Ú. t. c. s.

tributar. tr. Entregar el vasallo al señor en reconocimiento del señorío, o el súbdito al Estado para las cargas y atenciones públicas, cierta cantidad en dinero o en especie. ‖ **2.** fig. Ofrecer o manifestar veneración como prueba de agradecimiento o admiración. ‖ **3.** *Ar.* Dar a treudo. ‖ **4.** *Ar.* Poner término o amojonar los límites señalados a la Mesta.

tributario, ria. (Del lat. *tributarĭus.*) adj. Perteneciente o relativo al tributo. ‖ **2.** Que paga tributo o está obligado a pagarlo. Ú. t. c. s. ‖ **3.** fig. Dícese del curso de agua con relación al río o mar adonde va a parar.

tributo. (Del lat. *tribūtum.*) m. Lo que se tributa. ‖ **2.** Carga u obligación de tributar. ‖ **3.** Contrato por el que se sujeta un inmueble al pago de una pensión anual como interés de un capital en dinero que se ha recibido, censo. ‖ **4.** fig. Cualquier carga continua u obligación que impone el uso o disfrute de algo.

tricahue. (Del arauc. *thucau.*) m. *Chile.* Loro grande que habita en los barrancos de la cordillera.

tricenal. (Del lat. *tricennālis.*) adj. Que dura treinta años. ‖

2. Que se ejecuta de treinta en treinta años. *Las fiestas* TRICENALES.

tricentenario. m. Tiempo de trescientos años. ‖ **2.** Fecha en que se cumplen trescientos años del nacimiento o muerte de alguna persona ilustre o de algún suceso famoso. ‖ **3.** Fiestas o actos que se celebran por alguno de esos motivos.

tricentésimo, ma. (Del lat. *tricentesĭmus*.) adj. Que sigue inmediatamente en orden al o a lo ducentésimo nonagésimo nono. ‖ **2.** Dícese de cada una de las trescientas partes iguales en que se divide un todo. Ú. t. c. s.

tríceps. (Del lat. *triceps*.) adj. *Anat.* Dícese del músculo que tiene tres porciones o cabezas. Ú. t. c. s. ‖ **braquial.** *Anat.* El que al contraerse extiende el antebrazo. ‖ **espinal.** *Anat.* El que está a lo largo del espinazo e impide que caiga este hacia adelante. ‖ **femoral.** *Anat.* El unido al fémur y la tibia y que al contraerse extiende con fuerza la pierna.

tricésimo, ma. (Del lat. *tricesĭmus*.) adj. p. us. **trigésimo.** Ú. t. c. s.

triciclo. (De *tri-*, y el gr. κύκλος, círculo, rueda.) m. Vehículo de tres ruedas. ‖ **2.** Juguete infantil de tres ruedas, que se mueve mediante la acción de pedales.

tricípite. (Del lat. *triceps*, *-ĭtis*.) adj. Que tiene tres cabezas.

triclínico, ca. (De *tri-* y un der. del gr. κλίνω, inclinar.) adj. Dícese del sistema cristalográfico según el cual cristalizan la turquesa y varias plagioclasas.

triclinio. (Del lat. *triclinĭum*, y este del gr. τρικλίνιον.) m. Cada uno de los lechos, capaces por lo común para tres personas, en que los antiguos griegos y romanos se reclinaban para comer. ‖ **2.** Comedor de los antiguos griegos y romanos.

tricloruro. m. *Quím.* Cloruro que contiene tres átomos de cloro por uno de otro elemento.

tricolor. (Del lat. *tricŏlor*, *-ōris*.) adj. De tres colores.

tricorne. (Del lat. *tricornis*.) adj. poét. Que tiene tres cuernos.

tricornio. (Del fr. *tricorne*.) adj. Que tiene tres cuernos. ‖ **2.** V. **sombrero tricornio.** Ú. t. c. s.

tricota. f. *Argent.* **suéter,** prenda de punto.

tricotar. (Del fr. *tricoter*.) intr. Tejer, hacer punto a mano o con máquina tejedora. Ú. t. c. tr.

tricotomía. (Del gr. τριχοτομία.) f. *Bot.* Trifurcación de un tallo o una rama. ‖ **2.** *Lóg.* Método de clasificación en que las divisiones y subdivisiones tienen tres partes. ‖ **3.** Aplicación de este método.

tricotómico, ca. adj. *Bot.* y *Lóg.* Perteneciente o relativo a la tricotomía.

tricótomo, ma. (Del gr. τρίχα, en tres, y τομή, sección.) adj. *Bot.* y *Lóg.* Que se divide por tricotomía.

tricotosa. (Del fr. *tricoteuse*.) f. Máquina para hacer tejido de punto. ‖ **2.** Operaria que trabaja con esta máquina.

tricromía. (De *tri-* y el gr. χρῶμα, color.) *Impr.* Estampación hecha mediante la combinación de tres tintas de diferente color.

tricúspide. adj. *Anat.* V. **válvula tricúspide.** Ú. t. c. s. f.

tridacio. (Del lat. *thridax*, *-ācis*, y este del gr. θρῖδαξ, lechuga.) m. *Farm.* Medicamento calmante menos activo que el lactucario, obtenido por la evaporación del zumo de los tallos de la lechuga espigada.

tridente. (Del lat. *tridens*, *-entis*.) adj. De tres dientes. ‖ **2.** m. Cetro en forma de arpón, que tienen en la mano las figuras de Neptuno. ‖ **3.** *And.* y *Murc.* **fisga,** arpón de tres dientes para pescar peces grandes.

tridentífero, ra. adj. Que lleva tridente.

tridentino, na. (Del lat. *Tridentīnus*.) adj. Natural de Trento. Ú. t. c. s. ‖ **2.** Perteneciente a esta ciudad de Italia o al Tirol. ‖ **3.** Perteneciente al concilio ecuménico que en esta ciudad se reunió a partir del año 1545.

tridimensional. adj. De tres dimensiones.

triduano, na. (Del lat. *triduānus*.) adj. De tres días.

triduo. (Del lat. *tridŭum*, espacio de tres días.) m. Ejercicios devotos que se practican durante tres días.

triedro. (De *tri-*, y el gr. ἕδρα, plano.) adj. *Geom.* V. **ángulo triedro.**

trienal. adj. Que sucede o se repite cada trienio. ‖ **2.** Que dura un trienio.

trienio. (Del lat. *triennĭum*.) m. Tiempo o espacio de tres años. ‖ **2.** Incremento económico de un sueldo o salario correspondiente a cada tres años de servicio activo.

triente. (Del lat. *triens*.) m. Moneda bizantina que valía un tercio de sólido. ‖ **2.** Moneda de oro acuñada por los visigodos en España.

trieñal. adj. p. us. **trienal.**

triestino, na. adj. Natural de Trieste. Ú. t. c. s. ‖ **2.** Perteneciente a esta ciudad del Adriático. ‖ **3.** m. Dialecto hablado en la región de Trieste.

trifásico, ca. adj. *Fís.* Se dice de un sistema de tres corrientes eléctricas alternas iguales, procedentes del mismo generador, y desplazadas en el tiempo, cada una respecto de las otras dos, en un tercio de periodo.

trifauce. (Del lat. *trifaux*, *-aucis*.) adj. poét. De tres fauces o gargantas.

trífido, da. (Del lat. *trifĭdus*.) adj. *Bot.* Abierto o hendido por tres partes.

trifinio. (Del lat. *trifinĭum*.) m. Punto donde confluyen y finalizan los términos de tres jurisdicciones o divisiones territoriales.

trifloro, ra. (De *tri-* y el lat. *flos, floris*, flor.) adj. Que tiene tres flores.

trifoliado, da. adj. *Bot.* Que tiene hojas compuestas de tres foliolos.

trifolio. (Del lat. *trifolĭum*.) m. **trébol.**

triforio. m. *Arq.* Galería que rodea el interior de una iglesia sobre dos arcos de las naves y que suele tener ventanas de tres huecos.

triforme. (Del lat. *triformis*.) adj. De tres formas o figuras.

trifulca. (Del lat. *trifurca*, t. f. de *-cus*.) f. Aparato formado con tres palancas ahorquilladas en sus extremos, para dar movimiento a los fuelles de los hornos metalúrgicos. ‖ **2.** fig. y fam. Desorden y camorra entre varias personas.

trifurcación. f. Acción y efecto de trifurcarse.

trifurcado, da. adj. *trifurcātus*.) p. p. de **trifurcarse.** ‖ **2.** adj. De tres ramales, brazos o puntas.

trifurcarse. prnl. Dividirse una cosa en tres ramales, brazos, o puntas. TRIFURCARSE *la rama de un árbol.*

triga. (Del lat. *trigae*, *-ae*.) f. Carro de tres caballos. ‖ **2.** Conjunto de tres caballos de frente que tiran de un carro.

trigal. m. Campo sembrado de trigo.

trigaza. (De *triga*.) adj. V. **paja trigaza.**

trigésimo, ma. (Del lat. *trigesĭmus*.) adj. Que sigue inmediatamente en orden al o a lo vigésimo nono. ‖ **2.** Dícese de cada una de las treinta partes iguales en que se divide un todo. Ú. t. c. s.

trigla. (Del lat. *trigla*.) f. **trilla¹.**

triglifo o **tríglifo.** (Del lat. *triglўphus*, y este del gr. τρίγλυφος.) m. *Arq.* Adorno del friso dórico que tiene forma de rectángulo saliente y está surcado por tres canales.

trigo. (Del lat. *tritĭcum*.) m. Género de plantas de la familia de las gramíneas, con espigas terminales compuestas de cuatro o más carreras de granos, de los cuales, triturados, se saca la harina con que se hace el pan. Hay muchas especies, y en ellas innumerables variedades. ‖ **2.** Grano de esta planta. ‖ **3.** Conjunto de granos de esta planta. ‖ **4.** fig. Dinero, caudal. ‖ **5.** pl. *Ál.* **uva de gato.** ‖ **álaga. álaga.** ‖ **alonso.** Variedad de **trigo** fanfarrón, de caña cerrada y gruesa y espiga ancha. ‖ **aristado.** El que tiene aristas, en contraposición al mocho. ‖ **azul, azulejo,** o **azulenco. trigo moreno.** ‖ **berrendo.** Variedad de **trigo** común, cuyo cascabillo tiene manchas de azul oscuro. ‖ **bornero.** El que molido con piedra bornera da pan bazo por salir muy remolida la harina. ‖ **candeal.** Especie de **trigo** aristado, con la espiga cuadrada, recta, con espiguillas cortas y los granos ovales, obtusos y opacos; da harina y pan blancos, y este esponjoso, y por tanto se tiene por el de superior calidad, aunque haya otros **trigos** tanto o más nutritivos. También se llaman así otras variedades cuando rinden mucha harina y blanca, que se emplea en hacer pan de primera calidad. ‖ **cañihueco,** o **cañivano.** Variedad de **trigo** redondillo, cuya paja es hueca y muy apetecida por el ganado; rinde a veces, en igualdad de cosechas, un tercio más que otras especies, y hace buen pan. ‖ **cascalbo.** Variedad de **trigo** fanfarrón con raspa blanca. ‖ **común. trigo candeal.** ‖ **cuchareta. cuchareta,** variedad de **trigo** andaluz. ‖ **chamorro.** Especie de **trigo** mocho, con la espiga pequeña y achatada y el grano blando y de poco salvado. ‖ **chapado.** Especie de **trigo** parecido al cuchareta, con la espiga comprimida, ancha, densa y vellosa. ‖ **de Bona. trigo de Polonia.** ‖ **de invierno. trigo otoñal.** ‖ **del milagro. trigo racimal.** ‖ **de marzo. trigo tremés.** ‖ **de Polonia.** Especie de **trigo** que se cultiva en el reino de León y las Baleares, parecido al duro y con las espigas largas, más anchas por la base que por la cúspide. ‖ **desraspado. trigo chamorro.** ‖ **durillo,** o **duro.** Especie de **trigo** muy parecido al moro, que tiene las glumas vellosas y los granos elípticos, muy duros y casi diáfanos. ‖ **fanfarrón.** Especie de **trigo** procedente de Berbería; duro, alto, de espigas arqueadas y largas, y que da mucho salvado y poca harina, aunque de buena calidad. Abunda en Andalucía. ‖ **garzul.** *And.* **trigo álaga.** ‖ **lampiño.** Cualquiera de los que carecen de vello en las glumas florales. ‖ **marzal. trigo tremés.** ‖ **mocho.** El que no tiene aristas. ‖ **montesino.** Especie de egílope que tiene las cañas desnudas en la parte superior y las espigas cortas y aovadas. ‖ **morato,** o **moreno.** Variedad de álaga, cuyos granos son de color obscuro. ‖ **moro,** o **moruno.** Especie de **trigo** procedente de África, algo parecido al fanfarrón, pero más pequeño y más moreno. ‖ **otoñal.** Cualquiera de los que se siembran en otoño, están bajo tierra todo el invierno y fructifican en verano. ‖ **pelón,** o **peloto.** Variedad de **trigo** chamorro. ‖ **piche.** Variedad de **trigo** candeal, de grano blando, pequeño y obscuro. ‖ **racimal.** Cualquiera de las variedades de diversas especies de **trigo** que echan más de una espiga en la extremidad de la caña. ‖ **raspudo. trigo aristado.** ‖ **redondillo.** Cualquiera de las dos especies de **trigo** que tienen las espigas cuadradas, aovadas o ventrudas, y el grano blando, redondeado y rojizo. ‖ **rubión.** Variedad de **trigo** fanfarrón de grano dorado. ‖ **2.** *Mancha.* **alforfón.** ‖ **salmerón.** Variedad de **trigo** fanfarrón, que ahija poco y tiene la espiga larga y gruesa. ‖ **sarraceno. alforfón.** ‖ **trechel, tremés,** o **tremesino.** Cualquiera de los que se siembran en primavera y fructifican en el verano del mismo año. ‖ **zorollo.** El segado antes de su completa madurez. ‖ **echar** uno **por esos trigos,** o **por los trigos de Dios.** fr. fig. y fam. En desacertado y fuera de camino. ‖ **no es lo mismo predicar que dar trigo.** fr. proverb. con que se denota que es más fácil aconsejar que practicar lo que se aconseja. ‖ **no es todo trigo.** fr. que se dice cuando entre cosas o cualidades buenas hay mezcladas otras malas. ‖ **no ser trigo limpio.** fr. fig. y fam. No ser un asunto o la conducta de una persona tan intachable como a primera vista parece, o adolecer de un grave defecto.

trigón. (Del lat. *trigōnus,* y este del gr. τρίγωνος, triangular.) m. Instrumento músico de figura triangular y con cuerdas metálicas, usado por los antiguos griegos y romanos.

trigonal. adj. Dícese de un subsistema cristalográfico del hexagonal.

trígono. (Del lat. *trigōnus,* y este del gr. τρίγωνος.) m. *Astrol.* Conjunto de tres signos del Zodiaco equidistantes entre sí. Cada uno de los cuatro grupos formados de este modo se consideraba de naturaleza y calidad análogas, respectivamente, al fuego, al aire, al agua y a la tierra. ‖ **2.** *Geom.* **triángulo,** figura formada por tres líneas que se cortan. ‖ **3.** *Gnom.* **radio**[1] **de los signos.**

trigonometría. (Del gr. τριγωνομετρία.) f. Parte de las matemáticas que trata del cálculo de los elementos de los triángulos planos y esféricos. ‖ **plana.** La que trata de los triángulos esféricos. ‖ **esférica.** La que trata de los triángulos planos.

trigonométrico, ca. adj. Perteneciente o relativo a la trigonometría. *Cálculo* TRIGONOMÉTRICO; *operación* TRIGONOMÉTRICA. ‖ **2.** *Geom.* V. **línea trigonométrica.**

trigueño, ña. adj. De color del trigo; entre moreno y rubio.

triguera. (De *triguero,* que se cría entre el trigo.) f. Planta perenne de la familia de las gramíneas, muy parecida al alpiste, pero de menor tamaño, que crece en sembrados húmedos y da buen forraje. ‖ **2.** *Sal.* **pinzón,** pájaro. ‖ **3.** *Cantabria.* **triguero,** terreno apto para el trigo.

triguero, ra. (Del lat. *triticarīus.*) adj. Perteneciente o relativo al trigo. ‖ **2.** Que se cría o anda entre el trigo. *Espárrago, pájaro* TRIGUERO. ‖ **3.** Aplícase al terreno en que se da bien el trigo. ‖ **4.** m. y f. Persona que comercia y trafica en trigo. ‖ **5.** *Col.* Persona que cultiva trigo. ‖ **6.** m. Criba o harnero para zarandar el trigo.

triguillo. m. d. de trigo. ‖ **2.** *And.* y *Ar.* Residuos que quedan después de ahechado el trigo.

trilátero, ra. adj. De tres lados.

trile. (Del arauc. *thili.*) m. *Chile.* Pájaro negro con dos manchas amarillas debajo de las alas. Se asemeja al tordo y anida en lugares húmedos.

trilingüe. (Del lat. *trilinguis.*) adj. Que tiene tres lenguas. ‖ **2.** Que habla tres lenguas. ‖ **3.** Escrito en tres lenguas.

trilita. f. *Quím.* **trinitrotolueno.**

trilítero, ra. (De *tri-* y el lat. *littĕra,* letra.) adj. De tres letras. *Vocablo* TRILÍTERO; *sílaba* TRILÍTERA.

trilito. (De *tri-* y el gr. λίθος, piedra.) m. Dolmen compuesto de tres grandes piedras, dos de las cuales, clavadas verticalmente en el suelo, sostienen la tercera en posición horizontal.

trilobites. m. Artrópodo marino fósil del paleozoico. Su cuerpo, algo deprimido y de contorno oval, está dividido en tres regiones y a lo largo recorrido por dos surcos que le dan aspecto de trilobulado. Abunda en España en las pizarras silúricas.

trilobulado, da. adj. Que tiene tres lóbulos.

trilocular. (De *tri-* y el lat. *loculāris,* local.) adj. Dividido en tres partes.

trilogía. (Del gr. τριλογία.) f. Conjunto de tres obras trágicas de un mismo autor, presentadas a concurso en los juegos solemnes de la Grecia antigua. ‖ **2.** Conjunto de tres obras literarias de un autor que constituyen una unidad.

trilla[1]. (Del lat. *trigla.*) f. **rubio,** pez.

trilla[2]. (Del lat. *tribŭla, tribla.*) f. **trillo,** instrumento para trillar.

trilla[3]. f. Acción y efecto de trillar. ‖ **2.** Tiempo en que se trilla. ‖ **3.** fig. *And., Chile* y *P. Rico.* Zurra, felpa, pateadura.

trilladera. f. **trillo,** instrumento para trillar la mies. ‖ **2.** *Ál., Nav., Rioja* y *Sor.* Tirante, por lo general de esparto, con que se ata el trillo a las caballerías.

trillado, da. p. p. de **trillar.** ‖ **2.** adj. V. **camino trillado.** ‖ **3.** fig. Común y sabido.

trillador, ra. adj. Que trilla. Ú. t. c. s. ‖ **2.** f. Máquina para trillar.

trilladura. (De *trillar.*) f. Acción y efecto de trillar.

trillar. (Del lat. *tribulāre.*) tr. Quebrantar la mies tendida en la era, y separar el grano de la paja. ‖ **2.** fig. Dejar a alguien maltrecho. ‖ **3.** fig. y fam. Frecuentar y seguir una cosa continuamente o de ordinario.

trillazón. f. ant. **trilla**[3], acción y efecto de trillar la mies.

trillique. com. *Sal.* Persona que guía la yunta durante la trilla[3].

trillizo, za. (De *tri-* y *mellizo*.) adj. Nacido de un parto triple. Ú. t. c. s.

trillo. (Del lat. *tribŭlum*.) m. Instrumento para trillar, que comúnmente consiste en un tablón con pedazos de pedernal o cuchillas de acero encajadas en una de sus caras. ‖ **2.** *Can.* y *Amér.* Senda formada comúnmente por el tránsito.

trillón. (De *tri-*, y la terminación *-llón*, de *millón*.) m. *Arit.* Un millón de billones, que se expresa por la unidad seguida de dieciocho ceros.

trimembre. (Del lat. *trimembris*.) adj. De tres miembros o partes.

trimensual. adj. Que sucede o se repite tres veces al mes.

trímero, ra. adj. *Zool.* Hablando de los insectos coleópteros, que tienen en cada tarso tres artejos bien desarrollados y uno rudimentario, como la mariquita. Ú. t. c. s. m. ‖ **2.** m. pl. *Zool.* Suborden de estos animales.

trimestral. adj. Que sucede o se repite cada tres meses. ‖ **2.** Que dura tres meses.

trimestralmente. adv. m. Por trimestres.

trimestre. (Del lat. *trimestris*.) adj. p. us. **trimestral**. ‖ **2.** m. Espacio de tres meses. ‖ **3.** Cantidad que se cobra o se paga cada **trimestre**. ‖ **4.** Conjunto de números de un periódico o revista, publicados durante un **trimestre**. *El primer* TRIMESTRE *de la Gaceta de este año.*

trímetro. (Del lat. *trimĕtrus*.) adj. V. **verso trímetro**. Ú. t. c. s. m.

trimielga. f. **torpedo**, pez.

trimotor. m. Avión provisto de tres motores.

trimurti. f. Especie de trinidad en la religión de Brahma.

trinacrio, cria. (Del lat. *Trinacrius*.) adj. Natural de Trinacria, hoy Sicilia. Ú. t. c. s. ‖ **2.** Perteneciente a esta isla. ‖ **3.** poét. **siciliano**. Apl. a pers., ú. t. c. s.

trinado. m. Gorjeo de la voz humana o de los pájaros. ‖ **2.** *Mús.* **trino**[1], sucesión rápida y alternada de notas.

trinar. intr. *Mús.* Hacer trinos. ‖ **2. gorjear**, hacer quiebros con la voz en la garganta los pájaros o el hombre. ‖ **3.** fig. y fam. **rabiar**, impacientarse o enojarse. Ú. especialmente en la fr. **estar alguien que trina.**

trinca. f. Conjunto de tres cosas de una misma clase. ‖ **2.** Conjunto de tres personas designadas para argüir recíprocamente en las oposiciones. ‖ **3.** Grupo o pandilla reducida de amigos. ‖ **4.** *Mar.* Cabo o cuerda, cable, cadena, etc., que sirve para trincar una cosa. ‖ **5.** *Mar.* Ligadura que se da a un palo, o a cualquier otra cosa, con un cabo o cuerda, cable, cadena, etc., para sujetarla o asegurarla de los balances de la nave. ‖ **estar a la trinca.** fr. *Mar.* **estar a la capa.**

trincado, da. p. p. de **trincar**. ‖ **2.** m. Embarcación pequeña con el palo caído hacia popa y vela en forma de trapecio muy irregular. ‖ **3.** Embarcación de dos palos con un casco de tingladillo que se empleaba por Galicia para la pesca y pequeño cabotaje.

trincadura. (De *trincar*[2].) f. *Mar.* Lancha de gran tamaño, y de dos palos con velas al tercio.

trincaesquinas. m. **parahúso.**

trincafía. (De *trincar*[2] y *fiar*.) f. Atadura que se hace en espiral. Ú. para empalmar dos maderas, para asegurar la rajadura de un palo.

trincapiñones. (De *trincar*[1] y *piñón*.) m. fam. Mozo de poco juicio.

trincar[1]. (Del occitano *trencar*.) tr. Partir o desmenuzar.

trincar[2]. (De or. inc.) tr. Atar fuertemente. ‖ **2.** Sujetar a

uno con los brazos o las manos como amarrándole. ‖ **3.** Apoderarse de alguien o de algo con dificultad. ‖ **4. robar**, tomar para sí lo ajeno. ‖ **5.** *León* y *Sal.* Torcer, ladear, inclinar. Ú. t. c. prnl. ‖ **6.** *Amér. Central* y *Méj.* Apretar, oprimir. ‖ **7.** *Mar.* Asegurar o sujetar fuertemente con trincas los efectos de a bordo. ‖ **8.** intr. *Mar.* **pairar.**

trincar[3]. (Del al. *trinken*.) tr. fam. Tomar bebidas alcohólicas.

trincha. (De *trinchar*.) f. Ajustador colocado por detrás en el lugar de la cintura, en los chalecos, pantalones u otras prendas, para ceñirlos por medio de hebillas o botones.

trinchador, ra. adj. Que trincha. Ú. t. c. s.

trinchante. p. a. de **trinchar**. Que trincha. ‖ **2.** m. El que corta la comida en la mesa. ‖ **3. trinchero**, mueble de comedor. ‖ **4.** Antiguamente, empleado de palacio que trinchaba, servía la copa y hacía la salva de la comida. ‖ **5.** Instrumento para trinchar. ‖ **6.** Instrumento con que se asegura lo que se ha de trinchar. ‖ **7. escoda.** ‖ **8.** *And.* Tenedor del cubierto de mesa.

trinchar. (Del fr. ant. *trenchier*.) tr. Partir en trozos la comida para servirla. ‖ **2.** ant. Cortar o partir. ‖ **3.** fig. y fam. Disponer de una cosa; decidir en algún asunto con aire y tono de satisfacción y autoridad.

trinche. m. *Col., Chile, Ecuad., Méj.* y *Perú.* **tenedor** de mesa. ‖ **2.** *Chile* y *Ecuad.* **trinchero**, mueble donde se trincha.

trinchea. (Del fr. *tranchée*.) f. ant. Trinchera de tierra para acoger a los soldados.

trinchear. tr. ant. **atrincherar.** Usáb. t. c. prnl.

trincheo. (De *trinchar*.) adj. ant. Decíase del mueble de comedor que servía para trinchar, trinchero. Usáb. t. c. s.

trinchera. (De *trinchea*.) f. Zanja defensiva que permite disparar a cubierto del enemigo. ‖ **2.** Desmonte hecho en el terreno para una vía de comunicación, con taludes por ambos lados. ‖ **3.** Gabardina de aspecto militar. ‖ **4.** *León.* Cada una de las piezas curvas que en la carreta sujetan el eje al tablero. ‖ **abrir trinchera.** fr. *Mil.* Empezar a hacerla. ‖ **2.** *Mil.* Comenzar los ataques de una plaza. ‖ **montar la trinchera.** fr. *Mil.* Entrar de guardia en ella.

trinchero. (De *trinchero*.) adj. V. **plato trinchero**. Ú. t. c. s. ‖ **2.** m. Mueble de comedor, que sirve principalmente para trinchar sobre él los alimentos.

trinchete. m. **chaira**, cuchilla de zapatero.

trineo. (Del fr. *trîneau*.) m. Vehículo provisto de cuchillas o de esquíes en lugar de ruedas para deslizarse sobre el hielo y la nieve.

trinidad. (Del lat. *trinĭtas, -ātis*.) n. p. f. *Teol.* Distinción de tres personas divinas en una sola y única esencia, misterio inefable de la religión católica. ‖ **2.** V. **flor de la Trinidad**. ‖ **3.** V. **domingo de la Santísima Trinidad.** ‖ **4.** f. Orden religiosa aprobada y confirmada por Inocencio III el año de 1198, para la redención de cautivos. ‖ **5.** fig. Unión de tres personas en algún negocio. Suele usarse despectivamente.

trinitaria. (Del lat. *trinĭtas, -ātis*, conjunto de tres, por alusión a los tres colores de la flor.) f. Planta herbácea anual, de la familia de las violáceas, con muchos ramos delgados de tres a cuatro decímetros de altura; hojas sentadas, oblongas, festoneadas y con estípulas grandes; flores en largos pedúnculos y con cinco pétalos redondeados, de tres colores, que varían del blanco al rojo negruzco, pero generalmente amarillo con una mancha central purpúrea los dos superiores, pajizos los de en medio y morado obscuro aterciopelado el inferior, y fruto seco capsular con muchas semillas. Es planta de jardín, común en España. ‖ **2.** Flor de esta planta. ‖ **3.** *P. Rico.* Planta trepadora espinosa.

trinitario, ria. (Del lat. *Trinĭtas*, Trinidad.) adj. Dícese del religioso o religiosa de la orden de la Trinidad. Ú. t. c. s.

‖ **2.** Natural de Trinidad. Ú. t. c. s. ‖ **3.** Perteneciente a esta villa de la provincia de Santa Clara en la isla de Cuba.

trinitrotolueno. m. *Quím.* Producto derivado del tolueno en forma de sólido cristalino. Es un explosivo muy potente que se emplea en la fabricación de armas.

trino¹, na. (Del lat. *trinus*.) adj. Que contiene en sí tres cosas distintas, o participa de ellas. Ú. para significar la Trinidad de las personas en Dios. *Dios es* TRINO *y uno.* ‖ **2.** Que consta de tres elementos o unidades, ternario. ‖ **3.** *Astrol.* V. **aspecto trino.**

trino². (Voz onomatopéyica, como en it. *trillo.*) m. **gorjeo** de los pájaros. ‖ **2.** *Mar.* Sonido del pito a modo trémolo, cuando al soplar se mueve la lengua como pronunciando una erre prolongada. ‖ **3.** *Mús.* Sucesión rápida y alternada de dos notas de igual duración, entre las cuales media la distancia de un tono o de un semitono.

trinomio. (De *tri-*, y el gr. νόμος, partición.) m. *Álg.* Expresión compuesta de tres términos algebraicos unidos por los signos más o menos.

trinquetada. f. *Mar.* Navegación que se hace solo con el trinquete, a causa de la fuerza del viento en una tempestad. ‖ **correr una trinquetada.** fr. *Mar.* Hacer una navegación solo con el trinquete. ‖ **2.** *Mar.* Hacer una navegación trabajosa. ‖ **3.** fig. **sufrir una crujía.**

trinquete¹. (De or. inc.) m. *Mar.* Verga mayor que se cruza sobre el palo de proa. ‖ **2.** *Mar.* Vela que se larga en ella. ‖ **3.** *Mar.* Palo de proa, en las embarcaciones que tienen más de uno.

trinquete². (Del fr. *triquet*, pala para jugar a la pelota.) m. Frontón cerrado sin contracancha y con doble pared lateral.

trinquete³. (De *trincar².*) m. Garfio que resbala sobre los dientes de una rueda, para impedir que esta se vuelva hacia atrás. ‖ **2.** *And.* y *Ecuad.* Aldabilla con que se aseguran las puertas.

trinquete⁴. m. **triquete¹.** ‖ **a cada trinquete.** loc. adv. fig. y fam. **a cada trique¹.**

trinquetilla. (De *trinquete¹*, vela.) f. *Mar.* Foque pequeño que se caza cuando hay temporal.

trinquis. (De *trincar².*) m. fam. Trago de vino o licor.

trío¹. (De *triar*.) m. **tría**, acción y efecto de triar o entrar y salir con frecuencia las abejas de una colmena. ‖ **dar un trío, dar una tría.**

trío². (Del it. *trio.*) m. *Mús.* Composición para tres voces o instrumentos. ‖ **2.** Conjunto de tres voces o instrumentos. ‖ **3.** Conjunto de tres personas o cosas.

triodo. m. *Electrón.* Válvula termiónica compuesta de tres electrodos.

trióxido. (De *tri-*, y *óxido.*) m. *Quím.* Cuerpo resultante de la combinación de un radical con tres átomos de oxígeno.

tripa. (De or. inc.) f. **intestino**, conducto membranoso. ‖ **2.** **vientre**, región exterior del cuerpo correspondiente al abdomen, especialmente si es abultado. ‖ **3.** fig. Panza de una vasija. ‖ **4.** fig. Relleno del cigarro puro. ‖ **5.** fig. Hoja del tabaco que por su poco tamaño se destina al relleno de los cigarros puros. ‖ **6.** pl. Vísceras. ‖ **7.** fig. Laminillas de sustancia córnea que se encuentran en el interior del cañón de las plumas de algunas aves. ‖ **8.** fig. Partes interiores de algunas frutas. ‖ **9.** fig. Lo interior de ciertas cosas. *Al acerico se le salen las* TRIPAS. ‖ **10.** fig. Conjunto de documentos que componen un expediente administrativo, y a que se refiere el extracto de él. ‖ **del cagalar.** Intestino recto. ‖ **devanar** a uno **las tripas** una persona o cosa. fr. fig. y fam. Causarle grave disgusto o insoportable incomodidad. ‖ **echar** uno **las tripas.** fr. fig. y fam. **echar las entrañas.** ‖ **hacer** uno **de tripas corazón.** fr. fig. y fam. Esforzarse para disimular el miedo, dominarse, sobreponerse en las adversidades. ‖ **rallar** a uno **las tripas** una persona o cosa. fr. fig. y fam. **devanarle las tripas.** ‖ **revolver**

a uno **las tripas** una persona o cosa. fr. fig. y fam. Causarle disgusto o repugnancia. ‖ **rompérsele** a uno **una tripa.** fr. fig. y fam. Ocurrirle algo que necesite ayuda de otra persona. Ú. por lo general en frase interrogativa cuando alguno llama con urgencia. *¿Qué* TRIPA *se le habrá roto a ese?* ‖ **sacar** uno **las tripas** a otro. fr. fig. y fam. **sacar uno el alma** a otro; hacerle gastar mucho. ‖ **sacar** uno **la tripa de mal año.** fr. fig. y fam. **sacar el vientre de mal año.** ‖ **sin tripas ni cuajar.** loc. fig. y fam. Muy consumido y flaco. ‖ **tener** uno **malas tripas.** fr. fig. y fam. Ser cruel o sanguinario.

tripada. f. fam. **panzada,** hartazgo.

tripanosoma. (Del gr. τρύπανον, trépano, y σῶμα, cuerpo.) m. Cada uno de los flagelados parásitos, con una membrana ondulante, que engloba al flagelo adosado al borde del cuerpo. Provocan enfermedades infecciosas, en general graves, transmitidas casi siempre por artrópodos.

tripanosomiasis. f. *Med.* Enfermedad producida por los tripanosomas.

tripartición. f. Acción y efecto de tripartir.

tripartir. tr. Dividir en tres partes.

tripartito, ta. (Del lat. *tripartitus.*) adj. Dividido en tres partes, órdenes o clases, o formado por ellas.

tripastos. m. **trispasto.**

tripe. (Del fr. *tripe.*) m. Tejido de lana o esparto parecido al terciopelo, que se usa principalmente en la confección de alfombras.

tripería. f. Lugar o puesto donde se venden tripas o mondongo. ‖ **2.** Conjunto de tripas.

tripero, ra. m. y f. Persona que vende tripas o mondongo. ‖ **2.** m. Paño, regularmente de bayeta, que se pone para abrigar el vientre.

tripicallero, ra. m. y f. Persona que vende tripicallos.

tripicallos. m. pl. **callos,** guiso que se hace con pedazos de estómago de algunos animales.

trípili. m. Tonadilla cantada y bailada en los teatros de España desde el último tercio del siglo XVIII.

triplano. (De *tri-* y *plano.*) m. Aeroplano cuyas alas están formadas por tres planos rígidos superpuestos.

triple. (De etim. disc.) adj. Dícese del número que contiene a otro tres veces exactamente. Ú. t. c. s. ‖ **2.** Dícese de la cosa que va acompañada de otras dos semejantes para servir a un mismo fin. TRIPLE *muralla.* ‖ **3.** *Fís.* V. **punto triple.**

tríplica. f. *Der. Ar.* Respuesta a la dúplica.

triplicación. (Del lat. *triplicatĭo, -ōnis.*) f. Acción y efecto de triplicar o triplicarse.

triplicar. (Del lat. *triplicāre.*) tr. Multiplicar por tres. Ú. t. c. prnl. ‖ **2.** Hacer tres veces una misma cosa. ‖ **3.** *Der. Ar.* Responder en juicio a la dúplica.

tríplice. (Del lat. *triplex, -ĭcis.*) adj. triple.

triplicidad. (Del lat. *triplicĭtas, -ātis.*) f. Calidad de triple.

triplo, pla. (Del lat. *triplus.*) adj. Triple. Ú. t. c. s. m.

trípode. (Del lat. *tripus, -ŏdis,* y este del gr. τρίπους.) amb. Ú. m. c. m. Mesa, banquillo, pebetero, etc., de tres pies. ‖ **2.** Banquillo de tres pies en que daba la sacerdotisa de Apolo sus respuestas en el templo de Delfos. ‖ **3.** Armazón de tres pies, para sostener instrumentos geodésicos, fotográficos, etc.

trípol. m. **trípoli.**

trípoli. (De *Trípoli,* ciudad del Líbano.) m. *Geol.* Roca silícea pulverulenta, que se empleaba para pulimentar vidrio, metales y piedras duras, y que suele mezclarse con la nitroglicerina para fabricar la dinamita.

tripolino, na. (De *Trípoli,* país de África.) adj. Natural de Trípoli. ‖ **2.** Perteneciente a esta ciudad. ‖ **3.** V. **paloma tripolina.**

tripolitano, na. (Del lat. *Tripolitānus.*) adj. Natural de

Trípoli. Ú. t. c. s. ‖ **2.** Perteneciente a esta ciudad y país de África, o a los de igual nombre de Siria.

tripollas. f. pl. Vientre de la merluza.

tripón, na. adj. fam. Que tiene mucha tripa. Ú. t. c. s.

tripote. (De *tripa*.) m. *Nav.* **morcilla,** embutido de sangre.

tríptico. (Del gr. τρίπτυχος, triple.) m. Tablita para escribir, dividida en tres hojas de las cuales las laterales se doblan sobre la del centro. ‖ **2.** Libro o tratado que consta de tres partes. ‖ **3.** Pintura, grabado o relieve distribuido en tres hojas, unidas de modo que puedan doblarse las de los lados sobre la del centro.

triptongar. tr. Pronunciar tres vocales formando un triptongo.

triptongo. (De *tri-* y el gr. φθόγγος, sonido.) m. *Gram.* Conjunto de tres vocales que forman una sola sílaba.

tripudiar. (Del lat. *tripudiāre.*) intr. Bailar, danzar.

tripudio. (Del lat. *tripudĭum.*) m. Baile, danza.

tripudo, da. adj. **tripón.** Ú. t. c. s.

tripulación. (Del lat. *interpolatĭo, -ōnis.*) f. Personas que van en una embarcación o en un aparato de locomoción aérea, dedicadas a su maniobra y servicio.

tripulante. (De *tripular*, un barco o aeronave.) com. Miembro de una tripulación.

tripular. (Del lat. *interpolāre.*) tr. Dotar de tripulación a un barco o a un aparato de locomoción aérea. ‖ **2.** Conducir o prestar servicio en un barco o vehículo aéreo. ‖ **3.** desus. Descartar, desechar.

trique¹. (De or. onomatopéyico.) m. Estallido leve. ‖ **a cada trique.** loc. adv. fig. y fam. A cada momento, en cada lance.

trique². (De or. araucano.) m. Planta americana de la familia de las iridáceas, cuyo rizoma se usa como purgante.

triquete¹. m. d. de **trique¹.** ‖ **a cada triquete.** loc. adv. fig. y fam. **a cada trique¹.**

triquete². (Del lat. *triquĕtrus*, que tiene tres lados.) m. ant. **trinquete¹** de la nave.

triquina. (Del gr. τριχίνη, t. f. de -νος.) f. Nematodo de uno a tres milímetros de largo, cuya larva se enquista, en forma de espiral, en los músculos de algunos mamíferos, como el cerdo, cuya carne infestada, si es ingerida por el hombre (en crudo o poco cocida), puede provocar en él la triquinosis.

triquinosis. f. *Pat.* Enfermedad parasitaria, a veces mortal, provocada por la invasión de las larvas de triquina que penetran en las fibras musculares y producen dolores agudos.

triquiñuela. f. fam. Rodeo, efugio, artería.

triquitraque. (De *triqui* y *traque*.) m. Ruido como el de golpes repetidos y desordenados. ‖ **2.** Los mismos golpes. ‖ **3.** Rollo delgado de papel con pólvora y atado en varios dobleces, de cada uno de los cuales resulta una pequeña detonación cuando se pega fuego a la mecha que tiene en uno de sus extremos. ‖ **a cada triquitraque.** loc. adv. fig. y fam. **a cada trique¹.** ‖ **2. buscapiés,** cohete.

trirrectángulo. (De *tri-* y *rectángulo.*) adj. *Geom.* V. **triángulo esférico trirrectángulo.**

trirreme. (Del lat. *trirēmis.*) m. Embarcación de tres órdenes de remos, que usaron los antiguos.

tris. (De or. onomatopéyico.) m. Leve sonido que hace una cosa delicada al quebrarse. ‖ **2.** Golpe ligero que produce este sonido. ‖ **3.** fig. y fam. Porción muy pequeña de tiempo o de lugar, causa o acasión levísima; poca cosa, casi nada. *No faltó un* TRIS; *al menor* TRIS. ‖ **en un tris.** loc. adv. fig. y fam. En peligro inminente. ‖ **tris, tras.** expr. fam.

tras, tras. fig. y fam. Repetición enfadosa y porfiada del que está siempre diciendo lo mismo.

trisa. (Del lat. *thrissa*, y este del gr. θρίσσα.) f. **sábalo,** pez.

trisagio. (Del lat. *trisagĭum*, y este del gr. τρισάγιος.) m. Himno en honor de la Santísima Trinidad, en el cual se repite tres veces la palabra *santo.*

trisar. intr. Cantar o chirriar la golondrina y otros pájaros.

trisca. (De *triscar*.) f. Ruido que se hace con los pies en una cosa que se quebranta. ‖ **2.** Por ext., otra cualquier bulla, algazara o estruendo.

triscador, ra. adj. Que trisca. ‖ **2.** m. Instrumento de acero para triscar la sierra.

triscar. (Del gót. *thriskan*, trillar.) intr. Hacer ruido con los pies o dando patadas. ‖ **2.** fig. Retozar, travesear. ‖ **3.** tr. fig. Enredar, mezclar una cosa con otra. *Este trigo* ESTÁ TRISCADO. Ú. t. c. prnl. ‖ **4.** fig. Torcer alternativamente y a uno y otro lado los dientes de la sierra para que la hoja corra sin dificultad por la hendedura.

trisecar. (De *tri-* y *secāre*, cortar.) tr. *Geom.* Cortar o dividir una cosa en tres partes iguales. Se usa comúnmente hablando del ángulo.

trisección. (De *tri-* y *sección*.) f. *Geom.* Acción y efecto de trisecar.

trisemanal. adj. Que se repite tres veces por semana. ‖ **2.** Que se repite cada tres semanas.

trisilábico, ca. adj. Que tiene tres sílabas.

trisílabo, ba. (Del lat. *trisillăbus*, y este del gr. τρισύλλαβος.) adj. *Gram.* De tres sílabas. Ú. t. c. s. m.

trismo. (Del gr. τρισμός.) m. *Med.* Contracción tetánica de los músculos maseteros, que produce la imposibilidad de abrir la boca.

trispasto. (De *tri-* y el gr. σπάω, tirar.) m. Aparejo compuesto de tres poleas.

trisque. m. Acción y efecto de triscar los dientes de la sierra.

triste. (Del lat. *tristis*.) adj. Afligido, apesadumbrado. *Juan está, vino, se fue* TRISTE. ‖ **2.** De carácter o genio melancólico. *Antonia es mujer muy* TRISTE. ‖ **3.** Que denota pesadumbre o melancolía. *Cara* TRISTE. ‖ **4.** Que las ocasiona. *Noticia* TRISTE. ‖ **5.** Funesto, deplorable. *Todos lo habíamos pronosticado su* TRISTE *fin.* ‖ **6.** Pasado o hecho con pesadumbre o melancolía. *Día, vida, plática, ceremonia* TRISTE. ‖ **7.** Doloroso, enojoso, difícil de soportar. *Es* TRISTE *haber trabajado toda la vida y encontrarse a la vejez sin pan.* ‖ **8.** fig. Insignificante, insuficiente, ineficaz, antepuesto al nombre en locuciones como las siguientes: TRISTE *consuelo;* TRISTE *recurso.* ‖ **9.** m. Canción popular de Argentina, Perú y otros países sudamericanos, por lo general amorosa y **triste,** que se acompaña con la guitarra.

tristemente. adv. m. Con tristeza.

tristeza. (Del lat. *tristitĭa.*) f. Calidad de triste. ‖ **2.** *Germ.* Sentencia de muerte.

tristón, na. adj. Un poco triste.

tristor. (De *triste.*) m. ant. **tristeza.**

tristura. (De *triste.*) f. **tristeza.**

trisulco, ca. (Del lat. *trisulcus.*) adj. De tres púas o puntas. Ú. m. en poesía. ‖ **2.** De tres surcos, canales o hendeduras.

tritíceo, a. (Del lat. *triticĕus.*) adj. De trigo, o que participa de sus cualidades.

tritón. (De *Tritón,* dios marino, hijo de Neptuno y de Anfitrite.) m. *Mit.* Cada una de ciertas deidades marinas a que se atribuía figura de hombre desde la cabeza hasta la cintura, y de pez el resto. ‖ **2.** Batracio urodelo de unos 12 centímetros de longitud, de los cuales algo menos de la mitad corresponde a la cola, que es comprimida como la de la anguila y con una especie de cresta, que se prolonga en los machos por encima del lomo; tiene la piel granujienta, de color pardo con manchas negruzcas en el dorso y rojizas en el vientre. Hay varias especies.

trítono. (Del gr. τρίτονον.) m. *Mús.* Intervalo compuesto de tres tonos consecutivos, dos mayores y uno menor.

tritóxido. (Del prefijo *trito*, tomado del gr. τρίτος, tercero, y de *óxido*.) m. *Quím.* **tritóxido.**

triturable. adj. Que se puede triturar.

trituración. (Del lat. *trituratĭo, -ōnis*.) f. Acción y efecto de triturar.

triturador, ra. adj. Que tritura. Ú. t. c. s. ‖ **2.** f. Máquina que sirve para triturar.

triturar. (Del lat. *triturāre*, trillar las mieses.) tr. Moler, desmenuzar una materia sólida, sin reducirla enteramente a polvo. ‖ **2. mascar,** partir la comida con los dientes. ‖ **3.** fig. Moler, maltratar, molestar gravemente. ‖ **4.** fig. Desmenuzar, rebatir y censurar aquello que se examina o considera.

triunfador, ra. (Del lat. *triumphātor, -ōris*.) adj. Que triunfa. Ú. t. c. s.

triunfal. (Del lat. *triumphālis*.) adj. Perteneciente al triunfo. ‖ **2. arco, carro, corona triunfal.**

triunfalismo. (De *triunfal*.) m. Actitud real o supuesta, de seguridad en sí mismo y superioridad, respecto a los demás, fundada en la propia valía. ‖ **2.** Optimismo exagerado procedente de tal sobrestimación. ‖ **3.** Manifestación pomposa de esta actitud.

triunfalista. adj. Perteneciente o relativo al triunfalismo. ‖ **2.** Que practica el triunfalismo. Ú. t. c. s.

triunfalmente. adv. m. De modo triunfal.

triunfante. (Del lat. *triumphans, -antis*.) p. a. de **triunfar.** Que triunfa o sale victorioso. ‖ **2.** Que incluye triunfo. ‖ **3.** V. **iglesia triunfante.**

triunfantemente. adv. m. **triunfalmente.**

triunfar. (Del lat. *triumphāre*.) intr. Quedar victorioso. ‖ **2.** Jugar del palo del triunfo en ciertos juegos de naipes. ‖ **3.** fig. Tener éxito. ‖ **4.** fig. Gastar mucho y aparatosamente. ‖ **5.** *Hist. rom.* Entrar en la Roma antigua con gran pompa y acompañamiento el vencedor de los enemigos de la república.

triunfo. (Del lat. *triumphus*.) m. Victoria, acción y efecto de triunfar. ‖ **2.** Éxito en cualquier empeño. ‖ **3.** En ciertos juegos de naipes, carta del palo de más valor. ‖ **4.** Lo que sirve de trofeo que acredita el **triunfo.** ‖ **5. burro,** juego de naipes. ‖ **6.** fig. Acción de triunfar, o gastar mucho. ‖ **7.** *Argent.* Cierta danza popular especial. ‖ **8.** *Hist. rom.* Acto solemne de triunfar el vencedor romano. ‖ **costar un triunfo** una cosa. fr. fam. Hacer un gran esfuerzo o sacrificio, necesario para alcanzarla. ‖ **en triunfo.** loc. adv. Entre aclamaciones. Ú. con los verbos *llevar, sacar, recibir*, etc.

triunvirado. m. ant. **triunvirato.**

triunviral. (Del lat. *triumvirālis*.) adj. Perteneciente o relativo a los triunviros.

triunvirato. (Del lat. *triumvirātus*.) m. Magistratura de la Roma antigua, en que intervenían tres personas. ‖ **2.** Junta de tres personas para cualquier empresa o asunto.

triunviro. (Del lat. *triumvir, -ĭri*.) m. Cada uno de los tres magistrados romanos que en ciertas ocasiones gobernaron la república.

trivalente. adj. *Quím.* Que funciona con tres valencias.

trivial. (Del lat. *triviālis*.) adj. Perteneciente o relativo al **trivio,** camino que se divide en tres. ‖ **2.** V. **camino trivial.** ‖ **3.** fig. Vulgarizado, común y sabido de todos. ‖ **4.** fig. Que no sobresale de lo ordinario y común; que carece de toda importancia y novedad. *Expresión, concepto, poesía* TRIVIAL.

trivialidad. f. Calidad de **trivial,** común. ‖ **2.** Cosa sabida de todos. ‖ **3.** Cosa que carece de importancia. ‖ **4.** Dicho o especie trivial.

trivializar. tr. Quitar importancia, o no dársela, a una cosa o un asunto.

trivialmente. adv. m. De manera trivial.

trivio. (Del lat. *trivĭum*.) m. División de un camino en tres ramales, y punto en que estos concurren. ‖ **2.** En lo antiguo, conjunto de las tres artes liberales relativas a la elocuencia: la gramática, la retórica y la dialéctica.

-triz. (Del lat. *-trix, -trīcis*.) suf. de adjetivos o sustantivos, unos y otros femeninos, que significan agente: *mo*TRIZ, *direc*TRIZ.

triza[1]. (De *triza*.) f. Pedazo pequeño o partícula dividida de un cuerpo. ‖ **hacer trizas.** fr. Destruir enteramente, hacer menudos pedazos una cosa. Ú. t. el verbo c. prnl. ‖ **2.** fig. Herir o lastimar gravemente a una persona o a un animal.

triza[2]. f. *Mar.* **driza.**

trizar. (Del lat. **tritiāre*, der. de *tritus*, p. p. de *terēre*, machacar.) tr. Destrizar, hacer trizas.

trocable. adj. Que se puede permutar o trocar por otra cosa.

trocada (a la). (De *trocado*, p. p. de *trocar*.) loc. adv. En contrario sentido del que suena o se entiende. ‖ **2. a trueque.**

trocadamente. adv. m. Trocando las cosas, o diciendo lo contrario de lo que es.

trocadilla (a la). loc. adv. **a la trocada.**

trocado, da. p. p. de **trocar.** ‖ **2.** adj. V. **dinero trocado.**

trocador, ra. adj. Que trueca una cosa por otra. Ú. t. c. s.

trocaico, ca. (Del lat. *trochaĭcus*, y este del gr. τροχαϊκός.) adj. Perteneciente o relativo al troqueo. ‖ **2.** V. **verso trocaico.** Ú. t. c. s.

trocamiento. (De *trocar*[1].) m. Acción y efecto de trocar.

trocánter. (Del gr. τροχαντήρ.) m. *Anat.* Prominencia que algunos huesos largos tienen en su extremidad. Se usa más especialmente hablando de la protuberancia de la parte superior del fémur. ‖ **2.** *Zool.* La segunda de las cinco piezas de que constan las patas de los insectos, que está articulada con la cadera y el fémur.

trocar[1]. (Del fr. *trocarts*.) m. Instrumento de cirugía, que consiste en un punzón con punta de tres aristas cortantes, revestido de una cánula.

trocar[2]. (De etim. disc.) tr. **cambiar,** permutar una cosa por otra. ‖ **2. cambiar,** mudar, variar, alterar. ‖ **3.** Arrojar por la boca lo que se ha comido. ‖ **4.** Equivocar, tomar o decir una cosa por otra. *Al criado no se le puede encargar nada, porque todo lo* TRUECA. ‖ **5.** desus. Cambiar moneda. ‖ **6.** *Equit.* Hacer que una caballería al galope cambie de pie y mano. ‖ **7.** prnl. Cambiar de vida. ‖ **8.** Permutar el asiento con otra persona. ‖ **9.** Mudarse, cambiarse, enteramente una cosa. TROCARSE *la suerte, el color.*

trocatinta. (De *trocatinte*.) f. fam. Trueque o cambio equivocado o confuso.

trocatinte. (De *trocar*, cambiar, y *tinte*.) m. Color de mezcla o tornasolado.

trocear. (De *trozo*.) tr. Dividir en trozos. ‖ **2.** Inutilizar un proyectil abandonado haciéndolo explotar.

troceo[1]. (De *troza*[2].) m. *Mar.* Cabo grueso, forrado por lo común de cuero, que sirve para sujetar a sus respectivos palos las vergas mayores.

troceo[2]. m. Acción y efecto de trocear.

trocir. (Del lat. *traducĕre*.) intr. ant. Pasar, aplicado al espacio o al tiempo. ‖ **2.** ant. Morir una persona.

trociscar. tr. Reducir una cosa a trociscos.

trocisco. (Del lat. *trochiscus*, y este del gr. τροχίσκος.) m. *Farm.* Cada uno de los trozos que se hacen de la masa formada de varios ingredientes medicinales, y los cuales se disponen en varias figuras, para formar después las píldoras. ‖ **2.** *Farm.* Cada una de las masas pequeñas de forma variable compuestas de sustancias medicinales finamente pulverizadas.

trocla. (Del lat. *trochlĕa*, y este del gr. τροχιλία.) f. **polea.**

tróclea. f. Polea. ‖ **2.** *Anat.* Articulación en forma de polea, que permite que un hueso adyacente pueda girar en el mismo plano.

troco. (Del lat. *trochus,* y este del gr. τροχός, rueda, círculo.) m. **rueda,** pez.

trocoide. (Del gr. τροχοειδής.) f. *Geom.* **cicloide.**

trócola. f. **polea.**

trocha. (Del lat. *traducta,* atravesada.) f. Vereda o camino angosto y excusado, o que sirve de atajo para ir a una parte. ‖ **2.** Camino abierto en la maleza. ‖ **3.** *Argent.* Ancho de las vías férreas.

trochemoche (a), o **a troche y moche.** (De *trocear* y *mochar.*) loc. adv. fam. Disparatada e inconsideradamente.

trochuela. f. d. de **trocha.**

trofeo. (Del lat. *trophaeum,* y este del gr. τρόπαιον.) m. Monumento, insignia o señal de una victoria. ‖ **2.** Despojo obtenido en la guerra. ‖ **3.** Conjunto de armas e insignias militares agrupadas con cierta simetría y visualidad. ‖ **4.** fig. Victoria o triunfo conseguido.

-trofia. (Del gr. -τροφία.) elem. compos. que significa «alimentación»: *dis*TROFIA, *hiper*TROFIA.

trófico, ca. (Del gr. τροφός, alimenticio.) adj. *Fisiol.* Perteneciente o relativo a la nutrición.

-trofo, fa. (Del gr. -τροφος.) elem. compos. que significa «que se alimenta»: *autó*TROFO, *heteró*TROFO.

trofología. f. Tratado o ciencia de la nutrición.

trofólogo, ga. m. y f. Persona versada en trofología.

troglodita. (Del lat. *troglodŷtae,* y este del gr. τρωγλοδύτης.) adj. Que habita en cavernas. Ú. t. c. s. ‖ **2.** fig. Dícese del hombre bárbaro y cruel. Ú. t. c. s. ‖ **3.** fig. Muy comedor. Ú. t. c. s. ‖ **4.** m. Género de pájaros dentirrostros.

troglodítico, ca. (Del lat. *troglodytĭcus.*) adj. Perteneciente o relativo a los trogloditas.

troj. (De or. inc.) f. Espacio limitado por tabiques, para guardar frutos y especialmente cereales. ‖ **2.** Por ext., **algorín.**

troja. (De or. inc.) f. ant. **troj.** Ú. en América. ‖ **2.** ant. Alforja, talega o mochila.

trojado, da. adj. ant. Metido o guardado en la troja o talega.

troje. (De or. inc.) f. **troj.**

trojel. (De or. inc.) m. ant. **fardo.**

trojero, ra. m. y f. Persona que cuida de los trojes o las tiene a su cargo.

trojezada. adj. V. **conserva trojezada.**

trol. (Del noruego *troll,* ser sobrenatural.) m. Según la mitología escandinava, monstruo maligno que habita en bosques o grutas.

trola. (Del fr. *drôle,* gracioso.) f. fam. Engaño, falsedad, mentira.

trole. (Del ing. *trolley,* carretilla.) m. Pértiga de hierro que sirve para transmitir a los vehículos de tracción eléctrica la corriente del cable conductor, tomándola por medio de una polea y un arco que lleva en su extremidad.

trolebús. m. Ómnibus de tracción eléctrica, sin carriles, que toma la corriente de un cable aéreo por medio de un trole doble.

trolero, ra. adj. fam. Mentiroso, embustero. Ú. t. c. s.

trolla. (Del lat. *trulla,* llana de albañil.) f. *Alban. And.* Esparavel o tabla para tener la mezcla.

tromba. (Del it. *tromba,* trompa.) f. **manga**[1], columna de agua que se levanta en el mar por efecto de un torbellino. ‖ **2.** fig. **tromba de agua.** ‖ **tromba de agua.** fig. Chubasco intenso, repentino y muy violento.

trombo. (Del gr. θρόμβος, grumo, coágulo.) m. *Pat.* Coágulo de sangre en el interior de un vaso sanguíneo.

tromboangitis. (De *trombo* y *angitis.*) f. *Med.* Inflamación de la túnica íntima de un vaso sanguíneo, con producción de coágulo. ‖ **obliterante.** *Med.* Enfermedad debida a la

inflamación y trombosis de las arterias y venas de un territorio orgánico, generalmente la pierna, dando lugar al fenómeno de la claudicación intermitente y a veces a ulceración y gangrena del pie. Aparece casi siempre en los grandes fumadores.

trombocito. (Del gr. θρόμβος, grumo, coágulo, y κύτος, célula.) m. *Fisiol.* Plaqueta de la sangre.

tromboflebitis. (De *trombo* y *flebitis.*) f. *Pat.* Inflamación de las venas con formación de trombos.

trombón. (Del it. *trombone.*) m. Instrumento músico de metal, especie de trompeta grande, y cuyos sonidos responden, según su clase, a las voces de tenor, contralto o bajo respectivamente. ‖ **2.** Músico que toca uno de estos instrumentos. ‖ **de pistones.** Aquel en que la variación de notas se obtiene por el juego combinado de llaves o pistones. ‖ **de varas. sacabuche,** instrumento músico.

trombosis. (Del gr. θρόμβωσις, coagulación.) f. *Pat.* Proceso de formación de un trombo en el interior de un vaso sanguíneo.

trompa. (De or. onomatopéyico.) f. Instrumento músico de viento, que consiste en un tubo de latón enroscado circularmente que va ensanchándose desde la boquilla al pabellón, donde se introduce más o menos la mano derecha para producir la diversidad de sonidos. También hay **trompas** en que la diversidad de sonidos se obtiene por medio de pistones. ‖ **2.** Trompo grande que tiene dentro otros pequeños, los cuales, saliendo de él impetuosamente al tiempo de ser arrojado para que baile, andan todos a un tiempo. ‖ **3.** Trompo grande, hueco, con una abertura lateral para que zumbe. ‖ **4. trompo,** especialmente el grande y de forma achatada. ‖ **5.** Prolongación muscular, hueca y elástica de la nariz de algunos animales, capaz de absorber fluidos. ‖ **6.** Aparato chupador, dilatable y contráctil que tienen algunos órdenes de insectos. ‖ **7.** p. us. **tromba** o columna de agua en el mar. ‖ **8.** Aparato para soplar en una forja a la catalana, que consiste en un tubo vertical por donde se deja caer un chorro de agua que impele el aire necesario. ‖ **9.** Bohordo de la cebolla cocido, en que soplan los muchachos para hacerlo sonar. ‖ **10.** fig. Instrumento que por ficción poética se supone que hace sonar el poeta épico al entonar sus cantos. ‖ **11.** fig. y fam. Embriaguez, borrachera. ‖ **12.** *Arq.* Bóveda voladiza fuera del paramento de un muro. ‖ **13.** *Zool.* Prolongación, generalmente retráctil, del extremo anterior del cuerpo de muchos gusanos. ‖ **14.** m. El que toca la **trompa** en las orquestas o en las músicas militares. ‖ **de Eustaquio.** *Anat.* Conducto, propio de muchos vertebrados, que pone en comunicación el oído medio con la faringe; en el hombre tiene unos cuarenta o cincuenta milímetros de longitud. ‖ **de Falopio.** *Anat.* Oviducto de los mamíferos. ‖ **de París,** o **gallega. birimbao.** ‖ **marina.** Instrumento músico de una sola cuerda muy gruesa, que se toca con arco, apoyando sobre ella el dedo pulgar de la mano izquierda. ‖ **a trompa tañida.** loc. adv. que explica el modo de juntarse uniformemente y a un mismo tiempo todos los que son convocados para un fin por el toque de la trompa. Usáb. en la milicia. ‖ **a trompa y talega.** loc. adv. fig. y fam. p. us. Sin reflexión, orden ni concierto.

trompada. f. fam. **trompazo,** porrazo. ‖ **2.** fig. y fam. Choque de frente de una persona con otra. ‖ **3.** fig. y fam. Puñetazo, golpazo. ‖ **4.** *Mar.* Embestida que da un buque contra otro o contra la tierra.

trompar. (De *trompa.*) tr. ant. Engañar, burlar. ‖ **2.** intr. Jugar al trompo. Ú. m. en América. ‖ **3.** ant. Tocar la trompa.

trompazo. m. Golpe dado con el trompo. ‖ **2.** Golpe dado con la trompa. ‖ **3.** fig. Cualquier golpe recio.

trompear. intr. **trompar,** jugar al trompo. ‖ **2.** tr. Dar trompadas.

trompero¹, ra. m. y f. Persona que hace trompos o trompas.

trompero², ra. (De *trompar*, engañar.) adj. desus. Que engaña. *Amor* TROMPERO.

trompeta. (d. de *trompa*, instrumento.) f. Instrumento músico de viento, que consiste en un tubo largo de metal que va ensanchándose desde la boquilla al pabellón y produce diversidad de sonidos según la fuerza con que la boca impele el aire. ‖ **2. clarín,** especie de **trompeta.** ‖ **3.** m. El que toca la **trompeta.** ‖ **4.** fig. y fam. Hombre insignificante o despreciable. ‖ **bastarda.** La de sonido muy fuerte usada principalmente en la guerra. ‖ **de amor. girasol,** planta.

trompetada. (De *trompeta*.) f. fam. **clarinada,** salida de tono.

trompetazo. m. Sonido destemplado o excesivamente fuerte de la trompeta o cualquier instrumento semejante. ‖ **2.** Golpe dado con una trompeta. ‖ **3.** fig. y fam. **trompetada,** salida de tono.

trompetear. intr. fam. Tocar la trompeta. ‖ **2.** tr. Pregonar, publicar una noticia.

trompeteo. m. Acción y efecto de trompetear.

trompetería. f. Conjunto de varias trompetas. ‖ **2.** Conjunto de todos los registros del órgano formados con trompetas de metal.

trompetero, ra. m. y f. Persona que hace trompetas. ‖ **2.** Persona que se dedica a tocar la trompeta. ‖ **3.** m. Pez teleósteo, acantopterigio, con dos aletas dorsales y el primer radio de la anterior grueso y fuerte. Su nombre procede de que tiene el hocico largo en forma de tubo.

trompetilla. f. d. de **trompeta.** ‖ **2.** Instrumento en forma de trompeta, que servía para que los sordos percibieran los sonidos, aplicándoselo al oído. ‖ **3.** Cigarro puro filipino, de forma cónica. ‖ **de trompetilla.** loc. adj. Dícese de ciertos mosquitos que al volar producen un zumbido.

trompetista. com. Músico que toca la trompeta.

trompezar. intr. ant. **tropezar.** Hoy es vulgar.

trompezón. m. ant. **tropezón.** Hoy es vulgar.

trompicadero. m. Lugar donde se trompica.

trompicar. (De *trompico*.) tr. Hacer a uno tropezar violenta y repetidamente. ‖ **2.** fig. y fam. Promover a uno, sin el orden debido, al oficio que a otro pertenecía. ‖ **3.** intr. Dar pasos tambaleantes, tumbos o vaivenes.

trompico. m. d. de **trompo.** ‖ **2. perínola.**

trompicón. (De *trompico*.) m. Cada tropezón o paso tambaleante de una persona. ‖ **2.** Tumbo o vaivén de un carruaje. ‖ **3.** Porrazo, golpe fuerte. ‖ **a trompicones.** loc. adv. A tropezones, a empujones, a golpes. ‖ **2.** Con discontinuidad, con dificultades.

trompilladura. f. Acción y efecto de trompillar.

trompillar. (Del m. or. que *tropellar*.) tr. desus. **trompicar.** Usáb. t. c. intr.

trompillo. m. Arbusto de América tropical, de la familia de las bixáceas, con ramos tomentosos, hojas alternas, oblongas y denticuladas, pedúnculos dicótomos y de muchas flores hermafroditas dispuestas en racimos axilares o terminales, y fruto coriáceo. Su madera es rosada y se emplea en tornería. ‖ **2.** *Córd.* Tocón de jara.

trompillón. (Del fr. *trompillon*.) m. *Arq.* Dovela que sirve de clave en una trompa o en una bóveda de planta circular.

trompis. m. fam. **trompada,** trompazo, golpazo.

trompo. (De *trompa*.) m. Trompa, peón o peonza. ‖ **2.** Molusco gasterópodo marino, abundante en las costas de España, con tentáculos cónicos en la cabeza, pie corto y franjeado en el contorno, y concha cónica, gruesa, angulosa en la base, y de abertura entera, deprimida transversalmente. ‖ **3.** fig. Persona muy torpe. ‖ **4.** *Albac.* Planta semejante a la neguilla, que se cría entre el trigo. ‖ **5.** *Chile* y *Perú.* Instrumento de madera o de metal, de forma có-

nica, que se usa para abocardar cañerías. ‖ **báilame,** o **cógeme, ese trompo en la uña.** fr. fig. y fam. *Amér.* **ajústame esas medidas.** ‖ **ponerse** uno **como un trompo,** o **hecho un trompo.** fr. fig. y fam. p. us. Comer o beber hasta hincharse.

trompón. m. aum. de **trompo.** ‖ **2.** aum. de **trompazo,** golpazo. ‖ **3. narciso¹.** ‖ **a,** o **de, trompón.** loc. adv. fam. Sin orden, concierto ni regla.

trona. (Quizá del m. or. que *natrón*.) f. Carbonato de sosa cristalizado que suele hallarse formando incrustaciones en las orillas de los lagos y grandes ríos de África, Asia y América del Sur. Es translúcido, vítreo, blanco o amarillento, poco más duro que el yeso y de sabor acre.

tronada. (De *tronar*.) f. Tempestad de truenos.

tronado, da. p. p. de **tronar.** ‖ **2.** adj. Deteriorado por efecto del uso o del tiempo. ‖ **3.** fig. y fam. **loco²,** que ha perdido la razón.

tronador, ra. adj. Que truena. ‖ **2.** V. **cohete tronador.** ‖ **3.** m. *Ar.* **tronera,** papel plegado de modo que al sacudirlo con fuerza se abren con ruido los pliegues.

tronar. (Del lat. *tonare*, con la *r* de *tronido*.) intr. impers. Haber o sonar truenos. ‖ **2.** intr. Despedir o causar ruido o estampido; como las armas de fuego cuando se disparan. ‖ **3.** fig. y fam. Perder uno su caudal hasta el punto de arruinarse. Ú. t. c. prnl. ‖ **4.** fig. y fam. Referirse a algo o a alguien de manera violenta. ‖ **tronar con** uno. fr. fig. y fam. Reñir con él, apartarse de su trato y amistad.

tronca. f. Acción y efecto de troncar. ‖ **2.** V. **señal de tronca.** ‖ **3.** Tocón de un árbol.

troncal. adj. Perteneciente al tronco o procedente de él. ‖ **2.** *Der.* V. **bienes troncales.**

troncalidad. f. *Der.* Principio jurídico, de tradición española, según el cual los bienes deben pasar, en la herencia por ley de una persona, a favor de la línea de parientes de que aquellos procedían.

troncar. (Del lat. *truncāre*.) tr. **truncar.**

tronco, ca. (Del lat. *truncus*.) adj. ant. Trunco, truncado, tronchado. ‖ **2.** m. Cuerpo truncado. TRONCO de pirámide; TRONCO de columna. ‖ **3.** Tallo fuerte y macizo de los árboles y arbustos. ‖ **4.** Cuerpo humano o de cualquier animal, prescindiendo de la cabeza y las extremidades. ‖ **5.** Par de mulas o caballos que tiran de un carruaje enganchados al juego delantero. ‖ **6.** Conducto o canal principal del que salen o al que concurren otros menores. TRONCO arterial; TRONCO de chimenea. ‖ **7.** fig. Ascendiente común de dos o más ramas, líneas o familias. ‖ **8.** fig. Persona insensible, inútil o despreciable. ‖ **braquiocefálico.** *Anat.* Arteria gruesa que nace del cayado aórtico y se divide en dos, la carótida y la subclavia del lado derecho. ‖ **estar** uno **hecho un tronco.** fr. fig. y fam. Estar privado del uso de los sentidos o de los miembros, por algún accidente. ‖ **2.** fig. y fam. Estar profundamente dormido.

troncocónico, ca. adj. En forma de cono truncado.

troncón. m. aum. de **tronco,** tallo fuerte. ‖ **2.** Tronco del cuerpo humano o animal. ‖ **3. tronca,** tocón de un árbol.

tronchado, da. p. p. de **tronchar.** ‖ **2.** adj. *Blas.* V. **escudo tronchado.**

tronchante. p. a. de **tronchar.** Que troncha. ‖ **2.** adj. fam. Gracioso, que produce risa.

tronchar. (De *troncho*.) tr. Partir o romper sin herramienta un vegetal por su tronco, tallo o ramas principales. *El viento* TRONCHÓ *el árbol.* Ú. t. c. prnl. ‖ **2.** fig. Partir o romper con violencia cualquier cosa de figura parecida a la de un tronco o tallo. TRONCHAR *un palo, un bastón, una barra.* Ú. m. c. prnl. ‖ **3.** fig. Truncar, impedir que se realice una cosa. Ú. t. c. prnl. ‖ **4.** prnl. **troncharse de risa.**

tronchazo. m. Golpe dado con un troncho.

troncho. (Del lat. *trunculus*.) m. Tallo de las hortalizas.

tronchudo, da. adj. Aplícase a las hortalizas que tienen grueso o largo el troncho. *Berza* TRONCHUDA; *repollo* TRONCHUDO.

tronera. (De *trueno*.) f. Abertura en el costado de un buque, en el parapeto de una muralla o en el espaldón de una batería, para disparar con seguridad y acierto los cañones. ‖ **2.** Ventana pequeña y angosta por donde entra escasamente la luz. ‖ **3.** Juguete de papel plegado de modo que, al sacudirlo con fuerza, por la parte recogida sale detonando. ‖ **4.** Cada uno de los agujeros o aberturas que hay en las mesas de trucos y de billar, para que por ellos entren las bolas. ‖ **5.** com. fig. y fam. Calavera, persona de vida disipada y libertina.

tronerar. (De *tronera*.) tr. Abrir troneras, atronerar.

tronero. m. *Rioja*. **cúmulo**, conjunto de nubes amontonadas.

tronga. (De or. inc.) f. *Germ*. Manceba, dama[1], mujer galanteada.

trónica. (Deformación de *retórica*.) f. desus. Hablilla, patraña, chisme.

tronido. m. Trueno de las nubes. ‖ **2.** Estruendo, estallido, estrépito. ‖ **3.** Fracaso ruidoso.

tronío. m. fam. Ostentación y rumbo.

tronitoso, sa. (Del lat. *tonítrus*, trueno.) adj. fam. Dícese de lo que hace ruido de truenos u otro semejante.

trono. (Del lat. *thronus*, y este del gr. θρόνος.) m. Asiento con gradas y dosel, que usan los monarcas y otras personas de alta dignidad, especialmente en los actos de ceremonia. ‖ **2.** Tabernáculo colocado encima de la mesa del altar y en que se expone a la veneración pública el Santísimo Sacramento. ‖ **3.** Lugar o sitio en que se coloca la efigie de un santo cuando se le quiere honrar con culto más solemne. ‖ **4.** fig. Dignidad de rey o soberano. ‖ **5.** pl. *Teol*. Espíritus bienaventurados que pueden conocer inmediatamente en Dios las razones de las obras divinas o del sistema de las cosas. Forman el tercer coro[1].

tronquear. (De *tronco*.) tr. *Rioja*. Excavar las vides.

tronquista. m. Cochero que gobierna los caballos o mulas de tronco.

tronzadera. f. **tronzador**.

tronzado, da. p. p. de **tronzar**. ‖ **2.** m. Operación que consiste en cortar en trozos maderos, barras y otras piezas enterizas.

tronzador. (De *tronzar*.) m. Sierra con un mango en cada uno de sus extremos, que sirve generalmente para partir al través las piezas enterizas.

tronzar. (Del lat. **truncāre*, de *truncāre*.) tr. Dividir o hacer trozos. ‖ **2.** Hacer cierto género de pliegues iguales y muy menudos en las faldas de los vestidos. ‖ **3.** fig. Cansar excesivamente, rendir de fatiga corporal. Ú. t. c. prnl.

tronzo, za. (De *tronzar*.) adj. p. us. Dícese del caballo o yegua que tiene cortadas una o entrambas orejas, como señal de haber sido desechado por inútil.

tropa. (Del fr. *troupe*, grupo.) f. Turba, muchedumbre de gentes reunidas con fin determinado. ‖ **2.** despect. **gentecilla**. ‖ **3.** Gente militar, a distinción del paisanaje. ‖ **4.** *Amér. Merid*. Recua de ganado. ‖ **5.** *Argent*. y *Urug*. Ganado que se conduce de un punto a otro. ‖ **6.** *Argent*. Caravana de carretas que se dedicaban al tráfico. ‖ **7.** *Mil*. V. **clases de tropa**. ‖ **8.** *Mil*. Toque militar que sirve normalmente para que las **tropas** tomen las armas y formen. ‖ **9.** pl. *Mil*. Conjunto de cuerpos que componen un ejército, división, guarnición, etc. ‖ **de línea.** *Mil*. La organizada para maniobrar y combatir en orden cerrado y por cuerpos. ‖ **2.** *Mil*. La que por su institución es permanente, a diferencia de la que no lo es. ‖ **ligera.** *Mil*. La organizada para maniobrar y combatir en orden abierto y más individualmente que la de línea. ‖ **en tropa.** loc. adv. p. us. En grupos, sin orden.

tropel. (De *tropa*.) m. Muchedumbre que se mueve en desorden ruidoso. ‖ **2.** Aceleramiento confuso o desordenado. ‖ **3.** En la antigua milicia, uno de los trozos o partes en que se dividía el ejército. ‖ **4.** Conjunto de cosas mal ordenadas o colocadas sin concierto. ‖ **5.** desus. Trote del caballo. ‖ **6.** ant. *Mil*. Partida o pequeño cuerpo separado de un ejército. ‖ **de tropel.** loc. adv. p. us. **en tropel**. ‖ **en tropel.** loc. adv. Con movimiento acelerado y violento. ‖ **2.** Yendo muchos juntos, sin orden y confusamente.

tropelía. (De *tropel*.) f. Atropello o acto violento cometido, generalmente, por quien abusa de su poder. ‖ **2.** Aceleración confusa, desordenada e incluso violenta. ‖ **3.** desus. Arte mágica que muda las apariencias de las cosas. ‖ **4.** desus. Ilusión, falsa apariencia.

tropelista. com. p. us. Persona que ejerce la tropelía, como arte mágica o como prestigiador.

tropellar. (De *tropel*.) tr. desus. **atropellar**.

tropeoláceo, a. (De *Tropaeŏlum*, nombre de un género de plantas.) adj. *Bot*. Dícese de plantas angiospermas dicotiledóneas, muy afines a las geraniáceas; son herbáceas, rastreras o trepadoras, y tienen hojas opuestas; pecioladas, enteras o lobuladas; flores cigomorfas, con ocho estambres y un largo espolón en el cáliz; fruto carnoso o seco, con semillas sin albumen; raíz tuberculosa, como la capuchina. Ú. t. c. s. f. ‖ **2.** f. pl. *Bot*. Familia de estas plantas.

tropeoleo, a. (Del lat. *Tropaeŏlum*, nombre de un género de plantas; de *trophaeum*, trofeo, porque sus hojas parecen broqueles y sus flores cascos.) adj. *Bot*. **tropeoláceo**.

tropero. m. *Argent*. y *Urug*. Conductor de tropas, de carretas o de ganado, especialmente vacuno.

tropezadero. m. Lugar donde hay peligro de tropezar.

tropezador, ra. adj. Que tropieza con frecuencia. Ú. t. c. s.

tropezadura. f. Acción de tropezar.

tropezar. (Del lat. vulg. **interpediare*.) intr. Dar una persona con los pies en un obstáculo al ir andando, con lo que se puede caer. ‖ **2.** Detenerse o ser impedida una cosa por encontrar un estorbo que le impide avanzar o colocarse en algún sitio. ‖ **3.** fig. Cometer alguna culpa o estar a punto de cometerla. ‖ **4.** fig. Reñir con uno u oponerse a su dictamen. ‖ **5.** fig. Advertir el defecto o falta de una cosa o la dificultad de su ejecución. ‖ **6.** fig. y fam. Hallar casualmente una persona a otra. Ú. t. c. prnl. ‖ **7.** prnl. Rozarse las bestias una mano con la otra.

tropezón, na. adj. fam. **tropezador**. Dícese comúnmente de las caballerías. ‖ **2.** m. Acción y efecto de tropezar. ‖ **3.** Aquello en que se tropieza. ‖ **4.** fig. y fam. Pedazo pequeño de jamón u otro alimento que se mezcla con las sopas o las legumbres. Ú. m. en pl. ‖ **a tropezones.** loc. adv. fig. y fam. Con varios impedimentos y tardanzas. *Juan lee* A TROPEZONES.

tropezoso, sa. adj. fam. Que tropieza o se detiene y embaraza en la ejecución de una cosa.

tropical. adj. Perteneciente o relativo a los trópicos. ‖ **2.** fig. Ampuloso, frondoso, exagerado.

trópico, ca. (Del lat. *tropĭcus*, y este del gr. τροπικός.) adj. Perteneciente o relativo al trópico; figurado. ‖ **2.** V. año **trópico**. ‖ **3.** m. *Astron*. Cada uno de los dos círculos menores que se consideran en la esfera celeste, paralelos al Ecuador y que tocan a la Eclíptica en los puntos de intersección de la misma con el coluro de los solsticios. El hemisferio boreal se llama **trópico** de Cáncer, y el del austral, **trópico** de Capricornio. ‖ **4.** *Geogr*. Cada uno de los dos círculos menores que se consideran en el globo terrestre en correspondencia con los dos de la esfera celeste.

tropiezo. m. Aquello en que se tropieza. ‖ **2.** Lo que sirve de estorbo o impedimento. ‖ **3.** fig. **desliz**. ‖ **4.** fig. Causa de la culpa cometida. ‖ **5.** fig. Persona con quien se comete. ‖ **6.** fig. Dificultad, contratiempo o impedimento en un trabajo, negocio o pretensión. ‖ **7.** fig. Riña o quimera. ‖ **8.** Oposición en los dictámenes.

tropilla. (d. de *tropa*.) f. *Argent*. Conjunto de yeguarizos guiados por una madrina.

tropismo. (Del gr. τρόπος, vuelta.) m. *Biol*. Movimiento de orientación de un organismo sésil como respuesta a un estímulo.

tropo. (Del lat. *tropus*, y este del gr. τρόπος.) m. *Ret*. Empleo de las palabras en sentido distinto del que propiamente les corresponde, pero que tiene con este alguna conexión, correspondencia o semejanza. El *tropo* comprende la sinécdoque, la metonimia y la metáfora en todas sus variedades. ‖ **2.** *Litur*. Texto breve con música que, durante la Edad Media, se añadía al oficio litúrgico y que poco a poco empezó a ser recitado alternativamente por el cantor y el pueblo, dando origen al drama litúrgico.

tropología. (Del lat. *tropologia*, y este del gr. τροπολογία.) f. Lenguaje figurado, sentido alegórico. ‖ **2.** Mezcla de moralidad y doctrina en el discurso u oración, aunque sea en materia profana o indiferente.

tropológico, ca. (Del lat. *tropologĭcus*, y este del gr. τροπολογικός.) adj. Figurado, expresado por tropos. ‖ **2.** Doctrinal, moral, que se dirige a la reforma o enmienda de las costumbres.

tropopausa. f. *Meteor*. Zona de discontinuidad entre la troposfera y la estratosfera, cuya altitud varía aproximadamente con la latitud y las estaciones del año entre 18 kms en el Ecuador y 6 kms en los polos. Su estructura no es regular sino que presenta escalones de discontinuidad.

troposfera. (Del gr. τρόπος.) f. *Meteor*. Zona inferior de la atmósfera, hasta la altura de 12 kilómetros, donde se desarrollan los meteoros aéreos, acuosos y algunos eléctricos.

troque¹. (Del lat. *trochus*, rodaja o redondel, y este del gr. τροχός, rueda.) m. Especie de botón que se forma en los paños cuando se van a teñir, liando fuertemente con bramante una partecita de ellos, para que se conozca después de salir del tinte qué color tuvo primero todo el paño.

troque². (De *trocar*.) m. ant. **trueque.**

troquel. (De or. inc.) m. Molde empleado en la acuñación de monedas, medallas, etc. ‖ **2.** Instrumento análogo de mayores dimensiones, que se emplea para el estampado de piezas metálicas. ‖ **3.** Instrumento o máquina con bordes cortantes para recortar con precisión planchas, cartones, cueros, etc.

troquelado, da. p. p. de **troquelar.** ‖ **2.** m. Acción y efecto de troquelar. ‖ **3.** *Biol*. **impronta** o **impregnación.**

troquelar. (De *troquel*.) tr. **acuñar¹.** ‖ **2.** Recortar con troquel piezas de cuero, cartones, etc.

troqueo. (Del lat. *trochaeus*, y este del gr. τροχαῖος.) m. Pie de la poesía griega y latina, compuesto de dos sílabas, la primera larga y la otra breve. ‖ **2.** En la poesía española, por imitación de la latina, se llama así al pie compuesto de una sílaba acentuada y otra átona, como *prado*.

troquilo. (Del lat. *trochīlus*, y este del gr. τροχίλος.) m. *Arq*. Moldura cóncava cuyo perfil es un semicírculo, mediacaña.

trosas. f. pl. *León*. Especie de angarillas usadas para transportar entre dos personas tierra, estiércol y otros materiales.

trotacalles. com. fam. Persona muy callejera.

trotaconventos. (De *trotar*, andar mucho, y *convento*.) f. fam. Alcahueta, tercera, celestina.

trotador, ra. adj. Que trota bien o mucho.

trotamundos. com. Persona aficionada a viajar y recorrer países.

trotar. (Del medio alto al. *trotten*, correr.) intr. Ir el caballo al trote. ‖ **2.** Cabalgar una persona en caballo que va al tro-

te. ‖ **3.** fig. y fam. Andar mucho o con celeridad una persona.

trote. m. Modo de caminar acelerado, natural a todas las caballerías, que consiste en avanzar saltando, con apoyo alterno en cada bípedo diagonal, es decir, en cada conjunto de mano y pie contrapuestos. ‖ **2.** fig. Trabajo o faena apresurada y fatigosa. *Mi edad no es para andar en esos* TROTES. ‖ **cochinero.** fam. **trote** corto y apresurado. ‖ a **trote** o **al trote.** loc. adv. fig. Aceleradamente, sin asiento ni sosiego. ‖ **amansar** uno **el trote.** fr. fig. y fam. Moderarse. ‖ **hacer entrar en trotes,** o **meter en trotes,** a uno. fr. fig. y fam. Imponerle en determinados usos y costumbres, o adiestrarle, encaminarle, dirigirle. ‖ **para todo trote.** loc. fig. y fam. Para uso diario y continuo. Dícese principalmente de las prendas de vestir. ‖ **poner en los trotes** a uno. fr. fig. y fam. **hacerle entrar en trotes.** ‖ **tomar** uno **el trote.** fr. fig. y fam. Irse intempestivamente y con aceleración.

trotero. m. ant. El que lleva el correo.

trotón, na. adj. Aplícase a la caballería cuyo paso ordinario es el trote. ‖ **2.** m. **caballo,** animal.

trotona. (De *trotar*, andar mucho.) f. **señora de compañía.**

trotonería. f. Acción continuada de trotar.

trova. (De *trovar*.) f. **verso,** conjunto de palabras sujetas a medida y cadencia. ‖ **2.** Composición métrica formada a imitación del método, estilo o consonancia de otra. ‖ **3.** Composición métrica escrita generalmente para canto. ‖ **4.** Canción amorosa compuesta o cantada por los trovadores.

trovador, ra. adj. Que trova. Ú. t. c. s. ‖ **2.** m. Poeta provenzal de la Edad Media, que escribía y trovaba en lengua de oc. ‖ **3. trovero,** persona que improvisa o canta trovos. ‖ **4.** m. y f. **poeta, poetisa.** ‖ **5.** ant. Persona que halla o encuentra una cosa.

trovadoresco, ca. adj. Perteneciente o relativo a los trovadores.

trovar. (Del occitano ant. *trovar*, hallar, componer versos.) tr. ant. Encontrar, hallar. Usáb. t. c. prnl. ‖ **2.** Imitar una composición métrica, aplicándola a otro asunto. ‖ **3.** intr. Hacer versos. ‖ **4.** Componer trovas. ‖ **5.** fig. **tergiversar,** dar una interpretación forzada a palabras y hechos.

trovero. m. Poeta de la lengua de oíl, en la literatura francesa de la Edad Media. ‖ **2.** m. y f. Persona que improvisa o canta trovos.

trovista. com. **trovador,** poeta.

trovo. (De *trova*.) m. Composición métrica popular, generalmente de asunto amoroso.

trox. f. **troj.**

Troya. n. p. f. **ahí, allí,** o **aquí fue Troya.** expr. fig. y fam. con que se da a entender que solo han quedado las ruinas y señales de una población o edificio, o se indica un acontecimiento desgraciado o ruidoso. Ú. t. en otros tiempos del verbo *ser*. ‖ **2.** Se emplea para indicar el momento en que estalla el conflicto o la dificultad en el asunto o el hecho de que se trata. ‖ **arda Troya.** expr. fig. y fam. con que se denota el propósito o determinación de hacer alguna cosa sin reparar en las consecuencias o resultados.

troyano, na. (Del lat. *Troiānus*.) adj. Natural de Troya. Ú. t. c. s. ‖ **2.** Perteneciente a esta ciudad de Asia antigua.

troza¹. (De *trozar*.) f. Tronco aserrado por los extremos para sacar tablas.

troza². (Del it. *trozza*.) f. *Mar*. Combinación de dos pedazos de cabo grueso y forrado de cuero, mediante el cual se une y asegura la cruz de la verga mayor al cuello de su palo.

trozar. (De *trozo*.) tr. Romper, hacer pedazos. ‖ **2.** Entre madereros, dividir en trozas¹ el tronco de un árbol.

trozo. (De or. inc.) m. Parte de una cosa que se considera por separado del resto. *Este* TROZO *del parque es el más frondoso.* ‖ **2.** *Mar*. Cada uno de los grupos de hombres de mar, adscritos a los distritos marítimos. ‖ **3.** *Mil*. Cada una de las dos partes, de vanguardia y retaguardia, en que se dividía una columna. ‖ **de abordaje**. *Mar*. Cada uno de los tres grupos especialmente destinados a dar y rechazar los abordajes, en que se divide parte de la dotación de un buque de guerra.

truca. f. Máquina para realizar efectos ópticos y sonoros especiales en las películas cinematográficas o de televisión.

trucado, da. p. p. de **trucar**.

trucaje. (Del fr. *trucage*.) m. Acción y efecto de trucar.

trucar. (De etim. disc.) intr. Hacer el primer envite en el juego del truque. ‖ **2**. Hacer trucos en el juego de este nombre y en el de billar. ‖ **3**. tr. Disponer o preparar algo con ardides o trampas que produzcan el efecto deseado.

trucidar. (Del lat. *trucidāre*.) tr. ant. Despedazar, matar con crueldad e inhumanidad.

truco[1]. m. Cada una de las mañas o habilidades que se adquieren en el ejercicio de un arte, oficio o profesión. ‖ **2**. Ardid o trampa que se utiliza para el logro de un fin. ‖ **3**. Suerte del juego de billar llamado de los **trucos**, que consiste en echar con la bola propia la del contrario por alguna de las troneras o por encima de la barandilla. En el primer caso se llama **truco** bajo, y en el segundo, alto. ‖ **4**. Ardid o artificio para producir determinados efectos en el ilusionismo, en la fotografía, en la cinematografía, etc. ‖ **5**. *Argent*. Variedad del truque, juego de naipes. **6**. pl. Juego de destreza y habilidad, que se ejecuta en una mesa dispuesta a este fin con tablillas, troneras, barras y bolillo. De ordinario juegan dos personas, cada una con su taco de madera y bola de marfil de proporcionado tamaño. ‖ **como si dijera truco**. fr. fam. que se emplea para indicar el poco caso que se hace de las palabras dichas por alguno.

truco[2]. (De la onomat. *truc*.) m. Cencerro grande.

truculencia. f. Calidad de truculento.

truculento, ta. (Del lat. *truculentus*.) adj. Que sobrecoge o asusta por su morbosidad, exagerada crueldad o dramatismo.

trucha[1]. (Del lat. *tructa*.) f. Pez teleósteo de agua dulce, fisóstomo, que mide hasta ocho decímetros de longitud, con cuerpo fusiforme, de color pardo y lleno de pintas rojizas o negras, según los casos; cabeza pequeña, cola con una pequeña escotadura y carne blanca o encarnada. Abunda en España y su carne es sabrosa y delicada. ‖ **2**. fig. V. **salto de trucha**. ‖ **3**. *Mec.* **cabria**. ‖ **4**. com. fig. y fam. **truchimán**, persona astuta. ‖ **de mar**. **reo**[1]. ‖ **ayunar o comer trucha**. fr. fig. Tomar la resolución de quedarse sin nada o lograr lo mejor.

trucha[2]. f. *Amér. Central*. Puesto o tenducha de mercería.

truchano. m. *Sor*. Borriquillo que aún mama.

truchero, ra. adj. Dícese de los ríos u otras corrientes de agua en que abundan las truchas. ‖ **2**. m. y f. Persona que pesca truchas, o las vende.

truchimán, na. (Del ár. *turǧumān*, intérprete.) m. y f. fam. **trujimán**. ‖ **2**. fig. y fam. Persona sagaz y astuta, poco escrupulosa en su proceder. Ú. t. c. adj.

truchuela. (Del lat. *tractāre*, infl. por *trucha*[1].) f. d. de **trucha**. ‖ **2**. Bacalao curado más delgado que el común.

trué. (De *Troyes*, ciudad de Francia.) m. Especie de lienzo delgado y blanco.

trueco. (De *trocar*.) m. **trueque**. ‖ **a trueco de**. loc. adv. **con tal que**. ‖ **a**, **o en**, **trueco**. loc. adv. **a**, **o en**, **trueque**.

trueno. (De *tronar*.) m. Estruendo, asociado al rayo, producido en las nubes por una descarga eléctrica. ‖ **2**. Ruido o estampido que causa el tiro de cualquier arma o artificio de fuego. ‖ **3**. Redecilla con que se recogían el pelo los majos y chisperos del siglo XVIII. ‖ **4**. ant. Pieza de artillería. ‖ **5**. fig. y fam. Joven atolondrado, alborotador y de mala conducta. ‖ **6**. fig. y fam. V. **casa de trueno**. ‖ **gordo**. Estampido con que terminan los fuegos artificiales, y es

siempre el más estrepitoso. ‖ **dar** uno **el trueno gordo**, o **un trueno**. fr. fig. y fam. Decir o hacer algo que cause escándalo o tenga consecuencias desagradables. ‖ **escapar del trueno y dar en el relámpago**. fr. fig. Escapar de un gran peligro para caer en otro.

trueque. m. Acción y efecto de trocar o trocarse. ‖ **2**. Intercambio directo de bienes y servicios, sin mediar la intervención de dinero. ‖ **a**, **o en**, **trueque**. loc. adv. en **cambio**.

trufa. (Del occitano ant. *trufa*, criadilla de tierra, necedad.) f. Variedad muy aromática de criadilla de tierra. ‖ **2**. Pasta hecha con chocolate sin refinar y mantequilla. ‖ **3**. Dulce de pasta de **trufa** rebozado en cacao en polvo o en varillas de chocolate. ‖ **4**. **embuste**, mentira.

trufador, ra. adj. Que trufa o miente. Ú. t. c. s.

trufaldín, na. (Del it. *truffaldino*.) m. y f. ant. El que representaba farsas o comedias.

trufán, na. (De *trufar*.) adj. ant. **truhán**. Usáb. t. c. s.

trufar. tr. Aderezar o rellenar con trufas o criadillas de tierra las aves u otras comidas. ‖ **2**. intr. Decir mentiras.

truhán, na. (Del fr. *truand*.) adj. Dícese de la persona sin vergüenza, que vive de engaños y estafas. Ú. t. c. s. ‖ **2**. Dícese de quien con bufonadas, gestos, cuentos o patrañas procura divertir y hacer reír. Ú. t. c. s.

truhanada. f. **truhanería**.

truhanamente. adv. m. A manera de truhán.

truhanear. intr. Estafar con engaños. ‖ **2**. Decir chanzas, burlas y chocarrerías propias de un truhán.

truhanería. (De *truhán*.) f. Acción truhanesca. ‖ **2**. Conjunto de truhanes.

truhanesco, ca. adj. Propio de truhán.

truhanía. f. ant. **truhanería**.

truja. (De *troja*.) f. **algorín**.

trujal. (Del lat. *torculāre*.) m. Prensa donde se estrujan las uvas o se exprime la aceituna. ‖ **2**. Molino de aceite. ‖ **3**. Tinaja en que se conserva y prepara la barrilla para fabricar el jabón. ‖ **4**. *Ar*. Estanque, generalmente de piedra, donde se elabora el vino, fermentando el mosto juntamente con el escobajo de la uva. ‖ **5**. *Ar*. Lagar donde se pisa la uva.

trujaleta. f. *Ar*. y *Rioja*. Vasija donde cae el mosto desde el trujal.

trujamán, na. (Del ár. *turyuman*, intérprete.) m. y f. p. us. **intérprete**, persona que se ocupa en explicar a otras, en idioma que entiendan, lo dicho en lengua que les es desconocida. ‖ **2**. m. El que aconseja o media en el modo de ejecutar una cosa, especialmente compras, ventas o cambios.

trujamanear. intr. Ejercer de trujamán. ‖ **2**. Trocar unos géneros por otros.

trujamanía. f. Oficio de trujamán.

trujar. tr. *Ar*. Dividir por medio de tabiques una o varias habitaciones o distribuirlas de otro modo.

trujillano, na. adj. Natural de Trujillo. Ú. t. c. s. ‖ **2**. Perteneciente o relativo a las ciudades de este nombre en Cáceres y Perú.

trujimán, na. (De *truchimán*.) m. y f. p. us. **trujamán**.

trulla[1]. (De or. inc.) f. **bulla**, gritería o ruido. ‖ **2**. Turba, tropa o multitud de gente.

trulla[2]. (Del lat. *trulla*.) f. **llana**[1] de albañil.

trullar. (De *trulla*[2].) tr. *Pal*. Enlucir con barro una pared. ‖ **2**. fig. *Pal*. Manchar, embadurnar.

trullo[1]. (Del lat. *truo*.) m. Ave palmípeda, del tamaño de un pato, de cabeza negra con un moño, cuello bronceado, lomo pardo rojizo, pecho y abdomen blancos, alas y cola pardas con rayas blancas, y pies y pico encarnados. Nada y se sumerge para coger los peces con que se alimenta, y es ave de invierno en España.

trullo[2]. (Del lat. *torculum*, prensa.) m. Lagar con depósito inferior donde cae directamente el mosto cuando se pisa la uva.

trumao. m. *Chile.* Tierra arenisca muy fina de rocas volcánicas.

trun. m. *Chile.* Fruto espinoso de algunas plantas que se adhiere al pelo o a la lana como los cadillos o amores.

truncadamente. adv. m. Truncando las palabras o las frases.

truncado, da. p. p. de **truncar.** ‖ **2.** adj. *Geom.* V. **cilindro, cono truncado.**

truncamiento. m. Acción y efecto de truncar.

truncar. (Del lat. *truncāre.*) tr. Cortar una parte a alguna cosa. ‖ **2.** p. us. Cortar la cabeza al cuerpo del hombre o de un animal. ‖ **3.** fig. Dejar incompleto el sentido de lo que se escribe o lee, u omitir frases o pasajes de un texto. ‖ **4.** fig. Interrumpir una acción u obra, dejándola incompleta. ‖ **5.** fig. Quitar a alguien las ilusiones o esperanzas. Ú. t. c. prnl.

trunco, ca. (Del lat. *truncus.*) adj. Truncado, mutilado, incompleto.

trupial. m. *Amér.* **turpial.**

truque. (Del cat. *truc.*) m. Juego de envite entre dos, cuatro o más personas, a cada una de las cuales se reparten tres cartas para jugarlas una a una y hacer las bazas, que gana quien echa la carta de mayor valor, empezando por el tres y siguiendo el dos, el as, el rey, el caballo, etc., hasta el seis, pues se descartan los cincos y los cuatros. ‖ **2.** Una de las variedades del juego del infernáculo.

truquero. m. El que tiene a su cargo y cuidado una mesa de trucos[1].

truquiflor. m. Juego de naipes en que, además de los lances del truque, hay el de flor cuando se reúnen tres cartas seguidas del mismo palo.

trusas. (Del fr. *trousses.*) f. pl. Gregüescos con cuchilladas que se sujetaban a mitad del muslo.

trutro. (De or. mapuche.) m. *Chile.* Muslo de las aves guisadas. ‖ **2.** fig. *Chile.* Muslo de las mujeres.

tú. (Del lat. *tu.*) Nominativo y vocativo del pronombre personal de segunda persona en género masculino o femenino y número singular. ‖ **a tú por tú.** loc. adv. fig. y fam. desus. Descompuestamente, sin modo ni respeto. Dícese de los que riñen soltando palabras injuriosas y perdiendo la cortesía. ‖ **de tú por tú.** loc. adv. Tuteándose. ‖ **hablar, o llamar, de tú** a uno. fr. **tratar de tú.** Ú. t. c. prnl. ‖ **hablarse, o llamarse, de tú.** fr. fig. **tratarse de tú.** ‖ **más eres tú.** expr. fam. con que se rechaza una calificación injuriosa. ‖ Disputa o altercado de insultos. *Hubo aquello de* MÁS ERES TÚ*; andar a* MÁS ERES TÚ. ‖ **tratar de tú** a uno. fr. Tutearle. Ú. t. c. prnl. ‖ **tratarse de tú.** fr. fig. Ser las personas aludidas de análogo nivel cultural, de conductas o éticas parecidas, etc. Ú. generalmente con valor peyorativo.

tu, tus. prons. poses. Apócopes de **tuyo, tuya, tuyos, tuyas.** No se emplean sino antepuestos al nombre.

tuatúa. f. Árbol americano de la familia de las euforbiáceas, de unos tres metros de altura, con hojas moradas, parecidas a las de la vid, y fruto del tamaño de la aceituna. Las hojas y las semillas se usan en medicina como purgantes.

tuáutem. (De las palabras *Tu autem, Domine, miserere nobis,* con que terminan las lecciones del Breviario.) m. fam. p. us. Sujeto que se tiene por principal y necesario para una cosa. ‖ **2.** fam. p. us. Cosa que se considera precisa e importante para algún fin.

tuba[1]. (De or. tagalo.) f. Licor filipino suave y algo viscoso que por destilación se obtiene de la nipa, el coco o el burí y también de otras palmeras, cortando el extremo superior de la espata antes de que se abran las flores. Reciente, es grato refresco, pero después de la fermentación solo sirve para hacer vinagre o fabricar aguardiente.

tuba[2]. (Del lat. *tuba,* trompeta.) f. Especie de bugle, cuya tesitura corresponde a la del contrabajo.

túbano. m. *Ant.* Cigarro puro.

tuberculina. f. Preparación hecha con gérmenes tuberculosos, y utilizada en el tratamiento y en el diagnóstico de las enfermedades tuberculosas.

tuberculización. f. Infección de un organismo por la tuberculosis.

tubérculo. (Del lat. *tuberculum,* d. de *tuber,* tumor.) m. *Bot.* Parte de un tallo subterráneo o de una raíz, que engruesa considerablemente; en sus células se acumula una gran cantidad de sustancias de reserva, como en la patata y el boniato. ‖ **2.** *Pat.* Producto morboso, de color ordinariamente blanco amarillento, redondeado, duro al principio en la época de evolución llamada de crudeza, y que adquiere en la de reblandecimiento el aspecto y la consistencia del pus. ‖ **3.** *Zool.* Protuberancia que presenta el dermatoesqueleto o la superficie de varios animales.

tuberculosis. (De *tubérculo,* producto morboso, redondeado.) f. *Pat.* Enfermedad del hombre y de muchas especies animales producida por el bacilo de Koch. Adopta formas muy diferentes según el órgano atacado, la intensidad de la afección, etc. Su lesión habitual es un pequeño nódulo, de estructura especial, llamado tubérculo. ‖ **miliar.** *Pat.* Forma de la **tuberculosis** caracterizada por la diseminación extensa de pequeñas granulaciones tuberculosas en la masa del órgano afectado, especialmente el pulmón.

tuberculoso, sa. adj. Perteneciente o relativo al tubérculo. ‖ **2.** De figura de tubérculo. ‖ **3.** Que tiene tubérculos. Ú. t. c. s. ‖ **4.** Que padece tuberculosis. Ú. t. c. s.

tubería. f. Conducto formado de tubos por donde se lleva el agua, los gases combustibles, etc. ‖ **2.** Conjunto de tubos. ‖ **3.** Fábrica, taller o comercio de tubos.

tuberosa. (Del lat. *tuberōsa.*) f. **nardo,** planta.

tuberosidad. (Del lat. *tuberōsus,* lleno de tumores.) f. Tumor, hinchazón, tubérculo.

tuberoso, sa. adj. Que tiene tuberosidades.

tubiano, na. adj. *Urug.* Dícese del caballo que tiene la capa de dos colores a grandes manchas, tobiano.

tubo. (Del lat. *tubus.*) m. Pieza hueca, de forma por lo común cilíndrica y generalmente abierta por ambos extremos, que se hace de distintas materias y se destina a varios usos. ‖ **2.** Recipiente metálico de forma cilíndrica destinado a contener substancias blandas, como pinturas, pomadas, etc. Suele ser de paredes flexibles, cerrado por un extremo y abierto por el otro con tapón de rosca. ‖ **3. tubo** rígido, generalmente de cristal, cerrado por un extremo y abierto por el otro y destinado a contener pastillas y otras cosas menudas. ‖ **de ensayo.** El de cristal, cerrado por uno de sus extremos, usado para los análisis químicos. ‖ **fluorescente. tubo** de iluminación en el que un gas, a baja presión, se torna incandescente por la acción de una corriente eléctrica. ‖ **intestinal.** Conjunto de los intestinos de un animal. ‖ **lanzallamas.** Arma de combate para lanzar gases o líquidos inflamados. ‖ **lanzatorpedos.** *Mar.* El instalado en las proximidades de la línea de flotación para disparar por él los torpedos automóviles.

tubular. (Del lat. *tubŭlus,* tubo pequeño.) adj. Perteneciente al tubo; que tiene su figura o está formado de tubos. ‖ **2.** V. **caldera tubular.**

tubuliforme. (Del lat. *tubŭlus,* tubo pequeño, y *forma,* figura.) adj. De forma de tubo.

tubuloso, sa. adj. *Bot.* Tubular, en forma de tubo.

tucán. (Voz de los indígenas del Brasil.) m. Ave americana trepadora, de unos tres decímetros de largo, sin contar el pico, que es arqueado, muy grueso y casi tan largo como el cuerpo; con cabeza pequeña, alas cortas, cola larga, y plumaje negro en general y de colores vivos, comúnmente anaranjado y escarlata en el cuello y el pecho. Se domestica fácilmente. ▌ **2.** *Astron.* n. p. m. Constelación cercana al polo antártico.

tucía. f. **atutía.**

tucinte. m. *Hond.* **teocinte,** planta.

tuciorismo. (Del lat. *tutĭor, -ōris,* más seguro.) m. Doctrina de teología moral que en puntos discutibles sigue la opinión más segura y favorable a la ley.

tuciorista. (Del lat. *tutĭor, -ōris,* más seguro.) adj. Aplícase a la persona que sigue el tuciorismo. Ú. t. c. s.

tuco¹, ca. (De la onomat. *tuc, toc.*) adj. *Bol., Ecuad.* y *P. Rico.* **manco,** que no tiene mano o brazo o tiene perdido el uso de ellos. ▌ **2.** m. *Amér. Central, Ecuad.* y *P. Rico.* Muñón. ▌ **3.** *Ast.* Zuro o raspa de la mazorca de maíz.

tuco². (Del quechua *tucu,* brillante.) m. *Argent.* Insecto luminoso como el cocuyo, pero con la fuente de luz en el abdomen. ▌ **2.** *Perú.* Especie de búho.

tuco³. m. *Argent.* y *Urug.* Salsa de tomate cocida con cebolla, orégano, perejil, ají, etc., con la que se acompañan o condimentan diversos platos como pastas, polenta, arroz, entre otros.

tucumano, na. adj. Natural de la provincia argentina de Tucumán o de su capital, San Miguel de Tucumán. Ú. t. c. s. ▌ **2.** Perteneciente o relativo a esta provincia o ciudad.

tucúquere. m. *Chile.* Búho de gran tamaño.

tucura. (Del port. brasileño *tucura.*) f. *Argent.* y *Par.* **langosta,** insecto ortóptero sedentario que causa grandes estragos en los pastos y cultivos y del que existe una docena de especies muy dañinas.

tucurpilla. f. *Ecuad.* Especie de tórtola pequeña.

tucuso. m. *Venez.* Especie de colibrí, chupaflor.

tucutuco. m. *Amér. Merid.* Mamífero semejante al topo; habita en galerías subterráneas que construye en terrenos arenosos.

tucutuzal. m. *Amér. Merid.* Terreno en el que abundan las cuevas de los tucutucos.

tuda. f. *Zam.* Cueva hecha en la falda de un monte.

tudanco, ca. adj. Natural del valle de Tudanca, en la provincia de Santander. Ú. t. c. s. ▌ **2.** Perteneciente o relativo a este valle.

tudel. (Del ant. nórdico *tuda,* cucurucho, tubo.) m. Tubo de latón encorvado, fijo en lo alto del bajón u otro instrumento semejante y a cuyo extremo libre se ajusta el estrangul.

tudelano, na. adj. Natural de Tudela. Ú. t. c. s. ▌ **2.** Perteneciente a cualquiera de las poblaciones de este nombre.

tudense. (Del lat. *Tudensis.*) adj. Natural de Túy. Ú. t. c. s. ▌ **2.** Perteneciente a esta ciudad.

tudesco, ca. (Del lat. medieval *Teutiscus,* y este del germ. *Thiudiska.*) adj. Natural de cierto país de Alemania en la Sajonia inferior. Ú. t. c. s. ▌ **2.** Perteneciente a él. ▌ **3.** Por ext., **alemán.** Apl. a pers., ú. t. c. s. ▌ **4.** m. p. us. Capote alemán. ▌ **comer, beber, engordar** uno **como un tudesco.** fr. fig. y fam. p. us. Comer, beber, engordar mucho.

tueca. f. **tueco,** tocón.

tueco. (De la onomat. *toc, tuc.*) m. Tocón de árbol. ▌ **2.** Oquedad producida por la carcoma en las maderas.

tuera. (Del ár. *ṭuwara.*) f. **coloquíntida.**

tuerca. (De or. inc.) f. Pieza con un hueco labrado en espiral que ajusta exactamente en el filete de un tornillo. ▌ **2. V. llave de tuerca.**

tuerce. m. p. us. **torcedura,** acción y efecto de torcer o torcerse.

tuérdano. m. *Cantabria.* Tejido de varas que, en las cocinas donde no hay chimenea, se pone sobre el llar para recoger el hollín.

tuero. (Del lat. *torus.*) m. **trashoguero,** leño grueso que se pone en el fondo del hogar. ▌ **2. leño,** trozo cortado y limpio de una rama.

tuertamente. (De *tuerto.*) adv. m. ant. **torcidamente.**

tuerto, ta. (Del lat. *tortus.*) p. p. irreg. de **torcer.** ▌ **2.** adj. Falto de la vista en un ojo. Ú. t. c. s. ▌ **3.** ant. De vista torcida. ▌ **4.** m. Agravio que se hace a uno. ▌ **5.** pl. **entuertos,** dolores después del parto. ▌ **a tuertas.** loc. adv. fam. Al revés de como se debe hacer, u oblicuamente. ▌ **a tuertas o a derechas.** loc. adv. p. us. **a tuerto o a derecho.** ▌ **a tuerto.** loc. adv. p. us. Contra razón, injustamente. ▌ **a tuerto o a derecho.** loc. adv. p. us. Sin consideración ni reflexión. ▌ **deshacer tuertos.** fr. **deshacer agravios.**

tueste. (De *tostar.*) m. **tostadura.**

tuétano. (De *tútano.*) m. **médula,** sustancia blanca contenida dentro de los huesos. ▌ **2.** Parte interior de una raíz o tallo de una planta. ▌ **hasta los tuétanos.** loc. adv. fig. y fam. Hasta lo más íntimo o profundo de la parte física o moral del hombre. *Enamorado* HASTA LOS TUÉTANOS. ▌ **sacar** uno **los tuétanos** a otro. fr. fig. y fam. **sacarle el alma.**

tufarada. (De *tufo¹.*) f. Olor vivo o fuerte y desagradable que se percibe de pronto.

tufillas. com. fam. Persona que se atufa o enoja fácilmente.

tufo¹. (Del lat. *typhus,* y este del gr. τῦφος, vapor, miasma dañino.) m. Emanación gaseosa que se desprende de las fermentaciones y las combustiones imperfectas. ▌ **2.** fam. **hedor.** ▌ **3.** fig. y fam. Soberbia, vanidad o entonamiento. Ú. m. en pl. ▌ **4.** fig. **olor,** sospecha de algo que está escondido o por suceder.

tufo². (Del fr. *touffe.*) m. Cada una de las dos porciones de pelo, por lo común peinado o rizado, que caen por delante de las orejas.

tufo³. (Del lat. *tofus.*) m. **toba¹,** piedra caliza muy porosa.

tufoso, sa. adj. *El Salv.* y *Nicar.* Soberbio, vanidoso.

tugiense. (Del lat. *Tugiensis.*) adj. Natural de la antigua Tugia, hoy Toya. Ú. t. c. s. ▌ **2.** Perteneciente a esta ciudad de la Bética.

tugurio. (Del lat. *tugurĭum.*) m. Choza o casilla de pastores. ▌ **2.** fig. Habitación, vivienda o establecimiento pequeño y mezquino.

tui. m. *Argent.* Loro pequeño, verde claro, con plumas anaranjadas y azules en la cabeza.

tuición. (Del lat. *tuitĭo, -ōnis.*) f. *Der.* Acción y efecto de guardar o defender.

tuina. f. Especie de chaquetón largo y holgado.

tuitivo, va. (Del lat. *tuĭtus,* p. p. de *tuēri,* defender.) adj. *Der.* Que guarda, ampara y defiende. ▌ **2.** *Der.* V. **potestad tuitiva.**

tul. (Del fr. *tulle.*) m. Tejido delgado y transparente de seda, algodón o hilo, que forma malla, generalmente en octágonos.

tule. (Del náhuatl *tullin.*) m. *Méj.* Planta herbácea, que como la anea se emplea para hacer esteras, asientos de sillas, etc.

tulio. (Del lat. *Thule,* región hiperbórea de Europa.) m. *Quím.* Metal del grupo de las tierras raras. Es bastante denso y sus sales tienen color verde grisáceo. Núm. atómico 69. Símb.: Tm.

tulipa. f. Tulipán pequeño. ▌ **2.** Pantalla de vidrio a modo de fanal, con forma algo parecida a la de un tulipán.

tulipán. (De una var. del turco *tülbant,* turbante, por su forma.) m. Planta herbácea de la familia de las liliáceas, vivaz, con raíz bulbosa y tallo liso de cuatro a seis decímetros de altura; hojas grandes, radicales, enteras y lanceoladas; flor única en lo alto del escapo, grande, globosa, de seis pétalos de hermosos colores e inodora, y fruto capsular con muchas semillas. ▌ **2.** Flor de esta planta.

tulpa. (Del quechua *tullpa,* hogar, fogón.) f. *Col., Ecuad.* y *Perú.* En el lenguaje rural, cada una de las tres piedras del hogar.

tullecer. tr. desus. **tullir,** dejar a uno tullido. ‖ **2.** intr. desus. Quedarse tullido.

tullidez. f. desus. **tullimiento.**

tullido, da. p. p. de **tullir,** o **tullirse.** ‖ **2.** adj. Que ha perdido el movimiento del cuerpo o de alguno de sus miembros. Ú. t. c. s.

tullidura. (De *tullir,* arrojar excremento las aves.) f. *Cetr.* Excremento de las aves de rapiña. Ú. m. en pl.

tullimiento. m. Acción y efecto de tullir o tullirse.

tullir. (De *tollir.*) intr. *Cetr.* Arrojar el excremento las aves de rapiña. ‖ **2.** tr. Hacer que alguien pierda el movimiento de su cuerpo o de alguno de sus miembros. U. t. c. prnl.

tumba[1]. (Del lat. *tumba,* y este del gr. τύμβος, túmulo.) f. Obra levantada de piedra en que está sepultado un cadáver. ‖ **2.** Armazón en forma de ataúd, que se coloca sobre el túmulo o en el suelo, para la celebración de las honras de un difunto. ‖ **3.** V. **paño de tumba.** ‖ **4.** Cubierta arqueada de ciertos coches. ‖ **5.** Armazón con cubierta de lujo y a modo de túmulo, que se ponía en el pescante de los coches de gala. ‖ **ser** alguien **una tumba.** fr. fig. y fam. Guardar celosamente un secreto.

tumba[2]. (De *tumbar.*) f. Vaivén o traqueteo. ‖ **2.** Caída violenta o voltereta. ‖ **3.** Baile que se usaba en Andalucía, principalmente en las fiestas de Navidad. ‖ **4.** *Ant.* y *Col.* Desmonte, tala.

tumbacuartillos. com. fam. Persona dada a la bebida.

tumbadillo. (d. de *tumbado.*) m. *Mar.* Cajón de medio punto, que suele cubrir la escotadura de popa de la cubierta del alcázar en las embarcaciones menores.

tumbado, da. p. p. de **tumbar.** ‖ **2.** adj. De figura de tumba; como los baúles, los coches, etc. ‖ **3.** *Impr.* Dícese de las composiciones tipográficas que no están perfectamente encuadradas.

tumbador, ra. adj. Que tumba. ‖ **2.** m. Obrero que corta madera para construcciones o carpintería de armar. ‖ **3. bongó.** Ú. m. en pl.

tumbaga. (Del ár. *tunbāk,* similor.) f. Liga metálica muy quebradiza, compuesta de oro y de igual o menor cantidad de cobre, que se emplea en joyería. ‖ **2.** Sortija hecha de esta liga. ‖ **3.** Anillo de la mano.

tumbagón. m. aum. de **tumbaga.** ‖ **2.** Brazalete de tumbaga.

tumbal. adj. Perteneciente o relativo a la tumba[1], sepulcro.

tumbaollas. com. fam. desus. Persona comedora y glotona.

tumbar. (De la onomat. *tumb.*) tr. Hacer caer o derribar a una persona o cosa. ‖ **2.** Inclinar una cosa sin que llegue a caer enteramente. ‖ **3.** Talar árboles o cortar plantas. ‖ **4.** fig. y fam. Turbar o quitar a uno el sentido una cosa fuerte, como el vino o un olor. ‖ **5.** intr. Caer, rodar por tierra. ‖ **6.** *Mar.* **dar de quilla,** o **la quilla.** ‖ **7.** prnl. fig. Echarse, especialmente a dormir. ‖ **8.** fig. Aflojar en un trabajo o desistir de él.

tumbilla. (d. de *tumba.*) f. Armazón compuesta de tres arcos de madera flexible unidos en su base por un bastidor rectangular, por dos listones en la parte media y por uno en la superior, y con un braserillo para calentar la cama.

tumbo[1]. (De *tumbar.*) m. Vaivén violento. ‖ **2.** Caída violenta, vuelco o voltereta. ‖ **3.** Ondulación de la ola del mar, y especialmente la ola grande. ‖ **4.** Ondulación del terreno. ‖ **5.** Retumbo, estruendo. ‖ **de dado.** fig. Peligro inminente. ‖ **de olla.** fam. Cada uno de los tres vuelcos de la olla: caldo, legumbres y carne. ‖ **dar tumbos.** fr. fig. y fam. Tener dificultades y tropiezos.

tumbo[2]. (Del gr. τύμβος, túmulo.) m. Libro grande de pergamino, donde las iglesias, monasterios, concejos y co-

munidades tenían copiados a la letra los privilegios y demás escrituras de sus pertenencias.

tumbón[1]. m. aum. de **tumba**[1]. ‖ **2.** Coche con cubierta de tumba[1]. ‖ **3.** Cofre con tapa de esta hechura.

tumbón[2], **na.** (De *tumbar,* echarse a dormir.) adj. fam. Disimulado, socarrón. ‖ **2.** fam. Perezoso, holgazán. Ú. t. c. s. ‖ **3.** f. Silla con largo respaldo y con tijera que permite inclinarlo en ángulos muy abiertos.

tumefacción. (Del lat. *tumefactum,* supino de *tumefacĕre,* hinchar.) f. *Med.* **hinchazón** de una parte del cuerpo.

tumefacto, ta. adj. Túmido, hinchado.

túmido, da. (Del lat. *tumĭdus.*) adj. fig. Ampuloso, hinchado, afectado. ‖ **2.** *Arq.* Dícese del arco o bóveda que es más ancho hacia la mitad de la altura que en los arranques.

tumo. (Del lat. *thymum.*) m. *Ál.* **tomillo.**

tumor. (Del lat. *tumor, -ōris.*) m. *Pat.* Hinchazón y bulto que se forma anormalmente en alguna parte del cuerpo del animal. ‖ **2.** *Pat.* Alteración patológica de un órgano o de una parte de él, producida por la proliferación creciente de las células que lo componen. ‖ **benigno.** Aquel en el cual la proliferación celular no se extiende a otras partes del organismo y por sí mismo no llega a producir la muerte de quien lo padece. ‖ **maligno.** Aquel en el cual la proliferación celular se extiende a otras partes del organismo, y que no tratado adecuadamente, por sí mismo produce la muerte de quien lo padece.

tumoración. f. *Med.* Tumefacción, bulto. ‖ **2. tumor.**

tumoral. adj. *Med.* Perteneciente o relativo a los tumores.

tumoroso, sa. adj. Que tiene varios tumores.

tumulario, ria. adj. Perteneciente o relativo al túmulo. *Inscripción* TUMULARIA.

túmulo. (Del lat. *tumŭlus.*) m. Sepulcro levantado de la tierra. ‖ **2.** Montecillo artificial con que en algunos pueblos antiguos era costumbre cubrir una sepultura. ‖ **3.** Armazón de madera, vestida de paños fúnebres, que se erige para la celebración de las honras de un difunto.

tumulto. (Del lat. *tumultus.*) m. Motín, confusión, alboroto producido por una multitud. ‖ **2.** Confusión agitada o desorden ruidoso.

tumultuación. (Del lat. *tumultuatĭo, -ōnis.*) f. ant. **tumulto.**

tumultuar. (Del lat. *tumultuāre.*) tr. p. us. Levantar un tumulto, motín o desorden. U. t. c. prnl.

tumultuariamente. adv. m. De manera tumultuaria.

tumultuario, ria. (Del lat. *tumultuarĭus.*) adj. **tumultuoso.** ‖ **2.** V. **riña tumultuaria.**

tumultuosamente. adv. m. De manera tumultuosa.

tumultuoso, sa. (Del lat. *tumultuōsus.*) adj. Que causa o levanta tumultos. ‖ **2.** Que está o se efectúa sin orden ni concierto.

tun. m. *Guat.* Tambor que usan los indios. ‖ **2.** *Guat.* Baile antiguo de los indios quichés.

tuna[1]. (De or. taíno.) f. **higuera de tuna.** ‖ **2. higo de tuna.** ‖ **3.** Fruto del candelabro, planta cactácea. ‖ **brava, colorada** o **roja.** Especie semejante a la higuera de **tuna,** silvestre, con más espinas y fruto de pulpa muy encarnada.

tuna[2]. (De *tunar.*) f. Vida holgazana, libre y vagabunda. ‖ **2.** Grupo de estudiantes que forman un conjunto musical. ‖ **3.** V. **estudiante de la tuna.** ‖ **correr** una **la tuna.** fr. fam. tunar.

tunal. m. **higuera de tuna**[1]. ‖ **2.** Sitio donde abunda esta planta.

tunanta. (De *tunante,* pícaro, bribón.) adj. fam. Pícara, bribona, taimada. Ú. t. c. s.

tunantada. f. Acción propia de tunante, bribonada.

tunante. p. a. de **tunar.** Que tuna. Ú. t. c. s. ‖ **2.** adj. Pícaro, bribón, taimado. Ú. t. c. s.

tunantear. (De *tunante.*) intr. Hacer vida de tunante.

tunantería. f. Calidad de tunante. ‖ **2.** Acción propia de tunantes.

tunantuela. adj. fam. d. de **tunanta.** Ú. t. c. s.

tunantuelo. adj. fam. d. de **tunante,** pícaro, bribón. Ú. t. c. s.

tunar. (De *tuno²*.) intr. p. us. Andar vagando en vida holgazana y libre.

tunarra. adj. fam. Pícaro, tuno², tunante.

tunco¹. m. *Hond.* **puerco,** animal.

tunco², ca. adj. *Guat., Hond.* y *Méj.* Mutilado de algún miembro. *Hombre* TUNCO, *yegua* TUNCA.

tunda¹. f. Acción y efecto de tundir¹ los paños.

tunda². (De *tundir²*.) f. fam. Acción y efecto de tundir² a uno a golpes. ‖ **2.** *Der.* V. **auto de tunda.**

tundear. tr. Dar una tunda², azotar, vapulear.

tundente. p. a. de **tundir².** Que tunde. ‖ **2.** adj. p. us. **contundente,** que produce contusión.

tundición. (De *tundir¹*.) f. **tunda¹,** acción y efecto de tundir¹ los paños.

tundido. m. Acción y efecto de tundir¹.

tundidor, ra. m. y f. Persona que tunde los paños. ‖ **2.** adj. Dícese de la máquina que sirve para tundir¹ los paños. Ú. t. c. s.

tundidura. f. Acción y efecto de tundir¹ los paños.

tundir¹. (Del lat. *tondēre,* trasquilar, rapar, cortar.) tr. Cortar o igualar con tijera el pelo de los paños.

tundir². (Del lat. *tundēre.*) tr. fig. y fam. Castigar con golpes, palos o azotes.

tundizno. (De *tundir¹*.) m. Borra que queda de la tundidura de los paños.

tundra. (De or. finlandés.) f. Terreno abierto y llano, de clima subglacial y subsuelo helado, falto de vegetación arbórea; suelo cubierto de musgos y líquenes, y pantanoso en muchos sitios. Se extiende por Siberia y Alaska.

tunduque. m. Especie de ratón americano grande y de color pardo.

tunear. intr. Hacer vida de tuno² o pícaro. ‖ **2.** Proceder como tal.

tunecí. (Del ár. *tūnisī,* de Túnez.) adj. **tunecino.** Apl. a pers., ú. t. c. s.

tunecino, na. (Del m. or. que *tunecí.*) adj. Natural de Túnez. Ú. t. c. s. ‖ **2.** Pertenecinte o relativo a esta ciudad y región de África. ‖ **3.** Dícese de cierta clase de punto que se hace con la aguja de gancho.

túnel. (Del ing. *tunnel.*) m. Paso subterráneo abierto artificialmente para establecer una comunicación a través de un monte, por debajo de un río u otro obstáculo. ‖ **2. túnel aerodinámico.** ‖ **aerodinámico.** Construcción que contiene una larga cavidad de forma cilíndrica por la que se hace circular el aire a la velocidad conveniente para ensayar modelos de aviación, náutica, automovilismo, etc.

tunera. f. **higuera de tuna¹.**

tunería. f. Calidad de tunante o pícaro.

Túnez. n. p. V. **azufaifo, hierba de Túnez.**

tungro, gra. (Del lat. *Tungri, -ōrum.*) adj. Dícese del individuo de un pueblo de la antigua Germania, que vino a establecerse entre el Rin y el Escalda poco antes de la era cristiana. Ú. t. c. s. ‖ **2.** Perteneciente o relativo a los **tungros.**

tungsteno. (Del sueco *tungsten,* piedra pesada; de *tung,* pesado, y *sten,* piedra.) m. *Quím.* Cuerpo simple, metálico, de color gris de acero, muy duro, muy denso y difícilmente fusible. Núm. atómico 74. Símb.: *W.*

túnica. (Del lat. *tunǐca.*) f. Vestidura sin mangas, que usaban los antiguos y les servía como de camisa. ‖ **2.** Vestidura de lana que usan los religiosos debajo de los hábitos. ‖ **3.** Vestidura exterior amplia y larga. ‖ **4.** Telilla o película que en algunas frutas o bulbos está pegada a la cáscara y cubre más inmediatamente la carne. ‖ **5.** *Anat.*

Membrana sutil que cubre algunas partes del cuerpo. *Las* TÚNICAS *de los ojos, de las venas.* ‖ **6.** *Zool.* Membrana, constituida fundamentalmente por una sustancia de tipo de la celulosa, que envuelve por completo el cuerpo de los tunicados. ‖ **de Cristo.** Planta anual, parecida al estramonio, de seis a ocho decímetros de altura, hojas aovadas y sinuosas, cáliz tubular, corola violada por fuera y blanca por dentro, y cápsula de cuatro ventallas. Procede de la India y se cultiva mucho en los jardines de Europa. ‖ **palmada.** La muy rica y adornada que llevaban los romanos debajo de la toga picta. ‖ **úvea.** *Anat.* La tercera del ojo, parecida en su forma al hollejo de la uva.

tunicado, da. adj. *Bot.* y *Zool.* Envuelto en una túnica. ‖ **2.** *Zool.* Dícese de animales procordados con cuerpo blando, de aspecto gelatinoso y rodeado de una membrana o túnica constituida principalmente por una sustancia del tipo de la celulosa. Al nacer tienen la forma de un renacuajo, cuya cola, que está provista de notocordio, desaparece cuando el animal llega al estado adulto; como la salpa. Ú. t. c. s. m. ‖ **3.** m. pl. *Zool.* Clase de estos animales.

tunicela. (Del lat. *tunicēlla.*) f. Pequeña túnica de los antiguos. ‖ **2.** Vestidura episcopal, a modo de dalmática, con mangas cortas que se aseguran a los brazos por medio de cordones. Ú. en los pontificales debajo de la casulla y es de su mismo color.

túnico. (De *túnica,* vestidura.) m. Vestidura amplia y larga que como traje de la Edad Media suele usarse en el teatro. ‖ **2.** *Col., C. Rica, Hond.* y *Venez.* Túnica que usan las mujeres.

tunjano, na. adj. Natural de Tunja. Ú. t. c. s. ‖ **2.** Perteneciente a esta ciudad de Colombia.

tunjo. (De or. chibcha.) m. *Col.* Objeto de oro encontrado en las sepulturas de los indios y fabricado por ellos.

tuno¹. m. *And., Col.* y *Cuba.* **higo de tuna¹.**

tuno², na. (Del fr. *roi de Thunes,* rey de Túnez, usado por el jefe de los vagabundos.) adj. Pícaro, tunante. Ú. t. c. s. ‖ **2.** m. Componente de una tuna², o grupo musical de estudiantes.

tuntún (al, o **al buen).** loc. adv. fam. Sin cálculo ni reflexión o sin conocimiento del asunto.

tupa¹. f. Acción y efecto de tupir una cosa. ‖ **2.** fig. y fam. Acción y efecto de tupirse de comida o bebida.

tupa². (De or. mapuche.) f. *Chile.* Planta de la familia de las lobeliáceas, con flores grandes de color de grana, en largos racimos terminales; segrega un jugo lechoso tóxico.

tupaya. f. *Filip.* Mamífero insectívoro trepador, con el hocico prolongado y la cola larga, muy parecido a una ardilla.

tupé. (Del fr. *toupet,* y este del m. or. que *tope.*) m. **copete,** cabello que cae sobre la frente. ‖ **2.** fig. y fam. Atrevimiento, desfachatez.

tupí. adj. Dícese de los indios que, formando una nación numerosa, dominaban en la costa del Brasil al llegar allí los portugueses. Ú. m. c. s. y en pl. Su pl. es **tupís.** ‖ **2.** Perteneciente o relativo a estos indios. ‖ **3.** m. Lengua de estos indios, que pertenece a la gran familia guaraní, llamada también **tupí-**guaraní.

tupición. f. Acción y efecto de tupir, obstrucción. ‖ **2.** Estado o condición de una cosa tupida. ‖ **3.** *Bol.* Espesura, lugar tupido o intrincado de un bosque. ‖ **4.** *Chile.* Multitud, abundancia, gran cantidad. ‖ **5.** fig. *Amér.* Confusión, turbación, empacho.

tupidez. f. Calidad de tupido.

tupido, da. p. p. de **tupir.** ‖ **2.** adj. **espeso,** que tiene sus elementos muy juntos o apretados. ‖ **3.** Dicho del entendimiento o los sentidos, obtuso, torpe.

tupí-guaraní. m. **tupí.**

tupín. (Del prov. *topin.*) m. *Ál.* y *Nav.* Marmita con tres pies.

tupinambo. (De *tupinambá*, nombre de una raza indígena del Brasil.) m. **aguaturma.**

tupir. (De la onomat. *tup.*) tr. Apretar mucho una cosa cerrando sus poros o intersticios. Ú. t. c. prnl. ‖ **2.** prnl. fig. Hartarse de una comida o bebida.

tupitaina. (De *tupir,* hartarse.) f. *Extr.* y *Sal.* **tupa**[1], hartazgo, tupitina.

tupitina. f. fam. Hartazgo, tupitaina.

tupo. m. *Ecuad.* **topo**[3].

tur. (De *turar.*) m. Excursión, gira o viaje por distracción. ‖ **2.** p. us. *Mar.* Periodo o campaña de servicio obligatorio de un marinero.

tura. (De *turar.*) f. desus. Acción y efecto de turar.

turable. adj. desus. Que puede turar.

turación. (De *turar.*) f. desus. **duración.**

turanio, nia. adj. Natural del Turán. Ú. t. c. s. ‖ **2.** Perteneciente o relativo a esta región de la antigua Asia Central. ‖ **3.** Aplícase a las lenguas que, como el turco y el húngaro, se creen originarias del Asia Central y no corresponden a los grupos ario y semítico.

turar. (De *aturar,* del lat. *obdūrāre.*) intr. desus. Durar mucho.

turba[1]. (Del germ. *turf.*) f. Combustible fósil formado de residuos vegetales acumulados en sitios pantanosos, de color pardo oscuro, aspecto terroso y poco peso, y que al arder produce humo denso. ‖ **2.** Estiércol mezclado con carbón mineral que se emplea como combustible en los hornos de ladrillos.

turba[2]. (Del lat. *turba.*) f. Muchedumbre de gente confusa y desordenada.

turbación. (Del lat. *turbatĭo, -ōnis.*) f. Acción y efecto de turbar o turbarse. ‖ **2.** Confusión, desorden, desconcierto.

turbadamente. adv. m. Con turbación o sobresalto.

turbador, ra. (Del lat. *turbātor, -ōris.*) adj. Que causa turbación. Ú. t. c. s.

turbal. (De *turba*[1].) m. **turbera.**

turbamiento. m. Acción y efecto de turbar o turbarse.

turbamulta. (Del lat. *turba,* turba, y *multa,* mucha, numerosa.) f. fam. Multitud confusa y desordenada.

turbante. (Del turco *tülbant.*) m. Tocado propio de las naciones orientales, que consiste en una faja larga de tela rodeada a la cabeza.

turbar. (Del lat. *turbāre.*) tr. Alterar o interrumpir el estado o curso natural de una cosa. Ú. t. c. prnl. ‖ **2.** **enturbiar.** Ú. t. c. prnl. ‖ **3.** fig. Sorprender o aturdir a uno, de modo que no acierte a hablar o a proseguir lo que estaba haciendo. Ú. t. c. prnl. ‖ **4.** fig. Interrumpir, violenta o molestamente, la quietud. TURBAR *el sosiego, el silencio.* Ú. t. c. prnl.

turbativo, va. adj. p. us. Que turba o inquieta. ‖ **2.** *Der.* V. **posesión turbativa.**

turbera. f. Sitio donde yace la turba[1].

turbia. (De *turbiar.*) f. Estado del agua corriente enturbiada por arrastres de tierras.

turbiamente. adv. m. De manera turbia o confusa.

turbiar. (Del lat. *turbidāre.*) tr. ant. Hacer o poner turbio. Usáb. t. c. prnl.

turbidez. f. Calidad de túrbido o turbio.

túrbido, da. (Del lat. *turbĭdus.*) adj. **turbio.**

turbiedad. f. Calidad de turbio.

turbieza. (De *turbio.*) f. Calidad de turbio. ‖ **2.** Calidad de confuso, perturbado o desordenado.

turbina. (Del lat. *turbo, -ĭnis,* remolino.) f. Rueda hidráulica, con paletas curvas colocadas en su periferia, que recibe el agua por el centro y la despide en dirección tangente a la circunferencia, con lo cual aprovecha la mayor parte posible de la fuerza motriz. ‖ **2.** Máquina destinada a transformar en movimiento giratorio de una rueda de paletas la fuerza viva o la presión de un fluido. TURBINA *de vapor.*

turbino. m. Raíz del turbit pulverizada.

turbinto. (De *terebinto.*) m. Árbol de América Meridional, de la familia de las anacardiáceas, con tronco recto, corteza resquebrajada y ramas colgantes; hojas compuestas de hojuelas lanceoladas siempre verdes; flores pequeñas, blanquecinas, en panojas axilares, y fruto en bayas redondas de corteza rojiza y olor de pimienta. Da buena trementina y con sus bayas se hace en América una bebida muy grata.

turbio, bia. (Del lat. *turbĭdus.*) adj. Mezclado o alterado por una cosa que oscurece o quita la claridad natural o transparencia. ‖ **2.** fig. Revuelto, dudoso, azaroso. Aplícase a tiempos y circunstancias. ‖ **3.** fig. Confuso, poco claro. Aplícase a la visión o al lenguaje, locución, etc. ‖ **4.** fig. Deshonesto o de licitud dudosa. ‖ **5.** m. pl. **hez** de un líquido, principalmente del aceite o del vino.

turbión. (De *turbio.*) m. Aguacero con viento fuerte, que viene repentinamente y dura poco. ‖ **2.** fig. Multitud de cosas que caen de golpe, llevando tras sí lo que encuentran. ‖ **3.** fig. Multitud de cosas que vienen juntas y violentamente y ofenden y lastiman.

turbioso, sa. adj. ant. **turbio.**

turbit. (Del ár. *turbid.*) m. Planta trepadora asiática, de la familia de las convolvuláceas, con tallos sarmentosos muy largos, hojas parecidas a las de la malva, flores acampanadas rojas y blancas, fruto capsular con semillas negras casi esféricas, y raíces largas, gruesas como el dedo, de corteza oscura, blancas por dentro y resinosas, que se han empleado en medicina como purgante drástico. ‖ **2.** Raíz de esta planta. ‖ **mineral.** Sulfato mercurial de propiedades purgantes parecidas a las del **turbit** vegetal.

turbo-. (Del lat. *turbo,* remolino.) elem. compos. que, en nombres de máquinas, indica que el motor es una turbina: TURBOcompresor, TURBOhélice.

turboalternador. m. Conjunto de un alternador eléctrico y de la turbina que lo mueve.

turbocompresor. m. Compresor movido por una turbina.

turbogenerador. m. Generador eléctrico movido por una turbina de gas, de vapor o hidráulica.

turbohélice. m. Motor de aviación en que una turbina mueve la hélice.

turbón. (Del lat. *turbo, -ōnis,* por *-ĭnis.*) m. ant. **turbión.**

turbonada. (De *turbón.*) f. Fuerte chubasco de viento y agua, acompañado de truenos, relámpagos y rayos. Ú. t. en sent. fig.

turbopropulsor. m. **turbohélice.**

turborreactor. m. *Aviac.* Motor de reacción del que es parte funcional una turbina de gas.

turbulencia. (Del lat. *turbulentĭa.*) f. Calidad de turbio o de turbulento. ‖ **2.** fig. Confusión, alboroto o perturbación. ‖ **3.** *Fís.* Extensión en la cual un fluido tiene un movimiento turbulento.

turbulentamente. adv. m. De manera turbulenta.

turbulento, ta. (Del lat. *turbulentus.*) adj. Turbio y agitado, especialmente hablando de líquidos. ‖ **2.** fig. Agitado y desordenado, hablando de acciones y situaciones. ‖ **3.** fig. Dícese de la persona agitadora, que promueve disturbios, discusiones, etc. Ú. t. c. s. ‖ **4.** *Fís.* Dícese del régimen de una corriente fluida cuya velocidad varía rápidamente en dirección y magnitud; su característica más notable es la formación de remolinos. ‖ **5.** *Fís.* V. **movimiento turbulento.**

turca[1]. (De *turco,* vino.) f. fam. Borrachera, embriaguez.

turca[2]. (Del arauc. *thurcu.*) f. *Chile.* Pájaro conirrostro, de plumaje pardo rojizo, alas cortas, y las patas con tarsos muy fuertes y uñas muy largas.

turco, ca. (Del ár. *turk*.) adj. Aplícase al individuo de un pueblo que, procedente del Turquestán, se estableció en Asia Menor y en la parte oriental de Europa, a las que dio nombre. Ú. t. c. s. ǁ **2.** Natural de Turquía. Ú. t. c. s. ǁ **3.** Perteneciente a esta nación de Europa y Asia. ǁ **4.** V. **bolsa, cama, silla turca.** ǁ **5.** V. **tabaco turco.** ǁ **6.** m. Lengua turca. ǁ **7.** *Germ.* Vino de uvas. ǁ **el gran turco.** El sultán de Turquía.

turcomano, na. (De *turkmän*, nombre persa de unas tribus turcas de Asia Central.) adj. Aplícase al individuo de cierta rama de la raza turca, muy numerosa en Persia y otras regiones de Asia. Ú. t. c. s. ǁ **2.** Perteneciente a los **turcomanos.**

turcople. (Del gr. τουρκόπουλον, hijo de turco.) adj. Aplícase a la persona nacida de padre turco y madre griega. Ú. t. c. s.

turdetano, na. (Del lat. *Turdetānus*.) adj. Dícese de un pueblo hispánico prerromano, considerado heredero de los tartesios y que habitaba la mayor parte de la actual Andalucía. ǁ **2.** Dícese también de los individuos que formaban este pueblo. Ú. t. c. s. ǁ **3.** Perteneciente o relativo a los **turdetanos** o a la Turdetania.

túrdiga. (De or. inc.) f. Tira de pellejo.

turdión. (Del fr. *tordion*, de *tordre*, torcer.) m. Especie de baile del género de la gallarda.

túrdulo, la. (Del lat. *Turdŭlus*.) adj. Gentilicio que significa a veces lo mismo que **turdetano,** que por lo general se refiere más precisamente a los pobladores antiguos de Andalucía central: zonas llanas de las provincias de Córdoba y Jaén, e interior de las de Cádiz, Málaga y Granada. También hubo **túrdulos** en otras regiones de la Península (Sierra Morena, costa de Portugal). Ú. t. c. s. ǁ **2.** Perteneciente o relativo a los **túrdulos.**

turgencia. (Del lat. *turgens, -entis,* turgente.) f. Cualidad de turgente.

turgente. (Del lat. *turgens, -entis,* turgente.) adj. Abultado, elevado. ǁ **2.** *Med.* Aplícase al humor que hincha alguna parte del cuerpo.

túrgido, da. (Del lat. *turgĭdus*.) adj. poét. **turgente,** abultado.

turibular. tr. Mecer o agitar el turíbulo.

turibulario. m. El que lleva el turíbulo.

turíbulo. (Del lat. *turibŭlum;* de *tus, turis,* incienso.) m. **incensario.**

turiferario. (Del lat. *turiferarĭus*.) m. El que lleva el incensario.

turífero, ra. (Del lat. *turifer, -ēri;* de *tus, turis,* incienso, y *ferre,* llevar.) adj. Que produce o lleva incienso.

turificación. f. Acción y efecto de turificar.

turificar. tr. incensar.

turión. (Del lat. *turĭo, -ōnis,* yema, brote.) m. *Bot.* Yema que nace de un tallo subterráneo; como en los espárragos.

turismo. (Del ing. *tourism*.) m. Afición a viajar por placer. ǁ **2.** Organización de los medios conducentes a facilitar estos viajes. ǁ **3. automóvil de turismo.**

turista. (Del ing. *tourist*.) com. Persona que recorre un país por distracción y recreo.

turístico, ca. adj. Perteneciente o relativo al turismo.

turlerín. m. *Germ.* **ladrón,** el que roba o hurta.

turma. (Del lat. *turma*.) f. **testículo.** ǁ **de tierra. criadilla de tierra.**

turmalina. (Del fr. *tourmaline*.) f. Mineral formado por un silicato de alúmina con ácido bórico, magnesia, cal, óxido de hierro y otras sustancias, que se encuentra en los granitos. Sus variedades verdes y encarnadas suelen emplearse como piedras finas.

turmequé. m. *Col.* Juego de origen indígena que consiste en lanzar tejos o discos metálicos para introducirlos en bocines colocados a flor de tierra y enfrentados a una distancia aproximada de unos treinta metros.

turmódigo, ga. adj. Dícese de un pueblo de la Hispania antigua que habitaba en la actual región de Burgos. ǁ **2.** Dícese de los individuos que componían este pueblo. Ú. t. c. s. ǁ **3.** Perteneciente o relativo a los **turmódigos.**

turnar. (Del fr. *tourner*, y este del lat. *tornāre*.) intr. Alternar con una o más personas en el repartimiento de una cosa o en el servicio de algún cargo, guardando orden sucesivo entre todas. Ú. t. c. prnl. ǁ **2.** tr. *Méj.* En uso jurídico y administrativo, remitir una comunicación, expediente o actuación a otro departamento, juzgado, sala de tribunales, funcionario, etc.

turnio, nia. (De or. inc.) adj. Dícese de los ojos torcidos. ǁ **2.** Que tiene los ojos torcidos. Ú. t. c. s. ǁ **3.** fig. Que mira con ceño o demasiada severidad. Ú. t. c. s.

turno. m. Orden según el cual se suceden varias personas en el desempeño de cualquier actividad o función. ǁ **2. vez,** tiempo u ocasión de hacer una cosa por orden. ǁ **3.** Cada una de las intervenciones que, en pro o en contra de una propuesta, permiten los reglamentos de las Cámaras legislativas o corporaciones. ǁ **de turno.** loc. adj. Dícese de la persona o cosa a la que corresponde actuar en cierto momento, según la alternativa previamente acordada. *Médico* DE TURNO.

turolense. adj. Natural de Teruel. Ú. t. c. s. ǁ **2.** Perteneciente a esta ciudad o a su provincia.

turón. m. Mamífero carnicero de unos 35 centímetros de largo desde lo alto de la cabeza hasta el arranque de la cola, que mide poco más de un decímetro; con cuerpo flexible y prolongado, cabeza pequeña, hocico agudo, orejas chicas y casi redondas, patas cortas, pelaje blanco alrededor de la boca y orejas, negro en las patas y cola y pardo oscuro en el resto del cuerpo. Despide olor fétido y habita en sitios montuosos donde abunda la caza, de la cual se alimenta.

turonense. (Del lat. *Turonensis*.) adj. Natural de Tours. Ú. t. c. s. ǁ **2.** Perteneciente a esta ciudad de Francia.

turpial. (De *trupial*.) m. Nombre que se da a varias especies de aves de la familia de los ictéridos. Es característico su canto variado y melodioso.

turpitud. (Del lat. *turpitūdo*.) f. ant. **torpeza.**

turqués, sa. adj. ant. **turco.** Apl. a pers., usáb. t. c. s.

turquesa[1]. (De or. inc.) f. Molde, a modo de tenaza, para hacer bodoques de ballesta o balas de plomo. ǁ **2.** Molde para otras cosas.

turquesa[2]. f. Mineral amorfo, formado por un fosfato de alúmina con algo de cobre y hierro, de color azul verdoso, y casi tan duro como el vidrio, que se halla en granos menudos en distintos puntos de Asia, principalmente en Persia, y se emplea en joyería. ǁ **2.** adj. De color azul verdoso, como la **turquesa**[2]. Ú. t. c. s. ǁ **3. occidental.** Hueso o diente fósil, teñido naturalmente de azul por el óxido de cobre, que se usa en joyería. ǁ **oriental. turquesa**[2].

turquesado, da. (De *turquesa*[2].) adj. **turquí.**

turquesco, ca. adj. **turco,** perteneciente a Turquía.

turquí. (Del ár. *turki,* de Turquía.) adj. desus. Perteneciente a Turquía. ǁ **2.** V. **azul turquí.** Ú. t. c. s. m.

turquino, na. adj. desus. **turquí.**

turra. (Del lat. *thus, thuris,* incienso.) f. *Áv.* y *Seg.* Especie de tomillo muy nocivo para el ganado. ǁ **2.** *Col.* Tanguilla del juego del chito.

turrar. (De *torrar*.) tr. Tostar o asar en las brasas.

turrón. (De or. inc.) m. Dulce, por lo común, en forma de tableta, hecho de almendras, piñones, avellanas o nueces, tostado todo y mezclado con miel y azúcar. ǁ **2.** fig. y fam. Destino público o beneficio que se obtiene del Estado.

turronada. f. *Albañ.* Argamasa de cal y guijo grueso.

turronería. f. Tienda en que se vende el turrón.

turronero, ra. m. y f. Persona que hace o vende turrón. ‖ **2.** adj. fam. *And.* Pegajoso y sobado a causa del excesivo uso, hablando de barajas y naipes.

turubí. m. *Argent.* Planta aromática, con hojas aserradas, vellosas; raíz tuberculosa que tiene propiedades de emenagogo.

turulato, ta. adj. fam. Alelado, estupefacto.

turulés. adj. V. **uva turulés.**

turullo. m. Cuerno que usan los pastores para llamar y reunir el ganado.

turumba (volverle a uno). fr. fam. *Amér.* **volverle** a uno **tarumba.**

turumbón. (De *torondón.*) m. **tolondrón,** bulto o chichón.

turupial. m. *Venez.* **turpial,** ave.

tururú. m. En algunos juegos, acción de reunir un jugador tres cartas del mismo valor.

tus¹. Voz para llamar a los perros. Ú. m. repetida.

tus² (no decir, o **sin decir** uno) **ni mus.** fr. fig. y fam. **sin decir palabra.**

tusa¹. (De *tus¹.*) f. fam. **perra.** Ú. como interjección para llamarla o espantarla.

tusa². f. *Col., P. Rico* y *Venez.* Zuro, carozo, corazón de la panoja. ‖ **2.** *Amér. Central* y *Cuba.* Espata o farfolla de la mazorca del maíz. ‖ **3.** *And.* y *Cuba.* Cigarrillo hecho de una hoja de maíz. ‖ **4.** *Chile.* Barbas de la mazorca del maíz. ‖ **5.** *Argent.* y *Chile.* Crines del caballo. ‖ **6.** *Argent.* Acción y efecto de tusar las crines. ‖ **7.** *Col.* Hoyo de viruela. ‖ **8.** fig. *Amér. Central* y *Cuba.* Mujer despreciable. ‖ **9.** *Col., Pan.* y *P. Rico.* Persona despreciable. ‖ **10.** *C. Rica.* Mujer muy alegre y pizpireta. ‖ **dar tusa.** fr. fig. *Cuba.* Salir corriendo.

tusa³. (De or. inc.) f. Esfuerzo excesivo y penoso.

tusar. (De *tuso,* p. p. ant. de *tundir.*) tr. ant. Atusar el pelo. Ú. en América. ‖ **2.** *Amér.* **trasquilar.** ‖ **3.** *Argent.* Cortar las crines del caballo según un modelo determinado.

tuscánico, ca. (Del lat. *Tuscanĭcus.*) adj. ant. Perteneciente a Toscana.

tusco, ca. (Del lat. *Tuscus.*) adj. Etrusco o toscano. Apl. a pers., ú. t. c. s.

tusculano, na. (Del lat. *Tusculānus.*) adj. Natural de Túsculo. Ú. t. c. s. ‖ **2.** Perteneciente a esta ciudad del Lacio.

tuse. m. *Argent.* **tusa²,** acción y efecto de tusar.

tusígeno, na. adj. *Pat.* Que produce tos.

tusílago. (Del lat. *tussilāgo.*) m. **fárfara¹,** planta.

tuso¹. (De *tus¹.*) m. fam. **perro.** ‖ **2.** Voz para llamar o espantar a los perros.

tuso², sa. (De *tuso,* p. p. ant. de *tundir,* trasquilar.) adj. *Col.* **picoso.** ‖ **2.** *P. Rico.* Rabón, sin rabo o con el rabo corto. ‖ **3.** m. *Argent.* **tusa²,** acción y efecto de tusar.

tusón¹. (Del cat. *tusó,* trasquiladura.) m. Vellón de la oveja o del carnero. ‖ **2.** **zalea,** cuero de oveja o carnero, ya curtido, con la lana. ‖ **3.** desus. **toisón.**

tusón², na. m. y f. Potro o potranca que no ha llegado a dos años. ‖ **2.** f. fam. **prostituta.**

tusturrar. (De *tostar* y *turrar.*) tr. Tostar o asar en las brasas.

tuta. (De la onomat. *tut.*) f. *Ál., Sant.* y *Vizc.* Tanguilla o chita de jugar.

tútano. (De la onomat. *tut.*) m. ant. **tuétano.**

tute. (Del it. *tutti,* todos.) m. Juego de naipes en que gana quien reúne los cuatro reyes o los cuatro caballos. ‖ **2.** Reunión en este juego, de los cuatro reyes o los cuatro caballos. ‖ **3.** fig. Esfuerzo excesivo que se obliga a hacer a personas o animales en un trabajo o ejercicio. Ú. especialmente en la fr. **dar un tute.** Ú. m. c. prnl. ‖ **4.** fig. Acometida que se da a una cosa en su uso, consumo o ejecución, reduciéndola o acabándola. Ú. especialmente en la frase **dar un tute.**

tutear. tr. Hablar a uno empleando el pronombre de se-

gunda persona. Con su uso se borran todos los tratamientos de cortesía y de respeto. Ú. t. c. prnl.

tutela. (Del lat. *tutēla.*) f. Autoridad que, en defecto de la paterna o materna, se confiere para cuidar de la persona y los bienes de aquel que por menoría de edad, o por otra causa, no tiene completa capacidad civil. ‖ **2.** Cargo de tutor. ‖ fig. Dirección, amparo o defensa de una persona respecto de otra. ‖ **dativa.** *Der.* La que se confiere por nombramiento del consejo de familia o del juez y no por disposición testamentaria ni por designación de la ley. ‖ **ejemplar.** *Der.* La que se constituye para curar de la persona y bienes de los incapacitados mentalmente. ‖ **legítima.** *Der.* La que se confiere por virtud de llamamiento que hace la ley. ‖ **testamentaria.** La que se defiere por virtud de llamamiento hecho en el testamento de una persona facultada para ello.

tutelaje. m. Acción y efecto de tutelar¹.

tutelar¹. tr. Ejercer la tutela.

tutelar². (Del lat. *tutelāris.*) adj. Que guía, ampara o defiende. Ú. t. c. s. ‖ **2.** *Der.* Perteneciente a la tutela de los incapaces. ‖ **3.** *Der.* V. **juez tutelar.** ‖ **4.** *Der. Ar.* V. **firma tutelar.**

tuteo. m. Acción y efecto de tutear.

tutía. (Del ár. *tūtiyā',* sulfato de cobre.) f. **atutía.**

tutilimundi. (Del it. *tutti li mondi,* todos los mundos.) m. **mundonuevo.**

tutiplén (a). (Forma viciosa del lat. *totus,* todo, y *plenus,* lleno.) loc. adv. fam. En abundancia, a porrillo.

tuto (hacer). loc. fam. *Chile.* Dormir.

tutor, ra. (Del lat. *tutor, -ōris.*) m. y f. Persona que ejerce la tutela. ‖ **2.** Persona que ejerce las funciones señaladas por la legislación antigua al curador. ‖ **3.** Persona encargada de orientar a los alumnos de un curso o asignatura. ‖ **4.** Profesor privado que se encargaba de la educación general de los hijos de una familia. ‖ **5.** fig. Defensor, protector o director en cualquier línea. ‖ **6.** m. **rodrigón,** caña o estaca que se clava junto a un arbusto para mantenerlo derecho en su crecimiento. ‖ **dativo.** *Der.* El nombrado por autoridad competente, a falta del testamentario y del legítimo. ‖ **legítimo.** *Der.* El designado por la ley civil, a falta de **tutor** testamentario. ‖ **testamentario.** *Der.* El designado en testamento por quien tiene facultad para ello. ‖ **haber menester tutor** uno. fr. fig. Ser incapaz para gobernar sus cosas, o demasiado gastador o manirroto. Ú. m. con neg.

tutorar. tr. Poner tutores o rodrigones a las plantas.

tutoría. f. **tutela,** autoridad del tutor. ‖ **2.** Cargo de tutor.

tutriz. (Del lat. *tutrix, -īcis.*) f. desus. **tutora.**

tutú¹. (De or. onomatopéyico.) m. *Argent.* Ave de rapiña, con plumaje verde en el lomo, azul en el pecho y con manchas negras por la cabeza, las alas y la cola.

tutú². (De or. francés.) m. Faldellín usado por las bailarinas de danza clásica.

tutumpote. m. *Sto. Dom.* **mandamás,** el que todo lo puede, dicho con sent. irónico y despectivo.

tuturuto, ta. (De or. onomatopéyico.) adj. *Col., Ecuad.* y *Venez.* Turulato, lelo.

tuturutú. (De or. onomatopéyico.) m. Sonido de la corneta.

tuya. (Del gr. θυΐα.) f. Árbol americano de la familia de las cupresáceas, con hojas siempre verdes y de forma de escamas; madera muy resistente y fruto en piñas pequeñas y lisas. ‖ **articulada. abeto** africano egipcio.

tuyo, ya. (Del lat. *tuus.*) pron. poses. de segunda persona en género masculino y femenino y ambos números singular y plural. Con la terminación del masculino, en singular, ú. t. c. neutro. ‖ **la tuya.** loc. fam. con que se indica que ha llegado la ocasión favorable a la persona de que se trata. Ú. m. con el verbo *ser. Ahora* ES, O SERÁ LA TUYA.

U

u¹. f. Vigésima cuarta letra del abecedario español, última de sus vocales y que representa una de las dos de sonido más cerrado. Pronúnciase emitiendo la voz con los labios algo más alargados y fruncidos que para pronunciar la *o* y con la lengua más retraída y más elevada en su dorso hacia el velo del paladar. Es letra muda en las sílabas *que, qui,* v. gr.: *queja, quicio;* y también, por regla general, en las sílabas *gue, gui,* v. gr.: *guerra, guión.* Cuando en una de estas dos últimas tiene sonido, debe llevar diéresis, como en *vergüenza, argüir.* ‖ **u consonante.** v. ‖ **u valona.** v **doble.**

u². conj. disyunt. que para evitar el hiato se emplea en vez de *o* ante palabras que empiezan por esta última letra o por *ho;* v. gr.: *diez* U *once; belga* U *holandés.*

ubada. (De *yugada.*) f. *And.* Medida de tierra que contiene 36 fanegas.

ubajay. m. *Argent.* Árbol de la familia de las mirtáceas, de ramaje abundante, hojas estrechas, aovadas, puntiagudas, y fruto comestible algo ácido, de piel vellosa y de pulpa amarilla. ‖ **2.** *Argent.* Fruto de este árbol.

ube. m. *Filip.* Planta de la familia de las dioscoreáceas, que produce rizomas comestibles.

ubérrimo, ma. (Del lat. *uberrĭmus.*) adj. sup. Muy abundante y fértil.

ubetense. adj. Natural de Úbeda. Ú. t. c. s. ‖ **2.** Perteneciente a esta ciudad de la provincia de Jaén.

ubí. m. *Cuba.* Planta de la familia de las vitáceas; especie de bejuco que se utiliza para hacer canastas.

ubicación. f. Acción y efecto de ubicar o ubicarse. ‖ **2.** Lugar en que está ubicada una cosa.

ubicar. (Del lat. *ubi,* en donde.) intr. Estar en determinado espacio o lugar. Ú. m. c. prnl. ‖ **2.** tr. *Amér.* Situar o instalar en determinado espacio o lugar.

ubicuidad. f. Calidad de ubicuo.

ubicuo, cua. (Del lat. *ubīque,* en todas partes.) adj. Que está presente a un mismo tiempo en todas partes. Dícese principalmente de Dios. ‖ **2.** fig. Aplícase a la persona que todo lo quiere presenciar y vive en continuo movimiento.

ubio. m. Yugo de los bueyes o de las mulas.

ubiquidad. f. Cualidad de ubicuo.

ubiquitario, ria. (Del lat. *ubīque,* en todas partes.) adj. Dícese del individuo de una secta del protestantismo, que niega la transustanciación y afirma que el cuerpo de Jesucristo, en virtud de su divinidad, está presente en la Eucaristía como en todas partes. Ú. t. c. s.

ubre. (Del lat. *uber, -ĕris.*) f. Cada una de las tetas de la hembra, en los mamíferos. ‖ **2.** Conjunto de ellas.

ubrera. f. Excoriación que suelen padecer los niños en la boca por mamar mucho, a consecuencia de la descomposición de la leche que se derrama por sus labios.

ucase. (Del ruso *ukaz,* decreto.) m. Decreto del zar. ‖ **2.** fig. Orden gubernativa injusta y tiránica. ‖ **3.** Por ext., mandato arbitrario y tajante.

ucé. com. ant. Vuestra merced.

uced. com. ant. Vuestra merced.

ucencia. com. ant. **vuecencia.**

ucraniano, na. adj. Natural de Ucrania. Ú. t. c. s. ‖ **2.** Perteneciente o relativo a este país situado al norte del Mar Negro. ‖ **3.** m. Lengua de los **ucranianos,** perteneciente al grupo oriental de las lenguas eslavas.

ucranio, nia. adj. **ucraniano.**

ucronía. f. Reconstrucción lógica, aplicada a la historia, dando por supuesto acontecimientos no sucedidos, pero que habrían podido suceder.

ucubitano, na. adj. Natural de la antigua Úcubi, hoy Espejo, en la provincia de Córdoba. Ú. t. c. s. ‖ **2.** Perteneciente o relativo a esta ciudad de la Bética.

uchu. (Del quechua.) m. *Perú.* ají, guindilla americana.

-udo, da. (Del lat. *-ūtus.*) suf. de adjetivos derivados de sustantivos, que indica «abundancia», «gran tamaño», o bien «intensidad» de lo significado por la base: *barb*UDO, *carrill*UDO, *cachaz*UDO.

udómetro. (Del lat. *udor,* lluvia, y *-metro.*) m. **pluviómetro.**

uebos. (Del lat. *ŏpus,* necesidad.) m. pl. ant. Necesidad, cosa necesaria. Se usaba especialmente en exprs. como **uebos** *me o nos es* y **uebos** *auemos,* necesitamos, **uebos** *de lidiar,* para las necesidades de la lucha, etc.

-uelo, la. (Del lat. *-ŏlus.*) suf. diminutivo o afectivo: *arroy*UELO, *loc*UELA, *bellac*UELO. A veces, toma las formas **-ecezuelo, -ezuelo, -zuelo:** *pī*ECEZUELO, *pec*EZUELO, *joven*ZUELO. (Rigen las mismas reglas que para la formación de diminutivos mediante las variantes de **-ito, -illo, -ico,** dadas en las observaciones al fin del Diccionario.) Algunas de las palabras formadas con estos sufijos tienen valor despectivo: *mujer*ZUELA, *escritor*ZUELO, en otras se ha perdido todo valor diminutivo: *pañ*UELO. Otras variantes de **-uelo** son **-achuelo** (*-acho* + *-uelo*) e **-ichuelo:** *ri*ACHUELO, *barqu*ICHUELO, *cop*ICHUELA.

uesnorueste. m. **oesnorueste.**

uessudueste. m. **oessudueste.**

ueste. m. **oeste.**

¡uf! (De la onomat. *uf.*) interj. con que se denota cansancio, fastidio o sofocación. ‖ **2.** Indica también repugnancia.

ufanamente. adv. m. Con ufanía.

ufanarse. prnl. Engreírse, jactarse, gloriarse.

ufanero, ra. adj. ant. Que acostumbra ufanarse.

ufaneza. f. ant. Cualidad de ufano.

ufanía. f. Cualidad de ufano.

ufanidad. f. desus. Cualidad de ufano.

ufano, na. (Del gót. *ufjo,* superfluo.) adj. Arrogante, presuntuoso, engreído. ‖ **2.** fig. Satisfecho, alegre, contento. ‖ **3.** fig. Que procede con resolución y desembarazo en la ejecución de alguna cosa. ‖ **4.** Referido a las plantas, lozano.

ufo (a). (Del it. *a ufo.*) loc. adv. De gorra, de mogollón, sin ser convidado ni llamado.

ugre. m. *C. Rica.* Árbol bixáceo, de tronco blanquecino y frutos esféricos con aguijones.

ugrofinés, sa. adj. Perteneciente o relativo a los fineses y a otros pueblos de lengua semejante. ‖ **2.** Dícese de un grupo de lenguas uralaltaicas, que comprende principalmente el húngaro, el finlandés y el estonio.

¡uh! interj. que denota desilusión o desdén.

ujier. (De *usier*.) m. Portero de estrados de un palacio o tribunal. ‖ **2.** Empleado subalterno que en algunos tribunales y cuerpos del Estado tiene a su cargo la práctica de ciertas diligencias en la tramitación de los asuntos, y algunas veces cuida del orden y mantenimiento de los estrados. ‖ **de armas.** Criado o ministro que antiguamente tenía el encargo de la custodia y guarda de las armas del rey. ‖ **de cámara.** Criado del rey, que asistía en la antecámara para cuidar de la puerta y de que solo entrasen las personas que debían entrar, por sus oficios u otros motivos. ‖ **de sala. ujier de vianda.** ‖ **de saleta.** Criado del rey, que asistía en la saleta para impedir la entrada a los que no tenían derecho a ella. Lo había también en el cuarto de la reina, con el mismo encargo. ‖ **de vianda.** Criado de palacio, que tenía a su cargo acompañar el cubierto y copa desde la panetería y cava, y después la comida desde la cocina.

ulaga. f. Aliaga, aulaga.

ulaguiño. (De *ulaga*.) m. *Rioja*. **abrótano,** planta.

ulala. f. *Bol*. Especie de cacto.

ulano. (Del turco *oglan*, joven, servidor, soldado de caballería ligera, a través del al. *Uhlan*.) m. Soldado de caballería ligera armado de lanza, en los ejércitos austriaco, alemán y ruso.

úlcera. (Del lat. *ulcĕra*, pl. de *ulcus*, *-ĕris*, llaga.) f. Solución de continuidad con pérdida de sustancia en los tejidos orgánicos, acompañada ordinariamente de secreción de pus y sostenida por un vicio local o por una causa interna. ‖ **2.** Daño en la parte leñosa de las plantas, que se manifiesta por exudación de savia corrompida.

ulceración. (Del lat. *ulceratĭo*, *-ōnis*.) f. Acción y efecto de ulcerar o ulcerarse.

ulcerar. (Del lat. *ulcerāre*.) tr. Causar úlcera. Ú. t. c. prnl.

ulcerativo, va. adj. Que causa o puede causar úlceras.

ulceroso, sa. (Del lat. *ulcerōsus*.) adj. Que tiene úlceras.

ulema. (Del ár. *'ulamā'*, pl. de *'ālim*, sabio en materias teológico-jurídicas.) m. Doctor de la ley mahometana.

ulfilano, na. (Del obispo *Ulfilas*, inventor de este tipo de letra.) adj. Dícese de cierto carácter de letra gótica.

uliginoso, sa. (Del lat. *uliginōsus*, de *uligo*, *-ĭnis*, humedad.) adj. Aplícase a los terrenos húmedos y a las plantas que crecen en ellos.

ulmáceo, a. (Del lat. *ulmus*, olmo.) adj. *Bot*. Dícese de árboles o arbustos angiospermos dicotiledóneos, con ramas alternas, lisas o corchosas; hojas aserradas; flores hermafroditas o unisexuales, solitarias o en cimas, y fruto seco con una sola semilla, aplastada y sin albumen, o drupas carnosas con una semilla; como el olmo y el almez. Ú. t. c. s. f. ‖ **2.** f. pl. *Bot*. Familia de estas plantas.

ulmaria. f. **reina de los prados,** planta.

ulmén. m. *Chile*. Entre los indios araucanos, hombre rico, que por serlo es respetado e influyente.

ulmo. m. *Chile*. Árbol corpulento, de hoja perenne y flores blancas; la corteza sirve para curtir.

ulpo. m. *Chile*. Especie de mazamorra o poleadas hecha con harina tostada desleída en agua, que sirve de alimento a los indios.

ulterior. (Del lat. *ulterĭor*, *-ōris*.) adj. Que está de la parte de allá de un sitio o territorio. ‖ **2.** Que se dice, sucede o se ejecuta después de otra cosa. *Se han tomado providencias* ULTERIORES.

ulteriormente. adv. m. Después o un momento dado.

ultílogo. (Del lat. *ultĭmus*, y el gr. λόγος, discurso.) m. Discurso puesto en un libro después de terminada la obra.

ultimación. f. Acción y efecto de ultimar.

ultimadamente. adv. m. **últimamente.**

ultimado, da. p. p. de **ultimar.** ‖ **2.** adj. ant. Que en su línea no tiene otro u otra cosa detrás de sí, último.

ultimador, ra. adj. El que ultima. Ú. t. c. s.

últimamente. adv. m. **por último.** ‖ **2.** adv. t. Hace poco tiempo, recientemente.

ultimar. (Del lat. *ultimāre*, de *ultĭmus*, último.) tr. Dar fin a alguna cosa, acabarla, concluirla. ‖ **2.** *Amér*. Matar.

ultimato. m. desus. **ultimátum.**

ultimátum. (Del lat. *ultimātum*, t. n. de *-tus*.) m. En el lenguaje diplomático, resolución terminante y definitiva, comunicada por escrito. ‖ **2.** fam. Resolución definitiva.

ultimidad. f. Cualidad de último.

último, ma. (Del lat. *ultĭmus*.) adj. Aplícase a lo que en su línea no tiene otra cosa después de sí. ‖ **2.** Dícese de lo que en una serie o sucesión de cosas está o se considera en el lugar postrero. *Don Rodrigo fue el* ÚLTIMO *rey de los godos*. ‖ **3.** Dícese de lo más remoto, retirado o escondido. *Se fue a la* ÚLTIMA *pieza de la casa.* ‖ **4.** Aplícase al recurso, medio o acuerdo eficaz y definitivo que se toma en algún asunto, después de experimentada la inutilidad o insuficiencia de lo ejecutado anteriormente. *No se declaró nada hasta que por* ÚLTIMO *recurso le desterraron.* ‖ **5.** Dícese de lo extremado en su línea. *La* ÚLTIMA *miseria*; *esto es lo* ÚLTIMO *que me quedaba por ver.* ‖ **6.** Aplícase al blanco, fin o término a que deben dirigirse todas nuestras acciones y designios. ‖ **7.** Dícese del precio que se pide como mínimo o del que se ofrece como máximo. Ú. t. c. s. n. ‖ **8.** V. **última disposición, última voluntad.** ‖ **9.** V. **fin último.** ‖ **10.** V. **último grito, suspiro.** ‖ **11.** V. **diez de últimas.** ‖ **12.** adv. m. desus. Últimamente, **por último.** ‖ **a la última.** loc. adv. fam. A la **última** moda. ‖ **a últimos.** loc. En los **últimos** días del mes, año, etc., que se expresa o se sobrentiende. ‖ **estar** uno **a lo último de** una cosa. fr. fam. **estar al cabo** de ella. ‖ **estar** uno **a lo último, a los últimos, en las últimas,** o **en los últimos.** fr. fam. **estar al cabo,** estar para morir. ‖ **2.** fig. y fam. Estar muy apurado de una cosa, especialmente de dinero. ‖ **por último.** loc. adv. Después o detrás de todo, finalmente.

ultra. (Del lat. *ultra*.) adv. Además de. ‖ **2.** En composición con algunas voces, más allá de, al otro lado de. ULTRA*mar*, ULTRA*puertos*. ‖ **3.** Antepuesta como partícula inseparable a algunos adjetivos, expresa idea de exceso. ULTRA*famoso*, ULTRA*ideal*. ‖ **4.** adj. Aplíc. a los grupos políticos, o a las personas de extrema derecha. Ú. t. c. s. ‖ **5.** Dícese de las ideologías que extreman y radicalizan sus opiniones.

ultracorrección. f. Deformación de una palabra por equivocado prurito de corrección, según el modelo de otras: p. ej., *inflacción* por *inflación*, por influjo de *transacción*, *lección*, etc.

ultraísmo. (Del lat. *ultra*, más allá.) m. Movimiento poético promulgado en 1918 y que durante algunos años agrupó a los poetas españoles e hispanoamericanos que, manteniendo cada uno sus particulares ideales estéticos, coincidían en sentir la urgencia de una renovación radical del espíritu y la técnica.

ultraísta. adj. Perteneciente o relativo al ultraísmo. ‖ **2.** Dícese del poeta adepto al ultraísmo. Ú. t. c. s.

ultrajador, ra. adj. Que ultraja. Ú. t. c. s.

ultrajar. tr. Ajar o injuriar. ‖ **2.** Despreciar o tratar con desvío a una persona.

ultraje. (Del lat. **ultraticum*, de *ultra*, mas allá, a través del ant. fr. *outrage*.) m. Acción y efecto de ultrajar. ‖ **2.** Ajamiento, injuria o desprecio.

ultrajoso, sa. adj. Que causa o incluye ultraje.

ultraligero, ra. adj. Sumamente ligero. ‖ **2.** *Aer*. Dícese de la nave de poco peso y escaso consumo. Ú. t. c. s.

ultraliviano, na. adj. ultraligero.

ultramar. m. País o sitio que está de la otra parte del mar, considerado desde el punto en que se habla. ‖ **2. azul de ultramar.** ‖ **3. ministerio de ultramar.**

ultramarino, na. adj. Que está o se considera del otro

lado o a la otra parte del mar. ‖ **2.** Aplícase a los géneros o comestibles traídos de la otra parte del mar, y más particularmente de América y Asia, y en general a los comestibles que se pueden conservar sin que se alteren fácilmente. Ú. m. c. s. m. y en pl. *Lonja, tienda de* ULTRAMARINOS. ‖ **3.** V. **azul ultramarino.** ‖ **4.** *Der.* V. **término ultramarino.** ‖ **5.** pl. Aplícase a las tiendas de comestibles.

ultramaro. adj. V. **azul ultramaro.**

ultramicroscópico, ca. adj. Dícese de lo que por su pequeñez no puede ser visto sino por medio del ultramicroscopio.

ultramicroscopio. m. Sistema óptico que sirve para ver objetos de dimensiones aún más pequeñas que las que se perciben con el microscopio.

ultramontanismo. m. Conjunto de las doctrinas y opiniones de los ultramontanos. ‖ **2.** Conjunto de estos.

ultramontano, na. (Del lat. *ultra,* más allá, y *montānus,* del monte.) adj. Que está más allá o de la otra parte de los montes. ‖ **2.** Dícese del que opina en contra de lo que en España se llaman regalías de la corona, relativamente a la potestad de la Santa Sede, y del partidario y defensor del más lato poder y amplias facultades del Papa. Ú. t. c. s. ‖ **3.** Perteneciente o relativo a la doctrina de los **ultramontanos.**

ultramundano, na. adj. Que excede a lo mundano o está más allá.

ultranza (a). (Del lat. *ultra,* más allá.) loc. adv. **a muerte.** ‖ **2.** A todo trance, resueltamente.

ultrapuertos. m. Lo que está más allá o a la otra parte de los puertos.

ultrarrojo. adj. *Fís.* Que en el espectro luminoso está después del color rojo.

ultrasónico, ca. adj. Perteneciente o relativo al ultrasonido.

ultrasonido. m. Sonido cuya frecuencia de vibraciones es superior al límite perceptible por el oído humano. Tiene muchas aplicaciones industriales y se emplea en medicina.

ultratumba. f. Ámbito más allá de la muerte. Ú. m. en la loc. **de ultratumba.** ‖ **2.** adv. Más allá de la muerte. *Mi patria se encuentra* ULTRATUMBA.

ultraviolado, da. adj. *Fís.* **ultravioleta.**

ultravioleta. adj. *Fís.* Perteneciente o relativo a la parte invisible del espectro luminoso, que se extiende a continuación del color violado y cuya existencia se revela principalmente por acciones químicas.

ultriz. (Del lat. *ultrix, -ícis.*) adj. ant. La que venga, vengadora.

úlula. (Del lat. *ulŭla.*) f. autillo[2], especie de lechuza.

ulular. (Del lat. *ululāre.*) intr. Dar gritos o alaridos. ‖ **2.** fig. Producir sonido el viento.

ululato. (Del lat. *ululātus.*) m. Clamor, lamento, alarido.

ulluco. m. *Ecuad.* y *Perú.* Melloco u olluco, planta.

umbela. (Del lat. *umbella,* quitasol.) f. *Bot.* Grupo de flores o frutos que nacen en un mismo punto del tallo y se elevan a igual o casi igual altura. ‖ **2.** **guardapolvo,** tejadillo voladizo sobre un balcón o ventana.

umbelífero, ra. (De *umbela* y el lat. *ferre,* llevar.) adj. *Bot.* Dícese de plantas angiospermas dicotiledóneas, que tienen hojas por lo común alternas, simples, más o menos divididas y con pecíolos envainadores; flores en umbela, blancas o amarillas, y fruto compuesto de dos aquenios, en cada uno de los cuales hay una sola semilla de albumen carnoso o córneo; como el cardo corredor, el apio, el perejil, el hinojo, el comino y la zanahoria. Ú. t. c. s. f. ‖ **2.** f. pl. *Bot.* Familia de estas plantas.

umbilicado, da. (Del lat. *umbilicātus.*) adj. De figura de ombligo.

umbilical. (Del lat. *umbilicāris.*) adj. *Anat.* Perteneciente o relativo al ombligo. *Vasos* UMBILICALES. ‖ **2.** *Anat.* V. **cordón umbilical.**

umbra. (Del lat. *umbra.*) f. ant. **sombra.**

umbráculo. (Del lat. *umbracŭlum.*) m. Sitio cubierto de ramaje o de otra cosa que da paso al aire, para resguardar las plantas de la fuerza del sol.

umbral. (De *lumbral.*) m. Parte inferior o escalón, por lo común de piedra y contrapuesto al dintel, en la puerta o entrada de una casa. ‖ **2.** fig. Paso primero y principal o entrada de cualquier cosa. ‖ **3.** *Arq.* Madero que se atraviesa en lo alto de un vano, para sostener el muro que hay encima. ‖ **4.** *Psicol.* Valor a partir del cual empieza a ser perceptibles los efectos de un agente físico. UMBRAL *luminoso, sonoro,* etc. ‖ **atravesar,** o **pisar, los umbrales de** un edificio. fr. Entrar en él. Ú. m. con neg.

umbralado, da. p. p. de **umbralar.** ‖ **2.** m. *Arq.* Vano asegurado por un umbral. ‖ **3.** *Amér. Merid.* **umbral.**

umbralar. tr. *Arq.* Poner umbral al vano de un muro.

umbrático, ca. (Del lat. *umbratīcus.*) adj. Perteneciente a la sombra. ‖ **2.** Que la causa.

umbrátil. (Del lat. *umbratĭlis.*) adj. **umbroso.** ‖ **2.** Que tiene sombra o apariencia de una cosa.

umbría. (De *umbrío.*) f. Parte de terreno en que casi siempre hace sombra, por estar expuesta al Norte.

umbrío, a. (De *umbra.*) adj. Dícese del lugar donde da poco el sol.

umbroso, sa. (Del lat. *umbrōsus.*) adj. Que tiene sombra o la causa.

umero. (Del lat. *ulmus.*) m. **omero.**

un. (apóc. de *uno.*), **una.** Artículo indeterminado en género masculino y femenino y número singular. Puede usarse con énfasis para indicar que la persona o cosa a que se antepone se considera en todas sus cualidades más características. ¡UN *Avellaneda competir con* UN *Cervantes!* ‖ **2.** adj. **uno.**

unalbo, ba. adj. Se dice de la caballería que tiene calzado un pie o una mano.

unánime. (Del lat. *unanĭmis.*) adj. Dícese del conjunto de las personas que convienen en un mismo parecer, dictamen, voluntad o sentimiento. ‖ **2.** Aplícase a este parecer, dictamen, voluntad o sentimiento.

unánimemente. adv. m. De manera unánime.

unanimidad. (Del lat. *unanimĭtas, -ātis.*) f. Cualidad de unánime. ‖ **por unanimidad.** loc. adv. Sin discrepancia, unánimemente.

uncia. (Del lat. *uncĭa,* duodécima parte de un todo.) f. Moneda romana de cobre, que pesaba y valía la duodécima parte del as. ‖ **2.** *Der.* Entre romanistas, duodécima parte de la masa hereditaria.

uncial. (Del lat. *unciālis,* de una pulgada.) adj. Dícese de ciertas letras, todas mayúsculas y del tamaño de una pulgada, que se usaron hasta el siglo VII. Ú. t. c. s. ‖ **2.** Aplícase también a este sistema de escritura.

uncidor, ra. adj. Que unce o sirve para uncir. Ú. t. c. s.

unciforme. (Del lat. *uncus,* garfio, y *forma,* figura.) adj. *Anat.* Dícese de uno de los huesos del carpo que en el hombre forma parte de la segunda fila. Ú. m. c. s. m.

unción. (Del lat. *unctĭo, -ōnis.*) f. Acción de ungir o untar. ‖ **2. extremaunción.** ‖ **3.** Gracia y comunicación especial del Espíritu Santo, que excita y mueve al alma a la virtud y perfección. ‖ **4.** Devoción, recogimiento y perfección con que el ánimo se entrega a la exposición de una cosa, a la realización de una obra, etc. ‖ **5.** *Mar.* Vela muy pequeña que llevan las lanchas pesqueras y que se iza en el castillete de proa cuando, por haber peligro de zozobrar, se arrían las otras. ‖ **6.** pl. desus. Unturas de ungüento mercurial para la curación de la sífilis.

uncionario, ria. adj. Dícese del enfermo que está tomando las unciones. Ú. t. c. s. ‖ **2.** m. Pieza o aposento en que se aplicaban dichos remedios.

uncir. (Del lat. *iungĕre*.) tr. Atar o sujetar al yugo bueyes, mulas u otras bestias.

undante. (Del lat. *undans, -antis*.) adj. poét. Que se mueve haciendo ondas.

undecágono, na. adj. *Geom.* Aplícase al polígono de 11 ángulos y 11 lados, endecágono. Ú. m. c. s. m.

undécimo, ma. (Del lat. *undecĭmus*.) adj. Que sigue inmediatamente en orden al o a lo décimo. ‖ **2.** Dícese de cada una de las once partes iguales en que se divide un todo. Ú. t. c. s.

undécuplo, pla. (Del lat. *undecŭplus*.) adj. Que contiene un número once veces exactamente. Ú. t. c. s.

undísono, na. (Del lat. *undisŏnus*.) adj. poét. Aplícase a las aguas que causan ruido con el movimiento de las ondas.

undívago, ga. (Del lat. *undivăgus*.) adj. poét. Que ondea o se mueve como las olas.

undoso, sa. (Del lat. *undōsus*.) adj. Que se mueve haciendo ondas.

undulación. f. Acción y efecto de undular.

undular. (Del lat. *undŭla*, ola pequeña.) intr. **ondular**, moverse una cosa formando ondas o eses.

undulatorio, ria. adj. Que forma undulación.

ungido, da. p. p. de **ungir**. ‖ **2.** m. Rey o sacerdote signado con el óleo santo.

ungimiento. m. Acción y efecto de ungir.

ungir. (Del lat. *ungĕre*.) tr. Aplicar a una cosa aceite u otra materia pingüe, extendiéndola superficialmente. ‖ **2.** Signar con óleo sagrado a una persona, para denotar el carácter de su dignidad, o para la recepción de un sacramento.

ungüentario, ria. (Del lat. *unguentarĭus*.) adj. Perteneciente o relativo a los ungüentos o que los contiene. *Nuez* UNGÜENTARIA. ‖ **2.** m. El que hace los ungüentos. ‖ **3.** Paraje o sitio en que se tienen colocados con separación los ungüentos.

ungüento. (Del lat. *unguentum*.) m. Todo aquello que sirve para ungir o untar. ‖ **2.** Medicamento que se aplica al exterior, compuesto de diversas sustancias, entre las cuales figuran la cera amarilla, el aceite de oliva y el sebo de carnero. ‖ **3.** Compuesto de simples olorosos que usaban mucho los antiguos para embalsamar cadáveres. ‖ **4.** fig. Cualquier cosa que suaviza y ablanda el ánimo o la voluntad, trayéndola a lo que se desea conseguir. ‖ **amaracino.** Medicamento cuyo principal ingrediente es la mejorana. ‖ **amarillo.** El madurativo vulgar cuyo principio medicinal es la colofonia. ‖ **2.** fig. y fam. Cualquier remedio que irónicamente se supone aplicable a todos los casos. ‖ **basilicón.** El madurativo y supurativo cuyo principio medicinal es la pez negra. ‖ **de soldado.** Aquel en cuya composición entra el mercurio. ‖ **mejicano. unto de Méjico.**

unguiculado, da. (Del lat. *unguicŭla*, uña pequeña.) adj. *Zool.* Que tiene los dedos terminados por uñas. Ú. t. c. s.

unguis. (Del lat. *unguis*.) m. *Anat.* Hueso muy pequeño y delgado de la parte anterior e interna de cada una de las órbitas, el cual contribuye a formar los conductos lagrimal y nasal.

ungulado, da. (Del lat. *ungulātus*.) adj. *Zool.* Dícese del mamífero que tiene casco o pesuña. Ú. t. c. s. ‖ **2.** m. pl. *Zool.* Grupo de estos animales, que comprende los perisodáctilos y los artiodáctilos.

ungular. adj. Que pertenece o se refiere a la uña.

uniata. (Del ruso *uniyata*, unido.) adj. *Rel.* Dícese de los cristianos orientales que reconocen la supremacía del Papa, conservando al mismo tiempo el derecho de emplear su liturgia nacional. Ú. t. c. s.

unible. adj. Que puede unirse.

únicamente. adv. m. Sola o precisamente.

unicameral. adj. Dícese del poder legislativo formado por una sola cámara de representantes.

unicaule. (Del lat. *unus*, uno, y *caulis*, tallo.) adj. *Bot.* Dícese de la planta que tiene un solo tallo.

unicelular. adj. Que consta de una sola célula.

unicidad. (Del lat. *unicĭtas, -ātis*.) f. Cualidad de único.

único, ca. (Del lat. *unĭcus*.) adj. Solo y sin otro de su especie. ‖ **2.** fig. **singular**, extraordinario, excelente.

unicolor. (Del lat. *unicŏlor, -ōris*.) adj. De un solo color.

unicornio. (Del lat. *unicornis*.) m. Animal fabuloso que fingieron los antiguos poetas, de figura de caballo y con un cuerno recto en mitad de la frente. ‖ **2. rinoceronte.** ‖ **3.** Marfil fósil de mastodonte, que creyeron los antiguos proceder del **unicornio**. ‖ **4.** n. p. m. *Astron.* Constelación boreal comprendida entre Pegaso y el Águila. ‖ **de mar, de marino. narval.**

unidad. (Del lat. *unĭtas, -ātis*.) f. Propiedad de todo ser, en virtud de la cual no puede dividirse sin que su esencia se destruya o altere. ‖ **2.** Singularidad en número o calidad. ‖ **3.** Unión o conformidad. ‖ **4.** Cualidad de la obra literaria o artística en que solo hay un asunto o pensamiento principal, generador y lazo de unión de todo lo que en ella ocurre, se dice o representa. ‖ **5.** *Mat.* Cantidad que se toma por medida o término de comparación de las demás de su especie. ‖ **6.** *Mil.* Fracción, constitutiva o independiente, de una fuerza militar. ‖ **astronómica.** El radio medio de la órbita terrestre, o sea la distancia de la Tierra al Sol, equivalente a 149 millones y medio de kilómetros. ‖ **de acción.** Cualidad, en la obra dramática o en cualquier otra, de tener una sola acción principal. ‖ **de cuidados intensivos.** Sección hospitalaria donde se concentran aparatos y personal especializado para la vigilancia y el tratamiento de enfermos muy graves, que requieren atención inmediata y mantenida. Se la menciona a menudo por su acrónimo UCI. ‖ **de lugar.** Cualidad, en la obra dramática, de desarrollarse su acción en un solo lugar. ‖ **de muestreo.** Cada uno de los elementos que forman un universo o conjunto sometido a estudio estadístico. ‖ **de tiempo.** Cualidad, en la obra dramática, de durar la acción el tiempo, sobre poco más o menos, que dure la representación, o veinticuatro horas aproximadamente. ‖ **de vigilancia intensiva. unidad de cuidados intensivos.** Se la menciona con frecuencia por su acrónimo UVI. ‖ **monetaria.** Moneda real o imaginaria que sirve legalmente de patrón en cada país y de la cual se derivan las demás. ‖ **gran unidad.** *Mil.* La de efectivos numerosos, y que en general es de constitución heterogénea. ‖ **unidades coherentes.** *Fís.* Las elegidas de modo que las fórmulas queden satisfechas al reemplazar los símbolos por sus medidas.

unidamente. adv. m. Juntamente, con unión o concordia.

unidor, ra. adj. Que une.

unifamiliar. adj. Que corresponde a una sola familia.

unificación. f. Acción y efecto de unificar o unificarse.

unificar. (Del lat. *unus*, uno, y *facĕre*, hacer.) tr. Hacer de muchas cosas una o un todo, uniéndolas, mezclándolas o reduciéndolas a una misma especie. Ú. t. c. prnl. ‖ **2.** Hacer que cosas diferentes o separadas formen una organización, produzcan un determinado efecto, tengan una misma finalidad, etc. Ú. t. c. prnl.

unifoliado, da. (Del lat. *unus*, uno, y *folĭum*, hoja.) adj. *Bot.* Que tiene una sola hoja.

uniformador, ra. adj. Que uniforma.

uniformar. tr. Hacer uniformes dos o más cosas. Ú. t. c. prnl. ‖ **2.** Dar traje igual a los individuos de un cuerpo o comunidad.

uniforme. (Del lat. *uniformis*.) adj. Dícese de dos o más cosas que tienen la misma forma. ‖ **2.** Igual, conforme, se-

mejante. ‖ **3.** *Mec.* V. **movimiento uniforme.** ‖ **4.** m. Traje peculiar y distintivo que por establecimiento o concesión usan los militares y otros empleados o los individuos que pertenecen a un mismo cuerpo o colegio.
uniformemente. adv. m. De manera uniforme. ‖ **2.** *Mec.* V. **movimiento uniformemente acelerado, uniformemente retardado.**
uniformidad. (Del lat. *uniformĭtas, -ātis.*) f. Calidad de uniforme.
unigénito, ta. (Del lat. *unigenĭtus.*) adj. Aplícase al hijo único. ‖ **2.** m. Por antonom., el Verbo eterno, Hijo de Dios, que es **unigénito** del Padre.
unilateral. adj. Se dice de lo que se refiere o se circunscribe solamente a una parte o a un aspecto de alguna cosa. ‖ **2.** *Bot.* Que está colocado solamente a un lado. *Panojas* UNILATERALES. ‖ **3.** *Der.* V. **contrato unilateral.**
unimismar. tr. p. us. Identificar, unificar.
unión. (Del lat. *unĭo, -ōnis.*) f. Acción y efecto de unir o unirse. ‖ **2.** Correspondencia y conformidad de una cosa con otra, en el sitio o composición. ‖ **3.** Conformidad y concordia de los ánimos, voluntades o dictámenes. ‖ **4.** Acción y efecto de unirse en matrimonio, casamiento. ‖ **5.** Semejanza de dos perlas en el tamaño, color y demás cualidades. ‖ **6.** Composición que resulta de la mezcla de algunas cosas que se incorporan entre sí. ‖ **7.** Grado de perfección espiritual en que el alma, desasida de toda criatura, se une con su Creador por la caridad, de suerte que solo aspira a cumplir en todo la voluntad divina. ‖ **8.** Alianza, confederación, compañía. ‖ **9.** Agregación o incorporación de un beneficio o prebenda eclesiástica a otra. ‖ **10.** Inmediación de una cosa a otra. ‖ **11.** Anillo o sortija compuesta de dos, enlazadas o eslabonadas entre sí. ‖ **12.** desus. Perla que se forma en algunos moluscos. ‖ **13.** *Chile.* Entredós de bordado o encaje. ‖ **14.** *Cir.* Consolidación de los labios de la herida. ‖ **aduanera. unión** de dos o más países para eliminar las restricciones comerciales entre ellos y seguir una política arancelaria común.
unionismo. m. Doctrina que favorece y defiende la unión de partidos o naciones.
unionista. adj. Dícese de la persona, partido o doctrina, que mantiene cualquier ideal de unión. Ú. t. c. s.
unípede. (Del lat. *unĭpes, -ĕdis.*) adj. De un solo pie.
unipersonal. (Del lat. *unus,* uno solo, y *persōna,* persona.) adj. Que consta de una sola persona. ‖ **2.** Que corresponde o pertenece a una sola persona. ‖ **3.** V. **verbo unipersonal.**
unir. (Del lat. *unīre.*) tr. Juntar dos o más cosas entre sí, haciendo de ellas un todo. ‖ **2.** Mezclar o trabar algunas cosas entre sí, incorporándolas. ‖ **3.** Atar o juntar una cosa con otra, física o moralmente. ‖ **4.** Acercar una cosa a otra, para que formen un conjunto o concurran al mismo objeto o fin. ‖ **5.** Agregar un beneficio o prebenda eclesiástica a otra. ‖ **6.** casar, autorizar un matrimonio. ‖ **7. casar,** disponer y consentir un padre el casamiento de un hijo. Ú. t. c. prnl. ‖ **8.** fig. Concordar o conformar las voluntades, ánimos o pareceres. ‖ **9.** *Cir.* Consolidar o cerrar la herida. ‖ **10.** prnl. Confederarse o convenirse varios para el logro de algún intento, ayudándose mutuamente. ‖ **11.** Juntarse en un sujeto o más cosas antes separadas y distintas o cesar la oposición positiva o aparente entre ellas. ‖ **12.** Estar muy cercana, contigua o inmediata una cosa a otra. ‖ **13.** Agregarse o juntarse uno a la compañía de otro.
unisexual. (Del lat. *unus,* uno solo, y *sexus,* sexo.) adj. *Biol.* Dícese del individuo vegetal o animal que tiene un solo sexo.
unisón. adj. Que tiene el mismo sonido que otra cosa.
unisonancia. (Del lat. *unus,* uno, igual, y *sonāre,* sonar.) f. Concurrencia de dos o más voces o instrumentos en un

mismo tono de música. ‖ **2.** Efecto de persistir viciosamente el orador en un mismo tono de voz.
unisonar. intr. Sonar al unísono o en el mismo tono dos voces o instrumentos.
unísono, na. (Del lat. *unisŏnus.*) adj. Dícese de lo que tiene el mismo tono o sonido que otra cosa. ‖ **2.** m. *Mús.* Trozo de música en que las varias voces o instrumentos suenan en idénticos tonos. ‖ **al unísono.** loc. adv. fig. Sin discrepancia, con unanimidad.
unitario, ria. (Del lat. *unĭtas,* unidad.) adj. Perteneciente o relativo a la unidad. ‖ **2.** Sectario que, admitiendo en parte la revelación, no reconoce en Dios más que una sola persona. Ú. t. c. s. ‖ **3.** Partidario de la unidad en materias políticas. Ú. t. c. s. ‖ **4.** Que propende a la unidad o desea conservarla. ‖ **5.** Que toma por base una unidad determinada.
unitarismo. m. Doctrina u opinión de los unitarios. ‖ **2.** Secta o partido que profesa esta doctrina u opinión.
unitivo, va. (Del lat. *unitīvus.*) adj. Que tiene virtud de unir. ‖ **2.** *Anat.* V. **tejido unitivo.**
univalvo, va. adj. Dícese de la concha de una sola pieza. ‖ **2.** Aplícase al molusco que tiene concha de esta clase. Ú. t. c. s. m. ‖ **3.** *Bot.* Dícese del fruto cuya cáscara o envoltura no tiene más que una sutura.
universal. (Del lat. *universālis.*) adj. Perteneciente o relativo al universo. ‖ **2.** Que comprende o es común a todos en su especie, sin excepción de ninguno. ‖ **3.** p. us. Aplícase a la persona versada en muchas ciencias, y adornada de multitud y variedad de noticias. ‖ **4.** Que lo comprende todo en la especie de que se habla. ‖ **5.** Que pertenece o se extiende a todo el mundo, a todos los países, a todos los tiempos. ‖ **6.** V. **despacho, historia universal.** ‖ **7.** V. **el pastor universal.** ‖ **8.** *Dial.* Lo que por su naturaleza es apto para ser predicado de muchos. ‖ **9.** *Dial.* V. **proposición universal.** ‖ **10.** *Fís.* V. **atracción universal.** ‖ **11.** *Der.* y *Teol.* V. **juicio universal.** ‖ **12.** m. pl. *Lóg.* **ideas universales.**
universalidad. (Del lat. *universalĭtas, -ātis.*) f. Cualidad de universal. ‖ **2.** *Der.* Comprensión en la herencia de todos los bienes, derechos, acciones, obligaciones o responsabilidades del difunto.
universalísimo, ma. (sup. de *universal.*) adj. *Lóg.* Aplícase al género supremo que comprende otros géneros inferiores que también son universales.
universalizar. tr. Hacer universal una cosa, generalizarla mucho.
universalmente. adv. De manera universal.
universidad. (Del lat. *universĭtas, -ātis.*) f. Institución de enseñanza superior que comprende diversas facultades, y que confiere los grados académicos correspondientes. Según las épocas y países puede comprender colegios, institutos, departamentos, centros de investigación, escuelas profesionales, etc. ‖ **2.** Instituto público de enseñanza donde se hacían los estudios mayores de ciencias y letras, y con autoridad para la colación de grados en las facultades correspondientes. ‖ **3.** Edificio o conjunto de edificios destinado a las cátedras y oficinas de una **universidad.** ‖ **4.** Conjunto de personas que forman una corporación. ‖ **5.** Conjunto de poblaciones o de barrios que estaban unidos por intereses comunes, bajo una misma representación jurídica. ‖ **6.** Conjunto de las cosas creadas, mundo. ‖ **7. universalidad,** calidad de universal. ‖ **de villa y tierra.** Conjunto de poblaciones o barrios que estaban unidos bajo una misma representación.
universitario, ria. adj. Perteneciente o relativo a la universidad, institución de enseñanza superior. ‖ **2.** Perteneciente o relativo a la **universidad,** instituto público de enseñanza. ‖ **3.** Perteneciente o relativo a la **universidad,**

edificio o conjunto de edificios. ‖ **4.** m. y f. Profesor, graduado o estudiante de universidad.
universo, sa. (Del lat. *universus.*) adj. **universal.** ‖ **2.** m. Conjunto de las cosas creadas, mundo. ‖ **3.** Conjunto de individuos o elementos cualesquiera en los cuales se consideran una o más características que se someten a estudio estadístico.
univocación. (Del lat. *univocatio, -ōnis.*) f. Acción y efecto de univocarse.
univocamente. adv. m. De manera unívoca.
univocarse. prnl. Convenir en una razón misma dos o más cosas.
univocidad. f. Cualidad o condición de unívoco.
unívoco, ca. (Del lat. *univŏcus.*) adj. Dícese de lo que tiene igual naturaleza o valor que otra cosa. Ú. t. c. s. ‖ **2.** *Lóg.* Dícese del término que se predica de varios individuos con la misma significación. *Animal es término* UNÍVOCO *que conviene a todos los vivientes dotados de sensibilidad.* Ú. t. c. s. ‖ **3.** V. **correspondencia unívoca.**
¡unjú! *P. Rico* y *Venez.* Interjección que expresa duda, incredulidad.
uno, na. (Del lat. *unus.*) adj. Que no está dividido en sí mismo. ‖ **2.** Dícese de la persona o cosa identificada o unida, física o moralmente, con otra. ‖ **3.** Idéntico, lo mismo. *Esa razón y la que yo digo es* UNA. ‖ **4.** único, solo, sin otro de su especie. ‖ **5.** Con sentido distributivo se usa contrapuesto a *otro. El* UNO *leía, el* OTRO *estudiaba.* ‖ **6.** pl. Algunos, **unos** indeterminados. UNOS *años después.* ‖ **7.** Antepuesto a un número cardinal, poco más o menos. *Eso valdrá* UNAS *cien pesetas; dista de la ciudad* UNOS *tres kilómetros.* ‖ **8.** Pronombre indeterminado que, en singular, significa **una** y en plural dos o más personas cuyo nombre se ignora o no quiere decirse. UNO *lo dijo;* UNOS *lo contaron anoche.* Ú. también en número singular y aplicado a la persona que habla o a una indeterminada. *Cuando* UNO *confiesa y llora su culpa, merece compasión; no siempre está* UNO *de humor para hacer tal cosa. Le fastidian a* UNO. UNO *no sabe qué hacer.* ‖ **9.** m. Unidad, cantidad que se toma como término de comparación. ‖ **10.** Signo o guarismo con que se expresa la unidad sola. ‖ **11.** Individuo de cualquier especie. ‖ **a una.** loc. adv. A un tiempo, unidamente o juntamente. ‖ **cada uno.** Cualquier persona considerada individualmente y con separación del conjunto de que forma parte. ‖ **de so uno.** loc. adv. adv. Juntamente, de mancomún. ‖ **de una.** loc. adv. **de una vez.** ‖ **de uno en uno.** loc. adv. **uno a uno.** ‖ **en uno.** loc. adv. Con unión o de conformidad. ‖ **2.** juntamente. ‖ **lo uno por lo otro.** expr. con que se indica que se establece la compensación de **una** cosa por otra. ‖ **más de uno.** expr. que equivale a algunos o muchos. ‖ **no dar, acertar,** etc., **una.** fr. fam. Estar siempre desacertado. ‖ **para uno.** loc. adv. Para estar o vivir unidos o conformes. ‖ **para en uno son los dos.** fr. que se acostumbraba decir a los novios cuando se desposaban, y que indica la igualdad o conformidad en la condición y vida de dos personas. ‖ **ser todo uno,** o **ser uno.** fr. fig. Venir a ser o parecer varias cosas **una** misma, o verificarse **una** inmediatamente, a continuación o al mismo tiempo que la otra, a modo de su consecuencia forzosa. ‖ **una de.** loc. fam. Seguida de un sustantivo, gran cantidad de lo que se expresa en él. ‖ **una de las tuyas** o **suyas.** expr. con que se alude a **una** cosa característica de **una** persona. ‖ **una de dos.** loc. que se emplea para contraponer en disyuntiva dos cosas o ideas. UNA DE DOS: *o te enmiendas, o rompemos las amistades.* ‖ **una no es ninguna.** expr. con que se da a entender que **una** acción o cosa sola no basta, o carece de importancia. ‖ **una por una.** loc. adv. En todo caso, en realidad, efectivamente. ‖ **una y no más.** expr. con que se denota la resolución o propósito firme de no volver a caer en algo que nos ha dejado escarmentados. ‖ **uno a**

otro. loc. adv. Mutua o recíprocamente. ‖ **uno a uno.** loc. adv. con que se explica la separación o distinción por orden de personas y cosas. ‖ **uno con otro.** loc. adv. Tomadas en conjunto varias cosas, compensando lo que excede **una** con lo que falta a otra. UNO CON OTRO *se venden a peseta.* ‖ **uno de tantos.** loc. fam. que se usa para indicar que algo no se distingue por ninguna cualidad especial. ‖ **uno por uno.** loc. adv. **uno a uno.** Ú. para expresar mayor separación o distinción. ‖ **uno que otro.** loc. Algunos pocos de entre muchos. ‖ **unos cuantos.** loc. Pocos, en número reducido de personas o cosas. ‖ **uno tras otro.** loc. adv. Sucesivamente o por orden sucesivo. ‖ **uno u otro.** loc. ambos.
untada. f. *Ál., Ar., Logr.* y *Nav.* Rebanada de pan untada con tocino, manteca, miel, etcétera.
untador, ra. adj. Que unta. Ú. t. c. s.
untadura. f. Acción y efecto de untar o untarse. ‖ **2. untura,** materia con que se unta.
untamiento. m. **untadura,** acción y efecto de untar o untarse.
untar. tr. Aplicar y extender superficialmente aceite u otra materia pingüe sobre una cosa. ‖ **2.** fig. y fam. Corromper o sobornar a uno con dones o dinero. ‖ **3.** prnl. Mancharse casualmente con una materia untuosa o sucia. ‖ **4.** fig. y fam. Interesarse o quedarse con algo de las cosas que se manejan, especialmente dinero.
untaza. f. Crasitud o gordura de un animal.
unto. (Del lat. *unctum,* de *ungĕre,* untar.) m. Materia pingüe a propósito para untar. ‖ **2.** Crasitud o gordura interior del cuerpo del animal. ‖ **3.** Todo lo que sirve para untar. Ú. m. en sent. fig. ‖ **4.** *Chile.* Betún para el calzado. ‖ **de Méjico,** o **de rana.** fig. y fam. **dinero,** moneda corriente o caudal que se emplea especialmente en el soborno.
untosidad. f. ant. Cualidad de untoso.
untoso, sa. adj. Graso, pingüe y pegajoso.
untuosidad. f. Cualidad de untuoso.
untuoso, sa. (Del lat. *unctum,* unto.) adj. Graso, pingüe y pegajoso.
untura. (Del lat. *unctūra.*) f. Acción y efecto de untar o untarse. ‖ **2.** Materia con que se unta.
uña. (Del lat. *ungŭla.*) f. Parte del cuerpo animal, dura, de naturaleza córnea, que nace y crece en las extremidades de los dedos. ‖ **2.** Casco o pesuña de los animales que no tienen dedos separados. ‖ **3.** Punta corva en que remata la cola del alacrán, y con la cual pica. ‖ **4.** Espina corva de algunas plantas. ‖ **5. tetón,** pedazo de rama que queda unido al tronco al podarla. ‖ **6.** Especie de costra dura que se forma a los animales sobre las mataduras. ‖ **7.** Excrecencia de la carúncula lagrimal, semejante a la raíz de la **uña.** ‖ **8.** Garfio o punta corva de algunos instrumentos de metal. ‖ **9.** Escopleadura que se hace en el espesor de algunas piezas de madera, metal u otra materia parecida, para poder moverlas impulsándolas con el dedo. ‖ **10. dátil,** molusco. ‖ **11.** Especie de dedal abierto y puntiagudo que usan las cigarreras para cerrar y doblar los extremos de los pitillos. ‖ **12.** V. **esmalte, laca de uñas.** ‖ **13.** fig. y fam. Destreza o suma inclinación a defraudar o hurtar. Ú. m. en pl. ‖ **14.** *Bot.* Angostura que tienen algunos pétalos en su parte inferior y que corresponde al peciolo de la hoja transformada en pétalo; como el clavel. ‖ **15.** *Mar.* Punta triangular en que rematan los brazos del ancla. ‖ **de caballo. fárfara¹. ‖ de la gran bestia.** La del pie derecho del alce o anta, la cual, por mucho tiempo, se creyó ser remedio eficaz para el mal de corazón. ‖ **de vaca.** Mano o pie de esta res después que se corta para la carnicería. ‖ **gata. gatuña.** ‖ **olorosa.** Opérculo de una especie de cañadilla india, que despide grato olor al quemarse y se ha usado en farmacia. ‖ **afilar,** o **afilarse, uno las uñas.** fr. fig. y fam. Hacer un esfuerzo extraordinario de ingenio, habilidad o destreza. ‖ **a uña de caballo.** loc. adv. fam. A

todo el correr del caballo. Ú. con los verbos *huir, escapar, salir,* etc. ‖ **2.** fig. y fam. Con los mismos verbos, liberarse uno de un riesgo por su cuidado y diligencia. ‖ **caer en las uñas de uno.** fr. fig. y fam. caer en sus garras. ‖ **coger en las uñas,** o **entre las uñas,** a uno. fr. fig. y fam. con que se explica el deseo de castigarle haciéndole algún daño para vengarse de él. ‖ **comerse** uno **las uñas.** fr. fig. y fam. Morderse las de las manos; por lo común en señal de disgusto o enfado o de estar muy distraído o pensativo. ‖ **cortarse** uno **las uñas** con otro. fr. fig. y fam. Irse disponiendo para reñir con él. ‖ **dejar** o **dejarse, las uñas en** algo. fr. fig. y fam. Trabajar mucho en ello, poner mucho esfuerzo. ‖ **descubrir** uno **la uña.** fr. fig. y fam. **descubrir la oreja.** ‖ **de uñas.** loc. adv. fig. y fam. con que se denota la enemiga de dos o más personas. Ú. con los verbos *estar* y *ponerse.* ‖ **de uñas a uñas.** expr. fam. con que se indica la distancia que media en el cuerpo humano desde las puntas de los dedos de una mano hasta las de los dedos de la otra, estando los brazos abiertos en cruz. ‖ **enseñar** uno **las uñas** a otro. fr. fig. y fam. **enseñarle los dientes.** ‖ **enseñar** uno **la uña.** fr. fig. y fam. **descubrir la uña.** ‖ **hincar** uno **la uña.** fr. fig. y fam. **meter la uña.** ‖ **largo de uñas.** fig. y fam. Inclinado al robo; ladrón, ratero. ‖ **libertar** a uno **de las uñas** de otro. fr. fig. y fam. **sacarle de** sus **uñas.** ‖ **meter** uno **la uña.** fr. fig. y fam. Exceder en los precios o derechos debidos, o defraudar algunas cantidades o porciones. ‖ **mirarse** uno **las uñas.** fr. fig. y fam. Jugar a los naipes. ‖ **2.** fig. y fam. Estar enteramente ocioso. ‖ **mostrar** uno **las uñas** a otro. fr. fig. y fam. **enseñarle las uñas.** ‖ **mostrar** uno **la uña.** fr. fig. y fam. **descubrir la uña.** ‖ **no tener uñas para guitarrero.** fr. fig. y fam. *Argent., Par.,* o *Urug.* Carecer una persona de las cualidades necesarias para llevar a cabo una tarea. Ú. m. c. despect. ‖ **ponerse de uñas** uno. fr. fig. y fam. Oír con mucho desagrado y enfado lo que se pide o pretende, negándose o resistiéndose a ello. ‖ **ponerse** uno **en veinte uñas.** fr. fig. y fam. Ponerse boca abajo, afirmándose en el suelo con pies y manos. ‖ **2.** fig. y fam. Negarse del todo, con aspereza y total resistencia, a lo que se pide o se pretende. ‖ **quedarse** uno **soplando las uñas.** fr. fig. y fam. Quedar burlado o engañado impensadamente o de quien no lo esperaba. ‖ **sacar** a uno **de las uñas** de otro. fr. fig. y fam. **sacarle de** sus **garras.** ‖ **sacar** uno **las uñas.** fr. fig. y fam. Valerse de toda su habilidad, ingenio o valor en algún lance estrecho que ocurre. ‖ **2.** fig. y fam. Amenazar o mostrar uno su carácter agresivo. ‖ **sacar** uno **la uña.** fr. fig. y fam. **descubrir la uña.** ‖ **sacar por la uña al león.** fr. fig. Llegar al conocimiento de una cosa por una leve señal o indicio de ella. ‖ **ser uña y carne** dos o más personas. fr. fig. y fam. Haber estrecha amistad entre ellas. ‖ **tener** uno **la uña** una cosa. fr. fig. y fam. Saberla muy bien y tener muy pronto su recuerdo. ‖ **tener** uno **las uñas afiladas.** fr. fig. y fam. Estar ejercitado en el robo o dispuesto para robar. ‖ **tener uña** en **la palma.** fr. fig. Ser ladrón, aficionado a hurtar. ‖ **tener** en **uñas** una cosa. fr. fig. y fam. Tener un negocio o asunto graves dificultades, o para resolverlo, o para desembarazarse de él. ‖ **uñas abajo.** loc. adv. *Equit.* Explica la posición en que queda la mano del jinete cuando se afloja un poco la rienda; esto es, vuelta de modo que las **uñas** miren hacia abajo. ‖ **2.** *Esgr.* Denota la estocada que se da volviendo hacia el suelo la mano y los gavilanes de la espada. ‖ **uñas adentro.** loc. adv. *Equit.* Explica la posición ordinaria de la mano izquierda en que se llevan las riendas, la cual ha de ir cerrada y las **uñas** mirando hacia el cuerpo. ‖ **uñas arriba.** loc. adv. fig. y fam. Dícese del que se dispone a defenderse o a no convenirse en una cosa de las que le proponen. ‖ **2.** *Equit.* Explica la posición en que ha de quedar la mano del jinete cuando se acorta un poco la rienda; esto es, vuelta de modo que las **uñas** miren hacia arriba. ‖ **3.** *Esgr.*

Denota la estocada que se tira volviendo los gavilanes y la mano hacia arriba. ‖ **verse en las uñas del lobo.** fr. fig. y fam. Estar en grave peligro.

uñada. f. Impresión que se hace en una cosa apretando sobre ella con el filo de la uña. ‖ **2.** Impulso que se da a una cosa con la uña. ‖ **3.** Rasguño o arañazo que se hace con las uñas.

uñarada. f. Rasguño o arañazo que se hace con las uñas.

uñate. m. **uñeta,** juego de muchachos. ‖ **2.** fam. Acción y efecto de apretar con la uña una cosa. ‖ **3.** Juego de niños que se ejecuta impulsando con la uña un alfiler hasta cruzarlo con el contrario.

uñero. m. Inflamación en la raíz de la uña. ‖ **2.** Herida que produce la uña cuando, al crecer viciosamente, se introduce en la carne.

uñeta. f. d. de **uña.** ‖ **2.** Cincel de boca ancha, recta o encorvada, que usan los canteros. ‖ **3.** Juego de muchachos, que ejecutan tirando cada uno una moneda al hoyuelo, y el mano (que es el que más se ha acercado al hoyuelo) le da tres impulsos con la uña del dedo pulgar para meterla en el hoyo, ganando todas las monedas que puede meter; y lo mismo hacen por su turno los demás compañeros. ‖ **4.** *Chile.* Especie de plectro o dedal de carey que usan los tocadores de instrumentos de cuerda. ‖ **5.** pl. *Col.* **largo de uñas.**

uñetazo. m. Uñada, uñarada.

uñi. m. *Chile.* Arbusto de la familia de las mirtáceas, con flores rojizas y por fruto una baya comestible.

uñidura. f. Acción y efecto de uñir.

uñir. tr. *ant.* Unir, juntar. ‖ **2.** *Extr., León, Sal., Vallad., Zam.* y *Urug.* **uncir.**

uñoperquén. m. *Chile.* Planta herbácea de la familia de las campanuláceas, de unos 30 centímetros de alta, con hojas lineares y flores blancas algo azuladas. Crece en terrenos pedregosos.

uñoso, sa. adj. Que tiene largas las uñas.

uñuela. f. d. de **uña.**

upa. Voz para esforzar a levantar algún peso o a levantarse. Dícese especialmente a los niños. ‖ **a upa.** loc. adv. En brazos. Es voz infantil.

upar. tr. Levantar, aupar.

upupa. (Del lat. *upŭpa.*) f. **abubilla.**

ura. f. *Argent.* Gusano que se cría en las heridas.

-ura. (Del lat. *-ūra.*) suf. de sustantivos derivados de verbos, de participios pasivos o de adjetivos. Los derivados de verbos o de participios pasivos pueden significar cosas concretas, como *mont*URA, *envolt*URA; los derivados de adjetivos suelen denotar la cualidad relacionada con la base: *blanc*URA, *brav*URA, *fresc*URA.

uracho. m. *ant.* Órgano del hombre por el que expele la orina.

urajear. intr. dar su voz el grajo o el cuervo.

uralaltaico, ca. adj. Perteneciente o relativo a los Urales y al Altai. ‖ **2.** Dícese de una gran familia de lenguas aglutinantes, cuyos principales grupos son el mogol, el turco y el ugrofinés, y los pueblos que hablan estas lenguas.

uranio¹. (De *Urano.*) m. *Quím.* Elemento metálico radiactivo cuyos compuestos se usan en fotografía y para dar color a los vidrios. Tiene un isótopo capaz de una fisión continuada y se ha usado en la bomba atómica. Núm. atómico 92. Símb.: *U.*

uranio², nia. (Del gr. οὐράνιος, celeste.) adj. Perteneciente o relativo a los astros y al espacio celeste.

Urano. (Del gr. Οὐρανός, a través del lat. *Ūranus.*) n. p. m. Planeta mucho mayor que la Tierra, distante del Sol diecinueve veces más que ella y acompañado de cuatro satélites. No es perceptible a simple vista y fue descubierto en el siglo XVIII.

uranografía. (Del gr. οὐρανογραφία.) f. Astronomía descriptiva, cosmografía.

uranógrafo, fa. m. y f. Persona que profesa la uranografía o tiene en ella especiales conocimientos.

uranolito. (Del gr. οὐρανός, cielo, y λίθος, piedra.) m. Fragmento de un bólido que cae a la Tierra, aerolito.

uranometría. (Del gr. οὐρανός, cielo, y μέτρον, medida.) f. Parte de la astronomía, que trata de la medición de las distancias celestes.

urao. (De or. caribe.) m. **trona.**

urape. m. *Venez.* Arbusto leguminoso, con tallo espinoso, flores blancas de cinco pétalos. Se usa para formar setos vivos.

urato. (De *urea*.) m. *Quím.* Compuesto salino correspondiente al ácido úrico.

urbanamente. adv. m. Con urbanidad.

urbanía. f. ant. **urbanidad.**

urbanidad. (Del lat. *urbanĭtas, -ātis*.) f. Cortesanía, comedimiento, atención y buen modo.

urbanismo. m. Conjunto de conocimientos relativos a la creación, desarrollo, reforma y progreso de las poblaciones según conviene a las necesidades de la vida humana.

urbanista. adj. Referente al urbanismo. ‖ 2. com. Persona versada en la teoría y técnica del urbanismo.

urbanístico, ca. adj. Perteneciente o relativo al urbanismo.

urbanización. f. Acción y efecto de urbanizar. ‖ 2. Núcleo residencial urbanizado, con sus pertenencias.

urbanizador, ra. adj. Dícese de la persona o de la empresa que se dedica a urbanizar terrenos.

urbanizar. tr. Hacer urbano y sociable a uno. Ú. t. c. prnl. ‖ 2. Convertir en poblado una porción de terreno o prepararlo para ello, abriendo calles y dotándolas de luz, pavimento y demás servicios municipales.

urbano, na. (Del lat. *urbānus.*) adj. Perteneciente o relativo a la ciudad. ‖ 2. V. **milicia, policía urbana.** ‖ 3. V. **mobiliario, predio urbano.** ‖ 4. fig. Cortés, atento y de buen modo. ‖ 5. m. Individuo de la milicia **urbana.**

urbe. (Del lat. *urbs, -bis*.) f. Ciudad, especialmente la muy populosa.

urbi et orbi. expr. lat. fig. A los cuatro vientos, a todas partes.

urca¹. (Del neerl. *hulk.*) f. Embarcación grande, muy ancha por el centro, y que sirve para el transporte de granos y otros géneros.

urca². f. **orca,** cetáceo.

urce. (Del lat. *ulex, -ĭcis.*) m. **brezo¹.**

urcitano, na. adj. Natural de Urci, hoy Chuche, barrio de Almería. Ú. t. c. s. ‖ 2. Perteneciente o relativo a esta antigua ciudad de la España tarraconense. ‖ 3. **almeriense.** Apl. a pers., ú. t. c. s.

urchilla. (De *orchilla*.) f. Cierto liquen que vive en las rocas bañadas por el agua del mar. ‖ 2. Color de violeta que se saca de esta planta.

urdidera. f. Devanadera, urdidora. ‖ 2. Instrumento a modo de devanadera, donde se preparan los hilos para las urdimbres.

urdidor, ra. adj. Que urde. Ú. t. c. s. ‖ 2. m. Devanadera, urdidera.

urdidura. f. Acción y efecto de urdir.

urdiembre. f. **urdimbre.**

urdimbre. f. Estambre o pie después de urdido. ‖ 2. Conjunto de hilos que se colocan en el telar paralelamente unos a otros para formar una tela. ‖ 3. fig. Acción de urdir o maquinar alguna cosa.

urdir. (Del lat. *ordīri.*) tr. Preparar los hilos en la urdidera para pasarlos al telar. ‖ 2. fig. Maquinar y disponer cautelosamente una cosa contra alguno, o para la consecución de algún designio.

urea. (Del gr. οὖρον, orina.) f. *Quím.* Principio que contiene gran cantidad de nitrógeno y constituye la mayor parte de la materia orgánica contenida en la orina en su estado normal. Es muy soluble en el agua, cristalizable, inodoro, incoloro y de sabor fresco semejante al del nitro.

uremia. (Del gr. οὖρον, orina, y αἷμα, sangre.) f. *Pat.* Conjunto de síntomas cerebrales, respiratorios, circulatorios, digestivos, etc., producidos por la acumulación en la sangre y en los tejidos de venenos derivados del metabolismo orgánico eliminados por el riñón cuando el estado es normal.

urémico, ca. adj. Perteneciente o relativo a la uremia.

urente. (Del lat. *urens, -entis.* p. a. de *urĕre,* quemar, abrasar.) adj. Que escuece, ardiente, abrasador.

uréter. (Del gr. οὐρητήρ.) m. *Anat.* Cada uno de los conductos por donde desciende la orina a la vejiga desde los riñones.

urétera. f. *Anat.* **uretra.**

urético, ca. (Del gr. οὐρητικός.) adj. Perteneciente o relativo a la orina.

uretra. (Del gr. οὐρήθρα, de οὐρέω, orinar, a través del lat. *urēthra.*) f. *Anat.* Conducto por donde en el género humano y en otros animales es emitida la orina desde la vejiga al exterior.

uretral. adj. *Anat.* Perteneciente o relativo a la uretra.

uretritis. (De *uretra* e *-itis.*) f. *Pat.* Inflamación de la membrana mucosa que tapiza el conducto de la uretra. ‖ 2. *Pat.* Flujo mucoso de la uretra.

urgabonense. (Del nombre antiguo Alba *Urgabona*, hoy Arjona.) adj. Natural de Arjona. Ú. t. c. s. ‖ 2. Perteneciente o relativo a esta ciudad de la provincia de Jaén.

urgencia. (Del lat. *urgentĭa.*) f. Cualidad de urgente. ‖ 2. Necesidad o falta apremiante de lo que es menester para algún negocio. ‖ 3. Hablando de las leyes o preceptos, actual obligación de cumplirlos. ‖ 4. pl. Sección de los hospitales en que se atiende a los enfermos y heridos graves que necesitan cuidados médicos inmediatos.

urgente. (Del lat. *urgens, -entis.*) p. a. de **urgir.** Que urge. ‖ 2. adj. V. **carta, correo, telegrama urgente.**

urgentemente. adv. m. De manera urgente.

urgir. (Del lat. *urgēre.*) intr. Instar o precisar una cosa a su pronta ejecución o remedio. ‖ 2. Obligar actualmente la ley o el precepto.

Urías. n. p. fig. V. **carta de Urías.**

úrico, ca. (Del gr. οὖρον, orina.) adj. Perteneciente o relativo al ácido **úrico.** ‖ 2. **urinario,** perteneciente o relativo a la orina. ‖ 3. *Quím.* V. **ácido úrico.**

urinal. (Del lat. *urinālis.*) adj. **urinario,** perteneciente o relativo a la orina.

urinario, ria. (Del lat. *urīna,* orina.) adj. Perteneciente o relativo a la orina. ‖ 2. m. Lugar destinado para orinar y en especial el dispuesto para el público en calles, teatros, etc.

urna. (Del lat. *urna.*) f. Caja de metal, piedra u otra materia, que entre los antiguos servía para varios usos, como guardar dinero, los restos o las cenizas de los cadáveres humanos, etc. ‖ 2. Arquita de hechura varia, que sirve para depositar las cédulas, números o papeletas en los sorteos y en las votaciones secretas. ‖ 3. Caja de cristales planos a propósito para tener dentro visibles y resguardados del polvo efigies u otros objetos preciosos. ‖ 4. Medida antigua para líquidos.

urnición. f. *Mar.* En los astilleros de Vizcaya, última pieza alta de la cuaderna, barraganete.

uro. (Del lat. *urus.*) m. Bóvido salvaje muy parecido al toro, pero de mayor tamaño; fue abundantísimo en la Europa central en la época diluvial y se extinguió la especie en 1627.

-uro. suf. adoptado por convenio en la nomenclatura química para designar las sales de los hidrácidos: *clor*URO, *sulf*URO.

urodelo. (Del gr. οὐρά, cola, y δῆλος, visible.) adj. *Zool.* Dícese de anfibios que durante toda su vida conservan una larga cola que utilizan para nadar y tienen cuatro extremidades, aunque a veces faltan las dos posteriores; en algunos persisten las branquias en el estado adulto; como la salamandra. Ú. t. c. s. ‖ **2.** m. pl. *Zool.* Orden de estos animales.

urogallo. m. Ave gallinácea, de unos 8 decímetros de largo y 15 de envergadura, con plumaje pardo negruzco jaspeado de gris, patas y pico negros, tarsos emplumados y cola redonda. Vive en los bosques, y en la época del celo da gritos roncos algo semejantes al mugido del uro.

urogenital. adj. **genitourinario.**

urología. (Del gr. οὖρον, orina, y *-logía*.) f. Parte de la medicina referente al aparato urinario.

urológico, ca. adj. *Med.* Perteneciente o relativo a la urología.

urólogo, ga. m. y f. *Med.* Especialista en urología.

uromancia o **uromancía.** (Del gr. οὖρον, orina, y μαντεία, adivinación.) f. Supuesta adivinación por el examen de la orina.

uroscopia. (Del gr. οὖρον, orina, y σκοπέω, examinar.) f. *Med.* Inspección visual y metódica de la orina, antiguamente usada para establecer el diagnóstico de las enfermedades internas.

urpila. f. *Argent.* Paloma pequeña.

urraca. (De la onomat. *urrac* de su canto.) f. Pájaro que tiene cerca de medio metro de largo y unos seis decímetros de envergadura, con pico y pies negruzcos, y plumaje blanco en el vientre y arranque de las alas, y negro con reflejos metálicos en el resto del cuerpo. Abunda en España, se domestica con facilidad, es vocinglera, remeda palabras y trozos cortos de música, y suele llevarse al nido objetos pequeños, sobre todo si son brillantes. ‖ **2.** *Amér.* Ave semejante al arrendajo. ‖ **3.** *Fort.* V. **nido de urraca.** ‖ **hablar más que una urraca.** fr. y fam. Hablar mucho una persona. Se usa especialmente refiriéndose a las mujeres y los niños.

ursaonense. (Del lat. *Ursaonenses, -um,* de *Ursao,* Osuna.) adj. Natural de la antigua Ursao o de la moderna Osuna. Ú. t. c. s. ‖ **2.** Perteneciente a esta villa.

ursina. adj. V. **branca ursina.**

ursulina. (De Santa *Úrsula,* virgen y mártir del siglo IV, bajo cuya advocación se fundó esta orden.) adj. Dícese de la religiosa que pertenece a la Congregación agustiniana fundada por Santa Ángela de Brescia, en el siglo XVI, para educación de niñas y cuidado de enfermos. Ú. t. c. s.

urticáceo, a. (Del lat. *urtica,* ortiga.) adj. *Bot.* Aplícase a plantas angiospermas dicotiledóneas, arbustos o hierbas, de hojas sencillas, opuestas o alternas, con estípulas y casi siempre provistas de pelos que segregan un jugo urente; flores pequeñas en espigas, panojas o cabezuelas; fruto desnudo o incluso en el perigonio y semilla de albumen carnoso; como la ortiga y la parietaria. Ú. t. c. s. f. ‖ **2.** f. pl. *Bot.* Familia de estas plantas.

urticación. f. Antiguamente, azotes que, con un ramo de ortigas, daban al paciente para el tratamiento de algunas enfermedades.

urticante. adj. Que produce comezón semejante a las picaduras de ortiga.

urticaria. (Del lat. *urtica,* ortiga.) f. *Pat.* Enfermedad eruptiva de la piel, cuyo síntoma más notable es una comezón parecida a la que producen las picaduras de la ortiga.

urú. m. *Argent.* Ave de unos 20 centímetros de largo, de plumaje pardo, y que se asemeja a la perdiz.

urubú. m. Especie de buitre americano de 60 centímetros de largo y más de un metro de envergadura.

urucú. m. *Argent.* **bija,** árbol.

uruga. f. *Rioja.* Gayuba, agauja.

uruguayismo. m. Locución, giro o modo de hablar propio y peculiar de los uruguayos.

uruguayo, ya. adj. Natural del Uruguay. Ú. t. c. s. ‖ **2.** Perteneciente o relativo a esta nación de América del Sur.

urunday. m. *Argent.* Árbol de la familia de las anacardiáceas, que alcanza 20 metros de altura. Su excelente madera, de color rojo oscuro, se emplea en la construcción de casas y buques, y para muebles.

urundey. m. *Argent.* **urunday.**

urutaú. (Del guaraní *urutaú.*) m. *NE. Argent., Par. y Urug.* Ave nocturna, especie de lechuza de gran tamaño y cola larga, de pico triangular, cabeza y vientre de color ocre, pecho, dorso y cola grises; estos dos últimos con manchas negras, lo mismo que la frente y la corona. Se encuentra en montes y selvas. Lanza un grito característico: un ululato agudo y prolongado que al final se asemeja a una carcajada.

usación. f. ant. Acción y efecto de usar.

usadamente. adv. m. Según el uso o conforme a él.

usado, da. p. p. de **usar.** ‖ **2.** adj. Gastado y deslucido por el uso. ‖ **3.** Habituado, ejercitado, práctico en alguna cosa. ‖ **4.** Dícese del sello de correos que ya ha sido matado, por lo que su único valor es el que le conceden los filatelistas. ‖ **al usado.** loc. adv. con que explican los cambistas que las letras se han de pagar en el tiempo o modo que es costumbre.

usador, ra. adj. ant. Que usa.

usagre. (Del gr. ψῶρα ἀγρία, tiña.) m. *Pat.* Erupción pustulosa, seguida de costras, que se presenta ordinariamente en la cara y alrededor de las orejas durante la primera dentición, y suele tener por causa la diátesis escrofulosa. ‖ **2.** *Veter.* Sarna en el cuello del perro, el caballo y otros animales domésticos.

usaje. (Del cat. *usatge,* usanza.) m. ant. **uso,** ejercicio o práctica general de una cosa. ‖ **2.** Uso que está en boga, moda.

usanza. f. Ejercicio o práctica de una cosa. ‖ **2.** Uso que está en boga, moda.

usar. tr. Hacer servir una cosa para algo. Ú. t. c. intr. ‖ **2.** Disfrutar uno alguna cosa. ‖ **3.** Ejecutar o practicar alguna cosa habitualmente o por costumbre. ‖ **4.** Llevar una prenda de vestir, un adorno personal o tener por costumbre ponerse algo. ‖ **5.** Ejercer o servir un empleo u oficio. ‖ **6.** ant. Tratar y comunicar. ‖ **7.** intr. Tener costumbre. ‖ **8.** prnl. Estar de moda.

usarcé. com. desus. Apócope de **usarced.**

usarced. com. desus. Metapl. de **vuesarced,** vuestra merced.

-usco, ca. V. **-sco.**

uscoque. adj. Dícese del individuo de una tribu de origen esclavón que habitaba en la Iliria, la Croacia y la Dalmacia. Ú. t. c. s. ‖ **2.** Perteneciente o relativo a esta tribu.

usencia. com. desus. Metapl. de **vuesa reverencia.** Ú. entre los religiosos.

useñoría. com. desus. Metapl. de **vueseñoría,** vuestra señoría.

usgo. m. Repugnancia, asco.

usía. com. Síncopa de **usiría,** vuestra señoría.

usier. (Del lat. *ostiarius,* a través del fr. *huissier.*) m. **ujier.**

usillo. m. *Ar.* Achicoria silvestre.

usina. (Del fr. *usine.*) f. *Argent., Bol., Col., Chile, Nicar., Par. y Urug.* Instalación industrial importante, en especial la destinada a producción de gas, energía eléctrica, etc. ‖ **de rumores.** fig. *Argent.* Medio que genera informaciones no confirmadas y tendenciosas.

usiría. com. ant. Metapl. de **useñoría,** vuestra señoría.

usitado, da. (Del lat. *usitātus.*) adj. ant. Que se usa muy frecuentemente.

uslero. m. *Sal., Vall.* y *Chile.* Fruslero, palo cilíndrico de madera que se usa en la cocina para extender la masa de harina, haciéndolo rodar sobre una tabla lisa.

uso. (Del lat. *usus.*) m. Acción y efecto de usar. ‖ **2.** Ejercicio o práctica general de una cosa. ‖ **3. moda, uso** que está en boga. ‖ **4.** Modo determinado de obrar que tiene una persona o una cosa. ‖ **5.** Empleo continuado y habitual de una persona o cosa. ‖ **6.** V. **amor al uso.** ‖ **7.** *Der.* Derecho no transmisible a percibir de los frutos de la cosa ajena los que basten a las necesidades del usuario y de su familia. ‖ **8.** *Der.* Forma del derecho consuetudinario inicial de la costumbre, menos solemne que esta y que suele convivir como supletorio con algunas leyes escritas. ‖ **de razón.** Posesión del natural discernimiento, que se adquiere pasada la primera niñez. ‖ **2.** Tiempo en que se descubre o se empieza a reconocer este discernimiento en los actos del niño o del individuo. ‖ **al uso.** loc. adv. Conforme o según él. ‖ **andar uno al uso.** fr. Acomodarse al tiempo; contemporizar con las cosas según piden las ocasiones. ‖ **a su uso.** loc. adv. **al uso.** ‖ **entrar uno en los usos.** fr. Seguir lo que se estila y practica por otros, y conformarse con los usos y costumbres del país o pueblo donde reside. ‖ **estar en buen uso.** fr. fam. No estar estropeado lo que ya se ha usado.

usofruto. m. ant. **usufructo.**

ustaga. (Del ant. nórd. *uptaug.*) f. *Mar.* **ostaga.**

uste. Voz fam. **oxte.** ‖ **sin decir uste ni muste.** loc. adv. fam. **sin decir oxte ni moxte.**

usted. (De *vusted.*) Pronombre de segunda persona, usado en vez de *tú* como tratamiento de cortesía, respeto o distanciamiento. ‖ **envaine usted, o envaine usted, seor Carranza.** expr. fig. y fam. con que se dice a uno que se sosiegue y deponga la cólera o el enfado, especialmente cuando carece de fundamento.

ustible. (Del lat. *ustus,* p. p. de *urĕre,* quemar.) adj. Que se puede quemar fácilmente.

ustión. (Del lat. *ustĭo, -ōnis.*) f. Acción de quemar o quemarse.

ustorio. (Del lat. *ustor, -ōris,* el que quema.) adj. V. **espejo ustorio.**

usual. (Del lat. *usuālis.*) adj. Que común o frecuentemente se usa o se practica. ‖ **2.** Aplicase al sujeto tratable, sociable y de buen genio. ‖ **3.** Dícese de las cosas que se pueden usar con facilidad. ‖ **4.** *Der.* V. **interpretación usual.**

usualmente. adv. m. De manera usual.

usuario, ria. (Del lat. *usuarĭus.*) adj. Que usa ordinariamente una cosa. Ú. t. c. s. ‖ **2.** *Der.* Aplicase al que tiene derecho de usar de la cosa ajena con cierta limitación. Ú. m. c. s. ‖ **3.** *Der.* Dícese del que por concesión gubernativa, o por otro título legítimo, goza un aprovechamiento de aguas derivadas de corriente pública. Ú. t. c. s.

usucapión. (Del lat. *usucapĭo, -ōnis.*) f. *Der.* Adquisición de un derecho mediante su ejercicio en las condiciones y durante el tiempo previsto por la ley.

usucapir. (Del lat. *usucapĕre.*) tr. defect. *Der.* Adquirir una cosa por usucapión.

usufructo. (Del lat. *usufructus.*) m. Derecho a disfrutar bienes ajenos con la obligación de conservarlos, salvo que la ley autorice otra cosa. ‖ **2.** Utilidades, frutos o provechos que se sacan de cualquier cosa.

usufructuar. tr. Tener o gozar el usufructo de una cosa. ‖ **2.** intr. **fructificar,** producir utilidad alguna cosa.

usufructuario, ria. (Del lat. *usufructuarĭus.*) adj. Dícese de la persona que posee y disfruta una cosa. Ú. t. c. s. ‖ **2.** *Der.* Aplicase al que posee derecho real de usufructo sobre alguna cosa en que otro tiene nuda propiedad. Ú. t. c. s.

usufruto. m. ant. **usufructo.**

usufrutuar. tr. ant. **usufructuar.**

usufrutuario, ria. adj. ant. **usufructuario.** Usáb. t. c. s.

usupuca. (De or. quechua.) f. *Argent.* **pito**[1], garrapata amarillenta con una pinta roja.

usura. (Del lat. *usūra.*) f. Interés que se lleva por el dinero o el género en el contrato de mutuo o préstamo. ‖ **2.** Este mismo contrato. ‖ **3.** Interés excesivo en un préstamo. ‖ **4.** fig. Ganancia, fruto, utilidad o aumento que se saca de una cosa, especialmente cuando es excesivo. ‖ **pagar** uno **con usura** una cosa. fr. fig. Corresponder a un beneficio o buena obra con otra mayor o con sumo agradecimiento.

usurar. intr. Dar o tomar a usura.

usurariamente. adv. m. Con usura.

usurario, ria. (Del lat. *usurarĭus.*) adj. Perteneciente o relativo a la usura. ‖ **2.** m. y f. ant. Que prestaba con usura.

usurear. intr. Dar o tomar a usura. ‖ **2.** fig. Ganar o adquirir con utilidad, provecho y aumento, señaladamente si es con exceso.

usurero, ra. (Del lat. *usurarĭus.*) adj. ant. **usurario,** perteneciente o relativo a la usura. ‖ **2.** m. y f. Persona que presta con usura o interés excesivo. ‖ **3.** Por ext., se dice de la persona que en otros contratos o granjerías obtiene lucro desmedido.

usurpación. (Del lat. *usurpatĭo, -ōnis.*) f. Acción y efecto de usurpar. ‖ **2.** Cosa usurpada; especialmente el terreno usurpado. ‖ **3.** *Der.* Delito que se comete apoderándose con violencia o intimidación de inmueble o derecho real ajeno.

usurpador, ra. (Del lat. *usurpātor, -ōris.*) adj. Que usurpa. Ú. t. c. s.

usurpar. (Del lat. *usurpāre.*) tr. Apoderarse de una propiedad o de un derecho que legítimamente pertenece a otro, por lo general con violencia. ‖ **2.** Arrogarse la dignidad, empleo u oficio de otro, y usarlos como si fueran propios.

usuta. (De or. quechua.) f. *NO. Argent.* Ojota, especie de sandalia.

ut. (V. *fa.*) m. ant. *Mús.* **do.**

uta. (De or. quechua.) f. *Perú.* Enfermedad de úlceras faciales muy común en las quebradas hondas del Perú.

utensilio. (Del lat. *utensilĭa,* pl. n. de *utensĭlis,* útil, necesario.) m. Lo que sirve para el uso manual y frecuente. UTENSILIO *de cocina, de la mesa.* Ú. m. en pl. ‖ **2.** Herramienta o instrumento de un oficio o arte. Ú. m. en pl. ‖ **3.** p. us. *Mil.* Auxilio que debe dar el patrón al soldado alojado en su casa, o sea cama, agua, sal, vinagre, luz y asiento a la lumbre. ‖ **4.** *Mil.* Cama con sus ropas, enseres, combustible y eventualmente efectos para el alumbrado, que la administración militar asigna a los soldados en los cuarteles o, en lo procedente, en los estacionamientos.

uterino, na. (Del lat. *uterīnus.*) adj. Perteneciente o relativo al útero. ‖ **2.** V. **hermano uterino.** ‖ **3.** *Pat.* V. **furor uterino.**

útero. (Del lat. *utĕrus.*) m. Matriz de la mujer y de los animales hembras.

uticense. (Del lat. *Uticensis.*) adj. Natural de Útica. Ú. t. c. s. ‖ **2.** Perteneciente o relativo a esta ciudad del África antigua.

útil[1]. (Del lat. *utĭlis.*) adj. Que trae o produce provecho, comodidad, fruto o interés. ‖ **2.** Que puede servir y aprovechar en alguna línea. ‖ **3.** V. **dominio útil.** ‖ **4.** *Der.* Aplicase al tiempo o días hábiles de un término señalado por la ley o la costumbre, no contándose aquellos en que no se puede actuar. Fuera del lenguaje jurídico se extiende a otras materias y asuntos. ‖ **5.** m. Calidad de **útil.**

útil[2]. (Del fr. *outil.*) m. Utensilio o herramienta. Ú. m. en pl.

utilería. f. Conjunto de útiles o instrumentos que se usan en un oficio o arte. ‖ **2.** Conjunto de objetos y enseres que se emplean en el escenario teatral o cinematográfico.

utilero, ra. m. y f. Persona encargada de la utilería.
utilidad. (Del lat. *utilĭtas, -ātis.*) f. Cualidad de útil[1]. ‖ **2.** Provecho, conveniencia, interés o fruto que se saca de una cosa.
utilitario, ria. adj. Que solo propende a conseguir lo útil[1]; que antepone a todo la utilidad. ‖ **2.** m. **coche utilitario.**
utilitarismo. m. Doctrina filosófica moderna que considera la utilidad como principio de la moral.
utilizable. adj. Que puede o debe utilizarse.
utilización. f. Acción y efecto de utilizar.
utilizar. tr. Aprovecharse de una cosa. Ú. t. c. prnl.
útilmente. adv. m. De manera útil.
utillaje. (Del fr. *outillage.*) m. Conjunto de útiles necesarios para una industria.
utopía o **utopia.** (Del gr. οὐ, no, y τόπος, lugar: lugar que no existe.) f. Plan, proyecto, doctrina o sistema optimista que aparece como irrealizable en el momento de su formulación.
utópico, ca. adj. Perteneciente o relativo a la utopía. Ú. t. c. s.
utopista. adj. Que traza utopías o es dado a ellas. Ú. m. c. s.
utrerano, na. adj. Natural de Utrera. Ú. t. c. s. ‖ **2.** Perteneciente o relativo a esta ciudad.
utrero, ra. m. y f. Novillo o novilla desde los dos años hasta cumplir los tres.
ut retro. loc. adv. lat. V. **fecha ut retro.**
ut supra. loc. adv. lat. Se emplea en ciertos documentos para referirse a una fecha, cláusula o frase escrita más arriba, y evitar su repetición.
uva. (Del lat. *uva.*) f. Fruto de la vid, que es una baya o grano más o menos redondo y jugoso, el cual nace apiñado con otros, adheridos todos a un vástago común por un pezón, y formando racimos. ‖ **2.** Cada uno de los granos que produce el berberís o arlo. ‖ **3.** Enfermedad de la campanilla, que consiste en un tumorcillo de la figura de una **uva.** ‖ **4.** Especie de verrugas pequeñas que suelen formarse en el párpado, juntas y como pegadas unas con otras. ‖ **5.** V. **azúcar de uva.** ‖ **6.** *Ar., Mancha, Nav.* y *Rioja.* Racimo de **uvas.** ‖ **abejar.** Variedad de **uva,** de grano más grueso, menos jugoso y con hollejo más duro que la albilla, que apetecen con preferencia las abejas y avispas. ‖ **alarije.** Variedad de **uva,** de color rojo, que producen ciertas cepas altas y de sarmientos duros. ‖ **albarazada.** Variedad de **uva** que tiene el hollejo jaspeado. Es común en Andalucía. ‖ **albilla.** Variedad de **uva,** de hollejo tierno y delgado y muy gustosa. ‖ **arije. uva alarije.** ‖ **bodocal.** Variedad de **uva** negra, que tiene los granos gordos y los racimos largos y ralos. ‖ **cana,** o **canilla. uva de gato.** ‖ **cigüete.** Variedad de **uva** blanca, parecida a la albilla. ‖ **crespa. uva espina.** ‖ **de gato.** Hierba anual de la familia de las crasuláceas, que se cría comúnmente en los tejados, con tallos de dos a tres centímetros, hojas pequeñas, carnosas, casi elipsoidales, obtusas, lampiñas, que parecen racimos de grosellas no maduras, y flores blancas en corimbos. ‖ **de pájaro.** *Rioja.* **uva de gato.** ‖ **de perro.** *León.* **uva de gato.** ‖ **de playa.** Fruto del uvero, del tamaño de una cereza grande, morado, tierno, muy jugoso y dulce. Encierra una sola semilla negra, de volumen igual a las dos terceras partes del fruto. ‖ **de raposa.** Hierba perenne de la familia de las liliáceas, con tallos sencillos terminados por cuatro hojas ovales, en cruz, en medio de las cuales sale una flor verdosa que produce una baya negra, del tamaño del guisante y narcótica. ‖ **espina.** Variedad de grosellero, que crece espontáneamente en Europa y América y tiene las hojas vellosas y los frutos menos dulces. ‖ **hebén.** Variedad de **uva,** blanca, gorda y vellosa, parecida a la moscatel en el sabor, la cual forma el racimo largo y

ralo. ‖ **hebén prieta. uva palomina.** ‖ **herrial.** Variedad de **uva,** gruesa y tinta, cuyos racimos son muy gruesos. ‖ **jabí. jabí[1],** variedad de **uva** pequeña. ‖ **jaén.** Variedad de **uva,** blanca, algo crecida y de hollejo grueso y duro. ‖ **lairén.** Variedad de **uva,** de grano crecido y de hollejo duro. ‖ **larije. uva alarije.** ‖ **ligeruela. uva** temprana. ‖ **lupina.** acónito. ‖ **marina. belcho.** ‖ **2.** Racimo de huevas de jibia. ‖ **moscatel.** Variedad de **uva,** blanca o morada, de grano redondo y muy liso y gusto muy dulce. ‖ **palomina.** Variedad de **uva** negra en racimos largos y ralos. ‖ **rojal.** *Albac.* Variedad de **uva** muy fina, de color de grosella. ‖ **tamínea,** o **tamínia. hierba piojera.** ‖ **tempranilla. uva** temprana. ‖ **teta de vaca.** Variedad de **uva,** que tiene gruesos y largos los granos. ‖ **tinta.** Variedad de **uva** que tiene negro el zumo y sirve para dar color a ciertos mostos. ‖ **torrontés.** Variedad de **uva,** blanca, muy transparente y que tiene el grano pequeño y el hollejo muy tierno y delgado, por lo cual se pudre pronto. Hácese de ella vino muy oloroso, suave y claro, que se conserva mucho tiempo. ‖ **tortozón.** Variedad de **uva,** de grano grueso y racimos grandes, de la cual se hace un vino que se conserva poco. ‖ **turulés.** Variedad de **uva** fuerte. ‖ **verdeja.** La que tiene color muy verde aunque esté madura. ‖ **verga.** acónito. ‖ **uvas de mar. uva marina,** belcho. ‖ **conocer** uno **las uvas de su majuelo.** fr. fig. y fam. Tener conocimiento del negocio que maneja. ‖ **entrar** uno **por uvas.** fr. fig. y fam. Arriesgarse a tomar parte o intervenir en un asunto. Ú. m. con neg. ‖ **hecho una uva.** expr. fig. y fam. Muy borracho. ‖ **meter uvas con agraces.** fr. fig. y fam. Confundir unas cosas con otras; traer a cuento cosas inconexas.
uvada. f. Abundancia de uva.
uvaduz. m. y f. vulg. *duz,* del lat. *dulcis.*) f. Gayuba, agauja.
uvaguemaestre. m. **vaguemaestre.**
uval. adj. Parecido a la uva.
uvate. m. Conserva hecha de uvas, regularmente cocidas con el mosto, hasta que toma el punto de arrope.
uvayema. f. Especie de vid silvestre, que, subiendo por los troncos de los árboles, se enreda entre sus ramas, como la hiedra.
uve. f. Nombre de la letra *v.*
úvea. (De *uva.*) adj. *Anat.* V. **túnica úvea.** Ú. t. c. s.
uveítis. f. *Pat.* Inflamación de la túnica úvea.
uveral. m. *Amér.* Lugar en que abundan los árboles llamados uveros.
uvero, ra. adj. Perteneciente o relativo a las uvas. *Exportación* UVERA. ‖ **2.** m. y f. Persona que vende uvas. ‖ **3.** m. Árbol silvestre de la familia de las poligonáceas, que vive en las costas de las Antillas y de América Central, muy frondoso, de poca altura y con hojas consistentes, casi redondas, como de dos decímetros de diámetro y color verde rojizo. Su fruto es la uva de playa.
uviar. (Del lat. *obviāre,* salir al encuentro.) intr. ant. Acudir, venir, llegar.
uvillo. m. Arbusto trepador americano de la familia de las fitolacáceas, con hojas aovadas, flores blancas o rosadas en racimos, y frutos anaranjados.
úvula. (Del lat. *uvŭla,* d. de *uva,* uva.) f. *Anat.* Parte media del velo palatino, de forma cónica y textura membranosa y muscular, la cual divide el borde libre del velo en dos mitades a modo de arcos.
uvular. adj. Perteneciente o relativo a la úvula. ‖ **2.** *Fon.* Dícese del sonido en cuya articulación interviene la úvula.
uxoricida. (Del lat. *uxor. -ōris,* mujer, esposa, y *-cīda.*) m. Dícese del que mata a su mujer. Ú. t. c. adj.
uxoricidio. m. Muerte causada a la mujer por su marido.
-uzco, ca. V. **-sco.**
uzo. (Del lat. *ustĭum, ostĭum,* puerta.) m. ant. Puerta o postigo.

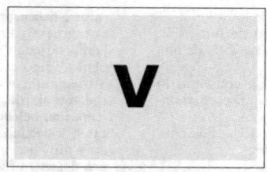

v. f. Vigésima quinta letra del abecedario español, y vigésima de sus consonantes. Su nombre es **ve** o **uve**. Actualmente representa el mismo sonido que la *b* en todos los países de la lengua española. Su articulación, por lo tanto, es bilabial y sonora, oclusiva en posición inicial absoluta o después de nasal *(venid, envío)* y fricativa en los demás casos *(ave, arveja)*. ‖ **2.** Letra numeral que tiene el valor de cinco en la numeración romana. ‖ **doble. w.**

vaca. (Del lat. *vacca*.) f. Hembra del toro. ‖ **2.** Carne de vaca o de buey, que se emplea como alimento. ‖ **3.** desus. Dinero que juegan en común dos o más personas. Ú. en América. ‖ **4.** Cuero de la vaca después de curtido. ‖ **5.** *Mar*. Depósito o aljibe de agua dulce para la bebida de la marinería. ‖ **6.** V. **caña, doblón, teta de vaca.** ‖ **7.** V. **casa, corral de vacas.** ‖ **8.** V. **mesa, tabla de la vaca.** ‖ **abierta. vaca fecunda.** ‖ **del aguardiente.** La que en las fiestas populares de algunas localidades se lidia a primera hora de la mañana. ‖ **de San Antón. mariquita,** insecto. ‖ **marina. manatí,** mamífero sirenio. ‖ **tembladera. torpedo,** pez. ‖ **la vaca de la boda.** fig. y fam. Persona que, como la **vaca** que solían correr para festejar las bodas rústicas, sirve de diversión a los concurrentes a una fiesta, o paga los gastos que en ella se hacen. ‖ **2.** fig. y fam. Persona a quien todos acuden en sus urgencias. ‖ **echar las vacas** a uno. fr. fig. y fam. **echarle las cabras.**

vacabuey. m. *Cuba*. Árbol silvestre, de la familia de las dileniáceas, con frutos comestibles y madera que se utiliza para la construcción.

vacación. (Del lat. *vacatio, -ōnis*.) f. Descanso temporal de una actividad habitual, principalmente del trabajo remunerado o de los estudios. Ú. m. en pl. ‖ **2.** Tiempo que dura la cesación del trabajo. Ú. m. en pl. ‖ **3.** V. **sala de vacaciones.** ‖ **4.** p. us. Cargo de vacar un empleo o cargo. ‖ **5.** p. us. Cargo o dignidad que está vacante.

vacacional. adj. Perteneciente o relativo a las vacaciones.

vacada. f. Conjunto o manada de ganado vacuno. ‖ **2.** Conjunto de ganado vacuno con que negocia un ganadero.

vacado, da. p. p. de vacar. ‖ **2.** adj. ant. Aplicábase al cargo o dignidad que estaba vacante.

vacancia. (Del lat. *vacantia*.) f. **vacante,** cargo sin proveer.

vacante. (Del lat. *vacans, -antis*.) p. a. de vacar. Que vaca. ‖ **2.** adj. Aplícase al cargo, empleo o dignidad que está sin proveer. Ú. t. c. s. f. ‖ **3.** V. **bienes vacantes.** ‖ **4.** V. **sede vacante.** ‖ **5.** f. Renta caída o devengada en el tiempo que permanece sin proveerse un beneficio o dignidad eclesiástica. ‖ **6.** desus. Tiempo que duran las vacaciones.

vacanza. f. ant. **vacancia.**

vacar. (Del lat. *vacāre*.) intr. Cesar uno por algún tiempo en sus habituales negocios, estudios o trabajo. ‖ **2.** Quedar un empleo, cargo o dignidad sin persona que lo desempeñe o posea. ‖ **3.** Dedicarse o entregarse enteramente a un ejercicio determinado. ‖ **4.** Estar falto, carecer. *No* VACÓ *de misterio.*

vacaraí. (De *vaca,* y el guaraní *ra'ý,* hijo, cría.) m. *Par*. Ternero nonato, que ha sido extraído del vientre de la madre al tiempo de matarla.

vacaray. m. *Argent*. y *Urug*. **vacaraí.**

vacarí. (Del ár. *baqarí,* perteneciente o relativo al ganado vacuno.) adj. De cuero de vaca, o cubierto de este cuero. Dícese del escudo, de la adarga, etc.

vacatura. (Del lat. *vacātum,* supino de *vacāre,* vacar.) f. p. us. Tiempo que está vacante un empleo, cargo o dignidad.

vacceo, a. (Del pl. lat. *Vaccaei*.) adj. Dícese de un pueblo hispánico prerromano que habitaba un territorio extendido a ambos lados del Duero por los actuales términos de Medina del Campo, Valladolid, Palencia, Sahagún, Villalpando y Toro. ‖ **2.** Dícese de los individuos que formaban este pueblo. Ú. t. c. s. ‖ **3.** Perteneciente o relativo a los vacceos.

vaccinieo, a. (Del lat. *vaccinium,* cierta planta tintórea.) adj. *Bot*. Dícese de matas o arbustillos pertenecientes a la familia de las ericáceas, con hojas simples, casi sentadas y perennes, flores solitarias o en racimo, y fruto en bayas jugosas con semillas de albumen carnoso; como el arándano. Ú. t. c. s. f.

vaciadero. m. Sitio en que se vacía una cosa. ‖ **2.** Conducto por donde se vacía.

vaciadizo, za. adj. Aplicase a la obra vaciada. Ú. entre los vaciadores de metales.

vaciado, da. p. p. de vaciar. ‖ **2.** m. Acción de vaciar en un molde un objeto de metal, yeso, etc. ‖ **3.** *Arq*. Fondo que queda en el neto del pedestal porque la faja o moldura que lo guarnece. ‖ **4.** *Arqueol*. Excavación de la tierra para descubrir lo enterrado. ‖ **5.** *Esc*. Figura o adorno de yeso, estuco, etc., que se ha formado en el molde.

vaciador, ra. m. y f. Persona que vacía. ‖ **2.** m. Instrumento por donde se vacía.

vaciamiento. m. Acción y efecto de vaciar o vaciarse.

vaciante. p. a. de vaciar. Que vacía. ‖ **2.** f. **menguante,** descenso del agua del mar por efecto de la marea. ‖ **3. menguante,** tiempo que dura este descenso.

vaciar. (De *vacío*.) tr. Dejar vacía alguna cosa. VACIAR *una botella;* VACIAR *el bolsillo.* Ú. t. c. prnl. ‖ **2.** Sacar, verter o arrojar el contenido de una vasija u otra cosa. VACIAR *agua en la calle.* Ú. t. c. prnl. ‖ **3.** Formar un objeto echando en un molde hueco metal derretido u otra materia blanda. ‖ **4.** Formar un hueco en alguna cosa. Ú. mucho en arquitectura. ‖ **5.** Sacar filo muy agudo en la piedra a los instrumentos cortantes delicados. ‖ **6.** fig. Exponer o explicar con todo detalle un saber o doctrina. ‖ **7.** fig. Trasladarla de un escrito a otro. ‖ **8.** intr. Hablando de los ríos o corrientes, desaguar. ‖ **9.** Menguar el agua en los ríos, en el mar, etc. ‖ **10.** prnl. fig. y fam. Decir uno sin reparo lo que debía callar o mantener secreto.

vaciedad. (Del lat. *vacivitas, -ātis*.) f. ant. Calidad de vacío. ‖ **2.** fig. Necedad, sandez, simpleza.

vaciero. m. Pastor del ganado vacío.

vacilación. (Del lat. *vacillatio, -ōnis*.) f. Acción y efecto de vacilar. ‖ **2.** fig. Perplejidad, irresolución.

vacilar. (Del lat. *vacillāre*.) intr. Moverse indeterminadamente una cosa. ‖ **2.** Estar poco firme una cosa en su estado, o tener riesgo de caer o arruinarse. ‖ **3.** fig. Titubear, estar una persona indecisa.

vacío, a. (Del lat. *vacīvus*.) adj. Falto de contenido físico o psíquico. ‖ **2.** Aplícase, en los ganados, a la hembra que no tiene cría. ‖ **3.** p. us. **vano**[1], sin fruto, malogrado. ‖ **4.** p. us. Ocioso, o sin la ocupación o ejercicio que pudiera o debiera tener. ‖ **5.** Aplícase a las casas o pueblos sin habitantes, o a los sitios que están sin la gente que suele concurrir a ellos. ‖ **6.** Falto de la perfección debida en su línea, o del efecto que se pretende. ‖ **7.** Hueco, o falto de la solidez correspondiente. ‖ **8.** fig. **vano**[1], presuntuoso y falto de madurez. ‖ **9.** m. Concavidad o hueco de algunas cosas. ‖ **10.** Cavidad entre las costillas falsas y los huecos de las caderas, ijada. ‖ **11.** Abismo, precipicio. ‖ **12.** desus. **vacante**, empleo sin proveer. ‖ **13.** Movimiento de la danza española, que se hace levantando un pie con violencia y bajándolo después naturalmente. ‖ **14.** fig. Falta, carencia o ausencia de alguna cosa o persona que se echa de menos. ‖ **15.** *Fís.* Espacio que no contiene aire ni otra materia perceptible por medios físicos ni químicos. ‖ **16.** *Fís.* Enrarecimiento, hasta el mayor grado posible, del aire u otro gas contenidos en un recipiente cerrado. ‖ **caer en el vacío** una cosa. fr. fam. No tener acogida lo que se dice o se propone. ‖ **de vacío.** loc. adv. Sin carga, tratándose de trajineros o de sus bestias o carruajes. *Ir, volver* DE VACÍO. ‖ **2.** Sin ocupación o ejercicio. ‖ **3.** Sin haber conseguido uno lo que pretendía; ú. con los verbos *volver, irse,* y sus análogos. ‖ **en vacío.** loc. adv. **en vago**[1]. ‖ **2.** *Mús.* Pulsando la cuerda sin pisarla. ‖ **hacer el vacío** a uno. fr. fig. Negarle o dificultarle el trato con los demás, aislarle. ‖ **marchar en vacío.** loc. *Fís.* Funcionar un motor, generador, transformador, etc., cuando no suministra energía útil.

vaco[1]. (De *vaca*.) m. fam. **buey.**

vaco[2], **ca.** (Del lat. *vacuus*.) adj. **vacante**, sin proveer.

vacuidad. (Del lat. *vacuĭtas, -ātis*.) f. Calidad de vacuo.

vacuna. (De *vacuno*.) f. Cierto grano o viruela que sale a las vacas en las tetas, y que se transmite al hombre por inoculación para preservarlo de las viruelas naturales. ‖ **2.** Pus de estos granos o de los granos de los vacunos. ‖ **3.** Cualquier virus o principio orgánico que convenientemente preparado se inocula a persona o animal para preservarlos de una enfermedad determinada.

vacunación. f. Acción y efecto de vacunar o vacunarse.

vacunador, ra. adj. Que vacuna. Ú. t. c. s.

vacunar. (De *vacuna*.) tr. Comunicar, aplicar el virus vacuno a una persona, para preservarla de las viruelas naturales. Ú. t. c. prnl. ‖ **2.** Inocular a la vaca o a la ternera el virus vacuno, con objeto de conservarlo. ‖ **3.** Inocular a una persona o animal un virus o principio orgánico convenientemente preparado, para preservarlos de una enfermedad determinada. Ú. t. c. prnl. y en sent. fig.

vacuno, na. adj. Perteneciente al ganado bovino. ‖ **2.** p. us. De cuero de vaca. ‖ **3.** m. Animal bovino.

vacunoterapia. f. Tratamiento o profilaxis de las enfermedades infecciosas por medio de las vacunas.

vacuo, cua. (Del lat. *vacŭus*.) adj. Vacío, falto de contenido. ‖ **2. vacante**, sin proveer. ‖ **3.** m. **vacío**, hueco o concavidad de algunas cosas.

vade. (Del lat. *vade*, imper. de *vadĕre*, ir, marchar, caminar.) m. **vademécum**, cartapacio o bolsa.

vadeable. adj. Dícese del río, o de cualquier corriente de agua, que se puede vadear. ‖ **2.** fig. Vencible o superable con el ingenio, arte o eficacia, cuando se ofrece alguna dificultad o reparo.

vadeador. m. Individuo que conoce bien los vados y sirve en ellos de guía.

vadear. tr. Pasar un río u otra corriente de agua profunda por el vado o por cualquier otro sitio donde se pueda

hacer pie. ‖ **2.** fig. p. us. Vencer una grave dificultad. ‖ **3.** fig. p. us. Tantear o inquirir el ánimo de uno. ‖ **4.** prnl. Manejarse, portarse, conducirse.

vademécum. (Del lat. *vade*, anda, ven, y *mecum*, conmigo.) m. Libro de poco volumen y de fácil manejo para consulta inmediata de nociones o informaciones fundamentales. ‖ **2.** Cartapacio en que los niños llevaban sus libros y papeles a la escuela.

vadera. f. **vado**, especialmente el ancho por donde pueden pasar ganados y carruajes.

vade retro. (Lit., *ve o marcha atrás.*) expr. lat. que se emplea para rechazar a una persona o cosa.

vadiano, na. (Del lat. *vadiānus*, por *audiānus*.) adj. Dícese de ciertos herejes del siglo IV que seguían las doctrinas antropomórficas del escita Audio. Ú. t. c. s. ‖ **2.** Perteneciente a esta secta.

vado. (Del lat. *vadus*.) m. Lugar de un río con fondo firme, llano y poco profundo, por donde se puede pasar andando, cabalgando o en algún vehículo. ‖ **2.** fig. Curso o remedio en las cosas que ocurren. *Dar* VADO *a un negocio; no hallar* VADO. ‖ **3.** Modificación de las aceras y bordillos de las vías públicas para facilitar el acceso de los vehículos a los locales y viviendas. ‖ **4.** desus. Tregua, espacio. ‖ **al vado, o a la puente.** expr. fig. y fam. con que se aconseja o se insta a que se opte por una u otra resolución en caso de perplejidad. ‖ **tentar** uno **el vado.** fr. Sondearlo. ‖ **2.** fig. Intentar un negocio con precaución y advertencia, para examinar su facilidad o dificultad en la consecución.

vadoso, sa. (Del lat. *vadōsus*.) adj. Aplícase al lugar del mar, río, lago, etc., que tiene vados.

vafo. (De la onomat. *baf*.) m. ant. Vapor que despide un cuerpo, vaho. ‖ **2.** ant. Soplo o aliento fuerte.

vafoso, sa. adj. ant. Que tiene vafo.

vaga. (Del fr. *vague*, y este del ant. nórd. *vaag*, ola.) f. ant. **ola** de las aguas.

vagabundear. intr. Andar vagabundo.

vagabundeo. m. Acción y efecto de vagabundear.

vagabundería. f. Acción y efecto de vagabundear. ‖ **2.** Calidad de vagabundo.

vagabundo, da. (Del lat. *vagabundus*.) adj. Que anda errante de una parte a otra. ‖ **2.** Holgazán u ocioso que anda de un lugar a otro, sin tener oficio ni domicilio determinado. Ú. t. c. s.

vagamente. adv. m. De una manera vaga.

vagamundear. intr. **vagabundear.** Ú. m. en ambientes populares.

vagamundo, da. adj. **vagabundo.** Ú. t. c. s. Ú. m. en ambientes populares.

vagancia. (Del lat. *vacantĭa*.) f. Acción de vagar[2] o estar ocioso. ‖ **2.** Pereza y falta de ganas de hacer algo.

vagante[1]. (Del lat. *vagans, -antis*.) p. a. de **vagar**[3]. Que o anda suelto y libre.

vagante[2]. (Del lat. *vacans, -antis*.) p. a. de **vagar**[2]. ‖ **2.** ant. **vacante.**

vagar[1]. (Forma sustantiva de *vagar*[2].) m. Tiempo desocupado que permite hacer alguna cosa. *No tengo tanto* VAGAR, o *ese* VAGAR. ‖ **2.** Lentitud, pausa, sosiego. ‖ **andar de vagar** uno. fr. No tener qué hacer; estar ocioso. ‖ **de vagar.** loc. adv. ant. Despacio, lentamente. ‖ **estar de vagar** uno. fr. **andar de vagar.**

vagar[2]. (Del lat. *vacāre*.) intr. Tener tiempo y lugar suficiente o necesario para hacer una cosa. ‖ **2.** Estar ocioso.

vagar[3]. (Del lat. *vagāri*.) intr. Andar por varias partes sin determinación a sitio o lugar, o sin especial detención en ninguno. ‖ **2.** Andar por un sitio sin hallar camino o lo que se busca. ‖ **3.** Andar libre y suelta una cosa, o sin el orden y disposición que regularmente debe tener.

vagarosamente. adv. m. De modo vagaroso.

vagarosidad. f. Calidad de vagaroso.

vagaroso, sa. adj. Que vaga³, o que fácilmente y de continuo se mueve de una a otra parte. Ú. m. en poesía. ‖ **2.** ant. Tardo, perezoso o pausado.

vagido. (Del lat. *vagĭtus*.) m. Gemido o llanto del recién nacido.

vagina. (Del lat. *vagīna*, vaina.) f. *Anat.* Conducto membranoso y fibroso que en las hembras de los mamíferos se extiende desde la vulva hasta la matriz.

vaginal. adj. Perteneciente o relativo a la vagina.

vaginitis. (De vagina e -*itis*.) f. *Pat.* Inflamación de la vagina.

vago¹, ga. (Del lat. *vacīvus*.) adj. Vacío, desocupado. Dícese del hombre sin oficio y mal entretenido. Ú. t. c. s. ‖ **2.** Holgazán, perezoso, poco trabajador. Ú. t. c. s. ‖ **3.** ant. Vacante, vaco. ‖ **4.** m. *Ar.* y *Nav.* Erial o solar vacío. ‖ **en vago.** loc. adv. Sin firmeza ni consistencia, o con riesgo de caerse, o sin apoyo en que estribar y mantenerse. ‖ **2.** Sin el sujeto u objeto a que se dirige la acción. *Golpe* EN VAGO. ‖ **3.** fig. **en vano¹,** o sin el logro de un fin o intento que se deseaba, o engañándose en lo que se juzgaba.

vago², ga. (Del lat. *vagus*.) adj. Que anda de una parte a otra, sin detenerse en ningún lugar. ‖ **2.** Aplícase a las cosas que no tienen objeto o fin determinado, sino general y libre en la elección o aplicación. ‖ **3.** Impreciso, indeterminado. ‖ **4.** V. **voz vaga.** ‖ **5.** *Anat.* V. **nervio vago.** Ú. m. c. s. ‖ **6.** *Pint.* Vaporoso, ligero, indefinido.

vagón. (Del ing. *wagon*.) m. Carruaje de viajeros o de mercancías y equipajes, en los ferrocarriles. ‖ **2.** Carro grande de mudanzas, destinado a ser transportado sobre una plataforma de ferrocarril. ‖ **de cola.** El último de un tren.

vagoneta. f. Vagón pequeño y descubierto, para transporte.

vagotonía. f. *Fisiol.* Excitabilidad anormal del nervio vago, que se manifiesta en alteraciones de la función de los órganos en que se ramifica dicho nervio, especialmente el corazón, los bronquios, el estómago y los intestinos.

vaguada. f. Línea que marca la parte más honda de un valle, y es el camino por donde van las aguas de las corrientes naturales. ‖ **barométrica.** *Meteor.* Depresión barométrica que en forma de valle penetra entre dos zonas de alta presión.

vagueación. (De *vaguear*.) f. Inquietud o inconstancia de la imaginación. ‖ **2.** Expresión o frase vaga.

vaguear¹. (De *vago¹*.) intr. **holgazanear,** estar, por pereza, sin trabajar.

vaguear². (De *vago²*.) intr. **vagar³.**

vaguedad¹. f. Calidad de vago¹, vacío, desocupado.

vaguedad². f. Calidad de vago², que va de una parte a otra sin detenerse ni fijarse. ‖ **2.** Expresión o frase vaga.

vaguemaestre. (Del al. *wagenmeister*.) m. Oficial militar que en el ejército cuidaba de dar providencia para la seguridad y forma de conducir el bagaje.

váguido. m. desus. **vaguido.** Ú. en América.

vaguido, da. (De *vaguear*.) adj. p. us. Turbado, o que padece vahídos. ‖ **2.** m. p. us. Desvanecimiento, vahído.

vahaje. (De *vaho*.) m. Viento suave.

vahanero, ra. (De *vago¹*.) adj. desus. *Murc.* Ocioso, trujamán o pícaro. Usáb. t. c. s.

vahar. (De *vaho*.) intr. Echar vaho.

vaharada. f. Acción y efecto de arrojar o echar el vaho, aliento o respiración. ‖ **2.** Golpe de vaho, olor, calor, etc.

vaharera. (De *vahar*.) f. **boquera,** excoriación que se forma en la comisura de los labios. ‖ **2.** *Extr.* Melón que por no estar sazonado suele causar daño a la boca.

vaharina. (De *vahar*.) f. fam. Vaho, vapor o niebla.

vahear. intr. Echar de sí vaho o vapor. Por lo común se aspira la *h.* ‖ **2.** Hablando de personas denota en sentido irónico que han hecho un notable esfuerzo mental. *Te habrás quedado* VAHEANDO.

vahído. (De *vaguido.*) m. Desvanecimiento, turbación breve del sentido por alguna indisposición.

vaho. (De la onomat. *baf.*) m. Vapor que despiden los cuerpos en determinadas condiciones. ‖ **2.** pl. Método curativo que consiste en respirar **vahos** con alguna sustancia balsámica.

vaída. adj. *Arq.* **baída.**

vaina. (Del lat. *vagīna.*) f. Funda ajustada para armas blancas o instrumentos cortantes o punzantes. ‖ **2.** Cáscara tierna y larga en que están encerradas las semillas de algunas plantas. ‖ **3.** En algunas partes, judía verde. ‖ **4.** *Amér. Central* y *Merid.* Contrariedad, molestia, cosa no bien conocida o recordada. ‖ **5.** *Bot.* Ensanchamiento del pecíolo o de la hoja que envuelve el tallo. ‖ **6.** *Mar.* Dobladillo que se hace en la orilla de una vela para reforzarla. ‖ **7.** *Mar.* Jareta de lona fina o lienzo duro que se cose al canto vertical de una bandera, y sirve para que por dentro de ella pase la driza o cordel con que se iza. ‖ **8.** m. fig. y fam. Persona despreciable. ‖ **abierta.** La que tenían las espadas largas; pues para que se pudiesen desenvainar fácilmente, solía estaba cerrada en el último tercio hacia la contera. ‖ **dar con vaina y todo.** fr. Pegar con la espada envainada, como castigo afrentoso. ‖ **2.** fig. Reprender, castigar o maltratar a uno afrentosamente de obra o de palabra.

vainazas. (De *vaina,* persona despreciable.) com. fam. Persona floja, descuidada o desvaída.

vainero. m. Oficial que hace vainas para todo género de armas.

vainica. (d. de *vaina.*) f. Bordado que se hace especialmente en el borde de los dobladillos, sacando algunas hebras del tejido. ‖ **ciega. vainica** hecha sin sacar las hebras.

vainilla. (d. de *vaina,* cáscara.) f. Planta americana, de la familia de las orquidáceas, con tallos muy largos, verdes, sarmentosos y trepadores; hojas enteras, ovales u oblongas; flores grandes, verdosas, y fruto capsular en forma de judía, de unos 20 centímetros de largo por uno de ancho, que contiene muchas simientes menudas. ‖ **2.** Fruto de esta planta, muy oloroso, que se emplea para aromatizar los licores, el chocolate, etc. ‖ **3.** En diversas regiones, judía verde. ‖ **4.** Heliotropo que se cría en América. ‖ **5.** vainica.

vainiquera. f. Obrera que se dedica a hacer vainicas.

vaivén. (De *ir* y *venir.*) m. Movimiento alternativo de un cuerpo que después de recorrer una línea vuelve a describirla, caminando en sentido contrario. ‖ **2.** ant. **ariete,** máquina para demoler murallas. ‖ **3.** fig. Variedad inestable o inconstancia de las cosas en su duración o logro. ‖ **4.** fig. Encuentro o riesgo que expone a perder lo que se intenta, o malograr lo que se desea. ‖ **5.** *Mar.* Cabo delgado, blanco o alquitranado y de dos o tres cordones, que sirve para entrañar y forrar otros más gruesos, dar ligadas y hacer ciertos tejidos.

vaivenear. tr. desus. Causar o producir vaivén.

vaivoda. (Del eslavo *vaivod,* príncipe.) m. Título que se daba a los soberanos de Moldavia, Valaquia y Transilvania.

vajilla. (Del lat. *vascēlla,* pl. n. de *vascellum.*) f. Conjunto de platos, fuentes, vasos, tazas, etc., que se destinan al servicio de la mesa. ‖ **2.** Cierto derecho que se cobraba de las alhajas de oro y plata en Nueva España.

val¹. m. apóc. de **valle.** Ú. mucho en composición. ‖ **2.** *Murc.* Acequia por donde discurren las aguas sucias de una población.

val². apóc. ant. de **vale,** tercera persona del singular del presente de indicativo del verbo **valer.**

valaco, ca. adj. Natural de Valaquia. Ú. t. c. s. ‖ **2.** Perteneciente o relativo a este antiguo principado del reino de Rumania. ‖ **3.** Dícese igualmente de la lengua romance que se habla en Valaquia, Moldavia y otros territorios rumanos. ‖ **4.** m. Lengua **valaca.**

valais. m. Pieza de madera de sierra del marco de Ávila, que tiene 12 pies de largo, cuatro pulgadas de tabla y dos y cuatro de canto, y se emplea en carpintería de taller y para hacer rediles o teleras.

valar. (Del lat. *vallāris,* de *vallum,* estacada.) adj. Perteneciente al vallado, muro o cerca. ‖ **2.** V. **corona valar.**

valdense. adj. Sectario de Pedro de Valdo, heresiarca francés del siglo XII, según el cual todo lego que practicase voluntariamente la pobreza podría ejercer las funciones del sacerdocio. Ú. t. c. s. ‖ **2.** Perteneciente a esta secta.

valdepeñas. m. Vino tinto procedente de Valdepeñas, villa de la provincia de Ciudad Real.

valdepeñero, ra. adj. Natural de Valdepeñas. Ú. t. c. s. ‖ **2.** Perteneciente a este pueblo de la provincia de Ciudad Real. **3.** *Albac.* Dícese de una uva blanca muy fina y preferida para conservarla colgada.

valdivia. f. *Ecuad.* Ave rapaz de la familia de los halcones que se alimenta de culebras y otros reptiles. Su canto es triste y el vulgo lo considera de mal agüero.

valdiviano, na. adj. Natural de Valdivia. Ú. t. c. s. ‖ **2.** Perteneciente o relativo a esta ciudad y provincia chilenas. ‖ **3.** m. *Chile.* Guiso compuesto de cecina y cebolla frita, al cual se añade agua hirviendo y zumo de limón.

vale¹. (Lit., *consérvate sano.*) Voz latina usada alguna vez en español para despedirse en estilo cortesano y familiar. ‖ **2.** m. desus. Con los adjetivos *último, postrero* u otro equivalente, adiós o despedida que se da a un muerto, o el que se dice al remate o término de una cosa.

vale². m. Papel o seguro que se hace a favor de uno, obligándose a pagarle una cantidad de dinero. ‖ **2.** Bono o tarjeta que sirve para adquirir comestibles u otros artículos. ‖ **3.** Nota o apuntación firmada y a veces sellada, que se da al que ha de entregar una cosa, para que después acredite la entrega y cobre el importe. ‖ **4.** Papel que en algunos centros de enseñanza se da como premio a un discípulo para que en caso necesario pueda aspirar a una recompensa mayor, o para redimir y hacerse perdonar una falta. ‖ **5.** Envite que con las primeras cartas se hace en algunos juegos de naipes. ‖ **6.** Entrada gratuita para un espectáculo público. ‖ **7. vale real.** ‖ **real.** Título de una antigua deuda pública. ‖ **recoger un vale.** fr. Pagar o satisfacer lo que se cobra por él.

valedero, ra. adj. Que debe valer, ser firme y subsistente. ‖ **2.** ant. Valedor, protector. Usáb. t. c. s.

valedor, ra. m. y f. Persona que vale o ampara a otra.

valedura. f. desus. *Cuba.* **barato,** regalo en dinero que hace el que gana en el juego al que pierde o al que mira.

valencia. (De *valer.*) f. ant. Valor, valía. ‖ **2.** *Biol.* Poder de un anticuerpo para combinarse con uno o más antígenos. ‖ **3.** *Quím.* Número de enlaces con que puede combinarse un átomo o radical. Al hidrógeno se le atribuyó la unidad.

valencianidad. f. Calidad o carácter de lo que es valenciano.

valencianismo. m. Vocablo o giro propio del habla valenciana. ‖ **2.** Amor o apego a las cosas típicas de Valencia.

valenciano, na. adj. Natural de Valencia. Ú. t. c. s. ‖ **2.** Perteneciente a esta ciudad o a este antiguo reino. ‖ **3.** m. Variedad del catalán, que se usa en gran parte del antiguo reino de Valencia y se siente allí comúnmente como lengua propia.

-valente. *Quím.* elem. compos. que, pospuesto a otro de valor numeral señala la valencia de un elemento o radical. *mono, bi, tri*VALENTE, etc.

valentía. (De *valiente.*) f. Esfuerzo, aliento, vigor. ‖ **2.** Hecho o hazaña heroica ejecutada con valor. ‖ **3.** Expresión arrogante o jactancia de las acciones de valor y esfuerzo. ‖ **4.** Gallardía, arrojo feliz en la manera de concebir o ejecutar una obra literaria o artística, o alguna de sus partes. ‖ **5.** Acción material o inmaterial esforzada y vigorosa que parece exceder a las fuerzas naturales. ‖ **6.** Sitio público de Madrid y de otros pueblos de Castilla, donde antiguamente se vendían zapatos viejos, aderezados y compuestos que se llamaban *de la* VALENTÍA. ‖ **pisar de valentía.** fr. fig. Andar con arrogancia y con afectación de fortaleza.

valentiniano, na. adj. Sectario de Valentín, heresiarca del siglo II, fundador de una secta del gnosticismo, que admitía hasta treinta eones. Ú. t. c. s.

valentino, na. (Del lat. *Valentīnus.*) adj. Perteneciente a Valencia. *Concilio* VALENTINO.

valentísimo, ma. adj. sup. de **valiente.** ‖ **2.** Muy perfecto o consumado en un arte o ciencia.

valentón, na. adj. Arrogante o que se jacta de guapo o valiente. Ú. t. c. s.

valentona. f. fam. **valentonada.**

valentonada. (De *valentón.*) f. Jactancia o exageración del propio valor.

valenza. (Del lat. *valentĭa.*) f. ant. Valimiento, favor, protección.

valer¹. (Del lat. *valēre.*) tr. Amparar, proteger, patrocinar. ‖ **2.** Producir, dar ganancias o interés. Ú. t. en sent. fig. *La tardanza me* VALIÓ *un gran disgusto.* ‖ **3.** Montar, sumar o importar, hablando de los números y de las cuentas. ‖ **4.** Tener las cosas un precio determinado para la compra o la venta. ‖ **5.** Equivaler una cosa a otra en número, significación o aprecio. *Una nota blanca* VALE *dos negras.* Ú. t. c. intr. ‖ **6.** Ser de naturaleza, o tener alguna calidad, que merezca aprecio y estimación. ‖ **7.** desus. Tener una persona poder, autoridad o fuerza. ‖ **8.** Tener vigencia una cosa. *Este pasaporte no* VALE; *está caducado.* ‖ **9.** Correr o pasar, tratándose de monedas. ‖ **10.** Ser útil una cosa para realizar cierta función. *Esta caja* VALE *para guardar muchas cosas.* ‖ **11.** Prevalecer una cosa en oposición de otra. Ú. mucho con el verbo *hacer.* HIZO VALER *sus derechos.* ‖ **12.** Ser o servir de defensa o amparo una cosa. *No le* VALDRÁ *conmigo el parentesco.* *¡No hay excusa que* VALGA! ‖ **13.** Tener la fuerza o valor que se requiere para la subsistencia o firmeza de alguna efecto. *Este sorteo que vamos a hacer no* VALE; *es como ensayo.* ‖ **14.** Con la preposición *por,* incluir en sí equivalentemente las calidades de otra cosa. *Esta razón* VALE POR *muchas.* ‖ **15.** fig. desus. Tener cabida, aceptación o autoridad con uno. ‖ **16.** prnl. Usar una cosa con tiempo u ocasión, o servirse últimamente de ella. Ú. con la prep. *de.* ‖ **17.** Recurrir al favor o interposición de otro para un intento. Ú. con la prep. *de.* ‖ **más valiera.** loc. irón. para expresar la extrañeza o disonancia que hace lo que se propone, como opuesto a lo que se intentaba. ‖ **menos valer. caso de menos valer.** ‖ **vale.** Voz que expresa asentimiento o conformidad. ‖ **valer** uno, o una cosa, **lo que pesa.** fr. fam. que encarece las excelentes cualidades de una persona o cosa. ‖ **valga lo que valiere.** loc. que se usa para expresar que se hace una diligencia con desconfianza de que se logre fruto de ella. ‖ **válgate.** Con algunos nombres o verbos, se usa como interjección de admiración, extrañeza, enfado, pesar, etc.; y también se dice: **válgate que te valga.**

valer². m. Valor, valía.

valerano, na. adj. Natural de Valera, ciudad del Estado venezolano de Trujillo. Ú. t. c. s. ‖ **2.** Perteneciente o relativo a dicha ciudad.

valeriana. (Del lat. *valēre,* ser saludable, por alusión a las propiedades medicinales de la planta.) f. Planta herbácea, vivaz, de la familia de las valerianáceas, con tallo recto, erguido, hueco, algo velloso y como de un metro de altura; hojas partidas en hojuelas puntiagudas y dentadas; flores en corimbos terminales, blancas o rojizas; fruto seco con tres divisiones y una sola semilla, y rizoma fragante, con muchas raicillas en círculos nudosos, que se usa en medicina como antiespasmódico.

valerianáceo, a. (De *valeriana*.) adj. *Bot.* Dícese de plantas angiospermas dicotiledóneas, herbáceas, anuales o vivaces, con hojas opuestas y sin estípulas; flores en corimbos terminales, blancas, rojas, amarillas o azules, de corola tubular, gibosa o con espolón, cáliz persistente, y fruto membranoso o coriáceo, indehiscente, con una sola semilla sin albumen; como la valeriana y la milamores. Ú. t. c. s. ‖ **2.** f. pl. *Bot.* Familia de estas plantas.

valerianato. m. *Quím.* Sal formada por el ácido valeriánico y una base.

valeriánico. adj. *Quím.* Aplícase a un ácido que se halla en la raíz de la valeriana y es líquido, incoloro, oleaginoso, de sabor acre y picante, poco soluble en el agua y mucho en el alcohol y en el éter. Se emplea en farmacia.

valeriense. (Del lat. *Valeriensis*.) adj. Natural de Valeria. Ú. t. c. s. ‖ **2.** Perteneciente a esta ciudad de la España tarraconense.

valerosamente. adv. m. Con valor, esfuerzo y ánimo. ‖ **2.** Con fuerza y eficacia.

valerosidad. f. Calidad de valeroso.

valeroso, sa. (De *valer*.) adj. Que tiene mucho poder o eficacia. ‖ **2.** Que tiene valentía. ‖ **3. valioso**, que goza de mucha estimación.

valetudinario, ria. (Del lat. *valetudinarius*.) adj. Enfermizo, delicado, de salud quebrada. Alude al que sufre los achaques de la edad. Ú. t. c. s.

valgo o **valgus.** adj. *Med.* Dícese del elemento anatómico, generalmente articular, desviado hacia fuera por malformación congénita.

valí. (Del ár. *wālī*, gobernador.) m. Gobernador de una provincia o de una parte de la misma en algunos estados musulmanes.

valía. (De *valer*.) f. Valor, aprecio de una cosa o calidad de una persona que vale. ‖ **2.** Valimiento, privanza. ‖ **3.** Facción, parcialidad. ‖ **mayor valía.** Acrecentamiento de valor que, por circunstancias externas, recibe una cosa, independientemente de cualquier mejora hecha en ella.

valiato. m. Gobierno de un valí. ‖ **2.** Territorio gobernado por un valí.

validación. f. Acción y efecto de validar. ‖ **2.** Firmeza, fuerza, seguridad o subsistencia de algún acto.

validad. (Del lat. *validītas, -ātis*.) f. ant. **validación.**

válidamente. adv. m. De manera válida.

validar. (Del lat. *validāre*.) tr. Dar fuerza o firmeza a una cosa; hacerla válida.

validez. f. Calidad de válido.

válido, da. (Del lat. *validus*.) adj. Firme, subsistente y que vale o debe valer legalmente. ‖ **2.** p. us. Robusto, fuerte o esforzado.

valido, da. p. p. de **valer.** ‖ **2.** adj. Recibido, creído, apreciado o estimado generalmente. ‖ **3.** m. El que tiene el primer lugar en la gracia de un príncipe o alto personaje. ‖ **4. primer ministro.**

valiente. (Del lat. *valens, -entis*.) p. a. ant. de **valer.** Que vale. ‖ **2.** adj. Fuerte y robusto en su línea. ‖ **3.** Esforzado, animoso y de valor. Ú. t. c. s. ‖ **4.** Eficaz y activo en su línea, física o moralmente. ‖ **5.** Excelente, primoroso o especial en su línea. ‖ **6.** Grande y excesivo. Ú. m. en sent. irón. ¡VALIENTE *amigo tienes!* ‖ **7.** Valentón, baladrón. Ú. t. c. s. ‖ **8.** V. **zapatero valiente.** ‖ **los valientes y el buen vino duran poco,** o **se acaban presto.** fr. proverb. con que se advierte a los que se jactan de **valientes** que están muy expuestos a recibir daño y perderse, por las frecuentes ocasiones en que suelen arrostrar el peligro. También indica

que las bravatas y palabras arrogantes, en cuanto llega la ocasión de obrar, suelen resultar vanas.

valientemente. (De *valiente*.) adv. m. Con fuerza o eficacia. ‖ **2.** Esforzada y animosamente. ‖ **3.** Con demasía o exceso. ‖ **4.** Con propiedad, primor o singularidad, o con arrojo y brío en el discurso o en el arte.

valija. (Del ár. *wālīha*, saco grande.) f. **maleta.** ‖ **2.** Saco de cuero, cerrado con llave, donde llevan la correspondencia los correos. ‖ **3.** El mismo correo. ‖ **diplomática.** Cartera cerrada y precintada que contiene la correspondencia oficial entre un Gobierno y sus agentes diplomáticos en el extranjero. ‖ **2.** Esta misma correspondencia.

valijero. m. El que tenía a su cargo conducir las cartas desde una caja o administración de correos a los pueblos que de ella dependían. ‖ **2.** Funcionario encargado de conducir la correspondencia que se cursa entre un Estado y sus representantes diplomáticos.

valimiento. m. Acción de valer una cosa o de valerse de ella. ‖ **2.** Servicio transitorio que el rey mandaba le hiciesen sus súbditos de una parte de sus bienes o rentas, para alguna urgencia. ‖ **3.** Privanza o aceptación particular que una persona tiene con otra, especialmente si es príncipe o superior. ‖ **4.** Amparo, favor, protección o defensa.

valioso, sa. adj. Que vale mucho o tiene mucha estimación o poder. ‖ **2.** p. us. Adinerado, rico, o que tiene buen caudal.

valkiria. f. **valquiria.**

valón, na. (der. del al. *Welche*, del ant. a. al. *walah*, nombre con que los germanos llamaban a sus vecinos romanizados.) adj. Natural del territorio belga que ocupa aproximadamente la parte meridional. Ú. t. c. s. ‖ **2.** Perteneciente a él. ‖ **3.** V. **u valona.** ‖ **4.** m. Idioma hablado por los **valones**, que es un dialecto del antiguo francés. ‖ **5.** pl. Zaragüelles o greguescos al uso de los **valones**, que los introdujeron en España.

valona. (De *valón*.) f. Cuello grande y vuelto sobre la espalda, hombros y pecho, que se usó especialmente en los siglos XVI y XVII. ‖ **2.** *Col., Ecuad.* y *Venez.* Crines convenientemente recortadas que cubren el cuello de las caballerías.

valor. (Del lat. *valor, -ōris.*) m. Grado de utilidad o aptitud de las cosas, para satisfacer las necesidades o proporcionar bienestar o deleite. ‖ **2.** Cualidad de las cosas, en virtud de la cual se da por poseerlas cierta suma de dinero o equivalente. ‖ **3.** Alcance de la significación o importancia de una cosa, acción, palabra o frase. ‖ **4.** Cualidad del ánimo, que mueve a acometer resueltamente grandes empresas y a arrostrar los peligros. ‖ **5.** Ú. también en sentido peyorativo, denotando osadía, y hasta desvergüenza. *¿Cómo tienes* VALOR *para eso?; tuvo* VALOR *de negarlo.* ‖ **6.** Subsistencia y firmeza de algún acto. ‖ **7.** Fuerza, actividad, eficacia o virtud de las cosas para producir sus efectos. ‖ **8.** Rédito, fruto o producto de una hacienda, estado o empleo. ‖ **9.** Equivalencia de una cosa a otra, especialmente hablando de las monedas. ‖ **10.** *Fil.* Cualidad que poseen algunas realidades, llamadas bienes, por lo cual son estimables. Los **valores** tienen polaridad en cuanto son positivos o negativos, y jerarquía en cuanto son superiores o inferiores. ‖ **11.** *Mús.* Duración del sonido que corresponde a cada nota, según la figura con que esta se representa. ‖ **12.** *Pint.* En una pintura o un dibujo, el grado de claridad, media tinta o sombra que tiene cada tono o cada pormenor en relación con los demás. ‖ **13.** pl. Títulos representativos de participación en haberes de sociedades, de cantidades prestadas, de mercaderías, de fondos pecuniarios o servicios que son materia de operaciones mercantiles. *Los* VALORES *están en alza, en baja, en calma.* ‖ **cívico.** Entereza de ánimo para cumplir los deberes de la ciudadanía, sin arredrarse por amenazas, peligros ni vejámenes. ‖ **en cuenta.** *Com.* El que el librador de una letra de cambio, o de otro título a la orden, cubre con asiento de igual cuantía a cargo del tomador en la cuenta abierta entre ambos. ‖ **en sí mismo.** *Com.* Fórmula empleada en las letras o pagarés para significar que el librador gira a su propia orden, y que tiene en su poder el importe del libramiento. ‖ **entendido.** *Com.* El de las letras o pagarés, cuyo librador se reserva asentárselo en cuenta al tomador, cuando median razones que impiden a uno y otro explicar con claridad la verdadera causa de deber. ‖ **2.** fr. que indica connivencia o acuerdo consabido entre dos o más personas. ‖ **facial.** En filatelia, el impreso en el sello a efectos de franqueo, a diferencia del **valor** de mercado o colección. ‖ **recibido,** o **recibido en efectivo, géneros, mercancías, cuentas,** etc. *Com.* Fórmula que significa que el librador se da por satisfecho, de cualquiera de estos modos, del importe de la letra o pagaré. ‖ **reservado en sí mismo.** *Com.* **valor en sí mismo.** ‖ **valores declarados.** Monedas o billetes que se envían por correo, bajo sobre cerrado, cuyo **valor** se declara en la administración de salida y de cuya entrega responde el servicio de correos. ‖ **fiduciarios.** Los emitidos en representación de numerario, bajo promesa de cambiarlos por este. ‖ **¿cómo va ese valor?** o **¿qué tal ese valor?** Fórmulas de saludo que preguntan por el estado de salud o de ánimo de la persona a quien se dirige la palabra.

valoración. f. Acción y efecto de valorar.

valorar. tr. Señalar precio de una cosa. ‖ **2.** Reconocer, estimar o apreciar el valor o mérito de una persona o cosa. ‖ **3. valorizar,** aumentar el valor de una cosa. ‖ **4.** *Quím.* Determinar la composición exacta de una disolución, para usarla en el análisis volumétrico o en la preparación de medicamentos.

valorativo, va. adj. Que valora.

valorear. tr. valorar.

valoría. f. Valía, estimación.

valorización. f. Acción y efecto de valorizar.

valorizador, ra. adj. Que valoriza.

valorizar. tr. valorar, señalar el precio de una cosa. ‖ **2. valorar,** reconocer, estimar el valor o mérito de algo o alguien. ‖ **3.** Aumentar el valor de una cosa.

valquiria. (Del ant. al. *walkyrien.*) f. Cada una de ciertas divinidades de la mitología escandinava que en los combates designaban los héroes que habían de morir, y en el cielo les servían de escanciadoras.

vals. (Del al. *walzer,* de *walzen,* dar vueltas.) m. Baile, de origen alemán, que ejecutan las parejas con movimiento giratorio y de traslación; se acompaña con una música de ritmo ternario, cuyas frases constan generalmente de 16 compases, en aire vivo. ‖ **2.** Música de este baile.

valsar. intr. Bailar el vals.

valse. m. vals. Ú. m. en América.

valúa. f. *Murc.* valía.

valuación. f. Acción y efecto de valuar.

valuar. tr. valorar, señalar precio a una cosa.

valva. (Del lat. *valva,* puerta.) f. *Bot.* ventalla, cada una de las partes de la cáscara de un fruto. ‖ **2.** *Zool.* Cada una de las piezas duras y movibles que constituyen la concha de los moluscos lamelibranquios y de otros invertebrados. ‖ **3.** *Cir.* Instrumento en forma de lámina curva doblada, que se utiliza para separar los bordes de una incisión quirúrgica.

valvar. adj. *Bot.* y *Zool.* Perteneciente o relativo a las valvas.

válvula. (Del lat. *valvŭla,* d. de *valva,* puerta.) f. Pieza de una u otra forma que, colocada en una abertura de máquinas o instrumentos, sirve para interrumpir alternativa o permanentemente la comunicación entre dos de sus órganos,

o entre estos y el medio exterior, moviéndose a impulso de fuerzas contrarias. ‖ **2.** *Electr.* Lámpara de radio. ‖ **3.** *Anat.* Pliegue membranoso que impide el retroceso de lo que circula por los vasos o conductos del cuerpo de los animales. ‖ **de escape. válvula de seguridad.** ‖ **2.** fig. Ocasión, motivo o cosa a la que se recurre para desahogarse de una tensión, o un trabajo excesivo o agotador o para salir de la monotonía de la vida diaria. ‖ **de seguridad.** La que se coloca en las calderas de las máquinas de vapor para que este se escape automáticamente cuando su presión sea excesiva. ‖ **mitral.** *Anat.* La que existe entre la aurícula y el ventrículo izquierdo del corazón de los mamíferos, llamada así porque su forma se asemeja a la de una mitra. ‖ **tricúspide.** *Anat.* La que se halla en la aurícula derecha del corazón de los mamíferos y el ventrículo correspondiente, llamada así por terminar en tres puntas.

valvular. adj. Perteneciente o relativo a las válvulas.

valla. (Del lat. *valla,* pl. de *vallum,* estacada, trinchera.) f. Vallado o estacada para defensa. ‖ **2.** Línea o término formado de estacas hincadas en el suelo o de tablas unidas, para cerrar algún sitio o señalarlo. ‖ **3.** Cartelera situada en calles, carreteras, etc., con fines publicitarios. ‖ **4.** fig. Obstáculo o impedimento material o moral. ‖ **5.** *Dep.* Obstáculo en forma de **valla** que debe ser saltado por los participantes en ciertas competiciones hípicas o atléticas. ‖ **romper** o **saltar,** uno **la valla.** fr. fig. Emprender el primero la ejecución de una cosa difícil. ‖ **2.** fig. Prescindir de las consideraciones y respetos debidos.

valladar. m. **vallado.** ‖ **2.** fig. Obstáculo de cualquier clase que impedir que sea invadida o allanada una cosa.

valladear. tr. **vallar,** cercar con vallado.

vallado. (Del lat. *vallātus.*) m. Cerco que se levanta y se forma de tierra apisonada, o de bardas, estacas, etc., para defensa de un sitio e impedir la entrada en él.

vallar[1]. (Del lat. *vallāris.*) adj. Perteneciente a la valla. ‖ **2.** V. **corona vallar.** ‖ **3.** m. Cerco de estacas, bardas, etc.

vallar[2]. (Del lat. *vallāre.*) tr. Cercar o cerrar un sitio con vallado.

valle. (Del lat. *vallis.*) m. Llanura de tierra entre montes o alturas. ‖ **2.** Cuenca de un río. ‖ **3.** Conjunto de lugares, caseríos o aldeas situados en un **valle.** ‖ **de lágrimas.** fig. Este mundo, aludiendo a la penalidades que se pasan en él. ‖ **¡hasta el valle de Josafat!** expr. Hasta el día del Juicio. Ú. frecuentemente para dar a entender que dos personas no esperan volver a verse o tratarse en esta vida.

vallecaucano, na. adj. Natural del Valle del Cauca. Ú. t. c. s. ‖ **2.** Perteneciente a este departamento de Colombia.

vallejo. m. d. de **valle.**

vallejuelo. m. d. de **vallejo.**

vallico. m. **ballico.**

vallisoletano, na. (De *Vallisoletum,* nombre de la ciudad en documentos medievales.) adj. Natural de Valladolid. Ú. t. c. s. ‖ **2.** Perteneciente o relativo a esta ciudad o a su provincia.

vallisto, ta. adj. *Argent.* Natural de los Valles Calchaquíes. Ú. t. c. s. ‖ **2.** *Argent.* Perteneciente o relativo a esa región de la Argentina.

valluno, na. adj. Natural del Valle del Cauca. Ú. t. c. s. ‖ **2.** Perteneciente a este departamento de Colombia.

vamos. (Forma arcaica de subjuntivo de *ir.*) Forma exhortativa de primera persona del plural. VAMOS, *tenemos que darnos prisa;* VAMOS, *di lo que sepas;* VAMOS, *decid lo que sepáis,* usada a veces como interjección de diversos matices.

vampiresa. f. Mujer que aprovecha su capacidad de seducción amorosa para lucrarse a costa de aquellos a quienes seduce. ‖ **2. mujer fatal.**

vampirismo. m. Conducta de la persona que actúa como un vampiro. ‖ **2.** *Pat.* Necrofilia.

vampiro. (Del servio *vampir.*) m. Espectro o cadáver que, según cree el vulgo de ciertos países, va por las noches a chupar poco a poco la sangre de los vivos hasta matarlos. ‖ **2.** Murciélago que es del tamaño de un ratón y tiene encima de la cabeza un apéndice membranoso en forma de lanza. Anda con facilidad, se alimenta de insectos y chupa la sangre de las personas y animales dormidos. ‖ **3.** fig. Persona codiciosa que se enriquece por malos medios, y como chupando la sangre del pueblo.

vanadio. (De *Vanadis*, diosa de la mitología escandinava.) m. *Quím.* Elemento metálico que se presenta en ciertos minerales y que se ha obtenido en forma de polvo gris. Se usa como ingrediente para aumentar la resistencia del acero. Núm. atómico 23. Símb.: *V*.

vanagloria. (De *vana*, presuntuosa, arrogante, y *gloria.*) f. Jactancia del propio valer u obrar.

vanagloriarse. (De *vanagloria.*) prnl. Jactarse de su propio valer u obrar.

vanagloriosamente. adv. m. Con vanagloria.

vanaglorioso, sa. adj. Jactancioso, ufano y envanecido. Ú. t. c. s.

vanamente. adv. m. **en vano**[1]. ‖ **2.** Con superstición o vana observancia. ‖ **3.** Sin fundamento o realidad. ‖ **4.** Arrogantemente, con presunción o vanidad.

vandalaje. m. *Amér.* Vandalismo, bandidaje.

vandálico, ca. (Del lat. *vandalicus.*) adj. Perteneciente o relativo a los vándalos o al vandalismo.

vandalismo. m. Devastación propia de los antiguos vándalos. ‖ **2.** fig. Espíritu de destrucción que no respeta cosa alguna, sagrada ni profana.

vándalo, la. (Del lat. *Vandăli, -ōrum.*) adj. Dícese del individuo perteneciente a un pueblo bárbaro de origen germánico oriental procedente de Escandinavia. Ú. t. c. s. ‖ **2.** Perteneciente o relativo a los **vándalos.** ‖ **3.** m. fig. El que comete acciones propias de gente salvaje y desalmada.

vandeano, na. adj. Natural del territorio francés llamado la Vendée. Ú. t. c. s. ‖ **2.** Perteneciente al mismo territorio. ‖ **3.** Dícese también de cualquiera de los que, durante la Revolución, se levantaron en el oeste de Francia contra la república y en defensa de la religión y la monarquía. Ú. t. c. s. ‖ **4.** Perteneciente a este partido político.

vanear. (De *vano*[1].) intr. Hablar vanamente.

vanecerse. (Del lat. *vanescēre.*) prnl. ant. **desvanecerse.**

vanguarda. f. desus. **vanguardia.**

vanguardia. (De *avanguardia.*) f. Parte de una fuerza armada, que va delante del cuerpo principal. ‖ **2.** Avanzada de un grupo o movimiento ideológico, político, literario, artístico, etc. ‖ **3.** pl. Lugares, en los ribazos y orillas de los ríos, donde arrancan las obras de construcción de un puente o de una presa. ‖ **a, a la o en vanguardia.** loc. adv. Con los verbos *ir, estar* y otros, ir el primero, estar en el punto más avanzado, adelantarse a los demás.

vanguardismo. m. Nombre genérico con que se designan ciertas escuelas o tendencias artísticas, nacidas en el siglo XX, tales como el cubismo, el ultraísmo, etc., con intención renovadora, de avance y exploración.

vanguardista. adj. Perteneciente o relativo al vanguardismo. Ú. t. c. s. ‖ **2.** Partidario de esta tendencia. Ú. t. c. s.

vanidad. (Del lat. *vanĭtas, -ātis.*) f. Calidad de vano[1]. ‖ **2.** Arrogancia, presunción, envanecimiento. ‖ **3.** Caducidad de las cosas de este mundo. ‖ **4.** Palabra inútil o vana e insustancial. ‖ **5.** Vana representación, ilusión o ficción de la fantasía. ‖ **ajar la vanidad de** uno. fr. fig. y fam. Abatir su engreimiento y soberbia.

vanidoso, sa. adj. Que tiene vanidad y la muestra.

vanilocuencia. (Del lat. *vaniloquentĭa.*) f. Verbosidad inútil e insustancial.

vanilocuente. adj. Dícese del hablador u orador insustancial. Ú. t. c. s.

vanílocuo, cua. (Del lat. *vaniloquŭus.*) adj. Hablador u orador insustancial. Ú. t. c. s.

vaniloquio. (Del lat. *vaniloquĭum.*) m. Discurso inútil e insustancial.

vanistorio. m. fam. p. us. Vanidad ridícula y afectada. ‖ **2.** fam. desus. Persona vanidosa.

vano[1], **na.** (Del lat. *vanus.*) adj. Falto de realidad, sustancia o entidad. ‖ **2.** Hueco, vacío y falto de solidez. ‖ **3.** Dícese de algunos frutos de cáscara cuando su semilla o sustancia interior está seca o podrida. ‖ **4.** Inútil, infructuoso o sin efecto. ‖ **5.** Arrogante, presuntuoso, envanecido. ‖ **6.** Insubsistente, poco durable o estable. ‖ **7.** Que no tiene fundamento, razón o prueba. ‖ **8.** fig. y fam. V. **cabeza vana.** ‖ **9.** m. *Arq.* Parte del muro o fábrica en que no hay sustentáculo o apoyo para el techo o bóveda; como son los huecos de ventanas o puertas y los intercolumnios. ‖ **en vano.** loc. adv. Inútilmente, sin logro ni efecto. ‖ **2.** Sin necesidad, razón o justicia. ‖ **una vana o dos vacías.** loc. fig. y fam. con que se advierte al que habla mucho y sin sustancia.

vano[2]. (Del lat. *vannus*, criba, zaranda.) m. *Ast.* y *León.* Cuero sin agujeros, fijo en un aro de madera, que se usa para zarandar granos.

vánova. (Del b. lat. *vanoa*; en prov. *vano.*) f. *Ar.* Colcha o cubierta de cama.

vapor. (Del lat. *vapor, -ōris.*) m. Fluido gaseoso cuya temperatura es inferior a su temperatura crítica; su presión no aumenta al ser comprimido, sino que se transforma parcialmente en líquido. Por ejemplo, el producido por la ebullición del agua. ‖ **2.** V. **baño, buque, caballo, caldera, calorífero, máquina de vapor.** ‖ **3.** Gas de los eructos. Ú. m. en pl. ‖ **4.** Especie de vértigo o desmayo. ‖ **5. buque de vapor.** *Se espera la llegada del* VAPOR. ‖ **6.** pl. p. us. Accesos histéricos o hipocondriacos, atribuidos por los antiguos a ciertos **vapores** que subían nacidos de la matriz o de los hipocondrios y que subían hasta la cabeza. ‖ **al vapor.** loc. adv. fig. y fam. Con gran celeridad.

vaporable. (De *vaporar.*) adj. Capaz de arrojar vapores o evaporarse.

vaporación. (Del lat. *vaporatĭo, -ōnis.*) f. **evaporación.**

vaporar. (Del lat. *vaporāre.*) tr. **evaporar.** Ú. t. c. prnl.

vaporario. (Del lat. *vaporarĭum.*) m. Aparato para producir vapor, usado en los baños rusos.

vaporear. (De *vapor.*) tr. Convertir en vapor. Ú. t. c. prnl. ‖ **2.** intr. Exhalar vapores.

vaporización. f. Acción y efecto de vaporizar o vaporizarse. ‖ **2.** Uso medicinal de vapores, especialmente de aguas termales.

vaporizador. m. Aparato que sirve para vaporizar. ‖ **2.** **pulverizador.**

vaporizar. (Del lat. *vapor, -ōris*, vapor.) tr. Convertir un líquido en vapor, por acción del calor. Ú. t. c. prnl. ‖ **2.** Dispersar un líquido en pequeñas gotas.

vaporoso, sa. (Del lat. *vaporōsus.*) adj. Que arroja de sí vapores o los ocasiona. ‖ **2.** fig. Tenue, ligero, parecido en alguna manera al vapor. ‖ **3.** fig. Aplicado a telas, muy fino o transparente, como la gasa o el organdí.

vapulación. f. Acción y efecto de vapular o vapularse.

vapulamiento. m. Acción y efecto de vapular.

vapular. (Del lat. *vapulāre.*) tr. **vapulear.** Ú. t. c. prnl.

vapuleador, ra. adj. Que vapulea. Ú. t. c. s.

vapuleamiento. m. Acción y efecto de vapulear.

vapulear. tr. Zarandear de un lado a otro a una persona o cosa. ‖ **2.** fig. Golpear o dar repetidamente contra una persona o cosa. Ú. t. c. prnl. ‖ **3.** fig. Reprender, criticar o hacer reproches durante a una persona.

vapuleo. (De *vapulear.*) m. Acción y efecto de vapulear.

vápulo. m. Acción y efecto de vapular.

vaquear. tr. Cubrir frecuentemente los toros a las vacas. ‖ **2.** *Argent.* Practicar la vaquería o caza de ganado salvaje.

vaqueiro. m. *Ast.* **vaquero,** pastor de reses vacunas. ‖ **de alzada.** *Ast.* Individuo de una casta de pastores habitante en las brañas, que se mantenía apartado de los labriegos vecinos, en cuanto al dialecto, traje y costumbres. Durante los veranos, se trasladaban a los pastos de las mesetas cercanas.

vaquería. f. Manada de ganado vacuno. ‖ **2.** Lugar donde hay vacas o se vende su leche. ‖ **3.** *Argent.* Batida del campo para cazar el ganado salvaje, que se realizó hasta los primeros años de la Independencia.

vaqueriza. f. Cubierto, corral o estancia donde se recoge el ganado vacuno en el invierno.

vaquerizo, za. adj. Perteneciente o relativo al ganado bovino. *Corral, pastor* VAQUERIZO. ‖ **2.** m. y f. **vaquero.**

vaquero, ra. adj. Propio de los pastores de ganado bovino. ‖ **2.** V. **aulaga vaquera.** ‖ **3.** V. **estribo vaquero.** ‖ **4.** m. y f. Pastor o pastora de reses vacunas. ‖ **5.** m. **pantalón vaquero.** Ú. m. en pl.

vaqueta. f. Cuero de ternera, curtido y adobado. ‖ **2.** fig. y fam. V. **cara de vaqueta.**

vaquigüela. f. *León.* **salamandra,** batracio.

vaquilla. f. d. de **vaca.** ‖ **2.** *Chile* y *Nicar.* Ternera de año y medio a dos años.

vaquillona. f. *Argent., Chile, Nicar.* y *Perú.* Vaca de uno a dos años aún no servida.

vara. (Del lat. *vara,* travesaño.) f. Rama delgada. ‖ **2.** Palo largo y delgado. ‖ **3.** Bastón que por insignia de autoridad usaban los ministros de justicia y que hoy llevan los alcaldes y sus tenientes. ‖ **4.** fig. Jurisdicción de que es insignia la **vara.** ‖ **5.** Medida de longitud equivalente a 835 milímetros y 9 décimas. ‖ **6.** Barra de madera o metal, que tiene esa longitud y sirve para medir. ‖ **7.** Cada una de las dos piezas de madera que se afirman en los largueros de la escalera del carro y entre las cuales se engancha la caballería. ‖ **8. vara larga.** ‖ **9.** Garrochazo dado al toro por el picador. ‖ **10.** Trozo de tela u otra cosa que tiene la medida o longitud de la **vara.** ‖ **11.** Conjunto de 40 a 50 puercos de montanera, bajo el cuidado de un solo vareador de la bellota. ‖ **12.** V. **compás, fiscal, portero de vara.** ‖ **13.** Bohordo con flores de algunas plantas. VARA *de nardo, de azucena.* ‖ **14.** Cada una de las cuernas de los ciervos. ‖ **15.** *Litur.* Báculo grande usado en las procesiones por el pertiguero. ‖ **alcándara. vara** del carro. ‖ **alta.** fig. Autoridad, influencia, ascendiente. Ú. principalmente con el verbo *tener.* ‖ **cuadrada.** Cuadrado que tiene de lado una **vara.** ‖ **de Aragón.** Medida de longitud que equivale a 772 milímetros. ‖ **de Burgos. vara de Castilla.** ‖ **de Castilla. vara,** medida de longitud. ‖ **de detener. vara larga.** ‖ **de guardia. balancín grande.** ‖ **de Inquisición.** Ministro que este tribunal diputaba para algún encargo, con facultad de juntar la gente necesaria para cumplirlo. ‖ **de Jesé. nardo,** planta. ‖ **de luz.** Especie de meteoro que consiste en la aparición de una pequeña porción del arco iris, o en el paso de los rayos del Sol por las aberturas de las nubes, formando unas líneas que con la contraposición de lo oscuro se manifiestan resplandecientes. ‖ **de premio.** *Col.* **cucaña,** palo untado de jabón o grasa. ‖ **larga.** Especie de pica que se usa para guiar y sujetar los toros, o para picarlos en la plaza. ‖ **media vara.** La que como insignia de autoridad usaban los alguaciles y cuadrilleros, y era algo más corta que la usual. ‖ **de varas.** loc. adj. Dícese de la caballería que va entre las **varas** en un carruaje. ‖ **doblar la vara de la justicia.** fr. Inclinarse injustamente una juzga en favor de uno. ‖ **entrar en vara.** fr. Reunirse en montanera de 40 a 50 cerdos bajo un solo vareador de la bellota. ‖ **ir a,** o

en, varas. fr. Dícese de la caballería que va entre las dos **varas** de un carruaje. ‖ **poner varas.** fr. Dar garrochazos al toro los vaqueros y picadores. ‖ **tomar varas.** fr. Recibir el toro garrochazos del picador.

varada[1]. f. Acción y efecto de varar un barco.

varada[2]. f. Conjunto de jornaleros que en Andalucía van a las casas de campo, bajo la dirección de un capataz, para la cava, la bina u otras faenas agrícolas. ‖ **2.** Tiempo que duran estas faenas. ‖ **3.** *Zam.* **vara,** conjunto de puercos que puede cuidar una persona. ‖ **4.** *Min.* Medición de los trabajos hechos en una mina al cabo de un período de labor. ‖ **5.** *Min.* Este mismo período, por lo común de tres meses, al cabo de los cuales se ajustan cuentas y se reparten las ganancias, si las hubiere. ‖ **6.** *Min.* Suma de estas mismas ganancias, y aun el dividendo que de ellas corresponde a cada accionista. *Cuando nos repartan la* VARADA; *ya cobré la* VARADA.

varadera. (De *varar,* botar una embarcación.) f. *Mar.* Cualquiera de los palos o listones que se ponen en el costado de un buque para que sirvan de resguardo a la tablazón cuando se suben o bajan los botes u otros objetos pesados.

varadero. m. Lugar donde varan las embarcaciones para resguardarlas o para limpiar sus fondos o componerlas. ‖ **del ancla.** *Mar.* Plancha de hierro con que se defiende el costado del buque en el sitio en que descansa el ancla.

varado[1], **da.** (Del lat. *varātus,* atravesado.) adj. ant. Que forma varas o listas.

varado[2], **da.** p. p. de **varar.** ‖ **2.** adj. *Amér.* Dícese de la persona que no tiene recursos económicos. Ú. t. c. s.

varadura. f. **varada**[1], acción y efecto de varar un barco.

varal. m. Vara muy larga y gruesa. ‖ **2.** Cada uno de los dos palos redondos donde encajan las estacas que forman los costados de la caja en los carros y galeras. ‖ **3.** Cada una de las varas del carro. Ú. m. en pl. ‖ **4.** Cada uno de los dos largueros que llevan en los costados las andas de las imágenes. ‖ **5.** Madero colocado verticalmente entre los bastidores de los teatros, en el cual se ponen luces para alumbrar la escena. ‖ **6.** fig. y fam. Persona muy alta. ‖ **7.** *Argent.* Armazón de **varales** que en los saladeros sirve para tender al aire libre la carne con que se hace el tasajo.

varamiento. m. Acción y efecto de varar o encallar un barco.

varapalo. m. Palo largo a modo de vara. ‖ **2.** Golpe dado con palo o vara. ‖ **3.** fig. y fam. Daño o quebranto que uno recibe en sus intereses materiales o morales. ‖ **4.** fig. y fam. Pesadumbre o desazón grande.

varaplata. m. En la catedral de Toledo, ministro eclesiástico que hace oficio de pertiguero.

varar. (De *vara.*) tr. desus. Echar un barco al agua. ‖ **2.** *Mar.* Sacar a la playa y poner en seco una embarcación, para resguardarla de la resaca o de los golpes de mar, o también para carenarla. ‖ **3.** intr. Encallar la embarcación en la costa o en las peñas, o en un banco de arena. ‖ **4.** fig. Quedar parado o detenido un negocio. ‖ **5.** *Amér.* Quedarse detenido un vehículo por avería.

varaseto. m. Cerramiento o enrejado de varas o cañas, como los que se suelen poner en los jardines.

varazo. m. Golpe dado con una vara.

varbasco. m. **verbasco.**

vardasca. f. Vara delgada y verde.

vardascazo. m. Golpe con una vardasca.

várdulo, la. (Del lat. *Vardŭli.*) adj. Dícese de un pueblo hispánico prerromano que habitaba el territorio de la actual provincia de Guipúzcoa, extendiéndose hasta Estella, Laguardia y las cumbres próximas al Ebro. ‖ **2.** Dícese también de los individuos que componían este pueblo. Ú. t. c. s. ‖ **3.** Perteneciente o relativo a los **várdulos.**

varea. f. Acción de varear, derribar frutos con vara.

vareador, ra. m. y f. Persona que varea. ‖ **2.** *Argent.* Peón encargado de varear los caballos de competición.

vareaje. m. Acción y efecto de varear, derribar frutos con vara. ‖ **2.** Acción de medir con vara. ‖ **3.** Acción de vender por varas.

varear. tr. Derribar con los golpes y movimientos de la vara los frutos de algunos árboles. ‖ **2.** Dar golpes con vara o palo. ‖ **3.** Herir a los toros o fieras con varas o cosa semejante. ‖ **4.** Medir con la vara. ‖ **5.** Vender por varas. ‖ **6.** *Argent.* Ejercitar un caballo de competición para conservar su buen estado físico. ‖ **7.** p. us. *Argent.* Lanzar un caballo a toda carrera. ‖ **8.** prnl. fig. Ponerse flaco.

varejón. m. Vara larga y gruesa. ‖ **2.** *And., Amér. Merid.* y *Nicar.* Verdasca, vergueta.

varejonazo. m. Golpe dado con un varejón.

varenga. (Del sueco *wränger,* costados de un buque.) f. *Mar.* **brazal,** madero que se fija en las bandas para el enjaretado. ‖ **2.** *Mar.* Pieza curva que se coloca atravesada sobre la quilla para formar la cuaderna.

vareo. m. Acción de varear. ‖ **2.** Acción de medir con vara. ‖ **3.** Acción de vender por varas.

vareta. f. d. de **vara.** ‖ **2.** Palito delgado, junco o esparto que, untado con liga, sirve para cazar pájaros. ‖ **3.** Lista de color diferente del fondo de un tejido. ‖ **4.** fig. Expresión picante dicha con ánimo de herir a alguno. ‖ **5.** fig. y fam. Pulla, indirecta. *Echar una* VARETA. ‖ **irse,** o **estar, de vareta** uno. fr. fig. y fam. Tener diarrea.

varetazo. (De *vareta,* d. de vara.) m. Golpe de lado que da el toro con el asta.

varetear. tr. Formar varetas en los tejidos.

varetón. m. Ciervo joven, cuya cornamenta tiene una sola punta.

varga[1]**.** (Del célt. *berg,* altura.) f. Parte más pendiente de una cuesta.

varga[2]**.** (De **varrica,* del célt. *barr,* palo, tabla.) f. ant. Casilla con cubierta de paja o ramaje.

varga[3]**.** (De *pargo,* del lat. *pagrus.*) f. Especie de congrio común en las costas baleáricas.

varganal. m. Seto formado de várganos.

várgano. (Del lat. *virgŭla,* vara.) m. Cada uno de los palos o estacas dispuestos para construir una empalizada.

vargueño. m. **bargueño.**

varí. m. Cierta ave americana, de rapiña, diurna, de plumaje gris por encima, con rayas rojizas por debajo.

variabilidad. f. Calidad de variable.

variable. (Del lat. *variabĭlis.*) adj. Que varía o puede variar. ‖ **2.** Inestable, inconstante y mudable. ‖ **3.** *Mat.* Magnitud que puede tener un valor cualquiera de los comprendidos en un conjunto. ‖ **estocástica.** Magnitud cuyos valores están determinados por las leyes de probabilidad, como los puntos resultantes de la tirada de un dado.

variablemente. adv. m. De manera variable.

variación. (Del lat. *variatĭo, -ōnis.*) f. Acción y efecto de variar. ‖ **2.** *Mús.* Cada una de las imitaciones melódicas de un mismo tema. ‖ **de la aguja,** o **magnética.** *Mar.* declinación de la aguja. ‖ **variaciones sobre el mismo tema.** fr. fam. que se aplica por ironía a la insistencia en un mismo asunto.

variado, da. (Del lat. *variātus.*) p. p. de **variar.** ‖ **2.** adj. Que tiene variedad. ‖ **3.** De varios colores. ‖ **4.** *Mec.* V. **movimiento variado.**

variamente. adv. m. De un modo vario.

variamiento. m. ant. Acción y efecto de variar o variarse.

variancia. (De *variante.*) f. *Estad.* Media de las desviaciones cuadráticas de una variable aleatoria, referidas al valor medio de esta.

variante. p. a. de **variar.** Que varía. Úsáb. m. en lenguaje jurídico. *Testigo* VARIANTE. ‖ **2.** f. *Ling.* Cada una de las diversas formas con que se presenta una voz, un fonema, una melodía, etc. ‖ **3.** Variedad o diferencia de lección que hay en los ejemplares o copias de un códice, manuscrito o libro, cuando se cotejan los de una época o edición con los de otra. ‖ **4.** Variedad o diferencia entre diversas clases o formas de una misma cosa. ‖ **5.** Desviación provisional o definitiva de un trecho de una carretera o camino. ‖ **6.** Cada uno de los resultados con que en las quinielas de fútbol se refleja que el equipo propietario del campo empata o pierde con el visitante. ‖ **7.** m. Fruto o verdura que se encurte en vinagre. Ú. m. en pl.

variar. (Del lat. *variāre.*) tr. Hacer que una cosa sea diferente en algo de lo que antes era. ‖ **2.** Dar variedad. ‖ **3.** intr. Cambiar una cosa de forma, propiedad o estado. ‖ **4.** Ser una cosa diferente de otra. ‖ **5.** *Mar.* Hacer ángulo la aguja magnética con la línea meridiana.

varice o **várice.** (Del lat. *varix, -ĭcis.*) f. *Pat.* **variz.** Úsáb. t. c. s. m.

varicela. (Del lat. mod. *varicella,* falso d. de *variŏla,* viruela.) f. *Pat.* Enfermedad contagiosa, aguda y febril, caracterizada por una erupción parecida a la de la viruela benigna, pero cuyas vesículas supuran moderadamente.

varicocele. (De *varice,* y del gr. χήλη, tumor.) m. *Pat.* Tumor formado por la dilatación de las venas del escroto y del cordón espermático.

varicoso, sa. (Del lat. *varicōsus.*) adj. Perteneciente o relativo a las varices. ‖ **2.** Que tiene varices. Ú. t. c. s.

variedad. (Del lat. *variĕtas, -ātis.*) f. Cualidad de vario. ‖ **2.** Diferencia dentro de la unidad; conjunto de cosas diversas. ‖ **3.** Inconstancia, inestabilidad o mutabilidad de las cosas. ‖ **4.** Mudanza o alteración en la sustancia de las cosas o en su uso. ‖ **5.** Acción y efecto de variar o variarse. ‖ **6.** *Bot.* y *Zool.* Cada uno de los grupos en que se dividen algunas especies de plantas y animales y que se distinguen entre sí por ciertos caracteres que se perpetúan por la herencia. ‖ **7.** pl. Espectáculo ligero en que se alternan números de diverso carácter: musicales, circenses, coreográficos, etc.

variegación. (Del lat. *variegatĭo, -ōnis.*) f. *Bot.* Estado de la planta que muestra tejidos de distintos colores o de diversa constitución.

variegado, da. (Del lat. *variegātus,* p. p. de *variegāre,* pintar de varios colores.) adj. De diversos colores. ‖ **2.** *Bot.* Dícese de la planta o de sus hojas, cuando presentan variegación.

varilarguero. (De *vara larga.*) m. Picador de toros.

varilla. f. d. de **vara.** ‖ **2.** Cada una de las piezas largas y delgadas que forman el armazón de los abanicos, paraguas, quitasoles, etc. ‖ **3.** Cada una de las costillas de metal, ballena, etc., que forman la armazón de los corsés. ‖ **4.** V. **hierro varilla.** ‖ **5.** fam. Cada uno de los dos huesos largos que forman la quijada y se unen por debajo de la barba. ‖ **6.** *Chile.* Arbusto, variedad del palhuén. ‖ **7.** pl. Bastidor rectangular en que se mueven los cedazos para cerner. ‖ **de virtudes. varita mágica.**

varillaje. m. Conjunto de varillas de un utensilio. Ú., por lo común, hablando de abanicos, paraguas o quitasoles.

varillar. m. *Chile.* Lugar donde abundan las varillas, arbustos.

vario, ria. (Del lat. *varĭus.*) adj. Diverso o diferente. ‖ **2.** Inconstante o mudable. ‖ **3.** Indiferente o indeterminado. ‖ **4.** Que tiene variedad o está compuesto de diversos adornos o colores. ‖ **5.** pl. Algunos, unos cuantos. ‖ **6.** m. Conjunto de libros, folletos, hojas sueltas o documentos, de diferentes autores, materias o tamaños, reunidos en tomos, legajos o cajas.

varioloide. (Del b. lat. *variŏla,* viruela, y *-oide.*) f. *Pat.* Viruela atenuada y benigna.

varioloso, sa. (Del b. lat. *variŏla,* de *varus,* pústula.) adj. Perteneciente o relativo a la viruela. ‖ **2. virolento**, que tiene viruelas. Ú. t. c. s.

variopinto, ta. (Del it. *variopinto*.) adj. Que ofrece diversidad de colores o de aspecto. ‖ **2.** Multiforme, mezclado, diverso, abigarrado.

varita. f. d. de **vara.** ‖ **de San José.** *Hond.* **malva real.** ‖ **de virtudes. varita mágica.** ‖ **mágica.** La que usan los titiriteros y prestidigitadores atribuyéndole las operaciones con que sorprenden y entretienen a los espectadores.

varitero. m. Porquero que varea las bellotas de que se alimentan los cerdos.

variz. f. *Pat.* Dilatación permanente de una vena, causada por la acumulación de sangre en su cavidad.

varizo. (De *vara*.) m. *Sal.* Madero o palo delgado y largo.

Varolio. (Anatomista italiano del s. XVI.) n. p. *Anat.* V. **puente de Varolio.**

varón. (Del lat. *varo, -ónis*, fuerte, esforzado.) m. Criatura racional del sexo masculino. ‖ **2.** Hombre que ha llegado a la edad viril. ‖ **3.** Hombre de respeto, autoridad u otras prendas. ‖ **4.** *Mar.* Cada uno de los dos cabos o cadenas que por un extremo se hacen firmes en la pala del timón y por el otro se sujetan a entrambos costados del buque, para gobernar en casos de avería en la caña o en la cabeza del timón. ‖ **de Dios.** Hombre sano o de particular espíritu o virtud. ‖ **buen varón.** Hombre juicioso, docto y experimentado. *A juicio de* BUEN VARÓN. ‖ **santo varón.** fig. Hombre sencillo, poco avisado, de pocos alcances. ‖ **2.** fig. Hombre de gran bondad.

varona. f. p. us. Persona del sexo femenino, mujer. ‖ **2.** p. us. Mujer varonil.

varonesa. f. p. us. Persona del sexo femenino, mujer.

varonía. f. Calidad de descendiente de varón en varón.

varonil. adj. Perteneciente o relativo al varón. ‖ **2.** Esforzado, valeroso y firme.

varonilmente. adv. m. De manera varonil, esforzadamente.

varracada. f. *And.* **verraquera.**

varraco. m. Puerco, cerdo, verraco.

varraquear. intr. fam. Gruñir uno o enfadarse. ‖ **2.** Llorar fuerte y seguido los niños.

varraquera. f. fam. Lloro fuerte y continuado de los niños.

varsoviana. (De *varsoviano*.) f. Danza polaca, variante de la mazurca. ‖ **2.** Música de esta danza.

varsoviano, na. adj. Natural de Varsovia. Ú. t. c. s. ‖ **2.** Perteneciente a esta ciudad de Polonia.

vasa. (Del lat. *vasa*, pl. n. de *vas*, vaso.) f. En varias comarcas, **vajilla**, conjunto de piezas para el servicio de mesa.

vasallaje. m. Vínculo de dependencia y fidelidad que una persona tenía respecto de otra, contraído mediante ceremonias especiales, como besar la mano el vasallo al que iba a ser su señor. ‖ **2.** Rendimiento o reconocimiento con dependencia a cualquier otro, o de una cosa a otra. ‖ **3.** Tributo pagado por el vasallo a su señor.

vasallo, lla. (Del b. lat. *vassallus*, de *vassus*, y este del cimbro *gwas*, mozo, servidor.) adj. Sujeto a algún señor con vínculo de vasallaje. *Pueblos* VASALLOS; *gente* VASALLA. ‖ **2.** En la antigüedad, obligado a pagar feudo, feudatario. ‖ **3.** m. y f. Súbdito de un soberano o de cualquier otro Gobierno supremo e independiente. ‖ **4.** El que recibía estipendio del rey. ‖ **5.** fig. Cualquiera que reconoce a otro por superior o tiene dependencia de él. ‖ **de signo servicio.** El que debía servicio personal a su señor.

vasar. (Del lat. *vasarium*.) m. Poyo o anaquelería de ladrillo y yeso u otra materia que, sobresaliendo en la pared, especialmente en las cocinas, despensas y otros lugares semejantes, sirve para poner vasos, platos, etc.

vasco, ca. (De *vascón*.) adj. **vascongado.** Apl. a pers., ú. t. c. s. ‖ **2.** Natural de una parte del territorio francés com-

prendido en el departamento de los Bajos Pirineos. Ú. t. c. s. ‖ **3.** Perteneciente o relativo a esta parte. ‖ **4.** m. **vascuence**, lengua vasca.

vascófilo, la. (De *vasco* y *-filo*.) m. y f. Persona aficionada a la lengua y cultura vascongadas y la entendida en ellas.

vascofrancés, sa. adj. Natural del País Vasco francés. ‖ **2.** Perteneciente o relativo a esta región del sur de Francia.

vascólogo, ga. m. y f. Persona versada en estudios vascos.

vascón, na. (Del lat. *Vascónes*.) adj. Natural de la Vasconia, región de la España tarraconense. Ú. t. c. s. ‖ **2.** Perteneciente o relativo a esta región.

vascongado, da. (Del lat. **vasconicátus*, hecho vascón.) adj. Natural de alguna de las provincias de Álava, Guipúzcoa y Vizcaya. Ú. t. c. s. ‖ **2.** Perteneciente o relativo a ellas. ‖ **3.** m. **vascuence**, lengua.

vascónico, ca. (Del lat. *Vasconícus*.) adj. Perteneciente o relativo a los vascones.

vascuence. (Del lat. *vasconíce*.) adj. Dícese de la lengua hablada por parte de los naturales de las provincias vascongadas, de Navarra y del territorio vasco francés. Ú. m. c. s. ‖ **2.** m. fig. y fam. Lo que está tan confuso y oscuro que no se puede entender. ‖ **3.** pl. *Germ.* Grillos de presos.

vascular. (Del lat. *vascularíus*.) adj. *Bot.* y *Zool.* Perteneciente o relativo a los vasos de las plantas o de los animales.

vasculoso, sa. (Del lat. *vascŭlum*, vaso pequeño.) adj. *Bot.* y *Zool.* Dícese de los cuerpos, partes o tejidos que tienen vasos por los que circula la sangre o la savia.

vaselina. (Del al. *Wasser*, y el gr. ἤλαιον, aceite.) f. Sustancia crasa, con aspecto de cera, que se saca de la parafina y aceites densos del petróleo y que por no enranciarse se prefiere en farmacia y perfumería a los aceites y mantecas.

vasera. (De *vasar*, pl. de *-ríum*, vasar.) f. Poyo o anaquel para poner vasos. ‖ **2.** Caja o funda en que se guarda el vaso. ‖ **3.** Salvilla grande y con asa, en que llevan los vasos los aguadores y vendedores de refrescos.

vasija. (d. del lat. *vas*, vaso.) f. Toda pieza cóncava y pequeña, de barro u otra materia y de forma común u ordinaria, que sirve para contener especialmente líquidos o cosas destinadas a la alimentación. ‖ **2.** Por ext., a veces, la de medianas o grandes dimensiones. ‖ **3.** Conjunto de cubas y tinajas en las bodegas. ‖ **4.** *Ál., Cantabria* y *Nav.* **vajilla**, conjunto de piezas para el servicio de mesa.

vasilla. (Del lat. *vascella*, pl. de *-llum*, d. de *vas*, vaso.) f. ant. Conjunto de piezas para el servicio de mesa.

vasillo. (Del lat. *vascellum*, d. de *vas*, vaso.) m. **celdilla** de los panales.

vaso. (Del lat. *vasum*.) m. Pieza cóncava de mayor o menor tamaño, capaz de contener alguna cosa. ‖ **2.** Recipiente de metal, vidrio u otra materia, por lo común de forma cilíndrica, que sirve para beber. ‖ **3.** Cantidad de líquido que cabe en él. VASO *de agua, de vino.* ‖ **4.** Embarcación o barco y señaladamente su casco. Ú. especialmente en marina. ‖ **5. bacín** para orinas y excrementos. ‖ **6.** Casco o uña de las bestias caballares. ‖ **7.** Obra de escultura, en forma de jarrón florero o pebetero, que, colocada sobre un zócalo, pedestal o peana, sirve para decorar edificios, jardines, etc. ‖ **8.** Por ext., receptáculo o depósito natural de mayor o menor capacidad, que contiene algún líquido. ‖ **9.** desus. Hueco de algunas otras cosas, como el de la campana, el del horno, la caja de la escalera, etc. ‖ **10.** fig. y fam. V. **culo de vaso.** ‖ **11.** *Bot.* Conducto por el que circula en el vegetal la savia o el látex. ‖ **12.** *Zool.* Conducto por el que circula en el cuerpo del animal la sangre o la linfa. ‖ **13.** n. p. m. *Astron.* **Copa**, constelación. ‖ **criboso.** *Bot.* Cualquiera de los que conducen la savia descendente de los vegetales. ‖ **de elección.** fig. Sujeto especialmente escogido por Dios para un ministerio singular. ‖ **2.** Por antonom., el apóstol San Pablo. ‖ **de reencuentro.** *Quím.* **vaso** para la circulación de los disolventes, compuesto de dos matraces encontrados, enchufados el uno en el otro; y también se forma de dos cucúrbitas de la misma manera. ‖ **excretorio. vaso,** bacín. ‖ **lacrimatorio.** Vasija pequeña, a manera de pomo, que se encuentra en los sepulcros antiguos. ‖ **leñoso.** *Bot.* Cualquiera de los que conducen la savia ascendente de los vegetales. ‖ **sagrado.** El que, consagrado y bendecido, se emplea en la celebración de la misa o a la conservación de las especies sacramentales. ‖ **vasos comunicantes.** Recipientes unidos por conductos que permiten el paso de un líquido de unos a otros. ‖ **ahogarse** uno **en un vaso de agua.** fr. fig. y fam. Apurarse y afligirse por liviana causa. ‖ **vaso malo nunca cae de mano, o vaso malo no se quiebra.** fr. que se aplica cuando parece que siempre se desgracia lo mejor y más estimado.

vastación. (Del lat. *vastatīo, -ōnis.*) f. ant. Destrucción o desolación.

vástago. m. Renuevo o ramo tierno que brota del árbol o planta. ‖ **2.** Conjunto del tallo y las hojas. ‖ **3.** fig. Persona descendiente de otra. ‖ **4.** Pieza en forma de varilla que sirve para articular o sostener otras piezas. ‖ **5.** Barra que, sujeta al centro de una de las dos caras del émbolo, sirve para dar movimiento o transmitir el suyo a algún mecanismo. ‖ **6.** *Col., C. Rica y Venez.* Tallo del plátano.

vastaguera. f. *Col.* Terreno plantado de plátanos.

vastar. (Del lat. *vastāre.*) tr. ant. Talar o destruir.

vastedad. (Del lat. *vastĭtas, -ātis.*) f. Dilatación, anchura o grandeza de una cosa.

vástiga. f. **vástago** de árbol o de otra planta.

vasto, ta. (Del lat. *vastus.*) adj. Dilatado, muy extendido o muy grande.

vataje. m. Cantidad de vatios que actúan en un aparato o sistema eléctrico.

vate. (Del lat. *vates.*) m. **adivino.** ‖ **2.** poeta.

váter. (Del ing. *water.*) m. Inodoro. ‖ **2. cuarto de baño,** habitación.

vaticanista. adj. Perteneciente o relativo a la política del Vaticano. ‖ **2.** Partidario de esta política.

vaticano, na. (Del lat. *Vaticānus.*) adj. Perteneciente o relativo al monte **Vaticano.** ‖ **2.** Perteneciente o relativo al **Vaticano,** palacio en que ordinariamente habita el Papa. ‖ **3.** Perteneciente o relativo al Papa o a la corte pontificia. ‖ **4.** m. fig. Corte pontificia.

vaticinador, ra. (Del lat. *vaticinātor, -ōris.*) adj. Que vaticina. Ú. t. c. s.

vaticinar. (Del lat. *vaticināri.*) tr. Pronosticar, adivinar, profetizar.

vaticinio. (Del lat. *vaticinĭum.*) m. Predicción, adivinación, pronóstico.

vatídico, ca. (Del lat. *vates, vatis, profeta* y *dicĕre,* decir.) adj. Que vaticina. Ú. t. c. s. ‖ **2.** Perteneciente o relativo al vaticinio.

vatímetro. (De *vatio* y *-metro.*) m. Aparato para medir los vatios de una corriente eléctrica.

vatio. (De *watt.*) m. Unidad de potencia eléctrica en el sistema basado en el metro, el kilogramo, el segundo y el amperio. Equivale a un julio por segundo.

vaupense. adj. Natural del Vaupés. Ú. t. c. s. ‖ **2.** Perteneciente o relativo a este distrito de Colombia.

vaya¹. f. Burla o mofa que se hace de uno o chasco que se le da. Ú. m. con el verbo *dar.*

vaya². (Tercera pers. de sing. del pres. de subj. del verbo *ir.*) Partícula que, antepuesta a un sustantivo, en construcciones exclamativas, confiere sentido superlativo a las cualidades buenas o malas, según sean la entonación y contexto, que se reconocen en la persona o cosa designadas por dicho sustantivo. ¡VAYA *mujer!* ¡VAYA *reloj que te has comprado!*

‖ **2.** interj. con la cual se comenta algo que satisface o que, por el contrario, decepciona o disgusta. —*Pablo ha aprobado todas las asignaturas.* —¡VAYA! —*No podemos ir al teatro: se ha suspendido la sesión.* —¡VAYA! ‖ **3.** Seguida de la preposición *con* y de un sintagma nominal (¡VAYA CON *el niño!;* ¡VAYA CON *la musiquita!*), marca la actitud, favorable o desfavorable del hablante, matizada muchas veces de ironía, ante la persona o cosa designada por dicho sintagma.

ve. f. Nombre de la letra *v.*

vecera. (De *vez.*) f. Manada de ganado, por lo común porcuno, perteneciente a un vecindario.

vecería. f. **vecera.**

vecero, ra. (De *vez.*) adj. Aplícase al que tenía que ejercer por vez o turno un cometido o cargo concejil. Ú. t. c. s. ‖ **2.** Aplícase a las plantas que en un año dan mucho fruto y poco o ninguno en otro. ‖ **3.** m. y f. Cliente de una tienda, parroquiano. ‖ **4.** Persona que guarda turno o vez para una cosa.

vecinal. (Del lat. *vicinālis.*) adj. Perteneciente o relativo al vecindario o a los vecinos de un pueblo. ‖ **2.** V. **camino, carga vecinal.**

vecinamente. (De *vecino,* cercano, próximo.) adv. m. Inmediatamente, o con vecindad y cercanía.

vecindad. (Del lat. *vicinĭtas, -ātis.*) f. Calidad de vecino. ‖ **2.** Conjunto de las personas que viven en las distintas viviendas de una misma casa, o en varias inmediatas las unas de las otras. ‖ **3.** Conjunto de personas que viven en una población o en parte de ella, vecindario. ‖ **4.** Contorno o cercanías de un lugar. ‖ **5.** V. **carta, casa, cédula, corral, chisme de vecindad.** ‖ **media vecindad.** Derecho en algunas partes, mediante pago de la mitad de las contribuciones, adquiere el forastero para aprovechar con sus ganados los pastos del pueblo. ‖ **hacer mala vecindad.** fr. Ser molesto o perjudicial a los vecinos. ‖ **2.** fig. Ser dañosa una cosa a otra por la inmediación a ella.

vecindado, da. p. p. de **vecindar.** ‖ **2.** m. ant. **vecindario,** conjunto de vecinos. Ú. en Murcia.

vecindar. tr. ant. **avecindar.** Usáb. t. c. prnl.

vecindario. m. Conjunto de los vecinos de un municipio, o solo de una población o de parte de ella. ‖ **2.** Lista o padrón de los vecinos de un pueblo. ‖ **3. vecindad,** calidad de vecino.

vecindona. (De *vecindad.*) f. *And.* Mujer del pueblo aficionada a comadrear.

vecino, na. (Del lat. *vicīnus,* de *vicus,* barrio, lugar.) adj. Que habita con otros en un mismo pueblo, barrio o casa, en habitación independiente. Ú. t. c. s. ‖ **2.** Que tiene casa y hogar en un pueblo, y contribuye a las cargas o repartimientos, aunque actualmente no viva en él. Ú. t. c. s. ‖ **3.** Que ha ganado los derechos propios de la vecindad en un pueblo por haber habitado en él durante el tiempo determinado por la ley. Ú. t. c. s. ‖ **4.** V. **ayuda, hijo de vecino.** ‖ **5.** fig. Cercano, próximo o inmediato en cualquier línea. ‖ **6.** fig. Semejante, parecido o coincidente. ‖ **mañero.** El que en el siglo XVIII, conservando su vecindad, buscaba otras nuevas con el objeto de no sufrir las cargas vecinales en ninguna y disfrutar de las ventajas en todas. ‖ **medio vecino.** El que tiene el derecho de media vecindad.

vectación. (Del lat. *vectatĭo, -ōnis.*) f. Acción de caminar en un vehículo.

vector. (Del lat. *vector, -ōris,* que conduce.) adj. *Geom.* V. **radio vector.** ‖ **2.** m. En el habla técnica, el agente que transporta algo de un lugar a otro. Ú. t. c. adj. ‖ **3.** *Fís.* Toda magnitud en la que, además de la cuantía, hay que considerar el punto de aplicación, la dirección y el sentido. Las fuerzas son **vectores.** ‖ **4.** *Fil.* Toda acción proyectiva que tiene cualidad e intensidad variables.

vectorial. adj. Perteneciente o relativo a los vectores. ‖ **2. V. campo vectorial.**

veda[1]. f. Acción y efecto de vedar. ‖ **2.** Espacio de tiempo en que está vedado cazar o pescar.

veda[2]. (Del sánscr. *véda*, ciencia.) n. p. m. Cada uno de los libros sagrados que constituyen el fundamento de la tradición religiosa de la India. Ú. m. en pl.

vedado, da. p. p. de **vedar.** ‖ **2.** m. Campo o sitio acotado o cerrado por ley u ordenanza.

vedamiento. m. Acción y efecto de vedar.

vedar. (Del lat. *vetāre*.) tr. Prohibir por ley, estatuto o mandato. ‖ **2.** Impedir, estorbar o dificultar. ‖ **3.** ant. Privar o suspender de oficio o del ejercicio de él. ‖ **4.** *Sal.* Destetar la cría de un animal.

vedegambre. (Del lat. *medicāmen*, droga, veneno.) m. *Bot.* Planta de la familia de las liliáceas, con tallo erguido, de seis a ocho decímetros de altura; hojas alternas, blanquecinas por el envés, grandes y elípticas las inferiores y lanceoladas las superiores; flores blancas en espiga, y fruto capsular con multitud de semillas comprimidas y aladas. El polvo del rizoma se emplea en medicina como estornutatorio.

vedeja. (Del m. or. que *vedija*[1].) f. Cabellera larga. ‖ **2.** Melena del león.

vedija[1]. (Del lat. *viticŭla*, zarcillo[1].) f. Mechón de lana. ‖ **2.** Pelo enredado en cualquier parte del cuerpo del animal. ‖ **3.** Mata de pelo enredada y ensortijada.

vedija[2]. (Del lat. *virilĭa*, partes viriles.) f. Región de las partes pudendas, verija.

vedijero, ra. (De *vedija*[1].) m. y f. Persona que recoge la lana de caídas cuando se esquila el ganado.

vedijoso, sa. (De *vedija*[1].) adj. Que tiene muchas vedijas[1].

vedijudo, da. adj. Que tiene la lana o el pelo enredado o en vedijas[1].

vedijuela. f. d. de **vedija**[1].

vedismo. (Del sánscr. *véda*, ciencia.) m. Religión más antigua de los indios, contenida en los libros llamados Vedas.

veduño. m. **viduño.**

veedor, ra. (De *veer*.) adj. Que ve, mira o registra con curiosidad las acciones de los otros. Ú. t. c. s. ‖ **2.** El que está señalado por oficio en las ciudades o villas, para reconocer si son conformes a la ley u ordenanza las obras de cualquier gremio u oficinas de bastimentos. ‖ **3.** Criado de confianza que en las casas de los grandes vigilaba al despensero en la compra de bastimentos. ‖ **4.** Jefe segundo de las caballerizas de los reyes de España, que tenía a su cargo el ajuste de las provisiones y la conservación de los coches y el ganado. ‖ **5.** Jefe militar cuyas funciones eran semejantes a las de los modernos inspectores y directores generales. ‖ **6.** Visitador, inspector, observador. ‖ **7.** *Cuba.* Guarda rural. ‖ **8.** *Chile.* El que inspecciona el correcto desarrollo de una carrera de caballos. ‖ **de vianda.** Empleado de palacio a cuyo cargo corría que se sirviese sin desfalco a la mesa lo que se había ordenado, y que no se sirviese cosa ninguna sin avisar al mayordomo mayor o al de semana.

veeduría. f. Cargo u oficio de veedor. ‖ **2.** Oficina del veedor.

veer. (Del lat. *vidēre*.) tr. ant. **ver**[2]. Usáb. t. c. prnl.

vega. (Del ibér. *vaica*.) f. Parte de tierra baja, llana y fértil. ‖ **2.** *Cuba.* Terreno sembrado de tabaco. ‖ **3.** *Chile.* Terreno muy húmedo.

vegada. (Del lat. **vicāta*, de *vices*, veces.) f. ant. **vez.** Ú. en Salamanca y Zamora. ‖ **a las vegadas.** loc. adv. ant. **a las veces.**

vegetabilidad. f. Cualidad de vegetable.

vegetable. (Del lat. *vegetabĭlis*.) adj. p. us. **vegetal.** Ú. t. c. s. m.

vegetación. (Del lat. *vegetatĭo, -ōnis*.) f. Acción y efecto de

vegetar. ‖ **2.** Conjunto de los vegetales propios de un lugar o región, o existentes en un terreno determinado. ‖ **3. vegetación adenoidea.** Ú. m. en pl. ‖ **adenoidea.** *Med.* Hipertrofia de las amígdalas faríngea y nasal y, sobre todo, de los folículos linfáticos de la parte posterior de las fosas nasales. Ú. m. en pl.

vegetal. adj. Que vegeta. ‖ **2.** Perteneciente o relativo a las plantas. ‖ **3. V. azufre, carbón, marfil, mosaico, papel, tierra vegetal.** ‖ **4.** *Bot.* y *Geogr.* V. **manto vegetal.** ‖ **5.** *Ecol.* V. **sociología vegetal.** ‖ **6.** m. Ser orgánico que crece y vive, pero no muda de lugar por impulso voluntario.

vegetalismo. m. Régimen alimenticio estrictamente vegetal que excluye todos los productos de animal, vivo o muerto.

vegetalista. adj. Dícese de la persona que practica el vegetalismo. Ú. t. c. s.

vegetar. (Del lat. *vegetāre*.) intr. Germinar, nutrirse, crecer y aumentarse las plantas. Ú. t. c. prnl. ‖ **2.** fig. Vivir maquinalmente una persona con vida meramente orgánica, comparable a la de las plantas. ‖ **3.** fig. Disfrutar voluntariamente vida tranquila, exenta de trabajo y cuidados.

vegetarianismo. m. Régimen alimenticio basado principalmente en el consumo de productos vegetales, pero que admite el uso de productos del animal vivo, como los huevos, la leche, etc. ‖ **2.** Doctrina y práctica de los vegetarianos.

vegetariano, na. (Del fr. *végétarien*.) adj. Perteneciente o relativo al vegetarianismo. ‖ **2.** Dícese del partidario del vegetarianismo. Ú. t. c. s.

vegetativo, va. adj. Que vegeta o tiene vigor para vegetar. ‖ **2.** *Biol.* Perteneciente o relativo a las funciones de nutrición o reproducción. *Órganos, aparatos* VEGETATIVOS.

vegoso, sa. (De *vega*.) adj. *Chile.* Aplícase al terreno que se conserva siempre húmedo.

veguer. (Del lat. *vicarĭus*, lugarteniente.) m. Magistrado que en Aragón, Cataluña y Mallorca ejercía, con poca diferencia, la misma jurisdicción que el corregidor en Castilla. ‖ **2.** En Andorra, cada uno de los dos delegados de las soberanías protectoras.

veguería. f. Territorio o distrito a que se extendía la jurisdicción del veguer.

veguerío. (De *veguer*.) m. **veguería.**

veguero, ra. adj. Perteneciente o relativo a la vega. ‖ **2.** m. y f. Persona que trabaja en el cultivo de una vega, en especial para la explotación del tabaco. ‖ **3.** m. Cigarro puro hecho rústicamente de una sola hoja de tabaco enrollada.

vehemencia. (Del lat. *vehementĭa*.) f. Cualidad de vehemente.

vehemente. (Del lat. *vehēmens, -entis*.) adj. Que tiene una fuerza impetuosa. *Un discurso* VEHEMENTE. ‖ **2.** Ardiente y lleno de pasión. ‖ **3.** Dícese de la persona que obra de forma irreflexiva, dejándose llevar por los impulsos. ‖ **4.** V. **indicios, sospechas vehementes.**

vehementemente. adv. m. De manera vehemente.

vehículo. (Del lat. *vehicŭlum*.) m. Medio de transporte de personas o cosas. ‖ **2.** fig. Lo que sirve para conducir o transmitir fácilmente una cosa, como el sonido, la electricidad, los contagios, etc. ‖ **espacial. nave espacial.**

veimarés, sa. adj. **weimarés.**

veintavo, va. (De *veinte* y *-avo*.) adj. **veinteavo.** Ú. t. c. s.

veinte. (Del lat. *vigĭnti*.) adj. Dos veces diez. ‖ **2. vigésimo,** ordinal. *Número* VEINTE; *año* VEINTE. Apl. a los días del mes, ú. t. c. s. *El* VEINTE *de julio.* ‖ **3.** Expresa con sentido ponderativo una cantidad indeterminada equivalente a *muchos, muchas.* ‖ **4.** m. Conjunto de signos o cifras con que se representa el número **veinte.** ‖ **de bolos. diez de bolos.** ‖ **a las veinte.** loc. adv. fig. y fam. A deshora, a horas intempestivas, o mucho más tarde de lo regular. ‖ **2**. V. **correo a las veinte**. ‖ **veinte** o **las veinte**. Número de puntos que gana en el tute el que reúne el rey y el caballo de un palo que no sea triunfo, y lo declara o canta al ganar una baza. VEINTE en oros. *Juan cantó* LAS VEINTE *en espadas*.

veinteavo, va. adj. Cada una de las veinte partes iguales en que se divide un todo. Ú. t. c. s. m.

veintecuatría. f. ant. **veinticuatría**.

veintedoseno, na. adj. ant. **veintidoseno**.

veintén. m. Escudito de oro de valor de 20 reales.

veintena. f. Conjunto de veinte unidades.

veintenar. m. Conjunto de veinte unidades.

veintenario, ria. adj. Dícese de lo que tiene veinte años.

veintenero. (De *veintena*.) m. Director del coro en los oficios divinos, sochantre.

veinteno, na. adj. **vigésimo**, ordinal. ‖ **2**. Cada una de las veinte partes en que se divide un todo. Ú. t. c. s. f. ‖ **3**. Dícese del paño cuya urdimbre consta de veinte centenares de hilos. Ú. t. c. s.

veinteñal. adj. Que dura veinte años.

veinteocheno, na. adj. **veintiocheno**.

veinteseiseno, na. adj. **veintiseiseno**.

veintésimo, ma. adj. **vigésimo**, ordinal. ‖ **2**. Cada una de las veinte partes iguales en que se divide un todo. Ú. t. c. s.

veinticinco. adj. Veinte y cinco. ‖ **2**. Vigésimo quinto. *Número* VEINTICINCO; *año* VEINTICINCO. Apl. a los días del mes, ú. t. c. s. *El* VEINTICINCO *de agosto*. ‖ **3**. m. Conjunto de signos o cifras con que se representa el número **veinticinco**.

veinticuatrén. adj. Aplícase al madero de varios marcos de Cataluña y Aragón, de 24 palmos de longitud y con escuadría de 3 palmos de tabla y 2 de canto o algo menos. Ú. m. c. s.

veinticuatreno, na. adj. Perteneciente al número veinticuatro. ‖ **2**. Vigésimo cuarto. ‖ **3**. Dícese del paño cuya urdimbre consta de veinticuatro centenares de hilos. Ú. t. c. s. ‖ **de capas**. Velarte de primera clase.

veinticuatría. f. Cargo u oficio de veinticuatro.

veinticuatro. adj. Veinte y cuatro. ‖ **2**. Vigésimo cuarto. *Número* VEINTICUATRO; *año* VEINTICUATRO. Apl. a los días del mes, ú. t. c. s. *El* VEINTICUATRO *de diciembre*. ‖ **3**. m. Conjunto de signos o cifras con que se representa el número **veinticuatro**. ‖ **4**. Regidor de ayuntamiento en algunas ciudades de Andalucía, según el antiguo régimen municipal.

veintidós. adj. Veinte y dos. ‖ **2**. Vigésimo segundo. *Número* VEINTIDÓS; *año* VEINTIDÓS. Apl. a los días del mes, ú. t. c. s. *El* VEINTIDÓS *de mayo*. ‖ **3**. m. Conjunto de signos o cifras con que se representa el número **veintidós**.

veintidoseno, na. adj. Vigésimo segundo. ‖ **2**. Dícese del paño cuya urdimbre consta de veintidós centenares de hilos. Ú. t. c. s. ‖ **de capas**. Velarte de segunda clase.

veintinueve. adj. Veinte y nueve. ‖ **2**. Vigésimo nono. *Número* VEINTINUEVE; *año* VEINTINUEVE. Apl. a los días del mes, ú. t. c. s. *El* VEINTINUEVE *de febrero*. ‖ **3**. m. Conjunto de signos o cifras con que se representa el número **veintinueve**.

veintiocheno, na. adj. Vigésimo octavo. ‖ **2**. Dícese del paño cuya urdimbre consta de veintiocho centenares de hilos. Ú. t. c. s.

veintiocho. adj. Veinte y ocho. ‖ **2**. Vigésimo octavo. *Número* VEINTIOCHO; *año* VEINTIOCHO. Apl. a los días del mes, ú. t. c. s. *El* VEINTIOCHO *de agosto*. ‖ **3**. m. Conjunto de signos o cifras con que se representa el número **veintiocho**.

veintiséis. adj. Veinte y seis. ‖ **2**. Vigésimo sexto. *Número* VEINTISÉIS; *año* VEINTISÉIS. Apl. a los días del mes,

ú. t. c. s. *El* VEINTISÉIS *de septiembre*. ‖ **3**. m. Conjunto de signos o cifras con que se representa el número **veintiséis**.

veintiseiseno, na. adj. Perteneciente al número veintiséis. ‖ **2**. Vigésimo sexto. ‖ **3**. Dícese del paño cuya urdimbre consta de veintiséis centenares de hilos. Ú. t. c. s.

veintisiete. adj. Veinte y siete. ‖ **2**. Vigésimo séptimo. *Número* VEINTISIETE; *año* VEINTISIETE. Apl. a los días del mes, ú. t. c. s. *El* VEINTISIETE *de noviembre*. ‖ **3**. m. Conjunto de signos o cifras con que se representa el número **veintisiete**.

veintitrés. adj. Veinte y tres. ‖ **2**. Vigésimo tercio. *Número* VEINTITRÉS; *año* VEINTITRÉS. Apl. a los días del mes, ú. t. c. s. *El* VEINTITRÉS *de octubre*. ‖ **3**. m. Conjunto de signos o cifras con que se representa el número **veintitrés**.

veintiún. adj. apóc. de **veintiuno**. Se antepone siempre al sustantivo. VEINTIÚN *libros*.

veintiuna. f. Juego de naipes o de dados, en que gana el que hace 21 puntos o se acerca más a ellos sin pasar.

veintiuno, na. adj. Veinte y uno. ‖ **2**. Vigésimo primero. *Número* VEINTIUNO; *año* VEINTIUNO. Apl. a los días del mes, ú. t. c. s. *El* VEINTIUNO *de marzo*. ‖ **3**. m. Conjunto de signos o cifras con que se representa el número **veintiuno**.

vejación. (Del lat. *vexatĭo, -ōnis*.) f. Acción y efecto de vejar. ‖ **redimir** o **la vejación**. fr. Hacer algún sacrificio, con daño de sus intereses o de su persona, para evitar otro daño o gravamen mayor.

vejador, ra. (Del lat. *vexātor, -ōris*.) adj. Que veja. Ú. t. c. s.

vejamen. (Del lat. *vexāmen*.) m. Acción y efecto de vejar. ‖ **2**. Vaya[1] o represión satírica y festiva con que se ponen de manifiesto y se ponderan los defectos físicos o morales de una persona. ‖ **3**. Discurso o composición poética de índole burlesca, que con motivo de ciertos grados o certámenes se pronunciaba o leía en las universidades y academias contra los que en ellos tomaban parte.

vejaminista. m. Sujeto a quien se encargaba el vejamen en los certámenes o funciones literarias.

vejancón, na. adj. aum. fam. de **viejo**. Ú. t. c. s.

vejar. (Del lat. *vexāre*.) tr. Maltratar, molestar, perseguir a uno, perjudicarle o hacerle padecer. ‖ **2**. Dar vejamen o represión festiva.

vejarrón, na. adj. aum. fam. de **viejo**. Ú. t. c. s.

vejatorio, ria. adj. Dícese de lo que veja o puede vejar. *Condiciones* VEJATORIAS.

vejazo, za. adj. aum. de **viejo**. Ú. t. c. s.

vejecer. intr. ant. Hacerse viejo uno o algo. Usáb. t. c. prnl.

vejecito, ta. adj. d. ant. de **viejo**. Usáb. t. c. s.

vejedad. f. ant. Cualidad de viejo. Ú. en Salamanca.

vejera. f. *Cantabria* y *Nav.* Vejez, viejera.

vejestorio. m. despect. Persona muy vieja.

vejeta. adj. d. de **vieja**. ‖ **2**. f. **cogujada**.

vejete. adj. d. de **viejo**. Dícese especialmente en el teatro de la figura del viejo ridículo. Ú. m. c. s.

vejez. f. Cualidad de viejo. ‖ **2**. Edad senil, senectud. ‖ **3**. fig. Achaques, manías, actitudes propias de la edad de los viejos. ‖ **4**. fig. Dicho o narración de una cosa muy sabida y vulgar. ‖ **a la vejez, viruelas**. expr. con que se hace ver a los viejos que hacen cosas que no corresponden a su edad. ‖ **2**. Se dice también notando de tardía y fuera de sazón una cosa.

vejezuelo, la. adj. d. de **viejo**. Ú. t. c. s.

vejible. adj. ant. **viejo**.

vejiga. (Del lat. *vesica*.) f. *Anat*. Órgano muscular y membranoso, a manera de bolsa, que tienen muchos vertebrados y en el cual va depositándose la orina segregada por los riñones. ‖ **2**. **ampolla** formada por la elevación de la epidermis. ‖ **3**. Bolsita formada en cualquier superficie y llena de aire u otro gas o de un líquido. ‖ **4.** Bolsita de tripa de carnero en que se conservaba un color para la pintura al óleo. ‖ **5.** **viruela,** enfermedad eruptiva. ‖ **de la bilis,** o **de la hiel.** *Anat.* Bolsita membranosa en la que se deposita la bilis que llega a ella por el conducto cístico. ‖ **de la orina.** *Anat.* **vejiga** del hombre y de algunos animales en que se deposita la orina. ‖ **de perro. alquequenje,** planta. ‖ **natatoria.** *Zool.* Receptáculo membranoso lleno de aire, que tienen muchos peces al lado del tubo digestivo, y que puede aumentar o disminuir de volumen, con lo que el cuerpo del animal iguala su peso específico al del agua ambiente y se mantiene en equilibrio sin esfuerzo alguno, a un nivel determinado.

vejigatorio, ria. (De *vejiga.*) adj. p. us. *Farm.* Aplícase al emplasto o parche de cantáridas u otra sustancia irritante, que se pone para levantar vejigas. Ú. m. c. s. m.

vejigazo. m. Golpe dado, por burla o regocijo, con una vejiga de cerdo, vaca u otro animal, llena de aire u otra cosa.

vejigón. m. aum. de **vejiga.**

vejigoso, sa. adj. Lleno de vejigas.

vejigüela. f. d. de **vejiga.**

vejiguilla. f. d. de **vejiga.** ‖ **2. alquequenje,** planta.

vejón, na. adj. aum. ant. de *viejo.* Usáb. t. c. s.

vejote, ta. adj. aum. de **viejo.** Ú. t. c. s.

vela[1]**.** (De *velar*[1].) f. Acción y efecto de **velar**[1]. ‖ **2.** Tiempo que se vela. ‖ **3.** Asistencia por horas o turno delante del Santísimo Sacramento. ‖ **4.** Tiempo que se destina por la noche a trabajar en algún arte u oficio o en cualquier otra cosa. ‖ **5.** Peregrinación, especialmente a un santuario, romería. ‖ **6.** Centinela o guardia que se ponía por la noche en los ejércitos o plazas. ‖ **7.** Cilindro o prisma de cera, sebo, estearina, esperma de ballena u otra materia crasa, con pabilo en el eje para que pueda encenderse y dar luz. ‖ **8.** Acción de **velar**[1] a un difunto, velatorio. ‖ **9.** pl. fig. y fam. Mocos que cuelgan de la nariz, especialmente tratándose de los niños. ‖ **María.** La **vela** blanca que se colocaba en el tenebrario en medio de las demás amarillas. ‖ **a vela y pregón.** loc. adv. En pública subasta, anunciando las pujas por pregón y admitiéndolas hasta que se consume una **vela** encendida desde el principio del acto. ‖ **encender una vela a San Miguel,** etc. **poner una vela,** etc. ‖ **en vela.** loc. adv. Sin dormir, o con falta de sueño. ‖ **estar a dos velas.** fr. fig. y fam. Sufrir carencia o escasez de dinero. ‖ **no darle** a uno **vela en,** o **para,** un **entierro.** fr. fig. y fam. No darle autoridad, motivo o pretexto para que intervenga en aquello de que se esté tratando. Ú. t. sin neg. en sent. interrog. *¿Quién le* HA DADO *a usted* VELA EN *este* ENTIERRO? ‖ **poner una vela a San Miguel,** o **a Dios, y otra al diablo.** fr. Querer alguien contemporizar para sacar provecho de unos y otros. ‖ **quedarse a dos velas.** fr. fig. y fam. **estar a dos velas.** ‖ **2.** fig. y fam. Quedarse sin comprender cosa.

vela[2]**.** (Del lat. *vela,* pl. de *velum*.) f. Conjunto o unión de paños o piezas de lona o lienzo fuerte, que, cortados de diversos modos y cosidos, se amarran a las vergas para recibir el viento que impele la nave. ‖ **2. toldo.** ‖ **3.** fig. Barco de **vela.** ‖ **4.** fig. Oreja del caballo, mula y otros animales cuando la ponen erguida por recelo u otro motivo. ‖ **al tercio.** *Mar.* **vela** trapezoidal que solo se diferencia de la tarquina en ser menos alta por la parte de la baluma y menos baja por el lado de la caída. ‖ **bastarda.** *Mar.* La mayor de las bolinas latinos. ‖ **cangreja.** *Mar.* **vela** de cuchillo, de forma trapezoidal, que va envergada por dos relingas en el pico y palo correspondientes. ‖ **cuadra.** *Mar.* Especie de **vela** de figura cuadrangular. ‖ **de abanico.** *Mar.* La que se compone de paños cortados al sesgo y reunidos en un puño por la parte más estrecha. ‖ **de cruz.** *Mar.* Cualquiera de las cuadradas o trapezoidales que se enver-

gan en las vergas que se cruzan sobre los mástiles. ‖ **de cuchillo.** *Mar.* Cualquiera de las que están envergadas en nervios o perchas colocados en el plano longitudinal del buque. ‖ **encapillada.** *Mar.* Aquella que el viento echa sobre la verga o el estay. ‖ **latina.** *Mar.* La triangular, envergada en entena, que suelen usar las embarcaciones de poco porte. ‖ **mayor.** *Mar.* **vela** principal que va en el palo mayor. ‖ **redonda.** *Mar.* **redonda,** vela cuadrilátera. ‖ **tarquina.** *Mar.* **vela** trapezoidal muy alta de baluma y baja de caída. ‖ **velas mayores.** *Mar.* Las tres **velas** principales del navío y otras embarcaciones, que son la mayor, el trinquete y la mesana. ‖ **a la vela.** loc. adv. fig. Con la prevención o disposición necesaria para algún fin. *¡poner* A LA VELA; *estar* A LA VELA.‖ **alzar velas.** fr. *Mar.* L sponerse para navegar. ‖ **2.** fig. y fam. Salirse o marcharse uno de repente del sitio en que se halla. ‖ **apocar las velas.** fr. ant. *Mar.* Disminuir o minorar el número de **velas,** o recogerlas para presentar menos superficie al viento. ‖ **a toda vela,** o **a todas velas,** o **a velas desplegadas,** o **llenas,** o **tendidas.** locs. advs. *Mar.* Navegando la embarcación con gran viento. ‖ **2.** fig. Entregado uno enteramente o con ansia y toda diligencia a la ejecución de una cosa. ‖ **a vela y remo.** loc. adv. fig. **a remo y vela.** ‖ **cambiar la vela.** fr. *Mar.* Volverla hacia la parte de donde sopla el viento. ‖ **dar la vela. dar vela. hacer a la vela. hacerse a la vela. largar las velas.** frs. *Mar.* Salir del puerto un barco de **vela** para navegar. ‖ **levantar velas** uno. fr. fig. y fam. **alzar velas,** marcharse de repente. ‖ **recoger velas** uno. fr. fig. Contenerse, moderarse, ir desistiendo de un propósito. ‖ **tender las velas,** o **velas.** fr. *Mar.* Aprovechar el tiempo favorable con la navegación. ‖ **2.** fig. Usar uno el tiempo u ocasión que se le ofrece favorable para algún intento.

vela[3]**.** f. *And.* Voltereta, volatín. Ú. especialmente con el verbo *dar.*

velación[1]**.** f. Acción y efecto de **velar**[1].

velación[2]**.** (Del lat. *velatĭo, -ōnis,* acción de tomar el velo.) f. Ceremonia instituida por la iglesia católica para dar solemnidad al matrimonio, y que consistía en cubrir con un velo a los cónyuges en la misa nupcial que se celebraba, por lo común, inmediatamente después del casamiento y que tenía lugar durante todo el año, excepto en tiempo de adviento y en el de la cuaresma. Ú. m. en pl. ‖ **2.** pl. *Sal.* **rogativas.** ‖ **abrirse las velaciones.** fr. Comenzar el tiempo en que la Iglesia permite que se velen los desposados. ‖ **cerrarse las velaciones.** fr. Suspender la Iglesia en ciertos tiempos del año las **velaciones** solemnes en los matrimonios.

velacho. (De *vela*[2].) m. *Mar.* Gavia del trinquete. ‖ **2.** *Mar.* V. **mastelero de velacho.**

velada. (De *velar*[1].) f. Acción y efecto de **velar**[1]. ‖ **2.** Concurrencia nocturna a una plaza o paseo público, iluminado con motivo de alguna festividad. ‖ **3.** Reunión nocturna de varias personas para solazarse de algún modo. ‖ **4.** Fiesta musical, literaria o deportiva que se hace por la noche.

velado, da. p. p. de **velar**[2]. ‖ **2.** m. y f. Marido o mujer legítima.

velador, ra. adj. Que **vela**[1]. Ú. t. c. s. ‖ **2.** Dícese del que, con vigilancia y solicitud, cuida de alguna cosa. Ú. t. c. s. ‖ **3.** m. Candelero, regularmente de madera. ‖ **4.** Mesita de un solo pie, redonda o cuadrada, por lo común. ‖ **5.** *Can., NO. Argent., Chile, Perú* y *Venez.* **mesa de noche.** ‖ **6.** ant. **centinela.** ‖ **7.** f. *Argent., Méj.* y *Urug.* Lámpara o luz portátil que suele colocarse en la mesita de noche. ‖ **8.** *Méj.* **lamparilla,** luz débil encendida en una vasija de aceite o parafina.

veladura. (De *velar*[2].) f. *Pint.* Tinta transparente que se da para suavizar el tono de lo pintado.

¡velahí! (De *velo ahí.*) interj. **¡velay!**

velaje. (De vela[2].) m. Conjunto de velas[2] de una embarcación.

velambre. (Del lat. velāmen, -ĭnis.) f. ant. Acción y efecto de velar[2].

velamen. m. Conjunto de velas[2] de una embarcación.

velar[1]. (Del lat. vigilāre.) intr. Estar sin dormir el tiempo destinado de ordinario para el sueño. ‖ **2.** Continuar trabajando después de la jornada ordinaria. ‖ **3.** Asistir por horas o turnos delante del Santísimo Sacramento cuando está manifiesto o en el monumento. Ú. t. c. tr. ‖ **4.** fig. Cuidar solicitamente de una cosa. ‖ **5.** Mar. Sobresalir o manifestarse sobre la superficie del agua algún escollo, peñasco u otro objeto peligroso para los navegantes. ‖ **6.** Mar. Persistir el viento durante la noche. ‖ **7.** tr. Hacer centinela o guardia por la noche. ‖ **8.** Asistir de noche a un enfermo o pasarla al cuidado de un difunto. ‖ **9.** fig. Observar atentamente una cosa.

velar[2]. (Del lat. velāre, de velum, velo.) tr. Cubrir con velo. Ú. t. c. prnl. ‖ **2.** Celebrar la ceremonia nupcial de las velaciones. Ú. t. c. prnl. ‖ **3.** fig. Cubrir, ocultar a medias una cosa, atenuarla, disimularla. ‖ **4.** En fotografía, borrarse total o parcialmente la imagen en la placa o en el papel por la acción indebida de la luz. Ú. m. c. prnl. ‖ **5.** Pint. Dar veladuras.

velar[3]. adj. Que vela u oscurece. ‖ **2.** Perteneciente o relativo al velo del paladar. ‖ **3.** Fon. Dícese del sonido cuya articulación se caracteriza por la aproximación o contacto del dorso de la lengua y el velo del paladar. ‖ **4.** Fon. Dícese de la letra que representa este sonido, como la u y la k. Ú. t. c. s. f.

velarización. f. Ling. Desplazamiento del punto de articulación hacia la zona del velo del paladar.

velarizar. tr. Fon. Dar articulación o resonancia velar[3] a vocales o consonantes no velares. Ú. t. c. prnl.

velarte. m. Paño enfurtido y lustroso, de color negro, que servía para capas, sayos y otras prendas exteriores de abrigo.

velatorio. m. Acto de velar[1] a un difunto. ‖ **2.** En hospitales, sanatorios, clínicas, etc., lugar donde se vela un difunto.

¡velay! interj. aseverativa. ¡Claro!, ¡naturalmente! A veces indica resignación o indiferencia: ¡VELAY! ¡Qué le vamos a hacer!

velazqueño, ña. adj. Propio o característico de Velázquez o que tiene semejanza con el estilo de este pintor.

vel cuasi. loc. lat. Der. V. **posesión vel cuasi.**

veleidad. (Del fr. velléité.) f. Voluntad antojadiza o deseo vano. ‖ **2.** Inconstancia, ligereza.

veleidoso, sa. (De veleidad.) adj. Inconstante, mudable.

velejar. intr. Usar o valerse de las velas[2] en la navegación.

velería. (De velero[1].) f. Despacho o tienda donde se venden velas[1] de alumbrar.

velero[1], ra. (De vela[1].) adj. Dícese de la persona que asiste a velas y romerías. Ú. t. c. s. ‖ **2.** m. y f. Persona que hace velas, o las vende.

velero[2], ra. (De vela[2].) adj. Aplícase a la embarcación muy ligera o que navega mucho. ‖ **2.** m. El que hace velas para buques. ‖ **3.** **buque de vela.**

veleta. (De vela[2].) f. Pieza de metal, ordinariamente en forma de saeta, que se coloca en lo alto de un edificio, de modo que pueda girar alrededor de un eje vertical impulsada por el viento, y que sirve para señalar la dirección del mismo. ‖ **2.** Plumilla u otra cosa de poco peso que los pescadores de caña ponen sobre el corcho para conocer por su movimiento de sumersión cuándo pica el pez. ‖ **3.** Cinta o banderola de la lanza de los lanceros de caballería. ‖ **4.** com. fig. Persona inconstante y mudable.

velete. (d. de velo.) m. Velo delgado, y especialmente el que usan en el tocado las mujeres de algunos países.

velicación. (Del lat. vellicatīo, -ōnis.) f. Med. Acción y efecto de velicar.

velicar. (Del lat. vellicāre.) tr. Med. Punzar en alguna parte del cuerpo para dar salida a los humores.

velicomen. (Del ant. al. willekommen, bienvenida.) m. p. us. Copa grande para brindar.

velilla. (De vela[1].) f. Albac., And. y León. Cerilla, fósforo.

velillo. m. d. de **velo.** ‖ **2.** Tela muy sutil, delgada y rala, tejida con algunas flores de hilo de plata.

velintonia. (De wellingtonia.) f. Especie de secuoya, propia de la Sierra Nevada de California, de hojas escamiformes; pasa por ser el árbol de mayor talla en el mundo.

velis nolis. Voces verbales latinas que se emplean en estilo familiar, con la significación de quieras o no quieras; de grado o por fuerza.

vélite. (Del lat. velītes.) m. Soldado de infantería ligera, entre los romanos.

velívolo, la. (Del lat. velivŏlus.) adj. poét. Velero, que navega a toda vela.

velmez. (Del ár. malbas, vestido.) m. Vestidura que antiguamente se ponía debajo de la armadura.

velo. (Del lat. velum.) m. Cortina o tela que cubre una cosa. ‖ **2.** Prenda del traje femenino de calle, hecha de tul, gasa u otra tela delgada de seda o algodón, y con la cual solían cubrirse las mujeres la cabeza, cuello y a veces el rostro. ‖ **3.** Trozo de tul, gasa, etc., con que se guarnecen y adornan algunas mantillas por la parte superior. ‖ **4.** El de uno u otro color que, sujeto por delante al sombrero, cubriendo el rostro, solían llevar las señoras. ‖ **5.** Manto bendito con que cubren la cabeza y la parte superior del cuerpo las religiosas. ‖ **6.** Banda de tela blanca, que en la misa de velaciones se ponía al marido por los hombros y a la mujer sobre la cabeza, en señal de la unión que habían contraído. ‖ **7.** Paño blanco que el sacerdote se pone sobre los hombros para coger el copón o la custodia, humeral. ‖ **8.** Fiesta que se hace para dar la profesión a una monja. ‖ **9.** fig. Cualquier cosa delgada, ligera o flotante, que encubre más o menos la vista de otra. ‖ **10.** fig. Pretexto, disimulación o excusa con que se intenta ocultar, atenuar u oscurecer la verdad. ‖ **11.** fig. Confusión u oscuridad del entendimiento o lo que discurre, que le estorba percibirlo enteramente u ocasiona duda. ‖ **12.** fig. Cualquier cosa que encubre o disimula el conocimiento expreso de otra. ‖ **13.** Aparejo compuesto de un varal y una red que, sujeta por medio de una cuerda en uno de los extremos de aquel, se sumerge en el agua, para pescar. ‖ **del paladar.** Anat. Especie de cortina muscular y membranosa que separa la cavidad de la boca de la de las fauces. ‖ **humeral,** u **ofertorio. humeral,** paño que emplea el sacerdote en algunas ceremonias. ‖ **correr el velo.** fr. fig. Manifestar, descubrir una cosa que estaba oscura u oculta. ‖ **correr,** o **echar, un velo** o **un tupido velo sobre** una cosa. fr. fig. Callarla, omitirla, darla al olvido, porque no se deba o no convenga hacer mención de ella o recordarla. ‖ **tomar** una **el velo.** fr. fig. Profesar una monja.

veloce. (Del lat. velox, -ōcis.) adj. ant. **veloz.**

velocidad. (Del lat. velocĭtas, -ātis.) f. Ligereza o prontitud en el movimiento. ‖ **2.** Espacio recorrido en la unidad de tiempo. ‖ **3.** Mec. En un dispositivo de cambio de **velocidades,** cualquiera de las posiciones motrices. ‖ **angular.** En un cuerpo que gira en torno de un eje, es el ángulo descrito por cada radio en la unidad de tiempo. ‖ **virtual.** Mec. Camino que puede recorrer el punto de aplicación de una fuerza en un tiempo infinitamente pequeño. ‖ **en doble pequeña velocidad.** loc. adv. Dícese cuando la mercancía facturada debe transportarse en un tren mixto. ‖ **en gran velocidad.** loc. adv. En la facturación de mercancías, dícese cuando estas han de ser conducidas en el primer tren de viajeros hábil para su transporte. ‖ **en pequeña velocidad.** loc. adv. Dícese cuando el transporte del objeto facturado queda diferido hasta que le llegue el turno en un tren de mercancías.

velocímetro. (Del lat. *velox, -ōcis,* veloz, y *-metro.*) m. Aparato que en un vehículo indica la velocidad de traslación de este.

velocipédico, ca. adj. Perteneciente o relativo al velocípedo.

velocipedismo. m. Deporte de los aficionados al velocípedo.

velocipedista. com. Persona que anda o sabe andar en velocípedo.

velocípedo. (Del lat. *velox, -ōcis,* veloz, y *pes, pedis,* pie.) m. Vehículo de hierro, formado por una especie de caballete, con dos o con tres ruedas, y que se movía por medio de pedales el que iba montado en él. ‖ **2.** Por ext., **bicicleta.**

velocista. com. *Dep.* Deportista que participa en carreras de corto recorrido.

velódromo. (Del lat. *velox,* veloz, y el gr. δρόμος, carrera.) m. Lugar destinado para carreras en bicicleta.

velomotor. m. Bicicleta provista de un motorcito propulsor.

velón. m. aum. de **vela**[1]. ‖ **2.** Lámpara de metal, para aceite común, compuesta de un vaso con uno o varios picos o mecheros, y de un eje en que puede girar, subir y bajar, terminado por arriba en una asa y por abajo en un pie, por lo general de forma de platillo.

velonero, ra. m. y f. Persona que hace o vende velones. ‖ **2.** f. Repisa de madera u otra materia en que se colocaba el velón o cualquier otra luz.

velorio[1]. (De *velar*[1].) m. Reunión con bailes, cantos y cuentos que durante la noche se celebra en las casas de los pueblos, por lo común con ocasión de alguna faena doméstica, como hilar, matar el puerco, etc. ‖ **2.** Velatorio, especialmente para velar a un niño difunto.

velorio[2]. (De *velar*[2].) m. Ceremonia de tomar el velo una religiosa.

velorta. f. **vilorta.**

velorto. m. **vilorto,** especie de clemátide de hojas anchas. ‖ **2. vilorta,** varita flexible que sirve para aro o vencejo. ‖ **3.** Palo para jugar a la vilorta. ‖ **4.** Piorno, viburno.

veloz. (Del lat. *velox, -ōcis.*) adj. Acelerado, ligero y pronto en el movimiento. ‖ **2.** Ágil y pronto en lo que ejecuta o discurre.

velozmente. adv. m. De manera veloz.

veltrón. (De *vientre.*) m. *Sor.* Barriga, vientre abultado.

veludillo. m. **velludillo.**

veludo. (Del gall. *veludo.*) m. **velludo,** felpa, terciopelo.

vellera. f. Mujer que afeita o quita el vello a otras.

vellido, da. (De *vello.*) adj. **velloso,** que tiene vello.

vello. (Del lat. *villus.*) m. Pelo que sale más corto y suave que el de la cabeza y de la barba, en algunas partes del cuerpo humano. ‖ **2.** Pelusilla de que están cubiertas algunas frutas o plantas.

vellocino. m. **vellón**[1], toda la lana junta de un carnero u oveja. ‖ **2. zalea,** cuero curtido del carnero o de la oveja con su lana.

vellón[1]. (Del lat. *vellus.*) m. Toda la lana junta de un carnero u oveja que se esquila. ‖ **2. zalea,** cuero curtido del carnero o de la oveja con su lana. ‖ **3.** Vedija o guedeja de lana.

vellón[2]. (Del fr. *billon.*) m. Liga de plata y cobre con que se labró moneda antiguamente. ‖ **2.** Moneda de cobre que se usó en lugar de la fabricada con liga de plata. ‖ **3.** V. **moneda, real de vellón.**

vellonero. m. El que en los esquileos tiene el cuidado de recoger los vellones y llevarlos a la pila.

véllora. (Del lat. *vellĕra,* pl. n. de *vellus, -ĕris.*) f. Mota o granillo que ciertos paños suelen tener en el revés.

vellorí. (Del lat. *vellus, -ĕris.*) m. Paño entrefino, de color pardo ceniciento o de lana sin teñir.

vellorín. (Del lat. *vellus, -ĕris.*) m. **vellorí.**

vellorio, ria. adj. **pardusco.** Aplícase a la caballería de piel parecida a la de la rata, con algunos pelos blancos.

vellorita. (Del lat. *bellis.*) f. **maya,** planta. ‖ **2. primavera,** planta.

vellosidad. (De *velloso.*) f. Abundancia de vello.

vellosilla. (d. de *vellosa.*) f. Planta herbácea, vivaz, de la familia de las compuestas, con hojas radicales, elípticas, enteras, lanuginosas y blanquecinas por el envés y con pelos largos en las dos caras; flores amarillas con pedúnculos radicales de uno a dos decímetros de largo, erguidos y velludos; fruto seco con semillas pequeñas, negras, en forma de cuña y vestidas de pelusa, y raíz rastrera con renuevos que arraigan pronto. Es común en los montes de España, y su cocimiento, amargo y astringente, se ha usado en medicina.

velloso, sa. (Del lat. *villōsus.*) adj. Que tiene vello.

vellotado. (De *vello.*) m. ant. **rizo,** terciopelo no cortado.

velludillo. m. Felpa o terciopelo de algodón, de pelo muy corto.

velludo, da. adj. Que tiene mucho vello. ‖ **2.** m. Felpa o terciopelo.

vellutero, ra. (Del cat. *vellut,* velludo.) m. y f. En algunas partes, persona que trabaja en seda, especialmente en felpa.

vena. (Del lat. *vena.*) f. Cualquiera de los vasos o conductos por donde vuelve al corazón la sangre que ha corrido por las arterias. ‖ **2.** Filón metálico. ‖ **3.** Cada uno de los hacecillos de fibras que sobresalen en el envés de las hojas de las plantas. ‖ **4.** Fibra de la vaina de ciertas legumbres. ‖ **5.** Faja de tierra o piedra, que por su calidad o su color se distingue de la masa en que se halla interpuesta. ‖ **6.** Conducto natural por donde circula el agua en las entrañas de la tierra. ‖ **7.** Cada una de las listas onduladas o ramificadas y de diversos colores que tienen ciertas piedras y maderas. ‖ **8.** V. **tabaco de vena.** ‖ **9.** V. **sangrar en vena.** ‖ **10.** fig. Inspiración poética, facilidad para componer versos. ‖ **11.** fig. Humor, disposición variable del ánimo. ‖ **12.** *Fís.* V. **contracción de la vena fluida.** ‖ **ácigos.** *Anat.* La que está en la parte derecha y anterior de la porción torácica del raquis y pone en comunicación la **vena** cava superior con la inferior. ‖ **basílica.** *Anat.* Una de las del brazo. ‖ **cardiaca.** *Anat.* Cada una de las que coronan la aurícula derecha del corazón, donde penetran juntas por un mismo orificio. ‖ **cava.** *Anat.* Cada una de las dos **venas** mayores del cuerpo, una superior o descendente, que recibe la sangre de la mitad superior del cuerpo, y otra inferior o ascendente, que recoge la sangre de los órganos situados debajo del diafragma; ambas desembocan en la aurícula derecha del corazón. ‖ **cefálica.** *Anat.* La del brazo, que se aproxima al pliegue del codo, y creyeron los antiguos que estaba en relación directa con la cabeza. ‖ **coronaria.** *Anat.* **vena cardiaca.** ‖ **de agua.** *vena,* conducto natural de agua subterránea. ‖ **de loco.** fig. Genio intermitente o voltario. ‖ **emulgente.** *Anat.* Cada una de las **venas** por donde sale la sangre de los riñones. ‖ **láctea.** *Anat.* Vaso quilífero. ‖ **leónica.** *Anat.* **vena ranina.** ‖ **porta.** *Anat.* La gruesa cuyo tronco está entre las eminencias de la superficie interior del hígado. ‖ **ranina.** *Anat.* La que se halla situada en la cara inferior de la lengua. ‖ **safena.** *Anat.* Cada una de dos principales que van a lo largo de la pierna, una por la parte interior y otra por la exterior. ‖ **subclavia.** *Anat.* Cada una de las dos que se extienden desde la clavícula hasta la **vena** cava superior. En la izquierda desemboca el canal torácico. ‖ **yugular.** *Anat.* Cada una de las dos que hay a uno y otro lado del cuello, distinguidas con los nombres de interna o cefálica y externa o subcutánea. ‖ **acostarse la vena.** fr. *Min.* Cambiarse el buzamiento del filón. ‖ **coger** a uno **de vena.** fr. fig. y fam. Hallarle en disposición favorable para conseguir de él lo que se pretende. ‖ **darle** a uno **la vena.** fr. fig. y fam. Excitársele alguna idea que le inquieta o que le mueve a ejecutar una resolución impensada o poco cuerda. ‖ **dar** uno **en la vena.** fr. fig. Encontrar un medio, que antes ignoraba, para conseguir fácilmente su deseo. ‖ **descabezarse una vena.** fr. *Cir.* Romperse, o por sí misma, o por haber recibido un golpe, de lo cual resulta perderse mucha sangre. ‖ **estar** uno **en vena.** fr. fig. y fam. Estar inspirado para componer versos, o para llevar a cabo alguna empresa. ‖ **2.** fig. y fam. Ocurrírsele con afluencia y fecundidad las ideas. ‖ **hallar** a uno **de vena.** fr. fig. y fam. **cogerle de vena.** ‖ **hallar** uno **la vena.** fr. fig. **dar en la vena.** ‖ **picar** uno **la vena** a otro. fr. Sangrarle. ‖ **picarle** a uno **la vena.** fr. fig. y fam. **estar en vena.**

venable. adj. **venal**[2], vendible.

venablo. (Del lat. *venabŭlum*, de *venāri*, cazar.) m. Dardo o lanza corta y arrojadiza. ‖ **echar** uno **venablos.** fr. fig. Prorrumpir en expresiones de cólera y enojo.

venación. (Del lat. *venatĭo, -ōnis.*) f. ant. Acción de cazar.

venada. f. Ataque de locura.

venadero. m. Lugar en que los venados tienen su querencia o acogida. ‖ **2.** adj. *Col.* y *Ecuad.* Aplícase al perro que se utiliza en la caza de venados.

venado. (Del lat. *venātus*, caza.) m. **ciervo.** ‖ **2.** ant. Res de caza mayor, particularmente oso, jabalí o ciervo.

venador. (Del lat. *venātor, -ōris.*) m. ant. **cazador,** el que caza por oficio o por diversión.

venadriz. (Del lat. *venātrix, -īcis.*) f. ant. **cazadora,** la que caza.

venaje. m. Conjunto de venas de agua y manantiales que dan origen a un río.

venal[1]. adj. Perteneciente o relativo a las venas.

venal[2]. (Del lat. *venālis*, de *venum*, venta.) adj. Vendible o expuesto a la venta. ‖ **2.** fig. Que se deja sobornar con dádivas.

venalidad. (Del lat. *venalĭtas, -ātis.*) f. Cualidad de venal[2].

venático, ca. adj. fam. Que tiene vena de loco, o ideas extravagantes. Ú. t. c. s.

venatorio, ria. (Del lat. *venatorĭus.*) adj. Perteneciente o relativo a la montería.

vencedero, ra. adj. Que está sujeto a vencimiento en época determinada.

vencedor, ra. adj. Que vence. Ú. t. c. s.

vencejera. f. *Seg.* y *Zam.* Haz de paja de centeno.

vencejo[1]. (Del lat. *vincicŭlum*, de *vincíre*, atar.) m. Lazo o ligadura con que se ata una cosa, especialmente los haces de las mieses. ‖ **2.** *Germ.* **pretina,** correa o cinta con hebilla o broche que sujeta las prendas en la cintura.

vencejo[2]. (De *oncejo,* alterado desde antiguo por confusión con *vencejo,* ligadura.) m. Pájaro como de dos decímetros de longitud desde la punta del pico hasta la extremidad de la cola, que es muy larga y ahorquillada; con alas también largas y puntiagudas; plumaje blanco en la garganta y negro en el resto del cuerpo; pies cortos, con cuatro dedos dirigidos todos adelante, y pico pequeño algo encorvado en la punta. Es de temporada en España, se alimenta de insectos, anida en los aleros de los tejados.

vencer. (Del lat. *vincĕre.*) tr. Sujetar, derrotar o rendir al enemigo. ‖ **2.** Rendir a uno aquellas cosas físicas o morales a cuya fuerza resiste difícilmente la naturaleza. VENCER *a uno* el *sueño;* VENCERLE el *dolor, la pasión.* Ú. t. c. prnl. ‖ **3.** Aventajarse o salir preferido, o exceder en algún concepto, en competencia o comparación con otros. ‖ **4.** Sujetar o rendir las pasiones y afectos, reduciéndolos a la razón. ‖ **5.** Superar las dificultades y estorbos, obrando

contra ellos. ‖ **6.** Prevalecer una cosa sobre otra, aun las inmateriales. ‖ **7.** Atraer o reducir una persona a otra de modo que siga su dictamen o deseo. ‖ **8.** Sufrir, llevar con paciencia y constancia un dolor, trabajo o calamidad. ‖ **9.** Subir, montar o superar la altura o aspereza de un sitio o camino. ‖ **10.** Ladear, torcer o inclinar una cosa. Ú. m. c. prnl. ‖ **11.** intr. Cumplirse un término o plazo. ‖ **12.** Terminar o perder su fuerza obligatoria un contrato por cumplirse la condición o el plazo en él fijado. ‖ **13.** Hacerse exigible una deuda u otra obligación por haberse cumplido la condición o el plazo necesarios para ello. ‖ **14.** Salir uno con el intento deseado, en contienda física o moral, disputa o pleito. ‖ **15.** Refrenar o reprimir los ímpetus del genio o de la pasión. Ú. t. c. prnl.

vencetósigo. m. Planta perenne de la familia de las asclepiadáceas, de tres a cuatro decímetros de altura, con hojas aovadas llenas de pelusa en su base, flores pequeñas y blancas y raíz medicinal, de olor parecido al del alcanfor.

vencible. (Del lat. *vincibĭlis.*) adj. Que puede vencerse.

vencida. f. **vencimiento,** acto de vencer o de ser vencido. ‖ **a las tres, a la de tres, a la tercera, o a tres, va la vencida.** fr. con que se da a entender que si se repiten los intentos, a la tercera se suele conseguir el fin deseado. ‖ **2.** También significa que se debe desistir de algo cuando se han hecho tres tentativas infructuosas. ‖ **de vencida.** expr. adv. con que se denota estar a punto de ser vencida una persona o dominada o concluida una cosa. Ú. con los verbos *ir* y *llevar.*

vencimiento. m. Acto de vencer o de ser vencido. Ú. m. en este sentido. ‖ **2.** fig. Inclinación o torcimiento de una cosa material. ‖ **3.** fig. Cumplimiento del plazo de una deuda, obligación, etc.

venda. (Del germ. *binda*.) f. Tira, por lo común de lienzo, gasa, etc., que sirve para ligar un miembro o para sujetar los apósitos aplicados sobre una llaga, contusión, tumor, etc. ‖ **2.** Faja que, rodeada a las sienes, servía a los reyes de adorno distintivo y como corona. ‖ **caérsele** a uno **la venda de los ojos.** fr. Desengañarse, salir del estado de ofuscación en que se hallaba. ‖ **poner** a uno **una venda en los ojos.** fr. fig. Influir en su ánimo para que viva engañado. ‖ **tener** uno **una venda en los ojos.** fr. fig. Desconocer la verdad por ofuscación del entendimiento.

venda[2]. (Del lat. *vendĭta.*) f. ant. Acción y efecto de vender o venderse.

vendaje[1]. m. Ligadura que se hace con vendas o con otras piezas de lienzo dispuestas de modo que se acomoden a la forma de la región del cuerpo donde se aplican, y sujetan el apósito. ‖ **enyesado.** *Cir.* Apósito preparado con yeso, que se emplea principalmente en la curación de las fracturas de los huesos, para inmovilizar los fragmentos, previamente restablecidos en su disposición anatómica.

vendaje[2]. (De *venda*[2].) m. p. us. Paga dada a uno por el trabajo de vender los géneros que se le encomiendan. ‖ **2.** *Can., Col., C. Rica, Ecuad.* y *Nicar.* Yapa o adehala.

vendal. m. *And.* Claro en la espesura de un monte, con suelo generalmente pizarroso.

vendar. tr. Atar, ligar o cubrir con la venda[1]. ‖ **2.** fig. Poner un impedimento o estorbo al conocimiento o a la razón, para que no vea las cosas como son en sí, o los inconvenientes que se siguen de ellas.

vendaval. (Del fr. *vent d'aval,* viento de abajo.) m. Viento fuerte que sopla del Sur, con tendencia al Oeste. ‖ **2.** Por ext., cualquier viento fuerte que no llega a ser temporal declarado.

vendedera. f. Mujer que tiene por oficio vender.

vendedor, ra. (Del lat. *venditor, -ōris.*) adj. Que vende. Ú. t. c. s.

vendehúmos. (De *vender* y *humo*.) com. fam. Persona que ostenta o simula valimiento o privanza con un poderoso, para vender con esto su favor a los pretendientes.

vendeja. (d. de *venda*².) f. Venta pública y común como en feria. ‖ **2.** Conjunto de mercancías destinadas a la venta. ‖ **3.** *And.* Venta de pasas, higos, limones, etc., en el tiempo de la cosecha. ‖ **4.** *Vizc.* Fruta y verdura que llevan a vender al mercado las aldeanas.

vender. (Del lat. *venděre.*) tr. Traspasar a otro por el precio convenido la propiedad de lo que uno posee. ‖ **2.** Exponer u ofrecer al público los géneros o mercancías para el que las quisiere comprar. ‖ **3.** Sacrificar al interés cosas que no tienen valor material. VENDER *la honra, la justicia.* ‖ **4.** fig. Faltar uno a la fe, confianza o amistad que debe a otro. ‖ **5.** prnl. Dejarse sobornar. ‖ **6.** fig. Ofrecerse a todo riesgo y costa en favor de uno, aun exponiendo su libertad. ‖ **7.** fig. Decir o hacer uno inadvertidamente algo que descubre lo que quiere tener oculto. ‖ **8.** fig. Seguido de la preposición *por,* atribuirse uno condición o calidad que no tiene. ‖ **¿a mí, que las vendo?** expr. fig. y fam. con que uno advierte que está prevenido contra el engaño, por el conocimiento o práctica que tiene de la materia de que se trata. ‖ **estar uno como vendido.** fr. Estar mortificado o desazonado en la compañía o conversación de los que son extraños o de diferente opinión. ‖ **estar vendido** uno. fr. fig. Estar en conocido peligro entre algunos que son capaces de ocasionarlo, o más sagaces en la materia de que se trata. ‖ **vender cara** una cosa a uno. fr. fig. Hacer que le cueste mucho trabajo, diligencia o fatiga el conseguirla. ‖ **2.** fig. Proponerle y persuadirle con razones aparentes la bondad o utilidad de una cosa que en realidad no la tiene. ‖ **venderse** uno **caro.** fr. fig. Prestarse con gran dificultad al trato, comunicación o vista del que lo apetece o busca.

venderache. m. ant. Vendedor o mercader.

vendí. (1.ª pers. de sing. del pret. indefinido del verbo *vender,* palabra con que suelen dar principio estos documentos.) m. Certificado que da el vendedor, corredor o agente que ha intervenido en una venta de mercancías o efectos públicos, para acreditar la procedencia y el precio de lo comprado.

vendible. (Del lat. *vendibĭlis.*) adj. Que se puede vender o está de manifiesto para venderse.

vendición. (Del lat. *venditĭo, -ōnis.*) f. ant. Acción y efecto de vender o venderse.

véndida. (Del lat. *vendĭta,* vendida.) f. ant. Acción y efecto de vender o venderse.

vendimia. (Del lat. *vindemĭa.*) f. Recolección y cosecha de la uva. ‖ **2.** Tiempo en que se hace. ‖ **3.** fig. Provecho o fruto abundante que se saca de alguna cosa.

vendimiador, ra. (Del lat. *vindemiātor, -ōris.*) m. y f. Persona que vendimia.

vendimiar. (Del lat. *vindemiāre.*) tr. Recoger el fruto de las viñas. ‖ **2.** fig. Disfrutar una cosa o aprovecharse de ella, especialmente cuando es con violencia o injusticia. ‖ **3.** fig. y fam. Matar o quitar la vida.

vendimiario. (Del fr. *vendémiaire.*) m. Primer mes del calendario republicano francés, cuyos días primero y último coincidían, respectivamente, con el 22 de septiembre y el 21 de octubre.

vendo. (De *venda*¹.) m. Orillo del paño. ‖ **2.** pl. *Albac., And.* y *Cuen.* Zorros¹ para sacudir el polvo.

Venecia. n. p. V. **tierra de Venecia.** ‖ **2.** *Pint.* V. **sombra de Venecia.**

veneciano, na. (Del lat. *Venetiānus.*) adj. Natural de Venecia. Ú. t. c. s. ‖ **2.** Perteneciente o relativo a esta ciudad de Italia. ‖ **3.** V. **noble veneciano.** ‖ **a la veneciana.** loc. adv. Al uso de Venecia. ‖ **2.** Tratándose de iluminaciones en festejos, las hechas con gran profusión de faroles de colores vistosos.

venedizo, za. (De *venir.*) adj. ant. **advenedizo.**

veneficiar. tr. ant. Maleficiar o hechizar.

veneficio. (Del lat. *veneficĭum.*) m. ant. Maleficio o hechicería. ‖ **2.** ant. Aderezo, compostura, afeite.

venéfico, ca. (Del lat. *venefĭcus.*) adj. ant. Que tiene o incluye veneno, venenoso. ‖ **2.** m. y f. ant. **hechicero,** que emplea hechizos.

venenador, ra. (De *venenar.*) adj. ant. Que venena. Usáb. t. c. s.

venenar. (Del lat. *venenāre.*) tr. ant. Inficionar con veneno, envenenar.

venencia. f. Utensilio compuesto de un recipiente cilíndrico de plata, hojalata u otra materia, de reducida capacidad, y de una varilla, ordinariamente de ballena, de unos 80 centímetros de longitud, terminada en gancho. Úsanlo en Jerez de la Frontera para sacar pequeñas cantidades del vino o mosto que contiene una bota.

venenífero, ra. (Del lat. *venenĭfer, -ěri.*) adj. poét. Que tiene o incluye veneno, venenoso.

veneno. (Del lat. *venēnum.*) m. Cualquier sustancia que, introducida en el cuerpo o aplicada a él en poca cantidad, le ocasiona la muerte o graves trastornos. ‖ **2.** fig. Cualquier cosa nociva a la salud. ‖ **3.** fig. Cualquier cosa que puede causar un daño moral. ‖ **4.** fig. Afecto de ira, rencor u otro mal sentimiento.

venenosidad. f. Cualidad de venenoso.

venenoso, sa. (Del lat. *venenōsus.*) adj. Que incluye veneno.

venera¹. (Del lat. *venerĭa,* cierta concha relacionada con Venus.) f. Concha semicircular de dos valvas, una plana y otra muy convexa, de 10 a 12 centímetros de diámetro, rojizas por fuera y blancas por dentro, con dos orejuelas laterales y 14 estrías radiales que forman a modo de costillas gruesas. ‖ **2.** Insignia distintiva que traen pendiente al pecho los caballeros de cada una de las órdenes. ‖ **empeñar uno la venera.** fr. fig. y fam. No perdonar gasto ni sacrificio para lograr un objeto o salir de un grave apuro. ‖ **no se le, o te, caerá la venera.** expr. fig. y fam. con que se reprende al que por vanidad u orgullo rehúsa hacer una cosa.

venera². (De *vena.*) f. **venero,** manantial de agua.

venerabilísimo, ma. adj. sup. de **venerable.**

venerable. (Del lat. *venerabĭlis.*) adj. Digno de veneración, de respeto. ‖ **2.** Aplícase como epíteto o renombre a las personas de conocida virtud. ‖ **3.** Aplícase como título a las personas eclesiásticas constituidas en prelacía y dignidad. ‖ **4.** Primer título que se concede en Roma a los que mueren con fama de santidad, y al cual sigue comúnmente el de beato, y por último el de santo. Ú. t. c. s.

venerablemente. adv. m. Con veneración.

veneración. (Del lat. *veneratĭo, -ōnis.*) f. Acción y efecto de venerar.

venerador, ra. (Del lat. *venerātor, -ōris.*) adj. Que venera. Ú. t. c. s.

venerando, da. (Del lat. *venerandus.*) adj. **venerable,** digno de veneración.

venerar. (Del lat. *venerāri.*) tr. Respetar en sumo grado a una persona por su santidad, dignidad o grandes virtudes, o a una cosa por lo que representa o recuerda. ‖ **2.** Dar culto a Dios, a los santos o a las cosas sagradas.

venéreo, a. (Del lat. *venerěus.*) adj. Perteneciente o relativo a la venus, deleite sexual. ‖ **2.** *Pat.* Dícese de la enfermedad contagiosa que ordinariamente se contrae por el trato sexual. Ú. t. c. s. m.

venereología. (De *venéreo* y *-logía.*) f. Parte de la medicina referente a las enfermedades venéreas.

venereológico, ca. adj. Perteneciente o relativo a la venereología.

venereólogo, ga. m. y f. *Med.* Especialista en venereología.

venero. (De *vena.*) m. Manantial de agua. ‖ **2.** Raya o línea horaria en los relojes de sol. ‖ **3.** fig. Origen y principio de donde procede una cosa. ‖ **4.** *Min.* **criadero,** yacimiento de sustancias inorgánicas útiles.

veneruela. f. d. de **venera.**

véneto, ta. (Del lat. *Venètus.*) adj. Natural de Venecia. Ú. t. c. s. ‖ **2.** Perteneciente o relativo a esta ciudad.

venezolanismo. m. Vocablo, giro o modo de hablar propio de los venezolanos.

venezolano, na. adj. Natural de Venezuela. Ú. t. c. s. ‖ **2.** Perteneciente o relativo a esta nación de América.

Venezuela. n. p. V. **tártago de Venezuela.**

vengable. adj. Que puede o debe ser vengado.

vengador, ra. (Del lat. *vindicätor, -öris.*) adj. Que venga o se venga. Ú. t. c. s.

venganza. f. Satisfacción que se toma del agravio o daño recibidos. ‖ **2.** desus. Castigo, pena.

vengar. (Del lat. *vindicäre.*) tr. Tomar satisfacción de un agravio o daño. Ú. t. c. prnl.

vengativo, va. (De *vengar.*) adj. Inclinado o determinado a tomar venganza de cualquier agravio.

venia. (Del lat. *venîa.*) f. Perdón o remisión de la ofensa o culpa. ‖ **2.** Licencia o permiso pedido para ejecutar una cosa. ‖ **3.** Inclinación que se hace con la cabeza, saludando cortésmente a uno. ‖ **4.** *Der.* Licencia que se concedía a un menor, a consulta de tribunal competente, para administrar por sí su hacienda.

venial. (Del lat. *veniälis.*) adj. Dícese de lo que se opone levemente a la ley o precepto, y por eso es de fácil remisión. ‖ **2.** V. **pecado venial.**

venialidad. f. Cualidad de venial.

venialmente. adv. m. De modo venial.

venida. f. Acción de venir. ‖ **2. regreso.** ‖ **3.** Avenida de un río o arroyo. ‖ **4.** fig. Ímpetu o acción inconsiderada. ‖ **5.** *Esgr.* Acometimiento mutuo que se hacen los combatientes, después de presentar la espada, por todo el tiempo que dura el lance hasta entrar el montante.

venidero, ra. adj. Que está por venir o suceder. ‖ **2.** m. pl. Los que han de suceder a uno. ‖ **3.** Los que han de nacer después.

venimécum. (Del lat. *veni,* ven, y *mecum,* conmigo.) m. **vademécum,** libro pequeño y compendioso de una ciencia o de un arte.

venino, na. (De *veneno.*) adj. ant. **venenoso.** ‖ **2.** m. ant. **veneno.** ‖ **3.** ant. Grano maligno o divieso.

venir. (Del lat. *venîre.*) intr. Caminar una persona o moverse una cosa de allá hacia acá. ‖ **2.** Llegar una persona o cosa a donde está el que habla. ‖ **3.** Ajustarse, acomodarse o conformarse una cosa a otra o con otra. *A Juan le* VIENE *bien es vestido,* o *no le* VIENE; *tal cosa* VINO *de perillas.* ‖ **4.** Llegar una a conformarse, transigir o avenirse. Ú. t. c. prnl. ‖ **5.** Avenirse o conformarse finalmente en lo que antes se dificultaba o resistía. *Después de muchas guerras, los hombres* VIENEN *a paz y concordia.* ‖ **6.** Volver a tratar del asunto, después de alguna digresión. *Pero* VENGAMOS *al caso.* ‖ **7.** Inferirse, deducirse o ser una cosa consecuencia de otra. ‖ **8.** Pasar el dominio o uso de una cosa de unos a otros. ‖ **9.** Darse o producirse una cosa en un terreno. ‖ **10.** Acercarse o llegar el tiempo en que una cosa ha de acaecer. *El mes que* VIENE; VINO *la noche; tras el verano* VIENE *el otoño.* ‖ **11.** Traer origen, proceder o tener dependencia una cosa de otra en lo físico o en lo moral. *Persona que* VIENE *de linaje de traidores.* ‖ **12.** Excitarse o empezarse a mover un afecto, pasión o apetito. VENIR *gana, deseo.* ‖ **13.** Figurar o aparecer en un libro, periódico, etc.; estar incluido o mencionado en él. *Esa noticia* VIENE *de la última página. Tal párrafo no* VIENE *en la edición que he consultado.* ‖ **14.** Ofrecerse u ocurrir una cosa a la imaginación o a la memoria. ‖ **15.** Manifestarse o iniciarse una cosa. VENIR *la razón o el uso de ella a los*

niños. ‖ **16.** Persistir en una acción o estado que se indica mediante un gerundio, un nombre o un adjetivo. *Las guerras* VIENEN *sucediéndose desde que la humanidad existe; Pedro* VIENE *enfermo desde hace años; siempre* VENÍAN *con la misma petición.* ‖ **17.** Con la prep. *a,* y el infinitivo de otro verbo, suceder finalmente una cosa que se esperaba o se temía. *Después de una larga enfermedad,* VINO A *morir; después de largas pretensiones,* VINO A *conseguir la plaza.* ‖ **18.** Con la prep. *a* y ciertos nombres, estar pronto a la ejecución, o ejecutar actualmente lo que los nombres significan. VENIR A *cuentas,* A *partido.* ‖ **19.** Con la misma prep. *a* y algunos verbos, como *ser, tener, decir,* y otros, denota equivalencia aproximada. *Esto* VIENE A *ser una retractación;* VIENE A *tener cuatro mil duros de renta.* ‖ **20.** Seguido de la prep. *ante,* **comparecer.** VENIR ANTE *el juez.* ‖ **21.** Seguido de la prep. *con,* aducir, traer a colación una cosa. ‖ **22.** Seguido de la prep. *en,* resolver, acordar, decidir una autoridad, y especialmente la suprema. VENGO EN *decretar lo siguiente;* VENGO EN *nombrar, conferir, admitir, separar,* etc. ‖ **23.** Seguido de la prep. *en* y un sustantivo, toma la significación del verbo correspondiente a dicho sustantivo. VENIR EN *conocimiento;* VENIR EN *deseo.* ‖ **24.** Seguido de la prep. *sobre,* **caer.** ‖ **25.** Suceder, acontecer o sobrevenir. ‖ **26.** prnl. Perfeccionarse algunas cosas o constituirse en el estado que deben tener por medio de la fermentación. VENIRSE *el pan;* VENIRSE *el vino.* ‖ **¿a qué viene eso?** expr. que indica que la acción que alguien ha realizado se considera inoportuna o injustificada. ‖ **el que venga detrás, que arree.** fr. con que uno, que ha salvado ya circunstancias difíciles, se desentiende de los peligros o daños que **en lo por venir.** loc. adv. En lo sucesivo o venidero. ‖ **ven acá.** expr. fam. que se usa para llamar la atención de uno, reconvenirle o disuadirle de una cosa. ‖ **venga lo que viniere.** expr. con que se da a entender la resolución o determinación en que se está de emprender o ejecutar una cosa, sin preocuparse de que el éxito sea favorable o adverso. ‖ **venir a menos.** fr. Deteriorarse, empeorarse o caer del estado que se gozaba. ‖ **venir uno bien en una cosa.** fr. Acceder a ella. ‖ **venir clavada** una cosa a otra. fr. fig. y fam. Serle adecuada o proporcionada. ‖ **venirle a uno ancha** una cosa. fr. fig. y fam. **venirle muy ancha.** ‖ **venirle a uno angosta** una cosa. fr. fig. y fam. No ser bastante a satisfacer su ánimo, ambición o mérito. ‖ **venirle a uno grande** o **muy grande** una cosa. fr. fig. y fam. **venirle muy ancha.** ‖ **venirle a uno muy ancha** una cosa. fr. fig. y fam. Ser excesiva para su capacidad o su mérito. ‖ **venir mal dadas.** fr. fig. y fam. Presentarse adversamente cosas, asuntos, circunstancias, etc. ‖ **venir rodada** una cosa. fr. fig. Suceder casualmente en favor de lo que se intentaba o deseaba. ‖ **venirse abajo** una cosa. fr. **venir,** o **venirse, a tierra.** ‖ **venirse** uno **a buenas,** fr. **darse a buenas.**

venora. f. *Ar.* Hilada de piedra o de ladrillo que se pone de trecho en trecho en las acequias para que sirva de señal a los que las limpian.

venoso, sa. (Del lat. *venösus.*) adj. Que tiene venas. ‖ **2.** Perteneciente o relativo a la vena. ‖ **3.** *Bot.* V. **hoja venosa.**

venta. (Del lat. *vendîta,* pl. de *vendîtum.*) f. Acción y efecto de vender. ‖ **2.** Cantidad de cosas que se venden. ‖ **3.** Contrato en virtud del cual se transfiere a dominio ajeno una cosa propia por el precio pactado. ‖ **4.** Casa establecida en los caminos o despoblados para hospedaje de los pasajeros. ‖ **5.** V. **boleto de venta.** ‖ **6.** fig. y fam. Sitio desamparado y expuesto a las injurias del tiempo, como lo suelen estar las **ventas.** ‖ **pública. almoneda.** ‖ **en venta.** loc. adj. y adv. que se aplica a aquello que un propietario quiere vender. ‖ **estar de,** o **en, venta.** fr. fig. y fam. Tener una mujer la costumbre de asomarse mucho a la ventana para ver y ser vista. ‖ **hacer buena la venta.** fr. ant. Asegurarla, darla por buena y valedera. ‖ **hacer venta.** fr. fig. y fam. con que uno convida cortesanamente a comer en su casa a otro que pasa por ella. ‖ **ser una venta.** fr. fig. y fam. con que se explica lo caro que cobran en un lugar o tienda.

ventada. f. Golpe de viento.

ventador. m. ant. **aventador,** instrumento para aventar.

ventaja. (De *aventaja.*) f. Superioridad o mejoría de una persona o cosa respecto de otra. ‖ **2.** Excelencia o condición favorable que una persona o cosa tiene. ‖ **3.** Sueldo sobreañadido al común que gozan otros. ‖ **4.** Ganancia anticipada que un jugador concede a otro para compensar la superioridad que el primero tiene o se atribuye en habilidad o destreza. ‖ **5.** V. **jugador de ventaja.** ‖ **6.** *Dep.* En algunos juegos de equipo, beneficio que se obtiene de una falta cometida por el contrario.

ventaje. m. ant. **ventaja.**

ventajear. tr. *Argent., Col., Guat.* y *Urug.* Aventajar, obtener ventaja. ‖ **2.** En sent. peyorativo, sacar ventaja mediante procedimientos reprobables o abusivos.

ventajero, ra. adj. *P. Rico, Sto. Dom.* y *Urug.* **ventajista.** Ú. t. c. s.

ventajista. adj. Dícese de la persona que sin miramientos procura obtener ventaja en los tratos, en el juego, etc. Ú. t. c. s.

ventajosamente. adv. m. De manera ventajosa.

ventajoso, sa. adj. Dícese de lo que tiene ventaja o la reporta.

ventalla. (Del lat. *ventus.*) f. **válvula.** ‖ **2.** *Bot.* Cada una de las dos o más partes de la cáscara de un fruto, que, juntas por una o más suturas, encierran las semillas, como en el haba y el estramonio.

ventalle. (Del lat. *ventus.*) m. **abanico,** instrumento para dar a uno o para darse uno aire. ‖ **2.** Pieza movible del casco, que en unión con la visera cerrada la parte delantera del mismo.

ventana. (Del lat. *ventus.*) f. Abertura más o menos elevada sobre el suelo, que se deja en una pared para dar luz y ventilación. ‖ **2.** Hoja u hojas de madera y de cristales con que se cierra esa abertura. ‖ **3.** Cada uno de los orificios de la nariz. ‖ **arrojar,** o **echar,** una cosa **por la ventana.** fr. fig. Desperdiciarla o malgastarla. ‖ **2.** fig. Desaprovechar una oportunidad. ‖ **estar** uno **asomado a buena ventana,** o **a buenas ventanas.** fr. fig. y fam. Estar cerca de obtener una herencia o de entrar en una dignidad o empleo. ‖ **hablar** uno **desde la ventana.** fr. **hablar desde la talanquera.** ‖ **hacer ventana** una mujer. fr. Ponerse a ella para ser vista. ‖ **salir** uno **por la ventana.** fr. fig. Salir desgraciadamente de un lugar o negocio. ‖ **tener** uno **ventana al cierzo.** fr. fig. y fam. Tener mucha vanidad u orgullo; ser propenso a resoluciones enérgicas o airadas. ‖ **tirar** uno **a ventana conocida,** o **señalada.** fr. fig. y fam. Hablar de alguna persona embozadamente, pero de modo que se conozca de quién se trata.

ventanaje. m. Conjunto de ventanas de un edificio.

ventanal. m. Ventana grande, como la de las catedrales.

ventanazo. m. Golpe recio que se da al cerrarse una ventana. ‖ **2.** Acción de cerrar violentamente las ventanas en señal de enojo o desaire a persona que se halla en la parte de afuera.

ventanear. intr. fam. Asomarse o ponerse a la ventana con frecuencia.

ventaneo. m. fam. Acción de ventanear.

ventanero, ra. adj. Dícese del hombre que con descaro ve las ventanas en que hay mujeres. Ú. t. c. s. ‖ **2.** Dícese de la mujer ociosa muy aficionada a asomarse a la ventana para ver y ser vista. Ú. t. c. s. ‖ **3.** m. El que hace ventanas.

ventanico. m. **ventanillo.**

ventanilla. f. d. de **ventana.** ‖ **2.** Abertura pequeña que hay en la pared o tabique de los despachos de billetes, bancos y otras oficinas para que los empleados de estas comuniquen desde dentro con el público que está en la parte de fuera. ‖ **3.** Abertura provista de cristal que tienen en sus costados los coches, vagones del tren y otros vehículos. ‖ **4.** Orificio de la nariz. ‖ **5.** Abertura rectangular cubierta con un material transparente, que llevan algunos sobres, para ver la dirección del destinatario escrita en la misma carta.

ventanillo. m. d. de **ventano.** ‖ **2.** Postigo pequeño de puerta o ventana. ‖ **3.** Ventana pequeña o abertura redonda o de otra forma, hecha en la puerta exterior de las casas y resguardada por lo común con rejilla, para ver a la persona que llama, o hablar con ella sin franquearle la entrada. ‖ **4.** **trampilla,** ventanilla en el suelo para mirar al piso inferior.

ventano. m. Ventana pequeña.

ventar¹. intr. impers. Soplar el viento. ‖ **2.** intr. **ventear,** tomar algunos animales el viento u olor con el olfato. ‖ **3.** tr. ant. **aventar,** echar al viento, especialmente la mies en la era. Ú. en Burgos.

ventar². (Del lat. *ventāre,* frec. de *veníre,* venir.) tr. ant. Hallar, descubrir.

ventarrón. m. Viento que sopla con mucha fuerza.

venteadura. f. Efecto de ventearse.

ventear. intr. impers. Soplar el viento o hacer aire fuerte. ‖ **2.** tr. Tomar algunos animales el viento con el olfato. ‖ **3.** Poner, sacar o arrojar una cosa al viento para enjugarla o limpiarla. ‖ **4.** fig. Andar indagando o inquiriendo una cosa. ‖ **5.** prnl. Rajarse o henderse una cosa por la diferente dilatación de sus moléculas. ‖ **6.** Levantarse ampollas en medio de la masa del barro de las tejas y ladrillos al cocerse. ‖ **7.** Adulterarse o desvirtuarse algunas cosas por la acción del aire; como el tabaco. ‖ **8.** Expeler los gases intestinales.

ventecico, llo, to. m. ant. ds. de **viento.**

venteril. adj. Propio de venta, o de ventero o ventera.

ventenero, ra. (De *ventror.*) adj. ant. Glotón, tragón.

venternía. (De *vientre.*) f. ant. Glotonería, gula.

ventero¹, ra. adj. Que ventea o toma el viento. *Perro* **VENTERO.**

ventero², ra. m. y f. Persona que tiene a su cuidado y cargo una venta para hospedaje de los pasajeros.

ventifarel. m. *Sal.* **cínife,** mosquito.

ventilación. (Del lat. *ventilatǐo, -ōnis.*) f. Acción y efecto de ventilar o ventilarse. ‖ **2.** Abertura que sirve para ventilar un aposento. ‖ **3.** Corriente de aire que se establece al ventilarlo. ‖ **4.** Instalación con que se ventila un recinto.

ventilador. (Del lat. *ventilātor, -ōris.*) m. Instrumento o aparato que impulsa o remueve el aire en una habitación. ‖ **2.** Abertura que se deja hacia el exterior en una habitación, para que se renueve el aire de esta sin necesidad de abrir las puertas o ventanas.

ventilar. (Del lat. *ventilāre.*) tr. Hacer correr o penetrar el aire en algún sitio. Ú. m. c. prnl. ‖ **2.** Agitar una cosa en el aire. ‖ **3.** Exponer una cosa al viento. ‖ **4.** Renovar el aire de un aposento o pieza cerrada. ‖ **5.** fig. Dirimir o resolver una cuestión o duda.

ventisca. f. Borrasca de viento, o de viento y nieve, que suele ser más frecuente en los puertos y gargantas de los montes. ‖ **2.** Viento fuerte, ventarrón.

ventiscar. intr. impers. Nevar con viento fuerte. ‖ **2.** Levantarse la nieve por la violencia del viento.

ventisco. m. **ventisca.**

ventiscoso, sa. adj. Aplícase al tiempo y lugar en que son frecuentes las ventiscas.

ventisquear. (De *ventisca.*) intr. impers. **ventiscar.**

ventisquero. m. **ventisca.** ‖ **2.** Altura de los montes más expuesta a las ventiscas. ‖ **3**. Sitio, en las alturas de los montes, donde se conserva la nieve y el hielo. ‖ **4**. Masa de nieve o hielo reunida en este sitio.

ventola. (Del lat. **eventulãre* por *eventilãre*, con infl. de *ventŭlus*.) f. *Mar.* Esfuerzo que hace el viento contra un obstáculo cualquiera.

ventolera. (De *ventola*.) f. Golpe de viento recio y poco durable. ‖ **2**. Varita en cuya punta hay una cruz o estrella de papel que gira, molinete, rehilandera. ‖ **3**. fig. y fam. Vanidad, jactancia y soberbia. ‖ **4**. fig. y fam. Pensamiento o determinación inesperada y extravagante. *Le dio la* VENTOLERA *de sentar plaza.*

ventolina. (De *ventola*.) f. *Mar.* Viento leve y variable.

ventor, ra. (De *ventar*[1].) adj. Dícese del animal que, guiado por su olfato y el viento, busca un rastro o huye del cazador. ‖ **2**. m. **perro ventor.**

ventorrero. m. Sitio alto y despejado, muy combatido de los vientos.

ventorrillo. (d. de *ventorro*.) m. **ventorro.** ‖ **2**. Bodegón o casa de comidas en las afueras de una población.

ventorro. m. despect. Venta de hospedaje pequeña o mala.

ventosa. (Del lat. *ventōsa*.) f. Abertura que se hace en algunas cosas para dar paso al aire, y especialmente la que se deja en los puntos más elevados de una cañería. También se llama así el tubo que sirve para ventilación de las atarjeas. ‖ **2**. Órgano que tienen ciertos animales en los pies, la boca u otras partes del cuerpo, para adherirse o agarrarse, mediante el vacío, al andar o hacer presa. ‖ **3**. Pieza cóncava de material elástico en la cual, al ser oprimida contra una superficie lisa, se produce el vacío, con lo cual queda adherida a dicha superficie. ‖ **4**. *Cir.* Vaso o campana, comúnmente de vidrio, que se aplica sobre una parte cualquiera de los tegumentos, enrareciendo el aire en su interior al quemar una cerillita o estopa, etc. ‖ **escarificada** o **sajada.** *Cir.* La que se aplica sobre una superficie escarificada o sajada. ‖ **seca.** *Cir.* La que se aplica sobre una parte íntegra o no sajada. ‖ **pegar** a uno **una ventosa.** fr. fig. y fam. Sacarle con artificio o engaño dinero u otra cosa.

ventosear. (De *ventoso*.) intr. Expeler del cuerpo los gases intestinales. Ú. t. c. prnl.

ventosedad. f. ant. **ventosidad.**

ventosidad. (Del lat. *ventositas, -ãtis*.) f. Calidad de ventoso o flatulento. ‖ **2**. Gases intestinales encerrados o comprimidos en el cuerpo, especialmente cuando se expelen.

ventoso, sa. (Del lat. *ventōsus*.) adj. Aplicase al día o tiempo en que corre viento o aire. ‖ **2**. Aplicase al día o tiempo en que hace aire fuerte, y al sitio combatido por los vientos. ‖ **3**. **flatulento,** que causa flato en el estómago. ‖ **4**. **ventor,** dícese del animal que por el viento y por su olfato descubre a una persona o un animal. ‖ **5**. fig. ant. Vano, presuntuoso, desvanecido. ‖ **6**. m. Sexto mes del calendario republicano francés, cuyos días primero y último coincidían, respectivamente, con el 19 de febrero y el 20 de marzo.

ventrada. (De *vientre*.) f. ant. **ventregada.**

ventral. (Del lat. *ventrãlis*.) adj. Perteneciente o relativo al vientre. ‖ **2**. *Anat.* V. **aorta ventral.**

ventrecillo. m. d. de **vientre.**

ventrecha. (Del lat. *ventricŭlus*.) f. Vientre de los pescados.

ventregada. (De *vientre*.) f. Conjunto de animalillos que han nacido de un parto. ‖ **2**. fig. Abundancia de muchas cosas que vienen juntas de una vez.

ventrera. f. Faja que se pone en el vientre ceñida y apretada. ‖ **2**. Armadura que cubría el vientre.

ventrezuelo. m. d. de **vientre.**

ventricular. adj. *Anat.* Perteneciente o relativo al ventrículo.

ventrículo. (Del lat. *ventricŭlus*.) m. *Anat.* **estómago** del hombre y de los animales. ‖ **2**. *Anat.* Cada una de las dos cavidades que hay entre las cuerdas vocales de los mamíferos, a uno y otro lado de la glotis. ‖ **3**. *Anat.* Cavidad del corazón de los moluscos, peces, batracios y de la mayoría de los reptiles, que recibe la sangre procedente de las aurículas. ‖ **4**. *Anat.* Cada una de las dos cavidades del corazón de los emidosaurios, aves y mamíferos, que reciben la sangre procedente de las aurículas. ‖ **5**. *Anat.* Cada una de las cuatro cavidades del encéfalo de los vertebrados, llamada **ventrículo medio, ventrículos laterales y cuarto ventrículo.** ‖ **succenturiado.** *Anat.* Cavidad situada en el extremo posterior del esófago de las aves, en cuyas paredes hay glándulas secretoras de jugos que digieren los alimentos previamente reblandecidos en el buche.

ventriculografía. (De *ventrículo* y *-grafía*.) f. *Med.* Visualización radiográfica de los ventrículos cerebrales por la insuflación de aire.

ventril. (De *vientre*.) m. Pieza de madera que sirve para equilibrar la viga en los molinos de aceite. ‖ **2**. *León.* Vara del carro de bueyes a la cual se unce el ganado. ‖ **3**. *Pal.* Correa que pasa por debajo del vientre de las mulas y se une al yugo.

ventrílocuo, cua. (Del lat. *ventrilŏquus*.) adj. Dícese de la persona que tiene el arte de modificar su voz de manera que parezca venir de lejos, y que imita la de otras personas o diversos sonidos. Ú. t. c. s.

ventriloquia. f. Arte del ventrílocuo.

ventrisca. f. Vientre de los pescados.

ventrón. m. aum. de **vientre.** ‖ **2**. Túnica muscular que cubre el estómago de algunos rumiantes y de la cual se hace el guiso de callos.

ventroso, sa. (Del lat. *ventrōsus*.) adj. Que tiene abultado el vientre.

ventrudo, da. adj. Que tiene abultado el vientre.

ventura. (Del lat. *ventūra*, pl. de *ventūrum*, lo por venir.) f. **felicidad.** ‖ **2**. Suerte. ‖ **3**. Contingencia o casualidad. ‖ **4**. Riesgo, peligro. ‖ **5**. ant. Suceso o lance extraño, aventura. ‖ **buena ventura. buenaventura.** ‖ **a la buena ventura.** loc. adv. Sin determinado objeto ni designio; a lo que depare la suerte. ‖ **a la ventura.** loc. adv. **a la buena ventura.** ‖ **2**. **a ventura.** ‖ **á ventura.** loc. adv. con que se denota que una cosa se expone a la contingencia de que suceda mal o bien. ‖ **la ventura de García.** expr. irón. con que se da a entender que a uno le sucedió una cosa al contrario de lo que deseaba. ‖ **por ventura.** loc. adv. **quizá.** ‖ **probar ventura.** fr. **probar fortuna.**

venturado, da. adj. Que tiene buena ventura, venturoso.

venturanza. f. Buena ventura, felicidad.

venturero, ra. adj. ant. Casual o contingente. ‖ **2**. Aplícase al sujeto que anda vagando, ocioso y sin ocupación u oficio, pero dispuesto a trabajar en lo que le saliere. ‖ **3**. Que tiene buena ventura, venturado. ‖ **4**. Aficionado a probar ventura. Ú. t. c. s. ‖ **5**. m. *Burg.* Pieza de madera de hilo de 18 pies de longitud, con una escuadría de seis pulgadas y media de tabla por cuatro y media de canto.

venturina. (Del it. *venturina*.) f. Cuarzo pardo amarillento con laminitas de mica dorada en su masa. ‖ **artificial.** Vidrio de color rojizo fundido con limaduras de cobre, que se emplea en joyería.

venturo, ra. (Del lat. *ventūrus*, p. f. de *venīre*, venir.) adj. Que ha de venir o de suceder.

venturón. m. aum. de **ventura.**

venturosamente. adv. m. De manera venturosa.

venturoso, sa. adj. Que tiene buena suerte. ‖ **2**. Borrascoso, tempestuoso. ‖ **3**. Que implica o trae felicidad.

venus. (De *Venus*, diosa mitológica de la hermosura). n. p. m. Segundo planeta del sistema solar que presenta un resplandor intenso y tiene fases similares a las de la Luna. ‖ **2.** f. Representación escultórica de la diosa **Venus.** ‖ **3.** Por ext., nombre que se da a ciertas estatuillas prehistóricas femeninas elaboradas en piedra, marfil o hueso. ‖ **4.** fig. Mujer muy hermosa. ‖ **5.** Deleite sexual o acto carnal. ‖ **6.** V. **aguja, monte, ombligo de Venus.** ‖ **7.** *Alq.* **cobre**[1], metal.

venusiano, na. adj. Perteneciente o relativo al planeta Venus.

venusino[1]**, na.** (Del lat. *Venusinus.*) adj. Natural de Venusia. Ú. t. c. s. ‖ **2.** Perteneciente o relativo a esta ciudad de Italia. ‖ **3.** m. Por antonom., el poeta Horacio.

venusino[2]**, na.** adj. poét. Perteneciente o relativo a la diosa Venus.

venustez. f. Hermosura perfecta o muy agraciada.

venustidad. (De *venusto.*) f. Hermosura perfecta o muy agraciada.

venusto, ta. (Del lat. *venustus,* de *Venus.*) adj. Hermoso y agraciado.

ver[1]**.** (Forma sustantiva de *ver*[2].) m. Sentido de la vista. ‖ **2.** Parecer o apariencia de las cosas materiales o inmateriales. *Tener buen* VER; *tener otro* VER. ‖ a mi, tu, su, **ver.** loc. adv. Según el parecer o dictamen de uno.

ver[2]**.** (Del lat. *vidēre.*) tr. Percibir por los ojos los objetos mediante la acción de la luz. ‖ **2.** Por ext., percibir algo con cualquier sentido o con la inteligencia. ‖ **3.** Observar, considerar alguna cosa. ‖ **4.** Reconocer con cuidado y atención una cosa, leyéndola o examinándola. ‖ **5.** Visitar a una persona o estar con ella para tratar de algún asunto. ‖ **6.** Atender o ir con cuidado y tiento en las cosas que se ejecutan. ‖ **7.** Experimentar o reconocer por el hecho. ‖ **8.** Considerar, advertir o reflexionar. ‖ **9.** Prevenir las cosas del futuro; anteverlas o inferirlas de lo que sucede en el presente. Ú. mucho con el verbo *estar.* ESTOY VIENDO *que mi hermano llega mañana sin avisar.* ‖ **10.** Conocer, juzgar. ‖ **11.** Usado en futuro o en pretérito, sirve para remitir, el que habla o escribe, a otra ocasión, algún tema que entonces se toca de paso, o bien para aludir a algo de que ya se trató. *Como en su lugar* VEREMOS. ‖ **12.** Examinar o reconocer si una cosa está en el lugar que se cita. Se usa casi siempre mandando. ‖ **13.** Seguido de la preposición *de* y de un infinitivo, intentar, tratar de realizar lo que el infinitivo expresa. ‖ **14.** fig. Ser un lugar escenario de un acontecimiento. *Este teatro* HA VISTO *muchos éxitos y fracasos.* ‖ **15.** *Der.* Asistir los jueces a la discusión oral de un pleito o causa que han de sentenciar. ‖ **16.** prnl. Estar en sitio o postura a propósito para ser **visto.** ‖ **17.** Hallarse constituido en algún estado o situación. VERSE *pobre, abatido, agasajado.* ‖ **18.** Avistarse una persona con otra para algún asunto. ‖ **19.** Representarse material o inmaterialmente la imagen o semejanza de una cosa. VERSE *al espejo.* ‖ **20.** Darse una cosa a conocer, o conocerse tan clara o patentemente como si se estuviera **viendo.** ‖ **21.** Estar o hallarse en un sitio o lance. *Cuando* SE VIERON *en el puerto, no cabían de gozo.* ‖ **¡adiós, y veámonos!** expr. que se usa para despedirse, citándose para otra ocasión. ‖ **al ver.** loc. adv. con que en algunos juegos de naipes se explica que a un partido solo le falta el último tanto, y por eso lleva hecho el envite el contrario, y le queda el reconocer o **ver** las cartas para admitirlo. ‖ **allá veremos.** fr. **veremos,** mostrando duda de que algo se realice. ‖ **a más ver.** expr. fam. que se emplea como saludo de despedida. ‖ **aquí donde me,** o **le ves, veis, ve usted,** o **ven ustedes.** expr. fam. con que uno denota que va a decir de sí mismo o de otro algo que no es de presumir. AQUÍ DONDE USTED ME VE, *soy noble por los cuatro costados.* ‖ **a ver.** expr. que se usa para pedir una cosa que se quiere reconocer o **ver.** ‖ **2.** Ú. c. interjección para significar extrañeza. ‖ **3.** fam. **a ver, veamos.** ‖ **a ver si.** expr. que seguida de un verbo, denota curiosidad,

expectación o interés. ‖ **2.** Con tono exclamativo denota temor o sospecha. ‖ **3.** También expresa mandato. A VER SI *te estás quieto.* ‖ **a ver, veamos.** expr. fam. con que se explica la determinación de esperar que el suceso patentice la certidumbre de alguna cosa o la eventualidad de un suceso. ‖ **había** o **hay que ver.** locs. impers. con que se pondera algo notable. ¡HAY QUE VER *cómo han crecido estos niños!* HABÍA QUE VER *lo elegantes que estaban.* Sin compl. ‖ **¡hay que ver!** se usa también como exclamación ponderativa. ‖ **¡habráse visto!** exclam. de reproche ante un mal proceder inesperado. ‖ **hasta más ver.** expr. fam. **a más ver.** ‖ **ni quien tal vio.** fr. fam. Se usa para reforzar la negación de algo. ‖ **si te he visto,** o **si te vi, no me acuerdo,** o **ya no me acuerdo.** fr. que manifiesta el despego con que los ingratos suelen pagar los favores que recibieron. ‖ **te veo,** o **te veo venir.** expr. fam. con que advertimos a uno que adivinamos su intención. ‖ **veremos.** expr. que se emplea para diferir la resolución de una cosa, sin concederla ni negarla. ‖ **2.** Ú. t. para manifestar la duda de que se realice o resulte alguna cosa. *Te aseguro que vendrá.* VEREMOS. ‖ **verlas venir.** fr. fam. Jugar al monte. ‖ **2.** fig. y fam. **ver venir** una cosa. *El muy ladino está entre los dos partidos a* VER-LAS VENIR. ‖ **ver uno para lo que ha nacido.** fr. fig. y fam. **mirar uno para lo que ha nacido.** ‖ **verse uno con** otro. fr. fig. y fam. **verse las caras.** ‖ **verse uno en ello.** fr. fig. Considerar o reflexionar una cosa para su resolución, ejecución o consecución. ‖ **verse negro** uno. fr. fig. y fam. Hallarse en grande afán, fatiga o apuro para ejecutar una cosa. ‖ **verse y desearse** uno. fr. fam. Costarle mucho cuidado, fatiga o afán ejecutar o conseguir una cosa. ‖ **ver venir.** fr. Esperar para la resolución de una cosa la determinación o intención de otro, o el suceso futuro. ‖ **ver para creer** o **ver y creer.** expr. que se usa para manifestar que no se quiere creer una cosa solo por oídas, por ser tal que solo **viéndola** se puede creer. ‖ **ya se ve.** expr. que se usa para manifestar asentimiento.

vera[1]**.** (Del celtolat. *viria,* anillo, círculo.) f. **orilla.** ‖ **2.** *Sal.* y *Zam.* Faja pintada en la parte inferior de una pared, friso. ‖ **a la vera.** loc. adv. **a la orilla.** ‖ **2.** Al lado próximo.

vera[2]**.** f. Árbol americano, de la familia de las cigofiláceas, semejante al guayaco, con madera muy dura y pesada y de color rojizo oscuro.

veracidad. (Del lat. *veracĭtas, -ātis.*) f. Cualidad de veraz.

veracruzano, na. adj. Natural de la ciudad o del Estado mejicano de Veracruz. Ú. t. c. s. ‖ **2.** Perteneciente o relativo a dicha ciudad o Estado.

vera efigies. expr. lat. Imagen verdadera de una persona o cosa.

veramente. (De *vero*[2].) adv. m. ant. Con verdad, verdaderamente.

veranada. f. Temporada de verano, respecto de los ganados.

veranadero. m. Sitio donde en verano pastan los ganados.

veranar. (De *verano.*) intr. Pasar el verano en alguna parte.

veraneante. p. a. de **veranear.** Que veranea. Ú. m. c. s.

veranear. intr. Pasar las vacaciones de verano en lugar distinto de aquel en que habitualmente se reside.

veraneo. m. Acción y efecto de veranear. ‖ **2.** Sitio donde algunos animales pasan el verano.

veranero. m. Lugar adonde algunos animales pasan a veranear.

veraniego, ga. adj. Perteneciente o relativo al verano. ‖ **2.** fig. Dícese del que en tiempo de verano suele ponerse loco o enfermo. ‖ **3.** fig. Ligero, de poco fuste.

veranillo. m. d. de **verano.** ‖ **2.** Tiempo breve en que suele hacer calor durante el otoño. *El* VERANILLO *de San Miguel, el de San Martín.*

verano. (Del lat.·vulg. *veranum* [*tempus*].) m. **estío.** ‖ **2.** En el

Ecuador, donde las estaciones no son sensibles, temporada de sequía, que dura aproximadamente unos seis meses, con algunas intermitencias y alteraciones. ‖ **3.** Época de la más calurosa del año, que en el hemisferio septentrional comprende los meses de junio, julio y agosto. En el hemisferio austral corresponde a los meses de diciembre, enero y febrero. ‖ **4.** V. **nube de verano.** ‖ **5.** ant. **primavera.** ‖ **6.** *Pal.* y *Vallad.* **recolección** o cosecha de frutos. ‖ **de verano.** fr. fam. que se dice para desentenderse de algo.

veras. (Del lat. *veras*, acus. pl. f. de *verus*, verdadero.) f. pl. Realidad, verdad en las cosas que se dicen o hacen. ‖ **2.** Eficacia, fervor y actividad con que se ejecutan o desean las cosas. ‖ **3.** V. **hombre de veras.** ‖ **de veras.** loc. adv. Con verdad. ‖ **2.** Con formalidad, eficacia o empeño. ‖ **hablar uno de veras.** fr. fig. y fam. Comenzar a enfadarse.

verascopio. (Nombre comercial.) m. Aparato fotográfico para vistas estereoscópicas.

verato, ta. adj. Natural de la Vera de Plasencia, en la provincia de Cáceres. Ú. t. c. s.

veratrina. f. *Quím.* Alcaloide contenido en la cebadilla; forma un polvo blanco, cristalino, de sabor acre y cáustico.

veraz. (Del lat. *verax*, *-ācis*.) adj. Que dice, usa o profesa siempre la verdad.

verba. (Del lat. *verve*.) f. Labia, locuacidad.

verbal. (Del lat. *verbālis*.) adj. Dícese de lo que se refiere a la palabra, o se sirve de ella. *Memoria* VERBAL; *expresión* VERBAL. ‖ **2.** Que se hace o estipula solo de palabra, y no por escrito. *Injuria*, *contrato* VERBAL. ‖ **3.** V. **nota verbal.** ‖ **4.** *Der.* V. **degradación, juicio verbal.** ‖ **5.** *Gram.* Perteneciente o relativo al verbo. ‖ **6.** *Gram.* Aplícase a las palabras que nacen o se derivan de un verbo; como de *andar, andador* y *andadura.* Ú. t. c. s.

verbalismo. m. Propensión a fundar el razonamiento más en las palabras que en los conceptos. ‖ **2.** Procedimiento de enseñanza en que se cultiva con preferencia la memoria verbal.

verbalista. adj. Perteneciente o relativo al verbalismo. Ú. t. c. s.

verbalmente. adv. m. De palabra, oralmente. ‖ **2.** Por medio de palabras.

verbasco. (Del lat. *verbascum*.) m. **gordolobo,** planta.

verbena. (Del lat. *verbēna*.) f. Planta herbácea anual, de la familia de las verbenáceas, con tallo de seis a ocho decímetros de altura, erguido y ramoso por arriba; hojas ásperas y hendidas; flores de varios colores, terminales y en espigas largas y delgadas, y fruto seco con dos o cuatro divisiones y otras tantas semillas. Es común en España. ‖ **2.** Velada y feria que en Madrid y otras poblaciones se celebra en las noches de la víspera de San Antonio, San Juan, San Pedro y otras festividades, para regocijo popular. ‖ **coger** uno **la verbena.** fr. fig. y fam. Madrugar mucho para irse a pasear, principalmente en las mañanas de San Juan y de San Pedro.

verbenáceo, a. adj. *Bot.* Aplícase a plantas angiospermas dicotiledóneas, hierbas, arbustos y árboles, de tallos y ramas casi siempre cuadrangulares, hojas opuestas y verticiladas y sin estípulas, flores en racimo, espiga, cabezuela o cima, y fruto capsular o drupáceo con semillas sin albumen; como la verbena, la hierba luisa y el sauzgatillo. Ú. t. c. s. f. ‖ **2.** f. pl. *Bot.* Familia de estas plantas.

verbenear. (Del ant. *vierben*, gusano, y este del lat. **vermen, -īnis*, por *vermis*.) intr. fig. Gusanear, hormiguear, bullir. ‖ **2.** Abundar, multiplicarse en un paraje personas o cosas.

verbenero, ra. adj. Perteneciente o relativo a las verbenas populares. ‖ **2.** Dícese de la persona aficionada a las verbenas. Ú. t. c. s. ‖ **3.** Alegre, movido, multicolor. ‖ **4.** fig. Dícese de la persona bulliciosa, de ánimo festivo.

Ú. t. c. s. ‖ **5.** m. y f. Profesional que trabaja en las diversas actividades de una verbena.

verberación. (Del lat. *verberatio, -ōnis.*) f. Acción y efecto de verberar.

verberar. (Del lat. *verberāre.*) tr. Azotar, fustigar, castigar con azotes. Ú. t. c. prnl. ‖ **2.** fig. Azotar el viento o el agua en alguna parte.

verbigracia. Voz con que suele representarse en español la expresión elíptica latina **verbi gratia.** ‖ **2.** m. **ejemplo,** caso concreto que se cita para autorizar un aserto general.

verbi gratia. expr. elípt. lat. **por ejemplo.**

verbo. (Del lat. *verbum.*) n. p. m. Segunda persona de la Santísima Trinidad. ‖ **2.** m. Sonido o sonidos que expresan una idea. ‖ **3.** terno, voto, juramento. *Echar* VERBOS. ‖ **4.** *Gram.* Clase de palabras que tienen variación de número, persona, tiempo y modo. ‖ **activo.** *Gram.* **verbo transitivo.** ‖ **adjetivo.** *Gram.* Cualquiera de los **verbos,** exceptuando ser, que es el único sustantivo. ‖ **auxiliar.** *Gram.* El que se emplea en la formación de la voz pasiva y de los tiempos compuestos de la activa; como *haber* y *ser*. ‖ **causativo.** *Gram.* Se dice del **verbo** o de la forma verbal que no realiza la acción, sino que obliga a que la realice otro. ‖ **copulativo.** *Gram.* Aquel que, junto con el atributo, forma el predicado nominal de una oración. ‖ **defectivo.** *Gram.* Aquel que no se usa en todos los modos, tiempos o personas que por su constar esta parte de la oración; como *abolir, soler.* ‖ **deponente.** *Gram.* **verbo** latino que, con significación de activo, se conjuga por la voz pasiva. ‖ **determinado.** *Gram.* El que es regido por otro, formando oración con él. ‖ **determinante.** *Gram.* El que rige a otro formando oración con él. *Quiero venir*; quiero es el **verbo determinante** y venir el **determinado.** ‖ **frecuentativo.** *Gram.* **verbo iterativo.** ‖ **impersonal.** *Gram.* El que solo se emplea en la tercera persona, generalmente de singular, de todos los tiempos y modos, simples y compuestos, y en las formas simples y compuestas de infinitivo y gerundio, sin referencia ninguna a sujeto elíptico o expreso. ‖ **incoativo.** *Gram.* El que indica el comienzo de una acción; como *florecer.* ‖ **intransitivo.** *Gram.* El que se construye sin complemento directo, como *nacer, morir, correr.* ‖ **irregular.** *Gram.* El que se conjuga alterando la raíz, el tema o las desinencias de la conjugación regular, ya unas ya otras; como *acertar, caber, ir.* ‖ **iterativo.** *Gram.* El que expresa una acción que se compone de momentos repetidos, como *golpear, pisotear,* etc. ‖ **neutro.** *Gram.* **verbo intransitivo.** ‖ **pasivo.** *Gram.* **verbo** latino que, conjugándose como activo, denota pasión en sentido gramatical. ‖ **pronominado.** *Gram.* Cualquiera de los que se conjugan teniendo por régimen o complemento un pronombre; como *ausentarse, tutearse, enfurecerse, morirse.* ‖ **pronominal.** *Gram.* El que se construye en todas sus formas con pronombres reflexivos. Hay **verbos** exclusivamente pronominales, como *arrepentirse.* Otros adoptan determinados matices significativos o expresivos en las formas reflexivas: *caerse, morirse,* frente a las no reflexivas: *caer, morir.* ‖ **recíproco.** *Gram.* Aquel que denota reciprocidad o cambio mutuo de acción entre dos o más personas, animales o cosas, llevando siempre por complemento un pronombre. *Pedro y Juan* SE TUTEAN; *el agua y el fuego* SE REPELEN; *vosotros* OS ODIÁIS. ‖ **reflejo.** *Gram.* **verbo pronominal.** ‖ **reflexivo.** *Gram.* **verbo pronominal** en que el pronombre realiza la función de complemento directo o indirecto y corresponde a la misma persona que el sujeto. *Tú* TE PEINAS. ‖ **regular.** *Gram.* El que se conjuga sin alterar la raíz, el tema o las desinencias de la conjugación a que pertenece; como *amar, temer, partir.* ‖ **reiterativo.** *Gram.* **verbo iterativo.** ‖ **sustantivo.** *Gram.* **verbo** *ser,* único que expresa la idea de esencia o sustancia sin denotar, como los demás **verbos,** otros atributos o modos de ser. ‖ **terciopersonal.** *Gram.* **verbo impersonal.** ‖ **transitivo.** *Gram.* El que se construye con complemento directo, como: *amar a Dios, decir verdad.* ‖ **unipersonal.** *Gram.* **verbo impersonal.** ‖ **en un verbo.** loc. adv. fig. y fam. Sin dilación, sin demora, en un instante.

verborragia. f. Verbosidad excesiva.

verborrea. f. fam. Verbosidad excesiva.

verbosidad. (Del lat. *verbositas, -ātis.*) f. Abundancia o copia de palabras en la elocución.

verboso, sa. adj. Abundante y copioso de palabras.

verdacho. m. Arcilla teñida naturalmente de color verde claro por el silicato de hierro, y que se usa para la pintura al temple.

verdad. (Del lat. *verĭtas, -ātis.*) f. Conformidad de las cosas con el concepto que de ellas forma la mente. ‖ **2.** Conformidad de lo que se dice con lo que se siente o se piensa. ‖ **3.** Propiedad que tiene una cosa de mantenerse siempre la misma sin mutación alguna. ‖ **4.** Juicio o proposición que no se puede negar racionalmente. ‖ **5.** Cualidad de veraz. *Hombre de* VERDAD. ‖ **6.** Expresión clara, sin rebozo ni lisonja, con que a uno se le corrige o reprende. Ú. principalmente en pl. *Cayetano le dijo dos* VERDADES. ‖ **7.** **realidad,** existencia real de una cosa. ‖ **de Perogrullo.** fam. **perogrullada.** ‖ **moral. verdad,** conformidad de lo que se dice con lo que se piensa. ‖ **la pura verdad.** La verdad indubitable, clara y sin tergiversación. ‖ **verdades como puños.** fig. y fam. **verdades** evidentes. ‖ **a decir verdad.** expr. **a la verdad.** ‖ **ajeno de verdad.** expr. Contrario a ella. ‖ **a la verdad.** loc. adv. con que se asegura la certeza y realidad de una cosa. ‖ **a mala verdad.** loc. adv. Con engaño, con artificio. ‖ **bien es verdad.** expr. que se usa contraponiendo una cosa a otra, como que no impide o estorba el asunto, o para exceptuarlo de una regla general. ‖ **decir a uno las cuatro verdades,** o **las verdades del barquero.** fr. fig. y fam. Decirle sin miramiento alguno cosas que le amarguen. ‖ **de verdad.** loc. adv. **a la verdad.** ‖ **2. de veras.** ‖ **en verdad.** loc. adv. **verdaderamente.** Suele usarse repetido. ‖ **es verdad que.** expr. **verdad es que.** ‖ **faltar** uno **a la verdad.** fr. Decir lo contrario de lo que sabe. ‖ **la verdad amarga.** expr. fig. con que se significa el disgusto que causa a uno el que se le pongan de manifiesto sus desaciertos o defectos. ‖ **por cierto y por verdad.** expr. con que se asegura y confirma la realidad de lo que se dice. ‖ **si va a decir verdad.** expr. con que el que habla significa que va a explicar con toda lisura y sinceridad lo que sabe o siente. ‖ **tratar** uno **verdad.** fr. Profesarla, decirla. ‖ **una verdad como un templo.** expr. fig. y fam. Aquella que es evidente, o la que se tiene por tal. ‖ **¿verdad?** expr. que busca el asentimiento del interlocutor. ‖ **verdad es que.** expr. **bien es verdad.** ‖ **verdad sabida y buena fe guardada.** *Der.* expr. que se usa como norma tradicional en la interpretación y ejecución de los contratos, y señaladamente en las mercantiles.

verdaderamente. adv. m. Con toda verdad o con verdad.

verdadero, ra. adj. Que contiene verdad. ‖ **2.** Real y efectivo. ‖ **3.** Ingenuo, sincero. ‖ **4.** Que dice siempre verdad, veraz. ‖ **5.** V. **costilla verdadera.** ‖ **6.** V. **mediodía verdadero.** ‖ **7.** *Astron.* V. **movimiento, tiempo verdaderos.** ‖ **8.** *Der.* V. **agnación verdadera.**

verdal. (De *verde.*) adj. Dícese de ciertas frutas que tienen color verde aun después de maduras. *Ciruela* VERDAL. ‖ **2.** Dícese también de los árboles que las producen.

verdasca. f. Vara o ramo delgado, ordinariamente verde.

verdascazo. m. Golpe dado con una verdasca.

verde. (Del lat. *virĭdis.*) adj. De color semejante al de la hierba fresca, la esmeralda, el cardenillo, etc. Ú. t. c. s. Es el cuarto color del espectro solar. ‖ **2.** En contraposición de

seco, dícese de los árboles y las plantas que aún conservan alguna savia. ‖ **3.** Dícese de la leña recién cortada del árbol vivo. ‖ **4.** Tratándose de legumbres, las que se consumen frescas, para diferenciarlas de las que se guisan secas. *Judías, habas* VERDES. ‖ **5.** Dícese de lo que aún no está maduro. ‖ **6.** V. **cuero en verde.** ‖ **7.** V. **caparrosa, carnero, ceniza, cobre, malaquita, mate, mole, oro, pico, salsa, seda, té, tierra, zona verde.** ‖ **8.** V. **cenizas verdes.** ‖ **9.** Junto con algunos sustantivos, dícese del color parecido al de las cosas que estos designan. VERDE *mar;* VERDE *botella;* VERDE *oliva;* VERDE *esmeralda.* ‖ **10.** En algunos oficios, como la alfarería y la albañilería, aplícase a las labores hechas con materiales húmedos mientras no se secan. ‖ **11.** Aplícase al vino por cuyo sabor áspero se conoce que al hacerlo se mezcló uva agraz con la madura. ‖ **12.** fig. Aplícase a los primeros años de la vida y a la juventud. ‖ **13.** fig. Dícese de las cosas que están en los principios y a las cuales falta mucho para perfeccionarse. ‖ **14.** fig. Dícese de la persona inexperta y poco preparada. ‖ **15.** fig. Libre, indecente, obsceno. Aplícase a cuentos, comedias, poesías, etc. ‖ **16.** fig. Dícese del que conserva inclinaciones galantes impropias de su edad o de su estado. *Viejo* VERDE; *viuda* VERDE. ‖ **17.** Junto con palabras como *zona, espacio,* etc., lugar destinado a parque o jardín y en el que no se puede edificar. ‖ **18.** Se aplica a ciertos partidos ecologistas y a sus miembros. ‖ **19.** fig. V. **habas verdes.** ‖ **20.** fig. V. **libro, tapete verde.** ‖ **21.** *Col.* V. **ola verde.** ‖ **22.** *Quím.* V. **vitriolo verde.** ‖ **23.** m. Alcacer y demás hierbas que se siegan en **verde** y las consume el ganado sin dejarlas secar. ‖ **24. follaje,** conjunto de hojas de los árboles y de las plantas. ‖ **25.** pl. Pastos del campo para el ganado. ‖ **de montaña,** o **de tierra.** Carbonato de cobre terroso y de color **verde** claro. ‖ **darse uno un verde.** fr. fig. y fam. Hacer alguna cosa hasta la saciedad. ‖ **meter en verde.** fr. Hablando de las caballerías, darles el alcacer o forraje. ‖ **poner verde** a una persona. fr. fig. y fam. Colmarla de improperios o censurarla acremente.

verdea. f. Vino de color verdoso.

verdear. intr. Mostrar una cosa el color verde que en sí tiene. ‖ **2.** Dicho del color, tirar a verde. ‖ **3.** Ir tomando una cosa color verde. ‖ **4.** Empezar a brotar plantas en los campos, o cubrirse los árboles de hojas y tallos. ‖ **5.** tr. En algunas partes, coger la uva o la aceituna para consumirla como fruto.

verdeceladón o **verdeceledón.** (Del fr. *vert-céladon.*) m. Color verde claro que se da a ciertas telas en los países de Levante, tiñéndolas primero de azul bajo y después de amarillo.

verdecer. (Del lat. *viridescĕre.*) intr. Reverdecer, cubrirse de verde la tierra o los árboles.

verdecillo. (d. de *verde.*) m. **verderón**[1], ave.

verdegal. m. Sitio donde verdea el campo.

verdegay. adj. De color verde claro. Ú. t. c. s.

verdeguear. intr. **verdear.**

verdejo, ja. adj. d. de **verde.** ‖ **2. verdal.** *Uva* VERDEJA, *higos* VERDEJOS.

verdel. (De *verde.*) m. *Ál.* y *Nav.* **verderón**[1], ave. ‖ **2.** Pez de manchas verdosas, escombro, caballa.

verdemar. m. Color semejante al del verdoso que suele tomar el mar. Ú. t. c. adj.

verdemontaña. m. Carbonato de cobre terroso de color verde. ‖ **2.** Color verde claro que se hace de este mineral.

verdeo. (De *verde.*) m. Recolección de las aceitunas antes de que maduren para consumirlas después de aderezadas o encurtidas. ‖ **2.** V. **aceituna de verdeo.**

verderol[1]. m. **verderón**[1], ave.

verderol[2]. m. **verderón**[2], molusco.

verderón[1]. (Del lat. *virĕo, -ōnis,* por influencia de *verde.*) m. Ave canora del orden de las paseriformes, del tamaño y forma del gorrión, con plumaje verde y manchas amarillentas en las remeras principales y en la base de la cola.

verderón[2]. m. **berberecho**, molusco.

verderón[3], **na.** adj. Verde o verdoso. ‖ 2. m. *Ál.* Bolsillo tejido de torzal verde, de forma alargada, que se cierra con dos anillas.

verdescuro, ra. adj. ant. De color verde oscuro.

verdete. (d. de *verde*.) m. **cardenillo** del cobre. ‖ 2. Color verde claro hecho con el acetato o el carbonato de cobre y que se emplea en pintura y en tintorería.

verdevejiga. m. Compuesto de hiel de vaca y sulfato de hierro, de color verde oscuro, que, conservado en vejigas, se usa en la pintura.

verdezuela. (De *verde*.) f. *Ál.* **colleja,** hierba.

verdezuelo. adj. d. de **verde.** ‖ 2. m. **verderón**[1], ave.

verdial. adj. *And.* Dícese de una variedad de aceituna alargada que se conserva verde aun madura. ‖ 2. m. Cierta clase de canto flamenco. Ú. m. en pl.

verdigón. m. *And.* Molusco parecido a la almeja, de concha de color verdoso.

verdín. m. Primer color verde que tienen las hierbas o plantas que no han llegado a su sazón. ‖ 2. Estas mismas hierbas o plantas que no han llegado a sazón. ‖ 3. Capa verde de plantas criptógamas, que se cría en las aguas dulces, principalmente en las estancadas, en las paredes y lugares húmedos y en la corteza de algunos frutos, como el limón y la naranja, cuando se pudren. ‖ 4. **cardenillo** del cobre. ‖ 5. **tabaco verdín.**

verdina. f. Primer color verde de las plantas nacientes.

verdinal. m. Parte que en una pradera agostada se conserva verde por la humedad natural del terreno.

verdinegro, gra. adj. De color verde oscuro.

verdino, na. adj. Muy verde o de color verdoso.

verdinoso, sa. adj. *And.* Verde o verdoso.

verdiñal. (De *verde*.) adj. V. **pera verdiñal.**

verdiseco, ca. adj. Medio seco.

verdolaga. (Del mozár. **berdolaca*.) f. Planta herbácea anual, de la familia de las portulacáceas, con tallos tendidos, gruesos, jugosos, de tres a cuatro decímetros de largo; hojas sentadas, carnosas, casi redondas, verdes por la haz y blanquecinas por el envés; flores amarillas, y fruto capsular con semillas menudas y negras. Es planta hortense y se usa como verdura. ‖ 2. Por ext., cualquier verdura. Ú. m. en pl. ‖ **como verdolaga en huerto.** expr. adv. que se dice de la persona que está o se pone a sus anchas.

verdón. (De *verde*.) m. **verderón**[1]. ‖ 2. *Germ.* **campo,** terreno fuera de poblado. ‖ 3. *Cuba.* **mariposa,** pájaro.

verdor. m. Color verde vivo de las plantas. ‖ 2. Color verde. ‖ 3. fig. Vigor, lozanía, fortaleza. ‖ 4. fig. Edad de la mocedad o juventud. Ú. t. en pl.

verdoso, sa. adj. Que tira a verde.

verdoyo. m. **verdín,** primer color verde de las plantas nacientes.

verdugada. f. *Arq.* **verdugo,** hilada horizontal de ladrillos en una construcción.

verdugado. (Por el *verdugo,* renuevo o vástago, con que en un principio se formaron estas armazones.) m. Vestidura que las mujeres usaban debajo de las basquiñas, para ahuecarlas. ‖ 2. V. **aguja de verdugado.**

verdugal. m. Monte bajo que, después de quemado o cortado, se cubre de verdugos o renuevos.

verdugazo. m. Golpe dado con el **verdugo,** azote.

verdugo. (De or. inc.) m. Renuevo o vástago del árbol. ‖ 2. Estoque muy delgado. ‖ 3. Azote hecho de cuero, mimbre u otra materia flexible. ‖ 4. Roncha larga o señal que levanta el golpe del azote. ‖ 5. Ministro de justicia que ejecuta las penas de muerte y en lo antiguo ejecutaba otras corporales; como la de azotes, tormento, etc. ‖ 6. Aro de

sortija. ‖ 7. **alcaudón,** pájaro. ‖ 8. Vestidura armada o rígida que se ponía debajo de las basquiñas para ahuecarlas. ‖ 9. Gorro de lana que ciñe cabeza y cuello, dejando descubiertos los ojos, la nariz y la boca. ‖ 10. Hilada horizontal, doble o sencilla, de ladrillo en una fábrica de tierra o mampostería; verdugada. ‖ 11. Moldura convexa de perfil semicircular. ‖ 12. fig. Persona muy cruel o que castiga demasiado y sin piedad. ‖ 13. fig. Cualquier cosa que atormenta o molesta mucho. ‖ 14. *Cantabria* y *León.* Pieza de madera que en la carreta va colocada entre el eje y el larguero del tablero.

verdugón. (aum. de *verdugo.*) m. **verdugo,** renuevo del árbol. ‖ 2. **verdugo,** roncha que levanta un verdugazo.

verduguillo. m. d. de **verdugo.** ‖ 2. Especie de roncha que suele levantarse en las hojas de algunas plantas. ‖ 3. Navaja para afeitar, más angosta y algo más pequeña que las regulares. ‖ 4. **verdugo,** estoque muy delgado. ‖ 5. **arete** para las orejas. ‖ 6. Listón de madera de mediacaña. ‖ 7. *Mar.* **galón,** listón de madera del costado de la embarcación.

verdulería. f. Tienda o puesto de verduras. ‖ 2. fig. y fam. Calidad de verde o libre, obscenidad.

verdulero, ra. m. y f. Persona que vende verduras. ‖ 2. f. fig. y fam. Mujer descarada y ordinaria.

verdura. f. Color verde, verdor. ‖ 2. Hortalizas en general y especialmente las de hojas verdes. ‖ 3. Follaje que se pinta en lienzos y tapicerías. ‖ 4. Obscenidad, cualidad de verde, o libre.

verdusco, ca. adj. Que tira a verde oscuro.

verecundia. f. **vergüenza.**

verecundo, da. (Del lat. *verecundus.*) adj. Que se avergüenza.

vereda. (Del b. lat. *vereda,* camino, vía.) f. Camino angosto, formado comúnmente por el tránsito de peatones y ganados. ‖ 2. Vía pastoril para los ganados trashumantes, que, según la legislación de la Mesta, es, como mínimo, de 25 varas de ancho. ‖ 3. Orden o aviso que se despacha para hacer saber una cosa a un número determinado de lugares que están en un mismo camino o a poca distancia. ‖ 4. Camino que hacen los regulares por determinados pueblos, de orden de los prelados, para predicar en ellos. ‖ 5. *Al.* **prestación personal.** ‖ 6. *Amér. Merid.* Acera de una calle o plaza. ‖ 7. *Col.* Sección administrativa de un municipio o parroquia. ‖ **hacer** a uno **entrar por** o **en vereda.** fr. fig. y fam. Obligarle al cumplimiento de sus deberes. ‖ **meter** a uno **en vereda.** fr. fig. y fam. **hacerle entrar en vereda.**

veredario, ria. (Del lat. *veredarius.*) adj. ant. Aplicábase a las postas o postillones y a los caballos de alquiler.

veredero. (De *vereda.*) m. El que va enviado con despachos u otros documentos para notificarlos, publicarlos o distribuirlos en varios lugares.

veredicto. (Del lat. *vere,* con verdad, y *dictus,* dicho.) m. Fallo pronunciado por un jurado. ‖ 2. Por ext., parecer, dictamen o juicio emitido reflexiva y autorizadamente. ‖ **de inculpabilidad.** El que pronuncia el jurado descargando al reo de todos los capítulos de la acusación.

veredón. m. *And.* Ciertas rugosidades que quedan en los enormes tajos de la Sierra Nevada por las cuales se puede pasar aunque con dificultad.

verenjusto. m. V. **en justos y en verenjustos.**

verga[1]. (Del lat. *virga.*) f. Miembro genital de los mamíferos. ‖ 2. Arco de acero de la ballesta. ‖ 3. ant. **vara,** raya delgada y sin hojas. ‖ 4. **vara,** palo delgado. ‖ 5. Tira de plomo con ranuras en los cantos, que sirve para asegurar los vidrios de las ventanas. ‖ 6. *Mar.* Percha labrada convenientemente, a la cual se asegura el grátil de una vela. ‖ **seca.** *Mar.* La mayor del palo mesana, que no lleva vela. ‖ **toledana.** Medida antigua equivalente a dos codos. ‖ **ver-**

gas en alto. loc. *Mar.* Denota que la embarcación está pronta y expedita para navegar.

verga². adj. V. **uva verga.**

vergajazo. m. Golpe dado con un vergajo.

vergajo. m. Verga del toro, que después de cortada, seca y retorcida, se usa como látigo.

vergé. (Del fr. *vergé,* de *verge.*) adj. V. **papel vergé.**

vergel. (Del occitano ant. *vergier.*) m. Huerto con variedad de flores y árboles frutales.

vergelero. m. p. us. El que tiene a su cargo un vergel.

vergeta. (Del fr. *vergette,* de *verge,* y este del lat. *virga.*) f. Varita delgada, vergueta. ‖ **2.** *Blas.* Palo más estrecho que el ordinario.

vergeteado, da. (De *vergeta.*) adj. *Blas.* V. **escudo vergeteado.**

vergonzante. adj. Que tiene vergüenza. Aplícase regularmente al que pide limosna con cierto disimulo o encubriéndose.

vergonzosamente. adv. m. De modo vergonzoso.

vergonzoso, sa. adj. Que causa vergüenza. ‖ **2.** Que se avergüenza con facilidad. Ú. t. c. s. ‖ **3.** V. **mimosa vergonzosa.** ‖ **4.** V. **partes vergonzosas.** ‖ **5.** m. Especie de armadillo, con el cuerpo y la cola cubiertos de escamas y las orejas desnudas y redondas.

vergoña. (Del lat. *verecundïa.*) f. ant. **vergüenza.**

vergoñoso, sa. adj. ant. **vergonzoso.**

verguear. tr. Varear o sacudir con verga o vara.

vergüenza. (Del lat. *verecundïa.*) f. Turbación del ánimo, que suele encender el color del rostro, ocasionada por alguna falta cometida, o por alguna acción deshonrosa y humillante, propia o ajena. ‖ **2.** Pundonor, estimación de la propia honra. *Hombre de* VERGÜENZA. ‖ **3.** Encogimiento o cortedad para ejecutar una cosa. ‖ **4.** Acción que, por indecorosa, cuesta repugnancia ejecutar, o deja en mala opinión al que la ejecuta. ‖ **5.** Pena o castigo que consistía en exponer al reo a la afrenta y confusión pública con alguna señal que denotaba su delito. *Sacar a la* VERGÜENZA. ‖ **6.** ant. Listón o larguero delantero de las puertas. ‖ **7.** *Germ.* Toca de la mujer. ‖ **8.** pl. Partes externas de los órganos humanos de la generación. ‖ **catarse vergüenza.** fr. ant. Tenerse respeto o miramiento una persona a otra estando presentes. ‖ **perder uno la vergüenza.** fr. Abandonarse, desestimando el honor que según su estado le corresponde. ‖ **2.** Desechar el encogimiento o la cortedad. ‖ **sacar a la vergüenza** a uno. fr. Imponerle este castigo. ‖ **2.** fig. y fam. Obligarle a que haga públicamente una habilidad, cuando tiene cortedad o desconfianza de desempeñarla bien. ‖ **ser una mala vergüenza.** fr. fam. Ser muy ruin o inconveniente una cosa.

vergüeña. (Del lat. *verecundïa.*) f. ant. **vergüenza.**

verguer. (De *verga*¹, vara.) m. *Ar.* Alguacil de vara.

verguero. (De *verga*¹, vara.) m. *Ar.* **verguer.**

vergueta. (d. de *verga*¹.) f. Varita delgada. ‖ **2.** m. desus. fig. Oficial inferior de justicia, corchete. Dijose por la varilla que solían usar.

vergueteado. adj. V. **papel vergueteado.**

verguío, a. (De *verga*¹.) adj. Dícese de las maderas flexibles y correosas.

vericueto. m. Lugar o sitio áspero, alto y quebrado, por donde no se puede andar sino con dificultad.

verídico, ca. (Del lat. *veridïcus.*) adj. Que dice verdad. ‖ **2.** Aplícase también a lo que la incluye.

verificación. f. Acción de verificar, probar si una cosa es verdadera. ‖ **2.** Acción de verificar, examinar la verdad de una cosa. ‖ **3.** Acción de verificar, salir cierto o verdadero lo que se dijo o pronosticó.

verificador, ra. adj. Que verifica. Ú. t. c. s.

verificar. (Del lat. *verificäre.*) tr. Probar que una cosa que se dudaba es verdadera. ‖ **2.** Comprobar o examinar la verdad de una cosa. ‖ **3.** Realizar, efectuar. Ú. t. c. prnl. ‖ **4.** prnl. Salir cierto y verdadero lo que se dijo o pronosticó.

verificativo, va. adj. Dícese de lo que sirve para verificar una cosa.

verigüeto. m. Molusco lamelibranquio bivalvo, comestible.

verija. (Del lat. *virïlïa,* pl. n. de *virïlis,* viril.) f. Región de las partes pudendas.

veril. (De *vera*¹.) m. *Mar.* Orilla o borde de un bajo, sonda, placer, etc. ‖ **2.** *Zam.* Faja estrecha de terreno colindante con un camino o una carretera.

verilear. intr. *Mar.* Navegar por un veril o por sus inmediaciones.

verisímil. (Del lat. *verisimïlis.*) adj. **verosímil.**

verisimilitud. (Del lat. *verisimilitüdo.*) f. **verosimilitud.**

verisímilmente. adv. m. **verosímilmente.**

verismo. (Del lat. *verus.*) m. Realismo llevado al extremo en las obras de arte.

verja. (Del fr. *verge.*) f. Enrejado que sirve de puerta, ventana o cerca. Hoy se aplica más al que sirve como cerca.

verjurado. adj. V. **papel verjurado.**

verme. (Del lat. *vermis,* gusano.) m. *Zool.* **gusano,** y en especial lombriz intestinal.

vermicida. (Del lat. *vermis,* gusano, y *-cïda.*) adj. *Farm.* **vermífugo.** Ú. t. c. s. m.

vermicular. (Del lat. *vermicülus,* gusanillo.) adj. Que tiene gusanos o vermes, o los cría. ‖ **2.** Que se parece a los gusanos o participa de sus cualidades. ‖ **3.** *Anat.* V. **apéndice vermicular.**

vermiforme. (Del lat. *vermis,* gusano, y *forma,* figura.) adj. De figura de gusano. ‖ **2.** *Anat.* V. **apéndice vermiforme.**

vermífugo, ga. (Del lat. *vermis,* gusano, y *fugäre,* ahuyentar.) adj. *Farm.* Que tiene virtud para matar las lombrices intestinales. Ú. t. c. s. m.

verminoso, sa. (Del lat. *verminösus.*) adj. Aplícase a las úlceras que crían gusanos, y a las enfermedades acompañadas de producción de lombrices.

vermú o **vermut.** (Del al. *wermuth,* ajenjo.) m. Licor aperitivo compuesto de vino blanco, ajenjo y otras sustancias amargas y tónicas. ‖ **2.** Función de cine o teatro por la tarde, celebrada con horario anterior al de las sesiones acostumbradas.

vernáculo, la. (Del lat. *vernacülus.*) adj. Doméstico, nativo, de nuestra casa o país. Dícese especialmente del idioma o lengua.

vernal. (Del lat. *vernälis.*) adj. Perteneciente a la primavera. *Equinoccio* VERNAL. ‖ **2.** V. **solsticio vernal.** ‖ **3.** *Astrol.* V. **cuadrante vernal.**

vernier. (Del geómetra francés Pedro *Vernier.*) m. *Geom.* **nonio.**

vero¹. (Del lat. *varïus,* manchado de varios colores.) m. Piel de marta cebellina. ‖ **2.** pl. *Blas.* Esmaltes que cubren el escudo, en figura de campanillas alternadas, unas de plata y otras de azur, y con las bocas opuestas.

vero², **ra.** (Del lat. *verus.*) adj. desus. **verdadero.** ‖ **de vero.** loc. adv. desus. **de veras.**

veronal. (De *Verona,* ciudad italiana por la cual se dio nombre a este producto.) m. Derivado del ácido barbitúrico, usado como somnífero y tranquilizante.

veronense. (Del lat. *Veronensis.*) adj. Natural de Verona. Ú. t. c. s. ‖ **2.** Perteneciente a esta ciudad.

veronés, sa. adj. Natural de Verona. Ú. t. c. s. ‖ **2.** Perteneciente a esta ciudad de Italia.

verónica. (De *Verónica,* nombre propio.) f. Planta herbácea, vivaz, de la familia de las escrofulariáceas, con tallos delgados y rastreros de dos a tres decímetros de longitud; hojas opuestas, vellosas, elípticas y pecioladas; flores azules en espigas axilares, y fruto seco, capsular, con semillas menudas. ‖ **2.** *Taurom.* Lance que consiste en esperar el lidiador la acometida del toro teniendo la capa extendida o abierta con ambas manos enfrente de la res.

verosímil. adj. Que tiene apariencia de verdadero. ‖ **2.** Creíble por no ofrecer carácter alguno de falsedad.

verosimilitud. f. Cualidad de verosímil.

verosímilmente. adv. m. De modo verosímil.

verraco. (Del lat. *verres.*) m. Cerdo padre.

verraquear. (De *verraco.*) intr. fig. y fam. Gruñir o dar señales de enfado y enojo. ‖ **2.** fig. y fam. Llorar con rabia y continuadamente los niños.

verraquera. (De *verraquear,* llorar.) f. fam. Lloro con rabia y continuado de los niños.

verriondez. f. Cualidad de verriondo.

verriondo, da. (Del lat. *verres,* verraco, e *-ibundus.*) adj. Aplícase al puerco y otros animales cuando están en celo. ‖ **2.** Dícese de las hierbas o cosas semejantes cuando están marchitas, o mal cocidas y duras.

verroja. f. *And.* Colmillo del jabalí.

verrojazo. m. *And.* Golpe que da el jabalí con las verrojas.

verrojo. m. ant. **cerrojo.** Ú. en Burgos, Logroño y Vizcaya.

verrón. (Del lat. *verres.*) m. Cerdo padre.

verrucaria. (Del lat. *verrucaria.*) f. ant. **girasol,** planta.

verruga. (Del lat. *verruca.*) f. Excrecencia cutánea por lo general redonda. ‖ **2.** Abultamiento que la acumulación de savia produce en algún punto de la superficie de una planta. ‖ **3.** fig. y fam. Persona o cosa que molesta y de que no se puede uno librar.

verrugo. m. fam. Hombre tacaño y avaro. ‖ **2.** fam. Prestamista, usurero.

verrugoso, sa. adj. Que tiene muchas verrugas.

verrugueta. f. *Germ.* Fullería, trampa, en el juego de naipes, que consiste en marcar las cartas con verruguillas.

verruguetar. tr. fam. Marcar los naipes con verruguetas.

versado, da. p. p. de **versar.** ‖ **2.** adj. Ejercitado, práctico, instruido. VERSADO *en las lenguas sabias; en las matemáticas.*

versal. (De *verso,* por emplearse esta clase de letras como inicial de cada uno de ellos.) adj. *Impr.* V. **letra versal.** Ú. t. c. s.

versalilla, ta. adj. *Impr.* V. **letra versalita.** Ú. t. c. s.

versallesco, ca. adj. Perteneciente o relativo a Versalles, palacio y sitio real cercano a París. Dícese especialmente de las costumbres de la corte francesa establecida en dicho lugar y que tuvo su apogeo en el siglo XVIII. ‖ **2.** fam. Dícese del lenguaje y de los modales afectadamente corteses.

versar. (Del lat. *versāre.*) intr. Dar vueltas alrededor. ‖ **2.** Con la preposición *sobre* y algunas otras, o la locución adverbial *acerca de,* tratar de tal o cual materia un libro, discurso o conversación. ‖ **3.** prnl. Hacerse uno práctico o perito, por el ejercicio de una cosa, en su manejo o inteligencia.

versátil. (Del lat. *versatĭlis.*) adj. Que se vuelve o se puede volver fácilmente. ‖ **2.** fig. De genio o carácter voluble e inconstante.

versatilidad. f. Cualidad de versátil.

versear. intr. fam. Hacer versos, versificar.

versecillo. m. d. de **verso**[1].

versería. f. Conjunto de **versos**[2].

versete. m. d. de **verso**[2].

versícula. (De *versículo.*) f. Lugar donde se ponen los libros de coro.

versicularío. m. El que canta los versículos. ‖ **2.** El que cuida de los libros de coro.

versículo. (Del lat. *versicŭlus,* d. de *versus,* verso.) m. Cada una de las breves divisiones de los capítulos de ciertos libros, y singularmente de las Sagradas Escrituras. ‖ **2.** Parte del responsorio que se dice en las horas canónicas, regularmente antes de la oración. ‖ **3.** Cada uno de los versos de un poema escrito sin rima ni metro fijo y determinado, en especial cuando el verso constituye unidad de sentido.

versificación. (Del lat. *versificatĭo, -ōnis.*) f. Acción y efecto de versificar. ‖ **2.** *Métr.* Arte de versificar.

versificador, ra. (Del lat. *versificātor, -ōris.*) adj. Que hace o compone versos. Ú. t. c. s.

versificar. (Del lat. *versificāre.*) intr. Hacer o componer versos. ‖ **2.** tr. Poner en verso.

versión. (Del lat. *versum,* supino de *vertĕre,* tornar, volver.) f. **traducción,** acción y efecto de traducir de una lengua a otra. ‖ **2.** Modo que tiene cada uno de referir un mismo suceso. ‖ **3.** Cada una de las formas que adopta la relación de un suceso, el texto de una obra o la interpretación de un tema. ‖ **4.** *Obst.* Operación para cambiar la postura del feto que se presenta mal para el parto.

versista. com. Persona que hace o compone versos. ‖ **2.** Persona que tiene prurito de hacer versos.

verso[1]**.** (Del lat. *versus.*) m. Palabra o conjunto de palabras sujetas a medida y cadencia, o solo a cadencia. ‖ **2.** Empléase también en sentido colectivo, por contraposición a prosa. *Comedia en* VERSO. ‖ **3.** V. **compañía de verso.** ‖ **4.** Versículo de las Sagradas Escrituras. ‖ **5.** fam. Composición en **verso.** ‖ M. en pl. ‖ **acataléctico. verso** griego o latino que tiene cabales todos sus pies. ‖ **adónico. verso** de la poesía griega y latina, que consta de un dáctilo y un espondeo, y se usa generalmente en combinación con los sáficos, de tres de los cuales va precedido en cada una de las estrofas de que forma parte. ‖ **2. verso** de la poesía española, que consta de cinco sílabas, la primera y la cuarta largas, y breves las demás, y tiene el mismo empleo que el adónico antiguo. ‖ **agudo.** El que termina en palabra aguda. ‖ **alcaico. verso** de la poesía griega y latina, que se compone de un espondeo (o a veces de un yambo), de otro yambo, de una cesura y de los dáctilos. Otro **verso** del mismo nombre consta de dos dáctilos y dos troqueos. ‖ **alejandrino.** El de catorce sílabas, dividido en dos hemistiquios. ‖ **amebeo.** Cada uno de los de igual clase, con que hablan o cantan a competencia y alternativamente los pastores que se introducen en algunas églogas, como en la tercera de Virgilio. ‖ **amétrico.** El que no se sujeta a una medida fija de sílabas. ‖ **anapéstico.** En la poesía griega y latina, **verso** compuesto de anapestos o análogos. ‖ **asclepiadeo. verso** de la poesía griega y latina, que consta de un espondeo, dos coriambos y un pirriquio. Mídesele también contando un espondeo, un dáctilo, una cesura y otros dos dáctilos. ‖ **asclepiadeo menor. verso asclepiadeo.** ‖ **asclepiadeo mayor.** El asclepiadeo que acaba con dos dáctilos y consta además de un espondeo y dos coriambos, o sea de un espondeo, un dáctilo, otro espondeo y un anapesto. ‖ **blanco. verso suelto.** ‖ **cataléctico. verso** de la poesía griega y latina, que le falta una sílaba al fin, o en el cual es imperfecto alguno de los pies. ‖ **coriámbico.** El que consta de coriambos. ‖ **dactílico.** El que consta de dáctilos. ‖ **de arte mayor.** El de doce sílabas, que consta de dos hemistiquios. ‖ **2.** Cualquiera de los que tienen más de ocho sílabas. ‖ **de arte menor.** El de redondilla mayor o menor. ‖ **2.** Cualquiera de los que no pasan de ocho sílabas. ‖ **de cabo roto.** El que tiene suprimida o cortada la última o sílabas que siguen a la última acentuada. ‖ **de redondilla mayor.** El de ocho sílabas u octosílabo. ‖ **de redondilla menor.** El de seis sílabas o hexasílabo. ‖ **ecoico.** El latino cuyas dos últimas sílabas son iguales. ‖ **2.** El que se emplea en la composición poética denominada **eco.** ‖ **esdrújulo.** El que finaliza en voz esdrújula. ‖ **espondaico. verso** hexámetro que tiene espondeos en determinados lugares. ‖ **falecio.** En la poesía griega y latina, **verso** endecasílabo que se compone de cinco pies: el primero espondeo, el segundo dáctilo, y troqueos los demás. ‖ **ferecracio.** En la poesía griega y latina, verso compuesto de tres pies: espondeos el primero y tercero, y dáctilo el segundo. ‖ **gliconio.** verso de la poesía griega y latina, que se compone de tres pies: un espondeo y dos dáctilos. El primero es también a veces yambo o coreo. ‖ **heroico.** El que en cada idioma se tiene por más a propósito para ser empleado en la poesía de esta clase; como en la lengua latina el hexámetro y en la española el endecasílabo. ‖ **hexámetro.** verso de la poesía griega y latina, que consta de seis pies: cada uno de los cuatro primeros espondeo, o dáctilo, dáctilo el quinto, y el sexto espondeo. ‖ **hiante.** Aquel en que hay hiatos. ‖ **leonino.** verso latino usado en la Edad Media, cuyas sílabas finales forman consonancia con las últimas de su primer hemistiquio. ‖ **libre.** verso suelto. ‖ **2.** El que no está sujeto a rima ni a metro fijo y determinado. ‖ **llano.** El que termina en palabra llana o grave. ‖ **oxítono.** verso agudo. ‖ **paroxítono.** verso llano. ‖ **pentámetro.** verso de la poesía griega y latina, que se compone de un dáctilo o un espondeo, de otro dáctilo u otro espondeo, de una cesura, de dos dáctilos y de otra cesura. Mídesele también contando después de los dos primeros pies un espondeo y dos anapestos. ‖ **proparoxítono.** verso esdrújulo. ‖ **quebrado.** El de cuatro sílabas cuando alterna con otros más largos. ‖ **ropálico.** verso de la poesía griega, en que cada palabra tiene una sílaba más que la precedente. ‖ **sáfico.** verso de la poesía griega y latina, que se compone de once sílabas distribuidas en cinco pies, de los cuales son, por regla general, troqueos el primero y los dos últimos, espondeo el segundo, y dáctilo el tercero. ‖ **2.** verso de la poesía española, que consta de once sílabas, como el griego y latino, y cuyos acentos métricos estriban en la cuarta y la octava. Es más cadencioso y tiene mayor semejanza con el sáfico antiguo cuando su primera sílaba es larga. ‖ **senario.** El que consta de seis pies, y especialmente el yámbico de esta medida. ‖ **suelto.** El que no forma con otro rima perfecta ni imperfecta. ‖ **trímetro.** En la poesía latina, verso compuesto de tres pies, y también el compuesto de tres dipodias, o sea de seis pies, como el trímetro yámbico o senario. ‖ **trocaico.** verso de la poesía latina, que consta de siete pies, de los cuales los unos son troqueos y los demás espondeos o yambos, al arbitrio. ‖ **yámbico.** verso de la poesía griega y latina, en que entran yambos, o que se compone exclusivamente de ellos. ‖ **versos fesceninos.** versos satíricos y obscenos inventados en la ciudad de Fescenio y que solían cantarse en la antigua Roma. ‖ **pareados.** Los dos versos que van unidos y aconsonantados, como los dos últimos de la octava. ‖ **correr el verso.** fr. Tener fluidez, sonar bien al oído.

verso[2]. m. Pieza ligera de la artillería antigua, que en tamaño y calibre era la mitad de la culebrina.

verso[3]. (Del lat. *versus*.) adj. *Trig.* **coseno, folio, seno verso.**

versolari. m. *Ar.* y *P. Vasco.* Coplero, improvisador de versos.

versta. f. Medida itineraria rusa, equivalente a 1.067 metros.

versucia. (Del lat. *versutĭa*.) f. ant. Astucia, sagacidad.

versuto, ta. (Del lat. *versūtus*.) adj. ant. Astuto, taimado y malicioso.

vértebra. (Del lat. *vertĕbra*.) f. *Anat.* Cada uno de los huesos cortos, articulados entre sí, que forman el espinazo de los animales vertebrados.

vertebración. f. Acción y efecto de vertebrar.

vertebrado. (Del lat. *vertebrātus*.) adj. *Zool.* Que tiene vértebras. ‖ **2.** *Zool.* Dícese de los animales cordados que tienen esqueleto con columna vertebral y cráneo, y sistema nervioso central constituido por medula espinal y encéfa-

lo. Ú. t. c. s. m. ‖ **3.** m. pl. *Zool.* Subtipo de estos animales.

vertebral. adj. Perteneciente a las vértebras. ‖ **2.** V. **columna vertebral.**

vertebrar. tr. fig. Dar consistencia y estructura internas, dar organización y cohesión.

vertedera. (De *verter*.) f. Especie de orejera que sirve para voltear y extender la tierra levantada por el arado.

vertedero. m. Lugar adonde o por donde se vierte algo. ‖ **2.** Lugar donde se vierten basuras o escombros. ‖ **3.** Conducto por el que se arrojan a un depósito situado a nivel inferior, basuras, desechos, ropa sucia, etc.

vertedor, ra. adj. Que vierte. Ú. t. c. s. ‖ **2.** m. Canal o conducto que en los puentes y otras fábricas sirve para dar salida al agua y a las inmundicias. ‖ **3. librador**[1], cogedor de hojalata para despachar ciertas mercancías. ‖ **4.** *Mar.* Instrumento para achicar el agua, achicador.

vertello. (Del lat. *vertĕre*, girar.) m. *Mar.* Bola de madera que, ensartada con otras iguales en un cabo, forma el racamento.

verter. (Del lat. *vertĕre*.) tr. Derramar o vaciar líquidos, y también cosas menudas; como sal, harina, etc. Ú. t. c. prnl. ‖ **2.** Inclinar una vasija o volverla boca abajo para vaciar su contenido. Ú. t. c. prnl. ‖ **3. traducir** de una lengua a otra. ‖ **4.** fig. Tratándose de máximas, conceptos, etc., decirlos con determinado objeto, y por lo común con fin siniestro. ‖ **5.** intr. Correr un líquido por una pendiente. ‖ **6.** Desembocar una corriente de agua en otra.

vertibilidad. (Del lat. *vertibilĭtas, -ātis*.) f. Cualidad de vertible.

vertible. (Del lat. *vertibĭlis*.) adj. Que puede volverse o mudarse.

vertical. (Del lat. *verticālis*.) adj. Que tiene la dirección de una plomada. Ú. t. c. s. f. ‖ **2.** *Geom.* Dícese de la recta o plano que es perpendicular a una recta o plano horizontal. ‖ **3.** *Persp.* **plano vertical.** ‖ **4.** En figuras, dibujos, escritos, impresos, etc., dícese de la línea, disposición o dirección que va de la cabeza al pie. Ú. t. c. s. f. ‖ **5.** fig. Dícese de las organizaciones, estructuras, etc., que están fuertemente subordinadas al estrato superior máximo. ‖ **6.** m. Cualquiera de los semicírculos máximos que se consideran en la esfera celeste perpendiculares al horizonte. ‖ **primario, o primer vertical.** El que es perpendicular al meridiano y pasa por los puntos cardinales de Oriente y Occidente.

verticalidad. f. Cualidad de vertical.

verticalmente. adv. m. De un modo vertical.

vértice. (Del lat. *vertex, -ícis*.) m. *Geom.* Punto en que concurren los dos lados de un ángulo. ‖ **2.** *Geom.* Punto donde concurren tres o más planos. ‖ **3.** *Geom.* **cúspide** de la pirámide o del cono. ‖ **4.** *Geom.* Punto de una curva, en que se encuentra un eje suyo normal a ella. ‖ **5.** fig. Parte más elevada de la cabeza humana.

verticidad. (Del lat. *vertex, -ícis*, lo que da vueltas.) f. Capacidad o potencia de moverse a varias partes o alrededor.

verticilado, da. adj. *Bot.* Que forma verticilo.

verticilo. (Del lat. *verticillus*.) m. *Bot.* Conjunto de tres o más ramos, hojas, flores, pétalos u otros órganos, que están en un mismo plano alrededor de un tallo.

vertidos. m. pl. Materiales de desecho que las instalaciones industriales o energéticas arrojan a vertederos o al agua.

vertiente. p. a. de **verter.** Que vierte. ‖ **2.** V. **aguas vertientes.** ‖ **3.** amb. Declive o sitio por donde corre o puede correr el agua. ‖ **4.** f. fig. Aspecto, punto de vista.

vertiginosamente. adv. m. De manera vertiginosa.

vertiginosidad. f. Calidad de vertiginoso.

vertiginoso, sa. (Del lat. *vertiginōsus*.) adj. Perteneciente o relativo al vértigo. ‖ **2.** Que causa vértigo. ‖ **3.** Que padece vértigos.

vértigo. (Del lat. *vertigo, -ĭnis*, movimiento circular.) m. *Pat.* Trastorno del sentido del equilibrio caracterizado por una sensación de movimiento rotatorio del cuerpo o de los objetos que lo rodean. ‖ **2.** *Psiquiat.* Turbación del juicio, repentina y pasajera. ‖ **3.** fig. Apresuramiento anormal de la actividad de una persona o colectividad. ‖ **de la altura.** Sensación de inseguridad y miedo a precipitarse desde una altura, al acercarse al borde de esta o, a veces, al ver acercarse a ella a otra persona o, simplemente, al imaginarse que uno se pudiera acercar. Físicamente se acompaña de temblor y flojedad de las piernas y de opresión epigástrica.

vertimiento. m. Acción y efecto de verter o verterse.

vesania. (Del lat. *vesania.*) f. Demencia, locura, furia.

vesánico, ca. adj. Perteneciente o relativo a la vesania. ‖ **2.** Que padece de vesania. Ú. t. c. s.

vesical. (Del lat. *vesicālis.*) adj. *Zool.* Perteneciente o relativo a la vejiga.

vesicante. (Del lat. *vesicans, -antis*, p. a. de *vesicāre*, levantar ampollas.) adj. Dícese de la sustancia que produce ampollas en la piel. Ú. t. c. s.

vesícula. (Del lat. *vesicŭla*, d. de *vesica*, vejiga.) f. Vejiga pequeña en la epidermis, llena generalmente de líquido seroso. ‖ **2.** *Bot.* Ampolla llena de aire que suelen tener ciertas plantas acuáticas en las hojas o en el tallo. ‖ **aérea.** *Anat.* Cada una de las fosas hemisféricas o alvéolos en que terminan los bronquiolos. ‖ **biliar.** *Anat.* **vejiga de la bilis.** ‖ **ovárica.** *Anat.* La que contiene el óvulo. ‖ **seminal.** *Anat.* Cada una de las dos, situadas a uno y otro lado del conducto deferente de los mamíferos, cuyas paredes contienen glándulas secretoras de un líquido que forma parte del esperma.

vesicular. adj. De forma de vesícula.

vesiculoso, sa. (Del lat. *vesiculōsus.*) adj. Lleno de vesículas.

vesivilo. m. *Cuen.* y *Murc.* Vestiglo, fantasma, visión.

vesperal. m. Libro de canto llano, que contiene el de vísperas.

véspero. m. El planeta Venus como lucero de la tarde. ‖ **2. anochecer,** últimas horas de la tarde.

vespertilio. (Del lat. *vespertilio, -ōnis.*) m. p. us. **murciélago.**

vespertino, na. (Del lat. *vespertīnus.*) adj. Perteneciente o relativo a la tarde. ‖ **2.** *Astron.* Dícese de los astros que transponen el horizonte después del ocaso del Sol. ‖ **3.** m. y f. Sermón que se predica por la tarde. ‖ **4.** f. Acto literario que se celebraba por la tarde en las universidades. ‖ **5.** *Col.* Función teatral o de cine que se celebra por la tarde. ‖ **6.** m. En periodismo, diario que sale por la tarde.

vesque. (Del lat. *viscus.*) m. *Ar.* **liga** de coger pájaros, visco.

Vesta. n. p. m. *Astron.* El cuarto asteroide, que fue conocido y descubierto por Olbers en 1807.

vestal. (Del lat. *vestālis.*) adj. Perteneciente o relativo a la diosa Vesta. ‖ **2.** Dícese de las doncellas romanas consagradas a la diosa Vesta. Ú. m. c. s.

veste. (Del lat. *vestis.*) f. poét. **vestido.**

vestecha. (Del lat. *bis*, dos, y *tecta*, techada.) f. *León.* Soportal o cobertizo, sostenido por postes de madera, que tienen las casas ante su puerta.

vestfaliano, na. adj. Natural de Vestfalia. Ú. t. c. s. ‖ **2.** Perteneciente o relativo a este país de Alemania.

vestiario. (Del lat. *vestiārium.*) m. ant. **vestuario.**

vestíbulo. (Del lat. *vestibŭlum.*) m. Atrio o portal que está a la entrada de un edificio. ‖ **2.** En los grandes hoteles, sala de amplias dimensiones próxima a la entrada del edificio. ‖ **3.** Espacio cubierto dentro de la casa, que comunica la entrada con los aposentos o con un patio. ‖ **4. recibimiento,** pieza que da entrada a los diferentes aposentos

de una vivienda. ‖ **5.** *Anat.* Una de las cavidades comprendidas en el laberinto del oído de los vertebrados.

vestido. (Del lat. *vestītus.*) m. Prenda o conjunto de prendas exteriores con que se cubre el cuerpo. ‖ **2.** Traje enterizo de la mujer. ‖ **de ceremonia. traje de ceremonia,** el que se utiliza en ciertas solemnidades. ‖ **de corte.** El que usaban en palacio las señoras los días de función. ‖ **de etiqueta,** o **de serio. traje de etiqueta,** el que se utiliza en ciertas solemnidades.

vestidura. f. **vestido,** prenda que cubre el cuerpo. ‖ **2.** Vestido que, sobrepuesto al ordinario, usan los sacerdotes para el culto divino. Ú. m. en pl. ‖ **rasgarse uno las vestiduras.** fr. Entre los hebreos, manifestación de duelo. ‖ fig. **escandalizarse,** mostrar indignación.

vestiglo. (Del lat. *vestigĭum.*) m. **huella,** señal que queda en la tierra del pie del hombre o animal que pasa. ‖ **2.** Memoria o noticia de las acciones de los antiguos que sólo observa para la imitación y el ejemplo. ‖ **3.** Señal que queda de un edificio u otra fábrica antigua. ‖ **4.** fig. Señal que queda de otras cosas, materiales o inmateriales. ‖ **5.** fig. Indicio por donde se infiere la verdad de una cosa o se sigue la averiguación de ella.

vestiglo. (Del lat. *besticŭlum.*) m. Monstruo fantástico horrible.

vestimenta. (Del lat. *vestimenta*, pl. de -*tum*, vestimento.) f. **vestido.** ‖ **2. vestidura** del sacerdote para el culto divino. Ú. m. en pl.

vestimento. (Del lat. *vestimentum.*) m. ant. **vestido.** ‖ **2.** desus. **vestidura** del sacerdote para el culto divino. Usáb. m. en pl.

vestir. (Del lat. *vestīre.*) tr. Cubrir o adornar el cuerpo con el vestido. Ú. t. c. prnl. ‖ **2.** Guarnecer o cubrir una cosa con otra para defensa o adorno. ‖ **3.** Dar a uno la cantidad necesaria para que se haga vestidos. ‖ **4.** fig. Exornar una idea con galas retóricas o conceptos secundarios o complementarios. ‖ **5.** fig. Disfrazar o disimular artificiosamente la realidad de una cosa añadiéndole un adorno. ‖ **6.** fig. Cubrir la hierba los campos; la hoja, los árboles; la piel, el pelo o la pluma, los animales, etc. ‖ **7.** fig. Hacer los vestidos para otro. *Tal sastre me* VISTE. ‖ **8.** fig. Afectar una pasión del ánimo, demostrándolo exteriormente, con especialidad en el rostro. *Antonio* VISTIÓ *el rostro de severidad, de agrado.* Ú. t. c. prnl. ‖ **9.** intr. Con los adverbios *bien* o *mal,* referido al **vestido** con perfección o gusto o sin él. *Luis* VISTE *bien.* ‖ **10.** Dicho de cosas, ser elegantes, estar de moda, o ser a propósito para el lucimiento y la elegancia del vestido. *El color negro* VISTE *mucho.* ‖ **11.** Llevar un traje de color, o distintivo especial. VESTIR *de blanco, de luto, de uniforme, de paisano, de máscara, de corto.* ‖ **12.** prnl. fig. p. us. Salir de una enfermedad y dejar la cama el que ha estado algún tiempo enfermo. ‖ **13.** fig. Engreírse vanamente de la autoridad o empleo, o afectar exteriormente dominio o superioridad. ‖ **14.** fig. Sobreponerse una cosa a otra, encubriéndola. *El cielo* SE VISTIÓ *de nubes.* ‖ **el mismo que viste y calza.** fr. fig. y fam. con la que se corrobora la identidad de la persona que habla o de quien se habla. ‖ **vestido y calzado.** expr. fig. y fam. Satisfecho de estas primeras necesidades por cuenta ajena. ‖ **vísteme despacio, que estoy de,** o **tengo prisa.** fr. con que se enuncia la necesidad de no proceder atropelladamente para ganar tiempo, porque con la prisa se suele perder.

vestuario. m. **vestido,** conjunto de las piezas que sirven para vestir. ‖ **2.** Conjunto de trajes necesarios para una representación escénica. ‖ **3.** Renta que se da en las iglesias y catedrales a los que tienen obligación de vestirse en las funciones de iglesia o coro. ‖ **4.** Lo que en algunas comunidades o cuerpos eclesiásticos se da a sus individuos, en especie o en dinero, para vestirse. ‖ **5.** Sitio, en algunas iglesias, donde se revisten los eclesiásticos. ‖ **6.** Parte del teatro, en que están los cuartos o aposentos donde se visten las personas que han de tomar parte en la representación dramática o en otro espectáculo teatral. ‖ **7.** Por ext., se llamaba así antiguamente toda la parte interior del teatro. ‖ **8.** En los campos de deportes, piscinas, etc., local destinado a cambiarse de ropa. ‖ **9.** *Mil.* Uniforme de los soldados y demás individuos de tropa.

vestugo. m. Renuevo o vástago del olivo.

veta. (Del lat. *vitta.*) f. **vena,** faja o lista de una materia que por su calidad, color, etc., se distingue de la masa en que se halla interpuesta. VETA *de tocino magro, de tierra caliza.* ‖ **2.** Filón metálico. ‖ **3. vena,** lista de ciertas piedras y maderas. ‖ **4.** Cuerda o hilo. ‖ **5.** fig. y fam. Aptitud de uno para una ciencia o arte. ‖ **6.** *Ecuad.* Correa enteriza sacada de toda la piel de una res vacuna; retorcida y curada sirve para enlazar las reses y sujetarlas. ‖ **dar** uno **en la veta.** fr. fig. **dar en la vena.**

vetado, da. (De *veta.*) adj. Que tiene vetas.

vetar. tr. Poner el veto a una proposición, acuerdo o medida.

veteado, da. p. p. de **vetear.** ‖ **2.** adj. Que tiene vetas.

vetear. tr. Señalar o pintar vetas, imitando las de la madera, el mármol, etc.

veteranía. f. Cualidad de veterano.

veterano, na. (Del lat. *veteranus.*) adj. Aplicase a los militares que por haber servido mucho tiempo son expertos en las cosas de su profesión. Ú. t. c. s. ‖ **2.** fig. Antiguo y experimentado en cualquier profesión o ejercicio.

veterinaria. (Del lat. *veterinaria.*) f. Ciencia y arte de precaver y curar las enfermedades de los animales.

veterinario, ria. (Del lat. *veterinarius.*) adj. Perteneciente o relativo a la veterinaria. ‖ **2.** m. y f. Persona que se halla legalmente autorizada para profesar y ejercer la veterinaria.

vetisesgado, da. adj. Que tiene las vetas al sesgo.

veto. (Del lat. *veto,* yo vedo o prohibo.) m. Derecho que tiene una persona o corporación para vedar o impedir una cosa. Ú. principalmente para significar el atribuido según las constituciones al jefe del Estado o a la segunda Cámara, respecto de las leyes votadas por la elección popular. ‖ **2.** Por ext., acción y efecto de vedar. ‖ **absoluto.** El que impide la promulgación y vigencia de una ley. ‖ **suspensivo.** El que retarda la promulgación y vigencia de una ley.

vetón, na. (Del pl. lat. *Vettones.*) adj. Dícese de un pueblo prerromano de la antigua Lusitania que habitaba parte de las actuales provincias de Zamora, Salamanca, Ávila, Cáceres, Toledo y Badajoz. ‖ **2.** Dícese también de los individuos que formaban este pueblo. Ú. t. c. s. ‖ **3.** Perteneciente o relativo a los **vetones.**

vetustez. f. Cualidad de vetusto.

vetusto, ta. (Del lat. *vetustus.*) adj. Extremadamente viejo, anticuado.

vexilología. (Del lat. *vexillum,* estandarte, y -*logía.*) f. Disciplina que estudia las banderas, pendones y estandartes.

vexilólogo, ga. m. y f. Persona que cultiva la vexilología.

vez. (Del lat. *vicis.*) f. Alternación de las cosas por turno u orden sucesivo. ‖ **2.** Tiempo u ocasión determinada en que se ejecuta una acción, aunque no incluya orden sucesivo. VEZ *hubo que no comió en un día.* ‖ **3.** Tiempo u ocasión de hacer una cosa por turno u orden. *Le llegó la* VEZ *de entrar.* ‖ **4.** Cada realización de un suceso o de una acción en momento y circunstancias distintos. *La primera* VEZ *que vi el mar.* ‖ **5.** Manada de ganado perteneciente a un vecindario. ‖ **6.** Lugar que a uno le corresponde cuando varias personas han de actuar por turno. *¿Quién da la* VEZ? ‖ **7.** ant. Cantidad que se da, recibe, o bebe, de un golpe. ‖ **8.** pl. Ministerio, autoridad o jurisdicción que una persona ejerce supliendo a otra o representándola. Ú. m. con el verbo *hacer. Hacer uno las* VECES *de otro; hacer uno con otro* VECES *de padre.* ‖ **a la de veces,** o **a las de veces,** o **a las veces.** locs. advs. En alguna ocasión o tiempo, como excepción de lo que comúnmente sucede, o contraponiéndolo a otro tiempo u ocasión. ‖ **a la vez.** loc. adv. A un tiempo, simultáneamente. ‖ **a mala vez.** loc. adv. ant. **malavez.** ‖ **a mi, tu, su vez.** loc. adv. Por orden sucesivo y alternado. ‖ **2.** Por su parte, por separado de lo demás. ‖ **a veces.** loc. adv. Por orden alternativo. ‖ **2. a las veces.** ‖ **cada vez que.** loc. **siempre que.** ‖ **decir** uno **unas veces cesta y otras ballesta.** fr. fig. y fam. Hablar contradictoria o incoherentemente. ‖ **de una vez.** loc. adv. Con una sola acción; con una palabra o de un golpe. ‖ **2.** Poniendo todo el esfuerzo y medios de acción para lograr algo resueltamente. ‖ **3.** Definitivamente. ‖ **4.** fig. y fam. Que reúne todas las excelencias deseables. ‖ **de una vez para siempre.** loc. adv. Definitivamente. ‖ **de vez en cuando.** loc. adv. **de cuando en cuando.** ‖ **2.** de tiempo en tiempo. ‖ **en vez de.** loc. adv. En sustitución de una persona o cosa. ‖ **2.** Al contrario, lejos de. ‖ **mala vez.** loc. adv. ant. **malavez.** ‖ **otra vez.** loc. adv. **reiteradamente.** ‖ **por vez.** loc. adv. **a su vez.** ‖ **tal cual vez.** loc. adv. En rara ocasión o tiempo. ‖ **tal vez.** loc. adv. **quizá.** ‖ **2. tal cual vez.** ‖ **tal y tal vez.** loc. adv. **tal cual vez.** ‖ **toda,** o **una, vez que.** loc. Supuesto que, siendo así que. ‖ **tomarle** a uno **la vez.** fr. fam. Adelantársele. ‖ **una otra vez.** loc. adv. Rara vez, alguna vez. ‖ **una vez.** loc. que se usa para suponer que se ha de ejecutar o se ha ejecutado una cosa, o para sentar su certidumbre o existencia. ‖ **una vez que.** loc. fam. con que se supone o da por cierta una cosa para pasar adelante en el discurso. ‖ **una vez que otra.** loc. adv. **una que otra vez.**

veza. (Del lat. *vicia.*) f. **arveja,** algarroba.

vezar. (Del lat. *vitiare.*) tr. **avezar.** Ú. t. c. prnl.

vezo. (Del lat. *vitium.*) m. ant. **costumbre.**

vi-. V. **vice-.**

vía. (Del lat. *via.*) f. **camino** por donde se transita. ‖ **2.** Espacio que hay entre los carriles que señalan las ruedas de los carruajes. ‖ **3.** El mismo carril. ‖ **4.** Rail de ferrocarril. ‖ **5.** Parte del suelo explanado de un camino de hierro, en la cual se asientan los carriles. ‖ **6.** Calzada construida para la circulación rodada. ‖ **7.** Cualquiera de los conductos por donde pasan en el cuerpo del animal los humores, el aire, los alimentos y los residuos de la digestión. ‖ **8.** Entre los ascéticos, modo y orden de vida espiritual encaminada a la perfección de la virtud, y que se divide en tres estados: **vía** purgativa, iluminativa y unitiva. ‖ **9.** Calidad del ejercicio, estado o facultad que se elige o toma para vivir. ‖ **10.** Camino o dirección que han de seguir los correos, pasando por lugares determinados. *Por la* VÍA *de Francia.* ‖ **11.** En complementos circunstanciales sin artículo ni preposición, hace las veces de esta y equivale a «por, pasando por». *He venido* VÍA *París. La fotografía se ha recibido* VÍA *satélite.* ‖ **12.** fig. Arbitrio o conducto para hacer o conseguir una cosa. ‖ **13. conducto,** persona que interviene en la dirección de algún negocio o por la que se tiene noticia de alguna cosa. ‖ **14.** *Der.* Ordenamiento procesal. VÍA *ejecutiva, sumarísima.* ‖ **15.** pl. En lenguaje de la Escritura Santa, mandatos o leyes de Dios. *Mostradnos, Señor, vuestras* VÍAS. ‖ **16.** Medios de que se sirve Dios para conducir las cosas humanas. *Las* VÍAS *del Señor, o de la Providencia, son incomprensibles, impenetrables.* ‖ **ancha.** La normal en los ferrocarriles españoles de la red principal. ‖ **contenciosa.** Procedimiento judicial ante la jurisdicción para el caso, en oposición al administrativo. ‖ **de agua.** *Mar.* **agua,** rotura por donde entra agua en una embarcación. ‖ **de comunicación.** Camino terrestre o ruta marítima utilizada para el comercio de los pueblos entre sí. ‖ **ejecutiva.** *Der.* Procedimiento para hacer un pago judicialmente, procurando antes convertir en dinero los bienes de otra índole pertenecientes al obligado, con el embargo de los cuales suele comenzarse o prevenirse esta tramitación. ‖ **estrecha.** La de ferrocarril cuyos raíles distan entre sí menos que los de la red principal. ‖ **férrea. ferrocarril.** ‖ **gubernativa.** *Der.* Procedimiento seguido ante la Administración activa; sirve de antecedente a la **vía** contenciosa. ‖ **húmeda.** *Quím.* Procedimiento analítico que consiste en disolver el cuerpo objeto del análisis. ‖ **Vía Láctea.** *Astron.* Ancha zona o faja de luz blanca y difusa que atraviesa oblicuamente casi toda la esfera celeste, y que mirada con el telescopio se ve compuesta de multitud de estrellas. ‖ **vía muerta.** En los ferrocarriles, la que no tiene salida, y sirve para apartar de la circulación vagones y máquinas. ‖ **oral. por vía oral.** ‖ **ordinaria.** *Der.* Forma procesal de contención, la más amplia, usada en los juicios declarativos. ‖ **2.** fig. Modo regular y común de hacer una cosa. ‖ **pública.** Calle, plaza, camino u otro sitio por donde transita o circula el público. ‖ **reservada.** Curso extraordinario que se daba a ciertos negocios, despachándolos el rey por sí mismo o por sus secretarios, sin consulta de tribunales ni de otra autoridad. ‖ **sacra. vía crucis.** ‖ **seca.** *Quím.* Procedimiento analítico que consiste en someter a la acción del calor el cuerpo objeto del análisis. ‖ **sumaria.** *Der.* Forma abreviada de enjuiciar en asuntos de urgencia o de carácter meramente posesorio. ‖ **cuaderna vía.** Estrofa usada principalmente en los siglos XIII y XIV que se compone de cuatro versos alejandrinos monorrimos. ‖ **de una vía dos mandados.** loc. fam. **de un camino dos mandados.** ‖ **de vía estrecha.** loc. adj. fig. y fam. que se aplica a personas o cosas de poca importancia o valía. ‖ **en vías de.** loc. adv. En curso, en trámite o en camino de. Ú. con el verbo *estar.* ‖ **por vía.** loc. adv. De forma, a manera y modo. ‖ **por vía de buen gobierno.** loc. adv. Gubernativamente, o en uso de la autoridad gubernativa. ‖ **por vía oral.** loc. adv. *Med.* Por la boca. ‖ **vía recta.** loc. adv. **en derechura.**

viabilidad[1]. f. Cualidad de viable.

viabilidad[2]. (De *viable*[2].) f. Condición del camino o vía por donde se puede transitar.

viable[1]. (Del fr. *viable*, de *vie*, vida.) adj. Que puede vivir. Dícese principalmente de las criaturas que, nacidas o no a tiempo, salen a luz con robustez o fuerza bastante para seguir viviendo. ‖ **2.** fig. Dícese del asunto que, por sus circunstancias, tiene probabilidades de poderse llevar a cabo.

viable[2]. (Del fr. *viable*, y este del b. lat. *viabĭlis*, de *via*, vía, camino.) adj. Dícese del camino o vía por donde se puede transitar, transitable.

vía crucis. (Lit., *camino de la cruz.*) Expresión latina con que se denomina el camino señalado con diversas estaciones de cruces o altares, y que se recorre rezando en cada una de ellas, en memoria de los pasos que dio Jesucristo caminando al Calvario. Ú. c. s. m. ‖ **2.** m. Conjunto de 14 cruces o de 14 cuadros que representan los pasos del Calvario, y se colocan en las paredes de las iglesias. ‖ **3.** Ejercicio piadoso en que se rezan y conmemoran los pasos del Calvario. ‖ **4.** Libro en que se contiene este rezo. ‖ **5.** fig. Trabajo, aflicción continuada que sufre una persona.

viada. f. **arrancada** o salida violenta. ‖ **2. arrancada,** primer empuje de un barco al emprender la marcha.

viadera. (Del lat. *viāre.*) f. Pieza de madera que en los telares antiguos servía para colgar los lizos y gobernar el tejido, subiendo o bajando, a impulso de la cárcola.

viador. (Del lat. *viātor, -ōris,* caminante.) m. *Teol.* Criatura racional que está en esta vida y aspira y camina a la eternidad.

viaducto. (Del lat. *via,* camino, y *ductus,* conducción.) m. Obra a manera de puente, para el paso de un camino sobre una hondonada.

viajador, ra. m. y f. Que viaja, viajero.

viajante. p. a. de **viajar.** Que viaja. Ú. t. c. s. ‖ **2.** com. Dependiente comercial que hace viajes para negociar ventas o compras.

viajar. intr. Trasladarse de un lugar a otro, generalmente distante, por cualquier medio de locomoción. ‖ **2.** Desplazarse un vehículo siguiendo una ruta o trayectoria. *Los cohetes* VIAJAN *a gran velocidad.* ‖ **3.** Ser transportada una mercancía.

viajata. (De *viaje.*) f. fam. Viaje que se hace de una parte a otra. ‖ **2.** fam. Viaje largo y fatigoso.

viaje[1]. (Del dialect. y cat. *viatge.*) m. Acción y efecto de viajar. ‖ **2.** Jornada que se hace de una parte a otra por aire, mar o tierra. ‖ **3.** Camino por donde se hace. ‖ **4.** Ida a cualquier parte, aunque no sea jornada. Se usa con especialidad cuando se lleva una carga. ‖ **5.** Carga o peso que se lleva de un lugar a otro de una vez. ‖ **6.** Relación, libro o memoria donde se relata lo que ha visto u observado un viajero. ‖ **7.** Agua que por acueductos o cañerías se conduce desde un manantial o depósito, para el consumo de una población. ‖ **8.** *Mar.* Arrancada o velocidad de una embarcación. ‖ **circular.** El que se hace con billete circular. ‖ **redondo.** El efectuado yendo directamente de un punto a otro y volviendo al primero. ‖ **2.** fig. Completo y fácil resultado de un negocio emprendido. ‖ **agarrar viaje.** fr. fig. y fam. *Argent., Perú y Urug.* Aceptar una propuesta. ‖ **¡buen viaje!** expr. con que se manifiesta el deseo de que se haga felizmente la jornada. ‖ **2.** expr. despect. con que se denota lo poco que importa que una cosa se pierda o uno se vaya. ‖ **3.** expr. que se usa en los buques al arrojar un cadáver al mar, para dar a entender que se desea al alma felicidad eterna. ‖ **para ese viaje no se necesitan alforjas.** expr. fig. y fam. con que se contesta al que, creyendo ayudar a otro en una pretensión, le da arbitrios que están al alcance de cualquiera. ‖ **2.** fig. y fam. También suele emplearse para contestar al que ofrece ayuda o protección en asunto fácil de ejecutar o conseguir. ‖ **3.** fig. y fam. Se emplea para indicar que el resultado obtenido no corresponde al esfuerzo empleado.

viaje[2]. (Del cat. *biaix,* sesgo.) m. Corte sesgado que se da a alguna cosa; como las piezas de madera, los paños de las velas, etc. ‖ **2.** fam. Acometida inesperada, y por lo común a traición, con arma blanca y corta. Ú. m. con el verbo *tirar.* ‖ **3.** *Taurom.* Acometida rápida del toro levantando la cabeza.

viajero, ra. adj. Que viaja. ‖ **2.** m. y f. Persona que relata un viaje. ‖ **3.** *Chile.* Criado de una chacra encargado de ir a caballo a hacer los mandados.

vial[1]. (Del lat. *viālis.*) adj. Perteneciente o relativo a la vía. ‖ **2.** m. Calle formada por dos filas paralelas de árboles u otras plantas.

vial[2]. (Del ing. *vial.*) m. Frasquito destinado a contener un medicamento inyectable, del cual se van extrayendo las dosis convenientes.

vialidad. f. Cualidad de vial[1]. ‖ **2.** Conjunto de servicios pertenecientes a las vías públicas.

vianda. (Del fr. *viande.*) f. Sustento y comida de los racionales. ‖ **2.** Comida que se sirve a la mesa. ‖ **3.** *Ant.* Frutos y tubérculos comestibles que se sirven guisados, como el ñame, la malanga, el plátano, etc. ‖ **4.** V. **ujier, veedor de vianda.**

viandante. com. Persona que viaja a pie. ‖ **2. peatón,** que va a pie. ‖ **3.** Persona que pasa la mayor parte del tiempo por los caminos, vagabundo.

viandero, ra. m. y f. *Cuba* y *P. Rico.* Vendedor de viandas, es decir, de frutos o tubérculos que se comen guisados. ‖ **2.** f. *Sal.* Mujer encargada de dar o de llevar la comida a los obreros del campo.

viaraza. f. Flujo de vientre. ‖ **2.** ant. fig. Acción inconsiderada y repentina. Ú. en Argentina, Colombia, Guatemala y Uruguay.

viario, ria. (Del lat. *viarĭus, -a.*) adj. Relativo a los caminos y carreteras. **Red** VIARIA.

viaticar. tr. Administrar el viático a un enfermo. Ú. t. c. prnl.

viático. (Del lat. *viatĭcum, de via, camino.*) m. Prevención, en especie o en dinero, de lo necesario para el sustento del que hace un viaje. **2.** Subvención en dinero que se abona a los diplomáticos para trasladarse al punto de su destino. **3.** Sacramento de la Eucaristía, que se administra a los enfermos que están en peligro de muerte.

víbora. (Del lat. *vipĕra.*) f. Culebra venenosa de unos 50 centímetros de largo y menos de 3 de grueso; ovovivípara, con la cabeza cubierta en gran parte de escamas pequeñas semejantes a las del resto del cuerpo; con dos dientes huecos en la mandíbula superior, por donde se vierte, cuando muerde, el veneno. Generalmente están adornadas de una faja ondulada a lo largo del cuerpo. Es común en los países montuosos de Europa y en el norte de África. **2.** fig. Persona con malas intenciones. **3.** fig. **lengua de escorpión,** o **de víbora.** **4. lengua de víbora,** diente fósil. **de la cruz.** *Argent., Par.* y *Urug.* **yarará.** **volante.** *And.* Especie de coleóptero de una pulgada de longitud, de color pardo rojizo, de antenas muy largas.

viborán. m. *Amér. Central.* Planta de la familia de las asclepiadáceas, de flores encarnadas con estambres amarillos; segrega un jugo lechoso que se utiliza como vomitivo y vermifugo.

viborear. intr. *Argent.* y *Urug.* **serpentear,** moverse ondulando como las serpientes.

viborezno, na. adj. Perteneciente o relativo a la víbora. **2.** m. Cría de la víbora.

vibración. (Del lat. *vibratĭo, -ōnis.*) f. Acción y efecto de vibrar. **2.** Cada movimiento vibratorio, o doble oscilación de las moléculas o del cuerpo vibrante.

vibrador, ra. adj. Que vibra. **2.** m. Aparato que transmite las vibraciones eléctricas.

vibrante. (Del lat. *vibrans, -antis.*) p. a. de **vibrar.** Que vibra. **2.** adj. *Fon.* Dícese del sonido o letra cuya pronunciación se caracteriza por un rápido contacto oclusivo, simple o múltiple, entre los órganos de la articulación. La *r* de *hora* es **vibrante** simple y la de *honra* **vibrante** múltiple. Ú. t. c. s. f.

vibrar. (Del lat. *vibrāre.*) tr. Dar un movimiento trémulo a la espada, o a otra cosa larga, delgada y elástica. **2.** Por ext., tener un sonido trémulo la voz y otras cosas no materiales. **3.** Arrojar con ímpetu y violencia una cosa, especialmente haciéndola **vibrar.** *Júpiter* VIBRA *los rayos.* **4.** intr. *Mec.* Experimentar un cuerpo elástico cambios alternativos de forma, de tal modo que sus puntos oscilen sincrónicamente en torno a sus posiciones de equilibrio, sin que el campo cambie de lugar. Los cuerpos sonoros son cuerpos vibrantes. **5.** fig. Conmoverse por algo.

vibrátil. adj. Capaz de vibrar.

vibratorio, ria. (Del lat. *vibrātum,* supino de *vibrāre,* vibrar.) adj. Que vibra o es capaz de vibrar.

vibrión. (Del fr. *vibrion,* der. de *vibrer,* y este del lat. *vibrāre.*) m. *Biol.* Cualquiera de las bacterias de forma encorvada; como la productora del cólera morbo.

vibrisas. f. pl. *Zool.* Pelos rígidos más o menos largos que actúan como receptores táctiles, propios de gran número de mamíferos y que aparecen, aislados o formando grupos, en distintas partes de la cabeza y de los miembros, especialmente los labios. A esta categoría pertenecen los conocidos bigotes del gato. **2.** *Zool.* Producción epidérmica con función determinada, en algunos casos de carácter sensorial, presentada en forma de cerdillas de variada disposición que las aves tienen al pie de las plumas de las alas, a veces entre las patas y, en algunas especies, destacadas en la base del pico, como en el chotacabras y en el guácharo. **3.** *Zool.* Cerdas pares próximas a los ángulos superiores de la cavidad bucal de los dípteros. **4.** *Bot.* Pelos sensoriales de las plantas insectívoras, como los de la dionea o atrapamoscas.

viburno. (Del lat. *viburnum.*) m. Arbusto de la familia de las caprifoliáceas, de unos dos metros de altura, ramoso, con hojas ovales, obtusas, dentadas y lanuginosas en el envés; flores blanquecinas, olorosas, en grupos terminales muy apretados; frutos en bayas negras, ácidas y amargas, y raíz rastrera que se extiende mucho.

vicaria[1]. (De *vicario.*) f. Segunda superiora en algunos conventos de monjas.

vicaria[2]. f. *Cuba.* Planta de la familia de las apocináceas, que se cultiva en los jardines; sus flores son blancas o rosadas y el centro carmín.

vicaría. (Del lat. *vicarĭa.*) f. Oficio o dignidad de vicario. **2.** Oficina o tribunal en que despacha el vicario. **3.** Territorio de la jurisdicción del vicario. **perpetua. curato.** **pasar por la vicaría.** Tramitar el expediente eclesiástico de matrimonio; por ext., familiarmente, casarse.

vicarial. adj. Perteneciente o relativo al vicario.

vicariante. adj. *Biol.* Dícese de cada una de las especies vegetales o animales, que cumplen un determinado papel biológico en sendas áreas geográficas distantes, y son tan parecidas que sólo difieren en detalles mínimos, por lo que suelen distinguirse únicamente por su localización. Ú. t. c. s. y m. en pl. **2.** *Biol.* Por ext., se llaman también así los pares de caracteres genéticos, mutuamente excluyentes, que sirven para diferenciar razas. Ú. t. c. s. y m. en pl.

vicariato. m. **vicaría,** oficio o dignidad del vicario. **2. vicaría,** despacho u oficina del vicario. **3. vicaría,** jurisdicción del vicario. **4.** Tiempo que dura el oficio de vicario.

vicario, ria. (Del lat. *vicarĭus.*) adj. Que tiene las veces, poder y facultades de otro o lo sustituye. Ú. t. c. s. **2.** m. y f. Persona que en las órdenes regulares tiene las veces y autoridad de alguno de los superiores mayores, en caso de ausencia, falta o indisposición. **3.** m. Juez eclesiástico nombrado y elegido por los prelados para que ejerza sobre sus súbditos la jurisdicción ordinaria. **4.** pl. **sueldacostilla,** planta. **apostólico.** Dignidad eclesiástica designada por la Santa Sede para regir con jurisdicción ordinaria las cristiandades en territorios donde aún no está introducida la jerarquía eclesiástica. Suelen ser obispos titulares. **capitular.** Dignidad eclesiástica investida de toda la jurisdicción ordinaria del obispo, para el gobierno de una diócesis vacante. Su designación la hace el Cabildo catedralicio. **vicario** o **vicaria de coro.** Persona que en las órdenes regulares rige y gobierna en orden al canto y al rezo en el coro. **de Jesucristo.** Uno de los títulos del Sumo Pontífice, como quien tiene las veces de Cristo en la tierra. **del imperio.** Dignidad que hubo en el imperio romano, y que ha habido después en el de Alemania. **de monjas.** Sujeto que pone el ordinario en el superior de una orden regular de cada uno de los conventos de su jurisdicción para que asista y dirija a las religiosas. **foráneo.** Juez eclesiástico que ejerce en un solo partido y fuera de la capital de la diócesis. **general.** Juez eclesiástico que ejerce la jurisdicción ordinaria en todo el territorio. **general castrense,** o **de los ejércitos.** El que como delegado apostólico ejerce la omnímoda jurisdicción eclesiástica sobre los dependientes del ejército y armada. **perpetuo. cura** encargado de una feligresía. **sacar por el vicario** a una mujer. fr. fam. **sacar la novia por el vicario.**

vice-. (Del lat. *vice,* abl. de *vicis, vez.*) elem. compos. que significa «en vez de» o «que hace las veces de»: VICErrector,

VICE*presidente*. A veces toma las formas **vi-** o **viz-**: VI*rrey,* VIZ*conde.*

vicealmiranta. (De *vicealmirante.*) f. Segunda galera de una escuadra, o sea la que montaba el segundo jefe.

vicealmirantazgo. m. Dignidad de vicealmirante.

vicealmirante. (De *vice-* y *almirante.*) m. Oficial general de la armada, inmediatamente inferior al almirante, equivalente a general de división en el ejército.

vicecanciller. (De *vice-* y *canciller.*) m. Cardenal presidente de la curia romana para el despacho de las bulas y breves apostólicos. ‖ **2.** Sujeto que hace el oficio de canciller, a falta de este, en orden al sello de los despachos.

vicecancillería. f. Cargo de vicecanciller. ‖ **2.** Oficina del vicecanciller.

viceconsiliario, ria. m. y f. Persona que hace las veces de consiliario o de consiliaria.

vicecónsul. m. Funcionario de la carrera consular, de categoría inmediatamente inferior al cónsul.

viceconsulado. m. Empleo o cargo de vicecónsul. ‖ **2.** Oficina de este funcionario.

vicecristo. m. **vicediós.**

vicediós. (De *vice-.* y *Dios.*) m. Título honorífico y respetuoso que dan los católicos al Sumo Pontífice como a representante de Dios en la tierra. Se ha dado también alguna vez a los reyes, y por extensión a algunos personajes excepcionales.

vicegerencia. com. El que hace las veces de gerente.

vicegobernador, ra. m. y f. Persona que hace las veces de gobernador o de gobernadora.

vicenal. (Del lat. *vicennālis.*) adj. Que sucede o se repite cada veinte años. ‖ **2.** Que dura veinte años.

vicense. (Del lat. *Vicensis.*) adj. Natural de Vich. Ú. t. c. s. ‖ **2.** Perteneciente o relativo a esta ciudad.

Vicente. n. p. **¿dónde va Vicente? donde va la gente,** o **al ruido de la gente.** fr. fam. que se emplea para tachar a alguno de falta de iniciativa o de personalidad, y que se limita a seguir el dictamen o la conducta de la mayoría.

vicentino, na. adj. Perteneciente o relativo a Gil Vicente. También se ha aplicado a San Vicente Ferrer.

vicepresidencia. f. Cargo de vicepresidente o vicepresidenta.

vicepresidente, ta. m. y f. Persona que hace o está facultada para hacer las veces del presidente o de la presidenta.

viceprovincia. f. Conjunto de casas o conventos de ciertas religiones, que aún no se ha erigido en provincia, pero tiene vistas de tal.

viceprovincial. adj. Relativo o perteneciente a una viceprovincia. ‖ **2.** m. Persona que gobierna una viceprovincia.

vicerrector, ra. m. y f. Persona que hace o está facultada para hacer las veces del rector o de la rectora.

vicesecretaría. f. Cargo de vicesecretario o vicesecretaria.

vicesecretario, ria. m. y f. Persona que hace o está facultada para hacer las veces del secretario o de la secretaria.

vicésima. (Del lat. *vicēsima.*) f. Impuesto de la vigésima parte o de cinco por ciento sobre ciertos bienes en la Roma antigua.

vicesimario, ria. (Del lat. *vicesimārius.*) adj. Perteneciente o relativo a la vicésima. *Oro* VICESIMARIO.

vicésimo, ma. (Del lat. *vicesĭmus.*) adj. Vigésimo, ordinal. ‖ **2.** Cada una de las veinte partes iguales de un todo. Ú. t. c. s.

vicetesorero, ra. m. y f. Persona que hace las veces del tesorero.

vicetiple. f. fam. En las zarzuelas, operetas y revistas,

cada una de las cantantes que intervienen en los números de conjunto.

viceversa. (Del lat. *vice* y *versa,* vuelta.) adv. m. Al contrario, por lo contrario; cambiadas dos cosas recíprocamente. ‖ **2.** m. Cosa, dicho o acción al revés de lo que lógicamente debe ser o suceder.

vicia. (Del lat. *vicĭa,* y este del gr. βιϰία.) f. Algarroba, arveja, veza. ‖ **2.** Semilla de esta planta.

viciar. (Del lat. *vitiāre.*) tr. Dañar o corromper física o moralmente. Ú. t. c. prnl. ‖ **2.** Falsear o adulterar los géneros, no suministrarlos conforme a su debida ley, o mezclarlos con otros de inferior calidad. ‖ **3.** Falsificar un escrito, introduciendo, quitando o enmendando alguna palabra, frase o cláusula. ‖ **4.** Anular o quitar el valor o validación de un acto. *El dolo con que se otorgó* VICIA *este contrato.* ‖ **5.** Pervertir o corromper las buenas costumbres o modo de vida. Ú. t. c. prnl. ‖ **6.** fig. Torcer el sentido de una proposición, explicándola o entendiéndola siniestramente. ‖ **7.** *Sal.* Abonar las tierras de labranza. ‖ **8.** prnl. Entregarse uno a los vicios, dejando la buena conducta que antes tenía. ‖ **9.** enviciarse, aficionarse a algo con exceso. ‖ **10.** Alabearse o pandearse una superficie.

vicio. (Del lat. *vitĭum.*) m. Mala calidad, defecto o daño físico en las cosas. ‖ **2.** Falta de rectitud o defecto moral en las acciones. ‖ **3.** Falsedad, yerro o engaño en lo que se escribe o se propone. VICIOS *de obrepción y subrepción.* ‖ **4.** Hábito de obrar mal. ‖ **5.** Defecto o exceso que como propiedad o costumbre tienen algunas personas, o que es común a una colectividad. ‖ **6.** Gusto especial o demasiado apetito de una cosa, que incita a usarla frecuentemente y con exceso. ‖ **7.** Desviación, pandeo, alabeo que presenta una superficie apartándose de la forma que debe tener. ‖ **8.** Lozanía y frondosidad excesivas, perjudiciales para el rendimiento de la planta. *Los sembrados llevan mucho* VICIO. ‖ **9.** Licencia o libertad excesiva en la crianza. ‖ **10.** Mala costumbre que adquiere a veces un animal. ‖ **11.** Cariño, condescendencia excesiva, mimo. ‖ **12.** *Sal.* Estiércol, abono. ‖ **contra el vicio de pedir, hay la virtud de no dar.** fr. proverb. usada para negar una petición. ‖ **de vicio.** loc. adv. Sin necesidad, motivo o causa, o como por costumbre. ‖ **echar de vicio** uno. fr. fam. Hablar con descaro y desenfado, diciendo cuanto se le viene a la boca, sin reparo alguno. ‖ **hablar de vicio** uno. fr. fam. Ser hablador. ‖ **quejarse de vicio** uno. fr. fam. Sentirse o dolerse con pequeño motivo.

viciosamente. adv. m. De manera viciosa.

vicioso, sa. (Del lat. *vitiōsus.*) adj. Que tiene, padece o causa vicio, error o defecto. ‖ **2.** Entregado a los vicios. Ú. t. c. s. ‖ **3.** Vigoroso y fuerte, especialmente para producir. ‖ **4.** Abundante, provisto, deleitoso. ‖ **5.** V. **círculo vicioso.** ‖ **6.** V. **carne, paga viciosa.** ‖ **7.** fam. Dícese del niño mimado, resabiado o malcriado.

vicisitud. (Del lat. *vicissitūdo.*) f. Orden sucesivo o alternativo de alguna cosa. ‖ **2.** Inconstancia o alternativa de sucesos prósperos y adversos.

vicisitudinario, ria. (Del lat. *vicissitūdo, -ĭnis,* vicisitud.) adj. Que acontece por orden sucesivo o alternativo.

vico. m. *Ál.* **boche**², hoyito en el suelo que los muchachos hacen para jugar.

víctima. (Del lat. *victĭma.*) f. Persona o animal sacrificado o destinado al sacrificio. ‖ **2.** fig. Persona que se expone u ofrece a un grave riesgo en obsequio de otra. ‖ **3.** fig. Persona que padece daño por culpa ajena o por causa fortuita.

victimar. tr. Asesinar, matar.

victimario, ria. (Del lat. *victimārius.*) m. y f. **homicida,** persona que comete homicidio. ‖ **2.** m. Sirviente de los antiguos sacerdotes gentiles, que encendía el fuego, ataba las víctimas al ara y las sujetaba en el acto del sacrificio.

victo. (Del lat. *victus*, sustento.) m. Sustento diario. ‖ **2.** V. **día y victo.**

¡víctor! (Del lat. *victor*, vencedor.) interj. **¡vítor!** Ú. t. c. s.

victorear. tr. **vitorear.**

victoria[1]. (Del lat. *victoria*.) f. Superioridad o ventaja que se consigue del contrario, en disputa o lid. ‖ **2.** fig. Vencimiento o sujeción que se consigue de los vicios o pasiones. ‖ **regia.** *Amér. Merid.* Planta ninfácea que crece en las aguas tranquilas. Es de enorme tamaño: una sola planta llega a ocupar una superficie de cien metros cuadrados. Tiene hojas anchas y redondas que alcanzan hasta dos metros de diámetro y grandes flores blancas con centro rojo. ‖ **cantar la victoria.** fr. fig. Aclamarla después de obtenida. ‖ **cantar** uno **victoria.** fr. fig. Alegrarse o jactarse de un triunfo. ‖ **¡victoria!** interj. que sirve para aclamar la que se ha conseguido del enemigo.

victoria[2]. (Del nombre de la reina *Victoria* de Inglaterra, que la usó por primera vez.) f. Coche de caballos de dos asientos, abierto y con capota.

victoriano, na. adj. Relativo a la reina Victoria de Inglaterra o a su época.

victoriato. (Del lat. *victoriātus*.) m. *Numism.* Moneda de plata de la república romana, que se caracteriza por llevar la figura de la Victoria.

victoriosamente. adv. m. De un modo victorioso.

victorioso, sa. (Del lat. *victoriōsus*.) adj. Que ha conseguido una victoria en cualquier línea. Ú. t. c. s. ‖ **2.** Aplícase también a las acciones con que se consigue.

vicuña. (Del quechua *vicunna*.) f. Mamífero rumiante que viene a tener el tamaño del macho cabrío, al cual se asemeja en la configuración general, pero con cuello más largo y erguido, cabeza más redonda y sin cuernos, orejas puntiagudas y derechas y piernas muy largas. Cubre un cuerpo un pelo largo y finísimo de color amarillento rojizo, capaz de admitir todo género de tintes. Vive salvaje en manadas en los Andes del Perú y de Bolivia, y se caza para aprovechar su vellón, que es muy apreciado. ‖ **2.** Lana de este animal. ‖ **3.** Tejido que se hace de esta lana.

vichadense. adj. Natural de Vichada. Ú. t. c. s. ‖ **2.** Perteneciente o relativo a este distrito de Colombia.

vichar. (Del port. *vigiar*.) tr. fam. *Argent.* y *Urug.* Espiar, atisbar.

vid. (Del lat. *vitis*.) f. Planta vivaz y trepadora de la familia de las vitáceas, con tronco retorcido, vástagos muy largos, flexibles y nudosos; hojas alternas, pecioladas, grandes y partidas en cinco lóbulos puntiagudos; flores verdosas en racimos, y cuyo fruto es la uva. Originaria de Asia, se cultiva en todas las regiones templadas. ‖ **2.** ant. *Anat.* Ligamento o tripa con que está asido el feto a las parias, y que se rompe al tiempo del parto. ‖ **3.** *Agr.* V. **cercillo de vid.** ‖ **salvaje**, o **silvestre.** La no cultivada, que produce las hojas más ásperas y las uvas pequeñas y de sabor agrio.

vida. (Del lat. *vita*.) f. Fuerza o actividad interna sustancial, mediante la que obra el ser que la posee. ‖ **2.** Estado de actividad de los seres orgánicos. ‖ **3.** Unión del alma y del cuerpo. ‖ **4.** Espacio de tiempo que transcurre desde el nacimiento de un animal o un vegetal hasta su muerte. ‖ **5.** Duración de las cosas. ‖ **6.** Modo de vivir en lo tocante a la fortuna o desgracia de una persona, o las comodidades o incomodidades con que vive. ‖ **7.** Modo de vivir en orden a la profesión, empleo, oficio u ocupación. ‖ **8.** Alimento necesario para vivir o mantener la existencia. ‖ **9.** Conducta o método de vivir con relación a las acciones de los seres racionales. ‖ **10.** Persona o ser humano. ‖ **11.** Relación o historia de las acciones notables ejecutadas por una persona durante su vida. ‖ **12.** Estado del alma después de la muerte. ‖ **13.** V. **nivel de vida.** ‖ **14.** V. **albor, árbol, estambre, flor, hilo, libro, pena de la vida.** ‖ **15.** V. **cerdo, fe de vida.** ‖ **16.** V. **censo de por vida.** ‖ **17.** V. **seguro**

sobre la vida. ‖ **18.** Especialmente con los adjetivos *mala, airada,* prostitución, dicha de las mujeres. *Echarse a la* VIDA; *ser de la* VIDA. ‖ **19.** fig. Cualquier cosa que origina suma complacencia. ‖ **20.** fig. Cualquier cosa que contribuye o sirve al ser o conservación de otra. ‖ **21.** fig. Estado de la gracia y proporción para el mérito de las buenas obras. ‖ **22.** fig. Vista y posesión de Dios en el cielo. *Mejor* VIDA; VIDA *eterna.* ‖ **23.** fig. Expresión, viveza. Se usa especialmente hablando de los ojos. ‖ **24.** fig. Animación, vitalidad de una cosa o de una persona. *Esta ciudad tiene poca* VIDA *nocturna. Es un cuadro con mucha* VIDA. ‖ **25.** fig. **aleluya,** pliego con una serie de estampitas. ‖ **26.** ant. *Der.* Espacio de diez años. ‖ **airada. vida** liciciosa, disoluta. ‖ **animal.** Aquella cuyas tres funciones principales son la nutrición, la relación y la reproducción. ‖ **canonical,** o **de canónigo.** fig. y fam. La que se disfruta con sosiego y comodidad. *Méj.* **vida** regalada y sin cuidados. ‖ **de relación.** *Fisiol.* Conjunto de actividades que establecen la conexión del organismo vivo con el ambiente, por oposición a la vida vegetativa. ‖ **espiritual.** Modo de vivir arreglado a los ejercicios de perfección y aprovechamiento en el espíritu. ‖ **papal.** fig. y fam. **vida canonical.** ‖ **y milagros.** fam. Modo de vivir, mañas y travesuras de uno, y en general sus hechos. ‖ **la otra vida,** o **la vida futura.** Existencia del alma después de la muerte. ‖ **la vida pasada.** Las acciones ejecutadas en el tiempo pasado, especialmente las culpables. ‖ **media vida.** Estado medio de conservación de una cosa. ‖ **2.** fig. Cosa de gran gusto o de gran alivio para uno. ‖ **a vida.** loc. adv. Respetando la VIDA. Ú. con algunos verbos. *No dejar hombre* A VIDA; *resinar* A VIDA *los pinos.* ‖ **a vida o muerte.** loc. adv. con que se denota el peligro de muerte que existe por la aplicación de un medicamento o por una intervención quirúrgica. ‖ **2.** fig. Se usa para hacer ver el riesgo que conlleva realizar alguna cosa, dudando de la eficacia del método que se sigue. ‖ **buena vida. vida** regalada. ‖ **buscar,** o **buscarse,** uno **la vida.** fr. Emplear los medios conducentes para adquirir el mantenimiento y lo demás necesario. ‖ **2.** Inquirir con solicitud o curiosidad el modo de vivir de otro, especialmente para descubrirle algún defecto. ‖ **buscar** uno **vida.** fr. ant. **buscar,** o **buscarse, la vida.** ‖ **consumir la vida** a uno. fr. fig. Ocasionarle a alguien gran molestia o enfado, o fatigarle mucho con sus trabajos y necesidades. ‖ **costar la vida.** fr. con que se pondera lo grave de un sentimiento o suceso, o la determinación a ejecutar una cosa, aunque sea con riesgo de la **vida.** ‖ **dar** una cosa **la vida** a uno. fr. fig. Sanarlo, aliviarlo, fortalecerlo. ‖ **dar la vida por** una persona o cosa. fr. Sacrificarse voluntariamente por ella. ‖ **dar** uno **mala vida** a otra persona. fr. Tratarla mal o causarle pesadumbres. ‖ **darse** uno **buena vida,** o **la gran vida,** o **la vida padre.** fr. Entregarse a los gustos, delicias y pasatiempos. ‖ **2.** Buscar y disfrutar sus comodidades. ‖ **de mala vida.** loc. Dícese de la persona de conducta relajada y viciosa. ‖ **de mi vida.** expr. que se pospone al nombre de una persona para denotar afecto, impaciencia o enfado. ‖ **de por vida.** loc. adv. Perpetuamente, por todo el tiempo que uno vive. ‖ **de toda la vida.** expr. fig. y fam. Desde hace mucho tiempo. ‖ **en la vida,** o **en mi, tu, su vida.** loc. adv. Nunca o en ningún tiempo. Ú. t. para explicar la incapacidad o suma dificultad de conseguir una cosa. ‖ **enterrarse** uno **en vida.** fr. fig. Retirarse de todo comercio del mundo, y especialmente entrar en religión. ‖ **entre la vida y la muerte.** fr. En peligro inminente de muerte. Ú. con los verbos *estar, hallarse, quedar,* etc. ‖ **en vida.** loc. adv. Durante ella, en contraposición de lo que se ejecuta al tiempo de la muerte o después. ‖ **escapar** uno **con vida,** o **la vida.** fr. Librarse de un grave peligro de muerte. ‖ **ganar,** o **ganarse,** uno **la vida.** fr. Trabajar o buscar medios de mantenerse. ‖ **gran vida. buena**

vida. ‖ **hacer** uno **por la vida.** fr. fam. Comer una persona. ‖ **hacer vida.** fr. Vivir juntos el marido y la mujer, y tratarse como tales y como es de su obligación. ‖ **llevar** uno **la vida jugada.** fr. fig. y fam. Estar en notable riesgo de perderla. ‖ **meterse** uno **en vidas ajenas.** fr. Murmurar, averiguando lo que a uno no le importa. ‖ **mientras dura, vida y dulzura.** fr. proverb. que se dice del que disfruta del bien presente, sin cuidarse de lo que sucederá después. ‖ **¡mi vida!** expr. **¡vida mía!** ‖ **mudar** uno **de vida, o la vida.** fr. Dejar las malas costumbres o vicios. ‖ **nunca en la vida.** loc. adv. **en la vida.** ‖ **partir, o partirse,** uno **de esta vida.** fr. fig. **morir** una persona. ‖ **pasar** uno **a mejor vida.** fr. Morir en gracia de Dios. ‖ **2.** Por ext., **morir.** ‖ **pasar** uno **la vida.** fr. Vivir con lo estrictamente necesario. ‖ **pasar la vida a tragos.** fr. fig. y fam. Ir viviendo con trabajos y penalidades. ‖ **perder** uno **la vida.** fr. Morir, particularmente de forma violenta. ‖ **poner la vida al tablero.** fr. fig. Aventurarla, como hace el jugador con su dinero. ‖ **¡por vida!** Modo de hablar que se usa para persuadir u obligar a la concesión de lo que se pretende. ‖ **2.** Ú. t. por aseveración y juramento. ‖ **¡por mi vida!** o **¡por vida de!** o **¡por vida mía!** Especie de juramento o atestación con que se asegura la verdad de una cosa, o se da a entender la determinación en que se está de ejecutarla. ‖ **¿qué es de tu, su,** etc., **vida?** expr. fam. de salutación que se emplea con una persona a la que hace algún tiempo que no se ve. ‖ **recogerse, o retirarse,** uno **a, o a la, buena vida.** fr. **recogerse, o retirarse, a buen vivir.** ‖ **saber** uno **las vidas ajenas.** fr. Informarse con curiosidad y malicia del porte y conducta de alguno. ‖ **salir** uno **de esta vida.** fr. **salir de este mundo.** ‖ **ser** uno **de vida.** fr. con que se explica, hablando de los enfermos y de los niños recién nacidos, la esperanza que se tiene de su salud. ‖ **ser la vida perdurable.** fr. fig. y fam. Tardar mucho en suceder, en ejecutar o en conseguirse una cosa. ‖ **2.** fig. y fam. Ser pesada y molesta una persona. ‖ **tener** uno **la vida en un hilo.** fr. fig. y fam. Estar en mucho peligro. ‖ **tener** uno **siete vidas como los gatos.** fr. fig. y fam. Salir incólume de graves riesgos y peligros de muerte. ‖ **traer** uno **la vida jugada.** fr. fig. y fam. **llevar la vida jugada.** ‖ **vender** uno **cara la vida.** fr. fig. y fam. Perderla a mucha costa del enemigo. ‖ **¡vida mía!** expr. cariñosa dedicada a persona a quien se quiere mucho. ‖ **vida sin amigo, muerte sin testigo.** expr. que advierte al que no se cuida de granjearse amigos, que se verá desamparado en las adversidades.

vidal. (Del lat. *vitālis.*) adj. ant. Perteneciente o relativo a la vida.

vidalita. f. *Argent.* Canción popular, por lo general amorosa y de carácter triste, que se acompaña con la guitarra.

vidarra. (Del lat. *vitis alba.*) f. Planta ranunculácea trepadora, especie de clemátide.

vide. (Del lat. *vide,* imperat. de *vidēo.*) Voz verbal latina que se emplea en impresos y manuscritos españoles precediendo a la indicación del lugar o página que ha de ver el lector para encontrar alguna cosa.

vidente. (Del lat. *videns, -entis.*) p. a. de **ver.** Que ve. ‖ **2.** m. profeta.

video-. (Del lat. *vidēo,* yo veo.) elem. compos. que forma palabras referentes a la televisión. VIDEO*cinta,* VIDEO*frecuencia.*

vídeo. m. Aparato que registra y reproduce electrónicamente imágenes y sonidos.

videocinta. (De *video-* y *cinta.*) f. Cinta magnética en que se registran imágenes y sonidos. Sus sistemas captor y reproductor son los mismos que se utilizan en la televisión.

videodisco. (De *video-* y *disco.*) m. Disco en el que se registran imágenes y sonidos, que, mediante un rayo láser, pueden ser reproducidos en un televisor.

videofrecuencia. (De *video-* y *frecuencia.*) f. Cualquiera de las frecuencias de onda empleadas en la transmisión de imágenes.

vidorra. f. fam. Vida regalada.

vidorria. f. fam. desus. *Argent.* **vidorra,** vida regalada. ‖ **2.** fam. despect. *Col., P. Rico* y *Venez.* Vida arrastrada y triste.

vidriado, da. p. p. de **vidriar.** ‖ **2.** adj. **vidrioso,** que fácilmente se quiebra, como el vidrio. ‖ **3.** *Cetr.* V. **agua vidriada.** ‖ **4.** m. Barro o loza con barniz vítreo. ‖ **5.** Este barniz. ‖ **6.** vajilla, conjunto de piezas para el servicio de mesa. ‖ **7.** Operación de vidriar.

vidriar. tr. Dar a las piezas de barro o loza un barniz que fundido al horno toma la transparencia y lustre del vidrio. ‖ **2.** prnl. Ponerse vidriosa alguna cosa.

vidriera. f. Bastidor con vidrios con que se cierran puertas y ventanas. ‖ **2.** V. **puerta vidriera.** ‖ **3.** escaparate de una tienda. ‖ **4.** fig. V. **licenciado Vidriera.** ‖ **de colores.** La formada por vidrios con dibujos coloreados y que cubre los ventanales de iglesias, palacios y casas.

vidriería. (De *vidriero.*) f. Taller donde se labra y corta el vidrio. ‖ **2.** Tienda donde se venden vidrios.

vidriero, ra. (Del lat. *vitriarĭus.*) m. y f. Persona que trabaja en vidrio o que lo vende. ‖ **2.** Persona que coloca vidrios en puertas, ventanas, etc.

vidrio. (Del lat. *vitrĕum,* de *vitrum.*) m. Sustancia dura, frágil, transparente por lo común, de brillo especial, que está formada por la combinación de la sílice con potasa o sosa y pequeñas cantidades de otras teras, y se fabrica generalmente en hornos y crisoles. ‖ **2.** Placa de este material que se pone en ventanas, puertas, etc., para cerrar sus huecos dejando pasar la luz al mismo tiempo. ‖ **3.** Cualquier pieza o vaso de vidrio. ‖ **4.** En el coche de caballos, asiento en que se va de espaldas al tiro. ‖ **5.** V. **camón**[1] **de vidrios.** ‖ **6.** ant. Vasos de cristal. ‖ **7.** fig. Cosa muy delicada y quebradiza. ‖ **8.** fig. Persona de genio muy delicado y que fácilmente se desazona y enoja. ‖ **bufado.** Hojuelas que resultan de soplar con un canuto de hierro una masa de **vidrio** fundido, formando con ella una especie de ampolla tan delgada, que revienta y se esparce por el aire. ‖ **ir** uno **al vidrio.** fr. desus. Ocupar en un coche los asientos de delantera, con la espalda vuelta a la caballería, tronco o tiro. ‖ **pagar** uno **los vidrios rotos.** fr. fig. y fam. **pagar el pato.**

vidriola. f. *Murc.* **alcancía,** hucha de barro vidriada.

vidriosidad. f. fig. Cualidad de vidrioso, propenso a enojarse.

vidrioso, sa. adj. Que fácilmente se quiebra o salta, como el vidrio. ‖ **2.** fig. Aplícase al piso cuando está muy resbaladizo por haber helado. ‖ **3.** fig. Dícese de las materias que deben tratarse o manejarse con gran cuidado y tiento. ‖ **4.** fig. Aplícase a la persona que fácilmente se resiente, enoja o desazona, o al genio de esa condición. ‖ **5.** fig. Dícese de los ojos que están cubiertos por una capa líquida y no miran a un lugar determinado, como los de los muertos.

vidro. (Del lat. *vitrum.*) m. ant. **vidrio.**

vidual. (Del lat. *viduālis.*) adj. Perteneciente o relativo a la viudez.

vidueño. m. **viduño.**

viduño. (Del lat. *vitinĕus,* de vid.) m. Casta o variedad de vid.

vidurria. f. fam. *Argent.* **vidorra.**

vieira. (Del gall. *vieira.*) f. Molusco comestible, muy común en los mares de Galicia, cuya concha es la venera, insignia de los peregrinos de Santiago. ‖ **2.** *Gal.* Esta concha.

vieja. f. Nombre vulgar de un pez del orden de los dorados, común en las Islas Canarias y de carne muy apreciada. ‖ **2.** fam. *Ál.* y *Nav.* **cuaresma,** tiempo litúrgico.

viejales. m. fest. Viejo.

viejarrón, na. adj. fam. **vejarrón.** Ú. t. c. s.

viejera. f. *Ar., Nav.* y *P. Rico.* Vejez, vejera. ‖ **2.** *P. Rico.* Cosa vieja e inservible.

viejez. f. ant. **vejez.**

viejezuelo, la. adj. d. de **viejo, ja.** Ú. t. c. s.

viejo, ja. (Del lat. vulgar *veclus*, por *vetŭlus*.) adj. Dícese de la persona de edad. Comúnmente puede entenderse que es **vieja** la que cumplió setenta años. Ú. t. c. s. ‖ **2.** Dícese, por ext., de los animales en igual caso, especialmente de los que son del servicio y uso domésticos. ‖ **3.** Antiguo o del tiempo pasado. ‖ **4.** Que no es reciente ni nuevo. *Ser* VIEJO *en un país.* ‖ **5.** Deslucido, estropeado por el uso. ‖ **6.** V. **cristiano, maravedí, soldado viejo.** ‖ **7.** V. **avería, cera, ley, lotería, real de plata, ropa vieja.** ‖ **8.** V. **Viejo Testamento.** ‖ **9.** V. **ropería, zapatería de viejo.** ‖ **10.** fig. y fam. V. **perro viejo.** ‖ **11.** fig. y fam. V. **la cuenta de la vieja.** ‖ **12.** fig. y fam. V. **leche de los viejos.** ‖ **13.** fig. V. **cuento de viejas.** ‖ **14.** *Pint.* V. **sombra de viejo.** ‖ **15.** m. pl. fam. ant. Pelos de los aladares. ‖ **16.** *And.* Tolanos, pelos del cogote. ‖ **de viejo.** loc. adj. Dícese de las tiendas donde se venden artículos de segunda mano, de estos artículos y de los artesanos que efectúan reparaciones de ropa, zapatos, etc. *Librería* DE VIEJO.

vienense. (Del lat. *Viennensis.*) adj. Natural de Viena de Francia. Ú. t. c. s. ‖ **2.** Perteneciente o relativo a esta ciudad. ‖ **3.** **vienés.** Apl. a pers., ú. t. c. s.

vienés, sa. adj. Natural de Viena de Austria. Ú. t. c. s. ‖ **2.** Perteneciente o relativo a esta ciudad.

viento¹. (Del lat. *ventus.*) m. Corriente de aire producida en la atmósfera por causas naturales. ‖ **2.** Aire atmosférico. ‖ **3.** V. **agua viento.** ‖ **4.** Olor que como rastro dejan las piezas de caza. ‖ **5.** Olfato de ciertos animales. ‖ **6.** Cierto hueso que tienen los perros entre las orejas. ‖ **7.** V. **bocanada, colchón, escopeta, hacha, manga, molino, pelota, torre de viento.** ‖ **8.** V. **rosa de los vientos.** ‖ **9.** V. **ramo del viento.** ‖ **10.** fig. Cualquier cosa que mueve o agita el ánimo con violencia o variedad. ‖ **11.** fig. Vanidad y jactancia. ‖ **12.** fig. Cuerda larga o alambre que se ata a una cosa para mantenerla derecha en alto o moverla con seguridad hacia un lado. ‖ **13.** fam. Expulsión de los gases intestinales, ventosidad. ‖ **14.** *Germ.* Descubridor de algo; malsín o soplón. ‖ **15.** *Art.* Huelgo que queda entre la bala y el ánima del cañón. ‖ **16.** *Mar.* rumbo, dirección trazada en el plano del horizonte. ‖ **17.** *Mar.* V. **papo, plancha de viento.** ‖ **18.** *Mar.* V. **filo, flor, línea de viento.** ‖ **19.** *Mús.* V. **instrumento de viento.** ‖ **abierto.** *Mar.* El que forma con la derrota un ángulo mayor de seis cuartas. ‖ **a la cuadra.** *Mar.* El que sopla perpendicular!armente al rumbo a que se navega, y por tanto es a las ocho cuartas de la aguja. ‖ **a un largo.** *Mar.* **viento largo.** ‖ **blanco.** *NO. Argent.* Borrasca de **viento** y nieve. ‖ **calmoso.** *Mar.* El muy flojo y que sopla con intermisión. ‖ **cardinal.** El que sopla de alguno de los cuatro puntos cardinales del horizonte. ‖ **de bolina.** *Mar.* El que viene de proa y obliga a ceñir cuanto puede la embarcación. ‖ **de proa.** *Mar.* El que sopla en dirección contraria a la que lleva el buque. ‖ **en popa.** *Mar.* El que sopla hacia el mismo punto a que se dirige el buque. ‖ **entero.** Cada uno de los cardinales y de los cuatro intermedios. ‖ **escaso.** *Mar.* El que sopla por la proa o de la parte adonde debe dirigirse el buque por alguno de los rumbos próximos, de modo que no pueda caminarse directamente al rumbo o en la derrota que conviene. ‖ **etesio.** *Mar.* El que se muda en tiempo determinado del año. ‖ **frescachón.** *Mar.* El muy recio, que impide llevar orientadas las velas menudas. ‖ **fresco.** *Mar.* El que llena bien el aparejo y permite llevar largas las velas altas. ‖ **largo.** *Mar.* El que sopla desde la dirección perpendicular al rumbo que lleva la nave, hasta la popa, y es más o menos largo según se aproxima o aleja más a ser en popa. ‖ **maestral.** *Mar.* El que viene de la parte intermedia entre el po-

niente y tramontana, según la división de la rosa náutica que se usa en el Mediterráneo. ‖ **marero.** *Mar.* El que viene de la parte del mar. ‖ **puntero.** ant. *Mar.* **viento escaso.** Llamóse así, al parecer, porque para navegar con él es preciso ir punteando el aparejo de las velas. ‖ **terral.** *Mar.* El que viene de la tierra. ‖ **vientos alisios.** vientos fijos que soplan de la zona tórrida, con inclinación al nordeste o al sudeste, según el hemisferio en que reinan. ‖ **generales.** Los que reinan constantemente en varios climas o partes del globo durante ciertas estaciones o número de días. ‖ **medio viento.** Cada uno de los ocho que equidistan de los enteros en la rosa náutica. ‖ **a buen viento,** o **a mal viento, va la parva.** expr. fig. y fam. con que se da a entender que un negocio, pretensión o granjería va o no por buen camino. ‖ **afirmarse el viento.** fr. *Mar.* Fijar este su dirección. ‖ **alargar el viento.** fr. *Mar.* Soplar más largo, o más para popa, de lo que soplaba respecto a la embarcación que navega en derrota. ‖ **a los cuatro vientos.** loc. adv. En todas direcciones, por todas partes. ‖ **beber uno los vientos por** algo. expr. fig. y fam. Desearlo con ansia y hacer cuanto es posible para conseguirlo. ‖ **beber** uno **los vientos por** alguien. fr. fig. y fam. Estar muy enamorado de una persona. ‖ **cargar el viento.** fr. Aumentar mucho su fuerza o soplar con demasía. ‖ **como el viento.** loc. adv. Rápida, velozmente. ‖ **contra viento y marea.** loc. adv. fig. Arrostrando inconvenientes, dificultades u oposición de otro. ‖ **con viento fresco.** loc. Con los verbos *irse, marcharse, despedir,* etc., indica con mal modo, con enfado o desprecio. ‖ **correr malos vientos.** fr. fig. Ser las circunstancias adversas para algún asunto. ‖ **correr viento.** fr. Soplar con fuerza el aire. ‖ **dar al viento.** fr. fig. Divulgar noticias o sucesos. ‖ **dar a** uno **el viento de** una cosa. fr. fig. Presumirla o conjeturarla con acierto. ‖ **declararse el viento.** fr. *Mar.* Fijar este su dirección o fuerza después de haber estado variable. ‖ **dejar atrás los vientos.** fr. fig. Correr con suma velocidad. ‖ **echarse el viento.** fr. fig. Calmarse o sosegarse. ‖ **escasearse el viento.** fr. *Mar.* Cambiarse este su dirección hacia proa. ‖ **ganar el viento.** fr. *Mar.* Lograr la nave el paraje por donde el **viento** más favorable. ‖ **hurtar el viento.** fr. ant. *Mar.* Ir contra él. ‖ **irse** uno **con el viento que corre.** fr. fig. y fam. Seguir siempre, atento solamente a su interés y conveniencia, el partido que prevalece. ‖ **llevarse el viento** una cosa. fr. fig. No ser estable, ser deleznable. ‖ **moverse** uno **a todos vientos.** fr. fig. Ser inconstante. ‖ **2.** fig. y fam. Ser fácil de traer a cualquier dictamen. ‖ **papar viento.** fr. fig. y fam. **papar moscas.** ‖ **picar el viento.** fr. *Mar.* Correr favorable y suficiente para el rumbo o navegación que se lleva. ‖ **2.** fig. Ir en bonanza los negocios o pretensiones. ‖ **refrescar el viento.** fr. *Mar.* Aumentar su fuerza o violencia, cualquiera que sea su temperatura. ‖ **saltar el viento.** fr. *Mar.* Mudarse repentinamente de una parte a otra. ‖ **tomar el viento.** fr. *Mar.* Acomodar y disponer las velas de modo que el **viento** las hiera. ‖ **2.** *Cetr.* y *Mont.* Indagar o rastrear por él la caza. Se usa frecuentemente hablando de los perros y de los halcones. ‖ **3.** *Mont.* Ponerse donde a una res o animal de caza le no vaya aire de la parte del cazador. ‖ **venir al viento.** fr. *Mar.* Volver algo más al que su curso contra él. ‖ **viento en popa.** loc. adv. fig. Con buena suerte, dicha o prosperidad. *Ir, caminar* VIENTO EN POPA.

viento². (Del lat. *vendĭtus,* vendido.) m. V. **alcabala del viento.**

vientre. (Del lat. *venter, -tris.*) m. *Anat.* Cavidad del cuerpo de los animales vertebrados, en que se contienen los órganos principales del aparato digestivo y del genitourinario. ‖ **2.** Conjunto de las vísceras contenidas en esta cavidad, especialmente después de extraídas. ‖ **3.** Región exterior del cuerpo, correspondiente al abdomen, que es anterior en el hombre e inferior en los demás vertebrados. ‖ **4.** Feto o preñado. ‖ **5.** **panza** de las vasijas. ‖ **6.** V. **des-**

barate, desenfreno, flujo, res de vientre. ‖ **7.** fig. Cavidad grande e interior de una cosa. ‖ **8.** *Fís.* En los cuerpos vibrantes, la parte central de la porción comprendida entre dos nodos. En los **vientres** es máxima la amplitud de las oscilaciones. ‖ **9.** *Der.* En relación con los hijos, madre, y así se dice que el parto sigue al **vientre,** para significar que el hijo sigue la condición de la madre. ‖ **10.** *Der.* Criatura humana que no ha salido del claustro materno, a la cual una ficción legal atribuye personalidad para adquirir derechos, o sea en lo favorable. ‖ **11.** *Med.* V. **constipación, dureza de vientre.** ‖ **libre.** expr. con que se determina en algunas legislaciones que el hijo concebido por la esclava nace libre. ‖ **bajo vientre. hipogastrio.** ‖ **constiparse el vientre.** fr. **estreñirse.** ‖ **descargar** uno **el vientre.** fr. **exonerar el vientre.** ‖ **desde el vientre de su madre.** loc. adv. Desde que fue uno concebido. ‖ **de vientre.** loc. Dícese del animal hembra destinado a la reproducción. ‖ **evacuar,** o **exonerar, o mover,** uno **el vientre, o hacer de,** o **del, vientre.** fr. Descargarlo del excremento. ‖ **regir el vientre.** fr. Hacer con regularidad las funciones de defecación. ‖ **sacar** uno **el vientre de mal año.** fr. fig. y fam. Saciar el hambre; comer más o mejor de lo que acostumbra, y especialmente cuando lo hace en casa ajena. ‖ **servir** uno **al vientre.** fr. fig. Darse a la gula o a comer y beber con exceso.

viernes. (Del lat. *Venĕris* [*dies*].) m. Quinto día de la semana. ‖ **2.** fig. y fam. V. **cara de viernes.** ‖ **de indulgencias, o de la cruz.** ant. **viernes** Santo. ‖ **comer de viernes.** fr. **comer de vigilia.** ‖ **haber aprendido,** u **oído,** uno **en viernes** una cosa. fr. fig. y fam. Repetir mucho lo que aprendió u oyó una vez, venga o no venga a cuento.

vierteaguas. m. Resguardo hecho con piedra, azulejos, cinc, madera, etc., que formando una superficie inclinada convenientemente para escurrir las aguas llovedizas, se pone cubriendo las alféizares, los salientes de los paramentos, la parte baja de las puertas exteriores, etc.

viesa. (Del lat. *versari,* volver.) f. *Sal.* Arada, besana.

víspera. (Del lat. *vespĕra.*) f. ant. **víspera.** Ú. en algunas partes de España.

vietnamita. adj. Natural del Vietnam. Ú. t. c. s. ‖ **2.** Perteneciente o relativo a este Estado de Asia.

viga. (Del lat. *biga,* carro de dos caballos.) f. Madero largo y grueso que sirve, por lo regular, para formar los techos en los edificios y sostener y asegurar las fábricas. ‖ **2.** Hierro de doble T destinado en la construcción moderna a los mismos usos que la **viga** de madera. ‖ **3.** Pieza arqueada de madera o hierro, que en algunos coches antiguos enlaza el juego delantero con el trasero. ‖ **4.** Prensa compuesta de un gran madero horizontal articulado en uno de sus extremos y que se carga con pesos en el otro para que bajando guiado entre dos vírgenes, comprima lo que se pone debajo. Ú. en las fábricas de paños, en los lagares y principalmente para exprimir la aceituna molida en las almazaras. ‖ **5.** Porción de aceituna molida que en los molinos de aceite se pone cada vez debajo de la **viga** para apretarla y comprimirla. ‖ **de aire.** *Arq.* La que solo está sostenida en sus extremos. ‖ **lagar.** ant. **viga** de lagar. ‖ **maestra.** *Arq.* La que, tendida sobre pilares o columnas, sirve para sostener las cabezas de otros maderos también horizontales, así como para sustentar cuerpos superiores del edificio. ‖ **contar, estar contando,** o **ponerse a contar,** uno **las vigas.** fr. fig. y fam. Estar mirando al techo, suspenso o embelesado.

vigencia. f. Cualidad de vigente.

vigente. (Del lat. *vigens, -entis,* p. a. de *vigĕre,* tener vigor.) adj. Aplícase a las leyes, ordenanzas, estilos y costumbres que están en vigor y observancia.

vigesimal. adj. Aplícase al modo de contar o al sistema de subdividir de veinte en veinte.

vigésimo, ma. (Del lat. *vigesĭmus.*) adj. Que sigue inmediatamente en orden al o a lo decimonono. ‖ **2.** Dícese de cada una de las veinte partes iguales en que se divide un todo. Ú. t. c. s.

vigía. (Del port. *vigia.*) f. **atalaya,** torre en alto para registrar el horizonte y dar aviso de lo que se descubre. ‖ **2.** Persona destinada a vigilar o atalayar el mar o la campiña. Ú. m. c. s. m. ‖ **3.** Acción de vigiar, o cuidado de descubrir a larga distancia un objeto. ‖ **4.** *Mar.* Escollo que sobresale algo sobre la superficie del mar.

vigiar. (Del port. *vigiar.*) tr. Velar o cuidar de hacer descubiertas desde el paraje en que se está al efecto.

vigilancia. (Del lat. *vigilantĭa.*) f. Cuidado y atención exacta en las cosas que están a cargo de cada uno. ‖ **2.** Servicio ordenado y dispuesto para vigilar.

vigilante. (Del lat. *vigilans, -antis.*) p. a. de **vigilar.** Que vigila. ‖ **2.** adj. Que vela o está despierto. ‖ **3.** *Mil.* V. **cuarto vigilante.** ‖ **4.** m. Persona encargada de velar por algo. ‖ **5.** agente de policía.

vigilantemente. adv. m. Con vigilancia.

vigilar. (Del lat. *vigilāre.*) intr. Velar sobre una persona o cosa, o atender exacta y cuidadosamente a ella. Ú. t. c. tr.

vigilativo, va. (Del lat. *vigilātum,* supino de *vigilāre,* vigilar.) adj. Dícese de lo que causa vigilias o no deja dormir.

vigilia. (Del lat. *vigilĭa.*) f. Acción de estar despierto o en vela. ‖ **2.** Trabajo intelectual, especialmente el que se ejecuta de noche. ‖ **3.** Obra producida de este modo. ‖ **4.** El día que antecede a cualquier cosa y en cierto modo la ocasiona. ‖ **5.** Víspera de una festividad de la Iglesia. ‖ **6.** Oficio que se reza en la víspera de ciertas festividades. ‖ **7.** Oficio de difuntos que se reza o canta en la iglesia. ‖ **8.** Falta de sueño o dificultad de dormirse, ocasionada por una enfermedad o un cuidado. ‖ **9.** Cada una de las partes en que se divide la noche para el servicio militar. ‖ **10.** Comida con abstinencia de carne. ‖ **11. día de vigilia. comer de vigilia.** fr. Comer pescado, legumbres, etc., con exclusión de carnes.

vigitano, na. adj. Natural de Vich. Ú. t. c. s. ‖ **2.** Perteneciente o relativo a esta ciudad.

vigolero. (De *vihuela.*) m. *Germ.* Ayudante del verdugo en el tormento.

vigor. (Del lat. *vigor, -ōris.*) m. Fuerza o actividad notable de las cosas animadas o inanimadas. ‖ **2.** Viveza o eficacia de las acciones en la ejecución de las cosas. ‖ **3.** Fuerza de obligar en las leyes u ordenanzas, o duración de las costumbres y estilos. ‖ **4.** fig. Entonación o expresión enérgica en las obras artísticas o literarias.

vigorar. (Del lat. *vigorāre.*) tr. Dar vigor. Ú. t. c. prnl.

vigorizador, ra. adj. Que da vigor.

vigorizar. tr. Dar vigor. Ú. t. c. prnl. ‖ **2.** fig. Animar, esforzar. Ú. t. c. prnl.

vigorosamente. adv. m. De manera vigorosa.

vigorosidad. f. Cualidad de vigoroso.

vigoroso, sa. (Del lat. *vigorōsus.*) adj. Que tiene vigor.

vigota[1]**.** (Del it. *bigotta.*) f. *Mar.* Especie de motón chato y redondo, sin roldana y con dos o tres agujeros, por donde pasan los acolladores.

vigota[2]**.** (aum. de *viga.*) f. *Can.* Pieza de madera de hilo, de 19 pies de longitud y escuadría de 12 pulgadas de tabla por 9 de canto.

viguería. f. Conjunto de vigas de una fábrica o edificio.

vigués, sa. adj. Natural de Vigo. Ú. t. c. s. ‖ **2.** Perteneciente o relativo a esta ciudad.

vigueta. f. d. de **viga.** ‖ **2.** Madero que en el marco de Madrid tiene 9 pulgadas de ancho, 6 de grueso y 22 pies de largo. ‖ **3.** Barra de hierro laminado, destinada a la edificación.

vihuela. (Del m. or. que *viola*[1]**.**) f. Instrumento músico de cuerda, de diversos tamaños y figuras, pulsado con arco o con plectro. ‖ **2.** En algunos lugares, **guitarra,** instrumento músico.

vihuelista. com. Persona que ejerce o profesa el arte de tocar la vihuela.

vikingo, ga. (Del escand. e ing. *viking.*) adj. Dícese de los navegantes escandinavos que entre los siglos VIII y XI realizaron incursiones por las islas del Atlántico y por casi toda Europa occidental. Ú. m. c. s. ‖ **2.** Perteneciente o relativo a este pueblo.

vil. (Del lat. *vilis.*) adj. Abatido, bajo o despreciable. ‖ **2.** Indigno, torpe, infame. ‖ **3.** Aplícase a la persona que falta o corresponde mal a la confianza que en ella se pone. Ú. t. c. s. ‖ **4.** V. **garrote vil.**

vilano. (De *milano.*) m. ant. **milano,** ave. ‖ **2.** Apéndice de pelos o filamentos que corona el fruto de muchas plantas compuestas y le sirve para ser transportado por el aire. ‖ **3.** Flor del cardo.

vildad. (Del lat. *vilĭtas, -ātis.*) f. ant. Cualidad de vil.

vilecer. (Del lat. *vilescĕre.*) tr. ant. Hacer vil. Usáb. t. c. prnl.

vilera. f. *Sal.* Gaza o presilla que se forma en un cordel al doblarlo o retorcerlo.

vileza. f. Cualidad de vil. ‖ **2.** Acción o expresión indigna, torpe o infame.

vílico. (Del lat. *villĭcus.*) m. Capataz o mayordomo de una granja, entre los romanos.

vilipendiador, ra. adj. Que vilipendia. Ú. t. c. s.

vilipendiar. (Del lat. *vilipendĕre.*) tr. Despreciar alguna cosa o tratar a uno con vilipendio.

vilipendio. (De *vilipendiar.*) m. Desprecio, falta de estima, denigración de una persona o cosa.

vilipendioso, sa. adj. Que causa vilipendio o lo implica.

vilmente. adv. m. De manera vil.

vilo (en). loc. adv. Suspendido; sin el fundamento o apoyo necesario; sin estabilidad. ‖ **2.** fig. Con indecisión, inquietud y zozobra.

vilordo, da. (Del lat. *bis,* dos veces, y *lurĭdus,* pálido, lívido.) adj. Perezoso, tardo.

vilorta. (Del lat. *bis,* dos veces, y *rotŭla,* rueda.) f. Vara de madera flexible que sirve para hacer aros y vencejos. ‖ **2.** Cada una de las abrazaderas de hierro, dos por lo común, que sujetan al timón a la cama del arado. ‖ **3. arandela¹** metálica que sirve para evitar el roce entre dos piezas. ‖ **4.** Juego que consiste en lanzar por el aire, con ayuda del vilorto, una bola de madera que ha de pasar a través de la fila de pinas o estacas colocada entre los dos bandos de jugadores. ‖ **5.** Especie de clemátide de anchas hojas.

vilorto. (Del lat. *bis,* dos veces, y *rotŭlus,* cilindro.) m. Especie de clemátide que difiere de la común en tener las hojas más anchas y las flores inodoras. ‖ **2.** Vara de madera flexible que sirve para hacer aros y vencejos. ‖ **3.** Palo grueso que termina por una de sus puntas en forma de aro, y encordelado a modo de raqueta, se usa para jugar a la vilorta.

vilos. m. Embarcación filipina de dos palos, que se diferencia poco del vinta.

vilote. adj. *Argent.* y *Chile.* Dícese del cobarde; pusilánime.

viltanza. (Del lat. *vilitāre,* envilecer.) f. ant. **envilecimiento.**

viltoso, sa. (Del lat. *vilĭtas,* vileza.) adj. ant. **vil.**

viltrotear. (De *villa* y *trote.*) intr. fam. Corretear, callejear. Se usa para censurar esta acción, y más comúnmente hablando de las mujeres.

viltrotera. adj. Dícese de la mujer que viltrotea. Ú. t. c. s.

villa. (Del lat. *villa.*) f. Casa de recreo situada aisladamente en el campo. ‖ **2.** Población que tiene algunos privilegios con que se distingue de las aldeas y lugares. ‖ **3. consis-**

torio, corporación municipal. ‖ **4. casa consistorial.** ‖ **5.** V. **obrero de villa.**

villabarquín. (Del fr. *vilebrequin,* y este del neerl. *wimmelkijn.*) m. *Ar.* **berbiquí.**

Villadiego. n. p. **coger, o tomar, las de Villadiego.** fr. fig. Ausentarse impensadamente, de ordinario por huir de un riesgo o compromiso.

villaje. (De *villa,* casa de campo.) m. Pueblo pequeño.

villanada. f. Acción propia de villano.

villanaje. m. Gente del estado llano en los lugares. ‖ **2.** Calidad del estado de los villanos, como contrapuesta a la nobleza.

villanamente. adv. m. De manera villana.

villancejo. (De *villano.*) m. **villancico.**

villancete. (De *villano.*) m. **villancico.**

villancico. (De *villano.*) m. Cancioncilla popular breve que frecuentemente servía de estribillo. ‖ **2.** Cierto género de composición poética con estribillo. ‖ **3.** Canción popular, principalmente de asunto religioso, que se canta en Navidad y otras festividades.

villanciquero, ra. m. y f. Persona que compone o canta villancicos.

villanchón, na. adj. fam. Villano, tosco, rudo y grosero. Ú. t. c. s.

villanería. (De *villano.*) f. **villanía.** ‖ **2. villanaje.**

villanesca. (De *villanesco.*) f. Cancioncilla rústica antigua. ‖ **2.** Danza que se acompañaba con este canto.

villanesco, ca. adj. Perteneciente a los villanos. *Traje, estilo* VILLANESCO.

villanía. (De *villano.*) f. Bajeza de nacimiento, condición o estado. ‖ **2.** fig. Acción ruin. ‖ **3.** fig. Expresión indecorosa.

villano, na. (Del b. lat. *villānus,* y este del lat. *villa,* casa de campo.) adj. Vecino o habitador del estado llano en una villa o aldea, a distinción de noble o hidalgo. Ú. t. c. s. ‖ **2.** V. **roble villano.** ‖ **3.** fig. Rústico o descortés. ‖ **4.** fig. Ruin, indigno o indecoroso. ‖ **5.** m. Tañido y baile españoles, comunes en los siglos XVI y XVII. Se llamaron así porque tendían a imitar los cantares y bailes rústicos. ‖ **el villano en su rincón.** fig. y fam. Modo muy retirado y poco tratable. ‖ **villanos te maten, Alonso.** expr. tomada de un romance del Cid, usada por los antiguos para maldecir a uno, deseándole muerte cruel y desastrada.

villanote. adj. aum. de **villano.** Ú. t. c. s.

villar. (Del lat. *villāris.*) m. Pueblo pequeño.

villavicenciuno, na. adj. Natural de Villavicencio. Ú. t. c. s. ‖ **2.** Perteneciente o relativo a esta ciudad de Colombia.

villavicense. adj. **villavicenciuno.**

villazgo. m. Calidad o privilegio de villa. ‖ **2.** Tributo que se imponía a las villas como tales.

villenense. adj. Natural de Villena. Ú. t. c. s. ‖ **2.** Perteneciente o relativo a esta ciudad de la provincia de Alicante.

villería. f. *Cantabria.* **comadreja,** animal.

villero. (De *villa.*) m. *Ar.* Pueblo de escaso vecindario.

villeta. f. d. de **villa.**

villoría. (De *villa,* granja.) f. Casería o casa de campo.

villorín. m. Paño entrefino, de color pardo ceniciento o de lana sin teñir; vellorí, vellorín.

villorrio. m. despect. Población pequeña y poco urbanizada.

vimbre. (Del lat. *vimen, -ĭnis.*) m. **mimbre.**

vimbrera. (De *vimbre.*) f. **mimbrera.**

vinagrada. f. Refresco compuesto de agua, vinagre y azúcar.

vinagre. (Del lat. *vinum acre.*) m. Líquido agrio y astringente, producido por la fermentación ácida del vino, y compuesto principalmente de ácido acético y agua. ‖ **2.** fig. y fam. Persona de genio áspero y desapacible. ‖ **3.** fig. y fam. V. **cara de vinagre.** ‖ **de yema.** El de en medio de la cuba o tinaja, considerado como de mejor calidad.

vinagrera. f. Vasija destinada a contener vinagre para el uso diario. ‖ **2. acedera.** ‖ **3.** *Amér. Merid.* **acedia**[1]. ‖ **4.** pl. **angarillas,** pieza de madera, metal o cristal con dos o más ampolletas o frascos para solo aceite y vinagre, o para estos y otros condimentos, la cual se emplea en el servicio de la mesa de comer.

vinagrero, ra. m. y f. Persona que hace o vende vinagre.

vinagreta. f. Salsa compuesta de aceite, cebolla y vinagre, que se consume fría con los pescados y con la carne.

vinagrillo. m. d. de *vinagre.* ‖ **2.** Vinagre de poca fuerza. ‖ **3.** Cosmético compuesto con vinagre, alcohol y esencias aromáticas. ‖ **4.** Vinagre aromático para aderezar el tabaco en polvo. ‖ **5. tabaco vinagrillo.** ‖ **6.** *Argent.* y *Chile.* Planta de la familia de las oxalidáceas, cuyo tallo contiene un jugo blanquecino bastante ácido.

vinagrón. m. Vino reputado de inferior calidad.

vinagroso, sa. adj. De gusto agrio, semejante al del vinagre. ‖ **2.** fig. y fam. De genio áspero y desapacible.

vinajera. f. Cada uno de los jarrillos con que se sirven en la misa el vino y el agua. ‖ **2.** pl. Aderezo de ambos jarrillos y de la bandeja donde se colocan.

vinal. m. *Argent.* Especie de algarrobo arborescente.

vinar. adj. Vinario o vinatero.

vinariego. (Del lat. *vinarius,* de *vinum,* vino.) m. El que tiene hacienda de viñas y es práctico en su cultivo.

vinario, ria. adj. (Del lat. *vinarius.*) adj. Perteneciente al vino.

vinatera. f. *Mar.* Cordel con una gaza en un extremo y un cazonete o muletilla en el otro y que sirve para mantener amadrinados dos cabos, un cabo y una percha o dos perchas.

vinatería. f. Tráfico y comercio del vino. ‖ **2.** Tienda en que se vende vino.

vinatero, ra. (Del lat. *vinum,* a través del arag. *vinatero.*) adj. Perteneciente al vino. *Industria* VINATERA. ‖ **2.** V. **calabaza vinatera.** ‖ **3.** m. El que trafica con el vino o lo conduce de una parte a otra para su venta.

vinático, ca. adj. desus. Perteneciente al vino.

vinaza. (Del lat. *vinacea.*) f. Especie de vino que se saca a lo último, de los posos y las heces.

vinazo. (aum. de *vino.*) m. Vino muy fuerte y espeso.

vinca. f. **vincapervinca.**

vincapervinca. (Del lat. *pervinca.*) f. Planta herbácea de la familia de las apocináceas, con flores azules, la cual se cultiva en los jardines.

vincle. (Del cat. *vincle.*) m. ant. **vínculo.**

vinco. (der. regres. del lat. *vinculum.*) m. *León.* Anillo de alambre que se pone en el hocico a los cerdos para evitar que hocen. ‖ **2.** pl. *León.* Pendientes que usan las mujeres formados por un aro de plata.

vinculable. adj. Que se puede vincular.

vinculación. (Del lat. *vinculatio, -onis.*) f. Acción y efecto de vincular o vincularse.

vincular[1]. (Del lat. *vinculare.*) tr. *Der.* Sujetar o gravar los bienes a vínculo para perpetuarlos en empleo o familia determinados por el fundador. ‖ **2.** ant. Asegurar, atar con prisiones. ‖ **3.** fig. Atar o fundar una cosa en otra. *Andrés* VINCULA *sus esperanzas en el favor del ministro.* ‖ **4.** fig. Perpetuar o continuar una cosa o el ejercicio de ella. Ú. m. c. prnl. ‖ **5.** fig. Someter la suerte o el comportamiento de alguien o de algo a la de otra persona o cosa. ‖ **6.** fig. Sujetar a una obligación.

vincular[2]. adj. Perteneciente o relativo al vínculo.

vínculo. (Del lat. *vinculum.*) m. Unión o atadura de una persona o cosa con otra. Ú. m. en sent. fig. ‖ **2.** *Der.* Sujeción de los bienes, con prohibición de enajenarlos, a que su-

cedan en ellos los parientes por el orden que señala el fundador, o al sustento de institutos benéficos u obras pías. Se usa también hablando del conjunto de bienes adscritos a una vinculación.

vincha. (Del quechua *wincha.*) f. *Argent., Bol., Chile, Ecuad., Perú* y *Urug.* **cinta,** elástico grueso o accesorio con que se sujeta el pelo sobre la frente.

vinchuca. f. *Argent., Chile* y *Perú.* Insecto alado de cerca de dos centímetros de largo; especie de chinche. Se refugia de día en los techos de los ranchos y por la noche chupa la sangre de las personas dormidas. ‖ **2.** *Chile.* Especie de flechilla, rehilete.

vindicación. (Del lat. *vindicatio, -onis.*) f. Acción y efecto de vindicar o vindicarse.

vindicador, ra. (Del lat. *vindicator, -oris.*) adj. Que vindica. Ú. t. c. s.

vindicar. (Del lat. *vindicare.*) tr. **vengar.** Ú. t. c. prnl. ‖ **2.** Defender, especialmente por escrito, al que se halla injuriado, calumniado o injustamente notado. Ú. t. c. prnl. ‖ **3.** *Der.* Recuperar uno lo que le pertenece, reivindicar.

vindicativo, va. (Del lat. *vindicatum,* supino de *vindicare,* vengar.) adj. Inclinado a tomar venganza, vengativo. ‖ **2.** Aplícase al escrito o discurso en que se defiende la fama y opinión de uno, injuriado, calumniado o injustamente notado.

vindicatorio, ria. adj. Que sirve para vindicar o vindicarse.

vindicta. (Del lat. *vindicta.*) f. **venganza,** satisfacción del agravio o daño recibidos. ‖ **pública.** Satisfacción de los delitos, que se debe dar por la sola razón de justicia, para ejemplo del público.

vínico, ca. adj. Perteneciente o relativo al vino.

vinícola. (Del lat. *vinum,* vino, y *colere,* cultivar.) adj. Relativo a la fabricación del vino. ‖ **2.** com. Persona que tiene hacienda de viñas y es práctico en su cultivo.

vinicultor, ra. (Del lat. *vinum,* vino, y *cultor, -oris,* cultivador.) m. y f. Persona que se dedica a la vinicultura.

vinicultura. (Del lat. *vinum,* vino, y *cultura,* cultivo.) f. Elaboración de vinos.

viniebla. f. **cinoglosa,** hierba borraginácea.

viniente. p. a. de *venir.* Que viene. Ú. en la loc. **yentes y vinientes.**

vinífero, ra. adj. Que produce vino.

vinificación. (Del lat. *vinum,* vino, y *facere,* hacer.) f. Fermentación del mosto de la uva, o transformación del zumo de esta en vino.

vinillo. m. d. de *vino.* ‖ **2.** Vino muy flojo.

vino. (Del lat. *vinum.*) m. Licor alcohólico que se hace del zumo de las uvas exprimido, y cocido naturalmente por la fermentación. ‖ **2.** Por ext., zumo de otras plantas o frutos que se cuece y fermenta al modo de las uvas. ‖ **3.** V. **espíritu, espolada, limonada, sopa de vino.** ‖ **albillo.** El que se hace con la uva albilla. ‖ **atabernado.** El vendido al por menor, según se acostumbra en las tabernas. ‖ **blanco.** El de color dorado, más o menos intenso, por oposición al tinto. ‖ **clarete.** Especie de **vino** tinto, algo claro. ‖ **cubierto.** El de color oscuro. ‖ **de agujas.** **vino** raspante o picante. ‖ **de cabezas. aguapié,** vino bajo hecho del orujo de la uva y agua. ‖ **de coco.** Aguardiente flojo que se fabrica en Filipinas con la tuba del coco después de fermentada. ‖ **de dos, tres,** etc., **hojas.** El que tiene dos, tres o más años. ‖ **de dos orejas. vino** fuerte y bueno. ‖ **de garnacha. garnacha**[2]. vino dulce que se hace con esta uva. ‖ **de garrote.** El que se saca a fuerza de viga, torno o prensa. ‖ **de lágrima.** El que destila la uva sin exprimir ni apretar el racimo. ‖ **de mesa. vino de pasto.** ‖ **de nipa.** Aguardiente flojo que se fabrica en Filipinas con la tuba de la nipa después de fermentada. ‖ **de pasto.** El más común y ligero, que se bebe durante la comida, a diferencia del de postre.

‖ **de postre. vino generoso.** ‖ **de quema.** El que se destina a la destilación por carecer de condiciones para el consumo. ‖ **de solera.** El más añejo y generoso, que se destina para dar vigor al nuevo. ‖ **de una oreja.** El delicado y generoso. ‖ **de yema.** El de en medio de la cuba o tinaja; que no es el del principio, ni el del final. ‖ **dulce.** El que tiene este sabor porque se lo da la uva o porque está aderezado con arrope. ‖ **garnacha. vino de garnacha.** ‖ **generoso.** El más fuerte y añejo que el **vino** común. ‖ **medicamentoso,** o **medicinal.** El que contiene en disolución una sustancia medicamentosa. VINO *aromático, de quina, emético.* ‖ **moscatel.** El que se fabrica con la uva moscatel. ‖ **pardillo.** Cierto **vino** entre blanco y tinto, más bien dulce que seco, y de baja calidad. ‖ **peleón.** fam. El muy ordinario. ‖ **rosado.** El que tiene este color. ‖ **seco.** El que no tiene sabor dulce. ‖ **tintillo. vino** poco subido de color. ‖ **tinto.** El de color muy oscuro. ‖ **verde.** *Cuen.* Mosto ordinario, áspero y seco. ‖ **bautizar,** o **cristianar, el vino.** fr. fig. y fam. Echarle agua. ‖ **dormir** uno **el vino.** fr. Dormir mientras dura la borrachera. ‖ **pregonar vino y vender vinagre.** expr. Tener buenas palabras y ruines obras. ‖ **tener** uno **mal vino.** fr. Ser provocativo y pendenciero en la embriaguez. ‖ **tomarse** uno **del vino.** fr. fig. Embriagarse.

vinolencia. (Del lat. *vinolentĭa.*) f. Exceso o destemplanza en el beber vino.

vinolento, ta. (Del lat. *vinolentus.*) adj. Dado al vino o que acostumbra a beberlo con exceso.

vinosidad. (Del lat. *vinosĭtas, -ātis.*) f. Calidad de vinoso.

vinoso, sa. (Del lat. *vinōsus.*) adj. Que tiene la calidad, fuerza, propiedad o apariencia del vino. ‖ **2. vinolento.**

vinote. (aum. de *vino.*) m. Líquido que queda en la caldera del alambique después de destilado el vino y hecho el aguardiente.

vinotera. f. *Ál.* y *Nav.* **carraleja¹.**

vinta. f. En el sur del archipiélago filipino, embarcación de un tronco ahuecado y aguzado en los extremos; banca, baroto.

viña. (Del lat. *vinĕa.*) f. Terreno plantado de muchas vides. ‖ **arropar las viñas.** fr. *Agr.* Abrigar las raíces de las cepas con basura, trapos u otras cosas, para lo cual se cavan antes y se vuelven luego a cubrir con la misma tierra: suélense arropar solamente las cepas viejas. ‖ **como hay viñas.** expr. fam. que se usa para asegurar la verdad de una cosa evitando el juramento. ‖ **como por viña vendimiada.** loc. adv. fig. Manifiesta, sin reparo ni miramiento. ‖ **de mis viñas vengo.** expr. fig. y fam. que se suele usar para dar a entender uno que no ha tenido intervención en un hecho. ‖ **de todo hay en la viña del Señor,** o **de todo tiene la viña: uvas, pámpanos y agraz.** exprs. figs. y fams. que indican que en todo hay cosas buenas y malas. ‖ **hallarse** uno **una viña.** fr. fig. y fam. **tener una viña.** ‖ **la viña del Señor.** fr. fig. El conjunto de fieles guiados o doctrinados por un ministro del Señor. ‖ **ser una viña** una cosa. fr. fig. y fam. Producir muchas utilidades. ‖ **tener** uno **una viña.** fr. fig. y fam. Lograr una cosa u ocupación lucrativa y de poco trabajo. ‖ **tomar viñas,** o **las viñas.** fr. *Germ.* coger, o **tomar, las de Villadiego.** ‖ **viñas y Juan Danzante.** expr. *Germ.* Ú. para dar a entender que uno suele huyendo.

viñadera. f. *And.* Pájaro conirrostro, insectívoro.

viñadero. m. viñador, guarda de una viña.

viñador. m. El que cultiva las viñas. ‖ **2.** Guarda de una viña.

viñamarino, na. adj. Natural de Viña del Mar. Ú. t. c. s. ‖ **2.** Perteneciente o relativo a esta ciudad y balneario de la provincia chilena de Valparaíso.

viñedo. (Del lat. *vinētum,* infl. por *viña.*) m. Terreno plantado de vides.

viñero, ra. m. y f. Persona que tiene heredades de viñas.

viñeta. (Del fr. *vignette.*) f. Dibujo o estampita que se pone para adorno en el principio o el fin de los libros y capítulos, y algunas veces en los contornos de las planas. ‖ **2.** Cada uno de los recuadros de una serie en la que con dibujos y texto se compone una historieta. ‖ **3.** Dibujo o escena impresa en un libro, periódico, etc., que suele tener carácter humorístico. A veces va acompañado de un texto o comentario.

viñetero. m. *Impr.* Armario destinado a guardar los moldes de las viñetas y adornos.

viñuela. f. d. de **viña.**

viola¹. (Del prov. *viula.*) f. Instrumento de la misma figura que el violín, aunque algo mayor y de cuerdas más fuertes, que entre los de su clase equivale al contralto. ‖ **2.** com. Persona que ejerce o profesa el arte de tocar este instrumento.

viola². (Del lat. *viŏla.*) f. **violeta.** ‖ **2.** *Ar.* **alhelí.**

violáceo, a. (Del lat. *violācĕus.*) adj. **violado.** Ú. t. c. s. ‖ **2.** *Bot.* Dícese de plantas angiospermas dicotiledóneas, hierbas, matas o arbustos, de hojas comúnmente alternas, simples, festoneadas y con estípulas; flores de cinco pétalos, axilares y con pedúnculos simples o ramosos, y fruto capsular con tres divisiones y muchas semillas de albumen carnoso; como la violeta y la trinitaria. Ú. t. c. s. f. ‖ **3.** f. pl. *Bot.* Familia de estas plantas.

violación. (Del lat. *violatĭo, -ōnis.*) f. Acción y efecto de violar.

violado, da. (Del lat. *violātus.*) adj. De color de violeta, morado claro. Ú. t. c. s. ‖ **2.** Es el séptimo color del espectro solar.

violador, ra. (Del lat. *violātor, -ōris.*) adj. Que viola. Ú. t. c. s.

violar¹. (De *viola¹.*) m. Sitio plantado de violetas.

violar². (Del lat. *violāre.*) tr. Infringir o quebrantar una ley o precepto. ‖ **2.** Tener acceso carnal con una mujer por fuerza, o hallándose privada de sentido, o cuando es menor de doce años. ‖ **3.** Por ext., cometer abusos deshonestos o tener acceso carnal con una persona en contra de su voluntad. ‖ **4.** Profanar un lugar sagrado, ejecutando en él ciertos actos determinados por el derecho canónico. ‖ **5.** fig. Ajar o deslucir una cosa.

violario. (Del arag. *viu, vivo.*) m. *Ar.* Pensión anual que el poseedor de los bienes paternos acostumbra dar a la persona que entra en religión. ‖ **2.** *Nav.* Renta vitalicia.

violencia. (Del lat. *violentĭa.*) f. Cualidad de violento. ‖ **2.** Acción y efecto de violentar o violentarse. ‖ **3.** fig. Acción violenta o contra el natural modo de proceder. ‖ **4.** fig. Acción de violar a una mujer.

violentamente. adv. m. De manera violenta.

violentar. tr. Aplicar medios violentos a cosas o personas para vencer su resistencia. ‖ **2.** fig. Dar interpretación o sentido violento a lo dicho o escrito. ‖ **3.** fig. Entrar en una casa u otra parte contra la voluntad de su dueño. ‖ **4.** fig. Poner a alguien en una situación violenta o hacer que le moleste o enoje. Ú. t. c. prnl. ‖ **5.** prnl. fig. Vencer uno su repugnancia a hacer alguna cosa.

violento, ta. (Del lat. *violentus.*) adj. Que está fuera de su natural estado, situación o modo. ‖ **2.** Que obra con ímpetu y fuerza. ‖ **3.** Que se hace bruscamente, con ímpetu e intensidad extraordinarias. ‖ **4.** Por ext., dícese también de las mismas acciones. ‖ **5.** Dícese de lo que hace uno contra su gusto, por ciertos respetos y consideraciones. ‖ **6.** V. **muerte violenta.** ‖ **7.** fig. Aplícase al genio arrebatado e impetuoso y que se deja llevar fácilmente de la ira. ‖ **8.** fig. Falso, torcido, fuera de lo natural. Dícese del sentido o interpretación violenta de lo dicho o escrito. ‖ **9.** fig. Que se ejecuta contra el modo regular o fuera de razón y justicia. ‖ **10.** fig. Dícese de la situación embarazosa en que se halla una persona. ‖ **11.** *Esgr.* V. **movimiento violento.** ‖ **12.** *Der.* V. **posesión violenta.**

violero. m. ant. El que toca la viola o vihuela. ‖ **2.** Constructor de instrumentos de cuerda. ‖ **3. mosquito,** insecto.

violeta. (d. de *viola²*.) f. Planta herbácea, vivaz, de la familia de las violáceas, con tallos rastreros que arraigan fácilmente; hojas radicales con pecíolo muy largo, ásperas, acorazonadas y de borde festoneado; flores casi siempre de color morado claro y a veces blancas, aisladas, de cabillo largo y fino y de suavísimo olor, y fruto capsular con muchas semillas blancas y menudas. Es común en los montes de España, se cultiva en los jardines, y la infusión de la flor se usa en medicina como pectoral y sudorífico. ‖ **2.** Flor de esta planta. ‖ **3.** m. Color morado claro, parecido al de la **violeta.** Ú. t. c. adj.

violetera. f. Mujer que vende en lugares públicos ramitos de violetas.

violetero. m. Florero pequeño para poner violetas.

violeto. (De *violeta*, por el color morado del fruto.) m. **peladillo,** árbol. ‖ **2.** Fruto de este árbol.

violín. (d. de *viola¹*.) m. Instrumento músico de arco, que se compone de una caja de madera, a modo de óvalo estrechado cerca del medio, con dos aberturas en forma de S en la tapa, y un mástil al que va superpuesto el diapasón. Cuatro clavijas, colocadas en el extremo de este mástil, sirven para templar otras tantas cuerdas anudadas a un cordal sujeto al botón y que pasan por encima del diapasón, apoyándose en el puente y la cejilla. Es el más pequeño de los instrumentos de su clase, y equivale al tiple. ‖ **2.** En el juego del billar, soporte de madera o metal con un mango, y que sirve para apoyar la mediana. ‖ **3.** Parte del atelaje en los carros de La Mancha, que consta de una vara y varias correas y que sirve como de yugo sobre las colleras de los caballerías de lanza. ‖ **4.** com. Persona que toca el **violín.** ‖ **en bolsa.** fig. y fam. *Argent.* Frase con la que se expresa la necesidad de excluir o excluirse de un asunto. Ú. m. con los verbos *meter* o *poner.* ‖ **embolsar el violín.** fr. fig. y fam. *Venez.* Quedar corrido, salir con el rabo entre piernas.

violinista. com. Persona que ejerce o profesa el arte de tocar el violín. ‖ **2.** V. **cangrejo violinista.**

violón. (aum. de *viola¹*.) m. **contrabajo,** instrumento de cuerda. ‖ **2.** com. Persona que lo toca. ‖ **tocar el violón.** fr. fig. y fam. Hablar u obrar fuera de propósito, o confundir las ideas por distracción o embobamiento.

violoncelista. com. V. **violonchelista.**

violoncelo. (Del it. *violoncello*.) m. **violonchelo.**

violonchelista. com. Persona que ejerce o profesa el arte de tocar el violonchelo.

violonchelo. m. Instrumento músico de cuerda y arco, más pequeño que el violón y de la misma forma. Equivale al barítono entre los de su clase, y se afina a la octava grave de la viola.

vipéreo, a. (Del lat. *vipereus*.) adj. **viperino.**

viperino, na. (Del lat. *viperinus*.) adj. Perteneciente o relativo a la víbora. ‖ **2.** fig. Que tiene sus propiedades. ‖ **3.** fig. Malintencionado, que busca hacer daño. ‖ **4.** fig. V. **lengua viperina.**

vira. (De or. inc.) f. Especie de saeta delgada y de punta muy aguda. ‖ **2.** Tira de tela, badana o vaqueta que, para dar fuerza al calzado, se cose entre la suela y la pala. ‖ **3.** *Murc.* Franja con que las mujeres adornan sus vestidos.

viracocha. (Del quechua *Wirakocha*, nombre de un dios de la mitología incaica.) m. Nombre que los súbditos de los incas dieron a sus conquistadores españoles.

virada. f. *Mar.* Acción y efecto de virar, cambiar de rumbo un barco. ‖ **2.** Acción de dar vueltas al cabrestante para levar las anclas.

virador. m. Líquido empleado en fotografía para virar. ‖ **2.** *Mar.* Calabrote u otro cabo grueso que se guarnece al cabrestante para meter el cable, al cual se une con va-

rias reatas levadizas para la faena. ‖ **3.** *Mar.* Cabo que sirve para guindar y echar abajo los masteleros.

virago. (Del lat. *virago, -inis*.) f. Mujer varonil.

viraje. m. Acción y efecto de virar una fotografía. ‖ **2.** Acción y efecto de virar, cambiar de dirección en la marcha de un vehículo. ‖ **3.** fig. Cambio de orientación en las ideas, intereses, conducta, actitudes, etc.

viral. adj. Perteneciente o relativo a los virus.

virar. tr. En fotografía, sustituir la sal de plata del papel impresionado por otra sal más estable o que produzca un color determinado. ‖ **2.** *Mar.* Cambiar de rumbo o de bordada, pasando de una amura a otra, de modo que el viento que daba al buque por un costado le dé por el opuesto. Ú. t. c. intr. ‖ **3.** *Mar.* Dar vueltas al cabrestante para levar las anclas o suspender otras cosas de mucho peso que hay que meter en la embarcación o sacar de ella. ‖ **4.** intr. Mudar de dirección en la marcha de un automóvil u otro vehículo semejante.

viraró. m. *Argent.* y *Urug.* Planta de la familia de las bignoniáceas.

viratón. m. Virote o vira grande.

viravira. (Voz quechua.) f. *Argent., Chile, Perú* y *Venez.* Planta herbácea de la familia de las compuestas, con hojas lanceoladas, flores en cabezuela; involucro de escamas blancas. Está cubierta de una pelusa blanca; se emplea en infusión como pectoral.

virazón. (De *virar*.) f. Viento que en las costas sopla de la parte del mar durante el día, alternando con el terral, que sopla de noche, y sucediéndose ambos con bastante regularidad en todo el curso del año, mientras no hay temporal. ‖ **2.** Cambio repentino de viento. ‖ **3.** *Cantabria.* Sucesión repentina de viento huracanado del Sur por el viento del Noroeste. ‖ **4.** fig. Viraje repentino en las ideas, conducta, etc.

víreo. (Del lat. *vireo*.) m. Oropéndola, virio.

virgaza. (De *vid*.) f. Planta trepadora, especie de clemátide, vidarra, virigaza.

virgen. (Del lat. *virgo, -inis*.) com. Persona que no ha tenido relaciones sexuales. Ú. t. c. adj. ‖ **2.** Persona que, conservando su castidad y pureza, ha consagrado a Dios su virginidad. ‖ **3.** adj. Dícese de la tierra que no ha sido arada o cultivada. ‖ **4.** Aplícase a aquellas cosas que están en su primera entereza y no han servido aún para aquello a que se destinan. ‖ **5.** Dícese de lo que no ha tenido artificio en su formación. ‖ **6.** V. **aceite, cera, miel virgen.** ‖ **7.** fig. y fam. V. **voluntad virgen.** ‖ **8.** f. Por antonom., María Santísima, Madre de Dios, **virgen** antes del parto, en el parto y después del parto. ‖ **9.** V. **letanía de la Virgen.** ‖ **10.** Imagen de María Santísima. ‖ **11.** Uno de los títulos y grados que da la Iglesia Católica a las santas mujeres que conservaron su castidad y pureza. ‖ **12.** Cada uno de los dos pies derechos que en los lagares y molinos de aceite guían el movimiento de la viga. ‖ **13.** n. p. f. *Astron.* **Virgo,** signo del Zodiaco y constelación. ‖ **fíate de la Virgen, y no corras.** fr. fam. que se aplica al que por estar demasiado confiado, no pone nada de su parte para conseguir algo. ‖ **¡viva la Virgen.** loc. adj. fam. que se aplica a persona informal, que no se preocupa por nada. Ú. t. c. s. m.

virgiliano, na. (Del lat. *Virgilianus*.) adj. Propio y característico del poeta Virgilio, o que tiene semejanza con cualquiera de las dotes o calidades por que se distinguen sus producciones.

virginal. (Del lat. *virginalis*.) adj. Perteneciente o relativo a la virgen. ‖ **2.** fig. Puro, incólume, inmaculado. ‖ **3.** V. **entereza, leche virginal.**

virginalero, ra. (De *virginal*.) adj. ant. **mujeril.**

virgíneo, a. (Del lat. *virgineus*.) adj. **virginal.**

virginia. (De *Virginia*, país de América.) m. Tabaco virginiano.

virginiano, na. adj. Natural de Virginia. Ú. t. c. s. ‖ **2.** Perteneciente o relativo a este Estado de Estados Unidos. ‖ **3.** V. **serpentaria virginiana.**

virginidad. (Del lat. *virginĭtas, -ātis.*) f. Estado de virgen.

virgo. (Del lat. *virgo, vírgen.*) adj. **virgen.** Ú. t. c. s. f. ‖ **2.** Referido a personas, las nacidas bajo este signo del Zodiaco. Ú. t. c. s. ‖ **3.** m. **himen.** ‖ **4.** n. p. f. *Astron.* Sexto signo o parte del Zodiaco, de 30 grados de amplitud, que el Sol recorre aparentemente en el último tercio del verano. ‖ **5.** *Astron.* Constelación zodiacal que en otro tiempo debió de coincidir con el signo de este nombre; pero que actualmente, por resultado del movimiento retrógrado de los puntos equinocciales, se halla delante del mismo signo y un poco hacia el Oriente.

virguería. f. Adorno, refinamiento añadido a alguna cosa o trabajo. ‖ **2.** Objeto, asunto, conversación, etc., sin importancia.

vírgula. (Del lat. *virgŭla,* d. de *virga,* vara.) f. Vara pequeña. ‖ **2.** Rayita o línea muy delgada. ‖ **3.** *Med.* Vibrión causante del cólera[1].

virgulilla. (d. de *vírgula.*) f. Cualquier signo ortográfico de figura de coma, rasguillo o trazo; como el apóstrofo, la cedilla, la tilde de la *ñ,* etc. ‖ **2.** Cualquier rayita o línea corta y muy delgada.

vírico, ca. adj. **viral.**

virigaza. f. *Ál.* Planta trepadora, especie de clemátide, virgaza.

viril[1]**.** (De *vidrio.*) m. Vidrio muy claro y transparente que se pone delante de algunas cosas para preservarlas o defenderlas, dejándolas patentes a la vista. ‖ **2.** Caja de cristal con cerquillo de oro o dorado, que encierra la forma consagrada y se coloca en la custodia para la exposición del Santísimo, o que guarda reliquias y se coloca en un relicario.

viril[2]**.** (Del lat. *virĭlis.*) adj. Perteneciente o relativo al varón, varonil. ‖ **2.** V. **edad, miembro viril.** ‖ **3.** *Astrol.* V. **cuadrante viril.**

virilidad. (Del lat. *virilĭtas, -ātis.*) f. Cualidad de viril. ‖ **2.** **edad viril.**

virilismo. m. Desarrollo de caracteres sexuales masculinos en la mujer.

virilización. f. Acción y efecto de virilizar o virilizarse.

virilizarse. prnl. Adquirir una mujer caracteres sexuales exteriores propios del varón, como el pelo de la cara.

virilmente. (De *viril*[2].) adv. m. **varonilmente.**

virina. f. *Filip.* **guardabrisa.**

virio. (De *víreo.*) m. Oropéndola, víreo.

viripotencia[1]**.** f. Cualidad de viripotente.

viripotente[1]**.** (Del lat. *viripŏtens, -entis;* de *vir,* varón, y *potens,* que puede.) adj. Aplícase a la mujer casadera.

viripotente[2]**.** (Del lat. *viripŏtens.*) adj. Vigoroso, potente.

virol. (Del fr. *virole.*) m. *Blas.* Perfil circular de la boca de la bocina y de otros instrumentos semejantes.

virola. (Del fr. *virole.*) f. Abrazadera de metal que se pone por remate o por adorno en algunos instrumentos, como navajas, espadas, etc. ‖ **2.** Anillo ancho de hierro que se pone en la extremidad de la garrocha de los vaqueros para que la púa no pueda penetrar en la piel del toro más que lo necesario para avivarlo sin maltratarlo. ‖ **3.** Contera de bastón, paraguas, etc.

virolento, ta. adj. *Pat.* Que tiene viruelas. Ú. t. c. s. ‖ **2.** Señalado de ellas. Ú. t. c. s.

virolo, la. adj. fam. Bizco, bisojo.

virología. (Del lat. *virus,* veneno, y *-logía.*) f. Parte de la microbiología, que tiene por objeto el estudio de los virus.

virón. m. aum. de *vira.* ‖ **2.** *Bad.* Madero en rollo, de castaño, de seis varas y media de longitud y con un diámetro de seis a siete pulgadas.

virosis. (De *virus.*) f. Nombre genérico de las enfermedades cuyo origen se atribuye a virus patógenos.

virotazo. m. Golpe dado con el virote.

virote. (aum. de *vira,* saeta.) m. Especie de saeta guarnecida con un casquillo. ‖ **2.** Hierro largo que a modo de maza se colgaba de la argolla sujeta al cuello de los esclavos que solían fugarse. ‖ **3.** Punta que por broma solía hacerse en el vestido de alguno introduciendo al descuido una parte de él en un anillo de esparto o cuerda. ‖ **4.** Vara cuadrangular de la ballestilla. ‖ **5.** ant. Esquela de aviso o súplica. ‖ **6.** fig. y fam. Mozo soltero, ocioso, paseante y preciado de guapo. ‖ **7.** fig. y fam. Hombre erguido y demasiadamente serio y quijote. ‖ **8.** *And.* Cepa de tres años. ‖ **9.** *Pal.* Cada uno de los pies derechos del telar. ‖ **palomero.** El de ballesta, más largo que el común y con una virola de hierro en la cabeza. ‖ **mirar** uno **por el virote.** fr. fig. y fam. Atender con cuidado y vigilancia a lo que importa.

virotillo. (d. de *virote.*) m. *Arq.* Madero corto vertical y sin zapata, que se apoya en uno horizontal y sostiene otro horizontal o inclinado.

virotismo. (De *virote,* erguido.) m. Entono, presunción.

virreina. f. Mujer del virrey. ‖ **2.** La que gobierna como virrey.

virreinal. adj. Relativo al virrey o virreinato.

virreinato. m. Dignidad o cargo de virrey. ‖ **2.** Tiempo que dura el empleo o cargo de virrey. ‖ **3.** Distrito gobernado por un virrey.

virreino. m. **virreinato.**

virrey. (De *vi,* por *vice-* y *rey.*) m. Título con que se designó a quien se encargaba de representar, en uno de los territorios de la corona, la persona del rey ejerciendo plenamente las prerrogativas regias.

virtual. (Del lat. *virtus,* fuerza, virtud.) adj. Que tiene virtud para producir un efecto, aunque no lo produce de presente. ‖ **2.** Implícito, tácito. ‖ **3.** *Fís.* Que tiene existencia aparente y no real. ‖ **4.** V. **foco, imagen virtual.** ‖ **5.** *Mec.* V. **velocidad virtual.**

virtualidad. f. Cualidad de virtual.

virtualmente. adv. De un modo virtual, en potencia. Ú. con frecuencia opuesto a actual o efectivamente. ‖ **2.** Tácitamente, implícitamente. ‖ **3.** Casi, a punto de, en la práctica, en la realidad.

virtud. (Del lat. *virtus, -ūtis.*) f. Actividad o fuerza de las cosas para producir o causar sus efectos. ‖ **2.** Eficacia de una cosa para conservar o restablecer la salud corporal. ‖ **3.** Fuerza, vigor o valor. ‖ **4.** Poder o potestad de obrar. ‖ **5.** Integridad de ánimo y bondad de vida. ‖ **6.** Disposición constante del alma para las acciones conformes a la ley moral. ‖ **7.** Acción virtuosa o recto modo de proceder. ‖ **8.** pl. *Teol.* Espíritus bienaventurados, cuyo nombre indica fuerza viril e indomable para cumplir las operaciones divinas. Forman el quinto coro. ‖ **9.** **varilla de virtudes.** ‖ **cardinal.** *Rel.* Cada una de las cuatro (prudencia, justicia, fortaleza y templanza) que son principio de otras en ellas contenidas. ‖ **moral.** Hábito de obrar bien, independientemente de los preceptos de la ley, por sola la bondad de la operación y conformidad con la razón natural. ‖ **teologal.** *Rel.* Cada una de las tres (fe, esperanza y caridad) cuyo objeto directo es Dios. ‖ **en virtud.** loc. adv. En fuerza, a consecuencia o por resultado de. ‖ **virtudes vencen señales.** fr. proveb. con que se da a entender que uno obra o puede obrar bien, no obstante los indicios o signos que argüían lo contrario.

virtuosamente. adv. m. De manera virtuosa.

virtuosismo. m. Dominio de la técnica de un arte propio del virtuoso, artista que domina un instrumento.

virtuoso, sa. (Del lat. *virtuōsus.*) adj. Que se ejercita en la virtud u obra según ella. Ú. t. c. s. ‖ **2.** Aplícase igualmente a las mismas acciones. ‖ **3.** Dícese también de las cosas que tienen la actividad y virtud natural que les corresponde. ‖ **4.** Dícese del artista que domina de modo extraordinario la técnica de su instrumento. Ú. t. c. s.

viruela. (Del b. lat. *variŏla*, y este del lat. *varus*, barro², postilla.) f. *Pat.* Enfermedad aguda, febril, esporádica o epidémica, contagiosa, caracterizada por la erupción de gran número de pústulas. Ú. m. en pl. ‖ **2.** *Pat.* Cada una de las pústulas producidas por esta enfermedad. ‖ **3.** fig. Granillo que sobresale en la superficie de ciertas cosas; como plantas, papel, etc. ‖ **viruelas confluentes.** *Pat.* Las que aparecen juntas en gran cantidad. ‖ **locas.** *Pat.* Las que no tienen malignidad y son pocas y ralas. ‖ **picado de viruelas. picoso.**

virulé (a la). (Del fr. *bas roulé*, que se aplicó originariamente a la manera de llevar las medias.) loc. adv. que expresa la forma de llevar la media arrollada en su parte superior. ‖ **2.** Desordenado, de mala traza. ‖ **3.** Estropeado, torcido o en mal estado. *Le pusieron un ojo* A LA VIRULÉ. *Lleva la corbata* A LA VIRULÉ. ‖ **4.** Chiflado.

virulencia. (Del lat. *virulentĭa*.) f. Cualidad de virulento.

virulento, ta. (Del lat. *virulentus*.) adj. Ponzoñoso, maligno, ocasionado por un virus, o que participa de la naturaleza de este. ‖ **2.** Que tiene pus o podre. ‖ **3.** fig. Dícese del estilo, o del escrito o discurso, ardiente, sañudo, ponzoñoso o mordaz en sumo grado.

virus. (Del lat. *virus*.) m. *Med.* Podre, humor maligno. ‖ **2.** *Microbiol.* El organismo de estructura más sencilla que se conoce. Es capaz de reproducirse en el seno de células vivas específicas, siendo sus componentes esenciales ácidos nucleicos y proteínas.

viruta. f. Hoja delgada que se saca con el cepillo u otras herramientas al labrar la madera o los metales, y que sale, por lo común, arrollada en espiral.

vis. (Del lat. *vis*.) f. Fuerza, vigor. Ú. solo en la loc. *vis cómica.*

visa. (Del fr. *visa*.) amb. *Amér.* Visado.

visado, da. p. p. de visar. ‖ **2.** m. Acción y efecto de visar la autoridad un documento.

visaje. (Del lat. *visar*, mirada, apariencia, aspecto.) m. **gesto,** expresión del rostro. ‖ **2. gesto,** movimiento anormal del rostro por vicio o enfermedad.

visajero, ra. (De *visaje*.) adj. **gestero,** que tiene el hábito o vicio de hacer gestos.

visal. m. ant. **visera.**

visar. (Del lat. *visus*.) tr. Reconocer o examinar un instrumento, certificación, etc., poniéndole el visto bueno. ‖ **2.** Dar validez, la autoridad competente, a un pasaporte u otro documento para determinado uso. ‖ **3.** Entre artilleros y topógrafos, dirigir la puntería o la visual.

víscera. (Del lat. *viscĕra*.) f. Cada uno de los órganos contenidos en las principales cavidades del cuerpo humano y de los animales, entraña.

visceral. adj. Perteneciente o relativo a las vísceras.

visco. (Del lat. *viscus*.) m. **liga** para cazar pájaros. ‖ **2.** *Argent.* Árbol leguminoso, que llega a 10 metros de altura y cuya corteza se usa como curtiente.

viscosa. f. Producto que se obtiene mediante el tratamiento de la celulosa como una solución de álcali cáustico y bisulfuro de carbono. Se usa principalmente para la fabricación de fibras textiles.

viscosidad. f. Cualidad de viscoso. ‖ **2.** Materia viscosa. ‖ **3.** *Fís.* Propiedad de los fluidos, que se gradúa por la velocidad de salida de aquellos al través de tubos capilares.

viscosilla. f. Material textil procedente de la celulosa que se mezcla con algodón o lana para fabricar algunos tipos de tejidos. ‖ **2.** Tela fabricada con esta mezcla.

viscoso, sa. (Del lat. *viscōsus*.) adj. Pegajoso, glutinoso.

visear. tr. p. us. Vislumbrar, adquirir una visión imperfecta.

visera. (De *visar*.) f. Parte del yelmo, movible, por lo común, sobre dos botones laterales para alzarla y bajarla, y con agujeros o hendeduras para ver, que cubría y defendía el rostro. ‖ **2.** Parte de ala que tienen por delante las gorras y otras prendas semejantes, para resguardar la vista. Modernamente se llama también así a una pieza independiente que se sujeta a la cabeza por medio de una cinta. ‖ **3.** Garita desde donde el palomero observa el movimiento de las palomas. ‖ **calar,** o **calarse,** uno la visera. fr. Bajarse la del yelmo.

visibilidad. (Del lat. *visibilĭtas, -ātis*.) f. Cualidad de visible. ‖ **2.** Mayor o menor distancia a que, según las condiciones atmosféricas, pueden reconocerse o verse los objetos.

visibilizar. tr. Hacer visible artificialmente lo que no puede verse a simple vista, como los rayos X los cuerpos ocultos, o con el microscopio los microbios.

visible. (Del lat. *visibĭlis*.) adj. Que se puede ver. ‖ **2.** Tan cierto y evidente, que no admite duda. ‖ **3.** Dícese de la persona notable que llama la atención por alguna singularidad.

visiblemente. adv. m. De manera visible.

visigodo, da. (Del germ. *west*, oeste, y *gothus*, godo.) adj. Dícese del individuo de una parte del pueblo godo, que, establecida durante algún tiempo al oeste del Dniéper, fundó después un reino en España. Ú. t. c. s. ‖ **2.** Perteneciente o relativo a los visigodos.

visigótico, ca. adj. Perteneciente o relativo a los visigodos.

visillo. (d. de *viso*.) m. Cortina pequeña que se coloca en la parte interior de los cristales para resguardarse del sol o impedir la vista desde fuera.

visión. (Del lat. *visĭo, -ōnis*.) f. Acción y efecto de ver. ‖ **2.** Contemplación inmediata y directa sin percepción sensible. ‖ **3.** Punto de vista particular sobre un tema, asunto, etc. ‖ **4.** Objeto de la vista, especialmente cuando es ridículo o espantoso. ‖ **5.** Creación de la fantasía o imaginación, que no tiene realidad y se toma como verdadera. ‖ **6.** fig. y fam. Persona fea y ridícula. ‖ **7.** *Teol.* Imagen que, de manera sobrenatural, se percibe por el sentido de la vista o por representación imaginativa, o bien iluminación intelectual infusa sin existencia de imagen alguna. ‖ **beatífica.** *Teol.* Acto de ver a Dios, en el cual consiste la bienaventuranza. ‖ **intelectual.** Conocimiento claro e inmediato sin raciocinio. ‖ **quedarse** uno **como quien ve visiones.** fr. fig. y fam. Quedarse atónito, pasmado. ‖ **ver uno visiones.** fr. fig. y fam. Dejarse llevar mucho de su imaginación, creyendo lo que no hay.

visionar. tr. Creer que son reales cosas inventadas. ‖ **2.** Ver imágenes cinematográficas o televisivas, especialmente desde un punto de vista técnico o crítico.

visionario, ria. (De *visión*.) adj. Dícese del que, por su fantasía exaltada, se figura y cree con facilidad cosas quiméricas. Ú. t. c. s.

visir. (Del ár. *wazir*, ministro.) m. Ministro de un soberano musulmán. ‖ **gran visir.** Primer ministro del sultán de Turquía.

visirato. m. Cargo o dignidad de visir. ‖ **2.** Tiempo que dura ese cargo.

visita. f. Acción de visitar. ‖ **2.** Persona que visita. ‖ **3.** Casa en que está el tribunal de los visitadores eclesiásticos. ‖ **4.** Especie de esclavina adornada y de diversas formas usada por las señoras. ‖ **de altares.** Oración vocal que con asistencia personal se hace en cada uno de ellos para algún fin piadoso. ‖ **de aspectos.** La que los médicos de sanidad hacen en los puertos a la llegada de las embarcaciones, para juzgar por el semblante de los pasajeros el estado de su salud. ‖ **de cárcel,** o **de cárceles.** La que un juez o tribunal hace a las cárceles en días determinados, para enterarse del estado de los presos y recibir sus reclamaciones. ‖ **de cumplido, o de cumplimiento.** La que se hace como muestra de cortesía y respeto. ‖ **de médico.** fig. y fam. La de corta duración. ‖ **de sanidad.** La que se hace oficialmente en los puertos para enterarse del estado de salubridad de los buques que arriban, y de la salud de sus tripulantes y pasajeros. ‖ **domiciliaria.** La que se hace por el juez u otra autoridad en casas sospechosas. ‖ **2.** La que hacen por caridad, en casas pobres, las personas constituidas en asociación piadosa para ese fin. ‖ **general.** La que se giraba antiguamente sobre los edificios, manzanas y calles de las poblaciones, reconociendo sus alineaciones y el estado y numeración de las casas. Es famosa la **visita** general hecha en Madrid los años 1750 y 51. ‖ **pastoral.** La que hace el obispo para inspeccionar las iglesias de su diócesis. ‖ **pagar** uno **la visita** a otro. fr. Corresponder al que le ha visitado, haciéndole igual obsequio. ‖ **quedarse** una **arrebolada y sin visita.** fr. fig. y fam. **quedarse aderezada,** o **compuesta, y sin novio.** ‖ **ser visita** de alguien. loc. adj. Tener amistad y trato frecuente con alguien.

visitación. (Del lat. *visitatĭo, -ōnis.*) f. **visita,** acción de visitar. ‖ **2.** Por antonom., visita que hizo María Santísima a su prima Santa Isabel, de que hace fiesta particular la Iglesia.

visitador, ra. (Del lat. *visitātor, -ōris.*) adj. Que visita frecuentemente. Ú. t. c. s. ‖ **2.** m. y f. Juez, ministro o empleado que tiene a su cargo hacer visitas o reconocimientos. ‖ **3.** Persona que visita a los médicos para mostrar los productos farmacéuticos y las novedades terapéuticas.

visitadora. f. *Hond., P. Rico, Sto. Dom.* y *Venez.* Ayuda, lavativa.

visitante. p. a. de **visitar.** Que visita. Ú. t. c. s.

visitar. (Del lat. *visitāre.*) tr. Ir a ver a uno en su casa por cortesía, atención, amistad o cualquier otro motivo. ‖ **2.** Ir a un templo o santuario por devoción, o para ganar indulgencias. ‖ **3.** Informarse el juez superior, u otra autoridad, personalmente o por medio de alguno que envía en su nombre, del proceder de los ministros inferiores u empleados, y del estado de las causas y asuntos del servicio en los distritos de su jurisdicción. ‖ **4.** Ir el médico a casa del enfermo para asistirle. ‖ **5.** Registrar en las aduanas o puertos, o en otra parte destinada a este efecto, los géneros o mercancías, para el pago de los derechos o para ver si son de lícito comercio. ‖ **6.** Examinar los oficios públicos, y en ellos los instrumentos o géneros que respectivamente tocan a cada uno, para ver si están fieles o según ley u ordenanza. ‖ **7.** Reconocer en las cárceles los presos y las prisiones en orden a su seguridad. ‖ **8.** Examinar el juez eclesiástico las personas en orden al cumplimiento de sus obligaciones cristianas y eclesiásticas, y reconocer las iglesias, obras pías y bienes eclesiásticos, para ver si están y se mantienen en el orden y disposición que deben tener. ‖ **9.** Informarse personalmente de una cosa. ‖ **10.** Acudir con frecuencia a un lugar con objeto determinado. ‖ **11.** Ir a algún país, población, etc., para conocerlos. *En sus vacaciones* VISITÓ *París.* ‖ **12.** *Der.* Ir un juez o tribunal a la cárcel para enterarse del estado de los presos y recibir sus reclamaciones. ‖ **13.** *Teol.* Enviar Dios a los hombres algún especial consuelo o trabajo para su mayor merecimiento, o para que se reconozcan. ‖ **14.** prnl. Acudir a la visita el preso para hacer alguna petición.

visiteo. m. Acción de hacer o recibir muchas visitas, o de hacerlas o recibirlas frecuentemente.

visitero, ra. adj. fam. **visitador,** que visita frecuentemente.

visitón. m. aum. de **visita.** ‖ **2.** fam. Visita muy larga y enfadosa.

visivo, va. (Del lat. *visum,* supino de *vidēre,* ver.) adj. Que sirve para ver. *Potencia* VISIVA.

vislumbrar. (Del lat. *vix,* apenas, y *lumināre,* alumbrar.) tr. Ver un objeto tenue o confusamente por la distancia o falta de luz. ‖ **2.** fig. Conocer imperfectamente o conjeturar por leves indicios una cosa inmaterial.

vislumbre. (De *vislumbrar.*) f. Reflejo de la luz, o tenue resplandor, por la distancia de ella. ‖ **2.** fig. Conjetura, sospecha o indicio. Ú. m. en pl. ‖ **3.** fig. Corta o dudosa noticia. ‖ **4.** fig. Apariencia o leve semejanza de una cosa con otra.

viso. (Del lat. *visus.*) m. Altura o eminencia, sitio o lugar alto, desde donde se ve y descubre mucho terreno. ‖ **2.** Superficie de las cosas lisas o tersas que hieren la vista con un especial color o reflexión de la luz. ‖ **3.** Onda o resplandor que hacen algunas cosas heridas por la luz. ‖ **4.** V. **pintura a dos visos.** ‖ **5.** Forro de color o prenda de vestido que se coloca debajo de una tela clara para que por ella se transparente. ‖ **6.** ant. Sentido corporal con que se ven los colores y las formas. ‖ **7.** ant. **cara** humana. ‖ **8.** fig. Apariencia de las cosas. ‖ **de altar.** Cuadro pequeño de tela con su bastidor, con el cual, en algunas partes, cubren las puertas del sagrario donde está el Santísimo Sacramento. ‖ **a dos visos.** loc. adv. fig. Con dos intentos distintos, o a dos miras. ‖ **al viso.** loc. adv. Modo de mirar al soslayo ciertos objetos a fin de cerciorarse de su color y tersura. ‖ **de viso.** loc. Dícese de las personas conspicuas. ‖ **hacer mal viso** uno. fr. fig. Deslucirle un defecto o nota, y disminuir la estimación que se debía tener de él por sus prendas o empleo. ‖ **hacer viso** uno. fr. fig. Llevarse la atención y aprecio, gozando de especial estimación entre las gentes. ‖ **hacer visos.** fr. Dícese de ciertos tejidos que según los hiere la luz, forman cambiantes o tornasoles.

visogodo, da. adj. p. us. **visigodo.**

visón. (Del fr. *vison.*) m. Mamífero carnicero semejante a la nutria, con los dedos reunidos hasta más de la mitad por una membrana; se alimenta de toda clase de animales pequeños. Habita en el norte de América y es apreciado por su piel. ‖ **2.** Piel de este animal. ‖ **3.** Prenda hecha de pieles de este animal.

visontino, na. (De *Visontium,* nombre latino de Vinuesa.) adj. Natural de Vinuesa. Ú. t. c. s. ‖ **2.** Perteneciente o relativo a esta villa de la provincia de Soria.

visor. (Del lat. *visor, -ōris.*) m. Prisma o sistema óptico que llevan ciertos aparatos fotográficos de mano y sirve para enfocarlos rápidamente. ‖ **2.** En algunas armas de fuego, dispositivo óptico que ayuda a establecer la puntería o a corregirla.

visorio, ria. (Del lat. *visus.*) adj. Perteneciente a la vista o que sirve como instrumento para ver. ‖ **2.** m. Visita o examen pericial.

visorreina. (De *vice-* y *reina.*) f. ant. **virreina.**

visorreinado. (De *vice-* y *reinado.*) m. ant. **virreinato.**

visorreino. (De *vice-* y *reino.*) m. ant. **virreino.**

visorrey. (De *vice-* y *rey.*) m. ant. **virrey.**

víspera. (Del lat. *vespĕra,* la tarde.) f. Día que antecede inmediatamente a otro determinado especialmente si es fiesta. ‖ **2.** fig. Cualquier cosa que antecede a otra, y en cierto modo la ocasiona. ‖ **3.** fig. Inmediación a una cosa que ha de suceder. ‖ **4.** pl. Una de las divisiones del día entre los antiguos romanos, que correspondía al crepúsculo de la tarde. ‖ **5.** Una de las horas del oficio divino que se dice después de nona, y que antiguamente solía cantarse hacia el anochecer. ‖ **en vísperas.** loc. adv. fig. En tiempo inmediatamente anterior.

vista. (De *visto.*) f. Sentido corporal con que se perciben los objetos mediante la acción de la luz. ‖ **2. visión,** acción y efecto de ver. ‖ **3.** Apariencia o disposición de las cosas en orden al sentido del ver. Ú. m. con los adverbios *buena* o *mala*. ‖ **4.** Campo de considerable extensión que se descubre desde un punto, y en especial cuando presenta variedad y agrado. Ú. t. en pl. ‖ **5.** Ojo humano y de los animales. ‖ **6.** Conjunto de ambos ojos. ‖ **7.** Encuentro o concurrencia en que uno se ve con otro. *Hasta la* VISTA. ‖ **8.** Visión o aparición. ‖ **9.** Cuadro, estampa que representa un lugar o monumento, etc., tomado del natural. *Una* VISTA *de Venecia.* ‖ **10.** Conocimiento claro de las cosas. ‖ **11.** Apariencia o relación de unas cosas respecto de otras. *A* VISTA *de la nieve, el cisne es negro.* ‖ **12.** Intento o propósito. ‖ **13.** Parte de una cosa que no se oculta a la **vista**; como la parte de la teja, pizarra u hoja de plomo que queda fuera de los solapos; los puños, cuello y pechera de una camisola; las vueltas que guarnecen por delante una americana, un abrigo, etc. ‖ **14.** Mirada superficial o ligera, vistazo. ‖ **15.** V. **almadraba, centinela, guarda, testigo de vista.** ‖ **16.** V. **claridad de la vista.** ‖ **17.** V. **anteojo de larga vista.** ‖ **18.** fig. Sagacidad para descubrir algo que los demás no ven. ‖ **19.** ant. **visera**, parte del yelmo que cubría la cara. ‖ **20.** *Der.* Actuación en que se relaciona ante el tribunal, con citación de las partes, un juicio o incidente, para dictar el fallo, oyendo a los defensores o interesados que a ella concurran. ‖ **21.** *Persp.* V. **altura, punto de la vista.** ‖ **22.** pl. Concurrencia de dos o más sujetos que se ven para fin determinado. ‖ **23.** Regalos que recíprocamente se hacen los novios. ‖ **24.** Ventana, puerta u otra abertura en los edificios, por donde entra la luz para ver. ‖ **25.** Galerías, ventanas u otros huecos de pared, por donde desde un edificio se ve lo exterior. ‖ **26.** m. Empleado de aduanas a cuyo cargo está el registro de los géneros. ‖ **actuario.** El que interviene en un despacho u otra operación de aduanas. ‖ **cansada.** La del présbita. ‖ **corta.** La del miope. ‖ **de águila.** fig. La que alcanza y abarca mucho. ‖ **de lince.** fig. La muy aguda y penetrante. ‖ **de ojos.** Diligencia judicial o extrajudicial de ver personalmente una cosa para informarse con seguridad de ella. ‖ **doble vista.** Facultad extraordinaria de ver por medio de la imaginación cosas que realmente existen o suceden, pero que no están al alcance de la **vista**. ‖ **aguzar** uno **la vista.** fr. fig. Recogerla y aplicarla con atención. ‖ **a la vista.** loc. adv. Inmediatamente, al punto, prontamente y sin dilación. ‖ En el comercio se libran letras **a la vista,** que vale tanto como pagaderas a su presentación. ‖ **2.** Visible, de forma que puede ser visto. ‖ **3.** Al parecer, aparentemente. ‖ **4.** Con el verbo *estar,* evidentemente. ‖ **5.** fig. En perspectiva. *Tengo un negocio* A LA VISTA. ‖ **6. a vistas.** ‖ **a media vista.** loc. adv. **a simple vista** o **a simple vista.** ‖ **apartar** uno **la vista.** fr. fig. Desviar la consideración o el pensamiento de un objeto, aun cuando sea imaginario y no real. ‖ **a primera vista,** o **a simple vista.** loc. adv. Ligeramente y de paso en el reconocimiento de una cosa. ‖ **2.** Ú. t. para significar la facilidad de aprender o de reconocer las cosas. ‖ **a vista,** o **la vista, de.** loc. adv. En presencia de o delante de. ‖ **2.** En consideración o comparación. ‖ **3.** Enfrente, cerca o en lugar donde se pueda ver. ‖ Con observación o cuidado de ver o seguir a uno. ‖ **a vista de ojos.** loc. adv. Denota que uno ve por sí mismo una cosa. ‖ **a vista de pájaro.** loc. adv. como se denota que se ven o describen los objetos desde un punto muy elevado sobre ellos. ‖ **a vistas.** loc. adv. A ser visto. ‖ **bajar** uno **la vista.** fr. fig. **bajar** uno **los ojos.** ‖ **clavar** uno **la vista.** fr. fig. **fijar la vista.** ‖ **comerse** uno **con la vista** a una persona o cosa. fr. fig. y fam. Mirarla airadamente o con gran ansia. ‖ **como la vista.** fr. fig. Muy rápido. ‖ **con vistas a.** loc. prepos. Con la finalidad de, con el propósito de. ‖ **conocer de vista** a uno. fr. Conocerlo por haberle visto alguna vez, sin haber tenido trato con él. ‖ **corto de vista. miope.** Ú. t. c. s. ‖ **2.** fig. Poco perspicaz. ‖ **dar una vista.** fr. Mirar, visitar de paso y sin detenerse mucho. ‖ **dar vista** a una cosa. fr.

Avistarla, alcanzar a verla. ‖ **de la vista baja.** fr. fam. con que se designa al cerdo. ‖ **derramar la vista.** fr. fig. Mirar los caballos sin volver la cabeza, inclinando y torciendo los ojos, lo cual se tiene por muy mala señal. ‖ **echar** uno **la vista** a una cosa. fr. fig. Elegir mentalmente una cosa entre otras. ‖ **echar** uno **la vista,** o **la vista encima,** a otro. fr. fig. Llegarlo a ver o a conocer cuando lo anda buscando. ‖ **echar una vista.** fr. fig. Cuidar de una cosa mirándola de cuando en cuando. Ú. frecuentemente para encargar este cuidado. ‖ **empañarse la vista.** fr. Empezar a ver confusamente. ‖ **2.** Llenarse los ojos de lágrimas. ‖ **en vista de.** loc. adv. En consideración o atención de alguna cosa. ‖ **estar a la vista.** fr. **estar de la vista.** ‖ **2.** Ser evidente una cosa. ‖ **extender** uno **la vista.** fr. Explayarse, esparcirla en algún paraje abierto y espacioso, como el campo o el mar. ‖ **fijar** uno **la vista.** fr. Ponerla en un objeto con atención y cuidado. ‖ **hacer** uno **la vista gorda.** fr. fam. Fingir con disimulo que no ha visto una cosa. ‖ **hasta la vista.** expr. **a más ver.** ‖ **irse de vista.** fr. Alejarse o apartarse de aquella distancia a que alcanza la **vista**. ‖ **irsele** a uno **la vista.** fr. fig. Desvanecerse, turbársele el sentido. ‖ **no perder** uno **de vista** a una persona o cosa. fr. Estarla observando sin apartarse de ella. ‖ **2.** fig. Seguir sin intermisión un intento. ‖ **3.** fig. Cuidar con suma vigilancia de una cosa, o pensar continuamente en ella. ‖ **nublarse la vista.** fr. Empezar a ver confusamente. ‖ **pasar** uno **la vista** por un escrito. fr. **pasar los ojos** por él. ‖ **perder** uno **de vista** a una persona o cosa. fr. Dejar de verla por haberse alejado o no alcanzar a distinguirla. ‖ **perderse de vista** una persona o cosa. fr. fig. y fam. Tener gran superioridad en una cosa. ‖ **2.** fig. y fam. Tratándose de personas, ser muy listo, astuto o agudo. ‖ **poner** uno **a vista** una cosa. fr. **fijar la vista.** ‖ **por vista de ojos.** loc. adv. **a vista de ojos.** ‖ **saltar a la vista** una cosa. fr. fig. **saltar a los ojos.** ‖ **tener** uno **a la vista** una cosa. fr. fig. Tenerla presente en la memoria para el cuidado de ella. ‖ **tener vista** una cosa. fr. Tener buena apariencia. ‖ **torcer,** o **trabar,** uno **la vista.** fr. fig. Bizcar o mirar de rabillo. ‖ **tragarse** uno **con la vista** a una persona o cosa. fr. fig. y fam. **comérsela con la vista.** ‖ **volver uno la vista atrás.** fr. fig. Recordar sucesos pasados, meditar sobre ellos.

vistazo. m. Mirada superficial o ligera. ‖ **dar** o **echar** uno **un vistazo** a una cosa. fr. Examinarla, reconocerla superficialmente y a bulto.

vistear. intr. rur. *Argent.* Simular, como muestra de habilidad y destreza, una pelea a cuchillo.

vistillas. f. pl. Lugar alto desde el cual se ve y descubre mucho terreno. ‖ **irse a las vistillas.** fr. fam. En el juego de cartas, procurar con disimulo ver las del contrario.

visto, ta. (Del lat. *visĭtus.*) p. p. irreg. de **ver.** ‖ **2.** adj. V. **carta visto.** ‖ **3.** Fórmula con que se significa que no procede dictar resolución respecto de un asunto. ‖ **4.** *Der.* Fórmula con que se da por terminada la vista pública de un negocio, o se anuncia el pronunciamiento del fallo. ‖ **5.** m. *Der.* Parte de la sentencia, resolución o informe que precede generalmente a los considerandos y en que se citan los preceptos y normas aplicables para la decisión. ‖ **bien,** o **mal,** visto. loc. que con los verbos *estar* o *ser* significa que se juzga bien, o mal, de una persona o cosa; que merece, o no, la aprobación de las gentes. ‖ **es,** o **está, visto.** expr. con que se da una cosa por cierta y segura. ‖ **estar muy visto.** fr. fam. Ser algo o alguien excesivamente conocido. ‖ **2.** Pasado de moda. ‖ **ni visto ni oído.** fr. con que se pondera la rapidez con que sucede una cosa. ‖ **2.** Insólito, raro, extraordinario. ‖ **no haberlas visto** uno **más gordas.** fr. fig. y fam. No tener noticia o conocimiento de aquello de que se trata. Ú. t. con el adverbio *nunca* y con frases que expresan negación. NO LAS HE VISTO, O NUNCA LAS HE VISTO, O EN MI VIDA LAS HABÍA VISTO MÁS GORDAS.

‖ **no ser visto ni oído.** fr. **ni visto ni oído.** ‖ **no visto, o nunca visto.** loc. Raro o extraordinario en su línea. ‖ **por lo visto.** loc. Al parecer, según se infiere de determinados indicios. ‖ **visto que.** loc. conjunt. Pues que, una vez que. ‖ **visto y no visto.** fr. fig. y fam. que se aplica a algo que se hace o sucede con gran rapidez.

visto bueno. m. Fórmula que se pone al pie de algunas certificaciones y otros documentos y con que el que firma debajo da a entender hallarse ajustados a los preceptos legales y estar expedidos por persona autorizada al efecto.

vistosamente. adv. m. De manera vistosa.

vistosidad. f. Cualidad de vistoso.

vistoso, sa. (De *vista*.) adj. Que atrae mucho la atención por su brillantez, viveza de colores o apariencia ostentosa. ‖ **2.** m. desus. Ciego fingido, generalmente para mendigar. ‖ **3.** *Germ.* Ojo humano. Ú. m. en pl.

visu (de). expr. lat. que denota que uno ve por sí mismo, con sus propios ojos.

visual. (Del lat. *visuãlis*.) adj. Perteneciente a la vista como instrumento o medio para ver. ‖ **2.** *Ópt.* V. **campo, rayo visual.** ‖ **3.** f. Línea recta que se considera tirada desde el ojo del espectador hasta el objeto.

visualidad. (Del lat. *visualïtas, -ãtis.*) f. Efecto agradable que produce el conjunto de objetos vistosos.

visualización. f. Acción y efecto de visualizar.

visualizar. tr. **visibilizar.** ‖ **2.** Representar mediante imágenes ópticas fenómenos de otro carácter, p. ej., el curso de la fiebre o los cambios de condiciones meteorológicas mediante gráficas, los cambios de corriente eléctrica o las oscilaciones sonoras con el oscilógrafo, etc. ‖ **3.** Formar en la mente una imagen visual de un concepto abstracto. ‖ **4.** Imaginar con rasgos visibles algo que no se tiene a la vista.

visura. (Del lat. *visum*, supino de *vidêre*, ver.) f. Examen y reconocimiento que se hace de una cosa por vista de ojos. ‖ **2. visorio,** examen pericial.

vitáceo, a. (De *Vitis*, nombre de un género de plantas.) adj. *Bot.* Dícese de plantas angiospermas dicotiledóneas, por lo común trepadoras, con tallos nudosos, hojas alternas, pecioladas y sencillas, flores regulares, casi siempre pentámeras, dispuestas en racimos, y fruto en baya; como la vid. Ú. t. c. s. f. ‖ **2.** f. pl. *Bot.* Familia de estas plantas.

vital. (Del lat. *vitãlis*.) adj. Perteneciente o relativo a la vida. ‖ **2.** V. **espíritu vital.** ‖ **3.** fig. De suma importancia o trascendencia. *Cuestión* VITAL. ‖ **4.** Que está dotado de gran energía o impulso para actuar o vivir. ‖ **5.** V. **constantes vitales.**

vitalicio, cia. (De *vital*.) adj. Que dura desde que se obtiene hasta el fin de la vida. Dícese de cargos, mercedes, rentas, etc. *Senador* VITALICIO. ‖ **2.** V. **fondo vitalicio.** ‖ **3.** m. Póliza de seguro sobre la vida. ‖ **4.** Pensión duradera hasta el fin de la vida del perceptor.

vitalicista. com. Persona que disfruta de una renta vitalicia o de un vitalicio proporcionado al capital que ha cedido a una compañía de seguros sobre la vida o a un particular.

vitalidad. (Del lat. *vitalïtas, -ãtis*.) f. Cualidad de tener vida. ‖ **2.** Actividad o eficacia de las facultades vitales.

vitalismo. (De *vital*.) m. *Fisiol.* Doctrina que explica los fenómenos que se verifican en el organismo, así en el estado de salud como en el de enfermedad, por la acción de las fuerzas vitales, propias de los seres vivos, y no exclusivamente por la acción de las fuerzas generales de la materia.

vitalista. adj. Que sigue la doctrina del vitalismo. Apl. a pers., ú. t. c. s. ‖ **2.** Perteneciente o relativo al vitalismo o a los **vitalistas.**

vitamina. (Término inventado por Funk, del lat. *vïta*, y del término químico *amina*.) f. Cada una de ciertas sustancias or-

gánicas que existen en los alimentos y que, en cantidades pequeñísimas, son necesarias para el perfecto equilibrio de las diferentes funciones vitales.

vitaminado, da. adj. Dícese del alimento o preparado farmacéutico al que se le han añadido ciertas vitaminas.

vitamínico, ca. adj. Perteneciente o relativo a las vitaminas. ‖ **2.** Que contiene vitaminas.

vitando, da. (Del lat. *vitandus*, p. f. p. de *vitãre*, evitar, precaver.) adj. Que se debe evitar. ‖ **2.** V. **excomulgado vitando.** ‖ **3.** Odioso, execrable.

vitar. (Del lat. *vitãre*.) tr. **evitar.**

vitela. (Del lat. *vitella*, d. de *vitûla*.) f. Piel de vaca o ternera, adobada y muy pulida, en particular la que sirve para pintar o escribir en ella. ‖ **2.** V. **papel vitela.** ‖ **3.** ant. Cría hembra de la vaca, ternera. ‖ **4.** *Col.* Estampa que representa a Cristo, la Virgen o los santos.

vitelino, na. adj. Perteneciente o relativo al vitelo. ‖ **2.** V. **bilis, membrana vitelina.** ‖ **3.** V. **saco vitelino.**

vitelo. (Del lat. *vitellum*, yema de huevo.) m. *Embriol.* Conjunto de sustancias almacenadas dentro de un huevo para la nutrición del embrión.

vitícola. (Del lat. *viticõla*; de *vitis*, vid, y *colêre*, cultivar.) adj. Perteneciente o relativo a la viticultura. ‖ **2.** com. Persona perita en la viticultura.

viticultor, ra. (Del lat. *vitis*, vid, y *cultor, -õris*, cultivador.) m. y f. Persona perita en la viticultura. ‖ **2.** Persona que se dedica a la viticultura.

viticultura. (Del lat. *vitis*, vid, y *cultûra*, cultivo.) f. Cultivo de la vid. ‖ **2.** Arte de cultivar las vides.

vitivinícola. (Del lat. *vitis*, vid; *vinum*, vino, y *colêre*, cultivar.) adj. Perteneciente o relativo a la vitivinicultura. ‖ **2.** com. Persona que se dedica a la vitivinicultura.

vitivinicultor, ra. m. y f. Persona que se dedica a la vitivinicultura.

vitivinicultura. (Del lat. *vitis*, vid; *vinum*, vino, y *cultura*, cultivo.) f. Arte de cultivar las vides y elaborar el vino.

vito¹. (Por alusión a la enfermedad convulsiva llamada baile de San *Vito*.) m. Baile andaluz muy animado y vivo. ‖ **2.** Música en compás de por ocho, con que se acompaña este baile. ‖ **3.** Letra que se canta con esta música.

vito². m. ant. **victo.**

vitola. (De or. inc.) f. Plantilla para calibrar balas de cañón o de fusil. ‖ **2.** Regla de hierro para medir las vasijas en las bodegas. ‖ **3.** Cada uno de los diferentes modelos de cigarro puro según su longitud, grosor y configuración. ‖ **4.** Anilla de los cigarros puros. ‖ **5.** fig. Traza o facha de una persona y, a veces, aspecto de una cosa. ‖ **6.** *Mar.* Escantillón en que se señalan las medidas de los herrajes necesarios para construir un barco.

¡vítor! (Del lat. *victor*, vencedor.) interj. de alegría con que se aplaude a una persona o una acción. ‖ **2.** m. Función pública en que a uno se le aclama o aplaude una hazaña o acción gloriosa. ‖ **3.** Letrero escrito directamente sobre una pared, o sobre un cartel o tablilla, en aplauso de una persona por alguna hazaña, acción o promoción gloriosa. Suele contener la palabra *víctor* o *vítor*.

vitorear. tr. Aplaudir o aclamar con vítores a una persona o acción.

vitoria. f. ant. **victoria.**

vitoriano, na. adj. Natural de Vitoria. Ú. t. c. s. ‖ **2.** Perteneciente o relativo a esta ciudad. ‖ **3.** *Mál.* Dícese de una clase selecta de boquerones. Ú. t. c. s. m.

vitorioso, sa. adj. ant. **victorioso.**

vitral. (Del fr. *vitrail*.) m. Vidriera de colores.

vitre. (De *Vitré*, ciudad de Bretaña.) m. *Mar.* Lona muy delgada.

vítreo, a. (Del lat. *vitrêus*.) adj. Hecho de vidrio o que tiene sus propiedades. ‖ **2.** Parecido al vidrio. ‖ **3.** V. **pintura**

vítrea. ‖ **4.** *Anat.* V. **humor vítreo.** ‖ **5.** *Fís.* V. **electricidad vítrea.**

vitrificable. adj. Fácil o capaz de vitrificarse.

vitrificación. f. Acción y efecto de vitrificar o vitrificarse.

vitrificar. (Del lat. *vitrum,* vidrio, y *facĕre,* hacer.) tr. Convertir en vidrio una sustancia. Ú. t. c. prnl. ‖ **2.** Hacer que una cosa adquiera las apariencias del vidrio. Ú. t. c. prnl.

vitrina. (Del fr. *vitrine.*) f. Escaparate, armario o caja con puertas o tapas de cristales, para tener expuestos a la vista, con seguridad y sin deterioro, objetos de arte, productos naturales o artículos de comercio.

vitriólico, ca. adj. *Quím.* Perteneciente al vitriolo o que tiene sus propiedades.

vitriolo. (Del lat. *vitreŏlus,* d. de *vitrum,* vidrio.) m. *Quím.* **sulfato.** ‖ **2.** *Quím.* V. **aceite de vitriolo.** ‖ **amoniacal.** *Quím.* Sulfato de amoniaco. ‖ **azul.** *Quím.* Sulfato de cobre. ‖ **blanco.** *Quím.* Sulfato de cinc. ‖ **de plomo. anglesita.** ‖ **verde.** *Quím.* **caparrosa verde.**

vitualla. (Del lat. tardío *victualĭa,* víveres.) f. Conjunto de cosas necesarias para la comida, especialmente en los ejércitos. Ú. m. en pl. ‖ **2.** fam. Abundancia de comida, y sobre todo de menestra o verdura.

vituallar. tr. Proveer de vituallas, avituallar.

vítulo marino. (Del lat. *vitŭlus,* ternero, becerro, y de *marino.*) m. **becerro marino.**

vituperable. (Del lat. *vituperabĭlis.*) adj. Que merece vituperio.

vituperación. (Del lat. *vituperatĭo, -ōnis.*) f. Acción y efecto de vituperar.

vituperador, ra. (Del lat. *vituperātor, -ōris.*) adj. Que vitupera. Ú. t. c. s.

vituperar. (Del lat. *vituperāre.*) tr. Criticar a una persona con dureza; reprenderla o censurarla.

vituperio. (Del lat. *vituperĭum.*) m. Baldón u oprobio que se dice a uno. ‖ **2.** Acción o circunstancia que causa afrenta o deshonra.

vituperiosamente. adv. m. De manera vituperiosa.

vituperioso, sa. adj. Que incluye vituperio.

vituperosamente. adv. m. **vituperiosamente.**

vituperoso, sa. adj. **vituperioso.**

viuda. (Del lat. *vidŭa.*) f. Planta herbácea, bienal, de la familia de las dipsacáceas, con tallos rollizos y ramosos de cuatro a seis decímetros de altura; hojas radicales, sencillas, elípticas y festoneadas, y las del tallo compuestas de nueve a trece hojuelas oblongas; flores en ramos axilares, de color morado que tira a negro, con las anteras blancas, y fruto seco capsular. Créese que es originaria de la India, y se cultiva en los jardines. ‖ **2.** Flor de esta planta.

viudal. (Del lat. *vidŭalis.*) adj. Perteneciente al viudo o a la viuda.

viudedad. f. Pensión o haber pasivo que recibe el cónyuge superviviente de un trabajador y que le dura el tiempo que permanece en tal estado. ‖ **2. viudez.** ‖ **3.** *Ar.* y *Nav.* Usufructo de aquellos bienes del caudal conyugal, que durante su viudez goza el consorte sobreviviente.

viudez. f. Estado de viudo o viuda.

viudita. f. d. de **viuda.** ‖ **2.** *Argent.* y *Chile.* Ave de plumaje con borde negro en las alas y en la punta de la cola.

viudo, da. (Del lat. *vidŭus.*) adj. Dícese de la persona a quien se le ha muerto su cónyuge y no ha vuelto a casarse. Ú. t. c. s. ‖ **2.** fig. Aplícase a algunas aves que, estando apareadas para criar, se quedan sin la compañera; como la tórtola. ‖ **3.** fig. y fam. V. **dolor de viuda, o de viudo.**

vivac. (Del fr. ant. *bivac.*) m. **vivaque.**

vivacidad. (Del lat. *vivacĭtas, -ātis.*) f. Cualidad de vivaz. ‖ **2. viveza,** esplendor y lustre de algunas cosas.

vivales. com. vulg. Persona vividora y desaprensiva.

vivamente. adv. m. Con viveza o eficacia. ‖ **2.** Con propiedad o semejanza.

vivandero, ra. (Del fr. *vivandier.*) m. y f. Persona que vende víveres a los militares en marcha o en campaña, ya llevándolos a la mano, ya en tiendas o cantinas. ‖ **2.** *And.* Individuo que lleva el hato a un poblado.

vivaque. (Del fr. ant. *bivac.*) m. *Mil.* Guardia principal en las plazas de armas, a la cual acuden todas las demás a tomar el santo. ‖ **2.** *Mil.* Paraje donde las tropas vivaquean. ‖ **estar al vivaque.** fr. *Mil.* **vivaquear.**

vivaquear. intr. *Mil.* Pasar las tropas la noche al raso.

vivar[1]. (Del lat. *vivarĭum.*) m. Nido o madriguera donde crían diversos animales, especialmente los conejos. ‖ **2.** Vivero de peces.

vivar[2]. tr. *Amér.* Vitorear, dar vivas.

vivaracho, cha. adj. fam. Muy vivo de genio; travieso y alegre.

vivariense. adj. Natural de Vivero. Ú. t. c. s. ‖ **2.** Perteneciente o relativo a esta ciudad gallega.

vivaz. (Del lat. *vivax, -ācis.*) adj. Que vive mucho tiempo. ‖ **2.** Eficaz, vigoroso. ‖ **3.** Agudo, de pronta comprensión e ingenio. ‖ **4.** Que tiene viveza. ‖ **5.** *Bot.* Dícese de la planta que vive más de dos años.

vivencia. (De *vivir,* formada por Ortega y Gasset para traducir el alemán *Erlebnis.*) f. *Psicol.* El hecho de vivir o experimentar algo, y su contenido. ‖ **2.** Acto psíquico.

vivera. (De *vivero.*) f. **vivar[1].**

viveral. m. **vivero[1]** de plantas.

víveres. (De *vivir.*) m. pl. Provisiones de boca de un ejército, plaza o buque. ‖ **2.** Comestibles necesarios para el alimento de las personas. ‖ **3.** V. **maestre de víveres.**

viverista. com. Persona que se dedica a la industria y comercio de simientes y plantones o que cuida de un vivero.

vivero[1]. (Del lat. *vivarĭum.*) m. Terreno adonde se trasplantan desde la almáciga los arbolillos, para transponerlos, después de recriados, a su lugar definitivo. ‖ **2.** Lugar donde se mantienen o se crían dentro del agua peces, moluscos u otros animales. ‖ **3.** *And.* Pantano pequeño. ‖ **4.** fig. **semillero,** origen de algunas cosas.

vivero[2]. m. Lienzo que se fabrica en Vivero, ciudad de Galicia.

vivez. f. ant. viveza.

viveza. (De *vivo,* pronto, ágil.) f. Prontitud o celeridad en las acciones, o agilidad en la ejecución. ‖ **2.** Ardimiento o energía en las palabras. ‖ **3.** Agudeza o perspicacia de ingenio. ‖ **4.** Dicho agudo, pronto o ingenioso. ‖ **5.** Propiedad y semejanza en la representación de algo. ‖ **6.** Esplendor y lustre de algunas cosas, especialmente de los colores. ‖ **7.** Gracia particular y actividad especial que suelen tener los ojos en el modo de mirar o de moverse. ‖ **8.** Acción poco considerada. ‖ **9.** Palabra que se suelta sin reflexión.

vividero, ra. adj. Aplícase al sitio o cuarto que puede habitarse.

vívido, da. (Del lat. *vivĭdus.*) adj. poét. **vivaz,** eficaz, vigoroso. ‖ **2. vivaz,** de ingenio agudo.

vivido, da. p. p. de **vivir.** ‖ **2.** adj. Dícese de lo que en obras literarias parece producto de la inmediata experiencia del autor.

vividor, ra. adj. Que vive. Ú. t. c. s. ‖ **2. vivaz,** que vive mucho tiempo. ‖ **3.** Aplícase a la persona laboriosa y económica y que busca modos de vivir. Ú. t. c. s. ‖ **4.** m. El que vive a expensas de los demás, buscando por malos medios lo que necesita o le conviene.

vivienda. (Del lat. *vivenda,* t. f. de *-dus,* p. f. de *vivĕre,* vivir.) f. Morada, habitación. ‖ **2.** Género de vida o modo de vivir.

viviente. (Del lat. *vivens, -entis.*) p. a. de **vivir.** Que vive. Ú. t. c. s. ‖ **2.** adj. V. **alma, bicho viviente.**

vivificación. (Del lat. *vivificatĭo, -ōnis*.) f. Acción y efecto de vivificar.

vivificador, ra. (Del lat. *vivificātor, -ōris*.) adj. Que vivifica.

vivificar. (Del lat. *vivificāre*.) tr. Dar vida. ‖ **2.** Confortar o refrigerar.

vivificativo, va. adj. Capaz de vivificar.

vivífico, ca. (Del lat. *vivifĭcus*.) adj. Que incluye vida o nace de ella.

vivijagua. f. *Ant.* Hormiga grande muy voraz que constituye una verdadera plaga.

vivíparo, ra. (Del lat. *vivipărus*.) adj. *Anat.* Dícese de los animales cuyas hembras paren hijos en la fase de fetos bien desarrollados; como los mamíferos. Ú. t. c. s.

vivir¹. (Forma sustantiva de vivir².) m. Conjunto de los recursos o medios de vida y sustancia. *Tengo un modesto* VIVIR. ‖ **de mal vivir.** loc. adj. **de mala vida.** ‖ **2.** V. **mujer de mal vivir.** ‖ **recogerse,** o **retirarse,** uno **a buen vivir.** fr. Poner enmienda a su conducta liviana o desarreglada.

vivir². (Del lat. *vivĕre*.) intr. Tener vida. ‖ **2.** Durar con vida. ‖ **3.** Durar las cosas. ‖ **4.** Pasar y mantener la vida. *Francisco tiene con qué* VIVIR; *vivo de mi trabajo.* ‖ **5.** Habitar o morar en un lugar o país. Ú. t. c. tr. ‖ **6.** fig. Obrar siguiendo algún tenor o modo en las acciones, en cuanto miran a la razón o a la ley. Júntase con los adverbios *bien* o *mal.* ‖ **7.** fig. Mantenerse o durar en la fama o en la memoria después de muerto. ‖ **8.** fig. Acomodarse uno a las circunstancias o aprovecharlas para lograr sus propias conveniencias. *Enseñar a* VIVIR; *saber* VIVIR. ‖ **9.** fig. Estar presente una cosa en la memoria, en la voluntad o en la consideración; y en materias espirituales se dice de la presencia y asistencia particular de Dios por sus inspiraciones. ‖ **10.** estar, existir uno con cierta permanencia en un lugar o en un estado o condición. VIVIR *descuidado;* VIVIR *ignorante de algo.* ‖ **11.** tr. Sentir o experimentar la impresión producida por algún hecho o acaecimiento. *Hemos* VIVIDO *momentos de inquietud; todas sus alegrías y sus penas fueron* VIVIDAS *por nosotras.* ‖ **bueno es vivir para ver.** expr. **vivir para ver.** ‖ **como él viva, no faltará quien le alabe.** fr. con que se hace burla del jactancioso. ‖ **5.** Habitar **no faltará quien le alabe.** fr. **como él viva,** etc. ‖ **no dejar vivir** a alguien. fr. fig. y fam. Molestarlo, fastidiarlo. ‖ **no dejar vivir** algo a alguien. fr. fig. y fam. Ser una cosa motivo de remordimiento o inquietud. ‖ **¿quién vive?** expr. con que el soldado que está de centinela pregunta quién es el que llega o pasa. Ú. t. c. s. ‖ **¡viva!** interj. de alegría y aplauso. Ú. t. c. s. m. ‖ **¡viva quien vence!** expr. con que se explica la disposición pronta del ánimo a seguir al que está en prosperidad y a huir del que está caído. ‖ **vive.** Tercera persona del singular del presente de indicativo del verbo **vivir,** usada como interjección de juramento con algún nombre que lo expresa, o con alguna voz inventada para evitarlo. ¡VIVE *Dios!;* ¡VIVE *Cribas!* ‖ **vivir** uno **aprisa.** fr. fig. **vivir de prisa.** ‖ **vivir** uno **de prisa.** fr. fig. Trabajar demasiado, o gastar sin reparo la salud. ‖ **vivir para ver.** expr. que se usa para manifestar la extrañeza que causa una cosa que no se esperaba del sujeto de quien se habla, especialmente cuando es de mala correspondencia.

vivisección. (Del lat. *vivus,* vivo, y *sectĭo, -ōnis,* corte.) f. Disección de los animales vivos, con el fin de hacer estudios fisiológicos o investigaciones patológicas.

vivismo. m. Sistema filosófico del español Luis Vives, caracterizado por su tendencia a armonizar los dogmas cristianos con las doctrinas aristotélicas y platónicas, pero independientemente del escolasticismo.

vivista. adj. Pertenecíente o relativo a Luis Vives. ‖ **2.** Partidario del sistema filosófico del mismo.

vivo, va. (Del lat. *vivus.*) adj. Que tiene vida. Apl. a pers., ú. t. c. s. *Los* VIVOS *y los muertos.* ‖ **2.** Dícese del fuego, llama, etc., encendidos. *La brasa* VIVA. ‖ **3.** Intenso, fuerte.

‖ **4.** Que está en actual ejercicio de un empleo. Ú. especialmente en la milicia. ‖ **5.** Sutil, ingenioso. ‖ **6.** Listo, que aprovecha las circunstancias y sabe actuar en beneficio propio. ‖ **7.** Demasiado audaz, o poco considerado, en las expresiones o acciones. ‖ **8.** V. **argento, azufre, modelo, rojo, seto vivo.** ‖ **9.** V. **cal, carne, lengua, leña, peña, piedra, pluma viva.** ‖ **10.** V. **ojos vivos.** ‖ **11.** V. **viva voz.** ‖ **12.** fig. V. **carta viva.** ‖ **13.** fig. Que dura y subsiste en toda su fuerza y vigor. *La escritura, la ley está* VIVA. ‖ **14.** fig. Perseverante, durable en la memoria. ‖ **15.** fig. Diligente, pronto y ágil. ‖ **16.** fig. Muy expresivo o persuasivo. ‖ **17.** V. **en carne viva.** ‖ **18.** V. **en cueros vivos,** o **en vivas carnes.** ‖ **19.** *Arq.* Dícese de la arista o el ángulo agudo y bien determinado. ‖ **20.** *Der.* V. **donación entre vivos.** ‖ **21.** *Hidrom.* V. **altura viva del agua.** ‖ **22.** *Mar.* V. **agua, marea, obra viva.** ‖ **23.** *Mar.* V. **aguas vivas.** ‖ **24.** *Mec.* V. **fuerza viva.** ‖ **25.** *Mil.* V. **plaza viva.** ‖ **26.** m. Borde, canto u orilla de alguna cosa. ‖ **27.** Filete, cordoncillo o trencilla que se pone por adorno en los bordes o en las costuras de las prendas de vestir. ‖ **28.** *Veter.* Enfermedad, especie de usagre, que padecen algunos animales, particularmente los perros. ‖ **29.** *Veter.* **ardínculo.** ‖ **lo vivo.** Lo más sensible y doloroso de un afecto o asunto. *Dar, llegar, herir, tocar en* LO VIVO *o a* LO VIVO. ‖ **a lo vivo,** o **al vivo.** loc. adv. Con la mayor viveza, con suma expresión y eficacia. ‖ **como de lo vivo a lo pintado.** loc. con que se manifiesta la gran diferencia que hay de una cosa a otra. ‖ **en vivo.** loc. adv. que se usa en la venta de los cerdos y otras reses, cuando se pesan sin haberlos muerto. ‖ **ni vivo ni muerto.** fr. **ni muerto ni vivo.** ‖ **vivito y coleando.** expr. fig. y fam. que se dice del que se creía muerto y está con vida. ‖ **¡vivo!** interj. con que se incita a uno a que se apresure.

viz-. V. **vice-.**

vizcacha. (De or. quechua.) f. Roedor parecido a la liebre, de su tamaño y pelaje y con cola tan larga como la del gato, que vive en el Perú, Bolivia, Chile y Argentina.

vizcachera. f. Madriguera de la vizcacha.

vizcainada. f. Acción o dicho propios de vizcaíno. ‖ **2.** fig. Palabras o expresiones mal concertadas.

vizcaíno, na. adj. Natural de Vizcaya. Ú. t. c. s. ‖ **2.** Pertenecíente o relativo a esta provincia. ‖ **3.** Uno de los ocho principales dialectos del vascuence, hablado en gran parte de Vizcaya. ‖ **a la vizcaína.** loc. adv. fig. Al modo que hablan o escriben el español los vizcaínos, cuando faltan a las reglas gramaticales. ‖ **2.** Al estilo o según costumbre de los vizcaínos.

vizcaitarra. adj. Partidario de la independencia o autonomía de Vizcaya. Ú. t. c. s.

Vizcaya. n. p. V. **juez mayor de Vizcaya.**

vizcondado. m. Título o dignidad de vizconde. ‖ **2.** Territorio o lugar sobre el que recae la dignidad de este título.

vizconde. (De vice- y conde.) m. Sujeto que el conde dejaba o ponía antiguamente por teniente o sustituto con sus veces y autoridad, como vicario suyo, especialmente cuando era gobernador de una provincia. ‖ **2.** Título de honor y de dignidad que con los príncipes soberanos distinguen a una persona.

vizcondesa. f. Mujer del vizconde. ‖ **2.** La que por sí goza este título.

voacé. (De vosa merced.) com. ant. **usted.**

vocablo. (Del lat. *vocabŭlum.*) m. **palabra,** sonido o sonidos articulados que expresan una idea. ‖ **2.** Representación gráfica de estos sonidos. ‖ **jugar** uno **del vocablo.** fr. fig. Hacer juego de palabras.

vocabulario. (Del lat. *vocabŭlum,* vocablo.) m. Conjunto de palabras de un idioma. ‖ **2. diccionario,** libro en que se contiene dicho conjunto. ‖ **3.** Conjunto de palabras de un idioma pertenecíentes al uso de una región, a una actividad determinada, a un campo semántico dado, etc. vo-

CABULARIO *andaluz, jurídico, técnico, de la caza, de la afectividad.* ▌ **4.** Libro en que se contienen. ▌ **5.** En sentido menos genérico, catálogo o lista de palabras, ordenadas con arreglo a un sistema, y con definiciones o explicaciones sucintas. ▌ **6.** Conjunto de palabras que usa o conoce una persona. ▌ **7.** fig. y fam. Persona que dice o interpreta la mente o dicho de otro. *Hablar por* VOCABULARIO; *no necesitar de* VOCABULARIO.

vocabulista. (Del lat. *vocabŭlum,* vocablo.) com. Autor de un vocabulario. ▌ **2.** Persona dedicada al estudio de los vocablos. ▌ **3.** m. ant. **vocabulario,** diccionario.

vocación. (Del lat. *vocatĭo, -ōnis,* acción de llamar.) f. Inspiración con que Dios llama a algún estado, especialmente al de religión. ▌ **2. advocación.** ▌ **3.** ant. Convocación, llamamiento. ▌ **4.** fam. Inclinación a cualquier estado, profesión o carrera. ▌ **errar** uno **la vocación.** fr. Dedicarse a cosa para la cual no tiene disposición, o mostrar tenerla para otra en que no se ejercita.

vocacional. adj. Perteneciente o relativo a la vocación.

vocal. (Del lat. *vocālis.*) adj. Perteneciente a la voz. ▌ **2.** Dícese de lo que se expresa materialmente con la voz, a distinción de lo mental o que se piensa sin expresarlo. ▌ **3.** V. **letra vocal.** Ú. t. c. s. f. ▌ **4.** V. **música, oración vocal.** ▌ **5.** V. **cuerdas vocales.** ▌ **6.** com. Persona que tiene voz en un consejo, una congregación o junta, llamada por derecho, por elección o por nombramiento. ▌ **7.** f. *Fon.* Sonido del lenguaje humano producido por la aspiración del aire, generalmente con vibración laríngea, y modificado en su timbre, sin oclusión ni estrechez, por la distinta posición que adoptan los órganos de la boca. ▌ **abierta.** *Fon.* Aquella en cuya pronunciación queda la lengua a mayor distancia del paladar que en otras variantes de la misma **vocal.** ▌ **breve.** *Fon.* La que tiene menor duración en las lenguas que se sirven de dos medidas de cantidad vocálica. ▌ **cerrada.** *Fon.* Aquella en cuya pronunciación queda la lengua a menor distancia del paladar que en otras **vocales** o en otras variantes de la misma **vocal.** ▌ **larga.** *Fon.* La que tiene mayor duración en las lenguas que se sirven de dos medidas de cantidad vocálica. ▌ **mixta.** *Fon.* La que se pronuncia elevando el dorso de la lengua hacia la parte media del paladar mientras los labios se mantienen en posición neutral y relajada. ▌ **nasal.** *Fon.* La pronunciada dejando escapar por la nariz parte del aire espirado.

vocálico, ca. adj. Perteneciente o relativo a la vocal.

vocalismo. m. Sistema vocálico, conjunto de vocales.

vocalista. com. Artista que canta con acompañamiento de orquestina. ▌ **2.** Cantante de un grupo musical.

vocalización. f. Acción y efecto de vocalizar. ▌ **2.** *Fon.* Transformación de una consonante en vocal, como la *c* del lat. *affectare* en la *i* de *afeitar,* o como la *b* de *cabdal* en la *u* de *caudal.* ▌ **3.** *Mús.* En el arte del canto, todo ejercicio preparatorio que consiste en ejecutar, valiéndose de cualquiera de las vocales (comúnmente la *a* o la *e*), una serie de escalas, arpegios, trinos, etc., sin repetir ni alterar el timbre al que se emplea. ▌ **4.** *Mús.* Pieza de música compuesta expresamente para enseñar a vocalizar.

vocalizador, ra. adj. Que vocaliza.

vocalizar. (De *vocal.*) intr. Articular con la debida distinción las vocales, consonantes y sílabas de las palabras para hacer plenamente inteligible lo que se habla o se canta. ▌ **2.** *Fon.* Transformarse en vocal una consonante. Ú. t. c. prnl. ▌ **3.** Añadir vocales a los textos en lenguajes (p. ej., el árabe) que primitivamente escriben solo las consonantes. ▌ **4.** *Mús.* Solfear sin nombrar las notas, empleando solamente una de las vocales, que es casi siempre la *a.* ▌ **5.** *Mús.* Ejecutar los ejercicios de vocalización para acostumbrarse a vencer las dificultades del canto.

vocalmente. adv. m. Con la voz.

vocativo. (Del lat. *vocatīvus.*) m. *Gram.* Caso de la declinación, que sirve únicamente para invocar, llamar o nombrar, con más o menos énfasis, a una persona o cosa personificada, y a veces va precedido de las interjecciones *¡ah!* u *¡oh!*

voceador, ra. adj. Que vocea o da muchas voces. Ú. t. c. s. ▌ **2.** m. **pregonero.**

vocear. intr. Dar voces o gritos. ▌ **2.** tr. Publicar o manifestar con voces una cosa. ▌ **3.** Llamar a uno en voz alta o dándole voces. ▌ **4.** Aplaudir o aclamar con voces. ▌ **5.** fig. Manifestar o dar a entender algo con claridad en las cosas inanimadas. *La sangre de Abel* VOCEA *el delito de Caín.* ▌ **6.** fig. y fam. Jactarse o alabarse uno públicamente, en especial de un beneficio, echándolo en rostro al que lo ha recibido.

vocejón. m. Voz muy áspera y bronca.

voceras. m. **boceras.**

vocería¹. (De *voz,* grito.) f. **gritería,** confusión de voces altas y desentonadas.

vocería². f. Cargo de vocero.

vocerío. m. **gritería, vocería¹.**

vocero. (De *voz,* poder, facultad.) m. El que habla en nombre de otro, llevando su voz y representación. ▌ **2.** desus. **abogado** en ejercicio.

vociferación. (Del lat. *vociferatĭo, -ōnis.*) f. Acción y efecto de vociferar.

vociferador, ra. (Del lat. *vociferātor, -ōris.*) adj. Que vocifera. Ú. t. c. s.

vociferar. (Del lat. *vociferāre; de vox, vocis,* voz, y *ferre,* llevar.) tr. Publicar ligera y jactanciosamente una cosa. ▌ **2.** intr. Vocear o dar grandes voces.

vocinglería. f. Cualidad de vocinglero. ▌ **2.** Ruido de muchas voces.

vocinglero, ra. adj. Que da muchas voces o habla muy recio. Ú. t. c. s. ▌ **2.** Que habla mucho y vanamente. Ú. t. c. s.

vodca. amb. **vodka.**

vodevil. (Del fr. *vaudeville.*) m. Comedia frívola, ligera y picante, de argumento basado en la intriga y el equívoco, que puede incluir números musicales y de variedades.

vodevilesco, ca. adj. Perteneciente, relativo o semejante al vodevil.

vodka. amb. Especie de aguardiente que se consume mucho en Rusia.

vodú. m. **vudú.**

voduismo. m. **vuduismo.**

voila. m. Voz que se usa en el juego de la taba para detenerla o para significar que no valga aquella tirada.

volada. (De *volar.*) f. Vuelo a corta distancia. ▌ **2.** Cada una de las veces que se ejecuta. ▌ **3.** ant. **vuelo,** acción de volar. ▌ **4.** *Ar.* y *Seg.* Ráfaga de viento. ▌ **a las voladas.** loc. adv. **al vuelo.**

voladera. (De *volar,* ir de prisa.) f. **paleta** de la rueda hidráulica.

voladero, ra. adj. Que puede volar. ▌ **2.** fig. Que pasa o se desvanece ligeramente. ▌ **3.** m. Despeñadero, precipicio.

voladizo, za. adj. Que vuela o sale de lo macizo en las paredes o edificios. Ú. t. c. s. m.

volado, da. p. p. de **volar.** ▌ **2.** adj. *Impr.* Dícese del tipo de menor tamaño que se coloca en la parte superior del renglón. Se usa generalmente en las abreviaturas. ▌ **3.** m. **bolado.** ▌ **estar** uno **volado.** fr. fig. y fam. **estar en ascuas.**

volador, ra. (Del lat. *volātor, -ōris.*) adj. Que vuela. ▌ **2.** Dícese de lo que está pendiente, de manera que el aire lo puede mover. ▌ **3.** Que corre o va con ligereza. ▌ **4.** V. **piedra voladora.** ▌ **5.** m. **cohete** que se lanza al aire. ▌ **6.** Pez teleósteo marino del suborden de los acantopterigios, común en los mares de Europa, de unos tres decímetros de largo, cabeza gruesa con hocico saliente, cuerpo en forma de cuña, vistosamente manchado de rojo, blanco y pardo; aletas negruzcas con lunares azules, y tan largas las pectorales, que plegadas llegan a la cola, y extendidas sirven al animal para elevarse sobre el agua y volar a alguna distancia. ‖ **7.** Molusco cefalópodo decápodo, comestible, parecido al calamar, pero de tamaño mayor. ‖ **8.** Árbol tropical americano, de la familia de las lauráceas, corpulento, de copa ancha, con hojas alternas y enteras, flores precoces en panojas terminales, y fruto seco, redondo y con dos alas membranosas. Su madera se emplea en construcciones navales. ‖ **9.** *And.* y *P. Rico.* Juguete infantil que consiste en una varilla en cuya punta hay una cruz o estrella de papel que gira, molinete, rehilandera.

voladura. (Del lat. *volatúra*.) f. Acción y efecto de volar por el aire. ‖ **2.** Acción y efecto de hacer saltar con violencia alguna cosa.

volandas (en). loc. adv. Por el aire o levantado del suelo y como que va volando. ‖ **2.** fig. y fam. Rápidamente, en un instante.

volandera. f. *Ál.* **arandela²**, golondrina. ‖ **2.** Rodaja de hierro que se coloca como suplemento en los extremos del eje del carro para sujetar las ruedas. ‖ **3. piedra voladora.** ‖ **4. muela** del molino. ‖ **5.** fig. y fam. **mentira**, falsedad, juicio que se echa a volar con ligereza. ‖ **6.** *Impr.* Tableta delgada que entra en el rebajo y por entre los listones de la galera.

volandero, ra. (Del lat. *volandus*, p. f. p. de *volāre*, volar.) adj. **volantón,** dícese del pájaro que está para salir a volar. ‖ **2.** Suspenso en el aire y que se mueve fácilmente a su impulso. ‖ **3.** fig. Accidental, casual, imprevisto. ‖ **4.** fig. Que no hace asiento ni se fija ni detiene en ningún lugar. Apl. a pers., ú. t. c. s. Dícese también de las cosas. *Especie* VOLANDERA. *Hoja* VOLANDERA.

volandillas (en). loc. adv. **en volandas.**

volanta. f. **volante,** coche de caballos de las Antillas.

volante. (Del lat. *volans, -antis.*) p. a. de **volar.** Que vuela. ‖ **2.** adj. Que va o se lleva de una parte a otra sin sitio o asiento fijo. ‖ **3.** V. **ambulancia, artillería, ciervo, hoja, papel, peto, sello, silla volante.** ‖ **4.** *Astron.* V. **Pez Volante.** ‖ **5.** *Med.* V. **moscas volantes.** ‖ **6.** *Mil.* V. **cuerpo, escuadrón volante.** ‖ **7.** m. Género de adorno pendiente, que usaban las mujeres para la cabeza, hecho de tela delicada. ‖ **8.** Guarnición rizada, plegada o fruncida con que se adornan prendas de vestir o de tapicería. ‖ **9.** Pantalla movible y ligera. ‖ **10.** Rueda grande y pesada de una máquina motora, que sirve para regularizar su movimiento y, por lo común, para transmitirlo al resto del mecanismo. ‖ **11.** Anillo provisto de dos topes que, movido por la espiral, detiene y deja libres alternativamente los dientes de la rueda de escape de un reloj para regularizar su movimiento. ‖ **12.** Máquina donde se colocan los troqueles para acuñar y consiste en un husillo vertical de hélice muy tendida, atravesado en su extremidad superior por una barra horizontal con dos grandes masas de metal en las puntas. ‖ **13.** Hoja de papel (ordinariamente la mitad de una cuartilla cortada a lo largo) en la que se manda, recomienda, pide, pregunta o hace constar alguna cosa en términos precisos. ‖ **14.** Criado de libraa que iba a pie delante del coche o caballo de su amo, aunque las más veces iba a la trasera. ‖ **15.** Zoquetillo de madera o corcho, forrado de piel y coronado de plumas, que se usa para jugar, lanzándolo por el aire con raquetas. Pierde el jugador que lo deja caer en tierra. ‖ **16.** Este juego. ‖ **17.** *Mec.* Pieza en figura de aro con varios radios, que forma parte de la dirección en los vehículos automóviles. Queda a la altura del pecho del conductor y suele llevar en su centro mandos para los faros y la bocina. ‖ **18.** f. Coche de caballos que se usa en las Antillas, semejante al quitrín, con varas muy largas y ruedas de gran diámetro, y cuya cubierta no puede plegarse.

volantín, na. adj. **volante,** que vuela. ‖ **2.** m. Especie de cordel con uno o más anzuelos, que sirve para pescar. ‖ **3.** *Pal.* **balancín** en que se enganchan los tirantes de las caballerías. ‖ **4.** *Argent. (Cuyo), Cuba, Chile* y *P. Rico.* **cometa** que se echa al aire como juguete.

volantón, na. adj. Dícese del pájaro que está para salir a volar. Ú. t. c. s.

volapié. m. *Taurom.* Suerte que consiste en herir de corrida el espada al toro cuando este se halla parado. ‖ **a volapié.** loc. adv. *Taurom.* Ejecutando esta suerte. ‖ **2.** Modo de correr algunas aves ayudándose con las alas. ‖ **3.** Tratándose del paso de un río, laguna, etc., modo de andar trabajosamente haciendo unas veces pie en el fondo y otras nadando.

volapuk. (Compuesto deformado del ing. *world,* mundo, y *speak,* hablar.) m. Idioma inventado en 1879 por el sacerdote alemán Schleyer con el propósito de que sirviese como lengua universal.

volar. (Del lat. *volāre.*) intr. Ir o moverse por el aire, sosteniéndose con las alas. Es propio de las aves y de muchos insectos. ‖ **2.** fig. Elevarse en el aire y moverse de un punto a otro en un aparato de aviación. ‖ **3.** fig. Elevarse una cosa en el aire y moverse algún tiempo por él. Ú. t. c. prnl. ‖ **4.** fig. Caminar o ir con gran prisa y aceleración. ‖ **5.** fig. Desaparecer rápida e inesperadamente una persona o cosa. ‖ **6.** fig. Sobresalir fuera del paramento de un edificio. ‖ **7.** fig. Ir por el aire una cosa arrojada con violencia. ‖ **8.** fig. Hacer las cosas con gran prontitud y ligereza. ‖ **9.** fig. Extenderse o propagarse con celeridad una especie entre muchos. ‖ **10.** fig. Pasar muy de prisa el tiempo. ‖ **11.** tr. fig. Hacer saltar con violencia o elevar en el aire alguna cosa, especialmente por medio de una sustancia explosiva. ‖ **12.** fig. Irritar, enfadar, picar a uno. *Aquella pregunta me* VOLÓ. ‖ **13.** *Cetr.* Hacer que el ave se levante y **vuele** para tirar algún ave. *El perro* VOLÓ *la perdiz.* ‖ **14.** *Cetr.* Soltar el halcón para que persiga al ave de presa. ‖ **15.** *Impr.* Levantar una letra o signo de modo que resulte **volado.** ‖ **como volar.** expr. con que se pondera la dificultad de una cosa. Ú. especialmente para rechazar la proposición de uno.

volateo (al). loc. adv. Persiguiendo y tirando el cazador a las aves cuando van volando.

volatería. (De or. inc.) f. Caza de aves que se hace con otras enseñadas a este efecto. ‖ **2.** Conjunto de diversas aves. ‖ **3.** Modo de adquirir o hallar una cosa contingentemente y como al vuelo. ‖ **4.** fig. Multitud de imágenes o ideas que andan vagantes en la imaginación, sin que hace no determinarse o no fijarse en ninguna. ‖ **de volatería.** loc. adv. Contingentemente y como al vuelo. ‖ **hablar** uno **de volatería.** fr. fig. y fam. Hablar al aire, sin razón ni fundamento.

volatero. m. Cazador de volatería.

volátil. (Del lat. *volatilis.*) adj. Que vuela o puede volar. Ú. t. c. s. ‖ **2.** Aplícase a las cosas que se mueven ligeramente y andan por el aire. *Átomos* VOLÁTILES. ‖ **3.** V. **aceite volátil.** ‖ **4.** fig. Mudable, inconstante. ‖ **5.** *Fís.* Aplícase a los líquidos que se volatilizan rápidamente al estar en vasijas destapadas.

volatilidad. f. *Fís.* Cualidad de volátil.

volatilizable. adj. Que puede volatilizarse.

volatilización. f. Acción y efecto de volatilizar o volatilizarse.

volatilizar. (De *volátil.*) tr. Transformar un cuerpo sólido o líquido en vapor o gas. ‖ **2.** prnl. Exhalarse o disiparse una sustancia o cuerpo.

volatilla. (Del lat. *volatílla,* pl. de *volatíle.*) f. ant. Animal volátil.

volatín[1]. m. **volatinero**. ‖ **2.** Cada uno de los ejercicios del volatinero.

volatín[2]. (De *vela*[1].) adj. *Mar.* V. **hilo volatín**.

volatinero, ra. (De *volatín*[1].) m. y f. Persona que con habilidad y arte anda y voltea por el aire sobre una cuerda o alambre, y hace otros ejercicios semejantes.

volatizar. tr. **volatilizar**.

volavérunt. (3.ª pers. de pl. del pret. de indic. de *volāre*, volar: volaron.) Voz latina que se usa festivamente para significar que una cosa faltó del todo, se perdió o desapareció.

volcán. (Del port. *volcão*.) m. Abertura en la tierra, y más comúnmente en una montaña, por donde salen de tiempo en tiempo humo, llamas y materias encendidas o derretidas. ‖ **2.** V. **crisólito de los volcanes.** ‖ **3.** fig. El mucho fuego, o la violencia del ardor. ‖ **4.** fig. Cualquier pasión ardiente; como el amor o la ira. ‖ **apagado, o extinto.** El que, aun cuando tenga su cráter abierto, no tiene ya erupciones. ‖ **estar uno sobre un volcán.** fr. fig. Estar amenazado de un gran peligro, ordinariamente sin saberlo.

volcanejo. m. d. de **volcán**.

volcánico, ca. adj. Perteneciente o relativo al volcán. ‖ **2.** fig. Muy ardiente o fogoso.

volcanología. (De *volcán* y *-logía*.) f. **vulcanología**.

volcanólogo, ga. m. y f. **vulcanólogo**.

volcar. (Del lat. **volvicāre*, de *volvĕre*.) tr. Torcer o trastornar una cosa hacia un lado o totalmente, de modo que caiga o se vierta lo contenido en ella. Ú. t. c. intr., tratándose de vehículos y sus ocupantes. *A la bajada del puerto* VOLCÓ *la diligencia.* ‖ **2.** Turbar a uno la cabeza una cosa de olor o fuerza eficaz, de modo que le ponga en riesgo de caer. ‖ **3.** fig. Hacer mudar de parecer a uno a fuerza de persuasiones o razones. ‖ **4.** fig. Molestar o estrechar a uno con zumba o chasco hasta irritarle. ‖ **5.** prnl. fig. Poner uno en favor de una persona a propósito, todo cuanto puede, hasta excederse.

volea. (De *volear*.) f. Palo labrado que a modo de balancín cuelga de una argolla en la punta de la lanza de los carruajes, para sujetar en él los tirantes de las caballerías delanteras. ‖ **2. voleo,** golpe dado en el aire a una cosa.

volear. tr. Golpear una cosa en el aire para impulsarla. ‖ **2.** Sembrar a voleo.

voleibol. (Del ing. *volleyball*.) m. **balonvolea**.

voleo. m. Golpe dado en el aire a una cosa antes de que caiga al suelo. En especial, golpe que se da a la pelota antes que haga bote. ‖ **2.** Movimiento rápido de la danza española, que consiste en levantar un pie de frente y lo más alto que se puede. ‖ **3.** Bofetón dado como para hacer rodar por el suelo a quien lo recibe. ‖ **a, o al, voleo.** loc. adv. que se dice de la siembra, cuando se arroja la semilla a puñados esparciéndola al aire. ‖ **2.** fig. y fam. Aplícase a lo que se hace de una manera arbitraria o sin criterio. ‖ **del primer, o de un, voleo.** loc. adv. fig. y fam. Con presteza o ligereza, o de un golpe.

volframio. (De *wolframio*.) m. *Quím.* **tungsteno**.

volición. (Del lat. *volo*, quiero.) f. *Fil.* Acto de la voluntad.

volido. m. **vuelo**.

volitar. (Del lat. *volitāre*.) intr. Volar haciendo giros.

volitivo, va. (Del lat. *volo*, quiero.) adj. *Fil.* Aplícase a los actos y fenómenos de la voluntad.

volquearse. prnl. Revolotear o dar vuelcos.

volqueta. f. *Col.* y *Ecuad.* **volquete**.

volquetazo. m. Vuelco violento.

volquete. (De *volcar*.) m. Carro muy usado en las obras de explanación, derribos, etc., formado por un cajón que se puede vaciar girando sobre el eje cuando se quita un pasador que lo sujeta a las varas. ‖ **2.** Vehículo automóvil con dispositivo mecánico para volcar la carga transportada.

volquetero. m. Conductor de un volquete.

volsco, ca. (Del lat. *Volsci, -ōrum*.) adj. Dícese del individuo de un antiguo pueblo del Lacio. Ú. t. c. s. ‖ **2.** Perteneciente o relativo a este pueblo.

volt. (Del apellido de Alejandro *Volta*, físico italiano, 1745-1827.) m. *Fís.* **voltio** en la nomenclatura internacional.

voltaico, ca. (De *Volta;* véase *voltio*.) adj. V. **arco voltaico**.

voltaje. m. Cantidad de voltios que actúan en un aparato o sistema eléctrico.

voltámetro. (De *Volta* (véase *voltio*) y *-metro*.) m. *Fís.* Aparato destinado a demostrar la descomposición del agua por la corriente eléctrica.

voltariedad. f. Cualidad de voltario.

voltario, ria. (De *vuelta*.) adj. De carácter inconstante, versátil.

volteada. f. *Argent.* Acción y efecto de voltear. ‖ **2.** *Argent.* En faenas rurales, operación que consiste en derribar un animal para manearlo. ‖ **caer en la volteada.** fr. fig. y fam. *Argent.* Verse alguien afectado por una situación más o menos ajena que lo involucra.

volteador, ra. adj. Que voltea. ‖ **2.** m. y f. Persona que voltea con habilidad.

volteante. p. a. de **voltear**. Que voltea.

voltear. tr. Dar vueltas a una persona o cosa. ‖ **2.** Volver una cosa de una parte a otra hasta ponerla al revés de como estaba colocada. ‖ **3.** Trastrocar o mudar una cosa a otro estado o sitio. ‖ **4.** *Argent.* Derribar. ‖ **5.** *Arq.* Abovedar una obra, construir un arco o bóveda. ‖ **6.** intr. Dar vueltas una persona o cosa, o cayendo y rodando por ajeno impulso, o voluntariamente y con arte, como lo hacen los volteadores. ‖ **7.** prnl. *Col., Chile, Perú* y *P. Rico.* Cambiar de partido político.

voltejar. tr. ant. **voltear**.

voltejear. tr. Voltear, volver. ‖ **2.** *Mar.* Navegar de bolina, virando de cuando en cuando para ganar el barlovento.

volteleta. f. **voltereta**.

volteo. m. Acción y efecto de voltear.

voltereta. f. Vuelta ligera dada en el aire. ‖ **2. vuelta,** lance de varios juegos.

volterianismo. (De *volterian*.) m. Espíritu de incredulidad o impiedad, manifestado con burla o cinismo.

volteriano, na. adj. Dícese del que, a la manera de Voltaire, afecta o manifiesta incredulidad o impiedad cínica y burlona. Ú. t. c. s. ‖ **2.** Que denota o implica este género de incredulidad o impiedad.

volteta. (De *vuelta*.) f. **voltereta**.

voltímetro. (De *voltio* y *-metro*.) m. Aparato que se emplea para medir potenciales eléctricos.

voltio. m. *Fís.* Unidad de potencial eléctrico y de fuerza electromotriz en el sistema basado en el metro, el kilogramo, el segundo y el amperio. Es la diferencia de potencial que hay entre dos conductores cuando al transportar entre ellos un culombio se realiza un trabajo equivalente a un julio.

voltizo, za. (De *vuelta*.) adj. Retorcido, ensortijado. ‖ **2.** Dícese del calzado de piel curtida o cruda, cuando el envés queda hacia fuera. ‖ **3.** fig. De carácter inconstante, voltario, versátil, voluble.

voltura. f. ant. **vuelta,** giro completo alrededor de un punto. ‖ **2.** ant. **mezcla,** acción y efecto de mezclar.

volubilidad. (Del lat. *volubilĭtas, -ātis*.) f. Cualidad de voluble.

voluble. (Del lat. *volubĭlis*.) adj. Que fácilmente se puede volver alrededor. ‖ **2.** fig. De carácter inconstante, voltario, versátil. ‖ **3.** *Bot.* Dícese del tallo que crece formando espiras alrededor de los objetos.

volumen. (Del lat. *volūmen*.) m. Corpulencia o bulto de una cosa. ‖ **2.** Cuerpo material de un libro encuadernado, ya contenga la obra completa, o uno o más tomos de ella, o ya lo constituyan dos o más escritos diferentes. ‖ **3.** *Acúst.* Intensidad de la voz o de otros sonidos. ‖ **4.** *Geom.* Espacio ocupado por un cuerpo. ‖ **5.** *Numism.* Grosor de moneda o medalla.

volumetría. (De *volumen* y *-metria.*) f. *Fís.* y *Mat.* Ciencia que se ocupa de la determinación y medida de los volúmenes. ‖ **2.** *Quím.* Procedimiento de análisis cuantitativo, basado en la medición del volumen de reactivo que hay que gastar hasta que se produce determinado fenómeno en el líquido analizado.

volumétrico, ca. (De *volumen* y *métrico.*) adj. Perteneciente o relativo a la medición de volúmenes. ‖ **2.** *Quím.* Referente a la volumetría.

volúmine. (Del lat. *volúmen, -ĭnis.*) m. ant. **volumen**, cuerpo de un libro encuadernado. Usáb. m. en pl.

voluminoso, sa. (Del lat. *voluminosus.*) adj. Que tiene mucho volumen o bulto.

voluntad. (Del lat. *voluntas, -ātis.*) f. Potencia del alma, que mueve a hacer o no hacer una cosa. ‖ **2.** Acto con que la potencia volitiva admite o rehúye una cosa, queriéndola, o aborreciéndola y repugnándola. ‖ **3.** Decreto, determinación o disposición de Dios. ‖ **4.** Libre albedrío o libre determinación. ‖ **5.** Elección de una cosa sin precepto o impulso externo que a ello obligue. ‖ **6.** Intención, ánimo o resolución de hacer una cosa. ‖ **7.** Amor, cariño, afición, benevolencia o afecto. ‖ **8.** Gana o deseo de hacer una cosa. ‖ **9.** Disposición, precepto o mandato de una persona. ‖ **10.** Elección hecha por el propio dictamen o gusto, sin atención a otro respeto o reparo. *Propia* VOLUNTAD. ‖ **11.** Consentimiento, asentimiento, aquiescencia. ‖ **de hierro.** fig. La muy enérgica e inflexible. ‖ **virgen.** fig. y fam. La indómita e ineducada. ‖ **mala voluntad.** Enemiga, malquerencia. ‖ **última voluntad.** La expresada en el testamento. ‖ **2. testamento.** ‖ **a voluntad.** loc. adv. Según el libre albedrío de una persona. ‖ **2.** Según aconseja la conveniencia del momento. *Una válvula que se abre* A VOLUNTAD. ‖ **de buena voluntad,** o **de voluntad.** loc. adv. Con gusto y benevolencia. ‖ **ganar una la voluntad** de otro. fr. Lograr su benevolencia con servicios u obsequios. ‖ **negar** uno su **propia voluntad.** fr. fig. Privarse de la propia **voluntad** y arbitrio, sujetándose a la dirección de otro. Ú. frecuentemente hablando de los que entran en religión. ‖ **no tener** uno **voluntad propia.** fr. fig. Ser muy dócil e inclinado a obedecer a las indicaciones de los demás. ‖ **quitar la voluntad** a uno. fr. Inducirle o persuadirle a que no ejecute lo que quiere o desea, especialmente cuando lo que iba a hacer era en provecho de otra persona. ‖ **voluntad es vida.** expr. con que se significa que el gusto propio en hacer las cosas contribuye mucho al descanso de la vida, aunque parezca perjudicial o molesto. ‖ **zurcir voluntades.** fr. fig. Alcahuetear, tercerear.

voluntariado. m. Alistamiento voluntario para el servicio militar. ‖ **2.** Conjunto de los soldados voluntarios. ‖ **3.** Por ext., conjunto de las personas que se ofrecen voluntarias para realizar algo.

voluntariamente. adv. m. De manera voluntaria.

voluntariedad. f. Cualidad de voluntario. ‖ **2.** Determinación de la propia voluntad por mero antojo y sin otra razón para lo que se resuelve.

voluntario, ria. (Del lat. *voluntarĭus.*) adj. Dícese del acto que nace de la voluntad, y no por fuerza o necesidad extrañas a aquella. ‖ **2.** Que se hace por espontánea voluntad y no por obligación o deber. ‖ **3.** Que obra por capricho. ‖ **4.** V. **pobre, soldado voluntario.** Ú. t. c. s. ‖ **5.** *Der.* V. **jurisdicción voluntaria.** ‖ **6.** m. **soldado voluntario.** ‖ **7.** m. y f. Persona que, entre varias obligadas por turno o designación a ejecutar algún trabajo o servicio, se presta a hacerlo por propia voluntad, sin esperar a que le toque su vez.

voluntariosamente. adv. m. De manera voluntariosa.

voluntarioso, sa. adj. Que por capricho quiere hacer siempre su voluntad. ‖ **2.** Deseoso, que hace con voluntad y gusto una cosa.

voluptuosamente. adv. m. De manera voluptuosa.

voluptuosidad. f. Complacencia en los deleites sensuales.

voluptuoso, sa. (Del lat. *voluptuŏsus.*) adj. Que inclina a la voluptuosidad, la inspira o la hace sentir. ‖ **2.** Dado a los placeres o deleites sensuales. Ú. t. c. s.

voluta. (Del lat. *volūta.*) f. *Arq.* Adorno en figura de espiral o caracol, que se coloca en los capiteles de los órdenes jónico y compuesto.

volvedera. f. *Seg.* Instrumento de madera para dar vuelta a la mies.

volvedor, ra. adj. rur. *Argent.* y *Col.* Aplícase a la caballería que se vuelve a la querencia.

volver. (Del lat. *volvĕre.*) tr. Dar vuelta o vueltas a una cosa. ‖ **2.** Corresponder, pagar, retribuir. ‖ **3.** Dirigir, encaminar una cosa a otra, material o inmaterialmente. ‖ **4.** **traducir** de una lengua a otra. ‖ **5.** **devolver,** restituir. ‖ **6.** Poner o constituir nuevamente a una persona o cosa en el estado que antes tenía. ‖ **7.** Hacer que se mude o trueque una cosa o persona de un estado o aspecto en otro. Ú. m. c. prnl. VOLVERSE *blanco, tonto.* ‖ **8.** **mudar,** dar o tomar otro ser, otro estado, figura, lugar, etc. ‖ **9.** Mudar la haz de las cosas, poniéndolas a la vista por el envés, o al contrario. ‖ **10.** Rehacer una prenda de vestir de modo que el revés de la tela o paño quede al exterior como derecho. ‖ **11. vomitar,** arrojar lo que se tiene en el estómago. ‖ **12.** Hacer a uno mudar de dictamen con persuasiones o razones. Ú. m. c. prnl. ‖ **13.** Entregar lo que excede al recibir un pago, por haber sido hecho este en moneda mayor que su importe. ‖ **14.** Tratándose de una puerta, ventana, etc., hacerla girar para cerrarla o entornarla. ‖ **15.** Restar la pelota. ‖ **16.** Dar la segunda reja a la tierra. Se emplea comúnmente cuando esta se ara después de sembrada, para cubrir el grano. ‖ **17.** Despedir o rechazar, enviar por repercusión o reflexión. ‖ **18.** Despedir un regalo o don, haciéndolo restituir al que lo envió, especialmente cuando se da a entender con algún desabrimiento. ‖ **19.** intr. Resolver, mezclar. ‖ **20.** intr. **regresar** al punto de partida. Ú. t. c. prnl. ‖ **21.** Anudar el hilo de la historia o discurso que se había interrumpido con alguna digresión, haciendo llamada a la atención. ‖ **22.** Torcer o dejar el camino o línea recta. *Este camino* VUELVE *hacia la izquierda.* ‖ **23.** Repetir o reiterar lo que antes se ha hecho, y se usa siempre determinando otro verbo con la preposición *a.* ‖ **24.** Construido con la preposición *por,* defender o patrocinar a la persona o cosa de que se trata. ‖ **25.** prnl. Acedarse, avinagrarse o dañarse ciertos líquidos, especialmente el vino. ‖ **26.** Inclinar el cuerpo o el rostro en señal de dirigir la plática o conversación a determinados sujetos. ‖ **27.** Girar la cabeza, el torso, o todo el cuerpo, para mirar lo que estaba a la espalda. ‖ **a un volver de cabeza.** loc. adv. fig. **a vuelta de cabeza.** ‖ **todo se vuelve** o **se le vuelve.** loc. fam. que seguida por lo común de un infinitivo indica que en la acción de un sujeto se sucede o concentra toda la actividad del sujeto. TODO SE LE VUELVE *mirar hacia atrás.* ‖ **volver a nacer** uno al tal día. fr. fig. y fam. **haber nacido en** tal día. ‖ **volver loco** a uno. fr. fig. Confundirle con diversidad de ideas aglomeradas e inconexas. ‖ **2.** fig. y fam. Envanecerle de modo que parezca que está sin juicio. ‖ **volver lo de abajo arriba,** o **lo de arriba abajo.** fr. fig. Trastornar, perturbar el orden de las cosas. ‖ **volver por sí.** fr. Defenderse. ‖ **2.** fig. Restaurar en las buenas acciones y proceder el crédito u opinión que había perdido o menoscabado. ‖ **volverse** uno **atrás.** fr. No cumplir la promesa o la palabra; desdecirse. ‖ **volver en sí.** fr. Recobrar el sentido el que lo había perdido, por un accidente o letargo. ‖ **volverse** uno **contra** otro. fr. Perseguirle, hacerle daño o serle contrario. ‖ **volverse** uno **loco.** fr. Perder el juicio, privarse de la razón. ‖ **2.** fig. y fam. Manifestar excesiva alegría, o estar dominado por un afecto vehemente. ‖ **volver** uno **sobre sí.** fr. Hacer reflexión sobre las operaciones propias, para el reconocimiento y enmienda. ‖ **2.** Recuperarse de una pérdida. ‖ **3.** Recobrar la serenidad y el ánimo. ‖ **¡vuelve por otra!** loc. verbal con la que se intenta desmentir o desautorizar a alguien a manera de advertencia irónica. ‖ **2.** loc. verbal con la que se intenta llamar la atención, a manera de escarmiento a alguien que ha cometido una imprudencia.

volvible. adj. Que se puede volver.

volvimiento. m. ant. Acción de volverse o revolverse.

volvo. (Del it. *volvolo.*) m. **vólvulo.**

vólvulo. (Del it. *volvolo.*) m. *Pat.* Retorcimiento anormal de las asas intestinales, íleo.

vómer. (Del lat. *vomer, -ĕris,* reja de arado, por la forma de este hueso.) m. *Anat.* Huesecillo impar que forma la parte posterior de la pared o tabique de las fosas nasales.

vómica. (Del lat. *vomĭca.*) f. *Pat.* Absceso formado en lo interior del pecho y en que el pus llega a los bronquios y se evacua como por vómito.

vómico, ca. (Del lat. *vomĭcus,* de *vomĕre,* vomitar.) adj. Que motiva o causa vómito. ‖ **2. V. nuez vómica.**

vomipurgante. (De *vomi,* apóc. de *vomitivo,* y *purgante.*) adj. *Farm.* Dícese del medicamento que promueve el vómito y las evacuaciones del vientre. Ú. t. c. s. m.

vomipurgativo, va. (De *vomi,* apóc. de *vomitivo,* y *purgativo.*) adj. *Farm.* **vomipurgante.** Ú. t. c. s. m.

vomitado, da. p. p. de **vomitar.** ‖ **2.** adj. fig. y fam. Dícese de la persona desmedrada o descolorida y de mala figura.

vomitador, ra. adj. Que vomita. Ú. t. c. s.

vomitar. (Del lat. *vomitāre,* intens. de *vomĕre.*) tr. Arrojar violentamente por la boca lo contenido en el estómago. Ú. t. **2.** fig. Arrojar de sí violentamente una cosa algo que tiene dentro. ‖ **3.** fig. Tratándose de injurias, dicterios, maldiciones, etc., proferirlos. ‖ **4.** fig. y fam. Declarar o revelar uno lo que tiene secreto y se resiste a descubrir. ‖ **5.** fig. y fam. Restituir uno lo que retiene indebidamente en su poder.

vomitel. m. *Cuba.* Árbol de la familia de las borragináceas que produce buena madera.

vomitera. f. Vómito grande.

vomitivo, va. adj. *Farm.* Aplícase a la medicina que mueve o excita el vómito. Ú. t. c. s. m.

vómito. (Del lat. *vomĭtus.*) m. Acción de vomitar. ‖ **2.** Lo que se vomita. ‖ **de sangre. hemoptisis.** ‖ **negro,** o **prieto. fiebre amarilla.** ‖ **provocar a vómito** una persona o cosa. fr. fig. y fam. Producir fastidio o repugnancia. ‖ **volver** uno **al vómito.** fr. fig. y fam. Recaer en las culpas o delitos de que se había apartado.

vomitón, na. adj. fam. Aplícase al niño que se vomita mucho.

vomitona. f. Vómito grande.

vomitorio, ria. (Del lat. *vomitorĭus.*) adj. **vomitivo.** Ú. t. c. s. ‖ **2.** m. Puerta o abertura de los circos o teatros antiguos, o en locales análogos modernos, para entrar y salir de las gradas.

voquible. m. fam. **vocablo.**

vorace. adj. **voraz.**

voracidad. (Del lat. *voracĭtas, -ātis.*) f. Cualidad de voraz.

vorágine. (Del lat. *vorāgo, -ĭnis.*) f. Remolino impetuoso que hacen en algunos parajes las aguas del mar, de los ríos o de los lagos. ‖ **2.** fig. Pasión desenfrenada o mezcla de

sentimientos muy intensos. ‖ **3.** fig. Aglomeración confusa de sucesos, de gentes o de cosas en movimiento.

voraginoso, sa. (Del lat. *voraginōsus.*) adj. Aplícase al sitio en que hay vorágines.

vorahúnda. f. **baraúnda.**

voraz. (Del lat. *vorax, -ācis.*) adj. Aplícase al animal muy comedor y al hombre que come desmesuradamente y con mucha ansia. ‖ **2.** fig. Que destruye o consume rápidamente. *El* VORAZ *incendio; la* VORAZ *incontinencia.*

vorazmente. adv. m. Con voracidad.

vormela. (Del al. *Vurmlein.*) f. Mamífero carnicero parecido al hurón, que vive en el norte de Europa y tiene el vientre oscuro, el lomo con pintas de diversos colores y la cola cenicienta con la punta negra.

-voro, ra. (Del lat. *-vŏrus.*) elem. compos. que significa «devorador», «que come»: *insect*VORO, *fumí*VORO.

vórtice. (Del lat. *vortex, -ĭcis.*) m. Torbellino, remolino. ‖ **2.** Centro de un ciclón.

vortiginoso, sa. (Del lat. *vortīgo, -gĭnis,* remolino.) adj. Dícese del movimiento que hacen el agua o el aire en forma circular o espiral.

vos. (Del lat. *vos.*) Cualquiera de los casos del pronombre personal de segunda persona en género masculino o femenino y número singular y plural, cuando esta voz se emplea como tratamiento. Lleva preposición en los casos oblicuos y pide verbo en plural, pero concierta en singular con el adjetivo aplicado a la persona a quien se dirige: vos, *don Pedro, sois docto;* vos, *Juana, sois caritativa.* En la actualidad solo se usa en tono elevado. ‖ **2.** *Argent.* Pronombre personal de segunda persona singular que cumple la función de sujeto, vocativo y término de complemento. Su paradigma verbal difiere según las distintas áreas de empleo.

vosco. (Del lat. *voscum, vobiscum.*) pron. pers. ant. Con vos, o con vosotros.

vosear. tr. Dar a uno el tratamiento de vos.

voseo. m. Acción y efecto de vosear.

voso, sa. adj. ant. **vuestro.**

vosotros, tras. (De *vos* y *otros.*) Nominativo masculino y femenino del pronombre personal de segunda persona en número plural. Con preposición empléase también en los casos oblicuos.

votación. f. Acción y efecto de votar. ‖ **2.** Conjunto de votos emitidos. ‖ **nominal.** En los parlamentos o corporaciones, la que se hace dando cada votante su nombre. ‖ **ordinaria.** La que se hace poniéndose unos votantes de pie y permaneciendo otros sentados, o dejando o alzar la mano. ‖ **secreta.** La que tiene lugar mediante papeletas sin firmar o bolas de distinto color.

votada. (De *votar.*) f. Acción y efecto de votar.

votador, ra. adj. Que vota. Ú. t. c. s. ‖ **2.** m. y f. Persona que tiene el vicio de votar o jurar.

votante. p. a. de **votar.** Que vota o emite su voto. Ú. t. c. s.

votar. (Del lat. *votāre.*) intr. Hacer voto a Dios o a los santos. Ú. t. c. tr. ‖ **2.** Echar votos o juramentos. ‖ **3.** Dar uno su voto o decir su dictamen en una reunión o cuerpo deliberante, o en una elección de personas. Ú. t. c. tr. ‖ **4.** tr. Aprobar por votación. ‖ **¡voto a tal!** expr. fam. **¡voto va!**

votivo, va. (Del lat. *votīvus.*) adj. Ofrecido por voto o relativo a él. ‖ **2. V. misa votiva.**

voto. (Del lat. *votum.*) m. Promesa de una cosa, que envuelve un sacrificio hecho a Dios, a la Virgen, a una deidad o persona venerada por su santidad, ya sea por devoción o para obtener determinada gracia. ‖ **2.** Cualquiera de los prometimientos que constituyen el estado religioso y tiene admitidos la Iglesia, como son: pobreza, castidad y obediencia. ‖ **3.** Parecer o dictamen explicado en una congregación o junta en orden a la decisión de un punto o elección de un sujeto; y el que se da sin fundarlo, diciendo simplemente *sí* o *no*, o por medio de bolas, etc. ‖ **4.** Dictamen o parecer dado sobre una materia. ‖ **5.** Persona que da o puede dar su **voto.** ‖ **6.** Ruego o deprecación con que se pide a Dios una gracia. ‖ **7.** Juramento o execración en demostración de ira. ‖ **8. deseo.** ‖ **9.** Ofrenda dedicada a Dios o a un santo por un beneficio recibido. ‖ **activo.** Facultad de votar que tiene el individuo de una corporación. ‖ **acumulado.** Aquel en que puede el elector reunir todos sus sufragios en favor de algunos y aun de uno solo de los candidatos; dícese también del **voto** que se suma a los demás obtenidos por un mismo candidato en diversos distritos, facilitando el triunfo del que, sin arraigo bastante en una determinada circunscripción, goza de prestigio general. ‖ **consultivo.** Dictamen que dan algunas corporaciones o personas autorizadas a los que han de decidir un negocio. ‖ **cuadragesimal.** El que hacen en algunas órdenes los religiosos, de observar todo el año la misma abstinencia que en cuaresma. ‖ **de amén.** fig. y fam. El de la persona que se conforma siempre y ciegamente con el dictamen ajeno. ‖ **2.** fig. y fam. Esta misma persona. ‖ **de calidad.** El que, por ser de persona de mayor autoridad, decide la cuestión en caso de empate. ‖ **de censura.** El que emiten las cámaras o corporaciones negando su confianza al gobierno o junta directiva. ‖ **decisivo.** El que los ministros de algunos tribunales tenían para resolver por sí y sin consultar al superior. ‖ **de confianza.** Aprobación que las cámaras dan a la actuación de un gobierno en determinado asunto, o aprobación para que actúe libremente en tal caso. ‖ **2.** Aprobación y autorización que se da a alguno para que efectúe libremente una gestión. ‖ **de reata.** fig. y fam. El que se da sin conocimiento ni reflexión, y solo por seguir el dictamen de otro. ‖ **2.** fig. y fam. Persona que procede así. ‖ **de Santiago.** Tributo en trigo o pan que por las yuntas que tenían daban los labradores de algunas provincias a la iglesia de Santiago de Compostela. ‖ **informativo.** El que no tiene efecto ejecutivo. ‖ **particular.** Dictamen que uno o varios individuos de una comisión presentan diverso del de la mayoría. ‖ **pasivo. voz pasiva.** ‖ **plural.** El que se concede por privilegio a ciertos ciudadanos, además del sufragio igualatorio de otros, en atención a la cultura, la riqueza, el cargo ejercido o la madurez de edad. ‖ **restringido.** Aquel en que, para facilitar la representación de minorías, el elector ha de votar menos representantes de los que hayan de elegirse. ‖ **secreto.** El que se emite por papeletas dobladas, por bolas blancas y negras, o de otro modo en que no aparezca el nombre del votante. ‖ **simple.** Promesa hecha a Dios sin solemnidad exterior de derecho. ‖ **solemne.** El que se hace públicamente con las formalidades de derecho, como sucede en la profesión religiosa. ‖ **regular los votos.** fr. Contarlos, y confrontar unos con otros. ‖ **ser,** o **tener, voto** uno. fr. Tener acción para votar en alguna junta. ‖ **2.** fig. Tener el conocimiento que requiere la materia de que se trata, para poder juzgar de ella, o estar libre de pasión u otro motivo que pueda torcer o viciar el dictamen. Ú. frecuentemente con negación, y con especialidad en este sentido, para rechazar el dictamen de los que se cree que está apasionado. ‖ **¡voto va!** expr. fam. con que se amenaza o se denota enfado, sorpresa, admiración, etc.

votri. m. Planta trepadora que crece en Chile, de hojas ovaladas, muy carnosas, flores que tienen la corola en forma de tubo muy abultado, que se estrecha antes del limbo, y fruto capsular.

voz. (Del lat. *vox, vocis.*) f. Sonido que el aire expelido de los pulmones produce al salir de la laringe, haciendo que vibren las cuerdas vocales. ‖ **2.** Calidad, timbre o intensidad de este sonido. ‖ **3.** Sonido que forman algunas cosas inanimadas, heridas del viento o hiriendo en él. ‖ **4.** Grito,

voz esforzada y levantada. Ú. m. en pl. ‖ **5.** Palabra o vocablo. ‖ **6.** V. **juego de voces.** ‖ **7.** fig. Músico que canta. ‖ **8.** fig. Autoridad o fuerza que reciben las cosas por el dicho u opinión común. ‖ **9.** fig. Poder, facultad, derecho para hacer uno, en su nombre, o en el de otro, lo conveniente. ‖ **10.** fig. Parecer o dictamen que uno da en una junta sobre un punto o elección de un sujeto, voto o sufragio. ‖ **11.** fig. Facultad de hablar, aunque no de votar, en una asamblea. ‖ **12.** fig. Opinión, fama, rumor. ‖ **13.** fig. Motivo o pretexto público. ‖ **14.** fig. Precepto o mandato del superior. ‖ **15.** fig. V. **chorro, torrente de voz.** ‖ **16.** fig. y fam. V. **secreto a voces.** ‖ **17. Germ. consuelo.** ‖ **18.** Gram. Accidente gramatical que expresa si el sujeto del verbo es agente o paciente. ‖ **19.** Mar. V. **saludo a la voz.** ‖ **20.** Mús. Sonido particular o tono correspondiente a las notas y claves, en la **voz** del que canta o en los instrumentos. ‖ **21.** Mús. Cada una de las líneas melódicas que forman una composición polifónica. *Fuga a cuatro* voces. ‖ **activa.** Facultad de votar que tiene el individuo de una corporación. ‖ **2.** Gram. Forma de conjugación que sirve para significar que el sujeto del verbo es agente; v. gr.: *Juan escribe.* ‖ **aguda.** Mús. Alto y tiple. ‖ **argentada,** o **argentina.** fig. La clara y sonora. ‖ **cantante.** Mús. Parte principal de una composición que, por lo común, contiene y expresa una melodía. ‖ **común.** Opinión o rumor general. ‖ **de cabeza. falsete, voz** más aguda que la natural. ‖ **de la conciencia.** fig. **remordimiento.** ‖ **del cielo.** fig. Inspiración o inclinación que nos lleva hacia el bien. ‖ **de mando.** Mil. La que da a sus subordinados el que los manda. ‖ **de trueno.** fig. La muy fuerte o retumbante. ‖ **opaca,** o **parda.** fig. La empañada. ‖ **pasiva.** Poder o aptitud de ser votado o elegido por una corporación para un empleo o cargo. ‖ **2.** Gram. Forma de conjugación que sirve para significar que el sujeto del verbo es paciente; v. gr.: *Antonio es amado.* ‖ **sumisa.** fig. La baja y suave, como la del que implora o suplica. ‖ **vaga.** Rumor, noticia o hablilla esparcida entre muchos, y cuyo autor se ignora. ‖ **mala voz.** Tacha, denuncia o reclamación contra el crédito de una persona o contra la legítima posesión o la libertad de una cosa. ‖ **pública voz y fama.** expr. con que se da a entender que una cosa se tiene corrientemente por cierta y verdadera en virtud de asegurarla casi todos. ‖ **segunda voz.** La que acompaña a una melodía entonándola generalmente una tercera más baja. ‖ **viva voz.** Explicación de la voluntad en orden a lo que se debe ejecutar, sin rescripto, bula o decreto. ‖ **2.** Expresión oral, por contraposición a la escrita. ‖ **aclarar la voz.** fr. Quitar el impedimento que había para pronunciar con claridad. ‖ **ahuecar** una **la voz.** fr. Abultarla para que parezca más grave e imponente. ‖ **a la voz.** loc. adv. Mar. Al alcance de la **voz.** ‖ **alzar** uno la voz a otro. fr. fam. **levantarle la voz.** ‖ **a media voz.** loc. adv. Con voz baja, o más baja que el tono regular. ‖ **2.** Con ligera insinuación, expresión o eficacia. ‖ **anudársele** a uno **la voz.** fr. fig. No poder hablar por alguna vehemente pasión de ánimo. ‖ **apagar la voz** a un instrumento. fr. Hacer que suene menos, poniéndole sordina. ‖ **a una voz.** loc. adv. fig. De común consentimiento o por unánime parecer. ‖ **a voces.** loc. adv. A gritos o en voz alta. ‖ **a voz de apellido.** loc. adv. ant. Por convocación o llamamiento. ‖ **a voz en cuello,** o **en grito.** loc. adv. Con la voz o gritando. ‖ **correr la voz.** fr. Divulgarse una cosa que se ignoraba. ‖ **2.** Divulgar o difundir alguna noticia. ‖ **dar una voz** a uno. Llamarlo en alta voz desde lejos. ‖ **dar** unos **voces al viento,** o **en desierto.** fr. fig. Cansarse en balde, trabajar inútilmente. ‖ **desanudar la voz.** fr. fig. Quedar expedita la **voz** y el habla, impedidas antes por un accidente. ‖ **echar** unos **la voz** una cosa. fr. fig. **meterla a voces.** ‖ **echar la voz,** o **la voz.** fr. Divulgar, extender alguna noticia. ‖ **empañarse la voz.** fr. Perder esta su claridad. ‖

entrar uno **en voz**. fr. ant. Contestar o responder en juicio a una demanda. ‖ **en voz**. loc. adv. De palabra o verbalmente. ‖ **2**. *Mús*. Con la **voz** clara para poder cantar. *No está hoy* EN VOZ; *ya se ha puesto* EN VOZ. ‖ **en voz alta**. loc. adv. fig. Públicamente o sin reservas. ‖ **en voz baja**. loc. adv. fig. En secreto. ‖ **estar pidiendo a voces** algo. fr. Necesitar algo con urgencia. *Este sembrado* ESTÁ PIDIENDO A VOCES *que lo escarden*. ‖ **jugar** uno **la voz**. fr. Cantar haciendo quiebros o inflexiones. ‖ **levantar la voz**. fr. Señalar el cabezalero que continúe el foro o enfiteusis. Ú. m. en Galicia. ‖ **levantar** uno **la voz** a otro. fr. fam. Hablarle descompuestamente o contestarle sin el respeto que merece. ‖ **llevar la voz cantante**. fr. fig. Ser la persona que se impone a los demás en una reunión, o el que dirige un negocio. ‖ **meter** uno **a voces** una cosa. fr. fig. Confundir y ofuscar la razón metiendo bulla. ‖ **poner mala voz**. fr. Desacreditar a una persona o cosa; hablar mal de ella. ‖ **respirar** uno **por la voz de otro**. fr. fig. respirar por su boca. ‖ **romper** uno **la voz**. fr. Levantarla más de lo regular, o ejercitarla dando **voces** con el fin de educarla para el canto. ‖ **soltar** uno **la voz**. fr. fig. Divulgar, publicar. ‖ **tomar** uno **la voz**. fr. Hablar continuando un tema o materia que otros han empezado. ‖ **tomar la voz de** uno. fr. Declararse por un determinado sujeto, obrando a favor suyo y como en su nombre o con su autoridad. ‖ **2**. Salir a la defensa de una persona o cosa. ‖ **tomarse la voz**. fr. **empañarse la voz**. ‖ **tomar voz**. fr. Adquirir uno noticias o tomar razón o informes acerca de una cosa. ‖ **2**. fig. Publicarse, asegurarse o autorizarse una cosa con el dicho de muchos.

vozarrón. m. Voz muy fuerte y gruesa.

vozarrona. f. **vozarrón**.

voznar. (Del lat. *bucināre*.) intr. Dar una voz bronca algunas aves.

vudú. (Voz de or. africano occidental que significa «espíritu».) m. Cuerpo de creencias y prácticas religiosas, que incluyen fetichismo, culto a las serpientes, sacrificios rituales y empleo del trance como medio de comunicación con sus deidades, procedente de África y corriente entre los negros de las Indias occidentales y sur de los Estados Unidos. Ú. t. c. adj.

vuduismo. m. **vudú**.

vuduista. adj. Perteneciente o relativo al vudú.

vuecelencia. com. Metapl. de **vuestra excelencia**.

vuecencia. com. Síncopa vuecelencia.

vuelapié (a). loc. adv. **a volapié**, modo de atravesar un río, laguna, etc.

vuelapluma (a). loc. adv. **a vuela pluma**.

vuelco. m. Acción y efecto de volcar o volcarse. ‖ **2**. Movimiento con que una cosa se vuelve o trastorna enteramente. ‖ **a vuelco de dado**. loc. adv. fig. con que se nota la suma contingencia a que está expuesta una cosa. ‖ **darle** a uno **un vuelco el corazón**. fr. fig. y fam. Representársele una especie futura con algún movimiento o alteración interior. ‖ **2**. Sentir de pronto sobresalto, alegría u otro movimiento del ánimo. ‖ **dar** uno **un vuelco en el infierno**. fr. fig. con que se explica el deseo de conseguir una cosa contra lo que dicta la propia conciencia.

vuelillo. m. Adorno de encaje u otro tejido ligero, que se pone en la bocamanga de algunos trajes, y forma parte de los magistrados, catedráticos y ciertos eclesiásticos.

vuelo. m. Acción de volar. ‖ **2**. Espacio que se recorre volando sin posarse. ‖ **3**. Conjunto de plumas que en el ala del ave sirven principalmente para volar. Ú. m. en pl. ‖ **4**. Por ext., toda el ala. ‖ **5**. Trayecto que recorre un avión, haciendo o no escalas, entre el punto de origen y el de destino. ‖ **6**. Amplitud o extensión de una vestidura en la parte que no se ajusta al cuerpo. ‖ **7**. Por ext., se usa también hablando de otros tejidos como cortinas, ropajes, etc. ‖ **8**. **vuelillo**. ‖ **9**. Tramoya de teatro en que va por el aire una persona o cosa. ‖ **10**. Arbolado de un monte. ‖ **11**. *Arq*. Parte de una fábrica, que sale fuera del paramento de la pared que la sostiene. ‖ **12**. *Arq*. Extensión de esta misma parte, contada en dirección perpendicular al paramento. ‖ **13**. *Cetr*. Ave de caza enseñada y amaestrada a volar, y perseguir a otras aves. ‖ **14**. *Der*. En algunas divisiones tradicionales de la propiedad, derecho al arbolado con separación del que otro tenga sobre el suelo. ‖ **rasante**. Aquel cuya trayectoria se mantiene muy próxima a tierra, aparentemente a ras de ella. ‖ **al vuelo**, o **a vuelo**. loc. adv. Pronta y ligeramente. ‖ **alzar el vuelo**. fr. Echar a volar. ‖ **2**. fig. y fam. Marcharse de repente. ‖ **cazarlas** uno **al vuelo**. fr. fig. **cogerlas** uno **al vuelo**. loc. adv. fig. Lograrla de paso o casualmente. ‖ **cogerlas** uno **al vuelo**. fr. fig. y fam. Entender o notar con prontitud las cosas que no se dicen claramente o que se hacen a hurtadillas. ‖ **coger vuelo** una cosa. fr. fig. **tomar vuelo**. ‖ **cortar los vuelos** a uno. fr. fig. **cortarle las alas**. ‖ **de un vuelo**, **de vuelo**, o **en un vuelo**. loc. adv. fig. Pronta y ligeramente, sin detención. ‖ **echar a vuelo las campanas**. fr. **tocarlas a vuelo**. ‖ **levantar el vuelo**. fr. Echar a volar. ‖ **2**. fig. Elevar uno el espíritu o la imaginación. ‖ **3**. fig. Engreírse, ensoberbecerse. ‖ **4**. fig. y fam. Marcharse de repente. ‖ **levantar** uno **los vuelos**. fr. fig. **levantar el vuelo**, levantar el espíritu o la imaginación. ‖ **2**. Engreírse o ensoberbecerse. ‖ **tirar al vuelo**. fr. Tirar al ave que va volando. ‖ **tocar a vuelo las campanas**. fr. Tocarlas todas a un mismo tiempo, volteándolas y dejando sueltos los badajos o lenguas. ‖ **tomar vuelo** una cosa. fr. fig. Ir adelantando o aumentando mucho.

vuelta. (Del lat. *volŭta*, por *volūta*.) f. Movimiento de una cosa alrededor de un punto, o girando sobre sí misma, hasta invertir su posición primera, o hasta recobrarla de nuevo. ‖ **2**. Curvatura en una línea, o apartamiento del camino recto. ‖ **3**. Cada una de las circunvoluciones de una cosa alrededor de otra a la cual se aplica; como las de la faja a la cintura. ‖ **4**. Regreso al punto de partida. ‖ **5**. En ciclismo y otros deportes, carrera en etapas en torno a un país, región, comarca, etc. ‖ **6**. Devolución de una cosa a quien la tenía o poseía. ‖ **7**. Retorno o recompensa. ‖ **8**. Repetición de una cosa. ‖ **9**. Paso o repaso que se da a una materia leyéndola. *De primera*, *de segunda* VUELTA. ‖ **10**. **vez**, alternación de una cosa por turno. ‖ **11**. **vez**, ocasión de hacer una cosa por turno. ‖ **12**. Parte de una cosa, opuesta a la que se tiene a la vista. ‖ **13**. Zurra o tunda de azotes o golpes. ‖ **14**. Adorno que se sobrepone al puño de las camisas, camisolas, etc. ‖ **15**. Tela sobrepuesta en la extremidad de las mangas u otras partes de ciertas prendas de vestir. ‖ **16**. **embozo** de una capa. ‖ **17**. Cada una de las series paralelas de puntos con que se van tejiendo las medias y otras prendas. VUELTA *de llanos*, *de nudillo*. ‖ **18**. Mudanza de las cosas de un estado a otro, o de un parecer a otro. ‖ **19**. Acción o expresión áspera y sensible, especialmente cuando no se espera. ‖ **20**. Dinero que, al cobrar, y para ajustar una cuenta, se reintegra a quien hace un pago con moneda, billete de banco o efecto bancario cuyo valor excede del importe debido. ‖ **21**. Labor que se da a la tierra o heredad. *Esta tierra está de una* VUELTA; *está de dos* VUELTAS. ‖ **22**. Lance de varios juegos de naipes y principalmente del truco, que consiste en descubrir una carta para saber qué palo ha de ser triunfo. ‖ **23**. ant. Riña, alboroto. ‖ **24**. ant. Cada uno de los tercetos del soneto. ‖ **25**. En las composiciones que glosan un villancico, verso o versos de la segunda parte de cada estrofa en que reaparece la rima del villancico para introducir la repetición de este en todo o en parte. ‖ **26**. *Ar*. Bóveda, y por ext., techo. ‖ **27**. *Arq*. Curva de intradós de un arco o bóveda. ‖ **28**. *Min*. Destello de luz que despide la plata en el momento en que termina la copelación. ‖

29. *Mús.* **retornelo.** ‖ **de campana.** fig. **salto mortal.** ‖ **2. vuelta** semejante que da un automóvil volviendo a quedar sobre sus ruedas. ‖ **de carnero.** fig. Media voltereta. ‖ **2.** Caída, batacazo. ‖ **de podenco.** fig. y fam. Zurra o castigo grande, por lo común a palos. ‖ **en redondo. media vuelta** del cuerpo. ‖ **media vuelta.** Acción de volverse de modo que el cuerpo quede de frente hacia la parte que estaba antes a la espalda. ‖ **2.** fig. Breve o cortísima diligencia en una cosa. ‖ **a la vuelta.** loc. adv. Al volver. ‖ **a la vuelta de.** loc. Dentro o al cabo de. A LA VUELTA DE *pocos años.* ‖ **a la vuelta de la esquina.** fr. fig. que se emplea para indicar que un lugar está muy próximo, o que una cosa se encuentra muy a mano. ‖ **a la vuelta lo venden tinto.** fr. fig. y fam. usada para desentendernos de lo que nos piden. ‖ **andar a una o las vueltas.** fr. Seguirle, observándole los pasos o acciones. ‖ **andar a vueltas.** fr. Reñir o luchar. ‖ **andar uno a vueltas con, para, o sobre,** una cosa. fr. fig. Estar dudoso, perplejo o poniendo todos los medios para saberla o ejecutarla. ‖ **andar** uno **en vueltas.** fr. fig. Andar en rodeos; poner dificultades para no hacer una cosa. ‖ **a pocas vueltas.** loc. adv. fig. **a pocos lances.** ‖ **a vuelta de.** loc. adv. **a vueltas de.** A LA VUELTA DE *Navidad.* ‖ **2. de vuelta.** ‖ **3. a fuerza de.** A VUELTA DE *palabras y más palabras, le convenció.* ‖ **a vuelta de cabeza.** loc. adv. fig. Al menor descuido. ‖ **a vuelta de correo.** loc. adv. Por el correo inmediato, sin perder día. ‖ **a vuelta de dado.** loc. adv. fig. a **vuelco de dado.** ‖ **a vuelta de ojo, o de ojos.** loc. adv. fig. Con presteza y celeridad, en un instante. ‖ **a vueltas con** una cosa. loc. adv. Usarla con insistencia. *Siempre* A VUELTAS CON *el abogado y el procurador.* ‖ **a vueltas de.** loc. adv. desus. Cerca, aproximadamente, casi. A VUELTAS DE *cien reales.* ‖ **2.** Juntamente, a la vez, además de. *Se perdió el libro* A VUELTAS DE *otras cosas.* ‖ **buscarle** a uno **las vueltas.** fr. fig. y fam. Acechar la ocasión para cogerle descuidado, o la oportunidad para engañarle o hacerle cualquier daño. ‖ **coger** uno **las vueltas,** o **la vuelta.** fr. fig. Buscar rodeos o artificios para librarse de una incomodidad o conseguir un fin. ‖ **cogerle** a uno **las vueltas.** fr. fig. y fam. Adivinar sus planes y propósitos, o conocerle el carácter, el humor y las mañas, aprovechando este conocimiento a fin de salirse con la suya. ‖ **dar cien vueltas** a uno. fr. fig. y fam. Aventajarle mucho en algún conocimiento o habilidad. ‖ **darle vueltas la cabeza** a uno. fr. fig. y fam. Sentir la sensación de mareo. ‖ **darse** uno **una vuelta a la redonda.** fr. fig. y fam. Examinarse a sí mismo antes de reprender a otro. ‖ **dar** uno **una vuelta.** fr. Pasear un rato. ‖ **2.** Ir por poco tiempo a una población o país. ‖ **3.** fig. Limpiar o asear una cosa reconociéndola. ‖ **4.** fig. Hacer una breve y personal diligencia para el resguardo o reconocimiento de una cosa. ‖ **5.** fig. Mudarse, trocarse. ‖ **dar vueltas.** fig. **2.** Andar uno buscando una cosa sin encontrarla. ‖ **3.** fig. Discurrir repetidamente sobre algo. ‖ **de vuelta.** loc. adv. En volviendo. DE VUELTA *de viaje.* ‖ **estar de vuelta.** fr. fig. y fam. Estar de antemano enterado de algo de que se le cree o puede creer ignorante. ‖ **guardar** uno **las vueltas.** fr. fig. y fam. Estar con cuidado y vigilancia para no ser cogido en una acción mala. ‖ **2.** fig. Ejecutar una cosa sin que uno lo entienda. ‖ **la vuelta de.** loc. Hacia, o camino de. ‖ **llevar de vuelta** a uno. fr. Hacerle retroceder del camino que llevaba. ‖ **no hay que darle vueltas.** expr. fig. y fam. que se emplea para afirmar que, por más que se examine o considere una cosa en diversos conceptos, siempre resultará ser la misma, o no tener uno un remedio o solución. ‖ **no tener vuelta de hoja** una cosa. fr. fig. y fam. Ser incontestable. ‖ **poner** a uno **de vuelta y media.** fr. fig. y fam. Tratarle mal de palabra; llenarle de improperios. ‖ **tener vuelta** una cosa. fr. fig. y fam. con que se previene al que la recibe prestada la obligación de restituirla. ‖ **tener vueltas** uno. fr. fig. fig. Ser inconstante en sus

afectos y favores, y mudarse en contrario con facilidad. ‖ **tomar la vuelta de tierra.** fr. *Mar.* Virar con dirección a la costa. ‖ **¡vuelta!** interj. ¡dale! ‖ **2.** Ú. también para mandar a uno que vuelva una cosa hacia alguna parte. ‖ **3.** Ú. con las preposiciones *a* o *con* en frases admirativas para indicar que uno da en repetir con impertinencia algún acto.

vuelto, ta. (Del lat. *volūtus.*) p. p. irreg. de **volver.** ‖ **2.** adj. V. **folio vuelto.** ‖ **3.** V. **rejas vueltas.** ‖ **4.** m. *Amér.* Vuelta del dinero entregado de sobra al hacer un pago.

vueludo, da. adj. Dícese de la vestidura que tiene mucho vuelo.

vuesarced. com. ant. Metapl. de **vuestra merced.**

vueseñoría. com. ant. Metapl. de **vuestra señoría.**

vueso, sa. pron. poses. ant. **vuestro.**

vuestro, tra, tros, tras. (Del lat. *voster, vostra.*) Pronombre posesivo de segunda persona, cuya índole gramatical es idéntica a la del de primera persona *nuestro.* También suele referirse en sus cuatro formas a un solo poseedor cuando, por ficción que se usa autoriza, se da número plural a una sola persona; v. gr.: VUESTRO *consejo,* hablando a un monarca. Aplícase también a un solo individuo en ciertos tratamientos; como VUESTRA *Beatitud;* VUESTRA *Majestad.* En el tratamiento de *vos,* refiérese indistintamente a uno sólo o a dos o más poseedores; v. gr.: VUESTRA *casa,* dirigiéndose a una persona sola o a dos o más. ‖ **la vuestra.** loc. fam. con que se indica que ha llegado la ocasión favorable a la persona de que se trata. Ú. m. con el verbo *ser.* AHORA ES, o SERÁ LA VUESTRA.

vulcanio, nia. (Del lat. *vulcanius.*) adj. Perteneciente a Vulcano, o al fuego.

vulcanismo. (Del lat. *Vulcānus,* Vulcano, dios del fuego.) m. *Geol.* Sistema que atribuye la formación del globo a la acción del fuego interior.

vulcanista. adj. *Geol.* Partidario del vulcanismo. Ú. t. c. s.

vulcanita. f. **ebonita.**

vulcanización. f. Acción y efecto de vulcanizar.

vulcanizar. (Del lat. *Vulcānus,* Vulcano, dios del fuego.) tr. Combinar azufre con la goma elástica para que esta conserve su elasticidad en frío y en caliente.

vulcanología. (Del lat. *Vulcānus,* Vulcano, dios del fuego, y *logía.*) f. Parte de la geología que estudia los fenómenos volcánicos.

vulcanólogo, ga. m. y f. Persona que se dedica al estudio de la vulcanología.

vulgacho. m. despect. Ínfimo pueblo o vulgo.

vulgado, da. (Del lat. *vulgātus.*) adj. ant. **vulgar**[1].

vulgar[1]. (Del lat. *vulgāris.*) adj. Perteneciente al vulgo. Apl. a pers., se ha usado alguna vez c. s. ‖ **2.** Común o general, por contraposición a especial o técnico. ‖ **3.** Que es impropio de personas cultas o educadas. ‖ **4.** Aplícase a las lenguas que se hablan actualmente, en contraposición de las lenguas sabias. ‖ **5.** Que no tiene especialidad particular en su línea. ‖ **6.** V. **lenguaje, ruipóntico vulgar.** ‖ **7.** *Cronol.* V. **era vulgar.** ‖ **8.** *Der.* V. **compurgación, purgación, sustitución vulgar.**

vulgar[2]. (Del lat. *vulgāre.*) tr. ant. Dar a conocer al público una cosa.

vulgaridad. (Del lat. *vulgarĭtas, -ātis.*) f. Cualidad de vulgar, perteneciente al vulgo. ‖ **2.** Especie, dicho o hecho vulgar que carece de novedad e importancia, o de verdad y fundamento.

vulgarismo. m. Dicho o frase especialmente usada por el vulgo.

vulgarización. f. Acción y efecto de vulgarizar.

vulgarizador, ra. adj. Que vulgariza. Ú. t. c. s.

vulgarizar. (Del lat. *vulgāris,* vulgar.) tr. Hacer vulgar o común una cosa. Ú. t. c. prnl. ‖ **2.** Exponer una ciencia, o una materia técnica cualquiera, en forma fácilmente asequible al vulgo. ‖ **3.** Traducir un escrito de otra lengua a la común y vulgar. ‖ **4.** prnl. Darse uno al trato y comercio de la gente del vulgo, o portarse como ella.

vulgarmente. adv. m. De manera vulgar. ‖ **2. comúnmente.**

vulgata. (Del lat. *vulgāta*, divulgada, dada al público.) n. p. f. Versión latina de la Sagrada Escritura, declarada auténtica por la Iglesia.

vulgo. (Del lat. *vulgus*.) m. El común de la gente popular. ‖ **2.** Conjunto de las personas que en cada materia no conocen más que la parte superficial. ‖ **3.** *Germ.* **mancebía,** casa de mujeres públicas. ‖ **4.** adv. m. **vulgarmente,** comúnmente.

vulnerabilidad. f. Cualidad de vulnerable.

vulnerable. (Del lat. *vulnerabĭlis*.) adj. Que puede ser herido o recibir lesión, física o moralmente.

vulneración. (Del lat. *vulneratĭo, -ōnis*.) f. Acción y efecto de vulnerar.

vulnerar. (Del lat. *vulnerāre*, de *vulnus*, herida.) tr. ant. **herir.** ‖

2. Transgredir, quebrantar, violar una ley o precepto. ‖ **3.** fig. Dañar, perjudicar. *Con sus reticencias* VULNERÓ *la honra de aquella dama.*

vulnerario, ria. (Del lat. *vulnerarĭus*.) adj. *Der.* Aplícase al clérigo que ha herido o matado a otra persona. Ú. t. c. s. ‖ **2.** *Farm.* Aplícase al remedio o medicina que cura las llagas y heridas. Ú. t. c. s. m.

vulpécula. (Del lat. *vulpecŭla*, d. de *vulpes*, raposa.) f. **vulpeja.**

vulpeja. (Del lat. *vulpecŭla*.) f. **zorra**[1], animal.

vulpino, na. (Del lat. *vulpīnus*.) adj. Perteneciente o relativo a la zorra. ‖ **2.** fig. Que tiene sus propiedades.

vulto. (Del lat. *vultus*.) m. ant. Rostro o cara.

vultuoso, sa. (Del lat. *vultuōsus*.) adj. *Pat.* Dícese del rostro abultado por congestión.

vulturín. (Del lat. *vulturīnus*.) m. *Ar.* **buitrón,** arte de pesca.

vulturno. (Del lat. *vulturnus*.) m. **bochorno,** aire caliente.

vulva. (Del lat. *vulva*.) f. Partes que rodean y constituyen la abertura externa de la vagina.

vusco. (De *vosco*, infl. por *tú*.) pron. pers. ant. **convusco.**

vusted. (De *vuestra merced*.) com. ant. **usted.**

w. f. Vigésima sexta letra del abecedario español y vigésima primera de sus consonantes. Su nombre es **uve doble**. No se emplea sino en voces de procedencia extranjera. En las lenguas en las que existe como fonema, su articulación es ora de *u* semiconsonante, como en inglés, ora fricativa labiodental sonora, como en alemán. En español se pronuncia como *b* en nombres propios de personajes godos *(Walia, Witerico, Wamba)*, en nombres propios o derivados procedentes del alemán *(Wagner, Westfalia, wagneriano)* y en algunos casos más. En palabras totalmente incorporadas al idioma es frecuente que la grafía *w* haya sido reemplazada por *v* simple: *vagón, vals, vatio*. En vocablos de procedencia inglesa conserva a veces la pronunciación de *u* semiconsonante *(Washington, washingtoniano)*.

wagneriano, na. adj. Perteneciente o relativo al músico alemán Ricardo Wagner (1813-1883) y a sus obras. ‖ **2.** Partidario de la música de Wagner. Apl. a pers., ú. t. c. s.

walón, na. adj. **valón**.

washingtoniano, na. adj. Natural de Washington. ‖ **2.** Perteneciente o relativo a esta ciudad, capital de los Estados Unidos.

watt. (Del apellido de Jacobo *Watt*, ingeniero escocés, 1736-1819.) m. **vatio** en la nomenclatura internacional.

wéber. (Del apellido de Guillermo Eduardo *Weber*, físico alemán, 1804-1891.) m. *Fís.* **weberio** en la nomenclatura internacional.

weberio. (De *wéber*.) m. Unidad de flujo de inducción magnética en el sistema basado en el metro, el kilogramo, el segundo y el amperio.

weimarés, sa. adj. Natural de Sajonia-Weimar o de su capital Weimar. Ú. t. c. s. ‖ **2.** Perteneciente o relativo a aquel Estado o a esta ciudad de Alemania.

wellingtonia. (Nombre dado por el botánico inglés Lindley en recuerdo del primer Duque de *Wellington*, 1769-1852.) f. Nombre científico de la **velintonia**.

westfaliano, na. adj. Natural de Westfalia. Ú. t. c. s. ‖ **2.** Perteneciente o relativo a esta región de Alemania. ‖ **3.** Perteneciente o relativo a la paz de Westfalia (1648).

whisky. m. **güisqui**.

wólfram o **wolframio.** (Del germ. *wolfram*.) m. **volframio**.

X

x. f. Vigésima séptima letra del abecedario español, y vigésima segunda de sus consonantes. Llámase **equis.** Representa un sonido doble, compuesto de *k*, o de *g* sonora, y de *s*, como en *axioma, exento,* que ante consonante suele reducirse a *s (extremo, exposición).* Antiguamente representó también un sonido simple, palatal, fricativo y sordo, semejante al de la *sh* inglesa o al de la *ch* francesa, el cual hoy conserva en algunos dialectos, como el bable. Este sonido simple se transformó después en velar fricativo sordo, como el de la *j* actual, con la cual se transcribe hoy, salvo excepciones, como en el uso mejicano de *México, Oaxaca.* ‖ **2. N,** signo con que se suple el nombre de una persona. ‖ **3.** *Álg.* y *Arit.* Signo con que puede representarse en los cálculos la incógnita, o la primera de las incógnitas, si son dos o más. ‖ **4.** V. **rayos X.** ‖ **5.** Letra numeral que tiene el valor de diez en la numeración romana.

xenofobia. (Del gr. ξένος, extranjero, y φοβέω, ᾽espantarse.) f. Odio, repugnancia u hostilidad hacia los extranjeros.

xenófobo, ba. adj. Que siente xenofobia.

xenón. (Del gr. ξένος, extraño.) m. *Quím.* Gas noble que se encuentra en pequeñas cantidades en el aire. Núm. atómico 54. Símb.: *X.*

xero-. (Del gr. ξηρο-.) elem. compos. que significa «seco, árido»: XERO*filo.*

xerocopia. f. Copia fotográfica obtenida por medio de la xerografía.

xerocopiar. tr. Reproducir en copia xerográfica.

xerófilo, la. (Del gr. ξηρός, seco, y *-filo.*) adj. *Bot.* De manera general se aplica a todas las plantas y asociaciones vegetales adaptadas a la vida en un medio seco.

xerofítico, ca. (Del gr. ξηρός, seco, y *-fito.*) adj. **xerófilo,** pero con mayor precisión, aplícase a los vegetales adaptados por su estructura a la vida a los medios secos, por su temperatura u otras causas.

xerófito, ta. adj. **xerofítico.**

xeroftalmia o **xeroftalmía.** (Del gr. ξηρός, seco, y ὀφθαλμία.) f. *Pat.* Enfermedad de los ojos caracterizada por la sequedad de la conjuntiva y opacidad de la córnea. Se produce por la falta de determinadas vitaminas en la alimentación.

xerografía. (Del gr. ξηρός, seco, y *-grafía.*) f. Procedimiento electrostático que utilizando conjuntamente la fotoconductibilidad y la atracción eléctrica, concentra polvo colorante en las zonas negras o grises de una imagen registrada por la cámara oscura en una placa especial. La imagen con el polvo colorante adherido pasa a un papel donde se fija mediante la acción del calor o de ciertos vapores. ‖ **2.** Fotocopia obtenida por este procedimiento.

xerografiar. tr. Reproducir textos o imágenes por medio de la xerografía.

xerográfico, ca. adj. Perteneciente o relativo a la xerografía. ‖ **2.** Obtenido mediante la xerografía. *Copia* XEROGRÁFICA.

xerógrafo, fa. m. y f. Persona que tiene por oficio la xerografía.

xi. (Del gr. ξι.) f. Decimocuarta letra del alfabeto griego, que corresponde a la que en el nuestro se llama *equis.*

xifoideo, a. adj. Perteneciente o relativo al apéndice xifoides.

xifoides. (Del gr. ξιφοειδής, de figura de espada.) adj. *Anat.* Dícese del cartílago o apéndice cartilaginoso y de figura algo parecida a la punta de una espada, en que termina el esternón del hombre. Ú. t. c. s. m.

xilo-. (Del gr. ξυλο-.) elem. compos. que significa «madera»: XILÓ*fago.*

xilófago, ga. (Del gr. ξύλον, madera, y *-fago.*) adj. *Zool.* Dícese de los insectos que roen la madera. Ú. t. c. s.

xilófono. (Del gr. ξύλον, madera, y *-fono.*) m. Instrumento de percusión formado por una serie de listones de madera de dimensiones debidamente graduadas, para que den sonidos correspondientes a las diversas notas de la escala.

xilografía. (Del gr. ξύλον, madera, y *-grafía.*) f. Arte de grabar en madera. ‖ **2.** Impresión tipográfica hecha con planchas de madera grabadas.

xilográfico, ca. adj. Perteneciente o relativo a la xilografía.

xilógrafo, fa. m. y f. Persona que graba en madera.

xiloprotector, ra. (Del gr. ξύλον, madera, y *protector.*) adj. Dícese del producto, sustancia, etc., que sirve o se emplea para proteger la madera. Ú. t. c. s.

xilórgano. (Del gr. ξύλον, madera, y ὄργανον, instrumento.) m. Instrumento músico antiguo, compuesto de unos cilindros o varillas de madera compacta y sonora.

xilotila. (Del gr. ξύλον, madera, y τίλαι, plumón, felpa.) f. Hidrosilicato de magnesia y hierro, que, con su estructura fibrosa y su color pardo, imita la madera fósil.

Y

y[1]. f. Vigésima octava letra del abecedario español, y vigésima tercera de sus consonantes. Se llama **i griega**, y también se le da el nombre de **ye**. Representa un sonido palatal sonoro y generalmente fricativo, de articulación más o menos abierta o cerrada, según los casos. En algunas áreas importantes como el Río de la Plata se articula generalmente con rehilamiento. Precedida de nasal se hace africada, como en *cónyuge*. Cuando es final de palabra se pronuncia como semivocal, como en *soy, buey*. La conjunción *y* se pronuncia como consonante cuando la palabra anterior termina en vocal y la siguiente empieza también en vocal *(este y aquel)*; representa a la vocal *i* si está entre consonantes *(hombres y mujeres)*; y adquiere valor de semivocal o semiconsonante cuando forma diptongo con la última vocal de la palabra anterior *(yo y tú)* o con la primera vocal de la palabra siguiente *(parientes y amigos)*; estas variantes fonéticas no modifican la grafía de la conjunción *y*.

y[2]. (Del lat. *et*.) conj. copulat. cuyo oficio es unir palabras o cláusulas en concepto afirmativo. Cuando son varios los vocablos o miembros del período que han de ir enlazados, solo se expresa, por regla general, antes del último. *Ciudades, villas, lugares* Y *aldeas; el mucho dormir quita el vigor al cuerpo, embota los sentidos* Y *debilita las facultades intelectuales.* ‖ **2.** Fórmanse con esta conjunción grupos de dos o más palabras entre los cuales no se expresa. *Hombres* Y *mujeres, niños, mozos* Y *ancianos, ricos* Y *pobres, todos viven sujetos a las miserias humanas.* Omítese a veces por la figura asíndeton. *Acude, corre, vuela; ufano, alegre, altivo, enamorado.* Repítese otras veces por la figura polisíndeton. *Es muy ladino,* Y *sabe de todo,* Y *tiene una labia...,* Y *escribe que da gusto.* ‖ **3.** Empléase a principio de período o cláusula sin enlace con vocablo o frase anterior, para dar énfasis o fuerza de expresión a lo que se dice. ¡Y *si no llega a tiempo!; ¡*Y *si fuera otra la causa? ¡*Y *dejas, Pastor santo...!* ‖ **4.** Precedida y seguida por una misma palabra, denota idea de repetición indefinida. *Días* Y *días; cartas* Y *cartas.*

y[3]. (Del lat. *ibi*.) adv. t. ant. **allí.**

ya. (Del lat. *iam*.) adv. t. con que se denota el tiempo pasado. YA *hemos hablado de esto más de una vez.* ‖ **2.** En el tiempo presente, haciendo relación al pasado. *Era muy rico, pero* YA *es pobre.* ‖ **3.** En tiempo u ocasión futura. YA *nos veremos;* YA *se hará eso.* ‖ **4.** Finalmente o últimamente. YA *es preciso tomar una resolución.* ‖ **5.** Luego, inmediatamente, y así, cuando se responde a quien llama, se dice: YA *voy;* YA *va.* ‖ **6.** Ú. como conjunción distributiva. YA *en la milicia,* YA *en las letras;* YA *con gozo,* YA *con dolor.* ‖ **7.** Sirve para conceder o apoyar lo que nos dicen, y suele usarse con las frases YA **entiendo,** YA **se ve,** que equivalen a es claro o es así. ‖ **pues ya.** loc. conjunt. Por supuesto, ciertamente. Ú. por lo común en sent. irón. ‖ **si ya.** loc. conjunt. condic. que equivale a la sola voz **si** como conjunción de la misma clase, o a **siempre que.** *Haré cuanto quieras,* SI YA *no me pides cosas impropias de un hombre de bien.* ‖ **¡ya!** interj. fam. con que denotamos recordar algo

o caer en ello, o no hacer caso de lo que se nos dice. Ú. repetida, y de esta manera expresa también idea de encarecimiento en bien o en mal. ‖ **ya que.** loc. conjunt. condic. Una vez que, aunque, o dado que. YA QUE *tu desgracia no tiene remedio, llévala con paciencia.* ‖ **2.** loc. conjunt. causal o consec. Porque, puesto que. YA QUE *lo sabes, dímelo.*

yaacabó. m. Pájaro insectívoro de América del Sur, con pico y uñas fuertes, pardo por el lomo, rojizo el pecho y los bordes de las alas, y blanquizco, con rayas transversales oscuras, por el vientre. Su canto es parecido a las sílabas de su nombre, y los indios lo tienen por ave de mal agüero.

yaba. f. *Cuba.* Árbol silvestre de la familia de las papilionáceas, con hojas ovales, flores menudas violáceas, y fruto amarillo. La corteza se usa como vermífugo, y la madera se emplea en la construcción.

yabuna. f. *Cuba.* Hierba de la familia de las gramíneas que abunda en las sabanas; sus tallos, rastreros, se entrecruzan de tal modo que cubren el terreno de una especie de alfombra. Las raíces son hondas y enmarañadas. Es muy perjudicial para el cultivo.

yabunal. m. *Cuba.* Lugar donde abunda la yabuna.

yac. m. Bóvido que habita en las altas montañas del Tíbet, notable por las largas lanas que le cubren las patas y la parte inferior del cuerpo. En estado salvaje es de color oscuro; pero entre los domésticos abundan los blancos.

yaca. f. **guanábano.**

yacal. (De or. tagalo.) m. *Filip.* Árbol de la familia de las dipterocarpáceas, que alcanza hasta 20 metros de altura y cuya madera es muy apreciada para construcciones y muebles. ‖ **2.** Madera de este árbol, utilizada en ebanistería, puesto que no se ve afectada por la carcoma.

yacaré. (De or. guaraní.) m. *Amér. del Sur.* **caimán,** reptil.

yacedor. m. Mozo de labor encargado de llevar las caballerías a yacer.

yacente. (Del lat. *iacens, -entis*.) p. a. de **yacer.** Que yace. ‖ **2.** adj. *Der.* V. **herencia yacente.** ‖ **3.** m. *Min.* Cara inferior de un criadero.

yacer. (Del lat. *iacēre*.) intr. Estar echada o tendida una persona. ‖ **2.** Estar un cadáver en la fosa o en el sepulcro. ‖ **3.** Existir o estar real o figuradamente una persona o cosa en algún lugar. ‖ **4.** Tener trato carnal con una persona. ‖ **5.** Pacer de noche las caballerías.

yaciente. p. a. de **yacer. yacente.** ‖ **2.** adj. V. **colmena yaciente.**

yacija. (Del lat. **iacilia*, pl. n. de **iacile*, de *iacēre*, yacer.) f. Lecho o cama pobre, o cosa en que se está acostado. ‖ **2.** **sepultura,** hoyo que se hace en la tierra para enterrar un cadáver. ‖ **3. sepultura,** lugar en que está enterrado un cadáver. ‖ **ser uno de mala yacija.** fr. fig. Ser de mal dormir. ‖ **2.** fig. Ser de condición inquieta. ‖ **3.** fig. Ser hombre vagabundo y de malas mañas.

yacimiento. (De *yacer*.) m. *Geol.* Sitio donde se halla naturalmente una roca, un mineral o un fósil. ‖ **2.** Lugar donde se hallan restos arqueológicos.

yacio. m. Árbol de la familia de las euforbiáceas, de 20 a 30 metros de altura, con tronco grueso y ramas abiertas, solo pobladas en su extremidad de hojas abiertas, pecioladas y compuestas de tres hojuelas elípticas; flores en panojas axilares, y fruto capsular con tres divisiones. Abunda en los bosques de la América tropical, y por incisiones hechas en el tronco, da goma elástica.

yactura. (Del lat. *iactūra.*) f. Quiebra, pérdida o daño recibido.

yagruma. f. *Cuba.* Nombre común a dos árboles de distinta familia, que se definen a continuación. ‖ **hembra.** *Cuba.* Árbol de la familia de las moráceas, con hojas grandes, palmeadas, verdes por el haz y plateadas por el envés; flores en racimo, rosadas con visos amarillos. Tiene cualidades medicinales. ‖ **macho.** *Cuba.* Árbol de la familia de las araliáceas; peciolos largos, hojas grandes, digitadas, tomentosas por el envés, flores blancas en umbela; madera floja; las hojas son medicinales.

yagrumo. m. *P. Rico* y *Venez.* **yagruma hembra.** ‖ **ser uno como las hojas del yagrumo.** fr. *P. Rico.* Ser falso, inconstante, de dos caras.

yagua. (De or. caribe.) f. *Venez.* Palma que sirve de hortaliza, y con la cual se techan las chozas de los indios y se hacen cestos, sombreros y cabuyas. En la estación de invierno da aceite, que sirve para el alumbrado. ‖ **2.** *Ant.* Tejido fibroso que rodea la parte superior y más tierna del tronco de la palma real, del cual se desprende naturalmente todas las lunaciones, y sirve para varios usos y especialmente para envolver tabaco en rama.

yagual. (Del náhuatl *yahualli.*) m. *C. Rica, Guat., Hond., Méj.* y *Nicar.* **rodete** para llevar pesos sobre la cabeza.

yaguané. (Del guaraní *yaguané,* zorrino, por la coloración del pelaje.) adj. *Argent., Par.* y *Urug.* Dícese del animal vacuno, y ocasionalmente del caballar, que tiene el pescuezo y los costillares de color diferente al del lomo, barriga y parte de las ancas. Ú. t. c. s. ‖ **2.** m. *Amér.* **mofeta.** ‖ **3.** rur. *us. Argent.* Piojo.

yaguar. (Del guaraní *yaguar.*) m. **jaguar.**

yaguareté. (Del guaraní *yaguar,* jaguar, y *eté,* verdadero.) m. *Argent., Par.* y *Urug.* **jaguar.**

yaguasa. f. *Cuba, Hond.* y *Sto. Dom.* Ave palmípeda, especie de pato salvaje, pequeño, de color pardo claro y manchas oscuras; habita a orillas de lagunas y ciénagas.

yaguré. m. *Amér.* **mofeta,** mamífero carnicero.

yagurt. m. desus. **yogur.**

yaicuaje. m. *Cuba.* Árbol de la familia de las sapindáceas, con hojas compuestas, brillantes, flores blancas en panoja y madera compacta de color rojizo claro.

yaichihue. m. Planta americana de la familia de las bromeliáceas.

yaití. (De or. caribe.) m. *Cuba.* Árbol de la familia de las euforbiáceas, con hojas lanceoladas y flores pequeñas, amarillas. Su madera, que es muy dura, se usa para vigas y horcones.

yak. m. **yac.**

yal. m. *Chile.* Pájaro pequeño conirrostro, con plumaje gris y pico amarillo.

yamao. m. *Cuba.* Árbol de la familia de las meliáceas; tiene hojas con foliolos oblongos que sirven de pasto al ganado; flores blanquecinas, pequeñas, en panoja, y madera blanca que se emplea en la construcción.

yámbico, ca. (Del lat. *iambĭcus,* y este del gr. ἰαμβικός.) adj. *Métr.* Perteneciente o relativo al yambo[1]. ‖ **2.** V. **verso yámbico.** Ú. t. c. s.

yambo[1]. (Del lat. *iambus,* y este del gr. ἴαμβος.) m. *Métr.* Pie de la poesía griega y latina, compuesto de dos sílabas: la primera, breve, y la otra, larga. ‖ **2.** Por ext., pie de la poesía española que tiene una sílaba átona seguida de otra tónica, como *pastor.*

yambo[2]. (Del sánscr. *jambu.*) m. Árbol grande, de la familia de las mirtáceas, procedente de la India Oriental y muy cultivado en las Antillas, que tiene las hojas opuestas y lanceoladas, la inflorescencia en cima y por fruto la pomarrosa.

yana. f. *Cuba.* Árbol de la familia de las combretáceas, con hojas alternas, flores en racimo, tronco tortuoso, y madera muy dura usada para hacer carbón.

yanacón. m. *Perú.* **yanacona,** indio aparcero.

yanacona. (De or. quechua.) adj. Dícese del indio que estaba al servicio personal de los españoles en algunos países de la América Meridional. Ú. t. c. s. ‖ **2.** com. *Bol.* y *Perú.* Indio que es aparcero en el cultivo de una tierra.

yang. m. En la filosofía china, fuerza activa o masculina que en síntesis con el yin, pasiva o femenina, constituye el Gran Principio del orden universal llamado Tao.

yangües, sa. adj. Natural de Yanguas. Ú. t. c. s. ‖ **2.** Perteneciente a alguno de los pueblos de este nombre.

yanilla. f. *Cuba.* Árbol silvestre, de la familia de las simarubáceas, de madera negra y durísima, que crece en las desembocaduras de los ríos y en las costas bajas y pantanosas.

yanqui. (Del ing. *yankee.*) adj. Natural de Nueva Inglaterra, en los Estados Unidos de América del Norte, y por ext., natural de esa nación. Apl. a pers., ú. t. c. s.

yanta. (De *yantar.*) f. ant. Comida del mediodía. Ú. en algunas partes.

yantar[1]. (Forma sustantiva de *yantar[2].*) m. Cierto tributo que pagaban, generalmente en especie, los habitantes de los pueblos y de los distritos rurales para el mantenimiento del soberano y del señor cuando transitaban por ellos. A veces se conmutaba en dinero. Usáb. m. en pl. ‖ **2.** Prestación enfitéutica que antiguamente se pagaba en especie, y hoy en dinero, al poseedor del dominio directo de una finca, y consistía, por lo común, en medio pan y una escudilla de habas o lentejas. ‖ **3.** ant. Manjar o vianda. Ú. en algunas partes.

yantar[2]. (Del lat. *ientāre,* almorzar.) tr. ant. **comer,** tomar alimento. Ú. en la lengua literaria, y en Ecuador. ‖ **2.** ant. Comer al mediodía. ‖ **yantar a chirla como.** fr. ant. Decíase de los que se juntaban a comer y hablar con desahogo y libertad.

yapa. (De or. quechua.) f. *Amér. Merid.* Añadidura, adehala, refacción. ‖ **2.** *Min.* Azogue que en las minas argentíferas de América se añade al mineral para facilitar el término de su trabajo en el buitrón. ‖ **de yapa.** *Amér. Merid.* loc. adv. Por añadidura, de propina. ‖ **2.** *Amér. Merid.* Gratuitamente, sin motivo.

yapar. tr. *Amér. Merid.* Añadir la yapa. ‖ **2.** rur. *Argent.* Agregar a un objeto otro de la misma materia o que sirve para el mismo uso.

yapú. (De or. guaraní.) m. *Argent.* Especie de tordo.

yaqué. m. *Urug.* **chaqué.**

yáquil. m. *Chile.* Arbusto espinoso de la familia de las ramnáceas, cuyas raíces, que producen en el agua una espuma jabonosa, se usan para lavar tejidos de lana.

yaracuyano. adj. Natural del estado venezolano de Yaracuy. Ú. t. c. s. ‖ **2.** Perteneciente o relativo a dicho estado.

yararrá. f. *Amér. Merid.* Víbora que alcanza hasta un metro de largo, muy venenosa, de color pardo con manchas blanquecinas.

yaraví. (De or. quechua.) m. Especie de cantar dulce y melancólico que entonan los indios de algunos países de América Meridional.

yarda. (Del ing. *yard.*) f. Medida inglesa de longitud, equivalente a 0,9143992... metros. La americana equivale a 0,9144018... metros.

yare. (De or. caribe.) m. Jugo venenoso que se extrae de la yuca amarga. ‖ **2.** *Andes venezolanos.* Masa de yuca dulce con la que se hace el cazabe.

yarey. m. *Cuba.* Planta de la familia de las palmas, con el tronco delgado y corto; hojas plegadas, sin espinas, cuyas fibras se emplean para tejer sombreros. ‖ **2.** m. *Cuba* y *Sto. Dom.* Sombrero hecho con esta palma.

yaro¹. m. **aro²**, planta.

yaro². m. Indio que habitaba en la costa oriental del Uruguay, al sur del río Negro. ‖ **2.** Perteneciente o relativo a estos indios.

yatagán. (Del turco *yátāgān,* cuchillo.) m. Especie de sable o alfanje que usan los orientales.

yataí o **yatay.** (Del guaraní *yatai.*) m. *NE. Argent., Par.* y *Urug.* Planta de la familia de las palmas. Su estipite alcanza de ocho a diez metros de altura y las hojas, de dos y medio a tres metros de longitud. Estas son pinadas, curvas y rígidas, con folíolos ensiformes y el raquis bordeado de espinas punzantes. Da frutos del tamaño de una aceituna, de los que se obtiene aguardiente. Las yemas terminales son comestibles y se las utiliza como alimento para el ganado. Con los estipites se hacen postes telegráficos y con las fibras de las hojas se tejen sombreros.

yátaro. m. *Col.* **diostedé,** tucán.

yate. (Del ing. *yacht.*) m. Embarcación de gala o de recreo.

yaya¹. f. **abuela.**

yaya². f. *Cuba.* Árbol de la familia de las anonáceas, con tronco recto y delgado; hojas lanceoladas, lampiñas; flores blancuzcas; madera flexible y fuerte. ‖ **2.** *Col.* y *Perú.* Cierta especie de ácaro. ‖ **3.** *Chile.* Herida cutánea. ‖ **4.** *Chile.* Por ext., cualquier defecto, físico o moral, que puede ocasionar al sujeto molestias o perjuicios. ‖ **cimarrona.** Cierto árbol que tiene tronco muy ramoso, hojas oblongas y brillantes, flores amarillas, pequeñas, solitarias en la axila de las hojas, y cuyo fruto sirve de alimento al ganado de cerda.

yayo. m. **abuelo.**

yaz. (Del ing. *jazz* o *jazz-band.*) m. Cierto género de música derivado de ritmos y melodías de los negros norteamericanos. ‖ **2.** Orquesta especializada en la ejecución de este género de música.

ye. f. Nombre de la letra *y.*

yebo. (Del lat. **ebum,* der. regres. de *ebŭlum.*) m. *Ál.* **yezgo.**

yeco. m. *Chile.* Especie de cuervo marino.

yedgo. (Del lat. *edēcus,* cruce del lat. *ebŭlum,* y del célt. *odēcus.*) m. ant. **yezgo.**

yedra. (Del lat. *hedĕra.*) f. **hiedra.**

yegua. (Del lat. *equa.*) f. Hembra del caballo. ‖ **2.** La que, por contraposición a potra, tiene ya cinco o más yerbas. ‖ **3.** V. **collera de yeguas.** ‖ **4.** *Amér. Central.* Colilla de cigarro. ‖ **5.** adj. *Amér. Central* y *P. Rico.* Estúpido, tonto. ‖ **caponera.** La que guía como cabestro la mulada o caballada cerril, y también las recuas. ‖ **andar con una a mátame la yegua, matarte he el potro.** fr. fig. y fam. Altercar con porfía y sin necesidad.

yeguada. f. Conjunto de ganado caballar. ‖ **2.** fig. *Amér. Central* y *P. Rico.* Disparate, burrada.

yeguar. adj. Perteneciente a las yeguas.

yeguarizo. m. ant. **yegüerizo.** ‖ **2.** adj. *Argent.* Caballar. Ú. t. c. s.

yeguato, ta. (De *yegua.*) adj. Hijo o hija de asno y yegua. Ú. t. c. s.

yeguería. f. **yeguada,** conjunto de ganado caballar.

yeguerío. m. *Amér. Central.* **yeguada,** conjunto de ganado caballar.

yegüerizo, za. adj. Perteneciente o relativo a la yegua. ‖ **2.** m. El que guarda o cuida las yeguas.

yegüero. m. El que guarda o cuida las yeguas.

yeísmo. m. Pronunciación de *la elle* como *ye,* diciendo, por ejemplo, *gayina,* por *gallina; poyo,* por *pollo.*

yeísta. adj. Perteneciente o relativo al yeísmo. ‖ **2.** Que practica el yeísmo. Ú. t. c. s.

yelgo. (Del lat. *ebulus.*) m. **yezgo.**

yelmo. (Del germ. *helm.*) m. Parte de la armadura antigua, que resguardaba la cabeza y el rostro, y se componía de morrión, visera y babera.

yema. (Del lat. *gemma.*) f. Brote embrionario de los vegetales constituido por hojas o por esbozos foliares a modo de botón escamoso del que se desarrollarán ramas, hojas y flores. ‖ **2.** Porción central del huevo en los vertebrados ovíparos. En las aves de color amarillo, en ella se halla el embrión, y está rodeada de la clara y la cáscara. ‖ **3.** Dulce seco compuesto de azúcar y **yema** de huevo. ‖ **4. yema mejida.** ‖ **5.** V. **ciruela, vinagre, vino de yema.** ‖ **6.** fig. p. us. Medio de una cosa, que no participa de las cualidades de cada una de las partes extremas. *En la* YEMA *del invierno;* YEMA *del vino.* ‖ **7.** fig. La parte mejor de una cosa. ‖ **8.** *Zool.* Pequeña porción del cuerpo de ciertos animales, como espongiarios, celentéreos, gusanos y tunicados, que se desarrolla hasta constituir un nuevo individuo. ‖ **9.** *Biol.* El más pequeño de los dos corpúsculos que resultan de dividirse una célula por gemación. ‖ **10.** pl. Dulces de forma y color análogos a los de las **yemas.** ‖ **del dedo.** Parte de su punta opuesta a la uña. ‖ **mejida.** La del huevo batida con azúcar y disuelta en leche o agua caliente, que se usa como medicamento para los catarros. ‖ **dar uno en la yema.** fr. fig. y fam. Dar en la dificultad.

yemení. (Del ár. *yamaní.*) adj. Natural del Yemen. Ú. t. c. s. ‖ **2.** Perteneciente o relativo a este país de Arabia.

yen. m. Unidad monetaria del Japón.

yente. (Del lat. *iens, euntis.*) p. a. de **ir.** Que va. Solo tiene uso en la locución **yentes y vinientes.**

yeral. m. Terreno sembrado de yeros.

yerba. (Del lat. *herba.*) f. **hierba.** ‖ **2.** *R. de la Plata.* **yerba mate.** ‖ **mate. hierba del Paraguay.**

yerbal. m. *Argent.* y *Par.* Plantación de yerba mate.

yerbatal. m. *Argent.* **yerbal.**

yerbatero, ra. adj. *Col., Chile, Ecuad., Méj., Perú, P. Rico* y *Venez.* Dícese del médico o curandero que cura con yerbas. Ú. t. c. s. ‖ **2.** *R. de la Plata.* Perteneciente o relativo a la yerba mate o a su industria. ‖ **3.** m. y f. *Col., Chile, Ecuad., Perú* y *P. Rico.* Vendedor de yerbas o de forraje. ‖ **4.** *R. de la Plata.* Persona que se dedica al cultivo, industrialización o venta de la yerba mate.

yerbazo. m. *Col.* Pócima perjudicial para la salud, que a veces dan los yerbateros o curanderos.

yerbeado, da. p. p. de **yerbear.** ‖ **2.** V. **mate yerbeado.**

yerbear. intr. rur. *R. de la Plata.* Matear.

yerbera. f. *Argent.* y *Par.* Recipiente de madera u otro material usado para contener la yerba con que se ceba el mate. Por lo común se halla unido a otro destinado al azúcar.

yerbero, ra. adj. *Méj.* **yerbatero.** Ú. t. c. s.

yerbiado. m. *N. Argent.* Mate al que se le agregan unas gotas de alcohol con fines estimulantes. ‖ **2.** *Argent. (Cuyo).* **mate cocido.**

yerboso, sa. adj. ant. Poblado de yerba.

yerbuno. m. *Ecuad.* Conjunto de yerbas que se crían en los prados.

yermar. tr. Dejar yermo un terreno.

yermo, ma. (Del lat. *erēmus,* con el acento del gr. ἔρημος.) adj. Inhabitado. ‖ **2. incultivado.** Ú. t. c. s. ‖ **3.** m. Terreno inhabitado. ‖ **4.** V. **padre del yermo.**

yerna. f. *Col., P. Rico* y *Sto. Dom.* Nuera.

yerno. (Del lat. *gener, genĕri.*) m. Respecto de una persona, marido de su hija.

yero. (Del lat. *erum,* por *ervum.*) m. **arveja,** planta de la algarroba. Ú. m. en pl. ‖ **2.** Semilla de esta planta. Ú. m. en pl.

yerra. f. *R. de la Plata.* **hierra,** acción de marcar con hierro los ganados.

yerro. (De *errar.*) m. Falta o delito cometido, por ignorancia o malicia, contra los preceptos y reglas de un arte, y absolutamente, contra las leyes divinas y humanas. ‖ **2.** Equivocación por descuido o inadvertencia, aunque sea inculpable. ‖ **de cuenta.** Falta que se comete por equivocación o descuido, y especialmente cuando de ella se sigue algún daño o provecho para otro, como en las cuentas y cálculos. ‖ **de imprenta. errata.** ‖ **el yerro del entendido.** Descuido o error cometido por persona discreta o perita y que por consiguiente suele ser de más trascendencia. ‖ **deshacer** uno **un yerro.** fr. Enmendarlo.

yérsey o **yersi.** m. *Amér.* **jersey.** ‖ **2.** *Amér.* Tejido fino de punto.

yerto, ta. (Del lat. **erctus,* de **ergo,* por *erĭgo.*) adj. Tieso, rígido o áspero. ‖ **2.** Aplícase al viviente que se ha quedado rígido por el frío; y también al cadáver u otra cosa en que se produce el mismo efecto.

yervo. (Del lat. *ervum.*) m. **yero.**

yesal. m. **yesar.**

yesar. m. Terreno abundante en mineral de yeso que se puede beneficiar. ‖ **2.** Cantera de yeso o aljez.

yesca. (Del lat. *esca,* comida, alimento.) f. Materia muy seca y preparada de suerte que cualquier chispa prenda en ella. Comúnmente se hace de trapo quemado, cardo u hongos secos. ‖ **2.** fig. Lo que está sumamente seco, y por consiguiente dispuesto a encenderse o abrasarse. ‖ **3.** fig. Incentivo de cualquier pasión o afecto. ‖ **4.** fig. y fam. Cualquier cosa que excita la gana de beber, y con singularidad, de beber vino. ‖ **5.** pl. **lumbre,** conjunto de **yesca, eslabón** y pedernal.

yesera. f. La que fabrica o vende yeso. ‖ **2. yesar.**

yesería. f. Fábrica de yeso. ‖ **2.** Tienda o sitio en que se vende yeso. ‖ **3.** Obra hecha de yeso.

yesero, ra. adj. Perteneciente o relativo al yeso. ‖ **2.** m. y f. Persona que fabrica o vende yeso. ‖ **3.** Persona que hace **guarnecidos** de yeso.

yesista. m. El que tiene por oficio dar yeso.

yeso. (Del lat. *gypsum,* y este del gr. γύψος.) m. Sulfato de calcio hidratado, compacto o terroso, blanco por lo común, tenaz y tan blando que se raya con la uña. Deshidratado por la acción del fuego y molido, tiene la propiedad de endurecerse rápidamente cuando se amasa con agua, y se emplea en la construcción y en escultura. ‖ **2.** Obra de escultura vaciada en **yeso.** ‖ **blanco.** Entre albañiles se llama así el más fino y blanco, que principalmente se usa para el enlucido exterior de los tabiques y muros de las habitaciones. ‖ **espejuelo. espejuelo, yeso** cristalizado. ‖ **mate. yeso** blanco muy duro, que matado, mezclado con agua de cola, sirve como aparejo para pintar y dorar y para otros usos. ‖ **negro.** Entre albañiles, el más basto y de color gris, que se usa principalmente para un primer enlucido de tabiques y muros, sobre el cual se da una capa de **yeso** blanco. ‖ **lavar de yeso.** fr. *Ar.* Cubrir de **yeso** una pared, bruñéndola con la paleta.

yesón. m. Cascote de yeso. Suele utilizarse en la construcción de tabicones.

yesoso, sa. adj. De yeso o parecido a él. ‖ **2.** Dícese del terreno que abunda en yeso. ‖ **3.** V. **alabastro yesoso.**

yesquero. adj. V. **cardo, hongo yesquero.** ‖ **2.** m. El que fabrica yesca o el que la vende. ‖ **3.** Encendedor que utiliza la yesca como materia combustible. ‖ **4.** Bolsa de cuero para llevar la yesca y el pedernal.

yeyuno. (Del lat. *ieiūnum.*) m. *Anat.* Segunda porción del intestino delgado de los mamíferos, situada entre el duodeno y el íleon.

yezgo. (De *yedgo.*) m. Planta herbácea, vivaz, de la familia de las caprifoliáceas, con tallos de uno a dos metros de

altura y semejante al saúco, del cual se distingue por ser las hojuelas más estrechas y largas, tener estípulas y despedir olor fétido.

yin. m. En la filosofía china, fuerza pasiva o femenina que, en síntesis con el yang, constituye el Gran Principio del orden universal llamado Tao.

yo. (Del lat. *eo,* de *ego.*) Nominativo del pronombre personal de primera persona en género masculino o femenino y número singular. ‖ **2.** m. *Fil.* Con el artículo *el,* o el posesivo, el sujeto humano en cuanto persona. ‖ **3.** *Psicol.* Parte consciente del individuo, mediante la cual cada persona se hace cargo de su propia identidad y de sus relaciones con el medio. ‖ **yo que tú, usted,** etc. loc. fam. equivalente a si yo estuviera en tu, su, vuestro lugar.

yodado, da. adj. Que contiene yodo.

yodo. (Del gr. ἰώδης, violado.) m. *Quím.* Metaloide de textura laminosa, de color gris negruzco y brillo metálico, que se volatiliza a una temperatura poco elevada, desprendiendo vapores de color azul violeta y de olor parecido al del cloro. Núm. atómico 53. Símb.: *I.*

yodoformo. (De *yodo* y *formo,* abreviación de *fórmico.*) m. *Quím.* Cuerpo cuyas moléculas están constituidas por un átomo de carbono, uno de hidrógeno y tres de yodo. Es un polvo amarillento, de olor muy fuerte parecido al del azafrán, y se usa en medicina como antiséptico.

yodurar. tr. Convertir en yoduro. ‖ **2.** Preparar con yoduro.

yoduro. m. *Quím.* Cuerpo resultante de la combinación del yodo con un radical simple o compuesto.

yoga. (Del sánscr. *yoga,* unión, esfuerzo.) m. Conjunto de disciplinas físico-mentales de la India, destinadas a conseguir la perfección espiritual y la unión con lo absoluto. ‖ **2.** Se designan también con esta palabra las prácticas modernas derivadas del **yoga** hindú y dirigidas a obtener mayor eficacia en el dominio del cuerpo y la concentración anímica.

yogar. (De *yogo,* pret. indef. de yacer, der. del lat. *iacŭi,* pret. de *iacēre,* yacer.) intr. Holgarse, y particularmente tener acto carnal. ‖ **2.** ant. Estar detenido y hacer mansión en un paraje.

yoglar. (Del lat. *ioculāris,* risible, chancero.) m. ant. **juglar.**

yoglaresa. (De *yoglar.*) f. ant. **juglaresa.**

yoglaría. (De *yoglar.*) f. ant. **juglaría.**

yogui. (Del hindú *yogi.*) com. Asceta hindú adepto al sistema filosófico del yoga. ‖ **2.** Persona que practica los ejercicios físicos y mentales del yoga.

yogur. (Del turco *yoghurt.*) m. Variedad de leche fermentada, que se prepara reduciéndola por evaporación a la mitad de su volumen y sometiéndola después a la acción de un fermento denominado *maya.*

yoidad. f. *Fil.* Condición de ser yo.

yol. m. *Chile.* Especie de árguenas de cuero que se usan para el acarreo en la recolección de la uva y del maíz.

yola. (Del danés *yolle.*) f. Embarcación muy ligera movida a remo y con vela.

yolillo. m. *C. Rica.* Palmera pequeña que da un fruto parecido al del corojo.

yóquey o **yoqui.** (Del ing. *jockey.*) m. Jinete profesional de carreras de caballos.

yos. m. *C. Rica.* Cierta planta de la familia de las euforbiáceas que segrega un jugo lechoso cáustico, el cual se utiliza como liga para cazar pájaros.

yoyó. m. Juguete de origen chino que consiste en dos discos de madera, metal o plástico, unidos por un eje; se le hace subir y bajar a lo largo de una cuerta atada a ese mismo eje.

yubarta. (En fr. *jubarte.*) f. Especie de ballena, rorcual.

yubero. m. ant. **yuguero.**

yubo. (Del arag. *yubo,* y este del lat. *iugum.*) m. ant. **yugo.**

yuca. (De or. haitiano.) f. Planta de América tropical, de la familia de las liliáceas, con tallo arborescente, cilíndrico, lleno de cicatrices, de 15 a 20 centímetros de altura, coronado por un penacho de hojas largas, gruesas, rígidas y ensiformes; flores blancas, casi globosas, colgantes de un escapo largo y central, y raiz gruesa, de la que se saca harina alimenticia. Cultívase en Europa como planta de adorno. ‖ **2.** Nombre vulgar de algunas especies de mandioca. ‖ **como yuca para mi guayo.** fr. fig. y fam. *P. Rico.* **como peras en tabaque.**

yucal. m. Terreno plantado de yuca.

yucateco, ca. adj. Natural del Estado mejicano de Yucatán. Ú. t. c. s. ‖ **2.** Perteneciente o relativo a dicho Estado.

yuchán. m. *Argent.* Palo borracho amarillo.

yudo. (Del japonés *yū*, blando, y *dō*, modo.) m. Sistema japonés de lucha, que hoy se practica también como deporte, y que tiene por objeto principal defenderse sin armas mediante llaves y movimientos aplicados con destreza.

yudoca. com. Persona que practica el yudo.

yugada. (De *yugo*, tomado figuradamente por la pareja de bueyes unidos con él.) f. Espacio de tierra de labor que puede arar una yunta en un día. ‖ **2.** En algunas partes, espacio de tierra de labor equivalente a 50 fanegas de marco real o algo más de 32 hectáreas. ‖ **3.** Yunta, especialmente la de bueyes.

yuglandáceo, a. (De *Yuglans*, nombre de un género de plantas.) adj. *Bot.* Dícese de árboles angiospermos dicotiledóneos, con hojas compuestas y ricas en sustancias aromáticas; flores monoicas y fruto en drupa con semillas sin albumen; como el nogal y la pacana. Ú. t. c. s. f. ‖ **2.** f. pl. *Bot.* Familia de estas plantas.

yugo. (Del lat. *iugum*.) m. Instrumento de madera al cual, formando yunta, se uncen por el cuello las mulas, o por la cabeza o el cuello, los bueyes, y en el que va sujeta la lanza o pértigo del carro, el timón del arado, etc. ‖ **2.** Especie de horca, por debajo de la cual, en tiempos de la antigua Roma, hacían pasar sin armas a los enemigos vencidos. ‖ **3.** Armazón de madera unida a la campana que sirve para voltearla. ‖ **4. velo** que se ponía a los desposados en la misa de velaciones. ‖ **5.** fig. Ley o dominio superior que sujeta y obliga a obedecer. ‖ **6.** fig. Cualquier carga pesada, prisión o atadura. ‖ **7.** *Electrón.* Componente, formado por material magnético y bobinas, que abraza el cuello de un tubo de rayos catódicos y sirve para mandar la desviación del haz electrónico. ‖ **8.** *Mar.* Cada uno de los talones curvos horizontales que se endiantan en el codaste y forman la popa del barco. ‖ **sacudir** uno el **yugo.** fr. fig. Librarse de opresión o dominio molesto o afrentoso. ‖ **sujetarse** uno al **yugo** de otro. fr. fig. Someterse a su dominio o ceder a su ascendiente, influencia y sugestión.

yugoeslavo, va. adj. **yugoslavo.**

yugoslavo, va. adj. Natural de Yugoslavia. Ú. t. c. s. ‖ **2.** Perteneciente o relativo a esta nación europea.

yuguero. (Del lat. *iugarius*.) m. **yuntero.**

yugueta. f. *Pal.* y *Seg.* Yugo pequeño, para una sola bestia.

yugular[1]. (Del lat. *iugulāris*, de *iugŭlus*, garganta.) adj. *Anat.* V. **vena yugular.** Ú. t. c. s.

yugular[2]. (Del lat. *iugulāre*.) tr. Degollar, cortar el cuello. ‖ **2.** fig. Detener súbita o rápidamente una enfermedad por medidas terapéuticas. ‖ **3.** fig. Hablando de determinadas actividades, acabar pronto con ellas, ponerles fin bruscamente.

yumbo, ba. adj. Indio salvaje del oriente de Quito. Ú. t. c. s.

yunga. (Del quechua *yunca.*) adj. Natural de los valles cálidos que hay a un lado y otro de los Andes. Ú. t. c. s. ‖ **2.** m. Antigua lengua del norte y centro de la costa peruana.

‖ **3.** pl. *Perú.* Valles cálidos que hay a un lado y otro de los Andes.

yungir. (Del lat. *iungĕre.*) tr. ant. **uncir.**

yunque. (Del lat. *incus, -ŭdis.*) m. Usáb. c. f. Prisma de hierro acerado, de sección cuadrada, a veces con punta en uno de los lados, encajado en un tajo de madera fuerte, y a propósito para trabajar en él a martillo los metales. ‖ **2.** fig. Persona firme y paciente en las adversidades. ‖ **3.** fig. Persona muy asidua y perseverante en el trabajo. ‖ **4.** *Anat.* Uno de los tres huesecillos que hay en la parte media del oído de los mamíferos, situado entre el martillo y el estribo. ‖ **estar** uno al **yunque.** fr. fig. Estar tolerando o sufriendo la molestia impertinente de otro, los golpes y acaecimientos de la fortuna, o cualquier otro trabajo.

yunta. (Del lat. *iuncta*, junta.) f. Par de bueyes, mulas u otros animales que sirven en la labor del campo o en los acarreos. ‖ **2.** En algunas partes, **yugada** de tierra.

yuntar. tr. ant. **juntar.**

yuntería. f. Conjunto de yuntas. ‖ **2.** Lugar donde se recogen.

yuntero. m. El que labra la tierra con una pareja de animales o yunta.

yunto, ta. (Del lat. *iunctus.*) p. p. irreg. de **yuntar. junto.** *Ir* YUNTOS *los surcos.* ‖ **2.** adv. m. De modo que los surcos estén juntos. *Arar* YUNTO.

yuquerí. m. *Argent.* Arbusto espinoso de la familia de las mimosáceas, con fruto semejante a la zarzamora.

yuquero, ra. m. y f. *Col.* Persona que cultiva yuca o negocia con ella.

yuquilla. f. *Cuba.* **sagú,** planta herbácea. ‖ **2.** *Venez.* Planta acantácea.

yuraguano. m. *Cuba.* **miraguano,** palmera. ‖ **2.** Fruto de esta palmera.

yuras (a). (Del lat. *a iure*, fuera de derecho.) loc. adv. ant. V. **matrimonio a yuras.**

yuré. f. *C. Rica.* Especie de paloma silvestre, más pequeña que la común. Se encuentra en todo el país.

yuruma. f. *Venez.* Medula de una palma con la que fabrican los indios una especie de pan.

yurumo. m. *P. Rico.* **yagrumo.**

yusano, na. adj. ant. **yusero.**

yusente. (De *yuso*.) f. ant. *Mar.* Marea que baja.

yusera. f. Piedra circular o conjunto de dovelas que sirve de suelo en el alfarje de los molinos de aceite y sobre la cual se mueve la volandera.

yusero, ra. (De *yuso*.) adj. ant. Que está en lugar inferior o más abajo.

yusión. (Del lat. *iussĭo, -ōnis.*) f. desus. *Der.* Acción de mandar. ‖ **2.** *Der.* Mandato, precepto.

yusivo, va. (Del lat. *iussus,* p. p. de *iubēre.*) adj. *Gram.* Dícese del término que se emplea para designar el modo subjuntivo, cuando expresa un mandato o una orden. *Que salga.*

yuso. (Del lat. *deorsum*, hacia abajo.) adv. l. desus. **ayuso.**

yute. (Del ing. *jute*.) m. Materia textil que se saca de la corteza interior de una planta de la familia de las tiliáceas. De la India viene en rama a Europa, donde se hila y teje. ‖ **2.** Tejido o hilado de esta materia.

yuxtalineal. adj. Dícese de la traducción que acompaña a su original, o del cotejo de textos cuando se disponen a dos columnas de modo que se correspondan línea por línea para su comparación más cómoda.

yuxtaponer. (Del lat. *iuxta,* cerca de, y *ponĕre,* poner.) tr. Poner una cosa junto a otra o inmediata a ella. Ú. t. c. prnl.

yuxtaposición. (Del lat. *iuxta,* junto a, y *positĭo, -ōnis,* posición.) f. Acción y efecto de yuxtaponer o yuxtaponerse. ‖ **2.** *Hist. Nat.* Modo de aumentar o crecer los minerales, a diferencia de los animales y vegetales, que crecen por intususcepción.

¡yuy! interj. ant. **¡huy!**

yuyero, ra. adj. *Argent.* Aficionado a tomar hierbas medicinales. ‖ **2.** m. y f. Curandero o curandera que receta principalmente hierbas.

yuyo. (Del lat. *lolĭum*, cizaña.) m. *Argent., Chile.* y *Urug.* Yerbajo, hierba inútil. ‖ **2.** *Chile.* **jaramago,** planta. ‖ **3.** pl. *Perú.* Hierbas tiernas comestibles. ‖ **4.** *Col.* y *Ecuad.* Hierbas que sirven de condimento. ‖ **colorado.** *Argent.* **carurú.**

yuyuba. (Del lat. *zizyphum*, y este del gr. ζίζυφον.) f. Fruto del azufaifo.

Z

z. f. Vigésima novena y última letra del abecedario español, y vigésima cuarta de sus consonantes. Llámase **zeda** o **zeta**. En la mayor parte de España se pronuncia ante cualquier vocal, un sonido de articulación interdental, fricativa y sorda, distinta de la que se da a la *s;* en casi toda Andalucía, así como en Canarias, Hispanoamérica, etc., se articula como una *s* en que la lengua adopta posición convexa, generalmente predorsal, con salida dental o dentoalveolar del aire, y con seseo o indistinción fonológica respecto de la *s.* La Academia considera correctas tanto la pronunciación interdental distinguidora como la predorsal seseante.

za. Voz que usan en algunas partes para ahuyentar a los perros y otros animales.

zabacequia. (Del ár. *ṣāḥib as-sāqiya,* regidor de la acequia.) m. *Ar.* El que tiene el cuidado de las acequias.

zabalmedina. m. Antiguo magistrado de Aragón, zalmedina.

zabarcera. f. Mujer que revende por menudo frutos y otros comestibles.

zabatán. m. *Ál.* **mastranzo.**

zabazala. (Del ár. *ṣāḥib aṣ-ṣalā,* director de la oración.) m. Encargado de dirigir la oración pública en la mezquita.

zabazoque. (Del ár. *ṣāḥib as-sūq,* regidor del mercado.) m. **almotacén,** fiel contraste.

zabida. f. **zabila.**

zabila. (Del ár. *ṣabbāra,* con imela *ṣabbīra,* o de *ṣabaira,* áloe.) f. **áloe.**

zábila. f. *Ant., Col.* y *Perú.* **zabila.**

zaborda. f. *Mar.* Acción y efecto de zabordar.

zabordamiento. m. *Mar.* Acción y efecto de zabordar.

zabordar. (De *za,* por *sub,* bajo, y *abordar.*) intr. *Mar.* Varar o encallar el barco en tierra.

zabordo. m. *Mar.* Acción y efecto de zabordar.

zaborra. (Del lat. *saburra.*) f. *Nav.* Residuo, desecho. Ú. m. en pl. ‖ **2.** *Ar.* y *Murc.* Piedra pequeña. Ú. m. en pl. ‖ **3.** *And.* **recebo,** arena o piedra menuda que se extiende sobre la carretera.

zaborrero, ra. (De *zaborra.*) adj. *Ál.* y *Nav.* Dícese del obrero que trabaja mal y es chapucero. ‖ **2.** m. *Nav.* Peón de la construcción que ayuda al cantero.

zaborro. (De *zaborra.*) m. *Ar.* y *Nav.* Hombre o niño gordinflón. ‖ **2.** *Ar.* Cascote de yeso, yesón.

zaboyar. tr. *Ar.* Unir con yeso las juntas de los ladrillos. ‖ **2.** fig. *Ar.* Tapar, cubrir, ocultar.

zabra. (Del ár. *zawraq,* barco pequeño.) f. Buque de dos palos, de cruz, que se usaba en los mares de Vizcaya en la Edad Media y principios de la Moderna.

zabro. m. Escarabajo de la familia de los carábidos que ataca los trigales, especialmente cuando los granos son tiernos.

zabucar. tr. p. us. **bazucar.**

zabullida. (De *zabullir.*) f. **zambullida.**

zabullidor, ra. adj. **zambullidor.**

zabullidura. f. **zambullidura.**

zabullimiento. m. **zambullimiento.**

zabullir. (Del lat. *subbullīre.*) tr. **zambullir.** Ú. t. c. prnl.

zabuquear. tr. **zabucar.**

zabuqueo. (De *zabucar.*) m. Acción y efecto de zabuquear.

zaca. f. *Min.* Odre con que desaguan los pozos de las minas.

zacapela. f. Riña o contienda con ruido y bulla.

zacapella. f. **zacapela.**

zacapín. m. p. us. Mozo encargado de cortar y preparar el forraje para las caballerías.

zacatal. (De *zacate.*) m. *Amér. Central, Filip.* y *Méj.* Terreno de abundante pasto, pastizal.

zacate. (Del náhuatl *zacatl.*) m. *Amér. Central, Filip.* y *Méj.* Hierba, pasto, forraje. ‖ **2.** *Méj.* **estropajo.**

zacateca. m. *Cuba.* Agente de pompas fúnebres vestido de librea que asistía a los entierros.

zacatecano, na. adj. Natural del estado o de la ciudad mejicanos de Zacatecas. Ú. t. c. s. ‖ **2.** Perteneciente o relativo a dicho estado o ciudad.

zacateco, ca. adj. Natural de Zacatlán, población del estado mejicano de Puebla. Ú. t. c. s. ‖ **2.** Perteneciente o relativo a esta población.

zacatín. (Del ár. *saqqāṭīn,* ropavejeros.) m. En algunos pueblos, plaza o calle donde se venden ropas.

zacatón. m. *Amér. Central* y *Méj.* Hierba alta de pasto. ‖ **2.** *Méj.* Planta con cuya raíz se fabrican escobetas y cepillos para fregar.

zacear. tr. desus. Espantar y hacer huir a los perros u otros animales con la voz za. ‖ **2.** intr. **cecear,** pronunciar la *s* como *z.*

zaceo. m. Acción y efecto de zacear, cecear.

zaceoso, sa. adj. Que cecea.

zacuto. (Del vasc. *zakuto.*) m. *Nav.* Bolso, saco pequeño.

zade. (Del lat. *salix, -ícis.*) m. *Sal.* Especie de mimbre, de tallos delgados, que crece junto a los arroyos.

zadorija. (Del cat. *sadorija.*) f. **pamplina,** planta papaverácea.

zafa. (Del ár. *ṣaḥfa,* escudilla.) f. *Albac., Gran.* y *Murc.* **jofaina.**

zafacoca. (De *zafar* y *coca,* cabeza.) f. *And.* y *Amér.* Riña, pendencia, trifulca.

zafacón. m. *P. Rico* y *Sto. Dom.* Recipiente hecho comúnmente de hoja de lata, que se usa en las casas para recoger las basuras.

zafada. f. *Mar.* Acción de zafar o zafarse.

zafado, da. p. p. de **zafar.** ‖ **2.** adj. *And., Can., Gal.* y *Argent.* Descarado, atrevido en su conducta o lenguaje. Ú. t. c. s.

zafadura. f. Acción y efecto de zafar o zafarse.

zafaduría. f. *Argent.* y *Urug.* Conducta o lenguaje descarado, atrevido.

zafar[1]. tr. Adornar, guarnecer, hermosear o cubrir.

zafar[2]. (De la montañ. *zaf.*) tr. *Mar.* Desembarazar, libertar, quitar los estorbos de una cosa. Ú. t. c. prnl. ‖ **2.** prnl. Escaparse o esconderse para evitar un encuentro o riesgo. ‖ **3.** Salirse del canto de la rueda de la correa de una máquina. ‖ **4.** fig. Excusarse de hacer una cosa. ‖ **5.** fig. Librarse de una molestia. ‖ **6.** *Amér.* Dislocarse, descoyuntarse un hueso.

zafareche. (De *zafariche.*) m. *Ar.* **estanque.**

zafarí. (De etim. disc.) adj. V. **granada, higo zafarí.**

zafariche. (Del ár. *ṣahrīŷ,* o de su pl. *ṣahārīŷ,* estanques; véase también *jaraíz.*) m. *Ar.* Cantarera o sitio donde se ponen los cántaros.

zafarrancho. (De *zafar,* desembarazar, y de *rancho.*) m. *Mar.* Acción y efecto de desembarazar una parte de la embarcación, para dejarla dispuesta a determinada faena. ZA-FARRANCHO *de combate, de limpieza.* ‖ **2.** fig. y fam. Limpieza general. ‖ **3.** fig. y fam. Riza, destrozo. ‖ **4.** fig. y fam. Riña, chamusquina.

zafero. (De *zafa.*) m. **palangranero.**

zafiamente. adv. m. Con zafiedad.

zafiedad. f. Calidad de zafio.

zafío. (Del ár. *safī',* ennegrecido, moreno.) m. *And.* **negrilla,** pez.

zafio, fia. (Del ár. *ŷāfī,* grosero, incivil.) adj. Grosero o tosco en sus modales o falto de tacto en su comportamiento. ‖ **2.** *Perú.* Desalmado.

zafir. m. desus. **zafiro.**

zafira. f. desus. **zafiro.**

zafíreo, a. (De *zafiro.*) adj. **zafirino.**

zafirina. (Del lat. *sapphirīna,* t. f. de -*nus,* zafirino.) f. Calcedonia azul.

zafirino, na. (Del lat. *sapphirīnus.*) adj. De color de zafiro.

zafiro. (Del gr. σάπφειρος, a través del lat. *sapphīrus.*) m. Corindón cristalizado de color azul. ‖ **blanco.** Corindón cristalizado, incoloro y transparente. ‖ **oriental. zafiro** muy apreciado por su brillo u oriente.

zafo, fa. (De *zafar²*.) adj. *Mar.* Libre y desembarazado. ‖ **2.** p. us. fig. Libre y sin daño. *Salió* ZAFO *en el juego.* ‖ **3.** adv. *Amér.* Salvo, excepto.

zafra¹. (Del ár. *ṣufar* o *ṣafr,* latón [vasija de]; compárese *azófar.*) f. Vasija de metal ancha y poco profunda, con agujeritos en el fondo, en que los vendedores de aceite colocan las medidas para que escurran. ‖ **2.** Vasija grande de metal en que se guarda aceite.

zafra². f. En algunas partes, sufra, correón que sostiene las varas del carro.

zafra³. (Del ár. *ṣafar,* período en que amarillean y maduran las cosechas.) f. Cosecha de la caña dulce. ‖ **2.** Fabricación del azúcar de caña, y por ext., del de remolacha. ‖ **3.** Tiempo que dura esta fabricación.

zafra⁴. (Del ár. *ṣajra,* piedra.) f. *Min.* Escombro¹ de una mina o cantera.

zafrán. (Del ár. *za'farān.*) m. **azafrán.**

zafre. (Del m. or. que *zafiro.*) m. Óxido de cobalto mezclado con cuarzo y hecho polvo, que se emplea principalmente para dar color azul a la loza y al vidrio.

zafrero. m. *Min.* Operario ocupado en el trecheo de zafras.

zaga. (Del ár. *sāqa,* retaguardia.) f. Parte trasera de una cosa. ‖ **2.** Carga que se acomoda en la trasera de un vehículo. ‖ **3.** ant. *Mil.* Último cuerpo de tropa en marcha. ‖ **4.** m. El que juega en último lugar. ‖ **5.** adv. l. ant. **detrás.** ‖ **a la zaga, a zaga, o en zaga.** loc. adv. Atrás o detrás. ‖ **no ir, o no irle,** uno **en zaga** a otro, o **no quedarse en zaga.** fr. fig. y fam. No ser inferior a otro en aquello de que se trata.

zagadero. m. ant. **regatón².**

zagal¹. (Del ár. *zaḡal,* joven animoso.) m. Muchacho que ha llegado a la adolescencia. ‖ **2.** Pastor joven. ‖ **3.** Mozo que ayudaba al mayoral en los carruajes de caballerías. ‖ **4.** *Oriente Peninsular.* **niño.**

zagal². (Del lat. *sagum,* sayo.) m. Refajo que usan las lugareñas.

zagala. (De *zagal¹.*) f. Muchacha soltera. ‖ **2.** Pastora joven. ‖ **3.** *Cantabria* y *León.* **niñera.**

zagalejo¹. m. d. de **zagal¹.**

zagalejo². (d. de *zagal²*.) m. Refajo que usan las lugareñas.

zagalesco, ca. adj. Perteneciente o relativo al **zagal¹,** muchacho.

zagalón, na. (aum. de *zagal¹*.) m. y f. Adolescente muy crecido.

zagaya. (Del ár. *zagāya.*) f. ant. **azagaya.**

zagua. (Del ár. *sauda,* barrilla.) f. Arbusto de la familia de las quenopodiáceas, de unos dos metros de alto, hojas opuestas siempre verdes y flores axilares de dos en dos. Se cría en el mediodía de Europa y el norte de África.

zagual. (De or. tagalo.) m. Remo corto enterizo con palo redondo y pala de forma acorazonada, que no necesita escálamo.

zaguán. (Del ár. *'usṭuwān,* y este del gr. στοάν, pórtico.) m. Espacio cubierto situado dentro de una casa, que sirve de entrada a ella y está inmediato a la puerta de la calle.

zaguanete. m. d. de **zaguán.** ‖ **2.** desus. Aposento donde estaba la guardia del príncipe en su palacio. ‖ **3.** desus. Escolta de guardias que acompañaba a pie a las personas reales.

zaguaque. m. ant. **almoneda.**

zaguera. (De *zaguero.*) f. ant. Último cuerpo de tropa en marcha. ‖ **2.** *Ar., Cuen.* y *Sal.* **zaga,** parte posterior de una cosa.

zaguero, ra. (De *zaga.*) adj. Que va, se queda o está atrás. ‖ **2.** Dícese del carro que lleva exceso de carga en la parte de atrás. ‖ **3.** m. En los partidos de pelota por parejas, el que ocupa la zaga de la cancha y lleva el peso del partido. ‖ **4. defensa,** jugador de un equipo de fútbol.

zagüía. (Del ár. *zāwiya,* rincón, ermita.) f. En Marruecos, especie de ermita en que se halla la tumba de un santón.

zahareño, ña. (De etim. disc.) adj. *Cetr.* Aplícase al pájaro bravo que no se amansa, o que con mucha dificultad se domestica. ‖ **2.** Desdeñoso, esquivo, intratable o irreductible.

zaharí. adj. **zafarí.**

zaharrón. (De etim. disc.) m. desus. Moharracho o botarga.

zahén. (Del ár. *Zayyān,* nombre de una familia real de Tremecén.) adj. Dícese de una dobla de oro finísimo que usaron los moros españoles y valió dos ducados primeramente, y 445 maravedís en tiempo de los Reyes Católicos.

zahena. f. Dobla zahén.

zaheridor, ra. adj. Que zahiere. Ú. t. c. s.

zaherimiento. m. Acción de zaherir.

zaherío. m. ant. Acción de zaherir.

zaherir. (De *hacerir.*) tr. Decir o hacer algo a alguien con lo que se sienta humillado o mortificado.

zahína. (Del lat. *sagīna.*) f. Planta anual, originaria de la India, de la familia de las gramíneas, con cañas de dos a tres metros de altura, llenas de un tejido blanco y algo dulce y vellosas en los nudos; hojas lampiñas, ásperas en los bordes; flores en panoja floja, grande y derecha, o espesa, arracimada y colgante, y granos mayores que los cañamones, algo rojizos, blanquecinos o amarillos. Sirven estos para hacer pan y de alimento a las aves, y toda la planta de pasto a las vacas y otros animales. ‖ **2.** Semilla de esta planta. ‖ **3.** pl. *And.* Gachas o puches de harina que no se dejan espesar.

zahinar. m. Tierra sembrada de zahína.

zahón. m. Especie de calzón de cuero o paño, con perniles abiertos que llegan a media pierna y se atan a los muslos, el cual llevan los cazadores y gente del campo para resguardar el traje. Ú. m. en pl.

zahonado, da. adj. Aplícase a los pies y manos que en algunas reses tienen distinto color por delante, como si llevaran zahones.

zahondar. (Del lat. *suffundāre*.) tr. Ahondar la tierra. ‖ **2.** intr. Hundirse los pies en ella.

zahora. (Del ár. *sahúra*, comida previa al alba, durante el ayuno de ramadán.) f. En La Mancha y otras regiones, comilona o merienda de amigos en que hay bulla y zambra.

zahorar. (De *zahora.*) intr. desus. Sobrecenar, cenar por segunda vez, a deshora. ‖ **2.** En La Mancha y otras regiones, tener o celebrar zahoras.

zahorí. (Del ár. *zuharī*, servidor del planeta Venus, geomántico.) m. Persona a quien se atribuye la facultad de descubrir lo que está oculto, especialmente manantiales subterráneos. ‖ **2.** fig. Persona perspicaz y escudriñadora, que descubre o adivina fácilmente lo que otras personas piensan o sienten.

zahoriar. (De *zahorí.*) tr. p. us. Escudriñar, penetrar con la vista.

zahorra. (Del lat. *saburra.*) f. *Mar.* Lastre de una embarcación.

zahúrda. (Del al. *sau,* cerdo, y *hûrde,* cercado.) f. **pocilga,** vivienda del cerdo.

zaida. (Del ár. *sä'ida,* pescadora.) f. **grulla damisela.**

zaina. (Del ant. a. al. *zaina.*) f. *Germ.* Bolsa de dinero.

zaino¹, na. (Del ár. *jä'in,* traidor.) adj. Traidor, falso, poco seguro en el trato. ‖ **2.** Aplícase a cualquier caballería que da indicios de ser falsa. ‖ **a lo zaino, o de zaino.** loc. adv. Al soslayo, recatadamente o con alguna intención. Ú. m. con el verbo *mirar.*

zaino², na. (Del ár. *aşamn.*) adj. Aplícase al caballo o yegua castaño oscuro que no tiene otro color. ‖ **2.** En el ganado vacuno, el de color negro que no tiene ningún pelo blanco.

zajarí. adj. **zafarí.** ‖ **2.** V. **naranja zajarí.**

zajarrar. tr. *And.* Dar una capa de yeso o mortero a una pared, jaharrar.

zalá. (Del ár. *şalā,* oración litúrgica.) f. Oración de los musulmanes, azalá. ‖ **hacer uno la zalá** a otro. fr. fig. y fam. Cortejarlo con gran rendimiento y sumisión para conseguir alguna cosa.

zalacho. m. *Ar.* **andrajo.**

zalagarda. (Del ant. fr. *eschargarde.*) f. Emboscada dispuesta para coger descuidado al enemigo y dar sobre él sin que recele. ‖ **2. escaramuza,** género de pelea de los jinetes o soldados de a caballo. ‖ **3.** fig. Lazo que se arma para que caigan en él los animales. ‖ **4.** fig. y fam. Astucia maliciosa con que uno procura engañar a otro afectando obsequio y cortesía. ‖ **5.** fig. y fam. Alegría bulliciosa. ‖ **6.** fig. y fam. Alboroto repentino de gente ruin para espantar a los que están descuidados. ‖ **7.** fig. y fam. Pendencia, regularmente fingida, de palos y cuchilladas, en que hay mucha bulla, voces y estruendo.

zalama. (Del ár. *salām,* salutación.) f. Demostración de cariño afectada.

zalamelé. (Del ár. *as-salâm 'alaik,* la paz sea sobre ti, fórmula habitual del saludo entre musulmanes.) m. Demostración de cariño afectada.

zalamería. f. Demostración de cariño afectada y empalagosa.

zalamero, ra. (De *zalama.*) adj. Que hace zalamerías. Ú. t. c. s.

zálamo. m. *Can.* y *Extr.* Bozal de los perros.

zalbo, ba. (De *hlaz,* cara, y *albo,* blanco.) adj. *Vall.* Dícese de la oveja que tiene toda la cara blanca.

zalea. (Del ár. *salija,* pelleja.) f. Cuero de oveja o carnero, curtido de modo que conserve la lana; sirve para preservar de la humedad y del frío.

zalear¹. (De la onomat. *zal.*) tr. Arrastrar o menear con facilidad una cosa a un lado y a otro. ‖ **2.** Espantar y hacer huir a los perros y otros animales.

zalear². (De *zalea.*) tr. *Ar., Áv.* y *Sal.* Matar el lobo a una res después de casi solo el pellejo.

zalema. (Del ár. *salam,* salutación.) f. fam. Reverencia o cortesía humilde en muestra de sumisión. ‖ **2. zalamería.**

zaleo¹. (De *zalear¹.*) m. Acción de zalear¹.

zaleo². (De *zalear².*) m. Acción de zalear². ‖ **2.** Tela vieja o destrozada.

zalmedina. (Del ár. *sâhib al-madina,* regidor o prefecto de la ciudad.) m. Magistrado que había antiguamente en Aragón con jurisdicción civil y criminal.

zaloma. (Del lat. *celeusma,* canto de marineros.) f. Voz cadenciosa simultánea en el trabajo de los marineros, saloma.

zalona. (Del ár. *zanúna,* jarro con dos asas.) f. *And.* Vasija grande de barro sin vidriar, de boca ancha y con una o dos asas.

zallar. tr. *Mar.* Hacer rodar o resbalar una cosa en el sentido de su longitud y hacia la parte exterior de la nave.

zamacuco, ca. (Del ár. *şamkûk,* hombre fuerte y brutal.) adj. y f. fam. Persona tonta, torpe y abrutada. ‖ **2.** Persona que, callándose o simulando torpeza, hace su voluntad o lo que le conviene. ‖ **3.** m. fig. y fam. Embriaguez o borrachera.

zamacueca. f. **cueca.**

zamanca. f. fam. Paliza, zurra, somanta.

zamarra. (Del vasc. *zamarra.*) f. Prenda de vestir, rústica, hecha de piel con su lana o pelo. ‖ **2. pelliza,** chaqueta de abrigo. ‖ **3.** Piel de carnero.

zamarrada. f. Acción propia de un zamarro, hombre tosco. ‖ **2.** Acción típica del hombre astuto. ‖ **3.** *Nav.* y *Rioja.* Enfermedad larga y de cuidado.

zamarrazo. (De *zamarra,* piel de carnero.) m. Golpe dado con palo o correa. ‖ **2.** Desgracia, enfermedad, reveses de la fortuna.

zamarrear. (De *zamarra,* piel de carnero.) tr. Sacudir a un lado a otro a la res o presa que el perro, o bien el lobo u otra fiera semejante, tiene asida con los dientes, para destrozarla o acabarla de matar. ‖ **2.** fig. y fam. Tratar mal a uno trayéndolo con violencia o golpes de una parte a otra. ‖ **3.** fig. y fam. Apretar a uno en la disputa o en la pendencia, trayéndolo a mal traer.

zamarreo. m. Acción de zamarrear.

zamarrico. (d. de *zamarro.*) m. Alforja o zurrón hecho de zalea.

zamarriego, ga. adj. Natural de Zamarramala. Ú. t. c. s. ‖ **2.** Perteneciente o relativo a este lugar de la provincia de Segovia.

zamarrilla. (d. de *zamarra.*) f. Planta anual de la familia de las labiadas, con tallos leñosos y velludos de dos a tres decímetros de altura; hojas lanuginosas, muy estrechas, de bordes revueltos, cenicientas por el haz y blanquecinas por el envés, y flores blancas o encarnadas en cabezuelas cubiertas de tomento abundante. Es aromática y se usaba en la preparación de la triaca.

zamarro. (De *zamarra.*) m. **zamarra,** prenda de vestir. ‖ **2.** Piel de cordero. ‖ **3.** fig. y fam. Hombre tosco, lerdo, rústico, pesado. ‖ **4.** fig. y fam. V. **barbas de zamarro.** ‖ **5.** fig. y fam. Hombre astuto, pillo. ‖ **6.** pl. *Col., Ecuad.* y *Venez.* Especie de zahones que se usan para montar a caballo.

zamarrón. m. aum. de **zamarra.** ‖ **2.** *And.* Mandil de lona o de cuero, con peto, que usan los segadores.

zamba. f. Danza cantada popular del noroeste de Argentina. ‖ **2.** Música y canto de esta danza.

zambacueca. f. **cueca.**

zambaigo, ga. adj. **zambo,** hijo de negra e indio, y viceversa. Ú. t. c. s. ‖ **2.** *Méj.* Decíase del descendiente de chino e india o de chino e india. Usáb. t. c. s.

zambapalo. m. Danza grotesca traída de las Indias Occidentales, que se usó en España durante los siglos XVI y XVII. ‖ **2.** Música de esta danza.

zambarco. m. Correa ancha que ciñe el pecho de las

caballerías de tiro, para sujetar a ella los tirantes. ‖ **2. francalete.**

zámbigo, ga. adj. **zambo** de piernas. Ú. t. c. s.

zambo, ba. adj. Dícese de la persona que por mala configuración tiene juntas las rodillas y separadas las piernas hacia afuera. Ú. t. c. s. ‖ **2.** Dícese, en América, del hijo de negro e india, o al contrario. Ú. t. c. s. ‖ **3.** *And., Rioja* y *Nav.* **patiestevado.** Ú. t. c. s. ‖ **4.** m. Mono americano que tiene unos seis decímetros de longitud, la cola prensil y casi tan larga como el cuerpo; pelaje de color pardo amarillento, como el cabello de los mestizos **zambos;** hocico negro y una mancha blanca en la frente; rudimentales los pulgares de las manos; muy aplastadas y abiertas las narices, y fuertes y acanaladas las uñas.

zamboa. (Del ár. *zambu'a,* cidra.) f. Especie de toronja, azamboa.

zambomba. (De or. onomatopéyico.) f. Instrumento rústico musical, de barro cocido o de madera, hueco, abierto por un extremo y cerrado por el otro con una piel muy tirante, que tiene en el centro, bien sujeto, un carrizo a manera de mástil, el cual, frotado de arriba abajo y de abajo arriba con la mano humedecida, produce un sonido fuerte, ronco y monótono. ‖ **2.** *Sal., Seg., Vallad.* y *Zam.* Vejiga de cerdo inflada. ‖ **¡zambomba!** interj. fam. con que se manifiesta sorpresa.

zambombazo. m. Porrazo, golpazo. ‖ **2.** Estampido o explosión con mucho ruido y fuerza.

zambombo. (De *zambomba.*) m. fig. y fam. Hombre tosco, grosero y rudo de ingenio.

zamborondón, na. (Del lat. *strambŭlus,* de vista torcida.) adj. **zamborotudo.** Ú. t. c. s.

zamborotudo, da. (Del lat. *strambŭlus,* de vista torcida.) adj. fam. Tosco, grueso y mal formado. ‖ **2.** fig. y fam. Dícese de la persona que hace las cosas toscamente. Ú. t. c. s. ‖ **3.** *And.* Turbio o peleón, dicho del vino.

zamborrotudo, da. adj. **zamborotudo.** Ú. t. c. s.

zambra[1]. (Del ár. *samra,* fiesta nocturna, velada, sarao.) f. Fiesta que usaban los moriscos, con bulla, regocijo y baile. ‖ **2.** Fiesta semejante de los gitanos del Sacromonte. ‖ **3.** fig. y fam. Algazara, bulla y ruido de muchos.

zambra[2]. (Del ár. *sammāriyya,* por *sallāriyya,* especie de barco, y este del gr. σελλάϱιον.) f. desus. Cierto tipo de barco que usaban los musulmanes.

zambucar. tr. fam. Meter de pronto una cosa entre otras para que no sea vista o reconocida.

zambuco. m. fam. Acción de zambucar. Ú. especialmente en el juego.

zambullida. f. Acción y efecto de zambullir o zambullirse. ‖ **2.** p. us. *Esgr.* Treta que consiste en dar una estocada en el pecho.

zambullidor, ra. adj. Que zambulle o se zambulle.

zambullidura. f. Acción y efecto de zambullir o zambullirse.

zambullimiento. m. Acción y efecto de zambullir o zambullirse.

zambullir. (De *zabullir.*) tr. Meter debajo del agua con ímpetu o de golpe. Ú. t. c. prnl. ‖ **2.** prnl. fig. Esconderse o meterse en alguna parte, o cubrirse con algo.

zambullo[1]. m. Bacín grande.

zambullo[2]. m. Olivo silvestre, acebuche.

zambullón. m. *Amér. Merid.* **zambullida.**

zamina. f. Somanta, paliza.

zaminar. (Del lat. *subminári,* amenazar, golpear.) tr. Maltratar a golpes.

zamorano, na. adj. Natural de Zamora. Ú. t. c. s. ‖ **2.** Perteneciente o relativo a esta ciudad o a su provincia.

zampa. (De *zampar.*) f. Cada una de las estacas que se clavan en un terreno para hacer el firme sobre el cual se va a edificar.

zampabodigos. com. fam. **zampatortas,** comilón, tragón.

zampabollos. com. fam. **zampatortas,** comilón, tragón.

zampalimosnas. com. fam. Persona pobretona o estrafalaria que anda pidiendo comida o dinero.

zampalopresto. m. *And.* Salsa que se aplica para recalentar sobras de carne o de pescado. Se hace friendo en aceite cebolla, perejil y harina, a los que se agrega luego agua y especias.

zampapalo. com. fam. Comilón, tragón.

zampar. (De la onomat. *zamp.*) tr. Meter algo en un sitio deprisa y para que no se vea. ‖ **2.** Comer o beber apresurada o excesivamente. ‖ **3.** Asestar, propinar. ‖ **4.** fig. Matar. ‖ **5.** Colocar algo en un lugar. Ú. t. c. prnl. ‖ **6.** *Nav.* y *Amér.* **arrojar**[1], impeler con violencia una cosa. Ú. t. c. prnl. ‖ **7.** prnl. Meterse de golpe en una parte. ‖ **8.** Presentarse en un sitio. ‖ **9.** Dirigirse a un lugar.

zampatortas. (De *zampar,* comer excesivamente, y *torta.*) com. fam. Persona que come con exceso y brutalidad. ‖ **2.** fig. y fam. Persona que en su fisonomía, traza, palabras y acciones da muestra de incapacidad, torpeza y falta de crianza.

zampeado. (De *zampear.*) m. *Arq.* Obra que se hace de cadenas de madera y macizos de mampostería, para fabricar sobre terrenos flojos o invadidos por el agua.

zampear. (De *zampa.*) tr. *Arq.* Afirmar el terreno con zampeados.

zampón, na. adj. fam. Comilón, tragón. Ú. t. c. s.

zampoña. (Del lat. *simphonía,* instrumento músico, y este del gr. συμφωνία.) f. Instrumento rústico, a modo de flauta, o compuesto de muchas flautas. ‖ **2.** Flautilla de la caña del alcacer.

zampullín. m. Ave ribereña parecida al somormujo, pero de menor tamaño; hay varias especies, que se distinguen por el color de su plumaje. ‖ **cuellinegro.** El de cuello negro y mechones castaño dorado por detrás y por debajo de los ojos. ‖ **cuellirrojo.** El de cuello rojo y mechones erguidos de color castaño tras los ojos. ‖ **chico.** El de menor tamaño, plumaje pardo y mejillas y garganta de color castaño.

zampuzar. (De *zapuzar.*) tr. p. us. **zambullir,** meter de golpe en el agua. Ú. t. c. prnl. ‖ **2.** p. us. fig. y fam. **zampar,** meter una cosa en otra deprisa.

zampuzo. m. p. us. Acción y efecto de zampuzar.

zamujo, ja. adj. Dícese de la persona vergonzosa, retraída o poco habladora.

zamuro. m. *Col.* y *Venez.* **zopilote.**

zana. f. *Sal.* Daño, perjuicio.

zanahoria. (Del ár. *isfannāriya,* pastinaca.) f. Planta herbácea umbelífera con flores blancas, y purpúrea la central de la umbela; fruto seco y comprimido y raíz fusiforme, de unos dos decímetros de largo, amarilla o rojiza, jugosa y comestible. ‖ **2.** Raíz de esta planta.

zanate. m. *C. Rica, Guat., Hond., Méj.* y *Nicar.* Cierto pájaro dentirrostro, de plumaje negro, y que se alimenta de semillas.

zanca. (De la onomat. *zanc* del pisar.) f. Parte más larga de las patas de las aves, desde los dedos hasta la primera articulación por encima de ellos. ‖ **2.** fig. y fam. Pierna del hombre o de cualquier animal, sobre todo cuando es larga y delgada. ‖ **3.** *And.* Alfiler grande. ‖ **4.** *Arq.* Madero inclinado que sirve de apoyo a los peldaños de una escalera. ‖ **de asnado.** *Arq.* Cada uno de los maderos que componen el asnado. ‖ **andar** uno **en zancas de araña.** fr. fig. y fam. Emplear rodeos o tergiversaciones para salir de la dificultad el cargo que se le hace. ‖ **por zancas o por barrancas.** loc. fig. y fam. Por varios y extraordinarios medios.

zancada. (De *zanca.*) f. Paso largo que se da con movimiento acelerado o por tener las piernas largas. | **en dos, tres,** etc., **zancadas.** loc. adv. fig. y fam. con que se explica y pondera la brevedad en llegar a un sitio.

zancadilla. (d. de *zancada*.) f. Acción de cruzar uno su pierna por entre las de otro para hacerle perder el equilibrio y caer. | **2.** fig. y fam. Estratagema con que se derriba o pretende derribar a alguien de un puesto o cargo. | **3.** desus. Traspié, paso en falso. | **armar, echar o poner zancadilla o la zancadilla.** fr. fig. y fam. **armar lazo.**

zancadillear. tr. Poner la zancadilla a alguien.

zancado. adj. V. **salmón zancado.**

zancajada. f. **zancada.**

zancajear. intr. Andar mucho de una parte a otra, por lo común aceleradamente.

zancajera. f. Parte del estribo donde se pone el pie para entrar o apearse del coche de caballos.

zancajiento, ta. (De *zancajo*.) adj. **zancajoso.**

zancajo. (despect. de *zanca*.) m. Hueso del pie que forma el talón. | **2.** Parte trasera del pie, donde empieza la prominencia del talón. | **3.** fig. y fam. Hueso grande de la pierna, zancarrón. | **4.** fig. Parte del zapato o media que cubre el talón, especialmente si está rota. | **5.** desus. fig. y fam. Persona de mala figura o demasiado pequeña. | **no llegarle** uno **a los zancajos,** o **al zancajo,** a otro. fr. fig. y fam. Haber mucha distancia o diferencia de una persona a otra en el concepto de que se habla. | **roer los zancajos** a uno. fr. fig. y fam. Murmurar o decir mal de él en su ausencia.

zancajoso, sa. adj. Que tiene los pies torcidos y vueltos hacia afuera. | **2.** Que tiene grandes zancajos o descubre rotos y sucios los de sus medias.

zancarrón. (De *zanca*.) m. fam. Cualquiera de los huesos de la pierna, despojado de carne. | **2.** fig. y fam. Hueso grande y descarnado, especialmente de las extremidades. | **3.** fig. y fam. Hombre flaco, viejo, feo y desaseado. | **4.** fig. y fam. El que enseña ciencias o artes de que entiende poco.

zanco. (De *zanca*.) m. Cada uno de dos palos altos y dispuestos con sendas horquillas, en que se afirman y atan los pies. Sirven para andar sin mojarse por donde hay agua, y también para juegos de agilidad y equilibrio. | **2.** ant. **zanca** de las aves. | **3.** *Mar.* Cada uno de los palos o astas que, con sus grímpolas, se ponen en las cabezas de los masteleros cuando se quitan los mastelerillos de juanete. | **en zancos.** loc. fig. y fam. En posición muy elevada o ventajosa, comparada con la que antes se tenía. Ú. con los verbos *andar, estar, poner* o *ponerse, subirse,* etc.

zancón, na. (De *zanca*.) adj. fam. **zancudo,** que tiene las zancas largas. | **2.** *Col., Guat.* y *Venez.* Aplícase al traje demasiado corto.

zancudo, da. adj. Que tiene las zancas largas. | **2.** Dícese de las aves que tienen los tarsos muy largos y desprovistos de plumas; como la cigüeña y la grulla. Ú. t. c. s. | **3.** f. pl. *Zool.* En clasificaciones hoy en desuso, orden de estas aves. | **4.** m. *Amér.* **mosquito.**

zandía. f. **sandía.**

zanfona. f. **zanfonía.**

zanfonía. (Del lat. *symphonía,* instrumento músico.) f. Instrumento musical de cuerda, que se toca haciendo dar vueltas con un manubrio a un cilindro armado de púas.

zanfoña. f. **zanfonía.**

zanga. f. Juego de naipes entre cuatro, parecido al del cuatrillo, y en el cual el último toma las ocho cartas sobrantes. | **2.** Estas ocho cartas. | **3.** *And.* Palo largo, que lleva otro más corto articulado con una correa y sirve para varear las encinas.

zangaburra. f. *Sal.* **cigoñal** de sacar agua.

zangala. (De *San Gal,* cantón de Suiza.) f. Tela de hilo muy engomada.

zangamanga. f. fam. Treta, ardid.

zángana. (De *zángano*.) f. Mujer floja, desmañada y torpe.

zanganada. (De *zángano,* hombre holgazán.) f. fam. Hecho o dicho impertinente y torpe.

zangandongo, ga. m. y f. fam. **zangandungo.**

zangandullo, lla. (De *zángana,* con infl. de *gandul*.) m. y f. fam. **zangandungo.**

zangandungo, ga. (De *zángano,* con infl. de *gandumbas*.) m. y f. fam. Persona inhábil, desmañada, holgazana.

zanganear. (De *zángano,* hombre holgazán.) intr. fam. Andar vagando de una parte a otra sin trabajar.

zanganería. f. Calidad de zángano, hombre holgazán.

zángano. (De la onomat. *zangl.*) m. Macho de la abeja maestra o reina. De las tres clases de individuos que forman la colmena, es la mayor y más recia, tiene las antenas más largas, los ojos unidos en lo alto de la cabeza, carece de aguijón y no labra miel. | **2.** fig. y fam. Hombre holgazán que se sustenta de lo ajeno. | **3.** Hombre flojo, desmañado y torpe.

zangarilla. (De la onomat. *zangr.*) f. *Extr.* Edificio pequeño y provisional, hecho de madera y céspedes en medio de los ríos, y en el cual se colocan algunos roceznos para poder moler en el verano.

zangarilleja. (De *zangarullón*.) f. fam. Muchacha desaseada y vagabunda.

zangarrear. (De la onomat. *zangr.*) intr. fam. Tocar o rasguear sin arte en la guitarra.

zangarriana. f. *Veter.* Especie de hidropesía de los animales. | **2.** fig. y fam. Enfermedad leve y pasajera, que repite con frecuencia; como la jaqueca periódica, etc. | **3.** fig. y fam. Tristeza, melancolía, disgusto. | **4.** *Cuen.* y *Nav.* Galbana, dejadez.

zangarrón. (De *zaharrón*.) m. *Sal.* Moharracho que interviene en la danza.

zangarullón. m. fam. **zangón.**

zangolotear. (De la onomat. *zangl* del balanceo.) tr. fam. Mover continua y violentamente una cosa. Ú. t. c. prnl. | **2.** intr. fig. y fam. Moverse una persona de una parte a otra sin concierto ni propósito. | **3.** prnl. fam. Moverse ciertas cosas por estar flojas o mal encajadas; como una ventana, una herradura, etc.

zangoloteo. m. fam. Acción de zangolotear o zangolotearse.

zangolotino, na. (De *zangolotear*.) adj. fam. V. **niño zangolotino.** Ú. t. c. s.

zangón. (De *zancón*.) m. fam. Muchacho alto, desvaído y que anda ocioso, teniendo ya edad para poder trabajar.

zangotear. (De la onomat. *zang.*) tr. fam. **zangolotear.**

zangoteo. m. fam. Acción y efecto de zangotear.

zanguanga. (De *zanguango*.) f. Ficción de una enfermedad o impedimento, para no trabajar. *Hacer la* ZANGUANGA. | **2.** fam. **lagotería.**

zanguangada. f. Hecho o dicho propio de zanguango.

zanguango, ga. (De *zanguango*.) adj. fam. Indolente, embrutecido por la pereza. Ú. m. c. s.

zanguayo. (De *zangón*.) m. fam. Hombre alto, desvaído, ocioso y que se hace el tonto.

zanja. (De *zanjar*.) f. Excavación larga y estrecha que se hace en la tierra para echar los cimientos, conducir las aguas, defender los sembrados, o cosas semejantes. | **2.** *Amér.* Arroyada producida por el agua corriente. | **abrir las zanjas.** fr. Empezar el edificio. | **2.** fig. Dar principio a una cosa.

zanjar. (De *zanja*.) tr. Echar zanjas o abrirlas para fabricar un edificio o para otro fin. | **2.** fig. Remover todas las dificultades e inconvenientes que puedan impedir el arreglo y terminación de un asunto o negocio.

zanjón. m. Cauce o zanja grande y profunda por donde

corre el agua. ‖ **2.** *Chile.* **despeñadero,** derrumbadero, precipicio.

zanqueador, ra. adj. Que anda zanqueando. Ú. t. c. s. ‖ **2.** Que anda mucho. Ú. t. c. s.

zanqueamiento. m. Acción de zanquear.

zanquear. (De *zanca*.) intr. Torcer las piernas al andar. ‖ **2.** Andar mucho a pie y con prisa de una parte a otra. ‖ **3.** *C. Rica, Méj., Nicar.* y *Sto. Dom.* Ir buscando algo o a alguien.

zanquilargo, ga. adj. fam. Que tiene las piernas largas. Ú. t. c. s.

zanquilón, na. adj. fam. **zanquilargo.**

zanquilla, ta. fs. ds. de **zanca.** ‖ **2.** com. desus. fig. y fam. Persona que tiene las piernas delgadas y cortas, o es muy pequeña a proporción de la estatura que debiera tener según su edad. Ú. m. en pl.

zanquituerto, ta. adj. fam. Que tiene torcidas o tuertas las piernas. Ú. t. c. s.

zanquivano, na. (De *zanca* y *vana*.) adj. desus. fam. Que tiene largas y muy flacas las piernas. Ú. t. c. s.

zapa¹. (Del lat. *sappa*, escardillo.) f. Especie de pala herrada de la mitad abajo, con un corte acerado, que usan los zapadores o gastadores. ‖ **2.** fig. V. **labor, trabajo de zapa.** ‖ **3.** *Fort.* Excavación de galería subterránea o de zanja al descubierto. ‖ **caminar a la zapa.** fr. *Mil.* Avanzar los sitiadores resguardados por las galerías o trincheras que abren ellos mismos, o al amparo de las fortificaciones que sitian.

zapa². (Del lat. *sepia*, lija.) f. Piel áspera de algunos selacios, lija. ‖ **2.** Piel labrada de modo que la flor forme grano como el de la lija. ‖ **3.** Labor en obras de metal imita los granitos de la lija.

zapador. (De *zapar*.) m. Militar perteneciente o encuadrado en unidades básicas del arma de ingenieros.

zapalota. f. *Ál.* **nenúfar,** planta acuática.

zapalote. (Del nahua *zapolotl*.) m. *Méj.* **maguey.** ‖ **2.** *Amér. Central.* Maíz que tiene granos de varios colores en la mazorca.

zapallo. (Del quechua *sapallu*.) m. *Amér. Merid.* Árbol bignoniáceo, güira, jícaro. ‖ **2.** *Amér. Merid.* Cierta calabaza comestible. ‖ **3.** fig. y fam. *Chile.* Chiripa, fortuna inesperada.

zapapico. (De *zapa¹*, pala, y *pico¹*.) m. **pico¹,** herramienta, instrumento.

zapar. (De *zapa¹*, pala.) intr. Trabajar con la zapa o pala.

zaparda. f. *Ál.* Carpa o tenca de color pardo sucio.

zaparrada. f. Golpe dado con la zarpa, zarpada, zarpazo.

zaparrastrar. intr. fam. Llevar arrastrando los vestidos de modo que se ensucien. Ú. m. en el gerundio. *Ir* ZAPARRASTRANDO.

zaparrastroso, sa. adj. fam. Harapiento, zarrapastroso. Ú. t. c. s.

zaparrazo. m. fam. Golpe dado con la zarpa, zarpada, zarpazo.

zapata. (De *zapato*.) f. Calzado que llega a media pierna, como el coturno antiguo. ‖ **2.** Pedazo de cuero o suela que a veces se pone debajo del quicio de la puerta para que no rechine y se gaste menos la madera. ‖ **3.** Pieza del freno que actúa por fricción sobre el eje o contra las ruedas para moderar o impedir su movimiento. ‖ **4.** *Cuba.* Zócalo de fábrica en que se apoya una pared o tabique. ‖ **5.** *Chile.* Telera del arado. ‖ **6.** *Arq.* Pieza puesta horizontalmente sobre la cabeza de un pie derecho para sostener la carrera que va encima y aminorar su vano. ‖ **7.** *Mar.* Tablón que se clava en la cara inferior de la quilla para defenderla de las varadas. ‖ **8.** *Mar.* Pedazo de madera que se pone en la uña del ancla para resguardo del costado de la embar-

cación y también para llevar el ancla por tierra. ‖ **9.** pl. *Ál.* **fárfara¹,** planta.

zapatazo. m. Golpe dado con un zapato. ‖ **2.** fig. Caída y ruido que resulta de ella. ‖ **3.** fig. Golpe recio que se da contra cualquier cosa que suena, como el dado con el zapato. ‖ **4.** fig. Golpe que las caballerías dan con el casco, cuando, al sentarlo con fuerza, resbala violentamente. ‖ **5.** *Mar.* Sacudida y golpe fuerte que da una vela que flamea o se está cargando o cazando con viento frescachón. ‖ **mandar a uno a zapatazos.** fr. fig. y fam. **mandarle a puntapiés.** ‖ **tratar a uno a zapatazos.** fr. fig. y fam. Tratarlo duramente, sin consideración ni miramientos.

zapateado. m. Baile español que, a semejanza del antiguo canario, se ejecuta en compás ternario y con gracioso zapateo. ‖ **2.** Música de este baile. ‖ **3.** Acción y efecto de zapatear.

zapateador, ra. adj. Que zapatea. Ú. t. c. s.

zapatear. tr. Golpear con el zapato. ‖ **2.** Dar golpes en el suelo con los pies calzados. ‖ **3.** Acompañar al tañido dando palmadas y alternativamente con las manos en los pies, siguiendo el mismo compás. Úsanse más frecuentemente estas acciones en el baile del villano. ‖ **4.** Golpear el conejo rápidamente la tierra con las manos, cuando siente al cazador o al perro. ‖ **5.** Toparse y alcanzarse la mula o caballo cuando anda o corre. ‖ **6.** fig. y fam. Traer a alguien a mal traer, de obra o palabra. ‖ **7.** *Esgr.* Dar o señalar uno muchos golpes a su contrario con el botón o zapatilla, sin recibir ninguno. ‖ **8.** intr. *Equit.* Moverse el caballo aceleradamente sin mudar de sitio. ‖ **9.** *Mar.* Dar zapatazos las velas. ‖ **10.** prnl. fig. Tenerse firme en alguno, o resistirle animosamente riñendo o disputando.

zapateo. m. Acción y efecto de zapatear.

zapatería. f. Lugar donde se hacen o venden zapatos. ‖ **2.** Sitio o calle donde hay muchas tiendas de zapatos. ‖ **3.** Oficio de hacer zapatos. ‖ **de viejo.** Lugar donde se remiendan o se venden zapatos viejos.

zapatero, ra. adj. Perteneciente o relativo al zapato. ‖ **2.** Aplícase a las legumbres y otros alimentos que se encrudecen de resultas de echar agua fría en la olla cuando se están cociendo. ‖ **3.** V. **aceituna zapatera.** ‖ **4.** Aplícase a los alimentos que se ponen correosos por estar guisados con demasiada anticipación. *Patatas* ZAPATERAS. ‖ **5.** m. y f. Persona que por oficio hace zapatos, los arregla o los vende. ‖ **6.** m. Pez teleósteo, del suborden de los acantopterigios, de unos 25 centímetros de largo, plateado, con cabeza puntiaguda, cola ahorquillada y muy abierta, y ojos pequeños, negros y con cerco dorado. Vive en los mares de la América tropical. ‖ **7. tejedor,** insecto. ‖ **8.** fam. El que se queda sin hacer bazas o tantos en el juego. Ú. m. en la frase **quedarse zapatero.** ‖ **9.** Renacuajo, cría de la rana. ‖ **10.** *Ar., Rioja* y *Nav.* **ciervo volante.** ‖ **11.** f. Mujer del **zapatero.** ‖ **12.** Mueble a propósito para guardar zapatos. Ú. t. c. m. ‖ **de viejo.** El que tiene por oficio remendar los zapatos rotos o gastados. ‖ **remendón. zapatero de viejo.** ‖ **valiente.** El que repara o recompone calzado viejo.

zapateta. f. Golpe o palmada que se da en el pie o zapato, brincando al mismo tiempo en señal de regocijo. ‖ **2. cabriola,** brinco sacudiendo los pies. ‖ **3.** pl. Golpes que se dan con la una mano y el pie en el suelo en ciertos bailes. ‖ **¡zapateta!** Voz admirativa.

zapatilla. (d. de *zapata*.) f. Zapato ligero y de suela muy delgada. ‖ **2.** Zapato de comodidad y abrigo para estar en casa. ‖ **3.** Pedacito de ante que se ponía detrás del muelle de la llave de un arma de fuego para que no lastimase la mano. ‖ **4.** Pedazo de ante que en los instrumentos musicales de viento se pone debajo de la pala de las llaves para que se adapte bien a su agujero. ‖ **5.** Análogamente, cualquier pieza de cuero, goma, etc., que sirve para mantener herméticamente adheridas dos partes diferentes que están en comunicación, como cañerías, depósitos, etc. ‖ **6. suela** del taco de billar. ‖ **7.** Uña o casco de los animales de pata hendida. ‖ **8.** Rasgo horizontal que suelen llevar por adorno los trazos rectos de las letras. ‖ **9.** *Esgr.* Forro de cuero con que se cubre el botón de hierro que tienen en la punta los floretes y espadas negras para que no puedan herir. ‖ **de la reina. pamplina,** planta papaverácea. ‖ **de orillo.** La que se hace de un tejido formado con recortes de orillos o con otro tejido análogo. ‖ **ser uno una zapatilla.** fr. fig. y fam. No valer uno casi nada en comparación con otro.

zapatillazo. m. Golpe dado con una zapatilla.

zapatillero, ra. m. y f. Persona que hace zapatillas o que las vende.

zapato. (Del turco *zabata*.) m. Calzado que no pasa del tobillo, con la parte inferior de suela y lo demás de piel, fieltro, paño u otro tejido, más o menos escotado por el empeine. ‖ **argentado. zapato** picado que descubría por las picaduras la piel o tela de distinto color que se ponía debajo. Fue de mucho uso en Andalucía. ‖ **botín.** Media bota, que por lo regular no pasa de la media pierna, y está asida o unida con el **zapato** ordinario. ‖ **zapatos papales.** desus. Los que se calzan sobre los que se traen de ordinario, y sirven para mayor abrigo, o para andar por las calles en tiempos de lodos. Llámanse así por la semejanza de los que usa el Papa en las funciones eclesiásticas. ‖ **andar uno con zapatos de fieltro.** fr. fig. Proceder con mucho secreto y recato. ‖ **como tres en un zapato.** loc. adv. fig. y fam. Dícese de las personas que tienen que acomodarse en espacio reducido, o que se ven en estrechez o penuria. ‖ **meter en un zapato a uno.** fr. fig. y fam. **meterle en un puño.** ‖ **no llegarle a uno a su zapato.** fr. fam. **no llegarle a la suela del zapato.** ‖ **saber** uno **dónde le aprieta el zapato.** fr. fig. y fam. Saber bien lo que le conviene. ‖ **ser** uno **más necio,** o **más ruin, que su zapato.** fr. fig. y fam. Ser muy necio, bajo o ruin.

zapatudo¹, da. adj. Que tiene los zapatos demasiado grandes o de cuero fuerte. ‖ **2.** Dícese del animal muy calzado de uña.

zapatudo², da. adj. Asegurado o reforzado con una zapata.

zape. (De *ṣabb,* palabra no árabe, pero usada entre los árabes y empleada hoy en Marruecos.) Voz fam. que se emplea para ahuyentar a los gatos, o para manifestar extrañeza o miedo al enterarse de un daño ocurrido, o para denotar el propósito de no exponerse a un riesgo que amenace. ‖ **2.** fam. Se emplea en algunos juegos de naipes para negar la carta que pide el compañero.

zapear. tr. Espantar al gato con la voz zape. ‖ **2.** Dar zape en ciertos juegos de naipes. ‖ **3.** fig. y fam. Ahuyentar a uno.

zapita. f. *Cantabria* y *Extr.* **colodra,** vasija, generalmente de madera.

zapito. m. *Cantabria.* Vasija de ordeñar.

zapo. m. *Murc.* Gusano de seda que no hila el capullo.

zapotal. m. Terreno en que abundan los zapotes.

zapote. (Del nahua *tzapotl,* cualquier fruto de sabor dulce, aplicado luego al del *zapote.*) m. Árbol americano de la familia de las sapotáceas, de unos 10 metros de altura, con tronco recto, liso, de corteza oscura y madera blanca poco resistente; copa redonda y espesa; hojas alternas, rojizas en racimos axilares, y fruto comestible, de forma de manzana, con carne amarillenta oscura, dulce y aguanosa, y una semilla gruesa, negra y lustrosa. Está aclimatado en las provincias meridionales de España. ‖ **2.** Fruto de este árbol. ‖ **chico zapote.** Árbol americano de la familia de las sapotáceas, de unos 20 metros de altura, con tronco grueso y recto, de corteza gris verdosa y madera blanquecina;

copa piramidal, hojas lanceoladas, persistentes, algo lanuginosas por el envés; flores blancas en umbelas, fruto drupáceo, aovado, de unos siete centímetros de diámetro, con la corteza parda, dura y desigual, y la pulpa rojiza, muy suave y azucarada, y semillas negras, lustrosas, con almendra blanca y amarga. Destila este árbol un jugo lechoso que se coagula fácilmente. ‖ **2.** Fruto de este árbol.

zapotero. m. **zapote,** árbol.

zapotillo. m. **chico zapote.**

zapoyol. m. *C. Rica, Hond.* y *Nicar.* Hueso o cuesco del zapote.

zapoyolito. m. *Amér. Central.* Ave trepadora, especie de perico zaragatero.

zapuyul. m. *Guat.* **zapoyol.**

zapuzar. (Del lat. **subputeāre,* de *putĕus,* pozo.) tr. p. us. **chapuzar.**

zaque. (Del ár. *zaqq,* odre.) m. Odre pequeño. ‖ **2.** p. us. fig. y fam. Persona borracha. ‖ **3.** *Ar.* Cuero en que se saca agua de los pozos.

zaquear. (De *zaque.*) tr. Mover o trasegar líquidos de unos zaques a otros. ‖ **2.** Transportar líquidos en zaques.

zaquizamí. (Del ár. *saqf sāmī,* techo sirio, nombre que se daba en Egipto al artesonado.) m. Desván, sobrado o último cuarto de la casa, comúnmente a teja vana. ‖ **2.** fig. Casilla o cuarto pequeño, desacomodado y poco limpio. ‖ **3.** Enmaderamiento de un techo.

zar. (Del ruso *tsar.*) m. Título que se daba al emperador de Rusia y al soberano de Bulgaria.

zarabanda. (De la onomat. *zarb* del balanceo.) f. Danza popular española de los siglos XVI y XVII, que fue frecuentemente censurada por los moralistas. ‖ **2.** Copla que se cantaba con esta danza. ‖ **3.** Danza lenta, solemne, de ritmo ternario que, desde mediados del siglo XVII, forma parte de las sonatas. ‖ **4.** fig. Cualquier cosa que causa ruido estrepitoso, bulla o molestia repetida. ‖ **5.** fig. Lío, embrollo. ‖ **6.** *Vizc.* Mecedora, columpio. ‖ **7.** *Guat.* Baile o jolgorio popular. ‖ **8.** *Méj.* Zurra, tunda, paliza.

zarabandista. adj. Que baila, tañe, canta o compone la zarabanda. Ú. t. c. s. ‖ **2.** fig. Aplícase a la persona alegre y bulliciosa. Ú. m. c. s.

zarabando, da. adj. desus. **zarabandista.**

zarabutear. tr. fam. **zaragutear.**

zarabutero, ra. (De *zarabutear.*) adj. fam. **zaragutero.**

zaracear. (Del lat. *circĭus,* cierzo.) intr. impers. Neviscar y lloviznar con viento.

zaragalla. f. Carbón vegetal menudo. ‖ **2.** *Ar.* Pandilla de chicos.

zaragata. (Del ant. fr. *eschirgaite,* patrulla de guardia.) f. fam. Gresca, alboroto, tumulto. ‖ **2.** m. Payaso que entre un número y otro de circo efectúa intervenciones jocosas, fingiendo entorpecer el trabajo de los demás. ‖ **3.** adj. **zalamero.**

zaragate. m. *Amér. Central, Méj.* y *Venez.* Persona despreciable. ‖ **2.** *Méj.* Muchacho travieso, inquieto.

zaragatear. intr. fam. Armar zaragata. ‖ **2.** Hacer zalamerías. Ú. t. c. prnl.

zaragatero, ra. adj. fam. Bullicioso, aficionado a zaragatas. Ú. t. c. s. ‖ **2.** **zalamero.**

zaragatona. (De *zargatona.*) f. Planta herbácea anual, de la familia de las plantagináceas, con tallo velludo, ramoso, de dos a tres decímetros de altura; hojas opuestas, lanceoladas y estrechas; flores pequeñas, verdosas, en espigas ovales, y fruto capsular con muchas semillas menudas y brillantes que, cocidas, dan una sustancia mucilaginosa, empleada para medicina y para aprestar telas. ‖ **2.** Semilla de esta planta.

zaragocí. adj. **zaragozano.** ‖ **2.** V. **ciruela zaragocí.**

zaragozano, na. adj. Natural de Zaragoza. Ú. t. c. s. ‖ **2.** Perteneciente o relativo a esta ciudad o a su provincia.

zaragüelles. (Del ár. *sarāwīl*, calzones, bragas.) m. pl. Especie de calzones anchos y afollados en pliegues, que se usaban antiguamente, y ahora llevan las gentes del campo en Valencia y Murcia. ‖ **2.** Planta de la familia de las gramíneas, con las cañas débiles, derechas, de más de tres decímetros de altura, desnudas en la parte superior, y en la inferior con tres nudos negruzcos e igual número de hojas que envuelven el tallo en la mitad de la parte comprendida entre nudo y nudo, y las flores en panoja compuesta de espiguillas colgantes con aristas rectas. ‖ **3.** fig. y fam. Calzones muy anchos, largos y mal hechos. ‖ **4.** *Ar.* Calzoncillos blancos que se dejan asomar en la pierna por debajo del calzón.

zaragutear. (De *zarabutear*.) tr. fam. Embrollar, enredar, hacer cosas con impericia y atropellamiento. ‖ **2.** intr. *Venez.* **vagabundear.**

zaragutero, ra. adj. fam. Que zaragutea. Ú. t. c. s. ‖ **2. enmarañado,** confuso.

zarajo. m. Trenzado de tripas de cordero, típico de Cuenca, asado al horno y que se conserva colgado al humo como los chorizos.

zaramagullón. (Del lat. *submergucŭlus, de *mergus*.) m. Somorgujo, somormujo.

zarambeque. (De *zambra*[1].) m. Tañido y danza de negros, alegre y bulliciosa.

zarambutear. tr. *Cuba.* **zarandar,** mover.

zaramullo. m. *Venez.* Hombre ligero; enredador, zascandil.

zaranda. (De la onomat. *zaran* del balanceo.) f. Cribo, criba. ‖ **2.** Cedazo rectangular con fondo de red de tomiza, que se emplea en los lagares para separar los escobajos de la casca. ‖ **3.** Pasador de metal que se usa para colar la jalea y otros dulces. ‖ **4.** *Venez.* **trompa,** trompo hueco que zumba al girar.

zarandador, ra. m. y f. Persona que mueve la zaranda o echa el trigo u otro grano en ella.

zarandaja. (Del lat. *serotinalia, de *serotīnus*, tardío.) f. fam. Cosa menuda, sin valor, o de importancia muy secundaria. Ú. m. en pl. ‖ **2.** *Ar.* Desperdicio de las reses.

zarandajo, ja. adj. *Can., Col.* y *Venez.* Dícese de la persona despreciable. Ú. t. c. s.

zarandalí. adj. *And.* V. **palomo zarandalí.**

zarandar. tr. Limpiar el grano o la uva, pasándolos por la zaranda. ‖ **2.** Colar el dulce con la zaranda. ‖ **3.** fig. y fam. Mover una cosa con prisa, ligereza y facilidad. Ú. t. c. prnl. ‖ **4.** fig. y fam. Separar de lo común lo especial y más precioso.

zarandear. tr. **zarandar.** Ú. t. c. prnl. ‖ **2.** fig. Ajetrear, azacanear. ‖ **3.** prnl. *And., Perú, P. Rico* y *Venez.* **contonearse.**

zarandeo. m. Acción y efecto de zarandear o zarandearse.

zarandero, ra. m. y f. Persona que mueve la zaranda.

zarandilla. (Del vasc. *sugandilla, suganguila,* lagartija.) f. *Rioja.* Lagartija, lagartezna.

zarandillo. (d. de *zaranda*.) m. Zaranda pequeña. ‖ **2.** fig. y fam. El que con viveza y soltura anda de una parte a otra. Aplícase comúnmente a los muchachos traviesos y a los que ostentan eficacia y energía en la ejecución de las cosas. ‖ **traerle** a uno **como un zarandillo.** fr. fig. y fam. Hacerle ir frecuentemente de una parte a otra.

zaranga. f. *Ar.* Fritada parecida al pisto.

zarangollo. (De *frangollo*.) m. *And.* Juego de cartas parecido al truque. ‖ **2.** *Murc.* Fritada de calabaza, cebolla y tomate a los que suelen añadirse otros ingredientes.

zarapatel. m. Especie de alboronía.

zarapito. m. Ave zancuda ribereña, del tamaño de un gallo, cuello largo y pico delgado y encorvado por la punta; plumaje pardo por el dorso y blanco en el obispillo y el vientre. Anida entre juncos y se alimenta de insectos, moluscos y gusanos.

zarapón. m. *Ál.* **lampazo,** planta.

zaratán[1]. (Del ár. *saraṭān,* cangrejo.) m. *Pat.* Cáncer de los pechos en la mujer.

zaratán[2]. (Del ár. *šarita,* cordel.) m. *Seg.* y *Vallad.* Cordelería, taller u obrador donde se hacen cordeles.

zaraza. (De *zarzahán*.) f. Tela de algodón estampada. Ú. m. en América.

zarazas. (De *ceraza*.) f. pl. desus. Masa que se hace mezclando vidrio molido, agujas, sustancias venenosas, etc., y se empleaba para matar perros, gatos, ratones u otros animales.

zarazo, za. adj. **sarazo.**

zarbo. (Del lat. *sargus*.) m. *Ál.* Cierto pez de río, semejante al gobio.

zarcear. tr. Limpiar los conductos y cañerías, introduciendo en ellas unas zarzas largas y moviéndolas para que se despeguen la toba y otras inmundicias. ‖ **2.** intr. Entrar el perro en los zarzales para buscar o echar fuera la caza. ‖ **3.** fig. Andar de una parte a otra, cruzando con diligencia un sitio.

zarceño, ña. adj. Perteneciente o relativo a la zarza.

zarceo. m. *Cuba* y *P. Rico.* Discusión o debate agresivo y confuso.

zarcera. (De *cierzo*.) f. *Cast., León* y *Rioja.* Respiradero abierto en las bodegas para su ventilación. ‖ **2.** *Murc.* Abertura en las fachadas de las casas de labor, por la que se meten y se sacan los zarzos.

zarcero, ra. (De *zarza*.) adj. V. **perro zarcero.** Ú. t. c. s.

zarceta. f. **cerceta,** ave.

zarcillitos. (d. de *zarcillo*[1], pendiente.) m. pl. **tembladera,** planta gramínea.

zarcillo[1]. (Del lat. *circellus,* circulito.) m. Pendiente, arete. ‖ **2.** Marca que se practica al ganado lanar en las orejas, de modo que queda colgando una parte de ellas. ‖ **3.** *Ar.* Arco de cuba. ‖ **4.** *Bot.* Cada uno de los órganos largos, delgados y volubles que tienen ciertas plantas y que sirven a estas para asirse a tallos u otros objetos próximos. Pueden ser de naturaleza caulinar, como en la vid, o foliácea, como en la calabacera y en el guisante.

zarcillo[2]. (Del lat. *sarcellum,* por *sarcŭlum,* azada.) m. Almocafre o azadilla de escardar.

zarco, ca. (Del ár. *zarqā'.* mujer de ojos azules.) adj. De color azul claro. Ú. hablando de las aguas y, con más frecuencia, de los ojos.

zarevich. (Del ruso *tsarewitz*.) m. Hijo del zar. ‖ **2.** En particular, príncipe primogénito del zar reinante.

zargatona. (Del ár. *bazraqaṭūnā,* hierba de pulgas, por la forma de sus semillas.) f. **zaragatona,** planta.

zariano, na. adj. Perteneciente o relativo al zar. *Majestad, potestad* ZARIANA.

zarigüeya. (Del brasileño *çarigueia*.) f. Mamífero marsupial de tamaño mediano o pequeño y aspecto que recuerda a la rata; las extremidades tienen cinco dedos y las de atrás el pulgar oponible; la cola es prensil, lisa y desnuda. Es mamífero nocturno y omnívoro, que hace nido en los árboles y su preñez dura trece días.

zarina. f. Esposa del zar. ‖ **2.** Emperatriz de Rusia.

zarismo. m. Forma de gobierno absoluto, propio de los zares.

zarista. com. Persona partidaria del zarismo.

zarja. f. Especie de devanadera, azarja.

zarpa[1]. f. Acción de zarpar. ‖ **2.** Mano de ciertos animales cuyos dedos no se mueven con independencia unos de otros, como en el león y el tigre. ‖ **3.** Lodo o barro que se queda en la parte baja de la ropa, cazcarria. ‖ **echar** uno **la zarpa.** fr. fig. y fam. Agarrar o asir con las manos o las uñas. ‖ **2.** fig. y fam. Apoderarse de algo por violencia, engaño o sorpresa. ‖ **hacerse** uno **una zarpa.** fr. fig. y fam. Mojarse o enlodarse mucho.

zarpa². (De *escarpa*.) f. *Arq.* Parte que en la anchura de un cimiento excede a la del muro que se levanta sobre él.

zarpada. f. Golpe dado con la zarpa.

zarpanel. (Antes, *esarpanel*; del fr. *anse de panier*.) adj. *Arq.* V. **arco zarpanel.**

zarpar. (Del cat. *xarpar*.) tr. *Mar.* Desprender el ancla del fondeadero. Ú. t. c. intr. ‖ **2.** intr. Salir un barco o un conjunto de ellos del lugar en que estaban fondeados o atracados.

zarpazo. m. Golpe dado con la zarpa. ‖ **2.** Golpazo, batacazo.

zarpear. tr. *C. Rica* y *Hond.* Salpicar de barro, llenar de zarpas o cazcarrias.

zarposo, sa. adj. Que tiene zarpas o cazcarrias.

zarracatería. f. Halago fingido y engañoso.

zarracatín. (Del ár. *saqat*, quitar, restar.) m. fam. Regatón que procura comprar barato para vender caro.

zarracina. (Del lat. *circĭus*, cierzo.) f. Ventisca con lluvia.

zarrampín. m. *Ál.* **acedera**, planta.

zarramplín. m. fam. Hombre chapucero y de poca habilidad en una profesión u oficio. ‖ **2.** Pelagatos, pobre diablo.

zarramplinada. f. fam. Desacierto propio del zarramplín.

zarrapastra. f. fam. **zarria**¹, cazcarria.

zarrapastro. (De *zarria*¹.) m. Persona andrajosa o desaseada. ‖ **2.** fig. Mujer de mal vivir.

zarrapastrón, na. adj. fam. Que anda muy zarrapastroso. Ú. t. c. s.

zarrapastrosamente. adv. m. fam. Con desaliño y desaseo.

zarrapastroso, sa. adj. fam. Desaseado, andrajoso, desaliñado y roto. Ú. t. c. s. ‖ **2.** Hablando de personas, despreciable. Ú. m. en f.

zarria¹. f. Barro o lodo pegado en la parte inferior de la ropa, cazcarria. ‖ **2.** Pingajo, harapo.

zarria². f. Tira de cuero que se mete entre los ojales de la abarca, para asegurarla bien con la calzadera.

zarriento, ta. adj. Que tiene zarrias o cazcarrias.

zarrio, rria. adj. *And.* **charro**², basto.

zarrioso, sa. adj. Lleno de zarrias, de lodo. ‖ **2.** *Ál.* y *Nav.* Desmadejado, falto de energía.

zarza. (De *sarza*.) f. Arbusto de la familia de las rosáceas, con tallos sarmentosos, arqueados en las puntas, prismáticos, de cuatro a cinco metros de largo, con cinco aristas y con aguijones fuertes y ganchosos; hojas divididas en cinco hojuelas elípticas, aserradas, lampiñas por el haz y lanuginosas en el envés; flores blancas o róseas en racimos terminales, y cuyo fruto es la zarzamora. Es muy común en los campos, y el cocimiento de las hojas y el jarabe del fruto se emplean en medicina contra las inflamaciones de la garganta. ‖ **2.** Por ext., cualquier arbusto espinoso. ‖ **lobera.** *Ál.* Rosal silvestre, escaramujo.

zarzagán. (De *cierzo*.) m. Cierzo muy frío, aunque no muy fuerte.

zarzaganillo. m. d. de **zarzagán.** ‖ **2.** Viento cierzo que causa tempestades.

zarzahán. (Del ár. *zardájana*, seda fina.) m. Especie de tela de seda, delgada como el tafetán y con listas de colores.

zarzal. m. Sitio poblado de zarzas. ‖ **2.** V. **rana de zarzal.**

zarzaleño, ña. adj. Perteneciente o relativo al zarzal.

zarzamora. f. Fruto de la zarza, que, maduro, es una baya compuesta de granillos negros y lustrosos, semejante a la mora, pero más pequeña y redonda. ‖ **2. zarza,** arbusto de las rosáceas.

zarzaparrilla. f. Arbusto de la familia de las liliáceas, con tallos delgados, volubles, de uno a dos metros de lar-

go y espinosos; hojas pecioladas, alternas, ásperas, con muchos nervios, acorazonadas y persistentes; flores verdosas en racimos axilares; fruto en bayas globosas como el guisante y raíces fibrosas y casi cilíndricas. Es común en España. ‖ **2.** Cocimiento de la raíz de esta planta, que se usa mucho en medicina como sudorífico y depurativo. ‖ **3.** Bebida refrescante preparada con esta planta. ‖ **de Indias.** Arbusto americano del mismo género que el de España, del cual se distingue en echar las hojas solo tres nervios cada una. Es medicinal. ‖ **de la tierra. zarzaparrilla,** arbusto.

zarzaparrillar. m. Campo en que se cría mucha zarzaparrilla.

zarzaperruna. f. Rosal silvestre, escaramujo.

zarzarrosa. f. Flor del escaramujo, muy parecida en la figura a la rosa castellana.

zarzo¹. (De *sarzo*.) m. Tejido de varas, cañas, mimbres o juncos, que forma una superficie plana. ‖ **2.** Por ext., lo realizado con este tejido. ‖ **menear** a uno el **zarzo.** fr. fig. y fam. **menearle el bálago.**

zarzo². m. *Col.* **desván,** parte más alta de la casa, inmediata al tejado.

zarzoso, sa. adj. Que tiene zarzas.

zarzuela¹. f. d. de **zarza.**

zarzuela². (Del real sitio de la *Zarzuela,* donde por primera vez se representaron.) f. Obra dramática y musical en que alternativamente se declama y se canta. ‖ **2.** Letra de la obra de esta clase. ‖ **3.** Música de la misma obra. ‖ **4.** Plato consistente en varias clases de pescados y marisco condimentado con una salsa.

zarzuelero, ra. adj. Perteneciente o relativo a la zarzuela².

zarzuelista. com. Poeta que escribe zarzuelas. ‖ **2.** Maestro que compone música de zarzuela.

zas. Voz expresiva del sonido que hace un golpe, o del golpe mismo. ‖ **zas, zas.** Voces con que se significa la repetición del golpe o del sonido de él.

zascandil. m. fam. Hombre despreciable, ligero y enredador. ‖ **2.** desus. Hombre astuto, engañador, por lo común estafador. ‖ **3.** desus. Golpe repentino y acción pronta e impensada que sobreviene, comparable a un candilazo.

zascandilear. intr. Andar como un zascandil.

zascandileo. m. Acción y efecto de zascandilear.

zata. f. **zatara.**

zatara. (Del ár. *šajtúra,* barca.) f. Armazón de madera, a modo de balsa, para transportes fluviales.

zatico, llo. (Del vasc. *zatí,* pedazo.) m. El que antiguamente tenía en palacio el cargo de cuidar del pan y alzar las mesas. ‖ **2.** Mendrugo o pedazo de pan.

zatiquero. m. ant. **panetero.**

zaya. f. *León.* Caz del molino.

zazo, za. (De la onomat. *za*.) adj. p. us. Tartajoso, zazoso.

zazoso, sa. (De *zazo*.) adj. p. us. Tartajoso, zazo.

zebra. f. desus. **cebra.**

zeda. (De *zeta*.) f. **zeta,** letra española.

zedilla. (d. de *zeda*.) f. **cedilla.**

zéjel. (Del ár. *zaŷal*.) m. Composición estrófica de la métrica española, de origen árabe. Se compone de una estrofilla inicial temática, o estribillo, y de un número variable de estrofas compuestas de tres versos monorrimos seguidos de otro verso de rima consonante igual a la del estribillo.

zelandés, sa. adj. Natural de Zelanda. Ú. t. c. s. ‖ **2.** Perteneciente o relativo a esta provincia de Holanda.

zendal. adj. Dícese del individuo de un grupo indígena mejicano que habita en el estado de Chiapas. Ú. t. c. s. ‖ **2.** Perteneciente o relativo a dicho grupo. ‖ **3.** m. Lengua hablada por los **zendales.**

Zendavesta. (Del avéstico *zend,* pelvi, *zand,* interpretación, y *Avesta.*) n. p. m. **Avesta.**

zendo, da. (Del avéstico *zend,* interpretación, primer elemento del compuesto Zendavesta.) adj. **avéstico.**

zenit. m. p. us. **cenit.**

zeta. (Del gr. ζῆτα.) f. Nombre de la letra *z.* ‖ **2.** Sexta letra del alfabeto griego.

zeugma. (Del lat. *zeugma,* y este del gr. ζεῦγμα, yugo, lazo.) m. *Ret.* Figura de construcción, que consiste en que cuando una palabra que tiene conexión con dos o más miembros del período, está expresa en uno de ellos, ha de sobrentenderse en los demás; v. gr.: *Era de complexión recia, seco de carnes, enjuto de rostro, gran madrugador y amigo de la caza.*

zigofiláceo, a. adj. *Bot.* **cigofiláceo.**

zigomorfo, fa. (Del gr. ζυγόν, yugo, y *-morfo.*) adj. *Bot.* Dícese del tipo de verticilo de las flores cuyas partes, singularmente sépalos, pétalos o tépalos, se disponen simétricamente a un lado y a otro de un plano que divide la flor en dos mitades, como ocurre v. gr. en la del guisante, en la boca de dragón y en otras. ‖ **2.** *Bot.* V. **cáliz zigomorfo.**

zigoto. (Del gr. ζυγωτός, nombre verbal de ζυγόω, uncir, unir.) m. *Biol.* **célula huevo** que resulta de la fusión de un gameto masculino o espermatozoide con otro femenino u óvulo.

zigurat. (Del acadio *ziggurat,* torre.) m. *Arq.* Torre escalonada y piramidal, característica de la arquitectura religiosa asiria y caldea.

zigzag. m. Línea que en su desarrollo forma ángulos alternativos, entrantes y salientes. ‖ **en zigzag.** loc. que denota movimiento, colocación, etc., en esta forma.

zigzaguear. intr. Serpentear, andar en zigzag.

zinc. (Del al. *zink.*) m. **cinc.**

zingiberáceo, a. adj. *Bot.* **cingiberáceo.**

zinguizarra. f. *Perú* y *Venez.* Riña ruidosa.

zinnia. (Del apellido del médico y naturalista alemán Johan Gottfried *Zinn,* 1727-1759.) f. Planta ornamental de la familia de las compuestas, de tallos ramosos, hojas opuestas y alguna vez verticiladas, y flores grandes y dobles de diverso color o de colores mezclados según las variedades.

zipizape. (De or. onomatopéyico.) m. fam. Riña ruidosa o con golpes.

ziranda. f. *Méj.* **higuera.**

zircón. m. **circón,** piedra preciosa.

zis, zas. fam. **zas, zas.** ‖ **2. zigzag.**

zoantropía. (Del gr. ζῷον, animal, y ἄνθρωπος, hombre.) f. Especie de monomanía en la cual el enfermo se cree convertido en un animal.

zoca¹. (Del m. or. que *zoco².*) f. desus. Plaza de una población. ‖ **andar uno de zoca en colodra.** fr. fig. y fam. **andar de zocos en colodros.**

zoca². (Del lat. *soccus,* zueco.) f. *Ar., Nav.* y *Rioja.* Tocón, tronca de árbol. ‖ **2.** *And.* y *Amér.* Retoño que da el tocón después de cortada la caña de azúcar. ‖ **3.** *Col.* Renuevo del tronco del árbol del café.

zócalo. (Del lat. *socculus,* de *soccus,* zueco.) m. *Arq.* Cuerpo inferior de un edificio u obra, que sirve para elevar los basamentos a un mismo nivel. ‖ **2.** *Arq.* friso o franja que se pinta o coloca en la parte inferior de una pared. ‖ **3.** *Arq.* Miembro inferior del pedestal, debajo del neto. ‖ **4.** *Arq.* Especie de pedestal. ‖ **5.** *Méj.* Plaza principal de una ciudad.

zocatearse. prnl. Ponerse zocato un fruto.

zocato, ta. (De *zoquete.*) adj. fam. **zurdo.** Ú. t. c. s. ‖ **2.** Aplícase al fruto que se pone amarillo y acorchado sin madurar. ‖ **3.** V. **berenjena zocata.** ‖ **4.** *And.* Dícese de ciertos frutos cuando están encorvados, y especialmente del pepino.

zoclo. (Del lat. *socculus.*) m. Zueco, chanclo.

zoco¹. (Del lat. *soccus.*) m. **zueco.** ‖ **2.** *Arq.* Zócalo de un

pedestal. ‖ **andar** uno **de zocos en colodros.** fr. fig. y fam. Ir de mal en peor; salir de un negocio peligroso y entrar en otro de mayor peligro.

zoco². (Del ár. *sūq,* mercado.) m. ant. Plaza de una población. ‖ **2.** En Marruecos, mercado, lugar en que se celebra.

zoco³, ca. (De *zoquete.*) adj. fam. Que usa la mano izquierda, zocato. Ú. t. c. s. ‖ **2.** fam. V. **mano zoca.** Ú. t. c. s. ‖ **a zocas.** loc. adv. **a zurdas.**

zodiacal. adj. Perteneciente o relativo al Zodiaco. *Estrellas* ZODIACALES. ‖ **2.** V. **luz zodiacal.**

Zodiaco o **Zodíaco.** (Del lat. *zodiăcus,* y este del gr. ζῳδιακός.) n. p. m. *Astron.* Zona o faja celeste por el centro de la cual pasa la Eclíptica: tiene de 16 a 18 grados de ancho total; indica el espacio en que se contienen los planetas que solo se apartan de la Eclíptica unos ocho grados y comprende los 12 signos, casas o constelaciones que recorre el Sol en su curso anual aparente, a saber: Aries, Tauro, Géminis, Cáncer, Leo, Virgo, Libra, Escorpión, Sagitario, Capricornio, Acuario y Piscis. ‖ **2.** m. Representación material del **zodiaco.** *El* ZODIACO *de Dendera.*

zofra¹. (Del ár. *sufra,* mantel de comedor.) f. Especie de tapete o alfombra morisca.

zofra². f. *Murc.* Correón que apoyado en el sillín de la caballería sostiene las varas del vehículo, sufra.

zoilo. (Por alusión a *Zoilo,* sofista y famoso crítico detractor de Homero, Platón e Isócrates.) m. fig. Crítico presumido, y maligno censurador o murmurador de las obras ajenas.

zoizo. m. Persona que formaba parte de la suiza, soldadesca festiva. ‖ **2.** Antiguo soldado de infantería.

zoleta. f. d. de **zuela.**

zolocho, cha. adj. fam. Simple, mentecato, aturdido o poco expedito. Ú. t. c. s.

zoltaní. m. **soltaní,** moneda turca de oro.

zolle. f. *Ar.* y *Nav.* **pocilga.**

zollipar. intr. fam. Dar zollipos o sollozar.

zollipo. m. fam. Sollozo con hipo, y regularmente con llanto y aflicción.

zoma. f. **soma.**

zombi. (Voz de or. africano occidental, semejante al congolés *nzambi,* dios, y *zumbi,* fetiche, buena suerte, imagen.) m. En Haití y sur de los Estados Unidos, cuerpo del que se dice que es inanimado y que ha sido revivido por arte de brujería. ‖ **2.** Antiguamente, la deidad de la serpiente pitón en los cultos vudúes procedentes de África Occidental. ‖ **3.** Entre los criollos de América, el coco para asustar a los niños. ‖ **4.** fig. Atontado.

zompo, pa. adj. Dícese del pie torcido. ‖ **2.** Dícese de la persona que lo tiene. ‖ **3.** Torpe, tonto.

zompopo. m. *Amér. Central.* Hormiga de cabeza grande, que se alimenta de las hojas de las plantas. Ú. solo c. f. en C. Rica.

zona. (Del lat. *zona,* y este del gr. ζώνη, ceñidor, faja.) f. Lista o faja. ‖ **2.** Extensión considerable de terreno que tiene forma de banda o franja. ‖ **3.** Por ext., cualquier parte de terreno o de superficie encuadrada entre ciertos límites. ‖ **4.** Extensión considerable de terreno cuyos límites están determinados por razones administrativas, políticas, etc. ZONA *fiscal; de influencia.* ‖ **5.** *Geogr.* Cada una de las cinco partes en que se considera dividida la superficie de la Tierra por los trópicos y los círculos polares. ‖ **6.** *Geom.* Parte de la superficie de la esfera comprendida entre dos planos paralelos. ‖ **7.** *Pat.* Enfermedad vírica, eruptiva e infecciosa, caracterizada por la inflamación de ciertos ganglios nerviosos, y que se manifiesta por una serie de vesículas a lo largo de un nervio afectado, con fiebre y dolor intenso. ‖ **de ensanche.** La que en la cercanía de las poblaciones, con régimen legal diferente, está destinada para que se extiendan la edificación o los servicios urbanos. ‖ **de influencia.** Parte de un país débil, aunque no sometido a protectorado oficial, respecto de la que varias potencias aceptan la preponderante expansión económica o cultural de alguna de aquellas. **|| fiscal.** Demarcación más o menos próxima a las fronteras, aduanas o fielatos, sometida a prohibiciones de fabricación o vigilancia especial como garantías contra la defraudación. **|| glacial.** *Geogr.* Cada uno de los dos casquetes esféricos formados en la superficie de la Tierra por los círculos polares. **|| industrial.** La reservada especialmente para instalaciones industriales. **|| polémica.** *Fort.* Espacio en que para la defensa de una plaza o fortificación se establecen excepciones legales y gubernativas. **|| templada.** *Geogr.* Cada una de las dos comprendidas entre los trópicos y los círculos polares inmediatos. **|| tórrida.** *Geogr.* La comprendida entre ambos trópicos y dividida por el Ecuador en dos partes iguales. **|| urbana. casco de población. || verde.** Dícese del terreno que, en el casco de una ciudad o de sus inmediaciones, se destina total o parcialmente a arbolado o parques.

zonación. (De *zona*.) f. En biogeografía, distribución de animales y vegetales en zonas o fajas según factores climáticos.

zonal. adj. Perteneciente o relativo a la zona.

zoncera. (De *zonzo*.) f. *Amér.* **tontera**, simpleza. **|| 2.** *Argent.* Dicho, hecho u objeto de poco o ningún valor.

zoncería. (De *zonzo*.) f. Calidad de zonzo.

zonchiche. m. *C. Rica, Hond.* y *Nicar.* **aura**[2], ave.

zoncho. m. *Sant.* **capacho** o sera.

zonda. (De *Zonda*, nombre de un valle de la provincia de San Juan.) m. *Argent.* Viento fuerte, cálido, de extrema sequedad, proveniente de la precordillera cuyana, que afecta desfavorablemente a los seres vivos produciendo cierta inquietud y excitación.

zonificación. f. *Col.* Acción y efecto de zonificar.

zonificar. tr. *Col.* Dividir un terreno en zonas.

zonote. m. Depósito subterráneo natural de agua, cenote.

zonzamente. adv. m. Con zoncería.

zonzo, za. adj. Soso, insulso, insípido. Apl. a pers., ú. t. c. s. **|| 2.** Tonto, simple, mentecato. **|| 3.** V. **ave zonza.**

zonzorrión, na. adj. fam. Muy zonzo. Ú. t. c. s.

zonzorro. m. *Ál.* Agalla grande de roble.

zoo. m. Expresión abreviada, con el significado de parque o jardín zoológico.

zoo- o **-zoo.** (Del gr. ζῷο- y ζῷον.) elem. compos. que significa «animal»: *zoo*grafía, proto*zoo.*

zoófago, ga. (Del gr. ζῳοφάγος.) adj. *Zool.* Que se alimenta de materias animales. *Insecto* ZOÓFAGO. Ú. t. c. s.

zoofilia. f. Amor a los animales. **|| 2. bestialismo.**

zoófito. (De *zoo-* y *-fito.*) adj. *Zool.* Llámabase así a ciertos animales en los que se creía reconocer algunos caracteres propios de seres vegetales. Usáb. t. c. s. **|| 2.** m. pl. *Zool.* Grupo de la antigua clasificación zoológica, que comprendía los animales que tienen aspecto de plantas.

zooftirio. (De *zoo-* y el gr. φθείρ, piojo, a través del lat. cient. *phtirius.*) m. *Zool.* **anopluro.**

zoogeografía. f. Ciencia que estudia la distribución de las especies animales en la Tierra.

zoogeográfico, ca. adj. Perteneciente o relativo a la zoogeografía.

zoografía. (De *zoo-* y *-grafía.*) f. Parte de la zoología que tiene por objeto la descripción de los animales.

zoográfico, ca. adj. Perteneciente o relativo a la zoografía.

zooide. (Del gr. ζῳοειδής, semejante a un animal.) m. *Zool.* Individuo que forma parte de un cuerpo con organización colonial y cuya estructura es variable, según el papel fisiológico que deba desempeñar en el conjunto.

zoólatra. adj. Que practica la zoolatría.

zoolatría. (De *zoo-* y el gr. λατρεία, adoración.) f. Adoración, culto a los animales.

zoología. (De *zoo-* y *-logía.*) f. Ciencia que trata de los animales.

zoológico, ca. adj. Perteneciente o relativo a la zoología. **|| 2.** V. **parque zoológico.**

zoólogo, ga. m. y f. Persona que profesa la zoología o en ella tiene especiales conocimientos.

zoomorfo, fa. adj. Que tiene forma o apariencia de animal.

zoonosis. (De *zoo-* y el gr. νόσος, enfermedad.) f. *Pat.* Enfermedad o infección que se da en los animales y que es transmisible al hombre en condiciones naturales.

zooplancton. m. *Biol.* Plancton marino o de aguas dulces, caracterizado por el predominio de organismos animales, v. gr. copépodos.

zoopsicología. f. Psicología animal.

zoospermo. (De *zoo-* y el gr. σπέρμα, semilla.) m. **espermatozoide.**

zoospora. (De *zoo-* y el gr. σπορά, semilla.) f. *Bot.* Espora provista de cilios o flagelos motores.

zootecnia. (De *zoo-* y *-tecnia.*) f. Arte de la cría, multiplicación y mejora de los animales domésticos.

zootécnico, ca. adj. Perteneciente o relativo a la zootecnia.

zootomía. (De *zoo-* y el gr. τομή, sección.) f. Parte de la zoología que estudia la anatomía de los animales.

zoótropo. (De *zoo-* y el gr. τρόπος, vuelta.) m. desus. Aparato que al girar produce la ilusión de que se mueven unas figuras dibujadas, a causa de la persistencia de las imágenes en la retina.

zopas. com. fam. Persona que cecea mucho.

zope. m. *Amér. Central.* **zopilote.**

zopenco, ca. (De *zopo.*) adj. fam. Tonto y abrutado. Ú. t. c. s.

zopetero. m. Porción de tierra en declive, ribazo.

zopilote. (Del nahua *tzopilotl.*) m. *C. Rica, Guat., Hond., Méj.* y *Nicar.* Ave rapaz americana semejante al buitre común, pero de tamaño mucho menor. Es completamente negra, incluida la cabeza, que está desprovista de plumas. Frecuenta los basureros.

zopisa. (Del lat. *sopissa*, y este del gr. ζώπισσα.) f. **brea.** **|| 2.** Resina de pino.

zopitas. com. fam. **zopas.**

zopo, pa. adj. Dícese del pie o mano torcidos o contrahechos. **|| 2.** Dícese de la persona que tiene torcidos o contrahechos los pies o las manos.

zoque. adj. Dícese de un grupo indígena mejicano que habita los estados de Chiapas, Oaxaca y Tabasco. Ú. t. c. s. **|| 2.** Perteneciente o relativo a este grupo indígena. **|| 3.** m. Lengua hablada por dicho grupo.

zoqueta. (De *zueco.*) f. *Ar., Nav.* y *Rioja.* Especie de guante de madera con que el segador resguarda de los cortes de la hoz los dedos meñique, anular y corazón de la mano izquierda.

zoquetada. f. *Amér.* Necedad, simpleza.

zoquetazo. m. *Argent., Méj.* y *Urug.* Golpe, guantazo, sopapo.

zoquete. (Del ár. *suqā*, desecho, objeto sin valor.) m. Pedazo de madera corto y grueso, que queda sobrante al labrar o utilizar un madero. **|| 2.** fig. Pedazo de pan grueso e irregular. **|| 3.** fig. y fam. Persona fea y de mala traza, especialmente si es rechoncha. **|| 4.** fig. y fam. Persona tarda en comprender. Ú. t. c. adj.

zoquetear. intr. *Amér.* Actuar o comportarse como un zoquete o mentecato.

zoquetero, ra. adj. p. us. Que anda recogiendo mendrugos o zoquetes de pan y se mantiene de ellos, sin otro oficio ni ocupación. Ú. t. c. s.

zoquetudo, da. (De *zoquete*, pedazo de madera.) adj. Basto y mal hecho.

zorcico. (Del vasc. *zortzico*, octava.) m. Composición musical en compás de cinco por ocho, popular en las provincias vascongadas. ‖ **2.** Letra de esta composición musical. ‖ **3.** Baile que se ejecuta con esta música.

zoreco, ca. adj. *C. Rica* y *Nicar.* Torpe.

zorimbo, ba. adj. *Méj.* Tonto. Ú. con el verbo *estar*. ‖ **2.** *Méj.* Borracho.

zorito, ta. adj. Dícese de las palomas silvestres, zurito.

zoroastra. adj. zoroástrico. Ú. t. c. s.

zoroástrico, ca. adj. Perteneciente o relativo al zoroastrismo.

zoroastrismo. (Del lat. *zôrôastres.*) m. Religión de origen persa elaborada por Zoroastro a partir del mazdeísmo.

zorocho. adj. *Col.* y *Venez.* Hablando de alimentos, a medio cocinar. ‖ **2.** *Col.*, *Perú* y *Venez.* Hablando de frutos, que no están en sazón.

zorollo. (Del lat. **seruculus*, de *serus*, tardío.) adj. V. trigo zorollo. ‖ **2.** Blando, tierno.

zorondo, da. adj. *Extr.* zorollo, cereal.

zorongo. m. Pañuelo doblado en forma de venda, que los aragoneses y algunos navarros del pueblo llevan alrededor de la cabeza. ‖ **2.** Moño ancho y aplastado que usan algunas mujeres del pueblo. ‖ **3.** Baile popular andaluz. ‖ **4.** Música y canto de este baile. ‖ **5.** *Argent.* y *Bol.* Pelo postizo.

zorra¹. f. Mamífero cánido de menos de un metro de longitud incluida la cola, hocico alargado y orejas empinadas; el pelaje es de color pardo rojizo y muy espeso, especialmente en la cola, de punta blanca. Es de costumbres crepusculares y nocturnas; abunda en España y caza con gran astucia toda clase de animales, incluso de corral. ‖ **2.** Hembra de esta especie. ‖ **3.** V. cola, rabo de zorra. ‖ **4.** fig. y fam. Persona astuta y solapada. ‖ **5.** Prostituta, mujer pública. ‖ **6.** fig. y fam. Embriaguez, borrachera. ‖ **de mar. pez zorro.** ‖ **mochilera. zarigüeya.** ‖ **a la zorra, candilazo.** expr. fig. que denota ganar en astucia a otro que de ella presume. ‖ **desollar,** o **dormir, una la zorra.** fr. fam. **desollar el lobo.** ‖ **no hay zorra con dos rabos.** expr. fig. y fam. con que se explica la imposibilidad de adquirir o hallar una cosa que, siendo única en su especie, ha dejado de existir física o moralmente. ‖ **no ser la primera zorra que** uno **ha desollado.** fr. fig. y fam. Estar uno adiestrado por la costumbre para hacer alguna cosa. ‖ **pillar** una **zorra.** fr. fam. Embriagarse.

zorra². (Del lat. *saburra*, lastre.) f. Carro bajo y fuerte para transportar pesos grandes.

zorrastrón, na. (aum. despect. de *zorra*.) adj. fam. Pícaro, astuto, disimulado y demasiado cauteloso. Ú. t. c. s.

zorreado, da. p. p. de zorrear. ‖ **2.** adj. Dícese de la caza que percibe el peligro y se aleja cautelosamente de él. ‖ **3.** f. *Chile.* Batida que se da a los zorros.

zorrear¹. (De *zorro*.) intr. Hacerse el zorro, obrar con la cautela o la astucia propias del zorro. ‖ **2.** *Chile.* y *Urug.* Perseguir o cazar zorros con jaurías. ‖ **3.** tr. Sacudir con zorros alguna cosa para quitarle el polvo.

zorrear². (De *zorra¹*.) intr. Dedicarse una mujer a la prostitución. ‖ **2.** Frecuentar un hombre el trato carnal con rameras.

zorrera. f. Cueva de zorros. ‖ **2.** fam. Acción y efecto de azorrarse. ‖ **3.** fig. Habitación en que hay mucho humo, producido dentro de ella.

zorrería. f. Astucia y cautela de la zorra para buscar su alimento y esquivar cualquier peligro. ‖ **2.** fig. y fam. Astucia o ardid con que busca su utilidad en lo que hace y va a lograr mañosamente su intento.

zorrero¹, ra. (De *zorra¹*.) adj. V. perdigón zorrero. ‖ **2.** V. perro zorrero. Ú. t. c. s. ‖ **3.** fig. Astuto, capcioso. ‖ **4.** m.

Persona asalariada que en los bosques reales tenía el cargo de matar las zorras, lobos, aves de rapiña, víboras y otros animales nocivos.

zorrero², ra. (Del lat. *saburrarius*.) adj. Aplícase a la embarcación pesada en navegar. ‖ **2.** fig. Que va detrás de otros o queda rezagado.

zorrillo. m. *Guat.*, *Hond.* y *Nicar.* mofeta, mamífero.

zorro. m. Macho de la zorra. ‖ **2.** zorra¹, mamífero. ‖ **3.** Piel de la zorra, curtida de modo que conserve el pelo. ‖ **4.** *Amér.* zorro hediondo. ‖ **5.** fig. y fam. El que afecta simpleza e insulsez, especialmente por no trabajar, y hace tarda y pesadamente las cosas. ‖ **6.** fig. y fam. Hombre muy taimado y astuto. ‖ **7.** V. pez zorro. ‖ **8.** pl. Tiras de orillo o piel, colas de cordero, etc., que, unidas y puestas en un mango, sirven para sacudir el polvo de muebles y paredes. ‖ **azul. raposo ferrero.** ‖ **hediondo.** *Amér.* Zorrillo o mofeta. ‖ **estar** uno **hecho un zorro.** fr. fig. y fam. Estar demasiado cargado de sueño y sin poder despertarse o despejarse. ‖ **2.** fig. y fam. Estar callado y pesado. ‖ **estar hecho unos zorros.** fr. fig. y fam. Estar maltrecho, cansado. ‖ **2.** fig. y fam. Hablando de ciertas cosas, estar muy deterioradas o en mal estado. ‖ **hacerse** uno **el zorro.** fr. fig. y fam. Aparentar ignorancia o distracción.

zorrocloco. m. fam. Hombre tardo en sus acciones y que parece bobo, pero que no se descuida en su utilidad y provecho. ‖ **2.** fam. Gesto exagerado y fingido de afecto, arrumaco. ‖ **3.** pl. *Albac.* y *Murc.* Especie de nuégados en forma de canutillos.

zorrón. m. aum. de zorra¹, ramera. ‖ **2.** aum. de zorro¹, persona muy astuta. ‖ **3.** *Ál.* y *Nav.*, zurrón, bolsa de los pastores.

zorronglón, na. adj. fam. Aplícase al que ejecuta pesadamente, de mala gana y murmurando o refunfuñando, las cosas que le mandan. Ú. t. c. s.

zorrongo, ga. adj. *Col.* zorronglón. Ú. t. c. s.

zorruno, na. adj. Perteneciente o relativo a la zorra, animal.

zorrupia. f. zorrón, ramera.

zorzal. (Del ár. *zurzâl*.) m. Nombre vulgar de varias aves paseriformes del mismo género que el mirlo. El común tiene el dorso de color pardo y el pecho claro con pequeñas motas. Vive en España durante el invierno. ‖ **2.** fig. Hombre astuto y sagaz. ‖ **3.** *Chile.* Papanatas, hombre simple a quien se engaña fácilmente. ‖ **alirrojo.** Más pequeño que el común, se distingue por una banda clara sobre el ojo y por los flancos de vivo color castaño. ‖ **charlo.** De mayor tamaño que el común, con el dorso gris, el pecho profusamente moteado y la parte inferior de las alas de color blanco. Sus excrementos tienen consistencia oleaginosa. ‖ **marino. budión.** ‖ **real.** Mayor que el común, distínguese por tener la cabeza y el obispillo de color gris, el dorso castaño y el pecho amarillo rojizo listado de negro.

zorzaleño, ña. (De *zorzal*.) adj. V. aceituna zorzaleña. ‖ **2.** V. halcón zorzaleño.

zorzalero. m. Cazador de zorzales.

zoster o **zóster.** (Del lat. *zoster*, y este del gr. ζωστήρ.) f. *Pat.* Erupción a lo largo de un nervio, zona.

zotal. (De la marca comercial *zotal*.) m. Desinfectante o insecticida que se usa generalmente en establos o para el ganado.

zote. adj. Ignorante, torpe y muy tardo en aprender. Ú. t. c. s.

zozobra. f. Acción y efecto de zozobrar. ‖ **2.** *Mar.* Estado del mar o del viento que constituye una amenaza para la navegación. ‖ **3.** fig. Inquietud, aflicción y congoja del ánimo, que no deja sosegar, o por el riesgo que amenaza, o por el mal que ya se padece. ‖ **4.** fig. Cierto lance del juego de dados.

zozobrar. (Del lat. *sub*, debajo, y *supra*, encima.) intr. Peligrar la embarcación por la fuerza y contraste de los vientos. ‖ **2.** Perderse o irse a pique. Ú. t. c. prnl. ‖ **3.** fig. Fracasar u frustrarse una empresa o un plan. Ú. t. c. prnl. ‖ **4.** fig. Estar inquieto o desazonado por la inseguridad respecto de cierta cosa o la incertidumbre sobre lo que conviene hacer. ‖ **5.** tr. Hacer **zozobrar.**

zozobroso, sa. adj. Intranquilo, acongojado, lleno de zozobra.

zúa. f. **azud.**

zuavo. (Del berb. *Zawāwa,* nombre de una confederación de tribus argelinas.) m. Soldado argelino de infantería, al servicio de Francia. ‖ **2.** Soldado francés que lleva el mismo uniforme que el **zuavo** argelino.

zubia. (Del ár. *šu'biyyā,* corriente de agua en un arenal.) f. Lugar por donde corre, o donde afluye, mucha agua.

zucarino, na. adj. Que tiene azúcar, sacarino. ‖ **2.** V. **alumbre zucarino.**

zucrería. f. *Ar.* **confitería.**

zucurco. m. Planta americana de la familia de las umbelíferas, con hojas casi siempre espinosas y flores amarillas, y fruto con cuatro alas.

zuda. f. **azud.**

zueco[1]. (Del lat. *soccus.*) m. Zapato de madera de una pieza, que usan en varios países los campesinos y gente pobre. ‖ **2.** Zapato de cuero con suela de corcho o de madera. ‖ **3.** En oposición al coturno, significa el estilo llano de la comedia.

zueco[2], **ca.** adj. *Albac.* y *Cuen.* Zurdo, zocato. Ú. t. c. s.

zuela. f. **azuela.**

-zuelo, la. V. **-uelo.**

zuindá. m. *Argent.* **suindá.**

zuiza. f. **suiza.**

zuizón. m. **suizón.**

zulacar. tr. Untar o cubrir con zulaque.

zulaque. (Del ár. *sulāqa,* betún.) m. Betún en pasta hecho con estopa, cal, aceite y escorias o vidrios molidos, a propósito para tapar las juntas de los arcaduces en las cañerías de aguas y para otras obras hidráulicas.

zulaquear. tr. Cubrir con zulaque.

zuliano, na. adj. *Venez.* Natural del Estado de Zulia. Ú. t. c. s. ‖ **2.** Perteneciente o relativo a este Estado venezolano.

zulú. adj. Dícese del individuo de cierto pueblo de raza negra que habita en África austral. Ú. t. c. s. ‖ **2.** Perteneciente o relativo a este pueblo. Ú. t. y fam. **3.** Bárbaro, salvaje, bruto.

zulla[1]. (Del ár. *sullāŷ,* hierba de pasto para los camellos.) f. **pipirigallo,** planta.

zulla[2]. (Del lat. *sulla,* t. f. de *-llus;* de *sus,* puerco.) f. Excremento humano.

zullarse. (De *zulla.*) prnl. fam. Hacer uno sus necesidades. ‖ **2.** fam. **ventosear.**

zullenco, ca. (De *zulla*[2].) adj. fam. Que ventosea con frecuencia e involuntariamente o no puede contener la cámara.

zullón, na. (De *zulla*[2].) adj. fam. Que ventosea con frecuencia. ‖ **2.** m. fam. **follón,** ventosidad sin ruido.

zum. (Del ing. *zoom.*) m. *Cinem., Fotogr.* y *TV.* Teleobjetivo especial a través del cual el tomavistas fijo puede conseguir un avance o retroceso rápido en la imagen. ‖ **2.** Efecto de acercamiento o alejamiento de la imagen obtenido con este dispositivo.

zuma. f. *Ál.* Mimbrera arborescente.

zumacal. m. Tierra plantada de zumaque.

zumacar[1]. m. **zumacal.**

zumacar[2]. tr. Adobar las pieles con zumaque.

zumacaya. (De or. inc.) f. **zumaya,** ave zancuda.

zumaque. (Del ár. *summāq.*) m. Arbusto de la familia de las anacardiáceas, de unos tres metros de altura, con tallos leñosos, hojas compuestas de hojuelas ovales, dentadas y vellosas; flores en panoja, primero blanquecinas y después encarnadas, y fruto drupáceo, redondo y rojizo. Tiene mucho tanino y lo emplean los zurradores como curtiente. ‖ **2.** fam. Vino de uvas. ‖ **del Japón.** Sustancias resinosas afines a la laca, segregadas por diversas especies botánicas del género *Rhus.* ‖ **falso. ailanto.**

zumaya. (De *zumacaya.*) f. **autillo**[2], ave. ‖ **2. chotacabras.** ‖ **3. martinete**[1], ave zancuda.

zumba. (De *zumbar.*) f. Cencerro grande que lleva comúnmente la caballería delantera de una recua, o el buey que hace de cabestro. ‖ **2.** Juguete que produce un zumbido, bramadera, zurrumbera. ‖ **3.** fig. Vaya, chanza o chasco ligero, que en conversación festiva suelen darse unos a otros. ‖ **4.** *Ant., Col., C. Rica, Cuba, Chile, Ecuad., El Salv., Guat., Hond., Nicar., Pan., Perú* y *P. Rico.* Tunda, zurra.

zumbado, da. p. p. de **zumbar.** ‖ **2.** adj. fig. y fam. **loco**[2], de poco juicio. Ú. t. c. s.

zumbador, ra. adj. Que zumba.

zumbar. (De or. onomatopéyico.) intr. Producir una cosa ruido o sonido continuado y bronco, como el que se produce a veces dentro de los mismos oídos. ‖ **2.** fig. y fam. Estar una cosa tan inmediata, que falte poco para llegar a ella. Se usa hablando de las cosas inmateriales. *No tiene aún sesenta años, pero le* ZUMBAN. ‖ **3.** tr. fam. Tratándose de golpes, dar, atizar. *Le* ZUMBÓ *una bofetada.* ‖ **4.** fig. Dar vaya o chasco a uno. Ú. t. c. prnl. ‖ **5.** *Sal.* Azuzar al perro. ‖ **¡zumbando!** expr. fam. **ir zumbando.**

zumbel[1]. (De *cimbel.*) m. Cuerda que se arrolla al peón o trompo para hacerle bailar.

zumbel[2]. m. fam. Expresión exterior de semblante ceñudo.

zumbido. m. Acción y efecto de zumbar. ‖ **2.** fam. Golpe o porrazo que se da a uno.

zumbo. (De *zumbar.*) m. **zumbido.** ‖ **2.** Cencerro de gran tamaño usado en el pastoreo trashumante. ‖ **3.** *Amér. Central* y *Col.* Vasija hecha con el epicardio del fruto de la calabaza.

zumbón, na. (De *zumbar.*) adj. V. **cencerro zumbón.** Ú. t. c. s. ‖ **2.** fig. y fam. Dícese del que frecuentemente anda burlándose, o tiene el genio festivo y poco serio. Ú. t. c. s. ‖ **3.** *And.* V. **palomo zumbón.**

zumel. (De or. araucano.) m. *Argent.* Calzado que usaban los araucanos semejante a las botas de potro. Ú. m. en pl.

zumiento, ta. adj. p. us. Que rezuma.

zumillo. m. d. de **zumo.** ‖ **2. dragontea,** planta. ‖ **3. tapsia,** planta.

zumo. (Del gr. ζωμός.) m. Líquido de las hierbas, flores, frutas u otras cosas semejantes, que se saca exprimiéndolas o majándolas. ‖ **2.** fig. **jugo,** utilidad. ‖ **de cepas, o de parras.** fig. y fam. **vino** de uva.

zumoso, sa. adj. Que tiene zumo.

zuna[1]. (Del ár. *sunna,* costumbre, tradición, ley tradicional.) f. Ley tradicional de los mahometanos, sacada de los dichos y sentencias de Mahoma.

zuna[2]. f. *Ast.* y *Cantabria.* Resabio, mala intención.

zuncuya. f. *Hond.* Cierta fruta de sabor agridulce.

zunchar. tr. Colocar zunchos para reforzar alguna cosa.

zuncho. (De *cincho.*) m. Abrazadera de hierro, o de cualquier otra materia resistente, que sirve, bien para fortalecer las cosas que requieren gran resistencia, como ciertos cañones, bien para el paso y sostenimiento de algún palo, mastelero, botalón, etc. ‖ **2.** Refuerzo metálico, generalmente de acero, para juntar y atar elementos constructivos de un edificio en ruinas.

zunteco. m. *Hond.* Especie de avispa negra.

zunzún. (De la onomat. de su zumbido al volar.) m. *Cuba.* Pajarillo, especie de colibrí.

zuñido¹. m. Acción y efecto de zuñir.

zuñido². m. Zumbido, especialmente de oídos.

zuñir¹. tr. Igualar los plateros las desigualdades y asperezas de la filigrana, frotándola contra una pizarra.

zuñir². (De la onomat. *zuñ.*) intr. Zumbar, especialmente los oídos.

zuño. (Del gr. σκύνιον.) m. **ceño²** del rostro.

zupia. f. Poso del vino. ‖ **2.** Vino turbio por estar revuelto con el poso. ‖ **3.** Líquido de mal aspecto y sabor. ‖ **4.** fig. Lo más inútil y despreciable de cualquier cosa.

zurano, na. adj. **zuro²**, dícese de las palomas silvestres. ‖ **2.** V. **paloma zurana.**

zurarse. (Del lat. *foria*, diarrea.) prnl. *And.* **juriarse.**

zurba. (Del lat. *sorbum.*) f. *Ál.* **serba.**

zurcidera. f. La que zurce.

zurcido, da. p. p. de **zurcir.** ‖ **2.** m. Unión o costura de las cosas **zurcidas.**

zurcidor, ra. adj. Que zurce. Ú. t. c. s. ‖ **de voluntades.** fig. y fam. **alcahuete, ta.**

zurcidura. f. **zurcido,** acción y efecto de zurcir.

zurcir. (De *surcir.*) tr. Coser la rotura de una tela, juntando los pedazos con puntadas o pasos ordenados, de modo que la unión resulte disimulada. ‖ **2.** Suplir con puntadas muy juntas y entrecruzadas los hilos que faltan en el agujero de un tejido. ‖ **3.** fig. Unir y juntar sutilmente una cosa con otra. ‖ **4.** fig. y fam. Combinar varias mentiras para dar apariencia de verdad a lo que se relata. ‖ **que te, le,** etc., **zurzan.** fr. fig. y fam. **que te, le,** etc., **den morcilla.**

zurdal. m. *Pal.* **azor,** ave.

zurdazo. m. Golpe dado con la mano o el pie izquierdo.

zurdear. intr. *Amér.* Hacer con la mano izquierda lo que generalmente se hace con la derecha.

zurdera. f. Calidad de zurdo.

zurdería. f. p. us. **zurdera.**

zurdir. tr. *Ast.* **zurrar,** castigar. ‖ **2.** *Sal.* **zurcir.**

zurdo, da. adj. Que usa la mano izquierda del modo y para lo que las demás personas usan de la derecha. Ú. t. c. s. ‖ **2.** V. **mano zurda.** Ú. t. c. s. f. ‖ **3.** Perteneciente o relativo a esta. ‖ **a zurdas.** loc. adv. Con la mano **zurda.** ‖ **2.** fig. y fam. Al contrario de como se debía hacer. ‖ **no ser uno zurdo.** fr. fig. y fam. **no ser uno cojo ni manco.** Ú. m. en América.

zurear. (De la onomat. *zur.*) intr. Hacer arrullos la paloma.

zureo. m. Acción y efecto de zurear.

zurita. (De *zuro².*) f. *Ál.* **tórtola.**

zurito, ta. (De *zuro².*) adj. **zuro,** dícese de la paloma silvestre.

zuriza. f. p. us. **suiza,** riña.

zuro¹. m. Corazón o raspa de la mazorca del maíz después de desgranada. ‖ **2.** *Albac., And., Ar.* y *Murc.* Corcho de árbol.

zuro², ra. (De la onomat. *zur.*) adj. Dícese de las palomas y palomos silvestres. ‖ **2.** V. **paloma zura.**

zurra. f. Acción de zurrar las pieles. ‖ **2.** fig. y fam. Castigo que se da a uno, especialmente de azotes o golpes. ‖ **3.** fig. y fam. Continuación del trabajo en cualquier materia, especialmente leyendo o estudiando. ‖ **4.** fig. y fam. Contienda, disputa o pendencia pesada, en que algunos suelen quedar maltratados. ‖ **5.** *C. Real* y *Tol.* **sangría,** bebida refrescante.

zurracapote. m. *Albac., Nav.* y *Rioja.* **sangría,** bebida refrescante.

zurraco. m. Bolso que se utiliza para diversos usos.

zurrado, da. p. p. de **zurrar.** ‖ **2.** desus. fam. **guante.** ‖ **salvo el zurrado.** expr. desus. fam. **salvo el guante.**

zurrador, ra. adj. Que zurra. Ú. t. c. s.

zurrapa. (Del ár. *suráb,* barro que se saca al limpiar un estanque.) f. Brizna, pelillo o sedimento que se halla en los líquidos que poco a poco se va sentando. Ú. m. en pl. ‖ **2.** fig. y fam. Cosa o persona vil y despreciable. ‖ **3.** fig. y fam. **palomino,** mancha. ‖ **con zurrapas.** loc. adv. fig. y fam. Con poca limpieza, física o moral.

zurrapiento, ta. (De *zurrapa.*) adj. Que tiene zurrapas.

zurraposo, sa. adj. Que tiene zurrapas.

zurrar. (De chorrar.) tr. Curtir y adobar las pieles quitándoles el pelo. ‖ **2.** fig. y fam. Castigar a uno, especialmente con azotes o golpes. ‖ **3.** fig. y fam. Traer a uno a mal traer en la disputa o en la pendencia o riña. ‖ **4.** fig. y fam. Censurar a uno con dureza y especialmente en público. ‖ **zurra, que es tarde.** expr. fig. y fam. con que se zahiere la impertinente insistencia de uno en alguna cosa.

zurrarse. (De *chorrar.*) prnl. Irse de vientre uno involuntariamente. ‖ **2.** fig. y fam. Estar poseído de un gran temor o miedo.

zurreta. f. *Sal.* Diarrea del ganado.

zurria. f. *Amér. Central* y *Col.* **zurra,** azotaina. ‖ **2.** **multitud.**

zurriaga. (Del ár. *surriyáqa,* correa para azotar.) f. **zurriago.** ‖ **2.** *And.* **alondra.**

zurriagar. tr. Dar o castigar con el zurriago.

zurriagazo. m. Golpe dado con el zurriago. ‖ **2.** fig. Golpe dado con una cosa flexible como el zurriago. ‖ **3.** fig. Desgracia o mal suceso inesperado, que sobreviene en el negocio emprendido. ‖ **4.** fig. Mal trato o desdén de quien no se creyera que pudiese hacer algún daño o perjuicio.

zurriago. (De *zurriaga.*) m. Látigo con que se castiga o zurra, el cual por lo común suele ser de cuero, cordel o cosa semejante. ‖ **2.** **zumbel¹.** ‖ **3.** *Col.* **pene,** miembro viril.

zurriar. (De la onomat. *zurr.*) intr. Sonar bronca, desapacible y confusamente.

zurribanda. (De *zurra* y *banda.*) f. fam. Zurra o castigo repetido o con muchos golpes. ‖ **2.** fam. Pendencia o riña ruidosa en que hay golpes.

zurriburri. m. fam. Sujeto vil, despreciable y de muy baja esfera. ‖ **2.** fam. Conjunto de personas de la ínfima plebe o de malos procederes. ‖ **3.** Barullo, confusión.

zurrido¹. m. Sonido bronco, desapacible y confuso.

zurrido². (De *zurrar.*) m. fam. Golpe, especialmente con palo.

zurrir. (De la onomat. *zurr.*) intr. Sonar bronca, desapacible y confusamente alguna cosa.

zurrón. (Del vasc. *zorro,* saco.) m. Bolsa grande de pellejo, que regularmente usan los pastores para guardar y llevar su comida u otras cosas. ‖ **2.** Cualquier bolsa de cuero. ‖ **3.** Cáscara primera y más tierna en que están encerrados y como defendidos y guardados algunos frutos, para que lleguen a su perfecta sazón. ‖ **4.** Bolsa formada por las membranas que envuelven el feto y contienen a la vez el líquido que le rodea. ‖ **5.** **quiste,** membrana que aísla del medio, envolviéndolos, a algunos animales o vegetales de pequeño tamaño. ‖ **6.** *Zam.* Capullo en que se encierra la larva de la lagarta.

zurrona. (De *zorra¹,* ramera.) f. fam. Mujer perdida y estafadora.

zurronada. f. Lo que cabe en un zurrón.

zurrumba. f. Bramadera, juguete.

zurrumbera. f. *Ál.* **zurrumba.**

zurruscarse. prnl. fam. Irse de vientre involuntariamente, zurrarse.

zurrusco. (De la onomat. *zurr.*) m. fam. **churrusco.** ‖ **2.** *Murc.* Viento muy penetrante.

zurubí. m. *Argent.* **suruví.**

zurugía. f. ant. **cirugía.**

zurujano. m. ant. **cirujano.**

zurullo. m. fam. Pedazo rollizo de materia blanda. ‖ **2.** fam. **mojón,** excremento sólido.

zurumbático, ca. adj. Lelo, pasmado, aturdido.

zurupeto. m. fam. Corredor de bolsa no matriculado. ‖ **2.** Intruso en la profesión notarial.

zutano, na. (De *citano.*) m. y f. fam. Vocablos usados como complemento, y a veces en contraposición, de *fulano* y *mengano,* y con la misma significación cuando se alude a tercera persona. A veces se altera el orden de estos nombres indeterminados, diciendo *fulano, zutano* y *mengano,* aunque precediendo siempre el primero cuando se juntan los tres. Ni *mengano* ni **zutano** se suelen usar solos.

zutuhil. adj. **zutujil.**

zutujil. adj. Aplícase a una parcialidad indígena que vive al sur del lago Atitlán, en Guatemala. Ú. t. c. s. ‖ **2.** Perteneciente o relativo a estos indios y a su idioma. ‖ **3.** m. Lengua de la familia maya que hablan estos indios.

zuzar. (De *zuzo.*) tr. ant. Incitar, azuzar.

zuzo. Voz que se usa para espantar al perro.

zuzón. (De *suzón.*) m. **hierba cana.**

OBSERVACIONES SOBRE LA FORMACIÓN

DE LOS DIMINUTIVOS EN ico, illo, ito; DE LOS AUMENTATIVOS EN ón Y azo, Y DE LOS SUPERLATIVOS EN ísimo

I. Los sustantivos y adjetivos y algunos gerundios, participios y adverbios forman sus diminutivos mediante la adición de un sufijo. Si el vocablo termina en vocal, la pierde; pero si en consonante, la conserva. Por ello, de *casa* decimos *cas-ita;* de *coche, coch-ecito;* de *zurrón, zurron-cito;* de *pequeño, pequeñ-ito;* de *dócil, docil-ito;* de *callando, calland-ito;* de *muerta, muert-ecita.* Los diminutivos de *lejos* conservan la *s* final: *lejitos, lejillos.*

II. Los sufijos diminutivos **ececito, ececillo, ececico** se añaden a monosílabos acabados en vocal, como de *pie, piececito.*

III. Admiten también **ecito, ecillo, ecico:**

1.ª Los monosílabos acabados en consonante, inclusa la *y:* *red-ecilla, troj-ecica, sol-ecito, pan-ecillo, son-ecico, flor-ecita, dios-ecillo, rey-ecito, pez-ecito, voz-ecita.* Exceptúanse *ruin-cillo* y los nombres propios de personas, como *Juan-ito, Luis-ico.*

2.ª Los bisílabos cuya primera sílaba es diptongo de *ei, ie, ue: rein-ecita, hierb-ecilla* o *yerb-ecilla, huev-ecico.*

3.ª Los bisílabos cuya segunda sílaba es diptongo de *ia, io, ua: besti-ecita, geni-ecillo, legü-ecita.* Exceptúandose *rub-ita, agü-ita, pascu-ita.*

4.ª Todos los vocablos de dos sílabas terminados en *e: bail-ecito, cofr-ecillo, nav-ecilla, parch-ecito, pobr-ecito, trot-ecico.*

5.ª *Prado, llano* y *mano* hacen *prad-ecito* y *prad-illo, llan-ecillo* y *llan-ito, man-ecilla* y *man-ita* (o *man-ito,* según uso admitido en extensas zonas de América).

IV. Terminados en **cito, cillo, cico.** Toman este otro incremento:

1.ª Las voces agudas de dos o más sílabas, terminadas en *n* o *r: gaban-cillo, corazon-cito, mujercita, amor-cillo, resplandor-cico.* Exceptúanse *vasarillo, alfiler-ito* y algunos nombres propios de personas, como *Agustin-ito, Joaquin-illo, Gaspar-ico.* Úsanse indistintamente *altar-cillo* y *altar-illo, pilarcillo* y *pilar-illo, jardin-cillo* y *jardin-illo, jazmin-cillo* y *jazmin-illo, sarten-cilla* y *sarten-illa.*

2.ª Las dicciones graves acabadas en *n: Carmencita, dictamen-cillo, imagen-cica.*

V. Terminados en **ito, illo, ico.** Admiten este menor incremento las palabras que, sin las condiciones específicas hasta aquí, pueden tomar forma diminutiva: *vain-ica, jaulilla, estatu-ita, vinagr-illo, candil-illo, pajar-ito, camar-illa, titul-illo.*

VI. Las indicaciones precedentes no han de entenderse como reglas exclusivas. El uso culto de unos u otros países del mundo hispánico admite *hierb-ita, huev-ito, flor-cita, cafe-cito, mam-ita, mama-ita* y *mama-cita, ind-ito* e *indi-ecito,* etc.

VII. Los sufijos **ecico, cico, ico,** no regionales en los siglos XVI y XVII, son propios hoy de Aragón, Murcia, Andalucía oriental, y, en ciertas condiciones, de ciertos países americanos, como Costa Rica y Colombia.

AUMENTATIVOS

No todas las palabras reciben los sufijos aumentativos en **ón** y **azo.** Aquellas que los admiten, si acaban en vocal, la pierden; pero si terminan en consonante, la conservan: de *hombre, hombr-ón;* de *papel, papel-ón;* de *gigante, gigantazo;* de *bribón, bribon-azo.*

SUPERLATIVOS

Se forman añadiendo a los positivos la terminación **ísimo,** cuando acaban en consonante, o si acaban en vocal, ocupando su lugar: como de *formal, formal-ísimo;* de *prudente, prudent-ísimo.*